ucture des articles français-allemand

gewöhnlich
tionale pour l'emploi…

Toutes les **entrées** sont présentées dans l'ordre alphabétique et imprimées en couleur.

se *f,* Anschrift *f;* **changer de messagerie** E-Mail-

Les exposants en chiffre arabe indiquent qu'il s'agit de mots identiques avec des sens différents (**homographes**).

) Geschick *nt,* Geschick-

blades *Pl;* **faire du** ~ In-

Le **tilde** remplace l'entrée dans les exemples et tournures idiomatiques.

Les formes irrégulières au pluriel des substantifs et des adjectifs sont indiquées entre chevrons.

Un **numéro** suivant l'infinitif du **verbe** ou la marque **irr** renvoie aux tableaux de conjugaison qui se trouvent en annexe.

voir **II.** *adj* (*qui se remar-*
llseher(in) *m(f)* **2.** (*opp:*

Les chiffres romains subdivisent une entrée en différentes **catégories grammaticales.**

Les chiffres arabes subdivisent une entrée en ses différents **sens.**

voir un ~ **d'enfer** *fam*

Le signe ▶ introduit le **bloc des expressions figées.** Les <u>mots soulignés</u> permettent une meilleure orientation.

De nombreuses **balises sémantiques** permettent de trouver la bonne traduction:

urfen **2.** INFORM surfen; ~

• indication du **domaine**

, terre Fruchtbarkeit *f*
n Einfallsreichtum *m*

• **définitions** et **synonymes, sujets** et **objets** typiques et autres **explications**

ger *m,* Anstößer *m* (CH)

• indication des **régionalismes**

Arbeitstier *nt*

• indication du **niveau de langue**

HARRAP'S
COMPACT

DICTIONNAIRE

Français-Allemand/Allemand-Français

1ère édition 2003

HARRAP

Harrap's Compact Dictionnaire
Français - Allemand/Allemand - Français

Conception et direction rédactionnelle
Ernst Klett Sprachen GmbH, Redaktion Wörterbücher

Collaborateurs: Majka Dischler, Rachel Gachod-Schinko, Monika Kopyczinski,
Anne-Laure Le Merre, Cornelia Lutter, Katja Meister, Britta Metzing, Anne Rommeru,
Anja Tauchmann, Gregor Vetter

Entwickelt auf der Basis des Wörterbuchs für Schule und Studium
Französisch Teil 1 und 2

Marques déposées
Les mots qui selon nous sont considérés comme des marques déposées sont balisés
comme tels. Il est à noter, néanmoins, que ni la présence ni l'absence d'un tel balisage
n'a d'incidence sur le statut juridique des marques déposées.

1ère édition 2003
en coopération avec Harrap Publishing Group Ltd, Edinburgh
© Ernst Klett Sprachen GmbH, Stuttgart 2002
Tous droits réservés

Direction rédactionnelle:
Sylvie Cloeren
Gestion informatique:
Andreas Lang, conTEXT AG für Informatik und Kommunikation, Zürich
Imprimé en France par Partenaires, Malesherbes
ISBN 0.24.550562.1
dépôt légal pour cette édition: février 2003

Inhaltsverzeichnis

Table des matières

Übersicht über die Boxen mit Formulierungshilfen im deutsch-französischen Wörterbuchteil
Aperçu des encadrés pour aider à formuler dans la partie allemand-français

Übersicht über die Boxen mit Formulierungshilfen im französisch-deutschen Wörterbuchteil
Aperçu des encadrés pour aider à formuler dans la partie français-allemand

Benutzerhinweise

1. Die Stichwörter

Alle **Stichwörter** sind alphabetisch geordnet und farbig hervorgehoben.

Notes explicatives

1. Les entrées

Toutes les **entrées** sont présentées dans l'ordre alphabétique et imprimées en couleur.

> **anormalement** [anɔʀmalmɑ̃] *adv* ungewöhnlich
> **A.N.P.E.** [αɛnpeø] *f abr de* **Agence nationale pour l'emploi**
>
> **m. E.** *Abk von* **meines Erachtens** à mon avis
> **Mech̲anik** [meˈçaːnɪk] <-> *f* mécanique *f*

Substantive mit Ausnahme der Wörter, die nur im Plural gebraucht werden, werden im Singular aufgeführt, Verben in der Infinitivform.

Les substantifs sont mentionnés au singulier, à l'exception des mots qui ne sont employés qu'au pluriel, les verbes sont présentés à l'infinitif.

> **citation** [sitasjɔ̃] *f* ...
> **abats** [aba] *mpl* Innereien *Pl*
> **chanter** [ʃɑ̃te] <1> ...
>
> **R̲eise** [ˈraɪzə] <-, -n> *f*
> **B̲auchschmerzen** *Pl* mal *m* au ventre
> **tanzen** [ˈtantsən] *vt, vi* danser; ~ **gehen** aller danser

Unterscheiden sich zwei Stichwörter nur durch Klein- und Großschreibung, so steht das kleingeschriebene Wort vor dem großgeschriebenen.

Si deux mots se distinguent l'un de l'autre par l'écriture minuscule ou majuscule, le mot commençant par une minuscule apparaît avant celui commençant par une majuscule.

> **académie** [akademi] *f* **1.** *(société savante)* Akademie *f* **2.** *(école)* ~ **de danse** Tanzschule *f* **3.** SCOL, UNIV *(circonscription)* ≈ Schulaufsichtsbezirk *m* **4.** *(service administratif d'une académie)* ≈ Oberschulamt *nt*
> **Académie** [akademi] *f* Akademie *f;* **l'~ française** die Académie française
>
> **gr̲ün** [gryːn] *adj* **1.** *Farbe, Hemd* vert(e) **2.** *(ökologisch, alternativ)* *Politiker, Wähler* vert(e); *Politik* écologiste ▸**jdn** ~ **und bl̲au schlagen** *fam* rouer qn de coups
> **Gr̲ün** <-s, – *o fam* -s> *nt* **1.** vert *m;* **die Ampel steht auf** ~ le feu est vert **2.** *(~fläche)* espace *m* vert; *eines Golfplatzes* green *m* **3.** *(~pflanzen)* verdure *f* ▸**das ist dasselbe in** ~ *fam* c'est kif-kif *(fam)*

Die deutschen Umlaute **ä, ö, ü** werden wie die entsprechenden nicht umgelauteten Vokale behandelt, **ß** wie ss. Bei ansonsten gleicher Schreibung folgt das Wort mit Umlaut dem ohne Umlaut, das Wort mit ß dem mit ss.

Les voyelles avec un **accent** ou un **tréma** sont traitées comme les voyelles normales, la lettre **ß** est traitée comme ss. La voyelle simple apparaît sinon avant la voyelle avec un accent ou un tréma, le ß se situe après le double s.

---

ne [nə] <n'> *adv* **1.** *(avec autre mot négatif)* il ~ **mange pas le midi** er isst nicht zu Mittag; **elle n'a guère d'argent** sie hat kaum Geld …
né, e [ne] *adj souvent écrit avec un trait d'union (de naissance)* geboren; **Madame X, ~e Y** Frau X, geborene Y

Bar [baːɐ̯] <-, -s> *f* **1.** *(Nachtlokal)* boîte *f* de nuit **2.** *(Theke)* bar *m*
Bär [bɛːɐ̯] <-en, -en> *m* ours *m*

flossRR, **floß** *Imp von* **fließen**
Floß [floːs, *Pl:* 'fløːsə] <-es, Flöße> *nt* radeau *m*

Bindestriche, Kommas und Wortzwischenräume werden bei der alphabetischen Einordnung ignoriert. In eckigen Klammern stehende, fakultative Buchstaben werden dagegen berücksichtigt.

Les traits d'union, virgules et espaces ne sont pas pris en compte dans le classement alphabétique. Les lettres facultatives entre crochets sont par contre prises en compte dans le classement alphabétique.

---

quelque [kɛlk] **I.** *adj indéf, antéposé* **1.** *pl (plusieurs)* einige, ein paar; **à ~s pas d'ici** ein paar Schritte von hier entfernt **2.** *pl (petit nombre)* **les ~s fois où** … die wenigen Male, die …
quelque chose [kɛlkəʃoz] *pron* etwas, was *(fam);* ~ **de beau** etwas Schönes; **c'est déjà ~!** das ist doch immerhin etwas …
quelquefois [kɛlkəfwa] *adv* manchmal

Lastkraftwagen *s.* **Lastwagen**
Last-Minute-Reise [laːst'mɪnɪt'raɪ̯zə] *f* voyage *m* en last minute
Lastschrift *f* avis *m* de débit …

sabotieren* [zaboˈtiːrən] **I.** *vt* saboter *Produktion* **II.** *vi* faire du sabotage
Sa[c]charin [zaxaˈriːn] <-s> *nt* saccharine *f*
Sachbearbeiter(in) *m(f)* personne *f* chargée du dossier

Für alle Substantive, die ein natürliches Geschlecht haben und Personen bezeichnen, wird die **feminine neben der maskulinen Form** angegeben.

Pour tous les substantifs qui ont un genre naturel et qui désignent des personnes, la **forme féminine** est donnée **après la forme masculine.**

---

abaissant, e [abɛsɑ̃, ɑ̃t] *adj* erniedrigend; *rôle, tâche, travail* entwürdigend
accompagnateur, -trice [akɔ̃paɲatœʀ, -tʀis] *m, f* **1.** *(guide)* Begleiter(in) *m(f)* …
fier, fière [fjɛʀ] **I.** *adj* ~ **de qn/qc** stolz auf jdn/etw **II.** *m, f* ▶**faire** le/la ~(**fière**) **avec qn** *(crâner)* sich jdm gegenüber aufspielen; *(être méprisant)* überheblich jdm gegenüber tun

Abgeordnete(r) *f(m) dekl wie adj* député(e) *m(f)*
Abiturient(in) [abituʀiˈɛnt] <-en, -en> *m(f)* bachelier(-ière) *m(f)*
Arzt [aːɐ̯tst, *Pl:* ˈɛːɐ̯tstə] <-es, ⁼e> *m,* **Ärztin** *f* …

Französische Wörter mit Bindestrich und deutsche zusammengesetzte Stichwörter, deren erster Wortteil gleich ist und die alphabetisch aufeinander folgen, werden in **Nestern** zusammengefasst.

Les mots à trait d'union en français et les mots composés allemands commençant par un même élément et qui se suivent alphabétiquement, sont regroupés au sein d'un même **bloc.**

---

porte-à-porte [pɔʀtapɔʀt] *m inv* Hausieren *nt;* **faire du** ~ *quêteur:* von Haus zu Haus gehen; *démarcheur:* Haustürgeschäfte machen; *marchand ambulant:* hausieren
porte-bagages [pɔʀtbagaʒ] *m inv* **1.** *(sur un deux-roues)* Gepäckträger *m* **2.** *(dans un train)* Gepäckablage *f* **porte-bonheur** [pɔʀtbɔnœʀ] *m inv* Glücksbringer *m* **porte-clés** [pɔʀtəkle] *m inv* *(anneau)* Schlüsselring *m;* *(anneau avec breloque)* Schlüsselanhänger *m;* *(étui)* Schlüsseletui *nt* **porte-documents** [pɔʀtdɔkymɑ̃] *m inv* Aktentasche *f*

Kabelanschluss^{RR} *m* accès *m* au réseau câblé; **[einen]** ~ **haben** *Person:* avoir le câble **Kabelfernsehen** *nt* télévision *f* par câbles

Hochgestellte arabische Ziffern machen gleich geschriebene Wörter mit unterschiedlicher Bedeutung (Homographen) kenntlich.

Les **exposants en chiffre arabe** indiquent qu'il s'agit de mots identiques avec des sens différents (homographes).

> **adresse¹** [adRɛs] *f* **1.** *(domicile)* Adresse *f,* Anschrift *f* ...
> **adresse²** [adRɛs] *f sans pl* **1.** *(habileté)* Geschick *nt,* Geschicklichkeit *f* ...
>
> **grauen¹** ['gra̯uən] *vi geh Morgen, Tag:* poindre *(soutenu)*
> **grauen²** *vi unpers* **mir graut vor** jdm/etw qn/qc m'épouvante

2. Besondere Zeichen in und an den Stichwörtern

2. Des signes particuliers dans les entrées

2.1. Betonungszeichen

2.1. Signes d'accentuation

Der tiefgestellte Strich kennzeichnet einen Diphtong (Zwielaut: ai, ei, eu, au, äu) oder einen langen Vokal (Selbstlaut), der tiefgestellte Punkt einen kurzen Vokal.

Le trait signale une diphtongue (voyelle double accentuée: ai, ei, eu, au, äu) ou une voyelle longue (voyelle simple), le point signale une voyelle brève.

> **Ta̯ucher(in)** <-s, -> *m(f)* plongeur(-euse) *m(f)*
> **Fassa̱de** [fa'sa:də] <-, -n> *f a. fig* façade *f*
> **Faktor** ['fakto:ɐ̯] <-s, -to̱ren> *m* facteur *m*

2.2. Grammatische Zeichen

2.2. Signes grammaticaux

Der feine Strich kennzeichnet die abtrennbare Vorsilbe bei unfest zusammengesetzten deutschen Verben.

Le trait fin indique la particule séparable pour les verbes allemands.

> **durch|halten** *irr* **I.** *vt* **1.** *(ertragen)* supporter **2.** *(weiterhin durchführen)* poursuivre *Streik* **3.** *(beibehalten)* tenir *Tempo;* aller jusqu'au bout de *Strecke* **4.** *(aushalten)* résister à *Beanspruchung* **II.** *vi (standhalten, funktionieren)* tenir bon

Das hochgestellte Sternchen zeigt an, dass das Partizip Perfekt des deutschen Verbs ohne *ge-* gebildet wird.

L'astérisque signale qu'un verbe allemand ne forme pas son participe passé avec *ge-*.

> **verkraften*** *vt* **etw ~** *Person:* faire face à qc; *Stromnetz:* supporter qc

3. Aufbau der Einträge

3.1. Römische Ziffern

Römische Ziffern untergliedern ein Stichwort in verschiedene Wortarten und Verben in transitiven, intransitiven und reflexiven Gebrauch.

3.2. Arabische Ziffern

Arabische Ziffern kennzeichnen die unterschiedlichen Bedeutungen eines Stichworts innerhalb einer Wortart.

3. Composition des articles

3.1. Les chiffres romains

Les chiffres romains subdivisent une entrée en différentes catégories grammaticales et les verbes en leur emploi transitif, intransitif et pronominal (ou réfléchi).

3.2. Les chiffres arabes

Les chiffres arabes subdivisent une entrée en ses différents sens au sein d'une même catégorie grammaticale.

voûter [vute] <1> I. *vt* 1. ARCHIT mit einem Gewölbe versehen; être vouté gewölbt sein 2. *(courber)* krümmen; l'âge avait voûté son dos sein/ihr Rücken war vom Alter [ganz] gekrümmt II. *vpr* se ~ sich krümmen

kurzsichtig I. *adj* 1. MED myope 2. *fig* *Mensch* myope; *Haltung, Politik* à courte vue II. *adv handeln* à la petite semaine

3.3. Wendungsblock

Das Zeichen ► leitet den Block der festen Wendungen ein, der nach den einzelnen Bedeutungen des Stichworts kommt. Es handelt sich hier in der Regel um bildhafte Redewendungen, die sich nur schwer oder gar nicht auf die Grundbedeutung(en) des Stichworts zurückführen lassen. Die Unterstreichung hebt zur besseren Orientierung im Wendungsblock **Ordnungswörter** hervor, deren Wortart das wichtigste Kriterium für die Sortierung der Wendungen ist. Dabei gilt folgendes System:

Stichwort + Substantiv
Stichwort + Adjektiv/Adverb
Stichwort + Verb
Stichwort + Präposition
Rest

3.3. Bloc phraséologique

Le signe ► introduit le bloc des expressions figées. Ce bloc vient après les différentes significations de l'entrée. Il s'agit en règle générale de locutions et de tournures idiomatiques dont le sens n'a que peu ou aucun rapport avec le sens premier (ou les sens premiers) de l'entrée. Les **mots soulignés** permettent une meilleure orientation dans le bloc. Ils sont classés par catégorie grammaticale comme suit:

entrée + substantif
entrée + adjectif/adverbe
entrée + verbe
entrée + préposition
reste

abondance [abɔ̃dɑ̃s] *f (profusion)* Fülle *f* ►en ~ in Hülle und Fülle

Kn<u>ie</u> [kni:] <-s, -> *nt* 1. genou *m;* ihm zittern die ~ il [en] a les jambes qui flageolent 2. *(Krümmung)* eines Wasserlaufs, *Rohrs* coude *m* ►in die ~ gehen *(die ~gelenke beugen)* plier les genoux; *(aufgeben)* jeter l'éponge; der Boxer geht in die ~ le boxeur ploie les genoux; jdn übers ~ l<u>e</u>gen *fam* ficher une fessée à qn

4. Grammatische Informationen

4.1. Geschlecht oder Zahl bei Substantiven

Bei Substantiven wird grundsätzlich das Geschlecht (Genus) oder die Zahl (Numerus) angegeben; nur bei Wiederholung des gleichen Substantivs innerhalb einer arabisch nummerierten Bedeutungsposition wird darauf verzichtet.

4. Indications grammaticales

4.1. Genre et nombre des substantifs

Le genre ou le nombre est systématiquement indiqué, sauf si le terme revient plusieurs fois au sein d'une même catégorie numérotée par un chiffre arabe.

---

prof *fam,* **professeur** [pʀɔfesœʀ] *mf*
1. SCOL Lehrer(in) *m(f);* ~ **de lycée** Gymnasiallehrer(in) *m(f);* ~ **des écoles** Grundschullehrer(in) *m(f);* ~ **d'allemand/de piano** Deutsch-/Klavierlehrer(in) **2.** UNIV *(avec chaire)* Professor(in) *m(f); (sans chaire)* Dozent(in) *m(f)*

Unterricht ['ʊntɐɪçt] <-[e]s> *m*
1. *(~stunde)* cours *m; (Schultag)* cours *mpl; (in der Grundschule)* classe *f;* **in den** ~ **müssen** devoir aller en cours; **jdm** ~ **in etw** *(dat)* **geben** donner des cours de qc à qn; **bei jdm** ~ **haben** avoir cours avec qn **2.** *(Fahrschulunterricht)* **theoretischer** ~ **code** *m;* **praktischer** ~ conduite *f*

Bei Substantiven werden **unregelmäßige Pluralformen** in Spitzklammern angegeben.

La **terminaison irrégulière au pluriel** des substantifs est indiquée entre chevrons.

---

cheval [ʃ(ə)val, o] <-aux> I. *m*
œil [œj, jø] <yeux> *m*

Epos ['eːpɔs] <-, Epen> *nt* épopée *f*

Der Zusatz **inv** bei französischen Substantiven bedeutet, dass die Singularform unverändert auch im Plural verwendet wird.

La mention **inv** après les substantifs français signifie que la forme du singulier est aussi utilisée au pluriel.

---

copyright [kɔpiʀajt] *m inv* Copyright *nt,* Urheberrecht *nt*

Die Angabe **sans pl** bzw. **kein Pl** bedeutet, dass das Wort nicht im Plural gebraucht wird.

La mention **sans pl** ou **kein Pl** indique que le mot n'est pas employé au pluriel.

---

criminalité [kʀiminalite] *f sans pl* Kriminalität *f*

Orientierungssinn *m kein Pl* sens *m* de l'orientation

4.2. Verben

Bei den französischen Verben verweist eine Zahl in Spitzklammern auf ein **Musterverb** im Anhang, das das entsprechende Konjugationsmuster zeigt. Die Hauptformen unregelmäßiger Verben, werden im Französischen mit **irr** markiert und sind, ebenfalls im Anhang aufgeführt. Bei den deutschen unregelmäßigen Verben werden **die 3. Person Präsens, Imperfekt** und das **Partizip Perfekt** bei den Hauptformen in Spitzklammern aufgeführt. Die zusammengesetzten unregelmäßigen Verben sind mit **irr** markiert.

4.2. Verbes

Le numéro entre chevrons qui suit l'infinitif du verbe renvoie à un tableau de conjugaison à utiliser comme **modèle** qui se trouve en annexe. Les tableaux de conjugaison des verbes irréguliers, marqués **irr**, se trouvent également en annexe. Pour les verbes irréguliers allemands, **la 3ème personne du présent, l'imparfait** et **le participe passé** sont marquées entre chevrons. Les verbes composés irréguliers sont suivis de la mention **irr**.

> **boiser** [bwɑze] <1> …
> **boire** [bwaʀ] <*irr*> …
>
> **fallen** ['falən] <f̣ällt, fi̱el, gefạllen> *vi* + *sein* …
> **reinǀfallen** ['ṛajnfalən] *vi irr* + *sein fam* …

Bildet das französische Verb die zusammengesetzten Zeiten nicht mit *avoir*, und das deutsche Verb nicht ausschließlich mit *haben*, so wird das **Hilfsverb** angegeben.

L'**auxiliaire** est indiqué si les temps composés du verbe français ne sont pas formés avec *avoir* et si ceux du verbe allemand ne sont pas formés avec *haben*.

> **descendre** [desãdʀ] <14> **I.** *vi* + *être* …
>
> **fallen** ['falən] <f̣ällt, fi̱el, gefạllen> *vi* + *sein* …

4.3. Adjektive

Unregelmäßige Steigerungsformen werden in Spitzklammern angegeben.

4.3. Adjectifs

Les formes irrégulières de degrés de comparaison sont indiquées entre chevrons.

> **bon, ne** [bɔ̃, bɔn] <meilleur>
>
> **gut** [guːt] **I.** <bẹsser, bẹste> *adj* …

Unveränderliche Adjektive werden mit **inv** markiert.

Les adjectifs invariables sont suivis de la mention **inv**.

> **canari** [kanaʀi] **I.** *adj inv* **jaune** ~ gelbgrün
> **II.** *m* Kanarienvogel *m*
>
> **orange** [oˈʀãːʒə] *adj inv* orange *inv*

5. Wie finde ich die richtige Übersetzung?

Übersetzungen, die – nur durch Kommas getrennt – nebeneinander stehen, sind gleichbedeutend und somit austauschbar. Nicht austauschbare Übersetzungen werden mit entsprechenden Wegweisern versehen, die bei der Auswahl der jeweils korrekten Übersetzung helfen. Die folgenden **Wegweiser** können einzeln oder kombiniert vorkommen:

5.1. Sachgebietsangaben

Sachgebietsangaben in Kapitälchen (z.B.: INFORM, MED, PHYS) geben einen Hinweis darauf, auf welchen Wissensbereich sich eine bestimmte Übersetzung bezieht.

> **capitaine** [kapitɛn] *m* **1.** MIL Hauptmann *m;* **"mon ~"** „Herr Hauptmann"; **~ des pompiers** Brandmeister *m* **2.** NAUT, AVIAT, SPORT Kapitän *m*
>
> **Kolumne** [ko'lʊmnə] <-, -n> *f* **1.** PRESSE chronique *f* **2.** TYP colonne *f*

5.2. Bedeutungshinweise

Kursive Bedeutungshinweise **in runden Klammern** sind bei Stichwörtern erforderlich, die mehrere Bedeutungen mit jeweils unterschiedlichen Übersetzungen haben. Sie geben an für welche Bedeutung die jeweilige Übersetzung gilt.

> **machin** [maʃɛ̃] *m fam* **1.** *(truc)* Dings *nt (fam)* **2.** *(untel)* **c'est Machin!** das ist der Dings! *(fam)*
>
> **zwar** [tsvaːɐ̯] *adv* **1.** *(einschränkend)* certes **2.** *(präzisierend)* **und ~** à savoir

5.3. Kontextpartner

Mitunter ist die Übersetzung eines Stichworts vom jeweiligen Kontext abhängig. Das Stichwort steht nämlich oft in einer engen, typischen Verbindung mit anderen Wörtern, die man als Kontextpartner oder Kollokatoren bezeichnet, die kursiv dargestellt sind.

5. Comment trouver la bonne traduction?

Les traductions séparées par des virgules sont interchangeables. Les traductions non interchangeables sont précédées d'éléments d'indication d'emploi afin que l'utilisateur trouve la traduction appropriée pour un contexte donné. Ces **balises sémantiques** peuvent apparaître seules ou en combinaison avec d'autres:

5.1. Indications de domaines

Les indications de domaines en petites majuscules (ex.: INFORM, MED, PHYS) signalent à quel domaine appartient une traduction.

5.2. Significations

Les indications sémantiques sont indispensables dans les articles des entrées qui ont plusieurs sens, chaque sens nécessitant une traduction différente. Ces indications figurent **en italiques** et **entre parenthèses** pour signaler à quelle signification de l'entrée correspond la traduction.

5.3. Partenaires dans le texte

La traduction d'une entrée dépend du contexte dans lequel elle se trouve. L'entrée est souvent en relation étroite avec d'autres mots appelés partenaires ou collocateurs. Ces mots sont indiqués en italique.

5.3.1. Typische Subjekte des Verbs oder der verbalen Ausdrücke

Die typischen Subjekte des Verbs oder des verbalen Ausdrucks stehen *vor* der Übersetzung und enden mit einem Doppelpunkt.

5.3.1. Sujets typiques du verbe ou d'une locution verbale

Les sujets typiques du verbe sont placés *avant* la traduction et se terminent par deux points.

> **manger** [mɑ̃ʒe] <2a> I. *vt* **1.** *(se nourrir de)* essen; *animal:* fressen **2.** *(ronger)* mites, rouille, lèpre: zerfressen ...
>
> **gabeln** ['ɡaːbəln] *vr* sich ~ *Straße:* bifurquer

5.3.2. Typische direkte Objekte des Verbs

Die typischen direkten Objekte des Stichworts stehen *nach* der Übersetzung.

5.3.2. Compléments d'objet direct typiques du verbe

Les compléments d'objet direct typiques sont placés *après* la traduction.

> **piéger** [pjeʒe] <2a, 5> *vt* **1.** *(attraper)* mit der Falle fangen *animal* ...
>
> **flicken** ['flɪkən] *vt* rapiécer *Kleidung;* réparer *Fahrradschlauch, Schuhe*

5.3.3. Typische Substantive beim Adjektiv

Die typischen Substantive, die sich mit einem Adjektiv verbinden können, stehen *vor* der Übersetzung.

5.3.3. Substantifs typiques de l'adjectif

Les substantifs typiques fréquemment associés à un adjectif sont placés *avant* la traduction.

> **ambiant, e** [ɑ̃bjɑ̃, jɑ̃t] *adj idées, atmosphère* herrschend; *enthousiasme* allgemein
>
> **ehrlich I.** *adj* **1.** *(aufrichtig)* sincère; *Absicht, Angebot* honnête **2.** *(verlässlich) Mitarbeiter, Finder* honnête **II.** *adv* **1.** *teilen, verdienen, spielen* honnêtement **2.** *(aufrichtig, offen)* ~ **gesagt,** ... franchement ...; **um ~ zu sein,** ... pour parler franchement, ... **3.** *fam (wirklich)* **ich kann nichts dafür,** ~**!** je n'y peux rien, vraiment!

5.3.4. Typische Adjektive und Verben beim Adverb

5.3.4. Adjectifs et verbes typiques de l'adverbe

> **très** [tʀɛ] *adv* sehr; *nécessaire* dringend; ...
> **amèrement** [amɛʀmɑ̃] *adv* bitter; *critiquer* scharf
>
> **riesig I.** *adj* ... **II.** *adv* sich *freuen* énormément; *sich irren* complètement

5.3.5. Typische Genitivanschlüsse bei Substantiven

5.3.5. Compléments du nom typiques des substantifs

trésorier, -ière [tʀezɔʀje, -jɛʀ] *m, f* Kassenführer(in) *m(f); d'une association, d'un club* Kassenwart *m; d'un parti, syndicat* Schatzmeister(in) *m(f)*

Gr<u>ö</u>ße ['grøːsə] <-, -n> *f* **1.** *einer Fläche* superficie *f; eines Raums* taille *f; einer Zahl* importance *f* **2.** *(Körpergröße, Höhe, Länge)* taille *f;* **in voller** ~ dans toute sa grandeur **3.** *(Kleidergröße)* taille *f; (Schuhgröße)* pointure *f* **4.** *kein Pl (Erheblichkeit) eines Erfolgs* importance *f* **5.** MATH, PHYS *(Wert)* grandeur *f;* **unbekannte** ~ inconnue *f* **6.** *kein Pl (Bedeutsamkeit) einer Person* grandeur *f* **7.** *(bedeutender Mensch)* personnalité *f*

6. Beschreibende Angaben zu Quell- und Zielsprache

6. Éléments descriptifs de la langue source et de la langue cible

6.1. Stilangaben

Weicht ein Stichwort von der neutralen Standardsprache ab, so wird dies in Quell- und Zielsprache grundsätzlich markiert.

Weicht ein französisches Wort oder ein französischer Ausdruck von der neutralen Standardsprache ab, so wird die Stilebene für das Wort oder den Ausdruck und seine Übersetzung angegeben. Stilangaben zu Beginn eines Eintrages oder direkt nach einer römischen Ziffer beziehen sich auf alle Bedeutungen und Wendungen innerhalb dieses Eintrages oder auf die, die sich nach dieser römischen Ziffer befinden.

6.1. Niveaux de langue

Si l'entrée n'appartient pas à la langue standard, le niveau de langue est alors indiqué pour l'expression ou le mot français et pour sa traduction allemande.

Si un mot ou une expression française n'appartient pas à la langue standard, le niveau de langue est alors indiqué pour l'expression ou le mot français et pour sa traduction allemande. Les niveaux de langue indiqués en tête d'article ou directement après un chiffre romain s'appliquent à l'ensemble des significations et des expressions contenus dans l'article ou se trouvant après le chiffre romain en question.

geh	bezeichnet einen **gehobenen Sprachgebrauch,** sowohl in der gesprochenen wie in der geschriebenen Sprache, wie er gepflegt wird, wenn Menschen sich gewählt ausdrücken.		*soutenu*	désigne un **langage soutenu,** tel qu'il est utilisé, tant dans la langue écrite que dans la langue parlée, par les personnes s'exprimant en termes choisis.
form	bezeichnet einen **förmlichen Sprachgebrauch,** wie er im amtlichen Schriftverkehr, auf Formularen oder in formellen Ansprachen verwendet wird.		*form*	désigne un **langage administratif,** utilisé seulement dans la correspondance administrative, sur des formulaires ou lors d'allocutions officielles.
fam	bezeichnet **umgangssprachlichen Sprachgebrauch,** wie er zwischen Familienmitgliedern und Freunden in zwangloser Unterhaltung und in privaten Briefen verwendet wird. In formelleren Situationen und förmlichem Schriftverkehr wäre dieser Stil unangebracht.		*fam*	désigne un **langage familier,** utilisé seulement entre membres d'une même famille et entre amis au cours d'une conversation détendue et dans une correspondance privée. Dans les situations plus strictes et dans la correspondance formelle, ce style serait déplacé.
vulg	bezeichnet Wörter, die allgemein als **vulgär** gelten und daher tabu sind. Ihr Gebrauch erregt meist Anstoß.		*vulg*	désigne des **termes** considérés généralement comme **vulgaires** et donc tabous. Leur emploi choque généralement.

6.2. Rhetorische Angaben

Viele Wörter und Wendungen können in einer bestimmten Sprechabsicht verwendet werden. Dies wird bei der Quellsprache vermerkt. Wenn die Übersetzung dieselbe rhetorische Absicht widerspiegelt, wird dies ebenfalls kenntlich gemacht.

6.2. Indications rhétoriques

Il est souvent possible d'attribuer à un mot ou une expression une connotation rhétorique qui les éloigne de leur sens premier. Si ce type de connotation existe, elle sera signalée dans la langue source par une marque correspondante. Au cas où le terme allemand reflète la même intention rhétorique, celle-ci sera également signalée.

euph	bezeichnet einen **verhüllenden Sprachgebrauch;** statt des eigentlichen Worts wird stellvertretend dieser beschönigende Ausdruck gebraucht.		*euph*	désigne un **emploi euphémique** destiné à remplacer un terme plus cru.
fig	bezeichnet einen **übertragenen Sprachgebrauch.** Das Wort oder die Wendung dient (in einem übertragenen Sinn) als Bild für das, was man ausdrücken will.		*fig*	désigne un **emploi figuré.** Ce mot ou cette expression permettent de s'exprimer de façon imagée.

hum	bezeichnet einen **scherzhaften Sprachgebrauch.**	*hum*	désigne un **emploi humoristique.**
iron	bezeichnet einen **ironischen Sprachgebrauch.** Der Sprecher meint eigentlich das Gegenteil dessen, was er sagt.	*iron*	désigne un **emploi ironique.** Le locuteur pense et veut laisser entendre le contraire de ce qu'il dit.
pej	bezeichnet einen **abwertenden Sprachgebrauch.** Der Sprecher drückt damit seine abschätzige Haltung aus.	*péj*	désigne un **emploi péjoratif.** Le locuteur exprime ainsi son mépris.

6.3. Sonstige Angaben

Weitere Angaben werden zu beiden Sprachen gemacht, wenn der Gebrauch eines Wortes auf eine bestimmte Region oder Altersgruppe beschränkt ist oder wenn das Wort ein Fachausdruck ist.

A	nur in **Österreich** gebrauchter Ausdruck.
CH	deutscher bzw. französischer Ausdruck, der in der **Schweiz** gebraucht wird.
NDEUTSCH	im **Norden Deutschlands** gebrauchter Ausdruck.
SDEUTSCH	im **Süden Deutschlands** gebrauchter Ausdruck.
	nur in **Belgien** üblicher französischer Ausdruck.
	nur in **Kanada** üblicher französischer Ausdruck.
	im **Süden Frankreichs** gebrauchter Ausdruck.
	im **Norden Frankreichs** gebrauchter Ausdruck.
Kinderspr.	bezeichnet einen Ausdruck, der nur im Gespräch mit **kleinen Kindern** benutzt wird.

6.3. Autres indications

Le dictionnaire précise également pour les deux langues si l'emploi d'un mot est restreint à une certaine région ou à un certain groupe d'âge ou si le mot est un terme de spécialiste.

	terme utilisé uniquement en **Autriche.**
CH	expression allemande ou française utilisée en **Suisse.**
	expression employée dans le **nord de l'Allemagne.**
	expression employée dans le **sud de l'Allemagne.**
BELG	terme français utilisé uniquement en **Belgique.**
CAN	terme français uniquement utilisé au **Canada.**
MIDI	expression employée dans le **sud de la France.**
NORD	expression employée dans le **nord de la France.**
enfantin	désigne une expression issue du langage des **jeunes enfants** que des adultes peuvent également employer en s'adressant à eux.

7. Berücksichtigung der deutschen Rechtschreibreform

7. Prise en considération de la réforme de l'orthographe allemande

Dieses Wörterbuch berücksichtigt die im Juli 1996 in Wien beschlossene Neuregelung der deutschen Rechtschreibung.

Ce dictionnaire prend en compte la nouvelle réglementation de la réforme de l'orthographe allemande, adoptée à Vienne en juillet 1996.

In den nächsten Jahren werden die alten und die neuen Schreibungen nebeneinander existieren, denn die Buch- und Zeitungsverlage werden sich unterschiedlich schnell umstellen. Aus diesem Grund führt das Wörterbuch die von der Rechtschreibreform betroffenen Wörter sowohl in der alten als auch in der neuen Schreibung auf. Die Benutzer haben somit die Möglichkeit, die ihnen jeweils vorliegende Form eines Worts nachzuschlagen.

En raison de la réforme orthographique, l'ancienne et la nouvelle orthographe allemande vont coexister dans les prochaines années. Les maisons d'édition vont devoir s'adapter plus ou moins rapidement à cette nouvelle réglementation. Pour cette raison, le dictionnaire présente aussi bien les nouvelles que les anciennes orthographes des mots concernés par la réforme. L'utilisateur a ainsi la possibilité de se reporter à la forme appropriée.

Um zu vermeiden, dass sich das Wörterbuch durch diese notwendigen doppelten Nennungen zu sehr aufbläht, wurde ein umfassendes Verweissystem eingearbeitet, das die Benutzer von der alten zur neuen Schreibung führt (sofern alt und neu alphabetisch nicht unmittelbar aufeinanderfolgen). Bei der neuen Schreibung finden sie dann die gesuchte Übersetzung.

Afin d'éviter toute surcharge dans la présentation des deux orthographes, un système de renvoi a été mis au point. Il conduit l'utilisateur de l'ancienne à la nouvelle orthographe d'un mot (dans la mesure où les deux orthographes ne se suivent pas directement dans l'alphabet). La traduction recherchée se trouve alors sous l'entrée nouvellement orthographiée.

Die alte Schreibung wird durch eine graue Rasterung kenntlich gemacht, die neue durch das hochgestellte Zeichen **RR** für Rechtschreibreform.

L'ancienne orthographe est marquée d'une trame grise, la nouvelle par le signe **RR** (Rechtschreibreform = réforme de l'orthographe).

Stengel *s.* **Stängel**
Stängel^{RR} ['ʃtɛŋəl] <-s, -> *m* tige *f*

Alte Schreibungen werden nur bei einfachen, nicht bei zusammengesetzten Wörtern (Komposita) gekennzeichnet.

Seuls les mots simples de l'ancienne orthographe seront marqués. Les mots composés n'ont aucune marque de reconnaissance.

Das „alte" Komposita *abgrundhäßlich* und wird nicht mehr als Stichworter aufgeführt, sondern nur die neue Schreibung *abgrundhässlich*.

L'"ancien" mot composé *abgrundhäßlich* n'apparaîtra plus. Seules sa nouvelle orthographe *abgrundhässlich* figurera dorénavant.

abgrundhässlich^{RR} *adj* laid(e) comme un
pou

Wenn die Benutzer Schwierigkeiten haben, ein zusammengesetztes Wort in seiner neuen Schreibung aufzufinden, können sie auf das Grundwort in seiner alten Schreibung (also *häßlich*) zurückgehen; dort finden sie die vollständige Information hinsichtlich der neuen und der alten Schreibung.

Si les utilisateurs ont des difficultés à trouver un mot composé dans sa nouvelle orthographe, ils peuvent se reporter au mot de base (par ex *häßlich*) dans son ancienne orthographe, et ainsi trouver toutes les indications concernant la nouvelle et l'ancienne orthographe.

hässlich^{RR}, **häßlich** ['hɛslɪç] I. *adj*
1. laid(e) …

Eine der wichtigsten Veränderungen, die die Rechtschreibreform im Hinblick auf ein Wörterbuch bringt, betrifft die Zusammen- und Getrenntschreibung. In zahlreichen Fällen wird aus einem bisher zusammengeschriebenen Wort – also aus einem Stichwort, das einen Wörterbucheintrag einleitet – ein kleines Syntagma, d. h. eine Fügung aus mehreren Wörtern, die **in** dem Eintrag steht. Das Auffinden solch einer Fügung wird dadurch erleichtert, dass bei dem Stichwort alter Schreibung ein präziser Verweis die genaue Position der Fügung angibt.

L'une des modifications les plus importantes que la réforme apporte à ce dictionnaire concerne la décomposition des mots jusqu'alors composés. Dans de nombreux cas, une entrée devient une courte expression qui apparaît sous l'entrée d'un des éléments qui le composaient. Afin de faciliter la recherche, l'utilisateur trouvera sous l'ancienne entrée une indication exacte de renvoi à la locution nouvellement orthographiée.

allgemeinbildend *s.* allgemein II.1.

allgemein ['algə'majn] **I.** *adj*
1. *(nicht speziell)* général(e); **im Allgemeinen** en général **2.** *(für alle gültig)* *Wahlrecht* universel(le); *Wehrpflicht* obligatoire **3.** *(allen gemeinsam)* général(e) **II.** *adv* **1.** *(nicht speziell)* *formulieren* de façon générale; ~ **bildend** *Schule* d'enseignement général **2.** *(überall)* *gültig* généralement; *verbreitet* communément; ~ **gültige Aussage** déclaration *f* universelle; **es ist ~ bekannt, dass ...** tout le monde sait que ... **3.** *(für alle)* ~ **zugänglich** *Informationen* accessible au public; ~ **verständlich** accessible à tous; *darstellen, sich ausdrücken* de manière intelligible

Umgekehrt werden durch die Rechtschreibreform bisherige Syntagmen, also getrennt geschriebene Fügungen, in neue Stichwörter umgewandelt. Hier findet eine Verschmelzung statt. Die „alte" Fügung wird nicht durch Rasterung gekennzeichnet, weil diese Markierung, wie bereits gesagt, nur auf der Ebene der Stichwörter verwendet wird.

Inversement, du fait de la réforme de l'orthographe, les anciennes locutions – c'est-à-dire les expressions composées de mots séparés – deviennent des entrées. Il s'agit donc ici d'une fusion. L'"ancienne" expression ne sera pas marquée d'une trame grise, car comme nous l'avons vu plus haut, cette signalisation n'apparaît que dans les entrées mêmes.

gesundschreiben[RR] *vt* **jdn** ~ faire un certificat médical de reprise du travail à qn

Verwendete Lautschriftzeichen

Die deutsche Phonetik

[ː]	Längezeichen
[']	Betonungszeichen
[ʔ]	Knacklaut
[ø]	Amöbe
[a]	Mechanik
[ɑ]	Hardware
[ɛ]	Tabelle
[ā]	Branche
[æ]	Jazz
[b]	Getriebe
[ç]	Teich
[dʒ]	Teenager
[e]	Gremium
[ə]	Tempel
[ɛ̃]	Bulletin
[f]	Hafen
[g]	Hagebutte
[h]	Hagel
[i]	Hindi
[ɪ]	Brille
[i̯]	Emission
[j]	Injektion
[ʒ]	Etage
[k]	Insekt
[l]	Luft
[m]	Macht
[n]	Abnahme
[ŋ]	Gedanke
[o]	Abo
[ɔ]	Rolle
[o̯]	Foyer
[õ]	Bronze
[œ]	Töpfer
[ɔy]	Freude
[p]	Abstinenz
[pf]	Gipfel
[r]	Reise
[ɐ]	Hafer
[ɐ̯]	Herd

Signes utilisés pour la transcription phonétique

La phonétique française

[ː]	longueur vocalique
[ø]	Europe
[a]	bac
[ɑ]	classe
[ɛ]	caisse
[ɑ̃]	chanson
[b]	beau
[d]	du
[e]	état
[ə]	menace
[ɛ̃]	afin
[f]	feu
[g]	gant
[']	héros (h aspiré)
[i]	diplôme
[j]	yacht
[ʒ]	jour
[k]	cœur
[l]	loup
[m]	marché
[n]	nature
[ɲ]	digne
[ŋ]	camping
[o]	auto
[ɔ]	obtenir
[œ]	cœur
[ɔ̃]	bonbon
[œ̃]	aucun
[p]	page
[ʀ]	règle
[s]	sel
[ʃ]	chef
[t]	timbre
[u]	coup
[v]	vapeur
[w]	Kuwait
[y]	nature
[ɥ]	huile
[z]	zèbre

[s]	Respekt	
[ʃ]	Flasche	
[θ]	**Th**riller	
[ts]	**Z**iel	
[tʃ]	Ki**tsch**	
[ʊ]	R**u**nde	
[ʌ]	P**u**blicity	
[x]	Spra**ch**e	
[ɣ]	St**ü**ck	

Zeichen und Abkürzungen

Symboles et abréviations

▨	alte Schreibung	ancienne orthographe	▨
▶	phraseologischer Block	bloque phraséologique	▶
|	zusammengesetztes, trennbares Verb	verbe composé séparable	
=	Kontraktion	contraction	=
*	Partizip ohne *ge-*	pas de *ge-* au participe passé	
≈	entspricht etwa	correspond	≈
–	Sprecherwechsel	changement d'interlocuteur	–
®	Warenzeichen	marque déposée	®
RR	reformierte Schreibung	nouvelle orthographe	
a.	auch	aussi	*a.*
A	österreichisch	autrichien	
Abk	Abkürzung	abréviation	*abr*
adj	Adjektiv	adjectif	*adj*
ADMIN	Verwaltung	administration	ADMIN
adv	Adverb	adverbe	*adv*
AGR	Landwirtschaft	agriculture	AGR
akk	Akkusativ	accusatif	
ANAT	Anatomie	anatomie	ANAT
app	Apposition	apposition	*app*
ARCHÄOL	Archäologie	archéologie	ARCHEOL
ARCHIT	Architektur	architecture	ARCHIT
art	Artikel	article	*art*
	Kunst	beaux-arts	ART
ASTROL	Astrologie	astrologie	ASTROL
ASTRON	Astronomie	astronomie	ASTRON
attr	attributiv	épithète	*attr*
AUT	Auto	automobile	AUT
aux	Hilfsverb	auxiliaire	*aux*
AVIAT	Luftfahrt	aviation	AVIAT
	belgisch	belge	BELG
bes.	besonders	surtout	
BIO	Biologie	biologie	BIO
BOT	Botanik	botanique	BOT
	kanadisch	canadien	CAN
CH	schweizerisch	suisse	CH
	Jagd	chasse	CHASSE
	Eisenbahn	chemin de fer	CHEMDFER
CHEM	Chemie	chimie	CHEM
CINE	Film, Kino	cinéma	CINE
COM	Handel	commerce	COM
	Komparativ	comparatif	*comp*
	Ergänzung, Objekt	complément	*compl*
	Konditional	conditionnel	*cond*
conj	Konjunktion	conjonction	*conj*
COUT	Mode	couture	COUT

dat	Dativ	datif	
def	bestimmt	défini	*déf*
	unvollständiges Verb	verbe défectif	*défec*
dekl	dekliniert	décliné	
dem	demonstrativ	démonstratif	*dém*
	Begleiter des Substantivs	déterminant	*dét*
DIAL	dialektal	dialect	
Dim	Verkleinerungsform	diminutif	*dim*
EISENBAHN	Eisenbahn	chemin de fer	
	Ökologie	écologie	ECOL
	Wirtschaft	économie	ECON
ELEC	Elektrizität	électricité	ELEC
	Kindersprache	langage enfantin	*enfantin*
	Raumfahrt	espace	ESPACE
etw	etwas	quelque chose	
euph	verhüllend	euphémisme	*euph*
f	Femininum	féminin	*f*
fam	umgangssprachlich	familier	*fam*
fig	figurativ, übertragen	figuré	*fig*
FIN	Finanzen, Börse	finances, bourse	FIN
form	förmlicher Sprachgebrauch	langage formel	*form*
	Futur	futur	*fut*
GASTR	Gastronomie	gastronomie	GASTR
geh	gehobener Sprachgebrauch	soutenu	
gen	Genitiv	génitif	
	meist	généralement	*gén*
GEOG	Geographie	géographie	GEOG
GEOL	Geologie	géologie	GEOL
GEOM	Geometrie	géométrie	GEOM
GRAM	Grammatik	grammaire	GRAM
HIST	Geschichte	histoire	HIST
HORT	Gartenbau	horticulture	HORT
hum	scherzhaft	humoristique	*hum*
Imp	Imperfekt	imparfait	*imparf*
	unpersönlich	impersonnel	*impers*
IND	Industrie	industrie	IND
indef	unbestimmt	indéfini	*indéf*
indic	Indikativ	indicatif	*indic*
Infin	Infinitiv	infinitif	*infin*
INFORM	Informatik	informatique	INFORM
interj	Interjektion	interjection	*interj*
interrog	fragend	interrogatif	*interrog*
inv	unveränderlich	invariable	*inv*
iron	ironisch	ironique	*iron*
JAGD	Jagd	chasse	
irr	unregelmäßig	irrégulier	*irr*
jd	jemand	qn (nominatif)	

jdm	jemandem	qn (datif)	
jdn	jemanden	qn (accusatif)	
jds	jemandes	qn (génitif)	
	Spiele	jeux	JEUX
JUR	Jura, Recht	juridique	JUR
Kinderspr.	Kindersprache	langage enfantin	
Komp	Komparativ	comparatif	
KUNST	Kunst	beaux-arts	
LING	Linguistik	linguistique	LING
LITER	Literatur	littérature	LITTER
	Wendung	locution	*loc*
m	Maskulinum	masculin	*m*
MATH	Mathematik	mathématiques	MATH
MED	Medizin, Pharmazie	médecine, pharmacie	MED
MEDIA	(audiovisuelle) Medien	médias, audiovisuel	MEDIA
METAL	Hüttenwesen	métallurgie	METAL
METEO	Meteorologie	météorologie	METEO
	südfranzösisch	du Midi	MIDI
MIL	Militär	militaire	MIL
MIN	Bergbau	industrie minière	MIN
MINER	Mineralogie	minéralogie	MINER
MUS	Musik	musique	MUS
NAUT	Seefahrt	navigation	NAUT
NDEUTSCH	norddeutsch	allemand du Nord	
	Verneinung	négation	*nég*
nom	Nominativ	nominatif	
	nordfranzösisch	du Nord	NORD
NS	nationalsozialistisch	national-socialiste	
nt	Neutrum	neutre	
num	Zahlwort	numéral	*num*
o	oder	ou	*o*
ÖKOL	Ökologie	écologie	
ÖKON	Wirtschaft	économie	
opp	Gegenteil	opposé, antonyme	*opp*
OPT	Optik	optique	OPT
ORN	Vogelkunde	ornithologie	ORN
PARL	parlamentarisch	parlementaire	
	Angeln	pêche	PECHE
pej	abwertend	péjoratif	*péj*
pers	persönlich	personnel	*pers*
Pers	Person	personne	
PHILOS	Philosophie	philosophie	PHILOS
PHOT	Fotografie	photographie	PHOT
PHYS	Physik	physique	PHYS
Pl	Plural	pluriel	*pl*
POL	Politik	politique	POL
poss	possessiv	possessif	*poss*

POST	Post	poste	POST
PP	Partizip Perfekt	participe passé	*part passé*
	Partizip Präsens	participe présent	*part prés*
präd	prädikativ	attribut	
präp	Präposition	préposition	*prép*
Präs	Präsens	présent	*prés*
PRESSE	Presse	presse	PRESSE
pron	Pronomen	pronom	*pron*
prov	sprichwörtlich	proverbe	*prov*
PSYCH	Psychologie	psychologie	PSYCH
	etwas	quelque chose	qc
	jemand	quelqu'un	qn
RADIO	Rundfunk	radio	RADIO
RAUM	Raumfahrt	espace	
refl	reflexiv	réfléchi	
reg	regelmäßig	régulier	
rel	relativ	relatif	*rel*
REL	Religion	religion	REL
s.	siehe	voir	
S.	Sache	chose	
SCI	Naturwissenschaften	sciences naturelles	SCI
SCHULE	Schulwesen	école	SCOL
SDEUTSCH	süddeutsch	allemand du Sud	
Sing	Singular	singulier	*sing*
SOZIOL	Soziologie	sociologie	SOCIOL
	gehoben	soutenu	*soutenu*
SPIEL	Spiele	jeux	
SPORT	Sport	sport	SPORT
	Konjunktiv	subjonctif	*subj*
	Substantiv	substantif	*subst*
Superl	Superlativ	superlatif	*superl*
TECH	Technik	technique	TECH
TELEC	Nachrichtentechnik	télécommunications	TELEC
TEXTIL	Textilien	textile	TEXTIL
THEAT	Theater	théâtre	THEAT
TOUR	Tourismus	tourisme	TOUR
TRANSP	Transport und Verkehr	moyens de transport	TRANSP
TV	Fernsehen	télévision	TV
TYP	Buchdruck	typographie	TYP
UNIV	Universität	université	UNIV
unpers	unpersönlich	impersonnel	
	siehe	voir	*v.*
vi	intransitives Verb	verbe intransitif	*vi*
vr	reflexives Verb	verbe pronominal	*vpr*
vt	transitives Verb	verbe transitif	*vt*
vulg	vulgär	vulgaire	*vulg*
ZOOL	Zoologie	zoologie	ZOOL

A

A, a [α] *m inv* A *nt*, a *nt*
a [a] *indic prés de* avoir
a [a] *m* INFORM **a commercial** at *nt*
à [a] <à + le = au, à la, à + les = aux> *prép* **1.** (*introduit un complément de temps*) **à 8 heures** um acht [Uhr]; **à Noël** an Weihnachten; **à l'arrivée** bei der Ankunft; **à quelle heure?** um wie viel Uhr?; **le cinq juin au matin** am fünften Juni morgens **2.** (*indique une époque*) in (+ *dat*); **au printemps** im Frühling; **aux premiers beaux jours** an den ersten schönen Tagen **3.** (*indique une date ultérieure*) in (+ *dat*); **on se verra aux prochaines vacances** wir sehen uns in den nächsten Ferien; **à mon retour** bei meiner Rückkehr **4.** (*pour prendre date*) bis; **à demain!** bis morgen! **5.** (*jusque: temps*) bis; (*mesure*) bis zu (+ *dat*), bis an (+ *akk*); **de 2 à 8 heures** von 2 bis 8 Uhr **6.** (*introduit un complément de lieu: pour indiquer une direction*) in (+ *akk*); **aller à l'école** in die Schule gehen; **aller à la poste** auf die Post gehen; **aller à Paris** nach Paris fahren; **aller à la mer/montagne** ans Meer/ins Gebirge fahren; **aller au Japon/aux États-Unis** nach Japan/in die Vereinigten Staaten fliegen; **s'asseoir à son bureau** sich an seinen Schreibtisch setzen **7.** (*indique le lieu où l'on est*) in (+ *dat*); **être à la piscine** im Schwimmbad sein; **être à la poste** auf der Post sein; **habiter à Paris** in Paris leben; **habiter aux États-Unis** in den Vereinigten Staaten leben; **habiter au troisième étage** im dritten Stock wohnen; **être assis à son bureau** an seinem Schreibtisch sitzen; **au coin de la rue** an der Straßenecke; **à la page 36** auf Seite 36; **à cinq minutes/trois kilomètres d'ici** fünf Minuten/drei Kilometer von hier [entfernt]; **à la télévision** im Fernsehen; **avoir mal à la tête** Kopfschmerzen haben; **à l'épaule** an der Schulter; **les larmes aux yeux** mit Tränen in den Augen **8.** (*indique le nombre de personnes*) **à 2/3/12** zu zweit/dritt/zwölft; **on peut tenir à 50 dans cette salle** dieser Saal fasst bis zu 50 Personen **9.** (*par*) **à l'heure** in der Stunde; **à la journée** am Tag; **7 litres aux 100** 7 Liter auf 100; **acheter au poids/à la douzaine** nach Gewicht/im Dutzend [ein]kaufen; **vendre au mètre** meterweise verkau-

fen **10.** (*cause*) bei; **à cette nouvelle, ...** bei dieser Nachricht ... **11.** (*conséquence*) zu; **à ma plus grande surprise** zu meiner größten Überraschung **12.** (*d'après*) **à la demande de qn** auf jds Wunsch (*akk*) **13.** (*indique une appartenance*) **c'est à moi/lui** das gehört mir/ihm; **un ami à eux** ein Freund von ihnen; **avoir une maison à soi** ein eigenes Haus haben **14.** (*indique le moyen*) **coudre/écrire qc à la machine** etw auf der Maschine nähen/schreiben; **cuisiner au beurre** mit Butter kochen; **à la loupe/au microscope** durch die Lupe/unter dem Mikroskop; **boire à la bouteille** aus der Flasche trinken **15.** (*introduit un superlatif*) **elle est au plus mal** es geht ihr sehr schlecht; **venir au plus tôt** möglichst bald kommen **16.** (*au point de*) **s'ennuyer à mourir** sich zu Tode langweilen; **c'est à devenir fou/mourir de rire** das ist zum Verrücktwerden/Totlachen **17.** (*complément indirect*) **donner qc à qn** jdm etw geben; **jouer aux cartes** Karten spielen; **jouer au tennis** Tennis spielen; **penser à qn/qc** an jdn/etw denken; **parler/téléphoner à qn** mit jdm sprechen/jdn anrufen; **participer à qc** an etw (*dat*) teilnehmen **18.** (*locution verbale*) **elle prend plaisir à faire qc** es macht ihr Spaß etw zu tun; **il se met à pleuvoir** es fängt an zu regnen; **c'est facile à faire** das ist leicht [zu machen]; **rien à faire!** nichts zu machen!; **maison à vendre** Haus zu verkaufen

à + [aplys] *prép fam* bis dann!
abaissant, e [abɛsɑ̃, ɑ̃t] *adj* erniedrigend; *rôle, tâche, travail* entwürdigend
abaissement [abɛsmɑ̃] *m* **1.** *d'une vitre, persienne, d'un volet* Herunterlassen *nt*; *d'un niveau, siège* Niedrigerstellen *nt* **2.** *de l'âge de la retraite* Herabsetzen *nt*
abaisser [abese] <1> **I.** *vt* **1.** (*faire descendre*) herunterlassen *rideau;* niedriger stellen *niveau;* herunterdrücken *manette* **2.** (*faire diminuer*) senken *température, prix;* herabsetzen *âge de la retraite* **3.** (*avilir*) erniedrigen **II.** *vpr* **~ 1.** (*descendre*) *vitre:* sich senken **2.** (*s'humilier*) sich erniedrigen
abandon [abɑ̃dɔ̃] *m* **1.** *d'une maison, d'un village* Verlassen *nt; d'un lieu* Aufgabe *f* **2.** *d'une personne* Verlassen *nt; d'un nou-*

veau-né, animal Aussetzen *nt; d'un véhicule*
Stehenlassen *nt;* ~ **de famille** Vernachlässigung *f* der Unterhaltspflicht; **laisser qc à
l'**~ etw verkommen lassen **3.** *de déchets,
d'un objet* Zurücklassen *nt* **4.** *des études,
d'une piste* Aufgabe *f; des recherches* Einstellung *f; d'une méthode* Verzicht *m* auf
5. *du pouvoir* Verzicht *m* auf; *de ses biens*
Abtretung *f* **6.** SPORT Aufgabe *f*
abandonné, e [abãdɔne] *adj maison* verlassen; *enfant* ausgesetzt; *chat* herrenlos
abandonner [abãdɔne] <1> **I.** *vt* **1.** (*déserter*) verlassen *maison, poste;* aufgeben
lieu stratégique **2.** (*quitter*) verlassen, im
Stich lassen *femme, famille;* aussetzen *nouveau-né, animal;* stehen lassen *véhicule;* leer
stehen lassen *maison;* **se sentir abandonné** sich allein gelassen fühlen **3.** (*laisser
derrière soi*) zurücklassen *déchets* **4.** (*renoncer à*) aufgeben *combat, études, hypothèse;* abkommen von *méthode;* verzichten
auf (+ *akk*) *pouvoir, fonction;* nicht mehr
[weiter] verfolgen *piste;* abtreten *biens, fortune* **5.** (*laisser*) ~ **qn à son sort** jdn seinem Schicksal überlassen **II.** *vi* aufgeben
III. *vpr* **1.** (*se détendre*) **s'**~ sich gehen lassen; (*couché*) entspannt daliegen **2.** (*se
laisser aller à*) **s'**~ **aux larmes** seinen Tränen freien Lauf lassen; **s'**~ **au désespoir**
sich der Verzweiflung hingeben
abasourdir [abazuʀdiʀ] <8> *vt* **1.** (*stupéfier*) sprachlos machen; **être abasourdi**
verblüfft sein **2.** (*consterner*) bestürzen
3. (*assourdir*) benommen machen
abat-jour [abaʒuʀ] *m inv* Lampenschirm
m
abats [aba] *mpl* Innereien *Pl*
abattage [abataʒ] *m d'un mur, d'une maison* Abreißen *nt; d'une cloison* Einreißen *nt*
abattant [abatã] *m* Klappe *f*
abattement [abatmã] *m* **1.** (*lassitude*)
Mattigkeit *f* **2.** (*découragement*) Niedergeschlagenheit *f*
abattis [abati] *mpl* GASTR Klein *nt; d'une
poule* Hühnerklein *nt*
abattoir [abatwaʀ] *m* Schlachthof *m*
abattre [abatʀ] <*irr*> **I.** *vt* **1.** (*faire tomber*) abreißen *mur, maison;* einreißen *cloison;* fällen *arbre;* abholzen *forêt;* abschießen
avion; umwerfen *quille* **2.** *a. fig* ~ **son jeu**
seine Karten auf den Tisch legen **3.** (*tuer*)
schlachten *animal de boucherie;* töten *animal blessé;* erlegen *gibier* **4.** (*assassiner*) ermorden *qn* **5.** (*affaiblir*) ~ **qn** *fièvre, maladie:*
jdn schwächen; *temps:* jdn matt machen
6. (*décourager*) ~ **qn** *souci:* jdn erdrücken;
tâche, travail: jdn verzagen lassen **7.** (*travailler vite et beaucoup*) ~ **de la besogne**
seine Arbeit flott erledigen **8.** (*rabattre*) ~

qc *vent, tornade:* etw niederfegen **II.** *vpr*
s'~ **1.** (*tomber*) umstürzen; **s'**~ **sur le sol**
zu Boden fallen **2.** (*tomber brutalement*)
pluie: niederprasseln; *vagues:* sich brechen;
rafales de vent: fegen **3.** (*fondre sur*) *aigle,
personne:* sich stürzen auf (+ *akk*); *criquets,
fourmis:* herfallen über (+ *akk*); *injures:* niederprasseln auf (+ *akk*); *malheur:* hereinbrechen über (+ *akk*)
abattu, e [abaty] **I.** *part passé de* **abattre**
II. *adj* **1.** (*physiquement*) geschwächt
2. (*moralement*) niedergeschlagen
abbaye [abei] *f* Abtei *f*
abbé [abe] *m* **1.** (*prêtre*) Priester *m* **2.** (*supérieur d'une abbaye*) Abt *m*
abbesse [abɛs] *f* Äbtissin *f*
abcès [apsɛ] *m* Abszess *m*
abdication [abdikasjɔ̃] *f* Abdankung *f*
abdiquer [abdike] <1> *vi* **1.** (*démissionner*) *roi, souverain:* abdanken **2.** (*renoncer*)
aufgeben
abdomen [abdɔmɛn] *m* **1.** ANAT Bauch *m*
2. ZOOL Hinterleib *m*
abdominal, e [abdɔminal, o] <-aux> *adj*
Bauch-
abdominaux [abdɔmino] *mpl* Bauch-
muskeln *Pl*
abécédaire [abesedɛʀ] *m* Fibel *f*
abeille [abɛj] *f* Biene *f*
aberrant, e [abeʀã, ãt] *adj* widersinnig;
idée abwegig; *prix* irrsinnig
aberration [abeʀasjɔ̃] *f* Widersinnigkeit *f*
abêtir [abetiʀ] <8> *vt* verdummen
abîmer [abime] <1> **I.** *vt* (*détériorer*) beschädigen **II.** *vpr* **1.** (*se détériorer*) **s'**~ sich
abnutzen; *fruits, légumes:* verderben **2.** (*détériorer*) **s'**~ **les yeux** sich (*dat*) die Augen verderben; **s'**~ **la santé** seine Gesundheit ruinieren
abject, e [abʒɛkt] *adj* niederträchtig, gemein
abjurer [abʒyʀe] <1> *vi* abschwören
ablation [ablasjɔ̃] *f d'une tumeur* operati-
ve Entfernung
ablette [ablɛt] *f* Ukelei *m*
ablution [ablysjɔ̃] *f* REL [rituelle] Wa-
schung
abnégation [abnegasjɔ̃] *f* Selbstverleugnung *f*
aboiement [abwamã] *m* Bellen *nt*
abois [abwa] *mpl* ▶**être aux** ~ in Bedrängnis sein
abolir [abɔliʀ] <8> *vt* abschaffen *esclavage, loi;* aufheben *frontières*
abolition [abɔlisjɔ̃] *f* Abschaffung *f; des
frontières* Aufhebung *f*
abominable [abɔminabl] *adj* **1.** (*horrible*) abscheulich **2.** (*très mauvais, insupportable*) scheußlich

abominablement [abɔminabləmã] *adv* + *vb* miserabel, schauderhaft

abomination [abɔminasjɔ̃] *f* **1.** (*dégoût*) Abscheu *m* o *f* **2.** (*fait horrible*) abscheuliche Tat; (*acte particulièrement répugnant*) Gräueltat *f*

abondamment [abɔ̃damã] *adv* reichlich

abondance [abɔ̃dãs] *f* (*profusion*) Fülle *f* ►**en** ~ in Hülle und Fülle

abondant, e [abɔ̃dã, ãt] *adj nourriture* reichhaltig; *erreurs* zahlreich; **des pluies** ~**es** ergiebige Regenfälle *Pl*

abonder [abɔ̃de] <1> *vi* **1.** (*exister en grande quantité*) reichlich vorhanden sein **2.** (*être de même avis*) ~ **dans le sens de qn** mit jdm [völlig] übereinstimmen

abonné, e [abɔne] **I.** *adj* (*qui a un abonnement*) **être** ~ **à un journal** eine Zeitung abonniert haben, auf eine Zeitung abonniert werden (CH); **être** ~ **à un club** Mitglied eines Klubs sein **II.** *m, f* d'un théâtre, *journal* Abonnent(in) *m(f)*; *d'un club* Mitglied *nt*; ~ **au téléphone** Fernsprechteilnehmer(in) *m(f)*

abonnement [abɔnmã] *m* Abonnement *nt*; (*au téléphone*) Anschluss *m*; (*à un club*) Mitgliedschaft *f*; ~ **hebdomadaire/mensuel** Wochen-/Monatskarte *f*; **prendre un** ~ **à un journal/au théâtre** eine Zeitung im Abonnement/ein Theaterabonnement bestellen

abonner [abɔne] <1> **I.** *vpr* **s'**~ **à un journal/au théâtre** eine Zeitung/einen Theaterplatz abonnieren; **s'**~ **à un club** einem Klub beitreten **II.** *vt* ~ **qn à un journal** jdn für ein Zeitungsabonnement werben; ~ **qn à un club** jdn als neues Mitglied werben

abord [abɔʀ] *m* **1.** (*alentours*) **les** ~**s d'une ville** die unmittelbare Umgebung einer Stadt **2.** (*attitude*) **être d'un** ~ **facile/difficile** umgänglich/schwer zugänglich sein; **être d'un** ~ **agréable/froid** warmherzig/kühl wirken ►**au premier** ~ (*dès la première rencontre*) gleich zu Beginn [schon]; (*à première vue*) auf den ersten Blick; [**tout**] **d'**~ (*temporel*) zu[aller]erst; (*avant tout*) in [aller]erster Linie; **d'**~ *fam* **d'** ~ **tu n'avais qu'à le lui dire, toi!** also, du hättest es ihm/ihr einfach nur sagen müssen!; **et d'**~, **qui est-ce qui t'a dit ça?** und überhaupt, wer hat dir das gesagt?

abordable [abɔʀdabl] *adj* (*bon marché*) erschwinglich

abordage [abɔʀdaʒ] *m* (*assaut*) Entern *nt*

aborder [abɔʀde] <1> **I.** *vt* **1.** (*accoster, évoquer*) ansprechen **2.** (*appréhender*) herangehen an (+ *akk*) *vie, auteur, texte;* anpa-

cken *épreuve* **3.** (*amorcer*) ~ **un carrefour** sich einer Kreuzung nähern **4.** (*donner l'assaut*) *pirates:* entern; *navire:* festmachen an (+ *dat*); (*heurter*) kollidieren mit **II.** *vi* anlegen **III.** *vpr* **s'**~ **1.** (*se rencontrer*) *personnes:* aufeinander zugehen **2.** (*heurter*) kollidieren

aborigène [abɔʀiʒɛn] *adj peuple* eingeboren

aboutir [abutiʀ] <8> *vi* **1.** (*réussir*) Erfolg haben; *projet:* erfolgreich abgeschlossen werden; **ne pas** ~ erfolglos [geblieben] sein **2.** (*conduire à*) ~ **à/dans qc** *rue:* zu etw führen **3.** (*se terminer par*) *démarche:* führen zu

aboutissement [abutismã] *m* Ergebnis *nt*

aboyer [abwaje] <6> *vi chien:* bellen

abracadabrant, e [abʀakadabʀã, ãt] *adj* ungewöhnlich

abrasif [abʀazif] *m* Schleifmittel *nt*

abrégé [abʀeʒe] *m* **1.** (*texte réduit*) gekürzte Fassung; **mot en** ~ abgekürztes Wort **2.** (*ouvrage*) Abriss *m*

abréger [abʀeʒe] <2a, 5> *vt* verkürzen *souffrances;* abkürzen *rencontre, mot;* kürzen *texte*

abreuver [abʀœve] <1> **I.** *vt* **1.** (*donner à boire*) tränken *animal* **2.** (*couvrir de*) ~ **qn de compliments** jdn mit Komplimenten überhäufen **II.** *vpr* **1.** (*boire*) **s'**~ *animal:* trinken **2.** (*se nourrir*) **s'**~ **de romans** in Romanen schwelgen

abreuvoir [abʀœvwaʀ] *m* **1.** (*lieu*) Tränke *f* **2.** (*auge*) Wassertrog *m* **3.** (*dans l'étable, le poulailler*) Tränkrinne *f* **4.** (*dans une cage*) [kleiner] Trinknapf *m*

abréviation [abʀevjasjɔ̃] *f* **1.** (*mot abrégé*) Abkürzung *f* **2.** (*action d'abréger*) Abkürzen *nt*

abri [abʀi] *m* **1.** (*protection naturelle*) Schutz *m*; **être à l'**~ **de qc** vor etw (*dat*) sicher sein; **être à l'**~ **des gelées/intempéries** vor Frost/schlechtem Wetter geschützt sein; **être à l'**~ **des balles** an einem kugelsicheren Ort sein; **se mettre à l'**~ **du vent** sich gegen den Wind schützen; **mettre qc à l'**~ etw in Sicherheit bringen **2.** (*souterrain*) Unterstand *m* **3.** (*lieu aménagé*) Hütte *f*; (*en montagne*) Schutzhütte; (*pour le bétail*) Unterstand *m*; ~ **de jardin** kleiner [Geräte]schuppen; **être à l'**~ *personne:* in Sicherheit sein; *vélo, voiture:* untergestellt sein; **mettre des papiers à l'**~ Papiere sicher aufbewahren ►**être à l'**~ **du besoin** keine finanziellen Sorgen [mehr] haben

abribus® [abʀibys] *m* Wartehäuschen *nt*

abricot [abʀiko] **I.** *m* Aprikose *f*, Marille *f* (A) **II.** *adj inv* aprikosenfarben

abricotier [abʀikɔtje] *m* Aprikosenbaum *m*

abriter [abʀite] <1> **I.** *vt* **1.** (*protéger*) schützen vor (+ *dat*) **2.** (*héberger*) beherbergen **II.** *vpr* **1.** **s'~** (*se protéger du danger*) in Deckung gehen; *population:* Schutz suchen; (*se protéger des intempéries*) sich unterstellen **2.** (*se protéger des critiques, reproches*) **s'~ derrière qn/qc** sich hinter jdm/etw verstecken

abroger [abʀɔʒe] <2a> *vt* aufheben

abrupt [abʀypt] *m* Steilwand *f*

abrupt, e [abʀypt] *adj* **1.** (*raide*) steil **2.** *ton* schroff

abruti, e [abʀyti] **I.** *adj* **1.** *fig* **être ~ de travail** von der Arbeit [ganz] benommen sein **2.** *fam* (*idiot*) blöd **II.** *m, f fam* Idiot(in) *m(f)*

abrutir [abʀytiʀ] <8> *vt bruit, soleil:* [ganz] benommen machen; **~ qn de travail** jdn mit Arbeit überhäufen

abrutissant, e [abʀytisɑ̃, ɑ̃t] *adj travail* stumpfsinnig; *musique* [ohren]betäubend

abrutissement [abʀytismɑ̃] *m* Benommenheit *f;* **travailler jusqu'à l'~** arbeiten, bis man nicht mehr klar denken kann

ABS [abeɛs] *m abr de* **Anti Blockier System** ABS *nt*

abscisse [apsis] *f* Abszisse *f*

absence [apsɑ̃s] *f* **1.** (*opp: présence*) Abwesenheit *f;* **en l'~ de qn** in jds Abwesenheit **2.** (*fait de manquer*) Abwesenheit *f;* **les ~s de cet élève sont rares** dieser Schüler fehlt selten **3.** (*manque*) **l'~ de qc** das Fehlen einer S. (*gen*); **~ d'humour** Humorlosigkeit *f;* **en l'~ de preuves** aus Mangel an Beweisen **4.** (*inattention*) Geistesabwesenheit *f*

absent, e [apsɑ̃, ɑ̃t] **I.** *adj* **1.** (*opp: présent*) abwesend; **les élèves ~s** die fehlenden Schüler; **être ~ à une réunion/au cours** bei einer Besprechung/im Unterricht fehlen; **être ~ du bureau** nicht im Büro sein **2.** (*qui manque*) **être ~ de qc** bei etw fehlen **3.** (*distrait*) [geistes]abwesend **II.** *m, f* Abwesende(r) *f(m)*

absentéisme [apsɑ̃teism] *m d'un élève* häufiges Fernbleiben vom Unterricht

absenter [apsɑ̃te] <1> *vpr* **s'~** weggehen; **je ne me suis absenté que deux minutes** ich war nur zwei Minuten nicht da

abside [apsid] *f* Apsis *f*

absinthe [apsɛ̃t] *f* Absinth *m*

absolu [apsɔly] *m* **l'~** das Absolute

absolu, e [apsɔly] *adj* **1.** (*total*) absolut; *confiance* uneingeschränkt; *amour* bedingungslos **2.** (*sans concession*) kategorisch **3.** (*opp: constitutionnel*) absolut **4.** GRAM absolut

absolument [apsɔlymɑ̃] *adv* **1.** (*à tout prix*) unbedingt **2.** (*totalement*) ganz; *nécessaire* unbedingt; *vrai* vollkommen; *faux* völlig; **~ pas** überhaupt nicht; **~ rien** absolut nichts ▶ **~!** genau!; **mais ~!** aber sicher!

absolution [apsɔlysjɔ̃] *f* REL Absolution *f*

absolutisme [apsɔlytism] *m* Absolutismus *m*

absorbant, e [apsɔʀbɑ̃, ɑ̃t] *adj* **1.** (*hydrophile*) saugfähig **2.** (*prenant*) **travail ~** Arbeit, die einen sehr in Anspruch nimmt

absorber [apsɔʀbe] <1> **I.** *vt* **1.** (*consommer*) zu sich nehmen; einnehmen *médicament* **2.** (*s'imbiber*) aufsaugen; absorbieren *odeur* **3.** (*faire disparaître*) aufbrauchen *économies;* absorbieren *rayonnements* **4.** ECON übernehmen *concurrent* **5.** (*accaparer*) *travail:* in Anspruch nehmen; *observation de qc:* gefangen nehmen; **être absorbé par une lecture** in eine Lektüre völlig vertieft sein **II.** *vpr* **s'~ dans un travail** in einer Arbeit aufgehen

absorption [apsɔʀpsjɔ̃] *f* **1.** (*action de boire*) Trinken *nt* **2.** (*action de manger*) Verzehr *m* **3.** (*action d'avaler un médicament*) Einnahme *f* **4.** (*pénétration*) Absorption *f; de l'eau* Aufsaugen *nt* **5.** ECON Übernahme *f*

absoudre [apsudʀ] <*irr*> *vt* REL **~ qn** jdm [die] Absolution erteilen

abstenir [apstəniʀ] <9> *vpr* **1.** (*se refuser*) **s'~ de qc** auf etw (*akk*) verzichten **2.** (*ne pas voter*) **s'~** sich der Stimme (*gen*) enthalten

abstention [apstɑ̃sjɔ̃] *f* [Stimm]enthaltung *f*

abstentionnisme [apstɑ̃sjɔnism] *m* Wahlmüdigkeit *f*

abstentionniste [apstɑ̃sjɔnist] **I.** *adj* *électorat* wahlmüde **II.** *mf* Nichtwähler(in) *m(f)*

abstinence [apstinɑ̃s] *f* **1.** (*chasteté*) Enthaltsamkeit *f* **2.** (*sobriété*) Abstinenz *f*

abstraction [apstʀaksjɔ̃] *f* **1.** (*action d'abstraire*) Abstraktion *f;* **faire ~ de qc** etw außer Acht lassen **2.** (*idée*) abstrakte Vorstellung

abstraire [apstʀɛʀ] <*irr*> *vt* **1.** (*schématiser*) abstrahieren **2.** (*isoler par la pensée*) absehen von (+ *dat*)

abstrait [apstʀɛ] *m* **1.** (*abstraction*) Abstrakte *nt* **2.** ART abstrakte Kunst **3.** (*peintre*) Abstrakte(r) *f(m)*

abstrait, e [apstʀɛ, ɛt] *adj* abstrakt

absurde [apsyʀd] **I.** *adj* absurd **II.** *m* Absurde *nt*

absurdité [apsyʀdite] *f* **1.** (*caractère absurde*) Absurdität *f* **2.** (*bêtise*) Unsinn *m kein Pl*

abus [aby] *m* **1.** (*consommation excessive*) übermäßiger Genuss; ~ **d'alcool/de tabac** übermäßiger Alkohol-/Tabakgenuss **2.** (*usage abusif*) Missbrauch *m;* ~ **sexuel sur qn** sexueller Missbrauch von jdm; ~ **de biens sociaux** Unterschlagung *f;* ~ **de pouvoir** Amtsmissbrauch

abuser [abyze] <1> I. *vi* **1.** (*consommer avec excès*) übertreiben; ~ **de l'alcool/du tabac** zu viel trinken/rauchen **2.** (*faire un usage excessif*) ~ **de son pouvoir** seine Macht missbrauchen **3.** (*exploiter*) ~ **de la confiance de qn** jds Vertrauen ausnutzen **4.** (*violer*) missbrauchen (*geh*) II. *vpr* **si je ne m'abuse** wenn ich [mich] nicht irre

abusif, -ive [abyzif, -iv] *adj* **1.** (*exagéré*) übermäßig; **consommation abusive d'alcool** Alkoholmissbrauch *m* **2.** *emploi d'un mot* falsch **3.** *licenciement* ungerechtfertigt

abysse [abis] *m* Tiefseegraben *m*

acabit [akabi] *m* ►**de cet** ~ *péj* **des gens de cet** ~ Leute *Pl* dieses Schlags

acacia [akasja] *m* Akazie *f*

académicien, ne [akademisjɛ̃, jɛn] *m, f* Mitglied *nt* der Académie française

académie [akademi] *f* **1.** (*société savante*) Akademie *f* **2.** (*école*) ~ **de danse** Tanzschule *f* **3.** (*circonscription*) ≈ Schulaufsichtsbezirk *m* **4.** (*service administratif d'une académie*) ≈ Oberschulamt *nt*

Académie [akademi] *f* Akademie *f;* **l'**~ **française** die Académie française

académique [akademik] *adj* **1.** (*d'une société savante*) Akademie- **2.** (*de l'Académie française*) der Académie française

acajou [akaʒu] *m* (*bois*) Mahagoni[holz *nt*]

acariâtre [akaRjɑtR] *adj* mürrisch

acarien [akaRjɛ̃] *m* Milbe *f*

accablant, e [akablɑ̃, ɑ̃t] *adj* **1.** (*physiquement pénible*) drückend; *douleur* unerträglich **2.** (*psychiquement pénible*) deprimierend; *reproche* sehr schwer; *travail* erschöpfend **3.** (*accusateur*) belastend

accabler [akable] <1> *vt* **1.** (*abattre*) *douleur:* quälen; *nouvelle:* deprimieren; *dettes:* lasten auf (+ *dat*); *reproches:* bedrücken; **être accablé de travail** mit Arbeit überhäuft sein **2.** (*imposer*) ~ **qn de reproches** jdn mit Vorwürfen überschütten; ~ **le peuple d'impôts** dem Volk [viel zu] hohe Steuern aufbürden **3.** (*confondre*) *témoignage:* belasten

accalmie [akalmi] *f* **1.** METEO *de la pluie* [vorübergehendes] Nachlassen; *du vent* [kurze] Beruhigung **2.** (*trêve*) etwas ruhigere Phase

accaparer [akapaRe] <1> *vt* **1.** (*monopoliser*) [völlig] in Beschlag nehmen; an sich

(*akk*) reißen *conversation;* mit Beschlag belegen *poste-clé;* auf sich (*akk*) ziehen *attention* **2.** (*occuper complètement*) *travail:* völlig in Anspruch nehmen

accéder [aksede] <5> *vi* **1.** (*parvenir à*) gelangen zu **2.** (*atteindre*) ~ **à un poste** eine Stelle erlangen; ~ **en finale** ins Finale kommen **3.** (*mener à*) führen zu **4.** (*consentir à*) bewilligen

accélérateur [akseleRatœR] *m* **1.** AUT Gaspedal *nt;* **donner un coup d'**~ aufs Gaspedal treten; **appuyer sur l'**~ beschleunigen; **lâcher l'**~ vom Gaspedal [herunter]gehen **2.** CHIM, PHYS Beschleuniger *m*

accélération [akseleRasjɔ̃] *f* Beschleunigung *f*

accéléré [akseleRe] *m* Zeitraffer *m*

accélérer [akseleRe] <5> I. *vi* beschleunigen; **vas-y, accélère!** mach schon, gib Gas! II. *vt* beschleunigen; ~ **l'allure/la cadence/le mouvement** das Tempo beschleunigen III. *vpr* **s'**~ *pouls:* sich beschleunigen; *travaux:* schneller gehen

accent [aksɑ̃] *m* **1.** (*signe sur les voyelles*) **e** ~ **aigu/grave/circonflexe** e Akut *m*/Gravis *m*/Zirkumflex *m* **2.** (*manière de prononcer*) Akzent *m* **3.** (*accentuation*) Akzent *m*, Betonung *f* **4.** (*intonation expressive*) Ton *m;* (*plus faible*) Unterton ►**mettre l'**~ **sur qc** etw [besonders] hervorheben

accentuation [aksɑ̃tɥasjɔ̃] *f* **1.** *du chômage* Zunahme *f; des symptômes* Verschlimmerung *f* **2.** GRAM Setzen *nt* der Akzente **3.** LING Betonung *f*

accentué, e [aksɑ̃tɥe] *adj* **1.** *voyelle* betont **2.** *traits* markant

accentuer [aksɑ̃tɥe] <1> I. *vt* **1.** (*tracer un accent*) einen Akzent setzen auf (+ *akk*) **2.** (*prononcer un accent*) betonen **3.** (*intensifier*) betonen *effet;* verstärken *efforts;* vorantreiben *action;* unterstreichen *force, ressemblance;* erhöhen *risque* II. *vpr* **s'**~ sich verstärken; *froid:* sich verschärfen; *risque:* sich erhöhen

acceptable [aksɛptabl] *adj* akzeptabel

acceptation [aksɛptasjɔ̃] *f* **1.** (*le fait d'accepter un traité*) Annahme *f* **2.** (*approbation d'une proposition*) Akzeptieren *nt* **3.** (*consentement*) Zustimmung *f*

accepter [aksɛpte] <1> I. *vt* **1.** (*prendre*) annehmen *cadeau;* akzeptieren *excuses;* übernehmen *responsabilité* **2.** (*accueillir favorablement*) akzeptieren; ~ **une thèse/une théorie** einer These/Theorie zustimmen **3.** (*se soumettre à*) annehmen *échec, destin;* eingehen *risque* **4.** (*supporter*) akzeptieren; dulden *contradiction* II. *vi* **1.** (*être d'accord*) akzeptieren; ~ **de faire**

qc damit einverstanden sein etw zu tun **2.** (*tolérer*) dulden **3.** (*permettre*) zulassen

acception [aksɛpsjɔ̃] *f* Bedeutung *f*

accès [aksɛ] *m* **1.** (*entrée*) Eingang *m;* (*pour piétons*) Zugang *m;* (*pour véhicules*) Zufahrt *f;* ~ **interdit** kein Zutritt **2.** (*action d'accéder à une position*) ~ **à un poste** Zugang *m* zu einer Stelle **3.** (*crise*) Anfall *m;* ~ **d'humeur** Launenhaftigkeit *f* **4.** INFORM Zugang *m,* Zugriff *m;* ~ **à l'Internet** Internetzugang

accessible [aksesibl] *adj* **1.** (*où l'on peut accéder*) zugänglich; **être** ~ **à qn** für jdn erreichbar sein **2.** (*compréhensible*) verständlich **3.** (*abordable*) erschwinglich

accession [aksesjɔ̃] *f* ~ **à qc** Erlangen *nt* einer S. (*gen*); ~ **à la propriété** Erwerb *m* von [Wohnungs]eigentum

accessoire [akseswaʀ] **I.** *adj* nebensächlich; *avantage* zusätzlich; *frais* Neben- **II.** *m* **1.** (*pièce complémentaire*) Zubehörteil *nt;* **les** ~**s** das Zubehör **2.** COUT Accessoire *nt* **3.** THEAT, CINE Requisit *nt*

accessoirement [akseswaʀmɑ̃] *adv* nebenbei

accessoiriste [akseswaʀist] *mf* Requisiteur(in) *m(f)*

accident [aksidɑ̃] *m* Unfall *m;* ~ **du travail** Arbeitsunfall; ~ **de parcours** Missgeschick *nt;* **avoir un** ~ verunglücken

accidenté, e [aksidɑ̃te] **I.** *adj* **1.** (*inégal*) uneben; *région* hügelig; *relief* zerklüftet **2.** (*qui a eu un accident*) verunglückt; *voiture* Unfall- **II.** *m, f* Verunglückte(r) *f(m);* ~ **de la circulation** Opfer *nt* eines Verkehrsunfalls

accidentel, le [aksidɑ̃tɛl] *adj* **1.** (*dû à un accident*) Unfall- **2.** (*dû au hasard*) zufällig

accidentellement [aksidɑ̃tɛlmɑ̃] *adv* **1.** (*dans un accident*) **mourir** ~ tödlich verunglücken **2.** (*par hasard*) zufällig

acclamation [aklamasjɔ̃] *f* Jubel *m* kein Pl, Beifall *m* kein Pl; **les** ~**s du public** die Beifall[s]rufe des Publikums

acclamer [aklame] <1> *vt* ~ **qn** jdm zujubeln

acclimatation [aklimatasjɔ̃] *f* Akklimatisierung *f*

acclimater [aklimate] <1> **I.** *vt* gewöhnen an (+ *akk*); heimisch machen *plante;* ~ **un animal dans un zoo** ein Tier in einem Zoo eingewöhnen **II.** *vpr* **1.** (*s'adapter*) **s'**~ sich gewöhnen an (+ *akk*); *plante:* heimisch werden **2.** (*s'habituer*) **s'**~ **à une maison** sich in einem Haus eingewöhnen

accointances [akwɛ̃tɑ̃s] *fpl* **avoir des** ~ **avec des voyous/dans le Milieu** Beziehungen zu Strolchen/zur Unterwelt haben

accolade¹ [akɔlad] *f* feierliche Umarmung

accolade² [akɔlad] *f* TYP geschweifte Klammer

accoler [akɔle] <1> *vt* anhängen an (+ *akk*)

accommodant, e [akɔmɔdɑ̃, ɑ̃t] *adj* camarade umgänglich

accommodation [akɔmɔdasjɔ̃] *f* **1.** (*adaptation*) ~ **à une nouvelle vie** Anpassung *f* an ein neues Leben **2.** GASTR [Art *f* der] Zubereitung *f*

accommodement [akɔmɔdmɑ̃] *m* gütliche Einigung

accommoder [akɔmɔde] <1> **I.** *vt* GASTR zubereiten; verwerten *restes* **II.** *vpr* **1.** (*s'arranger*) **s'**~ **avec qn** mit jdm auskommen **2.** (*se contenter de*) **s'**~ **de qc** mit etw zufrieden sein **3.** (*supporter*) **s'**~ **de qc** sich mit etw abfinden

accompagnateur, -trice [akɔ̃paɲatœʀ, -tʀis] *m, f* **1.** (*guide*) Begleiter(in) *m(f)* **2.** MUS Begleiter(in) *m(f)*

accompagnement [akɔ̃paɲmɑ̃] *m* **1.** GASTR Beilage *f* **2.** MUS Begleitung *f* **3.** *d'un groupe* Begleitung *f*

accompagner [akɔ̃paɲe] <1> **I.** *vt* **1.** (*aller avec*) begleiten **2.** MUS begleiten **3.** (*être joint à*) *notice explicative:* beiliegen **4.** GASTR **un vin accompagne un plat** ein Wein wird zu einem Gericht getrunken **5.** (*survenir en même temps*) einhergehen mit **II.** *vpr* **1.** MUS **s'**~ **à la guitare** sich auf der Gitarre begleiten **2.** (*aller avec*) **s'**~ **de qc** mit etw einhergehen

accompli [akɔ̃pli] *m* LING **l'**~ das vollendete Geschehen

accompli, e [akɔ̃pli] *adj* perfekt

accomplir [akɔ̃pliʀ] <8> **I.** *vt* **1.** (*s'acquitter de*) erledigen *travail;* erfüllen *tâche;* tun *devoir* **2.** (*exécuter*) ausführen *ordre;* vollbringen *miracle* **3.** (*réaliser*) erfüllen *vœu;* einlösen *promesse;* ausführen *projet* **II.** *vpr* **1.** (*s'épanouir*) **s'**~ **dans qc** in etw (*dat*) Erfüllung finden **2.** (*se produire*) **s'**~ *prophétie:* sich erfüllen; *miracle:* geschehen

accomplissement [akɔ̃plismɑ̃] *m* *d'un travail, d'une tâche* Erledigung *f*

accord [akɔʀ] *m* **1.** (*consentement*) Einverständnis *nt;* **faire qc d'un commun** ~ etw einmütig tun; **donner son** ~ **à qn** jdm seine Zustimmung geben **2.** (*convention*) Vereinbarung *f;* ~ **à l'amiable** gütliche Einigung **3.** (*bonne intelligence*) [gutes] Einvernehmen; **faire qc en** ~ **avec qn** etw in Übereinstimmung mit jdm tun **4.** MUS Akkord *m;* (*sur une guitare*) Griff *m* **5.** LING **faute d'**~ Kongruenzfehler *m* ▶ **entre eux c'est l'**~ **parfait** zwischen ihnen herrscht völlige Übereinstimmung; **faire qc en parfait** ~ **avec qn** etw im besten Einver-

---

accord

• être d'accord, approuver	• zustimmen, beipflichten
Oui, je le pense aussi.	Ja, das denke ich auch.
Je suis tout à fait de ton avis.	Da bin ich ganz deiner Meinung.
Je suis d'accord.	Dem schließe ich mich an.
Je suis totalement de votre avis.	Ich stimme Ihnen voll und ganz zu.
Oui, je le vois (tout à fait) comme ça.	Ja, das sehe ich (ganz) genauso.
Je ne le vois pas autrement.	Ich sehe es nicht anders.
Vous avez absolument raison.	Ich gebe Ihnen da vollkommen Recht.
Je ne peux que vous donner raison.	Da kann ich Ihnen nur Recht geben.
C'est ce que j'ai dit (aussi).	(Das) habe ich ja (auch) gesagt.
Je trouve aussi.	Finde ich auch. *(fam)*
Exact!/C'est juste!	Genau!/Stimmt! *(fam)*
• donner son accord	• einwilligen
D'accord!/O.k.!/Marché conclu!	Einverstanden!/Okay!/Abgemacht!
Pas de problème!	Kein Problem!
D'accord!/Ça marche!	Geht in Ordnung!
Ce sera fait! Je le fais!	Wird gemacht!/Mach ich!

---

nehmen mit jdm tun; **être d'~** einverstanden sein; **être d'~ avec qn sur qc** [sich (*dat*)] mit jdm über etw (*akk*) einig sein; **être en ~ avec soi-même** mit sich selbst im Einklang sein; **se mettre d'~ avec qn** sich mit jdm einigen; **tomber d'~ avec qn** sich mit jdm einigen; **tomber d'~ sur qc** sich auf etw (*akk*) einigen; [**c'est**] **d'~!** gut!

accordéon [akɔʀdeɔ̃] *m* Akkordeon *nt*

accordéoniste [akɔʀdeɔnist] *mf* Akkordeonspieler(in) *m(f)*

accorder [akɔʀde] <1> **I.** *vt* **1.** (*donner*) gewähren *crédit;* gewähren *délai;* erteilen *permission;* erweisen *faveur;* zubilligen *circonstances atténuantes;* schenken *confiance;* **voulez-vous m'~ cette danse?** darf ich Sie um diesen Tanz bitten? **2.** (*attribuer*) **~ de la valeur à qc** einer S. (*dat*) Wert beimessen; **~ de l'importance à qc** einer S. (*dat*) Gewicht beilegen, etw wichtig nehmen **3.** MUS stimmen **4.** GRAM angleichen an (+ *akk*) *verbe, adjectif* **II.** *vpr* **1.** (*se mettre d'accord*) **s'~ avec qn sur une solution** sich mit jdm über eine Lösung einig werden **2.** (*s'entendre*) **s'~ avec qn** sich [gut] mit jdm verstehen **3.** (*s'octroyer*) **s'~ une pause** sich (*dat*) eine Pause gönnen **4.** GRAM **s'~ avec qc** *verbe, adjectif:* sich nach etw richten

accordeur [akɔʀdœʀ] *m* Stimmer(in) *m(f)*

accoster [akɔste] <1> **I.** *vi* anlegen **II.** *vt* **1.** (*aborder*) ansprechen **2.** NAUT anlegen an (+ *dat*) *quai* **3.** ESPACE andocken an (+ *dat*)

accotement [akɔtmɑ̃] *m d'une route* Bankett *nt*

accouchement [akuʃmɑ̃] *m* **1.** MED Entbindung *f* **2.** (*élaboration difficile*) schwere Geburt (*fam*)

accoucher [akuʃe] <1> **I.** *vi* **1.** MED entbinden; **~ d'une fille** ein Mädchen zur Welt bringen **2.** *fam* (*parler*) mit der Sprache herausrücken; **allez, accouche!** los, raus damit! **II.** *vt* **~ qn** jdn entbinden

accoucheur, -euse [akuʃœʀ, -øz] *m, f* Hebamme *f*

accouder [akude] <1> *vpr* **s'~ à qc** sich mit den Ellbogen auf etw (*akk*) stützen

accoudoir [akudwaʀ] *m* Armlehne *f*

accouplement [akupləmɑ̃] *m* **1.** ZOOL Paarung *f* **2.** *péj* (*sexe*) Nummer *f* (*fam*) **3.** (*fait d'accoupler*) Ankuppeln *nt* **4.** (*dispositif*) Kupplung *f*

accoupler [akuple] <1> **I.** *vpr* **1.** ZOOL **s'~** sich paaren **2.** *péj* **s'~** *personnes:* es miteinander treiben (*fam*) **II.** *vt* **1.** ZOOL paaren mit **2.** (*mettre par deux*) paarweise anspannen *chevaux* **3.** TECH koppeln *générateurs;* kuppeln *locomotives*

accourir [akuʀiʀ] <*irr*> *vi* + *avoir o être personne:* herbeieilen; *animal:* angelaufen kommen

accoutrement [akutʀəmɑ̃] *m* Aufmachung *f*

accoutrer [akutʀe] <1> *vpr* **s'~** sich ausstaffieren

accoutumance [akutymɑ̃s] *f* Gewöhnung *f*

accoutumé, e [akutyme] *adj* gewohnt
accoutumer [akutyme] <1> *vt* ~ **son mari à qc/à faire qc** (*habituer*) ihren Mann an etw (*akk*) gewöhnen/daran gewöhnen etw zu tun
accréditer [akʀedite] <1> *vt* **1.** (*rendre crédible*) bestätigen *thèse* **2.** (*conférer une autorité*) akkreditieren *ambassadeur;* bevollmächtigen *médiateur*
accro [akʀo] *abr de* **accroché I.** *adj fam* **1.** (*dépendant d'une drogue*) süchtig **2.** (*passionné*) ~ **de jazz** [ganz] verrückt auf Jazz (*akk*) **II.** *mf fam* **1.** (*drogué*) Junkie *m* **2.** (*passionné*) Fan *m*
accroc [akʀo] *m* **1.** (*déchirure*) Riss *m;* **faire un** ~ **à sa chemise** sich (*dat*) ein Loch ins Hemd reißen **2.** (*incident*) [unangenehmer] Zwischenfall; (*querelle*) Reiberei *f*
accrochage [akʀɔʃaʒ] *m* **1.** *d'un tableau* Aufhängen *nt; d'un wagon* Ankoppeln *nt* **2.** (*collision*) [leichter] Zusammenstoß **3.** (*altercation*) Auseinandersetzung *f* **4.** MIL Zusammenstoß *m*
accroche [akʀɔʃ] *f* MEDIA Blickfang *m*
accrocher [akʀɔʃe] <1> **I.** *vt* **1.** (*suspendre*) aufhängen; ~ **son manteau dans une penderie** seinen Mantel an die Garderobe hängen **2.** (*déchirer*) hängen bleiben mit **3.** (*entrer en collision*) streifen **4.** (*attirer*) auf sich ziehen *regards;* anziehen *client* **5.** (*aborder*) ansprechen **6.** (*intéresser*) *film:* fesseln **II.** *vpr* **1.** (*se retenir*) **s'~ à qc** sich an etw (*dat*) festklammern **2.** (*se faire un accroc*) **s'~ à qc** an etw (*dat*) hängen bleiben **3.** (*persévérer*) **s'~** durchhalten **4.** *fam* (*mettre ses espoirs dans*) **s'~ à qc** sich an etw (*akk*) klammern **5.** *fam* (*se disputer*) **s'~ avec qn** sich mit jdm in die Haare kriegen **III.** *vi* **1.** *fam* (*bien établir le contact*) ~ **avec qn** mit jdm warm werden **2.** (*plaire*) [gut] ankommen
accrocheur, -euse [akʀɔʃœʀ, -øz] *adj* **titre** ~/**publicité accrocheuse** Titel, der/ Werbung, die Aufmerksamkeit erregt
accroissement [akʀwasmɑ̃] *m du chômage* Anstieg *m; du chiffre d'affaires* Steigerung *f;* ~ **de la population** Bevölkerungszunahme *f*
accroître [akʀwatʀ] <*irr*> **I.** *vt* erhöhen; vermehren *patrimoine;* verstärken *pouvoir;* vergrößern *chances* **II.** *vpr* **s'~** *chômage, mécontentement:* zunehmen; *risque:* größer werden; *chances de succès:* steigen
accroupir [akʀupiʀ] <8> *vpr* **s'~** in die Hocke gehen; **être accroupi** kauern
accru, e [akʀy] *adj* höher
accu [aky] *m souvent pl fam abr de* **accumulateur** Akku *m*

accueil [akœj] *m* **1.** (*fait de recevoir*) Empfang *m;* **faire bon/mauvais** ~ **à qn** jdn freundlich/unfreundlich empfangen **2.** (*lieu*) Rezeption *f*
accueillant, e [akœjɑ̃, ɑ̃t] *adj personne* freundlich; *pièce* gastlich; *jardin* einladend
accueillir [akœjiʀ] <*irr*> *vt* **1.** (*recevoir*) empfangen **2.** (*héberger*) *hôte:* aufnehmen **3.** (*réagir à*) aufnehmen *nouvelle;* reagieren auf (+ *akk*) *idée;* begrüßen *projet*
acculer [akyle] <1> *vt* drängen
accumulateur [akymylatœʀ] *m* **1.** (*pile rechargeable*) Akku *m* **2.** AUT Batterie *f*
accumulation [akymylasjɔ̃] *f* Anhäufung *f; de marchandises* Horten *nt; de preuves* Sammeln *nt; d'énergie* Speicherung *f*
accumuler [akymyle] <1> **I.** *vt* anhäufen; sammeln *preuves;* horten *marchandises;* speichern *énergie;* ~ **des erreurs** einen Fehler nach dem anderen begehen **II.** *vpr* **s'~** sich sammeln; *difficultés:* sich häufen; *vaisselle:* sich stapeln; *déchets:* sich auftürmen
accusateur, -trice [akyzatœʀ, -tʀis] **I.** *adj regard* anklagend; *document* belastend **II.** *m, f* Ankläger(in) *m(f)*
accusatif [akyzatif] *m* GRAM Akkusativ *m*
accusation [akyzasjɔ̃] *f* **1.** (*reproche*) Anschuldigung *f* **2.** JUR Klage *f,* Anklage *f;* **mise en** ~ Anklageerhebung *f*
accusé [akyze] *m* ~ **de réception** Empfangsbestätigung *f*
accusé, e [akyze] **I.** *m, f* JUR Angeklagte(r) *f(m)* **II.** *adj visage, traits* markant
accuser [akyze] <1> **I.** *vt* **1.** (*déclarer coupable*) anklagen; ~ **qn d'un crime** jdn beschuldigen, ein Verbrechen begangen zu haben; ~ **qn d'un vol** jdn des Diebstahls beschuldigen **2.** (*souligner*) unterstreichen **3.** (*montrer*) **elle accuse la fatigue des jours passés** man sieht ihr die Anstrengung der vergangenen Tage an **II.** *vpr* **s'~ de qc** **1.** (*se déclarer coupable*) sich einer S. (*gen*) bezichtigen **2.** (*se rendre responsable de*) sich (*dat*) die Schuld an etw (*dat*) geben, sich (*dat*) wegen etw Vorwürfe machen
ace [ɛs] *m* SPORT Ass *nt*
acerbe [asɛʀb] *adj ton, paroles* scharf, hart
acéré, e [aseʀe] *adj griffes, couteau* scharf
acétate [asetat] *m* CHIM Acetat *nt*
acétone [asetɔn] *f* CHIM Aceton *nt*
achalandé, e [aʃalɑ̃de] *adj* **être bien** ~ *magasin:* eine große Auswahl haben
acharné, e [aʃaʀne] *adj* fanatisch; *travailleur* verbissen; *joueur* leidenschaftlich; *combat* erbittert; **être** ~ hartnäckig sein
acharnement [aʃaʀnəmɑ̃] *m* Hartnäckigkeit; *d'un combattant* Verbissenheit *f; d'un*

joueur Leidenschaft *f*

acharner [aʃaʀne] <1> *vpr* **1.** (*persévérer*) **s'~** sich abmühen **2.** (*s'obstiner à résoudre, à comprendre*) **s'~ sur un devoir** sich an einer Aufgabe festbeißen; **s'~ à faire qc** sich darauf versteifen etw zu tun **3.** (*ne pas lâcher prise*) **s'~ sur une victime** von einem Opfer nicht ablassen **4.** (*poursuivre*) **le sort/le destin s'acharne contre elle** das Schicksal verfolgt sie **5.** (*détruire*) **s'~ sur un objet** einen Gegenstand blindwütig zerstören

achat [aʃa] *m* **1.** (*action*) Kauf *m; de biens durables* Anschaffung *f* **2.** (*chose achetée*) Kauf *m;* **faire des ~s** einkaufen

acheminer [aʃ(ə)mine] <1> **I.** *vt* **1.** (*transporter*) befördern *courrier, voyageurs;* befördern *marchandises;* weiterleiten *réfugiés* **2.** (*conduire*) umleiten *convoi* **II.** *vpr* (*aller en direction de*) **s'~ vers le bois** auf den Wald zugehen; **s'~ vers Paris/le centre-ville** *personne:* sich auf den Weg nach Paris/in die Innenstadt machen

acheter [aʃ(ə)te] <4> **I.** *vt* **1.** (*acquérir*) kaufen; **~ qc à qn** jdm etw kaufen; **~ qc chez qn** etw bei jdm [ein]kaufen **2.** *péj* kaufen *personne, votes;* sich (*dat*) erkaufen *silence, complicité de qn* **II.** *vpr* **s'~ qc** sich (*dat*) etw kaufen

acheteur, -euse [aʃtœʀ, -øz] *m, f* **1.** (*individuel*) Käufer(in) *m(f)* **2.** (*de profession*) Einkäufer(in) *m(f)* ▶**être ~** [am Kauf] interessiert sein

achèvement [aʃɛvmã] *m* **1.** *d'un immeuble* Fertigstellung *f; d'une œuvre a.* Vollendung *f; des travaux* Abschluss *m* **2.** (*perfection*) Vollendung *f*

achever [aʃ(ə)ve] <4> *vt* **1.** (*accomplir*) beenden, abschließen *discours;* vollenden *œuvre;* austrinken *bouteille;* aufbrauchen *provisions;* beschließen *sa vie;* **~ de faire qc** etw zu Ende tun **2.** (*tuer*) töten **3.** (*épuiser*) **ça m'a achevé!** das hat mir den Rest gegeben ! (*fam*)

acide [asid] **I.** *adj* **1.** *fruit, saveur* sauer; *critique* scharf; *remarque* bissig **2.** CHIM *solution* sauer **II.** *m* CHIM Säure *f*

acidité [asidite] *f* **1.** *d'un fruit* saurer Geschmack; *d'une critique, remarque* Schärfe *f* **2.** CHIM Säuregehalt *m*

acidulé, e [asidyle] *adj goût, bonbon* säuerlich

acier [asje] *m* **1.** (*métal*) Stahl *m* **2.** (*industrie*) **l'~** die Stahlindustrie

aciérie [asjeʀi] *f* Stahlwerk *nt*

acné [akne] *f* Akne *f*

acolyte [akɔlit] *m péj* Komplize *m*

acompte [akɔ̃t] *m* **1.** (*engagement d'achat*) Anzahlung *f* **2.** (*avance*) Vor-

schuss *m* **3.** *fam* (*avant-goût*) Vorgeschmack *m*

acoquiner [akɔkine] <1> *vpr péj* **s'~ avec qn** sich mit jdm einlassen

Açores [asɔʀ] *fpl* **les ~** die Azoren

à-côté [akote] <à-côtés> *m* **1.** (*détail*) Nebensächlichkeit *f* **2.** (*gain occasionnel*) Zubrot *nt kein Pl*

à-coup [aku] <à-coups> *m* **1.** *d'un moteur* Ruck *m*, Stoß *m;* **par ~s** stoßweise **2.** (*fluctuation*) Schwankung *f*

acoustique [akustik] **I.** *adj* akustisch; **isolation ~** Schalldämmung *f* **II.** *f sans pl* **1.** (*science*) Akustik *f* **2.** *d'une salle* Akustik *f*

acquéreur [akeʀœʀ] *m* Käufer *m;* **trouver [un] ~ pour qc** einen Käufer für etw finden; **se porter ~ de qc** etw kaufen

acquérir [akeʀiʀ] <irr> **I.** *vt* **1.** (*devenir propriétaire*) erwerben **2.** (*obtenir*) sich (*dat*) aneignen *compétence;* erlangen *faveur;* erwerben *habileté;* sammeln *expérience* **3.** (*gagner*) **~ de l'importance** an Wichtigkeit gewinnen **II.** *vpr* (*s'obtenir*) **les connaissances s'acquièrent peu à peu** das Know-how bekommt man nach und nach

acquiescement [akjɛsmã] *m* Zustimmung *f*, Einwilligung *f*

acquiescer [akjese] <2> *vi* zustimmen

acquis [aki] *mpl* (*avantages sociaux*) Errungenschaften *Pl*

acquis, e [aki, iz] **I.** *part passé de* **acquérir** **II.** *adj* **1.** (*obtenu*) erworben; *droit* wohlerworben; *habitude* angenommen; *richesse* erlangt; *expériences* gewonnen; *avantages* erkämpft **2.** (*reconnu*) feststehend; **considérer qc comme ~** etw als gesichert betrachten

acquisition [akizisjɔ̃] *f* **1.** (*action*) Erwerb *m;* **faire l'~ de qc** [sich (*dat*)] etw anschaffen **2.** (*objet acquis*) Kauf *m*, Anschaffung *f*

acquit [aki] *m* Quittung *f*

acquittement [akitmã] *m* **1.** JUR *d'un accusé* Freispruch *m* **2.** *d'une dette* Tilgung *f; d'une facture* Bezahlung *f; d'une taxe* Entrichtung *f* **3.** *d'une promesse* Einlösung *f; d'une tâche* Erfüllung *f; d'une fonction* Ausübung *f; d'une mission* Ausführung *f*

acquitter [akite] <1> **I.** *vt* **1.** (*relaxer*) freisprechen *personne* **2.** (*payer*) bezahlen; begleichen *dette;* entrichten *taxe* **3.** (*signer*) quittieren *livraison* **II.** *vpr* **s'~ d'une dette** eine Schuld begleichen; **s'~ d'une dette morale** eine moralische Verpflichtung erfüllen; **s'~ d'une fonction** eine Funktion ausüben

âcre [akʀ] *adj* **1.** *vin, saveur* herb; *fumée* beißend; *odeur* streng **2.** *fig* bitter

acrimonie [akʀimɔni] *f* Groll *m*

acrobate [akʀɔbat] *mf* Akrobat(in) *m(f)*

acrobatie [akʀɔbasi] *f* **1.**(*tour*) Akrobatenstück *nt;* ~ **aérienne** (*discipline*) Kunstfliegen *nt;* (*figure*) Kunstflug *m* **2.** *pl* (*prouesses*) akrobatische Kunststücke *Pl* **3.**(*ruse*) Akrobatik *f*

acrobatique [akʀɔbatik] *adj* akrobatisch

acronyme [akʀɔnim] *m* Akronym *nt*

acrylique [akʀilik] CHIM **I.** *adj* acrylhaltig **II.** *m* Acryl *nt*

acte [akt] *m* **1.**(*action*) Tat *f,* Handlung *f;* ~ **d'agression** aggressiver Akt; ~ **de bravoure** mutige Tat; ~ **de charité** Akt *m* der Nächstenliebe; ~ **de terrorisme** Terrorakt *m;* ~ **de vandalisme** Akt *m* blinder Zerstörungswut; ~ **désespéré** Verzweiflungstat; ~ **gratuit** unmotivierte Handlung; ~ **héroïque** Heldentat; ~ **sexuel** Geschlechtsakt *m;* **faire** ~ **de candidature à** qc für etw kandidieren; **faire** ~ **de présence** sich kurz blicken lassen; **passer à** l'~ zur Tat schreiten; **traduire** qc **en** ~ etw in die Tat umsetzen **2.**(*manifestation de volonté*) Rechtsgeschäft *nt;* (*document*) Urkunde *f;* (*contrat*) Vertrag *m;* **l'Acte Unique Européen** die Einheitliche Europäische Akte; ~ **d'accusation** Anklageschrift *f;* ~ **de décès** Sterbeurkunde; ~ **de l'état civil** standesamtliche Urkunde; ~ **de mariage** Heiratsurkunde; ~ **de naissance** Geburtsurkunde; ~ **de succession/vente** Erb-/Kaufvertrag; ~ **d'origine** CH Heimatschein (CH); **prendre** ~ **de** qc (*écrire*) etw zu Protokoll nehmen; (*prendre connaissance de*) etw zur Kenntnis nehmen **3.** THEAT Akt *m*

acteur, -trice [aktœʀ, -tʀis] *m, f* **1.** THEAT, CINE Schauspieler(in) *m(f)* **2.**(*auteur*) Akteur(in) *m(f);* *d'un événement* Täter *m*

actif [aktif] *m* **1.** FIN Aktiva *Pl* **2.** LING Aktiv *nt;* **à l'~** im Aktiv

actif, -ive [aktif, -iv] **I.** *adj* **1.**(*dynamique*) *a.* PHYS, MIL aktiv **2.** FIN *marché* lebhaft **3.** ECON *population* erwerbstätig; **vie active** (*vie productive*) Lebensabschnitt der Erwerbsfähigkeit; (*vie mouvementée*) abwechslungsreiches Leben **4.**(*efficace*) wirksam; *poison* schnell wirkend **5.** LING aktivisch; **la voix active** das Aktiv **II.** *m, f* (*travailleur*) Erwerbstätige(r) *f(m)*

action [aksjɔ̃] *f* **1.**(*acte*) Tat *f* **2.** *sans pl* (*fait d'agir*) Handeln *nt,* Handlung *f;* (*démarche*) Vorgehen *nt,* Aktion *f; du gouvernement* Maßnahmen *Pl;* **passer à l'~** etwas unternehmen **3.**(*effet*) Wirkung *f; d'une loi* Auswirkung *f; du gouvernement* Eingreifen *nt;* **sous l'~ du soleil** durch die Sonneneinstrahlung **4.**(*péripéties, intri-*

gue) Handlung *f;* **ce film manque d'~** dieser Film hat zu wenig Action (*fam*) **5.**(*lutte sociale*) Kampf *m;* (*mesure ponctuelle*) Aktion *f;* ~ **syndicale** Kampf der Gewerkschaft/Gewerkschaften **6.** JUR Verfahren *nt;* ~ **judiciaire** Gerichtsverfahren *nt;* **entraver l'~ de la justice** das Gerichtsverfahren behindern; **intenter une** ~ **contre** qn Klage gegen jdn erheben **7.** FIN Aktie *f*

actionnaire [aksjɔnɛʀ] *mf* Aktionär(in) *m(f)*

actionnement [aksjɔnmɑ̃] *m d'un levier* Betätigen *nt; d'une machine* Ingangsetzen *nt*

actionner [aksjɔne] <1> *vt* **1.**(*mettre en mouvement*) betätigen *levier;* in Gang setzen *moteur* **2.** JUR verklagen *personne*

activation [aktivasjɔ̃] *f* Aktivierung *f*

activement [aktivmɑ̃] *adv* aktiv

activer [aktive] <1> **I.** *vt* **1.**(*accélérer*) anregen *circulation sanguine;* anfachen *feu;* beschleunigen *processus;* vorantreiben *travaux* **2.** CHIM, INFORM aktivieren **II.** *vi fam* ein bisschen schneller machen; **faire** ~ qn jdn antreiben **III.** *vpr* **s'** ~ **1.**(*s'affairer*) geschäftig hin und her sausen **2.** *fam* (*se dépêcher*) voranmachen **3.**(*bouger*) sich bewegen

activiste [aktivist] **I.** *adj* aktivistisch **II.** *mf* Aktivist(in) *m(f)*

activité [aktivite] *f* **1.** *sans pl* (*fait d'être actif*) Aktivität *f; d'un volcan* Tätigkeit *f;* (*agitation dans un lieu*) geschäftiges Treiben; (*dynamisme d'une personne*) Tätigkeitsdrang *m;* (*animation physique, intellectuelle*) Betätigung *f;* **entrer en** ~ in Betrieb genommen werden; *volcan:* ausbrechen **2.**(*occupation*) Betätigung *f;* (*profession*) berufliche Tätigkeit; **exercer une** ~ **commerciale** (*être commerçant*) ein Handelsgewerbe betreiben; (*travailler dans une société*) eine kaufmännische Tätigkeit ausüben; **avoir plusieurs** ~s verschiedenen Beschäftigungen nachgehen; **pratiquer une** ~ **sportive** Sport treiben **3.** *sans pl* (*ensemble d'actes*) Tätigkeit *f; politique* Aktivität *f;* ~ **industrielle/commerciale** produzierendes Gewerbe/Handelsgewerbe *nt;* ~ **syndicale** gewerkschaftliche Aktivitäten; **relancer l'~ économique** die Wirtschaft ankurbeln

actrice [aktʀis] *f v.* acteur

actualisation [aktɥalizasjɔ̃] *f* Aktualisierung *f*

actualiser [aktɥalize] <1> *vt* (*mettre à jour*) aktualisieren

actualité [aktɥalite] *f* **1.** *sans pl d'un sujet* Aktualität *f;* **être d'~** aktuell sein **2.** *sans pl*

(*événements*) Zeitgeschehen *nt;* l'~ **économique** das Neueste aus der Wirtschaft; l'~ **sociale** das Zeitgeschehen; l'~ **quotidienne** das Tagesgeschehen; l'~ **sportive** die Sportnachrichten **3.** *pl* TV, RADIO Nachrichten *Pl;* CINE Wochenschau *f*

actuel, le [aktɥεl] *adj* **1.** *régime* herrschend; *directeur* jetzig; *monde* von heute; *état, circonstances* gegenwärtig **2.** (*d'actualité*) aktuell

actuellement [aktɥεlmɑ̃] *adv* im Moment

acuité [akɥite] *f* **1.** *de la douleur* Heftigkeit *f; du son* Intensität *f* **2.** (*sensibilité*) Schärfe *f*

acuponcteur, -trice [akypɔ̃ktœʀ, -tʀis] *m, f* Akupunkteur/Akupunkteuse *m/f*

acuponcture [akypɔ̃ktyʀ] *f* Akupunktur *f*

acupuncteur, -trice [akypɔ̃ktœʀ, -tʀis] *m, f v.* **acuponcteur**

acupuncture [akypɔ̃ktyʀ] *f v.* **acuponcture**

adage [adaʒ] *m* geflügeltes Wort

adaptable [adaptabl] *adj* passend

adaptateur [adaptatœʀ] *m* TECH Adapter *m*

adaptation [adaptasjɔ̃] *f* **1.** *sans pl* (*action de s'adapter*) Anpassung *f* **2.** CINE, THEAT Bearbeitung *f,* Adapt[at]ion *f*

adapter [adapte] <1> **I.** *vt* **1.** (*ajuster*) anbringen *embout:* ~ **une pièce à une autre** ein Stück mit einem anderen verbinden **2.** (*accorder*) anpassen **3.** CINE, THEAT bearbeiten **II.** *vpr* **1.** (*s'habituer à*) **s'~ à qn/qc** sich jdm/einer S. anpassen; **s'~ à un nouveau travail** sich an eine neue Arbeit gewöhnen; **s'~ à un nouveau pays** sich in einem Land einleben **2.** (*s'ajuster à*) **s'~ à qc** *tuyau:* auf etw (*akk*) passen; *clé:* in etw (*akk*) passen

additif [aditif] *m* (*supplément*) Zusatz *m*

addition [adisjɔ̃] *f* **1.** (*somme*) Addition *f; de problèmes* Anhäufung *f* **2.** (*facture*) Rechnung *f* **3.** (*ajout*) Hinzufügen *nt*

additionner [adisjɔne] <1> **I.** *vt* **1.** (*faire l'addition de*) zusammenzählen **2.** (*ajouter*) ~ **qc à qc** einer S. (*dat*) etw zusetzen **II.** *vpr* **s'~** *erreurs:* sich summieren; *chiffres:* sich im Kopf addieren lassen; *problèmes:* hinzukommen

adduction [adyksjɔ̃] *f* TECH Zuleitung *f*

adepte [adεpt] *mf* (*d'une secte*) Anhänger(in) *m(f); d'un sport* Fan *m*

adéquat, e [adekwa, at] *adj* passend; *tenue* angemessen; *endroit* geeignet

adhérence [adeʀɑ̃s] *f* Haftung *f; d'un colle* Klebekraft *f; d'une voiture* Straßenlage *f; d'une semelle* Halt *m*

adhérent, e [adeʀɑ̃, ɑ̃t] **I.** *adj* **être ~ à qc** auf etw (*dat*) haften **II.** *m, f* Mitglied *nt*

adhérer [adeʀe] <5> *vi* **1.** (*coller*) ~ **à qc** an etw (*dat*) festkleben; *pneu:* auf etw (*dat*) haften **2.** (*approuver*) ~ **à une proposition** einem Vorschlag zustimmen **3.** (*reconnaître*) ~ **à un idéal** Anhänger(in) *m(f)* eines Ideals sein **4.** (*devenir membre de*) ~ **à un parti** einer Partei beitreten

adhésif [adezif] *m* **1.** (*substance*) Klebstoff *m* **2.** (*pansement*) Heftpflaster *nt* **3.** (*papier collant*) Klebeband *nt*

adhésif, -ive [adezif, -iv] *adj* haftend; **ruban ~** Klebestreifen *m*

adhésion [adezjɔ̃] *f* **1.** (*approbation*) ~ **à qc** Zustimmung *f* zu etw **2.** (*inscription*) ~ **à l'Union européenne** Beitritt *m* in die Europäische Union **3.** (*fait d'être membre*) Mitgliedschaft *f*

adieu [adjø] <x> **I.** *m* **1.** (*prise de congé*) ~ **à qn/qc** Abschied *m* von jdm/etw; **dire ~ à qn** sich von jdm verabschieden; **faire ses ~x à qn** von jdm Abschied nehmen **2.** *pl* (*séparation*) Abschied *m* **II.** *interj* lebe wohl!/leben Sie wohl!; **~, la belle vie/les beaux jours** ade, du schönes Leben/du schöne Zeit

adipeux, -euse [adipø, -øz] *adj* fettig

adjacent, e [adʒasɑ̃, ɑ̃t] *adj* *maison, pays* benachbart

adjectif [adʒεktif] *m* Adjektiv *nt;* ~ **épithète** Attribut *nt*

adjectival, e [adʒεktival, o] <-aux> *adj* adjektivisch

adjectivé, e [adʒεktive] *adj* als Adjektiv gebraucht

adjoindre [adʒwɛ̃dʀ] <*irr*> *vt* (*ajouter*) ~ **qc à une chose** etw zu einer S. hinzufügen, einer S. (*akk*) etw hinzufügen

adjoint, e [adʒwɛ̃, wɛt] **I.** *adj* stellvertretend **II.** *m, f* Assistent(in) *m(f);* (*remplaçant*) Stellvertreter(in) *m(f)*

adjonction [adʒɔ̃ksjɔ̃] *f* TECH l'~ **à qc** (*à l'extérieur*) das Anbringen an etw; (*à l'intérieur*) der Einbau in etw

adjudant [adʒydɑ̃] *m* MIL Hauptfeldwebel *m*

adjudant-chef [adʒydɑ̃ʃεf] <adjudants-chefs> *m* MIL Oberfeldwebel *m*

adjudication [adʒydikasjɔ̃] *f* **1.** (*vente aux enchères*) Versteigerung *f* **2.** (*appel d'offres, attribution*) [öffentliche] Ausschreibung *f* **3.** (*attribution*) Zuschlag *m; d'un contrat* Vergabe *f*

adjuger [adʒyʒe] <2a> **I.** *vt* **1.** (*attribuer aux enchères*) ~ **un objet d'art à qn** jdm einen Kunstgegenstand zusprechen; **une fois, deux fois, trois fois, adjugé!** zum Ersten, zum Zweiten, zum Dritten! **2.** (*décerner*) ~ **une prime à qn** jdm eine Prä-

mie zusagen **3.** (*confier à*) ~ **un marché à
une entreprise** ein Geschäft an eine Fir-
ma vergeben **II.** *vpr* **1.** (*obtenir*) **s'~ des
parts de marché** sich (*dat*) Marktanteile
sichern **2.** (*s'approprier*) **s'~ qc** sich (*dat*)
etw aneignen
adjuvant [adʒyvã] *m* (*médicament*) un-
terstützendes Mittel
admettre [admɛtʀ] <*irr*> *vt* **1.** (*laisser entrer*) hineinlassen *personne, animal;* erlauben *visites* **2.** (*recevoir*) empfangen **3.** (*accueillir*) aufnehmen; *salle:* fassen **4.** (*inscrire*) zulassen; **être admis quatrième à un
examen** eine Prüfung als Viertbeste(r) bestanden haben **5.** (*reconnaître*) zugeben; **il
est admis que** ... es ist bekannt, dass ...
6. (*accepter*) dulden; gelten lassen *excuse*
7. (*supposer*) annehmen; **admettons que
...** angenommen, dass ...; **en admettant
que ...** vorausgesetzt, dass ... **8.** (*permettre*) zulassen *plusieurs interprétations*
administrateur, -trice [administʀatœʀ,
-tʀis] *m, f* **1.** (*gestionnaire*) Verwalter(in)
m(f), Geschäftsführer(in) *m(f)* **2.** (*légal*)
Nachlassverwalter(in) *m(f)* **3.** THEAT [Gene-
ral]intendant(in) *m(f)* **4.** (*membre d'un
conseil d'administration*) Mitglied *nt* des
Verwaltungsrats
administratif, -ive [administʀatif, -iv]
adj démarche administrativ; **services ~s**
Verwaltung *f*
administration [administʀasjɔ̃] *f* **1.** *sans
pl* (*gestion*) Verwaltung *f; d'une entreprise*
Leitung *f;* ~ **publique/privée** öffentliche
Verwaltung/privater Träger **2.** *sans pl* (*service public*) **l'Administration** die Verwaltung **3.** (*secteur du service public*) [Verwal-
tungs]behörde *f;* ~ **des Douanes** Zollbe-
hörde *f;* ~ **des impôts** Steuerbehörde *f;* ~
pénitentiaire Gefängnisverwaltung *f*
4. *sans pl d'un médicament* Verabreichung *f*
administrativement [administʀativmã]
adv **1.** (*vu sous un angle administratif*) ver-
waltungstechnisch gesehen **2.** (*par la voie
administrative*) auf dem Verwaltungsweg;
(*sur un chemin prescrit*) auf dem Dienstweg
administré, e [administʀe] *m* **chers ~s!**
liebe Mitbürger!
administrer [administʀe] <1> *vt* **1.** (*gérer*) verwalten; führen *affaires, entreprise;*
regieren *pays* **2.** (*donner*) ~ **un remède à
qn** jdm eine Medizin verabreichen
admirable [admiʀabl] *adj* bewundernswert
admirablement [admiʀabləmã] *adv* bewundernswert; *se conduire* vorbildlich;
parler sehr gut
admirateur, -trice [admiʀatœʀ, -tʀis] *m,*

f Bewunderer/Bewund[r]erin *m/f; d'une
vedette* Verehrer(in) *m(f)*
admiratif, -ive [admiʀatif, -iv] *adj regard*
bewundernd; *murmure* der Bewunderung
admiration [admiʀasjɔ̃] *f sans pl* Bewunderung *f;* **avec** ~ voller Bewunderung;
être/rester/tomber en ~ **devant qc** etw
voller Bewunderung betrachten; **être/res-
ter/tomber en** ~ **devant qn** jdn sehr bewundern
admirer [admiʀe] <1> *vt* **1.** (*apprécier*)
bewundern **2.** *iron soutenu* (*s'étonner de*)
erstaunt sein
admissible [admisibl] **I.** *adj* **1.** (*tolérable*)
akzeptabel; *à un examen* zugelassen
2. (*concevable*) vorstellbar **II.** *mf* [zur Ab-
schlussprüfung] zugelassener Kandidat/zu-
gelassene Kandidatin *m/f*
admission [admisjɔ̃] *f* **1.** *sans pl* (*accès*)
~ **dans un club/à l'Union européenne**
Aufnahme *f* in einem Klub/der Europäischen Union; ~ **dans une discothèque**
Zutritt *m* zu einer Diskothek **2.** SCOL, UNIV
Zulassung *f* **3.** AUT Einsaugen *nt; d'un gaz,
de la vapeur* Einlass *m*
ADN [adɛn] *m* MED, BIO *abr de* **acide dés-
oxyribonucléique** DNS *f*
ado [ado] *mf fam abr de* **adolescent**
adolescence [adɔlesãs] *f* Jugend *f*
adolescent, e [adɔlesã, ãt] **I.** *adj* jugendlich; **être** ~ jung sein **II.** *m, f* Jugendli-
che(r) *f(m)*
adonner [adɔne] <1> *vpr* **s'~ à la bois-
son/au jeu** dem Alkohol/dem Spiel verfallen
adopter [adɔpte] <1> *vt* **1.** (*prendre
comme son enfant*) adoptieren; (*accepter*)
annehmen **2.** (*s'approprier*) annehmen
coutumes; einnehmen *point de vue;* ergreifen *mesure;* einführen *procédé;* sich einsetzen für *cause;* sich entscheiden für *projet*
3. POL annehmen *motion;* verabschieden *loi*
adoptif, -ive [adɔptif, -iv] *adj* **enfants/
parents ~s** Adoptivkinder/-eltern *Pl*
adoption [adɔpsjɔ̃] *f* **1.** JUR *d'un enfant*
Adoption *f* **2.** (*approbation*) Annahme *f;
d'une religion* Annehmen *nt; d'une cause*
Verfechtung *f; d'une mesure* Ergreifen *nt;
d'un procédé* Einführung *f*
adorable [adɔrabl] *adj enfant* süß; *personne* äußerst hübsch; *endroit, objet* wundervoll; *enfant* [sehr] lieb; *personne* sehr nett;
sourire reizend
adorateur, -trice [adɔʀatœʀ, -tʀis] *m, f
d'une divinité* Anbeter(in) *m(f); d'une divinité, femme* Verehrer(in) *m(f); d'un objet*
Liebhaber(in) *m(f)*
adoration [adɔʀasjɔ̃] *f sans pl* Verehrung
f; REL Anbetung *f;* **être en** ~ **devant qn** jdn

anbeten
adorer [adɔʀe] <1> vt 1. (aimer) sehr mögen; schwärmen für musique, chanteur; gern gehen in (+ akk) cinéma; ~ **faire qc** etw sehr gern tun 2. REL anbeten
adosser [adose] <1> I. vt ~ **qc contre un mur** etw gegen eine Wand stellen; ~ **une échelle contre le mur** eine Leiter gegen die Wand lehnen; **être adossé au mur** meuble: an der Wand stehen; échelle: gegen die Wand lehnen II. vpr s'~ **à qc** personne: sich [mit dem Rücken] an etw (akk) lehnen; bâtiment: an etw (akk) gebaut sein
adoucir [adusiʀ] <8> I. vt mildern saveur, dureté; weich machen linge; enthärten eau; weich machen peau; dämpfen voix; abschwächen contraste; lindern chagrin, peine; erleichtern épreuve; versüßen vie; besänftigen personne II. vpr s'~ personne, saveur: milder werden; voix: sanfter werden; couleur: gedämpfter werden; peau: weich werden; pente: abnehmen; **la température s'est adoucie** es ist milder geworden
adoucissant [adusisɑ̃] m Weichspüler m
adoucissement [adusismɑ̃] m d'une saveur, acidité Mildern nt; de la peau Weichermachen nt
adoucisseur [adusisœʀ] m ~ [**d'eau**] (pour cuisiner) Wasserfilter m
adrénaline [adʀenalin] f Adrenalin nt
adresse[1] [adʀɛs] f 1. (domicile) Adresse f, Anschrift f; **changer d'~** umziehen 2. INFORM Adresse f; ~ **de messagerie** E-Mail-Adresse
adresse[2] [adʀɛs] f sans pl 1. (habileté) Geschick nt, Geschicklichkeit f 2. (tact) Feingefühl nt
adresser [adʀese] <1> I. vt 1. (envoyer) ~ **qc à qn** etw an jdn schicken 2. (émettre) ~ **un compliment à qn** jdm ein Kompliment machen; ~ **la parole à qn** jdn ansprechen 3. (diriger) ~ **qn à un spécialiste** jdn zu einem Spezialisten schicken II. vpr 1. (demander, parler à) s'~ **à qn** sich an jdn wenden 2. (être destiné à) s'~ **à qn** remarque: jdm gelten; publicité: sich an jdn richten; littérature: für jdn bestimmt sein
Adriatique [adʀijatik] f l'~ die Adria
adroit, e [adʀwa, wat] adj 1. (habile) geschickt 2. (subtil) geschickt
adroitement [adʀwatmɑ̃] adv geschickt
adulte [adylt] I. adj personne erwachsen; animal ausgewachsen II. mf Erwachsene(r) f(m); **réservé aux ~s** nur für Erwachsene
adultère [adyltɛʀ] I. adj ehebrecherisch; **femme** ~ Ehebrecherin f II. m Ehebruch m

advenir [advǝniʀ] <9> I. vi geschehen II. vi impers 1. (arriver) **quoi qu'il advienne** was auch geschehen mag 2. (devenir, résulter de) **que va-t-il** ~ **de moi?** was wird aus mir?
adverbe [advɛʀb] m Adverb nt
adverbial, e [advɛʀbjal, jo] <-aux> adj adverbial
adversaire [advɛʀsɛʀ] mf a. SPORT, POL Gegner(in) m(f)
adverse [advɛʀs] adj forces, camp feindlich; parti oppositionell; équipe gegnerisch; **partie** ~ Gegenpartei f
adversité [advɛʀsite] f sans pl, soutenu (détresse) Unglück nt, Not f
aération [aeʀasjɔ̃] f sans pl 1. d'une pièce Lüften nt 2. (circulation d'air) Belüftung f 3. (système) Lüftung f
aéré, e [aeʀe] adj pièce gelüftet; (clair) luftig
aérer [aeʀe] <5> I. vt 1. (ventiler) [aus]lüften literie; [durch]lüften pièce; belüften terre 2. (alléger) auflockern II. vpr s'~ frische Luft schnappen (fam)
aérien, ne [aeʀjɛ̃, jɛn] adj 1. AVIAT Luft-; **transport** ~ Lufttransport m; **ligne/compagnie** ~**ne** Fluglinie/-gesellschaft f 2. (en surface) in der Luft; **métro** ~ Hochbahn f
aérobic [aeʀɔbik] f Aerobic nt kein art
aérodrome [aeʀodʀom] m Flugplatz m
aérodynamique [aeʀodinamik] I. adj véhicule aerodynamisch; **ligne** ~ Stromlinienform f II. f Aerodynamik f
aérodynamisme [aeʀodinamism] m Aerodynamik f
aérogare [aeʀogaʀ] f Flughafen[gebäude nt] m; (terminal) Terminal nt o m
aéroglisseur [aeʀoglisœʀ] m Luftkissenfahrzeug nt
aérogramme [aeʀɔgʀam] m Aerogramm nt
aéronautique [aeʀonotik] I. adj [von] der Luftfahrt; **secteur/industrie** ~ Flugzeugbau m II. f sans pl Luftfahrt f
aéronaval, e [aeʀonaval] <-s> adj zur Marine und zur Luftfahrt zugehörig
Aéronavale [aeʀonaval] f l'~ die Luftwaffe der französischen Marine
aéroport [aeʀopɔʀ] m Flughafen m
Aéropostale [aeʀopɔstal] f: ehemalige französische Luftpostgesellschaft (1927 – 1933)
aérosol [aeʀosɔl] m 1. (pulvérisateur) Spray nt o m 2. MED Inhalationsapparat m
aérospatial, e [aeʀospasjal, jo] <-aux> adj recherche ~**e** [Welt]raumforschung f; **industrie** ~**e** Luft- und Raumfahrtindustrie f
aérospatiale [aeʀospasjal] f Luft- und

Raumfahrtindustrie *f*
affabilité [afabilite] *f* Freundlichkeit *f*
affable [afabl] *adj* freundlich
affabulation [afabylasjɔ̃] *f* Lügenmärchen *nt*
affablir [afebliʀ] <8> **I.** *vt* **1.** *a.* POL, MIL schwächen **2.** (*diminuer l'intensité*) dämpfen *bruit* **II.** *vpr* **s'~** nachlassen; *vent, personne:* schwächer werden; *sens d'un mot:* sich abschwächen; *autorité, pouvoir:* schwinden; *économie:* geschwächt werden; *monnaie:* fallen
affaiblissement [afeblismɑ̃] *m* Schwächung *f; d'un bruit* Abnahme *f; d'une monnaie* Abschwächung *f; de la conjoncture* Rückgang *m; de l'autorité* Schwund *m; des valeurs morales* Verfall *m; des sens* Verblassen *nt; de l'intérêt* Nachlassen *nt*
affaire [afɛʀ] *f* **1.** (*préoccupation*) Angelegenheit *f;* **c'est mon/ton** ~ das ist meine/deine Sache; **ce n'est pas mon/ton** ~ das geht mich/dich nichts an; **faire son** ~ **de qc** sich um etw kümmern **2.** *sans pl* (*problème*) Sache *f,* Angelegenheit *f;* **embarquer qn dans une** ~ jdn in eine Sache verwickeln; **se tirer d'**~ sich aus der Affäre ziehen; **tirer qn d'**~ jdm aus der Klemme helfen (*fam*) **3.** (*scandale*) Affäre *f;* **sale** ~ schmutzige Sache; ~ **de pots-de-vin** Bestechungsaffäre *f;* **étouffer une** ~ eine Angelegenheit vertuschen; **tremper dans une** ~ in eine Sache verwickelt sein **4.** JUR Fall *m;* **classer une** ~ eine Sache zu den Akten legen; **plaider une** ~ eine Sache vor Gericht vertreten; **résoudre une** ~ einen Fall lösen **5.** (*transaction*) Geschäft *nt* **6.** *sans pl* (*entreprise*) Geschäft *nt,* Betrieb *m* **7.** *pl* (*commerce*) Geschäft *nt,* Geschäfte *Pl;* **être dans les** ~**s** Geschäftsmann/-frau sein; **parler** ~**s** über das Geschäftliche reden; **repas/relations d'**~**s** Geschäftsessen *nt/*-beziehungen *Pl;* **rendez-vous d'**~**s** geschäftliche Verabredung **8.** *pl* POL Staatsgeschäfte *Pl;* ~ **d'État** *a. iron* Staatsangelegenheit *f;* **les Affaires étrangères** die auswärtigen Angelegenheiten; (*ministère*) das Auswärtige Amt **9.** *pl* (*effets personnels*) **prendres toutes ses** ~ all seine Sachen mitnehmen *Pl* ►**la belle** ~**!** was soll's! (*fam*); **c'est une** ~ **classée!** *fam* vergessen wir die Sache!; **avoir** ~ **à qn/qc** es mit jdm/etw zu tun haben; **en voilà une** ~**!** *fam* das ist doch kein Beinbruch!; **hors d'**~ außer Gefahr
affairer [afeʀe] <1> *vpr* **s'**~ geschäftig hin und her eilen
affaissement [afɛsmɑ̃] *m* Senkung *f*
affaisser [afese] <1> *vpr* **s'**~ **1.** (*baisser de niveau*) sich senken; *poutre:* durchhängen;

colonne vertébrale: krumm werden **2.** (*s'écrouler*) *personne:* zusammenbrechen
affaler [afale] <1> *vpr* **s'**~ **dans un fauteuil** sich in einen Sessel fallen lassen; **être affalé dans un fauteuil** in einem Sessel zusammengesunken sein
affamé, e [afame] *adj* hungrig; *population* hungernd
affectation [afɛktasjɔ̃] *f* **1.** *sans pl* (*mise à disposition*) l'~ **d'une somme à qc** die Verwendung einer Summe für etw **2.** (*nomination*) Einstellungsbescheid *m;* MIL Einberufungsbescheid *m;* l'~ **de qn dans une région/un pays** (*en parlant d'un fonctionnaire*) jds Versetzung *f* in eine Gegend/ein Land **3.** (*manque de naturel*) Affektiertheit *f*
affecté, e [afɛkte] *adj* **1.** *sentiment* geheuchelt **2.** *personne, stil* affektiert; *comportement* unnatürlich
affecter [afɛkte] <1> *vt* **1.** (*feindre*) vortäuschen, heucheln *sentiment, attitude* **2.** (*nommer*) ~ **qn à un poste** (*en parlant d'un fonctionnaire*) jdn in eine Position stellen; (*en parlant d'un professeur d'université*) jdn auf einen Lehrstuhl berufen; (*en parlant d'un militaire*) jdm eine Stelle zuteilen; ~ **qn dans une région** jdn in einer Gegend einsetzen; (*en parlant d'un militaire*) jdn in eine Gegend abkommandieren **3.** (*émouvoir*) ~ **qn** jdm nahe gehen **4.** (*concerner*) treffen; *épidémie:* befallen; *événement:* sich auswirken auf (+ *akk*) **5.** (*mettre à disposition*) ~ **une somme à qc** eine Summe für etw bereitstellen; ~ **un bâtiment à qc** ein Gebäude zu etw gebrauchen
affectif, -ive [afɛktif, -iv] *adj* emotional; *réaction* gefühlsbetont; *valeur* affektiv; **vie affective** Gefühlsleben *nt;* **traumatisme** ~ seelischer Schock; **sur le plan** ~ gefühlsmäßig
affection [afɛksjɔ̃] *f* **1.** (*tendresse*) Zuneigung *f;* **prendre qn en** ~ jdn lieb gewinnen **2.** MED Erkrankung *f* **3.** PSYCH Gefühlsregung *f*
affectionner [afɛksjɔne] <1> *vt* bevorzugen, eine Vorliebe haben für
affectivité [afɛktivite] *f sans pl* Emotionalität *f,* Gefühle *Pl*
affectueusement [afɛktɥøzmɑ̃] *adv* liebevoll; **je vous embrasse** ~ liebe Grüße [und Küsse]
affectueux, -euse [afɛktɥø, -øz] *adj* liebevoll
afférent, e [afeʀɑ̃, ɑ̃t] *adj* ADMIN *form* zusammenhängend; **y** ~ dazugehörig, diesbezüglich

affermir [afɛʀmiʀ] <8> vt **1.** (*consolider*)
festigen, stärken; sichern *paix;* ausbauen
pouvoir; ~ **son autorité** seiner Autorität
Nachdruck verleihen; ~ **qn dans son opinion** jdn in seiner Meinung bestärken
2. (*poser*) ~ **la voix** seiner Stimme einen
festen Klang geben
affichage [afiʃaʒ] *m* **1.** *sans pl* (*action de
poser des affiches*) Anschlagen *nt;* ~
électoral Wahlplakate *Pl;* ~ **publicitaire**
Plakatwerbung *f* **2.** (*moyen de renseigner*)
Bekanntmachung *f* durch Aushang; ~ **des
départs** (*pour les avions*) Anzeigetafel *f*
für die Abflüge; (*pour les trains*) Anzeigetafel der [Zug]abfahrtszeiten; ~ **des prix**
Preisauszeichnung *f* **3.** INFORM Anzeige *f;* ~
électronique elektronische Anzeigetafel;
~ **à cristaux liquides** LCD-Anzeige
affiche [afiʃ] *f* **1.** (*feuille imprimée*) Plakat
nt; (*poster*) Poster *nt;* ADMIN Aushang *m;*
(*avis officiel*) [amtliche] Bekanntmachung;
~ **électorale** Wahlplakat *nt* **2.** *sans pl*
(*programme théâtral*) [Theater]programm
nt; (*distribution*) Besetzung *f;* **être à l'**~
auf dem Spielplan stehen
afficher [afiʃe] <1> I. vt **1.** (*placarder*) aufhängen; aushängen *résultat d'un examen*
2. THEAT aufführen **3.** INFORM, TECH anzeigen; *écran:* sichtbar machen; **être affiché
sur l'écran** auf dem Bildschirm zu sehen
sein **4.** (*montrer publiquement*) bekannt
geben *opinions politiques* II. vi **défense
d'**~! Plakate ankleben verboten! III. *vpr*
(*s'exhiber*) **s'**~ *quelque chose:* angezeigt
werden; *personne:* sich zur Schau stellen;
s'~ **avec qn** sich in aller Öffentlichkeit mit
jdm zeigen
afficheur [afiʃœʀ] *m* Plakatkleber *m*
affilée [afile] ▸ **d'**~ ununterbrochen, ohne
Pause
affiler [afile] <1> vt schärfen, schleifen
couteau
affiliation [afiljasjɔ̃] *f* **1.** (*adhésion*) ~ **à
un parti** Eintritt *m* in eine Partei; ~ **à une
fédération** Beitritt *m* zu einer Föderation
2. (*admission*) ~ **à un parti/club** Aufnahme *f* in einer Partei/einem Klub; ~ **à une
fédération** Anschluss *m* an eine Föderation **3.** (*fait d'être membre*) ~ **à qc** Mitgliedschaft *f* in etw (*dat*), Zugehörigkeit *f*
zu etw (*dat*)
affilié, e [afilje] I. *adj* **être** ~ **à un syndicat** Mitglied *nt* in einer Vereinigung sein;
être ~ **à un parti** einer Partei angehören;
être ~ **à la Sécurité sociale** in der gesetz-
lichen Krankenkasse sein II. *m, f* Mitglied
nt
affiner [afine] <1> I. vt **1.** (*purifier*) reinigen, raffinieren *métal;* läutern *verre*

2. (*achever la maturation*) reifen lassen *fromage* **3.** (*rendre plus fin*) ausbilden *odorat,
ouïe;* verfeinern *style* II. *vpr* **s'**~ *style, goût:*
sich verfeinern; *odorat, ouïe:* sich ausbilden
affinité [afinite] *f* Gemeinsamkeit *f*
affirmatif, -ive [afiʀmatif, -iv] I. *adj*
1. (*opp: négatif*) positiv; *geste, sourire* zustimmend; *ton* bestimmt; **être** ~ sich sicher sein **2.** LING *proposition* affirmativ II.
interj fam ja[wohl]; TELEC positiv
affirmation [afiʀmasjɔ̃] *f* **1.** (*déclaration*)
Behauptung *f* **2.** (*opp: négation*) bejahen-
de Aussage; GRAM affirmativer [Aussage
f]satz **3.** *sans pl* (*manifestation*) ~ **de qc**
Bekräftigung *f* einer S.
affirmative [afiʀmativ] *f sans pl* **répondre par l'**~ bejahen
affirmativement [afiʀmativmɑ̃] *adv* mit
ja
affirmer [afiʀme] <1> I. vt **1.** (*soutenir*)
behaupten; ~ **sur l'honneur que ...** bei
seiner/ihrer Ehre [be]schwören, dass ...
2. (*manifester*) beweisen *originalité, autorité;* festigen *position* **3.** *soutenu* (*proclamer*)
betonen II. *vpr* **s'**~ *autorité, personnalité:*
sich festigen; *originalité, talent:* [deutlich]
erkennbar werden
affleurer [aflœʀe] <1> vi *a. fig* zum Vorschein kommen
affligé, e [afliʒe] *adj* **être** ~ **de qn/qc** unter jdm/etw (*akk*) leiden
affligeant, e [afliʒɑ̃, ʒɑ̃t] *adj* traurig, betrüblich
affluence [aflyɑ̃s] *f sans pl* Andrang *m; de
visiteurs* Strom *m*
affluent [aflyɑ̃] *m* Zufluss *m*
affluer [aflye] <1> vi **1.** (*arriver en grand
nombre*) [zusammen]strömen **2.** (*couler
en abondance*) *sang:* strömen **3.** (*apparaître en abondance*) *argent:* fließen
afflux [afly] *m sans pl de clients* Ansturm
m; ~ **de visiteurs** Besucherstrom *m; de capitaux* Zustrom *m; de produits étrangers* Zufuhr *f*
affolant, e [afɔlɑ̃, ɑ̃t] *adj* beängstigend, erschreckend; *fam* (*incroyable*) verrückt
affolé, e [afɔle] *adj personne, foule* von pa-
nischer Angst ergriffen; *animal* zu Tode erschrocken; **être** ~ in Panik sein (*fam*)
affolement [afɔlmɑ̃] *m sans pl* Panik *f*
affoler [afɔle] <1> I. vt (*effrayer*) ~ **qn**
nouvelle jdn sehr erschrecken; *cris, bruit:*
jdm Angst einjagen; (*inquiéter*) jdn beunruhigen II. *vpr* **s'**~ in Panik geraten
affranchi, e [afʀɑ̃ʃi] *adj esclave, serf* freigelassen
affranchir [afʀɑ̃ʃiʀ] <8> vt **1.** (*avec des
timbres*) frankieren **2.** HIST freilassen *esclave*

affranchissement [afʀɑ̃ʃismɑ̃] *m* **1.** (*action*) Frankieren *nt;* (*frais de port*) Porto *nt;* **tarifs d'**~ Postgebühren *Pl* **2.** *d'un pays* Befreiung *f; d'un esclave* Freilassung *f*

affréter [afʀete] <5> *vt* **1.** (*donner en location*) vermieten **2.** (*prendre en location*) mieten

affreusement [afʀøzmɑ̃] *adv* **1.** (*horriblement*) furchtbar; *blessé* sehr **2.** (*extrêmement*) furchtbar; *vexé* zutiefst; *inquiet* äußerst

affreux, -euse [afʀø, -øz] *adj* **1.** (*laid*) furchtbar hässlich **2.** (*horrible*) schrecklich; *mort* grauenvoll **3.** (*désagréable*) furchtbar; *temps* scheußlich

affront [afʀɔ̃] *m soutenu* Beleidigung *f*

affrontement [afʀɔ̃tmɑ̃] *m* **1.** MIL Auseinandersetzung *f* **2.** POL Konfrontation *f*

affronter [afʀɔ̃te] <1> **I.** *vt* **1.** (*combattre*) *a.* SPORT ~ **qn** jdm gegenübertreten **2.** (*faire face à*) konfrontiert werden mit *situation difficile;* gerüstet sein für *hiver* **II.** *vpr* **s'**~ aufeinander treffen

affubler [afyble] <1> *vt péj* (*habiller*) ~ **qn de qc** jdn mit etw ausstaffieren

affût [afy] *m* **1.** CHASSE (*endroit*) Hochsitz *m,* Ansitz *m;* **chasser à l'**~ auf den Hochsitz gehen **2.** (*attente*) Warten *nt*

affûter [afyte] <1> *vt* schärfen; anspitzen *crayon*

afghan [afgɑ̃] *m* Afghanisch *nt; v. a.* **allemand**

afghan, e [afgɑ̃, aːn] *adj* afghanisch

Afghan, e [afgɑ̃, aːn] *m, f* Afghane/Afghanin *m/f*

Afghanistan [afganistɑ̃] *m* **l'**~ Afghanistan *nt*

afin [afɛ̃] *prép* ~ **de gagner la course** um das Rennen zu gewinnen; ~ **qu'on puisse vous prévenir** damit wir Ihnen Bescheid geben können

africain, e [afʀikɛ̃, ɛn] *adj* afrikanisch

Africain, e [afʀikɛ̃, ɛn] *m, f* Afrikaner(in) *m(f)*

africanisation [afʀikanizasjɔ̃] *f* Afrikanisierung *f*

Afrikan|d|er [afʀikanɛʀ, afʀikɑ̃dɛʀ] *m, f* Afrik[a]ander(in) *m(f)*

afrikans [afʀikɑ̃s] *m* Afrikaans *nt; v. a.* **allemand**

Afrique [afʀik] *f* **l'**~ Afrika *nt;* **l'**~ **du Nord/Sud** Nord-/Sudafrika; **l'**~ **noire** Schwarzafrika

afro-américain , e [afʀoameʀikɛ̃, ɛn] <afro-américains> *adj* afroamerikanisch

Afro-Américain , e [afʀoameʀikɛ̃, ɛn] <Afro-Américains> *m, f* Afroamerikaner(in) *m(f)*

after-shave [aftɛʀʃɛv] *m inv* Aftershave *nt*

agaçant, e [agasɑ̃, ɑ̃t] *adj* äußerst ärgerlich

agacement [agasmɑ̃] *m* Ärger *m*

agacer [agase] <2> *vt* **1.** (*énerver*) ~ **qn** jdm auf die Nerven gehen (*fam*) **2.** (*taquiner*) ärgern

agave [agav] *m* BOT Agave *f*

âge [ɑʒ] *m* **1.** (*temps de vie*) Alter *nt;* **arriver à l'**~ **adulte** erwachsen werden; ~ **mental** geistige Reife; **avoir l'**~ **de faire qc** alt genug sein etw zu tun; **faire plus vieux que son** ~ älter aussehen, als man ist; **elle a passé l'**~ **de voyager** sie ist zu alt zum [Ver]reisen; **prendre de l'**~ älter werden; **à l'**~ **de 8 ans** im Alter von 8 Jahren; **quel** ~ **as-tu/a-t-il?** wie alt bist du/ist er? **2.** (*ère*) Zeitalter *nt* ►**le troisième** ~ (*la vieillesse*) das Pensionsalter; (*les personnes*) die Senioren; ~ **de la retraite** Pensionsalter *nt*

âgé, e [ɑʒe] *adj* alt; **les personnes** ~**es** die alten Leute; **être** ~ **de 10 ans** 10 Jahre alt sein; **avoir trois enfants** ~**s de 10, 7 et 2 ans** drei Kinder im Alter von 10, 7 und 2 Jahren haben

agence [aʒɑ̃s] *f* **1.** (*succursale bancaire*) [Bank]niederlassung *f* **2.** (*représentation commerciale*) [Handels]vertretung *f;* (*pour les services*) Geschäftsstelle *f; ~* **de presse** Presseagentur *f; ~* **de publicité** Werbeagentur *f; ~* **de pub** eine Werbeagentur; ~ **de voyages** Reisebüro *nt* **3.** (*bureau de placement*) Vermittlungsbüro *nt;* (*pour les photos, les voyages*) Agentur *f; ~* **de mannequins** Modelagentur *f* **4.** (*organisme administratif*) **l'Agence nationale pour l'emploi** Arbeitsamt *nt,* ≈ Bundesanstalt *f* für Arbeit

agencement [aʒɑ̃smɑ̃] *m* **1.** *d'éléments* Zusammenfügen *nt,* Zusammensetzen *nt; de faits* Aneinanderreihung *f* **2.** LITTER *d'un roman, d'une phrase* Aufbau *m*

agencer [aʒɑ̃se] <2> **I.** *vt* **1.** (*ordonner*) zusammensetzen, zusammenfügen *éléments* **2.** (*structurer, combiner*) [auf]bauen, konstruieren *phrase;* aufbauen *roman;* aneinanderreihen *mots;* [aufeinander] abstimmen *couleurs* **3.** (*aménager*) aufteilen, einrichten *local;* **être bien agencé** gut angelegt sein **4.** (*équiper*) einrichten *cuisine* **II.** *vpr* **s'**~ *pièces d'un puzzle:* zusammenpassen; *mots:* sich zusammensetzen

agenda [aʒɛ̃da] *m* [Taschen]kalender *m; ~* **de bureau** Terminkalender *m; ~* **électronique** Organizer *m*

agenouiller [aʒ(ə)nuje] <1> *vpr* **s'**~ sich hinknien; (*pour prier*) niederkien; **être agenouillé sur qc** auf etw (*dat*) knien

agent [aʒɑ̃] *m* **1.** (*policier*) Polizist(in)

m(f); ~ **de la circulation** Verkehrspolizist; ~ **de la force publique** Polizeibeamte(r)/ -beamtin *m/f;* ~ **de police** Polizist **2.** (*représentant*) Vertreter(in) *m(f);* ~ **commercial** Handelsvertreter; ~ **immobilier** [Immobilien]makler(in) *m(f);* ~ **technique** Techniker(in) *m(f);* ~ **d'assurances** Versicherungsvertreter **3.** (*représentant*) Vertreter(in) *m(f)* **4.** ART, LITTER ~ **artistique** Agent(in) *m(f)* **5.** (*espion*) Agent(in) *m(f);* ~ **secret** Geheimagent **6.** ADMIN Bedienstete(r) *f(m);* ~ **administratif** Verwaltungsangestellte(r) *f(m)* **7.** CHIM [Wirk]stoff *m*

agglomération [aglɔmeʀasjɔ̃] *f* **1.** (*localité*) Ortschaft *f,* [An]siedlung *f* **2.** (*zone urbaine*) Ballungsraum *m,* Agglomeration *f* (CH) **3.** (*ville et banlieue*) Großraum *m* **4.** *de matériaux* Agglomeration *f,* Verdichten *nt*

agglomérer [aglɔmeʀe] <5> *vt* **1.** anhäufen *neige, sable* **2.** TECH pressen *bois*

agglutiner [aglytine] <1> I. *vt* **1.** (*agglomérer*) zusammenkleben *matériaux* **2.** (*rassembler*) **des gens sont agglutinés sur la place** auf dem Platz haben sich Leute angesammelt II. *vpr* **1.** (*s'agglomérer*) **s'~** *globules, molécules:* verklumpen **2.** (*se rassembler*) **s'~ sur une place** sich auf einem Platz sammeln

aggravant, e [agʀavɑ̃, ɑ̃t] *adj* erschwerend

aggravation [agʀavasjɔ̃] *f d'une crise* Zuspitzung *f; d'une situation* Verschlechterung *f; du chômage* Zunahme *f*

aggraver [agʀave] <1> I. *vt* **1.** (*faire empirer*) verschlimmern; erschweren *situation;* verschärfen *crise;* vergrößern *difficultés;* ansteigen lassen *chômage* **2.** (*renforcer*) vergrößern *peine;* **cela aggrave le mécontentement** das steigert die Unzufriedenheit II. *vpr* **s'~** schlimmer werden; *pollution:* zunehmen; *conflit:* sich zuspitzen; *conditions sociales:* schlechter werden; *difficultés:* größer werden; *chômage:* ansteigen

agile [aʒil] *adj* geschickt

agilité [aʒilite] *f sans pl* **1.** (*aisance*) Beweglichkeit *f* **2.** *fig de l'esprit* Regheit *f*

agio [aʒjo] *m* FIN Überziehungszinsen *Pl*

agir [aʒiʀ] <8> I. *vi* **1.** (*faire, être actif*) handeln; ~ **bien** sich gut verhalten **2.** (*exercer une influence*) ~ **sur qn/qc** jd/etw beeinflussen **3.** (*opérer*) *médicament, poison:* wirken II. *vpr impers* **1.** (*il est question de*) **il s'agit de qn/qc** es handelt sich um jdn/etw; **de quoi s'agit-il?** worum handelt es sich? **2.** (*il faut*) **il s'agit de faire qc** es geht darum etw zu tun

agissements [aʒismɑ̃] *mpl péj* **1.** (*machinations*) Machenschaften *Pl* **2.** (*menées*) Umtriebe *Pl*

agitateur, -trice [aʒitatœʀ, -tʀis] *m, f* Agitator(in) *m(f)*

agitation [aʒitasjɔ̃] *f* **1.** (*animation*) geschäftiges Treiben **2.** (*excitation*) Aufregung *f* **3.** (*troubles*) Unruhe *f* **4.** (*mécontentement*) Unzufriedenheit *f*

agité, e [aʒite] *adj* **1.** (*animé de mouvements*) bewegt **2.** (*nerveux*) unruhig **3.** (*excité*) aufgeregt **4.** (*troublé*) unsicher; *époque* bewegt

agiter [aʒite] <1> I. *vt* (*secouer*) schwenken *drapeau;* schütteln *bouteille;* ~ **son mouchoir** mit dem Taschentuch winken; ~ **la main** winken II. *vpr* **s'~ 1.** (*bouger*) sich bewegen **2.** (*s'exciter*) sich aufregen **3.** (*s'énerver*) unruhig sein/werden **4.** (*s'affairer*) [geschäftig] hin und her eilen; **arrête de t'~ comme ça!** hör auf so herumzurennen!

agneau, agnelle [aɲo, aɲɛl] <x> I. *m, f* Lamm *nt* II. *m* (*viande*) Lammfleisch *nt*

agonie [agɔni] *f* Todeskampf *m*

agoniser [agɔnize] <1> *vi* im Sterben liegen

agoraphobie [agɔʀafɔbi] *f* Platzangst *f*

agrafe [agʀaf] *f* **1.** COUT Haken *m* **2.** (*pour papiers*) Heftklammer *f* **3.** MED Klammer *f*

agrafer [agʀafe] <1> *vt* **1.** (*attacher*) zusammenheften *feuilles* **2.** (*fermer*) ~ **une jupe** einen Rock zuhaken

agrafeuse [agʀaføz] *f* **1.** (*pour papiers*) Heftgerät *nt* **2.** (*pour clouer*) Tacker *m*

agraire [agʀɛʀ] *adj* **politique** ~ Agrarpolitik *f;* **réforme** ~ Bodenreform *f*

agrandir [agʀɑ̃diʀ] <8> I. *vt* **1.** (*rendre plus grand*) größer machen **2.** (*rendre plus large*) erweitern **3.** (*développer*) vergrößern *entreprise* **4.** PHOT vergrößern II. *vpr* **s'~ 1.** (*se creuser, s'élargir*) größer werden; *passage:* breiter werden; *écart:* sich vergrößern **2.** (*se développer*) *entreprise:* sich vergrößern; *ville:* sich ausdehnen **3.** (*devenir plus nombreux*) *famille:* Zuwachs bekommen **4.** *fam* (*se loger plus spacieusement*) sich vergrößern

agrandissement [agʀɑ̃dismɑ̃] *m* **1.** (*élargissement*) Vergrößerung *f* **2.** (*action d'agrandir*) Vergrößern *nt* **3.** (*résultat*) Vergrößerung *f*

agréable [agʀeabl] *adj* **1.** *personne* sympathisch; **il est** ~ **à vivre** er ist umgänglich **2.** (*qui plaît, agrée*) angenehm; *situation* erfreulich; *sourire* gewinnend

agréablement [agʀeabləmɑ̃] *adv* angenehm

agréé, e [agʀee] *adj expert* zugelassen

agréer [aɡʀee] <1> vt soutenu annehmen remerciements; **veuillez ~, Madame/ Monsieur, mes salutations distinguées** ≈ mit freundlichen Grüßen

agrégat [aɡʀega] m GEOL Aggregat nt

agrégation [aɡʀeɡasjɔ̃] f Staatsprüfung für Gymnasiallehrer

agrégé, e [aɡʀeʒe] I. adj être ~ die „Agrégation" haben II. m, f 1. (au lycée) Gymnasiallehrer(in) m(f) mit „Agrégation" 2. (à l'université) Dozent(in) m(f) mit „Agrégation"

agrément [aɡʀemã] m (approbation) Zustimmung f

agrémenter [aɡʀemãte] <1> vt verschönern pièce

agrès [aɡʀɛ] mpl SPORT [Turn]geräte Pl

agresser [aɡʀese] <1> I. vt 1. (attaquer) überfallen; **se faire ~** überfallen werden 2. (insulter) angreifen 3. (irriter) belästigen 4. (menacer) bedrohen II. vi couleur: aggressiv sein/wirken; style: provozieren

agresseur [aɡʀɛsœʀ] I. m 1. (personne) Angreifer(in) m(f) 2. (État) Aggressor m II. app **État/pays ~** Aggressor m

agressif, -ive [aɡʀesif, -iv] adj personne, comportement aggressiv; couleur grell

agression [aɡʀesjɔ̃] f 1. (attaque, coups) Überfall m; **être victime d'une ~** überfallen werden; ~ **verbale** Beleidigung f 2. (nuisance) ~ **sonore** Lärmbelästigung f 3. MIL acte d'~ Angriff m

agressivité [aɡʀesivite] f Aggressivität f

agricole [aɡʀikɔl] adj landwirtschaftlich; **ouvrier ~** Landarbeiter m; **machine ~** Landmaschine f; **région ~** Agrarregion f; **ingénieur ~** Diplomlandwirt(in) m(f)

agriculteur, -trice [aɡʀikyltœʀ, -tʀis] m, f Landwirt(in) m(f)

agriculture [aɡʀikyltyʀ] f Landwirtschaft f

agripper [aɡʀipe] <1> I. vt packen II. vpr **s'~ à qn/qc** sich an jdn/etw klammern

agroalimentaire [aɡʀoalimãtɛʀ] I. adj **société ~** Nahrungsmittelfirma f; **industrie ~** Nahrungsgüterindustrie f II. m Lebensmittelsektor m

agronome [aɡʀɔnɔm] adj **ingénieur ~** Diplomlandwirt(in) m(f)

agronomie [aɡʀɔnɔmi] f Agrarwissenschaft f

agrotourisme [aɡʀotuʀism] m Ferien Pl auf dem Bauernhof

agrume [aɡʀym] m Zitrusfrucht f

aguerrir [aɡeʀiʀ] <8> vt ~ **au froid** gegen Kälte abhärten

aguets [aɡɛ] **être aux** ~ auf der Lauer liegen

aguicher [aɡiʃe] <1> vt aufreizen

ah [´ɑ] interj 1. (de joie, d'admiration) ~! ah! 2. (de sympathie, de déception) ~! ach! 3. iron ~ ~! ach ja? 4. (rire) ~! ~! haha! 5. interrog (étonnement) ~? ach ja? ▶~ **bon** (résignation) na ja; (polémique) aha; (étonnement) ach ja; ~ **non** ach nein; ~ **non alors!** o nein!; ~ **oui** (confirmation) doch, doch; (polémique) soso; (évidence) ach ja!; (compréhension) ach ja; ~ **oui, je vois...** Ach ja, ich verstehe

ahuri, e [ayʀi] I. adj 1. (stupéfait) verblüfft 2. (stupide) begriffsstutzig II. m, f péj fam Blödmann m

ahurissant, e [ayʀisã, ãt] adj 1. (stupéfiant) verblüffend 2. (scandaleux) unverschämt

ai [e] indic prés de avoir

aide [ɛd] I. f 1. (assistance) Hilfe f; ~ **médicale** medizinische Versorgung; **à l'~!** [zu] Hilfe!; **appeler à l'~** um Hilfe rufen; **appeler qn à l'~** jdn zu Hilfe rufen; **demander de l'~** um Hilfe bitten 2. fig à l'~ **d'un couteau** mit Hilfe eines Messers 3. (secours financier) [finanzielle] Unterstützung; ~ **sociale** Sozialhilfe f II. mf (assistant) Aushilfe f; ~ **familiale** Haushaltshilfe f; ~ **maternelle** Tagesmutter f

aide-comptable [ɛdkɔ̃tabl] <aides-comptables> mf Buchhaltungsgehilfe m/-gehilfin f

aide-mémoire [ɛdmemwaʀ] m inv 1. (mémento) kurzer Abriss 2. (feuille) Merkzettel m

aide-ménagère [ɛdmenaʒɛʀ] <aides-ménagères> f Haushalthilfe f

aider [ede] <1> I. vt 1. (seconder) ~ **qn** jdm helfen 2. (donner de l'argent) ~ **qn** jdn [finanziell] unterstützen 3. (prêter assistance) beistehen (+ dat) II. vi 1. (être utile) personne: [mit]helfen; conseil: erleichtern 2. (contribuer) ~ **à qc** etw fördern; **le temps aidant** mit der Zeit III. vpr 1. (utiliser) **s'~ de qc** etw zu Hilfe nehmen 2. (s'entraider) **s'~** sich (dat) [gegenseitig] helfen

aide-soignante [ɛdswaɲãt] <aides-soignantes> f Hilfsschwester f

aïe [aj] interj 1. (douleur) ~! au! 2. (problème, imprévu) ~! oje! ▶~ ~ ~! fam auwei[a]!

aie [ɛ] subj prés de avoir

aigle [ɛɡl] I. mf ZOOL Adler/Adlerweibchen m/f II. f MIL Adler m

aiglefin [eɡləfɛ̃] m Schellfisch m

aiglon, ne [ɛɡlɔ̃, ɔn] m, f ZOOL Adlerjunge(s) nt

aigre [ɛɡʀ] adj 1. (acide) sauer; odeur säuerlich 2. lait sauer 3. son schrill 4. critique, ton scharf 5. froid, vent schneidend

aigre-doux , **aigre-douce** [ɛɡʀədu,

εgʀədus] <**aigres-doux**> *adj* süß-sauer

aigrelet, te [εgʀəlε, εt] *adj* säuerlich

aigrement [εgʀəmɑ̃] *adv* bissig

aigreur [εgʀœʀ] *f* **1.** (*acidité*) Säure *f* **2.** (*saveur aigre*) saurer Geschmack

aigri, e [egʀi] *adj* verbittert

aigrir [egʀiʀ] <8> **I.** *vt* ~ **le caractère de qn** jdn verbittern **II.** *vpr* **s'~ 1.** (*devenir acide*) *lait, vin:* sauer werden **2.** (*devenir amer*) *personne:* verbittern

aigu, ë [egy] **I.** *adj* **1.** (*pointu*) spitz; *pointe* scharf **2.** (*coupant*) scharf **3.** *voix* schrill; *note* hoch **4.** *intelligence, perception* scharf **5.** (*violent*) heftig; (*pénétrant*) stechend; **avoir un sens** ~ **de qc** einen ausgeprägten Sinn für etw haben **6.** *crise* akut **II.** *mpl* ~**s** hohe Töne *Pl*, Höhen *Pl*

aigue-marine [εgmaʀin] <**aigues-marines**> *f* Aquamarin *m*

aiguillage [egɥijaʒ] *m* **1.** (*dispositif*) Weiche *f* **2.** (*manœuvre*) Weichenstellen *nt* **3.** (*orientation*) Weiterleitung *f*

aiguille [egɥij] *f* **1.** COUT Nadel *f;* ~ **à coudre/tricoter** Näh-/Stricknadel **2.** *d'une montre* Zeiger *m; d'une boussole* Nadel *f;* ~ **de pin** Kiefernnadel **3.** MED *d'une seringue* [Injektions]nadel *f; de l'acupuncteur* Nadel *f* **4.** GEOG [spitzer Berg]gipfel **5.** ARCHIT [Turm]spitze *f* **6.** (*aiguillage*) Weiche *f*

aiguiller [egɥije] <1> *vt* **1.** CHEMDFER umsetzen **2.** (*orienter*) **mal** ~ **qn** jdn in die falsche Richtung schicken; ~ **qn vers/sur qc** jdn zu etw hinführen

aiguilleur [egɥijœʀ] *m* Stellwerksleiter(in) *m(f)*

aiguillon [egɥijɔ̃] *m d'une abeille, guêpe* Stachel *m*

aiguillonner [egɥijɔne] <1> *vt* [mit dem Treibstock] antreiben

aiguiser [egize] <1> *vt* **1.** (*affiler*) schärfen *outil;* schleifen *couteau* **2.** (*stimuler*) anregen *appétit, sens;* verstärken *désir, sentiment;* schärfen *ouïe, toucher* **3.** (*affiner*) schärfen *intelligence*

aïkido [aikido] *m* Aikido *nt*

ail [aj] *m* Knoblauch *m*

aile [εl] *f* **1.** (*organe*) Flügel *m* **2.** *d'un véhicule* Kotflügel *m; d'un avion, aéronef* Tragfläche *f* **3.** ARCHIT [Seiten]flügel *m* ▸**voler de ses propres** ~**s** auf eigenen Füßen stehen

aileron [εlʀɔ̃] *m* **1.** ANAT *de l'oiseau* Flügelspitze *f; du requin* [Rücken]flosse *f* **2.** GASTR *de dinde* Flügelstück *nt; de requin* Flosse *f* **3.** AVIAT *d'un avion, aéronef* Querruder *nt* **4.** AUT Heckflosse *f* **5.** NAUT Hilfsruder *nt*

ailier [elje] *m* Flügelstürmer(in) *m(f);* ~ **droit** Rechtsaußen *m*

aille [aj] *subj prés de* **aller**

ailleurs [ajœʀ] *adv* **1.** (*autre part*) woanders; **regarder** ~ woandershin schauen; **nulle part** ~ nirgendwo anders; **partout** ~ überall sonst **2.** *en loc adv* **d'~, ...** übrigens; **par** ~ (*sinon*) sonst; (*en outre*) außerdem ▸**être** ~ geistesabwesend sein; **va voir** ~ **si j'y suis** *fam* du kannst mich mal

ailloli [ajɔli] *m* Knoblauchmajonäse *f*

aimable [εmabl] *adj* **1.** (*attentionné*) zuvorkommend; **trop** ~**!** *iron* tausend Dank! (*fam*) **2.** (*agréable, souriant*) nett

aimablement [εmabləmɑ̃] *adv* **1.** (*avec politesse*) höflich **2.** (*avec cordialité*) freundlich

aimant [εmɑ̃] *m* Magnet *m*

aimanté, e [εmɑ̃te] *adj* *corps* ~ Magnet *m*

aimanter [εmɑ̃te] <1> *vt* magnetisieren

aimer [eme] <1> **I.** *vi* (*apprécier*) **tu aimes?** gefällt es dir?; **moi, j'aime** mir gefällt's **II.** *vt* **1.** (*éprouver de l'amour*) lieben; **je t'aime** ich liebe dich **2.** (*éprouver de l'affection*) [gern] mögen **3.** (*apprécier*) mögen **4.** (*prendre plaisir à*) lieben *nature;* **bien** ~ [*o* ~ **assez**] **qc** etw mögen **5.** (*trouver bon*) mögen; gern essen *nourriture;* gern trinken *boisson* **6.** (*désirer, souhaiter*) **j'aimerais faire qc** ich würde gern etw tun **7.** (*préférer*) ~ **autant** [*o* **mieux**] **qc** etw lieber mögen; **j'aimerais mieux du fromage** ich hätte lieber [etwas] Käse; **ah bon! j'aime autant cela!** aha! [das ist] schon besser!; **j'aime mieux le football que le tennis** mir gefällt Fußball besser als Tennis; **j'aime autant m'en aller** ich gehe lieber weg; **j'aimerais mieux que** + *subj* mir wäre es lieber, wenn **III.** *vpr* **1.** (*d'amour*) **s'~** sich lieben **2.** (*d'amitié*) **s'~** sich mögen **3.** (*se plaire*) **s'~ dans une robe** sich (*dat*) in einem Kleid gefallen

aine [εn] *f* ANAT Leiste *f*

aîné, e [ene] **I.** *adj* **1.** (*plus âgé de deux*) ältere(r, s) **2.** (*plus âgé de plusieurs*) älteste(r, s) **3.** (*premier-né*) älteste(r, s) **II.** *m, f* **1.** (*plus âgé de deux*) Ältere(r, s) **2.** (*plus âgé parmi plusieurs*) Älteste(r, s); **elle est mon ~e de 3 ans** sie ist 3 Jahre älter als ich **3.** (*premier-né*) Älteste(r) *f(m)* **III.** *mpl* CAN **les** ~**s** (*le troisième âge*) die Senioren *Pl*

ainsi [ε̃si] *adv* **1.** (*de cette manière*) so; **c'est mieux** ~ so ist es besser; **et** ~ **de suite** und so weiter; **pour** ~ **dire** sozusagen **2.** REL ~ **soit-il!** amen! **3.** (*par exemple*) so [zum Beispiel] ▸~ **donc** dann ... also; ~ **que** (*comparaison*) [so] wie; (*énumeration*) und [auch]

air¹ [εʀ] *m* **1.** *sans pl* (*gaz*) Luft *f;* ~ **conditionné** Klimaanlage *f;* **en plein** ~ im Frei-

en **2.** *sans pl* (*brise*) Lüftchen *nt* **3.** *pl* (*ciel*) **les ~s** Luft *f* **4.** AVIAT Luft *f* **5.** (*haut*) **les mains en l'~!** Hände hoch! **6.** (*atmosphère, ambiance*) **être dans l'~** in der Luft liegen; **avoir besoin de changer d'~** einen Klimawechsel brauchen ▸ **être libre comme l'~** frei wie ein Vogel in der Luft sein; **des paroles en l'~** leere Worte

air² [ɛʀ] *m* **1.** (*allure*) Aussehen *nt*; **avoir l'~ distingué/d'une reine** vornehm/wie eine Königin aussehen **2.** (*ressemblance*) **un faux ~ de qn** eine entfernte Ähnlichkeit mit jdm (*dat*) **3.** (*expression*) Miene *f*; **d'un ~ décidé** mit Entschiedenheit **4.** (*apparence*) **avoir l'~ [d'être] triste** einen traurigen Eindruck machen; **le gâteau a l'~ délicieux** der Kuchen sieht appetitlich aus; **cette proposition m'a l'~ idiote** dieser Vorschlag kommt mir dumm vor; **ça m'en a tout l'~** es sieht mir ganz danach aus; **il a l'~ de faire froid** es scheint kalt zu werden ▸ **sans en avoir l'~** obwohl man es [gar] nicht vermuten würde; **prendre de grands ~s** sich aufspielen; **de quoi ai/aurais-je l'~?** wie stehe/stünde ich denn da?

air³ [ɛʀ] *m* **1.** (*mélodie*) Melodie *f*; **~ populaire** Volksweise *f* **2.** (*aria*) Arie *f* **3.** *péj* (*discours*) Leier *f* (*fam*)

airbag® [ɛʀbag] *m* Airbag *m*

airbus® [ɛʀbys] *m* Airbus *m*

aire [ɛʀ] *f* **1.** (*emplacement*) Platz *m*; **~ de repos** Rastplatz *m* **2.** (*domaine*) **~ d'influence** Einflussbereich *m* **3.** ANAT Bereich *m* **4.** MATH Flächeninhalt *m* **5.** (*nid*) Horst *m*

airelle [ɛʀɛl] *f* BOT Heidelbeere *f*, Blaubeere *f*

aisance [ɛzɑ̃s] *f* **1.** (*richesse*) Wohlstand *m* **2.** (*facilité, naturel*) Leichtigkeit *f*

aise [ɛz] *f* **se sentir à l'~** sich wohl fühlen; **se mettre à l'~** (*s'installer confortablement*) es sich (*dat*) bequem machen; (*enlever sa veste*) ablegen ▸ **prendre ses ~s** ganz ungeniert sein; *iron* sich ganz wie zu Hause fühlen

aisé, e [eze] *adj* **1.** *soutenu* (*facile*) einfach **2.** (*fortuné*) wohlhabend **3.** *style* flüssig; *ton* ungezwungen

aisément [ezemɑ̃] *adv* (*sans peine*) ohne weiteres

aisselle [ɛsɛl] *f* Achselhöhle *f*

Aix-la-Chapelle [ɛkslaʃapɛl] Aachen *nt*

ajonc [aʒɔ̃] *m* Stechginster *m*

ajouré, e [aʒuʀe] *adj* durchbrochen

ajournement [aʒuʀnəmɑ̃] *m* *d'un examen, d'une élection* Verschiebung *f*

ajourner [aʒuʀne] <1> *vt* verschieben *voyage, rendez-vous*; aufschieben *décision*

ajout [aʒu] *m* Zusatz *m*

ajouter [aʒute] <1> **I.** *vt* **1.** (*mettre en plus*) hinzufügen; **ajoute deux assiettes!** stell noch zwei Teller auf den Tisch! **2.** (*additionner*) **~ qc à qc** etw zu etw dazurechnen **3.** (*dire en plus*) hinzufügen; **sans ~ un mot** ohne ein weiteres Wort; **je n'ai rien à ~** dem habe ich nichts hinzuzufügen **II.** *vpr* **s'~ à qc** zu etw [noch] hinzukommen

ajustage [aʒystaʒ] *m* Justierung *f*

ajusté, e [aʒyste] *adj* *vêtement* tailliert

ajuster [aʒyste] <1> **I.** *vt* **1.** (*régler, adapter*) passend machen; TECH anpassen; richtig einstellen *ceinture de sécurité* **2.** (*viser*) zielen auf (+ *akk*) **II.** *vpr* **1.** (*s'emboîter*) **s'~ sur qc** auf etw (*akk*) passen **2.** (*s'adapter*) **s'~ à qc** für etw passend sein

ajusteur, -euse [aʒystœʀ, -øz] *m, f* Einrichter(in) *m(f)*

alambic [alɑ̃bik] *m* Destillierkolben *m*

alambiqué, e [alɑ̃bike] *adj* *discours* kompliziert

alarmant, e [alaʀmɑ̃, ɑ̃t] *adj* alarmierend

alarme [alaʀm] *f* **1.** (*signal*) Alarm *m*; **donner** [*o* **sonner**] **l'~** Alarm auslösen (*a. fig*); **c'est une fausse ~** das ist blinder Alarm **2.** (*dispositif*) Alarmanlage *f* **3.** (*trouble, agitation*) Aufregung *f*

alarmer [alaʀme] <1> **I.** *vt* alarmieren **II.** *vpr* **s'~ de qc** sich wegen etw ängstigen

alarmiste [alaʀmist] *adj* dramatisierend

albanais, e [albanɛ, ɛz] *adj* albanisch

albanais [albanɛ] *m* Albanisch *nt*; *v. a.* **allemand**

Albanais, e [albanɛ, ɛz] *m, f* Albaner(in) *m(f)*

Albanie [albani] *f* **l'~** Albanien *nt*

albâtre [albɑtʀ] *m* Alabaster *m*

albatros [albatʀos] *m* Albatros *m*

albinos [albinos] *mf* Albino *m*

album [albɔm] *m* **1.** (*cahier*) Album *nt* **2.** (*volume illustré*) Bildband *m* **3.** (*illustré pour enfants*) Bilderbuch *nt* **4.** (*bande dessinée*) Comic[band *m*] *m* **5.** (*disque*) Album *nt*

albumine [albymin] *f* **avoir de l'~** Eiweiß im Urin haben

alcalin, e [alkalɛ̃, in] *adj* alkalisch

alchimie [alʃimi] *f* Alchimie *f*

alchimiste [alʃimist] *mf* Alchimist(in) *m(f)*

alcool [alkɔl] *m* **1.** CHIM Alkohol *m*; **~ à 90°** 90-prozentiger Alkohol; **~ à brûler** [Brenn]spiritus *m* **2.** (*spiritueux*) Spirituose *f* *meist Pl*; **tenir l'~** trinkfest sein; **ne pas supporter l'~** keinen Alkohol vertragen

alcoolémie [alkɔlemi] *f* Blutalkohol[spiegel *m*] *m*

alcoolique [alkɔlik] **I.** *adj boisson* alkoholisch; *personne* alkoholabhängig **II.** *mf* Al-

koholiker(in) *m(f)*

alcoolisé, e [alkɔlize] *adj* alkoholhaltig

alcoolisme [alkɔlism] *m* Alkoholismus *m*

alcootest® [alkɔtɛst] *m* **1.**(*appareil*) [Alkoholtest]röhrchen *nt* **2.**(*test*) Alkoholtest *m*

alcôve [alkov] *f* Alkoven *m*

aléatoire [aleatwaʀ] *adj* **1.**(*incertain*) [rein] zufällig **2.** MATH, INFORM **variable** ~ Zufallsvariable *f;* **grandeur** ~ Zufallsgröße *f*

alémanique [alemanik] **I.** *adj* alemannisch; **la Suisse** ~ die deutschsprachige Schweiz **II.** *m* Alemannisch *nt; v. a.* **allemand**

alentours [alãtuʀ] *mpl* **1.**(*abords*) Umgebung *f;* **dans les** ~ in der Umgebung **2.** *fig* **aux** ~ **de minuit** gegen Mitternacht; **aux** ~ **de 500 gens** ungefähr 500 Leute

alerte [alɛʀt] **I.** *adj* schwungvoll; *vieillard* rüstig; *style* lebendig **II.** *f* **1.**(*alarme*) Alarm *m;* ~ **à la bombe** Bombenalarm; **donner l'**~ Alarm geben; **être en** [état d'**]**~ in Alarmbereitschaft sein **2.**(*signes inquiétants*) Alarmsignal *nt*

alerter [alɛʀte] <1> *vt* **1.**(*donner l'alarme*) alarmieren **2.**(*informer*) in Kenntnis setzen **3.**(*attirer l'attention*) **c'est ce qui m'a alerté** genau dies hat mich aufmerksam gemacht

alevin [alvɛ̃] *m* PECHE Setzling *m*

alexandrin [alɛksãdʀɛ̃] *m* Alexandriner *m*

alezan [alzã] *m* (*cheval*) [Rot]fuchs *m*

algèbre [alʒɛbʀ] *f* Algebra *f*

algébrique [alʒebʀik] *adj* algebraisch

Alger [alʒe] Algier *nt*

Algérie [alʒeʀi] *f* l'~ Algerien *nt*

algérien [alʒeʀjɛ̃] *m* Algerisch *nt; v. a.* **allemand**

algérien, ne [alʒeʀjɛ̃, jɛn] *adj* algerisch

Algérien, ne [alʒeʀjɛ̃, jɛn] *m, f* Algerier(in) *m(f)*

algue [alg] *f* Alge *f*

alias [aljas] *adv* alias

alibi [alibi] *m* JUR Alibi *nt* **2.**(*prétexte*) Alibi *nt,* Ausrede *f*

alicament [alikamã] *m* mit gesundheitsfördernden Stoffen angereichertes Lebensmittel

aliénation [aljenasjɔ̃] *f* **1.** PHILOS Entfremdung *f* **2.**(*perte*) Verlust *m* **3.** JUR Übertragung *f* **4.** MED ~ **mentale** Geistesgestörtheit *f*

aliéné, e [aljene] *m, f* Geisteskranke(r) *f(m)*

aliéner [aljene] <5> *vt* JUR (*donner*) übertragen

alignement [aliɲ(ə)mã] *m* **1.**(*action d'aligner*) Aufstellen *nt* in einer Reihe

2.(*rangée*) [schnurgerade] Reihe **3.** ARCHIT Flucht[linie *f*] *f* **4.**(*mise en conformité*) Anpassung *f;* ~ **monétaire** Währungsangleichung *f,* Wechselkursangleichung *f*

aligner [aliɲe] <1> **I.** *vt* **1.**(*mettre en ligne*) in einer Reihe aufstellen; aufreihen *objets;* in Reih und Glied antreten lassen *soldats;* untereinander schreiben *chiffres* **2.** *péj* (*énoncer mécaniquement*) herunterleiern (*fam*) *mots* **3.**(*rendre conforme*) ~ **une monnaie sur qc** eine Währung an etw (*akk*) angleichen; ~ **une politique sur qc** eine Politik an etw (*akk*) anpassen **II.** *vpr* **1.**(*se mettre en ligne*) **s'**~ sich [in einer Reihe] aufstellen **2.**(*être en ligne*) in einer Reihe stehen **3.**(*se conformer*) **s'**~ **sur qn/qc** sich nach jdm/etw richten **4.** POL **s'**~ **sur qn/qc** sich jdm/etw anpassen

aliment [alimã] *m* **1.**(*pour une personne*) Lebensmittel *nt;* **des** ~**s** Nahrung *f* **2.**(*pour un animal*) Futter[mittel *nt*] *nt*

alimentaire [alimãtɛʀ] *adj* **industrie** ~ Nahrungsmittelindustrie *f;* **régime** ~ Diät *f*

alimentation [alimãtasjɔ̃] *f* **1.** *d'une personne* Ernährung *f; d'un animal* Fütterung *f* **2.**(*produits pour une personne*) Nahrung *f* **3.**(*produits pour un animal*) Futter *nt* **4.**(*commerce*) Lebensmittelhandel *m;* **magasin d'**~ Lebensmittelgeschäft *nt;* ~ **animale** Futtermittelhandel *m* **5.**(*industrie*) Nahrungsmittelindustrie *f;* ~ **animale** Futtermittelindustrie *f* **6.**(*approvisionnement*) l'~ **d'une usine en charbon** die Versorgung einer Fabrik mit Kohle; l'~ **de la ville en eau** die Wasserversorgung einer Stadt

alimenter [alimãte] <1> **I.** *vt* **1.**(*nourrir*) ernähren *personne;* füttern *animal* **2.**(*approvisionner*) ~ **une ville en eau** eine Stadt mit Wasser versorgen **3.**(*entretenir*) ~ **la conversation** *personne:* das Gespräch in Gang halten; *événement:* für Gesprächsstoff sorgen **II.** *vpr* **s'**~ *personne, animal:* Nahrung zu sich nehmen

alinéa [alinea] *m* **1.**(*renfoncement*) Einzug *m* **2.**(*paragraphe*) Absatz *m*

aliter [alite] <1> *vt* **être alité** das Bett hüten müssen

alizé [alize] *m* Passat[wind *m*] *m*

Allah [a(l)la] *m* Allah *m*

allaitement [alɛtmã] *m* ~ **maternel** *d'un bébé* Stillen *nt; d'un animal* Säugen *nt;* ~ **au biberon** Füttern *nt* mit der Flasche

allaiter [alete] <1> **I.** *vi* stillen **II.** *vt* **la femme allaite son bébé** die Frau stillt ihr Baby; **la femelle allaite ses petits** das Weibchen säugt seine Jungen

allant [alã] *m* Schwung *m*

alléchant, e [aleʃɑ̃, ɑ̃t] *adj odeur, plat* verlockend

allécher [aleʃe] <5> *vt* **1.** (*mettre en appétit*) anlocken **2.** (*tenter en faisant miroiter qc*) ködern *personne*

allée [ale] *f* **1.** (*chemin dans une forêt, un jardin*) Weg *m* **2.** (*chemin bordé d'arbres*) Allee *f* **3.** (*passage*) ~ **centrale** [Mittel]gang *m*

allégation [a(l)legasjɔ̃] *f* (*affirmation*) Angabe *f*

allégé, e [aleʒe] *adj* fettarm; **produits ~s** Light-Produkte *Pl*

allégement, allègement [alɛʒmɑ̃] *m des charges* Verringerung *f;* ~ **des impôts** steuerliche Entlastung

alléger [aleʒe] <2a, 5> *vt* **1.** (*rendre moins lourd*) leichter machen **2.** (*réduire*) senken *impôts;* entlasten *programmes scolaires*

allégorie [al(l)egɔʀi] *f* Allegorie *f*

allègre [a(l)lɛgʀ] *adj* munter

allégresse [a(l)legʀɛs] *f* ausgelassene Freude

alléguer [a(l)lege] <5> *vt* (*prétexter*) vorschützen

Allemagne [almaɲ] *f* l'~ Deutschland *nt;* l'~ **de l'Est/de l'Ouest** Ost-/Westdeutschland; l'~ **fédérale** die Bundesrepublik Deutschland; **la réunification des deux ~s** die [Wieder]vereinigung Deutschlands; **aller en** ~ nach Deutschland fahren

allemand [almɑ̃] *m* l'~ Deutsch *nt*, das Deutsche; **parler [l']~** Deutsch sprechen; **parler couramment [l']~** fließend Deutsch sprechen; **écrire en** ~ auf Deutsch schreiben; **traduire en** ~ ins Deutsche übersetzen

allemand, e [almɑ̃, ɑ̃d] *adj* deutsch; **ces légumes sont ~s** dieses Gemüse kommt aus Deutschland

Allemand, e [almɑ̃, ɑ̃d] *m, f* Deutsche(r) *f(m)*

aller¹ [ale] <*irr*> **I.** *vi* + *être* **1.** (*se déplacer à pied*) [zu Fuß] gehen; **on a sonné; peux-tu y ~?** es hat geklingelt; kannst du mal hingehen?; **y ~ en courant/en nageant** hinlaufen/hinschwimmen; ~ **et venir** hin und her laufen; **pour ~ à l'hôtel de ville?** wie komme ich zum Rathaus? **2.** (*se déplacer à cheval*) reiten **3.** (*pour faire quelque chose*) ~ **à la boulangerie** zum Bäcker gehen; ~ **se coucher/se promener** schlafen gehen/spazieren gehen; ~ **voir qn** jdn besuchen gehen; **je vais voir ce qui se passe** ich gehe [mal] nachsehen, was los ist; ~ **chercher les enfants à l'école** die Kinder von der Schule abholen gehen **4.** (*rouler/voler*) fahren/fliegen

5. (*faire un voyage*) reisen **6.** (*être acheminé*) ~ **à Paris** *marchandise:* nach Paris geliefert werden; *courrier:* nach Paris gehen **7.** (*mener*) führen **8.** (*s'étendre, atteindre*) ~ **de … à …** *étendue:* von … bis … gehen; ~ **jusqu'à la mer** bis ans Meer gehen **9.** (*avoir sa place quelque part*) ~ **à la cave** in den Keller kommen **10.** (*être conçu pour*) **ce plat ne va pas au micro-ondes** diese Schüssel ist nicht mikrowellenfest **11.** (*oser*) ~ **jusqu'à faire qc** so weit gehen etw zu tun **12.** (*progresser*) ~ **vite** *personne:* schnell vorankommen; *chose:* schnell vorangehen; *nouvelles:* sich schnell herumsprechen **13.** (*se porter*) **il va bien/mal/mieux** ihm geht es gut/schlecht/besser; **comment ça va/vas-tu/allez-vous?** wie geht's?/wie geht es dir?/Ihnen?; **comment va la santé?** was macht die Gesundheit?; **ça va pas[, la tête]?** *fam* sonst geht's dir [noch] gut! **14.** (*fonctionner, évoluer*) gehen; **ça va les études?** was macht das Studium?; **tout va bien/mal** alles geht gut/schief; **quelque chose ne va pas** da stimmt etwas nicht **15.** (*connaître bientôt*) ~ **au-devant de difficultés** sich auf Schwierigkeiten gefasst machen müssen **16.** (*prévenir*) ~ **au-devant des désirs de qn** jdm jeden Wunsch von den Augen ablesen **17.** (*pour donner un âge approximatif*) ~ **sur ses 3 ans** bald drei [Jahre alt] sein **18.** (*convenir à qn*) **ça va** das ist gut; **ça ira** das passt schon; **ça peut** ~ es geht schon; ~ **à qn** jdm zusagen; **ça [te] va?** [bist du damit] einverstanden?; **ça me va!** einverstanden! **19.** (*être seyant*) ~ **bien/mal à qn** jdm gut/nicht stehen **20.** (*être coordonné, assorti*) ~ **avec qc** zu etw gehören; ~ **ensemble** zusammengehören; ~ **bien avec qc** gut zu etw passen **21.** (*convenir, être adapté à*) **cet outil va en toute circonstance** dieses Werkzeug eignet sich für jeden Zweck **22.** (*se dérouler*) **ne pas** ~ **sans difficulté** nicht ohne Schwierigkeiten ablaufen; **laisser** ~ **les affaires** die Sache laufen lassen (*fam*) **23.** (*pour commencer, démarrer*) **on y va?** packen wir's an? **24.** *impers* (*être en jeu*) **il y va de notre vie** es geht um unser Leben **25.** (*ne rien faire*) **se laisser** ~ (*se négliger*) sich gehen lassen; (*abandonner*) aufgeben; (*se décontracter*) sich entspannen **26.** (*être*) **il en va de même pour toi** dasselbe gilt auch für dich ▸ **cela/il va sans dire que qn a bien fait qc** das/es versteht sich von selbst, dass jd etw wirklich gemacht hat; **cela va de soi** [das ist doch] selbstverständlich; **ça va [comme ça]!** *fam* das reicht!; **où allons-nous?** wo

soll/wird das [noch] enden? **II.** *aux + être*
1. (*pour exprimer le futur proche*) ~ **faire**
qc gleich etw tun; **le train va partir** der
Zug fährt gleich ab; **elle allait faire qc** sie
wollte gerade etw tun **2.** (*pour exprimer la*
crainte) **et s'il allait tout raconter?** und
wenn er nun alles erzählt?; **ne va pas**
croire/imaginer que ... glaub bloß nicht,
dass ... (*fam*) **III.** *vpr + être* **s'en** ~ **1.** (*par-*
tir à pied) [weg]gehen; (*en voiture, à vélo,*
en bateau) [weg]fahren; (*en avion*)
[weg]fliegen; **s'en** ~ **en vacances/à**
l'étranger in Urlaub fahren/ins Ausland
gehen **2.** (*disparaître*) *années:* verrinnen;
héritage: zerrinnen; *fatigue:* verschwinden;
tache: herausgehen; *cicatrice:* weggehen
IV. *interj* **1.** (*invitation à agir*) **vas-y/al-**
lons-y/allez-y! (*en route!*) los geht's!
(*fam*); (*au travail!*) [na] dann wollen wir
mal! (*fam*); **vas-y/allez-y!** (*pour encoura-*
ger) los! (*fam*), mach/macht schon!
(*fam*); **allons!** nur Mut!; **allons debout!**
auf geht's! (*fam*); **allez, presse-toi un**
peu! komm, beeil dich ein bisschen!; **al-**
lez, allez, circulez! los, weitergehen/
weiterfahren!; **allez, au revoir!** also dann,
auf Wiedersehen!; **allons/allez donc!**
iron fam (*vraiment?*) ach komm/kommen
Sie! **2.** (*voyons!*) **un peu de calme, al-**
lons! etwas Ruhe, bitte! **3.** (*pour exprimer*
la résignation, la conciliation) **je le sais**
bien, va! schon gut, ich weiß es ja! (*fam*);
allez, allez, ça ne sera rien! schon gut,
es wird nicht so schlimm! (*fam*); **va/allez**
savoir! tja! (*fam*) **4.** (*non!?*) **allez!** *fam*
[ach] komm! **5.** (*d'accord!*) **alors, va pour**
le ciné! also gut, dann gehen wir eben ins
Kino!
aller² [ale] *m* **1.** (*trajet à pied*) Hinweg *m*
2. (*trajet en voiture, train*) Hinfahrt *f;*
après deux ~s et retours nach zweimali-
gem Hin- und Herfahren **3.** (*trajet en*
avion) Hinflug *m* **4.** (*voyage*) Hinreise *f;* **à**
l'~ hinwärts **5.** (*billet*) ~ [**simple**] [einfa-
che] Hinfahrt; **un ~ pour Grenoble, s'il**
vous plaît bitte einmal Grenoble [Hin-
fahrt]; ~ **retour** [Fahrkarte *f* für] Hin- und
Rückfahrt *f* **6.** *fam* (*gifle*) **un ~ retour** ein
paar hinter die Löffel
allergie [alɛʀʒi] *f* Allergie *f*
allergique [alɛʀʒik] *adj* **1.** MED allergisch;
être ~ **aux pollens** gegen Pollen allergisch sein **2.** *fig* **être** ~ **au travail** gegen
Arbeit allergisch sein
alliage [aljaʒ] *m* Legierung *f*
alliance [aljɑ̃s] *f* **1.** (*engagement mutuel*)
Bündnis *nt;* **faire** ~ sich verbünden **2.**
(*union*) ~ **entre deux personnes** Verbindung *f* zwischen zwei Personen; **par** ~ an-

geheiratet; **être** [**des**] **parents par** ~ verschwägert sein **3.** (*combinaison*) Verbindung *f* **4.** (*anneau*) Ehering *m* **5.** REL Bund
m
allié, e [alje] **I.** *adj* **1.** POL verbündet. **2.** JUR
être ~ **à qn** mit jdm verschwägert sein **II.**
m, f **1.** POL Bündnispartner(in) *m(f)*
2. (*ami*) Verbündete(r) *f(m)* **3.** *pl* HIST **les**
Alliés die Alliierten
allier [alje] <1> **I.** *vt* **1.** (*associer*) ~ **la grâ-**
ce à la force Anmut mit Kraft vereinen
(*geh*); ~ **la bêtise à l'orgueil** dumm und
überheblich zugleich sein **2.** CHIM ~ **l'or à**
l'argent Gold mit Silber legieren **II.** *vpr*
1. POL **s'~ à qn** sich mit jdm verbünden
2. (*conclure une alliance avec*) **s'~ à qn**
ein Bündnis mit jdm schließen **3.** (*s'asso-*
cier) **la grâce s'allie à la force** die Anmut
verbindet sich mit Kraft
allô [alo] *interj* hallo
allocation [alɔkasjɔ̃] *f* (*somme*) Beihilfe *f;*
~ **chômage/logement** Arbeitslosen-/
Wohngeld *nt;* ~ **vieillesse** Altersbeihilfe *f;*
~s **familiales** Kindergeld *nt,* Familienbei-
hilfe *f* (A)
allocution [alɔkysjɔ̃] *f* Ansprache *f*
allongement [alɔ̃ʒmɑ̃] *m* **1.** (*fait de s'al-*
longer) Verlängerung *f;* *d'un muscle* Stre-
ckung *f;* *des métaux* [Längs]dehnung *f;*
d'une voyelle Längung *f* **2.** (*action d'allon-*
ger) Verlängerung *f;* *d'un réseau de trans-*
port Ausbau *m*
allonger [alɔ̃ʒe] <2a> **I.** *vi* (*devenir plus*
long) **les jours allongent à partir du 21**
décembre ab dem 21. Dezember werden
die Tage [wieder] länger **II.** *vt* **1.** (*rendre*
plus long) verlängern **2.** (*étendre*) recken
cou; [aus]strecken *bras* **3.** (*coucher*) [ausge-
streckt] hinlegen *blessé;* **être allongé** [aus-
gestreckt] liegen **4.** (*diluer*) strecken, verlängern *sauce* **III.** *vpr* **s'~ 1.** (*devenir plus*
long) *personne:* in die Höhe schießen; *om-*
bres, taille: länger werden; *métaux:* sich
dehnen **2.** (*se prolonger*) *jours:* [wieder]
länger werden; *durée moyenne de la vie:* zunehmen **3.** (*s'éterniser*) sich in die Länge
ziehen **4.** (*s'étendre*) *route:* sich [dahin]zie-
hen **5.** (*se coucher*) sich hinlegen
allouer [alwe] <1> *vt* (*attribuer*) gewähren
allumage [alymaʒ] *m* AUT Zündung *f*
allume-cigare [alymsigaʀ] <allume-ci-
gares> *m* Zigarettenanzünder *m*
allumer [alyme] <1> **I.** *vt* **1.** (*faire brûler*)
anzünden *feu;* anzünden *cigarette;* **être al-**
lumé *feu, cigarette:* brennen **2.** (*mettre en*
marche) anmachen *briquet;* einschalten
four; anheizen *poêle* **3.** (*faire de la lumière*)
anzünden *bougie;* anmachen *lampe;* ein-

schalten *projecteur;* ~ **le couloir** im Flur [das] Licht [an]machen; **la cuisine est allumé** in der Küche brennt [das] Licht **II.** *vi* [das] Licht [an]machen **III.** *vpr* **s'**~ **1.** (*s'enflammer*) *bûche, bois, papier:* [an]brennen; *briquet:* zünden **2.** (*devenir lumineux*) *lumière:* angehen; *yeux:* aufleuchten; *regard:* sich aufhellen **3.** (*se mettre en marche automatiquement*) *appareil:* sich einschalten **4.** (*être mis en marche*) *moteur:* eingeschaltet werden (*fam*) **5.** (*prendre naissance*) *sentiment:* aufflammen; *querelle:* sich entzünden

allumette [alymεt] *f* Streichholz *nt;* **gratter une** ~ ein Streichholz anzünden

allumeuse [alymøz] *f péj fam* Vamp *m*

allure [alyʀ] *f* **1.** *sans pl* (*vitesse*) Geschwindigkeit *f;* **à toute** ~ mit voller Geschwindigkeit **2.** *sans pl* (*apparence*) Aussehen *nt;* **avoir de l'**~ *personne:* Stil haben; *chose:* elegant wirken **3.** *pl* (*airs*) Gebaren *nt,* Verhalten *nt*

allusion [a(l)lyzjɔ̃] *f* (*sous-entendu*) Anspielung *f;* **faire** ~ **à qn/qc** eine Anspielung auf jdn/etw machen

alluvions [a(l)lyvjɔ̃] *fpl* Schwemmland *Pl*

almanach [almana] *m* Kalender *m*

aloi [alwa] ►**de bon** ~ gut; **succès de bon** ~ verdienter Erfolg

alors [alɔʀ] **I.** *adv* **1.** (*à ce moment-là*) damals; **jusqu'**~ bis dahin **2.** (*par conséquent*) **ma voiture était en panne,** ~ **j'ai pris l'autobus** mein Auto war kaputt, da habe ich den Bus genommen **3.** (*dans ce cas*) ja dann; ~, **je comprends!** ja dann verstehe ich das!; ~, **qu'est-ce qu'on fait?** ja, was machen wir denn da? **4.** *fam* (*impatience, indignation*) ~, **tu viens?** also, kommst du jetzt [endlich]? ►**ça** ~! Na, so was!; **et** ~? (*suspense*) und dann?; ~ **là!** ja, dann!; **non, mais** ~! nein, also wirklich! (*fam*) **II.** *conj* ~ **que** + *indic* **1.** (*pendant que*) während **2.** (*tandis que*) wohingegen **3.** (*bien que*) obwohl

alouette [alwεt] *f* Lerche *f*

alourdir [aluʀdiʀ] <8> **I.** *vt* **1.** (*rendre plus lourd*) schwer[er] machen **2.** (*rendre pesant*) schwerfällig machen *démarche;* schwer machen *paupières, tête* **3.** (*augmenter*) erhöhen *impôts, charges* **II.** *vpr* **s'**~ *paupières:* schwer werden; *démarche:* schwer[fällig] werden

Alpes [alp] *fpl* **les** ~ die Alpen

alphabet [alfabε] *m* Alphabet *nt,* Abc *nt*

alphabétique [alfabetik] *adj* alphabetisch; **par ordre** ~ in alphabetischer Reihenfolge

alphabétisation [alfabetizasjɔ̃] *f* Alphabetisierung *f*

alphabétiser [alfabetize] <1> *vt* alphabe-

alphapage [alfapaʒ] *m* Organizer *m*

alpin, e [alpε̃, in] *adj* GEOG **chaîne** ~**e** Alpenkette *f*

alpinisme [alpinism] *m* Bergsteigen *nt*

alpiniste [alpinist] *mf* Bergsteiger(in) *m(f)*

Alsace [alzas] *f* **l'**~ das Elsass

alsacien [alzasjε̃] *m* Elsässisch *nt; v. a.* **allemand**

alsacien, ne [alzasjε̃, jεn] *adj* elsässisch

Alsacien, ne [alzasjε̃, jεn] *m, f* Elsässer(in) *m(f)*

altération [alterasjɔ̃] *f* **1.** *d'un aliment* Verderben *nt; de la qualité* Minderung *f; de la santé* Verschlechterung *f* des Gesundheitszustandes **2.** *des traits* Entstellung *f*

altercation [altεrkasjɔ̃] *f* [heftiger] Wortwechsel

alter ego [altεrego] *m inv* Alter Ego *nt*

altérer [altere] <5> *vt* **1.** beeinträchtigen *amitié, relation, santé;* verändern *couleur, métal;* mindern *qualité;* ~ **le caractère** den Charakter nachteilig verändern **2.** entstellen *visage, traits*

alternance [altεrnɑ̃s] *f* **1.** (*succession*) Abfolge *f;* **en** ~ **avec** im Wechsel mit **2.** POL Regierungswechsel *m*

alternatif, -ive [altεrnatif, -iv] *adj* **1.** TECH **mouvement** ~ Bewegung *f* hin und zurück **2.** ELEC **courant** ~ Wechselstrom *m* **3.** (*qui offre un choix*) alternativ

alternative [altεrnativ] *f* Alternative *f*

alternativement [altεrnativmɑ̃] *adv* abwechselnd

alterné, e [altεrne] *adj* wechselnd

alterner [altεrne] <1> **I.** *vi* abwechseln **II.** *vt* AGR **les cultures** Fruchtwechsel durchführen

altesse [altεs] *f* Hoheit *f*

altimètre [altimεtr] *m* Höhenmesser *m*

altitude [altityd] *f* **1.** GEOG Höhe *f* [über dem Meeresspiegel], sich in 400 m Höhe befinden; *village:* in 400 m Höhe liegen; **l'**~ **de ce mont est de 400 m** dieser Berg ist 400 m hoch; **avoir une faible** ~ *ville:* niedrig liegen; **en** ~ (*en montagne*) im Gebirge; METEO in höheren Lagen **2.** AVIAT ~ **de vol de 9.000 m** Flughöhe *f* von 9.000 m; **voler à basse/haute** ~ in geringer/großer Höhe fliegen; **prendre de l'**~ an Höhe gewinnen

alto [alto] *m* **1.** (*instrument*) Bratsche *f* **2.** (*musicien*) Bratschist(in) *m(f)*

altruisme [altʀɥism] *m* Altruismus *m*

alu [aly] *m fam abr de* **aluminium** Alu *nt*

aluminium [alyminjɔm] *m* Aluminium *nt*

alunir [alyniʀ] <8> *vi* auf dem Mond landen

alunissage [alynisaʒ] *m* Mondlandung *f*
alvéole [alveɔl] *f* **1.** (*cellule de cire*) Wabe[nzelle *f*] *f* **2.** (*cavité*) **en forme d'~** wabenförmig
amabilité [amabilite] *f* **1.** (*gentillesse*) Liebenswürdigkeit *f;* **ayez l'~ de m'apporter un café** wären Sie so freundlich mir einen Kaffee zu bringen **2.** *pl* (*politesses*) Höflichkeiten *Pl*
amadouer [amadwe] <1> *vt* umstimmen; **~ qn pour qu'il fasse qc** jdn dazu bringen etw zu tun
amaigrir [amegRiR] <8> *vt* **être amaigri par qc** durch etw abgemagert sein; *joues:* durch etw eingefallen sein
amaigrissant, e [amegRisɑ̃, ɑ̃t] *adj* gewichtsreduzierend
amaigrissement [amegRismɑ̃] *m* Gewichtsverlust *m*
amalgame [amalgam] *m* **1.** (*alliage de métaux*) *a.* MED Amalgam *nt;* (*matière obturatrice*) Amalgamfüllung *f* **2.** *de matériaux* Gemisch *nt; de gens, de choses* Mischung *f; d'idées* Amalgam *nt*
amalgamer [amalgame] <1> *vt* amalgamieren *métal;* vermischen *éléments*
amande [amɑ̃d] *f* **1.** (*fruit*) Mandel *f;* **en ~** mandelförmig **2.** (*graine*) Kern *m*
amandier [amɑ̃dje] *m* Mandelbaum *m*
amanite [amanit] *f* BIO Wulstling *m*
amant [amɑ̃] *m* Liebhaber *m;* (*seulement extraconjugal*) Geliebter *m;* **les ~s** die Liebenden
amarre [amaR] *f d'une barque* Halteleine *f; d'un ballon* Seil *nt; d'un cerf-volant* Schnur *f;* **larguez les ~s!** Leinen los!
amarrer [amaRe] <1> *vt* vertäuen *bateau*
amas [amɑ] *m de pierres* Haufen *m; de papiers* Berg *m; de souvenirs* Flut *f*
amasser [amɑse] <1> **I.** *vt* anhäufen *objets, fortune;* horten *nourriture, argent;* sammeln *preuves* **II.** *vi* **1.** (*thésauriser*) [Geld] horten **2.** (*accumuler*) ansammeln **III.** *vpr* **s'~** *personnes:* sich drängen; *problèmes:* sich häufen
amateur [amatœR] **I.** *m* **1.** (*opp: professionnel*) Amateur(in) *m(f);* **en ~** als Hobby **2.** *sans art* (*connaisseur*) **~ d'art** Kunstliebhaber(in) *m(f); être* **~ de films/de bons vins** gerne Filme sehen/gute Weine trinken; **en ~** aus Liebhaberei **3.** *péj* (*dilettante*) Stümper(in) *m(f)* **4.** (*acheteur*) Interessent(in) *m(f);* **ne pas être ~** *fam* nicht interessiert sein **II.** *adj pas de forme féminine* **équipe ~** Amateurmannschaft *f;* **peintre ~** Hobbymaler *m*
amateurisme [amatœRism] *m* SPORT Amateursport *m*
amazone [amazon] *f* **1.** (*cavalière*) Reite-

rin *f;* **en ~** im Damensitz **2.** (*guerrière*) Amazone *f*
ambages [ɑ̃baʒ] *fpl* ▸**sans ~** ohne Umschweife *Pl*
ambassade [ɑ̃basad] *f* **1.** (*institution, bâtiment*) Botschaft *f;* **l'~ de France** die französische Botschaft **2.** (*personnel*) Botschaftspersonal *nt*
ambassadeur, -drice [ɑ̃basadœR, -dRis] *m, f* **1.** (*diplomate*) Botschafter(in) *m(f)* **2.** (*représentant*) Vertreter(in) *m(f)*
ambiance [ɑ̃bjɑ̃s] *f* **1.** (*climat*) Atmosphäre *f;* (*entre personnes*) Stimmung *f;* **d'~** *lumière, musique* gedämpft **2.** (*gaieté*) Stimmung *f*
ambiant, e [ɑ̃bjɑ̃, jɑ̃t] *adj idées, atmosphère* herrschend; *enthousiasme* allgemein; **se boire à [la] température ~e** bei Zimmertemperatur getrunken werden
ambidextre [ɑ̃bidɛkstR] *adj* **être ~** beidhändig sein
ambigu, ë [ɑ̃bigy] *adj* **1.** (*à double sens*) zweideutig; (*permettant plusieurs interprétations*) mehrdeutig; (*contradictoire*) widersprüchlich **2.** *personnage* undurchsichtig
ambiguïté [ɑ̃biguite] *f* (*double sens*) Zweideutigkeit *f;* (*permettant plusieurs interprétations*) Mehrdeutigkeit *f;* (*contradiction*) Widersprüchlichkeit *f;* **sans ~** *comportement, parler* unmissverständlich
ambitieux, -euse [ɑ̃bisjø, -jøz] **I.** *adj* ehrgeizig **II.** *m, f* ehrgeiziger Mensch
ambition [ɑ̃bisjɔ̃] *f* **1.** (*désir de réussite*) Ehrgeiz *m* **2.** *euph* (*désir*) Wunsch *m*
ambitionner [ɑ̃bisjɔne] <1> *vt* anstreben *poste, prix*
ambré, e [ɑ̃bRe] *adj* **1.** (*jaune, doré*) bernsteinfarben; *teint* gebräunt **2.** (*parfumé*) nach Ambra duftend
ambre [ɑ̃bR] *m* **~ [jaune]** Bernstein *m*
ambulance [ɑ̃bylɑ̃s] *f* Krankenwagen *m*
ambulancier, -ière [ɑ̃bylɑ̃sje, -jɛR] *m, f* (*conducteur*) Krankenwagenfahrer(in) *m(f)*
ambulant, e [ɑ̃bylɑ̃, ɑ̃t] *adj marchand* fliegend
ambulatoire [ɑ̃bylatwaR] *adj* ambulant
âme [ɑm] *f* **1.** REL Seele *f* **2.** (*qualité morale*) Wesen *nt* **3.** (*sensibilité*) Seele *f*, Herz *nt;* **mettre toute son ~ à faire qc** sein ganzes Herz daran hängen etw zu tun **4.** (*esprit, conscience*) Seele *f*, Psyche *f* **5.** (*personne*) Seele *f* **6.** TECH *d'un conducteur électrique* Seele *f; d'un violon* Stimmstock *m*, Seele ▸**vendre son ~ au diable** dem Teufel seine Seele verkaufen; **être violoniste dans l'~** mit Leib und Seele Geiger sein

amélioration [ameljɔʀasjɔ̃] *f* **1.** *pl* (*travaux*) Verbesserung[smaßnahm]en *Pl*; (*pour embellir*) Verschönerung[sarbeit]en *Pl* **2.** (*progrès*) Verbesserung *f*; METEO [Wetter]besserung; *de la santé* Besserung *f*; **apporter une ~ à qc** eine Verbesserung an etw (*dat*) vornehmen

améliorer [ameljɔʀe] <1> **I.** *vt* **1.** ARCHIT sanieren; (*embellir*) verschönern **2.** (*rendre meilleur*) verbessern *conditions de travail, vie*; steigern *qualité, production*; aufbessern *budget* **II.** *vpr* **s'~** besser werden; (*dans son comportement*) sich bessern; *santé, temps*: sich bessern; **tu ne t'améliores pas!** *hum* du wirst auch nicht besser!

amen [amɛn] *interj* amen

aménagement [amenaʒmɑ̃] *m* **1.** (*équipement*) Einrichtung *f* **2.** (*modification*) Umbau *m*; (*extension*) Ausbau *m* **3.** *d'un quartier, d'une usine* Errichtung *f*; *d'un jardin* Anlegen *nt* **4.** (*adaptation*) Anpassung *f* **5.** (*réorganisation*) Umstellung *f*; **~ du temps de travail** Arbeitszeitregelung *f* **6.** ADMIN Planung *f*; **~ du territoire** Raumordnung *f* **7.** POL *d'un texte de loi, décret* [Ab]änderung *f*

aménager [amenaʒe] <2a> *vt* **1.** (*équiper*) einrichten *pièce*; anbringen *étagère*; einbauen *placard* **2.** (*modifier par des travaux*) umbauen **3.** (*créer*) anlegen *parc*; errichten *quartier* **4.** (*adapter*) anpassen *finances*; umstellen *horaire* **5.** ADMIN **~ une ville/le territoire** Stadtplanungs-/Raumordnungsmaßnahmen durchführen **6.** POL [ab]ändern *texte de loi, décret*

amende [amɑ̃d] *f* Geldstrafe *f*; (*p.-v.*) gebührenpflichtige Verwarnung

amendement [amɑ̃dmɑ̃] *m d'une loi* [Ab]änderungsantrag *m*

amender [amɑ̃de] <1> *vt* **1.** POL [ab]ändern **2.** AGR verbessern

amener [am(ə)ne] <4> **I.** *vt* **1.** *fam* (*apporter*) mitbringen **2.** (*mener*) **~ qn à/chez qn** jdn zu jdm bringen; **qu'est-ce qui t'amène ici?** was führt dich hierher? **3.** (*acheminer*) bringen *gaz, liquide* **4.** (*provoquer*) **~ qc** etw verursachen **5.** (*entraîner à*) **~ qn à faire qc** jdn dazu bringen etw zu tun **6.** (*introduire*) bringen *thème*; anbringen *citation, plaisanterie* **7.** (*diriger*) **~ la conversation sur un sujet** das Gespräch auf ein Thema bringen **II.** *vpr fam* (*se rappliquer*) **amène-toi!** komm [schon] her!

amenuiser [amənɥize] <1> **I.** *vt* **1.** (*affaiblir*) schwächen **2.** (*réduire*) verringern *chances, espoir* **II.** *vpr* **s'~** *forces*: nachlassen; *ressources*: abnehmen; *valeur*: sich verringern

amer, -ère [amɛʀ] *adj* **1.** (*aigre*) bitter **2.** *fig parole* bitter; *déception, critique* herb; *souvenir* schmerzlich

amèrement [amɛʀmɑ̃] *adv* bitter; *critiquer* scharf

américain [ameʀikɛ̃] *m* amerikanisches Englisch; *v. a.* **allemand**

américain, e [ameʀikɛ̃, ɛn] *adj* amerikanisch

Américain, e [ameʀikɛ̃, ɛn] *m, f* Amerikaner(in) *m(f)*

américanisation [ameʀikanizasjɔ̃] *f* (*action, résultat*) Amerikanisierung *f*

américanisme [ameʀikanism] *m* (*idiotisme, emprunt*) Amerikanismus *m*; (*études*) Amerikanistik *f*

Amérique [ameʀik] *f* **l'~** Amerika *nt*; **l'~ centrale/latine/du Nord/du Sud** Mittel-/Latein-/Nord-/Südamerika

amerrir [ameʀiʀ] <8> *vi* wassern

amertume [amɛʀtym] *f* **1.** (*tristesse*) Bitterkeit *f*; **être plein d'~** [ganz] verbittert sein **2.** (*goût amer*) Bitterkeit *f*, bitterer Geschmack

améthyste [ametist] *f* Amethyst *m*

ameublement [amœbləmɑ̃] *m* (*meubles*) Möblierung *f*; (*avec tapis, rideaux*) Einrichtung *f*

ameuter [amøte] <1> *vt* alarmieren

ami, e [ami] **I.** *m, f* **1.** (*opp: ennemi*) Freund(in) *m(f)*; **~ des bêtes** Tierfreund; **mon cher ~/ma chère amie** mein Lieber/meine Liebe; **se faire des ~s** Freunde finden **2.** (*amant(e)*) Freund(in) *m(f)*; **petit ~** [fester] Freund/[feste] Freundin *m/f* **II.** *adj regard, parole* freundschaftlich; *pays* befreundet; **être très ~ avec qn** mit jdm eng befreundet sein

amiable [amjabl] *adj décision, constat* einvernehmlich; **divorcer/s'arranger à l'~** sich gütlich trennen/einigen

amiante [amjɑ̃t] *m* Asbest *m*

amibe [amib] *f* Amöbe *f*

amical, e [amikal, o] <-aux> *adj* **1.** *rencontre, conseil* freundschaftlich; *attitude* freundlich; *sourire* herzlich **2.** SPORT **match ~** Freundschaftsspiel

amicale [amikal] *f* (*association*) Vereinigung *f*

amicalement [amikalmɑ̃] *adv* **1.** (*chaleureusement*) freundschaftlich; *recevoir* herzlich **2.** (*formule de fin de lettre*) herzliche Grüße

amidon [amidɔ̃] *m* Stärke *f*

amidonner [amidɔne] <1> *vt* stärken

amincir [amɛ̃siʀ] <8> **I.** *vt* schlank[er] machen; schlanker erscheinen lassen *hanches, taille* **II.** *vi fam* abnehmen **III.** *vpr* **s'~** *personne*: schlanker werden; *tissu, couche*:

dünner werden

amincissant, e [amɛ̃sisɑ̃, ɑ̃t] *adj* être ~ *robe:* schlank machen

amiral [amiʀal, o] <-aux> *m* Admiral *m*

amitié [amitje] *f* **1.** (*affection*) Freundschaft *f;* (*sympathie*) Zuneigung *f;* **se lier d'~ avec qn** sich mit jdm anfreunden; **avoir de l'~ pour qn** jdn mögen **2.** (*entente entre pays*) Freundschaft *f* **3.** *pl* (*formule de fin de lettre*) **~s de Bernadette** alles Liebe, Bernadette; **faire toutes ses ~s à qn** jdn herzlich grüßen lassen

ammoniac [amɔnjak] *m* Ammoniak *nt*

ammoniaque [amɔnjak] *f* (*liquide*) Salmiakgeist *m*

amnésie [amnezi] *f* Gedächtnisschwund *m*

amnésique [amnezik] **I.** *adj* an Gedächtnisschwund leidend **II.** *mf* an Gedächtnisschwund Leidende(r) *f(m)*

amnistie [amnisti] *f* Amnestie *f*

amnistier [amnistje] <1> *vt* amnestieren

amocher [amɔʃe] <1> **I.** *vt fam* **1.** (*abîmer*) ramponieren **2.** (*blesser*) [übel] zurichten **II.** *vpr fam* **il s'est bien amoché** (*il s'est blessé*) es hat ihn schwer erwischt

amoindrir [amwɛ̃dʀiʀ] <8> **I.** *vt* schwächen *autorité, confiance;* schmälern *mérite* **II.** *vpr* **s'~** *forces, facultés:* abnehmen; *fortune:* sich verringern

amollir [amɔliʀ] <8> *vt* **1.** (*rendre mou*) weich machen; schmelzen lassen *cire, beurre* **2.** (*rendre moins énergique*) (*physiquement*) träge machen; (*moralement*) verweichlichen

amonceler [amɔ̃s(ə)le] <3> *vt* aufhäufen, auftürmen

amoncellement [amɔ̃sɛlmɑ̃] *m* Haufen *m*

amont [amɔ̃] *m* *d'un cours d'eau* Oberlauf *m;* **aller vers l'~** flussaufwärts gehen/fahren ▸**en ~ de Valence** oberhalb von Valence; **décision en ~** Vorentscheidung *f*

amoral, e [amɔʀal, o] <-aux> *adj* amoralisch

amorce [amɔʀs] *f* **1.** *d'une cartouche* Zündhütchen *nt; d'une mine* Zünder *m;* **pistolet à ~s** Knallpistole *f* **2.** (*appât*) Köder *m* **3.** INFORM Ladeprogramm *nt*

amorcer [amɔʀse] <2> **I.** *vt* **1.** (*garnir d'une amorce*) scharf machen *explosif* **2.** PECHE beködern **3.** (*mettre en état de fonctionner*) betriebsbereit machen *syphon* **4.** (*commencer à percer*) vorbohren *trou* **5.** (*ébaucher un mouvement*) **~ un virage** in eine Kurve gehen **6.** (*engager*) aufnehmen *conversation;* einleiten *réforme* **II.** *vpr* **s'~** *dialogue:* in Gang kommen; *baisse:* sich abzeichnen

amorphe [amɔʀf] *adj personne* energielos

amortir [amɔʀtiʀ] <8> *vt* **1.** (*affaiblir*) dämpfen *bruit, choc;* bremsen *chute* **2.** (*rembourser*) tilgen *dette* **3.** (*rentabiliser*) amortisieren *équipement, voiture;* (*inscrire au bilan*) abschreiben *équipement, voiture*

amortissement [amɔʀtismɑ̃] *m d'un choc, bruit* Dämpfung *f*

amortisseur [amɔʀtisœʀ] *m* AUT Stoßdämpfer *m*

amour [amuʀ] **I.** *m* **1.** (*sentiment*) Liebe *f;* **l'~ maternel** die Mutterliebe; **~ fissionnel** [Liebes-]Beziehung zwischen zwei getrennt lebenden Personen **2.** (*acte*) Liebe *f;* **pendant l'~** während des Geschlechtsverkehrs; **ils font l'~** sie schlafen miteinander **3.** (*personne*) Liebe *f* **4.** (*attachement, altruisme*) **~ du prochain**/**de la justice** Nächsten-/Gerechtigkeitsliebe **5.** (*goût pour*) **~ de la nature** Liebe *f* zur Natur; **~ du sport** Sportbegeisterung *f* **6.** (*terme d'affection*) **mon ~** [mein] Liebling; **être un ~** *fam* ein [richtiger] Schatz sein ▸**pour l'~ de Dieu** um Gottes willen; **vivre d'~ et d'eau fraîche** von Luft und Liebe leben **II.** *mpl f si poétique* Liebschaften *Pl;* **comment vont tes ~s?** was macht die Liebe? ▸**à tes**/**vos ~s!** *hum* Gesundheit!

amouracher [amuʀaʃe] <1> *vpr* **s'~ de qn** sich in jdn vernarren

amoureusement [amuʀøzmɑ̃] *adv* (*avec amour, soin*) liebevoll

amoureux, -euse [amuʀø, -øz] **I.** *adj personne, regard* verliebt; **la vie amoureuse de qn** jds Liebesleben *nt;* **être ~ de qn** in jdn verliebt sein; **tomber ~ de qn** sich in jdn verlieben **II.** *m, f* **1.** (*soupirant*) Verehrer(in) *m(f);* **un amoureux**/**une amoureuse** ein Verliebter/eine Verliebte; **des ~** Verliebte *Pl;* (*sentiment plus profond*) Liebende *Pl;* **un amoureux**/**une amoureuse** ein Liebhaber/eine Liebhaberin; **en ~** in trauter Zweisamkeit **2.** (*passionné*) **~ de la musique**/**de la nature** Musikliebhaber *m*/Naturfreund *m*

amour-propre [amuʀpʀɔpʀ] <amours-propres> *m* Selbstachtung *f*

amovible [amɔvibl] *adj* abnehmbar; (*par boutons*) ausknöpfbar

ampère [ɑ̃pɛʀ] *m* Ampere *nt*

amphétamine [ɑ̃fetamin] *f* Amphetamin *nt*

amphi [ɑ̃fi] *m* UNIV *fam abr de* **amphithéâtre** Hörsaal *m*

amphibie [ɑ̃fibi] *m* ZOOL Amphibie *f*

amphithéâtre [ɑ̃fiteɑtʀ] *m* **1.** ARCHIT Amphitheater *nt* **2.** UNIV Hörsaal *m* **3.** THEAT Rang *m*

amphore [x] *f* Amphore *f*
ample [ãpl] *adj* **1.** (*large*) weit **2.** *mouvement* weit ausholend; *voix* weithin hörbar **3.** *projet, sujet* umfangreich; *récit, information* ausführlich; **de plus ~s informations** nähere Informationen
amplement [ãpləmã] *adv* ausführlich; **être ~ suffisant** völlig ausreichen
ampleur [ãplœʀ] *f* **1.** *d'un vêtement* Weite *f*; *d'une voix* Reichweite *f* **2.** *d'un récit* Ausführlichkeit *f*; *d'un sujet* Umfang *m*; *d'une catastrophe* Ausmaß *nt*; **prendre de l'~** *événement:* an Bedeutung gewinnen; *manifestation:* sich ausweiten
ampli *fam*, **amplificateur** [ãplifikatœʀ] *m* **1.** PHYS, RADIO Verstärker *m* **2.** PHOT Vergrößerungsapparat *m*
amplifier [ãplifje] <1> I. *vt* **1.** (*augmenter*) verstärken; vergrößern *image* **2.** (*développer*) verstärken *échanges, coopération;* verbreiten *idée* **3.** (*exagérer*) aufblähen II. *vpr* **s'~** *bruit:* anschwellen; *échange:* sich intensivieren; *mouvement, scandale:* sich ausweiten; *tendance:* zunehmen; *idée:* sich ausbreiten
amplitude [ãplityd] *f* **1.** SCI Amplitude *f* **2.** (*ampleur*) Ausmaß *nt*
ampoule [ãpul] *f* **1.** ELEC [Glüh]birne *f* **2.** MED Ampulle *f* **3.** (*cloque*) Blase *f*
amputation [ãpytasjɔ̃] *f* **1.** ANAT Amputation *f* **2.** *d'un texte, d'un budget* Kürzung *f*; *du territoire national* Verkleinerung *f*
amputer [ãpyte] <1> *vt* ANAT amputieren; **être amputé d'un bras** armamputiert sein
amulette [amylɛt] *f* Amulett *nt*
amusant, e [amyzã, ãt] *adj* **1.** (*divertissant*) unterhaltsam; *travail, vacances* abwechslungsreich **2.** (*drôle*) amüsant **3.** (*curieux*) witzig (*fam*)
amuse-gueule <amuse-gueule *o* amuse-gueules> [amyzgœl] *m fam* Knabbereien *Pl*
amusement [amyzmã] *m* **1.** (*divertissement*) Zeitvertreib *m* **2.** (*plaisir*) Vergnügen *nt* **3.** (*moquerie*) Belustigung *f*
amuser [amyze] <1> I. *vt* **1.** (*divertir*) unterhalten; *activité:* Spaß machen **2.** (*faire rire*) amüsieren **3.** (*détourner l'attention*) ablenken II. *vpr* **s'~ 1.** (*jouer*) spielen; **s'~ avec qn/qc** mit jdm/etw spielen **2.** (*se divertir*) **bien s'~** sich gut amüsieren; (*à une soirée*) sich gut unterhalten; **amuse-toi/amusez-vous bien!** viel Spaß!; **qn s'amuse à faire qc** es macht jdm Spaß etw zu tun **3.** (*batifoler*) sich amüsieren **4.** (*traîner*) [herum]trödeln (*fam*)
amuseur, -euse [amyzœʀ, -øz] *m, f* **~ public** Alleinunterhalter(in) *m(f)*; (*à la*

télé) Entertainer(in) *m(f)*
amygdale [amidal] *f* Mandel *f*
an [ã] *m* **1.** (*durée*) Jahr *nt;* **après cinq ~s de vie commune** nach fünfjährigem Zusammenleben **2.** (*âge*) Jahr *nt;* **avoir cinq ~s** fünf [Jahre alt] sein; **à quarante ~s** mit vierzig [Jahren]; **homme de cinquante ~s** fünfzigjähriger Mann; **fêter ses vingt ~s** seinen/ihren zwanzigsten Geburtstag feiern **3.** (*point du temps*) Jahr *nt;* **l'~ dernier/prochain** letztes/nächstes Jahr; **tous les ~s** jedes Jahr; **par ~** jährlich; **en l'~ 200 avant Jésus-Christ** [im Jahr] 200 vor Christus; **le nouvel ~, le premier de l'~** Neujahr *nt*, der Neujahrstag; **au nouvel ~** an Neujahr
anagramme [anagʀam] *f* Anagramm *nt*
anal, e [anal, o] <-aux> *adj* anal
analgésique [analʒezik] *m* Schmerzmittel *nt*
analogie [analɔʒi] *f* Analogie *f*; **par ~** analog
analogue [analɔg] *adj* analog, ähnlich
analphabète [analfabɛt] I. *adj* des Lesens und Schreibens unkundig II. *mf* Analphabet(in) *m(f)*
analphabétisme [analfabetism] *m* Analphabetismus *m*
analyse [analiz] *f* **1.** (*opp: synthèse*) Analyse *f*; **faire l'~ de qc** etw analysieren **2.** MED Untersuchung *f* **3.** MATH Analysis *f*
analyser [analize] <1> *vt* analysieren; GRAM bestimmen *mot;* MATH, MED untersuchen; **se faire ~** PSYCH eine Analyse machen
analyste [analist] *mf* **1.** (*technicien*) Analytiker(in) *m(f)* **2.** PSYCH [Psycho]analytiker(in) *m(f)*
analyste-programmeur , **-euse** [analist(ə)pʀɔgʀamœʀ, -øz] <analystes-programmeurs> *m, f* Systemanalytiker(in) *m(f)*
analytique [analitik] *adj* analytisch
ananas [anana(s)] *m* Ananas *f*
anarchie [anaʀʃi] *f* **1.** POL Anarchie *f* **2.** (*pagaïe*) Chaos *nt* **3.** (*anarchisme*) Anarchismus *m*
anarchique [anaʀʃik] *adj* chaotisch
anarchiste [anaʀʃist] I. *adj* anarchistisch II. *mf* Anarchist(in) *m(f)*
anathème [anatɛm] *m* Exkommunikation *f*
anatomie [anatɔmi] *f* **1.** (*science*) Anatomie *f* **2.** *fam* (*corps*) Körperbau *m*
anatomique [anatɔmik] *adj* anatomisch
ancestral, e [ãsɛstʀal, o] <-aux> *adj* alt[überliefert]
ancêtre [ãsɛtʀ] I. *mf* **1.** (*aïeul*) Vorfahr(in) *m(f)*; (*à l'origine d'une famille*) Urahn(in)

m(f) **2.** *d'un genre artistique* Vorläufer(in) *m(f)* **3.** *fam* (*vieillard*) alter Mann/alte Frau *m/f* **II.** *mpl* HIST Vorfahren *Pl*

anchois [ãʃwa] *m* Sardelle *f*

ancien [ãsjɛ̃] *m* (*objets*) Antiquitäten *Pl*

ancien, ne [ãsjɛ̃, jɛn] **I.** *adj* **1.** (*vieux*) alt; *objet d'art* antik; *livre* antiquarisch **2.** *antéposé* (*ex-*) ehemalig **3.** (*antique*) antik **4.** (*qui a de l'ancienneté*) **être ~ dans le métier** schon lange im Beruf sein **II.** *m, f* **1.** (*personne*) **les ~s** die Alten **2.** (*collaborateur*) **être un ~ dans l'entreprise** schon lange zum Unternehmen gehören

anciennement [ãsjɛnmã] *adv* früher

ancienneté [ãsjɛnte] *f* (*dans la fonction publique*) Dienstalter *nt;* (*dans une entreprise*) Betriebszugehörigkeit *f*

anciens [ãsjɛ̃] *mpl* HIST Völker des Altertums

ancre [ãkʀ] *f* Anker *m* ▸ **jeter** l'~ vor Anker gehen; *fig* sich niederlassen

ancrer [ãkʀe] <1> *vt* **1.** verankern; **être ancré dans la rade** auf der Reede liegen **2.** (*enraciner*) **être ancré dans qc** in etw (*akk*) [fest] verankert sein

Andorre [ãdɔʀ] *f* Andorra *nt*

andouille [ãduj] *f* Wurst aus Innereien von Schwein oder Kalb

andouillette [ãdujɛt] *f* Würstchen aus Innereien

androgyne [ãdʀɔʒin] **I.** *adj* BIO androgyn **II.** *mf* BIO Zwitter *m*

âne [ɑn] *m* **1.** ZOOL Esel *m; v. a.* **ânesse 2.** (*imbécile*) **quel ~!** so ein Esel! ▸ **être têtu comme un ~** störrisch wie ein Esel sein

anéantir [aneãtiʀ] <8> **I.** *vt* **1.** (*détruire*) vernichten *ennemi;* aufreiben *armée;* dem Erdboden gleichmachen *ville;* zunichte machen *effort, espoir* **2.** (*déprimer, accabler*) niederdrücken; *mauvaise nouvelle:* niederschmettern **II.** *vpr* **s'~** *volonté:* ins Wanken geraten

anéantissement [aneãtismã] *m* **1.** (*disparition*) Zerstörung *f* **2.** (*fatigue*) Erschöpfung *f;* (*abattement*) Niedergeschlagenheit *f*

anecdote [anɛkdɔt] *f* Anekdote *f*

anecdotique [anɛkdɔtik] *adj* anekdotisch

anémie [anemi] *f* **1.** MED Blutarmut *f* **2.** (*crise*) Flaute *f*

anémier [anemje] <1a> *vt a. fig* schwächen

anémone [anemɔn] *f* Anemone *f*

ânerie [anʀi] *f* Dummheit *f*

ânesse [anɛs] *f* Eselin *f; v. a.* **âne**

anesthésie [anɛstezi] *f* Narkose *f*

anesthésier [anɛstezje] <1> *vt* betäuben

anesthésiste [anɛstezist] *mf* Narkose-

arzt/-ärztin *m/f*

ange [ãʒ] *m* **1.** REL Engel *m* **2.** (*personne*) Engel *m* ▸ ~ **gardien** Schutzengel *m;* (*garde du corps*) Leibwächter *m*

angélique¹ [ãʒelik] *adj* engelhaft

angélique² [ãʒelik] *f* BOT Engelwurz *f*

angine [ãʒin] *f* Angina *f*

anglais [ãglɛ] *m* Englisch *nt; v. a.* **allemand**

anglais, e [ãglɛ, ɛz] *adj* englisch ▸ **filer à l'~e** sich [auf] französisch verabschieden

Anglais, e [ãglɛ, ɛz] *m, f* Engländer(in) *m(f)*

angle [ãgl] *m* **1.** (*coin*) Ecke *f* **2.** GEOM Winkel *m* **3.** PHOT, OPT **grand-~** Weitwinkelobjektiv *nt;* ~ **mort** toter Winkel **4.** (*point de vue*) Blickwinkel *m*

Angleterre [ãglətɛʀ] *f* l'~ England *nt*

anglicisme [ãglisism] *m* (*emprunt*) Anglizismus *m*

angliciste [ãglisist] *mf* Anglist(in) *m(f)*

anglo-américain [ãgloameʀikɛ̃] *m* amerikanisches Englisch

anglo-canadien, ne [ãglokanadjɛ̃, jɛn] <anglo-canadiens> *adj* anglokanadisch

Anglo-Canadien, ne [ãglokanadjɛ̃, jɛn] <Anglo-Canadiens> *m, f* Anglokanadier(in) *m(f)*

anglophile [ãglɔfil] **I.** *adj* anglophil; *politique* proenglisch **II.** *mf* Anglophile(r) *f(m)*

anglophone [ãglɔfɔn] **I.** *adj* englischsprechend; (*dont l'anglais est la langue maternelle*) englischsprachig **II.** *mf* Englischsprechende(r) *f(m);* (*dont l'anglais est la langue maternelle*) Englischsprachige(r) *f(m)*

anglo-saxon, ne [ãglosaksɔ̃, ɔn] <anglo-saxons> *adj* angelsächsisch

Anglo-Saxon, ne [ãglosaksɔ̃, ɔn] <Anglo-Saxons> *m, f* Angelsachse/-sächsin *m/f*

angoissant, e [ãgwasã, ãt] *adj* beängstigend

angoisse [ãgwas] *f* **1.** (*peur*) Angst *f;* (*malaise*) Angstzustand *m* **2.** PHILOS Angst *f*

angoissé, e [ãgwase] **I.** *adj* visage, voix angsterfüllt; *geste* angstvoll; (*craintif*) ängstlich; *personne* verängstigt **II.** *m, f* ängstlicher Mensch

angoisser [ãgwase] <1> *vt* (*inquiéter*) ~ **qn** jdm Angst einjagen; *situation, nouvelle, silence:* jdn ängstigen

angora [ãgɔʀa] **I.** *adj* **laine** ~ Angorawolle *f* **II.** *m* (*chat*) Angorakatze *f;* (*lapin*) Angorahase *m;* (*laine*) Angorawolle *f*

anguille [ãgij] *f* Aal *m*

angulaire [ãgylɛʀ] *adj* eckig

anguleux, -euse [ãgylø, -øz] *adj menton* eckig

anicroche [anikʀɔʃ] *f* [kleiner] Zwischenfall

animal [animal, o] <-aux> *m* **1.** (*bête*)
Tier *nt;* ~ **domestique** Haustier; **animaux
sauvages** wilde Tiere **2.** (*être humain*) [Le-
be]wesen *nt* **3.** (*personne stupide*) Rindvieh *nt;* (*personne brutale*) Rohling *m*

animal, e [animal, o] <-aux> *adj* **1.** ZOOL,
BIO *matières* tierisch; *fonctions* animalisch;
règne ~ Tierreich *nt* **2.** (*rapporté à l'homme*) tierhaft; *confiance* instinktiv **3.** *péj*
(*bestial*) animalisch

animalier, -ière [animalje, -jɛʀ] **I.** *m, f*
(*peintre*) Tiermaler(in) *m(f);* (*sculpteur*)
Tierbildhauer(in) *m(f);* (*dans un laboratoire*) [Versuchs]tierpfleger(in) *m(f)* **II.** *app*
peintre ~ Tiermaler *m* **III.** *adj* **documentaire** ~ Tierfilm *m*

animateur, -trice [animatœʀ, -tʀis] *m, f*
1. *d'un groupe* Betreuer(in) *m(f); d'un club
de vacances* Animateur(in) *m(f); d'un club
de sport* Leiter(in) *m(f)* **2.** *d'un débat, jeu*
Leiter(in) *m(f);* RADIO, TV Moderator(in)
m(f) **3.** *d'un projet* Motor *m* **4.** CINE Anima-
tor(in) *m(f)*

animation [animasjɔ̃] *f* **1.** *d'un bureau*
[rege] Betriebsamkeit; *d'un quartier* lebhaf-
tes Treiben **2.** *d'une discussion* Lebhaftigkeit *f;* **mettre de l'**~ für Stimmung sorgen
3. (*excitation*) Aufregung *f* **4.** (*conduite de
groupe*) Leitung *f* **5.** CINE Animation *f*

animé, e [anime] *adj discussion* lebhaft;
rue belebt; **dessin** ~ Zeichentrickfilm *m;*
être ~ Lebewesen *nt*

animer [anime] <1> **I.** *vt* **1.** (*mener*) leiten *entreprise, débat;* betreuen *groupe;* führen durch *émission* **2.** (*mouvoir*) bewegen
3. (*égayer*) beleben **II.** *vpr* **s'**~ *rue, yeux:*
sich beleben; *conversation:* lebhaft werden;
statue: lebendig werden

animisme [animism] *m* Animismus *m*

animosité [animozite] *f* Feindseligkeit *f*

anis [anis] *m* BOT, GASTR Anis *m*

anisette [anizɛt] *f* Anisette *m*

ankyloser [ɑ̃kiloze] <1> *vt a. fig* steif werden lassen

annales [anal] *fpl* Annalen *Pl;* (*titre de pé-
riodiques*) Jahrbücher *Pl*

anneau [ano] <x> *m* **1.** (*cercle, bague*)
Ring *m* **2.** (*maillon*) Glied *nt* **3.** ZOOL *d'un
ver* Segment *nt* **4.** *pl* SPORT Ringe *Pl* **5.** AS-
TRON Ring *m*

année [ane] *f* **1.** (*durée*) Jahr *nt;* ~ **civile/
bissextile** Kalender-/Schaltsjahr; **au
cours des dernières** ~**s** in den letzten
Jahren; **bien des** ~**s après** Jahre später;
dans les ~**s à venir** in den kommenden
Jahren; **pour de longues** ~**s** auf Jahre hinaus; **tout au long de l'**~ das ganze Jahr

[über] **2.** (*âge*) Lebensjahr *nt* **3.** (*période
d'activité*) ~ **scolaire** [Schul]jahr *nt;* ~
universitaire akademisches Jahr **4.** (*date*)
Jahr *nt;* **l'**~ **prochaine/dernière/passée**
nächstes/letztes/vergangenes Jahr; ~ **de
naissance** Geburtsjahr; **en début/en fin
d'**~ [am] Anfang/Ende des Jahres; **d'une** ~
à l'autre von einem Jahr zum anderen; **l'**~
1789 [das Jahr] 1789; **les** ~**s trente** die
dreißiger Jahre; **1985, c'est une bonne** ~
pour le Bordeaux 1985 ist beim Bordeaux ein guter Jahrgang; **bonne** ~**!** ein
gutes neues Jahr!; **bonne** ~**, bonne santé!** ein gesundes neues Jahr!; **souhaiter la
bonne** ~ **à qn** jdm ein gutes neues Jahr
wünschen ▶**les** ~**s folles** die goldenen
zwanziger Jahre

année-lumière [anelymjɛʀ] <années-
lumière> *f* Lichtjahr *nt*

annexe [anɛks] *f* Anhang *m;* ~ **d'un con-
trat/traité** Zusatz zu einem Vertrag; **nous
joignons en** ~ **de la présente ...** als Anlage [zum vorliegenden Brief] fügen wir ...
bei

annexer [anɛkse] <1> *vt* annektieren *territoire, pays*

annexion [anɛksjɔ̃] *f d'un pays, territoire*
Annexion *f*

annihiler [aniile] <1> *vt* zunichte machen
efforts, espoir

anniversaire [anivɛʀsɛʀ] **I.** *adj* **jour** ~ Jahrestag *m;* **cérémonie** ~ Gedenkfeier *f;
d'une association, entreprise* Jubiläumsfeier
f; **le jour** ~ **de leurs 50 ans de mariage**
ihr fünfzigster Hochzeitstag; **la cérémonie** ~ **de l'armistice** die Feier[lichkeiten]
zum Jahrestag des Waffenstillstands **II.** *m
d'une personne* Geburtstag *m; d'un événement* Jahrestag *m;* (*dans une association/
entreprise*) Jubiläum *nt;* **bon** ~**!** alles Gute
zum Geburtstag!

annonce [anɔ̃s] *f* **1.** *d'un événement imminent* Ankündigung *f;* (*information officielle*) ~ **de qc** Bekanntgabe *f* einer S. (*gen*);
(*transmise par les médias*) Meldung *f* einer S. (*gen*) **2.** (*texte*) Anzeige *f;* (*petite* ~)
Annonce *f*, Anzeige; **les petites** ~**s** (*rubrique*) die Kleinanzeigen; **passer une** ~
dans un journal eine Annonce in einer
Zeitung aufgeben **3.** (*présage*) Vorbote *m;*
(*indice*) Anzeichen *nt* **4.** JEUX Ansage *f*

annoncer [anɔ̃se] <2> **I.** *vt* **1.** (*communiquer*) bekanntgeben, mitteilen *fait, décision;* (*à la radio, la TV*) melden *fait, décision;* ankündigen *événement imminent*
2. (*signaler l'arrivée de qn*) ~ **qn** jdn melden **3.** (*prédire*) ankündigen **4.** (*être le signe de*) Vorbote sein für *printemps; signal:*
verkünden **5.** JEUX ansagen **II.** *vpr* **1.** (*arri-*

ver) **s'~** sich ankündigen; *été:* vor der Tür stehen **2.**(*se présenter*) **bien/mal s'~** gut/schlecht anfangen; **ça s'annonce bien** es sieht gut aus

annonceur, -euse [anɔ̃sœʀ, -søz] *m, f* **1.**(*speaker*) Sprecher(in) *m(f)* **2.**(*qui passe une petite annonce*) Inserent(in) *m(f)* **3.**(*bénéficiaire d'une publicité*) Werbetreibende(r) *f(m)* **4.** PRESSE Anzeigenkunde/-kundin *m/f* **5.**(*sponsor*) Sponsor(in) *m(f)*

annonciateur, -trice [anɔ̃sjatœʀ, -tʀis] *adj* **signe ~ de qc** Vorzeichen für etw

Annonciation [anɔ̃sjasjɔ̃] *f* **l'~** Mariä Verkündigung

annotation [anɔtasjɔ̃] *f* Anmerkung *f*

annoter [anɔte] <1> *vt* mit Anmerkungen versehen

annuaire [anɥɛʀ] *m* Jahrbuch *nt;* **~ téléphonique** [*o* **des téléphones**] Telefonbuch

annuel, le [anɥɛl] *adj* **1.**(*périodique*) jährlich; **congé ~** Jahresurlaub *m;* **rente ~le** Jahresrente *f* **2.**(*qui dure un an*) einjährig

annuité [anɥite] *f* d'une dette Jahresrate *f*

annulaire [anylɛʀ] **I.** *m* Ringfinger *m* **II.** *adj* ringförmig

annulation [anylasjɔ̃] *f* **1.** *d'une commande* Stornierung *f; d'un rendez-vous* Absage *f* **2.** *d'un examen, contrat* Annullierung *f; d'un jugement* Aufhebung *f*

annuler [anyle] <1> **I.** *vt* **1.**(*supprimer*) rückgängig machen; bereinigen *dette;* stornieren *voyage, commande;* absagen *rendez-vous* **2.** JUR aufheben *jugement;* annullieren *mariage* **3.** INFORM abbrechen **II.** *vpr* **s'~** sich [gegenseitig] aufheben

anoblir [anɔbliʀ] <8> *vt* adeln

anode [anɔd] *f* Anode *f*

anodin, e [anɔdɛ̃, in] *adj personne, détail* unbedeutend

anomalie [anɔmali] *f* **1.** GRAM Unregelmäßigkeit *f* **2.**(*singularité*) Anomalie *f;* (*caractère inhabituel*) Ungewöhnliche(s) *nt;* (*caractère déviant*) Abnormität *f* **3.** BIO Anomalie *f* **4.** TECH Defekt *m*

ânonner [anɔne] <1> *vi* stockend sprechen

anonymat [anɔnima] *m* Anonymität *f;* **rester dans l'~** anonym bleiben

anonyme [anɔnim] *adj* anonym; *décor, vêtement* nichts sagend

anorak [anɔʀak] *m* Anorak *m*

anorexie [anɔʀɛksi] *f* **1.**(*perte d'appétit*) Appetitlosigkeit *f* **2.**(*refus de s'alimenter*) **~ mentale** Magersucht *f*

anorexique [anɔʀɛksik] **I.** *adj personne* magersüchtig **II.** *mf* Magersüchtige(r) *f(m)*

anormal, e [anɔʀmal, o] <-aux> **I.** *adj* **1.**(*inhabituel*) ungewöhnlich **2.**(*non con-*

forme à la règle) anormal; *comportement* seltsam **3.**(*injuste*) nicht normal **II.** *m, f* **1.**(*déséquilibré*) [psychisch] Gestörte(r) *f(m)* **2.**(*enfant arriéré*) entwicklungsgestörtes Kind

anormalement [anɔʀmalmɑ̃] *adv* ungewöhnlich

ANPE [ɑɛnpeø] *f abr de* **Agence nationale pour l'emploi** (*organisme national*) nationale Arbeitsvermittlung (*entspricht der Bundesanstalt für Arbeit*); (*agence locale*) Arbeitsamt *nt*

anse [ɑ̃s] *f* Henkel *m*

antagonisme [ɑ̃tagɔnism] *m* Gegensatz *m*

antagoniste [ɑ̃tagɔnist] *mf* Gegner(in) *m(f)*

antarctique [ɑ̃taʀktik] *adj* antarktisch

Antarctique [ɑ̃taʀktik] *m* **l'~** die Antarktis

antécédent [ɑ̃tesedɑ̃] *m* **1.** GRAM Bezugswort *nt* **2.** PHILOS Ursache *f* **3.** *pl* MED Vorgeschichte *f* **4.** *pl d'une personne* Vorleben *nt; d'une affaire* Vorgeschichte *f*

antécédent, e [ɑ̃tesedɑ̃, ɑ̃t] *adj* **~ à qc** einer S. (*dat*) vorausgehend

antenne [ɑ̃tɛn] *f* **1.**(*pour capter*) Antenne *f;* **~ télescopique** Teleskopantenne *f* **2.** RADIO, TV Sender *m;* **une heure d'~** eine Stunde Sendezeit; **à l'~** am Mikrofon; *invité:* im Studio; *correspondant:* auf Sendung **3.** ZOOL Fühler *m* **4.**(*poste avancé*) Vorposten *m*

antérieur, e [ɑ̃teʀjœʀ] *adj* **1.**(*précédent*) frühere(r, s); **être ~ à qc** vor etw (*dat*) liegen **2.** ANAT **patte/membre ~** Vorderpfote *f/*-bein *nt* **3.** LING palatal

antérieurement [ɑ̃teʀjœʀmɑ̃] *adv* früher

antériorité [ɑ̃teʀjɔʀite] *f* **1.**(*dans le temps*) [zeitlich] früheres Vorhandensein **2.** GRAM Vorzeitigkeit *f*

anthologie [ɑ̃tɔlɔʒi] *f* Anthologie *f*

anthracite [ɑ̃tʀasit] *m* Anthrazit *m*

anthropologue [ɑ̃tʀɔpɔlɔg] *mf* Anthropologe/Anthropologin *m/f*

antiaérien, ne [ɑ̃tiaeʀjɛ̃, jɛn] *adj* **canon/missile ~** Flugabwehrkanone *f/*-rakete *f*

antialcoolique [ɑ̃tialkɔlik] *adj* **campagne ~** Antialkoholkampagne *f*

antiatomique [ɑ̃tiatɔmik] *adj* **abri ~** Strahlenschutzbunker *m*

antibiotique [ɑ̃tibjɔtik] **I.** *adj* antibiotisch **II.** *m* Antibiotikum *nt*

antibrouillard [ɑ̃tibʀujaʀ] *m* Nebelscheinwerfer *m*

antibruit [ɑ̃tibʀɥi] *adj inv* Lärmschutz-

antichambre [ɑ̃tiʃɑ̃bʀ] *f* Vorzimmer *nt*

antichar [ɑ̃tiʃaʀ] *adj* panzerbrechend

anticipation [ɑ̃tisipasjɔ̃] *f* **1.**(*prévision*) [gedankliche] Vorwegnahme **2.** LITTER, CINE

Sciencefiction *f* **3.** FIN ~ **de paiement** Vorauszahlung *f;* **par** ~ im Voraus
anticiper [ãtisipe] <1> **I.** *vi* **1.** (*devancer les faits*) vorgreifen **2.** (*se représenter à l'avance*) sich in die Zukunft versetzen; (*prévoir*) gedanklich vorwegnehmen **II.** *vt* **1.** (*prévoir*) vorhersehen *avenir, événement;* SPORT abschätzen *trajectoire* **2.** FIN im Voraus leisten
anticlérical, e [ãtikleʀikal, o] <-aux> **I.** *adj* antiklerikal **II.** *m, f* Antiklerikale(r) *f(m)*
anticolonialiste [ãtikɔlɔnjalist] *adj* antikolonialistisch
anticonformiste [ãtikɔ̃fɔʀmist] *adj* nonkonformistisch
anticonstitutionnel, le [ãtikɔ̃stitysjɔnɛl] *adj* verfassungswidrig
anticorps [ãtikɔʀ] *m* Antikörper *m*
anticyclone [ãtisiklon] *m* (*phénomène*) Hoch *nt;* (*zone*) Hochdruckgebiet *nt*
antidépresseur [ãtidepʀesœʀ] *m* Antidepressivum *nt*
antidérapant, e [ãtideʀapã, ãt] *adj* rutschfest
antidote [ãtidɔt] *m* MED Gegenmittel *nt*
antifasciste [ãtifaʃist, ãtifasist] *adj* antifaschistisch
antigel [ãtiʒɛl] *m* Frostschutzmittel *nt*
antigouvernemental, e [ãtiguvɛʀnəmãtal, o] <-aux> *adj* regierungsfeindlich
anti-inflammatoire [ãtiɛ̃flamatwaʀ] <anti-inflammatoires> *adj* entzündungshemmend
antillais, e [ãtijɛ, jɛz] *adj* antillisch
Antillais, e [ãtijɛ, ɛz] *m, f* Bewohner(in) *m(f)* der Antillen
Antilles [ãtij] *fpl* **les** ~ die Antillen
antilope [ãtilɔp] *f* Antilope *f*
antimilitariste [ãtimilitaʀist] *adj* antimilitaristisch
antimissile [ãtimisil] *adj* Raketenabwehr-
antimite [ãtimit] **I.** *adj* gegen Motten **II.** *m* Mottenschutzmittel *nt*
antimoine [ãtimwan] *m* CHIM Antimon *nt*
antiparasite [ãtipaʀazit] **I.** *adj* zur Entstörung **II.** *m* Entstörungssystem *nt*
antipathie [ãtipati] *f* ~ **pour qn/qc** Abneigung *f* gegen jdn/etw
antipathique [ãtipatik] *adj* unsympathisch; *comportement* unfreundlich
antipelliculaire [ãtipelikylɛʀ] *adj* gegen Schuppen
antipode [ãtipɔd] *m* GEOG Ort *m* auf der anderen Seite der Erdkugel
antipoison [ãtipwazɔ̃] *adj inv* **centre** ~ Spezialklinik *für Vergiftungen*
antipolio [ãtipɔljo] *adj inv abr de* **antipo-**

liomyélitique gegen Kinderlähmung
antiquaire [ãtikɛʀ] *mf* Antiquitätenhändler(in) *m(f)*
antique [ãtik] *adj* **1.** (*de l'Antiquité*) antik; *lieu* der Antike **2.** *a. iron* (*très ancien*) uralt
antiquité [ãtikite] **I.** *f sans pl* **1.** HIST **l'Antiquité** (*ancienne civilisation*) das Altertum; (*civilisation gréco-romaine*) die Antike **2.** (*période très reculée*) Vorzeit *f* **II.** *fpl* **1.** (*œuvres d'art antiques*) Altertümer *Pl* **2.** (*objets, meubles anciens*) Antiquitäten *Pl*
antireflet [ãtiʀəflɛ] *adj* Antireflex-
antirides [ãtiʀid] *adj* gegen Falten
antirouille [ãtiʀuj] **I.** *adj inv* Rostschutz- **II.** *m* Rostschutzmittel *nt*
antisèche [ãtisɛʃ] *f fam* Spickzettel *m*
antisémite [ãtisemit] *adj* antisemitisch
antisémitisme [ãtisemitism] *m* Antisemitismus *m*
antiseptique [ãtisɛptik] **I.** *adj* antiseptisch **II.** *m* Antiseptikum *nt*
antitabac [ãtitaba] *adj inv* gegen das Rauchen
antitétanique [ãtitetanik] *adj* gegen Tetanus
antithèse [ãtitɛz] *f* PHILOS Antithese *f*
antitussif [ãtitysif] *m* Hustenmittel *nt*
anti-virus [ãtiviʀys] *inv* **I.** *adj* INFORM Antiviren- **II.** *m* INFORM Antivirenprogramm *nt*
antivol [ãtivɔl] **I.** *adj inv* gegen Diebstahl **II.** *m d'une voiture* Lenkradschloss *nt; d'un vélo* [Fahrrad]schloss *nt*
antonyme [ãtɔnim] *m* LING Antonym *nt*
antre [ãtʀ] *m d'un animal* Höhle *f*
anus [anys] *m* After *m*
Anvers [ãvɛʀ] Antwerpen *nt*
anxiété [ãksjete] *f a.* MED, PSYCH Angst *f;* (*trait de caractère*) Ängstlichkeit *f*
anxieusement [ãksjøzmã] *adv* ängstlich
anxieux, -euse [ãksjø, -jøz] **I.** *adj* ängstlich; *attente* bang **II.** *m, f* ängstlicher Mensch
AOC [aose] *abr de* **appellation d'origine contrôlée**
aorte [aɔʀt] *f* Aorta *f*
août [u(t)] *m* **1.** August *m;* ~ **est un mois d'été** der August ist ein Sommermonat **2.** (*pour indiquer la date, un laps de temps*) **en** ~ im August; **début/fin** ~ Anfang/Ende August; **pendant tout le mois d'**~ den ganzen August über; **le 15** ~, **c'est l'Assomption** der 15. August ist Mariä Himmelfahrt
aoûtien, ne [ausjɛ̃, jɛn] *m, f* Augusturlauber(in) *m(f)*
apaisement [apɛzmã] *m* Beruhigung *f*
apaiser [apeze] <1> **I.** *vt* beruhigen; lindern *douleur;* stillen *faim, désir, soif;* zum

Erliegen bringen *protestations;* dämpfen *colère;* zerstreuen *scrupules, craintes;* versöhnlich stimmen *dieux* **II.** *vpr* **s'~** *personne:* sich beruhigen; *douleur:* nachlassen; *colère, tempête:* sich legen

apanage [apana3] *m* Vorrecht *nt*

aparté [apaʀte] *m* (*entretien*) vertrauliches Gespräch

apartheid [apaʀtɛd] *m* Apartheid *f*

apathie [apati] *f* Apathie *f*

apathique [apatik] *adj* apathisch

apatride [apatʀid] *mf* Staatenlose(r) *f(m)*

apercevoir [apɛʀsəvwaʀ] <12> **I.** *vt* **1.** (*entrevoir*) flüchtig wahrnehmen **2.** (*remarquer*) bemerken **3.** (*distinguer*) erkennen **II.** *vpr* **1.** (*se voir*) **s'~** sich sehen **2.** (*se rendre compte*) **s'~ d'une erreur/des manigances de qn** einen Fehler bemerken/jds Machenschaften durchschauen; **s'~ de la présence de qn** jdn bemerken; **sans s'en ~** ohne es zu merken

aperçu [apɛʀsy] *m* **1.** (*idée générale*) kurzer Überblick **2.** INFORM Seitenansicht *f*

apéritif [apeʀitif] *m* Aperitif *m*

apéro [apeʀo] *m fam abr de* **apéritif**

apesanteur [apəzɑ̃tœʀ] *f* Schwerelosigkeit *f*

à-peu-près [apøpʀɛ] *m inv* (*approximation*) vage Angabe; **c'est de l'~** das ist alles nur so ungefähr

apeuré, e [apœʀe] *adj* verängstigt; *regard* ängstlich

aphone [afɔn, afon] *adj* ohne Stimme

aphorisme [afɔʀism] *m* Aphorismus *m*

aphrodisiaque [afʀɔdizjak] *m* Aphrodisiakum *nt*

aphte [aft] *m* MED Aphthe *f*

à-pic [apik] <à-pics> *m* Steilhang *m;* (*en bord de mer*) Kliff *nt*

apiculteur, -trice [apikyltœʀ, -tʀis] *m, f* Imker(in) *m(f)*

apiculture [apikyltyʀ] *f* Bienenzucht *f*

apitoiement [apitwamɑ̃] *m* **~ sur qn** Mitleid *nt* mit jdm

apitoyer [apitwaje] <6> *vpr* **s'~ sur qn/qc** jdn/etw bemitleiden

aplanir [aplaniʀ] <8> *vt* (*niveler*) einebnen

aplati, e [aplati] *adj* platt [gedrückt]

aplatir [aplatiʀ] <8> **I.** *vt* platt drücken; abflachen *voute;* glatt streichen *pli* **II.** *vpr* **1.** (*se plaquer*) **s'~ sur la table** sich flach auf den Tisch legen; **s'~ contre le mur** sich gegen die Wand drücken **2.** (*devenir plat*) **s'~** flach werden **3.** (*être rendu plat*) **s'~** flach gedrückt werden **4.** (*s'écraser*) **s'~ contre qc** gegen etw prallen

aplomb [aplɔ̃] *m* **1.** (*équilibre*) Gleichgewicht *nt;* (*verticalité*) Lot *nt;* **à l'~** im Lot;

d'~ senkrecht **2.** (*assurance*) Selbstsicherheit *f*

apnée [apne] *f* MED Atemstillstand *m;* SPORT Tauchen *nt* ohne Sauerstoffgerät

apocalypse [apɔkalips] *f* **1.** REL **l'Apocalypse** die Apokalypse **2.** (*désastre*) Apokalypse *f*

apocalyptique [apɔkaliptik] *adj* apokalyptisch

apogée [apɔʒe] *m* Höhepunkt *m*

apolitique [apɔlitik] *adj* unpolitisch

apologie [apɔlɔʒi] *f* (*éloge*) Verherrlichung *f;* (*justification*) Verteidigung *f*

a posteriori [a pɔsteʀjɔʀi] *adv* im Nachhinein, nachträglich

apostolat [apɔstɔla] *m* Berufung *f*

apostrophe [apɔstʀɔf] *f* **1.** (*signe*) Apostroph *m* **2.** (*interpellation*) barscher Zuruf **3.** (*figure de style*) Anrede *f*, Apostrophe *f*

apostropher [apɔstʀɔfe] <1> *vt* (*anherrschen*) anfahren

apothéose [apɔteoz] *f* **1.** (*consécration*) Krönung *f;* (*sommet*) Höhepunkt *m* **2.** (*partie finale*) krönender Abschluss

apôtre [apotʀ] *m* **1.** REL, HIST Jünger *m*, Apostel *m* **2.** (*propagateur d'une idée*) Verfechter(in) *m(f)*

apparaître [apaʀɛtʀ] <*irr*> *vi* + *être* **1.** (*se montrer*) erscheinen; *maison, animal:* auftauchen; *acteur:* auftreten **2.** (*surgir*) *idée:* aufkommen; *difficulté, fièvre:* auftreten; *obstacle:* auftauchen; *vérité:* zutage treten **3.** (*se révéler*) **~ à qn** *vérité:* jdm bewusst werden; **laisser ~** erkennen lassen **4.** (*sembler*) **~ grand à qn** jdm groß scheinen **5.** (*se présenter*) **~ comme qc à qn** jdm wie etw erscheinen

apparat [apaʀa] *m* Pomp *m*

appareil [apaʀɛj] *m* **1.** (*machine, instrument*) Gerät *nt*, Apparat *m;* (*radio*) Radio[gerät *nt*] *nt;* (*télévision*) Fernsehapparat *m;* **~ téléphonique** Telefon *nt;* **à l'~** am Apparat; **~ photo[graphique]** Fotoapparat *m;* **~s ménagers** Haushaltsgeräte *Pl;* **~ de mesure** Messgerät **2.** (*prothèse*) Prothese *f;* (*dentaire*) Zahnspange *f;* (*dentier*) Gebiss *nt;* **~ auditif** Hörgerät *nt* **3.** (*avion*) Maschine *f* **4.** ANAT **~ digestif** Verdauungsapparat *m;* **~ circulatoire** Kreislaufsystem *nt;* **~ respiratoire** Atmungsorgane *Pl* **5.** POL Apparat *m* **6.** *pl* SPORT Geräte *Pl*

appareillage [apaʀɛjaʒ] *m* NAUT Auslaufen *nt*

appareiller [apaʀeje] <1> **I.** *vi* ablegen **II.** *vt* **1.** NAUT klarmachen **2.** (*assortir*) passend zusammenstellen

apparemment [apaʀamɑ̃] *adv* anscheinend; (*vraisemblablement*) offensichtlich

apparence [apaʀɑ̃s] *f* **1.** (*aspect*) Anblick

m; ~ **physique** äußeres Erscheinungsbild **2.**(*ce qui semble être*) [An]schein *m* ▶sauver les ~s den Schein wahren

apparent, e [apaʀɑ̃, ɑ̃t] *adj* **1.**(*visible*) sichtbar; être ~ zu erkennen sein **2.**(*évident, manifeste*) offensichtlich; *ruse* plump **3.**(*supposé, trompeur*) scheinbar

apparenté, e [apaʀɑ̃te] *adj* **1.**(*ressemblant*) ~ **à qc** einer S. (*dat*) ähnlich **2.**(*parent*) verwandt; ~ **à qn/qc** mit jdm/etw verwandt

apparenter [apaʀɑ̃te] <1> *vpr* **s'**~ **à qc 1.**(*ressembler*) einer S. (*dat*) ähneln **2.**(*se lier par mariage*) in etw (*akk*) einheiraten

apparition [apaʀisjɔ̃] *f* **1.** *d'une personne* Erscheinen *nt; d'un acteur* Auftritt *m* **2.** *sans pl d'un phénomène* Auftreten *nt; d'une étoile* Erscheinen *nt* **3.** *d'un être surnaturel* Erscheinung *f* **4.**(*fantôme*) Gespenst *nt,* Geist *m*

appart *fam,* **appartement** [apaʀtəmɑ̃] *m* **1.**(*habitation*) Wohnung *f* **2.**(*dans un hôtel*) Suite *f*

appartenance [apaʀtənɑ̃s] *f* **1.**(*dépendance*) **l'**~ **à un parti/une famille** die Mitgliedschaft in einer Partei/Zugehörigkeit zu einer Familie **2.** MATH **l'**~ **à qc** das Enthaltensein in etw (*dat*)

appartenir [apaʀtəniʀ] <9> **I.** *vi* **1.**(*être la propriété de*) ~ **à qn** jdm gehören **2.**(*faire partie de*) ~ **à qc** einer S. (*dat*) angehören **3.** MATH ~ **à qc** in etw (*dat*) enthalten sein **II.** *vi impers* il **appartient à qn de faire qc** es ist jds Sache, etw zu tun

appât [apɑ] *m* Köder *m;* **l'**~ **du gain** die Verlockung des Geldes

appâter [apɑte] <1> *vt* **1.** CHASSE, PECHE ködern *poisson;* anlocken *oiseau, gibier* **2.**(*allécher*) locken

appauvrir [apovʀiʀ] <8> **I.** *vt* arm machen *personne;* verarmen lassen *pays;* verkümmern lassen *intelligence* **II.** *vpr* **s'**~ verarmen; *intelligence:* verkümmern; *terre:* ausgelaugt werden

appauvrissement [apovʀismɑ̃] *m* Verarmung *f*

appel [apɛl] *m* **1.**(*cri*) Ruf *m* **2.**(*signal*) Zeichen *nt* **3.**(*demande*) Appell *m;* **faire** ~ **à qn/qc** an jdn/etw appellieren; **faire** ~ **à son courage/ses souvenirs** seinen Mut zusammennehmen/sich zu erinnern versuchen **4.**(*exhortation*) ~ **à qc** Aufforderung *f* zu etw; **lancer un** ~ **à qn** einen Appell an jdn richten **5.**(*vérification de présence*) namentlicher Aufruf; MIL Appell *m;* **faire l'**~ die Namen aufrufen; **il faut que je me paie l'**~ ich muss den Appell über mich ergehen lassen; MIL den Appell abhalten **6.** TELEC ~ [**téléphonique**] [Tele-

fon]anruf *m* **7.**(*élan*) Absprung *m* **8.** IN-FORM Aufruf *m* ▶**faire** ~ Berufung einlegen; **sans** ~ endgültig; *juger* gnadenlos; **d'offres** Ausschreibung *f*

appelé, e [aple] *m, f* **1.** MIL Einberufene(r) *m* **2.** REL Berufene(r) *f(m)*

appeler [aple] <4> **I.** *vt* **1.**(*interpeller*) rufen; aufrufen *nom* **2.**(*faire venir*) [herbei]rufen; **faire** ~ **qn** jdn rufen lassen **3.**(*téléphoner à*) anrufen **4.**(*nommer*) ~ **qn Pierre/par son prénom** jdn Pierre nennen/mit seinem Vornamen anreden **5.**(*réclamer*) *situation, conduite:* erforderlich machen; *affaires, devoir:* rufen **6.**(*désigner*) ~ **qn à une charge/un poste/une fonction** jdm einen Auftrag erteilen/ eine Stelle zuteilen/ jdn in ein Amt berufen **7.**(*se référer à*) **en** ~ **à qc** an etw (*akk*) appellieren **8.** INFORM aufrufen **II.** *vi* (*héler*) rufen; (*téléphoner*) anrufen **III.** *vpr* **1.**(*porter comme nom*) **s'**~ heißen; **comment t'appelles-tu/s'appelle cette plante?** wie heißt du/diese Pflanze?; **je m'appelle** ich heiße **2.**(*être équivalent à*) **cela s'appelle faire qc** *fam* das nennt man etw tun

appellation [apelasjɔ̃, apɛllasjɔ̃] *f* Bezeichnung *f;* ~ **d'origine** Herkunftsbezeichnung

appendice [apɛ̃dis] *m* Anhang *m*

appendicite [apɛ̃disit] *f* MED Blinddarmentzündung *f*

appesantir [apəzɑ̃tiʀ] <8> **I.** *vt* schwerer machen **II.** *vpr* **s'**~ (*devenir lourd*) tête: schwer werden; *esprit:* träge werden; *geste, pas:* schwerfällig werden

appétissant, e [apetisɑ̃, ɑ̃t] *adj* **1.**(*alléchant*) appetitanregend; *nom* verlockend **2.** *fam* (*attirant*) knackig

appétit [apeti] *m* **1.**(*faim*) Appetit *m;* **avoir de l'**~/**bon** ~ Appetit/einen guten Appetit haben; **bon** ~! guten Appetit!; **donner de/couper l'**~ **à qn** jdm Appetit machen/den Appetit verderben **2.** *fig* ~ **de richesses/vengeance** Geld-/Rachgier *f;* ~ **de gloire/pouvoir** Ruhmsucht *f/* Machtgelüste *Pl;* ~ **de savoir** Wissensdurst *m*

applaudimètre [aplodimɛtʀ] *m* Applausmesser *m*

applaudir [aplodiʀ] <8> **I.** *vi* [Beifall] klatschen **II.** *vt* ~ **qn/qc** jdm applaudieren

applaudissements [aplodismɑ̃] *mpl* Applaus *m*

applicable [aplikabl] *adj* ~ **à qn/qc** anwendbar auf jdn/etw

application [aplikasjɔ̃] *f* **1.**(*pose*) Auftragen *nt,* Anbringen *nt* **2.**(*utilisation*) Anwendung *f* **3.** *d'une idée* Umsetzung *f;*

A

d'une décision Ausführung *f; d'une mesure* Ergreifung *f;* **mettre qc en ~** etw praktisch anwenden **4.** INFORM Anwendung *f*
appliqué, e [aplike] *adj* **1.** (*attentif et studieux*) fleißig **2.** (*soigné*) sorgfältig **3.** (*mis en pratique*) angewandt **4.** (*assené*) **bien ~** gut gezielt
applique [aplik] *f* Wandleuchte *f*
appliquer [aplike] <1> **I.** *vt* **1.** (*poser*) **~ de la peinture sur qc** Farbe auf etw (*akk*) auftragen; **~ son oreille sur qc** sein Ohr an etw (*akk*) halten; **~ une échelle contre le mur** eine Leiter an die Wand lehnen **2.** (*mettre en pratique*) [praktisch] anwenden; verabreichen *remède;* ausführen *décision;* befolgen *mode d'emploi, règlement* **II.** *vpr* **1.** (*se poser*) **s'~ sur qc** sich auf etw (*akk*) auftragen lassen **2.** (*correspondre à*) **s'~ à qn/qc** *remarque:* für jdn/etw gelten; *nom, titre:* zu jdm/etw passen **3.** (*s'efforcer*) **s'~ à faire qc** sich (*dat*) Mühe geben etw zu tun
appoint [apwɛ̃] *m* Zubrot *nt*
appointements [apwɛ̃tmã] *mpl* Bezüge *Pl*
appontement [apɔ̃tmã] *m* Landungsbrücke *f*
apport [apɔʀ] *m* **1.** (*contribution*) **l'~ de qn/qc à qc** jds Beitrag/der Beitrag einer S. (*gen*) zu etw **2.** (*source*) **~ de vitamines/chaleur** Vitamin-/Wärmezufuhr *f* **3.** FIN Einlage *f*
apporter [apɔʀte] <1> *vt* **1.** (*porter*) *personne:* bringen **2.** (*porter avec soi en un lieu*) *personne:* mitbringen; *vent, automne:* bringen **3.** (*fournir*) **une preuve à qc** einen Beweis für etw liefern; **~ son concours/sa contribution à qc** bei etw mitwirken/seinen Beitrag leisten zu etw **4.** (*procurer*) geben; spenden *consolation;* bereiten *ennuis;* bringen *soulagement* **5.** (*produire*) **~ une modification/un changement à qc** eine Veränderung an etw (*dat*) vornehmen/für etw mit sich bringen **6.** (*mettre*) **~ du soin/beaucoup de précaution à qc** bei etw Sorgfalt/große Vorsicht walten lassen **7.** (*profiter à*) **~ beaucoup à qn/qc** *chose:* jdm/einer S. viel geben; *personne:* jdm viel geben
apposer [apoze] <1> *vt* (*appliquer*) **~ un timbre sur qc** eine Briefmarke an etw (*dat*) aufkleben; **~ une signature sur qc** eine Unterschrift unter etw (*akk*) setzen
apposition [apozisjɔ̃] *f* **1.** GRAM Apposition *f* **2.** (*application*) Anbringen *nt; d'un timbre* Aufkleben *nt; ~* **d'une signature sur un document** Unterzeichnen *nt* eines Dokumentes
appréciable [apʀesjabl] *adj* beachtlich;

changement spürbar
appréciation [apʀesjasjɔ̃] *f* **1.** *sans pl d'une distance* Abschätzen *nt; d'une situation* Beurteilung *f,* Einschätzung *f; d'un objet de valeur* Schätzung *f* **2.** (*commentaire*) Bemerkung *f;* (*jugement*) Beurteilung *f*
apprécier [apʀesje] <1> **I.** *vt* **1.** (*évaluer*) abschätzen *distance, vitesse;* schätzen *objet, valeur;* einschätzen *importance* **2.** (*aimer*) schätzen **II.** *vi fam* **il n'a pas apprécié!** das hat ihm gar nicht gefallen!; **je vous laisse ~** ich lasse Sie selbst urteilen **III.** *vpr* **s'~** sich schätzen
appréhender [apʀeãde] <1> *vt* **1.** (*redouter*) **~ de faire qc** Angst haben etw zu tun **2.** (*arrêter*) fassen
appréhension [apʀeãsjɔ̃] *f* Befürchtung *f;* **avec ~** ängstlich
apprendre [apʀãdʀ] <13> **I.** *vt* **1.** (*être informé de*) erfahren; erfahren von *événement* **2.** (*annoncer*) **qn/qc apprend une chose à qn** jd teilt jdm eine S. mit/jd erfährt durch etw von einer S. **3.** (*étudier*) lernen *leçon, langue;* erlernen *science, art, métier, technique* **4.** (*devenir capable de*) **~ à faire qc** lernen etw zu tun **5.** (*enseigner*) **~ qc à qn** jdm etw beibringen **II.** *vi* lernen **III.** *vpr* **s'~** sich erlernen lassen
apprenti, e [apʀãti] *m, f* **1.** (*élève*) Lehrling *m,* Auszubildende(r) *f(m);* **elle est ~e couturière** sie macht eine Schneiderlehre **2.** (*débutant*) Anfänger(in) *m(f)*
apprentissage [apʀãtisaʒ] *m* (*formation*) Lehre *f;* **être en ~ chez qn** bei jdm in der Lehre sein; **il fait son ~ de menuisier** er macht eine Tischlerlehre
apprêt [apʀɛ] *m* TECH Appretur *f*
apprêté, e [apʀete] *adj* affektiert
apprêter [apʀete] <1> **I.** *vt* TECH appretieren **II.** *vpr* **s'~ à faire qc** (*se préparer*) Vorbereitungen treffen um etw zu tun; (*être sur le point de*) im Begriff sein etw zu tun
apprivoiser [apʀivwaze] <1> *vt* **1.** (*dresser*) zähmen *animal* **2.** (*rendre plus doux*) zähmen *personne* **3.** (*vaincre*) zähmen
approbateur, -trice [apʀɔbatœʀ, -tʀis] *adj* zustimmend
approbation [apʀɔbasjɔ̃] *f* **1.** (*accord*) Zustimmung *f* **2.** (*jugement favorable*) Anerkennung *f; du public* Beifall *m*
approche [apʀɔʃ] *f* **1.** *d'une personne, d'un véhicule* Näherkommen *nt;* **à l'~ de la ville** wenn man sich der Stadt nähert; (*dans le passé*) als man sich der Stadt näherte **2.** *d'un événement, danger* [Heran]nahen *nt;* **à l'~ du printemps** wenn der Frühling naht; (*dans le passé*) als der Frühling nahte **3.** (*manière d'aborder un sujet*) Vorge-

hensweise *f;* l'~ **du problème** der Pro-
blemansatz; ....: **une** ~ ...: eine Einführung **4.** *pl (parages)* Umgebung *f*
approcher [apʀɔʃe] <1> **I.** *vi personne:*
näher kommen; *moment, date, jour:* näher
rücken; *saison:* nahen; *nuit:* hereinbrechen;
orage: [her]aufziehen **II.** *vt* **1.** *(mettre plus
près)* ~ **une chose de qn/qc** eine S. an
jdn/etw näher heranschieben; **elle approche son visage du sien** sie nähert ihr Gesicht dem seinen/ihren **2.** *(venir plus près)*
~ **qn** sich jdm nähern; **ne m'approche
pas!** komm mir nicht zu nahe! **III.** *vpr* **s'~
de qn/qc** sich jdm/einer S. nähern
approfondi, e [apʀɔfɔ̃di] *adj* gründlich;
connaissance fundiert
approfondir [apʀɔfɔ̃diʀ] <8> *vt* **1.** *(creuser)* vertiefen **2.** *(étudier)* sich näher beschäftigen mit; erweitern *connaissances*
approprié, e [apʀɔpʀije] *adj* ~ **à qc** für
etw geeignet; *réponse, style* zu etw passend
approprier [apʀɔpʀije] <1> *vt* ~ **à qc**
einer S. *(dat)* anpassen **II.** *vpr* **s'~ un bien**
sich *(dat)* einen Besitz aneignen; **s'~ un
droit** sich *(dat)* einen Recht anmaßen
approuver [apʀuve] <1> *vt* **1.** *(agréer)* ~
qn/qc jdm zustimmen/etw gutheißen; ~
que + *subj* es begrüßen, dass **2.** JUR gegenzeichnen *contrat;* annehmen *projet de loi;*
bestätigen *nomination;* genehmigen *procès-
verbal*
approvisionnement [apʀɔvizjɔnmɑ̃] *m*
1. *(ravitaillement)* ~ **en qc** Versorgung *f*
mit etw **2.** *(réserve)* ~ **en qc** Vorrat *m* an
etw *(dat)*
approvisionner [apʀɔvizjɔne] <1> **I.** *vt*
~ **une ville en qc** eine Stadt mit etw versorgen; ~ **un magasin en qc** ein Geschäft
mit etw beliefern; ~ **un compte en qc** ein
Konto mit etw auffüllen **II.** *vpr* **s'~ en qc**
sich mit etw versorgen
approximatif, -ive [apʀɔksimatif, iv] *adj*
ungefähr
approximation [apʀɔksimasjɔ̃] *f* [unge-
fähre] Schätzung; MATH Näherungswert *m*
approximativement [apʀɔksimativmɑ̃]
adv ungefähr
appui [apɥi] *m* **1.** *(support)* Stütze *f*
2. *(aide)* Unterstützung *f* **3.** ARCHIT ~ **de
fenêtre** Fensterbank *f* **4.** *(justification)* à
l'~ **de qc** zum Beweis einer S. *(gen)*
appuie-tête [apɥitɛt] <appuie-tête[s]>
m Kopfstütze *f*
appuyer [apɥije] <6> **I.** *vi* **1.** *(presser)*
drücken; ~ **sur qc** *(avec la main/le pied)*
drücken/treten auf etw *(akk)* **2.** *(insister
sur)* ~ **sur qc** *(prononciation)* etw betonen; *(argumentation)* etw hervorheben **II.**
vt **1.** *(poser)* ~ **qc contre/sur qc** etw ge-

gen etw lehnen/auf etw *(akk)* stützen
2. *(presser)* ~ **sa main/son pied sur qc**
mit der Hand auf etw *(akk)* drücken/mit
dem Fuß auf etw *(akk)* treten **3.** *(soutenir)*
unterstützen **III.** *vpr* **1.** *(prendre appui)*
s'~ contre qn/qc sich an jdn/etw [an]leh-
nen; **s'~ sur qn/sur qc** sich auf jdn/etw
stützen **2.** *(compter sur)* **s'~ sur qn/qc**
sich auf jdn/etw verlassen **3.** *(se fonder
sur)* **s'~ sur qc** *preuves:* sich auf etw *(akk)*
stützen
âpre [ɑpʀ] *adj (qui racle la gorge)* herb
après [apʀɛ] **I.** *prép* **1.** *(temporel)* nach (+
dat) **2.** *(plus loin que)* nach (+ *dat)* **3.** *(derrière)* hinter (+ *dat)*; **courir** ~ **l'autobus**
dem Bus hinterherrennen; ~ **toi/vous!**
[bitte] nach dir/nach Ihnen! **4.** *fam (contre)* **être furieux/en avoir** ~ **qn** auf jdn
wütend sein/sich mit jdm anlegen **5.** *(chaque)* **semaine** ~ **semaine, jour** ~ **jour**
Woche für Woche, Tag für Tag; **page** ~
page Seite für Seite **6.** *(selon)* **d'**~ **qn/qc**
nach jdm/etw; **d'~ moi** meiner Meinung
nach **II.** *adv* **1.** *(plus tard, ensuite)* danach;
(par la suite) nachher; **aussitôt** ~ gleich
danach; **longtemps/peu** ~ viel später/
bald darauf **2.** *(plus loin, derrière)* dahinter
3. *(dans un classement)* danach **4.** *(à part
ça)* ansonsten **5.** *fam (à la suite de)* hinterher **6.** *(qui suit)* **d'**~ danach ▶**et** ~? *fam*
[na] und?; ~ **tout** schließlich **III.** *conj* ~
que ... + *indic o subj* nachdem ...
après-demain [apʀɛdmɛ̃] *adv* übermorgen **après-guerre** [apʀɛɡɛʀ] <après-
guerres> *m* Nachkriegszeit *f* **après-midi**
[apʀɛmidi] **I.** *m o f inv* Nachmittag *m;*
cet[te] ~ heute Nachmittag; [**dans**] **l'~** am
Nachmittag; **4 heures de l'~** 4 Uhr nachmittags **II.** *adv* **mardi** ~ [am] Dienstag-
nachmittag; **demain** ~ morgen Nachmittag; **tou[te]s les lundis** ~ jeden Montagnachmittag
après-rasage [apʀɛʀɑzaʒ] **I.** *m inv* Rasierwasser *nt* **II.** *adj inv lotion* Aftershave-
après-ski [apʀɛski] *m inv* Schneestiefel
m **après-vente** [apʀɛvɑ̃t] *m inv* Kundendienst *m*
âpreté [ɑpʀəte] *f* **1.** *d'un vin* Herbheit *f*
2. *du vent, paysage, d'une voix* Rauheit *f*
a priori [apʀijɔʀi] **I.** *adv (au premier abord)*
von vornherein; *(en principe)* a priori **II.** *m
inv* Apriori *nt* **III.** *adj inv* apriorisch
à-propos [apʀɔpo] *m* **esprit d'**~ Schlagfertigkeit *f*
apte [apt] *adj* **1.** *(capable)* geeignet **2.** MIL
être ~ **au service** wehrdiensttauglich sein
aptitude [aptityd] *f* Eignung *f*

aquabonisme [akwabɔnism] *m fam* Wurstigkeit *f*

aquarelle [akwaʀɛl] *f* 1. *sans pl* (*technique*) Aquarellmalerei *f* 2. (*tableau*) Aquarell *nt*

aquarium [akwaʀjɔm] *m* Aquarium *nt*

aquatique [akwatik] *adj* Wasser-

aqueduc [akdyk] *m* Aquädukt *m o nt*

aquilin [akilɛ̃] *adj* un nez ~ eine Adlernase

Aquitaine [akitɛn] *f* l'~ Aquitanien *nt*

arabe [aʀab] I. *adj* arabisch II. *m* Arabisch *nt; v. a.* allemand

Arabe [aʀab] *mf* Araber(in) *m(f)*

arabesque [aʀabɛsk] *f* Arabeske *f*

Arabie [aʀabi] *f* l'~ [Saoudite] [Saudi-]Arabien *nt*

arable [aʀabl] *adj* terre Acker-

arachide [aʀaʃid] *f* 1. (*plante*) Erdnuss *f* 2. (*fruit*) des ~s salées CAN gesalzene Erdnüsse *Pl*

araignée [aʀeɲe] *f* Spinne *f*

arbalète [aʀbalɛt] *f* Armbrust *f*

arbitrage [aʀbitʀaʒ] *m* 1. (*fonction*) Schiedsrichteramt *nt;* (*acte*) Ausübung *f* des Schiedsrichteramtes 2. (*juridiction*) Schiedsgerichtbarkeit *f;* (*médiation*) Schlichtung *f* 3. (*sentence*) Schiedsspruch *m* 4. FIN Arbitrage *f*

arbitraire [aʀbitʀɛʀ] I. *adj* 1. (*non motivé*) willkürlich; *valeur* beliebig 2. (*tyrannique*) willkürlich; *autorité, pouvoir* auf Willkür beruhend II. *m* Willkür *f*

arbitrairement [aʀbitʀɛʀmã] *adv* willkürlich

arbitre [aʀbitʀ] *mf* 1. SPORT Schiedsrichter(in) *m(f)* 2. (*conciliateur*) Vermittler(in) *m(f)*

arbitrer [aʀbitʀe] <1> *vt* 1. (*servir de conciliateur*) ~ qc bei etw schlichten 2. SPORT ~ qc bei etw Schiedsrichter(in) sein

arborer [aʀbɔʀe] <1> *vt* hissen *drapeau*

arborescence [aʀbɔʀesãs] *f* INFORM Baumstruktur *f*

arboriculteur, -trice [aʀbɔʀikyltœʀ, tʀis] *m, f* Baumpfleger(in) *m(f)*

arbre [aʀbʀ] *m* 1. BOT Baum *m* 2. TECH Welle *f*

arbuste [aʀbyst] *m* Strauch *m*

arc [aʀk] *m* 1. (*arme*) Bogen *m* 2. GEOM, ARCHIT Bogen *m;* ~ de cercle Kreisbogen; ~ de triomphe Triumphbogen

arcade [aʀkad] *f* 1. ARCHIT Arkade *f* 2. ANAT ~ sourcilière Augenbrauenbogen *m*

arc-boutant [aʀkbutã] <arcs-boutants> *m* ARCHIT Strebebogen *m* **arc-bouter** [aʀkbute] <1> *vpr* s'~ contre qc sich gegen etw stemmen

arceau [aʀso] <x> *m* kleiner Bogen

arc-en-ciel [aʀkãsjɛl] <arcs-en-ciel> *m* Regenbogen *m*

archaïque [aʀkaik] *adj* archaisch; *mot, tournure* veraltet

archaïsme [aʀkaism] *m* 1. (*caractère désuet*) Veraltetsein *nt* 2. LING Archaismus *m*

arche [aʀʃ] *f* 1. (*forme*) Bogen *m* 2. REL ~ de Noé Arche *f* Noah

archéologie [aʀkeɔlɔʒi] *f* Archäologie *f*

archéologique [x] *adj* archäologisch

archéologue [aʀkeɔlɔg] *mf* Archäologe/ -login *m/f*

archer, -ère [aʀʃe, -ɛʀ] *m, f* Bogenschütze *m/*-schützin *f*

archet [aʀʃɛ] *m* Bogen *m*

archétype [aʀketip] *m* Archetyp[us] *m*

archevêché [aʀʃəveʃe] *m* Erzbistum *nt*

archevêque [aʀʃəvɛk] *m* Erzbischof *m* **archiconnu, e** [aʀʃikɔny] *adj* überall bekannt

archiduc, archiduchesse [aʀʃidyk, aʀʃidyʃɛs] *m, f* Erzherzog(in) *m(f)*

archifaux, archifausse [aʀʃifo, aʀʃifos] *adj* grundfalsch

archipel [aʀʃipɛl] *m* Archipel *m,* Inselgruppe *f*

archiplein, e [aʀʃiplɛ̃, ɛn] *adj fam* brechend voll

architecte [aʀʃitɛkt] *mf* 1. ARCHIT Architekt(in) *m(f)* 2. (*créateur*) Schöpfer *m*

architectural, e [aʀʃitɛktyʀal, o] <-aux> *adj* architektonisch

architecture [aʀʃitɛktyʀ] *f* 1. ARCHIT Architektur *f,* Baukunst *f;* (*style*) Baustil *m* 2. *d'un texte* Aufbau *m* 3. INFORM Struktur *f*

archive [aʀʃiv] *f* INFORM Archiv *nt*

archiver [aʀʃive] <1> *vt* archivieren

archives [aʀʃiv] *fpl* 1. (*documents publics*) Archiv *nt;* (*personnels*) Privatarchiv *nt* 2. (*lieu*) Archiv *nt;* les Archives nationales das Nationalarchiv

archiviste [aʀʃivist] *mf* Archivar(in) *m(f)*

arçon [aʀsɔ̃] *m* Sattelbogen *m*

arctique [aʀktik] *adj* arktisch; *pôle* Nord-; *expédition* Nordpol-; *front* Polar-

Arctique [aʀktik] *m* l'~ die Arktis

ardemment [aʀdamã] *adv* sehnlichst

ardent, e [aʀdã, ãt] *adj* 1. (*brûlant*) glühend 2. (*violent*) brennend; *amour, lutte* heiß; *haine* wild; *vœu* sehnlichst; *imagination* lebhaft 3. (*bouillant*) leidenschaftlich; *jeunesse* ungestüm; *amant, tempérament* feurig

ardeur [aʀdœʀ] *f* 1. (*chaleur*) glühende Hitze 2. (*force vive*) Heftigkeit *f; de la foi, conviction* Inbrunst *f; de la jeunesse, d'une passion* Feuer *nt* 3. (*zèle*) Begeisterung *f;* ~ à qc Eifer *m* bei etw

ardoise [aʀdwaz] I. *f sans pl* Schiefer *m* II. *adj inv* (*couleur*) schieferfarben; *bleu,*

gris schiefer-

ardu, e [aʀdy] *adj problème, question* schwierig

are [aʀ] *m* Ar *nt*

arène [aʀɛn] *f* **1.** (*piste*) Arena *f* **2.** *pl* (*lieu de corrida*) Stierkampfarena *f;* (*amphithéâtre romain*) Amphitheater *nt* **3.** GEOL Sand *m*

arête [aʀɛt] *f* **1.** ZOOL *d'un poisson* Gräte *f* **2.** (*bord saillant*) Kante *f; du nez* Rücken *m*

argent [aʀʒɑ̃] **I.** *m* **1.** FIN Geld *nt;* ~ **de poche** Taschengeld; **payer en** ~ **comptant** bar bezahlen **2.** (*métal*) Silber *nt* **II.** *adj inv* (*couleur*) Silber-

argenté, e [aʀʒɑ̃te] *adj* **1.** (*ton*) silberfarben; *couleur, reflets* silbern; *cheveux* silbergrau **2.** (*recouvert d'argent*) versilbert

argenterie [aʀʒɑ̃tʀi] *f sans pl* Tafelsilber *nt;* (*vaisselle*) Silbergeschirr *nt;* (*couverts*) Silberbesteck *nt*

argentin, e [aʀʒɑ̃tɛ̃, in] *adj* argentinisch

Argentin, e [aʀʒɑ̃tɛ̃, in] *m, f* Argentinier(in) *m(f)*

Argentine [aʀʒɑ̃tin] *f* l'~ Argentinien *nt*

argile [aʀʒil] *f* Ton *m*

argileux, -euse [aʀʒilø, -øz] *adj* tonhaltig

argot [aʀgo] *m* **1.** *sans pl* (*langue verte*) Argot *m* o *nt* **2.** (*langage particulier*) Jargon *m*

argotique [aʀgɔtik] *adj* **expression** ~ Argotausdruck *m*

Argovie [aʀgɔvi] *f* l'~ der Aargau

argument [aʀgymɑ̃] *m* (*raisonnement, preuve*) Argument *nt*

argumentation [aʀgymɑ̃tasjɔ̃] *f* Argumentation *f*

argumenter [aʀgymɑ̃te] <1> *vi* ~ **contre qn/qc** gegen jdn/etw argumentieren

Argus [aʀgys] *m* ≈ Schwackeliste *f*

aride [aʀid] *adj* trocken; *climat* regenarm; *sol* trocken

aridité [aʀidite] *f sans pl* Trockenheit *f*

aristocrate [aʀistɔkʀat] *mf* Aristokrat(in) *m(f)*

aristocratie [aʀistɔkʀasi] *f* **1.** (*caste*) Aristokratie *f* **2.** (*régime*) Aristokratie *f*

aristocratique [aʀistɔkʀatik] *adj* aristokratisch

arithmétique [aʀitmetik] **I.** *f* **1.** SCOL Rechnen *nt;* **exercice d'**~ Rechenaufgabe *f* **2.** (*science*) Arithmetik *f* **II.** *adj* arithmetisch

arlequin [aʀləkɛ̃] *m* Harlekin *m*

armada [aʀmada] *f* Heer *nt*

armagnac [aʀmaɲak] *m* Armagnac *m*

armateur [aʀmatœʀ] *m* Reeder(in) *m(f)*

armature [aʀmatyʀ] *f* Gerüst *nt; d'une tente* Gestänge

arme [aʀm] *f* **1.** (*instrument*) Waffe *f*

2. (*corps de l'armée*) Waffengattung *f*

armé, e [aʀme] *adj* bewaffnet

armée [aʀme] *f* **1.** (*institution*) l'~ die Armee; **être à l'**~ seinen Militärdienst absolvieren; ~ **de libération** Befreiungstruppen *Pl;* ~ **du Salut** Heilsarmee **2.** (*troupes*) Armee *f;* ~ **de terre** Heer **3.** (*foule*) Heer *nt*

armement [aʀməmɑ̃] *m* **1.** *sans pl d'un pays, d'une armée* Aufrüstung *f; d'un soldat* Bewaffnung *f; d'un navire* Ausrüstung *f; d'un fusil* Laden *nt; d'un appareil photo* Spannen *nt* **2.** *d'un soldat, d'une troupe* Bewaffnung *f; d'un pays* Rüstung *f; d'un avion, bateau* Bordwaffen *Pl*

Arménie [aʀmeni] *f* l'~ Armenien *nt*

arménien [aʀmenjɛ̃] *m* Armenisch *nt; v. a.* **allemand**

arménien, ne [aʀmenjɛ̃, jɛn] *adj* armenisch

Arménien, ne [aʀmenjɛ̃, jɛn] *m, f* Armenier(in) *m(f)*

armer [aʀme] <1> **I.** *vt* **1.** (*munir d'armes*) bewaffnen *soldat, pays* **2.** (*équiper*) ausrüsten *soldat;* bestücken *bateau* **3.** (*aguerrir*) ~ **qn contre qc** jdn gegen etw wappnen **4.** (*charger*) laden *fusil;* spannen *appareil photo* **5.** (*renforcer*) armieren *béton* **II.** *vpr* **1.** (*se munir d'armes*) **s'**~ **contre qn/qc** *soldat:* sich gegen jdn/etw bewaffnen; *pays, peuple:* gegen jdn/etw aufrüsten **2.** (*se munir de*) **s'**~ **de patience** sich mit Geduld wappnen

armistice [aʀmistis] *m* Waffenstillstand *m*

armoire [aʀmwaʀ] *f* Schrank *m*

armoiries [aʀmwaʀi] *fpl* Wappen *nt*

armure [aʀmyʀ] *f* **1.** MIL Rüstung *f* **2.** *fig* Panzer *m*

armurerie [aʀmyʀʀi] *f* (*commerce*) Waffenhandlung *f*

armurier [aʀmyʀje] *m* **1.** (*marchand*) Waffenhändler(in) *m(f)* **2.** (*fabricant*) Waffenhersteller(in) *m(f);* HIST Waffenschmied(in) *m(f)* **3.** MIL Waffenmeister *m*

arnaque [aʀnak] *f fam* Betrug *m*

arnaquer [aʀnake] <1> *vt fam* (*escroquer*) übers Ohr hauen

arnaqueur, -euse [aʀnakœʀ, -øz] *m, f fam* Betrüger(in) *m(f)*

arobas [aʀɔba(z)] *m* INFORM at *nt*

aromacologie [aʀɔmakɔlɔʒi] *f* Aromaforschung *f*

aromate [aʀɔmat] *m* Gewürzkraut *nt*

aromathérapie [aʀɔmateʀapi] *f* Aromatherapie *f*

aromatiser [aʀɔmatize] <1> *vt* würzen *aliment;* parfümieren *savon*

arôme, arome [aʀom] *m* **1.** *du café* Aroma *nt; d'un vin* Bouquet *nt* **2.** (*additif alimentaire*) Aroma *nt*

arpège [aʀpɛʒ] *m* MUS Arpeggio *nt*

arpenter [aʀpɑ̃te] <1> *vt* **1.**(*parcourir*) durchmessen *pièce* **2.**(*mesurer*) vermessen

arpenteur [aʀpɑ̃tœʀ] *m* Vermesser(in) *m(f)*

arqué, e [aʀke] *adj sourcils* geschwungen; *dos* gekrümmt; **avoir les jambes ~es** O-Beine haben (*fam*)

arrache-pied [aʀaʃpje] *adv* **d'~** *lutter, travailler* unermüdlich

arracher [aʀaʃe] <1> *I. vt* **1.**(*extraire*) herausreißen *page, herbes, poil;* entwurzeln *arbre;* herausmachen *légumes;* herausziehen *clou;* ziehen *dent* **2.**(*déchirer*) abreißen *affiche;* ~ **un bras à qn** *personne:* jdm den/einen Arm ausreißen; *chien:* jdm einen Arm abbeißen **3.**(*prendre*) ~ **qn à qn** jdm jdn wegreißen; ~ **qn des mains/de l'emprise de qn** jdn jds Händen entreißen/jds Einfluss entziehen; ~ **qc des mains de qn** jdm etw aus den Händen reißen **4.**(*obtenir*) ~ **de l'argent à qn** jdm Geld abringen; ~ **une larme à qn** jdm eine Träne entlocken **5.**(*soustraire*) ~ **qn à son travail** jdn aus seiner Arbeit herausreißen; ~ **qn à la mort** jdn vor dem sicheren Tod bewahren *II. vpr* **1.**(*se déchirer*) **s'~ les cheveux** sich (*dat*) die Haare ausreißen **2.**(*se disputer*) **s'~ qn/qc** sich um jdn/etw reißen **3.** *fam* (*partir*) **s'~** abhauen

arrangeant, e [aʀɑ̃ʒɑ̃, ʒɑ̃t] *adj* umgänglich

arrangement [aʀɑ̃ʒmɑ̃] *m* **1.**(*agencement*) Zusammenstellung *f* **2.** *de fleurs* Zusammenstellen *nt; d'une coiffure* Zurechtmachen *nt; d'une entrevue* Organisation *f* **3.**(*accord*) Einigung *f* **4.** MUS Arrangement *nt*

arranger [aʀɑ̃ʒe] <2a> *I. vt* **1.**(*disposer*) ordnen; arrangieren *fleurs;* einrichten *pièce, appartement;* zurechtmachen *coiffure;* in Ordnung bringen *vêtement* **2.**(*organiser*) organisieren *voyage, réunion;* arrangieren *rencontre;* regeln *affaires* **3.**(*régler*) regeln **4.**(*contenter*) ~ **qn** jdm gelegen kommen; **si ça vous arrange** wenn es Ihnen recht ist; **ça l'arrange que** + *subj* es passt ihm/ihr gut, dass **5.**(*réparer*) in Ordnung bringen **6.** *fam* (*malmener*) übel zurichten *II. vpr* **1.**(*se mettre d'accord*) **s'~ avec qn pour faire qc** sich mit jdm einigen etw zu tun **2.**(*s'améliorer*) **s'~** *problème:* sich regeln; *situation, état de santé:* sich bessern **3.**(*se débrouiller*) **s'~ pour que** + *subj* es sich (*dat*) so einrichten, dass **4.**(*ajuster sa toilette*) **s'~** sich zurechtmachen; **s'~ les cheveux/le maquillage** sich (*dat*) die

Frisur wieder herrichten/das Make-up erneuern

arrestation [aʀɛstasjɔ̃] *f* **1.**(*action*) Verhaftung *f* **2.**(*état*) Haft *f*

arrêt [aʀɛ] *m* **1.** *d'une machine, d'un moteur* Abstellen *nt; d'une centrale, d'un réacteur* Abschalten *nt; d'un véhicule* Anhalten *nt; des négociations, hostilités* Einstellen *nt; de la production* Einstellung *f;* ~ **cardiaque** Herzstillstand *m;* ~ **des essais nucléaires** Atomteststopp *m;* **sans** ~ (*sans interruption*) unaufhörlich; (*fréquemment*) ständig **2.** *d'un train, automobiliste* Halt *m;* **dix minutes d'~ à Nancy** zehn Minuten Aufenthalt in Nancy; **le train est sans** ~ **de Paris à Lyon** der Zug fährt von Paris nach Lyon durch; **être à l'**~ *véhicule, chauffeur:* stehen; **rester** [*o* **tomber**] **en** ~ stehen bleiben **3.**(*station*) Haltestelle *f;* ~ **d'autobus** Bushaltestelle *f* **4.**(*jugement*) Entscheid *m* **5.**(*sanction*) **mettre qn aux** ~**s** jdn unter Arrest stellen ▸~ **de jeu** SPORT [Spiel]unterbrechung *f;* ~ **de maladie** (*congé*) Beurlaubung *f* wegen Krankheit; (*certificat*) Arbeitsunfähigkeitsbescheinigung *f;* **être en** ~ **de maladie** krankgeschrieben sein; **prescrire un** ~ **de maladie de 15 jours à qn** jdn für zwei Wochen krankschreiben; ~ **de travail** (*grève*) Arbeitsniederlegung *f;* (*congé*) Beurlaubung *f* wegen Krankheit; (*certificat*) Arbeitsunfähigkeitsbescheinigung *f;* **être en** ~ **de travail** krankgeschrieben sein

arrêté [aʀete] *m* Erlass *m;* ~ **d'expulsion** *d'un étranger* Ausweisungsverfügung *f; d'un locataire* Räumungsbefehl *m*

arrêté, e [aʀete] *adj décision, idée* fest; *péj* festgefahren

arrêter [aʀete] <1> *I. vi* **1.**(*stopper*) aufhören; ~ **de faire qc** aufhören etw zu tun; **arrête, je ne te crois pas!** hör auf, ich glaub' dir nicht! **2.**(*s'interrompre*) ~ **de parler** aufhören zu reden *II. vt* **1.**(*stopper*) anhalten; ausmachen *télé, machine;* **au voleur, arrêtez-le!** haltet den Dieb! **2.**(*déposer*) absetzen **3.**(*terminer*) aufhören mit **4.**(*interrompre*) unterbrechen **5.**(*bloquer*) aufhalten **6.**(*abandonner*) aufhören mit **7.**(*faire prisonnier*) verhaften **8.**(*fixer*) festlegen *détails, date III. vpr* **1.**(*s'immobiliser*) **s'~** *personne, moteur, montre:* stehen bleiben; *véhicule, chauffeur:* [an]halten **2.**(*séjourner*) Station machen **3.**(*s'interrompre*) **s'~ de faire qc** aufhören etw zu tun **4.**(*cesser*) **s'~** aufhören; *épidémie, inflation:* zum Stillstand kommen; *pluie, hémorragie, travail:* zum Erliegen kommen; **s'~ de fumer** aufhören zu rauchen

arrêt-maladie [aʀɛmaladi] <arrêts-maladie> m (congé) Beurlaubung f wegen Krankheit; (certificat) Arbeitsunfähigkeitsbescheinigung f; **être en** ~ krank geschrieben sein

arrhes [aʀ] fpl Anzahlung f

arrière [aʀjɛʀ] I. m 1. sans pl d'un train hinteres Teil; d'une voiture, d'un bateau, avion Heck nt; **à l'**~ **de la voiture** auf dem Rücksitz des Wagens 2. (pour une indication spatiale, temporelle) **être en** ~ **de qn/qc** hinter jdm/etw sein; **se pencher en** ~ sich zurückbeugen; **regarder en** ~ (derrière soi/vers le passé) nach hinten sehen/zurücksehen; **rester en** ~ hinten bleiben; **aller en** ~ rückwärts gehen 3. SPORT Verteidiger(in) m(f); SPORT Schluss[spieler m] m; **jouer** ~ **centre/droit** als Vorstopper/rechter Verteidiger spielen 4. MIL **l'**~ das Hinterland II. adj inv **roue** ~ Hinterrad nt; **siège** ~ Rücksitz m

arriéré [aʀjeʀe] m FIN Rückstand m

arrière-boutique [aʀjɛʀbutik] <arrière-boutiques> f Hinterzimmer nt [des Ladens] **arrière-cour** [aʀjɛʀkuʀ] <arrière-cours> f Hinterhof m **arrière-garde** [aʀjɛʀgaʀd] <arrière-gardes> f Nachhut f **arrière-goût** [aʀjɛʀgu] <arrière-goûts> m Nachgeschmack m **arrière-grand-mère** [aʀjɛʀgʀɑ̃mɛʀ] <arrière-grands-mères> f Urgroßmutter f **arrière-grand-père** [aʀjɛʀgʀɑ̃pɛʀ] <arrière-grands-pères> m Urgroßvater m **arrière-grands-parents** [aʀjɛʀgʀɑ̃paʀɑ̃] mpl Urgroßeltern Pl **arrière-pays** [aʀjɛʀpei] m inv Hinterland nt **arrière-petite-fille** [aʀjɛʀpətitfij] <arrière-petites-filles> f Urenkelin f **arrière-petit-fils** [aʀjɛʀpətifis] <arrière-petits-fils> m Urenkel m **arrière-petits-enfants** [aʀjɛʀpətizɑ̃fɑ̃] mpl Urenkel Pl **arrière-plan** [aʀjɛʀplɑ̃] <arrière-plans> m a. fig Hintergrund m; **être à l'**~ im Hintergrund stehen **arrière-saison** [aʀjɛʀsɛzɔ̃] <arrière-saisons> f Nachsaison f **arrière-train** [aʀjɛʀtʀɛ̃] <arrière-trains> m 1. ZOOL Hinterteil nt 2. (fesses) Hintern m (fam)

arrimer [aʀime] <1> vt festzurren colis

arrivage [aʀivaʒ] m 1. de marchandises [eintreffende] Lieferung f 2. (marchandises) [frische] Lieferung f

arrivant, e [aʀivɑ̃, ɑ̃t] m, f Ankommende(r) f(m)

arrivée [aʀive] f 1. (action) Ankunft f 2. d'une course Ziel nt 3. d'une gare, d'un aéroport Ankunftshalle f 4. (robinet) Anschluss m

arriver [aʀive] <1> I. vi + être 1. (venir) ankommen; produit: auf den Markt kommen; **comment arrive-t-on chez eux?** wie kommt man zu ihnen? 2. (approcher) kommen; nuit: hereinbrechen 3. (être acheminé) ~ **par un tuyau** durch ein Rohr kommen 4. (terminer une compétition) ~ **[le] premier** als Erster ankommen; ~ **avant/après qn**, ~ **devant/derrière qn** vor/nach jdm ins Ziel kommen 5. (aller jusque) ~ **aux mollets** robe: bis an die Waden gehen; ~ **jusqu'à la maison** conduite, câble: bis zum Haus gehen; **il m'arrive à l'épaule** er reicht mir bis zur Schulter; ~ **jusqu'aux oreilles de qn** bruit, nouvelle: bis zu jdm dringen 6. (atteindre) ~ **à qc** personne: etw erreichen; ~ **au terme de son existence** am Ende seines Lebens anlangen 7. (réussir) **qn arrive à faire qc** es gelingt jdm etw zu tun 8. (réussir socialement) **être arrivé** es zu etwas gebracht haben 9. (survenir) **qu'est-ce qui est arrivé?** was ist passiert? 10. (aboutir) ~ **à faire qc** schließlich etw tun II. vi impers + être 1. (survenir) **qu'est-ce qu'il t'est arrivé?** was ist dir denn passiert? 2. (se produire de temps en temps) **il m'arrive de faire qc** es kommt vor, dass ich etw tue

arriviste [aʀivist] mf Karrierist(in) m(f)

arrogance [aʀɔgɑ̃s] f Arroganz f

arrogant, e [aʀɔgɑ̃, ɑ̃t] adj arrogant

arroger [aʀɔʒe] <2a> vpr **s'**~ **un droit** sich (akk) ein Recht anmaßen

arrondir [aʀɔ̃diʀ] <8> I. vt 1. (rendre rond) rund machen 2. (accroître) aufbessern fortune 3. (simplifier) ~ **qc à qc** (vers le haut/le bas) etw auf etw (akk) aufrunden/abrunden II. vpr **s'**~ 1. (grossir) [immer] runder werden 2. (devenir moins anguleux) relief: sanfter werden; paysage: lieblicher werden 3. (augmenter) fortune: sich vermehren

arrondissement [aʀɔ̃dismɑ̃] m Arrondissement nt

arrosage [aʀozaʒ] m 1. des rues, d'un jardin Sprengen nt 2. (à l'arrosoir) Gießen nt

arroser [aʀoze] <1> vt 1. (à l'arrosoir) gießen 2. (au jet) sprengen 3. (avec un produit) besprühen 4. (mouiller) pluie: nass machen 5. (couler à travers) fleuve: fließen durch 6. GASTR begießen rôti, gâteau 7. fam (fêter) begießen 8. (accompagner d'alcool) **ça a été un repas bien arrosé** bei diesem Essen wurde reichlich getrunken

arrosoir [aʀozwaʀ] m Gießkanne f

arsenal [aʀsənal, o] <-aux> m 1. (lieu) Waffenlager nt 2. fam (matériel) Arsenal nt

arsenic [aʀsənik] m Arsen nt

art [aʀ] m 1. ART Kunst f; **les** ~**s décoratifs** das Kunsthandwerk; ~ **de vivre** Lebens-

kunst; ~ **déco** Art deco *f* **2.** *sans pl* (*style*) Kunst *f;* l'~ **nouveau** der Jugendstil **3.** *sans pl* (*technique, talent*) Kunst *f;* avoir l'~ **du compromis** es meisterhaft verstehen Kompromisse zu schließen ▶ **le** **septième** ~ die Filmkunst

artère [aʁtɛʁ] *f* **1.** ANAT Arterie *f* **2.** (*voie de communication en ville*) Hauptverkehrsstraße *f;* (*dans un pays*) [Haupt]verkehrsader *f*

artériel, le [aʁteʁjɛl] *adj* arteriell

arthrose [aʁtʁoz] *f* MED Arthrose *f*

artichaut [aʁtiʃo] *m* Artischocke *f*

article [aʁtikl] *m* **1.** (*marchandise*) Artikel *m* **2.** (*écrit*) Artikel *m;* ~ **de journal** Zeitungsartikel **3.** JUR Paragraph *m* **4.** GRAM Artikel *m;* ~ **défini/indéfini** bestimmter/ unbestimmter Artikel; ~ **partitif** Teilungsartikel

articulaire [aʁtikylɛʁ] *adj* Gelenk-

articulation [aʁtikylasjɔ̃] *f* **1.** ANAT, TECH Gelenk *nt* **2.** (*enchaînement*) logischer Übergang **3.** (*combinaison*) Zusammenspiel *nt* **4.** (*prononciation*) Artikulieren *nt*

articulé, e [aʁtikyle] *adj* **1.** (*opp: rigide*) **une poupée ~e** eine Gliederpuppe; **un bus** ~ ein Gelenkbus **2.** (*opp: inarticulé*) artikuliert

articuler [aʁtikyle] <1> **I.** *vt* (*prononcer*) artikulieren *son;* hervorbringen *mot, phrase;* **bien/mal** ~ deutlich/undeutlich sprechen **II.** *vpr* **1.** ANAT, TECH **s'~ sur qc** beweglich auf etw (*dat*) sitzen; **s'~ à qc** *os:* durch ein Gelenk mit etw verbunden sein **2.** (*s'organiser*) **bien s'~** *parties d'un texte:* gut gegliedert sein

artifice [aʁtifis] *m* **1.** (*moyen ingénieux*) Trick *m* **2.** *souvent pl* (*tromperie*) List *f*

artificiel, le [aʁtifisjɛl] *adj* **1.** (*fabriqué*) künstlich; *diamant* unecht; *parfum* synthetisch **2.** (*factice*) künstlich; *sourire, style* gekünstelt; *enthousiasme, gaieté* gespielt; *raisonnement* willkürlich

artificiellement [aʁtifisjɛlmɑ̃] *adv* künstlich

artificier [aʁtifisje] *m* **1.** (*fabricant, organisateur*) Feuerwerker(in) *m(f)* **2.** (*spécialiste du désamorçage*) [Bomben]entschärfer(in) *m(f)*

artillerie [aʁtijʁi] *f* Artillerie *f*

artisan, e [aʁtizɑ̃, an] *m, f* Handwerker(in) *m(f);* ~ **boulanger** Bäckermeister(in) *m(f)*

artisanal, e [aʁtizanal, o] <-aux> *adj* handwerklich; *produit* handgearbeitet

artisanat [aʁtizana] *m* **1.** (*métier*) Handwerk *nt* **2.** (*les artisans*) Handwerker *Pl*

artiste [aʁtist] **I.** *mf* Künstler(in) *m(f);* (*au cirque*) Artist(in) *m(f);* (*personne non-*

conformiste) Lebenskünstler **II.** *adj* **milieu** ~ Künstlermilieu *nt*

artistique [aʁtistik] *adj* künstlerisch; *arrangement* kunstvoll

aryen, ne [aʁjɛ̃, jɛn] *adj* arisch

Aryen, ne [aʁjɛ̃, jɛn] *m, f* Arier(in) *m(f)*

as¹ [a] *indic prés de* avoir

as² [ɑs] *m* **1.** JEUX Ass *nt;* (*aux autres jeux*) Eins *f;* ~ **de cœur** Herz-Ass **2.** (*champion*) Ass *nt;* ~ **du volant** Ass im Fahren; l'~ **des** ~ das Spitzenass

ascendance [asɑ̃dɑ̃s] *f sans pl* **1.** (*origine*) Abstammung *f* **2.** ASTRON Aufgang *m;* METEO Aufwind *m*

ascendant [asɑ̃dɑ̃] *m sans pl* ~ **sur qn/ qc** [starker] Einfluss auf jdn/etw

ascenseur [asɑ̃sœʁ] *m* Aufzug *m*

ascension [asɑ̃sjɔ̃] *f* **1.** (*montée*) Aufsteigen *nt;* *d'une montgolfière* Aufstieg *m; d'une monnaie* Anstieg *m;* ~ **sociale** sozialer Aufstieg **2.** SPORT Aufstieg *m;* **faire l'~ d'une montagne** einen Berg besteigen **3.** *sans pl* REL **l'Ascension** Christi Himmelfahrt

ascèse [asɛz] *f* Askese *f*

ascète [asɛt] *mf* Asket(in) *m(f)*

ascétique [asetik] *adj* asketisch

aseptisé, e [asɛptize] *adj* **1.** *instrument* sterilisiert; *pansement* keimfrei; *chambre, plaie* desinfiziert **2.** *fig* steril

aseptiser [asɛptize] <1> *vt* sterilisieren *instrument;* keimfrei machen *pansement;* desinfizieren *chambre, plaie*

asexué, e [asɛksɥe] *adj* ungeschlechtlich

asiatique [azjatik] *adj* asiatisch

Asiatique [azjatik] *mf* Asiat(in) *m(f)*

Asie [azi] *f* l'~ Asien *nt;* l'~ **centrale/Mineure** Zentral-/Kleinasien

asile [azil] *m* **1.** REL, JUR, POL Asyl *nt* **2.** (*refuge*) Zufluchtsort *m;* **offrir un** ~ **à qn** jdm Unterschlupf gewähren

asocial, e [asɔsjal, jo] <-aux> **I.** *adj* unsozial; *enfant* verhaltensgestört **II.** *m, f* Asoziale(r) *f(m)*

aspect [aspɛ] *m* **1.** *sans pl d'une personne* Aussehen *nt; d'un objet, paysage* Anblick *m* **2.** (*trait de caractère*) Seite *f* **3.** (*point de vue*) Aspekt *m*

asperge [aspɛʁʒ] *f* **1.** (*légume*) Spargel *m* **2.** *fam* (*personne*) Bohnenstange *f* (*hum*)

asperger [aspɛʁʒe] <2a> **I.** *vt* ~ **qn/qc d'eau** jdn/etw mit Wasser bespritzen **II.** *vpr* **s'~ de parfum/d'eau** sich mit Parfüm besprühen/mit Wasser bespritzen; **s'~ le visage d'eau froide** sich (*dat*) kaltes Wasser ins Gesicht spritzen

asphalte [asfalt] *m* Asphalt *m*

asphyxie [asfiksi] *f sans pl* **1.** (*suffocation*) Ersticken *nt;* **mourir par** ~ ersticken **2.** *fig*

Lähmung *f*

asphyxier [asfiksje] <1> **I.** *vt* ersticken **II.** *vpr* s'~ ersticken; *(ne plus pouvoir respirer)* keine Luft mehr bekommen

aspic [aspik] *m* GASTR Sülze *f*

aspirant [aspiʀɑ̃] *m* MIL Offiziersanwärter(in) *m(f)*

aspirateur [aspiʀatœʀ] *m* Staubsauger *m;* **passer l'~** [*o* **un coup d'~**] staubsaugen

aspiration [aspiʀasjɔ̃] *f* **1.** *sans pl* (*inspiration*) Einatmen *nt* **2.** TECH Saugen *nt,* Ansaugen; *d'un liquide, de poussières* Absaugen *nt* **3.** (*avec la bouche*) Saugen *nt,* Ziehen *nt* **4.** LING Aspiration *f* **5.** MED Absaugen *nt* **6.** *sans pl* (*élan*) Streben *nt;* ~ **à la liberté** Streben *nt* nach Freiheit **7.** *pl* (*désirs*) Sehnsüchte *Pl*

aspiré, e [aspiʀe] *adj* LING aspiriert

aspirée [aspiʀe] *f* LING aspirierter Konsonant

aspirer [aspiʀe] <1> **I.** *vt* **1.** (*inspirer*) einatmen; ~ **à pleins poumons** tief durchatmen **2.** (*inhaler*) einatmen *air, gaz;* einsaugen *odeur* **3.** (*avec la bouche*) [ein]saugen **4.** LING aspirieren **5.** TECH absaugen **II.** *vi* **1.** (*désirer*) ~ **à qc** sich nach etw sehnen **2.** (*chercher à obtenir*) ~ **à qc** nach etw streben

aspirine [aspiʀin] *f* Aspirin® *nt*

assagir [asaʒiʀ] <8> **I.** *vt* ruhiger machen *personne;* zähmen *passions* **II.** *vpr* s'~ *personne:* ruhiger werden; *passion:* sich legen

assaillant, e [asajɑ̃, jɑ̃t] *m, f* Angreifer(in) *m(f)*

assaillir [asajiʀ] <*irr*> *vt* angreifen

assainir [aseniʀ] <8> *vt* ARCHIT, FIN sanieren

assainissement [asenismɑ̃] *m* ARCHIT Sanierung *f; d'un marécage* Trockenlegung *f*

assaisonnement [asɛzɔnmɑ̃] *m* **1.** *sans pl* (*action, résultat*) Würzen *nt; d'une salade* Anmachen *nt* **2.** (*ingrédient*) Würze *f*

assaisonner [asɛzɔne] <1> *vt* **1.** (*épicer*) ~ **qc avec qc** etw mit etw würzen; **être trop assaisonné** zu stark gewürzt sein; ~ **la salade** den Salat anmachen **2.** (*relever*) schmackhaft machen **3.** (*agrémenter*) ~ **qc de qc** etw mit etw würzen

assassin [asasɛ̃] *m* Mörder(in) *m(f)*

assassin, e [asasɛ̃, in] *adj* **1.** (*séducteur*) unwiderstehlich **2.** (*qui tue*) mörderisch; *regard* vernichtend

assassinat [asasina] *m* **1.** (*action*) Ermordung *f* **2.** (*résultat*) Mord *m*

assassiner [asasine] <1> *vt* ermorden

assaut [aso] *m* **1.** MIL ~ **d'une forteresse** Sturm *m* auf eine Festung; **aller à l'~ de qc** zum Sturm auf etw (*akk*) ansetzen; **à l'~!** Attacke! **2.** *fig* Stürmen *nt* **3.** (*ruée*)

Ansturm *m*

assèchement [asɛʃmɑ̃] *m* Trockenlegung *f*

assécher [aseʃe] <5> *vt* **1.** (*mettre à sec*) trocken legen **2.** (*vider*) leer laufen lassen *réservoir;* entleeren *citerne*

ASSEDIC [asedik] *fpl abr de* **Association pour l'emploi dans l'industrie et le commerce 1.** (*organisme*) für die Zahlung der Arbeitslosenversicherung in Frankreich zuständige Organisation **2.** (*régime d'assurance*) ≈ Arbeitslosenversicherung *f* **3.** (*cotisation*) ≈ Beitrag *m* für die Arbeitslosenversicherung **4.** (*indemnités*) ≈ Arbeitslosengeld *nt;* **toucher les ~** Arbeitslosengeld bekommen

assemblage [asɑ̃blaʒ] *m* **1.** (*action*) Montage *f;* COUT Zusammennähen *nt; d'une charpente* Aufbau *m; de pièces mécaniques* Zusammenbauen *nt; de pièces de bois* Zusammenfügen *nt; de feuilles* Zusammenheften *nt* **2.** *de couleurs, formes* Zusammenstellung *f; de charpente* Verbindung *f*

assemblée [asɑ̃ble] *f* **1.** (*réunion*) Versammlung *f* **2.** POL **l'Assemblée nationale** die Nationalversammlung; **l'Assemblée fédérale** CH Rat *m* (CH)

assembler [asɑ̃ble] <1> **I.** *vt* **1.** (*monter*) zusammensetzen *pièces d'une machine, d'un puzzle;* zusammenbauen *meuble, moteur* **2.** (*réunir*) zusammenstellen *couleurs;* zusammennähen *vêtement, pièces d'étoffe;* zusammenheften *feuilles volantes* **3.** (*recueillir*) sammeln *pièces;* zusammentragen *idées, données* **II.** *vpr* s'~ sich versammeln

assembleur [asɑ̃blœʀ] *m* INFORM Assembler *m*

assentiment [asɑ̃timɑ̃] *m* Zustimmung *f*

asseoir [aswaʀ] <*irr*> **I.** *vt* ~ **qn sur/ dans/contre qc** jdn auf/in/an etw (*akk*) setzen; **faire ~ qn** jdn bitten sich zu setzen; **être/rester assis** sitzen/sitzen bleiben; **assis!** (*à une personne/un chien*) hingesetzt!/sitz! **II.** *vpr* s'~ sich [hin]setzen; **asseyez-vous!** setzt euch!/setzen Sie sich!

assermenté, e [asɛʀmɑ̃te] *adj* vereidigt

assertion [asɛʀsjɔ̃] *f* Behauptung *f*

asservir [asɛʀviʀ] <8> *vt* unterwerfen; unterdrücken *peuple, presse*

assesseur [asesœʀ] *m* Beisitzer(in) *m(f)*

assez [ase] *adv* **1.** (*suffisamment*) genug; **i y a ~ de place** es ist genug Platz da; **être ~ riche** reich genug sein; ~ **parlé!** genu der Worte! **2.** (*plutôt*) ziemlich; **aimer les films de Bergman** die Filme von Berg man ganz gerne sehen **3.** (*quantité suff sante*) **c'est/ce n'est pas ~** das reicht reicht nicht **4.** (*de préférence, dans l'en semble*) **être ~ content de soi** [eigen

lich] ganz zufrieden mit sich sein **5.** SCOL ~ **bien** ≈ befriedigend **6.** (*exprimant la lassitude*) ~**!** genug!; **c'est ~!, c'en est ~!** genug jetzt!; **en voilà ~!** jetzt ist es aber genug!; **en avoir ~ de qn/qc** von jdm/etw genug haben; **j'en ai ~ de toi/de tes bêtises!** jetzt reicht's mir aber mit dir/mit deinen Dummheiten!; **en avoir plus qu'~ de qn/qc** von jdm/etw endgültig genug haben

assidu, e [asidy] *adj* **1.** *présence* regelmäßig; *élève, employé* immer anwesend; *lecteur* eifrig; *travail, soins* ständig **2.** (*empressé*) eifrig

assiduité [asidɥite] *f sans pl d'un élève* regelmäßige Anwesenheit; *d'un employé* regelmäßiges Erscheinen; **son ~ dans le travail** seine/ihre Beharrlichkeit bei der Arbeit; **son ~ au travail** sein/ihr regelmäßiges Erscheinen bei der Arbeit

assidûment [asidymã] *adv fréquenter* regelmäßig, eifrig

assiéger [asjeʒe] <2a, 5> *vt* **1.** MIL belagern *place, population*; einschließen *armée* **2.** (*prendre d'assaut*) belagern *guichet*; umlagern *personne, hôtel*

assiette [asjɛt] *f* **1.** GASTR Teller *m*; **~ plate/creuse** flacher/tiefer Teller; **~ à soupe/à dessert** Suppen-/Dessertteller; **~ de soupe/de crudités** Teller Suppe/Rohkost **2.** (*base de calcul*) Bemessungsgrundlage *f*

assignation [asiɲasjɔ̃] *f* Vorladung *f*

assigner [asiɲe] <1> *vt* **1.** (*attribuer*) zuteilen **2.** (*fixer*) beimessen; **~ une cause à qc** einer S. (*dat*) eine Ursache zuschreiben **3.** JUR **~ qn à résidence** jdm einen Aufenthaltsort zuweisen; **~ qn en justice** jdn vor Gericht zitieren; **~ un témoin à comparaître** einen Zeugen vorladen

assimilation [asimilasjɔ̃] *f* **1.** **~ à qc** (*comparaison*) Vergleich *m* mit etw; (*amalgame*) Gleichsetzung *f* mit etw **2.** BIO Assimilation *f* **3.** *fig de connaissances* Aneignen *nt* **4.** (*intégration*) **~ à qc** Eingliederung *f* in etw (*akk*)

assimiler [asimile] <1> **I.** *vt* **1.** (*confondre*) **~ qn/qc à qn/qc** jdn/etw mit jdm/etw gleichsetzen; **~ qn à qc** jdn mit etw vergleichen **2.** BIO assimilieren **3.** (*apprendre*) sich (*dat*) aneignen *connaissances* **4.** (*intégrer*) eingliedern **II.** *vi* aufnehmen; **très bien ~** *personne:* sehr aufnahmefähig sein **III.** *vpr* **1.** (*s'identifier*) **s'~ à qn** sich mit jdm identifizieren **2.** (*s'apprendre*) *qc* **s'assimile** man kann sich (*dat*) etw aneignen **3.** (*s'intégrer*) **s'~ à qc** sich in etw (*akk*) integrieren

assis, e [asi, iz] **I.** *part passé de* **asseoir II.** *adj* **1.** (*position*) sitzend; **être/rester ~**

sitzen/sitzen bleiben **2.** (*affermi*) **être bien ~** gefestigt sein

assise [asiz] *f* **1.** (*rangée*) Schicht *f* **2.** *souvent pl* (*fondement*) Grundlage *f* **3.** *pl* (*strates*) Schicht *f*

assises [asiz] *fpl* JUR (*cour*) Schwurgericht *nt*, Geschworenengericht *nt*

assistanat [asistana] *m* **1.** UNIV, SCOL Assistenz *f* **2.** (*prise en charge*) Unterstützung *f*

assistance [asistãs] *f* **1.** (*public*) Publikum *nt* **2.** (*secours*) Hilfe *f*; **demander ~ à qn** jdn um Hilfe bitten; **prêter ~ à qn** jdm Hilfe leisten **3.** (*dons*) **prêter ~ à qn** jdm helfen; *mécène:* jdn fördern **4.** (*aide organisée*) **~ médicale** medizinische Betreuung *f*; **~ technique** Entwicklungshilfe *f* **5.** (*type d'assurance*) [Versicherungs]schutz *m*

assistant [asistã] *m* INFORM **~ personnel** [**électronique**] Organizer *m*

assistant, e [asistã, ãt] *m, f* **1.** (*aide*) Assistent(in) *m(f)*; MED [Arzt]helfer(in) *m(f)*; **~ social** Sozialarbeiter(in) *m(f)* **2.** (*public*) **les ~s** die Anwesenden *Pl*

assisté, e [asiste] **I.** *adj* **1.** SOCIOL **personne ~e** Sozialhilfeempfänger(in) *m(f)*; **famille ~e** Familie, die von der Sozialhilfe lebt; **pays ~** Land, das Wirtschaftshilfe bekommt **2.** AUT **direction ~e** Servolenkung *f* **3.** INFORM **dessin ~ par ordinateur** Computer Aided Design *nt*; **traduction ~e par ordinateur** computergestützte Übersetzung **II.** *m, f péj* (*entreprise*) Subventionsempfänger(in) *m(f)*

assister [asiste] <1> **I.** *vi* **1.** (*être présent*) **~ à qc** bei etw anwesend sein **2.** (*regarder*) **~ à qc** sich (*dat*) etw ansehen **3.** (*être témoin de*) **~ à qc** etw miterleben **4.** (*participer*) **~ à qc** an etw (*dat*) teilnehmen **II.** *vt* **1.** (*aider*) **~ qn dans qc** jdm bei etw helfen **2.** (*en chirurgie*) **~ qn dans qc** jdn [bei etw] assistieren **3.** (*être aux côtés de*) beistehen **4.** JUR *curateur:* rechtlich vertreten

associatif, -ive [asɔsjatif, -iv] *adj* **1.** PSYCH, MATH assoziativ **2.** (*relatif à une association*) **vie associative** Vereinsleben *nt*

association [asɔsjasjɔ̃] *f* **1.** (*action d'associer*) Vereinigung *f* **2.** (*action de s'associer*) Zusammenschluss *m*; **en ~ avec un ami** gemeinsam mit einem Freund **3.** (*groupement*) Organisation *f*; (*opp: société*) Verein *m*; **~ économique/sportive** Wirtschaftsverband *m*/Sportverein *m*; **~ politique** politische Vereinigung **4.** (*assemblage*) **~ de qc à qc** Verbindung *f* von etw mit etw

associé, e [asɔsje] **I.** *m, f* Gesellschafter(in) *m(f)* **II.** *adj gérant* teilhabend

associer [asɔsje] <1> **I.** vt **1.** (faire participer) ~ **qn à sa joie** jdn an seiner Freude teilhaben lassen; ~ **qn à un travail** jdn mitarbeiten lassen; ~ **les travailleurs aux bénéfices** die Arbeitnehmer am Gewinn beteiligen **2.** (unir, lier) [miteinander] verbinden choses, personnes; miteinander kombinieren couleurs; ~ **qc avec qc** etw mit etw verbinden **II.** vpr **1.** (s'allier) **s'~** sich zusammenschließen **2.** (s'adjoindre) **s'~ un collaborateur** einen Mitarbeiter hinzuziehen **3.** (s'accorder) **s'~** choses: sich zusammenfügen **4.** (participer à) **s'~ à la joie de qn** jds Freude teilen; **s'~ au projet de qn** sich an jds Vorhaben beteiligen

assoiffé, e [aswafe] adj **1.** (qui a soif) [sehr] durstig **2.** (avide) ~ **de lectures** lesehungrig; ~ **de vengeance** rachsüchtig

assombri, e [asɔ̃bri] adj **1.** (obscurci) dunkel **2.** (triste, grave) finster; futur, avenir düster; jours dunkel

assombrir [asɔ̃bRiR] <8> **I.** vt **1.** (obscurcir) verdunkeln **2.** (rembrunir, peser sur) trübsinnig machen personne; verschlechtern situation **II.** vpr **s'~** sich verdunkeln; couloir: dunkel werden; horizon, visage: sich verfinstern; personne: trübsinnig werden; situation: sich verschlechtern

assommant, e [asɔmɑ̃, ɑ̃t] adj fam nervtötend

assommer [asɔme] <1> **I.** vt **1.** (étourdir) bewusstlos schlagen; betäuben animal **2.** (abasourdir) **cette nouvelle m'a assommé** diese Nachricht hat mich sprachlos gemacht **3.** (abrutir) **le soleil m'a assommé** die Sonne machte mich benommen **4.** fam (ennuyer) zu Tode langweilen **II.** vpr **s'~ 1.** (se cogner) sich (dat) eine Gehirnerschütterung holen **2.** fam (se battre) sich halbtot schlagen

Assomption [asɔ̃psjɔ̃] f Mariä Himmelfahrt f

assorti, e [asɔRti] adj couleurs, vêtements passend; **être ~ aux rideaux** zum Vorhang passen; **des personnes/choses sont bien/mal ~es** Menschen/Dinge passen gut/schlecht zusammen

assortiment [asɔRtimɑ̃] m **1.** (mélange) Sortiment nt; ~ **de charcuterie** Wurstplatte f; ~ **de gâteaux** Gebäckmischung f **2.** (arrangement) ~ **de couleurs** Farbkombination f

assortir [asɔRtiR] <8> **I.** vt **1.** (harmoniser) zusammenstellen couleurs, fleurs; ~ **les rideaux au tapis** die Vorhänge auf den Teppich abstimmen **2.** (réunir) zusammenbringen personnes **3.** (accompagner) ~ **son exposé d'anecdotes** seinem Bericht Anekdoten (akk) hinzufügen **II.** vpr **s'~** zueinander passen

assoupi, e [asupi] adj **1.** (somnolent) dösend **2.** (affaibli) abgekühlt; douleur gelindert

assoupir [asupiR] <8> **I.** vt **1.** (endormir) schläfrig machen **2.** (affaiblir) trüben, schwächen sens, sensualité; lindern douleur; abbauen haine **II.** vpr **s'~** dösen

assoupissement [asupismɑ̃] m Schläfrigkeit f

assouplir [asupliR] <8> **I.** vt **1.** (rendre plus souple) geschmeidig machen cheveux; weich machen linge; lockern muscles **2.** (rendre moins rigoureux) lockern règlement **II.** vpr **s'~ 1.** (devenir plus souple) chaussures: weich[er] werden; cuir: geschmeidig[er] werden; personne: gelenkig[er] werden **2.** (devenir moins rigide) umgänglich[er] werden

assouplissant, e [asuplisɑ̃, ɑ̃t] m Weichspüler m

assouplissement [asuplismɑ̃] m du linge Weichmachen nt

assourdir [asuRdiR] <8> **I.** vt (abasourdir) betäuben **II.** vpr **s'~** bruit: schwächer werden

assouvir [asuviR] <8> vt stillen faim, vengeance

assujetti, e [asyʒeti] **I.** adj (soumis) **être ~ à qn** jdm unterworfen sein; **être ~ à l'impôt** steuerpflichtig sein **II.** m, f ADMIN **1.** (à l'impôt) Steuerpflichtige(r) f(m) **2.** (à la sécurité sociale) Beitragspflichtige(r) f(m)

assujettir [asyʒetiR] <8> vt (astreindre) ~ **qn à l'impôt** jdm eine Steuer auferlegen; **son métier l'assujettit à une présence constante** sein Beruf verpflichtet ihn zu ständiger Anwesenheit

assumer [asyme] <1> **I.** vt **1.** (exercer, supporter) auf sich (akk) nehmen risque; übernehmen tâche, responsabilité; bekleiden fonction; ausfüllen poste; ertragen douleur **2.** (accepter) akzeptieren condition; stehen zu instincts **II.** vpr **1.** (s'accepter) **s'~** sich akzeptieren **2.** (se supporter) **une amputation s'assume difficilement** mit einer Amputation wird man schwer fertig **III.** vi dazu stehen

assurance [asyRɑ̃s] f **1.** sans pl (aplomb) Selbstbewusstsein nt; **avec ~** selbstsicher **2.** (garantie) Zusicherung f **3.** (contrat) Versicherung f **4.** (société) Versicherung[sgesellschaft] f **5.** SPORT Sicherung

assurance-dépendance [asyRɑ̃sdepɑ̃dɑ̃s] f Pflegeversicherung f

assuré, e [asyRe] **I.** adj **1.** démarche sicher regard fest **2.** (garanti) sicher **II.** m, f Versi

s'assurer

• s'assurer	• sich vergewissern

Tout va bien?

Alles in Ordnung?

Est-ce que je l'ai bien fait?

Habe ich das so richtig gemacht?

Est-ce que c'était bon?

Hat es Ihnen geschmeckt?

Est-ce que c'est le bus pour Francfort?

Ist das der Bus nach Frankfurt?

(au téléphone) **Je suis bien à** l'office de protection de la jeunesse?

(am Telefon) **Bin ich hier richtig beim** Jugendamt?

C'est bien le film que tu as tant adoré?

Ist das der Film, von dem du so geschwärmt hast?

Es-tu sûr(e) que c'est le bon numéro?

Bist du dir sicher, dass die Hausnummer stimmt?

• assurer, affirmer quelque chose à quelqu'un

• jemanden versichern, beteuern

Le train avait **vraiment** eu du retard.

Der Zug hatte **wirklich** Verspätung gehabt.

Vraiment! Je n'en savais rien.

Wirklich! Ich habe nichts davon gewusst.

Que tu le croies ou non, ils se sont **vraiment** séparés.

Ob du es nun glaubst oder nicht, sie haben sich **tatsächlich** getrennt.

Je peux vous assurer que cette voiture roulera encore quelques années.

Ich kann Ihnen versichern, dass das Auto noch einige Jahre fahren wird.

Crois-moi, ce concert aura un grand succès.

Glaub mir, das Konzert wird ein Riesenerfolg.

Tu peux être sûr(e) qu'il n'a rien remarqué.

Du kannst ganz sicher sein, er hat nichts gemerkt.

Je vous garantis que la majorité votera contre.

Ich garantiere Ihnen, dass die Mehrheit dagegen stimmen wird.

Les recettes ont été déclarées en bonne et due forme, **j'en mets ma main au feu**.

Die Einnahmen sind ordnungsgemäß versteuert, **dafür lege ich meine Hand ins Feuer**.

---

cherte(r) *f(m)*

assurément [asyʀemɑ̃] *adv soutenu* gewiss

assurer [asyʀe] <1> I. *vt* 1. *(affirmer, garantir, par un contrat d'assurance)* versichern 2. *(se charger de)* gewährleisten *protection* 3. *(rendre sûr)* sichern *avenir, fortune* 4. *(accorder)* ~ **une retraite à qn** jdm eine Rente zusichern 5. SPORT sichern II. *vpr* 1. *(contracter une assurance)* s'~ **à la compagnie X contre qc** sich bei der Gesellschaft X gegen etw versichern 2. *(vérifier)* s'~ **de qc** sich von etw überzeugen 3. *(gagner)* s'~ **l'appui de qn** sich jds Unterstützung *(akk)* sichern III. *vi fam* wissen, wo's langgeht

assureur [asyʀœʀ] *m* Versicherungsträger *m*

aster [astɛʀ] *m* BOT Aster *f*

astérisque [asteʀisk] *m* Sternchen *nt*

astéroïde [asteʀɔid] *m* Asteroid *m*

asthmatique [asmatik] I. *adj* asthmatisch

II. *mf* Asthmatiker(in) *m(f)*

asthme [asm] *m* Asthma *nt*

asticot [astiko] *m fam (ver)* Made *f*

asticoter [astikɔte] <1> *vt fam* nerven

astigmate [astigmat] *adj* astigmatisch

astiquer [astike] <1> *vt* putzen; polieren *meubles, pomme*

astral, e [astʀal, o] <-aux> *adj* signe ~ Sternzeichen *nt*

astre [astʀ] *m* 1. ASTRON Gestirn *nt* 2. ASTROL Stern *m*

astreignant, e [astʀɛɲɑ̃, ɑ̃t] *adj* anstrengend; *horaire, règle* wenig Freiraum lassend

astreindre [astʀɛ̃dʀ] <irr> *vt* ~ **qn à un travail** jdn zu einer Arbeit zwingen

astreinte [astʀɛ̃t] *f* 1. *(contrainte)* Zwang *m* 2. JUR Zwangsgeld *nt*

astringent [astʀɛ̃ʒɑ̃] *m* adstringierendes Mittel *nt*

astrologie [astʀɔlɔʒi] *f* Astrologie *f*

astrologique [astʀɔlɔʒik] *adj* astrologisch

astrologue [astʀɔlɔg] *mf* Astrologe/As-

trologin *m/f*

astronaute [astʀonot] *mf* Astronaut(in) *m(f)*

astronautique [astʀonotik] *f* Raumfahrt *f*

astronome [astʀonɔm] *mf* Astronom(in) *m(f)*

astronomie [astʀonɔmi] *f* Astronomie *f*

astronomique [astʀonɔmik] *adj* **1.** ASTRON astronomisch **2.** *nombre, prix* astronomisch [hoch] (*fam*)

astrophysique [astʀofizik] *f* Astrophysik *f*

astuce [astys] *f* **1.** *sans pl* (*qualité*) Raffiniertheit *f* **2.** *souvent pl* (*truc*) Trick *m* **3.** *gén pl, fam* (*plaisanterie*) Witz *m*

astucieux, -euse [astysjø, -jøz] *adj* schlau

asymétrie [asimetʀi] *f* Asymmetrie *f*

asymétrique [asimetʀik] *adj* asymmetrisch; *jambes* ungleich

atavique [atavik] *adj* atavistisch

atavisme [atavism] *m* Atavismus *m*

atchoum [atʃum] *interj* hatschi

atelier [atəlje] *m* **1.** (*lieu de travail*) Werkstatt *f*; *d'un artiste* Atelier *nt* **2.** IND *d'une usine* Produktionsanlage *f*; ~ **de fabrication** Produktionsstätte *f*; ~ **de montage** Montagehalle *f* **3.** (*ensemble des ouvriers*) Belegschaft *f* **4.** (*groupe de réflexion*) Arbeitsgruppe *f*

atermoiement [atɛʀmwamɑ̃] *m gén pl* **des** ~**s** Ausflüchte *f*

athée [ate] **I.** *adj* atheistisch **II.** *mf* Atheist(in) *m(f)*

athéisme [ateism] *m* Atheismus *m*

Athènes [atɛn] Athen *nt*

athlète [atlɛt] *mf* **1.** SPORT Leichtathlet(in) *m(f)* **2.** (*dans une compétition*) Wettkämpfer(in) *m(f)* **3.** (*dans l'Antiquité*) Athlet(in) *m(f)* **4.** (*personne musclée*) Kraftmensch *m*

athlétique [atletik] *adj* **1.** (*musclé*) athletisch **2.** SPORT *discipline* Leichtathletikwettkämpfe *Pl*

athlétisme [atletism] *m* Leichtathletik *f*

atlantique [atlɑ̃tik] *adj* atlantisch; **côte** ~ Atlantikküste *f*

Atlantique [atlɑ̃tik] *m* l'~ der Atlantik *m*

atlas [atlɑs] *m* GEOG, ANAT Atlas *m*

atmosphère [atmɔsfɛʀ] *f* **1.** *a.* METEO Atmosphäre *f* **2.** (*air*) Luft *f* **3.** (*ambiance*) Stimmung *f*

atmosphérique [atmɔsfeʀik] *adj* atmosphärisch; *phénomène* meteorologisch; **pression** ~ Luftdruck *m*

atoll [atɔl] *m* Atoll *nt*

atome [atom] *m* PHYS Atom *nt*

atomique [atɔmik] *adj* **1.** PHYS atomar; **énergie** ~ Kernenergie *f*, Atomenergie *f*; **bombe** ~ Atombombe *f* **2.** CHIM atomisch

atomiser [atɔmize] <1> *vt* (*pulvériser*) zerstäuben

atomiseur [atɔmizœʀ] *m* Zerstäuber *m*

atone [aton] *adj* *regard, œil* ausdruckslos

atout [atu] *m* **1.** *a.* JEUX Trumpf *m* **2.** (*qualité*) Pluspunkt *m*

âtre [ɑtʀ] *m* Feuerstelle *f*

atroce [atʀɔs] *adj* **1.** *crime, image* grauenhaft; *vengeance, peur* furchtbar **2.** *fam* musique, film fürchterlich; *temps, repas* scheußlich; *personne* schrecklich

atrocement [atʀɔsmɑ̃] *adv* **1.** (*horriblement*) furchtbar **2.** *fam* (*affreusement*) fürchterlich

atrocité [atʀɔsite] *f* **1.** *d'une action* Scheußlichkeit *f*, Abscheulichkeit *f*; *d'un crime* Grauenhaftigkeit *f* **2.** *pl* (*action*) Gräuel[taten *Pl*] *Pl* **3.** (*calomnie*) **dire des** ~**s** Gräuelmärchen erzählen

atrophie [atʀofi] *f* MED Rückbildung *f*

atrophier [atʀɔfje] <1> **I.** *vpr* (*diminuer*) **s'**~ verkümmern **II.** *vt* (*faire dépérir*) verkümmern lassen *muscle*

attabler [atable] <1> *vpr* **s'**~ sich zu Tisch setzen

attachant, e [ataʃɑ̃, ɑ̃t] *adj* *personne, personnalité* fesselnd; *enfant* reizend

attache [ataʃ] *f* **1.** (*lien*) Befestigung *f* **2.** (*pour attacher des animaux*) Kette *f* **3.** (*pour attacher des plantes, des arbres*) Schnur *f* **4.** (*pour attacher un cadre*) Aufhänger *m* **5.** *gén pl* (*relations*) Verbindungen *Pl* **6.** BOT Ranke *f* **7.** ANAT Handgelenk *nt*; *d'un pied* Fußgelenk *nt*

attaché, e [ataʃe] **I.** *adj* **1.** (*ligoté*) **être** ~ **à qc** an etw (*akk*) gefesselt sein **2.** (*lié par l'affection, l'habitude*) **être** ~ **à qn/qc** jdm/etw hängen **3.** (*associé*) **être** ~ **à qc** *avantage, rétribution:* mit etw verbunden sein; *bonheur:* von etw abhängig sein **II.** *m, f* Attaché *m*; ~ **d'ambassade** [Botschafts]rat/-rätin *m/f*; ~ **de presse** Pressesprecher(in) *m(f)*

attaché-case [ataʃekɛz] <attachés-cases> *m* Aktenkoffer *m*

attachement[1] [ataʃmɑ̃] *m* (*affection*) Anhänglichkeit *f*

attachement[2] [ataʃmɑ̃] *m* INFORM Anlage *f*

attacher [ataʃe] <1> **I.** *vt* **1.** (*fixer*) ~ **qn/qc à qc** jdn/etw an etw (*dat*) festmachen **2.** (*fixer avec une corde, ficelle*) jdn/etw an etw (*akk*) anbinden; ~ **qn sur qc** jdn an etw (*akk*) fesseln **3.** (*fixer avec des clous*) ~ **qn sur qc** jdn an etw (*akk*) nageln **4.** (*mettre ensemble*) zusammenbringen heften *feuilles de papier;* ~ **les mains à qn** jdm die Hände [zusammen]binden **5.** (*fermer*) binden *lacets, tablier;* zumachen *montre, collier;* ~ **sa ceinture de sécurité** sich anschnallen **6.** (*faire tenir*) ~ **ses cheveu**

avec un élastique seine Haare mit einem Gummiband zusammenbinden; ~ **un paquet avec de la ficelle/du ruban adhésif** ein Paket mit einer Kordel zubinden/ mit Klebeband zukleben **7.** (*maintenir*) **des pinces à linge attachent les dessins à la ficelle** die Zeichnungen werden mit Wäscheklammern an der Schnur befestigt **8.** (*lier affectivement*) ~ **qn à qn/qc** jdn mit jdm/etw verbinden **9.** (*enchaîner*) ~ **qn à qn/qc** jdn an jdn/etw binden **10.** (*attribuer*) ~ **de l'importance à qc** einer S. (*dat*) Bedeutung beimessen; ~ **de la valeur à qc** Wert auf etw (*akk*) legen; **quel sens attaches-tu à ce mot?** was verbindest du mit diesem Wort? **II.** *vi fam aliment, gâteau:* anbrennen **III.** *vpr* **1.** (*mettre sa ceinture de sécurité*) **s'~** sich anschnallen **2.** (*être attaché*) **s'~ à qc** mit etw [fest] verbunden sein **3.** (*s'encorder*) **s'~ à une corde** sich anseilen **4.** (*se fermer*) **s'~ avec/par qc** mit etw zugemacht werden **5.** (*se lier d'affection*) **s'~ à qn/qc** jdn/qc lieb gewinnen

attaquant, e [atakã, ãt] *m, f* Angreifer(in) *m(f)*

attaque [atak] *f* **1.** MIL Angriff *m* **2.** (*acte de violence*) ~ **de qc** Überfall *m* auf etw (*akk*) **3.** (*critique acerbe*) ~ **contre qn/qc** Angriff *m* auf jdn/etw **4.** (*crise*) Anfall *m* **5.** SPORT Angriff *m;* (*joueurs*) Sturm *m* **6.** MUS Einsetzen *nt;* (*jazz*) Attacke *f* **7.** LING Ansatz *m*

attaquer [atake] <1> **I.** *vt* **1.** (*assaillir*) angreifen **2.** (*pour voler*) überfallen *personne, banque* **3.** SPORT angreifen **4.** (*critiquer*) ~ **qn sur qc** jdn wegen etw angreifen **5.** JUR anfechten *jugement, testament;* ~ **une loi** sich gegen ein Gesetz wenden; ~ **qn en justice** jdn verklagen **6.** (*ronger*) angreifen *organe, fer;* auswaschen *falaise* **7.** (*commencer*) beginnen; anschneiden *sujet;* in Angriff nehmen *travail* **8.** MUS ~ **un morceau** beginnen ein Stück zu spielen **9.** *fam* (*commencer à manger*) ~ **un plat** über ein Essen herfallen **10.** (*chercher à surmonter*) angehen *difficulté;* ~ **le mal à sa racine** das Übel an der Wurzel packen **II.** *vpr* **1.** (*affronter*) **s'~ à qn/qc** jdn/etw angreifen **2.** (*chercher à résoudre*) **s'~ à une difficulté** ein Problem angehen **3.** (*commencer*) **s'~ à qc** etw in Angriff nehmen

attardé, e [ataʀde] *adj* (*en retard*) verspätet

attarder [ataʀde] <1> **I.** *vt* aufhalten **II.** *vpr* **s'~** sich verspäten

atteindre [atɛ̃dʀ] <*irr*> *vt* **1.** (*toucher*) treffen *personne, cible* **2.** (*parvenir à, gagner, s'élever à, joindre par téléphone*) er-

reichen **3.** (*rattraper*) einholen **4.** (*avoir un effet nuisible sur*) **la gelée a atteint les plantes** der Frost hat die Pflanzen angegriffen **5.** (*blesser moralement*) treffen **6.** (*troubler intellectuellement*) irritieren **7.** (*émouvoir*) berühren; **ça ne m'atteint pas!** das trifft mich nicht!

atteint, e [atɛ̃, ɛ̃t] *adj* **1.** (*malade*) **être très** ~ *personne:* schwer krank sein; *organe:* stark angegriffen sein; **le malade** ~ **du cancer** der Krebspatient *m* **2.** *fam* (*fou*) übergeschnappt

atteinte [atɛ̃t] *f* **1.** (*dommage causé*) ~ **à un droit** Einschränkung *f* eines Rechts; **c'est une** ~ **à ma réputation** das schadet meinem Ansehen; ~ **à la sûreté de l'État** Hochverrat *m* **2.** *pl de l'âge* Spuren *Pl; du froid* Beeinträchtigung *f* **3.** (*portée*) **réputation hors d'**~ unantastbares Ansehen; **se mettre hors d'**~ sich in Sicherheit bringen

attelage [at(ə)laʒ] *m* **1.** *de chevaux* Geschirr *nt; d'un véhicule de chemin de fer* Kupplung *f* **2.** *d'un cheval* Anspannen *nt; d'un bœuf* Einspannen *nt; d'un wagon* Anhängen *nt*

atteler [at(ə)le] <3> **I.** *vt* (*attacher*) anspannen *voiture, animal;* einspannen *bœuf* **II.** *vpr* **s'~ à un travail** sich an eine Arbeit machen (*fam*)

attelle [atɛl] *f* Schiene *f*

attenant, e [at(ə)nã, ãt] *adj* angrenzend

attendre [atɑ̃dʀ] <14> **I.** *vt* **1.** (*patienter*) ~ **qn/qc** auf jdn/etw warten **2.** (*ne rien faire avant de*) abwarten *moment favorable;* ~ **qn/qc pour faire qc** auf jdn/etw warten um etw zu tun **3.** (*compter sur*) erwarten; ~ **un enfant** ein Kind erwarten; **n'**~ **que ça** nur darauf warten; **en attendant mieux** in Erwartung eines Besseren **4.** (*être préparé*) ~ **qn** *voiture, surprise:* auf jdn warten; *sort, déception:* jdm bevorstehen **5.** *fam* (*se montrer impatient avec*) ~ **après qn** auf jdn warten **6.** *fam* (*avoir besoin de*) ~ **après qc** auf etw (*akk*) warten **7.** (*jusqu'à*) **mais en attendant** doch bis dahin; **en attendant que** + *subj* [so lange] bis **8.** (*toujours est-il*) **en attendant** immerhin **II.** *vi* **1.** (*patienter*) warten; **faire** ~ **qn** jdn warten lassen; **tu peux toujours** ~**!** da kannst du lange warten! **2.** (*retarder*) **sans** ~ sofort **3.** (*interjection*) **attends!** (*pour interrompre, pour réfléchir*) warte mal!; (*pour menacer*) na, warte! **III.** *vpr* **s'~ à qc** etw erwarten; (*en cas de chose désagréable*) auf etw (*akk*) gefasst sein; **comme il fallait s'y** ~ wie zu erwarten war

attendri, e [atɑ̃dʀi] *adj* gerührt

attendrir [atɑ̃dʀiʀ] <8> I. *vt* 1.(*émouvoir*) rühren 2.(*apitoyer*) Mitleid erregen; erweichen *cœur* 3. GASTR weich machen II. *vpr* 1.(*s'émouvoir*) se laisser ~ sich erweichen lassen; il s'~ sur [le sort de] sa voisine das Schicksal seiner Nachbarin rührt ihn 2.(*s'apitoyer*) s'~ sur soi-même sich selbst bemitleiden; il s'~ sur sa voisine er hat Mitleid mit seiner Nachbarin

attendrissant, e [atɑ̃dʀisɑ̃, ɑ̃t] *adj* rührend

attendrissement [atɑ̃dʀismɑ̃] *m* Rührung *f*

attendu, e [atɑ̃dy] I. *part passé de* **attendre** II. *adj* (*espéré*) erwartet

attentat [atɑ̃ta] *m* ~ **contre qn/qc** Attentat *nt* auf jdn/etw

attente [atɑ̃t] *f* 1.(*expectative*) l'~ de qn/qc das Warten auf jdn/etw; **salle d'**~ Wartesaal *m* 2.(*espoir*) **contre toute** ~ wider Erwarten; **dans l'**~ **de qc** in Erwartung einer S. (*gen*)

attenter [atɑ̃te] <1> *vi* ~ **à sa vie** Selbstmord verüben; ~ **à la vie de qn** jdm nach dem Leben trachten (*geh*)

attentif, -ive [atɑ̃tif, -iv] *adj* 1.(*vigilant, prévenant*) aufmerksam 2.(*veillant soigneusement*) **être** ~ **aux différences** auf Unterschiede (*akk*) achten

attention [atɑ̃sjɔ̃] *f* 1.(*concentration*) Aufmerksamkeit *f;* **avec** ~ aufmerksam 2.(*intérêt*) Aufmerksamkeit *f;* **à l'**~ **de qn** zu jds Händen; **prêter** ~ **à qn/qc** jdm/einer S. Beachtung schenken 3. *souvent pl* (*prévenance*) Aufmerksamkeit *f* 4.(*soin*) **faire** ~ **à qn/qc** auf jdn/etw aufpassen; **fais** ~! pass [doch] auf! 5.(*avertissement*) ~! Vorsicht!; ~ **à la marche!** Vorsicht Stufe!; **mais** ~! **vous en êtes responsable!** aber ich warne Sie/euch! Sie sind/Ihr seid dafür verantwortlich!; **alors là,** ~ [les yeux]! *fam* aber hallo!

attentionné, e [atɑ̃sjɔne] *adj* ~ **envers qn** aufmerksam jdm gegenüber

attentisme [atɑ̃tism] *m* POL Attentismus *m*

attentivement [atɑ̃tivmɑ̃] *adv* aufmerksam

atténuation [atenɥasjɔ̃] *f d'un sentiment* Milderung *f*

atténuer [atenɥe] <1> I. *vt* lindern *douleur;* dämpfen *passion, bruit;* abschwächen *amertume, couleur;* verharmlosen *faute* II. *vpr* s'~ sich mildern; *bruit, douleur:* nachlassen; *amertume:* sich abschwächen; *secousse sismique:* schwächer werden

atterré, e [ateʀe] *adj* erschüttert

atterrer [ateʀe] <1> *vt nouvelle:* sehr be-

troffen machen

atterrir [ateʀiʀ] <8> *vi* 1. AVIAT, NAUT *avion:* landen; *bateau:* anlegen 2. *fam* (*se retrouver*) landen 3. *fam* (*revenir sur terre*) **atterris! wach auf!**

atterrissage [ateʀisaʒ] *m* Landen *nt;* ~ **en catastrophe** Bruchlandung *f*

attestation [atɛstasjɔ̃] *f* Bescheinigung *f;* ~ **d'assurance** Versicherungsnachweis *m*

attester [atɛste] <1> *vt* 1.(*certifier*) ~ qc/que ... etw bestätigen/bestätigen, dass ... 2.(*certifier par écrit*) ~ qc/que ... etw bescheinigen/bescheinigen, dass ... 3.(*être la preuve*) ~ qc/que ... ein Beweis für etw sein/dafür sein, dass ...

attifer [atife] <1> *vt fam* ausstaffieren, herausputzen

attirail [atiʀaj] *m fam* Zeug *nt*

attirance [atiʀɑ̃s] *f* Anziehungskraft *f;* **éprouver une certaine/de l'**~ **pour qn** sich zu jdm hingezogen fühlen

attirant, e [atiʀɑ̃, ɑ̃t] *adj personne, physionomie* anziehend; *proposition* verlockend; *publicité* ansprechend

attirer [atiʀe] <1> I. *vt* 1. PHYS anziehen 2.(*tirer à soi*) zu sich [her]ziehen 3.(*faire venir*) anziehen *personne;* anlocken *animal* 4.(*allécher*) ködern 5.(*intéresser*) *projet, pays:* ansprechen 6.(*retenir*) ~ **le regard/l'attention** Aufsehen/Aufmerksamkeit erregen 7.(*procurer*) ~ **des ennuis à qn** in Schwierigkeiten bringen 8.(*susciter*) ~ **sur soi la colère de toute la ville** sich (*dat*) den Zorn der ganzen Stadt zuziehen II. *vpr* 1. PHYS s'~ sich anziehen 2.(*se plaire*) s'~ sich anziehen 3.(*obtenir, susciter*) s'~ **qn** jdn gewinnen; s'~ **de nombreux ennemis/amis** sich (*dat*) viele Feinde/Freunde schaffen

attiser [atize] <1> *vt* schüren, anfachen

attitré, e [atitʀe] *adj promoteur* beauftragt

attitude [atityd] *f* 1.(*du corps*) Haltung *f* 2.(*disposition*) [innere] Haltung *f;* *souvent pl péj* (*affectation*) Getu(e) *nt* (*fam*)

attouchement [atuʃmɑ̃] *m* 1.(*toucher*) Berührung *f* 2.(*caresse légère*) Streicheln *nt* 3. *souvent pl euph* (*caresse sexuelle*) unsittliche Berührung

attractif, -ive [atʀaktif, -iv] *adj* (*séduisant*) ansprechend; *épargne, programme* interessant

attraction [atʀaksjɔ̃] *f* 1.(*séduction*) Anziehungskraft *f* 2.(*divertissement*) Attraktion *f* 3. *souvent pl d'une boîte de nuit* Darbietungen *Pl* 4. PHYS Anziehungskraft *f* 5. GRAM Angleichung *f*

attrait [atʀɛ] *m* Reiz *m*

attrape [atʀap] *f* Scherzartikel *m*

attrape-nigaud [atʀapnigo] <attrape

nigauds> *m* Bauernfängerei *f*
attraper [atʀape] <1> **I.** *vt* **1.** (*capturer,
saisir*) fangen *animal, personne;* ~ **qn/un
animal par qc** jdn/ein Tier an etw (*dat*)
packen **2.** (*saisir au vol*) [auf]fangen; **attrape! fang! 3.** (*atteindre*) ~ **qc** an etw (*akk*)
herankommen **4.** (*prendre sur le fait*) ~ **qn
à faire qc** jdn dabei ertappen, wie er etw
tut (*fam*) **5.** (*tromper*) reinlegen (*fam*);
être bien attrapé schön reingefallen sein
(*fam*) **6.** (*prendre à temps*) erreichen *bus,
train* **7.** (*comprendre*) verstehen *bribes, paroles* **8.** (*savoir reproduire*) sich (*dat*) zu Eigen machen *comportement, style;* annehmen *accent* **9.** (*avoir*) sich (*dat*) holen *maladie* **10.** (*recevoir*) bekommen *punition,
amende* **II.** *vpr* **s'~ 1.** (*se transmettre*) *maladie contagieuse:* sich übertragen **2.** (*s'assimiler*) **l'accent anglais, ça ne s'attrape
qu'en Angleterre!** den englischen Akzent
bekommt man nur in England!
attrayant, e [atʀɛjɑ̃, jɑ̃t] *adj paysage* reizvoll; *travail* interessant; *personne* anziehend
attribuer [atʀibɥe] <1> **I.** *vt* **1.** (*donner*)
~ **un prix à qn** jdm einen Preis verleihen;
~ **une bourse d'études à qn** jdm ein Stipendium geben **2.** (*considérer comme propre à*) ~ **un mérite à qn** jdm ein Verdienst
zuschreiben (*geh*); ~ **de l'importance à
qc** einer S. (*dat*) Bedeutung *f* beimessen
II. *vpr* **1.** (*s'approprier*) **s'~ qc** sich (*dat*)
etw nehmen **2.** (*s'adjuger, revendiquer*)
s'~ qc etw für sich in Anspruch nehmen
attribut [atʀiby] **I.** *m* **1.** (*propriété, symbole*) Attribut *nt*, Eigenschaft *f* **2.** LING ~
du sujet prädikative Ergänzung zum Subjekt **II.** *adj* LING *adjectif* prädikativ
attribution [atʀibysjɔ̃] *f* **1.** (*action*) Zuweisung *f*; *d'une indemnité* Gewährung *f*;
d'un prix Verleihung *f* **2.** *pl* (*compétences*)
Zuständigkeit[sbereich *m*] *f*
attristant, e [atʀistɑ̃] *adj* **1.** (*affligeant, désolant*) schlecht **2.** (*pénible, triste*) traurig
3. (*déplorable*) beklagenswert
attrister [atʀiste] <1> **I.** *vt* traurig machen
II. *vpr* **s'~ devant qc** angesichts einer S.
(*gen*) traurig sein
attroupement [atʀupmɑ̃] *m* Menschenansammlung *f*
attrouper [atʀupe] <1> *vpr* **s'~ sur la
place** auf dem Platz zusammenströmen
atypique [atipik] *adj* atypisch
au [o] = **à le** *v.* **à**
aubaine [obɛn] *f* Geschenk *nt* des Himmels
aube [ob] *f* (*point du jour*) Morgendämmerung *f*; **à l'~** im Morgengrauen
aubépine [obepin] *f* [eingriffeliger] Weiß-

dorn
auberge [obɛʀʒ] *f* [Land]gasthaus *nt;* ~ **de
jeunesse** Jugendherberge *f* ▶**être** sorti
de l'~ über den Berg sein
aubergine [obɛʀʒin] **I.** *f* (*légume*) Aubergine *f*, Melanzane *f* (A) **II.** *adj inv* (*couleur*)
aubergine[farben]
aubergiste [obɛʀʒist] *mf* [Gast]wirt(in)
m(f)
aubette [obɛt] *f v.* **abribus**
auburn [obœʀn] *adj inv* kastanienbraun
aucun, e [okœ̃, yn] **I.** *adj antéposé* **1.** ~ ...
ne ..., **ne** ... ~ ... kein(e); **n'avoir ~e
preuve** gar keinen Beweis haben; **en ~e
façon** keineswegs; **sans faire ~ bruit**
ohne jeden Lärm **2.** (*dans une question*) irgendein(e) **II.** *pron* ~ **ne** ..., **ne** ... ~ keine(r, s); **n'aimer ~ de ces romans** keinen
dieser Romane mögen
aucunement [okynmɑ̃] *adv* keineswegs;
n'avoir ~ envie überhaupt keine Lust haben; **êtes-vous d'accord? – ~!** sind Sie
einverstanden? – nie und nimmer!
audace [odas] *f* **1.** (*témérité*) Kühnheit *f*;
avoir de l'~ kühn sein **2.** (*effronterie*)
Dreistigkeit *f*
audacieux, -euse [odasjø, -jøz] **I.** *adj*
1. (*hardi*) kühn **2.** (*effronté*) dreist **3.** *projet, mode* gewagt **II.** *m, f* Kühne(r) *f(m)*
au-dedans [odədɑ̃] **I.** *adv* (*intérieurement*) drinnen **II.** *prép* **1.** (*à l'intérieur de,
sans mouvement*) ~ **de qc** innerhalb einer
S. (*gen*) **2.** (*à l'intérieur de, avec mouvement*) ~ **de qc** in etw (*akk*) [hinein]
au-dehors [odəɔʀ] **I.** *adv* **1.** (*à l'extérieur*)
draußen; *sortir, se répandre* nach [dr]außen
2. (*dans l'apparence extérieure*) äußerlich
II. *prép* **1.** (*à l'extérieur de, sans mouvement*) ~ **de qc** außerhalb einer S. (*gen*)
2. (*à l'extérieur de, avec mouvement*) ~
de qc aus etw [heraus]
au-delà [od(ə)la] **I.** *adv être* weiter [hinten]; *aller, voir* weiter [nach hinten] **II.** *prép*
1. (*de l'autre côté de, sans mouvement*) ~
de qc jenseits einer S. (*gen*) **2.** (*de l'autre
côté de, avec mouvement*) ~ **de qc** auf die
andere Seite einer S. (*gen*) **3.** (*dépassant*)
~ **de qc** über etw (*akk*) hinaus **III.** *m* Jenseits *nt*
au-dessous [od(ə)su] **I.** *adv* darunter **II.**
prép **1.** (*plus bas*) ~ **de qn/qc** unter jdm/
etw **2.** (*au sud de*) ~ **de Lyon** unterhalb
von Lyon **3.** (*inférieur, subordonné*) **être ~
de qn** unter jdm stehen ▶**être ~ de tout**
Mensch: ein Nichtsnutz sein; *Konzert:* das
Letzte sein
au-dessus [od(ə)sy] **I.** *adv* **1.** (*plus haut*)
darüber **2.** (*mieux*) **il n'y a rien ~** das ist
das Beste **II.** *prép* **1.** (*sans mouvement*) ~

de qn/qc über jdm/etw **2.** (*avec mouvement*) ~ de qn/qc über jdn/etw **3.** (*au nord de*) ~ de **Lyon** oberhalb von Lyon **4.** (*supérieur*) être ~ de qn über jdm stehen; être ~ de qc über etw (*dat*) stehen
au-devant [od(ə)vɑ̃] *prép* aller ~ des désirs de qn jds Wünschen entgegenkommen
audible [odibl] *adj* (*qu'on peut entendre*) hörbar
audience [odjɑ̃s] *f* **1.** (*entretien*) Audienz *f*; **tenir** ~ eine Sitzung abhalten **2.** JUR Gerichtsverhandlung *f*; **tenir** ~ tagen **3.** (*indice d'écoute*) Einschaltquote *f*
audimat [odimat] *m* (*taux d'écoute*) Einschaltquote *f*
audionumérique [odjonymeʀik] *adj* digital
audiophile [odjofil] *m* Hi-Fi-Liebhaber *m*
audioprothésiste [odjopʀɔtezist] *mf* Hörgeräteakustiker(in) *m(f)*
audiovisuel [odjovisɥɛl] *m* **1.** (*procédés*) Audio-Video-Technik *f* **2.** (*chaînes de télévision*) audiovisuelle Medien *Pl*
audiovisuel, le [odjovisɥɛl] *adj* audiovisuell
audit [odit] *m* Revision *f*
auditeur, -trice [oditœʀ, -tʀis] *m, f* **1.** MEDIA Zuhörer(in) *m(f)*; *d'une radio* Hörer(in) *m(f)*; *d'une télévision* Zuschauer(in) *m(f)* **2.** (*métier*) Rechnungsprüfer(in) *m(f)* **3.** UNIV ~ **libre** Gasthörer(in) *m(f)* **4.** POL ~ **au Conseil d'État** untere Charge im französischen Staatsrat
auditif, -ive [oditif, -iv] **I.** *adj* mémoire auditiv; **appareil** ~ Hörgerät *nt* **II.** *m, f* auditiver Typ *m*
audition [odisjɔ̃] *f* **1.** (*sens*) Hören *nt*; **test d'**~ Hörtest *m* **2.** (*écoute*) Hören *nt* **3.** JUR *d'un témoin* Anhörung *f*, Vernehmung *f* **4.** THEAT, CINE *d'un acteur* Vorsprechen *nt*; *d'un chanteur* Vorsingen *nt*; *d'un musicien* Vorspielen *nt*
auditionner [odisjɔne] <1> **I.** *vt* vorsprechen lassen *acteur*; vorspielen lassen *musicien*; vorsingen lassen *chanteur* **II.** *vi acteur*: vorsprechen; *musicien*: vorspielen; *chanteur*: vorsingen
auditoire [oditwaʀ] *m* Zuhörerschaft *f*
auge [oʒ] *f* **1.** (*abreuvoir*) Tränke *f* **2.** (*mangeoire*) Futtertrog *m*
augmentation [ɔgmɑ̃tasjɔ̃] *f* Erhöhung *f*; *d'une production* Steigerung *f*; *du chômage, de l'inflation* Zunahme *f*
augmenter [ɔgmɑ̃te] <1> **I.** *vt* **1.** (*accroître*) erhöhen; aufbessern *revenus*; verstärken *intensité de la lumière*; vergrößern *misère* **2.** (*accroître le salaire*) ~ **qn** de qc jds Gehalt/Lohn um etw erhöhen

II. *vi* **1.** (*s'accroître*) wachsen; *nombre*: sich erhöhen; *salaire*: steigen; *douleur*: stärker werden **2.** (*devenir plus cher*) *impôts*: erhöht werden; *prix, loyer*: [an]steigen; *marchandise, vie*: teurer werden
augure¹ [ogyʀ] *m* **être de bon/mauvais** ~ Gutes/nichts Gutes verheißen
augure² [ogyʀ] *m* HIST Augur *m*
augurer [ogyʀe] <1> *vt* ~ qc **d'un signe** etw aus einem Zeichen (*akk*) schließen
auguste [ogyst(ə)] *m* dummer August *m*
aujourd'hui [oʒuʀdɥi] *adv* **1.** (*opp: hier, demain*) heute; **quel jour sommes-nous** ~? den Wievielten haben wir heute?; **à compter/dater/partir d'**~ ab heute; **dès** ~ gleich heute; **il y a** ~ **huit jours/un an que ...** heute vor acht Tagen/einem Jahr ... **2.** (*actuellement*) heute; **au jour d'**~ *fam* (*actuellement*) heutzutage; (*jusqu'à maintenant*) bis heute ▶ **c'est pour** ~ **ou pour demain?** *fam* wird's bald?
aulne [o(l)n] *m* Erle *f*
aumône [omon] *f* (*don*) Almosen *nt*
aumônier [omonje] *m* ~ **d'un lycée** Religionsunterricht erteilender Geistlicher; ~ **d'une prison/d'un hôpital** Gefängnis-/Krankenhauspfarrer *m*
auparavant [opaʀavɑ̃] *adv* vorher
auprès de [opʀɛ də] *prép* **1.** (*tout près, à côté de*) être ~ qn bei jdm sein; **viens t'asseoir** ~ **moi** komm, setz dich zu mir **2.** (*en comparaison de*) ~ qn/qc im Vergleich zu jdm/etw **3.** (*aux yeux de*) bei **4.** ADMIN *fig* bei
auquel [okɛl] = **à lequel** *v.* lequel
aura [ɔʀa] *f* Aura *f* (*geh*)
aurai [ɔʀɛ] *fut de* avoir
auréole [ɔʀeɔl] *f* **1.** (*tache*) Rand *m* **2.** *d'un astre* Hof *m* **3.** *d'un saint* Heiligenschein *m*
auréoler [ɔʀeɔle] <1> *vt* **1.** (*parer de*) ~ qn de gloire jdn mit einem Glorienschein umgeben **2.** (*entourer*) einrahmen
auriculaire [ɔʀikylɛʀ] *m* kleiner Finger *m*
aurore [ɔʀɔʀ] *f* **1.** (*aube*) Morgenröte *f*; (*heure du jour*) Morgengrauen *nt* **2.** ASTRON ~ **australe/boréale/polaire** Süd-/Nord-/Polarlicht *nt*
auscultation [ɔskyltasjɔ̃] *f* Abhören *nt*
ausculter [ɔskylte] <1> *vt* abhören
aussi [osi] **I.** *adv* **1.** (*élément de comparaison*) ~ **...** que so ... wie; **elle est** ~ **grande que moi** sie ist [genau]so groß wie ich; **il est** ~ **grand qu'il est bête** er ist so dumm wie er lang ist (*fam*) **2.** (*également*) auch; **c'est** ~ **mon avis** das ist auch meine Meinung; **bon appétit! – merci, vous** ~! guten Appetit! – danke, gleichfalls!; **ça peut tout** ~ **bien être faux!** das kann ge

nauso gut falsch sein! **3.** (*en plus*) auch noch; **non seulement ..., mais** ~ nicht nur ..., sondern auch [noch] **4.** *fam* (*non plus*) **moi** ~, **je ne suis pas d'accord** ich bin nicht einverstanden **5.** (*bien que*) ~ **riche soit-il** so reich er auch sein mag **6.** (*autant* [*que*]) **Paul** ~ **bien que son frère** Paul [eben]so wie sein Bruder **7.** (*d'ailleurs*) **mais** ~ ...? aber auch ...? **II.** *conj* ~ [**bien**] daher

aussitôt [osito] **I.** *adv* **1.** (*tout de suite*) sofort; ~ **après** gleich danach **2.** (*sitôt*) gleich nach[dem]; ~ **dit,** ~ **fait** gesagt, getan **II.** *conj* ~ **que ...** sobald ...

austère [ostɛʀ] *adj* streng; *vie* asketisch

austérité [osteʀite] *f* **1.** (*caractère*) Strenge *f* **2.** (*rigueur*) **mesure d'**~ Sparmaßnahmen *Pl*; **période d'**~ harte Zeiten

austral, e [ɔstʀal] <s> *adj* *hémisphère* südlich

Australie [ɔstʀali] *f* **l'**~ Australien *nt*

australien, ne [ɔstʀaljɛ̃, jɛn] *adj* australisch

Australien, ne [ɔstʀaljɛ̃, jɛn] *m, f* Australier(in) *m(f)*

autant [otɑ̃] *adv* **1.** (*tant*) so viel; **comment peut-il dormir** ~? wie kann er nur so viel schlafen?; ~ **d'argent** so viel Geld **2.** (*relation d'égalité*) ~ **que** *surprendre, valoir, aimer* ebenso [sehr] wie; *donner, travailler* ebenso viel wie; **en faire** ~ dasselbe tun; **d'**~ ebenso viel; **la Bible** ~ **que le Coran** die Bibel ebenso wie der Koran; ~ **de beurre que de farine** genauso viel Butter wie Mehl; **il n'y a pas** ~ **de neige que l'année dernière** es liegt nicht so viel Schnee wie im letzten Jahr **3.** (*cela revient à*) ebenso gut; ~ **dire** so gut wie **4.** (*sans exception*) **ces personnes sont** ~ **de chômeurs** diese Menschen sind alle arbeitslos; **tous** ~ **que vous êtes** alle, die ihr da seid **5.** (*pour comparer*) ~ **j'aime la mer,** ~ **je déteste la montagne** so sehr ich das Meer liebe, so sehr hasse ich die Berge **6.** (*dans la mesure où*) [**pour**] ~ **que** + *subj* vorausgesetzt, dass; [**pour**] ~ **que** + *subj* soviel; ~ **que possible** so weit wie möglich **7.** (*encore plus/moins* [*pour la raison que*]) **d'**~ **moins ... que ...** umso weniger ... als ...; **d'**~ [**plus**] **que ...** zumal ...; **d'**~ **mieux/moins/plus** umso besser/weniger/mehr ►**pour** ~ trotzdem; **il va mieux; il n'est pas remis pour** ~ es geht ihm besser; deswegen ist er aber noch lange nicht wieder gesund; ~ **pour moi!** *fam* ich habe mich geirrt!

autarcie [otaʀsi] *f* Autarkie *f*

autel [otɛl] *m* Altar *m*

auteur [otœʀ] *m* **1.** (*écrivain*) Autor(in)

m(f) **2.** (*créateur*) Schöpfer(in) *m(f)* **3.** (*responsable*) Verursacher(in) *m(f)*; ~ **du crime** Täter(in) *m(f)*; ~ **de l'attentat** Attentäter

auteur-compositeur [otœʀkɔ̃pozitœʀ] <auteurs-compositeurs> *m* Texter(in) *m(f)* und Komponist(in) *m(f)*

authenticité [otɑ̃tisite] *f* **1.** *d'un document, d'une œuvre* Echtheit *f* **2.** *d'une interprétation* Glaubwürdigkeit *f*

authentifier [otɑ̃tifje] <1> *vt* beglaubigen *document, signature;* für echt befinden *tableau*

authentique [otɑ̃tik] *adj* **1.** (*véritable*) echt **2.** (*sincère*) unverfälscht; *émotion* echt

autisme [otism] *m* Autismus *m*

autiste [otist] **I.** *adj* autistisch **II.** *mf* Autist(in) *m(f)*

auto [oto] *f* *abr de* **automobile** Auto *nt;* ~ **tamponneuse** Autoskooter *m*

auto-amnistier [otoamnistje] <1> *vpr* **s'**~ sich selbst amnestieren

autobiographie [otobjɔgʀafi] *f* Autobiografie *f*

autobiographique [otobjɔgʀafik] *adj* autobiografisch

autobloquant, e [otoblɔkɑ̃, ɑ̃t] *adj* *porte* selbstverriegelnd

autobus [otobys] *m* [Auto]bus *m*

autocar [otokaʀ] *m* Reisebus *m*

autochtone [otokton] **I.** *adj* einheimisch; (*indigène*) eingeboren **II.** *mf* Einheimische(r) *f(m)*

autocollant [otokɔlɑ̃] *m* Aufkleber *m*

autocollant, e [otokɔlɑ̃, ɑ̃t] *adj* selbstklebend

autocritique [otokʀitik] *f* Selbstkritik *f*

autocuiseur [otokɥizœʀ] *m* Schnellkochtopf *m*

autodafé [otodafe] *m* HIST ~ **de livres** Bücherverbrennung *f*

autodéfense [otodefɑ̃s] *f* Selbstverteidigung *f;* (*prévention*) Selbstschutz *m*

autodérision [otodeʀizjɔ̃] *f* Selbstironie *f*

autodétermination [otodetɛʀminasjɔ̃] *f* Selbstbestimmung *f*

autodétruire [otodetʀɥiʀ] <*irr*> *vpr* **s'**~ *machine, cassette:* sich selbst vernichten; *personne:* sich [selbst] zugrunde richten

autodidacte [otodidakt] **I.** *adj* autodidaktisch **II.** *mf* Autodidakt(in) *m(f)*

autodiscipline [otodisiplin] *f* Selbstdisziplin *f*

autoécole, auto-école [otoekɔl] <autoécoles> *f* Fahrschule *f*

autofinancement [otofinɑ̃smɑ̃] *m* Eigenfinanzierung *f*

autofocus [otofɔkys] **I.** *adj* mit Autofokus

II. *m* Automatikkamera *f*
autogestion [otoʒɛstjɔ̃] *f* Selbstverwaltung *f*
autographe [otogʀaf] *m* Autogramm *nt*
automate [otomat] *m* Automat *m*
automatique [otomatik] **I.** *adj* automatisch **II.** *m* **1.** TELEC Selbstwählverkehr *m*
2. (*pistolet*) Selbstladepistole *f* **III.** *f* AUT
Auto *nt* mit Automatik[getriebe]
automatiquement [otomatikmɑ̃] *adv*
automatisch
automatisation [otomatizasjɔ̃] *f* **1.** (*action*) Automatisierung *f* **2.** (*résultat*) Auto-
mation *f*
automatiser [otomatize] <1> *vt* automatisieren
automatisme [otomatism] *m* Automatis-
mus *m*
automédication [otomedikasjɔ̃] *f* Selbst-
medikation *f*
automitrailleuse [otomitʀajøz] *f* Rad-
panzer[fahrzeug *nt*] *m*
automnal, e [otɔnal, o] <-aux> *adj*
herbstlich; *brume, fleurs* Herbst-
automne [otɔn] *m* Herbst *m;* **cet** ~ diesen
Herbst; **en** ~ im Herbst; **l'**~, ... im Herbst
...; **l'**~ **dernier** [im] letzten Herbst
automobile [otomɔbil] **I.** *adj* **1.** TECH **voi-
ture/véhicule** ~ Kraftwagen *m*/Kraftfahr-
zeug *nt* **2.** (*relatif à la voiture*) Auto-; *industrie, salon* Automobil-; *assurance* Kraftfahr-
zeug-; **sport** ~ Motorsport- **II.** *f* **1.** (*voiture*) Auto *nt* **2.** (*sport*) Motorsport *m*
3. (*industrie*) Auto[mobil]industrie *f*
automobiliste [otomɔbilist] *mf* Autofah-
rer(in) *m(f)*
autonettoyant, e [otonetwajɑ̃, ɑ̃t] *adj*
selbstreinigend
autonome [otonom] *adj* **1.** (*indépendant*) unabhängig; *état, province* autonom;
gestion selb[st]ständig; **travailleur** ~ CAN
(*free-lance*) Freiberufler *m* **2.** *vie* eigenständig; *personne* selb[st]ständig; *existence* eigen **3.** INFORM offline
autonomie [otonomi] *f* **1.** (*indépendance*) Autonomie *f;* (*sur le plan financier*)
Unabhängigkeit *f; d'une personne* finanzielle Unabhängigkeit; ~ **administrative**
Selbstverwaltung *f;* ~ **financière** *d'une administration* Finanzhoheit *f; d'une entreprise* finanzielle Selbständigkeit **2.** TECH *d'un
moyen de transport* Reichweite *f; d'une machine, d'une pile* Betriebsdauer *f*
autonomiste [otonomist] *mf* Anhän-
ger(in) *m(f)* einer Autonomiebewegung
autopompe [otopɔ̃p] *f* [Feuer]löschfahr-
zeug *nt*
autoportrait [otopɔʀtʀɛ] *m* Selbstporträt
nt

autopsie [otɔpsi] *f* MED Autopsie *f;* (*ordon-
née par un tribunal*) Obduktion *f*
autoradio [otoʀadjo] *m* Autoradio *nt*
autorail [otoʀaj] *m* Schienenbus *m*
autoreverse [otoʀivœʀs] *adj inv* mit Autoreverse
autorisation [otoʀizasjɔ̃] *f* **1.** (*permission*) Erlaubnis *f;* (*de caractère officiel*)
Genehmigung *f;* JUR Ermächtigung *f* (*form*)
2. (*permis*) schriftliche Genehmigung; ~
de sortie du territoire Ausreisegenehmigung (*für Minderjährige*)
autorisé, e [otoʀize] *adj* **1.** *milieux, source,
avis* maßgeblich **2.** *service, personne* befugt
3. *stationnement* erlaubt; *tournure* zulässig
autoriser [otoʀize] <1> *vt* **1.** (*permettre*)
erlauben; ~ **qn à faire qc** jdm erlauben,
etw zu tun; (*habiliter*) *titre, décret:* jdn berechtigen, etw zu tun; *personne:* jdn ermächtigen, etw zu tun **2.** (*rendre licite*)
zulassen *stationnement;* genehmigen *manifestation, sortie* **3.** (*donner lieu à*) erlauben
abus, excès; Anlass geben zu *espoir*
autoritaire [otoʀitɛʀ] *adj* autoritär; *personne, ton* a. herrisch
autoritarisme [otoʀitaʀism] *m d'un gouvernement* Autoritarismus *m*
autorité [otoʀite] *f* **1.** (*pouvoir*) Autorität
f, Macht *f;* **agir avec** ~ bestimmt handeln;
faire preuve d'~ ein Machtwort sprechen; ~ **de la loi** gesetzliche Gewalt; ~ **parentale** elterliche Gewalt; **avoir de l'**~
sur qn Macht über jdn haben; **être sous
l'**~ **de qn** *employé:* jdm unterstehen; *enfant:* unter jds Aufsicht (*dat*) **2.** (*incapacité de se faire obéir*) Autorität *f* **3.** (*influence, considération*) Ansehen *nt;* **jouir
d'une grande** ~ großes Ansehen genießen; **faire** ~ *ouvrage:* als maßgebend gelten; *personne:* als Autorität gelten **4.** (*personne influente*) Autorität *f* **5.** *souvent pl*
(*organisme*) Behörde *f;* **l'**~ **législative** ge-
setzgebendes Organ; **l'**~ **politique/les** ~**s
politiques** die politischen Organe; **l'**~ **re-
ligieuse/les** ~**s religieuses** die geistliche
Obrigkeit ▶**sous l'**~ **de qn** *travailler* unter
jds Regie (*dat*)
autoroute [otoʀut] *f* Autobahn *f;* ~ **à péage** gebührenpflichtige Autobahn; ~ **du
Soleil** Autobahn *Paris-Marseille*
autoroutier, -ière [otoʀutje, -jɛʀ] *adj* Au-
tobahn-
autostop, auto-stop [otostɔp] *m sans pl*
Trampen *nt;* **faire de l'**~ trampen; **prendre qn en** ~ jdn [als Anhalter/Anhalterin]
mitnehmen
**autostoppeur, -euse, auto-stoppeur,
-euse** [otostɔpœʀ, -øz] <auto-stop-
peurs> *m, f* Tramper(in) *m(f)*

autosuggestion [otosygʒɛstjɔ̃] *f* Auto-suggestion *f*

autour [otuʀ] **I.** *adv* darum [herum]; **tout ~** rundherum **II.** *prép* **1.** (*entourant*) **~ de qn/qc** um jdn/etw herum; **tout ~ de qn/qc** ringsherum um jdn/etw **2.** (*à proximité de*) **~ de qn/qc** in der Umgebung von jdm/etw **3.** (*environ*) **~ des 1000 euros** um die 1000 Euro [herum]; **~ des 15 heures** [so] gegen 15 Uhr

autre [otʀ] **I.** *adj antéposé* **1.** (*différent*) andere(r, s); **~ chose** etwas anderes; **d'une ~ manière** anders; **son avis est tout ~** er/sie ist völlig anderer Meinung **2.** (*supplémentaire*) weitere(r, s) **3.** (*second des deux*) **l'~ ...** der/die/das andere ... **▸nous ~s ..., vous ~s ...** wir ..., ihr [dagegen] .. **II.** *pron indéf* **1.** andere(r); **un ~/une ~ que** ein anderer/eine andere als; **tout ~ ... que** ein ganz anderer/eine ganz andere ... als; **quelqu'un d'~** jemand anders; **qui d'~?** wer sonst? **2.** (*chose différente*) andere(r, s); **d'~s** andere; **quelques ~s** ein paar andere; **quelque chose d'~** etwas anderes; **rien d'~** nichts anderes; **quoi d'~?** was sonst? **3.** (*personne supplémentaire*) weitere(r, s); **tu es une menteuse! – j'en connais une ~!** du bist eine Lügnerin! – du ebenfalls! **4.** (*chose supplémentaire*) weitere(r, s) **5.** (*opp: l'un*) **l'un l'~/l'une l'~/les uns les ~s** einander **▸entre ~s** unter anderem; **une ~!** Zugabe!

autrefois [otʀəfwa] *adv* früher

autrement [otʀəmɑ̃] *adv* **1.** (*différemment*) anders; **tout ~** ganz anders; **faire ~** es anders machen; **on ne peut pas faire ~** es geht nicht anders; **je ne pouvais pas faire ~** mir blieb nichts anderes übrig **2.** (*sinon, sans quoi*) sonst **3.** (*à part cela*) sonst **▸~ dit** mit anderen Worten

Autriche [otʀiʃ] *f* **l'~** Österreich *nt*

autrichien, ne [otʀiʃjɛ̃, jɛn] *adj* österreichisch

Autrichien, ne [otʀiʃjɛ̃, jɛn] *m, f* Österreicher(in) *m(f)*

autruche [otʀyʃ] *f* ORN Strauß *m*

autrui [otʀɥi] *pron inv* ein anderer/eine andere; (*les autres*) andere; **pour le compte d'~** auf fremde Rechnung; **le bien d'~** fremdes [Hab und] Gut

auvent [ovɑ̃] *m* Vordach *nt*

auvergnat, e [ovɛʀɲa, at] *adj* aus der Auvergne

Auvergne [ovɛʀɲ] *f* **l'~** die Auvergne

aux [o] = **à les** *v.* **à**

auxiliaire [ɔksiljɛʀ] **I.** *adj* **1.** (*annexe*) Hilfs-; **troupe** Hilfs-; **verbe, moteur** Hilfs-; **armée, service** Ersatz- **2.** (*non titulaire*) Hilfs-;

personnel ~ Hilfspersonal *nt;* (*temporaire*) Aushilfspersonal *nt* **II.** *mf* Hilfskraft *f* **III.** *m* GRAM Hilfsverb *nt;* **~ de mode** Modalverb

avachi, e [avaʃi] *adj* **1.** *personne* schlaff; *attitude* lasch; *air* lustlos **2.** *chaussures* ausgetreten; *sac, vêtement* ausgebeult

avachir [avaʃiʀ] <8> *vpr* **1.** (*s'affaisser*) **s'~** *muscles, traits:* erschlaffen; *silhouette:* zusammenfallen; *chaussures:* ausleiern **2.** *fam* (*devenir amorphe*) träge werden

avais [avɛ] *imparf de* **avoir**

aval [aval] *m* **1.** *d'un cours d'eau* Unterlauf *m* **2.** (*soutien*) Unterstützung *f* **▸en ~ du pont** unterhalb der Brücke (*gen*)

avalanche [avalɑ̃ʃ] *f* **1.** (*masse de neige*) Lawine *f* **2.** (*accumulation*) **une ~ d'injures** ein Hagel von Schimpfwörtern; **une ~ de dossiers** ein Berg von Akten

avaler [avale] <1> **I.** *vt* **1.** (*absorber*) [hi-nunter]schlucken; (*par accident*) verschlucken **2.** (*manger*) zu sich nehmen **3.** (*dévorer*) hinunterschlingen *repas;* hinunterstürzen *liquide* **4.** *fig* verschlingen *roman, livre* **5.** (*encaisser*) einstecken *affront, injure;* hinnehmen *remarque* **6.** (*croire*) **on peut lui faire ~ n'importe quoi** er kauft einem alles ab (*fam*) **II.** *vi* schlucken

avance [avɑ̃s] *f* **1.** (*progression*) Vormarsch *m;* **~ rapide** Schnellvorlauf *m* **2.** (*opp: retard*) **être en ~** *personne, train:* zu früh da sein; **arriver en ~ de cinq minutes** fünf Minuten früher ankommen; **être en ~ dans son programme** weiter in seinem Programm sein als vorgesehen **3.** (*précocité*) **être en ~ pour son âge** seinem Alter voraussein; **être en ~ sur qn** jdm voraussein **4.** (*distance*) **avoir de l'~ sur qn/qc** einen Vorsprung vor jdm/etw haben **5.** (*somme sur un achat*) Anzahlung *f;* (*sur le salaire*) Vorschuss *m;* **faire une ~ sur le loyer** einen Teil der Miete im Voraus bezahlen **6.** *pl* (*approche amoureuse*) **faire des ~s à qn** bei jdm Annäherungsversuche machen **▸à l'~, d'~** im Voraus

avancé, e [avɑ̃se] *adj* **1.** (*en avant dans l'espace*) vorspringend **2.** (*en avance dans le temps*) vorgeschritten; *travail, végétation, nuit* fortgeschritten; *âge* fortgeschritten; *civilisation, technique* hoch entwickelt; *idées, opinions* fortschrittlich; **un enfant ~ pour son âge** ein für sein Alter weit entwickeltes Kind; **être ~ dans son travail** in seiner Arbeit vorangekommen sein **▸ne pas être plus ~** nicht viel weiter als vorher sein

avancée [avɑ̃se] *f* **1.** (*saillie*) Vorsprung *m* **2.** *de l'ennemi* Vormarsch *m; des salaires* Anhebung *f*

avancement [avɑ̃smɑ̃] *m* **1.** *des travaux, des négociations* Vorankommen *nt; des sciences, technologies* Fortschreiten *nt* **2.** (*promotion*) Beförderung *f;* **avoir de l'~** befördert werden

avancer [avɑ̃se] <2> **I.** *vt* **1.** (*opp: retarder*) vorstellen *montre;* vorverlegen *rendez-vous, départ;* **~ la date du départ d'un jour** den Abreisetermin um einen Tag vorverlegen **2.** (*pousser en avant*) vorrücken *chaise, table;* vorfahren *voiture;* **~ de huit cases** JEUX acht Felder vorrücken **3.** (*affirmer*) behaupten; vorbringen *idée, thèse* **4.** (*faire progresser*) vorantreiben *travail* **5.** (*payer par avance*) im Voraus zahlen *argent;* (*prêter*) vorstrecken *argent* ▸**ça t'avance/nous avance à quoi?** [und] was hast du/haben wir davon?; **ça ne t'avance/nous avance à rien!** das bringt dir/uns gar nichts [ein]! **II.** *vi* **1.** (*approcher*) *conducteur, voiture:* [weiter] vorfahren; *personne:* vorwärts kommen; **avance vers moi!** komm näher her! **2.** MIL *ennemi, armée:* vorrücken **3.** (*être en avance*) **~ de 5 minutes** *montre:* 5 Minuten vorgehen **4.** (*former une avancée, une saillie*) *rocher, balcon:* vorspringen **5.** (*progresser*) *personne:* vorankommen; *travail:* vorangehen; *nuit, jour:* voranschreiten; **à mesure que l'on avance en âge** mit zunehmendem Alter **III.** *vpr* **1.** **s'~** (*pour sortir d'un rang*) vortreten; (*pour continuer sa route*) weitergehen; (*en s'approchant*) näher kommen; **s'~ vers qn/qc** auf jdn/etw zugehen **2.** (*prendre de l'avance*) **s'~ dans son travail** mit der Arbeit vorankommen **3.** (*se risquer, anticiper*) **s'~ trop** sich zu weit vorwagen; **là, tu t'avances trop!** da bist du etwas zu voreilig!

avant [avɑ̃] **I.** *prép* **1.** (*temporel*) vor (+ *dat*); **bien/peu ~ qc** lange/kurz vor etw (*dat*); **~ de faire qc** bevor jd etw tut **2.** (*devant*) vor (+ *dat*); **en ~ de qn/qc** vor jdm/etw; **passer ~ qc** vor etw kommen ▸**~ tout** vor allem **II.** *adv* **1.** (*devant*) vorher; **passer ~** vorgehen; **en ~** nach vorne **2.** (*plus tôt*) *après compl* vorher; **plus/trop ~** weiter vor/zu weit vor; **le jour/l'année d'~** am Tag[e]/das Jahr davor ▸**en ~ [marche]!** nun los!; MIL vorwärts [marsch]! **III.** *conj* **~ que** + *subj* bevor; **bien/juste ~ que** + *subj* lange/kurz bevor **IV.** *m* **1.** (*partie antérieure*) Vorderteil *nt o m;* **à l'~** vorn[e]; **à l'~ du train** im vorderen Teil des Zugs; **à l'~ du bateau** auf dem Vorschiff; **à l'~ du peloton** im vorderen Feld; **vers l'~** nach vorn **2.** (*joueur*) Stürmer(in) *m(f)* ▸**jouer à l'~** SPORT im Sturm spielen **V.** *adj inv* (*opp: arrière*) Vor-

der-; **traction ~** Frontantrieb *m;* **le clignotant ~ droit** der Blinker vorne rechts

avantage [avɑ̃taʒ] *m* **1.** (*intérêt*) Vorteil *m;* **à son ~** zu seinem/ihrem Vorteil; **être à son ~** vorteilhaft aussehen; **tirer ~ de qc** Vorteil aus etw ziehen; **tourner à l'~ de qn** sich zu jds Gunsten wenden; **qc présente l'~ de faire qc** etw bietet den Vorteil, etw zu tun **2.** *souvent pl* (*gain*) Vorteil *m;* **~ en nature** Sachleistung *f* **3.** (*supériorité*) Überlegenheit *f;* **avoir l'~ sur qn** jdm gegenüber im Vorteil sein **4.** SPORT Vorteil *m;* **avoir l'~** führen; **prendre/perdre l'~ sur son adversaire** *boxeur:* die Oberhand über seinen Gegner gewinnen/verlieren **5.** *soutenu* (*plaisir*) Vergnügen *nt*

avantager [avɑ̃taʒe] <2a> *vt* **1.** (*favoriser*) begünstigen; **~ qn par rapport à qn/au détriment de qn** jdn [jdm gegenüber/zu jds Nachteil] begünstigen **2.** (*mettre en valeur*) **~ qn** *vêtement, coiffure:* für jdn vorteilhaft sein

avantageusement [avɑ̃taʒøzmɑ̃] *adv* günstig

avantageux, -euse [avɑ̃taʒø, -ʒøz] *adj* **1.** (*intéressant*) günstig **2.** (*favorable*) vorteilhaft; *termes* schmeichelhaft; *opinion, idée* positiv

avant-bras [avɑ̃bʀɑ] <avant-bras> *m* Unterarm *m* **avant-centre** [avɑ̃sɑ̃tʀ] <avants-centres> *m* Mittelstürmer(in) *m(f)* **avant-coureur** [avɑ̃kuʀœʀ] <avant-coureurs> *adj bruit* vorauseilend **avant-dernier , -ière** [avɑ̃dɛʀnje, -jɛʀ] <avant-derniers> **I.** *adj* vorletzte(r, s) **II.** *m, f* Vorletzte(r) *f(m)* **avant-garde** [avɑ̃gaʀd] <avant-gardes> *f* ART, LITTER Avantgarde *f* **avant-goût** [avɑ̃gu] <avant-goûts> *m* **~ de qc** Vorgeschmack *m* auf etw **avant-guerre** [avɑ̃gɛʀ] <avant-guerres> *f* Vorkriegszeit *f* **avant-hier** [avɑ̃tjɛʀ] *adv* vorgestern **avant-midi** [avɑ̃midi] *m o f inv* CAN (*matinée*) Vormittag *m* **avant-poste** [avɑ̃pɔst] <avant-postes> *m* Vorposten *m* **avant-première** [avɑ̃pʀəmjɛʀ] <avant-premières> *f* Voraufführung *f* **avant-projet** [avɑ̃pʀɔʒɛ] <avant-projets> *m* Vorentwurf *m* **avant-propos** [avɑ̃pʀɔpo] <avant-propos> *m* Vorwort *nt* **avant-veille** [avɑ̃vɛj] <avant-veilles> *f* zwei Tage zuvor

avare [avaʀ] **I.** *adj* geizig; **être ~ de qc** geizig sein; **être ~ de paroles** wortkarg sein **II.** *mf* Geizhals *m*

avarice [avaʀis] *f* Geiz *m*

avarie [avaʀi] *f* Schaden *m*

avarié, e [avaʀje] *adj* **1.** (*en panne*) be-

schädigt **2.** (*pourri*) verdorben
avatar [avataʀ] *m gén pl* Unannehmlichkeit *f*
avec [avɛk] **I.** *prép* **1.** (*ainsi que*) mit (+ *dat*); **j'emporte trois valises ~ moi** ich nehme drei Koffer mit **2.** (*contre*) mit (+ *dat*) **3.** (*à cause de*) durch (+ *gen*), wegen (+ *gen*); **~ la pluie, les routes sont glissantes** bei dem Regen sind die Straßen rutschig; **~ toutes ces histoires, j'ai oublié de faire les courses** wegen all dieser Geschichten habe ich vergessen einzukaufen **4.** (*au moyen de, grâce à*) mit (+ *dat*) **5.** (*manière*) mit (+ *dat*); **agir ~ précaution** vorsichtig handeln **6.** (*envers, à l'égard de*) mit (+ *dat*), zu (+ *dat*); **être gentil/poli ~ qn** nett/höflich zu jdm sein **7.** (*en ce qui concerne*) **~ moi, vous pouvez avoir confiance** auf mich können Sie vertrauen; **~ ces gens on n'est jamais sûr de rien** bei diesen Leuten ist man nie sicher **8.** (*d'après*) **~ ma sœur, il faudrait …** nach dem, was meine Schwester sagt, müsste man … **9.** (*en même temps que*) bei (+ *dat*), mit (+ *dat*); **arriver ~ la nuit** bei Nacht ankommen; **se lever ~ le jour/soleil** bei Tagesanbruch/mit der Sonne aufstehen **10.** (*malgré*) trotz (+ *dat o gen*); **~ la meilleure bonne volonté du monde …** beim besten Willen … **11.** (*qui possède*) mit (+ *dat*) ▶**et ~ ça …** *fam* il est insolent et **~ ça paresseux** er ist frech und dazu noch faul; **~ tout ça** *fam* bei all[e]dem; **et ~ cela** [Madame/Monsieur]? darf's sonst noch etwas sein? **II.** *adv fam* damit; **tu viens ~?** BELG kommst du mit? ▶**il faut faire ~** damit muss man sich [eben] abfinden; (*en quantité*) es muss eben reichen
avenant, e [av(ə)nɑ̃, ɑ̃t] *adj* ansprechend
avènement [avɛnmɑ̃] *m d'un roi* Thronbesteigung *f*
avenir [av(ə)niʀ] *m* **1.** (*futur*) Zukunft *f*; **à l'~** in Zukunft; **dans un proche ~** in naher Zukunft **2.** (*situation future, perspective*) **l'~ de qn/qc** jds Zukunft/die Zukunft einer S. (*gen*); **avoir un bel ~ devant soi** schöne Zukunftsaussichten haben; **prédire l'~** die Zukunft vorhersagen; **d'~** mit Zukunft
avent [avɑ̃] *m* Advent *m*
aventure [avɑ̃tyʀ] *f* **1.** (*histoire*) Abenteuer *nt*; **il m'est arrivé une ~** mir ist etwas Unerwartetes passiert; **j'ai eu une drôle d'~/une fâcheuse ~** mir ist [da] etwas Merkwürdiges/Ärgerliches passiert; **avoir l'esprit d'~** abenteuerlustig sein; **chercher l'~** auf Abenteuer aus sein; **courir l'~** auf der Jagd nach Abenteuer sein

2. (*liaison*) [Liebes]abenteuer *nt* ▶**dire la bonne ~ à qn** jdm die Zukunft voraussagen; **à l'~** aufs Geratewohl; **partir à l'~** ins Blaue [hinein] fahren (*fam*)
aventurer [avɑ̃tyʀe] <1> **I.** *vt* aufs Spiel setzen *argent, réputation* **II.** *vpr* **s'~ sur la route** sich auf die Straße wagen; **s'~ dans une affaire risquée** sich auf eine riskante Sache einlassen; **s'~ sur un terrain glissant** *fig* sich auf schwankenden Boden begeben
aventureusement [avɑ̃tyʀøzmɑ̃] *adv* in waghalsiger Weise
aventureux, -euse [avɑ̃tyʀø, -øz] *adj* **1.** *personne* abenteuerlustig; *vie* abenteuerlich **2.** *entreprise, projet* abenteuerlich
aventurier, -ière [avɑ̃tyʀje, -jɛʀ] *m, f* **1.** (*bourlingueur*) Abenteurer(in) *m(f)* **2.** (*intrigant*) skrupellose Person
avenue [av(ə)ny] *f* Avenue *f*
avéré, e [aveʀe] *adj* erwiesen
avérer [aveʀe] <5> *vpr* **s'~ être qn/qc** sich als jd/etw erweisen; **s'~ exact/faux** sich als richtig/falsch herausstellen; **il s'avère que …** es stellt sich heraus, dass …
averse [avɛʀs] *f* **1.** (*pluie*) [Regen]schauer *m*; **~ de grêle** Hagelschauer *m* **2.** *fig* **~ d'injures** Flut *f* von Beschimpfungen
aversion [avɛʀsjɔ̃] *f* Abneigung *f*
averti, e [avɛʀti] *adj* kompetent
avertir [avɛʀtiʀ] <8> *vt* **1.** (*informer*) **~ qn** jdn benachrichtigen; **~ qn de qc** jdn von etw in Kenntnis setzen **2.** (*mettre en garde*) warnen
avertissement [avɛʀtismɑ̃] *m* **1.** (*mise en garde*) Warnung *f* **2.** (*signal*) Warnsignal *nt* **3.** (*sanction*) Verwarnung *f*
avertisseur [avɛʀtisœʀ] *m* Hupe *f*
aveu [avø] <x> *m* **1.** (*confession*) Geständnis *nt*; **faire l'~ de qc à qn** jdm etw [ein]gestehen **2.** JUR *souvent pl* Geständnis *nt*; **arracher des ~x à qn** von jdm ein Geständnis erpressen; **faire des ~x complets** ein volles Geständnis ablegen; **passer aux ~x** geständig werden
aveuglant, e [avœglɑ̃, ɑ̃t] *adj* **1.** *lumière, soleil* grell; **être ~** *lumière*: blenden **2.** (*évident*) in die Augen springend
aveugle [avœgl] **I.** *adj* **1.** (*privé de la vue*) blind; **être ~ d'un œil/des deux yeux** auf einem Auge/beiden Augen blind sein; **~ de naissance** von Geburt an blind **2.** (*privé de discernement, de raison*) blind; *personne* verblendet **3.** ARCHIT *fenêtre* blind; *façade, mur* ohne Fenster **II.** *mf* Blinde(r) *f(m)*; **~ de naissance** Blindgebor[e]ne(r) *f(m)* ▶**en ~** unüberlegt
aveuglement [avœgləmɑ̃] *m* Blindheit *f*

aveuglément [avœglemɑ̃] *adv* **1.** (*en toute confiance*) blind[lings] **2.** (*sans discernement*) unüberlegt

aveugler [avœgle] <1> *vt* **1.** (*éblouir*) blenden **2.** (*priver de discernement*) blind machen

aveuglette [avœglɛt] ▸ **à l'**~ wie ein Blinder [tastend]

avez [ave] *indic prés de* **avoir**

aviateur, -trice [avjatœʀ, -tʀis] *m, f* Flieger(in) *m(f)*

aviation [avjasjɔ̃] *f* **1.** TRANSP Luftfahrt *f;* (*sport*) Flugsport *m;* **compagnie d'**~ Fluggesellschaft *f;* ~ **civile** zivile Luftfahrt; ~ **militaire** Militärluftfahrt *f* **2.** MIL Luftwaffe *f*

aviculture [avikyltyʀ] *f* (*élevage de volailles*) Geflügelzucht *f;* (*élevage d'oiseaux*) Vogelzucht *f*

avide [avid] *adj personne, regard, yeux* gierig; *curiosité* brennend; *lèvres* sinnlich; **être ~ de qc** gierig nach etw (*dat*) sein; ~ **d'argent/de pouvoir** geldgierig/machthungrig; ~ **de connaissances** wissbegierig; ~ **de vengeance** rachsüchtig; **être ~ d'apprendre** lernbegierig sein

avidement [avidmɑ̃] *adv* gierig

avidité [avidite] *f* Gier *f,* Begierde *f;* (*cupidité*) Geldgier *f*

avilir [aviliʀ] <8> *vt* erniedrigen

aviné, e [avine] *adj* betrunken

avion [avjɔ̃] *m* Flugzeug *nt;* ~ **commercial** Transportflugzeug; ~ **militaire** Militärflugzeug; ~ **postal** Flugzeug für Luftposttransporte; ~ **sanitaire** Flugzeug für Krankentransporte; ~ **supersonique** Überschallflugzeug; ~ **à hélice** Propellerflugzeug; ~ **à réaction** Düsenflugzeug; ~ **de chasse** Jagdflugzeug; ~ **de combat** Kampfflugzeug; ~ **de ligne** Linienmaschine *f;* ~ **de tourisme** Privatflugzeug; ~ **de transport** Transportflugzeug; **aller/voyager en** ~ fliegen/mit dem Flugzeug reisen; **voyage en** ~ Flugreise *f;* **il est malade en** ~ ihm wird beim Fliegen übel; **par** ~ POST mit Luftpost

avion-cargo [avjɔ̃kaʀgo] <avions-cargos> *m* Frachtflugzeug *nt*

aviron [aviʀɔ̃] *m* **1.** (*rame*) Ruder *nt* **2.** (*sport*) Rudern *nt;* **course d'**~ Ruderregatta *f;* **faire de l'**~ rudern

avis [avi] *m* **1.** (*opinion*) Ansicht *f;* **donner son** ~ seine Meinung abgeben; **donnemoi ton** ~ sag mir deine Meinung; **dire son** ~ **sur qc** seine Meinung über etw (*akk*) äußern; **changer d'**~ seine Meinung ändern; (*se raviser*) es sich (*dat*) anders überlegen; **être d'**~ **de faire qc** es für gut halten, etw zu tun; **je suis d'**~ **qu'il vien-**

ne ich bin dafür, dass er kommt; **être de l'**~ **de qn** jds Meinung sein; **si tu veux mon** ~ wenn du mich fragst; **à mon/son humble** ~ meiner/seiner/ihrer bescheidenen Meinung nach; **de l'**~ **de qn** nach jds Meinung; **de l'**~ **de tous** nach allgemeiner Auffassung **2.** (*notification*) Mitteilung *f;* (*affiche officielle*) Bekanntmachung *f;* ~ **au lecteur** Hinweis *m* für den Leser; ~ **à la population** (*titre d'une affiche*) öffentliche Bekanntmachung; (*au haut-parleur*) allgemeine Durchsage; ~ **de décès/mariage** Todes-/Heiratsanzeige *f;* ~ **de recherche** (*écrit*) Suchanzeige *f;* (*radiodiffusé/télédiffusé*) Suchmeldung *f;* **sauf** ~ **contraire** sofern keine gegenteilige Mitteilung ergeht (*form*) ▸ ~ **aux amateurs!** falls es jdn interessiert

avisé, e [avize] *adj* klug

aviser [avize] <1> *vt* benachrichtigen; ~ **qn de qc** jdm etw mitteilen, jdn von etw benachrichtigen

aviver [avive] <1> *vt* auffrischen *couleurs, teint*

avocat [avɔka] *m* Avocado *f*

avocat, e [avɔka, at] *m, f* [Rechts]anwalt/-anwältin *m/f,* Advokat(in) *m(f)* (A, CH); ~ **général** [Ober]staatsanwalt; ~ **de la défense** Anwalt der Verteidigung; ~ **de la partie civile** Zivilverteidiger(in) *m(f)* ▸ ~ **marron** *péj* Winkeladvokat(in) *m(f)*

avoine [avwan] *f* Hafer *m*

avoir [avwaʀ] <irr> **I.** *vt* **1.** (*devoir*) haben; ~ **qc à faire** etw zu tun haben; **j'ai des cachets à prendre** ich muss Tabletten [ein]nehmen; **ne pas** ~ **à faire qc** (*ne pas devoir*) etw nicht tun sollen; (*ne pas avoir besoin*) etw nicht zu machen brauchen; **tu n'as pas à t'occuper de ça** darum hast du dich nicht zu kümmern; **tu n'auras pas à prendre le taxi, je viendrai te chercher** du brauchst kein Taxi zu nehmen, ich hole dich ab **2.** (*obtenir, attraper*) bekommen *renseignement, train;* bestehen *examen;* bekommen *logement, aide;* **pouvez-vous m'**~ **ce livre?** können Sie mir dieses Buch besorgen? **3.** (*souffrir de*) haben *crise, maladie;* **j'ai eu des vertiges** mir wurde ganz schwindlig; ~ **une syncope** ohnmächtig werden/sein **4.** (*porter sur ou avec soi*) haben *canne, pipe;* aufhaben *chapeau;* anhaben *vêtement* **5.** (*être doté de*) haben; **quel âge as-tu?** wie alt bist du?; ~ **15 ans** 15 Jahre alt sein; ~ **2 mètres de haut/large** 2 Meter hoch/breit sein **6.** (*éprouver*) haben *faim, soif, peur* **7.** (*recevoir [chez soi]*) ~ **des amis chez soi** Freunde bei sich haben; ~ **de la visite** Besuch haben **8.** (*assister, participer à*) ~

cours/sport Unterricht/Sport haben
9. *fam* (*rouler*) **vous m'avez bien eu!** Sie
haben mich ganz schön reingelegt! 10. *fam*
(*attraper, vaincre*) **on les aura!** wir kriegen sie schon noch! ▶**en ~ après** *fam* **qn**
etwas gegen jdn haben; **en ~ jusque-là de**
qc *fam* die Nase voll von etw haben; **en ~**
pour deux minutes/100 euros zwei Minuten brauchen/es kostet jdn 100 Euro;
j'ai! JEUX es kann losgehen!; SPORT lasst
mich spielen!; **qu'est-ce qu'il/elle a?** was
hat er/sie denn? II. *aux* il n'a rien dit er
hat nichts gesagt; **elle a couru/marché**
deux heures sie ist zwei Stunden gelau-
fen/gegangen; **l'Italie a été battue par le**
Brésil Italien ist von Brasilien geschlagen
worden III. *vt impers* 1. (*exister*) **il y a ...**
es gibt ...; **en France, il y a 57 millions**
d'habitants Frankreich hat 57 Millionen
Einwohner; **il y a une plume à son cha-**
peau an seinem Hut steckt eine Feder; **il y**
a des jours où ... es gibt Tage, an denen
...; **il y a 300 km de Nancy à Paris** von
Nancy nach Paris sind es 300 km; **il y a**
champagne et champagne Champagner
ist nicht gleich Champagner; **il n'y a pas**
que l'argent dans la vie Geld ist nicht alles im Leben; **qu'y a-t-il?** [*o* **qu'est-ce**
qu'il y a?] – **il y a que j'ai faim!** was ist
[denn] los? – na was wohl, ich habe Hunger!; **il y a la vaisselle à faire** das Geschirr muss gespült werden; **il n'y a pas à**
discuter jetzt wird nicht diskutiert; **il n'y**
a qu'à partir plus tôt wir müssen/ihr
müsst nur früher losfahren; **il n'y a que**
toi pour faire cela! das bringst nur du fertig! 2. (*temporel*) **il y a 3 jours/4 ans** vor
3 Tagen/4 Jahren; (*durée*) [schon] seit 3
Tagen/4 Jahren ▶**il n'y a plus rien à faire**
da ist nichts mehr zu machen; **il n'y en a**
que pour lui/elle alles dreht sich nur
[noch] um ihn/sie; **il n'y a pas de quoi!**
keine Ursache! IV. *m* 1. (*crédit*) Guthaben
nt 2. (*bon d'achat*) Gutschein *m*
avoisinant, e [avwazinã, ãt] *adj* benachbart; **rue** Nachbar-
avoisiner [avwazine] <1> *vt a. fig* ~ **qc**

an etw (*akk*) grenzen
avons [avɔ̃] *indic prés de* **avoir**
avortement [avɔʀtəmã] *m* Schwangerschaftsabbruch *m*; (*provoqué*) Abtreibung
f; (*spontané*) Fehlgeburt *f*
avorter [avɔʀte] <1> I. *vi* 1. (*de façon vo-*
lontaire) abtreiben; (*de façon spontanée*)
eine Fehlgeburt haben; **se faire ~** abtreiben [lassen] 2. (*échouer*) fehlschlagen; **fai-**
re ~ qc etw zu Fall bringen II. *vt* ~ **qn**
eine Abtreibung bei jdm vornehmen
avorton [avɔʀtɔ̃] *m péj* **espèce d'~!** elende Missgeburt!
avouer [avwe] <1> I. *vt* gestehen; eingestehen *erreur, méprise*; ~ **faire qc** zugeben,
etw zu tun; **je dois vous ~ que ...** ich
muss Ihnen gestehen, dass ... II. *vi*
1. (*confesser*) gestehen 2. (*admettre*) zugeben III. *vpr* **s'~ coupable** sich schuldig
bekennen; **s'~ vaincu** sich geschlagen geben
avril [avʀil] *m* April *m* ▶**poisson d'~**
Aprilscherz *m*; **poisson d'~!** April, April!;
v. a. **août**
axe [aks] *m* 1. *a.* GEOM Achse *f*; ~ **de sy-**
métrie Symmetrieachse; **dans l'~ de qc**
auf der Verlängerungsachse (*gen*) einer S.
2. *d'une roue, pédale* Achse *f*; *d'un engrena-*
ge, d'une aiguille Welle *f*; *de ciseaux* Bolzen
m 3. *d'un discours, d'une politique* allgemeine Richtung 4. (*voie de circulation*) [Ver-
kehrs]achse *f*; ~ **ferroviaire** Hauptverkehrsstrecke *f* [der Bahn]; **grand ~** Haupt-
verkehrsachse *f*, Hauptverkehrsstrecke *f*; ~
routier Verkehrsader *f*
axer [akse] <1> *vt* ~ **qc sur qc** etw auf
etw (*akk*) ausrichten
axiome [aksjom] *m* Grundsatz *m*
ayant [ɛjã] *part prés de* **avoir**
ayant droit [ɛjãdʀwa] <ayants droit>
m Anspruchsberechtigte(r) *f(m)*
azalée [azale] *f* BOT Azalee *f*
azimut [azimyt] *m* ASTRON Azimut *m o nt*
azote [azɔt] *m* Stickstoff *m*
aztèque [astɛk] *adj* aztekisch
Aztèque [astɛk] *mf* Azteke/Aztekin *m/f*
azur [azyʀ] *m* **ciel d'~** azurblauer Himmel

B

B, b [be] *m inv* B *nt*, b *nt*
baba¹ [baba] *m* GASTR ≈ Savarin *m* (*mit Rum und Sirup übergossener Hefekuchen*)
baba² [baba] *m* ▶**l'avoir** dans le ~ *fam* (*être bien roulé*) der/die Gelackmeierte sein
babeurre [baboer] *m* Buttermilch *f*
babil [babil] *m* Plappern *nt*
babiller [babije] <1> *vi bébé, enfant:* plappern
babines [babin] *fpl d'un animal* Lefzen *Pl*
babiole [babjɔl] *f* (*a. fig*) Kleinigkeit *f*
bâbord [babɔR] *m* Backbord *nt*
babouin [babwɛ̃] *m* ZOOL Pavian *m*
baby-foot® [babifut] *m inv* Tischfußball[spiel *nt*] *m*
Babylone [babilɔn] Babylon *nt*
baby-sitting [bebisitiŋ, babisitiŋ] *m sans pl* Babysitting *nt*
bac¹ [bak] *m* 1. (*récipient*) Behälter *m*; *d'un évier* [Spül]becken *nt* 2. (*bateau*) Fähre *f*
bac² [bak] *m fam abr de* **baccalauréat** ≈ Abi *nt*
baccalauréat [bakalɔRea] *m* ≈ Abitur *nt*
bâche [baʃ] *f* Plane *f*
bachelier, -ière [baʃəlje, -jɛR] *m, f* Abiturient(in) *m(f)*
bacille [basil] *m* Bazillus *m*
bâcler [bakle] <1> *vt fam* hinschludern *devoir, travail*
bacon [bekɔn] *m* Lachsschinken *m*
bactéricide [bakteRisid] **I.** *adj* bakterizid **II.** *m* Bakterizid *nt*
bactérie [bakteRi] *f* Bakterie *f*
bactériologique [bakteRjɔlɔʒik] *adj* bakteriologisch
badaud, e [bado, od] *m, f* Schaulustige(r) *f(m)*
Bade-Wurtemberg [badvyRtɑ̃bɛRg] *m* le ~ Baden-Württemberg *nt*
badge [badʒ] *m* Button *m*
badigeon [badiʒɔ̃] *m* Tünche *f*
badigeonner [badiʒɔne] <1> *vt* 1. (*mettre du badigeon*) tünchen 2. MED einpinseln
badin, e [badɛ̃, in] *adj* scherzhaft
badinage [badinaʒ] *m* Scherzen *nt*
badiner [badine] <1> *vi* scherzen
baffe [baf] *f fam* Ohrfeige *f*
baffle [bafl] *m* Lautsprecherbox *f*

bafouer [bafwe] <1> *vt* verhöhnen
bafouillage [bafujaʒ] *m fam* Gestammel *nt*
bafouiller [bafuje] <1> *vt, vi fam* stammeln
bâfrer [bafRe] <1> *vt fam* verschlingen
bagage [bagaʒ] *m* 1. *pl* Gepäck *nt* 2. (*connaissances*) Kenntnisse *Pl*; (*pour assumer une tâche*) Rüstzeug *nt*
bagarre [bagaR] *f* 1. (*pugilat*) Schlägerei *f* 2. (*lutte*) Streit *m*; (*compétition*) Konkurrenzkampf *m*
bagarrer [bagaRe] <1> **I.** *vi fam* kämpfen **II.** *vpr fam* 1. **se ~ avec qn** sich mit jdm prügeln; (*se quereller*) sich mit jdm streiten 2. (*s'opposer*) **se ~ contre qn/qc** sich jdm/einer S. widersetzen
bagarreur, -euse [bagaRœR, -øz] *m, f fam* Raufbold *m*
bagatelle [bagatɛl] *f* 1. (*somme*) Kleinigkeit *f* 2. (*vétille*) Bagatelle *f*
bagnard [baɲaR] *m* Sträfling *m*
bagne [baɲ] *m* ▶**quel** ~! die reinste Sklavenarbeit!
bagnole [baɲɔl] *f fam* Karre *f*
bague [bag] *f a.* TECH Ring *m*
baguer [bage] <1> *vt* beringen *animal*
baguette [bagɛt] *f* 1. (*pain*) Baguette *f o nt* 2. (*bâton*) Stab *m*; *d'un tambour* Schlegel *m*; *d'un chef d'orchestre* Taktstock *m* 3. (*couvert chinois*) Stäbchen *nt* 4. TECH [Profil]leiste *f*
bahut [bay] *m* 1. (*buffet*) Anrichte *f* 2. (*coffre*) Truhe *f* 3. *fam* (*lycée*) Penne *f* 4. *fam* (*camion*) Brummi *m*
bai, e [bɛ] *adj cheval* [rot]braun
baie [bɛ] *f* 1. GEOG Bucht *f* 2. (*fenêtre*) ~ **vitrée** großes Glasfenster 3. BOT Beere *f*
baignade [bɛɲad] *f* 1. (*action*) Baden *nt* 2. (*lieu*) Badeplatz *m*
baigner [beɲe] <1> **I.** *vt* baden **II.** *vi* ~ **dans qc** in etw (*dat*) schwimmen **III.** *vpr* **se ~** baden; (*dans une piscine*) schwimmen
baigneur [bɛɲœR] *m* (*poupée*) Babypuppe *f*
baignoire [bɛɲwaR] *f* 1. (*pour se baigner*) Badewanne *f* 2. THEAT Parterreloge *f*
bail [baj, bo] <-aux> *m d'un local commercial* Pachtvertrag *m*; *d'une maison* Mietvertrag *m*
bâillement [bajmɑ̃] *m* Gähnen *nt*

bâiller [bɑje] <1> *vi* **1.**(*action*) *personne:* gähnen **2.**(*être entrouvert*) *porte:* offen stehen; *col:* abstehen

bailleur, bailleresse [bajœʀ, bajœʀɛs] *m, f* Verpächter(in) *m(f)*

bâillon [bajɔ̃] *m* Knebel *m*

bâillonner [bajɔne] <1> *vt* **1.**(*action*) knebeln **2.** *fig* mundtot machen *opposition, presse*

bain [bɛ̃] *m* **1.**(*action*) Bad *nt* **2.**(*eau*) [Bade]wasser *nt* **3.**(*baignoire*) [Bade]wanne *f* **4.**(*préparation*) Bad *nt* **5.**(*établissement*) Bad *nt* **6.**(*bassin*) **grand/petit** ~ Schwimmer-/Nichtschwimmerbecken *nt* **7.**(*exposition volontaire au soleil*) ~ **de soleil** Sonnenbad

bain-marie [bɛ̃maʀi] <bains-marie> *m* Wasserbad *nt*

baïonnette [bajɔnɛt] *f* Bajonett *nt*

baisemain [bɛzmɛ̃] *m* Handkuss *m*

baiser[1] [beze] *m* **1.**(*bise*) Kuss *m* **2.**(*en formule*) **bons** ~**s** liebe Grüße

baiser[2] <1> **I.** [beze] *vt* **1.** *soutenu* küssen **2.** *fam* (*coucher avec*) bumsen (*vulg*) **3.** *fam* (*tromper*) [he]reinlegen **II.** *vi fam* bumsen (*vulg*)

baisse [bɛs] *f* **1.**(*le fait de baisser*) Rückgang *m*; *de pouvoir, d'influence* Schwinden *nt*; *de popularité* Einbuße *f*; *de pression* Abfall *m* **2.** FIN Baisse *f* ► ~ **de tension** ELEC Spannungsabfall *m*; MED Blutdruckabfall *m*

baisser [bese] <1> **I.** *vt* **1.**(*faire descendre*) herunterlassen *store, rideau;* herunterkurbeln *vitre de voiture;* herunterschlagen *col* **2.**(*fixer plus bas*) tiefer hängen **3.**-(*orienter vers le bas*) senken *tête;* niederschlagen *yeux* **4.**(*rendre moins fort*) leiser machen *son* **5.**(*réviser à la baisse*) senken *prix* **II.** *vi* **1.**(*diminuer de niveau, d'intensité*) *forces, mémoire, vue:* nachlassen; *vent:* abflauen; *niveau, rivière:* sinken; *baromètre:* fallen; *température:* zurückgehen **2.** ECON, FIN fallen; *prix:* sinken **3.**(*s'affaiblir*) *personne:* nachlassen **III.** *vpr* se ~ sich bücken; (*pour esquiver*) sich ducken

bal [bal] <s> *m* **1.**(*réunion populaire/ d'apparat*) Ball *m* **2.**(*lieu*) Tanzlokal *nt*

balade [balad] *f fam* **1.**(*promenade à pied*) Spaziergang *m*; (*en voiture*) Spazierfahrt *f* **2.**(*excursion*) Ausflug *m*

balader [balade] <1> **I.** *vt fam* spazieren führen *animal;* spazieren gehen mit *personne* **II.** *vpr* se ~ *fam* (*se promener à pied*) spazieren gehen; (*en voiture*) spazieren fahren

baladeur [baladœʀ] *m* Walkman® *m*

baladeuse [baladøz] *f* Handlampe *f*

balafre [balɑfʀ] *f* (*blessure*) Schmiss *m*

balai [balɛ] *m* **1.**(*ustensile*) Besen *m*

2. ELEC *d'une dynamo* Bürste *f* **3.** AUT ~ **d'essuie-glace** Scheibenwischerblatt *nt*

balai-brosse [balɛbʀɔs] <balais-brosses> *m* Schrubber *m*

balance [balɑ̃s] *f* **1.**(*instrument*) Waage *f* **2.**(*état d'équilibre*) ~ **des forces** Gleichgewicht *nt* der Kräfte **3.**(*bilan*) ~ **commerciale** Handelsbilanz *f*

Balance [balɑ̃s] *f* Waage *f*; **être [du signe de la]** ~ Waage sein

balancé, e [balɑ̃se] *adj* **1.**(*équilibré*) ausgewogen **2.** *fam* (*bien bâti*) **bien** ~ gut gebaut

balancement [balɑ̃smɑ̃] *m* Hin- und Herschwanken *nt*

balancer [balɑ̃se] <2> **I.** *vt* **1.**(*ballotter*) schaukeln *personne;* ~ **les bras/ses jambes** mit den Armen schlenkern/den Beinen baumeln **2.**(*tenir en agitant*) schwenken *sac, encensoire;* hin und her bewegen *branche, lustre, bateau* **3.** *fam* (*envoyer*) schmeißen *objet* **4.** *fam* (*se débarrasser*) wegschmeißen *objet;* feuern *employé* **II.** *vpr* se ~ **1.** *bateau:* [hin und her] schaukeln; *branches:* sich hin und her bewegen **2.**(*sur une balançoire*) schaukeln

balancier [balɑ̃sje] *m d'une horloge* Pendel *nt; d'un funambule* Balancierstange *f*

balançoire [balɑ̃swaʀ] *f* Schaukel *f*

balayage [balɛjaʒ] *m* **1.**(*action*) Kehren *nt* **2.** INFORM Scannen *nt*

balayer [baleje] <7> *vt* **1.**(*ramasser*) zusammenkehren **2.**(*nettoyer*) fegen **3.**(*passer sur*) ~ **qc** *faisceau lumineux:* über etw (*akk*) hingleiten; *vent:* über etw (*akk*) (hin)weg)fegen **4.** INFORM scannen **5.**(*chasser*) *vent:* vor sich (*dat*) hertreiben *feuilles;* aus dem Weg räumen *obstacle;* ausräumen *doute*

balayette [balɛjɛt] *f* Handfeger *m*, Bartwisch *m* (A)

balayeur, -euse [balɛjœʀ, -jøz] *m, f* Straßenfeger(in) *m(f)*

balayeuse [balɛjøz] *f* [Straßen]kehrmaschine *f*

balayures [balejyʀ] *fpl* Kehricht *m*

balbutiement [balbysimɑ̃] *m* **1.**(*action*) Stammeln *nt; d'un bébé* Brabbeln *nt* **2.** *pl* (*débuts*) Anfänge *Pl*

balbutier [balbysje] <1> **I.** *vi* (*bredouiller*) stammeln; *bébé:* brabbeln **II.** *vt* (*bredouiller*) stammeln *excuses; bébé:* brabbeln *mots*

balcon [balkɔ̃] *m* **1.** ARCHIT Balkon *m*; (*balustrade*) [Balkon]brüstung *f* **2.** THEAT Balkon *m*, Rang *m*

Bâle [bɑl] Basel *nt*

Baléares [baleaʀ] *fpl* **les [îles]** ~ die Balearen

baleine [balɛn] *f* **1.** ZOOL Wal *m* **2.** (*renfort*) ~ **de corset** Korsettstange

baleinier [balenje] *m* Walfänger *m*

balèze [balɛz] *adj fam* kräftig, stämmig

balisage [balizaʒ] *m* **1.** (*action*) Markieren *nt; d'une piste d'atterrissage* Befeuern *nt* **2.** *d'un chemin, d'une piste de ski* Markierung *f; d'une route* Leitpfosten *Pl*

balise [baliz] *f* **1.** AVIAT, NAUT Bake *f;* (*signal lumineux*) Leuchtfeuer *nt* **2.** AUT Leitpfosten *m* **3.** INFORM Tag *m*

baliser¹ [balize] <1> *vt* **1.** (*signaliser*) markieren **2.** AVIAT, NAUT mit Baken markieren; (*avec des signaux lumineux*) befeuern

baliser² [balize] <1> *vi fam* Bammel haben

balistique [balistik] **I.** *adj* ballistisch **II.** *f* Ballistik *f*

baliverne [balivɛrn] *f* Unsinn *m kein Pl*

balkanique [balkanik] *adj* Balkan-

Balkans [balkã] *mpl* **les** ~ der Balkan

ballade [balad] *f* Ballade *f*

ballant, e [balã, ãt] *adj jambes* baumelnd; *bras* schlenkernd; **rester les bras** ~**s** *fig* untätig herumstehen

ballast [balast] *m* Schotter[bett *nt*] *m*

balle [bal] *f* **1.** JEUX, SPORT Ball *m;* **jouer à la** ~ Ball spielen **2.** (*projectile*) Kugel *f* **3.** (*ballot*) Ballen *m* **4.** *pl, fam* (*francs*) **100** ~**s** 100 Kröten

ballerine [balRin] *f* **1.** (*danseuse*) Ballerina *f* **2.** (*chaussure*) Ballerinaschuh *m*

ballet [balɛ] *m* Ballett *nt*

ballon [balɔ̃] *m* **1.** JEUX, SPORT Ball *m;* **jouer au** ~ Ball spielen **2.** (*baudruche*) Luftballon *m* **3.** (*aérostat*) Ballon *m* **4.** GEOG Belchen *m* **5.** (*verre*) bauchiges Weinglas; (*contenu*) Glas *nt* **6.** (*appareil de production d'eau chaude*) ~ **d'eau chaude** [Warmwasser]boiler *m* **7.** (*test*) ~ **d'essai** Versuchsballon *m* **8.** MED ~ **d'oxygène** Sauerstoffflasche *f*

ballonnement [balɔnmã] *m du ventre* Aufgeblähtsein *nt*

ballon-sonde [balɔ̃sɔ̃d] <ballons-sondes> *m* Wetterballon *m*

ballot [balo] *m* [kleiner] Ballen *m*

ballottage [balɔtaʒ] *m* **être en** ~ in die Stichwahl kommen

ballotter [balɔte] <1> **I.** *vi* hin- und herrutschen **II.** *vt voiture:* durchschütteln

ball-trap [baltRap] <ball-traps> *m* Tontaubenschießen *nt*

balluchon [balyʃɔ̃] *m* Bündel *nt*

balnéaire [balneɛR] *adj* **station** ~ Seebad *nt*

balourd [baluR] *m* **1.** (*maladroit*) Tollpatsch *m* **2.** TECH Unwucht *f*

balourd, e [baluR, uRd] *adj* unbeholfen

balourdise [baluRdiz] *f* **1.** (*caractère*) Unbeholfenheit *f* **2.** (*acte ou propos*) Dummheit *f*

balte [balt] *adj* **les États** ~**s** die Baltischen Staaten

Balte [balt] *mf* Balte/Baltin *m/f*

Baltique [baltik] *f* **la** [**mer**] ~ die Ostsee

baluchon [balyʃɔ̃] *m v.* **balluchon**

balustrade [balystRad] *f* (*en bois, métal*) Geländer *nt;* (*en maçonnerie*) Brüstung *f*

bambin, e [bãbɛ̃] *m, f* kleiner Junge/kleines Mädchen *m/f*

bambou [bãbu] *m* Bambus *m*

ban [bã] *m* **1.** *pl de mariage* Aufgebot *nt* **2.** *fam* (*applaudissements*) rhythmischer Beifall

banal, e [banal] <s> *adj* banal; *choses, idée, affaire* alltäglich; *propos* abgedroschen; *personne* durchschnittlich

banalisation [banalizasjɔ̃] *f* Banalisierung *f*

banaliser [banalize] <1> *vt* banalisieren

banalité [banalite] *f* **1.** (*platitude*) Banalität *f; de la vie* Stumpfsinnigkeit *f; d'un propos* Abgedroschenheit *f* **2.** (*propos*) Gemeinplatz *m*

banane [banan] *f* **1.** (*fruit*) Banane *f* **2.** (*pochette*) Gürteltasche *f*

bananeraie [bananRɛ] *f* Bananenplantage *f*

bananier [bananje] *m* **1.** (*plante*) Bananenstaude *f* **2.** (*bateau*) Bananendampfer *m*

banc [bã] *m* **1.** (*meuble*) Bank *f* **2.** GEOL Schicht *f* **3.** *de poissons* Schwarm *m;* ~ **d'huîtres** Austernbank **4.** TECH ~ **de menuisier** Werkbank **5.** (*amas*) ~ **de sable** Sandbank **6.** JUR ~ **des accusés** Anklagebank

bancaire [bãkɛR] *adj* Bank-

bancal, e [bãkal] <s> *adj* **1.** *meuble* wack[e]lig; *personne* hinkend **2.** *fig raisonnement* nicht stichhaltig

bandage [bãdaʒ] *m* Verband *m*

bande¹ [bãd] *f* **1.** (*long morceau étroit*) Streifen *m; de métal* Band *nt; d'un magnétophone* [Ton]band; CINE Film[streifen] *m* **2.** MED Binde *f* ▶~ **dessinée** Comic[strip] *m*

bande² [bãd] *f* **1.** *de personnes* Gruppe *f; de loups, chiens* Rudel *nt; d'oiseaux* Schar *f* **2.** (*groupe constitué*) Bande *f;* ~ **d'amis** Clique *f*

bande-annonce [bãdanɔ̃s] <bandes-annonces> *f* Vorschau *f*

bandeau [bãdo] <x> *m* **1.** (*dans les cheveux*) [Haar]band *nt* **2.** (*serre-tête*) Stirnband *nt* **3.** (*sur les yeux*) Binde *f*

bander [bãde] <1> **I.** *vt* **1.** (*panser*) ver-

binden **2.** (*tendre*) spannen **II.** *vi fam* einen Ständer haben

banderole [bɑ̃dʀɔl] *f* **1.** (*petite bannière*) Wimpel *m* **2.** (*bande avec inscription*) Spruchband *nt*

bande-son [bɑ̃dsɔ̃] <bandes-son> *f* **1.** (*sur la pellicule*) Tonspur *f* **2.** (*son*) Ton *m*

bande-vidéo [bɑ̃dvideo] <bandes-vidéo> *f* Videoband *nt*

bandit [bɑ̃di] *m* **1.** (*malfaiteur*) Bandit *m* **2.** (*personne malhonnête*) Gauner *m*

banditisme [bɑ̃ditism] *m* Verbrechertum *nt*

bandoulière [bɑ̃duljɛʀ] *f* Schulterriemen *m*

bang [bɑ̃g] **I.** *interj* peng! **II.** *m inv* Knall *m*

Bangladesh [bɑ̃gladɛʃ, bɛ̃gladɛʃ] *m* Banglades[c]h *nt*

banlieue [bɑ̃ljø] *f* d'une ville Vororte *Pl;* **train de** ~ Nahverkehrszug *m*

banlieusard, e [bɑ̃ljøzaʀ, aʀd] *m, f* Vorstädter(in) *m(f)*

banni, e [bani] **I.** *adj personne* verbannt **II.** *m, f* **1.** (*exilé*) Verbannte(r) *f(m)* **2.** (*exclu*) Ausgestoßene(r) *f(m)*

bannière [banjɛʀ] *f* Banner *nt; REL* Prozessionsfahne *f*

bannir [baniʀ] <8> *vt* **1.** (*mettre au ban*) ~ **qn d'un pays** jdn aus einem Land verbannen **2.** (*supprimer*) ächten; ~ **qc de qc** etw aus etw verbannen

banque [bɑ̃k] *f* **1.** *FIN* Bank *f;* **la Banque de France** die Bank von Frankreich **2.** (*service qui conserve des informations*) ~ **de données** Datenbank; ~ **d'informations génétiques** Genbank

Banque centrale *f* Zentralbank *f;* ~ **nationale indépendante** unabhängige nationale Zentralbank; ~ **européenne** Europäische Zentralbank

Banque européenne d'investissement *f* Europäische Investitionsbank

banqueroute [bɑ̃kʀut] *f* Bankrott *m*

banquet [bɑ̃kɛ] *m* Bankett *nt* (*geh*)

banquette [bɑ̃kɛt] *f* **1.** (*siège*) [Sitz]bank *f;* ~ **avant/arrière** *AUT* Vordersitz *m*/Rückbank *f* **2.** *ARCHIT* [Fenster]bank *f* **3.** (*chemin*) schmaler Gehweg; *d'une voie* Bankett[e *f*] *nt*

banquier, -ière [bɑ̃kje, -jɛʀ] *m, f* **1.** *FIN* Bankier *m* **2.** *JEUX* Bankhalter(in) *m(f)*

banquise [bɑ̃kiz] *f* Packeis *nt*

baobab [baɔbab] *m BOT* Affenbrotbaum *m*

baptême [batɛm] *m* Taufe *f*

baptiser [batize] <1> *vt* **1.** (*appeler*) ~ **qn Pierre** jdn auf den Namen Pierre taufen **2.** (*surnommer*) ~ **qn "l'Asperge"** jdm den Spitznamen „Bohnenstange" geben

baptismal, e [batismal, o] <-aux> *adj* Tauf-

baptistère [batistɛʀ] *m* Taufkapelle *f*

baquet [bakɛ] *m* Bottich *m*

bar¹ [baʀ] *m* (*café, comptoir, meuble*) Bar *f*

bar² [baʀ] *m ZOOL* Seebarsch *m*

bar³ [baʀ] *m PHYS* Bar *nt*

baragouin [baʀagwɛ̃] *m fam* Kauderwelsch *nt*

baragouiner [baʀagwine] <1> **I.** *vt fam* (*parler mal*) radebrechen *langue* **II.** *vi fam* Kauderwelsch reden

baraka [baʀaka] *f inv fam* Glück *nt*

baraque [baʀak] *f* **1.** (*cabane*) [Holz]baracke *f;* (*pour les outils de jardinage*) Schuppen *m* **2.** *fam* (*maison*) Bude *f;* (*maison délabrée*) Bruchbude *f*

baraqué, e [baʀake] *adj fam* breitschultrig

baraquement [baʀakmɑ̃] *m* Barackenlager *nt*

baratin [baʀatɛ̃] *m fam* Geschwätz *nt*

baratiner [baʀatine] <1> **I.** *vt fam* **1.** (*bonimenter*) ~ **qn** auf jdn einreden **2.** (*essayer de persuader*) bequatschen **3.** (*draguer*) anmachen **II.** *vi fam* dummes Zeug reden

barbant, e [baʀbɑ̃, ɑ̃t] *adj fam* öde

barbare [baʀbaʀ] **I.** *adj* **1.** (*cruel*) barbarisch **2.** (*grossier*) unkultiviert **II.** *m* **1.** (*brute*) Barbar *m* **2.** (*inculte*) [Kultur]banause *m*

barbarie [baʀbaʀi] *f* **1.** (*opp: civilisation*) Barbarei *f* **2.** (*cruauté*) Barbarei *f*

barbarisme [baʀbaʀism] *m* Barbarismus *m*

barbe [baʀb] *f* **1.** (*poils*) Bart *m* **2.** *ZOOL* Bart *m; d'un chat* Schnurrhaare *Pl* **3.** *BOT* Granne *f* **4.** *GASTR* ~ **à papa** Zuckerwatte *f* **5.** *pl TECH* Widerhaken *Pl*

barbeau [baʀbo] <x> *m* **1.** *ZOOL* Barbe *f* **2.** *BOT* Kornblume *f*

barbecue [baʀbəkju] *m* **1.** (*gril*) Holzkohlengrill *m* **2.** (*repas*) **faire un** ~ grillen

barbelé, e [baʀbəle] *I. adj* **fil de fer** ~ Stacheldraht *m* **II.** *m* Stacheldraht *m*

barber [baʀbe] <1> **I.** *vt fam* anöden **II.** *vpr fam* **se** ~ sich langweilen

barbiche [baʀbiʃ] *f* Spitzbart *m*

barbiturique [baʀbityʀik] *m BIO* Barbiturat *nt*

barboter [baʀbɔte] <1> **I.** *vi* ~ **dans qc** in etw (*dat*) [herum]planschen **II.** *vt fam* klauen

barboteuse [baʀbɔtøz] *f* Strampelhöschen *nt*

barbouillage [baʀbujaʒ] *m* Geschmier[e] *nt*

barbouiller [baʀbuje] <1> **I.** *vt* **1.** (*enduire*) ~ **qn/qc de qc** jdn/etw mit etw be-

schmieren **2.** (*peindre*) beklecksen **3.** *péj* (*écrire*) vollkritzeln *papier, page* **4.** *fam* (*donner la nausée*) avoir l'estomac bar-bouillé einen verdorbenen Magen haben **II.** *vpr* se ~ le visage de confiture sich (*dat*) das Gesicht mit Marmelade voll schmieren

barbouze [baʀbuz] *f fam* Geheimagent *m*

barbu [baʀby] *m* Bärtige(r) *m*

barbu, e [baʀby] *adj* bärtig

barbue [baʀby] *f* ZOOL Glattbutt *m*

barda [baʀda] *m fam* (*affaires*) Kram *m*

barde¹ [baʀd] *f* Speckscheibe *f*

barde² [baʀd] *m* Barde *m*

barder [baʀde] <1> **I.** *vt* **1.** GASTR mit Speck[scheiben] umwickeln **2.** (*garnir*) ~ qn de décorations jdn mit Orden deko-rieren **II.** *vi fam* ▶ça barde es ist dicke Luft

barème [baʀɛm] *m* Tabelle *f*; SCOL Bewer-tungsmaßstab *m*

baril [baʀil] *m* **1.** (*récipient*) Fass *nt* **2.** (*unité de mesure*) Barrel *nt*

barillet [baʀijɛ] *m d'une montre* Federge-häuse *nt*

bariolé, e [baʀjɔle] *adj* bunt bemalt

barioler [baʀjɔle] <1> *vt* bunt bemalen

barmaid [baʀmɛd] *f* Bardame *f*

barman [baʀman, -mɛn] <s o -men> *m* Barkeeper *m*

baromètre [baʀɔmɛtʀ] *m* Barometer *nt*

baron, ne [baʀɔ̃, ɔn] *m, f* Baron(in) *m(f)*

baroque [baʀɔk] **I.** *adj* **1.** ARCHIT barock; *église, musique, style* Barock- **2.** (*bizarre*) ei-genartig **II.** *m* Barock *m o nt*

baroudeur [baʀudœʀ] *m fam* Haudegen *m*

barouf [baʀuf] *m fam* Heidenlärm *m*

barque [baʀk] *f* Kahn *m* ▶charger la ~ seine Möglichkeiten in einer Sache über-schätzen

barquette [baʀkɛt] *f* **1.** (*tartelette*) *kleines Gebäck in Form eines Schiffchens* **2.** (*réci-pient*) Schale *f*

barrage [baʀaʒ] *m* **1.** (*barrière*) Sperre *f* **2.** ELEC [Stau]damm *m*

barre [baʀ] *f* **1.** (*pièce*) Stange *f*; ~ de cho-colat Schokoladenriegel *m* **2.** (*au tribunal*) ~ des témoins Zeugenstand *m* **3.** (*trait*) Strich *m* **4.** (*pour la danse*) Stange *f*; (*en athlétisme*) [Sprung]latte *f* **5.** MUS ~ de mesure Taktstrich *m* **6.** NAUT [Ruder]pinne *f* **7.** INFORM ~ de défilement (*Windows 3.* */95/NT*) Bildlaufleiste *f*; ~ de menu (*Windows 3.* */95/NT*) Menüleiste *f*; ~ d'espacement Leertaste *f*; ~ des tâches (*Windows 95/NT*) Taskleiste *f*; ~ de titre (*Windows 3.* */95/NT*) Titelleiste *f* **8.** (*va-gue*) Brandung *f* **9.** (*douleur*) [schmerzen-

der] Druck

barré [baʀe] *m* MUS Barré *nt*

barré, e [baʀe] *adj rue* gesperrt; *porte* ver-riegelt

barreau [baʀo] <x> *m* **1.** *d'une échelle* Sprosse *f*; *d'une grille* [Gitter]stab *m* **2.** JUR Anwaltschaft *f*

barrer [baʀe] <1> **I.** *vt* **1.** (*bloquer*) ver-sperren *chemin;* sperren *route;* verriegeln *porte* **2.** (*biffer*) durchstreichen **3.** NAUT steuern **4.** CAN (*fermer à clé*) abschließen **II.** *vi* steuern **III.** *vpr fam* se ~ abhauen

barrette [baʀɛt] *f* **1.** (*pince*) [Haar]spange *f* **2.** (*bijou*) Ansteckdadel *f* **3.** (*décoration*) Ordensspange *f*

barreur, -euse [baʀœʀ, -øz] *m, f* Steuer-mann *m/*-frau *f*

barricade [baʀikad] *f* Barrikade *f*

barricader [baʀikade] <1> **I.** *vt* verbarri-kadieren *porte;* versperren *rue* **II.** *vpr* se ~ **1.** (*derrière une barricade*) sich verbarrika-dieren **2.** (*s'enfermer*) sich einschließen

barrière [baʀjɛʀ] *f* **1.** (*fermeture*) Absper-rung *f*; *d'une clôture* Gatter *nt*; CHEMDFER Schranke *f* **2.** (*clôture*) Zaun *m* **3.** SPORT Hindernis *nt* **4.** (*séparation*) Barriere *f*; ~ de roesti[s] CH Röstigraben *m* (CH)

barrique [baʀik] *f* Fass *nt*

barrir [baʀiʀ] <8> *vi éléphant:* trompeten

bar-tabac [baʀtaba] <bars-tabac> *m: Bistro mit Tabakwarenverkauf*

baryton [baʀitɔ̃] *m* Bariton *m*

bas¹ [ba] *m* **1.** (*partie inférieure*) unterer Teil; *d'une maison* Erdgeschoss *nt* **2.** (*tri-vial*) Niedrige(s) *nt*

bas² [ba] *m* Strumpf *m*

bas, se [ba, bas] **I.** *adj* **1.** (*de peu de hau-teur*) niedrig; *stature* klein **2.** *branche, ciel* tief hängend; *plafond* niedrig **3.** *antéposé* (*inférieur*) niedrig; **être** ~ *fleuve:* wenig Wasser führen **4.** (*opp: aigu*) tief **5.** (*peu in-tense*) leise **6.** *antéposé* (*dans une échel-le*) niedrig **7.** (*dans la hiérarchie sociale*) niedrig; *peuple* einfach **8.** (*au moral*) nied-rig; *sentiment* erbärmlich; *attaques* nieder-trächtig; *besogne* schmutzig **II.** *adv* **1.** *voler* tief; **tomber très** ~ *thermomètre:* stark fal-len **2.** (*au-dessous*) **en** ~ *loger* unten **3.** (*ci-dessous*) **voir plus** ~ siehe unten **4.** (*au pied de*) **en** ~ de la colline am Fuße des Hügels **5.** (*opp: aigu*) tief **6.** (*doucement*) leise

basalte [bazalt] *m* GEOL Basalt *m*

basané, e [bazane] *adj* **1.** (*bronzé*) braun gebrannt **2.** (*de couleur*) dunkel[häutig]

bas-côté [bɑkote] <bas-côtés> *m* **1.** *d'une route* [Straßen]rand *m; d'une auto-route* Seitenstreifen *m* **2.** ARCHIT *d'une église* Seitenschiff *nt*

bascule [baskyl] *f* **1.** (*balançoire*) Wippe *f* **2.** (*balance*) Waage *f*

basculer [baskyle] <1> **I.** *vi* **1.** (*tomber*) umkippen **2.** *fig* ~ **dans qc** (*sombrer*) in etw (*akk*) abgleiten **II.** *vt* **1.** (*faire pivoter*) [um]kippen **2.** (*faire tomber*) ~ **qc dans qc** etw in etw (*akk*) kippen **3.** ELEC umlegen

base [bɑz] *f* **1.** *d'une montagne* Fuß *m*; *d'une statue* Sockel *m*; *d'un monument* Fundament *nt* **2.** (*principe*) Grundlage *f* **3.** (*connaissances élémentaires*) **la** ~, **les** ~**s** die Grundlagen **4.** (*composant principal*) Basis *f* **5.** MIL [Militär]basis *f*; ~ **aérienne/navale** Luftwaffen-/Flottenstützpunkt *m* **6.** MATH, GEOM Basis *f* **7.** LING [Wort]stamm *m* **8.** CHIM Base *f* **9.** INFORM ~ **de données** Datenbank *f*

base-ball [bɛzbol] *m* Baseball *m*

baser [bɑze] <1> **I.** *vt* **1.** (*fonder*) ~ **qc sur qc** etw auf etw (*akk*) stützen; **être basé sur qc** sich auf etw (*akk*) stützen **2.** MIL **être basé à Strasbourg** in Straßburg stationiert sein **II.** *vpr* **se** ~ **sur qc** sich auf etw (*akk*) stützen

bas-fond [bafɔ̃] <bas-fonds> *m* **1.** (*endroit*) Untiefe *f* **2.** *pl d'une ville* Elendsviertel *Pl*

basilic [bazilik] *m* Basilikum *nt*

basilique [bazilik] *f* Basilika *f*

basique [bazik] *adj* CHIM basisch

basket [baskɛt] *f* Basketballschuh *m*

basketteur, -euse [basketœr, -øz] *m, f* Basketballspieler(in) *m(f)*

basque¹ [bask] **I.** *adj* baskisch; **Pays** ~ Baskenland *nt* **II.** *m* Baskisch *nt*; *v. a.* **allemand**

basque² [bask] *f* [Rock]schoß *m*

Basque [bask] *mf* Baske/Baskin *m/f*

basse [bɑs] *f* **1.** (*voix*) Bass *m* **2.** (*chanteur*) Bass *m*

basse-cour [baskur] <basses-cours> *f* **1.** (*lieu*) Hühnerhof *m* **2.** (*animaux*) Kleinvieh *nt*

Basse-Saxe [bɑssaks] *f* **la** ~ Niedersachsen *nt*

bassesse [basɛs] *f* Niederträchtigkeit *f*; *d'un sentiment* Erbärmlichkeit *f*

bassin [basɛ̃] *m* **1.** (*récipient*) Becken *nt* **2.** *d'une fontaine, piscine* Becken *nt; d'un jardin* [Garten]teich *m* **3.** (*dans un port*) Hafenbecken *nt* **4.** ANAT, GEOL, MIN, GEOG Becken *nt*

bassine [basin] *f* Wanne *f*

bassiner [basine] <1> *vt* besprühen *plante*

bassiste [basist] *mf* Bassist(in) *m(f)*

basson [basɔ̃] *m* **1.** (*instrument*) Fagott *nt* **2.** (*musicien*) Fagottist(in) *m(f)*

bastille [bastij] *f* (*château-fort*) Zwingburg *f*; **la Bastille** die Bastille

bastingage [bastɛ̃gaʒ] *m* Reling *f*

bastion [bastjɔ̃] *m* **1.** (*fortification*) Bastion *f* **2.** (*haut lieu*) Bollwerk *nt*

bastringue [bastrɛ̃g] *m fam* Krempel *m*

bas-ventre [bavɑ̃tr] <bas-ventres> *m* Unterleib *m*

bât [bɑ] *m* Packsattel *m*

bataclan [bataklɑ̃] *m fam* Krempel *m*

bataille [bataj] *f* **1.** (*pendant une guerre*) Schlacht *f* **2.** (*épreuve de force*) Kampf *m* **3.** (*bagarre*) Schlägerei *f* **4.** (*jeu*) Kartenspiel, bei dem der gewinnt, der zuletzt alle Karten hat

batailler [bataje] <1> *vi* **1.** (*se battre*) ~ **pour qc** um etw kämpfen **2.** (*argumenter*) streiten **3.** *fam* (*faire des efforts*) sich abmühen

batailleur, -euse [batajœr, -jøz] **I.** *adj* **être** ~ ein Raufbold sein **II.** *m, f* Kämpfer(in) *m(f)*

bataillon [batajɔ̃] *m* **1.** MIL Bataillon *nt* **2.** (*grand nombre*) Heer *nt*

bâtard [batar] *m* (*pain*) Stangenbrot *nt* (*250 g schwer*)

bâtard, e [batar, ard] **I.** *adj* **1.** *enfant* unehelich; *chien* nicht reinrassig **2.** (*de fantaisie*) **pain** ~ Stangenbrot *nt* (*250 g schwer*) **II.** *m, f* **1.** (*enfant*) uneheliches Kind **2.** (*chien*) Promenadenmischung *f*

batavia [batavja] *f* Batavia *f*

bateau [bato] <x> **I.** *adj fam* abgedroschen **II.** *m* (*embarcation*) Schiff *nt*

bateau-citerne [batositɛrn] <bateaux-citernes> *m* Tanker *m* **bateau-mouche** [batomuʃ] <bateaux-mouches> *m:* kleines Vergnügungsschiff auf der Seine

batelier, -ière [batǝlje, -jɛr] *m, f* [Fluss]schiffer(in) *m(f)*

batellerie [batɛlri] *f* Binnenschifffahrt *f*

bâti [bati] *m* **1.** COUT Heftstiche *Pl* **2.** TECH Gestell *nt*

bâti, e [bati] *adj* bebaut; **être bien/mal** ~ eine gute/schlechte Figur haben

batifoler [batifɔle] <1> *vi fam* herumtollen

bâtiment [batimɑ̃] *m* **1.** (*édifice*) Gebäude *nt* **2.** ECON Baugewerbe *nt* **3.** NAUT [großes] Schiff

bâtir [batir] <8> *vt* **1.** (*construire*) bauen **2.** (*fonder*) ~ **une théorie sur qc** eine Theorie auf etw (*akk*) stützen **3.** COUT heften

bâtisse [batis] *f* Kasten *m* (*fam*)

bâton [batɔ̃] *m* **1.** (*canne*) Stock *m* **2.** (*bâtonnet*) Stiel *m* **3.** (*stick*) Stift *m* **4.** (*trait vertical*) [senkrechter] Strich

bâtonnet [batɔnɛ] *m* Stöckchen *nt*; (*pour examiner la gorge*) Spatel *m*

batracien [batrasjɛ̃] *m* ZOOL Lurch *m*

battage [bataʒ] *m* (*publicité*) Rummel *m* (*fam*)

battant [batɑ̃] *m* **1.** *d'une cloche* Klöppel *m* **2.** *d'une fenêtre, porte* Flügel *m*

battant, e [batɑ̃, ɑ̃t] **I.** *adj personne* einsatzfreudig **II.** *m, f* Kämpfernatur *f*

batte [bat] *f* Schläger *m*

battement [batmɑ̃] *m* **1.** (*bruit*) Schlagen *nt; de la pluie* Prasseln *nt* **2.** (*mouvement*) ~ **des cils** Lidschlag *m;* (*dû à un éblouissement*) Blinzeln *nt* **3.** *du pouls, cœur* Schlagen *nt* **4.** (*intervalle de temps*) [verfügbare] Zeit; (*entre deux cours*) Pause *f*

batterie [batʀi] *f* **1.** AUT, MIL Batterie *f* **2.** MUS Schlagzeug *nt* **3.** (*groupe*) ~ **de tests** Testreihe *f* **4.** (*ensemble d'ustensiles*) ~ **de cuisine** Topf- und Pfannenset *nt*

batteur [batœʀ] *m* **1.** (*mixeur*) [Hand]rührgerät *nt* **2.** MUS Schlagzeuger(in) *m(f)*

battre [batʀ] <*irr*> **I.** *vt* **1.** (*frapper*) schlagen **2.** (*vaincre*) schlagen **3.** (*travailler en tapant*) dreschen *blé;* schmieden *fer;* [aus]klopfen *tapis, matelas* **4.** (*mélanger, mixer*) schlagen *blanc d'œuf, crème;* verquirlen *œuf entier* **5.** (*frapper*) vent, tempête: peitschen **6.** (*parcourir en cherchant*) durchkämmen *campagne, région* **7.** MUS schlagen *mesure, tambour* **II.** *vi* **1.** (*cogner*) schlagen; *porte, volet:* klappern **2.** (*frapper*) ~ **contre qc** gegen etw schlagen; *pluie:* gegen etw (*akk*) trommeln **3.** (*agiter*) ~ **des ailes** mit den Flügeln schlagen; ~ **des cils** blinzeln; ~ **des mains** [in die Hände] klatschen **III.** *vpr* **1.** (*se bagarrer*) **se** ~ kämpfen; **se** ~ **contre qn** mit jdm kämpfen **2.** (*se disputer*) **se** ~ **avec qn pour qc** sich mit jdm um etw streiten **3.** (*militer*) **se** ~ **pour qc** für etw streiten (*geh*) **4.** (*avoir des difficultés*) **se** ~ **avec un problème** sich mit einem Problem herumschlagen

battu, e [baty] **I.** *part passé de* **battre II.** *adj* (*vaincu*) geschlagen

battue [baty] *f* Suchaktion *f;* CHASSE Treibjagd *f*

baudet [bodɛ] *m fam* Esel *m*

baudruche [bodʀyʃ] *f* **ballon de** ~ Luftballon *m*

bauge [boʒ] *f* Schweinekoben *m;* (*taudis*) Schweinestall *m*

baume [bom] *m* Balsam *m*

baux [bo] *v.* **bail**

bauxite [boksit] *f* Bauxit *m*

bavard, e [bavaʀ, aʀd] **I.** *adj* **1.** (*loquace*) redselig **2.** (*indiscret*) geschwätzig (*pej*) **II.** *m, f* **1.** (*qui parle beaucoup*) Schwätzer(in) *m(f)* **2.** (*indiscret*) Klatschbase *f* (*fam*)

bavardage [bavaʀdaʒ] *m* **1.** (*papotage*) Plauderei *f* **2.** (*propos vides*) Geschwätz

nt (*fam*) **3.** (*commérages*) Klatsch *m* (*fam*)

bavarder [bavaʀde] <1> *vi* **1.** (*papoter*) ~ **avec qn** mit jdm plaudern **2.** (*divulguer un secret*) plaudern

bavarois [bavaʀwa] *m* **1.** (*dialecte*) Bairisch *nt; v. a.* **allemand 2.** GASTR Bayerische Creme

bavarois, e [bavaʀwa, waz] *adj* bay[e]risch; *dialecte* bairisch

Bavarois, e [bavaʀwa, waz] *m, f* Bayer(in) *m(f)*

bave [bav] *f* **1.** (*salive*) Speichel *m; d'un animal enragé* Geifer *m* **2.** *des gastéropodes* Schleim *m*

baver [bave] <1> *vi* **1.** (*saliver*) geifern; *escargot, limace:* Schleim absondern **2.** (*couler*) *stylo, porte-plume:* auslaufen **3.** (*médire*) ~ **sur qn/qc** gegen jdn/etw geifern **4.** (*être ahuri de*) **en** ~ **d'envie** Stielaugen machen (*fam*)

bavette [bavɛt] *f* **1.** (*bavoir*) Lätzchen *nt; d'un vêtement* Latz *m* **2.** (*viande*) Steakfleisch aus dem oberen Teil des Bauchlappens

baveux, -euse [bavø, -øz] *adj* **1.** *personne, animal* speichelnd; *escargot, limace* schleimig **2.** GASTR **omelette baveuse** nicht ganz gares Omelett

Bavière [bavjɛʀ] *f* **la** ~ Bayern *nt*

bavoir [bavwaʀ] *m* Latz *m*

bavure [bavyʀ] *f* **1.** (*tache*) Klecks *m* **2.** (*erreur*) Irrtum *m*

bazar [bazaʀ] *m* **1.** (*magasin*) Kaufhalle *f* **2.** (*souk*) Basar *m* **3.** *fam* (*désordre*) Kuddelmuddel *nt;* (*amas d'objets hétéroclites*) Sammelsurium *nt*

bazarder [bazaʀde] <1> *vt fam* wegschmeißen; (*vendre*) verscherbeln

BCE [beseø] *f abr de* **Banque centrale européenne** EZB *f*

béant, e [beɑ̃, ɑ̃t] *adj yeux* [weit] aufgerissen; *blessure* klaffend; *gouffre, trou* gähnend

béat, e [bea, at] *adj air, sourire* (*heureux*) [glück]selig; (*content de soi*) selbstgefällig; (*niais*) dümmlich; *admiration, optimisme* naiv

béatement [beatmɑ̃] *adv* [glücks]selig

béatification [beatifikasjɔ̃] *f* Seligsprechung *f*

béatifier [beatifje] <1> *vt* selig sprechen

béatitude [beatityd] *f* Glücksgefühl *nt*

beau [bo] <x> *m* **1.** (*beauté*) **le** ~ das Schöne **2.** METEO **le temps se met au** ~ das Wetter wird schön ▶ **être au** ~ **fixe** *baromètre:* auf Schön stehen; *temps:* beständig [schön] sein

beau, bel, belle [bo, bɛl] <x> *adj antéposé* **1.** (*opp:laid*) schön; *homme* gut ausse-

hend **2.** (*qui plaît à l'esprit*) schön; *travail* gut **3.** (*agréable*) schön; *voyage* angenehm; **la mer est belle** das Meer ist ruhig **4.** (*intensif*) ordentlich **5.** (*sacré*) schön ▸**qn a ~ faire qc** jd kann etw tun, so viel er/sie will; (*plusieurs fois*) jd kann etw tun, sooft er will; **il fait ~** es ist schön[es Wetter]; **se faire ~** sich schön machen; **de plus belle** umso schlimmer

beaucoup [boku] *adv* **1.** (*en grande quantité*) **boire ~** viel trinken; (*intensément*) **ce film m'a ~ plu** dieser Film hat mir sehr gut gefallen; (*fréquemment*) **aller ~ au cinéma** [sehr] oft ins Kino gehen **2.** (*plein de*) **~ de neige** viel Schnee; (*de nombreux*) **~ de voitures** viele Autos **3.** (*~ de personnes*) **~ pensent la même chose** viele glauben dasselbe; (*~ de choses*) **il y a encore ~ à faire** es gibt noch viel zu tun **4.** *avec un comparatif* **~ plus rapide/petit** viel schneller/kleiner **5.** *avec un adverbe* **c'est ~ trop** das ist viel zu viel

beauf [bof] *m fam* Schwager *m*

beau-fils [bofis] <beaux-fils> *m* **1.** (*gendre*) Schwiegersohn *m* **2.** (*fils du conjoint*) Stiefsohn *m* **beau-frère** [bofʀɛʀ] <beaux-frères> *m* Schwager *m* **beau-père** [bopɛʀ] <beaux-pères> *m* **1.** (*père du conjoint*) Schwiegervater *m* **2.** (*conjoint de la mère*) Stiefvater *m*

beauté [bote] *f* (*a. personne*) Schönheit *f*

beaux-arts [bozaʀ] *mpl* **les ~** die schönen Künste **beaux-enfants** [bozɑ̃fɑ̃] *mpl* Stiefkinder *Pl* **beaux-parents** [bopaʀɑ̃] *mpl* Schwiegereltern *Pl*

bébé [bebe] *m* Baby *nt*

bébé-éprouvette [bebeepʀuvɛt] <bébés-éprouvettes> *m* Retortenbaby *nt*

bébête [bebɛt] *adj fam* bisschen doof

bec [bɛk] *m* **1.** ORN *d'un oiseau* Schnabel *m* **2.** *fam* (*bouche*) Schnabel *m* **3.** *d'une plume* Spitze *f; d'une clarinette, flûte* Mundstück *nt*

bécane [bekan] *f fam* [Fahr]rad *nt*

bécarre [bekaʀ] *m* MUS Auflösungszeichen *nt*

bécasse [bekas] *f* **1.** ORN [Wald]schnepfe *f* **2.** *fam* (*sotte*) dumme Gans

bécasseau [bekaso] <x> *m* ORN Strandläufer *m*

bécassine [bekasin] *f* **1.** ORN Sumpfschnepfe *f* **2.** *fam* (*fille*) Gänschen *nt* **bec-de-lièvre** [bɛkdəljɛvʀ] <becs-de-lièvre> *m* Hasenscharte *f*

béchamel [beʃamɛl] *f* Béchamelsoße *f*

bêche [bɛʃ] *f* Spaten *m*

bêcher [beʃe] <1> I. *vt* AGR umgraben II. *vi* **1.** AGR umgraben **2.** *fam* (*être fier*) hochnäsig sein

bêcheur, -euse [beʃœʀ, -øz] *m, f péj* (*homme*) eingebildeter Schnösel; (*femme*) eingebildete Pute

bécoter [bekɔte] <1> I. *vt fam* abknutschen II. *vpr fam* **se ~** knutschen

becquée [beke] *f* **donner la ~ à qn** jdn füttern

becquerel [bɛkʀɛl] *m* Becquerel *nt*

becqueter [bɛkte] <3> I. *vt* ORN aufpicken II. *vi* ORN picken

becter [bɛkte] <1> *vi fam* futtern

bedaine [bədɛn] *f fam* Wampe *f*

bédé [bede] *f fam* Comic *m*

bedeau [bədo] <x> *m* Kirchendiener *m*

bedonnant, e [bədɔnɑ̃, ɑ̃t] *adj fam* dick[bäuchig]

bédouin, e [bedwɛ̃, in] *m, f* Beduine/Beduinin *m/f*

bée [be] *adj v.* **bouche**

beefsteak [biftɛk] *v.* **bifteck**

beffroi [befʀwa] *m* Wach[t]turm *m; d'une église* Turm *m*

bégaiement [begɛmɑ̃] *m* Stottern *nt*

bégayer [begeje] <7> I. *vi* stottern II. *vt* stammeln

bégonia [begɔnja] *m* Begonie *f*

bègue [bɛg] I. *adj* stotternd II. *mf* Stotterer/Stotterin *m/f*

bégueule [begœl] *adj* prüde

béguin [begɛ̃] *m* Haube *f*

beige [bɛʒ] I. *adj* beige II. *m* Beige *nt*

beignet [bɛɲɛ] *m* Krapfen *m*, Buchtel *f* (A)

bel [bɛl] *v.* **beau**

bêler [bele] <1> *vi mouton:* blöken; *chèvre:* meckern

belette [bəlɛt] *f* ZOOL Wiesel *nt*

belge [bɛlʒ] *adj* belgisch

Belge [bɛlʒ] *mf* Belgier(in) *m(f)*

belgicisme [bɛlʒisism] *m* belgischer Ausdruck

Belgique [bɛlʒik] *f* **la ~** Belgien *nt*

Belgrade [bɛlgʀad] Belgrad *nt*

bélier [belje] *m* **1.** ZOOL Widder *m* **2.** MIL Rammbock *m*

Bélier [belje] *m* Widder *m; v. a.* **Balance**

belle [bɛl] *f* **1.** (*conquête*) Schöne *f;* (*petite amie*) Freundin *f* **2.** SPORT Entscheidungsspiel *nt* ▸**la Belle au bois dormant** Dornröschen *nt*

belle-fille [bɛlfij] <belles-filles> *f* **1.** (*bru*) Schwiegertochter *f* **2.** (*fille du conjoint*) Stieftochter *f* **belle-mère** [bɛlmɛʀ] <belles-mères> *f* **1.** (*mère du conjoint*) Schwiegermutter *f* **2.** (*conjointe du père*) Stiefmutter *f* **belle-sœur** [bɛlsœʀ] <belles-sœurs> *f* Schwägerin *f*

belligérant, e [beliʒeʀɑ̃, ɑ̃t] I. *adj* Krieg führend II. *mpl* Krieg führende Mächte *Pl*

belliqueux, -euse [belikø, -øz] *adj*

1.(*guerrier*) kriegerisch; *discours* aggressiv
2.(*querelleur*) streitlustig; *tempérament*
hitzig; *personne* streitsüchtig
belote [bəlɔt] *f: dem Schafkopf ähnliches
französisches Kartenspiel*
belvédère [bɛlvedɛʀ] *m* **1.**(*édifice*) Belvedere *nt* **2.**(*point de vue*) Aussichtspunkt *m*
bémol [bemɔl] *m* MUS b *nt*
ben [bɛ̃] *adv fam* eh ~! Mensch [Meier]!
bénédictin, e [benediktɛ̃, in] I. *adj* Benediktiner- II. *m, f* Benediktiner(in) *m(f)*
Bénédictine [benediktin] *f* (*liqueur*) la ~ der Benediktiner
bénédiction [benediksjɔ̃] *f* **1.**(*grâce*) Segen *m* **2.** *d'un*(e) *fidèle* Segnung *f; d'une cloche, d'un navire* Weihe *f;* ~ **nuptiale** kirchliche Trauung **3.**(*assentiment*) Segen *m*
bénef [benɛf] *m fam abr de* **bénéfice** Profit *m*
bénéfice [benefis] *m* **1.** COM Profit *m* **2.**(*avantage*) Vorteil *m*
bénéficiaire [benefisjɛʀ] I. *mf* Empfänger(in) *m(f); d'une mesure, réforme* Nutznießer(in) *m(f); d'une retraite* CH Bezieher(in) *m(f)*, Bezüger(in) *m(f)* (CH) II. *adj entreprise* mit Gewinn arbeitend; *opération* einträglich
bénéficier [benefisje] <1> *vi* ~ **de qc** von etw profitieren
bénéfique [benefik] *adj* günstig
Benelux [benelyks] *m* le ~ die Benelux[staaten]
benêt [bənɛ] *m* Dummkopf *m*
bénévolat [benevɔla] *m* Freiwilligkeit *f;* (*activité*) ehrenamtliche Tätigkeit
bénévole [benevɔl] I. *adj* **1.**(*volontaire*) freiwillig **2.**(*gratuit*) kostenlos; *fonction* ehrenamtlich II. *mf* Freiwillige(r) *f(m);* (*dans une fonction*) Ehrenamtliche(r) *f(m)*
bénévolement [benevɔlmɑ̃] *adv* freiwillig; (*gratuitement*) unentgeltlich; (*dans une fonction*) ehrenamtlich
bengali [bɛ̃gali] *m* ORN Prachtfink *m*
Bangladesh [bɑ̃gladɛʃ] *v.* **Bangladesh**
bénin, -igne [benɛ̃, -iɲ] *adj* harmlos; *tumeur* gutartig; *punition* mild[e]
Bénin [benɛ̃] *m* le ~ Benin *nt*
bénir [beniʀ] <8> *vt* **1.** REL segnen; weihen *cloche;* ~ **le mariage de qn** jdn trauen **2.**(*remercier*) ~ **qn/qc** jdn/etw preisen
bénit, e [beni, it] *adj* geweiht
bénitier [benitje] *m* Weihwasserbecken *nt*
benjamin, e [bɛ̃ʒamɛ̃, in] *m, f* Jüngste(r) *f(m)*
benji [benʒi] *m* Bungee-Jumping *nt*
benne [bɛn] *f* **1.** TECH *de charbon, minerai* Lore *f* **2.**(*container*) Kübel *m; d'un camion*

Mulde *f* **3.** *d'un téléphérique* Kabine *f*
Benoît [bənwa] *m* Benedikt *m*
benzine [bɛ̃zin] *f* Reinigungsbenzin *nt*
béotien, ne [beɔsjɛ̃, jɛn] *m, f* [Kultur]banause *m*
BEPC [beøpese] *m abr de* **brevet d'études du premier cycle** ≈ Mittlere Reife
béqueter [bekte] <3> *v.* **becqueter**
béquille [bekij] *f* **1.**(*canne*) Krücke *f* **2.** *d'une moto, d'un vélo* Ständer *m*
berbère [bɛʀbɛʀ] I. *adj* berberisch II. *m* Berberisch *nt; v. a.* **allemand**
Berbère [bɛʀbɛʀ] *mf* Berber(in) *m(f)*
berceau [bɛʀso] <x> *m* **1.**(*couffin*) Wiege *f;* (*à roues*) Stubenwagen *m* **2.** *d'une idée, technique* Geburtsstätte *f; d'une personne* Geburtsstätte *f* **3.** ARCHIT Rundbogen *m* **4.** HORT Pergola *f*
bercement [bɛʀsəmɑ̃] *m* Wiegen *nt*
bercer [bɛʀse] <2> I. *vt* wiegen *personne;* [hin und her] wiegen *canot, navire* II. *vpr* **se** ~ **d'illusions sur le compte de qn/qc** sich in Illusionen über jdn/etw wiegen
berceuse [bɛʀsøz] *f* **1.**(*chanson*) Wiegenlied *nt* **2.**(*fauteuil*) Schaukelstuhl *m*
béret [beʀɛ] *m* ~ **basque** Baskenmütze *f*
bergamote [bɛʀgamɔt] *f* BOT Bergamotte *f*
berge [bɛʀʒ] *f* **1.**(*rive*) Ufer *nt* **2.** *pl, fam* (*années*) Jahre *Pl*
berger [bɛʀʒe] *m* (*chien*) Hirtenhund *m;* ~ **allemand** Deutscher Schäferhund
berger, -ère [bɛʀʒe, -ɛʀ] *m, f* Hirte/Hirtin *m/f*
bergère [bɛʀʒɛʀ] *f* (*fauteuil*) Ohrensessel *m*
bergerie [bɛʀʒəʀi] *f* Schafstall *m*
bergeronnette [bɛʀʒəʀɔnɛt] *f* ORN Bachstelze *f*
Berlin [bɛʀlɛ̃] Berlin *nt*
berline [bɛʀlin] *f* **1.** AUT Limousine *f* **2.** MIN Lore *f*
berlingot [bɛʀlɛ̃go] *m* **1.**(*bonbon*) tetraederförmiges, weiß gestreiftes Frucht-/Gewürzbonbon **2.**(*emballage*) Tetrapak® *m*
berlinois, e [bɛʀlinwa, az] I. *adj* aus Berlin II. *m* Berlinerisch *nt; v. a.* **allemand**
Berlinois, e [bɛʀlinwa, az] *m, f* Berliner(in) *m(f)*
berlue [bɛʀly] *f fam* **dis donc, j'ai la** ~ ich seh' wohl nicht richtig
bermuda [bɛʀmyda] *m* Bermudashorts *Pl*
Berne [bɛʀn] Bern *nt*
berne [bɛʀn] ▸**être en** ~ auf halbmast [gesetzt] sein
berner [bɛʀne] <1> *vt* an der Nase herumführen
besace [bəzas] *f* Umhängetasche *f*

bésef [bezɛf] *fam* ▸ça fait <u>pas</u> ~ das ist lausig wenig

besogne [bəzɔɲ] *f* Aufgabe *f*; (*travail*) Arbeit *f*

besogneux, -euse [bəzɔɲø, -øz] *adj* **1.** (*nécessiteux*) bedürftig **2.** (*affecté à de petits travaux*) bescheiden

besoin [bəzwɛ̃] *m* **1.** (*nécessité*) le ~ de sommeil de qn (*constant*) jds Bedarf *m* an Schlaf; (*momentané*) jds Bedürfnis *nt* nach Schlaf **2.** *pl* (*nécessités*) les ~s financiers de qn jds finanzielle Bedürfnisse *Pl* **3.** *euph* (*nécessité d'uriner*) ~ naturel Notdurft *f* (*geh*) ▸avoir ~ de qc/de faire qc etw brauchen/etw machen müssen; au ~ bei Bedarf; <u>dans</u> le ~ Not leidend

bestial, e [bɛstjal, jo] <-aux> *adj* brutal; *instinct, avidité* tierisch

bestialité [bɛstjalite] *f* Bestialität *f*

bestiaux [bɛstjo] *mpl* Vieh *nt*

bestiole [bɛstjɔl] *f fam* Tier[chen] *nt*

best-of [bɛstɔf] *m inv* Sampler *m* **bestseller** [bɛstsɛlœʀ] <best-sellers> *m* Bestseller *m*

beta [beta] *app* INFORM **version** ~ **d'un programme** Betaversion *f* eines Programms

bétail [betaj] *m sans pl* Vieh *nt*

bête [bɛt] **I.** *f* **1.** (*animal*) Tier *nt*; les ~s (*bétail*) Vieh *nt* **2.** (*vermine*) Ungeziefer *nt* **3.** (*être humain*) Bestie *f* **4.** (*animalité*) la ~ das Animalische **II.** *adj personne, histoire, question* dumm ▸c'est <u>tout</u> ~ es ist ganz einfach

bêtement [bɛtmɑ̃] *adv* **1.** (*stupidement*) dumm **2.** (*malencontreusement*) dummerweise ▸<u>tout</u> ~ ganz einfach

bêtise [betiz] *f* **1.** (*a. acte*) Dummheit *f* **2.** (*parole*) Unsinn *m kein Pl* **3.** (*peccadille*) Lappalie *f*

béton [betɔ̃] **I.** *m* Beton *m* **II.** *adj inv fam excuse* wasserdicht

bétonner [betɔne] <1> **I.** *vt* betonieren **II.** *vi* SPORT mauern

bétonnière [betɔnjɛʀ] *f* **1.** (*machine*) Betonmischmaschine *f* **2.** (*camion*) Transportmischer *m*

bette [bɛt] *f* Mangold *m*

betterave [bɛtʀav] *f* Rübe *f*

beuglement [bøgləmɑ̃] *m* **1.** *de la vache, du veau* Muhen *nt*; *du taureau, bœuf* Brüllen *nt* **2.** *fig de la radio, télé* Dröhnen *nt*

beugler [bøgle] <1> *vi* **1.** (*meugler*) *vache, veau:* muhen; *taureau, bœuf:* brüllen **2.** *fig radio, télé:* dröhnen

beur ou **beure, ette** [bœʀ, ɛt] *m, f fam* in Frankreich geborene Kinder maghrebinischer Einwanderer

beurre [bœʀ] *m* Butter *f*

beurré, e [bœʀe] *adj fam* blau

beurrer [bœʀe] <1> *vt* mit Butter bestreichen *tartine, toast;* einfetten *moule*

beurrier [bœʀje] *m* Butterdose *f*

beurrier, -ière [bœʀje, -jɛʀ] *adj* Butter-

beuverie [bœvʀi] *f* Trinkgelage *nt*

bévue [bevy] *f* Fehler *m*

bézef [bezɛf] *v.* **bésef**

biais [bjɛ] *m* Umweg *m*; (*échappatoire*) Ausweg *m* ▸<u>de</u> ~ schräg

biaiser [bjeze] <1> *vi* ausweichen

biathlon [biatlɔ̃] *m* Biathlon *nt*

bibelot [biblo] *m* Nippfigur *f*

biberon [bibʀɔ̃] *m* Flasche *f*

bibi [bibi] *pron pers fam* ich

bibine [bibin] *f fam* übles Gesöff

bible [bibl] *f* Bibel *f*

biblio [biblijo] *f fam abr de* **bibliothèque**

bibliobus [biblijobys] *m* Bücherbus *m*

bibliographie [biblijɔgʀafi] *f* Bibliographie *f*

bibliographique [biblijɔgʀafik] *adj* bibliographisch

bibliophile [biblijɔfil] *mf* Bücherliebhaber(in) *m(f)*

bibliothécaire [biblijɔtekɛʀ] *mf* Bibliothekar(in) *m(f)*

bibliothèque [biblijɔtɛk] *f* **1.** (*salle*) Bibliothek *f*; (~ *publique*) Bücherei *f*; ~-en-ligne Onlinebibliothek *f* **2.** (*étagère*) Bücherregal *nt*; (*armoire*) Bücherschrank *m* **3.** (*collection*) Büchersammlung *f*

biblique [biblik] *adj* biblisch; *auteur* Bibel-

bicarbonate [bikaʀbɔnat] *m* Hydrogenkarbonat *nt*

bicentenaire [bisɑ̃tnɛʀ] *m* zweihundertster Jahrestag; (*festivités*) Zweihundertjahrfeier *f*

biceps [bisɛps] *m* Bizeps *m*

biche [biʃ] *f* Hirschkuh *f*

bichette [biʃɛt] *f* **ma** ~ mein Schätzchen

bichonner [biʃɔne] <1> **I.** *vt* herausputzen; (*prendre bien soin de*) [ver]hätscheln **II.** *vpr* **se** ~ sich fein machen

bicolore [bikɔlɔʀ] *adj* zweifarbig

bicoque [bikɔk] *f péj fam* Bruchbude *f*

bicorne [bikɔʀn] *m* Zweispitz *m*

bicross® [bikʀɔs] *m* **1.** (*bicyclette*) BMX[-Rad] *nt*; (*V.T.T.*) Mountainbike *nt* **2.** (*sport*) Mountainbiking *nt*

bicyclette [bisiklɛt] *f* [Fahr]rad *nt*; faire de la ~ Rad fahren

bidasse [bidas] *m fam* [einfacher] Soldat

bide [bid] *m fam* Wampe *f*

bidet [bidɛ] *m* **1.** (*cuvette*) Bidet *nt* **2.** *fam* (*cheval*) Pferdchen *nt*

bidon [bidɔ̃] **I.** *m* **1.** (*récipient*) Kanister *m*; *de lait* Kanne *f*; (*gourde*) [Trink]flasche *f*; MIL Feldflasche *f* **2.** *fam* (*ventre*) Wampe *f*

II. *adj inv, fam attentat, attaque* Schein-
bidonnage [bidɔnaʒ] *m fam* Verfälschung
f

bidonnant, e [bidɔnɑ̃, ɑ̃t] *adj fam* spaßig
bidonner [bidɔne] <1> *vpr fam* se ~ sich
schieflachen

bidonville [bidɔ̃vil] *m* Slum *m*
bidule [bidyl] *m fam* Dings[bums] *nt*
bielle [bjɛl] *f de voiture* Pleuel[stange *f*] *m;*
de locomotive Pleuelgestänge *nt*

bien [bjɛ̃] **I.** *adv* **1.** (*beaucoup*) ~ **des gens**
viele Leute; **il a ~ du mal à faire qc** ihm
fällt es sehr schwer, etw zu tun **2.** (*très*)
sehr **3.** (*au moins*) mindestens **4.** (*plus*)
c'est ~ mieux das ist viel besser; ~ **assez**
mehr als genug **5.** (*de manière satisfaisan-*
te) gut; **tu ferais ~ de me le dire** du sagst
es mir wohl besser **6.** (*comme il se doit*)
richtig; *s'asseoir* anständig **7.** (*vraiment*)
sehr; *vouloir* gerne; *rire* viel; *voir* eine
Menge; *imaginer, voir* gut; *avoir l'intention*
sehr wohl; *compter sur* ganz bestimmt; **ai-**
mer ~ qn/qc jdn/etw gern haben; **je**
veux ~, merci! gern, danke! **8.** (*à la ri-*
gueur) schon; **il a ~ voulu nous recevoir**
er war so nett, uns zu empfangen; **je vous**
prie de ~ vouloir faire qc ich bitte Sie,
etw zu tun; **j'espère ~!** das will ich hoffen! **9.** (*pourtant*) doch **10.** (*en effet*) ja
11. (*aussi*) [doch] auch **12.** (*effectivement*)
wirklich **13.** (*sans le moindre doute*) [sehr]
wohl **14.** (*typiquement*) **c'est ~ toi** das ist
typisch für dich **15.** (*probablement*) wohl;
(*sûrement*) bestimmt ▶**qn va ~** jdm geht
es gut; **comment allez-vous? – ~ merci**
wie geht es Ihnen? – danke, gut; **ou** ~ oder
[lieber]; ~ **plus** schlimmer noch; ~ **que tu**
sois trop jeune obwohl du zu jung bist; **tant ~ que mal** mehr schlecht als recht **II.**
adj inv **1.** (*satisfaisant*) **être ~** gut sein
2. (*en forme*) **qn est ~** jdm geht es gut; **se**
sentir ~ sich wohl fühlen **3.** (*à l'aise*) **être**
~ es bequem haben; **être ~ avec qn** sich
gut mit jdm verstehen **4.** (*joli*) schön; *hom-*
me gut aussehend **5.** (*sympathique*) nett
6. (*comme il faut*) anständig **7.** (*qui pré-*
sente bien) vornehm **III.** *m* **1.** (*capital*
physique ou moral) Gut *nt;* **le ~ général**
das [All]gemeinwohl **2.** (*capital matériel*)
Eigentum *nt;* **avoir du ~** Vermögen haben
3. ECON ~**s de consommation** Konsumgü-
ter *Pl* **4.** (*qualité morale*) **le ~ et le mal**
das Gute und das Böse **5.** JUR ~**s collectifs**
Kollektivgüter *Pl*

bien-aimé , e [bjɛ̃neme] <bien-aimés>
adj geliebt **bien-être** [bjɛ̃nɛtʀ] *m sans pl*
Wohlbefinden *nt*

bienfaisance [bjɛ̃fəzɑ̃s] *f* Wohltätigkeit *f*
bienfaisant, e [bjɛ̃fəzɑ̃, ɑ̃t] *adj personne*

wohltätig; *climat, pluie* wohltuend

bienfait [bjɛ̃fɛ] *m* **1.** (*action généreuse*)
Wohltat *f; du ciel, des dieux* Geschenk *nt*
2. *pl de la science, civilisation* Errungenschaften *Pl; d'un traitement, de la paix*
wohltuende Wirkung

bienfaiteur, -trice [bjɛ̃fɛtœʀ, -tʀis] *m, f*
1. (*sauveur*) Wohltäter(in) *m(f)* **2.** (*mécè-*
ne) Gönner(in) *m(f)*

bien-fondé [bjɛ̃fɔ̃de] <bien-fondés> *m*
Richtigkeit *f*

bienheureux, -euse [bjɛ̃nœʀø, -øz] **I.** *adj*
REL *personne* selig **II.** *m, f* Selige(r) *f(m)*

biennal, e [bjɛnal, o] <-aux> *adj* zweijährlich

bien-pensant , bien-pensante [bjɛ̃pɑ̃sɑ̃,
bjɛ̃pɑ̃sɑ̃t] <bien-pensants> *adj* konformistisch

bienséance [bjɛ̃seɑ̃s] *f* Anstand *m*
bientôt [bjɛ̃to] *adv* **1.** (*prochainement*)
bald; **à ~!** bis bald! **2.** (*rapidement*) bald
bienveillance [bjɛ̃vɛjɑ̃s] *f* Wohlwollen *nt*
bienveillant, e [bjɛ̃vɛjɑ̃, jɑ̃t] *adj* wohlwollend

bienvenu, e [bjɛ̃v(ə)ny] **I.** *adj* willkommen **II.** *m, f* **être le ~ pour qn/qc** jdm/
einer S. gelegen kommen **III.** *interj* CAN
fam ~**e!** (*je vous en prie*) gern geschehen!
bienvenue [bjɛ̃v(ə)ny] *f* **souhaiter la ~ à**
qn jdn [herzlich] willkommen heißen

bière¹ [bjɛʀ] *f* Bier *nt;* ~ **blonde/brune**
helles/dunkles Bier; ~ **[à la] pression** Bier
vom Fass

bière² [bjɛʀ] *f* Sarg *m*
biffer [bife] <1> *vt* streichen
bifidus [bifidys] *m* Bifidusbakterium *nt*
bifocal, e [bifɔkal, o] <-aux> *adj* Bifokal-
bifteck [biftɛk] *m* [Beef]steak *nt*
bifurcation [bifyʀkasjɔ̃] *f* **1.** (*embranche-*
ment) Gabelung *f* **2.** BOT, ANAT Verzwei-
gung *f*

bifurquer [bifyʀke] <1> *vi* **1.** (*se diviser*)
sich gabeln **2.** (*changer de direction*) abbiegen

bigamie [bigami] *f* Bigamie *f*
bigarré, e [bigaʀe] *adj tissu* bunt[gemus-
tert]; *foule, langue, société* bunt gemischt
bigarreau [bigaʀo] <x> *m* BOT Knorpelkir-
sche *f*

big-bang [bigbɑ̃g] *m* Urknall *m*
bigleux, -euse [biglø, -øz] *adj fam* **être ~**
(*loucher*) schielen

bigophone [bigɔfɔn] *m fam* Telefon *m*
bigorneau [bigɔʀno] <x> *m* ZOOL Strand-
schnecke *f*

bigot, e [bigo, ɔt] **I.** *adj* bigott **II.** *m, f*
Frömmler(in) *m(f)*

bigoudi [bigudi] *m* Lockenwickler *m*
bigrement [bigʀəmɑ̃] *adv fam* verdammt

bihebdomadaire [biɛbdɔmadɛʀ] *adj* être ~ *journal, revue:* zweimal wöchentlich erscheinen

bijou [biʒu] <x> *m* 1.(*joyau*) Schmuckstück *nt;* des ~x Schmuck *m* 2.(*chef-d'œuvre*) Kleinod *nt*

bijouterie [biʒutʀi] *f* 1.(*boutique*) Juweliergeschäft *nt* 2.(*art*) Goldschmiedekunst *f* 3.(*commerce*) Schmuckgeschäft *nt* 4.(*objets*) Schmuck|waren *Pl*| *m*

bijoutier, -ière [biʒutje, -jɛʀ] *m, f* Juwelier(in) *m(f)*

bilan [bilã] *m* 1.FIN [Geschäfts]bilanz *f* 2.(*résultat*) Bilanz *f* 3. MED Untersuchung *f* 4. COM, ECON **déposer le** ~ Konkurs anmelden

bilatéral, e [bilateʀal, o] <-aux> *adj* 1.(*des deux côtés*) beidseitig; *stationnement* auf beiden Seiten 2. MED doppelseitig 3. JUR, POL bilateral

bile [bil] *f* 1.ANAT Galle *f* 2.(*amertume*) Verbitterung *f*

biliaire [biljɛʀ] *adj* Gallen-; **calculs** ~s Gallensteine *Pl*

bilingue [bilɛ̃g] I. *adj* zweisprachig II. *mf* Zweisprachige(r) *f(m)*

bilinguisme [bilɛ̃gɥism] *m* Zweisprachigkeit *f*

billard [bijaʀ] *m* 1.(*jeu*) Billard[spiel *nt*] *nt* 2.(*lieu*) Billardzimmer *nt;* (*table*) Billardtisch *m*

bille[1] [bij] *f* 1.(*petite boule*) Murmel *f* 2.(*au billard*) [Billard]kugel *f* 3. TECH **crayon** [*o* **stylo**] **à** ~ Kugelschreiber *m;* **roulement à** ~s Kugellager *nt*

bille[2] [bij] *f* [Holz]klotz *m*

billet [bijɛ] *m* 1.(*entrée*) Eintrittskarte *f* 2. *d'autobus* Fahrschein *m; de train* Fahrkarte *f; d'avion* Flugticket *nt;* ~ **aller/aller-retour** Einzel-/Rückfahrkarte *f* 3.(*numéro*) Los *m* 4.(*argent*) [Geld]schein *m* 5. FIN ~ **à ordre** Eigenwechsel *m* 6.(*message*) Zettel *m*

billetterie [bijɛtʀi] *f* 1.(*caisse*) Kasse *f* 2.(*distributeur de billets*) Geldautomat *m;* ~ **automatique** Fahrkartenautomat *m*

bimbo [bimbo] *f fam* Modetussi *f*

bimensuel, le [bimãsɥɛl] *adj* être ~ *journal, revue:* zweimal im Monat erscheinen

bimestriel, le [bimɛstʀijɛl] *adj* être ~ *journal, revue:* alle zwei Monate erscheinen

bimoteur [bimɔtœʀ] I. *adj inv* avion, bateau zweimotorig II. *m* (*avion*) zweimotoriges Flugzeug

binaire [binɛʀ] I. *adj* binär II. *m* Binärdatei *f*

biner [bine] <1> *vt* [durch]hacken

binette [binɛt] *f* Hacke *f*

bing [biŋ] *interj* peng

biniou [binju] *m* [bretonischer] Dudelsack

biocarburant [bjokaʀbyʀã] *m* Biokraftstoff *m*

biochimie [bjoʃimi] *f* Biochemie *f*

biochimiste [bjoʃimist] *mf* Biochemiker(in) *m(f)*

biodégradable [bjodegʀadabl] *adj* ECOL *détergents* biologisch abbaubar; *sachet, matière plastique* kompostierbar

biodégrader [bjodegʀade] *vpr* ECOL **se** ~ sich zersetzen

biodiversité [bjodivɛʀsite] *f* Artenvielfalt *f*

bioénergétique [bjoenɛʀʒetik] *f* PHYS Bioenergetik *f*

bioénergie [bjoenɛʀʒi] *f* PSYCH Bioenergetik *f*

bioéthique [bjoetik] *f* Bioethik *f*

biographie [bjɔgʀafi] *f* Biografie *f*

biographique [bjɔgʀafik] *adj* biografisch

bioindustrie [bjoɛ̃dystʀi] *f: Industrie (chemische, Pharma-), die sich der Umwandlung von organischen Substanzen durch Mikroorganismen bedient*

biologie [bjɔlɔʒi] *f* Biologie *f*

biologique [bjɔlɔʒik] *adj conditions, agriculture* biologisch; **aliments** ~s Biokost *f*

biologiser [bjɔlɔʒize] <1> *vt fam* streng biologisch deuten/erklären

biologiste [bjɔlɔʒist] *mf* Biologe/Biologin *m/f*

biomasse [bjomas] *f* Biomasse *f*

biopsie [bjɔpsi] *f* Biopsie *f*

biorythme [bjɔʀitm] *m* Biorhythmus *m*

biosphère [bjosfɛʀ] *f* Biosphäre *f*

biosynthèse [bjosɛ̃tɛz] *f* Biosynthese *f*

biotechnique [bjotɛknik] *f* Biotechnik *f*

biotechnologie [bjotɛknɔlɔʒi] *f* Biotechnologie *f*

biotope [bjɔtɔp] *m* Biotop *nt*

bip [bip] *m* Tonzeichen *nt; fam* (*appareil*) Piepser *m;* ~ **sonore** Pfeifton *m*

biparti, e [bipaʀti] *adj,* **bipartite** [bipaʀtit] *adj gouvernement, système* Zweiparteien-; *accord* bilateral

bipartition [bipaʀtisjɔ̃] *f* Zweiteilung *f*

bipède [bipɛd] I. *adj* zweifüßig II. *m* Zweifüßer *m; hum* (*homme*) Zweibeiner *m*

biper [bipe] <1> *vt fam* anpiepsen

biphasé, e [bifaze] *adj* zweiphasig

biplace [biplas] I. *adj* zweisitzig II. *m* Zweisitzer *m*

biplan [biplã] *m* Doppeldecker *m*

bique [bik] *f fam* Ziege *f*

biquet, te [bikɛ, ɛt] *m, f fam* ►**mon** ~ mein Schätzchen

biréacteur [biʀeaktœʀ] *m* zweistrahliges Flugzeug

bis [bis] I. *adv* 1. MUS da capo 2. n° 12 ~ Nr. 12a ▸~! Zugabe! II. *m* Dakapo *nt*

bis, e [bi, biz] *adj* graubraun; **pain** ~ Mischbrot *nt*

bisaïeul, e [bizajœl] *m, f* Urgroßvater/ -mutter *m/f*

bisannuel, le [bizanɥɛl] *adj plante* zwei- jährig; (*biennal*) zweijährlich

biscornu, e [biskɔrny] *adj forme* bizarr; *idée, esprit* verschroben

biscotte [biskɔt] *f* Zwieback *m*

biscuit [biskɥi] *m* 1. (*gâteau sec*) Keks *m* 2. (*pâtisserie*) Biskuit *m* 3. (*céramique*) Biskuitporzellan *nt*

bise¹ [biz] *f* (*vent du Nord*) kalter Nord- wind

bise² [biz] *f fam* Küsschen *nt;* **se faire la** ~ sich Küsschen geben; **grosses ~s!** viele Grüße und Küsse!

biseau [bizo] <x> *m* [abgeschrägte] Kante

biseauter [bizote] <1> *vt* 1. TECH abschrä- gen; facettieren *miroir, diamant* 2. JEUX zin- ken

bisexualité [bisɛksɥalite] *f* 1. BOT, ZOOL Zweigeschlechtigkeit *f* 2. PSYCH *d'une per- sonne* Bisexualität *f*

bisexuel, le [bisɛksɥɛl] *adj* bisexuell

bismuth [bismyt] *m* Wismut *nt*

bison [bizɔ̃] *m* Bison *m;* (*d'Europe*) Wi- sent *m* ▸**Bison** <u>futé</u> Informationssystem *zum Vermeiden und Umfahren von Staus*

bisou [bizu] *m fam* Küsschen *nt*

bisque [bisk] *f* ~ **de homard** feine Hum- mersuppe

bissectrice [bisɛktris] *f* MATH Winkelhal- bierende *f*

bisser [bise] <1> *vt* wiederholen *vers, chanson;* ~ **un musicien** eine Zugabe von einem Musiker fordern

bissextile [bisɛkstil] *adj* **année** ~ Schalt- jahr *nt*

bistouri [bisturi] *m* Skalpell *nt*

bistro[t] [bistro] *m fam* Kneipe *f*

bit [bit] *m* INFORM Bit *nt*

bitte [bit] *f* NAUT Poller *m*

bitume [bitym] *m* 1. (*asphalte*) Asphalt *m* 2. *fam* (*trottoir*) Trottoir *m*

bitumer [bityme] <1> *vt* asphaltieren

bivouac [bivwak] *m* Biwak *nt*

bivouaquer [bivwake] <1> *vi* biwakieren

bizarre [bizar] I. *adj* seltsam II. *m* Bizar- re(s) *nt*

bizarrement [bizarmɑ̃] *adv* seltsam

bizarrerie [bizarri] *f d'une personne* selt- same Art; *d'une idée, initiative* Eigenartig- keit *f*

blablabla [blablabla] *m fam* Blabla *nt*

blackbouler [blakbule] <1> *vt* POL **se fai- re** ~ eine Niederlage erleiden

black-out [blakaut] *m inv* 1. MIL Verdunke- lung *f* 2. *fig* Nachrichtensperre *f*

blafard, e [blafar, ard] *adj teint, visage* bleich

blague [blag] *f fam* 1. (*histoire drôle*) Witz *m* 2. (*farce*) Streich *m* 3. (*tabatière*) Ta- baksbeutel *m* ▸**sans** ~! im Ernst!

blaguer [blage] <1> *vi* Witze machen

blagueur, -euse [blagœr, -øz] I. *adj sou- rire, air* spöttisch; **être** ~ immer Witze ma- chen II. *m, f* Spaßvogel *m*

blaireau [blɛro] <x> *m* 1. ZOOL Dachs *m* 2. (*pour la barbe*) Rasierpinsel *m*

blairer [blɛre] <1> *vt fam* riechen

blâmable [blɑmabl] *adj* tadelnswert

blâme [blɑm] *m* 1. (*désapprobation*) Ta- del *m* 2. (*sanction*) Verweis *m*

blâmer [blɑme] <1> *vt* 1. (*désapprouver*) tadeln, rügen *personne;* verurteilen *attitu- de, conduite* 2. (*condamner moralement*) ~ **qn** jdm die Schuld geben 3. (*sanction- ner*) ~ **un élève** einem Schüler einen Ver- weis erteilen

blanc [blɑ̃] I. *m* 1. (*couleur*) Weiß *nt;* **se marier en** ~ in Weiß heiraten 2. TYP, IN- FORM Leerstelle *f* 3. (*espace vide dans une traduction, un devoir*) Lücke *f* 4. (*espace vide sur une cassette*) unbespielte Stelle *f* 5. (*vin*) Weißwein *m* 6. (*linge*) Weißwä- sche *f* 7. (*fard* ~) weiße Schminke 8. GASTR ~ **d'œuf** Eiweiß *nt;* ~ **de poulet** Hähn- chenbrust *f* 9. ANAT **le** ~ **de l'œil** das Wei- ße im Auge 10. TYP Tipp-Ex® *nt* 11. (*mala- die*) Mehltau *m* II. *adv* **laver plus** ~ wei- ßer waschen; **voter** ~ einen leeren Stimm- zettel abgeben

blanc, blanche [blɑ̃, blɑ̃ʃ] *adj* 1. (*de cou- leur blanche, pâle, non bronzé*) weiß 2. (*non écrit*) leer; *feuille* unbeschrieben 3. (*propre*) sauber 4. (*innocent*) unschul- dig 5. (*fictif*) **mariage** ~ Scheinheirat *f,* Scheinehe *f;* **examen** ~ Probeklausur *f*

Blanc, Blanche [blɑ̃, blɑ̃ʃ] *m, f* Weiße(r) *f(m)*

blanc-bec [blɑ̃bɛk] <blancs-becs> *m fam* Grünschnabel *m*

blanchâtre [blɑ̃ʃɑtr] *adj* weißlich

blanche [blɑ̃ʃ] *f* 1. MUS halbe Note 2. (*bou- le de billard*) weiße Kugel **Blanche-Neige** [blɑ̃ʃnɛʒ] *f* Schneewittchen *nt*

blancheur [blɑ̃ʃœr] *f* Weiß *nt; du visage, teint* Blässe *f*

blanchiment [blɑ̃ʃimɑ̃] *m d'un mur, d'une façade* Weißen *nt;* ~ **de l'argent** Geldwä- sche *f*

blanchir [blɑ̃ʃir] <8> I. *vt* 1. (*rendre blanc*) weiß machen; weißen *mur;* blei- chen *linge, draps;* weiß werden lassen *che- veux* 2. (*nettoyer*) waschen *linge* 3. (*discul-*

per) ~ **qn** jdn reinwaschen **4.**(*légaliser*) waschen *argent* **5.** GASTR blanchieren *légumes* **II.** *vi* weiße Haare bekommen; ~ **sous l'effet de la lumière/au lavage** durch das Licht/das Waschen bleichen **III.** *vpr se* ~ sich reinwaschen

blanchissage [blɑ̃ʃisaʒ] *m du linge* Waschen *nt*

blanchisserie [blɑ̃ʃisʀi] *f* Wäscherei *f*

blanc-seing [blɑ̃sɛ̃] <blancs-seings> *m* Blankounterschrift *f*

blanquette [blɑ̃kɛt] *f* Frikassee *nt*

blasé, e [blaze] **I.** *adj* blasiert **II.** *m, f* blasierter Mensch

blason [blazɔ̃] *m* Wappen *nt*

blasphématoire [blasfematwaʀ] *adj* blasphemisch

blasphème [blasfɛm] *m* Blasphemie *f*

blasphémer [blasfeme] <5> **I.** *vi* Gott lästern **II.** *vt* verfluchen; *soutenu* (*porter préjudice à qc*) verhöhnen

blatte [blat] *f* Schabe *f*

blazer [blazɛʀ, blazœʀ] *m* Blazer *m*

blé [ble] *m* **1.**(*plante*) Weizen *m*; (*grain*) Getreide *nt* **2.** *fam* (*argent*) Knete *f*

bled [blɛd] *m péj fam* Kaff *nt*

blême [blɛm] *adj visage:* bleich

blêmir [blemiʀ] <8> *vi personne:* bleich werden; *horizon:* hell werden

blennorragie [blenɔʀaʒi] *f* MED Gonorrhö[e] *f*

blessant, e [blesɑ̃, ɑ̃t] *adj* verletzend

blessé, e [blese] **I.** *adj* **1.** MED verletzt; *soldat* verwundet **2.** (*offensé*) verletzt **II.** *m, f* Verletzte(r) *f(m)*; MIL Verwundete(r) *f(m)*

blesser [blese] <1> **I.** *vt* **1.** MED verletzen; MIL verwunden **2.** (*meurtrir*) *chaussures:* drücken **3.** (*offenser*) verletzen; beleidigen *oreille, vue* **II.** *vpr se* ~ sich verletzen

blessure [blesyʀ] *f* **1.** (*lésion*) Verletzung *f*; MIL Verwundung *f*; (*plaie*) Wunde *f* **2.** *soutenu* (*offense*) Wunde *f*; ~ **d'amourpropre** verletzte Eitelkeit *kein Pl*

blet, te [blɛ, blɛt] *adj poire, nèfle* überreif

blette [blɛt] *f* Mangold *m*

bleu [blø] *m* **1.**(*couleur*) Blau *nt*; ~ **ciel** Himmelblau; ~ **clair/foncé** Hell-/Dunkelblau **2.**(*marque*) blauer Fleck **3.**(*vêtement*) blauer Arbeitsanzug **4.**(*fromage*) Blauschimmelkäse *m* **5.** CHIM ~ **de méthylène** Methylenblau *nt* **6.** *pl* SPORT **les ~s** die französische Nationalmannschaft

bleu, e [blø] *adj* **1.**(*de couleur bleue*) blau **2.** GASTR *steak* englisch

bleuâtre [bløɑtʀ] *adj* bläulich

bleue [blø] *f* **la grande** ~ das Mittelmeer

bleuet [bløɛ] *m* Kornblume *f*

bleuir [bløiʀ] <8> **I.** *vt* **avoir les mains/les lèvres toutes bleuies par le froid** von der Kälte ganz blaue Hände/Lippen haben **II.** *vi* blau werden; *visage:* blau anlaufen

bleuté, e [bløte] *adj* bläulich

blindage [blɛ̃daʒ] *m* Panzerung *f*

blindé [blɛ̃de] *m* Panzer *m*

blindé, e [blɛ̃de] *adj* **1.** *porte, voiture* gepanzert **2.** *fam* (*endurci*) **être** ~ **contre qc** gegen etw abgehärtet sein

blinder [blɛ̃de] <1> *vt* **1.**(*renforcer*) panzern *véhicule, porte* **2.** *fam* (*endurcir*) ~ **qn contre qc** jdn gegen etw abhärten

bloc [blɔk] *m* **1.**(*masse de matière*) Block *m* **2.**(*cahier, carnet*) Block *m* **3.**(*ensemble*) Gruppe *f*; (*pâté de maisons*) [Häuser]block *m*; (*immeuble*) [Wohn]block *m* **4.**(*union*) Block *m*; ~ **monétaire** Währungsblock ▸**en** ~ im Ganzen

blocage [blɔkaʒ] *m* **1.** *des roues, freins* Blockieren *nt*; *d'une pièce mobile, d'un boulon* Feststellen *nt*; *d'un écrou* Anziehen *nt*; *d'une vis* Festdrehen *nt*; *de la porte* Versperren *nt*; (*avec une cale*) Verkeilen *nt* **2.** ECON *des prix, salaires* Stopp *m*; *d'un crédit, des commandes* Sperre *f* **3.** PSYCH innerer Widerstand

bloc-cuisine [blɔkkɥizin] <blocs-cuisines> *m* Küchenzeile *f* **bloc-cylindres** [blɔksilɛ̃dʀ] <blocs-cylindres> *m* Zylinderblock *m* **bloc-évier** [blɔkevje] <blocs-éviers> *m* Spülzeile *f*

blockhaus [blɔkos] *m* Bunker *m*

bloc-moteur [blɔkmɔtœʀ] <blocs-moteurs> *m* TECH Motorgetriebeblock *m*; *de la voiture* Motorblock *m* **bloc-notes** [blɔknɔt] <blocs-notes> *m* Notizblock *m*

blocus [blɔkys] *m* Blockade *f*

blond [blɔ̃] *m* (*couleur*) Blond *nt*; ~ **cendré** Aschblond; ~ **foncé** Dunkelblond

blond, e [blɔ̃, blɔ̃d] **I.** *adj* blond; *tabac, bière, cigarette* hell **II.** *m, f* (*personne*) Blonde(r) *f(m)*; (*femme*) Blondine *f*

blonde [blɔ̃d] *f* (*bière*) helles Bier; (*cigarette*) Zigarette *f* aus hellem Tabak

blondinet, te [blɔ̃dinɛ, ɛt] *m* Blondschopf *m*

blondir [blɔ̃diʀ] <8> *vi cheveux:* blond werden

bloquer [blɔke] <1> **I.** *vt* **1.**(*immobiliser*) blockieren; versperren *passage, route, porte;* festdrehen *vis;* fest anziehen *écrou;* feststellen *pièce mobile, boulon;* **être bloqué dans l'ascenseur** im Fahrstuhl festsitzen **2.** ECON sperren; zum Stocken bringen *négociations* **3.**(*regrouper*) zusammenlegen *jours de congés;* zusammenfassen *paragraphes* **4.** SPORT stoppen *balle* **II.** *vpr se* ~ **1.**(*s'immobiliser*) klemmen; *roues, freins:* blockieren **2.** PSYCH sich innerlich sperren

3. INFORM *programme:* abstürzen **III.** *vi* PSYCH *fam* abblocken

blottir [blɔtiʀ] <8> *vpr* se ~ **contre qn** sich an jdn kuscheln; **se ~ dans un coin** sich in eine Ecke kauern

blouse [bluz] *f* **1.** (*tablier*) [Arbeits]kittel *m* **2.** (*corsage*) Bluse *f*

blouson [bluzɔ̃] *m* Blouson *m o nt* ▶~ **noir** Rocker *m*

blue-jean [bludʒin] <blue-jeans> *m* [Blue]jeans *f*

blues [blus] *m inv* **1.** (*musique*) Blues *m* **2.** (*cafard*) **avoir un coup de ~** schwermütig sein

bluffer [blœfe] <1> *vt, vi* bluffen

boa [bɔa] *m* Boa *f*

bob [bɔb] *m* **1.** SPORT Bob *m* **2.** (*chapeau*) Stoffhut *m*

bobard [bɔbaʀ] *m fam* [Lügen]märchen *nt*

bobine [bɔbin] *f* **1.** (*cylindre*) Spule *f; de fil* Rolle *f* **2.** ELEC ~ **d'allumage** Zündspule **3.** *fam* (*mine*) Flunsch *m*

bobiner [bɔbine] <1> *vt* ~ **qc sur qc** etw auf etw (*akk*) spulen

bobo [bobo] *m fam* Wehwehchen *nt*

bobsleigh [bɔbslɛg] *m v.* bob

bocage [bɔkaʒ] *m* Bocage *m* (*Landschaftstyp im Westen Frankreichs*)

bocal [bɔkal, o] <-aux> *m* Glas *nt*

Boche [bɔʃ] *mf péj fam* Boche *mf* (*abwertende Bezeichnung für Deutsche aus dem 2. Weltkrieg*)

bock [bɔk] *m* (*verre d'1/8 litre*) Bierglas *nt;* (*contenu*) Glas *nt* Bier

bœuf [bœf, bø] *m* **1.** ZOOL Rind *nt* **2.** (*opp: taureau, vache*) Ochse *m* **3.** (*viande*) Rindfleisch *nt*

bof [bɔf] *interj* na ja

bogue [bɔg] *m o f* INFORM Programmfehler *m*

bohème [bɔɛm] **I.** *adj* unkonventionell **II.** *mf* Bohemien *m* **III.** *f* Boheme *f*

Bohême [bɔɛm] *f* **la ~** Böhmen *nt*

bohémien, ne [bɔemjɛ̃, jɛn] *m, f* Zigeuner(in) *m(f)*

boire [bwaʀ] <*irr*> **I.** *vt* **1.** (*avaler un liquide*) trinken; (*finir de ~*) austrinken; ~ **à la bouteille** aus der Flasche trinken **2.** (*s'imprégner de*) aufsaugen **II.** *vi* **1.** (*se désaltérer*) trinken; ~ **à la santé de qn** auf jds Wohl trinken **2.** (*être alcoolique*) trinken **III.** *vpr* se ~ sich trinken lassen; **se ~ à l'apéritif** als Aperitif getrunken werden

bois [bwa] **I.** *m* **1.** (*forêt*) [kleiner] Wald **2.** (*matériau*) Holz *nt* **3.** (*gravure*) Holzschnitt *m* ▶**toucher du ~** [dreimal] auf Holz klopfen **II.** *mpl* **1.** MUS Holzblasinstrumente *Pl* **2.** *des cervidés* Geweih *nt*

boisé, e [bwaze] *adj* bewaldet

boiser [bwaze] <1> *vt* aufforsten, bewalden *région*

boiserie [bwazʀi] *f* [Holz]täfelung *f*

boisson [bwasɔ̃] *f* **1.** (*liquide buvable*) Getränk *nt* **2.** (*alcoolisme*) Alkoholismus *m*

boîte [bwat] *f* **1.** (*récipient*) Schachtel *f;* (*en carton*) Karton *m;* (*en bois*) Kiste *f;* (*en métal*) ~ **à outils** Werkzeugkasten *m;* ~ **en plastique** Plastikdose *f* **2.** (*conserve*) Dose *f;* ~ **de conserves** Konservendose; **en** ~ aus der Dose **3.** *fam* (*discothèque*) Disko *f;* ~ **de nuit** Nachtklub *m* **4.** *fam* (*entreprise*) Laden *m* **5.** MED ~ **crânienne** Schädel *m* **6.** AVIAT ~ **noire** Flugschreiber *m* **7.** AUT ~ **de vitesses** [Schalt]getriebe *nt* **8.** INFORM ~ **de dialogue** Dialogfeld *nt;* ~ **aux lettres** [**électronique**] Mailbox *f* **9.** (*contenu d'une boîte*) ~ **à** [*o* **aux**] **lettres** Briefkasten *m* **10.** (*casier*) ~ **postale** Postfach *nt*

boiter [bwate] <1> *vi* **1.** (*clopiner*) hinken; (*temporairement*) humpeln **2.** *fig raisonnement:* nicht stichhaltig sein; *comparaison:* hinken

boiteux, -euse [bwatø, -øz] *adj* **1.** (*bancal*) wack[e]lig; *personne* hinkend; (*temporairement*) humpelnd **2.** *fig explication, raisonnement* wenig überzeugend; *paix* unsicher

boîtier [bwatje] *m* **1.** (*boîte*) Gehäuse *nt;* (*pour des instruments*) Kasten *m;* (*pour des cassettes*) Plastikkassette *f* **2.** ELEC ~ **de mixage** kleines Mischpult; ~ **de télécommande** Fernbedienung *f*

boitiller [bwatije] <1> *vi* leicht hinken; (*temporairement*) leicht humpeln

bol [bɔl] *m* **1.** (*récipient*) Schale *f;* **un ~ de lait** eine Schale Milch **2.** *fam* (*chance*) Schwein *nt;* **avoir du ~** Schwein haben **3.** CAN (*cuvette*) ~ **de toilette** Toilettenschüssel *f* ▶**en avoir <u>ras</u> le ~** *fam* die Nase voll haben

bolet [bɔlɛ] *m* BOT Röhrling *m*

bolide [bɔlid] *m* Rennwagen *m*

bombance [bɔ̃bɑ̃s] *f* **faire ~** *fam* ein großes Eß- und Trinkgelage machen

bombardement [bɔ̃baʀdəmɑ̃] *m* **1.** MIL ~ **de qc** Bombardierung *f* einer S. (*gen*), Bombenangriff *m* auf etw (*akk*); ~ **aérien** Luftangriff **2.** *fig* **cela s'est terminé par un ~ de projectiles** es flogen Wurfgeschosse durch die Gegend **3.** PHYS Beschuss *m* [des Atomkerns mit Elementarteilchen]

bombarder [bɔ̃baʀde] <1> *vt* **1.** MIL bombardieren; ~ **qn de tomates** jdn mit Tomaten bewerfen **2.** PHYS ~ **qc de qc** etw mit etw beschießen **3.** *fam* (*nommer à un poste*) ~ **qn directeur** jdn auf den Posten des Direktors katapultieren

bombardier [bɔ̃baʀdje] *m* Bomber *m*

bombe [bɔ̃b] *f* **1.** MIL Bombe *f;* ~ **atomique** Atombombe; ~ **lacrymogène** Tränengas *nt* **2.** (*atomiseur*) Spraydose *f* **3.** (*casquette*) Reitkappe *f* **4.** GASTR ~ **glacée** Eisbombe *f*

bombé, e [bɔ̃be] *adj* gewölbt

bomber [bɔ̃be] <1> I. *vt* **1.** (*gonfler*) [he]rausstrecken (*fam*) *poitrine, torse* **2.** *fam* (*peindre*) ~ **qc sur qc** etw auf etw (*akk*) sprühen **3.** (*passer un insecticide*) versprühen II. *vi bois:* sich verziehen; *mur, planche:* sich wölben

bon [bɔ̃] I. *m* **1.** (*coupon d'échange*) Gutschein *m;* (*formulaire*) Schein *m;* ~ **de caisse** Kassenzettel *m* **2.** FIN ~ **du Trésor** Schatzanweisung *f* **3.** (*ce qui est* ~) Gute(s) *nt* **4.** (*personne*) Gute(r) *f(m)* ▸**avoir du** ~ seine Vorzüge haben II. *adv* **sentir** ~ duften ▸**il fait** ~ es ist mild

bon, ne [bɔ̃, bɔn] <meilleur> *adj* antéposé **1.** (*opp: mauvais*) gut; **être** ~ **en latin/maths** gut in Latein/Mathe sein **2.** (*adéquat, correct*) richtig; *remède, conseil* gut; **tous les moyens sont** ~**s** alle Mittel sind recht **3.** (*valable*) gültig **4.** (*agréable*) gut; *soirée, surprise, moment, vacances, week-end* schön; *eau* sehr angenehm **5.** (*délicieux*) gut; (*comestible*) gut; **être très** ~ sehr gut schmecken **6.** (*intensif de quantité*) gut **7.** (*être fait pour*) **c'est** ~ **à savoir** das ist gut zu wissen **8.** (*être destiné à*) **être** ~ **pour qc** reif für etw sein (*fam*) **9.** (*moralement*) gut; **il n'a pas de** ~**nes lectures/fréquentations** er liest nichts Anständiges/er hat keine anständigen Freunde ▸**c'est** ~ (*a bon goût*) das schmeckt gut; (*fait du bien*) das tut gut; (*ça ira comme ça*) das reicht; (*tant pis*) macht nichts; **n'être** ~ **à rien** zu nichts zu gebrauchen sein; **à quoi** ~**?** wozu?; **pour de** ~**?** wirklich?

bonbon [bɔ̃bɔ̃] *m* Bonbon *m o nt;* ~ **acidulé** saurer Drops; ~ **à la menthe** Pfefferminzbonbon

bonbonne [bɔ̃bɔn] *f* [bauchige] Korbflasche

bond [bɔ̃] *m* **1.** *d'une personne, d'un animal* Satz *m;* SPORT Sprung *m;* ~ **en avant** ECON Sprung *m* nach vorn **2.** (*rebond*) **faire plusieurs** ~**s** mehrmals hochspringen

bonde [bɔ̃d] *f* **1.** *du tonneau* Spundloch *nt; de l'évier, de la baignoire* Abflussloch *nt; du tonneau* Spund *m; de l'évier, de la baignoire* Stöpsel *m*

bondé, e [bɔ̃de] *adj* überfüllt

bondir [bɔ̃diʀ] <8> *vi* **1.** (*sauter*) [hoch]springen; ~ **hors du lit** aus dem Bett springen; ~ **à la porte** an die Tür stürzen

2. (*sursauter*) empört sein; ~ **de joie** Freudensprünge machen (*fam*); **faire** ~ **qn** jdn rasend machen

bonheur [bɔnœʀ] *m* **1.** (*état*) Glück *nt* **2.** (*chance*) Glück *nt;* **le** ~ **de vivre** die Lebensfreude; **porter** ~ **à qn** jdm Glück bringen ▸**ne pas connaître son** ~ nicht wissen, wie gut man es hat; **par** ~ zum Glück

bonhomie [bɔnɔmi] *f* Herzlichkeit *f*

bonhomme [bɔnɔm, bɔ̃ɔm] <bonshommes> *m* **1.** *fam* (*homme*) Mann *m;* (*plutôt négatif*) Kerl *m;* ~ **de neige** Schneemann *m* **2.** (*petit garçon*) **petit** ~ kleiner Mann **3.** (*dessin*) Männchen *nt*

boni [bɔni] *m* Gewinn *m*

boniche [bɔniʃ] *f péj fam* Dienstmädchen *nt*

bonification [bɔnifikasjɔ̃] *f* **1.** *d'un vin* Verbesserung *f* **2.** (*bonus*) Bonus *m;* SPORT Zeitgutschrift *f*

bonifier [bɔnifje] <1> I. *vt* verbessern *terres* II. *vpr* **se** ~ *vin:* besser werden

boniment [bɔnimã] *m* **1.** *d'un vendeur, camelot* Anpreisen *nt* der Ware **2.** (*mensonges*) Lügengeschichte *f*

bonjour [bɔ̃ʒuʀ] I. *interj* **1.** (*salutation*) guten Tag/Morgen; **dire** ~ **à qn** jdm guten Tag sagen **2.** CAN (*bonne journée*) einen schönen Tag noch II. *m* **donner bien le** ~ **à qn de la part de qn** jdm von jdm einen schönen Gruß bestellen

bonne [bɔn] *f* Dienstmädchen *nt;* ~ **d'enfants** Kindermädchen *nt; v. a.* **bon**

bonnement [bɔnmã] *adv* ▸**tout** ~ ganz einfach

bonnet [bɔnɛ] *m* **1.** (*coiffure*) Mütze *f; du nourrisson* Häubchen *nt; du bébé* Mützchen *nt;* ~ **de bain** Badekappe *f* **2.** *du soutien-gorge* Körbchen *nt*

bonneterie [bɔnɛtʀi, bɔn(ə)tʀi] *f* Wirk- und Strickwaren *Pl;* (*fabrication*) Wirk- und Strickwarenindustrie *f*

bonniche [bɔniʃ] *f v.* **boniche**

bonsoir [bɔ̃swaʀ] *interj* (*en arrivant*) guten Abend; (*en partant*) auf Wiedersehen; (*avant le coucher*) gute Nacht

bonté [bɔ̃te] *f* Güte *f;* **avec** ~ gütig

bonus [bɔnys] *m* Schadenfreiheitsrabatt *m*

bonze [bɔ̃z] *m* Bonze *m*

boom [bum] *m* Boom *m;* ~ **démographique** Bevölkerungsexplosion *f*

boomerang [bumʀɑ̃g] *m* Bumerang *m*

booter [bute] <1> *vi* INFORM [hoch]booten

bord [bɔʀ] *m* Rand *m; d'une table, d'un trottoir* Kante *f; d'un lac, d'une rivière* Ufer *nt; de la mer* Küste *f;* **au** ~ **de** [**la**] **mer** am Meer; *d'un chapeau* Krempe *f* ▸**passer par-dessus** ~ über Bord gehen; **virer de** ~ wenden; *fig* umschwenken; **à** ~ an Bord;

au ~ du lac am Seeufer

bordeaux [bɔʀdo] I. *m* Bordeaux[wein *m*] *m* II. *app inv* weinrot

bordée [bɔʀde] *f* Breitseite *f*

bordel [bɔʀdɛl] I. *m* **1.** (*maison close*) *vulg* Puff *m* (*fam*) **2.** *fam* (*désordre*) Saustall *m* II. *interj fam* verdammt noch mal!

bordélique [bɔʀdelik] *adj fam* chaotisch

border [bɔʀde] <1> *vt* **1.** (*longer*) säumen (*geh*) *rivière, route;* **être bordé de qc** *route, rivière:* von etw gesäumt sein (*geh*); *place:* von etw eingesäumt sein (*geh*) **2.** COUT ~ **un mouchoir de dentelle** ein Taschentuch mit Spitze besetzen **3.** (*couvrir*) zudecken *enfant, malade;* machen *lit* (*indem man die Laken unter der Matratze feststeckt*) **4.** NAUT einholen *voile*

bordereau [bɔʀdəʀo] <x> *m* (*formulaire*) Schein *m;* ~ **d'achat** [Kauf]beleg *m;* ~ **de livraison** Lieferschein; (*liste*) Liste *f;* (*facture*) Rechnung *f*

bordier [bɔʀdje] *m* CH (*riverain*) Anlieger *m,* Anstößer *m* (CH)

bordure [bɔʀdyʀ] *f* **1.** (*bord*) Rand *m; d'un quai, trottoir* Kante *f;* (*empiècement*) Bordüre *f* **2.** (*rangée*) Reihe *f* **3.** (*rangée de pavés*) Einfassung *f*

boréal, e [bɔʀeal, o] <s *o* -aux> *adj* nördlich

borgne [bɔʀɲ] *adj* **1.** (*éborgné*) einäugig **2.** ARCHIT *pièce* ohne Fenster; *fenêtre* ohne Ausblick **3.** (*mal famé*) anrüchig

borne [bɔʀn] *f* **1.** (*pierre*) Grenzstein *m;* ~ **kilométrique** Kilometerstein **2.** (*protection*) Steinpfosten *m* **3.** *pl* (*limite*) Grenzen *Pl;* **dépasser les ~s** *personne:* zu weit gehen; *ignorance, bêtise:* grenzenlos sein **4.** *fam* (*distance de 1 km*) Kilometer *m* **5.** ELEC [Anschluss]klemme *f*

borné, e [bɔʀne] *adj* beschränkt; *personne* borniert

borner [bɔʀne] <1> I. *vt* **1.** (*limiter*) begrenzen, die Grenze bilden zu *terrain* **2.** *fig* ~ **son ambition à qc** seinen Ehrgeiz auf etw beschränken II. *vpr* **se** ~ **à qc** (*se limiter à*) sich auf etw (*akk*) beschränken; (*se contenter de*) sich mit etw begnügen

bosquet [bɔskɛ] *m* Baumgruppe *f*

bosse [bɔs] *f* **1.** (*déformation*) Beule *f* **2.** *du chameau* Höcker *m* **3.** (*difformité*) Buckel *m* **4.** (*accident de terrain*) [leichte] Erhebung *f* **5.** (*don*) **avoir la ~ de la musique** *fam* ein kleines Musikgenie sein

bosseler [bɔsle] <3> *vt* einbeulen, verbeulen

bosser [bɔse] <1> I. *vi fam* (*travailler dur*) schuften; (*bûcher*) büffeln II. *vt fam* büffeln *matière*

bosseur, -euse [bɔsœʀ, -øz] *m, f fam* Ar-

beitstier *nt*

bossu, e [bɔsy] I. *adj* buck[e]lig; (*voûté*) krumm II. *m, f* Buck[e]lige(r) *f(m)*

botanique [bɔtanik] I. *adj* botanisch II. *f* Botanik *f*

botaniste [bɔtanist] *mf* Botaniker(in) *m(f)*

botte [bɔt] *f* **1.** (*chaussure*) Stiefel *m* **2.** *de légumes, fleurs* Bund *nt; de foin, paille* (*en gerbe*) Bündel *nt;* (*au carré*) Ballen *m* **3.** (*en escrime*) Stoß *m*

botté, e [bɔte] *adj* gestiefelt

botter [bɔte] <1> *vt* ~ **le derrière/les fesses à qn** jdn in den Hintern treten (*fam*)

bottier [bɔtje] *m* Maßschuhmacher(in) *m(f)*

bottillon [bɔtijɔ̃] *m* Halbstiefel *m*

bottin® [bɔtɛ̃] *m* Telefonbuch *nt*

bottine [bɔtin] *f* Stiefelette *f*

bouc [buk] *m* **1.** ZOOL Ziegenbock *m* **2.** (*barbe*) Spitzbart *m* ▶ ~ **émissaire** Sündenbock *m*

boucan [bukɑ̃] *m fam* Radau *m*

bouche [buʃ] *f* **1.** ANAT Mund *m; d'un animal* Maul *nt;* **parler la ~ pleine** mit vollem Mund sprechen **2.** *d'un volcan* Kraterloch *nt; d'un tuyau* Öffnung *f; d'un canon* Mündung *f;* ~ **de métro** Metroeingang *m* **3.** *pl* GEOG **les ~s du Rhône** die Mündung der Rhone ▶ ~ **bée** bass erstaunt; **être une fine** ~ ein Feinschmecker sein; **faire la fine** ~ wählerisch sein

bouché, e [buʃe] *adj* **1.** METEO *temps* trüb[e]; *ciel* verhangen **2.** (*sans avenir*) ohne Zukunft **3.** *fam personne* beschränkt

bouche-à-bouche [buʃabuʃ] *m sans pl* Mund-zu-Mund-Beatmung *f*

bouchée [buʃe] *f* **1.** (*petit morceau*) Bissen *m;* (*ce qui est dans la bouche*) Mundvoll *m* **2.** GASTR ~ **au chocolat** Praline *f* ▶ **pour une** ~ **de pain** für ein Butterbrot (*fam*)

boucher [buʃe] <1> I. *vt* zukorken *bouteille;* zumachen *trou;* zuschütten *trous de la route;* zuschmieren *fente;* verstopfen *toilettes, évier;* **avoir le nez bouché** eine verstopfte Nase haben II. *vpr* **se** ~ *évier:* verstopfen; **se** ~ **le nez/les oreilles** sich (*dat*) die Nase/Ohren zuhalten; **se** ~ **les yeux** *fig* die Augen verschließen

boucher, -ère [buʃe, -ɛʀ] *m, f* **1.** (*commerçant*) Fleischer(in) *m(f),* Metzger(in) *m(f)* (SDEUTSCH), Schlachter(in) *m(f)* (NDEUTSCH) **2.** *péj* (*chirurgien*) Metzger *m*

bouchère [buʃɛʀ] *f* (*femme du boucher*) Fleischersfrau *f,* Metzgersfrau *f* (SDEUTSCH)

boucherie [buʃʀi] *f* **1.** (*magasin*) Metzgerei *f* **2.** (*métier*) Metzgerhandwerk *nt*

3. *(massacre)* Gemetzel *nt*

boucherie-charcuterie [buʃriʃarkytri] <boucheries-charcuteries> *f* Fleisch- und Wurstwarengeschäft *nt*

bouche-trou [buʃtru] <bouche-trous> *m* **1.** *(personne)* Lückenbüßer(in) *m(f)* **2.** MEDIA [Lücken]füller *m*

bouchon [buʃɔ̃] *m* **1.** *d'une bouteille* Korken *m;* ~ **de liège** [echter] Korken; *d'une carafe, d'un évier* Stöpsel *m; d'un bidon, tube, radiateur* Verschluss *m; d'un réservoir* Deckel *m;* **sentir le** ~ **vin:** nach Korken schmecken **2.** PECHE Schwimmer *m* **3.** *(embouteillage)* [Verkehrs]stau *m*

bouchonner [buʃɔne] <1> *vi fam* stauen

boucle [bukl] *f* **1.** *de soulier, ceinture, d'un harnais* Schnalle *f;* ~ **d'oreille** Ohrring *m* **2.** *(qui s'enroule)* ~ **de cheveux** Haarlocke *f* **3.** *(forme géométrique)* Schleife *f; d'une rivière* Windung *f* **4.** INFORM Schleife *f* **5.** AVIAT Looping *m o nt* **6.** *(en voiture, à pied)* Rundstrecke *f*

bouclé, e [bukle] *adj cheveux, poils* lockig

boucler [bukle] <1> **I.** *vt* **1.** *(attacher)* zumachen *ceinture;* ~ **la ceinture de sécurité** den Sicherheitsgurt anlegen **2.** *fam (fermer)* schließen *magasin, porte, bagages* **3.** *(terminer)* beenden *affaire, enquête;* abschließen *recherches, dossier;* fertig stellen *travail* **4.** *(équilibrer)* ausgleichen *budget* **5.** *(encercler)* abriegeln *quartier* **6.** *fam (enfermer)* einsperren **7.** *(friser, onduler)* ~ **ses cheveux** sich *(dat)* Locken in die Haare machen **II.** *vi* **1.** *(friser)* **ses cheveux bouclent naturellement** er/sie hat Naturlocken **2.** INFORM eine Schleife machen **III.** *vpr* **1.** *(se faire des boucles)* **se** ~ sich *(dat)* die Haare eindrehen **2.** *(s'enfermer)* **se** ~ **dans sa chambre** sich in seinem Zimmer einschließen

bouclette [buklɛt] *f* [Ringel]löckchen *nt*

bouclier [buklije] *m* **1.** MIL Schild *m* **2.** *(protection)* Schutz[schild *m*] *m*

bouddhisme [budism] *m* Buddhismus *m*

bouddhiste [budist] **I.** *adj* buddhistisch **II.** *mf* Buddhist *m*

bouder [bude] <1> **I.** *vi* schmollen **II.** *vt* **1.** *(montrer du mécontentement à qn)* ~ **qn** jdm schmollend begegnen **2.** *(ne plus rechercher qc)* ~ **un produit** ein Produkt unbeachtet lassen

bouderie [budri] *f* Schmollen *nt*

boudeur, -euse [budœr, -øz] **I.** *adj* beleidigt **II.** *m, f* jd, der schmollt

boudin [budɛ̃] *m* **1.** *(charcuterie)* ~ **noir** ≈ Blutwurst *f,* ≈ Blunze[n] *f* (A); ~ **blanc** aus Geflügelfleisch, Milch, Ei und Brotkrume hergestellte Wurst **2.** *fam (fille grosse et disgracieuse)* Pummel *m*

boudiné, e [budine] *adj* **1.** *doigt* Wurst- *(fam)* **2.** *(serré dans un vêtement étriqué)* beengt

boudoir [budwar] *m* *(gâteau)* Löffelbiskuit *m*

boue [bu] *f* Schlamm *m,* Gatsch *m* (A)

bouée [bwe] *f* **1.** *(balise)* Boje *f* **2.** *(protection gonflable)* Schwimmreifen *m;* ~ **de sauvetage** Rettungsring *m; fig* Rettungsanker *m*

boueux, -euse [bwø, -øz] *adj chaussures, chemin, eau* schlammig

bouffant, e [bufɑ̃, ɑ̃t] *adj* **des manches ~es** Puffärmel *Pl*

bouffe [buf] *f fam* Essen *nt*

bouffée [bufe] *f* **1.** *(souffle)* **tirer des ~s de sa pipe** seine Pfeife paffen *(fam);* ~ **d'air frais/chaud** frische Brise/Schwall *m* heißer Luft **2.** *(haleine)* **des ~s d'ail** Knoblauchfahne *f* **3.** *(poussée)* ~ **de chaleur/fièvre** [Hitze]wallung *f*/Fieberanfall *m*

bouffer [bufe] <1> **I.** *vi* **1.** *fam (manger)* fressen **2.** *(se gonfler)* sich bauschen **II.** *vt fam* **1.** *(manger)* futtern **2.** *(consommer)* schlucken *essence, huile;* fressen *kilomètres*

bouffi, e [bufi] *adj* **1.** *visage* aufgedunsen; *yeux* verquollen; *mains* angeschwollen **2.** *péj* **être** ~ **d'orgueil** aufgeblasen sein *(fam)*

bouffon, ne [bufɔ̃, ɔn] **I.** *adj* spaßig **II.** *m, f* Narr *m*

bouffonnerie [bufɔnri] *f* Drolligkeit *f; d'une scène, pièce* [derbe] Komik

bouge [buʒ] *m* **1.** *(bar mal famé)* Spelunke *f (pej)* **2.** *(taudis)* Loch *nt (pej fam)*

bougeoir [buʒwar] *m* Kerzenleuchter *m* *(mit Griff)*

bougeotte [buʒɔt] *f* **avoir la** ~ *fam (ne pas tenir en place)* kein Sitzfleisch haben

bouger [buʒe] <2a> **I.** *vi* **1.** *(remuer)* sich bewegen **2.** *(protester)* ~ **devant qn/qc** gegen jdn/etw aufbegehren **3.** *fam* **faire** ~ **qc** etw ins Rollen bringen **4.** *(se déplacer, voyager)* **je ne bouge pas d'ici!** ich rühre mich nicht vom Fleck! **II.** *vt* **1.** *(déplacer)* umstellen *meuble, objet* **2.** *(remuer)* bewegen *bras, doigt, tête* **III.** *vpr fam* **se** ~ **1.** *(se remuer)* sich bewegen **2.** *(faire un effort)* sich anstrengen

bougie [buʒi] *f* **1.** *(chandelle)* Kerze *f* **2.** AUT Zündkerze *f*

bougnoul, e [buɲul] *m, f péj fam* Kameltreiber(in) *m(f)*

bougon, ne [bugɔ̃, ɔn] **I.** *adj* mürrisch **II.** *m, f* Miesepeter *m (fam)*

bougonner [bugɔne] <1> *vi* ~ **contre qn/qc** über jdn/etw murren

bougre, bougresse [bugr, bugrɛs] *m, f*

fam Kerl *m*

boui-boui [bwibwi] ‹bouis-bouis› *m*
péj fam Spelunke *f*

bouillant, e [bujɑ̃, ɑ̃t] *adj* **1.** (*qui bout*)
kochend **2.** (*très chaud*) kochend heiß
3. (*fougueux*) ungestüm

bouille [buj] *f fam* Gesicht *nt*

bouillie [buji] *f* Brei *m*

bouillir [bujiʀ] ‹*irr*› **I.** *vi* **1.** (*être en ébullition*) kochen **2.** (*porter à ébullition*) zum
Kochen bringen **3.** (*laver à l'eau bouillante,
stériliser*) [aus]kochen **4.** (*s'emporter*) ~
de colère/de rage vor Wut kochen **II.** *vt*
1. (*porter à ébullition*) zum Kochen bringen *lait, eau;* [aus]kochen *linge* **2.** (*cuire à
l'eau*) kochen *viande, légumes*

bouilloire [bujwaʀ] *f* [Wasser]kessel *m*

bouillon [bujɔ̃] *m* **1.** (*soupe*) Brühe *f*
2. (*bouillonnement*) Aufkochen *nt* **3.** BIO ~
de culture Nährbrühe *f; fig* Nährboden *m*

bouillon-cube [bujɔ̃kyb] ‹bouillon-cu-
bes› *m* Brühwürfel *m*

bouillonnement [bujɔnmɑ̃] *m* **1.** (*ébullition*) Sprudeln *nt* **2.** *fig des idées* Überschäumen *nt*

bouillonner [bujɔne] ‹1› *vi* **1.** (*produire
des bouillons*) brodeln **2.** (*être énervé*) ~
de rage/colère vor Wut schäumen (*geh*)
3. (*être imaginatif*) ~ **d'idées** vor Ideen
überschäumen

bouillotte [bujɔt] *f* Wärmflasche *f*

boulanger, -ère [bulɑ̃ʒe, -ɛʀ] **I.** *m, f* Bä-
cker(in) *m(f)* **II.** *app* Bäcker-

boulangère [bulɑ̃ʒɛʀ] *f* (*femme d'un boulanger*) Bäckersfrau *f*

boulangerie [bulɑ̃ʒʀi] *f* **1.** (*magasin*) Bäckerei *f* **2.** (*usine*) ~ **industrielle** Brotfa-
brik *f* **3.** (*métier*) Bäckerei *f*

boulangerie-pâtisserie [bulɑ̃ʒʀipatisʀi]
‹boulangeries-pâtisseries› *f* Bäcke-
rei-Konditorei *f*

boulanger-pâtissier [bulɑ̃ʒepatisje]
‹boulangers-pâtissiers› *m* Bäcker und
Konditor *m*

boule [bul] *f* **1.** (*sphère*) Kugel *f* **2.** (*objet
de forme ronde*) ~ **de glace** Eiskugel; ~
de neige Schneeball *m;* ~ **de laine** Wollknäuel *m;* ~ **de coton** Wattebausch *m;* ~ **à
thé** Teeei *nt* **3.** *pl, fam* (*testicules*) Eier *Pl*
4. *pl* JEUX **jeu de** ~**s** Boule[spiel] *nt;* **jouer
aux** ~**s** Boule spielen **5.** (*tête*) **perdre la** ~
fam (*devenir fou*) überschnappen; (*s'affoler*) durchdrehen

bouleau [bulo] ‹x› *m* BOT Birke *f*

bouledogue [buldɔg] *m* ZOOL Bulldogge *f*

boulet [bulɛ] *m* **1.** (*boule de métal pour
charger les canons*) [Kanonen]kugel *f;*
(*boule de métal attachée aux pieds des
condamnés*) [Eisen]kugel *f* **2.** (*fardeau*)

Last *f* **3.** (*charbon*) Eierbrikett *nt*

boulette [bulɛt] *f* **1.** (*petite boule*) Kügel-
chen *nt* **2.** GASTR Frikadelle *f*

boulevard [bulvaʀ] *m* Boulevard *m*

bouleversant, e [bulvɛʀsɑ̃, ɑ̃t] *adj spectacle, récit* erschütternd

bouleversement [bulvɛʀsəmɑ̃] *m* grund-
legende Veränderung; (*dans la vie d'une
personne*) Erschütterung *f*

bouleverser [bulvɛʀse] ‹1› *vt* **1.** (*causer
une émotion violente*) [zutiefst] erschüttern *personne* **2.** (*apporter des changements brutaux*) völlig verändern *carrière,
vie;* umstoßen *emploi du temps, programme*
3. (*mettre sens dessus dessous*) völlig
durcheinander bringen (*fam*) *maison, pièce*

boulier [bulje] *m* Rechenmaschine *f*

boulimie [bulimi] *f* **1.** MED Bulimie *f*
2. (*désir intense*) **avoir une** ~ **de voyage**
große Reiselust verspüren

boulimique [bulimik] **I.** *adj* **1.** (*vorace*)
gefräßig **2.** (*insatiable*) unersättlich **II.** *mf*
jd, der an Bulimie leidet

bouliste [bulist] *mf* Boulespieler(in) *m(f)*

boulodrome [bulodʀom] *m* Bouleplatz
m

boulon [bulɔ̃] *m* Schraubenbolzen *m* [mit
Mutter]

boulonner [bulɔne] ‹1› **I.** *vt* zusammen-
schrauben **II.** *vi fam* (*travailler*) schuften

boulot [bulo] *m fam* (*travail*) Arbeit *f;* (*emploi*) Job *m*

boum[1] [bum] **I.** *interj* bum[s] **II.** *m* (*bruit
sonore*) Bums *m* (*fam*)

boum[2] [bum] *f fam* Fete *f*

bouquet [bukɛ] *m* **1.** *de fleurs* Strauß *m; de
persil, thym* Bund *nt* **2.** *d'un feu d'artifice*
krönende Schlussgarbe **3.** *d'un vin* Blume *f*
4. (*grosse crevette*) Riesengarnele *f*

bouquetin [buktɛ̃] *m* ZOOL Steinbock *m*

bouquin [bukɛ̃] *m fam* Schmöker *m*

bouquiner [bukine] ‹1› *vi fam* schmökern

bouquiniste [bukinist] *mf* Bouquinist *m*

bourbeux, -euse [buʀbø, -øz] *adj* morastig

bourbier [buʀbje] *m* Schlammloch *nt*

bourde [buʀd] *f fam* (*bévue*) Schnitzer *m*

bourdon [buʀdɔ̃] *m* **1.** ZOOL Hummel *f*
2. MUS große Glocke, die dunkel klingt;
d'un orgue Bordun *m*

bourdonnement [buʀdɔnmɑ̃] *m d'un insecte* Summen *nt; d'un moteur* Brummen
nt; des voix Gemurmel *nt*

bourdonner [buʀdɔne] ‹1› *vi moteur:*
brummen; *insecte:* summen; *hélice:* surren

bourg [buʀ] *m* Marktflecken *m*

bourgade [buʀgad] *f* kleiner Marktflecken

bourgeois, e [buʀʒwa, waz] I. *adj* 1. (*relatif à la bourgeoisie*) bürgerlich; **classe ~e** Bürgertum *nt* 2. *péj* (*étroitement conservateur*) spießbürgerlich II. *m, f* 1. (*qui appartient à la bourgeoisie*) Bürgerliche(r) *f(m)* 2. *péj* Spießbürger(in) *m(f)* 3. (*citoyen*) Bürger(in) *m(f)*

bourgeoisie [buʀʒwazi] *f* 1. (*classe sociale*) Bürgertum *nt* 2. HIST Bourgeoisie *f*

bourgeon [buʀʒɔ̃] *m* d'un arbre, d'une plante Knospe *f*

bourgeonner [buʀʒɔne] <1> *vi* 1. BOT *arbre:* Knospen treiben 2. *fig* **son visage bourgeonne** er/sie bekommt Pickel im Gesicht

bourgmestre [buʀgmɛstʀ] *m* BELG (*maire*) Bürgermeister *m*

bourgogne [buʀgɔɲ] *m* Burgunder[wein *m*] *m*

Bourgogne [buʀgɔɲ] *f* **la ~** Burgund *nt*

bourguignon, ne [buʀgiɲɔ̃, ɔn] *adj* burgundisch; GASTR Burgunder-

Bourguignon, ne [buʀgiɲɔ̃, ɔn] *m, f* Burgunder(in) *m(f)*

bourlinguer [buʀlɛ̃ge] <1> *vi fig fam* [viel] herumreisen

bourrade [buʀad] *f* Stoß *m*

bourrage [buʀaʒ] *m* 1. d'un coussin, matelas Füllen *nt*; d'une pipe Stopfen *nt* 2. *fig fam* (*gavage intellectuel*) stures [Ein]pauken (*pej*) 3. TECH **~ de papier** Papierstau *m*

bourrasque [buʀask] *f* 1. METEO de vent Bö *f*; de neige Gestöber *nt* 2. *fig* d'injures, de mots, paroles Hagel *m*

bourratif, -ive [buʀatif, -iv] *adj fam* aliment sättigend

bourre [buʀ] *f* 1. (*matière de remplissage*) Füllung *f* 2. (*duvet des bourgeons*) Flaum *m* 3. d'une arme, cartouche Pfropfen *m*

bourré, e [buʀe] *adj* 1. (*plein à craquer*) randvoll; portefeuille prall; **être ~ de fautes/préjugés/complexes** voller Fehler/Vorurteile/Komplexe sein 2. (*trop plein*) **une valise ~e** voll gestopft (*fam*) 3. *fam* (*ivre*) besoffen

bourreau [buʀo] <x> *m* 1. (*exécuteur*) Henker *m* 2. (*tortionnaire*) Peiniger *m; ~* **d'enfants** *jd,* der Kinder misshandelt; **~ des cœurs** *iron* Herzensbrecher *m; ~* **de travail** Arbeitstier *nt*

bourrée [buʀe] *f* Bourrée *f* alter franz. Volkstanz

bourrelet [buʀlɛ] *m* 1. (*pour isoler*) Abdichtung *f* 2. ANAT de chair, graisse Wulst *m* o *f*

bourrer [buʀe] <1> I. *vt* 1. (*remplir*) voll stopfen; stopfen pipe 2. (*gaver*) **~ qn de nourriture** jdn mit Essen voll stopfen II.

vpr **se ~ de qc** sich mit etw voll stopfen III. *vi* sättigen

bourriche [buʀiʃ] *f* Korb *m* (*ohne Henkel, mit Deckel*)

bourrichon [buʀiʃɔ̃] *m fam* **monter le ~ à qn** jdn aufhetzen

bourricot [buʀiko] *m fam* Esel *m*

bourrique [buʀik] *f fam* Esel(in) *m(f)* ▸**faire tourner qn en ~** jdn wahnsinnig machen

bourru, e [buʀy] *adj* (*peu aimable*) mürrisch

bourse¹ [buʀs] *f* 1. (*porte-monnaie*) Geldbeutel *m* 2. (*allocation*) **~ d'études** Stipendium *nt* 3. *pl* ANAT Hodensack *m*

bourse² [buʀs] *f* FIN **la Bourse** (*lieu*) die Börse; (*ensemble des cours*) die [Börsen]kurse; **jouer à la Bourse** [an der Börse] spekulieren

boursicoter [buʀsikɔte] <1> *vi fam* kleine Börsengeschäfte machen

boursier, -ière¹ [buʀsje, -jɛʀ] I. *adj* **étudiant ~/étudiante boursière** Stipendiat(in) *m(f)* II. *m, f* Stipendiat(in) *m(f)*

boursier, -ière² [buʀsje, -jɛʀ] I. *adj* (*relatif à la Bourse*) Börsen- II. *m, f* (*professionnel de la Bourse*) Börsenmakler(in) *m(f)*

boursouflé, e [buʀsufle] *adj* 1. peau, main [an]geschwollen; visage aufgedunsen 2. *style, discours* schwülstig

boursoufler [buʀsufle] <1> *vt* anschwellen

boursouflure [buʀsuflyʀ] *f* de la peau, du visage Schwellung *f*; d'une surface, peinture Blase *f*

bousculade [buskylad] *f* 1. (*remous de foule*) Gedränge *nt* 2. (*précipitation*) Eile *f*

bousculer [buskyle] <1> I. *vt* 1. (*heurter*) anstoßen personne; umwerfen livres, chaises 2. (*mettre sens dessus dessous*) völlig durcheinander bringen 3. (*modifier brutalement*) von Grund auf ändern conception, traditions; umstoßen projet 4. (*exercer une pression sur qn*) jdn drängen II. *vpr* **se ~** 1. (*se pousser mutuellement*) sich drängeln 2. (*être en confusion*) sentiments: hin und her gerissen sein

bouse [buz] *f* Kuhfladen *m*

bousiller [buzije] <1> *vt fam* kaputt machen

boussole [busɔl] *f* [Magnet]kompass *m*

bout [bu] *m* 1. du doigt, nez Spitze *f*; d'un objet Ende *nt*; **de ~ en ~** ganz; **~ à ~** aneinander; **jusqu'au ~** bis zum Schluss; **tenir jusqu'au ~** durchhalten 2. (*limite*) Ende *nt*; **tout au ~** ganz hinten 3. (*morceau*) Stück[chen] *nt; ~* **d'essai** CINE Probeaufnahmen *Pl* 4. (*terme*) nach (+ *dat*); **au ~ d'un moment/d'une année** nach ei-

ner Weile/einem Jahr ▶ **savoir** qc **sur le** ~ **des** doigts etw im Schlaf können; **tenir le** bon ~ es bald geschafft haben; **joindre les** deux ~s mit seinem Geld auskommen; **à** ~ **de bras** mit gestreckten Armen; **à tout** ~ **de champ** alle naselang (*fam*); **être à** ~ **de nerfs/forces** mit seinen Nerven/Kräften am Ende sein (*fam*); **être à** ~ **de souffle** außer Atem sein; **mettre** qn **à** ~ jdm zusetzen; **venir à** ~ **de** qc/qn mit etw/jdm fertig werden; au ~ **du compte** letzten Endes

boutade [butad] *f* Bonmot *nt*

boute-en-train [butãtʀɛ̃] *m inv* Stimmungskanone *f* (*fam*)

bouteille [butɛj] *f* **1.** (*récipient*) Flasche *f*; ~ **consignée/non consignée** Pfand-/Einwegflasche; ~ **de lait** Milchflasche; **boire à la** ~ aus der Flasche trinken **2.** (*contenu*) Flasche *f*; ~ **de vin** Flasche Wein; **une bonne** ~ ein guter Tropfen *m*

boutique [butik] *f* **1.** (*magasin*) Laden *m* **2.** (*magasin de prêt-à-porter*) [Mode]boutique *f* **3.** *fam* (*entreprise*) Geschäft *nt*

boutiquier, -ière [butikje, -jɛʀ] *m, f* Ladenbesitzer(in) *m(f)*

bouton [butɔ̃] *m* **1.** COUT *de vêtement* Knopf *m* **2.** *de la radio, télé, sonnette* Knopf *m; de porte* Knauf *m; d'un interrupteur* Schalter *m* **3.** MED ~ **de fièvre** Fieberbläschen *nt;* ~ **d'acné** Aknepickel *m* **4.** BOT Knospe *f* **5.** (*Windows 95/NT*) Schaltfläche *f;* ~ **droit/gauche de la souris** rechte/linke Maustaste

bouton-d'or [butɔ̃dɔʀ] <boutons-d'or> *m* BOT Butterblume *f*

boutonner [butɔne] <1> **I.** *vt* zuknöpfen **II.** *vi* pick[e]lig werden **III.** *vpr* se ~ *vêtement:* zugeknöpft werden; *personne:* seine Knöpfe zumachen

boutonneux, -euse [butɔnø, -øz] *adj* pick[e]lig

boutonnière [butɔnjɛʀ] *f* Knopfloch *nt*

bouton-poussoir [butɔ̃puswaʀ] <boutons-poussoirs> *m* Druckschalter *m*

bouton-pression [butɔ̃pʀesjɔ̃] <boutons-pression> *m* Druckknopf *m*

bouture [butyʀ] *f* Steckling *m*

bouvreuil [buvʀœj] *m* ORN Dompfaff *m*

bovidés [bɔvide] *mpl* wiederkäuende Paarhufer *Pl*

bovin, e [bɔvɛ̃, in] **I.** *adj* (*qui concerne le bœuf*) Rinder- **II.** *mpl* Rinder *Pl*

bowling [buliŋ] *m* Bowling *nt*

box [bɔks] <es> *m* **1.** (*dans une écurie*) Box *f;* (*dans un garage*) Stellplatz *m* **2.** JUR ~ **des accusés** Anklagebank *f*

boxe [bɔks] *f* Boxen *nt*

boxer [bɔkse] <1> *vt, vi* boxen

boxeur, -euse [bɔksœʀ, -øz] *m, f* Boxer(in) *m(f);* ~ **amateur/professionnel** Amateur-/Berufsboxer

box-office [bɔksɔfis] <box-offices> *m* Kassenschlager (*fam*)

boxon [bɔksɔ̃] *m fam* Durcheinander *nt*

boyau [bwajo] <x> *m* **1.** ANAT Darm *m* **2.** (*tranchée*) Verbindungsgraben *m* **3.** (*chambre à air*) Schlauch *m* **4.** *d'une raquette, d'un violon* Saite *f*

boycott [bɔjkɔt] *m,* **boycottage** [bɔjkɔtaʒ] *m* Boykott *m*

boycotter [bɔjkɔte] <1> *vt* boykottieren

boy-scout [bɔjskut] <boy-scouts> *m* Pfadfinder *m*

BP [bepe] *abr de* **boîte postale**

Brabant [bʀabã] *m* le ~ Brabant

bracelet [bʀaslɛ] *m* Armband *nt;* (*rigide*) Armreif *m*

bracelet-montre [bʀaslɛmɔ̃tʀ] <bracelets-montres> *m* Armbanduhr *f*

braconnage [bʀakɔnaʒ] *m* CHASSE Wilderei *f*

braconner [bʀakɔne] <1> *vi* CHASSE wildern; PECHE ohne Angelschein angeln

braconnier, -ière [bʀakɔnje, -ijɛʀ] *m, f* CHASSE Wilderer *m;* PECHE Angler(in) *m(f)* ohne Angelschein

brader [bʀade] <1> *vt* **1.** COM verschleudern **2.** (*se débarrasser de*) verscherbeln (*fam*)

braderie [bʀadʀi] *f* (*foire*) Trödelmarkt *m;* (*liquidation*) [Straßen]verkauf *m* zu Schleuderpreisen; (*soldes*) Ausverkauf *m*

braguette [bʀagɛt] *f* Hosenschlitz *m*

braillard, e [bʀajaʀ, -jaʀd] **I.** *adj fam bébé, enfant* plärrend **II.** *m, f fam* Schreihals *m*

braille [bʀaj] *m* Blindenschrift *f*

brailler [bʀaje] <1> **I.** *vi* brüllen **II.** *vt* brüllen; *ivrogne, foule:* grölen

braire [bʀɛʀ] <irr> *vt âne:* iahen

braise [bʀɛz] *f* Glut *f*

braiser [bʀeze] <1> *vt* schmoren

brame [bʀam] *m,* **bramement** [bʀamã] *m* Röhren *nt*

bramer [bʀame] <1> *vi* **1.** ZOOL *cerf, daim:* röhren **2.** (*se plaindre*) jammern

brancard [bʀãkaʀ] *m* **1.** (*civière*) Tragbahre *f* **2.** (*bras d'une civière, d'une brouette*) Holm *m* **3.** (*pour attacher un cheval*) Deichselstange *f*

brancardier, -ière [bʀãkaʀdje, -jɛʀ] *m, f* Träger(in) *m(f)*

branchage [bʀãʃaʒ] *m* Geäst *nt*

branche [bʀãʃ] *f* **1.** BOT *d'un arbre* Ast *m* **2.** (*d'une paire de lunettes*) Bügel *m; d'un chandelier* Arm *m; de ciseaux* Schneide *f; d'un compas* Nadel *f* **3.** (*famille*) Linie *f*

4. *d'enseignement, d'une science* Zweig *m;* *de l'économie, de profession* Branche *f*

branché, e [bʀɑ̃ʃe] *adj fam* up to date; **être ~ cinéma/moto** (*adorer*) auf Kino/ Motorräder abfahren

branchement [bʀɑ̃ʃmɑ̃] *m* **1.** (*action*) Verbindung *f* **2.** (*circuit*) Anschluss *m;* **~ électrique/téléphonique** Strom-/Telefonanschluss; **~ Internet** Internetanschluss

brancher [bʀɑ̃ʃe] <1> **I.** *vt* **1.** (*raccorder*) **~ le téléphone sur le réseau** das Telefon an das Netz anschließen **2.** (*faire parler*) **~ la conversation sur un autre sujet** die Unterhaltung auf ein anderes Thema lenken **II.** *vpr* **se ~ sur qc** etw einschalten

branchies [bʀɑ̃ʃi] *fpl* Kiemen *Pl*

Brandebourg [bʀɑ̃dbuʀ] *m* **le ~** Brandenburg *nt*

brandir [bʀɑ̃diʀ] <8> *vt* drohend schwingen *arme;* schwenken *drapeau*

branlant, e [bʀɑ̃lɑ̃, ɑ̃t] *adj* wack[e]lig

branle [bʀɑ̃l] *m* Schwingen *nt*

branle-bas [bʀɑ̃lbɑ] *m inv fig* Trubel *m*

branler [bʀɑ̃le] <1> **I.** *vi* wackeln **II.** *vpr vulg* **se ~** sich (*dat*) einen runterholen

braquage [bʀakaʒ] *m des roues* Einschlagen *nt*

braquer [bʀake] <1> **I.** *vt* **1.** AUT **~ le volant à droite** nach rechts einschlagen **2.** (*diriger*) **~ le regard/l'arme sur qn** den Blick/die Waffe auf jdn richten **3.** *fam* (*attaquer*) überfallen *banque, magasin* **4.** (*provoquer l'hostilité*) **~ le collègue contre le chef/projet** den Kollegen gegen den Chef/das Projekt aufbringen **II.** *vi* **~ bien/mal** *voiture:* einen kleinen/großen Wendekreis haben **III.** *vpr* **se ~** auf stur schalten (*fam*)

braquet [bʀakɛ] *m* SPORT Übersetzung *f;* **changer de ~** einen anderen Gang nehmen

bras [bʀa] *m* **1.** (*membre*) Arm *m;* **se donner le ~** sich unterhaken; **~ dessus ~ dessous** untergehakt **2.** (*main-d'œuvre*) Arbeitskraft *f* **3.** TECH *d'un levier* Arm *m; d'un électrophone* Tonarm *m; d'un fauteuil* Armlehne *f; d'un brancard* Holm *m* **4.** GEOG Arm *m;* **~ de mer** Meeresarm ▶ **rester les ~ ballants** untätig herumsitzen/-stehen; **baisser les ~** das Handtuch werfen

brasero [bʀazeʀo] *m* Kohlenbecken *nt*

brasier [bʀazje] *m fig* Inferno *nt*

bras-le-corps [bʀaləkɔʀ] ▶ **prendre à ~** in die Arme schließen *enfant;* anpacken *problème*

brassage [bʀasaʒ] *m de la bière* Brauen *nt*

brassard [bʀasaʀ] *m* Armbinde *f*

brasse [bʀas] *f* Brustschwimmen *nt;* **~ pa-**

pillon Delphinschwimmen *nt*

brassée [bʀase] *f* einen Arm voll[er]

brasser [bʀase] <1> *vt* **1.** (*mélanger*) mischen; durchkneten *pâte* **2.** *fig* **~ de l'argent/des affaires** mit großen Summen umgehen/große Geschäfte machen **3.** (*fabriquer*) brauen *bière*

brasserie [bʀasʀi] *f* **1.** (*restaurant*) Café-Restaurant **2.** (*industrie*) Braugewerbe *nt;* (*entreprise*) Brauerei *f*

brasseur [bʀasœʀ] *m* [Bier]brauer *m*

brassière [bʀasjɛʀ] *f* **1.** (*sous-vêtement*) Hemdchen *nt* **2.** (*chandail*) Jäckchen *nt* **3.** CAN *fam* (*soutien-gorge*) BH *m* **4.** NAUT **~ de sauvetage** Schwimmweste *f*

bravade [bʀavad] *f* **1.** (*ostentation de bravoure*) Imponiergehabe *nt* **2.** (*attitude de défi insolent*) dreiste Herausforderung

brave [bʀav] *adj* **1.** (*courageux*) mutig; *soldat* tapfer **2.** *antéposé* (*honnête*) anständig **3.** (*naïf*) [lieb und] gut

braver [bʀave] <1> *vt* **1.** (*défier*) **~ un adversaire** einem Gegner die Stirn bieten; **~ le danger/la mort** der Gefahr/dem Tod ins Auge sehen **2.** (*ne pas respecter*) sich hinwegsetzen über (+ *akk*) *convenances, loi*

bravo [bʀavo] **I.** *interj* bravo **II.** *m* Bravo[ruf *m*] *nt*

bravoure [bʀavuʀ] *f* Mut *m*

break [bʀɛk] *m* **1.** AUT Kombi[wagen *m*] *m* **2.** SPORT Break *m o nt* **3.** *fam* (*pause*) Pause *f*

brebis [bʀəbi] *f* [Mutter]schaf *nt* ▶ **~ galeuse** schwarzes Schaf

brèche [bʀɛʃ] *f* (*dans une clôture, une haie, un mur*) Öffnung *f;* (*dans une coque*) Loch *nt;* (*sur une lame*) Scharte *f;* (*sur le front*) Bresche *f*

bredouille [bʀəduj] *adj* (*sans rien*) mit leeren Händen; (*sans succès*) unverrichteter Dinge

bredouiller [bʀəduje] <1> **I.** *vi* stottern; (*parler confusément*) wirres Zeug brabbeln (*fam*) **II.** *vt* murmeln

bref [bʀɛf] *m* Briefing *nt*

bref, brève [bʀɛf, bʀɛv] **I.** *adj* kurz; (*concis*) knapp; **soyez ~!** fassen Sie sich kurz!; **d'un ton ~** in scharfem Ton **II.** *adv* **en ~** kurz; **enfin ~** kurz und gut

brelan [bʀəlɑ̃] *m* JEUX Dreier *m*

breloque [bʀələk] *f* [Armband]anhänger *m*

Brême [bʀɛm] Bremen

Brésil [bʀezil] *m* **le ~** Brasilien

brésilien, ne [bʀeziljɛ̃, -jɛn] *adj* brasilianisch

Brésilien, ne [bʀeziljɛ̃, -jɛn] *m, f* Brasilianer(in) *m(f)*

Bretagne [bʀətaɲ] *f* la ~ die Bretagne

bretelle [bʀətɛl] *f* **1.** COUT *de pantalon* Hosenträger *m; de soutien-gorge* Träger *m; de sac* Trageriemen *m* **2.** (*bifurcation d'autoroute*) Auffahrt *f*/Abfahrt *f;* ~ **d'accès** Auffahrt *f;* ~ **de contournement** Umgehung *f;* ~ **de raccordement** Zubringer *m*

breton [bʀətɔ̃] *m* Bretonisch *nt; v. a.* **allemand**

breton, ne [bʀətɔ̃, ɔn] *adj* bretonisch

Breton, ne [bʀətɔ̃, -ɔn] *m, f* Bretone/Bretonin *m/f*

breuvage [bʀœvaʒ] *m* **1.** (*boisson d'une composition spéciale*) *péj* Gebräu *nt* **2.** CAN (*boisson non alcoolisée*) nichtalkoholisches Getränk

brève [bʀɛv] *adj v.* **bref**

brevet [bʀəvɛ] *m* **1.** (*diplôme*) Diplom *nt* **2.** (*certificat*) [Abschluss]zeugnis *nt;* ~ **d'invention** Patent *nt;* MIL, NAUT, AVIAT Schein *m*

breveté, e [bʀəv(ə)te] *adj* **1.** *invention* patentiert **2.** *ingénieur, interprète* Diplom-

breveter [bʀəv(ə)te] <3> *vt* patentieren; **faire** ~ **qc** etw patentieren lassen

bréviaire [bʀevjɛʀ] *m* Brevier *nt*

bribe [bʀib] *f souvent pl fig de conversation* Wortfetzen *m; d'une langue* Brocken *m; d'une fortune, d'un héritage* kümmerlicher Rest

bric-à-brac [bʀikabʀak] *m inv* Durcheinander *nt*

bric et de broc [dəbʀikedəbʀɔk] **de** ~ von da und dort

bricolage [bʀikɔlaʒ] *m* **1.** (*travail d'amateur*) Heimwerken *nt;* (*travail manuel*) Basteln *m* **2.** (*mauvais travail*) Pfusch *m* (*pej fam*)

bricole [bʀikɔl] *f* **1.** (*objet de peu de valeur*) Plunder *m* (*pej fam*) **2.** (*petit événement*) Lappalie *f* (*fam*)

bricoler [bʀikɔle] <1> **I.** *vi* **1.** (*effectuer des petits travaux*) basteln; **savoir** ~ [handwerklich] geschickt sein **2.** *péj* (*faire du mauvais travail*) pfuschen (*fam*) **3.** (*ne pas avoir de travail fixe*) Gelegenheitsarbeiten verrichten **II.** *vt* **1.** (*construire, installer*) [zusammen]basteln **2.** (*réparer tant bien que mal*) herumbasteln an (+ *dat*)

bricoleur, -euse [bʀikɔlœʀ, -øz] **I.** *adj* [handwerklich] geschickt **II.** *m, f* Heimwerker(in) *m(f)*

bride [bʀid] *f* **1.** (*pièce de harnais*) Zügel *m* **2.** *d'un bonnet, d'une cape* Band *nt;* TECH Flansch *m*

bridé, e [bʀide] *adj* **des yeux ~s** Schlitzaugen *Pl*

brider [bʀide] <1> *vt* **1.** (*mettre la bride*) [auf]zäumen *cheval* **2.** (*réprimer*) zügeln;

bremsen *passion, enthousiasme;* kurz halten *personne* **3.** TECH flanschen *tuyau*

bridge [bʀidʒ] *m* **1.** (*jeu de cartes*) Bridge *nt* **2.** (*prothèse dentaire*) Brücke *f*

briefer [bʀife] <1> *vt* instruieren

briefing [bʀifiŋ] *m* Instruktion *f,* Information *f*

brièvement [bʀijɛvmã] *adv* (*de manière succincte*) kurz und bündig; (*pour peu de temps*) kurz

brièveté [bʀijɛvte] *f* (*courte longueur*) Kürze *f;* (*courte durée*) kurze Dauer *f*

brigade [bʀigad] *f* **1.** MIL Brigade *f;* ~ **antidrogue** Abteilung *f* zur Drogenbekämpfung; ~ **des stupéfiants** Rauschgiftdezernat *nt* **2.** (*équipe*) ~ **du matin** Frühschicht *f* **3.** POL **les ~s rouges** die Roten Brigaden

brigadier [bʀigadje] *m de gendarmerie* Brigadeführer *m; d'artillerie, de cavalerie* Gefreite(r) *m*

brigand [bʀigã] *m péj* Betrüger *m*

briguer [bʀige] <1> *vt* (*solliciter*) sich bemühen um *emploi*

brillamment [bʀijamã] *adv* glänzend

brillance [bʀijãs] *f* Glanz *m*

brillant [bʀijã] *m* **1.** (*diamant*) Brillant *m* **2.** (*aspect brillant*) **le** ~ *d'un objet* der Glanz; *d'un propos, du langage* die Brillanz

brillant, e [bʀijã, jãt] *adj* **1.** (*étincelant*) glänzend; *couleurs* leuchtend; *plan d'eau* glitzernd **2.** (*qui a de l'allure*) glänzend; *discours, candidat* brillant; *élève* glänzend; *cérémonie, représentation* glanzvoll; *victoire* glorreich

briller [bʀije] <1> *vi* **1.** (*rayonner*) *soleil, étoile:* scheinen; *diamant:* funkeln; *éclair, yeux, visage:* leuchten; *chaussures, cheveux:* glänzen **2.** (*se mettre en valeur*) ~ **par qc** durch etw glänzen **3.** (*vanter*) **faire** ~ **un voyage à qn** jdm eine Reise in den leuchtendsten Farben ausmalen

brimade [bʀimad] *f* Schikane *f*

brimer [bʀime] <1> *vt* (*faire subir des vexations*) schikanieren; (*désavantager*) benachteiligen

brin [bʀɛ̃] *m* **1.** (*mince tige*) Stiel *m;* ~ **de paille** Strohhalm *m;* ~ **de muguet** Maiglöckchen *nt* **2.** (*filament*) ~ **de laine** [kurzer] Wollfaden **3.** (*petite quantité*) **un** ~ **d'espoir** ein Funke *m* Hoffnung

brindille [bʀɛ̃dij] *f* Reis *nt* (*geh*)

bringue¹ [bʀɛ̃g] *f péj fam* (*grande fille*) **grande** ~ Bohnenstange *f*

bringue² [bʀɛ̃g] *f fam* (*fête*) Fete *f*

brio [bʀijo] *m* Bravour *f*

brioche [bʀijɔʃ] *f* Brioche *f*

brioché, e [bʀijɔʃe] *adj pâte, pain* Hefebrot-

brique¹ [bʀik] **I.** *f* **1.** (*matériau*) Ziegelstein *m;* **maison de** ~ Backsteinhaus *nt* **2.** (*ma-*

tière ayant cette forme) ~ **de savon/tour-be** Stück *nt* Seife/Torfballen *m* **3.** *fam* *(francs)* 10.000 Francs **II.** *app inv* *(couleur)* ziegelrot
brique® [bʀik] *f (emballage)* Tetra Pak® *m*
briquer [bʀike] <1> *vt* [auf Hochglanz] polieren
briquet [bʀikɛ] *m* Feuerzeug *nt*
briqueterie [bʀik(ə)tʀi, bʀikɛtʀi] *f* Ziegelei *f*
bris [bʀi] *m* Bruch *m*
brisant [bʀizɑ̃] *m* **1.** *(rocher)* [Felsen]klippe *f* **2.** *(écume)* Gischt *m o f*
brise [bʀiz] *f* Brise *f*
brisées [bʀize] *fpl* ▶ **aller** sur les ~ de qn jdm ins Gehege kommen
brise-glace [bʀizglas] *m inv* Eisbrecher *m* **brise-jet** [bʀizʒɛ] *m inv* Wasserstrahlregler *m* **brise-lames** [bʀizlam] *m inv* Wellenbrecher *m* **brise-mottes** [bʀizmɔt] *inv* Schollenbrecher *m*
briser [bʀize] <1> **I.** *vt* **1.** *(casser)* zerbrechen *vaisselle, vase;* zerreißen *collier, chaîne;* einschlagen *vitre, carreau* **2.** *(mater)* brechen *grève, révolte, blocus* **3.** *(anéantir)* zerstören *espoir, illusions, amitié;* brechen *forces, volonté, silence;* ~ **le cœur à qn** *fig* jdm das Herz brechen **4.** *(fatiguer)* *voyage:* ermüden **5.** *(interrompre)* durchbrechen *monotonie, ennui;* unterbrechen *conversation;* brechen *silence* ▶ **être brisé** CAN *(être en panne)* defekt sein **II.** *vpr* **1.** *(se casser)* **se** ~ *vitre, porcelaine:* zerbrechen; **mon cœur se brise** mir bricht das Herz **2.** *(échouer)* **se** ~ **contre/sur qn/qc** *résistance, assauts:* an jdm/etw scheitern; *vagues:* sich an etw *(dat)* brechen
brise-tout [bʀiztu] *m inv* Tollpatsch *m*
briseur, -euse [bʀizœʀ, -øz] *m, f* ~ **de grève** Streikbrecher *m*
bristol [bʀistɔl] *m* Bristolkarton *m*
britannique [bʀitanik] *adj* britisch
Britannique [bʀitanik] *mf* Brite/Britin *m/f*
broc [bʀo] *m* Krug *m*
brocante [bʀokɑ̃t] *f (foire)* Trödelmarkt *m*
brocanteur, -euse [bʀokɑ̃tœʀ, -øz] *m, f* Trödler(in) *m(f)*
broche [bʀɔʃ] *f* **1.** *(bijou)* Brosche *f*, Anstecknadel *f* **2.** GASTR [Brat]spieß *m* **3.** MED Stift *m*
brochet [bʀɔʃɛ] *m* Hecht *m*
brochette [bʀɔʃɛt] *f* **1.** GASTR Spieß *m*, Schaschlik *m o nt* **2.** *iron (groupe de personnes)* [ganzer] Schwung *m (fam)* **3.** *(petite broche)* ~ **de décorations** Ordensspange *f*
brochure [bʀɔʃyʀ] *f* Broschüre *f*

brocoli [bʀɔkɔli] *m* Brokkoli *Pl*
brodequin [bʀɔd(ə)kɛ̃] *m* Bergschuh *m*
broder [bʀɔde] <1> **I.** *vt* besticken *étoffe;* sticken *motif* **II.** *vi* **1.** COUT sticken **2.** *(affabuler)* fabulieren
broderie [bʀɔdʀi] *f* Stickerei *f*
brome [bʀom] *m* CHIM Brom *nt*
bromure [bʀɔmyʀ] *m* CHIM Bromid *nt*
bronche [bʀɔ̃ʃ] *f* ANAT Bronchie *f*
broncher [bʀɔ̃ʃe] <1> *vi* aufmucken *(fam)*
bronchite [bʀɔ̃ʃit] *f* MED Bronchitis *f*
brontosaure [bʀɔ̃tɔsɔʀ] *m* Brontosaurus *m*
bronzage [bʀɔ̃zaʒ] *m* [Sonnen]bräune *f*
bronze [bʀɔ̃z] *m* Bronze *f*
bronzé, e [bʀɔ̃ze] *adj* braun gebrannt
bronzer [bʀɔ̃ze] <1> **I.** *vt* ART, TECH mit Bronze überziehen **II.** *vi* bräunen **III.** *vpr* sich bräunen
brosse [bʀɔs] *f* **1.** *(ustensile)* Bürste *f*; ~ **à cheveux** Haarbürste; ~ **à dents** Zahnbürste **2.** *(pinceau)* Quast *m* **3.** *(coupe de cheveux)* Bürsten[haar]schnitt *m*
brosser [bʀɔse] <1> **I.** *vt* **1.** *(épousseter)* abbürsten **2.** *(esquisser)* schildern *situation;* zeichnen *portrait* **II.** *vpr* **se** ~ sich abbürsten; **se** ~ **les cheveux** sich *(dat)* die Haare bürsten; **se** ~ **les dents** sich *(dat)* die Zähne putzen
brou [bʀu] *m de la noix* grüne Außenschale
brouet [bʀuɛ] *m* Schleimsuppe *f*
brouette [bʀuɛt] *f* Schubkarre *f*
brouhaha [bʀuaa] *m* Lärm *m*
brouillage [bʀujaʒ] *m* Störung *f*; ~ **sonore/visuel** Ton-/Bildstörung *f*
brouillard [bʀujaʀ] *m (épais)* Nebel *m*; *(léger)* Dunst *m*
brouille [bʀuj] *f* Streit *m*
brouillé, e [bʀuje] *adj* **1.** *(fâché)* **être** ~ **avec qn** mit jdm zerstritten sein **2.** *(nul)* **être** ~ **avec les chiffres** *fam* mit Zahlen auf Kriegsfuß stehen *(hum)* **3.** *(atteint)* **avoir le teint** ~ mitgenommen aussehen; **avoir les idées** ~**es** keine klaren Gedanken fassen können
brouiller [bʀuje] <1> **I.** *vt* **1.** *(rendre trouble)* trüben **2.** *(embrouiller)* ~ **les idées/ l'esprit à qn** jdn verwirren **3.** *(mettre en désordre)* durcheinander bringen *dossiers, papiers;* mischen *cartes;* verwischen *pistes* **4.** *(rendre inintelligible)* stören *émission, émetteur;* verstellen *combinaison d'un coffre* **5.** *(fâcher)* **des querelles d'héritage ont brouillé les deux frères** Streitereien um das Erbe haben die beiden Brüder entzweit **II.** *vpr* **1.** *(se fâcher)* **se** ~ **avec qn** sich mit jdm zerstreiten **2.** *(se troubler)* **ma vue se brouille** ich sehe alles ganz verschwom-

men; **mes idées se brouillent** ich kann keine klaren Gedanken fassen **3.**(*se couvrir*) **se ~ ciel:** sich bedecken

brouillon [bʀujɔ̃] *m* [erster] Entwurf; (*pour une lettre, un discours*) Konzept *nt*

brouillon, ne [bʀujɔ̃, jɔn] *adj* **1.**(*désordonné*) schlampig (*pej fam*) **2.**(*peu clair*) wirr

broussaille [bʀusɑj] *f* Gestrüpp *nt*

broussailleux, -euse [bʀusɑjø, -jøz] *adj* voller Gestrüpp; *jardin* verwildert

brousse [bʀus] *f* (*contrée tropicale*) Busch *m*

brouter [bʀute] <1> **I.** *vt* abweiden; *cervidés:* abäsen **II.** *vi* weiden; *cervidé:* äsen

broutille [bʀutij] *f fig* Lappalie *f*

broyer [bʀwaje] <6> *vt* **1.**(*écraser*) zerkleinern *aliments;* [zer]mahlen *céréales* **2.**(*détruire*) zerkleinern *ordures*

broyeur [bʀwajœʀ] *m* Zerkleinerungsmaschine *f*

broyeur, -euse [bʀwajœʀ, -jøz] *adj insecte, mandibules* beißend-kauend

Bruges [bʀyʒ] Brügge

brugnon [bʀyɲɔ̃] *m* Nektarine *f*

bruine [bʀɥin] *f* Nieselregen *m*

bruiner [bʀɥine] <1> *vi impers* **il bruine** es nieselt

bruire [bʀɥiʀ] <*irr, déf*> *vi vent:* säuseln

bruissement [bʀɥismɑ̃] *m des feuilles, du vent* Säuseln *nt; d'un ruisseau* [leises] Plätschern *nt; du tissu, papier* Rascheln *nt; des insectes* Summen *nt*

bruit [bʀɥi] *m* **1.**(*son*) Geräusch *nt; de vaisselle* Klappern *nt; de ferraille* Scheppern *nt* **2.**(*vacarme*) Lärm *m* **3.**(*rumeur*) Gerücht *nt;* **le ~ court que ...** es geht das Gerücht um, dass ... ▶**faire du ~** Aufsehen erregen

bruitage [bʀɥitaʒ] *m* Geräuschkulisse *f; ~ des films* akustische Untermalung von Filmen

brûlant, e [bʀylɑ̃, ɑ̃t] *adj* **1.**(*très chaud*) glühend heiß; *plat, liquide* kochend heiß **2.**(*passionné*) leidenschaftlich; *regard* feurig **3.**(*délicat*) heiß

brûlé [bʀyle] *m* **1.**(*résultat*) Verbrannte(s) *nt;* GASTR Angebrannte(s) *nt* **2.**(*blessé*) **grand ~** Verletzter mit schweren Verbrennungen

brûlé, e [bʀyle] *adj* verbrannt; *plat* angebrannt

brûle-gueule [bʀylgœl] *m inv* Stummelpfeife *f* **brûle-parfum** [bʀylpaʀfœ̃] *m inv* Räuchergefäß *nt* **brûle-pourpoint** [bʀylpuʀpwɛ̃] ▶**à ~** ohne Umschweife

brûler [bʀyle] <1> **I.** *vi* **1.**(*se consumer*) brennen **2.** GASTR anbrennen **3.**(*être très chaud*) heiß sein **4.**(*être irrité*) *bouche,*

yeux, gorge: brennen **5.**(*être dévoré*) **~ de soif** vor Durst umkommen; **~ de faire qc** darauf brennen, etw zu tun **6.**(*être proche du but*) **tu brûles!** du bist ganz nah dran! **II.** *vt* **1.**(*détruire par le feu*) verbrennen; niederbrennen *forêt, maison* **2.**(*pour chauffer, éclairer*) verfeuern *bois, charbon;* abbrennen *allumette;* verbrauchen *électricité* **3.**(*endommager*) *bougie, cigarette, fer à repasser:* ansengen; *liquide bouillant:* verbrühen; *gel:* erfrieren lassen; *soleil:* verbrennen; *acide:* angreifen **4.**(*irriter*) **le sable brûle les pieds** man verbrennt sich die Füße im heißen Sand **5.**(*ne pas respecter*) überfahren *stop, signal;* überspringen *étape;* **~ un feu rouge** bei Rot über die Ampel fahren **6.**(*consommer*) verbrauchen *calories* **7.** GASTR anbrennen lassen **III.** *vpr* **se ~** sich verbrennen; **se ~ qc** sich (*dat*) etw verbrennen

brûleur [bʀylœʀ] *m* Brenner *m*

brûlure [bʀylyʀ] *f* **1.**(*blessure*) Verbrennung *f;* (*plaie*) Brandwunde *f* **2.**(*tache*) Brandfleck *m;* (*trou*) Brandloch *nt* **3.**(*irritation*) **~s d'estomac** Sodbrennen *nt*

brume [bʀym] *f* **1.**(*brouillard*) [leichter] Nebel *m* **2.**(*en mer*) Nebel *m* **3.** *pl fig* **les ~s de l'alcool** der Alkoholnebel

brumeux, -euse [bʀymø, -øz] *adj* **1.** METEO diesig **2.**(*confus*) unklar

brumisateur® [bʀymizatœʀ] *m* Zerstäuber *m*

brun [bʀœ̃] *m* (*couleur*) Braun *nt*

brun, e [bʀœ̃, bʀyn] **I.** *adj* **1.**(*opp: blond*) braun; *cheveux, peau, tabac, bière* dunkel; **cheveux ~ clair/foncé** hell-/dunkelbraunes Haar; **être ~** dunkelhaarig sein **2.**(*bronzé*) braun [gebrannt] **II.** *m, f* Dunkelhaarige(r) *f(m)*

brunâtre [bʀynɑtʀ] *adj* bräunlich

brune [bʀyn] *f* **1.**(*cigarette*) Zigarette *f* aus dunklem Tabak **2.**(*bière*) dunkles Bier

brunir [bʀyniʀ] <8> **I.** *vi* braun werden; *cheveux:* dunkler werden **II.** *vt* bräunen; dunkel beizen *boiserie*

brunnante [bʀynɑ̃t] *f* CAN (*crépuscule*) [Abend]dämmerung *f*

Brunswick [bʀœ̃svik] Braunschweig *nt*

brushing® [bʀœfiŋ] *m* Föhnfrisur *f*

brusque [bʀysk] *adj* **1.**(*soudain*) plötzlich **2.** *personne, ton* barsch; *manières* ungehobelt; *geste* heftig

brusquement [bʀyskəmɑ̃] *adv* plötzlich

brusquer [bʀyske] <1> *vt* **1.**(*précipiter*) überstürzen; voreilig angehen *affaire* **2.**(*bousculer*) brüsk behandeln; (*parler durement*) anfahren

brusquerie [bʀyskəʀi] *f* Barschheit *f*

brut, e [bʀyt] **I.** *adj* **1.**(*naturel*) Roh-;

champagne brut; *diamant* ungeschliffen; *toile* ungebleicht **2.** *fig fait* nackt; *idée* unausgereift **3.** ECON Brutto- **II.** *adv* brutto

brutal, e [bʀytal, o] <-aux> *adj* **1.** (*violent*) brutal; *manières* ungehobelt; *instinct* tierisch **2.** *langage, réponse* unverblümt; *franchise, réalisme* schonungslos; *vérité* nackt **3.** *choc* schwer; *coup* hart; *mort* plötzlich; *décision* [unerwartet] streng

brutalement [bʀytalmã] *adv* **1.** (*violemment*) brutal **2.** (*sans ménagement*) unverblümt **3.** (*soudainement*) [ur]plötzlich

brutaliser [bʀytalize] <1> *vt* brutal behandeln

brutalité [bʀytalite] *f* **1.** *sans pl* (*violence*) Brutalität *f; de paroles, d'un jeu* Härte *f* **2.** *pl* (*actes violents*) **être victime de ~s** ein Opfer der Gewalt sein **3.** *sans pl* (*soudaineté*) Plötzlichkeit *f*

brute [bʀyt] *f* **1.** (*violent*) brutaler Kerl **2.** (*rustre*) Rüpel *m*

Bruxelles [bʀy(k)sɛl] Brüssel *nt*

bruyamment [bʀyjamã, bʀɥijamã] *adv* **1.** (*avec bruit*) laut **2.** (*avec insistance*) lautstark

bruyant, e [bʀyjã, bʀɥijã, jãt] *adj* laut; *réunion, foule* lärmend

bruyère [bʀyjɛʀ, bʀɥijɛʀ] *f* Heidekraut *nt*

BTS [beteɛs] *m abr de* **brevet de technicien supérieur** Ingenieurdiplom *nt*

bu, e [by] *part passé de* **boire**

buanderie [bɥãdʀi] *f* Waschküche *f*

Bucarest [bykaʀɛst] Bukarest *nt*

buccal, e [bykal, o] <-aux> *adj* Mund-

buccodentaire [bykodãtɛʀ] *adj hygiène* Mund- und Zahn-

bûche [byʃ] *f* **1.** (*bois*) [Holz]scheit *m* **2.** GASTR **~ de Noël** Weihnachtscremerolle

bûcher¹ [byʃe] *m* **1.** (*amas de bois*) Scheiterhaufen *m* **2.** (*local*) Holzschuppen *m*

bûcher² [byʃe] <1> **I.** *vi fam* büffeln **II.** *vt fam* pauken

bûcheron, ne [byʃʀɔ̃, ɔn] *m, f* Holzfäller(in) *m(f)*

bûcheur, -euse [byʃœʀ, -øz] **I.** *adj fam* fleißig **II.** *m, f fam* Arbeitstier *nt*

bucolique [bykɔlik] *adj* bukolisch; *existence* naturverbunden; *paysage* idyllisch

Budapest [bydapɛst] Budapest *nt*

budget [bydʒɛ] *m* FIN Budget *nt;* **le ~ de l'Etat** der Staatshaushalt

budgétaire [bydʒetɛʀ] *adj* Haushalts-

budgétiser [bydʒetize] <1> *vt* budgetieren

buée [bɥe] *f* **se couvrir de ~** beschlagen

buffet [byfɛ] *m* **1.** GASTR Büfett *nt* **2.** (*meuble*) **~ de cuisine** Küchenbüfett *nt; ~ de la gare** (*lieu de restauration*) Bahnhofsgaststätte *f*

buffle [byfl] *m* Büffel *m*

bug [bœg] *m* INFORM Programmfehler *m*

building [b(y)ildiŋ] *m* Hochhaus *nt*

buis [bɥi] *m* BOT Buchs *m; (arbuste)* Buchs[baum] *m*

buisson [bɥisɔ̃] *m* Busch *m*

bulbe [bylb] *m* **1.** BOT Zwiebel *f* **2.** ARCHIT Zwiebel *f* **3.** ANAT **~ pileux/rachidien** Haarzwiebel *f*/verlängertes Rückenmark

bulgare [bylgaʀ] **I.** *adj* bulgarisch **II.** *m* Bulgarisch *nt; v. a.* **allemand**

Bulgare [bylgaʀ] *mf* Bulgare/Bulgarin *m/f*

Bulgarie [bylgaʀi] *f* **la ~** Bulgarien *nt*

bulldozer [byldɔzɛʀ, buldozœʀ] *m* Bulldozer *m*

bulle [byl] *f* **1.** PHYS, MED Blase *f* **2.** (*dans une bande dessinée*) Sprechblase *f* **3.** (*décret*) Bulle *f*

bulletin [byltɛ̃] *m* **1.** (*communiqué*) Bericht *m* **2.** (*journal*) Bulletin *nt;* (*rubrique*) Bericht *m; ~ d'information* Nachrichten *Pl* **3.** POL **~ de vote** Stimmzettel *m* **4.** SCOL **~ scolaire** Schulzeugnis *nt* **5.** (*certificat*) Schein *m; ~ de paye* d'un ouvrier Lohnzettel *m; d'un employé* Gehaltszettel *m*

bulletin-réponse [byltɛ̃repɔ̃s] <bulletins-réponses> *m* Teilnahmekarte *f*

buraliste [byʀalist] *mf* Tabak[waren]händler(in) *m(f)*

bureau [byʀo] <x> *m* **1.** (*meuble*) Schreibtisch *m* **2.** (*pièce*) Büro *nt*, Arbeitszimmer *nt* **3.** (*lieu de travail*) Büro *nt* **4.** (*service*) Büro *nt; ~ de renseignements* Auskunftsbüro; **~ des objets trouvés** Fundbüro **5.** (*comité*) **~ exécutif** Exekutivausschuss *m* **6.** (*établissement réservé au public*) **~ de change** Wechselstube *f; ~ de poste* Postamt *nt; ~ de tabac* Tabak[waren]laden *m; ~ de vote* Wahllokal *nt* **7.** MIL Abteilung *f* **8.** (*Windows 95/NT*) Arbeitsoberfläche *f*

bureaucrate [byʀokʀat] *mf* Bürokrat(in) *m(f)*

bureaucratie [byʀokʀasi] *f* Bürokratie *f*

bureaucratique [byʀokʀatik] *adj* bürokratisch

bureautique® [byʀotik] *f* Bürokommunikation *f*

burette [byʀɛt] *f* **1.** TECH Ölkanne *f* **2.** CHIM Bürette *f* **3.** REL Messkännchen *nt*

burin [byʀɛ̃] *m* **1.** (*outil*) [Gravier]nadel *f* **2.** (*gravure*) [Stahl]stich *m* **3.** (*ciseau*) Meißel *m*

buriné, e [byʀine] *adj visage* zerfurcht; *traits* scharf

Burkina-Faso [byʀkinafaso] *m* **le ~** Burkina Faso *nt*

burlesque [byʀlɛsk] **I.** *adj* **1.** THEAT, CINE

burlesk **2.** (*extravagant*) grotesk **II.** *m* Burleske *nt;* CINE Slapstick *m*

burnous [byʀnu(s)] *m* Burnus *m*

bus¹ [bys] *m abr de* **autobus** Bus *m*

bus² [bys] *m* INFORM ~ **de données** Datenbus *m*

bus³ [by] *passé simple de* **boire**

busard [byzaʀ] *m* ORN Weihe *f*

buse¹ [byz] *f* ORN Bussard *m*

buse² [byz] *f* TECH Düse *f*

business [biznɛs] *m* Geschäft *nt*

busqué, e [byske] *adj nez* Haken-

buste [byst] *m* **1.** (*torse*) Oberkörper *m* **2.** (*poitrine de femme*) Brust *f* **3.** (*sculpture*) Büste *f*

bustier [bystje] *m* **1.** (*sous-vêtement*) Bustier *nt* **2.** (*vêtement*) Korsage *f*

but [by(t)] *m* **1.** (*destination, objectif*) Ziel *nt* **2.** SPORT Tor *nt;* ~ **en or** Golden Goal *nt;* **les ~s** (*cage*) das Tor

butane [bytan] *m* Butan[gas *nt*] *nt*

buté, e [byte] *adj* trotzig

butée [byte] *f* TECH Anschlag *m*

buter [byte] <1> **I.** *vi* **1.** (*heurter*) ~ **contre qc** gegen etw stoßen **2.** (*faire face à une difficulté*) ~ **contre qc** über etw (*akk*) stolpern **II.** *vt* **1.** (*énerver*) verärgern

2. *fam* (*tuer*) umlegen **III.** *vpr se* ~ **sur qc** sich auf etw (*dat*) versteifen

buteur [bytœʀ] *m* Torjäger *m*

butin [bytɛ̃] *m* Beute *f; d'une fouille* Fund *m*

butiner [bytine] <1> *vi* Nektar sammeln

butoir [bytwaʀ] *m* **1.** CHEMDFER Prellbock *m* **2.** TECH Anschlag *m*

butte [byt] *f* [Erd]hügel *m;* **la butte Montmartre** der Hügel, auf dem Montmartre liegt; (*colline*) [An]höhe *f*

buvable [byvabl] *adj* **1.** (*potable*) trinkbar; **ne pas être** ~ ungenießbar sein **2.** *fig fam* entsetzlich sein

buvais [byvɛ] *imparf de* **boire**

buvant [byvɑ̃] *part prés de* **boire**

buvard [byvaʀ] *m* Löschblatt *nt*

buvette [byvɛt] *f* **1.** (*local*) Bar *f;* (*en plein air*) Getränkekiosk *m* **2.** (*thermale*) Trinkhalle *f*

buveur, -euse [byvœʀ, -øz] *m, f* **1.** (*alcoolique*) Trinker(in) *m(f)* **2.** *d'un restaurant* Gast *m*

buvez [byve], **buvons** [byvɔ̃] *indic prés et impératif de* **boire**

byte [bajt] *m* INFORM Byte *nt*

byzantin, e [bizɑ̃tɛ̃, in] *adj* byzantinisch

C

C, c [se] *m inv* C *nt*, c; **c cédille** C-Cedille **c′** <*devant a ç′*> *pron dém v.* **ce**

ça [sa] *pron dém* **1.** *fam* (*pour désigner ou renforcer*) das; **qu'est-ce que c'est que ~?** was ist denn das?; **ah ~ non!** das auf gar keinen Fall!; *v. a.* **cela 2.** *fam* (*répétitif*) **les haricots? si, j'aime ~** Bohnen? doch, die esse ich gern; **le fer, ~ rouille** Eisen rostet nun eben mal **3.** *péj* (*personne*) **et ~ vote!** und so etwas wählt!; (*fam*) ▶**~ par exemple!**, **~ alors!** na, so was!; **c'est toujours ~** immerhin etwas; **c'est ~** [ganz] genau; **c'est comme ~** so ist es nun [ein]mal; **~ va?** wie geht's?; **dire comme ~** nur so sagen; **pas de ~!** ausgeschlossen!; **pour ~ oui** das kann man wohl sagen; *v. a.* **cela**

çà [sa] **~ et là** hier und da; **courir ~ et là** hierhin und dorthin laufen

cabale [kabal] *f* Intrige *f*

caban [kabã] *m* Caban *m* (*modischer kurzer Herrenmantel*)

cabane [kaban] *f* **1.** Hütte *f*; *péj* [Bruch]bude *f* **2.** *fam* (*prison*) Kittchen *nt*, Knast *m*

cabanon [kabanõ] *m* Schuppen *m*

cabaret [kabaʀɛ] *m* **1.** Nachtlokal *nt* **2.** CAN (*plateau*) Tablett *nt*

cabas [kabɑ] *m* Einkaufstasche *f*

cabillaud [kabijo] *m* Kabeljau *m*

cabine [kabin] *f* **1.** *d'un camion* Fahrerhaus *nt*; *d'un avion, véhicule spatial* Cockpit *nt*; **~ spatiale** Raumkapsel *f* **2.** (*petit local*) Kabine *f*; **~ téléphonique** Telefonzelle *f*; **~ d'essayage** Umkleidekabine

cabinet [kabinɛ] *m* **1.** *pl* (*toilettes*) Toilette *f*; **être aux ~s** auf der Toilette sein **2.** *d'un médecin* Praxis *f*; *d'un avocat* Kanzlei *f* **3.** POL Kabinett *nt* **4.** (*endroit isolé*) **~ particulier** [kleines] Nebenzimmer; **~ de toilette** [kleiner] Waschraum; **~ de travail** Arbeitszimmer

câble [kɑbl] *m* **1.** Kabel *nt*; **poser un ~** ein Kabel legen; **~ métallique** Drahtseil *nt*; **~ du téléphone** Telefonkabel **2.** TV Kabelfernsehen *nt*; **avoir le ~** verkabelt sein

câbler [kɑble] <1> *vt* **1.** (*transmettre*) nach Übersee telegrafieren **2.** TV verkabeln

cabochard, e [kabɔʃaʀ, aʀd] *adj fam* dickköpfig

caboche [kabɔʃ] *f fam* Schädel *m*

cabosser [kabɔse] <1> *vt* verbeulen

cabot [kabo] *m fam péj* (*chien*) Köter *m*

cabotage [kabɔtaʒ] *m* Küstenschifffahrt *f*

caboteur [kabɔtœʀ] *m* Küstenschiff *nt*

cabotin, e [kabɔtɛ̃, in] *m*, *f fam* Wichtigtuer *m*

cabrer [kabʀe] <1> *vt* steigen lassen *cheval*; hochziehen *avion*

cabri [kabʀi] *m* Zicklein *nt*; **sauter comme un ~** Luftsprünge machen

cabriole [kabʀijɔl] *f* Luftsprung *m*; *d'un danseur, cheval* Kapriole *f*

cabriolet [kabʀijɔlɛ] *m* Cabrio[let] *nt*, Kabrio[lett] *nt*

caca [kaka] *m enfantin fam* **faire ~** Aa machen ▶**~ d'oie** gelbgrün

cacahouète, cacahuète [kakawɛt] *f* Erdnuss *f*

cacao [kakao] *m* Kakao *m*

cacatoès [kakatɔɛs] *m* Kakadu *m*

cachalot [kaʃalo] *m* Pottwal *m*

cache [kaʃ] *m* **1.** PHOT, CINE Maske *f*; **mettre un ~ sur qc** etw abdecken **2.** INFORM Cache[speicher] *m*

caché, e [kaʃe] *adj lieu, refuge* abgeschieden

cache-cache [kaʃkaʃ] *m inv* Versteckspiel *nt* **cache-col** [kaʃkɔl] *m inv* Halstuch *nt*

cachemire [kaʃmiʀ] **I.** *m* Kaschmir *m* **II.** *app* persisch-indisch

cache-nez [kaʃne] *m inv* Schal *m* **cache-pot** [kaʃpo] <cache-pots> *m* Übertopf *m*; (*en papier*) Manschette *f* [für Blumentöpfe] **cache-prise** [kaʃpʀiz] <cache-prise[s]> *m* Kindersicherung *f* [für Steckdosen]

cacher¹ [kaʃe] <1> **I.** *vt* **1.** (*dissimuler*) verstecken **2.** (*masquer*) verdecken **3.** (*ne pas laisser voir*) verbergen **4.** (*garder secret*) **~ qc à qn** jdm etw verheimlichen **II.** *vpr* **1.** (*se dissimuler*) **se ~** sich verstecken; *chose:* sich verbergen; **va te ~!** verschwinde! **2.** (*être introuvable*) **mais où se cache le directeur?** wo steckt denn der Direktor? **3.** (*tenir secret*) **ne pas se ~ de qc** kein[en] Hehl aus etw machen

cacher² [kaʃɛʀ] *adj v.* **casher**

cache-radiateur [kaʃʀadjatœʀ] <cache-radiateurs> *m* Heizkörperverkleidung *f*

cache-sexe [kaʃsɛks] <cache-sexe[s]> *m* Minislip *m*

cachet [kaʃɛ] *m* **1.** MED Tablette *f* **2.** (*tampon*) Stempel *m*; **~ officiel** Amtssiegel *nt* **3.** (*rétribution*) Honorar *nt*; *d'un acteur* Gage *f* ▶**avoir du ~** eine besondere Note

haben
cacheter [kaʃte] <3> *vt* versiegeln
cachette [kaʃɛt] *f* Versteck *nt* ►**en** ~ heimlich; **en** ~ **de qn** ohne jds Wissen; (*en cas d'action répréhensible*) hinter jds Rücken (*dat*)
cachot [kaʃo] *m* (*cellule*) Kerker *m*
cachotterie [kaʃɔtʀi] *f gén pl* Geheimniskrämerei *f*; **faire des ~s à qn** jdm gegenüber heimlich tun
cachottier, -ière [kaʃɔtje, -jɛʀ] **I.** *adj* heimlich tuend **II.** *m, f* Heimlichtuer(in) *m(f)*
cacophonie [kakɔfɔni] *f* Missklang *m*
cactus [kaktys] *m* Kaktus *m*
c-à-d *abr de* **c'est-à-dire** d.h.
cadastre [kadastʀ] *m* **1.** (*registre*) Kataster *m o nt* **2.** (*service*) Katasteramt *nt*
cadavérique [kadaveʀik] *adj* teint [asch]fahl, blass
cadavre [kadavʀ] *m* *d'une personne* Leiche *f*; *d'un animal* Kadaver *m* ►**être un ~ ambulant** *fam* aussehen wie der Tod [auf Latschen]
cadeau [kado] <x> *m* Geschenk *nt*; ~ **de Noël/d'anniversaire** Weihnachts-/Geburtstagsgeschenk; **faire ~ de qc à qn** jdm etw schenken; **en** ~ als Zugabe
cadenas [kadna] *m* Vorhängeschloss *nt*
cadenasser [kadnase] <1> *vt* mit einem Vorhängeschloss verschließen
cadence [kadɑ̃s] *f* **1.** (*rythme*) Rhythmus *m*; **marquer la** ~ den Takt schlagen; **en** ~ im Takt **2.** (*vitesse*) Tempo *nt*; *du travail à la chaîne* Takt *m*
cadencé, e [kadɑ̃se] *adj* rhythmisch
cadet, te [kadɛ, ɛt] **I.** *adj* **1.** (*le plus jeune*) jüngste(r, s) **2.** (*le plus jeune de deux*) jüngere(r, s) **3.** (*plus jeune que qn*) jüngere(r, s) **II.** *m, f* **1.** (*dernier-né*) Jüngste(r) *f(m)*; **le ~ des garçons** der jüngste Junge **2.** (*plus jeune que qn*) Jüngere(r) *f(m)*; **c'est ma ~te** das ist meine jüngere Schwester; **elle est ma ~te de trois mois** sie ist drei Monate jünger als ich **3.** SPORT Nachwuchsspieler(in) *m(f)* **4.** MIL, HIST Kadett *m* ►**c'est le ~ de mes <u>soucis</u>** das ist meine geringste Sorge
cadrage [kɑdʀaʒ] *m* Bildeinstellung *f*
cadran [kadʀɑ̃] *m* **1.** Zifferblatt *nt*; *d'un baromètre, compteur* Skala *f*; *d'un téléphone* Wählscheibe *f*; ~ **solaire** Sonnenuhr *f* **2.** CAN *fam* (*réveil*) Wecker *m*
cadre [kɑdʀ] *m* **1.** (*encadrement*) Rahmen *m*; **mettre un tableau dans un** ~ ein Gemälde [ein]rahmen **2.** (*environnement*) Umgebung *f*; **dans un** ~ **de verdure** im Grünen **3.** (*limites*) Rahmen *m*; **cela entre bien dans le** ~ **de ses fonctions** das fällt

genau in seinen Aufgabenbereich; **dans le** ~ **de qc** im Rahmen einer S. (*gen*)
cadre, cadrette *m, f* leitende(r) Angestellte(r) *f(m)*; ~ **moyen/supérieur** mittlere/ obere Führungskraft
cadrer [kɑdʀe] <1> *vi* ~ **avec qc** mit etw übereinstimmen
cadreur [kɑdʀœʀ] *m* Kameramann *m*/Kamerafrau *f*
caduc, caduque [kadyk] *adj* **1.** (*périmé*) überholt **2.** BOT abwerfbar; **à feuilles ~s** im Winter die Blätter verlierend
cafard [kafaʀ] *m* **1.** (*insecte*) [Küchen]schabe *f* **2.** (*spleen*) Depressionen *Pl*; **avoir le** ~ trübsinnig sein; **donner le** ~ **à qn** jdn trübsinnig machen
cafarder [kafaʀde] <1> *vi fam* (*dénoncer*) petzen
cafardeux, -euse [kafaʀdø, -øz] *adj* schwermütig
café [kafe] *m* **1.** (*boisson*) Kaffee *m*; ~ **crème/filtre** Milch-/Filterkaffee; ~ **liégeois** Mokkaeis, Mokkasoße und Schlagsahne; ~ **décaféiné/serré** koffeinfreier/ starker Kaffee; ~ **au lait** Milchkaffee **2.** (*établissement*) Bar *f*; ~ **avec terrasse** Straßencafé *nt*; ~ **électronique** Internet Café **3.** (*plante*) Kaffee *m*; ~ **en grains** ungemahlener Kaffee **4.** (*arôme*) **au** ~ Mokka- **5.** (*moment du repas*) **au** ~ beim Kaffee **6.** CH (*dîner*) **un** ~ **complet** ein leichtes Nachtessen (CH)
café-concert [kafekɔ̃sɛʀ] <cafés-concerts> *m* Bar *f* mit Varietee-Darbietungen
caféine [kafein] *f* Koffein *nt*
café-restaurant [kafeʀɛstɔʀɑ̃] <cafés-restaurants> *m* Bar *f* mit Restaurationsbetrieb **café-tabac** [kafetaba] <cafés-tabacs> *m* Bar *f* mit Tabakladen
cafétéria [kafeteʀja] *f* Cafeteria *f*
café-théâtre [kafeteɑtʀ] <cafés-théâtres> *m* Kleinkunstbühne *f*
cafetière [kaftjɛʀ] *f* Kaffeekanne *f*; ~ **électrique** Kaffeemaschine *f*
cafouillage [kafujaʒ] *m fam* totales Chaos
cafouiller [kafuje] <1> *vi fam* **1.** (*agir avec confusion*) Murks machen **2.** (*s'embrouiller*) chaotisch werden
cage [kaʒ] *f* **1.** (*pour enfermer*) Käfig *m*; *d'un chien* Zwinger *m*; ~ **à lapin** Kaninchenstall *m*; *péj fam* (*H.L.M.*) Hasenstall **2.** SPORT Tor *nt* **3.** ANAT ~ **thoracique** Brustkorb *m* **4.** TECH ~ **d'ascenseur** Aufzugschacht *m*; ~ **d'escalier** Treppenhaus *nt*
cageot [kaʒo] *m* **1.** (*emballage*) [Obst]kiste *f* **2.** *fam* (*fille*) hässliches Entlein
cagette [kaʒɛt] *f* [Obst]kiste *f*
cagibi [kaʒibi] *m* Abstellkammer *f*
cagne [kaɲ] *f v.* **khâgne**

cagneux, -euse [kaɲø, -øz] *adj genoux* nach innen gerichtet

cagnotte [kaɲɔt] *f* **1.** (*caisse*) gemeinsame Kasse **2.** *fam* (*économies*) Notgroschen *m*

cagoule [kagul] *f* **1.** (*couvre-chef*) Kapuzenmütze *f* **2.** (*masque*) Maske *f* **3.** (*capuchon*) Kapuze *f*

cahier [kaje] *m* **1.** SCOL. [Schreib]heft *nt*; ~ **de brouillon** Schmierheft; ~ **d'exercices** Übungsheft; ~ **de textes** Aufgabenheft **2.** TYP gefalzter Druckbogen **3.** *pl* (*publication*) Zeitschrift *f*, Heft *nt*

cahin-caha [kaɛ̃kaa] *adv fam* so lala

cahot [kao] *m* Stoß *m*

cahotant, e [kaɔtɑ̃, ɑ̃t] *adj route* holp[e]rig

cahoter [kaɔte] <1> *vi* holpern

cahute [kayt] *f* Hütte *f*

caïd [kaid] *m* **1.** (*malfaiteur*) [Gangster]boss *m* **2.** *fam* (*meneur*) Anführer(in) *m(f)* **3.** *fam* (*ponte*) hohes Tier

caille [kaj] *f* (*oiseau*) Wachtel *f*

caillé, e [kaje] *adj sang* geronnen

cailler [kaje] <1> **I.** *vi* **1.** gerinnen **2.** *fam* (*avoir froid*) sich (*dat*) einen abfrieren **II.** *vt* gerinnen lassen **III.** *vpr* **se ~ 1.** gerinnen **2.** *fam* (*avoir froid*) *personne:* sich (*dat*) einen abfrieren

caillot [kajo] *m* Gerinnsel *nt*

caillou [kaju] <x> *m* (*pierre*) Kiesel[stein *m*] *m*

caillouteux, -euse [kajutø, -øz] *adj* steinig

caïman [kaimɑ̃] *m* ZOOL Kaiman *m*

Caïn [kaɛ̃] *m* Kain *m*

Caire [kɛʀ] *m* **le ~** Kairo *nt*

caisse [kɛs] *f* **1.** (*boîte*) Kiste *f*, Kasten *m*; ~ **à outils** Werkzeugkasten **2.** (*dépôt d'argent, guichet*) Kasse *f*; ~ **enregistreuse** Registrierkasse; ~ **noire** Geheimfonds *m*; **faire la** [*o* sa] ~ Kasse[nsturz] machen; **tenir la** ~ die Kasse führen; **passer à la** ~ zur Kasse gehen; ~ **d'épargne** Sparkasse **3.** (*organisme de gestion*) Kasse *f*; ~ **d'assurance maladie** Krankenkasse **4.** *d'une horloge* Gehäuse *nt*; *d'un tambour* Resonanzkörper *m*; *d'une voiture* Karosserie *f*; **grosse** ~ große Trommel **5.** *fam* (*voiture*) Kiste *f* ▸**à fond la** ~ *fam* mit vollem Karacho

caissette [kɛsɛt] *f* Kistchen *nt*

caissier, -ière [kesje, -jɛʀ] *m, f* Kassierer(in) *m(f)*

caisson [kɛsɔ̃] *m* Kiste *f*

cajoler [kaʒɔle] <1> *vt* liebkosen; (*pour obtenir qc*) umschmeicheln

cajolerie [kaʒɔlʀi] *f gén pl* Zärtlichkeiten *Pl*

cajoleur, -euse [kaʒɔlœʀ, -øz] *adj* zärtlich; *voix* sanft

cajou [kaʒu] *m* Cashewnuss *f*

cake [kɛk] *m* englischer [Tee]kuchen

cal [kal] *m* Schwiele *f*

calamar [kalamaʀ] *m* Tintenfisch *m*

calamité [kalamite] *f* Katastrophe *f*

calandre [kalɑ̃dʀ] *f* AUT Kühlergrill *m*

calanque [kalɑ̃k] *f* [kleine] Felsbucht

calcaire [kalkɛʀ] **I.** *adj* kalkhaltig; *dépôt, roche* Kalk-; *relief* Kalkstein- **II.** *m* GEOL Kalk[stein] *m*

calciné, e [kalsine] *adj* verkohlt

calciner [kalsine] <1> *vt* CHIM kalzinieren

calcium [kalsjɔm] *m* Kalzium *nt*

calcul¹ [kalkyl] *m* **1.** (*opération*) Berechnung *f*; ~ **des bénéfices/du chiffre d'affaires** Gewinn-/Umsatzermittlung *f*; **faire le** ~ **de** berechnen; **faire une erreur de** ~ [*o* **un mauvais** ~] sich verrechnen; ~ **mental** Kopfrechnen *nt* **2.** (*arithmétique*) ~ **algébrique** algebraisches Rechnen; ~ **différentiel/intégral** Differenzial-/Integralrechnung *f* **3.** *pl* (*estimation*) Berechnung *f*; **d'après mes** ~**s** nach meiner Schätzung *f*; **faire rentrer qc dans ses** ~**s** etw [mit] einkalkulieren

calcul² [kalkyl] *m* MED Stein *m*

calculable [kalkylabl] *adj* berechenbar

calculateur [kalkylatœʀ] *m* Rechner *m*

calculatrice [kalkylatʀis] *f* Rechner *m*; ~ **de poche** Taschenrechner

calculer [kalkyle] <1> **I.** *vi* **1.** ~ **mentalement** im Kopf rechnen **2.** (*compter ses sous*) mit dem Geld rechnen; ~ **au plus juste** sehr knapp kalkulieren **II.** *vt* **1.** (*déterminer par le calcul*) ausrechnen **2.** (*évaluer, prévoir*) einkalkulieren *risque;* ausrechnen *chances;* **tout bien calculé** alles in allem **3.** (*étudier*) genau durchdenken *attitude;* wohl überlegen *geste*

calculette [kalkylɛt] *f* Taschenrechner *m*

calé, e [kale] *adj fam* (*fort*) **être** ~ **en qc** in etw (*dat*) etwas draufhaben

cale¹ [kal] *f* NAUT Laderaum *m*

cale² [kal] *f* (*coin*) Keil *m*

calèche [kalɛʃ] *f* Kalesche *f*

caleçon [kalsɔ̃] *m* **1.** (*pour homme*) Unterhose *f*; ~ **de bain** Badehose; **des** ~**s longs** lange Unterhosen *Pl* **2.** (*pour femme*) Leggin[g]s *Pl*

calembour [kalɑ̃buʀ] *m* Kalauer *m*; **faire un** ~ kalauern

calendes [kalɑ̃d] *fpl* Kalenden *Pl* (*erster Tag des altrömischen Monats*)

calendrier [kalɑ̃dʀije] *m* **1.** Kalender *m*; **consulter le** ~ im Kalender nachsehen; ~ **de l'avent** Adventskalender **2.** (*programme*) Zeitplan *m*, Programm *nt*; ~ **des examens** Prüfungstermine *Pl*

cale-pied [kalpje] <cale-pieds> *m* Rennbügel *m*

calepin [kalpɛ̃] *m* Notizbuch *nt*
caler [kale] <1> **I.** *vi* **1.** AUT *conducteur:* den Motor abwürgen; *moteur:* absterben **2.** *fam* (*être rassasié*) bis obenhin voll sein **II.** *vt* **1.** (*fixer avec une cale*) mit einem Keil fixieren; aufbocken *véhicule;* unterlegen *meuble* **2.** (*rendre stable*) ~ **un malade** einen Kranken stützen; ~ **qc contre qc** etw gegen etw lehnen **3.** AUT abwürgen **III.** *vpr* **se** ~ sich zurechtsetzen
calfeutrer [kalføtʀe] <1> **I.** *vt* abdichten **II.** *vpr* **se** ~ sich verkriechen; (*rester au chaud*) in der warmen Stube bleiben
calibre [kalibʀ] *m* **1.** (*diamètre*) Durchmesser *m; d'un projectile* Kaliber *nt; des fruits, œufs* Größe *f* **2.** *d'une personne* Format *nt;* **de gros** ~ bedeutend; **un escroc de ce** ~ ein Betrüger seines Schlages
calibrer [kalibʀe] <1> *vt* kalibrieren
calice [kalis] *m* BOT [Blüten]kelch *m*
calife [kalif] *m* Kalif *m*
califourchon [kalifuʀʃɔ̃] **à** ~ rittlings; **monter à** ~ im Herrensitz reiten
câlin [kalɛ̃] *m* Zärtlichkeit *f;* **faire un** ~ **à qn/au chat** *fam* mit jdm schmusen/die Katze streicheln
câlin, e [kalɛ̃, in] *adj* **1.** (*qui aime les caresses*) anschmiegsam **2.** (*caressant*) zärtlich
câliner [kaline] <1> *vt* ~ **qn** zu jdm zärtlich sein
calleux, -euse [kalø, -øz] *adj* schwielig
call-girl [kolgœʀl] <call-girls> *f* Callgirl *nt*
calligraphie [ka(l)ligʀafi] *f* **1.** (*technique*) Kalligraphie *f* **2.** (*écriture élégante*) Schönschrift *f*
callosité [kalozite] *f* Hornhaut *f*
calmant [kalmɑ̃] *m* **1.** (*tranquilisant*) Beruhigungsmittel *nt* **2.** (*antidouleur*) Schmerzmittel *nt*
calmant, e [kalmɑ̃, ɑ̃t] *adj* **1.** (*tranquilisant*) beruhigend; **tisane** ~**e** Beruhigungstee *m* **2.** (*antidouleur*) schmerzstillend
calmar [kalmaʀ] *m v.* **calamar**
calme [kalm] **I.** *adj* **1.** ruhig; *temps* windstill; *lieu* still **2.** (*réfléchi*) besonnen **II.** *m* **1.** (*sérénité*) Ruhe *f,* Gelassenheit *f;* **rester** ~ sich nicht aufregen; **du** ~! Ruhe bewahren! **2.** (*tranquillité*) Ruhe *f;* **du** ~! Ruhe bitte! **3.** METEO Windstille *f* ▸**le** ~ **avant la tempête** die Ruhe vor dem Sturm; ~ **plat** *a.* ECON Flaute *f*
calmement [kalməmɑ̃] *adv* ruhig
calmer [kalme] <1> **I.** *vt* **1.** (*apaiser*) beruhigen *personne, esprits;* entschärfen *discussion* **2.** (*soulager*) lindern *douleur;* dämpfen *colère;* senken *fièvre;* zügeln *impatience;* beruhigen *nerfs;* stillen *faim* **II.** *vpr* **se** ~ sich beruhigen; *discussion:* an Schärfe verlieren;

tempête: nachlassen; *crainte:* sich verflüchtigen
calomniateur, -trice [kalɔmnjatœʀ, -tʀis] *adj* verleumderisch
calomnie [kalɔmni] *f* Verleumdung *f*
calomnier [kalɔmnje] <1a> *vt* verleumden
calomnieux, -euse [kalɔmnjø, -jøz] *adj* verleumderisch
calorie [kalɔʀi] *f* Kalorie *f*
calorifique [kalɔʀifik] *adj* wärmeerzeugend
calorifuge [kalɔʀifyʒ] *adj* wärmeisolierend
calot [kalo] *m* (*coiffure*) Feldmütze *f*
calotte [kalɔt] *f* **1.** *fam* (*gifle*) Ohrfeige *f* **2.** ANAT ~ **crânienne** Schädeldecke *f* **3.** GEOG ~ **glaciaire** Eiskappe *f*
calque [kalk] *m* **1.** (*copie*) Pause *f* **2.** (*papier*) Pauspapier *nt*
calquer [kalke] <1> *vt* durchpausen; (*imiter*) nachahmen
calumet [kalymɛ] *m* Kalumet *nt* ▸**fumer le** ~ **de la paix** die Friedenspfeife rauchen
calvados [kalvados] *m* Calvados *m*
calvaire [kalvɛʀ] *m* **1.** (*épreuve*) Martyrium *nt* **2.** (*croix*) Bildstock *m* **3.** (*peinture*) Kreuzigungsgruppe *f*
calvinisme [kalvinism] *m* Kalvinismus *m*
calviniste [kalvinist] *adj* kalvinistisch
calvitie [kalvisi] *f* **1.** (*tonsure*) Glatze *f* **2.** (*phénomène*) Kahlköpfigkeit *f*
camaïeu [kamajø] <x> *m* Farbschattierungen *Pl* (*der gleichen Grundfarbe*)
camarade [kamaʀad] *mf* **1.** (*collègue*) Kamerad(in) *m(f);* ~ **d'études** Kommilitone/Kommilitonin *m/f* **2.** POL Genosse/Genossin *m/f*
camaraderie [kamaʀadʀi] *f* Kameradschaft *f*
Camargue [kamaʀg] *f* **la** ~ die Camargue
Cambodge [kɑ̃bɔdʒ] *m* **le** ~ Kambodscha *nt*
cambouis [kɑ̃bwi] *m* [gebrauchtes] Schmieröl; **couvert de** ~ ölverschmiert
cambré, e [kɑ̃bʀe] *adj* **être très** ~ *personne:* ein starkes Hohlkreuz haben
cambrer [kɑ̃bʀe] <1> *vt* wölben *pied*
cambriolage [kɑ̃bʀijɔlaʒ] *m* Einbruch[sdiebstahl *m*] *nt*
cambrioler [kɑ̃bʀijɔle] <1> *vt* ~ **qc** in etw (*akk*) einbrechen; **qn se fait** ~ bei jdm wird eingebrochen
cambrioleur, -euse [kɑ̃bʀijɔlœʀ, -øz] *m, f* Einbrecher(in) *m(f)*
cambrousse [kɑ̃bʀus] *f fam* **en pleine** ~ mitten in der Pampa; **débarquer de sa** ~ gerade aus seinem Kuhdorf kommen
cambrure [kɑ̃bʀyʀ] *f* ANAT ~ **de la taille**

Hohlkreuz *nt*

came [kam] *f fam* (*drogue*) Stoff *m*

camé, e [kame] *m, f fam* Fixer(in) *m(f)*

caméléon [kameleɔ̃] *m* ZOOL Chamäleon *nt*

camélia [kamelja] *m* BOT Kamelie *f*

camelot [kamlo] *m* Straßenhändler *m*

camelote [kamlɔt] *f fam* Ramsch *m*

camembert [kamɑ̃bɛʀ] *m* 1.(*fromage*) Camembert *m* 2. ECON Tortengrafik *f*

camer [kame] <1> *vpr fam* se ~ fixen

caméra [kameʀa] *f* Kamera *f*; ~ de télévision Fernsehkamera

caméraman [kameʀaman, -mɛn] <s *o* -men> *m* Kameramann/-frau *m/f*

Cameroun [kamʀun] *m* le ~ Kamerun *nt*

caméscope [kameskɔp] *m* Camcorder *m*

camion [kamjɔ̃] *m* Lastwagen *m*, Lkw *m*

camion-citerne [kamjɔ̃sitɛʀn] <camions-citernes> *m* Tankwagen *m*

camionnette [kamjɔnɛt] *f* Lieferwagen *m*

camionneur [kamjɔnœʀ] *m* Lastwagenfahrer(in) *m(f)*

camisole [kamizɔl] *f* Mieder *nt*

camomille [kamɔmij] *f* 1.(*fleur*) Kamille *f* 2.(*tisane*) Kamillentee *m*

camouflage [kamuflaʒ] *m* MIL Tarnung *f*

camoufler [kamufle] <1> *vt* 1. MIL tarnen 2.(*tenir secret*) verheimlichen; vertuschen *faute*

camouflet [kamuflɛ] *m* Schmach *f*

camp [kɑ̃] *m* 1.(*campement*) [Zelt]lager *nt*; ~ de nudistes FKK-Anlage *f* 2. MIL [Truppen]lager *nt*; lever le ~ abziehen; ~ de concentration Konzentrationslager 3. SPORT Seite *f* 4. POL Lager *nt* ▶ficher [*o* foutre] le ~ *fam* abhauen; fiche-moi le ~! *fam* lass mich in Ruhe!

campagnard, e [kɑ̃paɲaʀ, aʀd] I. *adj* ländlich II. *m, f* Landbewohner(in) *m(f)*

campagne [kɑ̃paɲ] *f* 1.(*opp: ville*) Land *nt*; à la ~ auf dem Land[e]; en pleine ~ weit draußen auf dem Land[e] 2.(*paysage*) ländliche Gegend; dans nos ~s in unse-re(r) Gegend; en rase ~ auf freiem Feld 3. MIL Feldzug *m*, Kampf *m* 4.(*action de communication*) ~ électorale Wahlkampagne *f*; ~ publicitaire Werbekampagne

campanule [kɑ̃panyl] *f* Glockenblume *f*

campé, e [kɑ̃pe] *adj* breitbeinig dastehend

campement [kɑ̃pmɑ̃] *m* 1.(*ensemble de tentes*) Lager *nt* 2.(*lieu*) Lagerplatz *m*

camper [kɑ̃pe] <1> I. *vi* 1.(*monter une tente*) campen 2.(*être installé provisoirement*) kampieren (*fam*) II. *vpr* se ~ devant qn/qc sich vor jdm/etw aufstellen

campeur, -euse [kɑ̃pœʀ, -øz] *m, f* Camper *m*

camphre [kɑ̃fʀ] *m* Kampfer *m*

camping [kɑ̃piŋ] *m* 1.(*action de camper*) Zelten *nt*, Camping *nt*; faire du ~ zelten 2.(*lieu*) [terrain de] ~ Campingplatz *m*

camping-car [kɑ̃piŋkaʀ] <camping-cars> *m* Wohnmobil *nt* **camping-gaz**® [kɑ̃piŋgaz] *m inv* Gaskocher *m*

campus [kɑ̃pys] *m* Universitätsgelände *nt*; ~ virtuel virtuelle Universität

Canada [kanada] *m* le ~ Kanada *nt*

canadair® [kanadɛʀ] *m* Löschflugzeug *nt*

canadien, ne [kanadjɛ̃, jɛn] *adj* kanadisch

Canadien, ne [kanadjɛ̃, jɛn] *m, f* Kanadier(in) *m(f)*

canadienne [kanadjɛn] *f* 1.(*veste*) lammfellgefütterte Jacke (*aus Stoff oder Leder*) 2.(*tente*) kleines [Zweimann]zelt

canaille [kanaj] I. *adj air, manière* pöbelhaft II. *f* 1.(*fripon*) Halunke *m* 2. *hum* (*enfant*) Schlingel *m*

canal [kanal, o] <-aux> *m* Kanal *m*

canalisation [kanalizasjɔ̃] *f* 1.(*tuyauterie*) Rohrleitung *f*; ~ d'eau/de gaz Wasser-/Gasleitung 2.(*égouts*) Kanalisation *f*

canaliser [kanalize] <1> *vt* 1.(*rendre navigable*) kanalisieren 2.(*centraliser*) kanalisieren *énergie*; dirigieren *foule*

canapé [kanape] *m* 1.(*meuble*) Sofa *nt*, Couch *f*; ~ convertible Schlafcouch 2. GASTR Häppchen *nt*

canapé-lit [kanapeli] <canapés-lits> *m* Schlafcouch *f*

canard [kanaʀ] *m* 1.(*oiseau*) Ente *f* 2.(*opp: cane*) Erpel *m* 3. *fam* (*journal*) Blatt *nt*; *péj* Käseblatt 4. MUS faire un ~ falsch spielen

canarder [kanaʀde] <1> *vt fam* unter Beschuss nehmen

canari [kanaʀi] I. *adj inv* jaune ~ gelbgrün II. *m* Kanarienvogel *m*

canasson [kanasɔ̃] *m péj* Gaul *m*

cancan [kɑ̃kɑ̃] *m* 1. *pl* (*racontars*) Klatsch *m kein Pl* 2.(*danse*) french ~ French-Cancan *m*

cancanier, -ière [kɑ̃kanje, -jɛʀ] *adj* klatschhaft

cancer [kɑ̃sɛʀ] *m* Krebs *m*; ~ généralisé Krebs, der Metastasen gebildet hat; avoir un ~ du sang/du sein Blut-/Brustkrebs haben

Cancer [kɑ̃sɛʀ] *m* ASTROL Krebs *m*; *v. a.* Balance

cancéreux, -euse [kɑ̃seʀø, -øz] I. *adj* Krebs- II. *m, f* Krebskranke(r) *f(m)*

cancérigène [kɑ̃seʀiʒɛn] *adj*, **cancérogène** [kɑ̃seʀɔʒɛn] *adj* Krebs erregend

cancérologue [kɑ̃seʀɔlɔg] *mf* Krebsspezialist(in) *m(f)*

cancre [kɑ̃kʀ] *m fam* fauler Schüler/faule Schülerin *m/f*

cancrelat [kɑ̃kʀəla] *m* Kakerlak *m*

candélabre [kɑ̃delɑbʀ] *m* [mehrarmiger] Kerzenständer *m*

candeur [kɑ̃dœʀ] *f* Arglosigkeit *f*

candidat, e [kɑ̃dida, at] *m, f* **1.** (*à un examen, un jeu, aux élections*) Kandidat(in) *m(f)* **2.** (*au baccalauréat*) Abiturient(in) *m(f)* **3.** (*à un poste*) Bewerber(in) *m(f);* **être ~ à un poste** sich um eine Stelle bewerben

candidature [kɑ̃didatyʀ] *f* **1.** (*aux élections*) Kandidatur *f;* **poser sa ~ aux élections** bei den Wahlen kandidieren **2.** (*à un poste, un jeu*) Bewerbung *f;* **~ spontanée** Blindbewerbung; **poser sa ~ à un poste** sich um eine Stelle bewerben; **retenir une ~** eine Bewerbung berücksichtigen

candide [kɑ̃did] *adj* **1.** (*ingénu*) unverdorben **2.** *péj* (*crédule*) gutgläubig

cane [kan] *f* (*opp: mâle*) Entenweibchen *nt*

caneton [kɑ̃tɔ̃] *m* Entenküken *nt*

canette [kanɛt] *f* [Bier]dose *f*

canevas [kanva] *m* **1.** (*toile*) Kanevas *m* **2.** (*esquisse*) Grundgerüst *nt,* [grober] Rahmen

caniche [kaniʃ] *m* Pudel *m*

caniculaire [kanikylɛʀ] *adj chaleur* unerträglich

canicule [kanikyl] *f* **1.** (*période*) Hundstage *Pl* **2.** (*chaleur*) Hitze *f*

canif [kanif] *m* Taschenmesser *nt,* Feitel *m* (A)

canin, e [kanɛ̃, in] *adj races ~es* Hunderassen *Pl*

canine [kanin] *f* Eckzahn *m*

caniveau [kanivo] <x> *m* Rinnstein *m*

cannabis [kanabis] *m* Cannabis *m*

canne [kan] *f* **1.** (*bâton*) [Spazier]stock *m* **2.** (*tige*) **~ à sucre** Zuckerrohr *nt* **3.** (*gaule*) **~ à pêche** Angelrute *f*

canné, e [kane] *adj* [rohr]geflochten

cannelé, e [kanle] *adj* kanneliert

cannelle [kanɛl] *f* Zimt *m*

cannelure [kanlyʀ] *f d'une colonne, d'un meuble* Kannelur *f*

cannibale [kanibal] **I.** *adj* kannibalisch **II.** *mf* Kannibale/Kannibalin *m/f*

cannibalisme [kanibalism] *m* Kannibalismus *m*

canoë [kanɔe] *m* **1.** (*embarcation*) Kanu *nt* **2.** (*sport*) Kanufahren *nt*

canoë-kayak [kanɔekajak] <canoës-kayaks> *m* Kajak *m o nt;* **faire du ~** Kajak fahren

canon [kanɔ̃] **I.** *adj inv fam super;* **super ~** echt stark **II.** *m* **1.** (*arme*) Kanone *f* **2.** *d'un fusil* Lauf *m* **3.** (*machine*) **~ à neige** Schneekanone *f*

canonique [kanɔnik] *adj* kanonisch

canoniser [kanɔnize] <1> *vt* heilig sprechen

canonnade [kanɔnad] *f* Kanonenfeuer *nt*

canot [kano] *m* Boot *nt;* **~ pneumatique/ à moteur/de sauvetage** Schlauch-/Motor-/Rettungsboot

canotage [kanɔtaʒ] *m* Bootfahren *nt*

canotier [kanɔtje] *m* (*chapeau*) [flacher] Strohhut

cantatrice [kɑ̃tatʀis] *f* [Opern]sängerin *f*

cantine [kɑ̃tin] *f* Kantine *f*

cantique [kɑ̃tik] *m* **1.** (*chant religieux*) [Kirchen]lied *nt* **2.** (*chant d'action de grâce*) Loblied *nt*

canton [kɑ̃tɔ̃] *m* **1.** (*en France*) ≈ Land-/Stadtkreis *m* **2.** (*en Suisse*) Kanton *m*

cantonade [kɑ̃tɔnad] *f* **crier qc à la ~** etw in den Raum rufen

cantonal, e [kɑ̃tɔnal, o] <-aux> **I.** *adj* **1.** (*en France*) **élections ~es** ≈ Kreiswahlen *Pl* **2.** (*en Suisse*) kantonal; **autorités ~es** Kantonsbehörden *Pl* **II.** *fpl* ≈ Kreiswahlen *Pl*

cantonnement [kɑ̃tɔnmɑ̃] *m* Einquartierung *f*

cantonner [kɑ̃tɔne] <1> **I.** *vt* (*reléguer*) **~ qn dans qc** jdn auf etw (*akk*) beschränken **II.** *vpr* **1.** (*s'isoler*) **se ~ dans le silence** sich in Schweigen hüllen **2.** (*se limiter*) **se ~ dans qc** sich auf etw (*akk*) beschränken

cantonnier [kɑ̃tɔnje] *m* Straßenarbeiter *m*

canular [kanylaʀ] *m fam* Scherz *m*

canule [kanyl] *f* Kanüle *f*

CAO [seao] *abr de* **conception assistée par ordinateur** CAD *nt*

caoutchouc [kautʃu] *m* **1.** (*matière*) Gummi *m o nt,* Kautschuk *m* **2.** (*élastique*) Gummi[ring *m*] *m* **3.** (*plante*) Gummibaum *m*

cap [kap] *m* **1.** (*pointe de terre*) Kap *nt* **2.** (*direction*) Kurs *m;* **mettre le ~ sur qc** Kurs auf etw (*akk*) nehmen

CAP [seape] *m abr de* **certificat d'aptitude professionnelle** Zeugnis für eine abgeschlossene Berufsausbildung (*z. B.* Gesellenbrief)

capable [kapabl] *adj* fähig; **être ~ de faire qc** *personne:* fähig sein etw zu tun; *chose:* etw tun können

capacité [kapasite] *f* **1.** (*contenance*) Fassungsvermögen *nt* **2.** INFORM Kapazität *f;* **~ d'une mémoire** Speicherkapazität **3.** (*faculté*) Fähigkeit *f;* **~s intellectuelles** geistige Fähigkeiten *Pl;* **posséder une grande ~ de travail** sehr leistungsfähig sein **4.** (*puissance*) **~ de production** Produktionskapazität *f* **5.** SCOL **~ en droit** Abschlusszeugnis eines vereinfachten Jura-

studiums für Nichtabiturienten

cape [kap] *f* (*vêtement*) Umhang *m*, Cape *nt* ▸ **rire** sous ~ sich (*dat*) [eins] ins Fäustchen lachen

capeline [kaplin] *f Damenhut mit breiter Krempe*

C.A.P.E.S. [kapɛs] *m abr de* **certificat d'aptitude au professorat de l'enseignement secondaire** ≈ *Staatsexamen für das Lehramt an höheren Schulen*

capésien, ne [kapesjɛ̃, jɛn] *m, f Student, der/Studentin, die sich auf das C.A.P.E.S. vorbereitet*

capharnaüm [kafaʀnaɔm] *m fam* Rumpelkammer *f*

capillaire [kapilɛʀ] **I.** *adj* **1.** (*pour les cheveux*) **lotion** ~ Haarwasser *nt* **2.** ANAT **vaisseau** ~ Kapillargefäß *nt* **II.** *m* Kapillargefäß *nt*

capillarité [kapilaʀite] *f* PHYS Kapillarität *f*

capitaine [kapitɛn] *m* **1.** MIL Hauptmann *m;* "**mon** ~" „Herr Hauptmann"; ~ **des pompiers** Brandmeister *m* **2.** NAUT, AVIAT, SPORT Kapitän *m*

capital [kapital, o] <-aux> *m* **1.** (*somme d'argent*) Kapital *nt;* **société anonyme au** ~ **de 55 millions** Aktiengesellschaft mit 55 Millionen Grundkapital **2.** *pl* FIN Gelder *Pl* **3.** (*richesse*) ~ **artistique/intellectuel** Kunstschatz *m*/geistiges Kapital

capital, e [kapital, o] <-aux> *adj* wesentlich; **attacher une importance** ~**e à qc** etw für überaus wichtig halten

capitale [kapital] *f* **1.** (*ville*) Hauptstadt *f* **2.** (*lettre*) Großbuchstabe *m;* **en** ~**s d'imprimerie** in großen Druckbuchstaben

capitaliser [kapitalize] <1> *vt* FIN kapitalisieren

capitalisme [kapitalism] *m* Kapitalismus *m*

capitaliste [kapitalist] *mf* Kapitalist(in) *m(f)*

capiteux, -euse [kapitø, -øz] *adj parfum, vin* berauschend

capitonner [kapitɔne] <1> *vt* polstern

capitulation [kapitylasjɔ̃] *f* **1.** Kapitulation *f* **2.** *fig* Nachgeben *nt*

capituler [kapityle] <1> *vi* kapitulieren

caporal [kapɔʀal, o] <-aux> *m* Gefreite(r) *m;* ~-**chef** Obergefreite(r)

caporal-chef [kapɔʀalʃɛf] <caporaux-chefs> *m* Obergefreite(r) *m*

capot [kapo] *m* AUT Motorhaube *f*

capote [kapɔt] *f* **1.** AUT (*d'une voiture*) Verdeck *nt* **2.** (*manteau*) Kapuzenmantel *m* **3.** *fam* (*préservatif*) ~ [**anglaise**] Pariser *m*

capoter [kapɔte] <1> **I.** *vt* **faire** ~ **un projet de loi** *fam* ein Gesetzvorhaben kippen **II.** *vi fam auto, avion:* sich über-

schlagen

câpre [kɑpʀ] *f* Kaper *f*

caprice [kapʀis] *m* **1.** (*fantaisie*) Laune *f* **2.** (*amourette*) Liebschaft *f* **3.** *pl* (*changement*) Launen *Pl* **4.** (*exigence d'un enfant*) Quengelei *f;* **faire un** ~ einen Wutanfall haben; **passer à qn tous ses** ~**s** jdm alles durchgehen lassen

capricieux, -euse [kapʀisjø, -jøz] *adj* **1.** *personne* launisch **2.** *chose* unzuverlässig; *temps* unbeständig

Capricorne [kapʀikɔʀn] *m* Steinbock *m; v. a.* **Balance**

capsule [kapsyl] *f* **1.** *d'une bouteille* Kron[en]korken *m* **2.** (*médicament*) Kapsel *f* **3.** ESPACE ~ **spatiale** Raumkapsel *f*

capter [kapte] <1> *vt* **1.** (*canaliser*) fassen *source;* einfangen *énergie* **2.** (*recevoir*) empfangen *émission* **3.** (*chercher à obtenir*) gewinnen; ~ **l'attention de qn** jdn fesseln **4.** *fam* (*comprendre*) blicken

capteur [kaptœʀ] *m* Sensor *m*

captif, -ive [kaptif, -iv] *adj personne, animal* gefangen [gehalten]

captivant, e [kaptivɑ̃, ɑ̃t] *adj* fesselnd

captiver [kaptive] <1> *vt* fesseln

captivité [kaptivite] *f* Gefangenschaft *f*

capture [kaptyʀ] *f d'un animal* [Ein]fangen *nt*

capturer [kaptyʀe] <1> *vt* fassen *personne;* einfangen *animal*

capuche [kapyʃ] *f* Kapuze *f*

capuchon [kapyʃɔ̃] *m* **1.** (*capuche*) Kapuze *f* **2.** (*bouchon*) [Verschluss]kappe *f*

capucin [kapysɛ̃] *m* Kapuziner[mönch] *m*

capucine [kapysin] *f* Kapuzinernonne *f*

caquet [kakɛ] *m* Geschwätz *nt*

caqueter [kakte] <3> *vi poule:* gackern

car¹ [kaʀ] *m* Bus *m;* ~ **de ramassage scolaire** Schulbus

car² [kaʀ] *conj* denn

carabine [kaʀabin] *f* Karabiner *m;* ~ **à air comprimé** Luftgewehr *nt*

carabiné, e [kaʀabine] *adj fam grippe, migraine* gewaltig

caracoler [kaʀakɔle] <1> *vi cheval:* tänzeln

caractère [kaʀaktɛʀ] *m* **1.** (*tempérament*) Charakter *m*, Wesen *nt;* **avoir un** ~ **de cochon** *fam* unausstehlich sein; **ce n'est pas dans son** ~ **de faire qc** es ist nicht seine/ihre Art etw zu tun **2.** (*fermeté*) Charakter[stärke *f*] *m;* **de** ~ *homme, femme* mit Charakter; **avoir beaucoup de** ~ willensstark sein **3.** (*personne*) [starke] Persönlichkeit **4.** (*nature*) Eigenheit *f;* **présenter tous les** ~**s de qc** alle Merkmale einer S. (*gen*) aufweisen **5.** (*cachet*) **sans** ~ farblos **6.** (*symbole*) [Schrift]zeichen *nt;* **écrire en**

gros/petits ~s mit großer/kleiner Schrift schreiben; **~s d'imprimerie** Druckschrift *f;* **en ~s gras/italiques** fett/kursiv

caractériel, le [kaʀakteʀjɛl] **I.** *adj person-ne* verhaltensgestört; **des troubles ~s** Verhaltensstörungen *Pl* **II.** *m, f* Verhaltensgestörte(r) *f(m)*

caractérisé, e [kaʀakteʀize] *adj maladie* ausgeprägt

caractériser [kaʀakteʀize] <1> **I.** *vt* **1.** (*être typique de*) kennzeichnen; **avec la franchise qui le caractérise** mit der für ihn charakteristischen Offenheit **2.** (*définir*) charakterisieren **II.** *vpr* **se ~ par qc** sich durch etw auszeichnen

caractéristique [kaʀakteʀistik] **I.** *adj* **être ~ de qn/qc** charakteristisch für jdn/etw sein **II.** *f* typisches Merkmal; **~s techniques** technische Daten *Pl*

carafe [kaʀaf] *f* Karaffe *f*

carafon [kaʀafɔ̃] *m* kleine Karaffe

Caraïbes [kaʀaib] *fpl* **les ~** die Karibik

carambolage [kaʀɑ̃bɔlaʒ] *m* [Massen]karambolage *f*

caramel [kaʀamɛl] *m* **1.** (*bonbon*) Karamellbonbon *m o nt* **2.** (*substance*) Karamell *m*

caraméliser [kaʀamelize] <1> **I.** *vt* karamellisieren **II.** *vi, vpr* karamellieren

carapace [kaʀapas] *f d'un crabe, d'une tortue* Panzer *m*

carat [kaʀa] *m* Karat *nt*

caravane [kaʀavan] *f* **1.** (*nomades*) Karawane *f* **2.** (*véhicule*) Wohnwagen *m* **3.** (*groupe*) Kolonne *f*

caravaning [kaʀavaniŋ] *m* Wohnwagentourismus *m*

caravelle [kaʀavɛl] *f* Karavelle *f*

carbonate [kaʀbɔnat] *m* Karbonat *nt*

carbone [kaʀbɔn] *m* Kohlenstoff *m*

carbonisé, e [kaʀbɔnize] *adj* verkohlt

carboniser [kaʀbɔnize] <1> *vt* verkohlen

carburant [kaʀbyʀɑ̃] *m* Treibstoff *m*

carburateur [kaʀbyʀatœʀ] *m* Vergaser *m*

carbure [kaʀbyʀ] *m* **~ métallique** Karbid *nt*

carburer [kaʀbyʀe] <1> *vi moteur:* vergasen

carcan [kaʀkɑ̃] *m* HIST Halseisen *nt*

carcasse [kaʀkas] *f* **1.** (*squelette*) Geripp *nt* **2.** *fam* (*corps*) **ma vieille ~** meine alten Knochen **3.** *d'un bateau* Gerippe *nt; d'un édifice* Skelett *nt*

carcéral, e [kaʀseʀal, o] <-aux> *adj* Gefängnis-

cardan [kaʀdɑ̃] *m* Kardanantrieb *m*

carder [kaʀde] <1> *vt* karden

cardiaque [kaʀdjak] **I.** *adj* **malaise ~ Herzanfall** *m* **II.** *mf* Herzkranke(r) *f(m)*

cardinal [kaʀdinal, o] <-aux> *m* Kardinal *m*

cardinal, e [kaʀdinal, o] <-aux> *adj* MATH Kardinal-

cardiogramme [kaʀdjɔgʀam] *m* Kardiogramm *nt*

cardiologie [kaʀdjɔlɔʒi] *f* Kardiologie *f*

cardiologue [kaʀdjɔlɔg] *mf* Herzspezialist(in) *m(f)*

cardiovasculaire [kaʀdjovaskylɛʀ] *adj* Herz und Gefäße betreffend

carême [kaʀɛm] *m* **1.** (*jeûne*) Fasten *nt* **2.** (*période*) Fastenzeit *f*

carence [kaʀɑ̃s] *f* MED Mangel *m;* **~ alimentaire** einseitige Ernährung

carène [kaʀɛn] *f* [Schiffs]kiel *m*

caréner [kaʀene] <5> *vt* kielholen *bateau*

caressant, e [kaʀesɑ̃, ɑ̃t] *adj personne* anschmiegsam; *voix* zärtlich

caresse [kaʀɛs] *f* Streicheln *nt;* **faire des ~s à qn/un animal** jdn/ein Tier streicheln

caresser [kaʀese] <1> *vt* **1.** (*faire des caresses*) streicheln; **~ qc** zärtlich über etw (*akk*) streichen **2.** (*effleurer*) **~ qc** etw sanft berühren **3.** (*nourrir*) hegen

car-ferry <car-ferrys *o* car-ferries> [kaʀfeʀi] *m* Autofähre *f*

cargaison [kaʀgɛzɔ̃] *f* **1.** (*chargement*) Ladung *f* **2.** *fam* (*grande quantité*) **des ~ d'histoires drôles** Unmengen von lustigen Geschichten

cargo [kaʀgo] *m* Frachtschiff *nt*

caricatural, e [kaʀikatyʀal, o] <-aux> *adj* grotesk

caricature [kaʀikatyʀ] *f* Karikatur *f;* **faire la ~ de qn/qc** jdn/etw karikieren

caricaturer [kaʀikatyʀe] <1> *vt* karikieren

caricaturiste [kaʀikatyʀist] *mf* Karikaturist(in) *m(f)*

carie [kaʀi] *f* Karies *f*

carié, e [kaʀje] *adj* von Karies befallen

carillon [kaʀijɔ̃] *m* **1.** *d'une église* Glockenspiel *nt* **2.** *d'une porte d'entrée* Türglocke *f*

carillonner [kaʀijɔne] <1> *vi cloche, horloge:* läuten, schlagen

carillonneur [kaʀijɔnœʀ] *m* Glöckner *m*

cariste [kaʀist] *m* Gabelstaplerfahrer(in) *m(f)*

caritatif, -ive [kaʀitatif, -iv] *adj* karitativ

carlingue [kaʀlɛ̃g] *f* AVIAT [Piloten]kanzel *f*

carmélite [kaʀmelit] *f* Karmelit[er]in *f*

carmin [kaʀmɛ̃] **I.** *adj inv* karm[es]in[rot] **II.** *m* **1.** (*colorant*) Karm[es]in *nt* **2.** (*couleur*) Karm[es]inrot *nt*

carnage [kaʀnaʒ] *m* **1.** (*tuerie*) Blutbad *nt* **2.** *fam* (*dévastation*) Verwüstung *f*

carnassier [kaʀnasje] *m* Fleischfresser *m*

carnassier, -ière [kaʀnasje, -jɛʀ] *adj* Fleisch fressend

carnaval [kaʀnaval] <s> *m* Karneval *m*, Fasching *m* (SDEUTSCH)

carne [kaʀn] *f péj fam* (*viande*) c'est de la ~! das ist zäh wie Leder!

carnet [kaʀnɛ] *m* 1.(*calepin*) Heft *nt*; ~ d'adresses Adressbuch *nt*; ~ de notes Zeugnisheft; ~ d'épargne CH (*livret*) Sparbuch *nt*, Sparheft (CH); ~ de santé Gesundheitspass *m* 2.(*paquet*) ~ de tickets Fahrscheinheft *nt*; ~ de timbres Briefmarkenheftchen *nt*; ~ de chèques Scheckheft

carnivore [kaʀnivɔʀ] I. *adj* Fleisch fressend; *animal* ~ Fleischfresser *m* II. *m* Fleischfresser *m*

carotide [kaʀɔtid] *f* Halsschlagader *f*

carotte [kaʀɔt] I. *f* Karotte *f*, Möhre *f*; ~ rouge CH (*betterave*) rote Rübe, Rande *f* (CH) II. *adj inv* avoir les cheveux ~ fuchsrote Haare haben

carotter [kaʀɔte] <1> *vt fam* klauen

carpe [kaʀp] *f* Karpfen *m* ▶muet comme une ~ stumm wie ein Fisch

carpette [kaʀpɛt] *f* (*tapis*) Läufer *m*

carquois [kaʀkwa] *m* [Pfeil]köcher *m*

carré [kaʀe] *m* 1.MATH Quadrat *nt*; élever un nombre au ~ eine Zahl ins Quadrat erheben; quatre/six au ~ vier/sechs im Quadrat 2.JEUX un ~ d'as vier Asse 3.(*parcelle*) ~ de terre Stück *nt* Land

carré, e [kaʀe] *adj* 1.(*rectangulaire*) quadratisch 2. *épaules* breit 3.MATH mètre/kilomètre ~ Quadratmeter *m*/-kilometer *m*

carreau [kaʀo] <x> *m* 1.(*vitre*) [Fenster]scheibe *f*; faire les ~x die Fenster putzen 2.(*carrelage*) Fliese *f* 3.(*motif sur tissu*) Karo *nt*; (*sur papier*) Kästchen *nt*; à grands/petits ~x groß/klein kariert 4.JEUX Karo *nt*; as de ~ Karoass *nt* ▶se tenir à ~ vorsichtig sein

carrefour [kaʀfuʀ] *m* 1. *de routes* Kreuzung *f* 2.(*point de rencontre*) Treffpunkt *m*; Strasbourg, ~ de l'Europe Straßburg, Drehscheibe *f* Europas 3.(*situation décisive*) Scheideweg *m*

carrelage [kaʀlaʒ] *m* 1.(*action*) Fliesen *nt* 2.(*revêtement*) Fliesen *Pl*

carreler [kaʀle] <3> *vt* fliesen

carrelet [kaʀlɛ] *m* Scholle *f*

carreleur, -euse [kaʀlœʀ, -øz] *m, f* Fliesenleger(in) *m(f)*

carrément [kaʀemɑ̃] *adv fam* 1.(*franchement*) y aller ~ drauflosgehen 2.(*complètement*) geradezu

carrer [kaʀe] <1> *vpr* se ~ dans un fauteuil sich [bequem] in einem Sessel zurechtsetzen

carrière¹ [kaʀjɛʀ] *f* Laufbahn *f*; faire ~ Karriere machen

carrière² [kaʀjɛʀ] *f* ~ de pierres Steinbruch *m*; ~ de sable Sandgrube *f*

carriériste [kaʀjeʀist] *mf péj* Karrieremacher(in) *m(f)*

carriole [kaʀjɔl] *f* Karren *m*

carrossable [kaʀɔsabl] *adj* befahrbar

carrosse [kaʀɔs] *m* Karosse *f*

carrosserie [kaʀɔsʀi] *f* 1.AUT Karosserie *f* 2.(*métier*) Karosseriebau *m*

carrossier [kaʀɔsje] *m* Karosseriebauer(in) *m(f)*

carrousel [kaʀuzɛl] *m* TECH kreisförmiges Förderband

carrure [kaʀyʀ] *f* 1.(*largeur du dos*) Schulterbreite *f*; être trop étroit/large de ~ *veste:* an den Schultern zu eng/weit sein 2.(*envergure*) Format *nt*

cartable [kaʀtabl] *m* 1.SCOL Schultasche *f* 2.CAN (*classeur à anneaux*) Ringordner *m*

carte [kaʀt] *f* 1.GEOG [Land]karte *f*; ~ au 1/25 000 Karte im Maßstab 1:25 000; ~ routière Straßenkarte; ~ en relief Reliefkarte 2.JEUX ~ à jouer Spielkarte *f*; jouer aux ~s Karten spielen; tirer les ~s à qn jdm die Karten legen 3.POST ~ postale Ansichtskarte *f*, [Post]karte 4.GASTR [Speise]karte *f* 5.(*bristol*) ~ de visite Visitenkarte *f* 6.(*moyen de paiement*) ~ à mémoire/à puce Magnet-/Chipkarte *f*; ~ bancaire/de crédit Kreditkarte; ~ de téléphone Telefonkarte 7.(*document*) ~ d'électeur Wahlschein *m*; ~ d'étudiant Studentenausweis *m*; ~ [nationale] d'identité Personalausweis; ~ de sécurité sociale Sozialversicherungskarte *f*; ~ de séjour Aufenthaltserlaubnis *f*; ~ grise Kraftfahrzeugschein ▶jouer ~s sur table mit offenen Karten spielen; jouer sa dernière ~ seine letzte Karte ausspielen; brouiller les ~s [bewusst] Verwirrung stiften; donner [*o* laisser] ~ blanche à qn jdm freie Hand lassen

cartel [kaʀtɛl] *m* Kartell *nt*

carter [kaʀtɛʀ] *m* *d'une machine* Gehäuse *nt*

cartilage [kaʀtilaʒ] *m* Knorpel *m*

cartilagineux, -euse [kaʀtilaʒinø, -øz] *adj viande* knorp[e]lig

cartomancien, ne [kaʀtɔmɑ̃sjɛ̃, jɛn] *m, f* Kartenleger(in) *m(f)*

carton [kaʀtɔ̃] *m* 1.(*matière*) Pappe *f*, Karton *m* 2.(*emballage*) Karton *m*; un ~ de lait eine Packung Milch 3. à dessin Zeichenmappe *f* ▶~ jaune/rouge gelbe/rote Karte; faire un ~ *fam* (*avoir du succès*) einen Bombenerfolg haben; (*gagner*) haushoch gewinnen; taper le ~ *fam* Karten spielen

cartonné, e [kaʀtɔne] *adj* kartoniert
carton-pâte [kaʀtɔ̃pat] *m* Pappmaché *nt*
cartouche [kaʀtuʃ] *f* **1.** *d'un fusil* Patrone *f;*
~ **à blanc** Platzpatrone **2.** ~ **de cigarettes**
Stange *f* Zigaretten **3.** ~ **d'encre** Tintenpatrone *f*
cas [ka] *m* **1.** (*circonstance*) Fall *m;* ~ **difficile** schwierige Angelegenheit; ~ **d'urgence** Notfall; ~ **limite** Grenzfall; **c'est bien le** ~ das ist tatsächlich der Fall; **dans ce** ~ in diesem Fall; **dans le** ~ **contraire** andernfalls; **dans le** ~ **présent** im vorliegenden Fall; **dans tous les** ~ auf jeden Fall; **en tout** ~ auf jeden Fall; **en aucun** ~ auf keinen Fall **2.** (*hypothèse*) **au** ~/**dans le** ~/**pour le** ~ **où qn ferait qc** für den Fall, dass jd etw tut; **en** ~ **de** im Falle von; **en** ~ **d'absence** bei Abwesenheit; **en** ~ **de besoin** wenn nötig; **en** ~ **de pluie** falls es regnen sollte **3.** MED, JUR, LING Fall *m*
casanier, -ière [kazanje, -jɛʀ] *adj* personne häuslich
casaque [kazak] *f* Jockeydress *m*
cascade [kaskad] *f* **1.** (*chute d'eau*) Wasserfall *m* **2.** *fig* ~ **d'applaudissements** Beifallssturm *m;* ~ **de rires** Lachsalve *f* **3.** CINE Stunt *m*
cascadeur, -euse [kaskadœʀ, -øz] *m, f* CINE Stuntman/-girl *m/f*
case [kaz] *f* **1.** *d'un formulaire, damier* Feld *nt;* **avancer de huit** ~**s** acht Felder vorrücken; ~ **spéciale** Spezialfeld; ~ **départ** Start *m* **2.** (*casier*) Fach *nt* **3.** (*hutte*) Hütte *f* ▶**il lui** **manque** **une** ~ *fam* er hat nicht alle Tassen im Schrank
casemate [kazmat] *f* Bunker *m*
caser [kaze] <1> **I.** *vt* **1.** (*loger*) unterbringen **2.** (*marier*) unter die Haube bringen **II.** *vpr* **se** ~ **1.** (*se loger*) unterkommen **2.** (*se marier*) heiraten
caserne [kazɛʀn] *f* Kaserne *f*
cash [kaʃ] *adv fam* cash
casher [kaʃɛʀ] *adj inv* koscher
casier [kazje] *m* **1.** (*case*) Fach *nt;* ~ **à bouteilles** Flaschenregal *nt* **2.** JUR ~ **judiciaire** Strafregister *nt;* **avoir un** ~ **judiciaire vierge** nicht vorbestraft sein **3.** PECHE Korb *m*
casino [kazino] *m* [Spiel]kasino *nt*
casque [kask] *m* **1.** (*protection*) Helm *m;* *d'un motocycliste* Sturzhelm **2.** (*séchoir*) [Trocken]haube *f* **3.** MUS Kopfhörer *m* ▶~ **bleu** Blauhelm *m*
casqué, e [kaske] *adj* behelmt
casquer [kaske] <1> *vi fam* blechen
casquette [kaskɛt] *f* Schirmmütze *f*
cassant, e [kasɑ̃, ɑ̃t] *adj* **1.** (*fragile*) bruchempfindlich **2.** *ton* scharf
cassation [kasasjɔ̃] *f* JUR *d'un testament,*

d'un acte Ungültigkeitserklärung *f*
casse [kas] **I.** *f* **1.** (*dégât*) Schaden *m;* (*pendant un transport*) Bruchschaden; **payer la** ~ für den Schaden aufkommen **2.** (*bagarre*) **il va y avoir de la** ~ *fam* gleich wird es eine Schlägerei geben **3.** (*commerce du ferrailleur*) Schrottplatz *m* **II.** *m fam* Bruch *m;* **faire un** ~ einen Bruch machen
cassé, e [kase] *adj vieillard* gekrümmt; *voix* rau
casse-cou [kasku] *m inv fam* Draufgänger(in) *m(f)* **casse-croûte** [kaskʀut] *m inv fam* Imbiss *m* **casse-gueule** [kasgœl] *inv m pop* **c'est un vrai** ~! (*endroit glissant*) das ist die reinste Rutschbahn! **casse-noisettes** [kasnwazɛt] *m inv* Nussknacker *m* **casse-noix** [kasnwa] *m inv* Nussknacker *m* **casse-pieds** [kaspje] *inv* **I.** *adj fam* **1.** (*importun*) nervig; **ce que tu peux être** ~, **bon sang!** Mensch, kannst du einen nerven! **2.** (*ennuyeux*) langweilig **II.** *mf fam* Nervensäge *f* **casse-pipe** [kaspip] *m sans pl fam* ▶**c'est le** ~ **assuré!** das geht garantiert daneben!
casser [kase] <1> **I.** *vt* **1.** (*briser*) zerbrechen, kaputtmachen *objet;* abbrechen *branche;* knacken *noix;* ~ **qc en deux** etw in zwei Teile brechen **2.** (*troubler*) stören *ambiance;* ~ **le moral à qn** *fam* jds Moral untergraben **3.** ECON zum Stillstand bringen *croissance;* ~ **les prix** die Preise radikal senken **4.** POL, SOCIOL brechen *grève* **5.** JUR kassieren, aufheben *jugement;* für ungültig erklären *mariage* **6.** MIL degradieren ▶~ **les pieds à qn** *fam* jdm auf die Nerven gehen; **à tout** ~ *fam* (*extraordinaire*) toll; **ça ne casse rien** *fam* das ist nichts Besonderes **II.** *vi objet:* kaputtgehen; *branche:* abbrechen; *fil:* [ab]reißen **III.** *vpr* **1.** (*se rompre*) **se** ~ zerbrechen; *branche:* abbrechen; **se** ~ **en mille morceaux** in tausend Stücke zerspringen **2.** (*être fragile*) **se** ~/**ne pas se** ~ zerbrechlich/unzerbrechlich sein **3.** (*se briser*) **se** ~ **un bras** sich (*dat*) einen Arm brechen; **se** ~ **une dent** sich (*dat*) einen Zahn abbrechen **4.** *fam* (*se fatiguer*) **ne pas se** ~ sich (*dat*) keinen abbrechen; **se** ~ **la tête** sich den Kopf zerbrechen **5.** *fam* (*s'en aller*) abhauen
casserole [kasʀɔl] *f* [Stiel]kasserole *f*
casse-tête [kastɛt] *m inv* **1.** (*problème*) knifflige Aufgabe; **être un vrai** ~ **pour qn** für jdn eine harte Nuss sein; ~ **chinois** kniffliges Problem **2.** (*jeu*) Geduld[s]spiel *nt*
cassette [kasɛt] *f* Kassette *f;* ~ **vidéo** Videokassette; ~ **D.A.T.** DAT-Kassette
casseur, -euse [kasœʀ, -øz] *m, f* Schrotthändler(in) *m(f)*
cassis [kasis] *m* (*fruit*) schwarze Johannis-

beere

cassoulet [kasulɛ] *m: weißer Bohneneintopf mit Würstchen und Fleisch aus Südwestfrankreich*

cassure [kɑsyʀ] *f* **1.** (*brisure*) Bruch *m*, Bruchstelle *f* **2.** *d'une amitié* Bruch *m*

castagnettes [kastaɲɛt] *fpl* Kastagnetten *Pl*

caste [kast] *f* Kaste *f*

casting [kastiŋ] *m* CINE, THEAT Casting *nt*

castor [kastɔʀ] *m* **1.** (*animal*) Biber *m* **2.** (*fourrure*) Biberpelz *m*

castrat [kastʀa] *m* Kastrat *m*

castration [kastʀasjɔ̃] *f* Kastration *f*

castrer [kastʀe] <1> *vt* kastrieren

cataclysme [kataklism] *m* **1.** (*catastrophe naturelle*) [Natur]katastrophe *f* **2.** (*calamité*) Katastrophe *f*

catacombes [katakɔ̃b] *fpl* Katakomben *Pl*

catadioptre [katadjɔptʀ] *m* Rückstrahler *m*

catalogue [katalɔg] *m* Katalog *m*

cataloguer [katalɔge] <1> *vt* **1.** (*classer*) katalogisieren **2.** *péj* abstempeln

catalyser [katalize] <1> *vt* **1.** CHIM katalysieren **2.** (*déclencher*) wachrufen *haine*

catalyseur [katalizœʀ] *m* CHIM Katalysator *m*

catalytique [katalitik] *adj* mit Katalysator

catamaran [katamaʀɑ̃] *m* Katamaran *m*

catapulter [katapylte] <1> *vt a.* AVIAT katapultieren

cataracte [kataʀakt] *f* MED grauer Star

catastrophe [katastʀɔf] *f* Katastrophe *f*; ~ **ferroviaire** schweres Eisenbahnunglück; **faire qc en** ~ etw überstürzt tun; **atterrir en** ~ notlanden

catastrophé, e [katastʀɔfe] *adj fam* entsetzt

catastrophique [katastʀɔfik] *adj* katastrophal

catch [katʃ] *m* Catchen *nt*

catéchiser [kateʃize] <1> *vt* ~ **qn** (*enseigner le catéchisme*) jdm Religionsunterricht erteilen

catéchisme [kateʃism] *m* **1.** (*enseignement*) Religionsunterricht *m* **2.** (*livre*) Katechismus *m* **3.** (*dogme*) Lehre *f*

catégorie [kategɔʀi] *f* **1.** (*groupe*) Kategorie *f*; ~ **grammaticale** Wortart *f*; ~ **socio-professionnelle** Berufsstand *m*; ~ **d'âge** Altersklasse *f* **2.** SPORT Klasse *f* **3.** (*qualité*) **de 1**ère ~ *produit alimentaire* Güteklasse *f* 1; *hôtel* erster Klasse

catégorique [kategɔʀik] *adj* kategorisch; **être** ~ **sur qc** auf etw (*dat*) bestehen

catégoriquement [kategɔʀikmɑ̃] *adv* kategorisch

caténaire [katenɛʀ] *f* Oberleitung *f*

cathédrale [katedʀal] *f* Kathedrale *f*; ~ **de Cologne/de Strasbourg** Kölner Dom *m*/ Straßburger Münster *nt*

cathodique [katɔdik] *adj* **génération** ~ Fernsehgeneration *f*

catholicisme [katɔlisism] *m* Katholizismus *m*

catholique [katɔlik] **I.** *adj* **1.** REL katholisch **2.** *fig fam* **ne pas être très** ~ etwas zwielichtig sein **II.** *mf* Katholik(in) *m(f)*

catimini [katimini] ►**en** ~ [klamm]heimlich; **partir en** ~ sich davonstehlen

cauchemar [koʃmaʀ] *m a. fig* Alptraum *m*; **faire un** ~ einen Alptraum haben

cauchemardesque [koʃmaʀdɛsk] *adj* alptraumhaft

caudal, e [kodal, o] <-aux> *adj* **appendice** ~ Schwanz *m*

causal, e <~s *o* -aux> [kozal, o] *adj* kausal

causalité [kozalite] *f* Kausalität *f*

causant, e [kozɑ̃, ɑ̃t] *adj* gesprächig

cause [koz] **I.** *f* **1.** (*raison*) Ursache *f*, Grund *m*; **fermé pour** ~ **de maladie** wegen Krankheit geschlossen; **et pour** ~! und zwar aus gutem Grund **2.** JUR Fall *m*, [Rechts]sache *f*; **plaider une** ~ einen Fall vertreten; **en tout état de** ~ in jedem Fall **3.** (*ensemble d'intérêts*) Sache *f*, Angelegenheit *f*; **pour la bonne** ~ für einen guten Zweck; **défendre une** ~ sich für eine Sache einsetzen ►**mettre qc en** ~ etw (*akk*) in Frage stellen; **mettre qn en** ~ jdn beschuldigen **II.** *prép* **à** ~ **de** wegen (+ *gen*)

causer¹ [koze] <1> *vt* (*provoquer*) verursachen; ~ **de la joie à qn** jdm Freude bereiten

causer² [koze] <1> *vt, vi* **1.** (*parler*) reden; (*s'entretenir*) sich unterhalten; (*sans façon*) plaudern; **assez causé!** *fam* genug geredet!; **je te/vous cause!** *fam* ich rede mit dir/euch!; **cause toujours!** *fam* red' du nur! **2.** *fam* (*médire*) **faire** ~ für Gesprächsstoff sorgen

causerie [kozʀi] *f* Unterhaltung *f*

causette [kozɛt] *f* **faire la** ~ *fam* einen [kleinen] Schwatz halten

causeur, -euse [kozœʀ, -øz] *m, f* [sehr] gesprächige Person

causse [kos] *m* Kalk[stein]plateau *nt*; **les Causses** *Kalkplateau südlich des Zentralmassivs*

causticité [kostisite] *f* CHIM Ätzkraft *f*

caustique [kostik] *adj* CHIM ätzend

cautère [kotɛʀ] ►**c'est un** ~ **sur une jambe de bois** das ist ein sinnloses Unterfangen *nt*

caution [kosjɔ̃] *f* **1.** (*garantie*) Bürgschaft

f; **se porter ~ pour qn** für jdn bürgen **2.** *(somme)* Kaution *f;* **être libéré sous ~** gegen Kaution freigelassen werden **3.** *(appui)* Rückhalt *m;* **apporter sa ~ à qn/qc** jdm/einer S. Rückendeckung *f* geben

cautionner [kosjɔne] <1> *vt* JUR bürgen für *personne*

cavalcade [kavalkad] *f* *(défilé)* [Um]zug *m*

cavaler [kavale] <1> *vi fam* *(courir)* Gas geben

cavalerie [kavalʀi] *f* MIL Kavallerie *f*

cavaleur, -euse [kavalœʀ, -øz] **I.** *adj fam* **être ~** *homme:* ein Schürzenjäger sein; *femme:* scharf auf Männer sein **II.** *m, f fam* **1.** *(homme)* Schürzenjäger *m* **2.** *(femme)* scharfe Frau

cavalier [kavalje] *m* **1.** MIL Kavallerist *m* **2.** JEUX Pferd *nt* **3.** *(titre de politesse)* Kavalier *m*

cavalier, -ière [kavalje, -jɛʀ] **I.** *adj* **1.** *péj* *(impertinent)* unverschämt **2.** *(réservé aux cavaliers)* **piste cavalière** Reitweg *m* **II.** *m, f* **1.** SPORT Reiter(in) *m(f)* **2.** *(au bal)* Tanzpartner(in) *m(f)*

cavalièrement [kavaljɛʀmɑ̃] *adv* unverschämt

cave [kav] *f* **1.** *(local souterrain)* Keller *m;* **~ voûtée** Kellergewölbe *nt* **2.** *(provision de vins)* Weinkeller *m* **3.** *pl* *(propriété)* **~s viticoles** Weinkellerei *f* **4.** *(cabaret)* Kellerbar *f* ▸**de la ~ au grenier** in allen Ecken

caveau [kavo] <x> *m* *(tombeau)* Gruft *f*

caverne [kavɛʀn] *f* Höhle *f*

caverneux, -euse [kavɛʀnø, -øz] *adj* ausgehöhlt

caviar [kavjaʀ] *m* GASTR Kaviar *m*

caviarder [kavjaʀde] <1> *vt* zensieren

caviste [kavist] *mf* Kellermeister(in) *m(f)*

cavité [kavite] *f* *(caverne)* Höhle *f*

CB [sibi] *f abr de* **Citizen's band** CB-Funk *m*

CCP [sesepe] *m abr de* **compte chèques postal** ≈ Postgirokonto *nt*

CD [sede] *m abr de* **Compact Disc** CD *f*

CDI [sedei] *m abr de* **centre de documentation et d'information** Dokumentations- und Informationsstelle einer Schule

CD-I [sedei] *m abr de* **Compact Disc Interactive** CD-I *f,* CD-Interaktiv *f*

CD-ROM [sedeʀɔm] *m abr de* **Compact Disc Read Only Memory** CD-ROM *f;* **introduire un ~ dans le lecteur de CD-ROM** eine CD-ROM in das CD-ROM-Laufwerk einlegen

ce¹ [sə] <*devant en et formes de "être" commençant par une voyelle* **c'**, *devant a* **ç'**> *pron dém* **1.** *(pour désigner)* **c'est un**

beau garçon das ist ein hübscher Junge; **ce sont de bons souvenirs** das sind schöne Erinnerungen; **c'est beau, la vie** das Leben ist schön; **c'est moi/lui/nous** ich/er/wir; **qui est-ce? – c'est moi** wer ist da? – ich [bin es]; **à qui est ce livre? – c'est à lui** wem gehört das Buch? – [es gehört] ihm **2.** *(dans une question)* **qui est-ce?, c'est qui?** *fam* wer ist das?; *(au téléphone)* wer ist da?; **qui est-ce qui/que** wer/wen; **qu'est-ce [que c'est]?, c'est quoi?** *fam* was ist das?; **qu'est-ce qui/que** was; **c'est qui** [*o* **qui c'est**] **ce Monsieur?** *fam* wer ist dieser Mann?; **est-ce vous?, c'est vous?** *fam* sind Sie es? **3.** *(pour insister)* **c'est plus tard qu'elle y songea** erst später fiel es ihr ein; **c'est maintenant qu'on en a besoin** gerade jetzt braucht man es; **c'est en tombant que l'objet a explosé** [in dem Moment,] als es fiel, explodierte das Ding; **c'est vous qui le dites!** das sagen Sie!; **c'est un scandale de voir cela** es ist ein Skandal das mit ansehen zu müssen; **c'est à elle de faire qc** *(c'est à son tour)* sie ist dran [etw zu tun]; *(c'est son rôle)* sie soll etw tun; **c'est à vous de prendre cette décision** diese Entscheidung müssen Sie selbst treffen **4.** *(pour expliquer)* **c'est que ...** nämlich ...; *(dans une réponse)* eigentlich ...; *(pour préciser la raison)* das heißt ... **5.** *(devant une relative)* **voilà tout ce que je sais** das ist alles, was ich weiß; **dis-moi ce dont tu as besoin** sag mir, was du brauchst; **ce à quoi je ne m'attendais pas** worauf ich nicht gefasst war; **ce à quoi j'ai pensé** woran ich gedacht habe; **ce que c'est idiot!** das ist vielleicht idiotisch! *(fam);* **ce que** [*o* **qu'est-ce que**] **ce paysage est beau!** was für eine schöne Landschaft!; **qu'est-ce qu'on s'amuse!** *fam* so eine Gaudi!; **ce qu'il parle bien** *fam* er spricht aber gut ▸**et ce** und zwar; **à ce qu'on dit, qn a fait qc** [wie] es heißt, hat jd etw getan; **sur ce** daraufhin; **sur ce, je vous dis au revoir** damit verabschiede ich mich

ce² [sə] *adj dém* **1.** *(pour désigner)* diese(r, s);* **~ vase/tableau/cet homme** diese Vase/dieses Bild/dieser Mann; *v. a.* **cette 2.** *(intensif, péjoratif)* **~ garçon-là** der Junge da; **comment peut-il raconter ~ mensonge!** wie kann er nur so eine Lüge erzählen! **3.** *(avec étonnement)* so ein(e); **~ toupet!** was für eine Frechheit! **4.** *(en opposition)* **~ livre-ci ... ~ livre-là** dieses Buch hier ... jenes Buch dort **5.** *(temporel)* heute; **~ jour-là** an jenem Tag; **~ mois-ci** diesen/in diesem Monat

CE [seø] *f abr de* **Communauté européenne** HIST EG *f*

CE1 [seøœ̃] *m abr de* **cours élémentaire première année** *zweite Grundschulklasse*

CE2 [seødø] *m abr de* **cours élémentaire deuxième année** *dritte Grundschulklasse*

ceci [səsi] *pron dém* dieses [hier]; ~ **explique cela** das eine erklärt das andere; **il a ~ d'agréable qu'il est gai** das Sympathische an ihm ist, dass er [so] fröhlich ist; **à ~ près qu'il ment** außer, dass er lügt; *v. a.* cela

cécité [sesite] *f* Blindheit *f*

céder [sede] <5> **I.** *vt* **1.** (*abandonner au profit de qn*) ~ **qc à qn** jdm etw überlassen; ~ **son tour à qn** jdm den Vorrang lassen **2.** (*vendre*) veräußern; übertragen *créance* **II.** *vi* **1.** (*renoncer*) nachgeben **2.** (*capituler*) aufgeben; *troupes:* zurückweichen **3.** (*succomber*) nachgeben; ~ **à la tentation** der Versuchung erliegen **4.** (*se rompre*) nachgeben; *chaise:* zusammenbrechen; *corde:* reißen

cédérom [sedeʀɔm] *m* CD-ROM *f*

CEDEX [sedɛks] *m abr de* **courrier d'entreprise à distribution exceptionnelle** *Sammelpostamt für gesondert zugestellte Firmen- und Behördenpost*

cédille [sedij] *f* Cédille *f* (*kommaähnliches, diakritisches Zeichen unter einem c/C*)

cèdre [sɛdʀ] *m* **1.** (*arbre*) Zeder *f* **2.** (*bois*) Zedernholz *nt*

CEE [seøø] *f abr de* **Communauté économique européenne** HIST EWG *f*

cégétiste [seʒetist] *mf* C.G.T.-Mitglied *nt*

CEI [seøi] *f abr de* **Communauté des États indépendants** HIST GUS *f*

ceindre [sɛ̃dʀ] <irr> *vt* (*entourer*) ~ **une ville de murailles** eine Stadt mit einer Stadtmauer umgeben

ceint, e [sɛ̃, ɛ̃t] *part passé de* **ceindre**

ceinture [sɛ̃tyʀ] *f* **1.** (*pour la taille*) Gürtel *m* **2.** (*partie d'un vêtement*) Bund *m*; *d'une robe* Taille *f* **3.** AUT, AVIAT [Sicherheits]gurt *m*; **attacher sa ~ de sécurité** sich anschnallen **4.** (*écharpe*) Gürtel *m*; (*personne*) Träger(in) *m(f)* eines Gürtels **5.** (*zone environnante*) Gürtel *m* **6.** (*route périphérique*) Ring[straße *f*] *m*

ceinturer [sɛ̃tyʀe] <1> *vt* umklammern *personne*

ceinturon [sɛ̃tyʀɔ̃] *m* MIL Koppel *nt*

cela [s(ə)la] *pron dém* **1.** (*pour désigner*) das; ~ **te plaît?** gefällt dir das?; **pour** ~ deshalb; **après** ~ danach; **je ne pense qu'à** ~ ich denke an nichts anderes

2. (*pour renforcer*) **qui/quand/où** ~? wer/wann/wo [sagst du/sagen Sie]?; **comment** ~? wie [das]?; ~ **fait dix jours que j'attends** ich warte jetzt schon seit zehn Tagen ►**c'est** ~ **même** ganz genau; **si ce n'est que** ~ wenn es weiter nichts ist; **et avec** ~? was darf es sonst noch sein?; **sans** ~ ansonsten; *v. a.* **ça, ceci**

célébration [selebʀasjɔ̃] *f* **1.** (*fête*) Feier[lichkeiten *Pl*] *f*; ~ **du mariage** Trauung *f*; ~ **du bicentenaire de la Révolution** Zweihundertjahrfeier der Revolution **2.** REL *d'un office* Zelebration *f*; **pendant la** ~ **de la messe** während der Messe

célèbre [selɛbʀ] *adj* berühmt; ~ **dans le monde entier** weltberühmt; **se rendre** ~ **par qc** durch etw berühmt werden

célébrer [selebʀe] <5> *vt* **1.** (*fêter*) feiern **2.** (*vanter*) rühmen *exploit* **3.** REL ~ **un office** eine Messe halten

célébrité [selebʀite] *f* Berühmtheit *f*

céleri [sɛlʀi] *m* Sellerie *m o f*

céleri-rave [sɛlʀiʀav] <céleris-raves> *m* Sellerie[knolle *f*] *m o f*

célérité [seleʀite] *f* Schnelligkeit *f*

céleste [selɛst] *adj* **1.** (*relatif au ciel*) **corps** ~ Himmelskörper *m* **2.** (*divin*) himmlisch; *colère* göttlich **3.** (*merveilleux*) himmlisch

célibat [seliba] *m* Ehelosigkeit *f*; *d'un prêtre* Zölibat *nt o m*

célibataire [selibatɛʀ] **I.** *adj* ledig; *mère, père* allein erziehend **II.** *mf* Junggeselle/-gesellin *m/f*, Single *m*

celle, celui [sɛl] <s> *pron dém* **1.** + *prép* ~ **de Paul est plus jolie** der[jenige]/die[jenige]/das[jenige] von Paul ist schöner **2.** + *pron rel* ~ **que tu as achetée est moins chère** den/den/das, das/die, die du gekauft hast, ist billiger **3.** + *adj/part passé/part prés/inf* (*en opposition*) der/die/das + *rel*; **cette marchandise est meilleure que** ~ **que vous vendez** diese Ware ist besser als die, die Sie verkaufen

celle-ci, celui-ci [sɛlsi] <celles-ci> *pron dém* **1.** (*en désignant*) *chose:* diese(r, s) [hier]; *personne:* diese [hier] **2.** (*référence à un antécédent*) diese; **il écrit à sa sœur** – ~ **ne répond pas** er schreibt seiner Schwester – diese antwortet nicht **3.** (*en opposition*) ~ **est moins chère que celle-là** diese(r,s) ist billiger als jene(r,s); (*avec un geste*) diese(r,s) [hier] ist billiger als diese(r, s) [da]; *v. a.* **celle-là**

celle-là, celui-là [sɛlla] <celles-là> *pron dém* **1.** (*en désignant*) *chose:* diese(r, s) [da]; *personne:* diese [da] **2.** (*référence à un antécédent*) **ah! je la retiens** ~ **alors!** *fam* das verzeihe ich ihr nie!; **elle est bien bonne** ~! das ist ein bisschen dick aufge-

tragen! **3.** (*en opposition*) *v.* **celle-ci**

celles, ceux [sɛl] *pl pron dém* **1.** + *prép* die[jenigen] + *Präp;* ~ **d'entre vous** diejenigen von Ihnen **2.** + *pron rel* ~ **qui ont fini peuvent sortir** die[jenigen], die fertig sind, können gehen **3.** + *adj/part passé/ part prés/inf* die; *v. a.* **celle**

celles-ci , ceux-ci [sɛlsi] *pl pron dém* **1.** (*pour distinguer*) diese [hier] **2.** (*référence à un antécédent*) diese; *v. a.* **celle-ci** **3.** (*en opposition*) ~ **sont moins chères que celles-là** diese sind billiger als jene; (*avec un geste*) diese hier sind billiger als diese da; *v. a.* **celles-là**

celles-là , ceux-là [sɛlla] *pl pron dém* **1.** (*en désignant*) diese [da] **2.** (*référence à un antécédent*) **ah! je les retiens ~ alors!** *fam* das verzeihe ich ihnen nie! **3.** (*en opposition*) diese da; *v. a.* **celles-ci**

cellier [selje] *m* Vorratsraum *m*

cellophane® [selɔfan] *f* Zellophan® *nt*, Cellophan® *nt;* (*emballage*) Frischhaltefolie *f*

cellulaire [selylɛʀ] **I.** *adj* **1.** BIO **division ~** Zellteilung *f* **2.** (*relatif à la prison*) **régime ~** [Einzel]haft *f;* **fourgon ~** Gefangenentransporter *m* **II.** *m* CAN (*téléphone portable*) Handy *nt*

cellule [selyl] *f* Zelle *f;* ~ **photoélectrique** Fotozelle

cellulite [selylit] *f* MED Zellulitis *f*

cellulose [selyloz] *f* Zellulose *f,* Cellulose *f*

celte [sɛlt] *adj* keltisch

Celte [sɛlt] *m, f* Kelte/Keltin *m/f*

celtique [sɛltik] **I.** *adj* keltisch **II.** *m* Keltisch *nt; v.* **allemand**

celui, celle [səlɥi] <**ceux**> *pron dém* der[jenige]/die[jenige]/das[jenige]; *v. a.* **celle**

celui-ci , celle-ci [səlɥisi] <**ceux-ci**> *pron dém chose:* diese(r, s) [hier]; *personne:* dieser [hier]; *v. a.* **celle-ci, celui-là**

celui-là , celle-là [səlɥila] <**ceux-là**> *pron dém* **1.** (*en désignant*) *chose:* diese(r, s) [da]; *personne:* dieser [da]; (*avec un geste*) ~ **est meilleur** diese(r, s) [da/dort] ist besser **2.** (*référence à un antécédent*) *v.* **celle-là 3.** (*en opposition*) *v.* **celui-ci, celle-ci**

cendre [sɑ̃dʀ] *f* Asche *f*

cendré, e [sɑ̃dʀe] *adj* *cheveux* aschblond

cendrée [sɑ̃dʀe] *f* SPORT Aschenbahn *f*

cendrier [sɑ̃dʀije] *m* Aschenbecher *m*

Cendrillon [sɑ̃dʀijɔ̃] *f* Aschenputtel *nt*

censé, e [sɑ̃se] *adj* **1.** (*présumé en train de faire qc*) **être ~ faire qc** [eigentlich] etw tun wollen **2.** (*présumé capable de faire qc*) **je suis ~ connaître la réponse** ich bin der/die Einzige, der/die die Antwort

kennt **3.** (*présumé devoir faire qc*) **je te le dis, mais tu n'es pas ~ le savoir** ich sage es dir, aber eigentlich darfst du es gar nicht wissen

censeur [sɑ̃sœʀ] *m* **1.** MEDIA Kritiker(in) *m(f)* **2.** POL Zensor(in) *m(f)* **3.** SCOL Beamter/Beamtin, der/die an Gymnasien für die Schulordnung zuständig ist

censure [sɑ̃syʀ] *f* **1.** Zensur *f* **2.** POL Misstrauensvotum *nt;* **déposer une motion de ~** einen Misstrauensantrag stellen

censurer [sɑ̃syʀe] <1> *vt* zensieren; **être censuré** auf dem Index stehen

cent[1] [sɑ̃] **I.** *num* **1.** [ein]hundert; **cinq ~s** fünfhundert; ~ **un** hundert[und]eins/-einer ▶ **avoir ~ fois raison** absolut Recht haben; **pour ~** Prozent *nt;* ~ **pour ~** hundertprozentig **II.** *m inv* Hundert *f; v. a.* **cinq, cinquante**

cent[2] [sɛnt] *m* FIN Cent *m*

centaine [sɑ̃tɛn] *f* **1.** (*environ cent*) **une ~ de personnes** etwa hundert Personen; **des ~s de personnes** Hunderte *Pl* von Personen; **plusieurs ~s de manifestants** mehrere Hundert Demonstranten; **par ~s** zu Hunderten **2.** (*cent unités*) Hunderter *m*

centaure [sɑ̃tɔʀ] *m* HIST Zentaur *m*

centenaire [sɑ̃tnɛʀ] **I.** *adj* hundertjährig; **être ~** hundert Jahre alt sein **II.** *mf* Hundertjährige(r) *f(m)* **III.** *m* **1.** *d'une personne* hundertster Geburtstag; *d'un événement* hundertster Jahrestag **2.** (*cérémonie*) Hundertjahrfeier *f*

centésimal, e [sɑ̃tezimal, o] <-aux> *adj* hundertteilig

centième [sɑ̃tjɛm] **I.** *adj antéposé* hundertste(r, s) **II.** *mf* **le/la ~** der/die/das Hundertste **III.** *m* (*fraction*) Hundertstel *nt* **IV.** *f* THEAT hundertste Aufführung; *v. a.* **cinquième**

centigramme [sɑ̃tigʀam] *m* Zentigramm *nt*

centilitre [sɑ̃tilitʀ] *m* Zentiliter *m o nt;* **25 ~s** ein viertel Liter

centime [sɑ̃tim] *m* Centime *m;* **une pièce de 50 ~s** eine Fünfzigcentimemünze ▶ **ne pas avoir un ~ sur soi** keinen Pfennig [bei sich (*dat*)] haben

centimètre [sɑ̃timɛtʀ] *m* **1.** (*unité*) Zentimeter *m o nt* **2.** (*ruban*) Zentimetermaß *nt*

central [sɑ̃tʀal, o] <-aux> *m* TELEC [Telefon]zentrale *f*

central, e [sɑ̃tʀal, o] <-aux> *adj* **1.** (*situé au centre*) zentral; **partie ~e** Mittelstück *nt* **2.** (*important*) zentral; **le personnage ~** die Hauptperson

centrale [sɑ̃tʀal] *f* **1.** ELEC Kraftwerk *nt;* ~ **électrique** Elektrizitätswerk **2.** POL Arbeit-

nehmerorganisation *f;* ~ **syndicale** Gewerkschaft *f* **3.** COM Zentrale *f* **4.** (*prison*) Strafvollzugsanstalt *f* **5.** SCOL **la Centrale** *Hochschule für die Ingenieurausbildung*

centralisation [sãtralizasjɔ̃] *f* **1.** *de la politique* Zentralisierung *f; des secours* zentrale Koordination; *des renseignements* zentrale Erfassung **2.** (*résultat*) Zentralisation

centraliser [sãtralize] <1> *vt* zentralisieren *pouvoir;* sammeln *information;* koordinieren *secours*

centre [sãtr] *m* **1.** *d'un cercle* Mittelpunkt *m; d'une ville* Mitte *f,* Zentrum *nt;* **le ~ de la ville** die Innenstadt; ~ **de gravité** PHYS Schwerpunkt *m* **2.** POL Mitte; ~ **gauche/ droit** gemäßigte Linke/Rechte **3.** (*lieu d'activités*) Zentrum *nt;* ~ **ferroviaire** Eisenbahnknotenpunkt *m* **4.** (*organisme*) Zentrum *nt;* ~ **aéré** Ferien- und Freizeitzentrum; ~ **commercial/culturel** Einkaufs-/Kulturzentrum; ~ **hospitalier régional/universitaire** Landes/Universitätsklinik *f;* ~ **d'achats** CAN (~ *commercial*) Einkaufszentrum; ~ **équestre/ sportif** Reit-/Sportzentrum; ~ **de détention pour jeunes** Jugendstrafanstalt *f;* ~ **d'entraînement** Trainingszentrum; ~ **de vacances** Ferienlager *nt* **5.** (*terrain*) Mittelfeld *nt;* (*joueur*) Mittelstürmer *m;* (*passe*) Flanke *f* **6.** (*point essentiel*) Mittelpunkt *m;* **être au ~ des préoccupations de qn** jds Hauptsorge sein; ~ **d'intérêt** [Themen]schwerpunkt

centrer [sãtre] <1> *vt* **1.** *a. fig* (*placer au centre*) zentrieren; ~ **son discours sur un sujet** ein Thema in den Mittelpunkt seiner Rede stellen **2.** SPORT [zur Mitte] flanken

centre[-]ville [sãtrəvil] <centres-villes> *m* Stadtzentrum *nt*

centrifuge [sãtrifyʒ] *adj* zentrifugal; **force** ~ Zentrifugalkraft *f*

centrifugeuse [sãtrifyʒøz] *f* Zentrifuge *f*

centriste [sãtrist] *adj convictions politiques* gemäßigt, in der politischen Mitte angesiedelt

centuple [sãtypl] **I.** *adj* hundertfach; **mille est un nombre ~ de dix** tausend ist das Hundertfache von zehn **II.** *m a. fig* Hundertfache(s) *nt;* **rendre une dette à qn au ~** jdm eine Schuld mit Zins und Zinseszins zurückzahlen

centupler [sãtyple] <1> *vi* sich verhundertfachen

cep [sɛp] *m* Rebstock *m*

cépage [sepaʒ] *m* Rebsorte *f*

cèpe [sɛp] *m* Steinpilz *m,* Herrenpilz (A)

cependant [s(ə)pãdã] *adv* doch

céramique [seramik] **I.** *adj* keramisch **II.** *f* **1.** (*objet*) Keramik *f* **2.** (*art*) Töpferei *f* **3.** MED ~ **dentaire** Zahnkeramik *f*

cerceau [sɛrso] <x> *m* Reifen *m*

cercle [sɛrkl] *m* **1.** (*forme géométrique, groupe*) Kreis *m* **2.** (*groupe sportif*) Club *m,* Klub *m* **3.** MIL ~ **des officiers** Offizierskasino *nt* ▸ ~ **vicieux** Teufelskreis *m*

cercueil [sɛrkœj] *m* Sarg *m*

céréale [sereal] *f* **1.** AGR Getreide *nt;* **les ~s** das Getreide **2.** (*petit-déjeuner*) Haferflocken, Cornflakes, Müsli etc.

cérébral, e [serebral, o] <-aux> **I.** *adj* **1.** ANAT **les hémisphères cérébraux** die Großhirnhälften; **hémorragie** ~**e** [Ge]hirnblutung *f;* **congestion** ~**e** Schlaganfall *m* **2.** (*intellectuel*) geistig **II.** *mf* **être un pur** ~ ein reiner Verstandesmensch sein

cérémonial, e [seremɔnjal] <s> *m* Zeremoniell *nt*

cérémonie [seremɔni] *f* Zeremonie *f,* Feier[lichkeiten *Pl*] *f*

cérémonieux, -euse [seremɔnjø, -jøz] *adj* zeremoniell

cerf [sɛr] *m* ZOOL Hirsch *m*

cerfeuil [sɛrfœj] *m* Kerbel *m*

cerf-volant [sɛrvɔlã] <cerfs-volants> *m* **1.** (*jouet*) Drachen *m;* **faire voler un** ~ einen Drachen steigen lassen **2.** ZOOL Hirschkäfer *m*

cerise [s(ə)riz] **I.** *f* Kirsche *f* **II.** *adj inv* [**rouge**] ~ kirschrot

cerisier [s(ə)rizje] *m* **1.** (*arbre*) Kirschbaum *m* **2.** (*bois*) Kirschbaumholz *nt,* Kirsche *f*

cerne [sɛrn] *m* **1.** ANAT Ringe *Pl* unter den Augen **2.** BOT *d'un arbre* Jahresring *m*

cerné, e [sɛrne] *adj* **avoir les yeux** ~**s** Ringe *Pl* unter den Augen haben

cerneau [sɛrno] <x> *m* Nusskern *m*

cerner [sɛrne] <1> *vt* **1.** *a. fig* (*entourer d'un trait*) umreißen **2.** (*encercler*) umstellen *ennemi* **3.** (*évaluer*) erfassen *problème;* einschätzen *difficulté;* *fam* einordnen *personne*

certain, e [sɛrtɛ̃, ɛn] **I.** *adj* sicher; **être sûr et** ~ hundertprozentig sicher sein; **j'en suis sûr et** ~**!** davon bin ich überzeugt!; **un plaisir** ~ ein sicheres Vergnügen **II.** *adj indéf* **1.** *pl antéposé* (*quelques*) gewisse *Pl,* bestimmte *Pl* **2.** (*bien déterminé*) **un** ~ **endroit** eine bestimmte Stelle **III.** *pron pl* **~s** manche *Pl,* einige *Pl;* ~**s d'entre vous** manche unter Ihnen/euch; **aux yeux de** ~**s** in den Augen einiger Leute

certainement [sɛrtɛnmã] *adv* **1.** (*selon toute apparence*) sicher[lich] **2.** (*sans aucun doute*) zweifellos

certes [sɛrt] *adv* (*pour exprimer une réser-*

ve: en début de phrase) zugeben ...; (*au milieu de la phrase*) sicher; (*dans une négation*) bestimmt; **c'est le plus doué, ~! mais ...** er ist zwar der Begabteste, aber ...

certificat [sɛrtifika] *m* **1.** (*attestation*) Bescheinigung *f;* ~ **médical** ärztliches Attest; ~ **de naissance** Geburtsurkunde *f;* ~ **de scolarité** Schulbescheinigung **2.** (*diplôme*) Zeugnis *nt;* (*d'études universitaires*) Diplom *nt;* **délivrer un ~ à qn** jdm ein Zeugnis ausstellen

certifier [sɛrtifje] <1> *vt* **1.** versichern **2.** JUR beglaubigen; **cette copie est certifiée conforme à l'original** diese Kopie ist beglaubigt; (*mention sur le tampon*) Kopie entspricht dem Original

certitude [sɛrtityd] *f* Sicherheit *f,* Gewissheit *f*

cérumen [serymɛn] *m* Ohrenschmalz *nt*

cerveau [sɛrvo] <x> *m* **1.** ANAT Gehirn *nt* **2.** (*esprit*) Kopf *m,* Verstand *m* **3.** *d'une organisation* [Schalt]zentrale *f* **4.** (*personne*) kluger Kopf; (*célébrité*) großer Geist **5.** (*organisateur*) Kopf *m*

cervelas [sɛrvəla] *m* Zervelatwurst *f*

cervelet [sɛrvəlɛ] *m* ANAT Kleinhirn *nt*

cervelle [sɛrvɛl] *f* **1.** *fam* (*esprit*) Verstand *m;* **ne rien avoir dans la ~** nichts im Kopf *m* haben **2.** GASTR Hirn *nt*

cervical, e [sɛrvikal, o] <-aux> **I.** *adj* ANAT **vertèbres ~es** Halswirbel *Pl* **II.** *fpl* **les ~es** die Halswirbel *Pl*

cervidés [sɛrvide] *m pl* ZOOL [die Familie der] Hirsche *Pl*

Cervin [sɛrvɛ̃] *m* **le ~** das Matterhorn

ces [se] *adj dém pl* **1.** (*pour désigner*) diese; ~ **tableaux/dames** diese Bilder/Damen; *v. a.* **cette 2.** *fam* (*intensif, péjoratif*) **il a de ~ idées!** er hat vielleicht Ideen!; **comment peut-il raconter ~ mensonges** wie kann er nur solche Lügen auftischen! **3.** (*avec étonnement*) diese; ~ **mensonges!** diese Lügen! **4.** (*en opposition*) diese; ~ **gens-ci ... ~ gens-là** die Leute hier ... die Leute dort **5.** (*temporel*) ~ **nuits-ci** diese Nächte; ~ **jours-ci** zur Zeit; **dans ~ années-là** in jenen Jahren

CES [seøɛs] *m* **1.** *abr de* **collège d'enseignement secondaire** ≈ Schule der Sekundarstufe I **2.** (*emploi*) *abr de* **contrat emploi-solidarité** ≈ ABM-Stelle *f*

César [seza:r] *m* HIST **Jules ~** Julius Cäsar

césarienne [sezarjɛn] *f* MED Kaiserschnitt *m*

cessation [sɛsasjɔ̃] *f* Einstellen *nt*

cesse [sɛs] ►**sans ~** (*sans interruption*) ständig

cesser [sese] <1> **I.** *vt* einstellen; **cessez**

ces cris! hört mit dem Geschrei auf! (*fam*); **faire ~ qc** etw beenden; ~ **de fumer** das Rauchen aufgeben **II.** *vi* aufhören; *combat, travail:* eingestellt werden; *conflit:* ein Ende finden; *fièvre:* fallen

cessez-le-feu [sesel(e)fø] *m inv* (*prolongé*) Waffenruhe *f;* (*momentané*) Waffenpause *f*

cession [sesjɔ̃] *f* Übertragung *f*

c'est-à-dire [sɛtadiʀ] *conj* **1.** (*à savoir*) das bedeutet [also] **2.** (*justification*) eigentlich **3.** (*rectification*) besser gesagt

césure [sezyr] *f* *a. fig* POES Zäsur *f*

cet [sɛt] *adj dém v.* **ce**

CET [seøte] *m abr de* **collège d'enseignement technique** ≈ Berufsfachschule *f*

cétacé [setase] *m* ZOOL Wal *m*

cette [sɛt] *adj dém* **1.** (*pour désigner*) diese(r, s); ~ **chaise/dame** dieser Stuhl/diese Dame; **en ~ dernière semaine de l'avent** in dieser letzten Adventswoche; **alors, ~ grippe, comment ça va?** na, wie geht's [mit] deiner/Ihrer Grippe? **2.** (*intensif, péjoratif*) ~ **fille-là** das Mädchen da; **comment peut-il raconter ~ histoire!** wie kann er nur so eine Geschichte erzählen! **3.** (*avec étonnement*) so ein(e); ~ **chance!** was für ein Glück! **4.** (*en opposition*) ~ **version-ci ... ~ version-là** diese Fassung hier ... jene Fassung dort **5.** (*temporel*) ~ **nuit** heute Nacht; ~ **semaine** diese Woche; ~ **semaine-là** in der Woche

ceux, celles [sø] *pl pron dém* die[jenigen]; *v. a.* **celles**

ceux-ci , celles-ci [søsi] *pl pron dém* **1.** (*pour distinguer*) diese [hier] **2.** (*référence à un antécédent*) diese; *v. a.* **celle-ci 3.** (*en opposition*) diese; *v. a.* **ceux-là, celles-ci**

ceux-là , celles-là [søla] *pl pron dém* **1.** (*en désignant*) diese da **2.** (*référence à un antécédent*) *v.* **celle-là 3.** (*en opposition*) diese da; *v. a.* **ceux-ci, celles-ci**

Cévennes [sevɛn] *fpl* **les ~** die Cevennen

Ceylan [sɛlɑ̃] *f* HIST Ceylon *nt*

cf., Cf. [keɛf] *abr de* **confer** vgl.

CFA [seɛfa] *adj abr de* **communauté financière africaine: franc ~** CFA-Franc *m*

CFC [seɛfse] *m abr de* **chlorofluorocarbone** FCKW *m*

ch [ʃəvo] *abr de* **cheval-vapeur** PS *f*

chacal [ʃakal] <s> *m* ZOOL Schakal *m*

chacun, e [ʃakœ̃, ʃakyn] *pron* **1.** (*chose ou personne dans un ensemble défini*) jede(r, s) [Einzelne]; (*de deux personnes*) jede(r) von beiden; ~/~**e de nous** jeder/jede [Einzelne] von uns; ~ **à sa façon** jeder auf seine Weise; ~ [**à**] **son tour** einer nach dem anderen **2.** (*toute personne*) jede(r) ►~

ses **goûts** *prov* über Geschmack lässt sich [nicht] streiten

chagrin [ʃagʀɛ̃] *m* (*peine*) Kummer *m*

chagriner [ʃagʀine] <1> *vt* ~ **qn** jdm Kummer machen

chah [ʃa] *m v.* **schah**

chahut [ʃay] *m* Aufruhr *m*; (*bruit*) Krach *m*; **faire du** ~ ein Spektakel veranstalten

chahuter [ʃayte] <1> **I.** *vi élèves:* ein Spektakel veranstalten; *enfants:* herumtoben; (*faire du bruit*) Radau machen (*fam*) **II.** *vt* **1.** (*bousculer par plaisir*) fertig machen (*fam*) **2.** (*troubler par du chahut*) ~ **un professeur** den Unterricht eines Lehrers stören

chahuteur, -euse [ʃaytœʀ, -øz] *adj* aufsässig

chai [ʃɛ] *m* [Wein]lager *nt*

chaîne [ʃɛn] *f* **1.** (*bijou*) Kette *f* **2.** (*dispositif métallique*) Kette *f*; ~ **de bicyclette/ sûreté** Fahrrad-/Sicherheitskette **3.** *pl* AUT Schneeketten *Pl* **4.** *de personnes* Kette *f*; **faire la** ~ eine Kette bilden; **réaction en** ~ Kettenreaktion *f* **5.** IND [Fließ]band *nt* **6.** (*émetteur*) Sender *m*; (*programme*) Programm *nt*; ~ **câblée** Kabelkanal *m*; **sur la 3ᵉ** ~ im dritten Programm **7.** (*appareil stéréo*) Anlage *f*; ~ **haute-fidélité** [*o* hi-fi] [*o* **stéréo**] Hi-Fi-Anlage *f* **8.** (*groupement*) ~ **de magasins** Ladenkette *f*

chaînette [ʃɛnɛt] *f* Kettchen *nt*

chaînon [ʃɛnɔ̃] *m a. fig* [Ketten]glied *nt*

chair [ʃɛʀ] **I.** *f* **1.** (*viande*) Fleisch *nt*; ~ **à pâté** [*o* **saucisse**] Hackepeter *m* (*fam*) **2.** (*pulpe*) [Frucht]fleisch *nt* **3.** (*corps opposé à esprit*) Fleisch *nt*, Leib *m* **4.** (*instinct sexuel*) Fleischeslust *f*; **les plaisirs de la** ~ die sinnlichen Freuden **II.** *adj inv* hautfarben

chaire [ʃɛʀ] *f* **1.** (*tribune*) Rednerpult *nt*; *du prêtre* Kanzel *f* **2.** UNIV Lehrstuhl *m*

chaise [ʃɛz] *f* Stuhl *m*

chaland [ʃalɑ̃] *m* (*péniche*) Lastkahn *m*

châle [ʃɑl] *m* [Schulter]tuch *nt*

chalet [ʃalɛ] *m* Chalet *nt* (CH)

chaleur [ʃalœʀ] *f* **1.** (*température élevée*) Wärme *f*; (*très élevée*) Hitze *f*; **vague de** ~ Hitzewelle *f*; **sous l'effet de la** ~ unter der Wärme-/Hitzeeinwirkung; **il fait une** ~ **accablante** es ist drückend heiß **2.** ANAT Körperwärme *f* **3.** *fig* Wärme *f*; *d'un accueil* Herzlichkeit *f*; **avec** ~ herzlich

chaleureusement [ʃalœʀøzmɑ̃] *adv* warm

chaleureux, -euse [ʃalœʀø, -øz] *adj* warm; *accueil* herzlich; *soirée* gemütlich

challenge [ʃalɑ̃ʒ, tʃalɛndʒ] *m* Pokalwettbewerb *m*

chaloupe [ʃalup] *f* Beiboot *nt*

chalumeau [ʃalymo] <x> *m* (*pour souder*) Schweißbrenner *m*; (*pour découper*) Schneidbrenner *m*

chalut [ʃaly] *m* PECHE [Grund]schleppnetz *nt*

chalutier [ʃalytje] *m* Fischkutter *m*

chamade [ʃamad] ▶ **qn a le cœur qui bat la** ~ jds Herz schlägt bis zum Hals[e]

chamailler [ʃamaje] <1> *vpr* **se** ~ *enfants:* sich zanken

chamarré, e [ʃamaʀe] *adj* geschmückt, überladen (*pej*)

chambard [ʃɑ̃baʀ] *m* Krawall *m*

chambardement [ʃɑ̃baʀdəmɑ̃] *m fam* Durcheinander *m*

chambarder [ʃɑ̃baʀde] <1> *vt fam* über den Haufen werfen *projets, habitudes*

chambouler [ʃɑ̃bule] <1> *vt fam* über den Haufen werfen *projets, programme*

chambranle [ʃɑ̃bʀɑ̃l] *m d'une porte, fenêtre* Rahmen *m*

chambre [ʃɑ̃bʀ] *f* **1.** (*pièce où l'on couche*) Schlafzimmer *nt*; ~ **individuelle/ double** Einzel-/Doppelzimmer; ~ **d'amis** Gästezimmer; **faire** ~ **à part** getrennte Schlafzimmer haben **2.** (*pièce spéciale*) ~ **forte** Tresorraum *m*; ~ **froide** Kühlraum **3.** POL, JUR Kammer *f* **4.** COM ~ **syndicale** Arbeitgeberverband *m*; ~ **de commerce et d'industrie** Industrie- und Handelskammer *f* **5.** (*tuyau*) ~ **à air** Schlauch *m*

chambrée [ʃɑ̃bʀe] *f* MIL Stube *f*

chambrer [ʃɑ̃bʀe] <1> *vt* **1.** (*tempérer*) auf Zimmertemperatur bringen **2.** *fam* (*se moquer de*) aufziehen

chameau [ʃamo] <x> *m* **1.** ZOOL Kamel *nt* **2.** *fam* (*femme*) Biest *nt* **3.** *fam* (*homme*) Schuft *m*

chamelier [ʃaməlje] *m* Kameltreiber(in) *m(f)*

chamois [ʃamwa] **I.** *m* **1.** ZOOL Gämse *f* **2.** (*cuir*) Gamsleder *nt*; **peau de** ~ Ledertuch *nt* **II.** *adj inv* chamois

champ [ʃɑ̃] *m* **1.** AGR *de céréales, fleurs* Feld *nt*; *de pommes de terre, betteraves* Acker *m*; **travailler dans les** [*o* **aux**] ~**s** auf dem Feld arbeiten **2.** (*campagne*) *pl* Land *nt*; **vie des** ~**s** Landleben *nt*; **couper à travers** ~**s** querfeldein gehen; **vivre en pleins** ~**s** auf dem flachen Land leben; **fleurs des** ~**s** Wiesenblumen *Pl* **3.** MIL ~ **de bataille** Schlachtfeld *nt*; ~ **de Mars** *früher:* Exerzier- und Paradeplatz, *heute:* Park am Fuß des Eiffelturms in Paris **4.** PHYS Feld *nt* ▶ **laisser du** ~ **libre à qn** jdm freie Hand lassen; **laisser le** ~ **libre à qn** jdm das Feld überlassen; **sur le** ~ sofort

champagne [ʃɑ̃paɲ] *m* Champagner *m*

champêtre [ʃɑ̃pɛtʀ] *adj* ländlich

champignon [ʃɑ̃piɲɔ̃] *m* **1.** BOT, GASTR Pilz *m* **2.** (*moisissure*) Schimmel[pilz *m*] *m* **3.** MED Pilz[erkrankung *f*] *m* **4.** *fam* (*accélérateur*) Gaspedal *nt*

champion, ne [ʃɑ̃pjɔ̃, -jɔn] **I.** *adj fam* **être ~** [einsame] Spitze sein **II.** *m, f* (*vainqueur*) *a. fig* Meister(in) *m(f)*, Champion *m*; (*sportif éminent*) Ass *nt*; **~ du monde de boxe** Boxweltmeister

championnat [ʃɑ̃pjɔna] *m* Meisterschaft *f*; **~ du monde** Weltmeisterschaft

chance [ʃɑ̃s] *f* **1.** (*bonne fortune*) Glück *nt*; **coup de ~** Glücksfall *m*; **avoir de la ~** Glück haben; (*toujours*) ein Glückskind sein; **avoir de la ~ de faire qc** Glück haben, dass man etw tut; **porter ~ à qn** jdm Glück bringen; **la ~ a tourné** das Glück hat sich gewendet; **par ~** glücklicherweise; **bonne ~!** viel Glück!; **pas de ~!** *fam* [so ein] Pech!; **quelle ~!** ein Glück! **2.** (*hasard*) Glück *nt*; **par ~** [rein] zufällig **3.** (*probabilité, possibilité de succès*) Chance *f*; **tenter sa ~** sein Glück versuchen; **mettre toutes les ~s de son côté** nichts dem Zufall überlassen; **rater une ~** eine Gelegenheit verpassen

chancelant, e [ʃɑ̃slɑ̃, ɑ̃t] *adj a. fig objet* wack[e]lig; *pas, démarche* schwankend

chanceler [ʃɑ̃s(ə)le] <3> *vi* schwanken, taumeln

chancelier [ʃɑ̃səlje] *m* **1.** (*garde des Sceaux en France*) ≈ Justizminister(in) *m(f)* **2.** (*Premier ministre en Allemagne/Autriche*) [Bundes]kanzler(in) *m(f)*

chancellerie [ʃɑ̃sɛlʀi] *f* **1.** (*ministère de la Justice en France*) Justizministerium *nt* **2.** (*service du Premier ministre en Allemagne/Autriche*) [Bundes]kanzleramt *nt*

chanceux, -euse [ʃɑ̃sø, -øz] *adj* **être ~** Glück haben

chandail [ʃɑ̃daj] *m* Pullover *m*

Chandeleur [ʃɑ̃d(ə)lœʀ] *f* REL **la ~** [Mariä] Lichtmess

chandelier [ʃɑ̃dəlje] *m* Leuchter *m*; (*bougeoir*) Kerzenständer *m*

chandelle [ʃɑ̃dɛl] *f* **1.** (*bougie*) Kerze *f*; **dîner aux ~s** bei Kerzenlicht essen **2.** SPORT **faire la ~** eine Kerze machen **3.** (*montée*) **faire une ~** einen hohen Ball spielen; SPORT eine Kerze schießen; **monter en ~** AVIAT steil nach oben ziehen ▶**devoir une fière ~ à qn** jdm zu großem Dank verpflichtet sein (*form*); **voir** trente-six **~s** Sterne sehen (*fam*); **tenir** la **~ à qn** *hum* das fünfte Rad am Wagen sein

chanfrein [ʃɑ̃fʀɛ̃] *m* ARCHIT Schrägkante *f*

change [ʃɑ̃ʒ] *m* **1.** (*échange d'une monnaie*) [Geld]wechsel *m*; **bureau de ~** Wechselstube *f* **2.** (*taux du change*)

[Wechsel]kurs *m*

changeant, e [ʃɑ̃ʒɑ̃, ɑ̃t] *adj temps, humeur* wechselhaft

changement [ʃɑ̃ʒmɑ̃] *m* **1.** (*modification*) Veränderung *f*; **~ en bien/mal** Veränderung zum Guten/Schlechten; **~ de temps** Wetteränderung; **avoir besoin de ~** Abwechslung brauchen **2.** (*substitution*) **~ de gouvernement** Regierungswechsel *m*; **~ d'adresse** Adressenänderung *f*; **~ de direction** Richtungswechsel *m*; **un ~ d'attitude** eine veränderte Haltung **3.** TRANSP **il n'y a aucun ~** man muss kein einziges Mal umsteigen; **~ de file** Spurwechsel *m* **4.** TECH **~ de vitesse** Gangschaltung *f*

changer [ʃɑ̃ʒe] <2a> **I.** *vt* **1.** (*modifier*) verändern *personne, société, comportement*; ändern *date*; **ne ~ en rien qc** an etw (*dat*) nichts ändern **2.** (*déplacer*) **~ qc de place** etw umstellen; **~ qn de poste** jdn versetzen **3.** (*remplacer*) ersetzen *personne*; [aus]wechseln *chose, joueur de football*; **~ les draps** die Betten frisch beziehen **4.** (*échanger*) **~ pour** [*o* contre] **qc** gegen etw [aus]tauschen **5.** (*convertir*) **~ contre qc** in etw umtauschen **6.** (*divertir*) **~ qn de qc** für jdn Abwechslung von etw sein; **cela m'a changé les idées** das hat mich auf andere Gedanken gebracht ▶**pour [pas] ~** *fam* wie üblich **II.** *vi* **1.** (*se transformer*) sich verändern **2.** (*évoluer*) *temps, personne:* sich ändern **3.** (*se modifier*) **de qc** etw ändern; **~ de forme** eine andere Form annehmen; **~ de caractère** seinen Charakter verändern **4.** (*substituer*) **de voiture** sich (*dat*) einen neuen Wagen anschaffen; **~ de chemise** das Hemd wechseln; **~ de métier** den Beruf wechseln **5.** (*déménager*) **~ d'adresse** umziehen; **~ de ville** [in eine andere Stadt] [um]ziehen **6.** AUT **~ de vitesse** einen anderen Gang einlegen; **~ à Paris** in Paris umsteigen; **~ de train/bus/d'avion à Berlin** in Berlin den Zug/Bus/das Flugzeug wechseln **7.** (*faire un échange*) **~ avec qn** mit jdm tauschen; **~ de place avec qn** [den Platz] mit jdm tauschen **8.** (*pour exprimer le franchissement*) **~ de trottoir** auf die andere [Straßen]seite [über]wechseln; **~ de file** [*o* voie] die [Fahr]spur wechseln **III.** *vpr* **se ~** sich umziehen

changeur [ʃɑ̃ʒœʀ] *m* **~ de monnaie** Wechselautomat *m*

chanoine [ʃanwan] *m* Domherr *m*

chanson [ʃɑ̃sɔ̃] *f* **1.** MUS Lied *nt*; **~ à la mode**, **~ populaire** Schlager *m*; **la ~ française** das französische Chanson **2.** *fam* (*rengaine*) Leier *f* ▶**ça, c'est une** autre

~! das steht auf einem anderen Blatt!; **c'est toujours la même** ~! *fam* es ist immer das gleiche Lied!; **connaître la** ~ *fam* die Leier schon kennen

chansonnette [ʃɑ̃sɔnɛt] *f* Liedchen *nt*

chansonnier [ʃɑ̃sɔnje] *m* Kabarettist(in) *m(f)*

chant [ʃɑ̃] *m* 1. (*action de chanter, musique vocale*) Gesang *m*; **apprendre le** ~ Gesangsunterricht nehmen 2. (*chanson*) Lied *nt*; ~ **populaire** Volkslied; ~ **de Noël** Weihnachtslied 3. *du coq* Krähen *nt*; *du grillon* Zirpen *nt*; *des oiseaux* Zwitschern *nt*

chantage [ʃɑ̃taʒ] *m* Erpressung *f*; **faire du** ~ **à qn** jdn erpressen; **faire du** ~ **à qc** etw als Erpressungsmittel benutzen

chantant, e [ʃɑ̃tɑ̃, ɑ̃t] *adj accent* singend

chanter [ʃɑ̃te] <1> **I.** *vi* 1. (*produire des sons*) singen; *oiseau:* singen; *coq:* krähen; *poule:* gackern; *insecte:* zirpen; **faire** ~ **son violon** seine Geige zum Klingen bringen 2. (*menacer*) **faire** ~ erpressen ▶**comme ça te/vous chante** *fam* wie du lustig bist/Sie lustig sind/ihr lustig seid; **si ça te/vous chante** wenn du Lust hast/Sie Lust haben/ihr Lust habt **II.** *vt* 1. (*interpréter*) singen; ~ **à qn** jdm [vor]singen 2. (*célébrer*) besingen *mérites, printemps* 3. (*raconter*) **qu'est-ce que tu me/nous chantes là?** was willst du mir/uns da weismachen?

chanterelle [ʃɑ̃tʀɛl] *f* Pfifferling *m*, Eierschwamm *m* (A)

chanteur, -euse [ʃɑ̃tœʀ, -øz] **I.** *adj oiseau* Sing- **II.** *m, f* Sänger(in) *m(f)*

chantier [ʃɑ̃tje] *m* 1. (*lieu*) Baustelle *f*; (*travaux*) Bauarbeiten *Pl*; ~ **interdit** [**au public**] Betreten der Baustelle verboten; **être en** ~ im Bau sein 2. *fam* (*désordre*) Durcheinander *nt*; **quel** ~! *fam* was für ein Chaos! ▶**avoir en** ~ in Arbeit haben; **être en** ~ *roman, enquête:* in Arbeit sein

chantilly [ʃɑ̃tiji] *f* geschlagene süße Sahne

chantonner [ʃɑ̃tɔne] <1> *vi* leise singen, summen

chantre [ʃɑ̃tʀ] *m* REL Vorsänger(in) *m(f)*

chanvre [ʃɑ̃vʀ] *m* Hanf *m*

chaos [kao] *m* Chaos *nt*

chaotique [kaɔtik] *adj* chaotisch

chaparder [ʃapaʀde] <1> *vt, vi fam* stibitzen

chape [ʃap] *f* (*de béton*) Estrich *m*; (*d'asphalte*) Asphaltdecke *f*

chapeau [ʃapo] <x> *m* (*couvre-chef*) Hut *m*; ~ **haut-de-forme** Zylinder *m*; ~ **melon** Melone *f*; ~ **de sécurité** CAN (*casque*) Schutzhelm *m* ▶~**!** *fam* Hut ab!; **partir sur les** ~**x de roues** *fam* mit quietschenden Reifen anfahren; *fig* losdüsen

chapeauté, e [ʃapote] *adj* mit Hut

chapeauter [ʃapote] <1> *vt fam* ~ **qn** jds Vorgesetzter sein

chapelain [ʃaplɛ̃] *m* [Haus]kaplan *m*

chapelet [ʃaplɛ] *m* 1. REL (*objet*) Rosenkranz *m* 2. (*prières*) Rosenkranz[gebete *Pl*] *m*

chapelle [ʃapɛl] *f* 1. (*lieu de culte*) Kapelle *f* 2. (*partie d'une église*) Seitenkapelle *f* 3. (*catafalque déposé*) ~ **ardente** Leichenhalle *f*

chapelure [ʃaplyʀ] *f* Paniermehl *nt*

chaperon [ʃapʀɔ̃] *m* Begleiter *m*

chapiteau [ʃapito] <x> *m* 1. (*tente de cirque*) Zirkuszelt *nt* 2. (*tente pour une manifestation*) Festzelt *nt* 3. (*le cirque*) Zirkus[welt *f*] *m* 4. (*couronnement*) Kapitell *nt*

chapitre [ʃapitʀ] *m* Kapitel *nt*

chapon [ʃapɔ̃] *m* Kapaun *m*

chaque [ʃak] *adj inv* 1. (*qui est pris séparément*) jede(r, s); ~ **élève** jeder Schüler/jede Schülerin 2. *fam* (*chacun*) je[weils]; **un peu de** ~ ein bisschen von allem 3. *abusif* (*tous/toutes les*) alle; ~ **été** jeden Sommer; ~ **fois** jedes Mal; **à** ~ **fois que** … jedes Mal wenn …

char [ʃaʀ] *m* 1. MIL Panzer *m* 2. (*voiture décorée*) Wagen *m* ▶**arrête ton** ~! *fam* nun mach aber mal einen Punkt!

charabia [ʃaʀabja] *m fam* Kauderwelsch *nt*

charade [ʃaʀad] *f* Scharade *f*

charbon [ʃaʀbɔ̃] *m* 1. (*combustible*) Kohle *f*; ~ **de bois** Holzkohle 2. MED Kohle[tabletten *Pl*] 3. (*fusain*) [Zeichen]kohle *f* ▶**au** ~! *fam* an die Arbeit!

charbonnier, -ière [ʃaʀbɔnje, -jɛʀ] *adj* Kohlen-

charcuter [ʃaʀkyte] <1> *vt péj fam* übel zurichten

charcuterie [ʃaʀkytʀi] *f* 1. (*boutique*) Fleischerei *f*, Metzgerei *f* (SDEUTSCH) (*für Fleisch und Wurst vom Schwein*) 2. (*spécialité*) Wurst[waren *Pl*] *f* (*aus Schweinefleisch*)

charcutier, -ière [ʃaʀkytje, -jɛʀ] *m, f* Fleischer(in) *m(f)*, Metzger(in) *m(f)* (SDEUTSCH), Schlachter(in) *m(f)* (NDEUTSCH)

chardon [ʃaʀdɔ̃] *m* Distel *f*

chardonneret [ʃaʀdɔnʀɛ] *m* Distelfink *m*

charentais, e [ʃaʀɑ̃tɛ, ɛz] *adj* [aus] der Charente

charentaise [ʃaʀɑ̃tɛz] *f* Filzhausschuh *m*

charge [ʃaʀʒ] *f* 1. (*fardeau*) Last *f*; *d'un camion* Ladung *f*; ~ **utile** Nutzlast *f*; ~ **maximale** zulässiges Gesamtgewicht; *d'un camion* [Höchst]nutzlast 2. (*responsabilité*) Belastung *f*; **avoir la** ~ **de faire qc** die Auf-

gabe haben etw zu tun; **avoir la ~ de qn/ qc** für jdn/etw verantwortlich sein; **être à [la] ~ de qn** jdm gegenüber unterhaltsberechtigt sein; **personnes à ~** unterhaltsberechtigte Angehörige; **prendre qn en ~** für jdn sorgen; **prendre qc en ~** etw übernehmen; **à ~ pour qn de faire qc** mit der Auflage für jdn, etw zu tun **3.** (*fonction*) Amt *nt;* **occuper une ~** ein Amt bekleiden **4.** *souvent pl* (*obligations financières*) Kosten *Pl* **5.** JUR Anklagepunkt *m;* **les ~s** das Belastungsmaterial **6.** MIL Angriff *m,* Attacke *f*

chargé, e [ʃaʀʒe] **I.** *adj* **1.** (*qui porte une charge*) **~ de qc** mit etw beladen; **voyageur très ~** Reisender *m* mit schwerem Gepäck **2.** (*plein*) voll; *journée* [gut] ausgefüllt; *classe* überfüllt **3.** (*responsable*) **~ de qn/qc** zuständig für jdn/etw; **~ de faire qc** damit beauftragt etw zu tun **4.** *fusil* geladen; *batterie* [auf]geladen; **mon appareil photo n'est pas ~** in meinem Fotoapparat ist kein Film **5.** *conscience* belastet; *casier judiciaire* lang **6.** MED *estomac* [über]voll; *langue* belegt **7.** (*rempli*) **le ciel restera ~** es bleibt bewölkt **8.** *style* überladen **9.** (*riche*) **être ~ de qc** reich an etw (*dat*) sein; **~ d'histoire** geschichtsträchtig; **~ de sens** bedeutungsvoll **II.** *m, f ~*(**e**) **de cours** Dozent(in) *m(f)*

chargement [ʃaʀʒəmɑ̃] *m* **1.** (*action*) Beladen *nt;* *d'une arme* Laden *nt;* *d'une marchandise* Einladen; *d'un film* Einlegen *nt* **2.** (*marchandises*) Ladung *f* **3.** (*fret*) Fracht *f* **4.** INFORM Laden *nt*

charger [ʃaʀʒe] <2a> **I.** *vt* **1.** (*faire porter une charge*) verladen *marchandise;* **~ qn/ qc de qc** jdn/etw mit etw beladen; **~ sur/ dans qc** auf etw (*akk*) [auf]laden/in etw (*akk*) [ein]laden **2.** (*attribuer une mission à*) **~ qn de qc** jdn mit etw beauftragen; **être chargé de qc** für etw verantwortlich sein; **il m'a chargé de vous saluer** er hat mir Grüße für Sie aufgetragen **3.** (*accuser*) **~ qn de qc** jdn mit etw belasten **4.** (*attaquer*) angreifen **5.** TECH laden *arme;* [auf]laden *batterie;* **~ un appareil photo** einen Film in einen Fotoapparat einlegen **6.** INFORM laden **II.** *vi* (*attaquer*) zum Angriff übergehen **III.** *vpr* **1.** (*s'occuper de*) **se ~ de qn/qc** sich um jdn/etw kümmern; **se ~ de faire qc** es übernehmen etw zu tun **2.** (*s'alourdir*) **se ~** viel Gepäck mitnehmen

chargeur [ʃaʀʒœʀ] *m* Docker *m*

chariot [ʃaʀjo] *m* **1.** (*plate-forme tractée*) Wagen *m* **2.** AGR Fuhrwerk *nt* **3.** (*petit engin de transport*) Wagen *m;* **~ élévateur** Gabelstapler *m* **4.** (*caddy à bagages*) Kof-

ferkuli *m* **5.** COM Einkaufswagen *m* **6.** GASTR Servierwagen *m*

charismatique [kaʀismatik] *adj* charismatisch

charisme [kaʀism] *m* Charisma *nt*

charitable [ʃaʀitabl] *adj* wohltätig; *œuvre* **~** karitative Einrichtung

charité [ʃaʀite] *f* **1.** (*amour du prochain*) Nächstenliebe *f* **2.** (*action*) Wohltätigkeit *f;* **demander la ~** um eine milde Gabe bitten; **vivre de la ~ publique** von der Fürsorge leben **3.** (*bonté*) **avoir la ~ de faire qc** die Güte besitzen etw zu tun

charivari [ʃaʀivaʀi] *m* Krach *m*

charlatan [ʃaʀlatɑ̃] *m* **1.** (*escroc*) Scharlatan *m* **2.** (*guérisseur*) Quacksalber *m* **3.** (*mauvais médecin*) Kurpfuscher *m*

Charlemagne [ʃaʀləmaɲ(ə)] *m* Karl der Große

Charles [ʃaʀl(ə)] *m* Karl *m*

charlot [ʃaʀlo] *m fam* Clown *m,* Kasper *m*

charlotte [ʃaʀlɔt] *f* **1.** GASTR Charlotte *f* **2.** (*bonnet de plastique*) Duschhaube *f*

charmant, e [ʃaʀmɑ̃, ɑ̃t] *adj* **1.** (*agréable*) reizend **2.** (*ravissant*) charmant **3.** *antéposé iron* entzückend

charme [ʃaʀm] *m* **1.** *d'une personne* Charme *m; d'un lieu* Zauber *m;* **avoir son ~** auch seinen Reiz haben; **faire du ~ à qn** jdn zu bezirzen versuchen **2.** *souvent pl* (*beauté*) Reize *Pl* **3.** (*envoûtement*) Zauber *m,* Bann *m;* **être sous le ~ de qn/qc** jds Charme erliegen/unter dem Bann einer S. (*gen*) stehen

charmé, e [ʃaʀme] *adj* **être ~ de qc** sich [sehr] über etw (*akk*) freuen

charmer [ʃaʀme] <1> *vt* **1.** (*enchanter*) bezaubern **2.** (*envoûter*) verzaubern

charmeur, -euse [ʃaʀmœʀ, -øz] **I.** *adj sourire, manières* bezaubernd; *air* einschmeichelnd **II.** *m, f* **1.** (*séducteur*) Charmeur/ Circe *m/f* **2.** (*magicien*) Magier(in) *m(f);* **~ de serpents** Schlangenbeschwörer(in) *m(f)*

charnel, le [ʃaʀnɛl] *adj* **1.** (*corporel*) fleischlich **2.** (*sexuel*) körperlich

charnier [ʃaʀnje] *m* Massengrab *nt*

charnière [ʃaʀnjɛʀ] **I.** *f* **1.** (*gond*) Scharnier *nt* **2.** (*point de jonction*) Angelpunkt *m;* **être à la ~ de deux époques** sich am Übergang von einer Epoche zur anderen befinden **II.** *adj* **1.** (*de transition*) Übergangs- **2.** (*décisif*) entscheidend; **date ~** bedeutendes Datum

charnu, e [ʃaʀny] *adj lèvre* wulstig; *fruit* fleischig

charognard [ʃaʀɔɲaʀ] *m* **1.** (*animal*) Aasfresser *m* **2.** (*vautour*) [Aas]geier *m* **3.** (*personne*) Aasgeier *m* (*fam*)

charogne [ʃaRɔɲ] *f* **1.** (*cadavre*) Aas *nt* **2.** *péj fam* gemeines Aas

charpente [ʃaRpɑ̃t] *f* **1.** (*bâti*) Gerüst *nt; d'un bateau* Gerippe *nt; d'une maison* Balkenwerk *nt;* ~ **du toit** Dachstuhl *m* **2.** *d'une personne* Körperbau *m*

charpenté, e [ʃaRpɑ̃te] *adj personne* kräftig [gebaut]

charpentier [ʃaRpɑ̃tje] *m* Zimmermann *m*

charpie [ʃaRpi] *f* **faire de la** ~ **avec qc** etw zerfetzen

charretée [ʃaRte] *f* Wagenladung *f*

charretier [ʃaRtje] *m* Fuhrmann *m*

charrette [ʃaRɛt] *f* Karren *m*

charrier [ʃaRje] <1> **I.** *vt* **1.** (*transporter*) ~ **qc** etw fahren; *rivière:* etw mit sich führen **2.** *fam* auf den Arm nehmen **II.** *vi fam* übertreiben; [il ne] faut pas ~! *fam* das geht echt zu weit!

charrue [ʃaRy] *f* Pflug *m* ►**mettre la** ~ **avant** [*o* **devant**] **les bœufs** das Pferd beim Schwanz aufzäumen

charte [ʃaRt] *f* Charta *f*, Urkunde *f*; **Charte des Nations Unies** Charta der Vereinten Nationen

charter [ʃaRtɛR] **I.** *m* **1.** (*vol*) Charter[flug *m*] *m* **2.** (*avion*) Chartermaschine *f* **II.** *app inv* Charter-

chartreuse [ʃaRtRøz] *f* Kartäuserin *f*

chas [ʃa] *m* Öhr *nt*

chasse¹ [ʃas] *f* **1.** (*action*) Jagd *f;* ~ **à courre** Hetzjagd; ~ **au trésor** Schnitzeljagd; **la** ~ **est ouverte/fermée** die Jagdsaison ist eröffnet/beendet; **aller à la** ~ auf die Jagd gehen; **faire la** ~ **à un criminel/aux souris** Jagd auf einen Verbrecher/Mäuse machen **2.** (*poursuite*) ~ **aux sorcières** Hexenjagd *f;* **prendre qn/qc en** ~ jds Verfolgung/die Verfolgung einer S. (*gen*) aufnehmen **3.** (*lieu*) Jagdrevier *nt;* ~ **gardée** privates Jagdrevier **4.** *AVIAT* Jagdverbände *Pl;* **pilote de** ~ Jagdflieger *m* **5.** **qui va à la** ~ **perd sa place** *prov* weggegangen – Platz vergangen

châsse [ʃas] *f* Reliquienschrein *m*

chasse² [ʃas] *f fam* (*chasse d'eau*) [Wasser]spülung *f;* **tirer la** ~ spülen

chassé-croisé [ʃasekRwaze] <chassés-croisés> *m* Hin und Her *nt*

chasse-neige [ʃasnɛʒ] *m inv* **1.** (*véhicule*) Schneepflug *m* **2.** (*en ski*) **descendre en** ~ [im] [Schnee]pflug hinunterfahren

chasser [ʃase] <1> **I.** *vi* **1.** (*aller à la chasse*) jagen **2.** (*déraper*) wegrutschen **II.** *vt* **1.** (*aller à la chasse*) jagen **2.** (*faire partir*) ~ **qn/qc de qc** jdn/etw aus etw vertreiben **3.** *fig* vertreiben *idées noires*

chasseur [ʃasœR] *m* **1.** *MIL* Jäger *m* **2.** (*avion*) Jagdflugzeug *nt* **3.** (*groom*) Hotel-

boy *m* **4.** *fig* ~ **de têtes** Headhunter *m*

chasseur, -euse [ʃasœR, -øz] *m, f* Jäger(in) *m(f)*

châssis [ʃasi] *m* **1.** *TECH, AUT* Chassis *nt* **2.** *d'une fenêtre* Rahmen *m; d'une toile* Blendrahmen

chaste [ʃast] *adj a. antéposé* keusch

chasteté [ʃastəte] *f* Keuschheit *f*

chasuble [ʃazybl] *f REL* Messgewand *nt*

chat¹ [ʃa] *m* (*animal*) Katze *f;* (*mâle*) Kater *m;* ~ **de gouttière** gewöhnliche Katze; *v. a.* **chatte** ►~ **échaudé craint l'eau froide** *prov* ein gebranntes Kind scheut das Feuer; **avoir un** ~ **dans la gorge** einen Frosch im Hals haben; **quand le** ~ **n'est pas là, les souris dansent** *prov* wenn die Katze aus dem Haus ist, tanzen die Mäuse; **il n'y a pas un** ~ **dans la rue** es ist keine Menschenseele auf der Straße

chat² [tʃat] *m INFORM* Chat *m*

châtaigne [ʃatɛɲ] *f* **1.** (*fruit*) Esskastanie *f* **2.** *fam* **je lui ai flanqué une de ces** ~**s!** ich hab ihm/ihr vielleicht eine verpasst!

châtaignier [ʃatɛɲe] *m* **1.** (*arbre*) Kastanie[nbaum *m*] **2.** (*bois*) Kastanie[nholz *nt*]

châtain [ʃatɛ̃] *adj pas de forme féminine* [kastanien]braun; **être** ~ **clair** hellbraunes Haar haben

château [ʃato] <x> *m* **1.** (*palais*) Schloss *nt* **2.** (*forteresse*) ~ [**fort**] Burg *f* **3.** (*belle maison*) Herrensitz *m* **4.** (*fig*) ~ **d'eau** Wasserturm *m;* ~ **de cartes** Kartenhaus *nt;* ~ **de sable** Sandburg *f*

châtelain, e [ʃat(ə)lɛ̃, ɛn] *m, f HIST* Schlossherr(in) *m(f)*

chat-huant [ʃayɑ̃] <chats-huants> *m* Waldkauz *m*

chatière [ʃatjɛR] *f* (*pour chat*) Katzenklappe *f*

châtiment [ʃatimɑ̃] *m* Strafe *f*

chatoiement [ʃatwamɑ̃] *m* Schillern *nt*

chaton [ʃatɔ̃] *m a. BOT* Kätzchen *nt*

chatouillement [ʃatujmɑ̃] *m* Kitzeln *nt*

chatouiller [ʃatuje] <1> *vt* **1.** (*faire des chatouilles*) kitzeln; **elle lui chatouille le bras** sie kitzelt ihn am Arm **2.** (*flatter*) kitzeln; reizen *curiosité;* **ça chatouille le palais** das ist ein Gaumenkitzel

chatouilles [ʃatuj] *fpl* Kitzeln *nt;* **faire des** ~ **à qn** jdn kitzeln

chatouilleux, -euse [ʃatujø, -jøz] *adj* **1.** kitz[e]lig; **être** ~ **de qc** an etw (*dat*) kitz[e]lig sein **2.** (*susceptible*) empfindlich

chatoyant, e [ʃatwajɑ̃, ɑ̃t] *adj* schillernd

chatoyer [ʃatwaje] <6> *vi* schillern

châtrer [ʃatRe] <1> *vt* kastrieren

chatte [ʃat] *f* Katze *f; v. a.* **chat**

chatter [tʃate] <1> *vi INFORM* chatten

chatterton [ʃatɛʀtɔn] *m* Isolierband *nt*
chaud [ʃo] **I.** *m* (*chaleur*) Wärme *f*; (*chaleur extrême*) Hitze *f*; **il/elle a** ~ ihm/ihr ist [es] warm/heiß; **il fait** ~ es ist warm/heiß; **tenir** ~ **à qn** jdn warm halten; **crever de** ~ *fam* vor Hitze umkommen; **au** ~ im Warmen; **garder** [*o* tenir] qc **au** ~ etw warm halten ▸ **ne faire ni** ~ **ni froid à qn** jdn kalt lassen; **il/elle a eu** ~ *fam* er/sie ist mit dem Schrecken davongekommen **II.** *adv* ▸ **reportage à** ~ brandaktuelle Reportage; **faire qc à** ~ etw unverzüglich tun
chaud, e [ʃo, ʃod] *adj* **1.** (*opp: froid*) warm; (*très chaud*) heiß; **repas** ~ warme Mahlzeit; **vin** ~ Glühwein *m*; **chocolat** ~ heiße Schokolade **2.** *antéposé discussion* hitzig; **avec les plus** ~**es recommandations** mit den wärmsten Empfehlungen; **l'alerte a été** ~**e** es wurde brenzlig (*fam*) **3.** *couleur, ton* warm **4.** *fam* (*sensuel*) heiß
chaudement [ʃodmɑ̃] *adv* **1.** (*contre le froid*) warm **2.** *féliciter* herzlich; *recommander* wärmstens
chaudière [ʃodjɛʀ] *f* Kessel *m*
chaudron [ʃodʀɔ̃] *m* [Koch]kessel *m*
chaudronnier [ʃodʀɔnje] *m* (*artisan*) Kupferschmied *m*
chauffage [ʃofaʒ] *m* **1.** (*installation*) Heizung *f*; ~ **central** Zentralheizung; ~ **compris** einschließlich Heizkosten *Pl* **2.** (*action*) Heizen *nt*
chauffagiste [ʃofaʒist] *mf* Heizungsmonteur(in) *m(f)*
chauffant, e [ʃofɑ̃, ɑ̃t] *adj* Heiz-; **brosse** ~**e** Lockenstab *m*
chauffard [ʃofaʀ] *m* Verkehrsrowdy *m*
chauffe-biberon [ʃofbibʀɔ̃] <chauffe-biberons> *m* Flaschenwärmer *m*
chauffe-eau [ʃofo] *m inv* Durchlauferhitzer *m*
chauffe-plat [ʃofpla] <chauffe-plats> *m* Warmhalteplatte *f*
chauffer [ʃofe] <1> **I.** *vi* **1.** (*être sur le feu*) warm werden; (*très chaud*) heiß werden **2.** (*devenir chaud*) warm werden; (*très chaud*) heiß werden; *moteur:* warm laufen **3.** (*mettre du chauffage*) heizen ▸ **ça va** ~ *fam* es wird was setzen **II.** *vt* **1.** wärmen *personne;* erwärmen *pièce;* heizen *maison;* heiß machen *eau;* **faire** ~ [auf]wärmen; **mettre à** ~ warm stellen; **faire** ~ **le four** den Backofen vorheizen **2.** TECH zum Glühen bringen; ~ **à blanc** weiß glühen **3.** (*mettre dans l'ambiance*) aufheizen **III.** *vpr* **se** ~ **au soleil** sich in der Sonne [auf]wärmen; **se** ~ **au gaz/charbon** mit Gas/Kohle heizen
chaufferie [ʃofʀi] *f* Heiz(ungs)raum *m*
chauffeur [ʃofœʀ] *m* **1.** (*conducteur*) Fah-

rer(in) *m(f)*; ~ **routier** Fernfahrer; ~ **de taxi** Taxifahrer **2.** (*personnel*) Fahrer *m*, Chauffeur *m* ▸ ~ **du dimanche** *fam* Sonntagsfahrer *m* (*pej*)
chauffeuse [ʃoføz] *f* Sessel *m*
chaume [ʃom] *m* Stroh *nt*
chaumière [ʃomjɛʀ] *f* strohgedeckte Hütte
chaussée [ʃose] *f* Fahrbahn *f*, Straße *f* ▸ "~ **déformée**" „Fahrbahnschäden" *Pl*; ~ **glissante** Straßenglätte *f*
chausse-pied [ʃospje] <chausse-pieds> *m* Schuhlöffel *m*
chausser [ʃose] <1> **I.** *vt* **1.** (*mettre*) anziehen *chaussures;* anschnallen *skis;* **être chaussé de bottes** Stiefel tragen **2.** (*mettre une chaussure*) ~ **un enfant** einem Kind Schuhe anziehen **3.** (*aller*) **bien/mal** ~ *chaussure:* gut/schlecht sitzen **II.** *vi* ~ **du 38/42** Schuhgröße 38/42 haben; **du combien chaussez-vous?** welche Schuhgröße haben Sie? **III.** *vpr* **se** ~ [sich (*dat*)] Schuhe anziehen; **se** ~ **chez qn** seine Schuhe bei jdm kaufen
chaussette [ʃosɛt] *f* **1.** (*soquette*) Socke *f*, Socken *m* (SDEUTSCH); **en** ~**s** in Socken **2.** (*mi-bas*) Kniestrumpf *m*
chausson [ʃosɔ̃] *m* **1.** (*chaussure*) Hausschuh *m*; **des** ~**s pour bébés** Babyschuhe; ~ **de danse** Ballettschuh **2.** GASTR ~ **aux pommes** Apfeltasche *f*
chaussure [ʃosyʀ] *f* **1.** (*soulier*) Schuh *m*; ~**s à talons** Schuhe mit hohen Absätzen; ~**s à crampons** Spikes *Pl* **2.** (*industrie*) Schuhfabrikation *f* **3.** (*commerce*) Schuhhandel *m* ▸ **trouver** ~ **à son pied** den Richtigen/die Richtige finden
chauve [ʃov] **I.** *adj* kahl[köpfig]; **être** ~ eine Glatze haben **II.** *m* Mann *m* mit einer Glatze
chauve-souris [ʃovsuʀi] <chauves-souris> *f* Fledermaus *f*
chauvin, e [ʃovɛ̃, in] **I.** *adj* chauvinistisch **II.** *m, f* Chauvinist(in) *m(f)*
chauvinisme [ʃovinism] *m* Chauvinismus *m*
chaux [ʃo] *f* Kalk *m*
chavirer [ʃaviʀe] <1> **I.** *vi* **1.** (*se retourner*) kentern; **faire** ~ zum Kentern bringen **2.** (*s'émouvoir*) ~ **de bonheur/douleur** von Glück/Schmerz überwältigt sein **II.** *vt* **1.** (*renverser*) zum Kentern bringen **2.** (*bouleverser*) **être tout chaviré** ganz außer sich sein
chef [ʃɛf] *m* **1.** (*responsable*) Chef(in) *m(f)*, Vorgesetzte(r) *f(m)*; *d'une tribu* Häuptling *m*; **rédacteur/ingénieur en** ~ Chefredakteur(in) *m(f)*/-ingenieur(in) *m(f)*; ~ **d'État** Staatsoberhaupt *nt*; ~ **d'entreprise** Firmenchef; ~ **d'orchestre** Dirigent(in)

m(f); **jouer au petit ~** *fam* sich als Chef aufspielen **2.** *(meneur)* [An]führer(in) *m(f)* **3.** *fam* Ass *nt;* **se débrouiller comme un ~** das fabelhaft machen **4.** *(sergent~)* Feldwebel *m;* **oui ~!** zu Befehl! **5.** *(cuisinier)* Chefkoch/-köchin *m/f*

chef-d'œuvre [ʃɛdœvʀ] <chefs-d'œuvre> *m* Meisterwerk *nt*

chef-lieu [ʃɛfljø] <chefs-lieux> *m* Hauptstadt *f*, Hauptort *m*

cheftaine [ʃɛftɛn] *f* Führerin *f*

cheik [ʃɛk] *m* Scheich *m*

chelem [ʃlɛm] *m* Schlemm *m*

chemin [ʃ(ə)mɛ̃] *m* **1.** *(voie)* Weg *m;* **demander son ~ à qn** jdn nach dem Weg fragen; **prendre le ~ de la gare** in Richtung Bahnhof gehen; **rebrousser ~** umkehren; **~ faisant, en ~** unterwegs; **se tromper de ~** *(à pied)* sich verlaufen; *(en voiture)* sich verfahren **2.** *(distance à parcourir)* Strecke *f*, Weg[strecke]; **un bon bout de ~** eine ganz nette Strecke *(fam);* **faire le ~ à pied/bicyclette/en voiture** die Strecke zu Fuß zurücklegen/mit dem Rad/Auto fahren **3.** *(méthode, voie)* Weg *m;* **le ~ de la réussite** der Weg zum Erfolg; **en prendre/ne pas en prendre le ~** auf dem besten Weg dahin sein/nichts dergleichen tun; **ça en prend/n'en prend pas le ~** es sieht ganz/nicht danach aus ▶**tous les ~s mènent à Rome** *prov* alle Wege führen nach Rom; **le droit ~** der rechte Weg; **ne pas y aller par quatre ~s** *(en parlant)* keine Umschweife machen

chemin de fer [ʃ(ə)mɛ̃dəfɛʀ] <chemins de fer> *m* Eisenbahn *f*

cheminée [ʃ(ə)mine] *f* **1.** *(à l'extérieur)* Schornstein *m*, Kamin *m* (SDEUTSCH) **2.** *(dans une pièce)* [offener] Kamin **3.** *(encadrement)* Kamin[einfassung *f*] *m;* **sur la ~** auf dem/den Kaminsims **4.** *(conduit)* Kamin[schacht] *m* **5.** GEOL *d'un volcan* Schlot *m*

cheminement [ʃ(ə)minmɑ̃] *m* Dahinwandern *nt*

cheminer [ʃ(ə)mine] <1> *vi* **1.** seines Weges ziehen **2.** *fig pensée:* sich entwickeln

cheminot [ʃ(ə)mino] *m* Eisenbahner *m*

chemise [ʃ(ə)miz] *f* **1.** *(vêtement)* Hemd *nt;* **~ de nuit** Nachthemd **2.** *(dossier)* [Akten]mappe *f*, Aktendeckel *m* ▶**y laisser jusqu'à sa dernière ~** bei etw [noch] sein letztes Hemd verlieren; **qn se fiche de qc comme de sa première ~** *fam* etw kümmert jdn nicht im Geringsten

chemiserie [ʃ(ə)mizʀi] *f* Hemdengeschäft *nt*

chemisette [ʃ(ə)mizɛt] *f* kurzärmeliges Hemd

chemisier [ʃ(ə)mizje] *m* Bluse *f*

chenal [ʃənal, o] <-aux> *m* Fahrrinne *f*

chêne [ʃɛn] *m* **1.** *(arbre)* Eiche *f* **2.** *(bois)* Eiche[nholz *nt*] *f*

chéneau [ʃeno] <x> *m* Dachrinne *f*

chêne-liège [ʃɛnljɛʒ] <chênes-lièges> *m* Korkeiche *f*

chenet [ʃ(ə)nɛ] *m* Kaminbock *m*

chenil [ʃ(ə)nil] *m* **1.** *(lieu d'élevage)* Zwinger *m* **2.** *(lieu de garde)* Hundeheim *nt*

chenille [ʃ(ə)nij] *f* **1.** ZOOL Raupe *f* **2.** *(attraction foraine)* Berg-und-Tal-Bahn *f* **3.** TECH Raupe[nkette *f*] *f*

cheptel [ʃɛptɛl] *m* Viehbestand *m*

chèque [ʃɛk] *m* **1.** *(pièce bancaire)* Scheck *m;* **~ sans provision** ungedeckter Scheck; **~ bancaire/postal** Bank-/Postscheck; **faire un ~ de 100 euros à qn** jdm einen Scheck über 100 Euro ausstellen **2.** *(bon)* Gutschein *m*

chèque-restaurant [ʃɛkʀɛstɔʀɑ̃] <chèques-restaurant> *m* Essensgutschein *m* *(für bestimmte Restaurants)* **chèque-vacances** [ʃɛkvakɑ̃s] <chèques-vacances> *m:* Berechtigungsgutschein für verbilligten Urlaub, zu dem der Arbeitgeber einen Zuschuss als freiwillige Sozialleistung zahlt

chéquier [ʃekje] *m* Scheckheft *nt*

cher, chère [ʃɛʀ] **I.** *adj* **1.** *(coûteux)* teuer; **moins ~** billiger; **être trop ~ pour que** c'est seinen Preis nicht wert sein **2.** *(aimé)* lieb; **c'est mon plus ~ désir** das ist mein innigster Wunsch **3.** *antéposé* liebe(r, s); **~ Monsieur** lieber Herr X; **chère Madame** liebe Frau X; **~s tous** Ihr Lieben **II.** *m, f appellatif* **mon ~/ma chère** mein Lieber/meine Liebe **III.** *adv* **1.** *(opp: bon marché)* teuer; **acheter qc trop ~** für etw zu viel bezahlen; **avoir pour pas ~** *fam* billig erstehen; **coûter ~** teuer sein; **revenir ~ à qn** jdn viel kosten; **valoir ~** viel [Geld] wert sein **2.** *fig* **coûter ~ à qn** jdn teuer zu stehen kommen; **payer ~ qc** sich *(dat)* etw teuer erkaufen; **payer [o donner] pour connaître la clef de l'énigme** viel dafür geben des Rätsels Lösung zu kennen

chercher [ʃɛʀʃe] <1> **I.** *vt* **1.** suchen, suchen nach *personne, objet, compromis;* **~ qn des yeux** nach jdm Ausschau halten; **~ qc dans qc** etw in etw *(dat)* suchen **2.** *(ramener, rapporter)* **aller** [o **passer**] [ab]holen; **venir** ~ [ab]holen; **envoyer un enfant ~ qn/qc** ein Kind jdn/etw holen schicken ▶**~ qn** *fam* mit jdm Streit suchen; **tu l'as** [**bien**] **cherché!** du hast es ja so gewollt!; **qu'est-ce que tu vas ~** [**là**]! wie kommst du denn darauf! **II.** *vi* **1.** **~ à**

faire qc versuchen etw zu tun; **~ à ce que** + *subj* bestrebt sein, dass **2.** (*fouiller*) **~ dans qc** in etw (*dat*) herumstöbern **3.** (*réfléchir*) nachdenken ▸**ça peut aller ~ loin!** *fam* das kann teuer werden!
chercheur, -euse [ʃɛRʃœR, -øz] *m, f* **1.** (*savant*) Forscher(in) *m(f)* **2.** (*aventurier*) **~ d'or** Goldgräber(in) *m(f)*
chèrement [ʃɛRmɑ̃] *adv* payer, vendre teuer
chéri, e [ʃeRi] **I.** *adj* geliebt **II.** *m, f* **1.** (*personne aimée*) Liebling *m*, Schatz *m* **2.** *péj* (*favori*) **le ~/la ~e de qn** jds Liebling *m*
chérir [ʃeRiR] <8> *vt* (*aimer*) [zärtlich] lieben
chérot [ʃeRo] *adj fam* **ça fait ~** das ist happig
chérubin [ʃeRybɛ̃] *m* REL Cherub *m*
chétif, -ive [ʃetif, -iv] *adj* arbre kümmerlich; *personne* schmächtig
cheval [ʃ(ə)val, o] <-aux> **I.** *m* **1.** ZOOL Pferd *nt* **2.** SPORT **faire du/monter à ~** reiten; **promenade à ~** Ausritt *m* **3.** AUT, FIN **~ fiscal** *Kfz-Steuereinheit;* **elle fait combien de chevaux, votre voiture?** wie viel PS hat Ihr Wagen? **4.** JEUX Pferd *nt* **5.** (*figure*) **chevaux de bois** Pferdekarussell *nt;* **~ à bascule** Schaukelpferd *nt* **II.** *adv* ▸**être à ~ sur la chaise** rittlings auf dem Stuhl sitzen; **être à ~ sur les principes** ein Prinzipienreiter sein; **le paiement de la facture est à ~ sur deux mois** die Zahlung der Rechnung erstreckt sich über zwei Monate
chevaleresque [ʃ(ə)valRɛsk] *adj* ritterlich
chevalerie [ʃ(ə)valRi] *f* Rittertum *nt*
chevalet [ʃ(ə)valɛ] *m de peintre* Staffelei *f; d'un violon* Steg *m*
chevalier [ʃ(ə)valje] *m* Ritter *m*
chevalière [ʃ(ə)valjɛR] *f* Siegelring *m*
chevalin, e [ʃ(ə)valɛ̃, in] *adj* Pferde-
cheval-vapeur [ʃ(ə)valvapœR] <chevaux-vapeur> *m* Pferdestärke *f*
chevauchée [ʃ(ə)voʃe] *f* Ausritt *m*
chevaucher [ʃ(ə)voʃe] <1> **I.** *vt* **~ qc** auf etw (*dat*) reiten **II.** *vpr* **se ~** dents: übereinander stehen; *emplois du temps:* sich überschneiden **III.** *vi* reiten
chevelu, e [ʃəvly] **I.** *adj* mit langen Haaren **II.** *m, f péj* Langhaarige(r) *f(m)*
chevelure [ʃəvlyR] *f* **1.** (*cheveux*) Haare *Pl*, Haar *nt* **2.** *d'une comète* Schweif *m*
chevet [ʃ(ə)vɛ] *m* Kopfende *nt; table de ~* Nachttisch *m;* **être au ~ de qn** an jds Bett (*dat*) sitzen
cheveu [ʃ(ə)vø] <x> *m* [Kopf]haar *nt;* **avoir les ~x courts/longs** kurze/lange Haare haben; **n'avoir plus un ~ sur la tête** eine Platte haben (*fam*) ▸**avoir un ~ sur la langue** lispeln; **comme un ~ sur la**

soupe völlig ungelegen; **couper les ~x en quatre** Haarspalterei betreiben; **c'était à un ~ près, il s'en est fallu d'un ~** es ging um Haaresbreite daneben; **être tiré par les ~x** an den Haaren herbeigezogen sein
cheville [ʃ(ə)vij] *f* **1.** ANAT Knöchel *m* **2.** (*tige pour assembler*) Zapfen *m* **3.** (*tige pour boucher*) Dübel *m* ▸**ne pas arriver à la ~ de qn** jdm nicht das Wasser reichen können (*fam*)
chèvre [ʃɛvR] **I.** *f* **1.** (*animal*) Ziege *f* **2.** (*femelle*) Geiß *f* **II.** *m* (*fromage*) Ziegenkäse *m*
chevreau [ʃəvRo] <x> *m* **1.** (*animal*) Zicklein *nt* **2.** (*cuir*) Ziegenleder *nt*
chèvrefeuille [ʃɛvRəfœj] *m* Jelängerjelieber *nt*
chevreuil [ʃəvRœj] *m* **1.** (*animal*) Reh *nt* **2.** (*mâle*) Rehbock *m* **3.** GASTR Reh *nt*
chevrier, -ière [ʃəvRije, -jɛR] *m, f* Ziegenhirt(in) *m(f)*
chevron [ʃəvRɔ̃] *m* **1.** (*poutre*) [Dach]sparren *m* **2.** (*galon*) Chevron *m*
chevronné, e [ʃəvRɔne] *adj* versiert
chevrotant, e [ʃəvRɔtɑ̃, ɑ̃t] *adj* zitt[e]rig
chevrotine [ʃəvRɔtin] *f* [Reh]posten *m*
chewing-gum [ʃwiŋɡɔm] <chewing-gums> *m* Kaugummi *m o nt*
chez [ʃe] *prép* **1.** (*au logis de qn*) **~ qn** bei jdm [zu Hause]; **~ nous** bei uns; **je vais/rentre ~ moi** ich gehe nach Hause; **tu es/restes ~ toi** du bist/bleibst zu Hause; **je viens ~ toi** ich komme zu dir; **passer ~ qn** bei jdm vorbeigehen; **aller ~ le coiffeur** zum Frisör gehen; **faites comme ~ vous!** fühlt euch/fühlen Sie sich wie zu Hause!; **à côté** [*o près*] **de ~ moi** in meiner Nähe **2.** (*dans le pays de qn*) **ils rentrent ~ eux, en Italie** sie kehren nach Italien zurück; **bien de ~ nous** *fam* ganz wie bei uns; **~ qn** bei jdm **3.** (*dans la personne*) **~ les Durand** in der Familie Durand; **~ Corneille** bei Corneille; **c'est une habitude ~ lui** das ist eine Gewohnheit von ihm
chez-moi [ʃemwa] *m inv,* **chez-soi** [ʃeswa] *m inv* eigene vier Wände
chiadé, e [ʃjade] *adj fam* problème verzwickt
chialer [ʃjale] <1> *vi fam* heulen
chiant, e [ʃjɑ̃, ʃjɑ̃t] *adj fam* stinklangweilig
chiasse [ʃjas] *f vulg* Dünnschiss *m*
chic [ʃik] **I.** *m sans pl* Schick *m* ▸**avoir le ~ pour faire qc** ein Händchen für etw haben *fam*/die seltene Begabung haben etw zu tun **II.** *adj inv* **1.** (*élégant*) schick; *allure* vornehm **2.** (*sélect*) vornehm **3.** *fam* (*gentil*) **~ type** feiner Kerl; **ce n'est pas très ~**

de sa part das ist nicht gerade nett von ihm/ihr **4.** *antéposé fam* (*agréable*) toll ▶**bon ~ bon** genre *iron* geschniegelt und gebügelt; **quartier bon ~ bon** genre Schickimicki-Viertel *nt* **III.** *interj fam* ~ [**alors**]! klasse!

chicane [ʃikan] *f* **1.** (*obstacle*) Straßenhindernis *nt* in Zickzackform **2.** (*querelle*) Streiterei *f*

chicaner [ʃikane] <1> **I.** *vi* ~ **sur qc** wegen etw streiten **II.** *vt* ~ **qn sur qc** jdn wegen etw maßregeln **III.** *vpr fam* se ~ sich kabbeln

chiche [ʃiʃ] **I.** *adj* **1.** (*avare de*) **être ~ d'explications** mit Erklärungen geizen **2.** (*pas grand-chose*) **c'est un peu ~** das ist kümmerlich **3.** (*capable*) **t'es pas ~ de faire qc!** *fam* du traust dich doch nie etw zu tun! **II.** *interj fam* ~ **que …?** (*capable*) wetten, dass …?; ~! (*pari accepté*) die Wette gilt!

chichement [ʃiʃmã] *adv* **vivre ~** kümmerlich leben

chichi [ʃiʃi] *m gén pl* **en voilà un ~!** das ist vielleicht ein Getue!

chicorée [ʃikɔre] *f* **1.** (*plante*) Endivie *f* **2.** (*café*) Kaffee-Ersatz *m*

chicot [ʃiko] *m* [Zahn]stumpf *m*

chié, e [ʃje] *adj fam* **1.** (*super*) super **2.** (*incroyable*) **être ~** unverschämt sein

chien [ʃjɛ̃] **I.** *m* **1.** (*animal*) Hund *m;* ~ **bâtard** Promenadenmischung *f;* ~ **de race** Rassehund; [**attention**] ~ **méchant!** Vorsicht! Bissiger Hund!; *v. a.* **chienne 2.** *d'un fusil* Hahn *m* ▶**s'entendre** [*o* **vivre**] **comme ~ et** chat **avec qn** mit jdm wie Hund und Katze leben; **entre ~ et** loup in der Abenddämmerung; **vie** de ~ Hundeleben *nt* (*fam*); **temps** de ~ Sauwetter *nt* (*fam*); **métier** de ~ Saujob *m* (*fam*); **avoir un caractère** de ~ ein schwieriger Mensch sein; **il a un mal** de ~ **pour finir son travail** ihn kostet es wahnsinnige Mühe seine Arbeit zu beenden **II.** *adj inv* (*avare*) geizig; **ne pas être ~ avec qn** jdm gegenüber recht großzügig sein

chien-assis [ʃjɛ̃asi] *m* ARCHIT Dachgaube *f*

chiendent [ʃjɛ̃dã] *m* Quecke *f*

chien-loup [ʃjɛ̃lu] <chiens-loup s> *m* Wolfshund *m*

chienne [ʃjɛn] *f* Hündin *f; v. a.* **chien** ▶~ **de** vie Hundeleben *nt* (*fam*)

chier [ʃje] <1a> *vt, vi vulg* scheißen, kacken

chiffon [ʃifɔ̃] *m* **1.** (*tissu*) Lappen *m,* Fetzen *m* **2.** (*document sans valeur*) **ce devoir est un vrai ~** diese Hausaufgabe ist hingeschmiert (*fam*) **3.** (*vêtement de fem-*

me) **parler** [*o* **causer**] ~s *fam* über Mode reden

chiffonné, e [ʃifɔne] *adj* **1.** (*froissé*) zerknittert; *papier* zerknüllt **2.** *fig* **avoir la mine ~e** angegriffen aussehen

chiffonner [ʃifɔne] <1> **I.** *vt* **1.** (*froisser*) zerknittern; zerknüllen *papier* **2.** (*chagriner*) bedrücken **II.** *vpr* se ~ knittern

chiffonnier, -ière [ʃifɔnje, -jɛʀ] *m, f* ▶se battre [*o* se disputer] **comme des ~s** sich heftig schlagen

chiffrable [ʃifʀabl] *adj* **être difficilement ~** sich nur schwer in Zahlen ausdrücken lassen

chiffre [ʃifʀ] *m* **1.** Ziffer *f,* Zahl *f;* ~ **romain** römische Zahl; **à/de trois ~s** dreistellig **2.** (*montant*) Summe *f,* Betrag *m;* ~ **d'affaires** Umsatz *m* **3.** *des naissances* [An]zahl *f* **4.** (*statistiques*) **les ~s** die Zahlen; **en ~s ronds** in runden Zahlen; **les ~s du chômage** die Arbeitslosenzahl **5.** *d'un coffrefort* [Zahlen]kombination *f; d'un message* Kode *m,* Code *m*

chiffrer [ʃifʀe] <1> **I.** *vt* **1.** (*numéroter*) beziffern **2.** (*évaluer*) beziffern **3.** (*coder*) verschlüsseln **II.** *vi fam* **ça chiffre** das läppert sich **III.** *vpr* se ~ **à qc** sich auf etw (*akk*) belaufen

chignole [ʃiɲɔl] *f* **1.** (*perceuse*) Handbohrmaschine *f* **2.** *péj fam* (*voiture*) [Klapper]kiste *f*

chignon [ʃiɲɔ̃] *m* Hochfrisur *f;* (*en boule*) [Haar]knoten *m*

chiite [ʃiit] *adj* schiitisch

Chiite [ʃiit] *mf* Schiite/Schiitin *m/f*

Chili [ʃili] *m* **le ~** Chile *nt*

chilien, ne [ʃiljɛ̃, jɛn] *adj* chilenisch

Chilien, ne [ʃiljɛ̃, jɛn] *m, f* Chilene/Chilenin *m/f*

chimère [ʃimɛːʀ(ə)] *f* (*utopie*) Hirngespinst *nt*

chimérique [ʃimerik] *adj* **c'est un esprit ~** er/sie ist ein Fantast

chimie [ʃimi] *f* Chemie *f*

chimio [ʃimjo] *f fam,* **chimiothérapie** [ʃimjoterapi] *f* Chemotherapie *f*

chimique [ʃimik] *adj* chemisch; **produits ~s** Chemikalien *Pl*

chimiquement [ʃimikmã] *adv* chemisch

chimiste [ʃimist] *mf* Chemiker(in) *m(f)*

chimpanzé [ʃɛ̃pãze] *m* Schimpanse *m*

chinchilla [ʃɛ̃ʃila] *m* Chinchilla *f o nt*

Chine [ʃin] *f* **la ~** China *nt*

chiné, e [ʃine] *adj* meliert

chiner [ʃine] <1> *vt* TEXTIL ~ **qc** ein buntes Muster in etw (*akk*) weben

Chinetoque [ʃintɔk] *mf péj fam* Schlitzauge *nt*

chinois [ʃinwa] *m* **1.** (*langue*) Chinesisch

nt; v. a. **allemand 2.** (*chose incompréhensible*) **pour moi c'est du** ~ das ist chinesisch für mich (*fam*) **3.** GASTR trichterförmiges Sieb

chinois, e [ʃinwa, waz] *adj* chinesisch

Chinois, e [ʃinwa, waz] *m, f* Chinese/Chinesin *m/f*

chinoiser [ʃinwaze] <1> *vi* pingelig sein (*fam*)

chinoiserie [ʃinwazʀi] *f* **1.** (*bibelot*) **des** ~**s** chinesische Kunstgegenstände **2.** *pl* (*complication*) Spitzfindigkeiten *Pl*

chiot [ʃjo] *m* Welpe *m*

chiottes [ʃjɔt] *fpl fam* Klo *nt*

chiper [ʃipe] <1> *vt fam* klauen

chipie [ʃipi] *f* **1.** (*mégère*) zänkisches Weib; **vieille** ~ alte Hexe (*fam*) **2.** (*petite fille*) Luder *nt*

chipoter [ʃipɔte] <1> *vi* **1.** (*ergoter*) ~ **sur qc** wegen etw nörgeln **2.** (*marchander*) ~ **sur le prix** um den Preis einer S. (*gen*) feilschen

chips [ʃips] *f gén pl* [Kartoffel]chip *m*

chique [ʃik] *f* (*tabac*) Kautabak *m*

chiqué [ʃike] *m fam* **1.** (*affectation*) Affentheater *nt;* **faire du** ~ [*o* **tout au** ~] nur so tun, als ob **2.** (*bluff*) Schau *f;* **c'est du** ~ das ist reine Angabe

chiquenaude [ʃiknod] *f* Schubs *m*

chiquer [ʃike] <1> *vi* Tabak kauen

chiromancie [kiʀɔmɑ̃si] *f* Handlesekunst *f*

chiromancien, ne [kiʀɔmɑ̃sjɛ̃, jɛn] *m, f* Chiromant(in) *m(f)*

chiropracteur [kiʀɔpʀaktœʀ] *m,* **chiropraticien, ne** [kiʀɔpʀatisjɛ̃, jɛn] *m, f* Chiropraktiker(in) *m(f)*

chirurgical, e [ʃiʀyʀʒikal, o] <-aux> *adj* chirurgisch

chirurgie [ʃiʀyʀʒi] *f* Chirurgie *f;* ~ **esthétique** Schönheitschirurgie

chirurgien, ne [ʃiʀyʀʒjɛ̃, jɛn] *m, f* Chirurg(in) *m(f);* ~ **dentiste** Zahnarzt/-ärztin *m/f*

chiure [ʃjyʀ] *f souvent pl* ~[s] **de mouches** Fliegendreck *m*

Chleuh [ʃlø] *mf péj fam* Boche *mf* (*abwertende Bezeichnung für Deutsche aus dem 2. Weltkrieg*)

chlinguer [ʃlɛ̃ge] <1> *vi v.* **schlinguer**

chlore [klɔʀ] *m* Chlor *nt*

chlorofluorocarbone [klɔʀoflyɔʀokaʀbɔn] *m* Fluorchlorkohlenwasserstoff *m*

chloroforme [klɔʀɔfɔʀm] *m* Chloroform *nt*

chlorophylle [klɔʀɔfil] *f* Chlorophyll *nt*

chlorure [klɔʀyʀ] *m* ~ **de sodium** Natriumchlorid *nt,* Kochsalz *nt*

chnoque [ʃnɔk] *m fam v.* **schnock**

choc [ʃɔk] **I.** *m* **1.** (*émotion brutale*)

Schock *m;* **être en état de** ~ unter Schock stehen **2.** *fig des idées* Aufeinanderprallen *nt;* ~ **culturel** Kulturschock *m* **3.** (*coup*) Stoß *m;* **ce matériau ne résiste pas aux** ~**s** dieses Material ist nicht stoßfest **4.** (*heurt*) Aufprall *m* **5.** (*collision*) Zusammenstoß *m* ▶ **traitement de** ~ Schocktherapie *f* **II.** *app* **argument-**~ stichhaltiges Argument; **mode-**~ Supermode *f;* **prix-**~ Preisknüller *m* (*fam*)

chochotte [ʃɔʃɔt] **I.** *adj fam* (*snob*) **être** ~ sich zieren (*pej*) **II.** *f fam* ▶ **faire la** [*o* **sa**] ~ herumdrucksen

chocolat [ʃɔkɔla] **I.** *m* **1.** (*produit*) Schokolade *f;* **barre de** ~ Schokoladenriegel *m;* **en** ~ aus Schokolade; ~ **en poudre** Kakaopulver *nt* **2.** (*boisson*) Kakao *m;* ~ **liégeois** Schokoladeneis, Schokoladensoße mit Schlagsahne **3.** (*friandise*) Praline *f* **II.** *adj inv* (*couleur*) schokoladenfarben

chocolaté, e [ʃɔkɔlate] *adj* **crème** ~**e** Schokoladencreme *f*

chocolatier, -ière [ʃɔkɔlatje, -jɛʀ] **I.** *adj* **industrie chocolatière** Schokoladenindustrie *f* **II.** *m, f* **1.** (*producteur*) Schokoladenfabrikant(in) *m(f)* **2.** (*commerçant*) Schokoladen[groß]händler(in) *m(f)*

chocottes [ʃɔkɔt] *fpl fam* **avoir les** ~ Manschetten haben

chœur [kœʀ] *m* **1.** (*chanteurs*) Chor *m* **2.** (*groupe*) Schar *f;* **s'écrier en** ~ im Chor rufen; **déclarer en** ~ einstimmig erklären

choir [ʃwaʀ] <*irr*> *vi* **laisser** ~ **qn** *fam* jdn stehen lassen

choisi, e [ʃwazi] *adj* **1.** *morceau* ausgewählt **2.** *langage* gewählt

choisir [ʃwaziʀ] <8> **I.** *vi* **1.** (*faire son choix*) ~ **entre qn et qn/qc et qc** zwischen jdm und jdm/etw und etw wählen **2.** (*trancher*) sich entscheiden **II.** *vt* **1.** (*faire le choix de*) [aus]wählen; wählen *métier;* ~ **qn/qc pour faire qc** jdn/etw wählen um etw zu tun; ~ **qc plutôt qu'autre chose** etw einer S. (*dat*) vorziehen; ~ **qn entre deux personnes/parmi plusieurs personnes** sich zwischen zwei Menschen/jdn entscheiden/ jdn unter mehreren Menschen auswählen **2.** (*se décider à*) ~ **de faire qc** sich entscheiden etw zu tun **3.** (*élire*) wählen; (*désigner*) bestimmen; ~ **qc comme point de départ** etw als Ausgangspunkt wählen **III.** *vpr* **se** ~ **qn/qc** sich für jdn/etw entscheiden

choix [ʃwa] *m* **1.** *d'un ami, cadeau* Wahl *f;* **faire un bon/mauvais** ~ eine gute/ schlechte Wahl treffen; **de mon/son** ~ [nach] meiner/seiner/ihrer Wahl; **à ton/ leur** ~ wie du willst/wie sie wollen; **un dessert au** ~ ein Dessert nach Wahl; **sans**

~ wahllos; **laisser le** ~ **à qn** jdm die Wahl lassen **2.** (*décision*) **c'est un** ~ **à faire** das ist eine Entscheidung, die getroffen werden muss; **arrêter** [*o* **fixer**] [*o* **porter**] **son** ~ **sur qc** sich für etw entscheiden **3.** (*variété*) Auswahl *f;* **au** ~ zur Auswahl **4.** (*qualité*) **de** ~ bester Qualität; **premier/second** ~ erste/zweite Wahl

choléra [kɔlera] *m* Cholera *f*

cholestérol [kɔlɛsterɔl] *m* Cholesterin *nt*

chômage [ʃomaʒ] *m* Arbeitslosigkeit *f;* **être au** ~ arbeitslos sein; **s'inscrire au** ~ sich arbeitslos melden; **toucher le** ~ *fam* Arbeitslosengeld kriegen

chômé, e [ʃome] *adj* **jour** ~ arbeitsfreier Tag *m*

chômer [ʃome] <1> *vi* **1.** (*être sans travail*) arbeitslos sein **2.** (*ne pas travailler*) nicht arbeiten

chômeur, -euse [ʃomœr, -øz] *m, f* Arbeitslose(r) *f(m)*

chope [ʃɔp] *f* **1.** (*verre*) Humpen *m* **2.** (*contenu*) Humpen *m*

choper [ʃɔpe] <1> *vt fam* (*attraper*) sich (*dat*) holen *grippe*

chopine [ʃɔpin] *f fam* Halbliterflasche *f* Wein

choquant, e [ʃɔkɑ̃, ɑ̃t] *adj* schockierend

choquer [ʃɔke] <1> **I.** *vi* Aufsehen erregen **II.** *vt* **1.** (*scandaliser*) schockieren; **être choqué de voir que …** schockiert sein, zu sehen, dass … **2.** (*offusquer*) verletzen *pudeur;* ~ **le bon goût** gegen den guten Geschmack verstoßen **3.** (*commotionner*) ~ **qn** jdn zutiefst erschüttern **III.** *vpr* **se** ~ **facilement** schnell schockiert sein; **je ne me choque plus de rien** mich kann nichts mehr erschüttern

choral [kɔral] <s> *m* Choral *m*

choral, e [kɔral] <-aux *o* s> *adj* Choral-

chorale [kɔral] *f* Chor *m*

chorégraphe [kɔregraf] *mf* Choreograph(in) *m(f)*

chorégraphie [kɔregrafi] *f* Choreographie *f*

choriste [kɔrist] *mf* Chormitglied *nt*

chorus [kɔrys] *m* MUS Chorus *m*

chose [ʃoz] **I.** *f* **1.** (*objet abstrait*) Sache *f;* (*objet matériel*) Ding *nt,* Sache; **appeler les** ~**s par leur nom** die Dinge beim [rechten] Namen nennen; **ne pas faire les** ~**s à moitié** keine halben Sachen machen; **chaque** ~ **en son temps** alles zu seiner Zeit; **les meilleures** ~**s ont une fin** alles hat einmal ein Ende; **c'est la moindre des** ~**s** das ist das wenigste **2.** (*ensemble d'événements, de circonstances*) **les** ~**s** die Dinge; **comment les** ~**s se sont-elles passées?** wie haben sie die Dinge zuge-

tragen?; **voyons où en sont les** ~**s!** lasst uns mal sehen, wie es [so] steht; **les** ~**s étant ce qu'elles sont** [so] wie die Dinge [nun einmal] liegen; **au point où en sont les** ~**s** [so] wie die Dinge im Moment liegen; **les** ~**s se gâtent** die Sache läuft schief **3.** (*ce dont il s'agit*) Sache *f;* **comment a-t-il pris la** ~? wie hat er es aufgenommen?; **encore une** ~ eine Sache noch; **c'est** ~ **faite** das ist erledigt; **mettre les** ~**s au point** die Dinge auf den Punkt bringen; **c'est tout autre** ~ das ist etwas ganz anderes **4.** (*paroles*) **j'ai deux/plusieurs** ~**s à vous dire** ich habe Ihnen Verschiedenes zu sagen; **vous lui direz bien des** ~**s de ma part** richten Sie ihm/ihr [bitte] viele Grüße von mir aus; **parler de** ~**s et d'autres** von diesem und jenem reden; **passer à autre** ~ zu etwas anderem übergehen ►**voilà autre** ~! *fam* auch das noch!; **faire bien les** ~**s** großzügig sein; **pas grand-**~ nicht viel; **avant toute** ~ vor allem; ~ **promise,** **due** *prov* was man versprochen hat, muss man auch halten; **être porté sur la** ~ nur an das eine denken; **la** ~ **publique** das Gemeinwesen; **à peu de** ~**s près** so ungefähr **II.** *m fam* (*truc*) Dingsda *nt,* Dingsbums *nt;* **monsieur Chose** Herr Dings[da] **III.** *adj inv fam* **avoir l'air tout** ~ [ganz] verwirrt aussehen; **être** [*o* **se sentir**] **tout** ~ sich nicht ganz auf dem Damm fühlen

chou [ʃu] <x> *m* **1.** (*légume*) Kohl *m;* ~ **de Bruxelles** Rosenkohl **2.** GASTR ~ **à la crème** Windbeutel *m* ►**faire** ~ **blanc** Pech haben; **rentrer dans le** ~ **à qn** über jdn herfallen

chouan [ʃwɑ̃] *m:* königstreuer Republikgegner zur Zeit der Französischen Revolution

choucas [ʃuka] *m* Dohle *f*

chouchou [ʃuʃu] *m* (*élastique*) Haargummi *nt*

chouchou, te [ʃuʃu, ut] *m, f fam* Herzchen *nt;* ~ **de qn** jds Liebling *m*

chouchouter [ʃuʃute] <1> *vt fam* verhätscheln *enfant*

choucroute [ʃukrut] *f* Sauerkraut *nt;* ~ **garnie** Sauerkraut mit Speck und Wurst ►**pédaler dans la** ~ *fam* auf dem Schlauch stehen

chouette [ʃwɛt] **I.** *adj fam* klasse **II.** *f* (*oiseau*) Eule *f*

chou-fleur [ʃuflœr] <choux-fleurs> *m* Blumenkohl *m*

chouille [ʃuj] *f fam* Party *f;* **faire la** ~ Party machen

chou-rave [ʃurav] <choux-raves> *m* Kohlrabi *m*

choyer [ʃwaje] <6> *vt* ~ **qn** für jdn liebevoll sorgen

chrétien, ne [kretjɛ̃, jɛn] **I.** *adj* christlich; **être** ~ Christ sein **II.** *m, f* Christ(in) *m(f)*

chrétienté [kretjɛ̃te] *f* Christenheit *f*

christ [krist] *m* (*crucifix*) Christus[figur *f*] *m*

christianiser [kristjanize] <1> *vt* christianisieren

christianisme [kristjanism] *m* Christentum *nt*

chromatique [krɔmatik] *adj* MUS, OPT chromatisch

chrome [krom] *m* (*métal*) Chrom *nt*

chromé, e [krome] *adj* verchromt

chromo [kromo] *m péj* Kitschbild *nt*

chromosome [kromozom] *m* Chromosom *nt*

chronique [krɔnik] **I.** *adj* **1.** *maladie* chronisch **2.** *problème* andauernd **II.** *f* **1.** LITTER Chronik *f* **2.** MEDIA Kolumne *f;* RADIO Kommentar *m;* ~ **littéraire** Feuilleton *nt* ▸**défrayer** la ~ von sich reden machen

chroniqueur, -euse [krɔnikœr, -øz] *m, f* **1.** LITTER Chronist(in) *m(f)* **2.** MEDIA ~ **littéraire** Feuilletonist(in) *m(f);* ~ **financier/sportif** Wirtschafts-/Sportredakteur

chrono [krɔno] *m fam abr de* **chronomètre** Stoppuhr *f*

chronologie [krɔnɔlɔʒi] *f* Chronologie *f*

chronologique [krɔnɔlɔʒik] *adj* chronologisch

chronométrage [krɔnɔmetraʒ] *m* Zeitmessung *f*

chronomètre [krɔnɔmɛtr] *m* Stoppuhr *f*

chronométrer [krɔnɔmetre] <5> *vt* stoppen

chrysalide [krizalid] *f* Puppe *f*

chrysanthème [krizɑ̃tɛm] *m* Chrysantheme *f*

CHU [seaʃy] *m abr de* **centre hospitalier universitaire** Universitätsklinik[um *nt*] *f*

chu, e [ʃy] *part passé de* **choir**

chuchotement [ʃyʃɔtmɑ̃] *m* Flüstern *nt;* (*en cachette*) Tuscheln *nt*

chuchoter [ʃyʃɔte] <1> *vt, vi* flüstern

chuinter [ʃɥɛ̃te] <1> *vi* „s" wie „sch" aussprechen

chus [ʃy] *passé simple de* **choir**

chut [ʃyt] *interj* pst

chute [ʃyt] *f* **1.** *d'une personne* Fall *m*, Sturz *m; des feuilles* [Ab]fallen *nt;* ~ **des cheveux** Haarausfall; **faire une** ~ **de 5 m** 5 m in die Tiefe stürzen; **en** ~ **libre** im freien Fall **2.** *d'un gouvernement* Fall *m*, Sturz *m; du dollar* Sturz *m* **3.** GEOG ~ **d'eau** Wasserfall *m;* **les** ~**s du Niagara** die Niagarafälle **4.** METEO ~ **de neige** Schneefall *m* **5.** (*baisse rapide*) ~ **de pression** Druckab-

fall *m;* ~ **de température** Temperatursturz *m* **6.** (*déchets*) Fetzen *m* **7.** (*pente*) Neigung *f* **8.** *d'une histoire* Schluss *m;* ~ **du rideau** Ende *nt* der Vorstellung

chuter [ʃyte] <1> *vi* **1.** *fam* (*tomber*) stürzen **2.** *fam* (*échouer*) *candidat:* durchfallen; *joueur:* verlieren **3.** (*baisser*) sinken

Chypre [ʃipr] *f* [l'**île de**] ~ Zypern *nt*

chypriote [ʃiprijɔt] *adj v.* **cypriote**

ci [si] *adv* **comme** ~ **comme ça** *fam* so lala; ~ **et ça** dies und das; **à cette heure-**~ zu dieser Zeit; *v. a.* **ceci, celui**

ci-après [siaprɛ] *adv* nachstehend

cibiste [sibist] *mf* CB-Funker(in) *m(f)*

cible [sibl] **I.** *f* **1.** SPORT Zielscheibe *f;* **atteindre la** ~ das Ziel treffen **2.** COM, MEDIA Zielgruppe *f* **3.** *fig* **servir de** ~ **aux quolibets** Zielscheibe *f* für spöttische Bemerkungen sein **II.** *adj* **langue** ~ Zielsprache *f*

cibler [sible] <1> *vt* **1.** (*circonscrire*) ~ **des personnes** Menschen gezielt ansprechen **2.** (*définir*) bestimmen; **émission ciblée** auf ein bestimmtes Publikum ausgerichtete Sendung

ciboire [sibwar] *m* Messkelch *m*

ciboulette [sibulɛt] *f* Schnittlauch *m*

ciboulot [sibulo] *m pop* Hirn *nt*

cicatrice [sikatris] *f* Narbe *f*

cicatrisation [sikatrizasjɔ̃] *f* Vernarbung *f*

cicatriser [sikatrize] <1> **I.** *vt* **1.** vernarben lassen **2.** *fig* **être cicatrisé** überwunden sein **II.** *vi, vpr* vernarben

ci-contre [sikɔ̃tr] *adv* nebenstehend

ci-dessous [sid(ə)su] *adv* [weiter] unten

ci-dessus [sid(ə)sy] *adv* [weiter] oben

cidre [sidr] *m* Cidre *m*

Cie *abr de* **compagnie** Co

ciel [sjɛl] <**cieux** *o* **s**> [sjɛl, sjø] *m* **1.** <**s**> Himmel *m* **2.** REL Himmel *m;* **grâce au** ~ Gott sei Dank ▸**au nom du** ~! um Himmels willen!; **remuer** ~ **et terre** Himmel und Hölle/Erde in Bewegung setzen; **à** ~ **ouvert** unter freiem Himmel; **aide-toi, le** ~ **t'aidera** *prov* hilf dir selbst, so hilft dir Gott; **tomber du** ~ **à qn** jdm wie gerufen kommen

cierge [sjɛrʒ] *m* (*chandelle*) Kerze *f* ▸**se tenir droit comme un** ~ sich kerzengerade halten

cieux [sjø] *pl de* **ciel**

cigale [sigal] *f* Zikade *f*

cigare [sigar] *m* Zigarre *f* ▸**ne rien avoir dans le** ~ *fam* nur Stroh in der Birne haben

cigarette [sigarɛt] *f* Zigarette *f*

cigarillo [sigarijo] *m* Zigarillo *nt o m*

ci-gît [siʒi] hier ruht

cigogne [sigɔɲ] *f* Storch *m*

ciguë [sigy] *f* Schierling *m*

ci-inclus [siɛ̃kly] in der Anlage; **la copie ~e** die beiliegende Kopie

ci-joint [siʒwɛ̃] anbei; **les documents ~s** die beiliegenden Dokumente

cil [sil] *m* Wimper *f*

ciller [sije] <1> *vi* **~ des yeux** mit den Augen zwinkern

cime [sim] *f d'un arbre* Wipfel *m; d'une montagne* Gipfel *m*

ciment [simɑ̃] *m* Zement *m*

cimenter [simɑ̃te] <1> *vt* **1.** zementieren **2.** *fig* festigen

cimetière [simtjɛʀ] *m* Friedhof *m*

ciné [sine] *m fam abr de* **cinéma**

cinéaste [sineast] *m* Filmemacher(in) *m(f)*

ciné-club [sineklœb] <ciné-clubs> *m* Filmclub *m*

cinéma [sinema] *m* **1.** *(art)* Kino *nt; ~* **muet/parlant** Stumm-/Tonfilm *m;* **faire du ~** in der Filmbranche arbeiten **2.** *(salle)* Kino *nt* ►**arrête ton ~** *fam* hör auf mit dem Theater; **faire tout un ~** *fam* ein Affentheater veranstalten

cinémascope® [sinemaskɔp] *m* Cinemascope® *nt*

cinémathèque [sinematɛk] *f* Filmarchiv *nt*

cinématographique [sinematɔɡʀafik] *adj* Film-

cinéphile [sinefil] *mf* Kinofreund(in) *m(f)*

cinéraire [sineʀɛʀ] *f* Zinerarie *f*

cinétique [sinetik] *adj* kinetisch

cinglant, e [sɛ̃ɡlɑ̃, ɑ̃t] *adj pluie* peitschend

cinglé, e [sɛ̃ɡle] **I.** *adj fam* bekloppt **II.** *m, f fam* **quel ~/quelle ~e!** was für ein Spinner/eine blöde Ziege!

cingler [sɛ̃ɡle] <1> *vt* **1.** *(frapper)* **~ le visage à qn** jdm ins Gesicht schlagen **2.** *(fouetter)* ins Gesicht peitschen

cinoche [sinɔʃ] *m fam* Kintopp *m*

cinq [sɛ̃k, *devant une consonne* sɛ̃] **I.** *num* **1.** fünf; **en ~ exemplaires** in fünffacher Ausfertigung; **dans ~ jours** heute in fünf Tagen; **de ~ heures/jours** fünfstündig/-tägig; **faire qc un jour sur ~** alle fünf Tage etw tun; **un Français/foyer sur ~** jeder fünfte Franzose/Haushalt; **vendre qc par ~** etw im Fünferpack verkaufen; **rentrer ~ par ~** [jeweils] zu fünf hineingehen; **à ~** zu fünft **2.** *(dans l'indication de l'âge, la durée)* **avoir/avoir bientôt ~ ans** fünf [Jahre alt] sein/werden; **à ~ ans** mit fünf [Jahren]; **personne/période de ~ ans** Fünfjährige(r)/Zeitraum von fünf Jahren **3.** *(dans l'indication de l'heure)* **il est ~ heures** es ist fünf [Uhr]; **il est dix heures ~/moins ~** es ist fünf [Minuten] nach/vor zehn; **toutes les ~ heures** alle

fünf Stunden **4.** *(dans l'indication de la date)* **le ~ mars** der fünfte März; **arriver le ~ mars** am fünften März kommen; **arriver le ~** am Fünften kommen; **nous sommes** [*o* **on est**] **le ~ mars** wir haben den fünften März; **nous sommes** [*o* **on est**] **le ~** wir haben den Fünften; **le vendredi ~ mars** am Freitag, den fünften März; **Aix, le ~ mars** Aix, den fünften März; **tous les ~ du mois** jeweils am 5. des Monats **5.** *(dans l'indication de l'ordre)* **arriver ~ ou sixième** als Fünfte(r) oder Sechste(r) kommen **6.** *(dans les noms de personnages)* **Charles V** Karl der Fünfte ►**c'était moins ~!** *fam* das war knapp!; **en ~ sec** in null Komma nichts *(fam)* **II.** *m inv* **1.** Fünf *f;* **deux et trois font ~** zwei und drei macht fünf; **compter de ~ en ~** in Fünferschritten zählen **2.** *(numéro)* Nummer *f* fünf, Fünf *f;* **habiter** [au] **5, rue de l'église** [in der] Kirchstraße [Nummer] 5 wohnen **3.** TRANSP **le ~** die Linie fünf **4.** JEUX Fünf *f;* **le ~ de cœur** die Herzfünf **5.** SCOL **avoir ~ sur dix/sur vingt** ≈ eine Vier/eine Sechs haben ►**~ sur ~** einwandfrei **III.** *f (table/chambre/... numéro ~)* Fünf *f* **IV.** *adv (dans une énumération)* fünftens; *(dans un ordre du jour)* Punkt fünf

cinquantaine [sɛ̃kɑ̃tɛn] *f* **1.** *(environ cinquante)* **une ~ de personnes/pages** etwa fünfzig Personen/Seiten **2.** *(âge approximatif)* **avoir la ~** [*o* une ~ **d'années**] ungefähr fünfzig [Jahre alt] sein; **approcher de la ~** auf die Fünfzig zugehen; **avoir largement dépassé la ~** weit über fünfzig [Jahre alt] sein

cinquante [sɛ̃kɑ̃t] **I.** *num* **1.** fünfzig; **à ~ à l'heure** [*o* kilomètres à l'heure] mit fünfzig Stundenkilometern **2.** *(dans l'indication des époques)* **les années ~** die fünfziger Jahre ►**je ne répéterai pas ~ fois la même chose!** ich sage nicht hundertmal das Gleiche! **II.** *m inv* **1.** *(cardinal)* Fünfzig *f* **2.** *(taille de confection)* **faire du ~** ≈ Größe 48 tragen; *v. a.* **cinq**

cinquantenaire [sɛ̃kɑ̃tnɛʀ] *m* fünfzigjähriges Jubiläum

cinquantième [sɛ̃kɑ̃tjɛm] **I.** *adj antéposé* fünfzigste(r, s) **II.** *mf* **le/la ~** der/die/das Fünfzigste **III.** *m (fraction)* Fünfzigstel *nt; v. a.* **cinquième**

cinquième [sɛ̃kjɛm] **I.** *adj antéposé* fünfte(r, s); **la ~ page avant la fin** die fünftletzte Seite; **arriver ~/obtenir la ~ place** Fünfte(r) werden; **le ~ centenaire** das fünfhundertjährige Jubiläum **II.** *mf* **le/la ~** der/die/das Fünfte; **être le/la ~ de la classe** der/die Fünftbeste [in] der Klasse sein **III.** *m* **1.** *(fraction)* Fünftel *nt; les*

trois ~s du gâteau drei Fünftel des Kuchens **2.** (*étage*) fünfter Stock; **habiter au ~** im fünften Stock wohnen **3.** (*arrondissement*) **habiter dans le ~** im fünften Arrondissement wohnen **4.** (*dans une charade*) fünfte Silbe **IV.** *f* **1.** (*vitesse*) fünfter Gang; **passer en ~** den fünften Gang einlegen **2.** SCOL ≈ siebte Klasse; **élève de ~** ≈ Siebtklässler(in) *m(f)*; **professeur de ~** ≈ Lehrer(in) *m(f)* einer siebten Klasse

cinquièmement [sɛ̃kjɛmmɑ̃] *adv* fünftens

cintre [sɛ̃tR] *m* **1.** (*portemanteau*) [Kleider]bügel *m* **2.** ARCHIT Bogen *m*; **plein ~** Rundbogen

cintré, e [sɛ̃tRe] *adj chemise* tailliert

cirage [siRaʒ] *m* **1.** (*produit*) Schuhcreme *f* **2.** *des chaussures* Putzen *nt*; *d'un parquet* Bohnern *nt* ▸ **être dans le ~** *fam* (*être inconscient*) ganz weg sein; (*ne rien comprendre*) nicht mehr durchblicken

circoncis, e [siRkɔ̃si, iz] *adj* beschnitten

circoncision [siRkɔ̃sizjɔ̃] *f* Beschneidung *f*

circonférence [siRkɔ̃feRɑ̃s] *f* [Kreis]umfang *m*; (*pourtour*) Peripherie *f*

circonscription [siRkɔ̃skRipsjɔ̃] *f* **1.** ADMIN [Verwaltungs]bezirk *m* **2.** POL Wahlkreis *m* **3.** TELEC **~ tarifaire** Tarifzone *f*

circonscrire [siRkɔ̃skRiR] <*irr*> *vt* **1.** (*délimiter*) abgrenzen **2.** (*borner*) **~ les recherches à un secteur** die Nachforschungen auf ein Gebiet beschränken **3.** (*empêcher l'extension de*) eindämmen *incendie* **4.** (*cerner*) umreißen *sujet*

circonspect, e [siRkɔ̃spɛ(kt), ɛkt] *adj termes* besonnen

circonspection [siRkɔ̃spɛksjɔ̃] *f* Umsichtigkeit *f*

circonstance [siRkɔ̃stɑ̃s] *f* **1.** *souvent pl* (*conditions*) Umstand *m*; **les ~s d'un accident** die Einzelheiten eines Unfalls; **en toutes ~s** unter allen Umständen; **~s indépendantes de notre volonté** unvorhergesehene Umstände **2.** (*occasion*) Gelegenheit *f*; **air de ~** dem Anlass entsprechend

circonstancié, e [siRkɔ̃stɑ̃sje] *adj* ausführlich

circonstanciel, le [siRkɔ̃stɑ̃sjɛl] *adj* GRAM **subordonnée ~le** Adverbialsatz *m*; **complément ~ de temps/lieu/manière** Umstandsbestimmung *f* der Zeit/des Ortes/der Art und Weise

circonvenir [siRkɔ̃vniR] <*irr*> *vt* umgarnen

circuit [siRkɥi] *m* **1.** (*itinéraire touristique*) Rundfahrt *f* **2.** (*parcours*) Strecke *f*, Weg *m* **3.** SPORT Rennstrecke *f* **4.** (*jeu*) Spielzeugautorennbahn *f* **5.** ELEC Stromkreis *m* **6.** ECON Kreislauf *m*; **~ de distribution** Verkaufsnetz *nt*

circulaire [siRkylɛR] **I.** *adj fenêtre* kreisrund; *mouvement, scie* Kreis- **II.** *f* Rundschreiben *nt*

circulation [siRkylasjɔ̃] *f* **1.** (*trafic*) Verkehr *m*; **~ interdite** (*aux piétons*) kein Durchgang; (*aux voitures*) keine Durchfahrt; **faire la ~** den Verkehr regeln; **la ~ est difficile** die Verkehrsbedingungen sind schlecht **2.** ECON Umlauf *m*, Verkehr *m*; **mettre en ~** in Umlauf bringen; **retirer de la ~** aus dem Verkehr ziehen **3.** MED Blutkreislauf *m*; **bonne/mauvaise ~** gute/schlechte Durchblutung

circulatoire [siRkylatwaR] *adj* **appareil ~** Kreislaufsystem *nt*

circuler [siRkyle] <1> *vi* **1.** (*aller et venir*) herumgehen; **~ en voiture** mit dem Auto unterwegs sein; **circulez!** weiterfahren[, nicht stehen bleiben]!/weitergehen[, nicht stehen bleiben]! **2.** (*passer de main en main*) in Umlauf sein **3.** (*couler*) fließen **4.** (*se renouveler*) **l'air circule dans la pièce** die Luft zirkuliert im Zimmer **5.** (*se répandre*) *nouvelle:* kursieren; **faire ~ qc** etw in Umlauf bringen

cire [siR] *f* Wachs *nt*

ciré [siRe] *m* Ölzeug *nt*

cirer [siRe] <1> *vt* polieren *chaussures, meuble;* [wachsen und] bohnern *parquet* ▸ **j'en ai rien à ~, moi, de toutes tes histoires!** *fam* mit deinen Geschichten habe ich nichts am Hut

cireur, -euse [siRœR, -øz] *m, f* **~(-euse) de chaussures** Schuhputzer(in) *m(f)*

cireuse [siRøz] *f* Bohnermaschine *f*

cireux, -euse [siRø, -øz] *adj* wächsern

cirque [siRk] *m* Zirkus *m*

cirrhose [siRoz] *f* Zirrhose *f*

cirrus [siRys] *m* Zirrus[wolke *f*] *m*

cisaille [sizaj] *f* Schere *f*

cisailler [sizaje] <1> *vt* **1.** (*couper*) [zer]schneiden **2.** (*élaguer*) [be]schneiden

ciseau [sizo] <x> *m* **1.** *pl* (*instrument*) Schere *f*; **une paire de ~x** eine Schere **2.** (*outil*) Meißel *m*; **~ à bois** [Stech]beitel *m*

ciseler [sizle] <4> *vt* ziselieren

ciselure [sizlyR] *f* (*art*) Ziselieren *nt*

citadelle [sitadɛl] *f* Festung *f*, Zitadelle *f*

citadin, e [sitadɛ̃, in] **I.** *adj* städtisch; **la vie ~e** das Leben in der Stadt **II.** *m, f* Städter(in) *m(f)*

citation [sitasjɔ̃] *f* **1.** (*extrait*) Zitat *nt* **2.** JUR [Vor]ladung *f* **3.** MIL Belobigung *f*

cité [site] *f* **1.** (*ville*) Stadt *f* **2.** (*vieux quartier*) Altstadt *f* **3.** (*immeubles*) Siedlung *f*; **~ universitaire** Studenten[wohn]heim *nt* **4.** HIST Stadtstaat *m*

cité-dortoir [sitedɔʀtwaʀ] <cités-dortoirs> f Schlafstadt f (fam)
citer [site] <1> vt 1. (rapporter) zitieren 2. (énumérer) nennen 3. (reconnaître les mérites) lobend erwähnen; ~ **en exemple** als Beispiel nehmen 4. JUR vorladen
citerne [sitɛʀn] f 1. (réservoir) Tank m 2. (pour l'eau de pluie) Zisterne f
cithare [sitaʀ] f MUS Zither f
citoyen, ne [sitwajɛ̃, jɛn] m, f [Staats]bürger(in) m(f); ~ **d'honneur** Ehrenbürger
citron [sitʀɔ̃] I. m 1. (fruit) Zitrone f; ~ **pressé** frisch gepresster Zitronensaft mit Wasser 2. fam (tête) Birne f II. adj inv [jaune] ~ zitronengelb
citronnade [sitʀɔnad] f Zitronenwasser nt
citronnelle [sitʀɔnɛl] f BOT Zitronenmelisse f
citronnier [sitʀɔnje] m 1. (arbre) Zitronenbaum m 2. (bois) Zitronenholz nt
citrouille [sitʀuj] f BOT Kürbis m ▸**ne rien avoir** dans la ~ fam nichts in der Birne haben
civet [sivɛ] m: in Wein geschmortes Wildragout
civette [sivɛt] f ZOOL Zibetkatze f
civière [sivjɛʀ] f [Trag]bahre f
civil [sivil] m 1. (personne) Zivilist m 2. (vie ~e) dans le ~ im Zivilleben
civil, e [sivil] adj 1. (relatif au citoyen) Zivil-; année ~e Kalenderjahr nt; guerre ~e Bürgerkrieg m 2. (opp: religieux) mariage ~ standesamtliche Trauung 3. JUR bürgerlich; procédure ~e Zivilverfahren nt; responsabilité ~e zivilrechtliche Haftung; se porter partie ~e als Nebenkläger auftreten
civilement [sivilmɑ̃] adv 1. JUR zivilrechtlich 2. (opp: religieusement) standesamtlich
civilisation [sivilizasjɔ̃] f 1. (culture) Kultur f 2. (action) Zivilisierung f 3. (état) Zivilisation f
civiliser [sivilize] <1> I. vt 1. (policer) zivilisieren 2. fam (rendre plus sociable) Umgangsformen beibringen II. vpr fam se ~ zivilisierter werden
civique [sivik] adj [staats]bürgerlich; droits ~s bürgerliche Ehrenrechte; instruction ~ Gemeinschaftskunde f
civisme [sivism] m staatsbürgerliches Pflichtgefühl
clac [klak] interj klapp
clafoutis [klafuti] m: Süßspeise, die aus einem Eierkuchenteig und Kirschen besteht
claie [klɛ] f [Stroh-/Weiden-]geflecht nt
clair [klɛʀ] I. adv 1. (distinctement) klar; tu ne vois pas ~ du siehst wohl schlecht (fam); fig voir ~ dans qc etw durchschau-

en 2. (sans ambiguïté) deutlich; parler ~ et net ganz offen sprechen II. m (clarté) Schein m; ~ de lune Mondschein ▸le plus ~ de son/mon temps die meiste Zeit; tirer au ~ [auf]klären; en ~ im Klartext; émission en ~ unverschlüsselte Sendung
clair, e [klɛʀ] adj 1. (lumineux) klar; flamme, pièce hell 2. (opp: foncé) hell; bleu hell- 3. (peu consistant) dünn 4. (intelligible, transparent) klar; explication einleuchtend; avoir les idées ~es logisch denken 5. (évident) deutlich; c'est ~! das ist [ganz] klar! ▸ne pas être ~ fam (être saoul) beschwipst sein; (être suspect) nicht ganz koscher sein; (être fou) nicht mehr [ganz] richtig ticken
claire [klɛʀ] f 1. (bassin) Austernpark m 2. (huître) Auster f aus einem Austernpark
clairement [klɛʀmɑ̃] adv deutlich
claire-voie [klɛʀvwa] <claires-voies> f Lattenzaun m
clairière [klɛʀjɛʀ] f Lichtung f
clair-obscur [klɛʀɔpskyʀ] <clairs-obscurs> m 1. ART Helldunkel nt 2. (lumière tamisée) Halbdunkel nt
clairon [klɛʀɔ̃] m 1. (instrument) Bügelhorn nt 2. (personne) Hornist(in) m(f)
claironnant, e [klɛʀɔnɑ̃, ɑ̃t] adj schmetternd
claironner [klɛʀɔne] <1> I. vt iron ausposaunen II. vi Bügelhorn spielen
clairsemé, e [klɛʀsəme] adj 1. (dispersé) vereinzelt 2. (peu dense) spärlich
clairvoyance [klɛʀvwajɑ̃s] f Weitblick m
clairvoyant, e [klɛʀvwajɑ̃, jɑ̃t] adj weit blickend
clamer [klame] <1> vt hinausschreien
clameur [klamœʀ] f Geschrei nt
clan [klɑ̃] m 1. péj Clique f 2. HIST Klan m
clandestin, e [klɑ̃dɛstɛ̃, in] I. adj geheim; commerce illegal; passager ~ blinder Passagier; mouvement ~ Untergrundbewegung f II. m, f illegaler Einwanderer/illegale Einwanderin
clandestinité [klɑ̃dɛstinite] f 1. (fait de ne pas être déclaré) Heimlichkeit f 2. (vie cachée) Untergrund m; entrer dans la ~ in den Untergrund gehen
clapet [klapɛ] m 1. TECH [Klappen]ventil nt 2. fam (bouche) Klappe f
clapier [klapje] m 1. (cage) Kaninchenstall m 2. péj (logement) Loch nt
clapotement [klapɔtmɑ̃] m Plätschern nt
clapoter [klapɔte] <1> vi plätschern
clapotis [klapɔti] m plätschern nt
claquage [klakaʒ] m MED Muskel[faser]riss m
claquant, e [klakɑ̃, ɑ̃t] adj fam total anstrengend

claque¹ [klak] *f* **1.**(*tape: sur la joue*) Ohrfeige *f;* (*sur l'épaule*) Klaps *m* **2.** THEAT Claque *f* ►**j'en ai**/**il en a sa** ~ *fam* mir/ ihm reicht's; **prendre une de ces** ~**s** *fam* [ordentlich] eins draufkriegen

claque² [klak] *m* Chapeau claque *m*

claqué, e [klake] *adj fam* fix und fertig

claquement [klakmã] *m d'un volet* [Zu]schlagen *nt; d'une porte* Zuschlagen; ~ **du fouet** Knallen *nt* mit der Peitsche

claquemurer [klakmyʀe] <1> *vpr* **se** ~ sich einigeln

claquer [klake] <1> **I.** *vt* **1.**(*jeter violemment*) knallen **2.** *fam* (*dépenser*) verpulvern **3.** *fam* (*fatiguer*) [fix und] fertig machen **II.** *vi* **1.**(*produire un bruit sec*) *drapeau:* schlagen; *porte, volet:* [zu]schlagen; *fouet:* knallen; ~ **des dents** mit den Zähnen klappern; ~ **des mains** in die Hände klatschen **2.** *fam* (*mourir*) abkratzen **3.** *fam* (*se casser*) *élastique:* reißen; *verre:* zerspringen **III.** *vpr* **1.** MED *fam* **se** ~ **un muscle** sich (*dat*) einen Muskel[faser]riss zuziehen **2.** *fam* (*se fatiguer*) **se** ~ sich total verausgaben

claquettes [klakɛt] *fpl* (*danse*) Stepptanz *m;* **faire des** ~ steppen

clarification [klaʀifikasjɔ̃] *f d'une question* Klärung *f*

clarifier [klaʀifje] <1> **I.** *vt* **1.**(*rendre intelligible*) ~ **un fait** Licht in eine Sache bringen **2.**(*rendre transparent*) klären *liquide* **II.** *vpr* **se** ~ *fait:* sich klären

clarinette [klaʀinɛt] *f* MUS Klarinette *f*

clarté [klaʀte] *f* **1.** *d'une étoile* Helligkeit *f; d'une bougie* Schein *m; du ciel* Helle *f* **2.**(*transparence*) Reinheit *f* **3.**(*éclat*) Frische *f* **4.**(*opp: confusion*) Klarheit *f;* **s'exprimer avec** ~ sich klar ausdrücken

classe [klas] *f* **1.**(*groupe*) Klasse *f;* ~**s moyennes** Mittelstand *m;* ~ **ouvrière**/ **dirigeante** Arbeiterklasse/Oberschicht *f;* ~ **d'âge** Altersklasse **2.**(*rang*) **de grande**/ **première** ~ erstklassig; **billet de première**/**deuxième** ~ Fahrschein *m* erster/ zweiter Klasse **3.** *fam* (*élégance*) **être** ~ Klasse sein; **c'est** ~! das ist todschick! **4.**(*niveau*) Klasse *f;* (*élèves*) [Schul]klasse; (*cours*) Unterricht *m;* (*salle*) Klasse[nzimmer *nt*]; **en** ~ in der Klasse; ~ **de cinquième**/**seconde** ≈ 8./11. Klasse; ~ **terminale** ≈ Abitur-/13. Klasse; **passer dans la** ~ **supérieure** versetzt werden; **faire** [**la**] ~ unterrichten; **être en** ~, **avoir** ~ Unterricht haben; **aller en** ~ zur Schule gehen; **demain, il n'y a pas** ~ morgen ist keine Schule; (*séjour*) ~ **verte** Schullandheim *mit Unterricht in Biologie;* ~ **préparatoire** Vorbereitungsklasse [auf eine der „grandes

écoles"] **5.** MIL Jahrgang *m;* **faire ses** ~**s** die Grundausbildung machen; *fig* lernen

classé, e [klase] *adj* **1.**(*protégé*) unter Denkmalschutz stehend **2.**(*réglé*) abgeschlossen **3.**(*de valeur*) klassifiziert

classement [klasmã] *m* **1.**(*rangement*) Einordnen *nt,* Einteilung *f* **2.** *d'un élève* Einstufung *f; d'un joueur* Ranglistenplatz *m; d'un hôtel* Kategorie *f* **3.**(*place sur une liste*) Rangfolge *f* **4.**(*liste par ordre de mérite*) Wertung *f*

classer [klase] <1> **I.** *vt* **1.**(*ordonner*) ordnen; *timbres* sortieren **2.**(*répartir*) ~ **parmi qn**/**qc** zu jdm/etw zählen **3.**(*ranger selon la performance*) einstufen **4.**(*régler*) ad acta legen **5.**(*mettre dans le patrimoine national*) unter Denkmalschutz stellen *monument;* zum Landschaftsschutzgebiet erklären *site* **6.** *péj* (*juger définitivement*) einordnen **II.** *vpr* (*obtenir un certain rang*) **se** ~ **premier** sich als 1. platzieren

classeur [klasœʀ] *m* (*dossier*) [Akten]ordner *m*

classicisme [klasisism] *m* ART Klassik *f*

classification [klasifikasjɔ̃] *f* Klassifizierung *f;* ~ **périodique des éléments** Periodensystem *nt*

classifier [klasifje] <1> *vt* klassifizieren

classique [klasik] **I.** *adj* **1.** ART klassisch **2.**(*habituel*) typisch; *produit* herkömmlich; **c'est** [**le coup**] ~! *fam* das ist [ganz] typisch! **3.** SCOL humanistisch; **filière** ~ humanistischer Zweig **II.** *m* **1.**(*auteur, œuvre*) Klassiker *m;* **connaître ses** ~**s** *hum* in der Schule aufgepasst haben **2.**(*musique*) Klassik *f*

clause [kloz] *f* Klausel *f*

claustrophobe [klostʀɔfɔb] **I.** *adj* **être** ~ unter Klaustrophobie leiden **II.** *mf* unter Klaustrophobie Leidende(r) *f(m)*

claustrophobie [klostʀɔfɔbi] *f* Klaustrophobie *f*

clavecin [klavsɛ̃] *m* MUS Cembalo *nt*

clavicule [klavikyl] *f* ANAT Schlüsselbein *nt*

clavier [klavje] *m* Tastatur *f*

clé [kle] *f* **1.**(*instrument*) Schlüssel *m;* ~ **de contact** Zündschlüssel; **fermer à** ~ abschließen **2.**(*outil*) Schlüssel *m;* (*moyen d'accéder à*) **la** ~ **du succès** der Schlüssel zum Erfolg; **la** ~ **de l'énigme** des Rätsels Lösung *f* **3.**(*signe*) Schlüssel *m;* (*pièce*) Klappe *f* **4.** SPORT Hebel *m*

clean [klin] *adj fam* **1.**(*propre*) proper **2.**(*bien*) schwer in Ordnung **3.**(*opp: speedé*) clean

clef [kle] *f v.* clé

clématite [klematit] *f* BOT Klematis *f*

clémence [klemãs] *f* Milde *f*

clément, e [klemã, ãt] *adj* mild

clémentine [klemãtin] *f* Klementine *f*

cleptomane [klɛptɔman] *mf* Kleptomane/Kleptomanin *m/f*

clerc [klɛʀ] *m* **1.** *de notaire* Schreiber *m* **2.** (*clergé*) Geistliche(r) *m*, Kleriker *m*

clergé [klɛʀʒe] *m* Klerus *m*

clérical, e [kleʀikal, o] <-aux> *adj* geistlich

clic [klik] **I.** *interj* klick **II.** *m* Klick *m;* ~ **sur la souris** Mausklick

clic-clac [klik klak] *m* Klappsofa *nt*

cliché [kliʃe] *m* **1.** (*banalité*) Klischee *nt* **2.** (*photo*) Abzug *m*

client, e [klijã, jãt] *m, f* **1.** (*acheteur*) Kunde/Kundin *m/f* **2.** *d'un restaurant* Gast *m; d'un avocat* Klient(in) *m(f); d'un médecin* Patient(in) *m(f)* **3.** ECON Abnehmer(in) *m(f)*

clientèle [klijãtɛl] *f* Kundschaft *f*, Kunden *Pl; d'un avocat* Klientel *f; d'un médecin* Patienten *Pl; d'un restaurant* Gäste *Pl*

clignement [kliɲ(ə)mã] *m* Blinzeln *nt*

cligner [kliɲe] <1> **I.** *vt* **1.** (*fermer à moitié*) zusammenkneifen **2.** (*ciller*) ~ **des yeux** blinzeln; ~ **de l'œil** zwinkern **II.** *vi* zucken

clignotant [kliɲɔtã] *m* AUT Blinker *m;* **mettre le/son** ~ blinken

clignotant, e [kliɲɔtã, ãt] *adj* Blink-

clignoter [kliɲɔte] <1> *vi* **1.** (*ciller*) **ses yeux** [*o* **paupières**] **clignotaient** er/sie blinzelte **2.** (*éclairer*) blinken; *lampe:* flackern

climat [klima] *m* **1.** METEO Klima *nt* **2.** (*ambiance*) Atmosphäre *f*

climatique [klimatik] *adj* klimatisch

climatisation [klimatizasjɔ̃] *f* **1.** (*action*) Klimatisierung *f* **2.** (*dispositif*) Klimaanlage *f*

climatiser [klimatize] <1> *vt* klimatisieren

climatiseur [klimatizœʀ] *m* Klimaanlage *f*

clin d'œil <clins d'œil *o* clins d'yeux> [klɛ̃dœj] *m* Augenzwinkern *nt;* **faire un** ~ **zwinkern; faire un** ~ **à qn** jdm zuzwinkern ▶**en un** ~ im Nu

clinique [klinik] **I.** *adj* klinisch **II.** *f* (*établissement*) [Privat]klinik *f*

clip [klip] *m* **1.** TV Clip *m* **2.** (*bijou*) Klipp *m*, Clip *m*

clique [klik] *f péj fam* Clique *f* ▶**prendre ses** ~**s et ses** <u>claques</u> *fam* seine Siebensachen packen und gehen

cliquer [klike] <1> *vi* INFORM klicken; ~ **sur un symbole avec la souris** ein Symbol mit der Maus anklicken

cliqueter [klik(ə)te] <3> *vi monnaie, clés:* klimpern; *verre:* klirren

cliquetis [klik(ə)ti] *m de la monnaie, clés* Klimpern *nt; de verres* Klirren *nt*

clitoris [klitɔʀis] *m* ANAT Klitoris *f*

clivage [klivaʒ] *m des groupes* Spaltung *f*

cloaque [klɔak] *m* Kloake *f*

clochard, e [klɔʃaʀ, aʀd] *m, f* Stadtstreicher(in) *m(f)*

cloche¹ [klɔʃ] *f* Glocke *f*

cloche² [klɔʃ] **I.** *adj fam* **1.** (*maladroit*) tollpatschig **2.** (*stupide*) dämlich **II.** *f fam* **1.** (*maladroit*) Tollpatsch *m* **2.** (*idiot*) Dussel *m* **3.** (*clochards*) Pennerleben *nt* (*pej*)

cloche-pied [klɔʃpje] **à** ~ auf einem Bein

clocher¹ [klɔʃe] *m* Kirchturm *m*

clocher² [klɔʃe] <1> *vi fam* nicht stimmen

clochette [klɔʃɛt] *f* Glöckchen *nt*

clodo [klodo] *m fam abr de* **clochard**

cloison [klwazɔ̃] *f* [Zwischen]wand *f*

cloisonnement [klwazɔnmã] *m* (*séparation idéologique, sociale*) Abgrenzung *f*

cloisonner [klwazɔne] <1> *vt* durch Zwischenwände abtrennen

cloître [klwatʀ] *m* **1.** ARCHIT Kreuzgang *m* **2.** (*monastère*) Kloster *nt*

cloîtrer [klwatʀe] <1> **I.** *vt* **1.** REL in ein Kloster stecken **2.** *fig* einsperren **II.** *vpr* **se** ~ **dans une maison** sich in einem Haus einschließen

clonage [klɔnaʒ] *m* Klonen *nt*

clone [klɔn] *m* BIO, INFORM Klon *m*

clope [klɔp] *m o f fam* **1.** (*cigarette*) Glimmstängel *m* **2.** (*mégot*) Kippe *f*

clopin-clopant [klɔpɛ̃klɔpã] *adv fam* humpelnd

clopiner [klɔpine] <1> *vi* humpeln

clopinettes [klɔpinɛt] *fpl fam* **manger des** ~ |*fast*| nichts essen

cloporte [klɔpɔʀt] *m* ZOOL [Keller]assel *f*

cloque [klɔk] *f* Blase *f*

cloquer [klɔke] <1> *vi* Blasen bilden; *peau:* Brandblasen bilden

clore [klɔʀ] <*irr*> *vt* schließen, [be]enden

clos [klo] *m* (*vignoble*) [eingefriedeter] Weinberg

clos, e [klo, kloz] **I.** *part passé de* **clore II.** *adj* **1.** (*fermé*) geschlossen; **trouver porte** ~**e** vor verschlossenen Türen stehen **2.** (*achevé*) erledigt

clôture [klotyʀ] *f* **1.** (*enceinte*) Zaun *m; d'arbustes* Hecke *f;* (*en ciment*) [Umfassungs]mauer *f* **2.** *d'un festival* Ende *nt; d'un débat* Beendigung *f;* ~ **d'un compte** Kontoabschluss *m*

clôturer [klotyʀe] <1> *vt* **1.** (*entourer*) einfrieden **2.** (*finir*) [be]schließen

clou [klu] *m* **1.** (*pointe*) Nagel *m* **2.** (*attraction*) Höhepunkt *m* **3.** *pl fam* (*passage*) Zebrastreifen *m* **4.** GASTR ~ **de girofle** Gewürznelke *f* ▶**ne pas valoir un** ~ *fam*

keinen Pfifferling wert sein; **des ~s!** *fam* nichts da!

clouer [klue] <1> *vt* **1.** (*fixer*) annageln; zusammennageln *planches;* vernageln *caisse; ~* **le tableau sur le mur** das Bild an die Wand nageln **2.** *fam* (*immobiliser*) *~* **qn au lit** jdn ans Bett fesseln

cloué, e [klute] *adj* mit Nägeln beschlagen; **pneus ~s** Spikesreifen *Pl*

clown [klun] *m* Clown *m*

club [klœb] *m* **1.** (*association*) Klub *m; ~* **de théâtre** Theater-AG *f; ~* **d'écriture** Schreibklub; *~* **de volley** Volleyballverein *m* **2.** SPORT Golfschläger *m*

cluse [klyz] *f* Schlucht *f*

CM1 [seɛmœ] *m abr de* **cours moyen première année** *vierte Grundschulklasse*

CM2 [seɛmdø] *m abr de* **cours moyen deuxième année** *fünfte Grundschulklasse*

CNRS [seɛnɛrɛs] *m abr de* **Centre national de la recherche scientifique** *nationales Forschungszentrum für Wissenschaft und Technik*

coaccusé, e [koakyze] *m, f* Mitangeklagte(r) *f(m)*

coaguler [koagyle] <1> **I.** *vt* zum Gerinnen bringen **II.** *vi, vpr* gerinnen

coaliser [koalize] <1> *vt* verbünden

coalition [koalisjɔ̃] *f* Bündnis *nt,* Koalition *f*

coasser [koase] <1> *vi* quaken

coauteur, -trice [kootœr, -t͜ris] *m* LITTER Koautor(in) *m(f)*

cobalt [kobalt] *m* CHIM Kobalt *nt*

cobaye [kobaj] *m* **1.** (*animal*) Meerschweinchen *nt* **2.** *fig* Versuchskaninchen *nt* (*fam*)

Coblence [koblɑ̃s] Koblenz *nt*

cobra [kobra] *m* ZOOL Kobra *f*

coca[-cola]® [kokakola] *m* [Coca-]Cola® *f*

cocaïne [kokain] *f* Kokain *nt*

cocaïnomane [kokainoman] *mf* Kokainsüchtige(r) *f(m)*

cocarde [kokard] *f* Kokarde *f*

cocardier, -ière [kokardje, -jɛr] *adj* hurrapatriotisch

cocasse [kokas] *adj fam* drollig

coccinelle [koksinɛl] *f* **1.** ZOOL Marienkäfer *m* **2.** AUT Käfer *m*

coccyx [koksis] *m* ANAT Steißbein *nt*

coche [koʃ] *m* ►**rater** le *~* *fam* die Gelegenheit verpassen

cocher¹ [koʃe] <1> *vt* ankreuzen

cocher² [koʃe] *m* Kutscher *m*

cochon [koʃɔ̃] *m* **1.** (*animal*) Schwein *nt* **2.** GASTR Schweinefleisch *nt* **3.** (*cobaye*) *~* **d'Inde** Meerschweinchen *nt*

cochon, ne [koʃɔ̃, ɔn] **I.** *adj fam* **1.** (*sale*)

schmuddelig **2.** (*obscène*) schweinisch; **histoires ~nes** Zoten *Pl; film ~* Porno *m* **II.** *m, f péj fam* **1.** (*personne sale*) Ferkel *nt* **2.** (*vicieux*) Schwein *nt;* **vieux ~** Lustmolch *m*

cochonner [koʃone] <1> *vt fam* **1.** (*bâcler*) hinpfuschen **2.** (*salir*) dreckig machen

cochonnerie [koʃonri] *f fam* **1.** (*nourriture*) Dreckszeug *nt* **2.** (*toc*) Schund *m* **3.** *souvent pl fam* (*obscénités*) Schweinereien *Pl* **4.** *pl* (*saletés*) Dreck *m;* **ne fais pas de ~s sur la table** ferkle nicht auf dem Tisch rum

cochonnet [koʃonɛ] *m* **1.** ZOOL Ferkel *nt* **2.** (*aux boules*) Zielkugel *f*

cocker [kokɛr] *m* Cockerspaniel *m*

cockpit [kokpit] *m* Cockpit *nt*

cocktail [koktɛl] *m* **1.** (*boisson*) Cocktail *m; ~* **de bienvenue** Begrüßungscocktail **2.** (*réunion*) Cocktailparty *f* **3.** (*mélange*) Mischung *f; ~* **Molotov** Molotowcocktail *m*

coco [koko] *m* **1.** (*terme affectueux*) **mon [petit]** *~* mein Schatz *m* **2.** *péj* (*type*) Früchtchen *nt* (*fam*)

cocon [kokɔ̃] *m* ZOOL Kokon *m*

cocooning [kokuniŋ] *m* starkes Bedürfnis nach Häuslichkeit

cocorico [kokoriko] *m* Kikeriki *nt*

cocoter [kokote] <1> *vi fam* stinken

cocotier [kokotje] *m* Kokospalme *f*

cocotte [kokot] *f* **1.** (*marmite*) Topf *m* **2.** *enfantin* Putput *nt; ~* **en papier** gefalteter Papiervogel **3.** *fam* (*terme affectueux*) **ma ~** mein Schatz *m*

cocotte-minute® [kokotminyt] <cocottes-minute> *f* ≈ Sicomatic® *m*

cocu, e [koky] **I.** *adj fam* betrogen; **faire ~** betrügen **II.** *m, f fam* betrogener Ehemann/betrogene Ehefrau

code [kod] *m* **1.** (*chiffrage*) Kode *m; ~* **postal** Postleitzahl *f* **2.** (*permis*) theoretische Fahrprüfung **3.** (*feux*) Abblendlicht *nt;* **mettre ses ~s, se mettre en ~[s]** abblenden **4.** JUR Gesetzbuch *nt; ~* **de la route** Straßenverkehrsordnung *f*

code-barre [kodbar] <codes-barres> *m* Strichcode *m*

coder [kode] <1> *vt* verschlüsseln

codétenu, e [kodet(ə)ny] *m, f* Mithäftling *m*

codex [kodɛks] *m* [*französisches*] Arzneibuch

codifier [kodifje] <1> *vt* kodifizieren

coefficient [koefisjɑ̃] *m* **1.** MATH, PHYS Koeffizient *m* **2.** (*facteur*) *~* **d'erreur** Fehlerquote *f; ~* **annuel** CH Steuer(an)satz *m,* Steuerfuß *m* (CH)

coéquipier, -ière [koekipje, -jɛr] *m, f*

Mannschaftskamerad(in) *m(f)*

cœur [kœR] *m* **1.** ANAT Herz *nt;* **mon ~ bat** mein Herz klopft **2.** *d'un débat* Kernpunkt *m;* **le ~ d'une salade** die Herzblätter eines Salatkopfs; **au ~ de la forêt** mitten im Wald; **en plein ~ de l'hiver** im tiefsten Winter; **au ~ de l'Europe** in Herzen Europas ►**avoir le ~ sur la main** sehr freigiebig sein; **avoir un ~ d'or/de pierre** ein Herz aus Gold/Stein haben; **faire qc de bon ~** etw [von Herzen] gern tun; **qn a le ~ gros** jdm ist das Herz schwer; **qn a mal au ~** jdm ist schlecht; **si le ~ lui/vous en dit** *fam* wenn er/sie Lust [dazu] hat/Sie Lust [dazu] haben; **fendre le ~** das Herz brechen; **prendre à ~** sich *(dat)* etw zu Herzen nehmen; **soulever le ~** den Magen umdrehen; **tenir à ~** sehr am Herzen liegen; **par ~** *apprendre* auswendig; *connaître* [in- und] auswendig; *réciter* aus dem Kopf; **sans ~** herzlos

coexistence [kɔɛgzistɑ̃s] *f* Nebeneinanderbestehen *nt*

coexister [kɔɛgziste] <1> *vi* nebeneinander bestehen

coffrage [kɔfRaʒ] *m* Verschalen *nt*

coffre [kɔfR] *m* **1.** *(meuble)* Truhe *f;* ~ **à jouets** Spielzeugkiste *f;* ~ **à outils** Werkzeugkasten *m* **2.** AUT Kofferraum *m* **3.** *(coffre-fort)* Safe *m,* Tresor *m*

coffre-fort [kɔfRəfɔR] <coffres-forts> *m* Safe *m,* Tresor *m*

coffrer [kɔfRe] <1> *vt fam* ins Kittchen bringen

coffret [kɔfRɛ] *m* Schatulle *f;* ~ **à bijoux** Schmuckkästchen *nt*

cogestion [kɔʒɛstjɔ̃] *f* Mitbestimmung *f*

cogiter [kɔʒite] <1> *vi iron* scharf nachdenken

cognac [kɔɲak] *m* Cognac *m*

cognassier [kɔɲasje] *m* Quitte[nbaum *m*] *f*

cognée [kɔɲe] *f* [Holzfäller]axt *f*

cogner [kɔɲe] <1> **I.** *vt* *(heurter)* ~ **qn/qc** an jdn/etw [an]stoßen **II.** *vi* **1.** *(taper)* zuschlagen; ~ **à/sur/contre qc** an/auf/gegen etw *(akk)* schlagen **2.** *(heurter)* ~ **contre qc** *volet, caillou:* gegen etw schlagen **3.** *fam soleil:* brennen **III.** *vpr* **se ~ qc contre qc** sich etw *(akk)* an etw *(dat)* stoßen

cohabitation [koabitasjɔ̃] *f* Zusammenleben *nt;* POL Kohabitation *f*

cohabiter [koabite] <1> *vi* *(vivre ensemble)* zusammen unter einem Dach leben; POL kohabitieren

cohérence [koeRɑ̃s] *f* *d'un propos* Zusammenhang *m; d'un raisonnement* Kohärenz *f*

cohérent, e [koeRɑ̃, ɑ̃t] *adj* *ensemble* kohärent; *conduite* konsequent; *texte* [logisch] zusammenhängend

cohésion [koezjɔ̃] *f* *(solidarité)* Zusammenhalt *m,* Geschlossenheit *f*

cohorte [koɔRt] *f* *de touristes, fans* Schar *f*

cohue [koy] *f* **1.** *(foule)* [Menschen]menge *f* **2.** *(bousculade)* Gedränge *nt*

coi, te [kwa, kwat] *adj* **rester ~** völlig sprachlos sein

coiffe [kwaf] *f* [Trachten]haube *f*

coiffé, e [kwafe] *adj* **1.** *(peigné)* frisiert **2.** *(chapeauté)* mit Kopfbedeckung; **être ~ de qc** etw tragen

coiffer [kwafe] <1> **I.** *vt* **1.** *(peigner)* frisieren **2.** *(mettre un chapeau)* aufsetzen **3.** *(dépasser)* überholen **II.** *vpr* **1.** *(se peigner)* **se ~** sich frisieren **2.** *(mettre un chapeau)* **se ~ de qc** [sich *(dat)*] etw aufsetzen

coiffeur, -euse [kwafœR, -øz] *m, f* Friseur(in) *m(f)*

coiffeuse [kwaføz] *f* Frisierkommode *f*

coiffure [kwafyR] *f* **1.** *(façon d'être peigné)* Frisur *f* **2.** *(chapeau)* Kopfbedeckung *f* **3.** *(métier)* Frisörhandwerk *nt*

coin [kwɛ̃] *m* **1.** *(angle)* Ecke *f; de l'œil, de la bouche* Winkel *m;* **mettre au ~** in die Ecke stellen; **au ~ de la rue** an der [Straßen]ecke; **regard/sourire en ~** verschlagener Blick/hämisches Lächeln **2.** *(petit espace)* ~ **cuisine/repas** Koch-/Essecke *f;* **un ~ à l'ombre** ein Plätzchen im Schatten; **un ~ perdu** ein entlegener Winkel ►**aux quatre ~s du monde** in allen Ecken [und Enden] der Welt; **ça t'en/vous en bouche un ~!** *fam* da staunste/staunt ihr[, was]?

coincé, e [kwɛ̃se] *adj fam* verklemmt

coincer [kwɛ̃se] <2> **I.** *vt* **1.** *(caler)* ~ **entre deux chaises** zwischen zwei Stühle *(akk)* klemmen **2.** *(immobiliser)* ~ **qc** *personne:* etw einklemmen; *grain de sable, panne:* etw blockieren **3.** *(acculer)* ~ **qn contre un mur** jdn gegen eine Mauer/Wand drücken **4.** *fam (attraper)* schnappen **5.** *fam (coller)* in Verlegenheit bringen **II.** *vi (poser problème)* klemmen **III.** *vpr* **se ~ le doigt** sich *(dat)* den Finger einklemmen

coïncidence [kɔɛ̃sidɑ̃s] *f* Zufall *m*

coïncider [kɔɛ̃side] <1> *vi* **1.** *(être concomitant)* [zeitlich] zusammenfallen **2.** *(correspondre)* übereinstimmen

coin-coin [kwɛ̃kwɛ̃] *m inv* Quakquak *nt*

coing [kwɛ̃] *m* Quitte *f*

coït [kɔit] *m* Koitus *m*

coke [kɔk] *f fam abr de* **cocaïne** Koks *m*

col [kɔl] *m* **1.** *d'un vêtement* Kragen *m;* ~ **roulé** Rollkragen **2.** GEOG [Gebirgs]pass *m*

3.(*goulot*) Hals *m* **4.** ANAT ~ **de l'utérus** Gebärmutterhals *m;* ~ **du fémur** Oberschenkelhals

colchique [kɔlʃik] *m* BOT Herbstzeitlose *f*

coléoptère [kɔleɔptɛʀ] *m* ZOOL Käfer *m*

colère [kɔlɛʀ] *f* **1.**(*irritation*) Wut *f;* **être rouge de** ~ rot vor Wut sein **2.**(*accès d'irritation*) Wutausbruch *m;* **être/se mettre en** ~ **contre qn** auf jdn wütend sein/werden; **piquer une** ~ *fam* einen Koller kriegen; **en** ~ aufgebracht

coléreux, -euse [kɔleʀø, -øz] *adj,* **colérique** [kɔleʀik] *adj* jähzornig

colibri [kɔlibʀi] *m* Kolibri *m*

colifichet [kɔlifiʃɛ] *m* Tand *m*

colimaçon [kɔlimasɔ̃] *m* ZOOL Schnecke *f*

colin [kɔlɛ̃] *m* Seehecht *m*

colin-maillard [kɔlɛ̃majaʀ] *m sans pl* **jouer à** ~ Blindekuh spielen

colique [kɔlik] *f* **1.**(*diarrhée*) Durchfall *m* **2.** *gén pl* (*douleurs*) Kolik *f*

colis [kɔli] *m* Paket *nt*

colistier, -ière [kɔlistje, -jɛʀ] *m, f* Mitkandidat(in) *m(f)* [auf der gleichen Liste]

collabo [ko(l)labo] *fam,* **collaborateur, -trice** [ko(l)labɔʀatœʀ, -tʀis] *m, f* **1.**(*membre du personnel*) Mitarbeiter(in) *m(f)* **2.**(*intervenant occasionnel*) freier Mitarbeiter/freie Mitarbeiterin **3.**(*pendant une guerre*) Kollaborateur(in) *m(f)*

collaboration [ko(l)labɔʀasjɔ̃] *f* **1.**(*coopération*) Zusammenarbeit *f;* **en** ~ **avec qc** in Zusammenarbeit mit **2.**(*contribution*) ~ **à qc** Mitarbeit *f* an etw (*dat*); **apporter sa** ~ **à qc** an etw (*dat*) mitarbeiten **3.**(*pendant une guerre*) Kollaboration *f*

collaborer [ko(l)labɔʀe] <1> *vi* **1.** ~ **avec qn** mit jdm zusammenarbeiten; ~ **à qc** an etw (*dat*) mitarbeiten **2.**(*pendant une guerre*) kollaborieren

collage [kɔlaʒ] *m d'une étiquette* Aufkleben *nt; d'une affiche* Ankleben *nt*

collant [kɔlɑ̃] *m* **1.**(*bas*) Strumpfhose *f* **2.**(*body: pour la gymnastique*) Gymnastikanzug *m;* (*pour la danse, l'acrobatie*) Trikot *nt*

collant, e [kɔlɑ̃, ɑ̃t] *adj* **1.**(*moulant*) hauteng **2.**(*poisseux*) klebrig **3.** *fam* (*importun*) aufdringlich; **être vraiment** ~ eine richtige Klette sein

collation [kɔlasjɔ̃] *f* Imbiss *m*

colle [kɔl] *f* **1.**(*matière*) Klebstoff *m;* ~ **universelle** Alleskleber *m* **2.**(*masse*) Kleister *m* **3.**(*punition*) Nachsitzen *nt;* **avoir une** ~ nachsitzen müssen

collecte [kɔlɛkt] *f* (*quête*) Sammlung *f*

collecter [kɔlɛkte] <1> *vt* sammeln *dons*

collecteur [kɔlɛktœʀ] *m* (*égout*) Hauptkanal *m*

collectif, -ive [kɔlɛktif, -iv] *adj* **1.**(*commun*) gemeinsam; *travail a.* Gemeinschafts-; **équipements** ~**s** öffentliche Einrichtungen **2.** LING Sammel-; **nom** ~ Kollektivum *nt*

collection [kɔlɛksjɔ̃] *f* **1.**(*réunion d'objets*) Sammlung *f;* ~ **de timbres** Briefmarkensammlung; **faire la** ~ **de qc** etw sammeln **2.**(*série*) ~ **de livres** Bücherreihe *f;* **toute la** ~ **des œuvres de X** die gesammelten Werke von X **3.**(*modèles*) Kollektion *f*

collectionner [kɔlɛksjɔne] <1> *vt* sammeln

collectionneur, -euse [kɔlɛksjɔnœʀ, -øz] *m, f* Sammler(in) *m(f)*

collectivisme [kɔlɛktivism] *m* Kollektivismus *m*

collectivité [kɔlɛktivite] *f* **1.**(*société*) Gemeinschaft *f* **2.** JUR Körperschaft *f;* ~**s locales** Gebietskörperschaften *Pl* **3.**(*communauté*) Kollektiv *nt*

collège [kɔlɛʒ] *m* SCOL ≈ Realschule *f;* **aller au** ~ auf das Collège gehen; **Collège de France** universitätsähnliche Lehranstalt, deren Vorlesungen von jedermann besucht werden können, an der jedoch keine Diplome vergeben werden

collégial, e [kɔleʒjal, o] <-aux> *adj* kollegial; **direction** ~**e** kollegiale Leitung

collégien, ne [kɔleʒjɛ̃, jɛn] *m, f* (*élève*) ≈ Realschüler(in) *m(f)*

collègue [kɔ(l)lɛg] *mf* Kollege/Kollegin *m/f*

coller [kɔle] <1> **I.** *vt* **1.**(*fixer*) kleben; aufkleben *timbre, étiquette;* ankleben *affiche, papier peint;* zukleben *enveloppe;* zusammenkleben *pièces* **2.**(*presser*) ~ **à** [*o* **contre**] **qc** an etw (*akk*) drücken **3.** *fam* (*donner*) ~ **un devoir à qn** jdm eine Aufgabe aufbrummen; ~ **une baffe à qn** jdm eine kleben **4.** *fam* (*embarrasser par une question*) ~ **qn** jdm eine knifflige Frage stellen **5.** *fam* (*suivre*) ~ **qn** wie eine Klette an jdm hängen **6.** *fam* (*planter*) ~ **quelque part** irgendwohin pflanzen **7.** *fam* (*rester*) **être collé quelque part** irgendwo hocken **II.** *vi* **1.**(*adhérer*) kleben; **qc qui colle** etw Klebriges **2.**(*mouler*) hauteng [sein] **3.** *fam* (*suivre*) ~ **à qc** sich dicht an etw (*akk*) halten **4.**(*s'adapter*) ~ **à la route** gut auf der Straße liegen; ~ **au sujet** das Thema treffend darstellen **5.** *fam* (*bien marcher*) hinhauen; **entre eux, ça ne colle pas** zwischen den beiden haut es nicht hin **III.** *vpr* **1.**(*s'accrocher*) **se** ~ **à qn** sich an jdn schmiegen **2.**(*se presser*) **se** ~ **à** [*o* **contre**] **qc** sich gegen etw drücken

collet [kɔlɛ] *m* Schlinge *f*
colleter [kɔlte] <3> *vpr* **se ~ avec qn** sich mit jdm schlagen
collier [kɔlje] *m* **1.** (*bijou*) Halskette *f*; (*rigide*) Kollier *nt* **2.** *d'un chien* Halsband *nt*; *d'un cheval* Kum[me]t *nt* **3.** (*barbe*) Krause *f*
collimateur [kɔlimatœʀ] *m* ▸**avoir qn dans le ~** jdn im Visier haben
colline [kɔlin] *f* Hügel *m*
collision [kɔlizjɔ̃] *f* Zusammenstoß *m*
colloque [kɔ(l)lɔk] *m* Kolloquium *nt*
collusion [kɔ(l)lyzjɔ̃] *f* [geheime] Absprache
collyre [kɔliʀ] *m* Augentropfen *Pl*
colmater [kɔlmate] <1> *vt* abdichten *fuite*; zuspachteln *fissure*; schließen *brèche*
colo [kɔlɔ] *f fam abr de* **colonie de vacances**
colocataire [kɔlɔkatɛʀ] *mf* Mitbewohner(in) *m(f)*
Cologne [kɔlɔɲ] Köln *nt*
colombage [kɔlɔ̃baʒ] *m* Fachwerk *nt*; **maison à ~** Fachwerkhaus *nt*
colombe [kɔlɔ̃b] *f* Taube *f*
Colombie [kɔlɔ̃bi] *f* **la ~** Kolumbien *nt*
colombophile [kɔlɔ̃bɔfil] *mf* Brieftaubenzüchter(in) *m(f)*
colon [kɔlɔ̃] *m* **1.** Kolonist(in) *m(f)* **2.** (*enfant*) Kind *nt* im Ferienlager **3.** Siedler *m*
côlon [kolɔ̃] *m* ANAT Grimmdarm *m*
colonel [kɔlɔnɛl] *m* Oberst *m*
colonial [kɔlɔnjal, jo] <-aux> *m* Kolonist *m*
colonialisme [kɔlɔnjalism] *m* Kolonialismus *m*
colonie [kɔlɔni] *f* **1.** (*territoire, communauté*) Kolonie *f* **2.** (*centre*) **~ de vacances** Ferienlager *nt*
colonisation [kɔlɔnizasjɔ̃] *f* Kolonisation *f*
coloniser [kɔlɔnize] <1> *vt* kolonisieren
colonnade [kɔlɔnad] *f* Säulengang *m*
colonne [kɔlɔn] *f* **1.** ARCHIT Säule *f* **2.** (*section*) Spalte *f*; **cinq ~s à la une** die ganze Titelseite **3.** (*file*) Reihe *f* **4.** MIL Kolonne *f* **5.** ANAT **~ vertébrale** Wirbelsäule *f*
colorant [kɔlɔʀɑ̃] *m* Farbstoff *m*
colorant, e [kɔlɔʀɑ̃, ɑ̃t] *adj* Färbe-; **shampooing ~** Tönung *f*
coloration [kɔlɔʀasjɔ̃] *f* **1.** (*processus*) [Ein]färben *nt* **2.** (*teinte*) Farbe *f*; **prendre une ~ rouge** sich rot färben **3.** (*nuance*) Färbung *f*
coloré, e [kɔlɔʀe] *adj* **1.** gefärbt; *foule* bunt[gemischt] **2.** *fig style* farbig; *description* lebendig
colorer [kɔlɔʀe] <1> *vt, vpr* [sich] färben
coloriage [kɔlɔʀjaʒ] *m* Ausmalen *nt*

colorier [kɔlɔʀje] <1> *vt* **1.** (*jeu*) ausmalen **2.** ART kolorieren
coloris [kɔlɔʀi] *m* **1.** (*teinte*) Farbgebung *f* **2.** (*couleur*) Farbe *f*
colorisation [kɔlɔʀizasjɔ̃] *f* Kolorierung *f*
coloriser [kɔlɔʀize] <1> *vt* kolorieren
coloriste [kɔlɔʀist] *mf* Kolorist(in) *m(f)*
colossal, e [kɔlɔsal, o] <-aux> *adj* monumental
colosse [kɔlɔs] *m* **1.** (*géant*) Hüne *m*, Koloss *m* **2.** *fig* Gigant *m*
colportage [kɔlpɔʀtaʒ] *m* (*métier*) **le ~ de qc** das Hausieren mit etw
colporter [kɔlpɔʀte] <1> *vt* **1.** (*vendre*) hausieren mit **2.** *péj* (*répandre*) [überall] herumerzählen
colporteur, -euse [kɔlpɔʀtœʀ, -øz] *m, f* Hausierer(in) *m(f)*
coltiner [kɔltine] <1> *vpr fam* **se ~ qn/qc** sich jdn/etw aufhalsen
columbarium [kɔlɔ̃baʀjɔm] *m* Urnenhalle *f*
colza [kɔlza] *m* Raps *m*
coma [kɔma] *m* Koma *nt*; **être dans le ~** im Koma liegen
comateux, -euse [kɔmatø, -øz] *adj* komatös
combat [kɔ̃ba] *m* Kampf *m*
combatif, -ive [kɔ̃batif, -iv] *adj* kämpferisch
combativité [kɔ̃bativite] *f* Kampfgeist *m*
combattant, e [kɔ̃batɑ̃, ɑ̃t] *m, f* Kämpfer(in) *m(f)*; **ancien ~** Veteran *m*
combattre [kɔ̃batʀ] <*irr*> **I.** *vt* kämpfen gegen *ennemi*; bekämpfen *incendie, maladie* **II.** *vi* **~ contre qn/qc/pour qc** gegen jdn/etw/für etw kämpfen **III.** *vpr* **se ~** sich bekämpfen
combe [kɔ̃b] *f* GEOG Schlucht *f*
combi [kɔ̃bi] *f fam abr de* **combinaison de ski**
combien [kɔ̃bjɛ̃] **I.** *adv* **1.** (*concernant la quantité*) wie viel; **~ d'argent** wie viel Geld; **~ de temps** wie lange; **depuis ~ de temps** seit wann; **~ coûte cela?** wie viel kostet das?; **ça fait ~?** *fam* wie viel macht das?; **je vous dois ~?** was macht das? **2.** (*concernant le nombre*) wie viele; **~ de personnes/kilomètres** wie viele Personen/Kilometer; **~ de fois** wie oft **II.** *m* **1.** (*en parlant de la date*) **nous sommes le ~?** *fam* den Wievielten haben wir heute? **2.** (*en parlant d'un intervalle*) **le bus passe tous les ~?** *fam* wie oft fährt der Bus? **III.** *mf* **le/la ~?** der/die Wievielte?
combientième [kɔ̃bjɛ̃tjɛm] *mf abusif fam* Wievielte(r)
combinaison [kɔ̃binɛzɔ̃] *f* **1.** (*assemblage*) Kombination *f* **2.** CHIM Verbindung *f*

3. (*code*) [Zahlen]kombination *f* **4.** (*sous-vêtement*) Unterrock *m* **5.** (*vêtement*) Overall *m;* ~ **de plongée** Taucheranzug *m;* ~ **de ski** Skianzug **6.** (*stratagème*) Dreh *m* (*fam*); **avoir/trouver une** ~ geeignete Mittel und Wege haben/herausfinden
combine [kɔ̃bin] *f fam* Dreh *m;* **connaître la** ~ den [richtigen] Dreh heraushaben ▶ **être dans la** ~ Bescheid wissen
combiné [kɔ̃bine] *m* **1.** TELEC Hörer *m* **2.** (*épreuve*) ~ **alpin/nordique** alpine/nordische Kombination
combiner [kɔ̃bine] <1> I. *vt* **1.** (*réunir*) ~ qc avec qc etw mit etw kombinieren **2.** CHIM ~ qc avec qc etw mit etw verbinden **3.** (*organiser*) ausarbeiten *plan;* aushecken *mauvais coup* II. *vpr* **1.** (*s'assembler*) **se** ~ **avec qc** sich mit etw kombinieren lassen **2.** CHIM **se** ~ **avec qc** sich mit etw verbinden **3.** (*s'arranger*) **bien/mal se** ~ sich gut/schlecht anlassen
comble¹ [kɔ̃bl] *m* **1.** (*summum*) Gipfel *m;* **c'est le** [*o* un] ~! das ist [doch] der Gipfel! **2.** *souvent pl* (*grenier*) Dachboden *m;* **sous les** ~**s** unter dem Dach
comble² [kɔ̃bl] *adj* [brechend] voll
combler [kɔ̃ble] <1> *vt* **1.** (*boucher*) auffüllen **2.** (*rattraper*) aufholen *retard;* ausgleichen *déficit;* schließen *lacune* **3.** (*satisfaire*) wunschlos glücklich machen *personne;* erfüllen *vœu* **4.** (*couvrir, remplir de*) ~ **qn de cadeaux** jdn mit Geschenken überhäufen; ~ **qn de joie** jdn mit Freude erfüllen
combustible [kɔ̃bystibl] I. *adj* brennbar II. *m* Brennstoff *m*
combustion [kɔ̃bystjɔ̃] *f* Verbrennung *f*
comédie [kɔmedi] *f* **1.** (*pièce*) Komödie *f;* ~ **musicale** Musical *nt* **2.** (*film*) [Film]komödie *f* **3.** (*simulation*) Theater *nt*
comédien, ne [kɔmedjɛ̃, jɛn] I. *m, f* **1.** (*acteur*) Schauspieler(in) *m(f)* **2.** (*hypocrite*) Heuchler(in) *m(f)* II. *adj* **être un peu** ~ ein bisschen/gern Theater spielen
comestible [kɔmɛstibl] *adj* essbar
comète [kɔmɛt] *f* Komet *m*
comice [kɔmis] *m* ~ **agricole** ≈ [regionaler] Bauernverband
comique [kɔmik] I. *adj* **1.** (*amusant*) lustig **2.** THEAT, CINE, LITTER Komödien-; **acteur** ~ Komiker *m* II. *m* **1.** (*auteur*) Komödiendichter(in) *m(f)* **2.** (*interprète*) Komiker(in) *m(f)* **3.** (*genre*) Komik *f*
comité [kɔmite] *m* (*réunion*) Komitee *nt;* ~ **directeur** Vorstand *m;* ~ **d'experts** Sachverständigenausschuss *m;* ~ **d'entreprise** ≈ Betriebsrat *m*
Comité des régions *m* Ausschuss *m* der Regionen

Comité économique et social *m* Wirtschafts- und Sozialausschuss *m*
commandant, e [kɔmɑ̃dɑ̃, ɑ̃t] *m, f* **1.** (*chef*) Chef(in) *m(f);* (*grade*) Major(in) *m(f);* ~ **en chef** Oberbefehlshaber *m* **2.** NAUT Kommandant(in) *m(f)*
commande [kɔmɑ̃d] *f* **1.** (*achat*) Bestellung *f;* **passer une** ~ eine Bestellung aufgeben **2.** (*marchandise*) Bestellung *f* **3.** TECH ~ **à distance** Fernbedienung **4.** INFORM Befehl *m* ▶ **prendre les** ~**s** das Steuer übernehmen; **de** ~ *sourire* gekünstelt; **sur** ~ *vendre* auf Bestellung; *pleurer* auf Kommando
commandement [kɔmɑ̃dmɑ̃] *m* **1.** Befehlsgewalt *f,* Kommando *nt* **2.** (*état-major*) **le haut** ~ das Oberkommando **3.** (*ordre*) Befehl *m* **4.** REL Gebot *nt*
commander [kɔmɑ̃de] <1> I. *vt* **1.** (*passer commande*) ~ **qc à qn** etw bei jdm bestellen **2.** (*exercer son autorité*) [herum fam]kommandieren **3.** (*ordonner*) ~ **qc à qn** jdm etw befehlen **4.** (*diriger*) leiten **5.** (*faire fonctionner*) in Gang setzen II. *vi* **1.** (*passer commande*) bestellen **2.** (*exercer son autorité*) befehlen III. *vpr* **1.** **se** ~ **de l'extérieur** von außen zu bedienen sein **2.** (*contrôler*) **ne pas se** ~ *sentiments:* sich nicht erzwingen lassen
commandeur [kɔmɑ̃dœʀ] *m* Kommandeur(in) *m(f)*
commanditaire [kɔmɑ̃ditɛʀ] *m* COM Kommanditist(in) *m(f)*
commandite [kɔmɑ̃dit] *f* (*société*) Kommanditgesellschaft *f*
commanditer [kɔmɑ̃dite] <1> *vt* finanzieren
commando [kɔmɑ̃do] *m* Kommando *nt*
comme [kɔm] I. *conj* **1.** (*au moment où*) [gerade] als **2.** (*étant donné que*) da **3.** (*de même que*) wie auch; **hier** ~ **aujourd'hui** gestern wie heute **4.** (*exprimant une comparaison*) wie; **il était** ~ **mort** er war wie tot; **grand/petit** ~ ça so groß/klein; ~ **si** als ob **5.** (*en tant que*) als; **apprécier qn** ~ **collègue** jdn als Kollege/Kollegin schätzen; ~ **plat principal** als Hauptgericht **6.** (*tel que*) wie; **je n'ai jamais vu un film** ~ **celui-ci** ich habe noch nie einen Film wie diesen gesehen **7.** (*quel genre de*) was für…?; **qu'est-ce que tu fais** ~ **sport?** was für Sport treibst du? ▶ **...** ~ **tout** *fam* echt …; **il est mignon** ~ **tout!** er ist echt süß!; ~ **pas un** *fam* wie kaum einer II. *adv* **1.** (*exclamatif*) wie; ~ **c'est gentil!** wie nett! **2.** (*manière*) wie; **tu sais** ~ **il est** du weißt ja, wie er ist; **savoir** ~ wissen wie (sehr); ~ **ça** so; **c'est** ~ **ça** so ist es nun

mal; **il n'est pas** ~ **ça** so ist er nicht ▶~ **ci** ~ **ça** so lala (*fam*); ~ **quoi** (*disant que*) wonach; (*ce qui prouve*) was zeigt, dass

commémoratif, -ive [kɔmemɔʀatif, -iv] *adj* Gedenk-

commémoration [kɔmemɔʀasjɔ̃] *f* Gedenkfeier *f;* **en** ~ **de qc** zum Gedenken an etw (*akk*)

commémorer [kɔmemɔʀe] <1> *vt* ~ **qc** einer S. (*gen*) gedenken

commencement [kɔmɑ̃smɑ̃] *m* Anfang *m* ▶**il y a un** ~ **à tout** es ist noch kein Meister vom Himmel gefallen

commencer [kɔmɑ̃se] <2> **I.** *vt* ~ **qc** [mit] etw anfangen **II.** *vi* **1.** (*débuter*) *événement:* anfangen **2.** (*faire en premier*) ~ **par qc** mit etw anfangen; ~ **par faire qc** erst einmal etw tun ▶**ça commence bien** *iron* das fängt ja gut an; **ça commence à bien faire** jetzt reicht es aber; **pour** ~ zunächst

comment [kɔmɑ̃] *adv* **1.** (*de quelle façon*) wie; ~ **ça va?** wie geht's dir?; **et toi,** ~ **tu t'appelles?** und du? Wie heißt du?; ~ **est-ce que ça s'appelle en français?** wie heißt es auf Französisch? **2.** (*invitation à répéter*) ~**?** wie bitte? ▶[**mais**] ~ **donc!** [aber] selbstverständlich!; ~ **cela?** wieso?; **et** ~**!** und ob!

commentaire [kɔmɑ̃tɛʀ] *m* **1.** RADIO, TV Kommentar *m* **2.** (*explication*) ~ **composé** Interpretation *f* **3.** *péj* (*remarque*) Kommentar *m;* **sans** ~**!** ohne Kommentar!; **pas de** ~**s!** kein Kommentar!

commentateur, -trice [kɔmɑ̃tatœʀ, -tʀis] *m, f* Kommentator(in) *m(f)*

commenter [kɔmɑ̃te] <1> *vt* kommentieren *événement;* interpretieren *texte*

commérage [kɔmeʀaʒ] *m souvent pl* Gerede *nt kein Pl*

commerçant, e [kɔmɛʀsɑ̃, ɑ̃t] **I.** *adj* **1.** *rue* Geschäfts- **2.** (*habile*) geschäftstüchtig **II.** *m, f* (*personne*) Geschäftsmann/-frau *m/ f,* Händler(in) *m(f)*; **petit** ~ Einzelhändler; ~ **en gros** Großhändler

commerce [kɔmɛʀs] *m* **1.** (*activité*) Handel *m;* **faire du** ~ Handel treiben; **dans le** ~ im Handel; **école de** ~ Handelsschule *f;* **chambre de** ~ Handelskammer *f;* **employé de** ~ kaufmännischer Angestellter **2.** (*magasin*) Geschäft *nt;* **tenir un** ~ ein Geschäft führen; ~ **de détail** Einzelhandel *m;* ~ **en gros** Großhandel

commercial, e [kɔmɛʀsjal, jo] <-aux> **I.** *adj* **1.** Handels-; **centre** ~ Einkaufszentrum *nt* **2.** *péj* kommerziell ausgerichtet **II.** *m, f* kaufmännische(r) Angestellte(r) *f(m)*

commerciale [kɔmɛʀsjal] *f* (*véhicule*) Kombi[wagen *m*] *m*

commercialisation [kɔmɛʀsjalizasjɔ̃] *f*

Vermarktung *f*

commercialiser [kɔmɛʀsjalize] <1> *vt* **1.** (*vendre*) vermarkten **2.** (*lancer*) auf den Markt bringen

commettre [kɔmɛtʀ] <*irr*> *vt* begehen *délit, faute;* verüben *attentat*

commis [kɔmi] *m* kleine(r) Angestellte(r) *f(m)*, Gehilfe *m/* Gehilfin *f*

commisération [kɔmizeʀasjɔ̃] *f* Mitleid *nt*

commissaire [kɔmisɛʀ] *m* **1.** (*policier*) Kommissar(in) *m(f)*; **madame le** ~ Frau Kommissarin; **monsieur le** ~ Herr Kommissar *m* **2.** (*membre d'une commission*) Kommissionsmitglied *nt; de l'UE* Kommissar *m*

commissaire-priseur [kɔmisɛʀpʀizœʀ] <commissaires-priseurs> *m* Auktionator(in) *m(f)*

commissariat [kɔmisaʀja] *m* Revier *nt,* Wache *f*

commission [kɔmisjɔ̃] *f* **1.** ADMIN Kommission *f;* ~ **d'examen** Prüfungskommission; **Commission européenne** Europäische Kommission **2.** (*message*) Nachricht *f;* **faire une** ~ **à qn** jdm etwas ausrichten **3.** (*mission*) Aufgabe *f* **4.** *pl* (*courses*) Einkäufe *Pl;* **faire les** ~**s** einkaufen **5.** COM Provision *f;* **la** ~ **prélevée par la banque** die von der Bank erhobene Gebühr

commissionnaire [kɔmisjɔnɛʀ] *m* (*coursier*) Bote *m/* Botin *f*

commissure [kɔmisyʀ] *f* ~ **des lèvres** Mundwinkel *m*

commode[1] [kɔmɔd] *adj* **1.** (*pratique*) praktisch **2.** *souvent négatif* (*facile*) einfach; **ce serait trop** ~**!** so einfach geht's nun auch wieder nicht! **3.** (*d'un caractère facile*) **ses parents n'ont pas l'air** ~ seine/ihre Eltern scheinen nicht sehr umgänglich zu sein

commode[2] [kɔmɔd] *f* Kommode *f*

commodément [kɔmɔdemɑ̃] *adv* bequem

commodité [kɔmɔdite] *f* **1.** (*agrément*) Komfort *m* **2.** (*simplification*) Vereinfachung *f;* **pour plus de** ~ bequemlichkeitshalber **3.** *pl* (*éléments de confort*) Annehmlichkeiten *Pl*

commotion [komosjɔ̃] *f* **1.** (*traumatisme*) Erschütterung *f* **2.** (*émotion*) Schock *m*

commotionner [komosjɔne] <1> *vt* erschüttern

commuer [kɔmɥe] <1> *vt* umwandeln

commun [kɔmœ̃] *m* ▶**le** ~ **des mortels** die Normalsterblichen; **hors du** ~ außergewöhnlich; **en** ~ zusammen; **faire qc en** ~ etw gemeinsam tun

commun, e [kɔmœ̃, yn] *adj* **1.** (*compara-*

ble) gemeinsam; **n'avoir rien de** ~ **avec qn/qc** mit jdm nichts gemein haben/mit etw nicht zu vergleichen sein **2.** (*collectif*) Gemeinschafts- **3.** (*général*) Gemein- **4.** (*courant*) [weit] verbreitet **5.** (*trivial*) gewöhnlich

communal, e [kɔmynal, o] <-aux> *adj fonds* kommunal; *forêt* Gemeinde-

communautaire [kɔmynotɛʀ] *adj* **1.** (*commun*) gemeinschaftlich **2.** (*de l'UE*) der Europäischen Union; **la politique** ~ die EU-Politik

communauté [kɔmynote] *f* **1.** (*groupe*) Gemeinschaft *f;* **Communauté** [économique] **européenne** Europäische [Wirtschafts]gemeinschaft **2.** REL [Kirchen]gemeinde *f* **3.** (*identité*) Übereinstimmung *f*

commune [kɔmyn] *f* Gemeinde *f,* Kommune *f*

communément [kɔmynemã] *adv* gemeinhin

communiant, e [kɔmynjã, jãt] *m, f* Kommunikant(in) *m(f);* **premier** ~ Erstkommunikant

communicatif, -ive [kɔmynikatif, -iv] *adj* **1.** (*contagieux*) ansteckend **2.** (*expansif*) mitteilsam

communication [kɔmynikasjõ] *f* **1.** (*transmission*) Mitteilung *f* **2.** (*jonction*) Verbindung *f;* (*conversation*) Gespräch *nt;* **être en** ~ **avec qn** mit jdm sprechen; **prendre une** ~ ein Gespräch annehmen **3.** (*message*) Nachricht *f* **4.** (*relation*) Verständigung *f,* Kommunikation *f* **5.** (*liaison*) **moyen de** ~ Verkehrsmittel *nt;* **les moyens de** ~ **technologiques** Kommunikationstechnologien/-techniken *Pl*

communier [kɔmynje] <1> *vi* REL kommunizieren

communion [kɔmynjõ] *f* **1.** (*sacrement*) Kommunion *f* **2.** (*cérémonie*) ~ **solennelle** feierliche Erstkommunion **3.** (*accord*) Übereinstimmung *f*

communiqué [kɔmynike] *m* Kommuniqué *nt;* ~ **officiel** [regierungs]amtliche Mitteilung; ~ **de presse** Pressemitteilung *f*

communiquer [kɔmynike] <1> **I.** *vt* **1.** (*faire connaître*) ~ **une demande à qn** jdm eine Bitte mitteilen **2.** (*transmettre*) ~ **un dossier à qn** jdm eine Akte aushändigen **II.** *vi* **1.** (*correspondre*) ~ **avec qn** mit jdm kommunizieren (*geh*) **2.** TELEC ~ **avec qc** mit etw verbunden sein

communisme [kɔmynism] *m* Kommunismus *m*

communiste [kɔmynist] **I.** *adj* kommunistisch **II.** *mf* Kommunist(in) *m(f)*

commutateur [kɔmytatœʀ] *m* Schalter *m*

commutation [kɔmytasjõ] *f* ~ **de peine** Strafmilderung *f*

compact [kõpakt] *m* ~-[-disc] CD *f*

compact, e [kõpakt] *adj* **1.** (*dense*) fest; *foule* dicht[gedrängt] **2.** (*petit*) Kompakt-

compagne [kõpaɲ] *f* Lebensgefährtin *f*

compagnie [kõpaɲi] *f* **1.** (*présence*) Gesellschaft *f* **2.** (*société*) Gesellschaft *f* **3.** (*troupe*) Truppe *f* **4.** MIL Kompanie *f* ▶**fausser** ~ **à qn** jdn einfach stehen lassen; **tenir** ~ **à qn** jdm Gesellschaft leisten; **en** ~ **de qn** in jds Begleitung

compagnon [kõpaɲõ] *m* **1.** (*concubin*) Lebensgefährte *m* **2.** (*ouvrier*) [Hand-werks]geselle *m*

comparable [kõpaʀabl] *adj* vergleichbar

comparaison [kõpaʀɛzõ] *f* **1.** Vergleich *m;* **faire une** ~ **entre qn/qc et qn/qc** einen Vergleich zwischen jdm/etw und jdm/etw anstellen; **en** ~ vergleichsweise; **en** ~ **de/par** ~ **à** [*o* avec] im Vergleich zu; **sans** ~ unvergleichlich **2.** GRAM Steigerung *f*

comparaître [kõpaʀɛtʀ] <*irr*> *vi* ~ **devant qn** vor jdm erscheinen

comparatif [kõpaʀatif] *m* GRAM Komparativ *m*

comparatif, -ive [kõpaʀatif, -iv] *adj* **1.** Vergleichs- **2.** GRAM Komparativ-

comparativement [kõpaʀativmã] *adv* vergleichsweise

comparé, e [kõpaʀe] *adj droit, grammaire* vergleichend; ~ **à** verglichen mit

comparer [kõpaʀe] <1> **I.** *vt* vergleichen; ~ **qn/qc à** [*o* avec] **qn/qc** jdn/etw mit jdm/etw vergleichen **II.** *vi* vergleichen **III.** *vpr* **se** ~ **à** [*o* avec] **qn** sich mit jdm vergleichen

comparse [kõpaʀs] *mf péj* Komparse *m/* Komparsin *f*

compartiment [kõpaʀtimã] *m* **1.** (*casier*) Fach *nt* **2.** TRANSP Abteil *nt*

compartimenter [kõpaʀtimãte] <1> *vt* unterteilen

comparution [kõpaʀysjõ] *f* Erscheinen *nt*

compas [kõpa] *m* **1.** GEOM Zirkel *m* **2.** NAUT, AVIAT Kompass *m* ▶**avoir le** ~ **dans l'œil** ein gutes Augenmaß haben

compassion [kõpasjõ] *f soutenu* Mitgefühl *nt*

compatibilité [kõpatibilite] *f* **1.** (*concordance*) ~ **entre qc et qc** Vereinbarkeit *f* von etw und etw **2.** INFORM, MED Kompatibilität *f*

compatible [kõpatibl] *adj* **1.** (*conciliable*) vereinbar **2.** INFORM, MED kompatibel

compatir [kõpatiʀ] <8> *vi soutenu* Anteil nehmen

compatissant, e [kõpatisã, ãt] *adj* per-

compétence

• demander la compétence	• nach Zuständigkeit fragen
Êtes-vous le médecin traitant?	Sind Sie die behandelnde Ärztin?
En êtes-vous responsable?	Sind Sie dafür zuständig?
• exprimer la compétence	• Zuständigkeit ausdrücken
Oui, cela relève de ma compétence.	Ja, bei mir sind Sie richtig.
Je suis responsable de l'organisation de la fête.	Ich bin für die Organisation des Festes verantwortlich/zuständig.
• exprimer sa non-compétence	• Nicht-Zuständigkeit ausdrücken
Vous n'avez pas frappé à la bonne porte.	Da sind Sie bei mir an der falschen Adresse. *(fam)*
(Je regrette, mais) cela ne relève pas de ma compétence.	Dafür bin ich (leider) nicht zuständig.
(Je regrette, mais) je n'y suis pas autorisé/je n'en ai pas le droit.	Dazu bin ich (leider) nicht berechtigt/befugt.
Ce n'est pas de notre ressort.	Das fällt nicht in unseren Zuständigkeitsbereich. *(form)*

sonne, parole mitfühlend

compatriote [kɔ̃patʀijɔt] *mf* Landsmann/Landsmännin *m/f;* **nos ~s** unsere Landsleute

compensation [kɔ̃pɑ̃sasjɔ̃] *f* **1.** (*dédommagement*) Gegenleistung *f;* ~ **financière** Entschädigung *f* **2.** (*équilibre*) Ausgleich *m* **3.** FIN *d'une dette* Verrechnung *f* ▶**en** ~ dafür

compenser [kɔ̃pɑ̃se] <1> **I.** *vt* **1.** (*équilibrer*) ~ **qc par qc** etw mit etw kompensieren **2.** (*dédommager*) **pour** ~ als Entschädigung dafür **3.** (*remercier*) **pour** ~ als Dankeschön dafür **II.** *vpr* **se** ~ sich ausgleichen

compère [kɔ̃pɛʀ] *m* Kumpan *m*

compétence [kɔ̃petɑ̃s] *f* **1.** (*capacité*) Kompetenz *f,* [Sach]kenntnis *f;* **avec** ~ sachkundig **2.** (*responsabilité*) Zuständigkeit *f;* **cela ne relève pas de ma** ~ dafür bin ich nicht zuständig

compétent, e [kɔ̃petɑ̃, ɑ̃t] *adj* **1.** (*capable*) **être** ~ **en qc** kompetent in etw (*dat*) sein **2.** (*habile*) zuständig

compétitif, -ive [kɔ̃petitif, -iv] *adj* wettbewerbsfähig

compétition [kɔ̃petisjɔ̃] *f* **1.** Konkurrenz *f,* Wettbewerb *m;* **être en** ~ **avec qn** mit jdm im Wettstreit liegen; COM mit jdm in Konkurrenz stehen **2.** (*activité*) Leistungssport *m;* (*épreuve*) Wettkampf *m*

compétitivité [kɔ̃petitivite] *f* Wettbewerbsfähigkeit *f*

compil [kɔ̃pil] *f abr de* **compilation** Sampler *m*

compilateur [kɔ̃pilatœʀ] *m* INFORM Compiler *m*

compilation [kɔ̃pilasjɔ̃] *f* **1.** MUS Sampler *m* **2.** (*action*) Kompilieren *nt;* (*logiciels*) Programmpaket *nt*

compiler [kɔ̃pile] <1> *vt* INFORM kompilieren

complainte [kɔ̃plɛ̃t] *f* Klagelied *nt*

complaire [kɔ̃plɛʀ] <*irr*> *vpr* **se** ~ **dans qc** Gefallen an etw (*akk*) finden

complaisance [kɔ̃plɛzɑ̃s] *f* **1.** *soutenu* (*obligeance*) Liebenswürdigkeit *f;* **par** ~ aus Gefälligkeit *f* **2.** *péj* (*indulgence*) Nachsicht *f* **3.** (*autosatisfaction*) Selbstgefälligkeit *f*

complaisant, e [kɔ̃plɛzɑ̃, ɑ̃t] *adj* gütig, hilfsbereit

complément [kɔ̃plemɑ̃] *m* **1.** (*ce qui s'ajoute*) **un** ~ **d'information** zusätzliche Informationen *Pl* **2.** GRAM Ergänzung *f;* ~ **du verbe** Verbergänzung; ~ **circonstanciel de temps/lieu** Umstandsbestimmung *f* der Zeit/des Ortes; ~ **d'attribution** Dativobjekt *nt;* ~ **du nom** Genitivobjekt; ~ **d'objet direct** direktes Objekt

complémentaire [kɔ̃plemɑ̃tɛʀ] **I.** *adj* ergänzend; *renseignement* zusätzlich **II.** *f* zusätzliche Rentenversicherung *f*

complet, -ète [kɔ̃plɛ, -ɛt] *adj* **1.** (*entier*) vollständig; *pain* Vollkorn-; **les œuvres complètes** die gesammelten Werke **2.** (*total*) völlig; **succès/échec** ~ voller Erfolg/totaler Misserfolg **3.** (*achevé*) vollendet **4.** (*qui possède toutes les fonctions*) **être** ~ mit allem ausgestattet sein **5.** (*plein*)

voll; *hôtel* voll belegt; *parking* besetzt; **afficher** ~ ausverkauft sein ▸ **au** [**grand**] ~ vollzählig

complètement [kɔ̃plɛtmɑ̃] *adv* **1.** (*entièrement*) vollständig **2.** (*absolument*) völlig

compléter [kɔ̃plete] <5> **I.** *vt* vervollständigen **II.** *vpr* **se** ~ sich ergänzen

complexe [kɔ̃plɛks] **I.** *adj* **1.** (*compliqué*) komplex; *situation* schwierig **2.** GRAM zusammengesetzt **II.** *m* **1.** PSYCH Komplex *m*; **sans** [**aucun**] ~ ohne Komplexe **2.** ECON Komplex *m*; ~ **touristique** Touristenzentrum *nt*

complexé, e [kɔ̃plɛkse] *adj fam* **1.** PSYCH voller Komplexe **2.** (*coincé*) verklemmt

complexer [kɔ̃plɛkse] <1> *vt* ~ **qn** bei jdm Komplexe hervorrufen

complexité [kɔ̃plɛksite] *f* Komplexität *f*

complication [kɔ̃plikasjɔ̃] *f* **1.** (*difficulté*) Schwierigkeit *f* **2.** MED Komplikation *f*

complice [kɔ̃plis] **I.** *adj* **1.** (*acolyte*) **être** ~ **d'un vol** Komplize *m* bei einem Diebstahl sein **2.** (*de connivence*) verständnisinnig **II.** *mf* Komplize/Komplizin *m/f*

complicité [kɔ̃plisite] *f* **1.** (*participation*) Mittäterschaft *f*; ~ **de vol** JUR Beihilfe *f* zum Diebstahl **2.** (*connivence*) [geheimes] Einverständnis

compliment [kɔ̃plimɑ̃] *m* **1.** (*éloge*) Kompliment *nt* **2.** (*félicitations*) Glückwunsch *m*; **tous mes** ~**s!** herzlichen Glückwunsch! **3.** *pl* (*politesse*) Empfehlung *f*; **avec les** ~**s de qn** mit jds freundlichen Grüßen

complimenter [kɔ̃plimɑ̃te] <1> *vt* **1.** (*congratuler*) ~ **qn pour qc** jdn zu etw beglückwünschen **2.** (*faire l'éloge*) ~ **qn pour** [*o* **sur**] **qc** jdm für etw Komplimente machen

compliqué, e [kɔ̃plike] *adj* **1.** (*ardu*) kompliziert; *problème* schwierig; **c'est pas** ~ *fam* das ist [ganz] einfach **2.** (*qui aime la complication*) umständlich

compliquer [kɔ̃plike] <1> **I.** *vt* erschweren **II.** *vpr* **1.** (*devenir plus compliqué*) **se** ~ **choses:** komplizierter werden; *situation:* sich zuspitzen; *maladie:* sich verschlimmern; **ça se complique** *fam* jetzt wird's kompliziert **2.** (*rendre plus compliqué*) **se** ~ **la vie** sich (*dat*) das Leben [unnötig] schwer machen

complot [kɔ̃plo] *m* Komplott *nt*

comploter [kɔ̃plɔte] <1> **I.** *vt* ausklügeln; ~ **de faire qc** heimlich planen etw zu tun; **qu'est-ce que vous complotez?** was heckt ihr [wieder] aus? (*fam*) **II.** *vi* ~ **contre qn** gegen jdn ein Komplott schmieden

comportement [kɔ̃pɔRtəmɑ̃] *m* Verhalten *nt*; **avoir un** ~ **étrange** sich merkwür-

dig benehmen

comportementaliste [kɔ̃pɔRtəmɑ̃talist] *adj* behavioristisch

comporter [kɔ̃pɔRte] <1> **I.** *vt* **1.** (*être constitué de*) bestehen aus **2.** (*inclure*) ~ **qc** etw aufweisen; *appareil:* mit etw ausgestattet sein **II.** *vpr* **se** ~ **1.** (*se conduire*) sich benehmen **2.** (*réagir*) sich verhalten

composant [kɔ̃pozɑ̃] *m* **1.** CHIM Bestandteil *m* **2.** ELEC Bauelement *nt*

composant, e [kɔ̃pozɑ̃, ɑ̃t] *adj* **élément** ~ Bestandteil *m*

composante [kɔ̃pozɑ̃t] *f* Komponente *f*

composé [kɔ̃poze] *m* CHIM Verbindung *f*

composer [kɔ̃poze] <1> **I.** *vt* **1.** (*constituer*) zusammenstellen; aufstellen *équipe* **2.** (*créer*) kreieren *plat;* komponieren *musique;* verfassen *texte* **3.** (*former*) bilden **II.** *vi* MUS komponieren **III.** *vpr* **se** ~ **de qc** aus etw bestehen

composite [kɔ̃pozit] *adj* [bunt]gemischt, zusammengewürfelt

compositeur, -trice [kɔ̃pozitœR, -tRis] *m*, *f* Komponist(in) *m(f)*

composition [kɔ̃pozisjɔ̃] *f* **1.** (*organisation*) Zusammenstellung *f* **2.** ART, LITTER, MUS *d'une musique* Komponieren *nt; d'un texte* Schreiben *nt* **3.** (*œuvre*) Komposition *f*; **une œuvre de ma/ta/sa** ~ eine Eigenkomposition; **la** ~ **française** der [französische] Aufsatz **4.** *d'un texte* Aufbau *m; d'un tableau* Komposition *f*

compost [kɔ̃pɔst] *m* Kompost *m*

composter [kɔ̃pɔste] <1> *vt* entwerten

compote [kɔ̃pɔt] *f* Kompott *nt*

compotier [kɔ̃pɔtje] *m* (*plat*) Kompottschüssel *f*

compréhensible [kɔ̃pReɑ̃sibl] *adj* verständlich

compréhensif, -ive [kɔ̃pReɑ̃sif, -iv] *adj* verständnisvoll

compréhension [kɔ̃pReɑ̃sjɔ̃] *f* **1.** (*clarté*) Verständlichkeit *f* **2.** (*tolérance*) Verständnis *nt* **3.** (*intelligence*) Auffassungsgabe *f*

comprendre [kɔ̃pRɑ̃dR] <13> **I.** *vt* **1.** (*saisir*) verstehen; **faire** ~ **qc à qn** (*expliquer*) jdm etw klarmachen; (*dire indirectement*) jdm etw zu verstehen geben; **ne** ~ **rien à rien** *fam* überhaupt nichts kapieren **2.** (*concevoir*) ~ **qn/qc** jdn/etw verstehen **3.** (*s'apercevoir de*) ~ **qc** sich (*dat*) über etw (*akk*) im Klaren sein **4.** (*comporter*) bestehen aus **5.** (*inclure*) ~ **qn/qc** jdn/ etw mit einschließen **II.** *vi* verstehen; **il ne faut pas chercher à** ~ da gibt es nichts zu verstehen; **se faire** ~ sich klar [und deutlich] ausdrücken **III.** *vpr* **se** ~ **1.** (*être compréhensible*) verständlich sein **2.** (*communiquer*) sich verständigen **3.** (*s'accorder*)

---

comprendre

• signaler la compréhension	• Verstehen signalisieren
(Oui,) je comprends!	(Ja, ich) verstehe!
Exactement!	Genau!
Oui, je comprends cela.	Ja, das kann ich nachvollziehen.
• signaler l'incompréhension	• Nicht-Verstehen signalisieren
Que voulez-vous dire par là?	Was meinen Sie damit?
Pardon? – Je n'ai pas entendu ce que vous disiez à l'instant.	Wie bitte? – Das habe ich eben akustisch nicht verstanden.
Pourriez-vous répéter, s'il vous plaît?	Könnten Sie das bitte noch einmal wiederholen?
Je comprends pas!/Je pige pas! *(fam.)*	Versteh ich nicht!/Kapier ich nicht! *(fam)*
Je ne comprends pas (très bien).	Das verstehe ich nicht (ganz).
(Excusez-moi, mais) je n'ai pas compris.	(Entschuldigen Sie bitte, aber) das hab ich eben nicht verstanden.
Je ne vous suis pas vraiment.	Ich kann Ihnen nicht ganz folgen.
• s'assurer qu'on a bien été entendu	• kontrollieren, ob man akustisch verstanden wird
(à un public) Vous m'entendez tous?	*(an ein Publikum)* Verstehen Sie mich alle?
(au téléphone) Vous m'entendez?	*(am Telefon)* Können Sie mich hören?
(au téléphone) Vous comprenez ce que je dis?	*(am Telefon)* Verstehen Sie, was ich sage?

---

personnes: sich [gut] verstehen

compresse [kɔ̃prɛs] *f* Kompresse *f*

compresseur [kɔ̃presœr] *m* Kompressor *m*

compressible [kɔ̃presibl] *adj* PHYS verdichtbar

compression [kɔ̃presjɔ̃] *f* 1. PHYS Komprimierung *f* 2. *(réduction)* Reduzierung *f;* ~ **de personnel** Personalabbau *m;* ~**s budgétaires** Haushaltskürzungen *Pl* 3. INFORM Komprimierung *f*

comprimé [kɔ̃prime] *m* Tablette *f*

comprimé, e [kɔ̃prime] *adj* 1. **être ~ dans qc** *personne* in etw *(dat)* eingezwängt sein 2. PHYS **air ~** Pressluft *f;* **carabine à air ~** Luftgewehr *nt*

comprimer [kɔ̃prime] <1> *vt* 1. *(presser)* komprimieren 2. *(serrer)* **la ceinture lui comprime le ventre** der Gürtel schnürt ihm/ihr den Bauch ein 3. *(réduire)* reduzieren 4. INFORM komprimieren

compris, e [kɔ̃pri, iz] I. *part passé de* **comprendre** II. *adj* 1. *(inclus)* inklusive; **être ~ dans le prix** im Preis inbegriffen sein; **T.V.A. ~e** inklusive MwSt.; **[la] T.V.A. non ~e** ohne Mehrwertsteuer 2. *(situé)* **être ~ entre cinq et sept pour-**

cent zwischen fünf und sieben Prozent liegen; **période ~e entre 1920 et 1930** Zeitabschnitt *m* von 1920 bis 1930

compromettant, e [kɔ̃prɔmetɑ̃, ɑ̃t] *adj* kompromittierend

compromettre [kɔ̃prɔmetr] <*irr*> I. *vt* 1. *(impliquer)* kompromittieren 2. *(menacer)* gefährden; schädigen *réputation* II. *vpr* **se ~ avec qn/dans qc** wegen jdm/einer S. ins Gerede kommen

compromis [kɔ̃prɔmi] *m* Kompromiss *m*

compromission [kɔ̃prɔmisjɔ̃] *f* Zugeständnis *nt*

comptabiliser [kɔ̃tabilize] <1> *vt* FIN [ver]buchen; ~ **qc dans qc** etw zu etw zählen

comptabilité [kɔ̃tabilite] *f* 1. *(discipline)* Rechnungswesen *nt* 2. *(comptes)* Buchführung *f* 3. *(service)* Buchhaltung *f*

comptable [kɔ̃tabl] *mf* Buchhalter(in) *m(f)*

comptage [kɔ̃taʒ] *m* Zählung *f*

comptant [kɔ̃tɑ̃] I. *m sans pl* Barzahlung *f* II. *adv* **payer ~** bar

compte [kɔ̃t] *m* 1. *sans pl (calcul)* Zählung *f; des points* [Aus]zählung *f;* ~ **à rebours** Countdown *m* 2. *sans pl (résultat)* Ergeb-

nis *nt;* **avez-vous le bon ~ de chaises?** (*suffisamment*) haben Sie genug Stühle?; (*le même nombre*) sind noch alle Stühle da?; **le ~ est bon** es stimmt; **le ~ y est** *fam* es haut hin; **cela fait un ~ rond** es macht eine runde Summe **3.** (*note*) Rechnung *f;* **faire le ~** die Rechnung machen **4.** (*écritures comptables*) Konto *nt;* **faire les ~s** Bilanz ziehen; **tenir les ~s** die Finanzen regeln **5.** (*~ en banque*) Konto *nt;* **~ chèque** Scheckkonto; **~ chèque postal** Postgirokonto; **~ courant** Girokonto; **~ [d']épargne** Sparkonto; **ouvrir/fermer un ~** ein Konto eröffnen/auflösen ►**les bons ~s font les bons amis** *prov* ≈ Genauigkeit in Geldsachen erhält die Freundschaft; **au bout du ~** schließlich; **en fin de ~** letzten Endes; **être loin du ~** sich [ganz schön] vertan haben; **tout ~ fait** alles in allem; **son ~ est bon!** *fam* er kriegt, was er verdient!; **s'en tirer à bon ~** [noch] billig davon kommen; **mettre qc sur le ~ qn/qc** jdn/etw für etw verantwortlich machen; **rendre ~ de qc à qn** jdm über etw (*akk*) Rechenschaft ablegen; **se rendre ~ de qc** (*s'apercevoir*) etw bemerken; (*comprendre*) sich (*dat*) über etw (*akk*) im Klaren sein; **tu te rends ~!** (*imagine*) kannst du dir das vorstellen!; **tenir ~ de qc** etw berücksichtigen; **à ce ~-là** in diesem Fall; **demander** [*o* **réclamer**] **des ~s à qn** jdn zur Rechenschaft ziehen; **à son ~** selbständig; **pour le ~ de qn/qc** in jds Auftrag/im Auftrag einer S.

compte-gouttes [kɔ̃tgut] *m inv* Pipette *f* ►**au ~** in Etappen

compter [kɔ̃te] <1> **I.** *vt* **1.** (*chiffrer*) zählen; (*totaliser*) zusammenzählen; [aus]zählen *voix* **2.** (*mesurer*) **~ son argent** mit seinem Geld geizen; **être compté** rar sein **3.** (*facturer*) berechnen; **~ 100 euros à qn pour le dépannage** jdm 100 Euro für die Reparatur berechnen **4.** (*prévoir*) **~ 200 g/100 euros par personne** 200 g/ 100 Euro pro Person rechnen **5.** (*prendre en compte*) berücksichtigen; SCOL anrechnen *faute;* (*ajouter*) [mit]zählen; **dix personnes sans ~ les enfants** zehn Personen, die Kinder nicht mitgerechnet **6.** (*ranger parmi*) **~ qn/qc parmi** [*o* **au nombre de**] ... jdn/etw zu ... zählen **7.** (*comporter*) haben; **la ville compte 10000 habitants** die Stadt zählt 10000 Einwohner **8.** (*avoir l'intention de*) **~ faire qc** beabsichtigen etw zu tun; (*espérer*) damit rechnen etw zu tun **II.** *vi* **1.** (*énumérer*) zählen **2.** (*calculer*) rechnen; **~ sur ses doigts** an den Fingern abzählen; **~ large** großzügig rechnen **3.** (*être économe*) **dépenser**

sans ~ ausgeben ohne aufs Geld zu sehen **4.** (*tenir compte de*) **~ avec qn/qc** mit jdm/etw rechnen **5.** (*s'appuyer*) **~ sur qn/qc** auf jdn/etw zählen; **tu peux ~** [là-]**dessus!** darauf kannst du dich verlassen!; **n'y comptez pas avant mardi!** rechnen Sie nicht vor Dienstag damit! **6.** (*avoir de l'importance*) zählen; **~ pour qn** jdm etwas bedeuten; **ce qui compte, c'est d'être en bonne santé** was zählt, ist die Gesundheit **III.** *vpr* (*s'inclure*) **se ~** sich mitzählen

compte rendu [kɔ̃tʀɑ̃dy] *m* Bericht *m;* TV, RADIO Berichterstattung *f* **compte-tours** [kɔ̃ttuʀ] *m inv* Drehzahlmesser *m*

compteur [kɔ̃tœʀ] *m* **1.** Tachometer *m* **2.** (*~ d'électricité*) Zähler *m;* **relever le ~** den Zähler ablesen

comptine [kɔ̃tin] *f* Abzählreim *m*

comptoir [kɔ̃twaʀ] *m* Theke *f; d'une banque, société* Schalter *m*

compulser [kɔ̃pylse] <1> *vt* nachschlagen in (+ *dat*)

comte [kɔ̃t] *m* Graf *m*

comté [kɔ̃te] *m* Grafschaft *f*

comtesse [kɔ̃tɛs] *f* Gräfin *f*

con, ne [kɔ̃, kɔn] **I.** *adj parfois inv fam* bescheuert **II.** *m, f fam* (*homme*) [Voll]idiot *m;* (*femme*) blöde Ziege; **pauvre** [*o* **sale**] *péj* ! Scheißkerl *m* (*vulg*); **pauvre** [*o* **sale**] *péj* **~ne** dumme Zicke; **faire le ~** Scheiße machen (*vulg*); **oh! le ~/la ~ne!** ach du grüne Neune!

conard [kɔnaʀ] *m fam v.* **connard**

conasse [kɔnas] *f fam v.* **connasse**

concasser [kɔ̃kase] <1> *vt* zerkleinern *roche;* zerstoßen *épices;* schroten *grain*

concave [kɔ̃kav] *adj* konkav

concéder [kɔ̃sede] <5> *vt* zugestehen, zubilligen *droit, privilège*

concentration [kɔ̃sɑ̃tʀasjɔ̃] *f* **1.** Konzentration *f* **2.** (*accumulation*) Ansammlung *f*

concentré [kɔ̃sɑ̃tʀe] *m* GASTR Konzentrat *nt;* **~ de tomate** Tomatenmark *nt*

concentré, e [kɔ̃sɑ̃tʀe] *adj* **1.** (*condensé*) konzentriert; **lait ~** Kondensmilch *f* **2.** (*attentif*) konzentriert

concentrer [kɔ̃sɑ̃tʀe] <1> **I.** *vt* (*rassembler*) konzentrieren **II.** *vpr* **se ~ sur qn/qc** sich auf jdn/etw konzentrieren

concentrique [kɔ̃sɑ̃tʀik] *adj* konzentrisch

concept [kɔ̃sɛpt] *m* Konzept *nt*

conception [kɔ̃sɛpsjɔ̃] *f* **1.** *sans pl* BIO Empfängnis *f* **2.** *sans pl* (*élaboration*) Konzeption *f; d'un produit* Entwicklung *f;* **~ assistée par ordinateur** Computer Aided Design *nt* **3.** *sans pl* (*idée*) Auffassung *f,* Vorstellung *f* ►**Immaculée Conception** Unbefleckte Empfängnis

concernant [kɔ̃sɛʀnɑ̃] *prép* (*quant à*) bezüglich (+ *gen*), hinsichtlich (+ *gen*); COM betreffs (+ *gen*)

concerner [kɔ̃sɛʀne] <1> *vt* betreffen; **en** [*o* **pour**] **ce qui concerne** qn/qc was jdn/etw betrifft[, so]

concert [kɔ̃sɛʀ] *m* 1. MUS Konzert *nt* 2. *fig* ~ **de sifflets** Pfeifkonzert *nt*; ~ **d'exclamations** großes Geschrei ▶ **agir de** ~ **avec qn** mit jdm gemeinsam vorgehen; **décider qc de** ~ **avec qn** etw im Einvernehmen mit jdm entscheiden

concertation [kɔ̃sɛʀtasjɔ̃] *f* Abstimmung *f*

concerté, e [kɔ̃sɛʀte] *adj plan* [vorher miteinander] abgestimmt

concerter [kɔ̃sɛʀte] <1> *vpr* **se** ~ **sur qc** sich hinsichtlich einer S. (*gen*) besprechen

concerto [kɔ̃sɛʀto] *m* Konzert *nt*, Concerto *nt*

concessif, -ive [kɔ̃sesif, -iv] *adj* konzessiv

concession [kɔ̃sesjɔ̃] *f* 1. (*compromis*) Zugeständnis *nt* 2. ADMIN Nutzungsrecht *nt*; COM Konzession *f* 3. (*terrain exploité*) zur Nutzung freigegebenes Grundstück

concessionnaire [kɔ̃sesjɔnɛʀ] *mf* COM Vertragshändler(in) *m(f)*

concevable [kɔ̃s(ə)vabl] *adj* denkbar

concevoir [kɔ̃s(ə)vwaʀ] <12> **I.** *vt* 1. *soutenu* (*engendrer*) zeugen 2. (*se représenter*) begreifen; erarbeiten *solution;* ~ **qc comme qc** etw als etw auffassen 3. (*élaborer*) konzipieren 4. (*comprendre*) verstehen; **on conçoit sa déception** seine/ihre Enttäuschung ist verständlich **II.** *vpr* 1. (*se comprendre*) **cela se conçoit facilement** das kann man gut verstehen 2. *soutenu* (*être imaginé*) **se** ~ ins Auge gefasst werden

concierge [kɔ̃sjɛʀʒ] *mf* Hausmeister(in) *m(f)*, Abwart/Abwärtin *m/f* (CH)

concile [kɔ̃sil] *m* Konzil *nt*

conciliabule [kɔ̃siljabyl] *m* **tenir des** ~**s avec qn** mit jdm tuscheln

conciliant, e [kɔ̃siljɑ̃, jɑ̃t] *adj personne* entgegenkommend

conciliateur, -trice [kɔ̃siljatœʀ, -tʀis] *adj* vermittelnd

conciliation [kɔ̃siljasjɔ̃] *f* Ausgleich *m;* **tentative de** ~ Vermittlungsversuch *m*

concilier [kɔ̃silje] <1> **I.** *vt* (*harmoniser*) [miteinander] in Einklang bringen **II.** *vpr* **se** ~ **l'amitié de qn** [sich (*dat*)] jds Freundschaft erwerben

concis, e [kɔ̃si, iz] *adj* kurz und bündig; **soyez** ~ fassen Sie sich kurz

concision [kɔ̃sizjɔ̃] *f sans pl* Knappheit *f*

concitoyen, ne [kɔ̃sitwajɛ̃, jɛn] *m, f* Mitbürger(in) *m(f)*

concluant, e [kɔ̃klyɑ̃, ɑ̃t] *adj* stichhaltig

conclure [kɔ̃klyʀ] <*irr*> **I.** *vt* 1. (*signer*) [ab]schließen *marché, pacte;* treffen *accord* 2. (*terminer*) abschließen; beschließen *discours;* beenden *repas* 3. (*déduire*) ~ **qc de** **qc** etw aus etw schließen **II.** *vi* (*terminer*) zum Schluss kommen; **pour** ~ um abzuschließen; ~ **par qc** mit etw schließen **III.** *vpr* **se** ~ **par qc** mit etw [ab]schließen

conclusion [kɔ̃klyzjɔ̃] *f* 1. *d'un accord* Abschluss *m; d'un mariage* Schließen *nt* 2. (*fin*) Ende *nt,* Schluss *m;* **en** ~ letzten Endes; ~**, ...** Fazit ... 3. *d'une fable* Moral *f; d'une thèse* [Schluss]folgerung *f;* [**en**] **arriver à la** ~ **que ...** zu dem Schluss kommen, dass ...

concombre [kɔ̃kɔ̃bʀ] *m* Gurke *f*

concordance [kɔ̃kɔʀdɑ̃s] *f* 1. (*accord*) Übereinstimmung *f* 2. GRAM ~ **des temps** Zeitenfolge *f*

concordat [kɔ̃kɔʀda] *m* Konkordat *nt*

concorder [kɔ̃kɔʀde] <1> *vi* übereinstimmen

concourir [kɔ̃kuʀiʀ] <*irr*> *vi* 1. *soutenu* (*contribuer*) ~ **à qc** zu etw beitragen 2. (*être en compétition*) ~ **à qc** am Wettbewerb um etw teilnehmen

concours [kɔ̃kuʀ] *m* 1. (*compétition*) Wettbewerb *m;* SPORT Wettkampf *m* 2. (*jeu*) Preisausschreiben *nt* 3. SCOL, UNIV Aufnahmeprüfung *f* 4. (*aide*) Beitrag *m;* **prêter son** ~ **à qc** seinen Teil zu etw beitragen 5. (*coïncidence*) ~ **de circonstances** Zusammentreffen *nt* von Umständen

concret [kɔ̃kʀɛ] *m sans pl* Konkrete(s) *nt*

concret, -ète [kɔ̃kʀɛ, -ɛt] *adj* konkret

concrètement [kɔ̃kʀɛtmɑ̃] *adv* konkret

concrétiser [kɔ̃kʀetize] <1> **I.** *vt* 1. (*réaliser*) verwirklichen *rêve, projet* 2. (*matérialiser*) veranschaulichen **II.** *vpr* **se** ~ *projet:* konkrete Formen annehmen; *rêve:* wahr werden; *promesse:* sich erfüllen

conçu, e [kɔ̃sy] *part passé de* **concevoir**

concubin, e [kɔ̃kybɛ̃, in] *m, f* Lebensgefährte(in) *m(f)*

concubinage [kɔ̃kybinaʒ] *m* wilde Ehe

concurremment [kɔ̃kyʀamɑ̃] *adv* (*conjointement*) ~ **avec qn/qc** zusammen mit jdm/etw

concurrence [kɔ̃kyʀɑ̃s] *f* 1. *sans pl* (*compétition*) Konkurrenz *f;* COM Wettbewerb *m;* ~ **déloyale** unlauterer Wettbewerb; **défier toute** ~ die Konkurrenz unterbieten; **être en** ~ miteinander konkurrieren 2. *sans pl* (*les concurrents*) **la** ~ die Konkurrenz

concurrencer [kɔ̃kyʀɑ̃se] <2> *vt* ~ **qn/** **qc** mit jdm/etw konkurrieren

concurrent, e [kɔ̃kyʀɑ̃, ɑ̃t] **I.** *adj* konkurrierend **II.** *m, f* Konkurrent(in) *m(f)*

concurrentiel, le [kɔ̃kyRɑ̃sjɛl] *adj* konkurrenzfähig

condamnable [kɔ̃danabl] *adj* verwerflich

condamnation [kɔ̃danasjɔ̃] *f* **1.** *sans pl* (*action*) Verurteilung *f;* (*peine*) Strafe *f;* ~ **avec sursis** Bewährungsstrafe **2.** (*réprobation*) Verurteilung *f* **3.** (*fermeture*) Schließen *nt;* **la ~ des portes se fait automatiquement** die Türen schließen selbsttätig

condamné, e [kɔ̃dane] *m, f* Strafgefangene(r) *f(m);* ~ **à mort** zum Tode Verurteilte(r) *f(m)*

condamner [kɔ̃dane] <1> *vt* **1.** JUR ~ **qn à 10 ans de prison** jdn zu 10 Jahren Haft verurteilen **2.** *fig* ~ **qn** jdm keine Chancen [mehr] geben; **qn est condamné** jd ist ein hoffnungsloser Fall **3.** (*obliger*) ~ **qn à faire qc** jdn dazu zwingen etw zu tun **4.** (*fermer: avec pierres*) zumauern; (*avec bois*) vernageln; sperren *rue;* (*à clé*) verriegeln

condensateur [kɔ̃dɑ̃satœR] *m* ELEC Kondensator *m*

condensation [kɔ̃dɑ̃sasjɔ̃] *f sans pl* Kondensation *f*

condensé [kɔ̃dɑ̃se] *m* Kondensat *nt*

condenser [kɔ̃dɑ̃se] <1> *vt* kondensieren

condescendance [kɔ̃desɑ̃dɑ̃s] *f* Herablassung *f*

condescendant, e [kɔ̃desɑ̃dɑ̃, ɑ̃t] *adj* herablassend

condiment [kɔ̃dimɑ̃] *m a. fig* würzige Zutat

condisciple [kɔ̃disipl] *mf* Kommilitone *m*/Kommilitonin *f*

condition [kɔ̃disjɔ̃] *f* **1.** (*exigence*) Bedingung *f,* Voraussetzung *f;* ~ **sine qua non** Conditio *f* sine qua non (*geh*); **les ~s d'admission à qc** die Aufnahmebedingungen für etw; **remplir toutes les ~s** alle Bedingungen erfüllen; **à ~ de faire qc/que** + *subj* unter der Bedingung etw zu tun/, dass; **sans ~[s]** bedingungslos **2.** *pl* COM Preise *Pl;* ~**s de livraison** Lieferbedingungen *Pl* **3.** *sans pl* SOCIOL Situation *f* **4.** *sans pl* (*forme*) Kondition *f;* **être en excellente ~** in ausgezeichneter Verfassung *f* sein; **se mettre en ~ pour qc** SPORT sich auf etw (*akk*) vorbereiten; PSYCH sich auf etw (*akk*) einstimmen **5.** *pl* (*cadre*) ~**s de travail/vie** Arbeits-/Lebensbedingungen *Pl* **6.** *pl* (*circonstances*) Umstände *Pl;* **dans ces ~s** unter diesen Bedingungen **7.** (*rang social*) soziale Stellung; **des gens de toutes les ~s** Menschen aus allen gesellschaftlichen Schichten

conditionnel [kɔ̃disjɔnɛl] *m* Konditional *m;* ~ **présent** Konditionalpräsens *nt*

conditionnel, le [kɔ̃disjɔnɛl] *adj* **1.** an eine Bedingung gebunden **2.** GRAM Bedin-

gungs-

conditionnelle [kɔ̃disjɔnɛl] *f* Konditionalsatz *m*

conditionnement [kɔ̃disjɔnmɑ̃] *m* Präsentation *f,* Aufmachung *f*

conditionner [kɔ̃disjɔne] <1> *vt* **1.** (*emballer*) verpacken **2.** (*traiter*) haltbar machen

condoléances [kɔ̃dɔleɑ̃s] *fpl form* Beileidsbezeigung *f;* **sincères ~** aufrichtiges Beileid; [**toutes**] **mes ~!** mein Beileid!

condor [kɔ̃dɔR] *m* Kondor *m*

conducteur, -trice [kɔ̃dyktœR, -tRis] **I.** *adj* PHYS leitend **II.** *m, f* Fahrer(in) *m(f);* ~ **de TGV** TGV-Lokführer(in) *m(f)*

conduire [kɔ̃dɥiR] <*irr*> **I.** *vi* **1.** fahren **2.** (*aboutir*) ~ **à la catastrophe** zu einer Katastrophe führen **II.** *vt* **1.** AUT steuern **2.** (*emmener*) ~ **qn en ville** jdn in die Stadt bringen **3.** (*mener*) ~ **qn à faire qc** jdn dazu bringen etw zu tun; **où cela va-t-il nous ~?** wo soll [uns] das nur hinführen? **4.** (*guider*) führen **5.** (*diriger*) leiten; führen *pays;* anführen *groupe* **III.** *vpr* **1.** (*se comporter*) **se ~** sich benehmen **2.** AUT **se ~ facilement** sich leicht fahren lassen

conduit [kɔ̃dɥi] *m* (*fermé*) Röhre *f,* [Rohr]leitung *f;* (*ouvert*) Rinne *f*

conduite [kɔ̃dɥit] *f* **1.** *sans pl* AUT ~ **à droite/à gauche** Rechts-/Linksverkehr *m* **2.** (*façon de conduire*) Fahrstil *m;* **leçon de ~** Fahrstunde *f;* ~ **accompagnée** für Jugendliche ab 16 erlaubtes Fahren im Beisein eines erwachsenen Führerscheinbesitzers **3.** *sans pl* (*responsabilité*) Führung *f,* Leitung *f* **4.** (*comportement*) Benehmen *nt* **5.** (*tuyau*) Leitung *f*

cône [kon] *m* Kegel *m;* **en** [**forme de**] ~ kegelförmig

confection [kɔ̃fɛksjɔ̃] *f* **1.** GASTR Zubereitung *f* **2.** *sans pl* (*prêt-à-porter*) Bekleidungsindustrie *f*

confectionner [kɔ̃fɛksjɔne] <1> *vt* **1.** GASTR zubereiten **2.** (*fabriquer*) anfertigen

confédération [kɔ̃federasjɔ̃] *f* **1.** POL Konföderation *f,* Staatenbund *m* **2.** (*syndicat*) Zusammenschluss *m;* (*groupement*) Vereinigung *f,* Verband *m*

conférence [kɔ̃feRɑ̃s] *f* **1.** (*exposé*) Vortrag *m;* **tenir une ~ sur qc** einen Vortrag über etw (*akk*) halten **2.** (*réunion*) Besprechung *f; a.* POL Konferenz *f;* **être en ~** in einer Sitzung sein; ~ **au sommet** Gipfelkonferenz; ~ **de presse** Pressekonferenz; ~ **de rédaction** Redaktionskonferenz

conférencier, -ière [kɔ̃feRɑ̃sje, -jɛR] *m, f* Vortragende(r) *f(m),* Redner(in) *m(f)*

confesser [kɔ̃fese] <1> **I.** *vi* die Beichte

abnehmen **II.** *vt* beichten *péché;* eingestehen *erreur;* ~ **qn** jdm die Beichte abnehmen **III.** *vpr* se ~ **à qn** bei jdm beichten; **aller se** ~ zur Beichte gehen

confesseur [kɔ̃fesœʀ] *m* Beichtvater *m*

confession [kɔ̃fesjɔ̃] *f* **1.** (*sacrement*) Beichte *f;* **entendre qn en** ~ jdm die Beichte abnehmen **2.** (*religion*) Konfession *f,* Bekenntnis *nt* **3.** (*aveu*) Geständnis *nt*

confessionnal [kɔ̃fesjɔnal, o] <-aux> *m* Beichtstuhl *m*

confessionnel, le [kɔ̃fesjɔnɛl] *adj* konfessionell

confetti [kɔ̃feti] *m* Konfetti *nt*

confiance [kɔ̃fjɑ̃s] *f sans pl* Vertrauen *nt;* **personne de** ~ Vertrauensperson *f;* **avoir pleine** ~ **en qn/dans qc** volles Vertrauen in jdn/in etw (*akk*) haben; **inspirer** ~ **à qn** einen Vertrauen erweckenden Eindruck auf jdn machen; **perdre/reprendre** ~ [**en soi**] sein Selbstvertrauen verlieren/wiedererlangen

confiant, e [kɔ̃fjɑ̃, jɑ̃t] *adj* **1.** (*sans méfiance*) vertrauensselig; ~ **en** [*o* **dans**] **qn/qc** auf jdn/etw vertrauend **2.** (*sûr de soi*) selbstbewusst

confidence [kɔ̃fidɑ̃s] *f* vertrauliche Mitteilung; **être dans la** ~ [in ein Geheimnis] eingeweiht sein; **mettre qn dans la** ~ jdn ins Vertrauen ziehen

confident, e [kɔ̃fidɑ̃, ɑ̃t] *m, f* Vertraute(r) *f(m)*

confidentiel, le [kɔ̃fidɑ̃sjɛl] *adj* **1.** (*secret*) vertraulich **2.** (*restreint*) für einen kleinen Kreis bestimmt

confier [kɔ̃fje] <1> **I.** *vt* **1.** (*dévoiler*) mitteilen **2.** (*remettre*) anvertrauen; ~ **une mission à qn** jdn mit einem Auftrag betrauen **II.** *vpr* (*se confesser*) **se** ~ **à qn** sich jdm anvertrauen

configuration [kɔ̃figyʀasjɔ̃] *f* Beschaffenheit *f*

confiné, e [kɔ̃fine] *adj* (*reclus*) eingesperrt

confins [kɔ̃fɛ̃] *mpl* **aux** ~ **de qc et de qc** an der Grenze von etw und etw

confirmation [kɔ̃fiʀmasjɔ̃] *f* **1.** (*preuve, document*) Bestätigung *f* **2.** (*catholique*) Firmung *f;* (*protestante*) Konfirmation *f*

confirmé, e [kɔ̃fiʀme] *adj* bewährt

confirmer [kɔ̃fiʀme] <1> **I.** *vt* **1.** (*certifier*) bestätigen **2.** (*renforcer*) ~ **qn dans son opinion** jdn in seinen Ansichten bestätigen **3.** (*catholique*) firmen; (*protestant*) konfirmieren **II.** *vpr* (*être exact*) **se** ~ sich bewahrheiten

confiserie [kɔ̃fizʀi] *f* (*sucrerie*) Süßigkeit *f*

confiseur, -euse [kɔ̃fizœʀ, -øz] *m, f* Süßwarenfabrikant(in) *m(f)*

confisquer [kɔ̃fiske] <1> *vt* ~ **un objet**

einen Gegenstand abnehmen; *police:* einen Gegenstand beschlagnahmen

confit [kɔ̃fi] *m* ~ **d'oie** Gänse-Confit *nt* (*im eigenen Fett gebratenes Fleisch*)

confit, e [kɔ̃fi, it] *adj fruits* kandiert; *condiments* eingelegt; *viande* eingemacht

confiture [kɔ̃fityʀ] *f* Marmelade *f,* Konfitüre *f;* ~ **de fraises** Erdbeermarmelade

conflictuel, le [kɔ̃fliktɥɛl] *adj pulsions, intérêts* entgegengesetzt

conflit [kɔ̃fli] *m* Konflikt *m;* ~**s sociaux** soziale Spannungen *Pl*

confluent [kɔ̃flyɑ̃] *m* Zusammenfluss *m*

confondre [kɔ̃fɔ̃dʀ] <14> **I.** *vi* sich irren **II.** *vt* (*mêler*) durcheinander bringen; **j'ai dû vous** ~ **avec une autre** ich hab' Sie mit jemand anderem verwechselt **III.** *vpr* **1.** (*se mêler*) **se** ~ **dans l'esprit de qn** im Kopf von jdm durcheinander geraten **2.** (*prodiguer*) **se** ~ **en remerciements** jdn mit Dank überschütten

conformation [kɔ̃fɔʀmasjɔ̃] *f d'un squelette, corps* Bau *m*

conforme [kɔ̃fɔʀm] *adj* **1.** (*correspondant*) **être** ~ **à qc** einer S. (*dat*) entsprechen; **certifié** ~ [amtlich] beglaubigt **2.** (*en accord avec*) **être** ~ **à qc** mit etw übereinstimmen; ~ **à la loi** gesetzmäßig **3.** (*conformiste*) angepasst

conformément [kɔ̃fɔʀmemɑ̃] *adv* ~ **aux termes de votre courrier du ...** *form* mit Bezug auf Ihr Schreiben vom ...

conformiste [kɔ̃fɔʀmist] *adj* angepasst

conformité [kɔ̃fɔʀmite] *f* Übereinstimmung *f;* **en** ~ **avec l'original** originalgetreu; **être en** ~ **avec les normes en vigueur** den gültigen Normen entsprechen

confort [kɔ̃fɔʀ] *m* **1.** *sans pl* Komfort *m* **2.** (*commodité*) **offrir un grand** ~ **d'utilisation** benutzerfreundlich sein **3.** *sans pl* (*bien-être*) Wohlbefinden *nt;* **aimer son** ~ die Bequemlichkeit lieben

confortable [kɔ̃fɔʀtabl] *adj* **1.** *maison, voiture* komfortabel; *lit, vêtement* bequem **2.** (*agréable*) angenehm; (*financièrement*) [finanziell] gesichert **3.** (*important*) beachtlich (*fam*)

confortablement [kɔ̃fɔʀtabləmɑ̃] *adv* **1.** bequem **2.** (*largement*) **vivre** ~ nicht schlecht leben

confrère [kɔ̃fʀɛʀ] *m* Kollege *m*

confrérie [kɔ̃fʀeʀi] *f* Bruderschaft *f*

confrontation [kɔ̃fʀɔ̃tasjɔ̃] *f* Konfrontation *f,* Aufeinandertreffen *nt*

confronter [kɔ̃fʀɔ̃te] <1> **I.** *vt* **1.** *JUR* ~ **qn avec qn** jdn jdm gegenüberstellen **2.** (*mettre en face de*) konfrontieren **II.** *vpr* se ~ **à qc** vor etw (*dat*) stehen

confus, e [kɔ̃fy, yz] *adj* **1.** (*indistinct*) un-

---

prendre congé

• **prendre congé**	• **sich verabschieden**
Au revoir!	**Auf Wiedersehen!**
À bientôt!	**Auf ein baldiges Wiedersehen!**
Salut!	**Tschüss!** *(fam)*/**Ciao!** *(fam)*
Bon courage!	**Mach's gut!** *(fam)*
À bientôt (, alors)!	**(Also dann,) bis bald!** *(fam)*
À demain!/À la semaine prochaine!	**Bis morgen!/Bis nächste Woche!**
À la prochaine!	**Man sieht sich!** *(fam)*
Rentre bien!	**Komm gut heim!** *(fam)*
Sois prudent(e)!	**Pass auf dich auf!** *(fam)*
Rentrez bien!	**Kommen Sie gut nach Hause!**
Bonne soirée!	**Einen schönen Abend noch!**
• **dire au revoir au téléphone**	• **sich am Telefon verabschieden**
Au revoir!	**Auf Wiederhören!** *(form)*
À bientôt, alors!	**Also dann, bis bald wieder!** *(fam)*
Salut!	**Tschüss!** *(fam)*/**Ciao!** *(fam)*

---

deutlich **2.** (*embrouillé*) konfus **3.** (*embarrassé*) verlegen; **je suis** ~! das ist mir sehr/so peinlich!

confusément [kɔ̃fyzemɑ̃] *adv* undeutlich

confusion [kɔ̃fyzjɔ̃] *f* **1.** *sans pl* (*embarras*) Verlegenheit *f* **2.** (*erreur*) Verwechslung *f*; **il y a** ~! da muss eine Verwechslung vorliegen!; **prêter à** ~ verwirrend sein **3.** *sans pl* (*agitation*) Unruhe *f*; (*désordre*) Durcheinander *nt*; **jeter** [*o* **mettre**] **la** ~ Verwirrung *f* stiften

congé [kɔ̃ʒe] *m* **1.** Urlaub *m*; SCOL [Schul]ferien *Pl*; UNIV Semesterferien; ~**s payés** bezahlter Urlaub; **avoir 2 jours de** ~ 2 Tage Urlaub haben; **être en** ~ **de maladie** krankgeschrieben sein; ~ **[de] maternité** Mutterschaftsurlaub **2.** (*licenciement*) **donner son** ~ **à qn** jdn entlassen **3.** (*salutation*) **prendre** ~ **de qn/qc** sich von jdm/etw verabschieden

congédier [kɔ̃ʒedje] <1> *vt* entlassen *employé;* hinauskomplimentieren *visiteur*

congélateur [kɔ̃ʒelatœR] *m* Tiefkühltruhe *f;* **compartiment** ~ Gefrierfach *nt*

congeler [kɔ̃ʒ(ə)le] <4> **I.** *vt* **1.** PHYS zum Gefrieren bringen **2.** GASTR einfrieren; **être congelé** tiefgefroren sein **II.** *vpr* **se** ~ gefrieren

congénère [kɔ̃ʒenɛR] *mf souvent pl péj* Artgenosse *m/*-genossin *f*

congénital, e [kɔ̃ʒenital, o] <-aux> *adj* a. *fig* angeboren

congère [kɔ̃ʒɛR] *m* Schneewehe *f*

congestion [kɔ̃ʒɛstjɔ̃] *f* MED Schlaganfall *m;* ~ **cérébrale** [Ge]hirnschlag *m;* ~ **pul-**

monaire [leichte] Lungenentzündung

conglomérat [kɔ̃glɔmeRa] *m* **1.** GEOL Konglomerat *nt* **2.** ECON Mischkonzern *m*

Congo [kɔ̃gɔ] *m* **le** ~ **der** Kongo

congre [kɔ̃gR] *m* Meeraal *m*

congrégation [kɔ̃gRegasjɔ̃] *f* Kongregation *f*

congrès [kɔ̃gRɛ] *m* Kongress *m*, Tagung *f;* **le Congrès** POL der Kongress

congressiste [kɔ̃gRɛsist] *mf* Kongressteilnehmer(in) *m(f)*

conifère [kɔnifɛR] *m* Nadelbaum *m*

conique [kɔnik] *adj* kegelförmig

conjecture [kɔ̃ʒɛktyR] *f* Vermutung *f*

conjecturer [kɔ̃ʒɛktyRe] <1> *vt* vermuten

conjoint, e [kɔ̃ʒwɛ̃, wɛ̃t] *m, f form* [Ehe]gatte/-gattin *m/f*

conjointement [kɔ̃ʒwɛ̃tmɑ̃] *adv* zusammen

conjonctif, -ive [kɔ̃ʒɔ̃ktif, -iv] *adj tissu* Binde-

conjonction [kɔ̃ʒɔ̃ksjɔ̃] *f* **1.** GRAM Konjunktion *f*, Bindewort *nt;* ~ **de coordination** beiordnende Konjunktion; ~ **de subordination** unterordnende Konjunktion **2.** *sans pl* (*réunion*) Vereinigung *f*

conjonctive [kɔ̃ʒɔ̃ktiv] *f* ANAT Bindehaut *f*

conjonctivite [kɔ̃ʒɔ̃ktivit] *f* Bindehautentzündung *f*

conjoncture [kɔ̃ʒɔ̃ktyR] *f* **1.** *sans pl* (*situation*) Bedingungen *Pl*, Situation *f* **2.** *sans pl* ECON Konjunktur *f;* **basse/haute** ~ Konjunkturflaute *f*/Hochkonjunktur

conjoncturel, le [kɔ̃ʒɔ̃ktyRɛl] *adj crise, cycle* Konjunktur-

conjugaison [kɔ̃ʒygɛzɔ̃] *f* Konjugation *f*
conjugal, e [kɔ̃ʒygal, o] <-aux> *adj* ehelich; *lit, vie* Ehe-
conjuguer [kɔ̃ʒyge] <1> I. *vt* 1. GRAM konjugieren 2. (*unir*) vereinigen II. *vpr* GRAM **se** ~ konjugiert werden
conjuration [kɔ̃ʒyʀasjɔ̃] *f* Verschwörung *f*
conjurer [kɔ̃ʒyʀe] <1> *vt* 1. (*éviter*) abwenden *échec, crise* 2. (*supplier*) beschwören
connaissance [kɔnɛsɑ̃s] *f* 1. *sans pl* (*fait de connaître*) Kenntnis *f;* **il est porté à la** ~ **du public que ...** es wird hiermit öffentlich mitgeteilt, dass ...; **prendre** ~ **de qc** etw zur Kenntnis nehmen; **à ma** ~ meines Wissens nach; **pas à ma** ~ nicht dass ich wüsste; **en** ~ **de cause** in Kenntnis der Sachlage 2. *pl* (*choses apprises*) Kenntnisse *Pl,* Wissen *nt;* **avoir une bonne** ~ **des langues** gute Sprachkenntnisse haben; **approfondir ses** ~**s** sein Wissen vertiefen 3. (*personne*) Bekannte(r) *f(m)*, Bekanntschaft *f;* **faire la** ~ **de qn** die Bekanntschaft von jdm machen; **je suis enchanté de faire votre** ~ ich bin sehr erfreut *form*, Sie kennen zu lernen 4. (*lucidité*) Bewusstsein *nt;* **perdre** ~ das Bewusstsein verlieren; **sans** ~ bewusstlos
connaisseur, -euse [kɔnɛsœʀ, -øz] I. *adj* Kenner- II. *m, f* Kenner(in) *m(f);* **être très** ~ **en la matière** sich auf diesem Gebiet sehr gut auskennen
connaître [kɔnɛtʀ] <*irr*> I. *vt* 1. kennen *mot;* wissen *nom, adresse;* **on connaît les meurtriers?** weiß man, wer die Mörder sind?; **vous connaissez la nouvelle?** wissen Sie schon das Neueste?; **comme je te connais, ...** wie ich dich kenne, ...; **ça me connaît!** *fam* da kenn' ich mich aus!; **on connaît la musique** das ist immer dasselbe; ~ **qc comme le fond de sa poche** etw wie seine Westentasche kennen 2. (*comprendre*) ~ **son métier** sein Handwerk verstehen; ~ **l'allemand** Deutsch können; **ne rien** ~ **à qc** von etw nichts verstehen 3. (*rencontrer*) kennen lernen; **faire** ~ **qn à qn** jdn mit jdm bekannt machen 4. (*éprouver*) erleben; ~ **un succès fou** *personne:* einen Riesenerfolg haben; *film:* ein Riesenerfolg sein II. *vpr* 1. (*se fréquenter*) **se** ~ **depuis longtemps** sich schon lange kennen 2. (~ *ses possibilités*) **se** ~ sich kennen; **tel que je me connais** wie ich mich kenne 3. (*être spécialiste*) **s'y** ~ etwas davon verstehen; **s'y** ~ **en ordinateurs** sich [gut] mit Computern auskennen
connard [kɔnaʀ] *m fam* [Voll]idiot *m*

connasse [kɔnas] *f fam* blöde Ziege
connecter [kɔnɛkte] <1> I. *vt* anschließen an (+ *akk*); ~ **des ordinateurs en réseau** Computer vernetzen II. *vpr* **se** ~ **au réseau** sich ins Netz einloggen; **se** ~ **à Internet** sich ins Internet einloggen
connecteur [kɔnɛktœʀ] *m* INFORM Steckplatz *m*
connerie [kɔnʀi] *f* 1. *sans pl fam* (*stupidité*) Schwachsinn *m* 2. *fam* (*acte*) Quatsch *m kein Pl;* **tout ça, c'est des** ~**s!** das ist [doch/ja] alles Blödsinn *m*
connexion [kɔnɛksjɔ̃] *f* 1. (*relation*) Zusammenhang *m*, Verbindung *f* 2. (*à un circuit*) Anschluss *m;* (*entre deux appareils*) Verbindung *f* 3. INFORM Verbindung *f*
connivence [kɔnivɑ̃s] *f* heimliches Einverständnis
connotation [kɔnɔtasjɔ̃] *f* Konnotation *f*
connu, e [kɔny] I. *part passé de* **connaître** II. *adj* bekannt
conque [kɔ̃k] *f* ZOOL [See]muschel *f*
conquérant, e [kɔ̃keʀɑ̃, ɑ̃t] I. *adj esprit* eroberungslustig; *air* selbstbewusst II. *m, f* Eroberer *m*
conquérir [kɔ̃keʀiʀ] <*irr*> *vt* erobern; für sich gewinnen *personne*
conquête [kɔ̃kɛt] *f* Eroberung *f;* **partir à la** ~ **de qc** ausziehen [um] etw zu erobern
conquis, e [kɔ̃ki, iz] *part passé de* **conquérir**
consacré, e [kɔ̃sakʀe] *adj* 1. *église* geweiht 2. (*adéquat*) üblich 3. (*célèbre*) anerkannt
consacrer [kɔ̃sakʀe] <1> *vt* 1. (*donner*) widmen *vie, livre;* ~ **son argent à qc** sein Geld für etw verwenden 2. REL weihen II. *vpr* **se** ~ **à qn/qc** sich jdm/einer S. widmen
consanguin, e [kɔ̃sɑ̃gɛ̃, in] *adj mariage, union* zwischen Blutsverwandten
consciemment [kɔ̃sjamɑ̃] *adj* bewusst
conscience [kɔ̃sjɑ̃s] *f* 1. *sans pl* PSYCH Bewusstsein *nt;* **avoir/prendre** ~ **de qc** sich (*dat*) einer S. (*gen*) bewusst sein/werden; **perdre** ~ das Bewusstsein verlieren; **reprendre** ~ wieder zu sich kommen 2. *sans pl* (*connaissance*) **la** ~ **de qc** das Wissen um etw 3. *sans pl* (*sens moral*) Gewissen *nt;* (*sens du devoir*) Gewissenhaftigkeit *f;* **avoir la** ~ **en paix** ein ruhiges Gewissen haben; **qc donne bonne/mauvaise** ~ **à qn** jd hat bei etw ein gutes/schlechtes Gewissen
consciencieusement [kɔ̃sjɑ̃sjøzmɑ̃] *adv* gewissenhaft
consciencieux, -euse [kɔ̃sjɑ̃sjø, -jøz] *adj* gewissenhaft
conscient, e [kɔ̃sjɑ̃, jɑ̃t] *adj* 1. (*informé*) bewusst; **être** ~ **de qc/d'avoir fait qc**

sich (*dat*) einer S. (*gen*) bewusst sein/sich (*dat*) [der Tatsache] bewusst sein etw gemacht zu haben **2.** (*lucide*) bei Bewusstsein

conscrit [kɔ̃skʀi] *m* Wehrpflichtige(r) *m*

consécration [kɔ̃sekʀasjɔ̃] *f sans pl des efforts* Anerkennung *f; d'une carrière* Krönung *f*

consécutif, -ive [kɔ̃sekytif, -iv] *adj* **1.** (*à la file*) aufeinander folgend; **être** ~ **à qc** die Folge von etw sein **2.** (*résultant de*) ~ **à qc** durch eine S. hervorgerufen

conseil [kɔ̃sɛj] *m* **1.** (*recommandation*) Rat[schlag *m*] *m;* **donner des** ~**s à qn** jdm Ratschläge erteilen; **demander** ~ **à qn** jdn um Rat fragen; **faire qc sur le** ~ **de qn** etw auf jds Rat hin tun **2.** (*personne*) Berater(in) *m(f)* **3.** (*assemblée: privée*) Vorstand *m;* (*publique*) Verwaltungsrat *m;* **Conseil exécutif** CH Regierungsrat (CH); **Conseil fédéral** CH Bundesrat (CH); ~ **général** oberstes Exekutivorgan eines Departements; ~ **municipal** Gemeinderat; ~ **régional** Regionalrat; **Conseil national** CH Nationalrat (CH); ~ **de l'Europe** Europarat; ~ **de classe** Schulkonferenz *f;* ~ **des jeunes** Rat der Jugendlichen; ~ **de discipline** Disziplinarausschuss *m;* SCOL Schulvorstand; **passer en** ~ **de guerre** vor das Kriegsgericht gestellt werden; **Conseil de l'Union européenne**, ~ **européen** Europäischer Rat; **Conseil de sécurité** Sicherheitsrat; **Conseil des ministres** Ministerrat; **Conseil d'État** ≈ Bundesverwaltungsgericht *nt*

conseiller [kɔ̃seje] <1> I. *vt* **1.** (*recommander*) ~ **un vin** jdm einen Wein empfehlen; ~ **la prudence à qn** jdm zur Vorsicht raten **2.** (*inciter*) ~ **à qn de faire qc** jdm gebieten etw zu tun **3.** (*guider*) ~ **qn dans qc** jdn bei etw beraten II. *vt impers* il **est conseillé à qn de faire qc** es empfiehlt sich für jdn etw zu tun

conseiller, -ère [kɔ̃seje, -ɛʀ] *m, f* **1.** (*qui donne des conseils*) Ratgeber(in) *m(f)* **2.** *m* (*expert*) ~ **en entreprise** Unternehmensberater(in) *m(f)* **3.** *m* ADMIN, POL Rat/Rätin *m/f;* ~ **municipal** Gemeinderat; ~ **fédéral** CH Bundesrat (CH) **4.** SCOL ~ **d'orientation** Berufsberater *m* [für Schüler]

consensuel, le [kɔ̃sɑ̃syɛl] *adj* **en accord** ~ in gegenseitigem Einvernehmen

consensus [kɔ̃sɛ̃sys] *m* Konsens *m;* **recueillir un large** ~ breite Zustimmung finden

consentant, e [kɔ̃sɑ̃tɑ̃, ɑ̃t] *adj* **être** ~ einverstanden sein

consentement [kɔ̃sɑ̃tmɑ̃] *m* Zustimmung *f*

consentir [kɔ̃sɑ̃tiʀ] <10> I. *vi* (*accepter*) ~ **à qc** einer S. (*dat*) zustimmen; ~ **à faire qc/à ce que** + *subj* damit einverstanden sein etw zu tun/, dass II. *vt* (*accorder*) gewähren

conséquence [kɔ̃sekɑ̃s] *f* Folge *f;* **avoir qc pour** [*o* **comme**] ~ etw zur Folge haben; **tirer les** ~**s de qc** die Konsequenzen aus etw ziehen; **sans** ~ ohne Folgen; **accident sans** ~ harmloser Unfall; **en** ~ (*donc*) infolgedessen; (*conformément à cela*) [dem]entsprechend; **en** ~ **de qc** infolge einer S. (*gen*)

conséquent, e [kɔ̃sekɑ̃, ɑ̃t] *adj* **1.** (*cohérent*) konsequent; **par** ~ folglich **2.** *fam* (*considérable*) beachtlich

conservateur [kɔ̃sɛʀvatœʀ] *m* Konservierungsstoff *m*

conservateur, -trice [kɔ̃sɛʀvatœʀ, -tʀis] I. *adj* **1.** POL konservativ **2.** GASTR **agent** ~ Konservierungsstoff *m* II. *m, f* **1.** *d'un musée* Verwalter(in) *m(f)* **2.** POL Konservative(r) *f(m)*

conservation [kɔ̃sɛʀvasjɔ̃] *f d'un aliment* Konservieren *nt; d'un monument* Instandhaltung *f; d'un aliment* Aufbewahrung *f; des archives* Pflege *f*

conservatisme [kɔ̃sɛʀvatism] *m* Konservatismus *m*

conservatoire [kɔ̃sɛʀvatwaʀ] *m* MUS Konservatorium *nt;* THEAT Schauspielschule *f*

conserve [kɔ̃sɛʀv] *f* Konserve *f;* **des petits pois en** ~ Erbsen aus der Dose; **mettre qc en** ~ (*industriellement*) etw zu Konserven verarbeiten; (*à la maison*) etw einmachen

conservé, e [kɔ̃sɛʀve] *adj fam* erhalten

conserver [kɔ̃sɛʀve] <1> I. *vt* **1.** (*garder*) aufbewahren *papiers, aliments;* instand halten *monument* **2.** GASTR konservieren **3.** (*ne pas perdre*) behalten; pflegen *tradition;* beibehalten *habitude;* nicht aufgeben *espoir;* ~ **son calme** Ruhe bewahren II. *vi fam* **qc/ça conserve** etw/das hält jung III. *vpr* ~ *aliment:* sich halten

considérable [kɔ̃sideʀabl] *adj* beachtlich; **un travail** ~ viel Arbeit

considérablement [kɔ̃sideʀabləmɑ̃] *adv* beachtlich

considération [kɔ̃sideʀasjɔ̃] *f* **1.** *pl* (*raisonnement*) Überlegungen *Pl,* Erwägungen *Pl* **2.** (*estime*) Ansehen *nt* **3.** (*attention*) **digne de** ~ beachtenswert; **en** ~ **de qc** in Anbetracht einer S. (*gen*); **prendre qn/qc en** ~ jdn/etw berücksichtigen

considérer [kɔ̃sideʀe] <5> I. *vt* **1.** (*étudier*) nachdenken über (+ *akk*), überdenken; bedenken *détail;* **tout bien considéré** nach reiflicher Erwägung; **considérant que ...** wenn man bedenkt, dass ... **2.** (*es-*

timer) **être considéré** geschätzt werden **3.** (*contempler*) [eingehend] betrachten **4.** (*penser*) ~ **que ...** finden, dass ... **5.** (*tenir pour*) ~ **qn comme un traître** jdn als einen Verräter betrachten **II.** *vpr* (*se tenir pour*) **se** ~ **comme le responsable** sich für den Verantwortlichen halten

consignation [kɔ̃siɲasjɔ̃] *f de marchandises, d'argent* Hinterlegung *f*

consigne [kɔ̃siɲ] *f* **1.** *sans pl* TRANSP Gepäckaufbewahrung *f;* ~ **automatique** Schließfach *nt* **2.** *sans pl* COM Pfand *nt* **3.** (*instructions*) Anweisungen *Pl,* Vorschriften *Pl*

consigné, e [kɔ̃siɲe] *adj bouteille* Pfand-; *emballage* Mehrweg-

consigner [kɔ̃siɲe] <1> *vt* **1.** (*mettre à la consigne*) zur Aufbewahrung geben *bagages* **2.** (*facturer*) **qc est consigné** auf etw (*akk*) wird Pfand erhoben **3.** (*enregistrer*) notieren

consistance [kɔ̃sistɑ̃s] *f* Beschaffenheit *f,* Konsistenz *f;* **prendre** ~ *pâte:* fest[er] werden; *liquide:* dick[er] werden; **nouvelle sans** ~ *fig* Nachricht ohne Grundlage *f*

consistant, e [kɔ̃sistɑ̃, ɑ̃t] *adj* **1.** (*épais*) dickflüssig **2.** *fam* (*substantiel*) gehaltvoll **3.** (*fondé*) nicht unbegründet; *argument* stichhaltig

consister [kɔ̃siste] <1> *vi* **1.** (*se composer de*) ~ **en qc** aus etw bestehen **2.** (*être*) ~ **en qc** in etw (*dat*) bestehen; ~ **à faire qc** darin bestehen etw zu tun

consœur [kɔ̃sœʀ] *f* Kollegin *f; v. a.* **confrère**

consolant, e [kɔ̃sɔlɑ̃, ɑ̃t] *adj* tröstlich

consolation [kɔ̃sɔlasjɔ̃] *f* Trost *m*

console [kɔ̃sɔl] *f* **1.** (*meuble*) Konsole *f* **2.** TECH Konsole *f;* ~ **de mixage** Mischpult *nt*

consoler [kɔ̃sɔle] <1> *vt, vpr* [sich] trösten

consolider [kɔ̃sɔlide] <1> **I.** *vt* **1.** (*rendre solide*) sichern; befestigen *mur;* verstärken *table* **2.** *fig* festigen *position* **3.** FIN konsolidieren **II.** *vpr* **se** ~ **1.** *position:* gefestigt werden **2.** MED zusammenwachsen

consommable [kɔ̃sɔmabl] *adj* essbar

consommateur, -trice [kɔ̃sɔmatœʀ, -tʀis] *m, f* **1.** (*acheteur*) Verbraucher(in) *m(f)* **2.** (*client*) Gast *m*

consommation [kɔ̃sɔmasjɔ̃] *f* **1.** *sans pl* ~ **de qc** Verbrauch *m* an etw (*dat*); ECON Konsum *m* an etw (*dat*); **impropre à la** ~ nicht zum Verzehr geeignet **2.** (*boisson*) Getränk *nt*

consommé [kɔ̃sɔme] *m* [Kraft]brühe *f*

consommer [kɔ̃sɔme] <1> **I.** *vi* **1.** (*boire*) etwas zu sich (*dat*) nehmen **2.** (*acheter*) konsumieren **II.** *vt* **1.** GASTR zu sich (*dat*)

nehmen **2.** (*user*) verbrauchen **III.** *vpr* **qc se consomme chaud** etw wird warm gegessen; *boisson:* etw wird warm getrunken; **à** ~ **avant le ...** mindestens haltbar bis ...

consonance [kɔ̃sɔnɑ̃s] *f* MUS Konsonanz *f*

consonne [kɔ̃sɔn] *f* Konsonant *m*

consortium [kɔ̃sɔʀsjɔm] *m* Konsortium *nt*

conspirateur, -trice [kɔ̃spiʀatœʀ, -tʀis] *m, f* Verschwörer(in) *m(f)*

conspiration [kɔ̃spiʀasjɔ̃] *f* Verschwörung *f*

conspirer [kɔ̃spiʀe] <1> *vi* konspirieren

conspuer [kɔ̃spɥe] <1> *vt* ausbuhen *personne*

constamment [kɔ̃stamɑ̃] *adv* **1.** (*sans discontinuer*) ununterbrochen **2.** (*très fréquemment*) ständig

constance [kɔ̃stɑ̃s] *f* Beständigkeit *f*

Constance [kɔ̃stɑ̃s] Konstanz *nt;* **le lac de** ~ der Bodensee

constant, e [kɔ̃stɑ̃, ɑ̃t] *adj* **1.** (*invariable*) konstant **2.** (*continuel*) ständig

constante [kɔ̃stɑ̃t] *f* MATH Konstante *f*

constat [kɔ̃sta] *m* Protokoll *nt;* ~ **à l'amiable** Unfallaufnahme *f* (*ohne die Polizei hinzuzuziehen*)

constatation [kɔ̃statasjɔ̃] *f* Feststellung *f;* **arriver à la** ~ **que ...** zum Ergebnis kommen, dass ...

constater [kɔ̃state] <1> *vt* feststellen

constellation [kɔ̃stelasjɔ̃] *f* ASTRON Sternbild *nt*

constellé, e [kɔ̃stele] *adj* ~ **de taches** voller Flecken

consternant, e [kɔ̃stɛʀnɑ̃, ɑ̃t] *adj* erschütternd

consternation [kɔ̃stɛʀnasjɔ̃] *f* Betroffenheit *f,* Bestürzung *f*

consterné, e [kɔ̃stɛʀne] *adj* bestürzt

consterner [kɔ̃stɛʀne] <1> *vt* betroffen machen

constipation [kɔ̃stipasjɔ̃] *f* Verstopfung *f*

constipé, e [kɔ̃stipe] *adj* **1.** MED verstopft **2.** *fam* verklemmt

constituant, e [kɔ̃stitɥɑ̃, ɑ̃t] *adj* **1.** POL verfassunggebend **2.** (*constitutif*) **les éléments** ~**s de qc** die Bestandteile einer S. (*gen*)

constitué, e [kɔ̃stitɥe] *adj* **1.** (*composé*) **être** ~ **de qc** aus etw bestehen **2.** (*conformé*) **bien** ~ gut entwickelt

constituer [kɔ̃stitɥe] <1> **I.** *vt* **1.** (*composer*) bilden **2.** (*former*) bilden *gouvernement;* anlegen *dossier;* gründen *société* **3.** (*représenter*) darstellen **II.** *vpr* **1.** (*s'instituer*) **se** ~ **témoin** als Zeuge auftreten **2.** (*accumuler*) **se** ~ zusammensparen

(*fam*)

constitutif, -ive [kɔ̃stitytif, -iv] *adj* **les éléments ~s de qc** die Bestandteile einer S. (*gen*)

constitution [kɔ̃stitysjɔ̃] *f* **1.** POL Verfassung *f;* **la Constitution** die Frz. Verfassung **2.** *sans pl d'un groupe* Bildung *f; d'une bibliothèque* Einrichtung *f; d'un dossier* Anlage *f* **3.** *sans pl* (*composition*) Zusammensetzung *f*

constitutionnel, le [kɔ̃stitysjɔnɛl] *adj* verfassungskonform

constructeur [kɔ̃stʀyktœʀ] *m* **1.** (*ingénieur*) Konstrukteur(in) *m(f);* (*firme*) Hersteller *m* **2.** (*bâtisseur*) Baumeister(in) *m(f)*

constructif, -ive [kɔ̃stʀyktif, -iv] *adj* konstruktiv

construction [kɔ̃stʀyksjɔ̃] *f* **1.** *sans pl* (*action*) Bau *m;* (*secteur*) Bauwesen *nt;* **être en ~** im Bau sein; **la ~ de l'Europe** *fig* der Aufbau Europas **2.** (*édifice*) Bauwerk *nt,* Konstruktion *f* **3.** IND **~ mécanique** Maschinenbau *m*

construire [kɔ̃stʀɥiʀ] <*irr*> **I.** *vt* **1.** (*bâtir*) bauen **2.** (*fabriquer*) herstellen **3.** (*élaborer*) aufstellen **II.** *vpr* LING **se ~ avec le datif** den Dativ verlangen; **ce verbe se construit avec l'indicatif** nach diesem Verb steht der Indikativ

consul [kɔ̃syl] *m* Konsul(in) *m(f)*

consulat [kɔ̃syla] *m* Konsulat *nt*

consultant, e [kɔ̃syltɑ̃, ɑ̃t] **I.** *adj* beratend **II.** *m, f* Berater(in) *m(f)*

consultatif, -ive [kɔ̃syltatif, -iv] *adj* beratend

consultation [kɔ̃syltasjɔ̃] *f* **1.** *sans pl d'un ouvrage* Nachschlagen *nt* in (+ *dat*); *d'un agenda, d'un horaire* Nachsehen *nt* in (+ *dat*) **2.** (*séance*) Beratung *f;* (*médicale*) Sprechstunde *f* **3.** POL **~ de l'opinion** Meinungsumfrage *f* **4.** CH (*prise de position*) Stellungnahme *f,* Vernehmlassung *f* (CH)

consulter [kɔ̃sylte] <1> **I.** *vi* Sprechstunde haben **II.** *vt* **1.** (*demander avis*) zu Rate ziehen; aufsuchen *médecin* **2.** (*regarder*) sehen auf (+ *akk*) *montre;* nachschlagen in (+ *dat*) *ouvrage;* nachsehen in (+ *dat*) *agenda* **3.** POL **~ l'opinion** eine Meinungsumfrage durchführen **III.** *vpr* **se ~** sich beraten

consumer [kɔ̃syme] <1> **I.** *vt* (*brûler*) verbrennen **II.** *vpr* **se ~** verbrennen; *cigarette:* herunterbrennen

contact [kɔ̃takt] *m* **1.** *sans pl* (*toucher*) Kontakt *m,* Berührung *f;* **au ~ de l'air** an der Luft; **des choses entrent/sont en ~** Dinge kommen/stehen [miteinander] in Berührung **2.** (*rapport*) Kontakt *m; au ~ de qn* im Umgang *m* mit jdm; **entrer en**

[*o* **prendre**] **~ avec qn/qc** mit jdm/etw Kontakt aufnehmen; **rester en ~ avec qn/qc** mit jdm/etw in Verbindung *f* bleiben **3.** ELEC, AUT Kontakt *m;* **faux** [*o* **mauvais**] **~** Wackelkontakt; **couper/mettre le ~** den Motor abstellen/anlassen

contacter [kɔ̃takte] <1> *vt* **~ qn/qc** sich mit jdm/etw in Verbindung setzen

contagieux, -euse [kɔ̃taʒjø, -jøz] *adj* ansteckend

contagion [kɔ̃taʒjɔ̃] *f* Ansteckung *f*

container [kɔ̃tɛnɛʀ] *m* Behälter *m*

contamination [kɔ̃taminasjɔ̃] *f d'une personne* Ansteckung *f*

contaminer [kɔ̃tamine] <1> *vt personne:* anstecken; *virus:* infizieren; verseuchen *milieu*

conte [kɔ̃t] *m* Märchen *nt;* **~ des 1001 nuits** Märchen aus 1001 Nacht

contemplatif, -ive [kɔ̃tɑ̃platif, -iv] *adj* kontemplativ

contemplation [kɔ̃tɑ̃plasjɔ̃] *f sans pl* Betrachtung *f;* **être/rester en ~ devant qc** betrachtend vor etw (*dat*) stehen/verweilen

contempler [kɔ̃tɑ̃ple] <1> *vt, vpr* [sich] betrachten

contemporain, e [kɔ̃tɑ̃pɔʀɛ̃, ɛn] **I.** *adj* **1.** (*de la même époque*) **être ~ de qn** ein Zeitgenosse/eine Zeitgenossin von jdm sein; **être ~ de qc** zur gleichen Zeit wie etw entstanden sein **2.** *art* zeitgenössisch; *histoire* der Gegenwart; *français* heutig **II.** *m, f* Zeitgenosse/-genossin *m/f*

contenance [kɔ̃tnɑ̃s] *f* **1.** *d'un récipient* Inhalt *m; d'un réservoir* Fassungsvermögen *nt* **2.** (*attitude*) Haltung *f*

contenant [kɔ̃t(ə)nɑ̃] *m* Behältnis *nt*

conteneur [kɔ̃t(ə)nœʀ] *m* Container *m*

contenir [kɔ̃t(ə)niʀ] <9> **I.** *vt* **1.** (*renfermer*) enthalten **2.** (*maîtriser*) unterdrücken *rire;* in Schach halten *foule* **II.** *vpr* **~ sich beherrschen

content, e [kɔ̃tɑ̃, ɑ̃t] *adj* **1.** (*heureux*) **~ de qc** erfreut über etw (*akk*); **très ~** glücklich; **être ~ pour qn** sich für jdn freuen; **être ~ de faire qc/que** + *subj* sich freuen etw zu tun/, dass **2.** (*satisfait*) **~ de qn/qc** zufrieden mit jdm/etw; **être ~ de soi** selbstgefällig sein

contentement [kɔ̃tɑ̃tmɑ̃] *m sans pl* Zufriedenheit *f*

contenter [kɔ̃tɑ̃te] <1> **I.** *vt* zufrieden stellen *personne;* befriedigen *besoin;* **on ne peut pas toujours ~ tout le monde!** man kann es nicht immer allen recht machen! **II.** *vpr* **se ~ de qc** sich mit etw zufrieden geben

contentieux [kɔ̃tɑ̃sjø] *m* JUR Streitsache *f*

contenu [kɔ̃t(ə)ny] *m* Inhalt *m*

contenu, e [kɔ̃t(ə)ny] *adj* unterdrückt

conter [kɔ̃te] <1> *vt* **ne pas s'en laisser ~** sich (*akk*) nichts vormachen lassen

contestable [kɔ̃tɛstabl] *adj* zweifelhaft; *argument* fraglich

contestataire [kɔ̃tɛstatɛʀ] **I.** *adj* oppositionell; *mouvement* Protest- **II.** *mf* Systemgegner(in) *m(f)*

contestation [kɔ̃tɛstasjɔ̃] *f* Einwand *m;* **faire de la ~** protestieren

conteste [kɔ̃tɛst] *adv* **sans ~** zweifelsohne

contester [kɔ̃tɛste] <1> **I.** *vi* widersprechen **II.** *vt* (*discuter*) anzweifeln; **ne pas ~ que** + *subj* nicht bestreiten, dass; **être contesté** umstritten sein

conteur, -euse [kɔ̃tœʀ, tøz] *m, f* Märchendichter(in) *m(f)*

contexte [kɔ̃tɛkst] *m* **1.** LING Kontext *m,* Zusammenhang *m* **2.** (*situation*) Kontext *m,* Rahmen *m;* **le ~ familial** der familiäre Hintergrund; **dans le ~ actuel** in der augenblicklichen Lage

contigu, ë [kɔ̃tigy] *adj* *territoires* aneinander stoßend

continence [kɔ̃tinɑ̃s] *f* Enthaltsamkeit *f*

continent [kɔ̃tinɑ̃] *m* **1.** GEOG Kontinent *m* **2.** (*opp: île*) Festland *nt*

continental, e [kɔ̃tinɑ̃tal, o] <-aux> *adj* Kontinental-

contingences [kɔ̃tɛ̃ʒɑ̃s] *fpl* Belanglosigkeiten *Pl*

contingent [kɔ̃tɛ̃ʒɑ̃] *m* **1.** MIL [Truppen]kontingent *nt* **2.** (*part*) *a.* COM [An]teil *m*

contingenter [kɔ̃tɛ̃ʒɑ̃te] <1> *vt* kontingentieren

continu [kɔ̃tiny] *m* *sans pl* **en ~** ohne Pause *f*

continu, e [kɔ̃tiny] *adj* *ligne* durchgehend; *effort, bruit* kontinuierlich

continuation [kɔ̃tinɥasjɔ̃] *f* Weiterführung *f;* **bonne ~!** weiterhin viel Erfolg!

continuel, le [kɔ̃tinɥɛl] *adj* (*fréquent*) ständig; (*ininterrompu*) ununterbrochen; **faire des efforts ~s pour arriver à qc** sich ständig darum bemühen etw zu erreichen

continuellement [kɔ̃tinɥɛlmɑ̃] *adv* (*fréquemment*) ständig; (*sans s'arrêter*) ununterbrochen

continuer [kɔ̃tinɥe] <1> **I.** *vi* **1.** (*se poursuivre*) weitergehen; *bruit, pluie:* anhalten; **tout a continué comme avant** alles lief weiter wie bisher **2.** (*poursuivre*) weitermachen; (*à pied*) weitergehen; (*en voiture*) weiterfahren; **~ à lire** weiterlesen **3.** (*persister*) **~ à croire que …** [*o* **de**] nach wie vor glauben, dass …; **si tu conti-**

nues, je vais me fâcher! wenn du so weitermachst, werde ich böse!; **~ à faire qc** [*o* **de**] fortfahren etw zu tun **II.** *vt* **1.** (*poursuivre*) fortsetzen; weiterführen *politique;* fortfahren mit *exposé* **2.** (*prolonger*) verlängern

continuité [kɔ̃tinɥite] *f* Kontinuität *f*

contorsionner [kɔ̃tɔʀsjɔne] <1> *vpr* **se ~** sich verrenken

contour [kɔ̃tuʀ] *m* Umrisse *Pl,* Konturen *Pl; d'un dessin* Linien *Pl*

contourner [kɔ̃tuʀne] <1> *vt* **1.** (*faire le tour*) **~ qc** *route:* um etw herumführen; *personne:* um etw herumgehen; (*en véhicule*) um etw herumfahren **2.** (*éluder*) umgehen

contraceptif [kɔ̃tʀasɛptif] *m* Verhütungsmittel *nt*

contraceptif, -ive [kɔ̃tʀasɛptif, -iv] *adj* empfängnisverhütend; **pilule contraceptive** [Antibaby]pille *f*

contraception [kɔ̃tʀasɛpsjɔ̃] *f* [Empfängnis]verhütung *f*

contracté, e [kɔ̃tʀakte] *adj* **1.** (*tendu*) angespannt **2.** LING zusammengezogen

contracter [kɔ̃tʀakte] <1> **I.** *vt* ANAT anspannen; **le froid contracte qc** bei Kälte zieht sich etw zusammen **II.** *vpr* **se ~** sich zusammenziehen; *visage:* sich verzerren

contraction [kɔ̃tʀaksjɔ̃] *f* **1.** (*action*) Zusammenziehen *nt;* (*exagérée*) Verkrampfen *nt* **2.** (*état*) Anspannung *f*

contractuel, le [kɔ̃tʀaktɥɛl] *m, f* (*agent*) Hilfspolizist/Politesse *m/f*

contradiction [kɔ̃tʀadiksjɔ̃] *f* *sans pl* Widerspruch *m;* **être en ~ avec qn** nicht jds Meinung sein; **être en ~ avec qc** im Widerspruch zu etw stehen

contradictoire [kɔ̃tʀadiktwaʀ] *adj* (*incompatible*) widersprüchlich; *influences* gegensätzlich

contraignant, e [kɔ̃tʀɛɲɑ̃, ɑ̃t] *adj* zwingend; *horaire* streng [festgelegt]

contraindre [kɔ̃tʀɛ̃dʀ] <*irr*> **I.** *vt* **~ qn à qc** jdn zu etw zwingen **II.** *vpr* **se ~ à qc** sich zu etw zwingen

contraint, e [kɔ̃tʀɛ̃, ɛ̃t] *adj* gezwungen

contrainte [kɔ̃tʀɛ̃t] *f* Zwang *m;* **~ sociale** soziale Verpflichtung; **être soumis à des ~s** unter Zwang stehen; **sous la ~** unter Zwang

contraire [kɔ̃tʀɛʀ] **I.** *adj* **1.** (*opposé*) entgegengesetzt; *preuve* Gegen-; **avoir des opinions ~s** gegensätzlicher Meinung sein **2.** (*incompatible*) **~ à l'usage** gegen die Gewohnheit; **~ aux intérêts** unvereinbar mit den Interessen; **~ à la loi** gesetzeswidrig **3.** (*défavorable*) ungünstig **II.** *m* Gegenteil *nt;* **bien** [*o* **tout**] **au ~** ganz im

Gegenteil

contrairement [kɔ̃tʀɛʀmɑ̃] *adv* ~ à qn/ qc im Gegensatz zu jdm/entgegen etw; ~ à ce que je croyais entgegen dem, was ich glaubte

contralto [kɔ̃tʀalto] *m* Kontraalt *m*

contrariant, e [kɔ̃tʀaʀjɑ̃, jɑ̃t] *adj* **1.** (*opp: docile*) widerspenstig **2.** (*fâcheux*) ärgerlich

contrarier [kɔ̃tʀaʀje] <1> *vt* **1.** (*fâcher*) ärgern; **être contrarié par qn** wegen jdm verärgert sein **2.** (*gêner*) durchkreuzen *projets*

contrariété [kɔ̃tʀaʀjete] *f sans pl* Verärgerung *f*

contraste [kɔ̃tʀast] *m* **1.** Gegensatz *m*, Kontrast *m*; **par** ~ im Gegensatz dazu **2.** TV Kontrast *m*

contraster [kɔ̃tʀaste] <1> *vi* ~ **avec qc** im Gegensatz zu etw stehen

contrat [kɔ̃tʀa] *m* Vertrag *m*; ~ **à durée déterminée/indéterminée** befristeter/ unbefristeter Vertrag; **passer/conclure un** ~ **avec qn** mit jdm einen Vertrag [ab]schließen; ~ **de location** Mietvertrag; ~ **de travail** Arbeitsvertrag

contravention [kɔ̃tʀavɑ̃sjɔ̃] *f* **1.** (*infraction*) ~ **à qc** Verstoß *m* gegen etw; **être en** ~ einen Verstoß begehen **2.** (*procès-verbal*) Strafmandat *nt* **3.** (*amende*) Geldstrafe *f*

contre [kɔ̃tʀ] **I.** *prép* **1.** (*proximité, contact: avec mouvement*) an (+ *akk*); (*sans mouvement*) an (+ *dat*); **venir tout** ~ **qn** sich [eng] an jdn schmiegen; **serrés les uns** ~ **les autres** dicht aneinander gedrängt; **danser joue** ~ **joue** Wange an Wange tanzen **2.** (*opposition*) gegen; **avoir quelque chose** ~ **qn/qc** etwas gegen jdn/etw haben; **être furieux** ~ **qn** auf jdn wütend sein; ~ **toute attente** wider Erwarten **3.** (*échange*) gegen; **échanger un sac** ~ **une montre** eine Tasche gegen eine Uhr [ein]tauschen **4.** (*proportion*) zu (+ *dat*), gegen; **ils se battaient à dix** ~ **un** sie waren zehn gegen einen; **le projet de loi a été adopté à 32 voix** ~ **24** der Gesetzentwurf wurde mit 32 zu 24 Stimmen angenommen **II.** *adv* (*opposition*) dagegen; **je n'ai rien** ~ ich habe nichts dagegen; **par** ~ dagegen **III.** *m* SPORT Konter *m*

contre-allée [kɔ̃tʀale] *f* Seitenallee *f* **contre-attaque** [kɔ̃tʀatak] *f* Gegenangriff *m*

contrebalancer [kɔ̃tʀəbalɑ̃se] <2> **I.** *vt* **1.** (*équilibrer*) aufwiegen **2.** (*compenser*) ausgleichen **II.** *vpr* **s'en** ~ *fam* sich darüber lustig machen

contrebande [kɔ̃tʀəbɑ̃d] *f* **1.** (*activité*) Schmuggel *m*; **faire de la** ~ schmuggeln

2. (*marchandise*) Schmuggelware *f*

contrebandier, -ière [kɔ̃tʀəbɑ̃dje, -jɛʀ] *m, f* Schmuggler(in) *m(f)*

contrebas [kɔ̃tʀəba] *adv* **en** ~ **de qc** unterhalb einer S. (*gen*)

contrebasse [kɔ̃tʀəbas] *f* Kontrabass *m*

contrecarrer [kɔ̃tʀəkaʀe] <1> *vt* vereiteln

contrecœur [kɔ̃tʀəkœʀ] *adv* **à** ~ widerwillig

contrecoup [kɔ̃tʀəku] *m* Folge *f*; **par** ~ als Folge davon

contre-courant [kɔ̃tʀəkuʀɑ̃] <contre-courants> *m* Gegenströmung *f*; **à** ~ gegen den Strom

contredanse [kɔ̃tʀədɑ̃s] *f fam* **1.** (*procès-verbal*) Strafzettel *m* **2.** (*amende*) Geldstrafe *f*

contredire [kɔ̃tʀədiʀ] <*irr*> **I.** *vt* ~ **qn/qc** jdm/einer S. widersprechen **II.** *vpr* **se** ~ sich (*dat*) widersprechen

contredit [kɔ̃tʀədi] *adv* **sans** ~ zweifelsohne

contre-espionnage [kɔ̃tʀɛspjɔnaʒ] *m sans pl* [Spionage]abwehr *f* **contre-exemple** [kɔ̃tʀɛgzɑ̃pl] *m* Gegenbeispiel *nt*

contre-expertise [kɔ̃tʀɛkspɛʀtiz] *f* Gegengutachten *nt*

contrefaçon [kɔ̃tʀəfasɔ̃] *f* **1.** (*action*) Fälschen *nt* **2.** (*chose*) Fälschung *f*

contrefaire [kɔ̃tʀəfɛʀ] <*irr*> *vt* **1.** (*imiter*) fälschen **2.** (*déguiser*) verstellen

contrefait, e [kɔ̃tʀəfɛ, ɛt] *adj* (*imité*) gefälscht

contreficher [kɔ̃tʀəfiʃe] <1> *vpr fam* **se** ~ **de qc** auf etw (*akk*) pfeifen

contre-filet [kɔ̃tʀəfilɛ] *m* Lende *f*

contrefort [kɔ̃tʀəfɔʀ] *m* **1.** ARCHIT Strebepfeiler *m* **2.** GEOG Ausläufer *Pl*; **les** ~**s des Alpes** die Voralpen

contre-indication [kɔ̃tʀɛ̃dikasjɔ̃] *f* Gegenanzeige *f* **contre-indiqué, e** [kɔ̃tʀɛ̃dike] *adj* **1.** MED **être** ~ nicht geeignet sein **2.** (*déconseillé*) nicht ratsam **contre-interrogatoire** [kɔ̃tʀɛ̃tɛʀɔgatwaʀ] *m* Kreuzverhör *nt* **contre-jour** [kɔ̃tʀəʒuʀ] *m* (*éclairage*) Gegenlicht *nt*; **à** ~ gegen das Licht

contremaître, -esse [kɔ̃tʀəmɛtʀ, -ɛs] *m, f* Vorarbeiter(in) *m(f)*

contre-manifestation [kɔ̃tʀəmanifɛstasjɔ̃] *f* Gegendemonstration *f*

contremarque [kɔ̃tʀəmaʀk] *f* THEAT Karte *f* für den Wiedereintritt

contre-offensive [kɔ̃tʀɔfɑ̃siv] *f* Gegenangriff *m*

contrepartie [kɔ̃tʀəpaʀti] *f* (*compensation*) Gegenleistung *f*; (*dédommagement*) ~ **financière** Entschädigung *f*; **en** ~ als

Gegenleistung/Entschädigung; (*par contre*) andererseits

contrepèterie [kɔ̃tʀəpɛtʀi] *f* [zotiger] Schüttelreim *m*

contre-pied [kɔ̃tʀəpje] *m sans pl* **1.** (*contraire*) [genaues] Gegenteil **2.** SPORT **prendre qn à** ~ jdn durch Täuschungsmanöver verwirren **contre-plaqué** [kɔ̃tʀəplake] *m sans pl* Sperrholz *nt* **contre-plongée** [kɔ̃tʀəplɔ̃ʒe] *f* Aufnahme *f* von unten

contrepoids [kɔ̃tʀəpwa] *m* Gegengewicht *nt*

contrepoison [kɔ̃tʀəpwazɔ̃] *m* Gegengift *nt*

contre-productif , -ive [kɔ̃tʀəpʀɔdyktif, -iv] *adj* kontraproduktiv **contre-publicité** [kɔ̃tʀəpyblisite] *f* Werbekampagne *f* als Gegenangriff

contrer [kɔ̃tʀe] <1> **I.** *vi* JEUX Kontra sagen **II.** *vt* ~ **qn/qc** jdm Kontra geben/etw durchkreuzen; SPORT jdn/etw kontern

contre-révolution [kɔ̃tʀəʀevɔlysjɔ̃] *f* Gegenrevolution *f*

contresens [kɔ̃tʀəsɑ̃s] *m* Fehlinterpretation *f*; (*dans une traduction*) Übersetzungsfehler *m*

contresigner [kɔ̃tʀəsiɲe] <1> *vt* gegenzeichnen

contretemps [kɔ̃tʀətɑ̃] *m* **j'ai eu un** ~ mir ist etwas dazwischengekommen; **à** ~ ungelegen; MUS nicht im Takt

contrevenant, e [kɔ̃tʀəv(ə)nɑ̃, ɑ̃t] *m, f* Zuwiderhandelnde(r) *f(m)*

contrevenir [kɔ̃tʀəv(ə)niʀ] <9> *vi* ~ **à qc** gegen etw verstoßen

contrevent [kɔ̃tʀəvɑ̃] *m* (*volet*) [Fenster]laden *m*

contre-vérité [kɔ̃tʀəveʀite] *f* Unwahrheit *f*

contribuable [kɔ̃tʀibɥabl] *mf* Steuerzahler(in) *m(f)*

contribuer [kɔ̃tʀibɥe] <1> *vi* ~ **à qc** zu etw beitragen

contribution [kɔ̃tʀibysjɔ̃] *f* **1.** (*participation*) ~ **à qc** Beitrag *m* zu etw; **mettre qn à** ~ **pour qc** jds Dienste bei etw in Anspruch nehmen **2.** *pl* (*impôts*) Steuern *Pl* **3.** *pl* (*service*) Steuerbehörde *f*

contrit, e [kɔ̃tʀi] *adj* reuevoll

contrôle [kɔ̃tʀol] *m* **1.** *des passeports* Kontrolle *f; de la caisse* Prüfung *f;* (*douane*) Zoll *m;* **passer un** ~ durch eine Kontrolle durchkommen; ~ **d'identité** Ausweiskontrolle; ~ **technique** ≈ TÜV; ~ **antidopage** Dopingkontrolle *f* **2.** *sans pl* (*surveillance*) Aufsicht *f*, Überwachung *f*; **exercer un** ~ **sur qc** etw überwachen **3.** SCOL Arbeit *f*, Test *m;* ~ **de géographie** Erdkundetest; ~ **continu** UNIV kontinuierliche Leistungs-

kontrolle **4.** (*maîtrise*) **garder/perdre le** ~ **de qc** die Kontrolle über etw (*akk*) behalten/verlieren

contrôler [kɔ̃tʀole] <1> **I.** *vt* **1.** (*vérifier*) kontrollieren; überprüfen *liste, affirmation;* prüfen *comptes* **2.** (*surveiller*) beaufsichtigen *opération;* überwachen *prix* **3.** (*maîtriser*) unter Kontrolle haben; bestimmen *jeu;* ~ **le ballon** im Ballbesitz sein; ~ **la situation** Herr der Lage sein **II.** *vpr* **se** ~ sich beherrschen

contrôleur, -euse [kɔ̃tʀolœʀ, -øz] *m, f* **1.** TRANSP Kontrolleur(in) *m(f)* **2.** FIN Prüfer(in) *m(f)*

contrordre [kɔ̃tʀɔʀdʀ] *m* Gegenbefehl *m*

controverse [kɔ̃tʀɔvɛʀs] *f* Kontroverse *f*

controversé, e [kɔ̃tʀɔvɛʀse] *adj* umstritten

contumace [kɔ̃tymas] *adv* **par** ~ in Abwesenheit

contusion [kɔ̃tyzjɔ̃] *f* Prellung *f*, Quetschung *f*

convaincant, e [kɔ̃vɛ̃kɑ̃, ɑ̃t] *adj* überzeugend

convaincre [kɔ̃vɛ̃kʀ] <*irr*> **I.** *vt* **1.** (*persuader*) überzeugen; ~ **qn de qc** jdn von etw überzeugen **2.** (*prouver la culpabilité*) ~ **qn de trahison/crime** jdn des Verrats/Verbrechens überführen **II.** *vpr* **se** ~ **de qc** sich von etw überzeugen

convaincu, e [kɔ̃vɛ̃ky] **I.** *part passé de* **convaincre II.** *adj* ~ **de qc** überzeugt von etw

convalescence [kɔ̃valesɑ̃s] *f* Genesung *f*

convalescent, e [kɔ̃valesɑ̃, ɑ̃t] **I.** *m, f* Genesende(r) *f(m)* **II.** *adj* auf dem Wege der Besserung

convenable [kɔ̃vnabl] *adj* **1.** (*adéquat*) passend; *distance* angemessen **2.** (*correct*) korrekt; **il n'est pas** ~ **de faire qc** es gehört sich nicht etw zu tun **3.** *salaire* angemessen; *vin* ordentlich

convenablement [kɔ̃vnabləmɑ̃] *adv* **1.** *habillé* passend; *être équipé* entsprechend **2.** *se tenir, s'exprimer, s'habiller* korrekt **3.** (*de manière acceptable*) ordentlich

convenance [kɔ̃vnɑ̃s] *f* **1.** *pl* (*bon usage*) Anstand *m;* **respecter les** ~**s** die Form wahren **2.** (*agrément*) **qn trouve qc à sa** ~ etw ist ganz nach jds Wunsch *m*

convenir[1] [kɔ̃vniʀ] <9> **I.** *vi* **1.** (*aller*) ~ **à qn** jdm passen; *climat, nourriture:* jdm bekommen **2.** (*être approprié*) ~ **à qc** zu etw passen; **c'est tout à fait l'homme qui convient** er ist genau der richtige Mann; **trouver les mots qui conviennent** die passenden Worte finden **II.** *vi impers* **il convient de faire qc** es ist angebracht etw zu tun; **comme il convient** wie es

sich gehört

convenir² [kɔ̃vniʀ] <9> I. *vi* **1.** (*s'entendre*) ~ **de qc** sich auf etw (*akk*) einigen **2.** (*reconnaître*) ~ **de qc** etw zugeben II. *vt impers* **il est convenu que** + *subj* es ist abgemacht, dass; **comme convenu** wie vereinbart III. *vt* (*reconnaître*) ~ **que …** zugeben, dass …

convention [kɔ̃vɑ̃sjɔ̃] *f* **1.** (*accord*) Abkommen *nt* **2.** (*règle*) Konvention *f*; **de** ~ konventionell; **sourire de** ~ Lächeln *nt* aus Höflichkeit; **par** ~ in der Regel

conventionné, e [kɔ̃vɑ̃sjɔne] *adj établissement* Vertrags-; *médecin* Kassen-

conventionnel, le [kɔ̃vɑ̃sjɔnɛl] *adj* konventionell

convenu, e [kɔ̃vny] I. *part passé de* **convenir** II. *adj* vereinbart; **c'était une chose** ~**e!** es war eine abgemachte Sache!

convergence [kɔ̃vɛʀʒɑ̃s] *f* **1.** *des lignes* Zusammenlaufen *nt*; *des intérêts* Übereinstimmung *f* **2.** (*UE*) Konvergenz *f*

convergent, e [kɔ̃vɛʀʒɑ̃, ʒɑ̃t] *adj lignes, routes* zusammenlaufend; *points de vue, intérêts* übereinstimmend

converger [kɔ̃vɛʀʒe] <2a> *vi intérêts:* übereinstimmen; *efforts:* sich auf das gleiche Ziel richten; **les regards convergent sur/vers qn/qc** die Blicke richten sich auf jdn/etw

conversation [kɔ̃vɛʀsasjɔ̃] *f* **1.** Unterhaltung *f*, Gespräch *nt*; ~ **téléphonique** Telefongespräch; **être en grande** ~ **avec qn** ein langes Gespräch mit jdm führen; **faire la** ~ **à qn** mit jdm plaudern; **détourner la** [*o* **changer de**] ~ vom Thema ablenken **2.** (*manière de discuter*) **avoir de la** ~ *fam* unterhaltsam sein

conversion [kɔ̃vɛʀsjɔ̃] *f* **1.** REL Übertritt *m*, Konvertieren *nt* **2.** FIN Umtausch *m* **3.** PHYS, MATH ~ **de qc en qc** Umwandlung *f* von etw in etw (*akk*)

converti, e [kɔ̃vɛʀti] I. *adj* bekehrt II. *m, f* Konvertit(in) *m(f)* ▸ **prêcher un** ~ offene Türen einrennen

convertible [kɔ̃vɛʀtibl] *adj* ~ **en qc** konvertierbar in etw (*akk*)

convertir [kɔ̃vɛʀtiʀ] <8> I. *vt* **1.** (*amener*) ~ **qn à une religion** jdn zu einer Religion bekehren **2.** (*transformer*) ~ **des marks en euros/une tonne en kilogrammes** Mark in Euro/eine Tonne in Kilogramm umrechnen **3.** INFORM konvertieren II. *vpr* (*adopter*) **se** ~ konvertieren; **se** ~ **au catholicisme** zum katholischen Glauben übertreten

convexe [kɔ̃vɛks] *adj* konvex

conviction [kɔ̃viksjɔ̃] *f* **1.** (*opinion*) Überzeugung *f*; **les** ~**s politiques de qn** jds politische Einstellung **2.** (*certitude*) **il manque de** ~ ihm fehlt es an Überzeugungskraft *f*; **avec/sans** ~ überzeugend/nicht überzeugend; **avoir la** ~ **de qc** von etw überzeugt sein

convier [kɔ̃vje] <1> *vt soutenu* **1.** (*inviter*) ~ **qn à un repas** jdn zu einem Essen laden (*geh*) **2.** (*inciter*) ~ **qn à donner son avis** jdn um seine Meinung bitten

convive [kɔ̃viv] *mf gén pl* Gast *m*

convivial, e [kɔ̃vivjal, jo] <-aux> *adj* **1.** gesellig **2.** INFORM benutzerfreundlich

convocation [kɔ̃vɔkasjɔ̃] *f* **1.** (*action*) Einberufung *f*; *d'une personne* Einladung *f* **2.** JUR Vorladung *f*; **se rendre à une** ~ einer Vorladung Folge leisten **3.** SCOL [schriftliche] Aufforderung [zu erscheinen] **4.** MIL Einberufung *f*, Einberufungsbefehl *m*

convoi [kɔ̃vwa] *m* **1.** (*véhicules*) Konvoi *m*; ~ **militaire** Militärkolonne *f* **2.** (*personnes*) Transport *m*; *de nomades* Karawane *f* **3.** CHEMDFER Zug *m*; ~ **de marchandises** Güterzug **4.** (*cortège funèbre*) Leichenzug *m*

convoiter [kɔ̃vwate] <1> *vt* begehren

convoitise [kɔ̃vwatiz] *f* Begierde *f*

convoquer [kɔ̃vɔke] <1> *vt* **1.** bestellen; einberufen *assemblée*; **être convoqué pour l'examen** zur Prüfung antreten müssen **2.** MIL einberufen **3.** JUR vorladen

convoyer [kɔ̃vwaje] <6> *vt* den Transport bewachen; ~ **des tableaux/de l'or** den Transport von Bildern/Gold bewachen

convoyeur [kɔ̃vwajœʀ] *m* TECH Förderer *m*

convulser [kɔ̃vylse] <1> *vt* verzerren *visage, traits*

convulsif, -ive [kɔ̃vylsif, -iv] *adj* krampfhaft; *toux* krampfartig

convulsion [kɔ̃vylsjɔ̃] *f gén pl* **1.** (*crise*) ~**s sociales** soziale Wirren *Pl* **2.** MED Zuckung *f*

cool [kul] *adj inv fam* cool; **super** ~ total cool; **c'est** ~**!** das sieht cool aus!

coolie [kuli] *m* Kuli *m*

coopérant, e [kɔɔpeʀɑ̃, ɑ̃t] I. *m, f* Entwicklungshelfer(in) *m(f)*; MIL Wehrdienstpflichtiger, der seinen Ersatzdienst als Entwicklungshelfer leistet II. *adj* (*coopératif*) kooperativ

coopératif, -ive [kɔ(ɔ)peʀatif, -iv] *adj* **1.** (*qui coopère*) kooperativ **2.** ECON genossenschaftlich

coopération [kɔɔpeʀasjɔ̃] *f* **1.** (*collaboration*) ~ **de qn à un projet** jds Mitarbeit *f* bei einem Projekt; **apporter sa** ~ **à un projet** bei einem Projekt mitwirken **2.** POL Kooperation *f*, Zusammenarbeit *f* **3.** *sans pl* MIL Ersatzdienst als Entwicklungshelfer;

la ~ die [staatliche] Entwicklungshilfe

coopérative [kɔ(ɔ)peʀativ] *f* **1.** (*groupement*) Genossenschaft *f* **2.** (*local*) Genossenschaftszentrale *f*

coopérer [kɔɔpeʀe] <5> *vi* (*collaborer*) zusammenarbeiten; ~ **à qc** bei etw mitwirken

coopter [kɔɔpte] <1> *vt* [selbst] hinzuwählen

coordinateur, -trice [kɔɔʀdinatœʀ, -tʀis] *m, f v.* **coordonnateur**

coordination [kɔɔʀdinasjɔ̃] *f* **1.** *sans pl* (*action*) Koordination *f* **2.** *sans pl* GRAM Beiordnung *f*

coordonnateur, -trice [kɔɔʀdɔnatœʀ, -tʀis] **I.** *adj* koordinierend; *bureau* Koordinations- **II.** *m, f* Koordinator(in) *m(f)*; **être ~ de qc** etw koordinieren

coordonné, e [kɔɔʀdɔne] **I.** *adj* **1.** (*opp: désordonné*) koordiniert **2.** (*assorti*) aufeinander abgestimmt **II.** *mpl* Ensembles *Pl*

coordonnées [kɔɔʀdɔne] *f* **1.** *pl fam* (*renseignements*) **les ~ de qn** jds Adresse *f* und Telefonnummer *f*; **laissez-moi vos ~** sagen Sie mir, wie [und wo] ich Sie erreichen kann **2.** GEOM Koordinate *f*

coordonner [kɔɔʀdɔne] <1> *vt* (*harmoniser*) koordinieren

copain, copine [kɔpɛ̃, kɔpin] *m, f fam* Freund(in) *m(f)*, Kamerad(in) *m(f)*; **de vieux ~s** alte Kumpel *Pl*; **avec sa bande de ~s** mit seiner/ihrer Clique; **être très ~/copine avec qn** mit jdm eng befreundet sein; **petit ~/petite copine** [fester] Freund/[feste] Freundin

copeau [kɔpo] <x> *m* Span *m*

Copenhague [kɔpɛnag] Kopenhagen *nt*

copie [kɔpi] *f* **1.** (*double*) Kopie *f*; ~ **certifiée conforme** beglaubigte Kopie; INFORM ~ **de sécurité** [*o* **de sauvegarde**] Sicherheitskopie **2.** (*produit*) Imitation *f* **3.** (*feuille double*) Doppelbogen *m* **4.** (*devoir*) Arbeit *f*; **rendre sa ~/[une] ~ blanche** seine Arbeit/ein leeres Blatt abgeben **5.** PRESSE Manuskript *nt*

copier [kɔpje] <1> **I.** *vt* **1.** (*transcrire*) ~ **qc dans un livre** etw aus einem Buch abschreiben; **tu me copieras cent fois: ...** du schreibst [mir] hundert Mal: ... **2.** (*photocopier*) [foto]kopieren **3.** (*imiter*) nachmachen **4.** (*plagier*) kopieren **II.** *vi* SCOL ~ **sur qn** bei jdm abschreiben

copieur [kɔpjœʀ] *m* (*appareil*) Kopierer *m*

copieur, -euse [kɔpjœʀ, -jøz] *m, f* SCOL Abschreiber(in) *m(f)*

copieusement [kɔpjøzmɑ̃] *adv* reichlich

copieux, -euse [kɔpjø, -jøz] *adj* reichlich

copilote [kopilɔt] *mf* **1.** AVIAT Kopilot(in) *m(f)* **2.** AUT Beifahrer(in) *m(f)*

copinage [kɔpinaʒ] *m péj fam* Vetternwirtschaft *f*

copine [kɔpin] *f v.* **copain**

coprocesseur [kɔpʀɔsesœʀ] *m* Koprozessor *m*

coproduction [kɔpʀɔdyksjɔ̃] *f* Koproduktion *f*

copropriétaire [kɔpʀɔpʀijetɛʀ] *mf* (*d'un bien indivis/divis*) Miteigentümer(in) *m(f)*/Teileigentümer(in) *m(f)*

copropriété [kɔpʀɔpʀijete] *f* Gemeinschaftseigentum *nt*/Teileigentum *nt*

copuler [kɔpyle] <1> *vi animal:* kopulieren; *personne:* Geschlechtsverkehr haben

copyright [kɔpiʀajt] *m inv* Copyright *nt*, Urheberrecht *nt*

coq [kɔk] *m* **1.** ZOOL, GASTR Hahn *m*; ~ **au vin** Coq au vin *m* (*Hähnchen in Rotweinsauce*) **2.** SPORT **poids ~** Bantamgewicht[ler *m*] *nt* ▶**passer** [*o* **sauter**] **du ~ à l'âne** von einem Thema zum anderen springen

coq-à-l'âne [kɔkalɑn] *m inv* Gedankensprung *m*

coquard, coquart [kɔkaʀ] *m fam* Veilchen *nt*

coque [kɔk] *f* **1.** TECH *d'un navire* Rumpf *m*; *d'une voiture* [selbsttragende] Karosserie **2.** ZOOL Herzmuschel *f*

coquelet [kɔklɛ] *m* Hähnchen *nt*

coquelicot [kɔkliko] *m* [Klatsch]mohn *m* ▶**être rouge comme un** ~ rot wie eine Tomate sein

coqueluche [kɔklyʃ] *f* MED Keuchhusten *m*

coquet, te [kɔkɛ, ɛt] *adj* **1.** (*élégant*) **être ~** eitel sein **2.** (*charmant*) nett **3.** *fam* (*important*) stolz

coquetier [kɔktje] *m* Eierbecher *m*

coquetterie [kɔkɛtʀi] *f* **1.** *d'une personne* Eitelkeit *f*; *d'une toilette* Schick *m* **2.** (*désir de plaire*) Koketterie *f*

coquillage [kɔkijaʒ] *m* Muschel *f*

coquille [kɔkij] *f* **1.** ZOOL Gehäuse *nt*; *de l'escargot* [Schnecken]haus *nt*; *des mollusques* Schale *f*; *d'un œuf* [Eier]schale; ~ **Saint-Jacques** [Jakobs]pilgermuschel *f*; GASTR Jakobsmuschel **2.** TYP Druckfehler *m* **3.** (*récipient*) Schälchen *nt* (*das Gefäß kann muschelförmig oder die Schale einer Jakobsmuschel sein*) **4.** ART Muschelornament *nt*

coquillettes [kɔkijɛt] *fpl* Hörnchen *Pl*

coquin, e [kɔkɛ̃, in] **I.** *adj* **1.** (*espiègle*) schelmisch **2.** (*grivois*) anzüglich **II.** *m, f* Frechdachs *m*, Schelm *m*

cor¹ [kɔʀ] *m* MUS Horn *nt* ▶**réclamer qn/ qc à ~ et à cri** lauthals nach jdm schreien/ etw lauthals fordern

cor² [kɔʀ] *m* MED Hühnerauge *nt*

corail¹ [kɔʀaj, kɔʀo] <coraux> **I.** *m*

1. GASTR Rogen *m* **2.** (*polype*) Koralle *f* **II.**
app inv korallenrot
corail® [2] [kɔʀaj] *adj inv* CHEMDFER Groß-
raum-; **train** ~ ≈ Intercity *m*
Coran [kɔʀɑ̃] *m* **le** ~ der Koran
coranique [kɔʀanik] *adj* koranisch; *loi a.*
des Koran; *école* Koran-
corbeau [kɔʀbo] <x> *m* **1.** ORN Rabe *m*
2. *fam* (*dénonciateur*) anonymer Brief-
schreiber/anonyme Briefschreiberin *m/f*
corbeille [kɔʀbɛj] *f* (*panier*) Korb *m;* ~ **à**
papier/pain Papier-/Brotkorb; ~ **de**
fruits Korb [mit] Obst
corbillard [kɔʀbijaʀ] *m* Leichenwagen *m*
cordage [kɔʀdaʒ] *m* **1.** (*corde*) Tau *nt*
2. NAUT Takelage *f* **3.** SPORT Bespannung *f*
corde [kɔʀd] *f* **1.** (*lien, câble*) Strick *m;*
d'un alpiniste, équilibriste, d'une balançoire
Seil *nt; d'un bateau* Leine *f;* ~ **à linge** Wäscheleine; ~ **à sauter** Springseil **2.** MUS Saite *f; pl* Streichinstrumente *Pl* **3.** SPORT *d'une*
raquette Saite *f; d'un arc, d'une arbalète* Sehne *f;* ~ **lisse** [Kletter]seil *nt;* **grimper** [*o*
monter] **à la** ~ am Seil hochklettern
4. *sans pl* (*bord de piste*) innere Bahnbe-
grenzung; SPORT Innenbahn *f* **5.** ANAT ~**s**
vocales Stimmbänder *Pl* ▶**avoir plus**
d'une ~ [*o* **plusieurs** ~**s**] **à son arc** mehrere Eisen im Feuer haben; **il pleut** [*o* **tom-**
be] **des** ~**s** es regnet Bindfäden (*fam*)
cordée [kɔʀde] *f* Seilschaft *f*
cordial, e [kɔʀdjal, jo] <-aux> *adj* herzlich
cordialement [kɔʀdjalmɑ̃] *adv* herzlich
cordialité [kɔʀdjalite] *f sans pl* Herzlichkeit *f,* Warmherzigkeit *f*
cordillère [kɔʀdijɛʀ] *f* Gebirgskette *f;* ~
des Andes Andenkordilleren *Pl*
cordon [kɔʀdɔ̃] *m* **1.** (*petite corde*)
Schnur *f; d'un tablier* Band *nt* **2.** (*décora-*
tion) [Ordens]band *nt,* Kordon *m* **3.** GEOG ~
littoral Küstenstreifen *m* **4.** ANAT ~ **ombili-**
cal Nabelschnur *f*
cordon-bleu [kɔʀdɔ̃blø] <cordons-
bleus> *m fam* fabelhafter Koch/fabelhafte
Köchin *m/f*
cordonnier, -ière [kɔʀdɔnje, -jɛʀ] *m, f*
Schuster(in) *m(f)*
Corée [kɔʀe] *f* **la** ~ Korea *nt;* **la** ~ **du**
Nord/du Sud Nord-/Südkorea
coréen [kɔʀeɛ̃] *m* Koreanisch *nt; v. a.* **alle-**
mand
coréen, ne [kɔʀeɛ̃, ɛn] *adj* koreanisch
Coréen, ne [kɔʀeɛ̃, ɛn] *m, f* Koreaner(in)
m(f)
coriace [kɔʀjas] *adj* zäh; *personne* unerbittlich
coriandre [kɔʀjɑ̃dʀ] *f* Koriander *m*
cormoran [kɔʀmɔʀɑ̃] *m* Kormoran *m*

corne [kɔʀn] *f* **1.** ZOOL Horn *nt;* **les** ~**s** *d'un*
cerf das Geweih; *d'un escargot* die Hörner
2. (*pli*) Eselsohr *nt* **3.** *sans pl* (*callosité*)
Hornhaut *f* ▶**avoir des** ~**s** *fam* [von seinem Partner] betrogen werden
cornée [kɔʀne] *f* ANAT Hornhaut *f* [des Au-
ges]
corneille [kɔʀnɛj] *f* Krähe *f*
cornélien, ne [kɔʀneljɛ̃, jɛn] *adj* **1.** *situa-*
tion qualvoll; *personnage* wie bei Corneille
2. LITTER **la tragédie** ~**ne** die Corneillesche
Tragödie
cornemuse [kɔʀnəmyz] *f* MUS Dudelsack
m
corner[1] [kɔʀne] <1> *vt* ~ **une page** die
Ecke einer Seite umknicken; **être tout**
corné lauter Eselsohren haben
corner[2] [kɔʀnɛʀ] *m* SPORT Eckball *m*
cornet [kɔʀnɛ] *m* GASTR [Papier]tüte *f; d'une*
glace Waffeltüte; **un** ~ **de glace** eine Tüte
Eis
corniaud [kɔʀnjo] **I.** *adj fam* doof **II.** *m*
1. (*chien*) Promenadenmischung *f* **2.** *fam*
(*imbécile*) Kamel *nt*
corniche [kɔʀniʃ] *f* **1.** ARCHIT Sims *nt o m*
2. (*escarpement*) [Fels]vorsprung *m*
3. (*route*) Straße an einer Steilküste, einem Steilhang
cornichon [kɔʀniʃɔ̃] *m* **1.** GASTR Gürkchen
nt **2.** *fam* (*personne*) Blödmann *m*
cornu, e [kɔʀny] *adj* gehörnt, mit Hörnern
cornue [kɔʀny] *f* (*récipient*) Retorte *f*
corollaire [kɔʀɔlɛʀ] *m* [logische] Folge,
Konsequenz *f*
corolle [kɔʀɔl] *f* Blütenkrone *f*
coron [kɔʀɔ̃] *m* Bergarbeitersiedlung *f*
coronaire [kɔʀɔnɛʀ] *adj* ANAT Herzkranz-
corporatif, -ive [kɔʀpɔʀatif, -iv] *adj* kor-
porativ
corporation [kɔʀpɔʀasjɔ̃] *f* **1.** (*associa-*
tion) Körperschaft *f; de notaires* Berufsverband *m; d'artisans* Innung *f* **2.** HIST *d'arti-*
sans Zunft *f; de commerçants* Gilde *f*
corporel, le [kɔʀpɔʀɛl] *adj* **1.** (*physique*)
körperlich; **expression** ~**le** Gymnastik *f;*
soins ~**s** Körperpflege *f* **2.** JUR materiell;
biens ~**s** Sachgüter *Pl*
corps [kɔʀ] *m* **1.** ANAT Körper *m;* **trembler**
de tout son ~ am ganzen Körper zittern;
~ **et âme** mit Leib und Seele; **à corps**
Nahkampf *m* **2.** (*tronc*) Rumpf *m; jus-*
qu'au milieu du ~ bis zur Taille **3.** (*cada-*
vre) Leiche *f* **4.** (*défunt*) Leichnam *m*
5. CHIM Substanz *f;* ~ **simple/composé**
[chemisches] Element/[chemische] Verbindung **6.** (*groupe*) Körperschaft *f;* ~ **diplo-**
matique diplomatisches Korps; **réunion**
du ~ **enseignant** Lehrerkonferenz *f;* ~
médical Ärzteschaft *f;* ~ **de métier** Be-

rufsverband *m; des artisans* Innung *f* **7.** MIL
~ **d'armée** Armeekorps *nt;* **chef de** ~ Re-
giments-/Bataillonskommandeur *m*
8. (*partie essentielle*) Hauptteil *m; d'un bâtiment* Haupttrakt *m; d'un violon* Klangkör-
per *m* **9.** ASTRON ~ **céleste** Himmelskörper
m ►**avoir** du ~ *vin:* körperreich sein;
prendre ~ Gestalt annehmen
corpulence [kɔʀpylãs] *f* Beleibtheit *f;* **de**
~ **moyenne** von mittlerer Statur; **être de**
forte ~ korpulent sein
corpulent, e [kɔʀpylã, ãt] *adj* korpulent
corpus [kɔʀpys] *m* Korpus *nt*
correct, e [kɔʀɛkt] *adj* **1.** (*exact*) korrekt;
c'est ~ CAN (*ça va*) [das] ist/geht in Ordnung **2.** (*convenable*) korrekt; **être** ~ **avec**
qn jdn korrekt behandeln **3.** *fam* (*acceptable*) annehmbar
correctement [kɔʀɛktəmã] *adv* richtig; *se*
conduire, s'habiller korrekt; **gagner** ~ **sa**
vie recht ordentlich verdienen
correcteur [kɔʀɛktœʀ] *m* Regler *m;* ~ **li-**
quide Korrekturflüssigkeit *f;* ~ **orthogra-**
phique Rechtschreibprüfung *f*
correcteur, -trice [kɔʀɛktœʀ, -tʀis] I. *adj*
ruban Korrektur-; *mesure* korrigierend II.
m, f SCOL, TYP Korrektor(in) *m(f)*
correctif [kɔʀɛktif] *m* Korrektiv *nt;* ~ **à qc**
Korrektiv für etw
correction [kɔʀɛksjõ] *f* **1.** (*action*) Korrektur *f*/Verbesserung *f;* **faire la** ~ **de qc** etw
korrigieren/verbessern **2.** (*châtiment*)
Schläge *Pl;* **recevoir une bonne** ~ eine
ordentliche Tracht Prügel *Pl* bekommen
3. (*justesse*) Korrektheit *f,* Richtigkeit *f*
4. (*bienséance*) Korrektheit *f;* **avec** ~ korrekt; **être d'une parfaite** ~ sich vollkommen korrekt verhalten
correctionnel, le [kɔʀɛksjɔnɛl] *adj* Straf-;
tribunal ~ Strafkammer *f*
correctionnelle [kɔʀɛksjɔnɛl] *f fam* **pas-**
ser en ~ sich vor der Strafkammer verantworten müssen
corrélation [kɔʀelasjõ] *f* [direkter] Zusammenhang
corres [kɔʀɛs] *mf fam abr de* **correspon-**
dant(e)
correspondance [kɔʀɛspõdãs] *f*
1. (*échange de lettres*) Briefwechsel *m*
2. COM Schriftverkehr *m* **3.** TRANSP Anschluss *m;* **nous avons un** ~ **à Stuttgart**
wir steigen in Stuttgart um
correspondancier, -ière [kɔʀɛspõdãsje,
-jɛʀ] *m, f* Korrespondent(in) *m(f)*
correspondant, e [kɔʀɛspõdã, ãt] I. *adj*
entsprechend II. *m, f* **1.** (*contact*) Brief-
partner(in) *m(f); d'un jeune* Brieffreund(in)
m(f) **2.** (*au téléphone*) Gesprächspartner
m **3.** COM [Geschäfts]partner *m* **4.** MEDIA

Korrespondent(in) *m(f);* ~ **de guerre**
Kriegsberichterstatter(in) *m(f)*
correspondre [kɔʀɛspõdʀ] <14> I. *vi*
1. (*être en contact*) ~ **avec qn** mit jdm im
Briefwechsel stehen; ~ **par fax/courrier**
électronique per Fax/E-Mail korrespondieren **2.** TRANSP ~ **avec qc** Anschluss an
etw (*akk*) haben **3.** (*aller avec*) ~ **à qc** zu
etw gehören; **ci-joint un chèque corres-**
pondant à la facture anbei ein Scheck
über den Rechnungsbetrag **4.** (*s'accorder*
avec) **sa version des faits ne corres-**
pond pas à la réalité seine Darstellung
entspricht nicht der Wahrheit **5.** (*être typi-*
que) ~ **à qn** zu jdm passen **6.** (*être l'équi-*
valent de) **ce mot correspond exacte-**
ment au terme anglais dieses Wort entspricht genau dem englischen Begriff II.
vpr **se** ~ sich entsprechen
corrida [kɔʀida] *f* Stierkampf *m*
corridor [kɔʀidɔʀ] *m* Korridor *m,* Gang *m*
corrigé [kɔʀiʒe] *m* SCOL Lösung *f*
corriger [kɔʀiʒe] <2a> I. *vt* **1.** (*relever les*
fautes) korrigieren **2.** (*supprimer les fau-*
tes) verbessern **3.** (*rectifier*) korrigieren;
revidieren *théorie, prévisions;* abstellen
mauvaise habitude; ~ **à la hausse/à la**
baisse nach oben/nach unten korrigieren
4. (*punir*) schlagen; **se faire** ~ **par qn** von
jdm Schläge beziehen II. *vpr* (*devenir rai-*
sonnable) **se** ~ sich bessern
corroborer [kɔʀɔbɔʀe] <1> *vt* erhärten
corroder [kɔʀɔde] <1> *vt* (*oxyder*) angreifen
corrompre [kɔʀõpʀ] <*irr*> *vt* (*acheter*)
bestechen
corrompu, e [kɔʀõpy] I. *part passé de*
corrompre II. *adj* **1.** (*malhonnête*) korrupt **2.** (*perverti*) verdorben
corrosif, -ive [kɔʀozif, -iv] *adj* **1.** (*causti-*
que) ätzend **2.** (*acerbe*) bissig
corrosion [kɔʀozjõ] *f* Korrosion *f*
corruptible [kɔʀyptibl] *adj* korrupt
corruption [kɔʀypsjõ] *f* **1.** (*délit*) Korruption *f,* Bestechung *f* **2.** *sans pl* (*dégrada-*
tion) Korruption *f; des mœurs* Verfall *m*
3. (*résultat*) Korruptheit *f*
corsage [kɔʀsaʒ] *m* Bluse *f; d'une robe*
Oberteil *nt*
corsaire [kɔʀsɛʀ] *m* **1.** (*marin*) Korsar *m,*
Freibeuter *m* **2.** (*navire*) Kaperschiff *nt*
3. (*pantalon*) Caprihose *f*
corse [kɔʀs] I. *adj* korsisch II. *m* Korsisch
nt; v. a. **allemand**
Corse [kɔʀs] I. *f* **la** ~ Korsika *nt* II. *mf* Kor-
se/Korsin *m/f*
corsé, e [kɔʀse] *adj* **1.** (*épicé*) scharf [ge-
würzt]; *vin* vollmundig; *café* aromatisch
2. (*scabreux*) schlüpfrig **3.** (*excessif*) gesal-

zen **4.** (*compliqué*) knifflig

corser [kɔʀsε] <1> **I.** *vt* würzen *mets;* komplizieren *situation;* spannender machen *récit* **II.** *vpr* **se ~** spannend werden

corset [kɔʀsε] *m* Mieder *nt,* Korsett *nt*

corso [kɔʀso] *m* Korso *m*

cortège [kɔʀtεʒ] *m* Zug *m; REL* Prozession *f;* **~ nuptial** Hochzeitszug; **~ funèbre** Trauerzug

cortex [kɔʀtεks] *m ANAT* Rinde *f;* **~ cérébral** Großhirn *nt*

cortisone [kɔʀtizɔn] *f* Kortison *nt*

corvée [kɔʀve] *f* **1.** (*obligation pénible*) lästige Pflicht; **être de ~ de qc** mit etw dran sein; **quelle ~!** wie lästig! **2.** MIL Arbeitsdienst *m* **3.** HIST Fron[arbeit *f*] *f* **4.** CH (*travail non payé, fait de plein gré*) Fronarbeit *f* (CH)

cosaque [kɔzak] *m* Kosak *m*

cosignataire [kosiɲatεʀ] *adj* mitunterzeichnend; **les personnes ~s** die Mitunterzeichner

cosinus [kɔsinys] *m* MATH Kosinus *m*

cosmétique [kɔsmetik] *adj* kosmetisch; **les soins ~s** die Schönheitspflege

cosmique [kɔsmik] *adj* kosmisch; *fusée* [Welt]raum-

cosmonaute [kɔsmɔnot] *mf* Kosmonaut(in) *m(f)*

cosmopolite [kɔsmɔpɔlit] *adj* kosmopolitisch

cosmos [kɔsmos] *m* Kosmos *m*

cosse [kɔs] *f* BOT Hülse *f*

cossu, e [kɔsy] *adj* wohlhabend

costaud [kɔsto] *m* **c'est du ~!** *fam* das ist was Solides!

costaud, e [kɔsto, od] *adj fam* **1.** (*fort*) kräftig **2.** (*solide*) robust

costume [kɔstym] *m* **1.** (*complet*) [Herren]anzug *m;* **~ sur mesure** Maßanzug **2.** *d'époque, de théâtre* Kostüm *nt; d'un pays* Tracht *f*

costumer [kɔstyme] <1> *vpr* **se ~ en clown** sich als Clown verkleiden

costumier, -ière [kɔstymje, -jεʀ] *m, f* **1.** (*loueur*) Kostümverleiher(in) *m(f)* **2.** (*fabricant*) Kostümschneider(in) *m(f)* **3.** THEAT, CINE Gewandmeister(in) *m(f)*

cotation [kɔtasjɔ̃] *f* FIN [Börsen]notierung *f*

cote [kɔt] *f* **1.** FIN [Kurs]notierung *f* **2.** (*popularité*) Beliebtheit *f;* **avoir la ~ avec** [*o* **auprès de**] **qn** *fam* bei jdm hoch im Kurs stehen **3.** SPORT *d'un cheval* Gewinnquote *f*

côte [kot] *f* **1.** (*littoral*) Küste *f;* **la ~ atlantique** die Atlantikküste **2.** (*pente qui monte*) Steigung *f;* **démarrer en ~** am Berg anfahren **3.** (*pente qui descend*) [Ab]hang *m* **4.** (*vigne*) **les ~s du Rhône** die Weinberge des Rhônetals **5.** ANAT Rippe *f* **6.** GASTR Kote-

lett *nt;* **~ de bœuf** T-Bone-Steak *nt* ▶ **~ à ~** Seite *f* an Seite

coté, e [kote] *adj* beliebt

côté [kote] **I.** *m* **1.** (*partie latérale*) Seite *f;* **des deux ~s de qc** auf beiden/beide Seiten einer S. (*gen*); **sauter de l'autre ~ du ruisseau** über den Bach springen; **du ~ de ...** im Bereich von ... **2.** (*aspect*) Seite *f;* **le ~ pratique** die praktische Seite; **par certains ~s** in mancher Hinsicht **3.** (*direction*) Seite *f,* Richtung *f; suivi d'un subst sans art* -seite; **~ cour** zum Hof hin; **de quel ~ allez-vous?** in welche Richtung gehen Sie?; **du ~ de la mer** vom Meer her/ in Richtung Meer; **du ~ opposé** aus der entgegengesetzten/in die entgegengesetzte Richtung **4.** (*parti*) Seite *f; du ~ de qn* auf jds Seite (*akk o dat*); **mettre qn de son ~** jdn auf seine Seite bringen; **aux ~s de qn** an jds Seite (*dat*); **de mon ~** ich meinerseits; **du ~ paternel** [*o* **du père**] väterlicherseits ▶ **d'un ~ ..., de l'autre** [~] [~] *o* **d'un autre** ~] einerseits ..., andererseits; **de ce ~** *fam* in dieser Hinsicht; **mettre de l'argent de ~** Geld auf die Seite legen; **laisser qn/qc de ~** jdn links liegen/etw beiseite lassen **II.** *adv* **1.** (*à proximité*) **à ~** *chambre* nebenan; *clé* daneben **2.** (*en comparaison*) **à ~** daneben **3.** (*en plus*) **à ~** nebenher **4.** (*voisin*) **les gens [d'] à ~** Leute von nebenan; **nos voisins [d'] à ~** unsere direkten Nachbarn; **la maison d'à ~** das Nachbarhaus ▶ **passer à ~ de qc** etw verfehlen **III.** *prép* **1.** (*à proximité de*) **à ~ de qn/qc** neben jdm/jdn/etw; **à ~ de Paris** bei Paris; **juste** [*o* **tout**] **à ~ de qc** direkt neben etw (*akk o dat*) **2.** (*en comparaison de*) **à ~ de qn/qc** gemessen an jdm/etw **3.** (*hors de*) **à ~ de qc** neben etw (*akk o dat*); **répondre à ~ de la question** mit seiner Antwort daneben liegen; (*intentionnellement*) der Frage ausweichen; **être à ~ du sujet** das Thema verfehlen

coteau [kɔto] <x> *m* **1.** (*versant*) Hang *m* **2.** (*vignoble*) Weinberg *m*

Côte d'Azur [kotdazyʀ] *f* **la ~** die Côte d'Azur

Côte d'Ivoire [kotdivwaʀ] *f* **la ~** die Elfenbeinküste

côtelé, e [kot(ə)le] *adj* gerippt

côtelette [kotlεt] *f* GASTR Kotelett *nt*

coter [kɔte] <1> *vt* **1.** FIN [an der Börse] notieren **2.** (*apprécier*) **être coté** einen [festen] Schätzwert haben; **la voiture est cotée à l'Argus** das Auto steht auf der Zeitwerttabelle **3.** SPORT **être coté à 5 contre 1** [mit einer Gewinnquote von] 5 zu 1 gewettet werden

côtier, -ière [kotje, -jεʀ] *adj* Küsten-

cotillons [kɔtijɔ̃] *mpl* Partyartikel *Pl* (*Konfetti, Papierschlangen, -hütchen etc*)

cotisant, e [kɔtizɑ̃, ɑ̃t] *m, f* Beitragszahler(in) *m(f); d'un club* [zahlendes] Mitglied

cotisation [kɔtizazjɔ̃] *f* Beitrag *m; ~* **ouvrière/patronale** Arbeitnehmer-/Arbeitgeberanteil *m* [an der Sozialversicherung]

cotiser [kɔtize] <1> I. *vi ~* **à qc** [seine] Beiträge zu etw entrichten II. *vpr* se ~ **pour faire qc** zusammenlegen um etw zu tun

coton [kɔtɔ̃] *m* 1. Baumwolle *f* 2. (*fil*) [Baumwoll]garn *nt* 3. (*ouate*) Wattebausch *m;* **du ~** Watte *f* ▶**avoir** **les jambes en ~** weiche Knie haben

cotonnade [kɔtɔnad] *f* Baumwollstoff *m*

coton-tige® [kɔtɔ̃tiʒ] <cotons-tiges> *m* Wattestäbchen *nt*

côtoyer [kotwaje] <6> I. *vt soutenu* 1. (*fréquenter*) ~ **qn** mit jdm verkehren; **être amené à ~ beaucoup de gens** mit vielen Leuten in Kontakt kommen 2. (*longer*) ~ **qc** neben etw (*dat*) verlaufen II. *vpr soutenu* se ~ 1. (*se fréquenter*) miteinander verkehren 2. (*se toucher*) aneinander grenzen

cou [ku] *m* Hals *m;* **je fais ... cm de tour de ~** ich trage Kragengröße ... ▶**se casser** [*o* **se rompre**] **le ~** (*se blesser grièvement*) sich (*dat*) alle Knochen brechen; (*se tuer/échouer*) sich (*dat*) das Genick brechen

couchage [kuʃaʒ] *m* Liegefläche *f*

couchant [kuʃɑ̃] I. *adj* untergehend; **au soleil ~** bei Sonnenuntergang *m* II. *m* Westen *m*

couche [kuʃ] *f* 1. (*épaisseur*) *a.* GEOL, METEO, SOCIOL Schicht *f;* **passer deux ~s de peinture sur qc** etw mit einem Doppelanstrich *m* versehen 2. (*lange*) Windel *f; ~* **jetable** Wegwerfwindel 3. MED **fausse ~** Fehlgeburt *f;* **faire une fausse ~** eine Fehlgeburt haben; *pl* Wochenbett *nt;* **en ~s** bei der Entbindung

couché, e [kuʃe] *adj* 1. (*étendu*) liegend; **être ~** liegen; **rester ~** liegen bleiben 2. (*au lit*) **être déjà ~** bereits im Bett sein; **rester ~** im Bett bleiben

couche-culotte [kuʃkylɔt] <couches-culottes> *f* Windelhöschen *nt*

coucher [kuʃe] <1> I. *vi* 1. (*dormir*) schlafen; ~ **à l'hôtel** im Hotel übernachten 2. *fam* (*avoir des relations sexuelles*) ~ **avec qn** mit jdm schlafen II. *vt* 1. (*mettre au lit*) ins Bett bringen 2. (*offrir un lit*) **on peut vous ~ si vous voulez** ihr könnt bei uns übernachten, wenn ihr möchtet 3. (*étendre*) legen; liegend lagern *bouteille;* umlegen *blés* III. *vpr* 1. (*aller au lit*) se ~

ins Bett gehen; **envoyer qn se ~** jdn ins Bett schicken 2. (*s'allonger*) **se ~** sich [hin]legen 3. (*se courber sur*) **se ~ sur qc** sich tief über etw (*akk*) beugen 4. (*disparaître*) **le soleil se couche** die Sonne geht unter IV. *m* 1. (*fait d'aller au lit*) Schlafengehen *nt;* **c'est l'heure du ~** es ist Schlafenszeit 2. (*crépuscule*) Untergang *m;* **au ~ du soleil** bei Sonnenuntergang

couchette [kuʃɛt] *f* Liege[wagen]platz *m;* **compartiment** [à] **~s** Liegewagenabteil *nt*

coucheur, -euse [kuʃœʀ, -øz] *m, f* ▶**être un mauvais ~** *fam* ein alter Meckerfritze sein

couci-couça [kusikusa] *adv fam* so lala

coucou [kuku] I. *m* 1. (*oiseau*) Kuckuck *m* 2. (*pendule*) Kuckucksuhr *f* 3. *péj* (*vieil avion*) [alte] Mühle (*fam*) 4. BOT Schlüsselblume *f* II. *interj* kuckuck

coude [kud] *m* 1. ANAT Ell[en]bogen *m* 2. (*courbure*) Biegung *f* ▶**jouer des ~s** die Ell[en]bogen gebrauchen; **lever le ~** *fam* gerne einen heben; **se serrer les ~s** zusammenhalten; **~ à ~** Seite an Seite

coudée [kude] *f* **avoir les ~s franches** freies Spiel haben

cou-de-pied [kudpje] <cous-de-pied> *m* Rist *m*

coudoyer [kudwaje] <6> *vt ~* **qn** mit jdm auf Tuchfühlung sein

coudre [kudʀ] <*irr*> I. *vi* nähen II. *vt* 1. (*assembler*) zusammennähen 2. (*fixer*) ~ **un bouton à qc** einen Knopf an etw (*akk*) annähen; ~ **une pièce sur qc** ein Teil auf etw (*akk*) aufnähen

coudrier [kudʀije] *m* BOT Haselstrauch *m*

couenne [kwan] *f* Schwarte *f*

couette [kwɛt] *f* 1. (*édredon*) Federbett *nt,* Steppdecke *f* 2. *gén pl* (*coiffure*) Rattenschwanz *m* (*fam*)

couffin [kufɛ̃] *m* [Baby]tragekorb *m*

couillon, ne [kujɔ̃, jɔn] *m, f fam* Blödmann *m*

couillonner [kujɔne] <1> *vt fam* reinlegen

couiner [kwine] <1> *vi rat, porc:* quieken; *lièvre:* fiepen; *personne:* wimmern; *porte:* quietschen

coulant, e [kulɑ̃, ɑ̃t] *adj* 1. *fam* kulant 2. (*fluide*) flüssig; *fromage* so weich, dass er läuft 3. *style* flüssig

coulée [kule] *f* **~ de lave** Lavastrom *m*

couler [kule] <1> I. *vi* 1. (*s'écouler*) fließen; (*faiblement*) rinnen; (*fortement*) strömen 2. (*préparer*) **faire ~ un bain à qn** jdm ein Bad einlassen 3. (*fuir*) *robinet:* tropfen; *récipient:* lecken; *stylo:* auslaufen 4. (*goutter*) laufen; *œil:* tränen 5. (*sombrer*) untergehen II. *vt* 1. (*verser*) ~ **du plomb dans un moule** Blei in eine Form

gießen 2.(*sombrer*) versenken 3.(*faire échouer*) auflaufen lassen (*fam*) III. *vpr* se ~ **dans qc** in etw (*akk*) schlüpfen

couleur [kulœʀ] I. *f* 1.(*teinte*) Farbe *f;* **d'une seule** ~ einfarbig; **de plusieurs** ~**s** mehrfarbig 2.(*peinture*) Farbe *f* 3.(*teint*) **changer de** ~ die Farbe ändern/wechseln; **prendre des** ~**s** Farbe bekommen 4.(*linge*) Buntwäsche *f* 5. POL [politische] Couleur *f* ▶**passer par toutes les** ~**s de l'arc-en-ciel** abwechselnd rot und blass werden; **c'est un personnage** haut **en** ~ er/sie ist äußerst originell II. *adj sans pl* ~ **rose** rosafarben

couleuvre [kulœvʀ] *f* ZOOL Natter *f*

coulis [kuli] *m* GASTR *de crustacés* Fond *m; de légumes, fruits* Püree *nt;* ~ **de framboises** Himbeersoße *f*

coulissant, e [kulisɑ̃, ɑ̃t] *adj* Schiebe-

coulisse [kulis] *f* 1. *souvent pl* THEAT Kulisse *f;* **dans les** ~**s** [*o* **la** ~], **en** ~ (*lieu*) hinter den Kulissen; (*direction*) hinter die Kulissen 2. *d'une porte* [Führungs]schiene *f; d'un tiroir* Schubleiste *f*

coulisser [kulise] <1> *vi* [in einer Schiene] laufen; ~ **sur qc** auf etw (*dat*) laufen

couloir [kulwaʀ] *m* 1.(*corridor*) Gang *m,* Flur *m* 2. CHEMDFER, AVIAT Gang *m* 3. SPORT Bahn *f* 4. GEOG Schlucht *f* 5. TRANSP ~ **aérien** Luftkorridor *m;* ~ **d'autobus** Bus[- und Taxi]spur *f*

coup [ku] *m* 1.(*agression*) Schlag *m;* **donner un** ~ **à qn** jdn schlagen; **être noir de** ~**s** grün und blau geschlagen sein; ~ **de bâton** Stockhieb *m;* ~ **de poing/de pied** Faustschlag/Fußtritt *m;* ~ **de couteau** Messerstich *m;* **d'un** ~ **de dent** mit einem Biss *m* 2.(*bruit*) Klopfen *nt,* Pochen *nt;* **frapper trois** ~**s** dreimal klopfen; ~ **de sifflet** Pfiff *m* 3.(*heurt*) Stoß *m* 4.(*décharge*) Schuss *m;* ~ **de feu** Schuss *m;* **revolver à six** ~**s** Revolver *m* mit sechs Schuss 5.(*choc moral*) Schlag *m;* **être un** ~ **pour qn** jdn hart treffen; **porter un** ~ **à qn** jdm einen Schlag versetzen; **c'est un** ~ **rude pour qn** das ist ein schwerer Schlag für jdn 6.(*action rapide*) **d'un** ~ **de crayon** mit wenigen schnellen [Bleistift]strichen *Pl;* **passer un** ~ **d'éponge sur qc** mit dem Schwamm über etw (*akk*) wischen; **se donner un** ~ **de peigne** sich (*dat*) rasch die Haare kämmen; **donner un** ~ **de fer à qc** etw [auf]bügeln; **donner un** ~ **de frein** plötzlich bremsen; ~ **de fil** [*o* **téléphone**] Anruf *m* 7. SPORT Hieb *m,* Schlag *m;* **le** ~ **droit** die Vorhand; ~ **franc** (*au foot*) Freistoß *m;* (*au basket*) Freiwurf *m;* **donner le** ~ **d'envoi à qc** etw anpfeifen 8. JEUX Zug *m* 9.(*manifestation brusque*) ~ **de ton-**

nerre Donnerschlag *m;* ~ **de vent** Windstoß *m;* ~ **de foudre** Liebe *f* auf den ersten Blick; ~ **de soleil** Sonnenbrand *m* 10.(*accès*) **avoir un** ~ **de cafard** down sein (*fam*) 11.(*action*) Coup *m;* ~ **d'État** Staatsstreich *m;* ~ **de maître** Meisterleistung *f;* **être sur un** ~ gerade etwas aushecken; **calculer son** ~ die Sache genau berechnen 12.(*action désagréable*) **ça c'est un** ~ **des enfants** das haben die Kinder verbrochen; ~ **de vache** *fam* übler Streich; **il nous fait le** ~ [à] **chaque fois** das bringt er jedes Mal; **faire/mijoter un mauvais** ~ ein [krummes] Ding drehen/ aushecken 13.(*quantité bue*) Schluck *m;* **boire un** ~ *fam* einen trinken 14.(*événement*) ~ **de chance** [*o* **veine**] Glück[sfall *m*] *nt* ▶**avoir un** ~ **dans l'aile** einen sitzen haben (*fam*); **avoir un** [**véritable**] ~ **de cœur pour qc** sich [richtig] in etw (*akk*) verlieben; **prendre un** ~ **de froid** sich erkälten; **sur le** ~ **de trois/quatre heures** gegen drei/vier Uhr; **qn a le** ~ **de main** jd hat den Bogen raus; **donner un** ~ **de main à qn** jdm zur Hand gehen; **jeter** [*o* **lancer**] **un** ~ **d'œil à qn** jdm einen Blick zuwerfen; **jeter un** ~ **d'œil sur le feu** ein Auge auf das Feuer (*akk*) haben; **avoir un** ~ **de pompe** [*o* **barre**] *fam* einen Durchhänger haben; ~ **de tête** [plötzliche] Anwandlung; **passer en** ~ **de vent** auf einen Sprung *m* vorbeikommen (*fam*); **prendre un** ~ **de vieux** *fam* mit einem Schlag älter werden; **tenir le** ~ *fam personne:* durchhalten; *objet, voiture:* aushalten; **ça vaut le** ~ **de faire qc** es lohnt sich etw zu tun; **du même** ~ gleichzeitig; **du premier** ~ auf Anhieb; **d'un seul** ~ auf ein Mal; **tout à** ~ plötzlich; **après** ~ im Nachhinein; **du** ~ *fam* darum; **tout d'un** ~ ganz plötzlich; **sur le** ~ (*aussitôt*) sofort; (*au début*) im ersten Moment; **à tous les** ~**s** jedes Mal; (*à tout propos*) bei jeder Gelegenheit

coupable [kupabl] I. *adj* 1.(*fautif*) **plaider non** ~ sich nicht schuldig bekennen 2.(*condamnable*) verwerflich II. *mf* 1.(*responsable*) Schuldige(r) *f(m)* 2.(*malfaiteur*) Täter(in) *m(f)*

coupage [kupaʒ] *m* Verschnitt *m*

coupant, e [kupɑ̃, ɑ̃t] *adj* scharf

coup-de-poing [kudpwɛ̃] *adj inv opération, politique* knallhart

coupe [kup] *f* 1.(*verre*) Trinkschale *f;* **une** ~ **de champagne** ein Glas *nt* Champagner 2.(*récipient*) Schale *f* 3. SPORT Pokal *m;* (*épreuve*) Pokal[wettbewerb *m*] *m;* **la** ~ **du monde de football** die Fußballweltmeisterschaft

coupé [kupe] *m* AUT Coupé *nt*

coupe-circuit [kupsiʀkɥi] <coupe-cir-cuits> *m* Sicherung *f* **coupe-faim** [kupfɛ̃] <coupe-faim[s]> *m* Appetitzügler *m* **coupe-feu** [kupfø] <coupe-feu[x]> I. *m* [Brand]schneise *f*; (*mur*) Brandmauer *f* II. *app inv* **porte ~** Brandschutztür *f* **coupe-gorge** [kupgɔʀʒ] <coupe-gorge[s]> *m* (*établissement*) Spelunke *f*

coupelle [kupɛl] *f* Schälchen *nt*

coupe-ongle [kupɔ̃gl] <coupe-ongles> *m* Nagelknipser *m* **coupe-papier** [kuppapje] *m inv* Brieföffner *m*

couper [kupe] <1> I. *vi* 1.(*être tranchant*) schneiden; **attention, ça coupe!** Achtung, das ist scharf! 2.(*prendre un raccourci*) abkürzen 3.(*interrompre*) unterbrechen; TELEC **ne coupez pas!** bleiben Sie am Apparat! **coupez!** Schnitt! 4.JEUX abheben 5.(*être mordant*) schneiden 6.*fam* (*échapper à*) ~ **à une corvée** um eine Arbeit [he]rumkommen II. *vt* 1.(*trancher*) schneiden; zuschneiden *tissu;* abschneiden *tête, branche;* durchschneiden *gorge;* aufschneiden *volaille;* zerlegen *poisson;* fällen *arbre;* ~ **les cheveux à qn** jdm die Haare schneiden 2.(*isoler*) isolieren; **être coupé de toute civilisation** von jeglicher Zivilisation abgeschnitten sein 3.(*raccourcir*) kürzen *texte;* schneiden *film;* herausnehmen *passage* 4.(*interrompre*) unterbrechen *ligne téléphonique;* abbrechen *communication;* ~ **l'eau/l'électricité à qn** jdm das Wasser/den Strom abstellen 5.(*mettre un terme*) abbrechen *relations;* senken *fièvre;* nehmen *faim;* ~ **les ponts avec qn** die Beziehung zu jdm abbrechen 6.(*bloquer*) versperren *route;* ~ **les vivres à qn** jdm die finanzielle Unterstützung entziehen; ~ **la respiration à qn** jdm den Atem nehmen 7.(*diluer*) verdünnen 8.(*mordre*) **le froid me coupe le visage** die Kälte schneidet mir ins Gesicht 9.JEUX abheben 10.(*scinder*) trennen *mot;* unterteilen *paragraphe* ▶**ça me/te la coupe!** *fam* da bin ich/bist du platt! III. *vpr* 1.(*se blesser*) **se ~** sich schneiden; **se ~ la main** sich (*akk o dat*) in die Hand schneiden 2.(*trancher*) **se ~ les ongles** sich (*dat*) die Nägel schneiden; **se ~ du pain** sich (*dat*) Brot abschneiden 3.(*se contredire*) **se ~** sich (*dat*) widersprechen 4.(*être coupé*) **bien se ~** sich gut schneiden lassen ▶**se ~ en quatre pour qn** sich für jdn ins Zeug legen

couperet [kupʀɛ] *m* Schlachtermesser *nt*

couperose [kupʀoz] *f* Kupferrose *f*

couperosé, e [kupʀoze] *adj visage, nez* blaurot

coupeur, -euse [kupœʀ, -øz] *m, f* COUT Zuschneider(in) *m(f)*

coupe-vent [kupvɑ̃] <coupe-vent[s]> *m* 1.(*vêtement*) Windjacke *f* 2.(*abri*) Windschutz *m*

couple [kupl] I. *m* [Liebes]paar *nt* II. *f* CAN *fam* **une ~ de qc** (*quelques*) ein paar etw

couplé [kuple] *m* Zweierwette *f* im Pferdetoto

coupler [kuple] <1> *vt* aneinander hängen *bateaux, péniches;* koppeln *bielles, roues*

couplet [kuplɛ] *m* Strophe *f*

coupole [kupɔl] *f* Kuppel *f*

coupon [kupɔ̃] *m* 1.COUT Stoffrest *m* 2.(*bon*) Abschnitt *m* 3.FIN Coupon *m*

coupon-réponse [kupɔ̃repɔ̃s] <coupons-réponse> *m* Antwortkarte *f*

coupure [kupyʀ] *f* 1.(*blessure*) Schnittwunde *f* 2.PRESSE ~ **de journal** [*o* **de presse**] Zeitungsausschnitt *m* 3.LITTER, CINE Kürzung *f* 4.(*interruption*) ~ **d'électricité** (*involontaire*) Unterbrechung *f* der Stromversorgung; (*volontaire*) Abschaltung *f* des Stroms 5.(*billet*) **petites ~s** kleine Scheine *Pl* 6.(*changement*) **une ~ dans la vie de qn** ein [tiefer] Einschnitt in jds Leben

cour [kuʀ] *f* 1.*d'un bâtiment* Hof *m;* ~ **de l'école** Schulhof 2.(*courtisans*) Hof *m* 3.*d'un puissant* Hofstaat *m* (*hum*) 4.JUR **la Cour suprême** der oberste Gerichtshof; ~ **d'appel** Berufungsgericht *nt;* ~ **d'assises** Schwurgericht *nt;* ~ **de cassation** Kassations[gerichts]hof ▶**faire la ~ à qn** jdm den Hof machen

courage [kuʀaʒ] *m* 1.(*bravoure*) Mut *m;* **bon ~!** nur Mut!; **perdre ~** den Mut verlieren; [**du**] ~! nur Mut! 2.(*ardeur*) Eifer *m;* **avec ~** eifrig ▶**prendre son ~ à deux mains** sich (*dat*) ein Herz fassen

courageusement [kuʀaʒøzmɑ̃] *adv* tapfer

courageux, -euse [kuʀaʒø, -ʒøz] *adj* 1.(*opp: lâche*) mutig; *soldat, attitude* tapfer 2.(*travailleur*) tatkräftig ▶~, **mais pas téméraire!** man muss ja nicht gleich Kopf und Kragen riskieren!

couramment [kuʀamɑ̃] *adv* 1.*parler* fließend; *lire* flüssig 2.(*souvent*) häufig

courant [kuʀɑ̃] *m* 1.ELEC Strom *m* 2.(*cours d'eau*) Strömung *f;* **descendre/remonter le ~** stromabwärts/stromaufwärts fahren 3.(*dans l'air*) Luftstrom *m;* ~ **d'air** [Luft]zug *m;* (*gênant*) Durchzug *m;* **il y a un ~ d'air** es zieht 4.(*mouvement*) Strömung *f,* Bewegung *f;* **un ~ de sympathie** eine Sympathiewelle *f;* **un ~ de pensée**

eine Denkweise **5.** (*cours*) **dans le ~ de la journée** im Laufe des Tages ►**être au ~ de qc** über etw (*akk*) auf dem Laufenden sein; <u>mettre</u> [*o* tenir] **qn au ~ de qc** jdn über etw (*akk*) auf dem Laufenden halten

courant, e [kuʀɑ̃, ɑ̃t] *adj* **1.** (*habituel*) normal; *dépenses* laufend; *procédé* üblich; *usage* geläufig; (*standard*) **modèle** ~ Standardmodell *nt;* **langage ~, langue ~e** Umgangssprache *f* **2.** (*en cours*) laufend; *prix* handelsüblich; **le 3 ~** am 3. dieses Monats

courbatu, e [kuʀbaty] *adj* **être ~** Muskelkater haben

courbature [kuʀbatyʀ] *f souvent pl* Muskelkater *m kein Pl*

courbe [kuʀb] **I.** *adj* gebogen; *ligne, trajectoire, surface* gekrümmt **II.** *f* GEOG, FIN Kurve *f; d'une route, d'un fleuve* Biegung *f; des reins* Wölbung *f*

courbé, e [kuʀbe] *adj* krumm

courber [kuʀbe] <1> **I.** *vi* ~ **sous qc** *personne:* den Rücken wegen etw krümmen; *bois:* sich unter etw (*akk*) biegen **II.** *vt* **1.** (*plier*) biegen **2.** (*pencher*) ~ **le dos/les épaules** den Rücken krümmen/die Schultern hängen lassen; ~ **la tête devant qn** sich jdm beugen **III.** *vpr* **se ~ 1.** (*se baisser*) den Rücken krümmen; (*à cause de l'âge*) einen krummen Rücken haben; (*pour saluer*) sich verbeugen **2.** (*ployer*) sich biegen

courbette [kuʀbɛt] *f* **faire des ~s à qn** vor jdm katzbuckeln

courbure [kuʀbyʀ] *f des sourcils, du nez* Bogen *m*

coureur, -euse [kuʀœʀ, -øz] *m, f* **1.** SPORT Läufer(in) *m(f);* AUT, SPORT Fahrer(in) *m(f)* **2.** (~ *de jupons*) Schürzenjäger *m*

courge [kuʀʒ] *f* Kürbis *m*

courgette [kuʀʒɛt] *f* Zucchini *f*

courir [kuʀiʀ] <*irr*> **I.** *vi* **1.** (*se mouvoir, se dépêcher*) laufen; (*plus vite*) rennen; ~ **partout** überall herumrennen; ~ **faire qc** schnell etw tun gehen; ~ **chercher le médecin** schnell den Arzt holen; **bon, j'y cours** gut, ich laufe schnell hin **2.** (*participer à une course*) starten **3.** (*se répandre*) umgehen; **faire ~ le bruit que ...** das Gerücht in Gang setzen, dass ... **4.** (*se diriger vers*) ~ **à la faillite** kurz vor dem Bankrott stehen ►**laisse ~!** *fam* vergiss es!; **tu peux toujours ~!** da kannst du lange warten!; **rien ne sert de ~, il faut partir à point!** *prov* das nutzt jetzt auch nichts mehr!; **faire qc en courant** etw in aller Eile tun **II.** *vt* **1.** (*participer à une course*) ~ **qc** bei etw starten **2.** (*parcourir*) durchstreifen *campagne;* befahren *mers;* bereisen *monde* **3.** (*fréquenter*) ~ **les bars** in den Kneipen

herumziehen; ~ **les filles** hinter den Mädchen her sein (*fam*)

courlis [kuʀli] *m* Brachvogel *m*

couronne [kuʀɔn] *f* **1.** *a.* BOT, MED, FIN Krone *f* **2.** (*pour décorer*) Kranz *m* **3.** (*pain*) kranzförmiges Brot

couronné [kuʀɔne] *adj* preisgekrönt

couronnement [kuʀɔnmɑ̃] *m* Krönung *f*

couronner [kuʀɔne] <1> *vt* **1.** krönen **2.** (*récompenser*) auszeichnen **3.** (*décorer*) schmücken **4.** (*consacrer*) krönen *carrière;* **couronné de succès** von Erfolg gekrönt

courriel [kuʀjɛl] *m* INFORM E-Mail *m*

courrier [kuʀje] *m* **1.** (*lettres*) Post *f;* **faire son ~** seine Post erledigen **2.** (*nom*) **le ~ ...** der ... Kurier; **le ~ économique** (*rubrique*) der Wirtschaftsteil; **le ~ du cœur** die Spalte „Leser fragen um Rat"; **le ~ des lecteurs** die Leserbriefe **3.** (*personne*) [Eil]bote *m* **4.** INFORM ~ **électronique** E-Mail *nt*

courroie [kuʀwa] *f* Riemen *m*

cours [kuʀ] *m* **1.** (*déroulement*) Verlauf *m; des saisons* Ablauf *m; du temps* Lauf *m;* **au ~ de qc** im Laufe einer S. (*gen*); **le mois en ~** der laufende Monat **2.** (*leçon*) Unterricht *m;* (*leçon privée*) Kurs *m;* UNIV Seminar *nt;* ~ **magistral** Vorlesung *f;* ~ **particulier** [*o* **privé**] Privatunterricht; (*pour rattraper*) Nachhilfeunterricht; **faire ~ de qc à qn** jdn in etw (*dat*) unterrichten; **suivre un ~** [*o* **des ~**] einen Kurs besuchen; ~ **de maths** *fam* Mathe-Stunde *f* **3.** (*école*) Schule *f* **4.** FIN *d'une monnaie* Kurs *m; de produits* Preis *m;* **avoir ~** gültig sein **5.** (*courant*) ~ **d'eau** Wasserlauf *m;* **suivre son ~** seinen Lauf nehmen

course [kuʀs] *f* **1.** (*action de courir*) Laufen *nt;* **marcher au pas de ~** im Laufschritt gehen; **c'est la ~!** *fam* das ist Stress! **2.** (*épreuve*) Rennen *nt;* (*à pied*) Lauf *m;* **vélo de ~** Rennrad *nt;* **faire la ~ avec qn** mit jdm um die Wette laufen; ~ **contre la montre** *fig* Wettlauf gegen die Zeit; ~ **à pied** Laufsport *m;* ~ **de vitesse** Sprint *m;* ~ **en sac** Sackhüpfen *nt* **3.** JEUX **les ~s** das [Pferde]rennen; **jouer** [*o* **parier] aux ~s** beim [Pferde]rennen wetten **4.** (*déplacement*) Fahrt *f;* ~ **en taxi** Taxifahrt **5.** (*commission*) **les ~s** die Besorgungen *Pl;* **faire les** [*o* **ses] ~s** Besorgungen machen; **faire une ~** (*régler qc*) eine Besorgung machen; (*faire un achat*) einen Einkauf tätigen **6.** (*ruée*) **la ~ aux armements** das Wettrüsten

coursier, -ière [kuʀsje, -jɛʀ] *m, f* Laufbursche *m*

coursive [kuʀsiv] *f* [schmaler] Gang

court [kuʀ] *m* ~ **de tennis** Tennisplatz *m*

court, e [kuʀ, kuʀt] **I.** *adj* **1.** (*opp: long*) kurz **2.** (*concis*) kurz; **c'est un peu ~!** das ist ein bisschen wenig! **II.** *adv* **1.** (*opp: long*) kurz; **s'habiller ~** kurze Kleider tragen **2.** (*concis*) **faire ~** sich kurz fassen; **tout ~** ganz einfach ▶**être à ~ de qc** von etw nicht genug haben

court-bouillon [kuʀbujɔ̃] <courts-bouillons> *m* Brühe *f* **court-circuit** [kuʀsiʀkɥi] <courts-circuits> *m* Kurzschluss *m* **court-circuiter** [kuʀsiʀkɥite] <1> *vt* ELEC kurzschließen

courtier, -ière [kuʀtje, -jɛʀ] *m, f* Makler(in) *m(f)*

courtisan [kuʀtizɑ̃] *m* Höfling *m;* *fig* Schmeichler *m*

courtisane [kuʀtizan] *f* HIST, LITTER Kurtisane *f*

courtiser [kuʀtize] <1> *vt* ~ **qn** jdm den Hof machen

court-jus [kuʀʒy] <courts-jus> *m* *fam* ELEC Kurze(r) *m* **court-métrage** [kuʀmetʀaʒ] <courts-métrages> *m* Kurzfilm *m*

courtois, e [kuʀtwa, waz] *adj* höflich

courtoisie [kuʀtwazi] *f* Höflichkeit *f*

couru, e [kuʀy] **I.** *part passé de* **courir II.** *adj* (*recherché*) **ce bar est ~ du tout Paris** ganz Paris geht in diese Bar ▶**c'est ~ d'avance** das ist doch von vornherein klar

couscous [kuskus] *m* Couscous *nt*

couscoussier [kuskusje] *m* Kuskustopf *m*

cousin, e [kuzɛ̃, in] *m, f* Cousin/Cousine [*o* Kusine] *m/f;* **~s germains** Vettern *Pl* ersten Grades

coussin [kusɛ̃] *m* **1.** Kissen *nt;* **~ d'air** Luftkissen; **~ de sécurité** Airbag *m* **2.** BELG (*oreiller*) Kopfkissen *nt* **3.** (*partie rembourrée*) Polster *nt*

coussinet [kusinɛ] *m* kleines Kissen

cousu, e [kuzy] **I.** *part passé de* **coudre II.** *adj* genäht

coût [ku] *m* Kosten *Pl; d'une marchandise* Preis *m*

coûtant [kutɑ̃] *adj* **prix ~** Selbstkostenpreis *m*

couteau [kuto] <x> *m* **1.** (*ustensile*) Messer *nt;* **~ de cuisine/suisse** Küchen-/Schweizermesser **2.** (*coquillage*) Messermuschel *f* ▶**mettre le ~ sous** [*o* sur] **la gorge de qn** jdm die Pistole auf die Brust setzen; **remuer** [*o* retourner] **le ~ dans la plaie** Salz in die Wunde streuen

coutellerie [kutɛlʀi] *f* Schneidwarenindustrie *f*

coûter [kute] <1> *vt* kosten; **ça m'a coûté 10 euros** das hat mich 10 Euro gekostet; **ça coûte cher** das ist teuer; **ça coûte combien?** wie viel kostet das? ▶**ça va me**

~ cher de faire qc das wird mich teuer zu stehen kommen etw zu tun

coûteux, -euse [kutø, -øz] *adj* kostspielig

coutil [kuti] *m* Drillich *m*

coutume [kutym] *f* (*usage*) Brauch *m;* (*habitude*) Gewohnheit *f;* **c'est la ~** das ist so üblich; **avoir ~ de faire qc** es gewohnt sein etw zu tun

coutumier, -ière [kutymje, -jɛʀ] *adj* üblich, gewöhnlich

couture [kutyʀ] *f* **1.** (*action*) Nähen *nt,* Schneidern *nt* **2.** (*ouvrage*) Näharbeit *f* **3.** (*profession*) Konfektion[sindustrie *f*] *f;* **la haute ~** die Haute Couture; **une maison de ~** ein Modesalon **4.** (*suite de points*) Naht *f* ▶**se faire battre à plate**[s] **~**[s] haushoch geschlagen werden; **examiner** [*o* inspecter] **qn/qc sous toutes les ~s** jdn/etw genauestens untersuchen

couturier [kutyʀje] *m* Modeschöpfer *m*

couturière [kutyʀjɛʀ] *f* (*à son compte*) Schneider[meister]in *f;* (*en atelier*) Näherin *f*

couvée [kuve] *f* (*œufs*) Gelege *nt;* (*poussins*) Brut *f*

couvent [kuvɑ̃] *m* Kloster *nt*

couver [kuve] <1> **I.** *vi feu:* schwelen; *émeute:* sich zusammenbrauen **II.** *vt* **1.** [aus]brüten **2.** (*materner*) umhegen; **~ qn des yeux** [*o* du regard] jdn nicht aus den Augen lassen **3.** (*porter*) mit sich (*dat*) herumtragen **4.** (*nourrir*) hegen

couvercle [kuvɛʀkl] *m* Deckel *m*

couvert [kuvɛʀ] *m* **1.** (*ustensiles*) Besteck *nt;* **mettre le ~** den Tisch decken **2.** (*place*) Gedeck *nt;* **je mets combien de ~s?** für wie viele Personen soll ich decken? **3.** (*prétexte*) **sous le ~ de qc** unter dem Deckmantel *m* einer S. (*gen*)

couvert, e [kuvɛʀ, ɛʀt] **I.** *part passé de* **couvrir II.** *adj* **1.** (*habillé*) **être trop ~** zu warm angezogen sein **2.** (*protégé*) **être ~** (*par qc*) zugedeckt sein; (*par qn*) Rückendeckung bekommen **3.** (*assuré*) **être ~ par une assurance** bei einer Versicherung versichert sein **4.** (*opp: en plein air*) überdacht **5.** METEO *ciel* bedeckt; *temps* trüb **6.** (*recouvert*) **~ de feuilles/poussière** mit Laub/Staub bedeckt **7.** (*plein de*) **être ~ de sang** voller Blut sein **8.** (*caché*) **s'exprimer à mots ~s** in Andeutungen sprechen

couverture [kuvɛʀtyʀ] *f* **1.** *d'un lit* [Bett]decke *f* **2.** (*toiture*) **~ de tuiles** Bedachung *f* aus Ziegeln **3.** *d'un cahier* Umschlag *m; d'un livre* Deckel *m; d'un magazine* Titelblatt *nt;* **faire la** [*o* être en] **~ d'un magazine** auf der Titelseite stehen **4.** PRESSE **la ~ d'un événement** die Berichterstat-

tung über ein Ereignis **5.** ADMIN, FIN Absicherung *f* durch eine Bank **6.** (*prétexte*) Deckmantel *m*

couveuse [kuvøz] *f* **1.** (*poule*) Bruthenne *f* **2.** (*incubateur*) ~ **artificielle** (*pour œufs*) Brutapparat *m;* (*pour prématurés*) Brutkasten *m*

couvre-chef [kuvrəʃɛf] <couvre-chefs> *m* Kopfbedeckung *f* **couvre-feu** [kuvrəfø] <couvrre-feux> *m* (*signal*) Alarm *m;* (*période*) Sperrstunde *f* **couvre-lit** [kuvrəli] <couvre-lits> *m* Tagesdecke *f*

couvreur, -euse [kuvrœr, -øz] *m, f* Dachdecker(in) *m(f)*

couvrir [kuvrir] <11> **I.** *vt* **1.** (*mettre sur*) abdecken; zudecken *récipient, personne;* decken *toit;* einbinden *livre* **2.** (*recouvrir*) ~ **qc** *couverture, toile:* etw zudecken; **qc couvre qn** jd ist mit etw zugedeckt; ~ **de qc** mit etw bedecken **3.** (*habiller*) ~ **qn** jdn warm anziehen **4.** (*cacher*) verdecken *visage;* übertönen *son* **5.** (*protéger*) ~ **qn** hinter jdm stehen **6.** (*garantir*) ausschalten *risque;* ~ **les frais** *personne:* die Kosten übernehmen; *somme:* die Kosten decken **7.** (*parcourir*) zurücklegen **8.** (*relater*) berichten über (+ *akk*) **9.** (*combler*) ~ **qn de baisers** jdn mit Küssen bedecken; ~ **qn de cadeaux** jdn mit Geschenken überhäufen; ~ **qn de reproches** jdn mit Vorwürfen überschütten **II.** *vpr* **1. se** ~ (*s'habiller*) sich anziehen; (*mettre un chapeau*) seinen Kopf bedecken; **couvre-toi, il fait froid!** zieh [dir] was an, es ist kalt! **2.** (*se protéger*) **se** ~ sich absichern **3.** METEO **le ciel se couvre** [de nuages] der Himmel bewölkt sich **4.** (*se remplir de*) **se** ~ **de bourgeons** viele Knospen entwickeln; **se** ~ **de taches** sich bekleckern

cover-girl [kɔvœrgœrl] <cover-girls> *f* Covergirl *nt*

covoiturage [kovwatyraʒ] *m* Fahrgemeinschaftssystem *nt*

cow-boy [kobɔj, kaobɔj] <cow-boys> *m* Cowboy *m*

coyote [kɔjɔt] *m* Coyote *m*

CP [sepe] *m abr de* **cours préparatoire** *erste Grundschulklasse*

crabe [krab] *m* Taschenkrebs *m*

crac [krak] *interj* knack

crachat [kraʃa] *m* Spucke *f*

craché, e [kraʃe] *adj* ► **c'est lui tout** ~ *fam* (*très ressemblant*) er/sie ist ihm wie aus dem Gesicht geschnitten; (*typique de qn*) das sieht ihm ähnlich

cracher [kraʃe] <1> **I.** *vi* **1.** (*expectorer*) [aus]spucken **2.** (*baver*) klecksen ► **ne pas** ~ **sur** qn/qc *fam* jdn/etw nicht verachten **II.** *vt* **1.** (*rejeter*) ausspucken; spucken *sang;* verspritzen *venin* **2.** (*émettre*) ausstoßen *fumée;* speien *lave*

cracheur [kraʃœr] *m* ~ **de feu** Feuerschlucker *m*

crachin [kraʃɛ̃] *m* Sprühregen *m*

crachoir [kraʃwar] *m* Spucknapf *m*

crachoter [kraʃɔte] <1> *vi robinet:* tropfen

crack[1] [krak] *m fam* Ass *nt*

crack[2] [krak] *m* (*drogue*) Crack *nt o m*

crade [krad] *adj fam* dreckig

craie [krɛ] *f* Kreide *f*

craindre [krɛ̃dr] <*irr*> **I.** *vt* **1.** (*redouter*) ~ **qn/qc** jdn/etw fürchten **2.** (*pressentir*) [be]fürchten **3.** (*être sensible à*) ~ **la chaleur** hitzeempfindlich sein **II.** *vi* (*avoir peur pour*) ~ **pour** qn/qc Angst um jdn/ etw haben; **il n'y a rien à** ~ es besteht kein Grund zur Sorge; **ça ne craint rien** da kann man unbesorgt sein; (*ce n'est pas fragile*) das ist unempfindlich ► **ça craint!** *fam* das ist nicht ganz koscher!

crainte [krɛ̃t] *f* **1.** (*peur*) ~ **de** qn/qc Furcht *f* vor jdm/etw; **soyez sans** ~[s]! seien Sie unbesorgt!; **de** [*o* **dans la**] [*o* **par**] ~ **de qc** aus Furcht vor etw (*dat*) **2.** (*pressentiment*) Befürchtungen *fPl;* **avoir des** ~**s au sujet de qn/qc** um jdn/etw besorgt sein

craintif, -ive [krɛ̃tif, -iv] *adj* ängstlich

cramer [krame] <1> *vi fam maison:* abbrennen

cramoisi, e [kramwazi] *adj* purpurrot

crampe [krɑ̃p] *f* [Muskel]krampf *m*

crampon [krɑ̃pɔ̃] *m* SPORT Steigeisen *nt;* (*de foot*) Stollen *m*

cramponner [krɑ̃pɔne] <1> **I.** *vt fam* ~ **qn** sich wie eine Klette an jdn hängen **II.** *vpr* **1.** (*se tenir*) **se** ~ **à** qn/qc sich an jdm/etw festklammern **2.** *fig* **se** ~ **à la vie** sich ans Leben klammern

cran[1] [krɑ̃] *m* **1.** *d'une arme* Kimme *f;* **hausser/baisser qc d'un** ~ etw [um] ein Loch höher/tiefer stellen **2.** (*trou*) Loch *nt* **3.** (*coiffure*) Welle *f*

cran[2] [krɑ̃] *m fam* **avoir du** ~ Mumm haben

crâne [krɑn] *m* Schädel *m* ► **ne rien avoir dans le** ~ nichts im Kopf haben; **bourrer le** ~ **à qn** *fam* jdn endlos belabern; **se bourrer le** ~ **avec qc** sich (*dat*) wegen etw den Kopf zermartern

crâner [krɑne] <1> *vi fam* eine Schau abziehen

crâneur, -euse [krɑnœr, -øz] **I.** *adj* angeberisch (*fam*) **II.** *m, f* Angeber(in) *m(f)*

crânien, ne [krɑnjɛ̃, jɛn] *adj* Schädel-

crapaud [krapo] *m* ZOOL Kröte *f*

crapule [krapyl] *f* Schuft *m*

crapuleux, -euse [kʀapylø, -øz] *adj* niederträchtig

craquant, e [kʀakã, ãt] *adj fam* (*irrésistible*) toll; (*mignon*) süß

craqueler [kʀakle] <3> **I.** *vt* rissig werden lassen **II.** *vpr* se ~ Risse bekommen

craquelure [kʀaklyʀ] *f* Riss *m*

craquement [kʀakmã] *m* *d'un arbre, de la banquise* Krachen *nt;* *du bois qui brûle, d'une boiserie* Knacken *nt*

craquer [kʀake] <1> **I.** *vi* **1.** (*faire un bruit*) *bonbon:* krachen; *chaussures, parquet:* knarren; *feuilles mortes:* rascheln; *neige:* knirschen; *bois, disque:* knacken; **faire ~ une allumette** ein Zündholz anreißen; **faire ~ ses doigts** mit den Fingern knacken **2.** (*céder*) *branche, glace:* brechen; (*se déchirer*) *vêtement:* reißen; (*aux coutures*) [auf]platzen **3.** (*s'effondrer*) *personne:* zusammenbrechen; *nerfs:* versagen **4.** (*s'attendrir*) schwach werden ▸**plein à ~** zum Bersten voll **II.** *vt* anreißen *allumette*

crash [kʀaʃ] <[e]s> *m* Absturz *m*

crasse [kʀas] *f* (*saleté*) Dreck *m*

crasseux, -euse [kʀasø, -øz] *adj* schmutzig

cratère [kʀatɛʀ] *m* Krater *m*

cravache [kʀavaʃ] *f* [Reit]gerte *f*

cravacher [kʀavaʃe] <1> *vt* ~ **un animal** einem Tier die Peitsche geben

cravate [kʀavat] *f* Krawatte *f*

crawl [kʀol] *m* Kraulen *nt*

crawler [kʀole] <1> *vi* **dos crawlé** Rückenkraulen *nt*

crayon [kʀɛjɔ̃] *m* Bleistift *m;* ~ **feutre** Filzstift; ~ **optique** Lichtgriffel *m;* ~ **de couleur** Buntstift; ~ **pour les yeux** Eyeliner *m*

crayonner [kʀɛjɔne] <1> *vt* [mit dem Bleistift] zu Papier bringen

créance [kʀeãs] *f* FIN ~ **exigible** fällige Schuld

créancier, -ière [kʀeãsje, -jɛʀ] *m, f* FIN Gläubiger(in) *m(f)*

créateur, -trice [kʀeatœʀ, -tʀis] **I.** *adj* schöpferisch **II.** *m, f* **1.** Schöpfer(in) *m(f)* **2.** REL **le Créateur** der Schöpfer

créatif, -ive [kʀeatif, -iv] *adj* kreativ

création [kʀeasjɔ̃] *f* **1.** *sans pl* REL **la Création** die Schöpfung **2.** (*monde*) Schöpfung *f*, Universum *nt* **3.** ART Werk *nt;* *d'un couturier, cuisinier* Kreation *f* **4.** (*invention*) Herstellung *f* **5.** ECON ~ **d'emploi** Schaffung *f* eines Arbeitsplatzes; ~ **d'entreprise** Firmengründung *f*

créativité [kʀeativite] *f* Kreativität *f*

créature [kʀeatyʀ] *f* **1.** (*être animé*) Lebewesen *nt* **2.** (*être humain*) menschliche Kreatur

crécelle [kʀesɛl] *f* Knarre *f*

crèche [kʀɛʃ] *f* **1.** REL Krippe *f* **2.** (*pouponnière*) Kinderkrippe *f*

crécher [kʀeʃe] <5> *vi fam* wohnen

crédibiliser [kʀedibilize] <1> *vt* glaubwürdig machen

crédibilité [kʀedibilite] *f* Glaubwürdigkeit *f*

crédible [kʀedibl] *adj* glaubhaft

crédit [kʀedi] *m* **1.** (*paiement échelonné*) Ratenzahlung *f;* **acheter/vendre à ~** auf Raten *Pl* kaufen/verkaufen **2.** (*prêt*) Kredit *m;* **accorder un ~ à qn** jdm einen Kredit gewähren **3.** (*banque*) Bankinstitut *nt* **4.** (*opp: débit*) Guthaben *nt;* **la somme est portée** [*o* **mise**] **au ~ de votre compte** die Summe wird Ihrem Konto gutgeschrieben **5.** *pl* POL Gelder *Pl* **6.** (*confiance*) Ansehen *nt;* **jouir d'un grand ~ auprès de qn** großes Ansehen bei jdm haben

crédit-bail [kʀedibaj] <crédits-bails> *m* Leasing *nt*

créditer [kʀedite] <1> *vt* ~ **un compte de 100 euros** einem Konto 100 Euro gutschreiben

créditeur, -trice [kʀeditœʀ, -tʀis] *m, f* Gläubiger(in) *m(f)*

credo [kʀedo] *m* REL Glaubensbekenntnis *nt*

crédule [kʀedyl] *adj* gutgläubig

crédulité [kʀedylite] *f* Gutgläubigkeit *f*

créer [kʀee] <1> **I.** *vt* **1.** (*réaliser*) schaffen *emploi, œuvre;* gründen *entreprise;* kreieren *produit;* erschaffen *monde;* THEAT uraufführen **2.** (*provoquer*) schaffen *besoins;* bereiten *problèmes* **II.** *vi* schöpferisch tätig sein **III.** *vpr* se ~ **des besoins** sich (*dat*) Bedürfnisse schaffen; se ~ **des problèmes** sich (*dat*) Probleme bereiten

crémaillère [kʀemajɛʀ] *f* ▸**pendre la ~** eine Einweihungsparty geben

crématoire [kʀematwaʀ] **I.** *adj* **four ~** Krematorium *nt* **II.** *m* Krematorium *nt*

crème [kʀɛm] **I.** *adj inv* cremefarben **II.** **1.** (*produit laitier*) Rahm *m;* ~ **chantilly** Schlagsahne *f;* ~ **fraîche** Crème fraîche *f* **2.** (*entremets*) Creme *f;* ~ **glacée** Eiscreme **3.** (*liqueur*) ~ **de cassis** Johannisbeerlikör *m* **4.** (*de soins*) Creme *f;* ~ **à raser** Rasiercreme; ~ **anti-âge** Antifaltencreme **5.** (*le meilleur*) gesellschaftliche Elite; **c'est la ~ des hommes** er ist der Beste aller Männer **III.** *m* Milchkaffee *m*

crémerie [kʀemʀi] *f* Milch-[und Käse]geschäft *nt* ▸**changer de ~** woanders hingehen

crémeux, -euse [kʀemø, -øz] *adj* cremig

crémier, -ière [kʀemje, -jɛʀ] *m, f* Milch-

[und Käse]händler(in) *m(f)*

créneau [kʀeno] <x> *m* **1.** AUT [Park]lücke *f;* **faire un** ~ einparken **2.** COM Marktlücke *f*

crénelé, e [kʀenle] *adj mur, rempart* mit Schießscharten

créole [kʀeɔl] **I.** *adj* kreolisch **II.** *m* Kreol *nt; v. a.* allemand

Créole [kʀeɔl] *mf* Kreole/Kreolin *m/f*

crêpe [kʀɛp] *f* GASTR Crêpe *f,* Pfannkuchen *m*

crêper [kʀepe] <1> *vt* **1.** TEXTIL kreppen **2.** toupieren *cheveux*

crêperie [kʀepʀi] *f* Crêperie *f*

crépi [kʀepi] *m* [Rau]putz *m*

crêpière [kʀepjɛʀ] *f* (*plaque*) Crêpeeisen *nt;* (*poêle*) Crêpepfanne *f*

crépir [kʀepiʀ] <8> *vt* verputzen

crépiter [kʀepite] <1> *vi feu:* knistern; *arme:* knattern

crépon [kʀepɔ̃] *m* Krepon *m*

crépu, e [kʀepy] *adj* gekräuselt

crépuscule [kʀepyskyl] *m* Dämmerung *f*

cresson [kʀesɔ̃, kʀəsɔ̃] *m* Kresse *f*

crétacé [kʀetase] *m* Kreidezeit *f*

crête [kʀɛt] *f* **1.** ZOOL Kamm *m* **2.** *d'une montagne* Grat *m; d'un toit* First *m; d'une vague* Kamm *m*

Crète [kʀɛt] *f* **la** ~ Kreta *nt*

crétin, e [kʀetɛ̃, in] *fam* **I.** *adj* blöd[e] **II.** *m, f* Depp *m*

cretonne [kʀətɔn] *f* Kretonne *f o m*

creuser [kʀøze] <1> **I.** *vt* **1.** (*excaver*) ausheben; ziehen *sillon;* bohren *tunnel* **2.** (*évider*) graben *tombe;* aushöhlen *pomme, falaise;* ~ **le sable** im Sand graben ▶~ **l'estomac** hungrig machen; ~ **une question** eine Frage vertiefen **II.** *vi* hungrig machen **III.** *vpr* **se** ~ einfallen; *roche:* ausgehöhlt werden ▶**se** ~ **la tête** sich (*dat*) den Kopf zerbrechen

creuset [kʀøzɛ] *m* [Schmelz]tiegel *m*

creux [kʀø] *m* **1.** (*cavité*) Höhle *f,* Loch *nt;* (*dans un terrain*) Mulde *f;* **le** ~ **d'une vague** das Wellental; ANAT **le** ~ **des reins** das Kreuz; **le** ~ **de l'aisselle** die Achselhöhle; **le** ~ **de la main** die hohle Hand **2.** (*manque d'activité*) Zeit *f* außerhalb des Stoßbetrieb[e]s **3.** *fam* (*faim*) **avoir un** ~ Kohldampf *m* haben

creux, -euse [kʀø, -øz] *adj* **1.** (*vide*) hohl; *ventre, tête* leer **2.** (*vain*) nichts sagend; *paroles* leer **3.** (*concave*) nach innen gewölbt **4.** (*rentré*) eingefallen; **avoir les yeux** ~ hohläugig sein **5.** (*sans activité*) ruhig; **les heures creuses** die Zeiten außerhalb des Stoßbetrieb[e]s

crevaison [kʀəvɛzɔ̃] *f* Reifenpanne *f*

crevant, e [kʀəvɑ̃, ɑ̃t] *adj fam* mörderisch

crevasse [kʀəvas] *f* **1.** (*fissure: d'une roche*) Spalte *f;* (*d'un mur*) [tiefer] Riss **2.** (*gerçure*) Riss *m*

crevassé, e [kʀəvase] *adj mur, sol* rissig

crevasser [kʀəvase] <1> **I.** *vt* rissig machen **II.** *vpr* **se** ~ rissig werden

crève [kʀɛv] *f fam* böse Erkältung; **avoir/attraper la** ~ total erkältet sein/sich (*dat*) den Tod holen

crevé, e [kʀəve] *adj fam* (*fatigué*) kaputt

crève-cœur [kʀɛvkœʀ] <crève-cœurs> *m* Kummer *m* **crève-la-faim** [kʀɛvlafɛ̃] *m inv fam* Hungerleider(in) *m(f)*

crever [kʀəve] <4> **I.** *vi* **1.** (*éclater*) *ballon:* platzen; *sac:* aufplatzen; *abcès:* aufbrechen **2.** AUT eine Reifenpanne haben **3.** (*être plein de*) ~ **de jalousie** vor Eifersucht (*dat*) platzen **4.** *fam* (*souffrir*) ~ **de froid/de faim** vor Kälte/Hunger umkommen; ~ **d'envie de qc** ganz wild auf etw (*akk*) sein; **une chaleur à** ~ eine mörderische Hitze **II.** *vt* **1.** (*percer*) aufstechen *abcès,* kaputtstechen *ballon, pneu* **2.** *fam* (*exténuer*) schinden **III.** *vpr fam* **se** ~ sich kaputtmachen; **se** ~ **à faire qc** sich abrackern etw zu tun

crevette [kʀəvɛt] *f* Garnele *f*

cri [kʀi] *m* Schrei *m;* **pousser un** ~ einen Schrei ausstoßen ▶**le dernier** ~ *fam* der letzte Schrei

criailler [kʀijɑje] <1> *vi bébé:* plärren, schreien

criant, e [kʀijɑ̃, jɑ̃t] *adj* **1.** *injustice* himmelschreiend **2.** *preuve* offenkundig

criard, e [kʀijaʀ, jaʀd] *adj* **1.** *personne* ständig schreiend; *voix* keifend **2.** (*tapageur*) grell

crible [kʀibl] *m* [grobes] Sieb ▶**passer qc au** ~ etw genau unter die Lupe nehmen (*fam*)

criblé, e [kʀible] *adj* **1.** (*percé*) ~ **de balles** von Kugeln durchsiebt **2.** (*couvert de*) ~ **de boutons** voller Pickel; ~ **de dettes** hochverschuldet

cribler [kʀible] <1> *vt* (*percer*) ~ **qn de balles** jdn mit Kugeln durchsieben; ~ **qc de trous** etw durchlöchern

cric [kʀik] *m* Winde *f*

cricket [kʀikɛt] *m* Kricket[spiel *nt*] *nt*

cri-cri , **cricri** [kʀikʀi] *m* **1.** (*cri du grillon*) Zirpen *nt* **2.** (*grillon*) Grille *f*

criée [kʀije] *f* **vente à la** ~ Versteigerung *f*

crier [kʀije] <1> **I.** *vi* **1.** (*hurler*) schreien; *bébé a.:* weinen; ~ **de peur** vor Angst schreien **2.** *fam* (*se fâcher*) ~ **contre/après qn** jdn anschreien **3.** (*émettre des sons*) *mouette:* schreien; *oiseau:* zwitschern; *cochon:* quieken; *oie:* schnattern; *souris:* piepsen **4.** (*dénoncer*) ~ **au scan-**

critiquer

• critiquer, juger négativement	• kritisieren, negativ bewerten
Cela ne me plaît pas du tout.	Das gefällt mir gar nicht.
Il y a beaucoup de choses à redire à ce sujet.	Dagegen lässt sich einiges sagen.
J'ai des doutes.	Da habe ich so meine Bedenken.
On aurait pu mieux faire.	Das hätte man aber besser machen können.
• désapprouver	• missbilligen
Je ne peux pas approuver cela.	Das kann ich nicht gutheißen.
Je trouve que ce n'est pas bien du tout de ta part.	Das finde ich gar nicht gut von dir.
Je m'y oppose totalement./Je suis tout à fait contre.	Da bin ich absolut dagegen.
• exprimer le dédain/ mécontentement	• Geringschätzung/Missfallen ausdrücken
(Je suis désolé(e) mais) ce genre de personnes **ne m'intéresse pas du tout.**	(Es tut mir Leid, aber) **ich habe für** diese Typen **nichts übrig.** *(fam)*
Je ne trouve pas ça bien./Je n'en pense rien de bien.	Davon halte ich gar/überhaupt nichts.
L'art moderne **ne me dit rien du tout.**	**Ich kann mit** moderner Kunst **nichts anfangen.** *(fam)*
Ne me parle pas de psychologie!	**Komm mir bloß nicht mit** Psychologie! *(fam)*

dale etw als Skandal bezeichnen **II.** *vt* **1.** (*à voix forte*) rufen; ~ **qc à qn** jdm etw zurufen **2.** (*proclamer*) ~ **son innocence** seine Unschuld beteuern ►**sans** ~ **gare** ohne Vorwarnung *f*

crime [kʀim] *m* **1.** (*meurtre*) Mord *m;* **heure du** ~ Tatzeit *f* **2.** JUR ~ **contre qn/ qc** Verbrechen *nt* gegen jdn/etw **3.** (*faute morale*) **c'est un** ~! das ist kriminell!

criminalité [kʀiminalite] *f sans pl* Kriminalität *f*

criminel, le [kʀiminɛl] **I.** *adj* kriminell **II.** *m, f* **1.** (*assassin*) Mörder(in) *m(f)* **2.** (*coupable*) Verbrecher(in) *m(f)*

crin [kʀɛ̃] *m* **1.** (*poil*) Pferde-/Eselshaar *nt* **2.** *sans pl* (*matière*) Rosshaar *nt*

crinière [kʀinjɛʀ] *f* Mähne *f*

crique [kʀik] *f* kleine Bucht

criquet [kʀikɛ] *m* Heuschrecke *f*

crise [kʀiz] *f* **1.** MED ~ **cardiaque** Herzanfall *m;* ~ **d'appendicite** Blinddarmentzündung *f;* **faire une** ~ **de nerfs** einen Nervenzusammenbruch bekommen **2.** ECON, POL, FIN Krise *f* ►**faire sa** ~ *fam* ausrasten; **piquer une** ~ **[de colère]** *fam* einen Wutanfall bekommen

crispant, e [kʀispã, ãt] *adj* nervtötend

crispation [kʀispasjɔ̃] *f* Zucken *nt; d'un muscle* Krampf *m*

crispé, e [kʀispe] *adj* verkrampft; *poing* geballt

crisper [kʀispe] <1> **I.** *vt* **1.** (*contracter*) **l'effort crispe ses muscles** seine/ihre Muskeln sind vor Anstrengung angespannt; **la douleur lui crispait le visage** der Schmerz verzerrte sein/ihr Gesicht **2.** (*agacer*) ~ **qn** jdm auf die Nerven fallen *(fam)* **II.** *vpr* **se** ~ **1.** (*se contracter*) sich verkrampfen **2.** (*se serrer*) *main:* sich verkrampfen; *poing:* sich ballen

crisser [kʀise] <1> *vi pneus:* quietschen; *gravier, pas:* knirschen; *freins:* kreischen

cristal [kʀistal, o] <-aux> *m* **1.** MINER [Quarz]kristall *m* **2.** (*verre*) Kristall *nt* **3.** *pl* (*cristallisation*) Kristalle *Pl*

cristallin [kʀistalɛ̃] *m de l'œil* Linse *f*

cristallisé [kʀistalize] *adj* kristallisiert; **du sucre** ~ [Kristall]zucker *m*

cristalliser [kʀistalize] <1> **I.** *vi* CHIM Kristalle *Pl* bilden **II.** *vt* CHIM auskristallisieren **III.** *vpr* CHIM **se** ~ Kristalle bilden

critère [kʀitɛʀ] *m* Kriterium *nt*

critiquable [kʀitikabl] *adj* kritisierbar

critique [kʀitik] **I.** *adj* kritisch **II.** *f* Kritik *f;*

croire

• croire	• glauben
Je **crois** qu'elle réussira l'examen/**que** notre équipe gagnera. Je **pense que** cette histoire **est vraie**.	Ich **glaube, dass** sie die Prüfung bestehen wird/**an** den Sieg unserer Mannschaft. Ich **halte** diese Geschichte **für wahr**.
• **exprimer des hypothèses**	• **Vermutungen ausdrücken**
Je **suppose qu'**elle ne viendra pas. J'ai l'**impression qu'**il nous cache quelque chose. J'ai le **sentiment qu'**elle ne va plus tenir le coup longtemps. Je **considère qu'**un krach boursier **est (tout à fait) possible** dans un avenir proche. Je la **soupçonne d'**avoir fait une erreur dans les comptes. Je **présume qu'**il est satisfait de son nouveau travail. J'ai **comme un pressentiment**.	Ich **vermute,** sie wird nicht kommen. **Es kommt mir so vor, als** würde er uns irgendetwas verheimlichen. Ich **habe das Gefühl, dass** sie das nicht mehr lange mitmacht. Ich **halte** einen Börsenkrach in der nächsten Zeit **für (durchaus) denkbar/ möglich**. Ich **habe da so den Verdacht, dass** sie bei der Abrechnung einen Fehler gemacht hat. Ich **nehme an,** dass er mit seiner neuen Arbeit zufrieden ist. Ich **habe da so eine Ahnung**.

faire la ~ d'un livre/**film** ein Buch/einen Film rezensieren; **la ~ a bien accueilli son livre** sein/ihr Buch kam bei den Kritikern gut an **III.** *mf* Kritiker(in) *m(f)*

critiquer [kʀitike] <1> *vt* **1.** (*condamner*) kritisieren **2.** (*juger*) rezensieren

croasser [kʀɔase] <1> *vi* krächzen

croc [kʀo] *m* Fangzahn *m;* **le chien montre les ~s** der Hund fletscht die Zähne

croc-en-jambe [kʀɔkɑ̃ʒɑ̃b] <crocs-en-jambe> *m* **faire un ~ à qn** jdm Knüppel zwischen die Beine werfen

croche [kʀɔʃ] *f* MUS Achtel *nt,* Achtelnote *f*

croche-pied [kʀɔʃpje] <croche-pieds> *m* **faire un ~ à qn** jdm ein Bein stellen

crochet [kʀɔʃɛ] *m* **1.** (*pour accrocher*) [Wand]haken *m* **2.** (*aiguille*) Häkelhaken *m* **3.** SPORT Haken *m* **4.** *pl* TYP eckige Klammern *Pl* **5.** *pl* (*dent*) Giftzähne *Pl* **6.** (*détour*) **faire un ~** *route:* einen Knick machen; *personne:* einen Umweg machen ▸**vivre aux ~s de qn** jdm auf der Tasche liegen

crocheter [kʀɔʃte] <4> *vt* mit dem Dietrich öffnen *porte, serrure*

crochu, e [kʀɔʃy] *adj bec* gekrümmt; *doigts* verkrümmt; **avoir le nez ~** eine Hakennase haben

croco *fam,* **crocodile** [kʀɔkɔdil] *m* **1.** Krokodil *nt* **2.** (*cuir*) Krokodilleder *nt*

crocus [kʀɔkys] *m* Krokus *m*

croire [kʀwaʀ] <irr> **I.** *vt* **1.** (*tenir pour vrai*) glauben; **faire ~ qc à qn** jdn etw

(*akk*) glauben machen **2.** (*avoir confiance en qn*) ~ **qn** jdm trauen; ~ **qn, car il ne ment jamais** jdm glauben, denn er lügt niemals; **je te/vous crois!** *fam* na klar! **3.** (*s'imaginer*) sich einbilden **4.** (*supposer*) **c'est à ~ qu'il va pleuvoir** wahrscheinlich wird es morgen regnen; **il faut ~ que ...** es ist anzunehmen, dass ...; **il croit que ...** glaubt er, dass ... **5.** (*estimer*) ~ **qn capable** jdn für fähig halten; **on l'a crue morte** man hielt sie für tot ▸**ne pas en ~ ses oreilles/yeux** seinen Ohren/Augen nicht trauen; **ne pas ~ si bien dire** den Nagel auf den Kopf treffen **II.** *vi* **1.** REL glauben; ~ **en Dieu** an Gott (*akk*) glauben **2.** (*faire confiance à qn*) ~ **en qn** an jdn glauben **3.** (*être convaincu de qc*) ~ **à qc** an etw (*akk*) glauben; ~ **en qc** in etw (*akk*) vertrauen **4.** (*ajouter foi à*) ~ **à la réincarnation** an die Reinkarnation glauben; ~ **au Père Noël** *fam* wohl noch an den Weihnachtsmann glauben ▸**je vous prie de ~ à l'expression de ma considération distinguée, veuillez ~ à mes sentiments les meilleurs** *form* mit freundlichen Grüßen **III.** *vpr* **se ~ intelligent** sich für intelligent halten; **se ~ tout permis** glauben sich alles erlauben zu können; **qu'est-ce qu'il se croit, celui-là?** wofür hält er sich denn?

croisade [kʀwazad] *f* HIST Kreuzzug *m*

croisé, e [kʀwaze] *adj* **les bras ~s** verschränkte Arme ▸**rester les bras ~s**

Däumchen drehen; <u>mots</u> ~**s** Kreuzworträtsel *nt*

croisement [kʀwazmɑ̃] *m* **1.** *sans pl* **feux
de** ~ Abblendlicht *nt* **2.** (*intersection*)
Kreuzung *f* **3.** (*mélange*) Kreuzung *f*

croiser [kʀwaze] <1> **I.** *vt* **1.** (*mettre en
croix*) verschränken *bras;* übereinander
schlagen *jambes;* falten *mains* **2.** (*couper*)
kreuzen *route, regard;* begegnen *véhicule*
3. (*passer à côté de qn*) ~ **qn** jdm begegnen; ~ **qc** *regard:* auf etw (*akk*) fallen; **son
regard a croisé le mien** unsere Blicke
sind sich begegnet **4.** BIO, ZOOL kreuzen **II.**
vpr **se** ~ **1.** (*passer l'un à côté de l'autre*)
personnes: sich treffen; *regards:* sich begegnen **2.** (*se couper*) sich kreuzen

croiseur [kʀwazœʀ] *m* NAUT Kreuzer *m*
croisière [kʀwazjɛʀ] *f* Kreuzfahrt *f*
croisillon [kʀwazijɔ̃] *m* *d'une fenêtre*
Sprosse *f*
croissance [kʀwasɑ̃s] *f sans pl a.* ECON
Wachstum *nt; d'un enfant* Entwicklung *f*
croissant [kʀwasɑ̃] *m* **1.** GASTR Croissant
nt, Hörnchen *nt* **2.** *sans pl* (*forme*) ~ **de
lune** Mondsichel *f* **3.** (*symbole*) Halbmond *m*
croissant, e [kʀwasɑ̃, ɑ̃t] *adj* wachsend;
nombre steigend
croissanterie [kʀwasɑ̃tʀi] *f* Croissanterie
f
croître [kʀwatʀ] <*irr*> *vi* **1.** (*grandir*)
wachsen **2.** (*augmenter*) *choses:* zunehmen; *colère:* wachsen; *chômage:* ansteigen
croix [kʀwa] *f* Kreuz *nt;* **faire un signe de**
~ sich bekreuzigen; **mettre une** ~ **dans la
case qui convient** das zutreffende Feld
bitte ankreuzen; ~ **de la Légion d'honneur** Kreuz der Ehrenlegion ▶**faire** une ~
sur qc *fam* etw abschreiben
Croix-Rouge [kʀwaʀuʒ] *f* **la** ~ das Rote
Kreuz
croquant, e [kʀɔkɑ̃, ɑ̃t] *adj* knackig; *biscuit* knusprig
croque-madame [kʀɔkmadam] *m inv:*
*getoastetes Käse-Schinken-Sandwich mit
Spiegelei* **croque-monsieur**
[kʀɔkməsjø] *m inv: getoastetes Käse-
Schinken-Sandwich* **croque-mort** [kʀɔk-
mɔʀ] <croque-morts> *m fam* Leichen-
bestatter *m*
croquer [kʀɔke] <1> **I.** *vt* **1.** (*manger*)
knabbern *biscuit;* zerbeißen *bonbons;* ~
une pomme in einen Apfel beißen **2.** *fam*
(*dépenser*) verschleudern **3.** (*dessiner*)
skizzieren ▶**être à** ~ zum Anbeißen sein
(*fam*) **II.** *vi* **1.** (*être croustillant*) *salade:*
knacken; *bonbons:* krachen **2.** (*mordre*) ~
dans une pomme [kräftig] in einen Apfel
beißen

croquet [kʀɔkɛ] *m* SPORT Krocket *nt*
croquette [kʀɔkɛt] *f* Krokette *f;* ~ **de poisson** Fischbällchen *nt*
croquis [kʀɔki] *m* Skizze *f*
cross [kʀɔs] *m* (*course à pied*) Geländelauf
m; (*course de moto*) Querfeldeinwettbe-
werb *m*
crosse [kʀɔs] *f* **1.** *d'un fusil* Kolben *m; d'un
revolver* Griff *m* **2.** REL Bischofsstab *m*
3. SPORT Schläger *m*
crotale [kʀɔtal] *m* Klapperschlange *f*
crotte [kʀɔt] *f* **1.** *de cheval* Pferdeapfel *m*
2. GASTR ~ **en chocolat** Schoko[laden]prali-
ne *f*
crotté, e [kʀɔte] *adj* schmutzig
crottin [kʀɔtɛ̃] *m* **1.** *d'un âne* Mist *m; d'un
cheval* Pferdeapfel *m* **2.** (*fromage*) *kleiner,
runder Ziegenkäse*
croulant, e [kʀulɑ̃, ɑ̃t] *adj* *mur, maison*
baufällig
crouler [kʀule] <1> *vi* **1.** (*s'écrouler*) einstürzen **2.** *fig* ~ **sous les fruits** *arbre:* sich
unter dem Gewicht der Früchte biegen; ~
sous le travail von der Arbeit erdrückt
werden; ~ **sous les applaudissements**
von tosendem Beifall dröhnen **3.** (*s'effondrer*) zusammenbrechen
croupe [kʀup] *f d'un cheval* Kruppe *f; fam
d'une femme* Hintern *m* ▶**monter** en ~
hinten aufsitzen
croupier, -ière [kʀupje, -jɛʀ] *m, f* Croupier *m*
croupion [kʀupjɔ̃] *m* Sterz *m*
croupir [kʀupiʀ] <8> *vi* **1.** *eau:* stehen und
dabei faulig werden; *détritus:* verfaulen
2. (*végéter*) ~ **en prison** im Gefängnis verfaulen
croustade [kʀustad] *f* [Krusten]pastete *f*
croustillant, e [kʀustijɑ̃, jɑ̃t] *adj* **1.** GASTR
knusprig **2.** (*grivois*) pikant
croustille [kʀustij] *f* CAN [Kartoffel]chips *m*
croustiller [kʀustije] <1> *vi* knusprig sein
croûte [kʀut] *f* **1.** *sans pl de pain, fromage*
Rinde *f* **2.** GASTR Teigmantel *m;* **pâté en** ~
Blätterteigpastete *f* **3.** *sans pl* (*couche*)
Schicht *f;* MED Schorf *m; de sang* Kruste *f*
4. (*sédiment*) Belag *m* **5.** GEOL ~ **terrestre**
Erdkruste *f* ▶**casser** la ~ *fam* etw essen;
gagner sa ~ *fam* seine Brötchen *Pl* verdienen
croûton [kʀutɔ̃] *m* **1.** (*extrémité*) Kanten
m (NDEUTSCH), Knäuschen *nt* (SDEUTSCH)
2. (*pain frit*) Croûton *m* ▶**vieux** ~ *fam*
verknöcherte(r) Alte(r) *f(m)*
croyable [kʀwajabl] *adj* **c'est à peine** ~
es ist kaum zu glauben
croyance [kʀwajɑ̃s] *f* **1.** *sans pl* (*le fait de
croire*) **la** ~ **dans/en qc** der Glaube an/in
etw (*akk*) **2.** (*ce que l'on croit*) ~ **religieu-**

se Glaube *m*

croyant [krwajã] *part prés de* **croire**

croyant, e [krwajã, ãt] **I.** *adj* religiös **II.** *m, f* Gläubige(r) *f(m)*

CRS [seeres] *m abr de* **compagnie républicaine de sécurité** ≈ Bereitschaftspolizei *f*; (*policier*) Bereitschaftspolizist(in) *m(f)*; **les** ~ die Bereitschaftspolizei

cru [kry] *m* **1.** (*terroir*) [Wein]anbaugebiet *nt* **2.** (*vin*) **un grand** ~ ein großer Wein; **un des grands ~s de Bourgogne** einer der besten Burgunder **3.** (*invention*) **c'est de mon propre** ~ es ist meine eigene Erfindung

cru, e [kry] **I.** *part passé de* **croire II.** *adj* **1.** *aliments* roh **2.** (*vif*) grell **3.** (*direct*) ungeschminkt

crû, e [kry] *part passé de* **croître**

cruauté [kryote] *f sans pl* Grausamkeit *f*

cruche [kryʃ] *f* **1.** Krug *m* **2.** *fam* (*sot*) Trottel *m*

crucial, e [krysjal, jo] <-aux> *adj* entscheidend

crucifier [krysifje] <1> *vt* kreuzigen

crucifix [krysifi] *m* Kruzifix *nt*

crucifixion [krysifiksjɔ̃] *f* (*supplice*) Kreuzigung *f*; ART Kreuzigung[sgruppe *f*] *f*

cruciforme [krysifɔrm] *adj* **1.** ARCHIT kreuzförmig **2.** TECH **tournevis** ~ Kreuzschlitzschraubendreher *m*

cruciverbiste [krysiverbist] *mf* Kreuzworträtselfan *m*

crudité [krydite] *f pl* GASTR [Gemüse]rohkost *f*; **assiette de ~s** ≈ Salatplatte *f*

crue [kry] *f* Hochwasser *nt*

cruel, le [kryɛl] *adj* **1.** (*méchant*) grausam **2.** *sort* grausam; *épreuve* schwer

cruellement [kryɛlmã] *adv* (*méchamment*) grausam

crûment [krymã] *adv* unverblümt, direkt

crus [kry] *passé simple de* **croire**

crûs [kry] *passé simple de* **croître**

crustacé [krystase] *m* Krustentier *nt*

cryptage [kriptaʒ] *m* INFORM Verschlüsselung *f*

crypte [kript] *f* Krypta *f*

crypté, e [kripte] *adj* verschlüsselt; **chaîne ~e** Privatsender, der ein verschlüsseltes Programm sendet

crypter [kripte] <1> *vt* verschlüsseln

CSG [seesʒe] *f abr de* **contribution sociale généralisée** Sozialsteuer zum Ausgleich des Defizits der Sécurité Sociale

cube [kyb] *m* **1.** **mètre** ~ Kubikmeter *m* **2.** GEOM Würfel *m* **3.** (*jouet*) Holzklötzchen *nt* **4.** MATH Kubikzahl *f*; **élever ces chiffres au** ~ diese Zahlen in die dritte Potenz erheben

cuber [kybe] <1> *vt* **1.** MATH in die dritte

Potenz erheben **2.** (*mesurer le volume de*) ~ **qc** das Volumen einer S. (*gen*) errechnen

cubique [kybik] *adj* **1.** würfelförmig **2.** MATH **racine** ~ Kubikwurzel *f*

cubisme [kybism] *m* ART Kubismus *m*

cubitus [kybitys] *m* Elle *f*

cucu(l) [kyky] **I.** *adj inv fam* doof; *personne* einfältig; *film* kitschig **II.** *m enfantin* Popo *m*

cueillette [kœjɛt] *f sans pl* Ernten *nt*; *des fruits* Pflücken *nt*; *des champignons* Sammeln *nt*

cueillir [kœjir] <*irr*> *vt* **1.** pflücken *fleurs*; ernten *légumes*; sammeln *champignons*; lesen *raisins* **2.** *fam* (*arrêter*) schnappen **3.** *fam* (*prendre au passage*) auflesen

cui-cui [kɥikɥi] *interj* piep-piep

cuiller, cuillère [kɥijɛr] *f* **1.** (*ustensile*) Löffel *m*; ~ **à café** [*o* **à thé** CAN] Teelöffel; ~ **à soupe** [*o* **à table** CAN] Esslöffel **2.** (*contenu*) **une** ~ **d'huile** ein Löffel *m* Öl ►**ne pas y aller avec le dos de la** ~ nicht zimperlich sein; **être à ramasser à la petite** ~ *fam* fix und fertig sein

cuillerée, cuillérée [kɥijere] *f* ~ **à café** Teelöffel *m*; ~ **à soupe** Esslöffel

cuir [kɥir] *m sans pl* Leder *nt* ►~ **chevelu** Kopfhaut *f*

cuirasse [kɥiras] *f* **1.** MIL Panzer[ung *f*] *f* **2.** HIST [Brust]harnisch *m* ►**le défaut de la** ~ die verwundbare Stelle

cuirassé [kɥirase] *m* Panzerkreuzer *m*

cuire [kɥir] <*irr*> **I.** *vt* **1.** kochen; (*à la vapeur*) garen; (*à l'étouffée*) schmoren *viande*; dünsten *légumes*; (*au four*) braten *viande*; backen *pain, gâteau*; (*à la poêle*) frittieren; **faire** ~ **qc au bain-marie** etw im Wasserbad garen; **faire** ~ **qc au four** etw im Ofen zubereiten **2.** TECH brennen ►**être dur à** ~ hartgesotten sein **II.** *vi* **1.** GASTR *viande:* schmoren; *légumes:* garen; *pâtes:* kochen; *pain, gâteau:* backen **2.** *fam* (*avoir très chaud*) glühen **3.** (*brûler*) brennen

cuisant, e [kɥizã, ãt] *adj déception* bitter

cuisine [kɥizin] *f* **1.** (*pièce*) Küche *f*; (*meubles*) Einbauküche **2.** (*art culinaire*) Kochkunst *f*; (*nourriture*) Küche *f*, Essen *nt*; **livre de** ~ Kochbuch *nt*; **recette de** ~ [Koch]rezept *nt*; **aimer la bonne** ~ gerne gut essen; **faire la** ~ kochen

cuisiner [kɥizine] <1> **I.** *vi* (*faire la cuisine*) kochen **II.** *vt* **1.** (*préparer des plats*) kochen; **plat cuisiné** Fertiggericht *nt* **2.** *fam* (*interroger*) ~ **qn** jdn ausquetschen

cuisinier, -ière [kɥizinje, -jɛr] *m, f* Koch/Köchin *m/f*

cuisinière [kɥizinjɛr] *f* **1.** (*appareil*) [Küchen]herd *m* **2.** (*personne*) Köchin *f*

cuissardes [kɥisaʀd] *fpl* kniehohe Stiefel *Pl*

cuisse [kɥis] *f* **1.** ANAT Schenkel *m* **2.** GASTR *de lièvre, volaille* Keule *f; de grenouille* Schenkel *m*

cuisseau [kɥiso] <x> *m de veau* Keule *f* [mit Lendenstück]

cuisson [kɥisɔ̃] *m* **1.** *sans pl* Kochen *nt*, Garen *nt; de la viande* Schmoren *nt; des légumes* Dünsten *nt; d'un rôti* Braten *nt; du pain, gâteau* Backen *nt;* **et la ~: bien cuit, à point, saignant, bleu?** wie möchten Sie es: gut durchgebraten, medium, englisch, blutig? **2.** (*durée*) Gar-/Koch-/Brat-/Backzeit *f* **3.** *sans pl* TECH Brennen *nt*

cuissot [kɥiso] *m du sanglier, chevreuil* Keule *f*

cuistot [kɥisto] *m fam* Koch *m*

cuit, e [kɥi, kɥit] **I.** *part passé de* **cuire II.** *adj* **1.** GASTR gar; *légumes, jambon* gekocht; *steak* gebraten; *gâteau, pain* gebacken; **ne pas être [assez] ~** nicht gar/nicht durchgebraten/nicht durchgebacken sein; **être trop ~** zerkocht/zu stark gebraten/zu stark gebacken sein; **une baguette bien ~e** ein dunkles Baguette **2.** TECH gebrannt; **terre ~e** Terrakotta *f* ▶ **c'est ~** *fam* es ist aus und vorbei; **c'est du tout ~** *fam* das ist ein Klacks; **être ~** *fam* am Ende sein

cuite [kɥit] *f fam* Rausch *m;* **tenir une sacrée** ~ ganz schön einen sitzen haben; **prendre une** ~ sich (*dat*) einen antrinken

cuiter [kɥite] <1> *vpr fam* **se** ~ sich besaufen

cuivre [kɥivʀ] *m* **1.** (*métal et ustensiles*) Kupfer *nt* **2.** *pl* MUS Blech[blas]instrumente *Pl*

cuivré, e [kɥivʀe] *adj* **1.** kupferfarben **2.** (*sonore*) volltönend

cul [ky] *m sans pl fam* (*derrière*) Hintern *m* ▶ **s'entendre comme** ~ **et chemise** *fam* ein Herz und eine Seele sein; **coûter la peau du** ~ *fam* den letzten Pfennig kosten; **boire** ~ **sec** *fam* auf ex trinken; **parle à mon** ~ [**ma tête est malade**] *fam* gib dir keine Mühe, dein Geschwätz interessiert mich nicht

culasse [kylas] *f* **1.** *d'un moteur* Zylinderkopf *m* **2.** *d'un fusil* Verschluss *m*

culbute [kylbyt] *f* **1.** (*galipette*) **faire une** ~ einen Purzelbaum schlagen **2.** (*chute*) **faire des** ~**s dans l'escalier** kopfüber die Treppe hinunterfallen

culbuter [kylbyte] <1> **I.** *vi* (*tomber*) stürzen **II.** *vt* (*faire tomber*) umwerfen

cul-de-jatte [kydʒat] <culs-de-jatte> *mf* beinloser Krüppel **cul-de-sac** [kydsak] <culs-de-sac> *m* Sackgasse *f*

culinaire [kylinɛʀ] *adj* **art** ~ Kochkunst *f*

culminant, e [kylminɑ̃, ɑ̃t] *adj fig* **point** ~ **de qc** Höhepunkt *m* einer S. (*gen*)

culminer [kylmine] <1> *vi* (*avoir une hauteur de*) **le pic culmine à 8000 m** der Berggipfel liegt bei 8000 m

culot [kylo] *m* **1.** *d'une ampoule* Sockel *m; d'un obus* Boden *m* **2.** *fam* (*assurance*) Frechheit *f;* **avoir du** ~ unverschämt sein; **avoir un sacré** ~ unglaublich dreist sein; **avoir le** ~ **de faire qc** die Frechheit haben etw zu tun

culotte [kylɔt] *f* **1.** (*slip*) Slip *m*, Unterhose *f* **2.** (*short*) kurze Hose[n] **3.** SPORT lange Hose[n]; ~[**s**] **de golf** Knickerbocker *Pl;* ~[**s**] **de cheval** Reithose[n]; *fig* Fettpolster *Pl* an den Oberschenkeln

culotté, e [kylɔte] *adj fam* (*effronté*) dreist; (*audacieux*) draufgängerisch

culpabiliser [kylpabilize] <1> **I.** *vt* ~ **qn** bei jdm Schuldgefühle wecken **II.** *vi* sich schuldig fühlen **III.** *vpr* **se** ~ sich (*dat*) Vorwürfe *Pl* machen

culpabilité [kylpabilite] *f sans pl* Schuld *f*

culte [kylt] *m* **1.** *sans pl* (*vénération*) Kult *m* **2.** *sans pl* (*cérémonie: chrétienne*) Gottesdienst *m;* (*païenne*) Kultfeier *f;* (*religion*) Religion *f* **3.** (*office protestant*) [Predigt]gottesdienst *m* **4.** *fig* **vouer un** ~ **à qn** jdn verehren; **avoir le** ~ **de l'argent** das [liebe] Geld anbeten; ~ **de la personnalité** Personenkult *m*

cultivable [kyltivabl] *adj* bebaubar

cultivateur, -trice [kyltivatœʀ, -tʀis] *m, f* Landwirt(in) *m(f)*

cultivé, e [kyltive] *adj* gebildet

cultiver [kyltive] <1> **I.** *vt* **1.** AGR anbauen; **des terrains cultivés** bebaute Felder *Pl;* **des plantes cultivées** Kulturpflanzen *Pl* **2.** (*exercer*) trainieren *mémoire;* fördern *don;* ~ **son esprit** sich [weiter]bilden **3.** (*entretenir*) pflegen **II.** *vpr* **se** ~ **en faisant qc** sich bilden, indem man etw tut

culture [kyltyʀ] *f* **1.** *sans pl* Anbau *m;* ~ **de la vigne** Weinbau **2.** *sans pl d'un champ* Bebauen *nt; d'un verger* Bewirtschaftung *f; biologique* Anbau *m* **3.** *pl* (*terres cultivées*) Felder *Pl* **4.** BIO Kultur *f* **5.** *sans pl* (*savoir*) Bildung *f;* (*connaissances spécialisées*) Wissen *nt;* ~ **générale** Allgemeinbildung; **ministre de la Culture** Kultusminister *m* **6.** (*civilisation*) Kultur *f* **7.** SPORT ~ **physique** Gymnastik *f*

culturel, le [kyltyʀɛl] *adj* **échange** ~ Kulturaustausch *m; revendications, identité, manifestations* kulturell; **voyage** ~ Bildungsreise *f*

culturisme [kyltyʀism] *m sans pl* Bodybuilding *nt*

cumin [kymɛ̃] *m* Kümmel *m*

cumul [kymyl] *m sans pl* Häufung *f*

cumuler [kymyle] <1> *vt* kumulieren; ~ **des mandats** mehrere Ämter innehaben

cumulus [kymylys] *m* (*nuage*) Haufenwolke *f*

curateur, -trice [kyʀatœʀ, -tʀis] *m, f* JUR *d'un mineur, aliéné* Vormund *m*

curatif, -ive [kyʀatif, -iv] *adj* **vertu curative d'une plante** Heilkraft *f* einer Pflanze

cure [kyʀ] *f* Kur *f;* ~ **de désintoxication** Entziehungskur; ~ **thermale** Thermalkur

curé [kyʀe] *m* Pfarrer(in) *m(f);* ~ **de campagne** Landpfarrer

cure-dent [kyʀdɑ̃] <cure-dents> *m* Zahnstocher *m* **cure-pipe** [kyʀpip] <cure-pipes> *m* Pfeifenreiniger *m*

curer [kyʀe] <1> I. *vt* reinigen II. *vpr* se ~ **les ongles** sich (*dat*) die Nägel sauber machen

curie [kyʀi] *f* REL Kurie *f*

curieusement [kyʀjøzmɑ̃] *adv* seltsam, merkwürdig

curieux, -euse [kyʀjø, -jøz] I. *adj* 1. (*indiscret*) neugierig 2. (*intéressé*) **être** ~ **de qc** sich für etw interessieren; **être** ~ **de faire qc** [zu] gerne etw tun wollen; **être** ~ **d'apprendre qc** auf etw (*akk*) gespannt sein; **être** ~ **de savoir** wissen wollen 3. (*étrange*) seltsam; **ce qui est** ~, **c'est que ...** das Seltsame [daran] ist, dass ...; **chose curieuse, ...** seltsamerweise II. *m, f* 1. *sans pl* (*indiscret*) Schnüffler(in) *m(f)* (*fam*); **c'est un** ~ der steckt in alles seine Nase (*fam*) 2. *mpl* (*badauds*) Schaulustige(n) *Pl;* **se protéger des** ~ sich vor neugierigen Blicken schützen

curiosité [kyʀjozite] *f* 1. *sans pl* (*intérêt*) Neugier[de] *f*, Interesse *nt* 2. *sans pl* (*indiscrétion*) Neugier[de] *f;* **il a été puni de sa** ~ das hat er nun von seiner Neugier[de] 3. (*site*) Sehenswürdigkeit *f;* ~ **touristique** Touristenattraktion *f* 4. (*objet rare*) Rarität *f*

curiste [kyʀist] *mf* Kurgast *m*

curling [kœʀliŋ] *m sans pl* SPORT Eis[stock]schießen *nt*

curriculum [vitae] [kyʀikylɔm(vite)] *m inv* Lebenslauf *m*

curry [kyʀi] *m sans pl* Curry *nt o m*

curseur [kyʀsœʀ] *m* 1. INFORM Cursor *m* 2. *d'une règle, balance* Schieber *m*

cursus [kyʀsys] *m* UNIV Studiengang *m*

customiser [kœstɔmize] <1> *vt* ~ **qc** einer S. eine persönliche Note verleihen

cutané, e [kytane] *adj* **maladie ~e** Hautkrankheit *f*

cutiréaction [kytiʀeaksjɔ̃] *f* Haut[reaktions]test *m*

cutter [kœtœʀ, kytɛʀ] *m* Cutter[-Messer

cuve [kyv] *f* (*fermée*) Tank *m;* (*ouverte*) Bottich *m;* ~ **à vin** Bütte *f*

cuvée [kyve] *f* 1. (*quantité*) **vin de la même** ~ Wein *m* aus demselben [Gär]bottich/[Gär]tank 2. (*produit*) Jahrgang *m*

cuver [kyve] <1> I. *vi* seinen Rausch ausschlafen; *vin:* gären II. *vt* ~ **son vin** *fam* seinen Rausch ausschlafen

cuvette [kyvɛt] *f* 1. (*récipient*) Waschschüssel *f* 2. *d'un évier* Becken *nt* 3. GEOG Kessel *m*

CV *abr de* **cheval fiscal**

CV [seve] *m abr de* **curriculum vitae**

cyanure [sjanyʀ] *m* Zyanid *nt*

cyberboutique [sibɛʀbutik] *f* Shopping Mall *f*

cybercafé [sibɛʀkafe] *m* Internet Café *nt*

cybernaute [sibɛʀnot] *mf* [Internet]surfer(in) *m(f)*

cybernétique [sibɛʀnetik] *f* Kybernetik *f*

cyberspace [sibɛʀspas] *m* Cyberspace *m*

cyclamen [siklamɛn] *m* Alpenveilchen *nt*

cycle [sikl] *m* 1. BIO, MED Zyklus *m;* ~ **menstruel** Periode *f* 2. ASTRON, ECON Kreislauf *m* 3. SCOL **premier** ~ Sekundarstufe I *f*, Unter- und Mittelstufe; **deuxième** ~ Sekundarstufe II; ~ **d'orientation** Orientierungsstufe *f* (*8. und 9. Schuljahr als Orientierung für die Wahl des Abiturtyps*) 4. UNIV **premier** ~ Grundstudium *nt;* **deuxième** ~ Hauptstudium; **troisième** ~ Doktorandenstudium

cyclique [siklik] *adj* zyklisch

cyclisme [siklism] *m sans pl* Radsport *m*

cycliste [siklist] I. *adj* **course** ~ Radrennen *nt;* **coureur** ~ Radrennfahrer *m* II. *mf* Radfahrer(in) *m(f)* III. *m* Radlerhose *f*

cyclo-cross [siklokʀɔs] *m inv* SPORT Querfeldeinrennen *nt*

cyclomoteur [siklomɔtœʀ] *m* Mofa *nt*

cyclomotoriste [siklomɔtɔʀist] *mf* Mopedfahrer(in) *m(f)*

cyclone [siklon] *m* 1. (*tempête*) Zyklon *m* 2. METEO Tief[druckgebiet *nt*] *m*

cyclope [siklɔp] *m* Zyklop *m*

cyclotourisme [siklotuʀism] *m sans pl* Radwandern *nt*

cygne [siɲ] *m* Schwan *m*

cylindre [silɛ̃dʀ] *m* 1. (*rouleau*) Walze *f* 2. MATH, AUT, TECH Zylinder *m;* **une quatre/six** ~s *fam* ein Vier-/Sechszylinder

cylindrée [silɛ̃dʀe] *f* 1. *sans pl* (*volume*) Hubraum *m* 2. (*voiture*) **petite** ~ Auto *nt* mit kleinem Hubraum; **une grosse** ~ (*moto*) eine große Maschine

cylindrique [silɛ̃dʀik] *adj* zylindrisch

cymbale [sɛ̃bal] *f sans pl* MUS Becken *nt*

cynique [sinik] I. *adj* 1. zynisch 2. PHILOS

kynisch **II.** *mf* **1.** Zyniker(in) *m(f)* **2.** PHILOS Kyniker(in) *m(f)*

cynisme [sinism] *m* **1.** *sans pl* Zynismus *m;* **avec** ~ zynisch **2.** PHILOS Kynismus *m*

cyprès [sipʀɛ] *m* Zypresse *f*

cypriote [sipʀijɔt] *adj* zypriotisch

Cypriote [sipʀijɔt] *mf* Zypriot(in) *m(f)*

cystite [sistit] *f* Blasenentzündung *f*

D

D, d [de] *m inv* D *nt*, d *nt*

d' *v.* de

d'abord [dabɔʀ] *v.* abord

d'accord [dakɔʀ] *v.* accord

dactylo [daktilo] **I.** *mf abr de* **dactylographe** Schreibkraft *f*; **être** ~ als Schreibkraft arbeiten **II.** *f abr de* **dactylographie:: apprendre la** ~ Schreibmaschine *f* schreiben lernen; **cours de** ~ Schreibmaschinenkurs *m*

dactylographie [daktilɔgʀafi] *f sans pl v.* **dactylo**

dactylographier [daktilɔgʀafje] <1> *vt* auf der [Schreib]maschine schreiben *lettre, texte*; **un C.V. dactylographié** ein maschinengeschriebener Lebenslauf

dada¹ [dada] *m fam* **avoir un** ~ ein Steckenpferd haben

dada² [dada] *adj inv* ART, LITTER dadaistisch

dadais [dadɛ] *m* **grand** ~ Tollpatsch *m*

dahlia [dalja] *m* Dahlie *f*

daigner [deɲe] <1> *vt* ~ **faire qc** sich herablassen etw zu tun

daim [dɛ̃] *m* **1.** ZOOL Damwild *nt*; (*mâle*) Damhirsch *m* **2.** (*cuir*) Wildleder *nt*

dais [dɛ] *m* Baldachin *m*

dallage [dalaʒ] *m sans pl* Plätteln *nt*

dalle [dal] *f* (*plaque*) [Stein]platte *f*, [Boden]fliese *f* ▶**avoir la** ~ *fam* Kohldampf haben; **que** ~! *fam* Pustekuchen!; [**n']y comprendre que** ~ *fam* nur Bahnhof verstehen; [**n']y voir que** ~ *fam* die Hand nicht vor [den] Augen sehen können

daltonien, ne [daltɔnjɛ̃, jɛn] *adj* farbenblind

damassé [damase] *m* (*de lin*) [Leinen]damast *m*

dame [dam] **I.** *f* **1.** (*femme*) Dame *f*; (*personne de sexe féminin*) Frau *f* **2.** (*femme de qualité*) Dame *f*; **grande** ~ feine Dame; **la première** ~ **de France** Frankreichs First Lady *f* **3.** *pl* (*jeu*) Damespiel *nt*; **jouer aux** ~s Dame spielen **4.** JEUX Dame *f*; ~ **de trèfle** Kreuzdame **II.** *interj fam* ~! na!; ~ **oui/non!** na klar/ach was!

dame-jeanne [damʒan] <dames-jeannes> *f* Ballon[flasche *f*] *m*

damer [dame] <1> *vt* fest stampfen *terre*

damier [damje] *m* **1.** JEUX Damebrett *nt* **2.** (*dessin*) Schachbrettmuster *nt*; **une nappe à** ~, **blanche et rouge** ein rotweiß kariertes Tischtuch

damnation [dɑnasjɔ̃] *f sans pl* Verdammnis *f*

damné, e [dɑne] **I.** *adj antéposé, fam* verdammt **II.** *m, f* Verdammte(r) *f(m)*

damner [dɑne] <1> *vt* verdammen

dancing [dɑ̃siŋ] *m* Tanzlokal *nt*

dandiner [dɑ̃dine] <1> *vpr* **se** ~ *canard, personne:* watscheln

Danemark [danmaʀk] *m* **le** ~ Dänemark *nt*

danger [dɑ̃ʒe] *m* Gefahr *f*; **les** ~s **de la route** die Gefahren im Straßenverkehr; **pas de** ~! bestimmt nicht!; **attention** ~! Vorsicht!; ~ **de mort!** Lebensgefahr!; **courir un** ~ sich in Gefahr begeben; **mettre qc en** ~ etw in Gefahr bringen ▶**un** [**vrai**] ~ **public** *fam* eine Gefahr für die Allgemeinheit

dangereusement [dɑ̃ʒʀøzmɑ̃] *adv* gefährlich

dangereux, -euse [dɑ̃ʒʀø, -øz] *adj* gefährlich; *émission, lecture* schädlich; *entreprise, jeu* riskant; **un fou** ~ ein gemeingefährlicher Verrückter; **zone dangereuse** Gefahrenzone *f*

danois [danwa] *m* Dänisch *nt*; *v. a.* **allemand**

danois, e [danwa, waz] *adj* dänisch

Danois, e [danwa, waz] *m, f* Däne/Dänin *m/f*

dans [dɑ̃] *prép* **1.** (*local, sans changement de lieu*) in (+ *dat*); **jouer** ~ **la cour** im Hof spielen; ~ **le grenier** auf dem Dachboden **2.** (*à travers*) durch (+ *akk*); **regarder** ~ **une longue vue** durch ein Fernglas sehen; **rentrer** ~ **un arbre** gegen einen Baum fahren **3.** (*à l'intérieur de*) in (+ *dat*), innerhalb (+ *gen*); **porter qn** ~ **ses bras** jdn auf dem Arm tragen **4.** (*contenant*) aus (+ *dat*); **boire** ~ **un verre** aus einem Glas trinken **5.** (*futur*) in (+ *dat*); ~ **combien de temps?** wann? **6.** (*dans un délai de*) innerhalb von (+ *dat*), binnen (+ *dat*); ~ **les délais** termingemäß; ~ **une heure** in einer Stunde **7.** (*dans le courant de*) im Laufe (+ *gen*) **8.** (*état, manière, cause*) in (+ *dat*); ~ **ces conditions** unter diesen Bedingungen; **travailler** ~ **les ordinateurs** im Bereich Computer arbeiten **9.** (*environ*) ungefähr, [so] um die

dansant, e [dɑ̃sɑ̃, ɑ̃t] *adj rythme, mélodie* Tanz-; *reflet, lueur* tanzend; **soirée** ~**e**

Tanzabend *m*

danse [dɑ̃s] *f* Tanz *m*, Tanzen *nt;* ~ classique Ballett *nt* ►mener la ~ der Anführer/die Anführerin sein

danser [dɑ̃se] <1> **I.** *vi* **1.** ART tanzen **2.** (*remuer*) *flammes, reflets:* flackern **II.** *vt* tanzen

danseur, -euse [dɑ̃sœʀ, -øz] *m, f* Tänzer(in) *m(f);* ~ étoile erster Tänzer/erste Tänzerin *m/f*

Danube [danyb] *m* le ~ die Donau

dard [daʀ] *m* Stachel *m*

darder [daʀde] <1> *vt* abschießen *flèche*

dare-dare [daʀdaʀ] *adv fam* schnurstracks

dartre [daʀtʀ] *f* [Haut]flechte *f*

datation [datasjɔ̃] *f* Datierung *f*

date [dat] *f* **1.** (*jour*) Datum *nt;* ~ de naissance/de mariage Geburts-/Hochzeitstag *m;* ~ limite d'envoi Einsendeschluss *m;* à quelle ~? wann?; amitié de longue ~ langjährige Freundschaft; en ~ du 10 mai vom 10. Mai **2.** (*événement*) Datum *nt;* les grandes ~s de l'Histoire die bedeutenden Ereignisse der Geschichte

dater [date] <1> **I.** *vt* datieren; être daté du ... das Datum vom ... tragen **II.** *vi* **1.** (*remonter à*) cette décision date de quelques minutes diese Entscheidung ist einige Minuten alt; à ~ d'aujourd'hui ab heute; ~ dans la vie de qn im Einschnitt in jds Leben (*dat*) sein **2.** (*être démodé*) veraltet sein ►ne pas ~ d'hier nicht neu sein

dateur [datœʀ] *m* d'une montre Datumsanzeiger *m*

datif [datif] *m* Dativ *m*, Wemfall *m*

datte [dat] *f* Dattel *f*

dattier [datje] *m* Dattelpalme *f*

daube [dob] *f* GASTR Schmorbraten *m*

dauphin [dofɛ̃] *m* ZOOL Delphin *m*

dauphinois, e [dofinwa, waz] *adj* aus der Dauphiné

daurade [dɔʀad] *f* ZOOL Goldbrasse *f*

davantage [davɑ̃taʒ] *adv* **1.** (*plus*) mehr; bien ~ de ... viel mehr ... **2.** (*plus longtemps*) länger

DDASS [das] *f abr de* direction départementale d'action sanitaire et sociale DDASS

de¹ [də, dy, de] <d', de la, du, des> *prép* **1.** (*point de départ*) von [... aus]; ~ ... à ... von ... bis ... **2.** (*origine*) aus; venir ~ Paris/d'Angleterre aus Paris/aus England stammen; le vin d'Italie italienischer Wein; tu es d'où? woher bist du?; le train ~ Paris (*provenance*) der Zug aus Paris; (*destination*) der Zug nach Paris; ~ Berlin à Paris von Berlin bis Paris **3.** (*appartenance*) des, der, des (+ *gen*); la fem-

me d'Antoine Antoines Frau **4.** (*détermination*) la couleur du ciel die Farbe des Himmels **5.** *sans art* (*matière*) aus; ~ [*o* en] bois aus Holz **6.** (*spécificité*) roue ~ secours Ersatzrad *nt* **7.** (*partie*) *souvent non traduit* la majorité des Français die Mehrheit der Franzosen **8.** *avec un contenant, âge, poids, temps* (*contenu*) un sac ~ pommes de terre ein Sack Kartoffeln; combien ~ kilos? wie viel Kilo?; un billet ~ cent euros ein Hundert-Euro-Schein; une jeune fille ~ 20 ans ein zwanzigjähriges Mädchen; avancer/reculer ~ 3 pas 3 Schritte vor-/zurückgehen; gagner 60 euros ~ l'heure 60 Euro in der Stunde verdienen **9.** (*identification*) *souvent non traduit ou par comp* la Ville ~ Paris die Stadt Paris **10.** (*qualification*) von einem/einer; cet idiot ~ Durand dieser Dummkopf von Durand; chienne ~ vie Hundeleben *nt* **11.** (*parmi*) le plus doué ~ nous der Begabteste von uns **12.** (*qualité*) von (+ *dat*); ce film est d'un ennui/d'un triste! dieser Film ist vielleicht langweilig/traurig! (*fam*) **13.** (*particule nobiliaire*) von; le général ~ Gaulle der General de Gaulle **14.** *après un nom dérivé de verbe* (*complément de nom*) des, der, des; la crainte ~ qn/qc die Angst vor jdm/etw **15.** + *compl d'un verbe* (*agent*) von (+ *dat*); ~ quoi ...? von was ...?; ~ qui? von wem? **16.** (*cause*) mourir ~ qc an etw (*dat*) sterben **17.** (*temporel*) ~ nuit nachts; ne rien faire ~ la journée den ganzen Tag über nichts tun; ~ temps en temps von Zeit zu Zeit; ~ loin en loin hier und da **18.** (*manière*) mit; ~ mémoire aus dem Gedächtnis **19.** (*moyen*) mit; faire signe ~ la main [mit der Hand] winken **20.** (*introduction d'un complément*) c'est à toi ~ jouer du bist dran; j'évite ~ sortir de la maison ich vermeide es aus dem Haus zu gehen

de² [də, dy, de] <d', de la, du, des> *art partitif, non traduit* du vin/~ la bière/des gâteaux Wein/Bier/Kekse; il ne boit pas ~ vin/d'eau er trinkt keinen Wein/kein Wasser

dé¹ [de] *m* **1.** (*jeu*) Würfel *m;* jeter les ~s würfeln; jouer aux ~s würfeln **2.** (*cube*) couper qc en ~s etw in Würfel schneiden ►les ~s sont jetés die Würfel sind gefallen

dé² [de] *m* ~ à coudre Fingerhut *m*

dealer¹ [dilœʀ] *m fam* Dealer(in) *m(f)*

dealer² [dile] <1> *vt fam* ~ qc mit etw dealen

déambuler [deɑ̃byle] <1> *vi* auf und ab wandern

débâcle [debɑkl] *f* Zusammenbruch *m*

déballage [debalaʒ] *m* **1.** *d'un paquet* Auspacken *nt* **2.** *de marchandises, d'objets* Ausstellung *f* **3.** *fam* (*désordre*) Chaos *nt* **4.** *péj fam* (*divulgations*) Erguss *m*

déballer [debale] <1> *vt* **1.** (*sortir*) auspacken **2.** *fam* (*raconter*) ausplaudern *secrets;* ~ **sa science** sein/ihr Wissen anbringen

débandade [debɑ̃dad] *f* Auseinanderlaufen *nt*

débander [debɑ̃de] <1> **I.** *vt* **1.** MED ~ **le bras à qn** jdm den Verband vom Arm nehmen **2.** (*enlever le bandeau*) ~ **les yeux à qn** jdm die Binde [von den Augen] abnehmen **II.** *vi fam* schlaff werden

débaptiser [debatize] <1> *vt* umtaufen *personne*

débarbouiller [debaʀbuje] <1> **I.** *vt* ~ **qn** jdm das Gesicht waschen **II.** *vpr* **se** ~ sich (*dat*) das Gesicht waschen

débarcadère [debaʀkadɛʀ] *m* Landungsbrücke *f*

débardeur [debaʀdœʀ] *m* (*pull sans bras*) Pullunder *m*

débarquement [debaʀkəmɑ̃] *m* **1.** *des marchandises* Ausladen *nt;* *des voyageurs* Aussteigen *nt* **2.** *des troupes* Landung *f*

débarquer [debaʀke] <1> **I.** *vt* NAUT löschen *marchandises;* an Land setzen *passagers* **II.** *vi* **1.** (*opp: embarquer*) *passager:* mit dem Schiff ankommen; NAUT von Bord gehen; *troupes:* landen **2.** *fam* (*arriver*) ~ **chez qn** bei jdm aufkreuzen **3.** *fam* (*ne pas être au courant*) auf dem Mond leben

débarras [debaʀɑ] *m* Abstellraum *m* ▶**bon** ~**!** den/die/das wären wir los!

débarrasser [debaʀɑse] <1> **I.** *vt* ausräumen *pièce;* entrümpeln *grenier;* abdecken *table;* ~ **qn de son manteau** jdm aus dem Mantel helfen **II.** *vpr* **1.** (*ôter*) **se** ~ **de son manteau** seinen Mantel ablegen **2.** (*donner ou vendre*) **se** ~ **de vieux livres** alte Bücher weggeben **3.** (*liquider*) **se** ~ **d'une affaire** sich einer Sache (*gen*) entledigen **4.** (*éloigner*) **se** ~ **de qn** sich (*dat*) jdn vom Hals schaffen

débat [deba] *m* **1.** (*discussion*) Diskussion *f* **2.** (*discussion entre deux candidats*) Streitgespräch *nt* **3.** *pl* POL Debatte *f* **4.** JUR [Haupt]verhandlung *f*

débattre [debatʀ] <*irr*> **I.** *vt* ~ **qc** über etw (*akk*) diskutieren, etw erörtern ▶**à** ~ auszuhandeln **II.** *vi* ~ **de qc** über etw (*akk*) verhandeln **III.** *vpr* **se** ~ um sich schlagen

débauche [deboʃ] *f* **1.** (*vice*) Ausschweifung *f;* **scènes de** ~ unzüchtige Szenen *Pl* **2.** (*abondance, excès*) verschwenderische Fülle

débauché, e [deboʃe] *m, f* Wüstling *m*

débaucher [deboʃe] <1> **I.** *vt* **1.** (*détourner d'un travail pour son compte*) abwerben **2.** *hum fam* (*pour aller s'amuser*) ~ **qn** jdn vom Arbeiten abhalten; ~ **qn pour faire qc** jdn dazu verleiten etw zu tun **3.** (*licencier*) entlassen **II.** *vpr* **se** ~ ausschweifen

débile [debil] **I.** *adj* **1.** *fam* (*stupide*) schwachsinnig; **c'est** ~**!** das ist doch Schwachsinn! **2.** (*atteint de débilité*) geistig behindert **3.** *corps* geschwächt; *enfant* schwächlich; *santé* schwach **II.** *mf* **1.** MED geistig Behinderte(r) *f(m);* ~ **mental** Geistesgestörter **2.** *péj fam* (*imbécile*) Spinner(in) *m(f)*

débilité [debilite] *f* **1.** MED *de l'esprit* geistige Behinderung; *du corps* Hinfälligkeit *f* **2.** *fam* (*stupidité*) Schwachsinn *m*

débiner [debine] <1> *vt fam* heruntermachen

débit [debi] *m* **1.** COM Absatz *m;* **avoir du** ~ einen großen Umsatz haben **2.** *d'un tuyau, robinet* Durchflussmenge *f;* *d'une rivière* Wasserführung *f* **3.** (*élocution*) Redefluss *m* **4.** FIN Soll *nt;* **le** ~ **et le crédit** [das] Soll und Haben

débiter [debite] <1> *vt* **1.** FIN ~ **un compte de 100 euros** ein Konto mit 100 Euro belasten **2.** (*vendre*) verkaufen; ausschenken *boissons* **3.** *péj* (*dire*) herunterleiern *discours, poème* **4.** (*produire*) ausstoßen **5.** (*écouler*) **le robinet/le tuyau débite une grande quantité d'eau** der Hahn/das Rohr lässt eine große Wassermenge durchlaufen **6.** (*découper*) zerschneiden *bois, tissu;* zerlegen *viande*

débiteur, -trice [debitœʀ, -tʀis] **I.** *m, f* Schuldner(in) *m(f);* **être le** ~ **de qn** in jds (*dat*) Schuld sein **II.** *adj compte* Debet-

déblaiement [deblɛmɑ̃] *m* Räumung *f*

déblatérer [deblateʀe] <5> *vi fam* ~ **contre qn/qc** über jdn/etw vom Leder ziehen

déblayage [deblɛjaʒ] *m* Aufräumen *nt*

déblayer [debleje] <7> *vt* (*débarrasser*) freimachen

déblocage [deblɔkaʒ] *m* **1.** TECH *d'un frein, mécanisme* Lösen *nt* **2.** ECON *du crédit, des prix* Freigabe *f* **3.** *de la situation* Verbesserung *f;* *d'une crise* Überwindung *f*

débloquer [deblɔke] <1> **I.** *vt* **1.** TECH lösen *frein, vis;* lockern *écrou;* entriegeln *serrure;* wieder aufbekommen *porte* **2.** ECON freigeben *crédit, marchandise* **3.** (*trouver une issue à*) ~ **une crise** eine Krise überwinden **II.** *vi fam* überschnappen **III.** *vpr* TECH **se** ~ *vis:* sich lockern; *serrure, porte:*

wieder aufgehen

déboguer [debɔge] <1> *vt* INFORM ~ **qc** einen Systemfehler in etw beheben

déboires [debwaʀ] *mpl* Enttäuschungen *Pl*

déboisement [debwazmɑ̃] *m* Abholzen *nt*

déboiser [debwaze] <1> *vt* abholzen

déboîter [debwate] <1> *vt* **1.** MED **sa chute lui a déboîté une épaule** er hat sich bei seinem Sturz die Schulter verrenkt **2.** (*démonter*) aus den Angeln heben *porte*

débonnaire [debɔnɛʀ] *adj* gutmütig

débordant, e [debɔʀdɑ̃, ɑ̃t] *adj activité* rastlos; *imagination* blühend; *enthousiasme, joie* überschwänglich

débordé, e [debɔʀde] *adj* **1.** (*submergé*) überlastet; **être ~ d'occupations** voll ausgelastet sein **2.** (*détaché du bord*) *drap* herausgerutscht; *lit* in Unordnung geraten

débordement [debɔʀdəmɑ̃] *m* **1.** *d'un liquide* Überlaufen *nt*; *d'une rivière* Übertreten *nt* **2.** (*flot, explosion*) ~ **de paroles** Wortschwall *m* **3.** *gén pl* (*désordres*) Ausschreitungen *Pl* **4.** *pl* (*excès*) Exzesse *Pl*

déborder [debɔʀde] <1> **I.** *vi* **1.** (*sortir*) *liquide:* überlaufen; *lac, rivière:* über die Ufer treten; *récipient:* überlaufen **2.** (*être plein*) ~ **de joie** außer sich vor Freude sein **3.** (*dépasser les limites*) **les arbres débordent sur le terrain voisin** die Bäume ragen in das Nachbargelände hinein **II.** *vt* **1.** (*dépasser*) **une maison déborde les autres** [**maisons**] ein Haus steht vor **2.** (*aller au-delà de*) überschreiten *temps imparti* **3.** MIL, POL, SPORT **se laisser ~** sich von der Flanke her angreifen lassen **4.** (*être dépassé*) **être débordé par qn/qc** jds/einer S. nicht mehr Herr werden **5.** (*tirer les draps*) ~ **un drap/une couverture** ein Laken unter der Matratze herausziehen

débouché [debuʃe] *m* **1.** (*marché*) Absatzmarkt *m* **2.** *pl* (*perspectives*) Berufsaussichten *Pl* **3.** (*issue*) Zugang *m; d'une rue* [Ein]mündung *f*

déboucher [debuʃe] <1> **I.** *vt* **1.** (*désobstruer*) freibekommen *nez;* ~ **un lavabo** ein Waschbecken frei machen **2.** (*ouvrir*) öffnen; entkorken *bouteille;* aufschrauben *tube* **II.** *vpr* **se ~** *tuyau, lavabo, nez:* frei werden **III.** *vi* **1.** (*sortir*) *piéton:* hervorkommen; *véhicule:* herausgefahren kommen **2.** (*sortir à grande vitesse*) *véhicule:* herausgeschossen kommen **3.** (*aboutir*) ~ **dans/sur une rue** *personne:* auf eine Straße stoßen; *voie:* in eine Straße [ein]münden **4.** (*aboutir à*) ~ **sur qc** zu etw führen; *conversation:* bei etw anlangen

déboucler [debukle] <1> *vt* aufschnallen

ceinture

débouler [debule] <1> *vi fig fam* (*faire irruption*) ~ **chez qn** bei jdm hereingestolpert kommen

déboulonner [debulɔne] <1> *vt* abschrauben

débourser [debuʀse] <1> *vt* ausgeben

déboussoler [debusɔle] <1> *vt fam* verstören

debout [d(ə)bu] *adj, adv inv* **1.** (*en position verticale*) stehend; *manger, voyager* im Stehen; **être/rester ~** stehen/stehen bleiben; **se mettre ~** aufstehen; **poser/ranger qc ~** etw [aufrecht] hinstellen; **tenir ~ tout seul** *personne:* stehen können; *chose:* von alleine stehen bleiben **2.** (*levé*) **être/ rester ~** auf sein/aufbleiben **3.** (*opp: malade, fatigué*) **ne plus tenir ~** nicht mehr stehen können **4.** (*en bon état*) **tenir encore ~** *construction:* noch stehen; *institution:* noch existieren ▸ **dormir ~** im Stehen [ein]schlafen; **des histoires à dormir ~** Märchen; **tenir ~** *théorie, histoire:* Hand und Fuß haben

débouter [debute] <1> *vt* ~ **qn de sa plainte** jds Klage zurückweisen

déboutonner [debutɔne] <1> **I.** *vt* aufknöpfen *chemise, gilet;* aufmachen *bouton* **II.** *vpr* **se ~** *personne:* sein Hemd/seinen Mantel/… aufknöpfen; *vêtement:* aufgehen

débraillé, e [debʀaje] *adj personne, tenue* schlampig

débrancher [debʀɑ̃ʃe] <1> *vt* ~ **une lampe** den Stecker einer Lampe herausziehen

débrayage [debʀɛjaʒ] *m* AUT Auskuppeln *nt*

débrayer [debʀeje] <7> *vi* **1.** AUT [aus]kuppeln **2.** (*faire grève*) die Arbeit niederlegen

débridé, e [debʀide] *adj* ungezügelt

débris [debʀi] *mpl* **1.** (*fragments*) Scherbe *f* **2.** (*restes*) Überreste *Pl*

débrouillard, e [debʀujaʀ, jaʀd] **I.** *adj fam* gewitzt; **être ~** sich (*dat*) zu helfen wissen **II.** *m, f fam* Schlaukopf *m*

débrouillardise [debʀujaʀdiz] *f* Schlauheit *f*

débrouiller [debʀuje] <1> **I.** *vt* **1.** (*démêler*) entwirren *écheveau, fil* **2.** (*élucider*) Klarheit bringen in (+ *akk*) *affaire* **3.** *fam* (*former*) ~ **qn** jdm das Nötigste beibringen **II.** *vpr fam* **se ~** zurechtkommen; **se ~ pour faire qc** es schaffen etw zu tun

débroussailler [debʀusaje] <1> *vt* **1.** (*défricher*) ~ **un terrain** das Gestrüpp von einem Gelände entfernen **2.** (*éclaircir*) Licht bringen in (+ *akk*) *affaire, texte*

débusquer [debyske] <1> vt aufscheuchen animal

début [deby] m 1.(commencement) Anfang m, Beginn m; **au ~ de qc** am Anfang/zu Beginn von etw; **du ~ à la fin** von Anfang bis Ende 2. pl **les ~s de qn dans/à qc** jds erste Schritte in/auf etw (dat); **faire ses ~s** debütieren

débutant, e [debytã, ãt] I. adj joueur, footballeur unerfahren; pianiste angehend II. m, f 1.(élève, ouvrier) Anfänger(in) m(f) 2.(acteur) Debütant(in) m(f)

débuter [debyte] <1> I. vi anfangen; **~ au théâtre** beim Theater debütieren II. vt beginnen

déca [deka] m fam abr de **décaféiné** Koffeinfreie(r) m

deçà [dəsa] adv **en ~ de qc** diesseits einer S. (gen)

décacheter [dekaʃte] <3> vt öffnen lettre

décade [dekad] f Dekade f

décadence [dekadãs] f d'une civilisation Niedergang m; des mœurs Verfall m; d'une personne Dekadenz f; **tomber en ~** verfallen

décadent, e [dekadã, ãt] adj art, civilisation untergehend; personne dekadent

décaféiné [dekafeine] m koffeinfreier Kaffee

décalage [dekalaʒ] m 1. d'un horaire [zeitliche] Verschiebung 2.(écart temporel) Zeitabstand m 3.(écart spatial) Versetzung f; **il y a un ~ entre ces deux maisons** diese zwei Häuser stehen versetzt 4.(différence) Diskrepanz f; (plus fort) Kluft f

décalcomanie [dekalkɔmani] f Abziehbild nt

décalé, e [dekale] adj 1.(non aligné) **la maison est ~e** das Haus steht versetzt 2.(bancal) **le meuble est ~** das Möbelstück steht schief 3.(inattendu) unerwartet 4.(déphasé) **être [complètement] ~** (dans le temps) einen ungewöhnlichen Rhythmus haben; (dans une société) vollkommen unorthodox sein

décaler [dekale] <1> I. vt 1.(avancer/retarder) **~ qc d'un jour** etw um einen Tag verschieben 2.(déplacer) [ein bisschen] weiter schieben meuble, appareil; versetzen titre, paragraphe II. vpr **se ~** sich einen Platz weiter setzen

décalitre [dekalitʀ] m Dekaliter m

décalquer [dekalke] <1> vt 1.(copier) **~ qc sur qc** etw aus etw abpausen 2.(reporter) **~ qc sur qc** etw auf etw (akk) abpausen

décamper [dekãpe] <1> vi fam sich aus dem Staub machen

décan [dekã] m ASTROL Dekade f

décanter [dekãte] <1> vt klären liquide

décapant [dekapã] m 1.(pour métal) Beizmittel nt 2.(pour peinture) Abbeizmittel nt

décapant, e [dekapã, ãt] adj 1. produit Abbeiz-; pouvoir, vertu ätzend 2. article, humour ätzend; analyse schonungslos

décaper [dekape] <1> vt beizen métal; abbeizen bois, meuble

décapiter [dekapite] <1> vt 1.(étêter) köpfen condamné; köpfen fleur 2. fig führerlos machen parti, réseau

décapotable [dekapɔtabl] I. adj mit aufklappbarem Verdeck II. f Kabriolett nt

décapser [dekapse] <1> vi den Vertrag über die eheähnliche Lebensgemeinschaft (PACS) auflösen

décapsuler [dekapsyle] <1> vt öffnen bouteille

décapsuleur [dekapsylœʀ] m Flaschenöffner m

décarcasser [dekaʀkase] <1> vpr fam **se ~ pour qn** sich für jdn abrackern

décathlon [dekatlɔ̃] m Zehnkampf m

décavé, e [dekave] adj visage ausgezehrt

décéder [desede] <5> vi + être form versterben (geh); **~ de qc** an etw (dat) sterben

déceler [des(ə)le] <4> vt 1.(découvrir) entdecken; herausfinden cause, raison; aufdecken intrigue, lacune; wahrnehmen sentiment, fatigue 2.(être l'indice de) erkennen lassen

décélération [deselerasjɔ̃] f Verlangsamung f

décembre [desãbʀ] m Dezember m; v. a. **août**

décemment [desamã] adv s'exprimer, se comporter anständig

décence [desãs] f Anstand m; **choquer la ~** anstößig sein

décennie [deseni] f Jahrzehnt nt

décent, e [desã, ãt] adj anständig

décentralisation [desãtralizasjɔ̃] f Dezentralisierung f

décentraliser [desãtralize] <1> I. vt dezentralisieren II. vpr **se ~** dezentralisiert werden

décentrer [desãtʀe] <1> I. vt dezentrieren II. vpr **se ~** sich dezentrieren

déception [desɛpsjɔ̃] f Enttäuschung f

décerner [desɛʀne] <1> vt **~ un prix à qn** jdm einen Preis verleihen

décès [desɛ] m form 1.(mort) Ableben nt 2. ADMIN Sterbefall m

décevant, e [des(ə)vã, ãt] adj enttäuschend; **se montrer/se révéler ~** die Erwartungen enttäuschen

décevoir [des(ə)vwaʀ] <12> vt enttäu-

schen; **qc déçoit qn** jd ist von etw enttäuscht

déchaîné, e [deʃene] *adj passions* hemmungslos; *instincts* ungezügelt; *vent* entfesselt; *mer* tosend; *foule, enfant* außer Rand und Band; **être ~ contre qn/qc** gegen jdn/etw aufgebracht sein

déchaînement [deʃɛnmã] *m de la tempête* Wüten *nt; de la mer* Toben *nt; de la haine, violence* Ausbruch *m; des passions* Entfesselung *f*

déchaîner [deʃene] <1> **I.** *vt* entfesseln *passions;* entfachen *enthousiasme, conflit;* auslösen *indignation, conflit* **II.** *vpr* **se ~** toben; **se ~ contre qn/qc** gegen jdn/etw wüten

déchanter [deʃãte] <1> *vi fam* seine Illusionen aufgeben

décharge [deʃaʀʒ] *f* **1.** (*dépôt*) Mülldeponie *f*, Müllkippe *f* **2.** *de carabine* Schüsse *Pl; de plombs* Ladung *f* **3.** ELEC Schlag *m* **4.** MED **~ d'adrénaline** Adrenalinstoß *m* **5.** JUR Entlastung *f*

déchargement [deʃaʀʒəmã] *m d'un camion, d'un wagon* Ausladen *nt; d'un navire* Löschen *nt*

décharger [deʃaʀʒe] <2a> **I.** *vt* **1.** (*débarrasser de sa charge*) ausladen *voiture;* löschen *bateau* **2.** (*enlever, débarquer*) von Bord gehen lassen *passagers* **3.** (*libérer*) **~ qn d'un travail** jdm eine Arbeit abnehmen **4.** (*soulager*) erleichtern; **~ sa colère sur qn** seinen Zorn an jdm auslassen **5.** (*tirer*) **~ son révolver sur qn** auf jdn abfeuern **6.** ELEC entladen *batterie, accumulateur* **7.** JUR entlasten **II.** *vpr* **1.** (*se libérer*) **se ~ du travail sur qn** die Arbeit auf jdn abwälzen **2.** ELEC **se ~** sich entladen **III.** *vi fam* (*éjaculer*) spritzen

décharné, e [deʃaʀne] *adj visage* abgezehrt

déchaussé, e [deʃose] *adj dent* locker

déchausser [deʃose] <1> **I.** *vt* abschnallen *skis;* **~ qn** jdm die Schuhe ausziehen **II.** *vpr* **se ~ 1.** (*enlever ses chaussures*) seine Schuhe ausziehen **2.** MED *dent:* locker werden

dèche [dɛʃ] *f fam* Misere *f*

déchéance [deʃeãs] *f* **1.** (*déclin*) Verfall *m; d'une civilisation* Untergang *m; ~* **morale/physique** seelische Zerrüttung/körperlicher Verfall **2.** JUR *d'un souverain* Absetzung *f; de l'autorité paternelle* Aberkennung *f*

déchets [deʃɛ] *mpl* (*restes, ordures*) Abfall *m; ~* **biodégradables** Biomüll *m; ~* **nucléaires** Atommüll *m; ~* **toxiques** Giftmüll *m*

déchetterie [deʃɛtʀi] *f* Müllverwertungs-

anlage *f*

déchiffrer [deʃifʀe] <1> **I.** *vt* **1.** (*décrypter*) entschlüsseln *message, code* **2.** (*comprendre*) entziffern *hiéroglyphes, texte* **3.** MUS **un morceau** ein Stück vom Blatt spielen/singen **4.** (*déceler*) durchschauen *intentions;* erraten *sentiments* **II.** *vi* MUS Noten lesen

déchiqueté, e [deʃikte] *adj feuille* gezackt; *côte* zerklüftet; *sommet* gezackt

déchiqueter [deʃikte] <3> *vt* zerfetzen

déchirant, e [deʃiʀã, ãt] *adj spectacle, adieux* herzzerreißend

déchiré, e [deʃiʀe] *adj* zerrissen

déchirement [deʃiʀmã] *m* **1.** *d'un muscle* Riss *m* **2.** (*souffrance*) großer Kummer **3.** (*divisions*) Zwietracht *f*

déchirer [deʃiʀe] <1> **I.** *vt* **1.** (*déchiqueter*) zerreißen *papier, tissu;* **~ qc en morceaux** etw in Stücke reißen **2.** (*faire un accroc*) aufreißen *pantalon* **3.** (*couper*) aufreißen *enveloppe* **4.** (*troubler*) zerreißen *silence* **5.** (*faire souffrir*) **~ qn** jdm das Herz zerreißen **6.** (*diviser*) spalten *parti, pays* **II.** *vpr* **1.** (*rompre*) **se ~** *sac:* [auf]reißen; *vêtement:* einen Riss bekommen; *nuage:* aufreißen; *cœur:* brechen **2.** MED **se ~ un muscle** sich (*dat*) einen Muskelriss zuziehen **3.** (*se quereller*) **se ~** sich gegenseitig zerfleischen

déchirure [deʃiʀyʀ] *f* **1.** *d'un vêtement* Riss *m* **2.** MED **~ ligamentaire/musculaire** Bänder-/Muskel[faser]riss *m* **3.** *du ciel* Spalt *m*

déchoir [deʃwaʀ] <*irr*> *vi personne:* tief sinken

déchu, e [deʃy] *adj souverain* gestürzt

décibel [desibɛl] *m* Dezibel *nt*

décidé, e [deside] *adj air, personne* entschlossen; *ton* bestimmt; **c'est ~, ...** jetzt steht es fest, ...

décidément [desidemã] *adv* **1.** (*après répétition d'une expérience désagréable*) also wirklich **2.** (*après hésitation ou réflexion*) **oui, ~, c'est bien lui le meilleur!** ja, er ist entschieden der Bessere!

décider [deside] <1> **I.** *vt* **1.** (*prendre une décision*) beschließen; **~ de faire qc** beschließen etw zu tun **2.** (*persuader*) **~ qn à faire qc** jdn dazu bewegen etw zu tun **II.** *vi* **~ de qc** etw bestimmen **III.** *vpr* **1.** (*être fixé*) **se ~** *chose, événement:* sich entscheiden **2.** (*prendre une décision*) **se ~ sich entscheiden; se ~ à faire qc** sich dazu entschließen etw zu tun **3.** METEO **va-t-il enfin se ~ à neiger?** wird es endlich schneien?

décideur, -euse [desidœʀ, -øz] *m, f* Entscheidungsträger(in) *m(f)*

décigramme [desigʀam] *m* Dezigramm
nt

décilitre [desilitʀ] *m* Deziliter *m*

décimal, e [desimal, o] <-aux> *adj* Dezimal-

décimer [desime] <1> *vt* dezimieren

décimètre [desimɛtʀ] *m* Dezimeter *m o nt*

décisif, -ive [desizif, -iv] *adj moment, preuve, bataille* entscheidend; *argument* ausschlaggebend; *intervention, rôle* maßgeblich; *ton* entschieden

décision [desizjɔ̃] *f* **1.** (*choix*) Entscheidung *f;* **prendre une ~** einen Entschluss fassen **2.** (*choix fait par une assemblée*) Beschluss *m* **3.** (*choix fait par un tribunal*) Entscheid *m;* **~ administrative** behördliche Verfügung **4.** (*fermeté*) Bestimmtheit *f;* **esprit de ~** Entschlusskraft *f*

déclamation [deklamasjɔ̃] *f* (*art de déclamer*) Vortragskunst *f*

déclamer [deklame] <1> *vt* vortragen *poème, vers*

déclaration [deklaʀasjɔ̃] *f* **1.** (*discours*) [öffentliche] Erklärung; **faire une ~** eine Erklärung abgeben **2.** (*propos*) Aussage *f;* **~ des droits de l'homme et du citoyen** Erklärung der Menschen- und Bürgerrechte **3.** (*témoignage*) Aussage *f* **4.** (*aveu d'amour*) **d'amour** Liebeserklärung *f* **5.** *d'un décès, changement de domicile* Meldung *f; d'une naissance* Anzeige *f* **6.** (*formulaire*) **~ d'accident/de sinistre** Unfall-/Schadensmeldung *f*

déclaré, e [deklaʀe] *adj socialiste, athée* erklärt; *ennemi* erklärt

déclarer [deklaʀe] <1> **I.** *vt* **1.** (*annoncer*) **~ son amour à qn** jdm seine Liebe erklären; **~ qn coupable** jdn für schuldig erklären; **~ la guerre** den Krieg erklären **2.** (*enregistrer*) anmelden *employé, marchandise;* melden *décès, naissance;* [**vous n'avez**] **rien à ~?, vous avez quelque chose à ~?** haben Sie etwas zu verzollen? **II.** *vpr* **1.** (*se manifester*) **se ~** *incendie, orage:* ausbrechen; *fièvre, maladie:* zum Ausbruch kommen **2.** (*se prononcer*) **se ~ pour/contre qn/qc** sich für/gegen jdn/ etw aussprechen **3.** (*se dire*) **se ~ l'auteur du crime** erklären der Täter zu sein **4.** (*faire une déclaration d'amour*) **se ~ à qn** sich jdm erklären

déclasser [deklɑse] <1> *vt* herunterstufen *route, hôtel*

déclenchement [deklɑ̃ʃmɑ̃] *m* Auslösen *nt*

déclencher [deklɑ̃ʃe] <1> **I.** *vt* **1.** TECH auslösen **2.** (*provoquer*) auslösen *conflit, réaction;* einleiten *offensive* **II.** *vpr* **se ~** *mé-*

canisme: in Gang kommen; *attaque, grève:* ausbrechen

déclencheur [deklɑ̃ʃœʀ] *m* Auslöser *m;* **~ à retardement** Selbstauslöser *m*

déclic [deklik] *m* **1.** (*mécanisme*) Auslöseknopf *m* **2.** (*bruit*) Klicken *nt* ▸**c'est/ça a été le ~** der Groschen fällt/ist gefallen (*fam*)

déclin [deklɛ̃] *m des forces physiques et mentales* Nachlassen *nt; de la popularité* Abnahme *f; du jour* Abnehmen *nt; du soleil* Untergehen *nt; d'une civilisation* Niedergang *m;* **le ~ de l'Occident** der Untergang des Abendlandes

déclinaison [deklinɛzɔ̃] *f* GRAM, ASTRON Deklination *f*

décliner [dekline] <1> **I.** *vt* **1.** (*refuser*) zurückweisen **2.** GRAM deklinieren **3.** (*dire*) angeben **II.** *vi* **1.** (*baisser*) *jour:* sich neigen (*geh*); *forces, prestige:* schwinden (*geh*) **2.** ASTRON *soleil, lune:* untergehen; *astre:* [vom Himmelsäquator] abweichen **III.** *vpr* **se ~** GRAM dekliniert werden

déclivité [deklivite] *f* Gefälle *nt*

décloisonner [deklwazɔne] <1> *vt* **~ les diverses disciplines** einen fächerübergreifenden Austausch ermöglichen

déclouer [deklue] <1> *vt* abmachen, losmachen *planche*

décocher [dekɔʃe] <1> *vt* **~ un regard/ une œillade** jdm einen Blick zuwerfen

décoction [dekɔksjɔ̃] *f* BIO Abkochung *f*

décodage [dekɔdaʒ] *m d'une information, d'un message* Dekodierung *f*

décoder [dekɔde] <1> *vt* dekodieren, decodieren *message*

décodeur [dekɔdœʀ] *m* Decoder *m*

décoiffer [dekwafe] <1> **I.** *vt* **~ qn** jds Haare durcheinander bringen; **être tout décoiffé** ganz zerzaust sein **II.** *vi* ▸**ça décoiffe** *fam* [das ist der reine] Wahnsinn

décoincer [dekwɛ̃se] <2> *vt* **1.** (*dégager*) herausziehen *pied, doigt, tiroir;* aufziehen *porte;* herausbekommen *pièce, jeton* **2.** *fam* (*détendre*) locker machen *personne*

décolérer [dekɔleʀe] <5> *vi* **ne pas ~** immer noch wütend sein

décollage [dekɔlaʒ] *m* **1.** *d'un avion* Start *m* **2.** *d'un papier peint, timbre-poste* Ablösen *nt; d'un pansement adhésif* Entfernen *nt* **3.** ECON *d'une industrie, d'un pays* Boom *m;* **~ économique** wirtschaftlicher Aufschwung

décollement [dekɔlmɑ̃] *m* (*fait d'être décollé*) Abgehen *nt; d'un papier peint, d'une moquette* Ablösen *nt*

décoller [dekɔle] <1> **I.** *vt* **~ un timbre de l'enveloppe** eine Briefmarke vom Umschlag ablösen **II.** *vi* **1.** AVIAT **~ de qc** von

etw abfliegen; **nous décollons à 13 h** wir fliegen um 13 Uhr ab **2.** ECON *pays:* einen wirtschaftlichen Aufschwung erleben; *économie:* einen Aufschwung erleben; *production:* anlaufen; *affaires, commerce:* florieren; *science:* sich entwickeln **3.** *fam* (*partir, sortir*) **ne pas ~ du lit** nicht aus dem Bett hochkommen; **ne pas ~ de devant la télé** nicht vom Fernseher wegkommen; **ne pas ~ de chez qn** bei jdm hängen bleiben **4.** *fam* (*maigrir*) vom Fleisch fallen **III.** *vpr* ~ *carrelage, timbre:* sich lösen; *rétine:* sich ablösen

décolleté [dekɔlte] *m* Dekolleté *nt*, Ausschnitt *m; ~* **plongeant** tiefes Dekolletee

décolleté, e [dekɔlte] *adj* **1.** *vêtement* [tief] ausgeschnitten **2.** *personne* dekolletiert

décolonisation [dekɔlɔnizasjɔ̃] *f* **1.** (*indépendance*) Dekolonisation *f* **2.** *fig d'une administration* Entbürokratisierung *f*

décoloniser [dekɔlɔnize] <1> *vt* in die Unabhängigkeit entlassen *pays, habitants*

décolorant [dekɔlɔʀɑ̃] *m* Entfärber *m*

décolorant, e [dekɔlɔʀɑ̃, ɑ̃t] *adj action, pouvoir* bleichend; **produit ~** Entfärbungsmittel *nt;* **shampooing ~** aufhellendes Shampoo

décoloration [dekɔlɔʀasjɔ̃] *f* Entfärben *nt; des cheveux* Aufhellen *nt; des rideaux, de la tapisserie* Verschießen *nt; d'une matière* Verblassen *nt*

décoloré, e [dekɔlɔʀe] *adj cheveux, poils* gebleicht; *couleur* verwaschen; *rideaux, vêtement* verschossen; *papier, affiches* vergilbt; *lèvres* farblos

décolorer [dekɔlɔʀe] <1> **I.** *vt ~* **des tissus/vêtements avec qc** Stoffe/Kleidungsstücke mit etw entfärben; **~ des cheveux avec qc** Haare mit etw bleichen **II.** *vpr* **1.** (*perdre sa couleur*) **se ~** *cheveux:* [aus]bleichen; *étoffe:* (*au soleil*) ausbleichen; (*au lavage*) die Farbe verlieren **2.** (*enlever la couleur*) **se ~ les cheveux** sich (*dat*) die Haare aufhellen

décombres [dekɔ̃bʀ] *mpl fig a.* Trümmer *Pl* (*a. fig*)

décommander [dekɔmɑ̃de] <1> **I.** *vt* absagen *rendez-vous, réunion;* abbestellen *marchandise; ~* **qn** jdm absagen **II.** *vpr* **se ~** absagen

décomplexé, e [dekɔ̃plɛkse] *adj fam* ohne Hemmungen

décomplexer [dekɔ̃plɛkse] <1> *vt fam ~* **qn** jdm seine Hemmungen nehmen

décomposé, e [dekɔ̃poze] *adj* **1.** *substance organique* zersetzt; *cadavre* verwest **2.** *visage, traits* entstellt

décomposer [dekɔ̃poze] <1> **I.** *vt* **1.** (*diviser*) *~* **un élément en ses composants** ein Element in seine Bestandteile zerlegen **2.** (*analyser*) analysieren *idée, problème, savoir* **3.** (*détailler*) im Einzelnen zeigen **4.** (*altérer*) zersetzen *substance, morale;* entstellen *visage, traits* **II.** *vpr* **1.** (*se diviser*) **se ~ en qc** sich in etw (*akk*) zerlegen lassen **2.** (*pouvoir s'analyser*) **se ~ en qc** *problème, idée, savoir:* sich in etw (*akk*) aufgliedern lassen **3.** (*se détailler*) **se ~ en qc** *mouvement, procédure:* aus etw bestehen **4.** (*s'altérer*) **se ~** *substance organique:* sich zersetzen; *cadavre:* verwesen; *visage, traits:* sich verzerren; *société:* zerfallen

décomposition [dekɔ̃pozisjɔ̃] *f* **1.** CHIM, PHYS, MATH *~* **d'un élément en ses composants** Zerlegung *f* eines Elements in seine Bestandteile **2.** *d'un problème, d'une difficulté* Aufgliederung *f* **3.** *d'une substance organique* Zersetzung *f; d'un cadavre* Verwesung *f* **4.** (*altération*) **la ~ de son visage** sein/ihr entstelltes Gesicht **5.** *d'un mouvement* Vorführung *f* im Einzelnen **6.** *d'une civilisation, d'un État* Auflösung *f; des valeurs, de la société* Zerfall *m*

décompresser [dekɔ̃pʀese] <1> *vi fam* ausspannen

décompression [dekɔ̃pʀesjɔ̃] *f* **1.** (*dilatation*) Druckverminderung *f;* **la soupape de ~** das Überdruckventil **2.** *fam* (*détente*) Entspannung *f*

décomprimer [dekɔ̃pʀime] <1> *vt* TECH *~* **de l'air** den Luftdruck vermindern

décompte [dekɔ̃t] *m* **1.** *des bulletins de vote* Auszählung *f; des points* Zusammenzählen *nt;* **faire le ~ de qc** etw zusammenrechnen **2.** (*facture*) Abrechnung *f* **3.** (*déduction*) Abzug *m*

décompter [dekɔ̃te] <1> *vt* [aus]zählen *votes*

déconcentration [dekɔ̃sɑ̃tʀasjɔ̃] *f* ADMIN Dekonzentration *f*

déconcentré, e [dekɔ̃sɑ̃tʀe] *adj* unkonzentriert

déconcentrer [dekɔ̃sɑ̃tʀe] <1> **I.** *vt* **1.** ADMIN, ECON dekonzentrieren **2.** (*dévier l'attention de qn*) aus dem Konzept bringen *personne; ~* **son attention de qc** seine/ihre Aufmerksamkeit von etw ablenken **II.** *vpr* **se ~** sich aus dem Konzept bringen lassen

déconcertant, e [dekɔ̃sɛʀtɑ̃, ɑ̃t] *adj* verwirrend

déconcerter [dekɔ̃sɛʀte] <1> *vt* verwirren

déconfit, e [dekɔ̃fi, it] *adj personne* niedergeschlagen

déconfiture [dekɔ̃fityʀ] *f fam* (*faillite*) Pleite *f*

décongélation [dekɔ̃ʒelasjɔ̃] *f* Auftauen

nt

décongeler [dekɔ̃ʒ(ə)le] <4> *vt, vi* auftauen

déconnecter [dekɔnɛkte] <1> **I.** *vt* **1.** ELEC unterbrechen **2.** INFORM ausloggen; verlassen *serveur, réseau* **3.** (*séparer*) ~ **qn/ qc du monde environnant** jdn/etw von der Umgebung fernhalten; **déconnecté du monde** weltfremd **II.** *vi fam* abschalten **III.** *vpr* se ~ **de son travail** von der Arbeit Abstand gewinnen; **se ~ de ses soucis** seine Sorgen vergessen

déconner [dekɔne] <1> *vi fam* **1.** (*dire des bêtises*) Mist reden **2.** (*faire des bêtises*) Mist machen **3.** (*être détraqué*) ~ **complètement** [total] durchdrehen; **déconne pas!** spinn nicht rum! ▸ **faut pas** ~! da hört sich doch alles auf!

déconseillé, e [dekɔ̃seje] *adj* nicht empfehlenswert; **il est ~ de faire qc** es ist nicht ratsam etw zu tun

déconseiller [dekɔ̃seje] <1> **I.** *vt* ~ **un livre à un ami** einem Freund von einem Buch abraten **II.** *vi* ~ **à un collègue de faire qc** einem Kollegen davon abraten etw zu tun

déconsidérer [dekɔ̃sideRe] <5> **I.** *vt* in Misskredit bringen; **être complètement déconsidéré auprès de qn** bei jdm völlig in Verruf gekommen sein **II.** *vpr* se ~ **auprès de qn/aux yeux de qn** sich bei jdm/in jds Augen in Verruf bringen

décontamination [dekɔ̃taminasjɔ̃] *f d'une personne, d'un lieu* Dekontamination *f; d'une rivière* Entgiftung *f; de l'atmosphère* Entlastung *f* von Umweltgiften

décontaminer [dekɔ̃tamine] <1> *vt* dekontaminieren *lieu, personne;* entgiften *atmosphère, rivière;* INFORM von Viren befreien *disquettes*

décontenancer [dekɔ̃t(ə)nɑ̃se] <2> *vt* aus der Fassung bringen

décontracté, e [dekɔ̃tRakte] **I.** *adj* **1.** *partie du corps, personne* entspannt **2.** *fam* (*sûr de soi*) ungezwungen; *péj* zu lässig **3.** *fam atmosphère, situation* entspannt; *tenue* zwanglos; *style, ton, air* locker; *péj* zu lässig **II.** *adv fam s'habiller* lässig; *conduire* entspannt

décontracter [dekɔ̃tRakte] <1> **I.** *vt* entspannen **II.** *vpr* se ~ sich entspannen

décontraction [dekɔ̃tRaksjɔ̃] *f* **1.** *du corps, d'une personne* Entspannung *f* **2.** (*désinvolture*) Ungezwungenheit *f; péj* Lässigkeit *f*

déconvenue [dekɔ̃v(ə)ny] *f* Enttäuschung *f*

décor [dekɔR] *m* **1.** (*agencement*) Dekor *m o nt,* Ausstattung *f* **2.** THEAT Bühnenbild

nt, Kulisse *f;* CINE Szenenaufbau *m* **3.** (*cadre*) Umgebung *f;* (*arrière-plan*) Hintergrund *m;* **dans un ~ de verdure** im Grünen; **un ~ de hautes montagnes/de rocailles** eine Gebirgs-/Felslandschaft **4.** (*style*) Stil *m;* ~ **Empire/Louis XV** [im] Empirestil/[im] Louis-quinze-Stil **5.** (*art de la décoration*) Dekoration *f* ▸ **changer de** ~ THEAT das Bühnenbild wechseln; **envoyer qn dans le** ~ *fam* (*provoquer un accident*) jdn von der Fahrbahn [ab]drängen; **planter le** ~ den Rahmen abstecken

décorateur, -trice [dekɔRatœR, -tRis] *m, f* **1.** (*designer*) Dekorateur(in) *m(f);* ~ **d'intérieurs** Innenausstatter(in) *m(f)* **2.** CINE, THEAT Bühnenbildner(in) *m(f)*

décoratif, -ive [dekɔRatif, -iv] *adj* **1.** (*ornemental*) dekorativ; **motifs ~s** Verzierungen *Pl* **2.** *fam homme, femme, invité* repräsentabel **3.** *péj fonction, rôle* repräsentativ

décoration [dekɔRasjɔ̃] *f* **1.** (*fait de décorer*) Schmücken *nt,* Dekorieren *nt* **2.** (*résultat*) Dekoration *f;* ~**s de Noël** Weihnachtsdekoration; (*du sapin*) Christbaumschmuck *m* **3.** (*art*) Innenarchitektur *f* **4.** (*distinction honorifique*) Auszeichnung *f*

décoré, e [dekɔRe] *adj* **1.** *lieu, plat* verziert; *vitrines* dekoriert **2.** *personne* [mit einem Orden] ausgezeichnet

décorer [dekɔRe] <1> *vt* **1.** (*embellir*) ~ **un plat de qc** ein Gericht mit etw garnieren; ~ **une vitrine de qc** ein Schaufenster mit etw dekorieren **2.** (*agrémenter*) [ver]zieren **3.** (*médailler*) ~ **qn d'une médaille** jdn mit einer Medaille auszeichnen

décortiquer [dekɔRtike] <1> *vt* **1.** (*enlever l'enveloppe*) schälen *marrons, graines, arbre;* [ab]schälen *tige;* knacken *noix, noisettes* **2.** (*détailler*) analysieren *texte;* ganz genau unter die Lupe nehmen *affaire*

décorum [dekɔRɔm] *m sans pl* Etikette *f*

découcher [dekuʃe] <1> *vi* auswärts schlafen

découdre [dekudR] <*irr*> *vt* abtrennen *boutons;* auftrennen *ourlet*

découler [dekule] <1> *vi* ~ **de qc** von etw kommen

découpage [dekupaʒ] *m* **1.** (*fait de trancher avec un couteau*) Zerschneiden *nt; d'un gâteau, d'une viande* Aufschneiden *nt; d'une volaille* Tranchieren *nt* **2.** (*couper suivant un contour, tracé*) [Zu]schneiden *nt; d'un papier* [Aus]schneiden *nt;* (*à la presse*) [Aus]stanzen *nt* **3.** *souvent pl* (*images*) Ausschneidebilder *Pl;* **faire des ~s** Bilder ausschneiden **4.** ADMIN, POL Einteilung *f;* ~ **électoral** Einteilung *f* in Wahlkreise **5.** CINE *d'un film* Cutten *nt*

découpe [dekup] *f* **1.** COUT Passe *f* **2.** TECH Zuschneiden *nt*; (*avec une scie*) Aussägen *nt* **3.** (*atelier de découpe*) Ort, wo man Holz zuschneiden lassen kann

découpé, e [dekupe] *adj* côte, relief zerklüftet; sommet, feuille gezackt

découper [dekupe] <1> **I.** *vt* **1.** (*trancher*) aufschneiden, zerschneiden gâteau, viande; tranchieren volaille; abschneiden tranche de saucisson **2.** (*couper suivant un contour, tracé: avec des ciseaux, au cutter*) zuschneiden tissu, moquette; (à la scie) aussägen images, motif; (à la presse) [aus]stanzen; ~ **un article dans qc** einen Artikel aus etw ausschneiden **II.** *vpr* (*se profiler*) **se** ~ **dans/sur qc** sich von etw abheben

découpure [dekupyʀ] *f* (*bord*) Rand *m*

découragé, e [dekuʀaʒe] *adj* entmutigt

décourageant, e [dekuʀaʒɑ̃, ʒɑ̃t] *adj* entmutigend

découragement [dekuʀaʒmɑ̃] *m* Mutlosigkeit *f*

décourager [dekuʀaʒe] <2a> **I.** *vt* **1.** (*démoraliser*) entmutigen **2.** (*dissuader*) ~ **qn de la création d'une entreprise** jdn davon abhalten eine Firma zu gründen **3.** (*empêcher de faire*) verhindern questions, critique; lähmen bonne volonté; nicht aufkommen lassen familiarité **II.** *vpr* **se** ~ den Mut verlieren

décousu [dekuzy] *m sans pl* Zusammenhanglosigkeit *f*

décousu, e [dekuzy] *adj* **1.** COUT couture aufgetrennt **2.** conversation, récit, devoir unzusammenhängend; idées wirr; style holprig

découvert, e [dekuvɛʀ, ɛʀt] **I.** *adj* **1.** (*nu*) bloß **2.** lieu offen[liegend]; zone frei **II.** *m* **1.** FIN Defizit *nt*; d'un compte Überziehung *f*; ~ **autorisé** Überziehungskredit *m*; **je suis à** ~ ich bin im Soll (*fam*) **2.** (*terrain*) freies Gelände ►**à** ~ FIN ungedeckt; compte überzogen; (*ouvertement*) offen; parler offen; (*à la vue de qn*) frei; MIL ohne Deckung

découverte [dekuvɛʀt] *f* Entdeckung *f*, Erkundung *f*; **faire la** ~ **de qc, être à la** ~ **de qc** etw entdecken; **partir à la** ~ **de qc** etw erkunden gehen ►**c'est pas une** ~! *fam* das ist nichts Neues!

découvrir [dekuvʀiʀ] <11> **I.** *vt* **1.** (*trouver, deviner, percer, déceler*) entdecken; ~ **du pétrole** auf Erdöl (*akk*) stoßen; ~ **que ...** herausfinden, dass ... **2.** (*apprendre à connaître*) entdecken, kennen lernen auteur, œuvre **3.** (*enlever la couverture*) aufdecken enfant, malade **4.** (*ouvrir*) ~ **une casserole** den Deckel von einem Topf ab-

nehmen **5.** (*enlever ce qui couvre*) aufdecken; enthüllen statue **6.** (*mettre au jour*) ausgraben ruines, objet **7.** (*apercevoir*) entdecken panorama, personne **8.** (*laisser voir*) zeigen jambes, épaules; zum Vorschein kommen lassen ciel, racines, terre **9.** (*révéler*) ~ **un secret à son ami** seinem/ihrem Freund ein Geheimnis verraten **II.** *vpr* **1.** (*enlever sa couverture*) **se** ~ sich aufdecken; (*enlever son vêtement*) sich ausziehen; (*enlever son chapeau*) den Hut abnehmen; (*pour saluer*) den Hut ziehen **2.** (*s'exposer aux attaques*) **se** ~ armée: die Deckung verlassen; boxeur, escrimeur: sich (*dat*) eine Blöße geben **3.** (*se confier*) **se** ~ **à qn** sich jdm offenbaren; a. fig (*abattre son jeu*) die Karten aufdecken **4.** (*apprendre à se connaître*) **se** ~ **lui-même** sich selbst entdecken **5.** (*apprendre*) **se** ~ **des dons/un goût pour qc** seine Begabung/Vorliebe für etw entdecken **6.** (*apparaître*) **se** ~ panorama, paysage: zu erkennen sein; secret: entdeckt werden; vérité: an den Tag kommen **7.** (*s'éclaircir*) **le ciel se découvre** der Himmel hellt sich auf

décrasser [dekʀase] <1> *vt* **1.** (*nettoyer*) [gründlich] reinigen; [gründlich] scheuern planchers **2.** (*laver*) gründlich waschen personne, mains

décrépit, e [dekʀepi, it] *adj* personne altersschwach

décrépitude [dekʀepityd] *f* d'une maison Verfall *m*; fig d'un empire, d'une nation Niedergang *m*

decrescendo [dekʀeʃɛndo] *adv* MUS decrescendo

décret [dekʀe] *m* POL [Rechts]verordnung *f*; ~ **sur qc** Verordnung über etw (*akk*)

décréter [dekʀete] <5> **I.** *vt* **1.** POL anordnen; verordnen mesures; verhängen état d'urgence **2.** fig ~ **que ...** bestimmen, dass ... **II.** *vpr* **qc/ça ne se décrète pas** etw/das lässt sich nicht erzwingen

décrire [dekʀiʀ] <irr> *vt* **1.** (*dépeindre*) beschreiben; schildern événement, situation; ~ **qn/qc à qn** jdm jdn/etw beschreiben **2.** (*tracer*) beschreiben cercle

décrispation [dekʀispasjɔ̃] *f* d'une crise politique Entschärfung *f*

décrisper [dekʀispe] <1> *vt* entschärfen situation, affrontement

décrochement [dekʀɔʃmɑ̃] *m* d'une muraille Nische *f*

décrocher [dekʀɔʃe] <1> **I.** *vt* **1.** (*dépendre*) abnehmen rideaux, linge; abhängen wagon; losmachen laisse, sangle; aufmachen volets; ~ **le téléphone** (*pour répondre*) den [Telefon]hörer abheben; (*pour ne pas être dérangé*) den [Telefon]hörer dane-

benlegen **2.** *fam* (*obtenir*) kriegen; sich (*dat*) holen *prix;* sich (*dat*) angeln, ergattern *poste* **3.** SPORT abhängen (*fam*) *concurrents, peloton* **II.** *vpr* **se** ~ *personne, poisson:* sich losmachen (*fam*); *vêtement, tableau:* [vom Haken] runterfallen (*fam*) **III.** *vi* **1.** (*au téléphone*) den [Telefon]hörer abnehmen; **tu peux** ~**?** kannst du mal [d]rangehen? (*fam*) **2.** *fam* ~ **de qc** (*se désintéresser*) *militant:* von etw abspringen **3.** (*ne plus écouter*) abschalten **4.** (*se détacher*) *armée, troupes:* sich absetzen **5.** AVIAT *avion:* überziehen **6.** RADIO *émetteur:* umschalten

décroiser [dekʀwaze] <1> *vt* nebeneinander stellen *jambes;* wieder fallen lassen *bras;* entwirren *fils*

décroissant, e [dekʀwasɑ̃, ɑ̃t] *adj intensité, vitesse* abnehmend; *bruit* schwindend; **à vitesse ~e** mit herabgesetzter Geschwindigkeit

décroître [dekʀwatʀ] <irr> *vi* + *avoir o être* abnehmen; *jours:* kürzer werden; *vitesse:* abnehmen

décrotter [dekʀɔte] <1> *vt* (*enlever la boue*) ~ **des chaussures** den Schmutz von den Schuhen abmachen

décrue [dekʀy] *f des eaux* Sinken *nt*

décrypter [dekʀipte] <1> *vt* entziffern *hiéroglyphe*

déçu, e [desy] **I.** *part passé de* **décevoir II.** *adj* enttäuscht **III.** *m, f souvent pl* Enttäuschte(r) *f(m)*

déculotter [dekylɔte] <1> *vt* **1.** ~ **qn** jdm die Hosen ausziehen **2.** (*vider*) auskulopfen *pipe*

déculpabiliser [dekylpabilize] <1> *vt* entschuldbar machen *action, situation;* ~ **qn** jdm das Schuldgefühl nehmen

dédaigner [dedeɲe] <1> *vt* ~ **qn** jdn verachten, auf jdn herabsehen

dédaigneusement [dedɛɲøzmɑ̃] *adv* verächtlich

dédaigneux, -euse [dedɛɲø, -øz] *adj comportement, personne* herablassend; *regard, air* verächtlich

dédain [dedɛ̃] *m* Verachtung *f;* **avec** ~ verächtlich

dédale [dedal(ə)] *m de rues, chemins* Gewirr *nt*

dedans [d(ə)dɑ̃] **I.** *adv* + *verbe de mouvement* hinein; + *verbe d'état* darin; (*dans un lieu*) innen; **de** ~ **venir** von drinnen; *ouvrir* von innen; *voir* von innen; **en** ~ innen; *fig* im Inneren; **en** ~ **de lui-même, il réprouve cet acte** im Innersten seines Herzens missbilligt er diese Tat ►**mettre en plein** ~ ins Schwarze treffen; **mettre qn** ~ *fam* jdn [he]reinlegen; **rentrer** [**en plein**] ~ *fam* (*en voiture*) [voll] reinfahren;

(*à pied*) [voll] reinrennen; **lui rentrer** ~ *fam* (*frapper*) [voll] auf jdn losgehen; **ils se sont rentrés** ~ die sind aufeinander losgegangen **II.** *m sans pl* **1.** (*intérieur, âme, cœur*) Innere(s) *nt* **2.** (*face interne*) **le** ~ **de qc** die Innenseite einer S. (*gen*)

dédicace [dedikas] *f* **1.** (*sur une photo, un livre*) Widmung *f;* (*sur un monument*) Inschrift *f* **2.** *d'une église, d'un temple* Weihe *f*

dédicacer [dedikase] <2> *vt* ~ **un roman à ses parents** seinen/ihren Eltern einen Roman widmen

dédier [dedje] <1> *vt* ~ **une œuvre/sa vie à qn/qc** jdm/etw ein Werk/sein Leben widmen

dédire [dediʀ] <*irr*> *vpr* **se** ~ das Gesagte zurücknehmen

dédit [dedi] *m* JUR Rücktritt *m*

dédommagement [dedɔmaʒmɑ̃] *m* Entschädigung *f*

dédommager [dedɔmaʒe] <2a> **I.** *vt* ~ **une victime de qc** ein Opfer für etw entschädigen **II.** *vpr* **se** ~ **de qc** sich schadlos für etw halten

dédouanement [dedwanmɑ̃] *m* Verzollung *f*

dédouaner [dedwane] <1> *vt* verzollen *marchandise*

dédoublement [dedubləmɑ̃] *m d'une classe, d'un fil* Teilung *f*

dédoubler [deduble] <1> *vt* **1.** teilen *classe;* ausbauen *autoroute;* ~ **les trains** Sonderzüge einsetzen **2.** (*enlever la doublure*) ~ **un manteau** das Futter aus einem Mantel heraustrennen

dédramatiser [dedʀamatize] <1> *vt, vi* entdramatisieren

déductible [dedyktibl] *adj* FIN **être** ~ **des impôts** von der Steuer absetzbar sein

déductif, -ive [dedyktif, -iv] *adj* deduktiv; **avoir un esprit** ~ deduktiv denken können

déduction [dedyksjɔ̃] *f* **1.** COM Abzug *m;* FIN Absetzung *f;* ~ **d'impôt** Steuerabzug; **moins la** ~ **de 10%** abzüglich 10%; **entrer en** ~ **de qc** von etw abgezogen werden **2.** (*réflexion*) Schlussfolgerung *f;* (*conclusion*) Deduktion *f*

déduire [dedɥiʀ] <*irr*> **I.** *vt* **1.** (*retrancher*) abziehen *acompte, frais* **2.** (*conclure*) ableiten; ~ **de qc qu'il a réussi** aus etw folgern, dass er Erfolg hatte **II.** *vpr* **se** ~ **de qc** sich aus etw ableiten lassen

déesse [dees] *f* Göttin *f*

défaillance [defajɑ̃s] *f* **1.** *d'une personne* (*physique, morale*) Schwäche *f;* (*intellectuelle*) Black-out *nt o m;* ~ **humaine** menschliches Versagen **2.** *d'un moteur, système* Versagen *nt; d'un appareil* Defekt *m*

d'une loi Schwachstelle *f* **3.** JUR *d'un témoin* Nichterscheinen *nt* vor Gericht; *d'un contractant* Nichteinhaltung *f* des Vertrages ▶ **avoir** une ~ (*s'évanouir*) einen Schwächeanfall erleiden; (*s'assoupir*) einen toten Punkt haben; (*perdre la mémoire*) ein[en] Black-out haben; (*céder*) eine Schwäche haben; **tomber en** ~ in Ohnmacht fallen

défaillant, e [defajɑ̃, jɑ̃t] *adj* **1.** (*insuffisant*) schwach; *forces* geschwächt; *mémoire* nachlassend **2.** *personne* geschwächt; *voix* zitternd; *main* unsicher **3.** (*absent*) nicht erschienen

défaillir [defajiʀ] <*irr*> *vi* *qualités, mémoire:* nachlassen; *forces, volonté:* schwinden

défaire [defɛʀ] <*irr*> **I.** *vt* **1.** (*détacher pour ouvrir*) aufmachen; (*dénouer*) lösen *nœud, corde;* (*pour enlever*) ausziehen *chaussures, manteau;* abmachen *skis, bretelles* **2.** (*enlever ce qui est fait*) aufmachen; auftrennen *ourlet;* wieder aufmachen *rangs d'un tricot;* auseinander nehmen *construction;* ~ **le lit** (*pour changer de drap/se coucher*) das Bett abziehen/aufdecken; (*mettre en désordre*) das Bett zerwühlen **3.** (*détacher*) losbinden *corde;* herausziehen *prise* **4.** (*mettre en désordre*) durcheinander bringen **5.** (*déballer*) auspacken **6.** (*rompre*) auflösen *contrat;* zunichte machen *plan, projet;* zerstören *mariage* **7.** (*battre*) besiegen *armée* **8.** (*débarrasser*) ~ **qn d'une habitude** jdm eine Verhaltensweise abgewöhnen **II.** *vpr* **1.** (*se détacher*) **se** ~ *paquet, ourlet:* aufgehen; *nœud, lacets:* aufgehen; *bouton:* abgehen; *coiffure:* in Unordnung geraten **2.** *fig* **se** ~ *amitié, relation:* zerbrechen **3.** (*se séparer*) **se** ~ **de qn/qc** jdn/etw loswerden

défait, e [defɛ, defɛt] **I.** *part passé de* **défaire II.** *adj mine, visage, air* abgespannt

défaite [defɛt] *f* Niederlage *f*

défalcation [defalkasjɔ̃] *f* FIN Abzug *m*

défalquer [defalke] <1> *vt* abziehen

défaut [defo] *m* (*travers*) Fehler *m;* ~ **de preuves** Mangel *m* an Beweisen (*dat*); **faire** ~ fehlen ▶ **y a comme un** ~ *fam* da stimmt was nicht; **être en** ~ *personne:* im Unrecht sein; (*être en infraction*) sich rechtswidrig verhalten; *mémoire:* nachlassen; **mettre qn en** ~ jdn ertappen; **à** ~ notfalls; **par** ~ abgerundet

défaveur [defavœʀ] *f* Ungnade *f*

défavorable [defavɔʀabl] *adj* **1.** *conditions, temps* ungünstig **2.** (*opp: en faveur de*) **être** ~ **à un projet** einem Vorhaben ablehnend gegenüberstehen **3.** (*qui ne convient pas*) **le climat est** ~ **à qn/qc** das Klima bekommt jdm/einer S. nicht

défavorisé, e [defavɔʀize] *adj* benachtei-

ligt; **un milieu** ~ ein sozial schwaches Milieu

défavoriser [defavɔʀize] <1> *vt* ~ **Jean par rapport à Paul** Jean im Vergleich zu Paul benachteiligen

défécation [defekasjɔ̃] *f form* Stuhlgang *m*

défectif, -ive [defɛktif, -iv] *adj* GRAM defektiv

défection [defɛksjɔ̃] *f d'un partisan, ami* Abfall *m,* Abtrünnigwerden *nt*

défectueux, -euse [defɛktɥø, -øz] *adj appareil, outil* defekt; *prononciation, orthographe* fehlerhaft; *organisation* schlecht

défendable [defɑ̃dabl] *adj* MIL **être** ~ verteidigt werden können

défendeur, défenderesse [defɑ̃dœʀ, defɑ̃dəʀɛs] *m, f* JUR Beklagte(r) *f(m)*

défendre[1] [defɑ̃dʀ] <14> **I.** *vt* verteidigen; ~ **un acteur contre qn/qc** einen Schauspieler gegen jdn/etw verteidigen; ~ **une cause** sich für eine Sache einsetzen **II.** *vpr* **1.** (*se protéger*) **se** ~ **contre un agresseur** sich gegen einen Angreifer wehren **2.** (*se préserver*) **se** ~ **de la chaleur** sich vor der Hitze schützen **3.** (*se débrouiller*) **se** ~ **en qc** in etw (*dat*) zurechtkommen **4.** (*résister aux assauts de l'âge*) **se** ~ sich [gut] halten **5.** *fam* (*être défendable*) **se** ~ *idée, projet:* sich vertreten lassen

défendre[2] [defɑ̃dʀ] <1> **I.** *vt* (*interdire*) ~ **qu'on fasse qc** untersagen, dass man etw macht **II.** *vpr* **1.** (*s'interdire*) **se** ~ **tout plaisir** sich (*dat*) jedes Vergnügen versagen **2.** (*se retenir*) **ne pouvoir se** ~ **de qc** sich einer S. (*gen*) nicht erwehren *geh* können

défendu, e [defɑ̃dy] **I.** *part passé de* **défendre II.** *adj* verboten

défenestrer [def(ə)nɛstʀe] <1> *vt* aus dem Fenster stürzen

défense[1] [defɑ̃s] *f* **1.** (*fait de défendre*) Verteidigung *f;* (*protection*) Schutz *m;* ~ **d'une théorie** Vertreten *nt* einer Theorie; **la meilleure** ~, **c'est l'attaque** Angriff ist die beste Verteidigung; **légitime** ~ Notwehr *f;* **prendre la** ~ **de qn/qc** jdn/etw verteidigen; **sans** ~ ausgeliefert **2.** PSYCH **l'instinct/les réflexes de** ~ der Abwehrinstinkt/die Abwehrreflexe **3.** ANAT Abwehrkräfte *Pl;* ~**s immunitaires** Immunabwehrkräfte *Pl* **4.** *pl* (*dispositifs militaires*) Verteidigungsstellungen *Pl;* ~ **civile** (*en cas d'attaque aérienne, de guerre atomique*) *f* [ziviler] Luftschutz; (*organisation non-violente*) ziviler Ungehorsam **5.** POL **le ministre de la Défense** der Verteidigungsminister; **la Défense nationale** die Landesverteidigung **6.** SPORT **être bon en** ~

ein guter Verteidiger sein

défense² [defãs] *f* (*interdiction*) Verbot *nt;* ~ **de fumer** Rauchen verboten; ~ **de se pencher au-dehors** nicht aus dem Fenster lehnen

défense³ [defãs] *f* ZOOL *d'un éléphant* Stoßzahn *m; d'un sanglier* Hauer *m; d'un morse* Eckzahn *m*

défenseur [defãsœʀ] *m* **1.** MIL, JUR, SPORT Verteidiger(in) *m(f)* **2.** (*partisan*) Anhänger(in) *m(f); d'un projet* Befürworter(in) *m(f);* ~ **des droits de l'Homme** Verteidiger *m* der Menschenrechte; ~ **de l'environnement** Umweltschützer *m*

défensif, -ive [defãsif, -iv] *adj* **1.** *guerre, tactique, arme* Verteidigungs-; *alliance* Verteidigungs- **2.** *attitude, jeu* defensiv

défensive [defãsiv] *f* (*attitude de défense*) Defensive *f;* **être sur la** ~ in der Defensive sein

déféquer [defeke] <5> *vi form* den Darm entleeren

déférer [defeʀe] <5> *vt* ~ **qn à la justice** jdn vor Gericht (*akk*) bringen

déferlement [defɛʀləmã] *m des vagues* Brechen *nt; de la mer* Brandung *f;* ~ **d'enthousiasme** Woge *f* der Begeisterung

déferler [defɛʀle] <1> *vi vagues:* sich brechen; *mer:* branden; **la foule déferle dans la rue/sur la place** die Menge strömt auf die Straße/auf den Platz

défi [defi] *m* (*provocation, challenge*) Herausforderung *f;* ~ **à la science** Herausforderung für die Wissenschaft; **mettre qn au** ~ **de prouver le contraire** wetten, dass jd nicht das Gegenteil beweisen kann

défiance [defjãs] *f* Misstrauen *nt*

défiant, e [defjã, jãt] *adj* misstrauisch

déficeler [defis(ə)le] <3> *vt* ~ **un paquet** ein Paket aufschnüren

déficience [defisjãs] *f* **1.** (*faiblesse*) Schwäche *f;* **une** ~ **rénale** eine Niereninsuffizienz **2.** (*manque*) ~ **en magnésium/calcium** Magnesium-/Kalziummangel *m*

déficient, e [defisjã, jãt] **I.** *adj intelligence* schwach ausgeprägt; *raisonnement* unterdurchschnittlich; *forces, personne* schwach; **un enfant** ~ (*intellectuellement*) ein geistig zurückgebliebenes Kind; (*physiquement*) ein körperlich zurückgebliebenes Kind **II.** *m, f* ~ **mental** geistig Behinderte(r) *f(m)*

déficit [defisit] *m* **1.** FIN Fehlbetrag *m;* ~ **de la balance des paiements** Zahlungsbilanzdefizit; **combler le** ~ das Defizit ausgleichen; **être en** ~ ein Defizit aufweisen **2.** (*perte*) ~ **de qc** Verlust *m* einer S. (*gen*); (*manque*) ~ **hormonal/immunitaire** Hormon-/Immunschwäche *f;* ~ **en**

fer Eisenmangel *m*

déficitaire [defisitɛʀ] *adj budget, entreprise* defizitär; *année* verlustreich; *récolte* mager

défier [defje] <1> **I.** *vt* **1.** (*provoquer*) herausfordern; ~ **qn aux échecs** jdn zu einer Partie Schach herausfordern **2.** (*parier*) **je te défie de faire ça** ich wette, dass du das nicht tun kannst **3.** (*braver*) ~ **l'autorité** sich der Autorität (*dat*) widersetzen; (*provoquer*) ~ **qc** mit etw spielen **4.** (*soutenir l'épreuve de*) ~ **la raison/le bon sens** der Vernunft/dem Verstand widersprechen; **des prix défiant toute concurrence** Preise, die außer Konkurrenz stehen **II.** *vpr* **se** ~ **de qn/qc** jdm/einer S. misstrauen

défigurer [defigyʀe] <1> *vt* **1.** (*abîmer le visage de qn*) entstellen **2.** (*enlaidir*) verunstalten *monument, paysage* **3.** (*travestir*) falsch wiedergeben *faits, vérité;* verunstalten *article, texte*

défilé [defile] *m* **1.** (*cortège*) Umzug *m;* ~ **de mode** Modenschau *f;* MIL [Militär]parade *f;* **c'est le** ~ **chez elle/à l'A.N.P.E.!** bei ihr/auf dem Arbeitsamt ist vielleicht ein Andrang! **2.** (*succession*) ~ **d'images/de souvenirs** Reihe *f* von Bildern/Erinnerungen **3.** (*gorge*) Schlucht *f*

défiler [defile] <1> **I.** *vi* **1.** (*marcher en colonne, file*) *majorettes:* vorbeimarschieren; *soldats, armée:* vorbeimarschieren; *cortège, manifestants:* vorbeiziehen; *mannequins:* sich auf dem Laufsteg präsentieren **2.** (*se succéder*) *voitures, rames:* vorbeifahren; *souvenirs, images:* vorüberziehen; *jours:* dahinziehen **3.** (*passer en continu*) *bande, film:* [ab]laufen; *texte:* durchlaufen; *paysage:* vorbeiziehen **4.** INFORM **faire** ~ **qc vers le haut/bas** etw nach oben/unten blättern **II.** *vpr fam* (*se dérober*) **se** ~ sich drücken; (*s'éclipser*) sich verdrücken

défini, e [defini] *adj* **1.** (*déterminé*) bestimmt; **bien/mal** ~ *mot, terme* gut/schlecht definiert; *douleur* ganz bestimmt/undefinierbar **2.** GRAM *article* bestimmt

définir [definiʀ] <8> **I.** *vt* **1.** (*donner la définition de*) definieren *concept, terme* **2.** (*expliquer*) genau beschreiben *sensation;* erläutern *position* **3.** (*décrire*) charakterisieren **4.** (*déterminer*) festlegen *modalités, objectifs;* bestimmen *politique* **II.** *vpr* **se** ~ **comme qn** sich selbst als jdn beschreiben

définitif [definitif] *m fam* **c'est du** ~ **das** ist was Endgültiges; (*relation sérieuse*) das ist was Festes

définitif, -ive [definitif, -iv] *adj* **1.** (*opp: provisoire*) endgültig; *refus, décision* definitiv; *victoire* entscheidend **2.** *argument*

schlüssig; *jugement* rechtskräftig ▸ **en défi-nitive** letzten Endes

définition [definisjɔ̃] *f* **1.** LING, MATH Definition *f;* ~ **d'un mot** Begriffsbestimmung *f;* **par ~** definitionsgemäß **2.** (*caractérisation*) Charakterisierung *f* **3.** TV ~ **de l'image** Bildauflösung *f*

définitivement [definitivmɑ̃] *adv* endgültig; *s'installer, quitter* für immer

défiscaliser [defiskalize] <1> *vt* von der Steuer befreien

déflagration [deflagrasjɔ̃] *f* Verpuffung *f*

déflation [deflasjɔ̃] *f* Deflation *f*

déflationniste [deflasjɔnist] *adj* deflationär

déflecteur [deflɛktœʀ] *m* Ausstellfenster *nt*

défloration [deflɔrasjɔ̃] *f* Entjungferung *f*

déflorer [deflɔre] <1> *vt* entjungfern

défoncé, e [defɔ̃se] *adj* **1.** (*détérioré*) beschädigt; *canapé, sommier, matelas* kaputt; (*déformé*) *route, chaussée* uneben **2.** *fam* (*sous l'effet de la drogue*) **être ~** auf dem Trip sein

défonce [defɔ̃s] *f fam* Trip *m*

défoncer [defɔ̃se] <2> **I.** *vt* **1.** (*casser en enfonçant*) eindrücken; einschlagen *porte, vitre* **2.** (*enlever le fond*) ~ **qc** den Boden einer S. (*gen*) ausschlagen **3.** (*détériorer*) **les chars défoncent la route** die Panzer beschädigen die Straße schwer **4.** *fam* (*droguer*) ~ **qn** *drogue:* jdn high machen **II.** *vpr* **se ~ 1.** (*se détériorer*) *sol:* aufreißen **2.** *fam* (*se droguer*) sich einen Trip reinziehen **3.** *fam* (*se donner du mal*) sich abschinden

déformant, e [defɔrmɑ̃, ɑ̃t] *adj* **miroir ~** Zerrspiegel *m*

déformation [defɔrmasjɔ̃] *f d'une pièce, d'un objet* Verformung *f; d'un nom* Abänderung *f; de pensées, faits* Verzerrung *f; d'un caractère* Veränderung *f;* MED Deformierung *f* ▸ ~ **professionnelle** Abfärben *nt* des Berufs auf das Privatleben

déformer [defɔrme] <1> **I.** *vt* **1.** (*altérer*) verformen; deformieren *jambes, doigts;* austreten *chaussures;* verziehen *bouche* **2.** (*fausser*) falsch darstellen *faits;* falsch wiedergeben *pensées;* verderben *goût;* ~ **l'ouïe** dem Gehörsinn schaden; ~ **la voix** die Stimme verzerren **II.** *vpr* **se ~** *chaussures:* sich verformen; *vêtement:* die Form verlieren; *étagère:* sich verziehen

défoulement [defulmɑ̃] *m* Abreagieren *nt*

défouler [defule] <1> **I.** *vpr* **se ~** sich abreagieren; *enfant, jeune:* sich austoben **II.** *vt* **1.** (*libérer son agressivité*) ~ **son ressentiment sur qn/qc** seine/ihre Abnei-

gung an jdm/etw abreagieren **2.** (*décontracter*) **la course me défoule** beim Laufen kann ich mich abreagieren

défraîchi, e [defreʃi] *adj couleur* verblasst

défraîchir [defreʃir] <8> *vpr* **se ~** *tissu:* nicht mehr neu aussehen

défrayer [defreje] <7> *vt* ~ **qn du trajet** jdm die Unkosten für die Reise erstatten

défricher [defriʃe] <1> *vt* roden *forêt*

défriser [defrize] <1> *vt* **1.** *fam* (*gêner*) fuchsen **2.** (*enlever la frisure*) entkrausen; *temps, pluie:* glatt machen; ~ **qn** jds Frisur zerstören

défroisser [defrwase] <1> *vt vêtement, feuille de papier* glätten

défroqué [defrɔke] *m* ehemaliger Mönch

dégagé, e [degaʒe] *adj* **1.** *ciel* wolkenlos; *sommet* sichtbar; *vue* frei; *route* frei **2.** (*découvert*) frei; *nuque* ausrasiert **3.** (*décontracté*) lässig; *ton, manière* ungezwungen

dégagement [degaʒmɑ̃] *m* **1.** *d'une poterie, personne, d'un objet* Bergung *f; d'un boulon, membre* Herausziehen *nt* **2.** *d'une route, rue* Räumung *f* **3.** (*émanation*) ~ **de gaz** Ausströmen *nt* von Gas; ~ **de chaleur** Wärmeabgabe *f* **4.** *d'un appartement* Flur *m; d'un lotissement* freier Platz

dégager [degaʒe] <2a> **I.** *vt* **1.** (*libérer*) bergen *objet enfoui;* enthüllen *objet couvert;* herausziehen *objet coincé;* ~ **des personnes ensevelies de qc** Verschüttete *Pl* aus etw befreien **2.** (*désobstruer*) freimachen *bronches, nez;* räumen *rue, couloir;* **dégagez la piste!** *fam* Platz da! **3.** (*faire apparaître*) frei lassen *cou, épaules* **4.** (*soustraire à une obligation*) ~ **sa responsabilité** die Verantwortung ablehnen **5.** *fam* (*enlever*) ~ **des jouets de la table** Spielzeug vom Tisch wegräumen **6.** (*produire*) verströmen *odeur, parfum;* freisetzen *gaz;* abgeben *fumée* **7.** SPORT klären **8.** ECON, FIN bereitstellen *crédits;* erzielen *profits, bénéfices* **9.** (*extraire*) ~ **une idée de qc** einen Gedanken [aus etw] herausarbeiten **10.** (*mettre en valeur*) **cette robe dégage bien sa taille** dieses Kleid lässt ihre Taille gut zur Geltung kommen **II.** *vpr* **1.** (*se libérer*) *passage, voie d'accès:* sich leeren; *voie respiratoire:* frei werden; **le ciel se dégage** der Himmel hellt sich auf **2.** *fig* **se ~ de ses obligations** sich aus seinen Verpflichtungen lösen; **se ~** *fam* (*trouver du temps libre*) sich frei nehmen **3.** (*émaner*) **se ~ de qc** *fumée:* aus etw aufsteigen; *gaz, vapeur:* aus etw entweichen; *odeur:* aus etw ausgehen **4.** (*ressortir*) **se ~ de qc** *idée:* sich in etw (*dat*) abzeichnen; *impression, mystère:* von etw ausgehen; *vérité:* sich zeigen in etw **III.** *vi fam* **1.** (*sentir mauvais*) miefen

2. (*déguerpir*) verschwinden; (*s'écarter*) Platz machen; **dégage de là!** hau ab [hier]! (*fam*) ►**cette fille, elle dégage!** dieses Mädchen haut einen um!

dégaine [degɛn] *f péj fam* quelle ~! (*air, accoutrement bizarre*) wie der/die aussieht!

dégainer [degene] <1> *vt, vi* ziehen

dégarni, e [degaʀni] *adj* front ~ Stirnglatze *f*

dégarnir [degaʀniʀ] <8> *vpr* **1.** (*se vider*) **se ~** *lieu:* sich leeren **2.** (*perdre ses cheveux*) **il se dégarnit** er bekommt [langsam] eine Glatze

dégât [dega] *m* **1.** *pl* (*détérioration*) Schaden *m,* Schäden *Pl;* **~s matériels** Sachschaden *m* **2.** *sing* ADMIN Schaden *m* **3.** *sing, fam* (*casse*) Katastrophe *f* ►**il y a du ~!** *fam* das ist vielleicht eine Verwüstung!; **il va y avoir du ~!** gleich gibt's ein Unglück! (*fam*); **faire des ~s** (*faire tourner les têtes*) manche Herzen brechen; (*ne pas se contrôler*) großen Schaden anrichten; **limiter les ~s** das Schlimmste verhindern; **bonjour les ~s!** da haben wir den Salat! (*fam*)

dégel [deʒɛl] *m* **1.** (*fonte des glaces*) Tauwetter *nt;* **c'est le ~** es taut **2.** (*détente*) Tauwetter **3.** (*reprise*) Belebung *f* **4.** (*déblocage*) Freigabe *f*

dégeler [deʒ(ə)le] <4> **I.** *vt* **1.** (*faire fondre*) auftauen **2.** (*réchauffer*) aufwärmen *pieds, mains* **3.** (*détendre*) aus der Reserve locken *personne;* auflockern *atmosphère;* entspannen *rapports* **4.** (*débloquer*) freigeben *crédits, dossier* **II.** *vi* **1.** (*fondre*) auftauen **2.** *impers* **il dégèle** es taut **III.** *vpr* **1.** (*être moins réservé*) **se ~** auftauen **2.** (*se réchauffer*) **se ~ les pieds/mains** sich (*dat*) die Füße/Hände aufwärmen

dégénéré, e [deʒeneʀe] **I.** *adj* **1.** MED geistesgestört **2.** (*dénaturé*) degeneriert **II.** *m, f* (*physiquement*) degenerierter Mensch; (*intellectuellement*) Geistesgestörte(r) *f(m)*

dégénérer [deʒeneʀe] <5> *vi* **1.** (*perdre ses qualités*) *espèce, race:* degenerieren **2.** (*se dégrader*) degenerieren; *goût, qualité:* sich verschlechtern; **à chaque fois, ça dégénère!** das artet jedesmal aus! **3.** (*se changer en*) **~ en qc** in etw (*akk*) ausarten

dégivrer [deʒivʀe] <1> *vt* abtauen *réfrigérateur;* enteisen *vitres, avion*

déglinguer [deglɛ̃ge] <1> *fam vt* (*abîmer*) kaputtmachen

déglutir [deglytiʀ] <8> **I.** *vt* hinunterschlucken **II.** *vi* schlucken

déglutition [deglytisjɔ̃] *f* [Hinunter]schlucken *nt*

dégonflé, e [degɔ̃fle] *adj* nicht aufgepumpt; *pneu* platt

dégonfler [degɔ̃fle] <1> **I.** *vt* **1.** (*décompresser*) zum Abschwellen bringen *enflure;* **~ un ballon/pneu** die Luft aus einem Ball/Reifen [heraus]lassen **2.** (*diminuer*) senken *prix, budget* **3.** (*minimiser*) herunterspielen *importance de qc* **II.** *vpr* **se ~ 1.** (*se décompresser*) *ballon, pneu:* [die] Luft verlieren; *enflure:* abschwellen **2.** *fam* (*avoir peur*) Bammel kriegen; (*reculer*) kneifen **III.** *vi enflure:* abschwellen

dégorger [degɔʀʒe] <2a> *vi* **1.** (*se déverser*) **~ dans qc** *égouts, rivière:* in etw (*akk*) fließen **2.** GASTR *concombres, aubergines:* Wasser ziehen; *poisson, viande:* wässern

dégouliner [deguline] <1> *vi liquide, confiture:* (*goutte à goutte*) [herab]tropfen; (*en filet*) laufen

dégourdi, e [deguʀdi] *adj enfant* aufgeweckt; *adulte* geschickt

dégourdir [deguʀdiʀ] <8> **I.** *vt* **1.** (*opp: engourdir*) wieder beweglich machen *membres* **2.** (*affranchir*) selbstständig[er] machen **II.** *vpr* **1.** (*se donner de l'exercice*) **se ~ les jambes** sich (*dat*) die Beine vertreten; **se ~** sich auflockern; **se ~ les jambes** sich (*dat*) die Beine vertreten **2.** (*perdre sa gaucherie*) **se ~** sich machen (*fam*)

dégoût [degu] *m* **1.** (*écœurement*) **d'un aliment** Ekel *m* vor einem Nahrungsmittel; **avec ~** angeekelt **2.** (*aversion*) **~ pour qn/qc** Widerwillen *m* gegen jdn/etw **3.** (*lassitude*) Überdruss *m;* **il a un ~ de lui-même** er ist seiner Selbst überdrüssig

dégoûtant, e [degutɑ̃, ɑ̃t] **I.** *adj* **1.** (*écœurant*) widerlich **2.** (*sale*) [ekelhaft] dreckig **3.** (*abject, ignoble*) gemein; *propos, attitude, magouille* verabscheuungswürdig; **c'est ~ de faire qc/qu'il ait fait ça** es ist abscheulich etw zu tun/, dass er das getan hat **4.** (*grivois, licencieux*) widerlich; *histoire* obszön **II.** *m, f fam* **1.** (*personne sale*) Ferkel *nt* **2.** (*vicieux*) fieser Kerl

dégoûté, e [degute] **I.** *adj personne, mine* angewidert; **je suis ~** (*scandalisé*) ich bin empört; (*lassé*) ich bin es leid; **être ~ de la vie/de vivre** des Lebens überdrüssig sein/lebensüberdrüssig sein ►**n'être pas ~** nicht gerade zimperlich sein **II.** *m, f* Angewiderte(r) *f(m)* ►**faire le ~** [angewidert] die Nase rümpfen; (*jouer le difficile*) wählerisch sein

dégoûter [degute] <1> **I.** *vt* **1.** *nourriture, odeur:* anekeln **2.** (*ôter l'envie de*) **~ qn** es jdm verleiden; **~ qn du sport** jdm den Sport verleiden **II.** *vpr* **se ~ de qn/qc** jdn/etw leid sein/werden

dégoutter [degute] <1> *vi* (*couler*) ~

des marroniers *eau, sueur:* von den Kastanienbäumen [herab]tropfen

dégradant, e [degradɑ̃, ɑ̃t] *adj* erniedrigend

dégradation [degradasjɔ̃] *f* **1.** (*dégâts*) Beschädigung *f; de l'environnement* Zerstörung *f;* ~**s** Schäden *Pl;* **causer des** ~**s à qc** etw beschädigen **2.** (*détérioration*) Verschlechterung *f* **3.** *d'une personne* Erniedrigung *f* **4.** MIL Degradierung *f*

dégradé [degrade] *m* **1.** *de couleurs* Abstufung *f* **2.** (*coupe de cheveux*) Stufenschnitt *m*

dégrader [degrade] <1> I. *vt* **1.** (*détériorer*) beschädigen *édifice, route;* verschlechtern *situation, climat social;* ~ **l'environnement** die Umwelt [nach und nach] zerstören **2.** (*faire un dégradé*) abstufen **3.** MIL degradieren II. *vpr* **se** ~ **1.** (*s'avilir*) sich erniedrigen **2.** (*se détériorer*) *édifice:* verfallen; (*à cause des intempéries*) verwittern; *situation, climat social, temps:* sich verschlechtern

dégrafer [degrafe] <1> I. *vt* ~ **qc** etw aufmachen II. *vpr* **une robe se dégrafe** der Verschluss eines Kleides geht auf

dégraissage [degrɛsaʒ] *m d'un bouillon, d'une sauce* Abschöpfen *nt* des Fettes

dégraissant [degrɛsɑ̃] *m* (*solvant*) Fettlöser *m;* (*détachant*) Fleck[en]entferner *m*

dégraissant, e [degrɛsɑ̃, ɑ̃t] *adj* (*solvant*) fettlösend; **produit** ~ Fettlöser *m*

dégraisser [degrɛse] <1> *vt* **1.** (*nettoyer*) entfetten *métal, laine* **2.** (*enlever la graisse*) entfetten *cheveux;* ~ **un bouillon** das Fett von einer Bouillon abschöpfen **3.** ECON *fam* abbauen *effectifs;* gesundschrumpfen *entreprise*

degré¹ [dəgre] *m* **1.** (*intensité*) Grad *m,* Stufe *f; de l'échelle de Richter* Stärke *f;* **jusqu'à un certain** ~ bis zu einem gewissen Grad; **au dernier/plus haut** ~ im höchsten Maß **2.** (*dans la hiérarchie*) Stufe *f* **3.** MED *d'une brûlure* Grad *m* **4.** SOCIOL, MATH Grad *m* **5.** LING Steigerungsstufe *f* **6.** SCOL **l'enseignement du premier/second** ~ das Grundschulwesen/das höhere Schulwesen ►~ **zéro** [d'une civilisation/culture] Anfangsstadium *nt* [einer Zivilisation/Kultur]; **à ce** ~ **de bêtise, ...** wenn jemand so dumm ist, ...; **par** ~[**s**] nach und nach; *avancer, procéder* schrittweise

degré² [dəgre] *m* **1.** MATH *d'un angle* Grad *m* **2.** (*température*) Grad *m* **3.** *d'un alcool* [Volum]prozent *nt;* ~ **en alcool** Alkoholgehalt *m* **4.** GEOG Grad *m* **5.** MUS Stufe *f*

dégressif, -ive [degresif, -iv] *adj* degressiv

dégrèvement [degrɛvmɑ̃] *m* Steuerermäßigung *f*

dégriffé, e [degrife] *adj* ohne Markenzeichen

dégringolade [degrɛ̃gɔlad] *f fam d'une monnaie* Sturz *m; des titres* Fall *m*

dégringoler [degrɛ̃gɔle] <1> I. *vi fam* **1.** (*s'effondrer*) *actions, monnaie:* [stark] fallen; *notes:* [rapide] absinken **2.** (*tomber*) ~ **de qc** von etw [he]runterpurzeln II. *vt fam* [he]runtersausen *escalier*

dégriser [degrize] <1> *vt* (*désenivrer*) nüchtern machen

dégrossir [degrosir] <8> *vt* grob bearbeiten; [grob] behauen *pierre*

déguenillé, e [deg(ə)nije] *adj* zerlumpt

déguerpir [degɛrpir] <8> *vi* sich davonmachen

dégueulasse [degœlas] *adj fam* **1.** (*sale*) [total] verdreckt **2.** (*dégoûtant*) fies **3.** (*mauvais*) mies; *temps* scheußlich; *aliment* ekelhaft

dégueulasser [degœlase] <1> *fam* I. *vt* verdrecken II. *vpr* **se** ~ sich dreckig machen

déguisé, e [degize] *adj* **1.** (*costumé*) verkleidet; (*pour le carneval*) kostümiert; ~ **en femme** als Frau [verkleidet] **2.** *voix, écriture* verstellt; *ambition, sentiment* versteckt; *dévaluation* verschleiert

déguisement [degizmɑ̃] *m* **1.** (*travestissement*) Verkleidung *f* **2.** (*costume*) [Masken]kostüm *nt*

déguiser [degize] <1> I. *vt* **1.** (*costumer*) ~ **un enfant en pirate** ein Kind als Pirat verkleiden **2.** (*contrefaire*) verstellen *voix, écriture;* verschleiern *vérité* II. *vpr* **se** ~ **en qc** sich als etw verkleiden

dégustation [degystasjɔ̃] *f de fruits de mer, fromage* Kostprobe *f; de vin, café* Probe *f*

déguster [degyste] <1> I. *vt* **1.** (*goûter*) probieren **2.** (*savourer*) genießen II. *vi* **1.** (*savourer*) genießen **2.** *fam* (*subir: des coups*) [et]was abbekommen; (*des douleurs*) was mitmachen; (*des réprimandes*) was zu hören bekommen

déhancher [deɑ̃ʃe] <1> *vpr* **se** ~ die Hüften schwingen

dehors [dəɔr] I. *adv* **1.** (*à l'extérieur*) draußen **2.** (*pas chez soi*) außer Haus ►**ficher** **qn/qc** ~ *fam* jdn/etw rausschmeißen; **mettre qn** ~ jdn hinauswerfen; **passer par** ~ außen herumgehen; **au** ~ äußerlich; **de** ~ von draußen; **se pencher en** ~ sich hinauslehnen; **rester en** ~ sich heraushalten; **en** ~ **de** (*à l'extérieur de*) außerhalb; (*mis à part*) abgesehen von; **être en** ~ **du sujet** nicht zur Sache gehören; ~! raus! II. *m* **1.** (*extérieur*) **les bruits du** ~

die Geräusche von draußen; **des gens du ~** Leute von außerhalb **2.** *gén pl d'une personne* Äußere(s) *nt kein Pl*

déjà [deʒa] **I.** *adv* **1.** (*dès maintenant*) schon; **il était ~ parti** er war schon weg; **~?** schon? **2.** (*auparavant*) schon [einmal]; **à cette époque ~** damals schon **3.** (*intensif*) schon; **il est ~ assez paresseux!** der ist so schon faul genug!; **c'est ~ quelque chose!** das ist doch [immerhin] schon etwas! (*fam*) **4.** (*à la fin d'une question*) noch [gleich] **II.** *conj fam* **~ que ...** schon genug, dass ...

déjeuner [deʒœne] <1> **I.** *vi* **1.** (*à midi*) zu Mittag essen; **inviter qn à ~** jdn zum Mittagessen einladen **2.** (*le matin*) frühstücken **II.** *m* (*repas de midi*) Mittagessen *nt;* **au ~** zum Mittagessen

déjouer [deʒwe] <1> *vt* vereiteln

délabré, e [delabʀe] *adj maison, mur* verfallen; *façade* verwittert; *santé* zerrüttet

délabrement [delabʀəmã] *m d'une maison, d'un mur* Verfall *m*

délabrer [delabʀe] <1> **I.** *vt* ruinieren *santé* **II.** *vpr* **1.** (*se dégrader*) **se ~** *maison, mur:* verfallen; *santé:* sich verschlechtern; *affaires:* schlechter laufen **2.** (*se ruiner*) **se ~ qc** sich (*dat*) etw kaputt machen; **se ~ la santé** sich (*dat*) die Gesundheit ruinieren

délacer [delase] <2> *vt* aufschnüren

délai [delɛ] *m* **1.** (*temps accordé*) Zeit *f,* Zeitspanne *f;* (*date butoir*) Frist *f;* **dernier ~** äußerste Frist; **disposer d'un ~ de sept jours** sieben Tage Zeit haben **2.** (*sursis*) Aufschub *m* ▶**à** **bref ~** kurzfristig; **dans les plus brefs ~s** innerhalb kürzester Frist; **dans les ~s** termingerecht; **dans un ~ de** innerhalb von; **sans ~** unverzüglich

délaissé, e [delese] *adj* **1.** (*abandonné*) im Stich gelassen **2.** (*négligé*) vernachlässigt; *aspect* vernachlässigt

délaisser [delese] <1> *vt* **1.** (*négliger*) vernachlässigen **2.** (*abandonner*) verlassen; im Stich lassen *enfant;* aufgeben *activité*

délassant, e [delasã, ãt] *adj* entspannend

délassement [delasmã] *m* Entspannung *f*

délasser [delase] <1> **I.** *vt* **~ qn/qc** entspannend auf jdn/etw wirken; *exercice:* jdm Entspannung bringen **II.** *vi* entspannen **III.** *vpr* **se ~** sich entspannen

délateur, -trice [delatœʀ, -tʀis] *m, f* Denunziant(in) *m(f)*

délation [delasjɔ̃] *f* Denunziation *f*

délavé, e [delave] *adj* **1.** *couleur* wässrig; *yeux* hell; **ses yeux d'un bleu ~** seine/ ihre wasserblauen Augen **2.** (*éclairci par des lavages*) verwaschen; (*à l'eau de Javel*) [vor]gebleicht **3.** (*détrempé*) aufgeweicht

délaver [delave] <1> **I.** *vt* **1.** (*diluer*) verdünnen *peinture, couleur* **2.** (*éclaircir*) bleichen *jean;* abwaschen *inscription* **II.** *vpr* **se ~** *peinture:* sich abwaschen; *inscription:* verblassen

délayage [delɛjaʒ] *m* Anrühren *nt*

délayer [deleje] <7> *vt* (*diluer*) **~ la farine/le plâtre dans qc** das Mehl/den Gips mit etw anrühren

délectation [delɛktasjɔ̃] *f* (*plaisir sensuel*) Genuss *m;* (*plaisir intellectuel*) Genugtuung *f*

délecter [delɛkte] <1> *vpr* **se ~ à qc** sich an etw (*dat*) ergötzen (*geh*); **se ~ de qc/à faire qc** etw genießen/es genießen etw zu tun

délégation [delegasjɔ̃] *f* **1.** *d'élus* Abordnung *f;* **~ syndicale** Gewerkschaftsdelegation; **venir en ~** als Abordnung kommen **2.** (*mandat*) Vollmacht *f;* **en vertu d'une ~** kraft [einer] Vollmacht; **par ~** im Auftrag **3.** (*agence de l'État*) Ressort *nt* **4.** COM **~ commerciale** (*filiale*) Vertretung *f;* (*représentants*) Handelsdelegation *f*

délégué, e [delege] **I.** *adj* abgeordnet; **les membres ~s** die Abgeordneten **II.** *m, f d'une association, d'un parti* Delegierte(r) *f(m),* Vertreter(in) *m(f)*

déléguer [delege] <5> *vt* **~ qn à un congrès** jdn zu einem Kongress entsenden

délestage [delɛstaʒ] *m* ELEC [kurzzeitige] Stromabschaltung

délester [delɛste] <1> *vt* **1.** ELEC **~ qc** [kurzzeitig] den Strom in etw (*dat*) abstellen **2.** TRANSP entlasten

délibération [delibeʀasjɔ̃] *f* **1.** *de l'assemblée* Debatte *f;* *du jury* Beratung *f* **2.** (*décision*) Beschluss *m* **3.** (*réflexion*) Überlegung *f;* **après mûre ~/mille ~s** nach reiflicher Überlegung

délibéré [delibeʀe] *m* Beratung *f*

délibérément [delibeʀemã] *adv* absichtlich

délibérer [delibeʀe] <5> *vi* **1.** (*débattre*) **~ sur qc** über etw (*akk*) beraten **2.** (*décider*) einen Beschluss fassen **3.** (*réfléchir*) **~ sur qc** etw überlegen

délicat, e [delika, at] *adj* **1.** *peau, parfum, couleur* zart; *visage, traits, nez* fein; *mets* delikat; *arôme* mild **2.** *geste* behutsam **3.** (*fragile*) empfindlich; *enfant* zart; *santé* schwach; *objet* zerbrechlich **4.** (*difficile*) heikel; *opération* schwierig; **il est ~ de faire qc** es ist [äußerst] heikel etw zu tun **5.** (*raffiné, sensible*) feinfühlig; *odorat, oreilles* empfindlich; *palais* fein; *esprit* feinsinnig **6.** (*plein de tact*) taktvoll; *geste* aufmerksam; *comportement, procédés* rücksichtsvoll

délicatement [delikatmã] *adv* fein

délicatesse [delikatɛs] *f* **1.** (*finesse*) Zartheit *f; d'un objet, travail* Feinheit *f* **2.** (*douceur*) Behutsamkeit *f* **3.** *d'une opération, situation* Schwierigkeit *f* **4.** (*raffinement*) Finesse *f* **5.** (*tact*) Feingefühl *nt;* **manque de** ~ Mangel *m* an Taktgefühl; **avec/sans** ~ taktvoll/taktlos

délice [delis] **I.** *m* (*jouissance*) Genuss *m;* **avec** ~ genussvoll **II.** *fpl* Freuden *Pl;* **faire les ~s de qn** eine wahre Wonne für jdn sein

délicieusement [delisjøzmã] *adv* herrlich

délicieux, -euse [delisjø, -jøz] *adj* **1.** (*exquis*) köstlich; *sensation, sentiment* [höchst] wohltuend **2.** (*charmant*) reizend

délictueux, -euse [deliktɥø, -øz] *adj* strafbar

délier [delje] <1a> *vt* **1.** (*détacher*) losbinden; lösen *corde* **2.** (*dégager*) ~ **qn d'une promesse** jdn von einem Versprechen entbinden

délimitation [delimitasjõ] *f* Abgrenzung *f;* ~ **des frontières** Festlegung *f* der Grenzen

délimiter [delimite] <1> *vt* **1.** (*borner*) *clôture, borne:* ~ **qc** etw begrenzen; *personne:* die Grenzen einer S. (*gen*) festsetzen **2.** *fig* abgrenzen *responsabilités;* eingrenzen *sujet*

délinquance [delɛ̃kãs] *f* Kriminalität *f;* **grande** ~ Schwerverbrechen *Pl;* ~ **juvénile** Jugendkriminalität; **petite** ~ leichte Straftaten *Pl*

délinquant, e [delɛ̃kã, ãt] **I.** *adj* straffällig; **enfance/jeunesse** ~**e** straffällige Kinder/Jugendliche *Pl* **II.** *m, f* Straffällige(r) *f(m);* ~ **primaire** Ersttäter(in) *m(f)*

déliquescent, e [delikesã, ãt] *adj atmosphère, société* dekadent

délirant, e [delirã, ãt] *adj histoire, idée* [völlig] verrückt; *enthousiasme, joie* wahnsinnig

délire [delir] *m* **1.** (*divagation*) Delirium *nt;* (*dû à la fièvre*) [Fieber]wahn *m;* **crise de** ~ Wahnsinnsanfall *m* **2.** (*exaltation*) Wahn *m;* **une foule en** ~ eine tobende Menge ▶**c'est le** ~ **total!** *fam* das ist der absolute Wahnsinn!

délirer [delire] <1> *vi* **1.** MED delirieren **2.** (*être exalté*) ~ **de joie/d'enthousiasme** außer sich vor Freude/Begeisterung sein **3.** (*dérailler*) Unsinn reden

délit [deli] *m* Straftat *f;* ~ **informatique** Datenmissbrauch *m;* ~ **mineur** Bagatelldelikt; **flagrant** ~ Straftat, bei der der Täter auf frischer Tat ertappt wird

délivrance [delivrãs] *f* **1.** (*soulagement*) Erleichterung *f;* **l'heure de la** ~ die Stunde der Erlösung **2.** (*libération*) Befreiung *f* **3.** ADMIN *d'un certificat, passeport* Ausstellung *f; d'une somme d'argent* Aushändigung *f* **4.** MED Nachgeburt *f*

délivrer [delivre] <1> **I.** *vt* **1.** (*libérer*) ~ **l'otage de qc** die Geisel aus etw befreien **2.** *a. fig* (*débarrasser*) ~ **qn d'un raseur** jdn von einer Nervensäge befreien **3.** ADMIN ausstellen *certificat, passeport* **II.** *vpr* **se** ~ **de ses liens** sich von seinen Fesseln befreien

délocalisation [delɔkalizasjõ] *f* Verlagerung *f* ins Ausland

délocaliser [delɔkalize] <1> *vt* auslagern

déloger [delɔʒe] <2a> *vt* vertreiben; ausquartieren *locataire, habitant;* aufscheuchen *animal*

déloyal, e [delwajal, jo] <-aux> *adj adversaire, attitude* unfair; *ami* treulos; *procédé* unlauter

delta [dɛlta] *m* Delta *nt;* **le** ~ **du Nil** das Nildelta

deltaplane® [dɛltaplan] *m* **1.** (*appareil*) Drachen *m* **2.** (*sport*) Drachenfliegen *nt;* **faire du** ~ Drachen fliegen

deltaplane [dɛltaplan] *m* (*appareil*) Drachen *m*

déluge [delyʒ] *m* **1.** (*averse*) Sturzregen *m* **2.** *fig* ~ **de compliments** Flut *f* von Komplimenten; ~ **de protestations** Hagel *m* von Protesten

déluré, e [delyre] *adj enfant, air* aufgeweckt

démagogie [demagɔʒi] *f* Demagogie *f*

démagogique [demagɔʒik] *adj* demagogisch

démagogue [demagɔg] *mf* Demagoge *m*/Demagogin *f*

demain [dəmɛ̃] *adv* morgen; ~ **soir** morgen Abend; **le temps pour** ~ das Wetter von morgen; ~ **en huit** morgen in acht Tagen; **à** ~**!** bis morgen!

demande [d(ə)mãd] *f* **1.** (*souhait, prière*) Bitte *f;* ~ **en mariage** Heiratsantrag *m;* ~ **de rançon de 3.000 euros** Lösegeldforderung *f* über 3.000 Euro **2.** ADMIN Antrag *m;* ~ **d'emploi** Stellengesuch *nt;* **faire une** ~ einen Antrag stellen **3.** PSYCH ~ **de qc** Bedürfnis *nt* nach etw **4.** ECON ~ **en qc** Nachfrage *f* nach etw **5.** JUR ~ **en qc** [Klage]antrag *m* auf etw (*akk*); **faire une** ~ **en dommages-intérêts** auf Schadenersatz klagen **6.** (*formulaire*) [Antrags]formular *nt* ▶**à la** ~ nach Bedarf; **à la** ~ **de qn** (*souhait*) auf jds Wunsch [hin]; (*requête*) auf jds Antrag [hin]; **sur** [**simple**] ~ auf Anfrage

demandé, e [d(ə)mãde] *adj* **être** ~ gefragt sein

demander [d(ə)mãde] <1> **I.** *vt* **1.** (*solli-*

demander

• **demander**

Peux-tu/Pourrais-tu descendre la poubelle, s'il te plaît?
Sois gentil(le), apporte-moi ma veste.

Aurais-tu la gentillesse de me rapporter un journal?
Auriez-vous l'amabilité de pousser votre valise sur le côté?
Puis-je vous demander de baisser un peu votre musique?

• **demander de l'aide**

Peux-tu me rendre un service?
Puis-je/Pourrais-je vous demander un service?
Pourrais-tu m'aider, s'il te plaît?
Pourriez-vous m'aider, s'il vous plaît?
Je vous serais très reconnaissant(e) si vous pouviez m'aider.

• **bitten**

Kannst/Könntest du bitte mal den Müll runterbringen?
Bitte sei so gut und bring mir meine Jacke.

Wärst du so nett und würdest mir die Zeitung mitbringen?
Würden Sie bitte so freundlich sein und Ihr Gepäck etwas zur Seite rücken?
Darf ich Sie bitten, Ihre Musik etwas leiser zu stellen?

• **um Hilfe bitten**

Kannst du mir einen Gefallen tun?
Darf/Dürfte ich Sie um einen Gefallen bitten?
Könntest du mir bitte helfen?
Könnten Sie mir bitte behilflich sein?
Ich wäre Ihnen dankbar, wenn Sie mir dabei helfen könnten.

---

citer) ~ **qc** um etw bitten; ~ **conseil** um Rat fragen; ~ **un renseignement à qn** jdn um eine Auskunft bitten; ~ **à qn de faire qc** jdn [darum] bitten etw zu tun; ~ **pardon à qn** jdn um Verzeihung bitten **2.** (*appeler*) rufen *médecin, plombier* **3.** (*vouloir parler à*) sprechen wollen *employé;* (*au téléphone*) verlangen *personne, poste* **4.** (*s'enquérir de*) ~ **à qn** jdn fragen; ~ **le chemin/l'heure à qn** jdn nach dem Weg/der Uhrzeit fragen **5.** (*nécessiter*) erfordern *efforts, travail;* brauchen *soin, eau;* ~ **qc à qn** etw von jdm erfordern **6.** (*exiger*) ~ **de l'obéissance à qn** von jdm Gehorsam verlangen; ~ **la liberté** die Freiheit fordern; ~ **beaucoup/trop à qn** viel/zu viel von jdm verlangen **7.** (*rechercher*) suchen *ouvrier, caissière;* **on demande du personnel qualifié** es werden Fachkräfte gesucht **8.** (*exiger un prix*) ~ **un prix pour qc** einen Preis für etw verlangen ▶**ne pas** ~ **mieux que de faire qc** sich nichts mehr wünschen als etw zu tun; **qn ne demande qu'à faire qc** jd möchte [ja] gerne etw tun **II.** *vi* ~ **à qn si** jdn fragen, ob; ~ **après qn** *fam* nach jdm fragen ▶**il n'y a qu'à** ~ man braucht doch nur zu fragen; **je demande à voir** das möchte ich erst mal sehen **III.** *vpr* **se** ~ **ce que/comment** sich fragen, was/wie ▶**c'est à se** ~ **si** *fam* da muss man sich fragen, ob
demandeur, -euse [d(ə)mãdœʀ, -øz] *m, f* **1.** TELEC Anrufer(in) *m(f)* **2.** (*requérant*)

Antragsteller(in) *m(f);* ~ **d'emploi** Arbeit[s]suchende(r) *f(m)* ▶**être** ~ **de qc** an etw interessiert sein
démangeaison [demãʒɛzɔ̃] *f gén pl* **1.** (*irritation*) Juckreiz *m kein Pl,* Jucken *nt kein Pl;* **il a des ~s** es juckt ihn **2.** *fig fam* (*désir*) **ça me donne des ~s de faire qc** es juckt mich etw zu tun
démanger [demãʒe] <2a> **I.** *vt* jucken; **ça me démange dans le dos** es juckt mich im Rücken **II.** *vi* (*avoir envie*) **la main me démange** es juckt mir in den Fingern; **ça me/le démange de faire qc** *fam* mich/ihn juckt es etw zu tun
démanteler [demãt(ə)le] <4> *vt* zerstören; zerschlagen *cartel, organisation*
démantibuler [demãtibyle] <1> *vt fam* kaputtmachen
démaquillant [demakijã] *m* Make-up-Entferner *m*
démaquillant, e [demakijã, jãt] *adj* Reinigungs-; **lait** ~ Reinigungsmilch *f*
démaquiller [demakije] <1> **I.** *vt* abschminken **II.** *vpr* **se** ~ **le visage** sich (*dat*) das Gesicht abschminken
démarcation [demaʀkasjɔ̃] *f a. fig* Abgrenzung *f;* **ligne de** ~ Grenzlinie *f;* MIL Demarkationslinie *f*
démarchage [demaʀʃaʒ] *m* Kundenwerbung *f* [durch Vertreterbesuche]
démarche [demaʀʃ] *f* **1.** (*allure*) Gang *m* **2.** *d'une argumentation* Entwicklung *f; d'une personne* Methode *f,* Vorgehen *nt*

3. (*intervention*) Schritt *m;* **faire des ~s** Schritte unternehmen

démarcher [demaʁʃe] <1> *vt* ~ **qn** bei jdm einen Vertreterbesuch machen; ~ **les gens par téléphone** Kunden per Telefon werben

démarcheur, -euse [demaʁʃœʀ, -øz] *m, f* Vertreter(in) *m(f)*

démarqué, e [demaʀke] *adj* **1.** (*dégriffé*) ohne Markenzeichen **2.** (*soldé*) herabgesetzt

démarquer [demaʀke] <1> **I.** *vt* COM ~ **qc** (*dégriffer*) das Markenzeichen von etw entfernen; (*solder*) etw herabsetzen **II.** *vpr* **1.** SPORT **se** ~ sich freispielen **2.** (*prendre ses distances*) **se** ~ **de qn/qc** sich von jdm/etw distanzieren

démarrage [demaʀaʒ] *m* **1.** *d'un moteur* Anlassen *nt,* Starten *nt* **2.** (*départ*) Anfahren *nt* **3.** SPORT Spurt *m;* **placer un** ~ losspurten **4.** (*lancement*) Start *m* **5.** INFORM ~ **à chaud/à froid** Warm-/Kaltstart *m* ▶**au** ~ beim Anfahren; *fig* anfangs

démarrer [demaʀe] <1> **I.** *vi* **1.** (*mettre en marche*) den Motor anlassen; **je n'ai pas réussi à** ~ mein Auto ist nicht angesprungen **2.** (*se mettre en marche*) *voiture:* anspringen; *machine:* anlaufen; **faire** ~ **qc** etw anlassen **3.** (*partir*) anfahren **4.** (*débuter*) *campagne, exposition:* beginnen; *conversation:* in Gang kommen; *industrie, économie:* in Schwung kommen; ~ **bien/mal en maths** einen guten/schlechten Anfang in Mathe machen **5.** SPORT lossspurten **II.** *vt* **1.** (*mettre en marche*) anlassen **2.** *fam* (*lancer*) starten; ins Leben rufen *mouvement;* in Gang setzen *processus* **3.** *fam* (*commencer*) ~ **le travail/les peintures** mit der Arbeit/dem Anstreichen beginnen **4.** INFORM ~ **un logiciel** ein Programm starten; (*Windows 95/NT*) Start *m*

démarreur [demaʀœʀ] *m* Anlasser *m*

démasquer [demaske] <1> **I.** *vt* entlarven *voleur, traître;* enttarnen *espion;* enthüllen *plan;* aufdecken *fraude, trahison* **II.** *vpr* **se** ~ seine Maske fallen lassen

démêlé [demele] *m* Auseinandersetzung *f*

démêler [demele] <1> *vt* **1.** (*défaire*) entwirren *fil;* auskämmen *cheveux* **2.** (*éclaircir*) aufklären *affaire;* durchschauen *intentions, plans*

démembrer [demãbʀe] <1> *vt* zerstückeln, [auf]teilen *pays, propriété*

déménagement [demenaʒmã] *m* **1.** (*changement de domicile*) Umzug *m* **2.** (*fait de quitter le logement*) Auszug *m* **3.** (*déplacement de meubles*) Umräumen *nt* **4.** (*fait de vider une pièce*) Ausräumen *nt*

déménager [demenaʒe] <2a> **I.** *vi* **1.** (*changer de domicile*) umziehen; ~ **à Paris/rue de …** nach Paris/in die … Straße [um]ziehen **2.** (*quitter un logement*) ausziehen **3.** *fam* (*partir*) **faire** ~ **qn** jdn vor die Tür setzen **4.** *fam* (*déraisonner*) spinnen **II.** *vt* **1.** (*transporter ailleurs*) [um]räumen *meubles;* (*pour débarrasser*) wegräumen *meubles, objet* **2.** (*vider*) ausräumen *maison, pièce*

déménageur [demenaʒœʀ] *m* (*débardeur*) Möbelpacker(in) *m(f)*

démence [demãs] *f* Wahnsinn *m*

démener [dem(ə)ne] <4> *vpr* **1.** (*se débattre*) **se** ~ um sich schlagen **2.** (*faire des efforts*) **se** ~ **pour faire qc** sich (*dat*) [große] Mühe geben um etw zu tun

dément, e [demã, ãt] *m, f* Geisteskranke(r) *f(m)*

démenti [demãti] *m* Dementi *nt*

démentiel, le [demãsjɛl] *adj* verrückt

démentir [demãtiʀ] <10> **I.** *vt* **1.** (*contredire*) ~ **qn** jdm widersprechen **2.** (*nier*) dementieren; **faire qc** bestreiten etw zu tun **3.** (*infirmer*) entkräften; widerlegen *prévisions* **II.** *vi* dementieren **III.** *vpr* **ne pas se** ~ *amitié, succès:* nicht nachlassen

démerder [demɛʀde] <1> *vpr fam* (*se débrouiller*) **se** ~ **pour faire qc** es irgendwie schaffen etw zu tun

démériter [demeʀite] <1> *vi* sich als unwürdig erweisen

démesuré, e [deməzyʀe] *adj* maßlos; *importance, orgueil* übermäßig; *proportions* unverhältnismäßig; **des bras/pieds ~s** überlange Arme/übergroße Füße

démesure [deməzyʀ] *f* Maßlosigkeit *f*

démesurément [deməzyʀemã] *adv* *grand, long* unverhältnismäßig

démettre [demɛtʀ] <*irr*> **I.** *vt* **1.** (*luxer*) verrenken *bras, poignet;* auskugeln *épaule* **2.** (*révoquer*) ~ **qn de ses fonctions/de son poste** jdn seines Amtes/Dienstes entheben **II.** *vpr* **1.** (*se luxer*) **se** ~ **le bras** sich (*dat*) den Arm verrenken; **se** ~ **l'épaule** sich (*dat*) die Schulter auskugeln **2.** (*renoncer à*) **se** ~ **de qc** von etw zurücktreten

demeurant [dəmœʀã] ▶**au** ~ alles in allem

demeure [d(ə)mœʀ] *f* Wohnsitz *m* ▶**conduire qn [jusqu']à sa dernière** ~ jdn zu seiner letzten Ruhestätte geleiten

demeuré, e [dəmœʀe] **I.** *adj* [geistig] zurückgeblieben **II.** *m, f* Schwachsinnige(r) *f(m); fig* Schwachkopf *m;* **le** ~ **du village** der Dorftrottel

demeurer [dəmœʀe] <1> *vi* **1.** + *avoir* (*habiter*) wohnen; **demeurant à** wohn-

haft in (+ *dat*) **2.** + *avoir* (*subsister*) weiter-
bestehen **3.** + *être* (*rester*) bleiben; ~ **mi-
nistre/une énigme** weiterhin Minister/
ein Rätsel bleiben **4.** *impers* il **demeure
que ...** Tatsache ist jedoch, dass ...
demi [d(ə)mi] *m* **1.** (*fraction*) **un** ~ ein
Halb; **trois** ~**s** drei Halbe **2.** (*bière*) Bier *nt*
demi, e [d(ə)mi] **I.** *m, f* (*moitié*) Hälfte *f*
II. *adj* **une heure/deux heures et** ~**e**
eineinhalb/zweieinhalb Stunden; **avoir
quatre ans et** ~ viereinhalb [Jahre alt]
sein; **être à** ~ **satisfait** halbzufrieden sein;
un verre/une bouteille à ~ **plein** ein
halb volles Glas/eine halb volle Flasche;
être à ~ **plein** halb voll sein; **n'être qu'à**
~ **rassuré** nur teilweise beruhigt sein;
ouvrir à ~ **les yeux** die Augen halb aufmachen; **ne pas faire les choses à** ~ keine halben Sachen machen
demi-bouteille [d(ə)mibutɛj] <demi-
bouteilles> *f* halbe Flasche **demi-cercle**
[d(ə)misɛʀkl] <demi-cercles> *m* Halbkreis *m* **demi-dieu** [d(ə)midjø] <demi-
dieux> *m* Halbgott *m* **demi-douzaine**
[d(ə)miduzɛn] <demi-douzaines> *f*
halbes Dutzend
demie [d(ə)mi] *f* (*heure*) **neuf heures et**
~ halb neun; **sonner les heures et les** ~**s**
zu jeder ganzen und halben Stunde schlagen; **partir à la** ~ um halb gehen; **il est la**
~ **passée** es ist schon nach halb
demi-finale [d(ə)mifinal] <demi-fina-
les> *f* Halbfinale *nt* **demi-finaliste**
[d(ə)mifinalist] <demi-finalistes> *mf*
Teilnehmer(in) *m(f)* am Halbfinale **demi-
frère** [d(ə)mifʀɛʀ] <demi-frères> *m*
Halbbruder *m* **demi-heure** [d(ə)mijœʀ]
<demi-heures> *f* halbe Stunde **demi-
jour** [d(ə)miʒuʀ] *m inv* Halbdunkel *nt*
demi-journée [d(ə)miʒuʀne] <demi-
journées> *f* halber Tag
démilitariser [demilitaʀize] <1> *vt* entmilitarisieren
demi-litre [d(ə)militʀ] <demi-litres> *m*
1. (*contenu*) halber Liter **2.** (*contenant*)
Halbliterflasche *f* **demi-mal** [d(ə)mimal,
d(ə)mimo] <demi-maux> *m* kleines
Übel **demi-mesure** [d(ə)mim(ə)zyʀ]
<demi-mesures> *f* Halbheit *f* **demi-
mot** [d(ə)mimo] <demi-mots> *m* **à** ~
andeutungsweise
déminage [deminaʒ] *m* Entminung *f*
déminer [demine] <1> *vt* entminen **demi-pension** [d(ə)mipɑ̃sjɔ̃] <demi-
pensions> *f* **1.** (*hôtel*) Halbpension *f*; **en**
~ mit Halbpension **2.** scol [Schul]kantine *f*
demi-pensionnaire [d(ə)mipɑ̃sjɔnɛʀ]
<demi-pensionnaires> *mf* Schüler,
der/Schülerin, die in der [Schul]kantine

isst **demi-place** [d(ə)miplas] <demi-
places> *f* transp Fahrkarte *f* zum halben
Preis **demi-queue** [d(ə)mikø] *m inv*
Stutzflügel *m*
démis, e [demi, iz] **I.** *part passé de* **démettre II.** *adj poignet* verrenkt
demi-saison [d(ə)misɛzɔ̃] <demi-sai-
sons> *f* Übergangszeit *f* **demi-sel**
[d(ə)misɛl] *m* Frischkäse *m*
demi-sœur [d(ə)misœʀ] <demi-sœurs>
f Halbschwester *f* **demi-soupir** [d(ə)mi-
supiʀ] <demi-soupirs> *m* Achtelpause *f*
démission [demisjɔ̃] *f* **1.** *d'un ministre*
Rücktritt *m; d'un salarié* Kündigung *f*
2. (*renoncement*) Kapitulation *f*
démissionnaire [demisjɔnɛʀ] *adj* zurück-
getreten
démissionner [demisjɔne] <1> *vi* (*se démettre*) ~ **d'une fonction** von einem Amt
zurücktreten; ~ **de son poste** seine Stelle
kündigen
demi-tarif [d(ə)mitaʀif] <demi-tarifs>
m halber Preis; **à** ~ zum halben Preis **de-
mi-teinte** [d(ə)mitɛ̃t] <demi-teintes>
f **en** ~ in gebrochenen Farbtönen **demi-
ton** [d(ə)mitɔ̃] <demi-tons> *m* Halb-
ton *m* **demi-tour** [d(ə)mituʀ] <demi-
tours> *m d'une personne* Kehrtwendung
f; de manivelle halbe Umdrehung; **faire** ~
umkehren; (*en voiture*) wenden
démo [demo] *f abr de* **démonstration**
[Kurz]präsentation *f*
démobiliser [demɔbilize] <1> *vt* mil de-
mobilisieren
démocrate [demɔkʀat] **I.** *adj* demokratisch **II.** *mf* Demokrat(in) *m(f)*
démocrate-chrétien , ne [demɔkʀat-
kʀetjɛ̃, jɛn] <démocrates-chrétiens>
adj christlich-demokratisch
démocratie [demɔkʀasi] *f* Demokratie *f*
démocratique [demɔkʀatik] *adj* demokratisch
démocratisation [demɔkʀatizasjɔ̃] *f* De-
mokratisierung *f*
démocratiser [demɔkʀatize] <1> *vt* demokratisieren
démodé, e [demɔde] *adj* altmodisch; *procédé, théorie* überholt
démoder [demɔde] <1> *vpr* **se** ~ aus der
Mode kommen
démographie [demɔgʀafi] *f* **1.** (*science*)
Demographie *f,* Bevölkerungswissenschaft
f **2.** (*évolution de la population*) Bevölke-
rungsentwicklung *f*
démographique [demɔgʀafik] *adj* données, étude demographisch; *croissance,
poussée* Bevölkerungs-
demoiselle [d(ə)mwazɛl] *f* (*jeune fille*)
Fräulein *nt; iron* [junge] Dame

démolir [demɔliʀ] <8> **I.** *vt* **1.** (*détruire*) abreißen; niederreißen *mur;* kaputtmachen *jouet, objet* **2.** *fam* (*frapper*) zusammenschlagen **3.** *fam* (*critiquer*) verreißen **4.** *fam* (*saper le moral*) fertig machen **5.** *fam* (*endommager*) kaputtmachen *estomac* **II.** *vpr fam* **se ~ l'estomac/la santé** sich (*dat*) den Magen kaputtmachen/die Gesundheit ruinieren

démolisseur, -euse [demɔlisœʀ, -øz] *m, f* Abbrucharbeiter(in) *m(f)*

démolition [demɔlisjɔ̃] *f* **1.** *d'une maison* Abbruch *m; d'un mur* Niederreißen *nt;* **être en ~** [gerade] abgerissen werden **2.** *fig* Zerstörung *f; d'une idée* Zunichtemachen *nt; d'une institution* Beseitigung *f*

démon [demɔ̃] *m* Teufel *m;* (*enfant*) kleiner Teufel

démoniaque [demɔnjak] *adj* dämonisch

démonstrateur, -trice [demɔ̃stratœʀ, -tʀis] *m, f* Vorführer(in) *m(f)*

démonstratif [demɔ̃stʀatif] *m* Demonstrativpronomen *nt*

démonstration [demɔ̃stʀasjɔ̃] *f* **1.** (*preuve*) a. MATH Beweis *m* **2.** (*argumentation*) Beweisführung *f* **3.** (*présentation*) Demonstration *f*, Vorführung *f* **4.** COM *d'un produit* Vorführung *f;* **faire la ~ de qc** etw vorführen **5.** *gén pl* (*manifestation*) **~s de joie** Freudenbekundungen *Pl*

démontable [demɔ̃tabl] *adj* zerlegbar

démontage [demɔ̃taʒ] *m* Zerlegen *nt*

démonté, e [demɔ̃te] *adj mer* aufgewühlt

démonte-pneu [demɔ̃t(ə)pnø] <démonte-pneus> *m* Montiereisen *nt*

démonter [demɔ̃te] <1> **I.** *vt* **1.** (*défaire*) zerlegen; abbauen *auvent, tente;* abmontieren *pneu;* aushängen *porte* **2.** SPORT *cheval:* abwerfen **3.** (*déconcerter*) aus der Fassung bringen **II.** *vpr* **se ~ 1.** (*être démontable*) *appareil, meuble:* sich zerlegen lassen; (*accidentellement*) auseinander fallen **2.** (*se troubler*) die Fassung verlieren; **sans se ~** ohne sich aus der Fassung bringen zu lassen

démontrer [demɔ̃tʀe] <1> **I.** *vt* **~ que ...** beweisen, dass ... **II.** *vpr* **se ~** sich beweisen lassen

démoralisant, e [demɔralizɑ̃, ɑ̃t] *adj* deprimierend

démoraliser [demɔralize] <1> **I.** *vt, vi* entmutigen **II.** *vpr* **se ~** den Mut verlieren

démordre [demɔʀdʀ] <14> *vi* **ne pas ~ de qc** sich nicht von etw abbringen lassen

démotivation [demɔtivasjɔ̃] *f* Demotivation *f*

démotiver [demɔtive] <1> **I.** *vt* **~ qn** jdm die Motivation nehmen **II.** *vpr* **se ~** die Motivation verlieren

démouler [demule] <1> *vt* aus der Form nehmen

démuni, e [demyni] *adj* **1.** (*pauvre*) mittellos **2.** (*impuissant*) **~ devant qn/qc** hilflos jdm/etw gegenüber **3.** (*privé de*) **être ~ de qc** etw nicht besitzen; **~ d'intérêt/de protection** ohne Interesse/schutzlos

démunir [demyniʀ] <8> *vt* (*priver*) **~ qn de l'argent** jdm Geld wegnehmen

démystifier [demistifje] <1a> *vt* aufklären

démythifier [demitifje] <1a> *vt* entmythisieren

dénatalité [denatalite] *f* Geburtenrückgang *m*

dénationaliser [denasjɔnalize] <1> *vt* reprivatisieren

dénaturé, e [denatyʀe] *adj* entartet

dénaturer [denatyʀe] <1> *vt* verfälschen *goût, saveur*

dénégation [denegasjɔ̃] *f* Abstreiten *nt*

déneigement [denɛʒmɑ̃] *m* Schneeräumung *f*

déni [deni] *m* ►**~ de justice** Rechtsverweigerung *f*

déniaiser [denjeze] <1> *vt* **~ qn** jdn aufwecken

dénicher [denife] <1> *vt* ausfindig machen; aufstöbern *bistrot, objet rare*

denier [dənje] *m* ►**les ~s publics** die öffentlichen Gelder

dénigrer [denigʀe] <1> *vt* schlecht machen *action, personne*

dénivellation [denivelasjɔ̃] *f* Höhenunterschied *m*

dénombrer [denɔ̃bʀe] <1> *vt* zählen

dénominateur [denɔminatœʀ] *m* MATH Nenner *m*

dénomination [denɔminasjɔ̃] *f* Bezeichnung *f*

dénommé, e [denɔme] *adj antéposé* **un/une ~ Durand** ein gewisser [Herr] Durand/eine gewisse [Frau] Durand; **le/la ~ Durand** benannter/benannte Durand

dénommer [denɔme] <1> *vt* bezeichnen; **c'est ainsi que l'on dénomme ...** so nennt man ...

dénoncer [denɔ̃se] <2> **I.** *vt* **1.** (*trahir*) **~ un complice à qn** einen Komplizen an jdn verraten; **~ un opposant politique à qn** einen Oppositionellen bei jdm denunzieren; **~ qn à la police** jdn bei der Polizei anzeigen **2.** (*s'élever contre*) anprangern *abus, injustice* **II.** *vpr* **se ~** sich melden; **se ~ à la police** sich [der Polizei] stellen

dénonciateur, -trice [denɔ̃sjatœʀ, -tʀis] *m, f* **1.** *d'une personne* Denunziant(in) *m(f)* **2.** *d'une injustice* Ankläger(in) *m(f)*

dénonciation [denɔ̃sjasjɔ̃] *f* **1.**(*délation*) Anzeige *f;* (*dans une dictature*) Denunzierung *f,* Denunziation *f;* **sur ~** infolge von Denunzierung **2.**(*accusation*) Anprangerung *f*

dénoter [denɔte] <1> *vt* **~ qc** von etw zeugen

dénouement [denumɑ̃] *m* Ausgang *m; de l'enquête* Ergebnis *nt*

dénouer [denwe] <1> **I.** *vt* aufknoten *ficelle, lacets;* aufbinden *noeud;* lösen *intrigue, affaire* **II.** *vpr* **se ~** sich lösen

dénoyauter [denwajote] <1> *vt* entsteinen

denrée [dɑ̃ʀe] *f* Essware *f*

dense [dɑ̃s] *adj* **1.** *a.* PHYS dicht; *foule* dichtgedrängt **2.**(*condensé*) komplex; *style* gedrängt

densité [dɑ̃site] *f* Dichte *f*

dent [dɑ̃] *f* **1.** ANAT *de l'homme, animal* Zahn *m;* **~ creuse/gâtée** hohler/schlechter Zahn; **~ de devant** Vorderzahn; **~ de lait** Milchzahn; **faire ses ~s** zahnen; **se laver les ~s** sich die Zähne putzen; **une brosse à ~s** eine Zahnbürste **2.** *fig d'une fourchette* Zinke *f; d'un peigne, engrenage* Zahn *m* **3.**(*sommet de montagne*) Zacke *f* ▸**en ~s de scie** gezackt; *fig* mit ständigem Auf und Ab; **armé jusqu'aux ~s** bis an die Zähne bewaffnet; **avoir les ~s longues** sehr ehrgeizig sein; (*être avide*) gierig sein; **avoir une ~ contre qn** etwas gegen jdn haben; **grincer des ~s** mit den Zähnen knirschen; **être sur les ~s** in äußerster Anspannung sein; **se faire les ~s** Erfahrung sammeln; **n'avoir rien à se mettre sous la ~** nichts zu beißen haben

dentaire [dɑ̃tɛʀ] *adj* **plaque/prothèse ~** Zahnbelag *m*/Zahnersatz *m;* **cabinet ~** Zahnarztpraxis *f;* **soins ~s** zahnärztliche Behandlung

dental, e [dɑ̃tal, o] <-aux> *adj* dental

dentale [dɑ̃tal] *f* Dental[laut *m*]

denté, e [dɑ̃te] *adj* gezahnt

dentelé, e [dɑ̃t(ə)le] *adj* gezackt

dentelle [dɑ̃tɛl] *f* Spitze *f*

dentellière [dɑ̃təljɛʀ] *f* Spitzenklöpplerin *f*

dentier [dɑ̃tje] *m* Gebiss *nt*

dentifrice [dɑ̃tifʀis] *m* Zahnpasta *f*

dentiste [dɑ̃tist] *mf* Zahnarzt/-ärztin *m/f*

dentition [dɑ̃tisjɔ̃] *f* Gebiss *nt*

dénucléarisé, e [denykleaʀize] *adj* atomwaffenfrei

dénudé, e [denyde] *adj dos, épaules* entblößt; *montagne, arbre* kahl; *câble électrique* abisoliert

dénuder [denyde] <1> **I.** *vt* **1.**(*dévêtir*) entkleiden **2.**(*laisser voir*) unbedeckt lassen *dos, bras* **3.** ELEC abisolieren *câble* **II.** *vpr*

se ~ *personne:* sich entblößen; *arbre:* kahl werden; **son crâne commence à se ~** sein/ihr Haar wird schütter

dénué, e [denɥe] *adj* **être ~ de qc** einer S. (*gen*) entbehren; **être ~ d'intérêt** uninteressant sein

dénuement [denymɑ̃] *m* Elend *nt*

dénutrition [denytʀisjɔ̃] *f* Unterernährung *f*

déodorant [deɔdɔʀɑ̃] *m* Deodorant *nt; ~ en aérosol* Deospray *nt o m*

déodorant, e [deɔdɔʀɑ̃, ɑ̃t] *adj* deodorierend

déontologie [deɔ̃tɔlɔʒi] *f* **~ médicale** Berufsethik des Arztes

dépannage [depanaʒ] *m* **1.** *d'une machine, voiture* Reparatur *f;* **service de ~** Pannenhilfe *f* **2.**(*solution provisoire*) Behelf *m;* **à titre de ~** behelfsweise

dépanner [depane] <1> *vt* **1.**(*réparer*) reparieren *machine, voiture;* **~ qn** jds Panne beheben; (*remorquer*) jdn abschleppen **2.** *fam* (*aider*) **~ qn** jdm aushelfen

dépanneur, -euse [depanœʀ, -øz] *m, f* Mechaniker(in) *m(f)*

dépanneuse [depanøz] *f* Abschleppwagen *m*

dépaqueter [depakte] <3> *vt* auspacken

dépareillé, e [depaʀeje] *adj collection* unvollständig

déparer [depaʀe] <1> *vt* entstellen *paysage, visage*

départ [depaʀ] *m* **1.** *d'une personne* (*à pied*) Weggehen *nt;* (*en avion*) Abflug *m;* (*en voiture, bateau*) Abfahrt *f,* Abreise *f; d'un train, bateau* Abfahrt *f;* **~ précipité** überstürzter Aufbruch; **~ en vacances** Abreise in die Ferien; **les grands ~s en vacances** die Ferienreisewelle; **tableau des ~s et des arrivées** Anzeigetafel *f* für Abfahrt und Ankunft **2.** SPORT Start *m;* **~ en flèche** Blitzstart; **faux ~** Fehlstart; **donner le ~** das Startsignal geben **3.**(*lieu*) **quai de ~ des grandes lignes** Abfahrtsgleis *nt* der Fernzüge **4.**(*démission*) Rücktritt *m;* (*licenciement*) Entlassung *f; ~* **à la retraite** Pensionierung *f;* **après mon ~ du gouvernement** nach meinem Austritt aus der Regierung **5.**(*début, origine*) Beginn *m,* Anfang *m; de ~* **idée** anfänglich; *point* Ausgangs-; **au ~** zu Beginn ▸**prendre un bon/mauvais ~** *cheval:* einen guten/ schlechten Start haben; *personne:* gut/ schlecht anfangen; **prendre un nouveau ~** [dans la vie] einen Neuanfang machen; **au ~ de Paris** ab Paris; **être sur le ~** im Aufbruch sein

départager [depaʀtaʒe] <2a> **I.** *vt* **~ les candidats** zwischen den Kandidaten ent-

scheiden; ~ **les bons et les mauvais** die Guten von den Schlechten trennen **II.** *vpr* **les concurrents peuvent se** ~ zwischen den Konkurrenten fällt eine Entscheidung

département [depaʀtəmã] *m* **1.** ADMIN Departement *nt;* ~ **d'outre-mer** Überseedepartement **2.** *d'un musée, d'une entreprise* Abteilung *f;* UNIV Fachbereich *m* **3.** AD-MIN, POL CH Direktion *f* (CH)

départemental, e [depaʀtəmãtal, o] <-aux> *adj* Departements-; **route** ~**e** ≈ Landstraße *f*

départir [depaʀtiʀ] <10> *vpr* **se** ~ **d'une idée** eine Idee aufgeben

dépassé, e [depase] *adj* **1.** (*démodé*) überholt **2.** (*désorienté*) **être** ~ **par qc** bei etw nicht mehr mitkommen (*fam*)

dépassement [depasmã] *m d'un véhicule* Überholen *nt*

dépasser [depase] <1> **I.** *vt* **1.** (*doubler*) überholen **2.** (*aller plus loin que: à pied*) vorbeigehen an (+ *dat*); (*en véhicule*) vorbeifahren an (+ *dat*) **3.** (*outrepasser*) überschreiten **4.** (*aller plus loin en quantité*) überschreiten *dose;* ~ **qn de dix centimètres** zehn Zentimeter größer als jd sein; **cela dépasse mes moyens** das übersteigt meine Möglichkeiten **5.** (*surpasser*) übertreffen; ~ **l'attente de qn** jds Erwartungen übertreffen ►**ça me/le dépasse!** das ist mir/ihm zu hoch! (*fam*) **II.** *vi* **1.** (*doubler*) überholen; **défense de** ~**!** Überholverbot! **2.** (*être trop haut, trop long*) *bâtiment, tour:* hervorragen; *vêtement:* hervorschauen; ~ **de qc** *vêtement:* unter etw (*dat*) hervorschauen **III.** *vpr* **se** ~ sich selbst übertreffen

dépassionner [depasjɔne] <1> *vt* versachlichen

dépatouiller [depatuje] <1> *vpr fam* **se** ~ **de qc** aus etw herauskommen

dépaysé, e [depeize] *adj* fremd

dépaysement [depeizmã] *m* **1.** (*désorientation*) Fremdheit *f;* (*changement*) Umstellung *f* **2.** (*changement salutaire*) [willkommene] Abwechslung

dépayser [depeize] <1> *vt* **1.** (*désorienter*) verwirren **2.** (*changer les idées*) ablenken

dépecer [depəse] <2> *vt* zerlegen *animal*

dépêche [depɛʃ] *f* Nachricht *f*

dépêcher [depeʃe] <1> **I.** *vpr* **se** ~ **de faire qc** sich beeilen etw zu tun **II.** *vt form* ~ **qn auprès de qn** jdn zu jdm entsenden

dépeindre [depɛ̃dʀ] <irr> *vt* schildern

dépenaillé, e [dep(ə)naje] *adj personne* zerlumpt

dépendance [depãdãs] *f* (*assujettissement*) Abhängigkeit *f;* ~ **à l'égard de qn/** **qc** Abhängigkeit von jdm/etw

dépendant, e [depãdã, ãt] *adj* abhängig; **être** ~ **de la drogue** drogenabhängig sein

dépendre [depãdʀ] <14> **I.** *vi* **1.** (*être sous la dépendance de*) ~ **de qn/qc** von jdm/etw abhängig sein **2.** (*faire partie de*) ~ **de qc** *terrain:* zu etw gehören **3.** (*relever de*) ~ **de qn/qc** jdm/etw unterstehen **4.** (*être conditionné par*) ~ **de qc/qn** von jdm/etw abhängen; **ça dépend** *fam* das kommt drauf an; **ça dépend du temps** das hängt vom Wetter ab **II.** *vt* (*décrocher*) abnehmen

dépens [depã] *mpl* **aux** ~ **de qn/qc** auf jds Kosten (*akk*)/auf Kosten einer S. (*gen*)

dépense [depãs] *f* **1.** (*frais*) Ausgabe *f;* ~**s publiques** öffentliche Ausgaben; ~**s de l'État** Staatsausgaben; ~ **en électricité** (*consommation*) Stromverbrauch *m;* (*frais*) Stromkosten *Pl;* **engager des** ~**s** Unkosten haben; **faire face à des** ~**s** Ausgaben bestreiten; **se lancer dans de grosses** ~**s** sich in ungeheure Unkosten stürzen **2.** (*usage*) Aufwand *m;* ~ **nerveuse** nervliche Belastung; ~ **physique** körperliche Anstrengung ►**ne pas regarder à la** ~ nicht aufs Geld sehen

dépenser [depãse] <1> **I.** *vt* **1.** (*débourser*) ausgeben **2.** (*consommer*) verbrauchen *électricité, énergie* **3.** (*user*) ~ **son temps à faire qc** kostbare Zeit aufwenden um etw zu machen **II.** *vpr* **se** ~ sich verausgaben; *enfant:* sich austoben ►**se** ~ **sans compter** sich abplagen; **se** ~ **sans compter pour qc** (*s'engager*) sich voll und ganz für etw einsetzen

dépensier, -ière [depãsje, -jɛʀ] **I.** *adj* verschwenderisch **II.** *m, f* Verschwender(in) *m(f)*

déperdition [depɛʀdisjɔ̃] *f* ~ **d'énergie** Energieverlust *m*

dépérir [depeʀiʀ] <8> *vi personne:* dahinvegetieren; *animal:* eingehen

dépêtrer [depetʀe] <1> *vt fam* herausholen; ~ **qn d'une situation** jdm aus der Klemme helfen

dépeuplement [depœpləmã] *m* ~ **d'une région** Entvölkerung *f* einer Region

dépeupler [depœple] <1> **I.** *vt* entvölkern *pays, région* **II.** *vpr* **une ville se dépeuple** die Bevölkerung einer Stadt geht zurück

déphasé, e [defaze] *adj fam* **être** ~ neben sich (*dat*) stehen

dépiauter [depjote] <1> *vt fam* schälen *fruit*

dépilatoire [depilatwaʀ] *adj* Enthaarungs-

dépistage [depistaʒ] *m d'un malfaiteur*

Aufspüren *nt; d'une maladie* Erkennung *f;*
~ **précoce** Früherkennung *f;* ~ **du cancer**
Krebsvorsorge *f;* **test de ~ du Sida** Aidstest *m*

dépister [depiste] <1> *vt* aufspüren *personne, animal*

dépit [depi] *m* Ärger *m;* **par ~** aus Trotz
▶ **en ~ du bon sens** unsinnig, gegen den
gesunden Menschenverstand

dépité, e [depite] *adj* bitter enttäuscht

déplacé, e [deplase] *adj intervention, présence* unpassend; *geste, propos* anstößig

déplacement [deplasmɑ̃] *m* **1.** *d'un objet*
Umstellen *nt; d'un os* Verschiebung *f*
2. (*voyage*) [Geschäfts]reise *f;* **être en ~**
unterwegs sein **3.** (*mouvement*) Bewegung *f* **4.** (*mutation*) Versetzung *f* ▶ **cela
vaut le** ~ dafür lohnt sich der Weg

déplacer [deplase] <2> **I.** *vt* **1.** (*changer
de place*) an einen anderen Platz legen/
stellen *objet;* umstellen *meuble* **2.** MED verschieben *vertèbre;* verrenken *articulation;* ~
une vertèbre à qn jdm etw ausrenken
3. (*muter*) versetzen *fonctionnaire* **4.** (*ré-
installer*) umsiedeln *population* **5.** TECH ~
de l'air Luft verdrängen **6.** (*éluder*) ~ **une
question** einer Frage ausweichen **II.** *vpr*
1. (*être en mouvement*) **se** ~ *personne,
animal:* sich fortbewegen; *cyclone:* sich bewegen **2.** (*se décaler*) **se** ~ (*en position
debout*) zur Seite gehen; (*en position assise*) zur Seite rücken **3.** (*voyager*) **se** ~ reisen; **se** ~ **en avion/voiture** fliegen/mit
dem Auto fahren **4.** MED **se** ~ **une articulation** sich (*dat*) ein Gelenk verrenken

déplaire [deplɛʀ] <*irr*> **I.** *vi* (*ne pas plaire*) ~ **à qn** jdm missfallen; (*irriter*) jdn verstimmen ▶ **n'en déplaise à qn** *iron* ob es
jdm gefällt oder nicht **II.** *vpr* **se** ~ **en ville/
dans un emploi** sich in der Stadt/bei ei-
ner Arbeit nicht wohl fühlen

déplaisant, e [deplɛzɑ̃, ɑ̃t] *adj* unangenehm

déplaisir [depleziʀ] *m* **à mon grand ~** zu
meinem großen Ärger

dépliant [deplijɑ̃] *m* Faltprospekt *m*

déplier [deplije] <1> **I.** *vt* auffalten *drap,
vêtement;* auseinander falten *plan, journal;*
ausstrecken *jambes* **II.** *vpr* **se** ~ sich öffnen;
ce canapé peut se ~ diese Couch ist ausziehbar

déploiement [deplwamɑ̃] *m* **1.** *d'une aile*
Ausbreiten *nt; d'un drapeau* Hissen *nt* **2.** *de
richesses* Zurschaustellen *nt,* Zurschaustellung *f* **3.** (*dépense*) ~ **d'énergie** Aufwand
m an Energie

déplorable [deplɔʀabl] *adj effet, fin* bedauerlich

déplorer [deplɔʀe] <1> *vt* **1.** (*regretter*)

bedauern **2.** (*enregistrer*) **on déplore des
victimes** Opfer sind zu beklagen (*geh*)

déployer [deplwaje] <7> **I.** *vt* **1.** (*déplier*) ausbreiten *ailes, carte, drapeau;* setzen *voile* **2.** (*mettre en œuvre*) einsetzen
énergie, ingéniosité; aufbringen *courage;*
(*étaler*) zur Schau stellen *charmes, riches-
ses* **II.** *vpr* **1.** (*se déplier*) **se** ~ *ailes:* sich
ausbreiten; *drapeau, tissu:* sich entfalten;
voile: sich blähen **2.** (*se disperser*) *soldats,
troupes:* ausschwärmen; *cortège:* sich auseinander ziehen

déplumer [deplyme] <1> *vpr* **se** ~ die Federn verlieren

dépoli, e [depɔli] *adj* matt

dépolitiser [depɔlitize] <1> *vt* entpoliti-
sieren *vie, entreprise*

dépolluer [depɔlɥe] <1> *vt* säubern *lieu;*
sanieren *rivière, mer*

dépopulation [depɔpylasjɔ̃] *f* Bevölke-
rungsrückgang *m*

déportation [depɔʀtasjɔ̃] *f* HIST Ver-
schleppung *f,* Deportation *f,* Deportierung
f; **en ~** im Lager

déporté, e [depɔʀte] *m, f* Deportierte(r)
f(m), Zwangsverschleppte(r) *f(m)*

déporter [depɔʀte] <1> **I.** *vt* **1.** (*exiler*)
deportieren; (*bannir*) verbannen **2.** (*faire
dévier*) abdrängen *voiture, vélo* **II.** *vpr* AUT
se ~ ausscheren

déposant, e [depozɑ̃, ɑ̃t] *m, f* JUR Zeuge
m/Zeugin *f*

déposer [depoze] <1> **I.** *vt* **1.** (*poser*) abstellen *fardeau;* niederlegen *gerbe;* abladen
ordures **2.** (*conduire, livrer*) absetzen, abladen *ordures* **3.** (*déposer, décanter*) *crues:*
ablagern *boue; vent:* tragen *sable* **4.** (*confier*) abgeben *bagages, carte de visite;* hinterlegen *lettre, document;* abgeben *paquet,
colis* **5.** FIN einzahlen *argent;* hinterlegen *valeur, titre;* einreichen *chèque* **6.** (*faire enregistrer*) anmelden *brevet;* eintragen lassen
marque; einbringen *projet de loi;* einreichen
réclamation, rapport; ~ **plainte** Anzeige erstatten **7.** (*démonter*) abmontieren *appareil;* ausbauen *moteur* **8.** (*abdiquer*) niederlegen *couronne;* ~ **le pouvoir** abtreten
9. (*destituer*) ~ **qn** jdn absetzen **II.** *vi*
1. (*témoigner*) aussagen **2.** (*laisser un dépôt*) *vin, eau:* sich setzen **III.** *vpr* **se** ~ *lie,
poussière:* sich absetzen

dépositaire [depoziteʀ] *m* Verwahrer(in)
m(f); d'un secret Mitwisser(in) *m(f)*

déposition [depozisjɔ̃] *f* (*témoignage*)
[Zeugen]aussage *f*

déposséder [depɔsede] <5> *vt* enteig-
nen *personne*

dépossession [depɔsesjɔ̃] *f* Enteignung *f*

dépôt [depo] *m* **1.** *d'un projet de loi* Ein-

bringen *nt; d'une plainte* Erheben *nt; d'une marque déposée* Eintragen *nt; d'un brevet* Anmeldung *f* **2.** FIN *d'un chèque* Einreichen *nt; d'argent, d'espèces* Einzahlung *f,* Einzahlen *nt; de titres* Hinterlegung *f,* Hinterlegen *nt; (avoir)* Einlage *f;* ~ **de bilan** Konkursanmeldung *f* **3.** *d'objets précieux, d'un testament* Hinterlegung *f,* Hinterlegen *nt; d'un vêtement* Abgabe *f;* **laisser qc en ~ chez qn** etw bei jdm in Verwahrung geben **4.** *d'une gerbe* Niederlegung *f* **5.** *(sédiment)* Ablagerung *f* **6.** *d'autobus* Depot *nt;* ~ **d'ordures** Mülldeponie *f,* Kehrichtdeponie *f* (CH)

dépoter [depɔte] <1> *vt* umtopfen

dépotoir [depɔtwaʀ] *m* Müllhalde *f*

dépouillé, e [depuje] *adj* **1.** *(sobre)* karg; *style* knapp; *texte* nüchtern **2.** *(exempt)* **être ~ de qc** ohne etw sein

dépouille [depuj] *f d'un animal à fourrure* Fell *nt; d'un serpent* Haut *f*

dépouillement [depujmã] *m d'un scrutin* [Aus]zählen *nt; du courrier* Durchsehen *nt*

dépouiller [depuje] <1> **I.** *vt* **1.** *(ouvrir)* [aus]zählen *scrutin;* durchsehen *courrier* **2.** *(dévaliser)* berauben; ~ **qn de ses biens** jdn [seiner Güter] berauben **3.** *(déshabiller)* ~ **qn de ses vêtements** jdn entkleiden **II.** *vpr* **1.** *(se déshabiller)* **se ~ de ses vêtements** seine Kleidung ablegen **2.** *(faire don)* **se ~ de sa fortune** sein Vermögen weggeben

dépourvu, e [depuʀvy] *adj* **1.** *(privé)* **être ~ de qc** ohne etw sein; **être ~** *(être sans ressources)* mittellos sein; **être ~ de bon sens** nicht ganz bei Verstand sein *(fam)* **2.** *(ne pas être équipé)* **être ~ de chauffage** keine Heizung haben ▸**prendre qn au** ~ jdn überrumpeln

dépoussiérer [depusjeʀe] <5> *vt* **1.** *(nettoyer)* abstauben **2.** *(rajeunir)* auffrischen

dépravation [depʀavasjɔ̃] *f* Verfall *m*

dépravé, e [depʀave] *adj goût, personne* verdorben

dépraver [depʀave] <1> *vt* verderben *goût, personne*

dépréciation [depʀesjasjɔ̃] *f d'une marchandise* Wertminderung *f*

déprécier [depʀesje] <1a> *vt* **1.** *(faire perdre de la valeur)* abwerten *monnaie;* ~ **une marchandise** den Wert einer Ware mindern **2.** *(minimiser)* unterschätzen

déprédation [depʀedasjɔ̃] *f gén pl* Verwüstung *f*

dépressif, -ive [depʀesif, -iv] **I.** *adj* depressiv **II.** *m, f* Depressive(r) *f(m)*

dépression [depʀesjɔ̃] *f* **1.** *(découragement)* [moralisches] Tief; PSYCH Depression *f;* **faire une ~ nerveuse** einen Nervenzu-

sammenbruch haben **2.** METEO Tief *nt* **3.** ECON Konjunkturtief *nt*

déprimant, e [depʀimã, ãt] *adj* deprimierend

déprime [depʀim] *f fam* Katzenjammer *m;* **être en pleine ~** total am Ende sein

déprimé, e [depʀime] *adj personne* deprimiert

déprimer [depʀime] <1> **I.** *vt (démoraliser)* deprimieren **II.** *vi fam* deprimiert sein

déprogrammation [depʀɔgʀamasjɔ̃] *f d'une émission* Absetzung *f*

déprogrammer [depʀɔgʀame] <1> *vt* **1.** MEDIA aus dem Programm nehmen *émission, spectacle* **2.** INFORM umprogrammieren *robot*

dépuceler [depys(ə)le] <3> *vt fam* entjungfern

depuis [dəpɥi] **I.** *prép* **1.** *(à partir de)* seit; ~ **quelle date?** seit wann?; ~ **Paris, ...** seit Paris ...; **ce concert est retransmis ~ nos studios** dieses Konzert wird aus unseren Studios übertragen; ~ **ma fenêtre** von meinem Fenster aus; **toutes les tailles ~ le 36** alle Größen ab [Größe] 36; ~ **mon plus jeune âge** seit meiner frühesten Kindheit; ~ **le début jusqu'à la fin** vom Anfang bis zum Ende; ~ **que ...** seit[dem] ... **2.** *(durée, distance)* seit; ~ **longtemps** seit langem; ~ **peu** seit kurzem; ~ **10 minutes** *être parti(e)* seit 10 Minuten; **je n'ai pas été au théâtre ~ des siècles** ich war schon ewig nicht mehr im Theater; ~ **cela** seitdem **II.** *adv* seither

dépuratif [depyʀatif] *m* Blutreinigungsmittel *nt*

députation [depytasjɔ̃] *f* Entsendung *f*

député, e [depyte] *m, f (parlementaire)* Abgeordnete(r) *f(m)*

déraciner [deʀasine] <1> *vt* **1.** *(arracher)* entwurzeln *arbre, peuple* **2.** *(éliminer)* ausrotten *préjugé;* ~ **une habitude** eine Gewohnheit ablegen

déraillement [deʀajmã] *m d'un train* Entgleisung *f*

dérailler [deʀaje] <1> *vi* **1.** *(sortir des rails)* *train:* entgleisen; **faire ~ un train** einen Zug zum Entgleisen bringen **2.** *fam (déraisonner)* Unsinn reden; **il déraille complètement** der spinnt total **3.** *(mal fonctionner)* *machine, appareil:* nicht richtig funktionieren

dérailleur [deʀajœʀ] *m* Kettenschaltung *f*

déraisonnable [deʀɛzɔnabl] *adj* unvernünftig

déraisonner [deʀɛzɔne] <1> *vi* faseln *(pej fam)*

dérangé, e [deʀãʒe] *adj* **1.** *fam (fou)* verwirrt **2.** MED **être ~** eine Magenverstim-

mung haben; **avoir l'intestin** ~ eine Darmbeschwerden haben **3.** (*désordonné*) unaufgeräumt

dérangement [deʀɑ̃ʒmɑ̃] *m* **1.** (*gêne*) Störung *f;* ~ **intestinal** Darmbeschwerden *Pl;* **excusez-moi du** ~! entschuldigen Sie die Störung!; **causer du** ~ **à qn** jdm Umstände bereiten **2.** (*incident technique*) **être en** ~ *ligne:* gestört sein; *téléphone:* nicht richtig funktionieren

déranger [deʀɑ̃ʒe] <2a> **I.** *vt* **1.** (*gêner*) stören; aufscheuchen *animal;* ~ **qn pour un service** jdn [wegen eines Gefallens] bemühen **2.** (*mettre en désordre*) in Unordnung bringen; durcheinander bringen *objet, affaires;* zerzausen *coiffure* **3.** (*perturber*) umstoßen *projets;* **ce repas m'a dérangé l'estomac** von dem Essen habe ich eine Magenverstimmung **II.** *vi* **1.** (*arriver mal à propos*) stören **2.** (*mettre mal à l'aise*) für Unbehagen sorgen **III.** *vpr* **1.** (*se déplacer*) **se** ~ sich bemühen; **se** ~ **pour qn** etwas für jdn tun; **je me suis dérangé pour rien** mein Gang war umsonst **2.** (*interrompre ses occupations*) **se** ~ **pour qn** sich (*dat*) wegen jdm Umstände machen

dérapage [deʀapaʒ] *m* AUT Schleudern *nt*

déraper [deʀape] <1> *vi* **1.** (*glisser*) ausrutschen; *semelles:* rutschen; *voiture:* ins Schleudern geraten **2.** (*dévier*) *personne:* abweichen; *conversation:* abgleiten; ~ **vers la politique** *roman, discussion:* in die Politik abrutschen **3.** ECON *prix, politique économique:* außer Kontrolle geraten

dératé, e [deʀate] *m, f* ▶**courir comme un** ~ wie ein Wilder rennen

dératisation [deʀatizasjɔ̃] *f* Rattenbekämpfung *f*

déréglé, e [deʀegle] *adj* **1.** *estomac* verstimmt; *pouls* unregelmäßig; *appétit* gestört; *machine, mécanisme* nicht in Ordnung; **être** ~ *temps:* verrückt spielen (*fam*) **2.** *habitudes* unstet; *vie, existence* ausschweifend; *mœurs* unmoralisch

dérèglement [deʀɛɡləmɑ̃] *m de l'appétit, d'une machine* Störung *f*

déréglementation [deʀɛɡləmɑ̃tasjɔ̃] *f* Deregulierung *f*

déréglementer [deʀɛɡləmɑ̃te] <1> *vt* deregulieren

dérégler [deʀegle] <5> **I.** *vt* **1.** (*déranger*) verstellen *machine;* verändern *climat;* durcheinander bringen *appétit;* **ça a déréglé mon estomac** das hat mir den Magen verdorben **2.** (*pervertir*) verderben *mœurs* **II.** *vpr* **1.** (*mal fonctionner*) **se** ~ *machine:* sich verstellen; *climat:* sich verändern **2.** (*se pervertir*) *mœurs:* verfallen

dérider [deʀide] <1> *vt* aufheitern

dérision [deʀizjɔ̃] *f* Spott *m*

dérisoire [deʀizwaʀ] *adj* lächerlich

dérivatif [deʀivatif] *m* Ablenkung *f*

dérivation [deʀivasjɔ̃] *f d'un cours d'eau, d'une route* Umleitung *f*

dérive [deʀiv] *f* **1.** *d'un avion, bateau* Abdrift *f;* GEOG Verschiebung *f; fig d'une politique* Abdriften *nt; d'une monnaie* Abgleiten *nt; de l'économie* Abflauen *nt; de la* ~ *bateau:* dahintreiben **2.** (*dispositif*) AVIAT Seitenleitwerk *nt;* NAUT [Haupt]schwert *nt* ▶**partir à la** ~ sich treiben lassen; **à la** ~ haltlos

dérivé [deʀive] *m* CHIM Derivat *nt*

dérivée [deʀive] *f* Ableitung *f*

dériver [deʀive] **I.** *vt* (*détourner*) umleiten **II.** *vi* **1.** LING ~ **de qc** aus etw kommen **2.** (*s'écarter*) *barque:* abtreiben

dériveur [deʀivœʀ] *m* Sturmsegel *nt*

dermatologie [dɛʀmatɔlɔʒi] *f* Dermatologie *f*

dermatologue [dɛʀmatɔlɔɡ] *mf* Hautarzt/-ärztin *m/f*

dernier, -ière [dɛʀnje, -jɛʀ] **I.** *adj* **1.** *antéposé* (*ultime*) letzte(r, s); **le** ~ **étage** das oberste Stockwerk; **la dernière marche** (*la plus haute*) die oberste Stufe; (*la plus basse*) die unterste Stufe; **avant le 15 mai,** ~ **délai** bis spätestens 15. Mai; **arriver** ~ (*dans une course, une réunion*) als Letzte(r) eintreffen; (*dans un classement*) Letzte(r) sein; **être** ~ **en classe** der/die Schlechteste in der Klasse sein; **examiner qc dans les** ~**s détails** etw bis ins kleinste Detail prüfen; **c'était la dernière chose à faire** das war das Schlimmste, was man machen konnte **2.** *antéposé* (*le plus récent*) letzte(r, s); *mode, nouvelle, édition* neueste(r, s); *événement* jüngste(r, s); **ces** ~**s temps/jours** in letzter Zeit/in den letzten Tagen; **aux dernières nouvelles** nach [den] neuesten Nachrichten; **le** ~ **cri** der letzte Schrei **3.** *postposé* (*antérieur*) letzte(r, s); **l'an** ~ **à cette époque** letztes Jahr um diese Zeit; **au siècle** ~ im letzten Jahrhundert **II.** *m, f* **le** ~ (*dans le temps*) der Letzte; (*pour le mérite*) der Schlechteste; **son petit** ~ ihr/sein Jüngster; **c'est le** ~ **de mes soucis** das ist meine geringste Sorge; **habiter au** ~ ganz oben wohnen; **ils ont été tués jusqu'au** ~ sie sind bis auf den Letzten getötet worden; **être le** ~ **des imbéciles** der Letzte sein; **en** ~ als Letzter ▶**rira bien qui rira le** ~ *prov* wer zuletzt lacht, lacht am besten

dernière [dɛʀnjɛʀ] *f* **1.** (*représentation*) **la** ~ die Schlussvorstellung **2.** *fam* (*histoire, nouvelle*) **la** ~ das Neueste

dernièrement [dɛʀnjɛʀmɑ̃] *adv* neulich

dernier-né , **dernière-née** [dɛʀnjene, dɛʀnjɛʀne] <derniers-nés> *m, f* Letztgeborene(r) *f(m)*; **la dernière-née des voitures Renault** der neueste Renault

dérobade [deʀɔbad] *f* Ausweichmanöver *nt*

dérobé, e [deʀɔbe] *adj escalier, porte* Geheim-

dérobée [deʀɔbe] *f* **à la ~** heimlich

dérober [deʀɔbe] <1> *vt* (*voler*) stehlen; entlocken *secret*; rauben *baiser*

dérogation [deʀɔgasjɔ̃] *f* Ausnahme *f*; **par ~** aufgrund einer Sonderregelung

déroger [deʀɔʒe] <2a> *vi* **~ à une loi** gegen ein Gesetz verstoßen

dérouiller [deʀuje] <1> **I.** *vt* (*ôter la rouille*) entrosten **II.** *vi fam* (*recevoir une correction*) etwas einstecken müssen **III.** *vpr* **se ~ les muscles** die Muskeln spielen lassen

déroulement [deʀulmɑ̃] *m* **1.** *d'une cérémonie* Verlauf *m*; *d'un crime* Ablauf *m*; **pendant le ~ du film** während der Film lief **2.** *d'un rouleau, tuyau* Abrollen *nt*; *d'une bobine, cassette* Abspulen *nt*

dérouler [deʀule] <1> **I.** *vt* (*dévider*) abrollen *tuyau, rouleau*; abspulen *bobine, cassette;* herablassen *store* **II.** *vpr* **se ~ 1.** (*s'écouler*) *vie, manifestation:* verlaufen; *crime, événement:* sich abspielen; *action, film:* spielen; *cérémonie, concert:* stattfinden **2.** (*se dévider*) *bobine, cassette:* sich abwickeln

déroutant, e [deʀutɑ̃, ɑ̃t] *adj* verwirrend

déroute [deʀut] *f* Flucht *f*; (*effondrement*) Zusammenbruch *m*

dérouter [deʀute] <1> *vt* **1.** (*écarter de sa route*) umleiten **2.** (*déconcerter*) verwirren; aus dem Konzept bringen *orateur, candidat*

derrick [deʀik] *m* Bohrturm *m*

derrière [dɛʀjɛʀ] **I.** *prép* (*sans mouvement*) hinter (+ *dat*); (*avec mouvement*) hinter (+ *akk*); **être ~ qn** hinter jdm sein; (*dans un classement*) hinter jdm kommen; (*dans une compétition*) hinter jdm liegen; (*soutenir qn*) hinter jdm stehen; (*suivre qn*) hinter jdm her sein; **regarder ~ soi** sich umsehen; **avoir qn/qc ~ soi** jdn/etw hinter sich (*dat*) haben; **faire qc ~ qn** *fig* hinter jds Rücken (*dat*) tun; **laisser qn/qc ~ soi** (*abandonner*) jdn/etw zurücklassen; (*après la mort*) etw hinterlassen; SPORT jdn/etw hinter sich (*dat*) lassen; **de ~ qc** hinter etw (*dat*) vor; **par ~** von hinten; **par ~ qc** hinter etw (*dat*) herum; **passez par ~!** gehen Sie hinten herum! **II.** *adv* hinten; **de ~** von hinten; **là ~** da hinten; **marcher ~** am Ende gehen; **rester**

loin ~ weit zurückbleiben; **courir ~** hinterherlaufen **III.** *m* **1.** *d'une maison* Rückseite *f*; **la porte de ~** die Hintertür; **la poche de ~ du pantalon** die Gesäßtasche **2.** *fam* (*postérieur*) Hintern *m* ▶**botter le ~ à qn** jdm den Hintern versohlen (*fam*)

des¹ [de] **I.** *art déf pl contracté* **les pages ~ livres** die Seiten der Bücher; *v. a.* de **II.** *art partitif, non traduit* **je mange ~ épinards** ich esse Spinat

des² [de, də] <*devant adjectif* de> *art indéf pl, non traduit* **j'ai acheté ~ pommes et de beaux citrons** ich habe Äpfel und schöne Zitronen gekauft

dès [dɛ] *prép* (*à partir de*) bereits; **~ lors** (*à partir de ce moment-là*) seitdem; (*par conséquent*) infolgedessen; **~ maintenant** ab sofort; **~ que ...** sobald ...; **~ le matin ...** schon morgens ...; **~ l'époque romaine ...** schon zu Zeiten der Römer ...; **~ mon retour je ferai ...** gleich nach meiner Rückkehr werde ich ...; **~ le 14 août, ...** gleich am 14. August ...; **~ Valence** schon ab Valence; **~ le premier verre** schon nach dem ersten Glas

désabusé, e [dezabyze] *adj expression, geste* enttäuscht

désaccord [dezakɔʀ] *m* **1.** (*mésentente*) Unstimmigkeit *f* **2.** (*divergence*) Uneinigkeit *f*; **un ~ d'idées** eine Meinungsverschiedenheit; **être en ~ avec qn/qc sur qc** mit jdm/etw in etw (*dat*) nicht einig sein **3.** (*désapprobation*) Missbilligung *f* **4.** (*contradiction*) Diskrepanz *f*

désaccordé, e [dezakɔʀde] *adj* verstimmt

désaccorder [dezakɔʀde] <1> **I.** *vt* verstimmen **II.** *vpr* **se** ~ sich verstimmen

désaccoutumer [dezakutyme] <1> *vt* **~ l'enfant d'une mauvaise habitude** dem Kind eine schlechte Angewohnheit abgewöhnen

désaffecté, e [dezafɛkte] *adj église, école* geschlossen

désaffection [dezafɛksjɔ̃] *f* Unbeliebtheit *f*

désagréable [dezagʀeabl] *adj* unangenehm

désagréablement [dezagʀeabləmɑ̃] *adv* unangenehm

désagrégation [dezagʀegasjɔ̃] *f d'une roche* Verwitterung *f*

désagréger [dezagʀeʒe] <2a, 5> **I.** *vt* **1.** (*désintégrer*) zersetzen **2.** (*décomposer*) sprengen *groupe, parti* **II.** *vpr* **se ~** *corps chimique:* zerfallen; *roche:* verwittern; *foule:* sich auflösen

désagrément [dezagʀemɑ̃] *m* Unannehmlichkeit *f*

désaltérant, e [dezalteʀɑ̃, ɑ̃t] *adj* durst-

stillend

désaltérer [dezalteʀe] <5> I. *vt, vi* den Durst stillen II. *vpr* se ~ seinen Durst stillen

désamiantage [dezamjɑ̃taʒ] *m* Asbestsanierung *f*

désamianter [dezamjɑ̃te] <1> *vt* von Asbest sanieren

désamorcer [dezamɔʀse] <2> *vt* sichern *arme;* entschärfen *bombe*

désappointement [dezapwɛ̃tmɑ̃] *m* Enttäuschung *f*

désappointer [dezapwɛ̃te] <1> *vt* enttäuschen

désapprendre [dezapʀɑ̃dʀ] <*irr*> *vt* verlernen

désapprobateur, -trice [dezapʀɔbatœʀ, -tʀis] *adj* missbilligend

désapprobation [dezapʀɔbasjɔ̃] *f* Missbilligung *f;* **manifester sa** ~ sein Missfallen zum Ausdruck bringen

désapprouver [dezapʀuve] <1> I. *vt* missbilligen *comportement;* ablehnen *entreprise, projet* II. *vi* nicht einverstanden sein

désarçonner [dezaʀsɔne] <1> *vt* aus der Fassung bringen *candidat, orateur*

désargenté, e [dezaʀʒɑ̃te] *adj fam* **être** ~ pleite/blank sein

désarmant, e [dezaʀmɑ̃, ɑ̃t] *adj* entwaffnend

désarmement [dezaʀməmɑ̃] *m d'une personne, population* Entwaffnung *f; d'un pays* Abrüstung *f; d'un navire* Auflegen *nt,* Abrüstung

désarmer [dezaʀme] <1> *vt* 1. entwaffnen *personne;* abrüsten *pays* 2. abtakeln, abrüsten *navire*

désarroi [dezaʀwa] *m* 1. (*trouble*) Verwirrung *f* 2. (*désespoir*) Verzweiflung *f*

désarticuler [dezaʀtikyle] <1> *vt* 1. ~ **l'épaule/le genou à qn** jdm die Schulter/das Knie ausrenken 2. (*détraquer*) kaputtmachen

désassorti, e [dezasɔʀti] *adj* ungleich

désastre [dezastʀ] *m* 1. (*catastrophe*) Katastrophe *f* 2. (*dégât*) Schaden *m* 3. (*échec complet*) Reinfall *m* (*fam*)

désastreux, -euse [dezastʀø, -øz] *adj* 1. (*catastrophique*) verheerend 2. (*nul*) miserabel

désavantage [dezavɑ̃taʒ] *m* Nachteil *m;* (*physique*) Handikap *nt;* **à son** ~ zu seinen/ihren Ungunsten; *changer* zu seinem/ihrem Nachteil; **être à son** ~ sich nicht von seiner besten Seite zeigen; **tourner au** ~ **de qn** sich gegen jdn wenden

désavantager [dezavɑ̃taʒe] <2a> *vt* qc **désavantage qn** etw benachteiligt jdn

désavantageux, -euse [dezavɑ̃taʒø,

-jøz] *adj* nachteilig

désaveu [dezavø] <x> *m* (*rétractation*) Widerruf *m*

désavouer [dezavwe] <1> *vt* verleugnen *ouvrage, collaborateur;* abstreiten *paroles*

désaxé, e [dezakse] *adj personne* gestört

désaxer [dezakse] <1> *vt* (*faire sortir de son axe*) verziehen

descendance [desɑ̃dɑ̃s] *f* 1. (*postérité*) Nachkommenschaft *f* 2. (*origine*) Abstammung *f*

descendant, e [desɑ̃dɑ̃, ɑ̃t] I. *adj chemin* abschüssig; *gamme* absteigend II. *m, f* Nachkomme *m*

descendeur, -euse [desɑ̃dœʀ, -øz] *m, f* SPORT Abfahrtsläufer(in) *m(f)*

descendre [desɑ̃dʀ] <14> I. *vi + être* 1. (*par un escalier, un chemin: vu d'en haut/d'en bas*) hinuntergehen/herunterkommen; ~ **à la cave/par l'escalier** in den Keller/über die Treppe hinuntergehen 2. (*en véhicule, par l'ascenseur: vu d'en haut/d'en bas*) hinunterfahren/herunterkommen; ~ **en voiture/par l'ascenseur** mit dem Auto/mit dem Aufzug herunterfahren 3. (*opp: grimper, escalader: vu d'en haut/d'en bas*) hinunterklettern/herunterklettern 4. (*quitter, sortir*) aussteigen; *cavalier:* absteigen; ~ **du bateau** von Bord gehen; ~ **de la voiture/du train** aus dem Auto/dem Zug [aus]steigen; ~ **du cheval** vom Pferd steigen 5. (*voler*) tiefer fliegen; (*pour se poser, vu d'en haut/d'en bas*) *oiseau:* hinunterfliegen; *parachutiste:* hinuntergleiten 6. (*aller, se rendre*) ~ **en ville** in die Stadt gehen/fahren 7. (*faire irruption*) ~ **dans un bar** *police, justice:* in einer Bar eine Razzia machen; *voyous:* [in] eine Bar stürmen 8. (*loger*) ~ **à l'hôtel/chez qn** im Hotel/bei jdm absteigen 9. (*être issu de*) ~ **de qn/d'une famille pauvre** von jdm abstammen/aus einer armen Familie stammen 10. (*aller en pente*) ~ **en pente douce** *route, chemin:* leicht abwärts führen; *vignoble, terrain:* sanft abfallen 11. (*aller de haut en bas*) *ballon, voiture:* hinunterrollen; *avalanche:* niedergehen; ~ **dans la plaine** *rivière:* in die Ebene [hinunter]fließen; *route:* in die Ebene [hinunter]führen 12. (*baisser*) *marée:* zurückgehen; *niveau de l'eau, prix, taux:* sinken; *baromètre, thermomètre:* fallen 13. MUS ~ **jusqu'au mi/plus bas** *voix:* bis zum E/tiefer heruntergehen 14. (*atteindre*) ~ **à/jusqu'à** *robe, cheveux:* bis zu etw gehen; *puits, tunnel, sous-marin:* [bis] auf etw (*akk*) hinuntergehen ►~ **dans la rue** auf die Straße gehen; **ça** <u>fait</u> ~ *fam* das hilft verdauen II. *vt + avoir* 1. (*se déplacer à pied: vu*

d'en haut) hinuntergehen *escalier, colline;* (*vu d'en bas*) herunterkommen **2.** (*se déplacer en véhicule: vu d'en haut/d'en bas*) hinunterfahren/herunterkommen *rue, route* **3.** (*porter en bas: vu d'en haut*) hinunterbringen; (*vu d'en bas*) herunterbringen; ~ **qc à la cave** etw in den Keller bringen **4.** (*baisser*) herunterlassen *stores, rideaux;* tiefer hängen *tableau, étagère* **5.** *fam* (*déposer*) ~ **qn à l'école** jdn an der Schule aussteigen lassen **6.** *fam* (*abattre*) herunterholen *avion;* abknallen *personne* **7.** *fam* (*critiquer*) verreißen *film, auteur* **8.** *fam* (*boire*) herunterkippen; (*manger*) verputzen **9.** MUS ~ **la gamme** *chanteur:* die Tonleiter abwärts singen; *joueur:* die Tonleiter abwärts spielen ▸~ **en flammes** *fam* herunterreißen

descente [desɑ̃t] *f* **1.** *d'une pente* (*à pied, en escalade*) Abstieg *m;* (*en voiture, à ski*) Abfahrt *f; d'un fleuve* Fahrt *f* stromabwärts **2.** AVIAT Landung *f* **3.** (*arrivée*) **à la ~ d'avion/de bateau** bei der Ankunft im Flughafen/Hafen; **accueiller qn à la ~ de l'avion/du train** jdn am Flughafen/auf dem Bahnsteig begrüßen **4.** (*action de descendre au fond de*) ~ **dans qc** Hinuntersteigen *nt* in etw (*akk*) **5.** (*attaque brusque*) **une ~ de police** eine Polizeikontrolle; **faire une ~ dans un bar** *fam* eine Razzia in einer Bar machen **6.** (*pente*) Gefälle *nt; dans la ~/les ~s* auf abfallender Strecke **7.** (*action de porter en bas, déposer: vu d'en haut*) Hinunterbringen *nt,* Hinuntertragen *nt;* (*vu d'en bas*) Herunterholen *nt,* Heruntertragen *nt* ▸~ **aux enfers** Höllenfahrt *f;* **avoir une bonne ~** *fam* einen ordentlichen Schluck vertragen können

descriptif [dɛskʀiptif] *m* Beschreibung *f*

descriptif, -ive [dɛskʀiptif, -iv] *adj* beschreibend; *musique* tonmalerisch

description [dɛskʀipsjɔ̃] *f* Beschreibung *f; d'un événement* Schilderung *f*

désemparé, e [dezɑ̃paʀe] *adj personne* hilflos

désemparer [dezɑ̃paʀe] <1> ▸**sans** ~ unablässig

désemplir [dezɑ̃pliʀ] <8> *vi* **ne pas** ~ immer voll sein

désenchanté, e [dezɑ̃ʃɑ̃te] *adj* ernüchtert

désenclaver [dezɑ̃klave] <1> *vt* mit der Außenwelt verbinden *région, ville*

désencombrer [dezɑ̃kɔ̃bʀe] <1> *vt* ~ **une route/voie de qc** eine Straße/Spur von etw räumen

désendettement [dezɑ̃dɛtmɑ̃] *m* Entschuldung *f*

désenfler [dezɑ̃fle] <1> **I.** *vt* zum Abschwellen bringen **II.** *vi* abschwellen **III.**

vpr **se** ~ abschwellen

désengagement [dezɑ̃gaʒmɑ̃] *m* Disengagement *nt*

désengager [dezɑ̃gaʒe] <2a> *vpr* **se** ~ sich zurückziehen

désensibiliser [desɑ̃sibilize] <1> *vt* desensibilisieren

déséquilibre [dezekilibʀ] *m* **1.** *des forces, valeurs* Ungleichgewicht *nt; d'une construction, d'une personne* mangelndes Gleichgewicht; ~ **entre l'offre et la demande** Missverhältnis *nt* zwischen Angebot und Nachfrage; **être en** ~ *personne, objet:* wackelig sein; **créer un** ~ das Gleichgewicht stören **2.** PSYCH ~ **mental** psychische Störungen *Pl*

déséquilibré, e [dezekilibʀe] **I.** *adj personne* unausgeglichen; PSYCH psychisch gestört; *balance* unausgeglichen; *quantités* nicht ausgewogen **II.** *m, f* (*personne*) psychisch Gestörte(r) *f(m)*

déséquilibrer [dezekilibʀe] <1> *vt* aus dem Gleichgewicht bringen *personne, objet*

désert [dezɛʀ] *m* **1.** GEOG Wüste *f* **2.** (*lieu dépeuplé*) Einöde *f,* Einschicht *f* (A) ▸**prêcher dans le** ~ tauben Ohren predigen

désert, e [dezɛʀ, ɛʀt] *adj* **1.** (*sans habitant*) unbewohnt; *île, maison* verlassen **2.** (*peu fréquentée*) menschenleer

déserter [dezɛʀte] <1> **I.** *vt* **1.** (*quitter*) verlassen *lieu, son poste* **2.** (*abandonner, renier*) verraten *cause;* austreten aus (+ *dat*) *syndicat, parti;* nicht teilnehmen an (+ *dat*) *réunions* **II.** *vi* MIL desertieren

déserteur [dezɛʀtœʀ] **I.** *m* MIL Deserteur *m* **II.** *adj* desertiert

désertification [dezɛʀtifikasjɔ̃] *f* GEOG Versteppung *f*

désertion [dezɛʀsjɔ̃] *f* MIL Fahnenflucht *f*

désertique [dezɛʀtik] *adj climat, plante* Wüsten-; *région* öde

désespérant, e [dezɛsperɑ̃, ɑ̃t] *adj* (*décourageant*) **être** ~ *notes, comportement:* zum Verzweifeln sein

désespéré, e [dezɛspere] **I.** *adj* verzweifelt; *cas* hoffnungslos; *situation* ausweglos **II.** *m, f* Verzweifelte(r) *f(m)*

désespérément [dezɛsperemɑ̃] *adv appeler, lutter* verzweifelt

désespérer [dezɛspere] <5> **I.** *vi* verzweifeln; ~ **de qc** die Hoffnung auf etw (*akk*) aufgeben; **c'est à** ~ es ist zum Verzweifeln **II.** *vt* **1.** (*affliger*) verzweifeln lassen **2.** (*décourager*) zur Verzweiflung bringen **III.** *vpr* **se** ~ verzweifeln

désespoir [dezɛspwaʀ] *m* **1.** (*perte ou absence d'espoir*) Hoffnungslosigkeit *f* **2.** (*détresse, désespérance*) Verzweiflung

f; **faire le ~ de qn** jdn zur Verzweiflung bringen ▸**en ~ de cause** in letzter Verzweiflung

déshabillé [dezabije] *m (vêtement)* Negligé *nt*

déshabillé, e [dezabije] *adj* ausgezogen; *scène, séquence* Nackt-

déshabiller [dezabije] <1> **I.** *vt* ausziehen *personne* **II.** *vpr* **se ~ 1.** *(se dévêtir)* sich ausziehen **2.** *(se mettre à l'aise)* ablegen

déshabituer [dezabitɥe] <1> **I.** *vt* **~ qn de qc** jdm etw abgewöhnen **II.** *vpr* **se ~ de qc** sich *(dat)* etw abgewöhnen

désherbant [dezɛʀbɑ̃] *m* Unkrautvertilgungsmittel *nt*

désherber [dezɛʀbe] <1> *vi* Unkraut jäten

déshérité, e [dezeʀite] **I.** *adj* **1.** *(privé d'héritage)* enterbt **2.** *(désavantagé)* benachteiligt **II.** *mpl* **les ~s** die Armen

déshériter [dezeʀite] <1> *vt* **1.** JUR enterben **2.** *(priver d'avantages)* benachteiligen

déshonneur [dezɔnœʀ] *m* Schande *f*

déshonorant, e [dezɔnɔʀɑ̃, ɑ̃t] *adj conduite, trafic* unehrenhaft; *échec, accusation* entehrend

déshonorer [dezɔnɔʀe] <1> **I.** *vt* **1.** *(porter atteinte à l'honneur de)* Schande bringen über *(+ akk) famille;* in Misskredit bringen *profession;* entehren *femme* **2.** *(défigurer)* verunstalten *monument, paysage* **II.** *vpr* **se ~** seine Ehre verlieren

déshumaniser [dezymanize] <1> *vt* entmenschlichen

desiderata [dezideʀata] *mpl* Wünsche *Pl*

design [dezajn] *m* Design *nt*

désignation [deziɲasjɔ̃] *f* Bezeichnung *f*

designer [dizajnœʀ, dezajnœʀ] *mf* Designer(in) *m(f)*

désigner [deziɲe] <1> *vt* **1.** *(montrer, indiquer)* **~ qn/qc** auf jdn/etw hinweisen; **~ qn/qc du doigt** mit dem Finger auf jdn/etw zeigen **2.** *(signaler)* **~ qn à l'attention de qn** jds Aufmerksamkeit auf jdn lenken **3.** *(choisir)* **~ qn comme qc** jdn zu etw ernennen **4.** *(qualifier)* **être tout désigné pour qc** besonders geeignet sein für etw **5.** *(dénommer)* **~ qn par son nom** jdn beim Namen nennen; **~ qc sous qc** etw mit etw bezeichnen

désillusion [dezi(l)lyzjɔ̃] *f* Enttäuschung *f*

désillusionner [dezi(l)lyzjɔne] <1> *vt* **~ qn** jdn enttäuschen

désincarné, e [dezɛ̃kaʀne] *adj fig doctrine* wirklichkeitsfremd

désinence [dezinɑ̃s] *f* Endung *f*

désinfectant [dezɛ̃fɛktɑ̃] *m* Desinfektionsmittel *nt*

désinfectant, e [dezɛ̃fɛktɑ̃, ɑ̃t] *adj* desinfizierend

désinfecter [dezɛ̃fɛkte] <1> *vt* desinfizieren

désinfection [dezɛ̃fɛksjɔ̃] *f* Desinfektion *f*

désinflation [dezɛ̃flasjɔ̃] *f* Rückgang *m* der Inflation

désinformation [dezɛ̃fɔʀmasjɔ̃] *f* Desinformation *f*

désintégration [dezɛ̃tegʀasjɔ̃] *f* **1.** *d'une famille* Auflösung *f; d'un parti* Zerfall *f* **2.** GEOL Verwitterung *f* **3.** PHYS *d'une matière* Zerfall *m*

désintégrer [dezɛ̃tegʀe] <5> **I.** *vt* **1.** *fig* auflösen *famille, parti* **2.** GEOL verwittern lassen **3.** PHYS spalten **II.** *vpr* **se ~ 1.** *(se désagréger) parti:* zerfallen; *famille, équipe:* sich auflösen **2.** GEOL verwittern **3.** PHYS sich spalten

désintéressé, e [dezɛ̃teʀese] *adj* **1.** *personne, acte, attitude* uneigennützig **2.** *esprit, jugement* unvoreingenommen

désintéresser [dezɛ̃teʀese] <1> **I.** *vt (dédommager)* **~ qn** jdm eine Abfindung zahlen **II.** *vpr* **se ~ de qn/qc** das Interesse an jdm/etw verlieren

désintérêt [dezɛ̃teʀɛ] *m* Desinteresse *nt;* **son ~ pour qc** sein/ihr Desinteresse an etw *(dat)*

désintoxication [dezɛ̃tɔksikasjɔ̃] *f* MED Entgiftung *f; d'un drogué, alcoolique* Entwöhnung *f*

désintoxiquer [dezɛ̃tɔksike] <1> **I.** *vt* **1.** MED entwöhnen *drogué, alcoolique;* **se faire ~** sich einer Entziehungskur unterziehen **2.** *(purifier l'organisme)* entgiften *citadin, fumeur; fig* **~ de la propagande publicitaire** von der Werbepropaganda befreien **II.** *vpr* **se ~ 1.** MED *alcoolique, toxicomane:* eine Entziehungskur machen **2.** *(s'oxygéner)* Sauerstoff tanken *(fam)*

désinvolte [dezɛ̃vɔlt] *adj mouvement, attitude* ungezwungen

désinvolture [dezɛ̃vɔltyʀ] *f* Ungezwungenheit *f*

désir [deziʀ] *m* **1.** *(souhait)* Wunsch *m; ~ de qc* Wunsch nach etw; **vos ~s sont des ordres** *hum* Ihr Wunsch sei mir Befehl **2.** *(appétit sexuel)* Verlangen *nt*

désirable [deziʀabl] *adj* **1.** *(souhaitable)* wünschenswert **2.** *(excitant)* begehrenswert

désirer [deziʀe] <1> *vt* **1.** *(souhaiter)* wünschen; **je désire/désirerais un café** ich möchte [gerne] einen Kaffee [haben]; **désirer qc** [sich] etw wünschen/haben wollen **2.** *(convoiter)* begehren ▸**se faire ~** auf sich warten lassen; **laisser à ~** zu wünschen übrig lassen

désireux, -euse [deziʀø, -øz] *adj* être ~ **de qc** nach etw streben

désistement [dezistəmã] *m* POL Rücktritt *m*

désister [deziste] <1> *vpr* **se** ~ POL zurücktreten

désobéir [dezɔbeiʀ] <8> *vi* ~ **à qn** jdm nicht gehorchen; *soldat:* jds Befehl verweigern; ~ **à la loi** das Gesetz nicht beachten; ~ **à un ordre** sich einem Befehl widersetzen

désobéissance [dezɔbeisãs] *f* ~ **à qn** Ungehorsam *m* gegenüber jdm; ~ **à un ordre/une loi** Nichtbeachtung *f* eines Befehls/eines Gesetzes

désobéissant, e [dezɔbeisã, ãt] *adj* ungehorsam

désobligeant, e [dezɔbliʒã, ʒãt] *adj attitude, propos* unfreundlich

désodorisant [dezɔdɔʀizã] *m* De[s]odorant *nt*

désodorisant, e [dezɔdɔʀizã, ãt] *adj* desodorierend

désodoriser [dezɔdɔʀize] <1> *vt* ~ **le couloir** den unangenehmen Geruch im Korridor beseitigen

désœuvré , e [dezœvʀe] *adj* untätig

désœuvrement [dezœvʀəmã] *m* Untätigkeit *f*

désolant, e [dezɔlã, ãt] *adj spectacle, nouvelle* traurig

désolation [dezɔlasjɔ̃] *f* Trostlosigkeit *f*

désolé, e [dezɔle] *adj* **1.** (*éploré*) untröstlich **2.** (*navré*) **je suis vraiment** ~ es tut mir wirklich Leid **3.** (*désert et triste*) trostlos

désoler [dezɔle] <1> *vt* traurig machen, betrüben

désolidariser [desɔlidaʀize] *vpr* **se** ~ **de qn/qc** sich von jdm/etw distanzieren

désopilant, e [dezɔpilã, ãt] *adj* wahnsinnig lustig

désordonné, e [dezɔʀdɔne] *adj* **1.** (*qui manque d'ordre*) unordentlich; *maison, pièce* unaufgeräumt **2.** (*qui manque d'organisation*) chaotisch **3.** (*incontrôlé*) unkontrolliert; *élans* unkoordiniert; *fuite, combat* ungeordnet

désordre [dezɔʀdʀ] *m* **1.** *sans pl d'une personne, d'un lieu* Unordnung *f;* **le Tiercé dans le** ~ die Dreierwette in beliebiger Reihenfolge **2.** *de l'esprit, des idées* Durcheinander *nt* **3.** (*absence de discipline*) Unruhe *f;* **semer le** ~ Unruhe verbreiten **4.** *gén pl* POL Unruhen *Pl*

désorganiser [dezɔʀganize] <1> *vt* durcheinander bringen *service, projets*

désorienté, e [dezɔʀjãte] *adj* verwirrt

désorienter [dezɔʀjãte] <1> *vt* **1.** (*égarer*) verwirren *personne;* vom Kurs abbringen *avion;* **être désorienté** die Orientierung verlieren **2.** (*déconcerter*) verunsichern

désormais [dezɔʀmɛ] *adv* von nun an

désosser [dezɔse] <1> *vt* GASTR von den Knochen lösen *viande*

desquels, desquelles [dekɛl] *pron* v. **lequel**

dessaisir [deseziʀ] <8> *vpr* **se** ~ **de qc** etw abgeben

dessaler [desale] <1> *vt* entsalzen

dessèchement [desɛʃmã] *m de la peau, du sol* Austrocknung *f*

dessécher [deseʃe] <1> **I.** *vt* **1.** (*rendre sec*) austrocknen *terre, peau, bouche;* verdorren lassen *végétation;* trocknen *plantes;* dörren *fruits;* **mes lèvres sont desséchées** ich habe trockene Lippen **2.** (*rendre maigre*) auszehren *personne, corps* **3.** (*rendre insensible*) abstumpfen *personne* **II.** *vpr* **se** ~ **1.** (*devenir sec*) *bouche, lèvres:* trocken werden; *terre, peau:* austrocknen; *végétation:* verdorren **2.** (*maigrir*) dürr werden **3.** (*devenir insensible*) abstumpfen

desserré, e [deseʀe] *adj vis, nœud, lacet* locker; *ceinture, cravate* gelockert; *frein* gelöst; *col* offen

desserrer [deseʀe] <1> **I.** *vt* **1.** (*dévisser*) lockern **2.** (*relâcher*) lockern *étau, cravate;* weiter machen *ceinture;* lösen *frein à main* **3.** (*écarter*) öffnen *poing* **II.** *vpr* **se** ~ *vis, étau, nœud:* sich lockern; *frein à main:* sich lösen; *personnes:* auseinander rücken; *rangs:* sich auflösen

dessert [desɛʀ] *m* (*mets, moment*) Nachtisch *m*, Dessert *nt;* **au** ~ beim Nachtisch

desserte [desɛʀt] *f* **1.** (*meuble*) Serviertisch *m* **2.** TRANSP ~ **de qc** [Verkehrs]verbindung *f* zu etw; ~ **aérienne/postale** Luftverbindung *f*/Lieferung *f* der Postsendungen

desservir [desɛʀviʀ] <*irr*> *vt* **1.** (*débarrasser*) abräumen *table* **2.** (*nuire à*) ~ **qn/qc** jdm/einer S. schaden **3.** TRANSP *bus, train:* anfahren; *compagnie aérienne:* anfliegen; *bateau:* anlaufen; *ligne, autoroute, voie ferrée:* nach etw führen; **le train dessert cette gare/ce village** der Zug hält an diesem Bahnhof/in diesem Dorf; **être desservi par qc** Anschluss *m* an etw (*akk*) haben

dessin [desɛ̃] *m* **1.** (*image*) Zeichnung *f;* ~[s] **animé[s]** Zeichentrickfilm *m* **2.** (*activité*) Zeichnen *nt* **3.** (*motif*) Muster *nt* **4.** *du visage* Züge *Pl; des veines* Verlauf *m* ▶**il faut te/vous faire un** ~? *fam* brauchst du/braucht ihr eine Extraerklärung?

dessinateur, -trice [desinatœʀ, -tʀis] *m,*

f **1.** ART Zeichner(in) *m(f)* **2.** IND Designer(in) *m(f)*

dessiner [desine] <1> **I.** *vi* ~ **au crayon** mit dem Bleistift zeichnen **II.** *vt* **1.** ART zeichnen; ~ **qn/qc** jdn/etw zeichnen/malen **2.** TECH zeichnen *plan d'une maison;* entwerfen *meuble, véhicule;* gestalten *jardin* **3.** (*souligner*) betonen *contours, formes* **4.** (*former*) beschreiben *courbe, virages*

dessoûler [desule] <1> *vi* nüchtern werden

dessous [d(ə)su] **I.** *adv* **1.** (*sous*) d[a]runter **2.** *fig* agir [par] en ~ heimlich vorgehen **II.** *prép* **1.** (*sous*) **en ~ de qc** unterhalb einer S. (*gen*), unter etw (*dat*); **d'en ~** *fam voisin, appartement* von unten; **habiter en ~ de chez qn** unter jdm wohnen **2.** (*plus bas que*) **en ~ de qc** unter einer S. (*dat*); **être en ~ de tout** *person:* miserabel sein; *travail, comportement:* unter aller Kritik sein **III.** *m* **1.** *d'une assiette, langue* Unterseite *f; d'une étoffe* linke Seite; *des pieds, chaussures* Sohle *f;* **le voisin/l'étage du ~** der Nachbar von unten/die untere Etage **2.** *pl* TEXTIL Dessous *Pl,* [Damen]unterwäsche *f* **3.** *pl d'une affaire, de la politique* Hintergründe *Pl* **dessous-de-plat** [d(ə)sud(ə)pla] *m inv* [Schüssel]untersetzer *m* **dessous-de-table** [d(ə)sud(ə)tabl] *m inv* Schmiergeld *nt*

dessus [d(ə)sy] **I.** *adv* (*sur qn/qc*) darauf; **mettre ~** darauf stellen/darauf legen; **elle lui a tapé/tiré ~** sie hat auf ihn eingeschlagen/geschossen **II.** *prép* **enlever de ~ qc** von etw herunternehmen **III.** *m de la tête, du pied* Oberseite *f;* **le voisin/l'étage du ~** der Nachbar von oben/die obere Etage ▸**avoir le ~** überlegen sein; **prendre/reprendre le ~** sich [wieder] fangen; (*après une maladie*) [wieder] auf die Beine kommen

dessus-de-lit [d(ə)syd(ə)li] *m inv* Tagesdecke *f*

déstabilisateur, -trice [destabilizatœʀ, -tʀis] *adj* destabilisierend

déstabilisation [destabilizasjɔ̃] *f* Destabilisierung *f*

déstabiliser [destabilize] <1> *vt* destabilisieren *Etat, économie;* verunsichern *personne*

destin [dɛstɛ̃] *m* Schicksal *nt*

destinataire [dɛstinatɛʀ] *mf* Empfänger(in) *m(f); d'un mandat* Zahlungsempfänger

destination [dɛstinasjɔ̃] *f* **1.** (*lieu*) Ziel *nt; d'une lettre* Bestimmungsort *m;* **arriver à ~** am Ziel ankommen; **le train/les voyageurs à ~ de Hambourg** der Zug/die Reisenden nach Hamburg **2.** *d'un édifice,*

d'une personne Bestimmung *f; d'une somme, d'un appareil* Verwendungszweck *m*

destinée [dɛstine] *f* Schicksal *nt*

destiner [dɛstine] <1> **I.** *vt* **1.** (*réserver à, attribuer*) ~ **un poste à qn** eine Stelle für jdn vorsehen; **être destiné à qn** *fortune, emploi, ballon:* für jdn bestimmt sein; *livre:* für jdn bestimmt sein; *remarque, allusion:* sich an jdn richten **2.** (*prévoir un usage*) ~ **un local à qc** ein Lokal für etw bestimmen **3.** (*vouer*) ~ **qn à être avocat/son successeur** jdn dazu ausersehen Anwalt/sein Nachfolger zu werden **II.** *vpr* **se ~ à la politique** sich der Politik verschreiben; **se ~ à faire qc** [fest] vorhaben etw zu tun

destituer [dɛstitɥe] <1> *vt* jdn absetzen *ministre, souverain;* jdn entlassen *fonctionnaire;* jdm den Abschied geben *officier;* ~ **qn de ses fonctions** jdn seines Amtes entheben

destitution [dɛstitysjɔ̃] *f* Absetzung *f; d'un fonctionnaire* [Dienst]entlassung *f; d'un ministre* Amtsenthebung *f*

destructeur, -trice [dɛstʀyktœʀ, -tʀis] **I.** *adj critique, idée* destruktiv; *action, feu, guerre* zerstörerisch; *fléau* verheerend **II.** *m, f* (*personne*) Zerstörer(in) *m(f)*

destructif, -ive [dɛstʀyktif, -iv] *adj* destruktiv

destruction [dɛstʀyksjɔ̃] *f* **1.** *d'un immeuble, d'un objet* Zerstörung *f; d'archives, de preuves* Vernichtung *f* **2.** *d'un peuple* Vernichtung *f; de rats, d'insectes* Vertilgung *f* **3.** *des tissus organiques* Zerstörung *f*

déstructurer [destʀyktyʀe] <1> *vt* ~ **qc** die Struktur einer S. (*gen*) auflösen

désuet, désuète [dezɥɛ, dezɥɛt] *adj* coutume, vêtement altmodisch

désuétude [dezɥetyd] *f* **tomber en ~** *expression:* außer Gebrauch kommen

désuni, e [dezyni] *adj* zerstritten

désunion [dezynjɔ̃] *f d'un parti, d'une famille* Uneinigkeit *f*

désunir [dezyniʀ] <8> *vt* auseinander bringen *couple;* entzweien *famille, équipe*

détachable [detaʃabl] *adj partie, capuche* abtrennbar; *feuilles* abreißbar

détachage [detaʃaʒ] *m* Reinigung *f*

détachant [detaʃɑ̃] *m* Fleckentferner *m*

détaché, e [detaʃe] *adj air, œil* gleichgültig

détachement [detaʃmɑ̃] *m* Gleichgültigkeit *f*

détacher[1] [detaʃe] <1> **I.** *vt* **1.** (*délier, libérer*) losmachen *prisonnier, chien;* (*en levant un lien*) losbinden *prisonnier, chien* **2.** (*défaire*) lösen *cheveux, nœud;* aufmachen *lacet, ceinture* **3.** (*arracher, retirer*) ablösen *timbre;* abreißen *feuille, pétale* **4.** ADMIN ~ **qn à Paris/en province** jdn einst-

weilig nach Paris/in die Provinz versetzen **5.** (*ne pas lier*) voneinander absetzen *lettres, notes* **6.** (*détourner*) **être détaché de qn/qc** sich von jdm/etw gelöst haben **II.** *vpr* **1.** (*se libérer*) **se ~ séparer**) **se ~ de qc** *bateau, satellite:* sich von etw trennen; (*par accident*) sich von etw lösen **3.** (*se défaire*) **se ~ chaîne, lacet:** aufgehen **4.** (*prendre ses distances*) **se ~ de qn** sich [gefühlsmäßig] von jdm lösen; **se ~ de qc** sich nicht mehr für etw interessieren

détacher² [detaʃe] <1> *vt* **~ qc** etw reinigen

détail [detaj] <s> *m* **1.** *d'une description, d'un récit* Einzelheit *f*, Detail *nt; d'un tableau* Ausschnitt *m;* **dans les moindres ~s** bis ins kleinste Detail **2.** *sans pl des dépenses, d'un compte* detaillierte Aufstellung **3.** *sans pl* COM **commerce de ~** Einzelhandel *m;* **vente au ~** Verkauf *m* im Einzelhandel **4.** (*accessoire*) Nebensache *f;* **à un ~ près** bis auf eine Kleinigkeit

détaillant, e [detajã, jãt] *m, f* Einzelhändler(in) *m(f)*

détaillé, e [detaje] *adj explications, récit* ausführlich; *plan* detailliert

détailler [detaje] <1> *vt* **1.** COM einzeln verkaufen *articles;* in kleineren Mengen verkaufen *marchandise* **2.** (*couper en morceaux*) in [Einzel]stücke schneiden *tissu* **3.** (*faire le détail de*) ausführlich erörtern *plan, histoire, raisons* **4.** (*énumérer*) einzeln aufführen *défauts, points*

détaler [detale] <1> *vi fam* sich aus dem Staub machen

détartrant [detartrã] *m* Entkalker *m*

détartrer [detartre] <1> *vt* entkalken *chaudière, conduit*

détaxe [detaks] *f* Steuerermäßigung *f*

détecter [detɛkte] <1> *vt* aufspüren *objets cachés, personne;* ausfindig machen *fuite de gaz, mines;* aufdecken *erreur, mensonge;* AVIAT, NAUT orten *avion, bateau*

détecteur [detɛktœr] *m* **~ de fumée** Rauchmelder *m*

détective [detɛktiv] *mf* Detektiv(in) *m(f)*

déteindre [detɛ̃dr] <irr> *vi* die Farbe verlieren; **~ sur qc** auf etw (*akk*) abfärben

dételer [det(ə)le] <3> *vt* ausspannen *bœuf, cheval*

détendre [detãdr] <14> **I.** *vt* (*relâcher*) lockern *arc, ressort, corde;* entspannen *muscle, situation;* auflockern *atmosphère* **II.** *vpr* **se ~** (*se relâcher*) *ressort:* sich lockern; *arc, corde:* an Spannung verlieren; *muscle, personne, situation:* sich entspannen; *atmosphère:* sich auflockern

détendu, e [detãdy] *adj* entspannt; *corde,*

ressort locker

détenir [det(ə)nir] <9> *vt* **1.** (*posséder*) besitzen *objet, pouvoir;* im Besitz einer S. (*gen*) sein *objets volés, document;* innehaben *poste, position;* verfügen über (+ *akk*) *preuve, majorité, secret;* halten *record, titre* **2.** (*retenir prisonnier*) gefangen halten

détente [detãt] *f* (*relâchement*) Entspannung *f* ▶ **être dur à la ~** *fam* (*être lent à réagir*) eine lange Leitung haben

détenteur, -trice [detãtœr, -tris] *m, f d'un objet, d'un document* Besitzer(in) *m(f); d'un compte, d'un brevet* Inhaber(in) *m(f);* **~ du pouvoir/du titre/du record** Machthaber *m*/Titelträger *m*/Rekordhalter *m*

détention [detãsjõ] *f* **1.** *d'un document, d'une somme* Besitz *m; d'un secret* Wahrung *f;* **~ d'armes** Waffenbesitz *m* **2.** (*incarcération*) Haft *f;* **~ provisoire** Untersuchungshaft *f*

détenu, e [det(ə)ny] *m, f* Häftling *m,* Inhaftierte(r) *f(m);* **~ politique** politischer Gefangener

détergent [detɛrʒã] *m* Reinigungsmittel *nt*

détérioration [deterjɔrasjõ] *f d'un appareil, de marchandises* Beschädigung *f; des conditions de vie, des relations* Verschlechterung *f*

détériorer [deterjɔre] <1> **I.** *vt* **1.** (*endommager*) beschädigen *appareil, marchandise;* **être détérioré** schadhaft sein **2.** (*nuire à*) verschlechtern *climat social, relations;* schaden (+ *dat*) *santé* **II.** *vpr* **se ~ 1.** (*s'abîmer*) *appareil, marchandise:* Schaden nehmen **2.** (*se dégrader*) *temps, conditions, santé:* sich verschlechtern; *pouvoir d'achat:* abnehmen

déterminant, e [detɛrminã, ãt] *adj action, rôle, événement* entscheidend; *argument, raison* ausschlaggebend

détermination [detɛrminasjõ] *f* **1.** *d'une grandeur, d'une date* Bestimmung *f; de l'heure, du lieu* Festlegung *f; de la cause, de l'origine* Ermittlung *f* **2.** (*décision*) Entschluss *m* **3.** (*fermeté*) Entschlossenheit *f* **4.** PHILOS Determinierung *f*

déterminé, e [detɛrmine] *adj* **1.** *idée, lieu, but* bestimmt; *moment, heure, quantité* festgelegt **2.** (*décidé*) entschlossen

déterminer [detɛrmine] <1> **I.** *vt* **1.** (*définir, préciser*) bestimmen *sens, inconnue, distance;* ermitteln *adresse, coupable, cause* **2.** (*convenir de*) festlegen *détails, date, lieu* **3.** (*décider*) **~ qn à qc** jdn zu etw bewegen **4.** (*motiver, entraîner*) verursachen *retards, crise;* hervorrufen *phénomène, révolte* **II.** *vpr* (*se décider*) **se ~ à faire qc** sich

détermination/hésitation

• exprimer sa détermination	• Entschlossenheit ausdrücken

Nous sommes (fermement) décidé(e)s à émigrer en Australie.
Wir sind (fest) entschlossen, nach Australien auszuwandern.

Je me suis résolu(e) à tout lui dire.
Ich habe mich dazu durchgerungen, ihr alles zu sagen.

Il est hors de question que je démissionne.
Ich werde auf keinen Fall kündigen.

Rien/Personne ne me dissuadera de le faire.
Ich lasse mich von nichts/niemandem davon abbringen, es zu tun.

• exprimer son hésitation

• Unentschlossenheit ausdrücken

J'hésite encore si je prends l'appartement ou non.
Ich bin mir noch unschlüssig, ob ich die Wohnung mieten soll oder nicht.

Je n'ai pas encore pris de décision.
Ich bin noch zu keinem Entschluss darüber gekommen.

Je ne me suis pas encore décidé(e).
Ich habe mich noch nicht entschieden.

Je ne sais toujours pas quoi faire.
Ich weiß immer noch nicht, was ich tun soll.

Je ne sais pas trop.
Ich weiß nicht so recht.

Je ne peux pas encore vous dire si j'accepterai votre offre.
Ich kann Ihnen noch nicht sagen, ob ich Ihr Angebot annehmen werde.

Je dois y réfléchir encore.
Ich muss darüber noch nachdenken.

Je ne peux pas encore vous donner de réponse positive.
Ich kann Ihnen noch nicht zusagen.

• s'assurer d'une décision

• nach Entschlossenheit fragen

Êtes-vous sûr(e) de vouloir cela?
Sind Sie sicher, dass Sie das wollen?

Y avez-vous bien réfléchi?
Haben Sie sich das gut überlegt?

Ne préféreriez-vous pas plutôt ce modèle?
Wollen Sie nicht lieber dieses Modell?

---

dazu entschließen etw zu tun
déterminisme [detɛʀminism] *m* Determinismus *m*
déterré, e [deteʀe] *m, f* ►**avoir une mine de** ~ *fam* leichenblass aussehen
déterrer [deteʀe] <1> *vt* **1.** (*exhumer*) ausgraben *arbre, trésor, personne;* freilegen *mine, obus* **2.** (*dénicher*) ausgraben *vieux manuscrit;* aufstöbern *loi*
détersif, -ive [detɛʀsif, -iv] *adj* reinigend
détestable [detɛstabl] *adj personne, comportement* abscheulich
détester [detɛste] <1> **I.** *vt* **1.** (*haïr*) hassen **2.** (*ne pas aimer*) nicht leiden können *personne, animal;* [ganz und] gar nicht mögen *aliment* **II.** *vpr* **qn se déteste** jd kann sich [selbst] nicht leiden
détonant, e [detɔnã, ãt] *adj gaz* ~ Knallgas *nt*
détonateur [detɔnatœʀ] *m* Zündkapsel *f*
détonation [detɔnasjɔ̃] *f d'une arme à feu*

Knall *m*
détoner [detɔne] <1> *vi* detonieren
détonner [detɔne] <1> *vi couleurs:* nicht zusammenpassen
détour [detuʀ] *m* **1.** (*sinuosité*) Biegung *f;* **au** ~ **du chemin** hinter der Wegbiegung **2.** (*trajet plus long*) Umweg *m;* **le château vaut le** ~ das Schloss ist einen Umweg wert **3.** (*biais*) Ausflucht *f;* **parler sans** ~ ohne Umschweife reden ►**au** ~ **d'une conversation** im Laufe der Unterhaltung
détourné, e [detuʀne] *adj* **1.** (*faisant un détour*) **sentier** ~ Umweg *m* **2.** *reproche, allusion* versteckt
détournement [detuʀnəmã] *m* **1.** (*déviation*) Umleitung *f;* ~ **d'avion** Flugzeugentführung *f* **2.** (*vol*) Unterschlagung *f;* ~ **de fonds** Unterschlagung *f* von Geldern; ~ **de mineur** Verführung *f* Minderjähriger
détourner [detuʀne] <1> **I.** *vt* **1.** (*changer la direction de*) umleiten *riviè-*

re, circulation; (_par la contrainte_) entführen _avion;_ abwenden _coup;_ ablenken _tir_ **2.** (_tourner d'un autre côté_) abwenden _tête, visage, regard_ **3.** (_dévier_) abwenden _colère, fléau;_ verfremden _texte;_ ~ **qn de sa route** jdn von seinem Weg abbringen **4.** (_distraire_) ~ **qn de qc** jdn von etw ablenken; (_dissuader_) ~ **qn de qc** jdn von etw abbringen **5.** (_soustraire_) unterschlagen _somme, fonds_ **II.** _vpr_ **1.** (_tourner la tête_) **se** ~ sich abwenden **2.** (_se détacher_) **se** ~ **de qn/qc** sich von jdm/etw abwenden **3.** (_s'égarer_) **se** ~ **de sa route** vom Weg abkommen; (_prendre une autre route_) von der Route abweichen

détracteur, -trice [detʀaktœʀ, -tʀis] _m, f_ Gegner(in) _m(f)_

détraqué, e [detʀake] **I.** _adj_ **1.** _appareil, mécanisme_ gestört **2.** _santé, estomac_ angegriffen **3.** _fam_ (_déranger_) übergeschnappt **II.** _m, f fam_ Verrückte(r) _f(m)_

détraquer [detʀake] <1> **I.** _vt_ **1.** (_abîmer_) kaputtmachen _appareil_ **2.** _fam_ (_déranger_) angreifen _santé;_ verderben _estomac;_ durcheinander bringen _personne;_ kaputtmachen _nerfs_ **II.** _vpr_ **se** ~ **1.** (_être abîmé_) _montre:_ kaputtgehen (_fam_) **2.** (_être dérangé_) _estomac:_ leiden; METEO _temps:_ schlecht werden **3.** _fam_ (_rendre malade_) **se** ~ **l'estomac** sich (_dat_) den Magen verderben

détrempé, e [detʀɑ̃pe] _adj sol, chemin_ aufgeweicht

détremper [detʀɑ̃pe] <1> _vt_ anrühren _couleur, mortier_

détresse [detʀɛs] _f_ **1.** (_sentiment_) Verzweiflung _f;_ **cri de** ~ verzweifelter Hilferuf **2.** (_situation difficile_) Not _f_

détriment [detʀimɑ̃] _m_ **au** ~ **de qc** auf Kosten einer S. (_gen_)

détritus [detʀity(s)] _mpl_ Abfall _m_

détroit [detʀwa] _m_ Meerenge _f;_ ~ **de Gibraltar** Straße _f_ von Gibraltar

détromper [detʀɔ̃pe] <1> **I.** _vt_ ~ **qn** jdn über seinen Irrtum aufklären **II.** _vpr_ **détrompe-toi/détrompez-vous!** da irrst du dich/irren Sie sich gewaltig!

détrôner [detʀone] <1> _vt_ **1.** (_destituer_) entthronen _souverain_ **2.** (_supplanter_) verdrängen _rival;_ ablösen _chanteur, mode_

détruire [detʀɥiʀ] <irr> **I.** _vt_ **1.** (_démolir_) zerstören; niederreißen _clôture, mur_ **2.** (_anéantir_) vernichten _armes, population;_ entsorgen _déchets;_ zerstören _machin_ **3.** (_ruiner, anéantir_) zerstören _personne, illusions;_ ruinieren _santé, réputation;_ zunichte machen _plans, espoirs;_ abschaffen _capitalisme, dictature_ **II.** _vi_ zerstören **III.** _vpr_ **se** ~ _effets contraires, mesures:_ sich gegenseitig aufheben; _personne:_ sich [selbst] zugrunde

richten

dette [dɛt] _f_ **1.** (_somme d'argent_) [Geld]schuld _f_ **2.** FIN Zahlungsverpflichtung _f_ **3.** (_devoir_) Schuld _f;_ **avoir une** ~ **envers qn** in jds Schuld (_dat_) stehen (_geh_)

deuil [dœj] _m_ **1.** (_affliction_) Trauer _f_ **2.** (_décès_) Trauerfall _m_ **3.** (_signes du deuil_) **porter/quitter le** ~ Trauer[kleidung] tragen/ die Trauerkleidung ablegen _f_ **4.** (_durée_) Trauer[zeit] _f;_ ~ **national** Staatstrauer _f_

deux [dø] **I.** _num_ **1.** zwei; **tous les** ~ alle beide; **à** ~ zu zweit **2.** (_quelques_) habiter **à** ~ **pas d'ici** um die Ecke wohnen; **il ne faut que** ~ **minutes pour aller à la gare** [bis] zum Bahnhof sind es nur ein paar Minuten; **j'ai** ~ **mots à vous dire!** ich hätte [da] ein Wörtchen mit Ihnen zu reden! **II.** _m inv_ **1.** (_cardinal_) Zwei _f;_ **se casser en** ~ entzweibrechen **2.** (_aviron à deux rameurs_) **un** ~ **avec/sans barreur** ein Zweier mit/ohne Steuermann ▶**jamais sans trois** _prov_ aller guten Dinge sind drei; (_un malheur n'arrive jamais seul_) ein Unglück kommt selten allein; **c'est clair comme** ~ **et** ~ **font** quatre das ist doch sonnenklar (_fam_); [**il n'**] **y en a pas** ~ [**comme lui/elle**] _fam_ es gibt keinen Besseren/keine Bessere [als ihn/sie]; **à nous** ~**!** [und] nun zu uns beiden!; **en moins de** ~ _fam_ in Null Komma nichts; **entre les** ~ halb und halb; _v. a._ **cinq**

deux-en-un [døzɑ̃nœ̃] _m_ Two-in-one _nt_

deuxième [døzjɛm] **I.** _adj antéposé_ zweite(r, s); **vingt-**~ zweiundzwanzigste(r, s) **II.** _m f_ **le/la** ~ der/die/das Zweite **III.** _f_ (_vitesse_) zweiter Gang; _v. a._ **cinquième**

deuxièmement [døzjɛmmɑ̃] _adv_ zweitens

deux-pièces [døpjɛs] _m inv_ **1.** (_appartement_) Zweizimmerwohnung _f_ **2.** (_maillot de bain_) Bikini _m_ **3.** (_vêtement féminin_) zweiteiliges Kleid **deux-points** [døpwɛ̃] _mpl inv_ GRAM Doppelpunkt _m_ **deux-roues** [døʀu] _m inv_ Zweirad _nt_ **deux-temps** [døtɑ̃] _m inv_ Zweitakter _m_

deuzio [døzjo] _adv_ zweitens

dévaler [devale] <1> _vi_ (_vu d'en haut/vu d'en bas_) ~ **de qc** _personne:_ etw hinunterrennen/herunterrennen; _skieur:_ etw hinuntersausen/heruntersausen

dévaliser [devalize] <1> _vt_ **1.** (_voler_) ausplündern _personne;_ ausrauben _banque_ **2.** _fam_ (_vider_) plündern _réfrigérateur, magasin_

dévalorisant, e [devalɔʀizɑ̃, -ɑ̃t] _adj_ abwertend

dévalorisation [devalɔʀizasjɔ̃] _f du dollar_ Entwertung _f; d'une voiture_ Wertminderung _f_

dévaloriser [devalɔʀize] <1> I. *vt* **1.** (*dévaluer*) entwerten; **être dévalorisé** eine Wertminderung erfahren; *pouvoir d'achat:* geschwächt sein **2.** (*déprécier*) abwerten *mérite, talent;* herabsetzen *personne;* **être dévalorisé** *métier:* an Ansehen verloren haben II. *vpr* **se** ~ **1.** (*se déprécier*) *monnaie, marchandise:* an Wert verlieren **2.** (*se dénigrer*) *personne:* sich selbst herabsetzen

dévaluation [devalɥasjɔ̃] *f* FIN Abwertung *f*

dévaluer [devalɥe] <1> I. *vt* FIN abwerten II. *vpr* **se** ~ **1.** FIN [im Wert] fallen **2.** (*se dévaloriser*) an Wert verlieren

devancer [d(ə)vɑ̃se] <2> *vt* **1.** (*distancer*) ~ **qn de qc** einen Vorsprung von etw vor jdm haben **2.** (*être le premier*) übertreffen *rival, concurrent* **3.** (*précéder*) ~ **qn** jdm zuvorkommen **4.** (*aller au devant de*) zuvorkommen (+ *dat*) *personne, question* **5.** (*anticiper*) im Voraus leisten *paiement*

devancier, -ière [d(ə)vɑ̃sje, -jɛʀ] *m, f* Vorgänger(in) *m(f)*

devant [d(ə)vɑ̃] I. *prép* **1.** (*en face de*) vor (+ *dat*); (*avec mouvement*) vor (+ *akk*); **ma voiture est ~ la porte** mein Wagen steht vor dem Haus; **passer ~ qn/qc** an jdm/etw vorbeigehen **2.** (*en avant de*) vor (+ *dat*); (*avec mouvement*) vor (+ *akk*); **passer ~ qn** vor jdn gehen; **aller droit ~ soi** geradeaus gehen **3.** (*face à, en présence de*) ~ **qn** *s'exprimer, pleurer* vor jdm; ~ **le danger** *reculer* vor der Gefahr; ~ **la gravité de la situation** in Anbetracht der schwierigen Lage; **mener/emporter ~ Nantes 2 à 0** gegen Nantes mit 2 zu 0 führen/gewinnen ▸**avoir du temps ~ soi** [genug] Zeit haben II. *adv* **1.** (*en face*) davor; **mets-toi** ~ stell dich davor; **en passant** ~**, regarde si le magasin est ouvert!** wenn du vorbeikommst, schau, ob der Laden auf hat! **2.** (*en avant*) vorn[e]; (*avec mouvement*) nach vorn[e]; **passer qc** ~ etw nach vorn[e] weitergeben; **être loin** ~ weit vorn[e] sein; **s'asseoir** ~ sich vorne hinsetzen III. *m d'un vêtement* Vorderteil *nt; d'un bateau* Bug *m; d'une maison* Vorderfront *f; d'un objet* Vorderseite *f* ▸**être sur le** ~ **de la scène** im Mittelpunkt des Interesses stehen; **prendre les** ~**s** dem zuvorkommen

devanture [d(ə)vɑ̃tyʀ] *f* **en** ~ im Schaufenster

dévastateur, -trice [devastatœʀ, -tʀis] *adj orage, inondation, effet* verheerend; *torrent* verwüstend; *virus* todbringend; *passion* zerstörerisch

dévastation [devastasjɔ̃] *f* Verwüstung *f*

dévaster [devaste] <1> *vt* verwüsten *pays, les terres;* vernichten *récoltes; fig* zugrunde richten *âme*

déveine [devɛn] *f fam* Pech *nt*

développé, e [dev(ə)lɔpe] *adj* entwickelt; *odorat, vue* gut ausgebildet

développement [devlɔpmɑ̃] *m* **1.** (*croissance*) Entwicklung *f,* Wachstum *nt; de bactéries, d'une espèce* Vermehrung *f* **2.** ECON *de l'industrie, d'une affaire* Entwicklung *f; de la production* Steigerung *f;* **être en plein** ~ *économie, entreprise:* einen bedeutenden Aufschwung erleben; **pays en voie de** ~ Entwicklungsland *nt* **3.** *des relations* Ausbau *m; des connaissances* Erweiterung *f; d'une maladie* Fortschreiten *nt; d'une épidémie, d'une crise* Ausweitung *f* **4.** *de l'intelligence* Entwicklung *f; d'une civilisation* [Weiter]entwicklung *f;* ~ **de l'esprit** geistige Entfaltung **5.** *pl d'une action, d'un incident* Folgen *Pl* **6.** *d'un thème, problème* Erläuterung *f; du raisonnement* Ausführung *f;* SCOL *d'une dissertation* Hauptteil *m;* MUS Weiterführung *f* **7.** PHOT Entwickeln *nt*

développer [dev(ə)lɔpe] <1> I. *vt* **1.** (*faire progresser*) entwickeln; ausbilden *germe, mémoire, adresse;* aufbauen *organisme, muscle;* fördern *créativité;* wecken *attention;* erweitern *connaissances* **2.** (*faire croître*) ausbauen *usine, secteur;* ~ **un pays** die Entwicklung eines Landes fördern **3.** (*mettre au point*) entwickeln *technique, machine* **4.** (*exposer en détail*) ausführen *thème;* darlegen *argument;* darlegen *pensée, plan;* ausarbeiten *chapitre;* MUS weiterführen *thème* **5.** MATH entwickeln *fonction;* durchführen *calcul* **6.** PHOT **faire** ~ entwickeln lassen **7.** MED **qn développe une maladie** eine Krankheit kommt bei jdm zum Ausbruch II. *vpr* **se** ~ **1.** *a.* ECON, TECH sich entwickeln; *personnalité:* sich ausbilden; *plante, tumeur:* wachsen **2.** (*s'intensifier*) *échanges:* zunehmen; *haine:* stärker werden; *relations:* sich entwickeln **3.** (*se propager*) sich ausbreiten; *usage:* üblich werden

devenir [dəv(ə)niʀ] <9> I. *vi* + *être* **1.** (*se faire*) ~ **riche/ingénieur** reich/Ingenieur(in) *m(f)* werden; **qu'est-ce que tu deviens?** *fam* was treibst du denn so? **2.** (*se transformer*) **il devient une star** aus ihm wird ein Star II. *m soutenu* **1.** (*évolution*) Werden *nt,* Entstehen *nt* **2.** (*avenir*) zukünftige Entwicklung

dévergondé, e [devɛʀgɔ̃de] *adj personne* schamlos

dévergonder [devɛʀgɔ̃de] <1> *vpr* **se** ~ sich (*dat*) Ausschweifungen *Pl* hingeben

déverrouiller [deveʀuje] <1> *vt* entsi-

chern *arme à feu*

déverser [devɛʀse] <1> I. *vt* **1.**(*verser*) gießen *liquide* **2.**(*décharger*) |aus|schütten *sable, ordures;* werfen *bombes* II. *vpr* **se ~ dans une rivière** sich in einen Fluss (*akk*) ergießen

dévêtir [devetiʀ] <*irr*> I. *vt* ausziehen II. *vpr* **se ~** (*se déshabiller*) sich ausziehen

déviant, e [devjã, jãt] *adj* von der Norm abweichend

déviation [devjasjɔ̃] *f* **1.** *de la circulation* Umleitung *f; d'un projectile* Ablenken *nt; d'une aiguille aimantée* Abweichen *nt; d'un rayon lumineux* Brechung *f* **2.**(*chemin*) Umleitung *f* **3.** *de la colonne vertébrale* Verkrümmung *f* **4.**(*attitude différente*) Abweichung *f*

déviationniste [devjasjɔnist] *adj* nicht linientreu

dévider [devide] <1> *vt* abwickeln *câble, pelote*

dévier [devje] <1> I. *vi véhicule:* abdriften; *bateau:* abtreiben; *aiguille magnétique:* abweichen II. *vt* umleiten *circulation;* ablenken *coup, balle;* brechen *rayon lumineux;* in eine andere Richtung lenken *conversation*

devin, devineresse [dəvɛ̃, dəvin(ə)ʀɛs] *m, f* Wahrsager(in) *m(f)*

deviner [d(ə)vine] <1> I. *vt* **1.**(*trouver*) erraten *réponse, secret;* lösen *énigme* **2.**(*pressentir*) [er]ahnen *sens, pensée;* erraten *idée, pensée;* durchschauen *intention;* vorhersehen *réaction;* spüren *menace, danger* **3.**(*entrevoir*) erahnen II. *vpr* **1.**(*se trouver*) **se ~ facilement** *réponse, solution:* leicht zu erraten sein **2.**(*transparaître*) **se ~** *tendance, goût:* sich abzeichnen

devinette [d(ə)vinɛt] *f* (*énigme*) Rätsel *nt;* (*question*) Scherzfrage *f; pl* (*jeux*) Rätsel *Pl;* **jouer aux ~s** ein Ratespiel *nt* machen

devis [d(ə)vi] *m* Kostenvoranschlag *m*

dévisager [deviZaʒe] <2a> *vt* anstarren

devise [d(ə)viz] *f* **1.**(*règle de conduite*) Motto *nt* **2.**(*formule*) Losung *f* **3.**(*monnaie*) Devisen *Pl,* Sorten *Pl*

dévisser [devise] <1> I. *vi* SPORT abstürzen II. *vt* abschrauben *écrou, couvercle;* aufschrauben *tube;* abmontieren *roue* III. *vpr* **se ~ 1.**(*pouvoir être enlevé(e)/ouvert(e)*) sich abschrauben/aufschrauben lassen **2.**(*se desserrer*) sich lockern

dévitaliser [devitalize] <1> *vt* den Nerv abtöten *dent*

dévoiler [devwale] <1> I. *vt* **1.**(*découvrir*) enthüllen *statue, plaque;* entblößen *charmes, rondeurs* **2.**(*révéler*) enthüllen; verraten *intention;* aufdecken *scandale, per-*

fidie **3.**(*détordre*) gerade biegen II. *vpr* **se ~ 1.**(*apparaître*) *mystère, fourberie:* offenkundig werden **2.**(*révéler sa vraie nature*) sein wahres Gesicht zeigen

devoir [d(ə)vwaʀ] <*irr*> I. *vt* **1.**(*avoir à payer*) schulden *argent;* **~ qc à qn** jdm etw schulden **2.**(*être redevable de*) **~ un succès à qn/qc** jdm/einer S. einen Erfolg verdanken **3.**(*être tenu à*) **~ une partie à qn** jdm im Spiel schuldig sein II. *aux* **1.**(*nécessité*) **~ faire qc** etw tun müssen **2.**(*obligation exprimée par autrui*) sollen **3.**(*fatalité*) müssen **4.**(*prévision*) **normalement, il doit arriver ce soir** er müsste eigentlich heute Abend ankommen **5.**(*hypothèse*) müssen; **il doit se faire tard, non?** es wird wohl spät werden, oder? III. *vpr* **se ~ de faire qc** es sich (*dat*) schuldig sein etw zu tun; **comme il se doit** (*comme c'est l'usage*) wie es sich gehört; (*comme prévu*) wie erwartet IV. *m* **1.**(*obligation morale*) Pflicht *f;* **sens du ~** Pflichtbewusstsein *nt;* **de ~** *homme, femme* pflichtbewusst; **par ~** aus Pflichtgefühl *nt* **2.**(*ce que l'on doit faire*) Aufgabe *f;* **~ conjugal** eheliche Pflicht **3.** ~ **surveillé** [Klassen]arbeit *f;* ~ **sur table** SCOL Klassenarbeit *f;* UNIV Klausur *f;* **faire un ~ de math** eine Mathearbeit schreiben; (~*s à la maison*) *pl* Hausaufgabe *f* ▶**manquer à son ~** seiner Pflicht nicht nachkommen

dévorer [devɔʀe] <1> I. *vi personne:* das Essen hinunterschlingen II. *vt* **1.**(*avaler*) *personne:* verschlingen; *animal:* fressen **2.**(*lire*) verschlingen **3.**(*regarder*) ~ **des yeux** mit den Augen verschlingen **4.**(*faire disparaître*) vernichten; *flammes:* verschlingen **5.**(*tourmenter*) *tâche:* auffressen; *remords, peur, soif:* quälen

dévot, e [devo, ɔt] *adj* (*pieux*) fromm

dévotion [devosjɔ̃] *f* **1.** Frömmigkeit *f* **2.**(*culte*) **à Saint François** Verehrung *f* des heiligen Franziskus

dévoué, e [devwe] *adj* ergeben

dévouement [devumã] *m* **1.**(*attachement*) Ergebenheit *f* **2.**(*action de se sacrifier*) **à qn/qc** Aufopferung *f* für jdn/etw

dévouer [devwe] <1> *vpr* **se ~** sich [auf]opfern

dévoyé, e [devwaje] *m, f* ein auf die schiefe Bahn geratener Mensch

dextérité [dɛksteʀite] *f* **1.**(*adresse*) Geschicklichkeit *f;* (*des doigts*) Fingerfertigkeit *f* **2.**(*adresse d'esprit*) Gewandtheit *f*

dg *abr de* **décigramme** dg

diabète [djabɛt] *m* Zuckerkrankheit *f,* Diabetes *m;* **avoir du ~** an Diabetes leiden

diabétique [djabetik] I. *adj* zuckerkrank II. *mf* Diabetiker(in) *m(f),* Zuckerkran-

ke(r) *f(m)*

diable [djɑbl] *m* **1.**(*démon*) Teufel *m*
2.(*personne*) **petit/vrai** ~ kleiner/regel-
rechter Teufel **3.**(*chariot*) Sackkarre *f*
4.(*marmite*) Römertopf *m* ▶**avoir le** ~ **au**
corps den Teufel im Leib haben; **tirer le** ~
par la queue am Hungertuch nagen; allez
au ~! scheren Sie sich doch zum Teufel!;
au ~ **qc!** zum Teufel mit etw!; **signer un**
pacte **avec le** ~ einen Pakt mit dem Teufel
schließen; **se faire l'**avocat **du** ~ den Ad-
vocatus Diaboli spielen
diablement [djɑbləmɑ̃] *adv fam* höllisch
diablesse [djɑblɛs] *f* Teufelin *f*
diablotin [djɑblɔtɛ̃] *m* Teufelchen *nt*
diabolique [djabɔlik] *adj* diabolisch
diabolo [djabɔlo] *m* Diabolo *nt*
diacre [djakʀ] *m* Diakon *m*
diadème [djadɛm] *m* Diadem *nt*
diagnostic [djagnɔstik] *m a.* MED Diagnose *f;* (*jugement*) Beurteilung *f;* ~ **de qc** Diagnose auf etw (*akk*)
diagnostiquer [djagnɔstike] <1> *vt*
1. MED feststellen **2.** *fig* diagnostizieren
(*geh*)
diagonale [djagɔnal] *f* Diagonale *f*
diagramme [djagʀam] *m* Diagramm *nt*
dialecte [djalɛkt] *m* Mundart *f;* **s'expri-**
mer en ~ Dialekt sprechen
dialectique [djalɛktik] *f* Dialektik *f*
dialogue [djalɔg] *m* Gespräch *nt;* (*de ca-*
ractère officiel) Unterredung *f*
dialoguer [djalɔge] <1> **I.** *vi* **1.**(*conver-*
ser) ~ **avec qn** (*parler*) ein Gespräch mit
jdm führen; (*négocier*) einen Dialog mit
jdm führen **2.** INFORM ~ **avec qc** im Dialog
mit etw stehen **II.** *vt* in Dialogform verfassen
dialyse [djaliz] *f* Dialyse *f*
diamant [djamɑ̃] *m* Diamant *m*
diamantaire [djamɑ̃tɛʀ] *mf* **1.**(*tailleur*)
Diamantschleifer(in) *m(f)* **2.**(*commer-*
çant) Diamantenhändler(in) *m(f)*
diamétralement [djametʀalmɑ̃] *adv* dia-
metral
diamètre [djamɛtʀ] *m* Durchmesser *m*
diapason [djapazɔ̃] *m* **1.**(*instrument*)
Stimmgabel *f;* (*sifflet*) Stimmpfeife *f*
2.(*note*) Kammerton *m* **3.**(*registre*)
[Stimm-/Ton]register *nt*
diaphane [djafan] *adj* durchscheinend
diaphragme [djafʀagm] *m* ANAT Zwerchfell *nt*
diapo [djapo] *f abr de* **diapositive** Dia *nt*
diapositive [djapozitiv] *f* Diapositiv *nt;*
séance de ~s Lichtbild[er]vortrag *m;* **pas-**
ser des ~s Dias zeigen
diarrhée [djaʀe] *f* Durchfall *m*
diaspora [djaspɔʀa] *f* Diaspora *f*

diatribe [djatʀib] *f* ~ **contre qn/qc** Beschimpfung *f* einer Person/S.
dico [diko] *m abr de* **dictionnaire** *fam*
Wörterbuch *nt*
dictateur, -trice [diktatœʀ, -tʀis] *m, f*
Diktator(in) *m(f)*
dictatorial, e [diktatɔʀjal, jo] <-aux> *adj*
pouvoir, régime diktatorisch
dictature [diktatyʀ] *f* **1.** POL Diktatur *f*
2.(*autoritarisme*) Tyrannei *f*
dictée [dikte] *f* **1.**(*action*) Diktieren *nt*,
Diktat *nt* **2.** SCOL Diktat *nt;* **faire une** ~ ein
Diktat schreiben
dicter [dikte] <1> *vt* **1.**(*faire écrire*) diktieren **2.**(*imposer*) *personne:* vorschreiben; aufzwingen *volonté, vues; circonstan-*
ce, événement: zwingen
diction [diksjɔ̃] *f* Sprechweise *f*
dictionnaire [diksjɔnɛʀ] *m* Wörterbuch *nt*
dicton [diktɔ̃] *m* sprichwörtliche Redensart
didacticiel [didaktisjɛl] *m* INFORM Lernsoftware *f*
didactique [didaktik] *adj* didaktisch
dièse [djɛz] *m* MUS Kreuz *nt*
diesel [djezɛl] *m* Diesel[motor] *m*
diète [djɛt] *f* Schonkost *f;* **être/mettre à**
la ~ Diät essen/auf Diät setzen
diététicien, ne [djetetisjɛ̃, jɛn] *m, f* Er-
nährungsberater(in) *m(f)*
diététique [djetetik] **I.** *adj* Diät-; *aliment*
diätetisch **II.** *f* Ernährungswissenschaft *f*
dieu [djø] <x> *m* **1.**(*divinité*) Gott *m*
2. *sans pl* **Dieu le père** Gott Vater *m;* **le**
bon Dieu *fam* der liebe Gott **3.**(*objet d'un*
culte) Abgott *m* ▶**ni Dieu, ni** maître weder Herr noch Meister; **Dieu** merci! Gott
sei Dank!; **bon Dieu de bon Dieu!** *fam*
meine Güte!; **Dieu soit** loué! Gott sei
Dank!; **Dieu** sait weiß Gott; **Oh, mon**
Dieu! Oh, mein Gott!
diffamateur, -trice [difamatœʀ, -tʀis] *adj*
verleumderisch
diffamation [difamasjɔ̃] *f* Diffamierung *f*
diffamatoire [difamatwaʀ] *adj* diffamie-
rend
diffamer [difame] <1> *vt* in Verruf (*akk*)
bringen
différé [difeʀe] *m* TV Aufzeichnung *f*
différemment [difeʀamɑ̃] *adv* anders
différence [difeʀɑ̃s] *f* **1.**(*dissemblance*) ~
avec qn/qc Unterschied *m* zu jdm/etw;
faire la ~ *personne:* sich abheben; *chose:*
den Ausschlag geben; **à la** ~ **de qn/qc** im
Unterschied zu jdm/etw **2.**(*écart*) **une** ~
de 20 euros eine Differenz von 20 Euro
différencier [difeʀɑ̃sje] <1> **I.** *vt* auseinander halten **II.** *vpr* **1.**(*se distinguer*) **se**
~ **du copain par qc** sich vom Kumpel

durch (*akk*)/in etw (*dat*) unterscheiden **2.** BIO **se** ~ sich differenzieren

différend [difeʀɑ̃] *m* **1.** (*divergence d'opinions*) Meinungsverschiedenheit *f* **2.** (*conflit d'intérêts*) Streitigkeit *f*

différent, e [difeʀɑ̃, ɑ̃t] *adj* **1.** (*autre*) andere(r, s), unterschiedlich; ~ **de** anders als **2.** *pl, antéposé* (*divers*) verschieden

différentiel [difeʀɑ̃sjɛl] *m* TECH Differenzial[getriebe *nt*] *nt*

différer [difeʀe] <5> **I.** *vi* **1.** (*être différent*) unterschiedlich sein **2.** (*avoir une opinion différente*) **deux personnes diffèrent sur qc** die Meinungen zweier Personen (*dat*) gehen in etw (*dat*) auseinander **II.** *vt* verschieben; verlängern *échéance*; vertagen *jugement*; aufschieben *livraison, paiement*

difficile [difisil] *adj* **1.** (*ardu*) schwierig; **morceau** ~ **d'exécution** schwer aufzuführendes Stück **2.** (*incommode*) schwierig; ~ **d'accès** schwer zugänglich **3.** (*qui donne du souci*) schwer[wiegend] **4.** (*contrariant, exigeant*) schwierig; *cheval* schwer zu führen; ~ **à vivre** schwer zu ertragen ►**faire le/la** ~ Schwierigkeiten machen; **être** ~ **sur la nourriture** beim Essen heikel sein

difficilement [difisilmɑ̃] *adv* (*malaisément*) schwierig; (*à peine*) kaum; (*péniblement*) schwer

difficulté [difikylte] *f* **1.** *sans pl* (*complexité*) Schwierigkeit *f*; **de** ~ **croissante** mit steigendem Schwierigkeitsgrad **2.** (*peine*) **avec** ~ mit Mühe *f* **3.** (*problème, obstacle*) Schwierigkeit *f*; **en** ~ *adolescent, famille, élève* in Schwierigkeiten (*dat*); *alpiniste, avion* in Not (*dat*); *entreprise* in [finanziellen] Schwierigkeiten (*dat*); **être/mettre/se retrouver en** ~ in Schwierigkeiten (*dat*) sein/(*akk*) bringen/(*akk*) geraten

difforme [difɔʀm] *adj* missgestaltet; *membre, bête, arbre* unförmig

diffraction [difʀaksjɔ̃] *f* Beugung *f*

diffus, e [dify, yz] *adj* **1.** (*disséminé*) unbestimmt; *lumière* diffus; *chaleur* angenehm überschlagen **2.** (*sans netteté*) diffus; *sentiments, souvenirs* vage **3.** *style* unklar; *écrivain* mit unklaren Ansichten

diffuser [difyze] <1> **I.** *vt* **1.** (*répandre*) verbreiten *lumière, bruit, idée* **2.** (*retransmettre*) senden; übertragen *concert, discours* **3.** (*commercialiser*) vertreiben **4.** (*distribuer*) verteilen *tract, photo*; in Umlauf (*akk*) bringen *pétition, document* **II.** *vpr* **se** ~ *bruit, chaleur, odeur*: sich verbreiten

diffuseur, -euse [difyzœʀ, -øz] *m, f* COM *de livres, d'un éditeur* Vertreiber(in) *m(f)*;

d'une marque Vertriebshändler(in) *m(f)*

diffusion [difyzjɔ̃] *f* **1.** *de la chaleur, lumière* Verbreitung *f* **2.** MEDIA Ausstrahlung *f*, Sendung *f*; *d'un concert, discours* Übertragung *f* **3.** (*commercialisation*) Vertrieb *m* **4.** *de tracts, photos* Verteilen *nt* **5.** *d'un poison, gaz* Ausbreitung *f*

digérer [diʒeʀe] <5> **I.** *vi* verdauen; **bien/mal** ~ eine gute/schlechte Verdauung haben **II.** *vt* **1.** verdauen **2.** (*assimiler*) [geistig] verarbeiten **3.** *fam* (*accepter*) schlucken *affront* **III.** *vpr* **bien/mal se** ~ leicht/schwer verdaulich sein

digeste [diʒɛst] *adj* bekömmlich

digestif [diʒɛstif] *m* Verdauungsschnaps *m*

digestif, -ive [diʒɛstif, -iv] *adj* Verdauungs-

digestion [diʒɛstjɔ̃] *f* Verdauung *f*

digital, e [diʒital, o] <-aux> *adj* Finger-

digitale [diʒital] *f* BOT Fingerhut *m*

digne [diɲ] *adj* (*qui mérite*) ~ **de ce nom** dieses Namens würdig

dignement [diɲ(ə)mɑ̃] *adv* würdig

dignitaire [diɲitɛʀ] *mf* Würdenträger(in) *m(f)*

dignité [diɲite] *f* **1.** (*noblesse*) Würde *f*; ~ **humaine** Menschenwürde *f* **2.** (*amour-propre*) Selbstachtung *f* **3.** (*titre*) Würde *f*

digression [digʀesjɔ̃] *f* Abschweifung *f*

digue [dig] *f* Damm *m*

dilapider [dilapide] <1> *vt* vergeuden; verschleudern *fortune, patrimoine*

dilatation [dilatasjɔ̃] *f* PHYS Dilatation *f*

dilater [dilate] <1> **I.** *vt* **1.** (*augmenter le volume de*) ausdehnen **2.** (*agrandir un conduit, orifice*) weiten; blähen *narines* **II.** *vpr* **se** ~ *métal, corps*: sich [aus]dehnen; *pupille, cœur, poumons*: sich weiten; *narines*: sich blähen

dilatoire [dilatwaʀ] *adj* ausweichend, hinhaltend

dilemme [dilɛm] *m* Dilemma *nt*

dilettante [diletɑ̃t] *mf* Dilettant(in) *m(f)*

dilettantisme [diletɑ̃tism] *m a. péj* Dilettantismus *m*

diligence [diliʒɑ̃s] *f* (*voiture*) [Reise-/Post]kutsche *f*

diluant [dilɥɑ̃] *m* Verdünnungsmittel *nt*

diluer [dilɥe] <1> **I.** *vt* **1.** (*étendre, délayer*) ~ **avec de l'eau/dans de l'eau** mit Wasser verdünnen/in Wasser (*dat*) auflösen **2.** (*affaiblir*) ~ **qc** etw verwässern **II.** *vpr* **se** ~ **1.** (*se délayer*) sich auflösen **2.** *fig identité, personnalité*: verloren gehen; *manifestation*: sich auflösen

dilution [dilysjɔ̃] *f* *de la peinture* Verdünnen *nt*, Verdünnung *f*; *du sucre* Auflösen *nt*, Auflösung *f*

diluvien, ne [dilyvjɛ̃, jɛn] *adj* sintflutartig

dimanche [dimɑ̃ʃ] *m* **1.** (*veille de lundi*) Sonntag *m;* ~ **de l'Avent/de Pâques/des Rameaux** Advents-/Oster-/Palmsonntag; ~, **on part en vacances** am Sonntag fahren wir in Urlaub; **le** ~ sonntags; **tous les** ~**s** jeden Sonntag; **ce** ~ diesen Sonntag; **ce** ~-**là, ...** an diesem Sonntag ...; ~ **matin** [am] Sonntagmorgen; **le** ~ **matin** am Sonntagmorgen; ~ **dans la nuit** Sonntagnacht **2.** (*jour férié*) **promenade du** ~ Sonntagsspaziergang *m,* sonntäglicher Spaziergang; **mettre les habits du** ~ seinen Sonntagsstaat anziehen

dîme [dim] *f* HIST Zehnt[e] *m*

dimension [dimɑ̃sjɔ̃] *f* **1.** (*taille*) Größe *f* **2.** *pl* (*mesures*) Dimension[en *Pl*] *f;* **prendre les** ~**s de la table** den Tisch abmessen **3.** (*importance*) Dimension *f;* **prendre la** ~ **de qc** *personne:* die Bedeutung einer S. erfassen; *chose:* das Ausmaß von etw annehmen; **à la** ~ **de qc** einer S. (*dat*) angemessen **4.** (*aspect*) Tragweite *f*

diminué, e [diminɥe] *adj* **être très** ~ **mentalement/physiquement** psychisch/körperlich sehr geschwächt sein

diminuer [diminɥe] <1> **I.** *vi* nachlassen; *bruit, vent, lumière:* schwächer werden; *forces:* schwinden; *nombre, brouillard, niveau de l'eau:* zurückgehen; *jours:* kürzer werden; *fièvre:* abklingen; **faire** ~ reduzieren; ~ **de cinq euros** um fünf Euro billiger werden; ~ **de longueur/de largeur/d'épaisseur** kürzer/schmaler/dünner werden **II.** *vt* **1.** (*réduire*) verringern; senken *impôts, prix;* verkürzen *durée;* kürzen *salaire, rideau;* zurückdrehen *gaz, chauffage;* ~ **qn** (*réduire son salaire*) jds Gehalt *nt* kürzen; **faire** ~ **un nombre de qc** eine Anzahl von etw zurückgehen lassen **2.** (*affaiblir*) mindern *autorité;* schmälern *mérite;* dämpfen *ardeur, joie;* eindämmen *violence;* schwächen *forces;* lindern *souffrance* **3.** (*discréditer*) herabsetzen **III.** *vpr* **se** ~ (*se rabaisser*) sich selbst erniedrigen

diminutif [diminytif] *m* Verkleinerungsform *f*

diminutif, -ive [diminytif, -iv] *adj* Diminutiv-

diminution [diminysjɔ̃] *f* **1.** *de l'appétit, de la chaleur* Nachlassen *nt; des forces, des chances* Schwinden *nt; de la circulation, de l'autorité* Abnahme *f; du nombre, de la fièvre* Rückgang *m; des impôts, prix* Sinken *nt; de la température* Rückgang *m* **2.** *de la consommation* Einschränkung *f; d'une durée* Verkürzung *f; des prix, impôts* Senkung *f; des salaires* Kürzung *f*

dinde [dɛ̃d] *f* ZOOL Truthenne *f;* GASTR Pute

f

dindon [dɛ̃dɔ̃] *m* Truthahn *m*

dindonneau [dɛ̃dɔno] <x> *m* junger Truthahn

dîner [dine] <1> **I.** *vi* zu Abend essen **II.** *m* Abendessen *nt;* **au** ~ zum Abendessen

dînette [dinɛt] *f* Puppengeschirr *nt*

ding [diŋ] *interj* (*d'une cloche*) bimbam

dingue [dɛ̃g] **I.** *adj fam* **1.** *en attribut* (*fou*) *personne:* **être** ~ übergeschnappt; ~ **de qn/qc** verrückt nach jdm/auf etw (*akk*) **2.** *en épithète* (*extraordinaire*) wahnsinnig **II.** *mf fam* **1.** (*fou*) Bekloppte(r) *f(m)* **2.** (*fan*) ~ **du foot** Fußballfanatiker(in) *m(f)*

dinosaure [dinɔzɔR] *m a. fig* Dinosaurier *m*

diocèse [djɔsɛz] *m* Diözese *f*

diode [djɔd] *f* Diode *f*

dioxine [diɔksin, djɔksin] *f* Dioxin *nt*

diphtérie [difteRi] *f* Diphtherie *f*

diphtongue [diftɔ̃g] *f* Diphthong *m*

diplomate [diplɔmat] **I.** *adj* diplomatisch **II.** *mf* Diplomat(in) *m(f)*

diplomatie [diplɔmasi] *f* **1.** (*relations extérieures*) Diplomatie *f* **2.** (*carrière*) Diplomatenlaufbahn *f* **3.** (*personnel*) Diplomatie *f* **4.** (*habileté*) diplomatisches Geschick

diplomatique [diplɔmatik] *adj* diplomatisch

diplôme [diplom] *m* **1.** SCOL, UNIV Diplom *nt;* ~ **de fin d'études** Abschlusszeugnis *nt;* ~ **d'ingénieur/d'infirmière** Ingenieursdiplom/Abschluss *m* als Krankenschwester; **avoir obtenu son** ~ sein Diplom gemacht haben; **préparer un** ~ **d'agronomie/d'agronome** eine Ausbildung in Agronomie (*dat*)/als Agronom machen **2.** (*prix, titre*) Auszeichnung *f*

diplômé, e [diplome] **I.** *adj* mit einem Diplom/einer Abschlussprüfung versehen; **très** ~ hoch qualifiziert **II.** *m, f* ~ **d'une université** Absolvent *m* einer Universität (*gen*)

dire [diR] <*irr*> **I.** *vt* **1.** (*exprimer*) *personne:* sagen; ausdrücken *peur;* verraten *projets; loi:* sagen; *journal:* schreiben; *visage:* ausdrücken; *test, sondage:* aussagen; **dis voir, ..., dis donc, ...** sag mal, ...; ~ **qc à qn** jdm etw sagen; ~ **que non/oui** nein/ja sagen; ~ **du bien/mal de qn/qc** über jdn/etw nur Gutes/Schlechtes sagen; **qu'est-ce que tu dis de ça?** was sagst du dazu?; **c'est vous qui le dites!** *fam* das sagen Sie!; **que** ~? was soll man da denn sagen?; **..., comment** ~, **... ...,** wie soll ich sagen, ...; **entre nous soit dit, ...** unter uns gesagt, ...; **dis, comment tu t'appelles, toi?** sag, wie heißt denn du? **2.** (*pré-*

tendre) sagen; **il dit être malade** er sagt, er sei krank; **on dit que qn a fait qc** es heißt, jd hat etw getan; **quoi qu'on [en] dise** was immer man auch sagt; **entendre ~ qc** [von etw] hören **3.** (*faire savoir*) ausrichten lassen **4.** (*ordonner*) **~ à qn de venir** jdm sagen, er/sie soll kommen **5.** (*plaire*) **cela me dit/ne me dit rien** das sagt mir zu/nicht zu; **ça vous dit d'aller voir ce film?** habt ihr Lust den Film anzusehen? **6.** (*croire, penser*) **je veux ~ que qn a fait qc** ich meine, jd hat etw getan; **On dirait que...** Man könnte sagen, dass.../ Es ist, als ob...; **qui aurait dit cela!/que ...** wer hätte das gedacht!/hätte gedacht, dass ... **7.** (*reconnaître*) **il faut ~ que ...** man muss sagen, dass ... **8.** (*réciter*) beten *chapelet;* lesen *messe;* sprechen *prière;* aufsagen *poème* **9.** (*signifier*) **vouloir ~** bedeuten; *mot:* heißen; **ce qui veut ~ que ...** was heißt, dass ...; *allusion, attitude:* zu bedeuten haben **10.** (*traduire*) **comment dit-on ... en allemand?** was heißt ... auf Deutsch?; **on dit** man sagt/so wird etwas ausgedrückt **11.** (*évoquer*) bekannt vorkommen; **quelque chose me dit que ...** ich habe [irgendwie] das Gefühl, dass ... **12.** JEUX ansagen ▶ **disons** sagen wir [mal]; **je ne te/vous le fais pas ~!** allerdings!; **ce qui est dit est dit** ein Mann, ein Wort; **eh ben dis/dites donc!** *fam* sag/sagt bloß! **II.** *vpr* **1.** (*penser*) **se ~ ...** sich (*dat*) sagen, dass ... **2.** (*se prétendre*) **se ~ médecin/malade** behaupten Arzt/krank zu sein **3.** (*l'un(e) à l'autre*) **se ~ qc** sich (*dat*) etw sagen **4.** (*s'employer*) **qc se dit/ne se dit pas en français** etw sagt man/ sagt man nicht im Französischen **5.** (*être traduit*) heißen; **comment se dit ... en allemand?** was heißt ... auf Deutsch? **6.** (*se croire*) **on se dirait au paradis** man glaubt im Paradies *nt* zu sein **III.** *m gén pl* Gerede *nt; d'un témoin* Aussage *f;* **au ~/ selon les ~s de qn** nach jds Worten
direct [diʀɛkt] *m* **1.** MEDIA Livesendung *f;* **en ~** *émission* Direkt-; *chanter* live; *retransmettre* direkt; **être en ~** direkt übertragen werden **2.** CHEMDFER Direktverbindung *f* **3.** SPORT Gerade *f*
direct, e [diʀɛkt] *adj* direkt; *vente, accès, rapport* Direkt-; *héritier* in direkter Linie; *propos* unmissverständlich
directement [diʀɛktəmɑ̃] *adv* direkt
directeur, -trice [diʀɛktœʀ, -tʀis] **I.** *adj idée, ligne, principe* Leit-; *rôle* führend; *roue* Lenk- **II.** *m, f* Direktor(in) *m(f);* Leiter(in) *m(f); d'un théâtre* Intendant(in) *m(f); d'une école primaire* Rektor(in) *m(f),* Schulleiter

directif, -ive [diʀɛktif, -iv] *adj* autoritär
direction [diʀɛksjɔ̃] *f* **1.** (*orientation*) Richtung *f;* **prendre la ~ de Nancy** in Richtung Nancy gehen/fahren **2.** (*action*) Leitung *f; d'un groupe, pays* Führung *f* **3.** (*fonction*) Direktion *f,* Leitung *f* **4.** (*bureau*) Direktion[sabteilung *f*] *f* **5.** AUT Lenkung *f,* Steuerung *f*
directive [diʀɛktiv] *f gén pl* Richtlinie *f*
directorial, e [diʀɛktɔʀjal, jo] <-aux> *adj* des Direktors
directrice [diʀɛktʀis] *v.* **directeur**
dirigeable [diʀiʒabl] *m* Luftschiff *nt*
dirigeant, e [diʀiʒɑ̃, ʒɑ̃t] **I.** *adj* führend; *fonction* leitend; *pouvoir, rôle* Führungs- **II.** *m, f* führende Persönlichkeit; **les ~s** (*dans une entreprise/un parti/un club/un pays*) die Führung
diriger [diʀiʒe] <2a> **I.** *vi* die Leitung haben **II.** *vt* **1.** (*gouverner*) leiten *administration, journal;* führen, leiten *entreprise;* führen *syndicat, personnes;* dirigieren *musicien, orchestre;* [an]führen *mouvement;* steuern *manœuvre;* steuern *instincts* **2.** (*être le moteur de*) *chose:* bestimmen **3.** (*piloter*) lenken *voiture;* steuern *avion, bateau* **4.** (*faire aller*) **~ qn vers la gare** jdn in Richtung (*akk*) Bahnhof schicken; **~ vers qn/qc** auf jdn/etw richten; **~ un bateau sur Marseille** ein Schiff nach Marseille steuern; **être dirigé vers** *véhicule, convoi:* über etw (*akk*) geleitet werden **5.** (*orienter*) **~ une arme contre qn/qc** eine Waffe auf jdn/etw richten **III.** *vpr* **1.** (*aller*) **se ~ vers qn/qc** *personne:* auf jdn/etw zugehen; *véhicule:* auf jdn/etw zufahren; *fig* sich auf jdn/eine S. zubewegen; **se ~ vers Marseille** *avion, bateau:* Kurs *m* auf Marseille nehmen **2.** (*s'orienter*) **se ~ vers le nord** *aiguille:* nach Norden *m* zeigen; SCOL, UNIV **se ~ vers la médecine** die medizinische Laufbahn einschlagen
dirigisme [diʀiʒism] *m* Dirigismus *m*
dis [di] *indic prés et passé simple de* **dire**
discal, e [diskal, o] <-aux> *adj* **hernie ~e** Bandscheibenvorfall *m*
discernement [disɛʀnəmɑ̃] *m* Gespür *nt*
discerner [disɛʀne] <1> *vt* **1.** (*percevoir*) wahrnehmen **2.** (*saisir*) erkennen; aufdecken *mobiles d'un crime;* durchschauen *mobiles d'un acte* **3.** (*différencier*) **~ qc de qc** etw von etw unterscheiden
disciple [disipl] *m* **1.** (*élève*) Schüler(in) *m(f)* **2.** (*adepte*) Anhänger(in) *m(f)*
disciplinaire [disiplinɛʀ] *adj* disziplinarisch
discipline [disiplin] *f* **1.** SCOL, UNIV Fach *nt* **2.** (*règle, obéissance*) Disziplin *f* **3.** SPORT

Disziplin *f*

discipliné, e [disipline] *adj* diszipliniert; **peu** ~ undiszipliniert

discipliner [disipline] <1> *vt (faire obéir)* ~ **la classe** in der Klasse für Disziplin sorgen

disc-jockey [diskʒɔkɛ] <disc-jockeys> *m* Diskjockey *m*

disco [disko] I. *m* Diskosound *m* II. *adj inv* **musique** ~ Diskomusik *f*

discographie [diskɔgʀafi] *f* Diskographie *f*

discontinu, e [diskɔ̃tiny] *adj ligne* gestrichelt; *effort* nicht kontinuierlich

discontinuer [diskɔ̃tinɥe] <1> *vi* **travailler sans** ~ ununterbrochen arbeiten

discordance [diskɔʀdɑ̃s] *f* Widersprüchlichkeit *f*

discordant, e [diskɔʀdɑ̃, ɑ̃t] *adj (incompatible)* widersprüchlich; *opinions* unterschiedlich; *caractères* gegensätzlich; *couleurs* sich beißend; *sons* disharmonisch; *cri* schrill

discothèque [diskɔtɛk] *f* 1. *(boîte de nuit)* Diskothek *f* 2. *(collection)* Schallplattensammlung *f* 3. *(meuble)* [Schall]plattenschrank *m* 4. *(organisme de prêt)* Mediothek *f*

discount [diskɔnt, diskaunt] *m* **faire du** ~ Discountgeschäfte machen

discourir [diskuʀiʀ] <irr> *vi* ~ **sur qc** lange Reden über etw *(akk)* halten

discours [diskuʀ] *m* 1. *(allocution)* Rede *f*; *(écrit)* Abhandlung *f*; **faire un** ~ eine Rede halten; ~ **télévisé** Fernsehansprache *f* 2. *(propos)* Reden *nt* 3. *(bavardage)* Gerede *nt kein Pl (fam)*; **beaux** ~ *péj* schöne Worte *Pl*

discrédit [diskʀedi] *m* Misskredit *m kein Pl*

discréditer [diskʀedite] <1> *vt* ~ **qn/qc auprès de qn** jdn/etw bei jdm in Misskredit bringen

discret [diskʀɛ, -ɛt] *adj* 1. *(réservé)* diskret; *personne, attitude* zurückhaltend; *(qui garde les secrets)* diskret 2. *(sobre)* dezent; *cadre* schlicht 3. *(retiré)* ruhig

discrètement [diskʀɛtmɑ̃] *adv faire la cour, avertir* diskret; *observer* unauffällig; *s'habiller, se maquiller* dezent; *parler, frapper* leise

discrétion [diskʀesjɔ̃] *f* 1. *(réserve, silence)* Diskretion *f*; ~ **assurée** Diskretion zugesichert 2. *(sobriété)* Dezenz *f*; *d'une toilette* unauffällige Eleganz; *d'un maquillage* Unauffälligkeit *f*; *des décors* Schlichtheit *f*; **se maquiller avec** ~ sich dezent schminken

discrimination [diskʀiminasjɔ̃] *f (ségré-*

gation) Diskriminierung *f*; ~ **raciale** Rassendiskriminierung *f*; **sans** ~ ohne Unterschied

discriminatoire [diskʀiminatwaʀ] *adj* diskriminierend

disculper [diskylpe] <1> I. *vt* ~ **qn de qc** jdn von etw entlasten II. *vpr* **se** ~ sich entlasten

discussion [diskysjɔ̃] *f* 1. *(conversation)* Gespräch *nt* 2. *d'un problème* Besprechung *f*; ~ **sur qc** Diskussion *f* über etw *(akk)*; **être en** ~ diskutiert werden; *question:* besprochen werden 3. *(querelle)* Streit *m*

discutable [diskytabl] *adj théories* anfechtbar; *goût* zweifelhaft

discuté, e [diskyte] *adj* umstritten

discuter [diskyte] <1> I. *vt* 1. *(débattre)* diskutieren; ~ **un projet de loi** über einen Gesetzesentwurf beraten 2. *(contester)* in Frage stellen *ordre, autorité*; ~ **le prix** über den Preis verhandeln II. *vi* 1. *(bavarder)* ~ **de qc avec qn** sich mit jdm über etw *(akk)* unterhalten; ~ **d'un problème** ein Problem diskutieren/besprechen 2. *(négocier)* ~ **avec qn** mit jdm verhandeln 3. *(contester)* **on ne discute pas!** keine Widerrede! III. *vpr* **se** ~ Gegenstand einer Diskussion sein; **ça se discute** darüber lässt sich streiten

disent [diz] *indic et subj prés de* **dire**

disette [dizɛt] *f* Hungersnot *f*

disgrâce [disgʀɑs] *f* Ungnade *f*

disgracieux, -euse [disgʀasjø, -jøz] *adj démarche* plump

disjoindre [disʒwɛ̃dʀ] <irr> *vt (disloquer)* lockern

disjoint, e [disʒwɛ̃, wɛ̃t] *adj planche* lose

disjoncter [disʒɔ̃kte] <1> I. *vi fam* 1. ELEC **ça a disjoncté!** die Sicherung ist durchgebrannt! 2. *(débloquer)* ausrasten II. *vt* ELEC unterbrechen

disjoncteur [disʒɔ̃ktœʀ] *m* Unterbrecher *m*

dislocation [dislɔkasjɔ̃] *f* Auseinanderfallen *nt*

disloquer [dislɔke] <1> I. *vt* 1. *(démolir)* auseinander nehmen; zerrütten *parti*; auseinander reißen *famille*; zum Zerfall bringen *empire*; aufteilen *domaine* 2. *(disperser)* auflösen *manifestation* II. *vpr* 1. *(se défaire)* **se** ~ *meuble, voiture, jouet:* in die Brüche gehen; *empire:* zerfallen; *famille:* auseinander brechen; *manifestation, assemblage, parti, société:* sich auflösen 2. MED **se** ~ **qc** sich *(dat)* etw auskugeln

disons [dizɔ̃] *indic prés et impératif de* **dire**

disparaître [dispaʀɛtʀ] <irr> *vi + avoir* 1. *(ne plus être là)* verschwinden 2. *(pas-*

ser, s'effacer) trace: sich verlieren; *tache:* herausgehen; *douleur:* vergehen; *espoir:* schwinden; *crainte, soucis:* verschwinden; *colère:* verrauchen; **faire ~ les traces** die Spuren verwischen **3.** *(ne plus exister) obstacle:* aus dem Weg geräumt werden; *(s'éteindre) culture:* untergehen; *espèce:* aussterben; *mode, dialecte, coutume:* verschwinden; *(mourir) personne:* versterben; *(dans un naufrage)* untergehen; **faire ~ qn** jdn beseitigen

disparate [dispaʀat] *adj couleurs, garderobe* bunt zusammengewürfelt

disparité [dispaʀite] *f d'une œuvre* Vielschichtigkeit *f*

disparition [dispaʀisjɔ̃] *f* **1.** *(opp: apparition)* Verschwinden *nt; d'une coutume* Aussterben *nt; du soleil, d'une culture* Untergang *m; d'un obstacle* Beseitigung *f* **2.** *(mort)* Versterben *nt; ~* **des espèces** Artensterben *nt*

disparu, e [dispaʀy] **I.** *part passé de* **disparaître II.** *adj* **être porté ~** als vermisst gelten **III.** *m, f* **1.** *(défunt)* Verstorbene(r) *f(m)* **2.** *(porté manquant)* Vermisste(r) *f(m)*

dispatcher [dispatʃe] <1> *vt* verteilen

dispensaire [dispɑ̃sɛʀ] *m öffentliches Gesundheitsamt für Schutzimpfungen und Vorsorgeuntersuchungen*

dispense [dispɑ̃s] *f* Sondererlaubnis *f; ~* **de qc** Befreiung *f* von etw

dispenser [dispɑ̃se] <1> **I.** *vt* **1.** *(exempter) ~* **qn de qc** jdn von etw befreien; **se faire ~ de qc** sich von etw befreien lassen **2.** *(distribuer) ~* **qc à qn** jdm etw zuteil werden lassen **II.** *vpr* **se ~ de qc** etw unterlassen; **qn se dispenserait bien de qc** jd könnte gut auf etw *(akk)* verzichten

disperser [dispɛʀse] <1> **I.** *vt* **1.** *(éparpiller)* zerstreuen; verstreuen *papiers, cendres;* zersprengen *troupes* **2.** *(répartir)* verteilen **II.** *vpr* **se ~ 1.** *(partir dans tous les sens)* sich zerstreuen **2.** *(se déconcentrer)* sich verzetteln *(fam)*

dispersion [dispɛʀsjɔ̃] *f* Zerstreuen *nt; des graines, cendres* Verstreuen *nt; d'un attroupement* Auseinandersprengen *nt; de l'esprit* Zerstreuung *f*

disponibilité [dispɔnibilite] *f sans pl* Verfügbarkeit *f*

disponible [dispɔnibl] *adj* verfügbar; *article* vorrätig; *appartement, place* frei

disposé, e [dispoze] *adj* **être bien/mal ~** gut/schlecht gelaunt sein; **être ~ à faire qc** bereit sein etw zu tun

disposer [dispoze] <1> **I.** *vt* **1.** *(arranger, placer)* anordnen; aufstellen *joueurs, soldats* **2.** *(engager) ~* **qn à faire qc** jdn dazu bringen etw zu tun **II.** *vi* **1.** *(avoir à sa dis-*

position) ~ **de qc** über etw *(akk)* verfügen **2.** *soutenu (aliéner) ~* **de qn/qc** über jdn/etw verfügen **III.** *vpr* **se ~ à faire qc** gerade etw tun wollen

dispositif [dispozitif] *m* **1.** *(mécanisme)* Vorrichtung *f* **2.** *(ensemble de mesures)* Reihe *f* von Maßnahmen

disposition [dispozisjɔ̃] *f* **1.** *sans pl (agencement)* Anordnung *f; d'un article, texte* Gliederung *f* **2.** *d'une loi, d'un contrat* Bestimmung *f; d'un testament* Verfügung *f* ▸ **avoir** qc **à sa ~** etw zu seiner Verfügung haben; **prendre des ~s pour qc** Vorkehrungen für etw treffen

disproportion [dispʀɔpɔʀsjɔ̃] *f* Missverhältnis *nt*

disproportionné, e [dispʀɔpɔʀsjɔne] *adj corps* schlecht proportioniert; *réactions* unangemessen

dispute [dispyt] *f* Streit *m*

disputer [dispyte] <1> **I.** *vt* **1.** *fam (gronder) ~* **qn** jdn ausschimpfen **2.** *(contester) ~* **qc à qn** jdm etw streitig machen **3.** SPORT austragen *match;* **être très disputé** hart umkämpft sein **II.** *vpr* **1.** *(se quereller)* **se ~ avec qn** sich mit jdm streiten **2.** *(lutter pour)* **se ~ qc** sich um etw streiten; **se ~ le marché** um Marktanteile kämpfen **3.** SPORT **se ~** ausgetragen werden

disquaire [diskɛʀ] *m* Schallplattenhändler(in) *m(f)*

disqualification [diskalifikasjɔ̃] *f* Disqualifikation *f*

disqualifier [diskalifje] <1> **I.** *vt* disqualifizieren **II.** *vpr* **se ~** sich disqualifizieren

disque [disk] *m* **1.** *(objet rond)* Scheibe *f* **2.** MUS [Schall]platte *f; ~* **compact** CD *f;* **mettre un ~** eine Platte auflegen **3.** *(engin)* Diskus *m; (discipline)* Diskuswurf *m* **4.** INFORM **~ dur** Festplatte *f; ~* **optique compact** CD-ROM *f* ▸ **change de ~!** *fam* leg eine andere Platte auf!

disquette [diskɛt] *f* Diskette *f*

dissection [disɛksjɔ̃] *f* Sezieren *nt*

dissémination [diseminasjɔ̃] *f* Verstreuung *f*

disséminer [disemine] <1> **I.** *vt* verstreuen **II.** *vpr* **se ~ 1.** *(se disperser)* sich verteilen **2.** *(se répandre)* sich ausbreiten

dissension [disɑ̃sjɔ̃] *f* Meinungsverschiedenheit *f*

disséquer [diseke] <5> *vt* sezieren *cadavre;* zerlegen *structure*

dissertation [disɛʀtasjɔ̃] *f* Aufsatz *m*

disserter [disɛʀte] <1> *vi ~* **sur qc** sich über etw *(akk)* auslassen

dissidence [disidɑ̃s] *f* Spaltung *f*

dissident, e [disidɑ̃, ɑ̃t] **I.** *adj* abtrünnig; **un groupe ~** eine Splittergruppe **II.** *m, f*

Dissident(in) *m(f)*

dissimulation [disimylasjɔ̃] *f* **1.** *sans pl* (*duplicité*) Heuchelei *f* **2.** (*action de cacher*) Verbergen *nt; de bénéfices, revenus* Unterschlagung *f*

dissimuler [disimyle] <1> **I.** *vt* **1.** (*cacher*) verstecken; verbergen *visage, difficultés* **2.** (*masquer*) ~ **ses sentiments à qn** seine Gefühle vor jdm verbergen **3.** (*taire*) ~ **qc à qn/à qn que …** jdm etw verschweigen/jdm verschweigen, dass … **4.** FIN unterschlagen **II.** *vi* **savoir** ~ sich gut verstellen können **III.** *vpr* **se** ~ sich verbergen; **se** ~ **que …** sich (*dat*) nicht darüber im Klaren sein, dass …

dissipation [disipasjɔ̃] *f* Disziplinlosigkeit *f; du patrimoine* Verschwendung *f; de la brume* Auflösung *f*

dissipé, e [disipe] *adj* undiszipliniert

dissiper [disipe] <1> **I.** *vt* **1.** (*faire disparaître*) vertreiben **2.** (*lever*) zerstreuen; ausräumen *soupçons, doutes;* zerstören *illusions;* aufklären *malentendu* **3.** (*dilapider*) verschwenden **4.** SCOL ablenken **II.** *vpr* **se** ~ *brume:* sich auflösen; *doutes, craintes, soupçons:* sich zerstreuen; *inquiétude:* verfliegen; SCOL sich leicht ablenken lassen

dissocier [disɔsje] <1> *vt* (*envisager séparément*) ~ **qc de qc** etw getrennt von etw betrachten

dissolution [disɔlysjɔ̃] *f* **1.** (*action*) Auflösung *f* **2.** (*liquide*) Lösung *f*

dissolvant [disɔlvɑ̃] *m* (*produit*) Lösungsmittel *nt;* (*pour les ongles*) Nagellackentferner *m*

dissolvant, e [disɔlvɑ̃, ɑ̃t] *adj* auflösend

dissonance [disɔnɑ̃s] *f* Dissonanz *f*

dissoudre [disudʀ] <*irr*> **I.** *vt* auflösen **II.** *vpr* **se** ~ sich auflösen; *mariage:* auseinander gehen

dissuader [disɥade] <1> *vt* ~ **qn de qc** (*par la persuasion*) jdn von etw abbringen; (*par la peur*) jdn von etw abschrecken

dissuasif, -ive [disɥazif, -iv] *adj* abschreckend

dissuasion [disɥazjɔ̃] *f* Abschreckung *f*

dissymétrique [disimetʀik] *adj* asymmetrisch

distance [distɑ̃s] *f* **1.** (*éloignement*) Entfernung *f;* **la** ~ **entre Nancy et Paris/de la terre à la lune** die Entfernung zwischen Nancy und Paris/von der Erde zum Mond; **à quelle** ~ **est Cologne?** wie weit ist Köln entfernt?; **à une** ~ **de 500 m** 500 m weit [entfernt] **2.** GEOM Abstand *m* **3.** SPORT Distanz *f* **4.** (*écart*) Kluft *f* ▸**prendre ses** ~**s à l'égard de qn** sich von jdm distanzieren; **tenir qn à** ~ jdn auf Distanz halten; **à** ~ (*dans l'espace*) aus der Entfer-

nung; (*dans le temps*) mit Abstand; **commande/commandé à** ~ Fernsteuerung *f/*ferngesteuert; **à 5 ans de** ~ 5 Jahre später

distancer [distɑ̃se] <2> *vt* **1.** SPORT abhängen; disqualifizieren *trotteur* **2.** (*surpasser*) in den Schatten stellen

distant, e [distɑ̃, ɑ̃t] *adj* **1.** (*réservé*) distanziert **2.** (*éloigné*) entfernt; **ces deux événements sont** ~**s de plusieurs années** diese beiden Ereignisse liegen mehrere Jahre auseinander

distendre [distɑ̃dʀ] <14> *vt* ausleiern; stark dehnen *peau;* lockern *liens*

distillation [distilasjɔ̃] *f* Destillation *f; d'un alcool* Brennen *nt*

distiller [distile] <1> *vt* destillieren

distillerie [distilʀi] *f* Brennerei *f*

distinct, e [distɛ̃, ɛ̃kt] *adj* **1.** (*différent*) verschieden; **bien** ~ durchaus verschieden **2.** (*net*) deutlich

distinctement [distɛ̃ktəmɑ̃] *adv* deutlich

distinctif, -ive [distɛ̃ktif, -iv] *adj* charakteristisch; *signe* ~ Kennzeichen *nt*

distinction [distɛ̃ksjɔ̃] *f* **1.** (*différenciation*) Unterscheidung *f* **2.** (*décoration, honneur*) Auszeichnung *f;* ~ **honorifique** Ehrentitel *m* **3.** (*élégance*) Vornehmheit *f;* **être d'une grande** ~ sehr vornehm sein

distingué, e [distɛ̃ge] *adj* **1.** (*élégant*) vornehm; **ça fait très** ~ das wirkt sehr vornehm **2.** (*éminent*) berühmt

distinguer [distɛ̃ge] <1> **I.** *vt* **1.** (*percevoir*) erkennen **2.** (*différencier*) ~ **qn de qn/qc de qc** jdn von jdm/etw von etw unterscheiden **3.** (*caractériser*) **sa grande taille le distingue** er unterscheidet sich durch seine Größe **4.** (*isoler*) unterscheiden **5.** (*honorer*) auszeichnen **II.** *vi* (*faire la différence*) ~ **entre qn et qn/entre qc et qc** zwischen jdm und jdm/zwischen etw (*dat*) und etw (*dat*) unterscheiden **III.** *vpr* **1.** (*différer*) **se** ~ **de qn/qc par qc** sich durch etw von jdm/etw unterscheiden **2.** (*s'illustrer*) **se** ~ **par qc** sich durch etw auszeichnen

distorsion [distɔʀsjɔ̃] *f* PHYS Verzerrung *f*

distraction [distʀaksjɔ̃] *f* **1.** *sans pl* (*inattention*) Unaufmerksamkeit *f* **2.** (*étourderie*) Unachtsamkeit *f* **3.** *sans pl* (*dérivatif*) Abwechslung *f* **4.** *gén pl* (*passe-temps*) Zeitvertreib *m*

distraire [distʀɛʀ] <*irr*> **I.** *vt* **1.** (*délasser*) unterhalten **2.** (*déranger*) ~ **qn de qc** jdn von etw ablenken **II.** *vpr* **se** ~ sich amüsieren

distrait, e [distʀɛ, ɛt] **I.** *part passé de* **distraire II.** *adj* zerstreut; **avoir l'air** ~ einen zerstreuten Eindruck machen

distraitement [distʀɛtmɑ̃] *adv* geistesab-wesend

distrayant, e [distʀɛjɑ̃, jɑ̃t] *adj* unterhalt-sam

distribuer [distʀibɥe] <1> *vt* 1.(*donner*) ~ qc à qn etw an jdn verteilen; ~ des coups/gifles Schläge/Ohrfeigen austei-len; ~ le courrier die Post austragen 2. FIN ~ des dividendes aux actionnaires Divi-denden an die Aktionäre ausschütten 3. COM vertreiben; ~ de l'électricité à qn/qc jdn/etw mit Strom versorgen 4. ME-DIA verleihen 5.(*arranger, répartir*) anord-nen *éléments, mots;* aufteilen *pièces;* auf-stellen *joueurs de foot*

distributeur [distʀibytœʀ] *m* Automat *m;* ~ de billets Geldautomat

distributeur, -trice [distʀibytœʀ, -tʀis] *m, f* 1.(*personne*) ~ de prospectus Ver-teiler(in) *m(f)* von Prospekten 2. COM Ver-treiber(in) *m(f);* (*entreprise*) Vertriebsge-sellschaft *f;* (*diffuseur*) Verkaufsstelle *f;* ~ agréé/exclusif Vertragshändler *m*/Allein-vertreter *m* 3. CINE Filmverleiher(in) *m(f)*

distribution [distʀibysjɔ̃] *f* 1.(*réparti-tion*) Verteilung *f; du courrier* Zustellung *f; des cartes* Ausgeben *nt; des tâches* Zutei-lung *f* 2. FIN *des dividendes* Ausschüttung *f; des actions* Ausgabe *f;* ~ des prix Preisver-teilung *f* 3. COM Vertrieb *m;* la ~ d'eau die Wasserversorgung *f* 4. MEDIA Verleih *m;* CINE, THEAT [Rollen]besetzung *f* 5. *des élé-ments, mots* Anordnung *f; des pièces, de l'appartement* Aufteilung *f; des joueurs* Auf-stellung *f*

district [distʀikt] *m* Bezirk *m*

dit [di] *indic prés de* dire

dit, e [di, dit] **I.** *part passé de* dire **II.** *adj le Sage, le Bègue* mit dem Beinamen; *touristi-que, socialiste* so genannt

dites [dit] *indic prés de* dire

dithyrambique [ditiʀɑ̃bik] *adj* über-schwänglich

diurne [djyʀn] *adj animal* tagaktiv

divagation [divagasjɔ̃] *f gén pl* wirres Ge-rede *nt kein Pl*

divaguer [divage] <1> *vi* 1.(*délirer*) *ma-lade:* phantasieren 2. *fam* (*déraisonner*) spinnen

divan [divɑ̃] *m* Diwan *m*

divergence [divɛʀʒɑ̃s] *f* Divergenz *f*

divergent, e [divɛʀʒɑ̃, ʒɑ̃t] *adj* voneinan-der abweichend

diverger [divɛʀʒe] <2a> *vi* 1.(*s'écarter*) auseinander gehen 2.(*s'opposer*) ~ de qc von etw abweichen

divers, e [divɛʀ, ɛʀs] **I.** *adj* 1.*paysages, coutumes* verschiedenartig; *hypothèses, personnes* verschieden 2. *mouvements, in-*

térêts unterschiedlich 3. *toujours au pl* (*plusieurs*) mehrere; à ~es reprises mehrmals **II.** *mpl* (*autres*) Sonstige(s) *nt;* (*frais*) sonstige Kosten *Pl*

diversement [divɛʀsəmɑ̃] *adv* unter-schiedlich

diversification [divɛʀsifikasjɔ̃] *f* Diversifi-kation *f*

diversifier [divɛʀsifje] <1> *vt* diversifizie-ren

diversion [divɛʀsjɔ̃] *f a.* MIL Ablenkung *f*

diversité [divɛʀsite] *f* (*variété*) Verschie-denartigkeit *f;* (*multiplicité*) Vielfalt *f*

divertir [divɛʀtiʀ] <8> **I.** *vt* (*délasser*) un-terhalten; (*changer les idées de qn*) ablen-ken **II.** *vpr* se ~ sich amüsieren

divertissant, e [divɛʀtisɑ̃, ɑ̃t] *adj* unter-haltsam; qn trouve ~ de faire qc es berei-tet jdm Vergnügen etw zu tun

divertissement [divɛʀtismɑ̃] *m* 1. *sans pl* (*action*) Unterhaltung *f;* (*passe-temps*) Be-schäftigung *f* 2. MUS Divertimento *nt*

dividende [dividɑ̃d] *m* FIN Dividende *f*

divin, e [divɛ̃, in] *adj* 1. REL göttlich 2. *beau-té* bezaubernd

divination [divinasjɔ̃] *f* Wahrsagen *nt*

divinement [divinmɑ̃] *adv* wundervoll

divinité [divinite] *f sans pl* Göttlichkeit *f*

diviser [divize] <1> **I.** *vt* 1.(*fractionner*) [ein]teilen; ~ qc en qc etw in etw (*akk*) teilen; ~ qc entre plusieurs personnes etw unter mehreren Personen aufteilen; divisé par geteilt durch 2. MATH dividieren 3.(*désunir*) entzweien; spalten *groupe, po-pulation, parti* ▶~ pour régner *prov* teile und herrsche! **II.** *vpr* 1.(*se séparer*) se ~ en qc *cellule, route:* sich in etw (*akk*) tei-len; *parti:* sich in etw (*akk*) spalten 2.(*être divisible*) se ~ *nombre:* teilbar sein; *ouvra-ge:* sich gliedern

divisible [divizibl] *adj* ~ par qc teilbar durch etw

division [divizjɔ̃] *f* 1.(*fractionnement*) ~ en qc *d'un pays* Gliederung *f* in etw (*akk*); *des tâches* Verteilung *f;* (*classement*) Ein-teilung *f* in etw (*akk*) 2.(*désaccord*) Un-stimmigkeiten *Pl* 3.(*action*) Dividieren *nt;* (*résultat*) Division *f;* faire une ~ dividie-ren 4.(*subdivision*) Teil *m;* ~ administra-tive Verwaltungsbezirk *m* 5. MIL Division *f* 6. SPORT Liga *f* 7. *d'une entreprise* Abteilung *f* 8. BIO ~ cellulaire Zellteilung *f*

divisionnaire [divizjɔnɛʀ] *adj* com-missaire ~ Oberkommissar(in) *m(f)*

divorce [divɔʀs] *m* [Ehe]scheidung *f;* ~ avec qn Scheidung von jdm; demander le ~ die Scheidung einreichen

divorcé, e [divɔʀse] **I.** *adj* ~ de qn von jdm geschieden **II.** *m, f* Geschiedene(r)

f(m)

divorcer [divɔʀse] <2> *vi* ~ **de qn** sich von jdm scheiden lassen

divulgation [divylgasjɔ̃] *f d'un secret* Preisgabe *f*

divulguer [divylge] <1> *vt* ~ **un secret à qn** jdm ein Geheimnis verraten

dix [dis, *devant une voyelle* diz, *devant une consonne* di] **I.** *num* zehn ▸ **répéter/ recommencer** ~ **fois la même chose** immer wieder dasselbe wiederholen/machen **II.** *m inv* Zehn *f; v. a.* **cinq**

dix-huit [dizɥit, *devant une consonne* dizɥi] **I.** *num* achtzehn **II.** *m inv* Achtzehn *f; v. a.* **cinq**

dix-huitième [dizɥitjɛm] <dix-huitièmes> **I.** *adj antéposé* achtzehnte(r, s) **II.** *mf* **le/la** ~ der/die/das Achtzehnte **III.** *m* (*fraction*) Achtzehntel *nt; v. a.* **cinquième**

dixième [dizjɛm] **I.** *adj antéposé* zehnte(r, s) **II.** *mf* **le/la** ~ der/die/das Zehnte **III.** *m* (*fraction*) Zehntel *nt;* **les neuf ~s des gens** neunzig Prozent der Menschen; *v. a.* **cinquième**

dix-neuf [diznœf] **I.** *num* neunzehn **II.** *m inv* Neunzehn *f; v. a.* **cinq**

dix-neuvième [diznœvjɛm] <dix-neuvièmes> **I.** *adj antéposé* neunzehnte(r, s) **II.** *mf* **le/la** ~ der/die/das Neunzehnte **III.** *m* (*fraction*) Neunzehntel *nt; v. a.* **cinquième**

dix-sept [dissɛt] **I.** *num* siebzehn **II.** *m inv* Siebzehn *f; v. a.* **cinq**

dix-septième [dissɛtjɛm] <dix-septièmes> **I.** *adj antéposé* siebzehnte(r, s) **II.** *mf* **le/la** ~ der/die/das Siebzehnte **III.** *m* (*fraction*) Siebzehntel *nt; v. a.* **cinquième**

dizaine [dizɛn] *f* **1.** (*environ dix*) **une** ~ **de personnes/pages** etwa zehn Personen/Seiten; **quelques/plusieurs ~s de personnes** ein paar/mehrere Dutzend Personen **2.** (*âge approximatif*) **avoir une** ~ **d'années** ungefähr zehn [Jahre alt] sein; **approcher de la** ~ auf die Zehn zugehen; **avoir largement dépassé la** ~ weit über zehn [Jahre alt] sein

dl *abr de* **décilitre** dl

DM [dœtʃmaʀk] *abr de* **Deutsche Mark** DM

dm *abr de* **décimètre** dm

do [do] *m inv* (*majeur*) C *nt;* (*mineur*) c *nt;* ~ **dièse** (*majeur*) Cis *nt;* (*mineur*) cis *nt;* ~ **bémol** (*majeur*) Ces *nt;* (*mineur*) ces *nt*

doc [dɔk] *f fam abr de* **documentation** Doku *f*

docile [dɔsil] *adj* folgsam; *air* sanft

docilement [dɔsilmã] *adv se comporter* folgsam

docilité [dɔsilite] *f* Folgsamkeit *f*

docker [dɔkɛʀ] *m* Hafenarbeiter *m*

docteur [dɔktœʀ] *m* Doktor *m*

doctoral, e [dɔktɔʀal, o] <-aux> *adj péj* schulmeisterlich

doctorat [dɔktɔʀa] *m* ~ **en** Doktorwürde *f* in (+ *dat*); **un doctorat** ein Doktortitel; ~ **d'État** Habilitation *f*

doctrinaire [dɔktʀinɛʀ] *adj* doktrinär

doctrine [dɔktʀin] *f* Doktrin *f*

document [dɔkymã] *m* **1.** (*pièce écrite*) Dokument *nt;* (*d'un historien*) Quelle *f;* (*d'un comptable*) Beleg *m; pl* Unterlagen *Pl* **2.** (*preuve*) Dokument *nt;* (*pour la police*) Beweisstück *nt*

documentaire [dɔkymãtɛʀ] **I.** *adj* dokumentarisch **II.** *m* Dokumentarfilm *m*

documentaliste [dɔkymãtalist] *mf* Dokumentalist(in) *m(f)*

documentation [dɔkymãtasjɔ̃] *f* Dokumentation *f,* eine Materialsammlung

documenter [dɔkymãte] <1> **I.** *vt* ~ **sur qn/qc** jdn über jdn/etw informieren **II.** *vpr* **se** ~ **sur qn/qc** sich (*dat*) Informationsmaterial über jdn/etw beschaffen

dodeliner [dɔdline] <1> *vi* ~ **de la tête** den Kopf hin und her bewegen

dodo [dodo] *m enfantin fam* **faire** ~ heia machen; **le dodo** *fam* das Schlafen

dodu, e [dɔdy] *adj fam* gut genährt; *bras, poule* fleischig

dogmatique [dɔgmatik] *adj* dogmatisch

dogme [dɔgm] *m* Dogma *nt*

doigt [dwa] *m* **1.** ANAT *de la main, d'un gant* Finger *m;* **compter sur ses ~s** mit den Fingern zählen; **lever le** ~ sich melden **2.** (*mesure*) Fingerbreit *m* ▸ **être à deux ~s de la mort** mit einem Fuß im Grab[e] stehen; **faire qc les ~s dans le nez** *fam* etw mit links machen; **être à un** ~ **de faire qc** kurz davorstehen etw zu tun; **filer entre les ~s de qn** *argent:* jdm zwischen den Fingern zerrinnen; *personne:* jdm durch die Maschen schlüpfen; **mettre le** ~ **sur qc** den Kern einer S. (*gen*) treffen

doigté [dwate] *m* **1.** MUS Fingersatz *m* **2.** (*savoir-faire*) Fingerspitzengefühl *nt*

dois [dwa] *indic prés de* **devoir**

doit [dwa] **I.** *indic prés de* **devoir II.** *m* Soll *nt*

doivent [dwav] *indic et subj prés de* **devoir**

doléances [dɔleãs] *fpl* Beschwerden *Pl*

dollar [dɔlaʀ] *m* Dollar *m;* ~ **canadien** kanadischer Dollar

dolmen [dɔlmɛn] *m* Dolmen *m*

D.O.M. [dɔm] *m abr de* **département d'outre-mer** überseeisches Departement

domaine [dɔmɛn] *m* **1.** (*terre*) Ländereien *Pl;* ~ **familial** Familienbesitz *m* **2.** ADMIN le

Domaine das Staatsvermögen **3.** (*sphère*) Gebiet *nt*, Bereich *m*; ~ **d'activité** Betätigungsfeld *nt*, Branche *f* **4.** INFORM Domäne *f*

domanial, e [dɔmanjal, jo] <-aux> *adj* biens domaniaux Staatsvermögen *nt*

dôme [dom] *m* [Außen]kuppel *f*

domestique [dɔmɛstik] **I.** *adj* **1.** (*opp: sauvage*) zahm; **animal** ~ Haustier *nt* **2.** (*ménager*) häuslich; **économie** ~ Hauswirtschaft *f kein Pl* **3.** ECON **marché** ~ Binnenmarkt *m* **II.** *mf* Hausangestellte(r) *f(m)*

domestiquer [dɔmɛstike] <1> *vt* nutzbar machen *énergie solaire, vent, marées*

domicile [dɔmisil] *m* **1.** (*demeure*) Wohnung *f* **2.** ADMIN Wohnsitz *m* ▶ **à** ~ *livrer* ins Haus; *recevoir* zu Hause; *envoi* nach Hause; **travail à** ~ Heimarbeit *f*; **visite à** ~ Hausbesuch *m*

domiciliation [dɔmisiljasjɔ̃] *f d'un chèque* Zahlungsort *m*

domicilier [dɔmisilje] <1> *vt form* **être domicilié à Paris** seinen Wohnsitz in Paris haben

dominant, e [dɔminɑ̃, ɑ̃t] *adj* dominierend; *opinion, vent* vorherrschend; *position, nation* führend

dominante [dɔminɑ̃t] *f* (*caractéristique*) dominierendes Merkmal

dominateur, -trice [dɔminatœʀ, -tʀis] *adj* herrisch

domination [dɔminasjɔ̃] *f* (*suprématie*) Vormacht *f*

dominer [dɔmine] <1> **I.** *vt* **1.** (*être le maître de*) ~ **qn/qc** über jdn/etw herrschen **2.** (*contrôler*) zügeln; zurückhalten *larmes;* unterdrücken *chagrin;* beherrschen *sujet* **3.** (*surpasser*) übertreffen **4.** (*surplomber*) überragen **5.** (*être plus fort que*) *orateur, voix:* übertönen; *passion du jeu:* überwiegen **II.** *vi* **1.** (*prédominer*) vorherrschen **2.** (*commander, être le meilleur*) den Ton angeben; (*sur les mers*) überlegen sein; SPORT dominieren **III.** *vpr* **se** ~ sich beherrschen

dominical, e [dɔminikal, o] <-aux> *adj* **repos** ~ Sonntagsruhe *f kein Pl*

domino [dɔmino] *m* Dominostein *m*

dommage [dɔmaʒ] *m* **1.** (*préjudice*) Schaden *m;* **~s corporels** Personenschaden *m;* **~s matériels** Sachschaden *m;* **et intérêts** Schaden[s]ersatz *m kein Pl* **2.** *pl* (*dégâts*) Schäden *Pl* ▶ **c'est bien** ~! das ist sehr schade!; **quel** ~! wie schade!

dompter [dɔ̃(p)te] <1> *vt* bändigen; dressieren *cheval, fauve;* unterwerfen *rebelles;* niederschlagen *rébellion;* zügeln *imagination, passions;* überwinden *peur*

dompteur, -euse [dɔ̃(p)tœʀ, -øz] *m, f*

Dompteur/Dompteuse *m/f*

D.O.M.-T.O.M. [dɔmtɔm] *mpl abr de* **départements et territoires d'outre-mer** überseeische Departements und Gebiete

don [dɔ̃] *m* **1.** (*action*) Schenkung *f;* (*action charitable*) Spenden *nt* **2.** (*cadeau*) Geschenk *nt;* (*cadeau charitable*) Spende *f;* ~ **d'organe** Organspende; **faire un** ~ **à qn** jdm eine Spende zukommen lassen **3.** (*aptitude*) Begabung *f;* **avoir le** ~ **de faire qc** das Talent haben etw zu tun

donateur, -trice [dɔnatœʀ, -tʀis] *m, f* Spender(in) *m(f)*

donation [dɔnasjɔ̃] *f* Schenkung *f*

donc [dɔ̃k] *conj* also; (*en interrogative*) denn; (*en impérative*) doch; **si** ~ **je ne suis pas là à 20 heures** sollte ich also um 20 Uhr noch nicht da sein

donjon [dɔ̃ʒɔ̃] *m* Bergfried *m*

donnant [dɔnɑ̃] **avec qn, c'est** ~ ~ jd tut nichts ohne Gegenleistung

donne [dɔn] *f* JEUX Geben *nt*

donné, e [dɔne] *adj* (*déterminé*) bestimmt ▶ **étant** ~ **qc** in Anbetracht einer S. (*gen*); **c'est** ~ *fam* das ist geschenkt

données [dɔne] *fpl* **1.** (*élément d'appréciation*) Angabe *f* **2.** SCOL ~ **du problème** Problemstellung *f* **3.** INFORM, ADMIN Daten *Pl*

donner [dɔne] <1> **I.** *vt* **1.** (*remettre*) ~ **qc à qn** jdm etw geben **2.** (*offrir*) jdm etw schenken **3.** (*communiquer*) ~ **de ses nouvelles** von sich hören lassen; ~ **le bonjour à qn** jdm Grüße ausrichten **4.** MUS angeben *note, ton.* **5.** SCOL ~ **des devoirs à qn** jdm Hausaufgaben aufgeben **6.** (*causer*) ~ **faim/soif** hungrig/durstig machen; **ça lui donne chaud** davon wird ihm/ihr heiß; **qn/qc lui donne envie de faire qc** er/sie bekommt durch jdn/etw Lust etw zu tun **7.** (*conférer*) **cette couleur te donne un air sévère** diese Farbe lässt dich streng aussehen **8.** (*attribuer*) ~ **qc à qn** jdm etw zuschreiben **9.** (*produire*) *arbre:* tragen; *vigne:* geben; *recherches:* ergeben **10.** (*faire faire*) ~ **aux élèves des devoirs à faire** den Schülern Hausaufgaben aufgeben **11.** (*faire passer pour*) ~ **qc pour certain** etw als sicher darstellen; ~ **qn perdant** jdn den Verlierer sehen **12.** (*échanger*) ~ **qc pour qc** etw für etw [her]geben **II.** *vi* (*s'ouvrir sur*) ~ **sur qc** *pièce, fenêtre:* auf etw (*akk*) hingehen; *porte:* zu etw hinführen **III.** *vpr* **1.** (*se dévouer*) **se** ~ **à qn/qc** sich jdm/einer S. widmen **2.** (*faire l'amour*) **se** ~ **à qn** sich jdm hingeben

donneur, -euse [dɔnœʀ, -øz] *m, f a.* MED Spender(in) *m(f);* ~ **de sang** Blutspender

dont [dɔ̃] *pron rel* **1.** *compl* dessen/deren **2.** (*partie d'un tout*) von denen; **cet accident a fait six victimes, ~ deux enfants** dieser Unfall forderte sechs Opfer, darunter zwei Kinder

dopage [dɔpaʒ] *m* Doping *nt*

dopant [dɔpɑ̃] *m* Dopingmittel *nt*

doper [dɔpe] <1> **I.** *vt* (*stimuler*) aufputschen; SPORT dopen **II.** *vpr* **se ~** Aufputschmittel nehmen; SPORT sich dopen

doré, e [dɔʀe] *adj* **1.** (*avec de l'or*) vergoldet **2.** *blés, lumière* golden; *pain, gâteau* goldbraun; *peau* gebräunt **3.** (*agréable*) golden; **une prison ~e** ein goldener Käfig

dorénavant [dɔʀenavɑ̃] *adv* von jetzt an

dorer [dɔʀe] <1> **I.** *vt* **1.** (*recouvrir d'or*) vergolden **2.** (*colorer*) golden färben *moissons;* bräunen *peau* **3.** GASTR mit Eigelb bestreichen *gâteau* **II.** *vi* GASTR knusprig braun werden **III.** *vpr* **se faire ~ au soleil** sich in der Sonne bräunen lassen

dorloter [dɔʀlɔte] <1> *vt* verwöhnen

dormant [dɔʀmɑ̃] *m d'une fenêtre, porte* Rahmen *m*

dormant, e [dɔʀmɑ̃, ɑ̃t] *adj* **eau ~e** stehendes Gewässer

dormeur, -euse [dɔʀmœʀ, -øz] *m, f* **1.** (*endormi*) Schläfer(in) *m(f)* **2.** (*qui dort beaucoup*) Langschläfer(in) *m(f)*

dormir [dɔʀmiʀ] <*irr*> *vi* **1.** (*sommeiller*) schlafen **2.** (*être négligé*) *capitaux, richesses minières:* brachliegen; *dossier, réclamations, affaire:* [unbearbeitet] liegen bleiben **3.** (*être calme, sans bruit*) *maison, nature:* ruhig sein ▶**ça ne l'empêche pas de ~** *fam* das juckt ihn/sie überhaupt nicht

dorsal, e [dɔʀsal, o] <-aux> *adj* Rücken-

dortoir [dɔʀtwaʀ] *m* Schlafsaal *m*

dorure [dɔʀyʀ] *f* Vergoldung *f*

doryphore [dɔʀifɔʀ] *m* Kartoffelkäfer *m*

dos [do] *m* **1.** ANAT Rücken *m* **2.** *fig d'une chaise* Lehne *f; d'un couteau, livre, vêtement* Rücken *m; de la main* Handrücken *m; d'un papier écrit* Rückseite *f* ▶**ne pas y aller avec le ~ de la cuillère** *fam* jdn/etw nicht mit Glacéhandschuhen anfassen; **en avoir plein le ~** *fam* die Nase voll haben; **n'avoir rien à se mettre sur le ~** nichts anzuziehen haben; **être sur le ~ de qn** *fam* ständig auf jdm herumhacken; **faire qc dans le ~ de qn** etw hinter jds Rücken (*dat*) tun; **faire qc sur le ~ de qn** etw auf jds Kosten (*akk*) tun

dosage [dozaʒ] *m a. fig* Dosierung *f*

dos d'âne [dodɑn] *m inv* Bodenwelle *f*

dose [doz] *f* **1.** BIO Dosis *f* **2.** GASTR Menge *f;* **trois ~s de farine pour une ~ de sucre** drei Teile Mehl auf einen Teil Zucker ▶**une bonne ~ de courage** eine gehörige Portion Mut; **par petites ~s** in kleinen Dosen

doser [doze] <1> *vt* **1.** BIO dosieren *médicament;* abmessen *ingrédients;* mischen *cocktail* **2.** (*mesurer*) gut dosieren

doseur [dozœʀ] *m* Dosierhilfe *f*

dossard [dosaʀ] *m* Startnummer *f*

dossier [dosje] *m* **1.** (*appui pour le dos*) [Rücken]lehne *f* **2.** (*classeur*) [Akten]ordner *m* **3.** ADMIN Akte[n *Pl*] *f;* **~ de candidature** Bewerbungsunterlagen *Pl*

dot [dɔt] *f* Aussteuer *f*

dotation [dɔtasjɔ̃] *f* **1.** (*action*) **la ~ en qc** die Zuteilung von etw **2.** ADMIN finanzielle Ausstattung *f*

doté, e [dɔte] *adj* **être ~ de qc** *machine:* mit etw ausgestattet sein; *personne:* etw haben

doter [dɔte] <1> *vt* **~ qn** jdm eine Aussteuer mitgeben

douane [dwan] *f* **1.** (*administration*) Zoll[behörde *f*] *m* **2.** (*poste*) Zoll[station *f*] *m,* Zollstelle *f;* **être saisi en ~** vom Zoll beschlagnahmt werden **3.** (*droit*) Zoll[gebühren *Pl*] *m*

douanier, -ière [dwanje, -jɛʀ] **I.** *adj* Zoll- **II.** *m, f* Zollbeamte(r)/-beamtin *m/f*

doublage [dublaʒ] *m* **1.** CINE *d'un acteur* Doubeln *nt; d'un film* Synchronisation *f* **2.** COUT *d'une étoffe* Unterlegen *nt; d'un vêtement* Füttern *nt*

double [dubl] **I.** *adj* doppelt; **~ personnalité** gespaltene Persönlichkeit **II.** *adv* compter, voir doppelt **III.** *m* **1.** (*quantité*) Doppelte(s) *nt;* **il a mis le ~ de temps** er hat doppelt so viel Zeit gebraucht **2.** (*copie*) Kopie *f,* Duplikat *nt;* (*écrit à la main*) Abschrift *f;* (*écrit au carbone*) Durchschlag *m;* **un ~ de clé** ein Zweitschlüssel *m* **3.** (*exemplaire identique*) Dublette *f;* (*personne*) Doppelgänger(in) *m(f);* **en ~** doppelt **4.** SPORT Doppel *nt;* **~ mixte** gemischtes Doppel

doublé, e [duble] *adj* **1.** COUT *vêtement* gefüttert **2.** CINE *acteur* gedoubelt; *film* synchronisiert

doublement [dubləmɑ̃] *m* Verdoppelung *f*

doubler [duble] <1> **I.** *vt* **1.** (*multiplier par deux*) verdoppeln **2.** (*mettre en double*) doppelt nehmen *fil, papier* **3.** (*garnir intérieurement*) füttern *vêtement;* ausschlagen *boîte;* verstärken *paroi* **4.** BELG, SCOL wiederholen *année, classe* **5.** MEDIA doubeln *acteur;* synchronisieren *film;* THEAT **~ qn** für jdn einspringen **6.** (*dépasser*) überholen *véhicule;* **se faire ~** überholt werden **7.** *fam* (*tromper*) übers Ohr hauen **II.** *vi* (*être multiplié par deux*) *nombre,*

doute

• exprimer un doute	• Zweifel ausdrücken
Je n'en suis pas très sûr(e).	Ich bin mir da nicht so sicher.
J'ai du mal à le croire.	Es fällt mir schwer, das zu glauben.
Je ne le crois pas vraiment.	Das kaufe ich ihm nicht ganz ab. *(fam)*
Je ne peux pas vraiment y croire.	So ganz kann ich da nicht dran glauben.
Je ne sais pas trop.	Ich weiß nicht so recht.
Il est (plus que) douteux que la campagne atteigne les objectifs souhaités.	Ob die Kampagne die gewünschten Ziele erreichen wird, ist (mehr als) zweifelhaft.
Je doute qu'il ait été vraiment sérieux.	Ich hab da so meine Zweifel, ob er es wirklich ernst gemeint hat.
Je ne pense pas que nous l'aurons fini(e) cette semaine.	Ich glaube kaum, dass wir noch diese Woche damit fertig werden.

prix: sich verdoppeln **III.** *vpr* **se ~ de qc** mit etw einhergehen

doublure [dublyʀ] *f* **1.** COUT *d'un vêtement* Futter *nt* **2.** CINE Double *nt;* THEAT zweite Besetzung

douce [dus] *v.* doux

douceâtre [dusɑtʀ] *adj* süßlich

doucement [dusmɑ̃] *adv* **1.** (*avec précaution*) sacht[e]; (*sans bruit*) leise; (*avec délicatesse*) behutsam; (*faiblement*) schwach **2.** (*graduellement*) allmählich; *appuyer* mit Gefühl **3.** (*médiocrement*) mittelmäßig

doucette [dusɛt] *f* Feldsalat *m*

douceur [dusœʀ] *f* **1.** *d'une étoffe* Geschmeidigkeit *f; d'un fruit* Süße *f; de la lumière, température* Milde *f; d'une musique* Wohlklang *m;* **en ~** sachte **2.** *d'un caractère* Sanftmut *f; de la vie* Annehmlichkeiten *Pl* **3.** *gén pl* (*friandises*) Süßigkeiten *Pl;* (*plat sucré*) Süßspeise *f* **4.** *pl* (*amabilités*) Schmeicheleien *Pl*

douche [duʃ] *f* Dusche *f* ▶~ **écossaise** Wechselbad *nt*

doucher [duʃe] <1> **I.** *vt* **1.** (*tremper*) [ab]duschen **2.** (*décevoir*) dämpfen *enthousiasme* **II.** *vpr* **se ~** [sich] duschen

doudoune [dudun] *f* Daunenjacke *f*

doué, e [dwe] *adj* begabt; **être ~ de/pour qc** mit/für etw begabt sein

douille [duj] *f* TECH Tülle *f*

douillet, te [dujɛ, jɛt] *adj* **1.** (*sensible*) zimperlich; (*pleurnicheur*) wehleidig **2.** (*confortable*) behaglich

douillettement [dujɛtmɑ̃] *adv* behaglich

douleur [dulœʀ] *f* **1.** (*physique*) Schmerz *m; de ~* vor Schmerz[en] (*dat*) **2.** (*moral*) Schmerz *m,* Leid *nt;* **avoir la ~ de faire qc** etw mit Schmerz/Trauer tun

douloureuse [duluʀøz] *f fam* Rechnung *f*

douloureux, -euse [duluʀø, -øz] *adj* **1.** *blessure, opération, maladie* schmerzhaft; *partie du corps* schmerzend **2.** *souvenir, événement* schmerzlich; *regard* schmerzerfüllt ▶**un réveil** ~ ein böses Erwachen

doute [dut] *m* Zweifel *m;* **ne laisser aucun ~ sur qc** keinen Zweifel an etw (*dat*) lassen ▶**mettre qc en** ~ etw in Zweifel ziehen; **sans** ~ sicherlich; **sans ~ que qn a fait qc** wahrscheinlich hat jd etw getan

douter [dute] <1> **I.** *vi* **1.** (*être incertain*) ~ **de qc** an etw (*dat*) zweifeln; ~ **que +** *subj* bezweifeln, dass **2.** (*se méfier*) ~ **de qn/qc** jdm/etw misstrauen ▶**à n'en pas** ~ ohne jeden Zweifel; **ne** ~ **de rien** *iron* vor nichts zurückschrecken **II.** *vpr* (*pressentir*) **se ~ de qc** etw vermuten; **je m'en doute** das kann ich mir denken

douteux, -euse [dutø, -øz] *adj* **1.** *issue, résultat, origine* ungewiss; *sens* nicht eindeutig **2.** *péj goût, mœurs* zweifelhaft

doux [du] **I.** *m* (*temps*) milde Witterung **II.** *adv* ▶**ça va tout** ~ *fam* es geht so lala; **en douce** *fam* klammheimlich

doux, douce [du, dus] *adj* **1.** (*au toucher*) weich **2.** (*au goût*) süß; *piment* edelsüß; *vin* lieblich; *moutarde* Delikatess-; *tabac* mild; **les drogues douces** die leichten Drogen **3.** (*à l'oreille*) sanft; *consonne* weich; *accents, musique* melodisch **4.** (*à la vue*) weich **5.** (*à l'odorat*) lieblich **6.** (*clément*) mild **7.** (*gentil, patient*) freundlich **8.** (*modéré*) mild; *croissance* allmählich; *fiscalité* maßvoll; *gestes* ruhig; *pente* sanft; **à feu ~** auf kleiner Flamme **9.** *vie, souvenir, visage* angenehm; *espoir* zart; *caresse* zärtlich ▶**se la couler douce** *fam* eine ruhige Kugel schieben

douzaine [duzɛn] *f* **1.** (*douze*) Dutzend

nt; **à la** ~ im Dutzend; *(en grande quanti-té)* dutzendweise **2.** *(environ douze)* **une** ~ **de personnes/choses** etwa zwölf Personnen/Dinge

douze [duz] **I.** *num* zwölf **II.** *m inv* Zwölf *f; v. a.* **cinq**

douzième [duzjɛm] **I.** *adj antéposé* zwölfte(r, s) **II.** *mf* **le/la** ~ der/die/das Zwölfte **III.** *m* Zwölftel *nt; v. a.* **cinquième**

doyen, ne [dwajɛ̃, jɛn] *m, f* **1.** *(aîné)* Älteste(r) *f(m)* **2.** UNIV Dekan(in) *m(f)*

draconien, ne [dʀakɔnjɛ̃, jɛn] *adj* drakonisch

dragage [dʀagaʒ] *m d'une rivière* Ausbaggern *nt*

dragée [dʀaʒe] *f* Dragee *nt*

dragon [dʀagɔ̃] *m* Drache *m*

drague [dʀag] *f (filet)* Schleppnetz *nt*

draguer [dʀage] <1> **I.** *vt* **1.** *(pêcher)* mit dem Schleppnetz fangen **2.** *(dégager)* ausbaggern *chenal, sable;* räumen *mines* **3.** *fam (racoler)* anmachen, anbandeln (A) **II.** *vi fam (racoler)* sich anmachen lassen

dragueur [dʀagœʀ] *m* Baggerschiff *nt*

drainage [dʀɛnaʒ] *m a.* MED Dränage *f*

drainer [dʀene] <1> *vt a.* MED dränieren

dramatique [dʀamatik] *adj* **1.** THEAT **l'art** ~ die Schauspielkunst; **le genre** ~ das Drama **2.** *histoire, récit* dramatisch

dramatisation [dʀamatizasjɔ̃] *f* Dramatisierung *f*

dramatiser [dʀamatize] <1> *vt, vi* dramatisieren

dramaturge [dʀamatyʀʒ] *m* Bühnenautor(in) *m(f)*

drame [dʀam] *m* **1.** *(pièce)* Drama *nt,* Schauspiel *nt* **2.** *(événement)* Drama *nt;* **tourner au** ~ tragisch ausgehen

drap [dʀa] *m* **1.** *de lit* Bettlaken *nt* **2.** TEXTIL angerauter Wollstoff ►**être dans de beaux** ~**s** *fam* in der Tinte sitzen

drapé [dʀape] *m* Faltenwurf *m*

drapeau [dʀapo] <x> *m* Fahne *f,* Flagge *f*

draper [dʀape] <1> **I.** *vt* **1.** *(envelopper)* ~ **qc/qn de qc** etw/jdn mit etw umhüllen **2.** *(plisser)* drapieren *étoffe* **II.** *vpr* **se** ~ **dans une cape** sich in einen Umhang hüllen

draperie [dʀapʀi] *f* Stoffbehang *m*

drap-housse [dʀa] <draps-housses> *m* Spann[bett]laken *nt*

drapier, -ière [dʀapje, -jɛʀ] *m, f* Tuchfabrikant(in) *m(f)*

drastique [dʀastik] *adj purgatif, mesure* drastisch

Dresde [dʀɛsd] Dresden *nt*

dressage [dʀesaʒ] *m* **1.** *d'un animal* Dressur *f; péj d'un enfant* Drill *m (pej)* **2.** *d'un échafaudage* Aufbau *m; d'une tente* Auf-

schlagen *nt*

dresser [dʀese] <1> **I.** *vt* **1.** *(établir)* aufstellen *bilan, liste;* zeichnen *carte, plan;* auflisten *inventaire;* erteilen *procuration;* ausstellen *procès-verbal* **2.** *(ériger)* errichten *barrière, monument;* aufbauen *échafaudage;* aufschlagen *tente* **3.** *(lever)* aufrichten *buste;* heben *menton, tête;* spitzen *oreilles* **4.** *(disposer)* anrichten *plat;* aufstellen *piège;* schmücken *autel* **5.** *(dompter)* dressieren *animal;* abrichten *chien; péj* drillen *enfant, soldat* **6.** *(mettre en opposition)* ~ **qn contre qn/qc** jdn gegen jdn/etw aufwiegeln **II.** *vpr* **1.** *(se mettre droit)* ~ sich aufrichten **2.** *(s'élever)* **se** ~ *bâtiment, statue:* sich erheben **3.** *(s'insurger)* **se** ~ **contre qn/qc** sich gegen jdn/etw auflehnen

dresseur, -euse [dʀesœʀ, -øz] *m, f* Dresseur(in) *m(f)*

dressoir [dʀeswaʀ] *m* Anrichte *f*

dribble [dʀibl] *m* Dribbling *nt*

dribbler [dʀible] <1> *vt, vi* ~ **qn** an jdm vorbeidribbeln

drogue [dʀɔg] *f a. fig* Droge *f,* Rauschgift *nt;* ~ **douce/dure** weiche/harte Droge

drogué, e [dʀɔge] *m, f* Drogensüchtige(r) *f(m),* Rauschgiftsüchtige(r) *f(m)*

droguer [dʀɔge] <1> **I.** *vt* ~ **qn** jdm Drogen/zu viele Medikamente verabreichen **II.** *vpr* **se** ~ Drogen/zu viele Medikamente nehmen

droguerie [dʀɔgʀi] *f* Drogerie *f*

droguiste [dʀɔgist] *mf* Drogist(in) *m(f)*

droit [dʀwa] **I.** *m* **1.** *(prérogative)* Recht[sanspruch *m*] *nt;* ~**s civiques** Bürgerrechte *Pl;* **de quel** ~ mit welchem Recht; **avoir** ~ **à qc** Recht auf etw *(akk)* haben; **avoir le** ~ **de faire qc** das Recht haben etw zu tun **2.** *(règles)* Recht *nt; (études juridiques)* Rechtswissenschaft *f;* **faire son** ~ Jura studieren; **civil** Zivilrecht; ~ **public** öffentliches Recht **3.** *pl (taxe)* Gebühr *f* **II.** *adv* **1.** *(opp: courbé)* aufrecht **2.** *(en ligne droite)* geradeaus **3.** *(opp: penché)* gerade; *écrire* steil; *tenir* gerade ►**aller** ~ **à la catastrophe** geradewegs auf die Katastrophe zusteuern; **marcher** ~ parieren; **tout** ~ geradeaus

droit, e [dʀwa, dʀwat] *adj* **1.** *(opp: gauche)* rechte(r, s) **2.** *(non courbe)* gerade **3.** *(non penché)* gerade; **angle** ~ rechter Winkel; **être** ~ *pieu, récipient, tour:* gerade stehen; *chapeau:* gerade sitzen; *tableau:* gerade hängen **4.** *(honnête, loyal)* aufrichtig; *chemin* recht

droite [dʀwat] *f* **1.** GEOM Gerade *f* **2.** POL Rechte *f;* **un parti de** ~ eine rechte Partei; **l'extrême** ~ die Rechtsextremisten *Pl* **3.** *(côté droit)* Rechte *f,* rechte Seite; **à** ~

[nach] rechts; **tourner à** ~ rechts abbiegen; **de** ~ auf der rechten Seite; **par la** ~ von rechts; **serrez à** ~! rechts fahren!
droitier, -ière [dʀwatje, -jɛʀ] **I.** *m, f* (*personne*) Rechtshänder(in) *m(f)* **II.** *adj* POL *fam* rechtslastig
droiture [dʀwatyʀ] *f* Aufrichtigkeit *f*
drôle [dʀol] *adj* **1.** (*comique*) lustig **2.** *fam* (*bizarre*) komisch, merkwürdig ▸**ça n'a̲ vraiment rien de** ~! das ist wirklich nicht komisch!; **ça me fait tout** ~ dabei habe ich ein ganz komisches Gefühl
drôlement [dʀolmɑ̃] *adv* **1.** (*bizarrement*) komisch **2.** *fam* (*rudement*) ganz schön
drôlerie [dʀolʀi] *f* Spaß *m*
dromadaire [dʀɔmadɛʀ] *m* Dromedar *nt*
dru, e [dʀy] *adj barbe, herbe* dicht
drugstore [dʀœgstɔʀ] *m* Drugstore *m*
druide [dʀyid] *m* Druide *m*
du [dy] = **de le** *v.* **de**
dû [dy] <dus> *m* (*ce à quoi on a droit*) Anrecht *nt*; (*ce que l'on doit*) Schuld *f*
dû, due [dy] <dus> **I.** *part passé de* **devoir** **II.** *adj* **1.** (*que l'on doit*) schuldig **2.** (*imputable*) **être** ~ **à qc** von etw herrühren **3.** (*mérité*) **être** ~ **à qn** jdm zustehen
dualité [dɥalite] *f* Dualität *f*
dubitatif, -ive [dybitatif, -iv] *adj* zweifelnd
duc [dyk] *m* Herzog *m*
ducal, e [dykal, o] <-aux> *adj* herzoglich
duché [dyʃe] *m* Herzogtum *nt*
duchesse [dyʃɛs] *f* Herzogin *f*
duel [dɥɛl] *m a. fig* Duell *nt*
dûment [dymɑ̃] *adv* vorschriftsmäßig
dune [dyn] *f* Düne *f*
Dunkerque [dœ̃kɛʀk] Dünkirchen *nt*
duo [dɥo, dyo] *m* (*pour instruments*) Duo *nt*; (*pour voix*) Duett *nt*
dupe [dyp] *f* Betrogene(r) *f(m)*
duper [dype] <1> *vt* hinters Licht führen
duplex [dyplɛks] *m* **1.** ARCHIT **appartement en** ~ Maisonettewohnung *f* **2.** MEDIA Konferenzschaltung *f*
duplicata [dyplikata] *m* Duplikat *nt*
duplicité [dyplisite] *f* Falschheit *f*
duquel, de laquelle [dykɛl] <desquel(le)s> = **de lequel** *v.* **lequel**
dur, e [dyʀ] **I.** *adj* **1.** (*ferme*) hart; *porte, serrure* schwergängig; *viande* zäh; *sommeil* fest **2.** (*difficile*) schwer; *personne* schwierig; *côte* steil; *temps, vie* hart **3.** (*pénible*) extrem; *combat, punition* hart; *lumière* hart; **Dur, dur!** Das ist hart! **4.** (*fort*) hart **5.** (*sévère*) ernst; *critique* hart **II.** *adv travailler* hart; **taper** ~ *soleil:* heiß brennen **III.** *m, f* **1.** (*personne inflexible*) unnachgiebiger Mensch **2.** *fam* (*personne sans peur*) har-

ter Bursche **3.** TECH **bâtiment en** ~ Massivbau *m* ▸**un** ~ **à cuire** *fam* eine harte Nuss; **jouer les** ~s *fam* den starken Mann markieren
durable [dyʀabl] *adj chose* dauerhaft; *souvenir* bleibend; *construction* solide; *effet, influence* nachhaltig
durablement [dyʀabləmɑ̃] *adv* auf Dauer
durant [dyʀɑ̃] *prép* **1.** (*au cours de*) während (+ *gen*); ~ **l'hiver** den Winter über **2.** (*tout au long de*) **travailler sa vie** ~ sein Leben lang arbeiten
durcir [dyʀsiʀ] <8> **I.** *vt* **1.** (*rendre dur*) hart machen *terre;* härten *acier; fig* hart machen *traits, visage* **2.** (*rendre intransigeant*) verhärten *attitude, position;* verschärfen *loi* **II.** *vi aliment, pâte:* hart werden; *colle, peinture:* aushärten **III.** *vpr* **se** ~ **1.** (*devenir dur*) hart werden; *colle:* aushärten **2.** (*devenir intransigeant*) sich verhärten
durcissement [dyʀsismɑ̃] *m* **1.** (*solidification*) Hartwerden *nt; du ciment* Abbinden *nt; de la colle* Aushärten *nt* **2.** (*raffermissement*) Verhärtung *f; d'un conflit* Verschärfung *f*
durée [dyʀe] *f* **1.** Dauer *f;* **un chômeur de longue** ~ ein Langzeitarbeitsloser *m* **2.** (*permanence*) Dauerhaftigkeit *f*
durement [dyʀmɑ̃] *adv* hart
durer [dyʀe] <1> *vi* **1.** (*avoir une certaine durée*) + *compl de temps* dauern **2.** (*se prolonger*) + *compl de temps* [an]dauern; *conversation, maladie:* dauern; *tempête, soleil:* anhalten; *mode:* sich halten **3.** (*se conserver, résister*) *personne:* sich halten; *matériel, vêtement:* haltbar sein ▸**faire** ~ **les choses** die Dinge in die Länge ziehen; **ça ne peut plus** ~ so kann das nicht weitergehen; **pourvu que ça dure!** wenn es nur so bliebe!
dureté [dyʀte] *f* **1.** (*fermeté*) Härte *f* **2.** (*difficulté*) Schwierigkeit *f* **3.** *de l'hiver* Strenge *f* **4.** *des traits, du cœur* Härte *f; d'un châtiment, d'une critique* Härte *f*
durillon [dyʀijɔ̃] *m* Schwiele *f*
dus [dy] *passé simple de* **devoir**
duvet [dyvɛ] *m* **1.** (*plume*) Daune *f* **2.** *d'une personne, feuille* Flaum *m* **3.** (*sac de couchage*) [Daunen]schlafsack *m*
DVD [devede] *m inv abr de* **Digital Versatile Disk** DVD *f*
dynamique [dinamik] **I.** *adj* dynamisch **II.** *f* Dynamik *f*
dynamiser [dinamize] <1> *vt* mobilisieren
dynamisme [dinamism] *m d'une entreprise* Dynamik *f; d'une personne* Dynamik *f*, Schaffenskraft *f*
dynamite [dinamit] *f* Dynamit *nt*

dynamiter [dinamite] <1> *vt a. fig* sprengen

dynamo [dinamo] *f* Dynamo *m*

dynastie [dinasti] *f a. fig* Dynastie *f*

dysfonctionnement [disfɔksjɔnmɑ̃] *m* Funktionsstörung *f*

dyslexie [dislɛksi] *f* Legasthenie *f*

dyslexique [dislɛksik] *adj* legasthenisch

E

E, e [ø] *m inv* E *nt*, e *nt*

eau [o] <x> *f* **1.** (*liquide*) Wasser *nt;* **un verre d'**~ ein Glas Wasser; ~ **du robinet** Leitungswasser; ~ **minérale** Mineralwasser; ~ **de table** Tafelwasser; ~ **de source** Quellwasser; ~ **de toilette** Eau de toilette *nt;* **fermer/ouvrir l'**~ den Wasserhahn zu-/aufdrehen **2.** (*étendue de l'eau*) Gewässer *nt;* **au bord de l'**~ am Wasser ▶**être clair comme de l'**~ **de** roche sonnenklar sein

eau-de-vie [od(ə)vi] <eaux-de-vie> *f* Schnaps *m* **eau-forte** [ofɔʀt] <eaux-fortes> *f* ART Ätzradierung *f*

ébahi, e [ebai] *adj* verblüfft

ébahir [ebaiʀ] <8> *vt* verblüffen; **être ébahi de qc** über etw verblüfft sein (*akk*)

ébahissement [ebaismɑ̃] *m* Verblüffung *f*

ébats [eba] *mpl des animaux, enfants* Herumtollen *nt*

ébattre [ebatʀ] <*irr*> *vpr* **s'**~ herumtollen

ébauche [eboʃ] *f d'une œuvre* Entwurf *m; d'un tableau* Skizze *f; d'un sourire* Andeutung *f*

ébaucher [eboʃe] <1> *vt* entwerfen *œuvre;* skizzieren *peinture*

ébène [ebɛn] *f* Ebenholz *nt*

ébéniste [ebenist] *mf* Kunsttischler(in) *m(f)*

ébénisterie [ebenist(ə)ʀi] *f* Kunsttischlerei *f*

éberlué, e [ebɛʀlɥe] *adj fam* perplex

éblouir [ebluiʀ] <8> *vt* blenden

éblouissant, e [ebluisɑ̃, ɑ̃t] *adj* **1.** (*aveuglant*) grell; *blancheur* strahlend **2.** (*merveilleux*) glänzend

éblouissement [ebluismɑ̃] *m* Blendung *f*

éborgner [ebɔʀɲe] <1> *vt* ~ **qn** jdm ein Auge ausstechen

éboueur [ebuœʀ] *m* Müllmann *m* (*fam*)

ébouillanter [ebujɑ̃te] <1> *vpr* **s'**~ **qc** sich (*dat*) etw verbrühen

éboulement [ebulmɑ̃] *m* Einsturz *m*

ébouler [ebule] <1> *vpr* **s'**~ einstürzen

éboulis [ebuli] *m* Geröll *nt kein Pl*

ébouriffant, e [ebuʀifɑ̃, ɑ̃t] *adj fam nouvelle* unglaublich

ébouriffé, e [ebuʀife] *adj* zerzaust

ébranlement [ebʀɑ̃lmɑ̃] *m* **1.** *a. fig* (*secousse*) Erschütterung *f* **2.** *du train* ruckartiges Anfahren

ébranler [ebʀɑ̃le] <1> *vt a. fig* (*secou-*

er) erschüttern **II.** *vpr* **s'**~ *convoi:* sich in Bewegung setzen; *train:* ruckartig anfahren

ébréché, e [ebʀeʃe] *adj assiette* angeschlagen; *dent* abgebrochen

ébriété [ebʀijete] *f form* Trunkenheit *f*

ébrouer [ebʀue] <1> *vpr* **s'**~ *cheval:* schnauben

ébruiter [ebʀɥite] <1> **I.** *vt* ausplaudern **II.** *vpr* **s'**~ sich herumsprechen

ébullition [ebylisjɔ̃] *f* **1.** *d'un liquide* [Auf]kochen *nt;* **porter à** ~ zum Kochen bringen **2.** *fig* **en** ~ *quartier, esprit* in Aufruhr

écaille [ekaj] *f* ZOOL Schuppe *f*

écailler [ekaje] <1> *vt* [ab]schuppen *poisson*

écarlate [ekaʀlat] *adj* scharlachrot

écarquiller [ekaʀkije] <1> *vt* ~ **les yeux devant qc** angesichts einer S. (*gen*) die Augen aufreißen

écart [ekaʀ] *m* **1.** (*distance*) Abstand *m* **2.** *de prix* Unterschied *m; de cours* Abweichung *f* **3.** (*contradiction*) Diskrepanz *f* **4.** (*mouvement brusque*) **faire un** ~ zur Seite ausweichen ▶**faire le** grand ~ [einen] Spagat machen; mettre **qn à l'**~ jdn ausschließen; vivre **à l'**~ zurückgezogen leben

écarté, e [ekaʀte] *adj* **1.** *lieu* abgelegen **2.** *bras* weit offen; *dents* auseinander stehend; *jambes* gespreizt

écarteler [ekaʀtəle] <4> *vt* HIST vierteilen

écartement [ekaʀtəmɑ̃] *m* Abstand *m*

écarter [ekaʀte] <1> **I.** *vt* **1.** (*séparer*) zur Seite schieben *objets;* zur Seite ziehen *rideaux;* ausbreiten *bras;* spreizen *doigts, jambes* **2.** (*exclure*) ablehnen *plan;* zurückweisen *objection;* verwerfen *idée;* abwenden *danger;* ~ **qn de qc** jdn von etw ausschließen **3.** (*éloigner*) ~ **qn de qc** jdn von etw wegführen; *fig* jdn von etw abhalten **II.** *vpr* **1.** (*se séparer*) **s'**~ *foule:* sich teilen **2.** (*s'éloigner*) **s'**~ **de qc** sich von etw entfernen; **s'**~ **du sujet** vom Thema abschweifen; **écarte-toi/écartez-vous** [de là]! mach'/machen Sie Platz!

ecchymose [ekimoz] *f* Bluterguss *m*

ecclésiastique [eklezjastik] **I.** *adj* kirchlich; *vie* geistlich **II.** *m* Geistliche(r) *m*

écervelé, e [esɛʀvəle] *adj* gedankenlos

échafaud [eʃafo] *m* Schafott *nt*

échafaudage [eʃafodaʒ] *m* **1.** (*construc-*

tion) Gerüst nt 2.(empilement) Stapel m
échafauder [eʃafode] <1> vt entwerfen projets
échalas [eʃalɑ] m Pfahl m
échalote [eʃalɔt] f Schalotte f
échancré, e [eʃɑ̃kRe] adj robe ausgeschnitten
échancrure [eʃɑ̃kRyR] f d'une robe Ausschnitt m
échange [eʃɑ̃ʒ] m 1.(action d'échanger) ~ **de qc contre qc** [Aus]tausch m einer S. (gen) gegen etw; ~ **standard** Einbau m von Ersatzteilen; **faire un** ~ **avec qn** mit jdm tauschen; **en** ~ **de qc** [als Gegenleistung] für etw; (à la place de) statt einer S. (gen) 2. gén pl ECON Handel m 3. SCOL ~**s scolaires** Schüleraustausch m ▸~ **de coups** Handgreiflichkeiten Pl; **vifs** ~**s** heftiger Wortwechsel
échanger [eʃɑ̃ʒe] <2a> vt austauschen adresses, idées; wechseln anneaux, regards; tauschen timbres; umtauschen marchandise; ~ **qc avec qn contre qc** etw mit jdm gegen etw tauschen; ~ **des sourires** einander zulächeln
échangeur [eʃɑ̃ʒœR] m Kreuzung f (auf mehreren Ebenen)
échangisme [eʃɑ̃ʒism] m Partnertausch m
échantillon [eʃɑ̃tijɔ̃] m 1. COM [Waren]probe f, Muster nt 2. FIN Stichprobe f
échantillonnage [eʃɑ̃tijɔnaʒ] m [repräsentativer] Querschnitt
échappatoire [eʃapatwaR] f (subterfuge) Ausflucht f; (issue) Ausweg m
échappé, e [eʃape] m, f SPORT Ausreißer(in) m(f)
échappée [eʃape] f SPORT Ausreißversuch m
échappement [eʃapmɑ̃] m Abgas nt
échapper [eʃape] <1> I. vi 1.(s'enfuir) ~ **à qn** jdm entkommen; ~ **à un danger** einer Gefahr (dat) entgehen; **faire** ~ **qn** jdm zur Flucht verhelfen 2.(se soustraire à) ~ **à qc** sich einer S. (dat) entziehen, sich vor etw (dat) drücken; ~ **au contrôle** der Kontrolle entgehen; ~ **à la mort** dem Tod entrinnen 3.(être oublié) ~ **à qn** jdm entfallen sein 4.(ne pas être remarqué) ~ **à** [o **à l'attention de**] **qn** jdm entgehen; **laisser** ~ **une faute** einen Fehler übersehen 5.(ne pas être compris) **le problème échappe à qn** jd versteht das Problem nicht 6.(glisser des mains) ~ **à qn** jdm entgleiten (geh); **laisser** ~ **qc** etw fallen lassen 7.(dire par inadvertance) ~ **à qn** gros mot, paroles: jdm entfahren; **un cri/ soupir lui a échappé** er/sie schrie/ seufzte auf II. vpr 1.(s'évader) **s'**~ **de qc** aus etw ausbrechen; souris: aus etw entwi-

schen 2.(s'esquiver) **s'**~ **de qc** sich von etw wegschleichen 3.(sortir) **s'**~ **de qc** fumée: aus etw herausdringen; gaz: aus etw entweichen; flammes: aus etw herausschlagen; cri: entfahren
écharde [eʃaRd] f [Holz]splitter m
écharpe [eʃaRp] f 1.(vêtement) Schal m 2. du maire Schärpe f 3.(bandage) Schlinge f
écharper [eʃaRpe] <1> vt zerstückeln
échasse [eʃas] f ORN Strandreiter m
échassier [eʃasje] m ORN Stelzvogel m
échauder [eʃode] <1> vt abbrühen volaille
échauffement [eʃofmɑ̃] m 1. de l'atmosphère, du sol Erwärmung f 2. SPORT Aufwärmen nt
échauffer [eʃofe] <1> vpr **s'**~ 1. SPORT sich aufwärmen 2.(s'énerver) sich aufregen
échauffourée [eʃofuRe] f Schlägerei f
échéance [eʃeɑ̃s] f 1.(date limite) Fälligkeit f; **date d'**~ Verfallsdatum nt; **arriver** [o **venir**] **à** ~ **le 15 du mois** am 15.des Monats fällig werden 2.(délai) Fälligkeitsfrist f 3.(règlement) fällige Zahlung ▸**à brève** [o **courte**] ~ kurzfristig
échéancier [eʃeɑ̃sje] m Fälligkeitsverzeichnis nt
échéant, e [eʃeɑ̃, ɑ̃t] adj annuité fällig [werdend]
échec[1] [eʃɛk] m de négociations Scheitern nt; de recherches Erfolglosigkeit f; d'un spectacle Misserfolg m ▸**aller à** [o **courir au devant de**] **l'**~ keine Aussicht auf Erfolg haben
échec[2] [eʃɛk] m pl (jeu) Schach nt; **jeu d'**~**s** Schachspiel nt; **jouer aux** ~**s** Schach spielen ▸[**être**] ~ **et mat** schachmatt [sein]
échelle [eʃɛl] f 1.(escabeau) Leiter f 2.(proportion, rapport) Maßstab m; **à l'**~ **de 1:100 000** im Maßstab 1:100 000 (eins zu hunderttausend); **à l'**~ **de l'enfant** kindgemäß; **à l'**~ **nationale/communale** [o **de la nation/commune**] auf nationaler/kommunaler Ebene 3. de la hiérarchie Stufenleiter f 4.(graduation) Skala f; ~ **des températures** Temperaturskala ▸**être en haut** [o **au sommet**] **de l'**~ ganz oben/unten stehen; **être parvenu au sommet de l'**~ [**sociale**] zu den oberen Zehntausend gehören; **sur une grande** ~ in großem Umfang
échelon [eʃlɔ̃] m 1.(barreau) Sprosse f 2. ADMIN de la hiérarchie Stufe f, Ebene f; **passer par tous les** ~**s administratifs** alle Dienstränge durchlaufen; **être au premier/dernier** ~ auf der niedrigsten/ höchsten Lohnstufe stehen; **descendre d'un** ~ **dans la hiérarchie** zurückgestuft werden; **gravir** [o **grimper**] **un** ~ beruflich

aufsteigen

échelonnement [eʃ(ə)lɔnmɑ̃] *m* MIL Staff[e]lung *f*

échelonner [eʃ(ə)lɔne] <1> I. *vt* **1.** (*étaler*) [gleichmäßig] verteilen *paiements;* ~ **ses versements** in Raten zahlen **2.** (*graduer*) staffeln *salaires;* allmählich steigern *difficultés* **3.** (*disposer à intervalles réguliers*) in gleichem Abstand aufstellen II. *vpr* **s'~** in gleichem Abstand aufgestellt sein

écheveau [eʃ(ə)vo] <x> *m* Docke *f*

échevelé, e [eʃəv(ə)le] *adj personne* zerzaust

échine [eʃin] *f* ~ **dorsale** Rückgrat *nt*

échiner [eʃine] <1> *vpr* **s'~ à qc** sich bei etw abschinden

échiquier [eʃikje] *m* **1.** (*aux échecs*) Schachbrett *nt* **2.** *fig* **sur l'~ européen** im europäischen Kräftespiel

écho [eko] *m* **1.** *d'une montagne* Echo *nt;* **ça fait [de l']** ~ es hallt wider **2.** (*rubrique*) Klatschspalte *f* **3.** (*effet*) Echo *nt;* **rester sans** ~ keine Resonanz finden ▶**avoir** eu **des** ~**s de qc** von etw [schon] gehört haben

échographie [ekɔgʁafi] *f* Ultraschalluntersuchung *f*

échoir [eʃwaʁ] <*irr*> *vi* + *être dettes:* fällig sein

échoppe [eʃɔp] *f* [Verkaufs]bude *f*

échouer [eʃwe] <1> I. *vi* scheitern; ~ **à l'examen** die Prüfung nicht bestehen II. *vt* **faire** ~ **qc** etw vereiteln

éclabousser [eklabuse] <1> *vt* bespritzen

éclaboussure [eklabusyʁ] *f* Spritzer *m*

éclair [eklɛʁ] I. *m* **1.** METEO Blitz *m;* ~ **de chaleur** Wetterleuchten *nt* **2.** PHOT [Licht]blitz *m* **3.** GASTR Eclair *m* **4.** (*bref moment*) ~ **de bon sens** [*o* **de génie**] Geistesblitz *m;* ~ **de lucidité** lichter Moment; **dans un** ~ **de colère** in einem Wutanfall ▶**en un** ~ blitzschnell II. *app inv* **visite** ~ Kurzbesuch *m*

éclairage [eklɛʁaʒ] *m* **1.** (*illumination*) Beleuchtung *f;* ~ **électrique** elektrisches Licht **2.** *fig* **apparaître sous un tout autre** ~ in einem ganz anderen Licht erscheinen; **sous cet** ~ so betrachtet

éclairagiste [eklɛʁaʒist] *mf* CINE, THEAT Beleuchter(in) *m(f)*

éclaircie [eklɛʁsi] *f* METEO [kurze] Aufheiterung

éclaircir [eklɛʁsiʁ] <8> I. *vt* **1.** (*rendre clair*) aufhellen **2.** (*élucider*) klären *situation;* aufdecken *meurtre;* lösen *énigme;* ~ **une affaire** Licht in eine Sache bringen II. *vpr* **1.** (*se dégager*) **s'~** *temps:* aufklaren **2.** (*rendre plus distinct*) **s'~ la gorge** [*o* **la**

voix] sich räuspern **3.** (*devenir compréhensible*) **s'~ idée:** klarer werden; *mystère:* sich aufklären

éclaircissement [eklɛʁsismɑ̃] *m d'une situation* Klärung *f; d'un malentendu* Beseitigung *f*

éclairé, e [ekleʁe] *adj* (*averti*) aufgeklärt; **agir en esprit** ~ sich aufgeschlossen geben

éclairer [ekleʁe] <1> I. *vt* **1.** (*fournir de la lumière*) erhellen; ~ **qn** jdm leuchten **2.** (*donner de la luminosité*) heller erscheinen lassen **3.** (*expliquer*) erläutern *texte;* klären *situation* **4.** (*instruire*) ~ **un collègue sur** [*o* **au sujet de**] qn/qc einen Kollegen über jdn/etw aufklären II. *vi* leuchten; **peu/beaucoup** ~ wenig/viel Licht geben III. *vpr* **1.** (*se fournir de la lumière*) **s'~ à l'électricité/au gaz** elektrisches Licht/Gaslicht haben **2.** (*devenir lumineux*) **s'~ visage:** sich aufhellen **3.** (*se clarifier*) **s'~ situation:** sich [auf]klären

éclaireur, -euse [eklɛʁœʁ, -øz] *m, f* MIL Aufklärer(in) *m(f)*

éclat [ekla] *m* **1.** (*fragment*) Splitter *m* **2.** (*bruit*) ~ **de joie** Freudenausbruch *m;* **partir d'un** ~ **de rire** in schallendes Gelächter ausbrechen **3.** (*scandale*) Eklat *m* **4.** *d'un métal* Glanz *m; d'un astre* heller Schein; *d'une couleur* Leuchtkraft *f; d'un diamant* Feuer *nt* ▶**rire aux** ~**s** schallend lachen; **voler** [*o* **partir**] **en** ~**s** zersplittern

éclatant, e [eklatɑ̃, ɑ̃t] *adj* **1.** (*radieux*) strahlend; *santé* blühend **2.** (*remarquable*) eklatant; *succès* durchschlagend; *victoire* glänzend; *revanche* erfolgreich

éclatement [eklatmɑ̃] *m* Explosion *f*

éclater [eklate] <1> I. *vi* **1.** (*exploser*) *bombe:* explodieren **2.** (*déborder*) *tête:* platzen (*fam*), bersten (*geh*); ~ **de santé** vor Gesundheit strotzen **3.** (*crever*) *pneu:* platzen **4.** (*se fragmenter*) *structure:* auseinander brechen; *verre:* zerspringen **5.** (*commencer*) *orage:* losbrechen **6.** (*survenir brusquement*) *nouvelle:* wie eine Bombe einschlagen; **le scandale a éclaté** es kam zu einem Skandal **7.** (*retentir*) *cris, rires:* erschallen; ~ **de rire** in lautes Gelächter ausbrechen; *coup de feu, détonation:* krachen **8.** (*se manifester*) ~ **dans les yeux** [*o* **sur le visage**] **de qn** *bonne foi, mauvaise foi:* jdm im Gesicht geschrieben stehen; ~ **en pleurs** in Tränen ausbrechen; **faire** ~ **le scandale** einen Skandal auslösen; **laisser** ~ **sa colère** seiner Wut (*dat*) freien Lauf lassen **9.** (*s'emporter*) **qn éclate** jdm platzt der Kragen (*fam*); **faire** ~ **qn** jdn zur Weißglut bringen; ~ **de colère/rage** vor Wut (*dat*) platzen (*fam*); ~

en menaces Drohungen ausstoßen **II.** *vpr fam* (*se défouler*) **s'~** sich prima amüsieren; **qn s'éclate à faire** [*o* **en faisant**] **qc** jdm macht es einen Mordsspaß etw zu tun

éclectique [eklɛktik] *adj* eklektisch

éclectisme [eklɛktism] *m* Eklektizismus *m*

éclipse [eklips] *f* Finsternis *f*

éclipser [eklipse] <1> *vt* ASTRON verfinstern, verdunkeln

éclopé, e [eklɔpe] *adj personne* gehbehindert; *animal* lahm

éclore [eklɔʀ] <*irr*> *vi* + *être* **1.** *bourgeon:* aufbrechen **2.** *poussin:* ausschlüpfen; *amour:* aufkeimen

éclosion [eklozjɔ̃] *f d'une couvée* Ausschlüpfen *nt; d'un bourgeon* Aufbrechen *nt*

écluse [eklyz] *f* Schleuse *f*

éco [eko] *adj fam abr de* **économique**

écobilan [ekɔbilɑ̃] *m* Ökobilanz *f*

écœurant , e [ekœʀɑ̃, ɑ̃t] *adj* **1.** (*trop sucré*) widerlich süß **2.** (*trop gras*) widerlich fett **3.** (*physiquement*) Ekel erregend; *personne* abstoßend **4.** (*moralement*) widerwärtig **5.** (*décourageant*) empörend; *facilité* unerhört; *injustice* himmelschreiend
▶**en** ~ CAN (*très, beaucoup*) sehr

écœurement [ekœʀmɑ̃] *m* **1.** (*nausée*) Übelkeit *f* **2.** (*dégoût*) Ekel *m* **3.** (*découragement*) **ressentir un immense** ~ völlig entmutigt sein

écœurer [ekœʀe] <1> *vt, vi* **1.** (*dégoûter*) *goût:* widerlich sein; *nourriture:* widerlich schmecken; *odeur:* widerlich riechen; ~ **qn** jdn anekeln **2.** (*indigner*) anekeln **3.** (*décourager*) *injustice:* empören; *déception:* entmutigen

éco-industrie [ekoɛ̃dystʀi] *f* Umweltschutzindustrie *f*

école [ekɔl] *f* **1.** (*établissement*) Schule *f;* ~ **cantonale** CH Kantonsschule (CH); ~ **commmerciale** Handelsschule; ~ **hôtelière** Hotelfachschule; ~ **laïque** weltliche Schule; ~ **libre** Privatschule; ~ **maternelle** Kindergarten *m;* ~ **pour adultes** ≈ Volkshochschule; ~ **du soir** Abendschule; ~ **de la vie** Schule des Lebens; ~ **primaire** [*o* **élémentaire**] Grundschule; ~ **privée** Privatschule; ~ **professionnelle** Berufsschule; ~ **publique** öffentliche Schule; ~ **secondaire** höhere Schule; (*en Suisse*) Sekundarschule (CH); ~ **technique** Berufsfachschule; **aller à l'**~ zur Schule gehen; **renvoyer qn de l'**~ jdn von der Schule [ver]weisen; **retirer qn de l'**~ jdn von der Schule nehmen **2.** (*enseignement*) Unterricht *m;* **manquer l'**~ den Unterricht versäumen; **sécher l'**~ *fam* [die Schule] schwänzen **3.** (*système scolaire*) Schulsystem *m;* **entrer à l'**~ in die Schule kommen; **mettre qn à l'**~ jdn einschulen **4.** ART, LITTER Schule *f;* ~ **de pensée** Lehrmeinung *f*

écolier, -ière [ekɔlje, -jɛʀ] *m, f* Schüler(in) *m(f)*

écolo [ekɔlo] **I.** *m, f fam abr de* **écologiste** Umweltschützer(in) *m(f)* **II.** *adj fam abr de* **écologique** ökologisch; *pratique* umweltbewusst; **parti** ~ Ökopartei *f;* **mouvement** ~ Umweltbewegung *f;* **groupe** ~ Umweltschutzgruppe *f;* **être** ~ grün sein

écologie [ekɔlɔʒi] *f* Ökologie *f;* **les partisans de l'**~ die Umweltschützer

écologique [ekɔlɔʒik] *adj solution* umweltfreundlich; *société* umweltbewusst; **catastrophe** ~ Umweltkatastrophe *f*

écologiste [ekɔlɔʒist] **I.** *m, f* **1.** (*ami de la nature*) Umweltschützer(in) *m(f)* **2.** POL Grüne(r) *f(m)* **3.** (*spécialiste de l'écologie*) Ökologe/Ökologin *m/f* **II.** *adj pratique, politique* umweltbewusst; **politique/mouvement** ~ Umweltpolitik *f/*-bewegung *f;* **parti** ~ grüne Partei; **groupe** ~ Umweltschutzgruppe *f;* **être** ~ grün sein

écologue [ekɔlɔg] *mf* Ökologe/Ökologin *m/f*

écomusée [ekomyze] *m:* Museum, das die geographischen, sozialen und kulturellen Gegebenheiten einer menschlichen Gemeinschaft beschreibt

économat [ekɔnɔma] *m* (*intendance*) Verwaltung *f*

économe [ekɔnɔm] *adj* **être** ~ sparsam sein

économie [ekɔnɔmi] *f* **1.** (*vie économique*) Wirtschaft *f;* **l'**~ **nationale** die Volkswirtschaft; **l'**~ **internationale** die Weltwirtschaft; ~ **capitaliste** kapitalistische Wirtschaft; ~ **libérale** freie Marktwirtschaft; ~ **mixte** gemischtwirtschaftliches System; ~ **politique** Volkswirtschaft[slehre *f*]; ~ **privée** Privatwirtschaft; ~ **publique** Volkswirtschaft; ~ **de libre entreprise** Unternehmerwirtschaft; ~ **de marché** [freie] Marktwirtschaft; ~ **de troc** Tauschhandel *m* **2.** (*science*) Wirtschaftswissenschaften *Pl* **3.** (*gain*) Gewinn *m* **4.** *pl* (*épargne*) Ersparnisse *Pl* ▶**il n'y a pas de petites** ~**s** wer den Pfennig nicht ehrt, ist des Talers nicht wert (*prov*)

économique [ekɔnɔmik] *adj* **1.** (*bon marché*) sparsam [im Verbrauch]; *vacances* preiswert; *procédé* ökonomisch; **classe** ~ Economyklasse *f* **2.** (*qui a rapport à l'économie*) wirtschaftlich; **crise** ~ Wirtschaftskrise *f;* **sciences** ~**s** Wirtschaftswissenschaften *Pl*

économiquement [ekɔnɔmikmɑ̃] *adv* sparsam

économiser [ekɔnɔmize] <1> vt, vi **1.** (épargner) sparen; ~ **sur qc** an etw (dat) sparen **2.** (utiliser en moins) einsparen **3.** (ménager) ~ **qc** mit etw haushalten

économiseur [ekɔnɔmizœʀ] m INFORM ~ **d'écran** Bildschirmschoner m

économiste [ekɔnɔmist] mf Wirtschaftsexperte m/-expertin f

écoper [ekɔpe] <1> vt **1.** NAUT ~ **l'eau** das Wasser ausschöpfen **2.** fam abbekommen coup

écorce [ekɔʀs] f d'un arbre Rinde f

écorché, e [ekɔʀʃe] m, f ▶être un ~ **vif/une ~e vive** überempfindlich sein

écorcher [ekɔʀʃe] <1> **I.** vt **1.** (égratigner) être écorché genou: aufgeschürft sein; visage: zerkratzt sein **2.** (faire mal) ~ **les oreilles** in den Ohren weh tun **3.** (érafler) zerschrammen **4.** (déformer) falsch aussprechen nom; entstellen vérité; ~ **le français** sehr schlecht Französisch sprechen **II.** vpr (s'égratigner) **s'**~ sich (dat) die Haut abschürfen; **s'**~ **qc** sich (dat) etw zerkratzen

écorchure [ekɔʀʃyʀ] f Hautabschürfung f

écorner [ekɔʀne] <1> vt ~ **un livre** Eselsohren in ein Buch (akk) machen

écossais [ekɔsɛ] m Schottisch nt; v. a. **allemand**

écossais, e [ekɔsɛ, ɛz] adj schottisch; **jupe** ~**e** Schottenrock m; **tissu** ~ Schotten m

Écossais, e [ekɔsɛ, ɛz] m, f Schotte/Schottin m/f

Écosse [ekɔs] f l'~ Schottland nt

écosser [ekɔse] <1> vt aushülsen

écosystème [ekosistɛm] m Ökosystem nt

écot [eko] m Anteil m [an der Zeche]

écotaxe [ekɔtaks] f Ökosteuer f

écotourisme [ekɔtuʀism] m Ökotourismus m

écotype [ekɔtip] m Ekotyp m

écoulement [ekulmã] m **1.** d'un liquide Ablaufen nt **2.** du temps Verrinnen nt (geh) **3.** COM des stocks Absatz m; des produits Vertrieb m

écouler [ekule] <1> **I.** vt **1.** COM absetzen marchandises **2.** (mettre en circulation) Umlauf bringen faux billets **II.** vpr **s'**~ **1.** (s'épancher) liquide: ablaufen; **s'**~ **dans/de qc** in etw (akk)/aus etw fließen **2.** (passer) temps: vergehen **3.** (disparaître) fonds: schwinden **4.** (se vendre) marchandises: Absatz finden

écourter [ekuʀte] <1> vt **1.** (raccourcir) kürzen **2.** (abréger) abkürzen séjour; verkürzen attente; kurz machen adieux **3.** (tronquer) être écourté citation: verstümmelt sein

écoutant, e [ekutã, ãt] m, f (nichtkirchliche(r)) Telefonseelsorger(in) m(f)

écoute [ekut] f **1.** RADIO, TV avoir une **grande** ~ eine hohe Einschaltquote haben **2.** (surveillance) ~**s téléphoniques** telefonische Überwachung ▶être **à l'**~ **de qn** für jdn da sein; être à l'~ **d'une radio** einen Sender hören; **rester à l'**~ (à la radio, au téléphone) dranbleiben

écouter [ekute] <1> **I.** vt **1.** (prêter l'oreille) zuhören; ~ **les informations** Nachrichten hören; ~ **qn chanter** jdm beim Singen zuhören; **faire** ~ **un disque à qn** jdm eine Platte vorspielen **2.** (tenir compte de) ~ **qn/qc** auf jdn/etw hören; **qn/qc est écouté** jd/etw wird beachtet; **se faire** ~ **de qn** sich (dat) bei jdm Gehör verschaffen **3.** (obéir) ~ **qn** auf jdn hören **II.** vi zuhören ▶écoute/écoutez [voir]! hör/hört mal! **III.** vpr (s'observer avec complaisance) **trop s'**~ sich gehen lassen; **aimer s'**~ **parler** sich [selbst] gern reden hören

écouteur [ekutœʀ] m **1.** du téléphone Hörer m **2.** pl (casque) Kopfhörer m

écoutille [ekutij] f NAUT Luke f

écrabouiller [ekʀabuje] <1> vt fam zerquetschen

écran [ekʀã] m **1.** (protection) Schutz m, Abschirmung f; ~ **radar** Radarschirm m **2.** TV Bildschirm m; [petit] ~ Fernsehen nt; **à l'**~ im Fernsehen; **sur les** ~**s** auf dem Bildschirm **3.** CINE Leinwand f; [grand] ~ Kino nt; ~ **panoramique** Breitwand f; ~ **de projection** Bildwand f; **à l'**~ im Kino **4.** (moniteur) Monitor m; d'ordinateur Bildschirm m; ~ **15 pouces** 15 Zoll Monitor

écrasant, e [ekʀazã, ãt] adj poids erdrückend; nombre überwältigend; défaite vernichtend

écrasé, e [ekʀaze] adj nez breit

écraser [ekʀaze] <1> **I.** vt **1.** (broyer) zerdrücken; pürieren légumes; ausdrücken cigarette; **être écrasé par la foule** von der [Menschen]menge erdrückt werden **2.** (appuyer fortement sur) ~ **la pédale d'accélérateur** das Gaspedal ganz durchtreten **3.** (tuer) ~ **qn/qc** conducteur: jdn/etw überfahren; avalanche: jdn/etw erdrücken **4.** (accabler) ~ **qn** douleur: jdn übermannen; impôt: jdn erdrücken **5.** (dominer) ~ **qn en math** jdm in Mathematik (dat) haushoch überlegen sein; ~ **qn par son savoir** jdn an Wissen überragen **6.** (vaincre) niederschlagen rébellion; vernichten ennemi; völlig brechen résistance; haushoch schlagen équipe adverse **II.** vi fam (ne pas insister) den Mund halten **III.** vpr **1.** (heurter de plein fouet) **s'**~ **au** [o **sur** le] **sol** am Boden zerschellen; **s'**~ **contre**

un arbre frontal gegen einen Baum prallen **2.** (*se crasher*) **s'~** abstürzen **3.** (*se serrer*) **s'~ dans qc** sich in etw (*akk*) hineinzwängen; **s'~ contre le mur/sur le sol** sich flach gegen die Wand/auf den Boden drücken **4.** *fam* (*se taire*) **s'~ devant qn** in jds Gegenwart (*dat*) den Mund halten **5.** (*ne pas protester*) sich vor jdm klein machen (*fam*)

écrémer [ekreme] <5> *vt* entrahmen
écrevisse [ekrəvis] *f* [Fluss]krebs *m*
écrier [ekrije] <1> *vpr* **s'~** schreien
écrin [ekrɛ̃] *m* Schmuckkästchen *nt*
écrire [ekrir] <*irr*> **I.** *vt* **1.** (*tracer*) ~ **qc dans/sur qc** etw in/auf etw (*akk*) schreiben **2.** (*inscrire*) **les devoirs sont écrits au tableau** die Hausaufgaben stehen an der Tafel **3.** (*orthographier*) **comment écrit-on ce mot?** wie schreibt man dieses Wort? **4.** (*rédiger*) verfassen **II.** *vi* **1.** (*tracer*) schreiben; ~ **à la main/machine/au stylo** mit der Hand/Maschine/dem Füller schreiben **2.** (*rédiger*) ~ **qc à qn** jdm etw schreiben ▸**il est écrit que cela arrivera** es ist vorbestimmt, dass dies eintreten wird **III.** *vpr* **s'~** geschrieben werden; **ce mot s'écrit avec y** dieses Wort schreibt sich mit y
écrit [ekri] *m* **1.** (*document*) Schriftstück *nt* **2.** (*ouvrage*) Schrift *f*; ~ **diffamatoire** Schmähschrift **3.** (*épreuve, examen*) Schriftliche(s) *nt*, [Prüfungs]klausur *f*; **l'~** das Schriftliche ▸**par** ~ schriftlich
écriteau [ekrito] <x> *m* [Hinweis]schild *nt*
écriture [ekrityr] *f* **1.** (*façon d'écrire*) [Hand]schrift *f* **2.** (*alphabet*) Schrift *f*; ~ **chiffrée** Geheimschrift **3.** (*style*) Schreibweise *f* **4.** REL **l'Écriture sainte, les Saintes Écritures** die Heilige Schrift
écrivain [ekrivɛ̃] *m* Schriftsteller(in) *m(f)*
écrou [ekru] *m* [Schrauben]mutter *f*
écrouer [ekrue] <1> *vt* inhaftieren
écroulement [ekrulmɑ̃] *m* Zusammenbruch *m*
écrouler [ekrule] <1> *vpr* **s'~ 1.** (*tomber*) *maison:* einstürzen; *arbre:* umstürzen; *rocher:* herabfallen **2.** (*baisser brutalement*) *cours de la bourse:* zusammenbrechen **3.** (*prendre fin brutalement*) *empire:* zusammenbrechen; *projet:* sich zerschlagen; *fortune:* plötzlich verloren gehen; *gouvernement:* stürzen; *théorie:* in sich (*dat*) zusammenstürzen **4.** (*s'affaler*) zusammenbrechen; **s'~ dans un fauteuil** sich in einen Sessel fallen lassen
écru, e [ekry] *adj* naturfarben
ECU [eky] *m abr de* European Currency Unit Ecu *m o f*

écueil [ekœj] *m* Klippe *f*
écuelle [ekɥɛl] *f* Napf *m*
éculé, e [ekyle] *adj chaussures* abgetreten
écume [ekym] *f* **1.** (*mousse*) Schaum *m; des vagues* Gischt *f;* ~ **de mer** MINER Meerschaum **2.** (*bave*) Geifer *m*
écumer [ekyme] <1> *vt* **1.** (*enlever l'écume*) ~ **qc** den Schaum von etw abschöpfen **2.** (*piller*) plündern *région;* ~ **les côtes/mers** Seeräuberei betreiben
écumoire [ekymwar] *f* Schaumlöffel *m*
écureuil [ekyrœj] *m* Eichhörnchen *nt*
écurie [ekyri] *f* [Pferde]stall *m*
écuyer, -ère [ekɥije, -ɛr] *m, f* **1.** HIST (*gentilhomme, titre à la cour*) [Schild]knappe *m*, Junker *m* **2.** (*cavalier*) [guter] Reiter *m/* [gute] Reiterin *f*
édam [edam] *m* (*fromage*) Edamer *m*
édenté, e [edɑ̃te] *adj* zahnlos
EDF [ødeɛf] *f abr de* **Électricité de France** *Französische Elektrizitätsgesellschaft*
édicter [edikte] <1> *vt* verfügen
édifiant, e [edifjɑ̃, jɑ̃t] *adj* (*exemplaire*) beispielhaft
édification [edifikasjɔ̃] *f* Bau *m*
édifice [edifis] *m* **1.** (*bâtiment*) Gebäude *nt* **2.** (*ensemble organisé*) Struktur *f;* ~ **social d'un État** soziales Gefüge eines Staates
édifier [edifje] <1> *vt* errichten *temple, palais*
Édimbourg [edɛ̃bur] Edinburg
édit [edi] *m* HIST, POL Edikt *nt*, Erlass *m*
éditer [edite] <1> *vt* herausgeben
éditeur [editœr] *m* INFORM Editor *m;* ~ **de textes** Texteditor
éditeur, -trice [editœr, -tris] **I.** *adj* **maison éditrice** Verlag *m;* **la maison éditrice Klett** der Klettverlag **II.** *m, f* Herausgeber(in) *m(f)*
édition [edisjɔ̃] *f* **1.** *d'un disque* Herausgabe *f; d'un livre* Veröffentlichung *f* **2.** (*livre*) Ausgabe *f*, Auflage *f;* ~ **complète** Gesamtausgabe; ~ **revue et corrigée** neu bearbeitete Auflage **3.** (*métier*) **travailler dans l'~** im Verlagswesen tätig sein **4.** (*établissement*) **les ~s** der Verlag **5.** (*tirage*) Ausgabe *f;* ~ **spéciale** Extrablatt *nt* **6.** INFORM Edition *f*
éditique [editik] *m* INFORM Desktoppublishing *nt*
éditorial [editɔrjal, jo] <-aux> *m* Leitartikel *m*
éditorialiste [editɔrjalist] *mf* Leitartikler(in) *m(f)*
édredon [edrədɔ̃] *m* Daunenbett *nt*
éducateur, -trice [edykatœr, -tris] **I.** *adj fonction* erzieherisch; **personne éducatrice** Erzieher(in) *m(f)* **II.** *m, f* Erzieher(in)

m(f); ~ **social** Sozialpädagoge/-pädagogin *m/f;* ~ **de rue** Streetworker(in) *m(f)*
éducatif, -ive [edykatif, -tiv] *adj* **jeu** ~ Lernspiel *nt;* **méthode éducative** Lehr-/ Erziehungsmethode *f;* **système** ~ Bildungssystem *nt*
éducation [edykasjɔ̃] *f* **1.**(*pédagogie*) Erziehung *f;* **l'Éducation nationale** das Schul- und Hochschulwesen **2.**(*bonnes manières*) Kinderstube *f;* **être sans** ~ kein Benehmen haben **3.**(*culture générale*) Bildung *f* **4.**(*enseignement*) ~ **physique** Sport[unterricht *m*] *m* **5.**(*initiation*) ~ **sexuelle** Sexualerziehung *f* ►**donner une** ~ **à qn** jdn erziehen
édulcorant [edylkɔʀɑ̃] *m* Süßstoff *m*
édulcorer [edylkɔʀe] <1> *vt* süßen
éduquer [edyke] <1> *vt* (*former*) erziehen
efface [efas] *f* CAN (*gomme*) Radiergummi *m*
effacé, e [efase] *adj* **1.**(*estompé*) verblasst **2.**(*discret*) zurückhaltend; *rôle* unbedeutend
effacement [efasmɑ̃] *m* **1.** *d'une inscription* [Aus]löschen *nt* **2.**(*suppression d'information*) Löschen *nt*
effacer [efase] <2> **I.** *vt* **1.**(*faire disparaître*) [aus]löschen; verwischen *trace;* korrigieren *faute d'orthographe;* entfernen *tache;* ~ **qc avec une** [*o* la] **gomme** etw ausradieren **2.**(*supprimer une information*) abwischen *tableau noir;* löschen *disquette* **3.**(*faire oublier*) auslöschen; zerstreuen *crainte;* wieder gutmachen *faute;* ~ **qc de sa mémoire** etw aus seinem Gedächtnis streichen **II.** *vpr* **s'~ 1.**(*s'estomper*) verblassen; *crainte:* sich verflüchtigen **2.**(*se laisser enlever*) sich entfernen lassen **3.**(*se faire petit*) zur Seite treten; **s'~ devant qn** hinter jdm zurückstehen
effaceur [efasœʀ] *m* Tintenkiller *m*
effarant, e [efaʀɑ̃, ɑ̃t] *adj* unerhört
effaré, e [efaʀe] *adj personne* verstört
effarement [efaʀmɑ̃] *m* Fassungslosigkeit *f*
effarer [efaʀe] <1> *vt* aus der Fassung bringen
effaroucher [efaʀuʃe] <1> *vt* **1.**(*mettre en fuite*) aufschrecken, aufscheuchen, verscheuchen *animal* **2.**(*faire peur*) einschüchtern
effectif [efɛktif] *m d'une armée, d'un parti* Stärke *f; d'une entreprise* Belegschaft *f;* **vérifier l'~ de la classe** überprüfen, ob die Klasse vollständig ist
effectif, -ive [efɛktif, -iv] *adj aide* wirksam; *pouvoir* tatsächlich; *travail* effektiv; **être** ~ **à partir du 1ᵉʳ janvier** am 1. Januar in Kraft

treten
effectivement [efɛktivmɑ̃] *adv* **1.**(*concrètement*) wirksam; *travailler* effektiv **2.**(*réellement*) tatsächlich
effectuer [efɛktɥe] <1> **I.** *vt* (*faire*) tätigen; vornehmen *investissement;* zurücklegen *parcours;* durchführen *réforme* **II.** *vpr* (*se faire, s'exécuter*) **s'~** *mouvement:* ausgeführt werden; *paiement:* erfolgen; *parcours:* zurückgelegt werden; *transaction:* abgewickelt werden
effervescence [efɛʀvesɑ̃s] *f* **1.**(*bouillonnement*) Sprudeln *nt* **2.**(*agitation*) Aufregung *f*
effervescent, e [efɛʀvesɑ̃, ɑ̃t] *adj liquide* sprudelnd
effet [efɛ] *m* **1.**(*résultat*) Wirkung *f;* ~ **boule de neige** Schneeballeffekt *m;* ~ **secondaire** Nebenwirkung; **être l'~ de qc** die Folge von etw sein; **avoir** [*o* faire] **l'~ d'une bombe** wie eine Bombe einschlagen; **sous l'~ de qc** unter der Wirkung von etw; **agir sous l'~ de la colère** im Zorn handeln **2.**(*impression*) Eindruck *m;* **faire** ~ **sur qn** auf jdn Eindruck machen **3.**(*phénomène*) Effekt *m;* ~**s spéciaux** Spezialeffekte *Pl;* ~ **de serre** Treibhauseffekt ►~ **bœuf** Riesenaufsehen *nt;* **en** ~ tatsächlich; (*pour justifier ses propos*) nämlich; (*pour confirmer le propos d'un tiers*) in der Tat
effeuiller [efœje] <1> *vt personne:* entlauben; *vent:* entblättern
efficace [efikas] *adj* wirksam; *personne* kompetent
efficacement [efikasmɑ̃] *adv* effizient
efficacité [efikasite] *f* Wirk[ungs]kraft *f,* Wirksamkeit *f; d'une méthode* Effizienz *f; d'une machine* Leistungsfähigkeit *f; d'une personne* Tüchtigkeit *f*
efficience [efisjɑ̃s] *f* Leistungsfähigkeit *f*
effigie [efiʒi] *f* Bildnis *nt*
effilé, e [efile] *adj* spitz zulaufend
effiler [efile] <1> *vt* **1.**(*effilocher*) ausfransen **2.**(*couper en amincissant*) ausdünnen *cheveux*
effilocher [efilɔʃe] <1> *vt* zerfasern
efflanqué, e [eflɑ̃ke] *adj* [bis auf die Knochen] abgemagert
effleurer [eflœʀe] <1> *vt* **1.** *a. fig* flüchtig berühren **2.**(*passer par la tête*) ~ **qn** jdm in den Sinn kommen
effluve [eflyv] *m souvent pl* Wohlgeruch *m*
effondré, e [efɔ̃dʀe] *adj personne* völlig gebrochen
effondrement [efɔ̃dʀəmɑ̃] *m* **1.** *d'un mur* Einsturz *m; du sol* [Ab]senkung *f; d'un sportif* Zusammenbruch *m* **2.** *d'une civilisa-*

tion Untergang *m; des prix* Sturz *m; d'une fortune* Verlust *m; d'un projet* Scheitern *nt*
effondrer [efɔ̃dʀe] <1> *vpr* **s'~ 1.** (*s'écrouler*) *pont:* einstürzen; *plancher:* einbrechen; *sol:* sich absenken **2.** (*être anéanti*) *empire:* zusammenbrechen; *civilisation:* untergehen; *preuve:* entkräftet werden; *fortune:* plötzlich verloren gehen; *projet:* sich zerschlagen; *argumentation:* in sich (*dat*) zusammenbrechen **3.** (*baisser brutalement*) *cours de la bourse:* stürzen **4.** (*craquer*) *personne:* zusammenbrechen **5.** INFORM *ordinateur:* abstürzen
efforcer [efɔʀse] <2> *vpr* **s'~ de faire qc** sich bemühen etw zu tun
effort [efɔʀ] *m* **1.** (*physique*) Anstrengung *f* **2.** (*intellectuel*) Bemühung *f;* **faire un ~ d'attention** sich (*dat*) [große] Mühe geben aufzupassen ▶**n'épargner aucun ~ pour faire qc** keine Mühe scheuen etw zu tun; faire un ~ sur soi-même pour faire qc sich zusammenreißen um etw zu tun
effraction [efʀaksjɔ̃] *f* Einbruch *m*
effrayant, e [efʀɛjɑ̃, ɑ̃t] *adj* **1.** (*qui fait peur*) furchtbar; *silence* beängstigend **2.** *fam* (*extrême*) unheimlich
effrayer [efʀeje] <7> **I.** *vt* (*faire très peur à*) erschrecken; **il est effrayé à l'idée de qc** ihm wird bei etw angst und bange **II.** *vpr* (*craindre*) **s'~ de qc** über etw (*akk*) erschrecken
effréné, e [efʀene] *adj* wild
effriter [efʀite] <1> *vt érosion:* bröck[e]lig machen
effronté, e [efʀɔ̃te] **I.** *adj* dreist **II.** *m, f* unverschämte Person
effrontément [efʀɔ̃temɑ̃] *adv* dreist, unverschämt
effronterie [efʀɔ̃tʀi] *f* Dreistigkeit *f,* Unverschämtheit *f;* **avec ~** dreist
effroyable [efʀwajabl] *adj* **1.** (*épouvantable*) grauenhaft **2.** *fam* (*incroyable*) furchtbar
effusion [efyzjɔ̃] *f* Gefühlsausbruch *m*
égal, e [egal, o] <-aux> **I.** *adj* **1.** (*de même valeur*) gleich; **de prix ~** gleich teuer; **nous sommes tous égaux devant la loi** im dem Gesetz sind wir alle gleich; **la partie est très ~e** das Spiel ist sehr ausgeglichen **2.** (*sans variation*) **être d'humeur ~e** ausgeglichen sein ▶**être/rester ~ à soi-même** sich (*dat*) selbst treu sein/bleiben **II.** *m, f* **la femme est l'~e de l'homme** die Frau ist dem Mann ebenbürtig; **considérer qn comme son ~** jdn als seinesgleichen betrachten ▶**qn n'a pas son ~ pour faire qc** niemand tut etw besser als jd; **négocier** [*o* **traiter**] **d'~ à ~** gleichberechtigt miteinander verhandeln; **sans ~**

ohnegleichen
égalable [egalabl] *adj* **qn/qc est difficilement ~** es ist schwer jdm gleichzukommen/etw ist schwer[lich] nachzumachen
également [egalmɑ̃] *adv* **1.** (*pareillement*) gleich[ermaßen] **2.** (*aussi*) ebenfalls
égaler [egale] <1> *vt* **1.** MATH **deux plus deux égale[nt] quatre** zwei plus zwei ist vier **2.** (*être pareil*) **~ qn/qc** jdm/etw in nichts nachstehen; **~ qn/qc en beauté/grosseur** jdm/einer S. an Schönheit/Größe (*dat*) gleichkommen
égalisation [egalizasjɔ̃] *f* **1.** *des revenus* Anpassung *f; des couches sociales* Angleichung *f* **2.** SPORT Ausgleich *m*
égaliser [egalize] <1> **I.** *vt* ausgleichen; [einander] angleichen *revenus* **II.** *vi* den Ausgleich erzielen **III.** *vpr* **s'~** sich [einander] angleichen
égalité [egalite] *f* **1.** (*absence de différences*) Gleichheit *f; des adversaires* Ebenbürtigkeit *f; ~* **des forces** Gleichgewicht *nt* der Kräfte; **~ des chances** Chancengleichheit; **~ des droits** Gleichberechtigung *f* **2.** (*absence de variations*) **~ d'humeur** Ausgeglichenheit *f* **3.** MATH [Deckungs]gleichheit *f,* Kongruenz *f* ▶**être à ~** *match:* unentschieden stehen; *joueurs:* punktgleich sein
égard [egaʀ] *m pl* Achtung *f,* Aufmerksamkeit *f* ▶**à cet ~** in dieser Hinsicht; **avoir des ~s pour qn, être plein d'~s pour qn** jdm gegenüber rücksichtsvoll sein; **à l'~ de qn** jdm gegenüber; **par ~ pour qn/qc** mit Rücksicht auf jdn/etw
égaré, e [egaʀe] *adj* **1.** (*perdu*) verirrt; *objet* verlegt **2.** (*troublé*) verstört
égarement [egaʀmɑ̃] *m* geistige Verwirrung
égarer [egaʀe] <1> **I.** *vt* **1.** (*induire en erreur*) in die Irre führen **2.** (*perdre*) verlegen **3.** (*faire perdre la raison*) um den Verstand bringen **II.** *vpr* **s'~ 1.** (*se perdre*) sich verirren; **s'~ du droit chemin** vom rechten Weg abkommen; **la lettre s'est égarée** der Brief ist verloren gegangen **2.** (*divaguer*) abschweifen; **s'~ dans les détails** sich in Einzelheiten verlieren
égayer [egeje] <7> *vt* aufheitern
égide [eʒid] *f a.* HIST Ägide *f*
églantier [eglɑ̃tje] *m* Heckenrosenstrauch *m*
églantine [eglɑ̃tin] *f* Heckenrose *f*
églefin [egləfɛ̃] *m* Schellfisch *m*
église [egliz] *f* **1.** (*édifice*) Kirche *f;* **se marier à l'~** sich kirchlich trauen lassen **2.** (*communauté*) **l'Église** die [römisch-katholische] Kirche; **l'Église protestante/catholique** die evangelische/katholische

Kirche; **appartenir à l'Église** katholisch sein

ego [ego] *m inv* Ego *nt*

égocentrique [egosɑ̃tʀik] *adj* egozentrisch

égocentrisme [egosɑ̃tʀism] *m* Egozentrik *f*

égoïsme [egɔism] *m* Egoismus *m*

égoïste [egɔist] **I.** *adj* egoistisch **II.** *mf* Egoist(in) *m(f)*

égorger [egɔʀʒe] <2a> **I.** *vt* **1.**(*couper la gorge*) ~ **qn/un animal avec qc** jdm die Kehle/einem Tier die Gurgel mit etw durchschneiden **2.** *fam* (*ruiner*) schröpfen **II.** *vpr* **s'~** sich [gegenseitig] umbringen (*fam*)

égosiller [egozije] <1> *vpr* **s'~** *personne:* sich heiser schreien; *oiseau:* aus voller Kehle singen

égout [egu] *m* [Abwasser]kanal *m;* **les ~s** die Kanalisation; **bouche d'~** Gully *m o nt;* **eaux d'~** Abwässer *Pl*

égoutter [egute] <1> **I.** *vt* **faire ~ qc** etw abtropfen lassen **II.** *vpr* **s'~** abtropfen

égouttoir [egutwaʀ] *m* ~ **à vaisselle** Abtropfkorb *m*

égratigner [egʀatiɲe] <1> **I.** *vt* zerkratzen **II.** *vpr* **s'~ qc** sich (*dat*) etw aufschürfen

égratignure [egʀatiɲyʀ] *f* Kratzer *m*

égrener [egʀəne] <4> *vt* **1.** enthülsen *cosse;* entkörnen *épi;* abbeeren *grappe, raisin;* egrenieren *coton* **2.** herunterbeten *chapelet*

égrillard, e [egʀijaʀ, aʀd] *adj* anzüglich

Égypte [eʒipt] *f* l'~ Ägypten *nt*

égyptien [eʒipsjɛ̃] *m* Ägyptisch *nt;* l'~ **moderne** das Neuägyptische; *v. a.* **allemand**

égyptien, ne [eʒipsjɛ̃, jɛn] *adj* ägyptisch **Égyptien, ne** [eʒipsjɛ̃, jɛn] *m, f* Ägypter(in) *m(f)*

égyptologie [eʒiptɔlɔʒi] *f* Ägyptologie *f*

eh [e, ɛ] *interj* he !; ~ **oui!** tja!/In der Tat!; ~ **bien ça par exemple!** na so was! (*fam*); ~ **bien!** *fam* nun gut!; **Eh bien, …** nun, …

éhonté, e [eɔ̃te] *adj* schamlos

éjaculation [eʒakylasjɔ̃] *f* Samenerguss *m*

éjectable [eʒɛktabl] *adj* **siège ~** Schleudersitz *m*

éjecter [eʒɛkte] <1> *vt* **1.**(*rejeter*) *machine:* auswerfen **2.**(*projeter*) **être éjecté de qc** aus etw [heraus]geschleudert werden **3.** *fam* (*expulser*) rauswerfen

élaboration [elabɔʀasjɔ̃] *f d'un plan* Ausarbeitung *f*

élaborer [elabɔʀe] <1> **I.** *vt* (*composer*) ausarbeiten *plan* **II.** *vpr* **s'~** Form annehmen

élagage [elagaʒ] *m* Ausästen *nt*

élaguer [elage] <1> *vt* ausschneiden *arbre*

élan [elɑ̃] *m* **1.**(*mouvement*) **prendre son ~** Schwung *m* holen; (*en courant*) Anlauf *m* nehmen; **prendre de l'~** ausholen **2.**(*accès*) ~ **de tendresse** Anwandlung *f* von Zärtlichkeit; ~ **d'enthousiasme** überschwängliche Begeisterung ▶~ **vital** Lebensdrang *m*

élancé, e [elɑ̃se] *adj* schlank

élancement [elɑ̃smɑ̃] *m* stechender Schmerz

élancer¹ [elɑ̃se] <2> **I.** *vi* stechen **II.** *vt* stechen *personne*

élancer² [elɑ̃se] <2> *vpr* **1.**(*se précipiter*) **s'~ vers qn/qc** sich auf jdn/etw stürzen; **s'~ à la poursuite de qn** jdm hinterherrennen **2.**(*prendre son élan*) **s'~** Schwung holen; **s'~ dans les airs** sich in die Lüfte schwingen

élargir [elaʀʒiʀ] <8> **I.** *vt* **1.**(*rendre plus large*) verbreitern; weiten *chaussures* **2.** cout weiter machen *jupe* **3.**(*développer*) erweitern *horizon;* ausdehnen *débat* **II.** *vpr* **s'~** *fleuve:* breiter werden; *chaussures:* sich weiten; *horizon:* sich erweitern **III.** *vi pull:* sich weiten

élargissement [elaʀʒismɑ̃] *m d'une route* Verbreiterung *f; d'une jupe* Weitermachen *nt*

élasticité [elastisite] *f d'un caoutchouc, muscle* Elastizität *f; de la peau* Geschmeidigkeit *f*

élastique [elastik] **I.** *adj* elastisch; *pas* federnd; *loi* dehnbar **II.** *m a.* cout Gummi[band *nt*] *nt*

élastomère [elastɔmɛʀ] *m* chim Elastomer *nt*

Elbe [ɛlb] *f* l'~ die Elbe

électeur, -trice [elɛktœʀ, -tʀis] *m, f* Wähler(in) *m(f)* ▶**grands ~s** *Wahlversammlung für die Senatswahlen*

élection [elɛksjɔ̃] *f* **1.** Wahl *f;* ~s **européennes** Europawahlen *Pl;* ~s **législatives** Parlamentswahlen *Pl;* ~ **présidentielle** Präsidentenwahl; **second tour des ~s** zweiter Wahlgang **2.**(*choix*) **patrie/pays d'~** Wahlheimat *f*

électoral, e [elɛktɔʀal, -o] <-aux> *adj* **circonscription ~e** Wahlbezirk *m;* **liste ~e** Wählerliste *f*

électorat [elɛktɔʀa] *m* Wählerschaft *f*

électricien, ne [elɛktʀisjɛ̃, jɛn] *m, f* Elektriker(in) *m(f)*

électricité [elɛktʀisite] *f* **1.**(*courant*) Strom *m; se* **chauffer à l'~** elektrisch heizen **2.**(*installation*) elektrische Leitungen *Pl;* **allumer/éteindre l'~** *fam* das Licht an-/ausmachen **3.** phys Elektrizität *f;* ~ **sta-**

tique statische Aufladung ►**il y a de l'~ dans l'air** es liegt Spannung in der Luft

électrification [elɛktʀifikasjɔ̃] *f* Elektrifizierung *f*

électrifier [elɛktʀifje] <1a> *vt* elektrifizieren *ligne de chemin de fer*

électrique [elɛktʀik] *adj cuisinière* elektrisch; *pile* [elektrisch] geladen; **centrale ~** Stromkraftwerk *nt;* **moteur ~** Elektromotor *m*

électriser [elɛktʀize] <1> *vt* elektrisieren (*a. fig*)

électroaimant [elɛktʀoɛmɑ̃] *m* Elektromagnet *m*

électrocardiogramme [elɛktʀokaʀdjɔgʀam] *m* Elektrokardiogramm *nt*

électrochoc [elɛktʀoʃɔk] *m* Elektroschock *m*

électrocuter [elɛktʀɔkyte] <1> **I.** *vt* **être électrocuté** einen [elektrischen] Schlag bekommen **II.** *vpr* **s'~ avec qc** von etw einen [elektrischen Schlag] bekommen; (*être mort*) von etw einen tödlichen Stromstoß bekommen

électrocution [elɛktʀɔkysjɔ̃] *f* [tödlicher] elektrischer Schlag; **condamner qn par ~** jdn zum Tod auf dem elektrischen Stuhl verurteilen

électrode [elɛktʀɔd] *f* Elektrode *f*

électrogène [elɛktʀɔʒɛn] *adj* stromerzeugend

électrolyse [elɛktʀɔliz] *f* Elektrolyse *f*

électromagnétique [elɛktʀomaɲetik] *adj* elektromagnetisch

électroménager [elɛktʀomenaʒe] **I.** *adj* **appareil ~** elektrisches Haushaltsgerät **II.** *m* **1.** (*appareils*) elektrische Haushaltsgeräte *Pl* **2.** (*commerce*) Elektrohandel *m*

électron [elɛktʀɔ̃] *m* Elektron *nt*

électronicien, ne [elɛktʀɔnisjɛ̃, jɛn] *m, f* Elektroniker(in) *m(f)*

électronique [elɛktʀɔnik] **I.** *adj* elektronisch; **calculateur ~** Elektronenrechner *m;* **monnaie ~** Cybercash *nt* **II.** *f* Elektronik *f*

électrophone [elɛktʀɔfɔn] *m* [Schall]plattenspieler *m*

élégamment [elegamɑ̃] *adv s'habiller* elegant

élégance [elegɑ̃s] *f sans pl* **1.** (*esthétique*) Eleganz *f;* *d'un intérieur* geschmackvoller Stil; *d'un mouvement* Anmut *f;* *d'une théorie* Nachvollziehbarkeit *f* **2.** *d'une personne* Korrektheit *f;* **perdre avec ~** mit Anstand verlieren

élégant, e [elegɑ̃, ɑ̃t] *adj* elegant; *intérieur* stilvoll; *style* klar; *solution* nachvollziehbar

élément [elemɑ̃] **I.** *m* **1.** (*composant*) Element *nt,* Bestandteil *m* **2.** (*mobilier*) Element *nt,* [Einzel]teil *nt;* **~s préfabriqués** Fertig[bau]teile *Pl* **3.** *d'un problème* Element *nt,* Komponente *f* **4.** (*groupe dans une collectivité*) Teil *m;* **très bons ~s** ausgezeichnete Kräfte **5.** CHIM Element *nt* ► **être dans son ~** in seinem Element sein **II.** *mpl* **1.** (*principes de base*) Grundbegriffe *Pl* **2.** (*connaissances sommaires*) Grundkenntnisse *Pl* **3.** (*forces naturelles*) Naturgewalten *Pl;* **les quatre ~s** die vier Elemente

élémentaire [elemɑ̃tɛʀ] *adj* (*simple, base*) elementar; *problème* elementar; *exercice* einfach; **niveau ~** Grundstufe *f;* **principes ~s** Grundprinzipien *Pl* ►**~, mon cher Watson!** *fam* das ist doch ganz klar, mein lieber Watson!; **c'est ~!** (*c'est évident*) das weiß doch jeder!; (*c'est doch le moins qu'on puisse faire*) das ist doch das Mindeste!

éléphant [elefɑ̃] *m* Elefant *m;* **~ mâle/femelle** Elefantenbulle *m*/Elefantenkuh *f* ►**comme un ~ dans un magasin de porcelaine** *fam* wie ein Elefant im Porzellanladen

éléphanteau [elefɑ̃to] <x> *m* Elefantenkalb *nt*

éléphantesque [elefɑ̃tɛsk] *adj fam* massig

élevage [el(ə)vaʒ] *m* **1.** (*action*) Zucht *f,* Aufzucht *f* **2.** (*ensemble d'animaux*) Zucht *f* **3.** (*exploitation*) Zuchtbetrieb *m*

élévateur [elevatœʀ] *m* [Lasten]aufzug *m*

élévation [elevasjɔ̃] *f* **1.** (*accession*) Erhebung *f;* **~ de qn à une dignité** jds Einsetzung *f* in ein Amt **2.** (*hausse*) Ansteigen *nt;* **~ de la température** Temperaturanstieg *m*

élève [elɛv] *mf* Schüler(in) *m(f)*

élevé, e[1] [el(ə)ve] *adj* **1.** (*haut*) hohe(r, s) **2.** (*noble*) gepflegt; *opinion* hoch; **être de condition ~e** zu den besseren Kreisen gehören

élevé, e[2] [el(ə)ve] **I.** *adj* (*éduqué*) **bien/mal ~** gut/schlecht erzogen **II.** *m, f* **un mal ~** ein Flegel *m*

élever[1] [el(ə)ve] <4> **I.** *vt* **1.** (*ériger*) errichten *monument;* hochziehen *mur* **2.** (*porter vers le haut*) hochheben **3.** (*porter plus haut*) heben *niveau, ton;* erheben *voix* **4.** (*promouvoir*) **~ qn à un rang** jdn. in einen Rang erheben **5.** (*susciter*) äußern *critique, doute;* erheben *objection* **6.** MATH **un nombre au carré** eine Zahl ins Quadrat erheben **II.** *vpr* **1.** (*être construit*) **s'~** *mur, édifice:* stehen **2.** (*se dresser*) **s'~ à 10/100 mètres** *plateau:* 10/100 Meter hoch liegen **3.** (*se faire entendre*) **s'~** zu hören sein **4.** (*surgir*) **s'~** *discussion:* entstehen; *doutes:* aufkommen **5.** (*se chiffrer*)

s'~ à **1000 euros** sich auf 1000 Euro (*akk*) belaufen **6.** (*mépriser*) **s'~ au-dessus des injures** sich über Beleidigungen hinwegsetzen **7.** (*socialement*) **s'~ par son seul travail** sich aus eigener Kraft hocharbeiten **8.** (*s'opposer à*) **s'~ contre qc** sich gegen etw wenden

élever² [el(ə)ve] <4> *vt* **1.** (*prendre soin de*) aufziehen *personne, animal*; **être élevé chez qn** bei jdm aufwachsen **2.** (*éduquer*) erziehen **3.** (*faire l'élevage de*) züchten *animaux*

éleveur, -euse [el(ə)vœʀ, -øz] *m, f* [Vieh]züchter(in) *m(f)*

élider [elide] <1> *vt* streichen *voyelle*

éligible [eliʒibl] *adj* wählbar

élimé, e [elime] *adj* ~ **à qc** an etw (*dat*) abgewetzt

élimination [eliminasjɔ̃] *f* Beseitigung *f*; *d'un adversaire* Ausschaltung *f*; *des déchets* Entsorgung *f*

éliminatoire [eliminatwaʀ] **I.** *adj* **1.** SCOL, UNIV *note, faute* zum Ausschluss führend; **épreuve** ~ Auswahlprüfung *f* **2.** SPORT **match** ~ Ausscheidungsspiel *nt* **II.** *f souvent pl* Ausscheidungs[wett]kämpfe *Pl*

éliminer [elimine] <1> **I.** *vt* **1.** (*faire disparaître*) beseitigen *erreurs*; aus dem Weg räumen *obstacle*; entfernen *tartre* **2.** (*tuer*) eliminieren **3.** (*écarter*) aussondern *pièces défectueuses* **4.** ECON, POL ausschalten **5.** SCOL, UNIV wiederholen lassen *élève*; **il a été éliminé à l'oral** er ist im Mündlichen durchgefallen **6.** SPORT ~ **qn de la course** jdn aus dem Rennen werfen; (*pour dopage*) jdn [für ein Rennen] sperren; **être éliminé** ausscheiden; (*pour dopage*) gesperrt werden **7.** (*rejeter*) ausschließen *possibilité* **8.** IND entsorgen *déchets* **II.** *vpr* **s'~ facilement** *tache:* leicht zu entfernen sein

élire [eliʀ] <*irr*> *vt* wählen; **il a été élu président** er wurde zum Präsidenten gewählt

élision [elizjɔ̃] *f* Streichung *f*

élite [elit] *f* Elite *f*

élitiste [elitist] *adj* **école** ~ Eliteschule *f*

élixir [eliksiʀ] *m* Elixier *nt*

elle [ɛl] *pron pers* **1.** (*fém*) sie; ~ **est grande** sie ist groß; **lui est là, mais pas** ~ er ist da, aber sie nicht **2.** *interrog, non traduit* **Sophie a-t-~ ses clés?** hat Sophie ihre Schlüssel?; *v. a.* **il 3.** (*répétitif*) **regarde la lune comme** ~ **est ronde** sieh mal, wie rund der Mond ist; **la vache,** ~ **fait meuh** die Kuh macht muh; *v. a.* **il 4.** *fam* (*pour renforcer*) **la mer,** ~ **aussi, est polluée** auch das Meer ist verschmutzt; ~, **elle n'a pas ouvert la bouche** die hat den Mund nicht aufgemacht; **c'est** ~ **qui l'a dit** das

hat die gesagt; **il veut l'aider,** ~? der möchte er helfen? **5.** *avec une préposition* **avec/sans** ~ mit ihr/ohne sie; **à** ~ **seule** sie allein; **la maison est à** ~ das Haus gehört ihr; **c'est à** ~ **de décider** sie muss entscheiden; **c'est à** ~! sie ist dran! **6.** *dans une comparaison* sie; **il est comme** ~ er ist wie sie; **plus fort qu'**~ stärker als sie **7.** (*soi*) sich; **elle ne pense qu'à** ~ sie denkt nur an sich; *v. a.* **lui**

elle-même [ɛlmɛm] *pron pers* (*elle en personne*) sie selbst; *v. a.* **lui-même**

elles [ɛl] *pron pers* **1.** (*fém pl*) sie; ~ **sont grandes** sie sind groß; **eux sont là, mais pas** ~ sie sind da, aber sie nicht **2.** *interrog, non traduit* **les filles, sont-~ venues?** sind die Mädchen gekommen? **3.** (*répétitif*) **regarde les fleurs comme** ~ **sont belles** sieh mal, wie schön die Blumen sind; *v. a.* **il 4.** *fam* (*pour renforcer*) ~, **elles n'ont pas ouvert la bouche** die haben den Mund nicht aufgemacht; **c'est** ~ **qui l'ont dit** die haben das gesagt; **il veut les aider,** ~? denen möchte er helfen? **5.** *avec une préposition* **avec/sans** ~ mit ihnen/ohne sie; **à** ~ **seules** sie allein **6.** *dans une comparaison* sie; **ils sont comme** ~ sie sind wie sie **7.** (*soi*) sich; *v. a.* **elle**

elles-mêmes [ɛlmɛm] *pron pers* (*elles en personne*) sie selbst; *v. a.* **moi-même, nous-même**

ellipse [elips] *f* LING, GEOM Ellipse *f*

elliptique [eliptik] *adj* elliptisch; *tournure, formule* unvollständig

élocution [elɔkysjɔ̃] *f* Aussprache *f*; **avoir une** ~ **lente/rapide** langsam/schnell sprechen

éloge [elɔʒ] *m* **1.** (*louange*) Lob *nt* **2.** (*dithyrambe*) Lobrede *f*; **faire l'**~ **de qn** eine Lobrede auf jdn halten

élogieux, -euse [elɔʒjø, -jøz] *adj paroles* lobend

éloigné, e [elwaɲe] *adj* **1.** (*dans l'espace*) ~ **de qc** fern von etw; **se tenir** ~ **de qc** sich von etw fern halten **2.** (*isolé*) entlegen **3.** (*dans le temps*) fern; *passé* weit zurückliegend **4.** (*différent*) ~ **de qc** weit entfernt von etw **5.** *parent* entfernt

éloignement [elwaɲmã] *m* **1.** (*distance*) l'~ die Entfernung **2.** (*séparation d'avec*) l'~ **de qn** jds Abwesenheit *f*; **prendre de l'**~ Abstand nehmen **3.** (*recul*) der [zeitliche] Abstand **4.** (*fait de se tenir à l'écart*) ~ **de qc** Rückzug *m* von etw

éloigner [elwaɲe] <1> **I.** *vt* **1.** (*mettre à distance*) fern halten **2.** (*détourner*) ~ **qn du sujet** jdn vom Thema abbringen; ~ **qn de la vie politique** jdn von der Politik ab-

halten **3.** (*dans le temps*) **chaque jour qui passe nous éloigne de notre jeunesse** mit jedem Tag entfernen wir uns mehr von unserer Jugend **4.** (*écarter*) zerstreuen *soupçons;* bannen *danger* **5.** (*détacher*) ~ **qn de qn** jdn von jdm entfernen **II.** *vpr* **1.** (*devenir de plus en plus lointain*) **s'~** *nuages:* verschwinden; *bruit:* leiser werden; *vent, tempête:* nachlassen **2.** (*aller ailleurs*) **s'~** sich entfernen **3.** (*aller plus loin*) **ne t'éloigne pas trop, s'il te plaît!** geh bitte nicht zu weit weg! **4.** (*dans le temps*) **s'~ de qc** etw hinter sich (*dat*) zurücklassen **5.** (*s'estomper*) **s'~** *souvenir:* sich verflüchtigen; *danger:* abnehmen **6.** (*s'écarter de*) **s'~ du sujet** vom Thema abkommen **7.** (*prendre ses distances par rapport à*) **s'~ de qn/qc** auf Distanz zu jdm/etw gehen

élongation [elɔ̃gasjɔ̃] *f* Zerrung *f*

élu, e [ely] **I.** *part passé de* **élire II.** *adj* gewählt **III.** *m, f* **1.** POL Abgeordnete(r) *f(m)* **2.** REL Auserwählte(r) *f(m)*, Auserkorene(r) *f(m)*

élucider [elyside] <1> *vt* aufklären

élucubrations [elykybʀasjɔ̃] *fpl péj* Hirngespinste *Pl*

éluder [elyde] <1> *vt* umgehen

Élysée [elize] *m* l'~ der Elyseepalast

émacié, e [emasje] *adj* ausgemergelt

email, E-Mail , e-mail [imel] *m* E-Mail *nt o f*

émail [emaj, emo] <-aux> *m* **1.** *sans pl* (*vernis*) Glasur *f* **2.** (*sur métal*) Email *nt*

émaillé, e [emaje] *adj* emailliert

émancipation [emɑ̃sipasjɔ̃] *f* Emanzipation *f*

émancipé, e [emɑ̃sipe] *adj* emanzipiert

émanciper [emɑ̃sipe] <1> *vpr* **s'~** sich emanzipieren

émaner [emane] <1> *vi* ~ **de qn/qc** *autorité, charme:* von jdm/etw ausgehen

émarger [emaʀʒe] <2a> *vi* ~ **au budget de l'État** sein Gehalt vom Staat beziehen

émasculer [emaskyle] <1> *vt* kastrieren

emballage [ɑ̃balaʒ] *m* **1.** *sans pl* (*action d'emballer*) Verpacken *nt* **2.** (*paquet*) [Ver]packung *f*

emballant, e [ɑ̃balɑ̃, ɑ̃t] *adj fam* (*enthousiasmant*) toll

emballement [ɑ̃balemɑ̃] *m* überschwängliche Begeisterung *f*

emballer [ɑ̃bale] <1> **I.** *vt* **1.** (*empaqueter*) einpacken **2.** *fam* (*enthousiasmer*) **être emballé par qc** ganz hin und weg von etw sein **3.** AUT überdrehen, aufheulen lassen *moteur* **4.** *fam* (*séduire*) einwickeln **II.** *vpr* **1.** *fam* (*s'enthousiasmer*) **s'~ pour qc** Feuer und Flamme für etw sein **2.** *fam*

(*s'emporter*) **s'~** sich aufregen **3.** (*partir à une allure excessive*) **s'~** *animal:* durchgehen; *moteur:* aufheulen

embarcadère [ɑ̃baʀkadɛʀ] *m* Anlegestelle *f*

embarcation [ɑ̃baʀkasjɔ̃] *f* Boot *nt*

embardée [ɑ̃baʀde] *f* AUT schnelles Ausweichen *nt*

embargo [ɑ̃baʀgo] *m* Embargo *nt*

embarquement [ɑ̃baʀkəmɑ̃] *m* **1.** *des marchandises* Verladen *nt* **2.** NAUT Einschiffen *nt* **3.** AVIAT ~ **immédiat, porte 5!** begeben Sie sich an Ausgang Nr. 5!

embarquer [ɑ̃baʀke] <1> **I.** *vi* **1.** an Bord gehen; ~ **dans l'avion** ins Flugzeug steigen **2.** CAN (*monter*) ~ **dans l'autobus/ dans une voiture** in den Bus einsteigen/ in einem Wagen steigen **II.** *vt* **1.** (*prendre à bord d'un bateau*) einschiffen; verladen *marchandises* **2.** (*à bord d'un véhicule*) einsteigen lassen *passagers;* verladen *animaux* **3.** (*voler*) mitgehen lassen (*fam*) **4.** *fam* (*arrêter*) schnappen *voleur* ▸ **elle est mal embarquée** *fam* für sie sieht's schlecht aus **III.** *vpr* **1.** (*monter à bord d'un bateau*) **s'~** sich einschiffen **2.** (*s'engager*) **s'~ dans qc** sich auf etw (*akk*) einlassen

embarras [ɑ̃baʀa] *m* **1.** (*gêne*) Verlegenheit *f*, Befangenheit *f* **2.** (*tracas*) Unannehmlichkeit *f* ▸ **n'avoir que l'~ du choix** die Qual der Wahl haben; **mettre** [*o* **plonger**] **qn dans l'~** (*le mettre mal à l'aise*) jdn in Verlegenheit bringen; (*l'enfermer dans un dilemme*) jdn in Schwierigkeiten bringen

embarrassant, e [ɑ̃baʀasɑ̃, ɑ̃t] *adj* **1.** (*délicat*) unangenehm **2.** (*ennuyeux*) misslich **3.** (*encombrant*) sperrig

embarrassé, e [ɑ̃baʀase] *adj* **1.** *personne* verlegen; *air, sourire* betreten **2.** (*encombré*) ~ **de qc** mit etw vollgestellt

embarrasser [ɑ̃baʀase] <1> **I.** *vt* **1.** (*déconcerter*) in Verlegenheit bringen **2.** (*tracasser*) Mühe machen **3.** (*gêner dans ses mouvements*) behindern **4.** (*encombrer*) versperren *couloir* **II.** *vpr* **1.** (*s'encombrer*) **s'~ de qn/qc** sich mit jdm/etw belasten **2.** (*se soucier*) **s'~ de qc** sich mit etw abgeben

embauche [ɑ̃boʃ] *f* **1.** (*recrutement*) Einstellung *f* **2.** (*travail*) Beschäftigung *f*; **offre d'~** Stellenangebot *nt*

embaucher [ɑ̃boʃe] <1> *vt, vi* ECON einstellen

embaumer [ɑ̃bome] <1> *vi fleur, fruit:* duften

embellie [ɑ̃beli] *f* METEO Aufheiterung *f*

embellir [ɑ̃beliʀ] <8> **I.** *vi* schöner werden **II.** *vt* schöner aussehen lassen *person-*

ne; verschönern *maison, ville;* beschönigen *réalité*

embellissement [ãbɛlismã] *m sans pl d'un lieu, édifice* Verschönerung *f*

emberlificoter [ãbɛʀlifikɔte] <1> *vpr fam* **s'~ dans des explications** sich in Erklärungen (*dat*) verheddern

embêtant [ãbɛtã] *m fam* **l'~, c'est qu'il est sourd** das Dumme ist, dass er taub ist

embêtant, e [ãbɛtã, ãt] *adj fam* **1.** (*agaçant*) lästig **2.** (*fâcheux*) dumm

embêtement [ãbɛtmã] *m fam* Scherereien *Pl*

embêter [ãbete] <1> **I.** *vt fam* **1.** (*importuner*) auf die Palme bringen **2.** (*contrarier*) nerven; **être embêté** dumm dastehen **3.** (*casser les pieds*) anöden **II.** *vpr fam* **1.** (*s'ennuyer*) **s'~** sich [zu Tode] langweilen **2.** (*se démener*) **s'~ à faire qc** sich ins Zeug legen um etw zu machen ▶**ne pas s'~** (*n'être pas à plaindre*) nicht übel leben; (*en profiter*) sich köstlich amüsieren

emblée [ãble] *adv* **d'~** auf Anhieb

emblème [ãblɛm] *m* Emblem *nt*

embobiner [ãbɔbine] <1> *vt fam* einwickeln

emboîter [ãbwate] <1> **I.** *vt* zusammensetzen **II.** *vpr* **des choses s'emboîtent les unes dans les autres** Dinge passen ineinander

embolie [ãbɔli] *f* Embolie *f*

embonpoint [ãbɔ̃pwɛ̃] *m* Leibesfülle *f*

embouché, e [ãbuʃe] *adj* **être mal ~** keine Kinderstube haben

embouchure [ãbuʃyʀ] *f* GEOG Mündung *f*

embourber [ãbuʀbe] <1> **I.** *vt* **~ qc** mit etw im Schlamm stecken bleiben **II.** *vpr* **1.** (*s'enliser*) **s'~** im Schlamm stecken bleiben **2.** (*s'empêtrer*) **s'~ dans qc** sich in etw (*akk*) verstricken **3.** (*s'enfoncer*) **s'~ dans qc** in etw (*dat*) stecken bleiben

embourgeoisement [ãbuʀʒwazmã] *m* Verbürgerlichung *f*

embourgeoiser [ãbuʀʒwaze] <1> *vpr* **s'~** verbürgerlichen

embout [ãbu] *m d'une chaussure* Kappe *f; d'un parapluie* Spitze *f*

embouteillage [ãbutɛjaʒ] *m* AUT [Verkehrs]stau *m*

emboutir [ãbutiʀ] <8> *vt* AUT [hinten] rammen

embranchement [ãbrãʃmã] *m* **1.** (*point de jonction*) Schnittpunkt *m* **2.** (*ramification*) Abzweigung *f*

embrassades [ãbrasad] *fpl* Küsse [und Umarmungen] *Pl*

embrasse [ãbras] *f* Raffhalter *m*

embrasser [ãbrase] <1> **I.** *vt* **1.** (*donner*

un baiser) küssen; **va l'~!** geh und gib ihm/ihr ein Küsschen! **2.** (*saluer*) **je t'/vous embrasse** viele Grüße **3.** (*prendre dans les bras*) umarmen **II.** *vpr* **s'~ 1.** (*donner un baiser*) sich küssen **2.** (*prendre dans ses bras*) sich umarmen

embrasure [ãbrazyʀ] *f* Öffnung *f*

embrayage [ãbrɛjaʒ] *m* Kupplung *f;* **voiture à ~ automatique** Wagen *m* mit Automatikschaltung

embrayer [ãbrɛje] <7> *vi* **1.** AUT einkuppeln **2.** (*commencer à parler*) **~ sur qn/qc** auf jdn/etw zu sprechen kommen

embrigader [ãbrigade] <1> *vt péj* **1.** (*endoctriner*) einspannen (*fam*) **2.** (*enrôler*) **~ qn dans qc** jdn für etw rekrutieren

embringuer [ãbrɛge] <1> *vt fam* **être embringué dans qc** in etw (*akk*) verwickelt sein

embrocher [ãbrɔʃe] <1> *vt* auf den [Brat]spieß stecken *viande*

embrouillamini [ãbrujamini] *m fam* Kuddelmuddel *m o nt*

embrouille [ãbruj] *f* Verwirrspiel *nt*

embrouillé, e [ãbruje] *adj* verworren

embrouiller [ãbruje] <1> **I.** *vt* **1.** (*rendre confus*) kompliziert machen *chose* **2.** (*faire perdre le fil*) verwirren *personne* **II.** *vpr* **1.** (*s'empêtrer*) **s'~ dans un récit** in einem Bericht den Faden verlieren; **s'~ dans des explications** sich in Erklärungen (*dat*) verstricken **2.** (*devenir confus*) **s'~** durcheinander geraten

embroussaillé, e [ãbrusaje] *adj terrain* mit Gestrüpp zugewachsen; *sourcils* buschig

embruns [ãbrɛ̃] *mpl* Gischt *m o f*

embryon [ãbrijɔ̃] *m* Embryo *m*

embryonnaire [ãbrijɔnɛʀ] *adj vie* embryonal

embûches [ãbyʃ] *fpl* Fallstricke *Pl;* **sujet plein d'~** Thema *nt* voller Tücken

embuer [ãbɥe] <1> *vt* beschlagen

embuscade [ãbyskad] *f* **dresser une ~ à qn** jdn in einen Hinterhalt locken

embusquer [ãbyske] <1> *vt* **être embusqué** im Hinterhalt liegen

éméché, e [emeʃe] *adj fam* beschwipst

émeraude [emʀod] **I.** *adj inv* smaragdfarben **II.** *f* Smaragd *m*

émergence [emɛʀʒãs] *f* [plötzliches] Auftauchen *nt*

émerger [emɛʀʒe] <2a> *vi* **1.** (*sortir*) **~ de qc** *plongeur:* aus etw auftauchen; *soleil:* hinter etw (*dat*) hervorkommen **2.** (*être apparent*) herausragen; **terres émergées** festes Land **3.** *fam* (*se réveiller*) munter werden **4.** (*sortir du stress*) relaxen (*fam*)

émeri [emʀi] *m* **papier [d']~** Schleifpapier

nt

émérite [emeʀit] *adj professeur* emeritiert

émerveillement [emɛʀvɛjmɑ̃] *m* Entzückung *f*

émerveiller [emɛʀveje] <1> **I.** *vt* entzücken **II.** *vpr* **s'~ de** [*o* **devant**] *qc* in Entzückung über etw (*akk*) geraten

émetteur [emetœʀ] *m* MEDIA, LING Sender *m*

émetteur, -trice [emetœʀ, -tʀis] **I.** *adj* **1.** MEDIA **poste ~** Sendegerät *nt;* **station émettrice** Sendestation *f* **2.** FIN ausgebend **II.** *m, f* FIN *d'un chèque* Aussteller(in) *m(f)*

émetteur-récepteur [emetœʀʀesɛptœʀ] <émetteurs-récepteurs> *m* kombiniertes Sende- und Empfangsgerät

émettre [emɛtʀ] <*irr*> **I.** *vi* MEDIA ausstrahlen **II.** *vt* **1.** (*produire*) von sich geben *son;* verbreiten *odeur;* abgeben *lumière;* aussenden *radiations* **2.** (*formuler*) äußern *opinion;* aufstellen *hypothèse* **3.** FIN ausgeben; ausstellen *chèque*

émeute [emøt] *f* Aufruhr *m,* Tumult *m*

émeutier, -ière [emœtje, -jɛʀ] *m, f* Aufrührer(in) *m(f)*

émietter [emjete] <1> **I.** *vt* zerbröckeln **II.** *vpr* **s'~** zerbröckeln

émigrant, e [emigʀɑ̃, ɑ̃t] *m, f* Auswanderer/Auswanderin *m/f,* Emigrant(in) *m(f)*

émigration [emigʀasjɔ̃] *f* **1.** (*expatriation*) Auswanderung *f* **2.** POL Emigration *f*

émigré, e [emigʀe] *m, f* Emigrant(in) *m(f)*

émigrer [emigʀe] <1> *vi* auswandern

émincer [emɛ̃se] <2> *vt* in dünne Scheiben schneiden

éminemment [eminamɑ̃] *adv respectable* höchst

éminence [eminɑ̃s] *f* GEOG Anhöhe *f*

éminent, e [eminɑ̃, ɑ̃t] *adj* hervorragend

émirat [emiʀa] *m* Emirat *nt*

émissaire [emisɛʀ] *m* Abgesandte(r) *f(m)* [mit geheimem Auftrag]

émission [emisjɔ̃] *f* **1.** MEDIA Sendung *f; ~* **radiophonique/télévisée** Radio-/Fernsehsendung; *~* **en différé** Aufzeichnung *f; ~* **en direct** Livesendung **2.** PHYS Emission *f* **3.** FIN Ausgabe *f,* Emission *f; d'un chèque* Ausstellung *f* **4.** POST *d'un timbre-poste* Ausgabe *f*

emmagasiner [ɑ̃magazine] <1> *vt* [ein]lagern

emmailloter [ɑ̃majɔte] <1> *vt ~* **qn/qc dans qc** etw mit etw umwickeln

emmancher [ɑ̃mɑ̃ʃe] <1> *vt* mit einem Stiel versehen *outil*

emmanchure [ɑ̃mɑ̃ʃyʀ] *f* Armausschnitt *m*

emmêler [ɑ̃mele] <1> **I.** *vt* (*enchevêtrer*)

durcheinander bringen **II.** *vpr* **1.** (*s'enchevêtrer*) **s'~** sich verwickeln **2.** (*s'embrouiller*) **s'~ dans un récit** sich in einem Bericht verzetteln; **s'~ dans des explications** sich in Erklärungen (*akk*) verstricken

emménagement [ɑ̃menaʒmɑ̃] *m* Einzug *m* [in eine Wohnung]

emménager [ɑ̃menaʒe] <2a> *vi ~* **dans un logement** in eine Wohnung einziehen

emmener [ɑ̃m(ə)ne] <4> *vt* **1.** (*conduire*) *~* **qn au cinéma** jdn zum Kino bringen **2.** (*prendre avec soi*) mitnehmen **3.** (*comme prisonnier*) abführen **4.** (*comme otage*) entführen **5.** *fam* (*emporter*) mitnehmen

emmerdant, e [ɑ̃mɛʀdɑ̃, ɑ̃t] *adj fam* **1.** (*agaçant*) nervig **2.** (*fâcheux*) blöd **3.** (*ennuyeux*) stinklangweilig

emmerde [ɑ̃mɛʀd] *f fam* Mordsärger *m kein Pl*

emmerdement [ɑ̃mɛʀdəmɑ̃] *m fam* Schererei *f*

emmerder [ɑ̃mɛʀde] <1> **I.** *vt fam* **1.** (*énerver*) nerven **2.** (*contrarier*) *problème:* verrückt machen; **être emmerdé** in der Klemme sitzen **3.** (*barber*) ankotzen (*vulg*) ►[**eh bien, moi**] **je vous/t'emmerde!** rutsch/rutsch mir doch den Buckel runter! **II.** *vpr fam* **1.** (*s'ennuyer*) **s'~** Däumchen drehen **2.** (*se démener*) **s'~ à faire qc** sich abrackern um etw zu tun ►**il/elle ne s'emmerde pas!** es juckt ihn/sie nicht groß

emmerdeur, -euse [ɑ̃mɛʀdœʀ, -øz] *m, f fam* **1.** (*raseur*) Langweiler(in) *m(f)* **2.** (*personne agaçante*) Nervensäge *f*

emmitoufler [ɑ̃mitufle] <1> **I.** *vt* **être emmitouflé dans qc** in etw (*akk*) eingemummt sein **II.** *vpr* **s'~ dans qc** sich in etw (*akk*) einmummen

emmurer [ɑ̃myʀe] <1> *vt* einmauern

émollient, e [emɔljɑ̃, jɑ̃t] *adj* erweichend

émoluments [emɔlymɑ̃] *mpl* ADMIN Bezüge *Pl*

émotif, -ive [emɔtif, -iv] *adj personne* feinfühlig; **choc ~** Schock *m*

émotion [emosjɔ̃] *f* **1.** (*surprise, chagrin*) Aufregung *f;* **causer une vive ~ à qn** jdn stark aufwühlen; **donner des ~s à qn** *fam* jdn schocken **2.** (*joie*) freudige Erregung **3.** (*trouble causé par la beauté*) Ergriffenheit *f* **4.** (*sentiment*) Emotion *f* ►**~s fortes** Nervenkitzel *m*

émotionnel, le [emosjɔnɛl] *adj choc* emotional; *réaction a.* gefühlsmäßig

émotivité [emotivite] *f* [starke] Erregbarkeit

émoulu, e [emuly] *adj* ►**être frais ~ de l'école** frisch von der Schule kommen

émousser [emuse] <1> vt **être émoussé** stumpf sein

émoustiller [emustije] <1> vt aufheitern

émouvant, e [emuvã, ãt] adj bewegend

émouvoir [emuvwaʀ] <irr> **I.** vt **1.** (bouleverser) bewegen; ~ **qn** [jusqu'] **aux larmes** jdn zu Tränen rühren **2.** (changer de sentiment) **se laisser ~ par qn/qc** sich von jdm/durch etw erweichen lassen **II.** vpr **s'~ de qc** sich über etw (akk) aufregen

empaillé, e [ãpaje] adj **1.** animal ausgestopft; siège mit Stroh bespannt **2.** fam (empoté) **avoir l'air ~** dusslig aussehen

empaqueter [ãpak(ə)te] <3> vt einpacken

emparer [ãpaʀe] <1> vpr **1.** (saisir) **s'~ de qc** etw an sich (akk) reißen; **s'~ d'un objet** sich eines Gegenstands bemächtigen (geh); **s'~ d'une information** sich (dat) eine Information verschaffen **2.** (conquérir) **s'~ d'un territoire** ein Gebiet einnehmen; **s'~ du pouvoir** die Macht an sich reißen; **s'~ d'un marché** einen Markt erobern **3.** (envahir) **s'~ de qn** jdn überrennen

empâter [ãpate] <1> vt **être empâté** langue: schwer sein

empattement [ãpatmã] m AUT Radstand m

empêché, e [ãpeʃe] adj verhindert

empêchement [ãpɛʃmã] m **avoir un ~** verhindert sein

empêcher [ãpeʃe] <1> **I.** vt **1.** (faire obstacle à) verhindern; ~ **que** + subj verhindern, dass **2.** (opp: permettre à) ~ **qn de faire qc** jdn [daran] hindern etw zu tun ▸**n'empêche** fam aber trotzdem; **[il] n'empêche que c'est arrivé** trotzdem/dennoch ist es passiert **II.** vpr **ne pas pouvoir s'~ de faire qc** ganz einfach etw tun müssen

empêcheur, -euse [ãpɛʃœʀ, -øz] m, f ▸**~ de tourner en rond** Spielverderber m

empennage [ãpenaʒ] m (plumes) Fiederung f

empereur [ãpʀœʀ] m Kaiser m; v. a. **impératrice**

empester [ãpɛste] <1> **I.** vi stinken **II.** vt **1.** (empuantir) verpesten **2.** (répandre une mauvaise odeur de) ~ **qc** nach etw stinken

empêtrer [ãpetʀe] <1> vpr **s'~ dans qc** sich in etw (dat) verfangen

emphatique [ãfatik] adj a. LING emphatisch

empiècement [ãpjɛsmã] m COUT Einsatz m

empiéter [ãpjete] <5> vi **1.** (usurper) ~ **sur qc** in etw (akk) eingreifen **2.** (déborder dans l'espace) terrain: sich ausdehnen; ver-

ger: hinüber-/herüberreichen; route: verlaufen; mer: sich hineinfressen **3.** (déborder dans le temps) sich überschneiden; personne: überziehen

empiffrer [ãpifʀe] <1> vpr fam **s'~ de qc** sich (dat) mit etw den Bauch vollschlagen

empilement [ãpilmã] m [Auf]stapeln nt

empiler [ãpile] <1> **I.** vt [auf]stapeln **II.** vpr **s'~** sich stapeln

empire [ãpiʀ] m POL Kaiserreich nt, Imperium nt; **le premier/second Empire** erstes/zweites französisches Kaiserreich; ~ **romain d'Occident** weströmisches Reich; **le Saint Empire romain germanique** das Heilige Römische Reich Deutscher Nation; ~ **colonial** Kolonialreich nt; **Empire britannique** britisches Empire ▸ **avoir de l'~ sur soi-même** Selbstbeherrschung haben; **pas pour un ~** nicht um alles in der Welt; **sous l'~ de qc** unter dem Einfluss einer S. (gen)

empirer [ãpiʀe] <1> vi sich verschlimmern

empirique [ãpiʀik] adj empirisch

emplacement [ãplasmã] m **1.** (endroit) Stelle f **2.** (place) Standort m; d'un tombeau Stätte f **3.** (réservé à la construction) Bauplatz m **4.** (dans un parking) Parkplatz m **5.** (sur un camping) [Stell]platz m

emplettes [ãplɛt] fpl ▸**faire des ~** Einkäufe Pl machen

emploi [ãplwa] m **1.** (poste) (Arbeits-)Stelle f, Arbeitsplatz m; **un ~ d'informaticienne** eine Arbeitsstelle als Informatikerin; ~ **à mi-temps/à temps partiel/à plein temps** Halbtags-/Teilzeit-/Ganztagsstelle f **2.** ECON **l'~** die Beschäftigung; **situation/politique de l'~** Beschäftigungslage f/-politik f; **être sans ~** arbeitslos sein **3.** (utilisation) Gebrauch m; d'un appareil Bedienung f; d'une somme Verwendung f; **en avoir l'~** Verwendung dafür haben; **être d'un ~ facile/délicat** leicht/vorsichtig zu handhaben sein **4.** LING Gebrauch m; **ce mot a différents ~s** das Wort hat verschiedene Bedeutungen ▸ ~ **du temps** Terminkalender m; SCOL Stundenplan m; **faire double ~** überflüssig sein

employé, e [ãplwaje] m, f Angestellte(r) f(m); ~ **de magasin** [Laden]verkäufer; ~ **des postes** Postbeamter

employer [ãplwaje] <6> **I.** vt **1.** (faire travailler) beschäftigen; **être employé par qn** bei jdm beschäftigt sein **2.** (utiliser) verwenden produit; anwenden force; ~ **du temps à qc** Zeit für etw aufwenden **3.** LING gebrauchen **II.** vpr **1.** LING **s'~** gebraucht werden **2.** (se consacrer) **s'~ à faire qc**

sich sehr bemühen etw zu tun

employeur, -euse [ɑ̃plwajœʀ, -jøz] *m, f* Arbeitgeber(in) *m(f)*

empocher [ɑ̃pɔʃe] <1> *vt* einstecken *argent*

empoignade [ɑ̃pwaɲad] *f* (*bagarre*) Auseinandersetzung *f*

empoigner [ɑ̃pwaɲe] <1> **I.** *vt* packen *personne* **II.** *vpr* **s'~** sich verprügeln

empoisonnant, e [ɑ̃pwazɔnɑ̃, ɑ̃t] *adj fam* **1.** (*insupportable*) blöd **2.** (*assommant*) sterbenslangweilig

empoisonnement [ɑ̃pwazɔnmɑ̃] *m* **1.** (*intoxication*) Vergiftung *f;* ~ dû à des champignons Pilzvergiftung **2.** *sans pl* (*crime*) Vergiftung *f*

empoisonner [ɑ̃pwazɔne] <1> **I.** *vt* **1.** (*intoxiquer*) ~ qn/un animal avec qc jdn/ein Tier mit etw vergiften; être mort empoisonné an einer Vergiftung gestorben sein **2.** (*contenir du poison*) être empoisonné vergiftet sein **3.** (*être venimeux*) être empoisonné *propos:* heimtückisch sein **4.** (*gâter*) schwer machen *vie* **5.** (*empuantir*) verpesten *air* **6.** *fam* (*embêter*) ~ qn avec qc jdm mit etw auf den Wecker gehen **II.** *vpr* **1.** (*s'intoxiquer*) **s'~** avec qc sich mit etw vergiften **2.** *fam* (*s'ennuyer*) qu'est-ce qu'on s'empoisonne ici! hier ist es ja totlangweilig! **3.** *fam* (*se démener*) **s'~** à faire qc sich fast umbringen um etw zu tun

emporté, e [ɑ̃pɔʀte] *adj* leicht aufbrausend

emportement [ɑ̃pɔʀtəmɑ̃] *m* avec ~ voller Wut

emporte-pièce [ɑ̃pɔʀt(ə)pjɛs] *m* ►à l'~ *style* bissig

emporter [ɑ̃pɔʀte] <1> **I.** *vt* **1.** (*prendre avec soi*) mitnehmen; tous les plats à ~ alle Gerichte auch zum Mitnehmen **2.** (*enlever*) wegnehmen; wegtragen *blessé* **3.** (*transporter*) ~ qn vers qc jdn zu etw bringen **4.** (*entraîner, arracher*) ~ qc *vent:* etw fortwehen; ~ qn *enthousiasme:* jdn mit [sich] reißen; *récit, rêve:* jdn entführen; être emporté par qc von etw gepackt werden **5.** (*faire mourir*) dahinraffen (*geh*) ►l'~ sur qn/qc den Sieg über jdn/etw davontragen; les inconvénients l'emportent sur les avantages die Nachteile überwiegen die Vorteile **II.** *vpr* **s'~** contre qn/qc sich über jdn/etw erregen

empoté, e [ɑ̃pɔte] *adj fam* **1.** (*maladroit*) tollpatschig; un garçon ~ de ses mains ein Junge mit zwei linken Händen **2.** (*lent*) lahm

empreint, e [ɑ̃pʀɛ̃, ɛ̃t] *adj* ~ de qc von etw geprägt

empreinte [ɑ̃pʀɛ̃t] *f* **1.** (*trace*) Abdruck *m;* des ~s [Fuß]spuren *Pl;* ~s digitales Fingerabdrücke *Pl* **2.** (*marque durable*) Gepräge *nt* (*geh*); marquer qn/qc de son ~ jdn/etw prägen

empressé, e [ɑ̃pʀese] *adj* beflissen

empressement [ɑ̃pʀɛsmɑ̃] *m* [Dienst]beflissenheit *f*, Übereifer *m*

empresser [ɑ̃pʀese] <1> *vpr* **1.** (*se hâter de*) **s'~** de faire qc sich beeilen etw zu tun **2.** (*faire preuve de zèle*) **s'~** auprès [o autour] de qn sich eifrig um jdn bemühen

emprise [ɑ̃pʀiz] *f* d'une personne [beherrschender] Einfluss; d'une drogue Macht *f;* avoir agi sous l'~ de la colère/jalousie im Zorn/aus Eifersucht gehandelt haben

emprisonnement [ɑ̃pʀizɔnmɑ̃] *m* Inhaftierung *f*

emprisonner [ɑ̃pʀizɔne] <1> *vt* **1.** (*incarcérer*) inhaftieren **2.** (*enfermer*) ~ qn/un animal dans qc jdn/ein Tier in etw (*akk*) einsperren **3.** (*serrer fermement*) einzwängen; *main, bras:* umklammern **4.** (*enlever toute liberté*) ~ qn/qc par qc jdn/etw durch etw einengen

emprunt [ɑ̃pʀœ̃] *m* **1.** (*somme*) Darlehen *nt;* (*auprès d'une banque*) Kredit *m* **2.** (*emprunt public*) Anleihe *f;* ~ d'État Staatsanleihe; souscrire à un ~ eine Anleihe zeichnen **3.** (*objet emprunté*) Leihgabe *f;* fiche d'~ Leihschein *m*

emprunté, e [ɑ̃pʀœ̃te] *adj* linkisch

emprunter [ɑ̃pʀœ̃te] <1> **I.** *vi* FIN ein Darlehen aufnehmen **II.** *vt* **1.** (*se faire prêter*) leihen; ausleihen *livre;* je peux t'~ 1000 euros/ta voiture? kannst du mir 1000 Euro/deinen Wagen leihen? **2.** (*imiter*) une idée/un exemple à qn eine Idee/ein Beispiel von jdm übernehmen **3.** (*prendre*) benutzen *passage souterrain;* nehmen *autoroute*

emprunteur, -euse [ɑ̃pʀœ̃tœʀ, -øz] *m, f* **1.** (*qui emprunte qc*) Entleiher(in) *m(f)* **2.** FIN Kreditnehmer(in) *m(f)*

empuantir [ɑ̃pɥɑ̃tiʀ] <8> *vt* verpesten (*pej*)

ému, e [emy] *adj* bewegt; ~ jusqu'aux larmes zu Tränen gerührt

émulation [emylasjɔ̃] *f* **1.** Wetteifer *m;* esprit d'~ Wettbewerbsgeist *m* **2.** INFORM Emulation *f*

émuler [emyle] <1> *vt* INFORM emulieren

émulsifiant [emylsifjɑ̃t] *m* Emulgator *m*

en [ɑ̃] **I.** *prép* **1.** (*lieu*) in (+ *dat*); ~ ville in der Stadt; habiter ~ Meurthe et Moselle/Corse im Departement Meurthe et Moselle/auf Korsika wohnen; ~ Allemagne in Deutschland; ~ mer/~ bateau auf See/auf dem Schiff; ~ pleine mer auf ho-

her See; **être ~ 5ème** in der "5e" [Klassenstufe] sein; **elle se disait ~ elle-même que...** sie dachte bei sich, dass...; **elle aime ~ lui sa gentillesse** sie mag die freundliche Art an ihm **2.** (*direction*) in (+ *akk*); **aller ~ ville** in die Stadt fahren; **aller ~ Rhénanie** ins Rheinland gehen; **aller ~ Normandie/Iran** in die Normandie gehen/in den Iran gehen; **aller ~ France/ Corse** nach Frankreich/Korsika gehen; **passer ~ seconde** in die "seconde" versetzt werden **3.** (*date, moment*) ~ [**l'an**] **2002** im Jahre 2002; ~ **été/automne/hiver** im Sommer/Herbst/Winter; ~ **avril 2002** im April 2002; ~ **dix minutes/ deux jours/mois** innerhalb von zehn Minuten/zwei Tagen/Monaten; ~ **semaine** die Woche über; ~ **ce dimanche de la Pentecôte** am heutigen Pfingstsonntag; **de jour ~ jour** von Tag zu Tag; **samedi ~ huit** Samstag in acht Tagen **4.** (*manière d'être, de faire*) **être ~ bonne/mauvaise santé** bei guter/schlechter Gesundheit sein; **être/se mettre ~ colère** wütend sein/werden; **être ~ réunion/déplacement** in einer Sitzung/unterwegs sein; **être parti ~ voyage** auf Reisen sein; ~ **deuil** in Trauer; **des cerisiers ~ fleurs** blühende Kirschbäume; **une voiture ~ panne** ein Wagen mit einer Panne; **écouter ~ silence** schweigend zuhören; **peindre qc ~ blanc** etw weiß [an]streichen **5.** *changer, convertir* in (+ *akk*); *se déguiser* als **6.** (*en tant que*) als; ~ **bon démocrate, je m'incline** als guter Demokrat gebe ich nach; **il l'a traité ~ ami** er hat ihn wie einen Freund behandelt **7.** *gérondif* (*simultanéité*) beim + *Infin;* ~ **sortant** beim Hinausgehen **8.** *gérondif* (*condition*) wenn; ~ **travaillant beaucoup, tu réussiras** wenn du viel arbeitest, wirst du Erfolg haben **9.** *gérondif* (*concession*) obgleich; **il lui souriait tout ~ la maudissant intérieurement** auch wenn er sie innerlich verfluchte, lächelte er sie an **10.** *gérondif* (*manière*) ~ **chantant/courant** singend/ im Laufschritt **11.** (*état, forme*) ~ **morceaux** in Stücken; ~ **vrac** lose; **du café ~ grains/~ poudre** ungemahlener/gemahlener Kaffee; **deux boîtes ~ plus/~ trop** zwei Dosen mehr/zu viel; ~ **trois actes** in drei Akten; ~ **si mineur** in h-Moll **12.** (*fait de*) **être ~ laine/bois** aus Wolle/Holz sein **13.** (*moyen de transport*) mit + *art;* ~ **train/voiture** mit dem Zug/Auto; ~ **vélo** *fam* mit dem Rad **14.** (*partage, division*) in (+ *akk*); **je coupe le gâteau ~ six** ich schneide den Kuchen in sechs Stücke **15.** (*pour indiquer le domaine*) in (+ *dat*);

~ **math/allemand** in Mathe/Deutsch; ~ **économie** im Bereich der Wirtschaft; **fort ~ math** gut in Mathe **16.** *après certains verbes* **croire ~ qn** an jdn glauben; **avoir confiance ~ qn** Vertrauen zu jdm haben; **espérer ~ des temps meilleurs** auf bessere Zeiten hoffen; **parler ~ son nom** in seinem/ihrem Namen sprechen ▸**s'~ aller** weggehen/-fahren; ~ **arrière** nach hinten/rückwärts; ~ **plus, ...** außerdem ...; ~ **plus** zusätzlich; ~ **plus de...** über ... hinaus **II.** *pron* **1.** (*pour des indéfinis, des quantités*) davon; **as-tu un stylo? – oui, j'~ ai un/non, je n'~ ai pas** hast du einen Kuli? – ja, ich habe einen/nein, ich habe keinen **2.** *tenant lieu de subst* **j'~ connais qui feraient mieux de ...** ich kenne welche, die besser daran täten, ... **3.** (*de là*) **j'~ viens** ich komme von dort **4.** (*de cela*) **on ~ parle** man spricht darüber; **j'~ ai besoin** ich brauche es; **je m'~ souviens** ich erinnere mich daran; **j'~ suis fier/sûr/content** ich bin stolz darauf/dessen sicher/damit zufrieden; **j'~ conclus que ...** ich schließe daraus, dass ... **5.** (*à cause de cela*) **elle ~ est malade** sie ist deshalb ganz krank; **j'~ suis malheureux** ich bin unglücklich darüber **6.** *annonce ou reprend un subst* **j'~ vends, des livres** ich verkaufe Bücher; **vous ~ avez, de la chance!** Sie haben ja wirklich [ein] Glück! **7.** *avec valeur de possessif* **ne jette pas cette rose, je voudrais ~ garder les pétales** wirf die Rose nicht weg, ich möchte die/ihre Blütenblätter aufheben

énarque [enaʀk] *mf fam* ehemaliger Schüler/ehemalige Schülerin der E.N.A.

encadré [ãkadʀe] *m* Kasten *m*

encadrement [ãkadʀəmã] *m* **1.** (*cadre*) Rahmen *m* **2.** (*prise en charge*) Betreuung *f;* **personnel d'~** Betreuungspersonal *nt*

encadrer [ãkadʀe] <1> *vt* **1.** (*mettre dans un cadre*) [ein]rahmen **2.** (*entourer*) umranden; in einen Kasten setzen *annonce, éditorial;* umrahmen *visage;* einkreisen *cible* **3.** (*s'occuper de*) betreuen; (*diriger*) anleiten **4.** MIL [an]führen **5.** *fam* (*dans un carambolage*) ~ **qc** in etw (*akk*) hineinfahren ▸**ne pas pouvoir ~ qn** *fam* jdn nicht riechen können

encadreur, -euse [ãkadʀœʀ, -øz] *m, f* **faire encadrer une toile chez l'~** ein Gemälde zum Rahmen geben

encaisse [ãkɛs] *f* Kassenbestand *m*

encaissé, e [ãkese] *adj* GEOG tief eingeschnitten

encaissement [ãkɛsmã] *m* Einkassieren *nt*

encaisser [ãkese] <1> I. *vi* **1.** (*toucher de l'argent*) kassieren **2.** *fam* (*savoir prendre des coups*) einiges einstecken können II. *vt* **1.** (*percevoir*) [ein]kassieren; einlösen *chèque* **2.** *fam* (*recevoir, supporter*) einstecken; **c'est dur** [*o* **difficile**] **à ~** das ist schwer zu verkraften ►**ne pas** [**pouvoir**] **~ qn/qc** *fam* jdn/etw nicht verknusen können

encart [ãkaʀ] *m* Beilage *f*

en-cas [ãkɑ] *m inv* Imbiss *m*

encastrable [ãkastʀabl] *adj* zum Einbauen

encastrer [ãkastʀe] <1> I. *vt* ~ **qc dans/sous qc** etw in etw (*akk*)/unter etw (*dat*) einbauen II. *vpr* **s'~ dans/sous qc** genau in/unter etw (*akk*) passen; *automobile:* sich in etw (*akk*) verkeilen

encaustique [ãkostik] *f* [Bohner]wachs *nt*

encaustiquer [ãkostike] <1> *vt* [ein]wachsen

enceinte[1] [ãsɛ̃t] *adj* schwanger; **être ~ de qn** von jdm schwanger sein; **être ~ de son troisième enfant** zum dritten Mal schwanger sein; **être ~ de trois mois** im dritten Monat schwanger sein

enceinte[2] [ãsɛ̃t] *f* **1.** (*fortification, rempart*) Ringmauer *f* **2.** (*espace clos*) abgeschlossener Bereich; *d'une ville, d'un tribunal* Innere(s) *nt*, Innenraum *m; d'une foire, d'un parc naturel* Gelände *nt* **3.** (*haut-parleur*) Lautsprecherbox *f; ~s acoustiques* Lautsprecher *fPl*

encens [ãsã] *m* Weihrauch *m;* **bâtonnet d'~** Räucherstäbchen *nt*

encenser [ãsãse] <1> *vt* weihräuchern

encensoir [ãsãswaʀ] *m* Rauchfass *nt*

encéphale [ãsefal] *m* Gehirn *nt*

encercler [ãsɛʀkle] <1> *vt* **1.** (*cerner*) einkreisen; **des curieux encerclaient le blessé** Neugierige standen um den Verletzten herum **2.** (*être disposé autour de*) einschließen **3.** (*entourer*) einrahmen

enchaînement [ãʃɛnmã] *m* **1.** (*succession*) ~ **de circonstances** Verkettung *f* von Umständen; ~ **des événements** Abfolge *f* der Ereignisse **2.** (*structure logique*) Herleitung *f* **3.** (*transition*) ~ **entre qc et qc** Überleitung *f* von etw zu etw

enchaîner [ãʃene] <1> I. *vt* **1.** (*attacher avec une chaîne*) ~ **des personnes l'une à l'autre** Menschen aneinander ketten **2.** (*mettre bout à bout*) aneinander reihen *idées* II. *vpr* **1.** (*s'attacher avec une chaîne*) **des personnes s'enchaînent à qc/l'une à l'autre** Menschen ketten sich an etw (*akk*) an/aneinander **2.** (*se succéder*) ineinander übergehen III. *vi* (*continuer*) ~ **sur qc** mit etw fortfahren

enchanté, e [ãʃãte] *adj* **1.** (*ravi*) hocherfreut; **être ~ de qc** sich über etw (*akk*) [sehr] freuen; **être ~ de faire qc/que +** *subj* sich [sehr] freuen etw zu tun/, dass **2.** (*magique*) verzaubert; **la Flûte ~e de Mozart** die Zauberflöte von Mozart ► ~ **de faire votre connaissance** es freut mich Ihre Bekanntschaft zu machen; ~! sehr erfreut!

enchantement [ãʃãtmã] *m* **1.** (*ravissement*) Entzücken *nt* **2.** (*sortilège*) Zauber *m*

enchanter [ãʃãte] <1> *vt* **1.** (*ravir*) bezaubern **2.** (*ensorceler*) verzaubern

enchanteur, enchanteresse [ãʃãtœʀ, ãʃãt(ə)ʀɛs] *m, f* Zauberer *m*/Zauberin *f*

enchâsser [ãʃase] <1> *vt* TECH [ein]fassen

enchère [ãʃɛʀ] *f gén pl* (*offre d'achat*) Gebot *nt;* **les ~s sont ouvertes** es kann geboten werden; **acheter aux ~s** ersteigern; **mettre** [*o* **vendre**] **aux ~s** versteigern; **faire monter les ~s** den Preis/die Preise hochtreiben; *fig* sich teuer verkaufen

enchérir [ãʃeʀiʀ] <8> *vi* ~ **sur qn/qc** jdn/etw überbieten; ~ **de 1000 euros sur l'offre précédente** das vorhergehende Gebot um 1000 Euro überbieten

enchevêtré, e [ãʃ(ə)vetʀe] *adj* verschlungen; *fils* [ineinander] verwickelt; *pensées, intrigue* verworren; *phrases* verschachtelt

enchevêtrement [ãʃ(ə)vɛtʀəmã] *m* wirres Durcheinander; *de branches, ruelles* Gewirr *nt; de pensées* Wirrwarr *m; de phrases* Verschachtelung *f; d'une intrigue* Verwick[e]lung *f; de liens* Verflechtung *f meist Pl*

enchevêtrer [ãʃ(ə)vetʀe] <1> *vpr* **s'~** *branches:* sich [ineinander] verschlingen; *fils:* sich verwickeln; *pensées:* wild durcheinander gehen

enclave [ãklav] *f* Enklave *f*

enclencher [ãklãʃe] <1> I. *vt* **1.** TECH einrasten lassen; einlegen *vitesse* **2.** (*engager*) in Gang setzen II. *vpr* **s'~** *levier de commande:* einrasten; *mécanisme:* sich einschalten

enclin, e [ãklɛ̃, in] *adj* **être ~ à qc/faire qc** zu etw neigen/dazu neigen etw zu tun

enclos [ãklo] *m* **1.** (*espace*) eingefriedetes Grundstück; (*pour le bétail*) eingezäunte Weide; (*pour des chevaux*) Koppel *f* **2.** (*petit domaine*) kleines Stück Land **3.** (*clôture*) Einfriedung *f* (*geh*)

enclume [ãklym] *f* Amboss *m*

encoche [ãkɔʃ] *f* Kerbe *f*

encoder [ãkɔde] <1> *vt* [en]kodieren

encoignure [ãkwaɲʀ] *f* Ecke *f*

encoller [ãkɔle] <1> *vt* [ein]kleistern

encolure [ãkɔlyʀ] *f* **1.** *d'un animal, d'une*

personne Hals *m;* **forte** ~ kräftiger Nacken; **l'emporter** [*o* **gagner**] **d'une** ~ *cheval:* mit einer Halslänge siegen **2.** *d'une robe* [Hals]ausschnitt *m* **3.** (*tour de cou*) Kragenweite *f*

encombrant, e [ãkɔ̃bʀã, ãt] *adj* **1.** (*embarrassant*) sperrig **2.** (*importun*) lästig **3.** *iron personne* unliebsam; *passé* belastend

encombre [ãkɔ̃bʀ] ►**sans** ~ [ganz] problemlos

encombré, e [ãkɔ̃bʀe] *adj* **1.** versperrt; *route* verstopft **2.** *pièce* voll gestopft; *table* vollgestellt **3.** *lignes téléphoniques* überlastet

encombrement [ãkɔ̃bʀəmã] *m* **1.** *d'une rue* Verstopfung *f;* *des lignes téléphoniques* Überlastung *f* **2.** (*embouteillage*) Stau *m*

encombrer [ãkɔ̃bʀe] <1> **I.** *vt* **1.** (*bloquer*) verstopfen; versperren *passage* **2.** (*s'amonceler sur*) **des choses encombrent une table/pièce** ein Tisch/Zimmer ist voller Sachen **3.** (*surcharger*) überladen **II.** *vpr* (*s'embarrasser de*) **ne pas s'~ de qn/qc** sich nicht mit jdm/etw belasten

encontre [ãkɔ̃tʀ] ►**aller à l'~ de qc** im Gegensatz zu etw stehen

encorbellement [ãkɔʀbɛlmã] *m* Erker *m*

encorder [ãkɔʀde] <1> *vpr* **s'~** sich anseilen

encore [ãkɔʀ] **I.** *adv* **1.** (*continuation*) noch; **le chômage augmente** ~ die Arbeitslosigkeit steigt noch weiter [an]; **en être** ~ **à qc** immer noch bei etw sein; **hier/ce matin** ~ noch gestern/heute Morgen **2.** (*répétition*) noch ein[mal]; **je peux essayer** ~ **une fois?** darf ich es noch einmal versuchen?; **voulez-vous** ~ **une tasse de thé?** wollen Sie noch eine Tasse Tee?; **c'est** ~ **de ma faute** und ich bin wieder schuld; **c'est** ~ **moi!** ich bin's noch mal [*o* schon wieder!]! **3.** + *nég* **pas** ~/~ **pas** noch nicht; **elle n'est** ~ **jamais partie** sie ist noch nie weggewesen **4.** + *comp* ~ **mieux/moins/plus** noch besser/weniger/mehr; **il aime** ~ **mieux qc** ihm ist etw immer noch lieber **5.** (*renforcement*) **non seulement ..., mais** ~ nicht nur ..., sondern auch [noch]; ~ **et toujours** immer wieder; **mais ~?** und weiter? **6.** (*objection*) ~ **faut-il le savoir!** das muss man allerdings wissen! **7.** (*restriction*) ~ **heureux que** + *subj* ich kann/wir können immer[hin] noch froh sein, dass; **..., et ~!** ..., und [selbst] das noch nicht einmal!; **si** ~ **on avait son adresse!** wenn wir wenigstens seine/ihre Adresse hätten! ►**quoi ~?** (*qu'est-ce qu'il y a?*) was denn

noch?; (*pour ajouter qc*) sonst noch etwas?; **et puis quoi** ~! sonst fehlt dir nichts? (*iron fam*) **II.** *conj* **il acceptera, ~ que, avec lui, on ne sait jamais** *fam* er wird annehmen, obwohl, bei ihm weiß man nie

encourageant, e [ãkuʀaʒã, ãt] *adj* ermutigend

encouragement [ãkuʀaʒmã] *m* **1.** Ermutigung *f,* Aufmunterung *f;* ~ **à qc** Ermunterung zu etw **2.** SCOL *Belobigung, die dazu ermuntert weiterhin gute und noch bessere Leistungen zu zeigen*

encourager [ãkuʀaʒe] <2a> *vt* **1.** ermuntern *élève;* ~ **qn d'un regard/geste** jdn mit einem Blick/einer Geste ermutigen; ~ **un sportif en criant** einen Sportler durch Zurufe anfeuern **2.** (*inciter à*) ~ **qn à qc** jdn zu etw ermuntern [*o* ermutigen]; ~ **qn à faire qc** jdn dazu ermuntern etw zu tun **3.** (*soutenir*) unterstützen

encourir [ãkuʀiʀ] <*irr*> *vt* ~ **un châtiment/une amende** mit Bestrafung/einer Geldstrafe rechnen müssen

encouru, e [ãkuʀy] **I.** *part passé de* **encourir II.** *adj* *peine* verhängt

encrasser [ãkʀase] <1> **I.** *vt* verunreinigen; *suie, fumée:* verrußen; *calcaire:* verkalken **II.** *vpr* **s'~** verschmutzen; *chaudière:* verkalken; *cheminée:* verrußen

encre [ãkʀ] *f* (*pour écrire*) Tinte *f;* ~ **sympathique** unsichtbare Tinte; **à l'~** mit Tinte; ~ **de Chine** Tusche *f;* ~ **d'imprimerie** Druckerschwärze *f;* ~ **en poudre** Toner *m* ►**qc a fait couler de l'~** [*o* **beaucoup d'~**] über etw (*akk*) ist [schon] viel Tinte versprritzt worden

encrer [ãkʀe] <1> *vt* [mit Tinte/Tusche] tränken *tampon*

encrier [ãkʀije] *m* Tintenfass *nt;* TYP Farbbehälter *m*

encroûter [ãkʀute] <1> *vt* **1.** (*couvrir d'une croûte*) mit einer Kruste bedecken/überziehen **2.** (*abêtir*) verknöchern lassen

enculé [ãkyle] *m vulg* Arschloch *nt*

enculer [ãkyle] <1> *vt vulg* in den Arsch ficken

encyclique [ãsiklik] *f* Enzyklika *f*

encyclopédie [ãsiklɔpedi] *f* **1.** (*ouvrage général*) Enzyklopädie *f* **2.** (*ouvrage spécialisé*) Lexikon *nt* ►~ **vivante** wandelndes Lexikon

encyclopédique [ãsiklɔpedik] *adj* enzyklopädisch; *esprit* universal

endetté, e [ãdete] *adj* ~ **de 2000 euros** mit 2000 Euro verschuldet

endettement [ãdɛtmã] *m* Verschuldung *f;* ~ **public** Staatsverschuldung

endetter [ãdete] <1> **I.** *vt* in Schulden

stürzen **II.** *vpr* **s'~ de 2000 euros auprès de qn** sich bei jdm mit 2000 Euro verschulden

endeuiller [ãdœje] <1> *vt* in Trauer versetzen *personne, famille*

endiablé, e [ãdjable] *adj danse* wild; *rythme* rasend; *vitalité* leidenschaftlich

endiguer [ãdige] <1> *vt* eindämmen *fleuve, violence*

endimanché, e [ãdimãʃe] *adj* sonntäglich gekleidet

endimancher [ãdimãʃe] <1> *vpr* **s'~** sich sonntäglich kleiden

endive [ãdiv] *f* Chicorée *m o f*

endoctrinement [ãdɔktʀinmã] *m* Indoktrinierung

endoctriner [ãdɔktʀine] <1> *vt* indoktrinieren

endolori, e [ãdɔlɔʀi] *adj* schmerzend; *personne* von Schmerzen gepeinigt; **j'ai le bras/dos ~** ich habe Schmerzen im Arm/Rücken

endommager [ãdɔmaʒe] <2a> *vt* [be]schädigen; beeinträchtigen *récolte*

endormant, e [ãdɔʀmã, ãt] *adj* einschläfernd

endormi, e [ãdɔʀmi] **I.** *adj* **1.** schlafend; *passion* schlummernd; **il est encore tout ~** er ist noch ganz verschlafen **2.** *bras, jambe* eingeschlafen **3.** *fam personne* lahm; *esprit* träge; *regard* verschlafen **II.** *m, f fam* Schlafmütze *f*

endormir [ãdɔʀmiʀ] <irr> **I.** *vt* **1.** *(faire dormir)* zum [Ein]schlafen bringen; *chaleur, bercement:* schläfrig machen **2.** *(anesthésier)* betäuben **3.** *(ennuyer)* **~ qn** einschläfernd auf jdn wirken **4.** *(faire disparaître)* betäuben *douleur;* zerstreuen *soupçons;* einschläfern *vigilance* **5.** *(tromper)* **~ qn avec** *[o par]* **qc** jdn mit etw einlullen *(fam)* **II.** *vpr* **s'~ 1.** *(s'assoupir)* einschlafen **2.** *(devenir très calme) ville:* zur Ruhe kommen **3.** *(s'atténuer)* nachlassen; *faculté, sens:* einschlafen

endoscope [ãdɔskɔp] *m* Endoskop *nt*

endoscopie [ãdɔskɔpi] *f* Spiegelung *f*

endosser [ãdose] <1> *vt* übernehmen *responsabilité;* **~ les conséquences** für die Folgen geradestehen; **faire ~ qc à qn** etw zuschieben

endroit[1] [ãdʀwa] *m* **1.** *(lieu)* Stelle *f;* **le/un bon ~ pour faire qc** der richtige/ein geeigneter Ort um etw zu tun; **à** *[o en]* **plusieurs ~s** an mehreren Stellen; **par ~s** stellenweise **2.** *(localité)* Ort *m;* **un ~ peu sûr** eine unsichere Gegend ►**~ sensible** empfindliche Stelle; *(moralement)* wunder Punkt

endroit[2] [ãdʀwa] *m d'un vêtement* rechte

Seite; *d'un tapis, d'une étoffe* Oberseite *f;* **être à l'~** *vêtement:* richtig herum sein; *feuille:* mit der Vorderseite nach oben liegen; **tricoter qc à l'~** etw rechts stricken

enduire [ãdɥiʀ] <irr> **I.** *vt* **~ de qc** mit etw bestreichen/einreiben/einlassen SDEUTSCH, A; **~ le papier peint de colle** Leim auf die Tapete auftragen **II.** *vpr* **s'~ de qc** sich mit etw einreiben; **s'~ de crème** sich eincremen

enduit [ãdɥi] *m* Spachtel[kitt *m*] *m*

endurance [ãdyʀãs] *f* [körperliche] Ausdauer

endurant, e [ãdyʀã, ãt] *adj* ausdauernd

endurci, e [ãdyʀsi] *adj* **1.** *cœur* hart; *personne* hartherzig; *criminel* hartgesotten **2.** *célibataire* eingefleischt; *fumeur* unverbesserlich; *joueur* leidenschaftlich **3.** *(résistant)* **~ au froid** gegen Kälte abgehärtet; **~ aux privations** an Entbehrungen gewöhnt

endurcir [ãdyʀsiʀ] <8> **I.** *vt* **1.** *(physiquement)* **~ qn à qc** jdn gegen etw abhärten; **~ qn aux privations** jdn an Entbehrungen gewöhnen **2.** *(moralement)* verhärten **II.** *vpr* **1.** *(physiquement)* **s'~ à qc** sich gegen etw abhärten **2.** *(moralement)* **s'~** verhärten; **s'~ contre qn/qc** jdm/einer S. gegenüber gefühllos werden

endurer [ãdyʀe] <1> *vt* ertragen; hinnehmen *insulte;* auf sich *(akk)* nehmen *privations*

énergétique [enɛʀʒetik] *adj* **1.** ECON **les besoins ~s** der Energiebedarf **2.** ANAT **valeur ~** Energiegehalt *m;* **aliment ~** Kraftnahrung *f*

énergie [enɛʀʒi] *f* **1.** *(force)* Energie *f;* *d'un style* Kraft *f;* **pédaler avec ~** kräftig in die Pedale treten; **style plein d'~** lebendiger Stil; **avoir de l'~ à revendre** voller Energie stecken **2.** IND Energieträger *m;* **forme d'~** Energieform *f;* **~ atomique** *[o* **nucléaire**] Atomenergie *[o* Kernenergie]; **~ solaire** Sonnenenergie; **~ thermique** Wärmeenergie

énergique [enɛʀʒik] *adj* energisch

énergiquement [enɛʀʒikmã] *adv* energisch; *frotter, secouer* kräftig

énergisant, e [enɛʀʒizã, ãt] *adj action* belebend

énergumène [enɛʀgymɛn] *m fam* verrückter Kerl

énervant, e [enɛʀvã, ãt] *adj* nervtötend; *travail, attente* zermürbend

énervé, e [enɛʀve] *adj* **1.** *(agacé)* gereizt **2.** *(excité)* aufgeregt **3.** *(nerveux)* nervös

énervement [enɛʀvəmã] *m* **1.** *(agacement)* Gereiztheit *f* **2.** *(surexcitation)* Unruhe *f* **3.** *(nervosité)* Nervosität *f*

énerver [enɛʀve] <1> **I.** *vt* **1.** *(agacer)* **~**

qn jdm auf die Nerven gehen (*fam*) **2.** (*exciter*) ~ **qn** jdn unruhig machen **II.** *vpr* **s'~ après qn/qc** sich über jdn/etw aufregen; **ne nous énervons pas!** nur keine Aufregung!

enfance [ãfãs] *f* **1.** (*période*) Kindheit *f;* **petite ~** frühe Kindheit; **première ~** früheste Kindheit; **dès la petite ~** von klein auf **2.** *sans pl* (*les enfants*) Kinder *Pl* ▶ [re]**tomber en ~** [wieder] kindisch werden

enfant [ãfã] *mf* **1.** (*opp: adulte*) Kind *nt;* **petit ~** kleines Kind; **jeune ~** Kleinkind; **~ trouvé** Findelkind; **attendre un ~** ein Kind erwarten; **faire un ~** ein Kind kriegen **2.** (*fils ou fille de qn*) Kind *nt;* **~ légitime/naturel/adoptif** eheliches/uneheliches Kind/Adoptivkind; **~ unique** Einzelkind **3.** *pl* (*descendants*) Nachkommen *Pl* **4.** (*par rapport à l'origine*) **c'est un ~ de la ville** er ist ein Stadtkind ▶**~ de chœur** Ministrant *m;* **ne pas être un ~ de chœur** *fig* kein Unschuldsengel *m* sein; **~ du premier/deuxième lit** Kind *nt* aus erster/zweiter Ehe; **être bon ~** gutmütig sein; *public:* wohlwollend sein; **~ gâté/ pourri** verwöhntes/verzogenes Kind; **~ prodige** Wunderkind *nt;* **l'~ prodigue** der verlorene Sohn; **il n'y a plus d'~s!** das ist die Jugend von heute!; **les ~s s'amusent!** wie die kleinen Kinder!; **ne fais/faites pas l'~** sei/seid nicht kindisch

enfantillage [ãfãtijaʒ] *m* Albernheit *f*

enfantin, e [ãfãtɛ̃, in] *adj* **1.** (*relatif à l'enfant*) *rires* kindlich; **chanson ~e** Kinderlied *nt* **2.** (*simple*) kinderleicht

enfariné, e [ãfaRine] *adj* bemehlt

enfer [ãfɛR] *m* **1.** REL Hölle *f* **2.** *pl* (*lieu*) Unterwelt *f* **3.** (*situation*) Hölle *f;* **c'est l'~** [*o* **un véritable ~**] das ist die Hölle [auf Erden] ▶**d'~** *fam* heiß; **avoir un look d'~** *fam* irre toll aussehen; **bruit d'~** Höllenlärm *m*

enfermer [ãfɛRme] <1> **I.** *vt* **1.** (*mettre dans un lieu fermé*) einschließen; **~ de l'argent** Geld wegschließen **2.** (*mettre en prison*) einsperren **3.** (*maintenir*) **~ qn/qc dans un rôle** jdn/etw auf eine Rolle festlegen; **être enfermé dans ses contradictions** sich in seinen eigenen Widersprüchen verfangen haben **4.** (*entourer*) umschließen ▶**être bon à ~** eingesperrt gehören; **être enfermé dehors** *fam* ausgesperrt sein; **être/rester enfermé chez soi** nicht aus dem Haus kommen/gehen **II.** *vpr* **1.** (*s'isoler*) **s'~ dans qc** sich in etw (*akk o dat*) einschließen **2.** (*se cantonner*) sich verschließen; **s'~ dans le silence** sich in Schweigen hüllen

enferrer [ãfeRe] <1> *vpr* **s'~ dans des mensonges** sich in Lügen verstricken

enfiévrer [ãfjevRe] <5> **I.** *vt* **~ qn** (*exalter*) jdn in fieberhafte Erregung versetzen **II.** *vpr* **s'~ pour qc** sich für etw entflammen (*geh*)

enfilade [ãfilad] *f de couloirs, portes* [lange] Reihe

enfiler [ãfile] <1> **I.** *vt* **1.** (*traverser par un fil*) einfädeln *aiguille;* auffädeln *perles* **2.** (*passer*) überziehen *pullover* **II.** *vpr fam* **1.** (*s'envoyer*) **s'~ une boisson** ein Getränk hinunterkippen **2.** (*se taper*) **s'~ tout le travail** die ganze Arbeit machen [müssen]

enfin [ãfɛ̃] *adv* **1.** (*fin d'une attente*) endlich; **te voilà ~!** da bist du ja endlich! **2.** (*fin d'une énumération*) schließlich **3.** (*pour corriger ou préciser*) genauer gesagt; **elle est jolie, ~, à mon sens** sie ist hübsch, jedenfalls meiner Meinung nach **4.** (*marquant la gêne*) na ja; **tu as fait ce travail? – ben oui ... euh ... ~ non** hast du deine Arbeit gemacht? – natürlich ... äh ... eigentlich [noch] nicht **5.** (*bref*) kurzum **6.** (*pour clore la discussion*) **~, on verra bien** na ja, wir werden es ja sehen; **~, tu fais pour le mieux** du tust jedenfalls, was du kannst **7.** (*tout de même*) schließlich; **comment, tu ne sais pas la réponse! ~, c'est facile!** was, du weißt die Antwort nicht! Das ist doch ganz einfach! **8.** (*marque l'irritation*) also wirklich!; **~, c'est quelque chose, quand même!** das ist doch wirklich allerhand!; **~, à quoi tu penses?** wo denkst du denn hin! ▶**~ bref** kurz und gut; **~ passons** sei's drum (*fam*); **~ voilà, je n'en sais pas plus** ja, mehr weiß ich auch nicht; **ce n'est pas certes pas beaucoup, mais ~, c'est toujours ça** es ist sicherlich nicht viel, aber schließlich besser als nichts; **~ quoi** *fam* also wirklich

enflammé, e [ãflame] *adj* **1.** leidenschaftlich; *paroles a.* glühend; *nature a.* feurig **2.** MED entzündet

enflammer [ãflame] <1> **I.** *vt* **1.** (*mettre le feu à*) entzünden **2.** (*exalter*) entflammen; anregen *imagination* **II.** *vpr* **1.** **s'~** (*prendre feu*) sich entzünden **2.** (*s'animer*) *personne:* in helle Begeisterung geraten

enflé, e [ãfle] *adj* MED [an]geschwollen

enfler [ãfle] <1> **I.** *vt* (*faire augmenter*) anschwellen lassen *doigts, rivière;* lauter werden lassen *voix* **II.** *vi* anschwellen; **à cause de la cortisone, son corps a tendance à ~** wegen des Kortisons quillt sein Körper immer mehr auf **III.** *vpr* **s'~** anschwellen

enfoiré [ɑ̃fwaʀe] *m vulg* Arschloch *nt*
enfoncé, e [ɑ̃fɔ̃se] *adj yeux* tief liegend
enfoncement [ɑ̃fɔ̃smɑ̃] *m d'une pièce* Nische *f; d'une falaise* Vertiefung *f*
enfoncer [ɑ̃fɔ̃se] <2> **I.** *vt* **1.** (*planter*) hineinschlagen *clou;* hineindrücken *punaise;* hineinstechen *couteau;* hineinstoßen *coude* **2.** (*mettre*) ~ **ses mains dans qc** die/seine Hände tief in etw (*akk*) hineinstecken; ~ **son chapeau sur ses yeux** den Hut tief ins Gesicht ziehen **3.** (*briser en poussant*) eindrücken *porte* **4.** (*aggraver la situation de*) ~ **qn dans la dépendance** jdn in die Abhängigkeit treiben **5.** *fam* (*laisser se perdre*) niedermachen; reinrasseln lassen *candidat* **II.** *vi* ~ **dans qc** in etw (*dat*) einsinken **III.** *vpr* **1.** (*aller vers le fond*) **s'~ dans la neige/les sables mouvants** im Schnee/Treibsand einsinken; **s'~ dans un liquide** in einer Flüssigkeit (*dat*) versinken **2.** (*se creuser*) **s'~** *mur, maison:* sich senken; *sol, matelas:* [zu sehr] nachgeben **3.** (*se planter*) **s'~ une aiguille dans le bras** sich (*dat*) eine Nadel in den Arm stechen **4.** (*pénétrer*) **s'~ dans qc** *vis:* in etw (*akk*) eindringen **5.** (*s'engager*) **s'~ dans l'obscurité** in die Dunkelheit eintauchen **6.** (*s'installer au fond*) **s'~ dans un fauteuil** es sich (*dat*) in einem Sessel bequem machen **7.** *fam* (*se perdre*) **s'~** sich reinreißen
enfoui, e [ɑ̃fwi] **I.** *part passé de* **enfouir** **II.** *adj* **1.** (*recouvert*) ~ **dans/sous qc** in/unter etw (*dat*) vergraben **2.** (*caché*) völlig versteckt
enfouir [ɑ̃fwiʀ] <8> **I.** *vt* **1.** (*mettre en terre*) vergraben **2.** (*cacher*) verstecken **II.** *vpr* **1.** (*se blottir*) **s'~ sous ses couvertures** sich unter der Decke vergraben **2.** (*se réfugier*) **s'~ dans un trou/terrier** sich in einem Loch/seinem Bau verkriechen
enfourcher [ɑ̃fuʀʃe] <1> *vt* ~ **son cheval/vélo** sein Pferd besteigen/aufs Fahrrad steigen; ~ **une chaise** sich rittlings auf einen Stuhl setzen
enfourner [ɑ̃fuʀne] <1> *vt* **1.** (*mettre au four*) in den [Back]ofen schieben **2.** *fam* (*ingurgiter*) in sich (*akk*) hineinschaufeln
enfreindre [ɑ̃fʀɛ̃dʀ] <*irr*> *vt* ~ **qc** gegen etw verstoßen
enfuir [ɑ̃fɥiʀ] <*irr*> *vpr* (*fuir*) **s'~ quelque part** irgendwohin fliehen [*o* flüchten]; **s'~ de qc** aus etw fliehen
enfumer [ɑ̃fyme] <1> *vt* **1.** (*emplir de fumée*) verräuchern *pièce* **2.** (*incommoder par la fumée*) einräuchern *personnes*
engagé, e [ɑ̃ɡaʒe] **I.** *adj* ~ **dans qc** in etw engagiert (*dat*) **II.** *m, f* **1.** MIL Freiwillige(r) *f(m)* **2.** SPORT Teilnehmer(in) *m(f)*

engageant, e [ɑ̃ɡaʒɑ̃, ɑ̃t] *adj avenir* verlockend; *aspect, paroles* einladend; *mine* verführerisch; *sourire* gewinnend
engagement [ɑ̃ɡaʒmɑ̃] *m* **1.** (*promesse*) Verpflichtung *f;* **honorer** [*o* **tenir**] **un ~/ses ~s** einen Vertrag einhalten/seine Verpflichtungen erfüllen **2.** (*embauche*) Einstellung *f,* Anstellung *f* **3.** MIL Verpflichtung *f* [zum Militärdienst] **4.** THEAT, CINE Engagement *nt;* **signer un ~ de cinq ans** sich für fünf Jahre verpflichten **5.** POL Engagement *nt* **6.** (*coup d'envoi*) Anspiel *nt* **7.** (*inscription*) Anmeldung *f* **8.** *gén pl* (*dépense*) Verbindlichkeit *f* ▸ **sans ~ de votre part** unverbindlich für Sie
engager [ɑ̃ɡaʒe] <2a> **I.** *vt* **1.** (*mettre en jeu*) ~ **qc** mit etw bürgen; ~ **sa parole** sein Wort geben; ~ **son honneur/sa vie** seine Ehre/sein Leben einsetzen; ~ **sa responsabilité** die Verantwortung übernehmen; POL die Vertrauensfrage stellen **2.** (*lier*) verpflichten **3.** (*embaucher*) anstellen, einstellen *représentant;* engagieren *comédien* **4.** (*commencer*) eröffnen *bataille, débat* **5.** (*faire prendre une direction à*) **le camion est mal engagé** der Lkw hat Schwierigkeiten beim Rangieren **II.** *vpr* **1.** (*promettre*) **s'~ à faire qc** sich [dazu] verpflichten etw zu tun; **s'~ vis-à-vis de** [*o* **sur**] **la Constitution** einen Eid auf die Verfassung schwören; **s'~ sur une question** sich in einer Frage festlegen **2.** (*louer ses services*) **être prêt à s'~ comme n'importe quoi** bereit sein jede beliebige Stelle anzunehmen; **s'~ dans qc** (*s'enrôler*) in den Dienst einer S. (*gen*) treten; (*choisir*) sich für etw entscheiden; **s'~** MIL sich [freiwillig] verpflichten **3.** (*pénétrer*) **s'~ dans une rue** in eine Straße einbiegen **4.** (*se lancer*) **s'~ dans qc** sich auf etw (*akk*) einlassen **5.** (*prendre position*) **s'~ dans la lutte contre qc** sich im Kampf gegen etw engagieren **6.** (*commencer*) **s'~** *processus, négociation:* in Gang kommen
engeance [ɑ̃ʒɑ̃s] *f péj* Gesindel *nt*
engelure [ɑ̃ʒlyʀ] *f* Frostbeule *f*
engendrer [ɑ̃ʒɑ̃dʀe] <1> *vt* zeugen
engin [ɑ̃ʒɛ̃] *m* **1.** *fam* (*machin*) Ding *nt* **2.** TECH (*[Bau]maschine *f,* Gerät *nt* **3.** MIL Kriegsgerät *nt;* ~ **de guerre** Kriegsgerät; ~ **atomique** Atomrakete *f;* ~ **spatial** Raumflugkörper *m* **4.** *fam* (*objet encombrant*) Apparat *m* **5.** (*véhicule*) Wagen *m*
englober [ɑ̃ɡlɔbe] <1> *vt* [mit] einbeziehen
engloutir [ɑ̃ɡlutiʀ] <8> **I.** *vi* schlingen **II.** *vt* **1.** (*dévorer*) verschlingen **2.** (*dilapider*) verprassen; ~ **sa fortune dans qc** sein Vermögen in etw (*akk*) hineinstecken

3. (*faire disparaître*) versenken; *inondation:* überfluten; *vagues:* verschlingen; *éruption:* unter sich (*dat*) begraben; *brume:* verschlucken **III.** *vpr* **s'être englouti dans la mer** im Meer versunken sein

engluer [ãglye] <1> **I.** *vt* mit Leim bestreichen **II.** *vpr* **s'~ les doigts de qc** sich (*dat*) die Finger mit etw klebrig machen

engorgement [ãgɔRʒəmã] *m d'un conduit, tuyau, d'une route* Verstopfung *f*

engorger [ãgɔRʒe] <2a> *vt* verstopfen *conduit, tuyau, route*

engouement [ãgumã] *m* Schwärmerei *f*

engouer [ãgwe] <1> *vpr* **s'~ de qn/qc** für jdn/etw schwärmen

engouffrer [ãgufRe] <1> **I.** *vt* **1.** (*entraîner*) *tempête:* mit sich reißen **2.** *fam* (*dévorer*) runterschlingen **3.** (*dilapider*) **~ de l'argent dans qc** Geld in etw (*akk*) hineinstecken **II.** *vpr* **des personnes s'engouffrent dans qc** Menschen stürzen sich in etw (*akk*)

engourdi, e [ãguRdi] *adj* **1.** *doigts* klamm **2.** (*de froid*) steif **3.** *esprit* träge

engourdir [ãguRdiR] <8> **I.** *vt* **1.** (*ankyloser*) klamm werden lassen *doigts, mains* **2.** (*affaiblir*) benommen machen *personne;* schwächen *volonté;* betäuben *esprit* **II.** *vpr* **s'~ 1.** (*s'ankyloser*) steif werden; *bras:* eingeschlafen **2.** (*s'affaiblir*) *personne:* schläfrig werden; *esprit:* träge werden; *facultés, sentiment:* nachlassen

engourdissement [ãguRdismã] *m* Steifwerden *nt,* Gefühlloswerden *nt*

engrais [ãgRɛ] *m* Dünger *m; ~* **chimiques** [*o* **industriels**] Kunstdünger; *~* **organiques** Naturdünger

engraisser [ãgRese] <1> *vt* **1.** (*rendre plus gras*) mästen **2.** (*fertiliser*) düngen

engranger [ãgRãʒe] <2a> *vt* (*mettre en grange*) einfahren

engrenage [ãgRənaʒ] *m* (*enchaînement*) Verkettung *f; ~* **de la violence** Gewaltspirale *f* ▶**être** **pris** dans un/l'~ in ein/das Räderwerk geraten

engrosser [ãgRose] <1> *vt vulg* **~ qn** jdm ein Kind machen (*fam*)

engueulade [ãgœlad] *f fam* Anpfiff *m;* **avoir une ~ avec qn** Krach mit jdm haben; **passer une ~ à qn** jdn zur Schnecke machen

engueuler [ãgœle] <1> **I.** *vt fam* anschnauzen **II.** *vpr fam* **1.** (*se crier dessus*) **s'~** sich anbrüllen **2.** (*se disputer*) **s'~ avec qn** sich mit jdm krachen

enguirlander [ãgiRlãde] <1> *vt* mit Girlanden schmücken

enhardir [ãaRdiR] <8> *vt* ermutigen

énième [ɛnjɛm] *adj* **le/la ~** der/die/das

x-te; **pour la ~ fois** zum x-ten Mal

énigmatique [enigmatik] *adj air, regard* geheimnisvoll; *personnage, mort* rätselhaft; *sourire* unergründlich

énigme [enigm] *f* Rätsel *nt*

enivrant, e [ãnivRã, ãt] *adj* berauschend; *parfum* betäubend

enivrer [ãnivRe] <1> *vpr* **1.** (*se soûler*) **s'~** sich betrinken **2.** *fig* **s'~ de qc** sich an etw (*dat*) berauschen

enjambée [ãʒãbe] *f* großer Schritt

enjamber [ãʒãbe] <1> *vt* (*franchir*) **~ un fossé** einen großen Schritt über einen Graben hinweg machen; **~ un mur** über eine Mauer hinwegsteigen

enjeu [ãʒø] <x> *m* **1.** (*argent*) Einsatz *m* **2.** *fig* **être l'~ de qc** bei etw auf dem Spiel stehen

enjôler [ãʒole] <1> *vt* **~ qn par qc** jdn mit etw umgarnen (*fam*)

enjôleur, -euse [ãʒolœR, -øz] *adj paroles* [ein]schmeichelnd

enjoliver [ãʒolive] <1> *vt* [ver]zieren

enjoliveur [ãʒolivœR] *m* Radkappe *f*

enjoué, e [ãʒwe] *adj* heiter

enlacer [ãlase] <2> **I.** *vt* umschlingen **II.** *vpr* **1.** (*s'étreindre*) **s'~** sich umarmen **2.** (*entourer*) **s'~ autour de qc** sich um etw schlingen

enlaidir [ãlediR] <8> **I.** *vi* (*devenir laid*) hässlich werden **II.** *vt* (*rendre laid*) entstellen *personne;* verunstalten *paysage*

enlevé, e [ãlve] *adj portrait, récit* lebendig

enlèvement [ãlɛvmã] *m* Entführung *f*

enlever [ãlve] <4> **I.** *vt* **1.** (*déplacer*) herunternehmen, wegstellen; **les draps d'un lit** ein Bett abziehen; **enlève tes mains de tes poches!** nimm die Hände aus den Taschen! **2.** (*faire disparaître*) entfernen *tache;* streichen *mot* **3.** (*ôter*) **~ l'envie/le goût à qn de faire qc** jdm die Lust nehmen etw zu tun; **~ la garde des enfants à qn** jdm das Sorgerecht für die Kinder entziehen **4.** (*retirer*) abnehmen *chapeau, montre;* abnehmen, absetzen *lunettes;* ausziehen *vêtement, chaussures* **5.** (*kidnapper*) entführen **II.** *vpr* **s'~ 1.** (*disparaître*) *tache:* herausgehen **2.** (*se détacher*) abgehen **3.** *fam* (*se pousser*) **enlève-toi de là!** verzieh dich!

enliser [ãlize] <1> *vpr* **s'~ 1.** (*s'enfoncer*) stecken bleiben **2.** (*stagner*) ins Stocken geraten

enluminure [ãlyminyR] *f* Buchmalerei *f*

enneigé, e [ãneʒe] *adj* verschneit; *village, voiture* eingeschneit

enneigement [ãnɛʒmã] *m* Schneedecke *f*

ennemi, e [en(ə)mi] **I.** *adj* feindlich; *frères* verfeindet **II.** *m, f* Feind(in) *m(f); ~* **pu-**

ennui/dégoût/antipathie

• exprimer l'ennui

Ça m'endort!
Comme c'est ennuyeux!
Mais qu'est-ce que c'est ennuyeux!
On s'**ennuie** (à **mourir**) dans cette boîte.

• Langeweile ausdrücken

Ich schlaf gleich ein! *(fam)*
Wie langweilig!
Sowas von langweilig!
Diese Disco **ist total öde.**

• exprimer le dégoût

Be(u)rk!/Quelle horreur!
C'est (vraiment) dégoûtant!
C'est absolument répugnant!
Ça me dégoûte.
Je trouve ça dégueulasse. *(fam)*

• Abscheu ausdrücken

Igitt!
Das ist (ja) ekelhaft!
Das ist geradezu widerlich!
Das ekelt mich an.
Ich finde das zum Kotzen. *(sl)*

• exprimer l'antipathie

C'est un (sacré) connard.
Cette femme **me tape sur le système/
les nerfs.**
Je ne l'aime pas (beaucoup).
Je ne peux pas le voir/l'encadrer/le
sentir.
Je trouve que ce type **est impossible.**

• Antipathie ausdrücken

Das ist ein (richtiges) Arschloch. *(vulg)*
Diese Frau **geht mir auf den Geist/
Wecker/Keks.** *(fam)*
Ich mag ihn nicht (besonders).
Ich kann ihn **nicht leiden/ausstehen/
riechen.** *(fam)*
Ich finde diesen Typ **unmöglich.**

---

blic **numéro un** Staatsfeind Nummer eins; ~ **héréditaire** Erbfeind; ~ **juré** [*o* **mortel**] Todfeind ►**passer** à l'~ [zum Feind] überlaufen

ennoblir [ãnɔbliʀ] <8> *vt* erheben *(fig)*

ennui [ãnɥi] *m* **1.** (*désœuvrement*) Lang[e]weile *f*; **tromper son** ~ sich *(dat)* die Langeweile vertreiben **2.** (*lassitude*) Lustlosigkeit *f* **3.** *souvent pl* (*problème*) Problem *nt*, Unannehmlichkeit *f*; **avoir beaucoup d'~s** viel Ärger haben ►**l'~**, **c'est que** das Dumme ist [nur], dass

ennuyé, e [ãnɥije] *adj* verärgert; **être bien** ~ ziemlich besorgt sein; **être** ~ **de qc** [*o* **par qc**] verärgert über etw *(akk)* sein; **qn est** ~ **de devoir faire qc** jdm ist es unangenehm etw tun zu müssen; **être** ~ **que** + *subj* verstimmt darüber sein, dass

ennuyer [ãnɥije] <6> **I.** *vt* **1.** (*lasser*) langweilen, fadisieren (A) **2.** (*être peu attrayant*) ~ **qn** jdm lästig sein **3.** (*être gênant*) **ça ennuie qn de devoir faire qc** es ist jdm unangenehm etw tun zu müssen **4.** (*irriter*) ~ **qn avec qc** jdm mit etw lästig sein **5.** (*déplaire*) stören **II.** *vpr* **s'**~ sich langweilen, sich fadisieren (A)

ennuyeux, -euse [ãnɥijø, -jøz] *adj* **1.** (*lassant*) langweilig; ~ **à mourir** todlangweilig **2.** (*contrariant*) ärgerlich

énoncé [enɔ̃se] *m* Wortlaut *m*

énoncer [enɔ̃se] <2> *vt* klar darlegen

énonciation [enɔ̃sjasjɔ̃] *f* LING Äußerung *f*

enorgueillir [ãnɔʀgœjiʀ] <8> *vpr* **s'**~ **de qc** stolz auf etw *(akk)* sein

énorme [enɔʀm] *adj* **1.** riesig; *erreur* krass; *différence* himmelweit **2.** (*très gros*) **être** ~ enorm dick sein *(fam)* **3.** (*incroyable*) unglaublich; **mensonge** ~ faustdicke Lüge

énormément [enɔʀmemã] *adv* sehr; ~ **d'argent/de gens** sehr viel Geld/viele Leute

énormité [enɔʀmite] *f* **1.** (*propos extravagant*) [ausgemachter] Unsinn *kein Pl* **2.** (*ineptie*) albernes Geschwätz *kein Pl* **3.** (*grosse faute*) haarsträubender Fehler

enquête [ãkɛt] *f* **1.** (*étude*) ~ **sur qc** Untersuchung *f* über etw **2.** (*sondage d'opinions*) [Meinungs]umfrage *f*; ~ **statistique** statistische Erhebung **3.** ADMIN, JUR Untersuchung *f*, Ermittlungen *Pl*; **ouvrir une** ~ eine Untersuchung einleiten

enquêter [ãkete] <1> *vi* **1.** (*s'informer*) ~ **sur qn/qc** Erkundigungen über jdn/etw einziehen **2.** (*faire une enquête*) ~ **sur qc** eine Untersuchung über etw *(akk)* durchführen **3.** (*faire un sondage*) ~ **sur qn/qc** eine [Meinungs]umfrage über jdn/etw durchführen **4.** ADMIN, JUR ~ **sur qn** eine Untersuchung gegen jdn einleiten; **la police va** ~ **sur qc** die Polizei wird in einer S. *(dat)* ermitteln

enquêteur, -euse [ãkɛtœʀ, -øz] *m, f* (*po-*

licier) Untersuchungsbeamte(r)/-beamtin *m/f*

enquiquinant, e [ãkikinã, ãt] *adj fam* nervig

enquiquiner [ãkikine] <1> I. *vt fam* (*importuner*) ~ **qn avec qc** jdn mit etw nerven II. *vpr fam* **1.**(*s'ennuyer*) **s'~** sich langweilen **2.**(*se donner du mal*) **s'~ avec qc/à faire qc** sich mit etw herumplagen/ sich plagen um etw zu tun

enquiquineur, -euse [ãkikinœʀ, -øz] *m, f fam* Nervensäge *f*

enraciner [ãʀasine] <1> I. *vt* einpflanzen *plante* II. *vpr* **s'~** *personne:* Wurzeln schlagen

enragé, e [ãʀaʒe] I. *adj* tollwütig II. *m, f* Besessene(r) *f(m)*

enrager [ãʀaʒe] <2a> *vi* rasend werden [vor Wut]

enrayer [ãʀeje] <7> *vt* bremsen

enrégimenter [ãʀeʒimãte] <1> *vt* zwangsorganisieren

enregistrement [ãʀ(ə)ʒistʀəmã] *m* **1.** MEDIA Aufnahme *f; d'une émission* Aufzeichnung *f* **2.**(*action*) Speicherung *f* **3.**(*document*) Datensatz *m* **4.** TRANSP Abfertigung *f*

enregistrer [ãʀ(ə)ʒistʀe] <1> I. *vt* **1.** MEDIA aufnehmen; ~ **sur cassette** auf Kassette aufnehmen **2.** INFORM speichern **3.**(*mémoriser*) registrieren **4.**(*noter par écrit*) ~ **qc dans qc** etw in etw (*dat*) festhalten; ~ **une déclaration** eine Aussage zu Protokoll nehmen; ~ **une commande** eine Bestellung aufnehmen **5.** TRANSP abfertigen; **faire** ~ **ses bagages** sein/das Gepäck aufgeben **6.**(*constater*) verzeichnen *évolution;* registrieren, verzeichnen *phénomène* II. *vi* **1.** MEDIA aufnehmen **2.** INFORM speichern

enregistreur [ãʀ(ə)ʒistʀœʀ] *m* Schreiber *m*

enrhumer [ãʀyme] <1> I. *vt* **être enrhumé** Schnupfen haben II. *vpr* **s'~** [einen] Schnupfen bekommen

enrichi, e [ãʀiʃi] *adj* (*devenu riche*) neureich; **personne ~e** Neureiche(r) *f(m)*

enrichir [ãʀiʃiʀ] <8> I. *vt* **1.**(*rendre riche*) reich/reicher machen **2.**(*augmenter*) ~ **une collection de nouveaux tableaux** eine Sammlung um neue Bilder erweitern II. *vpr* **s'~ de qc** **1.**(*devenir riche*) sich an etw (*dat*) bereichern **2.**(*s'améliorer*) durch etw bereichert werden **3.**(*augmenter*) um etw reicher werden

enrichissant, e [ãʀiʃisã, ãt] *adj* bereichernd

enrichissement [ãʀiʃismã] *m* Reich[er]werden *nt*

enrobé, e [ãʀɔbe] *adj fam personne* gut gepolstert

enrober [ãʀɔbe] <1> *vt* ~ **qc de qc** etw mit etw überziehen

enrôlement [ãʀolmã] *m* Anwerbung *f*

enrôler [ãʀole] <1> I. *vt* **1.**(*recruter*) ~ **qn dans qc** jdn zu etw einziehen **2.** MIL anwerben II. *vpr* **s'~ dans qc** sich zu etw melden; **s'~ dans un groupe** sich einer Gruppe anschließen; **s'~ dans un parti** einer Partei beitreten

enroué, e [ãʀwe] *adj* heiser

enrouer [ãʀwe] <1> *vt* heiser machen

enroulement [ãʀulmã] *m d'un cordon, ruban* Aufwickeln *nt*

enrouler [ãʀule] <1> I. *vt* aufwickeln *câble* II. *vpr* **s'~ autour de/sur qc** sich um/ auf etw (*akk*) wickeln; **s'~ sur soi-même** sich einrollen

enrouleur [ãʀulœʀ] *m* ~ **de câble** Kabeltrommel *f*

ensabler [ãsable] <1> *vpr* **s'~** (*s'échouer*) *bateau:* auf Sand laufen; *véhicule:* im Sand stecken bleiben

ensanglanté, e [ãsãglãte] *adj* blutverschmiert

enseignant, e [ãsɛɲã, ãt] I. *adj* **le corps** ~ die Lehrerschaft; (*d'une institution précise*) der Lehrkörper; **le milieu** ~ die Lehrer II. *m, f* Lehrer(in) *m(f)*

enseigne [ãsɛɲ] *f* [Aushänge]schild *nt;* ~ **lumineuse** [Neon]leuchtschild

enseignement [ãsɛɲ(ə)mã] *m* **1.** Unterricht *m;* **l'~ des langues vivantes** der Fremdsprachenunterricht; ~ **élémentaire** Grundschulunterricht **2.**(*profession*) Lehrberuf *m,* Lehramt *nt* **3.**(*institution*) Schulwesen *nt,* Unterrichtswesen *nt;* ~ **général** (*institution*) allgemeinbildendes Schulwesen; (*action*) allgemeinbildender Unterricht; ~ **laïque** bekenntnisfreies [staatliches] Unterrichtswesen; ~ **obligatoire** Schulpflicht *f;* ~ **professionnel** (*institution*) Berufsschulwesen *nt;* (*action*) Berufsschulunterricht *m;* ~ **public** staatliches Schulwesen; ~ **secondaire** (*institution*) Sekundarbereich *m;* (*action*) weiterführender Unterricht *m;* ~ **supérieur** (*institution*) Hochschulwesen *nt;* (*action*) Hochschulunterricht *m;* ~ **technique** (*institution*) Fachschulwesen *nt;* (*action*) Fachschulunterricht *m;* ~ **universitaire** (*institution*) Hochschulwesen *nt;* (*action*) Hochschulunterricht *m* **4.**(*leçon*) Lehre *f;* **tirer un** ~ **de qc** aus etw eine Lehre ziehen

enseigner [ãseɲe] <1> *vt* lehren; ~ **le français/les mathématiques à qn** jdn Französisch lehren

ensemble [ãsãbl] **I.** *adv* **1.** (*opp: seul*) zusammen; **travailler** ~ zusammenarbeiten; **tous** ~ alle zusammen **2.** (*en commun*) gemeinsam **3.** (*l'un avec l'autre*) miteinander **4.** (*en même temps*) zugleich ▶**aller bien/mal** ~ gut/schlecht zusammenpassen; **aller** ~ zusammengehören **II.** *m* **1.** (*totalité*) Gesamtheit *f*; **l'~ du personnel/des questions** die gesamte Belegschaft/sämtliche Fragen **2.** (*unité*) [harmonische] Einheit; **former un** ~ **harmonieux** ein harmonisches Ganzes bilden **3.** (*groupement*) ~ **de lois** Gesetzespaket *nt*; ~ **de bâtiments/d'habitations** Gebäude-/Wohnkomplex *m* **4.** MUS Ensemble *nt* **5.** MATH Menge *f* **6.** (*vêtement*) Ensemble *nt* **7.** (*groupe d'habitations*) **grand** ~ Großwohnanlage *f* ▶**impression/vue d'**~ Gesamteindruck *m*/-ansicht *f*; **donner une idée d'**~ **de qc** etw grob umreißen; **l'électorat dans son** ~/**les spectateurs dans leur** ~ das Gros der Wählerschaft/Zuschauer; **dans l'**~ im Großen und Ganzen

ensemblier, -ière [ãsãblije, -jɛʀ] *m, f* Innenarchitekt(in) *m(f)*

ensemencer [ãs(ə)mãse] <2> *vt* besäen *terre*

enserrer [ãseʀe] <1> *vt* (*enfermer*) umschließen

ensevelir [ãsəvliʀ] <8> *vt* (*recouvrir*) ~ **qn/qc sous qc** jdn/etw unter etw (*dat*) begraben

ensoleillé, e [ãsɔleje] *adj* sonnig

ensommeillé, e [ãsɔmeje] *adj personne* schlaftrunken; *paysage, ville* verschlafen

ensorceler [ãsɔʀsəle] <3> *vt* verzaubern

ensorcellement [ãsɔʀsɛlmã] *m* Zauber *m*

ensuite [ãsɥit] *adv* **1.** (*par la suite*) danach **2.** (*derrière en suivant*) dahinter; (*d'accord, mais* ~? einverstanden, aber was dann? **3.** (*en plus*) außerdem

ensuivre [ãsɥivʀ] <irr, défec> *vpr* **s'**~ sich ergeben; **la crise qui s'ensuivit** die Krise, die daraus erwuchs

entaille [ãtaj] *f* **1.** (*encoche*) Kerbe *f* **2.** (*coupure*) [tiefe] Schnittwunde

entailler [ãtaje] <1> **I.** *vt* **1.** (*faire une entaille*) einkerben **2.** (*blesser*) ~ **qc à qn** jdm eine [tiefe] Schnittwunde an etw (*dat*) zufügen **II.** *vpr* **s'**~ **qc avec** [*o* **de**] **qc** sich (*dat*) mit etw [tief] in etw (*akk*) schneiden

entame [ãtam] *f de pain, jambon* Anschnitt *m*

entamer [ãtame] <1> *vt* **1.** (*prendre le début de*) anschneiden *fromage*; aufmachen, öffnen *bouteille* **2.** (*attaquer*) schneiden **3.** (*amorcer*) einleiten; aufnehmen *négociations*; anstellen *poursuites*

entarter [ãtaʀte] <1> *vt* ~ **qn** eine Sahnetorte auf jdn werfen

entartrer [ãtaʀtʀe] <1> *vt* verkalken lassen

entassement [ãtasmã] *m* **1.** *d'objets* Anhäufung *f* **2.** (*pile*) Durcheinander *nt* **3.** (*encombrement*) Zusammengedrängtsein *nt*

entasser [ãtase] <1> **I.** *vt* **1.** (*amonceler*) anhäufen; horten *argent* **2.** (*serrer*) zusammenpferchen **II.** *vpr* **1.** (*s'amonceler*) **s'**~ sich türmen **2.** (*se serrer*) **s'**~ **dans qc** sich in etw (*dat*) zusammendrängen

entendement [ãtãdmã] *m* Begriffsvermögen *nt*

entendre [ãtãdʀ] <14> **I.** *vi* hören; **se faire** ~ sich (*dat*) Gehör verschaffen **II.** *vt* **1.** (*percevoir*) hören; ~ **qn parler/la pluie tomber** jdn reden/den Regen fallen hören; **je l'ai entendu dire** ich habe es gehört **2.** (*écouter*) ~ **qn/qc** jdn/etw anhören **3.** (*comprendre*) verstehen; **ne pas** ~ **la plaisanterie** keinen Spaß verstehen; **laisser** [*o* **donner à**] ~ **que ...** zu verstehen geben, dass ...; **qu'est-ce que vous entendez par là?** was wollen Sie damit sagen? **4.** (*vouloir*) ~ **faire qc** gedenken etw zu tun; **faites comme vous l'entendez!** tun Sie, was Sie für richtig halten! ▶**tu tendras/vous entendrez parler de moi** du wirst/Sie werden noch von mir hören; ~ **parler de qn/qc** von jdm/etw hören; **je qui veut l'**~ jedem, der es hören will; **je ne veux rien** ~! ich will nichts davon wissen!; **à** ~ **les gens** wenn man die Leute so reden hört; **je l'entends d'ici** ich höre ihn/sie jetzt schon; **qu'est-ce que j'entends?** was muss ich [da] hören? **III.** *vpr* **1.** (*avoir de bons rapports*) **s'**~ **avec qn** sich mit jdm verstehen **2.** (*se mettre d'accord*) **s'**~ **sur qc** sich über etw (*akk*) verständigen; **s'**~ **pour faire qc** sich darauf einigen etw zu tun **3.** (*s'y connaître*) **s'y** ~ **en qc** etw von etw verstehen **4.** (*être audible*) **s'**~ zu hören sein ▶**on ne s'entend plus parler** man versteht sein eigenes Wort nicht mehr; **entendons-nous bien!** damit wir uns richtig verstehen!

entendu, e [ãtãdy] **I.** *part passé de* **entendre II.** *adj* **1.** (*convenu*) abgemacht; **il est** [**bien**] ~ **que ...** es versteht sich von selbst, dass ... **2.** (*complice*) wissend ▶**bien** ~ selbstverständlich; **comme de bien** ~ wie könnte es anders sein

entente [ãtãt] *f* **1.** (*amitié*) Einvernehmen *nt* **2.** (*fait de s'accorder*) Verständigung *f* **3.** (*accord*) Übereinkunft *f*; **arriver** [*o* **parvenir**] **à une** ~ eine Einigung erzielen **4.** ECON Kartell *nt* **5.** POL Entente *f*, Bündnis

nt

entériner [ɑ̃teʀine] <1> *vt* billigen

entérite [ɑ̃teʀit] *f* [Dünn]darmentzündung *f*

enterrement [ɑ̃tɛʀmɑ̃] *m* Beerdigung *f*

enterrer [ɑ̃teʀe] <1> **I.** *vt* **1.**(*inhumer*) begraben **2.**(*assister à l'enterrement*) **hier il a enterré sa mère** gestern war er auf der Beerdigung seiner Mutter **3.**(*enfouir*) vergraben **4.**(*oublier, faire oublier*) begraben *affaire* **5.**(*renoncer à*) begraben ▸il <u>nous</u> **enterrera tous** *hum* [d]er wird uns noch alle überleben **II.** *vpr* s'~ **à la campagne** sich aufs Land zurückziehen

entêtant, e [ɑ̃tɛtɑ̃, ɑ̃t] *adj parfum:* schwer

en-tête [ɑ̃tɛt] <en-têtes> *f d'un journal* Kopf *m*; *d'un papier à lettres* [gedruckter] Briefkopf

entêté, e [ɑ̃tete] **I.** *adj personne* eigensinnig **II.** *m, f* eigensinniger Mensch

entêtement [ɑ̃tɛtmɑ̃] *m* Eigensinn[igkeit *f*] *m*

entêter [ɑ̃tete] <1> *vpr* s'~ **dans qc** sich auf etw (*akk*) versteifen; **s'~ à faire qc** sich darauf versteifen etw zu tun

enthousiasme [ɑ̃tuzjasm] *m* Begeisterung *f*, Enthusiasmus *m*

enthousiasmer [ɑ̃tuzjasme] <1> **I.** *vt* in Begeisterung versetzen **II.** *vpr* s'~ **pour qn/qc** sich für jdn/etw begeistern

enthousiaste [ɑ̃tuzjast] **I.** *adj* begeistert **II.** *mf* Enthusiast(in) *m(f)*

enticher [ɑ̃tiʃe] <1> *vpr* s'~ **de qn/qc** für jdn/etw schwärmen

entier [ɑ̃tje] *m* Ganze(s) *nt* ▸**la nation** <u>dans</u> **son** ~ die ganze Nation; **en** ~ ganz

entier, -ière [ɑ̃tje, -jɛʀ] *adj* **1.**(*dans sa totalité*) ganz; **dans le monde** ~ auf der ganzen Welt **2.**(*absolu*) völlig; **ma confiance en lui est entière** er hat mein vollstes Vertrauen **3.** *personne* heil; *objet* ganz; *collection* vollständig **4.**(*non réglé*) **la question reste entière** die Frage bleibt unbeantwortet **5.** *personne* unnachgiebig; **être** ~ **dans ses opinions** kategorisch in seinen Ansichten sein ▸**être tout** ~ **à qc** ganz in etw (*akk*) vertieft sein; **tout** ~ ganz

entièrement [ɑ̃tjɛʀmɑ̃] *adv* völlig

entité [ɑ̃tite] *f* PHILOS Wesenheit *f*

entomologie [ɑ̃tɔmɔlɔʒi] *f* Insektenkunde *f*

entonner [ɑ̃tɔne] <1> *vt* anstimmen

entonnoir [ɑ̃tɔnwaʀ] *m* Trichter *m*

entorse [ɑ̃tɔʀs] *f* Verstauchung *f* ▸**faire** <u>une</u> ~ **à qc** gegen etw verstoßen

entortiller [ɑ̃tɔʀtije] <1> **I.** *vt* **1.**(*enrouler*) ~ **qc autour de qc** etw um etw [herum]wickeln **2.**(*enjôler*) *fam* einwickeln **II.** *vpr* **1.**(*s'enrouler*) **s'~ autour de qc**

sich um etw ranken **2.**(*s'envelopper*) **s'~ dans qc** sich in etw (*akk*) einwickeln **3.**(*s'embrouiller*) **s'~ dans qc** sich in etw (*akk*) verstricken

entourage [ɑ̃tuʀaʒ] *m* Umgebung *f*

entouré, e [ɑ̃tuʀe] *adj* **1.**(*admiré*) umschwärmt **2.**(*aidé*) umsorgt **3.**(*accompagné*) **être bien/mal** ~ von den richtigen/ nicht von den richtigen Leuten umgeben sein

entourer [ɑ̃tuʀe] <1> **I.** *vt* **1.**(*être autour*) umgeben; *police:* umstellen; *ennemi:* einkreisen; **la foule entoure le chanteur** die Menge umringt den Sänger; **être entouré d'arbres/de jeunes** von Bäumen/ jungen Leuten umgeben sein **2.**(*mettre autour*) ~ **un mot** ein Wort einkreisen; ~ **un jardin d'une clôture** einen Garten einzäunen **3.** *fig* ~ **qc de mystère** etw mit einem Geheimnis umgeben **4.**(*soutenir*) ~ **qn** jdm zur Seite stehen; ~ **qn de soins** jdn liebevoll pflegen **II.** *vpr* **s'~ de bons amis/d'objets d'art** sich mit guten Freunden/Kunstgegenständen umgeben; **s'~ de garanties/précautions** sich nach allen Seiten absichern

entournure [ɑ̃tuʀnyʀ] *f* ▸**être** <u>gêné</u> **aux** ~**s** sich beengt fühlen

entracte [ɑ̃tʀakt] *m* THEAT, CINE Pause *f*

entraide [ɑ̃tʀɛd] *f* [gegenseitige] Hilfe

entraider [ɑ̃tʀede] <1> *vpr* **s'~** sich [gegenseitig] helfen

entrailles [ɑ̃tʀaj] *fpl* Eingeweide *Pl*

entrain [ɑ̃tʀɛ̃] *m* Schwung *m*, Elan *m*

entraînant, e [ɑ̃tʀɛnɑ̃, ɑ̃t] *adj* mitreißend

entraînement [ɑ̃tʀɛnmɑ̃] *m* **1.**(*pratique*) Übung *f*; **c'est une question d'**~ das ist Übungssache **2.** SPORT Training *nt*

entraîner [ɑ̃tʀene] <1> *vt* **1.**(*emporter*) mit sich [fort]reißen **2.**(*emmener*) ziehen; ~ **qn vers la sortie** jdn zum Ausgang schieben **3.**(*inciter*) ~ **qn à** [*o* **dans**] **qc** jdn zu etw verleiten; ~ **qn à faire qc** jdn dazu verleiten etw zu tun **4.**(*causer*) zur Folge haben **5.**(*stimuler*) *éloquence, musique:* mitreißen **6.**(*exercer*) trainieren *joueur* **II.** *vpr* **s'~ à** [*o* **pour**] **qc/à faire qc** sich in etw (*dat*)/darin üben etw zu tun

entraîneur, -euse [ɑ̃tʀɛnœʀ, -øz] *m, f* SPORT Trainer(in) *m(f)*

entrapercevoir [ɑ̃tʀapɛʀsəvwaʀ] <12> *vt* [nur] flüchtig sehen

entrave [ɑ̃tʀav] *f* Hemmnis *nt*

entraver [ɑ̃tʀave] <1> *vt* ~ **qn/qc dans qc** jdn/etw bei etw behindern

entre [ɑ̃tʀ] *prép* **1.**(*position dans l'intervalle*) zwischen (+ *dat*); **il était assis** ~ **les deux enfants** er saß zwischen den beiden Kindern **2.**(*mouvement vers l'interval-*

le) zwischen (+ *akk*); **il s'assit ~ les deux enfants** er setzte sich zwischen die beiden Kinder **3.** (*parmi des choses*) zwischen (+ *dat*); **choisir ~ plusieurs solutions** zwischen mehreren Lösungen wählen **4.** (*parmi des personnes*) unter (+ *dat*), von (+ *dat*); **je le reconnaîtrais ~ tous** ich würde ihn unter Tausenden wieder erkennen; **la plupart d'~ eux/elles** die meisten von ihnen; **~ autres** unter anderem; **~ nous** unter uns [gesagt]; **~ hommes** unter Männern **5.** (*à travers*) durch (+ *akk*); **passer ~ les mailles du filet** durch die Maschen des Netzes schlüpfen **6.** (*dans*) in (+ *akk*); **remettre son sort ~ les mains de son médecin** sein Schicksal in die Hände seines Arztes legen **7.** (*indiquant une relation*) zwischen (+ *dat*); **ils se sont disputés ~ eux** sie haben sich gestritten

entrebâillement [ɑ̃tRəbajmɑ̃] *m* Spalt *m*
entrebâiller [ɑ̃tRəbaje] <1> *vt* einen Spalt[breit] öffnen
entrechoquer [ɑ̃tRəʃɔke] <1> *vt* gegeneinander schlagen
entrecoupé, e [ɑ̃tRəkupe] *adj voix* stockend
entrecouper [ɑ̃tRəkupe] <1> *vt* **~ qc de qc** etw mit etw unterbrechen
entrecroiser [ɑ̃tRəkRwaze] <1> **I.** *vt* [miteinander] verflechten **II.** *vpr* **s'~** ineinander verschlungen sein; *routes:* sich kreuzen
entre-déchirer [ɑ̃tRədeʃiRe] <1> *vpr* **s'~** *animaux:* sich [gegenseitig] zerreißen
entre-deux [ɑ̃tRədø] *m sans pl fig* Zwischenbereich *m*
entre-deux-guerres [ɑ̃tRədøgɛR] *m sans pl* **l'~** die Zeit zwischen den beiden Weltkriegen
entrée [ɑ̃tRe] *f* **1.** *d'une personne* Eintreten *nt; d'un acteur* Auftritt *m; d'un train* Einfahrt *f;* **à l'~ de qn** bei jds Eintreten; **faire une ~ triomphale** einen triumphalen Einzug halten; **~ en scène** Auftritt **2.** (*accès*) Eingang *m*, Eingangsbereich *m;* **à l'~ de qc** am Eingang einer S. (*gen*); **~ principale** Haupteingang; **~ de service** Dienstboteneingang **3.** (*droit d'entrer*) Zutritt *m; ~* **interdite** kein Zutritt; **~ interdite à tout véhicule** Einfahrt verboten **4.** *d'un appartement* Diele *f; d'un hôtel, immeuble* Eingangshalle *f; d'une maison* Hausflur *m* **5.** (*billet*) Eintrittskarte *f*, Eintritt *m; ~* **non payante** Freikarte *f* **6.** (*somme perçue*) Eintrittspreis *m* **7.** (*adhésion*) Eintritt *m*, Beitritt *m* **8.** (*admission*) **~ dans un club** Aufnahme *f* in einen Klub **9.** (*commencement*) **~ en action** Eingreifen *nt; ~* **en fonction** Amtsantritt *m; ~* **en matière** Einleitung *f; ~* **en vigueur** Inkrafttreten *nt*

10. GASTR erster Gang; **en** [*o* **comme**] **~** als Vorspeise **11.** TYP *d'un dictionnaire* Eintrag *m* **12.** INFORM Eingabe *f*
entrefilet [ɑ̃tRəfilɛ] *m* kurze [Zeitungs]notiz
entrejambe [ɑ̃tRəʒɑ̃b] *m* Schritt *m*
entrelacer [ɑ̃tRəlase] <2> **I.** *vt* ineinander schlingen; miteinander verweben *fils* **II.** *vpr* **s'~** sich [ineinander] verschlingen; **s'~ autour de qc** [sich] um etw ranken
entrelarder [ɑ̃tRəlaRde] <1> *vt* GASTR spicken
entremêler [ɑ̃tRəmele] <1> **I.** *vt fig* **~ qc de qc** etw in etw (*akk*) einstreuen **II.** *vpr* **s'~** durcheinander geraten; **s'~ à** [*o* **avec**] **qc** mit etw abwechseln
entremets [ɑ̃tRəmɛ] *m* Süßspeise *f*
entremetteur, -euse [ɑ̃tRəmetœR, -øz] *m, f péj* Kuppler(in) *m(f)*
entremettre [ɑ̃tRəmɛtR] <*irr*> *vpr* **s'~ dans qc** vermittelnd in etw (*akk*) eingreifen
entremise [ɑ̃tRəmiz] *f* Vermittlung *f*
entrepont [ɑ̃tRəpɔ̃] *m* Zwischendeck *nt*
entreposer [ɑ̃tRəpoze] <1> *vt* (ein)lagern; unterstellen *meubles; ~* **qc en douane** etw unter Zollverschluss lagern; **marchandise entreposée** Lagergut *nt*
entrepôt [ɑ̃tRəpo] *m* Lagerhalle *f*
entreprenant, e [ɑ̃tRəpRənɑ̃, ɑ̃t] *adj* **1.** (*dynamique*) unternehmungslustig **2.** (*galant*) galant
entreprendre [ɑ̃tRəpRɑ̃dR] <13> *vt* (*commencer*) unternehmen; in Angriff nehmen *étude, travail*
entrepreneur, -euse [ɑ̃tRəpRənœR, -øz] *m, f* **1.** (*créateur d'entreprise*) Unternehmer(in) *m(f);* **petit ~** mittelständischer Unternehmer **2.** TECH Bauunternehmer(in) *m(f)*
entreprise [ɑ̃tRəpRiz] *f* **1.** (*firme*) Unternehmen *nt*, Betrieb *m*, Firma *f; ~* **familiale** Familienbetrieb; **~ individuelle** Einzelunternehmen; **petites et moyennes ~s** klein- und mittelständische Betriebe *Pl; ~* **privée** Privatunternehmen; **~ publique** staatliches Unternehmen; **~ de construction** Baufirma; **~ de transports** Speditionsfirma **2.** (*opération*) Unternehmen *nt*, Unternehmung *f;* **se lancer dans une vaste ~** sich in ein gewagtes Unternehmen stürzen
entrer [ɑ̃tRe] <1> **I.** *vi + être* **1.** (*pénétrer*) eintreten; (*vu de l'intérieur*) hereinkommen; (*vu de l'extérieur*) hineingehen; **défense d'~!** Eintritt verboten!; **faire ~ qn/un animal** jdn hereinbitten/ein Tier hereinholen; **laisser ~ qn/un animal** jdn/ein Tier herein-/hineinlassen **2.** (*pénétrer*

dans un lieu) ~ **dans qc** etw betreten; *chien:* in etw *(akk)* [herein-]/[hinein]laufen; **le bateau entre dans le port** das Schiff läuft [in den Hafen] ein; **le train entre en gare** der Zug fährt [in den Bahnhof] ein **3.** *(aborder)* ~ **dans les détails** ins Detail gehen; ~ **dans le vif du sujet** sofort zum Kern der Sache kommen **4.** *fam (heurter)* ~ **dans qc** gegen etw laufen/fahren **5.** *(s'engager dans)* ~ **dans un club** Mitglied eines Klubs werden; ~ **dans un parti** einer Partei beitreten; ~ **dans l'armée/la police** zur Armee/zur Polizei gehen; ~ **dans la vie active** ins Erwerbsleben eintreten **6.** *(être admis)* ~ **à l'hôpital/l'école/en sixième** ins Krankenhaus/in die Schule/die 1.Klasse des Gymnasiums kommen; ~ **en apprentissage/à l'université** eine Lehre/sein Studium beginnen; **faire** ~ **qn dans un club** jdn [als neues Mitglied] in einen Klub einführen; **faire** ~ **qn dans une entreprise** jdm eine Stelle in einem Unternehmen verschaffen **7.** *(s'enfoncer)* **la clé n'entre pas dans le trou de la serrure** der Schlüssel passt nicht ins Schlüsselloch **8.** *(s'associer à)* ~ **dans la discussion** sich an der Diskussion beteiligen **9.** *(faire partie de)* ~ **dans la composition d'un produit** Bestandteil eines Produkts sein **10.** *(comme verbe-support)* ~ **en application** in Kraft treten; ~ **en contact avec qn** mit jdm Kontakt aufnehmen; ~ **en collision avec qn/qc** mit jdm/etw zusammenstoßen; ~ **en guerre** in den Krieg eintreten; ~ **en scène** auftreten; ~ **en ligne de compte** in Betracht kommen; **le nouveau ministre entre en fonction** der neue Minister tritt sein Amt an ▶**ne faire qu'**~ **et sortir** nur kurz vorbeischauen **II.** *vt* + *avoir* **1.** *(faire pénétrer)* ~ **qc dans qc** etw in etw *(akk)* hineinbringen; ~ **l'armoire par la fenêtre** den Schrank durch das Fenster hineinschaffen **2.** INFORM eingeben

entresol [ãtRəsɔl] *m* Hochparterre *nt*

entre-temps [ãtRətã] *adv* inzwischen

entretenir [ãtRət(ə)niR] <9> **I.** *vt* **1.** *(maintenir en bon état)* in Stand halten; pflegen *beauté, voiture;* in Ordnung halten *vêtement* **2.** *(faire vivre)* ~ **qn** für jds Unterhalt aufkommen; ~ **une maîtresse** sich eine Mätresse halten *(pej);* **se faire** ~ **par qn** sich von jdm aushalten lassen **3.** *(faire durer)* unterhalten *correspondance, relations;* hegen *doute, espoir;* lebendig halten *souvenirs;* aufrechterhalten *illusions;* nicht ausgehen lassen *feu;* ~ **sa forme** sich fit halten **4.** *(parler à)* ~ **qn de qn/qc** jdm von jdm/etw erzählen **II.** *vpr* **1.** *(conver-*

ser) **s'**~ **avec qn de qn/qc** sich mit jdm über jdn/etw unterhalten **2.** *(se conserver en bon état)* **s'**~ *personne:* sich fit halten; *moquette, meuble:* gepflegt werden müssen

entretenu, e [ãtRət(ə)ny] **I.** *part passé de* **entretenir II.** *adj* **1.** gepflegt; *maison* gut in Stand gehalten **2.** *(pris en charge)* **c'est une femme** ~**e/un homme** ~ sie/er lässt sich aushalten

entretien [ãtRətjɛ̃] *m* **1.** *de la peau, d'un vêtement* Pflege *f; d'une maison* Instandhaltung *f; d'une machine* Wartung *f;* **sans** ~ wartungsfrei **2.** *(discussion en privé)* Gespräch *nt,* Unterhaltung *f*

entretuer [ãtRətɥe] <1> *vpr* **s'**~ sich gegenseitig umbringen

entrevoir [ãtRəvwaR] <*irr*> *vt* **1.** *(voir: indistinctement)* undeutlich sehen; *(brièvement)* [nur] flüchtig sehen **2.** *(pressentir)* vorhersehen; ~ **une amélioration** Anzeichen einer Besserung sehen

entrevue [ãtRəvy] *f* Unterredung *f*

entrouvert, e [ãtRuvɛR, ɛRt] *adj* halb geöffnet

entrouvrir [ãtRuvRiR] <11> **I.** *vt* ein wenig öffnen **II.** *vpr* **s'**~ sich ein wenig öffnen

entuber [ãtybe] <1> *vt fam* übers Ohr hauen

énumération [enymeRasjɔ̃] *f* Aufzählung *f;* **faire une** ~ **de qc** etw aufzählen

énumérer [enymeRe] <5> *vt* aufzählen

envahir [ãvaiR] <8> *vt* **1.** MIL einfallen in (+ *akk) pays* **2.** *(se répandre, infester)* ~ **les rues** auf die Straßen strömen; ~ **un terrain de football** einen Fußballplatz stürmen; ~ **un terrain** *insectes:* über ein Gelände herfallen; *mauvaises herbes:* ein Gelände überwuchern; *eau:* ein Gelände überschwemmen; ~ **le marché** *nouveau produit:* den Markt überschwemmen; **être envahi par les touristes** *ville:* von Touristen überlaufen sein **3.** *(gagner)* ~ **qn** *doute, terreur:* jdn überkommen **4.** *(importuner)* belästigen

envahissant, e [ãvaisã, ãt] *adj personne* aufdringlich

envahissement [ãvaismã] *m* **1.** MIL **l'**~ **de l'Europe par les Huns** der Einfall der Hunnen in Europa **2.** *(fait d'occuper, de proliférer)* Überhandnehmen *nt;* **l'**~ **du stade/magasin** der Ansturm auf das Stadion/den Laden

envahisseur, -euse [ãvaisœR, -øz] *m, f* **1.** *(ennemi qui envahit)* Eindringling *m* **2.** MIL Angreifer(in) *m(f)*

enveloppe [ãvlɔp] *f* **1.** POST [Brief]umschlag *m;* ~ **autocollante** [*o* autoadhésive] selbstklebender [Brief]umschlag; **être/mettre sous** ~ sich in einem [verschlosse-

nen] [Brief]umschlag befinden/ in einen [Brief]umschlag stecken **2.** (*protection*) [Schutz]hülle *f* **3.** (*budget*) Gelder *Pl;* **une ~ de 14 millions** [Geld]mittel in Höhe von 14 Millionen; **~ budgétaire** Haushaltsmittel *Pl*

enveloppé, e [ɑ̃vlɔpe] *adj* rundlich

envelopper [ɑ̃vlɔpe] <1> **I.** *vt* einpacken *verre;* **~ un bébé dans une couverture** ein Baby in eine Decke einwickeln; **être enveloppé dans** [*o* **de**] **qc** *personne:* in etw (*akk*) [ein]gehüllt sein; *bébé, objet:* in etw (*akk*) [ein]gewickelt sein **II.** *vpr* **s'~ dans son manteau** sich in den/seinen Mantel hüllen

envenimé, e [ɑ̃v(ə)nime] *adj propos* böswillig

envenimer [ɑ̃v(ə)nime] <1> **I.** *vt* (*aggraver*) verschlimmern **II.** *vpr* **s'~** (*se détériorer*) *situation, conflit:* sich zuspitzen

envergure [ɑ̃vɛʀgyʀ] *f* **1.** (*dimension*) *d'un avion, oiseau* Spannweite *f* **2.** (*valeur, ampleur*) Tragweite *f;* **avoir de l'~** *personne:* Format haben

envers [ɑ̃vɛʀ] **I.** *prép* **~ qn/qc** jdm/einer S. gegenüber; **avoir une dette ~ qn** (*financière*) jdm Geld schulden; (*morale*) in jds Schuld stehen; **son mépris ~ qn/qc** seine/ihre Verachtung für jdn/etw **II.** *m d'une feuille de papier* Rückseite *f; d'une étoffe, d'un vêtement* linke Seite; *d'une assiette, feuille d'arbre* Unterseite *f* ►**l'~ du décor** die Kehrseite der Medaille; **à l'~** (*dans le mauvais sens*) verkehrt herum; (*à rebours*) umgekehrt; (*de bas en haut*) auf dem Kopf; (*à reculons*) rückwärts; (*en désordre*) durcheinander; **tout marche à l'~** alles geht schief (*fam*)

enviable [ɑ̃vjabl] *adj* beneidenswert

envie [ɑ̃vi] *f* **1.** (*désir, besoin*) Lust *f;* **ses ~s de voyage** seine/ihre Reiselust; **avoir ~ de cacahuètes** Lust auf Erdnüsse haben; **avoir ~ de faire qc** Lust haben etw zu tun; **avoir ~ de faire pipi/d'aller au W.-C.** *fam* mal aufs Klo müssen; **~ de vomir** Brechreiz *m;* **brûler d'~ de qc** *form* auf etw (*akk*) ganz versessen sein; **mourir d'~ de faire qc** darauf brennen etw zu tun; **l'~ lui prend** [*o* **vient**] **d'aller à la piscine** er/sie bekommt Lust ins Schwimmbad zu gehen; **ça me donne ~ de partir en vacances** da bekomme ich Lust zu verreisen; **avec tes histoires tu me donnes ~ de rire** wenn man deine Geschichten hört, möchte man lachen; **l'~ lui en est passée** [*o* **lui a passé**] ihm/ihr ist die Lust dazu vergangen **2.** (*convoitise*) Begierde *f* **3.** (*péché capital*) Wollust *f* **4.** (*jalousie*) Neid *m* ►**faire ~ à qn** *person-*

ne, réussite: jdn neidisch machen; *nourriture:* jdm Appetit machen; **ça fait ~** da kann man neidisch werden; (*met en appétit*) da läuft einem das Wasser im Mund zusammen

envier [ɑ̃vje] <1> *vt* beneiden; **~ qn pour sa richesse/d'être riche** jdn um seinen Reichtum beneiden/jdn darum beneiden, dass er reich ist; **je ne t'envie pas pour ton succès** ich gönne dir deinen Erfolg ►**n'avoir rien à ~ à qn/à qc** jdm/einer S. in nichts nachstehen

envieux, -euse [ɑ̃vjø, -jøz] **I.** *adj* neidisch; **~ de qn/qc** neidisch auf jdn/etw **II.** *m, f* Neider(in) *m(f);* **tu n'es qu'un ~** du bist ja nur neidisch

environ [ɑ̃viʀɔ̃] **I.** *adv* ungefähr **II.** *mpl d'une ville* Umgebung *f;* **Reims et ses ~s** Reims und Umgebung; **dans les ~s du château** in der Nähe des Schlosses; **aux ~s de Pâques** um Ostern [herum]; **aux ~s de 100 euros** an die 100 Euro

environnant, e [ɑ̃viʀɔnɑ̃, ɑ̃t] *adj* der Umgebung

environnement [ɑ̃viʀɔnmɑ̃] *m* **1.** (*milieu écologique*) Umwelt *f* **2.** (*environs*) Umgebung *f* **3.** (*milieu social*) Umfeld *nt*

environner [ɑ̃viʀɔne] <1> *vt* umgeben

envisager [ɑ̃vizaʒe] <2a> *vt* **1.** (*considérer*) in Betracht ziehen *question, situation;* **~ l'avenir/la mort** der Zukunft/dem Tod entgegensehen **2.** (*projeter*) **~ un voyage pour qn** eine Reise für jdn planen; **~ de faire qc** planen etw zu tun **3.** (*prévoir*) rechnen mit *orage, visite;* **~ que + subj** davon ausgehen, dass

envoi [ɑ̃vwa] *m* **1.** *d'un paquet, d'une lettre* [Ab]schicken *nt; d'une marchandise, commande* Versand *m; de vivres* Sendung *f* **2.** (*colis, courrier*) Sendung *f;* **~ contre remboursement** Nachnahmesendung; **~ recommandé** Einschreiben *nt*

envol [ɑ̃vɔl] *m d'un oiseau* Auffliegen *nt* ►**prendre son ~** *oiseau:* auffliegen

envolée [ɑ̃vɔle] *f des oiseaux* Auffliegen *nt*

envoler [ɑ̃vɔle] <1> *vpr* **s'~ 1.** (*quitter le sol*) wegfliegen; *avion:* abfliegen; **s'~ dans le ciel** *ballon:* in die Höhe steigen **2.** (*augmenter*) *monnaie, prix:* hochschnellen **3.** (*disparaître*) *fig fam* sich in Luft auflösen; *paroles, peur, temps:* verfliegen

envoûtement [ɑ̃vutmɑ̃] *m* Bann *m*

envoûter [ɑ̃vute] <1> *vt* in seinen Bann ziehen

envoyé, e [ɑ̃vwaje] *m, f* **1.** PRESSE Korrespondent(in) *m(f);* **~ spécial** Sonderberichterstatter **2.** POL, REL Abgesandte(r) *f(m);* (*diplomate, missionnaire*) Gesandte(r)/ Gesandtin *m/f*

envoyer [ãvwaje] <*irr*> I. *vt* 1.(*expédier*) verschicken, versenden *marchandises;* einreichen *démission;* entsenden *député; ~* **un colis/une lettre à qn** jdm ein Paket/einen Brief schicken; *~* **ses amitiés/félicitations à qn** jdm eine Gruß-/Glückwunschkarte schicken [*o* senden]; *~* **qn à la poste/chez qn** jdn zur Post/zu jdm schicken; *~* **qn faire des courses** jdn einkaufen schicken 2.(*lancer*) werfen *ballon;* (*avec le pied*) schießen *ballon; ~* **un ballon à qn** (*avec la main/le pied*) jdm den Ball zuwerfen/zuschießen [*o* zuspielen]; schlagen *balle de tennis;* versetzen *coup de pied;* geben *gifle, signal; ~* **un baiser à qn** jdm eine Kusshand zuwerfen ▶ *~* **balader qn** *fam* jdn abwimmeln; *~* **valdinguer qn/qc contre le mur** *fam* jdn/etw wegschleudern/gegen die Wand schleudern; *~* **tout promener** *fam* alles hinschmeißen II. *vpr* (*se transmettre*) **s'~ des vœux/des baisers** sich (*dat*) Glückwunschkarten schicken/Kusshändchen zuwerfen

enzyme [ãzim] *m o f* Enzym *nt*

éolien, ne [eɔljɛ̃, jɛn] *adj* Wind-

éolienne [eɔljɛn] *f* (*machine*) Windrad *nt*

épagneul, e [epaɲœl] *m, f* Spaniel *m*

épais, se [epɛ, ɛs] I. *adj* 1.dick; **cette planche est épaisse de 4 cm** dieses Brett ist 4 cm dick 2.*forêt, brouillard* dicht 3.*liquide* dickflüssig II. *adv* ▶ **il n'y en a pas** *~ fam* viel ist nicht da

épaisseur [epɛsœʀ] *f* 1.(*dimension*) Stärke *f;* *d'une couche, couverture* Dicke *f;* *de la neige* Höhe *f;* **avoir une ~ de 7 cm** [*o* **7 cm d'~**] 7 cm dick sein 2.(*grosseur*) Dicke *f* 3.(*couche*) Schicht *f;* *d'un papier* Lage *f* 4.*d'un liquide* Dickflüssigkeit *f* 5.(*densité*) Dichte *f*

épaissir [epesiʀ] <8> I. *vi liquide:* eindicken II. *vpr* **s'~** (*devenir plus consistant*) *liquide, air:* dicker werden; *forêt, brouillard:* dichter werden

épandage [epãdaʒ] *m du fumier, d'un engrais* Verteilen *nt*

épanoui, e [epanwi] *adj* 1.*fleur* aufgeblüht; *sourire, visage* strahlend; *corps* wohlgeformt 2.*caractère, personne* ausgeglichen

épanouir [epanwiʀ] <8> *vpr* **s'~** 1.(*s'ouvrir*) *fleur:* aufblühen 2.(*devenir joyeux*) *visage:* sich erhellen 3.(*trouver du bonheur*) aufblühen 4.(*prendre des formes*) *beauté:* sich entfalten; *corps d'une femme:* Rundungen bekommen 5.(*se développer*) *personne, compétence:* sich entfalten; **s'~ dans un travail** in einer Arbeit [ganz] aufgehen

épanouissement [epanwismã] *m d'une*

fleur Aufblühen *nt;* *d'un corps* Heranreifen *nt;* *d'un esprit, d'une beauté* Entfaltung *f;* *d'une personne* Selbstverwirklichung *f;* *d'un style, art* Blüte[zeit *f*] *f*

épargnant, e [epaʀɲã, ãt] *m, f* Sparer(in) *m(f)*

épargne [epaʀɲ] *f* 1.(*action*) Sparen *nt* 2.(*sommes*) Ersparnisse *Pl* **épargne-logement** [epaʀɲlɔʒmã] *f sans pl* Bausparen *nt*

épargner [epaʀɲe] <1> I. *vt* 1.(*compter, ménager*) schonen *forces;* **n'~ ni son temps ni sa peine** weder Zeit noch Mühe scheuen; **ne rien ~ pour faire qc** nichts unversucht lassen um etw zu tun 2.(*éviter*) *~* **un discours à qn** jdn mit einer Rede verschonen; **être épargné à qn** jdm erspart bleiben 3.(*laisser vivre*) verschonen; **être épargné par qc** von etw verschont bleiben II. *vpr* **s'~ qc** sich (*dat*) etw ersparen

éparpiller [epaʀpije] <1> I. *vt* 1.(*disséminer*) [überall] verteilen *personnes;* [überall] verstreuen *miettes* 2.(*disperser inefficacement*) vergeuden *forces, talent; ~* **ses efforts/son attention** sich verzetteln/leicht ablenken lassen II. *vpr* **s'~** 1.(*se disséminer*) *foule:* sich zerstreuen; *maisons:* verstreut sein 2.(*se disperser*) *personne:* sich verzetteln

épars, e [epaʀ, aʀs] *adj maisons* vereinzelt; *cheveux* zerzaust

épatant, e [epatã, ãt] *adj fam* toll

épaté, e [epate] *adj fam* platt

épate [epat] *f fam* ▶ **le faire à l'~** bluffen

épater [epate] <1> *vt fam* (*stupéfier*) verblüffen; **ça t'épate, hein?** da bist du platt, was?

épaule [epol] *f* ANAT Schulter *f;* **hausser les ~s** mit den Schultern zucken

épauler [epole] <1> I. *vt* 1.(*aider*) *~* **qn** jdm unter die Arme greifen 2.(*appuyer*) anlegen *arme* II. *vi* anlegen III. *vpr* 1.(*s'entraider*) **s'~** sich (*dat*) [gegenseitig] helfen 2.(*s'appuyer*) **s'~ contre qn/qc** sich gegen jdn/etw lehnen

épaulette [epolɛt] *f* COUT Schulterpolster *nt*

épave [epav] *f* 1.(*débris*) Strandgut *nt* 2.(*véhicule*) Wrack *nt* 3.(*personne*) [menschliches] Wrack (*fam*)

épée [epe] *f a.* SPORT Schwert *nt*

épeler [ep(ə)le] <3> *vt, vi* buchstabieren

épépiner [epepine] <1> *vt* entkernen

éperdu, e [epɛʀdy] *adj personne* außer sich, bestürzt

éperlan [epɛʀlã] *m* Stint *m*

éperon [ep(ə)ʀɔ̃] *m* Sporn *m*

éperonner [ep(ə)ʀɔne] <1> *vt ~* **un**

cheval einem Pferd die Sporen geben

épervier [epɛʀvje] *m* ZOOL Sperber *m*

éphémère [efemɛʀ] *adj bonheur* von kurzer Dauer; *vie, beauté* vergänglich; *instant* flüchtig

éphéméride [efemeʀid] *f* (*calendrier*) Abreißkalender *m*

épi [epi] *m* (*de maïs*) Kolben *m*

épice [epis] *f* Gewürz *nt*

épicé, e [epise] *adj* 1. GASTR gewürzt 2. (*grivois*) *histoire* pikant

épicéa [episea] *m* Fichte *f*

épicentre [episɑ̃tʀ] *m* Epizentrum *nt*

épicer [epise] <2> *vt* 1. (*assaisonner*) würzen 2. (*corser*) ~ **une histoire de qc** eine Geschichte mit etw würzen

épicerie [episʀi] *f* (*magasin*) Lebensmittelgeschäft *nt;* **la petite ~ du coin** der Tante-Emma-Laden [gleich] um die Ecke (*fam*); ~ **fine** Feinkostgeschäft *nt*

épicier, -ière [episje, -jɛʀ] *m, f* 1. Lebensmittelhändler(in) *m(f)* 2. *péj* Krämerseele *f*

épicurien, ne [epikyʀjɛ̃, jɛn] *adj* epikureisch

épidémie [epidemi] *f* Epidemie *f*, Seuche *f*

épidémique [epidemik] *adj maladie* hochgradig ansteckend

épiderme [epidɛʀm] *m* [Ober]haut *f*

épidermique [epidɛʀmik] *adj* Oberhaut-

épier [epje] <1> I. *vt* [heimlich] beobachten; ~ **qn** jdm nachspionieren; ~ **un bruit** einem Geräusch lauschen; **le chat épie la souris** die Katze lauert der Maus auf II. *vpr* **s'~** sich (*dat*) [gegenseitig] nachspionieren

épieu [epjø] <x> *m* Speer *m*

épigramme [epigʀam] *f* Epigramm *nt*

épigraphe [epigʀaf] *f* Inschrift *f*

épilation [epilasjɔ̃] *f* Epilieren *nt*

épilepsie [epilɛpsi] *f* Epilepsie *f*

épileptique [epilɛptik] *adj* epileptisch; **personne** ~ Epileptiker *m*

épiler [epile] <1> *vt* enthaaren, epilieren *jambes*

épilogue [epilɔg] *m* LITTER Epilog *m; d'un roman* Nachwort *nt*

épiloguer [epilɔge] <1> *vi* ~ **sur qc** sich lang und breit über etw (*akk*) auslassen

épinard [epinaʀ] *m* Spinat *m*

épine [epin] *f d'un hérisson, cactus* Stachel *m; d'un buisson* Dorn *m* ▶**enlever** [*o* **ôter**] [*o* **retirer**] **à qn une belle ~ du pied** jdm aus einer ziemlichen Notlage helfen

épineux [epinø] *m* Dornenstrauch *m*

épingle [epɛ̃gl] *f* [Steck]nadel *f;* ~ **à cheveux** Haarnadel; ~ **à nourrice** Sicherheitsnadel ▶**tirer son ~ du jeu** (*s'en sortir*) sich geschickt aus der Affäre ziehen;

(*réussir*) eine gute Figur machen; **être tiré à quatre ~s** wie aus dem Ei gepellt sein

épingler [epɛ̃gle] <1> *vt* 1. ~ **des photos au mur** Fotos an die Wand pinnen (*fam*) 2. *fam* (*attraper*) schnappen

épinoche [epinɔʃ] *f* Stichling *m*

Épiphanie [epifani] *f sans pl* **l'~** das Fest der Heiligen Drei Könige

épiphénomène [epifenɔmɛn] *m* Begleiterscheinung *f*

épique [epik] *adj poésie, style* episch; **poème** ~ Epos *nt*

épiscopal, e [episkɔpal, o] <-aux> *adj* bischöflich

épiscopat [episkɔpa] *m* **l'~** die Bischöfe *Pl*

épisode [epizɔd] *m* 1. (*événement, action: mineur*) Episode *f;* (*marquant*) Ereignis *nt*, Erlebnis *nt* 2. *d'un film, feuilleton* Folge *f;* **roman/film à ~s** Fortsetzungsroman *m/*mehrteiliger Film ▶**par ~s** zeitweise

épisodique [epizɔdik] *adj* gelegentlich

épisodiquement [epizɔdikmɑ̃] *adv* gelegentlich

épistolaire [epistɔlɛʀ] *adj roman, littérature* Brief-

épitaphe [epitaf] *f* Grabinschrift *f*

épithète [epitɛt] *f* GRAM Attribut *nt*

épître [epitʀ] *f* REL Apostelbrief *m*, Epistel *f*

éploré, e [eplɔʀe] *adj* 1. *personne* in Tränen aufgelöst 2. *visage, voix* bekümmert; *veuve* untröstlich

épluchage [eplyʃaʒ] *m des fruits, légumes* Schälen *nt*

éplucher [eplyʃe] <1> *vt* 1. schälen *fruits, légumes;* pulen (NDEUTSCH) *crevettes;* putzen *salade* 2. *fig* [genau] unter die Lupe nehmen *comptes*

épluchure [eplyʃyʀ] *f souvent pl* Schalen *Pl;* **une ~** ein Stück Schale *f*

éponge [epɔ̃ʒ] *f* Schwamm *m* ▶**jeter l'~** das Handtuch werfen; **passer l'~ sur qc** großzügig über etw (*akk*) hinweggehen; **passons l'~!** Schwamm drüber! (*fam*)

éponger [epɔ̃ʒe] <2a> I. *vt* abwischen *table;* wischen *sol;* aufwischen *liquide* II. *vpr* **s'~ le front** sich (*dat*) die Stirn abtupfen

épopée [epɔpe] *f* LITTER Epos *nt*

époque [epɔk] *f* Zeit *f*, Epoche *f;* **l'~ glaciaire/moderne/révolutionnaire** die Eiszeit/die Moderne/die Zeit der Revolution; **la Belle Époque** die Belle Epoque; **à l'~** [*o* **à cette ~**] damals; **à l'~ de qn/qc** zu jds Zeit/zur Zeit einer S. (*gen*); **à cette ~ de l'année** um diese Jahreszeit ▶**vivre avec son ~** mit der Zeit gehen; **d'~** [still]echt; **véhicule d'~** Oldtimer *m*

épouiller [epuje] <1> *vt* [ent]lausen

époumoner [epumɔne] <1> *vpr* **s'~ à faire qc** sich (*dat*) die Lunge aus dem Hals schreien um etw zu tun

épouse [epuz] *f v.* **époux**

épouser [epuze] <1> *vt* **1.** (*se marier avec*) heiraten **2.** (*partager*) teilen *idées, point de vue;* vertreten *intérêts;* **~ une cause** für eine Sache eintreten **3.** (*s'adapter à*) **~ les formes du corps** *robe:* wie angegossen sitzen

épousseter [epuste] <3> *vt* abstauben

époustouflant, e [epustuflɑ̃, ɑ̃t] *adj fam* unglaublich

époustoufler [epustufle] <1> *vt fam* umhauen

épouvantable [epuvɑ̃tabl] *adj* schrecklich; *temps* scheußlich

épouvantail [epuvɑ̃taj] <s> *m a. fig* Vogelscheuche *f*

épouvante [epuvɑ̃t] *f* Entsetzen *nt,* Grauen *nt;* **film d'~** Horrorfilm *m*

épouvanter [epuvɑ̃te] <1> **I.** *vt* **1.** (*horrifier*) in Angst und Schrecken versetzen; **être épouvanté de qc** entsetzt über etw (*akk*) sein **2.** (*inquiéter*) **~ qn** jdm Angst machen; **il est épouvanté de faire qc** ihm graut davor etw zu tun **II.** *vpr* **1.** (*prendre peur*) **s'~** erschrecken **2.** (*redouter*) **il s'épouvante de qc** ihm graut vor etw (*dat*)

époux, -ouse [epu, -uz] *m, f form* Gatte *m/* Gattin *m/f;* **les ~** die Eheleute; **Mme Dumas, épouse Meier** Frau Meier, geborene Dumas

épreuve [eprœv] *f* **1.** (*test*) Prüfung *f,* Probe *f;* **~ d'endurance/de résistance** Belastungsprobe *f/*Härtetest *m;* **mettre qn/ qc à l'~/à rude** ~ jdn/etw auf die Probe/ auf eine harte Probe stellen **2.** (*examen*) Prüfung *f* **3.** SPORT Wettkampf *m;* (*en course auto, cyclisme*) Rennen *nt* **4.** (*moment difficile*) Prüfung *f;* **dure** [*o* **rude**] **~** harte Prüfung **5.** (*adversité, malheur*) Unglück *nt,* harte Zeit ► **~ de force** Kraftprobe *f,* Machtprobe *f;* **résister à l'~** du temps/ vent dem Wetter/Wind standhalten; **être à l'~ du feu/de l'eau** feuer-/wasserfest sein; **à l'~ des balles/des bombes** kugel-/bombensicher; **à toute ~** bewährt; *nerfs, santé* eisern; *courage, optimisme* unerschütterlich; *patience, énergie* unermüdlich

épris, e [epri, iz] *adj* **~ de qn** in jdn verliebt, von jdm angetan

éprouvant, e [epruvɑ̃, ɑ̃t] *adj* anstrengend; *climat* hart; *chaleur* drückend

éprouvé, e [epruve] *adj* **1.** *personne* mitgenommen; *pays, région* hart getroffen; **être très ~e** viel durchmachen **2.** (*confir-*

mé) bewährt

éprouver [epruve] <1> *vt* **1.** (*ressentir*) verspüren *besoin, envie;* haben *sentiment;* empfinden *tendresse, douleur* **2.** (*subir*) erleben *malheur;* mitmachen, durchmachen *désagréments* **3.** (*tester*) prüfen; **auf die Probe stellen** *bonne foi* **4.** (*ébranler: physiquement, moralement*) mitnehmen; (*matériellement*) schwer treffen

éprouvette [epruvɛt] *f* Reagenzglas *nt*

épuisant, e [epɥizɑ̃, ɑ̃t] *adj* anstrengend

épuisé, e [epɥize] *adj* **1.** (*éreinté*) [*völlig*] erschöpft; **être ~ de fatigue** todmüde sein **2.** *filon, gisement* [*völlig*] abgebaut; *terre* ausgelaugt; *réserves* aufgebraucht; *stock, ressources* erschöpft **3.** *édition, livre* vergriffen; *article* ausverkauft

épuisement [epɥizmɑ̃] *m* **1.** (*fatigue*) Erschöpfung *f* **2.** *d'un gisement, filon* völliger Abbau; *du sol* Auslaugung *f;* *des réserves, ressources* Erschöpfung *f* **3.** (*vente totale*) Ausverkauf *m;* **jusqu'à ~ du stock** [*o* **des stocks**] solange der Vorrat reicht

épuiser [epɥize] <1> **I.** *vt* **1.** (*fatiguer*) strapazieren **2.** (*tarir, venir à bout de*) aufbrauchen *économies;* erschöpfen, aufbrauchen *réserves;* auslaugen *sol, terre;* erschöpfend behandeln *sujet;* ausschöpfen *possibilités, ressources* **3.** (*vendre totalement*) ausverkaufen *stock, articles* **II.** *vpr* **1.** (*se tarir*) **s'~** *réserves:* zu Ende gehen; *sol:* verarmen; *source:* versiegen; *forces:* nachlassen **2.** (*se fatiguer*) **s'~ sur qc** sich bei etw verausgaben; **s'~ à faire qc** sich abmühen etw zu tun

épuisette [epɥizɛt] *f* Kescher *m*

épuration [epyrasjɔ̃] *f* CHIM Reinigung *f; de l'eau* Aufbereitung *f*

épurer [epyre] <1> *vt* reinigen; aufbereiten *huile, eau*

équarrir [ekariʀ] <8> *vt* zerlegen

équateur [ekwatœʀ] *m* Äquator *m*

équation [ekwasjɔ̃] *f* **1.** MATH Gleichung *f;* **~ du premier/second degré** einfache/ quadratische Gleichung **2.** (*problème*) Problem *nt*

équatorial, e [ekwatɔʀjal, jo] <-aux> *adj climat* äquatorial; *forêt, région* Äquatorial-

équerre [ekɛʀ] *f* Geodreieck *nt*

équestre [ekɛstʀ] *adj* Reit-

équeuter [ekøte] <1> *vt* entstielen

équidistant, e [ekɥidistɑ̃, ɑ̃t] *adj* gleich weit weg

équilatéral, e [ekɥilateʀal, o] <-aux> *adj triangle* gleichseitig

équilibre [ekilibʀ] *m* **1.** Gleichgewicht *nt;* **en ~** im Gleichgewicht; **être en ~ sur le bord de la table** halb auf der Tischkante

stehen; **mettre qc en ~** etw ausbalancieren; **rompre l'~ entre deux choses** zwei Dinge aus dem Gleichgewicht bringen **2.** PSYCH seelisches Gleichgewicht; **faire preuve d'~** ausgeglichen sein **3.** POL, ECON Gleichgewicht *nt*

équilibré, e [ekilibʀe] *adj* **1.** *balance* austariert; *chargement* gleichmäßig verteilt; *repas* ausgewogen; *budget* ausgeglichen **2.** *personne, esprit* ausgeglichen

équilibrer [ekilibʀe] <1> **I.** *vt* **1.** (*mettre en équilibre*) austarieren *balance*; gleichmäßig verteilen *charge, pouvoirs*; gleichmäßig beladen *véhicule*; ausgleichen *budget*; gut einteilen *emploi du temps*; **bien ~ ses repas** sich sehr ausgewogen ernähren **2.** (*stabiliser*) **~ qn/qc** jdm/einer S. Halt geben; **~ l'existence de qn** jds Leben ins Gleichgewicht bringen **3.** (*contrebalancer*) ausgleichen **II.** *vpr* **s'~** sich die Waage halten

équilibriste [ekilibʀist] *mf* Akrobat(in) *m(f)*

équinoxe [ekinɔks] *m* Tagundnachtgleiche *f*

équipage [ekipaʒ] *m d'un avion, bateau* Besatzung *f*

équipe [ekip] *f* **1.** SPORT Mannschaft *f;* **faire ~ avec qn** mit jdm in einer Mannschaft sein **2.** (*groupe*) Team *nt;* **l'~ de jour/ nuit/du matin/soir** die Tages-/Nacht-/ Früh-/Spätschicht; **en ~** im Team; SCOL in Gruppen

équipée [ekipe] *f* (*aventure*) [abenteuerliches] Unterfangen

équipement [ekipmã] *m* **1.** (*action*) Ausrüstung *f; d'un hôtel, hôpital* Einrichtung *f;* **l'~ industriel de la région** die Industrialisierung der Gegend; **plan d'~ de la région** Landesentwicklungsprogramm *nt* **2.** (*matériel*) Ausrüstung *f; d'une voiture* Ausstattung *f* **3.** *souvent pl* (*installations*) Anlage *f;* **des ~s sportifs/collectifs** Sportanlagen/öffentliche Einrichtungen **4.** ADMIN **l'Equipement [du territoire]** ≈ die Landesplanungsbehörde

équiper [ekipe] <1> *vpr* **s'~ en qc** sich mit etw ausrüsten

équipier, -ière [ekipje, -jɛʀ] *m, f* [Mannschafts]kamerad(in) *m(f)*

équitable [ekitabl] *adj* gerecht

équitablement [ekitabləmã] *adv* gerecht

équitation [ekitasjɔ̃] *f* Reiten *nt;* **faire de l'~** reiten

équité [ekite] *f d'un jugement, d'une loi* Angemessenheit *f*

équivalence [ekivalãs] *f* **1.** (*valeur égale*) Gleichwertigkeit *f* **2.** UNIV Äquivalenz *f;* **elle obtient une ~ pour qc** ihr wird etw

anerkannt

équivalent [ekivalã] *m* Entsprechende(s) *nt; d'un mot* Entsprechung *f;* **être l'~ de six euros** sechs Euro entsprechen; **accepter serait l'~ de céder** anzunehmen käme einem Nachgeben gleich; **sans ~** ohnegleichen

équivalent, e [ekivalã, ãt] *adj part, forme* gleich; *diplôme* gleichwertig; *expression* gleichbedeutend; **elle gagne un salaire ~ au mien** ihr Lohn entspricht meinem

équivaloir [ekivalwaʀ] <*irr*> *vi* **~ à qc** einer S. (*dat*) entsprechen

équivoque [ekivɔk] *adj* **1.** (*ambigu*) zweideutig **2.** (*louche*) zwielichtig, suspekt

érable [eʀabl] *m* Ahorn *m*

éradication [eʀadikasjɔ̃] *f* Ausrotten *nt*

éradiquer [eʀadike] <1> *vt* ausrotten

érafler [eʀafle] <1> **I.** *vt* **~ qc** zerkratzen; *balle:* streifen; **être éraflé** *genou:* aufgeschürft sein **II.** *vpr* **s'~ qc** sich (*dat*) etw zerkratzen; **s'~ le genou** sich (*dat*) das Knie aufschürfen

éraflure [eʀaflyʀ] *f* Schramme *f*

éraillé, e [eʀaje] *adj voix* rau

ère [ɛʀ] *f* **1.** Zeitalter *nt,* Ära *f;* **~ industrielle** Industriezeitalter **2.** Zeitrechnung *f;* **avant notre ~** vor unserer Zeitrechnung **3.** GEOL **~ tertiaire/quaternaire** Tertiär *nt*/Quartär *nt*

érection [eʀɛksjɔ̃] *f d'un pénis* Erektion *f*

éreintant, e [eʀɛ̃tã, ãt] *adj* aufreibend

éreinté, e [eʀɛ̃te] *adj* [völlig] erschöpft

éreinter [eʀɛ̃te] <1> *vt* [völlig] erschöpfen

érémiste [eʀemist] *mf* Sozialhilfeempfänger(in) *m(f)*

ergonomique [ɛʀgɔnɔmik] *adj* ergonomisch

ergot [ɛʀgo] *m d'un coq* Sporn *m; d'un chien* Afterklaue *f*

ergoter [ɛʀgɔte] <1> *vi* **~ sur qc** an etw (*dat*) herumnörgeln

ériger [eʀiʒe] <2a> **I.** *vt form* **1.** (*dresser, élever*) errichten *monument* **2.** (*élever au rang de*) **~ qn en martyr/qc en règle générale** jdn zu einem Märtyrer machen/ etw zu einer Regel erheben **II.** *vpr form* **s'~ en moraliste/juge** sich als Moralapostel aufspielen/sich zum Richter machen

ermitage [ɛʀmitaʒ] *m* Einsiedelei *f*

ermite [ɛʀmit] *m* Eremit *m,* Einsiedler *m*

éroder [eʀɔde] <1> *vt vent:* erodieren, abtragen; *pluie, eau:* auswaschen; *mer:* unterspülen *falaise*

érogène [eʀɔʒɛn] *adj zone* erogen

érosion [eʀɔzjɔ̃] *f* GEOG Erosion *f*

érotique [eʀɔtik] *adj* erotisch

érotisme [eʀɔtism] *m* Erotik *f*

errant, e [eʀɑ̃, ɑ̃t] *adj personne, animal* umherirrend; *regard* ziellos; **vie ~e** Nomadenleben *nt*

erratum [eʀatɔm, eʀata] <**errata**> *m* Druckfehler *m*

errer [eʀe] <1> *vi* umherirren; *animal:* streunen (*pej*), umherirren

erreur [eʀœʀ] *f* **1.** (*faute*) Fehler *m* **2.** (*idée/opinion erronée*) Irrtum *m*; **~ d'ordinateur/de système** Computer-/Systemfehler; **~ d'appréciation/de jugement** Fehleinschätzung *f*/Fehlurteil *nt*; **raccrochez! c'est une ~** [**de numéro**] legen Sie auf! Sie haben sich verwählt; **~ judiciaire** Justizirrtum; **~ médicale** [ärztlicher] Kunstfehler; **il y a ~/n'y a pas d'~** hier liegt ein/kein Irrtum vor; **j'ai commis une ~** mir ist ein Fehler unterlaufen; **excusez-moi; c'est une ~ de ma part** entschuldigen Sie, der Fehler liegt bei mir; **être dans l'~** im Irrtum sein; **faire ~** sich irren; **induire qn en ~** jdn irreführen; **par ~** aus Versehen; **sauf ~ de ma part** wenn ich mich nicht täusche ►**~ de jeunesse** Jugendsünde *f*; **il y a ~ sur la personne** hier liegt eine Verwechslung vor; **l'~ est humaine** *prov* Irren ist menschlich

erroné, e [eʀɔne] *adj* irrig

ersatz [eʀsats] *m inv* **~ de café/savon** Kaffee-/Seifenersatz *m*

érudit, e [eʀydi, it] *adj ouvrage, personne* gelehrt

érudition [eʀydisjɔ̃] *f* Gelehrsamkeit *f*

éruption [eʀypsjɔ̃] *f* GEOG Ausbruch *m*

érythème [eʀitɛm] *m* Hautreizung *f*

es [ɛ] *indic prés de* **être**

ESB *f abr de* **encéphalopathie spongiforme bovine** BSE

esbroufe [ɛsbʀuf] *f fam* Angeberei *f*, wichtigtuerisches Gehabe; **un joli coup d'~** ein toller Bluff

escabeau [ɛskabo] <**x**> *m* [Tritt]leiter *f*

escabèche [ɛskabɛʃ] *f:* Marinade mit Fischaroma

escadre [ɛskadʀ] *f* Geschwader *nt*

escadrille [ɛskadʀij] *f de bombardement* Staffel *f*

escadron [ɛskadʀɔ̃] *m de cavalerie* Schwadron *f*; *de chasseurs, gendarmerie* Staffel *f*

escalade [ɛskalad] *f* **1.** (*ascension*) Erklettern *nt*; **faire l'~ d'une montagne** auf einen Berg steigen **2.** (*sport*) Bergsteigen/Klettern *m*, Klettersport *m*; **faire de l'~** klettern **3.** (*surenchère*) [schneller] Anstieg; **au Pérou, c'est l'~ de la violence** in Peru eskaliert die Gewalt

escalader [ɛskalade] <1> *vt* **1.** (*monter*) steigen auf (+ *akk*) *montagne* **2.** (*franchir*) steigen über (+ *akk*) *grille, mur*

escalator [ɛskalatɔʀ] *m* Rolltreppe *f*

escale [ɛskal] *f* **1.** (*arrêt, lieu*) Zwischenstopp *m* **2.** (*arrêt*) Zwischenlandung *f*; **~ technique** Zwischenstopp zum Auftanken; **s'effectuer sans ~** direkt sein; (*lieu*) Zwischenlandeplatz *m*

escalier [ɛskalje] *m sing o pl* Treppe *f*; **~ roulant** Rolltreppe; **~ de service** Hintertreppe; **être dans l'~** im Treppenhaus sein; **tomber dans les ~s** [*o* l'~] die Treppe hinunter-/herunterfallen

escalope [ɛskalɔp] *f* Schnitzel *nt*

escamotable [ɛskamɔtabl] *adj antenne* einschiebbar

escamoter [ɛskamɔte] <1> *vt* **1.** (*rentrer*) einfahren *train d'atterrissage;* einziehen *antenne* **2.** (*faire disparaître*) verschwinden lassen

escapade [ɛskapad] *f* Eskapade *f*; (*fugue*) Ausreißen *nt*

escargot [ɛskaʀgo] *m* **1.** ZOOL, GASTR Schnecke *f*; **~ de Bourgogne** Weinbergschnecke **2.** (*personne, véhicule*) lahme Ente (*fam*); **rouler comme un ~** im Schneckentempo fahren (*fam*)

escarmouche [ɛskaʀmuʃ] *f* MIL Gefecht *nt*

escarpé, e [ɛskaʀpe] *adj montagne* steil [aufragend]

escarpement [ɛskaʀpəmɑ̃] *m d'une côte, montagne* Schroffheit *f*

escarpin [ɛskaʀpɛ̃] *m* Pumps *m*

escient [esjɑ̃] *m* **à bon/mauvais ~** zu Recht/Unrecht

esclaffer [ɛsklafe] <1> *vpr* **s'~** schallend [los]lachen

esclandre [ɛsklɑ̃dʀ] *m* Skandal *m*

esclavage [ɛsklavaʒ] *m* Sklaverei *f*

esclave [ɛsklav] **I.** *adj* versklavt; **~ de qn/qc** jdm/einer S. verfallen **II.** *mf* Sklave/Sklavin *m/f*

escogriffe [ɛskɔgʀif] *m fam* ungehobelter Bursche

escompte [ɛskɔ̃t] *m* COM Skonto *nt o m*

escompter [ɛskɔ̃te] <1> *vt* FIN diskontieren

escorte [ɛskɔʀt] *f* Eskorte *f*; *d'un prisonnier* Wache *f*

escorter [ɛskɔʀte] <1> *vt* **1.** (*accompagner*) geleiten *personne* **2.** (*protéger*) eskortieren

escouade [ɛskwad] *f* Schar *f*

escrime [ɛskʀim] *f* Fechten *nt*

escrimer [ɛskʀime] <1> *vpr* **s'~ sur qc** sich mit etw abquälen

escroc [ɛskʀo] *m* Betrüger(in) *m(f)*

escroquer [ɛskʀɔke] <1> *vt* **~ une signature à qn** eine Unterschrift von jdm ergaunern

escroquerie [ɛskʀɔkʀi] *f* Betrug *m*, Schwindel *m*

ésotérique [ezɔteʀik] *adj* esoterisch

espace [ɛspas] **I.** *m* **1.** (*place*) Platz *m;* **avoir assez d'~ pour danser** genügend Platz zum Tanzen haben; **~ vide** Zwischenraum *m;* **~ publicitaire** Werbefläche *f* **2.** (*zone*) Gebiet *nt; fig* Raum *m;* **~ vert** Grünfläche *f* **3.** (*cosmos*) Weltraum *m;* GEOM Raum *m;* **~ aérien** Luftraum *m* **4.** (*distance*) Abstand *m,* Zwischenraum *m* **5.** (*durée*) Zeitraum *m;* **~ de temps** Zeitraum; **l'~ d'un été/moment** einen Sommer/Augenblick lang **6.** TYP, INFORM Leerstelle *f* **II.** *f* TYP Leerzeichen *nt*

espacement [ɛspasmɑ̃] *m* Abstand *m,* Zwischenraum *m*

espacer [ɛspase] <2> **I.** *vt* (*séparer*) auseinander setzen *élèves;* **~ les lignes un peu plus** etwas mehr Abstand zwischen den Zeilen lassen; **il espace ses visites** seine Besuche werden immer seltener **II.** *vpr* (*devenir plus rare*) **s'~** seltener werden

espadon [ɛspadɔ̃] *m* ZOOL Schwertfisch *m*

espadrille [ɛspadʀij] *f* **1.** Espandrillo *m* **2.** CAN (*basket*) Turnschuh *m;* **~s de tennis** Tennisschuhe *Pl*

Espagne [ɛspaɲ] *f* **l'~** Spanien *nt*

espagnol [ɛspaɲɔl] *m* Spanisch *nt; v. a.* **allemand**

espagnol, e [ɛspaɲɔl] *adj* spanisch

Espagnol, e [ɛspaɲɔl] *m, f* Spanier(in) *m(f)*

espagnolette [ɛspaɲɔlɛt] *f* Espagnoletteverschluss *m* (*Drehstangenverschluss für Fenster*)

espalier [ɛspalje] *m* BOT Spalier *nt*

espèce [ɛspɛs] *f* **1.** (*catégorie*) Art *f;* **~ animale/de rosiers** Tier-/Rosenart; **l'~ [humaine]** das Menschengeschlecht **2.** *souvent péj* (*sorte*) Art *f;* **c'est un(e) ~ de pot de chambre** das ist so eine Art Nachttopf (*fam*); **~ d'imbécile!** *fam* [du/Sie/so ein] Blödmann!/[du/Sie/so eine] blöde Kuh!; **de ton/cette/de la pire ~** *fam* von deiner/dieser/der schlimmsten Sorte **3.** *pl* (*argent liquide*) Bargeld *nt;* **régler** [*o* payer] **en ~s** bar bezahlen

espérance [ɛspeʀɑ̃s] *f* **1.** (*confiance*) Zuversicht *f* **2.** (*espoir*) Hoffnung *f;* **donner de grandes ~s** viel versprechend sein; **fonder** [*o* bâtir] **de grandes ~s sur qn/qc** große Hoffnungen auf jdn/etw setzen; **répondre à toutes les ~s** allen Erwartungen entsprechen; **contre toute ~** entgegen jeglicher Hoffnung; **dans l'~ de faire qc/ que** + *subj* in der Hoffnung etw zu tun/, dass **3.** (*durée*) **~ de vie** Lebenserwartung *f*

espérer [ɛspeʀe] <5> **I.** *vt* **1.** (*souhaiter*) hoffen auf (+ *akk*); **je l'espère bien** das hoffe ich [doch] sehr; **nous espérons vous revoir bientôt** wir hoffen Sie bald wieder zu sehen; **j'espère n'avoir rien oublié** ich hoffe, ich habe nichts vergessen **2.** (*compter sur*) rechnen mit (+ *dat*), erwarten; **ne plus ~ qn** mit jdm nicht mehr rechnen; **espères-tu qu'il te vienne en aide?** erwartest du [wirklich], dass er dir helfen kommt? **II.** *vi* hoffen; **espérons!** hoffen wir's! (*fam*), hoffentlich!; **~ en l'avenir** Hoffnung in die Zukunft setzen

espiègle [ɛspjɛgl] *adj enfant, sourire* schelmisch

espièglerie [ɛspjɛgləʀi] *f* Schalk *m*

espion, ne [ɛspjɔ̃, jɔn] **I.** *m, f* Spion(in) *m(f);* **arrête de jouer les ~s!** hör' auf herumzuspionieren! (*fam*) **II.** *app satellite-, avion-* Spionage-

espionnage [ɛspjɔnaʒ] *m* Spionage *f;* **les services d'~** der Spionagedienst; **~ industriel** Industriespionage; **d'~** *film, roman* Spionage-

espionner [ɛspjɔne] <1> *vt* ausspionieren; [heimlich] belauschen *conversation;* **~ qn** jdm nachspionieren

esplanade [ɛsplanad] *f* [großer, freier] [Vor]platz *m*

espoir [ɛspwaʀ] *m* **1.** Hoffnung *f;* **sans ~** hoffnungslos; *amour* aussichtslos; **conserver l'~/ne pas perdre ~** die Hoffnung nicht aufgeben; **enlever tout ~ à qn** jdm jede Hoffnung nehmen; **avoir le ferme** [*o* bon] **~ d'y parvenir** zuversichtlich sein, dass man es schaffen wird; **fonder** [*o* placer] **de grands ~s sur** [*o* en] **qn/qc** große Hoffnungen auf jdn/etw setzen; **tu as encore l'~ qu'il réussisse?** glaubst du wirklich noch, dass er es schafft? **je garde l'~ qu'il viendra** ich gebe die Hoffnung nicht auf, dass er kommt; **dans l'~ de faire qc** in der Hoffnung etw zu tun **2.** (*personne, chose*) Hoffnung *f;* **les ~s de la boxe française** der Nachwuchs des französischen Boxsports ►**l'~ fait vivre** *prov* der Mensch lebt von der Hoffnung

esprit [ɛspʀi] *m* **1.** (*pensée*) Geist *m,* Verstand *m;* **avoir l'~ clair/vif** einen klaren/regen Verstand haben; **avoir l'~ étroit/large** engstirnig/großzügig sein; **avoir l'~ libre/pratique** ein unabhängig denkender/praktischer Mensch sein **2.** (*tête*) **avoir qn/qc à** [*o* dans] **l'~** jdn/etw im Sinn haben; **une idée me traverse l'~** eine Idee geht mir durch den Kopf; **une idée/un mot me vient à l'~** mir fällt [gerade] etw/ein Wort ein; **dans mon/son ~**

meiner/seiner/ihrer Meinung nach; **avoir l'~ ailleurs** mit seinen Gedanken woanders sein; **faible** [o **simple**] **d'~** minderbemittelt **3.** (*humour*) Geist *m*, Witz *m*; **plein d'~** äußerst geistreich; **faire de l'~** witzig sein wollen **4.** (*personne*) ~ **fort** [o **libre**] Freidenker(in) *m(f)*; **faire** [o **jouer**] **l'~ fort** den starken Mann/die starke Frau markieren; **un grand** ~ ein großer Geist; **petit** ~ Kleingeist; ~ **retors** durchtriebener Kerl **5.** (*humour*) **les** ~**s** die Gemüter *Pl* **6.** (*caractère*) **avoir bon/mauvais** ~ umgänglich/aufsässig sein **7.** (*intention, prédisposition*) Sinn *m*; **il a l'~ à qc** ihm ist nach etw zumute; **dans cet** ~ in diesem Sinne; **l'~ français** die französische Wesensart; **avoir l'~ de compétition/de contradiction/d'équipe** Kampf-/Widerspruchs-/Mannschaftsgeist haben; **avoir l'~ de famille** Familiensinn haben; **avoir l'~ d'observation** eine gute Beobachtungsgabe haben; **avoir l'~ d'organisation** ein Organisationstalent sein; **l'~ de sacrifice** die Opferbereitschaft; **avoir l'~ d'entreprise** unternehmungslustig sein ▶**les grands** ~**s se rencontrent** *fam* zwei Seelen [und] ein Gedanke; **faire du mauvais** ~ (*par des remarques*) abfällige Bemerkungen machen; (*par son comportement*) sich destruktiv verhalten; **avoir l'~ mal tourné** eine schmutzige Phantasie haben; **reprendre ses** ~**s** (*retrouver sa contenance*) sich wieder fassen; **rester jeune d'~** geistig jung bleiben

esquimau® [ɛskimo] <x> *m* GASTR Eis am Stiel mit Schokoladenüberzug

esquimau [ɛskimo] *m* Eskimoisch *nt; v. a.* **allemand**

esquimau, -aude [ɛskimo, -od] <x> *adj* Eskimo-; **le peuple** ~ die Eskimos *Pl*

Esquimau, -aude [ɛskimo, -od] *m, f* Eskimo/Eskimofrau *m/f*

esquinté, e [ɛskɛ̃te] *adj fam* kaputt

esquinter [ɛskɛ̃te] <1> I. *vt fam* **1.** (*abîmer*) kaputtmachen *chose;* vermöbeln *personne;* ramponieren *voiture* **2.** (*épuiser*) ruinieren *santé* II. *vpr fam* **s'~** *chose:* kaputtgehen; *personne:* sich kaputtmachen; **s'~ les yeux** sich (*dat*) die Augen verderben; **s'~ à faire qc** sich damit abplagen etw zu tun

esquisse [ɛskis] *f* **1.** ART, IND Skizze *f*, Entwurf *m;* **dessiner une** ~ **de qc** etw skizzieren **2.** *d'un sourire* Andeutung *f; d'un regret* Spur *f* **3.** (*présentation rapide*) Abriss *m*, Überblick *m*

esquisser [ɛskise] <1> I. *vt* **1.** ART skizzieren **2.** (*amorcer*) andeuten *sourire;* **ne pas** ~ **un geste pour aider qn** keine Anstal-

ten machen jdm zu helfen **3.** (*présenter rapidement*) skizzieren II. *vpr* **s'~** *silhouette, solution:* sich abzeichnen; **s'~ sur le visage de qn** *sourire:* über jds Gesicht (*akk*) huschen

esquiver [ɛskive] <1> I. *vt* (*éviter*) [geschickt] ausweichen (+ *dat*) II. *vpr* **s'~** sich wegstehlen

essai [esɛ] *m* **1.** *gén pl* (*test*) Versuch *m; d'un appareil, médicament* Test *m;* ~**s nucléaires** Atom[waffen]tests *Pl;* **faire l'~ de qc** etw ausprobieren; **à l'~** auf Probe; **mettre qn à l'~** jdn auf die Probe stellen **2.** (*tentative*) Versuch *m;* **ne pas en être à son premier** ~ das nicht zum ersten Mal machen **3.** SPORT Versuch *m;* (*en sport automobile*) Trainingsrunde *f* **4.** LITTER Essay *m* o *nt* ▶**marquer/transformer un** ~ SPORT einen Versuch erzielen/verwandeln

essaim [esɛ̃] *m* Schwarm *m*

essaimer [eseme] <1> *vi abeilles:* schwärmen

essayage [esɛjaʒ] *m* Anprobe *f*

essayer [eseje] <7> I. *vt* **1.** (*tester*) [an]probieren *chaussures, vêtement;* [aus]probieren, versuchen *nourriture, médicament, méthode;* ausprobieren *boucher, coiffeur;* ~ **un médicament sur qn/une souris** an jdm/einer Maus ein Medikament testen **2.** (*tenter*) ~ **qc** es mit etw versuchen II. *vi* versuchen; **ça ne coûte rien d'~** Probieren kostet nichts III. *vpr* **s'~ à une chose/activité/à faire qc** sich an einer Sache (*dat*)/in einer Tätigkeit (*dat*) versuchen/ sich darin versuchen etw zu tun

essence [esɑ̃s] *f* **1.** (*carburant*) Benzin *nt;* **prendre de l'~** tanken; **tondeuse/tronçonneuse à** ~ Motorrasenmäher *m*/Motorsäge *f* **2.** (*nature profonde*) Wesentliche(s) *nt;* **l'~ du livre** der Kern des Buches; **par** ~ wesensgemäß

essentiel [esɑ̃sjɛl] *m* **1.** (*le plus important*) **l'~** das Wesentliche; **pour l'~** im Wesentlichen; **tu es en bonne santé? c'est l'~** du bist gesund? das ist die Hauptsache; **l'~ est que** + *subj* das Wichtigste ist, dass; **aller à l'~** zur Sache kommen **2.** (*la plus grande partie*) **l'~ de qc** das Gros einer S. (*gen*); **il passe l'~ du temps à se plaindre** er verbringt die meiste Zeit damit sich zu beklagen

essentiel, le [esɑ̃sjɛl] *adj* **1.** (*capital*) wesentlich; *changement* grundlegend **2.** (*indispensable*) **être** ~ **à** [o **pour**] **qc/pour faire qc** unentbehrlich für etw sein/unentbehrlich sein um etw zu tun; *précaution, démarche:* unverzichtbar für etw sein/unverzichtbar sein um etw zu tun; ~

estime

- exprimer son estime

J'apprécie (beaucoup) votre engagement.

Je trouve ça super/très bien comme il s'occupe des enfants.

Je ne sais pas ce que nous ferions sans votre aide.

- Wertschätzung ausdrücken

Ich schätze Ihren Einsatz (sehr)/Ich weiß Ihren Einsatz (sehr) zu schätzen..

Ich finde es super/sehr gut, wie er sich um die Kinder kümmert.

Ich wüsste nicht, was wir ohne Ihre Hilfe tun sollten.

- louer, juger positivement

Excellent!/Remarquable!

Il y a de quoi être fier!

Je n'aurais pas pu faire mieux.

Tu as fait du bon travail.

Tu t'es très bien débrouillé(e).

- loben, positiv bewerten

Ausgezeichnet!/Hervorragend!

Das lässt sich (aber) sehen! *(fam)*

Das hätte ich nicht besser machen können.

Das hast du gut gemacht.

Das hast du prima hingekriegt. *(fam)*

à la vie lebensnotwendig **3.** PHILOS essenziell

essentiellement [esɑ̃sjɛlmɑ̃] *adv* im Wesentlichen

essieu [esjø] <x> *m* AUT, TECH [Rad]achse *f*

essor [esɔʀ] *m* Aufschwung *m; d'un art, d'une civilisation* Aufblühen *nt*

essorage [esɔʀaʒ] *m* Schleudern *nt*

essorer [esɔʀe] <1> *vt, vi* schleudern

essoreuse [esɔʀøz] *f (à linge)* [Wäsche]schleuder *f*

essouffler [esufle] <1> **I.** *vt* außer Atem bringen; **être complètement essoufflé** völlig außer Atem sein **II.** *vpr* **s'~ à faire qc** außer Atem kommen, wenn man etw tut; *fig* bei etw nicht mehr mithalten können

essuie-glace [esɥiglas] <essuie-glaces> *m* Scheibenwischer *m* **essuie-mains** [esɥimɛ̃] *m inv* Handtuch *nt* **essuie-tout** [esɥitu] *m inv* Küchentuch *nt*

essuyer [esɥije] <6> **I.** *vt* **1.** *(sécher)* abtrocknen; trocknen *(geh)* larmes **2.** *(éponger)* wegwischen; aufwischen *de l'eau par terre* **3.** *(nettoyer)* abstauben, abwischen *meubles;* abputzen *chaussures* **4.** *(subir)* erleiden *échec, perte;* hinnehmen müssen *reproches, coups;* bekommen *refus* **II.** *vpr* **1.** *(se sécher)* **s'~** sich abtrocknen **2.** *(se nettoyer)* **s'~ les pieds** sich *(dat)* die Füße abputzen

est¹ [ɛ] *indic prés de* **être**

est² [ɛst] **I.** *m sans pl* Osten *m;* **l'~/l'Est** der Osten; **l'autoroute de l'Est** die Autobahn nach Osten; **les régions de l'~** die Gebiete im Osten; **les gens de l'Est** die Leute aus dem Osten; **l'Europe de l'~** Osteuropa *nt;* **les pays de l'Est** die osteu-

ropäischen Staaten; **le bloc de l'Est** der Ostblock; **le conflit entre l'Est et l'Ouest** der Ost-West-Konflikt; **à l'~** *(vers le point cardinal)* nach Osten; *(dans/vers la région)* im/in den Osten; **à l'~ de qc** östlich von etw; **dans l'~ de** im Osten von; **vers l'~** nach Osten; **d'~ en ouest** von Ost[en] nach West[en] **II.** *adj inv* Ost-; *longitude, partie* östlich

estafette [estafɛt] *f* Melder *m*

estafilade [estafilad] *f* Schnittwunde *f*

est-allemand , e [estalmɑ̃, ɑ̃d] *adj* ostdeutsch

estampe [estɑ̃p] *f* ART Grafik *f;* (*sur métal*) Stich *m*

estamper [estɑ̃pe] <1> *vt* TECH prägen *cuir, métal*

estampille [estɑ̃pij] *f* Stempel *m*

est-ce que [ɛskə] *adv* ne se traduit pas **où ~ tu vas?** wohin gehst du?

esthète [ɛstɛt] *mf* Ästhet(in) *m(f)*

esthéticien, ne [ɛstetisjɛ̃, jɛn] *m, f* Kosmetiker(in) *m(f)*

esthétique [ɛstetik] **I.** *adj* ästhetisch, schön **II.** *f* Ästhetik *f*

estimable [ɛstimabl] *adj* **1.** *personne* respektabel; *travail* lobenswert **2.** *résultats* anständig **3.** *(évaluable)* schätzbar

estimatif, -ive [ɛstimatif, -iv] *adj bilan, coûts* geschätzt; **devis ~** Kostenvoranschlag *m*

estimation [ɛstimasjɔ̃] *f des dégâts* Schätzung *f; d'une somme* Veranschlagung *f;* **une première ~ des résultats** eine erste Hochrechnung der Ergebnisse; **faire une ~ de qc** etw schätzen; **faire une ~ rapide de qc** etw kurz überschlagen

estime [ɛstim] *f* [Hoch]achtung *f;* **digne**

d'~ achtenswert; l'~ de soi-même die Selbstachtung; **avoir l'~ de qn** von jdm geschätzt werden; **avoir de l'~ pour qn** jdn schätzen

estimer [ɛstime] <1> **I.** *vt* **1.** (*évaluer*) schätzen *dégâts;* veranschlagen, schätzen *coûts, somme;* beurteilen *résultat;* **être estimé à cent francs/vingt morts** auf hundert Franc/zwanzig Tote geschätzt werden **2.** (*considérer*) ~ **qc inutile** etw für unnötig halten; ~ **avoir le droit de donner son avis** glauben das Recht zu haben seine Meinung zu sagen; **ne pas ~ que** + *subj* nicht glauben, dass **3.** (*respecter*) ~ **qn pour ses qualités humaines** jdn wegen seiner menschlichen Qualitäten achten; **être estimé de tous** von allen hochgeschätzt werden; **savoir ~ un service à sa juste valeur** einen Gefallen gebührend zu schätzen wissen **II.** *vpr* **s'~ trahi** sich verraten glauben; **s'~ heureux d'avoir été sélectionné** sich glücklich schätzen ausgewählt worden zu sein

estival, e [ɛstival, o] <-aux> *adj mode, période* Sommer-

estivant, e [ɛstivɑ̃, ɑ̃t] *m, f* Sommerurlauber(in) *m(f)*

estocade [ɛstɔkad] *f* Todesstoß *m*

estomac [ɛstɔma] *m* Magen *m;* **avoir mal à l'~** Magenschmerzen haben ►**il a l'~ dans les talons** ihm hängt der Magen in den Kniekehlen (*fam*); **caler l'~ à qn** jdn satt machen; **creuser l'~ à qn** jdn hungrig machen; **avoir l'~ noué** ein flaues Gefühl im Magen haben; **peser** [*o* **rester** *fam*] **sur l'~ à qn** jdm schwer im Magen liegen

estomaquer [ɛstɔmake] <1> *vt fam* verblüffen

estomper [ɛstɔ̃pe] <1> *vt* verschwommen erscheinen lassen, verwischen *contours, dessin*

Estonie [ɛstɔni] *f* l'~ Estland *nt*

estonien [ɛstɔnjɛ̃] *m* Estnisch *nt; v. a.* **allemand**

estonien, ne [ɛstɔnjɛ̃, jɛn] *adj* estnisch

Estonien, ne [ɛstɔnjɛ̃, jɛn] *m, f* Estländer(in) *m(f),* Este/Estin *m/f*

estrade [ɛstrad] *f* Podium *nt;* (*à l'université*) Katheder *nt; d'un orchestre* Bühne *f*

estropié, e [ɛstrɔpje] *adj* verkrüppelt

estropier [ɛstrɔpje] <1a> *vt* zum Krüppel machen

estuaire [ɛstɥɛʀ] *m* Mündung *f*

estudiantin, e [ɛstydjɑ̃tɛ̃, in] *adj* studentisch

esturgeon [ɛstyʀʒɔ̃] *m* Stör *m*

et [e] *conj* **1.** (*relie des termes, des propositions*) und **2.** (*plus*) und **3.** (*dans des indications d'heures*) nach; **à quatre heu-** res ~ **demie** um halb fünf **4.** (*aussi bien ... que*) ~ **son mari** ~ **son amant ...** sowohl ihr Mann als auch ihr Freund ... **5.** (*et qui plus est*) und zwar **6.** (*en début de phrase*) und; ~ **le public d'applaudir** soutenu daraufhin applaudierte das Publikum ►~ **alors!** na und!

étable [etabl] *f* Stall *m*

établi, e [etabli] *adj* **1.** *ordre* allgemein gültig; **c'est un usage bien** ~ dies ist allgemein üblich **2.** *vérité, fait* allgemein bekannt **3.** CH (*installé*) niedergelassen (CH)

établir [etabliʀ] <8> **I.** *vt* **1.** aufbauen *usine;* einrichten *centre de vacances;* aufschlagen *quartier général* **2.** (*dans un emploi, un état*) ~ **qn à un poste** jdm eine Stelle verschaffen; **tous mes enfants sont établis** meine Kinder sind alle versorgt **3.** (*fixer*) zusammenstellen *liste;* ausarbeiten *emploi du temps;* festsetzen *prix* **4.** (*rédiger*) ausstellen *facture, chèque;* aufnehmen *constat* **5.** (*faire*) anstellen *comparaison;* herstellen *rapport* **6.** (*déterminer*) ermitteln *circonstances;* feststellen *identité* **7.** SPORT aufstellen *record* **II.** *vpr* **s'~ 1.** (*s'installer*) sich niederlassen; *colonisateur:* sich ansiedeln **2.** (*professionnellement*) sich niederlassen; **s'~ à son compte** sich selb(st)ständig machen **3.** (*s'instaurer*) *usage:* sich einbürgern; *relations:* sich entwickeln; *régime:* sich etablieren; **le silence s'établit/ s'établit de nouveau** es wird still/es kehrt wieder Ruhe ein **4.** (*se rendre indépendant*) sich etablieren; **tous mes enfants se sont établis** alle meine Kinder sind etwas geworden

établissement [etablismɑ̃] *m* (*institution*) Einrichtung *f,* Anstalt *f;* (*hôtel*) Haus *nt; d'une banque, société* Niederlassung *f;* **aux ~s Dupond** bei [der Firma] Dupond; ~ **scolaire,** ~ **d'enseignement** Lehranstalt *f;* ~ **d'enseignement secondaire** Schule *f* der Mittel- und Oberstufe

étage [etaʒ] *m d'une maison* Stock[werk *nt*] *m,* Etage *f;* **immeuble à** [*o* **de**] **trois/ quatre ~s** drei-/vierstöckiges Haus; **à l'~** oben

étager [etaʒe] <2a> *vt* auftürmen *objets*

étagère [etaʒɛʀ] *f* **1.** (*tablette*) [Regal]brett *nt* **2.** (*meuble*) Regal *nt*

étain [etɛ̃] *m* Zinn *nt*

étais [etɛ] *imparf de* **être**

étal [etal] <-s> *m* Marktstand *m*

étalage [etalaʒ] *m* COM Ausstellen/-legen *nt*

étalagiste [etalaʒist] *mf* [Schaufenster]dekorateur(in) *m(f)*

étalement [etalmɑ̃] *m de papiers* Ausbreiten *nt*

étaler [etale] <1> **I.** *vt* **1.**(*éparpiller*) ausbreiten **2.**(*déployer*) auseinander falten *carte, journal;* ausrollen *tapis* **3.**(*exposer pour la vente*) auslegen **4.**(*étendre*) auftragen *peinture;* verteilen *gravier* **5.**(*dans le temps*) verteilen; **être étalé dans le temps** *réforme:* sich über einen bestimmten Zeitraum erstrecken **6.**(*exhiber*) prahlen mit *connaissances;* zur Schau stellen *luxe* **7.***fam* (*échouer*) **se faire ~ à un examen** bei einer Prüfung durchfallen **II.** *vpr* **1.**(*s'étendre*) **bien/mal s'~** *beurre:* sich gut/schlecht streichen lassen; *peinture:* sich gut/schlecht verarbeiten lassen **2.**(*dans l'espace*) **s'~** *plaine, ville:* sich ausbreiten/-dehnen **3.**(*s'afficher*) **s'~** *inscription, nom:* prangen **4.**(*s'exhiber*) **s'~** *luxe:* zur Schau gestellt werden **5.**(*se vautrer*) **s'~** es sich (*dat*) bequem machen **6.***fam* (*tomber*) **s'~** auf die Nase fallen **7.**(*dans le temps*) **s'~ dans le temps** sich über einen bestimmten Zeitraum erstrecken

étalon [etalɔ̃] *m* (*cheval*) Zuchthengst *m*

étalonner [etalɔne] <1> *vt* eichen

étalon-or [etalɔ̃ɔR] *m sans pl* Goldwährung *m*

étamine [etamin] *f* BOT Staubblatt *nt*

étanche [etɑ̃ʃ] *adj* wasserdicht

étanchéité [etɑ̃ʃeite] *f* **vérifier l'~ de qc** überprüfen, ob etw wasserdicht ist

étancher [etɑ̃ʃe] <1> *vt* stillen *sang*

étang [etɑ̃] *m* Teich *m*

étant [etɑ̃] *part prés de* **être**

étape [etap] *f* **1.**(*trajet*) Etappe *f* **2.**(*lieu d'arrêt*) Etappenziel *nt* **3.**(*lieu de repos*) Rastplatz *m;* **faire ~** Pause machen; *voyageurs:* Halt machen **4.**(*période dans la vie*) Abschnitt *m* **5.**(*période dans une évolution*) Phase *f;* (*dans la résolution d'un problème*) Schritt *m;* **~ de la vie** Lebensabschnitt *m;* **d'~ en ~** Schritt für Schritt; **faire qc par ~s** etw schrittweise machen; **il ne faut pas brûler les ~s!** man soll nichts überstürzen!

état [eta] *m* **1.**(*manière d'être*) Zustand *m; des recherches* Stand *m;* **~ d'urgence** Notstand; **~ de choses** Sachlage *f;* **dans l'~ actuel des choses** beim gegenwärtigen Stand der Dinge; **~ mental/physique** geistige/körperliche Verfassung; **~ de santé** Gesundheitszustand; **~ d'esprit** Einstellung *f;* **être en ~** *stylo:* in Ordnung sein; *machine, appareil:* betriebsbereit sein; *machine à écrire:* funktionstüchtig sein; *appartement, maison:* bezugsfertig sein; **être en ~ de marche** *voiture, bicyclette:* fahren; *appareil, machine:* funktionieren; **être en ~ de faire qc** in der Lage sein etw zu tun **2.***des recettes, dépenses* Verzeichnis *nt,*

Aufstellung *f* ▸**en tout ~ de cause** (*dans tous les cas*) unter allen Umständen; (*quoi qu'il en soit*) auf alle Fälle; **~ civil** Personenstand *m;* (*service*) Standesamt *nt,* ≈ Einwohnermeldeamt *nt;* **vérifier l'~ civil de qn** jds Personalien überprüfen; **ne pas être dans son ~ normal** nicht man selbst sein; **être dans un ~ second** nicht ganz bei sich sein (*fam*); **avoir des ~s d'âme** Gefühle haben; (*être amoureux*) Liebeskummer haben; **être dans tous ses ~s** in heller Aufregung sein; **être en ~ de choc** MED unter Schock stehen; (*être sous le coup de l'émotion*) schockiert sein

État [eta] *m* POL Staat *m;* **~ de droit** Rechtsstaat; **~s membres de l'UE** EU-Mitgliedstaaten

étatiser [etatize] <1> *vt* verstaatlichen

état-major [etamaʒɔR] <états-majors> *m* MIL Generalstab *m* **États-Unis** [etazyni] *mpl* **les ~ d'Amérique** die Vereinigten Staaten von Amerika

étau [eto] <x> *m* Schraubstock *m*

étayer [eteje] <7> *vt* [ab]stützen

etc [ɛtseteRa] *abr de* **et cætera, et cetera** etc.

été¹ [ete] *m* Sommer *m; v. a.* **automne**

été² [ete] *part passé de* **être**

éteindre [etɛ̃dR] <*irr*> **I.** *vt* **1.**ausmachen, abstellen *radio;* abdrehen *chauffage;* abschalten *four;* ausblasen *bougie;* löschen *feu;* ausdrücken *cigarette* **2.**(*éteindre la lumière de*) **~ la pièce/l'escalier** im Zimmer/auf der Treppe das Licht ausmachen **II.** *vi* das Licht ausmachen **III.** *vpr* **s'~** (*cesser de brûler*) ausgehen

éteint, e [etɛ̃, ɛ̃t] **I.** *part passé de* **éteindre** **II.** *adj* *bougie, cigarette, volcan* erloschen

étendard [etɑ̃daR] *m* Standarte *f*

étendre [etɑ̃dR] <14> **I.** *vt* **1.**(*coucher*) hinlegen **2.**(*poser à plat*) ausrollen *tapis;* **~ une couverture sur qn** eine Decke über jdm ausbreiten **3.**(*faire sécher*) aufhängen **4.**(*déployer*) ausstrecken *bras, jambes;* ausbreiten *ailes* **5.***fam* (*faire tomber*) zu Boden strecken **6.***fam* (*coller à un examen*) durchrasseln lassen; **se faire ~** durchrasseln **II.** *vpr* **1.**(*se reposer*) **s'~** sich hinlegen **2.**(*s'allonger*) **s'~** sich ausstrecken **3.**(*s'appesantir*) **s'~ sur qc** sich über etw (*akk*) auslassen **4.**(*occuper*) **s'~** sich erstrecken **5.**(*augmenter*) **s'~** *épidémie, incendie:* um sich greifen; *tache:* sich vergrößern; *ville, pouvoir:* wachsen; *connaissances, cercle:* sich erweitern **6.**(*s'appliquer*) **s'~ à qn/qc** für jdn/etw gelten

étendu, e [etɑ̃dy] **I.** *part passé de* **étendre** **II.** *adj* **1.***personne, jambes* ausgestreckt; *ailes* ausgebreitet **2.**(*vaste*) ausge-

dehnt; *plaine, vue* weit; *ville* groß **3.** (*considérable*) umfangreich; *pouvoir* weit reichend; *signification* umfassend; *vocabulaire* reich

étendue [etɑ̃dy] *f* **1.** *d'un pays* Ausdehnung *f* **2.** (*espace*) Weite *f*, Fläche *f*; **de vastes ~s de forêts** große Waldgebiete **3.** *d'une catastrophe* Ausmaß *nt*; **l'~ des connaissances de qn** jds umfassende Kenntnisse

éternel, le [etɛʀnɛl] *adj* **1.** (*qui dure longtemps*) ewig; *regrets* tief; *recommencement* ständig **2.** *antéposé* (*inévitable*) unvermeidlich **3.** *antéposé péj* (*sempiternel*) ewig

éternellement [etɛʀnɛlmɑ̃] *adv* ewig; (*depuis toujours*) schon immer; (*sans arrêt*) immer

éterniser [etɛʀnize] <1> **I.** *vt* (*faire traîner*) in die Länge ziehen **II.** *vpr* **s'~ 1.** (*traîner*) sich hinziehen **2.** *fam* (*s'attarder*) ewig bleiben; **s'~ sur un sujet** sich endlos über ein Thema auslassen

éternité [etɛʀnite] *f* Ewigkeit *f*

éternuement [etɛʀnymɑ̃] *m gén pl* Niesen *nt kein Pl*

éternuer [etɛʀnɥe] <1> *vi* niesen

êtes [ɛt] *indic prés de* **être**

étêter [etete] <1> *vt* kappen *arbre*

éther [etɛʀ] *m* Äther *m*

Éthiopie [etjɔpi] *f* **l'~** Äthiopien *nt*

éthiopien [etjɔpjɛ̃] *m* Äthiopisch *nt; v. a.* **allemand**

éthiopien, ne [etjɔpjɛ̃, jɛn] *adj* äthiopisch

Éthiopien, ne [etjɔpjɛ̃, jɛn] *m, f* Äthiopier(in) *m(f)*

éthique [etik] *adj* ethisch

ethnie [ɛtni] *f* Volksstamm *m*

ethnique [ɛtnik] *adj* ethnisch

ethnologie [ɛtnɔlɔʒi] *f* Ethnologie *f*

ethnologue [ɛtnɔlɔg] *mf* Ethnologe *m/* Ethnologin *f*

éthologie [etɔlɔʒi] *f* Verhaltensforschung *f*

éthylique [etilik] *adj* Alkohol-

éthylisme [etilism] *m* Alkoholismus *m*

étincelant, e [etɛ̃s(ə)lɑ̃, ɑ̃t] *adj* **1.** (*scintillant*) glitzernd **2.** *couleurs* leuchtend **3.** *regard* strahlend; *yeux* (*de joie*) leuchtend; (*de haine*) funkelnd

étinceler [etɛ̃s(ə)le] <3> *vi* **1.** (*à la lumière*) *or, diamant:* funkeln; *couteau, lame:* blitzen; *étoile:* blinken **2.** (*de propreté*) *vitre:* blitzen **3.** (*lancer comme des étincelles*) *yeux:* (*de joie*) strahlen; (*de haine*) blitzen

étincelle [etɛ̃sɛl] *f* **1.** (*parcelle incandescente*) Funke[n] *m* **2.** (*lueur*) **des ~s s'allument dans les yeux de qn** jds Augen beginnen zu leuchten **3.** (*un petit peu de*) **une ~ de génie** ein Funken Genie;

une ~ d'intelligence eine Spur Intelligenz ▸**cela fait des ~s** *fam* es funkt; **faire/ne pas faire des ~s** *fam* (*obtenir de brillants résultats*) glänzen/nicht gerade glänzen

étioler [etjɔle] <1> *vt* verkümmern lassen *plantes*

étiqueter [etikte] <3> *vt* **1.** (*mettre une étiquette*) etikettieren **2.** (*classer*) **~ qn comme qc** jdn als etw abstempeln

étiquette [etikɛt] *f* **1.** (*marque*) Etikett *nt*; (*sur un paquet*) Aufschrift *f* **2.** (*adhésif*) Aufkleber *m; de prix* Preisschild *nt* **3.** (*protocole*) **l'~** die Etikette **4.** (*label*) Label *nt*

étirer [etiʀe] <1> *vpr* **s'~ 1.** (*s'allonger*) sich strecken **2.** (*se distendre*) *textile:* sich dehnen

étoffe [etɔf] *f* Stoff *m*

étoffé, e [etɔfe] *adj* LITTER *style* reich, üppig

étoffer [etɔfe] <1> *vt* LITTER ausbauen, ausschmücken *récit*

étoile [etwal] *f* **1.** Stern *m;* **~ filante** Sternschnuppe *f;* **~ du berger** Abendstern **2.** (*objet, figure*) Stern *m;* **en ~** sternförmig **3.** *d'un hôtel, général* Stern *m;* **restaurant cinq ~s** Fünf-Sterne-Restaurant ▸**coucher** [*o* **dormir**] **à la belle ~** unter freiem Himmel schlafen; **avoir foi** [*o* **être confiant(e)**] **en son ~** an seinen Stern glauben

étoilé, e [etwale] *adj nuit* stern[en]klar

étole [etɔl] *f* Stola *f*

étonnant [etɔnɑ̃] *m* **l'~ est que +** *subj* das Erstaunliche daran ist, dass

étonnant, e [etɔnɑ̃, ɑ̃t] *adj* **1.** (*surprenant*) erstaunlich; **c'est ~, ...** das ist aber merkwürdig, ...; **ce n'est pas ~** das ist kein Wunder **2.** (*remarquable*) erstaunlich gut; *personne, maturité* erstaunlich

étonné, e [etɔne] *adj* erstaunt; **être ~** sich wundern

étonnement [etɔnmɑ̃] *m* Verwunderung *f*, Erstaunen *nt*

étonner [etɔne] <1> **I.** *vt* erstaunen **II.** *vpr* **s'~ de qc** sich über etw (*akk*) wundern, über etw (*akk*) erstaunt sein; **s'~ (de ce) que +** *subj* sich darüber wundern, dass

étouffant, e [etufɑ̃, ɑ̃t] *adj* **1.** *chaleur* drückend; *air* stickig **2.** (*pesant*) bedrückend

étouffé, e [etufe] *adj personne* erstickt; *bruit, son* gedämpft; *rires* unterdrückt

étouffée [etufe] *f* dünsten *viande*

étouffement [etufmɑ̃] *m sans pl* Ersticken *nt*

étouffer [etufe] <1> **I.** *vt* **1.** (*priver d'air*) ersticken; **cette chaleur m'étouffe** diese Hitze bringt mich um (*fam*); **la fureur étouffe qn** die Wut schnürt jdm die Kehle zu **2.** (*arrêter*) löschen *feu* **3.** (*atténuer*) dämpfen *bruit* **4.** (*dissimuler*) unterdrü-

cken *bâillement;* ersticken *sanglot;* vertuschen *scandale* **5.** *(faire taire)* aus der Welt schaffen *rumeur;* zum Schweigen bringen *opposition* **6.** *(réprimer)* niederschlagen *révolte;* ~ **un complot dans l'œuf** einen Komplott im Keim ersticken ▶**ce n'est pas la politesse qui l'étouffe** *fam* er/sie zeichnet sich nicht gerade durch Höflichkeit aus **II.** *vi* **1.** *(mourir)* ersticken **2.** *(suffoquer)* keine Luft mehr bekommen; **on étouffe ici!** hier erstickt man ja! **III.** *vpr* **s'~** ersticken

étourderie [eturdəʀi] *f* **1.** *sans pl (caractère)* Unbesonnenheit *f* **2.** *(acte)* Leichtsinn *m*

étourdi, e [eturdi] **I.** *adj* leichtsinnig **II.** *m, f* leichtsinniger Mensch

étourdiment [eturdimã] *adv* gedankenlos

étourdir [eturdiʀ] <8> **I.** *vt* **1.** *(assommer)* betäuben; **ce choc à la tête l'a étourdi** er war von dem Schlag auf den Kopf ganz benommen **2.** *(abrutir)* ~ **qn** *bruit:* halb taub machen; *mouvement:* ganz schwind[e]lig machen; *paroles:* ganz benommen machen **3.** *(enivrer)* ~ **qn** *parfum:* regelrecht betäuben; **le vin l'étourdit** der Wein steigt ihr/ihm zu Kopf **II.** *vpr* **s'~** sich betäuben

étourdissant, e [eturdisã, ãt] *adj bruit* [ohren]betäubend; *succès* überwältigend; *personne* umwerfend; *rythme* atemberaubend

étourdissement [eturdismã] *m* Schwindelgefühl *nt,* Schwindelanfall *m;* **une odeur lui cause des ~s** ihr/ihm wird von einem Geruch schwind[e]lig

étourneau [eturno] <x> *m* ORN Star *m*

étrange [etʀãʒ] *adj* seltsam, komisch

étrangement [etʀãʒmã] *adv* **1.** seltsam **2.** *(beaucoup, très)* sehr

étranger [etʀãʒe] *m (pays)* **l'~** das Ausland; **séjour à l'~** Auslandsaufenthalt *m*

étranger, -ère [etʀãʒe, -ɛʀ] **I.** *adj* **1.** *(d'un autre pays)* ausländisch; *politique* Außen-; *affaires* auswärtig; *travailleur* Gast-; *langue, corps* Fremd- **2.** *(d'un autre groupe)* fremd; **être ~ à la famille** nicht zur Familie gehören **3.** *(non familier)* fremd; *usage, notion* unbekannt **4.** *(extérieur)* **être ~ à un sujet** nicht zum Thema gehören; **être ~ à une affaire/un complot** in eine Affäre/ein Komplott nicht verwickelt sein **II.** *m, f* **1.** *(d'un autre pays)* Ausländer(in) *m(f)* **2.** *(d'une autre région)* Fremde(r) *f(m)*

étrangeté [etʀãʒte] *f sans pl (originalité)* Seltsamkeit *f,* Eigenartigkeit *f*

étranglé, e [etʀãgle] *adj voix* erstickt

étranglement [etʀãgləmã] *m* Erwürgen

nt, Erdrosseln *nt*

étrangler [etʀãgle] <1> **I.** *vt* **1.** *(tuer)* erwürgen; ~ **un animal** einem Tier den Hals umdrehen **2.** *(serrer le cou)* ~ **qn** *cravate:* jdm den Hals zuschnüren **3.** *(empêcher qn de parler)* ~ **qn** *émotion, fureur:* jdm die Kehle zuschnüren **II.** *vpr* **s'~ avec qc** **1.** *(mourir)* sich mit etw strangulieren **2.** *(en mangeant)* sich an etw *(dat)* verschlucken

étrave [etʀav] *f* Steven *m*

être [ɛtʀ] <irr> **I.** *vi* **1.** *(pour qualifier)* sein **2.** *(pour indiquer la date, la période)* **quel jour sommes-nous?** was ist heute für ein Tag?; **on est le 2 mai/mercredi** es ist der 2. Mai/Mittwoch **3.** *(pour indiquer le lieu)* sein; **le stylo est là, sur le bureau** der Kuli liegt da, auf dem Schreibtisch; **le vase est là, sur la table** die Vase steht da, auf dem Tisch; **les clés sont là, dans la serrure** die Schlüssel stecken da, im Schloss; **les clés sont là, au crochet** die Schlüssel hängen da, am Haken **4.** *(appartenir)* ~ **à qn** jdm gehören **5.** *(travailler)* ~ **dans l'enseignement/le textile** im Bildungswesen/in der Textilindustrie beschäftigt sein **6.** *(pour indiquer l'activité en cours)* ~ **toujours à faire qc** ständig dabei sein etw zu tun **7.** *(pour exprimer une étape d'une évolution)* **où en es-tu de tes maths?** wie weit bist du mit deinen Matheaufgaben?; **en ~ à faire qc** gerade dabei sein etw zu tun; *(en arriver à)* so weit gekommen sein, dass man etw tut; **j'en suis à me demander si …** ich frage mich inzwischen, ob … **8.** *(être absorbé par, attentif à)* ~ **tout à son travail** sich ganz seiner Arbeit widmen; **ne pas ~ à ce qu'on fait** nicht [ganz] bei der Sache sein **9.** *(pour exprimer l'obligation)* ~ **à faire** erledigt werden müssen; **ce livre est à lire absolument** dieses Buch muss man unbedingt gelesen haben **10.** *(provenir)* ~ **de qn** *enfant, œuvre:* von jdm sein; ~ **d'une région/famille** aus einer Region/einer Familie kommen **11.** *(être vêtu/chaussé de)* ~ **en costume/pantoufles** einen Anzug/Pantoffeln tragen; ~ **tout en rouge** ganz in Rot [gekleidet] sein **12.** *au passé (aller)* **avoir été faire/acheter qc** etw gemacht/gekauft haben **13.** *(exister)* sein; **la voiture la plus économique qui soit** das sparsamste Auto, das es gibt ▶**je suis à toi/vous tout de suite** ich stehe dir/Ihnen sofort zur Verfügung; ~ **à la cocaïne** Kokainsüchtig sein; ~ **au techno** ein Technofreak sein; **n'y ~ pour rien** nichts damit zu tun haben; **ça y est** *(c'est fini)* so; *(je comprends)* ach so; *(je te l'avais dit)* siehst du;

(*pour calmer qn*) [ist] schon gut; **ça y est, voilà qu'il pleut!** jetzt haben wir die Bescherung, es regnet!; **ça y est?** (*alors*) was ist?; **n'est-ce pas?** nicht wahr? **II.** *vi impers* **1.il est impossible/étonnant ...** es ist unmöglich/erstaunlich, ... **2.**(*pour indiquer l'heure*) **il est dix heures/midi/minuit** es ist zehn [Uhr]/zwölf Uhr mittags/Mitternacht **III.** *aux* **1.**(*comme auxiliaire du passé actif*) ~ **venu** gekommen sein; **s'~ rencontrés** sich getroffen haben **2.**(*comme auxiliaire du passif*) **le sol est lavé chaque jour** der Boden wird jeden Tag geputzt **IV.** *m* **1.**(*opp: chose*) ~ **vivant** Lebewesen *nt* **2.**(*opp: animal*) ~ **humain** Mensch *m*

étreindre [etrɛ̃dʀ] <*irr*> *vt* **1.**umarmen *ami;* umklammern, packen *adversaire* **2.** *angoisse:* packen

étreinte [etrɛ̃t] *f d'un ami* Umarmung *f; d'un adversaire* Umklammerung *f*

étrenner [etʀene] <1> *vt* einweihen

étrennes [etʀɛn] *fpl* Neujahrsgeschenk *nt*

étrier [etʀije] *m* Steigbügel *m*

étriller [etʀije] <1> *vt* striegeln *cheval*

étriper [etʀipe] <1> *vt* **1.**ausnehmen **2.** *fam* verdreschen *personne*

étriqué, e [etʀike] *adj vêtement* zu eng

étroit, e [etʀwa, wat] *adj* **1.**eng; *rue* schmal; **qn est à l'~ dans un vêtement** jdm ist ein Kleidungsstück zu eng; **vivre à l'~** (*modestement*) ein karges Leben führen; **être logé à l'~** auf engem Raum leben **2.** *surveillance* streng

étroitement [etʀwatmɑ̃] *adv serré* eng, fest; *être logé* beengt

étroitesse [etʀwatɛs] *f* **1.**l'~ **de sa jupe la gênait** ihr enger Rock behinderte sie **2.** *péj des vues, pensées* Beschränktheit *f*

étude [etyd] **I.** *f* **1.**(*apprentissage*) Lernen *nt*, Studieren *nt;* **ne pas aimer les ~s** nicht gern lernen; **l'~ des mathématiques/sciences** das Studium der Mathematik/der Naturwissenschaften **2.** *de la nature* Studium *nt*, Erforschung *f; d'un dossier* Studium; *d'un projet* Prüfung *f*, Untersuchung *f;* ~ **d'une question** Beschäftigung *f* mit einer Frage; ~ **de marché** Marktstudie *f* **3.**(*ouvrage*) ~ **sur qc** Studie über etw (*akk*) **4.** *d'un notaire* Kanzlei *f*, Büro *nt* **5.**(*moment*) ≈ Hausaufgabenbetreuung *f* in der Schule **II.** *fpl* **1.**scol Schulbildung *f;* ~**s primaires/secondaires** Grundschulbildung/Mittelstufen- und Oberstufenbildung; **faire des ~s** eine Schule besuchen **2.** univ Studium *nt;* ~**s supérieures** Studium; **faire des ~s** studieren

étudiant, e [etydjɑ̃, jɑ̃t] **I.** *adj* studentisch; *vie, révolte* Studenten- **II.** *m, f* Stu-

dent(in) *m(f)*

étudié, e [etydje] *adj* **1.**(*soigné*) **jeu d'un acteur très** ~ gut einstudierte Rolle **2.**(*avantageux*) **conditions très ~es** sehr günstige Bedingungen

étudier [etydje] <1> **I.** *vt* **1.**(*apprendre*) lernen *leçon;* [er]lernen *langue;* nacharbeiten *cours;* [ein]studieren *rôle;* (*à l'université*) studieren; ~ **le piano/le violon** Klavier-/Geigespielen lernen **2.**(*faire des recherches*) untersuchen; beobachten *nature;* erforschen, erkunden *région* **3.**(*en vue d'une décision, d'une action*) studieren; bearbeiten *dossier;* prüfen *plan;* sich befassen mit *question* **4.** scol sich beschäftigen mit *sujet;* lesen, sich beschäftigen mit *texte, auteur* **5.**(*observer*) studieren *personne* **II.** *vi* studieren **III.** *vpr* **s'~ 1.**(*s'analyser*) sich selbst beobachten **2.**(*s'observer mutuellement*) sich [gegenseitig] beobachten

étui [etɥi] *m* Etui *nt*

étuve [etyv] *f* (*à désinfection*) Sterilisator *m*

étymologie [etimɔlɔʒi] *f* Etymologie *f*

étymologique [etimɔlɔʒik] *adj* etymologisch

eu, e [y] *part passé de* **avoir**

eucalyptus [økaliptys] *m* Eukalyptus *m*

euh [ø] *interj* **1.** *en tête d'un énoncé* hm **2.** *interrompant une énonciation* (*trou de mémoire*) äh; (*émotion, auto-correction*) ach

eunuque [ønyk] *m* Eunuch *m*

euphémisme [øfemism] *m* Euphemismus *m*

euphorie [øfɔʀi] *f* Euphorie *f*

euphorique [øfɔʀik] *adj* euphorisch

euphorisant, e [øfɔʀizɑ̃] *adj* aufputschend

EUR *m abr de* **euro** EUR

eurasien, ne [øʀazjɛ̃, jɛn] *adj* eurasisch

Eurasien, ne [øʀazjɛ̃, jɛn] *m, f* Eurasier(in) *m(f)*

euro [øʀo] *m* Euro *m inv*

euro centime *m* Cent *m*

eurochèque [øʀoʃɛk] *m* Eurocheque *m*

eurocrate [øʀɔkʀat] *mf souvent péj* Eurokrat(in) *m(f)*

eurodéputé, e [øʀɔdepyte] *m, f* Europaabgeordnete(r) *f(m)*

eurodevise [øʀod(ə)viz] *f* Euro-Währung *f*

euromissile [øʀomisil] *m* Mittelstreckenrakete *f*

Europe [øʀɔp] *f* **l'~** Europa *nt;* **l'~ centrale/de l'Est/l'Ouest** Mittel-/Ost-/Westeuropa *nt;* **l'~ des Quinze** die 15 Mitgliedsländer der EU; **faire l'~** ein vereintes

Europa schaffen

européanisation [øʀɔpeanizasjɔ̃] *f* Europäisierung *f*

européaniser [øʀɔpeanize] <1> **I.** *vt* europäisieren **II.** *vpr* **s'~** europäisiert werden

européen, ne [øʀɔpeɛ̃, ɛn] **I.** *adj* **1.** GEOG *continent* europäisch; **les fleuves ~s** die Flüsse Europas **2.** POL, ECON europäisch; *parlement, élections* Europa-; **l'Union ~ne** die Europäische Union **II.** *fpl* (*les élections européennes*) die Wahl zum Europaparlament

Européen, ne [øʀɔpeɛ̃, ɛn] *m, f* Europäer(in) *m(f)*

eurosignal [øʀɔsiɲal] *m* Notruf *m*

eus [y] *passé simple de* avoir

euthanasie [øtanazi] *f* Euthanasie *f*

eux [ø] *pron pers, pl masc ou mixte* **1.** *fam* (*pour renforcer*) **~, ils n'ont pas ouvert la bouche** die haben den Mund nicht aufgemacht; **c'est ~ qui l'ont dit** das haben die gesagt; **il veut les aider, ~?** denen möchte er helfen? **2.** *avec une préposition* **avec/sans ~** mit ihnen/ohne sie; **à ~ seuls** sie allein; **la maison est à ~** das Haus gehört ihnen; **c'est à ~ de décider** sie müssen entscheiden; **c'est à ~!** sie sind dran! **3.** *dans une comparaison* sie; **elles sont comme ~** sie sind wie sie; **plus fort qu'~** stärker als sie **4.** (*soi*) sich; *v. a.* **lui**

eux-mêmes [ømɛm] *pron pers* (*eux en personne*) sie selbst; *v. a.* **moi-même, nous-même**

évacuation [evakɥasjɔ̃] *f* **1.** *des habitants* Evakuierung *f*; *des blessés* Abtransport *m*; *d'une salle de tribunal* Räumung *f* **2.** (*action de quitter*) Räumung *f*; *d'un bateau* Verlassen *nt* **3.** (*écoulement*) Abfließen *nt*; **système d'~** Ablauf *m*; **l'~ des eaux usées se fait ...** das Abwasser wird ... geleitet **4.** CH (*action de vider*) **~ des ordures** Kehrichtabfuhr *f* (CH)

évacuer [evakɥe] <1> *vt* **1.** MIL räumen *ville* **2.** (*faire partir*) evakuieren *habitants*; abtransportieren *blessés* **3.** (*quitter*) räumen; verlassen *bateau* **4.** (*vider*) ablassen *les eaux usées*

évadé, e [evade] *m, f* entflohener Häftling

évader [evade] <1> *vpr* **1.** **s'~ de qc** aus etw ausbrechen **2.** (*fuir*) **s'~ du réel** vor der Realität flüchten

évaluation [evalɥasjɔ̃] *f* **1.** *des coûts* Überschlag *m*; *des risques* Abschätzung *f*; *des chances* Einschätzung *f*; *d'une fortune* Schätzung *f* **2.** *des dégâts* Schätzung *f*; **~ des connaissances** SCOL Klassenarbeit *f*

évaluer [evalɥe] <1> *vt* schätzen *poids*; abschätzen *distance*; einschätzen *chances*

évangélique [evɑ̃ʒelik] *adj* evangelisch

évangélisation [evɑ̃ʒelizasjɔ̃] *f* Evangelisierung *f*

évangéliser [evɑ̃ʒelize] <1> *vt* zum Christentum bekehren *peuple, pays*

évangéliste [evɑ̃ʒelist] *m* Evangelist *m*

évangile [evɑ̃ʒil] *m* (*texte, livre*) Evangelium *nt*

Évangile [evɑ̃ʒil] *m* **l'~** das Evangelium

évanoui, e [evanwi] *adj* **1.** *personne* ohnmächtig; **tomber ~** in Ohnmacht fallen **2.** *bonheur* vergangen; *rêve* geplatzt

évanouir [evanwiʀ] <8> *vpr* **1.** (*perdre connaissance*) **s'~ de qc** ohnmächtig werden **2.** (*disparaître*) **s'~** *image, fantôme:* [ver]schwinden; *illusions:* schwinden; *espoirs:* zerrinnen

évanouissement [evanwismɑ̃] *m* Ohnmacht[sanfall *m*] *f*

évaporation [evapɔʀasjɔ̃] *f* Verdampfung *f*

évaporé, e [evapɔʀe] *adj* zerstreut

évaporer [evapɔʀe] <1> *vpr* **s'~** *eau, parfum:* verdunsten

évasé, e [evaze] *adj jupe* ausgestellt

évaser [evaze] <1> *vt* vergrößern, erweitern *trou*

évasif, -ive [evazif, -iv] *adj réponse* ausweichend; *geste* vage; **devenir ~** ausweichen; **rester ~** sich bedeckt halten

évasion [evazjɔ̃] *f* **~ de qn de prison** jds Ausbruch *m* aus dem Gefängnis

évasivement [evazivmɑ̃] *adv* ausweichend

évêché [eveʃe] *m* Bistum *nt*

éveil [evɛj] *m* **1.** (*état éveillé*) **tenir qn en ~** jdn wach halten **2.** (*réveil*) **~ des sens/ d'un sentiment chez qn** Erwachen *nt* der Sinne bei jdm/eines Gefühls in jdm

éveillé, e [eveje] *adj* **1.** (*en état de veille*) wach **2.** (*alerte*) aufgeweckt; **esprit ~** heller Kopf

éveiller [eveje] <1> **I.** *vt* **1.** (*faire naître*) erregen *attention;* wachrufen *désir;* wecken *soupçons* **2.** (*développer*) fördern *intelligence* **II.** *vpr* **1.** (*naître*) **s'~ chez** [*o* en] **qn** *amour:* in jdm erwachen; *soupçon:* sich in jdm regen **2.** (*éprouver pour la première fois*) **s'~ à l'amour** *personne:* seine ersten Erfahrungen in der Liebe machen **3.** (*se mettre à fonctionner*) **s'~** *esprit:* sich zu entwickeln beginnen

événement, évènement [evɛnmɑ̃] *m* Ereignis *nt;* **les ~s de mai 1968** die politischen Unruhen im Mai 1968; **avant les ~s en Allemagne de l'est** vor der Wende ▶**créer l'~** Aufsehen erregen; **elle est dépassée par les ~s** ihr wächst alles über den Kopf

éventail [evɑ̃taj] <s> *m* Fächer *m*

éventaire [evãtɛʁ] *m* (*plateau*) Bauchladen *m*

éventé, e [evãte] *adj terrasse* windig

éventer [evãte] <1> *vt* lüften, aufdecken *secret*

éventrer [evãtʁe] <1> *vt* **1.** (*tuer*) ~ **qn/un animal** jdm/einem Tier den Bauch aufschlitzen **2.** (*ouvrir*) aufreißen *sac;* aufbrechen *porte;* aufschlitzen *matelas*

éventualité [evãtɥalite] *f* **1.** (*caractère*) **dans l'~ d'une guerre** im Falle eines Krieges **2.** (*possibilité*) Eventualität *f,* Möglichkeit *f*

éventuel, le [evãtɥɛl] *adj* möglich; *successeur a.* potenziell

éventuellement [evãtɥɛlmã] *adv* eventuell

évêque [evɛk] *m* Bischof *m*

évertuer [evɛʁtɥe] <1> *vpr* **s'~ à faire qc** sich abquälen etw zu tun

éviction [eviksjɔ̃] *f* Ausschaltung *f*

évidemment [evidamã] *adv* **1.** (*en tête de phrase*) natürlich **2.** (*en réponse*) na klar (*fam*) **3.** (*comme on peut le voir*) offenbar

évidence [evidãs] *f* **1.** *sans pl* (*caractère*) Offensichtlichkeit *f,* Offenkundigkeit *f;* **de toute** [*o* à l'] ~ ganz offensichtlich **2.** (*fait*) **klare Tatsache; c'est une** ~ das liegt doch auf der Hand; **se rendre à l'~** sich den Tatsachen beugen; **refuser de se rendre à l'~** etwas nicht wahrhaben wollen **3.** (*vue*) **être bien en** ~ *objet:* gut sichtbar sein; **se mettre en** ~ sich in den Vordergrund drängen

évident, e [evidã, ãt] *adj* **1.** *progrès* klar [erkennbar]; *signe* eindeutig; *bonne volonté* unbestreitbar; **c'est** ~ **pour qn** das ist jdm klar **2.** (*compréhensible*) offensichtlich; **il est** ~ **que ...** es versteht sich von selbst, dass ... ▸**c'est pas** ~! *fam* (*difficile*) das ist gar nicht so einfach!

évider [evide] <1> *vt* aushöhlen

évier [evje] *m* Spüle *f*

évincer [evɛ̃se] <2> *vt* JUR vertreiben

évitable [evitabl] *adj* vermeidbar

éviter [evite] <1> **I.** *vt* **1.** (*se soustraire à*) vermeiden *erreur;* meiden *endroit;* ~ **de faire qc** es vermeiden etw zu tun; **évite de passer par Lyon** fahr möglichst nicht über Lyon **2.** (*se dérober à*) sich (*dat*) ersparen *sort;* sich entziehen (+ *dat*) *corvée;* ~ **de faire qc** sich davor hüten etw zu tun; **pour** ~ **d'aller en prison** um dem Gefängnis zu entgehen; **pour** ~ **d'avoir à éplucher les légumes** um kein Gemüse schälen zu müssen **3.** (*fuir*) ausweichen (+ *dat*) *regard;* ~ **qn** jdn meiden; (*essayer de ne pas rencontrer*) jdm aus dem Weg gehen **4.** (*empêcher*) *personne:* vermeiden; ~

qc etw verhindern; ~ **que** + *subj* verhindern, dass **5.** (*esquiver*) ausweichen (+ *dat*) *obstacle, coup* **6.** (*épargner*) ~ **qc à qn** jdm etw ersparen **II.** *vpr* **1. s'~** sich meiden; (*essayer de ne pas se rencontrer*) sich aus dem Weg gehen **2.** (*ne pas avoir*) **s'~ des soucis/tracas** sich (*dat*) Sorgen/Mühen ersparen

évocateur, -trice [evɔkatœʁ, -tʁis] *adj style* anschaulich

évocation [evɔkasjɔ̃] *f de souvenirs* Wachrufen *nt*

évolué, e [evɔlɥe] *adj pays, société* [hoch]entwickelt; *idées, personne* liberal

évoluer [evɔlɥe] <1> *vi* **1.** (*changer*) *chose, monde:* sich entwickeln; *sciences:* sich [weiter] entwickeln; *goûts, situation:* sich ändern; **la crise évolue lentement vers une solution** für die Krise zeichnet sich allmählich eine Lösung ab **2.** (*se transformer*) sich verändern; ~ **vers** qc sich zu etw hin entwickeln; **ce séjour l'a fait** ~ durch diesen Aufenthalt ist er/sie gereift **3.** MED *maladie:* fortschreiten

évolutif, -ive [evɔlytif, -iv] *adj maladie* fortschreitend

évolution [evɔlysjɔ̃] *f* **1.** *d'une personne, d'un phénomène* Entwicklung *f; des goûts, comportements* Veränderung *f,* Wandel *m; des sciences* [Weiter]entwicklung *f;* **l'~ des techniques** der technische Fortschritt **2.** MED *d'une maladie* Fortschreiten *nt; d'une tumeur* Ausbreiten *nt* **3.** BIO Evolution *f;* **théorie de l'~** Evolutionslehre *f*

évoquer [evɔke] <1> *vt* **1.** (*rappeler à la mémoire*) erinnern an (+ *akk*) *personne;* in Erinnerung rufen *fait, enfance;* wachrufen *souvenirs* **2.** (*décrire*) schildern **3.** (*faire allusion à*) erwähnen *problème;* anschneiden *question, sujet* **4.** (*faire penser à*) **ce mot n'évoque rien pour moi** mit diesem Wort verbinde ich nichts

ex [ɛks] *mf fam* Ex *mf*

ex, ex. [ɛks] *abr de* **exemple** Bsp.

exacerbé, e [ɛgzasɛʁbe] *adj* übersteigert

exacerber [ɛgzasɛʁbe] <1> *vt* anstacheln *jalousie*

exact, e [ɛgzakt] *adj* **1.** (*précis*) genau; *description* präzis[e]; *définition, valeur* exakt; *mot* treffend; *calculs, réponse* korrekt; **c'est** [*o* **il est**] ~ **que ...** das ist richtig, dass ... **2.** (*ponctuel*) pünktlich

exactement [ɛgzaktəmã] *adv* genau; **c'est** ~ **ce que** das ist haargenau das, was (*fam*)

exaction [ɛgzaksjɔ̃] *f pl* (*violences*) Ausschreitungen *Pl*

exactitude [ɛgzaktityd] *f* **1.** (*précision*) Korrektheit *f; des mesures* Genauigkeit *f;*

avec ~ *calculer* genau **2.**(*ponctualité*) Pünktlichkeit *f;* **avec** ~ *arriver* pünktlich; **être d'une parfaite** ~ die Pünktlichkeit in Person sein

ex æquo [ɛgzeko] **I.** *adj inv* **être ~ en qc** in etw gleich stehen; *équipes:* die gleiche Punktzahl haben **II.** *adv classer* gleich; *arriver* gleichzeitig; **premiers/premier prix** ~ zwei erste Preise **III.** *mpl* Kandidaten *Pl* mit gleicher Punktzahl; (*dans le sport*) Sportler *Pl* mit gleicher Punktzahl

exagération [ɛgzaʒeʀasjɔ̃] *f* Übertreibung *f*

exagéré, e [ɛgzaʒeʀe] *adj* übertrieben; *prix* überhöht; **être un peu ~** ein bisschen zu weit gehen

exagérément [ɛgzaʒeʀemɑ̃] *adv* übertrieben

exagérer [ɛgzaʒeʀe] <5> **I.** *vt* **1.**(*par rapport à la réalité*) überbewerten *mérites;* hochspielen *défauts* **2.**(*par rapport à la normale*) übertreiben *attitude;* **il ne faut rien ~, n'exagérons rien** man soll nichts übertreiben **II.** *vi* **1.**(*amplifier en parlant*) übertreiben **2.**(*abuser*) es übertreiben

exaltant, e [ɛgzaltɑ̃, ɑ̃t] *adj* erhebend, begeisternd

exaltation [ɛgzaltasjɔ̃] *f* Begeisterung *f*

exalté, e [ɛgzalte] *adj* schwärmerisch, überschwänglich; *personne* exaltiert

exalter [ɛgzalte] <1> *vt* (*faire vibrer*) anregen *esprit;* begeistern *personne*

examen [ɛgzamɛ̃] *m* **1.** *des faits* [Über]prüfung *f; d'une proposition, question* Prüfung; *des empreintes digitales* Untersuchung *f;* ~ **d'un problème** Auseinandersetzung *f* mit einem Problem **2.** MED, BIO Untersuchung *f* **3.** SCOL Prüfung *f;* UNIV [Abschluss]examen *nt;* ~ **d'entrée/de passage** Aufnahme-/Versetzungsprüfung

examinateur, -trice [ɛgzaminatœʀ, -tʀis] *m, f* Prüfer(in) *m(f)*

examiner [ɛgzamine] <1> **I.** *vt* **1.**(*étudier*) prüfen; [über]prüfen *faits, causes;* einsehen *dossier;* genau durchlesen *texte, ouvrage;* genau untersuchen *lieux d'un crime;* untersuchen *objet* **2.**(*regarder attentivement*) mustern **3.** MED untersuchen *patient* **4.** SCOL, UNIV prüfen **II.** *vpr* **s'~ dans un miroir** sich im Spiegel betrachten

exaspérant, e [ɛgzaspeʀɑ̃, ɑ̃t] *adj* nervenaufreibend

exaspération [ɛgzaspeʀasjɔ̃] *f* Verzweiflung *f*

exaspérer [ɛgzaspeʀe] <5> *vt* **~ qn avec qc** jdn mit etw zur Verzweiflung bringen

exaucer [ɛgzose] <2> *vt* **1.**(*écouter*) *Dieu:* erhören **2.**(*réaliser*) erfüllen *désir, souhait*

excédant, e [ɛksedɑ̃, ɑ̃t] *adj* lästig

excédent [ɛksedɑ̃] *m* Überschuss *m;* ~ **de bagages** Gepäckübergewicht *nt*

excédentaire [ɛksedɑ̃tɛʀ] *adj* überschüssig

excéder [ɛksede] <5> *vt* überschreiten *poids, durée;* übersteigen *moyens, forces*

excellence [ɛkselɑ̃s] *f* Vorzüglichkeit *f;* **l'~ de son goût** sein/ihr ausgezeichneter Geschmack ▶**par** ~ par excellence (*geh*), schlechthin

excellent, e [ɛkselɑ̃, ɑ̃t] *adj* [ganz] ausgezeichnet; *vin* köstlich; *professeur* hervorragend (*geh*), [ganz] ausgezeichnet

exceller [ɛksele] <1> *vi* **~ à cuisiner/écrire** [ganz] ausgezeichnet kochen/schreiben

excentré, e [ɛksɑ̃tʀe] *adj* *région, quartier* abgelegen

excentricité [ɛksɑ̃tʀisite] *f sans pl* Exzentrizität *f; d'un vêtement* Extravaganz *f;* **l'~ de son comportement/caractère** sein/ihr exzentrisches Verhalten/Wesen

excentrique [ɛksɑ̃tʀik] **I.** *adj personne, manières* exzentrisch; *tenue* extravagant **II.** *mf* Exzentriker(in) *m(f)*

excepté [ɛksɛpte] *prép* außer (+ *dat*), bis auf (+ *akk*); ~ **que/si** außer, dass; **avoir tout prévu, ~ ce cas** mit allem gerechnet haben, nur damit nicht

excepter [ɛksɛpte] <1> *vt* **~ qn de qc** jdn von etw ausnehmen; **tous les devoirs, sans en ~ un seul, sont mauvais** die Arbeiten sind alle schlecht, ohne Ausnahme

exception [ɛksɛpsjɔ̃] *f* (*action*) Ausnahme *f;* (*cas*) Ausnahme[fall *m*] *f;* **régime d'~** Sonderregelung *f;* **faire ~ à la règle** eine Ausnahme von der Regel bilden; **faire une ~ pour qn** bei jdm eine Ausnahme machen; **à l'~ de qn/qc** abgesehen von jdm/etw; **sauf ~** von Ausnahmen abgesehen

exceptionnel, le [ɛksɛpsjɔnɛl] *adj* **1.**(*extraordinaire*) außergewöhnlich; *réussite* außerordentlich/-gewöhnlich; *occasion* einmalig **2.**(*occasionnel*) Sonder-; **mesures exceptionnelles** Sondermaßnahmen *Pl,* außergewöhnliche Maßnahmen; **à titre ~** ausnahmsweise

exceptionnellement [ɛksɛpsjɔnɛlmɑ̃] *adv* **1.**(*à titre exceptionnel*) ausnahmsweise **2.**(*très*) außergewöhnlich

excès [ɛksɛ] *m* **1.**(*surplus*) ~ **de vitesse** Geschwindigkeitsüberschreitung *f;* ~ **de zèle** Übereifer *m* **2.** *pl* (*abus*) Exzesse *Pl,* Ausschweifungen *Pl* **3.**(*violences*) Ausschreitungen *Pl* ▶**tomber dans l'~ inverse** ins andere Extrem [ver]fallen; **pousser qc à l'~** etw auf die Spitze treiben; **avec/sans ~** *manger, dépenser* übermäßig/in

Maßen

excessif, -ive [ɛksesif, -iv] *adj* **1.** übertrieben; *prix* überhöht **2.** *tempérament* überschäumend; **être ~ dans son jugement** zu hart urteilen

excessivement [ɛksesivmã] *adv* äußerst; *manger* unmäßig; **être ~ cher** überteuert sein

excipient [ɛksipjã] *m* Grundstoff *m*

excision [ɛksizjɔ̃] *f d'un cor, tissu* Herausschneiden *nt*

excitant, e [ɛksitã, ãt] *adj* **1.** aufregend; *livre, projet* spannend **2.** *café* anregend; *médicament* stimulierend

excitation [ɛksitasjɔ̃] *f* Aufregung *f*, Erregung *f*

excité, e [ɛksite] **I.** *adj* aufgeregt **II.** *m, f* Hitzkopf *m*

exciter [ɛksite] <1> **I.** *vt* **1.** (*provoquer*) erregen, wecken *désir, curiosité* **2.** (*aviver*) anspornen; anregen *imagination;* verschlimmern *douleur* **3.** (*passionner*) ~ **qn** *idée:* jdn reizen; *sensation:* jdn in Hochstimmung versetzen; *travail:* jdn begeistern **4.** (*mettre en colère*) ~ **qn** *personne:* ärgern; *alcool:* aggressiv machen; *chaleur:* nervös machen **5.** (*troubler sexuellement*) erregen **II.** *vpr* **s'~ sur qc** **1.** (*s'énerver*) sich über etw (*akk*) aufregen **2.** *fam* (*s'acharner*) sich an etw (*dat*) festbeißen

exclamation [ɛksklamasjɔ̃] *f* Ausruf *m;* ~ **de douleur/de joie** Schmerzens-/Freudenschrei *m;* **point d'~** Ausrufezeichen *nt*

exclamer [ɛksklame] <1> *vpr* **s'~ de joie** freudig ausrufen

exclu, e [ɛkskly] **I.** *part passé de* **exclure** **II.** *adj* **1.** (*impossible*) **il n'est pas ~ que** + *subj* es ist nicht ausgeschlossen, dass **2.** (*non compris*) **mardi ~** außer Dienstag **III.** *m, f* **les ~s** die [von der Gesellschaft] Ausgeschlossenen

exclure [ɛksklyʀ] <*irr*> **I.** *vt* **1.** ~ **qn d'un parti/d'une équipe** jdn aus einer Partei/ einer Mannschaft ausschließen; ~ **qn d'une salle/de l'école** jdn des Saales/ von der Schule verweisen **2.** (*écarter*) ausschließen *possibilité;* ausschalten *élément;* verwerfen *hypothèse* **II.** *vpr* **s'~** sich [gegenseitig] ausschließen

exclusif, -ive [ɛksklyzif, -iv] *adj* ausschließlich; *droit, privilège* alleinig; **reportage** ~ Exklusivbericht *m*

exclusion [ɛksklyzjɔ̃] *f* Ausschluss *m; du lycée* Verweis *m;* ~ **sociale** soziale Ausgrenzung

exclusivement [ɛksklyzivmã] *adv* **1.** (*seulement*) ausschließlich **2.** (*uniquement*) nur **3.** (*exclu*) exklusive

exclusivité [ɛksklyzivite] *f d'une marque*

Alleinvertrieb *m; d'un livre* Exklusivrecht *nt;* **une ~ XY** (*produit*) ein geschütztes Produkt von XY; (*scoop*) eine Exklusivmeldung von XY ►**en** ~ ausschließlich

excommunier [ɛkskɔmynje] <1a> *vt* exkommunizieren

excréments [ɛkskʀemã] *mpl* Kot *m*

excroissance [ɛkskʀwasãs] *f* Wucherung *f*

excursion [ɛkskyʀsjɔ̃] *f* Ausflug *m*, Exkursion *f*

excusable [ɛkskyzabl] *adj* verzeihlich

excuse [ɛkskyz] *f* **1.** (*raison*) Entschuldigung *f* **2.** (*prétexte*) Ausrede *f;* **la belle ~!** schöne Ausrede! **3.** *pl* (*regret*) **mille ~s!** ich bitte Tausend Mal um Entschuldigung!

excuser [ɛkskyze] <1> **I.** *vt* **1.** entschuldigen *faute, retard;* **excuse-moi/excusez-moi!** entschuldige/entschuldigen Sie [bitte]! **2.** (*justifier*) in Schutz nehmen *personne;* entschuldigen *conduite* ►**vous êtes tout excusé** machen Sie sich darüber keine Gedanken **II.** *vpr* **s'~ de qc** sich für etw entschuldigen ►**je m'excuse de vous déranger** entschuldigen Sie bitte die Störung

exécrable [ɛgzekʀabl] *adj* scheußlich

exécrer [ɛgzekʀe] <1> *vt* verabscheuen

exécutant, e [ɛgzekytã, ãt] *m, f* (*agent*) Befehlsempfänger(in) *m(f)*

exécuter [ɛgzekyte] <1> *vt* **1.** (*effectuer*) *a.* INFORM ausführen; durchführen *projet;* erledigen *travail;* vollziehen, vollstrecken *peine;* ~ **les dernières volontés de qn** jds letzten Willen erfüllen **2.** (*tuer*) hinrichten **3.** (*assassiner*) umbringen

exécuteur, -trice [ɛgzekytœʀ, -tʀis] *m, f* Ausführende(r) *f(m)*

exécutif [ɛgzekytif] *m* Exekutive *f*

exécution [ɛgzekysjɔ̃] *f* **1.** Ausführung *f; d'un travail, d'un programme* Durchführung *f; d'une commande* Erledigung *f;* **mettre une loi à** ~ ein Gesetz ausführen; **mettre une menace à** ~ eine Drohung wahr machen **2.** JUR *d'un jugement* Vollstreckung *f; d'une peine* Vollzug *m* **3.** (*mise à mort*) Hinrichtung *f*

exégèse [ɛgzeʒɛz] *f* Interpretation *f*, Auslegung *f*

exemplaire [ɛgzãplɛʀ] **I.** *adj* **1.** *conduite, personne* beispielhaft, exemplarisch **2.** *châtiment* exemplarisch **II.** *m* **1.** *d'un livre* Exemplar *nt;* **en deux ~s** in zweifacher Ausfertigung *f* **2.** (*spécimen*) Exemplar *nt*

exemple [ɛgzãpl] *m* **1.** (*modèle*) Beispiel *nt*, Vorbild *nt;* **citer qn/qc en** ~ jdn/etw als Beispiel hinstellen; **donner l'~** mit gutem Beispiel vorangehen; **prendre ~ sur qn** sich (*dat*) an jdm ein Beispiel nehmen **2.** (*illustration*) Beispiel *nt;* **par** ~ zum Bei-

s'excuser

• s'excuser	• sich entschuldigen
(Oh,) je ne l'ai pas fait exprès!	(Oh,) das hab ich nicht gewollt!
Je suis désolé(e)!	Das tut mir Leid!
Excuse-moi!/Excusez-moi!/Pardon!/	Entschuldigung!/Verzeihung!/
Je te/vous demande pardon!	Pardon!
Excusez-moi!/Je suis désolé(e)!	Entschuldigen Sie bitte!
Ce n'était pas dans mes intentions.	Das war nicht meine Absicht.
Excusez-moi, je suis vraiment désolé(e).	Ich muss mich dafür wirklich entschuldigen.
• accepter des excuses	• auf Entschuldigungen reagieren
Ça va!/Ça ne fait rien!	Schon okay! *(fam)*/Das macht doch nichts!
Ce n'est pas grave!/Ça ne fait rien!/ Ne t'en fais pas!	Keine Ursache!/Macht nichts!
Ne vous faites pas de soucis!	Machen Sie sich darüber keine Gedanken.
Ne vous faites pas de cheveux blancs pour ça!	Lassen Sie sich darüber keine grauen Haare wachsen. *(fam)*
• admettre, avouer	• zugeben, eingestehen
C'est de ma faute.	Ich bin Schuld daran.
Oui, c'était de ma faute.	Ja, es war mein Fehler.
Là, j'ai fait une connerie. *(fam)*	Da habe ich Mist gebaut. *(sl)*
Je l'admets: j'ai agi trop vite.	Ich gebe es ja zu: Ich habe zu vorschnell gehandelt.
Vous avez raison, j'aurais dû mieux réfléchir à la question.	Sie haben Recht, ich hätte mir die Sache gründlicher überlegen **sollen.**

spiel **3.** (*châtiment*) **faire un ~** ein Exempel statuieren ▸ **[ça/tiens] par ~!** *fam* (*indignation*) das ist doch nicht zu fassen!; (*surprise*) na, so [et]was!

exempt, e [εgzã(pt), ã(p)t] *adj* **1.** (*dispensé*) *personne:* befreit **2.** (*dépourvu*) frei

exempter [εgzã(p)te] <1> *vt personne:* befreien; (*réformer*) freistellen

exemption [εgzãpsjɔ̃] *f d'une charge* Befreiung *f*

exercé, e [εgzεrse] *adj œil, voix* geübt

exercer [εgzεrse] <2> **I.** *vt* **1.** (*pratiquer*) ausüben *métier;* bekleiden *fonction* **2.** (*mettre en usage*) ausüben *pouvoir;* entfalten *talent;* ~ **son droit** sein Recht geltend machen **3.** (*entraîner*) schulen; trainieren *oreille, mémoire;* bilden *jugement;* entwickeln *goût;* ~ **les élèves à lire à voix basse** die Schüler an leises Lesen gewöhnen **II.** *vi* tätig sein; *médecin:* praktizieren **III.** *vpr* **1.** (*s'entraîner*) **s'~** üben; sport trainieren; **s'~ à la trompette** Trompete üben **2.** (*se manifester*) **s'~ dans un domaine** *habileté, influence:* sich auf einem Gebiet

zeigen **3.** (*agir sur*) **être exercé sur** *pouvoir:* ausgeübt werden auf (+ *akk*)

exercice [εgzεrsis] *m* **1.** scol, mus, sport Übung *f;* ~ **à trous** Lückentest *m;* **faire des** [*o* ses] ~**s au piano** Klavier üben **2.** *sans pl* (*activité physique*) Bewegung *f;* **faire** [*o* **prendre**] **de l'**~ sich (*dat*) Bewegung verschaffen **3.** *d'un métier, du pouvoir* Ausübung *f; d'une fonction* Bekleidung *f; d'un droit* Geltendmachung *f* (*form*); **dans l'**~ **de ses fonctions** in Ausübung seines Amtes ▸ **en** ~ im Dienst; pol amtierend

exergue [εgzεrg] *m* **en** ~ als Inschrift

ex-femme [εksfam] <ex-femmes> *f mon* ~ meine frühere Frau

exfiltrer [εksfiltre] <1> *vt* zurückschleusen; ~ **un agent vers un pays** einen Agenten in ein Land zurückschleusen

exhalaison [εgzalεzɔ̃] *f* Ausdünstung *f*

exhaler [εgzale] <1> *vt* **1.** (*répandre*) ausströmen **2.** (*laisser échapper*) ausstoßen *soupir*

exhaustif, -ive [εgzostif, -iv] *adj* erschöpfend

exiger

• exiger
J'exige des explications de votre part.
Je veux que/j'insiste pour que tu partes.
C'est le minimum qu'on puisse demander.

• verlangen
Ich verlange eine Erklärung von Ihnen.
Ich will/bestehe darauf, dass du gehst.

Das ist das Mindeste, was man verlangen kann.

• demander à quelqu'un de faire quelque chose
Je dois vous prier de quitter la pièce. (form)
N'oublie pas de me téléphoner ce soir.

Passe donc me voir.
Pourrais-tu venir une minute?

• jemanden auffordern

Ich muss Sie bitten, den Raum zu verlassen. (form)
Denk dran, mich heute Abend anzurufen.
Besuch mich doch mal.
Kannst du grade mal kommen?

• inviter quelqu'un à une action commune
(Allez,) au travail!/Mettons-nous au travail!
Allons-y!
Et si nous commencions?

• zu gemeinsamem Handeln auffordern
An die Arbeit!/Fangen wir mit der Arbeit an!
Auf geht's! (fam)
Wollen wir jetzt nicht damit anfangen?

---

exhiber [ɛgzibe] <1> vt vorzeigen; vorlegen document
exhibition [ɛgzibisjɔ̃] f d'un animal Vorführung f; d'un athlète Darbietung f
exhibitionnisme [ɛgzibisjɔnism] m a. fig Exhibitionismus m
exhibitionniste [ɛgzibisjɔnist] mf Exhibitionist(in) m(f)
exhortation [ɛgzɔRtasjɔ̃] f [Er]mahnung f
exhumer [ɛgzyme] <1> vt exhumieren corps
exigeant, e [ɛgziʒɑ̃, ʒɑ̃t] adj anspruchsvoll; enfant anstrengend; **être ~ à l'égard de qn** hohe Ansprüche an jdn stellen
exigence [ɛgziʒɑ̃s] f 1. (caractère) anspruchsvolles Wesen 2. pl (prétentions) [An]forderungen Pl, Ansprüche Pl 3. pl (impératifs) **~s de la mode** Modezwänge Pl
exiger [ɛgziʒe] <2a> vt 1. (réclamer) verlangen; **~ beaucoup de qn** hohe Ansprüche an jdn stellen; **~ trop de qn** jdn überfordern; **~ que** + subj verlangen, dass 2. (nécessiter) personne, animal, plante: brauchen; travail, circonstances: erfordern
exigible [ɛgziʒibl] adj impôt fällig
exigu, exiguë [ɛgzigy] adj logement winzig [klein]
exil [ɛgzil] m Exil nt, Verbannung f; **condamner qn à l'~** jdn verbannen
exilé, e [ɛgzile] I. adj 1. (expatrié) emigriert 2. (chassé) ausgebürgert; (banni) verbannt 3. (retiré) zurückgezogen II. m, f 1. (expatrié) Emigrant(in) m(f) 2. (banni) Verbannte(r) f(m); **~ politique** politischer Flüchtling
exiler [ɛgzile] <1> I. vt verbannen II. vpr **s'~** ins Exil gehen; **s'~ de/en France** aus/nach Frankreich auswandern
existant, e [ɛgzistɑ̃, ɑ̃t] adj bestehend
existence [ɛgzistɑ̃s] f 1. (vie) Leben nt, Dasein nt, Existenz f; (mode de vie) Lebensweise f 2. d'une institution Bestehen nt
existentialisme [ɛgzistɑ̃sjalism] m Existenzialismus m
existentiel, le [ɛgzistɑ̃sjɛl] adj existenziell
exister [ɛgziste] <1> I. vi 1. (vivre) leben 2. (être) bestehen; **ce mot existe** dieses Wort gibt es; **continuer d'~** fortbestehen II. vi impers **il existe qc** es gibt etw
ex-mari [ɛksmaRi] <ex-maris> m **mon ~** mein früherer Mann
exode [ɛgzɔd] m [Massen]auswanderung f; **~ rural** Landflucht f
exonération [ɛgzɔneRasjɔ̃] f **~ d'impôts** Steuerbefreiung f
exonérer [ɛgzɔneRe] <5> vt FIN **être exonéré de la T.V.A.** nicht der Mehrwertsteuer unterliegen
exorbitant, e [ɛgzɔRbitɑ̃, ɑ̃t] adj übertrieben
exorciser [ɛgzɔRsize] <1> vt exorzieren
exotique [ɛgzɔtik] adj exotisch

exotisme [εgzɔtism] *m* Exotik *f*
expansif, -ive [εkspɑ̃sif, -iv] *adj* gesprächig
expansion [εkspɑ̃sjɔ̃] *f* ECON Expansion *f;* ~ **démographique** Bevölkerungsanstieg *m;* ~ **économique** Wirtschaftswachstum *nt;* **être en pleine** ~ expandieren; **secteur en pleine** ~ Wachstumsbranche *f*
expatrié, e [εkspatʀije] *m, f* Emigrant(in) *m(f)*
expatrier [εkspatʀije] <1> I. *vt* ausbürgern *personne* II. *vpr* s'~ auswandern
expédient [εkspedjɑ̃] *m* Ausweg *m*
expédier [εkspedje] <1> *vt* (*envoyer*) [ab]schicken, [ver]senden *lettre, marchandise;* aufgeben *colis;* ~ **qc par bateau** etw verschiffen
expéditeur, -trice [εkspeditœʀ, -tʀis] I. *m, f* Absender(in) *m(f)* II. *adj* **bureau** ~ Versandstelle *f*
expéditif, -ive [εkspeditif, -iv] *adj* 1. (*rapide*) schnell [zum Ziel führend]; **justice expéditive** Schnellverfahren *nt* 2. (*trop rapide*) übereilt
expédition [εkspedisjɔ̃] *f* 1. (*envoi*) Aufgabe *f; d'une lettre* [Ab]schicken *nt; d'une marchandise, d'un colis* Versand *m* 2. (*mission*) Expedition *f;* SCI *a.* Forschungsreise *f;* MIL Feldzug *m* 3. *des affaires courantes* Erledigung *f*
expéditionnaire [εkspedisjɔnεʀ] *mf* COM Expedient(in) *m(f)*
expérience [εkspeʀjɑ̃s] *f* 1. *sans pl* (*pratique*) Erfahrung *f;* **par** ~ aus Erfahrung; **avoir l'**~ **des hommes** Menschenkenntnis haben 2. (*événement*) Erlebnis *nt;* ~ **amoureuse** Liebesgeschichte *f* 3. (*essai*) Experiment *nt,* Versuch *m;* ~**s sur les animaux** Tierversuche *Pl*
expérimental, e [εkspeʀimɑtal, o] <-aux> *adj données, science* empirisch; *musique* experimentell
expérimentation [εkspeʀimɑ̃tasjɔ̃] *f* Experimentieren *nt*
expérimenté, e [εkspeʀimɑ̃te] *adj* erfahren
expérimenter [εkspeʀimɑ̃te] <1> *vt* ~ **un médicament sur qn/un animal** ein Medikament an jdm/einem Tier ausprobieren
expert, e [εkspεʀ, εʀt] I. *adj cuisinière, médecin* erfahren; *technicien* fachkundig; **être** ~ **en** [*o* **dans**] **qc** sich in etw (*dat*) auskennen II. *m, f* 1. (*spécialiste*) Experte/Expertin *m/f* 2. (*pour évaluer un objet*) Sachverständige(r) *f(m);* (*pour évaluer des dommages*) Gutachter(in) *m(f)*
expert-comptable , experte-comptable [εkspεʀkɔ̃tabl] <experts-compta-

bles> *m, f* Buchprüfer(in) *m(f)*
expertise [εkspεʀtiz] *f* 1. (*estimation de la valeur*) Schätzung *f* 2. (*examen*) Begutachtung *f* [durch einen Sachverständigen]; ~ **judiciaire** gerichtliches Gutachten
expertiser [εkspεʀtize] <1> *vt* 1. (*étudier l'authenticité*) begutachten 2. (*estimer*) schätzen
expier [εkspje] <1a> *vt* büßen für *crime*
expiration [εkspiʀasjɔ̃] *f* 1. ANAT Ausatmen *nt* 2. *d'un délai, mandat* Ablauf *m,* Ende *nt*
expirer [εkspiʀe] <1> I. *vt* ~ **qc** etw ausatmen II. *vi* (*s'achever*) *mandat, délai:* ablaufen
explicable [εksplikabl] *adj* erklärbar
explicatif, -ive [εksplikatif, -iv] *adj commentaire* erklärend; **note explicative** Erläuterung *f;* **notice explicative** Gebrauchsanweisung *f*
explication [εksplikasjɔ̃] *f* 1. (*indication*) Erklärung *f* 2. (*commentaire, annotation*) Erläuterung *f;* ~ **de texte** Textinterpretation *f* 3. (*discussion*) Aussprache *f* 4. (*raison*) Begründung *f* 5. *pl* (*mode d'emploi*) Gebrauchsanweisung *f*
explicite [εksplisit] *adj* eindeutig, klar
explicitement [εksplisitmɑ̃] *adv* [klar und] deutlich
expliquer [εksplike] <1> I. *vt* 1. (*faire connaître*) erklären; ~ **que ...** erklären, dass ...; **tu lui as bien expliqué que ...?** du hast ihm doch gesagt, dass ...? 2. (*faire comprendre*) erklären *fonctionnement;* interpretieren *texte* 3. (*donner la cause*) erklären; ~ **à qn pourquoi/comment qn a fait qc** jdm erklären, warum/wie jd etw getan hat ►**je t'explique pas!** *fam* es ist kaum zu beschreiben! II. *vpr* 1. (*se faire comprendre*) s'~ sich ausdrücken 2. (*justifier*) s'~ **sur son retard** sich für sein Zuspätkommen entschuldigen; s'~ **sur son choix** seine Wahl rechtfertigen 3. (*rendre des comptes à*) s'~ **devant le tribunal** sich vor Gericht verantworten; s'~ **devant les gendarmes** sich der Polizei stellen; s'~ **devant son père** seinem Vater Rede und Antwort stehen 4. (*avoir une discussion*) s'~ **avec son fils sur qc** sich mit seinem Sohn über etw (*akk*) aussprechen 5. (*comprendre*) s'~ **qc** sich (*dat*) etw erklären können 6. (*être compréhensible*) s'~ **par qc** mit etw zu erklären sein
exploit [εksplwa] *m* 1. (*prouesse*) [Helden]tat *f;* SPORT Leistung *f* 2. *iron* Leistung *f,* Kunststück *nt*
exploitable [εksplwatabl] *adj terre, domaine* [landwirtschaftlich] nutzbar
exploitant, e [εksplwatɑ̃, ɑ̃t] *m, f* ~ **agri-**

cole Landwirt(in) *m(f)*; **gros/petit** ~ Groß-/Kleinbauer

exploitation [ɛksplwatasjɔ̃] *f* **1.** *d'une ferme* Bewirtschaftung *f*; *de ressources naturelles* Nutzung *f*; *d'une mine* Abbau *m* **2.** (*bien*) Betrieb *m* **3.** *d'une situation* Ausnutzung *f*; *d'une idée* Verwertung *f*; *de données* Auswertung *f* **4.** (*abus*) Ausbeutung *f*; *de la crédulité* Ausnutzen *nt*

exploiter [ɛksplwate] <1> *vt* **1.** (*faire valoir*) bewirtschaften *terre*; nutzen *ressources*; ausbeuten *mine* **2.** (*utiliser*) nutzen *situation*; verwerten *idée*; auswerten *résultats* **3.** (*abuser*) ~ **qn** jdn ausbeuten; ~ **qc** etw ausnutzen

exploiteur, -euse [ɛksplwatœʀ, -øz] *m, f* Ausbeuter(in) *m(f)*

explorateur [ɛksplɔʀatœʀ] *m* **1.** (*Windows 95/NT*) Explorer *m* **2.** INFORM Browser *m*; ~ **de réseau** Internet Browser

explorateur, -trice [ɛksplɔʀatœʀ, -tʀis] *m, f* Forscher(in) *m(f)*

exploration [ɛksplɔʀasjɔ̃] *f* **1.** Erforschung *f* **2.** INFORM Browsen *nt*

explorer [ɛksplɔʀe] <1> *vt* erforschen *pays*

exploser [ɛksploze] <1> *vi* **1.** explodieren **2.** *fig personne:* explodieren; **laisser sa colère** ~ seinem Zorn freien Lauf lassen

explosif [ɛksplozif] *m* Sprengstoff *m*

explosion [ɛksplozjɔ̃] *f* **1.** *d'une bombe* Explosion *f* **2.** (*manifestation soudaine*) ~ **de joie, colère** Freuden-/Wutausbruch *m*; ~ **démographique** Bevölkerungsexplosion *f*

exportable [ɛkspɔʀtabl] *adj* exportierbar

exportateur [ɛkspɔʀtatœʀ] *m* (*pays*) Exportland *nt*

exportateur, -trice [ɛkspɔʀtatœʀ, -tʀis] **I.** *adj* exportierend **II.** *m, f* (*personne*) Exporteur(in) *m(f)*

exportation [ɛkspɔʀtasjɔ̃] *f* **1.** (*action*) Export *m*, Ausfuhr *f* **2.** *pl* (*biens*) Export *m*, Ausfuhr *f* **3.** INFORM Übertragung *f*, Transfer *m*

exporter [ɛkspɔʀte] <1> *vt* **1.** exportieren **2.** INFORM ~ **des fichiers sur qc** Dateien auf etw (*akk*) transferieren

exposé [ɛkspoze] *m* **1.** (*discours*) Referat *nt*; **faire un** ~ **sur qc** ein Referat über etw (*akk*) halten **2.** (*description*) Darstellung *f*

exposer [ɛkspoze] <1> **I.** *vt* **1.** (*montrer*) ausstellen *tableau*; auslegen *marchandise* **2.** (*décrire*) darlegen **3.** (*mettre en péril*) aufs Spiel setzen *vie, honneur*; ~ **qn au ridicule** (der Lächerlichkeit (*dat*) preisgeben **4.** (*disposer*) ~ **qc au soleil** etw der Sonne (*dat*) aussetzen; ~ **un film à la lumière** einen Film belichten; **une pièce**

bien exposée ein helles Zimmer **II.** *vpr* **s'** ~ **à qc** sich einer Sache (*dat*) aussetzen

exposition [ɛkspozisjɔ̃] *f* **1.** *de marchandise* Ausstellen *nt* **2.** (*présentation, foire*) a. ART Ausstellung *f* **3.** (*orientation*) ~ **au sud** Ausrichtung *f* nach Süden **4.** (*action de soumettre à qc*) Aussetzen *nt*; PHOT Belichtung *f*

exprès [ɛkspʀɛ] *adv* **1.** (*intentionnellement*) absichtlich **2.** (*spécialement*) [**tout**] ~ eigens

express [ɛkspʀɛs] *adj* **café** ~ Espresso *m*; **train** ~ Schnellzug *m*

expressément [ɛkspʀesemɑ̃] *adv* ausdrücklich

expressif, -ive [ɛkspʀesif, -iv] *adj* ausdrucksvoll

expression [ɛkspʀesjɔ̃] *f* **1.** (*action*) Ausdruck *m*; **mode d'** ~ Ausdrucksweise *f* **2.** (*mots*) ~ **familière/figée** umgangssprachlicher/feststehender Ausdruck **3.** ART, MUS Ausdruck *m*; **absence d'** ~ Ausdruckslosigkeit *f* ▶**veuillez agréer l'** ~ **de mes sentiments distingués** mit freundlichen Grüßen

expressionnisme [ɛkspʀesjɔnism] *m* Expressionismus *m*

exprimable [ɛkspʀimabl] *adj* **qc n'est pas** ~ etw kann man nicht in Worten ausdrücken

exprimer [ɛkspʀime] <1> **I.** *vt* **1.** (*faire connaître*) ausdrücken, zum Ausdruck bringen *pensée, sentiment*; äußern *opinion, désir*; ~ **sa reconnaissance à qn** jdm gegenüber seine Dankbarkeit zum Ausdruck bringen **2.** (*indiquer*) ~ **qc** *signe:* für etw stehen; ~ **qc en mètres/francs** etw in Metern/Franc (*dat*) angeben **II.** *vpr* **1.** (*parler*) **s'** ~ **en français** sich auf Französisch ausdrücken; **ne pas s'** ~ nichts sagen; **s'** ~ **par gestes** sich durch Gesten verständlich machen **2.** (*se manifester*) **s'** ~ **dans qc** *volonté:* in etw (*dat*) zum Ausdruck kommen; **s'** ~ **sur un visage** sich auf einem Gesicht zeigen

expropriation [ɛkspʀɔpʀijasjɔ̃] *f* Enteignung *f*

expulser [ɛkspylse] <1> *vt* ausweisen, abschieben *étranger*; verweisen *élève, joueur*; ~ **un locataire de son appartement** einen Mieter zur Räumung seiner Wohnung zwingen

expulsion [ɛkspylsjɔ̃] *f* *d'un élève* Verweisung *f* von der Schule; *d'un étranger* Ausweisung *f*, Abschiebung *f*; *d'un locataire* Zwangsräumung *f*; *d'un joueur* Platzverweis *m*

expurger [ɛkspyʀʒe] <2a> *vt* zensieren

exquis, e [ɛkski, iz] *adj* ausgezeichnet;

goût, manières, parfum erlesen

extase [ɛkstaz] *f* Ekstase *f*

extasier [ɛkstazje] *vpr* s'~ sur qn/qc über jdn/etw in Ekstase geraten

extatique [ɛkstatik] *adj air* verzückt

extenseur [ɛkstãsœʀ] *adj* muscle ~ Streckmuskel

extensible [ɛkstãsibl] *adj* dehnbar

extensif, -ive [ɛkstãsif, -iv] *adj culture* extensiv

extension [ɛkstãsjɔ̃] *f* 1. *d'un ressort* Dehnen *nt; d'un bras* Strecken *nt* 2. *d'une ville* Ausdehnung *f; d'un incendie, d'une épidémie* Ausbreitung *f* 3. INFORM ~ de mémoire Speichererweiterung *f* ►prendre de l'~ *incendie, épidémie:* um sich greifen; *grève:* sich ausweiten; *affaires:* sich vergrößern; par ~ im weiteren Sinne

exténuant, e [ɛkstenɥã, ãt] *adj* anstrengend

exténuer [ɛkstenɥe] <1> *vt* erschöpfen

extérieur [ɛksteʀjœʀ] *m* 1. (*monde extérieur*) Außenwelt *f* 2. (*dehors*) Außenseite *f*; peindre l'~ de la maison das Haus von außen streichen; à l'~ de la ville außerhalb der Stadt (*gen*); aller à l'~ nach draußen gehen; de l'~ von außen

extérieur, e [ɛksteʀjœʀ] *adj* 1. äußere(r, s); *bruit* von außen kommend; *activité* außerhäuslich 2. POL, COM politique ~e Außenpolitik *f* 3. *réalité* äußere(r, s); univers ~ Außenwelt *f* 4. (*visible*) äußerlich; aspect ~ äußere Erscheinung

extérieurement [ɛksteʀjœʀmã] *adv* 1. (*à l'extérieur*) äußerlich 2. (*en apparence*) nach außen hin

extérioriser [ɛksteʀjɔʀize] <1> I. *vt* ausdrücken II. *vpr* s'~ sich äußern; *personne:* aus sich herausgehen; *colère, joie:* zum Ausdruck kommen

extermination [ɛkstɛʀminasjɔ̃] *f* Vernichtung *f*, Ausrottung *f*

exterminer [ɛkstɛʀmine] <1> *vt* ausrotten

externat [ɛkstɛʀna] *m* SCOL Externat *nt*

externe [ɛkstɛʀn] I. *adj surface* äußere(r,s) II. *mf* SCOL Externe(r) *f(m)*

extincteur [ɛkstɛ̃ktœʀ] *m* Feuerlöscher *m*

extinction [ɛkstɛ̃ksjɔ̃] *f* 1. *d'un incendie* Löschen *nt; des lumières* Ausmachen *nt;* ~ des feux/lumières Zapfenstreich *m* 2. (*disparition*) Aussterben *nt;* ~ de voix völlige Heiserkeit

extirper [ɛkstiʀpe] <1> *vt* [völlig] entfernen; ausreißen *mauvaises herbes*

extorquer [ɛkstɔʀke] <1> *vt* ~ de l'argent à qn von jdm Geld erpressen

extorsion [ɛkstɔʀsjɔ̃] *f* Erpressung *f*

extra [ɛkstʀa] I. *adj inv* 1. (*qualité*) erst-

klassig 2. *fam* (*formidable*) toll, stark, super; c'est ~! das ist einfach klasse! II. *m* (*gâterie*) un ~ etwas Besonderes

extraction [ɛkstʀaksjɔ̃] *f* MIN *du pétrole/ charbon* Förderung *f*, Gewinnung *f*

extrader [ɛkstʀade] <1> *vt* ausliefern

extradition [ɛkstʀadisjɔ̃] *f* Auslieferung *f*

extrafin, e [ɛkstʀafɛ̃, fin] *adj* extrafein **extrafort, e** [ɛkstʀafɔʀ, fɔʀt] *adj* extrastark

extraire [ɛkstʀɛʀ] <*irr*> *vt* 1. (*sortir*) herausholen; fördern *charbon, pétrole;* abbauen *marbre;* ziehen *dent;* passage extrait d'un livre Auszug *m* aus einem Buch 2. (*séparer*) gewinnen; ~ le jus de qc den Saft aus etw [her]auspressen

extrait [ɛkstʀɛ] *m* 1. (*fragment*) Auszug *m;* ~ de compte Kontoauszug; ~ de naissance Geburtsurkunde *f* 2. (*concentré*) Extrakt *m o nt;* ~ de lavande Lavendelöl *nt*

extralucide [ɛkstʀalysid] *adj* voyante ~ Hellseherin *f*

extraordinaire [ɛkstʀaɔʀdinɛʀ] *adj* 1. (*opp: ordinaire*) außerordentlich; *dépenses* Sonder- 2. (*insolite*) ungewöhnlich; *nouvelle, histoire* sonderbar 3. (*exceptionnel*) außergewöhnlich

extrapoler [ɛkstʀapɔle] <1> *vi* verallgemeinern

extraterrestre [ɛkstʀatɛʀɛstʀ] *mf* Außerirdische(r) *f(m)*

extravagance [ɛkstʀavagãs] *f* 1. *d'une personne* exzentrisches Wesen; *d'une conduite, d'un costume* Extravaganz *f; d'un projet* Ausgefallenheit *f* 2. (*action*) Verrücktheit *f* 3. (*idée*) verrückte Idee

extravagant, e [ɛkstʀavagã, ãt] I. *adj personne* exzentrisch; *robe, idée* extravagant; *prix* überhöht II. *m, f* exzentrischer Mensch

extrême [ɛkstʀɛm] I. *adj* 1. (*au bout d'un espace, d'une durée*) äußerste(r, s); date ~ letzter Termin 2. (*excessif*) extrem; *moyen* äußerste(r, s); d'~ droite/gauche rechts-/linksradikal II. *m* 1. (*dernière limite*) Extrem *nt;* à l'~ *scrupuleux* zutiefst 2. *pl* (*opposé*) Extreme *Pl*, [äußerste] Gegensätze *Pl* 3. *pl* MATH äußerste Glieder ►pousser qc à l'~ etw auf die Spitze treiben

extrêmement [ɛkstʀɛmmã] *adv* äußerst; *jaloux* maßlos

extrême-onction [ɛkstʀɛmɔ̃ksjɔ̃] <extrêmes-onctions> *f* Letzte Ölung

Extrême-Orient [ɛkstʀɛmɔʀjã] *m* l'~ der Ferne Osten

extrémisme [ɛkstʀemism] *m* Extremismus *m*

extrémiste [ɛkstʀemist] I. *adj* POL radikal; leader ~ Extremistenführer *m* II. *mf* Radi-

kale(r) *f(m)*

extrémité [ɛkstʀemite] *f* **1.** (*bout*) äußerstes Ende; *d'un segment* Endpunkt *m;* ~ **de la forêt/d'une ville** Wald-/Stadtrand *m;* **à l'~ de la rue** ganz am Ende der Straße **2.** *pl* (*mains, pieds*) Extremitäten *Pl*

exubérant, e [ɛgzybeʀɑ̃, ɑ̃t] *adj personne* überschwänglich

exutoire [ɛgzytwaʀ] *m* ~ **à qc** Ventil *nt* für etw

ex-voto [ɛksvɔto] *m inv* Votivbild *nt*

eye-liner [ajlajnœʀ] <eye-liners> *m* Eyeliner *m*

eye-shadow [ajʃɛdo] <eye-shadows> *m* Lidschatten *m*

F

F, f [ɛf] *m inv* F *nt,* f *nt*
F 1. *abr de* **franc** F **2.** *abr de* **fluor** F **3.** (*appartement*) **F2/F3** 2-/3-Zimmer-Wohnung
fa [fa] *m inv* MUS F *nt;* f *nt; v. a.* **do**
fable [fɑbl] *f* LITTER Fabel *f*
fabricant, e [fabʀikɑ̃, ɑ̃t] *m, f* **1.** (*artisan, industriel*) Hersteller(in) *m(f)* **2.** (*propriétaire*) Fabrikant(in) *m(f)*
fabricateur, -trice [fabʀikatœʀ, -tʀis] *m, f péj* Erfinder(in) *m(f)*
fabrication [fabʀikasjɔ̃] *f* Herstellung *f; artisanale* [handwerkliche] Anfertigung *f;* **défaut de ~** Fabrikationsfehler *m;* **secret de ~** Betriebsgeheimnis *nt* ▸ **de ma/sa ~** selbst gemacht
fabrique [fabʀik] *f* Fabrik *f*
fabriquer [fabʀike] <1> I. *vt* **1.** herstellen **2.** *fam* (*faire*) **mais qu'est-ce que tu fabriques?** was machst du denn da?; (*avec impatience*) was machst du denn so lange? **3.** (*inventer*) erfinden II. *vpr* **1.** **se ~** hergestellt werden **2.** (*se construire*) **se ~ une table avec qc** sich (*dat*) aus etw einen Tisch bauen **3.** (*s'inventer*) **se ~ qc** sich (*dat*) etw ausdenken
fabulateur, -trice [fabylatœʀ, -tʀis] *m, f* Geschichtenerzähler(in) *m(f)*
fabulation [fabylasjɔ̃] *f* Erfinden *nt* von Geschichten
fabuler [fabyle] <1> *vi* Geschichten erfinden
fabuleusement [fabyløzmɑ̃] *adv* sagenhaft
fabuleux, -euse [fabylø, -øz] *adj* **1.** (*fantastique*) sagenhaft **2.** *fam* (*incroyable*) unglaublich; *personne* fabelhaft **3.** LITTER sagenumwoben (*geh*); **animal ~** Fabelwesen *nt;* **récit ~** Sage *f*
fac [fak] *f fam abr de* **faculté** Uni *f*
façade [fasad] *f* **1.** *d'un édifice* Fassade *f; d'un magasin* Schaufensterfront *f* **2.** (*région côtière*) Küste *f* **3.** (*apparence trompeuse*) Fassade *f*
face [fas] *f* **1.** (*visage*) Gesicht *nt* **2.** (*côté*) Seite *f;* GEOM, MINER Fläche *f; d'une montagne, de l'estomac* Wand *f* **3.** (*côté d'une monnaie*) Vorderseite *f;* **pile ou ~?** Kopf oder Zahl? **4.** (*aspect*) Seite *f;* **changer la ~ du monde** die Welt verändern **5.** (*indiquant une orientation*) **de ~** *photographier* von vorne; *attaquer* frontal; *aborder* direkt;

être en ~ de qn [direkt] vor jdm stehen; (*assis*) jdm gegenübersitzen; **être en ~ de qc** einer S. (*dat*) gegenüberliegen; **en ~ de qn/qc** gegenüber von jdm/etw; **le voisin d'en ~** der Nachbar von gegenüber; **regarder bien en ~** geradeaus schauen **6.** (*indiquant une circonstance*) **~ à cette crise ...** angesichts (*gen*) dieser Krise ... ▸ **être** [*o* **se trouver**] **~ à ~ avec qn/qc** jdm/einer S. gegenüberstehen; *fig* mit jdm/etw konfrontiert werden; **faire ~ ~** handeln; **regarder la mort en ~** einer Gefahr ins Auge sehen; **il faut voir les choses en ~** man muss den Tatsachen ins Auge sehen
face-à-face [fasafas] *m inv* Streitgespräch *nt;* **~ télévisé** Fernsehduell *nt*
facétie [fasesi] *f* Scherz *m*
facétieux, -euse [fasesjø, -jøz] **I.** *adj* spaßig **II.** *m, f* Spaßvogel *m*
facette [fasɛt] *f a. fig* Facette *f*
fâché, e [fɑʃe] *adj* **1.** (*en colère*) verärgert **2.** (*navré*) **qn est ~ de qc** etw tut jdm leid **3.** (*en mauvais termes*) **être ~ avec qn** mit jdm zerstritten sein; **être ~ avec qc** *fam* mit etw auf Kriegsfuß stehen
fâcher [fɑʃe] <1> **I.** *vt* (*irriter*) verärgern **II.** *vpr* **1.** (*se mettre en colère*) **se ~** sich ärgern; **se ~ contre qn** mit jdm schimpfen **2.** (*se brouiller*) **se ~ avec qn** sich mit jdm überwerfen (*geh*)
fâcherie [fɑʃʀi] *f* Unstimmigkeit *f*
fâcheusement [fɑʃøzmɑ̃] *adv* unangenehm
fâcheux, -euse [fɑʃø, -øz] *adj* **1.** (*regrettable*) unglückselig; *contretemps* widrig; **il est ~ que + subj** es ist bedauerlich, dass **2.** (*déplaisant*) unerfreulich
facho [faʃo] *adj fam abr de* **fasciste** faschistisch
facial, e [fasjal, jo] <-aux> *adj* **muscle ~** Gesichtsmuskel *m*
faciès [fasjɛs] *m* (*mine*) Gesicht[sausdruck *m*] *nt;* **avoir le ~ de quelqu'un qui** aussehen wie jemand, der
facile [fasil] **I.** *adj* **1.** (*simple*) leicht; **avoir le contact ~** kontaktfreudig sein; **c'est plus ~ de faire qc** es ist leichter etw zu tun; **c'est ~ comme bonjour** [*o* **tout**] das ist [doch] kinderleicht **2.** *péj plaisanterie* billig; **c'est un peu ~!** da machst du es dir/er es sich/... ein bisschen leicht! **3.** (*conciliant*) umgänglich **II.** *adv fam* **1.** (*sans diffi-*

culté) locker; **faire qc** ~ etw mit links tun **2.** (*au moins*) gut und gerne

facilement [fasilmã] *adv* **1.** (*sans difficulté*) leicht **2.** (*au moins*) mindestens

facilité [fasilite] *f* **1.** (*opp: difficulté*) Leichtigkeit *f*; ~ **d'emploi** Benutzerfreundlichkeit *f*; **être d'une grande** ~ sehr leicht sein; **pour plus de** ~, ... der Einfachheit halber ... **2.** (*aptitude*) Begabung *f*; ~ **de caractère** Umgänglichkeit *f*; **avoir des** ~s begabt sein; **avoir une grande** ~ **à s'exprimer** sehr sprachgewandt sein **3.** *sans pl péj* Bequemlichkeit *f*; **céder à la** ~ den bequemen Weg gehen **4.** *pl* (*occasion*) Gelegenheit *f* **5.** (*possibilité*) Möglichkeit *f*

faciliter [fasilite] <1> *vt* erleichtern

façon [fasõ] *f* **1.** (*manière*) ~ **de faire qc** Art [und Weise] *f* etw zu tun; ~ **de se tenir** Haltung *f*; ~ **d'agir** Handlungsweise *f*; **de** [*o* **d'une**] ~ **très impolie** sehr unfreundlich; **de** [*o* **d'une**] ~ **plus rapide que d'habitude** schneller als sonst **2.** *pl* (*comportement*) Benehmen *nt*; **avoir des** ~s **de** ... sich wie ein(e) ... benehmen; **faire des** ~s sich anstellen (*fam*) **3.** (*travail*) Verarbeitung *f*; (*phase*) Verarbeitungsphase *f*; **travailler à** ~ Lohnarbeit leisten **4.** (*forme*) Machart *f*; *d'une robe, coiffure* Schnitt *m* **5.** + *subst* (*imitation*) **un sac** ~ **croco** eine Tasche aus Krokodillederimitat ▸**en aucune** ~ auf keinen Fall; **d'une** ~ **générale** im Allgemeinen; **de toute** ~ auf jeden Fall; **de toutes les** ~s in jeder Beziehung; **dire à qn sa** ~ **de penser** jdm seine Meinung sagen; [**c'est une**] ~ **de parler** das sagt man halt so; **faire un jeu à la** ~ **de qn/qc** wie jd/etw spielen; **à ma** ~ auf meine Art/Weise; **faire qc de** ~ **à ce que qn fasse qc** etw tun, damit jd etw tut; **de ma/ta/sa** ~ selbst gemacht; *gâteau* selbst gebacken; **sans** ~ *repas* zwanglos; *personne* natürlich; **non merci, sans** ~ nein danke, wirklich nicht

façonner [fasɔne] <1> **I.** *vt* **1.** (*travailler*) bearbeiten; behauen *pierre* **2.** (*faire*) [an]fertigen; schnitzen *statuette de bois*; zimmern *table* **3.** (*usiner*) herstellen; ~ **qc dans un bloc de marbre** etw in einem Marmorblock hauen **II.** *vpr* **se** ~ **1.** (*se travailler*) *bois, métal:* bearbeitet werden **2.** (*se fabriquer*) gemacht werden

fac-similé [faksimile] <fac-similés> *m* (*reproduction*) Faksimile *nt*

facteur [faktœʀ] *m* **1.** (*agent, élément*) Faktor *m*; **être un** ~ **de dépression** Mitursache *f* für Depressionen sein **2.** MATH Faktor *m*

facteur, -trice [faktœʀ, -tʀis] *m, f* **1.** POST

Briefträger(in) *m(f)* **2.** (*fabricant*) ~ **d'orgues** Orgelbauer *m*

factice [faktis] *adj* **1.** (*faux*) falsch; *fleur* künstlich **2.** (*affecté*) gekünstelt; *sourire* aufgesetzt; *gaieté* gespielt

factieux, -euse [faksjø, -jøz] *m, f* Aufführer(in) *m(f)*

faction [faksjõ] *f* **1.** (*groupe*) aufrührerische Gruppe **2.** (*garde*) **être de/en** ~ Wache schieben (*fam*) **3.** (*surveillance*) **être/rester en** ~ auf der Lauer liegen/Ausschau halten

factotum [faktɔtɔm] *m* Faktotum *nt*

factrice [faktʀis] *f v.* **facteur**

factuel, le [faktɥɛl] *adj* sachbezogen; **données** ~**les** Fakten *Pl*

facturation [faktyʀasjõ] *f* **1.** (*action*) Inrechnungstellung *f* **2.** (*service*) Rechnungsabteilung *f*

facture¹ [faktyʀ] *f* **1.** COM Rechnung *f* **2.** *fam* **la** ~ **du chômage** die Kosten der Arbeitslosigkeit; **qui va payer la** ~? wer soll das bezahlen?

facture² [faktyʀ] *f* **1.** ART *d'un tableau, poème* Aufbau *m*; *d'une pièce de théâtre* Anlage *f* **2.** (*fabrication*) ~ **d'orgue** Orgelbau *m*

facturer [faktyʀe] <1> *vt* ~ **une réparation à qn 1.** (*établir une facture*) jdm eine Rechnung über eine Reparatur ausstellen **2.** (*faire payer*) jdm eine Reparatur berechnen

facturette [faktyʀɛt] *f* Zahlungsbeleg *m*

facultatif, -ive [fakyltatif, -iv] *adj* fakultativ; **matière facultative** Wahlfach *nt*

faculté¹ [fakylte] *f* UNIV Fachbereich *m*; ~ **de droit** juristische Fakultät

faculté² [fakylte] *f* **1.** (*disposition*) Fähigkeit *f* **2.** *pl* (*dispositions intellectuelles*) geistige Kräfte **3.** (*compréhension*) Auffassungsgabe *f* **4.** (*possibilité*) **la** ~ **de faire qc** die Möglichkeit etw zu tun; (*droit*) das Recht etw zu tun

fada [fada] **I.** *adj fam* verrückt **II.** *m, f fam* Spinner *m*

fadaise [fadɛz] *f gén pl* **1.** (*balivernes*) dummes Zeug *kein Pl* **2.** (*propos*) Plattheiten *Pl*

fadasse [fadas] *adj fam a. fig* fade; *couleur* langweilig

fade [fad] *adj* **1.** (*sans saveur*) fad[e]; **c'est** ~ das schmeckt nach nichts **2.** (*sans éclat*) matt; *lumière* trüb; *couleur* blass; **d'un blond** ~ aschblond **3.** (*sans intérêt*) fad[e]; *personne* langweilig; *propos* abgeschmackt; *traits* nichts sagend

fadeur [fadœʀ] *f* **1.** (*manque de saveur*) Geschmacklosigkeit *f* **2.** (*manque d'éclat*) Farblosigkeit *f*; *d'une couleur* Blässe *f*; *d'un visage* Ausdruckslosigkeit *f* **3.** *fig d'un ro-*

man Geistlosigkeit *f*

fagot [fago] *m* Reisigbündel *nt* ▸**de der-rière** les ~**s edel**

fagoter [fagɔte] <1> *vt péj* unmöglich an-ziehen

faiblard, e [fɛblaʀ, aʀd] *adj péj fam* schwach

faible [fɛbl] **I.** *adj* **1.** (*sans force*) schwach **2.** (*après une maladie*) geschwächt; ~ **de constitution** schwächlich; **sa vue est** ~ er/sie hat schlechte Augen; **être** ~ **du cœur** ein schwaches Herz haben **3.** (*influençable, sans volonté*) ~ **de caractère** charakterschwach **4.** (*trop indulgent*) ~ **avec qn** nachsichtig mit jdm **5.** *antéposé* (*restreint*) gering; *protestation, résistance, espoir* schwach; **à une** ~ **majorité** mit knapper Mehrheit; **à** ~ **altitude** in tiefer Lage; **avoir de** ~**s chances de s'en tirer** nur wenig Chancen haben davonzukommen; **être de** ~ **rendement** *terre:* wenig Ertrag geben **6.** (*peu perceptible*) schwach **7.** (*médiocre*) schwach; **le terme est** ~ das ist noch gelinde ausgedrückt **8.** (*sans défense*) schwach **9.** ECON **économiquement** ~ finanzschwach **II.** *m, f* **1.** Schwache(r) *f(m)* **2.** (*personne sans volonté*) Schwächling *m* **3.** ECON **les économiquement** ~**s** die wirtschaftlich Schwachen **4.** (*bête*) ~ **d'esprit** geistig Zurückgebliebene(r) *f(m)* **III.** *m sans pl* Schwäche *f;* **avoir un** ~ **pour qn/qc** ein Faible für jdn/ etw haben

faiblement [fɛbləmã] *adv* **1.** (*mollement*) schwach **2.** (*légèrement*) leicht; **bière** ~ **alcoolisée** Bier mit geringem Alkoholgehalt

faiblesse [fɛblɛs] *f* **1.** (*manque de force*) Schwäche *f* **2.** (*après une maladie*) geschwächter Zustand **3.** (*due à la constitution*) Schwächlichkeit *f; de la voûte* geringe Tragfähigkeit; **avoir une** ~ einen Schwächeanfall bekommen **4.** (*manque de volonté*) Willensschwäche *f;* (*grande indulgence*) ~ **pour** [*o* à l'égard de] **qn/qc** Nachsicht *f* mit jdm/gegenüber etw; **par** ~ aus Schwäche **5.** *d'un raisonnement, d'une argumentation* Schwäche *f;* **la** ~ **du revenu des agriculteurs** das geringe Einkommen der Landwirte **6.** (*manque d'intensité*) **la** ~ **du bruit** das schwache Geräusch; **la** ~ **de sa vue** seine/ihre Sehschwäche **7.** (*médiocrité*) Schwäche *f;* ~ **d'esprit** geistige Beschränktheit **8.** *souvent pl* (*défaillance*) Schwäche *f* **9.** (*syncope*) Schwächeanfall *m*

faiblir [fɛbliʀ] <8> *vi personne:* schwach werden; *cœur, pouls, lumière:* schwächer werden; *espoir, force:* schwinden; *résistan-*

ce, ardeur, vent: nachlassen; *revenu, rende-ment:* sinken; *chances, écart:* sich verringern

faïence [fajãs] *f* Fayence *f*

faïencerie [fajãsʀi] *f* **1.** (*industrie*) Steingutindustrie *f* **2.** (*fabrique*) Steingutfabrik *f* **3.** (*vaisselle*) Steingut[geschirr *nt*] *nt*

faille¹ [faj] *subj prés de* **falloir**

faille² [faj] *f* **1.** GEOG Verwerfung *f* **2.** (*crevasse*) Spalte *f* **3.** (*défaut*) Schwachstelle *f;* **il y a une** ~ **dans leur amitié** ihre Freundschaft hat einen Riss bekommen; **volonté sans** ~ unerschütterlicher Wille; **détermination sans** ~ unerbittliche Entschlossenheit

faillible [fajibl] *adj* fehlbar

faillir [fajiʀ] <irr> *vi* **1.** (*manquer*) **il a failli acheter ce livre** er hätte das Buch beinahe gekauft **2.** (*manquer à*) ~ **à son devoir/à la tradition** seine Pflicht verletzen/gegen die Tradition verstoßen; ~ **à sa parole** sein Wort brechen **3.** (*faire défaut*) **ma mémoire n'a pas failli** mein Gedächtnis hat mich nicht im Stich gelassen

faillite [fajit] *f* **1.** COM Konkurs *m* **2.** (*échec*) Scheitern *nt;* **c'est la** ~ **de mes espérances** alle meine Hoffnungen sind zunichte **3.** JUR ~ **personnelle** *Verlust von Fähigkeiten und Rechten wegen schuldhafter Herbeiführung eines Konkurses*

faim [fɛ̃] *f* **1.** Hunger *m;* ~ **de loup** Bärenhunger; **donner** ~ **à qn** jdn hungrig machen; **ne pas manger à sa** ~ sich nicht satt essen **2.** (*famine*) Hungersnot *f* **3.** (*désir ardent*) **avoir** ~ **de qc** Verlangen *nt* nach etw haben ▸**laisser qn sur sa** ~ jds Erwartungen nicht erfüllen; **rester sur sa** ~ (*après un repas*) nicht satt sein; (*ne pas être satisfait*) in seinen Erwartungen enttäuscht sein

faîne, faine [fɛn] *f* Buchecker *f*

fainéant, e [fɛneã, ãt] **I.** *adj* faul **II.** *m, f* Faulenzer(in) *m(f)*

fainéanter [fɛneãte] <1> *vi* faulenzen

fainéantise [fɛneãtiz] *f* **1.** (*caractère*) Faulheit *f* **2.** (*mode de vie*) Faulenzerei *f*

faire [fɛʀ] <irr> **I.** *vt* **1.** (*fabriquer*) machen *objet, vêtement;* bauen *maison, nid;* herstellen *produit;* backen *gâteau;* **le bébé fait ses dents** das Baby zahnt; ~ **le repas** das Essen zubereiten **2.** (*mettre au monde*) ~ **un enfant/des petits** ein Kind/Junge bekommen **3.** (*évacuer*) ~ **ses besoins** seine Notdurft verrichten **4.** (*être l'auteur de*) machen *faute, offre, cadeau;* schreiben *livre;* abhalten *conférence;* halten *discours;* erlassen *loi;* treffen *prévisions;* ~ **un chèque à qn** jdm einen Scheck ausstellen; ~ **une visite à qn** jdm einen Besuch abstatten;

une **promesse à qn** jdm ein Versprechen geben; ~ **la guerre contre qn** gegen jdn Krieg führen; ~ **la paix** Frieden schließen; ~ **l'amour à qn** mit jdm schlafen; ~ **une farce à qn** jdm einen Streich spielen; ~ **la bise à qn** jdn mit Wangenkuss begrüßen; ~ **du bruit** Lärm machen; *fig* Aufsehen erregen; ~ **l'école buissonnière** die Schule schwänzen; ~ **étape** eine Pause machen [unterwegs]; ~ **grève** streiken; ~ **signe à qn** jdm zuwinken; ~ **sa toilette** sich waschen **5.** (*avoir une activité*) machen; erledigen *tâche, travail;* ableisten *service militaire;* ausüben *métier;* **je n'ai rien à ~** ich habe nichts zu tun; **qu'est-ce qu'ils peuvent bien ~?** was in aller Welt treiben die bloß?; ~ **une bonne action** ein gutes Werk tun; ~ **du théâtre/jazz** Theater/Jazz spielen; ~ **du violon/du piano** Geige/Klavier spielen; ~ **de la politique** Politik betreiben; ~ **du sport** Sport treiben; ~ **de l'escalade** klettern; ~ **de la voile** segeln; ~ **du tennis** Tennis spielen; ~ **du vélo/canoë** Fahrrad/Kanu fahren; ~ **du cheval** reiten; ~ **du patin à roulettes** Rollschuh laufen; ~ **du skate/ski** Skateboard/Ski fahren; ~ **un petit jogging** etwas joggen; ~ **du camping** zelten, campen; ~ **de la couture/du tricot** nähen/stricken; ~ **des photos** Fotos machen, fotografieren; ~ **du cinéma** in der Filmbranche arbeiten; **ne ~ que bavarder** nur schwatzen; **que faites-vous dans la vie?** was tun Sie beruflich? **6.** (*étudier*) besuchen *école;* ~ **des études** studieren; ~ **son droit** Jura studieren; ~ **de la recherche** Forschung betreiben; ~ **du français** Französisch lernen; **il veut ~ médecin** er will Arzt werden **7.** (*préparer*) ~ **un café à qn** jdm einen Kaffee machen; ~ **ses bagages** seine Koffer packen; ~ **la cuisine** kochen **8.** (*nettoyer, ranger*) putzen *argenterie, chaussures;* aufräumen *chambre, salle à manger;* machen *lit;* ~ **le ménage** (*nettoyer*) putzen; (*mettre de l'ordre*) aufräumen; ~ **la vaisselle** abspülen **9.** (*accomplir*) machen *mouvement, promenade;* teilnehmen an (+ *dat*) *tournoi;* ~ **un shampoing à qn** jdm die Haare waschen; ~ **un pansement à qn** jdm einen Verband anlegen; ~ **le plein** [**d'essence**] voll tanken; ~ **un bon score** ein gutes Ergebnis erzielen; ~ **un numéro de téléphone** eine Nummer wählen; ~ **les courses** (die) Einkäufe machen/einkaufen; ~ **la manche** *fam* betteln [gehen]; ~ **le portrait de qn** jdn beschreiben; ~ **un bon voyage** eine gute Reise haben **10.** MED *fam* ~ **de la fièvre** Fieber haben **11.** (*parcourir*) zurücklegen *dis-

tance, trajet;* bereisen *pays;* machen *circuit;* abklappern (*fam*) *magasins;* (*à pied*) abgehen *rue;* (*avec un véhicule*) abfahren *rue;* ~ [**le trajet**] **Nancy-Paris en trois heures** die Strecke Nancy-Paris in drei Stunden schaffen; ~ **toute la ville pour trouver qc** in der ganzen Stadt herumlaufen um etw zu finden; ~ **des zigzags/du stop** Zickzacklinien/per Anhalter fahren **12.** (*offrir à la vente*) führen *produit* **13.** (*cultiver*) anbauen **14.** (*fixer un prix*) [**à**] **combien faites-vous ce fauteuil?** für wie viel verkaufen Sie diesen Sessel?; **ils/elles font combien?** wie viel kosten sie? **15.** (*feindre, agir comme*) ~ **le pitre** [*o* **le clown**] den Clown spielen; ~ **l'idiot** [*o* **l'imbécile**] (*vouloir amuser*) Blödsinn machen; (*faire mine de ne pas comprendre*) sich dumm stellen; (*se conduire stupidement*) sich wie ein Idiot benehmen; ~ **l'enfant** sich kindisch benehmen; **il a fait comme s'il ne me voyait pas** er hat so getan, als ob er mich nicht sähe **16.** (*tenir un rôle*) ~ **le Père Noël** den Weihnachtsmann spielen **17.** (*donner une qualité, transformer*) ~ **qn son héritier** jdn als Erben einsetzen; **il a fait de lui une star** er hat aus ihm einen Star gemacht; **je vous fais juge** urteilen Sie selbst **18.** (*causer*) ~ **plaisir à qn** *personne:* jdm Freude machen; ~ **le bonheur de qn** jds Glück sein; ~ **du bien/mal à qn** jdm gut tun/schaden; **ça ne fait rien** das macht nichts; ~ **honte à qn** jdm ein schlechtes Gewissen einjagen; ~ **de nombreuses victimes** zahlreiche Menschenleben fordern; **qu'est-ce que ça peut bien te ~?** was geht dich das an? **19.** (*servir de*) **la cuisine fait salle à manger** die Küche dient als Esszimmer; **cet hôtel fait aussi restaurant** dieses Hotel verfügt auch über ein Restaurant **20.** (*laisser quelque part*) **qu'ai-je bien pu ~ de mes lunettes?** wo habe ich nur meine Brille gelassen? **21.** (*donner comme résultat*) machen; **deux et deux font quatre** zwei und zwei macht vier **22.** (*habituer*) ~ **qn à qc** jdn an etw (*akk*) gewöhnen **23.** (*devenir*) **il fera un excellent avocat** aus ihm wird mal ein ausgezeichneter Anwalt; **cette branche fera une belle canne** aus diesem Ast kann man einen schönen Stock machen **24.** (*dire*) machen; **il a fait "non" en hochant la tête** er sagte „nein" und schüttelte den Kopf; ~ **comprendre qc à qn** jdm etw begreiflich machen **25.** (*avoir pour conséquence*) ~ **que qn a été sauvé** zur Folge haben, dass jd gerettet wurde **26.** (*être la cause de*) ~ **chavirer un bateau** ein Boot zum Kentern bringen; **la

pluie fait pousser l'herbe der Regen lässt das Gras wachsen 27. (*aider à*) ~ **faire pipi à un enfant** einem Kind beim Wasser lassen helfen 28. (*inviter à*) ~ **venir un médecin** einen Arzt kommen lassen; **dois-je le ~ monter?** soll ich ihn heraufbitten?; ~ **entrer/sortir le chien** den Hund rein-/rauslassen; ~ **voir qc à qn** jdm etw herzeigen 29. (*charger de*) ~ **réparer/changer qc par qn** etw von jdm reparieren/ändern lassen; ~ **faire qc à qn** jdn etw tun lassen 30. (*forcer, inciter à*) ~ **ouvrir qc** etw öffnen lassen; ~ **payer qn** jdn zahlen lassen 31. (*pour remplacer un verbe déjà énoncé*) **qn le fait/l'a fait** jd tut es/hat es getan 32. (*dire*) sagen; "**sans doute**", **fit-il** „zweifellos", sagte er **II.** *vi* **1.** (*agir*) ~ **vite** sich beeilen; ~ **attention à qc** auf etw aufpassen; ~ **de son mieux** sein Bestes tun; **tu peux mieux** ~ du kannst das noch besser; **il a bien fait de ne rien dire** er hat gut daran getan nichts zu sagen; **tu fais bien de me le rappeler** gut, dass du mich daran erinnerst; **tu ferais mieux/bien de te taire** du bist besser/am besten still; ~ **comme si de rien n'était** so tun, als ob nichts gewesen wäre **2.** *fam* (*durer*) **ce manteau me fera encore un hiver** der Mantel hält noch einen Winter; **ce disque fait une heure d'écoute** die Schallplatte dauert eine Stunde **3.** (*paraître*) ~ **vieux/paysan** alt/wie ein Bauer aussehen; **ce tableau ferait mieux dans l'entrée** dieses Bild würde sich im Eingang besser machen **4.** (*rendre*) ~ **bon/mauvais effet** einen guten/schlechten Eindruck machen; ~ **désordre** *pièce:* unordentlich sein **5.** (*mesurer, peser*) ~ **1,2 m de long/de large/de haut** 1,2 m lang/breit/hoch sein; ~ **trois kilos** drei Kilo wiegen; ~ **... cm de tour de cou** Kragengröße ... tragen/haben; ~ **70 litres** 70 Liter fassen; ~ **60 W** 60 W haben; ~ **8 euros** 8 Euro machen; **ça fait peu** das ist wenig **6.** (*être incontinent*) ~ **dans la culotte** in die Hose machen ▶**l'homme à tout** ~ der Mann für alles; ~ **partie de qc** zu etw gehören; ~ **la queue** *fam* Schlange stehen/anstehen; ~ **la une** *fam* auf der Titelseite sein; ~ **manger qn** jdn füttern; **ne** ~ **que passer** nur kurz vorbeikommen; **il fait bon vivre** es lässt sich gut leben; **faites comme chez vous!** *iron* fühlen Sie sich [ganz] wie zu Hause!; **ne pas s'en** ~ *fam* sich keine Sorgen machen; **se** ~ **mal** sich wehtun; **qn [n']en a rien à** ~ *fam* (*ne s'y intéresse pas*) das interessiert jdn nicht; (*s'en fout*) jdm ist das völlig egal; **rien n'y fait** da hilft nichts; **ça ne se fait pas** das

macht man nicht/das gehört sich nicht; **tant qu'à** ~ wenn es schon sein muss **III.** *vi impers* **1.** METEO **il fait chaud/froid/ jour/nuit** es ist warm/kalt/Tag/Nacht; **il fait beau/mauvais** es ist schön[es Wetter]/schlechtes Wetter; **il fait [du] soleil** die Sonne scheint; **il fait du brouillard** es ist neblig; **il fait dix degrés** es sind zehn Grad **2.** (*temps écoulé*) **cela fait bien huit ans** das ist gut acht Jahre her; **cela fait deux ans que nous ne nous sommes pas vus** wir haben uns zwei Jahre lang nicht gesehen **3.** (*pour indiquer l'âge*) **ça me fait 40 ans** *fam* ich bin 40 [Jahre alt] **IV.** *vpr* **1.** **se** ~ **une robe** sich (*dat*) ein Kleid machen; **se** ~ **1000 euros par mois** *fam* 1000 Euro im Monat verdienen; **se** ~ **une idée exacte de qc** sich (*dat*) eine genaue Vorstellung von etw machen; **se** ~ **des illusions** sich (*dat*) Illusionen machen; **se** ~ **une opinion personnelle** (*dat*) eine eigene Meinung bilden; **se** ~ **une raison de qc** sich mit etw abfinden; **se** ~ **des amis** Freunde gewinnen **2.** (*action réciproque*) **se** ~ **des caresses** sich streicheln; **se** ~ **des politesses** Höflichkeiten austauschen **3.** *fam* (*se taper*) **il faut se le** ~ **celui-là!** der geht einem ganz schön auf den Geist!; **je me le/la suis fait(e)** (*avoir couché avec*) mit dem/der bin ich schon ins Bett gegangen; **je vais me le** ~ **celui-là!** (*le brutaliser*) den werde ich mir vornehmen! **4.** (*se former*) **se** ~ *fromage, vin:* seinen vollen Geschmack entwickeln; **se** ~ **tout seul** *homme politique:* sich aus eigener Kraft hocharbeiten **5.** (*devenir*) **se** ~ **vieux** alt werden; **se** ~ **beau/rare** sich schön/rar machen; **se** ~ **curé** Priester werden **6.** (*s'habituer à*) **se** ~ **à la discipline** sich an die Disziplin gewöhnen **7.** (*être à la mode*) **se** ~ *activité:* gang und gäbe sein; *look, vêtement:* Mode sein; **ça se fait beaucoup de** ~ **qc** es ist weit verbreitet etw zu tun **8.** (*arriver, se produire*) **se** ~ stattfinden; *film, livre:* zustande kommen; **mais finalement ça ne s'est pas fait** aber letztlich kam es nicht dazu **9.** *impers* **comment ça se fait?** wie kommt das?; **se fait tard** es ist/wird spät **10.** (*agir en vue de*) **se** ~ **maigrir** eine Abmagerungskur machen; **se** ~ **vomir** sich [selbst] zum Erbrechen bringen; **je te conseille de te** ~ **oublier** ich rate dir dich zurückzuhalten **11.** (*sens passif*) **se** ~ **opérer** operiert werden; **qn se fait retirer son permis** jdm wird der Führerschein entzogen; **qn se fait voler qc** jdm wird etw gestohlen **12.** (*se fabriquer*) **se** ~ erfolgen ▶**ne pas s'en** ~ *fam* (*ne pas s'inquiéter*) sich (*dat*)

keine Sorgen machen; (*ne pas se gêner*) keine Hemmungen haben; **t'en fais pas!** *fam* mach dir nichts draus!

faire-part [fɛʀpaʀ] *m inv* Anzeige *f*

fair-play [fɛʀplɛ] **I.** *m inv* Fairness *f* **II.** *adj inv* fair

faisabilité [fəzabilite] *f* Machbarkeit *f*

faisable [fəzabl] *adj* machbar

faisan, e [fəzã, an] *m, f* Fasan *m*

faisandé, e [fəzãde] *adj* mit Hautgout

faisceau [fɛso] <x> *m* **1.** ~ **lumineux** Lichtkegel *m*; NAUT Leuchtfeuer *nt*; ~ **laser** Laserstrahl *m* **2.** (*fagot*) Bündel *nt* **3.** (*ensemble*) ~ **de faits** Reihe *f* von Tatsachen

faiseur, -euse [fəzœʀ, -øz] *m, f* péj **1.** (*auteur*) ~ **de belles phrases** Schwätzer *m*; ~ **de bons mots** Witzbold *m* **2.** (*vantard*) Aufschneider(in) *m(f)*

faisselle [fɛsɛl] *f* **1.** (*passoire*) Abtropfsieb *nt* (*für die Molke des Quarks*) **2.** (*fromage blanc*) Quark *m*

fait [fɛ] *m* **1.** Tatsache *f*; **un ~ nouveau** ein neues Element **2.** (*événement*) Ereignis *nt*; (*phénomène*) Phänomen *nt*; **les ~s se sont passés à minuit** der Vorfall ereignete sich um Mitternacht **3.** JUR **les ~s** (*action criminelle, délit*) die Tat; (*éléments constitutifs*) der Tatbestand; (*état des choses*) der Sachverhalt; **~s de guerre** Kriegshandlungen *Pl* **4.** (*conséquence*) **être le ~ de qc** die Folge von etw sein; **c'est le ~ du hasard si** es ist [ein] Zufall, dass **5.** RADIO, PRESSE **~ divers** [Lokal]nachricht *f*, vermischte Nachrichten *fPl*; (*à la radio, télé*) Meldung *f*; (*événement*) Ereignis *nt*; **~s divers** (*rubrique*) Verschiedenes *nt* ▶**prendre ~ et cause pour qn** Partei für jdn ergreifen; **les ~s et gestes de qn** jds Tun und Treiben; **être sûr de son ~** sich seiner Sache sicher sein; **aller** [**droit**] **au ~** ohne Umschweife zur Sache kommen; **être le ~ de qn** jdm zuzuschreiben sein; **mettre qn au ~ de qc** jdn über etw (*akk*) unterrichten; **prendre qn sur le ~** jdn auf frischer Tat ertappen; **en venir au ~** zum Kern der Sache kommen; **au ~** (*à propos*) übrigens; **tout à ~** ganz, völlig; **de ~** (*en réalité*) tatsächlich; **gouvernement de ~** De-facto-Regierung *f*; **de ce ~** deshalb; **du ~ de qc** wegen einer S. (*gen*); **du ~ que** qn fait toujours qc jd etw immer tut; **en ~** in Wirklichkeit; **en ~ de qc** (*en matière de*) was etw betrifft; (*en guise de*) an Stelle von etw

fait, e [fɛ, fɛt] **I.** *part passé de* **faire** **II.** *adj* **1.** (*propre à*) **être ~ pour qc** für etw geeignet sein; **être ~s l'un pour l'autre** wie füreinander geschaffen sein; **être ~ pour faire qc** (*être approprié à*) wie für etw ge-

schaffen sein; (*être destiné à*) etw tun sollen; **être ~ pour** *fam* das Zeug dazu haben **2.** (*constitué*) **avoir la jambe bien ~e** schöne Beine haben; **c'est une femme bien ~e** diese Frau hat eine gute Figur **3.** ongles lackiert; yeux geschminkt **4.** *fromage* reif **5.** *fam* (*pris*) **être ~** geliefert sein **6.** (*tout prêt*) **des plats tout ~s** Fertiggerichte *Pl*; **expression toute ~e** feststehender Ausdruck ▶**c'est bien ~ pour toi/lui** das geschieht dir/ihm recht; **c'est toujours ça de ~** das ist immerhin etwas; **vite ~ bien ~** ganz schnell; **c'en est ~ de notre vie calme** unser ruhiges Leben ist dahin; **c'est comme si c'était ~** wird sofort erledigt

faîte [fɛt] *m de l'arbre* Wipfel *m*; *d'une montagne* Gipfel *m*; **~ du toit** [Dach]first *m*

faitout, fait-tout [fɛtu] *m inv* [Koch]topf *m*

fakir [fakiʀ] *m* Fakir *m*

falaise [falɛz] *f* **1.** (*paroi*) Felswand *f* **2.** (*côte*) Steilküste *f* **3.** (*rocher*) Felsen *m*

falbalas [falbala] *mpl* **1.** péj (*colifichets*) Firlefanz *m* **2.** (*grandes toilettes*) Abendkleider *Pl*

falloir [falwaʀ] <irr> **I.** *vi impers* **1.** (*besoin*) **il faut qn/qc pour faire qc** man braucht jdn/etw um etw zu tun; **il me faudra du temps** ich werde Zeit brauchen **2.** (*devoir*) **il faut faire qc** man muss etw tun; **que faut-il faire?** was sollen wir tun?; **il a bien fallu!** es musste sein!; **il me/te faut faire qc** ich muss/du musst etw tun; **il faut que + subj** jd muss **3.** (*être probablement*) **il faut être fou pour parler ainsi** man muss schon verrückt sein um so zu reden **4.** (*se produire fatalement*) **j'ai fait ce qu'il fallait** ich habe [das] getan, was sein musste; **il fallait que ça arrive** das musste ja so kommen **5.** (*faire absolument*) **il fallait me le dire** du hättest es mir sagen sollen; **il faut l'avoir vu** das muss man gesehen haben; **il ne faut surtout pas lui en parler** du darfst ihm/ihr auf keinen Fall etwas davon sagen ▶**il faut te/vous dire que...** allerdings muss ich dir/Ihnen sagen, dass...; [**il**] **faut se le/la faire** [*o* **farcir**] *fam* der/die geht einem ganz schön auf den Geist; **il le faut** es muss sein; **comme il faut** wie es sich gehört; **il ne fallait pas!** das war doch nicht nötig! **II.** *vpr impers* (*manquer*) **il s'en faut de qc** etw fehlt; **nous avons failli nous rencontrer, il s'en est fallu de peu** beinahe hätten wir uns getroffen; **il s'en faut de beaucoup** noch lange nicht; **il s'en faut de qc que + subj** etw fehlt, damit

falot, e [falo, ɔt] *adj* personne unschein-

bar; *lueur* blass

falsification [falsifikasjɔ̃] *f d'un document, d'une monnaie, signature* Fälschen *nt;
de la vérité, d'une marchandise* Verfälschen
nt

falsifier [falsifje] <1> *vt* fälschen *document, monnaie, signature;* verfälschen *histoire;* verdrehen *vérité*

falzar [falzaʀ] *m fam* Hose *f*

famé, e [fame] *adj* **mal** ~ verrufen

famélique [famelik] *adj* abgemagert

fameusement [faműzmã] *adv fam (très)*
sagenhaft

fameux, -euse [famø, -øz] *adj* **1.** besagt
2. (*excellent*) köstlich; *idée* glänzend; *travail* erstklassig **3.** *antéposé souvent iron*
(*énorme*) *problème* ungeheuer; *raclée* gehörig; *erreur* gewaltige **4.** (*célèbre*) berühmt ▸ **ne pas être** ~ nicht gerade besonders sein

familial, e [familjal, jo] <-aux> *adj atmosphère, problème, milieu* familiär; **vie** ~**e**
Familienleben *nt;* **maison** ~**e** Einfamilienhaus *nt;* **lien** ~ Familienbande *Pl*

familiariser [familjaʀize] <1> I. *vt* ~ **qn**
avec qc jdn mit etw vertraut machen II.
vpr **se** ~ **avec une méthode** sich mit einer Methode vertraut machen; **se** ~ **avec**
une ville sich in einer Stadt einleben; **se** ~
avec une langue sich (*dat*) eine Sprache
aneignen; **se** ~ **avec qn** mit jdm vertraut
werden

familiarité [familjaʀite] *f* **1.** (*bonhomie*)
Vertraulichkeit *f* **2.** (*habitude de*) ~ **avec**
qn/qc Vertrautheit *f* mit jdm/etw **3.** (*amitié*) Vertrautheit *f* **4.** *pl péj* (*paroles*) Ver-
traulichkeiten *Pl* **5.** (*comportement*) Zudringlichkeit *f*

familier [familje] *m* häufiger Besucher;
d'un club Stammgast *m;* ~ **de la maison**
Freund *m* des Hauses

familier, -ière [familje, -jɛʀ] *adj* **1.** ~ **à qn**
jdm vertraut; *problème, spectacle* jdm be-
kannt; *expression* jdm geläufig; **cette technique m'est familière** mit dieser Technik
kenne ich mich aus **2.** (*routinier*) üblich; **le**
mensonge lui est devenu ~ er/sie hat
sich daran gewöhnt zu lügen **3.** *conduite,
entretien* ungezwungen; *personne* umgänglich **4.** *expression, style* umgangssprachlich
5. *péj* (*cavalier*) allzu vertraulich gegenüber jdm **6.** (*domestique*) **des**
animaux ~**s** Haustiere *Pl*

familièrement [familjɛʀmã] *adv* **1.** (*en
langage courant*) umgangssprachlich
2. (*simplement*) einfach; *parler* ungezwungen **3.** (*amicalement*) ungezwungen **4.** *péj*
(*cavalièrement*) allzu vertraulich

famille [famij] *f* **1.** (*parenté: sens res-*

treint) Familie *f;* (*sens large*) Verwandtschaft *f;* ~ **d'accueil** Gastfamilie; **avoir de**
la ~ (*parenté*) Verwandte haben; (~ *proche*) Angehörige haben; (*femme/mari et
enfants*) Familie haben; **en** ~ im [engsten]
Familienkreis; **nous sommes en** ~ wir
sind unter uns; ~ **décomposée et recom-
posée** Patchworkfamilie **2.** (*communauté*) *a.* BOT, ZOOL Familie *f*

famine [famin] *f* Hungersnot *f* ▸ **crier** ~
über Hunger klagen; *estomac:* knurren

fan [fan] *mf* Fan *m*, Anhänger(in) *m(f)*

fana [fana] *abr de* **fanatique** I. *adj fam*
être ~ **de qn/qc** nach jdm/auf etw (*akk*)
verrückt sein II. *mf fam* Fan *m;* ~ **d'ordinateur** Computerfreak *m*

fanal [fanal, o] <-aux> *m* **1.** (*lanterne*)
Laterne *f* **2.** *d'une locomotive, d'un navire*
Positionslicht *nt*

fanatique [fanatik] I. *adj* fanatisch II. *mf*
1. (*passionné*) begeisterter Anhänger/be-
geisterte Anhängerin; ~ **de football** Fuß-
ballfanatiker *m* **2.** (*militant*) Fanatiker(in)
m(f); ~ **de qc** fanatischer Anhänger einer
S. (*gen*)

fanatiser [fanatize] <1> *vt* fanatisch machen

fanatisme [fanatism] *m* Fanatismus *m*

fané, e [fane] *adj fleur* verwelkt; *couleur*
verblasst; *étoffe, beauté* verblichen

faner [fane] <1> I. *vpr* **se** ~ *fleur:* verwelken; *couleur:* verblassen II. *vt* **1.** ausbleichen *couleur, étoffe;* verblühen lassen *beauté;* welken lassen *plantes* **2.** (*retourner*)
wenden *foin* III. *vi* Heu machen

fanes [fan] *fpl* Kraut *nt; de radis* Blätter *Pl*

fanfare [fɑ̃faʀ] *f* **1.** (*orchestre*) Blaskapelle
f; ~ **militaire** Militärkapelle **2.** (*air*) Fanfare *f* ▸ **annoncer qc en** ~ etw groß ankündigen; **arriver en** ~ mit großem Tamtam
auftreten

fanfaron, ne [fɑ̃faʀɔ̃, ɔn] I. *adj* großtue-
risch II. *m, f* Angeber(in) *m(f);* **faire le** ~
sich aufspielen

fanfaronnade [fɑ̃faʀɔnad] *f* Wichtigtue-
rei *f*

fanfaronner [fɑ̃faʀɔne] <1> *vi* sich aufspielen

fanfreluche [fɑ̃fʀəlyʃ] *f gén pl souvent péj*
Firlefanz *m kein Pl* (*fam*)

fanion [fanjɔ̃] *m* **1.** *d'un club* Wimpel *m;
d'une voiture officielle* Flagge *f* **2.** (*petit drapeau de marquage*) Fähnchen *nt*

fantaisie [fɑ̃tezi] *f* **1.** (*caprice*) Laune *f;* **à**
[*o selon*] **sa** ~ (*comme il lui plaît*) wie es
ihm/ihr gefällt; (*selon son humeur*) nach
Lust und Laune **2.** (*extravagance*) Marotte
f **3.** (*délire, idée*) Spinnerei *f* (*fam*)
4. (*imagination*) Fantasie *f* **5.** (*originalité*)

Einfallsreichtum *m;* **être plein de** ~ *personne:* originelle Ideen haben; *décoration, histoire:* sehr originell sein; **être dépourvu de** ~ einfallslos sein; **sa vie manque de** ~ sein/ihr Leben ist eintönig **6.** (*qui sort de la norme, original*) **bijoux** ~ origineller Schmuck; **bouton** ~ Zierknopf *m* ▶**s'offrir** [*o se payer*] **une** <u>petite</u> ~ sich (*dat*) eine kleine Extravaganz leisten

fantaisiste [fɑ̃tezist] **I.** *adj* **1.** (*peu sérieux*) frei erfunden; *explication, hypothèse* aus der Luft gegriffen **2.** (*peu fiable*) unzuverlässig **3.** (*anticonformiste*) unkonventionell **4.** (*bizarre*) komisch **II.** *mf* **1.** (*personne peu sérieuse*) Luftikus *m* **2.** (*anticonformiste*) unkonventioneller Mensch

fantasmagorie [fɑ̃tasmagɔʀi] *f* Trugbild *nt*

fantasme [fɑ̃tasm] *m* Wunschvorstellung *f;* **vivre dans ses** ~**s** in einer Traumwelt leben

fantasmer [fɑ̃tasme] <1> *vi* fantasieren; (*rêver*) träumen

fantasque [fɑ̃task] *adj* launisch; (*bizarre*) seltsam; (*excentrique*) exzentrisch

fantassin [fɑ̃tasɛ̃] *m* Infanterist *m*

fantastique [fɑ̃tastik] **I.** *adj* **1.** fantastisch; *atmosphère* unwirklich; *événement, rêve* irreal; **animal/personnage** ~ Fabeltier *nt/* Fabelwesen *nt* **2.** *fam* (*formidable*) fantastisch; *personne, réalisation* großartig; *richesse, progrès* ungeheuer[lich] **II.** *m* Übernatürliche(s) *nt*

fantoche [fɑ̃tɔʃ] *m* **1.** (*tiré d'en bas*) Hampelmann *m* **2.** (*tiré d'en haut*) Marionette *f*

fantomatique [fɑ̃tomatik] *adj* gespenstisch

fantôme [fɑ̃tom] **I.** *m* **1.** (*spectre*) Gespenst *nt* **2.** (*illusion, souvenir*) Phantom *nt;* **les** ~**s du passé** die Schatten der Vergangenheit **II.** *app* **1. train** ~ Geisterbahn *f;* **le "Vaisseau** ~**"** der „Fliegende Holländer" **2.** *administration* vorgetäuscht; **cabinet** ~ Schattenkabinett *nt;* **société** ~ Scheinfirma *f*

faon [fɑ̃] *m* [Reh]kitz *nt; du cerf* Hirschkalb *nt*

far [faʀ] *m* ~ **breton** *Auflauf mit Backpflaumen*

faramineux, -euse [faʀaminø, -øz] *adj fam* wahnsinnig

farandole [faʀɑ̃dɔl] *f* **1.** (*danse*) Farandole *f* (*provenzalischer Volkstanz*) **2.** (*cortège dansant*) Polonaise *f*

farce[1] [faʀs] *f* **1.** (*tour*) Streich *m* **2.** (*plaisanterie*) Scherz *m* **3.** THEAT Farce *f* **4.** (*chose peu sérieuse*) Farce *f* **5.** (*objet*) ~ **s et attrapes** Scherzartikel *Pl*

farce[2] [faʀs] *f* GASTR Füllung *f*

farceur, -euse [faʀsœʀ, -øz] **I.** *m, f* Spaßvogel *m* **II.** *adj* **être** ~ ein ganz schöner Schelm sein

farci, e [faʀsi] *adj* GASTR gefüllt

farcir [faʀsiʀ] <8> **I.** *vt* **1.** GASTR ~ **qc de qc** etw mit etw füllen **2.** *péj* (*bourrer*) ~ **qc de qc** etw mit etw voll stopfen (*fam*) **II.** *vpr péj fam* **1.** **se** ~ **qc** etw zu ertragen haben; **se** ~ **qn** jdn auf dem Hals haben; **il faut se le** ~**!** der geht einem ganz schön auf den Geist! **2.** (*se payer*) **se** ~ **la vaisselle** sich um das Geschirr kümmern müssen

fard [faʀ] *m* Schminke *f;* ~ **à joues** Rouge *nt;* ~ **à paupières** Lidschatten *m* ▶**piquer un** ~ *fam* einen roten Kopf bekommen; <u>sans</u> ~ schlicht; **dire qc sans** ~ ganz offen sagen

fardeau [faʀdo] <x> *m* **1.** (*charge*) Last *f* **2.** (*chose pénible*) Last *f;* ~ **des impôts** steuerliche Belastung; **qn plie sous le** ~ **de qc** etw lastet [schwer] auf jdm

farder [faʀde] <1> **I.** *vt* schminken **II.** *vpr* **se** ~ sich schminken

farfelu, e [faʀfəly] **I.** *adj fam* verrückt **II.** *m, f fam* Spinner(in) *m(f)*

farfouiller [faʀfuje] <1> *vi fam* ~ **dans qc** in etw (*dat*) herumstöbern

farine [faʀin] *f* Mehl *nt*

fariner [faʀine] <1> *vt* in Mehl wälzen *poisson;* mit Mehl bestäuben *plaque de four*

farineux [faʀinø] *m* stärkehaltiges Nahrungsmittel

farineux, -euse [faʀinø, -øz] *adj* **1.** (*couvert de farine*) behmeht **2.** *pomme, pomme de terre* mehlig; *fromage* bröckelig

farniente [faʀnjɛ̃te, faʀnjɑ̃t] *m* Dolcefarniente *nt*

farouche [faʀuʃ] *adj* **1.** (*timide*) scheu **2.** (*peu sociable*) unzugänglich; *air* unnahbar; **ne pas être** ~ sich nicht zieren **3.** (*violent, hostile*) grimmig; *adversaire, lutte* erbittert; *haine* wild **4.** (*opiniâtre*) eisern; *résistance* heftig

farouchement [faʀuʃmɑ̃] *adv* heftig

fart [faʀt] *m* [Ski]wachs *nt*

farter [faʀte] <1> *vt* wachsen

Far West [faʀwɛst] *m* **le** ~ der Wilde Westen

fascicule [fasikyl] *m* **1.** (*livret*) Heft *nt;* **être publié par** ~**s** in mehreren Einzelheften erscheinen **2.** (~ *d'information*) Broschüre *f*

fascinant, e [fasinɑ̃, ɑ̃t] *adj* faszinierend

fascination [fasinasjɔ̃] *f* **1.** (*envoûtement*) Verzauberung *f* **2.** (*séduction*) Faszination *f*

fasciner [fasine] <1> *vt* **1.** (*hypnotiser*) in seinen Bann schlagen **2.** (*séduire*) faszinie-

ren; **se laisser ~ par de belles promesses** sich von schönen Versprechungen beeindrucken lassen

fascisant, e [faʃizɑ̃, ɑ̃t] *adj* faschistoid

fascisme [faʃism, fasism] *m* Faschismus *m*

fasciste [faʃist, fasist] **I.** *adj* faschistisch **II.**
mf Faschist(in) *m(f)*

fasse [fas] *subj prés de* **faire**

faste[1] [fast] *m* Prunk *m*

faste[2] [fast] *adj* **1.** (*favorable*) günstig
2. (*couronné de succès*) erfolgreich; **jour
~** Glückstag *m*

fast-food , fastfood [fastfud] <fast-
foods> *m* Fastfood-Restaurant *nt*, Schnel-
limbissrestaurant *nt*

fastidieux, -euse [fastidjø, -jøz] *adj* eintönig; *détails* uninteressant; *énumération* ellenlang (*fam*)

fastoche [fastɔʃ] *adj fam* total einfach

fastueux, -euse [fastɥø, -øz] *adj cadre,
décor* prächtig; *fête* glanzvoll; *vie* luxuriös

fatal, e [fatal] *adj* **1.** verhängnisvoll; **être ~
à qn** jdm zum Verhängnis werden **2.** (*mortel*) tödlich; **porter un coup ~ à qn/qc**
jdm/einer S. den Todesstoß versetzen
3. (*inévitable*) unabwendbar; **conséquence ~e** zwangsläufige Folge; **il est ~ que +
*subj*** es ist unvermeidlich, dass **4.** (*marqué
par le destin*) schicksalhaft; *air, regard* unglückselig **5.** *beauté* verhängnisvoll; **femme ~e** Femme fatale

fatalement [fatalmɑ̃] *adv* zwangsläufig

fatalisme [fatalism] *m* Fatalismus *m*

fataliste [fatalist] **I.** *adj* fatalistisch **II.** *mf*
Fatalist(in) *m(f)*

fatalité [fatalite] *f* **1.** (*destin hostile*)
Schicksal *nt* **2.** (*inévitabilité*) Unabwend-
barkeit *f*; **ne pas être une ~** kein unab-
wendbares Schicksal sein

fatidique [fatidik] *adj* schicksalhaft

fatigant, e [fatigɑ̃, ɑ̃t] *adj* ermüdend; **~
pour les nerfs** nervenaufreibend

fatigue [fatig] *f* **1.** *d'une personne* Müdigkeit *f*; *des yeux* Ermüdung *f* **2.** (*état d'épuisement*) Erschöpfung *f*; **se remettre des
~s de qc** sich von den Anstrengungen einer S. (*gen*) erholen **3.** *d'un mécanisme,
moteur* Abnutzung *f*

fatigué, e [fatige] *adj* **1.** müde; *foie, cœur*
strapaziert **2.** *chaussures* ausgetreten; *vêtement* abgetragen **3.** (*excédé*) **être ~ de qn**
jds überdrüssig sein; **être ~ de qc** etw
(*akk*) Leid sein

fatiguer [fatige] <1> **I.** *vt* **1.** (*causer de la
fatigue*) *travail, marche:* anstrengen; *personne:* überanstrengen **2.** (*déranger*) belasten
foie, organisme **3.** (*excéder*) **~ qn** jdm lästig sein **4.** (*ennuyer*) jdn langweilen **II.** *vi*
1. (*peiner*) *machine, moteur:* Ermüdungser-

scheinungen zeigen; *cœur:* ermüden
2. (*s'user*) *pièce, joint:* sich abnutzen; *poutre:* nachgeben **3.** *fam* (*en avoir assez*) die
Schnauze voll haben **III.** *vpr* **1.** **se ~** *personne:* sich überanstrengen; *cœur:* ermü-
den **2.** (*se lasser*) **se ~ de qc** einer S. (*gen*)
überdrüssig werden; **se ~ à faire qc** es leid
sein etw zu tun **3.** (*s'évertuer*) **se ~ à faire
qc** sich (*dat*) [große] Mühe geben etw zu
tun

fatma [fatma] *f:* maghrebinische Hausangestellte

fatras [fatʀɑ] *m* wirres Durcheinander;
(*choses sans valeurs, inutiles*) Kram *m*
(*fam*); **un ~ d'idées** eine Unmenge von
Ideen

fatuité [fatɥite] *f* Überheblichkeit *f*

faubourg [fobuʀ] *m* Vorort *m*

fauche [foʃ] *f sans pl, fam* Diebstahl *m;* **il y
a beaucoup de ~** es wird viel geklaut

fauché, e [foʃe] *adj fam* **être ~** pleite sein;
être trop ~ pour faire qc zu knapp bei
Kasse sein um etw zu tun

faucher [foʃe] <1> *vt* **1.** (*couper*) mähen
2. (*abattre*) **~ qn** *véhicule:* erfassen; (*mortellement*) überfahren; *mort:* hinweggraf-
fen; *tirs:* niedermähen **3.** *fam* (*voler*) **~ qc
à qn** jdm etw klauen **4.** *fig* **~ qn à qn** jdn
jdm wegschnappen

faucheuse [foʃøz] *f* Mähmaschine *f*

faucille [fosij] *f* Sichel *f*

faucon [fokɔ̃] *m* ORN, POL Falke *m*

faudra [fodʀa] *fut de* **falloir**

faufiler [fofile] <1> *vpr* **se ~ dans un
passage étroit** durch einen engen Durchgang schlüpfen; **se ~ parmi la foule** sich
durch die Menge schlängeln; **se ~ dans
une réunion** sich in eine Versammlung
[ein]schleichen

faune[1] [fon] *f* **1.** ZOOL Fauna *f* **2.** *péj* (*personnes*) Bande *f*

faune[2] [fon] *m* HIST Faun *m*

faussaire [fosɛʀ] *mf* Fälscher(in) *m(f)*

fausse [fos] *adj v.* **faux**

faussé, e [fose] *adj* verbogen; *porte* verzogen

faussement [fosmɑ̃] *adv* fälschlicherweise, zu Unrecht

fausser [fose] <1> *vt* **1.** (*altérer*) verfälschen; (*intentionnellement*) fälschen; entstellen *réalité* **2.** (*déformer*) verbiegen

fausseté [foste] *f* Unrichtigkeit *f*

faut [fo] *indic prés de* **falloir**

faute [fot] *f* **1.** (*erreur*) Fehler *m* **2.** (*mauvaise action*) Fehler *m* **3.** (*manquement à
des lois, règles*) Vergehen *nt;* **~ de goût**
Geschmacksverirrung *f*; **commettre une
~ envers qc** sich (*dat*) einer S. gegenüber
etwas zuschulden kommen lassen; **faire**

un sans ~ einen Volltreffer landen (*fam*); **sans** ~ ganz sicher **4.** (*responsabilité*) **faire retomber** [*o* **rejeter**] **la** ~ **sur qn** jdm die Schuld zuschieben; **c'est** [**de**] **la** ~ **de qn/qc** daran ist jd/etw schuld; **c'est** [**de**] **ma** ~ das ist meine Schuld; **c'est la faute à qn** *fam* das ist die Schuld von jdm; **alors à qui la** ~? wer ist denn dann schuld? **5.** SPORT Fehler *m;* (*agression*) Foul *nt* **6.** JUR ~ **pénale** Verletzung *f* des Strafgesetzes **7.** (*par manque de*) ~ **de temps** aus Zeitmangel; ~ **de preuves** aus Mangel an Beweisen; ~ **de mieux** mangels Alternative ▶ **être en** ~ schuldig sein; **prendre qn en** ~ jdn erwischen (*fam*); ~ **de quoi** sonst

fauteuil [fotœj] *m* **1.** (*siège*) Sessel *m;* ~ **roulant/à bascule** Roll-/Schaukelstuhl *m* **2.** (*place dans une assemblée*) Sitz *m;* ~ **de maire** Amt *nt* des Bürgermeisters

fauteur [fotœʀ] *m* ~ **de désordre/troubles** Unruhestifter(in) *m(f)*

fautif, -ive [fotif, -iv] **I.** *adj* **1.** (*coupable*) schuldig; **être** ~ schuld sein **2.** (*avec des fautes*) fehlerhaft; *citation, calcul* falsch; *mémoire* lückenhaft **II.** *m, f* Schuldige(r) *f(m)*

fauve [fov] **I.** *adj* **1.** (*couleur*) fahlgelb **2.** (*sauvage*) **bête** ~ wildes Tier; **odeur** ~ bestialischer Geruch **II.** *m* **1.** (*couleur*) Fahlgelb *nt* **2.** (*animal*) Raubtier *nt*

fauvette [fovɛt] *f* Grasmücke *f*

faux[1] [fo] *f* (*outil*) Sense *f*

faux[2] [fo] **I.** *m* **1.** Falsche(s) *nt;* **discerner le vrai du** ~ das Wahre vom Unwahren unterscheiden **2.** (*falsification, imitation*) Fälschung *f* **II.** *adv* falsch

faux, fausse [fo, fos] *adj* **1.** *antéposé* (*imité*) falsch; *marbre, perle* unecht; *papiers* gefälscht; *signature* gefälscht; *meuble, tableau* nachgemacht; **fausse monnaie** Falschgeld *nt* **2.** *antéposé barbe, dents, nom* falsch **3.** *antéposé* (*simulé*) gespielt; *dévotion, humilité* vorgetäuscht; *modestie, pudeur* falsch **4.** *antéposé* (*mensonger*) falsch; ~ **serment** (*intentionnel*) Meineid *m;* (*involontaire*) Falscheid *m* **5.** *antéposé col* falsch; *fenêtre, porte* blind; ~ **plafond** Zwischendecke *f* **6.** *postposé* (*fourbe*) falsch; *regard* trügerisch; *attitude* unaufrichtig **7.** *antéposé ami, prophète* falsch **8.** (*erroné*) falsch; *affirmation* irrtümlich; *thermomètre* fehlerhaft; **un instrument est** ~ ein Instrument ist verstimmt **9.** *antéposé* (*non fondé*) falsch; *crainte* unbegründet **10.** *postposé* (*ambigu*) unangenehm **11.** *antéposé* (*maladroit*) **une fausse manœuvre** ein falscher Handgriff; (*au volant*) ein falsches Lenkmanöver; **faire fausse route** sich verfahren; **faire un** ~ **pas** (*en marchant*) ungeschickt auftreten **12.** (*qui détonne*) **fausse note** falscher Ton

faux-filet [fofilɛ] <faux-filets> *m* Lende[nstück *nt*] *f* **faux-fuyant** [fofɥijɑ̃] <faux-fuyants> *m* Ausflucht *f* **faux-monnayeur** [fomɔnɛjœʀ] <faux-monnayeurs> *m* Falschmünzer(in) *m(f)* **faux-semblant** [fosɑ̃blɑ̃] <faux-semblants> *m* **user de** ~**s** sich verstellen **faux-sens** [fosɑ̃s] <faux-sens> *m* Fehlinterpretation *f*

faveur [favœʀ] *f* **1.** (*bienveillance*) Gunst *f* **2.** (*considération*) **être en** ~ **auprès de qn** bei jdm gut angesehen sein; *artiste, auteur:* bei jdm beliebt sein; **gagner la** ~ **du public** die Gunst des Publikums gewinnen; **voter en** ~ **de qn** für jdn stimmen; **se déclarer** [*o* **se prononcer**] **en** ~ **de qn/qc** sich für jdn/etw aussprechen; **en ma/ta** ~ zu meinen/deinen Gunsten **3.** (*bienfait*) Gefallen *m* ▶ **de** ~ Sonder-; **en** ~ **de qc** wegen etw

favorable [favɔʀabl] *adj* günstig; *terrain* geeignet; **jouir d'un préjugé** ~ Vorteile haben; **donner un avis** ~ sich positiv äußern; **être** ~ **à qn/qc** jdm wohlgesinnt sein/etw befürworten; *circonstances:* günstig für jdn/etw sein; *suffrages:* zu jds Gunsten/zu Gunsten einer S. (*gen*) sein; *opinion:* jdn unterstützen/etw befürworten; **être** ~ **à ce que** + *subj* dafür sein, dass

favorablement [favɔʀabləmɑ̃] *adv* positiv

favori, te [favɔʀi, it] **I.** *adj* **lecture** ~**te** Lieblingslektüre *f* **II.** *m, f* **1.** (*préféré*) Liebling *m* **2.** (*athlète*) Favorit(in) *m(f)* **3.** (*cheval*) Favorit *m*

favoris [favɔʀi] *mpl* Koteletten *Pl*

favoriser [favɔʀize] <1> *vt* **1.** begünstigen; unterstützen *ambition, commerce;* bevorzugen *personne;* **les familles les plus favorisées** die sozial besser gestellten Familien **2.** (*aider*) unterstützen

favorite [favɔʀit] *adj v.* **favori**

favoritisme [favɔʀitism] *m* POL Günstlingswirtschaft *f*

fax [faks] *m abr de* **téléfax** Fax *nt*

faxer [fakse] <1> *vt* faxen

fayot [fajo] *m fam* (*haricot*) grüne Bohne

FB *m abr de* **franc belge** *v.* **franc**

FC [ɛfse] *m abr de* **football club** FC *m*

fébrile [febʀil] *adj* **1.** (*fiévreux*) fiebrig; *personne* fieberkrank **2.** (*agité*) fieberhaft; *mouvement, personne* hektisch

fébrilement [febʀilmɑ̃] *adv* hektisch

fébrilité [febʀilite] *f* **1.** (*activité débordante*) Betriebsamkeit *f* **2.** (*excitation*) Hektik *f;* **faire qc avec** ~ etw in hektischer Aufre-

gung tun

fécal, e [fekal, o] <-aux> *adj* fäkal; **les matières ~es** Fäkalien *Pl*

fécond, e [fekɔ̃, ɔ̃d] *adj* **1.** (*productif*) fruchtbar; *esprit* kreativ; *idée* zündend; *écrivain, siècle* produktiv; *conversation, sujet* ergiebig **2.** (*prolifique*) fruchtbar; **~ en surprises** voller Überraschungen; **~ en événements** ereignisreich

fécondation [fekɔ̃dasjɔ̃] *f* Befruchtung *f*; *des fleurs* Bestäubung *f*; **~ in vitro** In-vitro-Fertilisation *f*

féconder [fekɔ̃de] <1> *vt* befruchten; bestäuben *fleur*

fécondité [fekɔ̃dite] *f* Fruchtbarkeit *f*; *d'un artiste, écrivain* Produktivität *f*; *d'un sujet* Ergiebigkeit *f*; **taux de ~** Geburtenrate *f*

fécule [fekyl] *f* Stärke *f*

féculent [fekylɑ̃] *m* stärkehaltiges Nahrungsmittel

fédéral, e [federal, o] <-aux> *adj* **1.** *régime* bundesstaatlich; (*en Suisse*) eidgenössisch; **gouvernement ~** Bundesregierung *f*; **district ~** (*aux USA*) Bundesstaat *m* **2.** (*central*) **union ~e** Zentralverband *m*

fédéralisme [federalism] *m* Föderalismus *m*

fédéraliste [federalist] **I.** *adj* föderalistisch **II.** *mf* Föderalist(in) *m(f)*

fédérateur, -trice [federatœr, -tris] *adj* **thème ~** gemeinsames Thema; **jouer un rôle ~** eine vermittelnde Rolle spielen

fédération [federasjɔ̃] *f* **1.** Bündnis *nt*; **~ européenne** europäische Gemeinschaft **2.** (*associations*) Verband *m*; **~ syndicale** Gewerkschaftsbund

fédéré, e [federe] *adj* föderiert; (*au sein d'une association*) vereinigt

fédérer [federe] <5> *vt* vereinigen; in einer Föderation zusammenschließen *États*

fée [fe] *f* Fee *f*

feeling [filiŋ] *m* Gespür *nt*

féerie [fe(e)ri] *f* **1.** (*ravissement*) **véritable ~** zauberhaftes Schauspiel; **la ~ d'une soirée d'été** der Zauber eines Sommerabends **2.** THEAT, CINE Märchenspiel *nt*

féerique [fe(e)rik] *adj* märchenhaft

feignant, e [fɛɲɑ̃, ɑ̃t] *v.* **fainéant**

feint, e [fɛ̃, fɛ̃t] **I.** *part passé de* **feindre II.** *adj* gespielt; *maladie* vorgeschoben

feinte [fɛ̃t] *f* Täuschungsmanöver *nt*

feinter [fɛ̃te] <1> *vt* **1.** SPORT täuschen **2.** *fam* (*rouler*) hereinlegen

fêlé, e [fele] *adj* **1.** *assiette, vitre* gesprungen; *bras, côte* angebrochen; *voix* brüchig **2.** *fam* (*dérangé*) **avoir le cerveau ~** einen Sprung in der Schüssel haben; **tu es complètement ~!** du bist ja völlig bekloppt!

fêler [fele] <1> **I.** *vt* **son opération à la gorge a fêlé sa voix** seine/ihre Stimme ist durch die Operation rau geworden **II.** *vpr* **se ~** einen Sprung/Sprünge bekommen; **se ~ qc** sich (*dat*) etw anbrechen

félicitations [felisitasjɔ̃] *fpl* Glückwünsche *Pl*; **avec les ~ du jury** summa cum laude; **recevoir les ~ de qn à l'occasion de qc** von jdm zu etw beglückwünscht werden

féliciter [felisite] <1> **I.** *vt* **~ qn de** [*o* **pour**] **qc** jdm zu etw gratulieren; **~ qn de faire qc** jdm gratulieren, dass er etw getan hat **II.** *vpr* **se ~ de qc** über etw (*akk*) froh sein

félin [felɛ̃] *m* Raubkatze *f*

félin, e [felɛ̃, in] *adj* *race* der Katzen; *démarche, grâce* katzenartig

fêlure [felyr] *f* **1.** (*fissure*) Sprung *m* **2.** *fig* Bruch *m*

femelle [fəmɛl] **I.** *adj* *animal, organe* weiblich; **léopard ~** Leopardenweibchen *nt* **II.** *f* **1.** ZOOL Weibchen *nt* **2.** *péj fam* Weibsbild *nt*

féminin [feminɛ̃] *m* GRAM Femininum *nt*

féminin, e [feminɛ̃, in] *adj* **1.** *population, sexe* weiblich **2.** *femme, mode* weiblich **3.** *voix* Frauen-; *vêtements, mode* Damen-; *condition, revendication* der Frauen; SPORT **football ~** Damenfußball *m* **4.** GRAM *article, genre* weiblich

féminisation [feminizasjɔ̃] *f* **~ de l'enseignement** (*action*) Steigerung *f* des Frauenanteils im Lehramt; (*résultat*) Zunahme *f* des Frauenanteils im Lehramt

féminiser [feminize] <1> **I.** *vt* verweiblichen *homme*; sehr weiblich wirken lassen *femme*; **~ une profession** Frauen Zugang zu einem Beruf verschaffen **II.** *vpr* **se ~ 1.** (*se faire femme*) fraulicher werden **2.** (*comporter de plus en plus de femmes*) **un parti politique se féminise** der Frauenanteil in einer politischen Partei steigt

féminisme [feminism] *m* Feminismus *m*

féministe [feminist] **I.** *adj* *idée, revendication* feministisch; **mouvement ~** Frauenbewegung *f* **II.** *mf* Feminist(in) *m(f)*

féminité [feminite] *f* Weiblichkeit *f*

femme [fam] *f* **1.** (*opp: homme*) Frau *f*; **une ~-image** eine Frau, wie sie auf dem Bild erscheint/Modellfrau; **vêtements de** [*o* **pour**] **~s** Damenbekleidung *f*; **t'as vu la bonne ~ là-bas!** *fam* hast du die Tante dahinten gesehen! **2.** (*épouse*) Frau *f*, Ehefrau; **une ~ accomplie** eine perfekte Hausfrau [und Mutter]; **ma/ta/ bonne ~** *péj fam* meine/deine Alte **3.** (*adulte*) Frau *f* **4.** (*profession*) **une ~ auteur/ingénieur/médecin** eine Autorin/Ingenieu-

rin/Ärztin; ~ **politique** Politikerin *f;* ~ **au foyer** Hausfrau; ~ **de chambre** Zimmermädchen *nt;* ~ **de ménage** Putzfrau, Bedienerin *f* (A); ~ **de service** (*pour le nettoyage*) Putzfrau; (*à la cantine*) Kantinenangestellte *f* (*an der Essensausgabe*); ~ **d'intérieur** tüchtige Hausfrau

femme-enfant [famãfã] <**femmes-enfants**> *f* Kindfrau *f*

femmelette [famlɛt] *f péj* Schwächling *m*

fémur [femyʀ] *m* Oberschenkelknochen *m*

FEN [fɛn] *f abr de* **Fédération de l'Éducation nationale** *französische Lehrergewerkschaft*

fenaison [fənɛzɔ̃] *f* Heuernte *f*

fendillé, e [fãdije] *adj* rissig

fendiller [fãdije] <1> *vpr* **se** ~ rissig werden

fendre [fãdʀ] <14> I. *vt* 1. (*couper en deux*) spalten *bois* 2. (*fissurer*) zum Springen bringen *glace;* spalten *pierre, rochers* II. *vpr* 1. (*se fissurer*) **se** ~ *mur, terre:* Risse bekommen; *verre, glace:* Sprünge bekommen 2. (*se blesser*) **se** ~ **la lèvre** sich (*dat*) die Lippe aufschlagen

fendu, e [fãdy] *adj* 1. *crâne* gespalten; *lèvre* aufgeplatzt 2. (*fissuré*) angebrochen; *assiette, verre* gesprungen 3. *jupe, veste* geschlitzt

fenêtre [f(ə)nɛtʀ] *f* Fenster *nt*

fennec [fenɛk] *m* ZOOL Fennek *m*

fenouil [fənuj] *m* Fenchel *m*

fente [fãt] *f* 1. *d'un mur, rocher* Spalt *m;* (*moins profonde*) Riss *m* 2. (*interstice*) Schlitz *m*

féodal [feɔdal, o] <-aux> *m* HIST Feudalherr *m*

féodal, e [feɔdal, o] <-aux> *adj* feudal[istisch]

féodalité [feɔdalite] *f* HIST Feudalismus *m*

fer [fɛʀ] *m* 1. (*métal, sels de* ~) Eisen *nt;* **en** [*o de*] ~ aus Eisen 2. *d'une lance, flèche* Eisenspitze *f;* ~ **à cheval** Hufeisen *nt;* **en** ~ **à cheval** hufeisenförmig 3. (*appareil*) ~ **à friser** Lockenstab *m;* ~ **à repasser** Bügeleisen *nt* ▸**tomber les quatre** ~**s en l'air** *fam* auf den Rücken fallen; **le** ~ **de lance d'une organisation** das Zugpferd einer Organisation; **battre le** ~ **tant qu'il est chaud** die Gelegenheit beim Schopf ergreifen; **discipline/main/santé/volonté de** ~ eiserne Disziplin/Hand/Gesundheit/eiserner Wille

ferai [f(ə)ʀe] *fut de* faire

fer-blanc [fɛʀblã] <**fers-blancs**> *m* [Weiß]blech *nt*

férié, e [feʀje] *adj* **jour** ~ Feiertag *m*

fermage [fɛʀmaʒ] *m* Pacht *f*

ferme¹ [fɛʀm] I. *adj* 1. (*consistant*) fest; *seins, peau* straff 2. (*assuré*) sicher; *voix, pas* fest; *main* ruhig 3. (*résolu*) bestimmt 4. *personne* standhaft; *intention, résolution* fest; *volonté* unerschütterlich; **être** ~ **avec qn** jdm gegenüber bestimmt auftreten 5. COM *achat, commande, prix* verbindlich 6. FIN *cours, marché* unverändert II. *adv* 1. *boire* ordentlich; *travailler* hart; *s'ennuyer* fürchterlich 2. *discuter* heftig 3. COM *acheter, commander* verbindlich 4. (*avec opiniâtreté*) **tenir** ~ (*contre l'ennemi*) standhalten; (*dans des négociations*) hart bleiben

ferme² [fɛʀm] *f* 1. (*bâtiment*) Bauernhaus *nt* 2. (*exploitation*) Bauernhof *m*, Gehöft *nt*

fermé, e [fɛʀme] *adj* 1. (*opp: ouvert*) geschlossen; (*à clé*) verschlossen; *col, route* gesperrt; *bouche, yeux, vêtement* geschlossen; *robinet* zugedreht; **mer** ~**e** Binnenmeer *nt* 2. (*privé*) geschlossen; *club, cercle* exklusiv 3. *personne* verschlossen; *air, visage* undurchdringlich 4. (*insensible à*) **être** ~ **à qc** keinen Sinn für etw haben

fermement [fɛʀməmã] *adv* 1. *tenir, tirer* fest 2. *croire, être décidé* fest; *expliquer* bestimmt

ferment [fɛʀmã] *m* BIO Gärstoff *m;* ~**s lactiques** Milchsäurebakterien *Pl*

fermentation [fɛʀmãtasjɔ̃] *f* BIO Gärung *f*

fermenter [fɛʀmãte] <1> *vi jus:* gären; *pâte:* arbeiten

fermer [fɛʀme] <1> I. *vi* 1. (*être, rester fermé*) schließen 2. (*pouvoir être fermé*) **bien/mal** ~ *vêtement:* gut/schlecht zugehen; *boîte, porte:* gut/schlecht schließen II. *vt* 1. (*opp: ouvrir*) schließen, zumachen (*fam*) *porte, yeux;* zuziehen *rideau;* zuschieben *tiroir;* zuklappen *livre;* ~ **la main/le poing** eine Faust machen; ~ **une maison à clé** ein Haus abschließen 2. (*boutonner*) zuknöpfen 3. (*cacheter*) zukleben *enveloppe* 4. (*arrêter*) zudrehen *robinet;* abschalten *électricité;* ausschalten *télévision;* ausmachen *lumière* 5. (*interrompre l'activité de*) schließen *école, usine* 6. (*barrer, bloquer*) versperren *passage, accès;* sperren *aéroport, frontière* 7. (*rendre inaccessible*) ~ **une carrière à qn** jdm eine Karriere verbauen; ~ **son cœur à la détresse des autres** sein Herz vor der Not der anderen verschließen 8. (*clore*) auflösen *compte;* **fermez la parenthèse!** Klammer zu! ▸**la ferme!** *fam* halt/haltet die Klappe! III. *vpr* 1. (*se refermer*) **se** ~ *porte, yeux:* zufallen; *plaie:* verheilen 2. (*passif*) **se** ~ *boîte:* sich schließen lassen; *appareil:* ausgeschaltet werden; **se** ~ **par devant** *robe:* vorne zu-

gemacht werden (*fam*) **3.** (*refuser l'accès à*) **se ~ à qn/qc** *personne, pays:* sich jdm/ einer S. verschließen

fermeté [fɛʁməte] *f* **1.** *d'une chair, peau* Festigkeit *f* **2.** *d'un style* Prägnanz *f* **3.** (*courage*) Standhaftigkeit *f* **4.** (*autorité*) Bestimmtheit *f*; (*dans l'éducation de qn*) Strenge *f*; **~ de caractère** Charakterstärke *f*; **~ du jugement** Urteilskraft *f*; **parler/affirmer avec ~** mit Nachdruck sprechen/ nachdrücklich betonen **5.** FIN *d'un cours, marché, d'une monnaie* Stabilität *f*

fermette [fɛʁmɛt] *f* kleines Bauernhaus

fermeture [fɛʁmətyʁ] *f* **1.** *d'un sac, vêtement* Verschluss *m*; **avec ~ à clé** abschließbar; **~ automatique** automatischer Türschließer; **~ éclair®** Reißverschluss **2.** *d'une porte, d'un magasin, guichet* Schließen *nt*; *d'une école, frontière* Schließung *f*; *d'une entreprise, d'un aéroport* Stilllegung *f*; **~ annuelle** Betriebsferien *Pl*; **après la ~ des bureaux/du magasin** nach Büro-/ Ladenschluss *m*

fermier, -ière [fɛʁmje, -jɛʁ] **I.** *adj beurre* Land-; *poulet, canard* vom Bauernhof **II.** *m, f* **1.** (*agriculteur*) Bauer/Bäuerin *m/f* **2.** (*locataire*) Pächter(in) *m(f)*

fermoir [fɛʁmwaʁ] *m* Verschluss *m*

féroce [feʁɔs] *adj* **1.** *animal* wild **2.** *personne* unbarmherzig; *critique* scharf; *satire* bissig; *air, regard* böse **3.** *appétit, envie* riesig

férocité [feʁɔsite] *f* **1.** *d'un animal* Grausamkeit *f* **2.** *d'un dictateur* Brutalität *f* **3.** *d'un combat* Heftigkeit *f*; *d'un regard* Wildheit *f* **4.** *d'une critique, attaque* Schärfe *f*; **se moquer avec ~ de qn** sich in schonungsloser Weise über jdn lustig machen

ferraille [feʁɑj] *f* **1.** (*vieux métaux*) Schrott *m*; **être bon à mettre à la ~** schrottreif sein; **mettre une voiture à la ~** ein Auto verschrotten lassen **2.** *fam* (*monnaie*) Kleingeld *nt*

ferrailleur, -euse [feʁɑjœʁ, -jøz] *m, f* Schrotthändler(in) *m(f)*

ferré, e [feʁe] *adj cheval* beschlagen; *bâton, soulier* [mit Eisen] beschlagen

ferrer [feʁe] <1> *vt* beschlagen *cheval;* mit Eisen beschlagen *souliers, canne*

ferreux, -euse [feʁø, -øz] *adj* eisenhaltig

ferronnerie [feʁɔnʁi] *f* Kunstschmiedearbeiten *Pl*

ferroviaire [feʁɔvjɛʁ] *adj* Eisenbahn-

ferrure [feʁyʁ] *f d'un meuble, d'une porte* [Eisen]beschlag *m*; *d'un cheval* Hufbeschlag *m*

ferry [feʁi] <ferries> *m abr de* **ferry-boat, car-ferry, train-ferry**

ferry-boat [feʁibot] <ferry-boats> *m* Fähre *f*

fertile [fɛʁtil] *adj* **1.** (*riche*) fruchtbar **2.** (*prodigue*) fruchtbar; **~ en aventures** *roman, vie:* reich an Abenteuern (*dat*)

fertilisation [fɛʁtilizasjɔ̃] *f* Fruchtbarmachung *f*

fertiliser [fɛʁtilize] <1> *vt* fruchtbar machen

fertilité [fɛʁtilite] *f* **1.** *d'une région, terre* Fruchtbarkeit *f* **2.** (*créativité*) **~ d'esprit/ d'imagination** Einfallsreichtum *m*

fervent, e [fɛʁvɑ̃, ɑ̃t] **I.** *adj* **1.** (*fidèle*) fromm; *disciple* leidenschaftlich; *prière* inbrünstig **2.** (*ardent*) begeistert; *admirateur, passion* glühend **II.** *m, f* **~ de football** Fußballanhänger; **~ de musique** Musikliebhaber

ferveur [fɛʁvœʁ] *f* **1.** REL *d'une prière, foi* Inbrunst *f*; *d'une personne* Eifer *m* **2.** (*ardeur*) Eifer *m*; **remercier qn avec ~** jdm überschwänglich danken

fesse [fɛs] *f* Hinterbacke *f*; **les ~s** das Gesäß ►**avoir qn aux ~s** *fam* jdn auf dem Hals haben; **serrer les ~s** *fam* Bammel haben

fessée [fese] *f* **donner** [*o* **flanquer** *fam*] **une ~ à qn** jdm eine Tracht Prügel geben

fessier [fesje] **I.** *adj muscle* Gesäß- **II.** *m hum fam* Hinterteil *nt*

festin [festɛ̃] *m* Festessen *nt*

festival [festival] <s> *m* Festspiele *Pl*, Festival *nt*; **le ~ de Cannes** das Filmfestival von Cannes

festivalier, -ière [festivalje, -jɛʁ] *m, f* Festspielbesucher(in) *m(f)*

festivités [festivite] *fpl* Festveranstaltungen *Pl*

festoyer [festwaje] <6> *vi* schlemmen

fêtard, e [fɛtaʁ, aʁd] *m, f fam* Nachtschwärmer(in) *m(f)*

fête [fɛt] *f* **1.** (*religieuse, civile*) Fest *nt* **2.** (*jour férié*) Feiertag *m*; **~ des Mères/ Pères** Mutter-/Vatertag *m*; **~ du travail** Tag *m* der Arbeit **3.** (*jour du prénom*) Namenstag *m* **4.** *pl* (*congé*) Feiertage *Pl* **5.** (*kermesse*) **~ foraine** Jahrmarkt *m*; **~ de la bière à Munich** Münchner Oktoberfest **6.** (*réception*) Fest *nt*, Feier *f*, Party *f*; **un jour de ~** ein Feiertag/Festtag *m* ►**elle n'est pas à la ~** *fam* ihr ist nicht wohl in ihrer Haut; **faire ~ à qn** jdn freudig begrüßen; **ambiance/ air/atmosphère de ~** (*solennel*) festliche Stimmung/Atmosphäre; (*gai*) fröhliche Stimmung/Atmosphäre; **village en ~** feierndes Dorf; **le collège en ~** das "Collège" feiert

Fête-Dieu [fɛtdjø] <Fêtes-Dieu> *f* **la ~** Fronleichnam *m*

fêter [fete] <1> *vt* **1.** (*célébrer*) feiern

2. (*faire fête à*) feierlich empfangen
fétiche [fetiʃ] **I.** *m* **1.** (*amulette*) Fetisch *m*
2. (*mascotte*) Maskottchen *nt* **II.** *app film*
Kult-; **objet** ~ Talisman *m*
fétichisme [fetiʃism] *m* Fetischismus *m*
fétichiste [fetiʃist] **I.** *adj* fetischistisch **II.**
mf Fetischist(in) *m(f)*
fétide [fetid] *adj* **1.** (*malodorant*) übel rie-
chend **2.** (*infect*) stinkend; *odeur* widerlich
fétu [fety] *m* ~ **de paille** Strohhalm *m*
feu [fø] <x> *m* **1.** (*source de chaleur*) Feuer *nt;* ~ **de camp** Lagerfeuer **2.** (*incendie*)
Feuer *nt;* **mettre le** ~ **à qc** etw anzünden
3. (*lumière*) *souvent pl* **les** ~**x des pro-**
jecteurs das Scheinwerferlicht; **être sous**
le ~ **des projecteurs** im Rampenlicht stehen **4.** *souvent pl* AVIAT Licht *nt* **5.** AVIAT, NAUT
Lichter *Pl* **6.** TRANSP ~ **tricolore/de signa-**
lisation Verkehrsampel *f;* **passer au** ~
rouge bei Rot durchfahren; **le** ~ **est [au]**
rouge die Ampel ist rot **7.** (*brûleur d'un ré-*
chaud: à gaz) Flamme *f;* **à** ~ **doux/vif** (*ré-*
chaud à gaz) auf kleiner/starker Flamme;
(*réchaud électrique*) bei schwacher/star-
ker Hitze **8.** *soutenu* (*ardeur*) Intensität *f;*
dans le ~ **de l'action** im Eifer des Gefechts **9.** (*spectacle*) ~ **d'artifice** Feuerwerk *nt* ▶**ne pas faire** long ~ *personne:*
nicht lange bleiben werden; *chose:* nicht
lange dauern; **faire mijoter qn à** petit ~
jdn auf die Folter spannen; ~ **vert** (*permis-*
sion) grünes Licht; **y'a pas le** ~ *fam* immer mit der Ruhe; **être** [pris] **entre deux**
~**x** in der Klemme sitzen; **péter le** ~ vor
Energie sprühen; **n'y** voir **que du** ~ nichts
merken; **tempérament** de ~ hitziges Natu-
turell
feuillage [fœjaʒ] *m* **1.** (*ensemble de feuil-*
les) Laub *nt* **2.** (*rameaux coupés*) grüne
Zweige *Pl*
feuille [fœj] *f* **1.** *d'un arbre, d'une fleur, sala-*
de Blatt *nt* **2.** *d'aluminium, or* Folie *f; de*
carton Bogen *m; de contreplaqué* Platte *f*
3. (~ *de papier*) Blatt [Papier] *nt* **4.** (*formu-*
laire) ~ **de maladie** ≈ Krankenschein *m;*
~ **de paie** Gehaltsabrechnung *f;* ~ **de**
soins (ärztlicher) Behandlungsschein; ~
d'impôt (*déclaration d'impôt*) Steuererklärung *f;* (*avis d'imposition*) Steuerbescheid *m* **5.** (*Excel*) [Arbeits]blatt *nt*
6. (*journal*) ~ **de chou** *péj fam* Käseblatt
nt ▶**trembler comme une** ~ wie Espen-
laub zittern
feuillet [fœjɛ] *m* Blatt *nt*
feuilleté [fœjte] *m* GASTR Blätterteiggebäck
nt
feuilleté, e [fœjte] *adj* **1.** (*triplex*) *verre* ~
Verbundglas *nt* **2.** GASTR *pâte* ~**e** Blätterteig *m*

feuilleter [fœjte] <3> *vt* **1.** (*tourner les pa-*
ges) durchblättern **2.** (*parcourir*) überfliegen
feuilleton [fœjtɔ̃] *m* **1.** PRESSE Fortsetzungsroman *m* **2.** TV ~ **télévisé** Fernsehserie *f*
3. (*événement à rebondissements*) lange
Geschichte
feuillu [fœjy] *m* Laubbaum *m*
feuillu, e [fœjy] *adj* **1.** (*chargé de feuilles*)
[dicht] belaubt **2.** (*opp: résineux*) Laub tragend; **arbre** ~ Laubbaum *m*
feuillure [fœjyʀ] *f* Falz *m*
feutre [føtʀ] *m* **1.** (*étoffe*) Filz *m* **2.** (*stylo*)
Filzstift *m* **3.** (*chapeau*) Filzhut *m*
feutré, e [føtʀe] *adj* **1.** (*fait de feutre*) verfilzt **2.** *bruit* gedämpft; *pas* leise; **marcher à**
pas ~**s** auf leisen Sohlen gehen
feutrer [føtʀe] <1> *vi, vpr* [se] ~ verfilzen
fève [fɛv] *f* Saubohne *f*
février [fevʀije] *m* Februar *m; v. a.* août
FF *m* *abr de* **franc français** *v.* franc
FF [ɛfɛf] *f* SPORT *abr de* **Fédération françai-**
se Französischer Verband
FFI [ɛfɛfi] *fpl* HIST *abr de* **Forces françaises**
de l'intérieur *Widerstandstruppen der*
Gaullisten im Zweiten Weltkrieg
fiabilité [fjabilite] *f d'un appareil, dispositif*
Betriebssicherheit *f; d'un système, d'une*
méthode Zuverlässigkeit *f; d'une personne*
Zuverlässigkeit *f*
fiable [fjabl] *adj machine, matériel* betriebs-
sicher; *méthode, statistique, personne* zuverlässig
fiacre [fjakʀ] *m* [Pferde]droschke *f*
fiançailles [fjɑ̃saj] *fpl* Verlobung *f*
fiancé, e [fjɑ̃se] **I.** *adj* verlobt **II.** *m, f* Ver-
lobte(r) *f(m)*
fiancer [fjɑ̃se] <2> **I.** *vt* ~ **qn avec** [*o* à]
qn jdn mit jdm verloben **II.** *vpr* **se** ~ **avec**
[*o* à] **qn** sich mit jdm verloben
fiasco [fjasko] *m* Fiasko *nt;* **être un** ~ ein
Reinfall sein; *pièce:* ein Flop sein
fibre [fibʀ] *f* **1.** TEXTIL, IND *d'un bois, muscle,*
d'une plante, viande Faser *f* **2.** (*sensibilité*)
avoir la ~ **sensible** sensibel sein
fibreux, -euse [fibʀø, -øz] *adj* faserig
ficelé, e [fis(ə)le] *adj fam* ▶**être** mal ~
fam personne: geschmacklos angezogen
sein; **être** bien/mal ~ *intrigue, travail:*
gut/schlecht gemacht sein
ficeler [fis(ə)le] <3> *vt* [ver]schnüren *pa-*
quet; [mit einem Bindfaden] umwickeln
rôti; fesseln *prisonnier*
ficelle [fisɛl] *f* **1.** (*corde mince*) Schnur *f;*
(*en cuisine*) Bindfaden *m* **2.** (*pain*) dünnes
Baguette ▶**connaître** toutes les ~**s du**
métier alle Kniffe des Berufes kennen; tirer **les** ~**s** die Fäden in der Hand halten
fiche [fiʃ] *f* **1.** (*piquet*) Pflock *m* **2.** (*carte*)

[Kartei]karte *f* **3.** (*feuille, formulaire*) Blatt *nt;* ~ **de paie** Gehaltsabrechnung *f;* ~ **d'état civil** Auszug *m* aus dem Personenstandsregister; ~ **technique** technische Daten *Pl* **4.** CH (*dossier*) Akte *f*, Fiche *f* (CH)

fiche-horaire [fiʃɔʀɛʀ] <fiches-horaires> *f* Fahrplanauszug *m*

ficher[1] [fiʃe] <1> **I.** *vt part passé:* fichu, *fam* **1.** (*faire*) treiben; **ne rien** ~ keinen Finger krumm machen **2.** (*donner*) verpassen *claque, coup;* **en** ~ **une à qn** jdm eine runterhauen **3.** (*mettre*) ~ **qc par terre** etw auf den Boden schmeißen; ~ **qn dehors/à la porte** jdn rauswerfen/vor die Tür setzen; ~ **qn en colère** [*o* **en rogne**] jdn auf die Palme bringen **4.** (*se désintéresser*) **j'en ai rien à fiche!** das ist mir piepegal! ▸~ **un coup à qn** jdm einen schweren Schlag versetzen; **je t'en fiche!** von wegen! **II.** *vpr part passé:* fichu, *fam* **1.** (*se mettre*) **fiche-toi ça dans le crâne!** lass dir das gesagt sein! **2.** (*se flanquer*) **se** ~ **un coup de marteau** sich (*dat*) mit einem Hammer hauen **3.** (*se moquer*) **se** ~ **de qn** jdn auf den Arm nehmen **4.** (*se désintéresser*) **qn se fiche de qn/qc** jd/etw ist jdm piepegal

ficher[2] [fiʃe] <1> **I.** *vt* (*inscrire*) registrieren **II.** *vpr* **se** ~ **dans qc** *arête:* in etw (*dat*) stecken bleiben; *flèche, pieu, piquet:* sich in etw (*akk*) bohren

fichier [fiʃje] *m* **1.** *du personnel, d'une bibliothèque* Kartei *f* **2.** INFORM Datei *f*

fichier-texte [fiʃjetɛkst] *m* INFORM Textdatei *f*

fichu [fiʃy] *m* Schal *m*

fichu, e [fiʃy] **I.** *part passé de* **ficher II.** *adj fam* **1.** *antéposé caractère, métier* mies; **quel** ~ **temps!** so ein Sauwetter! **2.** *antéposé problème, question* verflixt; *habitude, idée* [sau]blöd **3.** (*en mauvais état*) **être** ~ *vêtement, appareil:* hin sein **4.** (*gâché*) **être** ~ *vacances, soirée:* im Eimer sein **5.** (*perdu*) **être** ~ *personne:* geliefert sein **6.** (*condamné*) verloren sein; (*discrédité*) erledigt sein **7.** (*habillé*) zurechtgemacht **8.** (*capable*) **être/n'être pas** ~ **de faire qc** imstande/nicht imstande sein etw zu tun ▸**être** **bien**/**mal** ~ (*bien bâti*) gut/schlecht gemacht sein; **elle est bien** ~**e** sie ist gut gebaut; **il est mal** ~ (*malade*) er fühlt sich elend

fictif, -ive [fiktif, -iv] *adj* **1.** (*imaginaire*) fiktiv **2.** (*faux*) falsch; *concurrence, contrat* Schein-; *vente* Pro-forma-

fiction [fiksjɔ̃] **I.** *f* **1.** (*imagination*) Fantasie *f* **2.** (*fait imaginé*) [freie] Erfindung; **film de** ~ frei erfundener Film **3.** (*œuvre d'imagination*) frei erfundene Geschichte **II.** *adj*

1. (*futuriste*) futuristisch **2.** (*imaginaire*) rein fiktiv

fidèle [fidɛl] **I.** *adj* **1.** (*constant*) treu **2.** (*qui ne trahit pas qc*) **être** ~ **à une habitude** einer Gewohnheit treu sein; **être** ~ **à une promesse** ein Versprechen halten **3.** *historien, narrateur* wahrheitsgetreu; *récit* wirklichkeitsgetreu; *reproduction* originalgetreu; *traduction* wortgetreu; *souvenir* klar **4.** *mémoire* zuverlässig; *montre* genau **II.** *mf* *d'un homme politique* Anhänger(in) *m(f);* *d'un magasin* Stammkunde/-kundin *m/f;* REL Gläubige[n] *Pl*

fidèlement [fidɛlmɑ̃] *adv* **1.** *servir, obéir* treu **2.** (*régulièrement*) regelmäßig **3.** (*d'après l'original*) genau; *traduire* wortgetreu

fidéliser [fidelize] <1> *vt* als Stammkunden gewinnen

fidélité [fidelite] *f* **1.** (*dévouement*) ~ **à** [*o* **envers**] **qn** Treue *f* zu jdm **2.** (*attachement*) ~ **à une habitude** Festhalten *nt* an einer Gewohnheit **3.** *d'une copie, traduction, d'un portrait* Genauigkeit *f*

fief [fjɛf] *m* **1.** POL *d'un parti* Hochburg *f* **2.** HIST Lehen *nt*

fieffé, e [fjefe] *adj antéposé fam* **être un** ~ **menteur** ein abgefeimter Lügner sein

fiel [fjɛl] *m* Boshaftigkeit *f*

fiente [fjɑ̃t] *f* Kot *m*

fier [fje] <1> *vpr* **se** ~ **à qn** sich auf jdn verlassen; **se** ~ **à des promesses** Versprechungen (*dat*) trauen

fier, fière [fjɛʀ] **I.** *adj* ~ **de qn/qc** stolz auf jdn/etw **II.** *m, f* ▸**faire le** ~ **avec qn** (*crâner*) sich jdm gegenüber aufspielen; (*être méprisant*) überheblich jdm gegenüber tun

fier-à-bras [fjɛʀabʀɑ] <fiers-à-bras> *m* Angeber *m*

fièrement [fjɛʀmɑ̃] *adv* stolz

fierté [fjɛʀte] *f* Stolz *m;* **tirer une** ~ **de qc** stolz auf etw (*akk*) sein

fiesta [fjɛsta] *f fam* Fete *f*

fièvre [fjɛvʀ] *f* **1.** MED Fieber *nt* **2.** (*vive agitation*) Hektik *f* **3.** (*désir ardent*) Feuereifer *m*

fiévreusement [fjevʀøzmɑ̃] *adv* fieberhaft

fiévreux, -euse [fjevʀø, -øz] *adj* **1.** MED *personne, joues* fiebrig; *yeux* fiebrig glänzend **2.** *activité, excitation* fieberhaft

figé, e [fiʒe] *adj* **1.** *attitude, morale, regard* starr; *sourire* ausdruckslos **2.** LING *expression* fest[stehend]; *forme* unveränderlich

figer [fiʒe] <2a> **I.** *vt* **1.** (*durcir*) fest werden lassen *graisse, sauce* **2.** (*horrifier*) ~ **qn** *surprise, terreur:* jdn erstarren lassen **II.** *vpr* **1.** (*durcir*) **se** ~ *graisse, huile:* fest werden;

sauce: dick werden; *sang:* gerinnen; *visage:* erstarren; *sourire:* gefrieren **2.** (*s'immobiliser*) **se ~ dans une attitude de refus** sich beharrlich weigern

fignoler [fiɲɔle] <1> **I.** *vi fam* herumbasteln **II.** *vt fam* ausfeilen

figue [fig] *f* Feige *f*

figuier [fiɡje] *m* Feigenbaum *m*

figurant, e [fiɡyʀɑ̃, ɑ̃t] *m, f* **1.** CINE, THEAT Statist(in) *m(f)* **2.** (*potiche*) Randfigur *f*

figuratif, -ive [fiɡyʀatif, -iv] *adj* **1.** *art, peinture* gegenständlich **2.** *plan* bildlich

figuration [fiɡyʀasjɔ̃] *f* **1.** CINE, THEAT Arbeit *f* als Statist **2.** (*représentation*) bildliche Darstellung ▸**faire de la ~** als Statist(in) arbeiten; (*en politique*) eine Nebenrolle spielen

figure [fiɡyʀ] *f* **1.** (*visage, mine*) Gesicht *nt* **2.** (*personnage*) [große] Persönlichkeit **3.** (*image*) Figur *f*; GEOM grafische Darstellung; **livre orné de ~s** Buch *nt* mit Abbildungen **4.** SPORT Figur *f*; **~s imposées/libres** Pflicht *f*/Kür *f* ▸**faire bonne/mauvaise ~** (*se montrer sous un bon/mauvais jour*) eine gute/schlechte Figur machen; (*s'en sortir bien/mal*) gut/schlecht abschneiden; **casser la ~ à qn** *fam* jdn verhauen; **se casser la ~** *fam* hinfliegen; (*d'en haut*) runterfliegen; **faire ~ de favori** als Favorit gelten; **prendre ~** Gestalt annehmen

figuré, e [fiɡyʀe] *adj* **1.** *sens* übertragen **2.** *langage* bilderreich

figurer [fiɡyʀe] <1> **I.** *vi* **1.** THEAT, CINE als Statist(in) auftreten; **ne faire que ~** SPORT, POL nur eine Statistenrolle spielen; (*dans un classement*) nur unter ferner liefen rangieren **2.** (*être mentionné*) stehen **II.** *vt* (*représenter*) darstellen **III.** *vpr* **se ~ qn/qc** sich (*dat*) jdn/etw vorstellen; **je l'aime, figure-toi!** ich liebe ihn/sie, ob du's glaubst oder nicht!

figurine [fiɡyʀin] *f* Figürchen *nt*

fil [fil] *m* **1.** (*brin*) Faden *m*; *de haricot* Faser *f*; **~ de fer** Eisendraht *m*; (*personne maigre*) Bohnenstange *f*; **~ de fer barbelé** Stacheldraht **2.** *d'un téléphone, d'une lampe* Schnur *f* **3.** (*conducteur électrique*) Leitung *f*; (*corde à linge*) [Wäsche]leine *f* **4.** *pl d'une affaire* Fäden *Pl* **5.** (*enchaînement*) **suivre le ~ de la conversation** der Unterhaltung (*dat*) folgen ▸**de ~ en aiguille** nach und nach; **ne pas avoir inventé le ~ à couper le beurre** *fam* nicht [gerade] das Pulver erfunden haben; **être cousu de ~ blanc** fadenscheinig sein; **donner du ~ à retordre à qn** jdm sehr zu schaffen machen; **au ~ de l'eau** [*o* **du courant**] flussabwärts; **au ~ des ans** im

Laufe der Jahre

filament [filamɑ̃] *m* ELEC Glühfaden *m*

filandreux, -euse [filɑ̃dʀø, -øz] *adj* **1.** *viande* sehnig, flachsig (A) **2.** *discours* langatmig

filasse [filas] *adj inv péj cheveux* strohig; **cheveux d'un blond ~** strohblonde Haare

filature [filatyʀ] *f* **1.** (*usine*) Spinnerei *f* **2.** (*action*) Spinnen *nt* **3.** (*surveillance*) Beschattung *f*; **prendre qn en ~** jdn beschatten

file [fil] *f* **1.** (*colonne*) Reihe *f*; (*d'attente*) Schlange *f*; **se mettre à** [*o* **prendre**] **la ~** sich [hinten] anstellen **2.** (*voie de circulation*) [Fahr]spur *f*; **prendre** [*o* **se mettre dans**] **la ~ de droite** sich rechts einordnen ▸**en ~ indienne** im Gänsemarsch; **à la ~** hintereinander

filer [file] <1> **I.** *vi* **1.** (*s'abîmer*) *maille:* laufen; *collant:* eine Laufmasche haben **2.** (*s'écouler lentement*) *essence, sirop:* rinnen; *sable:* rieseln **3.** (*aller vite*) *personne:* rennen; (*en voiture*) rasen; *véhicule:* rasen; *étoile:* vorbeiziehen; *temps:* verfliegen **4.** *fam* (*partir vite*) verschwinden, loseilen/lossausen; (*se retirer*) sich verziehen; **~ à l'anglaise** sich auf Französisch verabschieden/grußlos weggehen; **laisser ~ qn** jdn entwischen lassen; **laisser ~ une chance** sich (*dat*) eine Chance entgehen lassen; **il faut que je file** ich muss los **II.** *vt* **1.** (*tisser*) spinnen **2.** (*surveiller*) **~ qn** jdn beschatten **3.** *fam* (*donner*) **~ de l'argent à qn** jdm Geld geben; **~ une claque à qn** jdm eine Ohrfeige verpassen; **~ une maladie à qn** jdn mit einer Krankheit anstecken

filet [filɛ] *m* **1.** (*réseau de maille*) Netz *nt* **2.** GASTR Filet *nt* **3.** (*petite quantité*) **~ d'huile** Schuss *m* Öl; **~ de sang** dünner Blutfaden; **~ d'eau** Wasserstrahl *m;* **~ d'air** schwacher Luftzug

filetage [filtaʒ] *m* Gewinde *nt*

fileur, -euse [filœʀ, -øz] *m, f* Spinner(in) *m(f)*

filial, e [filjal, jo] <-aux> *adj amour, piété* kindlich

filiale [filjal] *f* Tochtergesellschaft *f*

filiation [filjasjɔ̃] *f* **1.** (*descendance*) Abstammung *f* **2.** *des idées* Zusammenhang *m; des mots* Herkunft *f*

filière [filjɛʀ] *f* **1.** (*suite de formalités*) Dienstweg *m* **2.** UNIV Studiengang *m* **3.** *de la drogue, du trafic* Ring *m*

filiforme [filifɔʀm] *adj jambes, personne* spindeldürr; *antennes* fadenförmig

filigrane [filiɡʀan] *m d'un billet de banque, timbre* Wasserzeichen *nt* ▸**lire en ~** zwi-

schen den Zeilen lesen; **apparaître en** ~ deutlich werden

fille [fij] *f* **1.** (*opp: garçon*) Mädchen *nt*, Gitsch[e] *f* (A); **jeune** ~ junges Mädchen **2.** (*opp: fils*) Tochter *f* **3.** (*prostituée*) Dirne *f* ▶**être bien la** ~ **de son père** ganz der Vater sein

fillette [fijɛt] *f* kleines Mädchen

filleul, e [fijœl] *m, f* Patenkind *nt*

film [film] *m* **1.** (*pellicule*) Film *m* **2.** (*œuvre*) [Spiel]film; (*à la télé*) [Fernseh]film; ~ **vidéo** Videofilm; ~ **d'action** Actionfilm **3.** (*mince couche*) Film *m;* ~ **plastique** Plastikfolie *f*

filmer [filme] <1> *vt, vi* filmen

filmographie [filmɔgʀafi] *f* Filmverzeichnis *nt*

filon [filɔ̃] *m* **1.** MINER Ader *f* **2.** *fam* (*travail*) lukrativer Job

filou [filu] *m fam* **1.** (*personne malhonnête*) Gauner *m* **2.** (*enfant, chien espiègle*) Schlingel *m*

filouter [filute] <1> *vt fam* übers Ohr hauen

filouterie [filutʀi] *f* **1.** (*action de filou*) Betrügerei *f* **2.** JUR Prellerei *f*

fils [fis] *m* (*opp: fille*) Sohn *m;* **Dupont** ~ Dupont junior; **Alexandre Dumas** ~ Alexandre Dumas der Jüngere ▶**de père en fils** von Generation zu Generation; **être bien le** ~ **de son père** ganz der Vater sein

filtrage [filtʀaʒ] *m* Filtern *nt*

filtrant, e [filtʀɑ̃, ɑ̃t] *adj* Filter-

filtre [filtʀ] *m* Filter *m o nt*

filtrer [filtʀe] <1> **I.** *vi* (*pénétrer*) *liquide, information:* durchsickern; *lumière:* durchscheinen **II.** *vt* **1.** filtern *liquide, lumière, son* **2.** (*contrôler*) genau überprüfen *informations*

fin [fɛ̃] *f* **1.** (*issue*) Ende *nt;* ~ **de série** Restposten *m;* ~ **de siècle** *adj inv* der Jahrhundertwende; **la** ~ **du monde** der Weltuntergang; **mettre** ~ **à qc** einer S. (*dat*) ein Ende setzen, etw beenden; **mettre** ~ **à ses jours** sich (*dat*) das Leben nehmen; **à la** ~ am Ende, schließlich; **sans** ~ endlos **2.** (*mort*) Ende *nt* **3.** (*but*) ~ **en soi** eigentlicher Zweck; **arriver** [*o* **parvenir**] **à ses** ~**s** sein Ziel erreichen ▶**en** ~ **de compte** letztlich; **c'est la** ~ **des haricots** *fam* (*tout est perdu*) jetzt ist alles aus; (*c'est le bouquet*) das ist doch das Allerletzte; **arrondir ses** ~**s de mois** sein Gehalt aufbessern; **la** ~ **justifie les moyens** *prov* der Zweck heiligt die Mittel; **à toutes** ~**s utiles** für alle Fälle

fin, e [fɛ̃, fin] **I.** *adj* **1.** (*opp: épais*) fein; *couche, étoffe, pinceau, pointe, tranche* dünn **2.** *traits, visage* fein; *jambes, taille*

schlank **3.** (*recherché*) fein **4.** (*de qualité supérieure*) erlesen; *vin* erstklassig; *lingerie* Fein- **5.** *personne* klug; (*dans ses remarques*) feinsinnig; (*dans ses actes*) geschickt; *humour, nuance* fein; *esprit, observation* scharfsinnig; *remarque* geistreich **6.** *antéposé cuisinier, tireur* ausgezeichnet; ~ **connaisseur** Spezialist *m;* ~ **gourmet** Feinschmecker *m* ▶**le** ~ **du** ~ das Beste vom Besten **II.** *adv* **1.** (*complètement*) völlig; *prêt* ganz **2.** *écrire* fein

final, e [final, o] <*s o* -**aux**> *adj* (*qui vient à la fin*) letzte(r, s), endgültig; *point, discours, accord* Schluss-; *consonne, résultat* End-

finale[1] [final] *f* **1.** SPORT Finale *nt* **2.** (*syllabe*) Endsilbe *f* **3.** (*voyelle*) Endvokal *m*

finale[2] [final] *m* MUS **le** ~ das Finale; *d'une symphonie* der Schlusssatz

finalement [finalmɑ̃] *adv* **1.** (*pour finir*) schließlich **2.** (*en définitive*) letztlich

finaliste [finalist] **I.** *adj joueur* am Endspiel teilnehmend **II.** *mf* Finalist(in) *m(f)*

finalité [finalite] *f* **1.** PHILOS Zweckbestimmtheit *f* **2.** (*but*) Zweck *m*

finance [finɑ̃s] *f* **1.** *pl d'une personne, d'un pays* Finanzen *Pl;* **l'état de mes** ~**s** meine finanzielle Lage **2.** (*ministère*) **les Finances** das Finanzministerium; **Monsieur X est aux Finances** Herr X ist Finanzminister ▶**moyennant** ~ gegen Entgelt

financement [finɑ̃smɑ̃] *m* Finanzierung *f*

financer [finɑ̃se] <2> **I.** *vi hum* blechen (*fam*) **II.** *vt* finanzieren

financier [finɑ̃sje] *m* Finanzier *m*

financier, -ière [finɑ̃sje, -jɛʀ] *adj problèmes* finanziell; *crise, politique* Finanz-; **établissement** ~ Geldinstitut *nt;* **soucis** ~**s** Geldsorgen *Pl*

financièrement [finɑ̃sjɛʀmɑ̃] *adv* finanziell [gesehen]

finasser [finase] <1> *vi* mit Tricks arbeiten; ~ **avec qn** jdn hereinlegen

finasserie [finasʀi] *f* Trick *m*

finaud, e [fino, od] **I.** *adj* pfiffig **II.** *m, f* Pfiffikus *m*

fine [fin] *f* feiner Weinbrand

finement [finmɑ̃] *adv* **1.** *brodé, ciselé* [sehr] fein **2.** (*astucieusement*) clever; *manœuvrer, faire remarquer, observer* geschickt

finesse [finɛs] *f* **1.** *des cheveux, d'une pointe de stylo* Feinheit *f; d'une aiguille, tranche* Dünne *f* **2.** *d'un visage* Feinheit *f; des mains, de la taille* Zierlichkeit *f* **3.** *d'une broderie, porcelaine* Feinheit *f; d'un aliment* [Aus]erlesenheit *f* **4.** *d'un goût, de l'odorat* Feinheit *f; d'une ouïe* Schärfe *f* **5.** *d'une personne* Scharfsinn *m; d'une allusion* Spitzfindigkeit *f;* ~ **d'esprit** Scharfsinnigkeit *f*

6. *pl d'une langue, d'un art* Feinheiten *Pl*

fini [fini] *m* **1.** *d'un produit* sorgfältige Verarbeitung; **qc manque de ~** einer S. (*dat*) fehlt der letzte Schliff **2.** MATH, PHILOS **le ~** das Endliche

fini, e [fini] *adj* **1.** (*terminé*) **être ~** zu Ende sein; *travail, études:* beendet sein; **~s les bavardages** Schluss mit dem Geschwätz; **tout est ~ entre nous** es ist aus zwischen uns **2.** *personne* erledigt **3.** (*opp: infini*) begrenzt; *nombre* endlich **4.** *péj menteur, voleur* ausgemacht **5.** (*cousu*) **bien/mal ~** gut/schlecht gearbeitet

finir [finiʀ] <8> **I.** *vi* **1.** *rue, propriété:* enden; *vacances, spectacle:* zu Ende sein; *contrat:* auslaufen; **bien/mal ~** ein gutes/böses Ende nehmen; **n'en pas ~** kein Ende nehmen **2.** (*terminer*) aufhören; **avoir fini** fertig sein; **laissez-moi ~** [**de parler**]! lassen Sie mich ausreden!; **je finirai par le plus important ...** zum Abschluss nun das Wichtigste ...; **en ~ avec qc** eine Lösung für etw finden; **en avoir fini avec une affaire** eine Angelegenheit erledigt haben **3.** SPORT **~ bien/mal** sich gut/schlecht schlagen; **~ à la quatrième place** auf Platz vier kommen **4.** (*en venir à*) **~ par faire qc** schließlich [doch] [*o* zu guter Letzt] etw tun; **tu finis par m'ennuyer avec ...** allmählich gehst du mir auf die Nerven mit ... **5.** (*se retrouver*) **~ en prison** im Gefängnis enden; **~ dans un accident de voiture** bei einem Autounfall ums Leben kommen **II.** *vt* **1.** (*arriver au bout de*) beenden; **~ son repas/ses devoirs** zu Ende essen/seine Aufgaben fertig machen; **~ de manger/de s'habiller** fertig essen/sich fertig anziehen; **~ le mois** in diesem Monat mit dem Geld auskommen **2.** (*consommer, utiliser jusqu'au bout*) aufessen *plat;* leer essen *assiette;* leer trinken (*fam*) *bouteille, verre;* auftragen *vêtement* **3.** SPORT meistern *match, course;* **~ un marathon** bei einem Marathon[lauf] bis zum Ende durchhalten; **~ une course à la quatrième place** bei einem Rennen auf Platz vier kommen **4.** (*passer la fin de*) **~ ses jours à la campagne** den Rest seiner Tage auf dem Land verbringen **5.** (*cesser*) aufhören mit, beenden *dispute;* **~ de se plaindre** aufhören, sich zu beklagen; **on n'a pas fini de parler de qc** man wird noch von etw sprechen **6.** (*être le dernier élément de*) abschließen **7.** (*fignoler*) **~ un ouvrage** einem Werk den letzten Schliff geben

finish [finiʃ] *m inv* SPORT Endspurt *m;* **match au ~** *Kampf, der durch K.o. oder Aufgabe beendet wird*

finition [finisjɔ̃] *f* **1.** *d'un meuble, d'une œuvre d'art* Fertigstellung *f* **2.** (*résultat*) Verarbeitung *f* **3.** *gén pl* TECH Feinarbeiten *Pl*

finlandais, e [fɛ̃lɑ̃dɛ, ɛz] *adj* finnisch

Finlandais, e [fɛ̃lɑ̃dɛ, ɛz] *m, f* Finne/Finnin *m/f*

Finlande [fɛ̃lɑ̃d] *f* **la ~** Finnland *nt*

finnois [finwa] *m* Finnisch *nt; v. a.* **allemand**

finnois, e [finwa, waz] *adj* finnisch

Finnois, e [finwa, waz] *m, f* Finne/Finnin *m/f*

fiole [fjɔl] *f* **1.** Phiole *f* **2.** *fam* Kopf *m*

fiord [fjɔʀd] *m* Fjord *m*

fioriture [fjɔʀityʀ] *f* Schnörkel *m; sans ~s* ohne Umschweife

firent [fiʀ] *passé simple de* **faire**

firmament [fiʀmamɑ̃] *m* Firmament *nt*

firme [fiʀm] *f* Firma *f*

fis [fi] *passé simple de* **faire**

fisc [fisk] *m* Fiskus *m*

fiscal, e [fiskal, o] <-aux> *adj* Steuer-

fiscalité [fiskalite] *f* Steuerwesen *nt*

fission [fisjɔ̃] *f* Spaltung *f*

fissure [fisyʀ] *f* **1.** *d'un mur, d'un sol* Riss *m; d'un vase* Sprung *m* **2.** *fig* Bruch *m*

fissurer [fisyʀe] <1> **I.** *vt éclair:* Risse verursachen in (+ *dat*) **II.** *vpr* **se ~** rissig werden

fiston [fistɔ̃] *m fam* Sohnemann *m*

fistule [fistyl] *f* Fistel *f*

fit [fi] *passé simple de* **faire**

fîtes [fit] *passé simple de* **faire**

fixateur [fiksatœʀ] *m* PHOT Fixiermittel *nt*

fixation [fiksasjɔ̃] *f* **1.** (*pose*) Befestigung *f; des nomades* Sesshaftwerden *nt* **2.** (*détermination*) Festsetzung *f* **3.** (*obsession*) Fixierung *f;* **faire une ~ sur qn/qc** auf jdn/etw fixiert sein; **tourner à la ~** zur fixen Idee werden **4.** (*dispositif*) Befestigungsvorrichtung *f;* **~ de sécurité** Sicherheitsbindung *f*

fixe [fiks] **I.** *adj* **1.** fest; *point* Fix- **2.** *regard* starr **3.** *idée* fix **4.** *revenu, prix* fest **II.** *m* festes Gehalt **III.** *interj* **~!** stillgestanden!

fixé, e [fikse] *adj* **1.** PSYCH *personne* fixiert **2.** (*renseigné*) **être ~ sur le compte de qn** wissen, was man von jdm zu halten hat **3.** (*décidé*) **ne pas encore être ~** noch nicht so recht wissen

fixement [fiksəmɑ̃] *adv* **regarder qn/qc ~** jdn/etw anstarren

fixer [fikse] <1> **I.** *vt* **1.** *personne:* befestigen **2.** (*retenir*) ansiedeln *population* **3.** (*regarder*) **~ qn/qc** *personne:* auf jdn/etw starren; *regard:* auf jdn/etw starr gerichtet sein **4.** (*arrêter*) **~ son attention sur qc** seine Aufmerksamkeit auf etw (*akk*) rich-

ten **5.** (*définir*) festlegen *règle, conditions;* stecken *limites* **6.** (*renseigner*) ~ **le collège sur une date** den Kollegen von einem Termin in Kenntnis setzen **7.** (*conserver*) festhalten *image, souvenir* **8.** CHIM, PHOT fixieren **9.** (*arranger*) ausmachen *rendezvous, délai* **II.** *vpr* **1.** se ~ **au mur** an der Wand befestigt werden **2.** (*se déposer*) se ~ sich ablagern **3.** (*s'établir*) se ~ **à Paris** sich in Paris niederlassen **4.** (*se poser*) se ~ **sur qn/qc** *attention:* sich auf jdn/etw richten; *choix:* auf jdn/etw fallen **5.** (*se définir*) se ~ **un but** sich (*dat*) ein Ziel setzen

fixité [fiksite] *f* Unbeweglichkeit *f*

fjord [fjɔʀd] *m v.* **fiord**

flac [flak] *interj* platsch

flacon [flakɔ̃] *m* Fläschchen *nt; de parfum* Flakon *m*

flagada [flagada] *adj inv, fam* **être** ~ fix und fertig sein

flagellation [flaʒelasjɔ̃, flaʒɛllasjɔ̃] *f* Geißelung *f*

flageller [flaʒele] <1> **I.** *vt* geißeln **II.** *vpr* se ~ sich geißeln

flageoler [flaʒɔle] <1> *vi* wanken; *jambes:* zittern

flageolet [flaʒɔlɛ] *m* MUS Flageolett *nt*

flagrant, e [flagʀɑ̃, ɑ̃t] *adj* offenkundig; *injustice* himmelschreiend

flair [flɛʀ] *m du chien* Geruchssinn *m* ▸ **avoir du** ~ *animal, personne:* eine feine Nase haben; **manquer de** ~ keinen guten Riecher haben (*fam*)

flairer [fleʀe] <1> *vt* **1.** (*renifler*) beschnuppern **2.** (*sentir*) *animal:* wittern **3.** (*pressentir*) *animal, personne:* wittern

flamand [flamɑ̃] *m* Flämisch *nt; v. a.* **allemand**

flamand, e [flamɑ̃, ɑ̃d] *adj* flämisch

Flamand, e [flamɑ̃, ɑ̃d] *m, f* Flame/Flämin *m/f*

flamant [flamɑ̃] *m* Flamingo *m*

flambé, e [flɑ̃be] *adj* **1.** GASTR flambiert **2.** *fam* (*fichu*) **être** ~ *personne:* erledigt sein; *affaire:* gegessen sein

flambeau [flɑ̃bo] <x> *m* Fackel *f*

flambée [flɑ̃be] *f* **1.** (*feu*) [hell] loderndes Feuer *nt* **2.** *de violence* Aufflammen *nt; du dollar* plötzlicher Anstieg; ~ **de colère** Wutausbruch *m;* ~ **de terrorisme** Terrorwelle *f*

flamber [flɑ̃be] <1> **I.** *vi* brennen; *maison:* lichterloh brennen **II.** *vt* **1.** (*pour éliminer qc*) absengen **2.** GASTR flambieren

flamboyant [flɑ̃bwajɑ̃] *m* BOT Flammenbaum *m*

flamboyant, e [flɑ̃bwajɑ̃, jɑ̃t] *adj* **1.** *incendie* lodernd; *couleur* leuchtend; *soleil* glühend; *chrome* funkelnd; *source de lumiè*re hell leuchtend **2.** ART spätgotisch

flamboyer [flɑ̃bwaje] <6> *vi* [auf]lodern; *soleil:* glühen; *couleur:* leuchten; *source de lumière:* hell leuchten; *chrome:* funkeln

flamenco [flamɛnko] **I.** *m* Flamenco *m* **II.** *adj* Flamenco-

flamme [flam] *f* **1.** Flamme *f* **2.** *pl* (*brasier*) Feuer *nt;* **être en** ~s in Flammen stehen **3.** *des yeux* Feuer *nt* **4.** (*pavillon*) Wimpel *m* **5.** POST Werbestempelaufdruck *m* **6.** (*ampoule*) Kerzenbirne *f* ▸ **descendre qn/qc en** ~s jdn/etw niedermachen; **ça va péter des** ~s *fam* da wird die Hölle los sein

flammé, e [flame] *adj* geflammt

flammèche [flamɛʃ] *f* brennendes Teilchen

flan [flɑ̃] *m* **1.** (*préparé au four*) Flan *m* **2.** (*crème*) Pudding *m*

flanc [flɑ̃] *m* **1.** *du corps, d'un navire* Seite *f; d'une montagne* Hang *m* **2.** MIL Flanke *f* ▸ **être sur le** ~ *fam* flachliegen; **mettre qn sur le** ~ *fam* jdn fertig machen; **tirer au** ~ *fam* sich drücken

flancher [flɑ̃ʃe] <1> *vi fam personne:* kneifen; *cœur, mémoire:* nicht mehr mitmachen

Flandre [flɑ̃dʀ] *f* **la** ~/**les** ~s Flandern *nt*

flanelle [flanɛl] *f* Flanell *m*

flâner [flɑne] <1> *vi* **1.** (*se promener*) bummeln, schlendern **2.** (*musarder*) herumtrödeln

flânerie [flɑnʀi] *f* **1.** (*promenade*) Umherschlendern *nt* **2.** (*musardise*) Herumtrödeln *nt; (au lit)* Herumliegen *nt*

flaneur, -euse [flanœʀ, -øz] **I.** *adj* bumm[e]lig **II.** *m, f* Müßiggänger *m*

flanquer [flɑ̃ke] <1> **I.** *vt fam* **1.** schmeißen *chose;* schubsen *personne;* ~ **qn à la porte/dehors** jdn rausschmeißen **2.** (*mettre*) ~ **qn au pensionnat** jdn ins Heim stecken **3.** (*donner*) ~ **une gifle à qn** jdm eine runterhauen; ~ **la frousse à qn** jdm eine Heidenangst einjagen **II.** *vpr fam* **1.** se ~ **des gifles** sich (*dat*) Ohrfeigen verpassen **2.** (*se mettre*) se ~ **dans une situation délicate** sich (*akk*) in eine heikle Lage bringen **3.** (*tomber*) se ~ **par terre** hinfliegen

flapi, e [flapi] *adj fam* hundemüde

flaque [flak] *f* Pfütze *f; de sang* Lache *f*

flash [flaʃ] <es> *m* **1.** (*appareil*) Blitz *m;* (*éclair*) Blitz[licht *nt*] *m* **2.** RADIO, TV Kurznachricht *f* **3.** CINE Flash *m;* ~ **d'information,** ~ **info** Kurznachrichten *Pl*

flash-back [flaʃbak] *m inv* Rückblende *f*

flasher [flaʃe] <1> *vi fam* ~ **sur qn/qc** sich auf den ersten Blick für jdn/etw begeistern

flasque [flask] **I.** *adj* schlaff **II.** *f* Flach-

mann *m* (*fam*) **III.** *m* [Metall]scheibe *f; de mécanique* Backe *f*

flatter [flate] <1> **I.** *vt* **1.** ~ qn/la vanité de qn jdm/jds Eitelkeit schmeicheln; être flatté de qc sich durch etw geschmeichelt fühlen **2.** (*caresser*) streicheln *animal* **3.** (*être agréable à*) verwöhnen *palais* **II.** *vpr* **1.** se ~ de qc sich einer S. (*gen*) rühmen **2.** (*aimer à croire*) se ~ de faire qc sich (*dat*) einbilden etw zu tun

flatterie [flatʀi] *f* Schmeichelei *f*

flatteur, -euse [flatœʀ, -øz] **I.** *adj* schmeichelhaft **II.** *m, f* Schmeichler(in) *m(f)*

fléau [fleo] <x> *m* **1.** (*calamité*) Plage *f* **2.** (*partie d'une balance*) Waagebalken *m* **3.** AGR Dreschflegel *m*

fléchage [fleʃaʒ] *m* (*résultat*) Pfeilmarkierung *f*

flèche¹ [flɛʃ] *f* **1.** (*arc*) Pfeil *m* **2.** (*signe d'orientation*) Pfeil *m* **3.** (*critique acerbe*) spitze Bemerkung **4.** (*toit pointu*) [Turm]spitze *f* **5.** *d'une charrue* Balken *m; d'une grue* [Dreh]arm *m; d'un cargo* Ladebaum *m* **6.** GEOM Pfeil *m* **7.** PHYS *d'une trajectoire* Scheitelpunkt *m* ►c'est une sacrée ~! er/sie ist von der schnellen Sorte; en ~ blitzschnell

flèche² [flɛʃ] *f* ~s de lard Speckseite *f*

flécher [fleʃe] <5> *vt* mit Pfeilen markieren

fléchette [fleʃɛt] *f* **1.** (*petite flèche*) kleiner Pfeil **2.** *pl* (*jeu*) Darts *nt*

fléchir [fleʃiʀ] <8> **I.** *vt* **1.** (*plier*) beugen *bras, genoux* **2.** (*faire céder*) erweichen *personne* **II.** *vi* **1.** (*se plier*) sich beugen, sich krümmen **2.** (*diminuer*) nachlassen; *exigences:* geringer werden; *sévérité:* milder werden; *volonté:* schwächer werden; *prix, cours:* fallen **3.** (*céder*) schwach werden, sich erweichen lassen

fléchissement [fleʃismã] *m* **1.** *du bras, de la jambe* Beugen *nt; d'une poutre, planche* [Durch]biegen *nt* **2.** *de la production, natalité* Rückgang *m; des prix* Sinken *nt* **3.** *de la volonté* Nachlassen *nt*

flegmatique [flɛgmatik] **I.** *adj comportement* gelassen; *personne* phlegmatisch **II.** *mf* gelassener Mensch

flegme [flɛgm] *m* **1.** (*placidité*) Gelassenheit *f* **2.** (*lourdeur*) Phlegma *nt*

flemmard, e [flemaʀ, aʀd] **I.** *adj fam* faul **II.** *m, f fam* Faulpelz *m*

flemme [flɛm] *f fam* Faulheit *f;* avoir la ~ de faire la vaisselle zu faul zum Abwaschen sein

flétri, e [fletʀi] *adj plante* welk; *fleur* verwelkt

flétrir [fletʀiʀ] <8> **I.** *vt* **1.** [ver]welken lassen *fleur* **2.** (*rider*) welk werden lassen *visa-*

ge **3.** HIST brandmarken **II.** *vpr* se ~ **1.** *plante, fleur:* verwelken **2.** (*se rider*) *visage:* welk werden

flétrissement [fletʀismã] *m* BOT Welken *nt*

flétrissure [fletʀisyʀ] *f d'une feuille, plante* Verwelktsein *nt*

fleur [flœʀ] *f* **1.** Blume *f* **2.** (*partie d'une plante*) Blüte *f;* en ~[s] blühend **3.** (*objet, motif, dessin décoratif*) Blume *f;* à ~s *chapeau* blumengeschmückt; *tissu, papier* geblümt **4.** (*partie du cuir*) Haarseite *f* **5.** *gén pl* BIO *de vin* Schimmelüberzug *m; ~* de sel oberste Kristallschicht bei der Salzgewinnung **6.** (*compliment*) jeter des ~s à qn *fam* jdm Komplimente machen **7.** *sans pl, soutenu* (*ce qu'il y a de meilleur*) la [fine] ~ de la ville die Oberschicht der Stadt ►à [*o* dans] la ~ de l'âge in der Blüte seiner/ihrer Jahre; la ~ au fusil mit wehenden Fahnen; être belle/fraîche comme une ~ schön/frisch wie der junge Morgen sein; ~ bleue sentimental; à ~ d'eau auf Höhe der Wasseroberfläche; sensibilité à ~ de peau Überempfindlichkeit *f;* arriver [*o* s'amener] comme une ~ *fam* einfach so mittendrin aufkreuzen; faire qc comme une ~ *fam* etw spielend tun

fleuret [flœʀɛ] *m* Florett *nt*

fleurette [flœʀɛt] ►conter ~ à une femme *hum* in Gegenwart einer Frau Süßholz raspeln (*fam*)

fleuri, e [flœʀi] *adj* **1.** (*en fleurs*) blühend **2.** (*couvert, garni de fleurs*) blütenbedeckt; *balcon* blumengeschmückt **3.** (*avec des motifs floraux*) geblümt **4.** *teint* rosig **5.** (*qui sent les fleurs*) blumig **6.** *style* blumenverziert

fleurir [flœʀiʀ] <8> **I.** *vi* **1.** (*mettre des fleurs*) blühen **2.** (*s'épanouir*) *amitié:* aufblühen **3.** *hum* (*se couvrir de poils*) leichten Flaum bekommen **II.** *vt* (*orner, décorer*) [mit Blumen] schmücken *table, tombe; ~* sa boutonnière d'un œillet sich (*dat*) eine Nelke ins Knopfloch stecken

fleuriste [flœʀist] *mf* **1.** (*vendeur*) Blumenhändler(in) *m(f)* **2.** (*qui prépare les bouquets*) Florist(in) *m(f)*

fleuron [flœʀɔ̃] *m* **1.** ART *d'une couronne* stilisierte Blume; *de ferronnerie* Eisenzacke *f* **2.** BOT [Einzel]blüte *f* ►être le [plus beau] ~ d'une collection das Schmuckstück einer Sammlung sein

fleuve [flœv] *m* **1.** Fluss *m; (très grand)* Strom *m; ~* côtier *Fluss, der ins Meer mündet* **2.** (*flot*) ~ de lave/de boue Lavastrom *m*/Schlammlawine *f; ~* de paroles Redeschwall *m; ~* de larmes Bäche *Pl* von Tränen

flexibilité [flɛksibilite] *f* 1.(*souplesse*) Biegsamkeit *f* 2.(*adaptabilité*) Flexibilität *f*
flexible [flɛksibl] I. *adj* 1.(*souple*) biegsam 2.(*adaptable*) flexibel II. *m d'un aspirateur, d'une douche* Schlauch *m; d'une machine, d'un moteur* Welle *f*
flexion [flɛksjɔ̃] *f* 1.(*mouvement corporel*) Beugen *nt;* ~ **du genou** Kniebeuge *f* 2. LING Flexion *f* 3. PHYS Biegung *f; d'un ressort* Federung *f*
flibustier [flibystje] *m* Freibeuter(in) *m(f)*
flic [flik] *m fam* Polizist *m*
flicaille [flikɑj] *f péj fam* Bullen *Pl*
flic flac [**floc**] [flikflak(flɔk)] pitsch, patsch
flingue [flɛ̃g] *m fam* Knarre *f*
flinguer [flɛ̃ge] <1> I. *vt fam* 1.(*tuer*) abknallen 2.(*critiquer*) runtermachen II. *vpr fam* **se** ~ sich (*dat*) eine Kugel in den Kopf jagen
flipper[1] [flipœʀ] *m* Flipper *m*
flipper[2] [flipe] <1> *vi fam* 1.(*être angoissé*) eine Mordsangst haben 2.(*être excité*) ausflippen
flique [flik] *adj* **ça fait** ~ *fam* das geht einem/mir/ihm/… auf den Zeiger
flirt [flœʀt] *m* 1.(*amourette*) Flirt *m* 2.(*petite histoire d'amour*) kurze Romanze 3.(*personne*) Schwarm *m* (*fam*)
flirter [flœʀte] <1> *vi* flirten
floc [flɔk] ▶**faire** ~ [~] *caillou qui tombe dans l'eau:* plumps machen; *bottes qui ont pris l'eau:* platsch machen
flocon [flɔkɔ̃] *m* 1. *de neige* Flocke *f* 2. *de coton, bourre* Flocke *f; soutenu de brume, fumée* Schwaden *Pl* 3. GASTR Flocke *f;* ~**s de maïs** Cornflakes *Pl*
floconneux, -euse [flɔkɔnø, øz] *adj* flockig
flonflons [flɔ̃flɔ̃] *mpl fam* Klänge *Pl*
flop [flɔp] **faire** ~ platsch machen (*fam*)
flopée [flɔpe] *f fam de gamins* Haufen *m; de badauds* Menge *f; de touristes* Masse *f*
floraison [flɔʀɛzɔ̃] *f* 1.Blüte *f;* **avoir plusieurs** ~**s** mehrmals blühen 2.(*fleurs*) Blütenpracht *f* 3.(*époque*) Blüte[zeit *f*] *f* 4.(*épanouissement*) Blütezeit *f; de talents* Aufblühen *nt*
floral, e [flɔʀal, o] <-aux> *adj* 1.(*avec des fleurs*) Blumen- 2.(*de la fleur*) Blüten-
floralies [flɔʀali] *f pl* Blumenschau *f*
flore [flɔʀ] *f* Flora *f*
florifère [flɔʀifɛʀ] *adj* blütenreich
florilège [flɔʀilɛʒ] *m* Auswahl *f*
florin [flɔʀɛ̃] *m* Gulden *m*
florissait [flɔʀisɛ] *imparf de* **fleurir**
florissant, e [flɔʀisɑ̃, ɑ̃t] *adj* 1.(*prospère*) blühend 2. *santé* blühend; *teint* rosig
flot [flo] *m* 1.Flut *f* 2. *soutenu d'images, de souvenirs* Fülle *f; de personnes* Scharen *Pl;*

de larmes, de sang Bäche *Pl; de joie* Woge *f;* ~ **de paroles** Wortschwall *m;* **couler à** ~**s** in Strömen fließen; **entrer à** ~**s** *lumière:* hereinfluten 3. *sans pl* (*marée montante*) Flut *f* ▶**un** ~ **de** <u>sang</u> **monte au visage de qn** die Röte steigt jdm ins Gesicht; **être à** ~ *bateau:* flott sein; *personne:* (*avoir suffisamment d'argent*) flüssig sein; (*être à jour dans son travail*) fertig sein; **se maintenir/se remettre à** ~ sich (*akk*) über Wasser halten; **mettre/remettre qc à** ~ etw wieder auf die Beine bringen
flottage [flɔtaʒ] *m* Flößen *nt*
flottaison [flɔtɛzɔ̃] *f* **ligne de** ~ Wasserlinie *f*
flottant, e [flɔtɑ̃, ɑ̃t] *adj* 1.[auf dem Wasser] schwimmend; *glace, bois* Treib- 2.(*dans l'air*) flatternd; *crinière* wehend; *chevelure* fliegend; **brume** ~**e** Nebelschwaden *Pl* 3.(*instable*) schwankend 4. FIN *monnaie* fluktuierend; *dette* schwebend
flotte[1] [flɔt] *f* 1. MIL, ECON Flotte *f* 2.(*ensemble des avions civils*) ~ **aérienne** Luftflotte *f*
flotte[2] [flɔt] *f fam* 1.(*eau*) Wasser *nt* 2.(*pluie*) Regen *m*
flottement [flɔtmɑ̃] *m* 1. *d'un drapeau* Flattern *nt* 2.(*hésitation*) Schwanken *nt*
flotter [flɔte] <1> I. *vi* 1.(*être porté sur un liquide*) schwimmen 2.(*être en suspension dans l'air*) brouillard: hängen; *parfum:* schweben 3.(*onduler*) flattern 4.(*être ample*) **sa jupe flotte autour d'elle** der Rock ist [ihr] [viel] zu weit 5.(*hésiter*) zögern II. *vi impers, fam* (*pleuvoir*) schütten III. *vt* flößen *bois*
flotteur [flɔtœʀ] *m* TECH Schwimmer *m*
flou [flu] I. *m* 1.Verschwommenheit *f* 2. CINE, PHOT ~ **artistique** weiche Manier; *iron* gewollte Unklarheit 3. *d'une coiffure, d'une mode* weiche fließende Linie 4. *d'une pensée* Unbestimmtheit *f; d'une argumentation* Unklarheit *f* II. *adv* verschwommen
flou, e [flu] *adj* 1.verschwommen; *photo* unscharf 2. *vêtement, coiffure* locker 3. *idée, pensée* vage; *relation* in der Schwebe; *rôle* nicht genau definiert
flouer [flue] <1> *vt fam* reinlegen
fluctuation [flyktɥasjɔ̃] *f* 1. *gén pl* Fluktuation *f; de l'opinion* Schwanken *nt kein Pl* 2. FIN Streuung *f*
fluctuer [flyktɥe] <1> *vi* schwanken
fluet, te [flyɛ, ɛt] *adj* 1.(*frêle*) dünn; *enfant* zart 2. *voix* zart
fluide [flyid, flɥid] I. *adj* 1.(*qui s'écoule facilement*) flüssig 2.(*ample*) fließend 3.(*difficile à saisir*) flüchtig II. *m* 1. CHIM Flüssigkeit *f;* **mécanique des** ~**s** Strö-

mungslehre *f* **2.**(*force occulte*) Fluidum *nt;* **avoir un ~ magnétique** magnetische Kräfte besitzen

fluidifier [flɥidifje] <1> *vt* verflüssigen

fluidité [flɥidite] *f* **1.** *du sang* Dünnflüssigkeit *f; d'un style* Flüssigkeit *f; d'une pensée* Flüchtigkeit *f;* ~ **du trafic** Verkehrsfluss *m* **2.** ECON *d'un marché* Lebhaftigkeit *f*

fluo [flyɔ] *adj sans pl abr de* **fluorescent**

fluor [flyɔR] *m* Fluor *nt*

fluoré, e [flyɔRe] *adj* mit Fluor angereichert

fluorescence [flyɔResɑ̃s] *f* Fluoreszenz *f*

fluorescent, e [flyɔResɑ̃, ɑ̃t] *adj* fluoreszierend; *couleur* leuchtend; **tube ~** Neonröhre *f*

flûte [flyt] **I.** *f* **1.**(*instrument*) Flöte *f* **2.**(*pain*) Stangenbrot *nt* **3.**(*verre*) Flöte *f* **II.** *interj fam* verflixt

flûté, e [flyte] *adj* hell

flûtiste [flytist] *mf* Flötist(in) *m(f)*

fluvial, e [flyvjal, jo] <-aux> *adj* Fluss-; *port* Binnen-; *transport* auf Binnenwasserstraßen

flux [fly] *m* **1.** Flut *f;* **le ~ et le reflux** (*marée*) Ebbe *f* und Flut *f;* (*alternance*) Auf *nt* und Ab *nt* **2.**(*écoulement*) ~ **de sang** Blutung *f* **3.**(*action de couler*) Fluss *m*

fluxion [flyksjɔ̃] *f des gencives, de poitrine* Entzündung *f*

FM [ɛfɛm] *f abr de* **Frequency Modulation** Frequenzmodulation *f*

FMI [ɛfɛmi] *m abr de* **Fonds monétaire international** IWF *m*

foc [fɔk] *m* Fock *f*

focal, e [fɔkal, o] <-aux> *adj distance,* *plan* Brenn-

focale [fɔkal] *f* Brennweite *f*

focaliser [fɔkalize] <1> **I.** *vt* **1.** PHYS fokussieren **2.**(*concentrer*) ~ **son attention sur qn/qc** sein Augenmerk auf jdn/etw richten **II.** *vpr* **1.** PHYS **se ~** sich bündeln **2.**(*se concentrer*) **se ~ sur qn/qc** sich auf jdn/etw konzentrieren

fœtal, e [fetal, o] <-aux> *adj* des Fötus; *position* Embryonal-

fœtus [fetys] *m* Fötus *m*

fofolle [fɔfɔl] *adj v.* **foufou**

foi [fwa] *f* **1.**(*croyance*) ~ **en qn** Glaube[n] *m* an jdn; **avoir la ~** gläubig sein; **il n'y a que la ~ qui sauve** *iron* wer's glaubt, wird selig **2.**(*confiance*) **avoir ~ dans** [*o* **en**] **qn/qc** *soutenu* Vertrauen *nt* zu jdm/in etw (*akk*) haben; **avoir ~ en l'avenir** an die Zukunft glauben; **accorder** [*o* **ajouter**] [*o* **prêter**] ~ **à qn/qc** jdm/einer S. (*dat*) Glauben schenken ▶**la ~ du charbonnier** die Leichtgläubigkeit; **sous la ~ du serment** unter Eid; **être de bonne/mauvai-**

se ~ aufrichtig/unaufrichtig sein; JUR gutgläubig/böswillig sein; **avoir la ~** (*croire en ce qu'on fait*) mit Überzeugung bei der Sache sein; **faire ~** maßgebend sein; **ma ~** na ja; **ma ~ oui/non** aber ja/nein; **c'est ma ~ vrai** da haben Sie Recht

foie [fwa] *m* **1.** Leber *f;* **avoir mal au ~** eine Magenverstimmung haben **2.** GASTR ~ **gras** Leberpastete *f* ▶**avoir les ~s** *fam* [Wahnsinns]schiss haben

foin [fwɛ̃] *m* **1.** *sans pl* Heu *nt* **2.**(*herbe sur pied*) Wiesengras *nt* ▶**être bête à manger du ~** *fam* dumm wie Bohnenstroh sein; **faire du ~** [*o* **un de ces ~s**] [*o* **un ~ de tous les diables**] *fam* einen Heidenkrach machen

foire [fwaR] *f* **1.**(*grand marché*) [Waren]markt *m* **2.**(*exposition commerciale*) [Waren]messe *f* **3.**(*fête foraine*) Jahrmarkt *m;* ~ **du Trône** *ein traditioneller Pariser Jahrmarkt* **4.** *fam* (*endroit bruyant*) Rummel *m* ▶**faire la ~** *fam* durchfeiern

foirer [fwaRe] <1> *vi* **1.** *fam* (*rater*) schief gehen **2.** *fam* (*être défectueux*) *écrou, vis:* nicht greifen; *obus, fusée:* nicht losgehen

foireux, -euse [fwaRø, -øz] **I.** *adj fam* feige **II.** *m, f fam* Hosenscheißer(in) *m(f)*

fois [fwa] *f* **1.** **une ~** einmal/ein Mal; **une ~ par an** [*o* **l'an**] einmal im Jahr; **de cinq ~** um das Fünffache; **d'autres/les autres ~** sonst; [**à**] **chaque ~** jedesmal; **à chaque ~ que** jedes Mal wenn; **c'est la dernière ~** das ist das letzte Mal; **en plusieurs ~** in mehreren Etappen; **tant de ~** so oft; **il était une ~ ...** es war einmal ...; **pour la première ~** zum ersten Mal; **pour une ~** ausnahmsweise; **trente-six ~** x-mal; **une dernière ~** ein letztes Mal **2.** *dans un comparatif* **deux ~ plus/moins vieux que qn/qc** doppelt/halb so alt wie jd/ etw; **cinq ~ plus élevé que** um das Fünffache höher als; **exiger cinq ~ le prix** den fünffachen Preis verlangen; **cinq ~ plus d'argent/de personnes** fünfmal so viel Geld/so viel Personen **3.**(*comme multiplicateur*) **9 ~ 3 font 27** 9 mal 3 ist 27; **une ~ et demie plus grand** anderthalbmal so groß ▶**s'y prendre** [*o* **reprendre**] **à deux ~** es nicht in einem Zug schaffen; **plutôt deux ~ qu'une** herzlich gern[e]; **neuf ~ sur dix** fast immer; **c'est trois ~ rien** das ist nicht der Rede wert; **un** [**seul**] **enfant/ bateau à la ~** ein Kind/Schiff nach dem anderen; [**tout**] **à la ~** gleichzeitig; **des ~** *fam* ab und zu; **des ~ qu'il viendrait!** *fam* für den Fall, dass er doch noch kommt!; **non mais des ~!** *fam* jetzt reicht es aber!; **une ~, deux ~, trois ~** (*dans une vente aux enchères*) zum Ersten, zum Zweiten,

zum Dritten; (*pour menacer*) [ich zähle bis drei:] eins, zwei, drei; **une ~** [qu'il fut] **parti, ...** als er schließlich weg war, ...; **une ~ que tu auras lavé la vaisselle** sobald du den Abwasch gemacht hast; **une ~ propre, la table peut être repeinte** wenn der Tisch [erst einmal] sauber ist, kann er neu gestrichen werden

foison [fwazɔ̃] ▸**à ~** in Hülle und Fülle

foisonnement [fwazɔnmɑ̃] *m* Fülle *f*

foisonner [fwazɔne] <1> *vi* reichlich vorhanden sein

fol [fɔl] *adj* v. **fou**

folâtre [fɔlɑtʀ] *adj* ausgelassen

folâtrer [fɔlɑtʀe] <1> *vi* sich tummeln

folichon, ne [fɔliʃɔ̃, ɔn] *adj fam* **ne pas être ~** nicht gerade umwerfend sein

folie [fɔli] *f* **1.** (*démence*) Wahnsinn *m* **2.** (*déraison*) Verrücktheit *f* **3.** (*passion*) ~ **de qc** Manie *f* für etw; **avoir la ~ de qc** verrückt nach etw (*dat*) sein; **aimer qn/qc à la ~** jdn/etw wahnsinnig lieben **4.** (*conduite, paroles*) Torheit *f*; ~ **des grandeurs** Größenwahn *m*; **faire une ~/des ~s** (*faire une dépense excessive*) unsinnig viel Geld ausgeben; (*se conduire mal*) aus der Rolle fallen **5.** HIST Lustschloss *nt*

folié, e [fɔlje] *adj* aus mehreren Schichten bestehend

folio [fɔljo] *m* TYP **1.** (*feuillet*) Folio[blatt *nt*] *nt* **2.** (*numéro*) Seitenzahl *f*

foliole [fɔljɔl] *f* [Einzel]blatt *nt*

folklo [fɔlklo] *adj inv, fam abr de* **folklorique**

folklore [fɔlklɔʀ] *m* **1.** (*tradition populaire*) Folklore *f* **2.** (*cérémonial*) Sitten und Gebräuche *Pl* **3.** *péj* (*cinéma*) [Affen]theater *nt*

folklorique [fɔlklɔʀik] *adj* **1.** *chant* folkloristisch; *danse, groupe* Folklore- **2.** *péj fam* (*farfelu*) ein bisschen komisch

folle [fɔl] **I.** *adj* v. **fou II.** *f péj fam* (*homosexuel*) Tunte *f*

follement [fɔlmɑ̃] *adv* wahnsinnig (*fam*); *amoureux* unsterblich; *comique* irrsinnig

foncé, e [fɔ̃se] *adj* dunkel; *bleu, rouge* dunkel-

foncer [fɔ̃se] <2> **I.** *vt* **1.** (*rendre plus foncé*) dunkler machen **2.** (*creuser*) graben; ausschachten *puits* **3.** GASTR den Boden auslegen **II.** *vi* **1.** ~ **sur qn/qc** auf jdn/etw losgehen **2.** *fam* (*aller très vite: en courant*) [los]wetzen; (*en agissant très vite*) fix machen **3.** (*devenir plus foncé*) dunkler werden

fonceur, -euse [fɔ̃sœʀ, -øz] *m, f* **1.** (*personne dynamique*) *fam* dynamische Person *f* **2.** (*audacieux*) Draufgänger(in) *m(f)*

(*fam*)

foncier, -ière [fɔ̃sje, -jɛʀ] *adj* **1.** Grund-; *revenus* aus Liegenschaften *Pl* **2.** *défaut* grundlegend; *erreur* gründlich; *problème* grundsätzlich; *qualité, gentillesse* angeboren

foncièrement [fɔ̃sjɛʀmɑ̃] *adv* von Grund auf

fonction [fɔ̃ksjɔ̃] *f* **1.** Funktion *f*; **qn a pour ~ de faire qc** jds Aufgabe ist es, etw zu tun; **faire ~ de qc** als etw dienen; **faire ~ de qn** jds Rolle übernehmen **2.** (*activité professionnelle*) Tätigkeit *f* **3.** (*charge*) Amt *nt*; **logement de ~** Dienstwohnung *f* **4.** BIO, LING, MATH, TECH, INFORM Funktion *f* **5.** CHIM Wirkung *f* ▸**la ~ publique** der öffentliche Dienst; **être ~ de qc** von etw abhängen; **en ~ de qc** einer S. (*dat*) entsprechend; **en ~ du temps** je nach Wetter[lage]

fonctionnaire [fɔ̃ksjɔnɛʀ] *mf* Beamte(r)/Beamtin *m/f*

fonctionnalité [fɔ̃ksjɔnalite] *f* **1.** *sans pl* Funktionalität *f* **2.** *gén pl* INFORM Funktionen *Pl*

fonctionnariser [fɔ̃ksjɔnaʀize] <1> *vt* **1.** (*assimiler aux fonctionnaires*) in den Staatsdienst übernehmen *entreprise, personne* **2.** (*bureaucratiser*) bürokratisieren *service, Etat*

fonctionnel, le [fɔ̃ksjɔnɛl] *adj* **1.** funktionsgerecht, funktionell **2.** MED, MATH Funktions-

fonctionnement [fɔ̃ksjɔnmɑ̃] *m* Funktionieren *nt*

fonctionner [fɔ̃ksjɔne] <1> *vi* funktionieren, laufen; *organe, administration:* arbeiten; ~ **à la bière** *fam* ohne Bier nicht über die Runden kommen

fond [fɔ̃] *m* **1.** *d'un récipient, tiroir* Boden *m*; *de la mer* Grund *m*; *d'un violon, d'une guitare* Resonanzboden *m*; *d'une vallée* Sohle *f*; **les ~s sous-marins** die Tiefsee **2.** *d'une pièce, d'un couloir* hinterer Teil; *d'une armoire* Rückwand *f*; **au ~ de qc** in der Tiefe von etw; **au ~ du sac** [ganz] unten in der Tasche; **au ~ du jardin** [ganz] am Ende des Gartens; **au [fin] ~ du monde/de qc** am Ende der Welt/im hintersten Winkel einer S. (*gen*); **au ~ de la cour** hinten im Hof *m* **3.** ANAT Innere(s) *nt*; **examiner le ~ de la gorge** in den Hals schauen **4.** THEAT *d'une estrade, scène* Hintergrund *m* **5.** *du cœur, de l'âme* Innere(s) *nt*; **avoir un bon ~** einen guten Kern haben; **regarder qn au ~ des yeux** jdm tief in die Augen schauen; **du ~ du cœur** von ganzem Herzen **6.** (*degré le plus bas*) ~ **de la misère** tiefstes Elend; **être au ~ de l'abîme**

am Boden zerstört sein **7.** *des choses* Wesentliche(s) *nt; d'un problème* Kern *m;* expliquez le ~ de votre pensée sagen Sie, was Sie wirklich denken; **aller au ~ des choses** den Dingen auf den Grund gehen **8.** (*opp: forme*) Inhalt *m* **9.** *de vin, d'apéritif* [kleiner] Schluck; *d'huile, de bouteille, verre* Rest *m* **10.** (*hauteur d'eau*) [Wasser]tiefe *f* **11.** (*pièce rapportée*) Boden *m* **12.** (*arrière-plan: sonore*) Hintergrund *m;* (*visuel*) Untergrund *m* **13.** GASTR Fond *m;* ~ **de tarte** Tortenboden *m* **14.** (*résistance*) Ausdauer *f;* (*course*) Langstreckenlauf *m;* **ski de ~** [Ski]langlauf *m* **15.** (*base*) ~ **de teint** Grundierung *f* ▶ **le ~ de l'air est frais** es weht ein kühles Lüftchen; **user ses ~s de culotte sur les** banc**s de l'école** die Schulbank drücken; **connaître qc comme le ~ de sa** poche etw wie seine Westentasche kennen; **faire** [*o* vider] **les ~s de** tiroir *fam* sein letztes Geld zusammenkratzen; avoi**r un ~ de qc** eine Spur von etw besitzen; **il y a un grand ~ de vérité dans tout ça** dahinter steckt viel Wahres; à ~ voll und ganz; *nettoyer, remanier* gründlich; *respirer* tief; *connaître* in- und auswendig; **à ~ la caisse** *fam* mit einem Affenzahn; **être** à ~ **de cale** *fam* pleite sein; **à ~ de train** im Eiltempo; **au** [*o* dans le] ~, ... *fam* im Grunde genommen ...; de ~ Haupt-; *article* Leit-; de ~ **en comble** von Grund aus; sur le ~ grundsätzlich

fondamental [fɔ̃damãtal] <-aux> *m* Grundton *m*

fondamental, e [fɔ̃damãtal, o] <-aux> *adj* **1.** grundlegend; *élément, propriété, loi* Grund-; *opération* Haupt- **2.** (*essentiel*) wesentlich **3.** SCI *recherche* Grundlagen- **4.** MUS *son, accord* Grund-; *fréquence* Haupt- **5.** LING **l'allemand ~** der deutsche Grundwortschatz

fondamentalement [fɔ̃damãtalmã] *adv* von Grund auf; *modifier* grundlegend; *opposé, faux* grund-

fondamentaliste [fɔ̃damãtalist] **I.** *adj* fundamentalistisch **II.** *mf* REL Fundamentalist(in) *m(f)*

fondant [fɔ̃dã] *m* **1.** weiches Bonbon **2.** (*glaçage*) Fondant *m o nt* **3.** TECH Schmelzsubstanz *f* **4.** METAL Zuschlag *m*

fondant, e [fɔ̃dã, ãt] *adj* **1.** (*qui fond*) schmelzend; **neige ~e** Pappschnee *m* **2.** *poire* saftig **3.** (*tendre*) zart

fondateur, -trice [fɔ̃datœr, -tris] *m, f* *d'une usine, ville* Gründer(in) *m(f); d'une théorie, science* Begründer(in) *m(f); d'une bourse, d'un prix* Stifter(in) *m(f); d'une œuvre* Initiator(in) *m(f)*

fondation [fɔ̃dasjɔ̃] *f* **1.** (*fait de fonder*)

Gründung *f* **2.** (*création par don ou legs*) Stiftung *f* **3.** (*établissement*) Stiftung *f* **4.** ARCHIT *d'un bâtiment pl* Fundament *nt*

fondé, e [fɔ̃de] *adj* **être bien ~** *crainte, critique:* berechtigt sein; *opinion:* fundiert sein; *confiance:* gerechtfertigt sein; *pressentiment:* nicht unbegründet sein; **être ~ à faire qc** allen Grund haben etw zu tun **II.** *m, f* **de pouvoir** Handlungsbevollmächtigte(r) *f(m)*

fondement [fɔ̃dmã] *m* **1.** *pl* Grundlagen *Pl* **2.** (*motif, raison*) Grundlage *f;* **ne reposer sur aucun ~** völlig unbegründet sein **3.** PHILOS Grundlage *f*

fonder [fɔ̃de] <1> **I.** *vt* **1.** gründen **2.** (*financer*) stiften *prix;* ins Leben rufen *dispensaire, institution* **3.** (*faire reposer*) ~ **une décision sur qc** eine Entscheidung mit etw begründen **II.** *vpr* **se ~ sur qc** *personne:* sich auf etw (*akk*) berufen; *attitude, raisonnement:* durch etw (*akk*) begründet sein

fonderie [fɔ̃dri] *f* **1.** (*usine*) [Metall]gießerei *f* **2.** (*fabrication*) [Metall]gießen *nt*

fondeur [fɔ̃dœr] *m* **1.** (*de profession*) [Metall]gießer(in) *m(f)* **2.** (*maître*) Meister(in) *m(f)* in einer [Metall]gießerei

fondeur, -euse [fɔ̃dœr, -øz] *m, f* (*au ski*) Langläufer(in) *m(f)*

fondre [fɔ̃dr] <14> **I.** *vi* **1.** schmelzen **2.** (*se dissoudre*) ~ **dans un liquide** zerfließen; ~ **sous la langue** auf der Zunge zergehen **3.** (*s'attendrir*) ~ **de pitié/en larmes** vor Mitleid (*dat*) vergehen/in Tränen ausbrechen **4.** *fam* (*maigrir*) ~ **de 10 kilos** 10 Kilo abspecken **5.** (*diminuer rapidement*) *argent, muscles:* dahinschwinden; (*diminuer partiellement*) [zusammen]schrumpfen; ~ **devant qc** *sentiment:* angesichts einer S. schwinden **6.** (*dissiper*) **faire ~ sa colère** seine Wut abflauen lassen **7.** (*se précipiter*) ~ **sur qn/qc** *oiseau, ennemi:* sich auf jdn/etw stürzen; ~ **sur qn** *fig ennuis:* auf jdn zukommen; *soucis:* jdn befallen; *malheurs:* über jdn hereinbrechen **II.** *vt* **1.** schmelzen; einschmelzen *bijoux, argenterie;* zerlassen *beurre* **2.** (*fabriquer*) gießen **3.** (*fusionner*) ~ **qc dans qc** etw mit etw vereinigen **4.** (*incorporer*) ~ **qc dans qc** etw in etw (*akk*) einfügen **III.** *vpr* **1.** se ~ **en qc** sich zu etw vereinigen **2.** (*former un tout avec*) **se ~ dans qc** in etw (*dat*) aufgehen **3.** (*disparaître*) **se ~ dans qc** in etw (*dat*) verschwinden; *appel:* in etw (*dat*) untergehen

fondrière [fɔ̃drijɛr] *f* (*trou plein d'eau*) [Wasser]loch *nt*

fonds [fɔ̃] *m* **1.** (*commerce*) Geschäft *nt* **2.** (*terrain*) Grundstück *nt* **3.** (*organisme*)

Fonds *m* **4.** (*capital*) Vermögen *nt;* ~ **de grève** Streikkasse *f;* ~ **publics** [*o* **d'État**] öffentliche Gelder *Pl;* ~ **de roulement** Umlaufvermögen *nt;* **gérer les** ~ die Gelder verwalten; **prêter qc à** ~ **perdu** etw ohne Aussicht auf Rückzahlung verleihen; **rentrer dans ses** ~ *fam* sein Geld zurückbekommen **5.** (*ressources*) Stoff *m; d'une langue* Wortschatz *m* **6.** *d'une bibliothèque* Bestand *m* **7.** (*qualités physiques ou intellectuelles*) Potenzial *nt*

fondu [fɔ̃dy] *m* CINE ~ **enchaîné** Überblendung *f*

fondu, e [fɔ̃dy] **I.** *part passé de* **fondre II.** *adj couleurs, tons* ineinander übergehend; *fromage* Schmelz-; **neige** ~**e** Schneeregen *m;* (*au sol*) Pappschnee *m*

fondue [fɔ̃dy] *f* Fondue *nt;* ~ **savoyarde** Käsefondue

fongicide [fɔ̃ʒisid] *m* Fungizid *nt*

font [fɔ̃] *indic prés de* **faire**

fontaine [fɔ̃tɛn] *f* **1.** (*construction*) [Spring]brunnen *m,* Dorfbrunnen *m* **2.** (*source*) Brunnen *m* **3.** (*creux dans la farine*) Mulde *f* ▶ **pleurer comme une** ~ *hum* wie ein Schlosshund heulen (*fam*)

fonte [fɔ̃t] *f* **1.** *d'un métal* Schmelzen *nt* **2.** (*fabrication*) Gießen *nt* **3.** (*métal*) Gusseisen *nt*

fonts [fɔ̃] *mpl* ~ **baptismaux** Taufstein *m*

foot [fut] *m sans pl abr de* **football** Fußball *m*

foot[ball] [fut(bol)] *m sans pl* Fußball *m*

footballeur, -euse [futbolœʀ, -øz] *m, f* Fußballspieler(in) *m(f)*

footing [futiŋ] *m* Joggen *nt;* **faire du/son** ~ joggen

for [fɔʀ] ▶ **en/dans mon/son** ~ **intérieur** in meinem/seinem/ihrem tiefsten Inneren

forage [fɔʀaʒ] *m* Bohrung *f*

forain, e [fɔʀɛ̃, ɛn] **I.** *adj attraction, baraque* Jahrmarkts-; *marchand* fliegend; **fête** ~**e** Jahrmarkt *m* **II.** *m, f* Schausteller(in) *m(f)*

forban [fɔʀbɑ̃] *m* **1.** (*pirate*) Seeräuber *m* **2.** *fam* (*escroc*) Halunke *m*

forçat [fɔʀsa] *m* **1.** zur Zwangsarbeit verurteilter Sträfling **2.** (*condamné aux galères*) Galeerensträfling *m* ▶ ~ **du travail** Arbeitstier *nt;* **travailler comme un** ~ wie ein Wilder schuften (*fam*)

force [fɔʀs] *f* **1.** *a.* PHYS Kraft *f* **2.** (*courage*) Kraft *f;* ~ **d'âme** Seelengröße *f* **3.** (*niveau intellectuel*) Geistesgabe *f* **4.** (*pouvoir*) Stärke *f;* ~ **de dissuasion** Abschreckungspotenzial *nt;* ~ **publique** öffentliche Gewalt; **employer la** ~ Gewalt anwenden; **l'union fait la** ~ Einigkeit macht stark **5.** *gén pl* (*ensemble de personnes*) Kräfte

Pl; ~ **électorale** Wählerpotenzial *nt* **6.** MIL ~ **de frappe** schlagwortartige Bezeichnung für die französische Atomstreitmacht; ~**s d'intervention** Einsatztruppen *Pl;* ~**s d'occupation** Besatzungsmacht *f;* ~**s de l'ordre** Polizei *f;* ~[**s**] **armée[s]/militaire[s]** Streitkräfte *Pl* **7.** *de l'habitude, de la loi* Macht *f; d'un argument, préjugé* Stärke *f;* **avoir/faire/prendre** ~ **de loi** Gesetzeskraft haben/bekommen; **avoir** ~ **exécutoire** rechtskräftig sein; **par la** ~ **des choses** zwangsläufig **8.** (*principe d'action*) Kraft *f; de la nature, du mal, des ténèbres* Kräfte *Pl* **9.** *d'un choc, coup* Wucht *f; du vent, d'un tremblement de terre* Stärke *f; d'une carte* Wert *m; d'un désir, d'une passion* Heftigkeit *f; d'un sentiment* Tiefe *f; de l'égoïsme, de la haine* Ausmaß *nt;* ~ **du son/bruit** Lautstärke *f;* **frapper avec** ~ heftig schlagen; **avec un vent de** ~ **7** bei Windstärke 7 **10.** TECH *d'un câble, mur, d'une barre* Stabilität *f* **11.** *d'un moteur* Leistungskraft *f; d'un médicament, poison* Wirkungskraft *f* **12.** *d'un style, terme* Ausdruckskraft *f;* **dans toute la** ~ **du terme** im wahrsten Sinne des Wortes **13.** CHIM Stärke *f* **14.** *sans pl* (*électricité*) [elektrischer] Strom ▶ **être dans la** ~ **de l'âge** in den besten Jahren sein; **avoir une** ~ **de cheval** *fam* Bärenkräfte haben; **c'est une** ~ **de la nature** er/sie steckt voller Vitalität; **être de** ~ **à faire qc** in der Lage sein etw zu tun; **à** ~ **de** mit der Zeit; **à** ~ **de pleurer** durch das viele Weinen; **faire qc avec** ~ etw mit Nachdruck tun; **faire qc de** ~ etw unter Zwang tun; **faire qc par** ~ etw gezwungenermaßen tun

forcé, e [fɔʀse] **I.** *part passé de* **forcer II.** *adj* **1.** *bain, mariage* unfreiwillig; *travail* Zwangs-; *atterrissage* Not-; **envoi** ~ nicht bestellte Ware **2.** *attitude* steif; *rire, sourire* gezwungen; *amabilité, gaieté* aufgesetzt **3.** *fam* (*inévitable*) zwangsläufig **4.** LITTER, ART *style, trait* unnatürlich; *comparaison, effet* erzwungen ▶ **c'était** ~! *fam* das war ja abzusehen!

forcément [fɔʀsemɑ̃] *adv* zwangsläufig; **pas** ~ nicht unbedingt; ~! na klar! (*fam*)

forcené, e [fɔʀsəne] **I.** *adj* **1.** (*très violent*) gewaltig **2.** (*démesuré*) wahnsinnig; *partisan* leidenschaftlich **II.** *m, f* Verrückte(r) *f(m);* **être un** ~ **du vélo** *fam* ein passionierter Radfahrer sein; **être un** ~ **du boulot** *fam* arbeitswütig sein

forceps [fɔʀsɛps] *m sans pl* Geburtszange *f*

forcer [fɔʀse] <2> **I.** *vt* **1.** (*obliger*) ~ **qn à faire qc** jdn zwingen etw zu tun **2.** (*tordre*) verbiegen **3.** (*enfoncer*) aufbrechen

coffre, porte, serrure; durchbrechen *barrage;* ~ **l'entrée de qc** sich (*dat*) Zugang zu etw verschaffen **4.** (*susciter*) hervorrufen *admiration, estime;* erregen *attention;* einflößen *respect;* wecken *sympathie, confiance* **5.** (*vouloir obtenir plus de qc*) zu Höchstleistungen antreiben *cheval;* auf Hochtouren bringen *moteur* **6.** (*vouloir infléchir*) manipulieren *conscience;* erzwingen *consentement, succès;* herausfordern *destin* **7.** (*intensifier*) heben *voix;* beschleunigen *pas* **8.** (*exagérer*) übermäßig aufrunden *dépense, note* **II.** *vi* **1.** sich überanstrengen **2.** (*agir avec force*) ~ **sur qc** etw mit Gewalt tun **3.** *fam* (*abuser*) ~ **sur les pâtisseries** es mit dem Gebäck übertreiben **4.** (*supporter un effort excessif*) *moteur:* zu stark beansprucht werden **III.** *vpr* **se** ~ **à faire qc** sich Mühe geben etw zu tun; **se** ~ **à qc** sich zu etw (*dat*) zwingen; **ne pas se** ~ **pour faire qc** sich nicht darum reißen etw zu tun (*fam*)

forcing [fɔʀsiŋ] *m sans pl* **1.** SPORT schneller Vorstoß **2.** *fam* (*déploiement d'énergie*) Kraftakt *m;* **faire le** ~ **pour obtenir qc** *fam* nicht locker lassen, bis man etw erreicht; **faire qc au** ~ etw unter Aufbietung aller Kräfte tun

forcir [fɔʀsiʀ] <8> *vi* **1.** (*devenir plus fort*) kräftiger werden **2.** (*grossir*) zunehmen

forer [fɔʀe] <1> *vt* **1.** (*faire un trou dans*) bohren *trou, puits* **2.** ausheben *excavation*

forestier, -ière [fɔʀɛstje, -jɛʀ] **I.** *adj* Wald- **II.** *m, f* Förster(in) *m(f)*

foret [fɔʀɛ] *m* Bohrer *m*

forêt [fɔʀɛ] *f* **1.** Wald *m* **2.** (*grande quantité*) Unmenge *f*

forêt-noire [fɔʀɛnwaʀ] <forêts-noires> *f* (*gâteau*) Schwarzwälder Kirschtorte *f*

Forêt-Noire [fɔʀɛnwaʀ] *f* GEOG **la** ~ der Schwarzwald

forfait [fɔʀfɛ] *m* **1.** (*prix fixé*) Pauschale *f* **2.** FIN Vorsteuersatz *m* **3.** SPORT **le** ~ **de neige** die Schneepauschale ▶**déclarer** ~ aussteigen

forfaitaire [fɔʀfɛtɛʀ] *adj indemnité* pauschal festgesetzt; *montant, prix* Pauschal-

forge [fɔʀʒ] *f* **1.** (*fourneau*) Schmiedeofen *m* **2.** (*atelier*) Schmiede *f* **3.** *pl* (*usine*) Hütte[nwerk *nt*] *f*

forger [fɔʀʒe] <2a> **I.** *vt* **1.** (*façonner*) schmieden **2.** (*inventer*) erfinden *excuse, prétexte* **II.** *vpr* **se** ~ **une réputation/un idéal** sich (*dat*) einen Namen machen/ein Ideal schaffen **2.** (*s'inventer*) **se** ~ **un prétexte** sich (*dat*) einen Vorwand ausdenken

forgeron [fɔʀʒəʀɔ̃] *m* Schmied *m*

formaliser [fɔʀmalize] <1> **I.** *vpr* **se** ~ **de**

qc Anstoß an etw (*dat*) nehmen **II.** *vt* formalisieren

formalisme [fɔʀmalism] *m péj* Überbetonung *f* der Form

formalité [fɔʀmalite] *f* **1.** ADMIN, JUR Formalität *f;* ~ **administrative** Verwaltungsformalität; **sans autre** ~ kurzerhand **2.** (*démarche de peu d'importance*) [reine] Formsache

format [fɔʀma] *m* Format *nt;* ~ **grand aigle/jésus/raisin** *französische Papierformate: 74 x 105/56 x 72/50 x 64 cm*

formatage [fɔʀmataʒ] *m* INFORM Formatierung *f*

formater [fɔʀmate] <1> *vt* INFORM formatieren

formateur, -trice [fɔʀmatœʀ, -tʀis] **I.** *adj* formend; *expérience, influence* für die Erziehung förderlich **II.** *m, f* Ausbilder(in) *m(f)*

formation [fɔʀmasjɔ̃] *f* **1.** *d'une équipe* Aufstellung *f* **2.** LING *d'un mot, du pluriel* Bildung *f* **3.** GEOM *d'un cercle, cylindre* Konstruktion *f* **4.** *du monde, des dunes* Entstehung *f; du capitalisme* Entwicklung *f; d'une couche* Bildung *f; d'un embryon* Entwicklung; *d'un os, d'un système nerveux* Herausbildung *f* **5.** (*apprentissage professionnel*) Ausbildung *f;* ~ **professionnelle** Berufsausbildung; ~ **continue** [*o* **permanente**] Weiterbildung *f* **6.** (*éducation morale et intellectuelle*) Bildung *f; du caractère, goût* Herausbildung *f* **7.** (*groupe de personnes*) Gruppe *f;* (*dans le domaine politique*) Gruppierung *f;* MIL Truppe *f;* SPORT Mannschaft *f* **8.** (*disposition*) Formation *f;* (*sur le champ de bataille*) Aufstellung *f* **9.** GEOL, BOT Formation *f* **10.** (*puberté*) Reifezeit *f*

forme [fɔʀm] *f* **1.** (*aspect extérieur*) Form *f;* **en** ~ **de croix/de cœur** kreuz-/herzförmig; **sous la** ~ **de qn/qc** in jds Gestalt/in der Gestalt einer S. (*gen*); **sous toutes ses** ~**s** in all seinen/ihren Erscheinungsformen **2.** (*silhouette*) Gestalt *f* **3.** *pl* (*galbe du corps*) Rundungen *f pl* **4.** (*variante*) Form *f* **5.** (*condition physique, intellectuelle*) Form *f,* Kondition *f* **6.** *pl* (*bienséance*) [Umgangs]formen *Pl* **7.** ART, LITTER, MUS [Ausdrucks]form *f* **8.** LING, JUR Form *f* ▶**sans autre** ~ **de procès** kurzerhand; **en bonne** [**et due**] ~ ordnungsgemäß; [**y**] **mettre les** ~**s** sich höflich ausdrücken; **prendre** ~ *projet:* Gestalt annehmen; **faire qc dans les** ~**s** etw ordnungsgemäß tun

formel, le [fɔʀmɛl] *adj* **1.** *déclaration, engagement* ausdrücklich; *refus* entschieden; *ordre* strikt; *preuve* eindeutig; **être** ~ **sur qc** sich in Bezug auf etw (*akk*) klar ausdrücken **2.** ART, LITTER, LING Form- **3.** (*de pure*

forme) formell **4.** PHILOS formal

formellement [fɔʀmɛlmɑ̃] *adv* **1.** (*expressément*) ausdrücklich **2.** (*concernant la forme*) formal

former [fɔʀme] <1> **I.** *vt* **1.** (*façonner*) formen **2.** (*créer, organiser*) gründen *association, parti;* bilden *coalition;* schmieden *complot* **3.** (*assembler des éléments*) bilden *équipes;* zusammenstellen *cortège;* zusammentragen *collection;* aufbauen *armée* **4.** (*concevoir*) entwickeln *idée, pensée;* entwerfen *projet;* äußern *vœu;* hegen *dessein* **5.** (*constituer*) bilden **6.** (*produire, donner*) herausbilden; hervorbringen *fleur* **7.** (*instruire*) ausbilden *personne; voyage, épreuve:* schulen; formen *caractère* **8.** (*prendre l'aspect, la forme de*) bilden *cercle;* machen *boucle* **II.** *vpr* **1.** se ~ sich bilden; *fruits:* wachsen; *images:* entstehen **2.** (*se disposer*) se ~ **en colonne** sich in Kolonnen aufstellen **3.** (*s'instruire*) **se** ~ sich bilden

formica® [fɔʀmika] *m* ≈ Resopal® *nt*

formidable [fɔʀmidabl] *adj* **1.** *fam* (*très bien*) toll, klasse, hervorragend, erstklassig **2.** (*hors du commun*) ungeheuer; *dépense, détonation* gewaltig; **c'est ~!** das ist ja irre!

formidablement [fɔʀmidabləmɑ̃] *adv* unheimlich

formol [fɔʀmɔl] *m* Formalin® *nt*

formulaire [fɔʀmylɛʀ] *m* **1.** Formular *nt,* Drucksorte *f* (A) **2.** (*recueil de formules*) Formelsammlung *f*

formulation [fɔʀmylasjɔ̃] *f* Formulierung *f*

formule [fɔʀmyl] *f* **1.** Formulierung *f* **2.** (*paroles rituelles*) Formel *f;* ~ **de politesse** [Höflichkeits]floskel *f* **3.** (*choix, possibilité*) Angebot *nt;* ~ **à 60 euros** Menü *nt* zu 60 Euro **4.** (*façon de faire*) Methode *f* **5.** SCI, CHIM Formel *f;* **la** ~ **magique** CH die Zauberformel (CH) **6.** AUT, SPORT ~ **I** Formel I *f*

formuler [fɔʀmyle] <1> *vt* **1.** formulieren *demande, pensée;* abfassen *requête* **2.** (*mettre en formule*) in einer Formel zusammenfassen

forniquer [fɔʀnike] <1> *vi* ~ **avec qn** mit jdm Unzucht treiben

forsythia [fɔʀsisja] *m* Forsythie *f*

fort [fɔʀ] **I.** *adv* **1.** *frapper* kräftig; *parler, crier* laut; *sentir* streng riechen; **son cœur battait très** ~ er/sie hatte starkes Herzklopfen; **le vent souffle** ~ es weht ein starker Wind; **respirez** ~! tief einatmen! **2.** (*beaucoup*) **avoir** ~ **à faire** alle Hände voll zu tun haben; **ça me déplaît** ~ das missfällt mir sehr; **j'en doute** ~ das möchte ich stark bezweifeln **3.** *antéposé* (*très*)

sehr **4.** *fam* (*bien*) gut; **toi, ça ne va pas** ~ dir geht's nicht besonders ►~ **bien!** na gut!; **se faire** ~ **de faire qc** sich (*dat*) zutrauen, etw zu tun; **y aller** [un peu/trop] ~ *fam* zu weit gehen **II.** *m* **1.** (*forteresse*) Fort *nt* **2.** (*spécialité*) **la cuisine, ce n'est pas mon** ~ Kochen ist nicht gerade meine Stärke **3.** (*milieu, cœur*) **au plus** ~ **de l'été** im Hochsommer; **au plus** ~ **de la bataille** auf dem Höhepunkt der Schlacht

fort, e [fɔʀ, fɔʀt] **I.** *adj* **1.** (*robuste*) kräftig; *personne, animal* stark, kraftvoll **2.** *postposé* (*puissant*) stark; *monnaie* hart; **être** ~ **de sa supériorité** sich (*dat*) seiner Überlegenheit sicher sein; **être** ~ **de l'appui de qn** auf jds Hilfe (*akk*) bauen können **3.** *postposé carton, fil, papier* dick **4.** (*de grande intensité*) stark; *mer* aufgewühlt; *lumière* hell; *averse, battement* heftig; *rythme* schnell; ~**e chaleur** [Affen]hitze *f* (*fam*) **5.** (*pour le goût*) stark; *moutarde, sauce* scharf **6.** (*pour l'odorat*) stark **7.** (*pour les sensations/sentiments*) groß; *colère* heftig; *dégoût, désir, ferveur, douleur, émotion, rhume* stark; *fièvre* hoch **8.** MUS *temps* betont **9.** LING stimmlos **10.** *œuvre* groß; *phrase, geste politique* bedeutend; *présomption* stark; **exprimer son opinion en termes très** ~**s** seine Meinung sehr deutlich zum Ausdruck bringen; **dire qc haut et** ~ etw laut und deutlich sagen **11.** (*important quantitativement*) hoch; *différence* groß; *baisse, hausse* stark; **il y a de** ~**es chances pour que** + *subj* es bestehen gute Chancen, dass; **faire payer le prix** ~ den vollen Preis zahlen lassen **12.** (*doué*) gut; **être** ~ gut sein; (*dans sa profession*) sein Handwerk verstehen; (*dans un sport/jeu*) gut sein/spielen; **être très** ~ **sur un sujet** über ein Thema gut Bescheid wissen; **ne pas être très** ~ **en cuisine** nicht besonders gut kochen können; **être très** ~ **pour critiquer** *iron* sehr gut im Kritisieren sein **13.** *plaisanterie* gewagt; *terme* hart; **cette histoire est un peu** ~**e** diese Geschichte kann man kaum glauben **14.** *euph chevilles, jambes* kräftig; *personne* stark; *poitrine* groß; **être un peu** ~ **des hanches** ziemlich breit um die Hüften sein **15.** *postposé* (*courageux*) stark; **une âme** ~**e** eine in sich gefestigte Person ►**c'est plus** ~ **que moi** ich kann nicht anders; **le** [*o* **ce qu'il y a de**] **plus** ~, **c'est que** *iron* das Beste ist, dass; **c'est trop** [*o* **un peu**] ~! das gibt's doch nicht!; **elle est** ~**e, celle-là!** *fam* das schlägt dem Fass den Boden aus! **II.** *m, f* (*personne*) Starke(r) *f(m)* ►~ **en thème** *fam* Musterschüler *m*

fortement [fɔʀtəmɑ̃] *adv* **1.** (*vigoureuse-*

ment) fest; *secouer* kräftig; **s'exprimer** ~ seinen Worten großen Nachdruck verleihen **2.**(*vivement*) **insister** ~ **sur qc** nachdrücklich auf etw (*dat*) bestehen; **je suis** ~ **attiré par cela** das reizt mich sehr **3.**(*beaucoup*) sehr; **il est** ~ **question de qc** etw wird ernsthaft in Erwägung gezogen

forteresse [fɔʀtəʀɛs] *f* **1.**(*lieu fortifié*) Festung *f* **2.** *fig* Hochburg *f* **3.** MIL. ~ **volante** Jagdbomber *m*

fortiche [fɔʀtiʃ] *adj fam* **1.**(*calé*) **être** ~ **en math** in Mathe echt was loshaben **2.**(*malin*) **c'est pas** ~ **d'avoir fait cela** es war nicht gerade clever das zu tun

fortifiant [fɔʀtifjɑ̃] *m* (*remède*) Stärkungsmittel *nt*

fortifiant, e [fɔʀtifjɑ̃, jɑ̃t] *adj remède* stärkend; **nourriture** ~**e** Kraftnahrung *f*

fortification [fɔʀtifikasjɔ̃] *f* Befestigungsanlage *f*

fortifier [fɔʀtifje] <1> **I.** *vt* **1.**(*rendre vigoureux*) kräftigen **2.**(*affermir*) stärken *volonté;* festigen *amitié;* ~ **qn dans sa conviction** jdn in seiner/ihrer Überzeugung bestärken **3.** MIL. befestigen **II.** *vi* (*tonifier*) stärken **III.** *vpr* se ~ **1.**(*devenir fort*) *santé:* sich stabilisieren; *personne:* (*par des exercices*) [seinen Körper] trainieren; (*après une maladie*) wieder zu Kräften kommen **2.**(*s'affermir*) *amitié, croyance:* sich festigen **3.** MIL. sich verschanzen

fortin [fɔʀtɛ̃] *m* kleines Fort

fortuit, e [fɔʀtɥi, it] *adj* zufällig; *remarque* willkürlich; **cas** ~ Zufall *m*

fortuitement [fɔʀtɥitmɑ̃] *adv* zufällig[erweise]

fortune [fɔʀtyn] *f* **1.**(*richesse*) Vermögen *nt;* **avoir de la** ~ wohlhabend sein; **faire** ~ reich werden **2.** *fam* (*grosse somme*) Vermögen *nt* **3.**(*magnat*) **les grandes** ~**s** die oberen Zehntausend **4.**(*chance*) Glück *nt;* **la bonne** ~ der glückliche Zufall ▶**faire contre mauvaise** ~ **bon cœur** gute Miene zum bösen Spiel machen; **de** ~ behelfsmäßig

fortuné, e [fɔʀtyne] *adj* (*riche*) wohlhabend

forum [fɔʀɔm] *m* **1.**(*débat*) *a.* HIST Forum *nt* **2.**(*place*) Platz *m* **3.** INFORM newsgroup; ~ **de discussion sur Internet** Chatroom *m*

fosse [fos] *f* **1.**(*cavité*) Grube *f* **2.** GEOL Graben *m* **3.**(*tombe*) Grab *nt* **4.**(*charnier*) Massengrab *nt* **5.** ANAT ~s nasales Nasen[neben]höhlen *Pl*

fossé [fose] *m* **1.**(*tranchée*) Graben *m* **2.**(*écart*) Kluft *f;* ~ **des générations** Generationenkonflikt *m;* **un** ~ **culturel sépare**

ces deux peuples zwischen den Kulturen dieser beiden Völker liegen Welten

fossette [fosɛt] *f* Grübchen *nt*

fossile [fosil] **I.** *adj* **1.** GEOL fossil **2.** *péj fam* (*démodé*) angestaubt; *objet* vorsintflutlich; *personne* verknöchert **II.** *m* **1.** GEOL Fossil *nt* **2.** *fig fam* Grufti *m*

fossilifère [fosilifɛʀ] *adj* fossilienhaltig

fossilisation [fosilizasjɔ̃] *f* Versteinerung *f*

fossiliser [fosilize] <1> **I.** *vt* (*rendre fossile*) versteinern **II.** *vpr* se ~ **1.**(*devenir fossile*) versteinern **2.** *fig fam* einrosten

fossoyeur [foswajœʀ] *m* Totengräber *m*

fou, fol, folle [fu, fɔl] **I.** *adj* **1.**(*dément*) verrückt, wahnsinnig; **devenir** ~ **furieux** einen Tobsuchtsanfall bekommen **2.**(*dérangé*) **être** ~ **à lier** völlig übergeschnappt sein (*fam*); **ne pas être** ~ *fam* doch nicht verrückt sein (*fam*); **devenir** ~ durchdrehen (*fam*); **c'est à devenir** ~, **il y a de quoi devenir** ~ das ist [ja] zum Verrücktwerden; **il me rendra** ~ er bringt mich noch ins Irrenhaus (*fam*); **ils sont** ~**s, ces Romains!** *hum* die spinnen, die Römer! **3.**(*idiot*) **qn est/serait** ~ **de faire qc** jd ist/wäre verrückt, etw zu tun; **il faut être** ~ **pour faire cela** man muss ganz schön dumm sein, um das zu tun **4.** *désir, rires* unbändig; *tentative* vergeblich; *idée, projet* verrückt; *amour* wahnsinnig; *imagination, jeunesse* wild; *dépense* unvernünftig; *joie* überschäumend; *regard* irr; **folle audace** Tollkühnheit *f;* **passer une folle nuit** eine heiße Nacht verbringen; **avoir le** ~ **rire** einen Lachkrampf bekommen; **les rumeurs les plus folles** die wildesten Gerüchte **5.**(*éperdu*) **être** ~ **de chagrin** vor Kummer (*dat*) fast den Verstand verlieren; **être** ~ **de désir** ein wahnsinniges Verlangen verspüren (*fam*); **être** ~ **de colère** außer sich vor Wut (*dat*) sein **6.**(*amoureux*) **être** ~ **de qn** ganz verrückt nach jdm sein (*fam*); **être** ~ **de jazz** ganz versessen auf Jazz (*akk*) sein (*fam*) **7.**(*énorme, incroyable*) wahnsinnig (*fam*); **un argent** ~ ein Heidengeld *nt* (*fam*); **il y avait un monde** ~ es waren irrsinnig [*o* wahnsinnig] viele Leute da (*fam*) **8.**(*exubérant*) **être tout** ~ außer Rand und Band sein (*fam*); **devenir tout** ~ ganz aus dem Häuschen geraten (*fam*) **9.**(*en désordre, incontrôlé*) widerspenstig; **un camion** ~ ein außer Kontrolle geratener Lastwagen; **un cheval** ~ ein wild gewordenes Pferd **II.** *m, f* **1.**(*dément*) Wahnsinnige(r) *f(m);* MED Geistesgestörte(r) *f(m)* **2.**(*écervelé*) **jeune** ~ junger Irrer (*fam*); **vieux** ~ närrischer Alter; **crier/travailler comme un** ~ wie ein Irrer schreien/arbeiten **3.**(*personne exubé-*

rante) **faire le** ~ (*faire, dire des bêtises*) Blödsinn machen; (*se défouler*) sich austoben; **arrête de faire le** ~! lass den Quatsch! (*fam*) **4.** JEUX Läufer *m* **5.** (*bouffon*) Narr *m* ▸ **s'amuser comme un petit** ~ *fam* sich königlich amüsieren

foudre[1] [fudʀ] *f* **1.** METEO Blitz[schlag *m*] *m* **2.** *pl, soutenu d'une personne* Zorn *m* ▸ **un coup de** ~ Liebe auf den ersten Blick; **avoir le coup de** ~ **pour qc** von etw auf den ersten Blick begeistert sein

foudre[2] [fudʀ] *m* ~ **de guerre** großer Kriegsheld; ~ **d'éloquence** großer Redner

foudre[3] [fudʀ] *m* (*tonneau*) großes [Lager]fass

foudroyant, e [fudʀwajã, jãt] *adj* **1.** (*soudain*) plötzlich; *succès* durchschlagend; *vitesse, progrès* rasant; *nouvelle* umwerfend; **attaque** ~**e** Blitzangriff *m* **2.** (*mortel*) tödlich **3.** (*réprobateur*) vernichtend

foudroyer [fudʀwaje] <6> *vt* **1.** (*frapper par la foudre*) **être foudroyé** *personne:* vom Blitz erschlagen werden; *chose, animal:* vom Blitz getroffen werden **2.** (*électrocuter*) **être foudroyé** einen elektrischen Schlag bekommen **3.** (*tuer*) tödlich treffen; **la maladie l'a foudroyé(e)** die Krankheit hat ihn/sie dahingerafft **4.** (*abattre, rendre stupéfait*) ~ **qn** *malheur:* jdn niederschmettern; *surprise:* jdn sprachlos machen

fouet [fwɛ] *m* **1.** (*verge*) Peitsche *f* **2.** GASTR Schneebesen *m* **3.** (*châtiment*) **donner le** ~ **à qn** jdn mit der Peitsche schlagen ▸ **de plein** ~ mit voller Wucht

fouetter [fwete] <1> **I.** *vt* **1.** (*frapper*) mit der Peitsche schlagen *personne, animal;* **la pluie fouette les vitres** der Regen schlägt gegen die Scheiben; **le vent me fouette au visage** der Wind peitscht mir ins Gesicht **2.** GASTR schlagen **3.** (*stimuler*) anstacheln *amour-propre, orgueil;* [er]wecken *désir;* beflügeln *imagination;* ~ **le sang** den Kreislauf anregen **II.** *vi* (*frapper*) **la pluie fouette contre les vitres** der Regen schlägt gegen die Fensterscheiben

foufou, fofolle [fufu, fɔfɔl] *adj fam* **être un peu** ~ *personne:* leicht verrückt sein; *chien:* ein bisschen verspielt sein

fougère [fuʒɛʀ] *f* BOT Farn *m*

fougue [fug] *f* Schwung *m*

fougueux, -euse [fugø, -øz] *adj réponse, attaque* heftig; *tempérament, personne* aufbrausend; *orateur, intervention* leidenschaftlich; *cheval* feurig; *discours* flammend

fouille [fuj] *f* **1.** (*inspection*) Durchsuchung *f;* ~ **corporelle** Leibesvisitation *f* **2.** *pl* ARCHEOL [Aus]grabungen *Pl* **3.** (*excavation*) Baugrube *f*

fouillé, e [fuje] *adj commentaire* ausführlich; *étude* eingehend; *travail* gewissenhaft

fouille-merde [fujmɛʀd] <fouille-merdes> *mf fam* Schmierfink *m*

fouiller [fuje] <1> **I.** *vt* **1.** (*inspecter*) durchsuchen *lieu, poches;* absuchen *horizon;* durchforsten *dossier;* eingehend erörtern *problème;* ~ **la vie de qn** sich eingehend mit jds Lebensgeschichte befassen; **l'obscurité des yeux** versuchen in der Dunkelheit etwas zu erkennen; ~ **la pièce des yeux** [*o* **du regard**] das Zimmer genau in Augenschein nehmen **2.** (*creuser*) ~ **qc** *animal:* in etw (*dat*) wühlen; *archéologue:* in etw (*dat*) graben **II.** *vi* **1.** (*inspecter*) ~ **dans qc** in etw (*dat*) herumwühlen; ~ **dans ses souvenirs** in seinen Erinnerungen kramen (*fam*) **2.** (*creuser*) *animal:* wühlen; *archéologue:* [Aus]grabungen machen **III.** *vpr* **se** ~ seine Taschen durchwühlen

fouillis [fuji] *m* Unordnung *f;* ~ **de lianes** Geflecht *nt* von Lianen; **le texte fait vraiment** ~ der Text ist völlig ungeordnet

fouine [fwin] *f* ZOOL Steinmarder *m* ▸ **c'est une vraie** ~ das ist ein elender Schnüffler/ eine elende Schnüfflerin (*fam*)

fouiner [fwine] <1> *vi fam* herumschnüffeln; **être sans cesse à** ~ **partout** seine Nase ständig in alles [hinein]stecken müssen

fouineur, -euse [fwinœʀ, -øz] *m, f* Schnüffler(in) *m(f)*

foulard [fulaʀ] *m* **1.** (*fichu*) Kopftuch *nt* **2.** (*écharpe*) Halstuch *nt* **3.** (*tissu*) [leichter] Seidenstoff *m*

foule [ful] *f* **1.** (*multitude de personnes*) [Menschen]menge *f;* **il y a/n'y a pas** ~ es sind viele/wenige Leute da; **ce n'était pas la grande** ~ **aux guichets** der große Ansturm auf die Schalter blieb aus **2.** (*grand nombre*) **une** ~ **de gens/questions** eine Menge Leute/Fragen **3.** (*peuple*) **la** ~ die breite Masse

foulée [fule] *f* **1.** SPORT Schritt *m;* *d'un cheval* Auftreten *nt* (*beim Trab oder Galopp*); *d'un coureur* Tritt *m;* **à grandes/petites** ~**s** mit großen/kleinen Schritten; **allonger la** ~ größere Schritte machen; **rester dans la** ~ **de qn** jdm dicht auf den Fersen bleiben **2.** (*style*) Laufstil *m* ▸ **dans la** ~ **de qc** gleich im Anschluss an etw (*akk*)

fouler [fule] <1> **I.** *vt* (*écraser*) keltern *raisin;* TECH walken *cuir, drap, peau* **II.** *vpr* **1.** (*se tordre*) **se** ~ **la cheville** sich (*dat*) den Knöchel verstauchen **2.** *iron fam* (*se fatiguer*) **se** ~ sich ins Zeug legen

foulure [fulyʀ] *f* MED Verstauchung *f*

four [fuʀ] *m* **1.** GASTR Backofen *m;* ~ [**à**] **micro-ondes** Mikrowellenherd *m;* **ce plat**

ne va pas au ~ diese Schüssel ist nicht feuerfest **2.** TECH Ofen *m;* ~ **électrique** Elektroherd *m* **3.** *fam* (*échec*) Flop *m* ►il fait <u>noir</u> comme dans un ~ es ist stockdunkel (*fam*)

fourbe [fuʀb] *adj* falsch; *gentillesse* geheuchelt

fourberie [fuʀbəʀi] *f* Hinterlist *f*

fourbi [fuʀbi] *m fam* **1.** (*attirail*) Krempel *m* **2.** (*truc*) Dingsbums *nt*

fourbir [fuʀbiʀ] <8> *vt* **1.** (*astiquer*) polieren **2.** (*préparer soigneusement*) ~ **ses arguments** an seiner Argumentation feilen

fourbu, e [fuʀby] *adj* erschöpft

fourche [fuʀʃ] *f* **1.** (*outil*) Gabel *f* **2.** SPORT ~ **de bicyclette** Radgabel *f* **3.** *d'un chemin* Gabelung *f* **4.** COUT *d'un pantalon* Schritt *m*

fourcher [fuʀʃe] <1> *vi cheveux:* sich [an den Spitzen] spalten; [**c'est**] **ma langue** [**qui**] **a fourché** ich habe mich versprochen

fourchette [fuʀʃɛt] *f* **1.** GASTR, JEUX Gabel *f* **2.** (*marge*) Spanne *f;* **se situer dans une** ~ **de 41 à 47 %** sich zwischen 41 und 47 % bewegen ►**être une** <u>solide</u> ~ ein guter Esser sein

fourchu, e [fuʀʃy] *adj branche* gegabelt; **cheveux** ~**s** gespaltene Haarspitzen *Pl*

fourgon [fuʀgɔ̃] *m* **1.** CHEMDFER Güterwagen *m;* ~ **à bagages** Gepäckwagen *m* **2.** (*voiture*) Kastenwagen *m;* MIL Proviantwagen *m;* ~ **de police** Einsatzfahrzeug *nt;* ~ **blindé** Panzerwagen *m;* ~ **funéraire** Leichenwagen *m*

fourgonnette [fuʀgɔnɛt] *f* Lieferwagen *m*

fourgon-pompe [fuʀgɔ̃pɔ̃p] <fourgons-pompes> *m* Löschfahrzeug *nt*

fourguer [fuʀge] <1> *vt fam* **1.** (*vendre*) ~ **qc à qn** etw an jdn verkloppen **2.** (*refiler*) ~ **qc à qn** jdm etw andrehen

fourme [fuʀm] *f: französische* Käsesorte

fourmi [fuʀmi] *f* **1.** ZOOL Ameise *f* **2.** (*symbole d'activité*) Arbeitstier *nt* ►**qn** <u>a</u> **des** ~**s dans les jambes** jdm sind die Beine eingeschlafen

fourmilier [fuʀmilje] *m* ZOOL Ameisenbär *m*

fourmilière [fuʀmiljɛʀ] *f* **1.** ZOOL Ameisenhaufen *m* **2.** (*foule grouillante*) geschäftiges Treiben

fourmillement [fuʀmijmɑ̃] *m* **1.** (*agitation*) Gewimmel *nt* **2.** (*foisonnement*) Fülle *f* **3.** (*picotement*) Kribbeln *nt;* **j'ai des** ~**s dans les bras** es kribbelt mir in den Armen

fourmiller [fuʀmije] <1> *vi* **1.** (*abonder*) **les moustiques/fautes fourmillent** es wimmelt von Stechmücken/Fehlern; **la**

forêt fourmille de champignons der Wald ist voller Pilze (*gen*); **elle fourmille de projets** sie hat viele Pläne [im Kopf] **2.** (*picoter*) **j'ai les pieds qui [me] fourmillent** mir sind die Füße eingeschlafen

fournaise [fuʀnɛz] *f* **1.** (*foyer ardent*) starkes Feuer **2.** (*lieu surchauffé*) Brutkasten *m* (*fam*) **3.** (*lieu de combat*) Getümmel *nt*

fourneau [fuʀno] <x> *m* **1.** (*cuisinière*) [Küchen]herd *m;* ~ **à charbon** Kohle[n]ofen *m* **2.** (*chaufferie*) Schmelzofen *m;* **haut** ~ Hochofen *m*

fournée [fuʀne] *f* **1.** (*série cuite*) ~ **de pains** Schub *m* Brote **2.** *fam* (*groupe compact*) Ladung *f;* ~ **de touristes** Trupp *m* Touristen; **par** ~**s** schubweise

fourni, e [fuʀni] *adj* **1.** *barbe* dicht; *chevelure* üppig; *cheveux* voll; *sourcils* buschig **2.** (*approvisionné*) gut ausgestattet; **être bien** ~ *magasin:* eine große Auswahl haben; *table:* reich gedeckt sein; **sa garde-robe est bien** ~**e** er/sie hat viel anzuziehen

fournil [fuʀni] *m* Backstube *f*

fournir [fuʀniʀ] <8> **I.** *vt* **1.** (*approvisionner*) ~ **un client/un commerce en qc** einen Kunden/ein Geschäft mit etw beliefern **2.** (*procurer*) ~ **qc à des réfugiés** Flüchtlinge mit etw versorgen; ~ **un logement/travail à qn** jdm eine Unterkunft/Arbeit beschaffen; ~ **un prétexte à qn** jdm einen Vorwand liefern; ~ **un renseignement à qn** jdm eine Auskunft erteilen; ~ **l'occasion à qn** jdm die Gelegenheit bieten; ~ **le vivre et le couvert à qn** jdm Kost und Logis gewähren; ~ **des précisions** nähere Angaben machen **3.** (*présenter*) liefern *alibi, preuve;* vorlegen *autorisation;* vorzeigen *pièce d'identité* **4.** (*produire*) hervorbringen; ~ **un gros effort** sich sehr anstrengen; **la centrale fournit de l'énergie** das Kraftwerk liefert Energie; **les abeilles fournissent du miel** die Bienen produzieren Honig; **ce vignoble fournit un vin renommé** von diesem Weinberg kommt ein berühmter Wein **II.** *vi* (*subvenir à*) **le magasin n'arrivait plus à** ~ das Geschäft konnte den Bedarf nicht mehr decken **III.** *vpr* **se** ~ **en charbon chez qn** [seine] Kohle von jdm beziehen

fournisseur [fuʀnisœʀ] *m* INFORM Provider *m;* ~ **d'accès Internet** Internet-Provider *m*

fournisseur, -euse [fuʀnisœʀ, -øz] **I.** *m, f* **1.** (*détaillant*) Händler(in) *m(f)* **2.** (*producteur*) Anbieter(in) *m(f)* **3.** (*livreur*) Lieferant(in) *m(f)* **II.** *adj* **des pays** ~**s** Exportländer *Pl*

fourniture [fuʀnityʀ] *f* **1.** (*livraison*) Lieferung *f;* ~ **de documents** Beschaffung *f* von Dokumenten **2.** *pl* (*accessoires*) Aus-

stattung f; cout Utensilien Pl; ~s scolaires Schulbedarf m; ~ de bureau Büromaterial nt

fourrage [fuʀaʒ] m [Vieh]futter nt

fourrager [fuʀaʒe] <2a> vi fam ~ dans qc in etw (dat) herumwühlen

fourrager, -ère [fuʀaʒe, -ɛʀ] adj Futter-

fourré [fuʀe] m Gestrüpp nt

fourré, e [fuʀe] adj 1. (doublé de fourrure) gefüttert 2. GASTR bonbons, gâteau gefüllt

fourreau [fuʀo] <x> m 1. d'une épée Scheide f; d'un parapluie Hülle f 2. (robe moulante) hautenges Kleid

fourrer [fuʀe] <1> I. vt 1. fam (mettre) ~ qc dans qc etw in etw (akk) hineinstecken; qui a bien pu lui ~ cette idée dans la tête? wer hat ihm/ihr diesen Floh ins Ohr gesetzt? 2. (garnir) ~ qc avec du lapin etw mit Kaninchenfell füttern 3. GASTR ~ qc au chocolat etw mit Schokolade füllen II. vpr fam (se mettre) se ~ sous les couvertures sich unter der Bettdecke verkriechen; se ~ les doigts dans le nez sich (dat) die Finger in die Nase stecken; être tout le temps fourré au café wieder mal im Café rumhängen; quelle idée s'est-il fourré dans la tête? was hat er sich (dat) da in den Kopf gesetzt? ►ne plus **savoir** où se ~ [vor Scham] am liebsten im Boden versinken wollen; s'en ~ **jusque-là** sich (dat) den Bauch voll schlagen

fourre-tout [fuʀtu] m inv 1. péj (local) Rumpelkammer f (fam) 2. (sac) Reisetasche f

fourreur, -euse [fuʀœʀ, -øz] m, f Kürschner(in) m(f)

fourrière [fuʀjɛʀ] f 1. (pour voitures) Abstellplatz m für amtlich abgeschleppte Fahrzeuge; tu vas retrouver ta voiture à la ~! dein Auto wird bestimmt abgeschleppt! 2. (pour animaux) Tierheim nt

fourrure [fuʀyʀ] f Pelz m

fourvoyer [fuʀvwaje] <6> vpr se ~ dans qc sich in etw (dat) verirren

foutaise [futɛz] f fam 1. (chose sans valeur) Mist m 2. (futilité) Lappalie f; quelle ~! was für 'n Quatsch!

foutoir [futwaʀ] m péj vulg Saustall m

foutre [futʀ] <14> I. vt fam 1. (faire) ne rien ~ stinkfaul sein; qu'est-ce que tu fous? was treibst du [bloß]? 2. (donner) ~ une baffe à qn jdm eine runterhauen; fous-moi la paix! lass mich in Ruhe!; ce temps de cochon me fout le cafard dieses Sauwetter macht mich fertig 3. (mettre) ~ qc dans sa poche etw in seine Hosentasche stecken; ~ qc par terre etw auf den Boden schmeißen; son arrivée a tout

foutu par terre seine/ihre Ankunft hat alles vermasselt ►je n'en ai rien à ~! das ist mir piepegal!; ~ qn dedans jdn drankriegen; ce qui m'a foutu dedans, c'est que ... was mich irregeführt hat, war, dass ...; ça la fout mal das ist dumm; qu'est-ce que ça peut me/te ~? was geht mich/dich das an?; je t'en fous! von wegen!; je t'en foutrais [de cela]! schlag dir das mal schön aus dem Kopf! II. vpr fam 1. (se mettre) se ~ un coup de marteau sur les doigts sich (dat) mit dem Hammer auf die Finger hauen; foutez-vous par terre! legt euch auf den Boden!; fous-toi ça dans le crâne! schreib dir das hinter die Ohren! 2. (se moquer) se ~ de qn jdn auf die Schippe nehmen; il se fout de notre gueule! er verarscht uns! (vulg) 3. (se désintéresser) se ~ de qn/qc auf jdn/etw pfeifen; ton beau-frère, je m'en fous dein Schwager, der kann mich mal (vulg); qn se fout que + subj es ist jdm völlig schnuppe, ob ►va te faire ~! (va te faire voir) mach dass du wegkommst!; (rien à faire) [da ist] nichts zu wollen!; se ~ **dedans** sich total verhauen; s'en ~ **jusquelà** sich (dat) den Bauch vollschlagen

foutrement [futʀəmɑ̃] adv fam verdammt

foutu, e [futy] I. part passé de foutre II. adj fam 1. (perdu) kaputt; être ~ chose: im Eimer sein; personne: erledigt sein; malade: es nicht mehr lange machen 2. antéposé (maudit) mies 3. (vêtu) comment es-tu encore ~ ce matin? wie siehst du denn heute Morgen wieder aus? 4. (capable) être/ne pas être ~ de faire qc es hinkriegen/es nicht hinkriegen, etw zu tun ►être **bien/mal** ~ personne: gut/schlecht gebaut sein; travail, appareil: gut/schlecht gemacht sein; être **mal** ~ nicht auf dem Damm sein; ~ **pour** ~ das war wohl nichts

fox-trot [fɔkstʀɔt] m inv Foxtrott m

foyer [fwaje] m 1. (famille) [häuslicher] Heim m; ~ paternel Elternhaus nt; les jeunes ~s die jungen Paare; fonder un ~ eine Familie gründen; retrouver un ~ ein neues Zuhause finden 2. (résidence) Heim nt; ~ d'urgence Notunterkunft f 3. (salle de réunion) Aufenthaltsraum m 4. THEAT Foyer nt 5. (âtre) Feuerstelle f 6. (cheminée) Kamin m 7. d'une civilisation Zentrum nt; ~ lumineux Lichtquelle f; ~ de crise/d'épidémies Krisen-/Seuchenherd m; ce quartier est un ~ de voyous dieses Viertel ist ein Ganovennest 8. (incendie) Brand m 9. d'une chaudière Feuerung f; d'un four, fourneau Feuerstelle f 10. MATH, PHYS, OPT Brennpunkt m ►renvoyer un soldat dans ses ~s einen Soldaten aus dem

Wehrdienst entlassen

frac [fʀak] *m* Frack *m*

fracas [fʀaka] *m* Krach *m;* ~ **du tonnerre** Krachen *nt* des Donners; ~ **de la ville** Lärm *m* der Stadt; **à grand** ~ lautstark

fracassant, e [fʀakasɑ̃, ɑ̃t] *adj* ohrenbetäubend

fracasser [fʀakase] <1> I. *vt* ~ qc à qn jdm etw zertrümmern II. *vpr* se ~ zerspringen; [aller] se ~ **contre un arbre** an einem Baum zerschellen

fraction [fʀaksjɔ̃] *f* 1. MATH Bruch *m* 2. *d'un groupe, d'une somme* Teil *m;* **une ~ de seconde** der Bruchteil einer Sekunde 3. REL Brotbrechen *nt*

fractionnaire [fʀaksjɔnɛʀ] *adj* **nombre ~** Bruchzahl *f*

fractionnel, le [fʀaksjɔnɛl] *adj* Spaltungs-

fractionnement [fʀaksjɔnmɑ̃] *m* Zersplitterung *f; d'un patrimoine, paiement* Aufteilung *f*

fractionner [fʀaksjɔne] <1> I. *vt* 1. (*diviser*) aufgliedern 2. (*partager*) zerlegen; ~ **le/un paiement** in Raten zahlen II. *vpr* se ~ **en plusieurs groupes** sich in mehrere Gruppen aufspalten

fractionniste [fʀaksjɔnist] I. *adj* Spaltungs- II. *mf* Spalter(in) *m(f)*

fracture [fʀaktyʀ] *f* 1. MED [Knochen]bruch *m;* **se faire une ~ du poignet** sich das Handgelenk brechen 2. GEOL *a. fig* Bruch *m*

fracturer [fʀaktyʀe] <1> I. *vt* 1. (*briser*) aufbrechen *porte, voiture* 2. MED brechen II. *vpr* MED **se ~ le bras** sich (*dat*) den Arm brechen

fragile [fʀaʒil] *adj* 1. (*cassant*) zerbrechlich 2. *personne, santé* zart; *organisme* anfällig; *estomac* empfindlich; *cœur* schwach 3. (*précaire*) vergänglich; *argument, preuve* nicht stichhaltig; *équilibre* labil; *hypothèse* auf schwachen Füßen stehend; *paix* unsicher; *économie* instabil 4. *bâtiment* baufällig

fragilisé, e [fʀaʒilize] *adj santé* angegriffen

fragiliser [fʀaʒilize] <1> *vt* schwächen; angreifen *cheveux*

fragilité [fʀaʒilite] *f* 1. (*facilité à se casser*) Zerbrechlichkeit *f* 2. (*faiblesse*) Anfälligkeit *f; d'un corps* Schwäche *f; d'une personne* Zartheit *f;* **être d'une grande ~ morale** psychisch kaum belastbar sein; **les ~s d'un système** die Schwachstellen eines Systems 3. (*précarité*) Vergänglichkeit *f; des arguments* Dürftigkeit *f; d'un équilibre, d'une économie* Labilität *f; d'une hypothèse* Fraglichkeit *f; de la paix* Unsicherheit *f; d'une preuve* mangelnde Stichhaltigkeit

fragment [fʀagmɑ̃] *m* 1. (*débris*) Teil *nt; des ~s d'os* Knochensplitter *Pl* 2. (*mor-*

ceau de verre) Splitter *m* 3. (*extrait d'une œuvre*) Passage *f;* (*œuvre incomplète*) Fragment *nt* 4. *d'une vie* Abschnitt *m*

fragmentaire [fʀagmɑ̃tɛʀ] *adj connaissance, exposé* lückenhaft; *effort* vereinzelt; *travail* bruchstückhaft

fragmentation [fʀagmɑ̃tasjɔ̃] *f d'une roche* Zersplitterung *f; d'un pays* Teilung *f;* BIO Teilung *f; d'un problème* Gliederung *f*

fragmenter [fʀagmɑ̃te] <1> I. *vt* ~ qc **en qc** etw in etw (*akk*) aufteilen; ~ **son travail** sich (*dat*) seine Arbeit einteilen II. *vpr se* ~ [zer]brechen

fraîche [fʀɛʃ] I. *adj v.* frais II. *f* **à la** ~ (*le matin*) in der Morgenfrische; (*le soir*) in der Abendkühle

fraîchement [fʀɛʃmɑ̃] *adv* (*récemment*) frisch; *arrivé* gerade

fraîcheur [fʀɛʃœʀ] *f* 1. (*sensation agréable*) Kühle *f;* **chercher la** ~ Kühlung suchen 2. *d'un accueil* Kühle *f* 3. *d'une fleur, d'un teint* Frische *f; d'une couleur, fresque* Leuchtkraft *f; d'une robe* frische Farben *Pl; d'un livre* lebhafter Stil 4. (*bonne forme*) Fitness *f; d'une équipe* ausgezeichnete Form 5. *d'un produit alimentaire* Frische *f* 6. *d'un sentiment* Echtheit *f; d'une impression* Lebendigkeit *f; d'une idée* Originalität *f*

fraîchir [fʀeʃiʀ] <8> *vi air, temps:* sich abkühlen; *eau:* abkühlen; *vent:* auffrischen

frais [fʀɛ] I. *mpl* 1. Kosten *Pl;* ~ **de scolarité** Schulgeld *nt;* **faux** ~ Nebenkosten; **tous** ~ **compris** einschließlich aller Unkosten 2. COM, ECON ~ **généraux** allgemeine Unkosten *Pl;* ~ **de gestion** Verwaltungskosten; ~ **de main d'œuvre** Lohnkosten 3. JUR ~ **de justice** Gerichtskosten *Pl;* ~ **de garde** (*garde d'enfants*) [Kinder]betreuungskosten; (*dépôt*) Aufbewahrungsgebühren *Pl* ►**faire les** ~ **de la conversation** Gesprächsthema Nummer eins sein; **aux** ~ **de la princesse** *hum* ohne einen Pfennig zu bezahlen; (*aux dépens de l'entreprise/de l'Etat*) auf Geschäfts-/ Staatskosten; **à grands** ~ mit hohem Kostenaufwand; (*avec beaucoup de peine*) mit großer Mühe; **à moindre** ~ mit geringem Kostenaufwand; (*avec peu de mal*) mit geringem Aufwand; **arrêter les** ~ *fam* es sein lassen; (*cesser de se donner du mal*) sich (*dat*) die Mühe sparen; **en être pour ses** ~ sich vergeblich bemühen; **faire des** ~, **faire les** ~ **de qc** für etw bezahlen; **à peu de** ~ ohne große Unkosten; (*avec peu de mal*) mit wenig Aufwand; **s'en tirer à peu de** ~ glimpflich davonkommen (*fam*) II. *m* (*fraîcheur*) frische Luft; **mettre une bouteille de vin au** ~ eine Flasche Wein kalt stellen; **à conser-**

ver [*o* garder] au ~ kühl lagern; **être au ~**
personne: im Kühlen sitzen; *chose:* gut ge-
kühlt sein ▸**mettre qn au ~** *fam* jdn einbuchten

frais, fraîche [fʀɛ, fʀɛʃ] *adj* **1.**(*légèrement
froid*) kühl; **servir qc très ~** etw gut ge-
kühlt servieren **2.**(*opp: avarié, sec, en
conserve*) frisch **3.**(*peu cordial*) kühl
4. *fleur, teint, parfum* frisch; *couleur* leuchtend; *son, voix* klar **5.**(*en forme*) fit; (*repo-
sé, sain*) frisch aussehend; **être ~ et dispos** frisch und munter sein **6.**(*récent*)
frisch; **l'encre est encore fraîche** die Tinte ist noch feucht; **une nouvelle toute
fraîche** eine ganz aktuelle Nachricht; **des
nouvelles fraîches** neueste Nachrichten
7. *iron fam* (*dans une sale situation*) **eh
bien, nous voilà ~!** jetzt sitzen wir ganz
schön in der Tinte! **8.** *âme, joie* rein; *sentiment* echt

fraise [fʀɛz] **I.** *f* **1.**(*fruit*) Erdbeere *f;* **confiture de ~[s]** Erdbeermarmelade *f;* **à la ~**
mit Erdbeergeschmack; **glace à la ~** Erd-
beereis *nt* **2.**(*collerette*) Halskrause *f*
3. *fam* (*figure*) Fresse *f;* **ramener sa ~** *fam*
seinen Senf dazugeben **II.** *adj inv* erdbeer-
farben

fraiser [fʀeze] <1> *vt* TECH [aus]fräsen

fraiseuse [fʀezøz] *f* TECH Fräsmaschine *f*

fraisier [fʀezje] *m* Erdbeerpflanze *f*

framboise [fʀɑ̃bwaz] *f* **1.**(*fruit*) Himbeere *f* **2.**(*eau-de-vie*) Himbeergeist *m*

framboisier [fʀɑ̃bwazje] *m* Himbeer-
strauch *m*

franc [fʀɑ̃] *m* (*monnaie*) **~ français** französischer Franc; **~ suisse/belge** Schwei-
zer/belgischer Franken; **ancien/nouveau
~** [*o* **lourd**] alter/neuer Franc

franc, franche [fʀɑ̃, fʀɑ̃ʃ] *adj* **1.** *personne,
regard* aufrichtig; *rire, gaieté* ungezwungen;
contact locker; **pour être ~** ehrlich gesagt;
être ~ avec qn [ganz] offen mit jdm reden
2. *couleur* rein; *hostilité* offen; *situation* eindeutig; **un oui ~ et massif** ein klares und
deutliches Ja; **aimer les situations
franches** für klare Verhältnisse sein **3.** *antéposé* (*véritable*) rein; *succès* klar **4.**(*libre*) frei; **port ~** Freihafen *m*

franc, franque [fʀɑ̃, fʀɑ̃k] *adj* fränkisch;
la langue franque das Fränkische; **les
rois ~s** die Frankenkönige

Franc, Franque [fʀɑ̃, fʀɑ̃k] *m, f* Franke/
Fränkin *m/f*

français [fʀɑ̃sɛ] *m* **1.** Französisch *nt;* **le ~
familier** das umgangssprachliche Franzö-
sisch; **le ~ standard** das Standardfranzö-
sisch; *v. a.* **allemand 2.** THEAT **le Français**
verkürzter Name für das *Théâtre Français*
(*Comédie Française*) in Paris ▸**en bon ~**

iron auf gut Deutsch (*fam*); **tu ne comprends pas/vous ne comprenez pas le
~?** *fam* du kapierst/Sie kapieren wohl
nicht?; **je parle** [le] **~ pourtant** ich drücke
mich doch deutlich genug aus

français, e [fʀɑ̃sɛ, ɛz] *adj* französisch

Français, e [fʀɑ̃sɛ, ɛz] *m, f* Franzose/Fran-
zösin *m/f*

française [fʀɑ̃sɛz] *f* **à la ~** französisch, auf
französische Art und Weise

France [fʀɑ̃s] *f* **la ~** Frankreich *nt* ▸**de ~
et de Navarre** *hum* weit und breit; **être
assez/très vieille ~** (*dans ses attitudes*)
von der alten Schule sein; (*dans ses vêtements*) sich klassisch anziehen

Francfort [fʀɑ̃kfɔʀ] *m* Frankfurt *nt*

Franche-Comté [fʀɑ̃ʃkɔ̃te] *f* **la ~** die
Franche-Comté

franchement [fʀɑ̃ʃmɑ̃] *adv* **1.**(*sincèrement*) offen **2.**(*sans hésiter*) **entrer ~
dans le sujet** gleich zur Sache kommen
3.(*clairement*) klar **4.**(*vraiment*) wirklich
▸**~!** mal [ganz] ehrlich!; (*refus indigné*)
also wirklich!

franchir [fʀɑ̃ʃiʀ] <8> *vt* **1.**(*passer par-dessus*) **~ un fossé** über einen Graben springen; **~ un obstacle** *personne:* ein Hindernis überwinden; *animal:* über ein Hindernis
springen; **~ un ruisseau** *personne, animal:*
einen Bach überqueren; (*d'un bond*) einen
Satz über einen Bach machen; *pont:* einen
Bach überspannen; **~ la voie** das Gleis
überschreiten; **~ des pas décisifs** ent-
scheidende Schritte einleiten **2.**(*aller au-
delà*) passieren; durchbrechen *barrage;*
überschreiten *seuil;* **~ la ligne d'arrivée**
durchs Ziel laufen; **ta renommée a
franchi les frontières** du bist bis weit
über die Grenzen hinaus berühmt **3.**(*surmonter*) bestehen *examen, épreuve;* meistern *difficulté;* **la réforme a franchi le
premier obstacle** die Reform hat die erste
Hürde genommen **4.**(*parcourir, traverser*)
überqueren *col;* **la gloire de qn a franchi
les siècles** jds Ruhm hat die Jahrhunderte
überdauert; **une étape importante vient
d'être franchie** eine wichtige Etappe ist
gemeistert

franchise [fʀɑ̃ʃiz] *f* **1.** *d'un regard, d'une
personne* Offenheit *f;* **en toute ~** frei heraus **2.**(*des assurances*) Selbstbeteiligung
f **3.**(*exonération*) [Gebühren]freiheit *f;* **~
de bagages** Freigepäck *nt;* **en ~** zollfrei
4.(*montant*) Freibetrag *m*

franchissable [fʀɑ̃ʃisabl] *adj obstacle:*
überwindbar; **la limite est ~** die Grenze
kann überschritten werden; **la rivière est
~** der Fluss kann überquert werden

franchissement [fʀɑ̃ʃismɑ̃] *m* **1.** *de la ba-*

re Überspringen *nt* **2.** *d'une frontière* Überschreiten *nt; d'une rivière* Überqueren *nt*

francilien, ne [fʀɑ̃siljɛ̃, jɛn] *adj* [aus] der Ile-de-France

franciscain, e [fʀɑ̃siskɛ̃, ɛn] **I.** *adj* franziskanisch **II.** *m, f* Franziskaner(in) *m(f)*

franciser [fʀɑ̃size] <1> *vt* französi[si]eren

franc-maçon , ne [fʀɑ̃masɔ̃, ɔn] <francs-maçons> *m, f* Freimaurer *m*

franc-maçonnerie [fʀɑ̃masɔnʀi] <franc-maçonneries> *f* **1.** (*société secrète*) Freimaurerei *f* **2.** (*camaraderie*) Bund *m*

franco [fʀɑ̃ko] *adv* **1.** COM [fracht]frei **2.** *fam* (*carrément*) ohne Umschweife

franco-allemand , e [fʀɑ̃koalmɑ̃, ɑ̃d] <franco-allemands> *adj* deutsch-französisch

François [fʀɑ̃swa] *m* Franz *m*

francophile [fʀɑ̃kɔfil] **I.** *adj* frankophil **II.** *mf* Frankophile(r) *f(m)*

francophobe [fʀɑ̃kɔfɔb] **I.** *adj* frankreichfeindlich **II.** *mf* Franzosenhasser(in) *m(f)*

francophone [fʀɑ̃kɔfɔn] **I.** *adj* französischsprachig, Französisch sprechend **II.** *mf* Frankophone(r) *f(m)*

francophonie [fʀɑ̃kɔfɔni] *f* Frankophonie *f*, Französisch sprechende Welt

franc-parler [fʀɑ̃paʀle] <francs-parlers> *m* Freimut *f*; **avoir son ~** kein Blatt vor den Mund nehmen

franc-tireur [fʀɑ̃tiʀœʀ] <francs-tireurs> *m* MIL Freischärler(in) *m(f)*

frange [fʀɑ̃ʒ] *f* **1.** (*bordure*) Rand *m*; **~ côtière** Küstenstrich *m* **2.** (*mèche*) Pony *m* **3.** (*partie marginale*) Randgruppe *f*

frangin, e [fʀɑ̃ʒɛ̃, ʒin] *m, f fam* Bruder-/Schwesterherz *nt*

frangipane [fʀɑ̃ʒipan] *f* **1.** (*crème*) Mandelcreme *f* **2.** (*gâteau*) Mandelkuchen *m*

franglais [fʀɑ̃glɛ] *m* Franglais *nt (mit Anglizismen durchsetztes Französisch)*

franque [fʀɑ̃k] *adj v.* **franc**

franquette [fʀɑ̃kɛt] ▶**à la bonne ~** *fam* ganz einfach

franquisme [fʀɑ̃kism] *m* Franco-Regime *nt*

franquiste [fʀɑ̃kist] **I.** *adj* francofreundlich; **l'Espagne ~** Spanien unter Franco **II.** *mf* Anhänger(in) *m(f)* Francos

frappant, e [fʀapɑ̃, ɑ̃t] *adj contraste* auffallend; *exemple* treffend; *preuve, argument* schlagend; *ressemblance* verblüffend; **un détail ~** ein Detail, das ins Auge springt

frappe [fʀap] *f* **1.** *d'une monnaie* Prägung *f* **2.** *d'une dactylo, pianiste* Anschlag *m; d'un boxeur* Schlag *m; d'un footballeur* Schuss *m* **3.** (*exemplaire dactylographié*) [mit Maschine geschriebenes] Manuskript; **être à**

la ~ gerade geschrieben werden

frappé, e [fʀape] *adj* **1.** (*saisi*) **~ de stupeur** wie vor den Kopf geschlagen; **~ de panique** von Panik ergriffen **2.** (*refroidi*) [eis]gekühlt; **café ~** Kaffee Frappee *m* **3.** *fam* (*fou*) bekloppt

frapper [fʀape] <1> **I.** *vt* **1.** (*heurter, cogner*) **~ au visage** jdn ins Gesicht schlagen; **la pierre l'a frappé(e) à la tête** der Stein hat ihn/sie am Kopf getroffen; **la pluie frappe les vitres** der Regen klopft gegen die Scheiben **2.** (*avec un couteau*) **~ qn** auf jdn einstechen **3.** (*saisir*) **~ qn d'horreur** jdn in Schrecken (*akk*) versetzen; **~ qn de stupeur** jdn bestürzen **4.** (*affliger*) **~ qn** *maladie:* jdn befallen; *mesure, impôt:* jdn betreffen; *sanction, malheur:* jdn treffen; **cette nouvelle tragique l'a beaucoup frappée** diese tragische Nachricht war ein furchtbarer Schlag für sie; **être frappé d'amnésie** an Gedächtnisschwund leiden **5.** (*étonner*) beeindrucken; anregen *imagination;* **être frappé de la ressemblance** über die Ähnlichkeit verblüfft sein **6.** TECH prägen *médaille, monnaie* **7.** (*glacer*) kühlen *champagne, café* **II.** *vi* **1.** (*avant d'entrer*) **~** [à la porte] anklopfen **2.** (*donner des coups*) zuschlagen **3.** (*taper*) **~ dans ses mains** in die Hände klatschen; **~ du poing sur la table** mit der Faust auf den Tisch hauen (*fam*) **III.** *vpr* (*se donner des coups*) **se ~ le front/la poitrine** sich (*dat*) an die Stirn tippen/auf die Brust schlagen

frasque [fʀask] *f* **1.** (*bêtise*) Dummheit *f*; **~s de jeunesse** jugendlicher Leichtsinn **2.** (*dans un couple*) Seitensprung *m*

fraternel, le [fʀatɛʀnɛl] *adj* **1.** (*de frère*) brüderlich **2.** (*de sœur*) Schwester- **3.** (*affectueux*) freundschaftlich; *amitié* innig

fraternellement [fʀatɛʀnɛlmɑ̃] *adv hum* brüderlich; **s'aimer ~** wie Bruder und Schwester sein

fraternisation [fʀatɛʀnizasjɔ̃] *f* Verbrüderung *f*

fraterniser [fʀatɛʀnize] <1> *vi* **1.** sich verbrüdern **2.** (*sympathiser*) Freundschaft schließen

fraternité [fʀatɛʀnite] *f* Brüderlichkeit *f*; **la ~ humaine** die Zusammengehörigkeit der Menschen; **~ d'armes** Waffenbrüderschaft *f*; **~ d'esprit** Geistesverwandtschaft *f*

fratricide [fʀatʀisid] **I.** *adj* brudermörderisch/schwestermörderisch; **guerre ~** Bruderkrieg *m;* **haine ~** brüderlicher/schwesterlicher Hass **II.** *m* **1.** (*meurtre d'un frère*) Brudermord *m* **2.** (*meurtre d'une sœur*) Schwestermord *m* **III.** *mf* (*personne*) Bru-

dermörder(in)/Schwestermörder *m(f)*

fraude [fʀod] *f* Betrug *m;* ~ **douanière** Zollvergehen *nt;* ~ **fiscale** Steuerhinterziehung *f;* ~ **sur les vins** Weinpanscherei *f* ▸**en** ~ auf betrügerische Weise; **fumer en** ~ heimlich rauchen; **passer des marchandises à la frontière en** ~ Waren über die Grenze schmuggeln

frauder [fʀode] <1> I. *vt (tromper)* betrügen; ~ **le fisc** [*o* **les impôts**] Steuern hinterziehen; ~ **la douane** Zollbetrug begehen II. *vi (tricher)* ~ **à un examen** bei einer Prüfung täuschen; ~ **sur le poids des denrées** beim Wiegen der Lebensmittel betrügen

fraudeur, -euse [fʀodœʀ, -øz] *m, f* 1. *(escroc)* Betrüger(in) *m(f)* 2. *(à la frontière)* Schmuggler(in) *m(f)*

frauduleusement [fʀodyløzmã] *adv* auf betrügerische Weise

frauduleux, -euse [fʀodylø, -øz] *adj* betrügerisch; *concurrence, moyen* unlauter; *dossier* gefälscht; *banquier* unredlich; **trafic** ~ Schmuggel *m*

frayer [fʀeje] <7> I. *vt (ouvrir)* ~ **à qn un passage dans la foule** jdm einen Weg durch die Menge bahnen; ~ **la voie au progrès** dem Fortschritt den Weg bereiten II. *vi* 1. *(se reproduire)* laichen 2. *(fréquenter)* ~ **avec qn** mit jdm verkehren III. *vpr* se ~ **un passage/une voie/un chemin** sich *(dat)* einen Weg bahnen; *fig* sich hocharbeiten

frayeur [fʀɛjœʀ] *f* Schreck[en] *m*

freak [fʀik] *m* Freak *m*

fredaine [fʀədɛn] *f* Dummheit *f;* **des ~s de jeunesse** Dummejungenstreiche *Pl (fam)*

fredonner [fʀədɔne] <1> *vt* summen

free-lance [fʀilãs] <free-lances> I. *mf* Freiberufler(in) *m(f);* **travailler en** ~ freiberuflich arbeiten II. *adj inv journaliste, styliste* freiberuflich

free-party [fʀipaʀti] <free-parties> *f* Open-Air-Rave *m*

freesia [fʀezja] *m* Freesie *f*

freezer [fʀizœʀ] *m* Gefrierfach *nt*

frégate [fʀegat] *f (bateau)* Fregatte *f*

frein [fʀɛ̃] *m* 1. *(dispositif)* Bremse *f* 2. *(entrave, limite)* **être/mettre un** ~ **à qc** etw bremsen; **sans** ~ ungezügelt ▸**ronger son** ~ vor Ungeduld fast vergehen

freinage [fʀɛnaʒ] *m* 1. *(action)* Bremsen *nt* 2. *de la hausse des prix* Drosselung *f*

freiner [fʀene] <1> I. *vi* bremsen II. *vt* 1. *(ralentir, entraver)* behindern 2. *(modérer)* bremsen *personne, ambitions;* einschränken *offre;* drosseln *hausse des prix, production;* ~ **le succès de qn** jds Erfolg

(dat) einen Riegel vorschieben III. *vpr fam (se modérer)* **se** ~ sich mäßigen

frelater [fʀəlate] <1> *vt* verfälschen; panschen *vin*

frêle [fʀɛl] *adj personne, corps, espoirs, tige* schwach; *bateau* nicht stabil; **silhouette** ~ zierliche Gestalt

frelon [fʀəlɔ̃] *m* ZOOL Hornisse *f*

freluquet [fʀəlykɛ] *m* Schnösel *m (pej fam)*

frémir [fʀemiʀ] <8> *vi* 1. *soutenu (frissonner)* ~ **d'impatience/de colère** vor Ungeduld/Wut *(dat)* beben; ~ **d'horreur** [vor Entsetzen *(dat)*] erschauern; ~ **tout entier** am ganzen Körper zittern; **faire** ~ **qn** *récit:* jdn schaudern lassen; *criminel:* jdn in Angst und Schrecken versetzen 2. *(s'agiter légèrement) feuillage:* zittern; *ailes:* vibrieren 3. *(être sur le point de bouillir) eau:* sieden

frémissant, e [fʀemisã, ãt] *adj voix* zitternd; *eau* siedend; **être** ~ **de colère/désir** vor Wut/Verlangen *(dat)* beben

frémissement [fʀemismã] *m* 1. *soutenu des lèvres, du corps, d'une personne* Zittern *nt;* ~ **d'horreur** Entsetzensschauer *m;* ~ **de fièvre** Schüttelfrost *m* 2. *d'une corde, des ailes* Vibrieren *nt; de l'eau* leichte Bewegung; *du feuillage* Zittern *nt* 3. *des feuilles* Rascheln *nt* 4. ECON, POL leichter Anstieg

french cancan [fʀɛnʃkãkã] <french cancans> *m* Cancan *m*

frêne [fʀɛn] *m* BOT Esche *f*

frénésie [fʀenezi] *f* Leidenschaft *f;* ~ **de consommation** Kaufrausch *m;* **avec** ~ leidenschaftlich; **applaudir avec** ~ stürmischen Beifall spenden

frénétique [fʀenetik] *adj* 1. *(passionné)* übersteigert; *personne* besessen; *passion* wild; **enthousiasme** ~ wahrer Begeisterungssturm 2. *(au rythme déchaîné)* wild; *applaudissements* stürmisch; *personne* leidenschaftlich

frénétiquement [fʀenetikmã] *adv* stürmisch

fréon® [fʀeɔ̃] *m* Freon® *nt (Handelsname für einen Fluorkohlenwasserstoff)*

fréquemment [fʀekamã] *adv* oft

fréquence [fʀekãs] *f* 1. *(nombre)* Häufigkeit *f* 2. PHYS Frequenz *f*

fréquent, e [fʀekã, ãt] *adj* häufig

fréquentable [fʀekãtabl] *adj lieu, personne* akzeptabel; **une rue peu** ~ eine Straße, in der man sich [besser] nicht aufhalten sollte; **un type peu** ~ ein Typ, dem man [lieber] aus dem Wege gehen sollte

fréquentation [fʀekãtasjɔ̃] *f* 1. *(action)* häufiger Besuch; ~ **d'une personne** Um-

gang *m* mit einem Menschen; **la ~ de l'exposition est satisfaisante** die Ausstellung ist gut besucht **2.** *gén pl* (*relation*) Umgang *m;* **il choisit ses ~s** er sucht sich die Leute, mit denen er verkehrt, gut aus
fréquenté, e [fʀekãte] *adj* *établissement, lieu* viel besucht; *promenade, rue* belebt; **ce lieu est bien ~** (*qualitatif*) an diesem Ort verkehren anständige Leute; (*quantitatif*) dieser Ort ist gut besucht
fréquenter [fʀekãte] <1> **I.** *vt* **1.** (*aller fréquemment dans*) besuchen *école;* häufig besuchen *bars, théâtres;* **~ la maison de qn** in jds Haus (*dat*) verkehren **2.** (*avoir des relations avec*) **~ qn** mit jdm verkehren **II.** *vpr* **1.** (*par amitié*) **se ~** sich häufig sehen **2.** (*par amour*) **se ~** miteinander gehen (*fam*)
frère [fʀɛʀ] *m* **1.** (*opp: sœur*) Bruder *m;* **~ siamois** siamesischer Zwilling; **partager en ~s** brüderlich teilen; **ressembler à qn comme un ~** jdm sehr ähnlich sehen; **se ressembler comme des ~s jumeaux** sich aufs Haar gleichen **2.** (*compagnon*) Bruder *m;* **~ d'infortune** Leidensgenosse *m;* **~ maçon** Freimaurer *m* **3.** (*semblable*) Bruder *m;* **les hommes sont tous ~s** alle Menschen sind Brüder **4.** REL Bruder *m;* **être élevé chez les ~s** in einer Klosterschule erzogen werden **5.** *fam* (*objet*) Pendant *nt*
frérot [fʀeʀo] *m fam* Brüderchen *nt*
frésia [fʀezja] *m v.* **freesia**
fresque [fʀɛsk] *f* (*peinture*) Fresko *nt*
fret [fʀɛ(t)] *m* NAUT, AVIAT **1.** (*prix*) Frachtkosten *Pl* **2.** (*chargement*) Ladung *f*
fréteur [fʀetœʀ] *m* (*armateur*) Reeder *m*
frétillant, e [fʀetijã, jãt] *adj* **1.** *poisson* zappelnd; *queue* wedelnd **2.** *fig* **être ~ d'impatience** vor Ungeduld (*dat*) ganz zappelig sein (*fam*); **être ~ de joie** vor Freude in die Luft springen
frétiller [fʀetije] <1> *vi* **1.** (*remuer*) *poisson:* zappeln; **le chien frétille de la queue** der Hund wedelt mit dem Schwanz **2.** *fig* **~ d'impatience** vor Ungeduld (*dat*) zappeln; **~ de joie** vor Freude (*dat*) in die Luft springen
fretin [fʀətɛ̃] *m* junge Fische ▸ **menu ~** *péj* kleine Fische (*fam*)
freudien, ne [fʀødjɛ̃, jɛn] **I.** *adj* freudianisch; **la doctrine ~ne** die Lehre Freuds **II.** *m, f* Freudianer(in) *m(f)*
friable [fʀijabl] *adj* *pâte* mürbe; *roche, sol* bröckelig
friand [fʀijã] *m* **1.** (*pâté*) kleine Blätterteigpastete **2.** (*dessert*) kleiner Kuchen mit Mandelpaste
friand, e [fʀijã, jãd] *adj* **~ de chocolat/**

nouveautés versessen auf Schokolade/ Neuigkeiten
friandise [fʀijãdiz] *f* Süßigkeit *f;* **donne-moi une ~!** gib mir etwas zum Naschen!
Fribourg [fʀibuʀ] *m* Freiburg *nt*
fric [fʀik] *m fam* (*argent*) Kohle *f,* Knete *f*
fricassée [fʀikase] *f* Frikassee *nt*
fric-frac [fʀikfʀak] *m inv, fam* Einbruch *m*
friche [fʀiʃ] *f* AGR Brachland *nt;* **être en ~** brachliegen
fricoter [fʀikɔte] <1> **I.** *vt péj* im Schilde führen **II.** *vi hum fam* **~ avec qn** etwas mit jdm haben
friction [fʀiksjɔ̃] *f* **1.** (*frottement*) Abreiben *nt;* **~ de cheveux** Kopfhautmassage *f;* **se faire faire une ~** sich (*dat*) die Kopfhaut massieren lassen **2.** PHYS Reibung *f* **3.** *gén pl* (*désaccord*) Reibereien *Pl* (*fam*)
frictionner [fʀiksjɔne] <1> **I.** *vt* **1.** (*frotter*) abreiben **2.** *fig* **je vais lui ~ les oreilles/la tête!** *fam* ich werd' ihm eine Abreibung verpassen! (*fam*) **II.** *vpr* **se ~** sich abreiben
Fridolin [fʀidɔlɛ̃] *mf péj fam* Boche *mf* (*abwertende Bezeichnung für Deutsche aus dem 2. Weltkrieg*)
frigidaire® [fʀiʒidɛʀ] *m* Kühlschrank *m*
frigide [fʀiʒid] *adj* frigid[e]
frigidité [fʀiʒidite] *f* Frigidität *f*
frigo [fʀigo] *m fam abr de* **frigidaire**
frigorifier [fʀigɔʀifje] <1> *vt* **1.** *fam* (*avoir très froid*) **être frigorifié** völlig durchgefroren sein **2.** (*congeler*) einfrieren
frigorifique [fʀigɔʀifik] *adj* Kühl-; *machine* Kälte-
frileusement [fʀiløzmã] *adv* **1.** (*en raison du froid*) fröstelnd **2.** (*craintivement*) ängstlich
frileux, -euse [fʀilø, -øz] *adj* **1.** (*sensible au froid*) kälteempfindlich; *personne* verfroren **2.** (*craintif*) ängstlich
frilosité [fʀilozite] *f* **1.** (*sensibilité au froid*) Kälteempfindlichkeit *f* **2.** (*manque d'audace*) **~ du marché bancaire** Zurückhaltung *f* auf dem Geldmarkt
frime [fʀim] *f fam* **1.** (*bluff*) Theater *nt* **2.** (*vantardise*) Angeberei *f;* **pour la ~** zum Schein
frimer [fʀime] <1> *vi fam* **1.** (*fanfaronner*) eine Show abziehen **2.** (*se vanter*) angeben
frimeur, -euse [fʀimœʀ, -øz] *m, f fam* Angeber(in) *m(f)*
frimousse [fʀimus] *f fam* [Puppen]gesicht *nt*
fringale [fʀɛ̃gal] *f* **1.** *fam* (*faim*) Kohldampf *m;* **j'ai été pris d'une vraie ~** mich überkam ein regelrechter Heißhunger **2.** (*envie*) **~ de lectures** Lesehunger *m;* **avoir une ~ de bandes dessinées** ver-

sessen auf Comics sein

fringant, e [fʀɛ̃gɑ̃, ɑ̃t] *adj personne* munter; *personne âgée* rüstig; *cheval* feurig

fringué, e [fʀɛ̃ge] *adj fam* ausstaffiert; **être bien ~** sich in Schale geworfen haben; **c'est un mec ~ comme un ministre** der Typ hat echt piekfeine Klamotten an

fringuer [fʀɛ̃ge] <1> **I.** *vt fam* ausstaffieren **II.** *vpr fam* **se ~** sich anziehen

fringues [fʀɛ̃g] *fpl fam* Klamotten *Pl*

fripe [fʀip] *f gén pl* **1.** (*vieux vêtements*) alte Kleider *Pl* **2.** (*vêtements d'occasion*) Kleider *Pl* aus zweiter Hand

fripé, e [fʀipe] *adj* zerknittert

friper [fʀipe] <1> **I.** *vt* zerknittern **II.** *vpr* **se ~** knittern

friperie [fʀipʀi] *f* **1.** *péj* (*vieux habits*) alte Klamotten **2.** (*commerce*) Secondhandshop *m*

fripier, -ière [fʀipje, -jɛʀ] *m, f* Inhaber(in) *m(f)* eines Secondhandshops

fripon, ne [fʀipɔ̃, ɔn] **I.** *adj fam air, visage* spitzbübisch; **il a le regard ~** [*o* **les yeux ~s**] ihm schaut der Schalk aus den Augen **II.** *m, f fam* (*malin*) Schelm(in) *m(f)*; **petit ~!** du kleiner Schlingel! (*fam*)

fripouille [fʀipuj] *f fam* Spitzbube *m*; **petite ~!** *hum* du kleiner Gauner!

frire [fʀiʀ] <*irr*> **I.** *vt* **1.** (*dans une poêle*) [**faire**] **~ qc** etw braten **2.** (*dans une friteuse*) [**faire**] **~ qc** etw frittieren **II.** *vi* [in schwimmendem Fett] braten

frisbee® [fʀizbi] *m* Frisbee® *nt*

frise [fʀiz] *f* ARCHIT Fries *m*

Frisé [fʀize] *mf péj fam* Boche *mf* (*abwertende Bezeichnung für Deutsche aus dem 2. Weltkrieg*)

frisé, e [fʀize] *adj cheveux* kraus; *animal* mit krausem Fell; **personne ~e** Mensch *m* mit lockigem Haar; **être ~ comme un mouton** einen Krauskopf haben

frisée [fʀize] *f* (*salade*) Friseesalat *m*

friser [fʀize] <1> **I.** *vt* **1.** (*mettre en boucles*) in Locken legen *cheveux;* zwirbeln *moustache;* **~** [**les cheveux à**] **qn** jdm Locken machen **2.** (*frôler*) **~ la mort/l'accident** dem Tod/dem Unglück mit knapper Not entgehen; **~ le ridicule** *situation, remarque:* ans Lächerliche grenzen; *personne:* sich lächerlich machen; **~ la soixantaine** knapp sechzig sein; **~ les 10 %** fast die 10 %-Grenze erreichen **II.** *vi cheveux:* sich kräuseln; **qn frise** (*naturellement*) jd hat Naturlocken; (*à l'humidité*) jds Haare kräuseln sich **III.** *vpr* (*se faire des boucles*) **se faire ~** sich (*dat*) Locken machen lassen

frisette [fʀizɛt] *f* **1.** (*bouclette*) Löckchen *nt* **2.** (*planche*) dünne Holzlatte

frisotter [fʀizɔte] <1> *vi cheveux:* kraus werden; *personne:* einen Lockenkopf bekommen

frisquet, te [fʀiskɛ, ɛt] *adj fam* frisch

frisson [fʀisɔ̃] *m* Beben *nt;* **~ de dégoût** Schauder *m;* **avoir des ~s** Schüttelfrost *m* haben; **un ~ parcourt qn** ein Schau[d]er überläuft jdn ▸ **le grand ~** (*émotion intense*) [Nerven]kitzel *m;* (*orgasme*) Orgasmus *m;* **donner le grand ~ à qn** ein großer Nervenkitzel für jdn sein; **qn en a le ~** jdm läuft es dabei kalt über den Rücken

frissonner [fʀisɔne] <1> *vi* (*avoir des frissons*) **~ de désir/plaisir** vor Verlangen/Lust (*dat*) beben (*geh*); **~ de froid/peur** vor Kälte/Angst (*dat*) zittern; **il frissonne d'horreur** es schaudert ihn; **être frissonnant de fièvre** Schüttelfrost *m* haben

frisure [fʀizyʀ] *f* Löckchen *Pl;* **~ légère** leichte Welle

frit, e [fʀi, fʀit] **I.** *part passé de* **frire II.** *adj fam* (*fichu*) erledigt

frite [fʀit] *f* **des ~s** Pommes frites *Pl;* **cornet de ~s** Pommes in einer Papiertüte ▸ **avoir la ~** *fam* gut drauf sein

friterie [fʀitʀi] *f* **1.** (*boutique*) Pommesbude (*fam*) **2.** (*atelier de friture*) Bratküche *f*

friteuse [fʀitøz] *f* GASTR Fritteuse *f*

friture [fʀityʀ] *f* **1.** (*aliments*) frittierte Speise **2.** (*graisse*) Frittüre *f* (*heißes Fett zum Frittieren*) **3.** (*action*) Frittieren *nt* **4.** RADIO, TELEC Rauschen *nt;* **il y a de la ~ sur la ligne** es rauscht in der Leitung

Fritz [fʀits] *mf inv péj fam* Boche *mf* (*abwertende Bezeichnung für Deutsche aus dem 2. Weltkrieg*)

frivole [fʀivɔl] *adj personne* leichtfertig; *discours* nichts sagend; *spectacle* flach; *occupation* nutzlos; *lecture* seicht

frivolité [fʀivɔlite] *f d'une personne* Leichtfertigkeit *f; d'une conversation, d'un discours* Oberflächlichkeit *f; d'une occupation* Nutzlosigkeit *f*

froc [fʀɔk] *m fam* (*pantalon*) Hose *f* ▸ **baisser son ~** *devant qn fam* vor jdn den Schwanz einziehen; **faire dans son ~** *fam* sich (*dat*) ins Hemd machen

froid [fʀwa] **I.** *m* **1.** (*température*) Kälte *f;* **qn a ~** jdm ist kalt; **avoir ~ aux pieds** kalte Füße haben; **il fait ~** es ist kalt; **attraper** [*o* **prendre**] [**un coup de**] **~** sich erkälten; **crever** *fam* [*o* **mourir**] **de ~** erfrieren; (*avoir très froid*) sich fast zu Tode frieren **2.** (*brouille*) Verstimmung *f;* **être en ~ avec qn** ein unterkühltes Verhältnis zu jdm haben; **jeter un ~** *personne:* eine frostige Stimmung verbreiten; *intervention, remarque:* wie eine kalte Dusche wirken ▸ **~ de canard** [*o* **loup**] *fam* Saukälte *f;* **qn en a**

a ~ **dans le** dos jdm läuft es kalt den Rücken herunter; **ne pas avoir** ~ **aux** yeux entschlossen sein **II.** *adv* ►**à** ~ TECH kalt; (*sans préparation*) unvorbereitet; (*sans émotion*) emotionslos; (*avec insensibilité*) kaltblütig; **démarrage à** ~ Kaltstart *m*

froid, e [fʀwa, fʀwad] *adj* **1.** (*opp: chaud*) kalt **2.** (*distant, calme, indifférent*) kühl; **il entra dans une colère** ~**e** ihn packte die kalte Wut; **laisser** ~ **qn** jdn kalt lassen; **prendre un air** ~ eine eisige Miene aufsetzen; **rester** ~ **comme le marbre** ungerührt bleiben

froidement [fʀwadmɑ̃] *adv* **1.** (*sans chaleur*) kühl; *accueillir, recevoir* frostig **2.** (*avec sang-froid*) nüchtern; *réagir* gelassen **3.** (*avec insensibilité*) kaltblütig

froideur [fʀwadœʀ] *f d'un comportement, d'une réaction* Kälte *f; d'un accueil* Frostigkeit *f;* **accueillir qc avec** ~ etw mit großer Zurückhaltung aufnehmen

froissable [fʀwasabl] *adj* **être** ~ leicht knittern

froissement [fʀwasmɑ̃] *m* **1.** (*bruit*) Rascheln *nt* **2.** (*claquage*) ~ **d'un muscle** Muskelzerrung *f* **3.** (*blessure*) Kränkung *f*

froisser [fʀwase] <1> **I.** *vt* **1.** (*chiffonner*) zerknittern *tissu, papier;* verbiegen *tôles* **2.** (*blesser*) kränken *personne, orgueil* **II.** *vpr* **1.** (*se chiffonner*) **se** ~ knittern **2.** (*se claquer*) **se** ~ **un muscle** sich (*dat*) eine Muskelzerrung zuziehen **3.** (*se vexer*) **se** ~ gekränkt sein; **être froissé** gekränkt sein, angerührt sein (A)

frôlement [fʀolmɑ̃] *m* **1.** (*contact léger*) leichte Berührung **2.** (*frémissement*) Rascheln *nt*

frôler [fʀole] <1> **I.** *vt* **1.** (*effleurer*) streifen **2.** (*passer très près*) fast berühren; ~ **le** **ridicule** *personne:* sich lächerlich machen; *remarque, situation:* ans Lächerliche grenzen; **le thermomètre frôle les 20°** das Thermometer erreicht fast 20° **3.** (*éviter de justesse*) ~ **la mort** dem Tod mit knapper Not entgehen **II.** *vpr* **se** ~ (*avec contact*) sich leicht berühren; (*sans contact*) haarscharf aneinander vorbeigehen

fromage [fʀɔmaʒ] *m* Käse *m;* ~ **blanc** Quark *m* ►**faire un** ~ **de qc** *fam* aus etw eine Staatsakt machen

fromager, -ère [fʀɔmaʒe, -ɛʀ] **I.** *adj industrie, production* Käse-; **association fromagère** Verband *m* der Käsehersteller **II.** *m, f* Käsehersteller(in) *m(f)*

fromagerie [fʀɔmaʒʀi] *f* **1.** (*industrie*) Käseindustrie *f* **2.** (*lieu de fabrication*) Käserei *f*

froment [fʀɔmɑ̃] *m* Weizen *m*

froncement [fʀɔ̃smɑ̃] *m des sourcils*

Hochziehen *nt; du nez* Rümpfen *nt*

froncer [fʀɔ̃se] <2> *vt* **1.** COUT raffen **2.** (*plisser*) hochziehen *sourcils;* rümpfen *nez*

fronces [fʀɔ̃s] *fpl* Falte *f;* **à** ~ gerafft

frondaison [fʀɔ̃dɛzɔ̃] *f* BOT **1.** (*apparition des feuilles*) Blattbildung *f* **2.** (*feuillage*) Laub *nt*

fronde[1] [fʀɔ̃d] *f* Schleuder *f*

fronde[2] [fʀɔ̃d] *f* **1.** (*insurrection*) Revolte *f* **2.** HIST **la Fronde** die Fronde

fronde[3] [fʀɔ̃d] *f* BOT Farnwedel *m*

frondeur, -euse [fʀɔ̃dœʀ, -øz] *adj* widerspenstig; **avoir une mentalité frondeuse** oft und gerne widersprechen

front [fʀɔ̃] *m* **1.** ANAT Stirn *f* **2.** (*façade*) Front *f; d'une montagne* Vorderseite *f;* ~ **de mer** Strandpromenade *f* **3.** MIL, METEO Front *f* **4.** POL Front *f;* **Front populaire** Volksfront *f* ►**faire** ~ **commun**/**offrir un** ~ **commun contre qn**/**qc** gemeinsame Front gegen jdn/etw machen; **marcher le** ~ **haut** den Kopf hochtragen; **baisser le** ~ sich schämen; **relever le** ~ sich wieder aufrichten; **de** ~ (*côte à côte*) nebeneinander; (*de face*) **attaquer un problème de** ~ ein Problem direkt angehen; **se heurter de** ~ frontal aufprallen; (*simultanément*) gleichzeitig

frontal [fʀɔ̃tal, o] <-aux> *m* MED Stirnbein *nt*

frontal, e [fʀɔ̃tal, o] <-aux> *adj* **1.** MED *muscle, veine* Stirn-; **os** ~ Stirnbein *nt* **2.** *attaque, collision* Frontal-

frontalier, -ière [fʀɔ̃talje, -jɛʀ] **I.** *adj* Grenz- **II.** *m, f* Grenzbewohner(in) *m(f)*

frontière [fʀɔ̃tjɛʀ] *f* **1.** GEOG, POL [Landes]grenze *f* **2.** (*limite*) Grenze *f;* **à la** ~ **du rêve et de la réalité** am Übergang *m* zwischen Traum und Wirklichkeit **II.** *app inv* **ville** ~ Grenzstadt *f;* **gare** ~ Grenzbahnhof *m*

frontispice [fʀɔ̃tispis] *m* TYP Frontispiz *nt*

fronton [fʀɔ̃tɔ̃] *m* [Front]giebel *m*

frottement [fʀɔtmɑ̃] *m* **1.** (*bruit*) Reiben *nt*, reibendes Geräusch **2.** (*contact*) Reiben *nt; des traces de* ~ *sur le plancher* Schleifspuren auf dem Boden; **étoffe usée par les** ~**s** durchgescheuerter Stoff **3.** PHYS Reibung *f* **4.** *pl* (*frictions*) Reibereien *Pl*

frotter [fʀɔte] <1> **I.** *vi* ~ **contre qc** an etw reiben (*dat*); *porte:* über etw (*akk*) scheuern **II.** *vt* **1.** (*astiquer*) polieren *chaussures, meubles* **2.** (*nettoyer*) sauber reiben; (*avec une brosse*) [aus]bürsten; schrubben (*fam*) *partie du corps, plancher;* blank reiben *carreaux;* rubbeln *linge;* ~ **ses semelles sur le paillasson** sich (*dat*) die Schuhe [am Fußabstreifer] abtreten **3.** (*ci-*

rer) blank bohnern *parquet* **4.** (*frictionner: pour laver*) gründlich säubern; (*pour sécher*) trocken reiben; (*pour réchauffer*) warm reiben **5.** (*gratter*) anzünden *allumette;* ~ **qc contre/sur qc** etw an etw (*dat*) reiben; ~ **qc à la toile émeri** etw abschmirgeln **6.** (*enduire*) ~ **qc d'ail** etw mit Knoblauch einreiben **III.** *vpr* **1. se** ~ (*se laver*) sich gründlich waschen **2.** (*se sécher*) **se** ~ sich abfrottieren **3.** (*se nettoyer*) **se** ~ **les ongles** sich (*dat*) die Nägel bürsten **4.** (*se gratter*) **se** ~ **les yeux/le nez** sich (*dat*) die Augen/die Nase reiben; **se** ~ **contre les jambes de qn** jdm um die Beine streichen; **se** ~ **contre un arbre** sich an einem Baum reiben **5.** (*entrer en conflit*) **se** ~ **à qn** sich mit jdm anlegen

frottis [fʀɔti] *m* Abstrich *m*

froufrou [fʀufʀu] *m* **1.** (*bruit*) Rascheln *nt* (*von Seidenkleidern*) **2.** *pl* (*dentelles*) Rüschen *Pl* **3.** (*dessous*) Reizwäsche *f*

froussard, e [fʀusaʀ, aʀd] **I.** *adj fam* ängstlich **II.** *m, f fam* Angsthase *m*

frousse [fʀus] *f fam* Schiss *m*

fructifier [fʀyktifje] <1> *vi* **1.** (*produire*) *terre, arbre, idée:* Früchte tragen; ~ **tardivement** spät tragen **2.** (*rapporter*) *capital:* Gewinn bringen; **faire** ~ **qc** etw gewinnbringend anlegen

fructueux, -euse [fʀyktɥø, -øz] *adj collaboration* fruchtbar; *lecture* lohnend; *recherches, efforts, essai, travaux* erfolgreich; *opération financière, commerce* gewinnbringend

frugal, e [fʀygal, o] <-aux> *adj repas, nourriture* karg; *vie* bescheiden; *personne* genügsam

frugalité [fʀygalite] *f d'un repas* Kargheit *f; d'une personne* Genügsamkeit *f*

fruit [fʀɥi] *m* **1.** *pl* Obst *nt*, Obstsorte *f;* **jus de** ~[s] Fruchtsaft *m;* ~**s rouges/confits** rote/kandierte Früchte **2.** BIO Frucht *f* **3.** (*crustacés*) ~**s de mer** Meeresfrüchte *Pl* **4.** *de l'expérience, de la réflexion* Ergebnis *nt; d'un effort, du travail* Früchte *Pl; d'une union, de l'amour* Frucht *f;* **être le** ~ **du hasard** reiner Zufall sein; **le** ~ **d'une imagination délirante** der Auswuchs einer krankhaften Fantasie; **porter ses** ~**s** Früchte tragen; *effort:* fruchten ►~ **défendu** verbotene Frucht

fruité, e [fʀɥite] *adj* fruchtig [schmeckend]

fruitier, -ière [fʀɥitje, -jɛʀ] **I.** *adj* **arbre** ~ Obstbaum *m* **II.** *m, f* Obst- und Gemüsehändler(in) *m(f)*

frusques [fʀysk] *fpl fam* Klamotten *Pl*

fruste [fʀyst] *adj personne* ungebildet; *manières* ungehobelt

frustrant, e [fʀystʀɑ̃, ɑ̃t] *adj* frustrierend

frustration [fʀystʀasjɔ̃] *f* Frustration *f;* **toutes ces** ~**s** der ganze Frust (*fam*)

frustré, e [fʀystʀe] **I.** *adj* frustriert **II.** *m, f fam* Frustrierte(r) *f(m)*

frustrer [fʀystʀe] <1> *vt* **1.** *a.* PSYCH frustrieren **2.** (*priver*) ~ **qn de qc** jdn um etw bringen; **un enfant frustré d'amour maternel** ein Kind, dem die Mutterliebe fehlt

FS [ɛfɛs] *m abr de* **franc suisse** sFr

fuchsia [fyʃja, fyksja] **I.** *m* **1.** BOT Fuchsie *f* **2.** (*couleur*) Fuchsienrot *nt* **II.** *adj inv* pinkfarben

fuel [fjul] *m* **1.** (*combustible*) ~ **domestique** Heizöl *nt;* **se chauffer au** ~ mit Öl heizen **2.** (*carburant*) Diesel[kraftstoff *m*] *m*

fugace [fygas] *adj* flüchtig; *beauté* vergänglich

fugitif, -ive [fyʒitif,-iv] **I.** *adj* **1.** (*en fuite*) entflohen **2.** (*éphémère*) flüchtig; **être** ~ *bonheur:* nicht lange währen **II.** *m, f* Flüchtige(r) *f(m)*

fugitivement [fyʒitivmɑ̃] *adv* flüchtig

fugue [fyg] *f* **1.** *d'un mineur* Ausreißen *nt; d'un adulte* Verschwinden *nt;* **un mineur en** ~ ein minderjähriger Ausreißer; **faire une** ~/**des** ~**s** [von zu Hause]/immer wieder [von zu Hause] weglaufen; *adulte:* eine Zeit lang/immer wieder eine Zeit lang verschwinden **2.** MUS Fuge *f*

fuguer [fyge] <1> *vi fam* ausreißen

fugueur, -euse [fygœʀ,-øz] **I.** *m, f* Ausreißer(in) *m(f)* **II.** *adj* **enfant** ~ [gewohnheitsmäßiger] Ausreißer/[gewohnheitsmäßige] Ausreißerin

fuir [fɥiʀ] <*irr*> **I.** *vi* **1.** (*s'enfuir*) ~ **d'un pays** aus einem Land fliehen **2.** (*détaler*) weglaufen; ~ **devant qn/qc** vor jdm/etw fliehen; **faire** ~ **qn** jdn in die Flucht schlagen **3.** (*se dérober*) ~ **devant qc** sich einer S. (*dat*) entziehen **4.** (*ne pas être étanche*) *récipient:* undicht sein; *robinet d'eau:* tropfen **5.** (*s'échapper*) *liquide:* auslaufen; *gaz:* ausströmen **II.** *vt* (*éviter*) fliehen vor (+ *dat*); ~ **qn/qc** fliehen vor (+ *dat*) *danger:* ~ **ses responsabilités** sich der Verantwortung (*dat*) entziehen; ~ **qc** vor etw fliehen, sich von etw abwenden; ~ **la présence de qn** jdm aus dem Weg gehen

fuite [fɥit] *f* **1.** Flucht *f;* **prendre la** ~ die Flucht ergreifen; *chauffeur accidenté:* Fahrerflucht begehen; **prisonnier en** ~ entflohener Strafgefangener; **être en** ~ *accusé:* flüchtig sein **2.** (*dérobade*) ~ **devant qc** Flucht *f* vor etw (*dat*); **chercher la** ~ **dans qc** Zuflucht in etw (*dat*) suchen **3.** *d'un récipient, tuyau* undichte Stelle; **avoir une** ~ undicht sein **4.** (*perte*) Austreten *nt; d'eau* Auslaufen *nt; de gaz* Aus-

strömen *nt;* ~ **d'eau** (*sur une canalisation*) Wasserrohrbruch; **il y a une ~ d'eau quelque part** irgendwo tritt Wasser aus; **il y a une ~ de gaz quelque part** irgendwo strömt Gas aus; **il y a une ~** da läuft etwas aus **5.** *d'une information* Durchsickern *nt;* **l'auteur de la ~** die undichte Stelle; **en raison de ~s répétées** da wiederholt Informationen durchgesickert sind/waren

fulgurant, e [fylgyʀɑ̃, ɑ̃t] *adj* **1.** *vitesse* rasend; *progrès* rasend schnell; *réplique* blitzschnell **2.** *douleur* stechend **3.** *lueur* gleißend; *regard* wütend

fulminant, e [fylminɑ̃, ɑ̃t] *adj* **1.** (*furieux*) wütend; ~ **de colère** [*o* **de rage**] wutentbrannt **2.** (*menaçant*) drohend; **une lettre ~e** ein Drohbrief *m*

fulminer [fylmine] <1> *vi* fuchsteufelswild sein (*fam*); ~ **contre qn/qc** gegen jdn/etw wettern

fumant, e [fymɑ̃, ɑ̃t] *adj* **1.** (*qui dégage de la fumée*) qualmend **2.** (*qui dégage de la vapeur*) dampfend; **être encore ~** noch rauchen/dampfen **3.** *fam* (*sensationnel*) toll

fumasse [fymas] *adj fam* wutschnaubend

fumé, e [fyme] *adj* **1.** GASTR geräuchert; **saumon ~** Räucherlachs *m* **2.** *verre, plastique* rauchfarben; *verres de lunettes* getönt; **en verre ~** aus Rauchglas

fume-cigarette [fymsigaʀɛt] <fume-cigarettes> *m* Zigarettenspitze *f*

fumée [fyme] *f* **1.** Rauch *m;* (*nuage épais*) Qualm *m;* ~**s industrielles/d'échappement** Industrie-/Autoabgase *Pl;* **la ~ ne vous gêne pas?** stört es Sie, wenn ich rauche?; **avaler la ~** Lungenzüge machen **2.** (*vapeur: légère*) Dunst *m;* (*épaisse*) Dampf *m*

fumer [fyme] <1> **I.** *vi* **1.** (*aspirer de la fumée de tabac*) rauchen **2.** (*dégager de la fumée*) rauchen; *bougie:* rußen **3.** (*dégager de la vapeur*) dampfen; *acide:* Dämpfe entwickeln **II.** *vt* **1.** (*aspirer de la fumée de tabac*) rauchen **2.** GASTR räuchern

fumet [fymɛ] *m* **1.** (*odeur*) Duft *m* **2.** *d'un vin* Blume *f*

fumeur, -euse [fymœʀ, -øz] **I.** *m, f* Raucher(in) *m(f)* **II.** *app* TRANSP **compartiment ~s** Raucherabteil *nt;* **siège ~s** Raucherplatz *m;* **zone ~/non-~** Raucherbereich *m*/Nichtraucherbereich

fumeux, -euse [fymø, -øz] *adj théorie, explication, idées* verworren

fumier [fymje] *m* **1.** (*engrais naturel*) [Stall]mist *m* **2.** *fam* (*salaud*) Mistkerl *m*

fumigation [fymigasjɔ̃] *f* **1.** MED Inhalation *f;* **faire des ~s** inhalieren **2.** (*pour désinfecter*) Ausräuchern *nt*

fumigène [fymiʒɛn] *adj* **grenade ~** Nebelgranate *f;* **bombe ~** Rauchbombe *f;* **engin/appareil ~** Raucherzeuger *m*/Räucherapparat *m*

fumiste [fymist] **I.** *adj péj fam* unseriös **II.** *mf* **1.** *péj fam* (*plaisantin*) Nichtsnutz *m* **2.** (*qui se moque du monde*) Schaumschläger(in) *m(f)* **3.** (*ouvrier*) Ofensetzer(in) *m(f)*

fumisterie [fymistəʀi] *f fam* **1.** (*mystification*) Schwindel *m* **2.** (*farce*) Schau *f*

fumoir [fymwaʀ] *m* Rauchsalon *m*

funambule [fynɑ̃byl] *mf* Seiltänzer(in) *m(f)*

funboard [fœnbɔʀd] *m* **1.** (*planche à voile*) Funboard *nt* **2.** (*sport*) Funboard-Surfen *nt*

funèbre [fynɛbʀ] *adj* **1.** (*funéraire*) **marche ~** Trauermarsch *m;* **décoration ~** Sargschmuck *m;* **oraison ~** Grabrede *f;* **veillée ~** Totenwache *f* **2.** (*lugubre*) finster; *idées* trüb[sinnig]; **mine ~** Trauermiene *f;* **silence ~** Grabesstille *f*

funérailles [fyneʀɑj] *fpl* Bestattung *f* (*geh*); ~**s nationales** Staatsbegräbnis *nt*

funéraire [fyneʀɛʀ] *adj* **dalle ~** Grabplatte *f;* **monument ~** Grabmal *nt*

funeste [fynɛst] *adj* **1.** (*fatal*) verhängnisvoll; *jour* unselig; *suites, coup* fatal; **être ~ à qn/qc** jdm zum Verhängnis werden/einer S. (*dat*) schaden **2.** *pressentiment, vision* dunkel; **de ~s pressentiments** Todesahnungen *Pl* **3.** (*triste*) traurig

funiculaire [fynikylɛʀ] *m* [Draht]seilbahn *f*

funk [fœnk] *adj inv* Funk-; **musique ~** Funk *m*

fur [fyʀ] ►**au ~ et à mesure** nach und nach; **passer des photos au ~ et à mesure** ein Foto nach dem anderen weitergeben; **au ~ et à mesure qu'on approche/progresse dans notre travail** je näher man kommt/je weiter die Arbeit fortschreitet

furax [fyʀaks] *adj fam* (*furieux*) wutschnaubend

furet [fyʀɛ] *m* Frettchen *nt*

fureter [fyʀ(ə)te] <4> *vi* [herum]schnüffeln (*fam*)

fureteur [fyʀ(ə)tœʀ] *m* CAN Browser *m*

fureteur, -euse [fyʀ(ə)tœʀ, -øz] **I.** *m, f* Schnüffler(in) *m(f)* (*pej fam*) **II.** *adj regard* suchend

fureur [fyʀœʀ] *f* **1.** Wut *f,* Zorn *m;* **mettre qn en ~** jdn zur Raserei bringen; **être en ~ contre qn** wütend auf jdn sein; **des accès de ~ incontrôlables** Tobsuchtsanfälle *Pl;* **avec ~** wütend **2.** *des éléments naturels, vagues* Urgewalt *f;* *d'une attaque* Heftigkeit *f* ►**faire ~** *chanson, mode:* Furore machen;

danse, sport: groß in Mode sein; **la ~ de vivre** die Gier nach Leben

furibond, e [fyʀibɔ̃, ɔ̃d] *adj regard, ton* wütend; *personne* wutentbrannt

furie [fyʀi] *f* **1.** (*violence*) Heftigkeit *f; d'un combat* Verbissenheit *f;* **en ~** *mer* tosend; *personne, animal* wutschäumend; **être en ~** vor Wut schäumen; **mettre qn en ~** jdn in helle Wut versetzen **2.** *péj* (*femme déchaînée*) Furie *f*

furieusement [fyʀjøzmɑ̃] *adv* **1.** (*avec violence*) wütend **2.** *iron* (*extrêmement*) unheimlich (*fam*)

furieux, -euse [fyʀjø, -jøz] *adj* **1.** (*en colère*) wütend, zornig; *animal* wütend **2.** (*violent*) wütend; *combat, résistance* erbittert **3.** *hum envie, appétit* unheimlich (*fam*)

furoncle [fyʀɔ̃kl] *m* Furunkel *m o nt*

furtif, -ive [fyʀtif, -iv] *adj* **1.** (*rapide*) flüchtig **2.** (*à la dérobée*) verstohlen; *mouvement* unmerklich

furtivement [fyʀtivmɑ̃] *adv* heimlich

fus [fy] *passé simple de* **être**

fusain [fyzɛ̃] *m* **1.** (*dessin*) Kohlezeichnung *f* **2.** (*crayon*) [Zeichen]kohle *f* **3.** BOT Pfaffenhütchen *nt*

fuseau [fyzo] <x> *m* **1.** *d'une fileuse* Spindel *f; d'une dentellière* Klöppel *m* **2.** (*pantalon*) Steghose *f* **3.** GEOG **~ horaire** Zeitzone *f*

fusée [fyze] *f* Rakete *f*

fuselage [fyz(ə)laʒ] *m* [Flugzeug]rumpf *m*

fuselé, e [fyz(ə)le] *adj* [lang und] schlank

fuser [fyze] <1> *vi* [hervor]sprudeln; *liquide, vapeur:* herausschießen; *étincelles:* sprühen; *lumière:* aufflammen; *rires, cris:* laut werden; *coups de feu:* zu hören sein; **des questions fusent** es hagelt Fragen; **le pétrole fuse** die Ölfontäne schießt empor

fusible [fyzibl] *m* Sicherung *f*

fusil [fyzi] *m* **1.** (*arme*) Gewehr *nt* **2.** (*à chevrotines*) Flinte *f;* (*à balles*) Büchse *f; ~* **sous-marin** Harpune *f* **3.** (*aiguisoir*) Wetzstahl *m* ▶**changer son ~ d'épaule** (*changer de méthode/d'opinion*) seine Taktik/Meinung ändern; (*retourner sa veste*) ins andere Lager wechseln; **être un bon/excellent ~** ein guter/ausgezeichneter Schütze sein

fusilier [fyzilje] *m ~* **marin** Marineinfanterist *m*

fusillade [fyzijad] *f* **1.** (*coups de feu*) Schießerei *f* **2.** (*exécution*) Erschießung *f*

fusiller [fyzije] <1> *vt* erschießen

fusil-mitrailleur [fyzimitʀɑjœʀ] <fusils-mitrailleurs> *m* Schnellfeuergewehr *nt*

fusion [fyzjɔ̃] *f* **1.** *des atomes* Fusion *f; d'un*

métal Schmelzen *nt; de la glace* Schmelze *f;* **en ~** [schmelz]flüssig **2.** ECON, POL *de sociétés* Fusion *f; d'organisations, de partis* Zusammenschluss *m* **3.** *de cœurs, corps, d'esprits* Vereinigung *f* **4.** INFORM *de fichiers* Vereinigen *nt;* **obtenir la ~ de deux fichiers** zwei Dateien vereinigen

fusionner [fyzjɔne] <1> **I.** *vi sociétés:* fusionieren; *partis, organisations:* sich vereinigen **II.** *vt* INFORM vereinigen

fût [fy] *m* Fass *nt*

futaie [fytɛ] *f* **1.** (*groupe d'arbres*) Gruppe *f* hochstämmiger Bäume **2.** (*forêt*) **haute ~** [alter] Hochwald

futal [fytal] *m fam* (*pantalon*) Hose *f*

futé, e [fyte] **I.** *adj* clever **II.** *m, f* **petit(e) ~(e)** Schlaumeier *m*

futile [fytil] *adj* **1.** (*inutile, creux*) belanglos; *occupation* unnütz; *propos* nichts sagend; *conversation* seicht; *prétexte* unsinnig; **pour une raison ~** wegen einer Lappalie; **il était ~ de faire qc** es war sinnlos, etw zu tun **2.** *personne, esprit* oberflächlich

futilité [fytilite] *f* **1.** *sans pl d'une occupation* Sinnlosigkeit *f; d'une conversation, d'un propos* Banalität *f; d'une vie* Leere *f* **2.** *sans pl d'une personne, d'un esprit* Oberflächlichkeit *f; d'un raisonnement* Unsinnigkeit *f* **3.** *pl* (*bagatelles*) Nichtigkeiten *Pl*

utur [fytyʀ] *m* **1.** (*avenir*) Zukunft *f* **2.** LING Futur *nt; ~* **proche/simple** nahes/einfaches Futur

futur, e [fytyʀ] **I.** *adj* **1.** (*ultérieur*) [zu]künftige(r, s); **les temps ~s** kommende Zeiten; **dans une vie ~e** in einem späteren Leben; **l'évolution ~e** die künftige Entwicklung **2.** *antéposé collaborateur, époux* [zu]künftige(r, s); **une ~e maman** eine werdende Mutter **3.** (*devenu tel par la suite*) *antéposé* spätere(r, s) **II.** *m, f fam* (*fiancé*) Zukünftige(r) *f(m)*

futuriste [fytyʀist] *adj* futuristisch

futurologie [fytyʀɔlɔʒi] *f* Zukunftsforschung *f*

futurologue [fytyʀɔlɔg] *mf* Zukunftsforscher(in) *m(f)*

fuyais [fɥijɛ] *imparf de* **fuir**

fuyant [fɥijɑ̃] *part prés de* **fuir**

fuyant, e [fɥijɑ̃, ɑ̃t] *adj* **1.** *attitude* ausweichend; *regard* unstet; **être ~** *personne:* sich nie festlegen; **prendre un air ~** nicht reagieren **2.** *menton, front* fliehend

fuyard, e [fɥijaʀ, aʀd] *m, f* **1.** (*fugitif*) Flüchtige(r) *f(m)* **2.** (*déserteur*) Fahnenflüchtige(r) *m*

fuyez [fɥije], **fuyons** [fɥijɔ̃] *indic prés et impératif de* **fuir**

G

G, g [ʒe] *m inv* G *nt*, g *nt*
gabardine [gabaʀdin] *f* Gabardine *m o f*
gabarit [gabaʀi] *m* **1.** (*dimension*) Größe *f*; *d'un véhicule* Maße *Pl* **2.** *fam* (*stature*) Statur *f*
gabegie [gabʒi] *f* Misswirtschaft *f*; **c'est la vraie ~ ici** hier geht wirklich alles drunter und drüber
Gabon [gabɔ̃] *m* **le ~** Gabun *nt*
gabonais, e [gabɔnɛ, ɛz] *adj* gabunisch
Gabonais, e [gabɔnɛ, ɛz] *m, f* Gabuner(in) *m(f)*
gâcher [gaʃe] <1> *vt* verderben *plaisir, vacances*; verpfuschen *vie*; vergeuden *temps, argent*; **~ le métier** die Preise verderben
gâchette [gaʃɛt] *f d'une arme* Abzug *m*; **appuyer sur la ~** abdrücken ▶**avoir la ~ facile** einen nervösen Finger haben (*fam*)
gâchis [gaʃi] *m* **1.** (*gaspillage*) Vergeudung *f* **2.** (*mauvais résultat*) Schlamassel *m o nt* (*fam*)
gadget [gadʒɛt] *m* **1.** (*bidule*) Spielerei *f*; **des ~s** Schnickschnack *m* (*fam*) **2.** (*innovation*) neumodische Ideen *Pl*
gadoue [gadu] *f* Matsch *m*
gaffe[1] [gaf] *f fam* Schnitzer *m*, Patzer *m*; (*en société*) Fauxpas *m*; **faire une ~** einen Bock schießen
gaffe[2] [gaf] *f fam* ▶**faire ~** aufpassen
gaffer[1] [gafe] <1> *vt* NAUT mit dem Bootshaken an Land/Bord ziehen *poisson*
gaffer[2] [gafe] <1> *vi fam* (*commettre une bévue*) sich (*dat*) einen Schnitzer leisten
gaffeur, -euse [gafœʀ, -øz] **I.** *adj fam* ungeschickt **II.** *m, f fam* Tollpatsch *m*
gag [gag] *m* Gag *m*
gaga [gaga] **I.** *adj fam* **1.** (*gâteux*) gaga **2.** (*fou*) **être ~ de qn** [ganz] verrückt nach jdm sein **II.** *m vieux ~ fam* alter Trottel
gage [gaʒ] *m* **1.** **~ de qc** (*garantie*) Garantie *f* für etw; (*témoignage*) Beweis *m* für etw **2.** (*dépôt*) Pfand *nt*; **mettre qc en ~** etw verpfänden; **sur ~** gegen Pfand **3.** JEUX Strafe *f* **4.** *pl* (*salaire*) Lohn *m*; *d'un acteur, artiste* Gage *f*
gageure [gaʒyʀ] *f* Ding *nt* der Unmöglichkeit
gagnant, e [gaɲɑ̃, ɑ̃t] **I.** *adj carte, coup* spielentscheidend; **billet ~** Gewinnlos *nt*; **cheval ~** Siegerpferd *nt* ▶**donner un animal ~** auf den Sieg eines Tieres setzen; **partir ~** Favorit sein **II.** *m, f* Sieger(in)

m(f); *d'un jeu* Gewinner(in) *m(f)*
gagne-pain [gaɲpɛ̃] *m inv* Broterwerb *m*; **être le ~ de qn** jds Lebensunterhalt sein; **perdre son ~** brotlos werden
gagne-petit [gaɲpəti] *mf inv péj* armer Schlucker
gagner [gaɲe] <1> **I.** *vi* **1.** (*vaincre*) **~ à qc** bei etw gewinnen; **on a gagné!** [wir haben] gewonnen! **2.** (*trouver un avantage*) **est-ce que j'y gagne?** bringt mir das [et]was? **3.** (*avoir une meilleure position*) **~ à être connu** beim näheren Kennenlernen gewinnen; **y ~ en clarté** dadurch an Klarheit (*dat*) gewinnen **II.** *vt* **1.** (*s'assurer*) verdienen *argent, récompense*; sich (*dat*) etw holen *prix* **2.** (*remporter*) gewinnen *lot, argent* **3.** (*économiser*) gewinnen *place*; gutmachen, einsparen *temps* **4.** (*obtenir comme résultat*) [sich (*dat*)] erwerben *réputation* **5.** (*conquérir*) gewinnen *ami, confiance*; **~ qn à sa cause** jdn von seiner Sache überzeugen; **être gagné par la gentillesse de qn** von jds Freundlichkeit eingenommen sein/werden **6.** (*atteindre*) erreichen *lieu*; **~ la gare** zum Bahnhof gehen/gelangen **7.** (*avancer*) *incendie, épidémie:* **~ qc** auf etw (*akk*) übergreifen **8.** (*envahir*) **~ qn** *maladie:* jdn befallen; *fatigue, peur:* jdn überkommen; **le froid la gagnait** Kälte kroch in ihr hoch; **l'envie me gagne de tout laisser tomber** allmählich würde ich am liebsten alles hinwerfen; **être gagné par le sommeil/un sentiment** vom Schlaf/einem Gefühl übermannt werden; **se laisser ~ par le découragement** in Mutlosigkeit verfallen ▶**c'est toujours ça de gagné** das ist besser als nichts; **c'est gagné!** *iron* Volltreffer!
gagneur, -euse [gaɲœʀ, -øz] *m, f* Gewinner(in) *m(f)*
gai, e [ge, gɛ] *adj* fröhlich, heiter; *personne* fröhlich, vergnügt; *événement* lustig; *ambiance* ausgelassen; *vêtement, pièce* freundlich; *couleur* fröhlich ▶**c'est ~!** *iron* na toll!; **ça va être ~!** das kann ja heiter werden!
gaiement [gemɑ̃, gɛmɑ̃] *adv* fröhlich ▶**allons-y ~!** *iron* na, dann wollen wir mal! (*fam*)
gaieté [gete] *f* Fröhlichkeit *f*, Heiterkeit *f*; *d'une personne* gute Laune; (*caractère*) Frohsinn *m* ▶**ne pas faire qc de ~ de**

c**œur** etw nicht gerade frohen Herzens tun
gaillard [gajaʀ] *m* **1.**(*costaud*) Kerl *m*
(*fam*) **2.** *fam* (*lascar*) Bürschchen *nt;* **mon
~!** [mein] Freundchen!
gaillard, e [gajaʀ, aʀd] *adj personne* rüstig
gaîment [gemã, gɛmã] *adv v.* **gaiement**
gain [gɛ̃] *m* **1.**(*profit*) Gewinn *m;* **tirer un
~ d'une lecture** aus einer Lektüre Nutzen
ziehen **2.**(*économie*) Einsparung *f;* **~ de
place/temps** Platz-/Zeitgewinn *m;* **~
d'argent** [Geld]ersparnis *f* ▸**donner ~ de
cause à qn** jdm Recht geben; JUR zu jds
Gunsten entscheiden; **obtenir ~ de cause**
Recht bekommen; JUR seinen Fall gewinnen; **être âpre au ~** profitgierig sein
gaine [gɛn] *f* **1.**(*ceinture*) Hüfthalter *m*
2.(*étui*) Hülle *f; d'un couteau, d'une épée*
Scheide *f; d'un pistolet* Halfter *nt o f;* **~ de
câble/d'aération** Kabelmantel *m/*Lüf-
tungsschacht *m*
gaine-culotte [gɛn-kylɔt] *f* Miederhös-
chen *nt*
gaîté [gete] *f v.* **gaieté**
gala [gala] *m* [Gala]empfang *m;* **~ de
bienfaisance** Wohltätigkeitsveranstaltung
f
galamment [galamã] *adv* galant
galant, e [galã, ãt] *adj* **1.**(*courtois*) zuvorkommend **2.**(*d'amour*) **rendez-vous ~**
Rendezvous *nt*
galanterie [galãtʀi] *f* Höflichkeit *f,* Ritter-
lichkeit *f*
galaxie [galaksi] *f* Galaxie *f,* Milchstraßen-
system *nt;* **la Galaxie** die Galaxis
galbe [galb] *m* perfekte Rundung, weiche
Linienführung
galbé, e [galbe] *adj objet* harmonisch ge-
rundet, geschwungen; **des jambes bien
~es** wohlgeformte Beine *Pl*
gale [gal] *f* **1.**(*chez les hommes*) Krätze *f*
2.(*chez les animaux*) Räude *f* ▸**être mauvais comme la ~** richtig bösartig sein; **ne
pas avoir la ~** nicht beißen
galéjade [galeʒad] *f* Übertreibungen *Pl*
galéjer [galeʒe] <5> *vi* Märchen erzählen, übertreiben
galère [galɛʀ] *f* **1.** *fam* (*corvée*) **c'est** [**la**] **~**
[das ist] echt ätzend; **quelle ~!** so eine Pla-
ckerei!; **sortir de cette ~** diese Schinderei
beenden **2.** HIST Galeere *f* ▸**et vogue la ~!**
und dann komme was da wolle!
galérer [galeʀe] <5> *vi fam* **1.**(*chercher*)
herumsuchen, herumprobieren **2.**(*travailler dur*) sich abstrampeln
galerie [galʀi] *f* **1.**(*souterrain*) Gang *m;
d'une mine* Stollen *m;* **~ d'aération** Wet-
terschacht *m* **2.**(*corridor*) Gang *m* **3.** COM
~ marchande Geschäftspassage *f* **4.**(*balcon*) Galerie *f* **5.** ART Galerie *f;* **~ de pein-**

ture Gemäldegalerie **6.** AUT Dachgepäckträger *m* ▸**amuser la ~** für Unterhaltung
sorgen; **épater la ~** sich in Szene setzen
galérien [galeʀjɛ̃] *m* Galeerensklave *m*
galet [galɛ] *m* [großer] [Kiesel]stein
galette [galɛt] *f* (*crêpe*) Galette *f*
galeux, -euse [galø, -øz] *adj* räudig
galimatias [galimatja] *m* (*propos*) [ver-
worrenes] Geschwätz *nt*
galipette [galipɛt] *f fam* Purzelbaum *m*
gallicisme [ga(l)lisism] *m* Spracheigen-
tümlichkeit *f* des Französischen
gallinacé [galinase] *m* Hühnervogel *m*
gallois [galwa] *m* Walisisch *nt; v. a.* **allemand**
gallois, e [galwa, waz] *adj* walisisch
Gallois, e [galwa, waz] *m, f* Waliser(in)
m(f)
gallo-romain , e [ga(l)loʀɔmɛ̃, ɛn] <gal-
lo-romains> *adj* galloromanisch
galoche [galɔʃ] *f* [Holz]pantine *f*
galon [galɔ̃] *m* **1.** *pl* MIL Tresse *f* **2.** COUT
Borte *f,* Litze *f* ▸**prendre du ~** befördert
werden
galop [galo] *m* Galopp *m;* **au ~** im Galopp;
se mettre au ~ *cheval:* in Galopp fallen;
partir au ~ davongaloppieren ▸**arriver au**
[**triple**] **~** angerast kommen
galopade [galɔpad] *f* wildes Gerenne
galopant, e [galɔpã, ãt] *adj inflation* ga-
loppierend
galoper [galɔpe] <1> *vi* galoppieren
galopin [galɔpɛ̃] *m fam* **1.**(*gamin des
rues*) Gassenjunge *m* **2.**(*garnement*)
Lausbub *m*
galvaniser [galvanize] <1> *vt* begeistern,
mitreißen
galvaudé, e [galvode] *adj* abgedroschen
galvauder [galvode] <1> *vt* kompromittieren *réputation*
gambade [gãbad] *f souvent pl* Luftsprung
m
gambader [gãbade] <1> *vi* herumtollen;
animal: herumspringen
gambas [gãbas] *fpl* Gambas *Pl* (*große
Garnelen*)
gamberger [gãbɛʀʒe] <2a> *vi fam* grübeln
gambette [gãbɛt] *f fam* Beinchen *nt*
gamelle [gamɛl] *f d'un campeur* [Cam-
ping]topf *m; d'un soldat* Blechnapf *nt,*
Blechgeschirr *nt; d'un ouvrier* Henkelmann
m (fam); d'un chien [Fress]napf *m* ▸**prendre une ~** *fam* hinfliegen
gamepad [gɛmpad] *m* Gamepad *nt*
gamin, e [gamɛ̃, in] **I.** *adj* kindisch; *air*
jungenhaft **II.** *m, f fam* **un ~** ein Kind *nt;*
une gamine ein Mädchen *nt*
gaminerie [gaminʀi] *f* Kinderei *f*

gamme [gam] *f* **1.** MUS Tonleiter *f* **2.** (*série*) Palette *f;* ~ **de produits** Produktsortiment *nt*

Gand [gɑ̃] Gent *nt*

gang [gɑ̃g] *m* Gang *f*

ganglion [gɑ̃glijɔ̃] *m* Lymphknoten *m*

gangrène [gɑ̃gʀɛn] *f* **1.** (*infection de plaie*) [Wund]brand *m* **2.** *fig* [Krebs]geschwür *nt*

gangster [gɑ̃gstɛʀ] *m* Gangster *m*

gangstérisme [gɑ̃gsteʀism] *m* Gangstertum *nt*

gangue [gɑ̃g] *f d'un minerai* Gangart *f*

ganse [gɑ̃s] *f* Paspel *f*

gant [gɑ̃] *m* [Finger]handschuh *m;* ~ **de toilette** Waschlappen *nt* ►**aller à qn comme un** ~ *vêtement:* jdm wie angegossen passen; *rôle:* jdm auf den Leib geschrieben sein; **prendre des** ~**s avec qn** jdn mit Glacéhandschuhen anfassen; **retourner qn comme un** ~ jdn völlig umstimmen

garage [gaʀaʒ] *m* **1.** (*abri*) Garage *f;* ~ **à vélos** Fahrradabstellraum *m* **2.** (*entreprise*) Reparaturwerkstatt *f*

garagiste [gaʀaʒist] *mf* **1.** (*qui tient un garage*) Werkstattbesitzer(in) *m(f);* **chez le** ~ in der Werkstatt **2.** (*mécanicien*) Automechaniker(in) *m(f)*

garant [gaʀɑ̃] *m* Garantie *f*

garant, e [gaʀɑ̃, ɑ̃t] *m, f* Bürge/Bürgin *m/f;* **se porter** ~ **de qc** sich für etw verbürgen; JUR für etw Bürgschaft leisten; **ça, je m'en porte** ~! das kann ich garantieren!

garantie [gaʀɑ̃ti] *f* **1.** (*bulletin de* ~) Garantie *f;* **qc est encore sous** ~ auf etw (*akk*) ist noch Garantie **2.** (*gage, caution*) Sicherheit *f;* ~ **de paiement** Bürgschaftserklärung *f;* (*par une banque*) Bankbürgschaft *f* **3.** (*sûreté*) **sans** ~ ohne Gewähr **4.** (*assurance*) ~ **contre les risques** Risikoversicherung *f* **5.** (*certitude*) **pouvez-vous me donner votre** ~ **que …** können Sie mir zusichern, dass … **6.** (*précaution*) **prendre des** ~**s** sich absichern

garantir [gaʀɑ̃tiʀ] <8> *vt* **1.** (*répondre de*) garantieren; **être garanti** feststehen **2.** (*par contrat*) ~ **qc à qn** jdm eine Garantie auf etw (*akk*) geben; **qc est garanti un an** etw hat ein Jahr Garantie **3.** JUR bürgen für *paiement, créance* **4.** (*assurer*) gewährleisten **5.** *iron* **je te garantis que …** du kannst sicher sein, dass …

garce [gaʀs] *f péj fam* [durchtriebenes] Luder

garçon [gaʀsɔ̃] *m* **1.** (*enfant*) Junge *m* **2.** (*jeune homme*) junger Mann; **être beau** ~ ein hübscher Kerl sein; ~ **d'honneur** Brautführer *m* **3.** (*fils*) Junge *m*

(*fam*) **4.** (*serveur*) Kellner *m;* ~! Herr Ober! **5.** (*employé subalterne*) ~ **coiffeur/boucher** Friseur-/Metzgergehilfe *m* ►**c'est un véritable** ~ **manqué** an ihr ist ein Junge verloren gegangen; **mauvais** ~ Ganove *m;* **vieux** ~ alter Junggeselle

garde[1] [gaʀd] *f* **1.** *sans pl* (*surveillance*) Bewachung *f;* **avoir la** ~ **de qn** jdn bewachen; **faire des** ~**s** [*o* **avoir la** ~] **d'enfants** Kinder hüten; **à la** ~ **de qn** in jds Obhut (*dat*); **confier qn à la** ~ **de qn** jdn jdm anvertrauen **2.** JUR *d'enfants* Sorgerecht *f;* **il est laissé à la** ~ **de la mère** die Mutter bekommt das Sorgerecht für ihn; ~ **à vue** Polizeigewahrsam *m* **3.** (*veille*) Wache *f* **4.** (*permanence: le week-end*) Wochenenddienst *m;* (*de nuit*) Nachtdienst *m;* **infirmière de** ~ (*la nuit*) Nachtschwester *f;* (*le week-end*) Schwester, die Bereitschaftsdienst hat; **être de** ~ *médecin:* Notdienst haben; *pharmacie:* Bereitschaftsdienst haben **5.** (*patrouille*) Wache *f;* **la relève de la** ~ die Wachablösung; ~ **républicaine** Gendarmeriekorps in Paris zur Bewachung der Regierungsgebäude und zum Ehrendienst ►**la vieille** ~ die alte Garde; **être sur ses** ~**s** auf der Hut sein; **mettre qn en** ~ **contre qn/qc** jdn vor jdm/etw warnen; **monter la** ~ Wache halten; *soldat:* [auf] Wache stehen; **prendre** ~ **à qn/qc** auf jdn/etw achten; (*se méfier*) sich vor jdm/etw in Acht nehmen; **sans y prendre** ~ ohne es zu merken; **en** ~! en garde!

garde[2] [gaʀd] *m* **1.** *d'une propriété* Wächter *m,* Hüter *m;* ~ **champêtre** [von der Gemeinde angestellter] Hilfspolizist; ~ **forestier** Forsthüter *m;* ~ **des Sceaux** Justizminister *m;* ~ **du corps** Leibwächter *m* **2.** (*sentinelle*) Wache *f;* (*soldat*) Gardist *m*

garde-à-vous [gaʀdavu] *m inv* ~! stillgestanden!; **être au** ~ strammstehen; **se mettre au** ~ Hab[t]achtstellung einnehmen

garde-barrière [gaʀd(ə)baʀjɛʀ] <gardes-barrières> *mf* Bahnwärter(in) *m(f)* **garde-boue** [gaʀdəbu] *m inv* Schutzblech *nt* **garde-chasse** [gaʀdəʃas] <gardes-chasse[s]> *mf* Jagdaufseher(in) *m(f)*

garde-chiourme [gaʀdəʃjuʀm] <gardes-chiourme> *mf* Gefängniswärter(in) *m(f)* **garde-côte** [gaʀdəkot] <garde-côtes> *m* Wasser[schutz]polizeiboot *nt* **garde-fou** [gaʀdəfu] <garde-fous> *m* Geländer *nt* **garde-malade** [gaʀd(ə)malad] <gardes-malades> *mf* Krankenpfleger(in) *m(f)* **garde-manger** [gaʀd(ə)mɑ̃ʒe] *m inv* Vorrats-

schrank *m* **garde-meuble** [gaʀdəmœbl] <garde-meubles> *m* Möbellager *nt*

gardénia [gaʀdenja] *m* Gardenie *f* **garde-pêche** [gaʀdəpɛʃ] <gardes-pêche> *mf* Fischereiaufseher(in) *m(f)*

garder [gaʀde] <1> **I.** *vt* **1.** (*surveiller*) bewachen; aufpassen auf (+ *akk*) *banque, bagages;* hüten, (be)hüten *maison, enfant, animal;* betreuen *personne âgée;* **donner à ~** anvertrauen **2.** (*stocker*) aufbewahren; lagern *marchandises;* **~ sous clé** unter Verschluss halten **3.** (*ne pas perdre*) behalten; beibehalten *défaut, manie;* nicht aufgeben *espoir;* zurückbehalten *séquelles* **4.** (*réserver*) aufheben; freihalten *place* **5.** (*tenir*) beibehalten *rythme;* wahren *distance;* **~ les yeux fermés** die Augen geschlossen halten; **~ le moteur en marche** den Motor [weiter]laufen lassen **6.** (*retenir*) festhalten **7.** (*conserver sur soi*) anbehalten *manteau, chaussures, montre;* aufbehalten *chapeau, lunettes, masque;* umbehalten *écharpe* **8.** (*ne pas dévoiler*) für sich behalten *secret, réflexions* **9.** (*ne pas quitter*) hüten *lit, chambre* ▶**ne rien pouvoir** ~ nichts bei sich behalten **II.** *vpr* **1.** (*se conserver*) **se** ~ *aliment:* sich halten; **ça se garde au frais** das muss kühl gelagert werden **2.** (*s'abstenir*) **se** ~ **de faire qc** sich hüten etw zu tun

garderie [gaʀdəʀi] *f* [Kinder]tagesstätte *f*

garde-robe [gaʀdəʀɔb] <garde-robes> *f* Garderobe *f*

gardien, ne [gaʀdjɛ̃, jɛn] *m, f* **1.** (*surveillant*) Wächter(in) *m(f); d'un immeuble* Hausmeister(in) *m(f); d'un entrepôt* Aufseher(in) *m(f); d'un zoo, cimetière* Wärter(in) *m(f);* **~ de musée/prison** Museums-/Gefängniswärter; **~ de nuit** Nachtwächter; **gardienne d'enfants** Kindergärtnerin *f* **2.** (*défenseur*) Hüter(in) *m(f);* **~ de l'ordre public** Ordnungshüter; **~ de la paix** [Verkehrs]polizist

gardiennage [gaʀdjenaʒ] *m* **1.** (*d'immeuble*) Hausmeistertätigkeit *f* **2.** (*de locaux*) Wachdienst *m;* **société de ~** Wachund Schließgesellschaft *f*

gardon [gaʀdɔ̃] *m* ▶**frais comme un ~** voll in Form

gare¹ [gaʀ] *f* Bahnhof *m;* **~ centrale** Hauptbahnhof; **~ routière** [Omni]busbahnhof; **~ de marchandises** Güterbahnhof; **~ de triage** Rangierbahnhof; **entrer en ~** einfahren

gare² [gaʀ] *interj* **~ à toi!** pass bloß auf! (*fam*) ▶**sans crier ~** ohne Vorwarnung

garenne [gaʀɛn] *f* (*bois*) Hasenwäldchen *nt*

garer [gaʀe] <1> **I.** *vt* parken, abstellen;

laisser sa voiture garée devant la maison sein Auto vor dem Haus parken; **il est garé à 100 m** er parkt 100 m entfernt **II.** *vpr* **se** ~ **1.** (*parquer*) parken **2.** (*se ranger*) ausweichen

gargantuesque [gaʀgɑ̃tɥɛsk] *adj* unersättlich

gargariser [gaʀgaʀize] <1> *vpr* **1.** (*se rincer*) **se** ~ gurgeln **2.** (*savourer*) *péj fam* **se** ~ **de qc** sich an etw (*dat*) hochziehen

gargarisme [gaʀgaʀizm] *m* Gurgeln *nt*

gargote [gaʀgɔt] *f péj* mieses Restaurant

gargouille [gaʀguj] *f* Wasserspeier *m*

gargouillement [gaʀgujmɑ̃] *m* Gluckern *nt*

gargouiller [gaʀguje] <1> *vi* gluckern; *estomac:* knurren

garnement [gaʀnəmɑ̃] *m* Bengel *m*

garni, e [gaʀni] *adj* **1.** GASTR mit Beilage **2.** (*rempli*) **portefeuille bien ~** prall gefüllte Brieftasche

garnir [gaʀniʀ] <8> *vt* **1.** (*orner*) schmücken **2.** (*équiper*) ~ **qc de qc** etw mit etw versehen **3.** (*renforcer*) verstärken **4.** (*remplir*) **être garni de qc** mit etw gefüllt sein

garnison [gaʀnizɔ̃] *f* Garnison *f;* **être en ~ à Strasbourg** in Straßburg stationiert sein

garniture [gaʀnityʀ] *f* **1.** (*ornement*) Besatz *m,* Verzierung *f* **2.** GASTR Beilage *f* **3.** (*renfort*) Verstärkung *f* **4.** AUT Innenausstattung *f;* **~ de frein** Bremsbelag *m*

Garonne [gaʀɔn] *f* **la ~** die Garonne

garrigue [gaʀig] *f* Garide *f*

garrot [gaʀo] *m* **1.** MED Druckverband *m* **2.** *d'un cheval* Widerrist *m*

garrotter [gaʀote] <1> *vt* [fest]knebeln

gars [gɑ] *m fam* Kerl *m;* **salut les ~!** hallo, Jungs!

Gascogne [gaskɔɲ] *f* **la ~** die Gascogne

gascon [gaskɔ̃] *m* **le ~** das Gascognische

Gascon, ne [gaskɔ̃, ɔn] *m, f* Gascogner(in) *m(f)*

gas-oil , gasoil [gazwal] *m* Diesel[öl *nt*] *m*

gaspillage [gaspijaʒ] *m* Verschwendung *f*

gaspiller [gaspije] <1> *vt* verschwenden; verschleudern *fortune;* vergeuden *eau, temps, talent*

gastrique [gastʀik] *adj* **troubles ~s** Magenbeschwerden *Pl*

gastrite [gastʀit] *f* Gastritis *f*

gastroentérite [gastʀoɑ̃teʀit] *f* Magen-Darm-Entzündung *f*

gastronome [gastʀɔnɔm] *mf* Feinschmecker(in) *m(f)*

gastronomie [gastʀɔnɔmi] *f* [feine] Kochkunst

gastronomique [gastʀɔnɔmik] *adj* res-

taurant Feinschmecker-; *guide* Gastronomie-

gâteau [gato] <x> I. *m* Kuchen *m;* (*individuel*) Gebäck *nt; ~* sec Keks *m; ~* de riz Reispudding *m; ~* au chocolat/à la crème Schokoladenkuchen/Cremetorte *f;* faire un ~ einen Kuchen backen ▶c'est pas du ~! *fam* das ist kein Zuckerschlecken II. *app inv, fam maman, papa* total in sein/ihr Kind vernarrt; **grand-mère** ~ Bilderbuchoma *f*

gâter [gate] <1> I. *vt* 1.(*combler*) verwöhnen *personne* 2.(*endommager*) **gâté** *fruits, dent:* faul ▶être gâté Glück haben; **cela ne gâte rien** *euph* das kann nichts schaden II. *vpr se* ~ *viande:* schlecht werden; *fruits:* faulen; *ambiance, temps:* umschlagen; *situation, choses:* sich verschlechtern

gâterie [gatʀi] *f* Süßigkeiten *Pl*

gâteux, -euse [gatø, -øz] I. *adj* 1. *péj* (*sénile*) verkalkt (*fam*) 2.(*fou de*) närrisch II. *m, f péj* kindische(r) Alte(r)

gâtisme [gatism] *m* Verkalkung *f*

gauche [goʃ] I. *adj* 1.(*opp: droit*) linke(r, s) 2.(*maladroit*) linkisch; *geste* ungeschickt II. *m* un crochet du ~ ein linker Haken III. *f* 1.Linke *f*, linke Seite; à ~ links; à la ~ de qn zu jds Linken; sur la ~ de qc auf der linken Seite einer S. (*gen*); tiroir de ~ Schublade; die ~ à droite von links nach rechts 2. POL la ~ die Linke; idées de ~ linke Ansichten; partis de ~ Linksparteien *Pl;* l'extrême ~ die Linksextremisten *Pl*

gauchement [goʃmã] *adv* auf ungeschickte Weise

gaucher, -ère [goʃe, -ɛʀ] I. *adj* linkshändig II. *m, f* Linkshänder(in) *m(f)*

gaucherie [goʃʀi] *f* Unbeholfenheit *f*, linkisches Benehmen

gauchir [goʃiʀ] <8> *vi planche, règle:* sich verziehen

gauchisant, e [goʃizã, ãt] *adj* linksgerichtet

gauchisme [goʃism] *m* Linksextremismus *m*

gauchiste [goʃist] *mf* Linksextreme(r) *f(m)*

gaudriole [godʀijɔl] *f fam pl* zweideutige Witze *Pl*

gaufre [gofʀ] *f* Waffel *f*

gaufrette [gofʀɛt] *f* [Eis]waffel *f*

gaufrier [gofʀije] *m* Waffeleisen *nt*

gaule [gol] *f* [lange] Stange

Gaule [gol] *f* la ~ Gallien *nt*

gauler [gole] <1> *vt* herunterschlagen

gaullisme [golism] *m* Gaullismus *m*

gaulliste [golist] *mf* Gaullist(in) *m(f)*

gaulois, e [golwa, waz] *adj* gallisch; hu-

mour derb

Gaulois, e [golwa, waz] *m, f* Gallier(in) *m(f)*

gauloiserie [golwazʀi] *f* derber Witz

gaver [gave] <1> I. *vt* 1.(*engraisser*) stopfen *oie* 2.(*bourrer*) ~ qn de qc jdn mit etw voll stopfen (*fam*) ▶ça me gave! *fam* das stinkt mir! II. *vpr se* ~ de qc sich mit etw voll stopfen (*fam*)

gavroche [gavʀɔʃ] *m* [Pariser] Straßenjunge *m*

gay [gɛ] I. *adj inv* homosexuell II. *m* Schwule(r) *m* (*fam*)

gaz [gaz] *m* 1.(*vapeur invisible*) Gas *nt; ~* toxique Giftgas; ~ naturel Erdgas; ~ lacrymogène Tränengas; ~ de combat chemische Kampfstoffe *Pl; ~* d'échappement Abgas; ~ de pétrole liquéfié Autogas 2. *pl* (*flatulence*) Winde *Pl;* avoir des ~ Blähungen haben

gaze [gaz] *f* 1.(*tissu*) Gaze *f* 2.(*pansement*) [Verband]mull *m*

gazelle [gazɛl] *f* Gazelle *f*

gazer [gaze] <1> *vt* 1.(*intoxiquer par un gaz de combat*) durch Giftgas töten/kampfunfähig machen 2.(*exterminer*) vergasen

gazeux, -euse [gazø, -øz] *adj* 1.(*relatif au gaz*) gasförmig 2.(*qui contient du gaz*) **eau gazeuse** Mineralwasser *nt* mit Kohlensäure

gazinière [gazinjɛʀ] *f* Gasherd *m*

gazoduc [gazodyk] *m* [Fern]gasleitung *f*

gazole [gazɔl] *m* Diesel[öl *nt*] *m*

gazomètre [gazɔmɛtʀ] *m* Gasometer *m*

gazon [gazɔ̃] *m* Rasen *m*

gazouillement [gazujmã] *m d'un oiseau* Zwitschern *nt*

gazouiller [gazuje] <1> *vi bébé:* lallen; *oiseau:* zwitschern

geai [ʒɛ] *m* Häher *m*

géant [ʒeã] *m* 1.(*génie*) führende Größe 2. COM Gigant *m*

géant, e [ʒeã, -ãt] I. *adj* riesig II. *m, f* (*être immense*) Riese/Riesin *m/f*

geignard, e [ʒɛɲaʀ, aʀd] I. *adj péj fam* weinerlich; **enfant** ~ Heulpeter *m* II. *m, f péj fam* Jammerlappen *m*

geindre [ʒɛ̃dʀ] <irr> *vi* stöhnen

gel [ʒɛl] *m* 1. METEO Frost *m* 2.(*blocage*) Einfrieren *nt; ~* des salaires Lohnstopp *m* 3.(*crème*) Gel *nt*

gélatine [ʒelatin] *f* Gelatine *f*

gélatineux, -euse [ʒelatinø, -øz] *adj* gallertartig

gelé, e [ʒ(ə)le] *adj* 1.(*pris par la glace*) *rivière* zugefroren; *terre* [hart]gefroren 2.(*endommagé par le froid*) erfroren

gelée [ʒ(ə)le] *f* 1. METEO Frost *m; ~*

blanche Reif *m* **2.** GASTR Gelee *nt*, Aspik *m*
geler [ʒ(ə)le] <4> **I.** *vt* **1.** METEO gefrieren
lassen; erfrieren lassen *bourgeons;* **ce vent
me gèle** mir ist eiskalt in diesem Wind
2. ECON einfrieren **II.** *vi* **1.** METEO gefrieren;
rivière: zufrieren; *fleurs:* erfrieren; **la récolte a gelé** die Ernte hat Frost bekommen
2. (*avoir froid*) frieren; **on gèle ici!** hier er-
friert man ja!; **gelé** eiskalt; *personne* durchgefroren **3.** *impers* **il gèle** es friert
gélule [ʒelyl] *f* Gelatinekapsel *f*
Gémeaux [ʒemo] *mpl* Zwillinge *Pl; v. a.*
Balance
gémir [ʒemiʀ] <8> *vi* stöhnen; ~ **sur son
sort** über sein Schicksal jammern
gémissement [ʒemismɑ̃] *m* Stöhnen *nt*
gênant, e [ʒɛnɑ̃, ɑ̃t] *adj* störend, hinderlich; *question, situation* unangenehm, peinlich; *personne* lästig
gencive [ʒɑ̃siv] *f* Zahnfleisch *nt*
gendarme [ʒɑ̃daʀm] *m* **1.** (*policier*) Poli-
zist(in) *m(f)*, Gendarm *m*, (Militär)Polizist
m (*in ländlichen Gebieten und kleinen
Ortschaften*); ~ **mobile** Bereitschaftspoli-
zist **2.** *fam* (*personne autoritaire*) Feldwebel *m* ▶ **jouer au[x]** ~ **[s] et au[x] voleur[s]**
Räuber und Gendarm spielen
gendarmer [ʒɑ̃daʀme] <1> *vpr* **se** ~
contre qn/qc sich gegen jdn/etw zur
Wehr setzen
gendarmerie [ʒɑ̃daʀməʀi] *f* **1.** (*corps militaire*) Gendarmerie *f* **2.** (*bâtiment*) Gendarmerie[kaserne *f*] *f*
gendre [ʒɑ̃dʀ] *m* Schwiegersohn *m*
gène [ʒɛn] *m* Gen *nt*
gêné, e [ʒene] *adj personne, sourire* verlegen; *silence* betreten
gêne [ʒɛn] *f* **1.** (*malaise*) Beschwerden *Pl*
2. (*ennui*) **devenir une** ~ **pour qn** zur
Last für jdn werden **3.** (*trouble*) Befangenheit *f*, Verlegenheit *f* ▶ **être dans la** ~ in
Geldverlegenheit sein; **être sans** ~ keine
Hemmungen kennen
généalogie [ʒenealɔʒi] *f* Genealogie *f;
d'une personne* Abstammung *f*
généalogique [ʒenealɔʒik] *adj* genealo-
gisch
gêner [ʒene] <1> **I.** *vt* **1.** (*déranger*) stören **2.** (*entraver*) ~ **les piétons** die Fußgänger behindern; **être gêné dans ses
mouvements** in seiner Bewegungsfreiheit
eingeschränkt sein **3.** (*mettre mal à l'aise*)
verlegen machen; **gêné** verlegen; *silence*
betreten; **être gêné** sich genieren; **ça
gêne qn de faire qc/que** + *subj* es ist
jdm peinlich etw zu tun/dass; **ça me gêne
de vous dire** ça ich sage Ihnen das nur äußerst ungern **II.** *vpr* **se** ~ **pour faire qc**
sich genieren etw zu tun; **ne pas se** ~

pour dire qc etw [ganz] offen sagen; **ne
vous gênez pas pour moi!** nur keine
Umstände meinetwegen!; **vas-y! ne te
gêne pas!** *iron fam* nur zu! tu dir keinen
Zwang an
général [ʒeneʀal, o] <-aux> *m* General
m; **mon** ~**!** Herr General!; ~ **en chef**
Oberbefehlshaber *m*
général, e [ʒeneʀal, o] <-aux> *adj*
1. (*commun*) allgemein, generell **2.** (*collectif*) allgemein; **grève** ~**e** Generalstreik
m; **assemblée** ~**e** Hauptversammlung *f;*
le conseil ~ die Ratsversammlung des Départements; **en règle** ~**e** in der Regel
3. (*vague*) vage **4.** (*qui embrasse l'ensemble*) **directeur** ~ Generaldirektor *m;* **procureur** ~ Generalstaatsanwalt *m;* **quartier**
~ Hauptquartier *nt* **5.** (*total*) **atteint de
paralysie** ~**e** vollständig gelähmt ▶ **en** ~
im Allgemeinen, in der Regel; **d'une façon**
~**e** im Allgemeinen; (*dans l'ensemble*) insgesamt
générale [ʒeneʀal] *f* THEAT Generalprobe *f*
généralement [ʒeneʀalmɑ̃] *adv* **1.** (*habituellement*) im Allgemeinen **2.** (*opp: en
détail*) allgemein
généralisation [ʒeneʀalizasjɔ̃] *f* Verallgemeinerung *f; d'un conflit* Ausweitung *f;
d'une mesure* allgemeine Anwendung
généraliser [ʒeneʀalize] <1> **I.** *vt* **1.** (*rendre général*) verallgemeinern **2.** (*répandre*) allgemein einführen *méthode, mesure;*
allgemein verbreiten *coutume;* **généralisé**
méfiance allgemein; *infection* systemisch;
un cancer généralisé ein Krebs, der Metastasen gebildet hat **II.** *vpr* **se** ~ *mesure:*
allgemein angewandt werden; *procédé:* allgemein eingeführt werden; **le cancer
s'est généralisé** der Tumor hat Metastasen gebildet
généraliste [ʒeneʀalist] *adj* **médecin** ~
Arzt für Allgemeinmedizin
généralité [ʒeneʀalite] *f gén pl* (*idées générales*) Allgemeine(s) *nt; péj* Gemeinplät-
ze *Pl*
générateur, -trice [ʒeneʀatœʀ, -tʀis] **I.**
adj ~ **de qc** zu etw führend, etw erzeugend; **être** ~ **de richesse** Reichtum bringen **II.** *m, f* Generator *m*
génération [ʒeneʀasjɔ̃] *f* **1.** (*individus du
même âge*) Generation *f* **2.** (*reproduction*) ~ **spontanée** Urzeugung *f*
générer [ʒeneʀe] <5> *vt* **1.** (*produire*) erzeugen **2.** INFORM generieren
généreusement [ʒeneʀøzmɑ̃] *adv*
1. (*avec libéralité*) großzügig **2.** (*avec
abondance*) reichlich
généreux, -euse [ʒeneʀø, -øz] *adj* **1.** (*libéral*) großzügig **2.** *terre* fruchtbar; *vin* edel

3. *hum formes, poitrine* üppig; *décolleté* großzügig

générique [ʒeneʀik] **I.** *m* Vorspann *m;* (*à la fin*) Nachspann *m* **II.** *adj* **terme** ~ Oberbegriff *m*

générosité [ʒeneʀozite] *f* **1.** (*libéralité*) Großzügigkeit *f,* Großmut *m,* Freigiebigkeit *f* **2.** (*magnanimité*) Hochherzigkeit *f* **3.** *pl* (*cadeau*) großzügige Geschenke

genèse [ʒənɛz] *f* **1.** (*production*) Entstehung *f; d'un phénomène* Auftreten *nt; d'une idée* Aufkommen *nt* **2.** REL **la Genèse** die Schöpfungsgeschichte

genêt [ʒənɛ] *m* Ginster *m*

généticien, ne [ʒenetisjɛ̃, jɛn] *m, f* Genetiker(in) *m(f)*

génétique [ʒenetik] **I.** *adj* genetisch; *mutation, recherche* Gen-; **manipulation** ~ Genmanipulation *f;* **patrimoine** ~ Erbgut *nt;* **théorie** ~ Vererbungstheorie *f* **II.** *f* Genetik *f*

génétiquement [ʒenetikmɑ̃] *adv* genetisch

gêneur, -euse [ʒɛnœʀ, -øz] *m, f* Störenfried *m*

Genève [ʒ(ə)nɛv] Genf *nt;* **de** ~ Genfer

génial, e [ʒenjal, jo] <-aux> *adj* **1.** (*ingénieux*) genial **2.** *fam* (*formidable*) super, toll, großartig

génialement [ʒenjalmɑ̃] *adv* auf geniale Weise

génie [ʒeni] *m* **1.** (*esprit*) Genie *nt;* **de** ~ genial; **avoir du** ~ Genie besitzen **2.** (*don*) **avoir le** ~ **de dire qc** die Gabe haben etw zu sagen **3.** HIST Geist *m* **4.** MIL Pioniertruppe *f* **5.** (*art*) ~ **civil** Bauingenieurwesen *nt;* ~ **génétique** Gentechnologie *f*

genièvre [ʒənjɛvʀ] *m* Wacholder *m*

génique [ʒenik] *adj* Gen-; **thérapie** ~ Gentherapie *f*

génisse [ʒenis] *f* Färse *f*

génital, e [ʒenital, o] <-aux> *adj* Geschlechts-

géniteur [ʒenitœʀ] *m* (*animal mâle*) männliches Zuchttier

génitif [ʒenitif] *m* Genitiv *m*

génocide [ʒenɔsid] *m* Völkermord *m*

génoise [ʒenwaz] *f* **1.** (*pâte*) Biskuitmasse *f* **2.** (*gâteau*) Biskuit[kuchen *m*] *nt o m*

génome [ʒenom] *m* Genom *nt*

genou [ʒ(ə)nu] <x> *m* Knie *nt;* **sur les** ~**x de qn** auf jds Schoß; **à** ~**x** auf Knien ▶**être sur les** ~**x** *fam* auf dem Zahnfleisch gehen; **faire du** ~ **à qn** jdn [heimlich] mit dem Knie anstoßen (*als Annäherungsversuch*)

genouillère [ʒənujɛʀ] *f* Knieschutz *m;* MED Knieschoner *m*

genre [ʒɑ̃ʀ] *m* **1.** (*sorte*) Art *f,* Sorte *f;* elle n'est pas mon ~ sie ist nicht mein Typ (*fam*); **dans le** ~ in der Art **2.** (*allure*) Art *f* **3.** ART Gattung *f;* ~ **dramatique** Drama *nt;* ~ **comique** Komödie *f;* ~ **littéraire** literarische Gattung **4.** (*espèce*) ~ **humain** Menschengeschlecht *nt* **5.** GRAM Genus *nt* ▶**c'est pas le** ~ **de la maison** *hum fam* das ist hier nicht so üblich; **ça fait mauvais** ~ das macht sich schlecht; **unique en son** ~ einzig in seiner Art; **se donner un** ~ unbedingt auffallen wollen; **ce n'est pas mon** ~ das liegt mir nicht; **ce n'est pas son** ~ (*c'est inhabituel*) das ist doch gar nicht seine Art!; **de ce/du même** ~ in dieser Art/von derselben Art; **des trucs de ce** ~ solche Dinge; **être du** ~ Fachmann auf dem Gebiet sein; **en tout** ~ [*o* **tous** ~**s**] jeder Art

gens [ʒɑ̃] *mpl, fpl* Leute *Pl;* **honnêtes** ~ brave Bürger; **petites** ~ einfache Leute; ~ **d'armes** Soldaten *Pl;* ~ **de cœur** Menschen *Pl* mit Herz; ~ **de lettres** Literaten *Pl;* ~ **de maison** Hausangestellte[n] *Pl;* ~ **du monde** Leute *Pl* von Welt

gent [ʒɑ̃(t)] *f hum* **la** ~ **féminine** das schöne Geschlecht

gentiane [ʒɑ̃sjan] *f* Enzian *m*

gentil, le [ʒɑ̃ti, ij] *adj* **1.** (*aimable*) nett, freundlich; ~ **avec qn** nett zu jdm **2.** (*joli*) niedlich **3.** (*sage*) brav, artig **4.** *hum* (*coquet*) ~**le somme** hübsches Sümmchen ▶**c'est** [**bien**] ~, **mais ...** *fam* schön und gut, aber ...

gentilhomme [ʒɑ̃tijɔm, ʒɑ̃tizɔm] <gentilshommes> *m* Edelmann *m*

gentillesse [ʒɑ̃tijɛs] *f* **1.** (*qualité*) Freundlichkeit *f;* **avoir la** ~ **de faire qc** so nett sein etw zu tun **2.** (*action, parole*) Liebenswürdigkeit *f*

gentiment [ʒɑ̃timɑ̃] *adv* **1.** (*aimablement*) freundlich, nett; **je vous préviens** ~ ich rate Ihnen im Guten **2.** (*sagement*) brav, ruhig

gentleman [dʒɛntləman, ʒɑ̃tləman, -mɛn] <*s o* -men> *m* Gentleman *m*

génuflexion [ʒenyflɛksjɔ̃] *f* Kniebeuge *f*

géo [ʒeo] *f fam abr de* **géographie**

géographe [ʒeɔgʀaf] *mf* Geograph(in) *m(f)*

géographie [ʒeɔgʀafi] *f* Geographie *f,* Erdkunde *f*

géographique [ʒeɔgʀafik] *adj* geographisch; **carte** ~ Landkarte *f*

géologie [ʒeɔlɔʒi] *f* Geologie *f*

géologique [ʒeɔlɔʒik] *adj* geologisch

géologue [ʒeɔlɔg] *mf* Geologe/Geologin *m/f*

géomètre [ʒeɔmɛtʀ] *mf* Geometer *m*

géométrie [ʒeɔmetʀi] *f* Geometrie *f;* ~

dans l'espace Geometrie des Raumes

géométrique [ʒeɔmetʀik] *adj* geometrisch

géophysicien, ne [ʒeofizisjɛ̃, jɛn] *m, f* Geophysiker(in) *m(f)*

géophysique [ʒeofizik] *f* Geophysik *f*

géopolitique [ʒeopɔlitik] *f* Geopolitik *f*

géothermique [ʒeotɛʀmik] *adj* geothermisch

gérance [ʒeʀɑ̃s] *f* **1.** *d'une entreprise* Geschäftsführung *f*; *d'une succursale* Leitung *f*; *d'un fonds de commerce* Pacht *f*; *d'un immeuble* Verwaltung *f*; **mettre/prendre en** ~ verpachten/pachten **2.** *(durée)* Pachtdauer *f*

géranium [ʒeʀanjɔm] *m* Geranie *f*

gérant, e [ʒeʀɑ̃, ɑ̃t] *m, f d'une entreprise* Geschäftsführer(in) *m(f)*; *d'un capital, immeuble* Verwalter(in) *m(f)*; *d'un fonds de commerce* Pächter(in) *m(f)*, Betreiber(in) *m(f)*, Inhaber(in) *m(f)*; *d'une succursale* Leiter(in) *m(f)*

gerbe [ʒɛʀb] *f* **1.** *(de blé)* Garbe *f*; *(de fleurs)* Strauß *m*; **déposer une** ~ einen Kranz niederlegen **2.** *(d'eau)* Wasserstrahl *m*, Fontäne *f*; *(d'écume)* Gischt *m o f*

gercer [ʒeʀse] <2> *vi* aufspringen, rissig werden

gerçure [ʒeʀsyʀ] *f* **avoir des ~s aux mains** rissige Hände haben

gérer [ʒeʀe] <5> *vt* **1.** *(diriger)* leiten *entreprise, succursale*; führen *magasin*; verwalten *immeuble, capital* **2.** INFORM verwalten **3.** *(coordonner)* in den Griff bekommen *(fam) crise*; sinnvoll gestalten *temps libre*

gériatrie [ʒeʀjatʀi] *f* Altersheilkunde *f*

germain, e [ʒeʀmɛ̃, ɛn] *adj* *(relatif à la Germanie)* germanisch

Germain, e [ʒeʀmɛ̃, ɛn] *m, f* Germane/Germanin *m/f*

germanique [ʒeʀmanik] *adj* **1.** *(teuton)* germanisch **2.** *(allemand)* deutsch; **les pays ~s** die deutschsprachigen Länder

germanisme [ʒeʀmanism] *m* Germanismus *m*

germaniste [ʒeʀmanist] *mf* Germanist(in) *m(f)*

germanophile [ʒeʀmanɔfil] *adj* deutschfreundlich

germanophobe [ʒeʀmanɔfɔb] *adj* deutschfeindlich, germanophob

germanophone [ʒeʀmanɔfɔn] **I.** *adj* deutschsprachig; **être** ~ Deutsch als Muttersprache haben **II.** *mf* Deutschsprachige(r) *f(m)*

germe [ʒeʀm] *m* **1.** *(semence)* Keim *m*; **en** ~ im Keim **2.** MED Krankheitserreger *m*

germer [ʒeʀme] <1> *vi* keimen; *idée, sen-*

timent aufkeimen

germination [ʒeʀminasjɔ̃] *f* BOT Keimen *nt*

gérondif [ʒeʀɔ̃dif] *m* Gerundium *nt*

gérontologie [ʒeʀɔ̃tɔlɔʒi] *f* Altersforschung *f*

gésier [ʒezje] *m* [Muskel]magen *m*; **salade de ~s** Geflügelmägensalat *m*

gésir [ʒeziʀ] <*irr, déf*> *vi* ▶ **ci-gît** hier ruht

gestation [ʒɛstasjɔ̃] *f* **1.** *(grossesse)* Trächtigkeit *f* **2.** *(durée)* Tragezeit *f* **3.** *(genèse)* [Heran]reifen *nt*, Entstehen *nt*; **être en** ~ heranreifen

geste [ʒɛst] *m* **1.** *(mouvement)* Geste *f*; ~ **de la main** Handbewegung *f* **2.** *(action)* Geste *f*; ~ **héroïque** Heldentat *f*; ~ **d'amour** Zeichen *nt* der Liebe ▶ **joindre le** ~ **à la parole** seinen Worten Taten folgen lassen; **faire un** ~ seinem Herzen einen Stoß geben; **il n'a pas fait un** ~ **pour m'aider** er hat keinen Finger gerührt um mir zu helfen

gesticuler [ʒɛstikyle] <1> *vi* gestikulieren

gestion [ʒɛstjɔ̃] *f* **1.** *(administration)* Verwaltung *f*; *d'une entreprise* Geschäftsführung *f*; **mauvaise** ~ Misswirtschaft *f*; ~ **d'entreprise** Unternehmensführung; ~ **des entreprises** UNIV Betriebswirtschaft[slehre *f*] *f*; ~ **des stocks** Lagerwirtschaft *f* **2.** INFORM Verwaltung *f*

gestionnaire [ʒɛstjɔnɛʀ] **I.** *mf* Geschäftsführer(in) *m(f)* **II.** *m* ~ **de fichiers** Dateimanager *m*

gestuel, le [ʒɛstɥɛl] *adj* gestisch; **langage** ~ Gebärdensprache *f*

gestuelle [ʒɛstɥɛl] *f* Gestik *f*

geyser [ʒɛzɛʀ] *m* Geysir *m*

ghetto [geto] *m* Getto *nt*

gibelotte [ʒiblɔt] *f* Kaninchenfrikassee in Weißwein

gibet [ʒibɛ] *m* Galgen *m*

gibier [ʒibje] *m* **1.** *(animaux de chasse)* Wild *nt*; **gros** ~ Großwild **2.** *fig* ~ **de potence** Galgenvogel *m* *(fam)*

giboulée [ʒibule] *f* Schauer *m*

giboyeux, -euse [ʒibwajø, -øz] *adj* wildreich

giclée [ʒikle] *f* Spritzer *m*

gicler [ʒikle] <1> *vi eau:* [heraus]spritzen; *boue:* [auf]spritzen

gicleur [ʒiklœʀ] *m* Vergaserdüse *f*

gifle [ʒifl] *f* Ohrfeige *f*

gifler [ʒifle] <1> *vt* **1.** *(battre)* ohrfeigen **2.** *(fouetter)* **la pluie me giflait la figure** der Regen peitschte mir ins Gesicht

gigantesque [ʒigɑ̃tɛsk] *adj* riesig, gigantisch

giga-octet [ʒigaɔktɛ] <giga-octets> *m* Gigabyte *nt*

GIGN [ʒeiʒeɛn] *m abr de* **Groupe d'intervention de la gendarmerie nationale** *Spezialeinheit zur Bekämpfung des Terrorismus*

gigolo [ʒigɔlo] *m péj* Gigolo *m*

gigot [ʒigo] *m* Keule *f*, Schlögel *m* (A)

gigoter [ʒigɔte] <1> *vi fam* herumzappeln; *bébé:* strampeln

gilet [ʒilɛ] *m* **1.** (*vêtement sans manches*) Weste *f;* ~ **de sauvetage** Schwimmweste; ~ **pare-balles** kugelsichere Weste **2.** (*lainage*) Strickjacke *f*

gin [dʒin] *m* Gin *m*

gingembre [ʒɛ̃ʒãbʀ] *m* Ingwer *m*

gingivite [ʒɛ̃ʒivit] *f* Zahnfleischentzündung *f*

girafe [ʒiʀaf] *f* Giraffe *f*

giratoire [ʒiʀatwaʀ] *adj* **sens** ~ Kreisverkehr *m*

girlie [gœʀli] *adj inv* Girlie-

giroflée [ʒiʀɔfle] *f* Goldlack *m*

girolle [ʒiʀɔl] *f* Pfifferling *m*, Eierschwammerl *nt* (A)

giron [ʒiʀɔ̃] *m* Schoß *m* ▸ **pleurer dans le** ~ **de qn** *fam* sich bei jdm ausheulen

girouette [ʒiʀwɛt] *f* **1.** (*plaque placée au sommet d'un édifice*) Wetterhahn *m* **2.** *fam* (*personne*) unbeständiger Mensch

gisant [ʒizã] *m* ART liegende Figur

gisement [ʒizmã] *m* Vorkommen *nt*

gitan, e [ʒitã, an] *m, f* Zigeuner(in) *m(f)*

gîte [ʒit] *m* Unterkunft *f;* ~ **rural** Ferienunterkunft auf dem Lande, Unterkunftsmöglichkeit *f* für Touristen; ~ **d'étape** [Wander]hütte *f*

gîter [ʒite] <1> *vi* Schlagseite haben

givrant, e [ʒivʀã, ãt] *adj* raureifbildend

givre [ʒivʀ] *m* [Rau]reif *m*

givré, e [ʒivʀe] *adj* **1.** (*couvert de givre*) bereift; *fenêtre* vereist **2.** *fam* (*fou*) **être** ~ einen Knall haben

glabre [glabʀ] *adj* bartlos

glaçage [glasaʒ] *m* *d'une photographie* Glanztrocknen *nt; d'un tissu* Appretieren *nt*

glace [glas] *f* **1.** (*eau congelée*) Eis *nt* **2.** GASTR [Speise]eis *nt;* ~ **à la fraise/au chocolat** Erdbeer-/Schokolade[n]eis **3.** (*miroir*) Spiegel *m* **4.** (*vitre*) [Glas]scheibe *f* ▸ **rompre la** ~ das Eis brechen

glacé, e [glase] *adj* **1.** (*très froid*) eiskalt; *personne* durch[ge]froren **2.** GASTR *fruit, marrons* kandiert; *gâteau* mit Zuckerguss; **café/chocolat** ~/**crème** ~**e** Eiskaffee *m/* Eisschokolade *f*/Eis[krem *f*] *nt;* **servir** ~ eisgekühlt servieren **3.** (*recouvert d'un apprêt brillant*) **papier** ~ Glanzpapier *nt* **4.** *accueil* frostig; *regard* eiskalt

glacer [glase] <2> **I.** *vt* **1.** (*refroidir*) zu Eis erstarren lassen **2.** (*impressionner*) ~ **qn d'effroi** jdn vor Schreck (*dat*) erstarren lassen **II.** *vpr* **se** ~ erstarren, gefrieren

glaciaire [glasjɛʀ] *adj* **période** ~ Eiszeit *f;* **érosion** ~ Gletschererosion *f*

glacial, e [glasjal, jo] <s *o* -aux> *adj* **1.** (*très froid*) eiskalt, eisig **2.** (*inamical*) eisig; *sourire, accueil* frostig

glaciation [glasjasjɔ̃] *f* Glazial[zeit *f*] *nt*

glacier [glasje] *m* **1.** GEOL Gletscher *m* **2.** (*métier*) Eiskonditor *m*

glacière [glasjɛʀ] *f* **1.** (*coffre*) Kühlbox *f* **2.** *fam* (*lieu*) Eiskeller *m*

glaçon [glasɔ̃] *m* **1.** (*petit cube*) Eiswürfel *m* **2.** *fam* (*personne*) Eisberg *m* **3.** *pl* (*pieds, mains*) Eisklötze *Pl*

gladiateur [gladjatœʀ] *m* Gladiator *m*

glaïeul [glajœl] *m* Gladiole *f*

glaise [glɛz] *f* Lehm *m*

glaive [glɛv] *m* Schwert *nt*

glam [glam] *adj inv fam* glamourös

glamoureux, -euse [glamuʀø, -øz] *adj* glamourös

glamouriser [glamuʀize] <1> *vt* ~ **qc** einer S. Glamour verleihen

gland [glã] *m* Eichel *f*

glande [glãd] *f* Drüse *f*

glander [glãde] <1> *vi fam* herumgammeln

glandeur, -euse [glãdœʀ, -øz] *m, f fam* Nichtstuer(in) *m(f)*

glaner [glane] <1> *vt* (*recueillir*) zusammentragen

glapir [glapiʀ] <8> *vi chiot:* kläffen

glapissement [glapismã] *m du renard* Bellen *nt*

Glaris [glaʀis] Glarus *nt*

glas [gla] *m* **1.** (*tintement*) Totengeläut *nt;* **sonner le** ~ die Totenglocke läuten **2.** *fig* **sonner le** ~ **de qc** das Ende einer S. (*gen*) ankündigen

glaucome [glokom] *m* MED grüner Star

glauque [glok] *adj* **1.** (*verdâtre*) graugrün **2.** (*lugubre*) düster

glissade [glisad] *f* (*action de glisser par jeu*) Schlittern *nt*

glissant, e [glisã, ãt] *adj* **1.** (*qui glisse*) glatt; **chaussée** ~**e!** Straßenglätte *f*! **2.** (*dangereux*) unberechenbar, heikel

glissement [glismã] *m* ~ **de terrain** Erdrutsch *m*

glisser [glise] <1> **I.** *vi* **1.** (*être glissant*) rutschig sein **2.** (*se déplacer*) ~ **sur l'eau/sur la neige** über das Wasser/den Schnee gleiten; ~ **dans l'eau** im Wasser gleiten; **faire** ~ **qc sur la glace** etw über das Eis schieben **3.** (*tomber*) ~ [**le long**] **de qc** von etw abrutschen; **se laisser** ~ hinunterrutschen **4.** (*déraper*) rutschen; ~ **sur le ver-**

glas auf Glatteis (*dat*) ausrutschen; *véhicule:* auf Glatteis (*dat*) [weg]rutschen **5.** (*échapper de*) **ça m'a glissé des mains** es ist mir aus den Händen gerutscht **6.** (*ne faire qu'une impression faible*) ~ **sur qn** *critique, remarque:* von jdm abgleiten **II.** *vt* schieben; zuwerfen *regard;* ~ **qc à qn** jdm etw zuschieben; (*dire*) jdm etw zuflüstern; ~ **qc dans la conversation** etw in die Unterhaltung einfließen lassen **III.** *vpr* **1.** (*pénétrer*) **se** ~ schlüpfen; **se** ~ **dans la maison** sich ins Haus schleichen **2.** (*s'insinuer*) **se** ~ **dans qc** sich in etw (*akk*) [ein]schleichen

glissière [glisjɛʀ] *f* ~ **de sécurité** Leitplanke *f*

global, e [glɔbal, o] <-aux> *adj* global; **vue** ~**e** Überblick *m*, Übersicht *f*; **somme** ~**e** Gesamtsumme *f*

globalement [glɔbalmɑ̃] *adv* alles in Allem, insgesamt

globalisation [glɔbalizasjɔ̃] *f* Pauschalisierung *f*

globalité [glɔbalite] *f* Gesamtheit *f*, Totalität *f*

globe [glɔb] *m* Kugel *f*; ELEC Kugelleuchte *f*; GEOG Globus *m*; ~ **oculaire** Augapfel *m*

globe-trotter [glɔbtʀɔtœʀ, -tʀɔtɛʀ] <globe-trotters> *mf* Globetrotter *m*

globule [glɔbyl] *m* Blutkörperchen *nt*

globuleux, -euse [glɔbylø, -øz] *adj yeux* hervorstehend

gloire [glwaʀ] *f* **1.** (*célébrité*) Ruhm *m;* **en pleine** ~ auf dem Gipfel seines/ihres Ruhms **2.** (*mérite*) Verdienst *nt* **3.** (*personne*) Berühmtheit *f* ▸ **à la** ~ **de qn/qc** zu jds Ehre/um etw zu ehren; **pour la** ~ aus reinem Idealismus

glorieux, -euse [glɔʀjø, -jøz] *adj* ruhmreich

glorification [glɔʀifikasjɔ̃] *f* Glorifizierung *f*

glorifier [glɔʀifje] <1> **I.** *vt* rühmen; ehren *mémoire;* verherrlichen *héros, victoire;* [lob]preisen *Dieu* **II.** *vpr* **se** ~ **de qc** sich einer S. (*gen*) rühmen

gloriole [glɔʀjɔl] *f* Selbstgefälligkeit *f*

gloser [gloze] <1> *vi* ~ **sur qn/qc** über jdn/etw seine Bemerkungen machen

gloss [glɔs] *m* Lippgloss *nt*

glossaire [glɔsɛʀ] *m* Glossar *nt*

glotte [glɔt] *f* Stimmritze *f*

glouglou [gluglu] *m fam* faire ~ gluckern

gloussement [glusmɑ̃] *m* **1.** (*cri*) Glucken *nt* **2.** *fam* (*rire*) Glucksen *nt*

glousser [gluse] <1> *vi* **1.** (*pousser des gloussements*) *poule:* glucken **2.** *fam* (*rire*) *personne:* glucksen

glouton, ne [glutɔ̃, ɔn] **I.** *adj* gefräßig **II.**

m, f Vielfraß *m* (*fam*)

gloutonnerie [glutɔnʀi] *f* Gefräßigkeit *f*

glu [gly] *f* **1.** (*colle*) Leim *m* **2.** *fam* (*personne*) Klette *f*

gluant, e [glyɑ̃, ɑ̃t] *adj* klebrig

glucide [glysid] *m* Kohle[n]hydrat *nt*

glucose [glykoz] *m* Traubenzucker *m*

gluten [glytɛn] *m* Gluten *nt*

glycémie [glisemi] *f* Blutzucker *m*

glycérine [gliseʀin] *f* Glyzerin *nt*

glycine [glisin] *f* Glyzinie *f*

gnangnan [ɲɑ̃ɲɑ̃] *adj inv fam* **être** ~ *personne:* eine Tranfunzel sein

gnôle [ɲol] *f fam* Schnaps *m*

gnome [gnom] *m* Gnom *m*

gnon [ɲɔ̃] *m fam* Schlag *m*, Hieb *m*

go [go] ▸ **tout de** ~ *fam* mir nichts, dir nichts

Go *abr de* **giga-octet** GB *nt*

GO [ʒeo] *fpl abr de* **grandes ondes** LW *f*

gobelet [gɔblɛ] *m* Becher *m*

gober [gɔbe] <1> *vt* **1.** (*avaler en aspirant*) schlürfen *huître;* ausschlürfen *œuf* **2.** *fam* (*croire*) fressen

goberger [gɔbɛʀʒe] <2a> *vpr fam* **se** ~ sich (*dat*) den Bauch vollschlagen

godasse [gɔdas] *f fam* Latschen *m*

godet [gɔdɛ] *m* **1.** (*gobelet*) Becher *m* **2.** (*pour la peinture*) Farbnapf *m*

godiche [gɔdiʃ] *adj fam* dämlich

godille [gɔdij] *f* Wedeln *nt* ▸ **à la** ~ schlampig

godiller [gɔdije] <1> *vi* NAUT wricken

goéland [gɔelɑ̃] *m* große Möwe *f*

goélette [gɔelɛt] *f* Schoner *m*

goémon [gɔemɔ̃] *m* Tang *m*

gogo [gogo] ▸ **à** ~ *fam* in rauen Mengen

go-go danser [gogodɑ̃nsœʀ] *mf* Go-go-Tänzer(in) *m(f)*

gogol, e [gogɔl] *adj fam* bescheuert

goguenard, e [gɔg(ə)naʀ, aʀd] *adj* spöttisch

goguette [gɔgɛt] *f* ▸ **en** ~ *fam* (*gai*) gut aufgelegt

goinfre [gwɛ̃fʀ] **I.** *adj* verfressen (*fam*) **II.** *mf péj* Fresssack *m* (*fam*)

goinfrer [gwɛ̃fʀe] <1> *vpr péj fam* **se** ~ **de qc** sich (*dat*) den Bauch mit etw voll schlagen (*fam*)

goinfrerie [gwɛ̃fʀəʀi] *f péj* Gefräßigkeit *f*

goitre [gwatʀ] *m* Kropf *m*

golden [gɔldɛn] *f* Golden Delicious *m*

golf [gɔlf] *m* Golf[spiel *nt*]

golfe [gɔlf] *m* Golf *m*

golfeur, -euse [gɔlfœʀ, -øz] *m, f* Golf[spiel]er(in) *m(f)*

gominer [gɔmine] <1> *vpr* **se** ~ sich (*dat*) Pomade ins Haar schmieren

gommage [gɔmaʒ] *m* Ausradieren *nt*

gomme [gɔm] *f* **1.** (*bloc de caoutchouc*) [Radier]gummi *m o nt* **2.** (*substance*) Gummi *m o nt* ▶ **mettre la ~** *fam* [voll] Stoff geben

gommé, e [gɔme] *adj* gummiert

gommer [gɔme] <1> *vt* ausradieren, wegradieren; (*de sa mémoire*) streichen

gond [gɔ̃] *m* [Tür]angel *f* ▶ **sortir de ses ~s** [vor Wut] außer sich geraten

gondole [gɔ̃dɔl] *f* Gondel *f*

gondoler [gɔ̃dɔle] <1> *vi* sich wellen; *planche:* sich verziehen

gondolier, -ière [gɔ̃dɔlje, -jɛʀ] *m, f* Gondoliere *m*

gonflable [gɔ̃flabl] *adj* aufblasbar

gonflé, e [gɔ̃fle] *adj* **1.** (*rempli*) aufgeblasen; *visage* [an]geschwollen, aufgedunsen; *yeux* verquollen **2.** *fam* (*culotté*) dreist, frech

gonflement [gɔ̃fləmɑ̃] *m* *d'un pneu* Aufpumpen *nt; d'un ballon* Aufblasen *nt; d'une plaie, d'un organe* Schwellung *f*

gonfler [gɔ̃fle] <1> **I.** *vt* aufpumpen *pneus;* aufblasen *ballon;* blähen *voiles; ~* **les poumons** tief Luft holen **II.** *vi bois:* [auf]quellen; *membre:* anschwellen; *pâte:* aufgehen; *riz:* quellen **III.** *vpr se ~ poitrine:* schwellen; *voiles:* sich [auf]blähen; *ballon:* sich füllen

gonflette [gɔ̃flɛt] *f péj fam* Bodybuilding *nt*

gong [gɔ̃(g)] *m* Gong *m*

gonzesse [gɔ̃zɛs] *f péj fam* Tussi *f*

gore [gɔʀ] *adj inv* Horror-

goret [gɔʀɛ] *m* Ferkel *nt*

gorge [gɔʀʒ] *f* **1.** (*partie du cou*) Hals *m,* Kehle *f* **2.** GEOG Schlucht *f* ▶ **faire des ~s chaudes de qc** *fam* sich in Klatschereien über etw (*akk*) ergehen; **à ~ déployée** aus Leibeskräften; **avoir la ~ nouée** [*o* **serrée**] einen Kloß im Hals haben (*fam*); **prendre qn à la ~** *fumée:* jdn im Hals kratzen; *odeur:* jdn in der Nase beißen; (*émouvoir*) jdn zutiefst erschüttern; (*financièrement*) jdm das Messer an die Kehle setzen (*fam*); **rester à qn en travers de la ~** jdm im Hals[e] stecken bleiben

gorgé, e [gɔʀʒe] *adj* **fruits ~s de soleil** von der Sonne verwöhnte Früchte; **terre ~e d'eau** wasserdurchtränkte Erde

gorgée [gɔʀʒe] *f* Schluck *m*

gorger [gɔʀʒe] <2a> *vt* stopfen *oie*

gorille [gɔʀij] *m* Gorilla *m*

gosier [gozje] *m* Kehle *f; d'un oiseau* Schlund *m*

gosse [gɔs] *mf fam* Kleine(r) *f(m);* **un ~** ein Bengel *m;* **une ~** eine Göre; **sale ~** Rotzbengel ▶ **être beau ~** ein hübsches Kind sein

gothique [gɔtik] **I.** *adj* gotisch **II.** *m* Gotik *f*

gouache [gwaʃ] *f* Temperafarbe *f*

gouaille [gwaj] *f fam* Spottlust *f*

gouailleur, -euse [gwajœʀ, -øz] *adj fam* spöttisch

gouda [guda] *m* Gouda *m*

goudron [gudʀɔ̃] *m* Teer *m; (pour les routes)* Asphalt *m*

goudronné, e [gudʀɔne] *adj* asphaltiert

gouffre [gufʀ] *m* **1.** (*abîme*) Abgrund *m* **2.** (*chose ruineuse*) Fass *nt* ohne Boden

gouine [gwin] *f péj pop* Lesbe *f*

goujat [guʒa] *m* Rüpel *m,* Flegel *m*

goujaterie [guʒatʀi] *f* Rüpelhaftigkeit *f*

goujon [guʒɔ̃] *m* Gründling *m* ▶ **taquiner le ~** *fam* angeln

goulache [gulaʃ] *m o f* Gulasch *m o nt*

goulet [gulɛ] *m* **~ d'étranglement** Engpass *m*

goulot [gulo] *m* **1.** (*col d'une bouteille*) Hals *m;* **boire au ~** aus der Flasche trinken **2.** (*goulet*) **~ d'étranglement** Engpass *m*

goulu, e [guly] *adj* gefräßig

goulûment [gulymɑ̃] *adv* gierig

goupiller [gupije] <1> **I.** *vt fam* aushecken; **bien ~ son coup** die Sache geschickt einfädeln **II.** *vpr fam* **bien/mal se ~** klappen/nicht klappen

gourd, e [guʀ, guʀd] *adj* starr vor Kälte, steifgefroren

gourde [guʀd] *f* **1.** (*bouteille*) Trinkflasche *f* **2.** *fam* (*personne*) Dussel *m*

gourer [guʀe] <1> *vpr fam* **se ~ de qc** sich in etw (*dat*) vertun

gourmand, e [guʀmɑ̃, ɑ̃d] **I.** *adj* **être ~** ein Gourmand *m* sein; (*de sucreries*) eine Naschkatze sein (*fam*) **II.** *m, f* Gourmand *m,* Schlemmer(in) *m(f);* (*de sucreries*) Naschkatze *f (fam)*

gourmandise [guʀmɑ̃diz] *f* Schwelgerei *f;* (*défaut*) Gier[igkeit *f*] *f;* **manger par/ avec ~** aus purer Lust/gierig essen

gourmet [guʀmɛ] *m* Gourmet *m,* Feinschmecker(in) *m(f)*

gourmette [guʀmɛt] *f* Gliederarmband *nt* [mit Namensplakette]

gousse [gus] *f* **~ de vanille** Vanilleschote *f; ~* **d'ail** Knoblauchzehe *f*

goût [gu] *m* **1.** *sans pl* (*sens*) Geschmack[ssinn *m*] *m* **2.** *sans pl* (*saveur*) Geschmack *m;* **être sans ~** nach nichts schmecken; **avoir un ~ de qc** nach einer S. (*dat*) schmecken **3.** *sans pl* (*envie*) Lust *f;* **par ~** zum Vergnügen; **~ de vivre** Lebenslust, Lebensfreude *f; ~* **d'entreprendre** Unternehmungslust; **~ d'écrire** Freude *f* am Schreiben; **prendre ~ à qc** Gefallen an etw (*dat*) finden; **reprendre ~ à qc**

wieder Spaß an etw (*dat*) haben; **ne plus avoir ~ à rien** zu nichts mehr Lust haben **4.** *sans pl* (*penchant*) **~ pour les maths** Interesse *nt* an der Mathematik; **~ pour la boisson** Vorliebe *f* für den Alkohol; **~ du risque** Risikobereitschaft *f;* **être affaire de ~** Geschmackssache sein **5.** *pl* (*préférences*) Geschmack *m;* **avoir des ~s de luxe** einen Hang zum Luxus haben **6.** *sans pl* (*jugement*) Geschmack *m;* **avec ~** geschmackvoll; **avoir bon ~** Geschmack haben; **être de mauvais ~** geschmacklos sein; **trouver qn/qc à son ~** jdn/etw nach seinem Geschmack finden; **une femme de ~** eine Frau mit Geschmack **7.** (*avis*) **à mon ~** meiner Meinung nach, meines Erachtens ▸**être au ~ du jour** modisch sein; **tous les ~s sont dans la nature** *prov* die Geschmäcker sind verschieden; **chacun ses ~s** *prov* jeder nach seinem Geschmack

goûter [gute] <1> **I.** *vi* **1.** (*prendre le goûter*) *enfant:* [nachmittags] eine Kleinigkeit essen **2.** (*essayer*) **~ à qc** etw probieren **3.** (*toucher*) **~ aux plaisirs de la vie** die Freuden des Lebens kennen lernen **II.** *vt* **1.** (*essayer*) probieren, kosten **2.** (*savourer*) genießen **III.** *m:* kleine Zwischenmahlzeit für Kinder und Jugendliche am Spätnachmittag

goutte [gut] *f* **1.** (*très petite quantité, de forme arrondie*) Tropfen *m;* **~ à ~** tröpfchenweise; **qn a la ~ au nez** *fam* jdm läuft die Nase **2.** *sans pl* (*petite quantité*) **~ d'huile/de kirsch** Tropfen *m* Öl/Schluck *m* Kirschwasser **3.** MED Gicht *f* ▸**c'est la ~ d'eau qui fait déborder le vase** *prov* das ist der Tropfen, der das Fass zum Überlaufen bringt; **c'est une ~ d'eau dans la mer** das ist nur ein Tropfen auf den heißen Stein; **se ressembler comme deux ~s d'eau** sich gleichen wie ein Ei dem anderen; **passer entre les ~s** nicht/kaum nass werden

goutte-à-goutte [gutagut] *m inv* Tropf *m*

goutter [gute] <1> *vi* tropfen; *canalisation:* undicht sein; **le toit/le plafond goutte** es tropft durch das Dach/von der Decke

gouttière [gutjɛʀ] *f* Dachrinne *f*

gouvernable [guvɛʀnabl] *adj* regierbar

gouvernail [guvɛʀnaj] *m* **1.** (*barre*) Ruder *nt* **2.** *fig* **tenir le ~** das Steuer fest in der Hand halten

gouvernante [guvɛʀnãt] *f* **1.** (*bonne*) Haushälterin *f* **2.** (*préceptrice*) Gouvernante *f*, Erzieherin *f*

gouvernants [guvɛʀnã] *mpl* Entscheidungsträger *Pl*

gouverne [guvɛʀn] *f* **pour ta ~** zu deiner Orientierung

gouvernement [guvɛʀnəmã] *m* Regierung *f;* **entrer/être au ~** an die Regierung kommen/an der Regierung sein

gouvernemental, e [guvɛʀnəmãtal, o] <-aux> *adj journal* regierungsfreundlich; *parti, politique* Regierungs-

gouverner [guvɛʀne] <1> **I.** *vi* regieren **II.** *vt* **1.** (*diriger*) regieren **2.** (*maîtriser*) beherrschen

gouverneur [guvɛʀnœʀ] *m* Gouverneur *m*

goyave [gɔjav] *f* Gua[ja]ve *f*

GPL [ʒepeɛl] *m abr de* **gaz de pétrole liquéfié** Autogas *nt*

GR [ʒeɛʀ] *m abr de* [**sentier de**] **grande randonnée** markierter Wanderweg

grabuge [gʀabyʒ] *m* **faire du ~** *fam* Krach schlagen; **il y a du ~** *fam* es kracht

grâce [gʀɑs] *f* **1.** *sans pl* (*charme*) Anmut *f*, Grazie *f;* **avoir de la ~** anmutig sein; **avec ~** anmutig, graziös; *parler* charmant **2.** *sans pl* (*faveur*) Gunst *f;* **trouver ~ aux yeux de qn** Gnade *f* vor jds Augen finden **3.** *sans pl* (*clémence*) Gnade *f;* **crier/demander ~** um Gnade bitten/flehen **4.** JUR Begnadigung *f* ▸**à la ~ de Dieu** auf gut Glück; (*exclamation*) komme, was wolle!; **faire qc de bonne/mauvaise ~** etw bereitwillig/widerwillig tun; **faire ~ à qn de qc** jdm etw erlassen; (*épargner*) jdm etw ersparen; **rendre ~ à qn** jdm Dank sagen; **~ à lui/elle** dank seiner/ihrer, dank ihm/ihr; **~ à qc** dank einer S. (*dat o gen*)

gracier [gʀasje] <1> *vt* begnadigen

gracieusement [gʀasjøzmã] *adv* **1.** (*charmant*) charmant **2.** (*gratuitement*) unentgeltlich

gracieux, -euse [gʀasjø, -jøz] *adj* **1.** (*charmant*) anmutig, graziös **2.** (*aimable*) freundlich **3.** (*gratuit*) kostenlos

gradation [gʀadasjɔ̃] *f* schrittweise Steigerung

grade [gʀad] *m* Dienstgrad *m;* UNIV Grad *m;* *de capitaine* Rang *m;* **monter en ~** befördert werden ▸**en prendre pour son ~** *fam* eins aufs Dach kriegen

gradé, e [gʀade] *m, f* unterer Dienstgrad

gradins [gʀadɛ̃] *mpl* [Zuschauer]ränge *Pl*

graduation [gʀaduasjɔ̃] *f* Gradeinteilung *f*

gradué, e [gʀadɥe] *adj* abgestuft

graduel, le [gʀadɥɛl] *adj introduction* schrittweise; *amélioration* allmählich

graduellement [gʀadɥɛlmã] *adv* **1.** (*par degrés*) Schritt für Schritt **2.** (*peu à peu*) allmählich

graduer [gʀadɥe] <1> *vt* **1.** (*augmenter*

graduellement) allmählich steigern; **les difficultés sont graduées** der Schwierigkeitsgrad steigt; **gradué** abgestuft **2.** (*diviser en degrés*) graduieren, in Einheiten unterteilen; **gradué** mit einer Skala
graffiti [gʀafiti] <[s]> *m* Graffiti *nt*
grailler [gʀaje] <1> *vi corneille:* krächzen
graillon [gʀajɔ̃] *m* Geruch *m* von Bratfett
grain [gʀɛ̃] *m* **1.** *sing o pl* (*petite chose arrondie*) Korn *nt;* ~ **de beauté** Leberfleck *m* **2.** (*graine*) Körnchen *nt; d'une grenade* Kern *m;* (*pour les poules*) Körner *Pl;* ~ **de café** Kaffeebohne *f;* ~ **de poivre/de moutarde** Pfeffer-/Senfkorn *nt;* ~ **de cassis** Johannisbeere *f;* ~ **de raisin** [Wein]traube *f;* **en** ~**s** *café, poivre* ungemahlen **3.** (*particule*) Korn *nt*, Körnchen *nt;* ~ **de poussière** Staubkorn **4.** (*texture*) Korn *nt; de la peau* Beschaffenheit *f; d'un cuir* Narbe *f* **5.** *sans pl* (*petite quantité*) Spur *f*, Quäntchen *nt* **6.** METEO [Regen]schauer *m* ▶~ **de sable** *fig* Störfaktor *m;* **être un** ~ **de sable dans l'engrenage** Sand im Getriebe sein; **mettre son** ~ **de sel** *fam* seinen Senf dazugeben; **avoir un** ~ *fam* eine Meise haben (*fig*); **veiller au** ~ auf der Hut sein
graine [gʀɛn] *f* **1.** (*semence*) Samen *m* **2.** AGR Saatgut *nt* ▶~ **de voyou** Teufelsbrut *f;* **être de la mauvaise** ~ ein sauberes Früchtchen sein (*iron fam*); **casser la** ~ *fam* futtern; **monter en** ~ *plante:* ins Kraut schießen; *fam enfant:* in die Höhe schießen (*fam*); **en prendre de la** ~ *fam* sich (*dat*) daran ein Beispiel nehmen
graissage [gʀesaʒ] *m* Schmieren *nt*
graisse [gʀɛs] *f* **1.** (*matière grasse*) Fett *nt* **2.** (*lubrifiant*) Schmierfett *nt*
graisser [gʀese] <1> *vt* schmieren *engrenage, machine*
graisseux, -euse [gʀesø, -øz] *adj* fettig; *cahier, nappe* speckig
grammaire [gʀa(m)mɛʀ] *f* Grammatik *f*
grammatical, e [gʀamatikal, o] <-aux> *adj analyse* grammati[kali]sch; *exercice* Grammatik-
grammaticalement [gʀamatikalmɑ̃] *adv* grammati[kali]sch
gramme [gʀam] *m* Gramm *nt* ▶**ne pas avoir** un ~ **de bon sens** [*o de jugeote*] *fam* keinen Funken Verstand haben
grand, e [gʀɑ̃, gʀɑ̃d] **I.** *adj* **1.** (*dont la taille dépasse la moyenne*) groß; *arbre* hoch; *jambe, avenue* lang; ~ **format** Großformat *nt;* **un** ~ **verre d'eau** ein volles Glas Wasser; ~**e entreprise** Großunternehmen *nt;* ~ **magasin** Kauf-/Warenhaus *nt* **2.** (*extrême*) groß; *buveur, fumeur* stark; *travailleur* tüchtig; *collectionneur* eifrig; ~ **blessé/malade/invalide** Schwerverletzter/

-kranker/-behinderter; ~ **brûlé** Mensch *m* mit schweren Verbrennungen; **faire un** ~ **froid** sehr kalt sein **3.** (*intense*) groß; *bruit, cri* laut; *vent* heftig, stark; *coup* gewaltig; *soupir* tief; **avoir** ~ **besoin de** dringend brauchen **4.** (*fameux*) groß; *vin* besondere(r, s); *homme* bedeutend **5.** (*respectable*) nobel; ~**e dame/**~ **monsieur** große Dame/hoher Herr; **la** ~**e dame de la chanson** die Grande Dame des Chansons; **la «Grande Nation»** die "große Nation" (*Name für Frankreich*); ~**es écoles** Elite-Hochschulen *Pl* **6.** (*généreux*) groß; ~**s sentiments** edle Gesinnung **7.** (*exagéré*) **employer de** ~**s mots** große Worte machen; **faire de** ~**es phrases** große Reden schwingen; **faire de** ~**s gestes** wild gestikulieren; **prendre de** ~**s airs** vornehm tun ▶**au** ~ **jamais** nie und nimmer **II.** *adv* **ouvrir tout** ~ *qc* etw ganz weit aufmachen; **voir** ~ großzügig planen **III.** *m, f* **1.** (*personne/objet grands*) Große(r) *f(m)* **2.** (*personne importante*) **un** ~ **du football** ein bedeutender Fußballspieler **3.** ECON Spitzenunternehmen *nt*
grand-angle [gʀɑ̃tɑ̃gl] <grands-angles> *m* Weitwinkel[objektiv *nt*] *m*
grand-chose [gʀɑ̃ʃoz] *pas* ~ nicht viel
grand-duc [gʀɑ̃dyk] <grands-ducs> *m* Großherzog *m* **grand-duché** [gʀɑ̃dyʃe] <grands-duchés> *m* Großherzogtum *nt*
Grande-Bretagne [gʀɑ̃dbʀətaɲ] *f* **la** ~ Großbritannien *nt*
grandement [gʀɑ̃dmɑ̃] *adv* sehr; *avoir raison* völlig; **contribuer** ~ **à** *qc* einen großen Beitrag zu etw leisten
grandeur [gʀɑ̃dœʀ] *f* **1.** (*dimension*) Größe *f;* **être de la** ~ **de** *qc* so groß wie etw sein; **de quelle** ~ **est ...?** wie groß ist ...?; **de même** ~ gleich groß; ~ **nature** in Lebensgröße **2.** (*puissance*) Größe *f* **3.** (*générosité*) [menschliche] Größe; ~ **d'âme** Seelengröße *f*
grandiloquence [gʀɑ̃dilɔkɑ̃s] *f* hochtrabende Ausdrucksweise
grandiloquent, e [gʀɑ̃dilɔkɑ̃, ɑ̃t] *adj* schwülstig; *personne* hochtrabend redend
grandiose [gʀɑ̃djoz] *adj* großartig
grandir [gʀɑ̃diʀ] <8> **I.** *vi* **1.** (*devenir plus grand*) wachsen, (auf)wachsen, groß werden; **de dix centimètres** zehn Zentimeter wachsen **2.** (*devenir plus mûr*) reifer werden **3.** (*augmenter*) wachsen; *foule:* anwachsen; **l'obscurité grandit** es wird [immer] dunkler **4.** *fig* **sortir grandi de** *qc* gestärkt aus etw hervorgehen; ~ **en sagesse** weiser werden **II.** *vt* **1.** (*rendre plus grand*) größer machen *personne;* vergrößern *chose* **2.** (*ennoblir*) *qc* **grandit** *qn* jd

gewinnt durch etw **III.** *vpr* **1.** (*se rendre plus grand*) **se** ~ sich größer machen **2.** (*s'élever*) **se** ~ **par qc** durch etw gewinnen

grandissant, e [gʀɑ̃disɑ̃, ɑ̃t] *adj* wachsend

grand-mère [gʀɑ̃mɛʀ] <grand[s]-mères> *f* Großmutter *f* ►**il ne faut pas pousser** ~ **dans les orties** nun mach[t] mal halblang **grand-messe** [gʀɑ̃mɛs] <grand[s]-messes> *f* Hochamt *nt* **grand-oncle** [gʀɑ̃tɔ̃kl] <grands-oncles> *m* Großonkel *m* **grand-peine** [gʀɑ̃pɛn] ►**avoir** ~ **à faire qc** Mühe haben etw zu tun; **à** ~ mit Mühe und Not **grand-père** [gʀɑ̃pɛʀ] <grands-pères> *m* Großvater *m* **grand-rue** [gʀɑ̃ʀy] <grand-rues> *f* Hauptstraße *f* **grands-parents** [gʀɑ̃paʀɑ̃] *mpl* Großeltern *Pl* **grand-tante** [gʀɑ̃tɑ̃t] <grands-tantes> *f* Großtante *f* **grand-voile** [gʀɑ̃vwal] <grand[s]-voiles> *f* Großsegel *nt*

grange [gʀɑ̃ʒ] *f* Scheune *f*

granit|e| [gʀanit] *m* Granit *m*

granitique [gʀanitik] *adj* Granit-, granithaltig

granulé [gʀanyle] *m* Granulat *nt*

granulé, e [gʀanyle] *adj* körnig; *surface a.* gekörnt

granuleux, -euse [gʀanylø, -øz] *adj* körnig, gekörnt; *cuir* genarbt; *peau, roche* rau

graphe [gʀaf] *m* Graph *m*

graphie [gʀafi] *f* Schreibweise *f*

graphique [gʀafik] **I.** *adj* grafisch; **carte** ~ Grafikkarte *f*; **arts** ~**s** Grafik *f* **II.** *m* Schaubild *nt*

graphisme [gʀafism] *m* **1.** (*écriture*) Handschrift *f*, Schriftzüge *Pl* **2.** (*aspect d'une lettre*) Schriftbild *nt* **3.** ART grafische Gestaltung; *d'un artiste* Zeichenstil *m*

graphiste [gʀafist] *mf* Grafiker(in) *m(f)*

graphite [gʀafit] *m* Graphit *m*

graphologue [gʀafɔlɔg] *mf* Graphologe/Graphologin *m/f*

grappe [gʀap] *f* Traube *f*; ~ **de raisin** Weintraube

grappiller [gʀapije] <1> *vt* **1.** (*cueillir*) einzeln [ab]pflücken *fruits, fleurs* **2.** (*prendre au hasard*) aufschnappen (*fam*) *nouvelles, idées;* herausschlagen (*fam*) *argent*

grappin [gʀapɛ̃] *m* ►**mettre le** ~ **sur qn** *fam* jdn nicht aus den Klauen lassen

gras [gʀɑ] **I.** *m* **1.** GASTR Fett *nt*, Fette(s) *nt* **2.** (*graisse*) Fett *nt* **3.** (*partie charnue*) ~ **de la jambe** Wade *f* **II.** *adv* fett

gras, se [gʀɑ, gʀɑs] *adj* **1.** (*formé de graisse*) fett; **acides** ~ Fettsäuren; **matières** ~**ses** Fette *Pl*; **40% de matières** ~**ses**

40% Fett *nt;* **corps** ~ Fett[stoff *m*] *nt* **2.** (*gros*) fett; *visage, main* fleischig **3.** (*graisseux*) fettig; *chaussée* glitschig; *terre, boue* lehmig **4.** (*imprimé*) **en [caractère]** ~ fett gedruckt **5.** BOT **plante** ~**se** Fettpflanze *f*, Sukkulente *f* **6.** *voix* rau, belegt; *rire* ordinär; *toux* schleimig

gras-double [gʀɑdubl] <gras-doubles> *m* Kutteln *Pl*

grassement [gʀɑsmɑ̃] *adv payer* reichlich

grassouillet, te [gʀasujɛ, jɛt] *adj fam* pummelig

gratifiant, e [gʀatifjɑ̃, jɑ̃t] *adj travail* befriedigend

gratification [gʀatifikasjɔ̃] *f* Gratifikation *f*

gratifier [gʀatifje] <1> *vt* ~ **qn d'une récompense** jdm eine Belohnung zuteil werden lassen; ~ **qn d'un sourire** jdm ein Lächeln schenken

gratin [gʀatɛ̃] *m* **1.** GASTR Gratin *nt* **2.** *sans pl, fam* (*haute société*) Crème *f* de la crème (*iron*)

gratiné, e [gʀatine] *adj* **1.** GASTR überbacken, gratiniert **2.** *fam raclée* anständig; *aventure* verrückt

gratinée [gʀatine] *f* mit Käse überbackene Zwiebelsuppe

gratiner [gʀatine] <1> *vt* [faire] ~ **qc** etw überbacken

gratis [gʀatis] **I.** *adj fam* kostenlos, gratis *nur präd* **II.** *adv fam* umsonst, gratis

gratitude [gʀatityd] *f* Dankbarkeit *f*

gratte-ciel [gʀatsjɛl] *m inv* Wolkenkratzer *m*

grattement [gʀatmɑ̃] *m* Kratzen *nt*

gratte-papier [gʀatpapje] <gratte-papier[s]> *mf péj* schlecht bezahlter Kopist

gratter [gʀate] <1> **I.** *vi* **1.** (*racler*) kratzen **2.** (*récurer*) scheuern **II.** *vt* **1.** (*racler*) [herum]kratzen an (+ *dat*) *bouton;* abkratzen *mur, table;* schaben *carottes;* anzünden *allumette;* scharren auf (+ *dat*) *sol;* ausradieren *mot;* ~ **le dos à qn** jdn am Rücken kratzen **2.** (*démanger*) kratzen; *cicatrice:* jucken; **ça me gratte à la jambe** mein Bein juckt **III.** *vpr* **se** ~ **jusqu'au sang** sich blutig kratzen; **se** ~ **qc** sich an etw (*dat*) kratzen ►**tu peux toujours te** ~**!** *fam* du kannst mich mal!

gratuit, e [gʀatɥi, ɥit] *adj* **1.** (*gratis*) frei; *consultation* kostenlos, unentgeltlich; *supplément* Gratis-; **enseignement** ~ kostenloser Schulbesuch; **à titre** ~ kostenlos, gratis **2.** (*arbitraire*) willkürlich; *supposition* ungerechtfertigt; *accusation* grundlos; *acte* unmotiviert; *cruauté* unnötig

gratuité [gʀatɥite] *f* **1.** (*caractère gratuit*) ~ **de l'enseignement** Schulgeldfreiheit *f*;

~ des soins médicaux kostenlose medizinische Versorgung **2.** *d'une affirmation* Willkürlichkeit *f; d'un acte* Unmotiviertheit *f*
gratuitement [gratɥitmɑ̃] *adv* **1.** (*gratis*) kostenlos; *entrer, voyager* ohne etwas zu bezahlen **2.** (*sans motif*) willkürlich; *agir* unmotiviert; *risquer sa vie* grundlos; *commettre un crime* ohne Motiv
gravats [grava] *mpl* [Bau]schutt *m*
grave [grav] **I.** *adj* **1.** (*sérieux*) ernst; *accident, responsabilité* schwer; *menace, ennuis* ernsthaft; *faute, raison* schwerwiegend, gravierend; *nouvelles* schlimm; *sanction* hart; **blessé** ~ Schwerverletzter *m;* **des choses ~s** etwas Ernstes; **ce n'est pas** ~ das ist nicht schlimm **2.** (*digne*) feierlich **3.** LING **accent** ~ Accent *m* grave **4.** *son, note* tief; *voix a.* dunkel **5.** *fam* (*bête*) blöd **II.** *m* **les ~s et les aigus** die Tiefen und Höhen
gravement [gravmɑ̃] *adv* **1.** (*dignement*) ernst; *marcher* würdevoll **2.** (*fortement*) schwer
graver [grave] <1> **I.** *vt* **1.** (*tracer en creux*) (ein)gravieren; ~ **qc sur/dans qc** etw in etw (*akk*) [ein]ritzen **2.** (*à l'eau-forte*) radieren; ~ **qc sur cuivre/sur bois** etw in Kupfer (*akk*) stechen/in Holz (*akk*) schneiden **3.** (*fixer*) ~ **qc dans sa mémoire** [*o* **son esprit**] sich (*dat*) etw fest einprägen **II.** *vpr* **se** ~ **dans la mémoire de qn** sich jdm fest einprägen
graveur [gravœr] *m* ~ **de CD** CD-Brenner *m*
graveur, -euse [gravœr, -øz] *m, f* ART Graveur(in) *m(f)*
gravier [gravje] *m* Kies *m*
gravillon [gravijɔ̃] *m* Splitt *m;* AUT Rollsplitt
gravir [gravir] <8> *vt* **1.** (*grimper*) [hinauf]klettern auf (+ *akk*) **2.** *fig* ~ **les echelons** aufsteigen
gravitation [gravitasjɔ̃] *f* Gravitation *f*
gravité [gravite] *f* **1.** (*sévérité*) Ernst *m;* **avec** ~ ernst; *regarder* mit ernster Miene **2.** *d'une situation* Ernst *m; d'une faute* Schwere *f; d'une catastrophe, sanction* Ausmaß *nt;* **un accident sans** ~ ein leichter Unfall; **voir la** ~ **du problème** sehen, wie ernst das Problem ist **3.** PHYS Schwerkraft *f*
graviter [gravite] <1> *vi* **1.** (*tourner autour*) ~ **autour de qc** um etw kreisen **2.** *fig* ~ **autour de qn** sich ständig in jds Umkreis aufhalten
gravure [gravyr] *f* **1.** *sans pl* (*technique*) Gravieren *nt;* (*à l'eau-forte*) Radieren *nt* **2.** (*œuvre*) Gravur *f;* (*sur cuivre*) Kupferstich *m;* (*sur bois*) Holzschnitt *m;* (*à l'eau-forte*) Radierung *f* **3.** (*reproduction*) Stich *m;* ~ **de mode** Modezeichnung *f*

gré [gre] ▸**de** ~ **ou de force** wohl oder übel; **de bon** ~ bereitwillig; **bon** ~ **mal** ~ wohl oder übel; **de mauvais** ~ widerwillig; **de mon/son plein** ~ aus freien Stücken; **savoir** ~ **à qn de qc** *soutenu* jdm für etw verbunden sein; **trouver qn/qc à son** ~ jdn/etw nach seinem Geschmack finden; **au** ~ **de** je nach (+ *dat*); **au** ~ **de sa fantaisie** nach Lust und Laune; **au** ~ **de qn** (*de l'avis de*) jds Meinung (*dat*) nach; (*selon les désirs de*) nach jds Wünschen; **contre le** ~ **de qn** gegen jds Willen
grec [grɛk] *m* Griechisch *nt;* **le** ~ **ancien/moderne** Alt-/Neugriechisch; *v. a.* **allemand**
grec, grecque [grɛk] *adj* griechisch
Grec, Grecque [grɛk] *m, f* Grieche/Griechin *m/f*
Grèce [grɛs] *f* **la** ~ Griechenland *nt*
gréco-romain , e [grekorɔmɛ̃, ɛn] <**gréco-romains**> *adj* griechisch-römisch
grecque [grɛk] *f* (*ornement*) Mäander *m*
gréement [gremɑ̃] *m sans pl* NAUT Takelung *f*
gréer [gree] <1> *vt* NAUT auftakeln
greffe [grɛf] *f* **1.** MED Transplantation *f,* Verpflanzung *f* **2.** BOT Veredelung *f,* Pfropfung *f;* (*greffon*) Pfropfreis *nt,* Edelreis *nt*
greffer [grefe] <1> **I.** *vt* **1.** MED ~ **qc à qn** jdm etw transplantieren **2.** BOT veredeln; ~ **qc sur qc** etw auf etw (*akk*) pfropfen **II.** *vpr* **se** ~ **sur qc** zu etw hinzukommen
greffier, -ière [grefje, -jɛr] *m, f* Justizbeamter/-beamtin *m/f*
greffon [grefɔ̃] *m* BOT Pfropfreis *nt*
grégaire [gregɛr] *adj* **instinct** ~ Herdentrieb *m*
grégorien, ne [gregɔrjɛ̃, jɛn] *adj* gregorianisch
grêle [grɛl] **I.** *adj* dürr; *apparence* schmächtig; *son, voix* dünn **II.** *f* Hagel *m*
grêlé, e [grele] *adj* pockennarbig
grêler [grele] <1> *vi impers* **il grêle** es hagelt
grêlon [grɛlɔ̃] *m* Hagelkorn *nt*
grelot [grəlo] *m* Glöckchen *nt*
grelotter [grəlɔte] <1> *vi* ~ **de qc** (*légèrement/fortement*) vor etw (*dat*) zittern/schlottern; ~ **de fièvre** Schüttelfrost haben
grenade [grənad] *f* **1.** MIL Granate *f* **2.** BOT Granatapfel *m*
grenadier [grənadje] *m* BOT Granatapfelbaum *m*
grenadine [grənadin] *f* Grenadine *f*
grenaille [grənaj] *f sans pl* Schrot *nt o m*
grenat [grəna] *adj inv* granatfarben
grenier [grənje] *m d'une maison* Speicher *m,* [Dach]boden *m; d'une ferme* Speicher *m*
grenouille [grənuj] *f* **1.** (*rainette*) Frosch

m **2.** *fig fam* ~ **de bénitier** Betbruder/
-schwester *m/f*
grenouillère [gʀənujɛʀ] *f* Strampelhose *f*
grenu, e [gʀəny] *adj* *peau, roche* rau; *marbre, papier* körnig, gekörnt; *cuir* genarbt
grès [gʀɛ] *m* **1.** (*roche*) Sandstein *m* **2.** (*poterie*) Steingut *nt;* **cruche en** ~ Steinkrug
m
grésil [gʀezil] *m* Graupeln *Pl*
grésillement [gʀezijmɑ̃] *m* Rauschen *nt;
de la friture* Brutzeln *nt*
grésiller [gʀezije] <1> *vi* brutzeln; **la ra-
dio/le disque/téléphone grésille** es
rauscht im Sender/bei der Wiedergabe/in
der Leitung
grève [gʀɛv] *f* Streik *m;* **appel à la** ~
Streikaufruf *m;* ~ **sur le tas** Sitzstreik; ~
de la faim Hungerstreik; ~ **du zèle** Bummelstreik; **être en** ~, **faire** ~ streiken; **se
mettre en** ~ in den Streik treten; **en** ~ *entreprise* bestreikt; *ouvrier* streikend
grever [gʀəve] <4> *vt* ~ **de qc** mit etw
belasten
gréviste [gʀevist] *mf* Streikende(r) *f(m);*
~**s de la faim** Menschen *Pl* im Hungerstreik
gribouillage [gʀibujaʒ] *m* Gekritzel *nt*
gribouiller [gʀibuje] <1> **I.** *vi* ~ **sur qc**
auf etw (*akk o dat*) kritzeln **II.** *vt* ~ **qc sur
qc** etw auf etw (*akk*) kritzeln; ~ **qc à qn**
jdm etw [hin]kritzeln
grief [gʀijɛf] *m* Klage[punkt *m*] *f*, Beschwerde *f;* **nourrir des** ~**s contre qn**
soutenu einen Groll gegen jdn hegen
grièvement [gʀijɛvmɑ̃] *adv* schwer
griffe [gʀif] *f* **1.** (*ongle pointu*) Kralle *f;* **faire ses** ~**s** die Krallen wetzen **2.** (*marque*)
Markenzeichen *nt* **3.** (*signature*) Unterschrift *f* ▸**toutes** ~**s dehors** aggressiv; **arracher qn des** ~**s de qn** jdn aus jds Klau-
en befreien; **être entre les** ~**s de qn** in jds
Klauen (*dat*) sein; **montrer les** ~**s** die
Krallen zeigen; **porter la** ~ **de qn** jds
Stempel tragen; **reconnaître la** ~ **de qn**
jds Handschrift erkennen; **rentrer ses** ~**s**
einlenken; **tomber entre les** ~**s de qn** in
jds Klauen (*akk*) geraten
griffé, e [gʀife] *adj* **vêtements** ~**s** Mar-
kenkleidung *f*
griffer [gʀife] <1> *vt* kratzen *personne;*
zerkratzen *visage, voiture*
griffonner [gʀifɔne] <1> **I.** *vi* ~ **sur qc**
auf etw (*akk o dat*) kritzeln **II.** *vt* ~ **qc sur
qc** etw auf etw (*akk*) kritzeln; ~ **qc à qn**
jdm etw hinkritzeln
griffure [gʀifyʀ] *f* Kratzer *m*
grignoter [gʀiɲɔte] <1> **I.** *vi* *personne:*
eine Kleinigkeit essen; *animal:* knabbern **II.**
vt **1.** (*manger du bout des dents*) ~ **qc** per-

sonne: etw knabbern; *animal:* an etw + *dat*
[herum]nagen; (*entièrement*) etw fressen
2. (*restreindre*) beschneiden *libertés;* auf-
zehren *capital;* einschränken *espaces*
grigou [gʀigu] *m fam* Geizkragen *m*
gril [gʀil] *m* Grill *m;* **cuire sur le** ~ grillen
▸**être sur le** ~ *fig fam* auf heißen Kohlen
sitzen
grillade [gʀijad] *f* Gegrillte(s) *nt;* **faire
des** ~**s** grillen
grillage [gʀijaʒ] *m* **1.** (*treillis métallique*)
[Draht]gitter *nt* **2.** (*clôture*) Drahtzaun *m*
grillager [gʀijaʒe] <2a> *vt* vergittern *fenêtre*
grille [gʀij] *f* **1.** (*clôture*) Drahtzaun *m*
2. (*porte*) Gittertür *f* **3.** (*treillis*) Gitter *nt;
d'un château fort* Fallgitter *nt; d'un four*
[Feuer]rost *m; d'aération* Luftschlitz *m*
4. (*tableau*) ~ **d'horaires** Stundenplan *m;*
~ **des rémunérations** [*o* **salaires**] Besol-
dungstabelle *f;* ~ **des tarifs** Tariftabelle *f;* ~
des programmes de télévision Fernsehprogramm *nt;* ~ **de loto** Lottoschein *m;* ~
de mots croisés Kreuzworträtsel *nt*
grille-pain [gʀijpɛ̃] *m inv* Toaster *m*
griller [gʀije] <1> **I.** *vi* **1.** (*cuire*) *viande,
poisson:* gegrillt werden; *pain:* getoastet
werden; **faire** ~ grillen; rösten *café, châtaignes;* toasten *pain* **2.** (*brûler*) ~ **d'envie de
faire qc** darauf brennen etw zu tun **3.** *fam*
(*avoir chaud*) vor Hitze fast umkommen
II. *vt* **1.** (*faire cuire*) grillen; rösten *café,
châtaignes;* toasten *pain* **2.** (*détruire*) ~ **qc**
soleil, feu: etw verbrennen; **le gel a grillé
les bourgeons** die Knospen sind erfroren
3. ELEC **être grillé** durchgebrannt sein
4. (*brûler*) überfahren *feu rouge* **5.** (*fumer*)
fam paffen ▸**être grillé auprès de qn**
fam bei jdm unten durch sein
grillon [gʀijɔ̃] *m* Grille *f*
grimace [gʀimas] *f* Grimasse *f*, Fratze *f;*
faire la ~ das Gesicht verziehen; **faire des**
~**s** Grimassen schneiden; ~ **de douleur/**
colère schmerz-/wutverzerrtes Gesicht; ~
de dégoût angewiderte Miene
grimacer [gʀimase] <2> *vi* Grimassen
schneiden; ~ **de douleur** das Gesicht vor
Schmerz (*dat*) verziehen
grimer [gʀime] <1> *vt, vpr* ~ **qn/se**
jdn/sich schminken
grimoire [gʀimwaʀ] *m* Zauberbuch *nt*
grimpant, e [gʀɛ̃pɑ̃, ɑ̃t] *adj* **rosier** ~ Klet-
terrose *f*
grimper [gʀɛ̃pe] <1> **I.** *vi* **1.** (*escalader*)
~ **sur une paroi** eine Felswand hinaufklet-
tern; ~ **sur le toit/à** [*o* **dans**] **l'arbre/à
l'échelle** auf das Dach/den Baum/die Leiter klettern; ~ **à l'assaut de l'Everest** den
Gipfel des Everest erklimmen; ~ **le long**

de qc *plante:* sich an etw (*dat*) emporranken **2.** (*monter*) ~ **dans la montagne** *route:* bergauf führen; **ça grimpe dur!** es geht steil bergauf! **3.** (*augmenter*) klettern **II.** *vt* (*vu d'en haut/d'en bas*) hochkommen/hinaufsteigen *escalier;* ~ **la côte** den Abhang hochkommen/hinaufklettern; (*à vélo, en voiture*) den Abhang hochkommen/hinauffahren

grimpette [gʀɛ̃pɛt] *f fam* kurzer Aufstieg

grimpeur, -euse [gʀɛ̃pœʀ, -øz] *m, f* **1.** (*alpiniste*) Kletterer/Kletterin *m/f* **2.** (*cycliste*) Bergfahrer(in) *m(f)*

grinçant, e [gʀɛ̃sɑ̃, ɑ̃t] *adj ton* schrill; *humour* beißend

grincement [gʀɛ̃smɑ̃] *m d'une roue, porte* Quietschen *nt;* ~ **de dents** Zähneknirschen *nt*

grincer [gʀɛ̃se] <2> *vi* quietschen; *parquet:* knarren; *craie:* kratzen ▸ ~ **des dents** mit den Zähnen knirschen

grincheux, -euse [gʀɛ̃ʃø, -øz] **I.** *adj enfants* quengelig (*fam*); *personne* griesgrämig **II.** *m, f* Griesgram *m*

gringalet [gʀɛ̃galɛ] *m péj* mickriges Kerlchen

griotte [gʀijɔt] *f* Weichselkirsche *f*

grippal, e [gʀipal, o] <-aux> *adj* grippal

grippe [gʀip] *f* Grippe *f;* ~ **intestinale** Darmgrippe ▸ **prendre qn en** ~ jdn nicht mehr riechen können (*fam*)

grippé, e [gʀipe] *adj* grippekrank

gripper [gʀipe] <1> *vi, vpr* [se] ~ klemmen, festsitzen; *moteur:* sich festfressen; *système:* stocken

grippe-sou [gʀipsu] <grippe-sous> *m fam* Pfennigfuchser(in) *m(f)*

gris [gʀi] *m* Grau *nt*

gris, e [gʀi, gʀiz] *adj* **1.** (*entre le blanc et le noir*) grau; ~ **anthracite** anthrazitfarben **2.** METEO grau; *temps* trüb

grisaille [gʀizaj] *f* **1.** (*monotonie*) Öde *f,* Eintönigkeit *f;* ~ **de la vie quotidienne** grauer Alltag **2.** *de l'aube, du paysage* Grau *nt*

grisant, e [gʀizɑ̃, ɑ̃t] *adj vin, succès* berauschend; *parfum* betörend

grisâtre [gʀizɑtʀ] *adj* gräulich

gris-bleu [gʀiblø] *adj inv* blaugrau

grisé [gʀize] *m* Schraffur *f*

griser [gʀize] <1> **I.** *vt, vi* berauschen; ~ [qn] *vin:* [jdn] betrunken machen; *flatteries, succès:* [jdm] zu Kopf steigen; *bonheur:* [jdn] berauschen; **se laisser** ~ **par la vitesse** dem Geschwindigkeitsrausch verfallen **II.** *vpr* (*s'étourdir*) **se** ~ **de qc** sich an etw (*dat*) berauschen

griserie [gʀizʀi] *f* Rausch *m*

grisonnant, e [gʀizɔnɑ̃, ɑ̃t] *adj personne*

leicht ergraut; *cheveux, tempes* grau meliert

grisonner [gʀizɔne] <1> *vi* ergrauen

Grisons [gʀizɔ̃] *mpl* **les** ~ Graubünden *nt*

grisou [gʀizu] *m* **coup de** ~ Schlagwetterexplosion *f*

gris-vert [gʀivɛʀ] *adj inv* graugrün

grive [gʀiv] *f* Drossel *f* ▸ **faute de ~s, on mange des merles** *prov* in der Not frisst der Teufel Fliegen (*fam*)

grivois, e [gʀivwa, waz] *adj* schlüpfrig, anzüglich

grizzli, grizzly [gʀizli] *m* Grislibär *m,* Grizzly[bär] *m*

grog [gʀɔg] *m* Grog *m*

groggy [gʀɔgi] *adj inv, fam* groggy

grogne [gʀɔɲ] *f* Murren *nt*

grognement [gʀɔɲmɑ̃] *m du chien* Knurren *nt; du cochon* Grunzen *nt; de l'ours* Brummen *nt; d'une personne* Murren *nt*

grogner [gʀɔɲe] <1> *vi* **1.** (*pousser son cri*) *chien:* knurren; *cochon:* grunzen; *ours:* brummen **2.** (*ronchonner*) murren; *enfant:* quengeln (*fam*); ~ **contre** [*o* **après**] **qn** über jdn maulen (*fam*)

grognon, ne [gʀɔɲɔ̃, ɔn] *adj* mürrisch; *enfant* quengelig

groin [gʀwɛ̃] *m du porc* Schnauze *f*

grommeler [gʀɔmle] <3> **I.** *vi* murren; ~ **dans sa barbe** vor sich (*akk*) hin murmeln **II.** *vt* ~ **des injures contre qn** gegen jdn leise Flüche ausstoßen

grondement [gʀɔ̃dmɑ̃] *m d'un canon* Donner *m; du tonnerre* Grollen *nt; d'un torrent* Tosen *nt; d'un moteur* Dröhnen *nt; d'un chien* Knurren *nt*

gronder [gʀɔ̃de] <1> **I.** *vi* **1.** (*émettre un son menaçant*) grollen; *canon:* donnern; *chien:* knurren **2.** (*être près d'éclater*) *révolte:* gären **II.** *vt* ausschimpfen, schimpfen mit

groom [gʀum] *m* Page *m,* Hoteljunge *m*

gros [gʀo] **I.** *m* **1.** COM Großhandel *m;* **commerçant en** ~ Großhändler *m;* **prix de** ~ Großhandelspreis, m **2.** (*la plus grande partie*) **le** ~ **du travail** der Großteil der Arbeit; **le** ~ **de l'assistance** die große Mehrheit des Publikums; **le** ~ **de la troupe** das Gros der Truppe; **le** ~ **de l'orage est passé** der schlimmste Sturm ist vorbei; **faire le plus** ~ das Gröbste machen ▸ **en** ~ COM en gros; (*à peu près*) ungefähr; (*dans l'ensemble*) im Großen und Ganzen; (*schématiquement*) in groben Zügen **II.** *adv* **1.** (*beaucoup*) viel; *jouer, parier* mit hohem Einsatz; **je donnerais** ~ **pour savoir ...** ich würde viel darum geben, wenn ich wüsste ... **2.** *écrire* groß ▸ **il y a** ~ **à parier que** ich gehe jede Wette ein, dass

gros, se [gʀo, gʀos] **I.** *adj* **1.** (*épais*) dick;

manteau, couverture dick, schwer; *poitrine, lèvres* voll; *foie* vergrößert; ~ **comme le poing** faustgroß **2.** (*de taille supérieure*) groß; **en** ~ **caractères** in großen Buchstaben **3.** (*corpulent*) dick **4.** *averse, fièvre* stark; *sécheresse* lang; *appétit* groß; *soupir* tief, schwer; *voix* laut; ~**ses bises** viele Grüße/Küsse! **5.** *faute, dépenses* groß; *dégâts, opération* schwer; *récolte* reich; **acheter par** ~**ses quantités** große Mengen kaufen; ~ **client** Großkunde *m* **6.** *buveur, mangeur* stark; *joueur* eifrig; *fainéant* groß; ~ **malin** Schlaumeier *m* (*fam*); ~ **nigaud!** *fam* du Dummkopf! **7.** (*peu raffiné*) grob; *plaisanterie a.* derb; *rire* laut; ~ **rouge** billiger Rotwein **8.** (*exagéré*) übertrieben; **c'est un peu** ~! das ist ganz schön dick aufgetragen! (*fam*) **9.** *travaux* schwer, grob; ~ **œuvre** Rohbau *m* **10.** (*plein*) ~ **de chagrin** voller Kummer; **le cœur** ~ **de désirs** das Herz voller Wünsche **11.** *mer* bewegt **12.** (*enceinte*) schwanger **II.** *m, f* Dicke(r) *f(m);* ~ **plein de soupe** *péj fam* Fettwanst *m*

groseille [gʀozɛj] *f* Johannisbeere *f;* ~ **à maquereau** Stachelbeere *f*

groseillier [gʀozeje] *m* Johannisbeerstrauch *m*

gros-grain [gʀogʀɛ̃] <gros-grains> *m* TEXTIL (*ruban*) Seidenripsband *nt* **gros-porteur** [gʀopɔʀtœʀ] <gros-porteurs> *adj* *avion* ~ Großraumflugzeug *nt*

grosse [gʀos] *f* (*femme*) Dicke *f*

grossesse [gʀosɛs] *f* Schwangerschaft *f;* ~ **extra-utérine** Bauchhöhlenschwangerschaft; **test de** ~ Schwangerschaftstest *m*

grosseur [gʀosœʀ] *f* **1.** (*dimension*) Dicke *f; d'un fil* Stärke *f; d'un caillou* Größe *f;* **de la** ~ **du poing** faustgroß **2.** (*boule*) Schwellung *f*

grossier, -ière [gʀosje, -jɛʀ] *adj* **1.** (*imparfait*) grob; *instrument* primitiv; *réparation* notdürftig; *imitation* schlecht; *manières* ungehobelt; *personne* unkultiviert; *ruse, galanterie* plump; *mensonge a.* grob; *faute* krass; *erreur* schwer **2.** (*malpoli*) flegelhaft; **se montrer** ~ **envers qn** sich jdm gegenüber unmöglich benehmen; **quel** ~ **personnage!** was für ein Flegel ! **3.** *postposé* (*vulgaire*) derb

grossièrement [gʀosjɛʀmɑ̃] *adv* **1.** (*de façon imparfaite*) grob; *emballer, réparer* notdürftig; *exécuter* oberflächlich; *imiter* schlecht; *se tromper* schwer, gewaltig (*fam*); *calculer* grob **2.** (*de façon impolie*) flegelhaft; *répondre* grob; *insulter* wüst

grossièreté [gʀosjɛʀte] *f* **1.** *sans pl* (*qualité*) Grobheit *f;* (*plus fort*) Flegelhaftigkeit *f;* **agir avec** ~ sich wie ein Flegel verhalten;

répondre avec ~ grob antworten **2.** (*remarque*) Grobheit *f;* **débiter des** ~**s** unflätig daherreden

grossir [gʀosiʀ] <8> **I.** *vi* **1.** (*devenir plus gros*) *personne, animal:* zunehmen, dicker werden; *point, nuage:* größer werden; *fruit:* wachsen; *ganglions, tumeur:* wachsen, größer werden; **le sucre fait** ~ Zucker macht dick **2.** (*augmenter en nombre*) *foule:* größer werden; *nombre:* zunehmen **3.** (*augmenter en intensité*) *bruit faible:* lauter werden; *bruit fort:* anschwellen **II.** *vt* **1.** (*rendre plus gros*) dick machen; *loupe, microscope:* vergrößern **2.** (*augmenter en nombre*) anwachsen lassen *foule, nombre de chômeurs;* verstärken *équipe* **3.** (*exagérer*) übertreiben, aufbauschen *événement, fait*

grossissant, e [gʀosisɑ̃, ɑ̃t] *adj* *flot* ansteigend

grossissement [gʀosismɑ̃] *m* **1.** *d'une personne* Gewichtszunahme *f; d'un muscle* Größerwerden *nt* **2.** OPT Vergrößerung *f*

grossiste [gʀosist] *mf* Großhändler(in) *m(f)*

grosso modo [gʀosomɔdo] *adv* (*pour l'essentiel*) im Großen und Ganzen, im Wesentlichen; *expliquer, décrire* in groben Zügen; *calculer, estimer* ungefähr; **il y avait 200 personnes** ~ grob gerechnet waren es 200 Leute

grotesque [gʀɔtɛsk] *adj* grotesk

grotte [gʀɔt] *f* Höhle *f;* (*artificielle, peu profonde*) Grotte *f*

grouillant, e [gʀujɑ̃, jɑ̃t] *adj* *foule, masse* wimmelnd

grouiller [gʀuje] <1> **I.** *vi* *foule:* lebhaft durcheinander laufen; **la place grouille de touristes** auf dem Platz wimmelt es von Touristen **II.** *vpr fam* **se** ~ schnell machen

groupal, e [gʀupal] *adj* Gruppen-

groupe [gʀup] *m* **1.** (*ensemble de personnes*) Gruppe *f;* ~ **de** ~ Gruppenermäßigung *f;* **travail en** ~ Gruppenarbeit *f,* Teamarbeit *f;* **par** ~**s** in Gruppen; **par** ~**s de quatre** in Vierergruppen **2.** MUS (*Musik-)*Band *f;* ~ **de rock** Rockgruppe *f;* ~ **musical** Musikensemble *nt* **3.** POL ~ **parlementaire** ≈ Fraktion *f;* ~ **de pression** Lobby *f* **4.** (*ensemble de choses*) ~ **électrogène/frigorifique** Strom-/Kühlaggregat *nt* **5.** ECON Konzern *m;* ~ **financier** Bankenkonzern; ~ **industriel** Industriekonzern **6.** MED ~ **sanguin** Blutgruppe *f*

groupement [gʀupmɑ̃] *m* ~ **syndical/ professionnel** Gewerkschafts-/Berufsverband *m;* ~ **de capitaux** Kapitalzusammenlegung *f;* ~ **d'entreprises** Zusammen-

schluss *m* mehrerer Unternehmen; ~ **d'intérêts** Interessengemeinschaft *f;* ~ **d'intérêt économique** wirtschaftlicher Interessenverband; ~ **d'achat** Einkaufsgenossenschaft *f*

grouper [gʀupe] <1> **I.** *vt* **1.** (*réunir*) in Gruppen einteilen *personnes;* gruppieren, zusammenstellen *objets, idées;* zusammenlegen *ressources* **2.** (*classer*) ordnen; ~ **dans une catégorie** in eine Kategorie einordnen **II.** *vpr* se ~ eine Gruppe bilden; *personnes, partis:* sich zusammenschließen; se ~ **autour de qn** sich um jdn gruppieren

groupie [gʀupi] *mf* Groupie *nt*

groupuscule [gʀupyskyl] *m péj* Splittergruppe *f*

gruau [gʀyo] *m* Grütze *f*

grue [gʀy] *f* **1.** TECH Kran *m* **2.** ORN Kranich *m*

gruger [gʀyʒe] <2a> *vt* betrügen

grumeau [gʀymo] <x> *m* Klümpchen *nt;* **faire des ~x** klumpen

grumeleux, -euse [gʀym(ə)lø, -øz] *adj* GASTR klumpig

grunge *m* **la mode** ~ der Grunge-Look

grungy *adj inv fam* **être** ~ im Grunge-Look herumlaufen

grutier, -ière [gʀytje, -jɛʀ] *m, f* Kranführer(in) *m(f)*

gruyère [gʀyjɛʀ] *m* Greyerzer *m,* Gruyère *m*

Guadeloupe [gwadlup] *f* **la** ~ [die Insel] Guadeloupe

gué [ge] *m* Furt *f;* **traverser à** ~ eine Furt durchqueren

guenilles [gənij] *fpl* Lumpen *Pl*

guenon [gənɔ̃] *f* Affenweibchen *nt,* Äffin *f; v. a.* **singe**

guépard [gepaʀ] *m* Gepard *m*

guêpe [gɛp] *f* Wespe *f*

guêpier [gepje] *m* Wespennest *nt* ►se **fourrer dans un** ~ in Schwierigkeiten geraten

guère [gɛʀ] *adv* **1.** (*pas beaucoup*) **ne** ~ **manger** fast gar nichts essen; **ne plus** ~ **lire** kaum noch lesen; **n'être** ~ **poli** nicht besonders höflich sein; **ne** ~ **se soucier de qc** sich kaum um etw sorgen; **il n'y a** ~ **de monde** es ist kaum jemand da; **ça ne va** ~ **mieux** es geht mir/ihm/… nicht viel besser; **ce n'est** ~ **pire** das ist nicht viel schlimmer; **on ne lui donne** ~ **plus de 40 ans** man schätzt ihn/sie auf knapp über 40; ~ **plus** kaum mehr; ~ **plus raisonnable** nicht viel vernünftiger **2.** (*pas souvent*) **ne faire plus** ~ **qc** etw nur noch selten tun; **cela ne se dit** ~ das wird kaum gebraucht **3.** (*pas longtemps*) **ça ne dure**

~ **das dauert nicht lange 4.** (*seulement*) **je ne peux** ~ **demander qu'à mes parents** ich kann höchstens meine Eltern fragen

guéridon [geʀidɔ̃] *m* rundes[, einbeiniges] Tischchen

guérilla [geʀija] *f* Guerillakrieg *m*

guérir [geʀiʀ] <8> **I.** *vt* **1.** MED heilen; ~ **qn d'une maladie** jdn von einer Krankheit heilen **2.** PSYCH ~ **qn de sa timidité** jdn von seiner Schüchternheit befreien; **être guéri d'une habitude** eine Gewohnheit abgelegt haben **II.** *vi* wieder gesund werden; *plaie:* [zu]heilen; *blessure:* [ver]heilen; *rhume:* weggehen **III.** *vpr* **1.** MED se ~ sich erfolgreich behandeln lassen; (*tout seul*) sich kurieren **2.** (*se débarrasser*) se ~ **de qc** sich von etw frei machen

guérison [geʀizɔ̃] *f* **1.** (*processus*) Genesung *f; d'une blessure* Heilung *f;* **être en voie de** ~ sich auf dem Weg der Besserung befinden **2.** (*résultat*) Heilung *f*

guérissable [geʀisabl] *adj maladie* heilbar

guérisseur, -euse [geʀisœʀ, -øz] *m, f* Heilpraktiker(in) *m(f);* (*rebouteux*) Heiler(in) *m(f)*

guérite [geʀit] *f* MIL Schilderhäuschen *nt*

guerre [gɛʀ] *f* **1.** (*lutte armée entre groupes/États*) Krieg *m;* ~ **froide** Kalter Krieg; ~ **civile/mondiale** Bürger-/Weltkrieg; **la Première Guerre mondiale, la Grande** ~, **la** ~ **de 14** der Erste Weltkrieg; **la Seconde Guerre mondiale** der Zweite Weltkrieg; ~ **sainte** Heiliger Krieg; ~ **économique** Wirtschaftskrieg; ~ **des étoiles** Krieg der Sterne; **l'après-**~ die Nachkriegszeit; **ministre de la** ~ Kriegsminister *m;* **déclarer la** ~ den Krieg erklären; **entrer en** ~ **contre un pays** in den Krieg gegen ein [anderes] Land eintreten; **faire la** ~ **à qn/à un pays** gegen jdn/ein Land Krieg führen; **partir pour la** ~ in den Krieg ziehen **2.** *fig* **déclarer la** ~ **à qc** einer S. (*dat*) den Kampf ansagen; **faire la** ~ **à qc** etw bekämpfen; **partir en** ~ **contre qc** gegen etw zu Felde ziehen ►**de** ~ **lasse, il a cédé** er war es [einfach] leid und hat eben nachgegeben; **à la** ~ **comme à la** ~ es gibt Schlimmeres

guerrier, -ière [geʀje, -jɛʀ] **I.** *adj* kriegerisch; **exploits** ~s Heldentaten *Pl* **II.** *m, f* Krieger(in) *m(f)*

guet [gɛ] ►**faire le** ~ aufpassen

guet-apens [gɛtapɑ̃] *m inv* Hinterhalt *m*

guêtre [gɛtʀ] *f* Gamasche *f*

guetter [gete] <1> *vt* **1.** (*épier*) ~ **une victime/proie** einem Opfer/einer Beute auflauern; ~ **les allées et venues de qn** beobachten, wann jd kommt und geht **2.** (*attendre*) abwarten *occasion, signal;* ~

qn/qc nach jdm/etw Ausschau halten
3. (*menacer*) ~ qn *maladie:* jdn bedrohen; *danger, mort:* auf jdn lauern
guetteur [getœʀ] *m* MIL Wach[t]posten *m*
gueulante [gœlɑ̃t] *f* ▶**pousser une ~ contre** qn *fam* auf jdn eine Schimpfkanonade loslassen
gueulard, e [gœlaʀ] *m, f fam* Schreihals *m*
gueule [gœl] *f* **1.** (*bouche d'un animal*) Maul *nt* **2.** *fam* (*figure*) Fresse *f* (*vulg*); **avoir une bonne/sale ~** nett/fies aussehen **3.** (*bouche humaine*) **avoir une grande ~** *fam* eine große Klappe haben; **être une grande ~** *fam* ein Großmaul sein; [**ferme**] **ta ~!** *fam* halt die Klappe! ▶**avoir la ~ de** <u>bois</u> *fam* einen Kater haben; **faire une ~ d'**<u>enterrement</u> *fam* mit [einer] Trauermiene herumlaufen; **se jeter dans la ~ du** <u>loup</u> sich in die Höhle des Löwen wagen; **avoir de la ~** *fam* [absolute] Spitze sein; <u>casser</u> **la ~ à** qn *fam* jdm eins in die Fresse hauen (*vulg*); **se** <u>casser</u> **la ~** *fam personne:* hinfliegen; **faire la ~ à** qn *fam* auf jdn sauer sein; **faire une sale ~** *fam* stinksauer sein; **se** <u>fendre</u> **la ~** *fam* sich kaputtlachen; **se** <u>foutre</u> **de la ~ de** qn *fam* sich über jdn kaputtlachen; (*traiter avec culot*) jdn veräppeln; **se** <u>soûler</u> **la ~** *fam* sich besaufen
gueule-de-loup [gœldəlu] <gueules-de-loup> *f* BOT Löwenmäulchen *nt*
gueuler [gœle] <1> **I.** *vi fam* **1.** (*crier*) [wie verrückt] brüllen, [herum]schreien **2.** (*protester*) [herum]meckern **II.** *vt fam* brüllen
gueuleton [gœltɔ̃] *m fam* [tolles] Fressgelage
gui [gi] *m* Mistel *f*
guichet [giʃɛ] *m* Schalter *m; ~* **d'information** Informationsschalter; ~ **automatique** [**d'une banque**] Geldautomat *m* ▶**jouer à** ~**s** <u>fermés</u> vor ausverkauftem Haus spielen
guichetier, -ière [giʃ(ə)tje, -jɛʀ] *m, f* Schalterbeamte(r) *m/-*beamtin *f*
guide [gid] **I.** *mf* **1.** (*cicérone*) Führer(in) *m(f); ~* **touristique** Reiseführer, Fremdenführer; ~ **de montagne** Bergführer **2.** (*conseiller*) Ratgeber(in) *m(f)* **II.** *m* (*livre*) Führer *m;* (*conseils pratiques*) Handbuch *nt*, Ratgeber *m; ~* **touristique/gastronomique** Reise-/Restaurantführer **III.** *fpl* Zügel *Pl*
guider [gide] <1> *vt* **1.** (*accompagner*) führen **2.** (*indiquer le chemin*) ~ qn jdm den Weg weisen **3.** (*conseiller*) ~ qn jdm zur Seite stehen **4.** (*diriger*) steuern, lenken; **se laisser ~ par** qc sich von etw leiten lassen

guidon [gidɔ̃] *m* Lenker *m*
guigne [giɲ] *f fam* Pech *nt*
guigner [giɲe] <1> *vt* ~ qn/qc einen verstohlenen Blick auf jdn/etw werfen
guignol [giɲɔl] *m* Kasper *m;* **faire le** ~ herumalbern
guilde [gild] *f* HIST Gilde *f*
guili [gili] *m* **faire des** ~**s à** qn *fam* [bei] jdm killekille machen
guili-guili [giligili] *inv* **faire** ~ **à** qn *fam* [bei] jdm killekille machen
Guillaume [gijoːm(ə)] *m* Wilhelm *m*
guillemets [gijmɛ] *mpl* Anführungszeichen *Pl;* **entre** ~ in Anführungszeichen; **mettre** qc **entre** ~ etw in Anführungszeichen setzen; **ouvrez/fermez les** ~**!** Anführungszeichen unten/oben!
guilleret, te [gijʀɛ, ɛt] *adj* (*gai*) munter
guillotine [gijɔtin] *f* Guillotine *f,* Fallbeil *nt*
guillotiner [gijɔtine] <1> *vt* guillotinieren
guimauve [gimov] *f* **1.** **pâte de** ~ den Marshmallows ähnelnde Süßigkeit aus Schaumzucker **2.** BOT Eibisch *m*
guimbarde [gɛ̃baʀd] *f fam* (*voiture*) [alte] Klapperkiste
guincher [gɛ̃ʃe] <1> *vi fam* schwofen
guindé, e [gɛ̃de] *adj* steif, verkrampft
Guinée [gine] *f* **la** ~ Guinea *nt*
guingois [gɛ̃gwa] ▶**de** ~ schief
guinguette [gɛ̃gɛt] *f* Heurige *m* (A) Gartenwirtschaft und Tanzlokal außerhalb der Stadt
guirlande [giʀlɑ̃d] *f* Girlande *f; ~* **lumineuse** Lichterkette *f*
guise [giz] ▶**à ma/sa** ~ wie es mir/ihm/ihr gefällt; **à votre** ~**!** [ganz] wie Sie wollen!; **en** ~ **de** als
guitare [gitaʀ] *f* Gitarre *f*
guitariste [gitaʀist] *mf* Gitarrist(in) *m(f)*
gus [gys] *m fam* Kerl *m,* Typ *m*
gustatif, -ive [gystatif, -iv] *adj* Geschmacks-
guttural, e [gytyʀal, o] <-aux> *adj* guttural
Guyane [gɥijan] *f* **la** ~ Guyana *nt*
gym [ʒim] *f fam abr de* **gymnastique**
gymnase [ʒimnɑz] *m* Turnhalle *f*
gymnaste [ʒimnast] *mf* Turner(in) *m(f)*
gymnastique [ʒimnastik] *f* **1.** (*sport*) Turnen *nt,* Sport[unterricht *m*] **2.** (*exercices*) Gymnastik *f* **3.** (*discipline*) Kunstturnen *nt* **4.** (*travail*) ~ **intellectuelle** geistiges Training
gynéco [ʒineko] *mf fam abr de* **gynécologue**
gynécologie [ʒinekɔlɔʒi] *f* Frauenheilkunde *f,* Gynäkologie *f*
gynécologique [ʒinekɔlɔʒik] *adj* gynäko-

logisch
gynécologue [ʒinekɔlɔg] *mf* Frauenarzt/
-ärztin *m/f*, Gynäkologe/Gynäkologin *m/f*

gypse [ʒips] *m* Gips *m*
gyrophare [ʒiʀofaʀ] *m* Blaulicht *nt*

H

H, h [aʃ, ´aʃ] *m inv* H *nt*, h *nt;* **le** ~ **muet** das stumme H

h *abr de* **heure**

ha [´a] *abr de* **hectare** ha

habile [abil] *adj* **1.** (*adroit*) geschickt; **être** ~ **au tricot** gut stricken können **2.** (*malin*) schlau, clever

habilement [abilmɑ̃] *adv* geschickt

habileté [abilte] *f* **1.** (*adresse*) Geschicklichkeit *f,* Geschick *nt; d'une dactylo, d'un voleur* (*dextérité*) Fingerfertigkeit *f* **2.** (*ruse*) Raffiniertheit *f*

habilitation [abilitasjɔ̃] *f* **1.** JUR Ermächtigung *f* **2.** (*autorisation officielle*) Befugnis *f*

habiliter [abilite] <1> *vt* ~ **qn à faire qc** jdn ermächtigen, etw zu tun

habillé, e [abije] *adj* **1.** (*vêtu*) **être bien/mal** ~ gut/schlecht gekleidet sein; **être** ~ **d'un short** Shorts tragen **2.** *vêtements* festlich

habillement [abijmɑ̃] *m* (*ensemble des vêtements*) Kleidung *f;* **industrie de l'**~ Bekleidungsindustrie *f*

habiller [abije] <1> **I.** *vt* **1.** (*vêtir*) anziehen **2.** (*déguiser*) ~ **qn en qc** jdn als etw verkleiden **3.** (*fournir en vêtements*) einkleiden **4.** (*recouvrir, décorer*) beziehen *fauteuil;* verkleiden *mur* **II.** *vpr* **1.** (*se vêtir*) **s'**~ sich anziehen; (*mettre des vêtements de cérémonie*) sich fein machen; **s'**~ **de qc** sich in etw kleiden **2.** (*se déguiser*) **s'**~ **en qc** sich als etw verkleiden **3.** (*acheter ses vêtements*) **s'**~ **de neuf** sich neu einkleiden

habilleur, -euse [abijœʀ, -jøz] *m, f* THEAT Garderobier/Garderobiere *m/f*

habit [abi] *m* **1.** (*vêtements*) *pl* Kleidung *f,* Kleider *Pl* **2.** (*costume de fête*) Frack *m* **3.** (*uniforme*) ~ **militaire** Uniform *f*

habitable [abitabl] *adj* bewohnbar

habitacle [abitakl] *m* **1.** AUT Fahrgastzelle *m* **2.** (*poste de pilotage*) Cockpit *nt*

habitant, e [abitɑ̃, ɑ̃t] *m, f* (*occupant*) Einwohner(in) *m(f); d'une maison, d'une île* Bewohner(in) *m(f)* ▶ **loger chez l'**~ privat untergebracht sein

habitat [abita] *m* **1.** BOT Standort *m* **2.** ZOOL Lebensraum *m* **3.** GEOG Siedlungsform *f* **4.** (*conditions de logement*) Wohnverhältnisse *Pl*

habitation [abitasjɔ̃] *f* **1.** (*demeure*)

Wohnung *f* **2.** (*logis*) Behausung *f;* ~ **à loyer modéré** Sozialwohnung *f*

habiter [abite] <1> **I.** *vi* wohnen; ~ **à la campagne/en ville/à Rennes** auf dem Land/in der Stadt/in Rennes wohnen; ~ **au numéro 17** in Nummer 17 wohnen; ~ **dans un appartement/une maison** in einer Wohnung/einem Haus wohnen **II.** *vt* **1.** (*occuper*) ~ **qc** etw bewohnen/in etw wohnen; ~ **[le] 17, rue Leblanc** in der Rue Leblanc [Nummer] 17 wohnen **2.** *fig soutenu* ~ **qn/qc** in jdm/etw leben

habitude [abityd] *f* **1.** (*pratique*) Gewohnheit *f;* (*manie*) Angewohnheit *f;* **avoir l'**~ **de qc** an etw (*akk*) gewöhnt sein/etw gewohnt sein; (*s'y connaître*) sich mit/in etw (*dat*) auskennen; **faire perdre une** ~ **à qn** jdm etw abgewöhnen; **d'**~ gewöhnlich; **plus tôt que d'**~ früher als sonst **2.** (*coutume*) Brauch *m;* **l'**~ **veut que** + *subj* es ist Brauch, dass

habitué, e [abitɥe] *m, f d'un magasin* Stammkunde/-kundin *m/f; d'un café, restaurant* Stammgast *m*

habituel, le [abitɥɛl] *adj* üblich

habituellement [abitɥɛlmɑ̃] *adv* gewöhnlich

habituer [abitɥe] <1> **I.** *vt* **1.** (*accoutumer*) ~ **qn/un animal à qc** jdn/ein Tier an etw (*akk*) gewöhnen **2.** (*avoir l'habitude*) **être habitué à qc** an etw (*akk*) gewöhnt sein **II.** *vpr* **s'**~ **à qn/qc** sich an jdn/etw gewöhnen

hâbleur, -euse [´ɑblœʀ, -øz] **I.** *adj* prahlerisch **II.** *m, f* Aufschneider(in) *m(f)*

hache [´aʃ] *f* (*à manche long*) Axt *f;* (*à manche court*) Beil *nt* ▶ **déterrer/enterrer la** ~ **de guerre** das Kriegsbeil ausgraben/begraben

haché, e [´aʃe] *adj* **1.** (*coupé menu*) klein gehackt; **viande** ~**e** Hackfleisch *nt;* **bifteck** ~ Hacksteak *nt* **2.** *fig style, phrases* abgehackt

hacher [´aʃe] <1> *vt* **1.** (*couper*) zerkleinern, [klein] hacken *fines herbes, légumes;* durch [den Wolf] drehen *viande* **2.** (*entrecouper*) unterbrechen *phrase, discours*

hachette [´aʃɛt] *f* kleine Axt

hachis [´aʃi] *m* **1.** (*chair à saucisse*) Mett *nt* **2.** (*plat*) ~ **de légumes** klein gehacktes Gemüse

hachisch [´aʃiʃ] *m v.* **haschich**

hachoir [´aʃwaʀ] *m* **1.** (*couteau*) Hackbeil *nt;* (*avec lame courbe*) Wiegemesser *nt* **2.** (*machine*) ~ **à viande** Fleischwolf *m*

hachurer [´aʃyʀe] <1> *vt* schraffieren

hachures [´aʃyʀ] *fpl* Schraffierung *f*

haddock [´adɔk] *m* geräucherter Schellfisch

hagard, e [´agaʀ, aʀd] *adj* verstört

haie [´ɛ] *f* **1.** (*clôture*) Hecke *f* **2.** SPORT Hürde *f;* **gagner aux 110 mètres ~s** den Hürdenlauf über 110 Meter gewinnen **3.** *de personnes* Spalier *nt*

haillon [´ajɔ̃] *m gén pl* Lumpen *Pl*

haine [´ɛn] *f* Hass *m;* **la ~ de qc** der Hass auf etw (*akk*)

haineusement [´ɛnøzmã] *adv regarder* hasserfüllt

haineux, -euse [´ɛnø, -øz] *adj* **1.** (*plein de haine*) hasserfüllt **2.** (*plein de méchanceté*) gehässig

haïr [´aiʀ] <*irr*> *vt* hassen

haïssable [´aisabl] *adj personne* hassenswert; *comportement* verabscheuungswürdig; *temps* scheußlich

halage [´alaʒ] *m* (*par un bateau*) Schleppen *nt*

hâlé, e [´ale] *adj* [sonnen]gebräunt

hâle [´al] *m* [Sonnen]bräune *f*

haleine [alɛn] *f* (*souffle*) Atem *m;* **mauvaise ~** Mundgeruch *m;* **reprendre ~** Luft holen; (*s'arrêter*) verschnaufen ►**de longue ~** langwierig

haler [´ale] <1> *vt* **1.** NAUT einholen **2.** (*remorquer*) treideln *péniche*

hâler [´ale] <1> *vt* bräunen

haletant, e [´al(ə)tã, ãt] *adj personne, respiration* keuchend; *chien* hechelnd

halètement [´alɛtmã] *m d'une personne* Keuchen *nt; d'un chien* Hecheln *nt*

haleter [´al(ə)te] <4> *vi coureur:* keuchen, nach Luft schnappen; *chien:* hecheln

hall [´ol] *m* Halle *f;* (*entrée*) Eingangshalle *f*

halle [´al] *f* **1.** (*partie d'un marché*) Markthalle *f* **2.** HIST **les Halles** die Pariser Markthallen

hallucinant, e [a(l)lysinã, ãt] *adj ressemblance* verblüffend; *spectacle* atemberaubend

hallucination [a(l)lysinasjɔ̃] *f* **1.** MED Halluzination *f* **2.** (*vision*) Sinnestäuschung *f*

halluciné, e [a(l)lysine] *adj* **1.** (*qui a des hallucinations*) an Halluzinationen leidend **2.** (*bizarre*) irr

halluciner [a(l)lysine] <1> *vi* **j'hallucine!** *fam* ich glaube, ich spinne!

halo [´alo] *m* **1.** ASTRON Hof *m* **2.** PHOT Lichthof

halogène [alɔʒɛn] **I.** *m* Halogen *nt* **II.** *app* Halogen-; **lampe/phare ~** Halogenlampe

f/-scheinwerfer *m*

halte [´alt] **I.** *f* **1.** (*pause*) Halt *m;* (*repos*) Pause *f;* **faire une ~** (*s'arrêter*) Halt machen; (*se reposer*) eine Pause machen **2.** CHEMDFER Haltepunkt *m* **II.** *interj* ~! halt!

haltère [altɛʀ] *m* Hantel *f*

haltérophile [alteʀɔfil] *mf* Gewichtheber(in) *m(f)*

haltérophilie [alteʀɔfili] *f* Gewichtheben *nt*

hamac [´amak] *m* Hängematte *f*

Hambourg [´ɑ̃buʀ] Hamburg *nt*

hambourgeois, e [´ɑ̃buʀʒwa, waz] *adj* hamburgisch, Hamburger

Hambourgeois, e [´ɑ̃buʀʒwa, waz] *m, f* Hamburger(in) *m(f)*

hamburger [´ɑ̃buʀgœʀ, ´ɑ̃bœʀgœʀ] *m* GASTR Hamburger *m*

hameau [´amo] <x> *m* Weiler *m*

hameçon [amsɔ̃] *m* Angelhaken *m*

hamster [´amstɛʀ] *m* ZOOL Hamster *m*

han [´ɑ̃] **I.** *m* ächzender Laut, Stöhnen *nt* **II.** *interj* ah

hanche [´ɑ̃ʃ] *f* Hüfte *f;* **balancer les ~s** sich in den Hüften wiegen (*geh*)

handball, hand-ball [´ɑ̃dbal] *m* Handball *m*

handballeur, -euse [´ɑ̃dbalœʀ, -øz] *m, f* Handballspieler(in) *m(f)*

handicap [(´)ɑ̃dikap] *m* **1.** SPORT Handikap *nt,* Vorgabe *f* **2.** MED Behinderung *f* **3.** (*désavantage*) Handikap *nt;* (*retard*) Rückstand *m*

handicapé, e [´ɑ̃dikape] **I.** *adj* behindert **II.** *m, f* Behinderte(r) *f(m);* ~ **physique** Körperbehinderter

handicaper [´ɑ̃dikape] <1> *vt* ~ **qn/qc dans qc** für jdn/etw bei etw ein Handikap sein

hangar [´ɑ̃gaʀ] *m* **1.** AGR, CHEMDFER [offener] Schuppen **2.** (*entrepôt*) Lagerhalle *f* **3.** AVIAT, NAUT ~ **à avions** Hangar *m;* ~ **à bateaux** Bootshaus *nt*

hanneton [´an(ə)tɔ̃] *m* ZOOL Maikäfer *m*

Hanovre [´anɔvʀ] Hannover *nt*

Hanse [´ɑ̃s] *f* HIST Hanse *f*

hanséatique [´ɑ̃seatik] *adj* hanseatisch, Hanse-

hanter [´ɑ̃te] <1> *vt* **1.** (*fréquenter un lieu*) ~ **qc** *fantôme:* in etw (*dat*) spuken **2.** (*obséder*) ~ **qn** jdm keine Ruhe lassen

hantise [´ɑ̃tiz] *f* ~ **de qc** [panische] Angst vor etw (*dat*)

happer [´ape] <1> *vt* **1.** (*saisir brusquement*) ~ **qn/qc** *train, voiture:* jdn/etw erfassen **2.** (*attraper*) ~ **qc** *animal:* etw schnappen

happy end [´apiɛnd] <happy ends> *m o f* Happyend *nt*

hara-kiri [´aʀakiʀi] <hara-kiris> *m* Harakiri *nt;* [se] **faire** ~ Harakiri begehen

harangue [´aʀɑ̃g] *f* **1.** (*discours solennel*) [feierliche] Rede **2.** (*sermon*) Moralpredigt *f*

haranguer [´aʀɑ̃ge] <1> *vt* ~ qn eine [feierliche] Ansprache an jdn halten

haras [´aʀɑ] *m* Gestüt *nt*

harassant, e [aʀasɑ̃, ɑ̃t] *adj* ermüdend, aufreibend; *journée* [sehr] anstrengend

harassé, e [´aʀase] *adj* erschöpft, ausgelaugt

harasser [´aʀase] <1> *vt* être ~ de travail mit Arbeit überhäuft werden

harcèlement [´aʀsɛlmɑ̃] *m* **1.** MIL **guerre de** ~ Kleinkrieg *m;* **tir de** ~ Störfeuer *nt* **2.** (*tracasserie*) Belästigung *f;* ~ **sexuel** sexuelle Belästigung

harceler [´aʀsəle] <4> *vt* **1.** (*poursuivre*) ~ qn jdn bedrängen **2.** (*importuner*) belästigen

hardes [´aʀd] *fpl péj* Klamotten *Pl* (*fam*)

hardi, e [´aʀdi] *adj* **1.** (*audacieux*) mutig; *entreprise* kühn **2.** (*original*) kühn

hardiesse [´aʀdjɛs] *f* **1.** (*audace*) Unerschrockenheit *f* **2.** (*originalité*) Kühnheit *f*

hard rock [aʀdʀɔk] *m* le ~ Hardrock *m*

hardware [´aʀdwɛʀ] *m* INFORM Hardware *f*

harem [´aʀɛm] *m* Harem *m*

hareng [´aʀɑ̃] *m* Hering *m;* ~ **saur** Bückling *m*

hargne [´aʀɲ] *f* **1.** (*comportement agressif*) Gereiztheit *f;* (*colère*) Zorn *m* **2.** (*méchanceté*) Gehässigkeit *f*

hargneux, -euse [´aʀɲø, -øz] *adj personne, ton* gereizt; (*méchant*) gehässig; *caractère* zänkisch; *chien* bissig

haricot [´aʀiko] *m* (*légume*) Bohne *f;* ~ **vert** grüne Bohne ▶**c'est la fin des** ~**s!** *fam* jetzt ist alles aus!

harmonica [aʀmɔnika] *m* [Mund]harmonika *f*

harmonie [aʀmɔni] *f* **1.** MUS Harmonielehre *f* **2.** (*fanfare*) Blasorchester *nt* **3.** (*accord*) Harmonie *f; des vues, sentiments* Übereinstimmung *f;* **être en** ~ **avec qc** gut zu etw passen; *idées, opinion:* mit etw in Einklang stehen

harmonieusement [aʀmɔnjøzmɑ̃] *adv* harmonisch

harmonieux, -euse [aʀmɔnjø, -jøz] *adj* harmonisch; *instrument, voix* wohlklingend

harmonique [aʀmɔnik] *adj* harmonisch

harmonisation [aʀmɔnizasjɔ̃] *f* **1.** *des instruments* Stimmen *nt* **2.** ECON Harmonisierung *f*, Angleichung *f*

harmoniser [aʀmɔnize] <1> I. *vt* **1.** (*accorder*) miteinander in Einklang bringen

intérêts, idées; aufeinander abstimmen *actions, couleurs* **2.** MUS harmonisieren II. *vpr* **s'**~ [miteinander] harmonieren

harmonium [aʀmɔnjɔm] *m* MUS Harmonium *nt*

harnachement [´aʀnaʃmɑ̃] *m* **1.** (*harnais*) Geschirr *nt* **2.** *fam* (*accoutrement*) [schwere] Montur

harnacher [´aʀnaʃe] <1> *vt* **1.** (*mettre le harnais*) anschirren *animal* **2.** *péj* **être harnaché de qc** mit etw ausstaffiert sein

harnais [´aʀnɛ] *m* **1.** *d'un cheval* Geschirr *nt* **2.** *d'un plongeur* Gurte *Pl*

haro [´aʀo] *m* ▶**crier** ~ **sur le baudet** sich [lauthals] entrüsten

harpe [´aʀp] *f* MUS Harfe *f*

harpie [´aʀpi] *f* ▶**vieille** ~ *péj* alter Drachen (*fam*)

harpiste [´aʀpist] *mf* Harfenspieler(in) *m(f)*

harpon [´aʀpɔ̃] *m* Harpune *f*

harponner [´aʀpɔne] <1> *vt* **1.** PECHE harpunieren **2.** *fam* (*attraper*) erwischen (*fam*) *malfaiteur*

hasard [´azaʀ] *m* **1.** (*évènement fortuit*) Zufall *m* **2.** (*fatalité*) Zufall *m*, Schicksal *nt;* **il faut faire la part du** ~ man muss [immer] mit Überraschungen rechnen **3.** *pl* (*aléas, risque*) **les** ~**s de la guerre** die Wirren *Pl* des Krieges ▶**à tout** ~ für alle Fälle; **essayer qc à tout** ~ etw auf gut Glück versuchen; **au** ~ aufs Geratewohl; **comme par** ~ *iron* [ganz] zufällig; **par** ~ zufällig

hasarder [´azaʀde] <1> I. *vt* (*tenter, avancer*) wagen *démarche, remarque, question* II. *vpr* **1.** (*s'aventurer*) **se** ~ **dans un quartier/la rue** sich in ein Viertel/auf die Straße wagen **2.** (*se risquer à*) **se** ~ **à faire qc** es wagen, etw zu tun

hasardeux, -euse [´azaʀdø, -øz] *adj* gewagt; *affirmation* kühn

hasch [´aʃ] *m abr de* **haschich** *fam* Hasch *nt*

haschich, haschisch [´aʃiʃ] *m* Haschisch *nt o m*

hâte [´ɑt] *f* Eile *f*, Hast *f;* **à la** ~ hastig; **sans** ~ gemächlich; **avoir** ~ **de faire qc** es kaum erwarten können, etw zu tun

hâter [´ɑte] <1> I. *vt* beschleunigen II. *vpr* **se** ~ sich beeilen

hâtif, -ive [´ɑtif, -iv] *adj* **1.** (*trop rapide*) übereilt; *conclusion* voreilig; *travail* zu hastig gemacht **2.** *croissance, développement* zu schnell; *fruit, légume* sehr früh [reifend]

hauban [´obɑ̃] *m d'un pont* Schrägseil *nt*

hausse [´os] *f* **1.** *des prix, salaires* Anhebung *f* **2.** (*processus*) Anstieg *m;* **être en nette** ~ deutlich steigen; **jouer à la** ~ auf

Hausse spekulieren

haussement [´osmã] *m* ~ **d'épaules** Achselzucken *nt*

hausser [´ose] <1> I. *vt* 1. (*surélever*) erhöhen *mur*; aufstocken *maison* 2. (*amplifier*) ~ **le ton/la voix** den Ton/die Stimme heben 3. (*augmenter*) erhöhen *prix* 4. (*soulever*) heben, hochziehen *sourcils*; ~ **les épaules** mit den Schultern zucken II. *vpr* **se** ~ **de toute sa taille** sich zu seiner vollen Größe aufrichten; **se** ~ **sur la pointe des pieds** sich auf die Zehenspitzen stellen

haut, e [´o, ´ot] *adj* 1. (*grand*) hoch; **être** ~ **de plafond** eine hohe Decke haben; **de** ~**e taille** groß; **le plus** ~ **étage** das oberste Stockwerk 2. (*en position élevée*) hoch 3. GEOG *montagne, plateau* Hoch-; *Rhin* Ober-; **marée** ~**e** Flut *f*; **la mer est** ~**e** es ist Flut; **en** ~**e mer** auf hoher See; **la ville** ~**e** die Oberstadt 4. (*intense, fort*) hoch; *densité* groß; *fréquence, tension* Hoch-; **à voix** ~**e** laut; **courant à** ~**e tension** Starkstrom *m* 5. *prix* hoch 6. (*supérieur*) obere(r/s), hoch; ~ **commandement** Oberkommando *nt*; **la** ~**e société** die Oberschicht; **au plus** ~ **niveau** auf höchster Ebene; **en** ~ **lieu** höheren Orts 7. (*très grand*) hoch; **jouir d'une** ~**e considération** hoch geschätzt werden; **être de la plus** ~**e importance** äußerst wichtig sein 8. LING **le** ~ **allemand** [das] Hochdeutsch

haut [´o] I. *m* 1. (*hauteur*) Höhe *f*; **avoir un mètre de** ~ einen Meter hoch sein 2. (*altitude*) Höhe *f*; **être à un mètre de** ~ sich in einem Meter Höhe befinden; **appeler du** ~ **de la tribune/du balcon** von der Tribüne/vom Balkon herunterrufen; **du** ~ **de ...** von ... herab/herunter 3. *d'une caisse, d'un mur* oberer Teil; *d'un pyjama* Oberteil *nt*; **l'étagère du** ~ das oberste Regalbrett; **les voisins du** ~ die Nachbarn von oben 4. *d'un arbre* Wipfel *m*; *d'une montagne* Gipfel *m* ▶**des** ~**s et des bas** Höhen und Tiefen II. *adv* 1. (*opp: bas*) hoch 2. (*ci-dessus*) **voir plus** ~ siehe [weiter] oben 3. (*fort*) laut 4. (*franchement*) laut [und deutlich] 5. (*à un haut degré*) **un fonctionnaire** ~ **placé** ein hoher Beamter; **viser trop** ~ zu hoch hinaus wollen 6. MUS **chanter trop** ~ zu hoch singen ▶**parler** ~ **et** clair [laut und] deutlich reden; (*sans ambiguïté*) eine deutliche Sprache sprechen; regarder/traiter **qn de** ~ jdn von oben herab betrachten/behandeln; **d'en** ~ von oben; **en** ~ (*sans mouvement*) oben; (*avec mouvement*) nach oben; **en** ~ **de** oben in/auf (+ *dat*)

hautain, e [´otɛ̃, ɛn] *adj personne* hoch-

mütig, eingebildet; *air, manière, ton* herablassend

hautbois [´obwa] *m* MUS Oboe *f*

haut-de-forme [´od(ə)fɔrm] *m inv* Zylinder *m*

haute [´ot] *f fam* Hautevolee *f*

haute-fidélité [´otfidelite] I. *f sans pl* Highfidelity *f* II. *adj inv chaîne* Hi-Fi-

hautement [´otmã] *adv* äußerst, höchst; **pays** ~ **industrialisé** hoch industrialisiertes Land

haute-technologie *f* Hightech *f o nt*, Hochtechnologie *f*

hauteur [´otœr] *f* 1. *d'une montagne, d'un mur* Höhe *f*; GEOM Höhe; **quelle est la** ~ **de ce mur?** wie hoch ist diese Mauer?; **la** ~ **est de 3 mètres** die Höhe beträgt 3 Meter 2. (*altitude*) Höhe *f* 3. SPORT **saut en** ~ Hochsprung *m* 4. (*même niveau*) **être à** ~ **des yeux** in Augenhöhe sein; **à la** ~ **du carrefour** in Höhe der Kreuzung 5. (*colline*) Anhöhe *f*, Hügel *m* 6. (*noblesse*) Größe *f* 7. (*arrogance*) Hochmut *m* ▶**être à la** ~ **de qn/qc** jdm/einer S. gewachsen sein

haut-fond [´ofɔ̃] <hauts-fonds> *m* Untiefe *f* **haut-le-cœur** [´ol(ə)kœr] *m inv* Übelkeit *f*; **il a un** ~ ihm ist schlecht **haut-le-corps** [´ol(ə)kɔr] *m inv* **avoir un** ~ hochfahren **haut-lieu** [´oljø] <hauts-lieux> *m* Hochburg *f* **haut-parleur** [´oparlœr] <hauts-parleurs> *m* Lautsprecher *m*

havane [´avan] I. *adj inv* hellbraun II. *m* (*cigare*) Havanna[zigarre *f*] *f*

Havane [´avan] *f* **la** ~ Havanna *nt*

havre [´avr] *m* kleiner Hafen; ~ **de paix** Oase *f* des Friedens

hayon [´ɛjɔ̃] *m* AUT Heckklappe *f*

hé [he, ´e] *interj* (*pour appeler*) he (*fam*), he, du da/Sie da (*fam*)

hebdo [ɛbdo] *m fam abr de* **hebdomadaire**

hebdomadaire [ɛbdɔmadɛr] I. *adj réunion* wöchentlich; *revue* Wochen-; "**fermeture** ~ **le lundi**" „montags geschlossen" II. *m* Wochenzeitschrift *f*

hébergement [ebɛrʒəmã] *m* Unterbringung *f*, Unterkunft *f*

héberger [ebɛrʒe] <2a> *vt* 1. (*loger provisoirement*) beherbergen, [bei sich (*dat*)] unterbringen *ami* 2. (*accueillir*) aufnehmen *réfugiés*

hébété, e [ebete] *adj personne* benommen; *air, regard* stumpfsinnig

hébétement [ebetmã] *m* Benommenheit *f*

hébraïque [ebraik] *adj* hebräisch

hébreu [ebrø] *m* Hebräisch *nt*; *v. a.* **allemand** ▶**c'est de l'**~ **pour qn** das sind

böhmische Dörfer für jdn

hébreu, israélite, juive [ebʁø] <x> *adj* hebräisch

Hébreux [ebʁø] *mpl* **les** ~ die Hebräer

HEC [´aʃøse] *abr de* |École des| hautes études commerciales *Elitehochschule für Betriebswirtschaft*

hécatombe [ekatɔ̃b] *f* **1.** (*massacre*) Blutbad *nt* **2.** (*fort pourcentage d'échec*) verheerende Niederlage

hectare [ɛktaʁ] *m* Hektar *m o nt* **hectolitre** [ɛktɔlitʁ] *m* Hektoliter *m*

hédonisme [edɔnism] *m* Hedonismus *m*

hédoniste [edɔnist] *adj* hedonistisch

hégémonie [eʒemɔni] *f* Hegemonie *f*

hein [´ɛ̃] *interj fam* **1.** (*comment?*) hä? **2.** (*renforcement de l'interrogation*) ..., ~? ..., nicht wahr?/oder? **3.** (*marque l'étonnement*) ~? qu'est-ce qui se passe? nanu? was ist denn da los? **4.** (*n'est-ce pas?*) tu en veux bien, ~? du willst doch, oder [o nicht]?; ..., ~? ..., nicht?/ja?/nicht wahr?

hélas [elɑs] *interj soutenu* ach, leider

héler [´ele] <5> *vt* ~ un porteur/taxi einen Gepäckträger/ein Taxi [herbei]rufen/herbeiwinken

hélice [elis] *f* **1.** TECH *d'un avion* Propeller *m; d'un bateau* |Schiffs|schraube *f* **2.** GEOM Spirale *f;* escalier en ~ Wendeltreppe *f*

hélicoptère [elikɔptɛʁ] *m* Hubschrauber *m*

héliomarin, e [eljomaʁɛ̃, in] *adj cure* auf der Heilkraft von Sonne und Seeluft basierend

héliport [elipɔʁ] *m* Hubschrauberlandeplatz *m*, Heliport *m*

héliporté, e [elipɔʁte] *adj blessé, troupe* per Hubschrauber befördert

hélium [eljɔm] *m* CHIM Helium *nt*

helvétique [ɛlvetik] *adj* schweizerisch, Schweizer; la Confédération ~ die Schweizer Eidgenossenschaft

helvétisme [ɛlvetism] *m* Helvetismus *m*

hem [hɛm, ´ɛm] *interj* **1.** (*hé, holà*) he [da] (*fam*) **2.** (*hein*) wie? (*fam*) **3.** (*hum*) hm, hm

hématome [ematom] *m* MED Bluterguss *m*

hémicycle [emisikl] *m* **1.** *d'un théâtre, parlement* Halbrund *nt;* en ~ halbkreisförmig **2.** (*salle*) halbrunder Saal mit ansteigenden Sitzreihen; *de l'Assemblée nationale* Plenarsaal *m*

hémiplégie [emipleʒi] *f* MED halbseitige Lähmung

hémiplégique [emipleʒik] I. *adj* MED halbseitig gelähmt II. *mf* MED halbseitig Gelähmte(r) *f(m)*

hémisphère [emisfɛʁ] *m* **1.** GEOG |Erd|halbkugel *f* **2.** ANAT Gehirnhälfte *f*

hémisphérique [emisfeʁik] *adj* halbkugelförmig

hémoglobine [emɔglɔbin] *f* MED Hämoglobin *nt*

hémophile [emɔfil] *m* MED Bluter *m*

hémophilie [emɔfili] *f* MED Bluterkrankheit *f*

hémorragie [emɔʁaʒi] *f* **1.** MED [starke] Blutung **2.** (*perte: en hommes*) Aderlass *m;* ~ démographique Bevölkerungsschwund *m*

hémorroïde [emɔʁɔid] *f gén pl* MED Hämorrhoide *f*

henné [´ene] *m* Henna *f o nt*

hennir [´eniʁ] <8> *vi* wiehern

hennissement [´enismɑ̃] *m* Wiehern *nt*

Henri [ɑ̃ʁi] *m* Heinrich *m*

hep [´ɛp, hɛp] *interj* hallo

hépatique [epatik] I. *adj* Leber-; colique ~ Gallenkolik *f* II. *mf* MED Leberkranke(r) *f(m)*

hépatite [epatit] *f* MED ~ [virale] [infektiöse] Leberentzündung *f*

heptagone [ɛptagɔn, ɛptagon] *m* Siebeneck *nt*

héraldique [eʁaldik] *adj* Wappen-, heraldisch; science ~ Wappenkunde *f*

héraut [´eʁo] *m* Herold *m*

herbacé, e [ɛʁbase] *adj* krautig

herbage [ɛʁbaʒ] *m* **1.** (*herbe*) Gras *nt* **2.** (*pâturage*) Weide *f*

herbe [ɛʁb] *f* **1.** BOT Gras *nt;* mauvaise ~ Unkraut *nt* **2.** MED, GASTR Kraut *nt;* fines ~s Küchenkräuter *Pl;* les ~s de Provence die Kräuter aus der Provence; ~s médicinales [o officinales] Heilkräuter *Pl* ►couper l'~ sous le[s] pied[s] de qn jdn aus dem Feld schlagen

herbeux, -euse [ɛʁbø, -øz] *adj* grasbewachsen

herbicide [ɛʁbisid] I. *adj* produit ~ Unkrautbekämpfungsmittel *nt* II. *m* Unkrautbekämpfungsmittel *nt*

herbier [ɛʁbje] *m* Herbarium *nt*

herbivore [ɛʁbivɔʁ] I. *adj* Pflanzen fressend II. *m* Pflanzenfresser *m*

herboriser [ɛʁbɔʁize] <1> *vi* Pflanzen sammeln

herboriste [ɛʁbɔʁist] *mf* [Heil]kräuterhändler(in) *m(f)*

herboristerie [ɛʁbɔʁistəʁi] *f* [Heil]kräuterladen *m*

hercule [ɛʁkyl] *m* Kraftmensch *m;* avoir une force d'~ ein [wahrer] Herkules sein

Hercule [ɛʁkyl(ə)] *m* Herkules *m*, Herakles *m*

herculéen, ne [ɛʁkyleɛ̃, ɛn] *adj* Herkules-

hère [´ɛʀ] *m* ▶**pauvre** ~ armer Teufel
héréditaire [eʀeditɛʀ] *adj* **1.** (*transmissible*) erblich; (*transmis*) ererbt; **maladie ~** Erbkrankheit *f* **2.** JUR *biens, monarchie* Erb-; *titre* erblich **3.** *fig aversion* tief sitzend; *ennemi* Erb-
hérédité [eʀedite] *f* (*transmission*) Vererbung *f*; (*patrimoine héréditaire*) Erbanlagen *Pl*; **avoir une ~ chargée** [*o* **une lourde ~**] erblich [vor]belastet sein
hérésie [eʀezi] *f* **1.** (*opinion scandaleuse*) *a.* REL Ketzerei *f* **2.** (*comportement scandaleux*) Freveltat *f* (*geh*)
hérétique [eʀetik] **I.** *adj* **1.** REL ketzerisch **2.** (*opp: conformiste*) ketzerisch **II.** *mf a.* REL Ketzer(in) *m(f)*
hérissé, e [´eʀise] *adj* **1.** (*dressé*) gesträubt; *barbe* struppig; **~ de poils** behaart **2.** (*piquant*) stachelig
hérisser [´eʀise] <1> **I.** *vt* **1.** (*dresser*) sträuben *poils, plumes*; aufrichten *piquants* **2.** (*faire dresser*) **la peur lui hérisse les poils** vor Angst sträuben sich ihm/ihr die Haare **3.** (*remplir*) **~ qc de qc** etw mit etw spicken **4.** (*irriter*) wütend machen **II.** *vpr* **se ~ 1.** (*se dresser*) **ses poils se hérissent** ihm/ihr sträuben sich die Haare **2.** (*dresser ses poils, plumes*) *chat:* sein Fell sträuben; *oiseau:* sich aufplustern **3.** (*se fâcher*) wütend werden
hérisson [´eʀisɔ̃] *m* ZOOL Igel *m*
héritage [eʀitaʒ] *m* **1.** (*succession*) Erbschaft *f*, Erbe *nt*; **laisser qc en ~ à qn** jdm etw vererben **2.** *fig d'une civilisation, de coutumes* Erbe *nt*
hériter [eʀite] <1> *vt, vi* **~** [**qc**] **de qn** [etw] von jdm erben
héritier, -ière [eʀitje, -jɛʀ] *m, f* **1.** *a. fig* Erbe/Erbin *m/f* **2.** *fam* (*enfant*) Stammhalter *m*
hermaphrodite [ɛʀmafʀɔdit] *m* BIO Zwitter *m*
hermétique [ɛʀmetik] *adj* **1.** (*étanche*) hermetisch; (*à l'air*) luftdicht; (*à l'eau*) wasserdicht; *récipient* hermetisch [verschlossen] **2.** *poésie, écrivain* schwer verständlich; *visage* verschlossen
hermétiquement [ɛʀmetikmɑ̃] *adv* hermetisch
hermine [ɛʀmin] *f* **1.** ZOOL Hermelin *nt* **2.** (*fourrure*) Hermelin *m*
hernie [´ɛʀni] *f* [Eingeweide]bruch *m*; **~ discale** Bandscheibenvorfall *m*
Hérode [eʀɔd(ə)] *m* Herodes *m* ▶**être vieux comme ~** *fam* von Anno dazumal sein
héroïne[1] [eʀɔin] *f* (*drogue*) Heroin *nt*
héroïne[2] [eʀɔin] *f v.* **héros**
héroïnomane [eʀɔinɔman] *mf* Heroin-

süchtige(r) *f(m)*
héroïque [eʀɔik] *adj* **1.** (*digne d'un héros*) heldenhaft **2.** (*légendaire*) **les temps ~s du cinéma** die Pionierzeit des Films
héroïsme [eʀɔism] *m* Heldenmut *m*
héron [´eʀɔ̃] *m* ORN Reiher *m*
héros, héroïne [´eʀo, eʀɔin] *m, f* **1.** *d'un événement* Hauptperson *f*; *d'un livre, film* Held(in) *m(f)*, Hauptfigur *f* **2.** (*personne courageuse*) Held(in) *m(f)* **3.** HIST Heros *m*, Heroe/Heroin *m/f* (*geh*)
herpès [ɛʀpɛs] *m* MED Herpes *m*
herse [´ɛʀs] *f* **1.** AGR Egge *f* **2.** *d'une forteresse* Fallgitter *nt*
hertz [ɛʀts] *m* Hertz *nt*
hésitant, e [ezitɑ̃, ɑ̃t] *adj* **1.** (*indécis*) zögernd, unschlüssig; *électeur* unentschlossen **2.** (*peu assuré*) zögernd
hésitation [ezitasjɔ̃] *f* **1.** (*incertitude*) Zögern *nt kein Pl*, Unschlüssigkeit *f* **2.** (*arrêt*) **réciter avec/sans ~** stockend/ohne zu stocken vortragen
hésiter [ezite] <1> *vi* **1.** (*balancer*) zögern; **~ à faire qc** zögern, etw zu tun **2.** (*marquer un arrêt en parlant*) stocken
Hesse [´ɛs] *f* **la ~** Hessen *nt*
hétéro [etero] *abr de* **hétérosexuel(le) I.** *adj fam* hetero **II.** *mf fam* Hetero *mf*
hétéroclite [eteʀɔklit] *adj ensemble, objets* [bunt] zusammengewürfelt; *œuvre, bâtiment* uneinheitlich
hétérogène [eteʀɔʒɛn] *adj* heterogen
hétérosexuel, le [eteʀosɛksɥɛl] **I.** *adj* heterosexuell **II.** *m, f* Heterosexuelle(r) *f(m)*
hêtre [´ɛtʀ] *m* **1.** BOT Buche *f* **2.** (*bois*) Buche[nholz *nt*] *f*
heu [´ø] *interj* **1.** (*pour ponctuer à l'oral*) äh; **vous êtes Madame, ~ ... – Madame Giroux!** Sie sind Frau, äh ... – Frau Giroux! **2.** (*embarras*) hm; **~ ... comment dirais-je?** hm ... wie soll ich sagen?
heure [œʀ] *f* **1.** (*mesure de durée*) Stunde *f*; **une ~ et demie** anderthalb Stunden; **une demi-~** eine halbe Stunde; **une ~ de cours** eine Stunde Unterricht; **24 ~s sur 24** rund um die Uhr; **pendant deux ~s** zwei Stunden [lang]; **des ~s [entières]** stundenlang; **travailler/être payé à l'~** stundenweise arbeiten/bezahlt werden; **une ~ de retard** eine Stunde Verspätung **2.** (*indication chiffrée*) **dix ~s du matin/du soir** zehn Uhr morgens/abends; **à trois ~s** um drei [Uhr]; **il est trois ~s/ trois ~s et demie** es ist drei [Uhr]/halb vier; **6 ~s moins 20** 20 vor 6 **3.** (*point précis du jour*) **il est quelle ~?** *fam* wie spät ist es?/wie viel Uhr ist es?; **vous avez l'~, s'il vous plaît?** können Sie mir bitte sagen, wie spät/wie viel Uhr es ist?; **regar-**

H

der l'~ auf die Uhr schauen; **à quelle ~?** um wie viel Uhr?; **à la même ~** zur selben Zeit **4.** (*distance*) **être à deux ~s de qc** zwei Stunden von etw entfernt sein **5.** (*moment dans la journée*) ~ **de fermeture** (*d'un magasin*) Ladenschluss *m;* (*d'un café, restaurant*) Polizeistunde *f;* ~ **d'affluence** TRANSP Hauptverkehrszeit *f,* Stoßzeit *f;* COM Hauptgeschäftszeit *f;* ~**s de réception au public** Öffnungszeiten *Pl* für den Publikumsverkehr; **à** ~ **fixe** zu einer bestimmten Zeit; **à toute** ~ jederzeit; **à cette** ~**-ci** zu dieser Zeit; **à l'**~ **où** gerade als/zu der Zeit als; **en première** ~ in der ersten Stunde; **il est/c'est l'**~ **de faire qc** es ist Zeit, etw zu tun; **jusqu'à une** ~ **avancée** bis spät in die Nacht; **arriver avant l'**~ vorzeitig ankommen **6.** (*moment dans le cours des événements*) **des** ~**s mémorables** denkwürdige Stunden; **traverser des** ~**s critiques/difficiles** schwierige Zeiten durchmachen; **problèmes de l'**~ aktuelle Probleme; **l'**~ **est grave** die Lage ist ernst; **à l'**~ **actuelle** (*en ce moment précis*) jetzt; (*à l'époque actuelle*) zurzeit ▶**l'**~ **H** die Stunde X; **de bonne** ~ (*tôt*) früh [am Morgen]; (*précocement*) [**les nouvelles de**] **dernière** ~ letzte Meldungen; **être/ne pas être à l'**~ *personne:* pünktlich/unpünktlich sein; *montre:* richtig/falsch gehen; **tout à l'**~ (*il y a peu de temps*) [so]eben, vorhin; (*dans peu de temps*) gleich; **à tout à l'**~**!** bis gleich!; **sur l'**~ auf der Stelle

heureusement [øʀøzmɑ̃] *adv* **1.** (*par bonheur*) zum Glück, glücklicherweise **2.** (*favorablement*) **se terminer** ~ gut ausgehen, glücklich enden

heureux, -euse [øʀø, -øz] **I.** *adj* **1.** (*rempli de bonheur*) glücklich; **être** ~ **de qc** sich über etw (*akk*) freuen; **être** ~ **de faire qc** glücklich sein, etw zu tun **2.** (*chanceux*) glücklich; **être** ~ **au jeu** Glück im Spiel haben **3.** (*favorable*) glücklich; *circonstances:* günstig; *résultat* erfreulich **4.** (*réussi*) treffend; *effet* günstig; *mélange* gelungen ▶**encore** ~**!** zum Glück! **II.** *m, f* ▶**faire un** ~ *fam* jemandem [eine] Freude machen

heurt [´œʀ] *m* **1.** (*conflit*) Zusammenstoß *m* **2.** *soutenu d'un portail* Schlagen *nt*

heurté, e [´œʀte] *adj tons* nicht harmonierend

heurter [´œʀte] <1> **I.** *vi* ~ **à la porte** an die Tür klopfen **II.** *vt* **1.** (*entrer rudement en contact*) ~ **qn** *personne:* mit jdm zusammenstoßen; (*en voiture*) jdn anfahren; *voiture:* jdn streifen; ~ **qc** *personne:* gegen etw stoßen, (*en tombant*) auf etw (*akk*) aufschlagen; *objet:* auf etw (*akk*) [auf]prallen; *voiture:* gegen etw (*akk*) fahren **2.** (*choquer*) vor den Kopf stoßen *personne;* verletzen *sentiments* **3.** (*être en opposition avec*) verstoßen gegen *intérêts, convenances* **III.** *vpr* **1.** (*buter contre*) **se** ~ **à qc** auf etw (*akk*) stoßen **2.** (*se cogner contre*) **se** ~ **à** [*o* **contre**] **qn/qc** mit jdm zusammenstoßen/gegen etw stoßen; **se** ~ *véhicules:* zusammenstoßen **3.** (*entrer en conflit*) **se** ~ **avec qn** mit jdm aneinander geraten

heurtoir [´œʀtwaʀ] *m d'une porte* Türklopfer *m*

hévéa [evea] *m* BOT Kautschukbaum *m*

hexagonal, e [ɛgzagɔnal, o] <-aux> *adj* sechseckig

hexagone [ɛgzagon, ɛgzagɔn] *m* Sechseck *nt*

Hexagone [ɛgzagon, ɛgzagɔn] *m* **l'**~ Frankreich *nt*

hexamètre [ɛgzamɛtʀ] *m* Hexameter *m*

hiatus [´jatys] *m* **1.** *a.* LING Hiatus *m* **2.** (*décalage*) Kluft *f*

hibernation [ibɛʀnasjɔ̃] *f* Winterschlaf *m*

hiberner [ibɛʀne] <1> *vi* Winterschlaf halten

hibou [´ibu] <x> *m* ORN Eule *f*

hic [´ik] *m fam* Haken *m*

hideur [´idœʀ] *f d'un crime, d'une action* Abscheulichkeit *f; d'une personne* Hässlichkeit *f*

hideux, -euse [´idø, -øz] *adj vêtement, objets* scheußlich; *visage* hässlich; *monstre, être* abscheulich

hier [jɛʀ] *adv* **1.** (*la veille*) gestern; **la matinée d'**~ der gestrige Vormittag **2.** (*passé récent*) **ne se connaître que d'**~ sich erst seit kurzem kennen

hiérarchie [jeʀaʀʃi] *f* Hierarchie *f*

hiérarchique [´jeʀaʀʃik] *adj* hierarchisch; **par la voie** ~ auf dem Dienstweg

hiéroglyphe [´jeʀɔglif] *m a. fig* Hieroglyphe *f*

hi-fi [´ifi] **I.** *adj inv* Hi-Fi-; **chaîne** ~ Hi-Fi-Anlage *f* **II.** *f sans pl* Hi-Fi *f,* Highfidelity *f*

high tech [´ajtɛk] **I.** *adj inv* Hightech- **II.** *f sans pl* Hightech *f o nt*

hilarant, e [ilaʀɑ̃, ɑ̃t] *adj* sehr komisch

hilare [ilaʀ] *adj* ausgelassen fröhlich; *visage* strahlend

hilarité [ilaʀite] *f* Heiterkeit *f*

Himalaya [imalaja] *m* **l'**~ der Himalaja

hindi [´indi, indi] *m* Hindi *nt; v. a.* **allemand**

hindou, e [ɛ̃du] *adj* hinduistisch

Hindou, e [ɛ̃du] *m, f* REL Hindu *m*

hindouisme [ɛ̃duism] *m* Hinduismus *m*

hip [´ip] *interj* ~ ~ ~**! hourra!** hipp, hipp, hurra!

hippie [´ipi] <hippies> **I.** *adj* Hippie- **II.** *mf* Hippie *m*

hippique [ipik] *adj* Pferde-; **concours** ~ Reit- [und Fahr]turnier *nt*

hippisme [ipism] *m* Pferdesport *m*

hippocampe [ipɔkãp] *m* ZOOL Seepferdchen *nt*

hippodrome [ipodʀom] *m* [Pferde]rennbahn *f*

hippopotame [ipɔpɔtam] *m* Nil-, Flusspferd *nt*

hirondelle [iʀɔ̃dɛl] *f* ORN Schwalbe *f*

hirsute [iʀsyt] *adj tête* zerzaust; *barbe* struppig

hispanique [ispanik] *adj* spanisch

hispano-américain [ispanoameʀikɛ̃] *m* l'~ Hispanoamerikanisch *nt; v. a.* **allemand**

hispano-américain, **e** [ispanoameʀikɛ̃, ɛn] <hispano-américains> *adj* hispanoamerikanisch

hispanophone [ispanɔfɔn] *adj* spanischsprechend

hisser [´ise] <1> **I.** *vt* hissen *drapeau;* hissen, setzen *voiles* **II.** *vpr* (*grimper*) **se** ~ **sur le mur** sich auf die Mauer hochziehen

histoire [istwaʀ] *f* **1.** (*science, événements*) *sans pl* Geschichte *f* **2.** (*étude du passé*) Geschichte *f; d'une expression* [Entstehungs]geschichte **3.** (*récit*) Geschichte *f;* (*conte*) Märchen *nt;* (*blague*) Witz *m;* (*propos mensonger*) Lügengeschichte *f* **4.** *fam* (*affaire*) Geschichte *f;* **le meilleur de l'~** der Witz bei der Sache; **c'est toujours la même ~, avec toi!** es ist immer das alte Lied mit dir! **5.** *fam* (*complications*) Schwierigkeiten *Pl;* (*problèmes*) Ärger *m;* **faire toute une ~ pour qc** ein [furchtbares] Theater wegen etw machen; **vie sans ~s** unauffälliges Leben ▸ ~ **de faire qc** *fam* einfach nur, um etw zu tun

historien, **ne** [istɔʀjɛ̃, jɛn] *m, f* Historiker(in) *m(f)*, Geschichtswissenschaftler(in) *m(f)*

historique [istɔʀik] **I.** *adj* historisch, geschichtlich, Geschichts- **II.** *m d'un mot, d'une institution* [Entstehungs]geschichte *f; d'une affaire* chronologischer Überblick

historiquement [istɔʀikmã] *adv* historisch

hitlérien, **ne** [itleʀjɛ̃, jɛn] *adj* Hitler-

hit-parade [´itpaʀad] <hit-parades> *m* **1.** MEDIA Hitparade *f* **2.** *fig* Hitliste *f*

HIV [´aʃive] *m abr de* **Human Immunodeficiency Virus** HIV *nt*, Aidsvirus *nt*

hiver [iveʀ] *m* Winter *m;* **station de sports d'~** Wintersportort *m; v. a.* **automne**

hivernal, **e** [iveʀnal, o] <-aux> *adj* winterlich

HLM [´aʃɛlɛm] *m o f inv abr de* **habitation à loyer modéré** Sozialwohnung *f;* (*immeuble*) Wohnblock *m* mit Sozialwohnungen, Mietshaus *nt* mit Sozialwohnungen

ho [´o] *interj* he [Sie/du]!

hobby [´ɔbi] <hobbies> *m* Hobby *nt*

hochement [´ɔʃmã] *m* ~ **de tête** (*pour approuver*) Kopfnicken *nt;* (*pour désapprouver*) Kopfschütteln *nt*

hocher [´ɔʃe] <1> *vt* **la tête** (*pour approuver*) [mit dem Kopf] nicken; (*pour désapprouver*) den Kopf schütteln

hochet [´ɔʃɛ] *m* Rassel *f*

hockey [´ɔkɛ] *m* Hockey *nt*

holà [´ɔla] **I.** *interj* ~! [pas si vite!] halt!, stopp! **II.** *m* ▸**mettre le** ~ **à qc** einer S. (*dat*) ein Ende machen

holding [´ɔldiŋ] *m o f* Holding[gesellschaft] *f*

hold-up [´ɔldœp] *m inv* [bewaffneter] Raubüberfall

hollandais [´ɔllãdɛ] *m* Holländisch *nt; v. a.* **allemand**

hollandais, **e** [´ɔllãdɛ, -ɛz] *adj* holländisch

Hollandais, **-aise** [´ɔllãdɛ, -ɛz] *m, f* Holländer(in) *m(f)*

Hollande [´ɔllãd] *f* **la** ~ Holland *nt*

holocauste [olokost] *m* (*génocide*) Holocaust *m*

hologramme [ɔlɔgʀam] *m* Hologramm *nt*

homard [´ɔmaʀ] *m* Hummer *m*

homéopathe [ɔmeɔpat, omeopat] *mf* Homöopath(in) *m(f)*

homéopathie [ɔmeɔpati] *f* Homöopathie *f*

homéopathique [ɔmeɔpatik] *adj* homöopathisch

home-trainer [´omtʀɛnœʀ] <hometrainers> *m* Heimtrainer *m*

homicide [ɔmisid] *m* Tötung *f*, Totschlag *m;* ~ **par imprudence** [*o* **involontaire**] fahrlässige Tötung; ~ **volontaire** Totschlag *m*

hommage [ɔmaʒ] *m* **1.** (*témoignage de respect*) Huldigung *f* (*geh*); (*œuvre ou manifestation en l'honneur de qn*) Hommage *f* **2.** *pl, soutenu* (*compliments*) **mes ~s, Madame!** guten Tag, gnädige Frau!; (*au revoir*) ich empfehle mich, gnädige Frau!

homme [´ɔm] *m* **1.** (*adulte, opp: femme*) Mann *m;* **jeune** ~ junger Mann; **coiffeur pour ~s** Herrenfriseur *m;* **vêtements d'~** [*o* **pour ~s**] Herren[be]kleidung *f;* ~ **politique** Politiker *m;* ~ **de loi** Jurist *m;* ~ **de main** Handlanger *m;* (*dans des besognes*

criminelles) Helfershelfer *m;* ~ **d'État** Staatsmann **2.**(*être humain*) Mensch *m* **3.**(*viril moralement, sexuellement*) [richtiger] Mann *m;* ~ **à femmes** Frauenheld *m* **4.** *pl* (*soldats, personnel*) Männer *Pl,* Leute *Pl*▸~ **à tout faire** Mädchen *nt* für alles; **entre** ~s unter Männern

homme-grenouille [ɔmgRənuj] <hommes-grenouilles> *m* Froschmann *m*

homme-orchestre [ɔmɔRkɛstR] <hommes-orchestres> *m* Einmannorchester *nt* **homme-sandwich** [ɔmsɑ̃dwitʃ] <hommes-sandwichs> *m* Sandwichmann *m*

homo [omo] *abr de* **homosexuel(le)** **I.** *adj fam* homo **II.** *mf fam* Homo/Lesbe *m/f*

homogène [ɔmɔʒɛn] *adj* homogen

homogénéiser [ɔmɔʒeneize] <1> *vt* GASTR, CHIM homogenisieren

homogénéité [ɔmɔʒeneite] *f* Homogenität *f*

homologue [ɔmɔlɔg] *adj* (*équivalent*) entsprechend

homologuer [ɔmɔlɔge] <1> *vt* **1.**(*reconnaître officiellement*) [amtlich/staatlich] genehmigen *prix;* [offiziell] anerkennen *record* **2.**(*déclarer conforme aux normes*) [amtlich/staatlich] zulassen *siège-auto*

homonyme [ɔmɔnim] *m* **1.** LING Homonym *nt* **2.**(*personne*) Namensvetter/-schwester *m/f*

homosexualité [ɔmɔsɛksɥalite] *f* Homosexualität *f*

homosexuel, le [ɔmɔsɛksɥɛl] **I.** *adj* homosexuell **II.** *m, f* Homosexuelle(r) *f(m)*

hongre [ˈɔ̃gR] *adj cheval* kastriert; **poulain** ~ Fohlenwallach *m*

Hongrie [ˈɔ̃gRi] *f* **la** ~ Ungarn *nt*

hongrois [ˈɔ̃gRwa] *m* Ungarisch *nt; v. a.* **allemand**

hongrois, e [ˈɔ̃gRwa, waz] *adj* ungarisch

Hongrois, e [ˈɔ̃gRwa, waz] *m, f* Ungar(in) *m(f)*

honnête [ɔnɛt] *adj* **1.**(*probe*) ehrlich; *commerçant, entreprise* korrekt **2.**(*franc*) aufrichtig; **soyez** ~ **avec vous-même!** machen Sie sich (*dat*) doch nichts vor! **3.**(*honorable*) anständig; *intention, propos* ehrlich; *méthodes* korrekt **4.**(*vertueux*) anständig **5.**(*acceptable*) recht ordentlich; *prix* angemessen; *repas* annehmbar; *marché* korrekt

honnêtement [ɔnɛtmɑ̃] *adv* **1.** *payer, gagner sa vie* anständig **2.** *gérer une affaire* auf ehrliche Weise

honnêteté [ɔnɛtte] *f* **1.**(*probité*) Ehrlichkeit *f;* (*en affaire, en pensée*) Redlichkeit *f* **2.**(*franchise*) Ehrlichkeit *f,* Aufrichtigkeit *f* **3.** *d'une conduite, d'un procédé* Korrektheit

f; d'une intention Ehrenhaftigkeit *f*

honneur [ɔnœR] *m* **1.** *sans pl* (*principe moral*) Ehre *f;* **promettre sur l'**~ **que ...** sein Ehrenwort [dafür] geben, dass ... **2.** *sans pl* (*réputation*) Ehre *f,* Ansehen *nt;* **être tout à l'**~ **de qn** jdm ganz zur Ehre gereichen **3.**(*privilège*) Ehre *f;* **nous avons l'**~ **de vous faire part de la naissance ...** *form* wir haben die Ehre, die Geburt ... bekannt zu geben (*form*); **j'ai l'**~ **de solliciter un poste de ...** *form* [hiermit] bewerbe ich mich um die Stelle als ...; **j'ai l'**~ **de vous informer que ...** *form* ich freue mich, Ihnen mitteilen zu können, dass ...; **à toi l'**~**!** du darfst anfangen! **4.** *pl* (*marques de distinctions*) Ehren *Pl,* Ehrungen *Pl;* **rendre les derniers** ~s **à qn** *form* jdm die letzte Ehre erweisen **5.**(*considération*) **faire un grand** ~ **à qn en faisant qc** jdm eine große Ehre erweisen, indem man etw tut ▸**faire les** ~s **de la maison à qn** jdn gebührend [bei sich] empfangen; (*faire visiter les lieux*) jdn durch sein Haus/seine Wohnung führen; **être à l'**~ hoch im Kurs stehen; **faire** ~ **à un repas** sich (*dat*) ein Essen gut schmecken lassen; **en quel** ~**?** *hum* wozu?

honorabilité [ɔnɔRabilite] *f* Ehrenhaftigkeit *f; d'une personne* Ehrbarkeit *f*

honorable [ɔnɔRabl] *adj* **1.**(*respectable*) ehrenhaft; *personne* ehrenwert; *profession* ehrbar **2.** *résultat* ganz gut; *fortune* ansehnlich

honorablement [ɔnɔRabləmɑ̃] *adv* auf ehrenhafte Weise

honoraire [ɔnɔRɛR] **I.** *adj membre* Ehren-; *professeur* emeritiert; *conseiller* ehrenamtlich **II.** *mpl* Honorar *nt*

honorer [ɔnɔRe] <1> **I.** *vt* **1.**(*traiter avec considération*) ehren **2.**(*faire honneur*) ~ **qn** *sentiments, conduite:* jdm Ehre machen **3.**(*célébrer*) ~ **la mémoire de qn** jds Andenken in Ehren halten **4.**(*respecter*) einhalten *engagement* **5.** COM einlösen *chèque* **II.** *vpr* **s'**~ **d'être qc** stolz [darauf] sein, etw zu sein

honorifique [ɔnɔRifik] *adj* Ehren-, ehrenamtlich

honte [ˈɔ̃t] *f* **1.**(*déshonneur*) Schande *f;* [c'est] **la** ~**!** *fam* so eine Blamage! **2.** *sans pl* (*sentiment d'humiliation*) Scham *f;* **avoir** ~ sich schämen; **avoir** ~ **de qn/qc** sich für jdn/einer S. (*gen*) schämen ▸**faire** ~ **à qn** jdm ein schlechtes Gewissen machen [*o* einjagen]; **mourir de** ~ sich zu Tode schämen

honteusement [ˈɔ̃tøzmɑ̃] *adv se conduire* schändlich

honteux, -euse [ˈɔ̃tø, -øz] *adj* **être** ~ **de**

qc sich einer S. (*gen*)/für etw schämen
hop [ˈɔp] *interj* **1.** (*pour faire sauter*) hopp; ~! Hopp!; ~ **là!** Hopp!/Hopp, hopp!, hoppla! **2.** (*pour marquer une action brusque*) hopp, husch
hôpital [ɔpital, o] <-aux> *m* Krankenhaus *nt*, Klinik *f;* ~ **militaire** Lazarett *nt*
hoquet [ˈɔkɛ] *m* Schluckauf *m kein Pl;* (*un ou plusieurs*) Schluchzer *m*
hoqueter [ˈɔkte] <3> *vi* den Schluckauf haben; (*sangloter*) schluchzen
horaire [ɔRɛR] **I.** *adj* Stunden-, pro Stunde **II.** *m* **1.** (*répartition du temps*) Zeitplan *m;* ~ **de travail** Arbeitsplan *m;* ~ **mobile** [*o* **flexible**] gleitende Arbeitszeit **2.** *des trains, bus* Fahrplan *m*, Fahrplanangabe *f; des vols* Flugplan *m; des cours* Stundenplan *m*
horde [ˈɔRd] *f* Horde *f*
horizon [ɔRizɔ̃] *m* **1.** *sans pl* (*ligne*) Horizont *m* **2.** (*étendue*) Aussicht *f,* [Aus]blick *m;* **changer d'**~ die [gewohnte] Umgebung wechseln **3.** (*perspectives*) Horizont *m;* **ouvrir des** ~**s insoupçonnés à qn** jdm ungeahnte Perspektiven eröffnen
horizontal, e [ɔRizɔ̃tal, o] <-aux> *adj* waag(e)recht, horizontal
horizontale [ɔRizɔ̃tal] *f* **1.** MATH Waag[e]rechte *f* **2.** (*position*) être à l'~ waagerecht sein/liegen
horizontalement [ɔRizɔ̃talmɑ̃] *adv* waag[e]recht
horloge [ɔRlɔʒ] *f* (*appareil*) Uhr *f* ► **parlante** Zeitansage *f*
horloger, -ère [ɔRlɔʒe, -ɛR] **I.** *adj* Uhren- **II.** *m, f* Uhrmacher(in) *m(f)*
horlogerie [ɔRlɔʒRi] *f* **1.** (*secteur économique*) Uhrenindustrie *f;* (*commerce*) Uhrenhandel *m* **2.** (*magasin*) ~ **bijouterie** Uhren- und Schmuckgeschäft *nt*
hormis [ˈɔRmi] *prép littér* bis auf (+ *akk*)
hormonal, e [ɔRmɔnal, o] <-aux> *adj* hormonal, hormonell
hormone [ɔRmɔn] *f* Hormon *nt*
horodateur [ɔRɔdatœR] *m* Parkscheinautomat *m*
horoscope [ɔRɔskɔp] *m* Horoskop *nt*
horreur [ɔRœR] *f* **1.** (*sensation de dégoût*) ~ **de la violence** Abscheu *m* vor der Gewalt **2.** (*sensation d'épouvante*) Entsetzen *nt*, Schrecken *m*, Horror *m;* **film d'**~ Horrorfilm *m;* **faire** ~ **à qn** bei jdm erregen; *paroles, idées:* bei jdm Entsetzen hervorrufen **3.** *d'un crime, supplice* Abscheulichkeit *f,* Grauenhaftigkeit *f* **4.** (*aversion*) **avoir** ~ **de qn/qc** jdn/etw verabscheuen; (*détester*) jdn/etw nicht ausstehen können **5.** *fam* (*chose laide*) Scheußlichkeit *f;* **quelle** ~!, **l'**~! wie schrecklich!, wie entsetzlich!; **c'est l'**~! es/das ist entsetzlich! **6.** *pl* (*grossièretés, actions infâmes*) Abscheulichkeiten *Pl,* grässliche Dinge *Pl*
horrible [ɔRibl] *adj* **1.** (*abominable*) abscheulich, grauenhaft; *spectacle* grauenhaft; *accident, cris* schrecklich **2.** (*extrême*) schrecklich, fürchterlich **3.** (*très laid*) abscheulich **4.** (*très mauvais*) scheußlich
horriblement [ɔRibləmɑ̃] *adv triste, cher, chaud* furchtbar
horrifier [ɔRifje] <1> *vt* ~ **qn** jdn entsetzen
horripiler [ɔRipile] <1> *vt fam* fürchterlich nerven
hors [ˈɔR] *prép* **1.** (*à l'extérieur de, sans mouvement*) außer(halb); ~ **de** außerhalb von; **habiter/vivre** ~ **de qc** außerhalb einer S. (*gen*) wohnen/leben; **tomber/être projeté** ~ **de qc** aus etw (*dat*) herausfallen/-geschleudert werden; ~ **d'ici!** hinaus! **2.** (*au-delà de*) ~ **d'atteinte/de portée** außer Reichweite ►~ **de combat** kampfunfähig, außer Gefecht; ~ **de danger** außer Gefahr; ~ **de prix** unerschwinglich; **être** ~ **de soi** außer sich sein
hors-bord [ˈɔRbɔR] *m inv* **1.** (*moteur*) Außenbordmotor *m* **2.** (*bateau*) Außenborder *m* **hors-d'œuvre** [ˈɔRdœvR] *m inv* Vorspeise *f* **hors-jeu** [ˈɔRʒø] *m inv* SPORT Abseits *nt* **hors-la-loi** [ˈɔRlalwa] *m inv* Bandit *m*, Gesetzlose(r) *f(m)*
hortensia [ɔRtɑ̃sja] *m* BOT Hortensie *f*
horticole [ɔRtikɔl] *adj* Garten[bau]-
horticulteur, -trice [ɔRtikyltœR, -tRis] *m, f* Gärtner(in) *m(f)*
horticulture [ɔRtikyltyR] *f* (*production*) Gartenbau *m*
hospice [ɔspis] *m* [Alten]pflegeheim *nt*
hospitalier, -ière [ɔspitalje, -jɛR] *adj* **1.** (*à l'hôpital*) Krankenhaus-, zum Krankenhaus gehörig; **personnel** ~ Pflegepersonal *nt* **2.** (*accueillant*) gastfreundlich
hospitalisation [ɔspitalizasjɔ̃] *f* (*action*) Einweisung *f* in ein Krankenhaus; (*séjour*) Krankenhausaufenthalt *m*
hospitaliser [ɔspitalize] <1> *vt* ~ **qn** jdn in ein Krankenhaus einweisen
hospitalité [ɔspitalite] *f* Gastfreundschaft *f*
hostie [ɔsti] *f* REL Hostie *f*
hostile [ɔstil] *adj* feindlich; *attitude* feindselig; **être** ~ **à qn** jdm nicht wohlgesinnt sein; **être** ~ **à qc** einer S. (*dat*) ablehnend gegenüberstehen
hostilité [ɔstilite] *f* **1.** (*inimitié*) Feindseligkeit *f,* Feindschaft *f* **2.** *pl* MIL **les** ~**s** die Kampfhandlungen *Pl*
hosto [ɔsto] *m fam* (*hôpital*) Krankenhaus *nt*

hôte [ot] I. *mf d'une personne, ville* Gast *m;*
d'un hôtel [Hotel]gast II. *m* INFORM Host *m*
hôte, hôtesse [ot, otɛs] *m, f soutenu* (*maî-*
tre de maison) Gastgeber(in) *m(f)*
hôtel [ɔtɛl, otɛl] *m* 1. (*hôtellerie*) Hotel *nt*
2. (*riche demeure*) herrschaftliches Stadt-
haus *nt* ▸~ **Matignon** Amtssitz des französischen Premierministers; ~ **de ville**
Rathaus *nt*
hôtel-Dieu [otɛldjø, ɔtɛldjø] <hôtels-
Dieu> *m* Hospiz *nt* für Kranke
hôtelier, -ière [otəlje, ɔtəlje, -jɛʀ] I. *adj*
Hotel-; **industrie hôtelière** Hotel- und
Gaststättengewerbe *nt* II. *m, f* Hotelbesit-
zer(in) *m(f)*, Hotelier *m*
hôtellerie [otɛlʀi, ɔtɛlʀi] *f* (*profession*)
Hotelgewerbe *nt*
hôtesse [otɛs] *f* 1. *v.* hôte 2. (*profession*)
~ **d'accueil** (*d'une entreprise*) Empfangs-
sekretärin *f;* (*d'un hôtel*) Empfangsdame *f;*
(*dans une exposition*) Hostess *f;* ~ **de l'air**
Stewardess *f*
hotte [´ɔt] *f* 1. *d'une cheminée* Rauchfang
m; ~ **aspirante** [Dunst]abzugshaube *f*
2. (*panier*) Kiepe *f*
hou [´u] *interj* 1. (*pour faire honte*) pfui;
(*pour conspuer*) buh 2. (*pour faire peur*)
hu ▸~, ~! hallo!
houblon [´ublɔ̃] *m* Hopfen *m*
houe [´u] *f* Hacke *f*
houille [´uj] *f* Steinkohle *f*
houiller, -ère [´uje, -ɛʀ] *adj* Steinkohlen-,
steinkohlenhaltig
houle [´ul] *f* Seegang *m*
houlette [´ulɛt] *f* ▸être **sous** la ~ **de qn**
unter jds Führung (*dat*) stehen
houleux, -euse [´ulø, -øz] *adj* 1. *mer* bewegt, stürmisch 2. *séance* turbulent; *salle*
unruhig
houppe [´up] *f* ~ **de cheveux** [Haar]bü-
schel *nt*
houppette [´upɛt] *f* Puderquaste *f*
hourra [´uʀa] I. *interj* hurra II. *m* Hurra
nt; **pousser des** ~s in Hurrageschrei ausbrechen
houspiller [´uspije] <1> *vt* ausschimpfen
housse [´us] *f* [Schutz]hülle *f;* ~ **de siège**
[Schon]bezug *m;* ~ **de couette** Bettbezug *m*
houx [´u] *m* BOT Stechpalme *f*
hovercraft [´ɔvœʀkʀaft] *m* Luftkissenfahrzeug *nt*
HS [aʃɛs] *abr de* **hors service** ▸être ~ *fam*
groggy sein
hublot [´yblo] *m d'un bateau* Bullauge *nt;*
d'un avion Fenster *nt; d'un appareil ména-*
ger Sichtfenster *nt*
huche [´yʃ] *f* Kasten *m*
hue [´y] *interj* (*avancer*) hü!; (*tourner à*
droite) hott!

huées [´ɥe] *fpl* (*cris de réprobation*) Buh-
rufe *Pl*
huer [´ɥe] <1> *vt* auspfeifen
huguenot, e [´ygno, ɔt] *m, f* Hugenotte/
Hugenottin *m/f*
huile [ɥil] *f* 1. GASTR Öl *nt;* ~ **d'olive/de**
tournesol Oliven-/Sonnenblumenöl
2. (*hydrocarbure*) Motoröl *nt* 3. (*lait*) ~
solaire Sonnenöl *nt* 4. (*peinture à l'huile*)
peint à l'~ in Öl gemalt ▸~ **de coude** *fam*
Mumm *m;* **jeter de l'**~ **sur le feu** Öl ins
Feuer gießen
huilé, e [ɥile] *adj* **bien** ~ gut laufend
huiler [ɥile] <1> *vt* ölen, [mit Öl] schmieren *mécanisme;* einfetten *moule*
huileux, -euse [ɥilø, -øz] *adj péj plat, sur-*
face ölig
huis [ɥi] ▸~ **à** ~ **clos** hinter verschlossenen
Türen; JUR unter Ausschluss der Öffentlichkeit
huissier [ɥisje] *m* (*officier ministériel*) Ge-
richtsvollzieher(in) *m(f)*, Exekutor(in)
m(f) (A)
huit [´ɥit, *devant une consonne* ´ɥi] I.
num acht II. *m inv* Acht *f* ▸le grand ~ die
Achterbahn; *v. a.* cinq
huitaine [´ɥitɛn] *f* 1. (*ensemble d'environ*
huit éléments) **une** ~ **de personnes/pa-**
ges etwa acht Personen/Seiten 2. (*une se-*
maine) **dans une** ~ in etwa acht Tagen
huitante [´ɥitɑ̃t] *num* CH (*quatre-vingts*)
achtzig; *v. a.* cinq, cinquante
huitième [´ɥitjɛm] I. *adj antéposé* achte(r,
s) II. *mf* **le/la** ~ der/die/das Achte III. *m*
1. (*fraction*) Achtel *nt* 2. SPORT ~ **de finale**
Achtelfinale *nt; v. a.* cinquième
huitièmement [´ɥitjɛmmɑ̃] *adv* achtens
huître [ɥitʀ] *f* Auster *f*
hulotte [´ylɔt] *f* ORN Waldkauz *m*
hululement [´ylylmɑ̃] *m* Schrei *m*
hululer [´ylyle] <1> *vi oiseau de nuit:*
schreien
hum [´œm] *interj* (*pour exprimer le doute,*
la gêne, une réticence) hm ▸~, ~! (*pour*
s'éclaircir la voix, attirer l'attention) hm,
hm
humain, e [ymɛ̃, ɛn] *adj* 1. (*propre à*
l'homme) menschlich; *chair, vie, dignité*
Menschen-; **les êtres** ~s die Menschen
2. (*compatissant, sensible*) menschlich,
human
humainement [ymɛnmɑ̃] *adv* 1. *traiter*
menschenwürdig 2. (*avec les capacités hu-*
maines) **faire tout ce qui est** ~ **possible**
alles Menschenmögliche tun
humaniser [ymanize] <1> I. *vt* men-
schenwürdiger gestalten *conditions de vie,*
travail II. *vpr* **s'**~ menschlich[er] werden
humanisme [ymanism] *m* Humanismus

m

humaniste [ymanist] *adj* humanistisch

humanitaire [ymanitɛʀ] *adj organisation* humanitär; **l'aide** ~ die humanitäre Hilfe

humanité [ymanite] *f* **1.** (*le genre humain*) Menschheit *f* **2.** *sans pl* (*bonté*) Menschlichkeit *f*

humanoïde [ymanɔid] **I.** *adj* menschenähnlich **II.** *m* menschenähnliches Wesen

humble [œ̃bl] *adj* **1.** *postposé* (*modeste*) unscheinbar **2.** (*déférent*) ehrfurchtsvoll, ehrfürchtig **3.** *antéposé* (*pauvre, sans prétention*) einfach; *travaux* niedrig

humblement [œ̃bləmɑ̃] *adv* demütig

humecter [ymɛkte] **I.** *vt* anfeuchten *doigts, timbre, linge* **II.** *vpr* **s'~ les lèvres** sich (*dat*) die Lippen befeuchten

humer [´yme] <1> *vt* [tief] einatmen *air frais, odeur;* riechen an (+ *dat*) *plat;* **un animal hume l'air** ein Tier schnuppert

humérus [ymerys] *m* ANAT Oberarmknochen *m*

humeur [ymœʀ] *f* **1.** (*état d'âme, envie*) Stimmung *f*, Laune *f;* **être de bonne/ mauvaise** ~ gut/schlecht gelaunt sein; **être/se sentir d'~ à faire qc** dazu aufgelegt sein, etw zu tun **2.** (*tempérament*) Wesen *nt* **3.** (*irritation*) schlechte Laune; **répondre avec** ~ unwirsch antworten ▶**passer son** ~ **sur qn** seine schlechte Laune an jdm auslassen

humide [ymid] *adj* **1.** (*qui a pris l'humidité*) feucht **2.** METEO *climat* feucht; *temps* nass; **il fait une chaleur/un froid** ~ es ist feuchtwarm/nasskalt

humidificateur [ymidifikatœʀ] *m* Luftbefeuchter *m*

humidifier [ymidifje] <1> *vt* befeuchten

humidité [ymidite] *f* Feuchtigkeit *f*

humiliant, e [ymiljɑ̃, jɑ̃t] *adj* demütigend; *échec* schimpflich

humiliation [ymiljasjɔ̃] *f* **1.** *sans pl* (*état*) Demütigung *f* **2.** (*affront*) Kränkung *f*

humilier [ymilje] <1> **I.** *vt* demütigen, erniedrigen **II.** *vpr* **s'~ devant qn** sich vor jdm erniedrigen

humilité [ymilite] *f* Demut *f*

humoriste [ymɔʀist] *mf* Humorist(in) *m(f)*

humoristique [ymɔʀistik] *adj* humoristisch

humour [ymuʀ] *m* Humor *m*

humus [ymys] *m* Humus *m*

huppe [´yp] *f* Haube *f*, Schopf *m*

huppé, e [´ype] *adj* **1.** ZOOL Hauben-; **alouette ~e** Haubenlerche *f* **2.** *fam personne, restaurant* piekfein

hure [´yʀ] *f* **1.** (*tête*) Kopf *m;* ~ **du sanglier** Wildschweinkopf **2.** GASTR Presskopf

m

hurlant, e [´yʀlɑ̃, ɑ̃t] *adj* schreiend

hurlement [´yʀləmɑ̃] *m d'une personne* Schrei *m; de la foule* Geschrei *nt; des loups, du vent* Heulen *nt*

hurler [´yʀle] <1> **I.** *vi* **1.** (*pousser des hurlements*) *animal:* heulen; ~ **de qc** vor etw (*dat*) schreien **2.** (*dire en criant*) schreien, brüllen **3.** (*produire un son semblable à un hurlement*) *vent:* heulen; *freins:* kreischen **II.** *vt* hinausschreien *injures;* ausstoßen *menaces*

hurluberlu, e [yʀlybɛʀly] *m, f fam* Luftikus *m*

hurrah [´uʀa] *interj v.* **hourra**

hussard [´ysaʀ] *m* Husar *m*

hussarde [´ysaʀd] ▶**à la** ~ ohne Rücksicht[nahme]

hutte [´yt] *f* Hütte *f*

hybride [ibʀid] **I.** *adj* **1.** BIO hybrid, Bastard- **2.** (*composite*) gemischt; **solution** ~ unbefriedigende Kompromisslösung **II.** *m* BIO Hybride *m o f*, Bastard *m*

hydratant, e [idratɑ̃, ɑ̃t] *adj* Feuchtigkeits-

hydratation [idratasjɔ̃] *f* Hydratation *f*

hydrate [idrat] *m* CHIM Hydrat *nt;* ~ **de calcium** Löschkalk *m*

hydrater [idrate] <1> **I.** *vt* **1.** (*en cosmétique*) mit Feuchtigkeit versorgen **2.** CHIM mit Wasser verbinden **II.** *vpr* CHIM **s'~** ein Hydrat bilden

hydraulique [idrolik] **I.** *adj* **1.** *frein, machine* hydraulisch **2.** *installation, travaux* Kanalisations-; **énergie** ~ Wasserkraft *f* **II.** *f sans pl* Hydraulik *f*

hydravion [idravjɔ̃] *m* Wasserflugzeug *nt*

hydre [idʀ] *f* ZOOL, A. HIST Hydra *f*

hydrocarbure [idrokaʀbyʀ] *m* CHIM Kohlenwasserstoff *m*

hydrocéphalie [idrosefali] *f* MED Wasserkopf *m*

hydrocution [idʀɔkysjɔ̃] *f* Kaltwasserschock *m*

hydroélectrique,   **hydro-électrique** [idroelɛktʀik] *adj* hydroelektrisch; **centrale** ~ Wasserkraftwerk *nt*

hydrogène [idrɔʒɛn] *m* CHIM Wasserstoff *m*

hydroglisseur [idroglisœʀ] *m* Gleitboot *nt*

hydrophile [idrofil] *adj* **coton** ~ Watte *f*

hyène [jɛn, ´jɛn] *f* ZOOL Hyäne *f*

hygiène [iʒjɛn] *f sans pl* **1.** (*principes*) Gesundheitslehre *f* **2.** (*pratique*) Hygiene *f*, Sauberkeit *f* **3.** (*bonnes conditions sanitaires*) Hygiene *f*, Sauberkeit *f;* **les services d'~** das Gesundheitsamt **4.** *des cheveux, du bébé* Pflege *f;* **articles d'~** [Körper]pflege-

mittel *Pl*

hygiénique [iʒjenik] *adj* **1.** (*de propreté*) hygienisch; **papier** ~ Toilettenpapier *nt* **2.** (*sain*) Gesundheits-

hygrométrie [igʀɔmetʀi] *f* Luftfeuchtigkeitsmessung *f*

hymen [imɛn] *m* ANAT Jungfernhäutchen *nt*

hymne [imn] *m* Hymne *f*

hyper [ipɛʀ] *m abr de* **hypermarché**

hyperbole [ipɛʀbɔl] *f* MATH, LITTER Hyperbel *f*

hyperglycémie [ipɛʀglisemi] *f* MED erhöhter Blutzuckergehalt

hyperlien [ipɛʀljɛ̃] *m* INFORM Hyperlink *m*

hypermarché [ipɛʀmaʀʃe] *m* großer Supermarkt

hypermétrope [ipɛʀmetʀɔp] *adj* weitsichtig

hypernerveux, -euse [ipɛʀnɛʀvø, -øz] *adj* übernervös

hypersensible [ipɛʀsɑ̃sibl] *adj* hypersensibel

hypertendu, e [ipɛʀtɑ̃dy] *adj fam* **1.** (*très stressé*) **être** ~ *personne:* überreizt sein **2.** (*difficile*) **être** ~ *ambiance:* sehr angespannt sein

hypertension [ipɛʀtɑ̃sjɔ̃] *f* MED erhöhter Blutdruck

hypertexte [ipɛʀtɛkst] *m* INFORM Hypertext *m*

hypertrophie [ipɛʀtʀɔfi] *f* MED, BIO übermäßige Vergrößerung

hypnose [ipnoz] *f* Hypnose *f*

hypnotique [ipnɔtik] *adj* hypnotisch

hypnotiser [ipnɔtize] <1> *vt a. fig* hypnotisieren

hypocalorique [ipokalɔʀik] *adj* kalorien-

arm

hypocondriaque [ipɔkɔ̃dʀijak] *adj péj personne* hypochondrisch

hypocrisie [ipɔkʀizi] *f* Heuchelei *f,* Scheinheiligkeit *f*

hypocrite [ipɔkʀit] **I.** *adj* heuchlerisch, scheinheilig **II.** *mf* Heuchler(in) *m(f)*

hypocritement [ipɔkʀitmɑ̃] *adv* heuchlerisch

hypoglycémie [ipoglisemi] *f* MED verminderter Blutzuckergehalt *m*

hypophyse [ipofiz] *f* ANAT Hirnanhangdrüse *f,* Hypophyse *f*

hypotension [ipotɑ̃sjɔ̃] *f* MED [zu] niedriger Blutdruck

hypoténuse [ipotenyz] *f* MATH Hypotenuse *f*

hypothécaire [ipotekɛʀ] *adj* hypothekarisch [gesichert], Hypotheken-

hypothèque [ipotɛk] *f* Hypothek *f*

hypothéquer [ipoteke] <5> *vt* **1.** FIN mit einer Hypothek belasten *maison;* hypothekarisch sichern *créance* **2.** (*engager*) ~ l'avenir die Zukunft [im Voraus] belasten

hypothermie [ipotɛʀmi] *f* Unterkühlung *f*

hypothèse [ipotɛz] *f* **1.** (*supposition*) Hypothese *f,* Annahme *f* **2.** (*éventualité, cas*) **dans l'**~ **où** angenommen, dass; **dans cette** ~ in diesem Fall **3.** (*en logique et science*) Hypothese *f*

hypothétique [ipotetik] *adj* (*en logique et science*) hypothetisch

hystérie [isteʀi] *f* Hysterie *f;* ~ **collective** Massenhysterie

hystérique [isteʀik] **I.** *adj* hysterisch **II.** *mf* Hysteriker(in) *m(f),* Wahnsinnige(r) *f(m)*

I

I, i [i] *m inv* I *nt*, i *nt*
ibérique [ibeʀik] *adj* iberisch
ibid. [ibid] *adv abr de* **ibidem** ibid., ib.
ibidem [ibidɛm] *adv* ibidem
ibis [ibis] *m* ORN Ibis *m*
iceberg [ajsbɛʀg, isbɛʀg] *m* Eisberg *m*
ici [isi] *adv* **1.** (*en ce lieu*) hier; **c'est ~ que**
qn a fait qc hier hat jd etw getan; ~ **et là**
hier und da; **Madame la directrice,** ~
présente, va ... die [hier] anwesende Direktorin wird ... **2.** (*de ce lieu*) **d'~** von
hier, hiesig; **les gens d'~** die Einheimischen; **par** ~ hier [in der Gegend]; **d'~ à**
Paris/au musée von hier [aus] bis Paris/
zum Museum; **près/loin d'~** in der
Nähe/weit von hier [entfernt]; **à partir**
d'~ von hier an; **sortez d'~!** raus hier!
3. (*vers ce lieu*) hierher; **viens** ~ **immé-**
diatement! komm sofort [hier]her!; **jus-**
qu'~ bis hierher; **par** ~ hier entlang; (*mon-*
ter) hier hinauf; (*descendre*) hier hinunter; **passer par** ~ hier vorbeikommen
4. (*temporel*) jusqu'~ bis jetzt; **d'~** von
jetzt an; **d'~ peu** bald, in Kürze; **d'~ là** bis
dahin; **d'~** [à] **2010/**[à] **demain/**[à] **lundi**
bis 2010/morgen/Montag; **d'~** [à] **la se-**
maine prochaine bis zur nächsten Woche; **d'~ une semaine/quelques semai-**
nes in einer Woche/einigen Wochen; **d'~**
[à ce] **qu'il accepte, cela peut durer** bis
[dass] er akzeptiert, das kann dauern; **mais**
d'~ à ce qu'il abandonne, je n'aurais
jamais imaginé! aber, dass er [so einfach]
aufgibt, das hätte ich nie gedacht!
icône [ikon] *f* INFORM Icon *nt*
iconoclaste [ikɔnɔklast] *mf* Bilderstür-
mer(in) *m(f)*
iconographie [ikɔnɔgʀafi] *f* Illustration *f*,
Bebilderung *f*
id. [id] *abr de* **idem** id.
idéal [ideal, o] <-aux o s> *m* **1.** (*modèle*)
Ideal *nt;* ~ **de justice/liberté** ideale Vorstellung von Gerechtigkeit/Freiheit; ~ **de**
beauté Schönheitsideal; **personne sans**
~ **beauté** Mensch *m* ohne Ideale **2.** *sans pl* (*le*
mieux) **l'~ serait que** + *subj* das Beste
wäre, wenn; **dans l'~** im Idealfall
idéal, e [ideal, o] <-aux o s> *adj* **1.** *fam*
(*rêvé*) ideal; **beauté** ~e vollkommene
Schönheit; **des vacances** ~**es** ein Traum-
urlaub **2.** (*imaginaire*) ideal
idéalement [idealmɑ̃] *adv* ideal

idéaliser [idealize] <1> *vt* idealisieren
idéalisme [idealism] *m* Idealismus *m*
idéaliste [idealist] *mf* Idealist(in) *m(f)*
idée [ide] *f* **1.** (*projet, inspiration*) Idee *f;*
(*suggestion*) Idee, Einfall *m;* ~ **lumineuse**
glänzende Idee; **être plein d'~s** voller Ide-
en stecken; ~ **de génie** geniale Idee; *iron*
glorreiche Idee; **donner l'~ à qn de faire**
qc jdn auf die Idee bringen, etw zu tun;
quelle drôle d'~! [was für eine] komische
Idee!; **tu as de ces ~s!** du hast [vielleicht]
Ideen! (*fam*) **2.** (*opinion*) Meinung *f;* ~**s**
politiques/révolutionnaires politische/
revolutionäre Ansichten *Pl;* **avoir les/des**
~**s larges** liberale Ansichten haben; **avoir**
une haute ~ **de qn/soi-même** eine hohe
Meinung von jdm/von sich selbst haben
3. (*pensée*) ~ **fixe** fixe Idee; ~**s noires**
trübsinnige Gedanken *Pl;* **l'~ de qc/que**
qn est mort/qn ait pu faire ça der Gedanke an etw (*akk*)/[daran], dass jd tot ist/
jd dies hätte tun können; **à l'~ de qc** bei
dem Gedanken an etw (*akk*); **suivre/per-**
dre le fil de ses ~**s** seinem Gedankengang
folgen/den Faden verlieren; **sauter d'une**
~ **à l'autre** Gedankensprünge machen; **se**
faire à l'~ que qn est mort sich an den
Gedanken gewöhnen, dass jd tot ist; **avoir**
une ~ [de] **derrière la tête** *fam* einen
Hintergedanken haben; **se changer les** ~**s**
auf andere Gedanken kommen **4.** (*con-*
cept, notion) Idee *f;* ~ **reçue** überkomme-
ne Vorstellung; ~ **de qc** Vorstellung *f* von
etw; **se faire une** ~ **de qc** sich (*dat*) eine
Vorstellung von etw machen; **ne pas avoir**
la moindre ~ **de qc** nicht die leiseste Ahnung von etw haben; **Aucune** ~**!** Keine
Ahnung!; **donner une** ~ **de qc à qn** jdm
eine Vorstellung von etw geben; **avoir** ~
de ce que ... sich (*dat*) vorstellen können, dass ...; **on n'a pas** ~**!, a-t-on** ~**!** das
ist unglaublich!; **tu n'as pas** ~ **de ce que**
... du kannst dir nicht vorstellen, was ...
5. (*esprit*) qc **vient à l'~ de qn** etw
kommt jdm in den Sinn; **venir à l'~ de**
faire qc in den Sinn kommen etw zu tun
6. (*thème*) Idee *f;* ~ **générale d'un film/**
roman Grundidee eines Films/Buches
▸ **se faire des** ~**s** (*s'imaginer des choses*)
sich (*dat*) unnütz Sorgen machen; (*se faire*
des illusions) sich (*dat*) falsche Hoffnungen machen

exprimer son ignorance

• exprimer son ignorance	• Nichtwissen ausdrücken
Je ne sais pas (non plus)./Je sais pas.	Das weiß ich (auch) nicht./Weiß nicht. *(fam)*
Aucune idée.	Keine Ahnung. *(fam)*
Aucune idée.	Hab keinen blassen Schimmer. *(fam)*
Je regrette, mais je n'y connais rien.	Ich kenne mich da leider nicht aus.
Là, tu m'en demandes/vous m'en demandez trop.	Da bin ich überfragt.
Je ne suis pas au courant.	Darüber weiß ich nicht Bescheid.
Je n'ai pas connaissance du nombre exact.	Die genaue Anzahl entzieht sich meiner Kenntnis. *(geh)*
Comment pourrais-je le savoir?	Woher soll ich das wissen?

idem [idɛm] *adv (de même)* dasselbe
identification [idãtifikasjɔ̃] *f* Identifizierung *f*
identifier [idãtifje] <1> **I.** *vt* ~ **qn** jdn identifizieren **II.** *vpr* **s'~ à qn/qc** sich mit jdm/etw identifizieren
identique [idãtik] *adj* identisch, gleich; **un véhicule** ~ ein Fahrzeug des gleichen Typs; **être ~ à qc** identisch mit etw sein; **il reste toujours ~ à lui-même** er bleibt sich *(dat)* immer [selbst] treu
identité [idãtite] *f d'une personne* Identität *f;* **établir/vérifier l'~ de qn** jds Personalien feststellen/überprüfen; **sous une fausse ~** unter falschem Namen
idéologie [ideɔlɔʒi] *f* Ideologie *f*
idéologique [ideɔlɔʒik] *adj* ideologisch
idiomatique [idjɔmatik] *adj* idiomatisch
idiome [idjɔm] *m* Idiom *nt*
idiot [idjo, idjɔt] **I.** *adj* dumm, blöd[e] *(fam)*; *action* idiotisch; **ce type est complètement ~** der Typ ist ein Vollidiot *(fam)* ►**ne pas vouloir mourir** ~ nicht dumm sterben wollen *(fam)* **II.** *m, f* Idiot(in) *m(f);* **tu me prends pour un ~?** hältst du mich für blöd? *(fam)*; ~ **du village** *fam* Dorftrottel *m (fam)* ►**faire l'~** *(faire mine de ne pas comprendre)* sich dumm stellen; *(vouloir amuser)* Blödsinn machen; *(se conduire stupidement)* sich wie ein Idiot benehmen
idiotie [idjɔsi] *f* Dummheit *f*
idole [idɔl] *f* Idol *nt,* Abgott *m;* **faire de qn son** ~ jdn zu seinem Idol machen
idylle [idil] *f* Idylle *f*
idyllique [idilik] *adj* idyllisch
if [if] *m* Eibe *f*
ignare [iɲaʀ] *adj* völlig unwissend
ignoble [iɲɔbl] *adj* gemein, niederträchtig; *procédé a.* scheußlich; **propos ~s** Gemeinheiten *Pl*

ignorance [iɲɔʀãs] *f* **1.** *(manque d'instruction)* Unwissenheit *f* **2.** *(méconnaissance)* Unkenntnis *f;* **dans l'~ de qc** in Unkenntnis einer S. *(gen)*
ignorant, e [iɲɔʀã, ãt] **I.** *adj* **1.** *(inculte)* unwissend; **être ~ en qc** sich in etw *(dat)* nicht auskennen **2.** *(qui n'est pas au courant)* **être ~ des événements** über die Ereignisse *(akk)* nicht informiert sein **II.** *m, f* Ignorant(in) *m(f);* **faire l'~** sich dumm stellen; **parler en ~ de qc** von etw wie der Blinde von der Farbe reden
ignoré, e [iɲɔʀe] *adj* unbekannt
ignorer [iɲɔʀe] <1> **I.** *vt* **1.** *(opp: savoir)* nicht kennen; **ne pas ~ qc** etw sehr wohl kennen; **n'~ rien de qc** etw sehr wohl wissen **2.** *(négliger)* ignorieren ►**nul n'est censé ~ la loi** Unkenntnis schützt vor Strafe nicht; **afin que nul n'en ignore** zur allgemeinen Beachtung **II.** *vpr* **s'~ 1.** *(feindre de ne pas se connaître)* **des personnes s'ignorent** Menschen ignorieren sich **2.** *(devoir être connu)* **qc ne s'ignore pas** etw sollte man kennen
iguane [igwan] *m* Leguan *m*
il [il] *pron pers* **1.** *(masc)* er; ~ **est grand** er ist groß **2.** *interrog, non traduit* **Louis a-t-~ ses clés?** hat Louis seine Schlüssel?; **le courrier est-~ arrivé?** ist die Post schon da? **3.** *(répétitif)* ~ **est beau, ce costume** der Anzug ist schön; **regarde le soleil,** ~ **se couche** sieh mal, die Sonne geht unter; **l'oiseau,** ~ **fait cui-cui** der Vogel ruft zizidä **4.** *impers* es; ~ **est possible qu'elle vienne** es ist möglich, dass sie kommt; ~ **pleut** es regnet; ~ **faut que je parte** ich muss gehen; ~ **y a deux ans** vor zwei Jahren; ~ **paraît qu'elle vit là-bas** es scheint, dass sie dort lebt; *v. a.* **avoir**
île [il] *f* Insel *f*
Île-de-France [ildəfʀãs] *f* **l'~** die Île-de-

France
illégal, e [i(l)legal, o] <-aux> *adj* illegal, ungesetzlich
illégalement [i(l)legalmɑ̃] *adv* illegal
illégalité [i(l)legalite] *f* Illegalität *f*
illégitime [i(l)leʒitim] *adj* **1.** (*non conforme au droit*) unrechtmäßig **2.** *enfant* unehelich **3.** (*non justifié*) ungerechtfertigt
illettré, e [i(l)letʀe] *adj* analphabetisch
illicite [i(l)lisit] *adj* unerlaubt
illico [i(l)liko] *adv fam* auf der Stelle ►~ **presto** dalli, dalli
illimité, e [i(l)limite] *adj* **1.** (*sans bornes*) unbegrenzt; *confiance a.* grenzenlos; *pouvoirs* uneingeschränkt; *reconnaissance* unendlich **2.** *durée* unbegrenzt; *congé* unbefristet
illisible [i(l)lizibl] *adj* **1.** (*indéchiffrable*) unleserlich **2.** (*incompréhensible*) nicht lesbar
illogique [i(l)lɔʒik] *adj* unlogisch
illumination [i(l)lyminasjɔ̃] *f* **1.** *d'une rue, d'un quartier* Beleuchtung *f;* (*au moyen de projecteurs*) Anstrahlung *f* **2.** *pl* (*lumières festives*) Festbeleuchtung *f*
illuminé, e [i(l)lymine] *adj* **1.** (*très éclairé*) festlich beleuchtet; (*au moyen de projecteurs*) angestrahlt **2.** *visage* strahlend
illuminer [i(l)lymine] <1> **I.** *vt* **1.** (*éclairer*) *personne:* beleuchten; *lustre:* erleuchten; *éclair:* erhellen **2.** (*faire resplendir*) **la colère illumine ses yeux** Zorn blitzt aus seinen/ihren Augen; **la fierté/la joie illumine ses traits** er/sie strahlt vor Stolz/Freude **II.** *vpr* **s'~ 1.** (*s'éclairer vivement*) *vitrine:* beleuchtet werden; *monument:* angestrahlt werden **2.** (*resplendir*) *personne:* strahlen; **à cette nouvelle, son visage s'est illuminé** bei der Nachricht strahlte er/sie übers ganze Gesicht; **ses yeux s'illuminaient de joie/colère** seine/ihre Augen strahlten vor Freude/blitzten vor Zorn
illusion [i(l)lyzjɔ̃] *f* **1.** (*erreur des sens*) Täuschung *f;* ~ **d'optique** optische Täuschung; ~ **de qc** Illusion *f* von etw; **donner l'**~ **de qc** die Illusion von etw vermitteln **2.** (*croyance fausse*) Illusion *f;* **donner à qn l'**~ **de faire qc** jdm die Illusion vermitteln, etw zu tun; **se faire des** ~**s sur qn/qc** sich (*dat*) über jdn/etw Illusionen machen
illusionner [i(l)lyzjɔne] <1> *vt* ~ **qn sur qc** jdn über etw (*akk*) täuschen
illusionniste [i(l)lyzjɔnist] *mf* Zauberkünstler(in) *m(f)*
illusoire [i(l)lyzwaʀ] *adj* illusorisch; *promesse* leer; **rêve** ~ Wunschtraum *m*
illustrateur, -trice [i(l)lystʀatœʀ, -tʀis]

m, f Illustrator(in) *m(f)*
illustration [i(l)lystʀasjɔ̃] *f* **1.** (*dessin, exemple*) Illustration *f* **2.** (*action d'illustrer*) Illustrierung *f*
illustre [i(l)lystʀ] *adj* berühmt
illustré [i(l)lystʀe] *m* Illustrierte *f*
illustré, e [i(l)lystʀe] *adj* illustriert; **journal** ~ Illustrierte *f*
illustrer [i(l)lystʀe] <1> **I.** *vt* **1.** (*orner*) ~ **qc de qc** etw mit etw illustrieren **2.** (*enrichir*) ~ **qc de** [*o* **par**] **qc** etw durch etw illustrieren **II.** *vpr* **s'~ 1.** (*se rendre célèbre*) sich (*dat*) einen Namen machen **2.** *péj* (*se faire remarquer*) auffallen
îlot [ilo] *m* **1.** (*petite île*) kleine Insel **2.** (*pâté de maisons*) Häuserblock *m* **3.** (*groupe isolé*) Insel *f*
îlotier, -ière [ilotje, -jɛʀ] *m, f: für bestimmten Häuserblock zuständiger Polizist/zuständige Polizistin*
ils [il] *pron pers* **1.** (*pl masc ou mixte*) sie; ~ **sont grands** sie sind groß **2.** *interrog, non traduit* **les enfants sont~ là?** sind die Kinder da? **3.** (*répétitif*) **regarde les paons comme** ~ **sont beaux** sieh mal, wie schön die Pfauen sind; *v. a.* **il**
image [imaʒ] *f* **1.** (*dessin*) Bild *nt;* ~ **de marque** Image *nt* **2.** (*reflet*) Spiegelbild *nt* **3.** *fig* Vorstellung *f;* **se faire une** ~ **de qn/qc** sich ein Bild von jdm/etw machen ►**femme-**~ Modellfrau *f;* **sage comme une** ~ sehr artig; **être l'**~ **de qn** ganz jds Ebenbild sein; **à l'**~ **de qn/qc** so wie jd/etw
imagé, e [imaʒe] *adj langage, style* anschaulich
imagerie [imaʒʀi] *f* TECH Bildherstellung *f*
imaginable [imaʒinabl] *adj* vorstellbar, denkbar
imaginaire [imaʒinɛʀ] **I.** *adj* imaginär, unwirklich; *crainte, maladie* eingebildet; **animal** ~ Fabeltier *nt* **II.** *m* **l'**~ das Imaginäre
imaginatif, -ive [imaʒinatif, -iv] *adj* fantasievoll
imagination [imaʒinasjɔ̃] *f* **1.** (*représentation de l'esprit*) Vorstellungskraft *f*, Vorstellung *f;* **dépasser l'**~ die Vorstellungskraft übersteigen **2.** (*invention*) Fantasie *f;* **vous ne manquez pas d'**~! Sie haben wohl zu viel Fantasie!
imaginer [imaʒine] <1> **I.** *vt* **1.** (*se représenter*) sich (*dat*) vorstellen; **ne pas** ~ **que** + *subj* sich (*dat*) nicht vorstellen können, dass etw **2.** (*croire, supposer*) glauben; ~ **que qn a** [*o* **ait**] **fait qc** vermuten, dass jd etw getan hat **3.** (*inventer*) sich (*dat*) ausdenken; ~ **qc** sich (*dat*) etw ausdenken; ~ **qc** sich (*dat*) etw denken/etw erfinden **4.** (*concevoir l'idée de*) ~ **de faire qc** in

Erwägung ziehen, etw zu tun **II.** *vpr* **1.** (*se représenter*) **s'~ qn/qc autrement** sich (*dat*) jdn/etw anders vorstellen **2.** (*se voir*) **s'~ à la plage/dans vingt ans** sich [in Gedanken] am Strand/in zwanzig Jahren sehen **3.** (*croire faussement*) **s'~ qc** sich (*dat*) etw einbilden; **s'~ faire qc/que ...** sich (*dat*) einbilden, etw zu tun/dass ...

imbattable [ɛ̃batabl] *adj champion, équipe* unschlagbar; *prix, record* nicht zu unterbieten

imbécile [ɛ̃besil] **I.** *adj* sehr dumm **II.** *mf* Idiot(in) *m(f)*, Dummkopf *m* (*fam*); **faire l'~** (*vouloir paraître stupide*) sich dumm stellen; (*se conduire stupidement*) sich blöd benehmen (*fam*) ▶**il n'y a que les ~s qui ne changent pas d'avis** nur die Dummen lernen nichts dazu

imbécillité [ɛ̃besilite] *f* Dummheit *f*

imberbe [ɛ̃bɛʀb] *adj* bartlos

imbiber [ɛ̃bibe] <1> *vt* [durch]tränken; **des chaussures imbibées d'eau** völlig durchnässte Schuhe; **imbibé de sang** mit Blut getränkt

imbriquer [ɛ̃bʀike] <1> *vt* ineinander schieben *pièces*

imbroglio [ɛ̃bʀɔglijo, ɛ̃bʀɔljo] *m* Durcheinander *nt*

imbu, e [ɛ̃by] *adj souvent péj* **~ de soi-même** von sich selbst überzeugt

imbuvable [ɛ̃byvabl] *adj* **1.** (*boisson*) nicht trinkbar **2.** *fig fam* (*détestable*) unerträglich

IME [iɛmø] *m abr de* **Institut monétaire européen** EWI *nt*

imitateur, -trice [imitatœʀ, -tʀis] *m, f* **1.** (*personne qui imite*) Nachahmer(in) *m(f)* **2.** (*comédien*) Imitator(in) *m(f)*

imitation [imitasjɔ̃] *f* **1.** (*action*) Imitation *f;* **à l'~ de qn/qc** nach jds Vorbild/nach dem Vorbild einer S. **2.** (*plagiat*) Imitation *f* **3.** *d'une signature* Fälschung *f;* [en] ~ Imitat *nt* ▶**pâle ~** farbloser Abklatsch

imiter [imite] <1> *vt* **1.** (*reproduire*) nachahmen, kopieren; **~ qn** jdn nachahmen **2.** (*prendre pour modèle*) **~ sa mère/son père** seiner Mutter/seinem Vater nacheifern; **un exemple à ~** ein nachahmenswertes Beispiel **3.** (*singer, reproduire*) nachmachen; fälschen *signature* **4.** (*avoir l'aspect de*) **~ qc** einer S. (*dat*) nachempfunden sein

immaculé, e [imakyle] *adj* makellos

immanent, e [imanɑ̃, ɑ̃t] *adj* immanent

immangeable [ɛ̃mɑ̃ʒabl] *adj* ungenießbar

immanquable [ɛ̃mɑ̃kabl] *adj* unvermeidbar

immanquablement [ɛ̃mɑ̃kabləmɑ̃] *adv* unvermeidbar

immatériel, le [i(m)mateʀjɛl] *adj* immateriell

immatriculation [imatʀikylasjɔ̃] *f d'un étudiant* Immatrikulation *f; d'une voiture* Zulassung *f;* ~ **d'un commerçant au registre du commerce** Eintragung *f* eines Händlers in das Handelsregister; ~ **à la Sécurité sociale** Anmeldung *f* bei der Sozialversicherung

immatriculer [imatʀikyle] <1> *vt* eintragen; **se faire ~ à l'université** sich an der Universität einschreiben; **faire ~ une voiture** ein Auto anmelden; **être immatriculé 4589 VM 54** *voiture:* auf das amtliche Kennzeichen 4589 VM 54 zugelassen sein; **être immatriculé dans la Manche** ein Kennzeichen vom Departement der Manche tragen

immature [imatyʀ] *adj* unreif

immaturité [imatyʀite] *f* Unreife *f*

immédiat [imedja] *m* unmittelbare Zukunft ▶**dans** [*o* **pour**] **l'~** im Augenblick

immédiat, e [imedja, jat] *adj* **1.** (*très proche*) unmittelbar; *contact, voisin a.* direkt; *soulagement, effet* sofortig; *avenir* unmittelbar [bevorstehend] **2.** (*sans intermédiaire*) unmittelbar, direkt **3.** (*qui s'impose*) dringlich; **mesures ~es** Sofortmaßnahmen *Pl*

immédiatement [imedjatmɑ̃] *adv* **1.** (*tout de suite*) sofort **2.** (*sans intermédiaire*) unmittelbar

immense [i(m)mɑ̃s] *adj* **1.** *mer* unermesslich weit; *espace, monde* unermesslich groß **2.** (*énorme*) enorm, immens; *avantage, influence, mérite* unglaublich; *fortune, foule, chantier* riesig; *chagrin, gloire* ungeheuer

immensément [i(m)mɑ̃semɑ̃] *adv riche* ungeheuer

immensité [i(m)mɑ̃site] *f d'une plaine, de la mer* unermessliche Weite; *de l'univers* Unendlichkeit *f*

immergé, e [imɛʀʒe] *adj rocher, terres* unter Wasser liegend

immerger [imɛʀʒe] <2a> *vt* ~ **un trésor/corps dans qc** einen Schatz/einen Körper in etw (*dat*) versenken

immérité, e [imeʀite] *adj* unverdient

immersion [imɛʀsjɔ̃] *f* Eintauchen *nt*

immettable [ɛ̃metabl] *adj vêtement* nicht tragbar

immeuble [imœbl] *m* [Wohn]haus *nt*, Gebäude *nt;* ~ **à usage locatif** Mietshaus

immigrant, e [imigʀɑ̃, ɑ̃t] **I.** *adj* **les populations ~es** die Einwanderer **II.** *m, f* Einwanderer/Einwanderin *m/f*

immigration [imigʀasjɔ̃] *f* Einwanderung *f*

immigré, e [imigʀe] **I.** *adj* eingewandert; **travailleur ~** Gastarbeiter *m* **II.** *m, f* Ein-

wanderer/Einwanderin *m/f,* Immigrant(in) *m(f)*
immigrer [imigʀe] <1> *vi* einwandern
imminence [iminɑ̃s] *f* unmittelbares Bevorstehen
imminent, e [iminɑ̃, ɑ̃t] *adj* unmittelbar bevorstehend; *conflit, danger a.* drohend; **être** ~ unmittelbar bevorstehen; *conflit, danger a.:* drohen
immiscer [imise] <2> *vpr* s'~ **dans qc** sich in etw (*akk*) einmischen
immixtion [imiksjɔ̃] *f* ~ **dans qc** Einmischung *f* in etw (*akk*)
immobile [i(m)mɔbil] *adj* **1.** (*fixe*) unbeweglich; *personne a.* reg[ungs]los; *partie, pièce a.* fest **2.** (*qui n'évolue pas*) starr
immobilier [imɔbilje] *m* l'~ das Immobiliengeschäft; **travailler dans l'~** im Immobiliengeschäft sein
immobilier, -ière [imɔbilje, -jɛʀ] *adj agent, annonce, société, vente, ensemble* Immobilien-; *placement a.* in Immobilien; *crédit, saisie* Immobilier-; *crise* im Immobiliengeschäft; *revenus* aus Immobilien; **biens** ~**s** Immobilien *Pl;* **promoteur** ~ Bauträger *m*
immobilisation [imɔbilizasjɔ̃] *f* **1.** *d'un véhicule* Stehenbleiben *nt; d'une machine a.* Stillstehen *nt;* **attendez l'~ totale du convoi!** warten Sie [so lange], bis der Zug stillsteht!; **entraîner l'~ de la circulation** den Verkehr lahm legen **2.** MED *d'un membre, d'une fracture* Ruhigstellung *f*
immobiliser [imɔbilize] <1> **I.** *vt* **1.** (*stopper*) anhalten *camions;* lahm legen *circulation* **2.** (*paralyser*) lähmen *personne;* ~ **qn de peur** jdn vor Angst erstarren lassen **3.** MED ruhig stellen *membre; fracture, grippe:* lahm legen **4.** SPORT im Haltegriff halten **II.** *vpr* s'~ *personne, machine, train:* stehen bleiben; *voiture:* liegen bleiben; **s'~ de peur** vor Angst erstarrt sein; **s'~ de surprise** vor Freude wie gelähmt sein
immobilisme [imɔbilism] *m* Fortschrittsfeindlichkeit *f*
immobilité [imɔbilite] *f* **1.** (*inertie*) Reg[ungs]losigkeit *f* **2.** (*immuabilité*) Starre *f*
immodéré, e [imɔdeʀe] *adj désir, usage* unmäßig
immoler [imɔle] <1> *vt* ~ **qn/un animal à qn** jdm jdn/ein Tier opfern
immonde [i(m)mɔ̃d] *adj* **1.** (*d'une saleté extrême*) widerwärtig **2.** *crime, personne* gemein; *action* schändlich; *propos* schmutzig
immondices [i(m)mɔ̃dis] *fpl* Müll *m*
immoral, e [i(m)mɔʀal, o] <-aux> *adj* unmoralisch; *conduite a.* unsittlich; *person-*

ne a. sittenlos
immoralité [i(m)mɔʀalite] *f* Unsittlichkeit *f; d'une personne a.* unsittliches Verhalten; *d'une politique, société* Unmoral *f*
immortaliser [imɔʀtalize] <1> **I.** *vt* unsterblich machen **II.** *vpr* s'~ **par qc** durch etw unsterblich werden
immortalité [imɔʀtalite] *f* Unsterblichkeit *f*
immortel, le [imɔʀtɛl] *adj* **1.** REL unsterblich **2.** *soutenu amour, gloire, monument* ewig; *souvenir, principe* unauslöschlich; *personne* unvergessen
immortelle [imɔʀtɛl] *f* Strohblume *f*
immuable [imɥabl] *adj* unveränderlich
immunisation [imynizasjɔ̃] *f* Immunisierung *f*
immuniser [imynize] <1> *vt a. fig* ~ **qn contre qc** jdn gegen etw immun machen
immunitaire [imynitɛʀ] *adj* **système** ~ Immunsystem *nt*
immunité [imynite] *f* Immunität *f*
immunodéficience [imynodefisjɑ̃s] *f* Immunschwäche *f*
impact [ɛ̃pakt] *m* **1.** *d'une balle* Einschuss *m;* **point d'~** (*d'une balle*) Einschussstelle *f* **2.** (*influence*) Einfluss *m;* ~ **publicitaire/médiatique** Werbe-/Medienwirksamkeit *f;* **avoir de l'~ sur qn/qc** Einfluss auf jdn/etw haben; *intervention, nouvelle:* sich auf jdn/etw auswirken
impair [ɛ̃pɛʀ] *m* **1.** (*opp: pair*) ungerade Zahl; **miser sur l'~** (*à la roulette*) auf Impair setzen **2.** (*gaffe*) Fauxpas *m;* **commettre** [*o* **faire**] **un** ~ einen Fauxpas begehen
impair, e [ɛ̃pɛʀ] *adj* ungerade
impalpable [ɛ̃palpabl] *adj danger, sentiment* nicht greifbar
imparable [ɛ̃paʀabl] *adj argument* unwiderlegbar
impardonnable [ɛ̃paʀdɔnabl] *adj erreur, faute* unverzeihlich; **elle est** ~ **de se tromper encore** es ist unverzeihlich [von ihr], dass sie sich erneut irrt
imparfait [ɛ̃paʀfɛ] *m* Imperfekt *nt,* Imparfait *nt;* **à l'**~ im Imperfekt
imparfaitement [ɛ̃paʀfɛtmɑ̃] *adv* unvollkommen
impartial, e [ɛ̃paʀsjal, jo] <-aux> *adj arbitre, juge* unparteiisch
impartialité [ɛ̃paʀsjalite] *f* Unvoreingenommenheit *f*
impartir [ɛ̃paʀtiʀ] <8> *vt* ADMIN, JUR bewilligen
impasse [ɛ̃pɑs] *f a. fig* Sackgasse *f;* **s'engager dans une** ~ in eine Sackgasse geraten; **être dans l'**~ in einer Sackgasse stecken
▶ **faire l'**~ **sur qc** etw auslassen
impassibilité [ɛ̃pasibilite] *f* Gefasstheit *f*

impassible [ɛ̃pasibl] *adj personne* gefasst; *visage* unbewegt; **rester** ~ die Fassung bewahren

impatiemment [ɛ̃pasjamɑ̃] *adv* ungeduldig

impatience [ɛ̃pasjɑ̃s] *f* Ungeduld *f*; **brûler d'~ de faire qc** darauf brennen, etw zu tun (*fam*); **avec** ~ ungeduldig

impatient, e [ɛ̃pasjɑ̃, jɑ̃t] **I.** *adj* ungeduldig; **être** ~ **de faire qc** darauf brennen, etw zu tun **II.** *m, f* Ungeduldige(r) *f(m)*

impatienter [ɛ̃pasjɑ̃te] <1> **I.** *vt* ~ **qn avec** [*o* **par**] **qc** jdn mit etw ungeduldig machen; **vous commencez à m'**~ ich bin mit meiner Geduld bald am Ende **II.** *vpr* **s'**~ **de qc** wegen etw ungeduldig werden; **s'**~ **contre qn/qc** sich über jdn/etw aufregen

impayable [ɛ̃pɛjabl] *adj fam* (*drôle*) zum Schießen

impayé [ɛ̃peje] *m* ausstehende Zahlung

impeccable [ɛ̃pekabl] *adj* **1.** (*très propre*) tadellos **2.** (*irréprochable*) vorbildlich; *attitude, conduite* tadellos **3.** *fam* (*parfait*) ~! astrein!, Spitze!

impénétrable [ɛ̃penetʀabl] *adj* undurchdringlich

impénitent, e [ɛ̃penitɑ̃, ɑ̃t] *adj* unverbesserlich

impensable [ɛ̃pɑ̃sabl] *adj* undenkbar

imper [ɛ̃pɛʀ] *m fam abr de* **imperméable**

impératif [ɛ̃peʀatif] *m* LING Imperativ *m*

impérativement [ɛ̃peʀativmɑ̃] *adv* unbedingt

impératrice [ɛ̃peʀatʀis] *f* Kaiserin *f*; *v. a.* **empereur**

imperceptible [ɛ̃pɛʀsɛptibl] *adj* **1.** (*indécelable*) nicht wahrnehmbar; **être** ~ **à qn** für jdn nicht wahrnehmbar sein; **être** ~ **à l'oreille** nicht hörbar sein; **être** ~ **à l'œil** für das menschliche Auge nicht erkennbar sein **2.** (*infime, minime*) unmerklich

imperceptiblement [ɛ̃pɛʀsɛptibləmɑ̃] *adv* unmerklich

imperfection [ɛ̃pɛʀfɛksjɔ̃] *f* **1.** *sans pl* (*opp: perfection*) Unvollkommenheit *f* **2.** *souvent pl d'une matière* Fehler *m*, Mängel *Pl*; *d'un roman, plan* Schwachstelle *f*; *d'un visage, de la peau* Unebenheit *f*

impérial, e [ɛ̃peʀjal, jo] <-aux> *adj* **1.** (*d'empereur*) kaiserlich; **dignité** ~ Kaiserwürde *f* **2.** (*dominateur, altier*) herrisch

impérialisme [ɛ̃peʀjalism] *m* Imperialismus *m*

impérialiste [ɛ̃peʀjalist] **I.** *adj* imperialistisch **II.** *mf* Imperialist(in) *m(f)*

impérieusement [ɛ̃peʀjøzmɑ̃] *adv* dringend

impérieux, -euse [ɛ̃peʀjø, -jøz] *adj* her-

risch

impérissable [ɛ̃peʀisabl] *adj* unvergänglich

imperméabilisation [ɛ̃pɛʀmeabilizasjɔ̃] *f* Imprägnieren *nt*

imperméabiliser [ɛ̃pɛʀmeabilize] <1> *vt* imprägnieren; **ce produit imperméabilise les chaussures** dieses Produkt imprägniert die Schuhe

imperméable [ɛ̃pɛʀmeabl] **I.** *adj sol* wasserundurchlässig; *tissu, toile* wasserdicht **II.** *m* Regenmantel *m*

impersonnel, le [ɛ̃pɛʀsɔnɛl] *adj* **1.** (*neutre*) unpersönlich **2.** (*opp: personnalisé*) allgemein gültig

impertinence [ɛ̃pɛʀtinɑ̃s] *f* Unverschämtheit *f*; **avec** ~ unverschämt; **arrête tes** ~**s!** sei nicht so unverschämt!

impertinent, e [ɛ̃pɛʀtinɑ̃, ɑ̃t] **I.** *adj* unverschämt, frech **II.** *m, f* unverschämter Mensch

imperturbable [ɛ̃pɛʀtyʀbabl] *adj* unerschütterlich; **il est d'un caractère** ~ ihn kann nichts erschüttern

impétigo [ɛ̃petigo] *m* Eiterflechte *f*

impétueux, -euse [ɛ̃petɥø, -øz] *adj* (*fougueux*) ungestüm; *caractère, personne, jeunesse a.* stürmisch; *orateur* feurig

impitoyable [ɛ̃pitwajabl] *adj* unerbittlich; *personne a.* hartherzig; *jugement a.* unbarmherzig; *critique* schonungslos; *haine* erbittert; *regard* mitleid[s]los

impitoyablement [ɛ̃pitwajabləmɑ̃] *adv* mitleid[s]los

implacable [ɛ̃plakabl] *adj ennemi, juge* unerbittlich

implant [ɛ̃plɑ̃] *m* Implantat *nt*

implantation [ɛ̃plɑ̃tasjɔ̃] *f* Ansied[e]lung *f*

implanter [ɛ̃plɑ̃te] <1> **I.** *vt* **1.** (*introduire*) ansiedeln; **être implanté** *industrie:* angesiedelt sein; *personne:* sesshaft sein; *arbre:* eingepflanzt sein; *système:* eingeführt sein **2.** (*enraciner*) **être implanté dans qc** *habitudes, préjugés:* tief in etw (*dat*) verwurzelt sein **3.** MED ~ **qc à qn** jdm etw implantieren **II.** *vpr* **s'**~ **1.** (*se fixer*) sich ansiedeln; *immigrants a.:* sesshaft werden; *parti politique:* Fuß fassen **2.** (*s'installer*) *idées, préjugés:* sich festsetzen; *usages:* sich einbürgern

implémenter [ɛ̃plemɑ̃te] <1> *vt* INFORM implementieren

implication [ɛ̃plikasjɔ̃] *f* **1.** *gén pl* (*conséquence*) Folge *f* **2.** (*mise en cause*) ~ **de qn dans qc** jds Verwicklung *f* in etw (*akk*)

implicite [ɛ̃plisit] *adj* implizit; **mais c'était le sens** ~ **de ses propos** aber das war es, was er eigentlich damit gemeint hatte

implicitement [ɛ̃plisitmɑ̃] *adv* implizit

impliquer [ɛ̃plike] <1> **I.** *vt* **1.** (*signifier*) bedeuten **2.** (*demander*) erfordern *de la concentration* **3.** (*mêler*) ~ **qn dans qc** jdn in etw (*akk*) verwickeln **4.** (*avoir pour conséquence*) implizieren **II.** *vpr* **s'**~ **dans qc** sich für etw einsetzen

implorer [ɛ̃plɔʀe] <1> *vt* **1.** (*supplier*) ~ **qn de faire qc** jdn anflehen, etw zu tun **2.** (*solliciter*) ~ **qc** um etw flehen

imploser [ɛ̃ploze] <1> *vi* implodieren

impoli, e [ɛ̃pɔli] **I.** *adj* unhöflich; ~ **envers qn** unhöflich jdm gegenüber **II.** *m, f* unhöflicher Mensch

impoliment [ɛ̃pɔlimɑ̃] *adv* unhöflich

impolitesse [ɛ̃pɔlitɛs] *f* Unhöflichkeit *f*; **avec** ~ unhöflich

impondérable [ɛ̃põdeʀabl] *adj* événement unvorhersehbar

impopulaire [ɛ̃pɔpylɛʀ] *adj* unpopulär; **se rendre** ~ sich unbeliebt machen

impopularité [ɛ̃pɔpylaʀite] *f* Unbeliebtheit *f*

import [ɛ̃pɔʀ] *m abr de* **importation** Import *m*

importable¹ [ɛ̃pɔʀtabl] *adj* (*qu'on peut importer*) importierbar

importable² [ɛ̃pɔʀtabl] *adj* (*immettable*) nicht tragbar; **ce complet est devenu** ~ den Anzug kann man nicht mehr tragen

importance [ɛ̃pɔʀtɑ̃s] *f* **1.** (*rôle*) Bedeutung *f*, Wichtigkeit *f*; *d'une personne* Einfluss *m*; **de la dernière** ~ höchst wichtig; **accorder** [*o* **attacher**] **de l'**~ **à qc** einer S. (*dat*) Bedeutung beimessen; **se donner de l'**~ *péj* sich wichtig machen; **être d'**~ von Bedeutung sein; **prendre de l'**~ an Bedeutung gewinnen; **sans** ~ unwichtig **2.** (*ampleur*) Ausmaß *nt*

important [ɛ̃pɔʀtɑ̃] *m* Wichtige(s) *nt*

important, e [ɛ̃pɔʀtɑ̃, ɑ̃t] **I.** *adj* **1.** (*considérable*) wichtig; *personnage a.* einflussreich; **quelque chose d'**~ etwas Wichtiges **2.** (*gros*) beträchtlich; *dégâts, retard a.* erheblich; *somme a.* ansehnlich; **une quantité** ~**e** eine größere Menge **3.** *péj* wichtigtuerisch (*fam*); **prendre des airs** ~**s** sich wichtig machen (*fam*) **II.** *m, f* **faire l'**~ *péj* sich wichtig machen (*fam*)

importateur, -trice [ɛ̃pɔʀtatœʀ, -tʀis] **I.** *adj* **un pays** ~ **de blé** ein Getreide importierendes Land **II.** *m, f* Importeur *m*

importation [ɛ̃pɔʀtasjõ] *f* Import *m*; **marchandise d'**~ Importware *f*; **c'est de la viande d'**~ das ist importiertes Fleisch

importer¹ [ɛ̃pɔʀte] <1> *vt* **1.** COM importieren **2.** (*introduire*) einführen; ~ **qc** etw importieren/einführen

importer² [ɛ̃pɔʀte] <1> *vi* **1.** (*être important*) la seule chose qui importe, c'est

que ... das einzige, was zählt, ist ...; **cela importe peu/beaucoup** das ist von geringer/großer Bedeutung; **peu importe[nt] les difficultés!** welche Schwierigkeiten sich mir auch immer in den Weg stellen werden!; **qu'importe qc** was bedeutet etw schon; **peu importe que** + *subj* es spielt keine Rolle, ob; **qu'importe si ...** was macht es schon, wenn ... **2.** (*intéresser*) ~ **fort peu à qn** jdn überhaupt nicht interessieren; **ce qui m'importe, c'est ...** was für mich zählt, ist ... ▶ **n'importe comment** (*par tous les moyens*) irgendwie; **n'importe lequel/laquelle** irgendeiner/irgendeine; **n'importe** (*cela m'est égal*) [ist mir] egal; (*néanmoins*) nichtsdestotrotz; **n'importe où** irgendwo[hin]; **suivre qn n'importe où** jdm überallhin folgen; **n'importe quand** irgendwann; **vous pouvez venir n'importe quand** Sie können kommen, wann Sie wollen; **n'importe quel** + *subst* irgendein(e, r); **acheter à n'importe quel prix** zu jedem Preis kaufen; **n'importe quel élève ...** jeder x-beliebige Schüler ...; **n'importe qui** irgendwer; **n'importe qui pourrait ...** jeder x-beliebige könnte ...; **n'importe quoi** irgendwas; **dire n'importe quoi** (*des bêtises*) Unsinn reden

import-export [ɛ̃pɔʀɛkspɔʀ] <imports-exports> *m* Import-Export *m*

imposable [ɛ̃pozabl] *adj* steuerpflichtig

imposant, e [ɛ̃pozɑ̃, ɑ̃t] *adj* **1.** (*majestueux*) imposant; *stature a.* stattlich; *bâtiment, monument a.* gewaltig **2.** (*considérable*) beachtlich; *somme a.* ansehnlich

imposé, e [ɛ̃poze] *adj prix, date* vorgeschrieben; **le minimum** ~ **par la loi** der gesetzlich vorgeschriebene Mindestsatz

imposer [ɛ̃poze] <1> **I.** *vt* **1.** (*exiger*) erfordern *décision;* verlangen *repos;* ~ **qc à qn** etw von jdm erfordern **2.** (*prescrire*) fordern, verlangen; festsetzen *date;* ~ **qc à qn** jdm etw auferlegen; ~ **à qn de faire qc** von jdm verlangen, etw zu tun **3.** (*faire accepter de force*) ~ **le silence à qn** jdm Ruhe gebieten; ~ **sa volonté à qn** jdm seinen Willen aufzwingen; **il sait** ~ **son autorité** er weiß sich durchzusetzen **4.** (*faire reconnaître*) durchsetzen *produit* **5.** FIN steuerlich veranlagen *personne;* besteuern *revenu, marchandise;* **être imposé sur qc** *personne:* nach etw steuerlich veranlagt werden; *revenu, marchandise:* nach etw besteuert werden **II.** *vpr* **1.** (*devenir indispensable*) **s'**~ **à qn** *prudence, repos:* zwingend geboten sein; *solution:* sich jdm aufdrängen; **ça s'impose** das ist ein Muss; **ça ne s'imposait vraiment pas** das wäre

doch wirklich nicht nötig gewesen **2.** (*être importun*) **s'~** sich aufdrängen **3.** (*se faire reconnaître*) **s'~** sich durchsetzen **4.** (*se donner comme devoir*) **s'~ qc** sich (*dat*) etw zur Pflicht machen; **il s'est imposé de ne plus fumer** er hat sich (*dat*) vorgenommen, nicht mehr zu rauchen

imposition [ɛ̃pozisjɔ̃] *f* Besteuerung *f*

impossibilité [ɛ̃pɔsibilite] *f* Unmöglichkeit *f*; **il y a ~ à ce que +** *subj* es ist unmöglich, dass; **il est** [*o se trouve*] **dans l'~ de faire qc** er ist außerstande, etw zu tun; **mettre qn dans l'~ de faire qc** es jdm unmöglich machen, etw zu tun

impossible [ɛ̃pɔsibl] **I.** *adj* **1.** (*irréalisable*) unmöglich; **être ~ à qn** jdm unmöglich sein **2.** (*insupportable*) unmöglich; **rendre la vie ~ à qn** jdm das Leben unerträglich machen **3.** *fam* (*invraisemblable*) unmöglich; **à des heures ~s** zu den unmöglichsten Zeiten **II.** *m* Unmögliche(s) *nt;* **tenter l'~** alles nur Mögliche versuchen; **faire l'~ pour qn/qc** das Menschenmögliche für jdn/etw tun

imposteur [ɛ̃pɔstœʀ] *m* Hochstapler *m*

impôt [ɛ̃po] *m* Steuer *f;* **~ sur le revenu** Einkommen[s]steuer; **~ sur les salaires** Lohnsteuer; **~ foncier** Grundsteuer; **~s locaux** Kommunalsteuern *Pl*

impotent, e [ɛ̃pɔtɑ̃, ɑ̃t] **I.** *adj* bewegungsunfähig **II.** *m, f* [Körper]behinderte(r) *f(m)*

impraticable [ɛ̃pʀatikabl] *adj route, piste* unbefahrbar

imprécis, e [ɛ̃pʀesi, iz] *adj* ungenau; *souvenir, contour* undeutlich; *limites* unklar; *évaluation* ungefähr; **n'avoir que des souvenirs fort ~ de qc** sich an etw nur noch dunkel erinnern

imprécision [ɛ̃pʀesizjɔ̃] *f* Ungenauigkeit *f*

imprégner [ɛ̃pʀeɲe] <5> **I.** *vt* **1.** (*imbiber*) imprägnieren *bois, étoffe;* **~ un tampon de qc** einen Wattebausch mit etw tränken; **une odeur imprègne une pièce** ein Duft erfüllt ein Zimmer **2.** (*marquer*) *atmosphère:* ergreifen; *sentiment a.:* erfüllen; **l'amertume imprégnait ses paroles** Bitterkeit sprach aus seinen Worten; **être imprégné de préjugés** von Vorurteilen geprägt sein; **être imprégné d'un souvenir** von einer Erinnerung erfüllt sein; **une lettre imprégnée d'ironie** ein Brief voller Ironie **II.** *vpr* **s'~ d'eau** sich mit Wasser vollsaugen; **s'~ d'une odeur** einen Duft annehmen

imprenable [ɛ̃pʀənabl] *adj forteresse, château* uneinnehmbar

imprésario <s *o* **imprésarii**> [ɛ̃pʀezaʀjo, ɛ̃pʀesaʀjo, -rii] *m* [Theater-, Konzert]agent *m*

impression [ɛ̃pʀesjɔ̃] *f* (*sentiment*) Eindruck *m;* **avoir l'~** den Eindruck haben; **avoir l'~ que ...** den Eindruck haben, dass ...; **faire une forte ~ sur qn** auf jdn großen Eindruck machen; **laisser à qn une ~** bei jdm einen Eindruck hinterlassen; **l'~ que ...** der Eindruck, dass ...; **avoir l'~ de faire qc** den Eindruck haben etw zu tun; **donner à qn l'~ de faire qc** auf jdn den Eindruck machen, etw zu tun
▸**une ~ de déjà-vu** ein Déjà-vu-Erlebnis *nt*

impressionnable [ɛ̃pʀesjɔnabl] *adj* empfindsam, sensibel

impressionnant, e [ɛ̃pʀesjɔnɑ̃, ɑ̃t] *adj* **1.** (*imposant*) beeindruckend **2.** (*considérable*) beachtlich

impressionner [ɛ̃pʀesjɔne] <1> *vt* **~ qn** jdn beeindrucken; *films d'horreur:* jdm Angst machen; **être impressionné par qn/qc** von jdm/etw beeindruckt sein; **se laisser ~ par qn/qc** sich von jdm/etw beeindrucken lassen

impressionnisme [ɛ̃pʀesjɔnism] *m* Impressionismus *m*

impressionniste [ɛ̃pʀesjɔnist] **I.** *adj* impressionistisch **II.** *mf* Impressionist(in) *m(f)*

imprévisible [ɛ̃pʀevizibl] **I.** *adj* unvorhersehbar; *personne* unberechenbar **II.** *m* l'~ das Unvorhersehbare

imprévoyance [ɛ̃pʀevwajɑ̃s] *f* Sorglosigkeit *f*

imprévoyant, e [ɛ̃pʀevwajɑ̃, jɑ̃t] *adj* sorglos

imprévu [ɛ̃pʀevy] *m* **1.** (*ce à quoi on ne s'attend pas*) l'~ das Unerwartete; **j'aime l'~** ich liebe Überraschungen *Pl;* **des vacances pleines d'~s** Ferien *Pl* voller Überraschungen **2.** (*incident fâcheux*) Zwischenfall *m;* **il y a eu un ~** es ist etwas Unvorhergesehenes dazwischengekommen; **en cas d'~** falls etwas dazwischenkommt

imprévu, e [ɛ̃pʀevy] *adj* unvorhergesehen

imprimante [ɛ̃pʀimɑ̃t] *f* Drucker *m*

imprimé [ɛ̃pʀime] *m* **1.** POST Infopost *f* **2.** (*formulaire*) [vorgedrucktes] Formular **3.** (*tissu*) bedruckter Stoff **4.** (*ouvrage imprimé*) Druckwerk *nt*

imprimé, e [ɛ̃pʀime] *adj* **1.** PRESSE gedruckt **2.** TEXTIL bedruckt

imprimer [ɛ̃pʀime] <1> *vt* **1.** TEXTIL drucken; bedrucken *tissu* **2.** PRESSE veröffentlichen

imprimerie [ɛ̃pʀimʀi] *f* **1.** (*technique*) Buchdruck *m* **2.** (*établissement*) [Buch]druckerei *f*

imprimeur, -euse [ɛ̃pʀimœʀ, -øz] *m, f*

1. (*ouvrier*) [Buch]drucker(in) *m(f)* **2.** (*propriétaire*) **le manuscrit est chez l'~** das Manuskript ist in der Druckerei

improbable [ɛ̃pʀɔbabl] *adj* unwahrscheinlich

improductif, -ive [ɛ̃pʀɔdyktif, -iv] *adj population* nicht erwerbstätig; *personnel* unproduktiv

impromptu [ɛ̃pʀɔ̃pty] *m* MUS Impromptu *nt*

imprononçable [ɛ̃pʀɔnɔ̃sabl] *adj* unaussprechlich

impropre [ɛ̃pʀɔpʀ] *adj* ungeeignet

impropriété [ɛ̃pʀɔpʀijete] *f* falscher Gebrauch

improvisation [ɛ̃pʀɔvizasjɔ̃] *f* Improvisation *f*

improvisé, e [ɛ̃pʀɔvize] *adj* improvisiert; *excursion* spontan

improviser [ɛ̃pʀɔvize] <1> **I.** *vt* erfinden *excuse* **II.** *vi* improvisieren **III.** *vpr* **1.** (*opp: se préparer*) **s'~** improvisiert werden; **un tel discours ne s'improvise pas** eine solche Rede hält man nicht aus dem Stegreif **2.** (*devenir subitement*) **s'~ infirmière** als Krankenschwester einspringen (*fam*); **on ne s'improvise pas artiste** man wird nicht von einem auf den anderen Tag Künstler

improviste [ɛ̃pʀɔvist] ►**à** l'~ (*inopinément*) überraschend; (*sans préparation*) auf die Schnelle (*fam*); **prendre qn à l'~** jdn überraschen; **arriver à l'~** unangemeldet vorbeikommen

imprudemment [ɛ̃pʀydamɑ̃] *adv* unvorsichtig

imprudence [ɛ̃pʀydɑ̃s] *f* Unvorsichtigkeit *f*; *d'une personne, action a.* Leichtsinn *m*; **par ~** fahrlässig; **avoir l'~ de faire qc** so unvorsichtig sein, etw zu tun

imprudent, e [ɛ̃pʀydɑ̃, ɑ̃t] **I.** *adj* **1.** *personne* unvorsichtig **2.** (*dangereux*) unvorsichtig; *action, parole a.* unbesonnen **II.** *m, f* leichtsinniger Mensch

impubère [ɛ̃pybɛʀ] *adj* vorpubertär

impudence [ɛ̃pydɑ̃s] *f* Unverschämtheit *f*

impudent, e [ɛ̃pydɑ̃, ɑ̃t] *adj* unverschämt

impudeur [ɛ̃pydœʀ] *f* Schamlosigkeit *f*

impudique [ɛ̃pydik] *adj geste, acte* schamlos

impuissance [ɛ̃pɥisɑ̃s] *f* **1.** (*faiblesse*) Machtlosigkeit *f*; **être dans l'~ de faire qc** nicht in der Lage sein, etw zu tun; **être réduit à l'~** machtlos sein; **les malfaiteurs furent rapidement réduits à l'~** die Täter konnten schnell unschädlich gemacht werden **2.** (*sur le plan sexuel*) Impotenz *f*

impuissant [ɛ̃pɥisɑ̃] *m* Impotente(r) *m*

impuissant, e [ɛ̃pɥisɑ̃, ɑ̃t] *adj* **1.** (*faible*) machtlos; *effort* fruchtlos; **être ~ face à qc** angesichts einer S. machtlos sein; **~ à faire qc** nicht in der Lage, etw zu tun **2.** (*sexuellement*) impotent

impulsif, -ive [ɛ̃pylsif, -iv] **I.** *adj* impulsiv **II.** *m, f* impulsiver Mensch

impulsion [ɛ̃pylsjɔ̃] *f a.* TECH, ELEC Impuls *m*

impulsivement [ɛ̃pylsivmɑ̃] *adv* impulsiv

impulsivité [ɛ̃pylsivite] *f* Impulsivität *f*

impunément [ɛ̃pynemɑ̃] *adv* ungestraft

impuni, e [ɛ̃pyni] *adj* ungestraft

impunité [ɛ̃pynite] *f* Straffreiheit *f*

impur, e [ɛ̃pyʀ] *adj* unrein; *eau* schmutzig, verschmutzt

impureté [ɛ̃pyʀte] *f* Verschmutzung *f*

imputable [ɛ̃pytabl] *adj* **~ à qn/qc** jdm/einer S. zuzuschreiben

imputation [ɛ̃pytasjɔ̃] *f* Beschuldigung *f*

imputer [ɛ̃pyte] <1> *vt* **~ la faute à qn/qc** den Fehler jdm/einer S. zuschreiben

imputrescible [ɛ̃pytʀesibl] *adj* unverweslich

in [in] *adj inv, fam* in

inabordable [inabɔʀdabl] *adj* unerschwinglich; **des loyers ~s** horrende Mieten

inacceptable [inaksɛptabl] *adj* nicht akzeptabel; *projet, proposition a.* unannehmbar

inaccessible [inaksesibl] *adj* **1.** *sommet* nicht ersteigbar; **~ à qn/qc** für jdn/etw unerreichbar; **la côte/l'île est ~ aux bateaux** die Küste/Insel kann von Schiffen nicht angelaufen werden **2.** *personne* unnahbar **3.** (*insensible*) **être ~ à qc** für etw unempfänglich sein **4.** (*trop cher*) unerschwinglich; **les loyers sont ~s** die Mieten sind horrend **5.** (*incompréhensible*) unbegreiflich; **ce sont des poèmes pratiquement ~s** diese Gedichte kann man kaum verstehen

inaccoutumé, e [inakutyme] *adj* ungewohnt

inachevé, e [inaʃ(ə)ve] *adj* unfertig; **la symphonie ~e de Schubert** die Unvollendete von Schubert

inactif, -ive [inaktif, -iv] **I.** *adj* **1.** (*oisif*) untätig; **ne pas rester ~** *personne:* nicht untätig bleiben; *personne* nicht arbeitend; **être ~** *personne:* nicht arbeiten können **2.** (*inefficace*) unwirksam **II.** *m, f* Nichterwerbstätige(r) *f(m)*

inaction [inaksjɔ̃] *f* Untätigkeit *f*

inactivité [inaktivite] *f* Untätigkeit *f*

inadapté, e [inadapte] *adj médicament* unwirksam; **~ à qc** ungeeignet für etw

inadmissible [inadmisibl] *adj* untragbar;

il est ~ que tout n'ait pas été tenté es ist skandalös, dass nicht alles versucht wurde **inadvertance** [inadvɛʀtɑ̃s] *f soutenu (erreur d'inattention)* Versehen *nt;* **ces fautes d'orthographe ne sont que des ~s** diese Rechtschreibfehler sind nur Flüchtigkeitsfehler; **par ~** versehentlich
inaliénable [inaljenabl] *adj* unveräußerlich
inaltérable [inalteʀabl] *adj* unveränderlich
inamical, e [inamikal, o] <-aux> *adj* unfreundlich
inamovible [inamɔvibl] *adj* unkündbar
inanimé, e [inanime] *adj* unbelebt
inanité [inanite] *f* Belanglosigkeit *f*
inanition [inanisjɔ̃] *f* ▶**mourir d'~** an Entkräftung sterben
inaperçu, e [inapɛʀsy] *adj* ▶**passer ~** unbemerkt bleiben; **tu ne vas pas passer ~, comme ça!** so fällst du bestimmt auf; **cet entretien passé presque ~ à l'étranger** dieses Gespräch, von dem die ausländische Öffentlichkeit kaum Notiz genommen hat
inapplicable [inaplikabl] *adj* nicht anwendbar; *théorie a.* nicht umsetzbar; *mesure* nicht durchführbar; **~ à qc** nicht anwendbar auf etw (*akk*); **cette mesure est ~ à la réalité** diese Maßnahme ist in der Praxis nicht durchführbar
inappliqué, e [inaplike] *adj* nachlässig
inappréciable [inapʀesjabl] *adj* unschätzbar
inapproprié, e [inapʀopʀije] *adj* ungeeignet
inapte [inapt] *adj* unfähig
inaptitude [inaptityd] *f* Unfähigkeit *f*
inarticulé, e [inaʀtikyle] *adj* unartikuliert
inattaquable [inatakabl] *adj* *forteresse* uneinnehmbar; *personne, point de vue* unangreifbar; *argument* unwiderlegbar; *jugement, thèse* unanfechtbar
inattendu [inatɑ̃dy] *m* **l'~** das Unerwartete
inattendu, e [inatɑ̃dy] *adj* unerwartet; **c'est vraiment ~ de sa part** das hätte man von ihm/ihr wirklich nicht erwartet
inattentif, -ive [inatɑ̃tif, -iv] *adj* unaufmerksam; **~ à qc** (*insouciant de*) unachtsam einer S. (*dat*) gegenüber
inattention [inatɑ̃sjɔ̃] *f* (*distraction*) Unaufmerksamkeit *f;* **une faute d'~** ein Flüchtigkeitsfehler; **par ~** aus Versehen *nt*
inaudible [inodibl] *adj* nicht hörbar; *péj* nicht anzuhören; **ici, les émissions de cette station sont ~s** hier kann man diesen Sender nicht empfangen; **cette musique est vraiment ~** (*inécoutable*) diese Musik kann man sich (*dat*) wirklich nicht

anhören
inaugural, e [inogyʀal, o] <-aux> *adj* **cérémonie ~e** Eröffnungszeremonie *f;* **discours ~ d'un congrès** Eröffnungsrede *f* eines Kongresses; **discours ~ d'un professeur qui prend ses fonctions** Antrittsrede *f* eines Professors, der sein Amt übernimmt
inauguration [inogyʀasjɔ̃] *f d'une exposition, ligne aérienne* feierliche Eröffnung; *d'une statue, plaque commémorative, d'un monument* Enthüllung *f; d'une usine, route, de locaux* Einweihung *f*
inaugurer [inogyʀe, inɔgyʀe] <1> *vt* **1.** (*ouvrir solennellement*) [feierlich] eröffnen *exposition, ligne aérienne;* enthüllen *monument, plaque commémorative;* einweihen *bâtiment, usine, locaux, école;* [für den Verkehr] freigeben *route* **2.** (*introduire*) einleiten *période, politique, ère;* einführen *méthode* **3.** (*utiliser pour la première fois*) einweihen *maison, machine, voiture*
inavouable [inavwabl] *adj* nicht hinnehmbar; *mœurs* unerhört; *motifs* unmoralisch
inavoué, e [inavwe] *adj* *sentiment, amour* uneingestanden; *acte, crime* nicht gestanden
inca [ɛ̃ka] *adj* **l'Empire ~** das Reich der Inkas
incalculable [ɛ̃kalkylabl] *adj* **1.** (*considérable*) beträchtlich; *nombre* unermesslich groß **2.** (*imprévisible*) unberechenbar; **les difficultés risquent d'être ~s** wir laufen Gefahr, dass die Probleme uns über den Kopf wachsen
incandescence [ɛ̃kɑ̃desɑ̃s] *f* [Weiß]glühen *nt;* **chauffer qc jusqu'à l'~** etw erhitzen, bis es glüht
incandescent, e [ɛ̃kɑ̃desɑ̃, ɑ̃t] *adj* [weiß] glühend
incantation [ɛ̃kɑ̃tasjɔ̃] *f* Beschwörungsformel *f*
incapable [ɛ̃kapabl] **I.** *adj* unfähig; **c'est un homme tout à fait ~** er ist völlig unfähig; **être ~ de qc** zu etw nicht fähig sein; **être ~ de faire qc** nicht fähig sein, etw zu tun **II.** *mf* unfähiger Mensch
incapacité [ɛ̃kapasite] *f* **1.** (*inaptitude*) Unfähigkeit *f;* **~ de** [*o* **à**] **faire qc** Unfähigkeit, etw zu tun; **être dans l'~ de faire qc** nicht in der Lage sein, etw zu tun **2.** (*convalescence*) Arbeitsunfähigkeit *f;* **j'ai eu 3 mois d'~** ich war 3 Monate lang krankgeschrieben; **~ de travail** Arbeitsunfähigkeit; **~ d'exercice** Geschäftsunfähigkeit
incarcération [ɛ̃kaʀseʀasjɔ̃] *f* Inhaftierung *f*
incarcérer [ɛ̃kaʀseʀe] <5> *vt* inhaftieren

incarnation [ɛ̃kaʀnasjɔ̃] *f* Inkarnation *f*
incarné, e [ɛ̃kaʀne] *adj* fleischgeworden
incarner [ɛ̃kaʀne] <1> **I.** *vt* verkörpern **II.**
vpr REL **s'~ dans qn/qc** in jdm/etw leibhaftig werden
incartade [ɛ̃kaʀtad] *f* Eskapade *f*
Incas [ɛ̃ka] *mpl* **les ~** die Inkas
incassable [ɛ̃kɑsabl] *adj* unzerbrechlich
incendiaire [ɛ̃sɑ̃djɛʀ] *adj* **1. bombe ~**
Brandbombe *f;* **projectiles ~s** Brandgeschosse *Pl;* **mélange ~** Brandsatz *m* **2.** (*virulent*) *article, discours* aufwieglerisch, Hetz-
incendie [ɛ̃sɑ̃di] *m* [Groß]brand *m,* Gebäudebrand *m* ►**~ criminel** Brandstiftung *f*
incendier [ɛ̃sɑ̃dje] <1> *vt* **1.** (*mettre en feu*) in Brand setzen **2.** *fam* (*engueuler*) anschnauzen; **se faire ~ par qn** von jdm angeschnauzt werden
incertain, e [ɛ̃sɛʀtɛ̃, ɛn] *adj* **1.** (*opp: assuré*) unsicher; (*indécis*) unschlüssig; **être ~ sur la conduite à suivre** unsicher sein, wie man sich verhalten soll; **être ~ de pouvoir faire qc** nicht sicher sein, ob man etw tun kann **2.** (*douteux*) ungewiss; *temps* unbeständig; *origine* unbestimmt; **la date est encore ~e** das Datum steht noch nicht fest
incertitude [ɛ̃sɛʀtityd] *f* Ungewissheit *f; d'une personne* Unsicherheit *f;* **laisser qn dans l'~** jdn im Ungewissen lassen
incessamment [ɛ̃sesamɑ̃] *adv* unverzüglich
incessant, e [ɛ̃sesɑ̃, ɑ̃t] *adj a. antéposé* unaufhörlich; *réclamations, critiques, coups de fil* ständig; *bruit, pluie* anhaltend; *efforts* stetig
incessible [ɛ̃sesibl] *adj* JUR nicht abtretbar
inceste [ɛ̃sɛst] *m* Inzest *m*
incestueux, -euse [ɛ̃sɛstɥø, -øz] *adj* inzestuös
inchangé, e [ɛ̃ʃɑ̃ʒe] *adj* unverändert
incidemment [ɛ̃sidamɑ̃] *adv* nebenbei
incidence [ɛ̃sidɑ̃s] *f* **~ de qc sur qc** Auswirkung *f* einer S. (*gen*) auf etw (*akk*)
incident [ɛ̃sidɑ̃] *m* **1.** (*anicroche*) Zwischenfall *m; ~* **de parcours** kleine Panne; **~ technique** Betriebsstörung *f;* **sans ~** reibungslos **2.** (*péripétie*) Vorfall *m* ►**l'~ est clos** der Fall ist erledigt
incident, e [ɛ̃sidɑ̃, ɑ̃t] *adj* beiläufig; *question, remarque* Zwischen-
incinérateur [ɛ̃sineʀatœʀ] *m* Verbrennungsofen *m*
incinération [ɛ̃sineʀasjɔ̃] *f* Verbrennung *f*
incinérer [ɛ̃sineʀe] <5> *vt* einäschern *cadavre*
inciser [ɛ̃size] <1> *vt* aufschneiden *abcès*
incisif, -ive [ɛ̃sizif, -iv] *adj* bissig

incision [ɛ̃sizjɔ̃] *f a.* MED Einschnitt *m*
incitation [ɛ̃sitasjɔ̃] *f* Ansporn *m*
inciter [ɛ̃site] <1> *vt* **~ qn à l'action/au travail** jdn zum Handeln/zur Arbeit ermuntern; **~ qn à l'achat** jdn zum Kaufen verführen; **~ qn à la méfiance** jdm Misstrauen einflößen
inclassable [ɛ̃klɑsabl] *adj* (*hors catégorie*) schwer einzuordnen
inclinable [ɛ̃klinabl] *adj* verstellbar
inclinaison [ɛ̃klinɛzɔ̃] *f d'une pente, route* Gefälle *nt; d'un toit, mur* Schräge *f*
inclination [ɛ̃klinasjɔ̃] *f* Neigung *f*
incliné, e [ɛ̃kline] *adj* **1.** *pente, terrain* abschüssig; *toit* schräg; **plan ~** schiefe Ebene **2.** (*penché*) schief; *arbre, tête* geneigt; **~ vers qc** gegen etw geneigt
incliner [ɛ̃kline] <1> **I.** *vt* beugen *buste, corps;* schräg halten *bouteille;* verstellen *dossier d'une chaise;* **~ la tête** den Kopf neigen; (*pour acquiescer*) nicken **II.** *vpr* **1.** (*se courber*) **s'~ devant qn/qc** sich vor jdm/etw verneigen **2.** (*céder*) **s'~ devant qn/qc** sich jdm/einer S. beugen
inclure [ɛ̃klyʀ] <*irr*> *vt* **~ qc dans qc** etw einer S. (*dat*) beifügen
inclus, e [ɛ̃kly, ɛ̃klyz] *adj* einschließlich (+ *gen*); **jusqu'au dix mars ~** bis einschließlich zehnten März; **le service est ~** die Bedienung ist inbegriffen
inclusion [ɛ̃klyzjɔ̃] *f* **~ dans qc** Einbeziehung *f* in etw (*akk*)
inclusivement [ɛ̃klyzivmɑ̃] *adv* einschließlich
incognito [ɛ̃kɔnito] **I.** *adv* inkognito **II.** *m* Inkognito *nt;* **garder l'~** sein Inkognito wahren; **dans l'~** inkognito
incohérence [ɛ̃kɔeʀɑ̃s] *f* **1.** *de propos, d'une œuvre* Zusammenhang[s]losigkeit *f; d'une conduite, personne* Inkonsequenz *f; d'un raisonnement* Inkohärenz *f* (*geh*) **2.** (*illogisme*) Ungereimtheit *f;* (*contradiction*) Widerspruch *m*
incohérent, e [ɛ̃kɔeʀɑ̃, ɑ̃t] *adj* ungereimt; *texte, histoire* unzusammenhängend; *comportement* inkonsequent; *gestes* unmotiviert
incollable [ɛ̃kɔlabl] *adj* **1.** (*qui ne colle pas*) **du riz ~** Reis, der nicht klebt **2.** *fam* (*imbattable*) unschlagbar
incolore [ɛ̃kɔlɔʀ] *adj* farblos
incomber [ɛ̃kɔ̃be] <1> *vi* **~ à qn** jdm zufallen
incombustible [ɛ̃kɔ̃bystibl] *adj* nicht brennbar
incommensurable [ɛ̃kɔmɑ̃syʀabl] *adj* unermesslich
incommodant, e [ɛ̃kɔmɔdɑ̃, ɑ̃t] *adj* unangenehm

incommode [ɛ̃kɔmɔd] *adj* unbequem
incommoder [ɛ̃kɔmɔde] <1> *vt* ~ **qn**
bruit, fumée: jdn stören
incommunicable [ɛ̃kɔmynikabl] *adj ca-*
ractères, droits unübertragbar
incomparable [ɛ̃kɔ̃paʀabl] *adj* unvergleichlich
incomparablement [ɛ̃kɔ̃paʀabləmɑ̃]
adv unübertrefflich
incompatibilité [ɛ̃kɔ̃patibilite] *f* Unver-
einbarkeit *f;* **l'**~ **des groupes sanguins**
die Unverträglichkeit der Blutgruppen
incompatible [ɛ̃kɔ̃patibl] *adj* unvereinbar; *caractères* unverträglich; *groupes san-*
guins, médicaments unverträglich; ~**s en-**
tre eux nicht miteinander vereinbar; ~
avec qc unvereinbar mit etw
incompétence [ɛ̃kɔ̃petɑ̃s] *f* Inkompetenz
f; ~ **en** [*o* **dans**] [*o* **sur**] **qc** mangelnder
Sachverstand in etw (*dat*)
incompétent, e [ɛ̃kɔ̃petɑ̃, ɑ̃t] *adj* inkompetent; **être** ~ **en** [*o* **dans**] [*o* **sur**] **qc** sich
in etw (*dat*) nicht auskennen
incomplet, -ète [ɛ̃kɔ̃plɛ, -ɛt] *adj* unvollständig; *œuvre, travail* unvollendet
incomplètement [ɛ̃kɔ̃plɛtmɑ̃] *adv* nicht
vollständig
incompréhensible [ɛ̃kɔ̃pʀeɑ̃sibl] *adj*
1.(*déconcertant*) unverständlich; *person-*
ne undurchschaubar 2.(*inintelligible*) unverständlich 3.(*impénétrable*) unbegreiflich; *mystère* rätselhaft
incompréhensif, -ive [ɛ̃kɔ̃pʀeɑ̃sif, -iv]
adj verständnislos; **se montrer** ~ **à**
l'égard de qn kein Verständnis für jdn zeigen
incompréhension [ɛ̃kɔ̃pʀeɑ̃sjɔ̃] *f* Unverständnis *nt;* ~ **entre deux/plusieurs per-**
sonnes fehlendes Verständnis zwischen
zwei/mehreren Menschen
incompressible [ɛ̃kɔ̃pʀesibl] *adj* FIN, JUR
nicht einschränkbar
incompris, e [ɛ̃kɔ̃pʀi, iz] I. *adj* nicht verstanden; *œuvre d'art* unverstanden; *artiste,*
génie verkannt II. *m, f* Unverstandene(r)
f(m)
inconcevable [ɛ̃kɔ̃svabl] *adj* (*inimagina-*
ble) unvorstellbar; (*incompréhensible*)
unbegreiflich; (*incroyable*) unglaublich; **il**
est ~ **d'imaginer que ce sera ainsi** es ist
unvorstellbar, dass es so sein wird
inconciliable [ɛ̃kɔ̃siljabl] *adj intérêts, ten-*
dances unvereinbar
inconditionnel, le [ɛ̃kɔ̃disjɔnɛl] *adj* bedingungslos
inconditionnellement [ɛ̃kɔ̃disjɔnɛlmɑ̃]
adv bedingungslos
inconduite [ɛ̃kɔ̃dɥit] *f* unmoralischer Lebenswandel

inconfort [ɛ̃kɔ̃fɔʀ] *m* Mangel *m* an Komfort
inconfortable [ɛ̃kɔ̃fɔʀtabl] *adj* 1. *maison*
ohne Komfort; *lit, siège, position* unbequem
2. *situation* misslich
inconfortablement [ɛ̃kɔ̃fɔʀtabləmɑ̃]
adv unbequem
incongru, e [ɛ̃kɔ̃gʀy] *adj* unpassend
incongruité [ɛ̃kɔ̃gʀɥite] *f d'une remarque*
Unangebrachtheit *f; d'un geste, d'une paro-*
le Unschicklichkeit *f*
inconnu [ɛ̃kɔny] *m* **l'**~ das Unbekannte
inconnu, e [ɛ̃kɔny] I. *adj* 1.(*ignoré*) unbekannt; **il est** ~ **ici** er ist hier nicht bekannt
2.(*nouveau*) unbekannt; *joie* nie gekannt;
odeur, parfum ungewöhnlich II. *m, f* Unbe-
kannte(r) *f(m);* **devant des** ~**s** vor Fremden; **être un** ~ **pour qn** für jdn ein Fremder sein ▶**illustre** ~ *iron* völlig Unbekannter
inconnue [ɛ̃kɔny] *f* MATH Unbekannte *f*
inconsciemment [ɛ̃kɔ̃sjamɑ̃] *adv* 1.(*sans*
s'en rendre compte) unbewusst 2.(*à la lé-*
gère) unüberlegt
inconscience [ɛ̃kɔ̃sjɑ̃s] *f* 1.(*légèreté*)
Leichtsinn *m* 2.(*irresponsabilité*) Leichtfertigkeit *f* 3.(*ignorance*) **l'**~ **du danger**
das Unwissen um die Gefahr 4.(*évanouis-*
sement) Bewusstlosigkeit
inconscient [ɛ̃kɔ̃sjɑ̃] *m* PSYCH Unbewuss-
te(s) *nt*
inconscient, e [ɛ̃kɔ̃sjɑ̃, jɑ̃t] I. *adj* 1.(*éva-*
noui) bewusstlos 2.(*qui ne se rend pas*
compte) leichtsinnig; **être** ~ **de qc** sich
(*dat*) einer S. (*gen*) nicht bewusst sein
3.(*machinal, irréfléchi*) unbewusst; *effort,*
élan spontan II. *m, f* (*irresponsable*)
Leichtsinnige(r) *f(m)*
inconséquence [ɛ̃kɔ̃sekɑ̃s] *f* Inkonsequenz *f*
inconséquent, e [ɛ̃kɔ̃sekɑ̃, ɑ̃t] *adj* inkonsequent
inconsidéré, e [ɛ̃kɔ̃sideʀe] *adj* unbesonnen
inconsistant, e [ɛ̃kɔ̃sistɑ̃, ɑ̃t] *adj argu-*
mentation unhaltbar, nicht stichhaltig
inconsolable [ɛ̃kɔ̃sɔlabl] *adj* 1.(*désespé-*
ré) untröstlich; ~ **de qc** untröstlich über
etw (*akk*) 2. *chagrin, malheur, peine* unermesslich
inconstance [ɛ̃kɔ̃stɑ̃s] *f* Unbeständigkeit *f*
inconstant, e [ɛ̃kɔ̃stɑ̃, ɑ̃t] *adj* wankelmütig
incontestable [ɛ̃kɔ̃tɛstabl] *adj* unbestreitbar; *principe, réussite, droit* unbestritten;
fait, preuve nicht zu leugnen; *qualité* einwandfrei; **il est** ~ **que c'est cher** es ist
nicht zu leugnen, dass es teuer ist
incontestablement [ɛ̃kɔ̃tɛstabləmɑ̃] *adv*

zweifellos

incontesté, e [ɛ̃kɔ̃tɛste] *adj* unbestritten; *champion, leader* unangefochten; *personne* allgemein anerkannt

incontinent, e [ɛ̃kɔ̃tinɑ̃, ɑ̃t] *adj* an Inkontinenz leidend

incontournable [ɛ̃kɔ̃tuʀnabl] *adj* unvermeidlich; *fait, exigence* unumgänglich; **ce problème est ~** an diesem Problem kommt niemand vorbei; **cet homme est ~** an diesem Mann führt kein Weg vorbei

incontrôlable [ɛ̃kɔ̃tʀolabl] *adj* 1. (*invérifiable*) nicht nachprüfbar 2. (*irrépressible*) unkontrollierbar; *besoin, envie, passion* unbezwingbar; *attirance* unwiderstehlich; *mouvement* unwillkürlich 3. (*ingouvernable*) unkontrollierbar; **devenir ~** außer Kontrolle geraten

inconvenance [ɛ̃kɔ̃v(ə)nɑ̃s] *f d'une proposition, question* Unschicklichkeit *f*

inconvenant, e [ɛ̃kɔ̃v(ə)nɑ̃, ɑ̃t] *adj conduite, proposition* unpassend

inconvénient [ɛ̃kɔ̃venjɑ̃] *m* 1. (*opp: avantage*) Nachteil *m; d'une situation* negative Begleiterscheinung 2. *gén pl* (*conséquence fâcheuse*) unangenehme Folge 3. (*obstacle*) **l'~, c'est que c'est cher** das Problem ist, dass es teuer ist ▶**il n'y a pas d'~ à faire qc/à ce que qc soit fait** es spricht nichts dagegen, etw zu tun/dass etw getan wird; **ne pas voir d'~ à qc/à ce que qn fasse qc** nichts gegen etw haben/dagegen haben, dass jd etw tut; **sans ~** ohne weiteres; (*sans danger*) ohne Risiko

incorporation [ɛ̃kɔʀpɔʀasjɔ̃] *f* (*annexion*) **~ de qn/qc à qc** jds Eingliederung *f*/die Eingliederung einer S. (*gen*) in etw (*akk*)

incorporé, e [ɛ̃kɔʀpɔʀe] *adj* TECH eingebaut

incorporer [ɛ̃kɔʀpɔʀe] <1> *vt* 1. GASTR, TECH (*mélanger*) beimengen *sucre;* unterheben *blancs battus en neige;* **~ du sucre à la pâte** dem Teig Zucker beimengen 2. (*intégrer*) **~ qn/qc dans qc** jdn/etw in etw (*akk*) einschließen

incorrect, e [ɛ̃kɔʀɛkt] *adj* 1. (*défectueux*) nicht richtig; *montage* fehlerhaft; **une lecture ~e** ein ungenaues Durchlesen 2. (*inconvenant*) unpassend; *langage, ton* unangemessen 3. (*impoli*) ungehörig; **se montrer ~** sich unkorrekt verhalten 4. (*déloyal*) **~ en qc/avec qn** nicht seriös in etw (*dat*)/mit jdm

incorrection [ɛ̃kɔʀɛksjɔ̃] *f* 1. (*faute*) Fehler *m* 2. (*manque de correction*) Unkorrektheit *f*

incorrigible [ɛ̃kɔʀiʒibl] *adj a. antéposé* unverbesserlich

incorruptible [ɛ̃kɔʀyptibl] *adj* unbestechlich

incrédule [ɛ̃kʀedyl] *adj* ungläubig

incrédulité [ɛ̃kʀedylite] *f* Ungläubigkeit *f*

increvable [ɛ̃kʀəvabl] *adj* 1. *fam* (*infatigable*) nicht kleinzukriegen; *appareil, voiture* unverwüstlich; **être vraiment ~** wirklich nicht totzukriegen sein 2. *pneu* pannensicher; **un ballon ~** ein Ball, der nicht kaputtgeht

incriminer [ɛ̃kʀimine] <1> *vt* beschuldigen

incroyable [ɛ̃kʀwajabl] *adj a. antéposé* 1. (*extraordinaire*) unglaublich; **c'est ~ de voir à quel point tout a changé** es ist unglaublich, wie sehr sich alles verändert hat 2. (*bizarre*) unglaublich; **si ~ que cela puisse paraître** so unwahrscheinlich das auch scheinen mag ▶**~ mais vrai** kaum zu glauben, aber wahr

incroyablement [ɛ̃kʀwajabləmɑ̃] *adv* unglaublich

incroyant, e [ɛ̃kʀwajɑ̃, jɑ̃t] *adj* ungläubig

incrustation [ɛ̃kʀystasjɔ̃] *f* INFORM Pop-up-Menü *nt*

incruster [ɛ̃kʀyste] <1> I. *vt* ART mit Einlegearbeit verzieren; **~ qc de diamants/mosaïques** etw mit [eingesetzten] Diamanten/[eingelegten] Mosaiken verzieren; **être incrusté de qc** mit etw eingelegt sein II. *vpr* 1. *fam* (*s'installer à demeure*) **s'~ chez qn** sich bei jdm einnisten 2. (*adhérer fortement*) **s'~** *coquillage, odeur:* sich festsetzen 3. (*se graver*) **ce souvenir s'est incrusté dans ma mémoire** diese Erinnerung hat sich mir eingeprägt

incubation [ɛ̃kybasjɔ̃] *f* Bebrütung *f*

inculpation [ɛ̃kylpasjɔ̃] *f* JUR Anklagepunkt *m*

inculpé, e [ɛ̃kylpe] *m, f* JUR Angeklagte(r) *f(m)*

inculper [ɛ̃kylpe] <1> *vt* **~ qn de qc** gegen jdn Anklage wegen einer S. (*gen*) erheben

inculquer [ɛ̃kylke] <1> *vt* **~ qc à qn** jdm etw einprägen

inculte [ɛ̃kylt] *adj* brachliegend

inculture [ɛ̃kyltyʀ] *f* Bildungsmangel *m*

incurable [ɛ̃kyʀabl] *adj* 1. MED unheilbar 2. (*incorrigible*) unverbesserlich; *ignorance* unendlich; *paresse* chronisch

incursion [ɛ̃kyʀsjɔ̃] *f* **l'~ des troupes ennemies dans le pays** der Einfall der feindlichen Truppen ins Land

incurvé, e [ɛ̃kyʀve] *adj* gebogen; *tracé* gekrümmt

incurver [ɛ̃kyʀve] <1> *vt* biegen

Inde [ɛ̃d] *f* **l'~** Indien *nt*

indéboulonnable [ɛ̃debulɔnablə] *adj*

fam **être ~** sattelfest sein

indécence [ɛ̃desɑ̃s] *f* Anstößigkeit *f*

indécent, e [ɛ̃desɑ̃, ɑ̃t] *adj* anstößig; *personne* schamlos

indéchiffrable [ɛ̃deʃifʀabl] *adj* **1.** (*illisible*) nicht zu entziffern **2.** (*incompréhensible*) schwer durchschaubar; *monde* unbegreiflich; *énigme* unlösbar; *visage* unergründlich

indécis, e [ɛ̃desi, iz] *adj* **1.** (*hésitant*) unentschlossen; **être ~ sur** [*o* **quant à**] **qc** sich (*dat*) über etw (*akk*) unschlüssig sein; **être ~ entre qc et qc** zwischen etw und etw (*dat*) schwanken **2.** (*douteux*) unentschieden; *question* ungelöst; *résultat, victoire* ungewiss; *temps* wechselhaft

indécision [ɛ̃desizjɔ̃] *f* Unentschlossenheit *f;* **~ sur** [*o* **quant à**] **qc** Unentschlossenheit in Bezug auf etw (*akk*); **dans l'~ il préfère attendre** wenn er unentschlossen ist, wartet er lieber ab

indéfendable [ɛ̃defɑ̃dabl] *adj* nicht zu verteidigen

indéfini, e [ɛ̃defini] *adj* **1.** (*indéterminé*) unbestimmt **2.** *espace, nombre, progrès, temps* unbegrenzt

indéfiniment [ɛ̃definimɑ̃] *adv* auf unbegrenzte Zeit

indéfinissable [ɛ̃definisabl] *adj* undefinierbar; *charme* eigen; *émotion, malaise, trouble* unerklärlich

indéformable [ɛ̃defɔʀmabl] *adj* formbeständig

indélébile [ɛ̃delebil] *adj* **1.** (*ineffaçable*) nicht zu entfernen; *couleur* waschecht; *rouge à lèvres* kussecht; **encre ~** dokumentenechte Tinte **2.** *impression, marque, souvenir* unauslöschlich

indélicat, e [ɛ̃delika, at] *adj* gewissenlos

indemne [ɛ̃dɛmn] *adj* unversehrt; **sortir ~ de qc** etw ohne Schaden überstehen; **sortir ~ de l'accident** bei dem Unfall nicht verletzt werden

indemnisation [ɛ̃dɛmnizasjɔ̃] *f* Schaden[s]ersatz *m;* (*dédommagement versé par l'État*) Entschädigung *f;* **~ des dommages de guerre** Reparationszahlungen *Pl* für die Kriegsschäden

indemniser [ɛ̃dɛmnize] <1> *vt* **1.** (*rembourser*) **~ qn de qc** jdm etw erstatten; **j'ai été indemnisé** man hat mir die Kosten erstattet **2.** (*compenser*) **~ qn pour qc** jdm Schaden[s]ersatz für etw leisten; *État:* jdn für etw entschädigen; *assurances, assureur:* [jdm] den Schaden für etw zahlen

indemnité [ɛ̃dɛmnite] *f* **1.** (*réparation*) Schaden[s]ersatz *m;* (*payé par l'État*) Entschädigung *f;* (*forfait*) Abfindung *f;* **~ de guerre** Kriegsentschädigung **2.** (*prime*)

Zulage *f;* **~ de chômage** Arbeitslosengeld *nt;* **~ de déplacement** Reisekostenvergütung *f;* **~ de logement** Wohnungsgeld *nt; d'un maire, conseiller régional* Bezüge *Pl;* (*journalière*) Krankengeld *nt;* (*en cas de maternité*) Mutterschaftshilfe *f*

indéniable [ɛ̃denjabl] *adj* unleugbar

indéniablement [ɛ̃denjabləmɑ̃] *adv* zweifellos

indépendamment [ɛ̃depɑ̃damɑ̃] *adv* (*en dehors de cela*) unabhängig davon ▸ **~ de qc** (*outre*) zusätzlich zu etw; (*abstraction faite de*) ungeachtet einer S. (*gen*); (*sans dépendre de*) unabhängig von etw

indépendance [ɛ̃depɑ̃dɑ̃s] *f* **1.** (*liberté*) Unabhängigkeit *f;* **~ d'idées** Eigenständigkeit *f* der Gedanken; **~ de caractère** Charakterstärke *f;* **en toute ~ d'esprit** ganz unvoreingenommen **2.** (*autonomie, souveraineté*) Unabhängigkeit *f;* **la guerre de l'~ grecque** der griechische Freiheitskrieg; **accéder à l'~** die Unabhängigkeit erlangen; **proclamer son ~** seine Unabhängigkeit erklären

indépendant, e [ɛ̃depɑ̃dɑ̃, ɑ̃t] *adj* **1.** (*libre*) unabhängig; (*qui se débrouille tout seul*) selb[st]ständig; (*qui est son propre maître*) eigenständig **2.** (*souverain*) unabhängig **3.** (*à son compte*) selb[st]ständig; *artiste, architecte, photographe* freischaffend; *collaborateur, journaliste* frei **4.** (*indocile*) eigenwillig **5.** *chambre* separat; *questions, systèmes* voneinander unabhängig **6.** (*sans liaison avec*) **~ de qn/qc** von jdm/etw unabhängig; **pour des raisons ~es de notre volonté** aus Gründen, die außerhalb unserer Kontrolle liegen

indépendantiste [ɛ̃depɑ̃dɑ̃tist] *adj* POL separatistisch

indéracinable [ɛ̃deʀasinabl] *adj* tiefsitzend

indescriptible [ɛ̃dɛskʀiptibl] *adj* a. antéposé unbeschreiblich

indésirable [ɛ̃deziʀabl] **I.** *adj* unerwünscht **II.** *mf* unerwünschte Person

indestructible [ɛ̃dɛstʀyktibl] *adj* unzerstörbar; *foi, solidarité* unerschütterlich; *liaison, amour* dauerhaft; *personne* nicht unterzukriegen (*fam*); **impression ~** bleibender Eindruck

indétermination [ɛ̃detɛʀminasjɔ̃] *f* **1.** (*indécision*) Unentschiedenheit *f;* (*permanente*) Entschlusslosigkeit *f* **2.** (*imprécision*) Unbestimmtheit *f*

indéterminé, e [ɛ̃detɛʀmine] *adj* **1.** (*non précisé*) unbestimmt; *date* nicht festgesetzt **2.** (*incertain*) unbestimmt; *sens, termes* vage **3.** (*indistinct*) verschwommen **4.** (*indécis*) **être ~ sur qc** in Bezug auf etw

(*akk*) unentschlossen sein

indétrônable [ɛ̃detʀɔnablə] *adj* unschlagbar

index [ɛ̃dɛks] *m* **1.** (*doigt*) Zeigefinger *m* **2.** (*table alphabétique*) Verzeichnis *nt*

indexation [ɛ̃dɛksasjɔ̃] *f* ECON, FIN Indexierung *f*

indexer [ɛ̃dɛkse] <1> *vt* ECON, FIN ~ **qc sur qc** etw an etw (*akk*) koppeln

indicateur, -trice [ɛ̃dikatœʀ, -tʀis] I. *adj panneau, plaque* Hinweis-; **poteau** ~ Wegweiser *m;* **tableau** ~ Anzeigetafel *f;* **borne indicatrice** Markierungsstein *m* II. *m, f* Spitzel *m;* ~ **de police** Polizeispitzel

indicatif [ɛ̃dikatif] *m* **1.** TELEC Vorwahlnummer *f,* Vorwahl *f;* ~ **départemental** Ortsnetzkennzahl *f;* **l'~ de la France** die Vorwahl von Frankreich **2.** LING Indikativ *m*

indicatif, -ive [ɛ̃dikatif, -iv] *adj* **1.** (*qui renseigne*) annähernd; *vote* aufschlussreich; **prix** ~ Richtpreis *m;* **à titre** ~ zur Kenntnisnahme; **ce chiffre n'est qu'**~ das ist nur ein Näherungswert **2.** LING **mode** ~ Indikativ *m*

indication [ɛ̃dikasjɔ̃] *f* **1.** (*information*) Hinweis *m;* ~ **sur qc** Hinweis auf etw (*akk*); **sur les** ~**s de qn** auf jds Angaben hin **2.** *d'une adresse, d'un numéro, prix* Angabe *f; d'un virage dangereux* Signalisierung *f* **3.** (*prescription*) Anweisung *f* **4.** (*indice*) Hinweis *m;* ~ **de qc** Anzeichen *nt* für etw ▶ **sauf** ~ <u>contraire</u> wenn nichts Gegenteiliges verlautet

indice [ɛ̃dis] *m* **1.** (*signe*) Anzeichen *nt;* (*constatation*) Indiz *nt* **2.** (*trace*) Spur *f* **3.** (*preuve*) Beweis *m;* JUR Indiz *nt* **4.** ECON, FIN Indexzahl *f;* ~ **des prix** Preisindex *m* **5.** TV ~ **d'écoute** Einschaltquote *f*

indien, ne [ɛ̃djɛ̃, jɛn] *adj* **1.** (*d'Inde*) indisch **2.** (*d'Amérique*) indianisch

Indien, ne [ɛ̃djɛ̃, jɛn] *m, f* **1.** (*habitant de l'Inde*) Inder(in) *m(f)* **2.** (*indigène d'Amérique*) Indianer(in) *m(f); d'Amérique du Sud* Indio/Indiofrau *m/f*

indifféremment [ɛ̃difeʀamɑ̃] *adv* in gleicher Weise

indifférence [ɛ̃difeʀɑ̃s] *f* **1.** (*insensibilité*) Gleichgültigkeit *f* **2.** (*apathie*) Desinteresse *nt* **3.** (*détachement*) Teilnahmslosigkeit *f*

indifférencié, e [ɛ̃difeʀɑ̃sje] *adj* unterschiedslos

indifférent, e [ɛ̃difeʀɑ̃, ɑ̃t] I. *adj* **1.** *attitude, personne* gleichgültig; *regard, visage* unbeteiligt; **une mère** ~**e** eine gefühllose Mutter; **être** ~ **à qc** einer S. (*dat*) gleichgültig gegenüberstehen; **être** ~ **à une personne** kein Interesse an einem Menschen zeigen; **laisser qn** ~ jdn unberührt lassen

2. (*égal*) **être** ~ **à qn** jdm gleichgültig sein II. *m, f* Gleichgültige(r) *f(m)*

indigence [ɛ̃diʒɑ̃s] *f* Bedürftigkeit *f*

indigène [ɛ̃diʒɛn] *adj* **1.** einheimisch; **les populations** ~**s** die Einheimischen **2.** (*opp: blanc*) eingeboren

indigent, e [ɛ̃diʒɑ̃, ʒɑ̃t] *adj* bedürftig

indigeste [ɛ̃diʒɛst] *adj cuisine, nourriture* ungeniessbar *präd,* schwer verdaulich *attr*

indigestion [ɛ̃diʒɛstjɔ̃] *f* Magenverstimmung *f;* **avoir une** ~ **de qc** sich (*dat*) mit etw den Magen verdorben haben (*fam*)

indignation [ɛ̃diɲasjɔ̃] *f* Empörung *f*

indigne [ɛ̃diɲ] *adj* **1.** (*qui ne mérite pas*) **être** ~ **de qn/qc** jds/einer S. nicht würdig sein; **être** ~ **de faire qc** es nicht wert sein, etw zu tun **2.** (*inconvenant*) **être** ~ **de qn** *action, attitude, sentiment:* unter jds Würde (*dat*) sein **3.** (*odieux*) unwürdig; **un époux/fils** ~ ein Ehegatte/Sohn, der diesen Namen nicht verdient; **une mère** ~ eine Rabenmutter

indigné, e [ɛ̃diɲe] *adj* empört; ~ **de qc** entrüstet über etw (*akk*)

indigner [ɛ̃diɲe] <1> I. *vt* empören II. *vpr* **s'**~ **contre qn/contre** [*o* **de**] **qc** sich über jdn/etw empören; **s'**~ **de faire qc/**[**de ce**] **que qc se produise** sich darüber entrüsten, etw zu tun/dass etw geschieht

indigo [ɛ̃digo] *m* Indigo *m o nt*

indiqué, e [ɛ̃dike] *adj* **1.** (*conseillé*) ratsam **2.** (*adéquat*) geeignet; **être tout** ~ genau das Richtige sein; **le Louvre est le lieu tout** ~ der Louvre ist genau der richtige Ort **3.** (*fixé*) angegeben; *date* festgelegt

indiquer [ɛ̃dike] <1> *vt* **1.** (*désigner*) ~ **qc à qn** jdm etw zeigen; *écriteau, flèche, horloge:* jdm etw anzeigen; ~ **qn/qc de la main** mit dem Finger auf jdn/etw deuten; **qu'indique le panneau?** was steht auf dem Schild? **2.** (*recommander*) ~ **qn/qc à qn** jdm jdn/etw nennen **3.** (*dire*) ~ **à qn qc** jdm etw angeben; (*expliquer*) jdm etw erklären; ~ **à qn comment y aller/ce que cela représente** jdm sagen, wie er/sie dorthin kommt/was das darstellt **4.** (*révéler*) ~ **qc/que qn est passé** auf etw (*akk*) hinweisen/darauf hinweisen, dass jd vorübergegangen ist **5.** (*marquer*) kennzeichnen ▶ <u>rien</u> **n'indique qu'il est** [*o* **soit**] **parti** nichts spricht dafür, dass er gegangen ist; <u>tout</u> **indique qu'il n'est plus là** alles deutet darauf hin, dass er nicht mehr da ist

indirect, e [ɛ̃diʀɛkt] *adj* indirekt; **par des moyens** ~**s** auf Umwegen

indirectement [ɛ̃diʀɛktəmɑ̃] *adv* indirekt

indiscipline [ɛ̃disiplin] *f* Disziplinlosigkeit *f*

indiscipliné, e [ɛ̃disipline] *adj* undiszipliniert

indiscret, -ète [ɛ̃diskʀɛ, -ɛt] **I.** *adj* **1.** (*curieux*) neugierig **2.** (*bavard*) indiskret; **des commérages ~s** Klatsch **3.** (*inconvenant*) indiskret; *familiarité, démarche* plump; *présence* lästig **II. m, f** (*personne bavarde*) schwatzhafter Mensch; (*personne curieuse*) Neugierige(r) *f(m)*

indiscrétion [ɛ̃diskʀesjɔ̃] *f* **1.** (*curiosité*) Indiskretion *f;* **sans ~, peut-on savoir si ...** kann man – ohne indiskret sein zu wollen – erfahren, ob ... **2.** (*tendance à divulguer*) Schwatzhaftigkeit *f* **3.** (*acte, bavardage*) Indiskretion *f;* **commettre beaucoup d'~s** sehr indiskret sein

indiscutable [ɛ̃diskytabl] *adj fait* unumstößlich; *succès, supériorité, réalité* unbestreitbar; *personne, crédibilité* über jeden Zweifel erhaben; *témoignage* hieb- und stichfest; **il est ~ que ...** es besteht kein Zweifel darüber, dass ...

indiscutablement [ɛ̃diskytabləmɑ̃] *adv* zweifellos

indiscuté, e [ɛ̃diskyte] *adj* unbestritten

indispensable [ɛ̃dispɑ̃sabl] **I.** *adj* unbedingt notwendig; *précautions* unerlässlich; *devoir* unvermeidlich; *objet, personne* unentbehrlich; **savoir se rendre ~** sich unentbehrlich machen; **il est ~ de faire qc/que qc soit fait** man muss unbedingt etw tun/es muss unbedingt etw getan werden; **il est ~ que nous prenions une assurance** wir müssen unbedingt eine Versicherung abschließen; **être ~ à qn/qc** [o **pour qc**] für jdn unentbehrlich/für etw unerlässlich sein **II.** *m* l'~ das Nötigste; **faire l'~** das Notwendigste tun

indisponibilité [ɛ̃dispɔnibilite] *f d'une personne* mangelnde Verfügbarkeit

indisponible [ɛ̃dispɔnibl] *adj* nicht verfügbar

indisposé, e [ɛ̃dispoze] *adj* unpässlich

indisposer [ɛ̃dispoze] <1> *vt* verstimmen

indisposition [ɛ̃dispozisjɔ̃] *f* Unpässlichkeit *f*

indissociable [ɛ̃disɔsjabl] *adj* untrennbar

indissoluble [ɛ̃disɔlybl] *adj* unauflöslich

indistinct, e [ɛ̃distɛ̃, ɛ̃kt] *adj murmure, vision* undeutlich; *couleur* undefinierbar; *objet, voix* nicht deutlich wahrnehmbar

indistinctement [ɛ̃distɛ̃ktəmɑ̃] *adv prononcer, apercevoir* undeutlich

individu [ɛ̃dividy] *m* Person *f*, Individuum *nt;* **drôle d'~** *a. péj* komischer Kauz

individualisation [ɛ̃dividɥalizasjɔ̃] *f* Individualisierung *f*

individualiser [ɛ̃dividɥalize] <1> **I.** *vt* **1.** (*personnaliser*) dem Einzelfall anpassen

attitude; auf individuelle Bedürfnisse abstimmen *appartement, voiture;* **~ son style** einer S. (*dat*) eine eigene Prägung geben **2.** (*particulariser*) voneinander unterscheiden **II.** *vpr* **s'~** (*se différencier*) *cellule:* eine neue Einheit bilden; *forme, manière, style:* individuell werden; (*s'accentuer*) charakteristischer werden

individualisme [ɛ̃dividɥalism] *m* Individualismus *m*

individualiste [ɛ̃dividɥalist] **I.** *adj* **1.** PHILOS individualistisch **2.** *péj* egozentrisch **II.** *mf* **1.** (*non conformiste*) Individualist(in) *m(f)* **2.** *péj* Egozentriker(in) *m(f)*

individualité [ɛ̃dividɥalite] *f* **1.** (*personnalité*) Persönlichkeit *f* **2.** (*caractère*) Individualität *f* **3.** (*être*) Einzelwesen *nt* **4.** (*particularité*) Eigenart *f;* **avoir un style d'une forte ~** einen ganz eigenen Stil haben

individuel, le [ɛ̃dividɥɛl] **I.** *adj* persönlich; *propriété* privat, Privat-, persönlich; *responsabilité, initiative* eigen, Eigen-; *épreuve, réclamation* einzeln; *destin, cas* Einzel-; **maison ~le** Einfamilienhaus *nt;* **sport ~** Einzelwettkampf *m* **II. m, f** (*sportif*) Einzelkämpfer(in) *m(f)*

individuellement [ɛ̃dividɥɛlmɑ̃] *adv* einzeln

indivisible [ɛ̃divizibl] *adj* unteilbar

Indochine [ɛ̃doʃin] *f* HIST l'~ Indochina *nt*

indo-européen , ne [ɛ̃doœʀɔpeɛ̃, ɛn] <indo-européens> *adj* indogermanisch, indoeuropäisch

indolence [ɛ̃dɔlɑ̃s] *f* Trägheit *f*

indolent, e [ɛ̃dɔlɑ̃, ɑ̃t] *adj* träge; *caractère* phlegmatisch

indolore [ɛ̃dɔlɔʀ] *adj* schmerzlos; **être ~** nicht wehtun

indomptable [ɛ̃dɔ̃tabl] *adj animal* unzähmbar

Indonésie [ɛ̃donezi] *f* l'~ Indonesien *nt*

indu, e [ɛ̃dy] *adj* unpassend

indubitable [ɛ̃dybitabl] *adj* unzweifelhaft

indubitablement [ɛ̃dybitabləmɑ̃] *adv* ganz ohne Zweifel

induction [ɛ̃dyksjɔ̃] *f* Induktion *f*

induire [ɛ̃dɥiʀ] <*irr*> *vt* **~ qn/qc à qc/à faire qc** jdn/etw zu etw treiben/dazu treiben, etw zu tun

indulgence [ɛ̃dylʒɑ̃s] *f* Nachsicht *f*

indulgent, e [ɛ̃dylʒɑ̃, ʒɑ̃t] *adj* **1.** (*clément*) nachsichtig; **être ~ envers l'accusé** gegenüber dem Angeklagten Milde walten lassen **2.** (*bienveillant*) wohlwollend

indûment [ɛ̃dymɑ̃] *adv* unberechtigt[erweise]

industrialisation [ɛ̃dystʀijalizasjɔ̃] *f* Industrialisierung *f;* **~ de qc** Produktionsbe-

ginn *m* für etw
industrialiser [ɛ̃dystʀijalize] <1> **I.** *vt* industrialisieren *région, pays, agriculture;* vermarkten *découverte;* ~ **un nouveau produit** die Produktion eines neuen Produkts aufnehmen **II.** *vpr* **s'**~ *pays, région, secteur:* industrialisiert werden
industrie [ɛ̃dystʀi] *f* **1.** ECON Industrie *f* **2.** (*secteur spécialisé*) Wirtschaftszweig *m,* -industrie *f;* ~ **cinématographique** Filmgewerbe *nt;* ~ **du livre** Buch- und Pressewesen *nt*
industriel, le [ɛ̃dystʀijɛl] **I.** *adj* industriell; *activité, équipement, secteur, entreprise* Industrie-; **véhicule** ~ Nutzfahrzeug *nt; région, société, ville, zone* Industrie-; *pain* industriell hergestellt; **le design** ~ das Industriedesign **II.** *m, f* Industrielle(r) *f(m);* **un grand** ~ ein Großindustrieller
industriellement [ɛ̃dystʀijɛlmɑ̃] *adv* fabriqué industriell
inébranlable [inebʀɑ̃labl] *adj* **1.** (*solide*) sicher **2.** (*inflexible*) unerschütterlich; *résolution* fest; **qn est** ~ **dans sa résolution** jds Entschluss ist unwiderruflich; **être** ~ **dans ses convictions** von seiner Meinung felsenfest überzeugt sein
inédit [inedi] *m* **1.** (*ouvrage*) unveröffentlichtes Werk **2.** (*chose nouvelle*) Neuheit *f*
inédit, e [inedi, it] *adj* **1.** (*non publié*) unveröffentlicht **2.** (*nouveau*) ganz neu
ineffaçable [inefasabl] *adj* **1.** (*indélébile*) nicht zu entfernen **2.** (*inoubliable*) unauslöschlich; *souvenir* unvergesslich
inefficace [inefikas] *adj* unwirksam; *démarche* erfolglos; *employé* unfähig; *machine* nicht leistungsfähig
inefficacité [inefikasite] *f* Wirkungslosigkeit *f; d'une démarche, d'un secours* Erfolglosigkeit *f*
inégal, e [inegal, o] <-aux> *adj* **1.** (*différent*) ungleich; **de grandeur** ~**e** von ungleicher Größe **2.** (*changeant*) unausgeglichen; **être d'une humeur** ~ unausgeglichen sein
inégalable [inegalabl] *adj* qualité unerreichbar
inégalé, e [inegale] *adj* unerreicht
inégalement [inegalmɑ̃] *adv* ungleich
inégalitaire [inegalitɛʀ] *adj* **une société** ~ eine Gesellschaft, die große soziale Unterschiede aufweist; **politique fiscale** ~ unsoziale Steuerpolitik
inégalité [inegalite] *f* **1.** (*différence*) Ungleichheit *f;* **l'**~ **entre l'offre et la demande** das Missverhältnis zwischen Angebot und Nachfrage **2.** (*disproportion*) Ungleichheit *f; des forces* Missverhältnis *nt;* ~ **des chances** Chancenungleichheit

inélégant, e [inelegɑ̃, ɑ̃t] *adj* unelegant
inéluctable [inelyktabl] *adj* unausweichlich
inéluctablement [inelyktabləmɑ̃] *adv* unausweichlich
inénarrable [inenaʀabl] *adj* unbeschreiblich
inepte [inɛpt] *adj* dumm
ineptie [inɛpsi] *f* Dummheit *f*
inépuisable [inepɥizabl] *adj* **1.** (*intarissable*) unerschöpflich; *source* nie versiegend; *terre* dauerhaft fruchtbar **2.** *indulgence, patience* unendlich; *curiosité* unstillbar
inerte [inɛʀt] *adj corps* leblos
inertie [inɛʀsi] *f a.* PHYS Trägheit *f*
inespéré, e [inɛspeʀe] *adj* **1.** *chance, secours, succès* unverhofft **2.** *profit* unerwartet hoch; *résultat* unerwartet gut
inesthétique [inɛstetik] *adj* unästhetisch
inestimable [inɛstimabl] *adj* unschätzbar; *objet* von unschätzbarem Wert
inévitable [inevitabl] **I.** *adj* **1.** (*certain, fatal*) unvermeidlich; *accident* unabwendbar **2.** (*nécessaire*) unvermeidbar; *opération* unumgänglich; **il est** ~ **que cela se produise** es ist nicht zu vermeiden, dass das vorkommt **3.** *antéposé hum* (*habituel*) unvermeidlich **II.** *m* **l'**~ das Unvermeidliche
inévitablement [inevitabləmɑ̃] *adv* zwangsläufig
inexact, e [inɛgzakt] *adj* **1.** (*erroné*) ungenau; *théorie* unrichtig **2.** (*déformé*) ungenau; **très** ~/**le plus** ~ völlig falsch; **non, c'est** ~ nein, das stimmt nicht; **il est** ~ **de faire qc** es ist nicht [ganz] richtig, etw zu tun **3.** (*opp: ponctuel*) unpünktlich
inexactitude [inɛgzaktityd] *f* **1.** (*caractère erroné*) Unrichtigkeit *f* **2.** (*manque de précision*) Ungenauigkeit *f*
inexcusable [inɛkskyzabl] *adj* unverzeihlich; *personne* nicht zu entschuldigen; **qn est** ~ **de faire qc** es ist unverzeihlich von jdm, etw zu tun
inexistant, e [inɛgzistɑ̃, ɑ̃t] *adj* **1.** (*qui n'existe pas*) nicht vorhanden; **la télévision était encore** ~**e** das Fernsehen existierte noch nicht **2.** (*imaginaire*) nicht vorhanden **3.** *péj* (*nul*) bedeutungslos; *résultat* gleich null, bedeutungslos; *aide* unnütz
inexistence [inɛgzistɑ̃s] *f* Nichtvorhandensein *nt*
inexorable [inɛgzɔʀabl] *adj* unerbittlich
inexorablement [inɛgzɔʀabləmɑ̃] *adv* unweigerlich
inexpérience [inɛkspeʀjɑ̃s] *f* Unerfahrenheit *f*
inexpérimenté, e [inɛkspeʀimɑ̃te] *adj* unerfahren
inexplicable [inɛksplikabl] *adj* unerklär-

lich

inexpliqué, e [inɛksplike] *adj* nicht geklärt; *catastrophe, disparition* nicht aufgeklärt, nicht geklärt

inexploité, e [inɛksplwate] *adj gisement, richesses* nicht ausgebeutet; *talent* ungenutzt

inexploré, e [inɛksplɔʀe] *adj* unerforscht

inexpressif, -ive [inɛkspʀesif, -iv] *adj regard, visage* ausdruckslos

inexprimable [inɛkspʀimabl] *adj* unaussprechlich; *surprise, soulagement, émotion* unbeschreiblich

inexprimé, e [inɛkspʀime] *adj* unausgesprochen

in extremis [inɛkstʀemis] **I.** *adv* im letzten Augenblick **II.** *adj inv sauvetage, succès* in letzter Minute

inextricable [inɛkstʀikabl] *adj* **1.** *a. antéposé* (*enchevêtré*) unentwirrbar **2.** (*embrouillé*) *affaire* verzwickt

inextricablement [inɛkstʀikabləmã] *adv* ausweglos

infaillibilité [ɛ̃fajibilite] *f* Unfehlbarkeit *f*

infaillible [ɛ̃fajibl] *adj* **1.** (*fiable*) unfehlbar; *instrument* zuverlässig; *signe* untrüglich **2.** (*prévu*) sicher; *accident* vorprogrammiert **3.** (*qui ne peut se tromper*) unfehlbar; *instinct* untrüglich

infailliblement [ɛ̃fajibləmã] *adv* unweigerlich

infaisable [ɛ̃fəzabl] *adj* nicht machbar

infalsifiable [ɛ̃falsifjabl] *adj* fälschungssicher

infamant, e [ɛ̃famã, ãt] *adj* übel

infâme [ɛ̃fam] *adj a. antéposé acte, conduite* schändlich

infamie [ɛ̃fami] *f* Schande *f*

infanterie [ɛ̃fãtʀi] *f* MIL Infanterie *f*

infanticide [ɛ̃fãtisid] *adj* **mère** ~ Kindesmörderin *f*

infantile [ɛ̃fãtil] *adj* kindisch

infantiliser [ɛ̃fãtilize] <1> *vt* verdummen

infarctus [ɛ̃faʀktys] *m* Infarkt *m*

infatigable [ɛ̃fatigabl] *adj* unermüdlich; *amour, patience* unendlich

infatué, e [ɛ̃fatɥe] *adj* eingebildet

infect, e [ɛ̃fɛkt] *adj* **1.** (*répugnant*) widerlich; *nourriture* ekelhaft; *lieu, logement* übel **2.** *fam* (*ignoble*) gemein

infecter [ɛ̃fɛkte] <1> *vpr* MED **s'**~ sich entzünden

infectieux, -euse [ɛ̃fɛksjø, -jøz] *adj* ansteckend

infection [ɛ̃fɛksjɔ̃] *f* Infektion *f*, Entzündung *f*

inféoder [ɛ̃feɔde] <1> *vpr* **s'**~ **à qn/qc** sich in jds Abhängigkeit (*akk*)/in die Abhängigkeit einer S. (*gen*) begeben

inférieur, e [ɛ̃feʀjœʀ] **I.** *adj* **1.** (*dans l'espace*) untere(r, s); *lèvre, mâchoire* Unter- **2.** (*en qualité*) niedriger; **être** ~ **à qn** jdm unterlegen sein; **être** ~ **à qc** hinter etw (*dat*) zurückbleiben; **se sentir** ~ sich minderwertig fühlen **3.** (*en quantité*) geringer; ~ **à qn/qc** geringer als jd/etw; **huit est** ~ **à dix** acht ist kleiner als zehn; ~ **en qc** geringer an etw (*dat*); ~ **en nombre** zahlenmäßig unterlegen **II.** *m, f* Untergebene(r) *f(m)*; **être l'**~ **de qn en qc** jdm in etw (*dat*) unterlegen sein

infériorité [ɛ̃feʀjɔʀite] *f* **1.** (*moindre force*) Unterlegenheit *f* **2.** (*moindre valeur*) Minderwertigkeit *f*; ~ **en poids** geringeres Gewicht **3.** (*subordination*) Untergebenheit *f*

infernal, e [ɛ̃fɛʀnal, o] <-aux> *adj* **1.** höllisch; *divinité* der Hölle; **puissance** ~**e** Höllenmacht *f* **2.** (*diabolique*) teuflisch

infester [ɛ̃fɛste] <1> *vt* heimsuchen

infidèle [ɛ̃fidɛl] **I.** *adj* **1.** (*perfide*) untreu *präd*, treulos; **être** ~ **à qn** jdm untreu sein; **être** ~ **à sa parole/ses devoirs** wortbrüchig/pflichtvergessen sein **2.** (*inexact*) unzuverlässig; *mémoire* schlecht; *narrateur, traduction* ungenau; *récit* nicht wahrheitsgetreu; **être** ~ ungenau sein **3.** REL ungläubig **II.** *mf* REL Ungläubige(r) *f(m)*

infidélité [ɛ̃fidelite] *f* **1.** *sans pl* (*déloyauté*) Untreue *f*; *d'un ami* Treulosigkeit *f*; REL Unglaube *m* **2.** *d'un conjoint* Seitensprung *m*; *d'un ami* Treulosigkeit *f*; ~ **à qn** Untreue *f* jdm gegenüber; **faire des** ~**s à qn** jdm untreu sein/werden **3.** (*inexactitude*) Unzuverlässigkeit *f*; *d'une description* Ungenauigkeit *f*; ~ **à la description des faits** Abweichung *f* von den Tatsachen

infiltration [ɛ̃filtʀasjɔ̃] *f d'un liquide* Einsickern *nt*

infiltrer [ɛ̃filtʀe] <1> **I.** *vt* unterwandern **II.** *vpr* **s'**~ eindringen

infime [ɛ̃fim] *adj* winzig [klein]; *minorité* verschwindend [klein]

infini [ɛ̃fini] *m* **1.** (*immensité*) Unendlichkeit *f* **2.** MATH **tendre vers l'**~ gegen unendlich streben ▶ **à l'**~ endlos

infini, e [ɛ̃fini] *adj* **1.** (*qui n'a pas de limite*) *a.* MATH unendlich **2.** (*immense*) unendlich [groß]; *étendue, durée, longueur* endlos **3.** (*extrême*) unendlich; *reconnaissance* grenzenlos; *richesses* unermesslich **4.** *lutte, propos, temps* endlos, ewig

infiniment [ɛ̃finimã] *adv* **1.** (*sans borne*) unendlich; *vaste* grenzenlos; *plus grand, plus petit* [unendlich] viel **2.** (*extrêmement*) außerordentlich; *regretter* unendlich **3.** (*beaucoup de*) ~ **de tendresse/d'attention** unendlich viel Zärtlichkeit/Auf-

information

• demander des informations	• Informationen erfragen
Quel est le chemin le plus direct pour aller à la gare?	Wie komme ich am besten zum Hauptbahnhof?
Pourriez-vous me donner l'heure?	Können Sie mir sagen, wie spät es ist?
Est-ce qu'il y a un café près d'ici?	Gibt es hier in der Nähe ein Café?
Est-ce que l'appartement est encore à louer?	Ist die Wohnung noch zu haben?
Connais-tu un bon dentiste?	Kennst/Weißt du einen guten Zahnarzt?
Est-ce que tu t'y connais, en voitures?	Kennst du dich mit Autos aus?
Est-ce que tu en sais plus sur cette histoire?	Weißt du Näheres über diese Geschichte?

merksamkeit

infinité [ɛ̃finite] *f* **1.** (*caractère de ce qui est infini*) Unendlichkeit *f* **2.** (*très grand nombre*) **une ~ de choses** eine Unmenge von Dingen

infinitésimal, e [ɛ̃finitezimal, o] <-aux> *adj dose, quantité* unendlich klein

infinitif [ɛ̃finitif] *m* Infinitiv *m*

infinitif, -ive [ɛ̃finitif, -iv] *adj* **proposition infinitive** Infinitivsatz *m;* **le mode ~** der Infinitiv

infirme [ɛ̃fiʀm] **I.** *adj* (*à la suite d'un accident*) behindert; (*pour cause de vieillesse*) [alters]schwach; **~ de qc** gelähmt an etw (*dat*) **II.** *mf* Behinderte(r) *f(m);* **~ de guerre** Kriegsbeschädigte(r) *f(m)*

infirmer [ɛ̃fiʀme] <1> *vt* widerlegen

infirmerie [ɛ̃fiʀmœʀi] *f* Krankenstation *f; d'une école* Krankenzimmer *nt*

infirmier, -ière [ɛ̃fiʀmje, -jɛʀ] *m, f* Krankenpfleger/-schwester *m/f;* **école d'infirmières** Krankenpflegeschule *f*

infirmité [ɛ̃fiʀmite] *f* Behinderung *f*

inflammable [ɛ̃flamabl] *adj* leicht entflammbar

inflammation [ɛ̃flamasjɔ̃] *f* MED Entzündung *f*

inflation [ɛ̃flasjɔ̃] *f* Inflation *f*

inflationniste [ɛ̃flasjɔnist] *adj* inflationistisch

infléchir [ɛ̃fleʃiʀ] <8> **I.** *vt* PHYS brechen *rayon lumineux* **II.** *vpr* **s'~** *étagère:* sich [durch]biegen

infléchissement [ɛ̃fleʃismɑ̃] *m* [Ab]änderung *f*

inflexible [ɛ̃flɛksibl] *adj* unbeugsam, unnachgiebig; *loi, règle* unumstößlich

inflexion [ɛ̃flɛksjɔ̃] *f* **1.** *du tronc, corps* Beugen *nt; de la tête* Neigen *nt* **2.** (*changement de direction*) Biegung *f*

infliger [ɛ̃fliʒe] <2a> *vt* **1.** (*donner*) **~ une amende à qn pour qc** gegen jdn wegen etw eine Geldbuße verhängen; **~ un châtiment à qn** jdn züchtigen **2.** (*faire subir*) zufügen; versetzen *coups;* auferlegen (*hum*) *politique;* **~ un récit à qn** jdn mit einem Bericht behelligen; **~ sa présence à qn** sich jdm aufdrängen

influençable [ɛ̃flyɑ̃sabl] *adj* beeinflussbar; **c'est un homme très ~** er ist sehr leicht zu beeinflussen

influence [ɛ̃flyɑ̃s] *f* **1.** (*effet*) Einfluss *m; des mesures* [Aus]wirkung *f; d'un médicament* Wirkung; **des luttes d'~** Machtkämpfe *Pl;* **sous l'~ de la colère** im Zorn; **sous l'~ de la boisson** unter Alkoholeinfluss **2.** (*autorité*) Einfluss *m;* **avoir de l'~** einflussreich sein; **avoir/exercer de l'~ sur qn/qc** auf jdn/etw Einfluss haben/ausüben; *chose:* auf jdn/etw Auswirkungen haben; **subir l'~ de qn** unter jds Einfluss (*dat*) stehen; **sous ~** unter fremdem Einfluss

influencer [ɛ̃flyɑ̃se] <2> *vt* **~ qn** jdn beeinflussen; *mesures:* sich auf jdn auswirken

influent, e [ɛ̃flyɑ̃, ɑ̃t] *adj* einflussreich

influer [ɛ̃flye] <1> *vi* **~ sur qc** *personne:* etw beeinflussen

info [ɛ̃fo] *f fam abr de* **information** Meldung *f;* **les ~s** die Nachrichten

infographiste [ɛ̃fografist] *mf* Computergrafiker(in) *m(f)*

infogroupe [ɛ̃fogʀup] *m* INFORM Newsgroup *f*

informateur, -trice [ɛ̃fɔʀmatœʀ, -tʀis] *m, f* Informant(in) *m(f)*

informaticien, ne [ɛ̃fɔʀmatisjɛ̃, jɛn] *m, f* Informatiker(in) *m(f)*

informatif, -ive [ɛ̃fɔʀmatif, -iv] *adj* informativ; **brochure/réunion informative** Informationsbroschüre *f/*-treffen *nt*

information [ɛ̃fɔʀmasjɔ̃] *f* **1.** (*renseignement*) Information *f*, Auskunft *f;* **prendre des ~s sur qn/qc** Auskünfte über jdn/

etw einholen; **une réunion d'~** eine Informationsveranstaltung **2.** *souvent pl (nouvelles)* Nachricht *f;* **les ~s de vingt heures** die Achtuhrnachrichten; **~s sportives** Meldungen vom Sport; **magazine d'~** Nachrichtenmagazin *nt;* **les ~s routières** Hinweise für Autofahrer **3.** *sans pl (fait d'informer)* Information *f;* **assurer l'~ de qn en matière de qc** sicherstellen, dass jd zu/über etw *(akk)* Informationen erhält; **faire de l'~** Informationsarbeit *f* leisten **4.** *(ensemble des médias)* Nachrichtenwesen *nt* **5.** *pl* INFORM, TECH Daten *Pl*
informatique [ɛ̃fɔʀmatik] **I.** *adj* **industrie ~** Computerindustrie *f;* **saisie ~** Datenerfassung *f* **II.** *f* Informatik *f,* EDV *f*
informatisation [ɛ̃fɔʀmatizasjɔ̃] *f de l'information* Computerisierung *f; d'une entreprise* Umstellung *f* auf EDV
informatisé, e [ɛ̃fɔʀmatize] *adj gestion, poste de travail* computerisiert; **fichier ~** Datei *f;* **système ~** EDV-System; **communication ~e** Computerkommunikation *f*
informatiser [ɛ̃fɔʀmatize] <1> **I.** *vt* computerisieren *information, secteur;* auf EDV umstellen *gestion, entreprise* **II.** *vpr* **s'~** auf EDV umgestellt werden
informe [ɛ̃fɔʀm] *adj* formlos
informé [ɛ̃fɔʀme] *m* ▶**jusqu'à plus ample ~** bis auf weiteres
informel, le [ɛ̃fɔʀmɛl] *adj* informell
informer [ɛ̃fɔʀme] <1> **I.** *vt* **~ qn** jdn informieren; **~ qn que ...** jdm mitteilen, dass ...; **être informé de qc** über etw *(akk)* informiert sein; **des personnes/milieux bien informé(e)s** gut unterrichtete Leute/Kreise; **tenir qn informé** jdn auf dem Laufenden halten **II.** *vi* informieren **III.** *vpr* **s'~** sich informieren; **s'~ de qc** sich über etw *(akk)* informieren; **s'~ sur qn** Erkundigungen über jdn einziehen; **s'~ si qn a fait qc** fragen, ob jd etw getan hat
infos *fpl* **les ~** *fam* die Nachrichten
infraction [ɛ̃fʀaksjɔ̃] *f* Vergehen *nt;* **~ au code de la route** Verkehrsdelikt; **~ à la loi** Gesetzesverstoß *m*
infranchissable [ɛ̃fʀɑ̃ʃisabl] *adj* unüberwindlich
infrarouge [ɛ̃fʀaʀuʒ] *adj* infrarot
infrastructure [ɛ̃fʀastʀyktyʀ] *f* Infrastruktur *f;* **~ routière** Straßennetz *nt*
infréquentable [ɛ̃fʀekɑ̃tabl] *adj péj personne* geächtet
infroissable [ɛ̃fʀwasabl] *adj* knitterfrei
infructueux, -euse [ɛ̃fʀyktɥø, -øz] *adj* fruchtlos
infuser [ɛ̃fyze] <1> *vt* ziehen lassen *Tee*
infusion [ɛ̃fyzjɔ̃] *f* **1.** *(tisane)* Kräutertee *m;* **~ de camomille** Kamillentee *m*

2. *(action d'infuser)* Aufgießen *nt*
ingénier [ɛ̃ʒenje] <1a> *vpr* **s'~ à faire qc** mit allen Mitteln versuchen, etw zu tun
ingénierie [ɛ̃ʒeniʀi] *f* Projektplanung *f*
ingénieur [ɛ̃ʒenjœʀ] *m* Ingenieur(in) *m(f)*
ingénieux, -euse [ɛ̃ʒenjø, -jøz] *adj* genial
ingéniosité [ɛ̃ʒenjozite] *f* Genialität *f*
ingénu [ɛ̃ʒeny] *m* Naivling *m*
ingénuité [ɛ̃ʒenɥite] *f* Unschuld *f*
ingénument [ɛ̃ʒenymɑ̃] *adv (innocemment)* offen
ingérable [ɛ̃ʒeʀabl] *adj situation* unkontrollierbar
ingérence [ɛ̃ʒeʀɑ̃s] *f* Einmischung *f*
ingérer [ɛ̃ʒeʀe] <5> *vt* einnehmen *médicament*
ingouvernable [ɛ̃guvɛʀnabl] *adj pays, peuple* unregierbar; *parlement* mehrheitsunfähig
ingrat, e [ɛ̃gʀa, at] **I.** *adj* **1.** *(opp: reconnaissant)* undankbar; **~ envers qn** undankbar jdm gegenüber **2.** *métier, sujet* undankbar; *vie* mühevoll **3.** *(dépourvu de charme)* unattraktiv **II.** *m, f* undankbarer Mensch
ingratitude [ɛ̃gʀatityd] *f* Undank *m;* **~ de qn/qc** jds Undank/Undankbarkeit einer S. *(gen);* **faire preuve d'~** sich als undankbar erweisen
ingrédient [ɛ̃gʀedjɑ̃] *m d'un mélange* Bestandteil *m; d'une recette* Zutat *f*
inguérissable [ɛ̃geʀisabl] *adj maladie* unheilbar
ingurgiter [ɛ̃gyʀʒite] <1> *vt* **1.** *(avaler)* hinunterschlingen *nourriture;* hinunterschütten *boisson;* **faire ~ qc à qn** jdm etw verabreichen **2.** *(apprendre)* pauken *connaissances, science;* **faire ~ un poème à qn** jdm ein Gedicht eintrichtern *(fam)*
inhabitable [inabitabl] *adj* unbewohnbar
inhabité, e [inabite] *adj* unbewohnt
inhabituel, le [inabitɥɛl] *adj* ungewöhnlich
inhalateur [inalatœʀ] *m* Inhalationsapparat *m*
inhalation [inalasjɔ̃] *f* Einatmen *nt*
inhaler [inale] <1> *vt* einatmen
inhérent, e [ineʀɑ̃, ɑ̃t] *adj* **être ~ à qc** einer S. *(dat)* innewohnen
inhiber [inibe] <1> *vt* lähmen *volonté*
inhibition [inibisjɔ̃] *f* Hemmung *f*
inhospitalier, -ière [inɔspitalje, -jɛʀ] *adj* ungastlich; *lieu* unwirtlich; *peuple* wenig gastfreundlich; *chambre* unwohnlich
inhumain, e [inymɛ̃, ɛn] *adj* unmenschlich
inimaginable [inimaʒinabl] *adj* unvorstellbar
inimitable [inimitabl] *adj* unnachahmlich

inimitié [inimitje] *f* Feindschaft *f*

ininflammable [inɛ̃flamabl] *adj matière, tissu* feuerfest

inintelligible [inɛ̃teliʒibl] *adj* unverständlich

inintéressant, e [inɛ̃teʀesɑ̃, ɑ̃t] *adj* uninteressant

ininterrompu, e [inɛ̃teʀɔ̃py] *adj* ununterbrochen; *vacarme* ständig; *sommeil* ungestört; *spectacle* ohne Unterbrechung

inique [inik] *adj* [höchst] ungerecht

iniquité [inikite] *f* Ungerechtigkeit *f*

initial, e [inisjal, jo] <-aux> *adj* anfänglich; *cause, état* ursprünglich; *choc, feuillets* erste(r, s); **position ~e** Ausgangsposition *f*; **lettre ~e** Anfangsbuchstabe *m*

initiale [inisjal] *f* Anfangsbuchstabe *m*; **les ~s** die Initialen *Pl*

initialement [inisjalmɑ̃] *adv* anfänglich

initialisation [inisjalizasjɔ̃] *f* INFORM Initialisierung *f*

initialiser [inisjalize] <1> *vt* initialisieren

initiateur, -trice [inisjatœʀ, -tʀis] *m, f* Urheber(in) *m(f)*

initiation [inisjasjɔ̃] *f* Einführung *f*; **cours d'~** Anfängerkurs *m*; **~ à qc** Einführung in etw (*akk*)

initiatique [inisjatik] *adj* **être ~** der Einführung dienen

initiative [inisjativ] *f* **1.** (*idée première*) Einfall *m*; **avoir l'~ de qc** die Idee zu etw haben; **~ privée** Privatinitiative *f*; **de sa/ leur propre ~** aus eigenem Antrieb; **prendre des ~s** die Initiative ergreifen; **à** [*o* **sur**] **l'~ de qn** auf jds Initiative (*akk*) [hin] **2.** (*trait de caractère*) Initiative *f*; **avoir de l'~** Unternehmungsgeist besitzen

initié, e [inisje] *adj* eingeweiht

initier [inisje] <1a> *vt* **1. ~ qn à un art** jdn in eine Kunst einführen; **~ qn à un secret** jdn in ein Geheimnis einweihen **2.** (*impulser*) in die Wege leiten

injecté, e [ɛ̃ʒɛkte] *adj* ▸ **~ de sang** *yeux* blutunterlaufen

injecter [ɛ̃ʒɛkte] <1> *vt* einspritzen

injection [ɛ̃ʒɛksjɔ̃] *f d'un liquide* Einspritzen *nt*, Injektion *f*

injure [ɛ̃ʒyʀ] *f* Beleidigung *f*, Beschimpfung *f*

injurier [ɛ̃ʒyʀje] <1> **I.** *vt* beleidigen, beschimpfen; beschmutzen *mémoire* **II.** *vpr* **s'~** sich [gegenseitig] beschimpfen

injurieux, -euse [ɛ̃ʒyʀjø, -jøz] *adj* beleidigend

injuste [ɛ̃ʒyst] *adj* ungerecht

injustement [ɛ̃ʒystəmɑ̃] *adv* (*à tort*) zu Unrecht

injustice [ɛ̃ʒystis] *f* Ungerechtigkeit *f*; **avec ~** ungerecht

injustifiable [ɛ̃ʒystifjabl] *adj* durch nichts zu rechtfertigen

injustifié, e [ɛ̃ʒystifje] *adj* ungerechtfertigt

inlassable [ɛ̃lɑsabl] *adj* unermüdlich

inlassablement [ɛ̃lɑsabləmɑ̃] *adv* unermüdlich

inné, e [i(n)ne] *adj* angeboren

innocemment [inɔsamɑ̃] *adv* in aller Unschuld; (*sans penser à mal*) unschuldig

innocence [inɔsɑ̃s] *f* **1.** (*opp: culpabilité*) Unschuld *f* **2.** (*candeur*) Unschuld *f*; (*naïveté*) Arglosigkeit *f*; **abuser de l'~ de qn** jds Arglosigkeit ausnutzen; **en toute ~** in aller Unschuld **3.** (*caractère inoffensif*) Harmlosigkeit *f*

innocent, e [inɔsɑ̃, ɑ̃t] **I.** *adj* **1.** (*opp: coupable*) unschuldig; **être ~ de qc** einer S. (*gen*) nicht schuldig sein **2.** (*anodin*) harmlos; *jeux, plaisanterie* unschuldig **3.** (*candide*) unschuldig **4.** (*naïf*) naiv **5.** (*inoffensif*) **l'article n'est pas ~** hinter dem Artikel steckt mehr; **ce n'est pas ~ si qn fait qc** jd tut etw nicht ohne Hintergedanken **II.** *m, f* Unschuldige(r) *f(m)*; **faire l'~** den Unschuldigen spielen

innocenter [inɔsɑ̃te] <1> *vt* **~ qn de vol** jdn vom Diebstahl entlasten

innocuité [inɔkɥite] *f d'une substance* Unschädlichkeit *f*

innombrable [i(n)nɔ̃bʀabl] *adj* unzählig, zahllos *attr*

innommable [i(n)nɔmabl] *adj* unbeschreiblich

innovateur, -trice [inɔvatœʀ, -tʀis] **I.** *adj méthode* neu; *politique* der Erneuerung; **une action innovatrice** eine Neuerung; **être ~** innovativ sein **II.** *m, f* Neuerer/Neuerin *m/f*, Innovator(in) *m(f)*

innovation [inɔvasjɔ̃] *f* Neuerung *f*, Innovation *f*

innover [inɔve] <1> **I.** *vt* neu einführen **II.** *vi* **~ en** [*o* **en matière de**] **qc** Neuerungen in etw (*dat*) einführen

inoccupé, e [inɔkype] *adj* **1.** (*vide*) frei; *terrain* unbebaut; *maison* leer [stehend] **2.** (*oisif*) untätig

inoculation [inɔkylasjɔ̃] *f* **~ de qc** Inokulation *f* einer S. (*gen*)

inoculer [inɔkyle] <1> *vt* **~ qc à qn** jdn mit etw infizieren

inodore [inɔdɔʀ] *adj* geruchlos; **être ~** nicht duften

inoffensif, -ive [inɔfɑsif, -iv] *adj* harmlos; *piqûre* ungefährlich; *remède* unbedenklich

inondable [inɔ̃dabl] *adj* überschwemmungsgefährdet

inondation [inɔ̃dasjɔ̃] *f* **1.** (*débordement d'eaux*) Überschwemmung *f*; *d'un fleuve* Hochwasser *nt* **2.** *de machandises, de pro-*

duits Schwemme *f*

inonder [inɔ̃de] <1> **I.** *vt* **1.** (*couvrir d'eaux*) überschwemmen; **être inondé** *personnes:* hochwassergeschädigt sein; *lieu:* überschwemmt sein **2.** (*tremper*) ~ **qn/qc de qc** jdn/etw mit etw überschütten; ~ **qn/qc** *chose:* über jdn/etw strömen **3.** (*submerger*) ~ **qn de qc** jdn mit etw überschütten; ~ **un pays de qc** ein Land mit etw überschwemmen; ~ **les rues** durch die Straßen strömen **II.** *vpr* **s'~ de qc** sich mit etw überschütten

inopérable [inɔpeʀabl] *adj* inoperabel

inopérant, e [inɔpeʀɑ̃, ɑ̃t] *adj* unwirksam

inopiné, e [inɔpine] *adj* unerwartet

inopinément [inɔpinemɑ̃] *adv* unerwartet

inopportun, e [inɔpɔʀtœ̃, yn] *adj* demande ungelegen

inorganisé, e [inɔʀganize] *adj* unorganisiert

inoubliable [inublijabl] *adj* unvergesslich

inouï, e [inwi] *adj* **1.** (*inconnu*) unerhört **2.** *fam* (*formidable*) **être** ~ personne: unglaublich sein

inoxydable [inɔksidabl] *adj* rostfrei

inqualifiable [ɛ̃kalifjabl] *adj* unbeschreiblich; agression abscheulich

inquiet, -ète [ɛ̃kjɛ, -ɛt] **I.** *adj* **1.** (*anxieux*) beunruhigt; caractère, personne ängstlich; **c'est un caractère** ~ er/sie hat ein ängstliches Gemüt; **ne sois pas** ~ mach dir keine Sorgen; **être** ~ **de qc** wegen etw beunruhigt sein; **être** ~ **au sujet de** [*o* pour] **la fille/la maison** des Mädchens/des Hauses wegen besorgt sein; **qn est** ~ **que** + *subj* jd fürchtet, dass **2.** (*qui dénote l'appréhension*) ängstlich; regard, attente bang; geste unsicher **II.** *m, f* [ewig] besorgter Mensch

inquiétant, e [ɛ̃kjetɑ̃, ɑ̃t] *adj* **1.** (*alarmant*) beunruhigend; **devenir** ~ [allmählich] Besorgnis erregende Formen annehmen **2.** (*patibulaire*) Furcht erregend

inquiéter [ɛ̃kjete] <5> **I.** *vt* ~ **qn** jdn beunruhigen **II.** *vpr* **1.** (*s'alarmer*) **s'~** sich beunruhigen, sich (*dat*) Sorgen machen, unruhig werden **2.** (*se soucier de*) **s'~ au sujet de la fille/la maison** sich (*dat*) des Mädchens/des Hauses wegen Sorgen machen; **s'~ de savoir si/qui** sich (*dat*) Gedanken darüber machen, ob/wer

inquiétude [ɛ̃kjetyd] *f* Beunruhigung *f kein Pl*, Sorge *f*; **plonger qn dans l'~** jdn in Sorge versetzen; **avoir des ~s au sujet de la fille/la maison** sich (*dat*) des Mädchens/des Hauses wegen Sorgen machen; **soyez sans** ~ machen Sie sich (*dat*) keine

Sorgen; **être sans** ~ **sur qc** keine Sorgen mit etw haben

inquisiteur, -trice [ɛ̃kizitœʀ, -tʀis] *m, f* péj. HIST, REL Inquisitor(in) *m(f)*

inquisition [ɛ̃kizisjɔ̃] *f* péj a. HIST, REL l'Inquisition die Inquisition

insaisissable [ɛ̃sezisabl] *adj* **1.** nicht zu fassen **2.** *fam* (*qu'on ne parvient pas à rencontrer*) nicht zu erwischen

insalubre [ɛ̃salybʀ] *adj* climat ungesund; quartier heruntergekommen

insalubrité [ɛ̃salybʀite] *f* Gesundheitsschädlichkeit *f*

insanité [ɛ̃sanite] *f* d'une personne Unvernunft *f*; d'un propos, d'un acte Unsinnigkeit *f*; **dire des** ~**s** Unsinn von sich geben

insatiable [ɛ̃sasjabl] *adj* unersättlich; soif unstillbar; curiosité nicht zu befriedigen

insatisfaction [ɛ̃satisfaksjɔ̃] *f* ~ **devant qc** Unzufriedenheit *f* mit etw

insatisfait, e [ɛ̃satisfɛ, ɛt] **I.** *adj* **1.** (*mécontent*) ~ **de qn/qc** unzufrieden mit jdm/etw **2.** (*inassouvi*) unbefriedigt **II.** *m, f* **un éternel** ~ jd, der ewig unzufrieden ist

inscription [ɛ̃skʀipsjɔ̃] *f* **1.** (*texte*) Inschrift *f*; d'un poteau indicateur, Aufschrift *f*; ~ **funéraire** Grabinschrift **2.** (*immatriculation*) Anmeldung *f*; **les ~s sont closes le 31 mars** Anmeldeschluss *m* ist der 31. März; ~ **de qn à une école** jds Anmeldung an einer Schule; ~ **de qn à un concours** jds [An]meldung zu einem Wettbewerb; ~ **de qn à un club** jds Eintritt *m* in einen Club

inscrire [ɛ̃skʀiʀ] <irr> **I.** *vt* **1.** (*noter*) ~ **qc dans** [*o* sur] **un carnet** [sich (*dat*)] etw in einem Heft aufschreiben; ~ **qc sur une enveloppe** etw auf einen Briefumschlag schreiben; ~ **qc à l'ordre du jour** etw auf die Tagesordnung setzen; **être inscrit dans** [*o* sur] **qc** auf etw (*dat*) stehen; **être inscrit dans ma mémoire** sich fest eingeprägt haben; **être inscrit sur mon visage** auf meinem Gesicht geschrieben stehen **2.** (*immatriculer*) ~ **qn à une école** jdn an einer Schule anmelden; ~ **qn dans un club** jdn in einem Verein anmelden; ~ **qn sur une liste** jdn in eine Liste eintragen; (*pour prendre rendez-vous*) jdn auf einer Liste vormerken; **être inscrit à la faculté** an der Universität eingeschrieben sein; **être inscrit dans un club** Mitglied in einem Club sein **II.** *vpr* **1.** (*s'immatriculer*) **s'~ à une école** sich an einer Schule anmelden; **s'~ à une faculté** sich an einer Universität einschreiben; **s'~ à un parti/club** einer Partei/einem Club beitreten; **s'~ sur une liste** sich in eine Liste eintragen; **se faire ~ au tennis** sich zum Tenni

insatisfaction/irritation

• exprimer l'insatisfaction	• Unzufriedenheit ausdrücken
Cela ne répond pas à mes attentes.	Das entspricht nicht meinen Erwartungen.
J'aurais espéré que vous vous donniez plus de mal.	Ich hätte erwartet, dass Sie sich nun mehr Mühe geben.
Nous n'en avions pas convenu ainsi.	So hatten wir es nicht vereinbart.
• exprimer l'irritation	• Verärgerung ausdrücken
C'est incroyable/inouï!	Das ist (ja) unerhört!
Mais c'est une honte!/Quel culot!/ Quelle impertinence!	Eine Unverschämtheit ist das!/So eine Frechheit!
Alors là, c'est le bouquet/le comble!	Das ist doch wohl die Höhe!
Mais ce n'est pas vrai/possible!	Das darf doch wohl nicht wahr sein!
C'est énervant!/Ça commence à m'énerver!	Das nervt! *(fam)*
C'est/Ça devient insupportable!	Das ist ja nicht mehr zum Aushalten! *(fam)*

anmelden **2.** (*s'insérer dans*) s'~ **dans le cadre de qc** *décision, mesure, projet:* im Rahmen von etw geschehen **3.** (*apparaître*) s'~ **sur l'écran** auf dem Bildschirm erscheinen

inscrit, e [ɛ̃skRi, it] **I.** *part passé de* **inscrire II.** *adj candidat* gemeldet; *député* zu einer Fraktion gehörig; *électeur* in die Wählerliste eingetragen **III.** *m, f* Angemeldete(r) *f(m)*; *à un examen* [gemeldeter] Kandidat/[gemeldete] Kandidatin *m/f*; *à un parti* [eingetragenes] Mitglied; *sur une liste électorale* Wahlberechtigte(r) *f(m)*; *à une faculté* [immatrikulierter] Student/[immatrikulierte] Studentin *m/f*

insecte [ɛ̃sɛkt] *m* Insekt *nt*

insecticide [ɛ̃sɛktisid] *m* Insekten[vertilgungs]mittel *nt*

insectivore [ɛ̃sɛktivɔR] *adj* Insekten fressend

insécurité [ɛ̃sekyRite] *f* Unsicherheit *f*

insémination [ɛ̃seminasjɔ̃] *f* Befruchtung *f*

insensé, e [ɛ̃sɑ̃se] *adj* absurd; *personne* verrückt; *acte* unsinnig ►**c'est** ~! das ist Unsinn!

insensibiliser [ɛ̃sɑ̃sibilize] <1> *vt* ~ **qn/ qc** jdn narkotisieren/etw betäuben

insensibilité [ɛ̃sɑ̃sibilite] *f* Unempfindlichkeit *f*

insensible [ɛ̃sɑ̃sibl] *adj* **1.** (*physiquement*) **être** ~ *personne:* nichts spüren; *lèvres, membre:* gefühllos sein; ~ **à la douleur/ chaleur** schmerz-/wärmeunempfindlich **2.** (*moralement*) gefühllos; ~ **aux compliments** gleichgültig gegenüber Komplimen-

ten; **laisser qn** ~ jdn gleichgültig lassen

insensiblement [ɛ̃sɑ̃sibləmɑ̃] *adv* unmerklich

inséparable [ɛ̃sepaRabl] *adj amis* unzertrennlich; *idées* eng miteinander verknüpft; **être** ~ **de qc** mit etw untrennbar verbunden sein

insérer [ɛ̃seRe] <5> **I.** *vt* einfügen **II.** *vpr* s'~ **dans qc** *personne:* sich in etw (*akk*) integrieren

insertion [ɛ̃sɛRsjɔ̃] *f* Eingliederung *f*; **centre [d'hébergement et] d'**~ Übergangslager *nt*; ~ **dans qc** Integration (*akk*) in etw; **l'**~ **sociale de qn** jds [Wieder]eingliederung in die Gesellschaft

insidieusement [ɛ̃sidjøzmɑ̃] *adv* hinterhältig

insidieux, -euse [ɛ̃sidjø, -jøz] *adj* **1.** *question, promesse* hinterhältig; *personne* hinterlistig **2.** *maladie* heimtückisch

insigne [ɛ̃siɲ] *m* Abzeichen *nt*

insignifiance [ɛ̃siɲifjɑ̃s] *f* Bedeutungslosigkeit *f*

insignifiant, e [ɛ̃siɲifjɑ̃, jɑ̃t] *adj* unbedeutend

insinuant, e [ɛ̃sinɥɑ̃, ɑ̃t] *adj* schmeichlerisch

insinuation [ɛ̃sinɥasjɔ̃] *f* **1.** (*allusion*) Anspielung *f* **2.** (*accusation sournoise*) Unterstellung *f*

insinuer [ɛ̃sinɥe] <1> **I.** *vt* (*laisser entendre*) andeuten; (*accuser*) unterstellen **II.** *vpr* **1.** (*pénétrer*) s'~ **dans qc** in etw (*akk*) [ein]dringen **2.** (*se glisser*) s'~ **dans qc** *personne:* sich durch etw schlängeln; *idée, sentiment:* sich in etw (*akk*) einschleichen;

s'~ dans l'esprit de qn jdn beschleichen
insipide [ɛ̃sipid] *adj* geschmacklos
insistance [ɛ̃sistɑ̃s] *f* Beharrlichkeit *f;* ~ **à
faire qc** Hartnäckigkeit, wenn es darum
geht, etw zu tun; ~ **à ne pas faire qc** hart-
näckige Weigerung, etw zu tun; **avec** ~ beharrlich
insistant, e [ɛ̃sistɑ̃, ɑ̃t] *adj* dringend; *ton*
drängend; *rumeur* hartnäckig; *regard* eindringlich; *curiosité* aufdringlich
insister [ɛ̃siste] <1> *vi* **1.** (*s'obstiner*)
nicht nachgeben; **inutile d'~** gib's auf/ge-
ben Sie es auf; **n'insistez pas!** Hören Sie
auf!; **je n'ai pas insisté** ich habe nicht
weiter darauf bestanden; ~ **à** [*o* **pour**] **faire
qc** darauf bestehen, etw zu tun; ~ **sur qc**
auf etw bestehen **2.** (*persévérer*) durchhalten **3.** (*mettre l'accent sur*) ~ **sur qc** etw
betonen ▸ **sans** ~ ohne besonderen Nachdruck
insolation [ɛ̃sɔlasjɔ̃] *f* (*coup de chaleur*)
Sonnenstich *m*
insolence [ɛ̃sɔlɑ̃s] *f* **1.** (*impertinence*)
Frechheit *f;* **avec** ~ frech **2.** (*arrogance*)
Unverschämtheit *f*
insolent, e [ɛ̃sɔlɑ̃, ɑ̃t] **I.** *adj* **1.** (*impertinent*) frech **2.** (*arrogant*) anmaßend; *exigence* unverschämt **3.** (*provocant*) unverschämt **II.** *m, f* freche Person; **petit** ~ kleiner Frechdachs
insolite [ɛ̃sɔlit] *adj* (*inhabituel*) ungewöhnlich
insoluble [ɛ̃sɔlybl] *adj* **1.** (*qui ne peut se
dissoudre*) unlöslich **2.** (*qui ne peut être
résolu*) unlösbar
insolvable [ɛ̃sɔlvabl] *adj* zahlungsunfähig
insomniaque [ɛ̃sɔmnjak] **I.** *adj* an Schlaflosigkeit leidend; **être** ~ Schlafstörungen
haben **II.** *mf* jd, der an Schlaflosigkeit leidet
insomnie [ɛ̃sɔmni] *f* Schlaflosigkeit *f;*
avoir des ~s unter Schlafstörungen leiden
insondable [ɛ̃sɔ̃dabl] *adj* *abîme* bodenlos,
unermesslich tief
insonore [ɛ̃sɔnɔʀ] *adj* schalldämmend
insonorisation [ɛ̃sɔnɔʀizasjɔ̃] *f* Schalldämmung *f*
insonorisé, e [ɛ̃sɔnɔʀize] *adj* schalldicht
insonoriser [ɛ̃sɔnɔʀize] <1> *vt* schalldicht machen
insouciance [ɛ̃susjɑ̃s] *f* Sorglosigkeit *f;*
vivre dans l'~ ein unbekümmertes Leben
führen
insouciant, e [ɛ̃susjɑ̃, jɑ̃t] **I.** *adj* unbekümmert; *vie* sorglos; **être** ~ **du lendemain** in den Tag hinein leben; **être** ~ **du
danger** sich keine Gedanken über die Gefahr machen **II.** *m, f péj* leichtsinniger
Mensch

insoumis, e [ɛ̃sumi, iz] *adj* widerspenstig
insoumission [ɛ̃sumisjɔ̃] *f* Widerstand *m*
insoupçonné, e [ɛ̃supsɔne] *adj* ungeahnt
insoutenable [ɛ̃sutnabl] *adj* (*insupportable*) unerträglich
inspecter [ɛ̃spɛkte] <1> *vt* **1.** (*contrôler*)
kontrollieren *fonctionnaire;* ~ **un professeur** den Unterricht eines Lehrers begutachten **2.** (*examiner attentivement*) inspizieren *lieu*
inspecteur, -trice [ɛ̃spɛktœʀ, -tʀis] *m, f*
Inspektor(in) *m(f);* ~ **de police** Polizeiin-
spektor; ~ **des finances** ≈ Generalinspek-
tor; ~ **des écoles maternelles** Schulrat
(*für den Vorschulbereich*); ~ **des travaux
finis** *hum* Drückeberger (*fam*); ~ **des
Ponts et Chaussées** ≈ Oberregierungs-
baurat (*Leiter der obersten Straßenauf-
sichtsbehörde*); ~ **du travail** Gewerbeauf-
sichtsbeamte(r); ~ **général** SCOL ≈ Regie-
rungsschulrat (*für alle Lehrer eines Faches
zuständiger Beamter bei der Schulbehör-
de*); ~ **pédagogique régional** SCOL ≈
Oberschulrat (*für die Lehrer eines Faches
in einer Region zuständiger Beamter*); ~
d'Académie SCOL ≈ Schulamtsdirektor; ~
primaire Schulrat (*für den Grundschulbereich*)
inspection [ɛ̃spɛksjɔ̃] *f* **1.** (*contrôle*) Kontrolle *f; des lieux* Inspizierung *f* **2.** (*visite
d'un inspecteur*) Inspektion *f; d'un professeur* [Unterrichts]besuch *m* **3.** (*corps de
fonctionnaires*) Behörde *f;* ~ **des Finances** Finanzaufsichtsbehörde *f;* ~ **du Travail**
Gewerbeaufsichtsamt *nt;* ~ **académique**
≈ Oberschulamt *nt;* ~ **générale** SCOL
oberste Schulaufsichtsbehörde; ~ **primaire** SCOL Schulaufsichtsbehörde *für den
Grundschulbereich;* ~ **régionale** SCOL ≈
Schulamt *nt*
inspiration [ɛ̃spiʀasjɔ̃] *f* **1.** (*intuition*)
Eingebung *f* **2.** (*souffle créateur*) Inspiration *f;* **avoir de l'~/ne pas avoir** [*o* **manquer**] **d'~** Ideen/keine Ideen haben; **chercher l'~** auf eine Eingebung warten; **suivre son ~/l'~ de qn** seiner/jds Eingebung folgen **3.** (*opp: expiration*) Einatmen
nt; **faire** [*o* **prendre**] **une grande** ~ tief
einatmen ▸ **selon l'~ du moment** nach
Lust und Laune; **d'~ médiévale/orienta-
le** vom Mittelalter/orientalisch beeinflusst;
sous [*o* **de qn/qc** unter jds Einfluss
(*dat*)/unter dem Einfluss einer S. (*gen*)
inspiré, e [ɛ̃spiʀe] *adj* ~ **de qc** von etw beeinflusst
inspirer [ɛ̃spiʀe] <1> **I.** *vt* **1.** ANAT einatmen **2.** (*susciter*) ~ **du dégoût/de l'inquiétude** Ekel/Besorgnis erregend sein; ~
de la confiance *personne:* Vertrauen ein

flößen; ~ **le dégoût à qn** jdm Ekel einflößen; ~ **la prudence à qn** jdn zur Vorsicht
mahnen 3.(*suggérer*) ~ **une idée à qn**
jdn auf eine Idee bringen; ~ **un roman à
qn** jdn zu einem Roman inspirieren; ~ **à
qn de faire qc** jdn [dazu] veranlassen, etw
zu tun 4.(*être à l'origine de*) veranlassen;
anregen *décision;* inspirieren *œuvre;* als
Vorbild dienen für *personnage de roman;*
être inspiré par qc *chose:* von etw beeinflusst sein; **être inspiré par qn** *opération,
attentat, conjuration:* von jdm angestiftet
sein 5.(*rendre créatif*) ~ **qn** jdn inspirieren; *fam* (*plaire*) jdn begeistern II. *vpr* **s'~
de qn/qc** sich von jdm/etw inspirieren
lassen, sich an jdm/etw orientieren; *film, livre:* einer S. (*dat*) als Vorlage dienen; **un
film qui s'inspire d'un roman** ein Film
nach einem Roman III. *vi* einatmen

instabilité [ɛ̃stabile] *f* 1. *d'un caractère,
d'une personne* (*de comportement*) Unbeständigkeit *f;* (*psychique*) Labilität *f;* ~ **des
prix** Preisschwankungen *Pl;* l'**~ du temps**
Unbeständigkeit des Wetters 2. (*précarité*)
Instabilität *f; d'une situation* Unsicherheit *f;*
~ **ministérielle** ständiger Wechsel der Minister

instable [ɛ̃stabl] *adj* 1. (*inconstant*) wechselhaft; *temps* unbeständig; *personne* (*dans
son comportement*) unbeständig; (*dans
son psychisme*) labil; (*qui ne tient pas en
place*) rastlos 2. *régime politique* instabil;
paix, situation unsicher; *objet* wackelig

installateur, -trice [ɛ̃stalatœʀ, -tʀis] *m, f*
Installateur(in) *m(f)*

installation [ɛ̃stalasjɔ̃] *f* 1.(*mise en place*) Installation *f; d'une machine* Montage *f;
d'un campement, meuble* Aufstellen *nt;* ~
de l'eau/du gaz Wasser-/Gasinstallation
2. *gén pl* (*équipement*) Anlagen *Pl;* ~**s
électriques/sanitaires** Elektro-/Sanitär-
anlagen; ~ **de fortune** behelfsmäßige Einrichtung 3.(*emménagement*) Einzug *m*

installé, e [ɛ̃stale] *adj* 1. *appartement, atelier* eingerichtet; **être bien** ~ sich gemütlich eingerichtet haben 2.(*qui jouit d'une
situation confortable*) etabliert; **c'est un
homme** ~ er ist ein gemachter Mann; **être**
~ sich etabliert haben

installer [ɛ̃stale] <1> I. *vt* 1.(*mettre en
place*) installieren, verlegen *câbles, tuyaux;*
anschließen *téléphone;* einen -anschluss bekommen *eau courante, électricité;* aufstellen *meuble;* aufhängen, aufstellen *barrage*
2.(*caser, loger*) hinstellen *chose;* [un-
ter]bringen *personne;* ~ **qn dans un fauteuil** jdn in einen Sessel setzen; ~ **qn dans
un lit** jdn in ein Bett legen; **être installé
en Bretagne** sich in der Bretagne nieder-

gelassen haben 3.(*établir officiellement*)
einsetzen II. *vpr* 1.(*s'asseoir*) **s'~** sich setzen; (*commodément*) es sich (*dat*) bequem machen 2.(*se loger*) **s'~** sich einrichten; **s'~ chez qn** sich bei jdm einquar-
tieren 3.(*s'établir*) **s'~** sich niederlassen;
médecin: sich niederlassen; *commerçant,
patron d'un restaurant:* ein Geschäft/Res-
taurant eröffnen; **s'~ à la campagne** aufs
Land ziehen

instamment [ɛ̃stamɑ̃] *adv* inständig

instant [ɛ̃stɑ̃] *m* Augenblick *m,* Moment
m; **à chaque** [*o* **tout**] ~ ständig; **au même**
~ im selben Augenblick; **vivre dans l'**~
nur dem Augenblick leben; **à l'**~ [**même**]
(*juste avant*) [gerade] eben; (*juste après*)
sofort; **à l'~ où qn a fait qc** in dem Moment, als jd etw getan hat; **dans l'**~
[**même**] augenblicklich; **dans un** ~ gleich;
dès l'~ que ... sobald ...; **dès l'~ où qn a
fait qc** (*puisque*) da [ja] jd etw getan hat;
(*dès que*) sobald jd etw getan hat; **de tous
les** ~ ständig; **d'un** ~ **à l'autre** jeden Augenblick; **en un** ~ im Nu; **par** ~**s** ab und
zu; **pour l'**~ im Moment; **pendant un** ~
einen Augenblick lang; **un** ~! einen Augenblick!

instantané, e [ɛ̃stɑ̃tane] *adj* 1.(*immédiat*) unmittelbar; *mort* augenblicklich; *réponse* prompt; **être** ~ *réponse:* prompt
kommen; *mort:* sofort eintreten; **l'effet
d'un médicament est** ~ eine Arznei
wirkt sofort 2. GASTR **potage/soupe** ~(**e**)
Instantsuppe *f;* **café** ~ Pulverkaffee *m*

instantanément [ɛ̃stɑ̃tanemɑ̃] *adv* augenblicklich

instar [ɛ̃staʀ] ▶**à l'**~ **de qn** [genau] wie jd

instauration [ɛ̃stɔʀasjɔ̃] *f* Einführung *f;
d'un gouvernement* Bildung *f; d'un processus* Einleitung *f*

instaurer [ɛ̃stɔʀe] <1> I. *vt* bilden *gouvernement;* kreieren *mode;* knüpfen *liens;* einleiten *processus* II. *vpr* **s'~** sich einbürgern;
état d'esprit: sich breit machen; *doute:* sich
einnisten; **s'~ entre des personnes** *collaboration:* zwischen Menschen zustande
kommen; *débat:* zwischen Menschen in
Gang kommen

instigateur, -trice [ɛ̃stigatœʀ, -tʀis] *m, f*
~ **de qc** Verantwortlicher für etw, Initiator
einer S. (*gen*); *d'un complot* Anstifter einer
S. (*gen*)

instigation [ɛ̃stigasjɔ̃] *f* Anstiftung *f;*
obéir aux ~**s de qn** sich von jdm aufhetzen lassen

instiller [ɛ̃stile] <1> *vt* ~ **un médicament
dans un verre** eine Arznei in ein Glas
träufeln

instinct [ɛ̃stɛ̃] *m* 1.(*tendance innée*) In-

stinkt *m;* ~ **grégaire/sexuel** Herden-/Ge-
schlechtstrieb *m;* ~ **maternel** Mutterin-
stinkt; ~ **de propriété** Revierverhalten *nt;*
d'[*o par*] ~ instinktiv **2.** (*sentiment sponta-*
né) Instinkt *m;* ~ **des affaires** Geschäftssinn *m*

instinctif, -ive [ɛ̃stɛ̃ktif, -iv] *adj* spontan
instinctivement [ɛ̃stɛ̃ktivmã] *adv* instinktiv

instituer [ɛ̃stitɥe] <1> *vt* **1.** einführen,
einrichten *organisation, ordre* **2.** ADMIN, JUR
einsetzen

institut [ɛ̃stity] *m* Institut *nt;* **Institut mo-**
nétaire européen Europäisches Währungsinstitut; **Institut de France** *die fünf*
französischen Akademien für Wissen-
schaft und Kunst; ~ **universitaire de for-**
mation des maîtres pädagogische Hochschule; **Institut universitaire de techno-**
logie Fachhochschule *f;* ~ **de beauté**
Schönheitssalon *m*

instituteur, -trice [ɛ̃stitytœʀ, -tʀis] *m, f*
[Grundschul]lehrer(in) *m(f);* ~ **spécialisé**
Sonderschullehrer

institution [ɛ̃stitysjɔ̃] *f* **1.** (*établissement*
d'enseignement) Institut *nt* **2.** (*création,*
fondation) Einrichtung *f; d'un régime* Errichtung *f; d'une mesure, d'un usage* Einführung *f* **3.** (*chose instituée*) Einrichtung
f; a. POL Institution *f*

institutionnaliser [ɛ̃stitysjɔnalize] <1>
vt institutionalisieren

instructeur, -trice [ɛ̃stʀyktœʀ, -tʀis] *m, f*
a. MIL Ausbilder(in) *m(f)*

instructif, -ive [ɛ̃stʀyktif, -iv] *adj* lehrreich, informativ (*geh*)

instruction [ɛ̃stʀyksjɔ̃] *f* **1.** (*enseigne-*
ment) ~ **civique** Gemeinschaftskunde[un-
terricht *m*] *f* **2.** (*prescription*) *a.* MIL Instruktion *f;* ADMIN Verordnung *f;* (*interne*)
Dienstanweisung *f* **3.** *gén pl* (*mode d'em-*
ploi) Gebrauchsanweisung *f*

instruit, e [ɛ̃stʀɥi, it] *adj* gebildet

instrument [ɛ̃stʀymã] *m* **1.** (*outil*) Werkzeug, *nt;* ~ **de travail** Arbeitsgerät *nt*
2. MUS ~ **de musique** Musikinstrument *nt;*
jouer d'un ~ ein [Musik]instrument spielen **3.** (*moyen*) Instrument *nt,* Mittel *nt;* ~
de propagande/sélection Propaganda-/
Selektionsinstrument; **être l'**~ **de qn** jds
Werkzeug sein

instrumentation [ɛ̃stʀymãtasjɔ̃] *f* MUS
Instrumentierung *f*

instrumentiste [ɛ̃stʀymãtist] *mf* MUS In-
strumentalist(in) *m(f)*

insu [ɛ̃sy] ▸ **à l'**~ **de qn** (*en cachette*) ohne
jds Wissen

insubmersible [ɛ̃sybmɛʀsibl] *adj* unsink-
bar

insubordination [ɛ̃sybɔʀdinasjɔ̃] *f* Ungehorsam *m*

insubordonné, e [ɛ̃sybɔʀdɔne] *adj* ungehorsam

insuccès [ɛ̃syksɛ] *m* Misserfolg *m*

insuffisamment [ɛ̃syfizamã] *adv* unzurei-
chend, ungenügend

insuffisance [ɛ̃syfizãs] *f* ~ **de qc** Knappheit *f* an etw (*dat*)

insuffisant, e [ɛ̃syfizã, ãt] *adj* **1.** (*en*
quantité) ungenügend; *moyens, personnel*
zu wenig; *nombre, dimension* nicht groß
genug, nicht ausreichend; **être en nom-**
bre ~ nicht genügend Leute sein; **être** ~
nicht ausreichen; *nombre, dimension:* nicht
groß genug sein **2.** (*en qualité*) unzurei-
chend; *candidat, élève* zu schwach; *travail*
ungenügend

insuffler [ɛ̃syfle] <1> *vt* ~ **de la peur/du**
courage à qn jdm Angst/Mut (*akk*) einflößen

insulaire [ɛ̃sylɛʀ] *mf* Inselbewohner(in)
m(f)

insularité [ɛ̃sylaʀite] *f* Insellage *f*

insuline [ɛ̃sylin] *f* Insulin *nt*

insultant, e [ɛ̃syltã, ãt] *adj air; personne*
unverschämt; *paroles, soupçon* beleidigend; *ton* unverschämt; **être** ~ **pour qn/**
qc beleidigend für jdn/etw sein

insulte [ɛ̃sylt] *f* Beleidigung *f;* ~ **à la mé-**
moire/religion Verunglimpfung *f* des An-
denkens/Glaubens

insulter [ɛ̃sylte] <1> **I.** *vt* beleidigen, beschimpfen **II.** *vpr* **s'**~ *personnes:* sich [ge-
genseitig] beleidigen

insupportable [ɛ̃sypɔʀtabl] *adj* **1.** (*intolé-*
rable) unerträglich **2.** (*désagréable*) unausstehlich

insurgé, e [ɛ̃syʀʒe] *m, f* Aufständische(r)
f(m)

insurger [ɛ̃syʀʒe] <2a> *vpr* **s'**~ **contre**
qn/qc sich gegen jdn/etw auflehnen

insurmontable [ɛ̃syʀmɔ̃tabl] *adj* unüberwindbar

insurrection [ɛ̃syʀɛksjɔ̃] *f* Aufstand *m*

insurrectionnel, le [ɛ̃syʀɛksjɔnɛl] *adj for-*
ce aufständisch

intact, e [ɛ̃takt] *adj* **1.** *objet* unversehrt, intakt; *argent* vollständig; *produit* einwandfrei; *richesse* unberührt **2.** *honneur, réputa-*
tion makellos

intangible [ɛ̃tãʒibl] *adj* unantastbar

intarissable [ɛ̃taʀisabl] *adj* unerschöpflich; *eau, puits* nie versiegend

intégral, e [ɛ̃tegʀal, o] <-aux> *adj* vollständig

intégralement [ɛ̃tegʀalmã] *adv* vollständig

intégralité [ɛ̃tegʀalite] *f* Vollständigkeit

intégrant, e [ɛ̃tegʀɑ̃, ɑ̃t] *adj* ►**être une partie ~e de qc** fest zu etw gehören

intégration [ɛ̃tegʀasjɔ̃] *f* **1.** *économique, européenne, politique* Integration *f* **2.** (*assimilation*) **~ dans qc** Integration *f* [*o* Eingliederung *f*] in etw (*akk*) **3.** UNIV *fam* (*admission*) **~ à qc** Aufnahme *f* in etw (*akk*)

intègre [ɛ̃tɛgʀ] *adj* *vie* ehrenhaft, unbescholten

intégrer [ɛ̃tegʀe] <5> *vpr* **s'~ à** [*o* **dans**] **qc** *personne, chose:* sich in etw (*akk*) integrieren

intégrisme [ɛ̃tegʀism] *m* Fundamentalismus *m*

intégriste [ɛ̃tegʀist] *adj* fundamentalistisch

intégrité [ɛ̃tegʀite] *f* **1.** *d'une vie* Ehrbarkeit *f*, Unbescholtenheit *f* **2.** (*intégralité*) Unversehrtheit *f*

intellect [ɛ̃telɛkt] *m* Intellekt *m*

intellectualisme [ɛ̃telɛktɥalism] *m* Intellektualismus *m*

intellectuel, le [ɛ̃telɛktɥɛl] **I.** *adj* **1.** (*mental*) intellektuell; *fatigue* geistig; **travail ~** geistige Arbeit *f*; **vie ~le** Geistesleben *nt* **2.** (*opp: manuel*) **travailleur ~** Kopfarbeiter *m* **II.** *m, f* Intellektuelle(r) *f(m)*

intellectuellement [ɛ̃telɛktɥɛlmɑ̃] *adv* intellektuell

intelligemment [ɛ̃teliʒamɑ̃] *adv* intelligent, klug, auf intelligente Weise

intelligence [ɛ̃teliʒɑ̃s] *f* **1.** (*entendement*) Intelligenz *f*; *pl* geistige Fähigkeiten *Pl*; **~ artificielle** künstliche Intelligenz **2.** (*discernement*) Klugheit *f*; **avec ~** klug; **faire preuve de beaucoup d'~** sich als äußerst klug erweisen **3.** (*compréhension*) **d'une personne** Verständnis *nt* eines Menschen **4.** (*personne*) intelligenter Mensch

intelligent, e [ɛ̃teliʒɑ̃, ʒɑ̃t] *adj* *personne, choses* intelligent, klug; **c'est ~!** *iron* das ist [ja] intelligent!

intelligentsia [ɛ̃teliʒɛnsja, inteligɛnsja] *f* Intelligentsia *f*

intelligible [ɛ̃teliʒibl] *adj* verständlich, vernehmbar

intempérance [ɛ̃tɑ̃peʀɑ̃s] *f* Maßlosigkeit *f*, Unmäßigkeit *f*

intempéries [ɛ̃tɑ̃peʀi] *fpl* schlechtes Wetter

intempestif, -ive [ɛ̃tɑ̃pɛstif, -iv] *adj* *allusion, gaieté* unpassend; *zèle* blind

intemporel, le [ɛ̃tɑ̃pɔʀɛl] *adj* zeitlos

intenable [ɛ̃t(ə)nabl] *adj* **1.** (*intolérable*) unerträglich **2.** (*indéfendable*) unhaltbar **3.** *adulte* renitent; *classe* aufsässig; *enfant* widerspenstig; **être ~** nicht zu bändigen sein

intendance [ɛ̃tɑ̃dɑ̃s] *f* Verwaltung *f*; MIL Logistik *f*; **~ universitaire** Universitätsverwaltung

intendant [ɛ̃tɑ̃dɑ̃] *m* **1.** Verwaltungsdirektor *m* **2.** (*régisseur*) Verwalter *m*

intense [ɛ̃tɑ̃s] *adj* **1.** (*fort*) intensiv; *couleur, lumière* intensiv; *joie, chaleur* groß; *froid* eisig; *douleur, vibrations* heftig **2.** *activité* rege; *circulation* dicht

intensément [ɛ̃tɑ̃semɑ̃] *adv* intensiv

intensif, -ive [ɛ̃tɑ̃sif, -iv] *adj* **1.** *entraînement, travail, soins* intensiv; *propagande* massiv **2.** AGR *agriculture* intensiv; **culture intensive** Intensivanbau *m*

intensification [ɛ̃tɑ̃sifikasjɔ̃] *f* Intensivierung *f*; *d'une lutte* Verstärkung *f*; *des efforts, de la production* Steigerung *f*

intensifier [ɛ̃tɑ̃sifje] <1> **I.** *vt* intensivieren; steigern *efforts, production;* beschleunigen *chute des cours* **II.** *vpr* **s'~** an Intensität zunehmen; *production:* sich steigern, gesteigert werden; **le froid s'intensifie** es wird immer kälter

intensité [ɛ̃tɑ̃site] *f* *d'un regard, de la chaleur, d'un sentiment, de la lumière* Intensität *f*; **~ lumineuse** Lichtstärke *f*; **de faible/d'une grande ~** schwach/stark; *lumière* schwach/hell; *moment* schwach/stark; **un courant de faible/d'une grande ~** Schwach-/Starkstrom *m*; **~ du courant** Stromstärke *f*

intenter [ɛ̃tɑ̃te] <1> *vt* JUR **~ un procès contre qn** einen Prozess gegen jdn anstrengen

intention [ɛ̃tɑ̃sjɔ̃] *f* **1.** (*volonté*) Absicht *f*, Intention *f* (*geh*); **une histoire part d'une bonne ~** einer Geschichte (*dat*) liegt eine gute Absicht zugrunde; **agir dans une bonne ~** in guter Absicht handeln; **avoir de bonnes/mauvaises ~s à l'égard de qn** es gut [mit jdm] meinen/etwas gegen jdn im Schilde führen; **avec les meilleures ~s [du monde]** in der [aller]besten Absicht; **avoir l'~ de faire qc** vorhaben, etw zu tun; **c'est l'~ qui compte** der gute Wille zählt; **sans ~** unabsichtlich; **c'était sans ~** es war keine Absicht **2.** (*but*) **à cette ~** zu diesem Zweck ►**à l'~ de qn** für jdn [gedacht]

intentionné, e [ɛ̃tɑ̃sjɔne] *adj* ►**être bien/mal ~ à l'égard de qn** jdm wohlgesinnt/übel gesinnt sein; **qn qui a l'air mal ~** jd, der aussieht, als führe er etwas im Schilde

intentionnel, le [ɛ̃tɑ̃sjɔnɛl] *adj* absichtlich

intentionnellement [ɛ̃tɑ̃sjɔnɛlmɑ̃] *adv* absichtlich

inter [ɛ̃tɛʀ] *m* TELEC *abr de* **interurbain** Fernamt *nt*

---

intention

• exprimer l'intention	• Absicht ausdrücken

J'ai l'intention de déposer une plainte contre l'entreprise.
Ich beabsichtige, eine Klage gegen die Firma zu erheben.

J'envisage/Je projette de faire un voyage en Italie l'année prochaine.
Ich habe für nächstes Jahr eine Reise nach Italien **vor/geplant.**

Je me suis mis en tête de passer la licence de pilote.
Ich habe mir in den Kopf gesetzt, den Pilotenschein zu machen.

Je vais tapisser le salon, ce mois-ci.
Ich werde diesen Monat noch das Wohnzimmer tapezieren.

• exprimer le manque d'intention	• Absichtslosigkeit ausdrücken

Ça ne me viendrait pas à l'idée.
Das liegt mir fern.

Je n'ai pas l'intention de te donner des ordres.
Ich habe nicht die Absicht, dir irgendwelche Vorschriften zu machen.

Je ne l'ai pas fait exprès.
Das war nicht von mir beabsichtigt.

• demander l'intention	• nach Absicht fragen

Que voulez-vous faire avec cela?
Was bezwecken Sie damit?

À quoi ça sert, tout ça?
Was hat das alles für einen Zweck?

Que voulez vous dire?
Was wollen Sie damit behaupten/ sagen?

---

interactif, -ive [ɛ̃tɛʀaktif, -iv] *adj* interaktiv

interaction [ɛ̃tɛʀaksjɔ̃] *f* Wechselwirkung *f;* INFORM Dialog

interbancaire [ɛ̃tɛʀbɑ̃kɛʀ] *adj* Interbanken-

intercalaire [ɛ̃tɛʀkalɛʀ] *adj* **jour** ~ Schalttag *m*

intercaler [ɛ̃tɛʀkale] <1> *vt* einbauen *citation, exemple*

intercéder [ɛ̃tɛʀsede] <5> *vi* ~ **pour qn auprès de qn** sich bei jdm für jdn einsetzen

intercepter [ɛ̃tɛʀsɛpte] <1> *vt* abfangen *objet, personne;* abhören *message radio, téléphone;* stellen *suspect;* anhalten, stoppen *véhicule*

interchangeable [ɛ̃tɛʀʃɑ̃ʒabl] *adj* austauschbar

interclasse [ɛ̃tɛʀklɑs] **I.** *m* SCOL kleine Pause **II.** *app match* zwischen den Klassen; **tournoi** ~ Schulturnier *nt*

intercommunal, e [ɛ̃tɛʀkɔmynal, o] <-aux> *adj* gemeindeübergreifend

intercommunautaire [ɛ̃tɛʀkɔmynotɛʀ] *adj* **décisions** ~**s** EU-Entscheidungen *Pl*

interconnexion [ɛ̃tɛʀkɔnɛksjɔ̃] *f* Zusammenschaltung *f*

intercontinental, e [ɛ̃tɛʀkɔ̃tinɑ̃tal, o] <-aux> *adj* interkontinental

interdépartemental, e [ɛ̃tɛʀdepaʀtəmɑ̃tal, o] <-aux> *adj* departe-

mentübergreifend

interdépendance [ɛ̃tɛʀdepɑ̃dɑ̃s] *f de. peuples, régions* gegenseitige Abhängigkei

interdépendant, e [ɛ̃tɛʀdepɑ̃dɑ̃, ɑ̃t] *aa peuples, régions* voneinander abhängig

interdiction [ɛ̃tɛʀdiksjɔ̃] *f* Verbot *nt;* ~ **de stationnement aux camions** Parkverbo für LKW; ~ **de pénétrer sur le chantier/ de stationner/de fumer** Betreten *nt* de Baustelle/Parken *nt*/Rauchen *nt* verboten; **lever une** ~ ein Verbot aufheben

interdire [ɛ̃tɛʀdiʀ] <*irr*> **I.** *vt* **1.**(*défendre*) ~ **qc à qn** jdm etw verbieten; ~ **à qr de faire qc** es jdm verbieten etw zu tur **2.**(*empêcher*) **rien n'interdit de faire q** nichts hindert einen daran etw zu tur **3.**(*empêcher l'accès de*) ~ **sa porte à qr** jdm das Haus verbieten **II.** *vpr* **s'**~ **qc/de faire qc** etw unterlassen/es unterlasser etw zu tun, sich (*dat*) etw verbieten/e sich (*dat*) verbieten etw zu tun

interdisciplinaire [ɛ̃tɛʀdisiplinɛʀ] *adj* in terdisziplinär

interdit [ɛ̃tɛʀdi] *m* Verbot *nt*

interdit, e [ɛ̃tɛʀdi, it] *adj* verboten; *film* in diziert; **chantier** ~ Betreten der Baustell verboten; ~ **à qn** für jdn verboten; **passa ge** ~ **sauf aux riverains** Anlieger frei; ~ **aux moins de 16 ans** frei ab 16; ~ **au chiens** Hunde müssen draußen bleiben; ~ **au public** kein Zutritt; **il est** ~ **à qn d faire qc** es ist jdm verboten, etw zu tur

---

interdire

• interdire	• verbieten
Tu n'as pas le droit de regarder la télévision, aujourd'hui.	Du darfst heute **nicht** fernsehen.
Il n'en est pas question.	Das kommt gar nicht in Frage.
Ne touche pas à mon ordinateur!	**Finger weg von** meinem Computer! *(fam)*
Ne touche pas à mon journal intime!	**Lass die Finger von** meinem Tagebuch! *(fam)*
Je ne peux pas tolérer/accepter ça.	Das kann ich nicht zulassen.
Je vous interdis de me parler sur ce ton!	Ich verbiete Ihnen diesen Ton!
Arrêtez, je vous prie.	Bitte unterlassen Sie das. *(form)*

être ~ d'antenne Sendeverbot haben/bekommen, nicht gesendet werden dürfen; **qn est ~ de séjour** für jdn gilt eine Aufenthaltsbeschränkung

interentreprises [ɛ̃teʁɑ̃tʁəpʁiz] *adj inv coopération, compétition* zwischen [den] Firmen

intéressant, e [ɛ̃teʁesɑ̃, ɑ̃t] **I.** *adj* **1.** *(digne d'intérêt)* interessant; *performance* interessant; **chercher à se rendre ~** sich interessant machen wollen; **ne pas être/être peu ~** *péj* nichts wert/nichts Besonderes sein **2.** *(avantageux)* interessant; **~ pour qn** für jdn interessant; **il est ~ pour qn de faire qc** es lohnt sich für jdn, etw zu tun; **être ~ à faire** es wert sein, getan zu werden; **c'est ~ à signaler** das ist erwähnenswert **3.** *(qui suscite la bienveillance)* interessant **II.** *m, f* **faire l'~** *péj* sich interessant machen, sich aufspielen

intéressé, e [ɛ̃teʁese] **I.** *adj* **1.** *(captivé)* interessiert **2.** *(concerné)* betroffen **3.** *(égoïste)* eigennützig; **alliance ~e** Zweckbündnis *nt* **II.** *m, f* *(personne concernée)* Betroffene(r) *f(m)*; *(personne qui s'intéresse à qc)* Interessierte(r) *f(m)*

intéressement [ɛ̃teʁesmɑ̃] *m* Gewinnbeteiligung *f*

intéresser [ɛ̃teʁese] <1> **I.** *vt* **1.** *(captiver)* interessieren; **~ qn** jdn interessieren; **~ un enfant à un jeu** das Interesse eines Kindes für ein Spiel wecken; **être intéressé à faire qc** daran interessiert sein, etw zu tun; **rien ne l'intéresse** er/sie interessiert sich für nichts; **cause toujours, tu m'intéresses!** *iron fam* von mir aus kannst du lange reden!; **est-ce que ça t'intéresse** [*o* t'intéresserait] **de voir ce film?** hättest du Lust, in diesen Film zu gehen? **2.** *(concerner)* *loi, mesure:* betreffen **II.** *vpr* **s'~ à qn/qc** sich für jdn/etw interessieren

intérêt [ɛ̃teʁɛ] *m* **1.** *(attention)* Interesse *nt;* **~ pour qn/qc** Interesse für jdn/etw; **avec/sans ~** interessiert/ohne besonderes Interesse; **porter de l'~ à qn** jdm Interesse entgegenbringen; **prêter ~ à qc** einer S. *(dat)* Interesse entgegenbringen **2.** *(importance)* Bedeutung *f;* **du plus haut ~** äußerst bedeutsam **3.** *d'un film, livre* Reiz *m;* **sans aucun ~** *film, histoire* völlig uninteressant; *considérations, détail* völlig belanglos; *solution* völlig irrelevant; **gagner de l'~/perdre son ~** interessant/uninteressant werden; **ne présenter aucun ~** *proposition:* uninteressant sein; **offrir peu d'~** *travail:* nicht sehr interessant sein; **ne pas trouver le moindre ~ à qc** einer S. *(dat)* überhaupt nichts abgewinnen können **4.** *souvent pl (cause)* Interesse *nt;* **dans l'~ général** im Sinne des Allgemeinwohls; **défendre les ~s de qn** jds Interessen vertreten **5.** *(avantage)* **par ~** eigennützig; **dans l'~ de qn/qc** in jds Interesse *(dat)*/ im Interesse einer S. *(gen)*; **tu devrais te taire dans ton propre ~** es wäre besser für dich, du würdest schweigen; **ne pas voir l'~ de faire qc** nicht einsehen, was es bringen soll, etw zu tun *(fam)*; **quel ~ y a-t-il à faire ça?** was haben wir davon, wenn wir das tun?; **elle a tout ~ à refuser** sie sollte wirklich ablehnen; **trouver son ~ dans qc** bei etw auf seine Kosten kommen **6.** *souvent pl (rendement)* Zins *m;* **7% d'~** 7% Zinsen; **avec/sans ~[s]** verzinslich/zinslos; **avec ~ annuel de 10%** mit 10% Jahreszins **7.** *pl (part)* **avoir des ~s dans une affaire** an einem Geschäft beteiligt sein ▶[il] **y a ~!** *fam (et comment)* und ob!; *(ça vaut mieux)* das will ich hoffen!

interface [ɛ̃teʁfas] *f* INFORM Schnittstelle *f;*

~ **graphique** grafische Benutzeroberfläche; ~ **utilisateur** Benutzeroberfläche *f*
interférence [ɛ̃tɛʀferɑ̃s] *f a.* PHYS Interferenz *f*
interférer [ɛ̃tɛʀfere] <5> *vi* sich gegenseitig schaden; *domaines:* sich überschneiden
intérieur [ɛ̃teʀjœʀ] *m* **1.** (*opp: extérieur*) Innere(s) *nt;* à l'~ (*dedans*) innen; (*dans la maison*) drinnen; à l'~ **de** im Innern von/ (innen) in; à l'~ **d'une noix** im Inneren einer Walnuss; à l'~ **du magasin/de la ville** im Geschäft/in der Stadt; **être fermé de** l'~ von innen verschlossen sein **2.** *d'une maison, d'un magasin* Inneneinrichtung *f* **3.** (*logement*) Zuhause *nt;* **femme d'~** tüchtige Hausfrau *f* **4.** (*espace, pays*) Landesinnere *nt;* à l'~ **des terres** im Landesinneren **5.** (*ministère*) **à l'Intérieur** im Innenministerium *nt*
intérieur, e [ɛ̃teʀjœʀ] *adj* **1.** (*opp: extérieur*) Innen- **2.** *affaires* innere(r,s); *politique* Innen-; *commerce, marché* Binnen-; **dette ~e** Inlandsverschuldung *f* **3.** PSYCH *sentiment, voix* innere(r, s); *monde, vie* Innen-
intérieurement [ɛ̃teʀjœʀmɑ̃] *adv* **1.** (*audedans*) innen **2.** *rire, se révolter* innerlich
intérim [ɛ̃teʀim] *m* (*fonction*) Vertretung *f*
intérimaire [ɛ̃teʀimɛʀ] **I.** *adj directeur, ministre* stellvertretend; *gouvernement* Übergangs- **II.** *mf* Vertretung *f*
intérioriser [ɛ̃teʀjɔʀize] <1> *vt* verinnerlichen
interjection [ɛ̃tɛʀʒɛksjɔ̃] *f* Interjektion *f*
interligne [ɛ̃tɛʀliɲ] *m* Zeilenzwischenraum *m*
interlocuteur, -trice [ɛ̃tɛʀlɔkytœʀ, -tʀis] *m, f* Gesprächspartner(in) *m(f)*
interloqué, e [ɛ̃tɛʀlɔke] *adj* fassungslos
interloquer [ɛ̃tɛʀlɔke] <1> *vt* aus der Fassung bringen
interlude [ɛ̃tɛʀlyd] *m* TV Programmfüller *m*
intermède [ɛ̃tɛʀmɛd] *m* MUS, THEAT Einlage *f*
intermédiaire [ɛ̃tɛʀmedjɛʀ] **I.** *adj espace, niveau, couleur, ton* Zwischen-; *époque, solution* Übergangs-; **position** ~ *d'un fauteuil* mittlere Stellung; **position ~ entre un parti et l'autre** POL Position, die zwischen der einen und der anderen Partei liegt **II.** *mf* **1.** (*médiateur*) Vermittler(in) *m(f)* **2.** COM Zwischenhändler(in) *m(f)* **III.** *m* **par** l'~ **de** qn/qc über jdn/etw; **sans** ~ direkt
interminable [ɛ̃tɛʀminabl] *adj* endlos
intermittence [ɛ̃tɛʀmitɑ̃s] *f* Unregelmäßigkeit *f;* **par** ~ ab und zu
intermittent, e [ɛ̃tɛʀmitɑ̃, ɑ̃t] *adj* zeitweilig aussetzend

internat [ɛ̃tɛʀna] *m* SCOL Internat *nt*
international, e [ɛ̃tɛʀnasjɔnal, o] <-aux> **I.** *adj* international; *langue, politique* Welt-; **communication ~e** Auslandsgespräch *nt;* **match** ~ Länderspiel *nt* **II.** *m, f* SPORT Nationalspieler(in) *m(f)*
internationalement [ɛ̃tɛʀnasjɔnalmɑ̃] *adv* auf internationaler Ebene; *connu* international
internationalisation [ɛ̃tɛʀnasjɔnalizasjɔ̃] *f* Internationalisierung *f*
internaute [ɛ̃tɛʀnot] **I.** *adj* Internet- **II.** *mf* Surfer(in) *m(f)*
interne [ɛ̃tɛʀn] **I.** *adj partie* Innen-; *structure, hémorragie* innere(r, s); *problème, concours, promotion* intern; **débats ~s** [au sein] d'un parti parteiinterne Debatten **II.** *mf* **1.** SCOL Internatsschüler(in) *m(f)* **2.** MED Assistenzarzt/-ärztin *m/f*
interné, e [ɛ̃tɛʀne] *adj* interniert
internement [ɛ̃tɛʀnəmɑ̃] *m* POL Internierung *f*
interner [ɛ̃tɛʀne] <1> *vt* POL ~ **qn dans un camp** jdn in einem Lager internieren
Internet [ɛ̃tɛʀnɛt] *m* Internet *nt;* **accéder à** ~ ins Internet kommen
interpellation [ɛ̃tɛʀpelasjɔ̃] *f* (*arrestation*) vorläufige Festnahme (*zur Überprüfung der Personalien*); **il y a eu une dizaine d'~s** ungefähr zehn Personen wurden festgenommen
interpeller [ɛ̃tɛʀpəle] <1> **I.** *vt* **1.** (*arrêter*) *police:* zur Überprüfung der Personalien vorübergehend festnehmen **2.** (*sommer de s'expliquer*) ~ **un témoin sur un accident** einem Zeugen zu einem Unfall Fragen stellen **3.** (*apostropher*) ~ **qn** jdm etwas zurufen; (*avec brusquerie*) jdn anfahren **II.** *vpr* **s'~** (*s'apostropher*) sich [gegenseitig] anherrschen
interphone® [ɛ̃tɛʀfɔn] *m* Sprechanlage *f;* **parler à** qn **par** l'~ mit jdm über die Sprechanlage sprechen
interplanétaire [ɛ̃tɛʀplanetɛʀ] *adj* interplanetar
interposer [ɛ̃tɛʀpoze] <1> *vt* dazwischen stellen/setzen/legen
interprétariat [ɛ̃tɛʀpʀetaʀja] *m* Dolmetschen *nt*
interprétation [ɛ̃tɛʀpʀetasjɔ̃] *f* **1.** (*explication*) Interpretation *f;* ~ **des rêves** Traumdeutung *f;* **donner une nouvelle ~ d'un conte** ein Märchen neu deuten **2.** (*action de traduire*) Dolmetschen *nt*
interprète [ɛ̃tɛʀpʀɛt] *mf* **1.** MUS Interpret(in) *m(f);* CINE, THEAT Darsteller(in) *m(f)* **2.** (*traducteur*) Dolmetscher(in) *m(f)*, **faire** l'~, **servir d'**~ dolmetschen **3.** (*por te-parole*) Fürsprecher(in) *m(f)*

interrompre

• interrompre quelqu'un	• jemanden unterbrechen
Je suis désolé(e) de vous interrompre, ...	Entschuldigen Sie bitte, dass ich Sie unterbreche, ...
Si je peux me permettre de vous interrompre un instant: ...	Wenn ich Sie einmal kurz unterbrechen dürfte: ...
• indiquer que l'on veut continuer de parler	• anzeigen, dass man weitersprechen will
Un moment, je n'ai pas fini.	Moment, ich bin noch nicht fertig.
Laisse-moi finir, s'il te plaît!/ Pourrais-tu me laisser finir, s'il te plaît?	Lässt du mich bitte ausreden?/ Könntest du mich bitte ausreden lassen?
Laissez-moi finir, s'il vous plaît!	Lassen Sie mich bitte ausreden!
Laissez-moi terminer ce point, s'il vous plaît.	Lassen Sie mich bitte diesen Punkt noch zu Ende führen.
• demander la parole	• ums Wort bitten
Puis-je dire quelque chose à ce propos?	Darf ich dazu etwas sagen?
Si je peux me permettre de dire quelque chose à ce propos: ...	Wenn ich dazu noch etwas sagen dürfte: ...

interpréter [ɛ̃tɛʀpʀete] <5> **I.** *vt* **1.** MUS interpretieren; CINE, THEAT darstellen *personnage;* spielen *rôle* **2.** (*expliquer*) interpretieren *texte;* deuten *rêve* **3.** (*comprendre*) ~ **qc en bien/mal** etw positiv/negativ auslegen **II.** *vpr* **s'~ de plusieurs façons** sich auf verschiedene Weise interpretieren lassen

interprofessionnel, le [ɛ̃tɛʀpʀɔfesjɔnɛl] *adj* berufsübergreifend

interro *f fam abr de* **interrogation** Test *m*, Klassenarbeit *f*

interrogateur, -trice [ɛ̃teʀɔgatœʀ, -tʀis] *adj* fragend

interrogatif [ɛ̃teʀɔgatif] *m* Fragewort *nt*

interrogation [ɛ̃teʀɔgasjɔ̃] *f* **1.** (*question*) Frage *f;* ~ **directe/indirecte** direkte/indirekte Frage **2.** SCOL Test *m;* ~ **orale** mündliche Prüfung **3.** (*action de questionner*) Befragung *f*, Leistungsüberprüfung *f*

interrogatoire [ɛ̃teʀɔgatwaʀ] *m* Vernehmung *f;* **subir un** ~ verhört werden

interrogeable [ɛ̃teʀɔʒabl] *adj* ~ **à distance** *répondeur* mit Fernabfrage

interroger [ɛ̃teʀɔʒe] <2a> **I.** *vt* **1.** (*questionner*) ~ **qn sur un sujet** jdm Fragen über ein Thema stellen; (*pour un sondage*) jdn über ein Thema befragen; *police:* jdn wegen eines Vorwurfs vernehmen; SCOL jdn über einen Stoff abfragen; (*par écrit*) jdn eine Arbeit über einen Stoff schreiben lassen; ~ **qn du regard** jdn fragend ansehen; ~ **qn sur son alibi** jdm Fragen zu seinem Alibi stellen; **40% des personnes interrogées** 40% der Befragten **2.** (*consulter*) abfragen *banque de données, répondeur* **3.** (*examiner*) befragen *conscience* **II.** *vpr* **s'~** sich fragen; **s'~ sur qn/qc** sich (*dat*) Fragen über jdn/etw stellen

interrompre [ɛ̃teʀɔ̃pʀ] <irr> **I.** *vt* **1.** (*couper la parole, déranger*) ~ **qn dans un discours** jdn bei einer Rede unterbrechen **2.** (*arrêter*) unterbrechen *activité;* abbrechen *grossesse;* brechen *silence;* **être interrompu** *trafic:* zum Erliegen gekommen sein **II.** *vpr* **s'~** *personne:* innehalten; *discussion, film:* unterbrochen werden; *conversation:* stocken; **ne vous interrompez pas pour moi!** lassen Sie sich von mir nicht stören!

interrupteur [ɛ̃teʀyptœʀ] *m* Schalter *m*

interruption [ɛ̃teʀypsjɔ̃] *f* (*arrêt définitif*) Abbruch *m;* (*arrêt provisoire*) Unterbrechung *f;* ~ [**volontaire**] **de grossesse** Schwangerschaftsabbruch; **décider l'~ du match** entscheiden, das Spiel abzubrechen; **sans** ~ ununterbrochen; **magasin ouvert sans** ~ Geschäft durchgehend geöffnet; ~ **de deux heures/trois mois** zweistündige/dreimonatige Unterbrechung

intersection [ɛ̃tɛʀsɛksjɔ̃] *f de routes* Kreuzung *f*

interstice [ɛ̃tɛʀstis] *m* Spalt *m*

intersyndical, e [ɛ̃tɛʀsɛ̃dikal, o] <-aux> *adj* gewerkschaftsübergreifend

interurbain [ɛ̃tɛʀyʀbɛ̃] *m* Fernmeldeamt *nt*

intervalle [ɛ̃tɛʀval] *m* **1.** (*écart*) Abstand *m*; ~ **de temps** Zeit[spanne] *f*; **à ~s réguliers** in regelmäßigen Abständen; **à huit jours d'**~ innerhalb von acht Tagen; **dans l'**~ in der Zwischenzeit; **par ~s** von Zeit zu Zeit **2.** MUS Intervall *nt*

intervenant, e [ɛ̃tɛʀvənɑ̃, ɑ̃t] *m, f* (*participant*) Beteiligte(r) *f(m)*

intervenir [ɛ̃tɛʀvəniʀ] <9> *vi* **1.** (*entrer en action*) *police, pompiers:* eingreifen; ~ **dans un débat** in eine Debatte eingreifen; ~ **dans une affaire** sich in eine Angelegenheit einmischen; ~ **en faveur d'un collègue/contre un collègue auprès de qn** sich für einen Kollegen/sich nicht für einen Kollegen bei jdm einsetzen **2.** (*prendre la parole*) sich einschalten **3.** (*survenir*) *accord:* zustande kommen; *contretemps:* dazwischenkommen; *fait:* eintreten

intervention [ɛ̃tɛʀvɑ̃sjɔ̃] *f* **1.** (*action*) Eingreifen; ~ **armée** bewaffnete Intervention **2.** (*prise de parole*) Beitrag *m* **3.** MED Eingriff *m*

interventionnisme [ɛ̃tɛʀvɑ̃sjɔnism] *m* ECON Interventionismus *m*

interventionniste [ɛ̃tɛʀvɑ̃sjɔnist] *adj* interventionistisch

intervertir [ɛ̃tɛʀvɛʀtiʀ] <8> *vt* tauschen *rôles*

interview [ɛ̃tɛʀvju] *f* Interview *nt*

interviewer [ɛ̃tɛʀvjuve] <1> *vt* interviewen

intestin [ɛ̃tɛstɛ̃] *m souvent pl* Darm *m meist Sing*

intestinal, e [ɛ̃tɛstinal, o] <-aux> *adj* Darm-

intime [ɛ̃tim] *adj* **1.** (*secret*) intim; *chagrin* geheim; *hygiène, toilette* Intim-; *vie* Privat-; **caresse** ~ Intimität *f*; **journal** ~ Tagebuch *nt*; **la personnalité** ~ **de X** X als Privatperson **2.** (*privé*) im engen Kreis; *dîner* zu zweit **3.** (*confortable*) gemütlich; **faire** ~ gemütlich wirken **4.** (*étroit, proche*) eng; *rapports, relations* intim; *relation, union* innig; **être** ~ **avec qn** mit jdm eng befreundet sein

intimement [ɛ̃timmɑ̃] *adv* (*étroitement*) **des idées/personnes** ~ **liées** sehr eng miteinander verknüpfte Gedanken/miteinander befreundete Menschen

intimer [ɛ̃time] <1> *vt* ~ **à un subordonné** [**l'ordre**] **de faire qc** einem Untergebenen befehlen, etw zu tun

intimidant, e [ɛ̃timidɑ̃, ɑ̃t] *adj* einschüch-

ternd

intimidation [ɛ̃timidasjɔ̃] *f* Einschüchterung *f*

intimider [ɛ̃timide] <1> *vt* einschüchtern

intimiste [ɛ̃timist] *adj œuvre, sujet* persönlich

intimité [ɛ̃timite] *f* **1.** (*vie privée*) Privatleben *nt*; **dans l'**~ privat; **dans la plus stricte** ~ im engsten Familienkreis **2.** (*relation étroite*) Vertrautheit *f* **3.** *d'un salon* gemütliche Atmosphäre

intitulé [ɛ̃tityle] *m d'un livre* Titel *m*; *d'un texte* Überschrift *f*

intituler [ɛ̃tityle] <1> **I.** *vt* ~ **un livre** "Mémoires" einem Buch den Titel „Memoiren" geben; **être intitulé "Mémoires"** den Titel „Memoiren" tragen **II.** *vpr* **s'**~ "Mémoires" den Titel „Memoiren" tragen

intolérable [ɛ̃tɔleʀabl] *adj* unerträglich; *pratique* inakzeptabel

intolérance [ɛ̃tɔleʀɑ̃s] *f* (*sectarisme*) Intoleranz *f*

intolérant, e [ɛ̃tɔleʀɑ̃, ɑ̃t] *adj* intolerant

intonation [ɛ̃tɔnasjɔ̃] *f souvent pl* Ton[fall *m*] *m*; **les ~s de sa voix** der Klang seiner Stimme; **prendre des ~s douces en parlant à qn** sanft mit jdm sprechen; **trouver les ~s justes** den richtigen Ton treffen

intouchable [ɛ̃tuʃabl] **I.** *adj fig* unantastbar; **il se croyait** ~ er glaubte, man könne ihm nichts anhaben **II.** *mf* Unberührbare(r) *f(m)*

intoxication [ɛ̃tɔksikasjɔ̃] *f* **1.** (*empoisonnement*) Vergiftung *f*; ~ **alimentaire** Lebensmittelvergiftung *f*; ~ **au mercure** Quecksilbervergiftung *f* **2.** (*influence*) Manipulation *f*

intoxiqué, e [ɛ̃tɔksike] *adj* **être** ~ **par une substance/un aliment** sich durch einen Stoff/ein Nahrungsmittel vergiftet haben; **être** ~ **par une drogue** drogenabhängig sein; **être** ~ **par la télé** fernsehsüchtig sein; **être** ~ **par la publicité** durch die Werbung manipuliert sein

intoxiquer [ɛ̃tɔksike] <1> **I.** *vt* **1.** (*empoisonner*) vergiften; **être légèrement intoxiqué** *pompier:* eine leichte Rauchvergiftung erleiden **2.** (*pervertir*) *émission, télévision:* verderben; *publicité, publicitaire:* manipulieren **II.** *vpr* **s'**~ sich vergiften

intracommunautaire [ɛ̃tʀakɔmynɔtɛʀ] *adj échanges* zwischen den EU-Staaten

intraduisible [ɛ̃tʀadɥizibl] *adj auteur, expression* unübersetzbar; *réaction, sentiment* unbeschreibbar

intraitable [ɛ̃tʀɛtabl] *adj* unnachgiebig

intra-muros [ɛ̃tʀamyʀos] *adv habiter, se dérouler* im Stadtzentrum

intramusculaire [ɛ̃tramyskylɛʀ] *adj* intramuskulär

intransigeance [ɛ̃tʀɑ̃ziʒɑ̃s] *f* Unnachgiebigkeit *f*

intransigeant, e [ɛ̃tʀɑ̃ziʒɑ̃, ʒɑ̃t] *adj attitude, personne* unnachgiebig; *adversaire* unerbittlich; *morale* starr

intransitif, -ive [ɛ̃tʀɑ̃zitif, -iv] *adj* intransitiv

intransportable [ɛ̃tʀɑ̃spɔʀtabl] *adj chose* nicht transportabel; *personne* nicht transportfähig

intraveineux, -euse [ɛ̃tʀavɛnø, -øz] *adj* intravenös

intrépide [ɛ̃tʀepid] *adj* **1.** (*courageux*) unerschrocken **2.** (*audacieux*) waghalsig

intrigant, e [ɛ̃tʀigɑ̃, ɑ̃t] **I.** *adj* intrigant **II.** *m, f* Intrigant(in) *m(f)*

intrigue [ɛ̃tʀig] *f* **1.** CINE, LITTER, THEAT Handlung *f* **2.** (*manœuvre*) Intrige *f*; **des ~s politiques** politische Intrigen **3.** (*liaison*) **~ amoureuse** Liebesabenteuer *nt*

intriguer [ɛ̃tʀige] <1> **I.** *vt* (*travailler qn*) beschäftigen; (*piquer la curiosité*) neugierig machen; **être intrigué** rätseln; **intrigués, les policiers tentaient ...** da die Polizisten stutzig geworden waren, versuchten sie ... **II.** *vi* intrigieren

intrinsèque [ɛ̃tʀɛ̃sɛk] *adj* eigentlich

introductif, -ive [ɛ̃tʀɔdyktif, -iv] *adj* einleitend

introduction [ɛ̃tʀɔdyksjɔ̃] *f* **1.** (*entrée en matière*) Einleitung *f*; **chapitre d'~** einleitendes Kapitel; **quelques mots** [*o* **paroles**] **d'~** ein paar einleitende Worte; **en ~** einleitend **2.** *d'un objet, de nourriture* Einführen *nt;* **l'~ de la peste en Europe** das Einschleppen der Pest nach Europa **3.** *d'une réforme, d'un produit* Einführung *f*

introduire [ɛ̃tʀɔdɥiʀ] <*irr*> **I.** *vt* **1.** (*faire entrer*) **~ qn dans une pièce** jdn in ein Zimmer führen; **~ qn chez une famille** jdn bei einer Familie einführen; **~ une clé dans qc** einen Schlüssel in etw (*akk*) stecken; **~ une pièce de monnaie dans qc** ein Geldstück in etw (*akk*) werfen; **~ du pastis en contrebande** Pastis einschmuggeln **2.** (*faire adopter*) aufbringen *mode* **II.** *vpr* **1.** (*se faire admettre*) **s'~ dans une famille/un milieu** sich in einer Familie/einem Umfeld einführen **2.** (*s'infiltrer*) **s'~ dans une maison** in ein Haus eindringen; **s'~ au milieu des invités** sich unter die Gäste schmuggeln; **s'~ dans qc** *eau, fumée:* in etw (*akk*) dringen; *impureté:* in etw (*akk*) kommen **3.** (*se mettre*) **s'~ qc dans le nez/les oreilles** sich (*dat*) etw in die Nase/die Ohren stecken **4.** (*être adopté*) **s'~ dans un pays** *usage, mode:* sich in ei-

nem Land durchsetzen

intronisation [ɛ̃tʀɔnizasjɔ̃] *f* Inthronisation *f*

introniser [ɛ̃tʀɔnize] <1> *vt* inthronisieren

introspection [ɛ̃tʀɔspɛksjɔ̃] *f* Selbstbeobachtung *f*

introuvable [ɛ̃tʀuvabl] *adj chose, personne* unauffindbar

introverti, e [ɛ̃tʀɔvɛʀti] *adj* introvertiert

intrus, e [ɛ̃tʀy, yz] **I.** *adj* nicht dazugehörig; **visiteur ~** ungebetener Gast **II.** *m, f* Eindringling *m* ▶**cherchez l'~** wer/was gehört nicht dazu?

intrusion [ɛ̃tʀyzjɔ̃] *f* **~ dans une maison** Eindringen *nt* in ein Haus

intuitif, -ive [ɛ̃tɥitif, -iv] **I.** *adj* intuitiv **II.** *m, f* intuitiver Mensch

intuition [ɛ̃tɥisjɔ̃] *f* Intuition *f*; **~ féminine** weibliche Intuition; **procéder par ~** intuitiv vorgehen

intuitivement [ɛ̃tɥitivmɑ̃] *adv* intuitiv

inusable [inyzabl] *adj* unverwüstlich

inusité, e [inyzite] *adj* ungebräuchlich

inutile [inytil] **I.** *adj* nutzlos; *parole, effort, mesure* zwecklos; *précaution, alarme* überflüssig; *personne* unnütz; **être ~ à qn** jdm nicht von Nutzen sein; **se sentir ~** sich (*dat*) überflüssig vorkommen; **si ma présence est ~, ...** wenn ich nicht benötigt werde, ...; **il est-n'est pas ~ de faire qc/que** es ist unnötig/es wäre angebracht, etw zu tun/dass; **~ d'espérer de l'aide** zwecklos, auf Hilfe zu hoffen; **~ de te/vous dire que ...** ich brauche dir/Ihnen wohl nicht zu sagen, dass ...; **~ d'insister!** spar dir/sparen Sie sich die Mühe! **II.** *m* **l'~** das Unnütze **III.** *mf* Schmarotzer(in) *m(f)*

inutilement [inytilmɑ̃] *adv* (*sans utilité*) unnötig; (*en vain*) vergeblich

inutilisable [inytilizabl] *adj* (*qui n'offre aucune utilité*) unbrauchbar; (*dont on ne peut se servir*) nicht benutzbar; **mon ordinateur est actuellement ~** ich kann meinen Computer zur Zeit nicht benutzen

inutilisé, e [inytilize] *adj* unbenutzt

inutilité [inytilite] *f* Nutzlosigkeit *f*; **j'ai compris l'~ de ma présence ici** ich habe verstanden, dass ich hier überflüssig bin

invaincu, e [ɛ̃vɛ̃ky] *adj sportif* ungeschlagen; *sommet* unbezwungen

invalide [ɛ̃valid] **I.** *adj* invalid[e]; **personne ~** Invalide **II.** *mf* Invalide *mf*

invalider [ɛ̃valide] <1> *vt* JUR für ungültig erklären *testament*

invalidité [ɛ̃validite] *f d'une personne* Erwerbsunfähigkeit *f*

invariable [ɛ̃vaʀjabl] *adj* **1.** LING unverän-

derlich **2.** (*qui ne change pas*) unverändert; (*qu'on ne peut changer*) unveränderlich

invariablement [ɛ̃vaʀjabləmɑ̃] *adv* unweigerlich

invasion [ɛ̃vazjɔ̃] *f* MIL *a. fig* Invasion *f;* ~ **de touristes** Touristeninvasion; ~ **d'insectes** Insektenplage *f*

invective [ɛ̃vɛktiv] *f* Beleidigung *f*

invectiver [ɛ̃vɛktive] <1> *vt* beleidigen

invendable [ɛ̃vɑ̃dabl] *adj* unverkäuflich; **être** ~ sich nicht verkaufen lassen

invendu, e [ɛ̃vɑ̃dy] *adj* nicht verkauft

inventaire [ɛ̃vɑ̃tɛʀ] *m* **1.** JUR *des biens* Inventar *nt;* COM Inventur *f;* **faire l'**~ Inventur machen **2.** (*revue*) Bestandsaufnahme *f*

inventer [ɛ̃vɑ̃te] <1> *vt* ~ **qc** etw erfinden; **ça ne s'invente pas** das ist [wirklich] nicht erfunden

inventeur, -trice [ɛ̃vɑ̃tœʀ, -tʀis] *m, f* Erfinder(in) *m(f);* **ce sont les** ~**s de ce procédé** sie haben dieses Verfahren entwickelt

inventif, -ive [ɛ̃vɑ̃tif, -iv] *adj* erfinderisch

invention [ɛ̃vɑ̃sjɔ̃] *f* **1.** (*création, découverte*) Erfindung *f; d'une technique opératoire, méthode* Entwicklung *f;* **l'**~ **de ce procédé date de 1850** dieses Verfahren wurde 1850 erfunden; **de mon/son** ~ von mir/ihm/ihr erfunden **2.** (*imagination*) Einfallsreichtum *m* **3.** (*mensonge*) Erfindung *f;* **c'est une** ~ **de sa part!** das hat er/sie erfunden!; **ce sont des** ~**s pures et simples!** das ist alles erlogen!

inventorier [ɛ̃vɑ̃tɔʀje] <1a> *vt* auflisten *problèmes*

invérifiable [ɛ̃veʀifjabl] *adj* nicht überprüfbar

inverse [ɛ̃vɛʀs] **I.** *adj* entgegengesetzt; *évolution, phénomène* gegenläufig **II.** *m* Gegenteil *nt;* **c'est l'**~ **qui est vrai** in Wahrheit ist es genau umgekehrt; **à l'**~ hingegen; **à l'**~ **de qn/qc** im Gegensatz zu jdm/etw

inversement [ɛ̃vɛʀsəmɑ̃] *adv* hingegen; **et/ou** ~ und/oder umgekehrt

inverser [ɛ̃vɛʀse] <1> **I.** *vt* umstellen *mots, phrases;* tauschen *rôles;* umkehren *évolution, mouvement;* ~ **l'ordre des mots** die Wortstellung ändern **II.** *vpr* **s'**~ *mouvement, tendance:* sich umkehren

inversion [ɛ̃vɛʀsjɔ̃] *f* Umkehrung *f*

invertébré [ɛ̃vɛʀtebʀe] *m* wirbelloses Tier

investigation [ɛ̃vɛstigasjɔ̃] *f* Ermittlung *f*

investir [ɛ̃vɛstiʀ] <8> **I.** *vt* **1.** FIN ~ **son argent dans qc** sein Geld in etw (*akk*) investieren **2.** *fig* ~ **du temps/du travail dans qc** Zeit/Arbeit in etw (*akk*) investieren **II.** *vi* ECON, FIN investieren; ~ **dans de nou-**

velles machines sein Geld in neuen Maschinen anlegen **III.** *vpr* **s'**~ **dans qc** sich bei etw engagieren

investissement [ɛ̃vɛstismɑ̃] *m* **1.** ECON, FIN Investition *f;* **les dépenses d'**~ die Investitionskosten **2.** (*engagement*) ~ **de qn dans une activité** jds Engagement *nt* bei einer Aktivität

investisseur [ɛ̃vɛstisœʀ] *m* Investor(in) *m(f)*

investiture [ɛ̃vɛstityʀ] *f* **obtenir l'**~ **de son parti** von seiner Partei aufgestellt werden

invétéré, e [ɛ̃vetere] *adj* unverbesserlich

invincible [ɛ̃vɛ̃sibl] *adj* personne, armée unbesiegbar; *courage, détermination* unerschütterlich; *charme, envie* unwiderstehlich

inviolabilité [ɛ̃vjɔlabilite] *f du domicile* Unverletzlichkeit *f*

inviolable [ɛ̃vjɔlabl] *adj* unantastbar

invisible [ɛ̃vizibl] *adj* unsichtbar; *danger* nicht erkennbar; *phénomène* nicht wahrnehmbar; ~ **à l'œil nu** mit dem bloßen Auge nicht erkennbar

invitation [ɛ̃vitasjɔ̃] *f* **1.** (*appel*) Einladung *f;* **une** ~ **à ...** eine Einladung nach/zu ...; ~ **à une manifestation/au restaurant/à déjeuner** Einladung zu einer Demonstration/ins Restaurant/zum Mittagessen; **sans** ~ ohne Einladung **2.** (*incitation*) ~ **à qc** Aufforderung *f* zu etw; **à** [*sur*] **l'**~ **de qn** (*à la prière de*) auf jds Bitte (*akk*) hin; (*aux ordres de*) auf jds Aufforderung (*akk*) hin

invite [ɛ̃vit] *m* INFORM Eingabeaufforderung *f*

invité, e [ɛ̃vite] *m, f* Gast *m;* ~ **d'honneur** Ehrengast *m*

inviter [ɛ̃vite] <1> *vt* **1.** (*convier*) einladen; ~ **qn à faire qc** jdn einladen etw zu tun; **vous venez? c'est moi qui invite!** kommt ihr mit? ich lade euch ein!; ~ **qn à un anniversaire** jdn zu einem Geburtstag einladen; ~ **qn chez soi** jdn zu sich [nach Hause] einladen; ~ **qn à danser** jdn zum Tanz auffordern; ~ **qn à dîner** jdn zum Abendessen einladen **2.** (*prier*) ~ **qn à faire qc** jdn bitten, etw zu tun; (*avec insistance/autorité*) jdn auffordern, etw zu tun; ~ **qn à entrer** jdn hineinbitten; **être invité à faire qc** ersucht werden, etw zu tun **3.** (*inciter à*) ~ **qn à une discussion** jdn zu einer Diskussion einladen; ~ **qn à faire qc** jdn einladen, etw zu tun; ~ **à la réflexion** *événements:* nachdenklich stimmen

in vitro [invitʀo] *adj, adv inv* im Reagenzglas [durchgeführt]

inviter

• inviter	• einladen
Viens me voir, ça me ferait très plaisir.	**Besuch mich doch,** ich würde mich sehr freuen.
Je fais une fête samedi prochain. **Tu viens aussi?**	Nächsten Samstag lasse ich eine Party steigen. **Kommst du auch?** *(fam)*
Puis-je vous inviter à un repas/dîner d'affaires?	**Darf ich Sie zu** einem Arbeitsessen **einladen?**
J'aimerais vous inviter à dîner.	**Ich würde Sie gern** zum Abendessen **einladen.**

invivable [ɛ̃vivabl] *adj* unerträglich

involontaire [ɛ̃vɔlɔ̃tɛʀ] *adj spectateur, témoin* unfreiwillig; *erreur, réflexion* unbeabsichtigt; *mouvement* unwillkürlich

involontairement [ɛ̃vɔlɔ̃tɛʀmɑ̃] *adv* unabsichtlich

invoquer [ɛ̃vɔke] <1> *vt* vorbringen *raison, excuse*

invraisemblable [ɛ̃vʀɛsɑ̃blabl] *adj* **1.** *(qui ne semble pas vrai)* unglaubwürdig **2.** *(incroyable)* unglaublich

invraisemblance [ɛ̃vʀɛsɑ̃blɑ̃s] *f* Unglaubwürdigkeit *f*

invulnérable [ɛ̃vylneʀabl] *adj* unverwundbar; ~ **aux attaques** gegen Angriffe gefeit

iode [jɔd] *m* Jod *nt*

iodé, e [jɔde] *adj eau, air* jodhaltig

irai [iʀɛ] *fut de* **aller**

Irak [iʀak] *m* l'~ der Irak

irakien, ne [iʀakjɛ̃, jɛn] *adj* irakisch

Irakien, ne [iʀakjɛ̃, jɛn] *m, f* Iraker(in) *m(f)*

Iran [iʀɑ̃] *m* l'~ der Iran

iranien, ne [iʀanjɛ̃, jɛn] *adj* iranisch

Iranien, ne [iʀanjɛ̃, jɛn] *m, f* Iraner(in) *m(f)*

Iraq [iʀak] *m v.* **Irak**

irascible [iʀasibl] *adj* jähzornig

iris [iʀis] *m* ANAT, BOT Iris *f*

irisé, e [iʀize] *adj* schillernd

irlandais, e [iʀlɑ̃dɛ, ɛz] *adj* irisch

Irlandais, e [iʀlɑ̃dɛ, ɛz] *m, f* Ire/Irin *m/f*

Irlande [iʀlɑ̃d] *f* l'~ Irland *nt;* l'~ **du Nord** Nordirland

ironie [iʀɔni] *f* Ironie *f;* **dire qc par** ~ etw ironisch meinen

ironique [iʀɔnik] *adj* ironisch

ironiquement [iʀɔnikmɑ̃] *adv* ironisch

ironiser [iʀɔnize] <1> *vi* ~ **sur qn/qc** über jdn/etw spötteln

irradiation [iʀadjasjɔ̃] *f* PHYS Bestrahlung *f*

irradier [iʀadje] <1a> *vi douleur:* ausstrahlen

irraisonné, e [iʀɛzɔne] *adj* irrational

irrationnel [iʀasjɔnɛl] *m* l'~ das Irrationale

irrationnel, le [iʀasjɔnɛl] *adj* irrational

irrattrapable [iʀatʀapabl] *adj* nicht wieder gutzumachen

irréalisable [iʀealizabl] *adj* nicht realisierbar

irréalisme [iʀealism] *m* mangelnde Wirklichkeitsnähe

irréaliste [iʀealist] *adj* unrealistisch

irrecevable [iʀəs(ə)vabl] *adj* unzulässig

irréconciliable [iʀekɔ̃siljabl] *adj* unversöhnlich

irrécupérable [iʀekypeʀabl] *adj voiture, ferraille* nicht mehr brauchbar; **être** ~ *voiture, réfrigérateur:* nicht mehr zu reparieren sein

irrécusable [iʀekyzabl] *adj juge, témoin* nicht ablehnbar; *témoignage* nicht anfechtbar; *preuve* unwiderlegbar

irréductible [iʀedyktibl] *adj ennemi, personne* unbezwingbar; *obstacle* unüberwindbar; *opposition* unnachgiebig; *volonté* eisern

irréel, le [iʀeɛl] *adj* irreal

irréfléchi, e [iʀefleʃi] *adj* unüberlegt; *personne* unbesonnen; *(spontané)* spontan

irréfutable [iʀefytabl] *adj* unwiderlegbar

irrégularité [iʀegylaʀite] *f* **1.** *(inégalité)* Ungleichmäßigkeit *f; des traits* Unregelmäßigkeit *f; pl d'une surface, d'un terrain* Unebenheit *f* **2.** *d'un élève, d'une équipe* schwankende Leistungen *Pl;* l'~ **de ses résultats** seine/ihre schwankenden Leistungen **3.** *gén pl (illégalité)* Unregelmäßigkeit *f; d'une situation* Regelwidrigkeit *f*

irrégulier, -ère [iʀegylje, -ɛʀ] *adj* **1.** *(inégal)* unregelmäßig; *écriture* ungleichmäßig; *terrain* uneben; **avoir des horaires** ~**s** keine festen Zeiten haben **2.** *(discontinu)* ungleichmäßig; *sommeil* unruhig; *effort, travail* nicht regelmäßig **3.** *élève, sportif* nicht konstant; *résultats* schwankend **4.** *(illégal)* regelwidrig; *procédure* fehlerhaft; **des opérations irrégulières** Unregelmä-

ßigkeiten *Pl* **5.** GRAM unregelmäßig
irrégulièrement [iʀegyljɛʀmɑ̃] *adv* unregelmäßig
irrémédiable [iʀemedjabl] **I.** *adj aggravation* unaufhaltsam; *défaite* endgültig; *erreur, défaut* nicht wieder gutzumachen; *mal* unheilbar; *malheur* unabänderlich; *situation* hoffnungslos **II.** *m* l'~ das Schlimmste
irrémédiablement [iʀemedjabləmɑ̃] *adv* hoffnungslos
irremplaçable [iʀɑ̃plasabl] *adj* unersetzbar; *instant* einzigartig
irréparable [iʀepaʀabl] **I.** *adj objet, machine* nicht mehr zu reparieren; *dommage, erreur* nicht wieder gutzumachen; *perte* unersetzbar **II.** *m* l'~ das Schlimmste
irrépressible [iʀepʀesibl] *adj* unbändig
irréprochable [iʀepʀɔʃabl] *adj* einwandfrei; *vie, mère* mustergültig
irrésistible [iʀezistibl] *adj* **1.** (*impérieux*) unwiderstehlich; *désir* unbändig; *passion* unbezähmbar; *logique* [be]zwingend **2.** (*qui fait rire*) sehr lustig; **être** ~ *personne:* urkomisch sein
irrésistiblement [iʀezistibləmɑ̃] *adv attirer, évoquer* unwiderstehlich
irrésolu, e [iʀezɔly] *adj personne, caractère* unentschlossen; *problème, question* ungelöst
irrespectueux, -euse [iʀɛspɛktɥø, -øz] *adj* respektlos; ~ **envers qn** respektlos jdm gegenüber
irrespirable [iʀɛspiʀabl] *adj* unerträglich
irresponsable [iʀɛspɔ̃sabl] **I.** *adj comportement* unverantwortlich; *personne* verantwortungslos; JUR schuldunfähig **II.** *mf* Verantwortungslose(r) *f(m)*
irréversible [iʀevɛʀsibl] **I.** *adj* nicht rückgängig zu machen **II.** *m* l'~ das Unabänderliche
irrévocable [iʀevɔkabl] *adj jugement* unwiderruflich; *décision* endgültig; *volonté* unumstößlich
irrévocablement [iʀevɔkabləmɑ̃] *adv* unwiderruflich
irrigation [iʀigasjɔ̃] *f* Bewässerung *f;* **canal d'~** Bewässerungskanal *m*
irriguer [iʀige] <1> *vt* AGR bewässern
irritabilité [iʀitabilite] *f* Reizbarkeit *f*
irritable [iʀitabl] *adj* reizbar; **elle est très** ~ **aujourd'hui** sie ist heute sehr gereizt
irritant, e [iʀitɑ̃, ɑ̃t] *adj* nervtötend
irritation [iʀitasjɔ̃] *f* **1.** (*énervement*) Gereiztheit *f* **2.** MED Reizung *f;* ~ **de la gorge** Halsentzündung *f*
irrité, e [iʀite] *adj* gereizt; **être** ~ **contre qn** verärgert über jdn sein
irriter [iʀite] <1> **I.** *vt* **1.** (*énerver*) ~ **qn** jdm auf die Nerven gehen; **je ne voulais**

pas vous ~ ich wollte Sie nicht verärgern **2.** MED reizen; **ce produit n'irrite pas la peau** dieses Mittel ist sehr hautfreundlich **II.** *vpr* **1.** (*s'énerver*) **s'~ de qc/contre qn** sich über etw/jdn aufregen **2.** MED **s'~** sich entzünden
irruption [iʀypsjɔ̃] *f* l'~ **de qn dans un lieu** jds plötzliches Auftauchen an einem Ort; l'~ **de la deuxième guerre mondiale** der Ausbruch des Zweiten Weltkriegs; **faire** ~ *personne:* hereinstürmen; *chose:* hereinbrechen
islam [islam] *m* l'~ der Islam; **l'Islam** die islamische Welt
islamique [islamik] *adj* islamisch
islandais [islɑ̃dɛ] *m* Isländisch *nt; v. a.* **allemand**
islandais, e [islɑ̃dɛ, ɛz] *adj* isländisch
Islandais, e [islɑ̃dɛ, ɛz] *m, f* Isländer(in) *m(f)*
Islande [islɑ̃d] *f* l'~ Island *nt*
isocèle [izɔsɛl] *adj* gleichschenklig
isolant [izɔlɑ̃] *m* Isoliermaterial *nt*
isolation [izɔlasjɔ̃] *f* Isolierung *f*
isolationnisme [izɔlasjɔnism] *m* Isolationismus *m*
isolé, e [izɔle] *adj* **1.** *endroit* abgelegen; *maison* einsam gelegen **2.** (*seul*) isoliert; *maison* allein stehend; *bâtiment, arbre* frei stehend; **vivre très** ~ sehr zurückgezogen leben **3.** (*unique*) einzeln; **ce cas n'est pas** ~ dies ist kein Einzelfall **4.** TECH, ELEC isoliert
isolement [izɔlmɑ̃] *m* **1.** *d'une personne* Einsamkeit *f; d'un lieu, d'une maison* Abgeschiedenheit *f; d'un détenu, malade, d'un pays* Isolation *f;* **vivre dans un** ~ **complet** vollkommen zurückgezogen leben **2.** ELEC, TECH Isolierung *f*
isolément [izɔlemɑ̃] *adv* einzeln
isoler [izɔle] <1> **I.** *vt* **1.** (*séparer des autres*) isolieren *malade, prisonnier;* ~ **un quartier** *police:* ein Viertel [ab]sperren; **être isolé du reste du monde** *village:* von der restlichen Welt abgeschieden sein **2.** TECH, ELEC ~ **qc de l'humidité** etw gegen Feuchtigkeit isolieren **3.** BIO, CHIM isolieren *virus, bactérie, gène* **4.** (*considérer à part*) isoliert betrachten **II.** *vi* ~ **de qc** *matériau:* gegen etw isolieren **III.** *vpr* **s'~ de qn/qc** sich von jdm/etw absondern; **s'~ du monde** sich von der Welt abkehren
isoloir [izɔlwaʀ] *m* Wahlkabine *f*
isotherme [izɔtɛʀm] *adj* **bouteille/camion** ~ Thermosflasche® *f*/Kühlwagen *m*
Israël [isʀaɛl] *m* l'~ Israel *nt*
israélien, ne [isʀaeljɛ̃, jɛn] *adj* israelisch
Israélien, ne [isʀaeljɛ̃, jɛn] *m, f* Israeli *m*

israélite [isʀaelit] **I.** *adj* israelitisch **II.** *mf* Israelit(in) *m(f)*

issu, e [isy] *adj* **1.** (*né de*) ~ **de qc** aus etw stammend; **être ~ d'une famille modeste** aus einer einfachen Familie stammen; **être ~ de sang royal** königlicher Abstammung sein **2.** (*résultant de*) **être ~ de qc** aus etw entstanden sein

issue [isy] *f* **1.** (*sortie*) Ausgang *m;* ~ **de secours** Notausgang; **chemin/route/voie sans ~** Sackgasse *f* **2.** (*solution*) Ausweg *m;* **sans ~** *problème* unlösbar; *situation* ausweglos; *avenir* aussichtslos **3.** (*fin*) Ausgang *m;* **avoir une ~ fatale/heureuse** ein fatales/glückliches Ende nehmen; **à l'~ de qc** nach etw

isthme [ism] *m* Landenge *f*

Italie [itali] *f* **l'~** Italien *nt*

italien [italjɛ̃] *m* Italienisch *nt; v. a.* **allemand**

italien, ne [italjɛ̃, jɛn] *adj* italienisch

Italien, ne [italjɛ̃, jɛn] *m, f* Italiener(in) *m(f)*

italique [italik] **I.** *adj caractère, lettre* kursiv, schräg **II.** *m* Kursivschrift *f;* **en ~[s]** kursiv

itinéraire [itineʀɛʀ] *m* **1.** (*parcours*) Route *f* **2.** *fig* Werdegang *m;* ~ **biographique** Lebensweg *m*

itinérant, e [itineʀɑ̃, ɑ̃t] *adj* Wander-; **théâtre ~** Wanderbühne *f*

IUFM [iyɛfɛm] *m abr de* **institut universitaire de formation des maîtres** ≈ PH *f*

IUT [iyte] *m abr de* **institut universitaire de technologie** ≈ TH

ivoire [ivwaʀ] *m* Elfenbein *nt*

ivoirien, ne [ivwaʀjɛ̃, jɛn] *adj* der Elfenbeinküste

Ivoirien, ne [ivwaʀjɛ̃, jɛn] *m, f* Ivorer(in) *m(f)*

ivre [ivʀ] *adj* betrunken; **légèrement ~** angetrunken; ~ **mort** völlig betrunken

ivresse [ivʀɛs] *f* Trunkenheit *f;* **en état d'~** in betrunkenem Zustand

ivrogne [ivʀɔɲ] *mf* Säufer(in) *m(f)*

ivrognerie [ivʀɔɲʀi] *f* Trunksucht *f*

J

J, j [ʒi] *m inv* J *nt*, j *nt*
j' [ʒ] *pron v.* je
jabot [ʒabo] *m* ORN Kropf *m*
jacasser [ʒakase] <1> *vi* **1.** ZOOL *pie:* schreien **2.** (*parler*) schnattern (*fam*)
jachère [ʒaʃɛʀ] *f* (*procédé*) Brachlegen *nt;* (*terre*) Brachland *nt*
jacinthe [ʒasɛ̃t] *f* Hyazinthe *f*
jacobin, e [ʒakɔbɛ̃, in] *adj* POL zentralistisch
Jacques [ʒak] *m* Jakob *m*
jacter [ʒakte] <1> *vi fam* quasseln
jade [ʒad] *m* Jade *m o f*
jadis [ʒadis] *adv* früher
jaguar [ʒagwaʀ] *m* Jaguar *m*
jaillir [ʒajiʀ] <8> *vi* **1.** (*gicler*) *eau:* emporschießen; *sang:* spritzen; *flammes:* emporschlagen; *éclair:* aufleuchten **2.** (*fuser*) *rires:* erschallen **3.** (*surgir*) *personne:* plötzlich auftauchen **4.** (*se manifester*) *vérité:* hervorbrechen; *idée:* aufblitzen
jaillissement [ʒajismɑ̃] *m* *de pétrole* Hochschießen *nt;* *de larmes* Hervorquellen *nt;* *de flammes* Emporschlagen *nt*
jais [ʒɛ] *m* MINER Gagat *m* ►**de** ~ tiefschwarz
jalon [ʒalɔ̃] *m* **1.** (*piquet*) Pflock *m* **2.** *souvent pl* (*repère*) Schritt *m;* **poser les ~s de qc** den Grundstein für etw legen
jalonner [ʒalɔne] <1> *vt* **1.** (*tracer*) abstecken *terrain* **2.** (*border*) *piquets:* markieren; *arbustes:* säumen **3.** (*marquer*) *succès:* prägen
jalousement [ʒaluzmɑ̃] *adv* **1.** (*avec envie*) neidisch **2.** (*avec soin*) sorgsam
jalouser [ʒaluze] <1> **I.** *vt* neidisch sein auf (+ *akk*) **II.** *vpr se* ~ neidisch aufeinander sein
jalousie [ʒaluzi] *f* **1.** (*en amour, amitié*) Eifersucht *f* **2.** (*envie*) Neid *m*
jaloux, -ouse [ʒalu, -uz] **I.** *adj* **1.** (*en amour, amitié*) ~ **de qn** eifersüchtig auf jdn **2.** (*envieux*) ~ **de qn/qc** neidisch auf jdn/etw **3.** (*très attaché*) **être** ~ **de sa réputation** sorgsam auf seinen Ruf bedacht sein **II.** *m, f* **1.** (*en amour, amitié*) Eifersüchtige(r) *f(m)* **2.** (*envieux*) Neider(in) *m(f);* **faire des** ~ Neid erregen
jamaïcain, e, jamaïquain, e [ʒamaikɛ̃, ɛn] *adj* jamaikanisch
Jamaïquain, e [ʒamaikɛ̃, ɛn] *m, f* Jamaikaner(in) *m(f)*

Jamaïque [ʒamaik] *f* **la** ~ Jamaika *nt*
jamais [ʒamɛ] *adv* **1.** *avec construction négative* (*en aucun cas*) nie[mals]; ~ **plus** [*o* **plus** ~] nie wieder **2.** (*seulement*) nur; **ça ne fait** ~ **que deux heures qu'il est parti** er ist schließlich erst vor zwei Stunden aufgebrochen **3.** *avec construction positive ou interrogative* (*un jour*) je[mals]; **si** ~ **elle donne de l'argent** wenn sie je[mals] Geld geben würde **4.** (*dans une comparaison*) **pire que** ~ schlimmer als je zuvor ►**à** [**tout**] ~ *soutenu* für immer
jambe [ʒɑ̃b] *f* Bein *nt;* ~ **artificielle** [Bein]prothese *f;* **les ~s croisées** mit übereinander geschlagenen Beinen; **se dégourdir les ~s** sich (*dat*) die Beine vertreten; **traîner la** ~ das Bein nachziehen ►**prendre ses ~s à son cou** die Beine unter die Arme nehmen; **ça me fait une belle ~!** *iron fam* was nützt mir das schon?; **ne plus avoir de ~s** *fam* kaum noch laufen können; **à toutes ~s** Hals über Kopf (*fam*)
jambière [ʒɑ̃bjɛʀ] *f* Beinschutz *m*
jambon [ʒɑ̃bɔ̃] *m* Schinken *m;* ~ **de Paris** gekochter Schinken; ~ **beurre** Sandwich mit Butter und gekochtem Schinken
jambonneau [ʒɑ̃bɔno] <x> *m* Eisbein *nt*
jante [ʒɑ̃t] *f* Felge *f*
janvier [ʒɑ̃vje] *m* Januar *m; v. a.* août
Japon [ʒapɔ̃] *m* **le** ~ Japan *nt*
japonais [ʒapɔnɛ] *m* Japanisch *nt; v. a.* allemand
japonais, e [ʒapɔnɛ, ɛz] *adj* japanisch
Japonais, e [ʒapɔnɛ, ɛz] *m, f* Japaner(in) *m(f)*
jappement [ʒapmɑ̃] *m* Kläffen *nt kein Pl*
japper [ʒape] <1> *vi chien:* kläffen; *chacal:* heulen
jaquette [ʒakɛt] *f* **1.** *d'un livre* [Schutz]umschlag *m* **2.** COUT Cut *m*
jardin [ʒaʀdɛ̃] *m* Garten *m;* ~ **potager** Gemüsegarten; ~ **public** Park *m* ►~ **secret** tiefste(s) Innere(s)
jardinage [ʒaʀdinaʒ] *m* Gartenarbeit *f*
jardiner [ʒaʀdine] <1> *vi* im Garten arbeiten
jardinet [ʒaʀdinɛ] *m* Gärtchen *nt*
jardinier, -ière [ʒaʀdinje, -jɛʀ] **I.** *adj plante* Garten- **II.** *m, f* Gärtner(in) *m(f)*
jardinière [ʒaʀdinjɛʀ] *f* **1.** GASTR Gemüseallerlei *nt* **2.** (*bac à plantes*) Blumenkasten

m

jargon [ʒaʀgɔ̃] *m péj* **1.** (*charabia*) Kauderwelsch *nt* **2.** (*langue technique*) Jargon *m*

jarre [ʒaʀ] *f* Tonkrug *m*

jarret [ʒaʀɛ] *m* Kniekehle *f*

jarretelle [ʒaʀtɛl] *f* Straps *m*

jarretière [ʒaʀtjɛʀ] *f* Strumpfband *nt*

jars [ʒaʀ] *m* Gänserich *m*

jaser [ʒaze] <1> *vi* ~ **sur qn/qc** über jdn/ etw klatschen

jass [jas] *m* Jass *m*

jauge [ʒoʒ] *f* ~ **d'essence** Benzinuhr *f;* ~ [de niveau] **d'huile** Ölstandanzeiger *m*

jauger [ʒoʒe] <2a> *vt* **1.** TECH messen **2.** (*apprécier*) einschätzen

jaunâtre [ʒonɑtʀ] *adj* gelblich

jaune [ʒon] **I.** *adj* gelb; ~ **d'or** goldgelb **II.** *m* **1.** (*couleur*) Gelb *nt;* ~ **pâle/foncé** Blass-/Dunkelgelb; ~ **paille** Strohgelb **2.** (*partie d'un œuf*) Eigelb *nt* **III.** *adv* ▶**rire** ~ gezwungen lachen

jaunir [ʒoniʀ] <8> **I.** *vi* gelb werden; *papier:* vergilben **II.** *vt lumière:* vergilben; *nicotine:* gelb färben

jaunisse [ʒonis] *f* Gelbsucht *f* ▶**en faire une** ~ *fam* sich grün und blau ärgern

jaunissement [ʒonismɑ̃] *m* Gelbwerden *nt*

java [ʒava] *f* für den „*bal musette*" typischer Tanz ▶**faire la** ~ *fam* einen draufmachen

Java [ʒava] *m* INFORM Java *nt;* **un programme écrit en** ~ ein in Java geschriebenes Programm

javel [ʒavɛl] *f sans pl* Chlorbleiche *f*

javelliser [ʒavelize] <1> *vt* chloren *eau*

javelot [ʒavlo] *m* Speer *m*

jazz [dʒɑz] *m* Jazz *m*

jazzman [dʒazman, -mɛn] <s *o* -men> *m* Jazzmusiker *m*

je [ʒə, ʒ] <j'> *pron pers* ich; **moi,** ~ **m'appelle Jean** ich heiße Jean; **que vois-~?** was sehe ich [da]?, was muss ich [da] sehen?

jean [dʒin] *m* **1.** (*tissu*) Jeansstoff *m* **2.** *sing o pl* (*pantalon*) Jeans *Pl*

je-m'en-foutisme [ʒ(ə)mɑ̃futism] *m sans pl fam* Wurstigkeit *f*

je-m'en-foutiste [ʒ(ə)mɑ̃futist] *inv fam* **I.** *adj* **elle est plutôt** ~ ihr ist alles Wurscht **II.** *mf:* **jd dem alles egal ist**

je-ne-sais-quoi [ʒən(ə)sɛkwa] *m inv* **un** ~ ein Ich-weiß-nicht-was *nt*

jérémiade [ʒeʀemjad] *f souvent pl, fam* Gejammer *nt kein Pl*

jerrican[e] , **jerrycan** [(d)ʒeʀikan] *m* Benzinkanister *m*

jersey [ʒɛʀzɛ] *m* **1.** (*tissu*) Jersey *m* **2.** (*tri-*

cot) Jersey *nt;* **tricoter en** ~ **endroit** glatt rechts stricken

Jersey [ʒɛʀzɛ] **l'île de** ~ die Insel Jersey

jésuite [ʒezɥit] **I.** *adj* jesuitisch **II.** *m* REL Jesuit *m*

Jésus-Christ [ʒezykʀi] *m* Jesus Christus *m*

jet [ʒɛ] *m* **1.** *d'un tuyau* Düse *f;* ~ **d'eau** Fontäne *f* **2.** (*action*) Werfen *nt; d'un filet* Auswerfen *nt* **3.** (*résultat*) Wurf *m; d'une bombe* Abwurf; **recevoir un** ~ **de gravillons** eine Ladung Splitt abbekommen **4.** (*distance*) Wurf *m;* **à un** ~ **de pierre** [nur] einen Steinwurf entfernt (*fam*) **5.** (*jaillissement*) Strahl *m* **6.** MÉTAL [Ab]guss *m;* **d'un seul** ~ aus einem Guss ▶**à** ~ **continu** ununterbrochen; **le premier** ~ der Rohentwurf; **du premier** ~ auf Anhieb; **traduire d'un [seul]** ~ in einem Zug[e] übersetzen

jetable [ʒ(ə)tabl] *adj* Wegwerf-

jeté [ʒ(ə)te] *m* **1.** (*action*) Werfen *nt* **2.** (*résultat*) Wurf *m* **3.** (*étoffe*) ~ **de lit** Tagesdecke *f;* ~ **de table** Tischläufer *m*

jetée [ʒ(ə)te] *f* [Hafen]mole *f*

jeter [ʒ(ə)te] <3> **I.** *vt* **1.** (*lancer*) werfen **2.** (*projeter*) schleudern; ~ **les dés** würfeln **3.** (*donner: à qn*) zuwerfen; (*à un animal*) vorwerfen **4.** (*lâcher*) fallen lassen *pistolet;* auswerfen *sonde;* auslegen *bouée* **5.** (*se débarrasser de*) wegwerfen; weggießen *liquide;* abwerfen *lest* **6.** *fam* (*vider*) hinauswerfen *importun;* feuern *employé;* ~ **qn sur le pavé** jdn vor die Tür setzen **7.** (*pousser*) ~ **qn à terre** jdn zu Boden werfen **8.** (*mettre rapidement*) ~ **qc sur ses épaules** sich (*dat*) etw überwerfen **9.** (*mettre en place*) ausfahren *passerelle;* ~ **les bases de qc** den Grundstein zu etw legen **10.** (*émettre*) sprühen *étincelles;* blitzen *feux;* glänzen *vif éclat* **11.** (*répandre*) stiften *trouble;* stiften *désordre;* ~ **le discrédit sur qn** jdn in Verruf bringen **12.** (*dire*) ausstoßen *cris;* fallen lassen *remarque;* ~ **des insultes à qn** jdm Beleidigungen an den Kopf werfen ▶~ **un regard/[coup d']œil à qn** jdm einen Blick zuwerfen; (*pour surveiller*) ein Auge auf jdn haben; **en** ~ *fam* was hermachen; **n'en jetez plus** *fam* hören Sie auf damit! **II.** *vpr* **1.** (*s'élancer*) **se** ~ sich stürzen; **se** ~ **en arrière** zurückspringen; **se** ~ **à genoux/à plat ventre** sich auf die Knie/ flach hinwerfen; **se** ~ **au cou de qn** jdm um den Hals fallen; **se** ~ **sous un train** sich vor einen Zug werfen; **se** ~ **à l'eau** sich ertränken; **se** ~ **contre un arbre** gegen einen Baum prallen **2.** (*s'engager*) **se** ~ **à l'assaut de qc** etw stürmen **3.** (*déboucher*) **se** ~ **dans qc** in etw (*akk*) münden

4. (*être jetable*) **se ~** weggeworfen werden **5.** (*s'envoyer*) **se ~ des injures à la figure** sich (*dat*) Beleidigungen an den Kopf werfen

jeton [ʒ(ə)tɔ̃] *m* **1.** JEUX Jeton *m*, Spielmarke *f* **2.** (*plaque à la roulette*) Chip *m* **3.** TELEC Telefonmünze *f* ►**faux ~s** *fam* falscher Fuffziger; **avoir les ~s** *fam* Muffe haben; **donner** [*o* **ficher**] **les ~s à qn** *fam* jdm Angst machen

jeu [ʒø] <x> *m* **1.** (*fait de s'amuser*) Spiel *nt;* **~ de dés/rôle[s]** Würfel-/Rollenspiel; **~ d'équipe/de patience** Mannschafts-/Geduldsspiel; **~ de piste** Schnitzeljagd; **jouer le ~** sich an die Spielregeln halten; **~ radiophonique** Quizsendung *f* im Rundfunk; **par ~** zum Spaß; **c'est pas du ~!** *fam* das ist unfair! **2.** (*boîte, cartes*) Spiel *nt;* **~ de construction** Baukasten *m;* **~ vidéo** Videospiel *nt* **3.** (*partie*) Spiel *nt,* Partie *f;* **qui mène le ~?** wer führt? **4.** (*manière de jouer*) Spiel *nt;* **~ de jambes** Beinarbeit *f;* **avoir un ~ défensif** defensiv spielen **5.** (*lieu du jeu*) **~ de boules** Bouleplatz *m;* **~ de quilles** Kegelbahn *f;* **terrain de ~x** Spielplatz *m;* SPORT Spielfeld *nt;* **le ballon est hors ~** der Ball ist im Aus; **remettre le ballon en ~** den Ball einwerfen; **mettre qn hors ~** jdn vom Platz stellen **6.** (*~ d'argent*) **~ de hasard** Glücksspiel *nt;* **faites vos ~x!** machen Sie Ihr Spiel!; **se ruiner au ~** sein ganzes Vermögen verspielen **7.** (*série*) **~ de clés** Satz *m* Schlüssel; **~ de caractères/puces** Zeichen-/Chipsatz *m* **8.** (*interaction*) **~ des alliances** Zusammenspiel *nt* von Bündnissen **9.** *du destin* Spiel *nt;* **~ de l'amour** Liebesspiel *nt;* **~ de bourse** Börsengeschäfte *Pl* **10.** (*habileté*) **jouer double ~** ein doppeltes Spiel treiben; **ce petit ~** das Spielchen **11.** (*action facile*) **c'est un ~ d'enfant** das ist [doch] kinderleicht; **avoir beau ~** leichtes Spiel haben ►**les forces** [**mises**] **en ~** die betroffenen Kräfte; **jouer franc ~** mit offenen Karten spielen; **jouer le grand ~** alle Register ziehen; **se prendre à son propre ~** in die eigene Falle gehen; **être vieux ~** von gestern sein (*fam*); **entrer dans le ~ de qn** jds Spiel mitspielen; **faire le ~ de qn** jdm in die Hände arbeiten; **les ~x sont faits** die Würfel sind gefallen; (*au casino*) nichts geht mehr; **mettre sa vie en ~** sein Leben aufs Spiel setzen

jeu-concours [ʒøkɔ̃kuʀ] <jeux-concours> *m* Preisausschreiben *nt*

jeudi [ʒødi] *m* Donnerstag *m;* **~ saint** Gründonnerstag; *v. a.* **dimanche**

jeun [ʒœ̃] ►**venez à ~** kommen Sie nüchtern; **à prendre à ~** auf nüchternen Ma-

gen einnehmen

jeune [ʒœn] **I.** *adj* **1.** (*opp: vieux*) jung; *plante, animal* jung; *enfant* klein **2.** *antéposé* (*cadet*) **ma ~ sœur** meine kleine Schwester; **le ~ Durandol** der junge Durandol **3.** (*inexpérimenté*) unerfahren; **être ~ dans le métier** ein Neuling sein **4.** *postposé* (*comme un jeune*) jugendlich; **faire ~** jung aussehen **5.** *antéposé* (*d'enfance*) **dès son plus ~ âge** schon als Kind **6.** *postposé vin* jung ►**c'est un peu ~!** *fam* das ist ganz schön knapp! **II.** *mf* **1.** (*personne*) junger Mann/junge Frau *m/f* **2.** *pl* (*jeunes gens*) Jugendliche *mf*

jeûne [ʒøn] *m* REL, MED Fasten *nt*

jeûner [ʒøne] <1> *vi* fasten

jeunesse [ʒœnɛs] *f* **1.** (*état*) Jugend *f* **2.** (*période*) Jugend[zeit *f*] **3.** (*personnes jeunes*) Jugend *f;* **une ~** *fam* ein junges Ding **4.** *d'un vin* junges Alter **5.** (*fraîcheur*) Jugendlichkeit *f*

jeunot, te [ʒœno, ɔt] **I.** *adj* reichlich jung **II.** *m, f fam* junges Bürschchen/junges Ding *m/f*

JO [ʒio] *mpl abr de* **Jeux olympiques** Olympische Spiele *Pl*

joaillerie [ʒɔajʀi] *f* **1.** (*bijouterie*) Juweliergeschäft *nt* **2.** (*art, métier*) Juwelierhandwerk *nt* **3.** (*marchandises*) Schmuckwaren *Pl*

joaillier, -ière [ʒɔaje, -jɛʀ] **I.** *m, f* Juwelier(in) *m(f)* **II.** *app* **ouvrier-~** Goldschmied(in) *m(f)*

job [dʒɔb] *m fam* Job *m*

jobard, e [ʒɔbaʀ, aʀd] **I.** *adj personne* einfältig; *air* dämlich **II.** *m, f* Trottel *m*

jobardise [ʒɔbaʀdiz] *f* Einfältigkeit *f*

jockey [ʒɔkɛ] *m* Jockei *m,* Jockey *m*

Joconde [ʒɔkɔ̃:d(ə)] *f* **la ~** die Mona Lisa

jodler [ʒɔdle] <1> *vi* jodeln

joggeur [(d)ʒɔgœʀ] *m* Sportschuh *m* mit dicker Sohle

jogging [(d)ʒɔgiŋ] *m* **1.** (*footing*) Jogging *nt;* **faire du ~** joggen **2.** (*survêtement*) Jogginganzug *m*

joie [ʒwa] *f* **1.** (*bonheur*) Freude *f;* **avec ~** freudig, erfreut, mit Freuden; **~ de vivre** Lebensfreude *f;* **~ de posséder** Besitzerstolz *m;* **cri de ~** Freudenschrei *m;* **être au comble de la** [*o* **fou de**] **~** außer sich vor Freude sein; **je me fais une telle ~** es ist mir eine derart große Freude; **pleurer de ~** vor Freude weinen; **sauter de ~** Freudensprünge machen; **être en ~** vergnügt sein **2.** *pl* (*plaisirs*) Freuden *Pl* (*geh*); **sans ~s** freudlos ►**c'est pas la ~!** *fam* da gibt's nichts zu lachen!

joindre [ʒwɛ̃dʀ] <*irr*> **I.** *vt* **1.** (*faire se toucher*) zusammenfügen; falten *mains;* zu-

joie/enthousiasme

• exprimer sa joie	• Freude ausdrücken
Je suis content(e) que tu sois venu(e)!	**Wie schön, dass** du gekommen bist!
Je suis très heureux de vous revoir.	**Ich bin sehr froh, dass** wir uns wieder sehen.
Vous m'avez fait très plaisir.	**Sie haben mir** damit eine große Freude bereitet.
• exprimer son enthousiasme	• Begeisterung ausdrücken
Fantastique!	**Fantastisch!**
Génial!/Dingue! *(fam)***/Super!** *(fam)***/ Cool!** *(fam)***/Trop cool!** *(fam)*	**Toll!** *(fam)***/Wahnsinn!** *(sl)***/Super!** *(sl)***/ Cool!** *(sl)***/Krass!** *(sl)*
Je suis dingue de ce chanteur *(fam)*.	**Auf diesen Sänger fahre ich voll ab.** *(sl)*
Je craque complètement.	**Ich bin ganz hin und weg.** *(fam)*
J'ai vraiment été emballé(e) par sa représentation.	**Ihre Darbietung hat mich richtig mitgerissen.**

sammenschlagen *talons; ~* **à qc** an etw *(akk)* fügen **2.** *(relier)* miteinander verbinden; *~* **à qc** mit etw verbinden **3.** *(rassembler) ~* **des efforts** gemeinsame Anstrengungen machen **4.** *(ajouter) ~* **qc à un dossier** einer Akte etw beifügen; *~* **le geste à la parole** seinen Worten Taten folgen lassen **5.** *(allier)* vereinen **6.** *(atteindre)* erreichen *personne* **II.** *vi fenêtre:* dicht sein; *lattes:* fugendicht sein **III.** *vpr* **1.** *(se mêler)* **se ~ à qn/qc** sich jdm/einer S. anschließen; **joignez-vous à nous** setzen Sie sich zu uns **2.** *(s'associer)* **se ~ à un parti** in eine Partei eintreten; **se ~ à qn** sich mit jdm zusammentun **3.** *(participer à)* **se ~ à une conversation** sich an einer Unterhaltung *(dat)* beteiligen **4.** *(se toucher)* **se ~** sich berühren

joint [ʒwɛ̃] *m* **1.** *(espace)* Fuge *f* **2.** *d'un couvercle* Dichtung *f; ~* **d'étanchéité** Flachdichtung *f* ▸ **chercher/trouver le ~** einen Weg suchen/finden

joint, e [ʒwɛ̃, ɛ̃t] **I.** *part passé de* **joindre II.** *adj* **1.** *mains* gefaltet; *pieds* geschlossen **2.** *efforts* gemeinsam; *compte* Gemeinschafts- **3.** *(ajouté)* beigefügt; **pièce ~e** Anlage *f* **4.** *(sans jeu)* **mal ~** undicht **5.** *planches* verfugt

jointif, -ive [ʒwɛ̃tif, -iv] *adj planches* fugendicht

jointure [ʒwɛ̃tyʀ] *f* **1.** ANAT Gelenk *nt* **2.** TECH Fuge *f*

joint-venture [dʒɔjntvɛntʃœʀ] <joint-ventures> *f* Joint-Venture *nt*

jojo [ʒoʒo] **I.** *m* ▸ **un affreux ~** ein ganz übler Bursche **II.** *adj inv, fam (joli)* **ne pas être ~** nicht gerade umwerfend sein

joli, e [ʒɔli] *adj* **1.** *(agréable)* hübsch; *inté-*

rieur, vêtement nett; *chanson* nett; *voix* angenehm; *objet* schön **2.** *(considérable)* [ganz] beachtlich; *position* gut **3.** *iron* **un ~ monsieur** ein [ziemlich] übler Patron; **un ~ gâchis** ein schöner Schlamassel *(fam)*; **c'est du ~!** das ist ja reizend! *(fam)*

joliment [ʒɔlimɑ̃] *adv* **1.** *(agréablement)* nett **2.** *(très)* ganz schön *(fam)* **3.** *iron* schön; **tu as ~ travaillé!** du hast ja wirklich saubere Arbeit geleistet!

jonc [ʒɔ̃] *m* Binse *f;* **canne de ~** Rohrstock *m*

joncher [ʒɔ̃ʃe] <1> **I.** *vt* bedecken; verstreut liegen auf (+ *dat*) *lit; ~* **le chemin de fleurs** Blumen auf den Weg streuen **II.** *vpr* **se ~ de qc** sich mit etw bedecken

jonction [ʒɔ̃ksjɔ̃] *f de routes* Einmündung *f; de fleuves* Zusammenfluss *m; de voies ferrées* Weiche *f;* **gare de ~** Eisenbahnknotenpunkt *m;* TECH, ELEC Verbindung *f*

jongler [ʒɔ̃gle] <1> *vi* jonglieren; *~* **avec les chiffres** mit Zahlen jonglieren

jonglerie [ʒɔ̃gləʀi] *f péj (manœuvre)* Hokuspokus *m*

jongleur, -euse [ʒɔ̃glœʀ, -øz] *m, f* Jongleur *m*/Jongleuse *f*

jonque [ʒɔ̃k] *f* Dschunke *f*

jonquille [ʒɔ̃kij] **I.** *f* Osterglocke *f* **II.** *adj inv* hellgelb

Jordanie [ʒɔʀdani] *f* **la ~** Jordanien *nt*

jordanien, ne [ʒɔʀdanjɛ̃, jɛn] *adj* jordanisch

Jordanien, ne [ʒɔʀdanjɛ̃, jɛn] *m, f* Jordanier(in) *m(f)*

jouable [ʒwabl] *adj* **1.** ART spielbar; *pièce* aufführbar **2.** *(faisable)* machbar

joual [ʒwal] *m* Frankokanadisch *nt; v. a.* **allemand**

joual, e [ʒwal] <s> *adj* frankokanadisch
joue [ʒu] *f* **1.** ANAT Backe *f;* ~**s rebondies**
Pausbacken *Pl;* **avoir les ~s creuses** hohl-
wangig sein **2.** *pl d'un fauteuil* Wangen *Pl;*
d'une poulie Backen *Pl* ►**se** **caler** **les** ~**s**
fam tüchtig reinhauen; **en** ~**!** legt an!; **te-**
nir qn/qc en ~ auf jdn/etw angelegt haben
jouer [ʒwe] <1> **I.** *vi* **1.** (*s'amuser*) spielen; **faire** ~ **qn** Spiele für jdn veranstalten;
à toi/vous de ~**!** du bist/ihr seid dran!
2. *fig* ~ **avec des sentiments** mit den Ge-
fühlen spielen; **c'est pour** ~ das sollte ein
Scherz sein **3.** SPORT ~ **au foot** Fußball spielen **4.** MUS ~ **du piano** Klavier spielen
5. THEAT ~ **dans qc** in etw (*dat*) spielen **6.** (*affecter d'être*) ~ **à qn** jdn spielen
7. FIN ~ **à la bourse** an der Börse spekulieren **8.** (*miser*) ~ **sur qc** auf etw (*akk*) setzen **9.** (*risquer*) ~ **avec sa santé** mit seiner Gesundheit spielen **10.** (*intervenir*)
mesure: gelten; *relations:* wirken; ~ **de son**
influence seinen Einfluss geltend machen;
faire ~ **une clause** eine Klausel anwenden; ~ **du couteau** zum Messer greifen
►**ça a joué en ma** **faveur** das hat sich positiv für mich ausgewirkt; **bien joué!** gut
so!; ~ **serré** höllisch aufpassen **II.** *vt* **1.** JEUX
[aus]spielen *carte;* ziehen [mit] *pion;* **je**
joue atout cœur Herz ist Trumpf **2.** *fig* geben *revanche* **3.** (*miser*) setzen auf (+ *akk*)
4. (*risquer*) riskieren *sa tête;* aufs Spiel setzen *sa réputation* **5.** MUS [vor]spielen
6. THEAT, CINE spielen *pièce, rôle;* **quelle**
pièce joue-t-on? welches Stück wird gespielt? **7.** (*feindre*) ~ **la surprise** Überraschung vortäuschen; ~ **la comédie** Theater spielen ►**rien n'est encore joué** noch
ist nichts entschieden **III.** *vpr* **1.** (*se mo-*
quer) **se** ~ **de qn** jdn zum Besten halten;
se ~ **des lois** sich über das Gesetz hinwegsetzen **2.** (*être joué*) **se** ~ *film:* laufen;
spectacle: gegeben werden **3.** (*se dérouler*)
se ~ *crime:* sich abspielen **4.** (*se décider*)
se ~ *avenir:* sich entscheiden ►**en se jou-**
ant spielend
jouet [ʒwɛ] *m* **1.** (*jeu*) Spielzeug *nt;* **des** ~**s**
Spielsachen *Pl;* **marchand de** ~**s** Spielwa-
renhändler *m* **2.** (*proie*) **être le** ~ **du vent**
der Spielball des Windes sein; **être le** ~
d'une illusion das Opfer einer Illusion
sein
joueur, -euse [ʒwœʀ, -øz] **I.** *adj animal,*
enfant verspielt; **avoir un tempérament**
~ immer zu Späßen aufgelegt sein; *enfant:*
gern spielen **II.** *m, f* JEUX, SPORT Spieler(in)
m(f); **se montrer beau** ~ ein fairer Spieler
sein; **être mauvais** ~ ein schlechter Verlierer sein; **c'est un** ~ **malchanceux** er hat

Pech im Spiel
joufflu, e [ʒufly] *adj* pausbäckig
joug [ʒu] *m* **1.** AGR Joch *nt* **2.** *d'une loi*
Zwang *m; du mariage* Joch *nt* (*geh*); **tom-**
ber sous le ~ **de qn** von jdm unterjocht
werden
jouir [ʒwiʀ] <8> *vi* **1.** (*apprécier*) ~ **de la**
vie das Leben genießen **2.** (*disposer de*) ~
de privilèges Privilegien genießen; ~
d'une bonne santé sich guter Gesundheit
erfreuen; ~ **d'une réputation intacte** einen guten Ruf haben; ~ **d'un bien** Inhaber
eines Gutes sein; ~ **d'une fortune** vermögend sein; ~ **d'une grande faveur**
auprès de qn bei jdm sehr beliebt sein
3. (*sexuellement*) einen Orgasmus haben
jouissance [ʒwisɑ̃s] *f* **1.** (*plaisir*) Vergnügen *nt;* **être avide de** ~**s** vergnügungs-
süchtig sein **2.** (*usage*) **la** ~ **d'un immeu-**
ble die Nutzung eines Gebäudes **3.** (*orgas-*
me) Orgasmus *m*
joujou [ʒuʒu] <x> *m enfantin* Spielzeug
nt; **faire** ~ spielen
jour [ʒuʀ] *m* **1.** (*24 heures*) Tag *m; par* ~
täglich; **tous les** ~**s** jeden Tag; **star d'un** ~
Eintagsfliege *f* **2.** (*opp: nuit*) Tag *m;* **dor-**
mir le ~ tagsüber schlafen; **être de** ~ Tag-
dienst haben **3.** (*opp: obscurité*) Tageslicht
nt; **faux** ~ Zwielicht *nt;* **il fait grand** ~ es
ist taghell; **le** ~ **baisse/se lève** es wird
dunkel/hell; ~ **naissant** Morgengrauen
nt; **au petit** ~ bei Tagesanbruch; **sous un**
~ **favorable** in einem günstigen Licht
4. (*jour précis*) Tag *m;* **le** ~ **J** der Tag X; **le**
~ **de Noël** am Weihnachtstag; ~ **des Rois**
Dreikönigstag; ~ **du Seigneur** Tag des
Herrn; **les** ~**s de marché** an Markttagen;
les ~**s de pluie** bei Regen; **un** ~ **qu'il**
pleuvra wenn es einmal regnet; **plat du** ~
Tagesessen; **goût du** ~ Zeitgeist; **œuf du** ~
frisch gelegtes Ei; **être dans un bon** ~ einen guten Tag haben; **notre entretien de**
ce ~ unser heutiges Gespräch; ~ **pour** ~
auf den Tag [genau]; **tenue des grands** ~**s**
Festtagskleidung *f* **5.** (*période vague*) **à ce**
~ bis heute; **un de ces** ~**s** demnächst; **de**
nos ~**s** heute, heutzutage; **l'autre** ~ *fam*
neulich; **un** ~ **ou l'autre** früher oder später; **habit de tous les** ~**s** Alltagskleidung *f;*
tous les ~**s que** [le bon] **Dieu fait** tagaus,
tagein **6.** *pl, soutenu* (*vie*) **ses** ~**s sont**
comptés seine/ihre Tage sind gezählt; **fi-**
nir ses ~**s à l'hospice** sein Leben im Altersheim beenden; **vieux** ~**s** Alter *nt*
7. (*interstice*) Spalte *f;* **clôture à** ~ Lattenzaun *m* ►**c'est le** ~ **et la** **nuit** das ist [ein
Unterschied] wie Tag und Nacht; **d'un** ~ **à**
l'autre (*soudain*) von einem Tag auf den
anderen; (*sous peu*) jeden Tag; **au** **grand**

~ in aller Öffentlichkeit; **donner ses huit ~s** kündigen; **se montrer sous son vrai ~** sein wahres Gesicht zeigen; **donner le ~ à qn** jdm das Leben schenken; **demain, il fera ~** morgen ist auch noch ein Tag; **mettre à ~** INFORM aktualisieren; **mettre qc à ~** etw auf den neuesten Stand bringen; **se mettre à ~ dans qc** seinen Rückstand in etw (*dat*) aufholen; **mettre au ~** zutage fördern; **mettre des antiquités au ~** Altertümer ausgraben; **percer qn/qc à ~** jdn/etw durchschauen; **voir le ~** geboren werden; **au ~ le ~** in den Tag hinein; (*précairement*) von der Hand in den Mund; (*cas par cas*) von Fall zu Fall

journal [ʒuʀnal, o] <-aux> *m* **1.** (*quotidien*) Zeitung *f;* (*local*) Anzeiger *m;* (*hebdomadaire*) Zeitschrift *f;* ~ **de mode** Modemagazin *nt* **2.** (*bureaux*) Zeitung *f* **3.** (*mémoire*) ~ [**intime**] Tagebuch *nt;* ~ **de bord** NAUT Logbuch *nt* **4.** (*média non imprimé*) ~ **filmé** Wochenschau *f;* ~ **télévisé** [Fernseh]nachrichten *Pl*

journalier, -ière [ʒuʀnalje, -jɛʀ] **I.** *adj* täglich; *salaire, gain* Tages- **II.** *m, f* AGR Tagelöhner(in) *m(f)*

journalisme [ʒuʀnalism] *m* Journalismus *m*

journaliste [ʒuʀnalist] *mf* Journalist(in) *m(f)*

journalistique [ʒuʀnalistik] *adj* Zeitungs-, journalistisch

journée [ʒuʀne] *f* **1.** (*durée du jour*) Tag *m;* **pendant la ~** tagsüber; ~ **de grève** Streiktag; **les ~s d'études** die Studientage **2.** (*temps de travail*) Arbeitstag *m;* ~ **de 8 heures** Achtstundentag *m;* ~ **continue** durchgehende Arbeitszeit **3.** (*salaire*) Tagelohn *m* **4.** (*recette*) Tageseinnahmen *Pl;* **faire une ~/des ~s** im Tagelohn arbeiten; **travailler/payer à la ~** tageweise arbeiten/bezahlen **5.** (*distance*) ~ **de marche/voyage** Tagesmarsch *m/*-reise *f;* **c'est à trois ~s de train** man fährt mit dem Zug drei Tage dorthin ▶**toute la sainte ~** den lieben langen Tag

journellement [ʒuʀnɛlmã] *adv* täglich

joute [ʒut] *f* **1.** SPORT ~ **nautique** Fischerstechen *nt* **2.** (*rivalité*) Wettstreit *m;* ~ **oratoire** Wortgefecht *nt*, Rededuell *nt*

jouvence [ʒuvãs] *f* **cure/eau de ~** Verjüngungskur *f/*-elixier *nt*

jouvenceau, -elle [ʒuvãso, -ɛl] <x> *m, f hum* **1.** (*jeune homme*) Jüngling *m* **2.** (*jeune fille*) Maid *f*

jovial, e [ʒɔvjal, jo] <s *o* -aux> *adj* heiter

jovialement [ʒɔvjalmã] *adv* heiter; *saluer* freundlich

jovialité [ʒɔvjalite] *f* Heiterkeit *f;* **saluer**

avec ~ freundlich grüßen

joyau [ʒwajo] <x> *m* **1.** (*bijou*) Juwel *nt* **2.** *fig* Kleinod *nt*

joyeusement [ʒwajøzmã] *adv* fröhlich

joyeux, -euse [ʒwajø, -jøz] *adj chant* fröhlich; *personne* vergnügt; *compagnie* lustig; **être de joyeuse humeur** gut gelaunt sein; **être tout ~** überglücklich sein; **joyeuse fête!** frohes Fest!; ~ **anniversaire!** herzlichen Glückwunsch zum Geburtstag!

joystick [ʒɔjstik] *m* Joystick *m*

jubilation [ʒybilasjɔ̃] *f* Jubel *m*

jubilé [ʒybile] *m* fünfzigjähriges [Dienst]jubiläum

jubiler [ʒybile] <1> *vi* sich unheimlich freuen (*fam*)

jucher [ʒyʃe] <1> **I.** *vt* ~ **sur qc** [hoch] oben auf etw (*akk*) stellen **II.** *vi oiseau:* [hoch] oben sitzen **III.** *vpr* **se ~ sur qc** sich [hoch] oben auf etw (*akk*) setzen

judaïque [ʒydaik] *adj* jüdisch; *loi* mosaisch

judaïsme [ʒydaism] *m* Judaismus *m*, jüdische Religion

judas [ʒyda] *m* ARCHIT Spion *m*

judiciaire [ʒydisjɛʀ] *adj* **1.** *institution* richterlich; *tribunal* ordentlich; *autorité* Justiz-; *police* Kriminal-; **pouvoir ~** Judikative *f* **2.** *enquête* gerichtlich; *acte* Gerichts-; *décision* Gerichts-; *erreur* Justiz-; *casier* Straf-

judicieusement [ʒydisjøzmã] *adv* sinnig; *employer son temps* sinnvoll; *conseiller* klug, gut

judicieux, -euse [ʒydisjø, -jøz] *adj* klug; *raisonnement* stichhaltig

judo [ʒydo] *m* Judo *nt;* **prise de ~** Judogriff *m*

judoka [ʒydoka] *mf* Judoka *m*

juge [ʒyʒ] *m* **1.** (*magistrat*) Richter(in) *m(f);* **Madame le ~** Frau Richterin; **aller devant le[s] ~[s]** vor Gericht gehen; ~ **des enfants** Jugendrichter; ~ **d'instruction** Untersuchungsrichter; ~ **d'instance** Friedensrichter; ~ **de commune** CH (*dans le canton de Valois*) Friedensrichter (CH); ~ **de paix** CH (*dans les cantons de Fribourg, Genève et Vaud*) Friedensrichter (CH) **2.** (*arbitre*) Richter(in) *m(f);* **je vous laisse** [o **en fais**] ~ ich überlasse es Ihnen; **être mauvais ~** die Sache schlecht beurteilen können **3.** SPORT ~ **d'arrivée/de touche** Ziel-/Linienrichter **4.** JEUX ~ **d'un concours** Preisrichter ▶**être [à la fois] ~ et partie** befangen sein

jugé [ʒyʒe] ▶**au ~** nach Augenmaß; (*environ*) ungefähr; **répondre au ~** raten

juge-arbitre [ʒyʒaʀbitʀ] <juges-arbitres> *m* Schiedsrichter(in) *m(f)*

jugement [ʒyʒmã] *m* **1.** (*action de juger*) Urteil *nt; d'un accusé* Aburteilung *f;* **faire**

passer qn en ~ jdn vor Gericht stellen; **une affaire passe en** ~ ein Fall wird verhandelt **2.** (*sentence*) Urteil *nt;* ~ **par défaut** Versäumnisurteil **3.** (*opinion*) Urteil *nt;* **porter des** ~**s trop sommaires sur qn/qc** vorschnell über jdn/etw urteilen **4.** (*discernement*) Urteilsvermögen *nt;* **erreur de** ~ Fehleinschätzung *f*

jugeote [ʒyʒɔt] *f fam* Grips *m* ▸**ne pas avoir pour deux** <u>sous</u> **de** ~ nicht für fünf Pfennig Verstand haben

juger [ʒyʒe] <2a> **I.** *vt* **1.** JUR ~ **un litige** in einer Streitsache entscheiden; ~ **qn pour vol** jdn wegen Diebstahls verurteilen; ~ **qn coupable** jdn für schuldig befinden **2.** (*arbitrer*) entscheiden; schlichten *différend* **3.** (*évaluer*) beurteilen *livre, situation* **4.** (*estimer*) ~ **qn stupide/qc ridicule** jdn für dumm/etw für lächerlich halten; ~ **que c'est bien** der Meinung sein, dass es gut ist; ~ [**qu'il est**] **nécessaire de faire qc** es für nötig halten, etw zu tun **II.** *vi* **1.** JUR entscheiden; **le tribunal jugera** das Gericht wird darüber befinden **2.** (*arbitrer*) ~ **de qc** etw schlichten **3.** (*estimer*) ~ **de qc** etw beurteilen; **autant qu'on puisse en** ~ soweit man das beurteilen kann; **à en** ~ **par qc** nach etw zu urteilen **4.** (*s'imaginer*) ~ **de qc** sich (*dat*) etw vorstellen können **III.** *vpr* (*s'estimer*) **se** ~ **incapable** sich für unfähig halten; **se** ~ **perdu** sich verloren glauben

juguler [ʒygyle] <1> *vt* eindämmen; senken *fièvre;* niederschlagen *révolte;* unterdrücken *désir, personne*

juif, -ive [ʒɥif, -iv] *adj* jüdisch; *quartier* Juden-

Juif, -ive [ʒɥif, -iv] *m, f* Jude/Jüdin *m/f;* **le** ~ **errant** der Ewige Jude

juillet [ʒɥijɛ] *m* Juli *m; v. a.* **août**

juin [ʒɥɛ̃] *m* Juni *m; v. a.* **août**

jules [ʒyl] *m fam* **1.** (*amoureux*) Kerl *m* **2.** (*mari*) bessere Hälfte

julienne [ʒyljɛn] *f* Julienne[suppe *f*] *f*

jumeau, -elle [ʒymo, -ɛl] <x> **I.** *adj* Zwillings-; **des lits** ~**x** zwei [gleiche] Einzelbetten; **des maisons jumelles** ein Doppelhaus *nt* **II.** *m, f* **1.** (*besson*) Zwilling *m;* **vrais/faux** ~ eineiige/zweieiige Zwillinge **2.** (*frère*) Zwillingsbruder *m* **3.** (*sœur*) Zwillingsschwester *f* **4.** (*sosie*) Doppelgänger(in) *m(f)*

jumelage [ʒymlaʒ] *m* Partnerschaft *f;* ~ **de deux villes** Städtepartnerschaft

jumeler [ʒymle] <3> *vt* POL zu Partnerstädten erklären *deux villes;* **être jumelées** Partnerstädte sein

jumelles [ʒymɛl] *fpl* OPT Fernglas *nt;* ~ **de théâtre** Opernglas *nt*

jument [ʒymɑ̃] *f* Stute *f*

jumping [dʒœmpiŋ] *m* Springreiten *nt*

jungle [ʒœ̃gl, ʒɔ̃gl] *f* Dschungel *m*

junior [ʒynjɔʀ] **I.** *adj catégorie* Junioren-; **mode** ~ Mode für die Jugend *f* **II.** *mf* Junior(in) *m(f);* **le championnat des** ~**s** die Juniorenmeisterschaft

junkie [dʒœnki] *mf fam* Junkie *m*

junte [ʒœ̃t] *f* Junta *f*

jupe [ʒyp] *f* Rock *m;* ~ **droite** enger Rock; ~ **plissée** Faltenrock

jupe-culotte [ʒypkylɔt] <jupes-culottes> *f* Hosenrock *m* **jupe-portefeuille** [ʒyppɔʀtəfœj] *f* Wickelrock *m*

jupette¹ [ʒypɛt] *f* Röckchen *nt*

jupette² [ʒypɛt] *f fam* unter Premierminister Alain Juppé eingebrachtes und verabschiedetes Gesetz

Jupiter [ʒypitɛʀ] *m* ASTRON, HIST Jupiter *m*

jupon [ʒypɔ̃] *m* Unterrock *m* ▸ <u>courir</u> **le** ~ ein Schürzenjäger sein

Jura [ʒyʀa] *m* **le** ~ der Jura

jurassien, ne [ʒyʀasjɛ̃, jɛn] *adj* Jura-; **montagne** ~**ne** Jura *m*

jurassique [ʒyʀasik] **I.** *adj* GEOL **période** ~ Jura *m;* **terrain/système** ~ Juraformation *f* **II.** *m* GEOL Jura *m*

juré, e [ʒyʀe] **I.** *adj ennemi* erklärt; *haine* unversöhnlich **II.** *m, f* JUR Geschworene(r) *f(m)*

jurer [ʒyʀe] <1> **I.** *vt* **1.** (*promettre*) ~ **à ses parents de faire qc/que c'est la vérité** seinen Eltern schwören, etw zu tun/, dass das die Wahrheit ist; **faire** ~ **à un collègue de faire qc** einen Kollegen schwören lassen, dass er etw tut **2.** (*affirmer*) **pouvez-vous me** ~ **les avoir vus?** können Sie beschwören, dass Sie sie gesehen haben?; **je te** [*o* **vous**] **jure que oui/non!** ja, wirklich!/nein, wirklich nicht! **3.** (*se promettre*) ~ **la mort de qn** schwören, jdn zu töten; ~ **de se venger** Rache schwören **4.** (*croire*) **on jurerait/j'aurais juré que c'était toi** man möchte schwören/ich hätte geschworen, dass du das warst; **ne** ~ **que par qn/qc** auf jdn/etw schwören ▸**je te** [*o* **vous**] **jure!** *fam* also ehrlich! **II.** *vi* **1.** (*pester*) ~ **contre** [*o* **après**] **qn/qc** über jdn/etw fluchen **2.** (*détonner*) ~ **avec qc** nicht zu etw passen **3.** (*affirmer*) ~ **de qc** etw beteuern; **elle en jurerait** sie könnte darauf schwören; **je n'en jurerais pas** ich könnte es nicht beschwören **4.** (*croire*) **il ne faut** ~ **de rien** man kann nie wissen **III.** *vpr* **1.** (*se promettre mutuellement*) **se** ~ **qc** sich (*dat*) etw schwören **2.** (*décider*) **se** ~ **de faire qc** sich (*dat*) fest vornehmen, etw zu tun

juridique [ʒyʀidik] *adj* **1.** (*judiciaire*) ge-

richtlich **2.** *(qui a rapport au droit)* juristisch, Rechts-; *statut* rechtlich; **vide** ~ Gesetzeslücke *f;* **faire des études** ~**s** Jura studieren

juridiquement [ʒyʀidikmã] *adv* **1.** *(en justice)* gerichtlich; *demander* vor Gericht **2.** *(légalement)* juristisch gesehen

jurisconsulte [ʒyʀiskɔ̃sylt] *mf* Rechtsberater(in) *m(f)*

jurisprudence [ʒyʀispʀydãs] *f* Rechtsprechung *f;* **faire** ~ als Grundsatzurteil gelten

juriste [ʒyʀist] *mf* Jurist(in) *m(f)*

juron [ʒyʀɔ̃] *m* Fluch *m*

jury [ʒyʀi] *m* **1.** JUR Geschworene(n) *Pl;* **président du** ~ Obmann *m* der Geschworenen **2.** *(Preisgericht)* Jury *f* **3.** SCOL, UNIV Prüfungskommission *f*

jus [ʒy] *m* **1.** *d'un fruit, d'une viande* Saft *m;* **rendre du** ~ saften **2.** *fam (café)* Kaffee *m* **3.** *fam (courant)* Saft *m* ▶**laisser mijoter qn dans son** ~ *fam* jdn im eigenen Saft schmoren lassen; **ça vaut le** ~! *fam* das bringts!; **au** ~! *fam* [ab] ins Wasser!

jusqu'au-boutiste [ʒyskobutist] I. *adj* qn **est** ~ jd geht immer aufs Ganze *(fam)*; **politique** ~ Durchhaltepolitik *f* II. *mf* Hardliner *m*

jusque [ʒysk] <jusqu'> I. *prép* **1.** *(limite de lieu)* bis; **grimper jusqu'à 3000 m** bis auf 3000 m steigen; **jusqu'aux genoux** bis zu den Knien; **viens jusqu'ici!** komm bis hierher!; **va** ~-**là!** geh bis dorthin!; **jusqu'où** bis wohin **2.** *(limite de temps)* bis; **jusqu'à maintenant** bis jetzt; **jusqu'à midi/au soir** bis Mittag/bis zum Abend; **jusqu'à quand?** bis wann?, wie lange?; **jusqu'alors** bis zu jenem Tag; **jusqu'au moment où** solange bis; **jusqu'en mai** bis Mai; **jusqu'ici** bis heute; ~-**là** bis dahin **3.** *(y compris)* sogar; **tous jusqu'au dernier** alle ohne Ausnahme; ~ **dans** sogar im/in der **4.** *(au plus)* **jusqu'à concurrence de 1000 euros** bis zu 1000 Euro; **jusqu'à dix personnes** bis zu zehn Personen **5.** *(limite)* **jusqu'à un certain point** bis zu einem gewissen Punkt; **jusqu'à quel point** wie sehr; ~-**là** so weit; **jusqu'où** wie weit **6.** *(assez pour)* **elle a mangé jusqu'à en être malade** sie hat gegessen, bis es ihr schlecht war; **il va jusqu'à prétendre que c'est moi** er geht so weit zu behaupten, dass ich es bin II. *conj* **jusqu'à ce qu'il vienne** bis er kommt

justaucorps [ʒystokɔʀ] *m* SPORT Body[suit] *m;* ~ **de gymnastique** Gymnastikanzug *m*

juste [ʒyst] I. *adj* **1.** *(équitable)* gerecht; *condition* fair; **ce n'est pas** ~ es ist ungerecht **2.** *antéposé (fondé)* berechtigt; **avoir de** ~**s raisons de se réjouir** allen

Grund zur Freude haben **3.** *(trop court)* zu kurz **4.** *(trop étroit)* zu eng; *ouverture* schmal **5.** *(à peine suffisant)* knapp **6.** *(exact)* richtig; *heure* genau; **c'est** ~! das stimmt!; **à 8 heures** ~[s] Punkt 8 Uhr; **apprécier qc à sa** ~ **valeur** etw nach seinem wahren Wert beurteilen **7.** *(pertinent)* treffend **8.** MUS richtig; **le piano n'est pas** ~ das Klavier ist verstimmt II. *m* REL Gerechte(r) *f(m)* III. *adv* **1.** *(avec exactitude)* richtig; *viser, tirer* genau; *penser* folgerichtig; *raisonner* treffend; **parler** ~ die richtigen Worte finden; **dire** ~ Recht haben; **deviner** ~ ins Schwarze treffen; **le calcul tombe** ~ die Rechnung geht auf **2.** *(exactement)* [ganz] genau; **à côté** direkt nebenan/daneben; ~ **quand il est arrivé** gerade als er [an]gekommen ist; **il a plu** ~ **ce qu'il fallait** es hat gerade genug geregnet **3.** *(seulement)* bloß, nur **4.** *(à peine)* knapp; **au plus** ~ ganz knapp; **cela entre** ~ das passt gerade noch hinein; **tout** ~ gerade noch ▶**être un peu** ~ *fam (avoir peu d'argent)* ein bisschen knapp bei Kasse sein; **au** ~ eigentlich; **comme de** ~ wie üblich

justement [ʒystəmã] *adv* **1.** *(à bon droit)* zu Recht **2.** *(pertinemment)* richtig; *penser* [folge]richtig; *raisonner* treffend **3.** *(exactement)* genau **4.** *(précisément)* gerade

justesse [ʒystɛs] *f* **1.** *(précision)* Genauigkeit *f; d'une réponse, note* Richtigkeit *f; d'une oreille* Schärfe *f;* ~ **du tir** Treffsicherheit *f* **2.** *(pertinence)* Richtigkeit *f; d'une expression* Korrektheit *f; d'une remarque* Zutreffen *nt; d'un raisonnement* Stichhaltigkeit *f;* **s'exprimer avec** ~ den richtigen Ton treffen ▶**de** ~ ganz knapp

justice [ʒystis] *f* **1.** *(principe)* Gerechtigkeit *f;* **agir avec** ~ gerecht handeln **2.** *(loi)* Gesetz *nt;* **rendre la** ~ Recht sprechen; **obtenir** ~ zu seinem Recht kommen **3.** *(juridiction)* Justiz *f;* **en** ~ vor Gericht; **assigner qn en** ~ jdn vorladen ▶**être raide comme la** ~ *fam* zugeknöpft sein; **ce n'est que** ~ das ist nur recht und billig; **faire** ~ **à son mérite** seine Tüchtigkeit anerkennen; **se faire** ~ *(se suicider)* sich selbst richten *(geh); (se venger)* sich *(dat)* selbst Recht verschaffen; **il faut lui rendre cette** ~ das muss man ihm/ihr lassen

justiciable [ʒystisjabl] *adj* JUR der Gerichtsbarkeit einer S. *(gen)* unterworfen sein

justicier, -ière [ʒystisje, -jɛʀ] *m, f* **1.** *(redresseur de torts)* Verfechter(in) *m(f)* der Gerechtigkeit; **se poser en** ~ sich zum Richter aufwerfen **2.** *(vengeur)* Racheengel *m*

justifiable [ʒystifjabl] *adj* vertretbar; **être**

~ gerechtfertigt werden können

justificatif [ʒystifikatif] *m* **1.** (*preuve*) Beweis[stück *nt*] *m;* ~ **d'identité** Ausweis[papier *nt*] *m* **2.** PRESSE Belegexemplar *nt*

justificatif, -ive [ʒystifikatif, -iv] *adj* PRESSE *exemplaire* Beleg-

justification [ʒystifikasjɔ̃] *f* **1.** *d'un acte, d'une conduite* Rechtfertigung *f* **2.** (*preuve*) Beweis *m,* Nachweis *m; d'un paiement* Beleg *m*

justifier [ʒystifje] <1> **I.** *vt* **1.** (*donner raison à*) rechtfertigen; bestätigen *point de vue* **2.** (*expliquer*) rechtfertigen; **rien ne justifie tes craintes** deine Befürchtungen sind unbegründet **3.** (*disculper*) rechtfertigen **4.** (*prouver*) ~ **une créance** eine Forderung belegen; **pouvez-vous ~ vos affirmations?** können Sie Ihre Behauptungen beweisen? **5.** TYP, INFORM **justifié à droite/** gauche rechts-/linksbündig **II.** *vi* ~ **d'un paiement** eine Zahlung belegen; ~ **de son identité** sich ausweisen **III.** *vpr* **1.** (*se disculper*) **se** ~ **de qc auprès de qn** sich wegen etw vor jdm rechtfertigen **2.** (*s'expliquer*) **se** ~ **par qc** durch etw zu rechtfertigen sein

jute [ʒyt] *m* Jute *f*

juter [ʒyte] <1> *vi* saften

juteux, -euse [ʒytø, -øz] *adj* **1.** (*opp: sec*) saftig **2.** *fam* (*lucratif*) einträglich, lukrativ

juvénile [ʒyvenil] *adj* jugendlich

juxtaposé, e [ʒykstapoze] *adj* nebeneinander liegend; *idées* gegenübergestellt

juxtaposer [ʒykstapoze] <1> *vt* ~ **qc à** [*o* **et**] **qc/plusieurs choses** etw an etw (*akk*)/mehrere Dinge aneinander reihen

juxtaposition [ʒykstapozisjɔ̃] *f* Aneinanderreihung *f*

K

K, k [ka] *m inv* K *nt*, k *nt*
Kabyle [kabil] *mf* Kabyle *m*/Kabylin *f*
kafkaïen, ne [kafkajɛ̃, jɛn] *adj* kafkaesk
kaki¹ [kaki] *m* BOT Kakipflaume *f*
kaki² [kaki] **I.** *adj inv* k[h]akifarben **II.** *m sans pl* K[h]aki *nt*
kaléidoscope [kaleidɔskɔp] *m* Kaleidoskop *nt*
kangourou [kãguʀu] *m* Känguru *nt*
kaolin [kaɔlɛ̃] *m* Porzellanerde *f*
karaoké [kaʀaɔke] *m* Karaoke *nt*
karaté [kaʀate] *m* Karate *nt*
kart [kaʀt] *m* [Go-]Kart *m*
karting [kaʀtiŋ] *m* Gokartsport *m;* **piste de ~** Gokartbahn *f*
kascher [kaʃɛʀ] *adj* koscher
kayak [kajak] *m* Kajak *m o nt*
Kenya [kenja] *m* **le ~** Kenia *nt*
kényan, e [kenjã, an] *adj* kenianisch
Kényan, e [kenjã, an] *mf* Kenianer(in) *m(f)*
képi [kepi] *m* Käppi *nt*
kermesse [kɛʀmɛs] *f* **1.** (*fête de bienfaisance*) Wohltätigkeitsbasar *m* **2.** BELG, NORD (*fête patronale*) Kirmes *f*
kérosène [keʀozɛn] *m* Kerosin *nt*
ketchup [kɛtʃœp] *m* Ketschup *m o nt*
khâgne [kaɲ] *f fam* Klasse, in der man sich nach dem Baccalauréat für die Aufnahmeprüfung auf die „École normale supérieure (*lettres*)" vorbereitet
khmer [kmɛʀ] *m* **le ~** Khmer *nt*
Khmer, Khmère [kmɛʀ] *m, f* Khmer *mf*
khôl [kol] *m* Kajal[stift *m*] *nt*
kibboutz [kibuts, kibutsim] <kibboutz[im]> *m* Kibbuz *m*
kidnapper [kidnape] <1> *vt* entführen
kidnappeur, -euse [kidnapœʀ, -øz] *m, f* Entführer(in) *m(f)*
kif-kif [kifkif] *m* ▸c'est ~ [bourricot] *fam* das ist Jacke wie Hose
kiki [kiki] *m fam* **serrer le ~ à qn** jdm die Gurgel zudrücken
killeuse [kiløz] *f fam* absolute Powerfrau *f*
kilo [kilo] *m abr de* **kilogramme** Kilo *nt;* **un ~ de fraises** ein Kilo Erdbeeren
kilogramme [kilɔgʀam] *m* Kilogramm *nt*
kilohertz [kiloɛʀts] *m* Kilohertz *nt*
kilométrage [kilɔmetʀaʒ] *m* d'une voiture Kilometerstand *m*
kilomètre [kilɔmɛtʀ] *m* Kilometer *m;* **140 ~s à l'heure** [o ~s-heure] 140 Stundenkilometer; **~ carré** Quadratkilometer *m*
kilomètre-heure [kilɔmɛtʀœʀ] <kilomètres-heure> *m* Stundenkilometer *m*
kilométrique [kilɔmetʀik] *adj* Kilometer-
kilo-octet [kiloɔktɛ] <kilo-octets> *m* Kilobyte *nt*
kilotonne [kilotɔn] *f* Kilotonne *f*
kilowatt [kilowat] *m* Kilowatt *nt*
kilowattheure [kilowatœʀ] *m* Kilowattstunde *f*
kiné [kine] *fam,* **kinési** [kinezi] *fam,* **kinésithérapeute** [kineziteʀapøt] *mf* Krankengymnast(in) *m(f)*
kiosque [kjɔsk] *m* (*lieu de vente*) Kiosk *m;* **~ à friandises** Süßigkeitenstand *m;* **~ à journaux/de fleuriste** Zeitungs-/Blumenstand
kir® [kiʀ] *m* Kir *m;* **~ royal** Kir royal
kirsch [kiʀʃ] *m* Kirschwasser *nt*
kit [kit] *m* **1.** [Fertig]bausatz *m* **2.** AUT **~ mains libres, ~ auto** Freisprechanlage *f*
kitchenette [kitʃənɛt] *f* Kochnische *f*
kit[s]ch [kitʃ] *adj inv* kitschig
kiwi [kiwi] *m* Kiwi *f*
klaxon® [klaksɔn] *m* Hupe *f;* **donner un petit coup de ~** kurz hupen
klaxonner [klaksɔne] <1> *vi* hupen
kleenex® [klinɛks] *m* Tempo[taschentuch *nt*]® *nt*
kleptomane [klɛptɔman] *adj* kleptomanisch
km *abr de* **kilomètre** km
Ko [kao] *m abr de* **kilo-octet** KB *nt*
K-O [kao] *adj inv, fam abr de* **knock-out** **1.** (*assommé*) benommen; SPORT k. o.; **mettre qn ~** jdn k. o. schlagen; **le choc l'a mis ~** der Schlag hat ihn umgeworfen **2.** (*épuisé*) k. o., [fix und] fertig; **mettre qn ~** jdn [fix und] fertig machen
koala [kɔala] *m* Koala[bär *m*] *m*
kouglof [kuglɔf] *m* Gugelhopf *m*
Koweït [kɔwɛt] *m* **le ~** Kuwait *nt*
koweïtien, ne [kɔwɛtjɛ̃, jɛn] *adj* kuwaitisch
Koweïtien, ne [kɔwɛtjɛ̃, jɛn] *m, f* Kuwaiter(in) *m(f)*
krach [kʀak] *m* FIN Börsenkrach *m*
Kremlin [kʀɛmlɛ̃] *m* **le ~** der Kreml
kurde [kyʀd] **I.** *adj* kurdisch **II.** *m* Kurdisch *nt; v. a.* **allemand**
Kurde [kyʀd] *m, f* Kurde/Kurdin *m/f*
Kurdistan [kyʀdistã] *m* **le ~** Kurdistan *nt*

Kuwait [kɔwɛt] *m v.* **Koweït**

kyrielle [kiʀjɛl] *f fam* **une ~ d'enfants** eine Schar Kinder

kyste [kist] *m* Zyste

L

L, l [ɛl] *m inv* L *nt,* l *nt*
l *abr de* **litre** l
l' *v.* **le, la**
la¹ [la] <*devant voyelle ou h muet* **l'**> **I.** *art*
déf der/die/das; ~ **mouche/puce/poule**
die Mücke/der Floh/das Huhn **II.** *pron*
pers, fém **1.** (*personne*) **il** ~ **voit** er sieht
sie; **il l'aide** er hilft ihr; (*animal ou objet*)
là-bas, il y a une mouche/puce, ~ **vois-**
tu? Je l'ai aidée à sortir de l'eau da drüben ist eine Mücke/ein Floh, siehst du sie/
ihn? Ich habe ihr/ihm aus dem Wasser geholfen; **où est ma montre/ceinture? Je**
ne ~ **trouve pas!** wo ist meine Uhr/mein
Gürtel? Ich finde sie/ihn nicht! **2.** *avec*
laisser sie; **il** ~ **laisse conduire la voiture**
er lässt sie das Auto fahren **3.** *avec un pré-*
sentatif sie; ~ **voici** [*o* **voilà**]! hier ist sie!
la² [la] *m inv* MUS A *nt,* a *nt;* **donner le** ~
den Kammerton angeben; *v. a.* **do**
là¹ [la] *adv* **1.** (*avec déplacement à dis-*
tance) dorthin, dahin **2.** (*avec déplace-*
ment à proximité) hierher; **passer par** ~
da entlang gehen/fahren; **de** ~ von dort
[aus] **3.** (*sans déplacement à distance*)
dort, da **4.** (*sans déplacement à proximité*)
hier; (*à la maison*) da, zu Hause; [**quelque**
part] **par** ~ hier irgendwo **5.** (*à ce mo-*
ment-là) da; **à partir de** ~ von da an; **jus-**
que-~ bis dahin; **à ce moment-**~ in diesem Augenblick **6.** (*en ce moment*) da
7. (*alors*) also da **8.** (*dont il est question*)
cette histoire-~ diese Geschichte [da]
► **les choses en sont** ~ so stehen die Dinge
là² [la] *interj* na; ~**,** ~ na, na; schon gut
là-bas [labɑ] *adv* **1.** (*avec déplacement*
dans une direction) dorthin, dahin
2. (*avec déplacement dans une direction*)
dort, da **3.** (*sans déplacement*) dort
label [labɛl] *m* (*marque de qualité*)
Schutzmarke *f*
labelliser [labelize] <1> *vt* mit einem Gü-
tesiegel versehen
labial, e [labjal, jo] <-aux> *adj* labial
labo [labo] *v.* **laboratoire**
laborantin, e [labɔʁɑ̃tɛ̃, in] *m, f* Labo-
rant(in) *m(f)*
laboratoire [labɔʁatwaʁ] *m* (*salle*) Labor
nt; ~ **de langues** Sprachlabor; ~ **d'analy-**
ses diagnostisches Labor
laborieusement [labɔʁjøzmɑ̃] *adv* mühsam

laborieux, -euse [labɔʁjø, -jøz] *adj*
1. (*pénible*) mühsam; *recherche* langwierig; **eh bien, c'est** ~! *fam* das dauert!
2. *classes, masses* arbeitend; *personne* arbeitsam; *vie* arbeitsreich
labour [labuʁ] *m* [Feld-]arbeit *f*
labourage [labuʁaʒ] *m* Ackerbau *m*
labourer [labuʁe] <1> *vt* **1.** AGR [um]pflü-
gen **2.** (*creuser*) aufwühlen
labrador [labʁadɔʁ] *m* Labrador[hund] *m*
labyrinthe [labiʁɛ̃t] *m* **1.** (*dédale*) Labyrinth *nt* **2.** (*complication*) Gewirr *nt*
lac [lak] *m* See *m;* ~ **de Constance** Bodensee *m;* ~ **Léman** Genfer See *m;* ~ **de Neu-**
châtel Neuenburger See *m;* ~ **des Qua-**
tre-Cantons Vierwaldstätter See *m*
lacer [lase] <2> **I.** *vt* [zu]binden **II.** *vpr* **se**
~ **devant** *chaussures:* vorne geschnürt
werden
lacérer [laseʁe] <5> *vt* zerreißen
lacet [lasɛ] *m* **1.** (*cordon*) Schnürsenkel *m;*
qn casse son ~ jdm reißt der Schnürsenkel; **à** ~**s** geschnürt **2.** (*virage*) Serpentine
f; d'une rivière Schleife *f;* **route en** ~[**s**] Ser-
pentinenstraße *f*
lâche [lɑʃ] **I.** *adj* **1.** (*poltron, méprisable*)
feige **2.** (*détendu*) locker **II.** *mf* Feigling *m*
lâchement [lɑʃmɑ̃] *adv* feige
lâcher [lɑʃe] <1> **I.** *vt* **1.** (*laisser aller invo-*
lontairement) loslassen, fallen lassen; flie-
gen lassen *ballon* **2.** (*laisser aller délibéré-*
ment) loslassen; von sich geben *bêtise, mot*
3. *fam* (*abandonner*) aufgeben; ~ **qn/qc**
jdn/etw fallen lassen; **le moteur lâche qn**
der Motor lässt jdn im Stich; **ne pas** ~ **qn**
rhume, idée: jdn nicht loslassen; **tout** ~ alles hinschmeißen **II.** *vi* versagen; *corde:*
nachgeben
lâcheté [lɑʃte] *f* **1.** (*couardise*) Feigheit *f;*
par ~ aus Feigheit **2.** (*bassesse*) Niederträchtigkeit *f*
lâcheur, -euse [lɑʃœʁ, -øz] *m, f fam* Drückeberger *m* (*pej*)
lacis [lasi] *m* Geflecht *nt*
laconique [lakɔnik] *adj* kurz und bündig;
réponse lakonisch
laconiquement [lakɔnikmɑ̃] *adv* lakonisch
lacrymal, e [lakʁimal, o] <-aux> *adj* Trä-
nen-
lacrymogène [lakʁimɔʒɛn] *adj* **gaz** ~ Trä-

nengas *nt*

lactation [laktasjɔ̃] *f* Milchabsonderung *f*

lacté, e [lakte] *adj* GASTR *bouillie* Milch-

lactique [laktik] *adj* Milch-

lacune [lakyn] *f* Lücke *f*; **présenter des ~s** Lücken aufweisen

lacustre [lakystʀ] *adj* in Seen vorkommend

lad [lad] *m* Stallbursche *m*

là-dedans [lad(ə)dɑ̃] *adv* **1.** (*lieu*) da drin; **je ne reste pas ~** ich bleibe nicht hier drin; **n'avoir rien à voir ~** nichts damit zu tun haben **2.** (*direction*) da hinein; **pourquoi me suis-je embarqué ~?** warum hab ich mich nur darauf eingelassen?

là-dessous [lad(ə)su] *adv* darunter; *fig* dahinter; **qu'y a-t-il ~?** was steckt dahinter?

là-dessus [lad(ə)sy] *adv* **1.** (*direction, ici*) hier hin-/herauf **2.** (*direction, là-bas*) dort hin-/herauf **3.** (*lieu*) darauf **4.** (*à ce sujet*) darüber; **compte ~** verlass dich d[a]rauf **5.** (*sur ce*) daraufhin, damit

lagon [lagɔ̃] *m* Lagune *f*

lagune [lagyn] *f* Lagune *f*

là-haut [lao] *adv* **1.** (*au-dessus: direction*) dort hinauf; (*lieu*) dort oben **2.** (*dans le ciel*) dort oben

La Haye [la´ɛ] Den Haag

laïc, laïque [laik] *v.* laïque

laïcisation [laisizasjɔ̃] *f* Entkonfessionalisierung *f*

laïcité [laisite] *f* Trennung *f* von Kirche und Staat; *de l'enseignement* religiöse Neutralität

laid, e [lɛ, lɛd] *adj* **1.** (*opp: beau*) hässlich; **être ~ à faire peur** zum Fürchten aussehen; **être ~ comme un pou** hässlich wie die Nacht sein **2.** (*moralement*) hässlich, unschön

laideron [lɛdʀɔ̃] *m* hässliches Mädchen

laideur [lɛdœʀ] *f* Hässlichkeit *f*; **les ~s de la guerre** die hässlichen Seiten des Krieges

laie [lɛ] *f* Wildsau *f*

lainage [lɛnaʒ] *m* **1.** (*étoffe*) Wollstoff *m* **2.** (*vêtement*) Wollene(s) *nt*; **jupe en/de ~** Strickrock *m*; **mettre un ~** etwas Warmes anziehen

laine [lɛn] *f* **1.** (*fibre*) Wolle *f*; **gilet de ~** Strickjacke *f* **2.** (*vêtement*) **une petite ~** etwas Warmes **3.** (*laine minérale*) **~ de verre** Glaswolle *f*

laineux, -euse [lɛnø, -øz] *adj* wollig

lainier, -ière [lɛnje, -jɛʀ] *adj industrie, production* Woll-

laïque [laik] *adj* **1.** (*opp: confessionnel*) laizistisch **2.** (*opp: ecclésiastique*) Laien-

laisse [lɛs] *f* (*lanière*) Leine *f*; **tenir un animal en ~** ein Tier an der Leine führen

laissé-pour-compte [lesepuʀkɔ̃t] <laissés-pour-compte> *m* (*invendable*) Rest-

laissé-pour-compte , laissée-pour-compte [lesepuʀkɔ̃t] <laissés-pour-compte> **I.** *adj* (*rejeté*) *personne* abgeschoben **II.** *m, f* (*exclu*) Abgeschobene(r) *f(m)*

laisser [lese] <1> **I.** *vt* **1.** (*faire rester*) lassen; **~ qn perplexe** jdn perplex machen; **~ qn tranquille** jdn in Ruhe lassen; **~ qn à ses illusions** jdm seine Illusionen lassen **2.** (*accorder*) lassen *choix*; **~ la vie à qn** jdn am Leben lassen; **~ la parole à qn** jdm das Wort überlassen **3.** (*ne pas prendre*) [stehen] lassen; stehen lassen *dessert*; **~ qc** etw zurücklassen/nicht mitnehmen; **~ une route à sa droite** eine Straße rechts liegen lassen **4.** (*réserver*) übrig lassen *part de tarte*; **~ qc à qn** etw für jdn übrig lassen **5.** (*quitter*) **je te/vous laisse!** ich gehe jetzt!; **je l'ai laissé en pleine forme** als ich ihn verließ, war er in bester Form **6.** (*déposer*) absetzen *personne* **7.** (*oublier*) liegen lassen **8.** (*produire*) hinterlassen *traces, auréoles* **9.** (*remettre*) hinterlassen *message*; lassen *voiture*; [über]lassen *maison*; **~ ses enfants à qn** seine Kinder bei jdm lassen; **laisse-moi le soin de ...** überlass es mir ... **10.** (*léguer*) hinterlassen; **~ qc à qn** jdm etw hinterlassen **II.** *aux* **1.** *euph* **se ~ boire** *vin:* sich trinken lassen **2.** (*permettre*) **~ qn/qc faire qc** jdn/etw etw tun lassen; **~ qn faire qc** jdm gestatten etw zu tun ▸ **~ faire** die Dinge laufen lassen (*fam*); **se ~ faire** (*subir*) sich (*dat*) alles gefallen lassen (*fam*); **laisse-toi faire!** (*pour décider qn*) sei doch nicht so!

laisser-aller [leseale] *m inv* Nachlässigkeit *f*

laisser-faire [lesefɛʀ] *m inv* Laisser-faire[-Stil *m*] *nt*

lait [lɛ] *m* **1.** (*aliment*) Milch *f*; **~ en poudre** Milchpulver *nt*; **~ de vache** Kuhmilch; **~ condensé** Kondensmilch; **~ entier** Vollmilch; **~ longue conservation** haltbare Milch; **petit ~** Molke **2.** (*liquide laiteux*) Milch *f*; **~ de toilette** (*pour le corps*) Körpermilch; (*pour le visage*) Gesichtsmilch ▸ **boire du petit ~** sichtlich zufrieden sein; **se boire comme du petit ~** sich wie Wasser trinken

laitage [lɛtaʒ] *m* Milchprodukt *nt*

laiterie [lɛtʀi] *f* Molkerei *f*

laiteux, -euse [lɛtø, -øz] *adj* milchig

laitier, -ière [letje, -jɛʀ] *m, f* Milchmann/-frau *m/f*

laiton [lɛtɔ̃] *m* Messing *nt*

laitue [lety] *f* Lattich *m*; **~ cultivée** Kopfsalat *m*

laïus [lajys] *m fam* Rede *f*

lama [lama] *m* Lama *nt*

lambeau [lãbo] <x> *m* Fetzen *m;* **en ~x in** Fetzen

lambin, e [lãbɛ̃, in] *adj* vertrödelt

lambiner [lãbine] <1> *vi* [herum]trödeln

lambris [lãbʀi] *m* Täfelung *f*

lame [lam] *f* Klinge *f;* ~ **de couteau** [Messer]klinge; ~ **de rasoir** Rasierklinge; ~ **de scie** Sägeblatt *nt*

lamé [lame] *m* Lamé *m*

lamelle [lamɛl] *f* **1.** (*petite lame*) Lamelle *f,* schmaler Streifen *m; d'une jalousie* Lamelle **2.** (*tranche fine*) dünne Scheibe

lamentable [lamãtabl] *adj* **1.** (*pitoyable*) jämmerlich; *ton, voix* kläglich; *résultats, travail* dürftig; *salaire* kümmerlich **2.** (*honteux*) erbärmlich

lamentablement [lamãtabləmã] *adv* jämmerlich

lamentation [lamãtasjɔ̃] *f gén pl* Jammern *nt kein Pl*

lamenter [lamãte] <1> *vpr* **se ~ sur qc** über etw (*akk*) jammern

laminage [laminaʒ] *m* TECH Walzen *nt*

laminer [lamine] <1> *vt* TECH walzen

laminoir [laminwaʀ] *m* IND Walzwerk *nt*

lampadaire [lãpadɛʀ] *m* **1.** (*lampe sur pied*) Stehlampe *f* **2.** (*réverbère*) [Straßen]laterne *f* **3.** (*sur l'autoroute*) Straßenbeleuchtung *f*

lampe [lãp] *f* **1.** (*appareil*) Lampe *f;* ~ **de bureau** Schreibtischlampe; ~ **de chevet** Nachttischlampe; ~ **de poche** Taschenlampe; ~ **témoin** Kontrolllampe **2.** (*ampoule*) [Glüh]birne *f;* ~ **à arc** Bogenlampe; ~ **fluorescente** Neon-/Leuchtstoffröhre *f*

lampée [lãpe] *f fam* Schluck *m*

lampion [lãpjɔ̃] *m* Lampion *m*

lampiste [lãpist] *mf peu usité fam* kleiner Mann

lamproie [lãpʀwa] *f* Neunauge *nt*

lance [lãs] *f* **1.** (*arme*) Lanze *f* **2.** (*tuyau*) Schlauch *m;* ~ **à eau** [Leiter]strahlrohr *nt;* ~ **d'incendie** Feuerspritze *f*

lancée [lãse] *f* Elan *m;* **sur ma/sa ~** mit dem gleichen Schwung

lance-flammes [lãsflam] *m inv* Flammenwerfer *m*

lancement [lãsmã] *m* **1.** *d'un satellite* Start *m; d'une fusée* Abschuss *m; d'un bateau* Stapellauf *m* **2.** COM Herausbringen *nt;* **prix de ~** Einführungspreis *m* **3.** INFORM [Programm]start *m*

lance-pierre [lãspjɛʀ] <lance-pierres> *m* Steinschleuder *f* ▶**manger avec un ~** *fam* herunterschlingen

lancer [lãse] <2> **I.** *vt* **1.** (*projeter*) ~ **qc etw** werfen; ~ **qc à qn** jdm etw zuwerfen; hoch werfen *jambe;* abschießen *fusée;* versetzen *coup; avion:* abwerfen; *volcan:* aus-

stoßen **2.** (*faire connaître*) herausbringen; bekannt machen *acteur, chanteur;* aufbringen *mode* **3.** (*donner de l'élan*) in Schwung bringen; anlassen *moteur, voiture;* auf den Markt bringen *marque, produit;* ins Leben rufen *entreprise;* ~ **qn/un animal sur qn** jdn/ein Tier auf jdn hetzen; ~ **la police sur qn/qc** die Polizei auf jdn/etw ansetzen; **quand il est lancé, on ne l'arrête plus** wenn er [erst] einmal in Fahrt ist ist er nicht mehr zu bremsen (*fam*) **4.** (*inaugurer*) einführen *programme;* einleiten *campagne;* anlaufen lassen *projet* **5.** (*envoyer*) in Umlauf setzen, verbreiten *nouvelle;* stellen *ultimatum* **6.** (*émettre*) aussprechen *accusation, menace;* ~ **un appel/avertissement à qn** einen Appell/eine Warnung an jdn richten; ~ **un appel** einen Aufruf erlassen **7.** INFORM starten **II.** *vpr* **1.** (*se précipiter*) **se ~ sur le lit** sich auf das Bett werfen; **se ~ à la poursuite de qn** sich an jds Verfolgung (*akk*) machen; **allez, lance-toi!** los, spring! **2.** (*s'engager*) **se ~ dans qc** sich in etw (*akk*) stürzen; **se ~ dans une discussion** sich auf eine Diskussion einlassen; **se ~ dans le cinéma** sein Glück im Filmgeschäft versuchen **III.** *m* SPORT Wurf *m; du poids* Stoß *m;* ~ **de javelot** Speerwerfen *nt*

lanceur [lãsœʀ] *m* ESPACE Trägerrakete *f*

lancinant, e [lãsinã, ãt] *adj* (*cuisant*) *douleur* stechend

Land [lãd, lɛndœʀ] <Länder> *m* [Bundes]land *nt*

landau [lãdo] <s> *m* (*pour enfant*) Kinderwagen *m*

lande [lãd] *f* Heide[land *nt] f;* **la ~ de Lunebourg** die Lüneburger Heide

Landes [lãd] *fpl* **les ~** die Landes (*Landschaft im Südwesten Frankreichs*)

langage [lãgaʒ] *m* **1.** (*idiome*) Sprache *f;* ~ **des sourds-muets** Taubstummensprache **2.** (*vocabulaire*) Sprache *f,* Ausdrucksweise *f;* ~ **parlé** Umgangssprache **3.** (*jargon*) Sprache *f,* Jargon *m* (*pej*); **en ~ administratif/technique** in der Verwaltungs-/Fachsprache **4.** INFORM ~ **de programmation** Programmiersprache ▶**tenir un double ~ à qn** mit jdm ein falsches Spiel spielen

lange [lãʒ] *m* Wickeltuch *nt*

langer [lãʒe] <2a> *vt* wickeln

langoureusement [lãguʀøzmã] *adv* verliebt

langoureux, -euse [lãguʀø, -øz] *adj regard, air* schmachtend

langouste [lãgust] *f* Languste *f*

langoustine [lãgustin] *f* Kaisergranat[hummer *m] m*

langue [lãg] *f* **1.** ANAT Zunge *f;* **tirer la ~ à
qn** jdm die Zunge herausstrecken **2.** *(language)* Sprache *f;* **~ d'enseignement** Unterrichtssprache; **~ étrangère** Fremdsprache; **~ maternelle** Muttersprache; **~ officielle** Amtssprache; **~ verte** Slang *m* ▸**~
de bois** Phrasendrescherei *f (fam)*; **tourner sept fois sa ~ dans sa <u>bouche</u> avant
de parler** nachdenken, bevor man spricht;
donner sa ~ au <u>chat</u> das Raten aufgeben;
ne pas avoir la ~ dans sa <u>poche</u> nicht
auf den Mund gefallen sein; **être <u>mauvaise</u> ~** ein Lästermaul sein *(fam)*; **avoir la ~
bien <u>pendue</u>** ein tüchtiges Mundwerk haben; **<u>tenir</u> sa ~** den Mund halten
langue-de-chat [lãgdəʃa] <**langues-de-chat**> *f* Katzenzunge *f (Feingebäck)*
Languedoc [lãg(ə)dɔk] *m* **le ~** das
Languedoc
languette [lãgɛt] *f d'une chaussure* Zunge
f; d'une boîte Lasche *f*
langueur [lãgœʀ] *f* Wehmut *f*
languir [lãgiʀ] <8> **I.** *vi* **1.** *(s'enliser) conversation:* stocken **2.** *(patienter)* **faire ~ qn**
jdn schmachten lassen **II.** *vpr* **se ~ de qn**
sich nach jdm sehnen
languissant, e [lãgisã, ãt] *adj action, récit*
schleppend; *conversation* stockend
lanière [lanjɛʀ] *f* Riemen *m;* **découper en
~s** in Streifen schneiden
lanoline [lanɔlin] *f* Lanolin *nt*
lanterne [lãtɛʀn] *f* Laterne *f* ▸**~ <u>rouge</u>**
Schlusslicht *nt;* **<u>éclairer</u> la ~ de qn** jdn
aufklären
lanterner [lãtɛʀne] <1> *vi* [herum]trödeln
(fam)
lapalissade [lapalisad] *f* Binsenweisheit *f*
laper [lape] <1> *vt* schlabbern *(fam)*
lapereau [lapʀo] <x> *m* junges Kaninchen
lapidaire [lapidɛʀ] *adj* lapidar
lapider [lapide] <1> *vt* mit Steinen bewerfen
lapin [lapɛ̃] *m* **1.** ZOOL, GASTR Kaninchen *nt;*
~ de garenne Wildkaninchen; **courir
comme un ~** [davon]sausen; *v. a.* **lapine
2.** *(fourrure)* Kaninchenfell *nt* ▸**le <u>coup</u>
du ~** das Schleudertrauma; **<u>chaud</u> ~** *fam*
geiler Bock; **<u>poser</u> un ~ à qn** *fam* jdn versetzen
lapine [lapin] *f* ZOOL weibliches Kaninchen; *v. a.* **lapin**
laps [laps] *m* **~ de temps** Zeit[raum *m*] *f*
lapsus [lapsys] *m* Lapsus *m;* **faire un ~**
(en parlant) sich versprechen; *(en écrivant)* sich verschreiben
laquais [lakɛ] *m* Lakai *m*
laque [lak] *f* **1.** *(pour les cheveux)*
[Haar]spray *nt o m* **2.** *(peinture)* Lack[farbe

f] *m*
laqué, e [lake] *adj* **1.** *(peint)* lackiert
2. GASTR **canard ~** Pekingente *f*
laquelle [lakɛl] *pron v.* **lequel**
laquer [lake] <1> *vt* lackieren; **~ qc en
blanc** etw weiß lackieren
larbin [laʀbɛ̃] *m péj fam* Lakai *m*
lard [laʀ] *m* Speck *m;* **~ gras** Bauchspeck;
~ maigre durchwachsener Speck ▸**ne pas
savoir si c'est du ~ ou du <u>cochon</u>** nicht
wissen, woran man ist; **n'être ni ~ ni <u>cochon</u>** weder Fisch noch Fleisch sein; **<u>gros</u>
~** Fettwanst *m*
larder [laʀde] <1> *vt* GASTR spicken
lardon [laʀdɔ̃] *m* GASTR Speckwürfel *m*
large [laʀʒ] **I.** *adj* **1.** *(opp: étroit)* breit; *cercle* weit; **être ~ de carrure/d'épaules**
breitschultrig sein; **~ de 10 mètres** 10
Meter breit **2.** *vêtement* weit **3.** *(important)* breit; *champ d'action, diffusion* weit;
mesure, part, succès groß; **un ~ débat** eine
ausführliche Debatte; **de ~s extraits** umfassende Auszüge *Pl* **4.** *acception, sens*
weit; *idées* großzügig; **~ d'esprit** offen **II.**
adv calculer, voir großzügig ▸**ne pas en
<u>mener</u> ~** *fam* es mit der Angst zu tun kriegen **III.** *m* **1.** *(haute mer)* offene See; **<u>ga</u>
<u>gner</u> le ~** aufs offene Meer [hinaus]fahren
2. *(largeur)* **de ~** breit; **un champ de 30
mètres de ~** ein Feld von 30 Meter(n)
Breite ▸**<u>prendre</u> le ~** *fam (s'enfuir)* das
Weite suchen; *(s'esquiver)* sich aus dem
Staub machen; **<u>au</u> ~ de la côte** vor der
Küste
largement [laʀʒəmã] *adv* **1.** *(opp: étroitement)* weit **2.** *(amplement)* bei weitem;
vous avez ~ le temps Sie haben reichlich
Zeit; **~ assez** weitaus genug; **~ trop** viel
zu viel **3.** *(généreusement)* reichlich **4.** *(au
minimum)* mindestens, gut; **il est ~ onze
heures** es ist längst elf Uhr **5.** *fam (assez)*
c'est ~ suffisant das reicht gut; **il y en a
déjà ~** es ist schon genug davon da
largesse [laʀʒɛs] *f pl (dons)* Zuwendungen
Pl
largeur [laʀʒœʀ] *f* **1.** *(dimension)* Breite *f*
2. *(opp: mesquinerie)* **~ d'esprit** liberale
Gesinnung ▸**dans les <u>grandes</u> ~s** *fam*
gründlich
larguer [laʀge] <1> *vt* **1.** NAUT losmachen;
klarmachen *voile* **2.** AVIAT abwerfen; absetzen *parachutistes, troupes* **3.** *fam (laisser
tomber)* sausen lassen *projets, travail;* **~ un
ami** mit einem Freund Schluss machen
4. *fig* **être largué** *(ne plus comprendre)*
hinterher sein
larme [laʀm] *f* **1.** *(pleur)* Träne *f;* **~s de
joie** Freudentränen; **en ~s** in Tränen [aufgelöst] **2.** *fam (goutte)* Tropfen *m* ▸**avoir

la ~ **à l'œil** weinen wollen; |**avoir**| des ~s dans la **voix** mit tränenerstickter Stimme |sprechen|; **avoir les ~s aux yeux** Tränen in den Augen haben; **avoir la** ~ **facile** beim geringsten Anlass in Tränen ausbrechen; **fondre en ~s** in Tränen ausbrechen

larmoyant, e [laʀmwajã, jãt] *adj ton, voix* weinerlich

larmoyer [laʀmwaje] <6> *vi œil:* tränen

larve [laʀv] *f* **1.** ZOOL Larve *f* **2.**(*personne déchue*) menschliches Wrack

larvé, e [laʀve] *adj état* latent

laryngite [laʀɛ̃ʒit] *f* Kehlkopfentzündung *f*

larynx [laʀɛ̃ks] *m* Kehlkopf *m*

las, se [lɑ, lɑs] *adj personne* abgespannt; *geste* müde

lasagne [lazaɲ] <[s]> *f* Lasagne *f*

lascar [laskaʀ] *m fam* Schlauberger *m*

lascif, -ive [lasif, -iv] *adj* lasziv

laser [lazɛʀ] **I.** *m* Laser *m* **II.** *app* Laser-; **platine** ~ Laserplatte *f*

lasérothérapie [lazeʀoteʀapi] *f* Laserstrahlenbehandlung *f*

lassant, e [lɑsã, ãt] *adj* ermüdend

lasser [lɑse] <1> **I.** *vt* ermüden; überstrapazieren *patience;* ~ **qn** jdm auf die Nerven fallen; **être lassé de tout** alles haben (*fam*) **II.** *vpr* se ~ **de qc** einer S. (*gen*) überdrüssig werden; **se** ~ **de faire qc** es müde werden etw zu tun; **sans se** ~ ohne es satt zu kriegen (*fam*)

lassitude [lɑsityd] *f* **1.**(*fatigue physique*) Mattigkeit *f* **2.**(*fatigue morale*) Überdruss *m;* **accepter par** ~ um des |lieben| Friedens willen zustimmen (*fam*)

lasso [laso] *m* Lasso *m* o *nt*

lasure [lazyʀ] *f* Lasur *f*

latent, e [latã, ãt] *adj* latent; *antagonisme, conflit* unterschwellig; **à l'état** ~ unterschwellig

latéral, e [lateʀal, o] <-aux> *adj* (*de côté*) Seiten-, seitlich

latex [lateks] *m* Latex *m*

latin [latɛ̃] *m* Latein *nt; v. a.* allemand ▸**y perdre son** ~ mit seinem Latein am Ende sein

latin, e [latɛ̃, in] *adj* **1.** GEOG, HIST, LING lateinisch; *thème, version* Latein-; *civilisation, histoire* römisch **2.**(*opp: anglo-saxon*) romanisch; *tempérament* südländisch **3.**(*opp: orthodoxe*) römisch-katholisch

latiniste [latinist] *mf* **1.**(*étudiant, élève*) Lateinschüler(in) *m(f)* **2.**(*spécialiste*) Latinist(in) *m(f)*

latino-américain , e [latinoameʀikɛ̃, ɛn] <latino-américains> *adj* lateinamerikanisch

Latino-américain , e [latinoameʀikɛ̃, ɛn] <Latino-américains> *m, f* Lateinameri-

kaner(in) *m(f)*

latitude [latityd] *f* **1.** GEOG Breite *f* **2.**(*degré*) Breitengrad *m;* ~ **nord/sud** nördliche/südliche Breite; **être à 45° de** ~ **nord** auf 45° nördlicher Breite liegen **3.** *pl* (*régions*) Breiten *Pl;* **sous nos ~s** in unseren Breiten **4.**(*liberté*) |Handlungs|spielraum *m,* |Handlungs|freiheit *f;* **toute** ~ freie Hand

latrines [latʀin] *fpl* Latrine *f*

latte [lat] *f* (*planche*) Latte *f*

laudatif, -ive [lodatif, -iv] *adj* lobend

lauréat, e [lɔʀea, at] **I.** *adj* preistragend; **les élèves/étudiants ~s** die |mit einem Preis| ausgezeichneten Schüler/Studenten **II.** *m, f* Preisträger(in) *m(f);* ~ **du prix Nobel** Nobelpreisträger

laurier [lɔʀje] *m* **1.** BOT Lorbeer[baum *m*] *m* **2.** GASTR Lorbeer *m* **3.** *pl* (*gloire*) Lorbeeren *Pl;* **s'endormir sur ses** ~**s** sich auf seinen Lorbeeren ausruhen

laurier-rose [lɔʀjeʀoz] <lauriers-roses> *m* Oleander *m*

laurier-sauce [lɔʀjesos] <lauriers-sauce> *m* echter Lorbeer

lavable [lavabl] *adj* abwaschbar; *tissu, vêtement* waschecht; ~ **en machine** waschmaschinenfest; ~ **uniquement à la main** nur Handwäsche

lavabo [lavabo] *m* **1.**(*cuvette*) Waschbecken *nt* **2.** *pl* (*toilettes*) Toilette *f*

lavage [lavaʒ] *m* Wäsche *f; au* ~ beim Waschen; **au troisième** ~ bei der dritten Wäsche; ~ **d'estomac** Magenspülung *f* ▸~ **de cerveau** Gehirnwäsche *f*

lavande [lavãd] *f* **1.** BOT Lavendel *m* **2.**(*parfum*) Lavendel[wasser *nt*] *m*

lavasse [lavas] *f fam* |dünne| Brühe

lave [lav] *f* Lava *f*

lave-glace [lavglas] <lave-glaces> *m* Scheibenwaschanlage *f;* **donner un coup de** ~ die Scheibe kurz anspritzen

lave-linge [lavlɛ̃ʒ] *m inv* Waschmaschine *f*

laver [lave] <1> **I.** *vt* **1.**(*nettoyer*) waschen; spülen, abwaschen *vaisselle;* abwaschen, reinigen *mur;* wischen *sol;* ~ **qc à la machine** etw in der Maschine waschen; ~ **qc à la serpillière** etw mit dem Scheuerlappen wischen; ~ **qc à l'éponge** etw mit dem Schwamm reinigen; ~ **qc à la main** etw von Hand waschen; ~ **qc au lave-vaisselle** etw in der Spülmaschine spülen **2.**(*disculper*) ~ **qn d'un soupçon** jdn von einem Verdacht reinwaschen **II.** *vpr* **1.**(*se nettoyer*) **se** ~ sich waschen; **se** ~ **les dents** sich (*dat*) die Zähne putzen **2.**(*être lavable*) **se** ~ gewaschen werden; **se** ~ **à 90°** sich bis 90° waschen lassen

laverie [lavʀi] *f* Wäscherei *f;* ~ **automati-**

que Waschsalon *m*
lavette [lavɛt] *f* 1.(*chiffon*) Spültuch *nt*
2.*fam* (*personne*) Waschlappen *m*
laveur, -euse [lavœʀ, -øz] *m, f* ~ **de car-reaux** Fensterputzer; ~ **de voitures** Auto-wäscher
laveuse [lavøz] *f* CAN (*lave-linge*) Wasch-maschine *f*; ~ **de vaisselle** (*lave-vaisselle*) Geschirrspülmaschine *f*
lave-vaisselle [lavvɛsɛl] *m inv* Geschirr-spülmaschine *f*
lavis [lavi] *m* Laviertechnik *f*
lavoir [lavwaʀ] *m* Waschhaus *nt*
laxatif [laksatif] *m* Abführmittel *nt*
laxatif, -ive [laksatif, -iv] *adj* abführend; **remède** ~ Abführmittel *nt*; **être** ~ abfüh-rend wirken
laxisme [laksism] *m* Laxheit *f*
laxiste [laksist] *adj* lax, locker
layette [lɛjɛt] *f* Babywäsche *f*
le [lə] <*devant voyelle ou h muet* l'> I. *art déf* der/die/das; ~ **chien/chat/cochon** der Hund/die Katze/das Schwein II. *pron pers, masc* 1.(*personne*) **elle** ~ **voit** sie sieht ihn; **elle l'aide** sie hilft ihm; (*animal ou objet*) **là-bas, il y a un cochon/chien/chat,** ~ **vois-tu? Je l'ai aidé à sor-tir de l'eau** da drüben ist ein Schwein/Hund/eine Katze, siehst du es/ihn/sie? Ich habe ihm/ihr aus dem Wasser gehol-fen; **où est mon manteau/sac? Je ne** ~ **trouve pas!** wo ist mein Mantel/meine Tasche? Ich finde ihn/sie nicht! 2.*avec laisser* ihn; **il** ~ **laisse conduire la voitu-re** er lässt ihn das Auto fahren 3.(*valeur neutre*) **je** ~ **comprends** das verstehe ich; **je l'espère!** ich hoffe es! 4.*avec un pré-sentatif* er; ~ **voici** [*o* **voilà**]! hier ist er!
lé [le] *m d'une étoffe, d'un papier peint* Bahn *f*
leader [lidœʀ] I. *m* 1.COM Marktführer *m* 2.SPORT Spitzenreiter(in) *m(f)*; **il est** ~ **du classement** er ist Tabellenführer *m* 3.(*chef*) Führer(in) *m(f)* II. *adj inv* füh-rend
leadership [lidœʀʃip] *m* Führungsrolle *f*
leasing [liziŋ] *m* Leasing *nt*
lèche [lɛʃ] *f fam* **faire de la** ~ **à qn** vor jdm kriechen
lèchefrite [lɛʃfʀit] *f* Fettpfanne *f*
lécher [leʃe] <5> I. *vt* ablecken *assiette, cuillère, visage*; auslecken *bol, plat*; aufle-cken *lait*; [sch]lecken *glace* II. *vpr* **se** ~ **qc** sich (*dat*) etw ablecken
lèche-vitrines [lɛʃvitʀin] *m sans pl* Schau-fensterbummel *m*; **faire du** ~ einen Schau-fensterbummel machen
leçon [l(ə)sɔ̃] *f* 1.(*à apprendre*) Lektion *f*; **d'une** ~ **à l'autre** von einer Lektion zur

anderen 2.(*cours*) Stunde *f* 3.(*morale*) Lehre *f*, Lektion *f*; **servir de** ~ **à qn** jdm eine Lehre sein
lecteur [lɛktœʀ] *m* 1.MEDIA Lesegerät *nt*; ~ **de son** Tonabnehmer *m*; ~ **de cassettes** Kassettenrecorder *m*; ~ **de CD** CD-Player *m*; ~ **laser vidéo** Video-CD-Player *m* 2.IN-FORM Laufwerk *nt*; ~ **de CD-ROM** CD-ROM-Laufwerk; ~ **de disquettes** Diske-tenlaufwerk; ~ **optique** Scanner *m*
lecteur, -trice [lɛktœʀ, -tʀis] *m, f* 1.(*li-seur*) Leser(in) *m(f)* 2.(*qui fait la lecture*) Vorleser(in) *m(f)* 3.UNIV, SCOL Lektor(in) *m(f)*
lecture [lɛktyʀ] *f* 1.(*action de lire*) Lesen *nt*; **aimer la** ~ gern lesen 2.(*action de lire à haute voix*) Vorlesen *nt*; **faire la** ~ **de qc à qn** jdm etw vorlesen; **donner** ~ **de qc** etw verlesen 3.(*qc qui se lit*) Lektüre *f*, Le-sestoff *m*; **mauvaises** ~**s** Schund[lektüre *f*] *m* 4.MEDIA, INFORM Lesen *nt*; ~ **optique** optische Zeichenerkennung
ledit, ladite [lədi, ladit, ledi, ledit] <les-dit(e)s> *adj antéposé* der/die/das Ge-nannte
légal, e [legal, o] <-aux> *adj* gesetzlich; *âge* gesetzlich [vorgeschrieben]; **fête** ~**e** ge-setzlicher Feiertag; **l'heure** ~**e** Normalzeit *f*
légalement [legalmɑ̃] *adv* legal
légalisation [legalizasjɔ̃] *f* Legalisierung *f*
légaliser [legalize] <1> *vt* 1.(*autoriser*) legalisieren 2.(*authentifier*) [amtlich] be-glaubigen
légalisme [legalism] *m* strikte Gesetzes-treue
légalité [legalite] *f* (*respect de la loi*) Le-galität *f*; **sortir de la** ~ sich außerhalb der Legalität bewegen
légataire [legatɛʀ] *mf* Vermächtnisneh-mer(in) *m(f)*
légation [legasjɔ̃] *f* Gesandtschaft *f*
légendaire [leʒɑ̃dɛʀ] *adj* 1.*animal* Fabel-; *figure* Sagen-; *histoire* legendär 2.(*célèbre*) legendär
légende [leʒɑ̃d] *f* 1.(*mythe*) Sage *f*, Le-gende *f*; **un personnage de** ~ eine legen-däre Gestalt 2.*d'une carte, d'un plan* Legen-de *f*; *d'une photo* [Bild]unterschrift *f*
léger, -ère [leʒe, -ɛʀ] *adj* 1.(*opp: lourd*) leicht; *vêtement* dünn; **poids** ~ Leichtge-wicht *nt* 2.(*de faible intensité*) leicht; *pei-ne* mild; *doute, soupçon* leise; *bruit* schwach; *couche de neige* dünn; **les bles-sés** ~**s** die Leichtverletzten 3.(*insouciant*) **d'un cœur** ~ leichten Herzens 4. *péj* (*su-perficiel*) oberflächlich ▶**à la légère** leichtfertig; **il prend tout à la légère** er nimmt alles auf die leichte Schulter

légèrement [leʒɛRmɑ̃] *adv* **1.** (*un peu*) etwas, ein bisschen **2.** *euph* (*vraiment*) leicht **3.** (*avec des choses légères*) leicht; **s'habiller** ~ etwas Leichtes anziehen **4.** (*avec grâce, délicatement*) anmutig; **marcher plus** ~ etwas leichtfüßiger gehen **5.** (*sans gravité*) leicht; ~ **handicapé** leicht behindert

légèreté [leʒɛRte] *f* **1.** (*faible poids*) Leichtigkeit *f* **2.** (*insouciance*) Leichtfertigkeit *f* **3.** (*superficialité*) Oberflächlichkeit *f*

légiférer [leʒifeRe] <5> *vi* Gesetze erlassen

Légion [leʒjɔ̃] *f* **1.** MIL. **la** ~ **étrangère** die Fremdenlegion **2.** (*décoration*) ~ **d'honneur** Ehrenlegion *f*

légionnaire [leʒjɔnɛR] *mf* (*membre de la Légion d'Honneur*) Mitglied *nt* der Ehrenlegion

législateur, -trice [leʒislatœR, -tRis] *m, f* Gesetzgeber(in) *m(f)*

législatif, -ive [leʒislatif, -iv] **I.** *adj* gesetzgebend; **pouvoir** ~ gesetzgebende Gewalt **II.** *fpl* Parlamentswahlen *Pl*

législation [leʒislasjɔ̃] *f* Gesetzgebung *f*; **la** ~ **française** das französische Recht

législature [leʒislatyR] *f* Legislatur[periode *f* |

légiste [leʒist] *mf* Jurist(in) *m(f)*

légitime [leʒitim] *adj* **1.** JUR rechtsgültig; *enfant* ehelich; **femme** ~ Ehefrau *f* **2.** (*justifié*) berechtigt

légitimement [leʒitimmɑ̃] *adv* legitimerweise; JUR rechtmäßig; **on pourrait** ~ **en conclure que ...** es wäre durchaus rechtens, daraus zu schließen, dass ...

légitimer [leʒitime] <1> *vt* **1.** (*justifier*) rechtfertigen **2.** JUR legitimieren; als ehelich anerkennen, legitimieren *enfant*

légitimité [leʒitimite] *f* Rechtmäßigkeit *f*; **en toute** ~ ganz legitim

legs [lɛ(g)] *m* JUR Vermächtnis *nt*

léguer [lege] <5> *vt* JUR ~ **qc à qn** jdm etw vermachen

légume [legym] **I.** *m* Gemüse *nt kein Pl*; ~**s secs** Hülsenfrüchte *Pl* **II.** *f* ▶ **une grosse** ~ *fam* ein hohes Tier

légumier, -ière [legymje, -jɛR] *m, f* BELG (*marchand*) Gemüsehändler(in) *m(f)*

légumineuse [legyminøz] *f* Hülsenfrucht *f*

lendemain [lɑ̃dmɛ̃] *m* **1.** *sans pl* (*jour suivant*) **le** ~ der/am nächste(n) Tag; **le** ~ **soir** am darauf folgenden Abend; **du jour au** ~ von heute auf morgen **2.** (*temps qui suit*) **au** ~ **du mariage** kurz nach der Hochzeit **3.** (*avenir*) Zukunft *f* ▶ **il ne faut jamais** remettre **au** ~ **ce qu'on peut faire le jour même** *prov* was du heute

kannst besorgen, das verschiebe nicht auf morgen

lénifiant, e [lenifjɑ̃, jɑ̃t] *adj* [schmerz]lindernd

lent, e [lɑ̃, lɑ̃t] *adj* **1.** (*opp: rapide*) langsam; *esprit* schwerfällig; **aller à pas** ~**s** langsam gehen; **il est** ~ **à comprendre** es dauert lange, ehe er begreift **2.** (*qui met du temps à opérer*) langsam

lente [lɑ̃t] *f* Nisse *f*

lentement [lɑ̃tmɑ̃] *adv* langsam ▶ ~, **mais sûrement** langsam, aber sicher

lenteur [lɑ̃tœR] *f* **1.** (*opp: rapidité*) Langsamkeit *f*; ~ **d'esprit** geistige Trägheit *f*; **se déplacer avec** ~ langsam gehen **2.** *pl* (*atermoiements*) Umständlichkeit *f*; **les** ~**s de l'administration** der schwerfällige Verwaltungsapparat

lentille [lɑ̃tij] *f* **1.** BOT Linse *f* **2.** *pl* GASTR Linsen *Pl* **3.** OPT Linse *f*; ~**s de contact** Kontaktlinsen *Pl*

léopard [leɔpaR] *m* **1.** ZOOL Leopard *m*; ~ **femelle** Leopardenweibchen *nt* **2.** (*fourrure*) Leopardenfell *nt*

lepénisme [løpenism] *m*: Ideologie des Front National und seines Gründers Le Pen

lepéniste [løpenist] *mf* Anhänger(in) *m(f)* des Front National

lèpre [lɛpR] *f* MED Lepra *f*; **atteint de la** ~ an Lepra erkrankt

lépreux, -euse [lepRø, -øz] **I.** *adj* **1.** MED leprakrank **2.** (*rongé*) heruntergekommen **II.** *m, f* Leprakranke(r) *f(m)*

lequel, laquelle [ləkɛl, lakɛl] <lesquels, lesquelles> **I.** *pron interrog* **1.** (*se rapportant à une personne*) welcher/welche/welches; **regarde cette fille! – laquelle?** sieh nur dieses Mädchen! – welches?; ~/**laquelle d'entre vous ...?** wer von euch ...?; **auxquels de ces messieurs devrai-je m'adresser?** an welche dieser Herren soll ich mich wenden?; **demandez à l'un de vos élèves, n'importe** ~! fragen Sie einen Ihrer Schüler, ganz gleich welchen! **2.** (*se rapportant à un animal, un objet*) welcher/welche/welches; **je ne sais lesquels prendre!** ich weiß nicht, welche ich nehmen soll!; ~ **de ces chiens/flacons ...?** welcher dieser Hunde/welches dieser Fläschchen ...? **II.** *pron rel* **1.** (*se rapportant à une personne*) der/die/das, welcher/welche/welches; **la concierge, laquelle ...** die Hausmeisterin, die ...; **la personne à laquelle je fais allusion** die Person, auf die ich anspiele; **les grévistes, au nombre desquels il se trouve** die Streikenden, zu denen er zählt **2.** (*se rapportant à un animal, un objet*)

lettre

• Formule de début de lettre	• Anrede in Briefen
Mon cher/Ma chère ...,	Liebe/r ...,
Salut, ...!	Hallo, ...!/Hi, ...! *(fam)*
Cher Monsieur/Chère Madame ...,	Liebe/r Frau/Herr ...,
Monsieur/Madame ... *(form)*	Sehr geehrte/r Frau/Herr ... *(form)*
Madame, Monsieur/Mesdames, Messieurs	Sehr geehrte Damen und Herren ...

• Formule de fin de lettre	• Schlussformeln in Briefen
Salut! *(fam)*	Tschüss! *(fam)*/Ciao! *(fam)*
Bonne chance!	Alles Gute! *(fam)*
Je vous/t'embrasse bien fort	Herzliche/Liebe Grüße *(fam)*
Grosses bises	Viele Grüße
Je vous prie/Nous vous prions d'agréer, Madame .../Monsieur ..., mes/nos très sincères salutations.	Mit (den) besten Grüßen
Je vous prie/Nous vous prions de croire, Madame .../Monsieur ..., à l'assurance de mes/nos sentiments distingués. *(form)*	Mit freundlichen Grüßen *(form)*

der/die/das; **une maison, laquelle ...** ein Haus, das ...; **la situation délicate dans laquelle nous nous trouvons** die heikle Situation, in der wir uns befinden; **la liberté, au nom de laquelle ...** die Freiheit, in deren Namen ...
les [le] **I.** *art déf* die **II.** *pron pers, pl* **1.** *(personnes)* **elle ~ voit/suit** sie sieht sie/folgt ihnen; *(animaux ou objets)* **là-bas, il y a des chiens, ~ vois-tu?** da drüben sind Hunde, siehst du sie?; **ces sacs? Je ~ ai trouvés** diese Taschen? Ich habe sie gefunden **2.** *avec laisser* sie; **il ~ laisse conduire la voiture** er lässt sie das Auto fahren **3.** *avec un présentatif* sie; **~ voici** [o **voilà**]**!** hier sind sie!
lesbien, ne [lɛzbjɛ̃, jɛn] *adj* lesbisch
lesbienne [lɛzbjɛn] *f* Lesbierin *f*
léser [leze] <5> *vt* **1.** *(désavantager)* benachteiligen; **partie lésée** Geschädigte(r) *f(m)* **2.** *(nuire)* **~ les intérêts de qn** jds Interessen *(dat)* schaden
lésiner [lezine] <1> *vi* **~ sur qc** mit etw geizen
lésion [lezjɔ̃] *f* Verletzung *f*
lessivable [lesivabl] *adj* abwaschbar
lessive [lesiv] *f* **1.** *(détergent)* Waschmittel *nt;* **~ en poudre/liquide** Waschpulver *nt*/flüssiges Waschmittel **2.** *(lavage)* Wäsche *f;* **jour de ~** Waschtag *m;* **faire la ~** [Wäsche] waschen **3.** *(linge à laver)* [Schmutz]wäsche *f*
lessiver [lesive] <1> *vt* **1.** *(nettoyer)*

schrubben *pièce, sol;* abwaschen *murs* **2.** *fam* *(épuiser)* **être lessivé** total erledigt sein
lest [lɛst] *m* Ballast *m*
leste [lɛst] *adj* **1.** *(vif)* behänd[e] *(geh)* **2.** *(grivois)* pikant
lester [lɛste] <1> *vt* Ballast laden, beschweren
léthargie [letaʀʒi] *f* Lethargie *f;* **sortir qn de sa ~** jdn aus seiner Lethargie herausreißen
léthargique [letaʀʒik] *adj* lethargisch
letton [lɛtɔ̃] *m* Lettisch *nt; v. a.* **allemand**
letton, e [lɛtɔ̃, ɔn] *adj* lettisch
Letton, e [lɛtɔ̃, ɔn] *m, f* Lette/Lettin *m/f*
Lettonie [lɛtɔni] *f* **la ~** Lettland *nt*
lettre [lɛtʀ] *f* **1.** *(missive)* Brief *m;* **~ d'affaires/d'amour/de menaces** Geschäfts-/Liebes-/Drohbrief; **~ de candidature** Bewerbungsschreiben *nt;* **mettre une ~ à la poste** einen Brief aufgeben; **par ~** brieflich **2.** *(signe graphique)* Buchstabe *m;* **remplir en ~s capitales!** in Großbuchstaben ausfüllen!; **c'est en grosses ~s dans les journaux** das steht ganz groß in den Zeitungen **3.** *pl* *(opp: sciences)* Geisteswissenschaften *Pl;* **professeur de ~s** Professor(in) *m(f)* für Philologie **4.** *sans pl* *(sens strict)* **à la ~** aufs Wort [genau]; **prendre qc à la ~** etw [wort]wörtlich nehmen ▶ **passer comme une ~ à la poste** *fam* reibungslos über die Bühne gehen; *proposition:* ohne weiteres

angenommen werden; **en toutes ~s** (*opp:
en chiffres*) in Worten; (*sans abréviation*)
ausgeschrieben; (*écrit noir sur blanc*)
schwarz auf weiß; (*sans doute possible*)
klar und deutlich

lettré, e [letʀe] *adj* gebildet

leucémie [løsemi] *f* MED Leukämie *f*

leucocyte [løkɔsit] *m* weißes Blutkörperchen

leur¹ [lœʀ] *pron pers, inv* **1.** je ~ ai demandé s'ils/si elles venaient ich habe
sie gefragt, ob sie kommen; **ces sont tes
chiens? tu ~ as donné à manger?** sind
das deine Hunde? hast du ihnen [schon] zu
fressen gegeben?; **tu as vu mes chaussures? je ~ ai donné un coup de brosse!**
hast du meine Schuhe gesehen? ich habe
sie mit der Bürste poliert! **2.** *avec faire, laisser* sie; **il ~ laisse/fait conduire la voiture** er lässt sie das Auto fahren **3.** *avec être,
devenir, sembler, soutenu* cela ~ **semble
bon** das erscheint ihnen gut; *v. a.* **me
4.** (*avec un sens possessif*) **le cœur ~ battait fort** ihre Herzen schlugen heftig

leur² [lœʀ] <**leurs**> **I.** *dét poss* ihr(e); *pl*
ihre; **les enfants et ~ père/mère** die Kinder und ihr Vater/ihre Mutter; **les arbres
perdent ~s feuilles** die Bäume verlieren
die/ihre Blätter; **à ~ détriment** zu ihrem
Nachteil; *v. a.* **ma, mon II.** *pron poss*
1. le/la ~ der/die/das ihre, ihre(r, s); **les
~s** die ihren, ihre **2.** *pl* (*ceux de leur famille*) **les ~s** ihre Angehörigen; (*leurs partisans*) ihre Anhänger; **il est des ~s** er gehört zu ihnen, er ist einer von ihnen/euch
▶**ils y mettent du** ~ sie tun, was sie können; *v. a.* **mien**

leurre [lœʀ] *m* PECHE künstlicher Köder

leurrer [lœʀe] <1> *vt* täuschen

leurs [lœʀ] *v.* **leur**

levain [ləvɛ̃] *m* (*pour pain*) Sauerteig *m;*
(*pour gâteau*) Vorteig *m;* **pain au/sans ~**
Sauerteigbrot/ungesäuertes Brot

levant [ləvɑ̃] *m* (*est*) Morgenland *nt*

levée [l(ə)ve] *f* POST Leerung *f;* **heures de
~** Leerungszeiten *Pl*

lève-glace [lɛvɡlas] <**lève-glaces**> *m*
Fensterheber *m*

lever [l(ə)ve] <4> **I.** *vt* **1.** (*soulever*)
[hoch]heben; hochziehen *store, rideau* de
théâtre; heben *jambe, tête, visage;* ~ **qc** etw
(hoch)heben; ~ **le bras** (*pour prendre qc*)
den Arm in die Höhe strecken; ~ **la main**
die Hand heben; (*pour prendre la parole*)
sich zu Wort melden; ~ **les yeux vers qn**
zu jdm aufblicken; **ne pas ~ le nez de
son livre** nicht von seinem Buch aufblicken **2.** (*sortir du lit*) aus dem Bett holen
enfant; ~ **un malade** einem Kranken beim

Aufstehen helfen; **faire ~ qn** jdn zum Aufstehen bringen, jdn aus dem Bett holen,
jdn aufstehen lassen **3.** (*faire cesser*) **être
levé** *séance:* geschlossen werden **II.** *vpr* **se
~ 1.** (*se mettre debout*) sich erheben; **se ~
de table** vom Tisch aufstehen **2.** (*sortir du
lit*) aufstehen; **il s'est levé** er ist aufgestanden **3.** (*commencer à paraître*) *lune, soleil:*
aufgehen; *jour, aube:* anbrechen **4.** (*se soulever*) *rideau:* aufgehen; *main:* sich [er]he-
ben **5.** (*commencer à s'agiter*) *mer:* unruhig werden; *vent:* aufkommen **6.** (*devenir
meilleur*) *temps:* aufklaren; *brouillard:* sich
lichten **III.** *vi* **1.** (*gonfler*) *pâte:* gehen
2. (*pousser*) aufkeimen **IV.** *m* **au ~ du soleil** bei Sonnenaufgang; ~ **du jour** Tagesanbruch *m*

lève-tard [lɛvtaʀ] *mf inv, fam* Langschlä-
fer(in) *m(f)* **lève-tôt** [lɛvto] *mf inv, fam*
Frühaufsteher(in) *m(f)* **lève-vitre** [lɛv-
vitʀ] <**lève-vitres**> *m* Fensterheber *m*

levier [ləvje] *m* **1.** (*pour soulever*) Hebel
m; **faire ~ sur qc** den Hebel an etw (*dat*)
ansetzen **2.** (*tige de commande*) Hebel *m;*
~ **de commande/de [changement de]
vitesse** Schalthebel ▶**être aux ~s de
commande** das Steuer in der Hand haben

levraut [ləvʀo] *m* [Hasen]junge(s) *nt*

lèvre [lɛvʀ] *f* **1.** ANAT *de la bouche* Lippe *f;* ~
inférieure/supérieure Unter-/Oberlip-
pe; **la cigarette aux ~s** die Zigarette im
Mund **2.** *pl* (*parties de la vulve*) Schamlippen *Pl* ▶**ne pas desserrer les ~s** den
Mund nicht aufmachen (*fam*)

lévrier [levʀije] *m* Windhund *m*

levure [l(ə)vyʀ] *f a.* CHIM Hefe *f,* Germ *f*
(A); ~ **de boulanger** frische Hefe; ~ **de
bière** Bierhefe; ~ **chimique** Backpulver *nt*

lexical, e [lɛksikal] <**-aux**> *adj* lexikalisch

lexicographie [lɛksikɔɡʀafi] *f* Lexikogra-
phie *f*

lexique [lɛksik] *m* **1.** (*dictionnaire bilingue*) Wörterbuch *nt;* (*dictionnaire technique, spécialisé*) Lexikon *nt,* Wörterbuch *nt*
(*en fin d'ouvrage*) Glossar *nt* **2.** (*vocabulaire*) Wortschatz *m*

lézard [lezaʀ] *m* Eidechse *f;* ~ **femelle** Ei-
dechsenweibchen *nt*

lézarde [lezaʀd] *f* Riss *m*

lézarder¹ [lezaʀde] <1> *vi fam* Sonne tanken

lézarder² [lezaʀde] <1> **I.** *vt* rissig machen *mur;* **être lézardé** rissig sein **II.** *vpr*
se ~ *mur:* Risse bekommen

liaison [ljɛzɔ̃] *f* **1.** TELEC, MIL, TRANSP Verbindung *f;* ~ **radio/téléphonique** Funk-/Te-
lefonverbindung; **être en ~ avec qn** mit
jdm verbunden sein; **mettre qn en ~ avec
qn** jdn mit jdm in Verbindung setzen; **res-**

tons en ~! bleiben wir [doch] in Verbindung!; **travailler en ~ étroite avec qn** mit jdm eng zusammenarbeiten **2.** (*enchaînement*) Zusammenhang *m;* **sans ~ avec le reste** in keinem Zusammenhang mit dem Rest **3.** LING Liaison *f;* **faire la ~ die** Liaison machen **4.** (*relation amoureuse*) Verhältnis *nt*

liane [ljan] *f* Liane *f*

liant [ljã] *m* Bindemittel *nt*

liasse [ljas] *f de documents* Stoß *m; de billets* Bündel *nt;* **en ~ de 100** in Bündeln zu je 100

Liban [libã] *m* **le ~** der Libanon

libanais [libanɛ] *m* Libanesisch *nt; v. a.* **allemand**

libanais, e [libanɛ, ɛz] *adj* libanesisch

Libanais, e [libanɛ, ɛz] *m, f* Libanese/Libanesin *m/f*

libellé [libele] *m* Wortlaut *m*

libeller [libele] <1> *vt* (*remplir, rédiger*) ausstellen *chèque;* aufsetzen *contrat*

libellule [libelyl] *f* Libelle *f*

libéral, e [liberal, o] <-aux> **I.** *adj* **1.** ECON, POL liberal; **économie ~e** freie Marktwirtschaft **2.** (*non salarié*) freiberuflich; **professions ~es** selb[st]ständige Berufe **3.** (*tolérant*) tolerant; *éducation* frei **II.** *m, f* POL Liberale(r) *f(m)*

libéralisation [liberalizasjõ] *f* Liberalisierung *f*

libéraliser [liberalize] <1> *vt* liberalisieren

libéralisme [liberalism] *m* ECON, POL Liberalismus *m*

libérateur, -trice [liberatœr, -tris] **I.** *adj* befreiend **II.** *m, f* Befreier(in) *m(f)*

libération [liberasjõ] *f* **1.** *d'un détenu* [Haft]entlassung *f; d'un prisonnier politique* Freilassung *f* **2.** *a. fig* (*délivrance*) Befreiung *f;* **la ~ de la femme** die Befreiung der Frau; **la Libération** die Befreiung

libéré, e [libere] *adj* (*émancipé*) emanzipiert, befreit

libérer [libere] <5> **I.** *vt* **1.** (*relâcher*) freilassen; [aus der Haft] entlassen *condamné* **2.** (*délivrer*) befreien; **~ qn** jdn befreien **3.** (*décharger*) **~ qn de sa dette** jds Schulden tilgen; **~ qn d'une promesse** jdn von einem Versprechen entbinden **4.** (*dégager*) frei machen *voie* **5.** (*rendre disponible*) räumen *chambre;* **cela me libérerait un peu de temps** dadurch hätte ich etwas mehr Zeit; **~ qn/qc** jdn/etw befreien **II.** *vpr* **1.** (*se délivrer*) **se ~ de ses liens** sich von seinen Fesseln befreien; **se ~ de ses soucis** seine Sorgen abschütteln **2.** (*se rendre libre*) **se ~** sich frei machen **3.** (*devenir vacant*) **se ~** *poste, place:* frei werden

liberté [libɛrte] *f* **1.** *sans pl* (*opp: oppression, emprisonnement*) Freiheit *f;* **mise en ~ d'un prisonnier politique** Freilassung *f* eines politischen Gefangenen; **en ~** (*opp: en captivité*) in Freiheit; (*opp: en prison*) auf freiem Fuß; **être en ~ provisoire/surveillée** vorläufig/auf Bewährung entlassen sein; **rendre la ~ à qn** jdn freilassen **2.** *sans pl* (*loisir*) freie Zeit; **quelques heures/jours de ~** einige freie Stunden/Tage **3.** (*droit*) Freiheit *f;* **~ d'expression/d'opinion** Meinungsfreiheit; **~s syndicales** gewerkschaftliche Rechte *Pl* **4.** *sans pl* (*indépendance*) Freiheit *f,* Unabhängigkeit *f* **5.** *sans pl* (*absence de contrainte*) Ungezwungenheit *f;* **~ d'esprit/de jugement** geistige Unabhängigkeit/freie Meinungsbildung; **toute ~ de choix** völlig freie Wahl; **laisser toute ~ à qn** jdm völlig freie Hand lassen; **parler en toute ~** ganz offen sprechen ▶**Liberté, Égalité, Fraternité** Freiheit, Gleichheit, Brüderlichkeit; **prendre des ~s avec qn** (*être trop familier*) sich (*dat*) jdm gegenüber Freiheiten herausnehmen; (*sexuellement*) jdm gegenüber zudringlich werden

libertin, e [libɛrtɛ̃, in] *adj* ausschweifend

libertinage [libɛrtinaʒ] *m d'une personne* ausschweifender Lebenswandel

libido [libido] *f* Libido *f*

libraire [librɛr] *mf* Buchhändler(in) *m(f)*

librairie [librɛri] *f* Buchhandlung *f;* **en ~** im Buchhandel; **nouveautés parues en ~** Neuerscheinungen *Pl* auf dem Büchermarkt; **on ne trouve plus ce livre en ~** dieses Buch ist vergriffen

librairie-papeterie [librɛripapɛtri] <librairies-papeteries> *f* Buch- und Schreibwarenhandlung *f*

libre [libr] *adj* frei; *propos, mœurs* locker; *discussion, cheveux* offen; *esprit, tête* klar; *prix* unverbindlich; **elle est ~ de ses choix** sie hat die freie Auswahl; **~ à vous de refuser** Sie können ablehnen; **ne pas être ~** *personne:* keine Zeit haben; **avoir une seule main [de] ~** nur eine Hand frei haben; **il n'y a plus une seule cabine de ~** es ist keine einzige Kabine mehr frei; **être ~ de tout préjugé/engagement** keinerlei Vorurteile/Verpflichtungen haben; **laisser la taille/le cou ~** *robe:* nicht eng an der Taille/am Hals anliegen; **exercices/figures ~s** SPORT Kür[übungen *Pl*]/ Kür *f*

libre-échange [librɛʃãʒ] <libres-échanges> *m* Freihandel *m*

librement [librəmã] *adv* frei; *traduire* frei; *s'exprimer* ungezwungen; **respirer plus ~** freier atmen; **avec lui, on peut parler ~**

mit ihm kann man [ganz] offen reden

libre penseur , -euse [libʀəpɑ̃sœʀ, øz] <libres penseurs> *m, f* Freidenker(in) *m(f)*

libre-service [libʀəsɛʀvis] <libres-services> *m* **1.**(*magasin*) Selbstbedienungsgeschäft *nt* **2.**(*restaurant*) Selbstbedienungsrestaurant *nt* **3.** *sans pl* (*système de vente*) Selbstbedienung *f*

librettiste [libʀetist] *mf* Librettist(in) *m(f)*

Libye [libi] *f* **la ~** Libyen *nt*

lice [lis] ▸**entrer en ~** in Aktion treten

licence [lisɑ̃s] *f* **1.**UNIV Licence *f*, Lizentiat *nt* (CH); **~ ès sciences** Licence der Naturwissenschaften; **faire une ~ d'allemand** eine Licence in Deutsch machen **2.**COM, JUR, SPORT Lizenz *f*; **~ de débit de boisson** Schankkonzession *f*; **joueur titulaire d'une ~** Lizenzspieler *m*; **fabriqué sous ~** in Lizenz hergestellt

licencié, e [lisɑ̃sje] *adj* UNIV mit Licence; **être ~** die Licence haben

licenciement [lisɑ̃simɑ̃] *m* Entlassung *f*; **~ collectif** Massenentlassung *f*; **~ économique** konjunkturbedingte Entlassung

licencier [lisɑ̃sje] <1> *vt* **~ qn** jdn entlassen

lichen [likɛn] *m* BOT Flechte *f*

licite [lisit] *adj* zulässig

licorne [likɔʀn] *f* Einhorn *nt*

licou [liku] *m* Halfter *m o nt*

lie [li] *f* (*dépôt*) [Boden]satz *m*; **~ de vin** Weinstein *m*

lié, e [lje] *adj* (*proche*) **être ~ avec qn** jdm nahe stehen; **ils sont très ~s** sie stehen sich (*dat*) sehr nahe

Liechtenstein [liʃtɛnʃtajn] *m* **le ~** Liechtenstein *nt*

liechtensteinois, e [liʃtɛnʃtajnwa, waz] *adj* liechtensteinisch

Liechtensteinois, e [liʃtɛnʃtajnwa, waz] *m, f* Liechtensteiner(in) *m(f)*

lie-de-vin [lidvɛ̃] *adj inv* weinrot

liège [ljɛʒ] *m* Kork *m*; **bouchon de ~** Korken *m*

Liège [ljɛʒ] Lüttich *nt*

lien [ljɛ̃] *m* **1.**(*attache*) Band *nt*; (*chaîne*) Fessel *f* **2.**(*rapport*) Verbindung *f*; **~ entre deux/plusieurs choses** Zusammenhang *m* zwischen zwei/mehreren Dingen **3.**(*ce qui unit*) **~ affectif** gefühlsmäßige Bindung; **~ de parenté** Verwandtschaftsverhältnis *nt*; **nouer des ~s avec qn** sich mit jdm anfreunden **4.**INFORM Link *m*

lier [lje] <1> *I. vt* **1.**(*attacher*) zusammenbinden *choses*; **~ qn à qc** jdn an etw (*akk*) fesseln **2.**(*assembler*) **~ les mots** Wörter gebunden aussprechen **3.**(*mettre en relation*) **être lié à qc** mit etw zusammenhän-

gen **4.**(*unir*) **~ qn/qc à qn/qc** jdn/etw mit jdm/etw verbinden **5.**(*astreindre*) **être lié par un serment** durch einen Schwur gebunden sein **II.** *vpr* **se ~ avec qn** sich mit jdm anfreunden; **ne pas se ~ facilement** nicht so leicht Freundschaft schließen

lierre [ljɛʀ] *m* Efeu *m*

lieu¹ [ljø] <x> *m* **1.**(*endroit*) Ort *m*; **~ de séjour/de naissance** Aufenthalts-/Geburtsort; **~ de travail** Arbeitsstätte *f*; **~ de rencontre** Treffpunkt *m* **2.** *pl* (*locaux*) Räumlichkeiten *Pl*; (*endroit précis*) **sur les ~x de l'accident** am Unfallort; **être déjà sur les ~x** *police:* sich bereits vor Ort befinden; **évacuer les ~x** eine Örtlichkeit räumen **3.**(*endroit particulier*) **haut ~ de la Résistance** Hochburg *f* der Résistance; **en haut ~** an höherer Stelle; **en ~ sûr** (*à l'abri*) in Sicherheit; (*en prison*) hinter Schloss und Riegel **4.**(*dans une succession*) **en premier/second/dernier ~** zuerst/anschließend/schließlich **5.**(*place*) **avoir ~** stattfinden; *événement, accident:* sich ereignen; **tenir ~ de qc à qn** jdm etw ersetzen; **au ~ de qc** [an]statt einer S. (*gen*); **au ~ de cela** stattdessen **6.**(*raison*) **il n'y a pas ~ de s'inquiéter** es besteht kein Anlass zur Beunruhigung; **donner ~ à qc** (*provoquer*) zu etw führen; (*fournir l'occasion de*) den Anlass zu etw geben

lieu² [ljø] <s> ZOOL Seelachs *m*; **~ jaune** Pollack *m*; **~ noir** Seelachs *m*

lieu commun [ljøkɔmœ̃] <lieux communs> *m* Gemeinplatz *m*

lieue [ljø] *f* Meile *f*

lieutenant [ljøt(ə)nɑ̃] *m* **1.**MIL Oberleutnant *m* **2.**(*adjoint*) Gefolgsmann

lièvre [ljɛvʀ] *m* ZOOL [Feld]hase *m* ▸**courir deux/plusieurs ~s à la fois** auf zwei/mehreren Hochzeiten tanzen; **courir comme un ~** wie ein Wiesel laufen; **lever un ~** ein heikles Thema anschneiden

lifting [liftiŋ] *m* Facelifting *nt*; **se faire faire un ~** sich liften lassen

ligament [ligamɑ̃] *m* ANAT Band *nt*

light [lajt] *adj inv* light

ligne [liɲ] *f* **1.**(*trait*) Strich *m*, Linie *f*; MATH Linie **2.**(*limite réelle*) Linie; **~ d'arrivée/de départ** Ziel-/Startlinie; **~ de but** Torlinie **3.**(*limite imaginaire*) **~ d'horizon** Horizont *m*; **~ de tir** Schusslinie **4.**(*suite de mots*) Zeile *f*; **de huit ~s** achtzeilig; **à la ~!** neue Zeile!, Absatz!; INFORM **~taire** Kommentarzeile; **~ de commande** Befehlszeile **5.**(*trait de la main*) Linie *f* **6.** *d'un nez* Form *f*; *d'un tailleur* Schnitt *m*; *d'une voiture, d'un meuble* Linie *f* **7.** *sans pl* (*silhouette*) [schlanke] Linie, Figur *f*;

avoir/garder la ~ schlank sein/bleiben **8.** (*ensemble de produits cosmétiques*) Pflegelinie *f* **9.** (*point*) **les grandes ~s de l'ouvrage** die Leitgedanken des Werkes **10.** (*direction*) **~ droite** Gerade *f*, gerader [Strecken]abschnitt; **en ~ droite** geradewegs; **5 km en ~ droite** 5 km Luftlinie; **la dernière ~ droite avant l'arrivée** die Zielgerade **11.** (*voie*) **~ d'action** Vorgehensweise *f*; **~ de conduite** Grundsätze *Pl*, Prinzipien *Pl*; **être dans la ~ du parti** der Parteilinie folgen **12.** TRANSP Linie *f*, Strecke *f*; **une ~ de métro** eine (Metro-)Linie; **~ de chemin de fer** Eisenbahnstrecke *f*; **~ maritime/aérienne** Schifffahrts-/Fluglinie **13.** PECHE Angelschnur *f* **14.** ELEC, TELEC Leitung *f*; **faire installer une ~ téléphonique** einen Telefonanschluss legen lassen; **être en ~** gerade telefonieren; **gardez la ~!** CAN (*ne quittez pas*) legen Sie nicht auf!; **la ~ est mauvaise** die Verbindung ist schlecht **15.** (*rangée*) Reihe *f*; **se mettre en ~** sich in einer Reihe aufstellen **16.** MIL Linie *f*, Front *f* **17.** (*filiation*) **en ~ directe** in direkter Linie ►**entrer en ~ de** compte eine Rolle spielen; **prendre qc en ~ de** compte *personne:* an etw (*akk*) denken; *projet:* etw berücksichtigen; **en ~** INFORM online; *cours, formation, diplôme* Online-; **hors ~** INFORM offline; **sur toute la ~** auf der ganzen Linie

lignée [liɲe] *f* (*descendance*) Nachkommenschaft *f*

ligneux, -euse [liɲø, -øz] *adj* verholzt

lignite [liɲit] *m* [junge] Braunkohle *f*

ligoter [ligɔte] <1> *vt* **1.** (*attacher*) fesseln **2.** (*priver de liberté*) **être ligoté** unfrei sein

ligue [lig] *f* Liga *f*; **Ligue des droits de l'homme** Liga für Menschenrechte

liguer [lige] <1> *vpr* **se ~ contre qn** sich gegen jdn verschwören; POL sich gegen jdn verbünden

lilas [lila] I. *m* Flieder *m* II. *adj inv* lila[farben]

lilliputien, ne [li(l)lipysjɛ̃, jɛn] I. *adj* winzig [klein] II. *m, f* Liliputaner(in) *m(f)*

limace [limas] *f* Nacktschnecke *f*

limaille [limaj] *f* Feilspäne *Pl*; **~ de fer** Eisenfeilspäne

limande [limɑ̃d] *f* Kliesche *f*

lime [lim] *f* (*outil*) Feile *f*; **~ à ongles** Nagelfeile *f*

limer [lime] <1> I. *vt* feilen *ongles, clé;* [glatt]feilen *métal, bois* II. *vpr* **se ~ les ongles** sich (*dat*) die Nägel feilen

limier [limje] *m* Spürhund *m*

liminaire [liminɛʀ] *adj* einführend

limitatif, -ive [limitatif, -iv] *adj* einschränkend

limitation [limitasjɔ̃] *f* Einschränkung *f*; **~ des armements/de vitesse** Rüstungs-/Geschwindigkeitsbegrenzung *f*; **~ des naissances** Geburtenbeschränkung *f*; **sans ~ de temps** unbefristet

limite [limit] I. *app* **1.** (*extrême*) **âge ~** Altersgrenze *f*, Höchstalter *nt;* **cas ~** Grenzfall *m;* **poids ~** [zulässiges] Höchstgewicht; **prix ~** Preislimit *nt;* **vitesse ~** Höchstgeschwindigkeit *f* **2.** (*presque impossible*) fast unmöglich; **ce cas me paraît ~** dieser Fall erscheint mir höchst unwahrscheinlich **3.** *fam* (*pas terrible*) **être ~** *personne:* nicht [gerade] umwerfend sein; *chose:* einen nicht vom Hocker hauen II. *f* **1.** *d'une étendue* Grenze *f*; *d'un terrain* Begrenzung[slinie *f*] *f*; *d'une forêt, prairie* Rand *m* **2.** (*dans le temps*) Frist *f*; **~ pour les inscriptions** Einschreibefrist **3.** (*borne*) Grenzen *Pl*; **sans ~s** *ambition, vanité* maßlos; *pouvoir* uneingeschränkt; **être à la ~ du supportable** kaum noch zu ertragen sein; **atteindre les ~s du ridicule** [bereits] ans Lächerliche grenzen; **dépasser les ~s** zu weit gehen; **il y a des ~s [à tout]** alles hat seine Grenzen; **dans les ~s de qc** im Rahmen einer S. (*gen*); **dans une certaine ~** bis zu einem gewissen Grad **4.** MATH Grenzwert *m* ►**à la ~** na ja; **à la ~, je peux ...** im äußersten Fall kann ich ...; **à la ~, je ferais mieux de ...** wahrscheinlich wäre es das Beste, ich würde ...; **à la ~, on croirait que ...** man könnte fast meinen, ...

limité, e [limite] *adj* begrenzt; *sens* eng; **être un peu ~** *fam personne:* minderbemittelt sein; **n'avoir qu'une confiance ~e en qn** jdm nur bedingt vertrauen können

limiter [limite] <1> I. *vt* **1.** (*délimiter*) begrenzen **2.** (*restreindre*) einschränken; **~ qc à l'essentiel** etw auf das Wesentliche beschränken; **il faut à tout prix ~ les dégâts** der Schaden muss unbedingt begrenzt werden II. *vpr* **1.** (*s'imposer des limites*) **se ~ dans qc** sich in etw (*dat*) einschränken; (*en mangeant, buvant*) sich in etw (*dat*) mäßigen; (*dans son comportement*) sich bei etw zurückhalten **2.** (*se borner*) **se ~ à qc** sich auf etw (*akk*) beschränken

limitrophe [limitʀɔf] *adj* angrenzend

limogeage [limɔʒaʒ] *m fam* Abhalfterung *f*

limoger [limɔʒe] <2a> *vt fam* kalt stellen

limon [limɔ̃] *m* (*terre*) Schlamm *m*

limonade [limɔnad] *f* Limonade *f*, Kracherl *nt* (SDEUTSCH, A)

Limousin, e [limuzɛ̃, in] *m* **le ~** das Li-

mousin

limousine [limuzin] *f* [Luxus]limousine *f*
limpide [lɛ̃pid] *adj* **1.** (*pur*) klar; *regard* offen; *air* rein; **des yeux d'un bleu** ~ wasserblaue Augen **2.** (*intelligible*) klar
limpidité [lɛ̃pidite] *f* (*pureté*) Klarheit *f*; *de l'air* Reinheit *f*
lin [lɛ̃] *m* **1.** BOT Flachs *m* **2.** TEXTIL Leinen *nt*
linceul [lɛ̃sœl] *m* Leichentuch *nt*
linéaire [lineɛR] *adj* linear
linge [lɛ̃ʒ] *m* **1.** *sans pl* (*vêtements*) Wäsche *f*; **du** ~ **de rechange** [Unter]wäsche zum Wechseln; ~ **de toilette** Handtücher *Pl*; **avoir du** ~ **à laver** Wäsche waschen müssen **2.** (*morceau de tissu*) Tuch *nt*
►**laver son** ~ **sale en famille** seine schmutzige Wäsche nicht in der Öffentlichkeit waschen; **blanc comme un** ~ kreidebleich
lingerie [lɛ̃ʒRi] *f* **1.** *sans pl* (*dessous*) ~ **féminine** Damenwäsche *f* **2.** (*local*) Wäschekammer *f*
lingot [lɛ̃go] *m* **1.** (~ *d'or*) [Gold]barren *m* **2.** (*masse de métal*) Block *m*
linguiste [lɛ̃gɥist] *mf* Linguist(in) *m(f)*
linguistique [lɛ̃gɥistik] **I.** *adj* **1.** (*relatif à la science du langage*) linguistisch, Sprach- **2.** (*relatif à la langue*) **communauté/famille** ~ Sprachgemeinschaft *f*/-familie *f* **II.** *f* Linguistik *f*
linoléum [linɔleɔm] *m* Linoleum *nt*
linteau [lɛ̃to] <x> *m* ARCHIT Sturz *m*
lion [ljɔ̃] *m* Löwe *m*; *v. a.* **lionne**
Lion [ljɔ̃] *m* Löwe *m*; *v. a.* **Balance**
lionceau [ljɔ̃so] <x> *m* Löwenjunge(s) *nt*
lionne [ljɔn] *f* Löwin *f*; *v. a.* **lion**
lipide [lipid] *m* Lipid *nt*
liposuccion [liposysjɔ̃] *f* Fettabsaugung *f*
lippu, e [lipy] *adj* wulstig
liquéfier [likefje] <1> **I.** *vt* verflüssigen **II.** *vpr* **se** ~ *gaz:* flüssig werden; *solide:* schmelzen
liqueur [likœR] *f* Likör *m*
liquidation [likidasjɔ̃] *f* **1.** (*solde*) Ausverkauf *m*; ~ **totale du stock** Räumungsverkauf **2.** JUR *d'une succession, d'un compte* Liquidation *f*
liquide [likid] **I.** *adj* **1.** (*fluide*) flüssig; **être trop** ~ *sauce:* zu dünn[flüssig] sein **2.** (*disponible*) **argent** ~ Bargeld *nt* **II.** *m* **1.** (*fluide*) Flüssigkeit *f*; ~ **de frein[s]** Bremsflüssigkeit *f*; ~ **vaisselle** [Geschirr]spülmittel *nt*; **les** ~**s et les solides** flüssige und feste Körper **2.** *sans pl* (*argent*) Bargeld *nt*; **en** ~ in bar
liquider [likide] <1> *vt* **1.** COM ausverkaufen *marchandise;* räumen *stock* **2.** *fam* (*se débarrasser*) ausschalten *adversaire;* sich (*dat*) vom Hals schaffen *dossier;* **voilà une**

affaire [de] liquidée so, das wäre erledigt **3.** *fam* (*tuer*) liquidieren; **se faire** ~ liquidiert werden **4.** *fam* (*finir*) austrinken *boisson;* aufessen *nourriture* **5.** JUR auflösen *société, compte*
liquidité [likidite] *f* Liquidität *f*
lire¹ [liR] *vi* **1.** (*bouquiner*) lesen; **savoir** ~ lesen können; ~ **à haute voix** laut lesen **2.** (*deviner*) ~ **dans les lignes de la main de qn** jdm aus der Hand lesen; ~ **dans les pensées de qn** jds Gedanken lesen **II.** *vt* **1.** (*prendre connaissance de*) lesen *livre, auteur;* **faire** ~ **un auteur à qn** jdm einen Autor zu lesen geben; **c'est à** ~! das sollte man gelesen haben!; **en espérant vous/te** ~ **bientôt** in Erwartung Ihrer/deiner Nachricht; **à te** ~ nach dem, was du schreibst **2.** (*déchiffrer*) lesen [können] **3.** (*donner lecture*) verlesen; (*faire la lecture*) ~ **qc à qn** jdm etw [vor]lesen **4.** (*deviner*) ~ **la joie dans les yeux de qn** Freude in jds Augen (*dat*) erkennen **III.** *vpr* **1.** *euph* **qc/ça se laisse** ~ etw/das lässt sich lesen **2.** (*se déchiffrer*) **l'hébreu se lit de droite à gauche** das Hebräische wird von rechts nach links gelesen **3.** (*se comprendre*) **ce texte peut se** ~ **de deux manières** dieser Text kann auf zweierlei Weise verstanden werden **4.** (*se deviner*) **la surprise se lisait sur son visage** man konnte ihm/ihr die Überraschung vom Gesicht ablesen
lire² [liR] *f* Lira *f*
lis¹ [lis] *m* Lilie *f*
lis² [li] *indic prés de* **lire**
lisais [lizɛ] *imparf de* **lire**
lisant [lizɑ̃] *part prés de* **lire**
Lisbonne [lisbɔn] Lissabon *nt*
liseré [liz(ə)Re] *m,* **liséré** [lizeRe] *m* Borte *f*
liseron [lizRɔ̃] *m* BOT Winde *f*
liseuse [lizøz] *f* (*vêtement*) Bettjäckchen *nt*
lisez [lize] *indic prés et impératif de* **lire**
lisible [lizibl] *adj* gut lesbar; *écriture* leserlich; **être peu/ne pas être** ~ *signature:* unleserlich sein
lisiblement [lizibləmɑ̃] *adv* leserlich; **écrire** ~ deutlich schreiben
lisière [lizjɛR] *f* **1.** COUT Webkante *f* **2.** (*limite*) Rand *m*; *d'un champ* Rain *m*
lisons [lizɔ̃] *indic prés et impératif de* **lire**
lisse [lis] *adj* glatt
lisser [lise] <1> **I.** *vt* glattstreichen; glätten *papier* **II.** *vpr* **se** ~ **les cheveux/la moustache** sich (*dat*) die Haare/den Bart glatt streichen
listage [listaʒ] *m sans pl a.* INFORM Auflisten *nt*

liste [list] *f* **1.** (*nomenclature*) Liste *f;* ~ **des absents** Abwesenheitsliste; ~ **électorale** Wählerliste; ~ **de mariage** Wunschliste *f;* **faire la ~ de qc** [sich (*dat*)] eine Aufstellung von etw machen; **les ~s des inscriptions sont closes** es werden keine Bewerber mehr aufgenommen **2.** (*énumération*) ~ **des choses/personnes** Liste *f* von Dingen/Menschen ▶**être sur [la] ~ rouge** nicht im Telefonbuch stehen

lister [liste] <1> *vt* **1.** (*faire un listage*) ausdrucken **2.** (*mettre en liste*) auflisten

listing [listiŋ] *m* Liste *f;* (*document imprimé*) Ausdruck *m*

lit¹ [li] *m* **1.** (*meuble*) Bett *nt;* ~ **d'enfant** Kinderbett; ~ **pour deux personnes** Doppelbett; ~ **de camp** Feldbett; **aller au ~** ins Bett gehen; **mettre qn au ~** jdn ins Bett bringen; **au ~!** [ab] ins Bett!; **être cloué au ~** ans Bett gefesselt sein **2.** *d'une rivière* Bett *nt;* **sortir de son ~** über die Ufer treten ▶**du premier/second ~** aus erster/zweiter Ehe

lit² [li] *indic prés de* **lire**

litanie [litani] *f pl* REL Litanei *f*

litchi [litʃi] *m* **1.** (*arbre*) Litschibaum *m* **2.** (*fruit*) Litschi[pflaume *f*] *f*

literie [litʀi] *f* (*sommier et matelas*) Bettrost *m* und Matratze *f;* (*linge*) Bettwäsche *f;* **le rayon** ~ die Bettenabteilung

lithographie [litɔgʀafi] *f* Lithographie *f*

litière [litjɛʀ] *f* Streu *f;* *d'un cheval, d'une vache* [Ein]streu; ~ **pour chats** Katzenstreu

litige [litiʒ] *m* (*contestation*) Streit *m;* JUR Streitfall *m;* **régler un** ~ einen Streit beilegen

litigieux, -euse [litiʒjø, -jøz] *adj* umstritten

litote [litɔt] *f* Litotes *f*

litre [litʀ] *m* **1.** (*mesure*) Liter *m;* **un** ~ **d'eau/de lait** ein Liter Wasser/Milch **2.** (*bouteille*) Literflasche *f;* (*contenu*) Liter *m*

littéraire [liteʀɛʀ] **I.** *adj* **1.** (*relatif à la littérature*) literarisch; **explication** ~ Textinterpretation *f;* **un genre** ~ eine literarische Gattung **2.** (*opp: scientifique*) geisteswissenschaftlich; **avoir l'esprit** ~ Sinn für Literatur haben **II.** *mf* (*opp: scientifique*) schöngeistiger Mensch; (*étudiant, professeur*) Geisteswissenschaftler(in) *m(f)*

littéral, e [liteʀal, o] <-aux> *adj* *traduction* wortgetreu; *copie* buchstabengetreu; **le sens** ~ **d'un mot** der eigentliche Sinn eines Wortes

littéralement [liteʀalmɑ̃] *adv* [wort]wörtlich; (*au sens fort*) buchstäblich; **être** ~ **épuisé** im wahrsten Sinn erschöpft sein

littérature [liteʀatyʀ] *f* (*œuvres, bibliographie*) Literatur *f*

littoral [litɔʀal, o] <-aux> *m* Küstengebiet *nt*

littoral, e [litɔʀal, o] <-aux> *adj* Küsten-; **flore/faune** ~**e** Litoralflora *f*/-fauna *f*

Lituanie [lityani] *f* **la** ~ Litauen *nt*

lituanien [lityanjɛ̃] *m* Litauisch *nt; v. a.* **allemand**

lituanien, ne [lityanjɛ̃, jɛn] *adj* litauisch

Lituanien, ne [lityanjɛ̃, jɛn] *m, f* Litauer(in) *m(f)*

liturgique [lityʀʒik] *adj* liturgisch

livide [livid] *adj* bleich; *lèvres* farblos; *lumière* fahl

living [liviŋ] *m*, **living-room** [liviŋʀum] <living-rooms> *m* Wohnzimmer *nt*

livrable [livʀabl] *adj* lieferbar; ~ **à domicile** wird [ins Haus] geliefert

livraison [livʀɛzɔ̃] *f* Lieferung *f;* ~ **de marchandises** Warenlieferung; ~ **à domicile** Lieferung ins Haus; **payable à la** ~ zahlbar bei Lieferung; **la dernière** ~ **d'une revue** die letzte Ausgabe einer Zeitschrift

livre¹ [livʀ] *m* **1.** (*ouvrage*) Buch *nt;* ~ **d'enfant,** ~ **pour enfants** Kinderbuch; ~ **d'images** Bilderbuch; ~ **de poche** Taschenbuch; ~ **de cuisine** Kochbuch; ~ **d'histoire/d'anglais** Geschichts-/Englischbuch; ~ **scolaire** Schulbuch; ~ **de lecture** Lesebuch; ~ **à succès** Bestseller *m* **2.** *sans pl* (*industrie*) **le** ~ das Buchwesen; **salon du** ~ Buchmesse *f* **3.** (*partie*) Band *m* **4.** (*registre*) ~ **de caisse** Kassenbuch; ~ **d'or** Goldenes Buch ▶**à** ~ **ouvert** mühelos

livre² [livʀ] *f* **1.** (*unité monétaire*) Pfund *nt;* ~ **sterling** (*unité monétaire*) Pfund *nt* Sterling **2.** (*demi-kilogramme*) Pfund *nt* **3.** CAN (*0,453 kg*) Pfund *nt*

livrée [livʀe] *f* Livree *f*

livrer [livʀe] <1> **I.** *vt* **1.** (*fournir*) liefern *commande;* beliefern *client;* **se faire** ~ **qc** sich (*dat*) etw liefern lassen **2.** (*remettre*) ~ **qn à la police** jdn der Polizei ausliefern; **être livré à la justice** der Gerechtigkeit überantwortet werden (*geh*) **3.** (*dénoncer*) verraten **4.** (*abandonner*) ~ **qn à la mort** jdn dem Tod preisgeben; **être livré à soi-même** *personne, pays:* sich (*dat*) selbst überlassen sein **5.** (*dévoiler*) preisgeben, verraten **II.** *vpr* **1.** (*se rendre*) **se** ~ **à qn** sich jdm stellen **2.** (*se confier*) **se** ~ **à qn** sich jdm offenbaren; **ne pas se** ~ **facilement** sich nicht ohne weiteres öffnen **3.** (*se consacrer*) **se** ~ **à un sport** sich einer Sportart widmen; **se** ~ **à une enquête** *police:* Nachforschungen anstellen; **se** ~ **à ses occupations habituelles** seinen gewohnten Beschäftigungen nachgehen

livresque [livʀɛsk] *adj* **un savoir pure-**
ment ~ reines Buchwissen
livret [livʀɛ] *m* (*registre*) Heft *nt*; ~
d'épargne Sparbuch *nt*; ~ **de famille** Fa-
milienbuch; ~ **militaire** Wehrpass *m*; ~
scolaire Zeugnis[heft] *nt*
livreur, -euse [livʀœʀ, -øz] *m, f* Liefe-
rant(in) *m(f)*
lobe [lɔb] *m* ANAT, BOT Lappen *m*; ~ **de**
l'oreille Ohrläppchen *nt*
local [lɔkal, o] <-aux> *m* Raum *m*; **des lo-**
caux (*salles*) Räumlichkeiten *Pl*; (*bureaux*)
[Büro]räume *Pl*; **des locaux à usage**
commercial gewerblich genutzte Räume
local, e [lɔkal, o] <-aux> *adj* örtlich; *anes-*
thésie lokal; *journal, page* Lokal-; *intérêt,*
hebdomadaire lokal; *industrie* ortsansässig;
arrivée à 1 h 30 heure ~e Ankunft 1 Uhr
30 Ortszeit; **c'est une coutume ~e?** ist
das hier [so] üblich?
localement [lɔkalmɑ̃] *adv* (*par endroits*)
stellenweise; (*à un endroit précis*) lokal
localisation [lɔkalizasjɔ̃] *f* Lokalisierung *f*
localiser [lɔkalize] <1> *vt* **1.** (*situer*) lokalisieren; orten *avion, navire*; ~ **qc sur la**
carte etwas auf der Karte finden; ~ **d'où**
vient le bruit herausfinden, woher das
Geräusch kommt **2.** (*circonscrire*) eindämmen; eingrenzen *région, secteur*; **être loca-**
lisé örtlich begrenzt sein **II.** *vpr* **se** ~ *con-*
flit, épidémie: sich örtlich begrenzen
localité [lɔkalite] *f* Ort *m*
locataire [lɔkatɛʀ] *mf* Mieter(in) *m(f)*;
être ~ zur Miete wohnen
locatif [lɔkatif] *m* GRAM Lokativ *m*
location [lɔkasjɔ̃] *f* **1.** *d'une habitation,*
d'un terrain (*par le locataire*) Mieten *nt*;
(*par le propriétaire*) Vermieten; *d'une voi-*
ture, d'un bateau Verleih *m*; **voiture de** ~
Leihwagen *m*; **prendre/donner un ap-**
partement en ~ eine Wohnung mieten/
vermieten **2.** (*maison à louer*) **prendre**
une ~ **pour les vacances** eine Unterkunft
für die Ferien mieten
location-vente [lɔkasjɔ̃vɑ̃t] <**locations-**
ventes> *f* Leasing *nt*; **en** ~ auf Leasing-
Basis
lock-out [lɔkaut] *m inv* Aussperrung *f*
locomoteur, -trice [lɔkɔmɔtœʀ, -tʀis] *adj*
lokomotorisch
locomotion [lɔkɔmosjɔ̃] *f* Fortbewegung
f
locomotive [lɔkɔmɔtiv] *f* TECH Lokomotive *f*
locuteur, -trice [lɔkytœʀ, -tʀis] *m, f* Spre-
cher(in) *m(f)*
locution [lɔkysjɔ̃] *f* [Rede]wendung *f*
logarithme [lɔgaʀitm] *m* Logarithmus *m*
loge [lɔʒ] *f* **1.** *d'un concierge* Loge *f*; *d'un*

acteur Garderobe *f* **2.** THEAT Loge *f* ▸ [**être**]
aux premières ~s [etw] aus nächster
Nähe [miterleben]
logement [lɔʒmɑ̃] *m* **1.** (*habitation*) Wohnung *f*; MIL Quartier *nt*, Unterkunft *f*; ~ **de**
deux pièces Zweizimmerwohnung; ~ **de**
fonction Dienstwohnung; ~ **provisoire**
Behelfsunterkunft **2.** (*secteur*) **le** ~ der
Wohnungsmarkt; **crise du** ~ Wohnungs-
krise *f*; **politique en matière de** ~ Woh-
nungspolitik *f*
loger [lɔʒe] <2a> **I.** *vi* (*séjourner*) *person-*
ne: wohnen **II.** *vt* **1.** (*héberger*) unterbringen; ~ **qn** jdn unterbringen **2.** (*contenir*) ~
qn/qc *hôtel:* Platz für jdn/etw bieten
3. (*envoyer avec une arme*) ~ **une balle**
dans la tête de qn jdm eine Kugel in den
Kopf jagen (*fam*) **III.** *vpr* **1.** (*trouver un lo-*
gement) **se** ~ **chez un ami** bei einem
Freund unterkommen **2.** (*se placer*) **aller**
se ~ **entre deux vertèbres** *balle:* zwischen zwei Wirbeln stecken bleiben
logeur, -euse [lɔʒœʀ, -ʒøz] *m, f* Vermie-
ter(in) *m(f)*
loggia [lɔdʒja] *f* Loggia *f*
logiciel [lɔʒisjɛl] *m* Software *f*; ~ **anti-vi-**
rus Antivirenprogramm *nt*; ~ **de courrier**
électronique Mailprogramm; ~ **de traite-**
ment de texte Textverarbeitungsprogramm
logique [lɔʒik] **I.** *adj* logisch; **ne pas être**
~ **sich** (*dat*) widersprechen **II.** *f* PHILOS,
MATH Logik *f*; **manquer de** ~ der Logik entbehren; **être dans la** ~ **des choses** in der
Natur der Sache liegen; **en toute** ~ logischerweise
logiquement [lɔʒikmɑ̃] *adv* **1.** (*normale-*
ment) logischerweise **2.** (*rationnellement*)
penser ~ logisch denken
logistique [lɔʒistik] *f* Logistik *f*
logo[type] [lɔgɔ(tip)] *m d'une entreprise*
Logo *nt*; *d'un produit* Warenzeichen *nt*
loi [lwa] *f* **1.** (*prescription légale*) Gesetz
nt; **la** ~ **du talion** das Prinzip Auge um
Auge, Zahn um Zahn; **la** ~ **est la même**
pour tous vor dem Gesetz sind alle [Men-
schen] gleich; **j'ai la** ~ **pour moi** das Gesetz ist auf meiner Seite **2.** (*ordre imposé*)
Gesetz *nt*; (*par Dieu*) Gebot *nt*; **dicter sa**
~ **befehlen; faire la** ~ **chez qn** bei jdm befehlen; **la** ~ **du moindre effort** das Prinzip des geringsten Arbeitsaufwandes; **c'est**
la ~ **des séries** ein Unglück kommt selten
allein **3.** PHYS, MATH Gesetz *nt*
loin [lwɛ̃] *adv* **1.** (*distance*) **au** ~ in der Ferne; **de** ~ von weitem; **aller/être/partir**
de sa ville natale weit weg von seiner
Heimatstadt gehen/sein/gehen; **c'est en-**
core assez ~ das ist noch ziemlich weit;

plus ~ weiter **2.** *fig* weit; **il ira** ~ er wird es weit bringen; **j'irais même plus** ~ ich würde sogar noch weiter gehen; **voir plus** ~ **page 28** siehe Seite 28; **être/ne pas être** ~ **de faire qc** weit/nicht weit davon entfernt sein, etw zu tun; **qc ne mène pas** ~ mit etw kommt man nicht weit; **elle revient de** ~ sie ist gerade noch einmal davongekommen; **aller trop** ~ zu weit gehen; **voir** ~ weit vorausdenken; **de** ~ bei weitem; ~ **de là** [ganz] im Gegenteil; **pas** ~ **de 10/1000** fast 10/1000 **3.** (*dans le temps: passé*) lange her; (*futur*) weit weg; **il n'est pas** [**très**] ~ **de minuit** es ist fast Mitternacht; **de** ~ **en** ~ von Zeit zu Zeit **4.** (*au lieu de*) ~ **de faire qc** weit entfernt davon, etw zu tun; ~ **de cela** weit davon entfernt ▸ ~ **s'en faut** weit gefehlt

lointain, e [lwɛ̃tɛ̃, ɛn] *adj* **1.** (*dans l'espace*) fern, entfernt **2.** (*dans le temps*) fern; *époque* weit zurückliegend; *souvenir* alt **3.** (*indirect*) entfernt; **rapport** ~ loser Zusammenhang **4.** *personne* in Gedanken versunken; *regard* abwesend

loir [lwaʀ] *m* Siebenschläfer *m* ▸**dormir comme un** ~ wie ein Murmeltier schlafen

Loire [lwaʀ] *f* **la** ~ die Loire

loisir [lwaziʀ] *m* **1.** *sing o pl* (*temps libre*) Freizeit *f* *kein Pl;* **heures de** ~ Freizeit *f* **2.** (*passe-temps*) Freizeitbeschäftigung *f*

lombaire [lɔ̃bɛʀ] **I.** *adj* **région** ~ Lendengegend *f* **II.** *f* Lendenwirbel *m*

londonien, ne [lɔ̃dɔnjɛ̃, jɛn] *adj* Londoner

Londonien, ne [lɔ̃dɔnjɛ̃, jɛn] *m, f* Londoner(in) *m(f)*

Londres [lɔ̃dʀ] London *nt*

long [lɔ̃] **I.** *m* **en** ~ in der Länge; **de** ~ **en large** auf und ab; **en** ~ **et en large** lang und breit; **tout au** ~ **du parcours** die ganze Strecke; **tout au** ~ **de sa vie** sein ganzes Leben lang; **avoir 2 km de** ~ 2 km lang sein; **tomber de tout son** ~ der Länge nach hinfallen; [**tout**] **le** ~ **du mur** an der ganzen Wand entlang **II.** *adv* **qc en dit** ~ etw besagt viel; **qc en dit** ~ **sur qc** etw sagt viel über etw (*akk*); **en savoir** ~ **sur qc** gut Bescheid wissen über etw (*akk*)

long, longue [lɔ̃, lɔ̃g] *adj* **1.** a. *antéposé* (*dans l'espace*) lang; **un** ~ **détour** ein großer Umweg; ~ **de 5 km** 5 km lang **2.** *antéposé* (*dans le temps*) lang; **une longue habitude** eine alte Gewohnheit; **ce sera** ~ das wird lange dauern; **être** ~ **à faire qc** lange brauchen, um etw zu tun

long-courrier [lɔ̃kuʀje] <long-courriers> *m* Langstreckenflugzeug *nt*

longe [lɔ̃ʒ] *f* Leine *f*

longer [lɔ̃ʒe] <2a> *vt* **1.** (*border*) ~ **qc**

mur: an etw (*dat*) entlanglaufen; *sentier:* an etw (*dat*) entlangführen; *rivière:* an etw (*dat*) entlangfließen **2.** (*se déplacer le long de*) ~ **qc** *bateau, véhicule:* an etw (*dat*) entlangfahren; *personne:* (*à pied*) an etw (*dat*) entlanggehen; (*en voiture*) an etw (*dat*) entlangfahren

longévité [lɔ̃ʒevite] *f* **1.** (*longue durée de vie*) Langlebigkeit *f* **2.** (*durée de vie*) Lebensdauer *f*

longiligne [lɔ̃ʒiliɲ] *adj* *personne* schmal und hochgewachsen

longitude [lɔ̃ʒityd] *f* Länge *f;* **43° de** ~ **est/ouest** 43° östlicher/westlicher Länge

longitudinal, e [lɔ̃ʒitydinal, o] <-aux> *adj* **axe** ~ Längsachse *f*

longtemps [lɔ̃tɑ̃] *adv* (*un temps long*) lange, lange Zeit; **il y a** ~ das ist schon lange her; **il y a très** ~**, …** vor langer Zeit …; **il y a** ~ **que j'ai fini, j'ai fini depuis** ~ ich bin schon lange fertig; **en avoir pour** ~ lange brauchen; **être à Paris pour** ~ längere Zeit in Paris sein; **aussi** ~ **que tu veux** so lange wie Du willst; **aussi** ~ **qu'il le faudra** so lange wie nötig; ~ **avant/après qc** lange [Zeit] vor etw (*dat*)/nach etw

longue [lɔ̃g] *f* ▸**à la** ~ auf [die] Dauer

longuement [lɔ̃gmɑ̃] *adv* lange, lang; *expliquer* lang und breit; *s'étendre sur un sujet* ausführlich; *étudier* eingehend

longuet [lɔ̃gɛ] *m* Baguettebrötchen *nt*

longueur [lɔ̃gœʀ] *f* **1.** (*opp: largeur*) Länge *f;* **avoir une** ~ **de 10 cm, avoir 10 cm de** ~ eine Länge von 10 cm haben, 10 cm lang sein; **plier en** ~ der Länge nach falten **2.** (*dimension*) Länge *f* **3.** (*durée*) Länge *f;* **traîner en** ~ sich in die Länge ziehen; **à** ~ **d'année/de journée** das ganze Jahr/den ganzen Tag **4.** *pl* LITTER, CINE Längen *Pl* **5.** *sport* Länge *f;* **avoir une** ~ **d'avance sur qn** *fig* vor jdm in Führung liegen **6.** PHYS ~ **d'onde** Wellenlänge *f;* **être sur la même** ~ **d'onde** *fig fam* auf der gleichen Wellenlänge liegen

longue-vue [lɔ̃gvy] <longues-vues> *f* Fernrohr *nt*

look [luk] *m* *d'une personne* Look *m* ▸**avoir un** ~ **d'enfer** *fam* irre toll aussehen

looping [lupiŋ] *m* AVIAT Looping *m o nt*

lopin [lɔpɛ̃] *m* ~ **de terre** Stück *nt* Land

loquace [lɔkas] *adj* gesprächig

loquacité [lɔkasite] *f* Gesprächigkeit *f*

loque [lɔk] *f* **1.** (*vêtement*) Lumpen *m;* **en** ~**s** zerlumpt **2.** *péj* (*personne*) Wrack *nt*

loquet [lɔkɛ] *m* Riegel *m;* **mettre le** ~ den Riegel vorschieben

lorgner [lɔʀɲe] <1> *vt* **1.** (*reluquer*) anstarren **2.** (*convoiter*) schielen nach; liebäugeln mit *poste*

lorgnette [lɔʀɲɛt] *f* Opernglas *nt* ►regarder qc par le petit <u>bout</u> de la ~ etw zu einseitig sehen

lorgnon [lɔʀɲɔ̃] *m* Kneifer *m*

loriot [lɔʀjo] *m* Pirol *m*

lorrain, e [lɔʀɛ̃, ɛn] *adj* lothringisch

Lorrain, e [lɔʀɛ̃, ɛn] *m, f* Lothringer(in) *m(f)*

Lorraine [lɔʀɛn] *f* la ~ Lothringen *nt*

lors [lɔʀ] *adv* ~ de notre arrivée bei unserer Ankunft; ~ d'un congrès auf einem Kongress; **depuis** ~ seitdem; **dès** ~ (*à partir de ce moment-là*) seitdem; (*de ce fait*) folglich; **dès** ~ **que** ... sobald ...

lorsque [lɔʀsk(ə)] <lorsqu'> *conj* ~ tu fais/feras qc wenn du etw machst/machen wirst; ~ tu faisais/as fait qc als du etw machtest/gemacht hast; **lorsqu'il fera beau, nous sortirons** wenn das Wetter schön ist, werden wir hinausgehen

losange [lɔzɑ̃ʒ] *m* Raute *f;* **en** [**forme de**] ~ rautenförmig

lot [lo] *m* **1.** (*prix*) Preis *m;* ~ **de consolation** Trostpreis *m;* **gagner le gros** ~ das große Los ziehen **2.** (*assortiment*) Stapel *m;* (*aux enchères*) Posten *m* **3.** (*parcelle*) Parzelle *f* **4.** INFORM **traitement par** ~s Stapelverarbeitung *f* **5.** (*part*) Anteil *m*

loterie [lɔtʀi] *f* **1.** (*jeu*) Lotterie *f;* **gagner à la** ~ in der Lotterie gewinnen **2.** (*hasard*) Lotteriespiel *nt*

loti, e [lɔti] *adj* **être bien/mal** ~ es gut/schlecht getroffen haben

lotion [losjɔ̃] *f* Lotion *f;* ~ **capillaire** Haarwasser *nt;* ~ **après-rasage** Aftershave *nt*

lotir [lɔtiʀ] <8> *vt* parzellieren

lotissement [lɔtismɑ̃] *m* (*ensemble immobilier*) Siedlung *f*

loto [lɔto] *m* **1.** (*jeu de société*) Lotto(spiel *nt*) *nt* **2.** (*loterie*) **le tirage du Loto** die Ziehung der Lottozahlen; **jouer au Loto** Lotto *nt* spielen; **jouer au Loto sportif** Toto *nt* spielen

lotte [lɔt] *f* [Aal]quappe *f*

lotus [lɔtys] *m* Lotos *m*

louable¹ [lwabl] *adj* (*digne de louange*) lobenswert

louable² [lwabl] *adj* pièce, appartement zu vermieten

loubard, e [lubaʀ, aʀd] *m, f fam* Rowdy *m*

louche¹ [luʃ] *adj* (*douteux, suspect*) zwielichtig; passé zweifelhaft; affaire, histoire dubios; **un individu** ~ eine zwielichtige Gestalt

louche² [luʃ] *f* (*ustensile*) Schöpflöffel *m*

loucher [luʃe] <1> *vi* **1.** MED schielen **2.** *fam* (*lorgner*) ~ **sur qn** nach jdm schielen; ~ **sur l'héritage** es auf das Erbe abgesehen haben

louer¹ [lwe] <1> *vt* **1.** (*vanter*) rühmen **2.** (*féliciter*) ~ **qn de qc** jdn für etw loben

louer² [lwe] <1> **I.** *vt* **1.** (*donner en location*) ~ **qc à qn** jdm etw vermieten; **à** ~ zu vermieten **2.** (*prendre en location*) mieten **3.** (*emprunter*) ausleihen **II.** *vpr* **se** ~ appartement, voiture, chambre: vermietet werden

loueur, -euse [lwœʀ, -øz] *m, f* ~ **de chambres/voitures** Vermieter *m* von Zimmern/Autos

loufoque [lufɔk] *adj fam* verrückt

Louis [lwi] *m* Ludwig *m*

loulou [lulu] *m fam* (*terme d'affection*) Liebling *m*

loup [lu] *m* **1.** (*mammifère*) Wolf *m;* (*poisson*) ~ [**de mer**] Barsch *m; v. a.* **louve 2.** *fig* **jeune** ~ ehrgeiziger junger Mann **3.** (*masque*) schwarze Halbmaske **4.** *fam* (*terme d'affection*) **mon** ~ mein Liebling ►**quand on parle du** ~ **on en voit la** <u>queue</u> wenn man vom Teufel spricht, dann kommt er; **être** <u>connu</u> **comme le** ~ **blanc** bekannt sein wie ein bunter Hund

loupe [lup] *f* OPT Lupe *f* ►**examiner/regarder qc à la** ~ etw genau unter die Lupe nehmen

louper [lupe] <1> **I.** *vt fam* **1.** (*ne pas réussir*) verpatzen examen; **être loupé** soirée: in die Hose gegangen sein; mayonnaise, gâteau: nichts geworden sein **2.** (*manquer*) verpassen; verfehlen cible **II.** *vi fam* (*échouer*) projet, tentative: danebengehen; **ça n'a pas loupé** das musste ja so kommen

loup-garou [lugaʀu] <loups-garous> *m* Werwolf *m*

loupiot, e [lupjo, ɔt] *m, f fam* Gör *nt* (*pej*)

loupiote [lupjɔt] *f fam* Lämpchen *nt*

lourd, e [luʀ, luʀd] **I.** *adj* **1.** *a.* antéposé (*de grand poids*) schwer **2.** (*pesant*) schwer; **avoir l'estomac** ~ Magendrücken haben; **elle a le cœur** ~ ihr ist es schwer ums Herz **3.** *a.* antéposé temps drückend; **il fait** ~ es ist schwül **4.** *a.* antéposé impôts, dettes, charges hoch; perte schwer **5.** *a.* antéposé (*pénible*) schwer; **emploi du temps très** ~ voller Stundenplan **6.** (*chargé*) ~ **de menaces** voller Drohungen; ~ **de signification** bedeutungsschwer **7.** (*gauche*) schwerfällig; compliment, plaisanterie plump **8.** parfum, vin schwer; nourriture schwer verdaulich **9.** *a.* antéposé (*grave*) schwer **10.** *a.* antéposé défaite, peine schwer **11.** sommeil tief **12.** terre, liquide schwer **II.** *adv* **peser** ~ schwer wiegen ►**pas** ~ *fam* (*pas beaucoup*) verdammt wenig[e]

lourdaud, e [luʀdo, od] *m, f* Trampel *m o nt* (*fam*)

lourdement [luʀdəmɑ̃] *adv* schwer; *se tromper* gewaltig (*fam*); *insister* hartnäckig

lourdeur [luʀdœʀ] *f* **1.** (*pesanteur*) ~s **d'estomac** Magendrücken *nt* **2.** (*caractère massif*) Plumpheit *f*

loustic [lustik] *m fam* (*drôle de zig*) komischer Vogel

loutre [lutʀ] *f* **1.** ZOOL Otter *m* **2.** (*fourrure*) Otter[n]fell *nt*

Louvain [luvɛ̃] Löwen *nt*

louve [luv] *f* Wölfin *f; v. a.* **loup**

louveteau [luvto] <x> *m* **1.** ZOOL junger Wolf **2.** (*jeune scout*) Wölfling *m*

louvoyer [luvwaje] <6> *vi* **1.** (*tergiverser*) geschickt lavieren **2.** NAUT aufkreuzen

lover [lɔve] <1> *vpr* **se** ~ sich einrollen

loyal, e [lwajal, jo] <-aux> *adj* loyal; *ami, services* treu; *adversaire, conduite, procédés* fair

loyalement [lwajalmɑ̃] *adv reconnaître* offen

loyalisme [lwajalism] *m d'une personne* Loyalität *f*

loyauté [lwajote] *f* Loyalität *f; d'un adversaire, d'un procédé* Fairness *f*

loyer [lwaje] *m d'un appartement* Miete *f; d'une ferme* Pacht *f*

lu, e [ly] *part passé de* **lire**

lubie [lybi] *f* Marotte *f* (*fam*); **avoir des** ~s Marotten haben (*fam*)

lubricité [lybʀisite] *f* Lüsternheit *f*

lubrifiant [lybʀifjɑ̃] *m* (*pour une machine*) Schmiermittel *nt;* (*pour l'amour*) Gleitmittel *nt*

lubrification [lybʀifikasjɔ̃] *f* Schmieren *nt*

lubrifier [lybʀifje] <1a> *vt* schmieren

lubrique [lybʀik] *adj* lüstern; *propos, scène* obszön

lucarne [lykaʀn] *f* (*petite fenêtre*) Dachfenster *nt; d'une entrée, d'un mur, cachot* Fensteröffnung *f*

lucide [lysid] *adj* **1.** (*clairvoyant*) scharfsinnig **2.** (*conscient*) **l'accidenté est** ~ der Verunglückte ist bei Bewusstsein

lucidement [lysidmɑ̃] *adv* scharfsichtig

lucidité [lysidite] *f* (*conscience*) klares Bewusstsein; **des moments de** ~ lichte Augenblicke

luciole [lysjɔl] *f* Glühwürmchen *nt*

lucratif, -ive [lykʀatif, -iv] *adj* lukrativ

lucre [lykʀ] *m péj* Profit *m*

ludique [lydik] *adj* **activités** ~s Spielen *nt*

ludoéducatif, -ive [lydɔedykatif, -tiv] *adj* Edutainment-

ludothèque [lydɔtɛk] *f* Spielothek *f*

luette [lɥɛt] *f* Zäpfchen *nt*

lueur [lɥœʀ] *f* **1.** (*faible clarté*) Schein *m*

---

kein Pl; des braises Glühen *nt kein Pl;* **à la** ~ **d'une bougie** beim Schein einer Kerze (*gen*). **2.** (*éclat fugitif dans le regard*) **une** ~ **de colère/joie** eine Andeutung von Wut/Freude **3.** (*signe passager*) Funke[n] *m;* **une** ~ **d'intelligence** eine Spur von Intelligenz; **une** ~ **d'espoir** ein Hoffnungsschimmer *m*

luge [lyʒ] *f* Schlitten *m;* **faire de la** ~ Schlitten fahren; **en** ~ mit dem Schlitten

lugubre [lygybʀ] *adj* düster; *figure* finster; *personne* trübsinnig; *paysage* trist; **des pensées** ~s trübsinnige Gedanken

lui [lɥi] **I.** *pron pers* **1.** (*masc ou fém*) je ~ **ai demandé s'il/si elle venait** ich habe ihn/sie gefragt, ob er/sie kommt; **c'est ton chien/ta chatte? Tu** ~ **as donné à manger?** ist das dein Hund/deine Katze? Hast du ihm/ihr [schon] zu fressen gegeben?; **tu as vu mon sac? Je** ~ **ai donné un coup de brosse!** hast du meine Tasche gesehen? Ich habe sie mit der Bürste poliert! **2.** *avec faire, laisser* **il** ~ **laisse/fait conduire la voiture** er lässt ihn/sie das Auto fahren **3.** *avec être, devenir, sembler, soutenu* **cela** ~ **semble bon** das erscheint ihm/ihr gut; *v. a.* **me 4.** (*avec un sens possessif*) **le cœur** ~ **battait fort** sein/ihr Herz schlug heftig **II.** *pron pers, masc* **1.** *fam* (*pour renforcer*) ~, **il n'a pas ouvert la bouche** der hat den Mund nicht aufgemacht; **c'est** ~ **qui l'a dit** das hat der gesagt; **tu veux l'aider,** ~? dem möchtest du helfen? **2.** *avec une préposition* **avec/ sans** ~ mit ihm/ohne ihn; **à** ~ **seul** er allein; **la maison est à** ~ das Haus gehört ihm; **c'est à** ~ **de décider** er muss entscheiden; **c'est à** ~! er ist dran! **3.** *dans une comparaison* **tu es comme** ~ du bist wie er; **plus fort que** ~ stärker als er **4.** (*soi*) sich; **il ne pense qu'à** ~ er denkt nur an sich; **il est fier de** ~ er ist stolz auf sich

lui-même [lɥimɛm] *pron pers* **1.** (*lui en personne*) ~ **n'en savait rien** er selbst wusste nichts davon; **il est venu de** ~ er ist von selbst gekommen; **M. X? –** ~! Herr X? – Höchstpersönlich! **2.** (*en soi*) selbst, an sich

luire [lɥiʀ] <*irr*> *vi* **1.** (*briller*) *soleil:* scheinen; *étoile, lune:* leuchten **2.** (*réfléchir la lumière*) *feuilles:* leuchten; *lac, rosée:* glitzern **3.** (*exprimer*) ~ **de désir/colère** *yeux:* vor Verlangen (*dat*) strahlen/vor Wut funkeln

luisant, e [lɥizɑ̃, ɑ̃t] *adj* glänzend; *arme* blitzend; *yeux* (*de joie*) leuchtend; (*de colère*) funkelnd; ~ **de fièvre** fieberglänzend

lumbago [lœ̃bago] *m* Hexenschuss *m*

lumière [lymjɛʀ] *f* **1.** (*clarté naturelle, éclairage*) Licht *nt;* ~ **du soleil** Sonnenlicht; ~ **du jour/de la lune** Tages-/Mondlicht **2.** *pl* (*connaissances*) Wissen *nt;* **j'aurais besoin de vos** ~**s** ich bräuchte Ihren/euren Rat **3.** (*personne intelligente*) **être/ne pas être une** ~ ein heller Kopf/keine Leuchte sein (*fam*) **4.** (*ce qui permet de comprendre*) Licht *nt;* **faire la** ~ **sur une affaire** Licht in eine Angelegenheit bringen; **jeter une** ~ **nouvelle sur qc** etw in ein anderes Licht rücken

lumignon [lymiɲ ɔ̃] *m* Lämpchen *nt*

luminaire [lyminɛʀ] *m* (*lampe*) Leuchte *f*

luminescent, e [lyminesã, ãt] *adj* lumineszierend

lumineux, -euse [lyminø, -øz] *adj* **1.** (*qui répand la lumière*) leuchtend; **enseigne lumineuse** Neonschild *nt;* **rayon** ~ Lichtstrahl *m* **2.** *couleur, yeux* leuchtend; *regard* strahlend; *teint* frisch **3.** *pièce, appartement* hell

luminosité [lyminozite] *f* **1.** *du ciel, d'une couleur* Leuchten *nt* **2.** *d'une pièce, d'un appartement* Helligkeit *f*

lump [lœp] *m* Seehase *m*

lunaire [lynɛʀ] *adj* **1.** ASTRON *sol* ~ Mondoberfläche *f* **2.** (*qui ressemble à la lune*) **visage/paysage** ~ Mondgesicht *nt/*Mondlandschaft *f*

lunatique [lynatik] *adj personne* launisch; *humeur* wechselhaft

lunch [lœntʃ] <[e]s> *m* Lunch *m*

lundi [lœdi] *m* Montag *m;* ~ **de Pâques/Pentecôte** Oster-/Pfingstmontag *m; v. a.* **dimanche**

lune [lyn] *f* Mond *m;* **nouvelle/pleine** ~ Neumond/Vollmond ▸**demander** la ~ Unmögliches verlangen; **promettre** la ~ **à qn** jdm das Blaue vom Himmel versprechen

luné, e [lyne] *adj fam* **être bien/mal** ~ gut/schlecht gelaunt sein

lunette [lynɛt] *f* **1.** *pl* (*verres*) Brille *f,* Augengläser *Pl* (A); ~**s noires** dunkle Brille; ~**s de plongée** Taucherbrille; ~**s de soleil** Sonnenbrille; **mettre ses** ~**s** die Brille aufsetzen **2.** (*instrument*) Fernrohr *nt* **3.** *d'un toit* Dachluke *f;* ~ **arrière** AUT Heckscheibe *f* **4.** *des WC* WC-Brille *f*

lunule [lynyl] *f* [Nagel]möndchen *nt*

lupin [lypɛ̃] *m* Lupine *f*

lurette [lyʀɛt] *f il* **y a belle** ~ **que ...** *fam* es ist schon ewig her, dass ...; **depuis belle** ~ *fam* schon seit ewigen Zeiten

luron [lyʀ ɔ̃, ɔn] *m* **joyeux** ~ *fam* Lebemann *m*

lus [ly] *passé simple de* **lire**

lustre [lystʀ] *m* (*lampe*) Kronleuchter *m*

lustré, e [lystʀe] *adj* glänzend

lustrer [lystʀe] <1> *vt* (*faire briller*) polieren *voiture;* ~ **sa fourrure/son poil** *animal:* sein Fell putzen

luth [lyt] *m* Laute *f*

luthérien, ne [lyteʀjɛ̃, jɛn] *adj* lutherisch

luthier [lytje] *m* Geigenbauer(in) *m(f)*

lutin [lytɛ̃] *m* Kobold *m*

lutte [lyt] *f* **1.** (*combat*) Kampf *m;* ~ **antidrogue** Rauschgiftbekämpfung *f;* ~ **des classes** Klassenkampf *m;* ~ **contre/pour qn/qc** Kampf gegen/für jdn/etw; **la** ~ **pour la vie** der Kampf ums Dasein; **être en** ~ **contre qn** gegen jdn kämpfen; **entrer en** ~ den Kampf aufnehmen **2.** SPORT Ringkampf *m;* **faire de la** ~ ringen; ~ **suisse** [*o* à **la culotte**] CH Hosenlupf *m,* Schwinget *m* (CH)

lutter [lyte] <1> *vi* **1.** (*combattre*) kämpfen; ~ **contre la mort** mit dem Tod ringen; ~ **contre le sommeil/le vent** gegen die Müdigkeit/den Wind ankämpfen **2.** (*mener une action*) kämpfen; ~ **contre qc** etw bekämpfen

lutteur, -euse [lytœʀ, -øz] *m, f* **1.** SPORT Ringkämpfer(in) *m(f)* **2.** (*battant*) Kämpfer(in) *m(f)*

luxation [lyksasjɔ̃] *f de l'épaule, de la hanche* Auskugelung *f*

luxe [lyks] *m* **1.** (*opp: nécessité*) Luxus *m;* **c'est du** ~**!** das ist Luxus!; **ce n'est pas du** ~ *fam* das muss sein; **s'offrir le** ~ **de faire qc** es sich (*dat*) leisten, etw zu tun **2.** (*coûteux*) **hôtel/article de** ~ Luxushotel *nt/*Luxusartikel *m;* **magasin de** ~ Geschäft mit Luxusartikeln; **train/voiture de** ~ Zug/Wagen der Luxusklasse

Luxembourg [lyksãbuʀ] *m* **1.** (*pays*) **le** ~ Luxemburg *nt* **2.** (*ville*) Luxemburg *nt* **3.** (*à Paris*) **le** [**palais du**] ~ Sitz des französischen Senats; **le** [**jardin du**] ~ Park in Paris

luxembourgeois, e [lyksãbuʀʒwa, waz] *adj* luxemburgisch

Luxembourgeois, e [lyksãbuʀʒwa, waz] *m, f* Luxemburger(in) *m(f)*

luxer [lykse] <1> *vpr* **se** ~ **l'épaule** sich die Schulter verrenken

luxueux, -euse [lyksɥø, -øz] *adj a.* antéposé luxuriös; **hôtel** ~ Luxushotel *nt*

luxuriant, e [lyksyʀjã, jãt] *adj végétation* üppig

luzerne [lyzɛʀn] *f* Luzerne *f*

lycée [lise] *m: Schule für die letzten 3 Jahre vor dem Abitur;* ~ **d'enseignement général et technologique** *lycée* mit zusätzlichen technischen Fächern; ~ **d'enseignement professionnel** Berufsfachschule *f;* ~ **technique** ≈ technische Fachober-

schule; **être prof au** ~ Lehrer(in) *m(f)* am
lycée sein; **aller au** ~ ein lycée besuchen
lycéen, ne [liseɛ̃, ɛn] *m, f* Schüler(in) *m(f)*
eines lycée
lymphatique [lɛ̃fatik] *adj* **système** ~
Lymphsystem *nt*
lyncher [lɛ̃ʃe] <1> *vt* lynchen
lynx [lɛ̃ks] *m* Luchs *m*

lyophiliser [ljɔfilize] <1> *vt* gefriertrock-
nen; **café lyophilisé** Pulverkaffee *m*
lyre [liʀ] *f* Lyra *f*
lyrique [liʀik] *adj* LITTER lyrisch; *roman, film*
stimmungsvoll
lyrisme [liʀism] *m* LITTER Lyrik *f*
lys [lis] *m v.* **lis**

M

M, m [εm] *m inv* M *nt*, m *nt*
m [εm] *abr de* **mètre** m
M <MM.> *m abr de* **Monsieur::** ~ **Trouvé**
Herr Trouvé
m' *pron v.* **me**
ma [ma, me] <mes> *dét poss* mein(e); ~
fleur/chaise/maison meine Blume/
mein Stuhl/Haus; ~ **Sœur** Schwester ▶ ~
pauvre! Sie/du arme!
macabre [makɑbʀ] *adj* makaber; **humour**
~ schwarzer Humor
macadam [makadam] *m* (*revêtement
routier*) Makadam *m o nt*
macaron [makaʀɔ̃] *m* GASTR Makrone *f*
macchabée [makabe] *m pop* Leiche *f*
Macédoine [masedwan] *f* **la** ~ Makedo-
nien *nt*
macération [maseʀasjɔ̃] *f* GASTR Einlegen
nt
macérer [maseʀe] <5> **I.** *vi* (*tremper
longtemps*) ~ **dans qc** GASTR in etw (*dat*)
eingelegt sein **II.** *vt* GASTR einlegen
mâcher [mɑʃe] <1> *vt* (*mastiquer*) kauen
machette [maʃɛt] *f* Machete *f*
mâchicoulis [mɑʃikuli] *m* Pechnase *f*
machin [maʃɛ̃] *m fam* **1.** (*truc*) Dings *nt*
2. (*untel*) **c'est Machin!** das ist der Dings!
machinalement [maʃinalmɑ̃] *adv* mechanisch
machination [maʃinasjɔ̃] *f* Intrige *f*; **de
sombres** ~**s** dunkle Machenschaften *Pl*
machine [maʃin] *f* (*appareil*) Maschine *f*;
~ **à café** Kaffeemaschine; ~ **à coudre**
Nähmaschine; ~ **à écrire** Schreibmaschine; ~ **à laver** Waschmaschine; ~ **à sous**
Spielautomat *m*; **écrire/taper à la** ~
Schreibmaschine schreiben ▶ **faire** [**un
peu**] ~ **arrière** einen [kleinen] Rückzieher
machen
Machine [maʃin] *f fam* Dings
machine-outil [maʃinuti] <machines-
outils> *f* Werkzeugmaschine *f*
machinerie [maʃinʀi] *f* **1.** (*équipement*)
Maschinen *Pl* **2.** *d'un navire* Maschinen-
raum *m*
machiste [mat(t)ʃist] **I.** *adj* [männlich-]
chauvinistisch **II.** *m* Chauvinist *m*
macho [matʃo] *m fam* Macho *m*
mâchoire [mɑʃwaʀ] *f* **1.** ANAT *d'un mammifère* Kiefer *m*; *d'un insecte* Kauwerkzeuge
Pl **2.** *pl* TECH Backen *Pl*
mâchouiller [mɑʃuje] <1> *vt fam* herum-

kauen auf (+ *dat*)
maçon, ne [masɔ̃, ɔn] *m, f* (*ouvrier*) Mau-
rer(in) *m(f)*
maçonner [masɔne] <1> *vt* **1.** (*construire*) mauern *mur*; (*jointoyer*) ausfugen *mur*
2. (*crépir*) ausmauern **3.** zumauern *portes,
fenêtres*
macramé [makʀame] *m* Makramee *nt*
Madagascar [madagaskaʀ] *f* Madagas-
kar *nt*
madame [madam, medam] <mes-
dames> *f* **1.** (*femme à qui on s'adresse*)
souvent non traduit **bonjour** ~, **comment allez-vous?** guten Tag, wie geht es
Ihnen?; **bonjour Madame Larroque** guten Tag, Frau Larroque; **bonjour mesdames** guten Tag, meine Damen; **Mesdames, mesdemoiselles, messieurs!**
Meine Damen und Herren! **2.** (*profession*)
**Madame la Duchesse/le juge/le pro-
fesseur/la Présidente** Frau Herzogin/
Richterin/Lehrerin/Präsidentin **3.** (*sur une
enveloppe*) **Madame Dupont** An Frau
Dupont **4.** (*en-tête*) **Madame, ...** Sehr geehrte Frau + *Name*, ...; **Chère Madame,
...** Liebe Frau + *Name*, ...; (*dans une lettre officielle*) Sehr geehrte Frau + *Name*,
...; **Madame, Mademoiselle, Monsieur, ...** Sehr geehrte Damen und Herren,
...
mademoiselle   [mad(ə)mwazɛl,
med(ə)mwazɛl] <mesdemoiselles> *f*
1. (*jeune femme à qui on s'adresse*) *souvent non traduit* **bonjour** ~, **comment allez-vous?** guten Tag, wie geht es Ihnen?;
bonjour Mademoiselle Labiche guten
Tag, Frau Labiche; **bonjour mesdemoiselles** guten Tag, meine Damen; **Mesdames, mesdemoiselles, messieurs!**
Meine Damen und Herren! **2.** (*sur une enveloppe*) **Mademoiselle Aporé** An Frau
Aporé **3.** (*en-tête*) **Mademoiselle, ...**
Sehr geehrte Frau + *Name*, ...; **Chère
Mademoiselle, ...** Liebe Frau + *Name*,
...; (*dans une lettre officielle*) Sehr geehrte Frau + *Name*, ...; **Madame, Mademoiselle, Monsieur, ...** Sehr geehrte Damen und Herren, ...
Madère [madɛʀ] *f* Made[i]ra *nt*
madras [madʀas] *m* **1.** (*étoffe*) Madras *m*
2. (*foulard*) Kopftuch *nt* aus Madras
Madrid [madʀid] Madrid *nt*

madrilène [madʀilɛn] *adj* le climat ~ das Madrider Klima

maf|f|ieux, -euse [mafjø, -jøz] *adj* méthodes maf|f|ieuses Mafiamethoden *Pl*

magasin [magazɛ̃] *m* **1.** (*boutique*) Geschäft *nt;* ~ **spécialisé** Fachgeschäft; **grand** ~ Kaufhaus *nt;* ~ **d'alimentation** Lebensmittelgeschäft; ~ **d'usine** Verkaufsstelle *f* in der Fabrik; **tenir un** ~ einen Laden haben **2.** *d'un port* Lager *nt;* MIL Magazin *nt;* **en** ~ auf Lager; ~ **à blé** Kornspeicher *m;* ~ **des accessoires** THEAT Requisitenkammer *f* **3.** TECH, PHOT Magazin *nt*

magazine [magazin] *m* **1.** PRESSE Zeitschrift *f* **2.** (*émission*) Magazin *nt* **3.** (*séquence*) allgemeine Informationen

mage [maʒ] **I.** *m* ASTROL Magier *m* **II.** *app* **les Rois** ~**s** die Heiligen Drei Könige

Maghreb [magʀɛb] *m* le ~ der Maghreb

maghrébin, e [magʀebɛ̃, in] *adj* nordafrikanisch

Maghrébin, e [magʀebɛ̃, in] *m, f* Nordafrikaner(in) *m(f)*

magicien, ne [maʒisjɛ̃, jɛn] *m, f* **1.** (*sorcier*) Zauberer/Zauberin *m/f* **2.** (*illusionniste*) Zauberkünstler(in) *m(f)*

magie [maʒi] *f* **1.** (*pratiques occultes*) Magie *f;* **c'est de la** ~! das grenzt schon an Zauberei!; **comme par** ~ wie von selbst **2.** (*séduction*) Zauber *m*

magique [maʒik] *adj* **1.** (*surnaturel*) **baguette** ~ Zauberstab *m* **2.** (*merveilleux*) zauberhaft

magistralement [maʒistʀalmɑ̃] *adv* **1.** (*génialement*) meisterhaft **2.** *hum se tromper, se planter* gründlich

magner [maɲe] <1> *vpr fam* **se** ~ sich beeilen

magnétique [maɲetik] *adj* **1.** PHYS magnetisch; **bande** ~ Tonband *nt* **2.** (*de fascination*) **pouvoir** ~ magnetische Anziehungskraft

magnétisme [maɲetism] *m* **1.** PHYS Magnetismus *m* **2.** (*fascination*) **subir le** ~ **de qn** von jdm gefesselt sein

magnéto *fam,* **magnétophone** [maɲetofɔn] *m* (*à cassettes*) Kassettenrecorder *m;* (*à bandes*) Tonbandgerät *nt*

magnétoscope [maɲetɔskɔp] *m* Videorecorder *m*

magnifier [maɲifje] <1> *vt littér* **1.** (*glorifier*) preisen **2.** (*rendre plus grand, plus beau*) verherrlichen

magnifique [maɲifik] *adj* a. antéposé **1.** (*très beau*) wunderschön; *acteur* hervorragend; *temps* herrlich **2.** (*somptueux*) luxuriös; *réception* prunkvoll; *spectacle* großartig; *cadeau* großzügig; *femme* hinreißend

magnitude [maɲityd] *f* **1.** GEOL ~ 1/2/3 Magnitude *f* 1/2/3 **2.** ASTRON Größe *f*

magnolia [maɲɔlja] *m* Magnolie *f*

magnum [magnɔm] *m* große Flasche *f; de champagne* Magnum|flasche *f* | *f*

magot [mago] *m fam* Zaster *m kein Pl;* **il a amassé un petit/joli** ~ er hat eine kleine/hübsche Summe gespart

magouillage [magujaʒ] *m fam* Mauschelei *f*

magouiller [maguje] <1> *vi* mauscheln (*fam*)

magrébin, e [magʀebɛ̃, in] *adj v.* maghrébin

Magrébin, e [magʀebɛ̃, in] *m, f v.* Maghrébin

magret [magʀɛ] *m* ~ **de canard** Entenbrust *f*

mai [mɛ] *m* Mai *m* ▶ **en** ~, **fais ce qu'il te plaît** *prov* im Mai kann man sich schon leicht anziehen; *v. a.* août

maigre [mɛgʀ] **I.** *adj* **1.** (*opp: gros*) mager; *jambe* dünn; *visage* schmal **2.** GASTR *lard* durchwachsen; *bouillon* klar; *lait* ~ Magermilch *f* **3.** antéposé (*faible*) dürftig; *chance* gering; *profit* bescheiden **4.** *a.* antéposé *végétation* spärlich; *récolte* mager; *repas* karg **II.** *mf* Dünne(r)/Dünne *m/f*

maigreur [mɛgʀœʀ] *f* **1.** (*opp: embonpoint*) Magerkeit *f;* **être d'une** ~ **effrayante** erschreckend mager sein **2.** *d'un sol* Unergiebigkeit *f* **3.** *d'un profit* Bescheidenheit *f; des revenus* geringe Höhe **4.** *de la végétation* Spärlichkeit *f*

maigrir [megʀiʀ] <8> **I.** *vi* abnehmen; **il a maigri de figure** er ist im Gesicht schmaler geworden; **j'ai maigri de cinq kilos** ich habe fünf Kilo abgenommen **II.** *vt* schlank machen

mailing [meliŋ] *m* Mailing *nt*

maille [mɑj] *f* **1.** COUT Masche *f;* **filet à fines** ~**s** feinmaschiges Netz; ~ **filée** Laufmasche **2.** *d'une chaîne, armure* Glied *nt* ▶ **glisser entre les** ~**s** [**du filet**] durchs Netz schlüpfen

maillon [mɑjɔ̃] *m* (*anneau*) Glied *nt* ▶ **être un** ~ **de la chaîne** ein Glied in der Kette sein

maillot [majo] *m* **1.** (*pour se baigner*) ~ [**de bain**] (*de femme*) Badeanzug *m;* (*d'homme*) Badehose *f;* ~ **de bain une pièce/deux pièces** Einteiler *m*/Bikini *m* **2.** SPORT Trikot *nt* **3.** (*sous-vêtement*) ~ [**de corps**] Unterhemd *nt*

main [mɛ̃] *f* **1.** ANAT Hand *f;* **battre des** ~**s** in die Hände klatschen; **se donner la** ~ Händchen halten; **passer de** ~ **en** ~ von Hand zu Hand gehen; **prendre qn par la** ~ jdn bei der Hand nehmen; **serrer la** ~ **à qn** jdm die Hand schütteln; **tendre la** ~ **à**

qn jdm die Hand reichen; **être fait [à la]** ~ handgearbeitet sein; **frein/sac à** ~ Handbremse *f*/Handtasche *f*; **écrire à la** ~ mit der Hand schreiben; **[la]** ~ **dans la** ~ Hand in Hand; **de la** ~ mit der Hand; **de la** ~ **même de l'auteur** vom Autor persönlich; **à deux** ~**s** mit beiden Händen; **à pleines** ~**s** mit vollen Händen; **jouer à quatre** ~**s** vierhändig spielen; **les** ~**s en l'air!, haut les** ~**s!** Hände hoch! **2.** *de Dieu, du destin* Hand *f* **3.** *d'un artiste, maître* meisterliche Kunst; **de** ~ **de maître** von Meisterhand **4.** JEUX Blatt *nt;* **avoir la** ~ ausspielen; **passer la** ~ passen; **prendre la** ~ am Zug sein **5.** SPORT Hand[spiel *nt*] *f* ▶**donner un coup de** ~ **à qn** jdm behilflich sein; **tomber aux** ~**s de l'ennemi** dem Feind in die Hände fallen; **j'en mettrais ma** ~ **au feu** dafür würde ich meine Hand ins Feuer legen; **mettre la** ~ **à la pâte** *fam* selbst Hand anlegen; **mettre la** ~ **au portemonnaie** in die Tasche greifen; **rien dans les** ~**s, rien dans les poches** mit leeren Händen; **prendre qn la** ~ **dans le sac** jdn auf frischer Tat ertappen; **du cousu** ~ Qualitätsarbeit *f;* **faire qc haut la** ~ etw mit links machen *(fam)*; **voter à** ~ **levée** durch Handzeichen abstimmen; **avoir les** ~**s libres** freie Hand haben; **à** ~**s nues** mit bloßen Händen; **de première/seconde** ~ aus erster/zweiter Hand; **remettre qc en** ~**s propres** etw persönlich überreichen; **avoir** ~ **sous la** ~ bei der Hand haben; **ils peuvent se donner la** ~ *hum* sie können einander die Hand reichen; **être aux** ~**s de qn** in jds Händen *(dat)* sein; **se faire la** ~ üben; **je m'en lave les** ~**s!** ich wasche meine Hände in Unschuld!; **passer la** ~ *(transmettre ses pouvoirs)* die Verantwortung aus der Hand geben; **perdre la** ~ aus der Übung kommen; **en venir aux** ~**s** handgreiflich werden; **de la** ~ **à la** ~ direkt

main-d'œuvre [mɛ̃dœvʀ] <mainsd'œuvre> *f* Arbeitskräfte *Pl*

maintenance [mɛ̃tnɑ̃s] *f* Wartung *f*

maintenant [mɛ̃t(ə)nɑ̃] *adv* **1.** *(en ce moment)* jetzt; **dès** ~ ab sofort **2.** *(actuellement)* heute **3.** *(désormais)* von jetzt an **4.** *en tête de phrase (cela dit)* jetzt aber

maintenir [mɛ̃t(ə)niʀ] <9> **I.** *vt* **1.** *(conserver)* aufrechterhalten *ordre, offre;* beibehalten *tradition;* weiterlaufen lassen *contrat;* fortsetzen *politique;* ~ **un rendez-vous** es beim vereinbarten Termin belassen **2.** *(soutenir)* stützen; **il maintenait sa tête hors de l'eau** er hielt seinen Kopf über Wasser **3.** *(contenir)* zurückhalten; **le gouvernement veut** ~ **les prix** die Regierung will die Preise stabil halten **4.** *(affir-*

mer) ~ **qc** an etw *(dat)* festhalten; ~ **que qc est vrai** dabei bleiben, dass etw wahr ist **II.** *vpr* **se** ~ sich halten; *paix, institution:* bestehen bleiben; *santé, prix:* stabil bleiben; **se** ~ **au second tour** *candidat:* sich in der zweiten Runde behaupten; **se** ~ **en surface** sich über Wasser halten

maintien [mɛ̃tjɛ̃] *m* **1.** *(conservation)* Aufrechterhaltung *f; d'une décision* Beibehaltung *f; des libertés* Wahrung *f; d'un contrat, des traditions* Fortbestehen *nt* **2.** *(attitude)* Haltung *f* **3.** *(soutien)* Halt *m*

maire [mɛʀ] *m* Bürgermeister *m*, Ammann *m* (CH)

mairie [meʀi] *f* **1.** *(hôtel de ville)* Rathaus *nt* **2.** *(administration)* Stadtverwaltung *f* **3.** *(fonction de maire)* Amt *nt* des Bürgermeisters

mais [mɛ] **I.** *conj* **1.** *(pour opposer deux séquences qui ne s'excluent pas)* aber **2.** *(pour opposer deux séquences qui s'excluent)* sondern **II.** *adv* **1.** *(pourtant)* aber; **il n'est pas encore arrivé?** ~ **il est déjà 8 heures** ist er noch nicht da? Es ist doch schon 8 Uhr **2.** *(renforcement)* aber doch; ~ **oui, bien sûr!** aber klar!; ~ **si!** aber ja doch!; ~ **aie confiance!** hab' doch Vertrauen! **3.** *(impatience)* also; ~ **encore** aber davon abgesehen **4.** *fam (indignation)* **non** ~**, tu me prends pour ...** also hör mal, hältst du mich für ... **III.** *m* Aber *nt*

maison [mɛzɔ̃] *f* **1.** *(habitation, famille)* Haus *nt;* **une fille de bonne** ~ ein Mädchen aus gutem Hause; **être de la** ~ zur Familie gehören **2.** *(entreprise)* Firma *f;* ~ **mère** Stammhaus *nt;* ~ **de couture** Modehaus *nt;* ~ **de disques** Schallplattenfirma *f;* ~ **d'édition** Verlag *m;* ~ **de jeux** Spielkasino *nt;* **avoir quinze ans de** ~ seit fünfzehn Jahren zur Firma gehören **3.** *(bâtiment)* ~ **de maître** Herrenhaus *nt;* ~ **d'arrêt** Gefängnis *nt;* ~ **de repos** Sanatorium *nt;* ~ **de retraite** Altersheim *nt;* ~ **des jeunes et de la culture** Jugendzentrum *nt* ▶~ **close** Freudenhaus *nt;* **c'est gros comme une** ~ das ist sonnenklar *(fam)* **II.** *app inv* **1.** *(particulier à un groupe)* hauseigen; *diplôme, ingénieur* betriebseigen; *esprit, genre* des Hauses **2.** *(opp: industriel)* hausgemacht

Maison-Blanche [mɛzɔ̃blɑ̃ʃ] *f sans pl* **la** ~ das Weiße Haus

maisonnette [mɛzɔnɛt] *f* Häuschen *nt*

maître [mɛtʀ] *m* ART, LITTER Meister *m;* ~ **à penser** Vordenker *m;* **passer** ~ **dans l'art de faire qc** *fig* Meister darin sein etw zu tun *(iron)*

maître, maîtresse [mɛtʀ, mɛtʀɛs] **I.** *adj*

1.(*principal*) œuvre **maîtresse** Hauptwerk *nt,* Meisterwerk **2.**(*qui peut disposer de*) **être ~ de son destin** über sein Schicksal bestimmen; **être ~ de soi** sich in der Gewalt haben **II.** *m, f* **1.**(*chef*) Herr(in) *m(f);* **~ des lieux** Besitzer; **~ de maison** Hausherr; **~ d'hôtel** Oberkellner; **régner en ~** autoritär regieren **2.**(*patron*) Chef(in) *m(f);* **~ nageur** Bademeister; **avoir trouvé son ~** seinen Meister gefunden haben **3.**(*à l'école primaire*) [Grundschul]lehrer(in) *m(f)* **4.** UNIV **~ de conférences** Dozent **5.** *d'un chien* Herrchen *nt fam*/Frauchen *nt* (*fam*) **6.**(*racketteur*) **~ chanteur** Erpresser

maître-assistant , maîtresse-assistante [mɛtRasistã, mɛtRɛsasistãt] <maîtres-assistants> *m, f* Dozent(in) *m(f)*

maître-autel [mɛtRotɛl] <maîtres-au­tels> *m* Hauptaltar *m*

maîtresse [mɛtRɛs] *f* (*liaison*) Geliebte *f*

maîtrise [metRiz] *f* **1.**(*contrôle*) **~ d'un véhicule** Kontrolle *f* über ein Fahrzeug; **~ de fabrication** Fertigungskontrolle; **~ d'une langue/d'un marché** Beherrschung *f* einer Sprache/eines Marktes; **~ de soi** Selbstbeherrschung *f;* **~ d'un territoire** Herrschaft *f* über ein Gebiet **2.**(*habileté*) Können *nt* **3.**(*examen*) Magisterprüfung *f* **4.**(*grade*) Magister[titel] *m*

maîtriser [metRize] <1> **I.** *vt* **1.**(*dominer*) meistern *situation;* bewältigen *difficulté;* unter Kontrolle bringen *incendie;* beherrschen *langue, sujet* **2.**(*dompter*) überwältigen *forcené;* bändigen *animal* **3.**(*contenir*) zügeln *émotion, passion;* kontrollieren *réactions;* unterdrücken *larmes* **II.** *vpr* **se ~** sich beherrschen

Majesté [maʒɛste] *f* **Votre ~** Eure Majestät

majeur [maʒœR] *m* ANAT Mittelfinger *m*

majeur, e [maʒœR] **I.** *adj* **1.**(*très important*) sehr groß; *événement* wichtig **2.**(*le plus important*) wichtigste(r, s); **son défaut ~** sein/ihr Hauptfehler **3.** *antéposé* (*la plupart*) **la ~e partie du temps** die meiste Zeit **4.** JUR volljährig **5.** *peuple* mündig **6.** MUS groß; **do/ré/mi/fa ~** C/D/E/ F-Dur ►**être ~ et vacciné** *fam* kein kleines Kind mehr sein **II.** *m, f* JUR Volljährige(r) *f(m)*

majoritairement [maʒɔRitɛRmã] *adv* mehrheitlich

majorité [maʒɔRite] *f* **1.** *des voix* Mehrzahl *f; des membres présents* Mehrheit *f;* **la ~ des deux tiers** die Zweidrittelmehrheit; **en ~** überwiegend; **les Français pensent dans leur ~ ...** die Mehrheit der Franzosen denkt ... **2.** JUR Volljährigkeit *f*

majuscule [maʒyskyl] **I.** *adj* große(r, s); **lettre ~** Großbuchstabe *m* **II.** *f* Großbuchstabe *m;* **en ~s** [**d'imprimerie**] in Blockschrift

mal¹ [mal] **I.** *adv* **1.**(*opp: bien*) schlecht; **~ respirer** schwer atmen **2.**(*pas au bon moment*) ungünstig; **le moment est vraiment ~ choisi** das ist wirklich nicht der richtige Zeitpunkt **3.**(*pas dans le bon ordre, de la bonne façon*) **il s'y prend ~** er stellt sich ungeschickt an **4.**(*pas dans de bonnes conditions*) **être ~ logé/nourri** schlecht untergebracht/ernährt; **ça va ~ finir!** das wird böse enden! **5.**(*de manière immorale*) schlecht; **il a ~ tourné** er ist auf die schiefe Bahn geraten **6.**(*de manière inconvenante*) **~ répondre** unverschämt antworten **7.**(*de manière erronée*) falsch; **je me suis ~ exprimé** ich habe mich unklar ausgedrückt **8.**(*de manière défavorable*) **être ~ vu** nicht gern gesehen sein **9.**(*en se vexant*) **elle a ~ pris ma remarque** sie hat meine Bemerkung in den falschen Hals gekriegt (*fam*) ►**ça la fout ~** *fam* das macht einen miesen Eindruck; **pas ~ avec ou sans nég** (*assez bien*) nicht schlecht; (*passablement, assez*) ziemlich; *sans nég, fam* (*opp: très peu*) ganz schön; **je m'en fiche pas ~** das ist mir ganz egal **II.** *adj inv* **1.**(*mauvais, immoral*) schlecht; **faire quelque chose/ne rien faire de ~** etwas Böses/nichts Böses tun; **j'ai dit quelque chose de ~?** habe ich etwas Falsches gesagt? **2.** *se sentir* schlecht **3.**(*pas à l'aise*) **être ~** sich nicht wohl fühlen **4.**(*en mauvais termes*) **être ~ avec qn** mit jdm zerstritten sein

mal² [mal, mo] <maux> *m* **1.** *a.* REL **le ~** das Böse *kein Pl* **2.** *sans pl* (*action, parole, pensée mauvaise*) Schlechte(s) *nt kein Pl;* **faire du ~ à qn** jdm schaden; **je n'en pense pas de ~** ich denke nicht schlecht darüber; **sans penser à ~** ohne sich (*dat*) etwas Böses dabei zu denken; **dire du ~ de qn** schlecht über jdn sprechen; **il n'y a pas de ~ à qc** an etw (*dat*) ist doch nichts Schlimmes **3.** *sans pl* (*maladie, malaise*) Übel *nt; ~* **de l'air/de mer/des montagnes** Luft-/See-/Höhenkrankheit *f* **4.**(*souffrance physique*) **~ de tête/ventre** Kopf-/Bauchschmerzen *Pl;* **il a ~ à la main** ihm tut die Hand weh; **avoir ~ à la tête/au dos/aux reins** Kopf-/Rücken-/ Kreuzschmerzen haben; **avoir ~ à la jambe** Schmerzen im Bein haben; **se faire ~** sich (*dat*) wehtun; **ces chaussures me font ~ aux pieds** diese Schuhe drücken **5.**(*souffrance morale*) **faire ~** wehtun; **~ de vivre** Lebensüberdruss *m; ~* **du pays**

Heimweh *nt;* **qn/qc me fait ~ au cœur** jd/etw tut mir Leid **6.** (*calamité*) Übel *nt* **7.** *sans pl* (*peine*) Mühe *f;* **il a du ~ à supporter qc** er kann etw nur schwer ertragen; **se donner un ~ de chien pour faire qc** *fam* sich (*dat*) irrsinnige Mühe geben etw zu tun **8.** *sans pl* (*dégât*) Schaden *m;* **le travail ne fait pas de ~ à qn** Arbeit kann jdm nichts schaden (*fam*); **prendre son ~ en patience** sich mit Geduld wappnen; **mettre qc à ~** etw zunichte machen **9.** (*manque*) **un peintre en ~ d'inspiration** ein Maler, dem es an Inspiration fehlt ▸**elle ne ferait pas de ~ à une mouche** *fam* sie würde keiner Fliege etwas zuleide tun; **le ~ est fait** das Unglück ist geschehen

malabar [malabaʀ] *m fam* Muskelprotz *m*
malade [malad] **I.** *adj* **1.** (*souffrant*) krank; **tomber ~** krank werden; **être ~ du sida/cœur** aids-/herzkrank sein **2.** (*bouleversé*) **~ de jalousie/d'inquiétude** krank vor Eifersucht/Sorge **3.** *fam* (*cinglé*) **être ~** spinnen **4.** *économie, entreprise* angeschlagen **II.** *mf* **1.** (*personne souffrante*) Kranke(r) *f(m);* **grand ~** Schwerkranker; **~ mental** Geisteskranker **2.** (*patient*) Patient(in) *m(f)*
maladie [maladi] *f* **1.** (*affection*) Krankheit *f;* **~ de cœur/peau** Herz-/Hautkrankheit; **~ infantile/mentale** Kinder-/Geisteskrankheit; **être en ~** krankgeschrieben sein **2.** (*manie*) Manie *f;* **il a la ~ de tout ranger** er hat einen krankhaften Ordnungssinn ▸**faire une ~ de qc** *fam* (*être très contrarié*) ein Drama aus etw machen
maladif, -ive [maladif, -iv] *adj* **1.** *personne* kränkelnd; *air, pâleur* kränklich **2.** *besoin, peur* krankhaft
maladresse [maladʀɛs] *f* **1.** *d'un comportement, geste* Ungeschicklichkeit *f; de caresses, d'un style* Unbeholfenheit *f* **2.** (*bévue, gaffe*) Fauxpas *m*
maladroit, e [maladʀwa, wat] **I.** *adj* **1.** *geste, personne* ungeschickt; *caresses, style, personne* unbeholfen **2.** *fig parole, remarque* unpassend **II.** *m, f* **1.** (*personne malhabile*) Tollpatsch *m* (*fam*) **2.** (*gaffeur*) Tölpel *m*
maladroitement [maladʀwatmã] *adv* (*gauchement*) ungeschickt; **s'exprimer ~** sich unbeholfen ausdrücken
malaise [malɛz] *m* **1.** MED Unwohlsein *nt;* **avoir un ~** ohnmächtig werden **2.** (*crise*) Unbehagen *nt;* **le ~ politique/social** die politischen/sozialen Missstände *Pl*
malbouffe [malbuf] *f fam* **1.** (*Imbiss, Mahlzeit*) Junk-Food *nt* **2.** (*Ernährungs-*

weise) Junk-Food-Esserei *f*
malchance [malʃɑ̃s] *f* Pech *nt*
malchanceux, -euse [malʃɑ̃sø, -øz] *adj* *personne* vom Pech verfolgt
mâle [mɑl] **I.** *adj* männlich **II.** *m* **1.** (*homme*) Mann *m* **2.** (*animal*) Männchen *nt*
malédiction [malediksjɔ̃] *f* **1.** (*fatalité*) Fluch *m* **2.** (*malheur*) Unheil *nt;* **c'est une ~** es ist wie verhext (*fam*) **3.** (*action de maudire*) Verfluchung *f*
malencontreusement [malɑ̃kɔ̃tʀøzmã] *adv* unpassenderweise; **il est intervenu fort ~ dans la discussion** er hat sich im unpassenden Augenblick in die Diskussion eingeschaltet
malentendant, e [malɑ̃tɑ̃dɑ̃, ɑ̃t] *m, f* Schwerhörige(r) *f(m)*
malentendu [malɑ̃tɑ̃dy] *m* Missverständnis *nt*
malfaiteur, -trice [malfɛtœʀ, -tʀis] *m, f* Übeltäter(in) *m(f)*
malformation [malfɔʀmasjɔ̃] *f* Missbildung *f;* **~ du cœur** Herzfehler *m*
malfrat [malfʀa] *m fam* **un petit ~** ein kleiner Gauner
malgache [malgaʃ] **I.** *adj* madagassisch **II.** *m* Madagassisch *nt; v. a.* **allemand**
Malgache [malgaʃ] *mf* Madagasse *m*/Madagassin *f*
malgré [malgʀe] *prép* **1.** (*en dépit de*) trotz (+ *dat o gen*); **~ tout** trotz allem **2.** (*contre le gré de*) **moi/elle/lui** gegen meinen/ihren/seinen Willen **3.** (*sans le vouloir*) **j'ai entendu ~ moi ce que vous venez de dire** ohne zu wollen habe ich gehört, was Sie gerade gesagt haben
malheur [malœʀ] *m* **1.** (*événement pénible, malchance*) Unglück *nt;* **si jamais il m'arrivait ~** falls mir jemals etw zustoßen sollte; **par ~** unglücklicherweise **2.** (*tort*) **avoir le ~ de faire qc** dummerweise etw tun ▸**le ~ des uns fait le bonheur des autres** *prov* des einen Not ist des andern Brot; **un ~ ne vient jamais seul** *prov* ein Unglück kommt selten allein; **faire un ~** *fam* (*faire un scandale*) gewalttätig werden; (*avoir un gros succès*) einen Riesenerfolg haben; **[ne] parle pas de ~!** *fam* mal den Teufel nicht an die Wand!
malheureusement [malœʀøzmã] *adv* (*hélas*) leider
malheureux, -euse [malœʀø, -øz] **I.** *adj* **1.** (*qui souffre*) unglücklich **2.** *a. antéposé* (*regrettable, fâcheux*) unglücklich; *incident, suites* bedauerlich; *initiative, parole* ungeschickt **3.** (*malchanceux*) glücklos; **être ~ au jeu/en amour** kein Glück im Spiel/in der Liebe haben **4.** *antéposé* (*insignifiant*) lächerlich **5.** *antéposé victime*

unglücklich **II.** *m, f* **1.**(*indigent*) Notleidende(r) *f(m)* **2.**(*infortuné*) Unglückselige(r) *f(m)*

malhonnête [malɔnɛt] *adj* **1.**(*indélicat, déloyal*) unehrlich **2.** *hum* unanständig

malhonnêteté [malɔnɛtte] *f* Unehrlichkeit *f*

Mali [mali] *m* **le ~** Mali *nt*

malice [malis] *f* **1.**(*espièglerie*) Schalkhaftigkeit *f;* **avec ~** schelmisch **2.**(*méchanceté*) Böswilligkeit *f*

malicieux, -euse [malisjø, -jøz] *adj réponse* schelmisch; *regard, sourire* verschmitzt; *enfant, personne* spitzbübisch

maligne [maliɲ] *v.* **malin**

malignité [maliɲite] *f* **1.***soutenu* (*méchanceté*) Boshaftigkeit *f* **2.** *d'une tumeur* Bösartigkeit *f*

malin, maligne [malɛ̃, maliɲ] **I.** *adj* **1.**(*astucieux*) schlau; *sourire* verschmitzt; *air* pfiffig **2.** *a. antéposé* (*méchant*) boshaft; *influence* schlecht **3.** MED *tumeur* bösartig **II.** *m, f* (*personne astucieuse*) Schlaukopf *m* (*fam*); **faire le ~** sich aufspielen; **gros ~!** *iron* Schlauberger! (*fam*); **petit ~** gerissener Kerl (*fam*)

malle [mal] *f* Überseekoffer *m* ►**se faire la ~** *fam* abhauen

malléable [maleabl] *adj* **1.** *personne* anpassungsfähig **2.** TECH *argile* knetbar; *métal* weich

mallette [malɛt] *f* (*porte-documents*) Aktenkoffer *m*

malmener [malməne] <4> *vt* **1.**(*rudoyer*) schlecht behandeln **2.**(*critiquer*) vernichtend kritisieren **3.**(*bousculer*) hart bedrängen

malnutrition [malnytrisjɔ̃] *f* Unterernährung *f*

malpoli, e [malpɔli] **I.** *adj fam* (*mal élevé*) unhöflich; *enfant* ungezogen **II.** *m, f fam* unhöflicher Mensch

malsain, e [malsɛ̃, ɛn] *adj* krankhaft

malséant, e [malseã, ãt] *adj littér* unschicklich (*geh*)

malt [malt] *m* Malz *nt*

maltais [maltɛ] *m* Maltesisch *nt; v. a.* **allemand**

Malte [malt] *f* **l'île de ~** die Insel Malta

maltraiter [maltrete] <1> *vt* **1.**(*brutaliser*) misshandeln **2.**(*critiquer*) heruntermachen (*fam*)

malus [malys] *m* Malus *m*

maman [mamã] *f* **1.**(*mère*) Mutter *f;* **future ~** werdende Mutter **2.**(*appellation*) Mama *f*

mamie [mami] *f fam* Oma *f*

mammifère [mamifɛʀ] *m* Säugetier *nt*

mammouth [mamut] *m* Mammut *nt*

mammy [mami] *f v.* **mamie**

mamours [mamuʀ] *mpl fam* **1.**(*câlins*) Zärtlichkeiten *Pl;* **faire des ~ à qn** mit jdm schmusen **2.**(*flatteries*) **faire des ~ à qn** jdm Honig ums Maul schmieren

manager [mana(d)ʒe] <2a> *vt* managen

manageur, -euse [manmadʒœʀ, -øz] *m, f* Manager(in) *m(f)*

manche¹ [mãʃ] *f* **1.** *d'un vêtement* Ärmel *m* **2.**(*aux courses*) Runde *f;* (*au ski*) Durchlauf *m* **3.** JEUX Spiel *nt* ►**faire la ~** betteln

manche² [mãʃ] *m* **1.** *d'un outil, parapluie* Griff *m;* *d'une fourchette, d'un balai* Stiel *m* **2.** *mus* Hals *m* ►**se débrouiller comme un ~** *fam* sich linkisch anstellen

Manche [mãʃ] *f* **la ~** der Ärmelkanal

manchette [mãʃɛt] *f* **1.** *d'une chemise* Manschette *f* **2.**(*coup*) Schlag *m* mit dem Unterarm **3.** COUT Ärmelschoner *m* **4.** TECH Manschette *f*

manchot [mãʃo] *m* (*pingouin*) Pinguin *m*

manchot, e [mãʃo, ɔt] **I.** *adj* (*amputé d'un bras*) einarmig **II.** *m, f* (*personne*) Einarmige(r) *f(m)*

mandarine [mãdaʀin] *f* Mandarine *f*

mandat [mãda] *m* **1.**(*mission*) Auftrag *m;* JUR, POL Mandat *nt* **2.**(*ordre*) **~ d'arrêt** Haftbefehl *m* **3.** COM, FIN Postanweisung *f*

mandat-carte [mãdakaʀt] <mandats-cartes> *m* Postanweisung *f*

mandat-lettre [mãdalɛtʀ] <mandats-lettres> *m:* Postanweisung, die in einem Brief geschickt wird und auf der Post einzulösen ist

mandrin [mãdʀɛ̃] *m* **1.** *d'une perceuse* Bohrfutter *nt* **2.**(*pièce mécanique*) Dorn *m*

manège [manɛʒ] *m* **1.**(*attraction foraine*) Karussell *nt* **2.**(*agissements*) Hin und Her *nt*

manette [manɛt] *f* INFORM **~ de jeu** Joystick *m*

mangeable [mãʒabl] *adj* essbar

mangeaille [mãʒaj] *f fam* Fraß *m*

manger [mãʒe] <2a> **I.** *vt* **1.**(*se nourrir de*) essen; *animal:* fressen **2.**(*ronger*) *mites, rouille, lèpre:* zerfressen **3.** *hum* (*dévorer*) fressen (*fam*); **~ des yeux** mit den Augen verschlingen **4.**(*dilapider*) vergeuden *capital, héritage;* verschlingen *temps, énergie* **5.**(*consommer*) *machine, essence:* verbrauchen **6.**(*absorber*) schlucken (*fam*) **7.** *fam* (*ne pas articuler*) verschlucken *mots* **II.** *vi personne:* essen; *animal:* fressen; **inviter à ~** zum Essen einladen; **donner à ~ à un bébé/aux vaches** ein Baby/die Kühe füttern **III.** *vpr* qc **se mange chaud/avec les doigts** etw wird

warm/mit den Fingern gegessen

mangeur, -euse [mãʒœʀ, -ʒøz] *m, f* **gros ~** starker Esser

mangouste [mãgust] *f* (*animal*) Manguste *f*

mangue [mãg] *f* Mango *f*

maniabilité [manjabilite] *f* *d'une machine* leichte Bedienung; *d'une voiture* Wendigkeit *f; d'un appareil* leichte Handhabung; *d'un livre, outil* Handlichkeit *f*

maniaque [manjak] **I.** *adj* **1.** (*pointilleux*) pingelig (*fam*); *personne* pedantisch **2.** MED, PSYCH *euphorie* manisch **II.** *mf* **1.** (*personne trop méticuleuse*) Pedant(in) *m(f);* **un ~ de l'ordre** ein Ordnungsfanatiker **2.** (*malade*) Irre(r) *f(m);* **~ sexuel** Triebtäter *m*

maniaquerie [manjakʀi] *f* **1.** (*attachement à des habitudes*) Pedanterie *f* **2.** (*obsession du détail*) Spitzfindigkeit *f*

manichéisme [manikeism] *m* Manichäismus *m*

manie [mani] *f* **1.** (*tic*) Tick *m* **2.** (*obsession*) ~ **de la propreté** Sauberkeitsfimmel *m* (*fam*); **la ~ de la persécution** der Verfolgungswahn **3.** MED, PSYCH Manie *f*

maniement [manimã] *m* **1.** (*manipulation*) Handhabung *f; d'un appareil* Bedienung *f; d'une voiture* Lenken *nt* **2.** *des affaires* Führung *f* **3.** *d'une langue* Beherrschen *nt;* **le ~ des mots** das Umgehen mit Worten

manier [manje] <1> *vt* **1.** (*se servir de, utiliser*) handhaben *objet, outil;* bedienen *appareil* **2.** (*manipuler, avoir entre les mains*) ~ **qn/qc** mit jdm/etw umgehen **3.** (*maîtriser*) ~ **une langue** eine Sprache beherrschen; **l'ironie/l'humour** ein Meister der Ironie/des Humors sein **4.** (*gérer*) ~ **de grosses sommes d'argent** mit großen Geldbeträgen umgehen

manière [manjɛʀ] *f* **1.** (*façon*) Art *f; ~ **de faire qc** Art und Weise etw zu tun; **~ d'agir/de s'exprimer** Handlungs-/Ausdrucksweise *f;* **avoir la ~** den Dreh raushaben (*fam*); **à la ~ ...** nach ... Art; **à la ~ de qn/qc** wie jd/etw; **à ma/sa ~** auf meine/seine/ihre Weise; **de ~ brutale/rapide** auf brutale/schnelle Art und Weise; **d'une certaine ~** in gewisser Weise; **d'une ~ générale** im Allgemeinen; **d'une ~ ou d'une autre** so oder so; **de toute ~** auf jeden Fall; **de ~ à faire qc** um etw zu tun; ~ **de faire qc** *fam* um halt etw zu tun; **de [à ce] qu'il soit satisfait** so, dass er zufrieden ist; **de quelle ~?** wie denn?; **en aucune ~** keinesfalls **2.** *pl* (*comportement*) Manieren *Pl;* **faire des ~s** sich zieren; **en voilà des ~s!** das sind ja feine Manieren!

3. *d'un artiste, écrivain* Stil *m* **4.** GRAM **complément de ~** Umstandsbestimmung *f* der Art und Weise ▶**la ~ forte** (*sévérité*) härtere Maßnahmen *Pl;* **employer la ~ forte** hart durchgreifen

maniéré, e [manjeʀe] *adj* gekünstelt; *ton, personne* affektiert

manifestant, e [manifɛstã, ãt] *m, f* Demonstrant(in) *m(f)*

manifestation [manifɛstasjɔ̃] *f* **1.** POL Demonstration *f* **2.** (*événement*) Veranstaltung *f* **3.** *d'un sentiment* Äußerung *f; d'une humeur* Ausdruck *m; d'une maladie* Anzeichen *nt; de joie, amitié* Bekundung *f*

manifeste [manifɛst] **I.** *adj* offensichtlich; *vérité* offenkundig **II.** *m* POL, LITTER Manifest *nt*

manifestement [manifɛstəmã] *adv* ganz offensichtlich

manifester [manifɛste] <1> **I.** *vt* zum Ausdruck bringen **II.** *vi* demonstrieren **III.** *vpr* **se ~ 1.** (*se révéler*) sich äußern; *crise:* auftreten **2.** (*se faire connaître*) sich melden; *candidat:* sich vorstellen **3.** (*s'exprimer*) sich äußern **4.** (*se montrer*) *personne:* erscheinen

manigance [manigãs] *f gén pl* Machenschaften *Pl*

manigancer [manigãse] <2> *vt* aushecken (*fam*)

manioc [manjɔk] *m* Maniok *m*

manipulation [manipylasjɔ̃] *f* **1.** *d'une machine, d'un ordinateur* Bedienung *f; d'un outil* Handhabung *f; d'un produit, d'une substance* Umgehen *nt* mit (+ *dat*) **2.** *pl* (*expériences*) Versuche *Pl;* **les ~s génétiques** die Genmanipulation **3.** (*prestidigitation*) Zauberkunststücke *Pl* **4.** *péj de la foule, l'opinion* Manipulation *f*

manipuler [manipyle] <1> *vt* **1.** (*manier*) handhaben *outil;* hantieren mit *substance* **2.** *péj* (*fausser*) manipulieren; fälschen *écritures, résultats* **3.** (*influencer*) manipulieren

manitou [manitu] *m* **1.** Manitu *m* **2.** *fig fam* **c'est lui, le grand ~ ici!** er ist hier der Häuptling! (*iron fam*)

manivelle [manivɛl] *f* Kurbel *f*

mannequin [mankɛ̃] *m* **1.** (*présentateur de modèles*) Mannequin *nt* **2.** (*pour le tailleur*) Schneiderpuppe *f* **3.** (*pour la vitrine*) Schaufensterpuppe *f* **4.** (*pour le peintre, sculpteur*) Gliederpuppe *f*

manœuvre [manœvʀ] **I.** *f* **1.** *d'une machine* Bedienung *f; d'un véhicule* Lenken *nt;* **fausse ~** Bedienungsfehler *m* **2.** (*action, tentative de manœuvrer*) Manöver *nt; ~ **d'évitement** Ausweichmanöver; **~ de diversion** Ablenkungsmanöver **3.** (*exercice*)

Manöver *nt* **4.** *péj* (*agissement, machination*) Machenschaften *Pl;* **les ~s dilatoires** das Hinhaltemanöver **II.** *m* Hilfsarbeiter(in) *m(f)*

manœuvrer [manœvʀe] <1> **I.** *vt* **1.** (*faire fonctionner*) bedienen *machine;* handhaben *outil* **2.** (*conduire*) steuern *véhicule* **3.** *péj* (*manipuler*) manipulieren **II.** *vi* **1.** (*agir habilement*) geschickt vorgehen **2.** (*faire l'exercice*) exerzieren **3.** AUT manövrieren

manomètre [manɔmɛtʀ] *m* Manometer *m*

manouche [manuʃ] *mf fam* Zigeuner(in) *m(f)*

manquant, e [mɑ̃kɑ̃, ɑ̃t] *adj* **1.** *pièce, somme* fehlend; *personne* abwesend **2.** *article* nicht vorrätig

manque [mɑ̃k] *m* **1.** (*carence*) Mangel *m;* **~ d'argent/de temps** Geld-/Zeitmangel; **~ d'intelligence/de sérieux** Mangel an Intelligenz/Ernsthaftigkeit; **~ d'imagination/de respect** Fantasie-/Respektlosigkeit *f;* **~ à gagner** Einbuße *f;* **un enfant en ~ d'affection** ein Kind, dem es an Zuwendung fehlt **2.** *pl* (*lacunes*) Lücken *Pl* **3.** (*défauts*) Mängel *Pl* **4.** (*vide*) Lücke *f* **5.** (*privation*) Entzugserscheinungen *Pl;* **être en [état de] ~** Entzugserscheinungen haben

manqué, e [mɑ̃ke] *adj* **1.** *occasion, rendez-vous* verpasst; *photo, roman* misslungen **2.** *postposé iron fam* verhindert

manquer [mɑ̃ke] <1> **I.** *vt* **1.** (*opp: atteindre*) verfehlen *cible, but* **2.** (*se venger*) **ne pas ~ qn** jdm kein Pardon geben **3.** (*opp: rencontrer*) verfehlen, verpassen **4.** (*rater*) verpassen *bus, train;* verfehlen *marche* **5.** (*laisser passer*) **une occasion à ne pas ~** eine Gelegenheit, die man sich nicht entgehen lassen sollte **6.** (*opp: réussir*) **~ un examen** eine Prüfung nicht bestehen **7.** (*opp: assister à*) verpassen, versäumen *film, réunion;* nicht gehen zu + *dat,* schwänzen (*fam*) *cours, école;* **~ la classe** [im Unterricht] fehlen ►**ne pas en ~ une** *fam* [aber auch] in jedes Fettnäpfchen treten **II.** *vi* **1.** (*être absent*) fehlen **2.** (*faire défaut, être insuffisant*) **commencer à ~** allmählich ausgehen; **qc te manque pour faire qc** dir fehlt etw um etw zu tun **3.** (*ne pas avoir assez de*) **qn/qc manque de qn/qc** jdm/einer S. fehlt jd/etw; **tu ne manques pas de toupet!** du bist ganz schön frech! **4.** (*regretter de ne pas avoir*) **mes enfants/les livres me manquent** ich vermisse die Kinder/Bücher **5.** (*rater*) *attentat, tentative:* scheitern, misslingen **6.** (*ne pas respecter*) **~ à sa parole/promesse** sein/ihr Wort/Versprechen nicht

halten; **~ à ses devoirs/obligations** seine/ihre Pflichten/Verpflichtungen nicht erfüllen **7.** (*faillir*) **~ [de] faire qc** etw beinahe tun **8.** (*ne pas omettre*) **ne pas ~ de faire qc** etw auf jeden Fall tun ►**ça n'a pas manqué!** das musste ja so kommen !; **il ne manquait plus que ça** das hat [jetzt] gerade noch gefehlt **III.** *vpr* **1.** (*rater son suicide*) **qn se manque** jds Selbstmordversuch misslingt **2.** (*ne pas se rencontrer*) **se ~ de 5 minutes** sich um 5 Minuten verpassen

manteau [mɑ̃to] <x> *m* Mantel *m*

mantille [mɑ̃tij] *f* Mantille *f*

manucure [manykyʀ] *mf* (*a. personne*) Maniküre *f*

manuel [manɥɛl] *m* (*livre didactique*) Lehrbuch *nt;* (*manuel d'utilisation*) Handbuch; **~ scolaire** Schulbuch

manuel, le [manɥɛl] **I.** *adj* **1.** *métier, profession* handwerklich; *activité, travail* manuell; **travailleur ~** jd, der mit den Händen arbeitet **2.** (*opp: automatique*) manuell **II.** *m, f* (*personne qui travaille de ses mains*) jd, der mit den Händen arbeitet; (*personne douée de ses mains*) Bastler(in) *m(f)*

manu militari [manymilitaʀi] *adv* kurzerhand, ohne viel Federlesens; (*par la force physique*) gewaltsam

manuscrit [manyskʀi] *m* Manuskript *nt*

manuscrit, e [manyskʀi, it] *adj* (*écrit à la main*) handschriftlich

manutention [manytɑ̃sjɔ̃] *f* **1.** (*manipulation*) Warenumschlag *m* **2.** (*local*) Lager *nt*

manutentionnaire [manytɑ̃sjɔnɛʀ] *mf* Lagerist(in) *m(f)*

maquer [make] <1> *vt pop* (*être le souteneur de*) **~ une femme** eine Frau anschaffen [*o* auf den Strich] schicken (*sl*); **être maquée** schon einen Macker haben (*sl*); *prostituée:* für einen Zuhälter arbeiten

maquerelle [makʀɛl] *f pop* Puffmutter *f* (*fam*)

maquette [makɛt] *f* **1.** (*modèle réduit*) Modell *nt;* **~ d'avion/de bateau** Flugzeug-/Schiffsmodell; (*jouet*) Modellflugzeug *nt*/-schiff *nt* **2.** TYP Umbruch *m;* *d'une couverture* Druckvorlage *f;* *d'une cassette* Probeaufnahme *f* **3.** (*projet*) Entwurf *m* **4.** ART Rohfassung *f*

maquillage [makijaʒ] *m* **1.** (*soins de beauté: action*) Schminken *nt;* (*résultat*) Make-up *nt;* THEAT, CINE, TV Maske *f* **2.** (*produits de beauté*) Make-up *nt* **3.** *de documents* Fälschung *f;* *d'une voiture* Frisieren *nt*

maquiller [makije] <1> **I.** *vt* **1.** (*farder*) schminken **2.** (*falsifier*) fälschen; verdre-

hen *vérité;* entstellen *faits;* frisieren *voiture;* ~ **un meurtre en suicide** einen Mord als Selbstmord tarnen **II.** *vpr (se farder)* **se ~** sich schminken

maquilleur, -euse [makijœʀ, -jøz] *m, f* Maskenbildner(in) *m(f)*

marais [maʀɛ] *m* Sumpf *m*

marathon [maʀatɔ̃] **I.** *m* SPORT, POL Marathon *m* **II.** *app* endlos

marbre [maʀbʀ] *m* **1.** *(pierre)* Marmor *m* **2.** *(objet, statue)* Marmorplastik *f* **3.** *d'une cheminée* Marmorsims *m; d'une commode* Marmorplatte *f* **4.** *fig* **cœur/visage de ~** Herz aus Stein/steinernes Gesicht; **être/rester de ~** ungerührt sein/bleiben

marbrer [maʀbʀe] <1> *vt* **1.** *(décorer de veines)* marmorieren; **gâteau marbré** Marmorkuchen *m* **2.** *(marquer de marques violacées)* **être marbré** *(par des coups)* voller blauer Flecken sein; *(par le froid)* blau vor Kälte sein

marbrier, -ière [maʀbʀije, -ijɛʀ] **I.** *adj* Marmor- **II.** *m, f* Steinmetz(in) *m(f)*

marchand, e [maʀʃɑ̃, ɑ̃d] **I.** *adj (qui transporte des marchandises)* *marine, navire* Handels-; *(où se pratique le commerce)* **rue ~e** Geschäftsstraße *f;* **galerie ~e** Einkaufspassage *f; (dans le commerce)* **valeur ~e** Handelswert *m* **II.** *m, f* **1.** *(commerçant)* Händler(in) *m(f);* ~ **ambulant** Straßenhändler **2.** *fig* ~ **d'illusions** Scharlatan *m;* ~ **de rêve** Illusionist *m;* ~ **de sable** Sandmännchen *nt; péj* ~ **de tapis** Geschäftemacher

marchandage [maʀʃɑ̃daʒ] *m* **1.** *(discussion)* Handeln *nt,* Feilschen *nt (pej)* **2.** *(tractation)* Mauschelei *f*

marchander [maʀʃɑ̃de] <1> **I.** *vt* ~ **le prix/un tapis** um den Preis/einen Teppich handeln **II.** *vi* handeln, feilschen *(pej)*

marchandise [maʀʃɑ̃diz] *f* Ware *f*

marche¹ [maʀʃ] *f* **1.** *(action)* Gehen *nt;* SPORT Lauf *m;* **se mettre en ~** *personnes:* sich auf den Weg machen; *cortège, caravane:* sich in Bewegung setzen; ~ *(allure)* Vorgehensweise *f* **2.** *(allure)* Gang *m; d'un navire* Fahrt *f* **3.** *(trajet)* Weg *m* **4.** *(cortège)* Marsch *m;* **une ~ pacifique/de protestation** ein Friedens-/Protestmarsch; **faire ~ sur qc** auf etw *(akk)* zumarschieren **5.** *d'une étoile* Bahn *f; d'une caravane* Zug *m; d'un véhicule* Fahrt *f;* **le sens de la ~** die Fahrtrichtung; **en ~ arrière** rückwärts; **faire [une] ~ arrière** AUT rückwärts fahren **6.** *d'une entreprise, horloge* Gang *m; d'une machine* Betrieb *m,* Laufen *nt;* **moteur en ~** laufender Motor; **mettre une machine/un appareil en ~** eine Maschine/ein Gerät einschalten **7.** MUS Marsch *m*

▶**faire ~ arrière** einen Rückzieher machen; **être en ~** *démocratie:* auf dem Vormarsch sein

marche² [maʀʃ] *f d'un escalier* Stufe *f; d'un véhicule* Trittbrett *nt*

marché [maʀʃe] *m* **1.** *(lieu de vente)* Markt *m;* ~ **couvert** Markthalle[n *Pl*] *f;* ~ **aux puces** Flohmarkt **2.** *(opérations financières)* Markt *m;* ~ **des capitaux** Finanzmarkt; ~ **en croissance** Wachstumsmarkt **3.** *(contrat)* Vertrag *m;* **conclure un ~ avec qn/qc** mit jdm/etw einen Vertrag abschließen; ~ **conclu!** abgemacht! **4.** *(l'offre et la demande)* **le ~ unique** der Europäische Binnenmarkt; ~ **noir** Schwarzmarkt **5.** *(pays, région)* ~ **Markt** *m* ▶**bon ~** *inv* billig, preiswert; **par-dessus le ~** zu allem Überfluss

marcher [maʀʃe] <1> *vi* **1.** *(se déplacer)* gehen, laufen; ~ **à reculons** rückwärts gehen; ~ **à la rencontre de qn** jdm entgegengehen; *(vu de la personne approchée)* jdm entgegenkommen **2.** MIL ~ **sur la ville/Paris** auf die Stadt/Paris zumarschieren **3.** *(poser le pied)* ~ **sur/dans qc** auf/in etw *(akk)* treten; *(ne pas respecter)* etw mit Füßen treten **4.** *(être en activité)* *métro, bus:* fahren; *(fonctionner)* laufen; *montre:* gehen; *télé, machine:* an sein; ~ **à l'essence/l'électricité** mit Benzin/Strom betrieben werden **5.** *(réussir)* *affaire, film:* laufen; *études:* vorangehen; *procédé:* funktionieren **6.** *fam (croire naïvement)* alles glauben **7.** *fam (être d'accord)* **je marche [avec vous]** ich ziehe mit; **ça marche!** o.k.! ▶**faire ~ qn** jdn auf den Arm nehmen

marcottage [maʀkɔtaʒ] *m* Absenken *nt*

mardi [maʀdi] *m* Dienstag *m; v. a.* **dimanche** ▶~ **gras** Karnevalsdienstag *m,* Fastnachtsdienstag *m* (SDEUTSCH), Faschingsdienstag *m* (SDEUTSCH)

mare [maʀ] *f* **1.** *(eau stagnante)* Tümpel *m; (après la pluie)* Lache *f* **2.** *(flaque)* ~ **de sang/d'huile** Blut-/Öllache *f*

marécage [maʀekaʒ] *m* Sumpf *m*

maréchal-ferrant [maʀeʃalfeʀɑ̃] <maréchaux-ferrants> *m* Hufschmied *m*

maréchaussée [maʀeʃose] *f hum* Gesetzeshüter *m*

marée [maʀe] *f* **1.** *(mouvements de la mer)* Ebbe *f* und Flut *f,* Gezeiten *Pl;* **à ~ basse/haute** bei Ebbe/Flut **2.** *fig* ~ **humaine** Menschenflut *f* ▶~ **noire** Ölpest *f*

margarine [maʀgaʀin] *f* Margarine *f*

marge [maʀʒ] *f* **1.** *(espace blanc sur une feuille de papier)* Rand *m* **2.** *(délai)* Spielraum *m;* ~ **d'erreur** zulässige Abweichung **3.** COM Gewinn *m;* ~ **bénéficiaire** Gewinnspanne *f* **4.** *fig* **vivre en ~ de la**

société am Rande der Gesellschaft leben
marginal, e [maʀʒinal, o] <-aux> **I.** adj
1. (accessoire) marginal; occupation, rôle
Neben-; phénomène Rand- **2.** (en marge de
la société) am Rande der Gesellschaft;
groupe Rand- **3.** (peu orthodoxe) außerhalb der gesellschaftlichen Norm; groupe
Aussteiger- **II.** m, f (asocial) Asoziale(r)
f(m); (en marge de la société) Außenseiter(in) m(f)
marginalité [maʀʒinalite] f Außenseitertum nt
marguerite [maʀɡəʀit] f Margerite f
mari [maʀi] m [Ehe]mann m
mariage [maʀjaʒ] m **1.** (institution) Ehe f;
(union) Heirat f; ~ **blanc** Scheinehe; ~ **de
raison** Vernunftehe/-heirat; **demander
qn en** ~ um jds Hand anhalten; **faire un
beau** ~ eine gute Partie machen **2.** (cérémonie) Hochzeit f; **cérémonie de** ~ Trauung f; ~ **civil/religieux** standesamtliche/
kirchliche Trauung **3.** (vie conjugale) Ehe
f; **fêter les 25/10 ans de** ~ silberne
Hochzeit/den 10. Hochzeitstag feiern
4. (de plusieurs choses) Vereinigung f;
(combinaison) Kombination f
Marianne [maʀjan] f POL Marianne f (die
Symbolfigur der frz. Republik)
marié, e [maʀje] **I.** adj verheiratet **II.** m, f
1. (le jour du mariage) Bräutigam/Braut
m/f; **les ~s** das Brautpaar **2.** (~ depuis
peu) **jeune** ~ frisch gebackener Ehemann;
les jeunes ~s die jungen Eheleute, das
junge Paar
marier [maʀje] <1> **I.** vt **1.** (procéder au
mariage de) trauen **2.** (donner en mariage) ~ **qn avec qn** jdn mit jdm verheiraten **3.** CAN, BELG, NORD (épouser) heiraten
4. (combiner) [miteinander] verbinden;
kombinieren couleurs, goûts, parfums **II.**
vpr **1.** (contracter mariage) se ~ **avec qn**
jdn heiraten **2.** (s'harmoniser) se ~ [ensemble] miteinander harmonieren; se ~
avec qc zu etw passen
marin [maʀɛ̃] m **1.** (matelot) Seemann m,
Matrose/Matrosin m/f **2.** (navigateur)
Seefahrer m
marin, e [maʀɛ̃, in] adj **1.** (relatif à la mer)
Meeres-; air, carte See- **2.** (relatif au marin)
Matrosen-
marine [maʀin] **I.** f Marine f **II.** adj inv
marineblau
mariner [maʀine] <1> **I.** vt GASTR ~ **qc
dans qc** etw in etw (dat) marinieren **II.** vi
1. GASTR aliment: in [der] Marinade ziehen
2. fam (attendre) schmoren
marinière [maʀinjɛʀ] **I.** f (vêtement) Matrosenbluse f **II.** app inv GASTR [à la] ~ nach
Seemannsart (mit Weißwein und Zwiebeln

zubereitet)
marionnette [maʀjɔnɛt] f Marionette f
maritime [maʀitim] adj **1.** (du bord de
mer) maritim; région, ville Küsten- **2.** (relatif au commerce par la voie des mers)
See-; transport zur See; **compagnie** ~
Schifffahrtsgesellschaft f
marivaudage [maʀivodaʒ] m littér Getändel nt (liter)
mark [maʀk] m Mark f; **le deutsche
Mark** die deutsche Mark
marketing [maʀkɛtiŋ] m Marketing nt
marmelade [maʀməlad] f de pommes,
d'abricots Kompott nt; d'oranges Marmelade f
marmiton [maʀmitɔ̃] m Küchenjunge m
marmonner [maʀmɔne] <1> **I.** vt murmeln **II.** vi vor sich (akk) hin murmeln
marmotte [maʀmɔt] f Murmeltier nt
marner [maʀne] <1> **I.** vt AGR mit Mergel
düngen **II.** vi fam (trimer) schuften (fam)
Maroc [maʀɔk] m le ~ Marokko nt
marocain, e [maʀɔkɛ̃, ɛn] adj marokkanisch
Marocain, e [maʀɔkɛ̃, ɛn] m, f Marokkaner(in) m(f)
maronner [maʀɔne] <1> vi fam maulen
(fam), meckern (fam); **ça me fait** ~ **de
faire qc** es fuchst [o wurmt] mich, dass ich
etw tun muss (fam)
marquant, e [maʀkɑ̃, ɑ̃t] adj (important)
fait, événement einschneidend; personnage,
œuvre bemerkenswert; souvenir prägend
marque [maʀk] f **1.** (trace) Spur f; de
coups de fouet Striemen m; (tache) Fleck
m, Mal nt **2.** (repère) Zeichen nt; SPORT
Start m; **prendre ses ~s** (se préparer) seine Startvorbereitungen treffen; coureur: an
den Start gehen; **à vos ~s!** auf die Plätze!
3. (témoignage) ~ **de confiance** Vertrauensbeweis m; ~ **de respect** Ehrenbezeugung f **4.** (signe distinctif) Kennzeichen
nt; (au fer rouge) Brandzeichen nt; **porter
la** ~ **de l'artiste/son génie** die Handschrift des Künstlers tragen/von seinem/
ihrem Genie zeugen **5.** COM Marke f; ~ **déposée** [eingetragenes] Warenzeichen; **produit de** ~ Markenartikel m **6.** (insigne)
Abzeichen nt **7.** (score) [Punkte]stand m;
ouvrir la ~ den ersten Punkt machen; **la** ~
était de 2 à 1 es stand 2:1 **8.** GRAM Merkmal nt ▶**trouver son ~s** sich zurechtfinden; personnage/invité **de** ~ bedeutende Persönlichkeit/bedeutender Gast
marqué, e [maʀke] adj **1.** (net) ausgeprägt; préférence deutlich, ausgesprochen;
traits du visage ausgeprägt, markant; différence, trait deutlich **2.** (traumatisé) vorbelastet

marquer [maʀke] <1> I. *vt* **1.**(*indiquer*) markieren; anzeigen *heure, degré* **2.**(*distinguer par un signe*) kennzeichnen, markieren; ~ **d'un trait/d'une croix** anstreichen/ankreuzen **3.**(*laisser une trace sur*) Spuren hinterlassen auf (+ *dat*); ~ **son époque** *personne, événement:* das Gesicht seiner Zeit prägen **4.**(*souligner*) schlagen *rythme;* unterstreichen *paroles;* feierlich begehen *événement;* **pour ~ cet événement** zur Feier des Tages **5.**(*représenter*) signalisieren *étape, progrès* **6.**(*respecter*) beachten *feu rouge;* ~ **un temps d'arrêt** (*dans un discours*) kurz unterbrechen; (*dans un mouvement*) innehalten **7.**(*inscrire, noter*) notieren; **le prix marqué** der angegebene Preis **8.**SPORT erzielen **II.** *vi* **1.**(*jouer un rôle important*) ~ **dans qc** einen bleibenden Eindruck in etw (*dat*) hinterlassen; **un fait qui marquera dans l'histoire** ein Meilenstein in der Geschichte **2.**(*laisser une trace*) *bouteille:* Flecken machen; *tampon:* stempeln; *crayon:* schreiben

marqueur [maʀkœʀ] *m* **1.**(*crayon*) Textmarker *m* **2.**(*marqueur fluorescent*) Leuchtstift *m*

marquise [maʀkiz] *f* (*auvent*) Markise *f*

marraine [maʀɛn] *f* Patin *f;* **être ~ de qc** die Patenschaft für etw übernehmen

marrant, e [maʀɑ̃, ɑ̃t] *adj fam* (*drôle, amusant*) witzig

marre [maʀ] *adv fam* ▶**en avoir ~ de qn/qc** jdn/etw satt haben

marrer [maʀe] <1> I. *vpr* **se ~** *fam* sich [halb] totlachen **II.** *vi* **faire ~** zum Lachen bringen

marron [maʀɔ̃] I. *m* (*fruit*) Marone *f,* Esskastanie *f;* **~s glacés** kandierte Maronen **II.** *adj inv* [kastanien]braun, rotbraun

mars [maʀs] *m* März *m; v. a.* **août**

Mars [maʀs] *m* MYTH, ASTRON Mars *m*

marseillais, e [maʀsɛjɛ, jɛz] *adj* (*de Marseille*) Marseiller

Marseillaise [maʀsɛjɛz] *f* (*hymne national*) **la ~** die Marseillaise

marsupial [maʀsypjal, jo] <-aux> *m* ZOOL Beuteltier *nt*

marteau [maʀto] <x> I. *m* Hammer *m;* **~ piqueur** Schlagbohrer *m* **II.** *adj fam* plemplem

marteau-pilon [maʀtopilɔ̃] <marteaux-pilons> *m* Maschinenhammer *m*

marteler [maʀtəle] <4> *vt* **1.**(*frapper*) hämmern **2.**(*scander*) skandieren

Martien, ne [maʀsjɛ̃, jɛn] *m, f* Marsbewohner(in) *m(f)*

Martiniquais, e [maʀtinikɛ, ɛz] *m, f* Einwohner(in) *m(f)* von Martinique

Martinique [maʀtinik] *f* **la ~** die Insel Martinique

martin-pêcheur [maʀtɛ̃pɛʃœʀ] <martins-pêcheurs> *m* ORN Eisvogel *m*

martre [maʀtʀ] *f* ZOOL Marder *m*

martyr, e [maʀtiʀ] I. *adj enfant* misshandelt; *mère* geplagt; *pays, peuple* geschunden **II.** *m, f* (*personne sacrifiée*) Märtyrer(in) *m(f)*

martyre [maʀtiʀ] *m* **1.**REL Martyrium *nt* **2.**(*grande douleur*) Qual *f;* **souffrir le ~** Höllenqualen leiden

martyriser [maʀtiʀize] <1> *vt* (*faire souffrir*) quälen, peinigen

mascara [maskaʀa] *m* Wimperntusche *f,* Mascara *f*

mascotte [maskɔt] *f* Maskottchen *nt*

masculin [maskylɛ̃] *m* GRAM Maskulinum *nt*

masculin, e [maskylɛ̃, in] *adj* männlich

masculinité [maskylinite] *f* männliches Geschlecht

maso [mazo] *abr de* **masochiste** I. *adj inv, fam* **être ~** [ein] Maso sein **II.** *mf inv, fam* Maso *m*

masochiste [mazɔʃist] I. *adj* masochistisch; **être ~** masochistisch veranlagt sein **II.** *mf* Masochist(in) *m(f)*

masque [mask] *m* **1.**(*objet*) Maske *f;* ~ **à gaz** Gasmaske; **arracher son ~ à qn** jdn entlarven **2.**(*air, face*) Miene *f*

masqué, e [maske] *adj* **1.**(*recouvert d'un masque*) maskiert; *bal, soirée* Masken- **2.**(*dissimulé*) abgeblendet; *virage, sortie* verdeckt

masquer [maske] <1> I. *vt* **1.**(*dissimuler*) verdecken; MIL tarnen; überdecken *odeur;* abdunkeln *lumière;* verheimlichen *vérité* **2.**(*recouvrir d'un masque*) ein einer Maske bedecken *visage* **II.** *vpr* **1.**(*mettre un masque*) **se ~** sich maskieren; **se ~ le visage** sich (*dat*) eine Maske aufsetzen **2.**(*se dissimuler*) **se ~ derrière/sous qc** sich hinter/unter etw (*dat*) verstecken

massacre [masakʀ] *m* **1.**(*tuerie*) Massaker *nt,* Blutbad *nt* **2.**(*travail mal fait*) Stümperei *f*

massacrer [masakʀe] <1> I. *vt* **1.**(*tuer sauvagement*) niedermetzeln *peuple;* abschlachten *animaux* **2.** *fam* (*démonter, mettre à mal*) ~ **qn** jdn fertigmachen **3.** *fam* (*détériorer*) verhunzen **II.** *vpr* **se faire ~** sich abschlachten lassen

massage [masaʒ] *m* Massage *f*

masse [mas] *f* **1.**(*volume*) Masse *f;* **les ~s d'air froid/chaud** kalte/warme Luftmassen *Pl;* **dans la ~** ART aus einem Stück; **les ~s populaires** die [Volks]masse[n]; **ce genre de films, ça me plaît pas des ~s** *fam* diese Art von Film gefällt mir nicht be-

sonders **2.**ECON ~ **monétaire** Geldvolumen *nt;* ~ **salariale** Lohn- und Gehaltsaufkommen *nt*

masser¹ [mase] <1> **I.** *vt (grouper)* versammeln; zusammenziehen *troupes* **II.** *vpr (se grouper)* **se** ~ sich zusammenscharen

masser² [mase] <1> *vt (faire un massage à)* massieren

masseur, -euse [masœʀ, -øz] *m, f* Masseur(in) *m(f)*

massicot [masiko] *m* Papierschneidemaschine *f*

massif [masif] *m* **1.**BOT Beet *nt* **2.**GEOG Bergmassiv *nt*

massif, -ive [masif, -iv] *adj* **1.**(*lourd*) massig; *bâtiment, meuble* wuchtig; *esprit* schwerfällig; *visage* grob[schlächtig] **2.**(*pur*) massiv **3.**(*important*) massiv; *bombardement* heftig; *manifestation* Massen-; *dose* hoch

massivement [masivmã] *adv* **1.**(*en nombre*) *démissionner, licencier* in großer Zahl; *partir* in Massen, massenweise; **la population a** ~ **répondu oui au référendum** die Bevölkerung hat sich mit großer Mehrheit für das Referendum ausgesprochen **2.**(*à haute dose*) in hoher Dosierung, in hohen Dosen

mass media [masmedja] *mpl* Massenmedien *Pl*

masturbation [mastyʀbasjɔ̃] *f* Onanie *f,* Selbstbefriedigung *f,* Masturbation *f*

masturber [mastyʀbe] <1> **I.** *vt* masturbieren **II.** *vpr* **se** ~ onanieren, masturbieren

mat [mat] **I.** *adj inv* JEUX matt **II.** *m* JEUX Matt *nt*

mât [mɑ] *m* Mast *m*

mat, e [mat] *adj* **1.**(*sans reflet*) matt; **or/ argent** ~ Mattgold *nt/*-silber *nt* **2.***peau, teint* dunkel **3.**(*sourd*) dumpf

matador [matadɔʀ] *m* Matador *m*

match [matʃ] <[e]s> *m* Spiel *nt;* ~ **de boxe** Boxkampf *m;* ~ **nul** Unentschieden *nt*

matelas [matlɑ] *m* **1.**(*pièce de literie*) Matratze *f;* ~ **pneumatique** Luftmatratze; ~ **à ressorts** Federkernmatratze **2.**(*couche épaisse*) ~ **de qc** Polster *nt* aus etw

matelot [matlo] *m* Matrose *m*

matelote [matlɔt] *f* GASTR *Fischragout in Weinsoße*

mater¹ [mate] <1> *vt* **1.**(*faire s'assagir*) zur Vernunft bringen **2.**(*réprimer, vaincre*) bezwingen; in den Griff bekommen *révolte, rébellion*

mater² [mate] <1> *vt fam (regarder)* anglotzen

matérialisation [mateʀjalizasjɔ̃] *f* Realisierung *f*

matérialiser [mateʀjalize] <1> **I.** *vt* **1.**(*concrétiser*) realisieren, verwirklichen; ~ **une idée** eine Idee in die Tat umsetzen **2.**(*signaliser*) kennzeichnen; ~ **sur l'écran** auf dem Bildschirm darstellen **II.** *vpr* **se** ~ Gestalt annehmen

matérialiste [mateʀjalist] **I.** *adj a.* PHILOS materialistisch **II.** *mf a.* PHILOS Materialist(in) *m(f)*

matériau [mateʀjo] <x> *m* **1.**(*matière*) Material *nt;* ~x **de construction** Baustoffe *Pl* **2.** *sans pl fig* Stoff *m,* Material *nt*

matériel [mateʀjɛl] *m* **1.**(*équipement*) Material *nt;* ~ **audiovisuel/scolaire** Video-/Schulmaterial *nt;* ~ **de camping/de pêche/de peinture** Camping-/Angel-/ Malerausrüstung *f* **2.**(*assortiment proposé dans un magasin*) ~ **de bureau/sport** Bürobedarf *m/*Sportartikel *Pl* **3.**INFORM Hardware *f*

matériel, le [mateʀjɛl] *adj* **1.**(*concret*) materiell; *trace, preuve* konkret; **biens ~s** Sachgüter *Pl* **2.** *défaillance* Material-; *dégâts* materiell, Sach-; *problème* technisch **3.**(*qui concerne l'argent*) finanziell; *civilisation* materialistisch **4.**(*immanent*) materiell, dinglich

maternel, le [matɛʀnɛl] *adj* **1.**(*de/pour la mère*) Mutter-; *tendresse, instinct* mütterlich **2.**(*du côté de la mère*) mütterlicherseits; *biens* von mütterlicher Seite **3.**SCOL **école ~le** Kindergarten *m*

maternelle [matɛʀnɛl] *f* Kindergarten *m*

materner [matɛʀne] <1> *vt péj* bemuttern *(fam)*

maternité [matɛʀnite] **I.** *f* **1.**(*bâtiment*) Entbindungsheim *nt* **2.**(*faculté d'engendrer*) Gebärfähigkeit *f* **3.**(*condition de mère*) Mutterschaft *f* **4.**(*tableau*) Mutter-und-Kind-Bild *nt;* (*de la vierge*) Madonnenbild *nt* **II.** *app* Mutterschafts-

mathématicien, ne [matematisjɛ̃, jɛn] *m, f* Mathematiker(in) *m(f)*

mathématique [matematik] **I.** *adj* **1.**(*relatif aux mathématiques*) mathematisch **2.**(*rigoureux*) mathematisch **II.** *fpl* Mathematik *f*

math[s] [mat] *fpl fam abr de* **mathématique** Mathe *f*

matière [matjɛʀ] *f* **1.**(*substance*) Material *nt;* ~ **organique** organischer Stoff; ~ **synthétique/première** Kunst-/Rohstoff *m* **2.**PHILOS, PHYS Materie *f* **3.**(*sujet, thème*) Material *nt,* Stoff *m; d'une discussion* Gegenstand *m; en* ~ **de sport/finances/ d'impôts** in Sachen Sport/Finanzen/Steuern; **en** ~ **de qc** bezüglich einer S. *(gen)* **4.**SCOL Fach *nt* **5.**ART Material *nt*

matin [matɛ̃] **I.** *m* (*début du jour*) Morgen *m;* (*matinée*) Vormittag *m;* **le** ~ morgens, am Morgen; **un** ~ **de juillet** an einem Julimorgen; **du** ~ **au soir** von morgens bis abends; **de bon** ~ frühmorgens; **ce** ~ heute Morgen; **chaque** ~, **tous les** ~**s** jeden Morgen; **au petit** ~ im Morgengrauen; **6/11 heures du** ~ 6 Uhr morgens/11 Uhr vormittags; **l'équipe du** ~ die Tagschicht ▸**un de ces** quatre ~**s** eines Tages; **être du** ~ (*être en forme le matin*) ein Frühaufsteher sein; (*être de l'équipe du matin*) Frühschicht haben **II.** *adv* **mardi** ~ [am] Dienstagmorgen; **tous les lundis** ~[**s**] jeden Montagmorgen; **hier/demain** ~ gestern/morgen früh; ~ **et soir** morgens und abends

matinal, e [matinal, o] <-aux> *adj* **1.** (*du matin*) morgendlich; *rosée, toilette* Morgen- **2.** (*qui se lève tôt*) **être** ~ ein Frühaufsteher sein

mâtiné, e [matine] *adj* **1.** (*métissé*) **un épagneul** ~ **de dogue** eine Mischung aus Spaniel und Dogge **2.** (*mêlé*) gemischt; **un français** ~ **d'italien** eine Mischung aus Französisch und Italienisch

matinée [matine] *f* **1.** (*matin*) Vormittag *m* **2.** MUS Matinee *f;* CINE, THEAT Frühvorstellung *f,* Nachmittagsvorstellung *f;* **en** ~ nachmittags ▸**faire la** grasse ~ ausschlafen

maton, ne [matɔ̃, ɔn] *m, f* arg [Gefängnis]wärter(in) *m(f),* Schließer(in) *m(f)*

matraquage [matrakaʒ] *m* **1.** (*coups de matraque*) **le** ~ **des manifestants par la police** der Schlagstockeinsatz der Polizei gegen die Demonstranten **2.** MEDIA (*intoxication*) Dauerberieselung *f;* (*publicitaire*) aufdringliche Propaganda; ~ **publicitaire** Dauerberieselung durch die Werbung; **résister au** ~ sich nicht beeinflussen lassen

matriarcal, e [matrijarkal, o] <-aux> *adj* matriarchalisch

mature [matyr] *adj* (*psychiquement*) reif; (*sexuellement*) geschlechtsreif

mâture [matyr] *f* NAUT Bemastung *f,* Mastwerk *nt*

maturité [matyrite] *f* **1.** BOT, BIO Reife *f;* ~ **précoce** Frühreife; **venir à** ~ heranreifen **2.** *de l'intelligence* Höhepunkt *m; d'une aptitude, d'un talent* Blüte *f* **3.** CH (*baccalauréat*) Abitur *nt,* Maturität *f* (CH)

maudit, e [modi, it] **I.** *adj* **1.** *antéposé* (*fichu*) verdammt **2.** *postposé poète, écrivain* verfemt; (*funeste*) verflucht; *lieu a.* unheilvoll **II.** *m, f* (*rejeté*) Ausgestoßene(r) *f(m)*

maure [mɔr] *adj* HIST maurisch

Maure, Mauresque [mɔr, mɔrɛsk] *m, f* Maure *m*/Maurin *f*

mauresque [mɔrɛsk] *adj* maurisch

Maurice [mɔris] *app* **l'île** ~ die Insel Mauritius

Mauritanie [mɔritani] *f* **la** ~ Mauretanien *nt*

maussade [mosad] *adj* griesgrämig; *ciel* grau; *humeur* schlecht; *temps, paysage* trist, trostlos

mauvais [movɛ] **I.** *m* **1.** (*ce qui est mauvais*) Schlechte(s) *nt* **2.** (*personne*) **les bons et les** ~ die Guten und die Bösen **II.** *adv* **il fait** ~ es ist schlechtes Wetter; **sentir** ~ (*avoir une odeur désagréable*) nicht gut riechen

mauvais, e [movɛ, ɛz] *adj* **1.** *antéposé* schlecht; **la balle est** ~**e** der Ball ist aus; **être** ~ **en qc** in etw (*dat*) schlecht sein; **faire une** ~**e chute** schwer stürzen; **être** ~ **pour qn/qc** nicht gut für jdn/etw sein; **être** ~ **pour la santé** ungesund sein; **faire un** ~ **rêve** schlecht träumen; ~**e action** böse Tat; **ne pas avoir un** ~ **fond** im Grunde kein schlechter Mensch sein **2.** (*méchant*) böse; *sujet* übel; *sourire* hämisch **3.** (*agité*) **la mer est** ~**e** das Meer ist stürmisch

mauve [mov] **I.** *adj* blasslila **II.** *m* (*couleur*) Blasslila *nt*

max [maks] *m fam abr de* **maximum**

maxi [maksi] *adj inv* maximal

maximal, e [maksimal, o] <-aux> *adj* maximal; *vitesse, peine* Höchst-

maximum [maksimɔm, maksima] <-s *o* maxima> **I.** *adj* maximal **II.** *m* Maximum *nt,* Höchstmaß *nt;* JUR Höchststrafe *f;* ~ **de qc** Maximum an etw (*dat*); **il fait le** ~ er tut sein Möglichstes; **au** [**grand**] ~ allerhöchstens; **s'amuser/s'éclater/travailler un** ~ *fam* sich wahnsinnig amüsieren/unheimlich viel arbeiten

Mayence [majãs] Mainz *nt*

mayonnaise [majɔnɛz] *f* Mayonnaise, Majonäse *f*

mazout [mazut] *m* [Heiz]öl *nt*

me [mə] <*devant voyelle ou h muet* **m'**> *pron pers* **1.** *il* ~ **voit/m'aime** er sieht/liebt mich; *il* ~ **suit** er folgt mir; **il m'explique le chemin** er erklärt mir den Weg **2.** *avec faire, laisser* mich; *il* ~ **laisse/fait conduire** [**la voiture**] er lässt mich [das Auto] fahren **3.** *avec être, devenir, sembler, soutenu cela* ~ **semble bon** das erscheint mir gut; **son amitié m'est chère** seine/ihre Freundschaft ist mir teuer (*geh*); **ça m'est bon de rentrer au pays** es tut [mir] gut heimzukommen; **le café m'est indispensable** ich kann nicht auf Kaffee verzichten **4.** *avec les verbes pronominaux je* ~ **nettoie** ich mache mich sauber; **je** ~

nettoie les ongles ich mache mir die Nägel sauber; **je ~ fais couper les cheveux** ich lasse mir die Haare schneiden **5.** (*avec un sens possessif*) **le cœur ~ battait fort** mein Herz schlug heftig **6.** *avec un présentatif* ich; **~ voici** [*o* **voilà**]! hier bin ich!

mec [mɛk] *m fam* Kerl *m*, Typ *m*

mécanicien, ne [mekanisjɛ̃, jɛn] *m, f* Mechaniker(in) *m(f)*

mécanique [mekanik] **I.** *adj* **1.** (*automatique*) mechanisch; **jouet ~** Spielzeug *nt* zum Aufziehen **2.** *fam* difficulté technisch **II.** *f* Mechanik *f*

mécaniquement [mekanikmɑ̃] *adv* **1.** mechanisch, maschinell **2.** (*machinalement*) mechanisch

mécanisation [mekanizasjɔ̃] *f* Mechanisierung *f*

mécaniser [mekanize] <1> *vpr* **se ~** auf mechanischen Betrieb umstellen

mécanisme [mekanism] *m* Mechanismus *m;* **~ de change** Wechselkursmechanismus

méchamment [meʃamɑ̃] *adv* **1.** (*cruellement*) böse, boshaft **2.** *fam* (*très*) unheimlich; *amoché* böse, übel

méchanceté [meʃɑ̃ste] *f* **1.** *sans pl* (*cruauté*) Boshaftigkeit *f;* **regarder qn avec ~** jdn böse ansehen **2.** (*acte, parole*) Bosheit *f*

méchant, e [meʃɑ̃, ɑ̃t] **I.** *adj* **1.** (*opp: gentil*) böse, boshaft; *enfant* ungezogen, böse; *animal* bösartig; **être ~ avec qn** gemein zu jdm sein; *enfant:* nicht lieb zu jdm sein; **attention, chien ~!** Vorsicht, bissiger Hund! **2.** *antéposé* (*sévère*) böse; *soleil, mer* gefährlich **3.** *antéposé, fam* (*extraordinaire*) wahnsinnig **II.** *m, f* Böse(r) *f(m);* **Aline, tu es une ~e!** Aline, du bist ein böses Mädchen !

mèche [mɛʃ] *f* **1.** *d'une bougie* Docht *m* **2.** (*touffe*) **~ de cheveux** [Haar]strähne *f* ►**vendre** la **~** ein Geheimnis verraten; **être de ~ avec qn** *fam* mit jdm unter einer Decke stecken

méconnaissable [mekɔnɛsabl] *adj* **être** [**devenu**] **~** nicht [mehr] wiederzuerkennen sein; **la maladie l'a rendu ~** die Krankheit hat ihn bis zur Unkenntlichkeit entstellt

méconnaissance [mekɔnɛsɑ̃s] *f littér* Verkennung *f*

méconnaître [mekɔnɛtʀ] <*irr*> *vt littér* **1.** (*mésestimer*) verkennen **2.** (*ignorer*) nicht kennen *faits, vérité;* **ne pas ~ que ce** [ne] **soit vrai** nicht verkennen, dass es wahr ist **3.** (*ne pas tenir compte de*) nicht beachten *loi, principe;* sich hinwegsetzen über (+ *akk*) *usage*

méconnu, e [mekɔny] *adj* verkannt

mécontent, e [mekɔ̃tɑ̃, ɑ̃t] **I.** *adj* **~ de qn/qc** unzufrieden mit jdm/etw; **elle n'est pas ~e de quitter la ville** sie ist nicht gerade unglücklich darüber, die Stadt zu verlassen **II.** *m, f* Nörgler(in) *m(f)*

médaille [medaj] *f* Medaille *f;* (*décoration*) Orden *m;* **~ d'or** Goldmedaille

médaillé, e [medaje] **I.** *adj* ausgezeichnet **II.** *m, f* Träger(in) *m(f)* einer Medaille/eines Ordens; SPORT Medaillengewinner(in) *m(f)*

médecin [medsɛ̃] *m* Arzt/Ärztin *m/f;* **~ de famille** Hausarzt; **~ légiste** Gerichtsmediziner

médecine [medsin] *f* **1.** (*science*) Medizin *f* **2.** (*profession*) Arztberuf *m;* **exercer la ~** als Arzt tätig sein **3.** (*spécialité*) **~ douce** Naturheilkunde *f;* **~ générale** Allgemeinmedizin *f;* **~ du travail** Arbeitsmedizin

média [medja] *m* Medium *nt;* **les ~s** die [Massen]medien

médiateur, -trice [medjatœʀ, -tʀis] **I.** *adj* **1.** (*de conciliation*) vermittelnd *m* **2.** GEOM Median- **II.** *m, f* **1.** (*négociateur*) Vermittler(in) *m(f);* **le ~ d'un conflit** der Schlichter in einem Konflikt; **~ européen** Europäischer Bürgerbeauftragter **2.** (*intercesseur*) Mittelsmann *m*

médiathèque [medjatɛk] *f* Mediothek *f*

médiation [medjasjɔ̃] *f* **~ d'un conflit** Schlichtung *f;* **~ des négociations** Vermittlung *f* bei den Verhandlungen

médiatique [medjatik] *adj* image durch die Medien bestimmt; *sport, événement* medienwirksam; *personne* telegen; **campagne ~** Medienkampagne *f*

médiatisation [medjatizasjɔ̃] *f* Vermarktung *f* durch die Medien

médiatiser [medjatize] <1> *vt* in den Medien vermarkten; (*excessivement*) in den Medien aufbauschen

médiatrice [medjatʀis] *f* GEOM Mittelsenkrechte *f*

médical, e [medikal, o] <-aux> *adj* ärztlich

médicalisation [medikalizasjɔ̃] *f* **1.** (*action*) medizinische Ausstattung **2.** (*fait d'être médicalisé*) medizinische Betreuung; **~ de la mort/de la maternité** medizinische Betreuung der Sterbenden/der werdenden Mütter

médicament [medikamɑ̃] *m* Medikament *nt*

médiocre [medjɔkʀ] **I.** *adj* **1.** (*petit*) dürftig, mager **2.** (*minable*) mittelmäßig; *vers, film* zweitklassig; *sol* karg; *vie* bedeutungslos **3.** *élève* schwach **4.** *péj* (*peu intelligent*) mittelmäßig; (*mesquin*) kleinlich;

d'un intérêt ~ von geringem Interesse;
des esprits ~s Kleingeister *Pl* **II.** *mf*
Durchschnittsmensch *m*

médiocrité [medjɔkʀite] *f* **1.** (*insuffisance en quantité*) Dürftigkeit *f* **2.** (*insuffisance en qualité*) Mittelmäßigkeit *f; d'une vie* Bedeutungslosigkeit *f*

méditation [meditasjɔ̃] *f* **1.** (*réflexion*) Nachsinnen *nt,* Nachdenken *nt* **2.** REL Meditation *f*

méditer [medite] <1> **I.** *vi* **1.** (*réfléchir*) ~ sur qc über etw (*akk*) nachsinnen **2.** REL meditieren **II.** *vt* **1.** (*réfléchir sur*) ~ qc über etw (*akk*) nachsinnen **2.** (*projeter*) ersinnen

Méditerranée [mediteʀane] *f* **la** [mer] ~ das Mittelmeer

méditerranéen, ne [mediteʀaneɛ̃, ɛn] **I.** *adj climat* mediterran; *caractère* südländisch; **région/côte** ~**ne** Mittelmeerregion *f*/-küste *f* **II.** *m, f* Südländer(in) *m(f)*

médium [medjɔm] *m* Medium *nt*

méduse [medyz] *f* Qualle *f*

meeting [mitiŋ] *m* **1.** POL Versammlung *f*; (*en plein air*) Kundgebung *f* **2.** SPORT Veranstaltung *f*

méfait [mefɛ] *m* **1.** (*faute*) Missetat *f* **2.** *gén pl de l'alcool* verheerende Folgen *Pl*; *du journalisme* schädlicher Einfluss

méfiance [mefjɑ̃s] *f* Misstrauen *nt*

méfiant, e [mefjɑ̃, jɑ̃t] *adj* être ~ à l'égard de qn jdm gegenüber misstrauisch sein

méfier [mefje] <1> *vpr* **1.** (*être soupçonneux*) se ~ de qn/qc jdm/einer S. misstrauen **2.** (*faire attention*) se ~ sich in Acht nehmen; **méfiez-vous!** Vorsicht!

méga [mega] *m fam abr de* **méga-octet** INFORM Megabyte *nt*

mégalopole [megalɔpɔl] *f* Riesenstadt *f*

méga-octet [megaɔktɛ] <méga-octets> *m* INFORM Megabyte *nt*

mégaphone [megafɔn] *m* Megaphon *nt*

mégapole [megapɔl] *f* Riesenstadt *f*

mégawatt [megawat] *m* Megawatt *nt*

mégoter [megɔte] <1> *vi fam* knausern sein; ~ sur qc mit etw knauserig sein

meilleur [mɛjœʀ] **I.** *m* le ~ das Beste; **garder le** ~ **pour la fin** sich (*dat*) das Beste für den Schluss aufheben ▶**pour le** ~ **et pour le pire** auf Gedeih und Verderb; **donner le** ~ **de soi-même** sein Bestes geben **II.** *adv* sentir ~ besser riechen; **il fait** ~ es ist wärmer

meilleur, e [mɛjœʀ] **I.** *adj* **1.** *comp de* **bon** besser; **j'ai une** ~**e idée** ich habe eine bessere Idee; **être de** ~**e humeur** besser gelaunt sein; **il est en** ~**e santé** ihm geht es besser; **acheter qc** ~ **marché** etw billiger

kaufen; **il n'y a rien de** ~ es gibt nichts Besseres **2.** *superl* **le** ~/**la** ~**e élève** der beste Schüler/die beste Schülerin; **je vous adresse mes** ~**s vœux** ich wünsche Ihnen alles Gute **II.** *m, f* **le** ~ **de la classe** der Beste in der Klasse ▶**j'en passe et des** ~**es** und so weiter und so fort

méjuger [meʒyʒe] <2a> **I.** *vi littér* ~ **de** qn/qc jdn/etw unterschätzen [*o* verkennen] **II.** *vt littér* verkennen **III.** *vpr* se ~ (*se sous-estimer*) sich unterschätzen; (*à dessein*) sich herabsetzen

mélaminé, e [melamine] *adj* kunststoffbeschichtet

mélancolie [melɑ̃kɔli] *f* Melancholie *f*

mélancolique [melɑ̃kɔlik] *adj* melancholisch

mélange [melɑ̃ʒ] *m* **1.** (*action*) Mischen *nt,* Mischung *f* **2.** (*résultat*) Gemisch *nt,* Mischung *f* ▶**faire des** ~**s** [zu viel] durcheinander trinken

mélangé, e [melɑ̃ʒe] *adj* gemischt; **couleur** ~**e** Mischfarbe *f*

mélanger [melɑ̃ʒe] <2a> **I.** *vt* **1.** (*mêler*) ~ **du café et** [*o* **avec**] **du lait** Kaffee und Milch [ver]mischen **2.** (*mettre en désordre*) durcheinander bringen **3.** (*confondre*) verwechseln, durcheinander bringen **II.** *vpr* se ~ sich [ver]mischen

mêlé, e [mele] *adj* **1.** (*mélangé*) [miteinander] vermischt; **couleurs/races** ~**es** Mischfarben *Pl*/-rassen *Pl*; **voix** ~**es** Stimmengewirr *nt*; **une langue** ~**e de français et d'espagnol** eine Mischsprache aus Französisch und Spanisch **2.** (*composite*) gemischt; *style* uneinheitlich **3.** (*impliqué*) **être** ~ **à une affaire** in einen Skandal verwickelt sein

mêlée [mele] *f* **1.** (*corps à corps*) Handgemenge *nt;* (*dans un débat d'idées*) Gefecht *nt* **2.** (*conflit*) **entrer/se jeter dans la** ~ sich in den Kampf stürzen **3.** (*personnes mêlées*) Gewühl *nt;* (*choses mêlées*) Wirrwarr *m* **4.** SPORT Gedränge *nt*

mêler [mele] <1> **I.** *vt* **1.** (*mélanger*) [ver]mischen; vereinigen *voix;* verrühren *ingrédients;* ~ **la réalité et la fiction** *récit:* eine Mischung aus Dichtung und Wahrheit sein **2.** (*ajouter*) ~ **des détails pittoresques à un récit** in einen Bericht malerische Einzelheiten einflechten **3.** (*allier*) ~ **l'utile à l'agréable** das Nützliche mit dem Angenehmen verbinden **4.** (*mettre en désordre*) durcheinander bringen; verwirren *fils;* mischen *cartes* **5.** (*impliquer*) ~ **qn à qc** jdn in etw (*akk*) verwickeln **II.** *vpr* **1.** (*se mélanger*) se ~ **à qc** sich mit etw mischen **2.** (*joindre*) se ~ **à un groupe** sich zu einer Gruppe gesellen; **se** ~ **à la**

foule sich unter die Menge mischen
3. (*participer*) **se ~ à la conversation/au
jeu** am Gespräch teilnehmen/beim Spiel
mitmachen **4.** *péj* (*s'occuper*) **se ~ de qc**
sich in etw (*akk*) einmischen

mélisse [melis] *f* Melisse *f;* **eau de ~** Me-
lissengeist *m*

mélodie [melɔdi] *f* Melodie *f*

mélodieux, -euse [melɔdjø, -jøz] *adj* melodisch

melon [m(ə)lɔ̃] *m* Melone *f*

melting-pot [mɛltiŋpɔt] <melting-
pots> *m* Schmelztiegel *m*

membre [mɑ̃bʀ] I. *m* **1.** ANAT [Körper]glied
nt; **les ~s** die Gliedmaßen **2.** ZOOL ~ **anté-
rieur/postérieur** Vorderbein *nt/*Hinter-
bein *nt* **3.** *d'une association* Mitglied *nt;* ~ **à
part entière** Vollmitglied **4.** MATH *d'une
équation* Seite *f* ▸**trembler de tous ses
~s** am ganzen Körper zittern **II.** *app* État
~/*pays* ~ Mitgliedsstaat *m/*Mitgliedsland
nt

même [mɛm] I. *adj* **1.** (*identique*) **habiter
le ~ quartier** in demselben Viertel woh-
nen; **il porte la ~ cravate qu'hier** er trägt
dieselbe Krawatte wie gestern; **cette ~ année** im selben Jahr; **deux enfants de [la]
~ taille** zwei gleich große Kinder **2.** (*simultané*) **en ~ temps** zur gleichen Zeit; **du ~
coup** mit einem Schlag **3.** (*semblable*)
gleich; **c'est la ~ chose** das ist das Gleiche
4. (*en personne*) **être la gaieté/la bonne
humeur ~** die Fröhlichkeit/gute Laune in
Person sein **5.** (*pour renforcer*) **c'est cela
~** genau so ist es **6.** *avec un pronom personnel* **moi-~/toi-~** ich/du selbst;
nous-~s/eux-~s/elles-~s wir/sie selbst;
commencez vous-~s! fangt ihr doch an!
II. *pron indéf* **le/la ~** (*une chose identique*) der-/die-/dasselbe; (*une chose semblable*) der/die/das Gleiche; **les ~s** (*des
choses identiques/semblables*) diesel-
ben/die Gleichen **III.** *adv* **1.** (*de plus, jusqu'à*) [ja] sogar; **il lui dit des injures et ~
la menaça** er beschimpfte und bedrohte
sie sogar; ~ **pas** nicht einmal; ~ **si** selbst
wenn **2.** (*précisément*) **ici** ~ genau an dieser Stelle; **et, par là ~, il s'accuse** und genau dadurch klagt er sich an; **je le ferai
aujourd'hui** ~ ich werde das heute noch
tun **3.** *fam* (*en plus*) ~ **que c'est vrai** und
es stimmt sogar; **il a pris ma voiture,** ~
qu'il a eu un accident er hat meinen Wagen genommen und auch noch einen Unfall gebaut ▸**être à ~ de faire qc** imstande
sein, etw zu tun; **à ~ le sol** direkt auf der
Erde; **vous de ~!** *soutenu* [danke,] ebenso!; [il en est] **de ~ pour qn/qc** [dies gilt]
auch für jdn/etw; **de ~ que son frère**

[eben]so wie sein Bruder; **tout de ~** dennoch, trotzdem

mémé [meme] *f fam* Oma *f;* **faire ~** *personne:* omahaft aussehen; *robe:* alt machen

mémère [memɛʀ] *f fam* **1.** *enfantin*
(*grand-mère*) Oma *f* **2.** *péj* (*femme d'un
certain âge*) [alte] Oma; **faire ~** *personne:*
omahaft aussehen; *robe:* alt machen

mémoire¹ [memwaʀ] *f* **1.** (*faculté de se
souvenir*) Gedächtnis *nt,* Erinnerungsver-
mögen *nt;* **ne plus avoir de ~** vergesslich
werden; **avoir la ~ des chiffres/dates**
ein gutes Zahlengedächtnis/Gedächtnis
für Daten haben; **si j'ai bonne ~** wenn
mich mein Gedächtnis nicht täuscht; **perdre la ~** (*en raison de l'âge*) vergesslich
werden; (*en raison d'un accident*) das Gedächtnis verlieren; **se remettre qc en ~**
sich (*dat*) etw ins Gedächtnis zurückrufen
2. (*souvenir*) ~ **de qn/qc** Erinnerung *f* an
jdn/etw; **pour ~** informationshalber; **faire
qc à la ~ de qn** etw zum Andenken an jdn
tun **3.** INFORM Speicher *m;* ~ **interne** interner Speicher; ~ **vive** Arbeitsspeicher, RAM
m; **mettre qc en ~** etw [ab]speichern

mémoire² [memwaʀ] *m* **1.** *pl* (*journal*)
Memoiren *Pl* **2.** (*dissertation*) [wissen-
schaftliche] Arbeit **3.** (*exposé*) Bericht *m*

mémorable [memɔʀabl] *adj* (*qui fait
date*) denkwürdig; (*inoubliable*) unvergesslich

mémoriser [memɔʀize] <1> *vt* **1.** (*apprendre*) auswendig lernen, sich (*dat*) einprägen **2.** INFORM [ab]speichern

menaçant, e [mənasɑ̃, ɑ̃t] *adj* **1.** (*dangereux*) drohend; *décision* bedrohlich; **geste
~** Drohgebärde *f* **2.** *ciel, nuage* bedrohlich;
des nuages ~s Gewitterwolken *Pl*

menace [mənas] *f* **1.** (*parole, geste*) Drohung *f;* **des ~s de mort** Morddrohungen
Pl; **sous la ~ de qn/qc** unter jds Zwang
(*dat*)/unter dem Zwang einer S. (*gen*)
2. (*danger*) Bedrohung *f*

menacé, e [mənase] *adj* bedroht, gefährdet

menacer [mənase] <2> I. *vt* **1.** (*faire peur
avec*) ~ **qn d'une arme/du poing** jdm
mit einer Waffe/der Faust drohen **2.** (*faire
des menaces de*) ~ **qn de mort/de faire
qc** jdm mit dem Tod drohen/jdm andro-
hen, etw zu tun; **il est menacé de prison**
ihm droht Gefängnis **3.** (*constituer une
menace pour*) bedrohen; *gefährden santé*
II. *vi orage, famine:* drohen; **la pluie menace de tomber** der Regen kann jeden
Moment losbrechen

ménage [menaʒ] *m* **1.** (*entretien de la
maison*) Haushalt *m;* **faire le ~ de qc**
(*nettoyer*) etw sauber machen; *fam* (*réor-*

ganiser) Ordnung schaffen in etw *(akk)*; **faire des ~s** putzen gehen **2.** *(vie commune)* **être/se mettre en ~ avec qn** mit jdm zusammenleben/-ziehen **3.** *(couple)* Ehepaar *nt* **4.** *(famille)* Haushalt *m* ▶**faire bon/mauvais ~ avec qn/qc** sich gut/nicht gut mit jdm/etw vertragen

ménager [menaʒe] <2a> **I.** *vt* **1.** *(employer avec mesure)* sparsam umgehen mit *revenus;* schonen *forces;* mäßigen *paroles* **2.** *(traiter avec égards: pour raisons de santé)* schonen; *(par respect ou intérêt)* rücksichtsvoll behandeln **II.** *vpr* **1.** *(prendre soin de soi)* **se ~** sich schonen **2.** *(se réserver)* **se ~ du temps** sich *(dat)* Zeit freihalten

ménager, -ère [menaʒe, -ɛʀ] *adj* **appareils ~s** Haushaltsgeräte *Pl;* **ordures ménagères** Hausmüll *m*

ménagère [menaʒɛʀ] *f* **1.** *(femme)* Hausfrau *f* **2.** *(service de couverts)* Besteckgarnitur *f*

mendiant, e [mãdjã, jãt] *m, f* Bettler(in) *m(f)*

mendier [mãdje] <1> **I.** *vi* betteln **II.** *vt* betteln um *argent, pain*

mener [məne] <4> **I.** *vt* **1.** *(amener)* bringen; **~ un enfant à l'école/chez le médecin** ein Kind zur Schule/zum Arzt bringen; **~ ses troupes au combat** die Truppen in den Kampf führen **2.** *(conduire)* führen; **~ une entreprise à la ruine/faillite** ein Unternehmen in den Ruin/Bankrott führen **3.** *(être en tête de)* anführen **4.** *(diriger)* leiten; führen *négociations* **5.** *(administrer)* führen **6.** *(faire agir)* leiten; **seul l'intérêt le mène** er handelt nur aus Eigeninteresse **II.** *vi* **1.** *(conduire)* **~ à qn/qc** zu jdm/etw führen **2.** SPORT führen; **~ [par] deux à zéro** [mit] zwei zu null führen

méninge [menɛ̃ʒ] *f* ANAT Hirnhaut *f* ▶**se creuser** les **~s** *fam* sich *(dat)* das Hirn zermartern

menottes [mənɔt] *fpl* *(entraves)* Handschellen *Pl;* **passer les ~ à qn** jdm Handschellen anlegen

mensonge [mãsɔ̃ʒ] *m* **1.** *(opp: vérité)* Lüge *f;* **raconter un ~ à qn** jdn belügen **2.** *sans pl (action, habitude)* Lügen *nt;* **il vit dans le ~** sein Leben besteht nur aus Lügen

mensonger, -ère [mãsɔ̃ʒe, -ɛʀ] *adj propos* erlogen; *promesse* falsch

menstruel, le [mãstʀyɛl] *adj* menstrual *(Fachspr.)*; **cycle ~** Menstruationszyklus *m;* **flux ~** Monatsblutung *f*

mensuel [mãsyɛl] *m* Monats[zeit]schrift *f*

mensuel, le [mãsyɛl] *adj* monatlich

mensuellement [mãsyɛlmã] *adv* monatlich

mensuration [mãsyʀasjɔ̃] *f* **1.** *(action de mesurer)* Maßnehmen *nt* **2.** *pl (dimensions du corps)* Maße *Pl*

mental [mãtal] *m sans pl* geistige Verfassung; **avoir un bon ~** in guter psychischer Verfassung sein

mental, e [mãtal, o] <-aux> *adj* **1.** *(psychique)* geistig **2.** *prière* still; **calcul ~** Kopfrechnen *nt*

mentalement [mãtalmã] *adv* im Kopf

mentalité [mãtalite] *f* Mentalität *f*

menteur, -euse [mãtœʀ, -øz] **I.** *adj personne* verlogen **II.** *m, f* Lügner(in) *m(f)*

menthe [mãt] *f* Minze *f;* **~ poivrée** Pfefferminze *f*

mention [mãsjɔ̃] *f* **1.** *(fait de signaler)* Erwähnung *f;* **faire ~ de qn/qc** jdn/etw erwähnen **2.** *(indication)* Vermerk *m;* **rayer les ~s inutiles** Unzutreffendes bitte streichen **3.** SCOL, UNIV Auszeichnung *f;* **avec [la] ~ bien** mit „gut"

mentionner [mãsjɔne] <1> *vt* erwähnen

mentir [mãtiʀ] <10> *vi* lügen, schwindeln; **~ à qn** jdn belügen ▶**il ment comme il respire** er lügt wie gedruckt

menton [mãtɔ̃] *m* Kinn *nt;* **double ~** Doppelkinn, Goder *m* (A)

menu [məny] *m* **1.** *(repas)* Menü *nt;* **~ enfant** ≈ Kinderteller *m* **2.** *(carte: au restaurant)* Speisekarte *f;* *(à la cantine)* Speiseplan *m* **3.** INFORM Menü *nt;* **~ déroulant** Pulldown-Menü **4.** *fam d'une réunion* Programm *nt*

menu, e [məny] **I.** *adj postposé* **1.** *personne* zierlich; *jambes, bras* dünn; *taille* schmal **2.** *antéposé détails, occupations* nebensächlich; *soucis, dépenses* gering **3.** *souvent antéposé (qui a peu de volume)* klein; *souliers* zierlich; *bruits* schwach **II.** *adv* **haché/coupé ~** fein gehackt/klein geschnitten

menuiserie [mənɥizʀi] *f* **1.** *sans pl (métier)* Tischlern *nt,* Schreinern *nt* (SDEUTSCH) **2.** *(atelier)* Tischlerei *f,* Schreinerei *f* (SDEUTSCH)

menuisier [mənɥizje] *m* Tischler(in) *m(f),* Schreiner(in) *m(f)* (SDEUTSCH)

méprendre [mepʀãdʀ] <13> *vpr littér* sich täuschen; **se ~ sur qn/qc** sich in jdm/etw täuschen; **elle s'est méprise sur le sens de mes paroles** sie hat mich missverstanden ▶**à s'y ~** zum Verwechseln

mépris [mepʀi] *m* **1.** *(opp: estime)* Verachtung *f;* **avec ~** verächtlich **2.** *(opp: prise en compte)* Missachtung *f*

méprise [mepʀiz] *f* Irrtum *m,* Versehen *nt;* **par ~** irrtümlicherweise

mépriser [meprize] <1> vt **1.**(*opp: estimer*) verachten, gering schätzen **2.**(*opp: prendre en compte*) missachten *conventions, loi*; nicht beachten *insultes*

mer [mɛʀ] f **1.**(*étendue d'eau*) Meer nt, See f; ~ **d'huile** spiegelglatte See; **en haute** [o **pleine**] ~ auf hoher See; ~ **Égée** Ägäis f; ~ **du Nord** Nordsee; ~ **Noire/Rouge** Schwarzes/Rotes Meer; **prendre la** ~ **in** See stechen; **expédier par** ~ auf dem Seeweg verschicken **2.**(*littoral*) **passer ses vacances à la** ~ seine Ferien am Meer verbringen **3.**(*eau de* ~) Meer[wasser nt] nt **4.**(*marée*) **quand la** ~ **est basse/haute** bei Ebbe f/Flut f **5.**(*grande quantité*) ~ **de documents** Unmenge f Unterlagen ▶**ce n'est pas la** ~ **à** boire! das ist doch nicht die Welt!

mercenaire [mɛʀsənɛʀ] m, f Söldner(in) m(f)

mercerie [mɛʀsəʀi] f **1.**(*magasin*) Kurzwarenhandlung f **2.**(*commerce*) Kurzwarenhandel m **3.**(*ensemble des marchandises*) Kurzwaren Pl

merci [mɛʀsi] **I.** *interj* **1.**(*pour remercier*) danke; ~ **bien** danke schön; (*négatif*) [nein,] vielen Dank; ~ **à vous pour tout** ich danke Ihnen/euch für alles **2.**(*pour exprimer l'indignation, la déception*) na danke **II.** m Dank m; **un grand** ~ **à vous de nous avoir aidés** herzlichen Dank dafür, dass ihr uns geholfen habt; **il ne m'a jamais dit un** ~ er hat mir nie ein Wort des Dankes gesagt **III.** f **être à la** ~ **de qn/qc** jdm/einer S. ausgeliefert sein; **sans** ~ erbarmungslos

mercredi [mɛʀkʀədi] m Mittwoch m; ~ **des Cendres** Aschermittwoch; *v. a.* **dimanche**

mercure [mɛʀkyʀ] m Quecksilber nt

Mercure [mɛʀkyʀ] f ASTRON, HIST Merkur m

merde [mɛʀd] **I.** f fam **1.** *vulg* Scheiße f; **en ce moment, je n'ai que des** ~**s** bei mir geht zur Zeit alles in die Hose **2.** *fam* (*saleté, personne, chose sans valeur*) Dreck m; **ne pas se prendre pour une** ~ sich für Wunder was halten; **c'est de la** ~, **ce stylo** dieser Stift ist doch Scheiße (*vulg*) ▶**être dans la** ~ **jusqu'au cou** *fam* bis zum Hals in der Scheiße stecken (*vulg*); **foutre la** ~ *fam* ein Chaos veranstalten; **temps/boulot de** ~ *fam* Scheißwetter nt/Scheißarbeit f (*vulg*) **II.** *interj fam* **1.**(*pour exprimer la colère*) ~ **alors!** [verdammte] Scheiße! (*vulg*) **2.**(*pour exprimer la surprise*) verdammt (*vulg*)

merder [mɛʀde] <1> vi fam personne: Mist machen; *chose*: schief laufen

merdique [mɛʀdik] adj fam beschissen

(*sl*), mies (*fam*)

mère [mɛʀ] **I.** f **1.**(*femme*) Mutter f; ~ **poule** Glucke f; ~ **adoptive** Adoptivmutter; ~ **au foyer** Hausfrau f und Mutter; ~ **célibataire**, ~ **isolée** allein erziehende Mutter; ~ **porteuse** Leihmutter; **ne pas pouvoir être** ~ keine Kinder bekommen können **2.**(*animal*) Muttertier nt **3.** REL ~ **supérieure** Mutter Oberin; **ma** ~ ehrwürdige Mutter **4.** *fig* ~ **patrie** Vaterland nt **II.** *app* fille ~ ledige Mutter

merguez [mɛʀgɛz] f: *kleine, scharf gewürzte Bratwurst aus Lammfleisch*

méridien [meʀidjɛ̃] m Meridian m, Längenkreis m

meringue [məʀɛ̃g] f Baiser nt

mérinos [meʀinos] m **1.**(*mouton*) Merino m, Merinoschaf nt **2.**(*laine*) Merino[wolle f] m

méritant, e [meʀitɑ̃, ɑ̃t] adj verdienstvoll

mérite [meʀit] m **1.**(*qualité, vertu de qn*) Verdienst nt; **avoir bien du** ~ Verdienste haben; **il a le** ~ **de la sincérité/d'être sincère** seine Aufrichtigkeit ist anerkennenswert/es ist anerkennenswert, dass er aufrichtig ist **2.** *sans pl* (*valeur*) Wert; **de** ~ verdient **3.** *d'un appareil, d'une organisation* Vorzug m **4.**(*distinction*) **le Mérite** ≈ der Verdienstorden

mériter [meʀite] <1> vt **1.**(*avoir droit à qc*) verdienen; ~ **mieux** Besseres verdienen; ~ **de réussir/d'être récompensé** den Erfolg/eine Belohnung verdienen **2.**(*valoir*) wert sein; ~ **d'être vu** sehenswert sein; **cela mérite réflexion** darüber sollte man nachdenken

merlu [mɛʀly] m Seehecht m

merveille [mɛʀvɛj] f **1.**(*qn, qc*) Wunder nt; *d'une création* Meisterwerk nt; **à** ~ ausgezeichnet; **être une** ~ **de précision** ein Wunder an Präzision (*dat*) sein; **faire** ~ Wunder wirken; **faire des** ~**s** Wunder vollbringen ▶**[être] la huitième** ~ **du** monde das achte Weltwunder [sein]

merveilleusement [mɛʀvɛjøzmɑ̃] adv wunderbar, wundervoll

merveilleux [mɛʀvɛjø] m **le** ~ das Wunderbare; **le** ~ **de qc** das Besondere an etw (*dat*)

merveilleux, -euse [mɛʀvɛjø, -jøz] adj **1.**(*exceptionnel*) wunderbar; (*très beau*) wunderschön **2.** *postposé* (*surnaturel, magique*) monde ~ Wunderwelt f; **lampe merveilleuse** Wunderlampe f

mes [me] dét poss v. **ma, mon**

mésaventure [mezavɑ̃tyʀ] f Missgeschick nt

mesdames [medam] fpl v. **madame**

mesdemoiselles [medmwazɛl] fpl v

mademoiselle

mésestimer [mezɛstime] <1> *vt littér* unterschätzen

message [mesaʒ] *m* **1.** (*nouvelle*) Nachricht *f;* ~ **publicitaire** Werbespot *m* **2.** (*note écrite*) Zettel *m* **3.** (*communication solennelle*) kurze Ansprache **4.** INFORM, TELEC Meldung *f;* ~ **électronique** E-Mail *f;* ~ **d'erreur** Fehlermeldung

messager, -ère [mesaʒe, -ɛʀ] *m, f* Bote/Botin *m/f*

messagerie [mesaʒʀi] *f* Mailsystem *nt;* ~ **électronique** elektronische Post, elektronischer Briefkasten

messe [mɛs] *f* Messe *f;* ~ **de mariage** kirchliche Trauung; ~ **de minuit** Christmette *f* ▶ **dire des** ~**s basses** tuscheln (*fam*)

messie [mesi] *m* Messias *m*

messieurs [mesjø] *mpl v.* **monsieur**

mesure [m(ə)zyʀ] *f* **1.** *d'une surface* Messen *nt,* Messung *f* **2.** (*dimension*) Maß *nt; de la température* Messwert *m;* ~**s de qn** (*mensurations*) jds Maße *Pl;* **prendre les** ~**s d'une pièce** einen Raum ausmessen; **prendre les** ~**s de qn** bei jdm Maß nehmen **3.** (*unité*) Maß *nt,* Maßeinheit *f* **4.** (*récipient, contenu*) Maß *nt* **5.** (*élément de comparaison*) Maß *nt;* ~ **de qc** Bezugspunkt *m* für etw; **l'homme est la** ~ **de toutes choses** der Mensch ist das Maß aller Dinge **6.** (*modération*) **avec** ~ maßvoll; **manquer de** ~ **dans ses paroles** zu weit gehen **7.** (*limite*) Maß *nt;* **outre** ~ übermäßig; **sans** ~ über alle Maßen; *ambition, orgueil* maßlos (*pej*); *volonté, courage* äußerste(r, s) **8.** (*disposition*) Maßnahme *f;* ~ **disciplinaire** Disziplinarstrafe *f;* **par** ~ **de sécurité/d'économie** aus Sicherheits-/Sparsamkeitsgründen; **prendre des** ~**s** Vorkehrungen treffen **9.** MUS Takt *m;* **battre la** ~ den Takt angeben ▶ **à** ~ **nach und nach; à** ~ **que nous avancions, la forêt devenait plus épaisse** je weiter wir vordrangen, desto dichter wurde der Wald; **dans la** ~ **du possible** im Rahmen des Möglichen; **dans une certaine** ~ in gewissem Maße; **qn est en** ~ **de faire qc** jd ist imstande, etw zu tun; **sur** ~**[s]** *costume* maßgeschneidert; *emploi du temps* genau abgestimmt

mesuré, e [məzyʀe] *adj ton* gemäßigt; *pas* gemessen; *personne* besonnen, bedächtig

mesurer [məzyʀe] <1> **I.** *vi* (*avoir pour mesure*) messen; ~ **1 m 70 de haut/de large/de long** 1,70 m hoch/breit/lang sein; **combien mesures-tu?** wie groß bist du? **II.** *vt* **1.** (*déterminer les dimensions*) messen; vermessen *terrain;* ausmessen *piè-*

ce; abmessen *tissu* **2.** (*évaluer*) ermessen; abschätzen *conséquences, risque;* ~ **qn des yeux** jdn von oben bis unten mustern **3.** (*modérer*) mäßigen *paroles, propos* **III.** *vpr* **1.** (*se comparer à*) **se** ~ **à qn** sich mit jdm messen **2.** (*être mesurable*) **se** ~ **en mètres/litres** in Metern/nach Litern gemessen werden

métal [metal, o] <-aux> *m* **1.** MIN, CHIM Metall *nt;* ~ **précieux** Edelmetall **2.** *sans pl* FIN Hartgeld *nt*

métallique [metalik] *adj* **1.** (*en métal*) Metall-; **fil** ~ Draht *m* **2.** (*qui rappelle le métal*) metallisch

métallisé, e [metalize] *adj* metallisch; **peinture** ~**e** Metalliclackierung *f*

métallo [metalo] *m fam abr de* **métallurgiste** Metaller *m* (*fam*)

métallurgie [metalyʀʒi] *f sans pl* **1.** (*industrie*) Metallindustrie *f;* ~ **lourde/de transformation** Schwerindustrie/Metall verarbeitende Industrie **2.** (*technique*) Hüttenkunde *f,* Metallurgie *f*

métamorphose [metamɔʀfoz] *f* Verwandlung *f,* Metamorphose *f*

métastase [metastaz] *f* Metastase *f*

métatarse [metataʀs] *m* Mittelfuß *m*

météo [meteo] *inv abr de* **météorologique, météorologie**

météorite [meteɔʀit] *m o f* Meteorit *m*

météorologie [meteɔʀɔlɔʒi] *f* **1.** SCI Meteorologie *f* **2.** (*organisme*) meteorologisches Institut

méthadone [metadɔn] *f* Methadon *nt*

méthode [metɔd] *f* **1.** (*technique*) Methode *f,* Verfahren *nt* **2.** (*manuel*) ~ **de piano/guitare** Klavier-/Gitarrenschule *f;* ~ **de comptabilité** Einführung *f* in die Buchführung; ~ **de langue** Sprachlehrbuch *nt* **3.** *sans pl, fam* (*manière de faire, logique*) Methode *f;* **chacun sa** ~! jeder auf seine Art!

méticuleusement [metikyløzmɑ̃] *adv* sorgfältig; *travailler, nettoyer* sorgfältig, gründlich

méticuleux, -euse [metikylø, -øz] *adj* sorgfältig

métier [metje] *m* **1.** (*profession*) Beruf *m;* **être architecte de son** ~ von Beruf Architekt sein; **apprendre/exercer un** ~ einen Beruf erlernen/ausüben; **être du** ~ vom Fach sein; **qu'est-ce que vous faites comme** ~?, **quel** ~ **faites-vous?** was machen Sie beruflich?, was sind Sie von Beruf? **2.** *pl* (*ensemble de métiers*) **les** ~**s du bois/de la restauration** die Holz verarbeitenden Berufe *Pl*/Gastronomieberufe *Pl* **3.** *sans pl d'une entreprise* Tätigkeitsbereich *m* **4.** *sans pl* (*rôle*) **faire son** ~ seine

Pflicht tun **5.** *sans pl* (*technique*) handwerkliches Können; (*habileté*) Geschick *nt;* **avoir du ~** Berufserfahrung haben; **connaître son ~** sein Handwerk verstehen **6.** TECH, TEXTIL **~** [à **tisser**] Webstuhl *m* ▶[**exercer**] **le plus vieux ~ du** monde das älteste Gewerbe der Welt [ausüben]

métis [metis] *m* (*personne*) Mischling *m*

métis, se [metis] *adj personne* Mischlings-; *population* Misch-

métisse [metis] *f* Mischling *m*

métrage [metraʒ] *m* CINE **court ~** Kurzfilm *m;* **long ~** Spielfilm *m*

mètre [mɛtr] *m* **1.** (*unité de mesure*) Meter *m* o *nt;* **~ cube/carré** Kubik-/Quadratmeter; **par 500 ~s de fond** in 500 Metern Tiefe; **à cinquante ~s d'ici** in fünfzig Metern Entfernung **2.** (*instrument*) [Zenti]metermaß *nt* **3.** SPORT **le 110 ~s haies** die 110-Meter Hürden; **piquer un cent ~s** *fam* einen Spurt einlegen

métrer [metre] <5> *vt* vermessen; abmessen *tissu*

métreur, -euse [metrœr, -øz] *m, f* Bauleiter(in) *m(f)*

métro [metro] *m* **1.** U-Bahn *f;* **~ souterrain/aérien** U-Bahn/Hochbahn; **~ urbain** Stadtbahn/Metro; **en ~** mit der U-Bahn/Metro **2.** (*station*) U-Bahn-Station *f*

metteur, -euse [metœr, -øz] *m, f* CINE, TV, THEAT **~ en scène** Regisseur

mettre [mɛtr] <*irr*> **I.** *vt* **1.** (*placer, poser*) tun; (*à plat, couché, horizontalement*) legen; (*debout, verticalement*) stellen; (*assis*) setzen; (*suspendre*) hängen; **~ les mains dans les poches** die Hände in die Taschen stecken; **~ les mains en l'air** die Arme hochheben; **~ les coudes sur la table** die Ellbogen auf den Tisch [auf]stützen; **~ un enfant au lit** ein Kind ins Bett bringen; **~ les mains devant les yeux** die Hände vor die Augen halten; **la tête à la fenêtre** den Kopf aus dem Fenster st[r]ecken; **où ai-je mis mes lunettes?** wo habe ich meine Brille hingelegt ? **2.** (*déposer, entreposer*) **~ une voiture au garage/parking** ein Auto in die Garage/auf den Parkplatz bringen; **~ à la fourrière** abschleppen; **~ à l'abri** in Sicherheit bringen **3.** (*jeter*) **~ à la poubelle/au panier** in den Mülleimer/den Papierkorb werfen **4.** (*ajouter*) **~ trop de sel dans la soupe** die Suppe versalzen **5.** (*répandre*) **~ du beurre sur une tartine** Butter auf ein Brot streichen; **~ du cirage sur ses chaussures** Schuhcreme auf seine Schuhe auftragen; **~ de la crème sur ses mains** seine Hände eincremen **6.** (*ajuster, adap-*

ter) **~ un nouveau moteur** einen neuen Motor einbauen **7.** (*coudre*) **~ un bouton à une veste** an einer Jacke einen Knopf annähen **8.** (*introduire*) stecken; **~ une lettre dans une enveloppe** einen Brief in einen Umschlag stecken; *fig* **~ un peu de fantaisie dans sa vie** ein bisschen Fantasie in sein Leben bringen **9.** (*conditionner*) **~ de la farine en sacs/du vin en bouteilles** Mehl in Säcke/Wein in Flaschen füllen **10.** (*écrire*) schreiben; **~ un nom sur une liste** einen Namen auf eine Liste setzen; **~ une note à qn** jdm eine Note geben **11.** (*nommer*) **~ qn au service clients** jdn beim Kundendienst einsetzen **12.** (*inscrire*) **~ ses enfants à l'école privée** seine Kinder auf eine Privatschule schicken **13.** (*classer*) **~ au-dessus/en-dessous de qn/qc** höher/niedriger als jdn/etw einstufen **14.** (*revêtir*) *vêtement, chaussures;* aufsetzen *chapeau, lunettes;* einsetzen *lentilles de contact;* auftragen, auflegen *maquillage;* anlegen *bijou;* anstecken *bague, broche* **15.** (*consacrer*) **~ deux heures/une journée à faire un travail** zwei Stunden/einen Tag für eine Arbeit brauchen; **~ ses espoirs dans un projet/une étude** seine Hoffnung in ein Projekt/eine Studie setzen; **tu as mis le temps!** du hast dir aber Zeit gelassen! **16.** (*investir*) **~ beaucoup d'argent/200 euros dans un projet/une maison** viel Geld/200 Euro in ein Projekt/ein Haus stecken (*fam*) **17.** (*placer dans une situation*) **~ qn à l'aise** dafür sorgen, dass jd sich wohl fühlt; **~ qn au régime** jdn auf Diät setzen **18.** (*transformer*) **~ au pluriel/au futur** in den Plural/ins Futur setzen; **~ ses papiers/ses notes en ordre** seine Unterlagen/Notizen in Ordnung bringen; **~ en allemand/anglais** ins Deutsche/Englische übersetzen; **~ au propre** ins Reine schreiben; **~ en forme** ausgestalten **19.** (*faire fonctionner*) anmachen, einschalten; **~ la radio/télé plus fort** das Radio/den Fernseher lauter stellen **20.** (*régler*) **~ une montre à l'heure** eine Uhr stellen **21.** (*installer*) einbauen, aufhängen *rideaux;* verlegen *moquette, électricité;* **~ du papier peint sur les murs** die Wände tapezieren **22.** (*faire*) **~ à cuire/à chauffer/à bouillir** aufsetzen **23.** (*envoyer*) **~ une fléchette dans la cible** mit einem Pfeil ins Ziel treffen; **~ le ballon dans les buts** den Ball ins Tor schießen; **je lui ai mis mon poing dans la figure** *fam* ich habe ihm/ihr eine reingehauen **24.** (*admettre*) **mettons/mettez que** + *subj* angenommen, dass **II.** *vpr* **1.** (*se pla-*

cer) **se ~ debout/assis** aufstehen/sich [hin]setzen; **se ~ à genoux/au garde-à-vous** sich hinknien/Haltung annehmen; **se ~ à la disposition de qn/qc** sich jdm/etw zur Verfügung stellen **2.** (*placer sur soi*) **se ~ un chapeau sur la tête** sich (*dat*) einen Hut aufsetzen; **se ~ de la crème sur la figure** sich (*dat*) das Gesicht eincremen; **se ~ les doigts dans le nez** in der Nase bohren; *fig* **mets-toi bien ça dans le crâne!** merke dir das [gut]! **3.** (*se ranger*) **se ~ dans l'armoire/à droite** in den Schrank/rechts hinkommen **4.** (*porter*) **se ~ en pantalon/rouge** eine Hose anziehen/Rot tragen; **se ~ du parfum** sich parfümieren **5.** (*commencer à*) **se ~ au travail** sich an die Arbeit machen; **bon, je m'y mets** los, packen wir's an **6.** (*pour exprimer le changement d'état*) **se ~ au courant de qc** sich mit etw vertraut machen; **se ~ en colère** wütend werden; **se ~ en route** sich auf den Weg machen; **se ~ en place** *réforme, nouvelle politique:* eingesetzt werden **7.** (*se coincer*) **se ~ dans qc** in etw (*akk*) geraten **8.** *fam* **se ~ avec qn** (*constituer une équipe*) sich mit jdm zusammentun; (*vivre avec*) mit jdm zusammenziehen **9.** (*boire trop*) **s'en ~ jusque-là** *fam* sich voll laufen lassen

meuble [mœbl] *m* (*mobilier*) Möbel[stück *nt*] *nt;* **~s de jardin** Gartenmöbel *Pl;* **~s de rangement** Schränke *Pl* ▶**sauver les ~s** retten, was noch zu retten ist

meublé [mœble] *m* (*chambre*) möbliertes Zimmer; (*appartement*) möblierte Wohnung

meublé, e [mœble] *adj* möbliert

meubler [mœble] <1> **I.** *vt* **1.** (*garnir de meubles*) einrichten, möblieren **2.** (*constituer le mobilier*) **un lit et une chaise meublent la chambre** in dem Zimmer stehen ein Bett und ein Stuhl **3.** (*remplir*) überbrücken *silence;* in Gang halten *conversation* **II.** *vpr* **se ~** sich einrichten

meuf [mœf] *f arg* Tussi *f* (*sl*)

meuh [mø] *interj* muh

meunière [mønjɛʀ] *f* (*femme du meunier*) Müllerin *f,* Müllersfrau *f*

meure [mœʀ] *subj prés de* **mourir**

meurent [mœʀ], **meurs** [mœʀ], **meurt** [mœʀ] *indic prés de* **mourir**

meurtre [mœʀtʀ] *m* Mord *m;* **~ avec préméditation** vorsätzliche Tötung

meurtrier, -ière [mœʀtʀije, -ijɛʀ] **I.** *adj* mörderisch; *accident, coup* tödlich; *carrefour, route* lebensgefährlich **II.** *m, f* Mörder(in) *m(f)*

meurtrir [mœʀtʀiʀ] <8> **I.** *vt* **1.** (*contusionner*) zerquetschen; **le coup lui avait**

meurtri le visage sein/ihr Gesicht war grün und blau geschlagen; **ses chaussures lui meurtrissaient les pieds** die Schuhe quetschten ihm/ihr die Füße ein; **il avait le dos meurtri par les coups** sein Rücken war von den Schlägen zerschunden **2.** (*endommager*) beschädigen *fruits, légumes;* **des fruits meurtris** Obst *nt* mit Druckstellen, fleckiges Obst **3.** *soutenu* (*blesser moralement*) tief verletzen; **les reproches lui meurtrissaient le cœur** die Vorwürfe schnitten ihm/ihr tief ins Herz **II.** *vpr* **se ~ le genou/le front** sich (*dat*) das Knie aufschlagen/an der Stirn verletzen

meurtrissure [mœʀtʀisyʀ] *f* **1.** (*marque*) Bluterguss *m* **2.** (*tache sur des fruits, légumes*) Fleck *m,* Druckstelle *f*

meus [mø] *indic prés de* **mouvoir**

Meuse [møz] *f* **la ~** die Maas

meut [mø] *indic prés de* **mouvoir**

meuve [møv] *subj prés de* **mouvoir**

meuvent [mœv] *indic prés de* **mouvoir**

mexicain, e [mɛksikɛ̃, ɛn] *adj* mexikanisch

Mexicain, e [mɛksikɛ̃, ɛn] *m, f* Mexikaner(in) *m(f)*

Mexique [mɛksik] *m* **le ~** Mexiko *nt*

MF [ɛmɛf] *mpl abr de* **millions de francs** Mio F

Mgr *abr de* **Monseigneur** Mgr

mi [mi] *m inv* E *nt, e nt; v. a.* **do**

miam-miam [mjammjam] *interj fam* lecker, lecker (*fam*)

mi-août [miut] *f sans pl* **à la ~** Mitte August

miauler [mjole] <1> *vi* miauen

mi-avril [miavʀil] *f sans pl* **à la ~** Mitte April **mi-bas** [miba] <**mi-bas**> *m* Kniestrumpf *m* **mi-chemin** [miʃmɛ̃] **à ~** auf halbem Weg **mi-clos, e** [miklo, kloz] *adj* **un bourgeon ~** eine halb geschlossene Knospe

micmac [mikmak] *m fam* **1.** (*manigance*) Machenschaften *Pl;* **cette affaire de pots-de-vin est un sacré ~** diese Bestechungsgeldaffaire ist eine entsetzliche Mauschelei **2.** *sans pl* (*affaire embrouillée*) Wirrwarr *nt*

mi-côte [mikot] **à ~** auf halber Höhe **mi-course** [mikuʀs] **à ~** nach der Hälfte der Strecke

micro [mikʀo] *abr de* **microphone, micro-ordinateur, micro-informatique**

microbe [mikʀɔb] *m* **1.** BIO Mikrobe *f* **2.** *fam* (*avorton*) Wurm *m,* Zwerg *m*

microbien, ne [mikʀɔbjɛ̃, jɛn] *adj* mikrobiell

microclimat [mikʀoklima] *m* Mikroklima *nt*

microédition [mikʀoedisjɔ̃] *f* Desktop Publishing *nt*

microfibre [mikʀofibʀ] *f* Mikrofaser *f*

micro-informatique [mikʀoɛ̃fɔʀmatik] *f sans pl* Mikroinformatik *f*

micro-onde [mikʀoɔ̃d] <micro-ondes> *f* Mikrowelle *f*; **four à ~s** Mikrowellenherd *m* **micro-ondes** [mikʀoɔ̃d] *m inv* (*four*) Mikrowelle *f*

micro-ordinateur [mikʀoɔʀdinatœʀ] <micro-ordinateurs> *m* PC *m*, Computer *m*

microphone [mikʀofɔn] *m* Mikrofon *nt*

micro-pince [mikʀopɛ̃s] *f* Mini-Haarklemme *f*

microscope [mikʀoskɔp] *m* Mikroskop *nt*

mi-décembre [midesɑ̃bʀ] *f sans pl* **à la ~** Mitte Dezember

midi [midi] *m* **1.** *inv, sans art ni autre dét* (*heure*) zwölf [Uhr]; **à ~** um zwölf [Uhr]; (*entre ~ et deux*) über Mittag; **entre ~ et deux** in der Mittagszeit, über Mittag; **mardi/demain ~** Dienstagmittag/morgen Mittag **2.** (*moment du déjeuner*) Mittag *m;* (*repas*) Mittagessen *nt;* **ce ~** heute Mittag; **le repas de ~** das Mittagessen **3.** (*sud*) Süden *m* ▶ **chercher ~ à quatorze heures** die Dinge komplizierter machen als sie sind

Midi [midi] *m* **le ~** Südfrankreich *nt*

midinette [midinɛt] *f péj* Backfisch *m;* **des lectures de ~** Jungmädchenlektüre *f*

mie [mi] *f sans pl* weiche(s) Innere(s) *nt* (*vom Brot*)

miel [mjɛl] *m* Honig *m*

mien, ne [mjɛ̃, mjɛn] *pron poss* **1. le ~/la ~ne** der/die/das Meine, meine(r, s); **les ~s** die Meinen, meine; **ce n'est pas votre valise, c'est la ~ne** es ist nicht Ihr Koffer, es ist der Meine; **cette maison est la ~ne** dies ist mein Haus, dieses Haus gehört mir **2.** *pl* (*ceux de ma famille*) **les ~s** meine Angehörigen; (*mes partisans*) meine Anhänger ▶ **à la** [**bonne**] **~ne!** *hum fam* auf mein Wohl!; **j'y mets du ~** ich tue, was ich kann

miette [mjɛt] *f* **1.** *de pain, gâteau* Krümel *m;* **ne pas en laisser une ~** kein Krümchen übrig lassen **2.** (*petit fragment*) **être réduit en ~s** *verre, porcelaine:* in tausend Stücke zersprungen sein

mieux [mjø] **I.** *adv comp de* **bien 1.** besser; **qn va ~** jdm geht es besser; **pour ~ dire** besser gesagt; **on ferait ~ de réfléchir avant de parler** man sollte lieber erst denken, dann reden; **c'est ~ que rien** [das ist] besser als nichts; **elle le sait ~ que personne** sie weiß es selbst am besten; **aimer ~ faire qc** etw lieber tun; **plus il**

s'entraîne, ~ il joue je mehr er trainiert, desto besser spielt er; **~ que jamais** besser denn je; **qn n'en fait que ~ qc** jd tut etw umso besser **2.** *en loc conj* **d'autant ~ que** ... umso besser, als ... **3.** *en loc adv* **ce chapeau lui va on ne peut ~** dieser Hut steht ihm bestens; **de ~ en ~** immer besser; **tant ~ pour qn!** umso besser für jdn! ▶ **il vaut ~ que qn fasse qc** es ist besser, wenn jd etw tut; **~ vaut tard que jamais** *prov* besser spät als nie **II.** *adv superl de* **bien 1. + *verbe*** **c'est lui qui travaille le ~** er arbeitet am besten; **c'est ce qu'on fait de ~** es gibt nichts Besseres **2. + *adj*** **il est le ~ disposé à nous écouter** er wird uns am ehesten anhören; **un exemple des ~ choisis** ein besonders gut gewähltes Beispiel **3.** *en loc verbale* **le ~ serait de ne rien dire** es wäre das Beste, nichts zu sagen; **c'est le ~ à faire** das ist das Beste, was man tun kann; **faire du ~ qu'on peut** etw machen, so gut man kann **4.** *en loc adv* **il travaille de son ~** er arbeitet so gut er kann **5.** *en loc prép* **au ~ des vos intérêts** in Ihrem Interesse **III.** *adj comp de* **bien 1.** (*en meilleure santé*) **il la trouve ~** er findet, sie sieht [wieder] besser aus **2.** (*plus agréable d'apparence*) **elle est ~ les cheveux courts** kurze Haare stehen ihr besser **3.** (*plus à l'aise*) **vous serez ~ dans le fauteuil** im Sessel sitzen Sie bequemer **4.** (*préférable*) **c'est ~ ainsi** es ist besser so **IV.** *adj superl de* **bien 1.** (*le plus réussi*) **c'est avec les cheveux courts qu'elle est le ~** kurze Haare stehen ihr am besten **2.** *en loc verbale* **être au ~ avec qn** sich bestens mit jdm verstehen **V.** *m* **1.** (*une chose meilleure*) **trouver ~** etwas Besseres finden **2.** (*amélioration*) **un léger ~** eine leichte Besserung; **il y a du ~** man kann Fortschritte erkennen

mieux-être [mjøzɛtʀ] *m sans pl* größerer Wohlstand

mi-février [mifevʀije] *f sans pl* **à la ~** Mitte Februar **mi-figue, mi-raisin** [mifig, miʀɛzɛ̃] süßsauer

mignard, e [miɲaʀ, aʀd] *adj personne* niedlich, süß; *péj* affektiert; *manières* affektiert, geziert (*fam*)

mignon, ne [miɲɔ̃, ɔn] **I.** *adj* **1.** (*agréable à regarder*) niedlich **2.** *fam* (*gentil*) lieb **II.** *m, f* **mon ~/ma ~ne** mein Süßer/meine Süße

migraine [migʀɛn] *f* MED Migräne *f*

migrant, e [migʀɑ̃, ɑ̃t] **I.** *adj* **travailleur ~** Immigrant *m;* **population ~e** wandernde Bevölkerung **II.** *m, f* Immigrant(in) *m(f)*

migrateur, -trice [migʀatœʀ, -tʀis] *adj*

oiseau ~ Zugvogel *m*
migration [miɡʀasjɔ̃] *f* **1.**(*déplacement*) Wanderung *f* **2.**ZOOL *des oiseaux* Migration *f*
mi-hauteur [miˊotœʀ] à ~ auf halber Höhe **mi-janvier** [miʒɑ̃vje] *f sans pl* à la ~ Mitte Januar
mijaurée [miʒɔʀe] *f* eingebildete Pute (*fam*); faire la ~ sich zieren
mijoter [miʒɔte] <1> **I.** *vt* **1.**(*faire cuire lentement*) auf kleiner Flamme kochen [*o* garen] **2.** *fam* (*manigancer*) ausbrüten (*fam*); ~ de faire qc sich mit dem Gedanken tragen, etw zu tun; ~ qc contre qn etw gegen jdn im Schilde führen **II.** *vi* **1.**(*cuire lentement*) köcheln; faire ~ un ragoût ein Ragout köcheln lassen **2.** *fam* (*attendre*) laisser ~ qn jdn schmoren lassen (*fam*)
mi-juillet [miʒɥijɛ] *f sans pl* à la ~ Mitte Juli **mi-juin** [miʒɥɛ̃] *f sans pl* à la ~ Mitte Juni
mil [mil] *num* tausend; en [l'an] ~ neuf cent soixante-trois neunzehnhundertdreiundsechzig
Milan [milɑ̃] Mailand *nt*
milice [milis] *f* Miliz *f*
milieu [miljø] <x> *m* **1.** *sans pl* (*dans l'espace*) Mitte *f*; le ~ de la rue/pièce die Mitte der Straße [*o* Straßenmitte]/des Zimmers; en plein ~ de la rue mitten auf der Straße; le bouton du ~ der mittlere Knopf; au ~ de la page (*sans mouvement*) mitten auf der Seite; (*avec mouvement*) mitten auf die Seite **2.** *sans pl* (*dans le temps*) Mitte *f*; le ~ du vingtième siècle die Mitte des zwanzigsten Jahrhunderts; au ~ de la nuit/de l'après-midi/du film mitten in der Nacht/am Nachmittag/im Film **3.** *sans pl* (*moyen terme*) Mittelweg *m* **4.**(*environnement*) Umwelt *f* **5.** BIO, SOCIOL Milieu *nt*; le ~ ambiant das Umfeld; les ~x populaires die einfachen Bevölkerungsschichten **6.** SPORT ~ de terrain Mittelfeldspieler **7.** *sans pl* (*criminels*) le ~ die Unterwelt
militaire [militɛʀ] **I.** *adj* Militär-; *opération, discipline* militärisch; service ~ Wehrdienst *m* **II.** *mf* (*personne*) Soldat(in) *m(f)*; *pl* Militär *nt*; ~ de carrière Berufssoldat
militant, e [militɑ̃, ɑ̃t] **I.** *adj* aktiv **II.** *m, f* *d'un parti, syndicat* aktives Mitglied
militariser [militaʀize] <1> *vpr* se ~ ein Heer aufbauen
militer [milite] <1> *vi* **1.**(*être militant*) aktiv sein **2.**(*lutter*) ~ pour/contre qc für/gegen etw kämpfen **3.**(*plaider*) ~ en faveur de/contre qn/qc argument, com-

portement: für/gegen jdn/etw sprechen
mille¹ [mil] **I.** *num* **1.**[ein]tausend; deux/trois ~ zwei-/dreitausend; ~ un tausend[und]eins; billet de ~ marks Tausendmarkschein *m* **2.**(*dans l'indication de l'ordre*) page ~ Seite tausend **3.** *antéposé* (*nombreux*) tausend; ~ et un exemples/problèmes tausend Beispiele/Probleme **II.** *m inv* **1.**(*cardinal*) Tausend *f* **2.**(*cible*) Zentrum *nt*; taper [en plein] dans le ~ ins Schwarze treffen ▶des ~ et des cents *fam* ein Vermögen *nt*; je vous le donne en ~ das erraten Sie nie; *v. a.* cinq, cinquante
mille² [mil] *m* NAUT ~ [marin] Seemeile *f*
millénaire [milenɛʀ] **I.** *adj* tausendjährig; (*très vieux*) uralt **II.** *m* **1.**(*mille ans*) Jahrtausend *nt* **2.** *sans pl* (*cérémonie*) Tausendjahrfeier *f*
millésimé, e [milezime] *adj vin* Jahrgangs-; une bouteille de Bordeaux ~e ein Flasche Bordeaux Jahrgangswein
milliard [miljaʀ] *m* Milliarde *f*; des ~(s) de personnes/choses Milliarden *Pl* von Menschen/Dingen
milliardaire [miljaʀdɛʀ] *mf* Milliardär(in) *m(f)*
millième [miljɛm] **I.** *adj antéposé* tausendste(r, s) **II.** *mf* le/la ~ der/die/das Tausendste **III.** *m* (*fraction*) Tausendstel *nt*; *v. a.* cinquième
millier [milje] *m* un/deux ~(s) de personnes/choses ungefähr tausend/zweitausend Menschen/Dinge; des ~s de personnes/choses Tausende *Pl* von Menschen/Dingen; des ~s et des ~s Tausende und Abertausende *Pl*; plusieurs dizaines de ~s de personnes Zehntausende *Pl* von Menschen; par ~s zu Tausenden
millilitre [mililitʀ] *m* Milliliter *m*
millimètre [milimɛtʀ] *m* Millimeter *m o nt*
millimétré, e [milimetʀe] *adj* papier ~ Millimeterpapier *nt*
million [miljɔ̃] *m* un/deux ~(s) de personnes/choses eine/zwei Million(en) Menschen/Dinge; des ~s de personnes/choses Millionen *Pl* von Menschen/Dingen; des ~s de bénéfices Millionengewinne *Pl*; des ~s et des ~s Tausende und Abertausende *Pl*; *v. a.* cinq, cinquante
millionième [miljɔnjɛm] **I.** *adj antéposé* millionste(r, s) **II.** *mf* le/la ~ der/die/das Millionste **III.** *m* (*fraction*) Millionstel *nt*; *v. a.* cinquième
millionnaire [miljɔnɛʀ] *mf* Millionär(in) *m(f)*
mi-long , mi-longue [milɔ̃, milɔ̃ɡ] <mi-longs> *adj* halb lang **mi-mai** [mimɛ] *f*

sans pl à la ~ Mitte Mai **mi-mars** [mi-maʀs] *f sans pl* à la ~ Mitte März

mime [mim] **I.** *mf* (*acteur*) Pantomime/ Pantomimin *m/f;* (*imitateur*) Imitator(in) *m(f)* **II.** *m sans pl* (*activité*) Pantomime *f*

mimer [mime] <1> *vt* **1.** THEAT mimen **2.** (*imiter*) nachahmen

mimosa [mimoza] *m* Mimose *f*

minable [minabl] **I.** *adj* **1.** *lieu* ärmlich; *aspect* schäbig **2.** (*médiocre*) erbärmlich **II.** *mf* Null *f* (*fam*), Niete *f* (*fam*)

mince [mɛ̃s] **I.** *adj* **1.** (*fin*) dünn **2.** (*élancé*) schlank; ~ **comme un fil** dünn wie ein Strich *m* (*fam*) **3.** (*modeste*) gering; *preuve, résultat* dürftig; **ce n'est pas une ~ affaire** das ist keine Kleinigkeit **II.** *adv* dünn **III.** *interj* (*pour exprimer le mécontentement*) ~ [**alors**]! *fam* Scheibenkleister!, verflixt [noch mal]!

minceur [mɛ̃sœʀ] *f sans pl* **1.** *d'une feuille, couverture* Dünnheit *f* **2.** *d'une personne, de la taille* Schlankheit *f*

mincir [mɛ̃siʀ] <8> *vi* dünner werden

mine¹ [min] *f* **1.** *sans pl* (*aspect du visage*) Miene *f*, Gesicht[sausdruck *m*] *nt;* **avoir bonne** ~ gut aussehen; *iron fam* (*avoir l'air ridicule*) dumm dastehen; **avoir mauvaise/une petite** ~ schlecht aussehen; **faire bonne/grise** ~ **à qn** nett/unfreundlich zu jdm sein; **ne pas payer de** ~ nach nichts aussehen **2.** *sans pl* (*allure*) Aussehen *nt* ▶**avoir une** ~ **de papier mâché** kreideweiß sein; ~ **de rien** *fam* ganz unauffällig

mine² [min] *f* **1.** (*gisement*) Lager[stätte *f*] *nt;* (*souterraine*) Mine *f* **2.** (*lieu aménagé*) Bergwerk *nt*, Mine *f; de charbon a.* Zeche *f* **3.** (*source*) ~ **de renseignements** Informationsquelle *f*

mine³ [min] *f d'un crayon* Mine *f*

mine⁴ [min] *f* MIL Mine *f*

miner [mine] <1> *vt* **1.** MIL verminen **2.** (*ronger*) aushöhlen **3.** (*affaiblir*) zermürben

minerai [minʀɛ] *m* Erz *nt;* ~ **de fer/d'aluminium** Eisen-/Aluminiumerz *nt*

minéral [mineʀal, o] <-aux> *m* Mineral *nt*

minéral, e [mineʀal, o] <-aux> *adj* Mineral-

minerve [minɛʀv(ə)] *f* MED Zervikalstütze *f*

mineur [minœʀ] *m* Bergmann *m*

mineur, e [minœʀ] **I.** *adj* **1.** JUR minderjährig; **des enfants** ~**s** Minderjährige *Pl* **2.** (*peu important*) unwichtig; *œuvre, artiste* unbedeutend; *genre* untergeordnet **3.** MUS **mode** ~ Moll[tonart *f*] *nt;* **do/ré/mi/fa** ~ c/d/e/f-Moll **II.** *m, f* JUR Minder-

jährige(r) *f(m);* **interdit aux** ~**s** frei ab 18 Jahren

mini [mini] *adj inv, fam mode* Mini-

miniature [minjatyʀ] **I.** *f* ART Miniatur *f* **2.** (*en réduction*) **en** ~ im Kleinformat, in Miniaturausgabe **II.** *app* **voiture** ~ Modellauto *nt*

miniaturisation [minjatyʀizasjɔ̃] *f* Verkleinerung *f*

miniaturiser [minjatyʀize] <1> *vt* miniaturisieren, verkleinern

minichaîne [miniʃɛn] *f* Kompakt[stereo]anlage *f*

minigolf [minigɔlf] *m* Minigolf *nt;* (*terrain*) Minigolfanlage *f*

minijupe [miniʒyp] *f* Minirock *m*

minimal, e [minimal, o] <-aux> *adj* (*le plus petit*) minimal

minime [minim] *adj* unbedeutend; *dégâts, dépenses* gering

mini-message [minimesaʒ] *m* SMS *f*

minimiser [minimize] <1> *vt* herunterspielen

minimum [minimɔm, minima] <-s *o* minima> **I.** *adj* Mindest-; **température** ~ Tiefsttemperatur *f* **II.** *m* **1.** *sans pl* (*plus petite quantité*) Minimum *nt,* Mindestmaß *nt;* **un** ~ **de points/risques** eine minimale Punktzahl/ein minimales Risiko; **le strict** ~ das Allernötigste; ~ **vital** Existenzminimum *nt;* **s'il avait un** ~ **de savoir-vivre/d'argent** *fam* wenn er wenigstens ein bisschen Lebensart/Geld hätte **2.** *sans pl* (*somme la plus faible*) Minimum *nt,* Mindestbetrag *m* **3.** *sans pl* (*niveau le plus bas*) Tiefpunkt *m;* (*valeur la plus basse*) Tiefstwert *m* **4.** *pl* (*limite inférieure*) **des** ~**s** [*o* **minima**] **de production** das Produktionsminimum **5.** *sans pl* JUR Mindeststrafe *f*

ministère [ministɛʀ] *m* **1.** (*bâtiment*) Ministerium *nt* **2.** (*cabinet, gouvernement*) Kabinett *nt;* (*portefeuille*) [Fach]ressort *nt,* Ministerium *nt;* ~ **du Travail** Arbeitsministerium *nt;* ~ **de l'Intérieur** Innenministerium *nt;* ~ **des Affaires étrangères** Außenministerium; **sous le** ~ [**de**] **X** während der Amtszeit von X [als Minister]

ministre [ministʀ] *mf* POL Minister(in) *m(f);* **Premier** ~ Premierminister; ~ **des Affaires étrangères** Außenminister; ~ **d'Etat** Staatsminister; **Madame le** [*o* **la**] ~ Frau Ministerin

minitel® [minitɛl] *m* Btx-Terminal *m*

minorer [minɔʀe] <1> *vt* **1.** (*diminuer la valeur*) herabsetzen, mindern, niedriger ansetzen; *bénéfices* **2.** (*diminuer l'importance*) unterbewerten

minoritaire [minɔʀitɛʀ] **I.** *adj* Minder-

heits-; **opinion** ~ Meinung *f* einer Minderheit; **groupe** ~ Minderheitengruppe *f*; **ils sont** ~**s** sie sind in der Minderheit **II.** *mf* POL **les** ~**s** die Minderheit

minorité [minɔʀite] *f* 1. (*groupe*) Minderheit *f*, Minderität *f* 2. *sans pl* (*petit nombre de*) **nous sommes une** ~ **de filles** wir Mädchen sind in der Minderheit 3. JUR Minderjährigkeit *f*; ~ **pénale** Strafunmündigkeit *f*

mi-novembre [minɔvɑ̃bʀ] *f sans pl* **à la** ~ Mitte November

minuit [minɥi] *m sans pl ni dét* Mitternacht *f*, 12 Uhr nachts; **à** ~ **et demi** um halb eins [nachts], nachts um halb eins

minuscule [minyskyl] **I.** *adj* 1. (*très petit*) winzig [klein] 2. (*en écriture*) klein[geschrieben]; **lettres** ~**s** Kleinbuchstaben *Pl* **II.** *f* (*lettre*) Kleinbuchstabe *m*

minute [minyt] *f* Minute *f*; **la** ~ **de vérité** die Stunde der Wahrheit; **d'une** ~ **à l'autre** jeden Moment; **information/modification de dernière** ~ allerneuste Information/kurzfristige Änderung; **à la** ~ (*à l'instant même*) auf der Stelle; **je vous demande une** ~ **d'attention** ich bitte Sie einen Augenblick um Ihre Aufmerksamkeit

minuter [minyte] <1> *vt* (*organiser*) timen

minuteur [minytœʀ] *m* Schaltuhr *f*

minutie [minysi] *f sans pl* (*précision*) Genauigkeit *f*; (*soin*) Sorgfalt *f*

minutieusement [minysjøzmɑ̃] *adv* (*dans le détail*) [peinlich] genau; (*avec soin*) sorgfältig

minutieux, -euse [minysjø, -jøz] *adj* genau; *personne, examen a.* gründlich, sorgfältig; *exposé* detailliert; **avec un soin** ~ mit äußerster Sorgfalt; **faire une description minutieuse de qc** etw haargenau beschreiben

mi-octobre [miɔktɔbʀ] *f sans pl* **à la** ~ Mitte Oktober

miracle [miʀɑkl] **I.** *m* Wunder *nt*; **par** ~ wie durch ein Wunder **II.** *app inv* Wunder-; **solution/recette** ~ Patentlösung *f*/ -rezept *nt*

miraculé, e [miʀakyle] **I.** *adj* durch ein Wunder geheilt **II.** *m, f* **c'est un** ~ (*d'une maladie*) er ist durch ein Wunder geheilt; (*d'un accident*) er hat wie durch ein Wunder überlebt

miraculeusement [miʀakyløzmɑ̃] *adv* wie durch ein Wunder; **être** ~ **épargné** wie durch ein Wunder verschont bleiben

miraculeux, -euse [miʀakylø, -øz] *adj* wunderbar, Wunder-

mirage [miʀaʒ] *m* (*vision*) Fata Morgana *f*

miroir [miʀwaʀ] *m* Spiegel *m*

mis [mi] *passé simple de* **mettre**

mis, e [mi, miz] **I.** *part passé de* **mettre II.** *adj* **bien** ~ gut gekleidet

mise [miz] *f* 1. JEUX Einsatz *m* 2. FIN [Kapital]einlage *f* 3. *sans pl* (*habillement*) Kleidung *f* 4. (*fait de mettre*) ~ **à feu** *d'une fusée* Zündung *f*; ~ **à jour** Aktualisierung *f*; INFORM Update *nt*; ~ **à la retraite** Versetzung *f* in den Ruhestand; ~ **à mort** Tötung *f*; ~ **à prix** Preisfestsetzung *f*; ~ **en circulation d'une monnaie** Ausgabe *f* einer Währung; ~ **en garde** Warnung *f*; ~ **en liberté** Freilassung *f*; ~ **en marche** Inbetriebnahme *f*; ~ **en œuvre** Umsetzung *f*; ~ **en page[s]** Layout *nt*; ~ **en pratique** Umsetzung *f* in die Praxis; ~ **en réseau** INFORM Vernetzung *f*; ~ **en scène** CINE Regie *f*; THEAT *a.* Inszenierung *f*; (*dans la vie privée*) Theater *nt*, Show *f*

mi-septembre [misɛptɑ̃bʀ] *f sans pl* **à la** ~ Mitte September

miser [mize] <1> **I.** *vi* 1. (*parier sur*) ~ **sur un animal/sur le rouge** auf ein Tier wetten/auf Rot setzen; ~ **8 contre 1** 8 zu 1 wetten 2. *fam* (*compter sur*) ~ **sur qn/qc pour faire qc** auf jdn/etw setzen um etw zu tun **II.** *vt* (*jouer*) ~ **100 euros sur un cheval** 100 Euro auf ein Pferd setzen

misérable [mizeʀabl] *adj* 1. *personne, famille* sehr arm; *logement, aspect* armselig 2. (*pitoyable*) erbärmlich 3. *antéposé* (*malheureux*) armselig

misérablement [mizeʀabləmɑ̃] *adv* 1. (*dans la pauvreté*) erbärmlich, armselig 2. (*pitoyablement*) kläglich

misère [mizɛʀ] *f* 1. (*détresse*) Elend *nt kein Pl*, Not *f* 2. *gén pl* (*souffrances*) Leiden *nt kein Pl*; **faire des** ~**s à qn** *fam* jdn ärgern ▶**salaire/traitement de** ~ kümmerliches Gehalt/miserable Behandlung; ~ **[de** ~**]!** gütiger Himmel!

miséricordieux, -euse [mizeʀikɔʀdjø, -jøz] *adj littér* gnädig; REL barmherzig

misogynie [mizɔʒini] *f* Frauenfeindlichkeit *f*, Frauenhass *m*

missile [misil] *m* Rakete *f*

mission [misjɔ̃] *f* 1. (*tâche*) Aufgabe *f*; (*culturelle, dangereuse*) Mission *f*; (*officielle*) Auftrag *m*; (*aérienne*) Einsatz *m*; ~ **de reconnaissance** MIL Aufklärungseinsatz *m*; AVIAT Aufklärungsflug *m*; **j'ai reçu** ~ **d'aller sur place** ich wurde angewiesen, mich dorthin zu begeben; **en** ~ POL auf Dienstreise; COM auf Geschäftsreise 2. (*délégation*) Delegation *f* 3. (*vocation*) Mission *f*

missionnaire [misjɔnɛʀ] *mf* Missionar(in) *m(f)*

mit [mi] *passé simple de* **mettre**

mite [mit] *f* Motte *f*

mi-temps [mitã] **I.** *f inv* SPORT Halbzeit *f* **II.**
m inv (*travail*) Halbtagsstelle *f*; **travailler à**
~ halbtags arbeiten

mîtes [mit] *passé simple de* **mettre**

miteux, -euse [mitø, -øz] **I.** *adj immeuble,*
lieu heruntergekommen; *personne* armselig; *habit, meuble* schäbig **II.** *m, f fam* armer
Schlucker

mitigé, e [mitiʒe] *adj réaction* zwiespältig;
impression unterschiedlich; *sentiments* gemischt; *accueil* kühl; *zèle* gedämpft

mitrailler [mitʀɑje] <1> *vt* **1.** (*tirer*) beschießen, unter Beschuss nehmen **2.** *fam*
(*photographier*) mit der Kamera unter Beschuss nehmen

mitraillette [mitʀɑjɛt] *f* Maschinenpistole
f

mitron, ne [mitʀɔ̃, ɔn] *m* (*en boulange-*
rie) Bäckerlehrling *m*; (*en pâtisserie*) Kon-
ditorlehrling *m*

mi-voix [mivwa] ▸**à** ~ leise

mixage [miksaʒ] *m* Tonmischung *f*

mixer [mikse] <1> **I.** *vt* **1.** GASTR mixen
2. MEDIA mischen **II.** *vi* (in der Diskothek)
auflegen

mixeur [miksœʀ] *m* Mixer *m*

mixité [miksite] *f* Mischung *f* der Ge-
schlechter; **la ~ de l'enseignement** die
Koedukation, der Unterricht in gemischten
Klassen

mixte [mikst] *adj* **1.** *chorale, classe* gemischt **2.** *mariage, végétation* Misch-; *com-*
mission, salade gemischt; *cuisinière* Kombi-

mixture [mikstyʀ] *f* **1.** CHIM, MED Mixtur *f*
2. *péj* (*boisson*) Gebräu *nt*

MJC [ɛmʒise] *f abr de* **maison des jeunes**
et de la culture Jugendzentrum *nt*

MLF [ɛmɛlɛf] *m abr de* **mouvement de li-**
bération de la femme Frauenbewegung *f*

Mlle [madmwazɛl] <s> *f abr de* **Made-**
moiselle: ~ **Larroque** Frl. Larroque

MM [mesjø] *mpl abr de* **Messieurs:** ~
Martin et Durand die Herren Martin und
Durand

Mme [madam] <s> *f abr de* **Madame:** ~
Duchemin Fr. Duchemin

Mo [ɛmo] *m abr de* **méga-octet** MB *nt*

mob [mɔb] *f fam abr de* **mobylette**

mobile [mɔbil] **I.** *adj* **1.** (*opp: fixe*) beweglich **2.** *forces de police* mobil; *population*
nicht sesshaft **3.** *regard* unruhig; *yeux* flackernd **II.** *m* **1.** (*motif*) **le ~ de qc** das Motiv für etw; **avoir pour ~ l'argent/**
l'amour das Geld/die Liebe als Anreiz haben **2.** PHYS Körper *m* in Bewegung **3.** ART
Mobile *nt* **4.** (*portable*) Handy *nt*

mobilier [mɔbilje] *m* (*ameublement*)
[Wohnungs]einrichtung *f*, Möbel *Pl*

mobilier, -ière [mɔbilje, -jɛʀ] *adj* beweglich; *crédit, saisie* Mobiliar-; *vente* Fahrnis- *f*

mobilisation [mɔbilizasjɔ̃] *f* **1.** *des éner-*
gies, personnes Mobilisierung *f* **2.** MIL Mo-
bilmachung *f*

mobiliser [mɔbilize] <1> **I.** *vt* **1.** (*ras-*
sembler) mobilisieren **2.** MIL mobil machen; einziehen *réservistes* **II.** *vi* MIL mobil
machen **III.** *vpr* **se** ~ aktiv werden

mobilité [mɔbilite] *f* *d'une personne, d'un*
membre Beweglichkeit *f*; *de la population*
Mobilität *f*; *du regard* Unruhe *f*

mobylette<WZ> [mɔbilɛt] *f* Mofa *nt*

moche [mɔʃ] *adj fam* **1.** (*laid*) hässlich
2. (*regrettable*) scheußlich

mocheté [mɔʃte] *f fam* **1.** (*laideur*) Hässlichkeit *f* **2.** (*chose laide*) Scheußlichkeit *f*
3. (*personne laide*) Vogelscheuche *f*

modalité [mɔdalite] *f* **1.** *pl* (*procédure*)
Modalitäten *Pl* **2.** MUS, JUR Modalität *f*

mode¹ [mɔd] **I.** *f* **1.** (*goût du jour*) Mode *f*;
à la ~ [in] Mode; **être passé de** ~ aus der
Mode gekommen sein **2.** (*métier*) Mode-
branche *f* **3.** GASTR **à la ~ de qc** nach der
Art von etw **II.** *app* modisch

mode² [mɔd] *m* **1.** (*méthode*) ~ **d'emploi**
Gebrauchsanweisung *f*; ~ **d'expression/**
de production Ausdrucks-/Produktions-
weise *f*; ~ **de gouvernement** Regierungs-
form *f*; ~ **de pensée** Denkweise *f*; ~ **de**
paiement Zahlungsart *f*; ~ **de transport**
Verkehrsmittel *nt* **2.** GRAM Modus *m* **3.** MUS
Tonart *f*

modèle [mɔdɛl] **I.** *m* **1.** (*référence*) Vorbild *nt*; **prendre ~ sur qn** sich an jdm ein
Beispiel nehmen; **sur le ~ de qc** nach der
Vorlage einer S. (*gen*) **2.** GRAM Musterbeispiel *nt* **3.** TYP Vorlage *f* **4.** COUT, ART Modell
nt **5.** (*maquette*) Modell *nt*; ~ **réduit** Mi-
niaturmodell ▸~ **déposé** Gebrauchsmus-
ter *nt* **II.** *adj* (*exemplaire*) vorbildlich; **usi-**
ne ~ Musterbetrieb *m*

modelé [mɔd(ə)le] *m* *d'une sculpture*
Plastizität *f*; *du visage* Züge *Pl*; *du terrain* Relief *nt*

modeler [mɔd(ə)le] <4> **I.** *vt* **1.** (*pétrir*)
modellieren *poterie*; formen *pâte* **2.** (*façon-*
ner) formen *caractère, relief* **II.** *vpr* **se** ~
sur qn/qc sich an jdm/etw orientieren

modélisme [mɔdelism] *m* Modellbau *m*

modération [mɔdeʀasjɔ̃] *f* Mäßigung *f*;
faire/consommer qc avec ~ etw in Maßen tun/genießen

modéré, e [mɔdeʀe] **I.** *adj* **1.** (*doux, tem-*
péré) mäßig; *opinion, prix* gemäßigt; *froid*
nicht extrem; *personne* maßvoll **2.** (*mesu-*
ré) bescheiden; *enthousiasme, succès* mäßig; *optimisme* gemäßigt **II.** *m, f* POL Gemä-
ßigte(r) *f(m)*

modérément [mɔdeʀemɑ̃] *adv* maßvoll

modérer [mɔdeʀe] <5> **I.** *vt* (*tempérer*) bremsen *personne, dépenses;* dämpfen *ambitions, colère;* zügeln *passion;* verringern *vitesse;* zurückschrauben *désirs* **II.** *vpr* se ~ sich mäßigen

moderne [mɔdɛʀn] **I.** *adj* modern; *pays* fortschrittlich; *idée* neuartig; HIST **les temps** ~**s** die Neuzeit; **l'histoire** ~ die Neuere Geschichte **II.** *m* Moderne *f*

modernisation [mɔdɛʀnizasjɔ̃] *f* Modernisierung *f*

moderniser [mɔdɛʀnize] <1> **I.** *vt* modernisieren **II.** *vpr* se ~ *ville, pays:* modern umgestaltet werden; *personne:* sich modern einrichten

modernisme [mɔdɛʀnism] *m* Modernismus *m*

modernité [mɔdɛʀnite] *f* Modernität *f; d'une pensée* Neuartigkeit *f*

modeste [mɔdɛst] **I.** *adj* bescheiden; *intelligence* mittelmäßig; *maison* einfach **II.** *mf* unscheinbarer Mensch

modestement [mɔdɛstəmɑ̃] *adv* in aller Bescheidenheit; *rougir* schamhaft; *vivre* bescheiden, einfach

modestie [mɔdɛsti] *f* Bescheidenheit *f; d'un air* Schlichtheit *f*

modifiable [mɔdifjabl] *adj* veränderbar; *conduite, personne* beeinflussbar; **le texte reste** ~ der Text kann noch verändert werden

modification [mɔdifikasjɔ̃] *f* Änderung *f;* **apporter des** ~**s à qc** Veränderungen an etw (*dat*) vornehmen

modifier [mɔdifje] <1> **I.** *vt* ändern; GRAM näher definieren **II.** *vpr* se ~ sich ändern

modique [mɔdik] *adj* niedrig

modulable [mɔdylabl] *adj* veränderlich, veränderbar; *salle* umwandelbar; *meuble* verstellbar; *chaîne hi-fi* variabel zusammenstellbar

modulation [mɔdylasjɔ̃] *f* Modulation *f;* (*changement de ton*) Tonschwankung *f*

modus vivendi [mɔdysvivɛ̃di] *m inv* Modus vivendi *m* (*geh*)

moelle [mwal, mwɛl] *f* ANAT, BOT Mark *nt;* ~ **épinière** Rückenmark

moelleux [mwɛlø] *m* **1.** *d'un lit* Weichheit *f; d'un tapis* flauschige Beschaffenheit **2.** *d'un vin* vollmundiger Geschmack

moelleux, -euse [mwɛlø, -øz] *adj* **1.** (*au toucher*) [kuschelig] weich; *tapis* flauschig **2.** *vin* vollmundig **3.** *son, voix* warm

mœurs [mœʀ(s)] *fpl* **1.** *d'une personne, société* Sitten und Bräuche *Pl; d'un animal* Verhaltensweisen *Pl;* **entrer dans les** ~ Sitte werden; *mauvaise habitude:* einreißen **2.** (*règles morales*) Moral *f;* (*austères, dis-*

solues) Sitten *Pl,* Anstand *m;* **une personne de bonnes/mauvaises** ~ ein anständiger/liederlicher Mensch **3.** (*façon de vivre*) Lebenswandel *m*

mohair [mɔɛʀ] **I.** *m* Mohair *m,* Mohär *m* **II.** *app inv* Mohair-, Mohär-

moi [mwa] **I.** *pron pers* **1.** *fam* (*pour renforcer*) ~, **je n'ai pas ouvert la bouche** ich habe den Mund nicht aufgemacht; **c'est** ~ **qui l'ai dit** ich habe das gesagt; **il veut m'aider,** ~**?** mir möchte er helfen? **2.** *avec un verbe à l'impératif* **regarde-**~ sieh mich an; **donne-**~ **ça!** gib es mir! **3.** *avec une préposition* **avec/sans** ~ mit mir/ohne mich; **à** ~ **seul** ich allein; **la maison est à** ~ das Haus gehört mir; **c'est à** ~ **de décider** ich muss entscheiden; **c'est à** ~**!** ich bin dran! **4.** *dans une comparaison* ich; **tu es comme** ~ du bist wie ich; **plus fort que** ~ stärker als ich **5.** (*emphatique*) **c'est** ~**!** (*me voilà*) hier bin ich!; (*je suis le responsable*) ich [bin es]!; **et** ~**[, alors]**? *fam* [ja,] und ich?, und was ist mir?; **que ferais-tu si tu étais** ~**?** was würdest du an meiner Stelle tun? ▸**à** ~**!** Hilfe! **II.** *m* PHILOS, PSYCH Ich *nt*

moignon [mwaɲɔ̃] *m* Stummel *m; d'une jambe, dent* Stumpf *m*

moi-même [mwamɛm] *pron pers* **1.** (*moi en personne*) ~ **n'en savais rien** ich [selbst] wusste nichts davon; **je me sens** ~ **heureux** ich fühle mich glücklich; **je l'ai dit** ~, **c'est** ~ **qui l'ai dit** ich [selbst] habe das gesagt; **je suis venu de** ~ ich bin von selbst gekommen **2.** (*moi aussi*) **j'étais** ~ **furieux** ich war ebenfalls sehr wütend

moindre [mwɛ̃dʀ] *adj antéposé* **1.** *degré, étendue* geringere(r, s); *inconvénient* kleinere(r, s); *prix* niedrigere(r, s); *qualité* schlechtere(r, s) **2.** (*le plus petit*) **le** ~ **bruit** das geringste Geräusch; **le** ~ **mal** das kleinere Übel; **ne pas avoir le** ~ **diplôme** nicht ein einziges Zeugnis vorzuweisen haben; **ce serait la** ~ **des choses/des politesses** es wäre doch das Mindeste/ein Gebot der Höflichkeit

moine [mwan] *m* Mönch *m; se faire* ~ ins Kloster gehen

moineau [mwano] <x> *m* ORN Sperling *m,* Spatz *m*

moins [mwɛ̃] **I.** *adv* **1.** weniger; **augmenter** ~ langsamer steigen; **rouler** ~ **vite** langsamer fahren; ~ **beau/paresseux que** nicht so schön/faul wie; ~ **cher** günstiger; **les enfants de** ~ **de 13 ans** Kinder unter 13 Jahren; **se situer à** ~ **de 3,6 %** unter 3,6 % liegen; ~ **...** ~ **...** je weniger ..., desto weniger ...; ~ **..., plus ...** je weniger ..., desto mehr ... **2.** *superl* **le** ~ **am**

wenigsten; **le ~ doué/la ~ aimée** der am wenigsten begabte/die am wenigsten beliebte ►**en ~ de** <u>deux</u> *fam* in null Komma nichts; **à ~ que** ausgenommen; **à ~ de faire qc** wenn man nicht etw tut; **à ~ que qn ne fasse qc** es sei denn, jd tut etw; **au ~** (*au minimum*) mindestens; *fam* (*je parie*) wetten, dass (*fam*); (*j'espère*) hoffentlich; [**tout**] **au ~** zumindest, wenigstens; **d'au**<u>tant</u> **~** um so weniger; **de ~**, **en ~** weniger; **il a un an de ~ que moi** er ist ein Jahr jünger als ich; **de ~ en ~** immer weniger; **du ~** zumindest, wenigstens; **~ que** <u>rien</u> weniger als nichts **II.** *prép* **1.** (*soustraction*) minus; **tous les pays ~ la France** alle Länder außer Frankreich **2.** (*heure*) vor; **il est midi ~ vingt/le quart** es ist zwanzig/Viertel vor zwölf **3.** (*température*) minus; **il fait ~ 3** es hat 3 Grad minus **III.** *m* **1.** (*minimum*) Mindeste(s) *nt;* **le ~ de matière** das wenigste Material **2.** (*signe*) Minuszeichen *nt*

moins-value [mwɛ̃valy] <moins-values> *f* Wertminderung *f;* **faire une ~ considérable** ein beträchtliches Verlustgeschäft machen

mois [mwa] *m* (*période*) Monat *m;* **le ~ de janvier/mars** der [Monat] Januar/ März; **les ~ en r** die Monate mit R; **au ~** monatlich; **au ~ de janvier/d'août** im Januar/August; **être dans son deuxième ~** *femme:* im zweiten Monat sein; **le pre**-**mier/cinq/dernier du/de ce ~** der Erste/Fünfte/Letzte des/dieses Monats

moisi [mwazi] *m* Schimmel *m*

moisi, e [mwazi] *adj* verschimmelt

moisir [mwaziʀ] <8> *vi* **1.** (*se gâter*) schimmeln **2.** (*être inutilisé*) *voiture:* vor sich hin rosten; *argent, capital:* brachliegen; *talent:* verkümmern; *meuble:* vermodern **3.** *fam* (*croupir*) *personne:* herumhängen

moisissure [mwazisyʀ] *f* **1.** BOT Schimmelpilz *m* **2.** (*couche de moisi*) Schimmel *m;* (*action*) Schimmeln *nt*

moisson [mwasɔ̃] *f* **1.** AGR Ernte *f* **2.** (*grande quantité*) **une ~ de souve**-**nirs/d'images** eine Unzahl von Erinnerungen/Bildern

moissonneuse-batteuse [mwasɔnøzba-tøz] <moissonneuses-batteuses> *f* Mähdrescher *m*

moite [mwat] *adj* feucht

moiteur [mwatœʀ] *f* Feuchtigkeit *f*

moitié [mwatje] *f* **1.** (*partie, milieu*) Hälfte *f;* **la ~ du temps/de l'année** die halbe Zeit/das halbe Jahr; **~ moins/plus** halb so viel/um die Hälfte mehr; **à ~** halb; **à ~ prix** zum halben Preis; **ne jamais rien faire à ~** nie halbe Sachen machen; **de ~**

um die Hälfte; **pour ~** zur Hälfte; **~ ... ~ ... halb ... halb ... 2.** *hum* (*épouse*) bessere Hälfte (*fam*)

mol [mɔl] *adj v.* **mou**

molaire [mɔlɛʀ] *f* ANAT Backenzahn *m*

mole [mɔl] *f* CHIM Mol *nt*

molécule [mɔlekyl] *f* Molekül *nt*

moleskine [mɔlɛskin] *f* Kunstleder *nt,* Moleskin *m o nt*

mollard [mɔlaʀ] *m fam* Spucke *f*

mollasson, ne [mɔlasɔ̃, ɔn] **I.** *adj fam* tranig **II.** *m, f fam* Tranfunzel *f*

molle [mɔl] *adj v.* **mou**

mollet [mɔlɛ] *m* ANAT Wade *f*

mollusque [mɔlysk] *m* ZOOL Weichtier *nt*

môme [mom] *mf fam* (*enfant*) Fratz *m*

moment [mɔmɑ̃] *m* **1.** (*instant*) Moment *m,* Augenblick *m;* **un long ~** eine ganze Weile; **~ de bonheur** Glücksmoment *m;* **au dernier/même ~** im letzten/in demselben Augenblick; **à ce ~-là** in dem Moment; **à certains ~s ..., à d'autres ~s ...** zuweilen ..., dann wieder ...; **à** [*o pour*] **un ~** für einen kurzen Augenblick; **à quel ~?** wann?; **à tout/aucun ~** jederzeit/nicht einen Augenblick; **attendre qn/qc à tout ~** jeden Moment auf jdn/etw warten; **au ~ de la chute du mur de Berlin** als die Berliner Mauer fiel; **au ~ de partir, je me suis aperçu ...** als ich losfahren wollte, bemerkte ich ...; **dans un ~** gleich; **à mes/ses ~s perdus** in meiner/seiner/ihrer freien Zeit; **à partir du ~ où qn a fait qc** sobald jd etw getan hat; **la mode du ~** die derzeitige Mode; **du ~ que qn fait qc** da ja jd etw tut; **d'un ~ à l'autre** jeden Moment; **en ce ~, pour le ~** derzeit; **par ~s** ab und zu; **sur le ~** im ersten Augenblick; **un ~!** [einen] Moment!; **au bon ~** [gerade] zum richtigen Zeitpunkt; **le ~ présent** der Augenblick; **être dans un de ses mauvais ~s** seine berühmten fünf Minuten haben (*fam*); **passer un bon ~** eine schöne Zeit verbringen; **il vit ses derniers ~s** sein letztes Stündlein hat geschlagen; **ce fut un grand ~** das war ein wichtiges Ereignis **2.** (*occasion*) Gelegenheit *f;* **attendre le ~ opportun** den richtigen Augenblick abwarten; **le bon/mauvais ~** der richtige/ein ungünstiger Zeitpunkt; **le ~ venu** zu gegebener Zeit; **à un ~ donné** plötzlich; **c'est le ~ ou jamais** jetzt oder nie; **c'est le ~ de faire qc** es ist an der Zeit etw zu tun; **ce n'est pas le ~** es ist nicht der richtige Zeitpunkt

momentané, e [mɔmɑ̃tane] *adj gêne* vorübergehend; *désir, ennui* augenblicklich; *effort* kurzfristig; *arrêt, espoir* von kurzer Dauer

momentanément [mɔmɑ̃tanemɑ̃] *adv* zur Zeit, momentan

momie [mɔmi] *f* Mumie *f*

mon [mɔ̃, me] <mes> *dét poss* mein(e); ~ **vase/classeur/tableau** meine Vase/ mein Ordner/Bild; ~ **Dieu!** mein Gott!; ~ **Père** Vater; ~ **colonel** Herr Oberst; **à** ~ **avis** meiner Meinung nach; **à** ~ **approche** als ich näher komme ►~ **amour/chéri** Geliebte(r)/Liebling; ~ **œil!** Holzauge sei wachsam!; ~ **pauvre!** Sie/du armer!

Monaco [mɔnako] Monaco *nt*, Monako *nt*

monarchie [mɔnaʁʃi] *f* Monarchie *f*

monarque [mɔnaʁk] *m* Monarch(in) *m(f);* ~ **absolu** Alleinherrscher

monastère [mɔnastɛʁ] *m* Kloster *nt*

mondain, e [mɔ̃dɛ̃, ɛn] **I.** *adj vie, public* mondän, extravagant; *soirée, dîner* Gesellschafts-; *obligations, réunion* gesellschaftlich; *plaisirs* weltlich; **chronique** ~**e** Klatschspalte *f* **II.** *m, f* Mann *m*/Frau *f* von Welt

mondaine [mɔ̃dɛn] *f fam (police)* die Sitte[npolizei]

mondanité [mɔ̃danite] *f* **1.** *(goût pour la vie mondaine)* Hang *m* zur mondänen Welt **2.** *pl (la vie mondaine)* Extravaganz *f,* Mondänität *f*

monde [mɔ̃d] *m* **1.** *(univers)* Welt *f;* **le** ~ **invisible** die Welt des Unsichtbaren; ~ **des idées/du rêve** Gedankenwelt/ Traumwelt; **le** ~ **des vivants** die Lebenden; **plaisirs du** ~ irdische Freuden *Pl;* **être encore/ne plus être de ce** ~ noch/ nicht mehr am Leben sein; **être seul au** ~ [ganz] allein auf der Welt sein; **courir le** ~ in der Welt herumreisen **2.** *(groupe social)* **dans le** ~ **enseignant/intellectuel** in Lehrer-/Intellektuellenkreisen *Pl;* ~ **rural** Landbevölkerung *f;* ~ **du travail/des affaires** Arbeits-/Geschäftswelt **3.** *(foule)* Menschenmenge *f;* *(mouvementé)* Gewühl *nt;* **peu/beaucoup de** ~ wenig/viele Leute; **un** ~ **fou** eine riesige Menge; **pas grand** ~ nicht viele Leute; **tout ce** ~**!** die vielen Menschen! **4.** *(société)* **tout le** ~ **en parle** alle Welt [o jeder] spricht davon; **c'est à tout le** ~ es ist für alle da ►**il y a du** ~ **au balcon** *fam* sie hat ganz schön viel Holz vor der Hütte; **l'autre** ~ das Jenseits; **tout le** ~ **il est beau, tout le** ~ **il est gentil** *prov* Friede, Freude, Eierkuchen *(fam)*; **je vais le mieux du** ~ ich bin der glücklichste Mensch auf Erden; **pas le moins du** ~ nicht im Geringsten; **c'est un** ~**!** *fam* das ist doch der Hammer!; **depuis que le** ~ **existe** seit Anbeginn der Welt; **mettre qn au** ~ jdn zur Welt bringen; **se**

moquer du ~ *fam* die Leute für dumm verkaufen wollen; **pour rien au** ~ um nichts auf der Welt

mondial, e [mɔ̃djal, jo] <-aux> *adj* weltweit; *économie, politique* Welt-

mondialement [mɔ̃djalmɑ̃] *adv* weltweit

mondialisation [mɔ̃djalizasjɔ̃] *f* weltweite Verbreitung

monégasque [mɔnegask] *adj* monegassisch

Monégasque [mɔnegask] *mf* Monegasse/Monegassin *m/f*

monétaire [mɔnetɛʁ] *adj marché, politique* Geld-; *union, unité* Währungs-

monétique [mɔnetik] *f* **1.** *(Zahlungsmittel)* Chip Geld *nt* **2.** *(Zahlungsweise)* elektronischer Zahlungsverkehr

mongol [mɔ̃gɔl] *m* Mongolisch *nt; v. a.* **allemand**

mongol, e [mɔ̃gɔl] *adj* mongolisch

Mongol, e [mɔ̃gɔl] *m, f* Mongole/Mongolin *m/f*

Mongolie [mɔ̃gɔli] *f* **la** ~ die Mongolei

mongolien, ne [mɔ̃gɔljɛ̃, jɛn] **I.** *adj* MED mongoloid **II.** *m, f* MED Mongoloide(r) *f(m)*

mongolisme [mɔ̃gɔlism] *m* MED Mongolismus *m*

moniteur [mɔnitœʁ] *m (écran)* Monitor *m*

moniteur, -trice [mɔnitœʁ, -tʁis] *m, f* ~ **de colonies** Betreuer; ~ **d'auto-école** Fahrlehrer; ~ **d'éducation physique** Sportlehrer

monitorat [mɔnitɔʁa] *m* **1.** *(formation)* Ausbildung *f* zum [Ferien]betreuer/zur [Ferien]betreuerin; **passer son** ~ eine Ausbildung als [Ferien]betreuer machen **2.** *(fonction)* [Ferien]betreuung *f*

monnaie [mɔnɛ] *f* **1.** ECON, FIN Geld *nt;* ~ **d'échange** Tauschmittel *nt;* **fausse** ~ Falschgeld **2.** *(devise)* Währung *f;* ~ **nationale** Landeswährung; ~ **unique** einheitliche Währung **3.** *(petites pièces)* Kleingeld *nt;* **menue** ~ Kleingeld *nt;* **de la** ~ **de 100 euros** 100 Euro [in] klein; **faire la** ~ **sur qc à qn** jdm etw wechseln; **ça va, j'ai la** ~ es geht, ich habe es passend **4.** *(argent rendu)* Wechselgeld *nt,* Rückgeld *nt* **5.** *(pièce)* Münze *f* ►**rendre à qn la** ~ **de sa pièce** es jdm mit gleicher Münze heimzahlen; ~ **de singe** wertloses Geld; **c'est** ~ **courante** das ist [so] üblich

monnayable [mɔnejabl] *adj* **1.** *(vendable)* in Geld umsetzbar; **ne pas être** ~ *(ne rien rapporter)* kein Geld einbringen; *(ne pas être à vendre)* nicht zu verkaufen sein **2.** FIN *(convertible)* münzbar

monogame [mɔnogam] *adj* monogam

monologue [mɔnɔlɔg] *m* Monolog *m*

mononucléose [mɔnonykleoz] *f* MED Pfeiffersches Drüsenfieber

monoparental, e [monopaRɑ̃tal, o] <-aux> *adj autorité* auf nur einen Elternteil beschränkt; **adulte** ~ Alleinerziehende(r) *f(m);* **famille** ~**e** Ein-Eltern-Familie *f*

monophasé [mɔnofɑze] *m* Einphasen-Wechselstrom *m*

monoplace [mɔnoplas] **I.** *adj* einsitzig **II.** *m* AUT, AVIAT Einsitzer *m*

monopole [mɔnɔpɔl] *m* **1.** ECON Monopol *nt* **2.** (*exclusivité*) **le** ~ **de qc** das ausschließliche Recht auf etw (*akk*); **avoir le** ~ **de la vérité/du cœur** die ganze Wahrheit kennen/alle Leute auf seiner Seite haben

monopoliser [mɔnɔpɔlize] <1> *vt* **1.** ECON monopolisieren **2.** (*accaparer*) in Beschlag nehmen; ganz für sich beanspruchen *attention;* an sich (*akk*) reißen *parole*

monotone [mɔnɔtɔn] *adj* monoton; *style, vie* eintönig

monotonie [mɔnɔtɔni] *f d'un discours, d'une voix* Monotonie *f; de la vie, du style* Eintönigkeit *f*

monsieur [məsjø, mesjø] <messieurs> *m* **1.** (*homme à qui on s'adresse*) *souvent non traduit* **bonjour** ~, **comment allez-vous?** guten Tag, wie geht es Ihnen?; **bonjour Monsieur Dupond** guten Tag, Herr Dupond; **bonjour messieurs** guten Tag, meine Herren; **messieurs dames** meine Damen und Herren; **messieurs et chers collègues ...** sehr verehrte Herren und liebe Kollegen ...; **Monsieur le Professeur Dupont/le Président François** [Herr] Professor Dupont/Präsident François; **Monsieur Untel** Herr Sowieso **2.** (*sur une enveloppe*) **Monsieur Pujol** An Herrn Pujol **3.** (*en-tête*) **Monsieur, ...** Sehr geehrter Herr + *Name,* ...; **Cher Monsieur, ...** Lieber Herr + *Name,* ...; (*dans une lettre officielle*) Sehr geehrter Herr + *Name,* ... **4.** (*un homme*) **un** ~ ein Herr *m;* **Monsieur Tout-le-monde** Otto-Normalverbraucher *m*

monstre [mɔ̃stR] **I.** *m* **1.** (*animal fantastique*) Ungeheuer *nt*, Monster *nt* **2.** (*personne: laide*) Missgestalt *f;* (*moralement abjecte*) Ekel *nt* **3.** (*construction laide*) Ungetüm *nt*, Monstrum *nt* **4.** BIO, ZOOL Missgeburt *f* ▸ ~ **sacré** CINE, THEAT Größe *f* aus der Welt des Films/Theaters **II.** *adj fam* wahnsinnig; *travail* wahnsinnig viel

monstrueusement [mɔ̃stRyøzmɑ̃] *adv* **1.** *antéposé* (*prodigieusement*) unheimlich **2.** (*ignoblement*) widerwärtig, abscheulich

monstrueux, -euse [mɔ̃stRyø, -øz] *adj*

1. (*difforme*) missgestaltet **2.** (*colossal*) riesig **3.** (*ignoble*) ungeheuer[lich]; *crime* abscheulich; *égoïsme, méchanceté* unerhört

monstruosité [mɔ̃stRyozite] *f des intentions* Schändlichkeit *f; d'un crime* Abscheulichkeit *f; d'un acte, de paroles* Ungeheuerlichkeit *f; d'une guerre* Gräuel *Pl*

mont [mɔ̃] *m* GEOG Berg *m;* **le** ~ **Sinaï/Carmel** der [Berg] Sinai/Karmel; **le** ~ **Cervin** das Matterhorn; **le** ~ **Blanc** der Montblanc ▸ **promettre** ~**s et merveilles** das Blaue vom Himmel versprechen

montage [mɔ̃taʒ] *m* **1.** *d'un appareil* Montage *f; d'un bijou* Fassung *f; d'une pièce de vêtement* Annähen *nt; d'une tente* Aufstellen *nt* **2.** MEDIA, THEAT, TYP Montage *f; d'une maquette* Bauen *nt; d'une opération* Ausführung *f; d'une page* Gestaltung *f; d'une pièce de théâtre* Einrichtung *f; d'un film* Schnitt *m; d'une exposition* Zusammenstellung *f*

montagnard, e [mɔ̃taɲaR, aRd] **I.** *adj peuple* Berg-; *vie* in den Bergen; *costume, coutume* der Bergbewohner **II.** *m, f* Bergbewohner(in) *m(f)*

montagne [mɔ̃taɲ] *f* **1.** (*mont*) Berg *m;* (*région*) Gebirge *nt;* **les** ~**s** das Gebirge; **en haute** ~ im Hochgebirge; **habiter la** ~ im Gebirge [*o* in den Bergen] wohnen **2.** (*grande quantité*) ~ **de lettres** Berge *Pl* von Briefen ▸ **gros comme une** ~ *fam* klar wie Kloßbrühe; ~**s russes** Achterbahn *f;* [se] **faire une** ~ **de qc/rien** aus etw ein Drama machen/aus einer Mücke einen Elefanten machen

montagneux, -euse [mɔ̃taɲø, -øz] *adj* Berg-, Gebirgs-

montant [mɔ̃tɑ̃] *m* **1.** (*somme*) Betrag *m* **2.** *d'un lit, d'une porte* Pfosten *m; d'une échelle* Holm *m*

montant, e [mɔ̃tɑ̃, ɑ̃t] *adj chemin* ansteigend; *colonne* aufsteigend; *mouvement* Aufwärts-; MIL dienstantretend; **marée** ~**e** Flut *f;* **la génération/technocratie** ~**e** die junge Generation/die jungen Technokraten *Pl*

mont-de-piété [mɔ̃d(ə)pjete] <monts-de-piété> *m vieilli* Pfandleihe *f*, Pfandleihanstalt *f*

monte [mɔ̃t] *f* **1.** (*manière de monter un cheval*) Reitweise *f* **2.** ZOOL Decken *nt*

monté, e [mɔ̃te] *adj* (*à cheval*) beritten ▸ **être bien/mal** ~ **en qc** gut/schlecht versorgt mit etw sein; **être** ~ **contre qn** nicht gut auf jdn zu sprechen sein

montée [mɔ̃te] *f* **1.** *des eaux* Ansteigen *nt*, Anstieg *m; de la colère* Anwachsen *nt; d'un danger* Größerwerden *nt; du mécontentement, de la violence* Zunahme *f; de l'islam*

wachsende Einflussnahme; *d'un parti* Aufstieg *m;* ~ **en puissance** *d'un moteur* Beschleunigung *f; d'une idéologie* zunehmende Bedeutung; **la ~ des prix/de la température** der Preis-/Temperaturanstieg **2.** *de la sève* Aufsteigen *nt* **3.** (*côte, pente*) Steigung *f* **4.** (*action de monter*) Aufstieg *m; d'un escalier* Hinaufsteigen *nt;* (*vu d'en haut*) Heraufsteigen *nt; d'un ascenseur* Hinauffahren *nt; d'un téléférique* Bergfahrt *f; d'un avion, ballon* Aufstieg *m*

monter [mɔ̃te] <1> **I.** *vi* **1.** + *être* (*grimper*) hinaufsteigen; (*vu d'en haut*) heraufsteigen; *alpiniste:* aufsteigen; ~ **sur une échelle** eine Leiter besteigen; ~ **à une tribune/en chaire** zum Rednerpult hinaufsteigen/auf die Kanzel steigen; ~ **dans sa chambre** in sein Zimmer gehen; ~ **par l'ascenseur** mit dem Aufzug hochfahren; ~ **jusqu'à qc** *eau, robe:* bis [zu] etw reichen; ~ **à 200 km/h** es auf 200 km/h bringen; ~ **à 1000 m d'altitude** auf 1000 m aufsteigen **2.** (*chevaucher*) ~ **à cheval** reiten; ~ **à bicyclette/moto** sich auf ein Fahrrad/Motorrad setzen **3.** + *être* (*prendre place dans*) einsteigen in (+ *akk*) **4.** + *être* (*aller vers le nord*) hochfahren **5.** + *être* (*s'élever*) *avion, flammes:* aufsteigen; *route, chemin:* ansteigen; *soleil:* aufgehen **6.** + *avoir o être* (*augmenter de niveau*) *baromètre, mer:* steigen; *lait:* überkochen; *sève:* aufsteigen; *impatience, bruits:* wachsen; **les larmes lui montent aux yeux** Tränen steigen ihm/ihr in die Augen **7.** + *avoir o être* (*augmenter*) *actions, croissance:* steigen; *pression:* steigen, zunehmen **8.** + *être* (*passer à l'aigu*) *ton, voix:* höher werden **9.** + *avoir o être* (*faire une ascension sociale*) aufsteigen; **c'est une étoile qui monte** er/sie ist gerade im Kommen **II.** *vt* + *avoir* **1.** (*gravir*) *personne:* hinaufsteigen, hinaufgehen; (*vu d'en haut*) heraufsteigen; steigen auf (+ *akk*) *échelle; appareil:* hinaufführen; (*vu d'en haut*) herauffahren **2.** (*porter en haut: vu d'en bas*) hochbringen, hinaufbringen *courrier;* hochtragen, hinauftragen *valise;* (*vu d'en haut*) heraufbringen *courrier;* herauftragen *valise* **3.** GASTR schlagen **4.** (*chevaucher*) reiten **5.** (*couvrir*) besteigen **6.** (*augmenter*) anheben *prix;* ~ **le son** lauter drehen **7.** (*organiser*) in die Wege leiten *affaire;* gründen *association;* ausführen *opération;* ausarbeiten *projet;* aufführen *pièce de théâtre;* drehen *film;* inszenieren *spectacle* **8.** (*fomenter*) schmieden *complot;* landen *coup;* aushecken *histoire* **9.** (*assembler, installer*) aufstellen *échafaudage, tente;* bauen *maison;* hochziehen *mur;* montieren *pneu*

10. (*exciter*) ~ **le coup à qn** jdn aufbringen **III.** *vpr* (*atteindre*) **se ~ à 2000 euros** sich auf 2000 Euro (*akk*) belaufen

monteur, -euse [mɔ̃tœʀ, -øz] *m, f* **1.** TECH Monteur(in) *m(f)* **2.** CINE Cutter(in) *m(f)*

montgolfière [mɔ̃gɔlfjɛʀ] *f* Heißluftballon *m*

montre [mɔ̃tʀ] *f* Uhr *f;* ~ **analogique/digitale** Analog-/Digitaluhr; ~ **à quartz** Quarzuhr ▶~ **en main** auf die Minute genau; **course contre la ~** Wettlauf *m* mit der Zeit

Montréal [mɔ̃real] Montreal *nt*

montréalais, e [mɔ̃realɛ, ɛz] *adj* aus Montreal

Montréalais, e [mɔ̃realɛ, ɛz] *m, f* Einwohner(in) *m(f)* von Montreal

montre-bracelet [mɔ̃tʀəbʀaslɛ] <montres-bracelets> *f* Armbanduhr *f*

montrer [mɔ̃tʀe] <1> **I.** *vt* **1.** (*présenter*) ~ **le copain/l'album à qn** jdm den Kumpel/das Album zeigen **2.** (*exhiber*) vorführen **3.** (*indiquer*) anzeigen *direction;* ~ **la sortie** auf den Ausgang zeigen **II.** *vpr* **se ~ qc** sich (*dat*) etw zeigen; (*apparaître*) **se ~** sich zeigen, sich sehen lassen; **se ~ à son avantage** sich von seiner guten Seite zeigen

montreur, -euse [mɔ̃tʀœʀ, -øz] *m, f* ~ **de marionnettes** Puppenspieler; ~ **d'ours** Bärenführer

monture [mɔ̃tyʀ] *f* **1.** (*animal*) Reittier *nt* **2.** OPT Gestell *nt*

monument [mɔnymɑ̃] *m* **1.** (*mémorial*) Denkmal *nt;* ~ **funéraire** Grabmal *nt;* ~ **aux morts** Ehrenmal *nt* für die Toten; (*aux soldats morts pendant la guerre*) Kriegerdenkmal *nt* **2.** (*édifice*) Monument *nt;* **être classé ~ historique** unter Denkmalschutz stehen; ~ **public** öffentliches Bauwerk **3.** *fig fam* **être un ~ d'orgueil/de bêtise** ungeheuer stolz/dumm sein

monumental, e [mɔnymɑ̃tal, o] <-aux> *adj* **1.** (*imposant*) monumental, gewaltig **2.** *fam* (*énorme*) gewaltig; *orgueil* unbändig; **être d'une bêtise ~e** entsetzlich dumm sein

moquer [mɔke] <1> *vpr* **1.** (*ridiculiser*) **se ~ de qn/qc** sich über jdn/etw lustig machen **2.** (*dédaigner*) **se ~ du qu'en dira-t-on** sich nicht um das Gerede der Leute kümmern; **il se moque de faire qc** es macht ihm nichts aus etw zu tun; **elle se moque que ce soit trop tard** sie schert sich nicht darum, dass es zu spät ist; **je m'en moque pas mal** das ist mir völlig egal (*fam*) **3.** (*tromper*) **se ~ de qn** jdn zum Narren halten

moquerie [mɔkʀi] *f* Spott *m;* **les ~s** Ge-

spött *nt*

moquette [mɔkɛt] *f* Teppichboden *m*

moqueur, -euse [mɔkœʀ, -øz] I. *adj air* spöttisch; **être très** ~ sich gerne lustig machen II. *m, f* Spötter(in) *m(f)*

moral, e [mɔʀal, o] <-aux> *adj* **1.** (*qui concerne les mœurs*) moralisch **2.** (*relatif à l'esprit*) seelisch; *force* innere(r, s) **3.** (*éthique*) moralisch; *problème* ethisch

moral [mɔʀal, o] <-aux> *m* **1.** (*état psychologique*) Stimmung *f*, Moral *f*; **le** ~ **de l'armée/la population** die Truppenmoral/Stimmung in der Bevölkerung **2.** (*vie psychique*) Geisteszustand *m* ▸**avoir le** ~ **à zéro** einen seelischen Tiefpunkt haben; **avoir le** ~ (*être optimiste*) zuversichtlich sein; **ne pas avoir le** ~ niedergeschlagen sein; **remonter le** ~ **à qn** jdm wieder Mut machen

morale [mɔʀal] *f* **1.** (*principes*) Moral *f* **2.** (*éthique*) Morallehre *f* ▸**faire la** ~ **à qn** jdm eine Moralpredigt halten

moralisateur, -trice [mɔʀalizatœʀ, -tʀis] I. *adj enseignement, influence* moralisch; *histoire, récit* erbaulich; *personne, ton* moralisierend II. *m, f* Moralprediger(in) *m(f)*

moraliser [mɔʀalize] <1> I. *vi* moralisieren II. *vt* moralisch rechtfertigen

moralisme [mɔʀalism] *m* Moralismus *m*

moraliste [mɔʀalist] *adj personne* moralisierend; *attitude* moralistisch

moralité [mɔʀalite] *f* **1.** (*valeur morale*) moralischer Wert **2.** (*leçon*) Moral *f*

morbide [mɔʀbid] *adj* (*malsain*) *goût, littérature* morbid; *imagination* krankhaft

morceau [mɔʀso] <x> *m* **1.** (*fragment*) Stück *nt*; **sucre en ~x** Würfelzucker *m*; **mettre un livre en ~x** ein Buch zerreißen; ~ **par** ~ Stück für Stück **2.** (*viande*) **bas ~x** Stücke minderer Qualität; ~ **de choix** erstklassiges Stück; **bons ~x** Leckerbissen *Pl* **3.** ART Stück *nt* ▸**lâcher** *fam* **le** ~ auspacken; **manger un** ~ einen Happen essen; **recoller les ~x** die Scherben wieder zusammenkitten

morceler [mɔʀsəle] <3> I. *vt* zerstückeln; aufteilen *terrain, héritage* II. *vpr* **se** ~ *propriété, terrain:* sich aufteilen lassen

mordant, e [mɔʀdɑ̃, ɑ̃t] *adj* **1.** (*incisif*) beißend; *personne, trait d'esprit* bissig; *ton, voix* schneidend; *vent* scharf **2.** *acide* ätzend; *lime* scharf

mordre [mɔʀdʀ] <14> I. *vi* **1.** (*attaquer*) beißen **2.** (*se laisser prendre*) anbeißen; ~ **à l'appât** *poisson:* anbeißen; *fig* sich ködern lassen **3.** (*prendre goût*) ~ **à qc** an etw (*dat*) Gefallen finden **4.** (*enfoncer les dents*) ~ **dans qc** in etw (*akk*) [hinein]beißen **5.** (*pénétrer*) ~ **dans qc** sich in etw

(*akk*) bohren **6.** (*empiéter*) ~ **sur qc** auf etw (*akk*) übergreifen II. *vt* **1.** (*serrer avec les dents*) beißen; ~ **qn à l'oreille/la jambe** jdm/jdn ins Ohr/Bein beißen; ~ **le doigt de qn** jdm/jdn in den Finger beißen **2.** (*empiéter sur*) *joueur:* übertreten *démarcation* III. *vpr se* ~ [**la langue**] sich (*dat*) auf die Zunge beißen

mordu, e [mɔʀdy] I. *part passé de* **mordre** II. *adj* **1.** (*amoureux*) **être** ~ über beide Ohren verliebt sein **2.** *fam* (*passionné*) **être** ~ **de qc** von etw begeistert sein III. *m, f fam* ~ **de musique/sport** Musik-/Sportfan *m*

morfondre [mɔʀfɔ̃dʀ] <14> *vpr* **se** ~ **1.** (*s'ennuyer*) vor Langeweile vergehen **2.** (*languir*) Trübsal blasen; **être morfondu** bedrückt sein

morgue [mɔʀg] *f* **1.** (*institut médico-légal*) Leichenschauhaus *nt* **2.** (*salle d'hôpital*) Leichenkammer *f*

morigéner [mɔʀiʒene] <5> *vt* schelten; **se faire** ~ **par qn** von jdm gescholten [*o* zurechtgewiesen] werden

morne [mɔʀn] *adj* trübselig; *vie, paysage* trist; *regard* trüb

morose [mɔʀoz] *adj personne, air* verdrießlich; *temps, situation* schlecht

morosité [mɔʀozite] *f* Verdrossenheit *f*; ~ **économique** schlechte Wirtschaftslage

morphinomane [mɔʀfinɔman] I. *adj* morphiumsüchtig II. *mf* Morphiumsüchtige(r) *f(m)*

morphologie [mɔʀfɔlɔʒi] *f* Morphologie *f*

morpion [mɔʀpjɔ̃] *m fam* (*pou*) Filzlaus *f*

morse¹ [mɔʀs] *m* ZOOL Walross *nt*

morse² [mɔʀs] I. *m* Morsezeichen *Pl*; **envoyer un message en** ~ eine Nachricht morsen II. *adj* **l'alphabet** ~ das Morsealphabet

morsure [mɔʀsyʀ] *f* **1.** (*action de mordre*) Biss *m* **2.** (*plaie*) Bisswunde *f*; *d'un insecte* Stich *m*

mort [mɔʀ] *f* **1.** (*décès*) Tod *m*; **la Mort** (*personnification*) der Tod **2.** (*destruction*) **la** ~ **de qc** der Untergang einer S. (*gen*) ▸**faire qc la** ~ **dans l'âme** etw schweren Herzens tun; **attraper la** ~ *fam* sich (*dat*) den Tod holen; **être blessé à** ~ tödlich verletzt sein; **se donner la** ~ sich umbringen; **frapper qn à** ~ jdn totschlagen; **à** ~! **à** ~! bring/er ihn/sie um!; **au tyran!** Tod dem Tyrannen!; **à** ~ (*fortement*) **en vouloir à** ~ **à qn** jdm auf den Tod hassen; **s'ennuyer à** ~ sich tödlich langweilen

mort, e [mɔʀ, mɔʀt] I. *part passé de* **mourir** II. *adj* **1.** (*décédé*) tot **2.** *fam* (*épuisé*) **être** ~ [total] erledigt sein; **être** ~

de fatigue todmüde sein **3.**(*avec un fort sentiment de*) **être ~ de honte/peur** vor Scham/Angst [fast] sterben **4.** BIO *branche, arbre* tot; *feuilles* welk; *tissu, cellule* abgestorben **5.** *yeux, regard* tot; *feu* erloschen **6.**(*sans animation*) wie ausgestorben **7.** *langue* tot; *civilisation* ausgestorben; *amours* vergangen **8.** *piles* leer; **le moteur est ~** der Motor hat ausgedient ▸ **être ~ et enterré** tot und begraben sein; **être laissé pour ~** vermisst werden; **tomber** [raide] **~** [auf der Stelle] tot umfallen **III.** *m, f* **1.**(*défunt*) Tote(r) *f(m)*; **les ~s de la guerre** die Gefallenen **2.**(*dépouille*) Leiche *f* ▸ **être un ~ en sursis** dem sicheren Tod entgegengehen; **être un ~ vivant** eine wandelnde Leiche sein; **faire le ~** (*comme si on était mort*) sich tot stellen; (*ne pas répondre*) nichts von sich hören lassen

mortalité [mɔʀtalite] *f* Sterblichkeit *f*

mort-aux-rats [mɔʀɔʀa] *f inv* Rattengift *nt*

mortel, le [mɔʀtɛl] **I.** *adj* **1.**(*sujet à la mort*) sterblich **2.**(*causant la mort*) tödlich **3.** *frayeur, haine* tödlich; *pâleur* Leichen-; *froid, chaleur* mörderisch; *ennemi* Tod- **4.** *fam* (*ennuyeux*) sterbenslangweilig **5.** *silence* eisig; *attente* qualvoll **II.** *m, f souvent pl* Sterbliche(r) *f(m)*

mortellement [mɔʀtɛlmã] *adv* **1.** tödlich **2.**(*extrêmement*) *vexé* tödlich; **~ ennuyeux** sterbenslangweilig

mort-né, e [mɔʀne] <mort-nés> **I.** *adj* *enfant* tot geboren; *projet, entreprise* aussichtslos **II.** *m, f* Totgeburt *f*

morue [mɔʀy] *f* **1.** ZOOL **~** [séchée] Stockfisch *m*; **~ fraîche** Kabeljau *m*; **~ fumée** Haddock *m*; **huile de foie de ~** Lebertran *m* **2.** *vulg* (*prostituée*) Nutte *f* (*pej*)

morve [mɔʀv] *f* Nasenschleim *m*

morveux, -euse [mɔʀvø, -øz] **I.** *adj* *nez* laufend; *enfant* rotznäsig (*pej vulg*) **II.** *m, f* *péj fam* Rotznase *f* (*vulg*)

mosaïque [mɔzaik] *f* **1.**(*image*) Mosaik *nt* **2.** *fig* **~ de peuples** Völkergemisch *nt*

Moscou [mɔsku] Moskau *nt*

moscovite [mɔskɔvit] *adj* Moskauer, moskauisch

Moscovite [mɔskɔvit] *mf* Moskauer(in) *m(f)*

Moselle [mɔzɛl] *f* **la ~** die Mosel

mosquée [mɔske] *f* Moschee *f*

mot [mo] *m* **1.** LING Wort *nt*; **~ étranger** Fremdwort; **un gros ~** ein Kraftausdruck; **~ d'entrée** Stichwort *nt*; **~ composé** zusammengesetztes Wort **2.**(*moyen d'expression*) Wort *nt*; **les ~s me manquent** mir fehlen die Worte; **chercher ses ~s** nach Worten suchen; **c'est le ~ juste** das ist der passende Ausdruck; **à** [*o* sur] **ces ~s**

bei diesen Worten; **~ pour ~** Wort für Wort **3.**(*message*) **un ~** ein paar Zeilen *Pl*; **un ~ d'excuse** eine Entschuldigung; **~ d'ordre** Parole *f*; **un ~ de félicitations** ein Glückwunsch; **laisser un ~ à qn** jdm eine Nachricht hinterlassen **4.**(*parole mémorable*) Wort *nt*, Ausspruch *m* **5.** INFORM **~ de passe** Passwort *nt* **6.** JEUX **faire des ~s croisés/fléchés** Kreuzworträtsel lösen ▸ **le fin ~ de l'affaire** der wahre Sachverhalt der Affäre; **qn a un ~ sur le bout de la langue** jdm liegt ein Wort auf der Zunge; **aller dire deux ~s à qn** mit jdm ein Wörtchen zu reden haben; **expliquer/raconter qc en deux ~s** etw mit wenigen Worten erklären/erzählen; **avoir son ~ à dire** [auch noch] ein Wörtchen mitzureden haben; **sans ~ dire** wortlos; **se donner le ~** sich absprechen; **avoir des ~s avec qn** *fam* einen Wortwechsel mit jdm haben; **avoir toujours le ~ pour rire** immer zum Scherzen aufgelegt sein; **je lui en toucherai un ~** ich werde ihn darauf ansprechen; **~ à ~** wortwörtlich; **en un ~** [comme en cent] mit einem Wort

motard, e [mɔtaʀ] *m, f fam* (*motocycliste*) Motorradfahrer(in) *m(f)*; (*policier*) motorisierter Polizist/motorisierte Polizistin *m/f*

mot-clé [mokle] <mots-clés> *m* (*code*) Schlüsselwort *nt*; (*dans un dictionnaire*) Stichwort *nt*

moteur [mɔtœʀ] **I.** *m* **1.** TECH Motor *m*; **~ à explosion** Explosionsmotor; **~ à réaction** Triebwerk *nt*; **~ diesel** Dieselmotor **2.**(*cause*) **être le ~ de qc** *concurrence*: der Antrieb für etw sein; *personne*: die treibende Kraft für etw sein **II.** *app* **bloc ~** Motorblock *m*; **frein ~** Motorbremse *f*

moteur, -trice [mɔtœʀ, -tʀis] *adj* *muscle, nerf* motorisch, Bewegungs-; *force, roue* Antriebs-

motif [mɔtif] *m* **1.**(*raison*) [Beweg]grund *m* **2.** *pl* (*dans un jugement*) Urteilsbegründung *f* **3.**(*ornement*) Motiv *nt*, Muster *nt* **4.**(*modèle*) Motiv *nt*, Vorlage *f*

motivant, e [mɔtivã, ãt] *adj* motivierend

motivation [mɔtivasjɔ̃] *f* **1.**(*justification*) Motivation *f*; **~ de qc** Grund *m* für etw **2.** ECON **lettre de ~** Bewerbungsschreiben *nt*

motivé, e [mɔtive] *adj* **1.**(*justifié*) begründet; **absence non ~e** unentschuldigtes Fehlen **2.** *personne* motiviert

motiver [mɔtive] *vt* **1.**(*justifier*) begründen **2.**(*causer*) die Ursache sein für **3.**(*stimuler*) motivieren; **~ qn à faire qc** jdn dazu motivieren etw zu tun; **être motivé par qc** durch etw motiviert sein

moto [mɔto] *f abr de* **motocyclette** Mo-

torrad *nt*

motocross, moto-cross [motokʀɔs] *m inv* Moto-Cross *nt*

motoculteur [motokyltœʀ] *m* Gartenfräse *f*

motocyclisme [motosiklism] *m* Motorradsport *m*

motocycliste [motosiklist] **I.** *adj* Motorrad- **II.** *mf* Motorradfahrer(in) *m(f)*

motoriser [motoʀize] <1> *vt* motorisieren

motrice [mɔtʀis] *f* Triebwagen *m*

motus [mɔtys] *interj vieilli* ►~ [et bouche cousue!] Mund halten und nichts verraten!

mou [mu] *m* **1.** *fam* (*personne*) Weichling *m* **2.** (*qualité*) Weiche(s) *nt*

mou, mol, molle [mu, mɔl] **I.** *adj* **1.** (*opp: dur*) weich; *neige* nass; *ressort* ausgeleiert; **chapeau** ~ Schlapphut *m* **2.** (*flasque*) schlaff **3.** *personne, geste* schlaff; *résistance, protestations* schwach **4.** *bruit* dumpf **II.** *adv jouer* lahm, kraftlos

mouchard, e [muʃaʀ, aʀd] *m, f* **1.** (*rapporteur*) Petzer/Petze *m/f* (*fam*) **2.** *péj* (*indicateur de police*) Spitzel *m*

moucharder [muʃaʀde] <1> **I.** *vi fam* petzen **II.** *vt fam* verpetzen; (*à la police*) verpfeifen

mouche [muʃ] *f* **1.** ZOOL Fliege *f* **2.** PECHE [künstliche] Fliege **3.** *d'une cible* Schwarze(s) *nt* **4.** (*en cosmétique*) Schönheitspflästerchen *nt* ►**quelle** ~ **l'a piqué?** was ist in ihn/sie gefahren?

moucher [muʃe] <1> **I.** *vt* ~ **son nez** sich schneuzen, sich (*dat*) die Nase putzen; ~ [le nez à] qn jdm die Nase putzen **II.** *vpr* **se** ~ [le nez] sich schneuzen, sich (*dat*) die Nase putzen

mouchoir [muʃwaʀ] *m* ~ [de poche] Taschentuch *nt;* ~ **en papier** Papiertaschentuch; ~ **en tissu** Stofftaschentuch

moudre [mudʀ] <irr> *vt* mahlen

moue [mu] *f* schiefes Gesicht; ~ **boudeuse** Schmollmund *m*

mouette [mwɛt] *f* Möwe *f*

moufeter [mufte] <1> *vi fam* **qn n'a pas moufeté** jd hat keinen Mucks von sich gegeben (*fam*); **sans** ~ ohne aufzumucken (*fam*)

moufter [mufte] <1> *vi v.* **moufeter**

mouillé, e [muje] *adj* **1.** (*trempé*) nass **2.** *voix* bewegt **3.** *regard, yeux* tränennass **4.** LING mouilliert

mouiller [muje] <1> **I.** *vt* **1.** (*humecter*) nass machen **2.** (*tremper*) durchnässen; **se faire** ~ nass werden **3.** GASTR ~ **un rôti avec du bouillon** einen Braten mit Brühe begießen **4.** NAUT verankern *navire;* auswer-

fen *ancre;* legen *mines* **5.** *fam* (*compromettre*) ~ **qn dans qc** jdn in etw (*akk*) hineinziehen **II.** *vi* **1.** (*jeter l'ancre*) vor Anker gehen, ankern **2.** *fam* (*avoir peur*) [vor Angst] in die Hosen machen **III.** *vpr* **1.** (*passer sous l'eau*) **se** ~ nass werden; **se** ~ **les mains** sich (*dat*) die Hände nass machen **2.** (*se tremper*) **se** ~ sich nass machen **3.** (*s'humecter*) **les yeux se mouillent** die Augen werden feucht **4.** *fam* (*se compromettre*) **se** ~ **dans qc** sich in etw (*akk*) hineinziehen lassen **5.** *fam* (*s'engager*) **se** ~ **pour qn/pour faire qc** sich ins Zeug legen für jdn/um etw zu tun

mouillette [mujɛt] *f: Brotschnittchen zum Eintunken*

moulage [mulaʒ] *m* **1.** (*action de mouler*) Gießen *nt* **2.** (*empreinte, objet*) Abguss *m*

moulant, e [mulã, ãt] *adj* enganliegend

moule¹ [mul] *m* **1.** (*forme*) Form *f;* GASTR [Kuchen]form **2.** (*empreinte*) Abdruck *m* **3.** (*modèle*) **être fait sur le même** ~ nach demselben Muster gemacht sein

moule² [mul] *f* Miesmuschel *f*

mouler [mule] <1> *vt* **1.** (*fabriquer*) formen **2.** (*prendre un moulage de*) ~ **un buste** einen Abdruck von einer Büste machen **3.** (*coller à*) **des vêtements qui moulent le corps** eng anliegende Kleidungsstücke

moulin [mulɛ̃] *m* Mühle *f;* ~ **à café** Kaffeemühle; ~ **à vent** Windmühle ►**être un** ~ **à paroles** *fam* reden wie ein Wasserfall; **on entre ici comme dans un** ~ hier geht es zu wie in einem Taubenschlag

mouliner [muline] <1> *vt* GASTR passieren

moulu, e [muly] **I.** *part passé de* **moudre** **II.** *adj* **1.** (*en poudre*) gemahlen **2.** *fam* (*fourbu*) **être** ~ [de fatigue] wie gerädert sein

moulure [mulyʀ] *f* Zierleiste *f*

moumoute [mumut] *f fam* **1.** (*perruque*) falsches Haarteil **2.** (*veste*) Weste *f* aus Schafspelz

mourant, e [muʀã, ãt] **I.** *adj* **1.** *personne* sterbend; **être** ~ im Sterben liegen **2.** (*faiblissant*) schwächer werdend; *musique, son* verklingend; *feu, lumière* verlöschend **II.** *m, f* Sterbende(r) *f(m)*

mourir [muʀiʀ] <irr> *vi + être* **1.** (*cesser d'exister*) *personne, animal:* sterben; *plante:* eingehen; *fleuve:* umkippen; ~ **de qc** *personne:* an etw (*dat*) sterben; *animal a.:* an etw (*dat*) eingehen; ~ **de ses blessures** seinen Verletzungen erliegen; ~ **de chagrin** vor Kummer sterben; ~ **de faim** verhungern; ~ **de soif** verdursten; ~ **de froid** erfrieren; ~ **dans un accident de voiture** bei einem Autounfall ums Leben

kommen; **il est mort assassiné/empoisonné** er ist ermordet/vergiftet worden; **elle est morte noyée** sie ist ertrunken **2.**(*venir de ~*) **être mort** tot sein **3.**(*tuer*) **faire ~** töten; **tu vas faire ~ ta mère de chagrin** du bringst deine Mutter vor lauter Kummer noch ins Grab **4.**(*disparaître peu à peu*) *civilisation, langue:* verschwinden; *agriculture, petit commerce:* eingehen; *feu:* erlöschen; *voix, bruit:* verklingen ▸**c'est à ~ de** <u>rire</u> das ist zum Totlachen; **se sentir malade** <u>à</u> ~ sich sterbenselend fühlen; **s'ennuyer** <u>à</u> ~ sich tödlich langweilen

mouroir [muʀwaʀ] *m péj* Sterbeheim *nt*

moussant, e [musɑ̃, ɑ̃t] *adj* Schaum-

mousse[1] [mus] **I.** *f* **1.**(*écume*) Schaum *m;* ~ **à raser** Rasierschaum **2.** BOT Moos *nt* **3.** GASTR Mousse *f* **4.**(*matière*) Schaumstoff *m* **II.** *app inv* **vert ~** moosgrün

mousse[2] [mus] *m* Schiffsjunge *m*

mousseline [muslin] **I.** *f* Musselin *m; une ~* ein Musselinstoff **II.** *app inv* **pommes ~** schaumiges Kartoffelpüree; **sauce ~** Sauce hollandaise *f* mit Sahne

mousser [muse] <1> *vi* **1.**(*produire de la mousse*) schäumen; **faire ~** zum Schäumen bringen **2.** *fam* (*vanter*) **faire ~ qn/ qc** für jdn/etw die Werbetrommel rühren; **se faire ~ auprès de qn** sich bei jdm in ein günstiges Licht setzen

mousseux [musø] *m* Schaumwein *m*

mousson [musɔ̃] *f* Monsun *m*

moustache [mustaʃ] *f* **1.**(*d'un homme*) Schnurrbart *m* **2.**(*d'une femme*) Damenbart *m* **3.**(*du chat*) Schnurrhaare *Pl* **4.**(*trace autour des lèvres*) Bart *m*

moustachu, e [mustaʃy] *adj homme* schnurrbärtig; *lèvre supérieure* bärtig

moustachu [mustaʃy] *m* Mann *m* mit Schnurrbart

moustiquaire [mustikɛʀ] *f* **1.**(*rideau*) Moskitonetz *nt* **2.**(*à la fenêtre*) Fliegenfenster *nt* **3.**(*à la porte*) Fliegengitter *nt*

moustique [mustik] *m* **1.** ZOOL Stechmücke *f* **2.**(*sous les tropiques*) Moskito *m* **3.** *péj* (*enfant*) Knirps *m;* (*personne malingre*) Würmchen *nt*

moutarde [mutaʀd] **I.** *f* Senf *m* **II.** *app inv* senf-

mouton [mutɔ̃] *m* **1.** ZOOL Schaf *nt; une veste en* [**peau de**] ~ eine Jacke aus Schaf[s]pelz; **un livre relié en ~** ein in Schafleder gebundenes Buch **2.**(*mâle châtré*) Hammel *m* **3.**(*viande*) Hammelfleisch *nt* **4.**(*écume*) Schaumkrone *f* **5.**(*poussière*) Staubflocke *f* **6.**(*nuages*) Schäfchenwolke *f* **7.**(*personne douce*) Schaf *nt*

▸**revenons à nos** ~**s** kommen wir wieder zur Sache

mouvance [muvɑ̃s] *f* **1.** Einflussbereich *m* **2.**(*mouvement idéologique*) Bewegung *f*

mouvement [muvmɑ̃] *m* **1.**(*action*) Bewegung *f* **2.**(*impulsion*) Regung *f;* ~ **de colère** Wutausbruch *m;* ~ **d'humeur** Anfall *m* von schlechter Laune; ~ **d'impatience** Anwandlung *f* von Ungeduld **3.**(*animation*) Treiben *nt* **4.** ECON *de marchandises* Bewegungen *Pl; de capitaux, fonds a.* Verkehr *m;* ~ **des prix** Preisschwankungen *Pl;* ~ **de baisse** rückläufige Bewegung *f* ~ **de hausse** Aufwärtsbewegung *f* **5.**(*changement d'affectation*) Veränderungen *Pl* **6.** GEOL *de terrain* Erdbewegungen *Pl* **7.**(*évolution*) Wandel *m;* ~ **d'opinion/idées** geistige Strömung **8.**(*tempo*) Tempo *nt* **9.**(*partie de l'œuvre*) Satz *m* ▸**être** <u>libre</u> **de ses ~s** sich frei bewegen können

mouvementé, e [muvmɑ̃te] *adj* **1.**(*agité*) stürmisch; *vie* bewegt; *poursuite, récit* dramatisch **2.**(*accidenté*) uneben

moyen [mwajɛ̃] *m* **1.**(*procédé*) Mittel *nt;* ~ **d'action** Handlungsmöglichkeit *f;* **par tous les ~s** mit allen Mitteln **2.**(*solution*) Weg *m;* **par le ~ de** auf dem Umweg über; **au ~ de qc** mit Hilfe einer S. (*gen*) **3.**(*manière*) Art *f* [und Weise *f*] **4.** *pl* (*capacités physiques*) körperliche Fähigkeiten **5.** *pl* (*capacités intellectuelles*) geistige Fähigkeiten; **être en** [**pleine**] **possession de ses ~s** im Vollbesitz seiner Kräfte sein; **par ses propres ~s** (*sans aide*) aus eigener Kraft **6.** *pl* (*ressources financières*) [finanzielle] Mittel; **vivre au-dessus de ses ~s** über seine Verhältnisse leben; **c'est au-dessus de mes ~s** das übersteigt meine Mittel; **il/elle a les ~s!** *fam* er/sie kann es sich (*dat*) leisten! **7.** *souvent pl* (*instruments*) ~**s publicitaires** Werbemittel *Pl;* ~ **de transport/contrôle** Transport-/ Kontrollmittel *nt* ▸**se débrouiller avec les** ~**s du** <u>bord</u> mit dem zurechtkommen, was man hat; **employer les grands** ~**s pour faire qc** zum äußersten Mittel greifen, um etw zu tun; <u>pas</u> ~! nichts zu machen!

moyen, ne [mwajɛ̃, jɛn] *adj* **1.**(*intermédiaire*) mittlere(r, s); *classe, ondes* Mittel-; **à ~ terme** mittelfristig; *v. a.* **moyenne 2.**(*ni bon, ni mauvais*) mittelmäßig **3.**(*en proportion*) durchschnittlich **4.**(*du type courant*) Durchschnitts-; **le Français ~** der Durchschnittsfranzose

Moyen Âge , **Moyen-Âge** [mwajɛnɑʒ] *m* Mittelalter *nt*

moyenâgeux, -euse [mwajɛnɑʒø, -jøz]

adj a. *péj* mittelalterlich

moyen-courrier [mwajɛ̃kuʀje] <moy-en-courriers> *m* Mittelstreckenflugzeug *nt*

moyennant [mwajɛnɑ̃] *prép* ~ **une ré-compense/un petit service** gegen eine Belohnung/einen Gefallen; ~ **2000 euros** für 2000 Euro ▸~ **quoi** womit, wofür

moyenne [mwajɛn] *f* **1.** MATH Mittel *nt*, Mittelwert *m;* **la ~ d'âge** das Durch-schnittsalter; **en ~** durchschnittlich **2.** SCOL Durchschnitt *m;* **avoir la ~ en qc** in etw *(dat)* eine durchschnittliche Note haben **3.** *(type le plus courant)* Durchschnitt *m*

Moyen-Orient [mwajɛnɔʀjɑ̃] *m* **le ~** der Mittlere Osten

MST [ɛmɛste] *f* MED *abr de* **maladie sexu-ellement transmissible** Geschlechts-krankheit *f*

mû, mue [my] *part passé de* **mouvoir**

mue [my] *f* **1.** ZOOL *de l'oiseau* Mauser *f; du serpent* Häutung *f; d'un mammifère* [Sich]haaren *nt* **2.** ANAT Stimmbruch *m*

muer [mɥe] <1> *vi* **1.** ZOOL *oiseau:* sich mausern; *serpent:* sich häuten; *mammifère:* [sich] haaren **2.** *(changer de timbre)* gar-çon: im Stimmbruch sein; **sa voix mue** er ist im Stimmbruch

muesli [mysli] *m* Müsli *nt*

muet, te [mɥɛ, mɥɛt] **I.** *adj* stumm; ~ **d'admiration/de surprise** sprachlos vor Bewunderung/Überraschung; **le cinéma ~** der Stummfilm **II.** *m, f* Stumme(r) *f(m)*

muezzin [mɥɛdzin] *m* Muezzin *m*

muguet [mygɛ] *m* Maiglöckchen *nt*

mulâtre, mulâtresse [mylɑtʀ, mylatʀɛs] **I.** *adj* Mulatten- **II.** *m, f* Mulatte/Mulattin *m/f*

mule¹ [myl] *f* ZOOL Mauleselin *f* ▸**être têtu comme une ~** störrisch wie ein Esel sein *(fam)*

mule² [myl] *f (pantoufle)* Pantoffel *m*

mulet [mylɛ] *m* ZOOL Maulesel *m* ▸**être chargé comme un ~** *fam* beladen sein wie ein Packesel

mulot [mylo] *m* Feldmaus *f*

multicolore [myltikɔlɔʀ] *adj* vielfarbig, bunt

multiculturel, le [myltikyltyʀɛl] *adj* multi-kulturell

multifonction [myltifɔ̃ksjɔ̃] *adj inv* multi-funktionell

multifonctions [myltifɔ̃ksjɔ̃] *adj inv* mul-tifunktional

multilingue [myltilɛ̃g] *adj* mehrsprachig

multimédia [myltimedja] **I.** *adj* **1.** MEDIA *groupe, campagne de publicité* multimedial; *show, manifestation* Multimedia- **2.** INFORM multimedial **II.** *m* **1.** *(techniques)* Medien-

landschaft *f* **2.** *(ordinateur)* multimediales Computersystem **3.** *(branche)* **le ~** die Multimedia-Branche

multinationale [myltinasjɔnal] *f (entre-prise)* multinationaler Konzern

multiple [myltipl] **I.** *adj* **1.** *(nombreux)* vielfach **2.** *(varié)* vielfältig; *cas* verschie-denartig **3.** *occasions* vielerlei *inv,* vielfach; **à de ~s reprises** wiederholt **4.** *(com-plexe)* vielschichtig; **fracture ~** kompli-zierter Knochenbruch **5.** TECH *prise* Mehr-fach- **6.** MATH **être ~ de qc** ein Vielfaches von etw sein **II.** *m* **être le ~ de qc** das Vielfache von etw sein

multipliable [myltiplijabl] *adj* multipli-zierbar

multiplication [myltiplikasjɔ̃] *f* **1.** BOT Vermehrung *f* **2.** MATH Multiplikation *f,* Malnehmen *nt*

multiplicité [myltiplisite] *f* Vielfalt *f*

multiplier [myltiplije] <1> **I.** *vt* **1.** MATH multiplizieren, malnehmen; ~ **sept par trois** sieben mit drei multiplizieren **2.** *(aug-menter le nombre de)* vervielfachen; stei-gern *efforts;* wiederholen *attaques* **3.** HORT, BOT vermehren **II.** *vpr* **se ~** sich vermehren

multiprogrammation [myltipʀɔgʀa-masjɔ̃] *f* INFORM Multitasking *nt*

multipropriété [myltipʀɔpʀijete] *f: Feri-enwohnung, die jeder von mehreren Be-sitzern für eine gewisse Zeit im Jahr benut-zen kann*

multiracial, e [myltiʀasjal, jo] <-aux> *adj* gemischtrassig

multirisque [myltiʀisk] *adj assurance* kombiniert

multisalles [myltisal] **I.** *adj* mit mehreren Sälen **II.** *m inv* Gebäude *nt* mit mehreren Sälen

multitude [myltityd] *f* **1.** *(grand nombre)* Vielzahl *f* **2.** *(foule)* [große] Menge

Munich [mynik] München

munichois, e [mynikwa, waz] *adj* Münchner

Munichois, e [mynikwa, waz] *m, f* Münchner(in) *m(f)*

municipal, e [mynisipal, o] <-aux> *adj* **1.** *(communal)* Gemeinde-; **conseil ~** Stadtrat *m,* Gemeinderat *m;* **élections ~es** Kommunalwahlen *Pl* **2.** *(de la ville)* Stadt-, städtisch

municipalité [mynisipalite] *f* **1.** *(adminis-tration)* Stadtverwaltung *f* **2.** *(commune)* Gemeinde *f*

munir [myniʀ] <8> **I.** *vt* ~ **qn/qc de pi-les** jdn/etw mit Batterien versehen **II.** *vpr* **se ~ de qc** etw mitnehmen; *fig* sich mit etw wappnen

munitions [mynisjɔ̃] *fpl* Munition *f*

muqueuse [mykøz] *f* Schleimhaut *f*
mur [myʀ] *m d'une maison, d'un jardin* Mauer *f; d'une pièce* Wand *f* ▸**franchir le ~ du** son die Schallmauer durchbrechen; raser les ~s dicht an der Mauer entlanglaufen; (*se faire tout petit*) sich dünn machen
mûr, e [myʀ] *adj* reif; *projet* ausgereift; *révolution* fällig
muraille [myʀɑj] *f* [dicke] Mauer
mural, e [myʀal, o] <-aux> *adj* Wand-
mûre [myʀ] *f* **1.** (*fruit de la ronce*) Brombeere *f* **2.** (*fruit du mûrier*) Maulbeere *f*
mûrement [myʀmɑ̃] *adv* reiflich
murer [myʀe] <1> **I.** *vt* **1.** TECH zumauern **2.** (*isoler*) *avalanche:* einschließen; **être muré dans le silence** in Schweigen (*akk*) gehüllt sein **II.** *vpr* se ~ **chez soi** sich von der Außenwelt abschließen; se ~ **dans sa douleur** sich in seinem Schmerz vergraben
muret [myʀɛ] *m* Mäuerchen *nt*
mûrir [myʀiʀ] <8> **I.** *vi* reif werden; *projet, idée:* heranreifen **II.** *vt* **1.** (*rendre mûr*) reifen lassen *fruit* **2.** (*rendre sage*) reifer machen **3.** (*méditer*) heranreifen lassen
murmure [myʀmyʀ] *m* **1.** (*chuchotement*) Murmeln *nt* **2.** *pl* (*protestation*) Murren *nt*
murmurer [myʀmyʀe] <1> **I.** *vi* **1.** (*chuchoter*) murmeln **2.** (*protester*) murren **II.** *vt* murmeln; ~ **qc à qn** jdm etw zuflüstern; **on murmure qu'ils sont amants** man munkelt, dass sie ein Verhältnis miteinander haben (*fam*)
mus [my] *passé simple de* **mouvoir**
muscle [myskl] *m* Muskel *m* ▸**avoir des ~s d'acier** Muskeln wie Stahl haben; avoir du ~ *économie, entreprise:* stark und dynamisch sein; *fam personne:* Muskeln haben
musclé, e [myskle] *adj* **1.** (*athlétique*) muskulös, kräftig **2.** *fig fam gouvernement, discours* stark; *politique* energisch **3.** *style* handfest **4.** *fam* (*compliqué*) **le problème était plutôt ~** das Problem war ganz schön verzwickt
muscler [myskle] <1> *vt* ~ **qn** jds Muskeln stärken; ~ **le dos/les jambes** die Rückenmuskulatur/Beinmuskulatur stärken
musculaire [myskylɛʀ] *adj* Muskel-
musculation [myskylasjɔ̃] *f* Bodybuilding *nt*
musculature [myskylatyʀ] *f* Muskulatur *f*
muse [myz] *f* Muse *f*
museau [myzo] <x> *m du chien* Schnauze *f; de la vache, du poisson* Maul *nt*
musée [myze] *m* Museum *nt*
museler [myzle] <3> *vt* **1.** (*mettre une*

muselière*) ~ **un animal einem Tier einen Maulkorb umbinden **2.** (*bâillonner*) ~ **qn/qc** jdn/etw mundtot machen
muselière [myzəljɛʀ] *f* Maulkorb *m*
musical, e [myzikal, o] <-aux> *adj* **1.** *études, critique* Musik-; *qualité, art* Ton- **2.** *soirée* musikalisch; *film* Musik-; **comédie ~e** Musical *nt* **3.** *voix, son* klangvoll; *langue* musikalisch
music-hall [myzikol] <music-halls> *m* **1.** (*spectacle*) Varietee *nt* **2.** (*établissement*) Varieteetheater *nt*
musicien, ne [myzisjɛ̃, jɛn] **I.** *adj* musikalisch **II.** *m, f* **1.** (*professionnel*) Musiker(in) *m(f)* **2.** (*amateur*) Musikant(in) *m(f)*
musique [myzik] *f* **1.** (*art*) Musik *f;* **mettre en ~** vertonen; **savoir lire la ~** Noten lesen können **2.** (*harmonie de sons*) Melodik *f,* Musikalität *f* ▸**connaître la ~** *fam* im Bilde sein; **en avant la ~!** *fam* auf geht's!
musqué, e [myske] *adj odeur, parfum* Moschus-; *cheveux* nach Moschus duftend
must<WZ> [mœst] *m fam* Muss *nt;* **le ~ have** das absolute Muss
must [mœst] *m fam* Muss *nt*
musulman, e [myzylmɑ̃, an] *adj monde* moslemisch; **être ~** Moslem sein
Musulman, e [myzylmɑ̃, an] *m, f* Moslem/Moslime *m/f,* Mohammedaner(in) *m(f)*
mutant, e [mytɑ̃, ɑ̃t] **I.** *adj* BIO mutierend **II.** *m, f* **1.** BOT, ZOOL Mutante *f* **2.** LITTER Mutant(in) *m(f)*
muter [myte] <1> *vt* ADMIN versetzen
mutilation [mytilasjɔ̃] *f* **1.** *a. fig* Verstümmelung *f* **2.** (*dégradation*) Beschädigung *f*
mutilé, e [mytile] *m, f* Versehrte(r) *f(m); ~* **de guerre** Kriegsbeschädigter *m*
mutiler [mytile] <1> **I.** *vt* **1.** *a. fig* verstümmeln **2.** (*détériorer*) verschandeln **II.** *vpr* se ~ sich selbst verstümmeln
mutin, e [mytɛ̃, in] **I.** *adj* verschmitzt, schelmisch **II.** *m, f* Meuterer/Meuterin *m/f*
mutinerie [mytinʀi] *f* Meuterei *f*
mutisme [mytism] *m* Schweigen *nt*
mutuel, le [mytɥɛl] *adj* **1.** (*réciproque*) gegenseitig **2.** ECON *assurance, secours* auf Gegenseitigkeit
mutuelle [mytɥɛl] *f* Versicherung[sverein *m*] *f* auf Gegenseitigkeit; ~ **des étudiants** studentische Krankenversicherung; ~ **d'entreprise** Betriebskrankenkasse *f*
mutuellement [mytɥɛlmɑ̃] *adv* gegenseitig
mycose [mikoz] *f* Pilzkrankheit *f; ~* **des orteils** Fußpilz *m*

M

mygale [migal] *f* Vogelspinne *f*
myopathie [mjopati] *f* Muskelerkrankung *f*
myope [mjɔp] **I.** *adj* kurzsichtig **II.** *mf*
Kurzsichtige(r) *f(m)*
myosotis [mjɔzɔtis] *m* Vergissmeinnicht *nt*
myrtille [miʀtij] *f* Heidelbeere *f*, Blaubeere *f*
mystère [mistɛʀ] *m* **1.** (*secret*) Geheimnis *nt*; **s'entourer de** ~ geheimnisvoll tun (*fam*) **2.** (*énigme*) Rätsel *nt*; **être un** ~ **pour qn** jdm ein Rätsel sein ▸ ~ **et boule de gomme!** *hum* Staatsgeheimnis!
mystérieusement [misteʀjøzmɑ̃] *adv* **1.** (*en secret*) heimlich **2.** (*inexplicablement*) unerklärlicherweise **3.** *rire* geheimnisvoll; *apparaître* auf geheimnisvolle Weise
mystérieux [misteʀjø] *m* **le** ~ das Geheimnisvolle

mystérieux, -euse [misteʀjø, -jøz] **I.** *adj* geheimnisvoll **II.** *m, f* **faire le** ~ geheimnisvoll tun
mystifier [mistifje] <1> *vt* täuschen
mystique [mistik] *adj* **1.** (*religieux*) mystisch **2.** (*exalté, fervent*) schwärmerisch
mythe [mit] *m* **1.** (*légende*) Mythos *m* **2.** (*illusion*) Wunschtraum *m*
mythifier [mitifje] <1a> *vt* verherrlichen; **être mythifié** *personne:* schon zu Lebzeiten zum Mythos werden
mythique [mitik] *adj* mythisch; (*imaginaire*) erdichtet; **récit** ~ Mythos *m*, Sage *f*; **la générosité** ~ **de qn** jds legendäre Großzügigkeit
mythologie [mitɔlɔʒi] *f* Mythologie *f*
mythomane [mitɔman] **I.** *adj* krankhaft verlogen **II.** *mf* krankhafter Lügner/krankhafte Lügnerin

N

N, n [ɛn] **I.** *m* **1.** *inv* (*lettre*) N *nt*, n *nt* **2.** *pl* (*famille*) **les N.** die Familie X **II.** *f* **la N 7/ 10** die N 7/10, ≈ die B 7/10 **III.** *adj* x
n' *v.* **ne**
na [na] *interj enfantin* ätsch
nabab [nabab] *m* **1.** Krösus *m;* ~ **de la finance** Finanzriese *m;* ~ **de la bourse** Börsenkönig *m;* **c'est un vrai** ~ er ist stinkreich (*fam*) **2.** HIST Nabob *m*
nabot, e [nabo, ɔt] *m, f* Zwerg(in) *m(f)*
nacre [nakʀ] *f* Perlmutter *f o nt*
nacré, e [nakʀe] *adj* perlmuttschimmernd
nage [naʒ] *f* Schwimmen *nt;* (*façon de nager*) Schwimmstil *m;* ~ **libre/sur le dos** Freistil-/Rückenschwimmen ▶**à la** ~ schwimmend; [**être**] **en** ~ schweißgebadet [sein]
nageoire [naʒwaʀ] *f* Flosse *f*
nager [naʒe] <2a> **I.** *vi* **1.** (*se mouvoir dans l'eau*) schwimmen **2.** (*baigner*) ~ **dans la graisse** *aliment:* im Fett schwimmen; *fig* ~ **dans le bonheur** im Glück schwimmen **3.** (*flotter*) ~ **sur qc** auf etw (*dat*) treiben **4.** *fam* (*être au large*) ~ **dans un vêtement** in einem Kleidungsstück ertrinken **5.** *fam* (*ne pas comprendre*) schwimmen **II.** *vt* ~ **la brasse/la brasse papillon** Brust schwimmen/im Schmetterlingsstil schwimmen; ~ **le crawl** kraulen
nageur, -euse [naʒœʀ, -ʒøz] **I.** *m, f* Schwimmer(in) *m(f)* **II.** *app* **maître** ~ Bademeister
naguère [nagɛʀ] *adv soutenu* einst
naïade [najad] *f* **1.** MYTH Najade *f* **2.** *hum* (*baigneuse*) [Wasser]nixe *f* (*hum*); (*nageuse*) Schwimmerin *f*
naïf, naïve [naif, naiv] *adj* **1.** *péj* (*crédule*) naiv **2.** (*naturel*) treuherzig; *question* naiv
nain, e [nɛ̃, nɛn] **I.** *adj personne* zwergenhaft **II.** *m, f* Zwerg(in) *m(f)*
naissance [nɛsɑ̃s] *f* **1.** (*opp: mort*) Geburt *f* **2.** (*mise, venue au monde*) Geburt *f;* **à la** ~ bei der Geburt **3.** (*apparition*) Entstehung *f* **4.** (*origine*) Abstammung *f* ▶**donner** ~ **à un enfant** ein Kind zur Welt bringen; **aveugle/muet/sourd de** ~ von Geburt an blind/stumm/taub; **Allemand de** ~ gebürtiger Deutscher
naître [nɛtʀ] <*irr*> *vi* + *être* **1.** (*venir au monde*) geboren werden, auf die Welt kommen; ~ **aveugle** blind geboren wer-

den; **être né musicien** zum Musiker geboren sein **2.** (*apparaître*) *crainte, désir, soupçon:* entstehen; *idée:* geboren werden; *difficulté:* auftreten **3.** (*être destiné à*) **être né pour qn/qc** für jdn/etw [wie] geschaffen sein; **être né pour faire qc** dafür geschaffen sein, etw zu tun
naïvement [naivmɑ̃] *adv* naiv
naïveté [naivte] *f* Naivität *f;* **avoir la** ~ **de faire qc** so naiv sein, etw zu tun; **être d'une grande** ~ schön einfältig sein
nana [nana] *f fam* Tussi *f*
nanisme [nanism] *m* Zwergwuchs *m*
nanti, e [nɑ̃ti] **I.** *adj* vermögend **II.** *m, f* Reiche(r) *f(m)*
naphtaline [naftalin] *f* Naphthalin *nt;* **boules de** ~ Mottenkugeln *Pl*
naphte [naft] *m* [Roh]erdöl *nt,* Naphtha *nt o f*
napoléon [napɔleɔ̃] *m* Napoleondor *m*
nappage [napaʒ] *m* Glasieren *nt;* (*résultat*) Glasur *f*
nappe [nap] *f* **1.** (*linge*) Tischtuch *nt* **2.** (*vaste étendue*) ~ **de pétrole** Ölteppich *m;* ~ **d'eau** Wasserfläche *f;* ~ **de brouillard** Nebelbank *f*
napper [nape] <1> *vt* GASTR ~ **qc de chocolat** etw mit Schokolade glasieren
naquis [naki] *passé simple de* **naître**
narcisse [naʀsis] *m* BOT Narzisse *f*
narcissique [naʀsisik] *adj* narzisstisch
narcissisme [naʀsisism] *m* Narzissmus *m*
narcodollars [naʀkodɔlaʀ] *mpl* Drogendollars *Pl*
narcose [naʀkoz] *f* Narkose *f*
narguer [naʀge] <1> *vt* verspotten; (*agacer*) ärgern
narguilé [naʀgile] *m v.* **narghilé**
narine [naʀin] *f* Nasenloch *nt; du cheval* Nüster *f;* (*aile*) Nasenflügel *m*
narquois, e [naʀkwa, waz] *adj* spöttisch
narrateur, -trice [naʀatœʀ, -tʀis] *m, f* Erzähler(in) *m(f)*
narratif, -ive [naʀatif, -iv] *adj* erzählend; *style/art* ~ Erzählstil *m/*-kunst *f*
narration [naʀasjɔ̃] *f* Erzählung *f; des événements* Schilderung *f*
nasal, e [nazal, o] <-aux> *adj* LING nasal; **consonne** ~**e** Nasal[laut *m*] *m*
nasale [nazal] *f* LING Nasal[laut *m*] *m*
nase [nɑz] *adj fam* **1.** (*cassé*) kaputt **2.** (*épuisé*) k. o., fertig

naseau [nazo] <x> *m* Nüster *f*
natal, e [natal] <s> *adj* **maison/ville** ~e
Geburtshaus *nt/*-stadt *f;* **langue** ~e Muttersprache *f;* **terre** ~e Heimat *f*
natalité [natalite] *f* Geburtenziffer *f*
natation [natasjɔ̃] *f* Schwimmen *nt*
natel [natɛl] *m* CH **1.** (*téléphone portable*)
Handy *nt,* Natel *nt* (CH) **2.** (*téléphonie portable*) Mobilfunknetz *nt,* Natel *nt* (CH)
natif, -ive [natif, -iv] **I.** *adj* être ~ de Tou-
louse gebürtiger Toulouser **II.** *m, f* Einhei-
mische(r) *f(m);* **les** ~s **du cancer** die
Krebsgeborenen
nation [nasjɔ̃] *f* **1.** (*peuple*) Volk *nt*
2. (*pays*) Nation *f;* **la Nation** die Nation;
l'Europe des Nations das Europa der Nationen; **les Nations unies** die Vereinten
Nationen
national, e [nasjɔnal, o] <-aux> *adj*
1. (*de l'État*) national; **fête** ~e Nationalfeiertag *m* **2.** (*opp: local, régional*) national;
entreprise staatlich; **assemblée/équipe/
route** ~e Nationalversammlung *f/*-mann-
schaft *f/*-straße *f*
Nationale [nasjɔnal] *f* (*route*) **la** ~ die Na-
tionalstraße, ≈ die Bundesstraße
nationalisation [nasjɔnalizasjɔ̃] *f* Ver-
staatlichung *f*
nationaliser [nasjɔnalize] <1> *vt* verstaatlichen
nationalisme [nasjɔnalism] *m* Nationalismus *m;* (*conscience*) Nationalbewusstsein
nt; péj Nationalismus
nationaliste [nasjɔnalist] **I.** *adj* nationalistisch **II.** *mf* Nationalist(in) *m(f)*
nationalité [nasjɔnalite] *f* Staatsangehörigkeit *f; d'un navire* Nationalität *f*
national-socialisme [nasjɔnalsɔsjalism]
m sans pl Nationalsozialismus *m*
national-socialiste   [nasjɔnalsɔsjalist]
<nationaux-socialistes> **I.** *adj* national-
sozialistisch **II.** *m, f* Nationalsozialist(in)
m(f)
natte [nat] *f* Zopf *m; se faire une* ~ sich
(*dat*) einen Zopf flechten
naturalisation [natyralizasjɔ̃] *f* POL Ein-
bürgerung *f;* **demande de** ~ Einbürge-
rungsantrag *m/*-gesuch *nt*
naturalisé, e [natyralize] **I.** *adj* eingebür-
gert **II.** *m, f* eingebürgerter Staatsbürger/
eingebürgerte Staatsbürgerin
naturaliser [natyralize] <1> *vt* einbürgern; ~ **qn français** jdn als Franzose einbürgern; **se faire** ~ sich einbürgern lassen
naturaliste [natyralist] **I.** *adj* **1.** ART, LITTER,
PHILOS naturalistisch **2.** SCI **savant** ~ Natur-
forscher(in) *m(f)* **II.** *mf* **1.** ART, LITTER, PHILOS
Naturalist(in) *m(f)* **2.** (*scientifique*) Natur-
forscher(in) *m(f)*

nature [natyʀ] **I.** *f* **1.** (*environnement*) Natur *f* **2.** *d'une personne, chose, d'un pouvoir*
Wesen *nt; d'un engagement, d'une proposition* Art *f; d'une substance, d'un terrain* Beschaffenheit *f;* ~ **humaine** Natur *f* des
Menschen **3.** ART **morte** Stillleben *nt*
▸**être dans la** ~ **des choses** in der Natur
der Sache liegen; **ne pas être gâté par la**
~ *fam* hübsch hässlich sein; **petite** ~ *fam*
sensibles Pflänzchen; **de** [*o* **par**] ~ von Natur [aus]; **en** ~ (*en objets réels*) in Naturalien; **plus vrai que** ~ unwahrscheinlich
echt **II.** *adj inv* **1.** *café, thé* ohne alles;
yaourt ~ Naturjoghurt *m* **2.** *fam* (*simple*)
[ganz] natürlich, ungezwungen
naturel [natyʀɛl] *m* **1.** (*caractère*) Wesen
nt; **son bon** ~ seine/ihre umgängliche Art
2. (*spontanéité*) Natürlichkeit *f* ▸**être**
d'un ~ **jaloux/timide** ein eifersüchtiges/
schüchternes Wesen haben
naturel, le [natyʀɛl] *adj* **1.** (*opp: artificiel*)
natürlich; **père** ~ leiblicher Vater; **gaz** ~
Erdgas *nt;* **richesses** ~**les** Bodenschätze
Pl; **des produits rigoureusement** ~s reine Naturprodukte *Pl* **2.** (*inné*) natürlich
3. (*simple*) natürlich
naturellement [natyʀɛlmɑ̃] *adv* **1.** (*bien
entendu*) selbstverständlich; ~! natürlich!
2. (*opp: artificiellement*) auf natürliche
Weise **3.** (*de façon innée*) von Natur aus
4. (*aisément*) ganz einfach, von selbst
5. (*spontanément*) unbefangen; **tutoyer
qn** ~ jdn ganz selbstverständlich duzen
6. (*automatiquement*) automatisch
naturisme [natyʀism] *m* Freikörperkultur
f
naturiste [natyʀist] **I.** *adj* **plage** ~ FKK-
Strand *m* **II.** *mf* FKKler(in) *m(f)* (*fam*)
naturopathie [natyʀɔpati] *f* Naturheilkunde *f*
naufrage [nofʀaʒ] *m* NAUT Untergang *m*
▸**faire** ~ *bateau, projet:* Schiffbruch erleiden
naufragé, e [nofʀaʒe] *m, f* Schiffbrüchi-
ge(r) *f(m)*
nausée [noze] *f* **1.** (*haut-le-cœur*) Übelkeit
f; **j'ai la** ~ [*o* **des** ~s] mir ist übel **2.** (*dégoût*) Ekel *m* ▸**cette personne/cet
odeur donne la** ~ **à qn** von dieser Per-
son/diesem Geruch wird jdm [ganz]
schlecht
nautique [notik] *adj* Wasser-; **ski/sport** ~
Wasserski *nt/*Wassersport *m*
naval, e [naval] <s> *adj* See-; **forces** ~**es**
Seestreitkräfte *Pl;* **chantier** ~ [Schiffs]werft
f
Navale [naval] *f* (*École* ~) Marineakade-
mie *f*
navarin [navaʀɛ̃] *m: Hammelragout* [*mit*

Teltower Rübchen]

navet [navɛ] *m* **1.** BOT weiße Rübe **2.** *péj fam (œuvre sans valeur)* Kitsch *m;* (*mauvais film*) Schund[film *m*] *m;* **être un ~** [ein] Mist sein

navette [navɛt] *f* **1.** TRANSP Pendelbus *m/* -zug *m/* -flugzeug *nt/* -schiff *nt* **2.** (*va-et-vient*) Hin und Her *nt;* **faire la ~ entre son lieu de travail et son domicile** zwischen Arbeitsplatz und Wohnort pendeln **3.** ESPACE ~ **spatiale** Raumfähre *f*

navetteur, -euse [navøtœʀ, -øz] *m, f* BELG Pendler(in) *m(f)*

navigant, e [navigã, ãt] **I.** *adj* AVIAT **personnel** ~ Flugpersonal *nt;* NAUT Schiffspersonal *nt* **II.** *m, f* **les ~s** AVIAT das fliegende Personal; NAUT das zur See fahrende Personal

navigateur [navigatœʀ] *m* INFORM ~ **Web** Browser *m*

navigateur, -trice [navigatœʀ, -tʀis] *m, f* **1.** NAUT Seefahrer(in) *m(f)* **2.** AUT, AVIAT, NAUT Navigator(in) *m(f)*

navigation [navigasjɔ̃] *f* **1.** NAUT Schifffahrt *f;* ~ **à [la] voile** Segeln *nt* **2.** AUT, AVIAT, ESPACE, NAUT Navigation *f;* ~ **spatiale** Raumfahrt *f*

naviguer [navige] <1> *vi* **1.** AVIAT *avion, passager, pilote:* fliegen; NAUT *bateau, marin, passager:* fahren **2.** INFORM ~ **sur le Web** im Web surfen

navire [naviʀ] *m* Schiff *nt;* ~ **de commerce** Handelsschiff; ~ **pétrolier** Tanker *m*

navrant, e [navʀã, ãt] *adj* **c'est ~!** es ist [ja] zum Verzweifeln!

navré, e [navʀe] *adj* **qn est ~ de qc** jd bedauert etw [zutiefst]

navrer [navʀe] <1> *vt* bestürzen; (*contrarier*) zur Verzweiflung bringen; **ce malentendu me navre** ich bedaure dieses Missverständnis zutiefst

naze [nɑz] *adj v.* **nase**

nazi, e [nazi] *abr de* **national-socialiste I.** *adj* **barbarie** ~**e** Nazibarbarei *f* **II.** *m, f* Nazi *m*

nazisme [nazism] *m abr de* **national-socialisme** Nazismus *m,* Nationalsozialismus *m*

NB [ɛnbe] *abr de* **nota bene** N.B.

NDLR [ɛndeɛlɛʀ] *abr de* **note de la rédaction** Anm. d. Red.

NDT [ɛndete] *abr de* **note du traducteur** Anmerkung *f* des Übersetzers

ne [nə] <*devant voyelle ou h muet* **n'**> *adv* **1.** (*avec autre mot négatif*) ~ **... pas** nicht; **il ~ mange pas le midi** er isst nicht zu Mittag; **elle n'a guère d'argent** sie hat kaum Geld; **je ~ fume plus** ich rauche nicht mehr; **je ~ me promène jamais** ich gehe nie spazieren; **je ~ vois personne** ich sehe niemand[en]; **personne ~ vient** niemand kommt; **je ~ vois rien** ich sehe nichts; **rien ~ va plus** nichts geht mehr; **il n'a ni frère ni sœur** er hat weder Bruder noch Schwester; **tu n'as aucune chance** du hast keine Chance **2.** *sans autre mot négatif, soutenu* nicht; **je n'ose le dire** ich wage nicht, es zu sagen **3.** (*seulement*) **je ~ vois que cette solution** ich sehe nur diese Lösung; **il n'y a pas que vous qui le dites** Sie sind nicht der Einzige, der das sagt

né, e [ne] **I.** *part passé de* **naître II.** *adj souvent écrit avec un trait d'union* (*de naissance*) geboren; **Madame X, ~e Y** Frau X, geborene Y

néant [neã] **I.** *m* Nichts *nt* ► **tirer qn du ~** etwas aus jdm machen **II.** *pron* (*rien*) **signes particuliers: ~** besondere Kennzeichen: keine

nécessaire [nesesɛʀ] **I.** *adj* **1.** (*indispensable*) nötig; **être ~ à qc** für etw gebraucht werden; **si ~** falls nötig **2.** PHILOS unbedingt **3.** MATH **condition ~** notwendige Voraussetzung **II.** *m* **1.** (*opp: superflu*) **le ~** das Nötige **2.** (*étui*) ~ **à ongles** Nagelnecessaire *nt*

nécessairement [nesesɛʀmã] *adv* unbedingt; **pas ~** nicht unbedingt

nécessité [nesesite] *f* Notwendigkeit *f* ► ~ **absolue** dringende Notwendigkeit; **de première ~** unentbehrlich; **être dans la ~ de faire qc** sich gezwungen sehen, etw zu tun

nécessiter [nesesite] <1> *vt* erfordern

nec plus ultra [nɛkplysyltʀa] *m inv* Nonplusultra *nt*

nécrologie [nekʀɔlɔʒi] *f* **1.** (*rubrique*) Todesanzeigen *Pl* **2.** (*notice*) Nachruf *m*

nécrologique [nekʀɔlɔʒik] *adj* **avis** ~ Todesanzeige *f;* **rubrique** ~ Todesanzeigen *Pl*

nécrose [nekʀoz] *f* Nekrose *f* (*Fachspr.*)

nectar [nɛktaʀ] *m* Nektar *m*

nectarine [nɛktaʀin] *f* Nektarine *f*

néerlandais [neɛʀlãdɛ] *m* Niederländisch *nt; v. a.* **allemand**

néerlandais, e [neɛʀlãdɛ, ɛz] *adj* niederländisch

Néerlandais, e [neɛʀlãdɛ, ɛz] *m, f* Niederländer(in) *m(f)*

nef [nɛf] *f* ARCHIT [Kirchen]schiff *nt*

néfaste [nefast] *adj* unheilvoll; *régime, décision* un[glück]selig; **être ~ à qn/qc** jdm/einer S. schaden

néflier [neflije] *m* Mispel[baum *m*] *f,* Mispelstrauch *m*

négatif [negatif] *m* PHOT Negativ *nt*

négatif, -ive [negatif, -iv] *adj* negativ

2. *adverbe* der Verneinung; **phrase/proposition négative** negierter Satz

négation [negasjɔ̃] *f* GRAM, LING Negation *f*

négative [negativ] *f* ▸ **répondre** par la ~ verneinen; (*refuser*) [etw] ablehnen

négativement [negativmɑ̃] *adv* negativ; **répondre** ~ verneinen

négligé, e [negliʒe] *adj intérieur, style, travail* nachlässig; *tenue* ungepflegt

négligeable [negliʒabl] *adj* unbedeutend; *élément, facteur* unwesentlich; *détail* belanglos; *moyens* gering

négligemment [negliʒamɑ̃] *adv* **1.** (*nonchalamment*) lässig. **2.** (*sans soin*) nachlässig

négligence [negliʒɑ̃s] *f* **1.** *sans pl* (*manque d'attention*) Nachlässigkeit *f;* JUR Fahrlässigkeit *f;* **par** ~ aus Unachtsamkeit *f;* JUR aus Fahrlässigkeit **2.** (*omission*) Nachlässigkeit *f;* (*faute légère*) Flüchtigkeitsfehler *m*

négligent, e [negliʒɑ̃, ʒɑ̃t] *adj élève, employé* nachlässig

négliger [negliʒe] <2a> **I.** *vt* **1.** (*se désintéresser de*) vernachlässigen *devoirs, santé, tenue;* ungenutzt lassen *occasion;* außer Acht lassen *conseil, détail, fait* **2.** (*délaisser*) vernachlässigen *ami, épouse* **3.** (*omettre de faire*) versäumen **II.** *vpr* se ~ sich vernachlässigen

négoce [negɔs] *m soutenu* Handel *m;* **faire du** ~ **avec qn** mit jdm handeln

négociant, e [negɔsjɑ̃, jɑ̃t] *m, f* Händler(in) *m(f);* ~ **en gros** Großhändler

négociation [negɔsjasjɔ̃] *f gén pl* COM, JUR, POL Verhandlung *f*

négocier [negɔsje] <1> **I.** *vi* POL ~ **avec qn** mit jdm verhandeln **II.** *vt* **1.** COM, JUR, POL ~ **la capitulation avec qn** (*discuter*) mit jdm über die Kapitulation verhandeln; (*obtenir après discussion*) die Kapitulation mit jdm aushandeln **2.** (*réaliser après négociation*) aushandeln; abschließen *affaire, vente* **3.** AUT nehmen *tournant, virage*

nègre [nɛgʀ] *m péj* Neger *m* ▸ **petit** ~ Kauderwelsch *nt* (*fam*), gebrochenes Französisch; **travailler comme un** ~ wie ein Pferd schuften (*fam*)

négresse [negʀɛs] *f péj* Negerin *f*

négro [negʀo] *m péj fam* Nigger *m*

neige [nɛʒ] *f* **1.** METEO Schnee *m* **2.** GASTR **battre les blancs [d'œufs] en** ~ das Eiweiß zu Schnee schlagen ▸ **être blanc comme** ~ eine weiße Weste haben (*fam*)

neiger [neʒe] <2a> *vi impers* **il neige** es schneit

néné [nene] *m fam* Titte *f*

nénette [nenɛt] *f fam* Tussi *f* ▸ **se casser**

la ~ *pop* (*chercher à comprendre*) sich (*dat*) den Kopf zerbrechen; (*faire des efforts*) sich (*dat*) einen abrechen (*fam*)

nénuphar [nenyfaʀ] *m* Seerose *f*

néo-arriviste [neɔaʀivist] *mf* [typische(r)] Vertreter(in) *m(f)* der Start-up-Generation

néologisme [neɔlɔʒism] *m* Neologismus *m*

néon [neɔ̃] *m* **1.** CHIM Neon *nt* **2.** (*tube fluorescent*) Neonröhre *f*

néonatal, e [neonatal] <s> *adj* neonatal; **mortalité** ~**e** Neugeborenensterblichkeit *f*

néonazi, e [neonazi] **I.** *adj* neonazistisch **II.** *m, f* Neonazi *mf*

néoprène® [neɔpʀɛn] *m* Neopren® *nt*

neosgroup [njuzgʀup] *m* INFORM Newsgroup *f*

néphrétique [nefʀetik] *adj* **coliques** ~**s** Nierenkoliken *Pl*

néphrite [nefʀit] *f* MINER Nephrit *m*

Neptune [nɛptyn] *f* ASTRON Neptun *m*

nerf [nɛʀ] *m* **1.** ANAT, MED Nerv *m* **2.** *pl* PSYCH Nerven *Pl;* **avoir les** ~**s fragiles** schwache Nerven haben; **avoir des** ~**s d'acier** [*o* **les** ~**s à toute épreuve**] Nerven wie Drahtseile haben (*fam*); **avoir les** ~**s à vif** nervös sein; **être sur les** ~**s** *fam* unruhig sein; **être malade des** ~**s** nervenkrank sein **3.** (*tendon, ligament*) Sehne *f* ▸ **passer** ses ~**s sur qn/qc** *fam* sich an jdm/etw abreagieren; **taper** sur les ~**s à qn** *fam* jdm auf die Nerven gehen; **vivre sur les** ~**s** *fam* [nervlich] angespannt sein; **du** ~! *fam* reiss dich zusammen!

nerveusement [nɛʀvøzmɑ̃] *adv* **1.** nervös **2.** (*avec vigueur*) kraftvoll; **démarrer** ~ spritzig anfahren **3.** (*sur le plan nerveux*) nervlich

nerveux, -euse [nɛʀvø, -øz] **I.** *adj* **1.** ANAT, MED *spasme, troubles* nervös **2.** (*irritable*) nervös; *animal, personne* unruhig **3.** (*émotif*) empfindlich **4.** (*vigoureux*) dynamisch; *style* ausdrucksvoll; *moteur, voiture* spritzig **II.** *m, f* nervöser Mensch; **c'est un** [**grand**] ~ er ist ein Nervenbündel

nervosité [nɛʀvozite] *f* Nervosität *f*

n'est-ce-pas [nɛspɑ] *adv* **1.** (*invitation à acquiescer*) ~? oder [etwa nicht]?; **vous viendrez,** ~? Sie kommen doch, oder? **2.** (*renforcement*) nicht [wahr]

net, te [nɛt] **I.** *adj* **1.** *postposé* (*propre*) sauber; *copie, intérieur* ordentlich **2.** *postposé* (*précis*) klar; *position, réponse* eindeutig **3.** *a. antéposé* (*évident*) klar; *amélioration, différence, tendance* spürbar **4.** *postposé* (*distinct*) klar; *dessin, écriture* sauber; *contours, image* scharf; *cassure, coupure* glatt; *souvenir* deutlich **5.** *fam* (*opp: cinglé*) klar [im Kopf] **6.** *postposé* COM, FIN

salaire ~ Nettolohn *m;* **produit** ~ Reinertrag *m;* **être** ~ **d'impôt** steuerfrei sein **II.** *adv* **1.** *se casser* glatt; *s'arrêter* abrupt; **être tué** ~ auf der Stelle tot sein **2.** *dire, refuser* klar und deutlich **3.** COM netto
Net [nɛt] *m* **le** ~ das Netz, das Web
netiquette [netikɛt] *f* INFORM Netiquette *f*
nettement [nɛtmɑ̃] *adv* **1.** (*sans ambiguïté*) unmissverständlich **2.** (*distinctement*) deutlich; *se détacher* scharf; *se souvenir* genau **3.** (*largement*) eindeutig; ~ **moins/ plus** deutlich weniger/mehr
netteté [nɛtte] *f* **1.** (*précision*) Klarheit *f* **2.** (*caractère distinct, franc*) Klarheit *f; des contours, d'une image* Schärfe *f*
nettoyage [netwajaʒ] *m* **1.** (*lavage*) Reinigen *nt,* Reinigung *f; d'une pièce* Putzen *nt;* ~ **à sec** chemische Reinigung **2.** MIL, POL Säuberung *f*
nettoyer [netwaje] <6> **I.** *vt* **1.** (*laver*) putzen; reinigen *plaie, tapis;* ~ **la table à l'eau/avec la brosse** den Tisch mit Wasser/der Bürste reinigen; ~ **à fond la maison** das Haus gründlich putzen **2.** *fam* (*ruiner*) ruinieren **3.** *fam* (*épuiser*) [total] schaffen **II.** *vpr* **se** ~ *personne:* sich säubern; *animal:* sich putzen
neuf¹ [nœf] **I.** *num* neun **II.** *m inv* Neun *f; v. a.* **cinq**
neuf² [nœf] *m* Neue(s) *nt* ►**il y a du** ~ es gibt etwas Neues
neuf, neuve [nœf, nœv] *adj* neu; **flambant** ~ [funkel]nagelneu (*fam*) ►**quelque chose/rien de** ~ etwas/nichts Neues
neurasthénie [nørasteni] *f* Nervenschwäche *f;* (*pessimisme*) Depressionen *Pl;* **faire de la** ~ Depressionen haben
neurasthénique [nørastenik] *adj* depressiv
neurochirurgie [nøroʃiʀyʀʒi] *f* Neurochirurgie *f*
neurochirurgien, ne [nøroʃiʀyʀʒjɛ̃, jɛn] *m, f* Neurochirurg(in) *m(f)*
neuroleptique [nørɔlɛptik] *m* Neuroleptikum *nt*
neurologie [nørɔlɔʒi] *f* Nervenheilkunde *f*
neurologique [nørɔlɔʒik] *adj* neurologisch
neurologue [nørɔlɔg] *mf* Neurologe/ Neurologin *m/f*
neurone [nøron] *m* **1.** BIO, INFORM Neuron *nt* **2.** *pl* (*cerveau*) graue Zellen *Pl*
neuropsychiatre [nøropsikjatʀ] *mf* Neuropsychiater(in) *m(f)*
neutraliser [nøtralize] <1> **I.** *vt* **1.** (*empêcher d'agir*) ausschalten *concurrent, système;* zu Fall bringen *projet;* zunichte machen *efforts* **2.** (*mettre hors d'état de nui-*

re) unschädlich machen *ennemi, gang* **II.** *vpr* **se** ~ *influences, produits:* sich neutralisieren
neutraliste [nøtralist] **I.** *adj* neutralistisch **II.** *mf* Verfechter(in) *m(f)* des Neutralismus
neutralité [nøtralite] *f* **1.** (*impartialité*) Neutralität *f; d'un livre, rapport* neutraler Charakter; *d'un enseignement* Ungebundenheit *f* **2.** POL, CHIM, ELEC Neutralität *f*
neutre [nøtʀ] **I.** *adj* **1.** (*impartial*) neutral; **rester** ~ neutral bleiben; **être** ~ *personne:* sich neutral verhalten; *livre, rapport:* einen neutralen Standpunkt vertreten **2.** (*qui ne choque pas*) neutral; *couleur, personne* unauffällig; *style* farblos **3.** POL neutral; *navire* unter neutraler Flagge **4.** CHIM, ELEC neutral; **fil** ~ Nullleiter *m* **5.** GRAM, LING sächlich; **être du genre** ~ ein Neutrum sein **6.** (*asexué*) geschlechtslos **II.** *m* **1.** *pl* POL neutrale Staaten *Pl* **2.** GRAM, LING Neutrum *nt* **3.** ELEC Nulleiter *m*
neuvième [nœvjɛm] **I.** *adj antéposé* neunte(r, s) **II.** *mf* **le/la** ~ der/die/das Neunte **III.** *m* (*fraction*) Neuntel *nt; v. a.* **cinquième**
neveu [n(ə)vø] <x> *m* Neffe *m*
névralgie [nevralʒi] *f* **1.** (*douleur du nerf*) Neuralgie *f;* ~ **sciatique** Ischias *m* **2.** *abusif* (*mal de tête*) Kopfschmerzen *Pl*
névralgique [nevralʒik] *adj* **1.** MED neuralgisch; **centre** ~ Nervenzentrum *nt* **2.** *point* neuralgisch
névrite [nevrit] *f* Nervenentzündung *f*
névrose [nevroz] *f* Neurose *f*
névrosé, e [nevroze] **I.** *adj* neurotisch **II.** *m, f* Neurotiker(in) *m(f)*
new-look [njuluk] **I.** *adj inv politique, style* neuartig **II.** *m inv* Newlook *m*
newton [njutɔn] *m* Newton *nt*
newtonien, ne [njutɔnjɛ̃, jɛn] *adj* newtonsche(r, s)
nez [ne] *m* **1.** ANAT Nase *f;* **saigner du** ~ Nasenbluten haben **2.** AVIAT, NAUT *d'un avion* Nase *f; d'un bateau* Bug *m;* GEOG Bergnase ►**comme le** ~ **au milieu de la figure** *fam* das sieht [selbst] ein Blinder; **avoir le** ~ **fin** eine feine Nase haben; *fig* eine Spürnase haben; **avoir du** ~ *fam personne:* eine feine Nase haben; *animal:* einen feinen Spürsinn haben; (*pour qc/une affaire*) den richtigen Riecher haben; **avoir le** ~ **dans les livres/mots croisés** dauernd über den Büchern/den Kreuzworträtseln hocken (*fam*); **se bouffer** [o **se manger**] **le** ~ *fam* sich in den Haaren liegen; **se casser le** ~ *fam* auf die Nase fallen; **fourrer son** ~ **dans qc** *fam* seine Nase in etw (*akk*) stecken; **pendre au** ~ **à qn** jdm blühen; **pi-**

quer du ~ *fam* (*s'endormir*) einnicken; (*descendre à pic*) **l'avion a piqué du ~** das Flugzeug ist im Sturzflug heruntergegangen (*fam*); [re]**tomber sur le ~ de qn** *fam* auf jdn zurückfallen; **~ à** ~ Auge in Auge; **raccrocher au** ~ **de qn** einfach auflegen (*fam*); **rire au** ~ **de qn** jdm ins Gesicht lachen; **devant** [o **sous**] **le ~ de qn** *fam* vor jds Augen (*dat*)

NF [ɛnɛf] *f abr de* **norme française** französische Norm

ni [ni] *conj* **1.** *après une autre nég* **il ne sait pas dessiner ~ peindre** er kann weder zeichnen noch malen; **il n'a rien vu ~ personne** er hat nichts und niemand gesehen; **rien de fin ~ de distingué** weder etwas Feines noch etwas Vornehmes **2.** *entre deux négations* **je ne l'aime ~ ne l'estime** weder liebe [ich ihn], noch schätze ich ihn (*geh*) **3.** (*alternative négative*) ~ **l'un ~ l'autre** keiner von beiden; ~ **plus ~ moins que** nicht mehr und nicht weniger als

niais, e [njɛ, njɛz] **I.** *adj* albern; *style* einfältig **II.** *m, f* Einfaltspinsel *m* (*fam*)

niaisement [njɛzmã] *adv* dümmlich

niaiserie [njɛzʀi] *f* **1.** (*simplicité*) Einfalt *f* **2.** (*chose sotte*) Unsinn *m kein Pl*

Nice [nis] Nizza *nt*

niche [niʃ] *f* **1.** (*abri*) [Hunde]hütte *f* **2.** (*alcôve*) Nische *f*

nicher [niʃe] <1> **I.** *vi* **1.** (*nidifier*) nisten **2.** *fam* (*habiter*) hausen **II.** *vpr* **se ~ dans un arbre** sich in einem Baum einnisten

nichon [niʃõ] *m fam* Titte *f*

nickel [nikɛl] **I.** *m* Nickel *nt* **II.** *adj inv, fam* **1.** (*impeccable*) blitzblank **2.** (*super*) super

nicotine [nikɔtin] *f* Nikotin *nt*

nid [ni] *m* ZOOL Nest *nt*; ~ **d'aigle** Adlerhorst *m*

nid-d'abeilles [nidabɛj] <nids-d'abeilles> *m* COUT Waffelmuster *nt*; TECH Lamellen *Pl* **nid-de-poule** [nidpul] <nids-de-poule> *m* Schlagloch *nt*

nièce [njɛs] *f* Nichte *f*

nième [ɛnjɛm] *adj v.* **énième**

nier [nje] <1> **I.** *vt* **1.** (*contester*) leugnen; ~ **qu'il mente** bestreiten, dass er lügt **2.** (*refuser l'idée de*) verleugnen **II.** *vi* leugnen

Niger [niʒɛʀ] *m* **le ~** Niger *nt*

Nigeria [niʒeʀja] *m* **le ~** Nigeria *nt*

nigérian, e [niʒeʀjã, jan] *adj* nigerianisch

Nigérian, e [niʒeʀjã, jan] *m, f* Nigerianer(in) *m(f)*

nigérien, ne [niʒeʀjɛ̃, jɛn] *adj* nigrisch

Nigérien, ne [niʒeʀjɛ̃, jɛn] *m, f* Nigrer(in) *m(f)*

night-club [najtklœb] <night-clubs> *m*

Nachtklub *m*

nihiliste [niilist] **I.** *adj* nihilistisch **II.** *mf* Nihilist(in) *m(f)*

Nil [nil] *m* **le ~** der Nil

n'importe [nɛ̃pɔʀt] *v.* **importer**

niôle [ɲol] *f v.* **gnôle**

nippes [nip] *fpl fam* Klamotten *Pl*

nippon, -on[n]**e** [nipõ, -ɔn] *adj* japanisch

Nippon, -on[n]**e** [nipõ, -ɔn] *m, f* Japaner(in) *m(f)*

niquer [nike] <1> *vt vulg* ficken

nirvana [niʀvana] *m* Nirwana *nt*

nitouche [nituʃ] *f* **▸ sainte ~** Unschuldsengel *m*; **avec son air de sainte ~** mit seiner/ihrer Unschuldsmiene

nitrate [nitʀat] *m* Nitrat *nt*

niveau [nivo] <x> *m* **1.** (*hauteur*) Höhe *f*; *d'essence, huile* -stand *m*; *des devises, de la production, d'études* Stand *m*; **le ~ de la nappe phréatique** der Grundwasserspiegel **2.** (*degré*) Niveau *nt*; ~ [o **de culture**] Bildungsniveau; ~ **de vie** Lebensstandard *m* **3.** TECH Wasserwaage *f* **▸ au plus haut ~** auf höchster Ebene; **au ~ de qn/qc** (*espace*) auf jds Höhe/auf der Höhe einer S. (*gen*); (*valeur*) auf jds Stand/auf dem Stand einer S. (*gen*); **au ~ des prix/de la qualité** in Bezug auf die Preise/die Qualität; **au ~ local/national/ émotionnel** *abusif* auf lokaler/nationaler/emotionaler Ebene; **au ~ de l'U.E.** auf EU-Ebene

niveler [nivle] <3> *vt* nivellieren; [ein]ebnen *sol, terrain*

noble [nɔbl] **I.** *adj* adlig **II.** *mf* Adlige(r) *f(m)*

noblement [nɔbləmã] *adv* **1.** edelmütig **2.** (*dignement*) stolz

noblesse [nɔblɛs] *f* **1.** (*aristocratie*) Adel *m* **2.** (*dignité*) Würde *f*

noce [nɔs] *f a. pl* Hochzeit *f* **▸ convoler en justes ~s** *hum* in den Hafen der Ehe einlaufen; **faire la ~** *fam* in Saus und Braus leben

noceur, -euse [nɔsœʀ, -øz] *m, f* Genussmensch *m*

nocif, -ive [nɔsif, -iv] *adj* schädlich; *influence, habitude, climat* schlecht; *idée, théorie* gefährlich

nocturne [nɔktyʀn] **I.** *adj* nächtlich *nt*; **vente ~** CH Abendverkauf *m* (CH) **II.** *f* (*manifestation ~*) Abendveranstaltung *f*; **en ~** am [späten] Abend

nodule [nɔdyl] *m* **1.** MED Knötchen *nt* **2.** GEOL Knolle *f*

Noël [nɔɛl] *m* **1.** REL Weihnachten *nt*; **arbre de ~** Weihnachtsbaum *m*; **nuit de ~** Heilige Nacht; **joyeux ~** fröhliche Weihnachten **2.** (*période de ~*) Weihnachten *Pl* **▸ ~**

au balcon, Pâques au tison *prov* Weihnachten im Klee, Ostern im Schnee

nœud [nø] *m* **1.**(*boucle*) Knoten *m;* **double** ~ doppelter Knoten; ~ **papillon** Fliege *f* **2.**(*vitesse*) Knoten *m* **3.**(*protubérance*) Knoten *m; d'un bois* Ast *m* **4.** *d'une pièce, d'un roman* Knoten *m; d'un débat* springender Punkt *m* **5.**(*ornement*) Schleife *f*

noie [nwa] *indic et subj prés de* **noyer**

noierai [nwaʀe] *fut de* **noyer**

noir [nwaʀ] *m* **1.**(*couleur, vêtement*) Schwarz *nt;* **habillé en** ~ schwarz gekleidet **2.**(*obscurité*) Dunkel *nt,* Dunkelheit *f;* **dans le** ~ im Dunkeln **3.** *fam* (*café*) schwarzer Kaffee **4.** PHOT ~ **et blanc** schwarzweiß ►~ **sur blanc** schwarz auf weiß; **broyer** du ~ Trübsal blasen (*fam*); **peindre** tout en ~ alles schwarz sehen; **au** ~ schwarz; **travail au** ~ Schwarzarbeit *f*

noir, e [nwaʀ] *adj* **1.**(*opp: blanc*) *a.* LITTER, CINE schwarz; *ciel* finster; *temps* düster; **série** ~**e** schwarze Serie; ~ **comme l'encre** [kohl]rabenschwarz **2.**(*foncé*) *blé* ~ Buchweizen *m;* lunettes ~**es** Sonnenbrille *f;* **du raisin** ~ blaue [Wein]trauben *Pl;* **la rue est** ~**e de monde** die Straße wimmelt von Menschen **3.**(*propre à la race*) der Schwarzen; *musique* schwarz; **problème** ~ Rassenproblem *nt;* **l'Afrique** ~**e** Schwarzafrika *nt* **4.**(*obscur*) finster; *ombre* schwarz **5.**(*sinistre*) düster; *humour* schwarz **6.**(*illégal*) **marché** ~ Schwarzmarkt *m*

Noir, e [nwaʀ] *m, f* Schwarze(r) *f(m)*

noirceur [nwaʀsœʀ] *f* **1.**(*perfidie*) Niedertracht *f; de l'âme* Schwärze *f; d'un crime, forfait* Ruchlosigkeit *f* **2.**(*caractère sinistre*) schwarze Natur

noircir [nwaʀsiʀ] <8> **I.** *vt* **1.**(*salir*) schwarz machen; schwärzen *visage* **2.**(*colorer*) schwarz färben *étoffe* **3.**(*dénigrer*) ~ **la réputation de qn** jdn in Verruf bringen **4.**(*couvrir d'écriture*) voll schreiben *cahier, feuille* **II.** *vi façade, fruit:* schwarz werden; *ciel:* sich verdunkeln; *bois, couleur:* nachdunkeln; *peau, personne:* braun werden **III.** *vpr se* ~ *façade:* schwarz werden; *ciel:* sich verdunkeln; *bois, couleur:* nachdunkeln

noire [nwaʀ] *f* MUS Viertelnote *f*

noise [nwaz] *f* ►**chercher** ~ [*o* **des** ~**s**] **à qn** Streit mit jdm suchen

noisetier [nwaztje] *m* Hasel[nuss]strauch *m*

noisette [nwazɛt] **I.** *f* **1.**(*fruit*) Haselnuss *f* **2.** GASTR **une** ~ **de beurre** eine Flocke Butter **II.** *adj inv* haselnussbraun

noix [nwa] *f* **1.**(*fruit*) [Wal]nuss *f* **2.** *péj*

(*individu stupide*) dumme Nuss **3.**(*viande*) Nuss *f* **4.**(*quantité*) **une** ~ **de beurre** ein walnussgroßes Stück Butter ►**à la** ~ [**de coco**] *fam* wertlos; **des promesses à la** ~ leere Versprechungen

nom [nɔ̃] *m* **1.**(*dénomination*) Name *m;* ~ **patronymique** Familienname *m;* ~ **commun/propre** Gattungs-/Eigenname *m;* **quel est le** ~ **de …?** wie heißt …?; **je ne le connais que de** ~ ich kenne ihn nur dem Namen nach; **qn donne son** ~ **à qn/qc** jd/etw wird nach jdm benannt **2.** GRAM Substantiv *nt,* Nomen *nt;* ~ **féminin/masculin/neutre** Femininum *nt/*Maskulinum *nt/*Neutrum *nt;* ~ **composé** Kompositum *nt* ►~ **d'un chien!,** ~ **d'une pipe!** verdammt [noch mal]!; ~ **de Dieu** [**de** ~ **de Dieu**]! (*de surprise*) ach du lieber Gott!; (*de colère*) verdammt noch mal!; ~ **à coucher dehors** *fam* unaussprechlicher Name; **porter bien/mal son** ~ seinen Namen zu Recht/zu Unrecht tragen; **traiter qn de tous les** ~**s** jdn übel beschimpfen; **au** ~ **du Père, du Fils et du Saint-Esprit** im Namen des Vaters, des Sohnes und des Heiligen Geistes

nomade [nɔmad] **I.** *adj* **1.**(*opp: sédentaire*) Nomaden-; ZOOL wandernd **2.**(*errant*) ruhelos **II.** *mf* Nomade/Nomadin *m/f*

no man's land [nomanslãd] *m inv* Niemandsland *nt*

nombre [nɔ̃bʀ] *m* **1.** MATH Zahl *f;* ~ **cardinal** Kardinalzahl; ~ **premier** Primzahl **2.**(*quantité*) [An]zahl *f;* **en grand** ~ zahlreich **3.** GRAM Numerus *m*

nombreux, -euse [nɔ̃bʀø, -øz] *adj* zahlreich; *foule, clientèle, famille* groß

nombril [nɔ̃bʀil] *m* [Bauch]nabel *m*

nombrilisme [nɔ̃bʀilism] *m fam* Nabelschau *f;* **faire du** ~ Nabelschau betreiben

nomenclature [nɔmãklatyʀ] *f* **1.** *d'un dictionnaire* Stichwortliste *f* **2.**(*terminologie*) Nomenklatur *f;* GRAM Terminologie *f*

nominal, e [nɔminal, o] <-aux> *adj* GRAM *forme, groupe, proposition* Nominal-; *emploi* substantivisch

nominatif, -ive [nɔminatif, -iv] *m* GRAM Nominativ *m*

nomination [nɔminasjɔ̃] *f* (*désignation*) Ernennung *f;* ~ **à un poste de directeur/de professeur** Ernennung zum Direktor/Einstellung *f* als Lehrer

nommer [nɔme] <1> *vt* **1.**(*appeler*) benennen *chose;* **une femme nommée Laetitia** eine Frau namens Laetitia **2.**(*citer*) nennen; **quelqu'un que je ne nommerai pas** jemand, den ich nicht nennen möchte **3.**(*désigner*) ernennen; beauftragen *avocat, expert;* ~ **qn à un poste/à une**

fonction jdn auf einen Posten/in ein Amt berufen ►**pour ne pas le/la** ~ *hum* um keinen Namen zu nennen
non [nɔ̃] **I.** *adv* **1.** (*réponse*) nein; **je pense que** ~ ich glaube nicht; **moi** ~, **mais** ich nicht, aber; **ah** ~**!** oh nein!; **ça** ~**!** das kommt nicht in Frage!; **mais** ~**!** (*atténuation*) ach was! (*fam*); (*insistance*) nein!; [oh] **que** ~**!** *fam* nein, niemals!; (*réponse à une question positive*) von wegen! **2.** (*opposition*) nicht; **moi** ~ **plus** ich auch nicht; **il n'en est pas question** ~ **plus** das kommt ebenso wenig in Frage; ~ **seulement ...**, **mais encore** nicht nur ..., sondern auch **3.** *fam* (*sens interrogatif*) **vous venez,** ~**?** Sie kommen doch, oder?; ~, **pas possible!** ehrlich? **4.** (*sens exclamatif*) ~, **par exemple!** das ist doch nicht zu fassen!; ~ **mais** [alors]**!** *fam* also ehrlich!; ~, **mais dis donc!** *fam* was fällt dir denn ein! **5.** (*qui n'est pas*) ~ **négligeable** beträchtlich; ~ **polluant** umweltfreundlich **II.** *m inv* Nein *nt;* **48 % de** ~ 48 % Nein-stimmen; **répondre par un** ~ **catégorique** kategorisch ablehnen
non-agression [nɔnagʀesjɔ̃] <non-agressions> *f* **pacte de** ~ Nichtangriffs-pakt *m*
nonante [nɔnɑ̃t] *num* BELG, CH (*quatre-vingt-dix*) neunzig; *v. a.* **cinq, cinquante**
non-assistance [nɔnasistɑ̃s] <non-assistances> *f* ~ [à **personne en danger**] unterlassene Hilfeleistung **non-croyant** , **e** [nɔ̃kʀwajɑ̃, jɑ̃t] <non-croyants> **I.** *adj* nichtgläubig **II.** *m, f* Nichtgläubige(r) *f(m)* **non-dit** [nɔ̃di] <non-dits> *m* Un-ausgesprochene *nt* **non-fumeur, -euse** [nɔ̃fymœʀ, -øz] <non-fumeurs> *m, f* Nichtraucher(in) *m(f)* **non-inscrit** , **e** [nɔnɛ̃skʀi, it] <non-inscrits> **I.** *adj* **être** ~ fraktionslos sein **II.** *m, f* Fraktionslose(r) *f(m)* **non-lieu** [nɔ̃ljø] <non-lieux> *m* Einstellung *f* des Verfahrens
nonne [nɔn] *f* Nonne *f*
non-paiement [nɔ̃pɛmɑ̃] <non-paie-ments> *m* Nichtbegleichung *f* **non-rece-voir** [nɔ̃ʀəsəvwaʀ] *m v.* **fin**
non-respect [nɔ̃ʀɛspɛ] <non-respects> *m* Nichtbeachtung *f;* ~ **de la loi** Übertre-tung *f* des Gesetzes **non-sens** [nɔ̃sɑ̃s] *m inv* **1.** (*absurdité*) Unsinn *m* **2.** SCOL Sinn-fehler *m* **non-stop** [nɔnstɔp] **I.** *adj inv* Nonstop- **II.** *m inv* **1.** MEDIA Nonstoppro-gramm *nt* **2.** (*vol*) Nonstopflug *m;* **en** ~ nonstop **non-violence** [nɔ̃vjɔlɑ̃s] <non-violences> *f* Gewaltfreiheit *f* **non-vio-lent** , **e** [nɔ̃vjɔlɑ̃, ɑ̃t] <non-violents> **I.** *adj* gewaltfrei **II.** *m, f* Gegner(in) *m(f)* der Gewalt **non-voyant** , **e** [nɔ̃vwajɑ̃, jɑ̃t]

<non-voyants> *m, f* Blinde(r) *f(m)*
nord [nɔʀ] **I.** *m* (*point cardinal*) Norden *m;* **le** ~ der Norden; **au** ~ **de qc** nördlich von etw; **être exposé au** ~ nach Norden gehen; **dans le** ~ **de** im Norden von; **du** ~ aus dem Norden; **vers le** ~ nach Norden ►**perdre le** ~ (*perdre son calme*) außer Fassung geraten; (*perdre la raison*) den Kopf verlieren **II.** *adj inv* Nord-; *latitude, partie, banlieue* nördlich
Nord [nɔʀ] **I.** *m* (*région, pays*) **le** ~ der Norden; **le grand** ~ der hohe Norden; **l'Europe du** ~ Nordeuropa *nt;* **le** ~ **cana-dien** Nordkanada *nt;* **l'autoroute du** ~ die Autobahn nach Norden; **dans le** ~ (*dans la région*) im Norden; (*vers la ré-gion*) in den Norden **II.** *adj inv* **l'hé-misphère** ~ die nördliche Hemisphäre; **le pôle** ~ der Nordpol
nord-africain , **e** [nɔʀafʀikɛ̃, ɛn] <nord-africains> *adj* nordafrikanisch **Nord-Africain** , **e** [nɔʀafʀikɛ̃, ɛn] <Nord-Africains> *m, f* Nordafrikaner(in) *m(f)* **nord-coréen** , **ne** [nɔʀkɔʀeɛ̃, ɛn] <nord-coréens> *adj* nordkoreanisch **Nord-Coréen** , **ne** [nɔʀkɔʀeɛ̃, ɛn] <Nord-Coréens> *m, f* Nordkoreaner(in) *m(f)* **nord-est** [nɔʀɛst] *m inv* Nordosten *m* **Nord-Est** [nɔʀɛst] *m inv* Nordosten *m* **nordique** [nɔʀdik] *adj* nordisch **Nordique** [nɔʀdik] *mf* Nordländer(in) *m(f)*
nord-ouest [nɔʀwɛst] *m inv* Nordwesten *m* **Nord-Ouest** [nɔʀwɛst] *m inv* Nord-westen *m* **Nord-Sud** [nɔʀsyd] *adj inv* Nord-Süd-
normal, e [nɔʀmal, o] <-aux> *adj* **1.** (*or-dinaire*) normal, gewöhnlich; **redevenir** ~ sich normalisieren **2.** (*compréhensible*) normal; **il est/n'est pas** ~ **que** + *subj/*de **faire qc** es ist/es ist nicht normal, dass/ etw zu tun **3.** (*sain*) normal
normale [nɔʀmal] *f* **1.** (*état habituel*) Nor-malfall *m* **2.** (*norme*) Norm *f;* **des capaci-tés au-dessus de la** ~ überdurchschnittli-che Fähigkeiten **3.** METEO ~**s saisonnières** jahreszeitliche Durchschnittswerte
normalement [nɔʀmalmɑ̃] *adv* **1.** (*con-formément aux normes*) normal **2.** (*selon toute prévision*) normalerweise
normaliser [nɔʀmalize] <1> **I.** *vt* **1.** (*standardiser*) normen, vereinheitlichen **2.** (*rendre normal*) normalisieren; legalisie-ren *liaison* **II.** *vpr* **se** ~ sich normalisieren
normalité [nɔʀmalite] *f* Normalität *f*
normand, e [nɔʀmɑ̃, ɑ̃d] *adj* **1.** GEOG der Normandie **2.** HIST normannisch
Normand, e [nɔʀmɑ̃, ɑ̃d] *m, f* **1.** GEOG Be-wohner(in) *m(f)* der Normandie **2.** *mpl*

HIST **les ~s** die Normannen

Normandie [nɔʀmɑ̃di] *f* **la ~** die Normandie

normatif, -ive [nɔʀmatif, -iv] *adj* normativ

norme [nɔʀm] *f* Norm *f;* **rester dans la/être hors ~** sich innerhalb/außerhalb der Norm bewegen

Norvège [nɔʀvɛʒ] *f* **la ~** Norwegen *nt*

norvégien [nɔʀveʒjɛ̃] *m* Norwegisch *nt; v. a.* **allemand**

norvégien, ne [nɔʀveʒjɛ̃, jɛn] *adj* norwegisch

Norvégien, ne [nɔʀveʒjɛ̃, jɛn] *m, f* Norweger(in) *m(f)*

nos [no] *dét poss v.* **notre**

nostalgie [nɔstalʒi] *f* Wehmut *f;* **avoir la ~ de qc** sich nach etw sehnen

nostalgique [nɔstalʒik] *adj* nostalgisch

nota [bene] [nɔta(bene)] *m inv* Anmerkung *f*

notable [nɔtabl] **I.** *adj* erheblich; *personne* von Rang **II.** *mf* angesehene Persönlichkeit

notablement [nɔtabləmɑ̃] *adv* erheblich

notaire [nɔtɛʀ] *m* Notar(in) *m(f)*

notamment [nɔtamɑ̃] *adv* vor allem

note [nɔt] *f* **1.** SCOL, MUS Note *f* **2.** (*communication*) Notiz *f;* **~ diplomatique** Note *f* **3.** (*facture*) Rechnung *f;* **~ de 100 euros** Rechnung über 100 Euro **4.** (*annotation*) Anmerkung *f;* **~ de bas de page** Fußnote *f* **5.** *pl* (*compte rendu, support écrit*) Notizen *Pl;* **parler sans ~s** frei sprechen ▶**fausse ~** MUS falscher Ton; (*maladresse*) Zwischenfall *m;* **forcer la ~** übertreiben; **prendre** [**bonne**] **~ de qc** sich (*dat*) etw [gut] merken; **prendre qc en ~** (*inscrire*) [sich (*dat*)] etw notieren; (*prendre conscience*) etw zur Kenntnis nehmen

noter [nɔte] <1> *vt* **1.** (*inscrire*) [sich (*dat*)] aufschreiben [*o* notieren] **2.** (*remarquer*) feststellen; **notez-le bien, notons-le** wohlgemerkt **3.** ADMIN, SCOL benoten; beurteilen *employé;* **~ qn/qc 12 sur 20** jdn/etw mit 12 von 20 Punkten benoten **4.** (*souligner*) anstreichen; **~ qc d'une croix** etw ankreuzen **5.** MUS notieren

notice [nɔtis] *f* **1.** (*mode d'emploi*) **~** [**explicative**] Gebrauchsanweisung *f* **2.** (*préface*) Einleitung *f*

notion [nosjɔ̃] *f* **1.** (*idée*) Begriff *m;* **la ~ de liberté** der Begriff [der] Freiheit **2.** (*conscience*) **la ~ de l'heure** [*o* **du temps**] das Zeitgefühl **3.** *pl* (*connaissances*) Ahnung *f;* **avoir des ~s de qc** Ahnung von etw haben

notoirement [nɔtwaʀmɑ̃] *adv* (*manifestement*) offenkundig; (*incontestablement*) notorisch; *connu, reconnu* allgemein

notoriété [nɔtɔʀjete] *f* **1.** *d'une personne, œuvre* Bekanntheitsgrad *m* **2.** (*caractère connu*) Bekanntheit *f;* **être de ~ publique** allgemein bekannt sein

notre [nɔtʀ, no] <**nos**> *dét poss* **1.** unser *m o nt,* uns[e]re *f;* **comment va ~ petit malade?** *hum fam* wie geht es denn uns[e]rem kleinen Patienten?; *v. a.* **ma, mon 2.** REL **Notre Père qui êtes aux cieux** Vater unser[, der du bist] im Himmel

nôtre [notʀ] *pron poss* **1. le/la ~** der/die/das Uns[e]re, uns[e]re(r, s); **les ~s** die Uns[e]ren, uns[e]re **2.** *pl* (*ceux de notre famille*) **les ~s** unsere Angehörigen; (*nos partisans*) uns[e]re Anhänger; **il est des ~s** er gehört zu uns, er ist einer von uns ▶**à la** [**bonne**] **~!** *fam* auf unser Wohl!; *v. a.* **mien**

Notre-Dame [nɔtʀədam] *f inv* **1.** (*nom d'églises*) Marienkirche *f* **2.** (*en France*) Notre-Dame *f*

nouba [nuba] *f fam* Sause *f;* **faire la ~ toute la nuit** die ganze Nacht durchfeiern

nouer [nwe] <1> **I.** *vt* **1.** (*faire un nœud avec*) binden; zubinden *garrot, ceinture* **2.** (*entourer d'un lien*) zusammenbinden; verschnüren *paquet;* binden *bouquet* **3.** (*établir*) schließen *alliance, amitié;* knüpfen *contact, relation* **4.** (*paralyser*) **l'émotion/les sanglots lui a/ont noué la gorge** ihre/seine Kehle war vor Rührung/vor lauter Weinen wie zugeschnürt; **l'angoisse lui a noué l'estomac** vor Angst krampfte sich ihm/ihr der Magen zusammen **II.** *vpr* **1.** (*se serrer*) **sa gorge se noua en voyant cela** bei diesem Anblick schnürte sich ihm/ihr die Kehle zu **2.** (*s'attacher*) **se ~ autour du cou** um den Hals gebunden werden; (*accidentellement*) sich um den Hals wickeln **3.** LITTER, THEAT **l'intrigue se noue** der Knoten [der Handlung] schürzt sich (*fig geh*)

nougat [nuga] *m* türkischer Honig

nougatine [nugatin] *f* Krokant *m*

nouille [nuj] **I.** *f* **1.** GASTR Nudel *f* **2.** *fam* (*ballot*) Depp *m;* (*empoté*) Tranfunzel *f* **II.** *adj* **1.** *fam* (*empoté*) tapsig **2.** *fam* (*tarte*) blöd

nounou [nunu] *f enfantin* (*nourrice*) Tagesmutter *f;* (*garde d'enfant*) Kindermädchen *nt*

nounours [nunuʀs] *m enfantin* Teddy[bär *m*] *m*

nourrice [nuʀis] *f* **1.** (*gardienne*) Tagesmutter *f* **2.** (*bidon*) [Reserve]kanister *m*

nourrir [nuʀiʀ] <8> **I.** *vt* **1.** (*donner à manger à*) ernähren *personne;* füttern *animal;* **~ qn au biberon/à la cuillère** jdn mit der Flasche/mit dem Löffel füttern; **~**

qn au sein jdn stillen; **être bien/mal nourri** gut/schlecht genährt sein **2.** (*faire vivre*) ernähren ▶**être nourri blanchi** sein Essen und seine Wäsche gewaschen bekommen; **être nourri et logé** freie Kost und Logis haben **II.** *vi* nahrhaft sein **III.** *vpr* (*s'alimenter*) **se ~ de qc** sich von etw ernähren; **bien se ~** auf seine Ernährung achten

nourrisson [nuʀisɔ̃] *m* Säugling *m*

nourriture [nuʀityʀ] *f* (*produits*) Nahrung *f*; **~ pour animaux** Futter *nt* für Tiere

nous [nu] **I.** *pron pers* **1.** *sujet* wir; **~ sommes grands** wir sind groß; **vous avez fini, mais pas ~** ihr seid fertig, aber wir [noch] nicht; **~ autres** wir **2.** *complément d'objet direct et indirect* uns; **il ~ aime** er liebt uns; **il ~ demande le chemin** er fragt uns nach dem Weg; **il ~ laisse/fait conduire** [la voiture] er lässt uns [das Auto] fahren **3.** *avec être, devenir, sembler, soutenu* **cela ~ semble bon** das erscheint uns gut; *v. a.* **me 4.** *avec les verbes pronominaux* **nous ~ nettoyons** [les ongles] wir machen uns [die Nägel] sauber **5.** *fam* (*pour renforcer*) **~, ~ n'avons pas** [o **on n'a pas** *fam*] **ouvert la bouche** wir haben den Mund nicht aufgemacht; **c'est ~ qui l'avons dit** wir haben das gesagt; **il veut ~ aider, ~?** uns möchte er helfen? **6.** (*avec un sens possessif*) **le cœur ~ battait fort** unsere Herzen schlugen heftig **7.** *avec un présentatif* wir; **~ voici** [o **voilà**]! hier sind wir! **8.** *avec une préposition* **avec/sans ~** mit/ohne uns; **à ~ deux** wir beide; **la maison est à ~** das Haus gehört uns; **c'est à ~ de décider** wir müssen entscheiden; **c'est à ~!** wir sind dran! **9.** *dans une comparaison* wir; **vous êtes comme ~** ihr seid wie wir; **plus fort que ~** stärker als wir **10.** (*je*) **~, Roi de France** Wir, König von Frankreich **11.** *fam* (*signe d'intérêt*) **comment allons-~?** wie geht's uns denn? **II.** *m* Wir *nt*; **le ~ de majesté** der Pluralis majestatis

nous-même [numɛm] <nous-mêmes> *pron pers* **1.** (*nous en personne*) **~s n'en savions rien** wir [selbst] wussten nichts davon; **nous sommes venus de ~s** wir sind von selbst gekommen **2.** (*nous aussi*) ebenfalls, auch; *v. a.* **moi-même**

nouveau [nuvo] *m* **du ~** etwas Neues ▶**à** [o **de**] **~** erneut

nouveau, nouvel, nouvelle [nuvo, nuvɛl] <x> **I.** *adj* **1.** (*récent*) neu; **rien de ~** nichts Neues **2.** *antéposé* (*répété*) neu; *effort* erneut; **une nouvelle fois** erneut **3.** *antéposé* (*de fraîche date*) **les ~x venus** die Neuankömmlinge ▶**tout beau,**

tout ~ *prov* alles Neue hat seinen Reiz; **c'est ~** [ça]! *fam* das ist ja ganz was Neues! **II.** *m, f* Neue(r) *f(m)*

nouveau-né, e [nuvone] <nouveau-nés> **I.** *adj* neugeboren **II.** *m, f* Neugeborene(s) *nt*

nouveauté [nuvote] *f* **1.** (*objet*) Neuheit *f*; *pl* MEDIA Neuerscheinungen *Pl* **2.** (*innovation*) Neuerung *f*; **c'est une ~** das ist etwas Neues

nouvel, le [nuvɛl] *adj v.* **nouveau**

nouvelle [nuvɛl] *f* **1.** (*événement*) Neuigkeit *f*; (*information*) Nachricht *f*; **connaissez-vous la ~?** wissen Sie schon das Neueste? **2.** *pl* (*renseignements sur qn*) **avoir des ~s de qn** Nachrichten von jdm haben; **donner de ses ~s** etwas von sich hören lassen; **prendre des ~s de qn** sich nach jdm erkundigen **3.** *pl* (*émission*) Nachrichten *Pl*; (*information*) Nachricht *f*, Meldung *f* **4.** LITTER Novelle *f* ▶**la Bonne Nouvelle** REL die Frohe Botschaft; **pas de ~s, bonnes ~s** *prov* keine Nachricht, gute Nachricht; **aux dernières ~** laut den letzten Nachrichten; **première ~!** das ist ja etwas ganz Neues!; **tu m'en diras/vous m'en direz des ~s** du wirst/Sie werden begeistert sein; **tu auras/il aura de mes ~s!** du bekommst/er bekommt es mit mir zu tun! (*fam*); *v. a.* **nouveau**

Nouvelle-Calédonie [nuvɛlkaledoni] *f* **la ~** Neukaledonien *nt*

Nouvelle-Zélande [nuvɛlzelãd] *f* **la ~** Neuseeland *nt*

novembre [nɔvãbʀ] *m* November *m*; *v. a.* **août**

novice [nɔvis] **I.** *adj* **être ~ dans qc** in etw (*dat*) unerfahren sein **II.** *mf* **1.** (*débutant*) Anfänger(in) *m(f)* **2.** REL Novize/Novizin *m/f*

noyau [nwajo] <x> *m* **1.** BOT Kern *m*; *d'une cerise, pêche, prune* Kern, Stein *m* **2.** PHYS [Atom]kern *m*; BIO Zellkern *m*; GEOL Kern *m* **3.** (*groupe humain*) Kern *m*; **~ de manifestants** kleine Gruppe von Demonstranten; **~ dur** harter Kern

noyer[1] [nwaje] *m* **1.** (*arbre*) Nussbaum *m* **2.** (*bois*) Nussbaum[holz *nt*] *m*

noyer[2] [nwaje] <6> **I.** *vt* **1.** (*tuer*) ertränken **2.** (*inonder*) überschwemmen; **~ qc sous l'eau** etw unter Wasser setzen **3.** (*oublier*) **~ son chagrin dans l'alcool** seinen Kummer in Alkohol (*dat*) ertränken **4.** GASTR verdünnen **5.** AUT absaufen lassen (*fam*) **II.** *vpr* (*mourir*) **se ~** (*accidentellement*) ertrinken; (*volontairement*) sich ertränken

nu [ny] *m* ART Akt *m*

nu, e [ny] *adj* **1.** (*sans vêtement*) nackt; **les**

pieds ~s barfuß; **se mettre torse** ~ den Oberkörper frei machen **2.** *fil électrique, lame* blank ▶**mettre à** ~ (*à découvert*) freilegen; (*découvrir*) aufdecken, enthüllen; **mettre son cœur à** ~ sein Herz ausschütten

nuage [nɥaʒ] *m* **1.** (*nébulosité*) Wolke *f* **2.** (*amas*) ~ **de fumée** Rauchwolke *f* **3.** (*très petite quantité*) **un** ~ **de lait** ein paar Tropfen Milch ▶**être dans les** ~**s** über den Wolken schweben; **être** [*o* **marcher**] **sur un** ~ im siebten Himmel sein; **ciel sans** ~[**s**] wolkenloser Himmel; **bonheur/amitié sans** ~[**s**] ungetrübtes Glück/ungetrübte Freundschaft

nuageux, -euse [nɥaʒø, -ʒøz] *adj* METEO Wolken-; *ciel* bewölkt; **le temps est** ~ es ist bewölkt

nuance [nɥãs] *f* **1.** (*couleur: gamme*) [Farb]schattierung *f*; (*gradation*) Farbabstufung *f*; (*détail*) Feinheit *f* **2.** (*légère différence*) kleiner Unterschied, POL [politische] Schattierung; **à quelques** ~**s près** bis auf ein paar kleine Unterschiede

nuancé, e [nɥãse] *adj* differenziert; *chant, style* nuanciert

nuancier [nɥãsje] *m* Farbmusterpalette *f*

nucléaire [nyklɛɛR] **I.** *adj* atomar; *guerre, industrie, puissance* Atom-; *arme, énergie, physique* Kern-, Atom- **II.** *m* Kernenergie *f*, Atomenergie *f*

nudisme [nydism] *m* Freikörperkultur *f*, FKK *kein art;* **pratiquer le** ~ FKK machen

nudiste [nydist] **I.** *adj* FKK- **II.** *mf* Nudist(in) *m(f)*

nue [ny] *f* ▶**tomber des** ~**s** aus allen Wolken fallen

nuée [nɥe] *f* (*grand nombre*) Schwarm *m*

nuire [nɥiR] <*irr*> *vi* ~ **à qn/qc** jdm/einer S. schaden

nuisance [nɥizãs] *f* Umweltbeeinträchtigung *f*; ~**s sonores** Lärmbelästigung *f*

nuisible [nɥizibl] *adj* schädlich; *gaz* giftig; *influence, habitude* schlecht; **animaux/insectes** ~**s** Schädlinge *Pl;* **être** ~ **à qc** einer S. (*dat*) schaden

nuit [nɥi] *f* **1.** (*espace de temps*) Nacht *f;* ~ **et jour** Tag und Nacht; **l'autre** ~ neulich nacht[s]; **bonne** ~**!** gute Nacht!; [**dans**] **la** ~ nachts, in der Nacht; **mardi, dans la** ~ Dienstagnacht; **une** ~ eines Nachts **2.** (*obscurité*) Nacht *f;* **la** ~ **tombe** die Nacht bricht herein; **il fait/commence à faire** ~ es ist/wird dunkel; **il fait** ~ **noire** es ist stockfinster **3.** (*nuité*) Übernachtung *f* **4.** (*temps d'activité*) **équipe de** ~ Nachtschicht *f;* **médecin de** ~ Bereitschaftsarzt *m;* **être de** ~ Nachtdienst haben; **faire la** ~ (*être de garde la* ~) Nachtwache halten

▶**la** ~ **porte** **conseil** *prov* guter Rat kommt über Nacht; ~ **blanche** schlaflose Nacht; ~ **de** **noces** Hochzeitsnacht *f;* **les** **Mille** **et Une Nuits** Tausendundeine Nacht; **faire sa** ~ [die ganze Nacht] durchschlafen; **qn en** **rêve la** ~ (*obsession*) das verfolgt jdn im Schlaf; (*désir*) jd träumt davon

nuitamment [nɥitamã] *adv littér* des Nachts (*geh*)

nul, le [nyl] **I.** *adj* **1.** *discours, film, devoir* miserabel; **il est** ~ **en math** (*médiocre*) er ist in Mathematik (*dat*) nicht besonders; (*incompétent*) er ist in Mathematik (*dat*) eine Niete **2.** (*ennuyeux, raté*) **c'était** ~, **cette fête** die Party war ein Reinfall **3.** *fam* (*crétin*) **c'est** ~/**t'es** ~ **d'avoir fait qc** es war idiotisch/es war idiotisch von dir, dies zu tun **4.** SPORT torlos; (*égalité*) unentschieden; **match** ~ Unentschieden *nt* **5.** *risque, différence* minimal; **être quasiment** [*o* **pratiquement**] ~ praktisch gleich Null sein **6.** MATH Null- **7.** JUR, POL *élection, testament* ungültig; **voter** ~ einen ungültigen Stimmzettel abgeben **II.** *pron indéf* ~ **ne** **souteni** (*personne*) niemand; (*aucun*) keiner **III.** *m, f* Niete *f*

nullement [nylmã] *adv* (*aucunement*) in keiner Weise; (*en aucun cas*) keinesfalls

nullité [nylite] *f* **1.** (*manque de valeur*) Nichtigkeit *f;* **être d'une parfaite** ~ völlig belanglos sein **2.** (*incompétence*) Unfähigkeit *f* **3.** JUR Nichtigkeit *f*, Ungültigkeit *f*

numérique [nymeRik] *adj* **1.** (*exprimé en nombre*) zahlenmäßig; **en données** ~**s en** **nombre** zahlenmäßig **2.** INFORM, TELEC digital; **disque** ~ CD-Platte *f;* **des données** ~**s** digitale Daten

numériquement [nymeRikmã] *adv* zahlenmäßig

numérisé [nymeRize] *adj* INFORM digitalisiert

numériser [nymeRize] <1> *vt* INFORM digitalisieren

numéro [nymeRo] *m* **1.** (*nombre, spectacle*) *a.* PRESSE Nummer *f;* **le** ~ **de la rue** die Hausnummer; **le** ~ **gagnant** die Gewinnzahl; **le** ~ **de la page** die Seitenzahl; ~ **de** **téléphone** Telefonnummer *f;* ~ **vert** gebührenfreie Telefonnummer *f;* **faire** [*o* **composer**] **un** ~ eine Nummer wählen; ~ **vert** ≈ 0130-Nummer **2.** *fam* (*personne*) Unikum *nt;* **c'est un sacré/drôle de** ~**!** er/sie ist schon eine Nummer für sich/eine komische Nummer! ▶**faire son** ~ **à** **qn** *fam* vor jdm seine Nummer abziehen; ~ **un** Haupt-; **souci/problème/ennemi** ~ **un** Hauptsorge *f*/-problem *nt*/-feind *m*

numérotation [nymeRɔtasjɔ̃] *f* ~ **à 10**

chiffres 10-stelliges Nummernsystem
numéroter [nymeʀɔte] <1> vt nummerieren
numerus clausus [nymeʀysklozys] m inv Numerus clausus m
numismate [nymismat] mf Münz[en]sammler(in) m(f), Numismatiker(in) m(f)
numismatique [nymismatik] **I.** adj numismatisch **II.** f Numismatik f
nu-pieds [nypje] **I.** adj inv barfuß **II.** mpl (chaussures) Sandalen Pl
nuque [nyk] f Nacken m
Nuremberg [nyʀɑ̃bɛʀ] Nürnberg nt
nurse [nœʀs] f Kindermädchen nt
nu-tête [nytɛt] adj inv ohne Kopfbedeckung

nutritif, -ive [nytʀitif, -iv] adj **1.** (nourricier) nahrhaft; **qualité** [o **valeur**] **nutritive** Nährwert m; **substance nutritive** Nährstoff m **2.** MED **besoins** ~s Nahrungsbedarf m
nutrition [nytʀisjɔ̃] f Ernährung f
nutritionniste [nytʀisjɔnist] mf Ernährungswissenschaftler(in) m(f)
nylon® [nilɔ̃] m Nylon® nt
nymphéa [nɛ̃fea] m weiße Seerose
nymphette [nɛ̃fɛt] f flotte Biene (sl)
nymphomane [nɛ̃fɔman] **I.** adj nymphoman **II.** f Nymphomanin f
nymphomanie [nɛ̃fɔmani] f Nymphomanie f

O

O, o [o] *m inv* O *nt,* o *nt*
O *abr de* **ouest**
ô [o] *interj* oh
oasis [ɔazis] *f* Oase *f*
obéir [ɔbeiʀ] <8> *vi* **1.** (*se soumettre*) ~ **à
qn** jdm gehorchen, jdm folgen; ~ **à une
loi/un ordre** ein Gesetz/einen Befehl befolgen; **se faire** ~ **de qn** sich bei jdm
durchsetzen; **qn est obéi** man gehorcht
jdm **2.** (*céder à*) ~ **à sa conscience/son
instinct** seinem Gewissen/Instinkt folgen
obéissance [ɔbeisɑ̃s] *f* ~ **à qn/qc** Gehorsam *m* jdm/einer S. gegenüber; **l'**~ **aux
lois** die Befolgung der Gesetze
obèse [ɔbɛz] **I.** *adj* fettleibig **II.** *mf* Fettlei-
bige(r) *f(m)*
obésité [ɔbezite] *f* Fettleibigkeit *f*
objecter [ɔbʒɛkte] <1> *vt* einwenden; ~
qc à qn jdm etw entgegenhalten; **avoir
quelque chose/ne rien avoir à** ~ **à qc**
etwas/nichts gegen etw einzuwenden haben
objecteur [ɔbʒɛktœʀ] *m* ~ **de conscience** Wehrdienstverweigerer *m*
objectif [ɔbʒɛktif] *m* **1.** (*but*) Ziel *nt* **2.** OPT,
PHYS, PHOT Objektiv *nt*
objectif, -ive [ɔbʒɛktif, -iv] *adj personne,
position* neutral; *article, jugement, récit* objektiv
objection [ɔbʒɛksjɔ̃] *f* Einwand *m;* ~! Einspruch!; **faire une** ~ einen Einwand vorbringen; **soulever une** ~ Einspruch erheben; **si vous n'y voyez pas d'**~ wenn Sie
keine weiteren Einwände haben; ~ **de
conscience** Wehrdienstverweigerung *f*
objectivement [ɔbʒɛktivmɑ̃] *adv* objektiv
objectivité [ɔbʒɛktivite] *f* Objektivität *f;*
en toute ~ objektiv [gesehen]
objet [ɔbʒɛ] *m* **1.** (*chose*) Gegenstand *m;*
~ **d'art** Kunstobjekt *nt;* ~ **de curiosité/de
convoitise** Objekt *nt* der Neugierde/Be-
gierde **2.** (*but*) Zweck *m;* **avoir qc pour** ~
etw zum Ziel haben; (*intention*) etw beabsichtigen **3.** GRAM, LING Objekt *nt* ▶~**s
trouvés** Fundbüro *nt*
obligation [ɔbligasjɔ̃] *f* **1.** (*nécessité*)
Verpflichtung *f;* ~ **de faire qc** Pflicht *f,*
etw zu tun; **être dans l'**~ **de faire qc** gezwungen sein, etw zu tun **2.** *pl* (*devoirs*)
Verpflichtungen *Pl;* (*devoirs civiques, scolaires*) Pflichten *Pl;* ~**s de citoyen/de
père de famille** Bürgerpflichten/Ver-

pflichtungen als Familienvater; **les** ~**s militaires** die Wehrpflicht **3.** FIN Obligation *f*
4. JUR Pflicht *f;* ~ **alimentaire** Unterhaltspflicht ▶**sans** ~ **de la part de qn** unverbindlich für jdn; **sans** ~ **d'achat** ohne
Kaufverpflichtung
obligatoire [ɔbligatwaʀ] *adj* **1.** (*exigé*)
obligatorisch; **présence** ~ Anwesenheits-
pflicht *f;* **rendre qc** ~ etw zur Pflicht machen **2.** *fam* (*inévitable*) unvermeidlich
obligatoirement [ɔbligatwaʀmɑ̃] *adv*
1. (*nécessairement*) unbedingt; **devoir** ~
faire qc verpflichtet sein, etw zu tun; **il
faut** ~ **qc** es ist Vorschrift, etw zu haben
2. *fam* (*forcément*) automatisch; **ça devait**
~ **arriver!** das musste ja so kommen!
obligé, e [ɔbliʒe] *adj* **1.** (*nécessaire*)
zwangsläufig; (*inévitable*) unvermeidlich
2. (*reconnaissant*) **être** ~ **à qn de qc** jdm
für etw dankbar sein
obligeamment [ɔbliʒamɑ̃] *adv* liebens-
würdigerweise; (*avec obligeance*) liebenswürdig, entgegenkommend
obligeance [ɔbliʒɑ̃s] *f* (*prévenance*) Zuvorkommenheit *f;* (*serviabilité*) Hilfsbereitschaft *f;* **avoir l'**~ **de faire qc** so freundlich sein, etw zu tun
obliger [ɔbliʒe] <2a> **I.** *vt* **1.** (*forcer*)
zwingen; ~ **qn à faire qc** jdn zwingen,
etw zu tun; **on était bien obligés!** es
blieb uns [ja] nichts anderes übrig! **2.** (*contraindre moralement*) verpflichten **3.** (*rendre service à*) ~ **qn** jdm einen Gefallen tun
II. *vpr* (*s'engager*) **s'**~ **à faire qc** sich verpflichten, etw zu tun
oblique [ɔblik] *adj* **1.** (*de biais*) schräg;
chemin Quer- **2.** MATH *droite, ligne* schräg
obliquer [ɔblike] <1> *vi* abbiegen; *route:*
einen Bogen machen
oblitérer [ɔblitere] <5> *vt* POST [ab]stem-
peln
oblong, -ongue [ɔblɔ̃, -ɔ̃g] *adj* länglich
obnubiler [ɔbnybile] <1> *vt* (*obséder*)
verfolgen; **être obnubilé par qc** von etw
besessen sein
obole [ɔbɔl] *f* Obolus *m;* **verser son** ~
sein Scherflein beitragen
obscène [ɔpsɛn] *adj* obszön
obscénité [ɔpsenite] *f* Obszönität *f*
obscur, e [ɔpskyʀ] *adj* **1.** (*sombre*) dunkel
2. (*incompréhensible*)   undurchsichtig
3. (*inconnu*) unbekannt

---

objecter/contredire

• objecter	**• einwenden**
Oui, mais …	Ja, aber …
Tu as oublié que …	Du hast vergessen, dass …
Là, tu te trompes complètement.	Das siehst du aber völlig falsch.
Vous avez raison, mais pensez aussi que/à …	Sie haben schon Recht, aber bedenken Sie doch auch …
D'accord, mais …	Das ist ja alles schön und gut, aber …
J'ai quelques objections à faire à ce sujet.	Ich habe dagegen einiges einzuwenden.
Vous avez/Tu as été chercher ça loin. *(fam)*	Das ist aber weit hergeholt.
• contredire	**• widersprechen**
Ce n'est pas vrai du tout.	Das stimmt (doch) gar nicht. *(fam)*
Allons donc!/C'est absurde!/C'est des conneries! *(fam)*	Ach was!/Unsinn!/Blödsinn!/ Quatsch! *(fam)*
Je ne vois pas ça comme ça.	Das sehe ich anders.
Non, je ne trouve pas.	Nein, das finde ich nicht.
Là, je suis obligé(e) de vous contredire.	Da muss ich Ihnen widersprechen.
Cela ne correspond pas à la réalité.	Das entspricht nicht den Tatsachen.
On ne peut pas voir les choses ainsi.	So kann man das nicht sehen.
Il ne peut pas en être question.	Davon kann gar nicht die Rede sein.

---

obscurcir [ɔpskyʀsiʀ] <8> I. *vt* (*assombrir*) verdunkeln; **être obscurci** sich verdunkelt haben II. *vpr* s'~ 1. (*devenir obscur*) *ciel:* sich verdunkeln; **le jour s'obscurcit** es wird dunkel; **le temps s'obscurcit** es zieht sich zu 2. (*se brouiller*) **ma vue s'obscurcit** meine Augen trüben sich

obscurcissement [ɔpskyʀsismã] *m du ciel* Verdunkelung *f;* (*action*) Verdunkeln *nt; de la vue* Trübung *f*

obscurément [ɔpskyʀemã] *adv* 1. (*vaguement*) undeutlich; *deviner, sentir* dunkel 2. (*de façon peu claire*) unklar

obscurité [ɔpskyʀite] *f* 1. (*absence de lumière*) Dunkel[heit *f*] *nt* 2. *d'une affaire* Undurchsichtigkeit *f* 3. (*anonymat*) **vivre dans/sortir de l'~** ein Schattendasein führen/aus seinem Schattendasein heraustreten

obsédant, e [ɔpsedã, ãt] *adj* einen verfolgend, einen nicht loslassend; *voix* eindringlich; **idée ~e** Zwangsvorstellung *f,* fixe Idee; **musique ~e** Ohrwurm *m*

obsédé, e [ɔpsede] *m, f* 1. (*par le sexe*) Sexbesessene(r) *f(m)* 2. (*fanatique*) Fanatiker(in) *m(f)*

obséder [ɔpsede] <5> *vt* ~ **qn** jdn verfolgen; *idée:* jdn beherrschen; *souci, remords:* jdm keine Ruhe lassen; **être obsédé par**

qc von etw besessen sein

obsèques [ɔpsɛk] *fpl* Bestattung *f,* Abdankung *f* (CH); ~ **nationales** Staatsbegräbnis *nt*

obséquieux, -euse [ɔpsekjø, -jøz] *adj* unterwürfig

observable [ɔpsɛʀvabl] *adj* **être** ~ zu beobachten sein

observateur, -trice [ɔpsɛʀvatœʀ, -tʀis] I. *adj personne* aufmerksam; *regard, esprit* wach II. *m, f* Beobachter(in) *m(f)*

observation [ɔpsɛʀvasjɔ̃] *f* 1. (*surveillance*) Beobachtung *f* 2. (*constatation*) Beobachtung *f; esprit* d'~ Beobachtungsgabe *f* 3. (*remarque*) Bemerkung *f;* (*reproche*) Tadel *m;* **faire des ~s à qn sur qc** jdn auf etw (*akk*) ansprechen 4. MED **être en** ~ **quelque part** irgendwo zur Beobachtung sein; **mettre qn en** ~ jdn unter Beobachtung stellen

observatoire [ɔpsɛʀvatwaʀ] *m* 1. GEOL Observatorium *nt;* ASTRON *a.* Sternwarte *f;* METEO *a.* Wetterwarte *f* 2. MIL Beobachtungsposten *m* 3. ECON Wirtschaftsforschungsinstitut *nt*

observer [ɔpsɛʀve] <1> I. *vt* 1. (*regarder attentivement*) beobachten; ~ **qn faire qc** beobachten, wie jd etw tut 2. (*surveiller*) beobachten 3. (*remarquer*) bemerken; **fai-**

re ~ **qc à qn** jdn auf etw (*akk*) hinweisen **4.** (*respecter*) beachten *coutume;* einnehmen *attitude;* wahren *discrétion;* einhalten *jeûne;* ~ **une règle** sich an eine Regel halten; ~ **une minute de silence à la mémoire de qn/qc** eine Gedenkminute für jdn/etw einlegen **II.** *vi* beobachten **III.** *vpr* **s'**~ **1.** (*se surveiller*) sich zusammennehmen **2.** (*s'épier*) sich beobachten

obsession [ɔpsesjɔ̃] *f* Besessenheit *f;* MED *a.* Zwangsvorstellung *f*

obsessionnel, le [ɔpsesjɔnɛl] *adj* zwanghaft; *idée* Zwangs-

obstacle [ɔpstakl] *m* (*a.* SPORT) Hindernis *nt;* **faire** ~ **à qn/qc** sich jdm/einer S. in den Weg stellen; **constituer un** ~ **à qc** etw behindern

obstétricien, ne [ɔpstetʀisjɛ̃, jɛn] *m, f* Geburtshelfer(in) *m(f)*

obstination [ɔpstinasjɔ̃] *f* **1.** (*entêtement*) Eigensinn *m* **2.** (*persévérance*) Hartnäckigkeit *f;* ~ **dans le travail** Ausdauer *f* bei der Arbeit

obstiné, e [ɔpstine] **I.** *adj* **1.** (*entêté*) stur, eigensinnig **2.** (*persévérant*) hartnäckig **3.** (*incessant*) hartnäckig **II.** *m, f* Dickkopf *m*

obstinément [ɔpstinemɑ̃] *adv* (*avec entêtement*) stur, eigensinnig; (*avec persévérance*) hartnäckig

obstiner [ɔpstine] <1> *vpr* **s'**~ stur bleiben; **s'**~ **dans qc** auf etw (*dat*) beharren; **s'**~ **sur un détail/un problème** sich an einem Detail/Problem festbeißen

obtenir [ɔptəniʀ] <9> *vt* **1.** (*recevoir*) erhalten; erzielen *avantage;* ~ **de qn qu'il fasse qc** bei jdm erreichen, dass er etw tut **2.** (*parvenir à*) erzielen; bestehen *examen;* erhalten *majorité, total*

obtention [ɔptɑ̃sjɔ̃] *f d'un résultat* Erreichen *nt,* Erzielen *nt; d'un examen* Bestehen *nt; d'une pièce administrative* Erhalten *nt*

obtus, e [ɔpty, yz] *adj* **1.** (*borné*) beschränkt **2.** MATH *angle* stumpf

obus [ɔby] *m* Granate *f*

occasion [ɔkazjɔ̃] *f* **1.** (*circonstance* [*favorable*]) Gelegenheit *f;* **c'est l'**~ **ou jamais** jetzt oder nie; **à la première** ~ bei der nächsten Gelegenheit **2.** (*offre avantageuse*) günstige Gelegenheit; **voiture d'**~ Gebrauchtwagen *m;* **le marché de l'**~ der Gebrauchtwarenhandel **3.** (*cause*) **être l'**~ **de qc** die Gelegenheit zu etw sein ▶**les** grandes ~**s** die besonderen Anlässe; **à l'**~ bei Gelegenheit, gelegentlich; **à l'**~ **de qc** anlässlich einer S. (*gen*)

occasionnel, le [ɔkazjɔnɛl] *adj* gelegentlich; *travail* Gelegenheits-

occasionner [ɔkazjɔne] <1> *vt* verursa-

chen

occident [ɔksidɑ̃] *m* **1.** POL **l'Occident** der Westen **2.** (*opp: orient*) Abendland *nt*

occidental, e [ɔksidɑtal, o] <-aux> *adj* **1.** GEOG, POL westlich; *côte, puissances* West-; **les experts occidentaux** die Experten aus der westlichen Welt **2.** (*opp: oriental*) abendländisch

Occidental, e [ɔksidɑtal, o] <-aux> *m, f* **1.** (*opp: Oriental*) Abendländer(in) *m(f);* **les Occidentaux** die abendländischen Völker **2.** POL Westeuropäer(in) *m(f);* **les Occidentaux** die westlichen Länder

occidentaliser [ɔksidɑtalize] <1> **I.** *vt* ~ **qn/qc** jdn der westlichen Kultur eingliedern/etw der westlichen Kultur anpassen [*o* verwestlichen] **II.** *vpr* **s'**~ sich der westlichen Kultur anpassen

occire [ɔksiʀ] <*irr*> *vt hum* ~ **qn** jdm den Garaus machen

occitan [ɔksitɑ̃] *m* Okzitanisch *nt; v. a.* **allemand**

occulte [ɔkylt] *adj* **1.** (*ésotérique*) okkult **2.** (*secret*) verborgen

occupant, e [ɔkypɑ̃, ɑ̃t] **I.** *adj* MIL Besatzungs- **II.** *m, f* **1.** MIL **l'**~ die Besatzung[smacht]; **les** ~**s** die Besatzungssoldaten **2.** *d'une chambre* Bewohner(in) *m(f); d'une voiture* Insasse/Insassin *m/f; des lieux* Besitznehmer(in) *m(f)*

occupation [ɔkypasjɔ̃] *f* **1.** (*activité*) Beschäftigung *f* **2.** (*métier*) Beschäftigung *f* **3.** MIL, HIST Besetzung *f;* **l'armée d'**~ die Besatzungsarmee; **l'Occupation** die Besatzung[szeit] (*Frankreichs durch die Deutschen*)

occupé, e [ɔkype] *adj* **1.** *personne* beschäftigt; *place, toilettes, ligne téléphonique* besetzt; *chambre d'hôtel* belegt; **être** ~ **à qc** mit etw beschäftigt sein **2.** MIL, POL *pays, usine* besetzt

occuper [ɔkype] <1> **I.** *vt* **1.** (*remplir*) einnehmen *place;* in Anspruch nehmen *temps, loisirs;* ~ **ses loisirs à faire qc** seine Freizeit dafür verwenden etw zu tun **2.** (*habiter*) wohnen in (+ *dat*); bewohnen *appartement* **3.** (*exercer*) [inne]haben *emploi, poste;* ausüben *fonction* **4.** (*employer*) ~ **qn à qc** jdn mit etw beschäftigen **5.** MIL, POL besetzen *pays, usine* **II.** *vpr* **1.** (*s'employer*) **s'**~ **de littérature/politique** sich mit Literatur/Politik beschäftigen **2.** (*prendre en charge*) **s'**~ **de qn** sich um jdn kümmern; **occupe-toi de tes affaires!** kümmere dich um deine eigenen Angelegenheiten! ▶**t'occupe** [**pas**]! *fam* halt dich da [bloß] raus!

OCDE [osedeø] *f abr de* **Organisation de coopération et de développement éco-**

nomique OECD *f*

océan [ɔseã] *m* Ozean *m,* Weltmeer *nt;* l'~ **Atlantique/Indien/Pacifique** der Atlantische/Indische/Pazifische Ozean; l'~ **Arctique** das Nördliche Eismeer

océanique [ɔseanik] *adj* ozeanisch

océanologie [ɔseanɔlɔʒi] *f* Meeresforschung *f*

océanologue [ɔseanɔlɔg] *mf* Meeresforscher(in) *m(f)*

ocre [ɔkʀ] **I.** *f (colorant)* Ocker *m o nt* **II.** *adj inv* ocker[gelb]

octane [ɔktan] *m* Oktan *nt*

octante [ɔktãt] *num* BELG, CH *(quatrevingts)* achtzig; *v. a.* **cinq, cinquante**

octet [ɔktɛ] *m* Byte *nt*

octobre [ɔktɔbʀ] *m* Oktober *m;* **la révolution d'~ en Russie** HIST die Russische Oktoberrevolution; *v. a.* **août**

octogénaire [ɔktɔʒenɛʀ] **I.** *adj* achtzigjährig **II.** *mf* **les ~s** die alten Leute

octroi [ɔktʀwa] *m* l'~ **de qc** die Bewilligung einer S. *(gen)*

octroyer [ɔktʀwaje] <6> **I.** *vt* ~ **un délai/un répit/une somme d'argent à qn** jdm einen Aufschub/eine Geldsumme bewilligen; ~ **une faveur à qn** jdm eine Gunst gewähren **II.** *vpr* **s'~ qc** sich etw *(akk)* gönnen

oculaire [ɔkylɛʀ] *adj* **1.** ANAT Seh-; *globe* Aug- **2.** *témoin* Augen-

oculiste [ɔkylist] *mf* Augenarzt/-ärztin *m/f*

odeur [ɔdœʀ] *f* Geruch *m;* **sans ~** geruchlos; **je sens une ~ de brûlé** hier riecht es verbrannt

odieusement [ɔdjøzmã] *adv* schändlich

odieux, -euse [ɔdjø, -jøz] *adj* **1.** *(ignoble)* schändlich; *personne* niederträchtig; *caractère* widerlich **2.** *(insupportable)* unausstehlich

odorat [ɔdɔʀa] *m* Geruch[ssinn *m*] *m*

œil [œj, jø] <yeux> *m* **1.** ANAT Auge *nt;* **lever/baisser les yeux** den Blick heben/senken; **se maquiller les yeux** sich die Lider schminken **2.** *(regard)* Blick *m;* **il la cherche/suit des yeux** sein Blick sucht sie/folgt ihr **3.** *(regard averti)* Auge *nt;* **avoir l'~ à tout** alles im Auge behalten **4.** *(regard rapide)* **jeter un coup d'~ au** *journal/à l'heure* einen kurzen Blick in die Zeitung/auf die Uhr werfen; **au premier coup d'~** auf den ersten Blick **5.** *(vision, vue)* Blick *m;* **regarder qn d'un ~ envieux/méchant** jdn neidisch/böse ansehen **6.** *(jugement)* **d'un ~ critique** mit kritischem Blick; **ne plus voir les choses du même ~** die Dinge jetzt anders sehen **7.** *(judas)* Spion *m* ▶**avoir un ~ au beur-**

re **noir** ein blaues Auge haben; **loin des yeux, loin du cœur** *prov* aus den Augen, aus dem Sinn; **ne pas avoir les yeux dans sa poche** sich nichts entgehen lassen; **coûter les yeux de la tête** ein Vermögen kosten; **qn a les yeux plus grands que le ventre** *fam* bei jdm sind die Augen größer als der Magen; **pour les beaux yeux de qn** *fam* um jds schöner Augen willen; **ne pas avoir froid aux yeux** keine Angst haben; **à l'~ nu** mit bloßem Auge; **avoir qn à l'~** *fam* jdn im Griff haben; **cela crève les yeux** *fam* etw ist nicht zu übersehen; **ne dormir que d'un ~** einen leichten Schlaf haben; **faire de l'~ à qn** *fam* jdm schöne Augen machen; **fermer les yeux sur qc** bei etw beide Augen zudrücken; **ouvrir l'~** aufpassen; **ouvrir les yeux à qn sur qc** jdm die Augen über etw *(akk)* öffnen; **se rincer l'~** *fam* allerhand zu sehen bekommen; **cela saute aux yeux** das sieht man auf den ersten Blick; **taper dans l'~ de qn** *fam* es jdm angetan haben; **tourner de l'~** *fam* umkippen; **à l'~** *fam* umsonst; **aux yeux de qn** in jds Augen *(dat)*; **sous l'~ de qn** unter jds Aufsicht; **mon ~!** *fam* wers glaubt wird selig!

œillade [œjad] *f* **1.** *(clin d'œil de connivence)* [verstohlener] Blick **2.** *(clin d'œil amoureux)* Augenzwinkern *nt;* **jeter des ~s à qn** jdm schöne Augen machen

œillère [œjɛʀ] *f* Scheuklappe *f* ▶**avoir des ~s** Scheuklappen haben

œillet [œjɛ] *m* BOT Nelke *f;* ~ **d'Inde** Studentenblume *f*

œillet [œjɛ] *m* **1.** *d'une chaussure* Schnürloch *nt* **2.** *(renfort métallique)* Öse *f* **3.** *(rondelle)* Lochverstärkungsring *m*

œnologue [enɔlɔg] *mf* Weinbauspezialist(in) *m(f)*

œsophage [ezɔfaʒ] *m* Speiseröhre *f*

œuf [œf, ø] *m* **1.** ZOOL, GASTR Ei *nt;* ~ **de poisson** Rogen *m;* ~**s brouillés** Rührei, Eierspeise *f* (A); ~ **à la coque** gekochtes Ei; ~ **à la neige** Eischnee *m;* ~ **sur le** [*o* au] **plat** Spiegelei *nt* **2.** *(qui a la forme d'un ~)* ~ **à repriser** Stopfei *nt;* ~ **de Pâques** Osterei ▶**mettre tous ses ~s dans le même panier** alles auf eine Karte setzen; **être plein comme un ~** salle: zum Bersten voll sein; *personne:* bis oben hin voll sein; **va te faire cuire un ~!** *fam* rutsch mir doch den Buckel runter!; **dans l'~** im Ansatz; **quel ~!** *fam* so ein Schwachkopf!

œuvre [œvʀ] **I.** *f* **1.** ART, LITTER, TECH Werk *nt;* ~ **d'art** *f* Kunstwerk; **les ~s complètes d'un auteur** das Gesamtwerk eines Autors **2.** *de l'érosion, du temps* Werk *nt*

3. *pl* (*actes*) Taten *Pl* **4.** (*organisation caritative*) ~ **de bienfaisance** Wohltätigkeitsverein *m;* **les bonnes ~s** die wohltätigen Werke ▶**être à l'**~ am Werk sein; **mettre en** ~ in Bewegung setzen; **se mettre à l'**~ sich an die Arbeit machen **II.** *m* ▶**être à pied d'**~ an Ort und Stelle sein; **le gros** ~ Rohbau *m*

off [ɔf] *adj inv* **1.** CINE, TV *personne, voix* im Off **2.** (*en marge*) *festival* alternativ

offense [ɔfɑ̃s] *f* (*affront*) Beleidigung *f;* **faire une** ~ **à qn** jdn beleidigen

offenser [ɔfɑ̃se] <1> **I.** *vt* (*outrager*) beleidigen **II.** *vpr* (*se vexer*) **s'**~ **de qc** sich durch etw gekränkt fühlen

offenseur [ɔfɑ̃sœʀ] *m* Beleidiger *m*

offensif, -ive [ɔfɑ̃sif, -iv] *adj* (*opp: défensif*) offensiv; *armes, guerre* Offensiv-; *armée* angreifend

offensive [ɔfɑ̃siv] *f* **1.** (*attaque*) Offensive *f;* **prendre l'**~ die Offensive ergreifen; **passer à l'**~ zum Angriff übergehen **2.** *fig* Offensive *f;* **lancer** [*o* **mener**] **une** ~ **contre qn/qc** eine Offensive gegen jdn/etw starten

office [ɔfis] *m* **1.** (*agence, bureau*) Amt *nt;* ~ **du tourisme** Fremdenverkehrsamt; ~ **franco-allemand pour la jeunesse** Deutsch-Französisches Jugendwerk; **Office de la prévoyance** CH Fürsorgeamt (CH) **2.** REL Gottesdienst *m* **3.** (*fonction, charge*) Amt *nt* **4.** (*pièce*) Bedienstetenraum *m* ▶**les bons ~s de qn** jds Hilfe *f;* **faire** ~ **de qc** *personne:* fungieren als etw; *chose:* als etw dienen; **d'**~ (*par voie d'autorité*) von Amts wegen; (*en vertu d'un règlement*) automatisch; (*sans demander*) einfach so

officiant [ɔfisjɑ̃] **I.** *m* Zelebrant *m* **II.** *adj* zelebrierend

officiel, le [ɔfisjɛl] **I.** *adj* offiziell, amtlich; *langue, sceau* Amts-; *cachet, voiture* Dienst-; *visite* Staats-; **de source ~le** von amtlicher Seite **II.** *m, f* Person *f* des öffentlichen Lebens

officiellement [ɔfisjɛlmɑ̃] *adv* offiziell

officier [ɔfisje] *m* **1.** ADMIN, JUR ~ **d'état civil** Standesbeamte(r) **2.** MIL Offizier(in) *m(f);* *d'aviation, d'infanterie* -offizier **3.** (*titulaire d'une distinction*) ~ **de la Légion d'honneur** Offizier der Ehrenlegion; ~ **de l'ordre du mérite** Verdienstordensträger

officieusement [ɔfisjøzmɑ̃] *adv* halbamtlich

officieux, -euse [ɔfisjø, -jøz] *adj* halbamtlich

offrande [ɔfʀɑ̃d] *f* REL Opfer[gabe *f*] *nt*

offrant [ɔfʀɑ̃] *m* **le plus** ~ der/die Meistbietende

offre [ɔfʀ] *f* **1.** (*proposition*) Angebot *nt;* ~ **de paix/d'emplois** Friedensangebot/Stellenangebot **2.** (*aux enchères*) Gebot *nt*

offrir [ɔfʀiʀ] <11> **I.** *vt* **1.** (*faire un cadeau*) ~ **qc à qn** jdm etw schenken **2.** (*proposer*) ~ **le bras à qn** jdm seinen Arm reichen; ~ **à qn de faire qc** jdm anbieten etw zu tun; **je vous offre 10 euros pour le vase** ich biete Ihnen 10 Euro für die Vase; **il nous a offert le déjeuner** er hat uns zum Mittagessen eingeladen **3.** (*comporter*) bieten *avantages, inconvénients;* beinhalten *difficulté* **II.** *vpr* **1.** (*se présenter*) **s'**~ **à qn/qc** sich jdm/einer S. bieten **2.** (*se proposer*) **s'**~ **pour faire qc** sich anbieten etw zu tun **3.** (*s'accorder*) **s'**~ **des vacances** sich (*dat*) Ferien gönnen

offshore [ɔfʃɔʀ] **I.** *adj inv* Offshore- **II.** *m* Offshorebohrung *f*

offusquer [ɔfyske] <1> **I.** *vt* ärgern **II.** *vpr* **s'**~ **de qc** an etw (*dat*) Anstoß nehmen

ogive [ɔʒiv] *f* **1.** MIL Sprengkopf *m* **2.** ARCHIT Spitzbogen *m*

OGM [oʒeɛm] *m abr de* **organisme génétiquement modifié** genetisch veränderter Organismus *m*

ogre, ogresse [ɔgʀ, ɔgʀɛs] *m, f* **1.** (*géant vorace dans les contes de fées*) Menschen fressendes Ungeheuer **2.** *fam* (*gourmand*) Vielfraß *m* ▶**manger comme un** ~ *fam* für drei essen

oh [o] **I.** *interj* oh **II.** *m inv* **pousser des ~ et des ah de surprise** Ausrufe des Erstaunens von sich geben

ohé [oe] *interj* he[da] (*fam*)

oie [wa] *f* **1.** ORN Gans *f;* ~ **sauvage** Wildgans **2.** *fam* (*personne niaise*) blöde Gans

oignon [ɔɲɔ̃] *m* **1.** GASTR Zwiebel *f* **2.** BOT [Blumen]zwiebel *f* ▶**aux petits ~s** *fam* mit sehr viel Sorgfalt; **c'est pas mes/tes ~s** *fam* das ist nicht mein/dein Bier; **occupe-toi de tes ~s!** *fam* kümmer dich um deinen eigenen Kram!

oindre [wɛ̃dʀ] <*irr*> *vt* REL salben

oiseau [wazo] <x> *m* **1.** ORN Vogel *m* **2.** *péj* (*type*) komischer Kauz ▶~ **de mauvais augure** [*o* **de malheur**] Unglücksprophet *m;* **petit à petit, l'**~ **fait son nid** *prov* gut Ding will Weile haben

oiselier, -ière [wazəlje, -jɛʀ] *m, f* Vogelhändler(in) *m(f)*

oiseux, -euse [wazø, -øz] *adj* müßig

oisif, -ive [wazif, -iv] **I.** *adj* müßig **II.** *m, f* Müßiggänger(in) *m(f)*

oisillon [wazijɔ̃] *m* Jungvogel *m*

oisiveté [wazivte] *f* Müßiggang *m*

O.K. [oke] **I.** *interj fam* o.k. **II.** *adj fam inv* **c'est** ~ das ist o.k.

olé [ɔle] **I.** *interj* olé **II.** *adj inv, fam* ~ ~ gewagt

olive [ɔliv] **I.** *f* (*fruit*) Olive *f*; *huile* Oliven- **II.** *adj inv* oliv[grün]

olivier [ɔlivje] *m* **1.** (*arbre*) Ölbaum *m* **2.** (*bois*) Olivenholz *nt*

OLP [ɔɛlpe] *f abr de* **Organisation de libération de la Palestine** PLO *f*

olympiade [ɔlɛ̃pjad] *f* Olympiade *f*

olympien, ne [ɔlɛ̃pjɛ̃, jɛn] *adj air, regard, calme* majestätisch (*geh*); *dieu* olympisch

olympique [ɔlɛ̃pik] *adj* olympisch; *stade* Olympia-

ombilical, e [ɔ̃bilikal, o] <-aux> *adj cordon* Nabel-

ombrage [ɔ̃bʀaʒ] *m* **1.** (*feuillage*) Laubwerk *nt* **2.** (*ombre*) Schatten *m*

ombragé, e [ɔ̃bʀaʒe] *adj* schattig

ombrager [ɔ̃bʀaʒe] <2a> *vt* Schatten spenden

ombrageux, -euse [ɔ̃bʀaʒø, -ʒøz] *adj caractère* schwierig; *personne* empfindlich

ombre [ɔ̃bʀ] *f* **1.** (*opp: soleil*) Schatten *m*; **à l'~** im Schatten; **~s chinoises** Schattenspiel *nt* **2.** (*soupçon*) **il n'y a pas l'~ d'un doute/soupçon** es gibt nicht den leisesten Zweifel/Verdacht; **sans l'~ d'une hésitation** ohne das geringste Zögern **3.** (*maquillage*) ~ **à paupières** Lidschatten *m* ▶**il y a une ~ au tableau** die Sache hat einen Nachteil; **faire de l'~ à qn** jdm Schatten spenden; *fig* jdn in den Schatten stellen; **mettre qn à l'~** *fam* jdn hinter Schloss und Riegel bringen; **vivre dans l'~ de qn** in jds Schatten stehen; **dans l'~** im Dunkeln

ombrelle [ɔ̃bʀɛl] *f* Sonnenschirm *m*

omelette [ɔmlɛt] *f* GASTR Omelett *nt*; ~ **aux champignons/au fromage** Omelett mit Pilzen/Käseomelett

omis [ɔmi] *passé simple de* **omettre**

omis, e [ɔmi, iz] *part passé de* **omettre**

omission [ɔmisjɔ̃] *f* **1.** *d'un mot, détail* Auslassen *nt* **2.** (*fait d'omettre de faire qc*) Unterlassen *nt* **3.** (*chose omise*) Auslassung *f* **4.** (*acte omis*) Unterlassung *f*

omnibus [ɔmnibys] **I.** *m* CHEMDFER Nahverkehrszug *m* **II.** *app train* Nahverkehrs-

omnipotent, e [ɔmnipɔtɑ̃, ɑ̃t] *adj* allmächtig

omniprésent, e [ɔmnipʀezɑ̃, ɑ̃t] *adj* allgegenwärtig

omniscient, e [ɔmnisjɑ̃, jɑ̃t] *adj* allwissend

omnisports [ɔmnispɔʀ] *adj inv* für alle Sportarten; *club, salle* Sport-

omnivore [ɔmnivɔʀ] *adj* allesfressend

omoplate [ɔmɔplat] *f* Schulterblatt *nt*

on [ɔ̃] *pron pers* **1.** (*tout le monde*) man; ~ dit qu'elle a fait qc man sagt, dass sie etw getan hat; **en France,** ~ **boit du vin** in Frankreich trinkt man Wein **2.** (*quelqu'un*) man, jemand; ~ **vous demande au téléphone** Sie werden am Telefon verlangt; **j'attends qu'~** [*o que l'~*] **apporte le dessert** ich warte auf das Dessert **3.** *fam* (*nous*) wir; ~ **s'en va!** wir gehen!; **nous,** ~ **veut bien!** von uns aus, gern!; ~ **fait ce qu'~** [*o que l'~*] **peut** wir tun, was wir können **4.** *fam* (*tu, vous*) man, du/ihr/Sie; **alors Marie,** ~ **s'en va déjà?** na, Marie, gehst du/gehen Sie denn schon? **5.** *fam* (*il*(*s*), *elle*(*s*)) man; **qu'~** [*o que l'~*] **est jolie aujourd'hui!** wie hübsch sie heute ist! **6.** (*je, moi*) **oui, oui,** ~ **va le faire!** ja, ja, ich mache das schon noch!

onagre¹ [ɔnagʀ] *m* ZOOL, HIST Onager *m*

onagre² [ɔnagʀ] *f* BOT Nachtkerze *f*

onanisme [ɔnanism] *m* Onanie *f*

oncle [ɔ̃kl] *m* Onkel *m*

onctueux, -euse [ɔ̃ktɥø, -øz] *adj* **1.** *potage, sauce* sämig **2.** (*doux au toucher*) weich; *crème* sahnig

onctuosité [ɔ̃ktɥozite] *f* *d'un potage, d'une sauce* sämige Konsistenz; *d'une crème* sahnige Konsistenz

onde [ɔ̃d] *f* **1.** PHYS, RADIO Welle *f*; **~s courtes/moyennes** Kurzwelle/Mittelwelle *f*; **petites/grandes ~s** Kurzwelle/Langwelle *f*; **passer sur les ~s** im Radio kommen **2.** *pl* (*ondulation*) Wogen *nt* ▶**être sur la même longueur d'~s** *fam* auf der gleichen Wellenlänge liegen

ondée [ɔ̃de] *f* Schauer *m*

on-dit [ɔ̃di] *m inv* Gerücht *nt*

ondulant, e [ɔ̃dylɑ̃, ɑ̃t] *adj* **1.** (*ondoyant*) *démarche, surface* wogend **2.** MED *pouls, fièvre* unregelmäßig

ondulation [ɔ̃dylasjɔ̃] *f* **1.** *du blé, des vagues* Wogen *nt* **2.** (*ligne sinueuse*) **les ~s du terrain** die hügelige Beschaffenheit des Geländes **3.** *des cheveux* Wellen *Pl*

ondulé, e [ɔ̃dyle] *adj cheveux, surface* gewellt; *route* uneben; *carton, tôle* Well-

onduler [ɔ̃dyle] <1> **I.** *vi* **1.** (*ondoyer*) *blé, vague:* wogen; *serpent:* sich schlängeln **2.** (*être sinueux*) *route:* sich schlängeln; *cheveux:* sich wellen **II.** *vt* ondulieren *cheveux*

one man show [wanmanʃo] *m inv* One-man-Show *f*, Einmannshow *f*

onéreux, -euse [ɔneʀø, -øz] *adj* kostspielig; *loyer, marchandise* teuer; **à titre ~** gegen Entgelt

ongle [ɔ̃gl] *m* ANAT Nagel *m*; **~s des pieds et des mains** Fuß- und Fingernägel; **se faire les ~s** sich die Nägel lackieren

onglée [ɔ̃gle] *f* **avoir l'~** klamme Finger

haben
onglet [ɔ̃glɛ] *m* **1.**(*encoche*) Daumenindex *m* **2.** *d'un canif, d'une règle* Kerbe *f*
ont [ɔ̃] *indic prés de* **avoir**
ONU [ony] *f abr de* **Organisation des Nations unies** UNO *f*
onyx [ɔniks] *m* Onyx *m*
onze [ɔ̃z] **I.** *num* elf **II.** *m inv* Elf *f; v. a.* **cinq**
onzième [ɔ̃zjɛm] **I.** *adj antéposé* elfte(r, s) **II.** *mf* le/la ~ der/die/das Elfte **III.** *m* (*fraction*) Elftel *nt; v. a.* **cinquième**
OPA [opɑ] *f abr de* **offre publique d'achat** öffentliches [Aktien]kaufangebot
opale [ɔpal] *f* Opal *m*
opaline [ɔpalin] *f* **1.**(*matière*) Opalglas *nt* **2.**(*objet*) Gegenstand *m* aus Opalglas
opaque [ɔpak] *adj* **1.**(*opp: transparent*) undurchsichtig; *verre* Milch- **2.**(*dense*) dicht; *obscurité* undurchdringlich
opéra [ɔpeʀa] *m* Oper *f*
opérable [ɔpeʀabl] *adj* operabel
opéra-comique [ɔpeʀakɔmik] <opéras-comiques> *m* komische Oper
opérant, e [ɔpeʀɑ̃, ɑ̃t] *adj* wirksam
opérateur [ɔpeʀatœʀ] *m* INFORM, MATH ~ [du système] Operator *m*
opérateur, -trice [ɔpeʀatœʀ, -tʀis] *m, f* **1.** TECH, TELEC Techniker(in) *m(f)*; ~ **de saisie** Datentypist; ~ **de téléphonie numérique mobile** Mobilfunkanbieter **2.**(*standardiste*) Telefonist(in) *m(f)* **3.** AVIAT, NAUT Funker(in) *m(f)* **4.** CINE, TV Kameramann/-frau *m/f* **5.** FIN [Börsen]makler(in) *m(f)*
opération [ɔpeʀasjɔ̃] *f* **1.** MED Operation *f* **2.** MATH [Rechen]operation *f*; **les quatre ~s fondamentales** die vier Grundrechenarten **3.** MIL [militärische] Operation **4.**(*action organisée*) Aktion *f*; ~ **de publicité/police/sauvetage** Werbeaktion/Polizei-aktion/Rettungsaktion; l'~ **ville propre** die Aktion saubere Stadt **5.**(*transaction*) Geschäft *nt; ~s* **boursières** [*o* **de bourses**] Börsengeschäft
opérationnel, le [ɔpeʀasjɔnɛl] *adj personne, avion* einsatzfähig; *entreprise, machine* betriebsbereit; *soldat, arme* einsatzbereit; *base* Operations-
opératoire [ɔpeʀatwaʀ] *adj* MED *bloc, technique* Operations-; *choc, dépression* postoperativ
opéré, e [ɔpeʀe] *m, f* Operierte(r) *f(m)*; **les grands** ~s Patienten *Pl*, die eine schwere Operation hinter sich haben
opérer [ɔpeʀe] <5> **I.** *vt* **1.** MED ~ **qn de qc** jdn an etw (*dat*) operieren **2.**(*provoquer*) bewirken *changement, redressement* **3.**(*réaliser*) treffen *choix;* durchführen *réforme* **II.** *vi* **1.**(*produire*) *charme, médica-*

ment: wirken; *méthode, procédé:* greifen **2.**(*procéder*) vorgehen **III.** *vpr* **s'~ 1.**(*se réaliser*) sich vollziehen **2.** MED operiert werden können
opérette [ɔpeʀɛt] *f* MUS Operette *f*
ophtalmo [ɔftalmo] *m fam,* **ophtalmologiste** [ɔftalmɔlɔʒist] *mf,* **ophtalmologue** [ɔftalmɔlɔg] *mf* Augenarzt/-ärztin *m/f*
opiner [ɔpine] <1> *vi* ~ **de la tête** mit dem Kopf zustimmend nicken; ~ **à qc** einer S. (*dat*) zustimmen
opiniâtre [ɔpinjatʀ] *adj* **1.** *travail, efforts* unermüdlich; *résistance, haine* erbittert; *personne, caractère* eigensinnig **2.** *fièvre, toux* hartnäckig
opiniâtreté [ɔpinjatʀəte] *f* **1.**(*persévérance*) Hartnäckigkeit *f* **2.**(*entêtement*) Eigensinn *m*
opinion [ɔpinjɔ̃] *f* **1.**(*avis*) Meinung *f;* **avoir une ~ sur un sujet** zu einem Thema eine Meinung haben; **avoir la même ~ que qn** der gleichen Meinung wie jd sein; **se faire une ~** sich eine Meinung bilden **2.**(*jugement collectif*) l'~ [**publique**] die öffentliche Meinung; l'~ **française** die Öffentlichkeit in Frankreich **3.** *gén pl* (*convictions*) Anschauung *f;* [à] **chacun ses ~s** jedem seine Meinung; **journal d'~** politisch orientierte Zeitung; **liberté d'~** Meinungsfreiheit *f*
opium [ɔpjɔm] *m* Opium *nt*
opportun, e [ɔpɔʀtœ̃, yn] *adj démarche, intervention* angebracht; **en temps ~** zu gegebener Zeit; **au moment ~** im geeigneten Augenblick
opportunément [ɔpɔʀtynemɑ̃] *adv* im richtigen Augenblick [*o* Moment]
opportuniste [ɔpɔʀtynist] **I.** *adj* opportunistisch **II.** *mf* Opportunist(in) *m(f)*
opportunité [ɔpɔʀtynite] *f* **1.**(*bien-fondé*) Zweckmäßigkeit *f* **2.**(*occasion*) günstige Gelegenheit
opposant, e [ɔpozɑ̃, ɑ̃t] **I.** *m, f* Gegner(in) *m(f);* POL Oppositionelle(r) *f(m);* **les ~s à qn/qc** jds Gegner/die Gegner einer S. (*gen*) **II.** *adj* **1.**(*qui s'oppose à*) oppositionell **2.** JUR *partie* gegnerisch
opposé [ɔpoze] *m* Gegenteil *nt* ▸**à** l'~ (*dans l'autre direction*) in der anderen/in die andere Richtung; (*au contraire*) im Gegenteil; **à** l'~ **de qn/qc** im Gegensatz zu jdm/etw
opposé, e [ɔpoze] *adj* **1.** *équipe* gegnerisch; *parti* Gegen-; *côté* gegenüberliegend; *sens, direction* entgegengesetzt (*dat*) **2.** PHYS *force, pression* Gegen-; MATH *nombres* mit entgegengesetztem Vorzeichen; GEOM *angles* gegenüberliegend **3.**(*contrai-*

opinion

• **exprimer son opinion/point de vue**	• Meinungen/Ansichten ausdrücken
À mon avis, l'achat de machines supplémentaires n'est d'aucun intérêt.	Eine Anschaffung weiterer Maschinen ist **meines Erachtens/meiner Meinung nach** nicht sinnvoll.
Je pense/suis d'avis que chaque personne devrait recevoir un salaire minimum.	**Ich bin der Meinung/Ansicht, dass/ Ich meine/denke, dass**jeder ein Mindesteinkommen erhalten sollte.
Je trouve qu'elle devrait s'excuser pour son comportement.	**Ich finde,** sie sollte sich für ihr Verhalten entschuldigen.
• **demander les opinions et jugements**	• Meinungen erfragen, um Beurteilung bitten
Qu'en pensez-vous?	**Was meinen Sie dazu?**
Que penses-tu de son nouvel ami?	**Was sagst du zu/Was hälst du von** ihrem neuen Freund?
Que pensez-vous de notre nouveau produit?	**Wie lautet Ihr Urteil über** unser neues Produkt?
Quel est votre point de vue à ce sujet?	**Wie urteilen Sie darüber?**
Quelle est votre opinion?	**Was ist Ihre Meinung?**
Tu crois que je peux sortir comme ça?	**Denkst du,** so kann ich gehen?
Comment devrions-nous procéder, **à votre avis?**	Wie sollten wir **Ihrer Meinung nach** vorgehen?
Est-ce que cette théorie **te dit quelque chose?**	**Kannst du mit** dieser Theorie **etwas anfangen?**
Est-ce que ma nouvelle couleur de cheveux **te plaît?**	**Wie gefällt dir** meine neue Haarfarbe?
Est-ce que tu trouves le jeu ennuyeux?	**Findest du** das Spiel langweilig?

re) entgegengesetzt; *caractère, goût* grundverschieden **4.** (*hostile*) **être ~ à qc** gegen etw sein
opposer [ɔpoze] <1> **I.** *vt* **1.** (*comparer*) **~ des personnes/des choses** Menschen/Dinge einander gegenüberstellen; **~ qn/qc et** [*o* à] **qn/qc** jdn/etw mit jdm/ etw vergleichen **2.** MIL **le conflit oppose les deux nations** in dem Konflikt stehen sich die beiden Nationen feindlich gegenüber **3.** SPORT **ce match oppose l'équipe X à** [*o* et] **l'équipe Y** in diesem Spiel trifft die Mannschaft X auf die Mannschaft Y **4.** (*répondre par*) **~ un refus à qn** jdm eine Absage erteilen **5.** (*objecter*) **~ des arguments/raisons à qn/qc** Argumente/Gründe gegen jdn/etw anführen **II.** *vpr* **1.** (*faire obstacle*) **s'~ à qn/qc** gegen jdn/ etw sein **2.** (*faire contraste*) **s'~** gänzlich verschieden sein
opposition [ɔpozisjɔ̃] *f* **1.** (*résistance*) **~ à qc** Widerstand *m* gegen etw; **faire/mettre ~ à qc** Einspruch gegen etw erheben; **faire de l'~** Widerspruch anmelden **2.** *des opinions, caractères* Gegensätzlichkeit *f*;

des ~s d'intérêt Interessenkonflikte *Pl*; **être/entrer en ~ avec qn sur un point particulier** in einem bestimmten Punkt anderer Meinung sein/zu einer anderen Meinung kommen als jd **3.** (*combat*) **~ de deux adversaires** Konflikt *m* zwischen zwei Gegnern **4.** POL Opposition *f*; **les partis/journaux d'~** die Oppositionsparteien/-Zeitungen der Opposition ▶**faire ~ à un paiement** ein Zahlungsverbot erlassen; **faire ~ à un chèque** einen Scheck sperren lassen; **en ~** im Widerspruch; **par ~** aus Widerspruch; **par ~ à qn/qc** (*contrairement*) ganz anders als jd/etw; (*par défi*) aus Opposition zu jdm/etw
oppressant, e [ɔpresɑ̃, ɑ̃t] *adj* **1.** (*angoissant*) beklemmend, bedrückend **2.** (*suffocant*) *chaleur, temps* drückend
oppresser [ɔprese] <1> *vt* **1.** (*angoisser*) *sentiment, souvenir:* bedrücken **2.** (*suffoquer*) *chaleur, temps:* die Luft zum Atmen nehmen
oppresseur, -euse [ɔpresœʀ, -øz] *m, f* Unterdrücker(in) *m(f)*
oppression [ɔpresjɔ̃] *f* **1.** (*tyrannie*) Un-

terdrückung *f* **2.**(*angoisse*) Beklemmung *f* **3.**(*suffocation*) Atembeklemmung *f*
opprimé, e [ɔpRime] *m, f* Unterdrückte(r) *f(m)*
opprimer [ɔpRime] <1> *vt* unterdrücken
opprobre [ɔpRɔbR] *m littér* **1.**(*honte*) Schande *f*; **vivre dans l'**~ in Schmach und Schande leben; **couvrir qn d'**~ jdn mit Schande bedecken; **jeter l'**~ **sur qn** Schande über jdn bringen **2.**(*cause de honte*) Schandfleck *m*; **être l'**~ **de sa famille** das schwarze Schaf der Familie sein
opter [ɔpte] <1> *vi* ~ **pour qc** sich für etw entscheiden
opticien, ne [ɔptisjɛ̃, jɛn] *m, f* Optiker(in) *m(f)*
optimal, e [ɔptimal, o] <-aux> *adj* optimal
optimiste [ɔptimist] **I.** *adj* optimistisch **II.** *mf* Optimist(in) *m(f)*
option [ɔpsjɔ̃] *f* **1.**(*choix*) Wahl[möglichkeit *f*] *f* **2.**(*matière à option*) Wahlfach *nt*; (*filière*) Zweig *m* **3.**(*promesse d'achat*) **prendre une** ~ **sur une maison** sich das Vorkaufsrecht auf ein Haus sichern **4.**(*modèle*) Ausführung *f*; (*accessoire*) Sonderausstattung *f*
optique [ɔptik] **I.** *adj nerf, centre* Seh-; *verre* optisch **II.** *f* **1.**(*science*) Optik *f*; **appareils/instruments d'**~ optische Geräte/ Instrumente **2.** *d'une caméra, d'un microscope* Optik *f* **3.**(*point de vue*) Sichtweise *f*; **dans** [*o* **vu sous**] **cette** ~ so gesehen
opulence [ɔpylɑ̃s] *f* **1.**(*richesse*) Überfluss *m* **2.** *des formes* Üppigkeit *f*
opulent, e [ɔpylɑ̃, ɑ̃t] *adj* **1.** *personne, pays* sehr reich; *vie* luxuriös **2.** *formes, poitrine* üppig
opuscule [ɔpyskyl] *m* Heft *nt*
or¹ [ɔR] **I.** *m* Gold *nt*; ~ **blanc/jaune/ rouge** Weißgold/Gelbgold/Rotgold; **d'**~/ **en** ~ golden/aus Gold ▸**pour tout l'**~ **du monde** nicht für alles Geld der Welt; **être cousu d'**~ Geld wie Heu haben; **rouler sur l'**~ im Geld schwimmen; **en** ~ *fam* **affaire en** ~ glänzendes Geschäft; **caractère/personne en** ~ gutmütiger Charakter/Mensch; **sujet en** ~ äußerst dankbares Thema **II.** *app inv* **1.**(*couleur*) golden **2.** FIN *étalon, valeur* Gold- **3.** COM **les bijoux** ~ der Goldschmuck
or² [ɔR] *conj* **1.**(*dans un syllogisme*) und da **2.**(*transition*) nun
orage [ɔRaʒ] *m* **1.** METEO Gewitter *nt*; **le temps est à l'**~ es sieht nach Gewitter aus **2.**(*dispute*) [häusliches] Gewitter ▸**il y a de l'**~ **dans l'air** *fam* es herrscht dicke Luft
orageux, -euse [ɔRaʒø, -ʒøz] *adj* **1.** METEO

gewittrig; *pluie, nuage* Gewitter-; *saison* der Gewitter **2.** *adolescence, époque* stürmisch; *discussion* hitzig
oraison [ɔRezɔ̃] *f* REL **1.**(*lecture*) Kirchengebet *nt* **2.**(*méditation*) stilles Gebet ▸~ **funèbre** Grabrede *f*
oral [ɔRal, o] <-aux> *m* Mündliche(s) *nt*
oral, e [ɔRal, o] <-aux> *adj* **1.**(*opp: écrit*) mündlich; *tradition* mündlich überliefert **2.** *cavité* Mund-; **prendre par voie** ~**e** oral einnehmen **3.** PSYCH *stade* oral
oralement [ɔRalmɑ̃] *adv* mündlich
orange [ɔRɑ̃ʒ] **I.** *f* Orange *f*, Apfelsine *f*; ~ **amère/sanguine** Bitterorange/Blutorange; **glace à l'**~ Orangeneis; **confiture d'**~ Orangenmarmelade *f* **1.**(*couleur*) Orange *nt* **2.** TRANSP Gelb *nt*; **le feu passe/ est à l'**~ die Ampel schaltet auf Gelb/ist gelb; **passer à l'**~ bei Gelb die Ampel passieren **III.** *adj inv* orange[farben]
orangé [ɔRɑ̃ʒe] *m* Orange *nt*
orangé, e [ɔRɑ̃ʒe] *adj* orange *inv*, orangefarben
orangeade [ɔRɑ̃ʒad] *f* Orangenlimonade *f*
oranger [ɔRɑ̃ʒe] *m* Orangenbaum *m*
orangerie [ɔRɑ̃ʒRi] *f* Orangerie *f*
orang-outan[g] [ɔRɑ̃utɑ̃] <orangs-outan[g]s> *m* Orang-Utan *m*
orateur, -trice [ɔRatœR, -tRis] *m, f* Redner(in) *m(f)*
orbite [ɔRbit] *f* **1.** ANAT Augenhöhle *f* **2.** ASTRON Umlaufbahn *f* **3.**(*sphère d'influence*) **être dans l'**~ **de qn** in jds Bannkreis (*dat*) sein
orchestral, e [ɔRkɛstRal, o] <-aux> *adj* Orchester-
orchestre [ɔRkɛstR] *m* **1.** MUS Orchester *nt*; ~ **à cordes/de cuivres** Streichorchester/ Blasorchester **2.**(*emplacement*) **fosse d'**~ Orchestergraben *m* **3.**(*place de devant*) Platz *m* im Parkett; (*public assis devant*) Zuschauer *Pl* im Parkett
orchestrer [ɔRkɛstRe] <1> *vt* **1.** MUS orchestrieren **2.**(*organiser*) inszenieren *campagne de presse, de publicité*; organisieren *manifestation*
orchidée [ɔRkide] *f* Orchidee *f*
ordinaire [ɔRdinɛR] **I.** *adj* **1.**(*habituel*) alltäglich; *réaction, geste* üblich **2.** *produit, vin* einfach **3.** *péj* (*médiocre*) [ganz] gewöhnlich ▸**ça, alors, c'est pas** ~! *fam* das ist ein starkes Stück! **II.** *m* **1.**(*banalité, habitude*) Alltägliche *nt*; **une intelligence audessus de l'**~ die überdurchschnittliche Intelligenz; **ça change de l'**~ das ist mal etwas anderes; **comme à l'**~ wie gewohnt; **d'**~ normalerweise **2.**(*menu habituel*) Alltagskost *f*
ordinairement [ɔRdinɛRmɑ̃] *adv* ge-

wöhnlich

ordinal [ɔʀdinal, o] <-aux> *m* Ordinalzahl *f*

ordinal, e [ɔʀdinal, o] <-aux> *adj* Ordnungs-

ordinateur [ɔʀdinatœʀ] *m* Computer *m;* ~ **personnel** PC *m;* ~ **portable** Laptop *m;* ~ **de table** Desktop *m;* **assisté par** ~ computerunterstützt; **travailler sur** ~ am Computer arbeiten

ordinogramme [ɔʀdinɔgʀam] *m* Flussdiagramm *nt*

ordonnance [ɔʀdɔnɑ̃s] *f* **1.** MED Rezept *nt;* **médicament délivré sur** ~ rezeptpflichtiges Medikament **2.** JUR Anordnung *f* **3.** *d'une phrase* Gliederung *f; d'un poème, d'un tableau* Aufbau *m; d'une cérémonie* Verlauf *m; d'un appartement* Schnitt *m;* **l'~ d'un repas** die Speisenfolge

ordonné, e [ɔʀdɔne] *adj* **1.** (*méthodique*) methodisch vorgehend **2.** (*qui a de l'ordre*) ordnungsliebend **3.** *vie* geregelt; *maison* ordentlich

ordonner [ɔʀdɔne] <1> **I.** *vt* **1.** (*arranger*) *a.* MATH ordnen **2.** (*commander*) ~ **qc à qn** jdm etw befehlen; MED jdm etw verordnen; ~ **que** + *subj* anordnen, dass **II.** *vpr* (*s'organiser*) **mes idées se sont ordonnées** es kam Klarheit in meine Gedanken

ordre[1] [ɔʀdʀ] *m* **1.** *d'une pièce, personne a.* BOT, ZOOL Ordnung *f;* **avoir de l'~** Ordnung haben; **en** ~ in Ordnung; **mettre sa chambre en** ~ sein Zimmer aufräumen **2.** (*classement*) Reihenfolge *f; chronologique, logique* Reihenfolge *f;* ~ **hiérarchique** Hierarchie *f;* ~ **numérique** Zahlenfolge *f;* **par** ~ **alphabétique** in alphabetischer Reihenfolge; **tiercé dans l'~** in der richtigen Reihenfolge getippt **3.** (*genre*) Art *f;* **d'~ politique/économique** politischer/wirtschaftlicher Art **4.** (*organisation, stabilité sociale*) Ordnung *f;* **l'~ établi** die bestehende Ordnung; **l'~ social/économique** die Gesellschaftsordnung/das Wirtschaftssystem; **faire régner l'~** für Ordnung sorgen; **rappeler qn à l'~** jdn zur Ordnung rufen; **rentrer dans l'~** wieder den gewohnten Gang gehen **5.** *des architectes, des experts comptables* Verband *m; des avocats, des médecins* Kammer *f* **6.** (*association honorifique*) Orden *m* **7.** HIST Stand *m* **8.** (*congrégation*) Orden *m* ▸**c'est dans l'~ des choses** etw liegt in der Natur der Dinge; **un** ~ **de grandeur** eine Größenordnung; **dans le même** ~ **d'idées** in diesem Zusammenhang; **dans un autre** ~ **d'idées** übrigens; **mettre bon** ~ **à qc** etw in Ordnung bringen; **de l'~ de** in der Grö-

ßenordnung von; **de premier/deuxième** ~ erstrangig/zweitrangig

ordre[2] [ɔʀdʀ] *m* **1.** (*commandement*) Befehl *m;* **donner l'~ de faire qc** anordnen etw zu tun; **donner l'~ à qn de faire qc** jdm den Befehl erteilen etw zu tun; **être aux ~s de qn** jdm zur Verfügung stehen; **être sous les ~s de qn** jdm unterstellt sein; MIL unter jds Befehl (*dat*) stehen; **à vos ~s!** zu Befehl!; ~ **de mission/de route** Dienstbefehl/Marschbefehl **2.** (*directives*) Anordnung *f;* **sur** ~ **du médecin** auf Anordnung des Arztes; ~ **de grève** Streikaufruf *m* **3.** (*commande*) Order *f;* ~ **d'achat/de vente** Kaufauftrag/Verkaufsauftrag; **par** ~ im Auftrag; **sur [l']~/les ~s de qn** in jds Auftrag (*dat*) ▸~ **du jour** MIL Tagesbefehl *m;* (*programme*) Tagesordnung *f,* Agenda *f* (CH); **être à l'~ du jour** auf der Tagesordnung stehen; **jusqu'à nouvel** ~ bis auf weiteres; **à l'~ de** an die Order von

ordure [ɔʀdyʀ] *f* **1.** *pl* (*détritus*) Müll *m;* (*objets usés*) Gerümpel *nt* (*pej*); **jeter/mettre qc aux ~s** etw in den Müll werfen/geben **2.** *fam* (*personne*) Mistvieh *nt* (*vulg*); **se conduire comme une** ~ sich wie ein Schwein benehmen **3.** *pl* (*propos obscènes*) Schweinereien *Pl* (*vulg*)

ordurier, -ière [ɔʀdyʀje, -jɛʀ] *adj* vulgär; *propos, chanson* derb

oreille [ɔʀɛj] *f* **1.** ANAT Ohr *nt;* **des ~s décollées** abstehende Ohren **2.** (*ouïe*) **avoir l'~ fine** (*entendre bien*) gute Ohren haben; (*percevoir les nuances*) ein feines Gehör haben; **avoir l'~ juste** [*o* de l'~] ein musikalisches Gehör haben **3.** (*appuie-tête*) seitliche Kopfstütze; **un fauteuil à ~s** ein Ohrensessel *m* ▸**avoir les ~s en feuille de chou** *fam* Segelohren haben; **n'être pas tombé dans l'~ d'un sourd** jdm nicht entgangen sein; *conseil, proposition:* nicht auf taube Ohren gestoßen sein; **être dur d'~** schwerhörig sein; **faire la sourde** ~ sich taub stellen; **casser** [*o* |é]**chauffer] les ~s à qn** jdn nerven (*fam*); **dormir sur ses deux ~s** ganz beruhigt sein; **dresser** [*o* tendre] **l'~** die Ohren spitzen (*fam*); **n'écouter que d'une** ~ nur mit halbem Ohr zuhören; **ne pas l'entendre de cette** ~ damit nicht einverstanden sein; **prêter l'~ à qn/qc** jdm gut zuhören/auf etw (*akk*) hören; **rebattre les ~s à qn avec qc** jdm mit etw [dauernd] in den Ohren liegen; **se faire tirer l'~** sich lange bitten lassen; **jusqu'aux ~s** bis über beide Ohren

oreiller [ɔʀeje] *m* [Kopf]kissen *nt*

oreillette [ɔʀɛjɛt] *f* **1.** ANAT Vorhof *m* **2.** COUT Ohrenschützer *m;* **à ~s** mit Ohren-

klappen
oreillons [ɔʀɛjɔ̃] *mpl* Mumps *m o f*
orfèvre [ɔʀfɛvʀ] *mf* Goldschmied(in) *m(f)*
orfèvrerie [ɔʀfɛvʀəʀi] *f* **1.** (*travail*) Gold-schmiedehandwerk *nt* **2.** (*art*) Gold-schmiedekunst *f* **3.** (*objet*) Goldschmiede-arbeit *f*
organe [ɔʀgan] *m* **1.** ANAT Organ *nt;* **les ~s de la digestion/respiration** die Ver-dauungs-/Atmungsorgane **2.** (*porte-paro-le*) Organ *nt* **3.** (*instrument*) Instrument *nt;* **~ de la puissance** Machtinstrument **4.** (*voix*) Stimme *f* **5.** ADMIN Organ *nt;* **les ~s directeurs** [*o* **dirigeants**] **d'un parti** der Führungsapparat einer Partei
organigramme [ɔʀganigʀam] *m* **1.** AD-MIN Organigramm *nt* **2.** INFORM Flussdia-gramm *nt*
organique [ɔʀganik] *adj* organisch
organisateur [ɔʀganizatœʀ] *m* INFORM Organizer *m*
organisateur, -trice [ɔʀganizatœʀ, -tʀis] **I.** *adj* organisatorisch *Pl* **II.** *m, f* Organisa-tor(in) *m(f);* **d'une manifestation, d'un voya-ge** Veranstalter(in) *m(f);* **tes talents d'~** dein Organisationstalent
organisation [ɔʀganizasjɔ̃] *f* **1.** (*fait d'or-ganiser*) Organisation *f;* **du temps** Eintei-lung *f;* **~ de loisirs** Freizeitgestaltung; **~ du travail** Arbeitsorganisation; **avoir une bonne ~ de son emploi du temps** sich (*dat*) seine Zeit gut einteilen **2.** (*structure*) Aufbau *m;* **l'~ des services** die Betriebsor-ganisation **3.** (*groupement*) Organisation *f;* **~ syndicale** Gewerkschaft *f;* **~ patrona-le/agricole** Arbeitgeber-/Bauernverband *m*
organisé, e [ɔʀganize] *adj* **1.** (*structuré*) organisiert **2.** (*méthodique*) methodisch; **être ~ dans son travail** mit Methode ar-beiten **3.** *fam* (*manifeste*) **c'est du vol ~!** das ist [reinste] Halsabschneiderei!
organiser [ɔʀganize] <1> **I.** *vt* **1.** (*prépa-rer*) organisieren; veranstalten *réunion, voyage, fête;* durchführen *campagne, opéra-tion* **2.** (*planifier*) organisieren; [sich (*dat*)] einteilen, organisieren *travail;* [sich (*dat*)] einteilen *temps;* gestalten, planen *loisirs, vie* **3.** (*structurer*) organisieren *armée, mouve-ment;* ordnen *parti, services* **II.** *vpr* **s'~ 1.** (*se donner une structure*) *groupement social:* sich organisieren **2.** (*gérer ses activi-tés*) sich (*dat*) eine Zeit/Arbeit [richtig] einteilen; **savoir s'~** gut organisiert sein; **s'~ pour qc** sich auf etw (*akk*) vorbereiten
organisme [ɔʀganism] *m* **1.** BIO Organis-mus *m;* (*corps*) Körper *m* **2.** ADMIN Einrich-tung *f;* **~ de crédit** Kreditinstitut *nt;* **~ de tourisme** Touristikunternehmen *nt*

organiste [ɔʀganist] *mf* Organist(in) *m(f)*
orgasme [ɔʀgasm] *m* Orgasmus *m*
orge [ɔʀʒ] *f* Gerste *f*
orgeat [ɔʀʒa] *m* **[sirop d']~** *mit Mandel-milch zubereiteter Sirup*
orgie [ɔʀʒi] *f* **1.** (*débauche*) Orgie *f* **2.** *hum* **de bonbons, de glaces** -orgie *f;* **~ de cou-leurs** Farbenpalette *f;* **~ de lumières** Lich-termeer *nt*
orgue [ɔʀg] **I.** *m* Orgel *f;* **~ électronique** Keyboard *nt;* **~ de Barbarie** Drehorgel; **te-nir l'~** [die] Orgel spielen **II.** *fpl* **~s** [Kir-chen]orgel *f*
orgueil [ɔʀgœj] *m* **1.** (*fierté*) Stolz *m* **2.** (*prétention*) Hochmut *m*
orgueilleux, -euse [ɔʀgøjø, -jøz] **I.** *adj* **1.** (*fier*) stolz **2.** (*prétentieux*) hochmütig **II.** *m, f* überheblicher Mensch
Orient [ɔʀjɑ̃] *m* **l'~** der Orient
orientable [ɔʀjɑ̃tabl] *adj* verstellbar; *lam-pe* schwenkbar; *antenne, bras* beweglich
oriental, e [ɔʀjɑ̃tal, o] <-aux> *adj* **1.** (*si-tué à l'est d'un lieu*) östlich; *côte, frontière* Ost-, östlich **2.** (*relatif à l'Orient*) orienta-lisch
Oriental, e [ɔʀjɑ̃tal, o] <-aux> *m, f* Ori-entale/Orientalin *m/f*
orientation [ɔʀjɑ̃tasjɔ̃] *f* **1.** *d'une maison* Ausrichtung *f; du soleil* Stand *m; d'une an-tenne, lampe* Ausrichtung *f; d'un phare, de la-melles* Einstellung *f; d'un avion, navire* Posi-tion *f;* **changer l'~ d'une lampe** eine Lampe anders ausrichten **2.** *d'une enquête, d'un établissement* Ziel[setzung *f*] *nt; d'une campagne, d'un parti politique* Kurs *m kein Pl;* **l'~ de sa pensée** seine/ihre Denkrich-tung; **les nouvelles ~s de la médecine** die neuen Zielsetzungen [in] der Medizin **3.** PSYCH, SCOL Beratung *f*
orienté, e [ɔʀjɑ̃te] *adj* tendenziös
orienter [ɔʀjɑ̃te] <1> **I.** *vt* **1.** (*diriger*) richtig halten *carte, plan;* **~ une antenne/ un phare vers** [*o* **sur**] **qc** eine Antenne/ einen Scheinwerfer auf etw (*akk*) richten **2.** (*guider*) **~ une activité/conversation vers qc** eine Tätigkeit/Unterhaltung auf etw (*akk*) lenken; **~ un touriste/visiteur vers qc** einem Touristen/Besucher den Weg zu etw zeigen **3.** PSYCH, SCOL beraten **4.** MATH mit einer Richtung versehen *droite, grandeur* **II.** *vpr* **1.** (*a. fig*) **s'~** sich orientie-ren **2.** (*se tourner vers*) **s'~ vers qc** sich ei-ner S. (*dat*) zuwenden; **s'~ au nord** *vent:* nach Norden drehen
orienteur, -euse [ɔʀjɑ̃tœʀ, -øz] *m, f* Schul- und Berufsberater(in) *m(f)*
orifice [ɔʀifis] *m* Öffnung *f; d'une canalisa-tion* Mündung *f; d'un tuyau* Loch *nt;* **les ~s naturels du corps** die natürlichen Körper-

öffnungen

oriflamme [ɔriflɑm] *f* Banner *nt;* HIST Oriflamme *f*

origan [ɔrigɑ̃] *m* (*condiment*) Oregano *m*

originaire [ɔriʒinɛr] *adj* être ~ de aus … kommen

originairement [ɔriʒinɛrmɑ̃] *adv* ursprünglich

original [ɔriʒinal, o] <-aux> *m* (*exemplaire primitif: d'une œuvre d'art*) Original *nt;* (*d'un texte*) Urschrift *f*

original, e [ɔriʒinal, o] <-aux> **I.** *adj* **1.** Original-; *gravure* echt **2.** (*inédit*) originell; (*personnel*) eigenständig; *idée* eigen **3.** *péj* (*bizarre*) sonderbar **II.** *m, f* Original *nt* (*fam*); **arrête de faire l'~!** fall doch nicht ständig aus der Rolle!

originalité [ɔriʒinalite] *f* **1.** (*nouveauté*) Originalität *f;* (*personnalité*) Eigenständigkeit *f* **2.** (*élément original*) origineller Zug; *d'une personne, œuvre* Besonderheit *f* **3.** *péj d'une personne* Eigenartigkeit *f*

origine [ɔriʒin] *f* **1.** (*commencement*) Ursprung *m;* **à l'~** ursprünglich; **dès l'~** [schon] von Anfang an; **d'~** im Originalzustand; **appellation/certificat d'~** Herkunftsbezeichnung *f/*-angabe *f* **2.** *d'un échec* Ursache *f;* **quelle est l'~ de …?** woher kommt …? **3.** (*ascendance*) Herkunft *f* *kein Pl;* **un mot d'~ grecque** ein Wort aus dem Griechischen; **un produit d'~ belge** ein Produkt aus Belgien; **il est d'~ française** er ist gebürtiger Franzose; **d'~ paysanne/noble** [von] bäuerlicher/adliger Herkunft; **être d'~ ouvrière** aus einer Arbeiterfamilie stammen **4.** *d'un appel téléphonique, message* Herkunft *f; d'un produit* Ursprung *m* ▸ **des ~s à nos <u>jours</u>** von den Anfängen bis zur Gegenwart; **<u>avoir</u> son ~ dans qc,** <u>tirer</u> **son ~ de qc** auf etw (*akk*) zurückzuführen sein; *coutume:* aus etw entstanden sein; **<u>être</u> à l'~ de qc** *personne:* etw in die Wege geleitet haben; **être à l'~ d'un mal** *chose:* die Wurzel eines Übels sein

originel, le [ɔriʒinɛl] *adj* ursprünglich; *sens* eigentlich; *état* Ur-

originellement [ɔriʒinɛlmɑ̃] *adv* ursprünglich

ORL [ɔɛrɛl] **I.** *mf abr de* **oto-rhino-laryn-gologiste** HNO-Arzt *m* **II.** *f abr de* **oto-rhino-laryngologie** HNO *f*

orme [ɔrm] *m* Ulme *f*

ormeau [ɔrmo] <x> *m* **1.** BOT junge Ulme **2.** ZOOL Seeohr *nt*

ornement [ɔrnəmɑ̃] *m* **1.** (*chose décorative*) Schmuck *m;* **arbre/plante d'~** Zierbaum *m/*-pflanze *f* **2.** (*décoration*) Verzierung *f;* ARCHIT, ART Ornament *nt;* **sans ~s**

schmucklos

ornemental, e [ɔrnəmɑ̃tal, o] <-aux> *adj style* dekorativ; *plante* Zier-; **des motifs ornementaux** Ziermotive *Pl;* **ne pas être très ~** nicht sehr dekorativ sein

ornementation [ɔrnəmɑ̃tasjɔ̃] *f* Verzierung *f*

ornementer [ɔrnəmɑ̃te] <1> *vt* schmücken, verzieren

orner [ɔrne] <1> **I.** *vt* **1.** (*parer*) schmücken; verzieren *façade;* ausschmücken *style, vérité* **2.** (*servir d'ornement*) schmücken; **être orné de qc** *objet, vêtements:* mit etw verziert sein; *mur, pièce, salle:* mit etw geschmückt sein **II.** *vpr* **s'~ de qc** *personne:* sich mit etw schmücken; *chose:* mit etw geschmückt sein

ornière [ɔrnjɛr] *f* Spurrille *f* ▸ <u>sortir</u> de **l'~** (*se tirer d'une situation difficile*) aus einer heiklen Situation herausfinden; (*échapper à la routine*) die ausgetretenen Pfade verlassen (*geh*)

orpailleur, -euse [ɔrpajœr, -jøz] *m, f* Goldwäscher(in) *m(f)*

orphelin, e [ɔrfəlɛ̃, in] **I.** *adj* Waisen-; **se trouver ~** Waise werden; **~ de père/mère** vaterlos/mutterlos; **être ~ de père et de mère** Vollwaise sein **II.** *m, f* Waise *f*

orphelinat [ɔrfəlina] *m* Waisenhaus *nt*

ORSEC [ɔrsɛk] *f abr de* **organisation des secours** Katastropheneinsatz *m*

orteil [ɔrtɛj] *m* Zehe *f*

orthodontiste [ɔrtodɔ̃tist] *mf* Kieferorthopäde *m*

orthographe [ɔrtɔgraf] *f* **1.** (*graphie correcte*) Rechtschreibung *f; d'un mot* Schreibweise *f;* **quelle est l'~ de votre nom?** wie schreibt man Ihren Namen?; **réforme de l'~** Rechtschreibreform *f* **2.** (*maîtrise de la graphie*) Rechtschreibkenntnisse *Pl;* **avoir une bonne ~** gute Rechtschreibkenntnisse haben; **les fautes d'~ d'usage** Rechtschreibfehler **3.** (*matière*) Rechtschreibung *f;* (*cours*) Rechtschreibunterricht *m*

orthographier [ɔrtɔgrafje] <1> *vt* [richtig] schreiben; **comment ce mot est-il orthographié?** wie wird dieses Wort [richtig] geschrieben?

orthographique [ɔrtɔgrafik] *adj signe* orthographisch; *règle, système* Rechtschreib-

orthopédique [ɔrtɔpedik] *adj* orthopädisch

orthopédiste [ɔrtɔpedist] *mf* Orthopäde *m*

orthophoniste [ɔrtɔfɔnist] *mf* Logopäde *m*

ortie [ɔrti] *f* Brennnessel *f*

orvet [ɔʀvɛ] *m* Blindschleiche *f*

os [ɔs, o] <os> *m* **1.** ANAT Knochen *m; du bassin, bras, crâne* -knochen; *du nez* -bein *nt;* ~ **à moelle** Markknochen; ~ **de seiche** Schulp *m* **2.** *pl (ossements, restes)* Gebeine *Pl (geh)* **3.** *(matière)* Knochen *m;* **en** ~ beinern, Bein- ►**ne pas faire de vieux** ~ *(ne pas rester longtemps)* [bestimmt] nicht alt werden; *fam (mourir rapidement)* es nicht mehr lange machen *(fam)*; **il y a un** ~ *fam* die Sache hat einen Haken; **elle tombe sur un** ~ *fam* ihr kommt etwas dazwischen

OS [oɛs] *mf abr de* **ouvrier(-ière) spécialisé(e)** Hilfsarbeiter(in) *m(f)*

oscar [ɔskaʀ] *m* ~ **de qc** Oscar *m* für etw; *(récompense)* Preis *m* für etw

oscillation [ɔsilasjɔ̃] *f* **1.** *(fluctuation)* Schwankung *f; d'un navire* Schwanken *nt kein Pl; de la température, tension artérielle* -schwankung **2.** ELEC, PHYS Schwingung *f*

osciller [ɔsile] <1> *vi* **1.** *(balancer)* [hin und her] wanken; *personne:* [hin und her] schwanken; *tête:* [hin und her] wackeln; *flamme:* flackern; *pendule:* [hin und her] schwingen **2.** *(hésiter, varier)* ~ **entre qc et qc** [*o* **de qc à qc**] *personne:* zwischen etw und etw schwanken; *chose:* zwischen etw und etw hin und her pendeln

osé, e [oze] *adj* **1.** *(téméraire)* kühn; *démarche, expédition* waghalsig **2.** *(choquant)* gewagt

oseille [ozɛj] *f* **1.** BOT Sauerampfer *m* **2.** *fam (argent)* Knete *f*

oser [oze] <1> **I.** *vt* **1.** *(risquer)* wagen; **je n'ose penser ce qui serait arrivé si ...** nicht auszudenken, was passiert wäre, wenn ... **2.** *(se permettre de)* **j'ose espérer que ...** ich wage zu hoffen, dass ...; **si j'ose dire** wenn ich so sagen darf **II.** *vi* es wagen

osier [ozje] *m* Weidenrute *f;* **panier en** ~ Weidenkorb *m;* **meubles en** ~ Korbmöbel *Pl*

Oslo [ɔslo] Oslo *nt*

osselet [ɔslɛ] *m pl* JEUX Geschicklichkeitsspiel mit [Plastik] knöchelchen

ossements [ɔsmɑ̃] *mpl* Gebeine *Pl*

osseux, -euse [ɔsø, -øz] *adj* **1.** *(relatif aux os)* Knochen- *m* **2.** *(maigre)* knochig

ossuaire [ɔsɥɛʀ] *m* **1.** *(tas d'ossements)* Knochenhaufen *m* **2.** *(catacombes)* Beinhaus *nt*

ostensible [ɔstɑ̃sibl] *adj mépris* offensichtlich; *geste* deutlich sichtbar

ostensiblement [ɔstɑ̃sibləmɑ̃] *adv* deutlich sichtbar, betont; *manifester* offensichtlich

ostentation [ɔstɑ̃tasjɔ̃] *f* **1.** *(affectation)*

Großspurigkeit *f;* **sans** ~ bescheiden **2.** *(étalage indiscret)* Zurschaustellung *f; de générosité, charité* Zurschaustellen *nt;* **avec** ~ ostentativ; **faire** ~ **de qc** etw zur Schau stellen; **mettre de l'**~ **dans qc** mit etw auf Wirkung bedacht sein

ostentatoire [ɔstɑ̃tatwaʀ] *adj* betont auffällig

ostéopathe [ɔsteɔpat] *mf* Chiropraktiker(in) *m(f)*

ostréiculteur, -trice [ɔstʀeikyltœʀ, -tʀis] *m, f* Austernzüchter(in) *m(f)*

otage [ɔtaʒ] *m* Geisel *f*

otarie [ɔtaʀi] *f* Ohrenrobbe *f;* ~ **à crinière** Seelöwe *m*

ôter [ote] <1> **I.** *vt* **1.** *(retirer)* entfernen; ausziehen *vêtement, gants;* abnehmen *chapeau;* ~ **un vase de la table** eine Vase vom Tisch entfernen; ~ **un noyau d'une cerise** einen Kern aus einer Kirsche entfernen **2.** *(faire disparaître)* beseitigen *goût, odeur; scrupules, remords* **3.** *(débarrasser)* abnehmen *menottes, pansements;* (*prendre)* wegnehmen *objet;* nehmen *envie, illusion;* **cela n'ôte rien à tes mérites** das schmälert deine Verdienste nicht **4.** *(retrancher)* **4 ôté de 9 égale 5** 4 von 9 abgezogen ergibt 5; ~ **un nom d'une liste** einen Namen von einer Liste streichen **II.** *vpr* *(s'écarter)* **s'**~ weggehen ►**ôte-toi de là que je m'y mette!** *hum fam* Platz da, jetzt komm ich!

otite [ɔtit] *f* Ohr[en]entzündung *f*

oto-rhino [ɔtɔʀino] <oto-rhinos> *mf abr de* **oto-rhino-laryngologiste** HNO-Arzt *m*

oto-rhino-laryngologiste [ɔtɔʀinolaʀɛ̃gɔlɔʒist] <oto-rhino-laryngologistes> *mf* Hals-Nasen-Ohren-Arzt *m*

ou [u] *conj* **1.** *(alternative)* oder; ~ **bien** oder auch; ~ **... ... ...** entweder ... oder ...; **c'est l'un** ~ **l'autre** entweder, oder **2.** *(sinon)* ~ **[alors]** oder, sonst; **tu m'écoutes,** ~ **alors tu prends la porte** [entweder] du hörst mir jetzt zu[,] oder [aber] du verschwindest **3.** *(en d'autres termes)* oder [auch] **4.** *(approximation)* oder, bis

où [u] **I.** *pron* **1.** *(spatial sans déplacement)* wo; *(dans lequel)* in dem/der, wo; *(sur lequel)* auf dem/der; **là** ~ da, wo **2.** *(spatial avec déplacement)* wohin; *(dans lequel)* in den/die/das; *(sur lequel)* auf den/die/das; **je le suis partout** ~ **il va** ich folge ihm überallhin; **d'**~ woher; *(du quel)* aus dem/der; **d'**~ **il était, il ne voyait rien** von seinem Platz aus konnte er nichts sehen; **jusqu'**~ bis wohin; *(jusqu'auquel)* bis zu dem/der; **par** ~ durch

den/die/das; **le chemin par ~ nous sommes passés** der Weg, den wir genommen haben **3.** (*temporel*) als (*fam*); *jour, matin, soir* an dem; *moment* in dem; *année, siècle* in dem **4.** (*abstrait*) **à l'allure ~ il va** bei seinem Tempo; **dans l'état ~ tu es** in deinem Zustand; **au prix ~ j'ai acheté cet appareil** zu dem Preis, zu dem ich diesen Apparat gekauft habe; **dans l'obligation ~ j'étais de partir** da ich [derart] gezwungen war zu gehen **II.** *adv interrog* **1.** (*spatial sans déplacement*) wo; **~ s'arrêter?** wo muss man aufhören? **2.** (*spatial avec déplacement*) wohin; **~ aller?** wohin soll ich/sie gehen?; **d'~ êtes-vous?** woher sind Sie?; **jusqu'~** bis wo[hin]; *a. fig* wie weit; **par ~** auf welchem Weg, wie **3.** (*abstrait*) **~ en étais-je?** wo war ich [stehen geblieben]?; **~ voulez-vous en venir?** worauf wollen Sie hinaus? **III.** *adv indéf* **1.** (*là où*) wo; *aller* wohin; **par ~ que vous passiez** auf welchem Weg Sie es auch [immer] versuchen; **~ les choses se gâtent, c'est lorsque ...** es wird dann schlimm, wenn ... **2.** (*de là*) **d'~ que vienne le vent** woher auch immer der Wind weht; **d'~ l'on peut conclure que ...** woraus man schließen kann, dass ...; **d'~ mon étonnement** daher mein Erstaunen

ouah [wa] *interj* **1.** (*cri du chien*) wau **2.** (*exprime l'admiration ou la joie*) ~! o ja!

ouais [´wɛ] *adv fam* **1.** (*oui*) mhm **2.** (*sceptique*) so **3.** (*hourra!*) ~! juhu!

ouate [wat] *f* ~ [**hydrophile**] Watte *f* ▶ **être élevé dans la ~** verhätschelt werden

ouaté, e [wate] *adj bruit, pas* gedämpft; *atmosphère* behaglich, wohlig; **les bruits nous arrivent ~s** wir hören die Geräusche nur gedämpft [*o* wie durch Watte]

ouater [wate] <1> *vt* wattieren

oubli [ubli] *m* **1.** (*perte du souvenir*) Vergessen *nt; d'un détail* Auslassung *f* **2.** (*étourderie*) Versäumnis *nt;* **réparer un ~** ein Versäumnis nachholen; **par ~** aus [reiner] Vergesslichkeit **3.** (*lacune*) Lücke *f* **4.** *du devoir filial* Vernachlässigung *f; d'une promesse, règle* Nichteinhaltung *f;* **~ du devoir** Pflichtvergessenheit *f* **5.** (*détachement volontaire*) **l'~ de soi-même** die Selbstverleugnung

oublier [ublije] <1> **I.** *vt* **1.** (*ne plus se rappeler*) vergessen; **être oublié par qn/ qc** von jdm/etw vergessen werden; *personne, événement:* bei jdm in Vergessenheit geraten sein; **qc ne doit pas faire ~ que ...** über etw (*dat*) darf man nicht vergessen, dass ... **2.** (*négliger*) vergessen; **se sentir oublié** sich im Stich gelassen fühlen; **n'oubliez pas le guide** denken Sie

auch an [ein Trinkgeld für] den Führer; **il ne faudrait pas ~ que** man sollte berücksichtigen, dass; **sans ~ le patron/les accessoires** sowie der Chef/das Zubehör **3.** (*omettre*) vergessen; auslassen *mot, virgule;* **avoir oublié qn dans son testament** jdn in seinem Testament übergangen haben **4.** (*évacuer de son esprit*) vergessen *injure, querelle* **5.** (*manquer à*) vergessen; **~ un devoir/une obligation** einer Aufgabe/Verpflichtung (*dat*) nicht nachkommen **6.** (*laisser par inadvertance*) vergessen; liegen/hängen/stehen lassen *objets* ▶ **se faire ~** sich zurückhalten **II.** *vi* vergessen **III.** *vpr* **1.** (*sortir de l'esprit*) **qn/qc s'oublie** man vergisst jdn/etw **2.** (*ne pas penser à soi*) **s'~** sich selbst vergessen; **ne pas s'~** auch an sich denken **3.** (*se laisser aller*) **s'~** sich vergessen; **s'~ à faire qc** sich dazu hinreißen lassen, etw zu tun **4.** (*faire ses besoins*) **s'~** *personne:* sein Geschäft machen (*fam*); *animal:* sein Geschäft verrichten

oubliette [ublijɛt] *f* **1.** *pl* (*placard*) Versenkung *f* **2.** *pl* (*cachot*) Verlies *nt* **3.** (*fosse*) Fallgrube *f*

ouèbe [wɛb] *m fam* Internet *nt*

ouest [wɛst] **I.** *m* Westen *m;* **l'~** der Westen; **à** [*o* **dans**] **l'~** in den/im Westen; **à** [*o* **vers**] **l'~** nach Westen; **à l'~ de qc** westlich von etw; **vent d'~** Westwind; **les régions de l'~** die Gebiete im Westen **II.** *adj inv* West-; *banlieue, longitude, partie* westlich

Ouest [wɛst] *m* Westen *m;* **les pays de l'~** die westlichen Staaten; **les gens de l'~** die Leute aus dem Westen; **l'autoroute de l'~** die Autobahn nach Westen; **le conflit entre l'Est et l'~** der Ost-West-Konflikt

ouest-allemand, **e** [wɛstalmɑ̃, ɑ̃d] <ouest-allemands> *adj* westdeutsch

ouest-nord-ouest [wɛstnɔrwɛst] *m sans pl* Westnordwesten *m* **ouest-sud-ouest** [wɛstsydwɛst] *m sans pl* Westsüdwesten *m*

ouf [´uf] *interj* uff; **faire ~** aufatmen

oui [´wi] **I.** *adv* **1.** (*opp: non*) ja; **~ ou non?** ja oder nein?; **répondre par ~ ou par non** mit einem klaren Ja oder Nein antworten **2.** (*intensif*) ja [, wirklich]; **ah** [*o* **ça**] ~, [**alors**]! oh ja [, das kann man wohl sagen]!; **hé ~!** leider ja!; **~ ou merde?** *fam* oder was ist?; **alors, tu arrives, ~?** *fam* kommst du jetzt endlich?; **que ~!** *fam* na klar! **3.** (*substitut d'une proposition*) *croire/penser que* ~ schon glauben/denken; *craindre/dire que* ~ es befürchten/sagen; **je dirais que** ~ ich würde [schon] ja sagen **II.** *m inv* **1.** (*approbation*) Ja *nt;* **~ à**

qn/qc Ja zu jdm/etw **2.** (*suffrage*) Ja stimme *f* ▸**pour un** ~ [ou] **pour un** <u>non</u> wegen nichts und wieder nichts

ouï-dire [´widiʀ] *m inv* Gerücht *nt;* **apprendre par** ~ gerücht[e]weise erfahren; **savoir/connaître par** ~ vom Hörensagen wissen/kennen

ouïe [wi] *f* **1.** (*audition*) Gehör *nt* **2.** ZOOL Kieme *f*

ouille [´uj] *interj* au[a]

ouistiti [´wistiti] *m* **1.** ZOOL Pinseläffchen *nt* **2.** *fam* (*zigoto*) Heini *m;* **être un drôle de** ~ *fam* ein komischer Vogel sein

ouragan [uʀagã] *m* **1.** (*tempête*) Orkan *m* **2.** (*déchaînement*) Wirbel *m;* **un** ~ **de protestations** ein Sturm der Entrüstung; **un** ~ **de clameurs** [ein] riesiges Geschrei **3.** (*personne déchaînée*) Wirbelwind *m* ▸**arriver en** [o **comme un**] ~ angestürmt kommen

ourler [uʀle] <1> *vt* [ein]säumen

ourlet [uʀlɛ] *m* Saum *m*

ours [uʀs] **I.** *m* **1.** ZOOL Bär *m;* ~ **blanc** [o **polaire**]/**brun** Eis-/Braunbär; *v. a.* **ourse 2.** (*jouet d'enfant*) **un** ~ **en peluche** ein Plüschbär **3.** *fam* (*misanthrope*) Brummbär *m;* **vivre comme un** ~ wie ein Einsiedler leben ▸~ **mal** <u>léché</u> *fam* Rüpel *m* **II.** *adj inv, fam* griesgrämig

ourse [uʀs] *f* Bärin *f; v. a.* **ours** ▸**la** <u>Grande</u>/<u>Petite</u> **Ourse** der Große/Kleine Bär [o Wagen]

oursin [uʀsɛ̃] *m* Seeigel *m*

ourson [uʀsɔ̃] *m* Bärenjunge(s) *nt*

oust[**e**] [´ust] *interj fam* (*pour chasser qn*) weg mit dir/euch!; (*pour presser qn*) hopp[, hopp]

outil [uti] *m* **1.** (*instrument*) Werkzeug *nt; de navigation* Instrument *nt;* ~ **agricole** landwirtschaftliches Gerät **2.** INFORM Tool *nt;* ~ **de recherche** Suchmaschine *f* **3.** (*personne*) Werkzeug *nt;* (*ressource*) Handwerkszeug *nt; de production*-anlage *f;* **l'**~ **de travail** Arbeitsmittel

outiller [utije] <1> **I.** *vt* ausstatten *atelier;* ~ **qn** jdn ausrüsten; *fig* jdm das notwendige Rüstzeug mitgeben; **être outillé pour faire qc** dafür ausgerüstet sein etw zu tun; *établissement:* darauf eingerichtet sein etw zu tun **II.** *vpr* **s'**~ **en/pour qc** sich mit/für etw ausrüsten

outrage [utʀaʒ] *m* Beleidigung *f;* JUR ~ **à agent** Beamtenbeleidigung; ~ **à magistrat** Missachtung *f* [der Würde] des Gerichts; ~ **aux bonnes mœurs** ≈ Verstoß *m* gegen die öffentliche Moral; ~ **à la pudeur** Erregung *f* öffentlichen Ärgernisses

outrager [utʀaʒe] <2a> *vt* beleidigen; **d'un air outragé** mit beleidigter Miene

outrance [utʀãs] *f* Übertreibung *f;* **à** ~ bis zum Äußersten; **la guerre à** ~ der totale Krieg; **avec** ~ ohne Maß [und Ziel]

outrancier, -ière [utʀãsje, -jɛʀ] *adj propos* übertrieben; **des termes** ~**s** Übertreibungen *Pl*

outre[1] [utʀ] *f* (*sac*) Schlauch *m* ▸**être gonflé** [o <u>plein</u>] **comme une** ~ voll wie eine Haubitze sein (*fam*)

outre[2] [utʀ] **I.** *prép* (*en plus de*) außer; ~ [**le fait**] **que cela est connu** außer, dass dies bekannt ist **II.** *adv* **en** ~ außerdem

outre-Atlantique [utʀatlãtik] *adv* auf der anderen/die andere Seite des Atlantiks

outrecuidance [utʀəkɥidãs] *f soutenu* **1.** (*impertinence*) Unverfrorenheit *f* **2.** (*fatuité*) Überheblichkeit *f*

outrecuidant, e [utʀəkɥidã, ãt] *adj soutenu* **1.** (*impertinent*) impertinent **2.** (*fat*) dünkelhaft

outre-Manche [utʀəmãʃ] *adv* auf der anderen/die andere Seite des [Ärmel]kanals

outremer [utʀəmɛʀ] **I.** *m* **1.** MINER Lapis[lazuli] *m* **2.** (*bleu*) Ultramarin[blau] *nt* **II.** *adj inv* ultramarin[blau]

outre-mer [utʀəmɛʀ] *adv* in Übersee

outrepasser [utʀəpɑse] <1> *vt* überschreiten *droits, limites, pouvoir;* sich über etw (*akk*) hinwegsetzen *ordre*

outrer [utʀe] <1> *vt* **1.** (*exagérer*) übertreiben; ~ **son jeu** *acteur:* [seine Rolle] überziehen; **être outré** *portrait:* überzeichnet sein **2.** (*scandaliser*) entrüsten; *personne:* empören; **être outré de** [o **par**] **qc** über etw (*akk*) empört sein

outre-Rhin [utʀəʀɛ̃] *adv* in/nach Deutschland **outre-tombe** [utʀətɔ̃b] *adv* im Jenseits; **d'**~ aus dem Jenseits

ouvert, e [uvɛʀ, ɛʀt] **I.** *part passé de* **ouvrir II.** *adj* **1.** *bouche, yeux* offen; *col, fenêtre, robinet, valise* geöffnet; *fleur* geöffnet; **être** ~ *porte:* auf sein; **être grand** ~ *yeux:* weit aufgerissen sein **2.** *magasin* geöffnet; *téléski* in Betrieb; **être** ~ *fam magasin, boulanger:* geöffnet haben; *centre commercial:* offen sein; **être** ~ **à qn/qc** für jdn/etw geöffnet sein; *autoroute:* für jdn/etw freigegeben sein **3.** (*commencé*) **être** ~ *foire, enquête, pêche:* eröffnet werden/sein; *chasse:* offen sein **4.** MED *fracture, plaie* offen **5.** *jeu, partie* offen **6.** *débat, compétition* offen **7.** *conflit, lettre* offen; *guerre* erklärt; **d'une façon** ~**e** offen **8.** *personne, visage* offen **9.** (*éveillé*) aufgeschlossen; **être** ~ **à qn/qc** offen für jdn/etw sein; **être** ~ **sur le monde** weltoffen sein **10.** LING *son, voyelle* offen **11.** *rade, ville* offen

ouvertement [uvɛʀtəmã] *adv* **1.** offen [und ehrlich] **2.** (*publiquement*) öffentlich

ouverture [uvɛʀtyʀ] *f* **1.** *d'une porte, valise* Öffnen *nt; d'une barrière* Öffnung *f; d'un robinet* Aufdrehen *nt;* l'~ **de cette porte est automatique** [diese] Tür öffnet [sich] automatisch **2.** *d'une frontière, d'un magasin* Öffnung *f;* **les jours/heures d'**~ die Öffnungstage/-zeiten; *d'une banque* die Geschäftszeiten **3.** (*commencement*) Eröffnung *f; des travaux* Beginn *m;* **la séance d'**~ die Eröffnungssitzung **4.** (*orifice*) Öffnung *f; d'un volcan* [Krater]öffnung *f* **5.** (*inauguration*) l'~ [**au public**] die Eröffnung; *d'une route* Freigabe *f* **6.** (*attitude ouverte*) Offenheit *f;* ~ **d'esprit** Aufgeschlossenheit *f;* **ton** ~ **sur le monde** deine Weltoffenheit; l'~ **sur l'Europe** die Öffnung nach Europa **7.** *pl de négociations, paix* -angebot *nt* **8.** MUS Ouvertüre *f* **9.** PHOT Blende *f* **10.** COM, JUR *d'un compte, d'une succession* Eröffnung *f; d'un crédit* Freigabe *f; d'un information judiciaire* Einleitung *f* **11.** INFORM ~ **d'une session** Login *nt* ▸ **faire** l'~ *fam* (*d'un magasin*) aufschließen; (*de la saison*) an der Saisoneröffnung teilnehmen

ouvrable [uvʀabl] *adj jour* Werk-; *heures* Öffnungs-

ouvrage [uvʀaʒ] **I.** *m* **1.** (*objet fabriqué*) Arbeit *f;* ~ **de sculpture** Bildhauerarbeit **2.** (*livre*) ~ **d'histoire** Werk *nt* über Geschichte **3.** (*travail*) Arbeit *f;* COUT [Hand]arbeit; **table à** ~ Nähtisch; **se mettre à l'**~ sich ans Werk machen ▸ ~ **d'art** Brücken-/Tunnel-/Grabenkonstruktion *f* **II.** *f fam* **de la belle** ~ eine gelungene Arbeit

ouvragé, e [uvʀaʒe] *adj* kunstvoll gearbeitet; *signature* kunstvoll

ouvré, e [uvʀe] *adj jour* Arbeits-

ouvre-boîte [uvʀəbwat] <ouvre-boîtes> *m* Dosenöffner *m* **ouvre-bouteille** [uvʀ(ə)butɛj] <ouvre-bouteilles> *m* Flaschenöffner *m*

ouvreur, -euse [uvʀœʀ, øz] *m, f* CINE, THEAT Platzanweiser *m*

ouvrier, -ière [uvʀije, -ijɛʀ] **I.** *adj classe, mouvement, quartier, syndicat* Arbeiter-; *conflit, législation* Arbeits-; *condition* der Arbeiter; *militant* der Arbeiterbewegung **II.** *m, f* (*travailleur manuel*) Arbeiter *m;* ~ **d'usine** Fabrikarbeiter *m;* ~ **professionnel** [*o* **qualifié**] Facharbeiter *m;* ~ **spécialisé** Hilfsarbeiter *m*

ouvrière [uvʀijɛʀ] *f* (*abeille, termite, fourmi*) Arbeiterin *f*

ouvrir [uvʀiʀ] <11> **I.** *vt* **1.** (*opp: fermer*) öffnen, aufmachen; (*à clé*) aufschließen; aufschlagen *livre, yeux;* ~ **grand ses oreilles/le bec** die Ohren/den Schnabel weit aufsperren **2.** *fam* (*faire fonctionner*) anmachen *chauffage;* einschalten *télé;* öffnen

robinet, gaz **3.** (*écarter, déployer*) öffnen; ausbreiten *bras;* aufschlagen *éventail;* aufspannen *parapluie;* aufziehen *rideaux* **4.** (*débloquer, frayer*) ~ **une issue/un passage à qn/qc** jdm/einer S. einen Zugang schaffen/eine Passage freimachen; ~ **à la navigation** für die Schiffahrt freigeben **5.** (*rendre accessible*) ~ **une frontière à qn** eine Grenze für jdn öffnen; ~ **à qn les portes de qc** jdm zu etw Zutritt verschaffen; ~ **des horizons/perspectives à qn** jdm [neue] Horizonte/Perspektiven eröffnen **6.** (*fonder, créer*) eröffnen **7.** (*inaugurer*) ~ **qc par qc** etw mit etw eröffnen **8.** (*commencer*) eröffnen; in Gang bringen *dialogue* **9.** SPORT eröffnen *piste, slalom;* ~ **la marque** [*o* **le score**] den ersten Treffer erzielen **10.** (*être en tête de*) eröffnen *marche, procession;* ~ **une liste** auf Platz 1 einer Liste (*gen*) stehen **11.** (*percer*) öffnen *abcès, ventre;* schlagen *brèche;* bauen *route* **12.** (*provoquer une blessure*) aufreißen *jambe, ventre;* ein Loch schlagen in (+ *akk*) *crâne* **13.** FIN ~ **un compte à qn** ein Konto für jdn eröffnen; ~ **un crédit à qn** jdm einen Kredit gewähren **14.** JUR eröffnen, einleiten *enquête, information* ▸ l'~ *fam* die Klappe aufmachen **II.** *vi* **1.** (*donner sur*) ~ **sur qc** auf etw (*akk*) gehen; *porte:* auf etw (*akk*) führen **2.** (*être accessible au public*) ~ **le lundi** montags geöffnet sein; *magasin:* montags geöffnet sein; *cinéma, théâtre:* montags Vorstellung haben; (*être rendu accessible au public*) ~ **à 15 h** *magasin:* um 15 Uhr öffnen; *cinéma, théâtre:* um 15 Uhr Einlass haben **3.** (*commencer*) ~ **par qc** mit etw beginnen **III.** *vpr* **1.** (*opp: se fermer*) **s'**~ sich öffnen; *fenêtre, livre, porte, fleur:* sich öffnen; *parapluie, vêtement:* aufgehen; *bras:* sich öffnen; *foule:* sich teilen; **mal s'**~ schwer aufgehen **2.** (*devenir accessible à*) **s'**~ **au commerce** sich dem Handel öffnen; **s'**~ **à l'extérieur** sich [nach außen] öffnen; **s'**~ **au monde** nennen die Welt wahrzunehmen **3.** (*commencer*) **s'**~ **par qc** mit etw beginnen; *exposition, séance:* mit etw eröffnet werden **4.** (*se blesser*) **s'**~ **les veines** sich (*dat*) die Adern aufschneiden; **s'**~ **la lèvre** sich (*dat*) die Lippe aufbeißen; **s'**~ **la jambe/le crâne** sich (*dat*) das Bein/den Kopf aufschlagen

ovale [ɔval] **I.** *adj* oval **II.** *m* Oval *nt*

ovation [ɔvasjɔ̃] *f* stürmischer Beifall *kein Pl;* **faire une** ~ **à qn** jdm stürmischen Beifall klatschen

ovationner [ɔvasjɔne] <1> *vt* ~ **qn** jdm zujubeln; **se faire** ~ **par qn** von jdm stürmischen Beifall ernten

overdose [ɔvœʀdoz, ɔvɛʀdoz] *f* Überdo-sis *f kein Pl*

ovin [ɔvɛ̃] *m* Schaf *nt;* **l'élevage des** ~**s** die Schafzucht

ovin, e [ɔvɛ̃, in] *adj race* der Schafe

OVNI [ɔvni] *m abr de* **objet volant non identifié** UFO *nt,* Ufo *nt*

ovuler [ɔvyle] <1> *vi* einen Eisprung ha-ben

oxyde [ɔksid] *m* Oxid *nt,* Oxyd *nt;* ~ **de carbone** Kohlenmonoxid [*o* -oxyd]

oxyder [ɔkside] <1> *vt, vpr* [**s'**]~ oxidie-ren, oxydieren

oxygène [ɔksiʒɛn] *m* **1.** CHIM Sauerstoff *m* **2.** (*air pur*) frische Luft **3.** (*souffle nou-veau*) frischer Wind

oxygéné, e [ɔksiʒene] *adj cheveux* blon-diert; **eau** ~**e** Wasserstoffperoxid [*o* -per-oxyd] *nt*

oxygéner [ɔksiʒene] <5> **I.** *vt* blondieren *cheveux* **II.** *vpr* **s'**~ frische Luft tanken

oyez [ɔje] *indic prés de* **ouïr**

ozone [ozon, ɔzɔn] *f* Ozon *nt*

P

P, p [pe] *m inv* P *nt,* p *nt*
pacemaker [pɛsmɛkœʀ] *m* [Herz]schritt-macher *m*
pacifique [pasifik] *adj* friedlich; *personne, pays, peuple* friedliebend, friedlich
Pacifique [pasifik] *m* le ~ der Pazifik
pacifiquement [pasifikmɑ̃] *adv* friedlich, auf friedlichem Wege
pacifiste [pasifist] **I.** *adj doctrine, idéal* pazifistisch; *manifestation, marche* Friedens-**II.** *mf* Pazifist *m*
pack [pak] *m* Großpackung *f*
packaging [paka(d)ʒiŋ] *m* [Verkaufs]verpackung *f*
pacotille [pakɔtij] *f* (*mauvaise marchandise*) Ramsch *m;* (*bijoux*) Talmi *nt;* **de** ~ unecht; *fig* falsch, Schein-
PACS [paks] *m abr de* **Pacte Civil de Solidarité** [*zivilrechtlich geregelte*] *eheähnliche Lebensgemeinschaft*
pacser [pakse] <1> *vi* einen PACS abschließen
pacte [pakt] *m* Pakt *m,* Abkommen *nt;* ~ **d'alliance** Bündnispakt [*o* -abkommen]; **le** ~ **de Varsovie** der Warschauer Pakt
pactole [paktɔl] *m* Sümmchen *nt* (*fam*), Batzen *m* (*fam*); ~ **du loto** Hauptgewinn *m* im Lotto; **c'est le** ~ das ist eine wahre Goldgrube
pagaïe [pagaj] *f fam* Durcheinander *nt,* Chaos *nt* ▸ **mettre la** ~ **dans qc** in etw (*dat*) ein Chaos anrichten; **en** ~ (*en quantité*) in Massen; (*en désordre*) unaufgeräumt
pagaie [pagɛ] *f* Paddel *nt*
pagaille [pagaj] *f v.* **pagaïe**
pagayeur, -euse [pagɛjœʀ, -øz] *m, f* Paddler(in) *m(f)*
page [paʒ] *f* **1.** (*feuillet*) Seite *f;* (*deux côtés*) Blatt *nt; d'un cahier, livre* Seite, -seite; **la** ~ **des sports** die Sportseite, der Sportteil; **en** ~ **20** auf Seite 20; ~ **de publicité** (*à la radio, télévision*) Werbespot *m;* (*dans la presse écrite*) Reklameseite **2.** (*événement, épisode*) Kapitel *nt;* **une** ~ **glorieuse de l'Histoire** ein ruhmreiches Blatt der Geschichte **3.** INFORM ~ **personnelle/ d'accueil** Homepage *f;* ~ **de codes** Codepage *f;* ~ **visitée** geladene Seite; ~ **Web** Webseite; **accéder à une** ~ auf eine Seite zugreifen; **visiter une** ~ eine Seite laden; **bas de** ~ Seitenende *nt; pied de* ~ Fußzei-

le *f;* **haut de** ~ Seitenanfang *m* ▸ ~ **blanche** *a. fig* unbeschriebenes Blatt; **première** ~ Titelseite *f,* erste Seite; **tourner la** ~ (*pour finir*) einen Schlussstrich ziehen; (*pour recommencer*) ein neues Kapitel aufschlagen
pageot [paʒo] *m pop* Falle *f* (*fam*), Klappe *f* (*fam*), Kiste *f* (*fam*)
paie[1] [pɛ] *f d'un ouvrier, salarié* Lohn *m; d'un employé* Gehalt *nt*
paie[2] [pɛ] *indic et subj prés de* **payer**
paiement [pɛmɑ̃] *m* (*action de payer*) Bezahlung *f; d'une amende, des impôts* Zahlung *f; d'une dette* Rückzahlung *f,* Bezahlung
paierai [pɛʀɛ] *fut de* **payer**
paillasson [pajasɔ̃] *m* Fußmatte *f*
paille [pɑj] *f* **1.** (*chaume*) Stroh *nt* **2.** (*tiges tressées*) Geflecht *nt* **3.** (*pour boire*) Strohhalm *m* ▸ **tirer à la courte** ~ [mit Streichhölzern] knobeln
pain [pɛ̃] *m* **1.** (*aliment*) Brot *nt;* **un** ~ **d'un kilo** ein Kilo[laib *m*] *nt* Brot; ~ **au chocolat** Schoko-Croissant *m* **2.** GASTR *de poisson* -pastete *f; de légumes* -auflauf *m* **3.** (*nourriture*) Lebensunterhalt *m* ▸ **ôter** [*o* retirer] **à qn le** ~ **de la bouche** jdn ruinieren; **avoir du** ~ **sur la planche** *fam* viel um die Ohren haben; **gagner son** ~ **à la sueur de son front** *soutenu* sein Brot im Schweiße seines Angesichts verdienen; **petit** ~ Brötchen *nt,* Gebäck *nt* (A); **être** [mis] **au** ~ **sec** auf Wasser und Brot gesetzt werden; **elle ne mange pas de ce** ~-là das ist nicht ihr Fall; **ça ne mange pas de** ~ *fam* es kann nicht[s] schaden
pair [pɛʀ] *m* ▸ **aller de** ~ **avec qc** mit etw einhergehen; **au pair** gegen Unterkunft und Verpflegung; **une jeune fille/un jeune homme au** ~ ein Aupairmädchen *nt/* -junge *m;* **hors** [de] ~ unvergleichlich
pair, e [pɛʀ] *adj* **1.** (*divisible par deux*) gerade **2.** (*au nombre de deux*) paarig
paire [pɛʀ] *f* **1.** (*ensemble de deux*) Paar *nt; de chaussures, gants* ein Paar; *de claques, gifles* ein paar; **une** ~ **de ciseaux/ lunettes/tenailles** eine Schere/Brille/ [Beiß]zange **2.** JEUX Paar *nt,* Pärchen *nt* ▸ **c'est une autre** ~ **de manches** *fam* das sind zwei Paar Stiefel; **les deux font la** ~ *fam* die zwei haben sich gesucht und gefunden

paisible [pezibl] *adj décor, endroit* friedlich; *vie, quartier* ruhig

paisiblement [pezibləmã] *adv* in aller Ruhe

paix [pɛ] *f* 1. (*opp: guerre*) Frieden *m;* (*traité*) Friedensvertrag *m;* **des manifestations en faveur de la ~** Friedensdemonstrationen *Pl* 2. (*entente*) Frieden *m,* Eintracht *f* 3. (*tranquillité*) Ruhe *f;* **la ~!** *fam* Ruhe [jetzt]!; **avoir la ~** seine Ruhe haben; **laisser qn en ~** jdn zufrieden lassen ▸ **faire la ~ avec qn** mit jdm Frieden schließen; (*avec un ami*) sich mit jdm versöhnen; **qu'il repose en ~!** er ruhe in Frieden!

Pakistan [pakistɑ̃] *m* **le ~** Pakistan *nt*

pakistanais [pakistanɛ] *m* Pakistanisch *nt; v. a.* **allemand**

pakistanais, e [pakistanɛ, ɛz] *adj* pakistanisch

Pakistanais, e [pakistanɛ, ɛz] *m, f* Pakistaner *m,* Pakistani *mf*

PAL [pal] *abr de* **phase alternating line I.** *m inv* PAL-System *nt;* **être en ~** *programmes:* im PAL-System ausgestrahlt werden **II.** *app inv* PAL; **le système ~** das PAL-System

palais¹ [palɛ] *m* Palast *m;* ~ **des Papes** Papstpalais; ~ **des sports** Sporthalle [*o* -palast]; **Palais fédéral** CH Bundeshaus *m* (CH); ~ **de l'Elysée** Amtssitz des französischen Staatspräsidenten

palais² [palɛ] *m* ANAT Gaumen *m* ▸ **avoir le ~ fin** ein Feinschmecker sein

Palatinat [palatina] *m* **le ~** die Pfalz

pâle [pɑl] *adj* 1. *personne, teint* blass 2. *ciel, couleur, soleil* blass, fahl; *lueur, lumière a.* schwach 3. (*clair*) blass, zart

Palestine [palɛstin] *f* **la ~** Palästina *nt*

palestinien, ne [palɛstinjɛ̃, jɛn] *adj* palästinensisch

Palestinien, ne [palɛstinjɛ̃, jɛn] *m, f* Palästinenser *m*

palette [palɛt] *f* 1. (*plateau de chargement*) Palette *f;* ~ **de farine/lessive/papier** Palette Mehl/Waschmittel/Papier 2. (*ensemble de couleurs, ustensile du peintre*) [Farben]palette *f* 3. (*gamme*) ~ **de produits** Produktpalette *f* 4. ~ **de ping-pong** CAN (*raquette de tennis de table*) Tischtennisschläger *m*

palier [palje] *m* (*plateforme d'escalier*) Treppenabsatz *m;* **habiter sur le même ~** auf derselben Etage wohnen

pâlir [pɑliʀ] <8> *vi* (*devenir pâle*) blass werden; ~ **d'envie** vor Neid (*dat*) erblassen

palissade [palisad] *f* 1. (*de pieux*) Palisade *f,* Palisadenzaun *m* 2. (*de planches*) Bretterzaun *m*

palmarès [palmaʀɛs] *m* 1. (*liste des lauréats*) Liste *f* der Preisträger 2. *d'un sportif* Liste *f* der Siege; *d'un romancier, cinéaste, acteur* Liste der Erfolge

palpitant, e [palpitɑ̃, ɑ̃t] *adj vacances* aufregend; *aventure, histoire, livre a.* spannend

pampa [pɑ̃pa] *f* Pampa *f*

pamplemousse [pɑ̃pləmus] *m* Pampelmuse *f,* Grapefruit *f*

pan [pɑ̃] *m* 1. *d'une chemise, d'un manteau* Zipfel *m;* **être/se promener en ~s de chemise** im Hemd sein/im Hemd herumlaufen 2. *d'un immeuble, d'une vie, affiche* Teil *m;* ~ **de mur** (*intérieur*) Stück [von der] Wand; (*extérieur*) Stück [von der] Mauer

panaché [panaʃe] *m* Panaschee *nt,* Radler *m* (SDEUTSCH), Alsterwasser *nt* (NDEUTSCH)

pancarte [pɑ̃kaʀt] *f* Schild *nt;* ~ **électorale/publicitaire** Wahl-/Werbeplakat *nt*

panda [pɑ̃da] *m* Panda *m*

panel [panɛl] *m* 1. SOCIOL Panel *nt* (*repräsentative Personengruppe für die Meinungsforschung*) 2. (*commission*) Gremium *nt;* **faire un ~** ein Gremium bilden

panier [panje] *m* 1. (*corbeille*) Korb *m;* ~ **à provisions** Einkaufskorb; ~ **à salade** Salatschleuder *f* 2. (*contenu*) ~ **de cerises** Korb *m* [voll] Kirschen 3. (*pour diapositives*) [Dia]magazin *nt* 4. (*au basketball*) Korb *m* ▸ **mettre deux personnes dans le même ~** zwei Menschen über einen Kamm scheren; **c'est un vrai ~ percé!** er ist ein Verschwender!/sie ist eine Verschwenderin!

panière [panjɛʀ] *f* großer Korb (*mit zwei Henkeln*)

panier-repas [panjeʀəpa] <paniers-repas> *m* Lunchpaket *nt*

panique [panik] **I.** *f* Panik *f;* **être pris de ~** von Panik ergriffen sein/werden, in Panik geraten; **pas de ~!** nur keine Panik! **II.** *adj peur, terreur* panisch

paniquer [panike] <1> **I.** *vt fam* in Panik versetzen; **être paniqué** in Panik geraten sein; **être paniqué de devoir faire qc** ganz nervös werden, weil man etw tun muss **II.** *vi fam* in Panik geraten, die Nerven verlieren **III.** *vpr* **se ~** in Panik geraten, die Nerven verlieren

panne [pan] *f* 1. (*arrêt de fonctionnement*) Panne *f;* ~ **de courant** [*o* d'électricité] Stromausfall *m;* ~ **de moteur** Motorschaden *m;* **être en ~** *automobiliste, voiture:* eine Panne haben; *moteur, machine:* defekt [*o* kaputt] sein; **je suis tombé/ma voiture est tombée en ~** ich hatte eine Autopanne 2. *fig fam* (*arrêt*) **être/rester**

en ~ nicht mehr weiterkommen [*o* weiterwissen]; *projet:* nicht vorangehen; *travail:* liegen bleiben **3.** *fam* (*manque*) **je suis en** ~ **de café** mir ist der Kaffee ausgegangen
panneau [pano] <x> *m* **1.** TRANSP Schild *nt;* ~ **horaire** Anzeigetafel *f;* ~ **de signalisation** [Straßen]verkehrsschild **2.** (*pancarte*) Plakat *nt;* ~ **d'affichage** (*pour publicité*) Werbefläche *f;* (*pour petites annonces, résultats*) Anschlagbrett *nt* **3.** (*au basket*) Korbbrett *nt* **4.** TECH ~ **solaire** Sonnenkollektor *m* ▶**tomber** [*o* donner] **dans le** ~ sich hereinlegen lassen (*fam*)
panorama [panɔrama] *m* (*paysage*) Panorama *nt*
panoramique [panɔramik] *adj* **restaurant** ~ Panoramarestaurant *nt;* **écran** ~ Breitwand *f*
pansement [pɑ̃smɑ̃] *m* **1.** (*action*) **faire un** ~ **à qn** jdm einen Verband anlegen **2.** (*compresse*) Verband *m;* ~ **adhésif** Heftpflaster *nt*
pantacourt [pɑ̃takur] *m* Caprihose *f*
pantalon [pɑ̃talɔ̃] *m* Hose *f*
panthéisme [pɑ̃teism] *m* Pantheismus *m*
panthéon [pɑ̃teɔ̃] *m* **1.** HIST **le Panthéon** das Pantheon **2.** (*monument*) Pantheon *nt* **3.** *fig* Ruhmeshalle *f* mit Ehrengräbern **4.** (*ensemble de personnages célèbres*) **rester au** ~ **de l'histoire** in die Geschichte eingehen; **il aura une place au** ~ **des artistes** die Nachwelt wird ihn als bedeutenden Künstler ehren
panthère [pɑ̃tɛr] *f* Panther *m*
pantin [pɑ̃tɛ̃] *m* (*marionnette*) Hampelmann *m;* **gesticuler comme un** ~ herumhampeln; **faire de qn un** ~ aus jdm einen Hampelmann machen (*fam*)
pantomime [pɑ̃tɔmim] *f* **1.** (*jeu du mime*) Pantomimik *f* **2.** (*pièce mimée*) Pantomime *f* **3.** (*comédie*) Zirkus *m,* Theater *nt*
pantouflard, e [pɑ̃tuflar, ard] **I.** *adj fam* spießig **II.** *m, f fam* Stubenhocker *m*
pantoufle [pɑ̃tufl] *f* Pantoffel *m*
PAO [peɑo] *f abr de* **publication assistée par ordinateur** DTP *nt*
paon [pɑ̃] *m* Pfau *m* ▶**fier comme un** ~ eitel wie ein Pfau
papa [papa] *m* Papa *m*
papauté [papote] *f* **1.** (*dignité*) Papstwürde *f* **2.** (*règne*) Papsttum *nt;* **pendant la** ~ **de Jean XXIII** während der Amtszeit von Papst Johannes XXIII.
pape [pap] *m* Papst *m;* ~ **du jazz** Jazzpapst
papelard [paplar] *m fam* **1.** (*feuille*) Wisch *m* (*fam*) **2.** *pl* (*papiers d'identité*) Papiere *Pl*

paperasse [papras] *f péj* **1.** (*papiers inutiles*) Papierkram *m* **2.** (*grosse quantité de papiers*) Wust *m* von Papier
paperasserie [paprasri] *f péj* **1.** (*à lire, remplir*) Berge *Pl* von Papier **2.** (*à écrire*) Schreibkram *m*
papeterie [papɛtri] *f* **1.** (*magasin*) Schreibwarengeschäft *nt* **2.** (*fabrication*) Papierherstellung *f* **3.** (*usine*) Papierfabrik *f*
papi [papi] *m fam v.* **papy**
papier [papje] *m* **1.** *sans pl* (*matière*) Papier *nt;* **feuille/bout** [*o* morceau] **de** ~ Blatt *nt*/Stück *nt* Papier; ~ **à en-tête** Briefpapier mit Briefkopf; ~ **à musique** Notenpapier; ~ **hygiénique** Toilettenpapier; ~ **peint** Tapete *f* **2.** *sans pl* (*feuille de métal*) ~ [**d']aluminium** Aluminiumfolie **3.** (*feuille*) [Blatt *nt*] Papier *nt;* (*à remplir*) Formular *nt;* (*papillon*) Zettel *m* **4.** PRESSE Artikel *m* **5.** (*document*) Schriftstück *nt; pl* Unterlagen *Pl* **6.** *pl* (*papiers d'identité*) [Ausweis]papiere *Pl* ▶**qn/qc est réglé comme du** ~ **à musique** bei jdm geht alles nach Plan/etw ist genau festgelegt; **être dans les petits** ~**s de qn** bei jdm gut angeschrieben sein
papier-filtre [papjefiltr] <papiers-filtres> *m* Filterpapier *nt*
papillon [papijɔ̃] *m* **1.** ZOOL Schmetterling *m;* ~ **de nuit** Nachtfalter *m* **2.** SPORT [nage] ~ Delphinschwimmen *nt,* Delfinschwimmen *nt;* **200 m** ~ 200 m Delphin[schwimmen] [*o* Delfin[schwimmen]] **3.** *fam* (*contravention*) Knöllchen *nt*
papillonner [papijɔne] <1> *vi* herumflattern (*fam*)
papillote [papijɔt] *f* **1.** (*pour les bonbons*) Bonbonpapier *nt* **2.** GASTR **poisson/viande en** ~ (*dans un papier* [*huilé*]) in [gefettetem] Papier gebackener Fisch/gebackenes Fleisch; (*dans une feuille d'aluminium*) in [Alu]folie gebratener Fisch/gebratenes Fleisch
papilloter [papijɔte] <1> *vi paupières:* zucken; *yeux:* blinzeln
papoter [papɔte] <1> *vi* schwatzen
paprika [paprika] *m* Paprika *m*
papy [papi] *m fam* Opa *m*
paquebot [pakbo] *m* Passagierschiff *nt;* ~ **transatlantique** Ozeandampfer *m*
pâquerette [pakrɛt] *f* Gänseblümchen *nt* ▶**au ras des** ~**s** fam nicht sehr geistreich
Pâques [pak] **I.** *m* Ostern *nt o Pl;* **fête/lundi/vacances de** ~ Osterfest *nt*/-montag *m*/-ferien *Pl* ▶**à** ~ **ou à la Trinité** *hum* am Nimmerleinstag **II.** *fpl* Ostern *Pl;* **joyeuses** ~**!** frohe Ostern!
paquet [pakɛ] *m* **1.** (*boîte*) Paket *nt; de*

café, sucre Päckchen *nt; de cigarettes* Schachtel *f; de linge, vêtements* Bündel *nt* **2.** (*colis*) Paket *nt* **3.** *fam* (*grande quantité*) **un ~ de billets** ein Bündel Geldscheine; **un ~ de neige/d'eau** eine Ladung Schnee/Wasser **4.** JEUX Stoß *m* **5.** INFORM [Daten]paket *nt* ▶**faire ses ~s** [*o son ~*] seine Sachen [zusammen]packen; **mettre le ~** *fam* (*déployer tous ses efforts*) alles d[a]ransetzen; (*payer beaucoup*) keine Kosten scheuen; **être un ~ de graisse/de nerfs/d'os** *fam* ein Fettkloß *m*/Nervenbündel *nt*/Knochengerüst *nt* sein

paquet-cadeau [pakɛkado] <paquets-cadeaux> *m* Geschenkverpackung *f;* **vous pouvez me faire un ~?** können Sie es mir bitte als Geschenk einpacken?

par [paʀ] *prép* **1.** (*grâce à l'action de*) von; **le but marqué ~ l'avant-centre** das vom Mittelstürmer geschossene Tor; **tout faire ~ soi-même** alles selbst machen **2.** (*au moyen de*) durch; **~ tous les moyens** mit allen Mitteln; **~ chèque/carte** [**bancaire**] mit [*o per*] Scheck-/[Kredit]karte; **la porte est fermée ~ un verrou** die Tür ist/wird mit einem Riegel verschlossen **3.** (*origine*) **descendre de Victor Hugo ~ sa mère** mütterlicherseits von Victor Hugo abstammen; **un oncle ~ alliance** ein angeheirateter Onkel **4.** *gén sans art* (*cause, motif*) aus; **sottise/devoir** aus Dummheit/Pflichtbewusstsein **5.** (*à travers, via*) **regarder ~ la fenêtre** aus dem Fenster schauen; **venir ~ le chemin le plus court** auf dem schnellsten Weg herkommen; **passer ~ ici** hier vorbeikommen **6.** (*localisation*) **habiter ~ ici/là** hier/dort in der Gegend wohnen; **~ 5 mètres de fond** in 5 Meter Tiefe; **être assis ~ terre** auf dem Boden sitzen; **tomber ~ terre** auf den Boden fallen **7.** (*distribution, mesure*) pro; **un ~ un** einzeln; **heure ~ heure** Stunde um Stunde; **~ moments** zeitweise; **~ centaines/milliers** zu hunderten [*o* Hunderten]/tausenden [*o* Tausenden] **8.** (*durant, pendant*) **~ temps de pluie/brouillard** bei Regen[wetter]/Nebel; **les temps qui courent** in der heutigen Zeit; **~ le passé** früher **9.** (*dans des exclamations, serments*) **~ pitié, aidez-moi!** ich flehe euch an, helft mir! ▶**~ contre** dagegen

parabole [paʀabɔl] *f* **1.** REL Gleichnis *nt* **2.** MATH Parabel *f* **3.** (*antenne*) Parabolantenne *f*

parabolique [paʀabɔlik] *adj* parabolisch; **antenne/miroir ~** Parabolantenne *f*/-spiegel *m*

parachute [paʀaʃyt] *m* Fallschirm *m;* **sauter en ~** mit dem Fallschirm springen

parachutisme [paʀaʃytism] *m* Fallschirmspringen *nt*

parachutiste [paʀaʃytist] **I.** *adj* MIL **troupe/unité ~** Fallschirmjägertruppe *f*/-einheit *f* **II.** *mf* MIL Fallschirmjäger *m;* SPORT Fallschirmspringer *m*

parade [paʀad] *f* **1.** (*défense*) SPORT Parade *f;* **trouver la ~ à un argument** ein Gegenargument *nt* finden **2.** (*défilé*) Parade *f*

paradis [paʀadi] *m* **1.** REL Paradies *nt* **2.** *fig* Paradies; **~ perdu** verlorenes Paradies ▶**tu ne l'emporteras pas au ~** das wirst du mir [noch] büßen

paradisiaque [paʀadizjak] *adj endroit, île* paradiesisch; *séjour a.* himmlisch

paradoxal, e [paʀadɔksal, o] <-aux> *adj* paradox

paradoxalement [paʀadɔksalmɑ̃] *adv* paradoxerweise

paradoxe [paʀadɔks] *m* **1.** (*opinion contraire*) Paradoxon *nt* **2.** (*absurdité*) Paradox *nt*

parages [paʀaʒ] *mpl* Gegend *f;* **dans les ~** [irgendwo] in der Gegend [*o* in der Nähe]

paragraphe [paʀaɡʀaf] *m* **1.** *d'un devoir, texte* Absatz *m* **2.** TYP Paragraphenzeichen *nt*

paraître [paʀɛtʀ] <*irr*> **I.** *vi* **1.** (*sembler*) **cela me paraît** [**être**] **une erreur** das scheint mir ein Irrtum zu sein; **~ faire qc** anscheinend etw tun **2.** (*apparaître*) *personne:* sich zeigen; **~ en public** in der Öffentlichkeit auftreten **3.** (*être publié*) *journal, livre:* erscheinen, herauskommen; **faire ~** veröffentlichen; *éditeur, auteur a.:* herausgeben **4.** (*être visible*) *sentiment:* zum Vorschein kommen **5.** (*se mettre en valeur*) **aimer ~** sich gern in den Vordergrund stellen; **désir de ~** Geltungssucht *f* **II.** *vi impers* **1.** **il paraît/paraîtrait que qn va faire qc** (*le bruit court*) wie man hört wird jd etw tun; (*soi-disant*) angeblich wird jd etw tun; **il paraît que oui!** anscheinend ja! **2.** (*sembler*) **il paraît difficile à qn de faire qc** jd hält es für schwierig etw zu tun; **il paraît impossible à qn que** + *subj* es scheint jdm unmöglich, dass ▶**sans qu'il y paraisse** ohne dass man etwas davon merkt; **il n'y paraîtra plus** davon wird nichts mehr zu sehen sein

parallèle [paʀalɛl] **I.** *adj* **1.** (*en double*) **activité ~** Nebentätigkeit *f;* **énergie/médecine ~** Alternativenergie *f*/-medizin *f;* **police ~** Geheimpolizei *f;* **circuit ~ de distribution** Parallelvertrieb *m;* **marché ~** grauer Markt **2.** GEOM parallel **II.** *f* GEOM Parallele *f* **III.** *m* **1.** GEOG Breitenkreis *m;* **le 38e ~** der 38. Breitengrad **2.** (*comparaison*) **établir** [*o* **faire**] **un ~ avec qc/entre**

deux choses eine Parallele zu etw/zwischen zwei Dingen ziehen

parallèlement [paʀalɛlmã] *adv* **1.** (*dans l'espace*) nebeneinander; ~ **à qn/qc** parallel zu jdm/etw **2.** (*dans le temps*) gleichzeitig

paralysant, e [paʀalizã, ãt] *adj* lähmend; *attitude* hemmend

paralysé, e [paʀalize] **I.** *adj bras, personne* gelähmt; **être ~ des jambes** an den Beinen gelähmt sein **II.** *m, f* Gelähmte(r) *f(m)*

paralyser [paʀalize] <1> *vt* **1.** (*empêcher d'agir*) *personne, émotion, peur:* lähmen; **être paralysé par la peur** vor Angst (*dat*) [wie] gelähmt sein **2.** (*entraver*) lahm legen, zum Erliegen bringen *trafic, activité, économie* **3.** MED paralysieren

paralysie [paʀalizi] *f* **1.** MED Paralyse *f* **2.** *de la circulation, de l'économie, des échanges* Erliegen *nt* **3.** (*impuissance*) Ohnmacht *f*

paramètre [paʀamɛtʀ] *m* **1.** MATH Parameter *m* **2.** (*élément important*) [wesentliches] Element **3.** (*Windows 95/NT*) ~**s** Einstellungen *Pl*

parangon [paʀãgɔ̃] *m* Ausbund *m;* ~ **de vertu** Ausbund an Tugend

parano [paʀano] *abr de* **paranoïaque**

paranoïa [paʀanɔja] *f* Verfolgungswahn *m*, Paranoia *f;* **être atteint de** ~ unter Verfolgungswahn leiden

paranoïaque [paʀanɔjak] **I.** *adj* paranoisch; *personne* an Verfolgungswahn leidend **II.** *mf* Geistesgestörte(r) *f(m)*

paranormal [paʀanɔʀmal] *m* **le** ~ das Übersinnliche

parapente [paʀapɑ̃t] *m* **1.** (*parachute rectangulaire*) Gleitschirm *m* **2.** (*sport*) Gleitschirmfliegen *nt*

parapet [paʀapɛ] *m* Brüstung *f*

parapluie [paʀaplɥi] *m* Regenschirm *m;* ~ **pliant** [*o* **telescopique**] Taschenschirm *m*

parascolaire [paʀaskɔlɛʀ] *adj* außerschulisch

parasite [paʀazit] **I.** *adj* schmarotzend **II.** *m* **1.** BIO Schmarotzer *m*, Parasit *m;* ~ **des cultures/de la vigne** Acker-/Rebenschädling *m* **2.** (*profiteur*) Schmarotzer *m* (*pej*) **3.** *pl* RADIO, TV Störgeräusche *Pl*

parasiter [paʀazite] <1> *vt* **1.** BIO ~ **qn/qc** *champignon, insecte, ver:* als Parasit auf [*o* in] jdm/etw leben **2.** (*vivre aux dépens de*) ~ **qn/qc** auf jds Kosten (*akk*)/auf Kosten einer S. (*gen*) leben **3.** RADIO, TV stören

parasol [paʀasɔl] *m* Sonnenschirm *m*

paratonnerre [paʀatɔnɛʀ] *m* Blitzableiter *m*

paravent [paʀavã] *m* Wandschirm *m*

parc [paʀk] *m* **1.** (*jardin*) Park[anlage *f*] *m;* ~ **botanique** botanischer Garten; ~ **d'attractions** Vergnügungspark **2.** (*région protégée*) ~ **naturel** Naturschutzgebiet *nt;* ~ **national** Nationalpark *m* **3.** (*bassin d'élevage*) ~ **à huîtres/moules** Austern-/Muschelpark *m* **4.** (*pour bébé*) Laufstall *m* **5.** (*emplacement*) ~ **des expositions** Messegelände *nt*

parcelle [paʀsɛl] *f* (*terrain*) Parzelle *f*

parce que [paʀskə] *conj* + *indic* **1.** (*car*) weil **2.** *fam* (*sinon*) sonst; **vous partez?** ~ **je suis à vous dans deux minutes** geht ihr? sonst bin ich nämlich in zwei Minuten fertig **3.** (*c'est comme ça!*) ~**!** darum!

par-ci [paʀsi] ~**, par-là** hier und da

parcimonieusement [paʀsimɔnjøzmã] *adv* [sehr] sparsam

parcmètre [paʀkmɛtʀ] *m* Parkuhr *f*

parcourir [paʀkuʀiʀ] <*irr*> *vt* **1.** (*accomplir* [*un trajet*]) zurücklegen *trajet, distance* **2.** (*traverser, sillonner*) durchlaufen *ville, rue;* (*en tous sens*) kreuz und quer laufen durch *ville, rue;* bereisen *région, pays;* (*en tous sens*) kreuz und quer reisen durch *région, pays;* ~ **une région** *navire:* in einer Region kreuzen; *ruisseau:* durch eine Region fließen; *objet volant:* durch eine Region fliegen **3.** (*examiner rapidement*) überfliegen *journal, lettre;* ~ **qc des yeux/du regard** seinen Blick über etw (*akk*) schweifen lassen

parcours [paʀkuʀ] *m* **1.** *d'un véhicule* [Fahr]strecke *f; d'un fleuve* Lauf *m* **2.** (*piste*) Strecke *f;* (*équitation*) Parcours *m;* (*épreuve*) Runde *f;* ~ **du combattant** *fig* Hindernislauf *m*

par-delà [paʀdəla] *prép* (*de l'autre côté*) jenseits (+ *gen*), hinter (+ *dat*); ~ **les problèmes** über die Probleme hinaus **par-derrière** [paʀdɛʀjɛʀ] *adv* **1.** (*opp: par-devant*) *attaquer, emboutir* von hinten **2.** (*dans le dos de qn*) hinten; *fig raconter, critiquer* hintenherum (*fam*) **par-dessous** [paʀdəsu] **I.** *prép* (*avec mouvement*) unter (+ *akk*); (*sans mouvement*) unter (+ *dat*) **II.** *adv* darunter; **passer** ~ darunter hindurchgehen **par-dessus** [paʀdəsy] **I.** *prép* (*avec mouvement*) über (+ *akk*); (*sans mouvement*) über (+ *dat*); **passer/sauter** ~ **la barrière** über die Barriere steigen/springen **II.** *adv* darüber

pardessus [paʀdəsy] *m* Überzieher *m*

pardon [paʀdɔ̃] *m* Verzeihen *nt;* REL Vergebung *f;* **demander** ~ **à qn** jdn um Verzeihung bitten ▶ **mille** ~[**s**]**!** ich bitte tausendmal um Verzeihung!; ~**?** wie bitte?

pardonnable [paʀdɔnabl] *adj* entschuldbar; **être** ~ *personne:* nichts dafür können

pardonner [paʀdɔne] <1> I. *vt* (*absoudre*) ~ qc à qn jdm etw verzeihen ▸ **pardonne-moi**/**pardonnez-moi** verzeih mir/verzeihen Sie mir/verzeiht mir II. *vi* 1. (*être fatal*) ne pas ~ *maladie, poison:* verhängnisvoll sein; *erreur a.:* unverzeihlich sein 2. (*absoudre*) verzeihen; ~ à qn jdm verzeihen

paré, e [paʀe] *adj* être ~ contre le froid/ toute éventualité gegen die Kälte/alle Eventualitäten gewappnet sein

pare-brise [paʀbʀiz] *m inv* Windschutzscheibe *f* **pare-chocs** [paʀʃɔk] *m inv* ~ arrière/avant hintere/vordere Stoßstange *f*

pareil, le [paʀɛj] I. *adj* 1. (*identique*) gleich; être ~ à qn/qc jdm/einer S. gleich sein; être ~ que qn/qc [genau]so wie jd/ etw sein 2. (*tel*) solche(r, s), derartige(r, s) II. *m, f pl péj* (*semblable*) vous et vos ~s Sie und Ihresgleichen/ihr und euresgleichen ▸ c'est du ~ au même *fam* das ist Jacke wie Hose; rendre la ~le à qn es jdm mit gleicher Münze heimzahlen; sans ~ ohnegleichen III. *adv fam* s'habiller gleich

pareillement [paʀɛjmɑ̃] *adv* 1. (*également*) ebenso; bonne année! – à vous ~! pros[i]t Neujahr! – gleichfalls! 2. (*de la même façon*) gleich

parent [paʀɑ̃] *m* 1. *gén pl* (*le père et la mère*) Eltern *Pl;* ~s adoptifs Adoptiveltern; un des deux ~s ein Elternteil *m;* ~ unique Alleinerziehende(r) *f(m)* 2. *BIO* Elternteil *m*

parent, e [paʀɑ̃, ɑ̃t] *m, f* (*personne de la famille*) Verwandte(r) *f(m)*

parenté [paʀɑ̃te] *f* 1. (*lien familial*) Verwandtschaft *f* (*dat*) 2. (*analogie*) Ähnlichkeit *f* 3. (*ensemble des parents*) Verwandtschaft *f*

parenthèse [paʀɑ̃tɛz] *f* 1. *TYP* [runde] Klammer; *MATH* Klammer 2. (*digression*) Exkurs *m;* soit dit entre ~s nebenbei bemerkt 3. (*incident*) Intermezzo *nt* ▸ mettre qc entre ~s *TYP* etw in Klammern setzen; (*oublier provisoirement qc*) etw ausklammern

parer [paʀe] <1> I. *vt* abwehren *attaque, coup;* entkräften *argument* II. *vi* ~ à un danger eine Gefahr abwenden

pare-soleil [paʀsɔlɛj] *m inv AUT* Sonnenblende *f*

paresse [paʀɛs] *f* Faulheit *f*

paresser [paʀese] <1> *vi* ~ au [*o* dans son] lit im Bett [herum]faulenzen

paresseusement [paʀesøzmɑ̃] *adv* 1. (*avec paresse*) faul 2. (*avec lenteur*) avancer schwerfällig; couler träge

paresseux, -euse [paʀesø, -øz] I. *adj* per-

sonne faul; *attitude* lässig; *démarche* schwerfällig; *esprit, caractère* träge II. *m, f* Faulenzer *m*

parfait [paʀfɛ] *m* 1. *GRAM* Perfekt *nt* 2. *GASTR* Parfait *nt;* ~ au café Mokkaparfait

parfait, e [paʀfɛ, ɛt] *adj* 1. (*sans défaut*) perfekt; *travail, manières a.* tadellos; *élève, employé, mari a.* vorbildlich; *condition, exemple* ideal; *beauté* vollendet 2. *discrétion, harmonie* vollkommen; *ignorance a.* total; *amour* vollendet; *accord* völlig; *exemple* typisch 3. *antéposé gentleman* vollendet; *idiot, crapule* ausgemacht

parfaitement [paʀfɛtmɑ̃] *adv* 1. *parler une langue* perfekt; *savoir, comprendre* [ganz] genau 2. (*tout à fait*) vollkommen; *idiot, ridicule* ausgesprochen 3. (*oui, bien sûr*) [aber] natürlich

parfois [paʀfwa] *adv* 1. (*de temps en temps*) manchmal 2. (*dans certains cas*) mitunter

parfum [paʀfœ̃] *m* 1. (*substance*) Parfum *nt,* Parfüm *nt;* (*d'origine naturelle*) Duftstoff *m* 2. (*odeur*) Duft *m* 3. *GASTR* Geschmack *m;* je voudrais une glace – quel ~? ich möchte ein Eis – welche Sorte? ▸ être au ~ *fam* im Bilde sein; mettre qn au ~ *fam* jdn aufklären

parfumer [paʀfyme] <1> I. *vt* 1. (*donner une bonne odeur*) qc parfume la cuisine die Küche duftet nach etw 2. (*imprégner de parfum*) parfümieren *linge* 3. *GASTR* ~ qc etw aromatisieren; parfumé au café/au rhum mit Kaffee-/Rumgeschmack II. *vpr* se ~ sich parfümieren

parfumerie [paʀfymʀi] *f* 1. (*magasin, usine*) Parfümerie *f* 2. (*produits*) Parfümeriewaren *Pl* 3. (*fabrication*) Parfümherstellung *f*

parfumeur, -euse [paʀfymœʀ, -øz] *m, f* 1. (*fabricant*) Parfümeur *m,* Parfumhersteller(in) *m(f),* Parfümhersteller(in) *m(f)* 2. (*propriétaire d'une parfumerie*) Parfümerieinhaber(in) *m(f)*

pari [paʀi] *m JEUX, SPORT* Wette *f;* faire un ~ wetten

parier [paʀje] <1> I. *vt* ~ qc à qn mit jdm um etw wetten; ~ qc sur qn/un animal/ qc etw auf jdn/ein Tier/etw setzen; tu paries que … wetten, dass … II. *vi* wetten; ~ sur qn/un animal/qc auf jdn/ein Tier/etw setzen; ~ aux courses Rennwetten abschließen, bei Pferderennen wetten

Paris [paʀi] *m* Paris *nt*

paris-brest [paʀibʀɛst] <paris-brest[s]> *m:* Cremegebäck

parisianisme [paʀizjanism] *m* 1. (*façon de parler*) [typischer] Pariser Ausdruck 2. (*habitude*) [typische] pariserische [An]ge-

wohnheit

parisien, ne [paʀizjɛ̃, jɛn] *adj* Pariser; *mode a.* pariserisch; **la vie ~ne** das Leben in Paris

Parisien, ne [paʀizjɛ̃, jɛn] *m, f* Pariser *m*

parjurer [paʀʒyʀe] <1> *vpr* **se ~ einen** Meineid schwören

parka [paʀka] *m o f* Parka *m*

parking [paʀkiŋ] *m* Parkplatz *m;* **~ sou-terrain** Tiefgarage *f*

parlant, e [paʀlɑ̃, ɑ̃t] *adj* **1.** *chiffres* [für sich selbst] sprechend; *preuve, exemple a.* deutlich **2.** TECH **cinéma/film ~** Tonfilm *m;* **horloge ~e** Zeitansage *f*

Parlement [paʀləmɑ̃] *m* Parlament *nt;* **~ européen** Europäisches Parlament

parlementaire [paʀləmɑ̃tɛʀ] **I.** *adj* parla-mentarisch; **débat/commission ~** Parla-mentsdebatte *f*/-ausschuss *m;* **indemni-té(s) ~(s)** Diäten *Pl* **II.** *mf* **1.** (*député*) Par-lamentarier *m;* **~ européen** Abgeordneter *m* des Europäischen Parlaments **2.** (*média-teur*) Unterhändler *m*

parlementer [paʀləmɑ̃te] <1> *vi* **1.** (*né-gocier*) **~ avec qn** mit jdm verhandeln **2.** (*discuter*) hin und her reden

parler [paʀle] <1> **I.** *vi* **1.** (*prendre la pa-role*) sprechen; **~ bas/haut/du nez** lei-se/laut/durch die Nase sprechen **2.** (*expri-mer*) sprechen; **~ avec les mains** mit den Händen reden; **~ par gestes** sich mit Ges-ten verständigen; **~ pour qn** für jdn spre-chen **3.** (*converser, discuter*) **~ de qn/qc avec qn** mit jdm über jdn/etw [*o* von jdm/etw] sprechen [*o* reden]; (*longue-ment*) sich mit jdm über jdn/etw unterhal-ten; **~ de la pluie et du beau temps/de choses et d'autres** über Gott und die Welt *fam*/über dies und das reden **4.** (*en-tretenir*) **~ de qn/qc à qn** (*dans un but précis*) mit jdm über jdn/etw sprechen [*o* reden]; (*raconter*) jdm von jdm/etw erzäh-len **5.** (*adresser la parole*) **~ à qn** jdn an-sprechen **6.** (*avoir pour sujet*) **~ de qn/qc** *film, livre:* von jdm/etw handeln; *article, journal:* über jdn/etw berichten; (*briève-ment*) jdn/etw erwähnen **7.** (*en s'expri-mant de telle manière*) **humainement parlant** vom menschlichen Standpunkt aus [betrachtet] ▶**faire ~ de soi** von sich reden machen; **sans ~ de qn/qc** ganz zu schweigen von jdm/etw; **moi qui vous parle** *fam* so wahr ich hier stehe **II.** *vt* **1.** (*être bilingue*) sprechen *langue* **2.** (*abor-der un sujet*) **~ affaires/politique** über Geschäftliches/über Politik (*akk*) reden [*o* sprechen] **III.** *vpr* **1.** (*être employé*) **se ~** *langue:* gesprochen werden **2.** (*s'entrete-nir*) **des personnes se ~** Menschen spre-

chen miteinander; **se ~ à soi-même** Selbstgespräche führen **3.** (*s'adresser la pa-role*) **ne plus se ~** nicht mehr miteinander reden **IV.** *m* **1.** (*manière*) Sprache *f* **2.** (*langue régionale*) Mundart *f*

parmi [paʀmi] *prép* **1.** (*entre*) unter (+ *dat*), von; **compter qn ~ ses amis** jdn zu seinen Freunden zählen **2.** (*dans: sans mouvement*) [mitten] unter (+ *dat*); (*avec mouvement*) [mitten] durch

parodie [paʀɔdi] *f* **1.** LITTER, ART Parodie *f*; **être une ~** eine Parodie auf etw (*akk*) sein **2.** *fig* Farce *f*

paroisse [paʀwas] *f* Pfarrgemeinde *f* ▶**prêcher pour sa ~** *fam* in eigener Sache sprechen

paroissien, ne [paʀwasjɛ̃, jɛn] *m, f* Ge-meinde[mit]glied *nt*

parole [paʀɔl] *f* **1.** *souvent pl* (*mot*) Wort *nt;* **une ~ célèbre** ein berühmter Aus-spruch; **la ~ de Dieu** Gottes Wort; **assez de ~s!** genug der Worte! **2.** (*promesse*) **~ d'honneur** Ehrenwort *nt;* **femme/hom-me de ~** zuverlässige Frau/zuverlässiger Mann; **croire qn sur ~** jdm aufs Wort glauben; **manquer à sa ~** sein Wort bre-chen **3.** *sans pl* (*faculté de parler*) Sprache *f;* **perdre/retrouver la ~** die Sprache ver-lieren/wieder finden **4.** *sans pl* (*fait de par-ler*) **ne plus adresser la ~ à qn** mit jdm nicht mehr reden; **couper la ~ à qn** jdn unterbrechen **5.** *sans pl* (*droit de parler*) **avoir/prendre la ~** das Wort haben/ergreifen/**um das Wort bitten**; **donner/refuser/retirer la ~ à qn** jdm das Wort erteilen/verweigern/entziehen; **temps de ~** Redezeit *f* **6.** *pl* MUS Text *m* ▶**être ~ d'évangile** pour qn für jdn [ein] Evangelium sein; **ne pas être ~ d'évangi-le** nicht der Weisheit letzter Schluss sein; **prêcher** [*o* **porter**] **la bonne ~** REL Gottes Wort verkünden; *iron* schöne Reden hal-ten; **ma ~!** (*je le jure!*) ich schwör's!; (*ex-primant l'étonnement*) das gibt es doch nicht!

parpaing [paʀpɛ̃] *m* CONSTR Leichtbau-stein *m*

parquet [paʀkɛ] *m* Parkett[boden *m*] *nt*

parrain [paʀɛ̃] *m* **1.** REL Patenonkel *m*, Göd *m* (A) **2.** *d'un acteur, artiste* Förderer *m;* *d'une fondation, d'un projet* Schirmherr *m;* *d'une entreprise, initiative* Sponsor *m* **3.** *fig de la mafia* Pate *m*

parrainage [paʀɛnaʒ] *m* (*soutien*) Schirmherrschaft *f;* (*financier*) [finanzielle] Förderung

parrainer [paʀene] <1> *vt* **1.** (*apporter son soutien*) **~ qc** für etw die Schirmherr-schaft übernehmen **2.** (*introduire*) **~ qn**

für jdn bürgen **3.** (*sponsoriser*) fördern
parsemer [paʀsəme] <4> *vt* **1.** (*disperser*) ~ **un gâteau de qc** einen Kuchen mit etw bestreuen; ~ **le sol** auf dem Boden verstreut liegen; ~ **son devoir/son discours de qc** seine Aufgabe/seine Rede mit etw spicken **2.** (*être répandu sur*) *chose:* bedecken; **être parsemé de qc** mit etw übersät sein

part [paʀ] *f* **1.** (*portion*) Teil *m;* **une ~ de gâteau/de légumes** ein Stück Kuchen/ eine Portion Gemüse **2.** (*partie*) Teil *m;* **une bonne/infime ~ de qc** ein großer/ geringer Teil einer S. (*gen*) **3.** (*participation*) ~ **dans qc** Anteil *m* an etw (*dat*); **avoir ~ à qc** an etw (*dat*) beteiligt sein; **prendre ~ aux frais** sich an den Kosten beteiligen **4.** FIN Anteil *m* ▶**faire la ~ des choses** allen Faktoren Rechnung tragen; autre ~ *fam* anderswo; **d'une ~ ..., d'au**tre ~ ... einerseits ..., andererseits ...; **d'**autre ~ außerdem, übrigens; **être de ~ et d'**autre de qn/qc auf beiden Seiten einer Person/einer S. (*gen*) sein; **se placer de ~ et d'**autre de qn/qc sich auf beide Seiten einer Person/einer S. (*gen*) stellen; **citoyen à ~ entière** Vollbürger *m;* **un Français à ~ entière** ein Franzose mit allen Rechten und Pflichten; **nulle ~** nirgendwo; **de toute**[s] **~**[s] von allen Seiten; **faire ~ de qc à qn** jdm etw mitteilen; **prendre qn à ~** jdn beiseite nehmen; **cas/place à ~** besonderer Fall/Platz; **classer/ranger à ~** getrennt einsortieren; **mettre qc à ~** etw beiseite legen; **à ~ ça** *fam* abgesehen davon; **à ~ que qn a fait qc** *fam* abgesehen davon, dass jd etw getan hat; **de ma/sa ~/de la ~ de qn** in meinem/seinem/ihrem Auftrag/in jds Auftrag (*dat*); **donner à qn le bonjour de la ~ de qn** jdn von jdm grüßen; **pour ma/sa ~** was mich/ihn/sie betrifft

partage [paʀtaʒ] *m* **1.** *d'un terrain, gâteau, butin, d'aliments* Aufteilung *f; d'une surface, pièce a.* Unterteilung *f; des voix* Verteilung *f* **2.** *d'un appartement* Teilen *nt;* **il y a ~ des responsabilités entre les deux conducteurs** die beiden Fahrer tragen gemeinsam die Verantwortung ▶**régner sans ~** uneingeschränkt herrschen; **autorité/pouvoir sans ~** unbestrittene Autorität/Macht

partager [paʀtaʒe] <2a> **I.** *vt* **1.** (*diviser*) teilen *gâteau;* aufteilen *pièce, terrain;* ~ **qc en qc** etw in etw (*akk*) [auf]teilen **2.** (*répartir*) ~ **qc entre des personnes/choses/qc et qc** etw unter Menschen/Dingen/zwischen etw und etw (*dat*) aufteilen **3.** (*avoir en commun*) teilen *appartement,*

frais, bénéfices, passions, goûts; teilen *responsabilité* **4.** (*s'associer à*) ~ **l'avis de qn** jds Ansicht teilen; ~ **la déception de qn** genauso enttäuscht wie jd sein; **être partagé** *frais:* geteilt werden; *avis:* geteilt sein; *plaisir, amour:* gegenseitig sein **5.** (*donner une part de ce que l'on possède*) ~ **qc avec qn** etw mit jdm teilen **6.** (*hésiter*) **être partagé entre qc et qc** zwischen etw und etw (*dat*) hin- und hergerissen sein **7.** (*être d'opinion différente*) **ils sont partagés sur qc/en ce qui concerne qc** sie sind geteilter Meinung über etw (*akk*)/, was etw anbelangt **II.** *vpr* **1.** (*se diviser*) **se ~ en qc** sich in etw (*akk*) teilen **2.** (*se répartir*) **se ~ qc** etw unter sich (*dat*) aufteilen, sich (*dat*) etw teilen; **se ~ entre** *voix:* sich verteilen auf (+ *akk*)

partagiciel [paʀtaʒisjɛl] *m* CAN Shareware *f*

partance [paʀtɑ̃s] **être en ~** *avion:* abflugbereit sein; *train, bateau:* abfahrbereit sein; **le train en ~ pour Paris** der Zug nach Paris

partant, e [paʀtɑ̃, ɑ̃t] **I.** *adj fam* **être ~ pour qc** bei etw mitmachen; **je suis ~!** ich bin dabei! **II.** *m, f* **1.** (*opp: arrivant*) Abfahrende(r) *f(m),* Abreisende(r) *f(m)* **2.** SPORT Teilnehmer *m,* Starter *m;* **non ~** Nichtstarter *m*

partenaire [paʀtənɛʀ] *mf* Partner *m*

partenariat [paʀtənaʀja] *m* **en ~** in Zusammenarbeit (*dat*)

parti [paʀti] *m* **1.** POL Partei *f;* ~ **de droite/gauche** Rechts-/Linkspartei; ~ **unique** Einheitspartei; **voter pour un ~** eine Partei wählen **2.** (*camp*) **se ranger du ~ de qn** sich jds Meinung (*dat*) anschließen **3.** (*personne à marier*) Partie *f* ▶~ **pris** Voreingenommenheit *f;* **prendre ~ pour/ contre qn** für/gegen jdn Partei ergreifen; **prendre son ~** sich entschließen; **prendre son ~ de qc** sich mit etw abfinden; **prendre le ~ de faire qc** sich entschließen etw zu tun; **tirer ~ de qc** Nutzen aus etw ziehen

parti, e [paʀti] *part passé de* **partir**

partial, e [paʀsjal, jo] <-aux> *adj* parteiisch; *juge* befangen; *critique* nicht objektiv

partialement [paʀsjalmɑ̃] *adv littér* parteiisch, in einseitiger Weise

participant, e [paʀtisipɑ̃, ɑ̃t] **I.** *adj* **personnes ~es** Teilnehmer *Pl* **II.** *m, f* Teilnehmer *m*

participatif, -ive [paʀtisipatif, -iv] *adj* ECON *direction, gestion* in dem/der Mitbestimmung herrscht; *politique* der Mitbestimmung; *prêt, titre* Partizipations-

participation [paʀtisipasjɔ̃] *f* **1.** (*pré-*

sence, contribution) Beteiligung *f;* ~
électorale Wahlbeteiligung **2.** (*partage*) ~
aux bénéfices Gewinnbeteiligung *f* [der
Arbeitnehmer] **3.** (*droit de regard*) Mitbestimmung *f*
participe [paʀtisip] *m* Partizip *nt*
participer [paʀtisipe] <1> *vi* **1.** (*prendre
part à*) ~ **à une réunion/à un colloque**
an einer Sitzung/an einem Kolloquium
teilnehmen **2.** (*collaborer à*) ~ **à la conversation** sich am Gespräch beteiligen
3. (*payer, encaisser une part de*) ~ **aux
frais** sich an den Kosten beteiligen
particularité [paʀtikylaʀite] *f* Besonderheit *f;* *d'une personne* besonderes Merkmal; **qn/qc a la** ~ **de** das Besondere an
jdm/etw ist, dass
particulier [paʀtikylje] *m* (*personne privée*) Privatperson *f;* ADMIN, COM Einzelne(r)
f(m); **vente aux ~s** Verkauf *m* [auch] an
privat
particulier, -ière [paʀtikylje, -jɛʀ] *adj*
1. *aspect, exemple* [ganz] bestimmt; *trait* typisch, charakteristisch; **"signes ~s néant"**
„keine besonderen Kennzeichen" **2.** (*spécial*) besondere(r, s); *cas* Sonder-; **aptitudes particulières** besondere Begabungen
Pl **3.** (*privé*) Privat-; **leçons particulières**
Nachhilfestunden *Pl* **4.** (*étrange*) eigenartig; **être d'un genre** ~ aus dem Rahmen
fallen ▶**en** ~ (*en privé*) unter vier Augen;
(*notamment*) besonders; (*séparément*) gesondert
particulièrement [paʀtikyljɛʀmɑ̃] *adv*
besonders; **je n'y tiens pas** ~ darauf lege
ich keinen besonderen Wert
partie [paʀti] *f* **1.** (*part*) Teil *m;* **la majeure** ~ **du temps** die meiste Zeit; **en** ~ teilweise; **en** ~ **…, en** ~ **…** teils …, teils …;
en grande ~ zum größten Teil; **faire** ~ **de
qc** zu etw gehören **2.** *pl, fam* (~*s sexuelles
masculines*) Weichteile *Pl* **3.** JEUX, SPORT
Spiel *nt*, Partie *f;* ~ **de tennis/d'échecs**
Partie Tennis/Schach; **la** ~ **est jouée** die
Würfel sind gefallen **4.** (*divertissement*) ~
de chasse/pêche Jagd-/Angelpartie *f*
5. (*adversaire*) ~**s belligérantes** Krieg
führende Mächte *Pl* ▶[**faire une**] ~ **de
jambes en l'air** *fam* eine Nummer [schie-
ben]; **faire** ~ **des meubles** [schon] zum
Inventar gehören; **ce n'est pas une** ~ **de
plaisir** ist weiß Gott kein Vergnügen;
être ~ **prenante** an etw (*dat*) beteiligt
sein; **ce n'est que** ~ **remise** aufgeschoben ist nicht aufgehoben; **être de la** ~
(*participer*) mit von der Partie sein; (*s'y
connaître*) vom Fach sein
partir [paʀtiʀ] <10> *vi* + *être* **1.** (*s'en aller*) [weg]gehen; *automobiliste, voiture,*

train: abfahren; *avion:* abfliegen; *lettre:* hinausgehen; ~ **en courant/en vitesse** los-
rennen/losstürmen; ~ **en ville** in die Stadt
fahren; ~ **pour** [*o à*] **Paris** nach Paris fahren; **être parti pour** [ses] **affaires** auf Geschäftsreise sein; ~ **à la campagne/dans
le Midi** aufs Land/in den Süden fahren; ~
en vacances in die Ferien reisen; ~ **en
voyage** verreisen; ~ **à la recherche de
qn/qc** sich auf die Suche nach jdm/etw
machen; ~ **chercher qn** jdn abholen gehen **2.** (*après un séjour*) abreisen **3.** (*s'en
aller pour s'y installer*) ~ **pour** [*o à*] **Paris**
nach Paris ziehen **4.** (*démarrer*) *coureur:*
starten; *moteur:* anspringen; **c'est parti!**
fam es geht los! **5.** (*sauter, exploser*) *fusée:*
starten; *coup de feu:* losgehen **6.** (*se mettre
à*) ~ **dans de grandes explications** zu
weitschweifigen Erklärungen ausholen
7. (*disparaître*) weggehen; *odeur, tache:* herausgehen; **ce pantalon part en lam-
beaux** die[se] Hose löst sich auf **8.** *euph*
(*mourir*) hinübergehen (*geh*) **9.** (*venir de,
dater de*) **ce train part de Berlin** dieser
Zug fährt von Berlin ab; **la deuxième personne en partant de la gauche** die zweite Person von links **10.** (*commencer une
opération*) ~ **d'un principe/d'une idée**
von einem Prinzip/einem Gedanken ausgehen ▶**à** ~ **de** (*dans l'espace*) von … an;
(*dans le temps*) ab; (*sur la base de*) aus
partisan, e [paʀtizɑ̃, an] **I.** *adj* (*favorable
à*) **être** ~ **de qc** etw befürworten **II.** *m, f*
Befürworter *m;* *d'une idée* Verfechter *m;*
d'une personne Anhänger *m*
partitif, -ive [paʀtitif, -iv] *adj* **article** ~
Teilungsartikel *m*
partition [paʀtisjɔ̃] *f* **1.** MUS Partitur *f;* **jouer sans** ~ ohne Noten spielen **2.** (*division*)
Teilung *f* **3.** INFORM Partition *f*
partout [paʀtu] *adv* **1.** (*en tous lieux*)
überall; **un peu** ~ da und dort; ~ **où …**
überall, wo … **2.** SPORT **on en est à trois** ~
es steht drei zu drei [unentschieden]; **on
en est à deux manches** ~ es steht zwei
beide
parure [paʀyʀ] *f* **1.** (*bijoux*) Schmuck *m;* ~
de diamants Diamant[en]schmuck **2.** (*ensemble de pièces de linge*) ~ **en soie** sei-
dene Wäschegarnitur *f;* ~ **de lit** Bettgarnitur
f
parution [paʀysjɔ̃] *f* Erscheinen *nt*
parvenir [paʀvəniʀ] <9> *vi* + *être* **1.** (*atteindre*) gelangen; ~ **à une maison/au
sommet** zu einem Haus/auf den Gipfel
gelangen **2.** (*arriver*) ~ **à qn** *colis, lettre:*
jdn erreichen; *bruit:* bis zu jdm dringen;
faire ~ **une lettre à qn** jdm ein Schreiben
zukommen lassen **3.** (*réussir à obtenir*) ~

à la gloire zu Ruhm gelangen; ~ **à convaincre qn** jdn überzeugen können

pas¹ [pɑ] *m* **1.** (*enjambée*) Schritt *m;* **au ~ de charge** im Sturmschritt; **au ~ de course/de gymnastique** im Laufschritt; **marcher d'un bon ~** kräftig ausschreiten **2.** *pl* (*trace*) Fußstapfen *Pl;* **revenir/retourner sur ses ~** umkehren **3.** *d'un cheval* Schritt *m; d'une personne* Gang *m;* **marcher au ~** im Gleichschritt marschieren **4.** (*passage*) **le ~ de Calais** die Straße von Dover **5.** (~ *de danse*) [Tanz]schritt *m* **6.** (*entrée*) ~ **de la porte** Türschwelle *f;* **sur le ~ de la porte** in der Tür ▸**avancer à ~ de géant** sehr schnelle/große Fortschritte machen; **à ~ de loup** ganz leise; **faire les cent ~** auf und ab gehen; **à deux ~** ganz in der Nähe; **faux ~** *a. fig* Fehltritt *m;* **à ~ feutrés** auf leisen Sohlen; **se sortir** [*o* se tirer] **d'un mauvais ~** den Kopf aus der Schlinge ziehen; **céder le ~ à qn** jdm den Vortritt lassen; **franchir** [*o* sauter] **le ~** den Sprung wagen; **marcher sur les ~ de qn** in jds Fußstapfen (*akk*) treten; **marquer le ~** auf der Stelle treten; **mettre qn au ~** jdn zurechtweisen; ~ **à ~** Schritt für Schritt; **de ce ~** sofort, auf der Stelle

pas² [pɑ] *adv* **1.** (*négation*) nicht; **ne ~ croire** nicht glauben; **ne ~ avoir de problème** kein Problem haben; **ne ~ vouloir de pâtes** keine Nudeln wollen; **il ne fait ~ son âge** er sieht jünger aus als er ist; **j'ai ~ le temps** *fam* ich habe keine Zeit; **ne ~ assez/beaucoup ...** nicht genug/viel ... **2.** *sans verbe* ~ **de réponse** keine Antwort; ~ **bête!** gar nicht [so] dumm!; **absolument ~!** auf keinen Fall!; ~ **encore** noch nicht; ~ **du tout** überhaupt nicht; ~ **que je sache** nicht, dass ich wüsste; ~ **toi?** du nicht? **3.** *avec un adj* nicht; **une histoire ~ ordinaire** eine ungewöhnliche Geschichte; **c'est vraiment ~ banal!** das ist wirklich etwas Ausgefallenes!

pascal [paskal] <s> *m* INFORM PASCAL *nt*

pas-de-porte [pɑdpɔʀt] *m inv* COM Abstandszahlung an den Vormieter eines Geschäftslokals

passable [pɑsabl] *adj* SCOL ausreichend; [**mention**] ~ Ausreichend *nt*

passage [pɑsaʒ] *m* **1.** (*venue*) Vorbeikommen *nt;* *des oiseaux* Vorüberziehen *nt;* ~ **interdit** Durchfahrt verboten; ~ **protégé** vorfahrtsberechtigte Straße; **personne de ~** Durchreisende(r) *f(m);* **il y a du ~** *fam* es kommen viele Leute vorbei; (*circulation*) es ist viel Verkehr **2.** (*court séjour*) [kurzer] Aufenthalt *m;* **lors de son dernier ~ chez X** als er das letzte Mal bei X war **3.** (*avancement*) ~ **d'un élève en sixième** Verset-

zung *f* eines Schülers in die 6. Klasse [*o* in die 1. Klasse des Collège]; ~ **au grade de capitaine** Beförderung *f* zum Hauptmann **4.** (*transformation*) Übergang *m;* ~ **de l'enfance à l'adolescence** Übergang von der Kindheit zum Jugendalter **5.** (*voie pour piétons*) Weg *m;* ~ **clouté** [*o* **pour piétons**] Fußgängerüberweg *m;* **les valises encombrent le ~** die Koffer versperren den Durchgang **6.** (*voie pour véhicules*) Durchfahrt *f;* ~ **à niveau** Bahnübergang *m* **7.** (*petite rue couverte*) Passage *f* **8.** *d'un roman* Passage *f*, Stelle *f; d'un morceau musical* Passage; ~ **de la Bible** Bibelstelle ▸**céder le ~ à qn/qc** jdm/einer S. die Vorfahrt lassen; **au ~** (*en chemin*) im Vorbeigehen; (*soit dit en passant*) nebenbei

passager, -ère [pɑsaʒe, -ɛʀ] **I.** *adj* **1.** (*de courte durée*) vorübergehend; *beauté, bonheur* vergänglich; **quelques pluies passagères** gelegentliche [Regen]schauer *Pl* **2.** *fam* (*très fréquenté*) belebt **3.** *fam* (*fréquenté par des voitures*) verkehrsreich **II.** *m, f d'un navire* Passagier *m; d'un avion* Fluggast *m; d'un train* Fahrgast *m; d'une voiture* Insasse *m;* ~ **avant** Beifahrer *m*

passant [pɑsɑ̃] *m d'une ceinture* Schlaufe *f*

passant, e [pɑsɑ̃, ɑ̃t] *m, f* Passant *m*

passe [pɑs] *f* SPORT Pass *m;* ~ **mal ajustée** schlechte Vorlage ▸**être dans une bonne/mauvaise** ~ eine glückliche/schwere Zeit durchleben; **être en ~ de faire qc** auf dem besten Weg sein etw zu tun

passé, e [pɑse] *adj* **1.** (*dernier*) letzte(r, s) **2.** (*révolu*) vergangen; *angoisse* früher **3.** (*délavé*) verblasst **4.** (*plus de*) **il est midi ~/deux heures ~es** es ist schon Mittag/zwei Uhr vorbei

passé [pɑse] **I.** *m* **1.** (*temps révolu*) Vergangenheit *f;* **par le ~** früher; **tout ça c'est du ~** *fam* all das ist Schnee von gestern **2.** GRAM Vergangenheit *f;* ~ **simple** Passé simple *nt;* ~ **composé** Perfekt *nt* **II.** *prép* (*après*) ~ **minuit** nach Mitternacht; ~ **la frontière** hinter der Grenze

passementerie [pɑsmɑ̃tʀi] *f* Posamenterie *f* **passe-plat** [pɑspla] <passe-plats> *m* Durchreiche *f*

passeport [pɑspɔʀ] *m* [Reise]pass *m*

passer [pɑse] <1> **I.** *vi + avoir o être* **1.** (*se déplacer*) vorbeigehen; *véhicule, automobiliste* vorbeifahren; *caravane* vorbeiziehen; **laisser ~ qn/une voiture** jdn/ein Auto vorbeilassen **2.** (*desservir*) *bus, métro, train* fahren; **le bus va bientôt ~** der Bus wird gleich kommen **3.** (*s'arrêter un court instant*) ~ **chez qn** bei jdm vorbeikommen; ~ **à la poste** bei [*o* an] der Post vorbeikommen **4.** (*avoir un certain trajet*) ~

au bord de qc *train:* an etw (*dat*) vorbeifahren; *route:* an etw (*dat*) vorbeiführen; ~ **dans une ville** *automobiliste, voiture:* durch eine Stadt fahren; *rivière:* durch eine Stadt fließen; ~ **devant qn/qc** an jdm/ etw vorbeigehen; ~ **entre deux maisons** *personne:* zwischen zwei Häusern durchgehen; *route:* zwischen zwei Häusern verlaufen; ~ **par Francfort** *automobiliste:* über Frankfurt fahren; *avion:* über Frankfurt fliegen; *route:* über Frankfurt führen; ~ **par la porte** durch die Tür gehen; ~ **sous qc** *personne:* unter etw (*dat*) durchgehen/ durchfahren; *véhicule:* unter etw (*dat*) durchfahren; *route, tunnel, canal:* unter etw (*dat*) durchführen; ~ **sur un pont** über eine Brücke gehen/fahren; ~ **sur l'autre rive** [ans andere Ufer] übersetzen 5. (*traverser en brisant*) ~ **à travers le pare-brise** durch die Windschutzscheibe geschleudert werden; ~ **à travers la glace** auf dem Eis einbrechen 6. (*réussir à franchir*) *personne, animal, véhicule:* durchkommen; *objet, meuble:* durchpassen 7. (*s'infiltrer par, filtrer*) *café:* durchlaufen; ~ **à travers qc** *eau, lumière:* durch etw dringen 8. (*se trouver*) **où est passée ta sœur/la clé?** wo ist deine Schwester geblieben/der Schlüssel hingekommen? 9. (*changer*) ~ **de la salle à manger au salon** vom Esszimmer in den Salon [hinüber]gehen; ~ **de maison en maison** von Haus zu Haus gehen; ~ **en seconde** AUT in den zweiten Gang schalten; **le feu passe au rouge/du vert à l'orange** die Ampel schaltet auf Rot/von Grün auf Gelb 10. (*aller définitivement*) ~ **dans le camp ennemi** ins feindliche Lager überwechseln 11. (*être consacré à*) **60 % du budget passent dans les traitements** 60 % des Budgets gehen für Gehälter ab [*o weg*] 12. (*faire l'expérience de*) ~ **par des moments difficiles** schwierige Zeiten durchmachen; **il est passé par la Légion étrangère** er war in der Fremdenlegion 13. (*utiliser comme intermédiaire*) ~ **par qn** sich an jdn wenden 14. (*être plus/moins important*) ~ **avant/après qn/qc** wichtiger als jd/etw/nicht so wichtig wie jd/etw sein 15. (*avoir son tour, être présenté*) drankommen; **faire ~ qn avant/après les autres** jdn vor/nach den anderen drannehmen (*fam*); ~ **à un examen** in eine Prüfung gehen; ~ **à la radio/télé** im Radio/Fernsehen kommen; **le film passe au Rex** der Film läuft im Rex 16. (*être accepté*) ~ **en sixième** in die 6. Klasse des Collège] versetzt werden; **le candidat est passé à l'examen** der Kandidat hat die Prüfung

bestanden; **la plaisanterie est bien/mal passée** der Scherz ist gut/schlecht angekommen; **la pièce de théâtre n'est pas passée** das Theaterstück ist durchgefallen 17. (*ne pas tenir compte de, oublier*) ~ **sur les détails** über die Einzelheiten hinwegsehen; **passons!** sei(')s drum! 18. JEUX passen 19. (*s'écouler*) *temps:* vergehen; **on ne voyait pas le temps ~** die Zeit verging im Nu 20. (*disparaître*) vergehen; *colère:* verfliegen; *mode, chagrin:* vorübergehen; *pluie, orage:* nachlassen; *couleur:* verblassen; **ça te passera** das wird dir schon vergehen 21. (*devenir*) ~ **capitaine/directeur** zum Hauptmann befördert/zum Direktor ernannt werden 22. (*être pris pour*) ~ **pour qc** für etw gehalten werden 23. (*avoir la réputation de*) als etw gelten 24. (*présenter comme*) **faire ~ qn pour qc** jdn als etw ausgeben ▶**passe encore que qn ait fait qc** es mag ja noch angehen, dass jd etw getan hat; ~ **outre à qc** sich über etw (*akk*) hinwegsetzen; **ça passe ou ça casse!** *fam* alles oder nichts! II. *vt* + *avoir* 1. (*donner*) geben, reichen *sel, photo;* übergeben *consigne, travail, affaire;* ~ **un message à qn** jdm etw ausrichten; ~ **la grippe/un virus à qn** jdn mit Grippe/ einem Virus anstecken 2. (*prêter*) ~ **un livre à qn** jdm ein Buch leihen 3. SPORT ~ **la balle à qn** an jdn abspielen 4. (*au téléphone*) ~ **qn à qn** jdm jdn geben, jdn mit jdm verbinden 5. SCOL, UNIV machen *examen;* ~ **son bac** das Abitur machen; ~ **un examen avec succès** eine Prüfung bestehen 6. (*vivre, occuper*) ~ **ses vacances à Rome** seine Ferien in Rom verbringen; **des nuits passées à boire** durchzechte Nächte *Pl* 7. (*présenter*) zeigen *film, diapositives;* spielen *disque;* abspielen *cassette* 8. (*franchir*) überqueren *rivière;* überschreiten *seuil;* überqueren *montagne;* überwinden *obstacle;* (*en sautant*) überspringen *obstacle;* durchfahren *tunnel, écluse;* durchbrechen *mur du son;* passieren *frontière;* **faire ~ la frontière à qn** jdn über die Grenze bringen 9. (*faire mouvoir*) ~ **par une ouverture étroite** durch eine enge Öffnung durchkommen; ~ **le chiffon sur l'étagère** auf dem Regal etwas Staub wischen 10. (*étaler, étendre*) ~ **une couche de peinture sur qc** eine Schicht Farbe auf etw (*akk*) auftragen 11. (*faire subir une action*) ~ **sous le robinet** kurz abspülen 12. GASTR [durch]passieren *sauce, soupe;* filtern *café;* durch ein Sieb gießen *thé* 13. (*calmer*) ~ **sa colère sur qn/qc** seine Wut an jdm/etw auslassen 14. (*sauter [volontairement]*) überspringen 15. (*oublier*)

auslassen; ~ **les détails** die Einzelheiten weglassen **16.** (*permettre*) ~ **tous ses caprices à qn** jdm alle Launen durchgehen lassen **17.** (*enfiler*) überziehen *vêtement* **18.** AUT einlegen *vitesse* **19.** (*conclure*) abschließen *marché, contrat;* treffen *accord, convention* **III.** *vpr* **1.** (*s'écouler*) **le temps/le jour se passe** die Zeit/der Tag vergeht **2.** (*avoir lieu*) geschehen; **que s'est-il passé?** was ist passiert?; **que se passe-t-il?** was ist denn los? **3.** (*se dérouler*) **se ~** *action, histoire:* sich abspielen; *fête, manifestation:* stattfinden; **l'accident s'est passé de nuit** der Unfall hat sich nachts ereignet; **si tout se passe bien** wenn alles gut geht **4.** (*se débrouiller sans*) **se ~ de qn/qc** ohne jdn/etw auskommen; **voilà qui se passe de commentaires!** Kommentar überflüssig! **5.** (*renoncer à*) **se ~ de faire qc** darauf verzichten etw zu tun **6.** (*se mettre*) **se ~ de la crème sur le visage** sich (*dat*) das Gesicht eincremen; **se ~ la main sur le front/dans les cheveux** sich (*dat*) mit der Hand über die Stirn/übers Haar streichen [*o* fahren] ▶**ça ne se passera pas comme ça!** *fam* so geht das ja nun nicht!

passerelle [pɑsʀɛl] *f* **1.** (*pont*) Steg *m* **2.** (*voie d'accès*) Gangway *f*; (*pont supérieur*) Brücke *f* **3.** SCOL [**classe**] ~ Übergangsklasse *f*; **il y a des** ~**s** das Schulsystem ist durchlässig

passe-temps [pɑstɑ̃] *m inv* Zeitvertreib *m*

passif [pasif] *m* GRAM Passiv *nt;* **mettre au** ~ ins Passiv setzen; **être au** ~ im Passiv stehen

passif, -ive [pasif, -iv] *adj* **1.** (*apathique*) passiv **2.** (*qui n'agit pas*) untätig; **être le témoin** ~ **d'un événement** einem Geschehen tatenlos zusehen **3.** GRAM *forme* Passiv-; **voix passive** Passiv *nt*

passion [pasjɔ̃] *f* **1.** (*inclination*) Leidenschaft *f*; ~ **du sport** Sportbegeisterung *f*; ~ **de la liberté** Freiheitsdrang *m*; ~ **du pouvoir** Machtgier *f* **2.** (*amour ardent*) Leidenschaft *f*; **vivre une** ~ **avec qn** eine leidenschaftliche Beziehung mit jdm haben **3.** (*impulsions*) Leidenschaft *f*

passionnant, e [pasjɔnɑ̃, ɑ̃t] *adj* faszinierend

passionné, e [pasjɔne] **I.** *adj* leidenschaftlich; **être** ~ **de qc** ein(e) große(r) Liebhaber(in) einer S. (*gen*) sein **II.** *m, f* ~ **de cinéma** passionierter Kinogänger

passionnément [pasjɔnemɑ̃] *adv* leidenschaftlich; **être amoureux** ~ bis über beide Ohren (*fam*)

passionner [pasjɔne] <1> **I.** *vt* ~ **qn** *personne:* jdn faszinieren; *lecture, spectacle:*

jdn fesseln **II.** *vpr* **se ~ pour qc** sich für etw begeistern

passivement [pasivmɑ̃] *adv* passiv; *obéir* blind; *assister* tatenlos

passivité [pasivite] *f* Passivität *f*

passoire [pɑswaʀ] *f* Sieb *nt* ▶**sa mémoire est une vraie** ~! er/sie hat ein Gedächtnis wie ein Sieb! (*fam*)

pastaga [pastaga] *m* MIDI Pastis *m*

pastel [pastɛl] **I.** *m* **1.** (*crayon*) Pastellstift *m* **2.** ART Pastell[bild] *nt* **II.** *app inv* couleur Pastell-

pastèque [pastɛk] *f* Wassermelone *f*

pasteur [pastœʀ] *m* **1.** (*prêtre*) [evangelischer] Pfarrer **2.** REL Hüter *m*

pastille [pastij] *f* **1.** MED Pastille *f*; ~ **de menthe** Pfefferminzbonbon *m o nt* **2.** (*gommette*) ~ **autocollante** Klebepunkt *m*; ~ **verte** ≈ G-KAT-Plakette *f* **3.** INFORM Auswahlknopf *m*

pastis [pastis] *m* Pastis *m*

patate [patat] *f* **1.** *fam* (*pomme de terre*) Kartoffel *f*; ~ **douce** Süßkartoffel *f* **2.** CAN (*pomme frite*) ~**s frites** Pommes frites *Pl* **3.** *fam* (*imbécile*) Pflaume *f* ▶**en avoir gros sur la** ~ *fam* großen Kummer haben

pataud, e [pato, od] **I.** *adj air, démarche* plump; *personne* ungeschickt **II.** *m, f* Tollpatsch *m*

pataugeoire [patoʒwaʀ] *f* Planschbecken *nt*

patauger [patoʒe] <2a> *vi* **1.** (*marcher*) waten **2.** (*barboter*) planschen **3.** (*ne pas suivre*) *élève:* nicht [mehr] mitkommen (*fam*) **4.** (*s'empêtrer*) sich [vergeblich] abstrampeln (*fam*)

patchwork [patʃwœʀk] *m* **1.** COUT Patchwork *nt* **2.** *péj* (*mélange hétéroclite*) [buntes] Durcheinander

pâte [pɑt] *f* **1.** GASTR Teig *m;* **fromage à** ~ **molle/dure** Weich-/Hartkäse *m;* **les** ~**s** die Nudeln *Pl* **2.** (*substance molle*) Paste *f*; ~ **à modeler** Knetmasse *f*

pâté [pate] *m* **1.** GASTR Pastete *f*; ~ **de campagne** Bauernpastete *f*; ~ **en croûte** Pastete im Teigmantel **2.** (*tache d'encre*) Tintenklecks *m* **3.** (*sable moulé*) ~ **de sable** Sandkuchen *m* **4.** (*ensemble*) ~ **de maisons** Häuserblock *m*

pâtée [pate] *f du chien, chat* Futter *nt*

paternaliste [patɛʀnalist] *adj* paternalistisch

paternel, le [patɛʀnɛl] *adj* väterlich; **grands-parents** ~**s** Großeltern väterlicherseits

paternité [patɛʀnite] *f* Vaterschaft *f*

pâteux, -euse [patø, -øz] *adj* zähflüssig; *sauce* dickflüssig; *pain* pappig; *masse* teigig ▶**avoir la bouche/la langue pâteuse** ein

pelziges Gefühl im Mund haben

patiemment [pasjamɑ̃] *adv* geduldig

patience [pasjɑ̃s] *f* (*qualité*) Geduld *f;* **avoir de la ~** Geduld haben; **prendre ~** sich gedulden; **~!** [nur] Geduld! ►**~ d'ange** Engelsgeduld *f*

patient, e [pasjɑ̃, jɑ̃t] I. *adj* **1.** (*calme*) geduldig; **être ~ avec qn** Geduld mit jdm haben **2.** *observation* geduldig; *recherche* unermüdlich; *travail* ausdauernd; **c'est un esprit ~** er/sie ist [sehr] geduldig II. *m, f* MED Patient *m*

patienter [pasjɑ̃te] <1> *vi* warten; **faire ~ qn** jdn [kurze Zeit] warten lassen

patin [patɛ̃] *m* **~ à glace** Schlittschuh *m;* **~ à roulettes** Rollschuh *m;* **~s en ligne** Inlineskates *Pl;* **faire du ~ à glace/à roulettes** Schlittschuh/Rollschuh laufen ►**rouler un ~ à qn** *fam* jdm einen Zungenkuss geben

patinage [patinaʒ] *m* SPORT **~ sur glace** Schlittschuhlaufen *nt;* **~ à roulettes** Rollschuhlaufen *nt*

patineur, -euse [patinœʀ, -øz] *m, f* Schlittschuhläufer *m;* **~ à roulettes** Rollschuhläufer *m;* **~ en ligne** Inlineskater *m*

patinoire [patinwaʀ] *f* **1.** (*piste de patinage*) Eisbahn *f* **2.** (*endroit glissant*) Rutschbahn *f* (*fam*)

patio [patjo, pasjo] *m* Patio *m*

pâtisserie [pɑtisʀi] *f* **1.** (*magasin*) Konditorei *f* **2.** (*métier*) Konditorhandwerk *nt* **3.** (*gâteaux*) Gebäck *nt kein Pl* **4.** (*préparation de gâteaux*) Backen *nt*

pâtissier, -ière [pɑtisje, -jɛʀ] *m, f* Konditor *m*

patois [patwa] *m* [lokale] Mundart; **parler** [en] **~** Mundart sprechen

patrie [patʀi] *f* **1.** (*nation*) Heimat *f;* **mourir pour la ~** für das Vaterland sterben **2.** (*lieu de naissance*) Geburtsort *m* **3.** (*berceau*) Heimat *f*

patrimoine [patʀimwan] *m* **1.** (*biens de famille*) Vermögen *nt;* **dilapider son ~** das Erbe durchbringen **2.** (*bien commun*) Erbe *nt* **3.** BIO **~ génétique** [*o* **héréditaire**] Erbgut *nt*

patriote [patʀijɔt] I. *adj* patriotisch; **être ~** ein Patriot sein II. *mf* Patriot *m*

patriotique [patʀijɔtik] *adj* patriotisch

patriotisme [patʀijɔtism] *m* Patriotismus *m*

patron, -onne [patʀɔ̃, ɔn] *m, f* **1.** (*employeur*) Chef *m* **2.** (*le patronat*) **les ~s** die Arbeitgeber; **les** [**grands**] **~s de l'industrie** die Industriebosse *Pl* **3.** *d'une petite entreprise* Chef *m;* *d'un restaurant, café, hôtel* Wirt *m* **4.** (*artisan*) **~ boulanger** Bäckermeister *m* **5.** *d'une organisation* Chef

m; **le ~ des ~s** der Präsident des Arbeitgeberverbandes **6.** *fam* (*chef*) Boss *m* **7.** REL Schutzpatron *m*

patronage [patʀɔnaʒ] *m* Schirmherrschaft *f;* **sous le ~ de qn** unter jds Schirmherrschaft (*dat*)

patronat [patʀɔna] *m* Arbeitgeberschaft *f*

patrouille [patʀuj] *f* Patrouille *f;* **~ de police** Polizeistreife *f;* **voiture de ~ de la police** Streifenwagen *m* der Polizei

patrouiller [patʀuje] <1> *vi* patrouillieren; *policier:* Streife fahren

patte [pat] *f* **1.** *d'un animal* Bein *nt* **2.** *d'un chien, chat* Pfote *f;* *d'un lion* Pranke *f;* *d'un ours* Tatze *f* **3.** *fam* (*jambe*) Bein *nt;* **être bas** [*o* **court**] **sur ~s** kurze Beine haben **4.** *fam* (*main*) Pfote *f* **5.** CH (*chiffon*) Lappen *m* ►**pantalon à ~s d'éléphant** Hose *f* mit Schlag; **~s de mouche** Gekritzel *nt;* **faire ~ de velours** katzenfreundlich sein; **bas les ~s!** *fam* Pfoten weg!; **montrer ~ blanche** sich ausweisen; **avoir une ~ folle** *fam* ein Hinkebein haben; **en avoir plein les ~s** *fam* ganz müde Beine haben; **à quatre ~s** *fam* auf allen vieren; **tirer dans les ~s de qn** *fam* jdm Knüppel zwischen die Beine werfen

pattemouille [patmuj] *f* Bügeltuch *nt*

pâturage [pɑtyʀaʒ] *m* (*herbage*) Weide *f*

paume [pom] *f* **1.** ANAT **~** [**de la main**] Handteller *m* **2.** SPORT **jeu de ~** Paumespiel *nt*

paumé, e [pome] I. *adj fam* **1.** *lieu, village* gottverlassen (*fam*); **il est ~** er weiß nicht mehr, wo er ist **2.** (*désorienté*) aufgeschmissen (*fam*) **3.** (*socialement inadapté*) **être complètement ~** völlig neben der Kappe sein (*fam*) II. *m, f fam* **c'est un ~** er ist total von der Rolle

paumer [pome] <1> I. *vt fam* verbummeln II. *vpr fam* **se ~ 1.** (*à pied*) sich verlaufen **2.** (*en voiture*) sich verfahren

paupière [popjɛʀ] *f* [Augen]lid *nt*

paupiette [popjɛt] *f* **~ de veau** Kalbsroulade *f*

pause [poz] *f* **1.** (*interruption*) Pause *f* **2.** MUS ganze Pause **3.** SPORT Halbzeit *f*

pause-café [pozkafe] <pauses-café> *f fam* Kaffeepause *f*

pauvre [povʀ] I. *adj* **1.** *personne, pays* arm; *mobilier, vêtement* ärmlich; *végétation* spärlich; *nourriture* ohne großen Nährwert; *mélange* mager; *style* farblos; **être ~ en graisse/oxygène** fett-/sauerstoffarm sein **2.** *antéposé argument, orateur* schwach; *excuse* fadenscheinig; *salaire* kümmerlich **3.** *antéposé* (*digne de pitié*) arm; *sourire* schwach; **mon ~ ami, si tu savais** mein Lieber, wenn du wüsstest; **~ France!** ar-

mes Frankreich! **4.** *fam* (*lamentable*) arm **II.** *mf* **1.** (*sans argent*) Arme(r) *f(m)* **2.** (*idiot*) ~ **d'esprit** leicht geistig Behinderte(r) *f(m)*

pauvreté [povʀəte] *f* Armut *f*; *du sol* Kargheit *f*; *du style, vocabulaire* Farblosigkeit *f*; *d'une habitation, du mobilier* Armseligkeit *f*

pavé [pave] *m* **1.** (*bloc, dalle*) Pflasterstein *m* **2.** (*revêtement*) [Straßen]pflaster *nt* **3.** *péj fam* (*livre*) [dicker] Wälzer *m* **4.** (*morceau de viande*) ~ **de bœuf** *großes Rinder[filet]steak* **5.** INFORM ~ **numérique** Ziffernblock *m*

pavillon [pavijɔ̃] *m* **1.** (*maison particulière*) [kleineres] Einfamilienhaus; ~ **de banlieue** kleines Haus in einem Vorort **2.** (*petite maison dans un jardin*) Gartenpavillon *m*; ~ **de chasse** Jagdhütte *f* **3.** *d'un hôpital, château* Pavillon *m*; ~ **central** Mitteltrakt *m* **4.** NAUT Flagge *f*

pavoiser [pavwaze] <1> *vi fam* (*se réjouir*) sich mit stolzgeschwellter Brust zeigen

payable [pɛjabl] *adj* zahlbar; ~ **fin juillet** zahlbar Ende Juli; ~ **en espèces** [in] bar zu zahlen

payant, e [pɛjɑ̃, ɑ̃t] *adj* **1.** *parking* gebührenpflichtig; **l'entrée est ~e** es muss Eintritt bezahlt werden; **c'est** ~ das kostet Eintritt **2.** *entreprise* rentabel; *coup* Gewinn bringend **3.** *spectateur, hôte* zahlend

paye [pɛj] *f v.* **paie**

payer [peje] <7> **I.** *vt* **1.** (*acquitter*) bezahlen; zahlen *intérêt, loyer*; ~ **par chèque/en espèces** mit Scheck/[in] bar [be]zahlen **2.** (*rétribuer*) bezahlen, entlohnen; ~ **qn à l'heure** jdn stundenweise bezahlen **3.** (*verser de l'argent pour*) bezahlen für *service*; zahlen für *maison*; **faire** ~ **qc à qn 100 euros** jdm 100 Euro für etw berechnen **4.** (*récompenser*) belohnen; ~ **qn de sa peine** jdn für seine Mühe belohnen; **qn est bien/mal payé de qc** etw wird jdm gut/schlecht gelohnt **5.** (*offrir*) ~ **un livre à qn** jdm ein Buch kaufen; ~ **un coup à qn** *fam* jdm einen ausgeben **6.** (*expier*) ~ **qc de qc** etw mit etw bezahlen müssen; **tu me le paieras!** das sollst du mir büßen! ▸**être payé pour le savoir** durch Schaden klug geworden sein **II.** *vi* **1.** (*régler*) zahlen **2.** (*être rentable*) sich lohnen; *politique, tactique:* sich bezahlt machen; **le crime ne paie pas** Verbrechen lohnt sich nicht **3.** (*expier*) ~ **pour qn/qc** für jdn/etw büßen müssen **III.** *vpr se* ~ **1.** *fam* (*s'offrir*) **se** ~ **qc** sich (*dat*) etw leisten **2.** *fam* (*se prendre*) **se** ~ **un arbre** gegen einen Baum knallen **3.** (*passif*) **la commande se paie à la livraison** die Be-

stellung ist bei [der] Lieferung zu [be]zahlen ▸**se** ~ **la tête de qn** *fam* jdn veräppeln

pays [pei] *m* **1.** (*nation, État*) Land *nt*; ~ **agricole/industriel** Agrar-/Industrieland; ~ **membres de l'UE** EU-Länder; ~ **de Galles** Wales; ~ **en voie de développement** Entwicklungsland; ~ **en voie d'industrialisation** Schwellenland **2.** *sans pl* (*région natale*) Heimat *f*; **les gens du** ~ die Einheimischen *Pl*; ~ **natal** Heimatland *nt*; **être du** ~ aus der Gegend sein; **saucisson/vin de** [*o* **du**] ~ Bauernwurst *f*/Landwein *m* **3.** *sans pl* (*patrie*) Vaterland *nt* **4.** *sans pl* (*terre d'élection*) **le** ~ **du vin** das Land des Weins **5.** (*milieu favorable à*) ~ **de légumes** Gemüseanbaugebiet *nt*; ~ **d'élevage** Viehzuchtgebiet *nt* **6.** GEOG Gegend *f*; **plat** ~ Flachland *nt*; **voir du** ~ etwas von der Welt sehen **7.** (*village*) Ort *m*; **un petit** ~ **perdu** ein kleines, abgelegenes Nest ▸**elle est en** ~ **de connaissance** (*elle connaît la matière, le lieu*) sie kennt sich aus; (*elle est connue*) man kennt sie; **il se conduit comme** [**si il était**] **en** ~ **conquis** er benimmt sich, als sei er der Herr im Haus

paysage [peizaʒ] *m* **1.** (*site*) Landschaft *f*; ~ **champêtre** ländliche Gegend; ~ **urbain** Stadtbild *nt* **2.** *fig* (*situation*) Landschaft *f*; ~ **audiovisuel** Fernsehlandschaft **3.** ART Landschaft *f* ▸**faire bien dans le** ~ *fam* sich gut machen

paysagé, e [peizaʒe] *adj v.* **paysager**

paysagiste [peizaʒist] **I.** *mf* **1.** HORT Landschaftsgärtner(in) *m(f)* **2.** ART Landschaftsmaler(in) *m(f)* **II.** *app* **architecte** ~ Gartenarchitekt(in) *m(f)*

paysan, ne [peizɑ̃, an] **I.** *adj* **1.** *problème, revendications* der Bauern; **le monde** ~ die Bauernschaft **2.** (*rural*) ländlich **3.** GASTR **omelette** ~**ne** Bauernomelett *nt* **4.** *péj* (*rustre*) wie ein Bauer **II.** *m, f* **1.** (*agriculteur*) Bauer *m* **2.** *péj* **quel** ~**!** was für ein ungehobelter Kerl! (*fam*)

Pays-Bas [peibɑ] *mpl* **les** ~ die Niederlande

PC [pese] *m abr de* **personal computer** INFORM PC *m*; ~ **de poche** Taschencomputer *m*

PC [pese] *m abr de* **Parti communiste** POL KP *f*

PDG [pedeʒe] *m fam abr de* **Président-directeur général** Generaldirektor *m*

péage [peaʒ] *m* **1.** (*lieu*) Gebührenzahlstelle *f*; (*sur autoroutes*) Mautstelle *f* **2.** (*taxe*) Benutzungsgebühr *f*; (*sur autoroutes*) Autobahngebühr *f*; **à** ~ gebührenpflichtig

peau [po] <x> *f* **1.** *d'une personne* Haut *f*

2. *pl* (*morceaux desséchés*) ~**x** autour des ongles Nagelhaut *f;* ~**x mortes** Hornhaut **3.** (*en parlant d'un animal: sans poils*) Haut *f;* (*avec poils*) Fell *nt;* (*cuir*) Leder *nt* **4.** *d'une pomme, orange, banane* Schale *f; d'une pêche, tomate, d'un raisin* Haut *f; du lait* Haut *f* ► **attraper qn par la** ~ **du** cou [*o* **du** dos] *fam* jdn beim Schlafittchen packen; **coûter** [*o* valoir] **la** ~ **des** fesses *fam* ein Heidengeld kosten; **n'avoir que la** ~ **et les** os [*o* **sur les os**] nur noch Haut und Knochen sein; **entrer** [*o* **se mettre**] **dans la** ~ **du** personnage *acteur:* sich völlig mit seiner Rolle identifizieren; **avoir la** ~ dure *fam* ein dickes Fell haben; vieille ~ *péj fam* alte Schachtel; **ne pas donner** cher **de la** ~ **de qn** *fam* keinen Pfifferling auf jdn geben; **j'aurai ta/leur** ~! *fam* dir/denen dreh ich den Hals um!; avoir qc **dans la** ~ *fam* etw im Blut haben; avoir qn **dans la** ~ *fam* nach jdm verrückt sein; défendre **sa** ~ um sein Leben kämpfen; entrer **dans la** ~ **de qn** sich in jdn hineinversetzen; faire **la** ~ **à qn** *fam* jdn kaltmachen; risquer **sa** ~ [**pour qn/qc**] *fam* Kopf und Kragen [für jdn/etw] riskieren; **y** laisser **sa** ~ [*o* **la** ~] *fam* dran glauben müssen; tenir **à sa** ~ *fam* a[n seine]m Leben hängen
Peau-Rouge [poruʒ] <Peaux-Rouges> *mf* Rothaut *f*
peccadille [pekadij] *f littér* (*faute légère*) kleine Sünde; (*vétille*) Lappalie *f*
péché [peʃe] *m* Sünde *f;* **c'est son** ~ **mignon** er/sie hat eine [kleine] Schwäche dafür
pêche[1] [pɛʃ] *f* Pfirsich *m;* ~ **Melba** [Eisbecher *m*] Pfirsich Melba *m* ► avoir **la** ~ *fam* topfit [*o* gut drauf] sein; **se** fendre **la** ~ *fam* sich kaputtlachen
pêche[2] [pɛʃ] *f sans pl* **1.** (*profession*) Fischerei *f,* Fischfang *m;* **produits de la** ~ Fischereiprodukte *Pl;* ~ **au thon/à la baleine** T[h]unfisch-/Walfang *m* **2.** (*loisir*) Fischen *nt;* (*à la ligne*) Angeln *nt;* ~ **à la mouche** Fliegenfischerei *f;* ~ **au lancer** Spinnangeln *nt;* **aller à la** ~ angeln gehen **3.** (*période*) Fangzeit *f;* **la** ~ **est ouverte** die Angelsaison ist eröffnet; (*en mer*) die Fangzeit hat begonnen **4.** (*réserve*) Fischfanggebiet *nt* **5.** (*prises*) Fang *m*
pêcher[1] [peʃe] <1> **I.** *vi* fischen; (*avec une canne*) angeln **II.** *vt* **1.** (*être pêcheur de*) fischen **2.** (*attraper*) fangen *poissons, crustacés, grenouilles* **3.** *fam* (*chercher*) ausgraben *idée, histoire;* aufstöbern *costume, vieux meuble;* **où a-t-elle pêché** [l'idée] **que ...** ? wie kommt sie denn darauf, dass ... ?
pêcher[2] [peʃe] *m* Pfirsichbaum *m*

pécheur, pécheresse [peʃœʀ, peʃʀɛs] *m,* *f* Sünder *m*
pêcheur, -euse [pɛʃœʀ, -øz] *m, f* **1.** (*professionnel*) Fischer *m* **2.** (*amateur*) Angler *m*
pectine [pɛktin] *f* Pektin *nt*
pédagogie [pedagɔʒi] *f* **1.** (*science*) Pädagogik *f* **2.** (*méthode d'enseignement*) Lehrmethode *f* **3.** *sans pl* (*qualité*) pädagogisches Geschick
pédagogique [pedagɔʒik] *adj* pädagogisch; *exposé* didaktisch gut; **méthode** ~ Erziehungsmethode *f,* Lehrmethode *f;* **avoir un sens** ~ pädagogische Fähigkeiten haben
pédagogue [pedagɔg] **I.** *mf* Pädagoge *m* **II.** *adj* pädagogisch; **être un guter** Pädagoge/eine gute Pädagogin sein
pédale [pedal] *f* **1.** *d'une bicyclette, voiture, machine* Pedal *nt; d'une poubelle* Fußhebel *m;* ~ **de frein** Bremspedal *nt* **2.** MUS Pedal *nt* **3.** *péj fam* (*homosexuel*) Schwuchtel *f* ► **s'**emmêler **les** ~**s** *fam* sich verheddern; **perdre les** ~**s** *fam* ins Schleudern kommen
pédalier [pedalje] *m* **1.** *d'une bicyclette* Kettenantrieb *m* (*Kettenblatt und Tretlager*); **jeu de** ~ Tretlager *nt* **2.** MUS Pedalklaviatur *f*
pédalo® [pedalo] *m* Tretboot *nt;* **faire du** ~ [mit dem] Tretboot fahren
pédant, e [pedã, ãt] **I.** *adj péj personne, air* schulmeisterlich; *ton* besserwisserisch **II.** *m, f péj* Besserwisser *m*
pédé [pede] *m péj fam abr de* **pédéraste** Homo *m*
pédéraste [pedeʀast] *m* (*homosexuel*) Homosexuelle(r) *m*
pédestre [pedɛstʀ] *adj* **randonnée** ~ Wanderung *f;* **sentier** ~ Wanderweg *m*
pédoncule [pedɔ̃kyl] *m* BOT, ZOOL, ANAT Stiel *m;* ~**s cérébraux** Hirnstiele *Pl*
peeling [pilin] *m* Peeling *nt*
peigne [pɛɲ] *m* Kamm *m;* (*pour retenir les cheveux*) Steckkamm *m;* ~ **fin** Staubkamm; ~ **à** manche/**de poche** Stiel-/Taschenkamm; **se donner un coup de** ~ sich (*akk*) mal schnell durchkämmen (*fam*) ► passer qc **au** ~ **fin** etw genau unter die Lupe nehmen (*fam*); **passer une région au** ~ **fin** eine Gegend durchkämmen
peigner [peɲe] <1> **I.** *vt* kämmen **II.** *vp* **se** ~ sich (*akk*) kämmen
peignoir [peɲwaʀ] *m* Bademantel *m*
peinard, e [pɛnaʀ, ad] *adj fam personne* ruhig, verträglich; *coin* ruhig; *boulot, vie* bequem; **avoir un boulot** ~ eine ruhige Kugel schieben (*fam*)
peindre [pɛ̃dʀ] <*irr*> **I.** *vi* malen; ~ **a**

pinceau mit dem Pinsel malen **II.** *vt* **1.** (*badigeonner*) [an]streichen; spritzen *carrosserie;* ~ **qc en rouge/jaune** etw rot/gelb [an]streichen; **être peint** bemalt sein **2.** ART malen **III.** *vpr* se ~ **sur le visage de qn** *angoisse, joie:* sich in jds Gesicht (*dat*) widerspiegeln

peine [pɛn] **I.** *f* **1.** (*chagrin, douleur*) Kummer *m;* ~**s de cœur** Liebeskummer; **avoir de la ~/beaucoup de** ~ traurig/sehr traurig sein; **faire de la** ~ **à qn** jdn verletzen **2.** JUR Strafe *f;* ~ **de mort** Todesstrafe; **défense d'entrer sous** ~ **de poursuites** widerrechtliches Betreten wird strafrechtlich verfolgt **3.** (*effort, difficulté*) Mühe *f;* **avoir de la ~/beaucoup de** ~ **à faire qc** Mühe haben/große Mühe haben etw zu tun; **croire sans** ~ **qc** etw ohne weiteres glauben; **donnez-vous** [*o* **prenez** [donc]] **la** ~ **d'entrer** *form* bitte, kommen Sie doch herein; **ne vous donnez pas cette** ~ machen Sie sich (*dat*) keine Umstände; **ne pas épargner sa** ~ keine Mühe scheuen; **avec** ~ mühsam; **pour la/sa** ~ (*en récompense*) als Lohn für die/seine/ihre Mühe; (*en punition*) als [*o* zur] Strafe; **sans** ~ mühelos ▶**être** bien **en** ~ **de faire qc** etw beim besten Willen nicht tun können; **être** dur **à la** ~ hart arbeiten; **n'être pas en** ~ **pour faire qc** keine Schwierigkeiten haben etw zu tun; **c'est** bien **la de faire qc** *iron* das lohnt sich vielleicht etw zu tun (*fam*); **en être pour sa** ~ sich umsonst bemühen; **sous** ~ **de ...** um zu vermeiden, dass ...; **roule doucement sous** ~ **de glisser** fahr vorsichtig, um nicht ins Schleudern zu kommen **II.** *adv* **1.** (*très peu*) à ~ kaum **2.** (*tout au plus*) à ~ noch nicht einmal; **il y a à** ~ **huit jours** es ist kaum acht Tage her **3.** (*juste*) à ~ *finir, partir* gerade erst; (*aussitôt*) kaum ▶à ~! *iron* was du nicht sagst! (*fam*)

peiner [pene] <1> **I.** *vi* **1.** (*avoir des difficultés*) ~ à/pour faire qc Mühe haben etw zu tun; ~ **sur un problème** sich mit einem Problem [herum]plagen **2.** (*avoir des problèmes*) *moteur, voiture:* Schwierigkeiten haben **II.** *vt* ~ **qn** *nouvelle, refus:* jdn traurig machen; *personne:* (*décevoir*) jdn enttäuschen; (*faire de la peine*) jdn verletzen

peintre [pɛ̃tR] *m* **1.** (*ouvrier*) Maler *m,* Anstreicher *m;* ~ **en bâtiment** Anstreicher *m* **2.** ART Maler *m,* Kunstmaler

peinture [pɛ̃tyR] *f* **1.** (*couleur*) Farbe *f;* ~ **à l'eau/à l'huile** Wasser-/Ölfarbe **2.** (*couche, surface peinte*) Anstrich *m;* ~ **fraîche!** frisch gestrichen! **3.** *sans pl* (*action*) [An]streichen *nt;* ~ **au pistolet** Spritz[la-

ckier]en *nt* **4.** ART Malen *nt;* (*technique*) Malerei *f* **5.** (*toile*) Gemälde *nt,* Bild *nt;* ~ **murale** Wandmalerei *f;* ~ **à l'huile** Ölbild **6.** *sans pl* (*école, genre*) Malerei *f;* (*courant*) Schule *f* der Malerei; **école de** ~ Malschule *f* **7.** *sans pl* (*description, évocation*) Schilderung *f,* Darstellung *f;* **faire la** ~ **de qc** etw darstellen ▶**ne pas** pouvoir **voir** qn/qc **en** ~ *fam* jdn/etw nicht ausstehen können

péjoratif, -ive [peʒɔʀatif, -iv] *adj* pejorativ

péjorativement [peʒɔʀativmɑ̃] *adv* pejorativ

pelage [pəlaʒ] *m* Fell *nt*

pelé, e [pəle] **I.** *adj* kahl **II.** *m, f* ▶quatre ~**s et un** tondu *fam* [nur] ein paar Hanseln

pêle-mêle [pɛlmɛl] *adv* [kunterbunt] durcheinander

peler [pəle] <4> **I.** *vi* **1.** (*perdre sa peau*) *personne, peau, nez:* sich schälen **2.** *fam* (*avoir froid*) sich (*dat*) einen abfrieren (*fam*) **II.** *vt* schälen *pomme de terre cuite* **III.** se ~ **facilement** sich leicht schälen [lassen]

pèlerin [pɛlʀɛ̃] *m* REL Pilger *m*

pèlerinage [pɛlʀinaʒ] *m* **1.** (*voyage*) Wallfahrt *f;* **faire un** ~ **sur la tombe de son idole** zum Grab seines Idols pilgern **2.** (*lieu*) Wallfahrtsort *m*

pèlerine [pɛlʀin] *f* Pelerine *f*

pélican [pelikɑ̃] *m* Pelikan *m*

pelle [pɛl] *f* Schaufel *f;* *d'un jardinier* Spaten *m;* ~ **mécanique** [Löffel]bagger *m;* ~ **à tarte** Tortenheber *m* ▶ramasser **qc à la** ~ *fam* etw haufenweise finden; [se] ramasser [*o* se prendre] **une** ~ *fam* auf die Nase fallen; rouler **une** ~ **à qn** *fam* mit jdm knutschen

pelletée [pɛlte] *f* **1.** **une** ~ **de sable** eine Schaufel [voll] Sand **2.** *fam* (*bordée*) **une** ~/**des** ~**s d'injures** eine Schimpfkanonade

pelleteuse [pɛltøz] *f* [Löffel]bagger *m*

pellicule [pelikyl] *f* **1.** PHOT, CINE Film *m;* ~ **couleur/noir et blanc** Farb-/Schwarzweißfilm **2.** (*mince couche*) **une** ~ **de poussière/givre/crème** eine Staub-/Rauhreif-/Cremeschicht [*o* Krem[e]schicht]; **une** ~ **de pétrole** ein Ölfilm **3.** (*petite écaille*) Schuppe *f*

pelote [p(ə)lɔt] *f* **1.** (*boule de fils*) Knäuel *nt* **2.** SPORT ~ [**basque**] Pelota[spiel *nt*] *f*

pelouse [p(ə)luz] *f* Rasen *m*

peluche [p(ə)lyʃ] *f* **1.** TEXTIL Plüsch *m;* **ours en** ~ Teddybär *m* **2.** (*jouet*) Plüschtier *nt* **3.** (*poil*) Fussel *f o m;* (*poussière*) Staubflocke *f*

pelucher [p(ə)lyʃe] <1> *vi* fusseln

pénal, e [penal, o] <-aux> *adj* **responsabilité** ~**e** strafrechtliche Verantwortlich-
keit; **affaire/procédure** ~**e** Strafsache *f/*
-prozess *m;* **code** ~ Strafgesetzbuch *nt;*
droit ~ Strafrecht *nt*
pénaliser [penalize] <1> *vt* **1.** SPORT bestrafen **2.** (*désavantager*) *origine, religion:* benachteiligen; ~ **qn/qc de qc** jdn/etw
durch etw benachteiligen **3.** (*sanctionner*)
bestrafen; (*sanctionner d'une amende*)
mit einem Bußgeld belegen; **être pénalisé
pour qc de qc** für etw mit etw bestraft
werden
pénalité [penalite] *f* **1.** (*peine*) [Geld]stra-
fe *f;* (*pour une omission, un retard*) Straf-
gebühr *f* **2.** SPORT **coup de pied de** ~ Strafstoß *m;* **tirer le coup de pied de** ~ den
Strafstoß ausführen
pénates [penat] *mpl* **regagner ses** ~ ins
traute Heim zurückkehren
penaud, e [pəno, od] *adj personne, mine,
air* (*embarrassé*) verlegen; (*honteux*) beschämt; (*déçu*) enttäuscht; **s'en aller tout**
~ sich kleinlaut davonstehlen
penchant [pɑ̃ʃɑ̃] *m* ~ **à qc** Hang *m* zu
etw; **avoir un** ~ **à qc** zu etw neigen
pencher [pɑ̃ʃe] <1> **I.** *vi* **1.** (*perdre l'équilibre*) *moto, pile de livres:* sich [zur Seite]
neigen; *arbre:* sich biegen; *bateau:* Schlagseite haben; **le vent fait** ~ **l'arbre** der
Baum biegt sich im Wind **2.** + *être* (*ne pas
être droit*) *mur, tour:* schief sein; *bouteille:*
schief stehen; *tableau:* schief hängen; ~ **à
droite** *voiture:* nach rechts hängen; **la tour
penchée de Pise** der Schiefe Turm von
Pisa **3.** (*se courber vers*) **être penché sur
qn/qc** sich über jdn/etw beugen; **penché
sur ses livres** in seine/ihre Bücher vertieft **4.** (*se prononcer pour*) ~ **pour qc** einer S. (*dat*) zuneigen, zu etw tendieren **II.**
vt schräg halten *bouteille, carafe;* kippen *table, chaise;* ~ **la tête** (*en avant, sur qc*) den
Kopf beugen; (*de honte*) den Kopf senken;
(*sur le côté*) den Kopf [zur Seite] neigen; ~
la tête en arrière den Kopf zurücklegen
III. *vpr* **1.** (*baisser*) **se** ~ sich bücken; ~
par la fenêtre sich zum Fenster hinauslehnen **2.** (*examiner*) **se** ~ **sur un problème** sich mit einem Problem befassen
pendant [pɑ̃dɑ̃] **I.** *prép* **1.** (*au cours de*)
während (+ *gen*); ~ **l'hiver/le mois de
janvier** während des Winters/im Laufe
des Januar[s]; **c'était avant le cours ou** ~?
war es vor oder während des Unterrichts? **2.** (*simultanément à*) während (+
gen); ~ **ce temps** währenddessen; ~
longtemps lange Zeit hindurch; ~ **la journée** tagsüber; ~ **trois jours/plusieurs
années** drei Tage/mehrere Jahre [lang];

marcher ~ **des kilomètres et des kilomètres** kilometerweit laufen **II.** *conj* ~
que (*tandis que*) während; (*aussi longtemps que*) solange ►~ **que tu y es** *iron*
wenn du schon mal dabei bist; ~ **que j'y
pense** ... da fällt mir gerade ein ...
pendentif [pɑ̃dɑ̃tif] *m* [Schmuck]anhän-
ger *m*
penderie [pɑ̃dʀi] *f* (*placard mural*) Wandschrank *m* (*ohne Fächer zum Aufhängen
der Kleidung*); (*garde-robe*) Garderobe *f;*
(*armoire*) Kleiderschrank *m* (*ohne Fächer
zum Aufhängen der Kleidung*)
pendouiller [pɑ̃duje] <1> *vi fam* [he-
rum]baumeln
pendre [pɑ̃dʀ] <14> **I.** *vi* + *être* **1.** (*être
suspendu*) hängen; ~ **à qc** an etw (*dat*)
hängen; ~ **de qc** von etw herunterhängen
2. (*tomber*) *joues, cheveux, guirlande:* herunterhängen; **laisser** ~ **ses jambes** seine
Beine baumeln *fam* lassen **II.** *vt* **1.** (*accrocher*) aufhängen; ~ **qc au porteman-
teau/dans l'armoire** etw an den Garde-
robenständer/in den Schrank hängen
2. (*mettre à mort*) hängen, erhängen; ~ **qn
à un arbre** jdn an einem Baum aufhängen;
être pendu [auf]gehängt werden ►**je
veux** [**bien**] **être pendu si** ... wenn ...,
dann fress ich einen Besen **III.** *vpr*
1. (*s'accrocher*) **se** ~ **à une branche** sich
an einen Ast hängen; **se** ~ **au cou de qn**
fam sich an jds Hals (*akk*) hängen; (*par
crainte*) sich an jds Hals (*dat*) festklammern **2.** (*se suicider*) **se** ~ sich erhängen
pendu, e [pɑ̃dy] **I.** *part passé de* **pendre
II.** *adj fam* (*agrippé*) **être** ~ **aux lèvres de
qn/au téléphone** an jds Lippen (*dat*)/an
der Strippe hängen **III.** *m, f* Gehängte(r)
f(m); **jouer au** ~ JEUX Galgenraten *nt* spielen
pendule [pɑ̃dyl] **I.** *f* Uhr *f;* (*pour la cuisine*) Küchenuhr; (*murale*) Wanduhr
►**remettre les** ~**s à l'heure** eine Sache
richtig stellen **II.** *m d'un sourcier, radiesthé-
siste* [siderisches] Pendel
pendulette [pɑ̃dylɛt] *f* kleine Uhr
pénétrant, e [penetʀɑ̃, ɑ̃t] *adj* **1.** *froid*
schneidend; *pluie* bis auf die Haut durchdringend; **air** ~ schneidend kalte Luft
2. *odeur* penetrant (*pej*) **3.** *regard* scharf
pénétrer [penetʀe] <5> **I.** *vi* **1.** (*entrer*) ~
dans qc *personne:* in etw (*akk*) hineingehen; *véhicule:* in etw (*akk*) hineinfahren;
(*par la force, abusivement*) in etw (*akk*)
eindringen; *envahisseur, armée:* in etw
(*akk*) einfallen [o eindringen]; *balle:* in etw
(*akk*) eindringen; ~ **sur un marché** auf einen Markt vordringen **2.** (*prendre place*)
~ **dans qc** *idée, habitude:* in etw (*akk*) ein

dringen **3.**(*s'insinuer*) ~ **dans qc** *vent, odeur:* in etw (*akk*) eindringen; *soleil:* in etw (*akk*) hinein-/hereinscheinen; *liquide, crème:* in etw (*akk*) einziehen; ~ **à travers qc** durch etw dringen **II.** *vt* **1.**(*transpercer*) ~ **qc** etw durchdringen; ~ **les vêtements** *odeur:* sich in der Kleidung festsetzen; ~ **qn** *froid, humidité:* jdm bis auf die Knochen gehen; *regard:* jdn durchbohren **2.**(*imprégner*) ~ **qc** *mode, habitude:* sich in etw (*dat*) durchsetzen

pénible [penibl] *adj* **1.** *travail, voyage* anstrengend; *tâche* schwierig; *ascension, chemin* beschwerlich; *respiration* mühsam; **il est/c'est ~ à qn de faire qc** es ist schwer für jdn etw zu tun **2.** *circonstance, événement, moment* traurig; *heure* schwer; **être ~ à qn** schmerzlich für jdn sein **3.**(*désagréable*) unangenehm; **il m'est ~ de constater que ...** es tut mir leid, feststellen zu müssen, dass ... **4.** *fam* (*agaçant*) unerträglich; **il/elle est ~** er/sie kann einen nerven

péniblement [peniblǝmɑ̃] *adv* **1.**(*difficilement*) mühsam **2.**(*tout juste*) [nur] knapp

pénis [penis] *m* Penis *m*

pense-bête [pɑ̃sbɛt] <pense-bêtes> *m* Gedächtnisstütze *f*; (*petite feuille*) [Notiz]zettel *m*; (*signe*) Merkzeichen *nt;* ~ **mural** Memoboard *nt*

pensée [pɑ̃se] *f* **1.**(*idée*) Gedanke *m;* **être absorbé dans ses ~s** seinen Gedanken nachhängen; **aller jusqu'au bout de sa ~** (*achever sa réflexion*) seinen Gedanken zu Ende führen; (*réaliser ses intentions*) seine Vorstellungen in die Tat umsetzen; **loin de moi la ~ que ...** ich bin weit davon entfernt zu glauben, dass ... **2.** *sans pl* (*opinion*) Meinung *f;* **je partage votre ~ là-dessus** ich denke [genauso] wie Sie darüber **3.** *sans pl* (*raison*) Denken *nt;* (*façon de penser*) Denkweise *f* **4.**(*esprit*) Geist *m;* **être en ~ avec qn** in Gedanken bei jdm sein **5.** *sans pl* *chrétienne* Lehre *f; de Gandhi, Nietzsche* Philosophie *f;* **libre ~** Freidenkertum *nt* **6.**(*réflexion brève*) Denkspruch *m*

penser [pɑ̃se] <1> **I.** *vi* **1.**(*réfléchir*) denken; **faculté de ~** Denkvermögen *nt;* ~ **à qc** über etw (*akk*) nachdenken **2.**(*juger*) ~ **différemment sur qc** anders über etw (*akk*) denken **3.**(*songer à*) ~ **à qn/qc** an jdn/etw denken; **sans ~ à mal** ohne [sich (*dat*)] Böses dabei zu denken **4.**(*ne pas oublier*) ~ **à qn/qc** an jdn/etw denken; ~ **à faire qc** daran denken etw zu tun; **faire ~ à qn/qc** an jdn/etw erinnern; **cela me fait ~ que** das erinnert mich daran, dass

5.(*s'intéresser à*) ~ **aux autres** an andere denken ▸**je pense bien!** *fam* und ob!; **donner** [*o* **laisser**] **à** ~ zu denken geben; **laisser à ~ que qn a fait qc** darauf schließen lassen, dass jd etw getan hat; **mais j'y pense ...** da fällt mir ein ...; **tu n'y penses pas!** *fam* das ist doch wohl nicht dein Ernst!; **(là) où je pense** *euph fam* in den Allerwertesten (*fam*); **tu penses!** *fam* (*tu plaisantes*) das soll wohl ein Witz sein!, wo denkst du hin!; (*et comment*) und ob! **II.** *vt* **1.**(*avoir comme opinion*) denken; ~ **qc de qn/qc** etw von jdm/etw halten **2.**(*imaginer*) ~ **qc de qn** etw von jdm denken; **c'est bien ce que je pensais** das habe ich mir [doch] gedacht **3.**(*croire*) glauben; **penses-tu que ... ?** glaubst du, dass ... ?; ~ **qn intelligent/sincère** jdn für intelligent/ehrlich halten; **je pense que oui/que non** ich denke ja/ich glaube nicht; **vous pensez bien que ... qn a fait qc** *fam* Sie können sich (*dat*) wohl denken, dass ... **4.**(*avoir l'intention de*) ~ **faire qc** vorhaben etw zu tun; **que pensezvous faire à présent?** was haben Sie jetzt vor? ▸**n'en penser pas moins** sich (*dat*) sein Teil denken; **pensez que qn a fait qc** (*tenez compte*) bedenken Sie, dass jd etw getan hat; (*imaginez*) stellen Sie sich (*dat*) vor, dass jd etw getan hat

penseur, -euse [pɑ̃sœr, -øz] *m, f* Denker *m;* **libre ~** Freidenker *m*

pensif, -ive [pɑ̃sif, -iv] *adj* nachdenklich

pension [pɑ̃sjɔ̃] *f* **1.**(*allocation*) Rente *f;* ~ **alimentaire** (*en cas de divorce*) Unterhaltszahlung *f;* (*à un enfant naturel*) Alimente *Pl* **2.**(*internat*) Internat *nt;* **mettre qn en ~** jdn in ein Internat geben **3.**(*petit hôtel*) Pension *f* **4.**(*hébergement*) Kost und Logis; ~ **complète** Vollpension *f;* **être en ~ chez qn** bei jdm in Pension sein

pensionnaire [pɑ̃sjɔnɛr] *mf* **1.** scol Internatsschüler *m* **2.**(*dans un hôtel, une famille*) Pensionsgast *m*

pensivement [pɑ̃sivmɑ̃] *adv* nachdenklich

pente [pɑ̃t] *f* *d'une route, d'un terrain* Gefälle *nt; d'un toit* Schräge *f; d'une colline, montagne* [Ab]hang *m;* **gravir/monter la ~** den Hang hinaufklettern/hinauffahren [*o* hinaufgehen]; **être/monter en ~ douce** leicht abfallen/leicht ansteigen; **être/monter en ~ raide** steil abfallen/steil ansteigen; **en ~** abschüssig ▸**être sur une ~ dangereuse** *fam* auf die schiefe Bahn geraten sein; **qn/qc est sur une mauvaise ~** mit jdm/etw geht es bergab; **qn/qc remonte la ~** es geht wieder bergauf mit jdm/etw

Pentecôte [pãtkot] *f* Pfingsten *nt;* **les va-cances de** [la] ~ die Pfingstferien
pénurie [penyʀi] *f* Knappheit *f,* Mangel *m;* ~ **de logements** Wohnungsnot *f*
people [pipœl] *adj inv presse, journaliste* Boulevard-
pépé [pepe] *m fam* Opa *m*
pépin [pepɛ̃] *m* **1.** *d'un raisin, d'une pom-me* Kern *m;* **fruits à** ~ Kernobst *nt* **2.** *fam* (*ennui, difficulté*) Schererei *f meist Pl;* **j'ai eu un gros** ~ mir ist da was Schlimmes passiert **3.** *fam* (*parapluie*) Musspritze *f* (*hum*)
pépiniériste [pepinjeʀist] *mf* Baumschul-gärtner(in) *m(f)*
perçant, e [pɛʀsã, ãt] *adj froid* schnei-dend; *regard* stechend; *cri* gellend; *voix* schrill; *esprit* scharf **perce-oreille** [pɛʀsɔ-ʀɛj] <perce-oreilles> *m* zool Ohrwurm *m*
perceptible [pɛʀsɛptibl] *adj* **1.** (*discerna-ble*) wahrnehmbar; (*à la vue*) sichtbar; *sons* hörbar **2.** *amélioration* merklich
perception [pɛʀsɛpsjɔ̃] *f* Wahrnehmung *f;* PSYCH, PHILOS Wahrnehmung *f; d'une situa-tion* Einschätzung *f;* ~ **des couleurs/des odeurs** Farben-/Geruchssinn *m*
percer [pɛʀse] <2> **I.** *vi* **1.** (*apparaître*) *dent:* durchkommen; **le soleil perce à travers les nuages** die Sonne bricht durch die Wolken **2.** (*transparaître*) ~ **dans qc** *sentiment, ironie:* in etw (*dat*) durchklingen **3.** (*devenir populaire*) *artis-te:* den Durchbruch schaffen **II.** *vt* **1.** (*fo-rer*) bohren *trou* **2.** (*faire des trous dans*) ~ **qc d'un trou/de trous** ein Loch/Löcher in etw (*akk*) bohren **3.** (*perforer*) anzapfen *tonneau;* durchbohren *mur, tôle;* aufbre-chen *coffre-fort;* aufstechen *abcès, ampoule;* durchstechen *oreille, tympan;* **être percé** *pneu, bouteille:* ein Loch/Löcher haben **4.** (*creuser une ouverture dans*) durchboh-ren, einen Durchbruch machen durch *mur, rocher* **5.** (*trouer*) **être percé** *chaussette, chaussure, poche:* Löcher haben; (*d'un seul trou*) ein Loch haben **6.** (*traverser*) durch-brechen *ligne, front;* ~ **la foule** sich (*dat*) einen Weg durch die Menge bahnen **7.** (*déchirer*) durchbrechen *nuages, obscu-rité;* zerreißen *silence;* ~ **les oreilles/les tympans à qn** *bruit:* jdm in den Ohren gel-len
perceuse [pɛʀsøz] *f* Bohrmaschine *f*
percevoir [pɛʀsəvwaʀ] <12> *vt* **1.** (*en-tendre, apercevoir*) wahrnehmen **2.** (*en-caisser*) bekommen *honoraires, intérêts;* einnehmen *loyer*
perche[1] [pɛʀʃ] *f* zool Barsch *m*
perche[2] [pɛʀʃ] *f* **1.** Stange *f;* (*pour saut à la*

~) Stab *m; d'un téléski* Schleppbügel *m* **2.** SPORT [le saut à] la ~ der Stabhoch-sprung ▶**grande** ~ *fam* Bohnenstange *f;* **tendre la** ~ **à qn** jdm aus der Verlegenheit helfen
percher [pɛʀʃe] <1> **I.** *vi* **être perché sur une branche** *animal:* auf einem Ast sitzen **II.** *vt fam* (*mettre*) ~ **qc sur qc** etw ganz weit oben auf etw (*akk*) stellen/legen **III.** *vpr* se ~ **sur qc 1.** (*jucher*) *oiseau:* sich auf etw (*akk*) setzen **2.** *fam* (*monter*) *person-ne:* sich auf etw (*akk*) hocken; (*debout*) sich auf etw (*akk*) stellen
percheron [pɛʀʃəʀɔ̃] *m* Kaltblut(pferd *nt*) *nt* (*aus dem Perche*)
percuter [pɛʀkyte] <1> **I.** *vi* ~ **contre qc** gegen etw prallen **II.** *vt* ~ **qc** auf [*o* an] [*o* gegen] etw (*akk*) prallen; ~ **qn** (*avec la voi-ture*) jdn anfahren
perdant, e [pɛʀdã, ãt] **I.** *adj* **numéro/ billet** ~ Niete *f;* **cheval** ~ Verlierer *m;* **être** ~ schlecht wegkommen; **partir** ~ von vornherein schlechte Erfolgsaussichten ha-ben **II.** *m, f* Verlierer *m;* **mauvais** ~ schlechter Verlierer
perdre [pɛʀdʀ] <14> **I.** *vi* verlieren; ~ **au jeu/au loto/aux élections** beim Spiel/ beim Lotto/bei den Wahlen verlieren ▶**y** ~ COM Verlust machen **II.** *vt* **1.** (*ne plus trou-ver*) verlieren *trace, guide, chien;* nicht mehr finden *page, enfant;* vergessen *nom;* ~ **son chemin** sich verlaufen [*o* verirren]; **être perdu** sich verlaufen [*o* verirrt] haben **2.** (*cesser d'avoir*) einbüßen *réputation, es-time;* ablegen [*mauvaise*] *habitude;* ~ **de son prestige** an Prestige verlieren; ~ **de la vi-tesse** langsamer werden; **n'avoir rien à** ~ **dans qc** bei etw nichts zu verlieren haben **3.** (*se voir privé d'une partie de soi*) verlie-ren; ~ **la vue/l'ouïe** blind/taub werden; ~ **le goût de qc** die Freude an etw (*dat*) verlieren **4.** (*être séparé par la mort de*) verlieren *père, femme* **5.** (*laisser s'échap-per*) verlieren *pantalon, chaussure, sang* **6.** (*avoir le dessous dans*) verlieren *match, procès* **7.** (*gaspiller*) ~ **une occasion** eine Gelegenheit versäumen; **faire** ~ **une heu-re à qn** *rangement:* jdn eine Stunde kosten **8.** (*rater*) ~ **quelque chose en ne faisant pas qc** [*o* **à ne pas faire qc**] etwas versäu-men, wenn man etw nicht tut; **tu n'y perds rien!** da hast du nichts verpasst! **9.** (*ruiner*) ruinieren, zugrunde [*o* zu Grun-de] richten *personne* ▶**tu ne perds rien pour attendre!** so leicht kommst du mir nicht davon!; **ne pas** ~ **une miette de qc** sich (*dat*) nicht das Geringste von etw ent-gehen lassen **III.** *vpr* **1.** (*s'égarer*) se ~ **dans la/en forêt** (*à pied/en voiture*) sich

im Wald verirren [*o* verlaufen]/verfahren; **se ~ en route** *colis, lettre:* unterwegs verloren gehen **2.** (*s'attarder à*) **se ~ dans des explications** sich in Erklärungen (*dat*) ergehen **3.** (*se plonger*) **se ~ dans ses pensées** in Gedanken (*dat*) versinken **4.** (*disparaître*) **se ~** *sens, bonnes habitudes:* verloren gehen; *coutume, traditions:* in Vergessenheit geraten, aussterben; *métier:* aussterben **5.** (*faire naufrage*) **se ~** verschwinden; **un bateaux s'est perdu** ein Schiff ist verschollen **6.** (*se gâter*) **se ~** *fruits, légumes, récolte:* verderben **7.** (*rester inutilisé*) **se ~** *ressources:* ungenutzt bleiben; *occasion:* nicht genutzt werden; *initiative:* im Sand verlaufen ▸**il y a des gifles qui se perdent** *fam* er/sie braucht mal ein paar hinter die Ohren; **je m'y perds** da kann ich nicht mehr folgen

perdrix [pɛʀdʀi] *f* Feldhuhn *nt;* **~ grise/ rouge** Reb-/Rothuhn *nt*

perdu, e [pɛʀdy] **I.** *part passé de* **perdre II.** *adj* **1.** *bataille, procès* verloren; *cause* aussichtslos **2.** *personne* durcheinander; **elle était ~e** sie wusste nicht mehr weiter; **avoir l'air ~** verstört aussehen **3.** (*absorbé*) **être ~ dans qc** in etw (*akk*) vertieft sein **4.** *objet* verloren gegangen; *chien* streunend; (*sans propriétaire*) herrenlos **5.** (*gaspillé, manqué*) **de ~** *soirée, temps, argent* vergeudet; *place* ungenutzt; *occasion* verpasst **6.** (*de loisir*) **à mes heures ~es** [*o* **moments ~s**] in meiner freien Zeit **7.** *pays, coin, endroit* entlegen

père [pɛʀ] *m* **1.** (*géniteur*) Vater *m;* **Durand ~** Durand senior; **~ légal** gesetzlich anerkannter Vater; **~ spirituel de qn** jds geistiges Vorbild; **de ~ en fils** von Generation zu Generation **2.** *d'une idée, théorie, d'un projet* [geistiger] Vater; *d'une institution* Begründer *m* **3.** *fam* (*monsieur*) **le ~ Dupont** Vater Dupont (*a. pej*), der alte [Herr] Dupont **4.** REL Pater *m;* **Notre Père** Vaterunser *nt* ▸**tel ~, tel fils** der Apfel fällt nicht weit vom Stamm (*prov*); **~ Fouettard** Knecht *m* Ruprecht; **~ Noël** Weihnachtsmann *m*

perfection [pɛʀfɛksjõ] *f sans pl* Perfektion *f;* **être une ~** unübertrefflich sein; **à la ~** vollendet

perfectionné, e [pɛʀfɛksjɔne] *adj machine, dispositif* verbessert; **très ~** hochentwickelt

perfectionnement [pɛʀfɛksjɔnmã] *m* Verbesserung *f; d'un système, d'une technique* Weiterentwicklung *f;* **apporter des ~s à qc** etw verbessern; **stage de ~** Fortbildungslehrgang *m;* **classe de ~** SCOL Förderunterricht *m*

perfectionner [pɛʀfɛksjɔne] <1> **I.** *vt* verbessern *technique, procédé;* weiterentwickeln *appareil;* vervollkommnen *style, langue* **II.** *vpr* **se ~** *technique, procédé:* sich verbessern; **se ~ dans/en qc** *personne:* sich in etw (*dat*) weiterbilden

perfectionnisme [pɛʀfɛksjɔnism] *m* Perfektionismus *m*

perfectionniste [pɛʀfɛksjɔnist] **I.** *mf* Perfektionist *m* **II.** *adj* perfektionistisch

perfidement [pɛʀfidmã] *adv littér* perfid[e] (*geh*)

perforatrice [pɛʀfɔʀatʀis] *f* INFORM Lochkartenstanzer *m*

perforer [pɛʀfɔʀe] <1> *vt* lochen; (*percer de plusieurs trous*) durchlöchern; (*percer de trous réguliers*) *projectile:* durchschlagen; **être perforé** *feuille:* gelocht sein; **bande/carte perforée** Lochstreifen *m*/ Lochkarte *f*

perforeuse [pɛʀfɔʀøz] *f* Locher *m*

performance [pɛʀfɔʀmãs] *f a.* SPORT Leistung *f;* **~s d'une machine, voiture** Leistung[sfähigkeit *f*] *f;* **réaliser de bonnes ~s** leistungsstark sein

performant, e [pɛʀfɔʀmã, ãt] *adj appareil, technique* leistungsstark; *entreprise, industrie, produit* wettbewerbsfähig; *cadre, manager* effizient

péridurale [peʀidyʀal] *f* Periduralanästhesie *f*

périgourdin, e [peʀiguʀdɛ̃, in] *adj* aus dem Périgord

périmé, e [peʀime] *adj* **1.** *carte, visa, garantie* abgelaufen; *billet, chèque* ungültig; **un médicament/yaourt ~** ein Medikament/ Joghurt [*o* Jogurt], dessen Verfallsdatum überschritten ist **2.** (*démodé, dépassé*) *conception, institution* überholt, veraltet; **être ~** nicht mehr zeitgemäß sein

périmer [peʀime] <1> *vpr* **se ~** *carte, passeport, visa:* ablaufen; *billet:* verfallen; **laisser [se] ~ un billet** eine Karte verfallen lassen

périnée [peʀine] *m* ANAT Damm *m*

période [peʀjɔd] *f* **1.** (*époque*) Zeit *f;* **la ~ classique** die Zeit der Klassik **2.** (*espace de temps*) Zeit[raum *m*] *f;* **une ~ d'un an** ein Zeitraum von einem Jahr; **~ électorale** Wahlkampf *m;* **~ de double circulation** (*concernant l'euro*) Doppelwährungsphase *f;* **~ de transition** (*concernant l'euro*) Übergangsphase *f;* **~ transitoire** Übergangszeit; **~ de [la] vie** Lebensabschnitt *m;* **~ d'activité** (*durée d'un emploi*) Beschäftigungszeit; (*durée de la vie active*) Zeit der Erwerbstätigkeit; **~ d'essai** Probezeit; **~ des fêtes** Feiertage *Pl;* **par ~[s]** zeitweise

permettre

• permettre	• erlauben
Vous avez le droit de fumer dans cette zone.	In diesem Bereich **dürfen** Sie rauchen.
Vous pouvez vous garer ici, **si vous voulez.**	**Wenn Sie möchten,** können Sie hier parken.
Tu pourras aller jouer quand tu auras fini tes devoirs.	Wenn du mit deinen Hausaufgaben fertig bist, **darfst du** raus spielen.
Entrez (donc), **je vous prie.**	**Sie dürfen gern** hereinkommen.

• demander la permission	• um Erlaubnis bitten
Puis-je vous déranger/interrompre un instant?	**Darf ich** Sie kurz stören/unterbrechen?
Êtes-vous d'accord pour que je prenne mes vacances en juillet?	**Sind Sie damit einverstanden, wenn** ich im Juli Urlaub nehme?
Cela vous dérange si j'ouvre la fenêtre?	**Haben/Hätten Sie was dagegen, wenn** ich das Fenster aufmache?

---

périodique [peʀjɔdik] I. *adj* **1.** *phase, phénomène, mouvement* periodisch; *retour* regelmäßig; **être** ~ regelmäßig wiederkehren **2.** PRESSE periodisch erscheinend; **la presse** ~ die Periodika *Pl* **3.** (*hygiénique*) **serviette** *f* ~ Monatsbinde *f* II. *m* PRESSE Zeitschrift *f*

périodiquement [peʀjɔdikmã] *adv* in regelmäßigen Abständen

péripatéticienne [peʀipatetisjɛn] *f hum littér* Prostituierte *f*, Dame *f* vom horizontalen Gewerbe (*fam*)

péripétie [peʀipesi] *f* unvorhergesehenes Ereignis; **vie pleine de** ~s ereignisreiches Leben

périphérie [peʀifeʀi] *f* **1.** GEOM **la** ~ **d'un cercle** der Kreisumfang **2.** (*banlieue*) Peripherie *f*; **habiter à la** ~ **de la ville** am Stadtrand wohnen; **l'immobilier dans la** ~ die Immobilien in den Außenbezirken

périphérique [peʀifeʀik] I. *adj* **1.** (*extérieur*) **quartier** ~ Viertel *nt* am Stadtrand **2.** MEDIA **poste/radio/station** ~ *privater französischer Sender, der aus dem grenznahen Ausland sendet* II. *m* **1.** (*boulevard*) **le** ~ **de Paris** die Ringautobahn um Paris; ~ **intérieur/extérieur** innerer/äußerer Ring **2.** INFORM Peripheriegerät *nt*; ~ **son** Soundkarte *f*

périssable [peʀisabl] *adj* **denrée** leicht verderblich

péristyle [peʀistil] *m* Säulenhalle *f*

péritoine [peʀitwan] *m* Bauchfell *nt*

perle [pɛʀl] *f* **1.** (*boule*) Perle *f*; ~ **naturelle** echte Perle **2.** *fam* (*erreur*) Stilblüte *f* **3.** (*personne*) Perle *f* (*fam*); **c'est une** ~ **rare** sie/er ist eine echte Perle **4.** (*chose de grande valeur*) Juwel *m*

perlier, -ière [pɛʀlje, -jɛʀ] *adj* **industrie perlière** Perlenindustrie *f*; **huître perlière** Perlmuschel *f*

permanence [pɛʀmanãs] *f* **1.** ADMIN, MED Bereitschaftsdienst *m*; **assurer** [*o* **tenir**] **la** ~/**être de** ~ Bereitschaftsdienst haben **2.** *d'un parti, syndicat* Geschäftsstelle *f*; *d'un commissariat de police* Dienststelle *f*; ~ **électorale** Wahlkampfbüro *nt* ▸**en** ~ ständig; *siéger* ununterbrochen; *surveiller* rund um die Uhr

permanent, e [pɛʀmanã, ãt] *adj* **1.** *caractère, phénomène, élément* beständig **2.** *souci, danger* ständig; *contrôle, collaboration, liaison* dauernd; *tension, troubles* anhaltend; *emploi* fest; **exposition** ~**e** Dauerausstellung *f*; **formation** ~**e** Fortbildung *f*; **cinéma** ~ Nonstopkino *nt*, Non-Stop-Kino *nt*; **ici le spectacle est** ~ hier ist immer was los (*fam*); ~ **de ... à ...** *spectacle, cinéma* durchgehend von ... bis ... **3.** *envoyé, représentant* ständig; **personnel** ~ Stammpersonal *nt*; **armée** ~**e** stehendes Heer

permanente [pɛʀmanãt] *f* Dauerwelle *f*

permettre [pɛʀmɛtʀ] <*irr*> I. *vt impers* **1.** (*être autorisé*) **il est permis à qn de faire qc** es ist jdm gestattet etw zu tun **2.** (*être possible*) **il est permis à qn de faire qc** jd kann es sich (*dat*) erlauben etw zu tun; **est-il permis d'être aussi bête!** wie kann man nur so dumm sein! II. *vt* **1.** (*autoriser*) ~ **à qn de faire qc** jdm erlauben [*o* gestatten *geh*] etw zu tun; (*donner droit à*) jdn dazu berechtigen etw zu tun; ~ **que** + *subj* erlauben, dass; **c'est permis par la loi** das ist rechtlich zulässig

vous **permettez?** gestatten Sie?; **vous permettez que** + *subj* hätten Sie etwas dagegen, wenn **2.** (*rendre possible*) ~ **à qn de faire qc** *chose:* es jdm erlauben etw zu tun; **si le temps le permet** wenn es das Wetter zulässt ▸ **permettez!/tu permets!** [na] erlauben Sie mal!/[na] erlaube mal! (*fam*) **III.** *vpr* **1.** (*s'accorder*) se ~ **une fantaisie** sich (*dat*) etwas Besonderes gönnen [*o* leisten] **2.** (*oser*) se ~ **une plaisanterie** sich (*dat*) einen Scherz erlauben; **se ~ bien des choses** sich (*dat*) einiges herausnehmen

permis [pɛʀmi] *m* **1.** (*permis de conduire: papier*) Führerschein *m;* (*examen*) Fahrprüfung *f;* ~ **moto** Motorradführerschein; **échouer au** ~ durch die Fahrprüfung fallen **2.** (*licence*) ~ **de chasse/pêche** Jagd-/Angelschein *m;* ~ **de construire** Baugenehmigung *f* **3.** (*autorisation*) ~ **de séjour** Aufenthaltserlaubnis *f;* ~ **d'établissement** CH unbefristete Aufenthaltserlaubnis, Niederlassungsbewilligung *f* (CH)

permis, e [pɛʀmi, z] *part passé de* **permettre**

permission [pɛʀmisjɔ̃] *f* **1.** *sans pl* (*autorisation*) ~ **de faire qc** Erlaubnis *f* etw zu tun; ~ **de minuit** Ausgang *m* bis Mitternacht **2.** MIL Urlaub *m*

Pérou [peʀu] *m* **le** ~ Peru *nt* ▸ **ce n'est pas le** ~ damit kann man keine großen Sprünge machen (*fam*)

perpendiculaire [pɛʀpɑ̃dikylɛʀ] *adj* **1.** (*à angle droit*) ~ **à qc** *rue* rechtwinklig zu etw; *soleil* senkrecht über etw; **la rue ~ à cette rue** die Querstraße zu dieser Straße; **les deux rues sont ~s** [**entre elles**] die beiden Straßen stoßen senkrecht aufeinander **2.** GEOM senkrecht; **deux droites ~s** [**entre elles**] zwei senkrecht zueinander stehende Geraden; **être ~ à qc** senkrecht zu etw stehen

perpendiculairement [pɛʀpɑ̃dikylɛʀmɑ̃] *adv* ~ **à qc** im rechten Winkel [*o* senkrecht] zu etw

perpétuel, le [pɛʀpetɥɛl] *adj angoisse, difficultés* dauernd; *murmure, lamentations* fortwährend

perpétuellement [pɛʀpetɥɛlmɑ̃] *adv* **1.** (*constamment*) ständig, dauernd **2.** (*éternellement*) unaufhörlich

perpétuer [pɛʀpetɥe] <1> **I.** *vt* aufrechterhalten *tradition;* weitergeben *nom;* wachhalten *souvenir;* **servir à** ~ **l'espèce** der Arterhaltung dienen **II.** *vpr* se ~ *abus, injustices:* sich fortsetzen; *tradition:* lebendig bleiben; *espèce:* sich erhalten

perpétuité [pɛʀpetɥite] *f* **à** ~ auf Lebenszeit; *condamnation* lebenslänglich; **être**

condamné à ~ zu einer lebenslangen Freiheitsstrafe verurteilt werden

perplexe [pɛʀplɛks] *adj personne, mine* ratlos; **rendre qn** ~ jdn in Verlegenheit bringen

perroquet [pɛʀɔkɛ] *m* **1.** ORN Papagei *m* **2.** (*personne*) Papagei *m;* **répéter qc comme un** ~ etw nachplappern **3.** (*boisson*) Pastis *m* mit Pfefferminzsirup

perruche [pɛʀyʃ, peʀyʃ] *f* ORN Sittich *m*

perruque [pɛʀyk, peʀyk] *f* Perücke *f*

persan [pɛʀsɑ̃] *m* Persisch *nt; v. a.* **allemand**

persan, e [pɛʀsɑ̃, an] *adj* persisch; *tapis, chat* Perser-

Persan, e [pɛʀsɑ̃, an] *m, f* Perser *m*

perse [pɛʀs] **I.** *adj* HIST persisch **II.** *m* HIST Persisch *nt; v. a.* **allemand**

Perse [pɛʀs] **I.** *m, f* HIST Perser *m* **II.** *f* **la** ~ Persien *nt*

persécuter [pɛʀsekyte] <1> *vt* verfolgen

persécution [pɛʀsekysjɔ̃] *f* Verfolgung *f*

persévérance [pɛʀseveʀɑ̃s] *f* Beharrlichkeit *f*

persévérant, e [pɛʀseveʀɑ̃, ɑ̃t] *adj* beharrlich

persévérer [pɛʀseveʀe] <5> *vi* nicht aufgeben; ~ **dans ses efforts** in seinen Bemühungen nicht nachlassen; ~ **dans une recherche** eine Suche nicht einstellen; ~ **à faire qc** etw weiterhin tun

persienne [pɛʀsjɛn] *f* Fensterladen *m*

persifleur, -euse [pɛʀsiflœʀ, -øz] *m, f* Spötter(in) *m(f)*

persil [pɛʀsi] *m* Petersilie *f*

persillé, e [pɛʀsije] *adj* **1.** mit Petersilie **2.** (*avec des moisissures*) *fromage* mit Blauschimmel; *viande* durchwachsen

persister [pɛʀsiste] <1> *vi* (*persévérer*) ~ **dans qc** auf etw (*dat*) bestehen; ~ **dans un projet** hartnäckig an einem Projekt festhalten; ~ **à faire qc** etw weiterhin tun ▸ **qn persiste et signe** jd bleibt dabei

perso [pɛʀsɔ] *adj inv fam* persönlich

personnage [pɛʀsɔnaʒ] *m* **1.** ART, LITTER Figur *f*, Person *f;* CINE *a.* Rolle *f;* **les ~s de Walt Disney** die Figuren Walt Disneys; **jouer le** ~ **d'un voleur** einen Dieb spielen **2.** (*rôle*) Rolle *f;* **soigner son** ~ sein Image pflegen **3.** (*individu*) Typ *m;* (*femme*) Person *f;* **un grossier** ~ ein ungehobelter Kerl **4.** (*personnalité*) Persönlichkeit *f;* ~**s politiques** politische Prominenz

personnalisation [pɛʀsɔnalizasjɔ̃] *f* Personalisierung *f*

personnalisé, e [pɛʀsɔnalize] *adj* personnalisiert; *accessoire, vêtement* individuell entworfen; *service* individuell

personnaliser [pɛʀsɔnalize] <1> *vt*

1. (*adapter*) individuell gestalten **2.** (*rendre personnel*) ~ qc einer S. (*dat*) eine persönliche Note verleihen

personnalité [pɛʀsɔnalite] *f* **1.** (*caractère*) Persönlichkeit *f*; *d'un style, d'une œuvre* persönliche Note; **avoir une forte** [*o de la*] ~ eine ausgeprägte Persönlichkeit sein **2.** (*personne*) Persönlichkeit *f*

personne¹ [pɛʀsɔn] *f* **1.** (*individu*) Person *f*; **dix** ~s 10 Leute; ~ **âgée** alter Mensch; **les** ~s **âgées** die Senioren; **la** ~ **qui**/**les** ~s **qui** derjenige, der/diejenigen, die; **je respecte sa** ~ ich respektiere ihn/sie als Menschen; **tu ne penses qu'à ta** ~ du denkst nur an dich selbst; **satisfait de sa** ~ von sich überzeugt **2.** (*femme*) Person *f*; (*jeune fille*) Mädchen *nt* **3.** (*être humain*) Mensch *m* **4.** GRAM Person *f* ▸**grande** ~ Erwachsene(r) *f(m)*; **par** ~ **interposée** durch einen Mittelsmann; **tierce** ~ Dritte(r) *f(m)*; **en** ~ [höchst]persönlich

personne² [pɛʀsɔn] *pron indéf* **1.** (*opp: quelqu'un*) niemand; **il n'y a** ~ es ist niemand da; ~ **d'autre** niemand sonst, kein anderer **2.** (*quelqu'un*) jemand; **une place sans presque** ~ ein fast menschenleerer Platz ▸**plus rapide que** ~ schneller als jede(r) andere(r)

personnel [pɛʀsɔnɛl] *m* Personal *nt*; *d'une entreprise* Belegschaft *f*; ~ **enseignant** Lehrkörper *m*

personnel, le [pɛʀsɔnɛl] *adj* **1.** (*individuel*) persönlich; *objets* des persönlichen Gebrauchs; *biens, fortune* Privat-; *style, idées* eigenwillig; **à titre** ~ persönlich **2.** GRAM persönlich; *forme* bestimmt; *pronom* Personal-; **mode** ~ *Bezeichnung für Indikativ, Konditional, Konjunktiv und Imperativ*

personnellement [pɛʀsɔnɛlmɑ̃] *adv* persönlich

perspective [pɛʀspɛktiv] *f* **1.** GEOM, ART Perspektive *f*; ~ **aérienne** Vogelperspektive; **en** ~ perspektivisch **2.** (*éventualité, horizon*) ~ **de qc** Aussicht *f* auf etw (*akk*); ~ **insoupçonnée** ungeahnte Perspektive; **une** ~ **réjouissante** schöne Aussichten; ~s **d'avenir** Zukunftsaussichten *Pl*; **ouvrir des** ~s Perspektiven eröffnen; **à la** ~ **de qc** bei der Aussicht auf etw (*akk*); **dans cette** ~ zu diesem Zweck; **en** ~ in Aussicht **3.** (*panorama*) Ausblick *m* **4.** (*point de vue*) Gesichtspunkt *m*; **changer de** ~ den Blickwinkel ändern

perspicace [pɛʀspikas] *adj* **1.** (*sagace*) scharfsinnig **2.** (*très capable d'apercevoir*) scharfsichtig; *observation* scharf; **d'un œil** [*o regard*] ~ mit Scharfblick

perspicacité [pɛʀspikasite] *f* Scharfblick *m*; *d'une prévision* Scharfsichtigkeit *f*; *d'une*

remarque Scharfsinnigkeit *f*

persuader [pɛʀsɥade] <1> I. *vt* ~ qc jdn von etw überzeugen; ~ **qn de faire** qc (*intellectuellement*) jdn [davon] überzeugen etw zu tun; (*sentimentalement*) jdn überreden etw zu tun; ~ **qn que** jdn davon überzeugen, dass II. *vpr* se ~ **de qc** von etw überzeugt sein; **se** ~ **que** sich (*dat*) einreden, dass

persuasif, -ive [pɛʀsɥazif, -iv] *adj* überzeugend

perte [pɛʀt] *f* **1.** (*privation*) Verlust *m*; *de facultés physiques* Nachlassen *nt*; **en cas de** ~ im Verlustfall; ~ **du sommeil** Schlaflosigkeit *f*; ~ **de mémoire** Gedächtnisverlust; ~ **de temps**/**d'argent** Zeit-/Geldverschwendung *f*; ~ **d'autorité**/**de prestige** Autoritäts-/Prestigeverlust **2.** COM Verlust *m* **3.** (*ruine*) Verderben *nt*; (*financière*) Ruin *m* **4.** (*déchet*) Abfall *m* **5.** *pl* (*morts*) Verluste *Pl* ▸**renvoyer avec** ~ **et fracas** hochkantig rauswerfen (*fam*); **à** ~ **de vue** (*très loin*) so weit das Auge reicht; (*interminablement*) endlos; **en pure** ~ vergeblich; **courir à sa** ~ in sein Verderben rennen; **à** ~ mit Verlust

pertinence [pɛʀtinɑ̃s] *f* Zutreffen *nt*; *d'un argument, raisonnement* Stichhaltigkeit *f*; **parler avec** ~ mit Sachkunde sprechen; **conseiller qn avec** ~ jdn sachdienlich beraten

pertinent, e [pɛʀtinɑ̃, ɑ̃t] *adj* treffend

perturbant, e [pɛʀtyʀbɑ̃, ɑ̃t] *adj* *situation* belastend

perturbation [pɛʀtyʀbasjɔ̃] *f* Störung *f*

perturbé, e [pɛʀtyʀbe] *adj* **1.** *personne* verstört **2.** *ordre* gestört; *service* durcheinander gebracht; *monde* auf den Kopf gestellt; **un trafic** ~ eine Verkehrsbehinderung

perturber [pɛʀtyʀbe] <1> *vt* durcheinander bringen; ~ qc sich störend auf etw (*akk*) auswirken

pervers, e [pɛʀvɛʀ, ɛʀs] I. *adj* pervers II. *m, f* perverser Mensch; **c'est un** ~ er ist pervers [veranlagt]

pesamment [pəzamɑ̃] *adv* schwer; (*sans grâce*) schwerfällig

pesant [pəzɑ̃] *m* ▸**valoir son** ~ **d'or** *fam* nicht mit Gold zu bezahlen sein

pesant, e [pəzɑ̃, ɑ̃t] *adj* schwer; *sommeil* bleiern; *atmosphère, silence* bedrückend

pèse-bébé [pɛzbebe] <pèse-bébé[s]> *m* Säuglingswaage *f*

peser [pəze] <4> I. *vt* **1.** (*mesurer le poids*) wiegen; abwiegen *marchandises, ingrédients* **2.** (*estimer*) abwägen; ~ **ses mots** sich (*dat*) seine Worte reiflich überlegen ▸**emballez, c'est pesé** *fam* so, das

wärs; **tout bien pesé** nach reiflicher Überlegung **II.** *vi* **1.** (*avoir un certain poids*) wiegen; **ne rien ~** nicht viel wiegen; **~ lourd** viel wiegen; **~ 1 milliards d'euros** *fam* 1 Milliarde Euro schwer sein **2.** (*être lourd*) schwer sein **3.** (*exercer une pression*) **~ sur/contre qc** auf/gegen etw (*akk*) drücken; **les frites lui pèsent sur l'estomac** die Pommes frites liegen ihm schwer im Magen **4.** (*accabler*) **ce climat me pèse** dieses Klima macht mir [schwer] zu schaffen; **des soupçons pèsent sur lui** Verdachtsmomente lasten auf ihm; **des remords pesaient sur elle** Gewissensbisse belasteten sie **5.** (*influencer*) ins Gewicht fallen; **~ sur qn/qc** jdn/etw beeinflussen **III.** *vpr* **se ~** sich wiegen

peseta [pezeta] *f* Peseta *f*

pessimiste [pesimist] **I.** *adj* pessimistisch **II.** *m, f* Pessimist *m*

peste [pɛst] *f* **1.** MED Pest *f* **2.** (*personne ou chose*) Plage *f* ▶**craindre/éviter qn/qc comme la ~** jdn/etw wie die Pest fürchten/meiden; **se méfier de qn/qc comme de la ~** sich vor jdm/etw wie vor der Pest hüten

pester [pɛste] <1> *vi* schimpfen; **~ contre qn/qc** auf jdn/etw schimpfen

pétanque [petɑ̃k] *f* Boulespiel *nt*

pétant, e [petɑ̃, ɑ̃t] *adj fam* **huit heures ~[es]** Punkt acht [Uhr]; **midi ~** Punkt zwölf

pétard [petaʀ] *m* **1.** (*explosif*) Knallkörper *m* **2.** *fam* (*cigarette de haschich*) Joint *m* **3.** *fam* (*postérieur*) Hinterteil *nt* ▶**être/se mettre en ~** *fam* fuchsteufelswild sein/werden

pet-de-nonne [pɛdnɔn] <pets-de-nonne> *m: kleiner, in Schmalz gebackener Krapfen*

péter [pete] <5> **I.** *vi fam* **1.** (*faire un pet*) furzen (*fam*) **2.** (*éclater*) platzen; *verre, assiette:* [zer]springen **II.** *vt fam* **j'ai pété la couture de mon pantalon** mir ist die Hosennaht geplatzt

pète-sec [pɛtsɛk] **I.** *adj inv, fam* schroff; *air* autoritär **II.** *m, f inv, fam* Feldwebel *m*

pétillant, e [petijɑ̃, jɑ̃t] *adj* **1.** *eau* sprudelnd; *champagne* perlend; *boisson* mit Kohlensäure; **eau ~e** Sprudel *m* **2.** (*brillant*) glitzernd; **des yeux ~s de malice/gaieté** schelmisch funkelnde/vor Fröhlichkeit sprühende Augen

pétiller [petije] <1> *vi* **1.** (*faire des bulles*) sprudeln; *champagne:* perlen; **boisson qui pétille** Getränk *nt* mit Kohlensäure **2.** (*être bouillant de*) **~ de gaieté/de malice** vor Fröhlichkeit (*dat*) sprühen/schelmisch funkeln

petiot, e [pətjo, jɔt] **I.** *adj fam* [ganz] klein **II.** *m, f fam* Kleine(r) *f(m)*

petit, e [p(ə)ti, it] **I.** *adj* **1.** (*opp: grand*) klein; *lumière* schwach; *pluie* fein; **au ~ jour** bei Tagesanbruch; **à ~e vitesse** langsam **2.** (*de courte durée*) kurz; **faire un ~ salut/sourire** kurz grüßen/lächeln **3.** (*de basse extraction*) klein; **~ paysan** Kleinbauer *m* **4.** (*jeune*) klein; **~ chat** Kätzchen *nt;* **~ Jésus** Jesuskind *nt;* **les ~es classes** die unteren Klassen **5.** (*terme affectueux*) klein; *mots* leise; **~ chou** mein Liebling; **ton ~ mari** deine bessere Hälfte (*fam*); **~ copain** [*o* **ami**] Freund *m* **6.** (*condescendant*) **jouer au ~ chef** den Chef spielen **7.** *esprit* kleinlich; *intérêts* niedrig **8.** *vin, année, cru* schwach; *santé* schwach **9.** (*pour atténuer*) klein; *heure, kilo, mètre* knapp **10.** (*miniature*) klein; **~s soldats** Zinnsoldaten *Pl;* **~es voitures** Spielzeugautos *Pl* ▶**se faire tout ~** sich ganz klein machen **II.** *m, f* **1.** (*enfant*) Kleine(r) *f(m);* (*enfant de qn*) Kleine(r), Kind *nt* **2.** ZOOL Junge(s) *nt* ▶**mon ~/ma ~e** (*gentiment*) mein Kleiner/meine Kleine; (*méchamment*) mein Guter/meine Gute; **~, ~, ~!** put, put, put! **III.** *adv* **voir ~** [zu] knapp rechnen ▶**~ à ~** allmählich; **en ~** im Kleinen

petit-bourgeois , petite-bourgeoise [p(ə)tibuʀʒwa, p(ə)titbuʀʒwaz] <petits-bourgeois> **I.** *adj péj* spießig **II.** *m, f péj* Spießer *m* **petit-déj** [p(ə)tideʒ] <petits-déjs> *fam,* **petit-déjeuner** [p(ə)tideʒœne] <petits-déjeuners> *m* Frühstück *nt* **petite-fille** [p(ə)titfij] <petites-filles> *f* Enkelin *f,* Enkeltochter *f*

petite-nièce [p(ə)titnjɛs] <petites-nièces> *f* Großnichte *f* **petit-fils** [p(ə)tifis] <petits-fils> *m* Enkel *m,* Enkelsohn *m* **petit-four** [p(ə)tifuʀ] <petits-fours> *m: exquisites Kleingebäck*

pétition [petisjɔ̃] *f* Petition *f* **petit-neveu** [p(ə)tin(ə)vø] <petits-neveux> *m* Großneffe *m*

petits-enfants [p(ə)tizɑ̃fɑ̃] *mpl* Enkel[kinder] *Pl* **petit-suisse** [p(ə)tisɥis] <petits-suisses> *m: kleiner runder sahniger Frischkäse*

pétrifié, e [petʀifje] *adj* **1.** (*changé en pierre*) versteinert **2.** (*médusé*) wie versteinert; **~ de terreur** starr vor Schreck (*dat*)

pétrin [petʀɛ̃] *m fam* (*difficultés*) Patsche *f;* **être dans le ~** in der Tinte sitzen; **se fourrer dans le ~** in Teufels Küche kommen

pétrir [petʀiʀ] <8> *vt* (*malaxer*) kneten **pétrochimique** [petʀoʃimik] *adj* petrochemisch

peur/souci

• **exprimer la peur/les craintes**	• **Angst/Befürchtungen ausdrücken**
J'ai peur de la foule.	Diese Menschenmengen **machen mir Angst.**
J'ai peur du dentiste/**que** tu te blesses.	**Ich habe Angst vorm** Zahnarzt/, **dass** du dich verletzen könntest.
J'ai la frousse/trouille de l'examen.	**Ich habe Bammel/Schiss vor** der Prüfung. *(fam)*
J'ai un mauvais pressentiment.	**Ich habe (da) ein ungutes Gefühl.**
Je m'attends au pire.	**Ich rechne mit dem Schlimmsten.**
Ce sans-gêne **m'inquiète.**	Diese Rücksichtslosigkeit **beängstigt mich.**
• **exprimer le souci**	• **Sorge ausdrücken**
Je me fais du souci pour toi.	**Ich mache mir Sorgen um** dich.
Je passe des nuits blanches à me faire **du souci pour** lui.	Die Sorge um ihn **bereitet mir schlaflose Nächte.**
L'augmentation des chiffres du chômage **m'inquiète.**	Die steigenden Arbeitslosenzahlen **beunruhigen mich/machen mir große Sorgen.**

pétrole [petʀɔl] I. *m* [Erd]öl *nt* II. *app bleu, vert* Petrol-
pétrolier [petʀɔlje] *m* (*navire*) [Öl]tanker *m*
pétrolier, -ière [petʀɔlje, -jɛʀ] *adj* [Erd]öl-
peu [pø] I. *adv* 1. (*opp: beaucoup, très*) wenig; *avec un adj ou un adv* nicht sehr; **être ~ aimable** nicht [gerade] sehr freundlich sein; **~ avant/après** kurz davor/darauf; **avant** [*o* **d'ici**] [*o* **sous**] **~** in Kürze; **depuis ~** seit kurzem; **bien/trop ~** recht/ zu wenig; **~ de temps/d'argent** wenig Zeit/Geld; **~ de voitures** wenig[e] Autos; **~ de jours** ein paar Tage; **en ~ de temps** in kurzer Zeit 2. (*rarement*) **~** [**souvent**] selten ►**c'est ~ dire** das ist noch gelinde ausgedrückt; **ce n'est pas ~ dire** das will schon etwas heißen; **~ à ~** nach und nach; **à ~ près** ungefähr; **de ~** [nur] knapp; **éviter qn de ~** jdm gerade noch ausweichen können II. *pron indéf* 1. (*peu de personnes*) wenige 2. (*peu de choses*) wenig; **~ importe** das ist nicht so wichtig III. *m* le **~ de temps/d'argent qu'il me reste** das bisschen Zeit/Geld, das mir bleibt; **ton ~ de confiance en toi** dein geringes Selbstvertrauen; **le ~ de personnes/choses** die paar Menschen/Dinge; **le ~ que j'ai vu** das bisschen, das [*o* was] ich gesehen habe; **un ~ de beurre/bonne volonté** ein wenig [*o* bisschen] Butter/guten Willen; **un ~ de monde** ein paar Leute ►**attends un ~ que je t'attrape** *fam* warte nur, bis ich dich kriege; **un ~ partout** fast

überall; [et] **pas qu'un ~!** [und] das nicht zu knapp! (*fam*); **pour un ~** beinahe; **pour si ~** wegen so einer Kleinigkeit; **pour ~ que qn fasse qc** wenn jd auch nur etw tut; **si ~ qu'on lui donne, ...** mag es auch noch so wenig sein, das man ihm gibt, ...; **un tant soit ~** ein [ganz] klein wenig; **bien sûr que je suis un ~ là** und ob ich hier bin (*fam*); **un ~ que j'ai raison!** und ob ich Recht habe!
peuchère [pøʃɛʀ] *interj* MIDI du liebe Zeit
peuple [pœpl] *m* Volk *nt*; **le ~ chrétien** die Christen; **le ~ palestinien** die Palästinenser; **le ~ élu** das auserwählte Volk
peuplé, e [pœple] *adj* [dicht] bevölkert; *région* [dicht] besiedelt; **être ~ de personnes/choses** voller Menschen/Dinge sein
peuplier [pøplije] *m* Pappel *f*
peur [pœʀ] *f* Angst *f*; **~ de** [*o* **devant**] **qn/qc** Angst vor jdm/etw; **la ~ du ridicule** die Angst sich lächerlich zu machen; **avoir ~ de faire qc** Angst davor haben etw zu tun; **avoir ~ pour qn** Angst um jdn haben; **avoir ~ pour sa vie/santé** um sein Leben/seine Gesundheit fürchten; **avoir ~ pour son avenir** sich (*dat*) um seine Zukunft Sorgen machen; **avoir ~ que + subj** Angst haben, dass; **faire ~ à qn** jdm Angst machen ►**avoir eu plus de ~ que de mal** mit dem [bloßen] Schrecken davongekommen sein; **n'ayons pas ~ des mots** scheuen wir uns nicht es ganz offen auszusprechen; **avoir une ~ bleue** eine Heidenangst haben (*fam*); **j'ai bien ~ que qn ait**

fait qc ich befürchte sehr, dass jd etw getan hat; **à faire** ~ furchtbar; **laid à faire** ~ furchtbar hässlich; **prendre** ~ Angst bekommen; **de** ~ vor Angst; **de** ~ **de faire qc/que qn fasse qc** aus Angst davor[,] etw zu tun/dass jd etw tut; **par** ~ **du ridicule** aus Angst sich lächerlich zu machen; **par** ~ **des critiques** aus Angst vor Kritik
peureux, -euse [pœʀø, -øz] **I.** *adj* ängstlich **II.** *m, f* Angsthase *m* (*fam*)
peut [pø] *indic prés de* **pouvoir**
peut-être [pøtɛtʀ] *adv* **1.** (*éventuellement*) vielleicht; ~ **que qn va faire qc** es kann sein, dass jd etw tun wird; ~ **bien** kann gut sein **2.** (*environ*) ungefähr **3.** (*marque de doute*) mag ja sein; **ce médicament est** ~ **efficace, mais …** dieses Medikament mag ja wirkungsvoll sein, aber …
peuvent [pøv], **peux** [pø] *indic prés de* **pouvoir**
pfennig [pfenig] *m* Pfennig *m*
pH [peaʃ] *m abr de* **potentiel d'Hydrogène** *inv* pH-Wert *m*
phacochère [fakɔʃɛʀ] *m* ZOOL Warzenschwein *nt*
phalène [falɛn] *f* Spanner *m*
phallique [falik] *adj* Phallus-, phallisch
phare [faʀ] *m* **1.** (*projecteur*) Scheinwerfer *m;* ~ **antibrouillard** Nebelscheinwerfer; **être/se mettre en** ~**s** das Fernlicht eingeschaltet haben/einschalten **2.** (*tour*) Leuchtturm *m*
pharmacie [faʀmasi] *f* **1.** (*boutique*) Apotheke *f;* ~ **de garde** Notdienstapotheke **2.** (*science*) Pharmazie *f* **3.** (*armoire*) Hausapotheke *f*
pharmacien, ne [faʀmasjɛ̃, jɛn] *m, f* Apotheker *m*
phase [faz] *f* Phase *f; d'une maladie* Stadium *nt*
phénicien, ne [fenisjɛ̃, jɛn] *adj* phönizisch
phénicien [fenisjɛ̃] *m* Phönizisch *nt; v. a.* **allemand**
Phénicien, ne [fenisjɛ̃, jɛn] *m, f* Phönizier *m*
phénomène [fenɔmɛn] *m* **1.** (*fait*) Phänomen *nt* **2.** *fam* (*individu*) komischer Kauz
philatélie [filateli] *f* **1.** (*science*) Philatelie *f* **2.** (*hobby*) Briefmarkensammeln *nt*
philatéliste [filatelist] *mf* Briefmarkensammler *m*
Philippines [filipin] *fpl* **les** ~ die Philippinen
philo [filo] *f fam abr de* **philosophie**
philosophe [filɔzɔf] **I.** *mf* Philosoph *m* **II.** *adj* weise
philosopher [filɔzɔfe] <1> *vi* philosophieren

philosophie [filɔzɔfi] *f* **1.** (*science, conception*) Philosophie *f* **2.** (*art de vivre*) Lebensphilosophie *f* **3.** (*flegme, sagesse*) Weisheit *f*
philosophique [filɔzɔfik] *adj* philosophisch
philtre [filtʀ] *m* Liebestrank *m*
phlox [flɔks] *m* BOT Phlox *m*
phocéen, ne [fɔseɛ̃, ɛn] *adj* **cité** ~**ne** Marseille *nt;* **l'équipe** ~**ne** die Marseiller Mannschaft
phonétique [fɔnetik] **I.** *f* **1.** (*science*) Phonetik *f* **2.** (*transcription*) Lautschrift *f* **II.** *adj* phonetisch; *écriture* Laut-; *signes* Lautschrift-
phonétiquement [fɔnetikmã] *adv* phonetisch
phonographe [fɔnɔgʀaf] *m* Phonograph *m*
phoque [fɔk] *m* Seehund *m*
phosphorer [fɔsfɔʀe] <1> *vi fam* arbeiten bis jdm der Kopf raucht; ~ **sur un projet** an einem Projekt arbeiten bis jdm der Kopf raucht; ~ **sur une question** über einer Frage brüten; **ça phosphore sec, par ici!** hier rechts verdammt nach Arbeit!
photo [foto] *f abr de* **photographie 1.** (*cliché*) Foto *nt;* ~ **couleur** Farbfoto; ~ **noir et blanc** Schwarzweißfoto; ~ **de famille** Familienfoto; ~ **d'identité** Passfoto; **faire une** ~ ein Foto machen; **prendre qn/qc en** ~ ein Foto von jdm/etw machen; **en** ~ auf dem Bild **2.** (*art*) Fotografie *f,* Photographie *f;* **faire de la** ~ fotografieren ►**tu veux ma** ~? *fam* was glotzt du mich so an?
photocopie [fɔtɔkɔpi] *f* Fotokopie *f*
photocopier [fɔtɔkɔpje] <1> *vt* [foto]kopieren
photocopieur [fɔtɔkɔpjœʀ] *m,* **photocopieuse** [fɔtɔkɔpjøz] *f* [Foto]kopierer *m*
photographe [fɔtɔgʀaf] *mf* Fotograf *m*
photographie [fɔtɔgʀafi] *f* Fotografie *f,* Photographie *f*
photographier [fɔtɔgʀafje] <1> *vt* **1.** PHOT fotografieren **2.** (*mémoriser*) sich (*dat*) genau merken
phrase [fʀaz] *f* Satz *m;* ~ **affirmative/négative** bejahter/verneinter Satz ►~ **toute faite** Redewendung *f*
physicien, ne [fizisjɛ̃, jɛn] *m, f* Physiker *m*
physiologiquement [fizjɔlɔʒikmã] *adv* physiologisch [gesehen]
physionomiste [fizjɔnɔmist] **I.** *adj* **être** ~ ein gutes Personengedächtnis haben **II.** *mf* Mensch *m,* der ein gutes Personengedächtnis hat
physique [fizik] **I.** *adj* **1.** (*corporel*) physisch; *effort, fatigue* körperlich; *culture* Kör-

per-; **éducation** ~ Turnen *nt;* **exercice** ~ sportliche Betätigung **2.** PHYS physikalisch; **sciences** ~**s** [die] Physik und [die] Chemie **3.** *amour* körperlich; *plaisir* Sinnes- **4.** (*qui concerne la nature*) physisch ▶**c'est** ~ jd kann nichts dafür **II.** *m* **1.** (*aspect extérieur*) Äußere(s) *nt;* **avoir un beau** ~ gut aussehen **2.** (*constitution*) **grâce à son** ~ **robuste** dank seiner/ihrer robusten Natur ▶**il/elle a le** ~ **de l'emploi** man sieht ihm/ihr seinen/ihren Beruf an; **avoir** ~ das gewisse Etwas haben **III.** *f* Physik *f*
physiquement [fizikmɑ̃] *adv* **1.** (*concernant le corps*) körperlich **2.** (*concernant l'apparence*) ~**,** **elle est assez jolie** sie ist eine hübsche Erscheinung; **être très bien** ~ gut aussehen
phytosanitaire [fitosanitɛʀ] *adj* **produits** ~**s** Pflanzenschutzmittel *nt*
phytotechnologie [fitotɛknɔlɔʒi] *f* Pflanzentechnologie *f*
piaillement [pjɑjmɑ̃] *m* *d'un oiseau* Gepiep[s]e *nt;* *d'un enfant* Geplärr[e] *nt;* *d'une femme* Gekreisch[e] *nt*
piailler [pjɑje] <1> *vi* *animal:* piep[s]en; *enfant:* plärren; *femme:* kreischen
pianiste [pjanist] *mf* Pianist *m*
piano [pjano] **I.** *m* MUS Klavier *nt;* ~ **à queue** Flügel *m;* **jouer du** ~ Klavier spielen **II.** *adv* leise, piano; [y] **aller** ~ *fam* es langsam angehen; **vas-y** ~ immer mit der Ruhe (*fam*)
pianoter [pjanɔte] <1> *vi* **1.** (*jouer sans talent*) ~ **sur un piano** auf einem Klavier herumklimpern (*fam*) **2.** (*taper comme un débutant*) ~ **sur un ordinateur** an einem Rechner herumtippen; ~ **sur un minitel** an einem Btx-Terminal herumspielen **3.** (*tapoter du bout des doigts*) ~ **sur la table/vitre** ungeduldig mit den Fingern auf den Tisch/das Fenster trommeln
piaule [pjol] *f fam* Bude *f*
PIB [peibe] *m abr de* **produit intérieur brut** B.I.P. *nt*
pic [pik] *m* (*sommet*) Bergspitze *f* ▶**tomber** à ~ gerade recht kommen; *personne:* wie gerufen kommen; **à** ~ steil; **couler à** ~ ganz plötzlich versinken
Picardie [pikaʀdi] *f* **la** ~ die Picardie
pickpocket [pikpɔkɛt] *m* Taschendieb *m*
picoler [pikɔle] <1> *vi fam* bechern
picorer [pikɔʀe] <1> **I.** *vi* **1.** (*becqueter*) *animal:* picken **2.** (*grignoter*) *personne:* knabbern; ~ **dans son assiette** in seinem Essen herumstochern (*fam*) **II.** *vt* **1.** (*becqueter*) *animal:* [auf]picken **2.** (*grignoter*) *personne:* knabbern; ~ **qc dans l'assiette de qn** ab und zu etw von jds Teller stibitzen (*fam*)

picoter [pikɔte] <1> *vt* **la fumée me picote les yeux** der Rauch brennt mir in den Augen; **le froid picote/les orties picotent la peau** die Kälte prickelt/die Brennnesseln brennen auf der Haut; **les herbes picotent les mollets** die Gräser kitzeln an den Waden; **ça me picote le nez** das kribbelt mir in der Nase
picotin [pikɔtɛ̃] *m* **un** ~ **d'avoine** eine Haferration
pie [pi] *f* **1.** ORN Elster *f* **2.** *fam* (*femme*) Quasselstrippe *f*
pièce [pjɛs] *f* **1.** (*salle*) Zimmer *nt;* **un deux-/trois-**~**s** eine Zwei-/Dreizimmerwohnung **2.** (*monnaie*) Geldstück *nt;* ~ **de monnaie** Geldstück; ~ **d'un franc/de deux marks** Einfranc-/Zweimarkstück; ~**s** [en] **euro** Euro-Münzen *Pl* **3.** THEAT ~ **de théâtre** Theaterstück *nt* **4.** MUS Stück *nt;* ~ **vocale/instrumentale** Vokal-/Instrumentalstück **5.** (*document*) Schriftstück *nt;* ~ **d'identité** [Personal]ausweis *m;* **les** ~**s** Unterlagen *Pl;* **les** ~**s du procès** die Prozessakten; ~ **justificative** Beleg *m;* ~ **d'archives** Archivdokument; ~ **à conviction** Beweisstück *nt* **6.** (*élément constitutif*) Teil *nt;* *d'une collection, d'un trousseau* Stück *nt;* JEUX Figur *f;* ~ **de mobilier** Möbelstück; **belle** ~ Prachtexemplar *nt;* ~ **de musée** Museumsstück **7.** (*quantité*) Stück *nt;* **une** ~ **de viande** ein Stück Fleisch **8.** (*pour rapiécer*) Flicken *m* **9.** (*unité*) **acheter/vendre à la** ~ stückweise [*o* einzeln] kaufen/verkaufen ▶~ **de rechange** Ersatzteil *nt;* ~ **détachée** Einzelteil *nt;* ~ **rapportée** *péj* fünftes Rad am Wagen; [être] **tout d'une** ~ aus einem Stück [gemacht sein]; **c'est un homme tout d'une** ~ er ist geradeheraus (*fam*); **tout d'une** ~ (*avec raideur*) steif; **créer qc de toutes** ~**s** etw selbst zusammenbauen; **construire qc de toutes** ~**s** etw von A bis Z entwerfen; **reconstituer qc de toutes** ~**s** etw wieder vollständig zusammensetzen; **être inventé de toutes** ~**s** von Anfang bis Ende erfunden sein; **donner la** ~ **à qn** *fam* jdm ein Trinkgeld geben; **mettre/tailler qn/qc en** ~**s** (*en morceaux*) jdn/etw kurz und klein schlagen; SPORT jdn vernichtend schlagen; **mettre/tailler une argumentation/théorie en** ~**s** eine Argumentation/Theorie in der Luft zerreißen (*fam*); **travailler aux** ~**s** im Akkord arbeiten; **être payé aux** ~**s** nach Akkord bezahlt werden
piécette [pjesɛt] *f* kleines Geldstück
pied [pje] *m* **1.** ANAT Fuß *m;* ~ **plat** Plattfuß; **à** ~ zu Fuß; **au** ~**!** bei Fuß! **2.** (*support*) Bein *nt;* *d'un lit, établi, microphone*

Fuß *m* **3.** *d'un lit* Fußende *nt* **4.** *d'une chaussette, d'un bas* Fuß *m* **5.** (*chaussure*) le ~ **gauche serre trop** der linke Schuh drückt **6.** (*base*) Fuß *m; d'un champignon* Stiel *m;* **au ~ d'une colline/d'un mur** am Fuß eines Hügels/einer Mauer; **mettre qc au ~ de qc** etw unter etw (*akk*) legen; **être** [**couché**] **au ~ de qc** unter etw (*dat*) liegen **7.** (*plant*) ~ **de salade/poireau** Salat-/Lauchpflanze *f;* ~ **de vigne** Rebstock *m* **8.** (*unité de mesure*) Fuß *m* **9.** (*en poésie*) Versfuß *m* **10.** (*pas*) **marcher d'un ~ léger** leichten Fußes gehen; **ils s'en vont/marchent du même ~** sie gehen im Gleichschritt ▶**traiter qn sur un ~ d'égalité** jdn wie seinesgleichen behandeln; **prendre qc au ~ de la** <u>lettre</u> etw wörtlich nehmen; **mettre qn au ~ du** <u>mur</u> jdn zu einer Entscheidung zwingen; **avoir bon ~ bon œil** noch sehr rüstig und gesund sein; [**avoir/rouler**] **le ~ au** <u>plancher</u> [mit] Bleifuß [fahren] (*fam*); **mettre les ~s dans le** <u>plat</u> ins Fettnäpfchen treten; **mettre ~ à** <u>terre</u> absteigen; **vouloir être à cent ~s sous** <u>terre</u> vor Scham am liebsten im Boden versinken wollen; **avoir/garder les** [**deux**] **~s sur** <u>terre</u> mit beiden Beinen [fest] auf der Erde stehen/bleiben; **des ~s à la** <u>tête</u> von Kopf bis Fuß; **avoir un ~ dans la** <u>tombe</u> mit einem Bein im Grab stehen; **partir du** <u>bon</u>/**mauvais ~** etw gut/schlecht anfangen; **se lever du ~** <u>gauche</u> [o du <u>mauvais</u> ~] mit dem linken Fuß zuerst aufstehen; **faire un cours au ~** <u>levé</u> unvorbereitet Unterricht halten; **faire un discours au ~** <u>levé</u> aus dem Stegreif einen Vortrag halten; **remplacer qn au ~** <u>levé</u> jdn plötzlich ersetzen; ~**s** <u>nus</u> barfuß; <u>avoir</u> ~ **à** ~ Boden unter den Füßen haben; **casser les ~s à qn** *fam* jdm auf die Nerven gehen; **s'**<u>emmêler</u> **les ~s** straucheln; **être sur** ~ wieder auf den Beinen sein; **ça lui** <u>fait</u> **les ~s** *fam* das wird ihm/ihr eine Lehre sein; <u>lever</u> **le ~** (*s'enfuir*) sich aus dem Staub machen (*fam*); (*ralentir*) den Fuß vom Gas[pedal] nehmen; <u>marcher</u> **sur les ~s de qn** (*faire mal*) jdm auf den Fuß treten; (*embêter*) jdm ins Gehege kommen; **elle ne se laisse pas marcher sur les ~s** sie lässt sich (*dat*) nicht auf der Nase herumtanzen (*fam*); <u>mettre</u>/**ne jamais** <u>mettre</u> **les ~s quelque part** einen Fuß irgendwohin setzen/etw nie betreten; **mettre un projet sur** ~ ein Projekt auf die Beine stellen; <u>mettre</u> **une entreprise sur** ~ ein Unternehmen aufbauen; <u>perdre</u> ~ (*se noyer*) nicht mehr stehen können; (*être désemparé*) den Boden unter den Füßen verlieren;

(*ne plus comprendre*) nicht mehr mitkommen (*fam*); <u>prendre</u>/<u>reprendre</u> ~ [festen] Fuß/wieder [festen] Fuß fassen; <u>re</u><u>mettre</u> **qn/qc sur** ~ jdn wieder auf die Beine bringen/etw wieder sanieren; **il/elle ne** <u>sait</u> **pas sur quel ~ danser** er/sie weiß nicht, was er/sie tun soll; **avec lui, on ne sait jamais sur quel ~ danser** bei ihm weiß man nie, woran man ist; <u>sortir</u> **de qc les ~s devant** etw tot verlassen; <u>traîner</u> **les ~s** trödeln; **tomber** [o se jeter] **aux ~s de qn** sich jdm zu Füßen werfen; **se traîner** [o ramper] **aux ~s de qn** sich vor jdm niederwerfen; **~ de nez** lange Nase; **faire un ~ de nez à qn** jdm eine lange Nase drehen

pied-de-biche [pjedbiʃ] <pieds-de-biche> *m* **1.** (*outil*) Nagelzieher *m* **2.** COUT Nähfuß *m* **pied-noir** [pjɛnwaʀ] <pieds-noirs> **I.** *mf fam* Algerienfranzose *m* **II.** *adj* der Algerienfranzosen

piège [pjɛʒ] *m* Falle *f;* ~ **à souris** Mausefalle; **prendre un animal au** ~ ein Tier mit der Falle fangen; **prendre qn au** ~ jdn in eine Falle locken; **tendre un** ~ eine Falle aufstellen; **tendre un** ~ **à qn** jdm eine Falle stellen; **tomber dans le/un** ~ in die/eine Falle gehen, reinfallen ▶**qc/c'est un** ~ **à** <u>cons</u> *fam* bei etw/dabei kann man ganz schön reinfallen; **se prendre/être pris à son** <u>propre</u> ~ in die eigene Falle gehen/in der eigenen Falle sitzen

piégé, e [pjeʒe] *adj colis* Sprengstoff-; **valise ~e** Koffer *m,* in dem eine Sprengladung [o Bombe] versteckt ist; **lettre ~e** Briefbombe *f;* **voiture ~e** Autobombe *f*

piéger [pjeʒe] <2a, 5> *vt* **1.** (*attraper*) mit der Falle fangen *animal* **2.** (*tromper*) in die Falle locken *personne;* **se faire ~ par qn** jdm in die Falle gehen; **se laisser** ~ sich in die Falle locken lassen; (*par de bonnes paroles*) sich einfangen lassen

piéride [pjeʀid] *f* ZOOL Kohlweißling *m*

pierre [pjɛʀ] *f* **1.** (*caillou*) Stein *m;* ~ **ponce** Bimsstein *m* **2.** (*pierre précieuse*) [Edel]stein *m* ▶**faire d'une ~ deux** <u>coups</u> zwei Fliegen mit einer Klappe schlagen (*fam*); **marquer qc d'une ~** <u>blanche</u> etw rot [im Kalender] anstreichen; ~ <u>tombale</u> Grabstein *m;* **poser la** <u>première</u> ~ **de qc** den Grundstein zu etw legen; <u>jeter</u> **la** [**première**] ~ **à qn** den [ersten] Stein auf jdn werfen; <u>de</u> ~ steinern; **cœur de** ~ Herz *nt* aus Stein

Pierre [pjɛʀ(ə)] *m* Peter *m*

piétaille [pjetaj] *f* Fußvolk *nt*

piétiner [pjetine] <1> **I.** *vi* **1.** (*trépigner*) ~ **de colère** [o rage] wütend mit den Füßen aufstampfen; ~ **d'impatience** unge-

duldig von einem Bein aufs andere treten **2.** (*avancer péniblement*) kaum von der Stelle kommen; ~ **sur place** auf der Stelle treten **3.** (*ne pas progresser*) keine Fortschritte machen **II.** *vt* **1.** (*marcher sur*) festtreten *sol, neige;* zertrampeln *pelouse;* ~ **qc de rage** auf etw (*dat*) herumtrampeln **2.** (*ne pas respecter*) mit Füßen treten

piéton, ne [pjetɔ̃, ɔn] *m, f* Fußgänger *m*

piéton, ne [pjetɔ̃, ɔn] *adj,* **piétonnier, -ière** [pjetɔnje, -jɛʀ] *adj zone* Fußgänger-; *rue* autofrei

pieusement [pjøzmɑ̃] *adv* **1.** (*avec respect*) ehrfürchtig **2.** REL fromm

pigeon [piʒɔ̃] *m* **1.** ZOOL Taube *f;* ~ **voyageur** Brieftaube **2.** *fam* (*dupe*) **être le** ~ **dans l'affaire** der/die Gelackmeierte sein (*fam*); **cherchez un autre** ~! sucht euch einen anderen Dummen! (*fam*)

pigeonnant, e [piʒɔnɑ̃, ɑ̃t] *adj poitrine* üppig; **soutien-gorge** ~ *tief ausgeschnittener Form-BH*

pigeonner [piʒɔne] <1> *vt fam* rupfen; **se faire** ~ **par qn** sich von jdm anschmieren lassen

piger [piʒe] <2a> *vt, vi fam* kapieren; **ne rien** ~ *fam* nur Bahnhof verstehen

pigiste [piʒist] *mf* freier Journalist *m*/freie Journalistin *f*

pilaf [pilaf] *app* **riz** ~ Pilaw *m*

pile¹ [pil] *f* **1.** (*tas*) Stapel *m;* **une** ~ **d'assiettes** ein Stapel Teller **2.** ELEC Batterie *f;* **fonctionner à** ~**s** mit [einer] Batterie laufen **3.** MIDI (*évier*) Spüle *f*

pile² [pil] *adv* **1.** (*avec précision*) ganz pünktlich; (*brusquement*) jäh; (*au bon moment*) gerade richtig; **ça tombe** ~! das trifft sich gut! **2.** (*exactement*) **à 10 heures** ~ Punkt 10 Uhr ▸ ~ **poil** *fam* exakt; **il a mis 20 minutes** ~ **poil** er hat auf die Sekunde 20 Minuten gebraucht

pile³ [pil] *f* **le côté** ~ die [Münz]vorderseite; ~ **ou face?** Kopf oder Zahl?; **on va jouer ça à** ~ **ou face!** wir werfen eine Münze!

piler [pile] <1> **I.** *vt* zerstoßen **II.** *vi fam* voll auf die Bremse treten; *voiture:* mit quietschenden Bremsen halten

pilier [pilje] *m* **1.** ARCHIT Pfeiler *m* **2.** SPORT Stürmer *m* [der ersten Reihe]

piller [pije] <1> *vt* **1.** (*mettre à sac*) [aus]plündern **2.** (*plagier*) ~ **un auteur** bei einem Autor eine [geistige] Anleihe machen

pilleur, -euse [pijœʀ, -jøz] *m, f* Plünderer *m*

pilote [pilɔt] **I.** *adj* **1.** (*qui ouvre la voie*) Modell-; *projet, essai* Pilot- **2.** (*expérimental*) Versuchs- **3.** (*exemplaire*) Muster-

4. NAUT *bateau, navire* Lotsen- **II.** *m, f* AVIAT Pilot *m;* ~ **de ligne** Pilot *m* einer Verkehrsmaschine; AUT [Renn]fahrer *m;* ~ **de course** Rennfahrer; ~ **d'essai** Testpilot *m;* NAUT Lotse *m* **III.** *m* **1.** (*dispositif*) ~ **automatique** Autopilot *m* **2.** INFORM Treiber *m*

piloter [pilɔte] <1> *vt* **1.** TRANSP steuern *avion;* lotsen *navire;* lenken *voiture* **2.** INFORM steuern

pilule [pilyl] *f* MED Pille *f;* **la** ~ die [Antibaby]pille (*fam*) ▸ **la** ~ **est dure à avaler** das ist eine bittere Pille (*fam*)

piment [pimɑ̃] *m* **1.** GASTR Peperoni *f;* ~ **doux** Paprika *m;* ~ **en poudre** Cayennepfeffer *m* **2.** (*piquant*) Würze *f;* **donner du** ~ **à qc** einer S. (*dat*) [eine gewisse] Würze geben; **trouver du** ~ **à qc** etw reizvoll finden

pimenter [pimɑ̃te] <1> *vt* **1.** GASTR scharf würzen **2.** *fig* ~ **qc** einer S. (*dat*) [eine gewisse] Würze verleihen

pinailler [pinaje] <1> *vi fam* auf Kleinigkeiten herumreiten; ~ **sur qc** an etw (*dat*) herumkritteln (*pej*)

pince [pɛ̃s] *f* **1.** TECH Zange *f* **2.** ZOOL Schere *f* **3.** COUT Abnäher *m;* **pantalon à** ~**s** Bundfaltenhose *f* **4.** (*épingle*) ~ **à linge** Wäscheklammer *f* **5.** (*instrument d'épilation*) ~ **à épiler** Pinzette *f*

pincé, e [pɛ̃se] *adj* **1.** (*hautain*) selbstgefällig; (*contraint*) steif; *sourire* gezwungen; (*mécontent*) *ton* spitz **2.** *nez, narines* schmal; *lèvres* zusammengekniffen

pinceau [pɛ̃so] <x> *m* Pinsel *m* ▸ **se mélanger** [*o* **s'emmêler**] **les** ~**x** *fam* alles durcheinander bringen

pincée [pɛ̃se] *f* Prise *f*

pince-monseigneur   [pɛ̃smɔ̃sɛɲœʀ] <pinces-monseigneur> *f* Brecheisen *nt*

pincer [pɛ̃se] <2> **I.** *vt* **1.** (*faire mal*) *personne:* kneifen; *crabe, écrevisse:* zwicken; **la joue/le bras à qn** jdn in die Backe/den Arm kneifen; *crabe, écrevisse:* jdn in die Backe/den Arm zwicken **2.** (*serrer fortement*) zusammenkneifen *bouche;* aufeinander pressen *lèvres* **3.** *fam* (*arrêter*) schnappen; **se faire** ~ **par qn** (*se faire prendre/arrêter*) von jdm erwischt/geschnappt werden (*fam*) **II.** *vpr* **1.** (*se blesser*) **se** ~ sich quetschen; (*se serrer la peau*) sich zwicken; **se** ~ **le doigt** sich (*dat*) den Finger quetschen [*o* einklemmen] **2.** (*boucher*) **se** ~ **le nez** sich die Nase zuhalten **III.** *vi* ▸ **pince-moi, je rêve!** zwick' mich, ich glaub', ich träum'!; **en** ~ **pour qn** *fam* in jdn verknallt sein

pincette [pɛ̃sɛt] *f* Pinzette *f* ▸ **ne pas être à prendre avec des** ~**s** *fam* mit Vorsicht zu genießen sein

ping-pong [piŋpɔ̃g] *m inv* Tischtennis *nt*

pinotte [pinɔt] *f* CAN *fam* (*cacahuète*) Erdnuss *f*

pin's [pins] *m inv* Anstecker *m*, Pin *m*

pinson [pɛ̃sɔ̃] *m* Buchfink *m* ▶**gai comme un** ~ quietschvergnügt (*fam*)

pintadeau [pɛ̃tado] <x> *m* junges Perlhuhn

pin up [pinœp] *f inv* Pin-up-girl *nt*

pion [pjɔ̃] *m* JEUX Stein *m*

pion, ne [pjɔ̃, pjɔn] *m*, *f fam* SCOL Aufsichtführende(r) *f(m)*, Aufpasser *m* (*pej*)

pionnier, -ière [pjɔnje, -jɛR] *m, f de la médecine, de l'aviation* Pionier *m*; **être un ~ dans un domaine** ein Wegbereiter auf einem Gebiet sein

pipe [pip] *f* Pfeife *f*

pipelette [piplɛt] *f fam* Tratsche *f* (*pej*); **c'est une vraie ~!** der/die kann aber auch wirklich seinen/ihren Mund nicht halten!

pipette [pipɛt] *f* Pipette *f*

pipi [pipi] *m fam enfantin* Pipi *nt*; **faire ~** Pipi machen (*Kinderspr.*) ▶**c'est du ~ de chat** das ist ziemlich dürftig; (*en parlant d'une boisson*) das ist das reinste Spülwasser

piquant [pikɑ̃] *m* 1.(*épine*) Stachel *m*; *d'un rosier* Dorn *m* 2.(*agrément*) **avoir du ~** *récit, livre:* seinen Reiz haben; **le ~ de l'histoire, c'est qu'il l'a cru** das Amüsante [*o* Witzige] an der Geschichte ist, dass er es geglaubt hat

piquant, e [pikɑ̃, ɑ̃t] *adj* 1.*joue, plante* stach[e]lig; *rose* dornig 2. GASTR *moutarde, radis* scharf; *odeur* stechend; *goût, sauce* pikant 3. *air, bise, froid* schneidend

pique [pik] *m* JEUX Pik *nt*; **valet de ~** Pikbube *m*

pique-nique [piknik] <pique-niques> *m* Picknick *nt* **pique-niquer** [piknike] <1> *vi* [ein] Picknick machen **pique-niqueur , pique-niqueuse** [piknikœR, -øz] <pique-niqueurs> *m, f* jemand, der ein Picknick macht

piquer [pike] <1> I. *vt* 1.(*faire une piqûre*) *personne, guêpe, moustique:* stechen; *serpent, puce:* beißen 2.(*donner la mort*) einschläfern *animal* 3.(*prendre/fixer avec un objet pointu*) aufspießen *olive, papillon* 4.(*enfoncer par le bout*) ~ **une aiguille dans qc** eine Nadel in etw (*akk*) stechen 5.(*picoter*) pik[s]en (*fam*); ~ **la peau** auf der Haut kratzen; ~ **la langue** auf der Zunge brennen; ~ **les yeux/le visage** in den Augen/im Gesicht brennen 6.*fam* (*faire brusquement*) ~ **un cent mètres** einen Spurt einlegen; ~ **une colère/une crise** einen Wutanfall/Koller kriegen; ~ **une crise de larmes** in Tränen ausbrechen; ~ **un**

fard rot anlaufen; ~ **un roupillon/une tête** ein Nickerchen/einen Kopfsprung machen 7.*fam* (*voler*) klauen 8.*fam* (*arrêter*) schnappen; (*attraper*) erwischen II. *vi* 1.(*faire une piqûre*) *moustique, aiguille:* stechen; *serpent, puce:* beißen 2.(*descendre*) ~ **sur qc** auf etw (*akk*) niederstürzen 3.(*se diriger*) ~ **sur qn/qc** [geradewegs] auf jdn/etw zusteuern (*fam*) 4.(*irriter un sens*) *fumée, ortie:* brennen; *moutarde, radis:* scharf sein; *barbe, pull:* kratzen; *froid, vent:* schneidend sein; *eau gazeuse:* prickeln III. *vpr* 1.(*se blesser*) **se ~ avec une aiguille/à un rosier** sich mit einer Nadel/an einem Rosenstock stechen; **se ~ avec des orties** sich [an Brennnesseln (*dat*)] verbrennen 2.(*se faire une injection*) **se ~** sich spritzen; *drogué:* spritzen (*fam*); **se ~ à qc** sich (*dat*) etw spritzen [*o* injizieren]; *drogué:* etw spritzen (*fam*)

piquet [pikɛ] *m de parc, jardin* Pflock *m*; *de tente* Hering *m* ▶**raide comme un ~** stocksteif (*fam*); **être/rester planté comme un ~** *fam* wie angewurzelt dastehen/stehen bleiben; **aller au ~** SCOL sich (*akk*) in die Ecke stellen; ~ **de grève** Streikposten *m*

piqueter [pikte] <3> *vt* 1.(*jalonner*) [mit Pflöcken] abstecken 2.(*moucheter*) *fleur, pelage:* **piqueté** gesprenkelt; **des étoiles piquettent le ciel/le ciel est piqueté d'étoiles** der Himmel ist mit Sternen übersät

piqûre [pikyR] *f* 1.*d'épingle, de guêpe, moustique* Stich *m* 2. MED Spritze *f*, Injektion *f*; **faire une ~ à qn** jdm eine Spritze [*o* Injektion] geben

piranha [piRana] *m* Piranha *m*

pirate [piRat] I. *m* NAUT Seeräuber *m*; AVIAT ~ **de l'air** Luftpirat *m*; TRANSP ~ **de la route** Straßenräuber *m* II. *adj bateau, émetteur, radio* Piraten-; **édition/disque/enregistrement ~** Raubdruck *m*/Raubpressung *f*/Raubkopie *f*

pirater [piRate] <1> *vt* eine Raubkopie machen von *logiciel;* ~ **une œuvre** einen Raubdruck von einem Werk machen; **être piraté** *disquette, logiciel:* eine Raubkopie sein

pire [piR] I. *adj comp, superl de* **mauvais** 1. *comp* (*plus mauvais*) schlimmer; **rien de ~ que** nichts Schlimmeres als; ~ **que ça** noch [*o* viel] schlimmer; ~ **que tout** schlimmer, als man es sich vorstellen kann; **de ~ en ~** immer schlimmer 2. *superl* (*le plus mauvais*) **le/la ~ élève** der schlechteste Schüler/die schlechteste Schülerin II. *m* **le ~** das Schlimmste; **le ~ de tout, c'est que** das Allerschlimmste [daran] ist, dass;

s'attendre au ~ mit dem Schlimmsten rechnen; au ~ schlimmstenfalls

pirouette [piʀwɛt] *f* **1.** *d'un acrobate, danseur, cheval* Pirouette *f* **2.** (*volte-face*) Kehrtwendung *f* ▶ **répondre** [*o* **s'en tirer**] **par une** ~ sich herausreden

pis¹ [pi] *m* Euter *nt*

pis² [pi] *adv* tant ~! [na,] dann sollte es wohl nicht sein!; tant ~ **pour lui/elle** Pech für ihn/sie

piscine [pisin] *f* Schwimmbad *nt;* (*privée*) Swimmingpool *m;* ~ **couverte/en plein air** [*o* **découverte**] Hallenbad/Freibad; ~ **à vagues** Wellenbad

pisse-froid [pisfʀwa] *m inv fam* Trauerkloß *m*

pissenlit [pisɑ̃li] *m* Löwenzahn *m*

pisser [pise] <1> *vi fam* pinkeln

pisseux, -euse [pisø, -øz] *adj* **1.** *fam* (*imprégné d'urine*) verpinkelt **2.** (*terne*) vergilbt

pissotière [pisɔtjɛʀ] *f fam* Pinkelbude *f*

pistache [pistaʃ] **I.** *f* Pistazie *f* **II.** *adj inv* lindgrün

piste [pist] *f* **1.** *d'un cambrioleur, suspect* Spur *f; d'un animal* Fährte *f;* **brouiller les ~s** die Spuren verwischen; **être sur la ~ de qn/d'un animal** jdm/einem Tier auf der Spur sein; **se lancer sur la ~ de qn/ qc/d'un animal** jds Spur/die Spur einer S. (*gen*)/eines Tieres aufnehmen **2.** (*indice*) Hinweis *m* **3.** AVIAT Rollbahn *f;* ~ **d'atterrissage/de décollage** Lande-/Startbahn **4.** TRANSP Weg *m;* ~ **cyclable/cavalière** Rad-/Reitweg **5.** (*au ski*) Piste *f;* ~ **de ski de fond** [Langlauf]loipe *f* **6.** (*grand ovale: à l'hippodrome*) [Renn]bahn *f;* (*au vélodrome/circuit automobile*) [Renn]bahn, [Renn]strecke; ~ **d'essai** Teststrecke *f;* **cyclisme sur ~/épreuve sur ~** Bahnrennen *nt* **7.** (*espace: pour le patinage*) Eisbahn *f;* (*pour la danse*) Tanzfläche *f;* (*au cirque*) Manege *f* **8.** (*chemin: dans le désert*) Piste *f;* (*à la montagne*) Pfad *m* **9.** MEDIA Spur *f* ▶ **entrer en** ~ in Aktion treten

pisteur, -euse [pistœʀ, -øz] *m, f* Pistenwart *m*

pistolet [pistɔlɛ] *m* **1.** (*arme*) Pistole *f;* ~ **à eau** Wasserpistole; ~ **d'alarme** Schreckschusspistole **2.** (*pulvérisateur*) Spritzpistole *f* **3.** BELG (*petit pain*) längliches Milchbrötchen

piston [pistɔ̃] *m fam* (*favoritisme*) Beziehungen *Pl*, Vitamin *nt* B; **obtenir** [*o* **avoir**] **qc par** ~ *fam* etw durch/über Beziehungen bekommen

pistonner [pistɔne] <1> *vt fam* ~ **qn** für jdn seine Beziehungen spielen lassen; **se**

faire ~ **par qn** von jds Beziehungen profitieren; **il s'est fait** ~ **par son oncle pour ce poste** sein Onkel hat ihm diese Stelle über Beziehungen verschafft

pistou [pistu] *m* **soupe au** ~ *Gemüsesuppe mit Basilikum und Knoblauch*

piteux, -euse [pitø, -øz] *adj air, apparence* erbärmlich; *état* jämmerlich; *résultat* kläglich

pithiviers [pitivje] *m: mit Marzipan gefüllter Blätterteigkuchen*

pitié [pitje] *f* (*compassion*) Mitleid *nt;* (*miséricorde*) Erbarmen *nt;* **par** ~ aus Mitleid; **sans** ~ *agir, combattre* erbarmungslos; **être sans** ~ kein Mitleid haben; **avoir/prendre** ~ **de qn** mit jdm Mitleid haben/bekommen; **Seigneur, prends** ~ **de nous!** Herr erbarme dich unser!; **faire** ~ **à qn** jds Mitleid erwecken; *péj* jdm direkt Leid tun; **prendre qn/qc en** ~ jdn bemitleiden/Anteil an etw (*dat*) nehmen

piton [pitɔ̃] *m* **1.** (*crochet*) [Schraub]haken *m;* SPORT [Kletter]haken **2.** GEOG Bergspitze *f* **3.** CAN (*bouton*) [Dreh]knopf *m*, Schalter *m* **4.** CAN *d'un ordinateur, téléphone, d'une télécommande* Taste *f*

pitonnage [pitɔnaʒ] *m* CAN *fam* (*zapping*) Zappen *nt*

pitoyable [pitwajabl] *adj* **1.** *aspect, état* Mitleid erregend; *état, personne* bemitleidenswert **2.** (*piteux*) erbärmlich; *niveau de vie, résultat* kläglich

pitre [pitʀ] *m* Hanswurst *m* (*hum*); **faire le** ~ den Hanswurst spielen

pitrerie [pitʀəʀi] *f souvent pl* Albernheiten *Pl;* **faire des ~s** Faxen [*o* Blödsinn] machen

pittoresque [pitɔʀɛsk] *adj paysage, quartier* malerisch

pivoter [pivɔte] <1> *vi* sich drehen; ~ **sur qc** sich um etw drehen; **faire** ~ **qc** etw kreisen lassen

pixel [piksɛl] *m* Pixel *nt*

pizza [pidza] *f* Pizza *f;* **morceau de** ~ **au fromage** Stück *nt* Käsepizza

pizzeria [pidzeʀja] *f* Pizzeria *f*

PJ [peʒi] *f abr de* **Police judiciaire** (*fam*) Kripo *f*

placard [plakaʀ] *m* (*armoire*) Einbauschrank *m;* ~ **à balais** Besenkammer *f* ▶ **mettre qn/qc au** ~ *fam* jdn/etw in der Versenkung verschwinden lassen

placarder [plakaʀde] <1> *vt* anschlagen

place [plas] *f* **1.** (*lieu public*) Platz *m;* ~ **de l'église/du marché** Kirch-/Marktplatz; **sur la** ~ **publique** in aller Öffentlichkeit **2.** (*endroit approprié*) Platz *m;* **à la** ~ **de qc** an Stelle einer S. (*gen*); **sur** ~ vor Ort; **être à sa** ~ an seinem Platz sein; **être en**

~ (*installé*) auf [*o* an] seinem Platz sein; (*en fonction*) im Amt sein; **mettre les meubles/une machine en** ~ die Möbel aufstellen/eine Maschine installieren; **se mettre en** ~ *organisation:* eingerichtet werden; *régime politique:* an die Macht kommen; **se mettre à la** ~ **de qn** sich in jds Lage (*akk*) versetzen **3.** (*endroit quelconque*) Stelle *f;* **être/rester cloué sur** ~ wie angewurzelt dastehen/wie angewurzelt stehen bleiben; **prendre la** ~ **de qc** etw ersetzen; **ne pas rester** [*o* **tenir**] **en** ~ nicht stillsitzen können **4.** (*espace*) Platz; **tenir/prendre de la** ~ [viel] Platz einnehmen; **gagner de la** ~ Platz gewinnen **5.** (*emplacement réservé*) Platz *m;* ~ **assise/debout** Sitz-/Stehplatz; ~ **de stationnement** [einzelner] Parkplatz; **prendre la** ~ **de qn** jds Platz einnehmen; **y a-t-il encore une** ~ [**de**] **libre?** ist noch ein Platz frei? **6.** (*billet*) Karte *f;* ~ **de cinéma/concert** Kino-/Konzertkarte; **louer des** ~s Plätze reservieren **7.** SCOL, SPORT Platz *m;* **en** ~**!** auf die Plätze!; **être/figurer en bonne** ~ **pour faire qc** gut platziert sein um etw zu tun; **laisser qn sur** ~ jdn hinter sich (*dat*) lassen **8.** (*emploi*) Stelle *f* ▶ **avoir/obtenir sa** ~ **au** soleil ihren/seinen Platz an der Sonne haben/erwerben; **les** ~s **sont** chères *fam* die Konkurrenz schläft nicht; **faire** ~ **à qn/qc** jdm/einer S. weichen; remettre **qn à sa** ~ jdn in seine Schranken weisen

placé, e [plase] *adj* **1.** **être bien/mal** ~ *objet:* gut/nicht gut stehen, einen guten [*o* günstigen]/schlechten [*o* ungünstigen] Standort [*o* Platz] haben; *terrain:* eine gute [*o* günstige]/schlechte [*o* ungünstige] Lage haben; *spectateurs:* einen guten/schlechten Platz haben; **c'est de la fierté mal** ~**e!** Stolz ist hier [wirklich] fehl am Platz [*o* nicht angebracht]!; **être** ~ **dans un parc** sich in einem Park befinden; **être bien/mal** ~ **pour répondre** in der Lage/nicht in der Lage sein zu antworten; **être bien/mal** ~ **pour se plaindre** allen Grund/keinen Grund haben zu klagen; **tu es mal** ~ **pour me faire des reproches!** du hast kein Recht mir Vorwürfe zu machen!; **me voilà** ~ **dans une position délicate** jetzt bin ich in einer peinlichen Lage **2.** SPORT platziert; **être bien/mal** ~ gut/schlecht platziert sein; **jouer** ~ auf Platz setzen **3.** (*dans une situation*) **être haut** ~ in hoher [*o* einflussreicher] Stellung sein; **personnage haut** ~ hoch gestellte Persönlichkeit

placé, e [plase] *adj* **1.** (*situé*) **être bien/mal** ~ *objet:* einen günstigen/ungünstigen

Standort haben; *terrain:* eine gute [*o* günstige]/schlechte [*o* ungünstige] Lage haben; *spectateurs:* einen guten/schlechten Platz haben; **c'est de la fierté mal** ~**e!** Stolz ist hier [wirklich] fehl am Platz!; **être bien/mal** ~ **pour répondre** in der Lage/nicht in der Lage sein zu antworten; **être bien/mal** ~ **pour se plaindre** allen Grund/keinen Grund haben zu klagen; **tu es mal** ~ **pour me faire des reproches!** du hast kein Recht mir Vorwürfe zu machen! **2.** SPORT platziert; **être bien/mal** ~ gut/schlecht platziert sein; **jouer** ~ auf Platz setzen **3.** (*dans une situation*) **être haut** ~ in hoher Stellung sein; **personnage haut** ~ hoch gestellte Persönlichkeit

placer [plase] <2> I. *vt* **1.** (*mettre*) stellen/legen; ~ **qc sur l'étagère** (*verticalement/à plat*) etw auf das Regal stellen/legen **2.** (*installer*) aufstellen *sentinelle;* ~ **les spectateurs/les invités** den Zuschauern die Plätze anweisen/den Gästen ihren Platz zuweisen; ~ **un enfant dans une famille d'acceuil** ein Kind bei einer Pflegefamilie unterbringen **3.** (*introduire*) anbringen *anecdote, remarque;* ~ **une idée dans qc** einen Gedanken in etw (*akk*) einflechten; **ne pas pouvoir** ~ **un mot** [*o* **ne pas arriver à en** ~ **une**] nicht zu Wort kommen **4.** (*mettre dans une situation professionnelle*) ~ **un ami dans une entreprise comme qc** einen Freund in einem Unternehmen als etw unterbringen; **être placé sous l'autorité** [*o* **la direction**] [*o* **les ordres**] **de qn** jdm unterstellt sein, jdm unterstehen **5.** FIN anlegen *argent, capitaux, économies* II. *vpr* **1.** (*s'installer*) **se** ~ irgendwo Platz nehmen; (*debout*) sich irgendwohin stellen **2.** (*se situer*) **se** ~ **dans le cas où ...** den Fall annehmen, dass ... **3.** (*avoir sa place désignée*) **se** ~ **devant/à côté de qc** *meuble, objet, obstacle:* seinen Platz vor/neben etw (*dat*) haben **4.** (*prendre un certain rang*) **se** ~ **deuxième** den zweiten Platz belegen

plafond [plafɔ̃] *m* **1.** (*opp: plancher*) Decke *f;* **faux** ~ eingezogene Decke **2.** (*limite supérieure*) Obergrenze *f; d'un crédit* Plafond *m;* (*somme d'argent*) Höchstbetrag *m* ▶ sauter **au** ~ *fam* [bis] an die Decke springen

plage [plaʒ] *f* **1.** (*rivage*) Strand *m;* **les** ~s **de la Seine** die Strandufer der Seine *Pl;* ~ **de** galets/sable Kiesel-/Sandstrand; **robe/serviette de** ~ Strandkleid *nt/*Badelaken *nt;* **sur la** ~ am Strand; **être/aller à la** ~ am Strand sein/an den Strand gehen **2.** (*station balnéaire*) Seebad *nt* **3.** AUT ~ **arrière** Heckablage *f*

plagiste [plaʒist] *mf* Strandpächter(in) *m(f)*

plaie [plɛ] *f* **1.** (*blessure*) Wunde *f* **2.** (*malheur*) Plage *f;* **quelle ~! ** *fam* wie ärgerlich! **3.** *fam* (*personne*) Plagegeist *m*

plaindre [plɛ̃dʀ] <*irr*> **I.** *vt* (*s'apitoyer sur*) bedauern *personne;* **je te plains vraiment/sincèrement** du tust mir richtig/ aufrichtig Leid; **être bien/ne pas être à ~** wirklich zu bedauern sein/sich nicht beklagen können **II.** *vpr* **1.** (*se lamenter*) **se ~ de qc** [über etw (*akk*)] klagen; **se ~ tout le temps** immer am Jammern sein **2.** (*protester*) **se ~ de qn/qc à l'arbitre** sich beim Schiedsrichter über jdn/etw beklagen

plaine [plɛn] *f* Ebene *f*

plain-pied [plɛ̃pje] *m sans pl* (*au même niveau*) **être de ~** ebenerdig liegen

plainte [plɛ̃t] *f* **1.** (*gémissement*) Klage *f;* **les ~s** das Wehgeschrei **2.** (*récrimination*) Beschwerde *f* **3.** JUR Klage *f,* [Straf]anzeige *f;* **déposer une ~** [*o* **porter ~**] **contre un voisin auprès du tribunal pour le vacarme** wegen des Krachs bei Gericht gegen einen Nachbarn Klage erheben

plaire [plɛʀ] <*irr*> **I.** *vi* **1.** (*être agréable*) **~ à qn** *livre, travail, spectacle:* jdm gefallen **2.** (*charmer*) **~ à qn** *personne:* jdm gefallen; **les brunes me plaisent davantage** ich stehe eher auf Dunkelhaarige (*fam*) **3.** (*convenir*) **~ à qn** *idée, projet:* jdm zusagen **4.** (*être bien accueilli*) *chose:* Anklang finden ▸**qn a tout pour ~** *iron* alles spricht gegen jdn **II.** *vi impers* (*être agréable*) **il plaît à l'enfant de faire qc** es gefällt dem Kind etw zu tun; **vous plairait-il de venir dîner?** hätten Sie Lust zum Essen zu kommen?; **comme il te/vous plaira** wie du möchtest/Sie möchten; **quand ça te/vous plaira** wann du willst/Sie wollen ▸**s'il te/vous plaît** bitte; (*injonction*) wenn ich bitten darf!; (*accent d'insistance*) stell dir vor!, bitte schön! **III.** *vpr* **1.** (*se sentir à l'aise*) **se ~ avec qn** gern mit jdm zusammen sein; **qn se plaît au Canada** jd fühlt sich in Kanada wohl **2.** (*s'apprécier*) **se ~ avec qc** sich (*dat*) mit etw gefallen; **se ~** *personnes:* sich mögen **3.** (*prendre plaisir*) **il se plaît à faire qc** es macht ihm Freude [*o* Spaß] etw zu tun

plaisanter [plɛzɑ̃te] <1> *vi* **1.** (*blaguer*) scherzen, Spaß machen; **je ne plaisante pas!** ich meine es ernst!; **~ sur** [*o* **à propos de**] **qc** Witze über etw (*akk*) machen; **je ne suis pas d'humeur à ~** ich bin nicht zu[m] Scherzen aufgelegt **2.** (*dire par jeu*) **ne pas ~ sur la discipline/avec l'exactitude** keinen Spaß verstehen, was

Disziplin/Pünktlichkeit anbelangt; **tu plaisantes!** das soll wohl ein Witz sein!

plaisanterie [plɛzɑ̃tʀi] *f* **1.** (*blague*) Scherz *m;* **mauvaise ~** übler Scherz; **~ de mauvais goût** geschmackloser Witz; **par ~** aus [*o* im] Spaß; **aimer la ~** gerne Witze machen; **dire qc sur le ton de la ~** etw im Scherz sagen **2.** *pl* (*raillerie*) Gespött *nt* **3.** (*farce*) Streich *m;* **pousser un peu loin/trop loin la ~** [mit seinen Scherzen] ein wenig zu weit/wirklich zu weit gehen ▸**les ~s les plus courtes sont les meilleures** man soll das Spiel nicht übertreiben

plaisir [plɛziʀ] *m* **1.** (*joie*) Vergnügen *nt;* **~ de faire qc** Freude etw zu tun; **il a ~ à faire qc** es macht ihm Freude etw zu tun; **qn éprouve** [*o* **prend**] **un malin ~ à faire qc** es macht jdm einen Heidenspaß etw zu tun (*fam*); **faire ~ à qn** jdm Freude machen; (*rendre service à qn*) jdm gefällig sein; **faire à ses parents le ~ de faire qc** (*sur invitation*) seinen/ihren Eltern die Freude machen etw zu tun; (*sur ordre*) seinen/ihren Eltern den [einen] Gefallen tun und etw tun (*fam*); **maintenant fais-moi le ~ de te taire!** jetzt tu mir den [einen] Gefallen und sei still!; **elle prend** [du] **~ à qc** etw macht ihr Freude; **souhaiter à qn bien du ~** *iron* jdm viel Vergnügen wünschen; **faire ~ à voir** ein erfreulicher Anblick sein **2.** (*distraction*) [Freizeit]vergnügen *nt;* **par** [*o* **pour le**] **~** aus [*o* zum] Vergnügen; **sans ~** lustlos **3.** (*jouissance sexuelle*) **se donner du ~** (*faire l'amour*) sich im Bett vergnügen **4.** *pl* (*sentiment agréable*) Lustgefühl *nt;* **menus ~s** kleine Vergnügungen; **les ~s de la table** die Tafelfreuden; **courir après les ~s** immer auf Vergnügungen aus sein ▸**bon ~** Belieben *nt;* **décider qc selon son bon ~** etw nach Belieben entscheiden; **faire durer le ~** kein Ende finden; **au ~!** *fam* [ich hoffe,] bis bald!; **avec** [**grand**] **~** mit [größtem] Vergnügen

plan [plɑ̃] *m* **1.** (*représentation graphique*) Plan *m* **2.** (*projet*) Plan *m;* **~ de travail/ d'action** Arbeits-/Aktionsplan **3.** (*d'un devoir, d'une dissertation*) Gliederung *f;* (*d'un livre*) Entwurf *m* **4.** MEDIA Aufnahme *f;* (*cadrage*) Einstellung *f;* **~ fixe** statische Einstellung; **gros ~** Großaufnahme *f;* **~ rapproché** Nahaufnahme; **au premier/à l'arrière-~** im Vorder-/Hintergrund **5.** *fam* (*projet de sortie*) (*j'ai un ~* d'enfer! ich hab' was ganz Tolles vor! **6.** (*niveau*) **sur le ~ national/régional** auf nationaler/regionaler Ebene; **passer au second ~** in den Hintergrund rücken; **de premier/second ~** ersten Ranges/zweitrangig; **sur le**

~ moral moralisch gesehen; **sur le ~ de qc** in Bezug auf etw (akk); **placer** [o **mettre**] **qn/qc sur le même ~** jdn/etw auf die gleiche Stufe stellen **7.** (surface) **~ d'eau** Wasserfläche f; **~ de travail** (dans une cuisine) Arbeitsfläche f ▶**laisser qn en ~** fam jdn hängen lassen; **laisser ses affaires en ~** seine Sachen zurücklassen; **laisser un projet en ~** einen Plan fallen lassen

planche [plɑ̃ʃ] f **1.** (pièce de bois) Brett nt; **~ à dessin** Reißbrett; **~ à repasser** Bügelbrett **2.** (scène) **les ~s** die Bühnenbretter Pl; **brûler les ~s** ein begnadeter [Theater]schauspieler sein; **monter sur les ~s** auf die Bühnenbretter steigen **3.** SPORT **~ à roulettes** Skateboard nt; **~ à voile** (objet) Surfbrett nt; (sport) Windsurfing nt

plancher [plɑ̃ʃe] m Fußboden m ▶**le ~ des vaches** hum fam das Festland; **débarrasser le ~** fam 'ne Fliege machen

plancton [plɑ̃ktɔ̃] m Plankton nt

planer [plane] <1> vi **1.** (voler) oiseau: schweben **2.** AVIAT gleiten **3.** (peser) **~ sur qn/qc** danger: jdm/einer S. drohen; soupçons: auf jdm/etw lasten; **laisser ~ le doute sur qc** Zweifel an etw (dat) aufkommen lassen; **un mystère plane sur toute cette affaire** hinter dieser ganzen Sache verbirgt sich ein Geheimnis **4.** fam (rêver) in höheren Regionen schweben **5.** fam (être sous effet euphorisant) [total] weg[getreten] sein; (sous l'effet d'une drogue) high sein ▶**ça plane** fam alles Spitze

planétarium [planetaʀjɔm] m Planetarium nt

planète [planɛt] f Planet m; **la ~ Terre** die Erde

planificateur, -trice [planifikatœʀ, -tʀis] **I.** adj autorité wegweisend; mesures Planungs- **II.** m, f Planer(in) m(f); ECON Planungsfachmann m/-fachfrau f

planification [planifikasjɔ̃] f Planung f

planifier [planifje] <1> vt einen Plan aufstellen für

planisphère [planisfɛʀ] m Weltkarte f

planning [planiŋ] m **1.** (calendrier) Terminkalender m **2.** (planification) Terminplanung f; **~ familial** Familienplanung f

planque [plɑ̃k] f fam **1.** (cachette) Versteck nt **2.** (travail tranquille) ruhiger Job (fam); **c'est la ~!** da kann man eine ruhige Kugel schieben! (fam) **3.** (lieu protégé) Unterschlupf m; péj Druckposten m (fam)

planqué, e [plɑ̃ke] m, f péj fam Drückeberger m

planquer [plɑ̃ke] <1> vt, vpr fam [se] **~** [sich] in Sicherheit bringen

plantaire [plɑ̃tɛʀ] adj an der Fußsohle;

voûte ~ Fußwölbung f

plantation [plɑ̃tasjɔ̃] f **1.** (exploitation agricole) Plantage f; **~ de café** Kaffeeplantage f **2.** (action) [An]pflanzen nt; **faire des ~s** Pflanzen setzen

plante [plɑ̃t] f Pflanze f

planté, e [plɑ̃te] adj (debout et immobile) **être/rester ~ là** wie angewurzelt dastehen/stehen bleiben; **être** [o **rester**] **~ là à attendre** dastehen und warten; **qu'est-ce que tu fais ~ là?** was stehst du da herum? (fam)

planter [plɑ̃te] <1> **I.** vt **1.** (mettre en terre) pflanzen arbre, tulipes; setzen salade, tomates, pommes de terre; anbauen légumes **2.** (garnir de) **~ un jardin de/en qc** einen Garten mit etw bepflanzen; **avenue plantée d'arbres** Allee f **3.** (enfoncer) eintreiben pieu, piquet; einschlagen clou; **~ un clou dans le mur** einen Nagel in die Wand schlagen; **~ ses griffes dans le bras à qn** chat: jdm die/seine Krallen in den Arm hauen **4.** (dresser) aufpflanzen drapeau; aufschlagen tente; aufstellen échelle **5.** fam (abandonner) **~ qn là** jdn einfach stehen lassen; fig jdn sitzen lassen **II.** vpr **1.** fam (se tromper) **se ~ dans qc** sich [bei etw] vertun; **se ~ à un examen** bei einer Prüfung danebenhauen **2.** (se mettre) **se ~ une aiguille dans la main** sich (dat) eine Nadel in die Hand bohren; **se ~ dans le mur** couteau, flèche: in die Wand stecken bleiben **3.** fam (se poster) **se ~ dans le jardin** sich im Garten postieren; **se ~ devant** [o **en face de**] **qn** sich vor jdm aufpflanzen **4.** fam (avoir un accident) **se ~** einen Unfall bauen **5.** INFORM fam **l'ordinateur s'est planté** der Computer ist abgestürzt

plaque [plak] f **1.** (matériau plat) Platte f **2.** (présentation) **~ de beurre/de chocolat** Stück nt Butter/Tafel f Schokolade **3.** (couche) **~ de verglas** vereiste Stelle **4.** (tache) Fleck m **5.** d'une porte, rue Schild nt; d'un policier Dienstmarke f; **~ commémorative** Gedenktafel f; **~ minéralogique** Nummernschild nt **6.** (décoration) Abzeichen nt **7.** GASTR d'une cuisinière [Koch]platte f; **~ chauffante** [o **électrique**] Elektroplatte f **8.** GEOL Scholle f ▶**~ tournante** Drehscheibe f; **être à côté de la ~** fam daneben liegen; **mettre à côté de la ~** fam danebenhauen

plaqué [plake] m (bois) Furnier nt; (métal) Dublee nt; **c'est du ~ chêne** das ist Eichenfurnier; **bijoux en ~ or** vergoldeter Schmuck

plaqué, e [plake] adj **~** [en] **argent/or** versilbert/vergoldet; **~ chêne** [mit] Eiche

furniert

plaquer [plake] <1> **I.** vt **1.** fam (abandonner) sitzen lassen conjoint; an den Nagel hängen emploi; hinschmeißen travail; **tout** ~ alles hinschmeißen; ~ **son petit ami/fiancé** mit ihrem Freund/Verlobten Schluss machen **2.** (aplatir) glatt streichen cheveux **3.** (coller) **la pluie plaque sa robe sur ses jambes** ihr regennasses Kleid klebt an den Beinen **4.** (serrer contre) ~ **qn sur/contre le mur** jdn an/gegen die Mauer drücken **5.** SPORT fassen **II.** vpr (se serrer) **se** ~ **contre qc** sich [platt] an etw (akk) drücken [o gegen etw]

plastique [plastik] **I.** m Kunststoff m, Plastik nt; **sous** ~ in Plastik verpackt **II.** adj inv **sac/bouteille/emballage** ~ Plastiksack/-flasche/-verpackung

plat [pla] m **1.** (récipient: creux) Schüssel f; (plat) Schale f; ~ **à viande** Fleischplatte f **2.** (contenu) **un** ~ **de lentilles** eine Schüssel [voll] Linsen (gen) **3.** (mets) Gericht nt; (élément d'un repas) Gang m; ~ **principal** Hauptgericht, Hauptspeise f (A); ~ **de résistance** Hauptgericht; ~ **du jour** Tagesgericht; ~ **de poisson/légumes** Fisch-/Gemüsegericht; **de bons petits** ~**s** kleine leckere Gerichte Pl; ~ **garni** Gericht nt mit Beilage ▸**mettre les** **petits** ~**s** **dans les grands** ein Festessen vorbereiten [und sich dabei nicht lumpen lassen]; **faire** **tout un** ~ **de qc** fam viel Wind um etw machen

plat, e [pla, plat] adj **1.** (égal) flach; surface, terrain eben; mer glatt **2.** front, poitrine, ventre flach; coiffure glatt **3.** assiette, chaussure, talon flach; **mettre/poser qc à** ~ etw flach hinlegen **4.** conversation flach **5.** (obséquieux) **faire de** ~**es excuses** unterwürfig um Verzeihung bitten **6.** (vidé de son contenu) **être à** ~ pneu: platt sein; batterie: leer sein; conducteur: einen Platten haben; personne: fam völlig ausgepumpt sein ▸**mettre qc à** ~ question, problème etw neu aufrollen

platane [platan] m Platane f

plateau [plato] <x> m **1.** (support) Tablett nt; ~ **à fromages** Käseplatte f **2.** GASTR ~ **de fruits de mer/de fromages** Platte f mit Meeresfrüchten/mit Käse **3.** d'une balance Waagschale f **4.** GEOG [Hoch]plateau nt; ~ **continental** Kontinentalplatte f **5.** MEDIA Drehplatz m; (invités) [Star]aufgebot nt; **sur le** ~/**hors du** ~ vor/hinter der Kamera ▸**servir un ami à qn sur un** ~ jdm einen Freund auf einem silbernen Tablett servieren

plateau-repas [platoʀ(ə)pa] <plateaux-repas> m: auf einem Tablett ser-

viertes vollständiges Menü

platée [plate] f **une** ~ **de riz/purée** eine Schüssel voll Reis/Püree

platement [platmã] adv écrire, s'exprimer farblos, platt; s'excuser unterwürfig

platiné, e [platine] adj platinblond; **une blonde** ~**e** eine Platinblonde

plâtre [platʀ] m **1.** (matériau) Gips m; **mur en** ~ Gipsmauer f **2.** MED ~; **avoir un bras dans le** ~ einen Arm in Gips haben ▸**essuyer les** ~**s** fam eine Sache ausbaden

plâtrer [platʀe] <1> vt **1.** (couvrir de plâtre) vergipsen; zugipsen trou, fissure **2.** (mettre dans le plâtre) ~ **le bras à qn** jdm den Arm eingipsen; **être plâtré** in Gips liegen

plâtrier, -ière [platʀije, -jɛʀ] m, f Gipser m

plausible [plozibl] adj plausibel

play-back [plɛbak] m inv Playback nt

play-boy [plɛbɔj] <play-boys> m Playboy m

plein [plɛ̃] **I.** m (de carburant) Tankfüllung f; **faire le** ~ voll tanken; **le** ~**, s'il vous plaît!** bitte voll tanken! ▸**battre son** ~ in vollem Gange sein **II.** adv **1.** fam (beaucoup) **avoir** ~ **d'argent/d'amis** unheimlich viel Geld/viele Freunde haben **2.** (exactement) **en** ~ **dans l'œil** genau ins Auge; **en** ~ **devant/sur la table/dans la soupe** genau vor/auf den Tisch/in die Suppe **3.** (au maximum) **tourner à** ~ auf Hochtouren laufen; **utiliser une machine à** ~ eine Maschine voll ausnutzen ▸**en** ~ (de front) voll; **mignon/gentil tout** ~ fam unheimlich niedlich/nett **III.** prép **de l'argent** ~ **les poches** die Taschen voller Geld

plein, e [plɛ̃, plɛn] adj **1.** (rempli) voll; journée, vie ausgefüllt; **à moitié** ~ halb voll; **un panier** ~ **de champignons** ein Korb voller Pilze; **être** ~ **de bonne volonté/de joie** voll des guten Willens/voller Freude sein; ~ **de vie** lebenslustig; ~ **de risques/d'idées/d'esprit** risiko-/ideen-/geistreich; **être** ~ **de santé** vor Gesundheit strotzen; **être** ~ **à craquer** brechend voll sein (fam) **2.** joues, visage voll **3.** (sans réserve) **à** ~**e gorge** aus vollem Hals; **à** ~**s bras/à** ~**es mains** mit vollen Armen/Händen; **mordre à** ~**es dents dans une pomme** kraftvoll in einen Apfel beißen; **respirer à** ~**s poumons** in tiefen Zügen [ein]atmen **4.** (au maximum de) **à** ~**s bords** im Überfluss; **à** ~ **régime** [o rendement], **à** ~**e vapeur** auf Hochtouren **5.** (au plus fort de) **en** ~ **été/hiver** mitten im Sommer/Winter; **en** ~ **jour** am helllichten Tag; **en** ~**e nuit** mitten in der Nacht; **en** ~

soleil in der prallen Sonne **6.** *(au milieu de)* être en ~ **travail** mitten in der Arbeit sein; **viser en ~ cœur** mitten ins Herz zielen; **en ~e rue** auf offener Straße; **en ~e obscurité** in völliger Dunkelheit; **en ~e lumière** im [vollen] Licht; **en ~ vol/essor** in vollem Flug/Aufschwung; **être en ~ boum** einen ungeheuren Boom erleben **7.** *trait* durchgezogen; *bois, porte* massiv; **une porte en bois ~** eine Massivholztür **8.** *antéposé (total) victoire* klar; *succès, confiance* voll; **avoir ~e conscience de qc** sich *(dat)* über etw *(akk)* voll und ganz im Klaren sein **9.** *jour, mois* ganz **10.** *(gravide)* trächtig

pleinement [plɛnmɑ̃] *adv* voll [und ganz]

pleurer [plœʀe] <1> **I.** *vi* **1.** *(verser des larmes) personne:* weinen; *œil:* tränen; **faire ~ qn** *personne, roman, film:* jdn zum Weinen bringen; *rage:* jdm [die] Tränen in die Augen treiben; **la poussière me fait ~** mir tränen die Augen vom Staub; **~ de rage** vor Wut *(dat)* weinen; **~ de rire** Tränen lachen **2.** *(crier) bébé:* schreien **3.** *(se lamenter)* **~ sur qn/qc** jdn bedauern [*o* bemitleiden]/etw beklagen [*o* beweinen]; **~ sur son sort** sein Los beklagen **4.** *(réclamer)* herumjammern; **~ auprès de qn** jdm etwas vorjammern; **~ après qc** *fam* nach etw jammern **5.** *(extrêmement)* **triste à [faire] ~** tottraurig; **maigre à [faire] ~** knochendürr *(fam)*; **bête à ~** dumm, dass es weh tut *(fam)* **II.** *vt* **1.** *(regretter)* trauern um *personne;* **~ sa jeunesse** seiner Jugend nachtrauern; **~ la mort d'un parent** den Tod eines Verwandten beklagen **2.** *(verser)* **~ des larmes de joie/sang** Freudentränen/bittere Tränen vergießen; **~ toutes les larmes de son corps** sich *(dat)* die Seele aus dem Leib weinen

pleurnicheur, -euse [plœʀniʃœʀ, -øz] **I.** *adj fam* **1.** *(qui pleure)* **enfant ~** Heulsuse *f (fam)* **2.** *(qui se lamente)* nörgelig *(pej)* **II.** *m, f fam* **1.** *(qui pleure)* Heulpeter *m (fam)*, Heulsuse *f (fam)* **2.** *(qui se lamente)* Nörgelfritze *m (pej fam)*

pleutre [pløtʀ] *m littér* Feigling *m*

pleuvoir [pløvwaʀ] <*irr*> **I.** *vi impers* il pleut de grosses gouttes es regnet heftig ▶**qu'il pleuve ou qu'il vente** ob es regnet oder schneit **II.** *vi* **1.** *(s'abattre)* **les coups/reproches pleuvent** es hagelt Schläge/Vorwürfe; **les obus pleuvent sur la ville** Granaten gehen auf die Stadt nieder **2.** *(arriver en abondance)* **les mauvaises nouvelles pleuvent en ce moment** im Moment hagelt es schlechte Nachrichten

pli [pli] *m* **1.** *(pliure)* Falte *f; du papier* Kniff

m; **faire le ~ d'un pantalon** eine Bügelfalte in eine Hose bügeln; **jupe à ~s** Faltenrock *m* **2.** *(mauvaise pliure)* [**faux**] **~** Knitter[falte *f*] *m;* **cette veste fait des ~s/un ~** diese Jacke wirft Falten/eine Falte; **être plein de ~s** voller Knitterfalten sein **3.** *sans pl (forme)* **avoir un beau ~** schön fallen **4.** *jeu* **faire un ~** einen Stich machen ▶**prendre un mauvais ~** eine schlechte Gewohnheit annehmen; **ça ne fait pas un ~** *fam* das ist [tod]sicher; **prendre le ~ de faire qc** es sich *(dat)* angewöhnen etw zu tun

pliant, e [plijɑ̃, jɑ̃t] *adj lit* **~/table ~e** Klappbett *nt/-*tisch *m;* **mètre ~** Zollstock *m;* **meubles ~s** zusammenklappbare Möbel *Pl*

plier [plije] <1> **I.** *vt* **1.** *(replier)* [zusammen]falten *papier, tissu;* zusammenlegen *linge, tente;* **un papier plié en quatre** ein zweimal gefaltetes Papier **2.** *(refermer)* zusammenklappen; zusammenfalten *carte routière;* schließen *éventail* **3.** *(fléchir)* beugen *bras, jambe* **4.** *(courber)* biegen; **la neige plie les arbres** die Bäume biegen sich unter dem Schnee; **être plié par l'âge** vom Alter gebeugt sein; **être plié par la douleur** sich vor Schmerzen *(dat)* krümmen **II.** *vi* **1.** *(se courber)* **~ sous la charge/le poids de qc** sich unter der Last/dem Gewicht von etw biegen **2.** *(céder)* nachgeben; **~ devant l'autorité du chef** sich der Autorität des Chefs beugen; **l'armée a plié devant l'ennemi** die Armee weicht vor dem Feind zurück **III.** *vpr* **1.** *(être pliant)* **se ~** zusammenklappbar sein **2.** *(se soumettre)* **se ~ à la volonté de qn** sich jds Willen beugen; **se ~ à la discipline** sich der Disziplin unterwerfen; **se ~ aux circonstances** sich den Umständen anpassen

plisser [plise] <1> **I.** *vt* **1.** *(couvrir de faux plis)* zerknittern **2.** *(froncer)* runzeln *front;* zusammenkneifen *yeux;* rümpfen *nez;* **une ride plissa son front** eine Falte erschien auf seiner/ihrer Stirn **II.** *vi* Falten werfen; *lin, tissu:* [leicht] knittern

pliure [plijyʀ] *f* **1.** *du bras, genou* Beuge *f; d'un ourlet* Kante *f; d'un tissu* Bruch[linie *f*] *m; d'un papier* Kniff *m* **2.** *d'un papier, tissu* Kniffen *nt; typ* Falzen *nt*

plomb [plɔ̃] *m* **1.** *(métal)* Blei *nt;* **lourd comme du ~** bleischwer; **super sans ~** Super *nt* bleifrei **2.** *(fusible)* Sicherung *f* **3.** *chasse* Schrotkugel *f; du ~* Schrot *nt* **4.** *peche* Bleikugel *f* **5.** *(amalgame)* Plombe *f* ▶**avoir du ~ dans la tête** vernünftig sein; **ne pas avoir de ~ dans la tête**

[sehr] gedankenlos sein; **à** ~ senkrecht;
ciel/sommeil de ~ bleierner Himmel/
Schlaf (*geh*); **jambes de** ~ bleischwere
Beine; **par un soleil de** ~ bei drückender
Hitze

plombier [plɔbje] *m* Installateur *m*

plongé, e [plɔʒe] **I.** *part passé de* plonger
II. *adj* **1.** (*absorbé*) **être** ~ **dans qc** in etw
(*akk*) versunken sein; **être** ~ **dans un livre** in ein Buch vertieft sein **2.** (*entouré*)
être ~ **dans l'obscurité** in Dunkelheit
(*akk*) gehüllt sein

plongeant, e [plɔʒɑ̃, ʒɑ̃t] *adj décolleté*
tief; **une vue** ~**e sur le parc** ein weiter
Ausblick auf den Park

plongée [plɔʒe] *f* **1.** (*action de plonger*)
Tauchgang *m* **2.** SPORT ~ **sous-marine**
Sporttauchen *nt;* **faire de la** ~ Sporttau-
cher *m* sein

plongeoir [plɔʒwaʀ] *m* Sprungbrett *nt*

plongeon [plɔʒɔ̃] *m* **1.** SPORT Kopfsprung
m **2.** (*chute*) Absturz *m;* **faire un** ~ abstürzen **3.** SPORT Hechtsprung *m*

plonger [plɔʒe] <2a> **I.** *vi* **1.** (*s'immerger*) tauchen; ~ **à la recherche de qc** [auf
der Suche] nach etw tauchen **2.** (*faire un
plongeon*) ~ **dans l'eau** *personne:* einen
Kopfsprung ins Wasser machen; *oiseau:*
tauchen; *voiture:* ins Wasser stürzen; **tu
plonges ou tu ne plonges pas?** springst
du oder springst du nicht? **3.** (*sombrer*) ~
dans le désespoir/la dépression in
Hoffnungslosigkeit/Depression (*akk*) versinken **II.** *vpr* **se** ~ **dans ses pensées** sich
in seine Gedanken vertiefen; **se** ~ **dans un
projet** sich in ein Projekt stürzen

plongeur, -euse [plɔʒœʀ, -ʒøz] *m, f*
1. SPORT Springer *m* **2.** (*dans un restaurant*)
Tellerwäscher *m*

plouc [pluk] **I.** *mf péj fam* Stoffel *m*, Bauer
m **II.** *adj péj fam* doof; (*fruste*) hinterwäld-
lerisch

plu¹ [ply] *part passé de* plaire
plu² [ply] *part passé de* pleuvoir

pluie [plɥi] *f* **1.** METEO Regen *m;* **des** ~s
Niederschläge *Pl;* **saison des** ~s Regenzeit
f; **jours/temps de** ~ Regentage *Pl/*-wetter
nt; **les** ~**s acides** der saure Regen; **sous la**
~ im Regen; **le temps est à la** ~ es sieht
nach Regen aus **2.** *sans pl* (*grande quantité*) ~ **d'étincelles** Funkenregen *m;* ~ **de
pierres/bombes** Stein-/Bombenhagel *m;*
il tombait une ~ **de confettis** es regnete
Konfetti ▸ **après la** ~ **le beau temps** *prov*
auf Regen folgt Sonnenschein; **faire la** ~ **et
le beau temps** das Sagen haben (*fam*); **ne
pas être né** [*o* tombé] **de la dernière** ~
nicht von gestern sein (*fam*)

plume [plym] *f* **1.** (*penne*) Feder *f*

2. (*pour écrire*) Feder *f* ▸ **laisser** [*o* **perdre**] **des** ~**s** Federn lassen; **voler dans les**
~**s à** [*o* **de**] **qn** *fam* jdm ans Leder gehen

plumer [plyme] <1> *vt* rupfen *animal;* ausnehmen (*fam*) *personne*

plupart [plypaʀ] *f sans pl* **la** ~ **des élè-
ves/femmes mariées** die meisten Schü-
ler/Ehefrauen; **la** ~ **d'entre nous/eux/
elles** die meisten von uns/ihnen; **la** ~
sont venus die meisten sind gekommen;
dans la ~ **des cas** in den meisten Fällen;
la ~ **du temps** meistens ▸ **pour la** ~ größtenteils

pluriel [plyʀjɛl] *m* Plural *m;* **mettre un
mot au** ~ ein Wort in den Plural setzen

pluriel, le [plyʀjɛl] *adj* POL links-alternativ;
la gauche ~**le** *französische Regierungsko-
alition bestehend aus Kommunisten, Sozialisten und Grünen*

plus¹ [ply] *adv* **1.** (*opp: encore*) **ne ...** ~
nicht mehr; **il n'est** ~ **très jeune** er ist
nicht mehr ganz jung; **il ne l'a** ~ **jamais
vu** er hat ihn niemals mehr gesehen; **il ne
pleut** ~ **du tout** es regnet überhaupt nicht
mehr; **il ne neige presque** ~ es schneit
kaum noch; **il n'y a** ~ **personne** es ist niemand mehr da; **nous n'avons** ~ **rien à
manger** wir haben nichts mehr zu essen;
il ne dit ~ **un mot** er sagt kein [einziges]
Wort mehr; **elle n'a** ~ **un sou** sie hat keinen [einzigen] Pfennig mehr; **ils n'ont** ~
d'argent/de beurre sie haben kein Geld/
keine Butter mehr; **nous n'avons** ~ **du
tout de pain** wir haben überhaupt kein
Brot mehr **2.** (*seulement encore*) **on n'attend** ~ **que vous** wir warten nur noch auf
Sie/euch; **il ne manquait** ~ **que ça** das
hat gerade noch gefehlt **3.** (*pas plus que*)
non ~ auch nicht

plus² [ply(s)] **I.** *adv* **1.** (*davantage*) **être** ~
dangereux/bête/vieux que lui gefährli-
cher/dümmer/älter als er sein; **deux fois**
~ **âgé/cher qu'elle** doppelt so alt/teuer
wie sie; ~ **tard/tôt/près/lentement
qu'hier** später/früher/näher/langsamer
als gestern **2.** (*dans une comparaison*) **je
lis** ~ **que toi** ich lese mehr als du; **ce tissu
me plaît** ~ **que l'autre** dieser Stoff gefällt
mir besser als der andere **3.** (*très*) **il est** ~
qu'intelligent er ist mehr als intelligent;
elle est ~ **que contente** sie ist überglücklich ▸ ~ **que jamais** mehr denn je; ~ **ou
moins** mehr oder weniger; **le vin est
bon, ni** ~ **ni moins** der Wein ist ganz gut,
nicht mehr und nicht weniger; **on ne peut**
~ äußerst; **c'est une dame on ne peut** ~
charmante sie ist eine überaus charmante
Frau **II.** *adv emploi superl* **le/la** ~ **rapide/
important(e)** der/die/das schnellste/

wichtigste; **le ~ intelligent des élèves**
der Intelligenteste unter den Schülern;
c'est le ~ intelligent d'eux er ist der Intelligenteste von [*o* unter] ihnen; **le ~ vite/
souvent** am schnellsten/häufigsten [*o*
meistens]; **le ~ tard possible** so spät wie
möglich; **c'est François qui lit le ~** François liest am meisten; **le ~ d'argent/de
pages** das meiste Geld/die meisten Seiten;
le ~ possible de choses/personnes so
viel/so viele Dinge/Personen wie möglich;
**il a pris le ~ de livres/d'argent qu'il
pouvait** er nahm so viele Bücher/so viel
Geld wie er nur konnte ▶**au ~ tôt/vite**
möglichst früh/schnell, frühestens/
schnellstens; [**tout**] **au ~** [aller]höchstens
plus³ [plys, ply] *adv* mehr; **pas ~** mehr
nicht; **~ d'une heure/de 40 ans** über
eine Stunde/40 Jahre; **les enfants de ~
de 12 ans** Kinder über 12 Jahre; **il est ~
de minuit** es ist schon nach Mitternacht;
tu as de l'argent? – ~ qu'il n'en faut
hast du Geld? – mehr als nötig; **~ de la
moitié** mehr als die Hälfte; **j'ai dépensé
~ d'argent que je ne le pensais** ich habe
mehr Geld ausgegeben, als ich dachte; **~ le
temps passe, ~ l'espoir diminue** je
mehr Zeit vergeht, desto mehr schrumpft
die Hoffnung ▶**~ il réfléchit,** [et] **moins il
a d'idées** je mehr er nachdenkt, desto weniger fällt ihm ein; **moins il l'aimait,** [et]
~ il lui disait qu'il l'aimait je weniger er
sie liebte, desto häufiger sagte er ihr, dass er
sie liebe; [et] **de ~** [und] außerdem; **un
jour/une assiette de ~** ein zusätzlicher
Tag/Teller; **une fois de ~** ein weiteres
Mal; **boire de ~ en ~** immer mehr trinken; **de ~ en ~ beau/vite** immer schöner/schneller; **en ~** dazu; **il est moche,
et il est bête en ~** er ist hässlich und
dumm dazu; [**être**] **en ~** (*en supplément*)
zusätzlich [berechnet] [werden]; (*de trop*)
zu viel [sein]; **en ~ de qc** zusätzlich zu
etw; **sans ~** mehr nicht
plus⁴ [plys] **I.** *conj* **1.** (*et*) plus, und; **2 ~ 2
font 4** 2 plus 2 gibt 4; **le loyer ~ les charges** die Miete plus Nebenkosten **2.** (*quantité positive*) ~ **quatre degrés** 4 Grad plus
II. *m* **1.** MATH Plus *nt* **2.** (*avantage*) Vorteil
m
plus⁵ [ply] *passé simple de* **plaire**
plusieurs [plyzjœʀ] **I.** *adj antéposé, pl* à ~
reprises mehrmals; **il y a ~ années** vor
mehreren Jahren; **~ fois** mehrere Male **II.**
pron pl einige; **~ m'ont raconté cette
histoire** die Geschichte habe ich von einigen [Leuten] gehört; **~ d'entre nous** einige von uns; **~ de ces journaux** einige von
diesen Zeitungen; **~ de mes amis** einige

meiner Freunde ▶**à ~** zu mehreren
plus-que-parfait [plyskəpaʀfɛ] <plus-que-parfaits> *m* Plusquamperfekt *nt*
plut [ply] *passé simple de* **pleuvoir**
plutonium [plytɔnjɔm] *m* Plutonium *nt*
plutôt [plyto] *adv* **1.** (*de préférence*)
prendre ~ l'avion que le bateau eher
das Flugzeug als das Schiff nehmen; **cette
maladie affecte ~ les enfants** von dieser
Krankheit sind eher Kinder betroffen **2.** (*au
lieu de*) ~ **que de parler, il vaudrait
mieux que vous écoutiez** anstatt zu reden solltet ihr besser zuhören **3.** (*mieux*) ~
mourir que [de] **fuir** lieber sterben als fliehen **4.** (*et pas vraiment*) **être paresseux
~ que sot** eher faul als dumm sein; **elle
n'est pas méchante, ~ lunatique** sie ist
nicht bösartig, sondern eher launisch
5. (*assez*) **être ~ gentil** eigentlich nett
sein; **c'est ~ bon signe** das ist eigentlich
ein gutes Zeichen; **~ mal/lentement** eher
schlecht/langsam **6.** *fam* (*très*) unheimlich
7. (*plus exactement*) **ou ~** oder besser gesagt
PMU [peɛmy] *m abr de* **Pari mutuel urbain** Pferdewettbüro *nt*
PNB [peɛnbe] *m abr de* **produit national
brut** Bruttosozialprodukt *nt*
pneu [pnø] *m* Reifen *m;* **avoir un ~ crevé**
eine Reifenpanne haben
pneumatique [pnømatik] *adj* **canot ~**
Schlauchboot *nt;* **matelas ~** Luftmatratze *f*
po *abr de* **pour ordre** i.A.
poche¹ [pɔʃ] *f* **1.** (*cavité, sac*) Tasche *f;* ~
de thé CAN (*sachet de thé*) Teebeutel *m*
2. (*compartiment*) [Innen]fach *nt* **3.** ANAT
avoir des ~s sous les yeux Tränensäcke
unter den Augen haben ▶**connaître qn/
qc comme sa ~** jdn in- und auswendig/
etw wie seine Westentasche kennen; **en
être de sa ~** *fam* dafür blechen müssen;
payer de sa ~ aus eigener Tasche zahlen;
se remplir les ~s sich bereichern; **lampe
de ~** Taschenlampe *f;* **collection/format
de ~** Taschenbuchreihe *f*/Taschenbuchformat *nt*
poche² [pɔʃ] *m fam* Taschenbuch *nt*
pochette [pɔʃɛt] *f* **1.** *de disque* Hülle *f*, Cover *nt* **2.** (*mouchoir de veste*) Einstecktuch *nt* **3.** (*petit sac*) Unterarmtasche *f*
pochette-surprise [pɔʃɛtsyʀpʀiz] <pochettes-surprises> *f* Wundertüte *f*
podologue [pɔdɔlɔg] *mf* Fußspezialist(in) *m(f)*
poêle¹ [pwal] *f* GASTR [Brat]pfanne *f*
poêle² [pwal] *m* Ofen *m;* ~ **à mazout/à
bois** Öl-/Holzofen *m*
poème [pɔɛm] *m* Gedicht *nt*
poésie [pɔezi] *f* Gedicht *nt*

poète [pɔɛt] *m* **1.**(*écrivain*) Dichter *m* **2.**(*rêveur*) Träumer *m*

poétique [pɔetik] *adj* (*empreint de poésie*) poetisch; *image, paysage* stimmungsvoll; *vision des choses* verklärt

poétiquement [pɔetikmɑ̃] *adv* poetisch

poids [pwɑ] *m* **1.**(*mesure*) Gewicht *nt; d'une personne* [Körper]gewicht; **quel ~ faites-vous?** wie viel wiegen Sie?; **acheter/vendre au ~** nach Gewicht kaufen/verkaufen; **perdre/prendre du ~** ab-/zunehmen; **surveiller son ~** auf seine Linie achten (*fam*) **2.**(*objet*) Gewicht *nt* **3.**(*charge, responsabilité*) Last *f;* **le ~ des responsabilités** die Last der Verantwortung; **le ~ des impôts** die Steuerlast; **être un grand ~ pour qn** jdm eine große Last sein; **se sentir délivré d'un grand ~** sich erleichtert fühlen **4.** *sans pl* (*importance*) Gewicht *nt;* **un argument de ~** ein gewichtiges Argument; **le ~ économique d'un pays** die wirtschaftliche Bedeutung eines Landes; **donner du ~ à qc** einer S. (*dat*) Gewicht verleihen; **être de peu de ~** nicht ins Gewicht fallen **5.** *sans pl* (*influence*) Einfluss *m;* **un homme de ~** ein Mann von Einfluss; **peser de tout son ~** seinen ganzen Einfluss geltend machen **6.** TRANSP **~ lourd** Lastwagen *m* ▶**avoir** [*o* **se sentir**] **un ~ sur l'estomac** einen Druck in der Magengegend haben; **faire le ~** das nötige Format haben; **faire le ~ devant qn/qc** jdm/etw gewachsen sein

poignard [pwaɲaʀ] *m* Dolch *m*

poignarder [pwaɲaʀde] <1> *vt* erdolchen

poigne [pwaɲ] *f* Kraft *f* [in den Händen] ▶**avoir de la ~** Durchsetzungsvermögen haben; **homme/femme à ~** energischer Mann/energische Frau; **~ de fer** (*force*) eiserner Griff; (*autorité*) energische Hand; **régner avec une ~ de fer** mit eiserner Hand regieren

poignée [pwaɲe] *f* **1.**(*manche*) Griff *m; d'une épée* Schaft *m;* (*dans le bus, la baignoire*) Haltegriff **2.**(*quantité*) **une ~ de riz/de jeunes gens** eine Hand voll Reis/junger Leute **3.** INFORM Joystick *m* ▶**à** [*o* **par**] [**pleines**] **~s** mit vollen Händen; **~ de main** Händedruck *m*

poignet [pwaɲɛ] *m* Handgelenk *nt*

poil [pwal] *m* **1.** ANAT [Körper]haar *nt;* **les ~s de la barbe** das Barthaar, die Barthaare; **il n'a pas de ~s** er ist nicht behaart **2.** ZOOL Fell *nt;* **à ~ ras/long** kurz-/langhaarig; **manteau en ~ de lapin/renard** Hasenfell-/Fuchspelzmantel *m;* **le chat perd ses ~s** die Katze haart **3.**(*filament*) Borste *f; d'un pinceau* Haar *nt; d'un tapis,*

d'une moquette Flor *m* **4.** *fam* (*un petit peu*) **un ~ de gentillesse** ein Funken Höflichkeit; **ne pas avoir un ~ de bon sens** keinen Funken Verstand haben ▶**reprendre du ~ de la bête** (*se rétablir*) wieder zu Kräften kommen; (*se ressaisir*) sich wieder fangen; **être de bon/mauvais ~** *fam* gut/schlecht gelaunt sein; **de tout ~,** **de tous ~s** *fam* aller Art; **~ à gratter** Juckpulver *nt;* **à ~** *fam* (*nu*) nackt; **se mettre à ~** sich [nackt] ausziehen; **au ~!** *fam* super!, toll!

poil-de-carotte [pwaldəkaʀɔt] *adj inv* *fam* leuchtend rot; **un enfant ~** ein Rotschopf *m*

poilu, e [pwaly] *adj* behaart

poing [pwɛ̃] *m* Faust *f* ▶**envoyer** [*o* **mettre**] **son ~ dans la figure à qn** *fam* jdm eine vor den Latz knallen; **taper du ~ sur la table, donner un coup de ~ sur la table** mit der Faust auf den Tisch hauen; **dormir à ~s fermés** tief [und fest] schlafen

point [pwɛ̃] *m* **1.**(*ponctuation*) Punkt *m;* **~s de suspension** Auslassungspunkte *Pl;* **~ d'exclamation** Ausrufezeichen *nt;* **~ d'interrogation** Fragezeichen *nt;* **c'est le grand ~ d'interrogation** das ist die große Frage **2.**(*lieu*) **~ de départ** Ausgangspunkt; **~ de repère** Orientierungspunkt *m;* **servir de ~ de repère** der Orientierung dienen; **~ de vente** Verkaufsstelle *f* **3.** GEOM Punkt *m;* **~ d'intersection** Schnittpunkt **4.**(*dans une notation*) Punkt *m* **5.**(*question*) Frage *f* **6.** *d'ordre du jour* Punkt *m;* **~ de détail** unwesentlicher Punkt; **être d'accord sur tous les ~s** in allen Punkten einverstanden sein; **~ par ~** Punkt für Punkt; **en tout ~, en tous ~s** in allen Punkten **7.** GEOG **les quatre ~s cardinaux** die vier Himmelsrichtungen; **~ culminant** höchster Punkt **8.** POL **~ chaud** Konfliktherd *m* ▶**~ d'honneur** qn se fait un **~ d'honneur de faire qc**, qn met un/son **~ d'honneur à faire qc** für jdn ist es Ehrensache *f* etw zu tun; **mettre les ~s sur les i à qn** jdm gegenüber sehr deutlich werden; **~ de vue** Aussicht[spunkt *m*] *f;* (*opinion*) Ansicht *f;* **partager le [même] ~ de vue que qn** jds Ansicht teilen; **avoir un autre ~ de vue** das anders sehen; **à mon ~ de vue** meiner Ansicht nach; **d'un certain ~ de vue** in gewisser Weise; **de ce ~ de vue** so gesehen; **au** [*o* **du**] **~ de vue de qc** was etw anbelangt; **au ~ de vue scientifique** aus wissenschaftlicher Sicht; **c'est un bon/mauvais ~ pour qn/qc** das spricht für/gegen jdn/etw; **jusqu'à un certain ~** (*relativement*) bis zu einem

gewissen Punkt; **avoir raison jusqu'à un certain** ~ in gewisser Weise Recht haben; (*il y a une limite*) **ça va jusqu'à un certain** ~ *fam* es gibt auch Grenzen; ~ **commun** Gemeinsamkeit *f;* **nous avons un** ~ **commun:** ... wir haben ein[e]s gemeinsam: ...; **n'avoir aucun** ~ **commun avec qn** nichts mit jdm gemeinsam haben; ~ **faible/fort** Schwachpunkt *m/*Stärke *f;* **au plus haut** ~ im höchsten Grad; **être mal en** ~ *personne:* schlecht beieinander sein; *voiture, objet:* in einem schlechten Zustand sein; **être toujours au même** ~ unverändert sein; ~ **noir** (*comédon*) Mitesser *m;* (*grave difficulté*) heikler Punkt; (*lieu d'accidents*) Gefahrenstelle *f;* **à** [un] **tel** ~ [o **à un** ~ **tel**] **que qn fait qc** derart, dass jd etw tut; **un** ~ **, c'est tout** Schluss, Aus; **être au** ~ *procédé, voiture:* ausgereift sein; *fam personne:* gut vorbereitet sein; **être sur le** ~ **de faire qc** im Begriff sein etw zu tun; **il était sur le** ~ **de prendre sa retraite** er stand kurz vor der Rente; **faire le** ~ [**de la situation**] Bilanz ziehen; **mettre au** ~ (*régler*) einstellen; (*préparer dans les détails*) ausarbeiten; **mettre une technique au** ~ eine Technik voll entwickeln; **mettre qc au** ~ **avec qn** (*s'entendre avec qn sur qc*) etw mit jdm vereinbaren; (*éclaircir*) etw mit jdm [ab]klären; **partir à** ~ rechtzeitig abfahren; **tomber à** ~ genau richtig kommen; **je voudrais ma viande à** ~ ich hätte gern mein Fleisch medium; **légumes/nouilles à** ~ Gemüse/Nudeln al dente; **fruit/fromage à** ~ reifes Obst/ reifer Käse; **arriver** [o **venir**] **à** ~ [genau] im richtigen Moment kommen; **comment a-t-il pu en arriver à ce** ~[-là]? wie konnte es so weit mit ihm kommen?; **au** ~ **qu'on a dû faire qc/que qn fait** [o **fasse**] **qc** derart, dass man etw unternehmen musste/dass jd etw unternimmt; **le** ~ **sur qn/qc** (*dans un journal télévisé*) zur Lage jds/einer S.

pointe [pwɛt] *f* **1.** (*extrémité*) Spitze *f;* **la** ~ **de l'île** die Inselspitze **2.** (*objet pointu*) Spitze *f; d'une fourchette* Zinke *f* **3.** (*clou*) Drahtstift *m* **4.** (*de danse*) Spitzenschuhe *Pl;* **faire des** ~s auf der Spitze tanzen **5.** (*petite quantité de*) **une** ~ **de cannelle** eine Messerspitze Zimt; **une** ~ **de méchanceté** ein Schimmer *m* von Boshaftigkeit; **une** ~ **d'ironie** ein Hauch *m* von Ironie; **une** ~ **d'accent** ein leichter Akzent **6.** CAN (*part*) Stück *nt* ▶**faire des** ~s [**de vitesse**] **de** [o **à**] **200/230 km/heure** 200/230 km/h Spitze fahren (*fam*); [**être**] **à la** ~ **de qc** an der Spitze einer S. (*gen*) [stehen]; **un journaliste à la** ~ **de l'actua-**

lité ein Journalist *m* [mit dem Finger] am Puls der Zeit; **vitesse de** ~ Spitzengeschwindigkeit *f;* **heures de** ~ Hauptverkehrszeit *f; de* [o **en**] ~ führend; **technologie/équipe de** ~ Spitzentechnologie/ Spitzenmannschaft; **notre société est en** ~/**reste une entreprise de** ~ unser Unternehmen steht an der Spitze/bleibt führend; **marcher sur la** ~ **des pieds** auf Zehenspitzen gehen; (*prudemment*) behutsam vorgehen; **se mettre sur la** ~ **des pieds** sich auf die Zehenspitzen stellen

pointer [pwɛte] <1> **I.** *vi* **1.** IND [**aller**] ~ *ouvrier, employé:* die Stechuhr betätigen; *chômeur:* stempeln gehen (*fam*) **2.** (*au jeu de boules*) die Setzkugel anspielen **3.** INFORM ~ **sur une icône** mit der Maus auf ein Icon zeigen **II.** *vt* **1.** (*diriger vers*) ~ **qc sur/vers qn/qc** etw auf/gegen jdn/etw richten; ~ **son/le doigt sur qn** mit dem Finger auf jdn zeigen **2.** (*au jeu de boules*) ~ **une boule** mit einer Kugel die Setzkugel anspielen **III.** *vpr fam* **se** ~ aufkreuzen

pointeur [pwɛtœʀ] *m* INFORM ~ **de la souris** Mauszeiger *m*

pointillé [pwɛtije] *m* punktierte Linie; **être en** ~[s] gestrichelt [dargestellt] sein

pointilleux, -euse [pwɛtijø, -jøz] *adj* übergenau; **être** ~ **sur qc** [o **en matière de qc**] es mit etw sehr genau nehmen

pointu [pwɛty] **I.** *adj* **1.** (*acéré*) spitz **2.** (*grêle et aigu*) schrill **3.** *formation* hochqualifiziert; *analyse* tief schürfend; *sujet* enggefasst **II.** *adv* **parler** ~ mit Pariser Akzent sprechen

pointure [pwɛtyʀ] *f* Größe *f;* **quelle est votre** ~? welche Größe haben Sie?

point-virgule [pwɛviʀgyl] <points-virgules> *m* Strichpunkt *m*

poire [pwaʀ] *f* Birne *f*

poireau [pwaʀo] <x> *m* Lauch *m*

poirier [pwaʀje] *m* Birnbaum *m* ▶**faire le** ~ einen Kopfstand machen

pois [pwa] *m* Erbse *f;* ~ **cassés** Trockenerbsen *Pl;* ~ **chiche** Kichererbse; **petit** ~ Erbse ▶**à** ~ getüpfelt; **à gros** ~s mit großen Tupfen

poison [pwazɔ̃] **I.** *m* Gift *nt* **II.** *mf fam* **1.** (*personne*) Giftzwerg *m* (*fam*) **2.** (*enfant insupportable*) Nervensäge *f* (*fam*)

poisse [pwas] *f* Pech *nt;* **porter la** ~ **à qn** *fam* jdm Unglück bringen; **quelle** ~! so ein Mist! (*fam*)

poisseux, -euse [pwasø, -øz] *adj* klebrig

poisson [pwasɔ̃] *m* ZOOL Fisch *m;* ~ **rouge** Goldfisch ▶**comme un** ~ **dans l'eau** wie ein Fisch im Wasser; **se sentir comme un** ~ **dans l'eau** in seinem Element sein; **engueuler qn comme du** ~ **pourri** *fam* jdn

zur Schnecke machen; ~ **d'avril** Aprilscherz *m;* ~ **d'avril!** April, April!; **faire un**
~ **d'avril à qn** jdn in den April schicken
poisson-chat [pwasɔʃa] <poissons-
chats> *m* Wels *m*
poissonnerie [pwasɔnʀi] *f* (*boutique*)
Fischgeschäft *nt*
poissonnier, -ière [pwasɔnje, -jɛʀ] *m, f*
Fischhändler *m*
Poissons [pwasɔn] *m* Fisch *m; v. a.* **Balance**
Poitou [pwatu] *m* **le** ~ das Poitou
poitrine [pwatʀin] *f* **1.** ANAT, GASTR Brust *f;*
le tour de ~ die Oberweite **2.** (*seins*) Busen *m*
poivre [pwavʀ] *m sans pl* Pfeffer *m;* ~ **de
Cayenne** Cayennepfeffer
poivré, e [pwavʀe] *adj* **1.** (*épicé*) gepfeffert **2.** *parfum, menthe* herb
poivrer [pwavʀe] <1> *vt, vi* pfeffern
poivrier [pwavʀije] *m* **1.** Pfefferstrauch *m*
2. (*récipient*) Pfefferstreuer *m* **3.** (*moulin à
poivre*) Pfeffermühle *f*
poivrière [pwavʀijɛʀ] *f* Pfefferstreuer *m*
poivron [pwavʀɔ̃] *m* Paprika[schote *f*] *m*
pokémonomaniaque [pɔkemɔnɔma-
njak] *mf* Pokemon-Freak *m*
poker [pɔkɛʀ] *m* **1.** (*jeu*) Poker[spiel *nt*] *nt*
2. (*partie*) Partie *f* Poker
polaire [pɔlɛʀ] *adj* GEOG **cercle** ~ Polarkreis *m;* **ours** ~ Eisbär *m*
polder [pɔldɛʀ] *m* Polder *m*, Marsch *f*
pôle [pol] *m* GEOG Pol *m;* ~ **Nord/Sud**
Nord-/Südpol
polenta [pɔlɛnta] *f* Polenta *f*
pole position [pɔlpozisjɔ̃] *f inv* **1.** SPORT
Poleposition *f inv* **2.** COM (*en tête*) Marktführer *m*
poli, e [pɔli] *adj* höflich
police[1] [pɔlis] *f sans pl* Polizei *f kein Pl;* ~
judiciaire/secrète Kriminal-/Geheimpo-
lizei; ~ **municipale/nationale** Orts-/
Staatspolizei; ~ **privée** Wach- und Sicherheitsdienst *m;* ~ **de l'air et des frontières**
Luft- und Grenzschutz[polizei *f*] *m;* ~ **de
la route** Verkehrspolizei; ~ **des mœurs**
Sittenpolizei; ~ **secours** Notruf *m* ►**faire
la** ~ für Ordnung sorgen
police[2] [pɔlis] *f* **1.** (*contrat*) ~ **d'assurance** Versicherungspolice *f* **2.** INFORM ~ **de
caractères** Font *m*
policier, -ière [pɔlisje, -jɛʀ] I. *adj* **chien/
état** ~ Polizeihund *m/*-staat *m;* **roman/
film** ~ Kriminalroman *m/*-film *m;* **femme**
~ Polizistin *f* II. *m, f* Polizist *m*
poliment [pɔlimɑ̃] *adv* höflich
politesse [pɔlitɛs] *f* **1.** *sans pl* (*courtoisie*)
Höflichkeit *f;* **manquer de** ~ unhöflich
sein; **lettre de** ~ Höflichkeitsschreiben *nt;*

faire qc par ~ etw aus Höflichkeit tun
2. *pl* (*propos*) Höflichkeiten *Pl;* (*comportements*) Anstandsregeln *Pl;* **se faire des**
~**s** Höflichkeiten austauschen
politicien, ne [pɔlitisjɛ̃, jɛn] *m, f* Politiker
m
politique [pɔlitik] **I.** *adj* politisch; *droits*
staatsbürgerlich; **sciences** ~**s** Politikwis-
senschaft *f* **II.** *f* **1.** POL Politik *f;* ~ **écono-
mique/extérieure/intérieure/sociale**
Wirtschafts-/Außen-/Innen-/Sozialpolitik;
~ **de droite/gauche** rechts-/linksorien-
tierte Politik; **faire de la** ~ (*être militant*)
politisch engagiert sein; (*être intéressé*)
sich für Politik interessieren **2.** (*ligne de
conduite*) Politik *f;* ~ **de l'autruche** Vogel-
Strauß-Politik *f;* **pratiquer la** ~ **du moindre effort** den Weg des geringsten Wider-
standes gehen **III.** *mf* **1.** (*gouvernant*) Politiker *m* **2.** (*prisonnier politique*) politi-
sche(r) Gefangene(r) *f(m)* **3.** (*domaine politique*) politischer Bereich
politiquement [pɔlitikmɑ̃] *adv* **1.** politisch **2.** *littér* (*avec habileté*) diplomatisch
polka [pɔlka] *f* Polka *f*
polluant [pɔlɥɑ̃] *m* Schadstoff *m*
polluant, e [pɔlɥɑ̃, ɑ̃t] *adj* umweltver-
schmutzend; *produit chimique* umwelt-
schädlich; **non** ~ umweltfreundlich
polluer [pɔlɥe] <1> **I.** *vt* verschmutzen **II.**
vi die Umwelt verschmutzen
pollution [pɔlysjɔ̃] *f* Umweltverschmut-
zung *f;* ~ **atmosphérique** [*o* **de l'air**] Luftverschmutzung; ~ **des eaux** Gewässerver-
schmutzung
polo [pɔlo] *m* **1.** (*chemise*) Polohemd *nt*
2. SPORT Polo *nt*
Pologne [pɔlɔɲ] *f* **la** ~ Polen *nt*
polonais [pɔlɔnɛ] *m* Polnisch *nt; v. a.* **allemand**
polonais, e [pɔlɔnɛ, ɛz] *adj* polnisch
Polonais, e [pɔlɔnɛ, ɛz] *m, f* Pole *m*
polonaise [pɔlɔnɛz] *f* MUS Polonaise *f*
polyamide [pɔliamid] *m* Polyamid *nt*
polyclinique [pɔliklinik] *f* Poliklinik *f*
Polynésie française [pɔlinezifʀɑ̃sɛz] *f* **la**
~ die französischen Südseeinseln *m*
polyphonique [pɔlifɔnik] *adj* polyphon
pomélo [pɔmelo] *m* Grapefruit *f*
pommade [pɔmad] *f* Salbe *f* ►**passer de
la** ~ **à qn** jdm schmeicheln
pomme [pɔm] *f* **1.** (*fruit*) Apfel *m* **2.** (*pomme de terre*) ~**s dauphines** Kroketten *Pl*
3. BOT ~ **de pin** Tannenzapfen *m* **4.** ANAT ~
d'Adam Adamsapfel ►**être grand** [*o*
haut] **comme trois** ~**s** winzig[klein] sein;
enfant: ein Dreikäsehoch sein (*fam*); **être/
tomber dans les** ~**s** umgekippt sein/um-
kippen (*fam*); **pour ma/ta** ~ *fam* für

mich/dich; **ça va encore être pour ma ~!** ich werde wohl wieder dran glauben müssen! (*fam*)

pomme de terre [pɔmdətɛʀ] <**pommes de terre**> *f* Kartoffel *f;* **~ en robe de chambre** Pellkartoffel *f*

pommier [pɔmje] *m* Apfelbaum *m*

pompe [pɔ̃p] *f* 1.(*machine*) Pumpe *f;* **~ à essence** Zapfsäule *f;* **~ à incendie** Feuerlöschpumpe 2. *fam* (*chaussure*) Treter *m* 3. SPORT *fam* Liegestütz *m;* **faire des ~s** Liegestütze[n] machen ▶**coup de ~** *fam* Durchhänger *m;* **être** [*o* **marcher**] **à côté de ses ~s** *fam* völlig daneben sein

pomper [pɔ̃pe] <1> *vi* 1.(*puiser*) pumpen 2. SCOL *fam* ~ **sur qn** von jdm abschreiben

pompeusement [pɔ̃pøzmɑ̃] *adv* hochtrabend, bombastisch

pompier [pɔ̃pje] *m* Feuerwehrmann *m* ▶**fumer comme un ~** wie ein Schlot rauchen (*fam*)

pompiste [pɔ̃pist] *mf* Tankwart *m*

poncer [pɔ̃se] <2> *vt* [ab]schleifen

ponceuse [pɔ̃søz] *f* Schleifmaschine *f;* **~ à bande**[**s**] Bandschleifmaschine; **~ vibrante** Schwingschleifer *m*

poncho [pɔ̃(t)ʃo] *m* Poncho *m*

poncif [pɔ̃sif] *m* Gemeinplatz *m*, Klischee *nt*

ponctualité [pɔ̃ktɥalite] *f* Pünktlichkeit *f*

ponctuation [pɔ̃ktɥasjɔ̃] *f* Zeichensetzung *f;* **signes de ~** Satzzeichen *Pl*

ponctuel, le [pɔ̃ktɥɛl] *adj* 1.(*exact*) pünktlich 2.(*momentané*) punktuell

ponctuellement [pɔ̃ktɥɛlmɑ̃] *adv* 1. pünktlich 2.(*momentanément*) punktuell

pondéreux, -euse [pɔ̃deʀø, -øz] I. *adj marchandises, produits* schwer II. *mpl* Schwergüter *Pl*

pondre [pɔ̃dʀ] <14> *vt, vi poule:* legen

poney [pɔnɛ] *m* Pony *nt*

pont [pɔ̃] *m* 1. ARCHIT Brücke *f;* **~ basculant/suspendu/routier** Klapp-/Hänge-/Straßenbrücke 2.(*vacances*) verlängertes Wochenende 3. NAUT Deck *nt* ▶**couper les ~s avec qn/qc** den Kontakt zu jdm/etw abbrechen; **couper les ~s derrière soi** alle Brücken hinter sich (*dat*) abbrechen; **jeter un ~ entre qc et qc** eine Brücke zwischen etw und etw schlagen

pontifier [pɔ̃tifje] <1a> *vi* dozieren (*pej fam*)

pop [pɔp] *adj inv* **groupe/musique ~** Popgruppe *f*/Popmusik *f*

pop-corn [pɔpkɔʀn] *m inv* Popcorn *nt*

populaire [pɔpylɛʀ] *adj* 1.(*du peuple*) **république ~** Volksrepublik *f* 2.(*destiné à la*

masse) volkstümlich; **croyance ~** Volksglaube *m;* **bal ~** öffentliche Tanzveranstaltung 3.(*plébéien*) gewöhnlich; **quartier ~** Arbeiterviertel *nt;* **bon sens ~** gesundes Volksempfinden; **classes ~s** untere Volksschichten; **d'origine ~** von einfacher Herkunft 4.(*qui plaît*) populär; *personne* beliebt

popularité [pɔpylaʀite] *f* Popularität *f; d'un souverain* Beliebtheit *f* beim Volk

population [pɔpylasjɔ̃] *f* Bevölkerung *f; d'une ville* Einwohner *Pl;* **~ du globe** Weltbevölkerung

porc [pɔʀ] *m* 1. ZOOL Schwein *nt* 2.(*viande*) Schweinefleisch *nt;* **pur ~** reines Schweinefleisch 3. *péj fam* (*personne*) Schwein *nt*

porcelaine [pɔʀsəlɛn] *f* 1.(*matière*) Porzellan *nt* 2.(*vaisselle*) Porzellangeschirr *nt;* **~ de Saxe** Meiß[e]ner Porzellan

porcelet [pɔʀsəlɛ] *m* Ferkel *nt*

porche [pɔʀʃ] *m* [Portal]vorbau *m*

porcherie [pɔʀʃəʀi] *f* 1.(*bâtiment*) Schweinestall *m* 2.(*lieu très sale*) Saustall *m* (*fam*)

porno [pɔʀno] I. *adj fam abr de* **pornographique** Porno-; **film ~** Pornofilm *m* II. *m fam* 1. *abr de* **pornographie** Pornografie *f* 2.(*film, roman*) Porno *m* (*fam*)

pornographie [pɔʀnɔgʀafi] *f* Pornografie *f*

pornographique [pɔʀnɔgʀafik] *adj* pornografisch; **revue ~** Pornoheft *nt*

port¹ [pɔʀ] *m* 1. NAUT Hafen *m;* **~ fluvial/maritime** Binnen-/Seehafen; **~ de pêche** Fischereihafen 2. INFORM Port *m* ▶**arriver à bon ~** wohlbehalten ankommen; **~ d'attache** Heimathafen *m*

port² [pɔʀ] *m* 1. *d'un vêtement, casque, objet* Tragen *nt;* **~ obligatoire de la ceinture de sécurité** Anschnallpflicht *f* 2. COM Transportkosten *Pl; d'une lettre* Porto *nt;* **~ dû/payé** unfrankiert/frankiert; **franco de ~** [**et d'emballage**] portofrei 3. *d'une personne* [Körper]haltung *f;* **~ de tête** Kopfhaltung

portable [pɔʀtabl] I. *adj* tragbar II. *m* 1. TELEC Handy *m* 2. INFORM Laptop *m*

portail [pɔʀtaj] <s> *m* Portal *nt*

portant, e [pɔʀtɑ̃, ɑ̃t] *adj* ▶**bien/mal ~** gesund/nicht gesund; **qn est bien/mal ~** jdm geht es [gesundheitlich] gut/nicht so gut

portatif, -ive [pɔʀtatif, -iv] *adj* tragbar; **machine à écrire portative** Reiseschreibmaschine *f;* [**téléphone**] **~** Handy *nt*

porte [pɔʀt] *f* 1.(*ouverture, panneau mobile*) Tür *f;* (*plus grand*) Tor *nt;* **~ de garage/grange** Garagen-/Scheunentor; **~ du**

four/de la maison Backofen-/Haustür; ~ **battante** Flügeltür; ~ **de devant/derrière** Vordertür/Hintertür; **voiture à deux ~s** zweitüriges Auto; ~ **de secours** Notausgang *m;* ~ **de service** Lieferanteneingang; ~ **d'embarquement** Flugsteig *m;* ~ **cochère** Toreinfahrt *f;* **à la** ~ vor der Tür; **il y a qn à la** ~ es ist jd an der Tür; **de ~ en** ~ von Haus zu Haus; **laisser qn à la** ~ jdn vor [*o* an] der Tür stehen lassen; **forcer la** ~ die Tür aufbrechen; **claquer** [*o* **fermer**] **la** ~ **au nez de qn** jdm die Tür vor der Nase zuschlagen [*o* zumachen] **2.** *d'un château, d'une ville* Tor *nt;* ~ **de Clignancourt** Porte *f* de Clignancourt; ~ **de Bourgogne** Burgunder Pforte *f* ▸**trouver** ~ **close** vor verschlossener Tür stehen; **être aimable** [*o* **souriant**]/**poli comme une** ~ **de prison** sehr unfreundlich/unhöflich sein; **entrer par la grande/petite** ~ ganz oben/ganz klein anfangen; **enfoncer une** ~ **ouverte** [*o* **des ~s ouvertes**] offene Türen einrennen (*fam*); **laisser la** ~ **ouverte à qc** die Tür für etw offen lassen; **toutes les ~s lui sont ouvertes** ihm/ihr stehen alle Türen offen; [**journée**] ~**s ouvertes** Tag *m* der offenen Tür; **écouter aux ~s** an der Tür lauschen; **fermer** [*o* **refuser**]/**ouvrir sa** ~ **à qn** jdm sein Haus verbieten/öffnen; **forcer la** ~ **de qn** sich (*dat*) gewaltsam Zutritt bei jdm verschaffen; **frapper à la** ~ **de qn** bei jdm anklopfen (*fam*); **frapper à la bonne** ~ sich an die richtige Adresse wenden; **frapper à la mauvaise** ~ an die falsche Adresse geraten; **mettre** [*o* **foutre** *fam*] **qn à la** ~ jdn rausschmeißen; **prendre la** ~ [weg]gehen; **à la** ~! hinaus!; **à** [*o* **devant**] **ma** ~ qn in meiner Nähe; **ce n'est pas la** ~ **à côté!** das ist ganz schön weit! (*fam*); **entre deux ~s** zwischen Tür und Angel (*fam*)

porte-à-faux [pɔʀtafo] ▸**en** ~ *mur, roche* überhängend; *fig personne* in einer heiklen Lage

porte-à-porte [pɔʀtapɔʀt] *m inv* Hausieren *nt;* **faire du** ~ *quêteur:* von Haus zu Haus gehen; *démarcheur:* Haustürgeschäfte machen; *marchand ambulant:* hausieren

porte-bagages [pɔʀtbagaʒ] *m inv* **1.** (*sur un deux-roues*) Gepäckträger *m* **2.** (*dans un train*) Gepäckablage *f* **porte-bonheur** [pɔʀtbɔnœʀ] *m inv* Glücksbringer *m* **porte-bougies** [pɔʀtbuʒi] *m inv* Kerzenständer *m* **porte-clés** [pɔʀtəkle] *m inv* (*anneau*) Schlüsselring *m;* (*anneau avec breloque*) Schlüsselanhänger *m;* (*étui*) Schlüsseletui *nt* **porte-documents** [pɔʀtdɔkymã] *m inv* Aktentasche *f*

portée [pɔʀte] *f* **1.** (*distance*) Reichweite *f;* **à** ~ **de vue** in Sichtweite; **à** ~ **de voix** in Hörweite; **à** ~ **de la main** griffbereit; **à la** ~ **de qn** in jds Reichweite; **hors de** ~ außer Reichweite; **hors de la** ~ **de qn** außerhalb jds Reichweite **2.** *d'un acte, d'un événement* Tragweite *f; d'un argument* Schlagkraft *f; de paroles* Wirkung *f* **3.** MUS Notensystem *nt* **4.** ZOOL Wurf *m* **5.** (*aptitude, niveau*) **c'est au-dessus** [*o* **hors**] **de ma** ~ das übersteigt meinen Horizont (*fam*); **être à la** ~ **de qn** *livre, discours* für jdn verständlich sein; **cet examen est à votre** ~ diese Prüfung können Sie schaffen (*fam*); **être hors de** [la] ~ **de qn** für jdn zu hoch sein (*fam*); *examen, travail:* jds Fähigkeiten übersteigen; **mettre qc à la** ~ **de qn** jdm etw verständlich machen **6.** (*accessibilité*) **être à la** ~ **de qn** für jdn erreichbar sein; *voyage, achat:* für jdn erschwinglich sein; **à la** ~ **de toutes les bourses** für jeden erschwinglich

porte-fenêtre [pɔʀtfənɛtʀ] <portes-fenêtres> *f* Fenstertür *f*
portefeuille [pɔʀtəfœj] *m* Brieftasche *f*
portemanteau [pɔʀtmãto] <x> *m* Garderobe *f;* (*mobile*) Garderobenständer *m;* (*crochets au mur*) Kleiderhaken *m*
porte-monnaie [pɔʀtmɔnɛ] *m inv* Geldbeutel *m;* **avoir le** ~ **bien garni** *fig* ein dickes Portmonee haben (*fam*) **porte-parapluies** [pɔʀtparaplɥi] *m inv* Schirmständer *m* **porte-parole** [pɔʀtparɔl] *m inv* (*personne*) Sprecher *m;* (*journal*) Sprachrohr *nt* **porte-photo** [pɔʀtfɔto] <porte-photos> *m* Fotohalter *m*

porter [pɔʀte] <1> **I.** *vt* **1.** (*tenir*) tragen **2.** (*endosser*) tragen *responsabilité, faute;* **faire** ~ **qc à qn** etw auf jdn schieben [*o* laden] **3.** *a. fig* (*apporter*) bringen; austragen *lettre, colis;* überbringen *nouvelle;* schenken *attention;* leisten *assistance, secours;* **la nuit porte conseil** guter Rat kommt über Nacht **4.** (*diriger*) ~ **son regard/ses yeux sur qn/qc** seinen Blick/seine Augen auf jdn/etw richten; **qn porte son choix sur qc** jds Wahl fällt auf etw (*akk*); ~ **ses pas vers la porte** auf die Tür zugehen; ~ **le verre à ses lèvres** das Glas an die Lippen führen; ~ **la main au chapeau** mit der Hand an den Hut fassen; ~ **la main à sa poche** in die Tasche greifen; ~ **qn quelque part** jdn irgendwohin führen **5.** (*avoir sur soi*) tragen *vêtement, lunettes;* führen *nom, titre;* ~ **la barbe/les cheveux longs** einen Bart tragen/das Haar lang tragen **6.** (*révéler*) aufweisen *traces;* tragen *marque de fabrique* **7.** (*ressentir*) ~ **de l'amitié/de l'amour à qn/qc** Freundschaft/

Liebe für jdn empfinden; ~ **de l'intérêt à qn/qc** jdm Zuneigung entgegenbringen; ~ **de la haine à qn/qc** Hass gegen jdn empfinden; ~ **de la reconnaissance à qn** jdm dankbar sein **8.** (*inscrire*) **être porté malade** krankgemeldet sein; **être porté disparu** als vermisst gemeldet sein; **se faire absent** sich abmelden **9.** (*avoir en soi*) ~ **de la haine en soi** Hass in sich + *dat* tragen **II.** *vi* **1.** (*avoir pour objet*) ~ **sur qc** *action, effort:* sich auf etw (*akk*) konzentrieren; *discours:* sich um etw drehen; *revendications, divergences:* etw betreffen; *question, critique:* sich auf etw (*akk*) beziehen; **l'étude porte sur ...** Gegenstand der Studie ist ... **2.** (*avoir telle étendue*) ~ **sur qc** sich auf etw (*akk*) belaufen; *préjudice:* darin bestehen **3.** (*faire effet*) *conseil, critique:* wirken; *coup:* sitzen (*fam*) **4.** (*avoir une certaine portée*) *voix:* gut tragen; *mesure, question:* bedeutsam sein; **cette arme à feu porte à ...** diese Schusswaffe hat eine Reichweite von ...; **il a une voix qui porte loin** seine Stimme ist weit zu hören **5.** (*reposer sur*) ~ **sur qc** *édifice, poids:* auf etw (*dat*) ruhen; *accent:* auf etw (*dat*) liegen **6.** (*heurter*) **c'est son front qui a porté** er/sie ist mit der Stirn aufgeschlagen; **sa tête a porté sur un tabouret** er/sie schlug mit dem Kopf gegen einen Hocker **III.** *vpr* **1.** (*aller*) **qn se porte bien/mal** jdm geht es [gesundheitlich] gut/schlecht; **qn se porte comme un charme** jdm geht es blendend **2.** (*se présenter comme*) **se ~ acquéreur/candidat** als Käufer/Kandidat auftreten; **se ~ volontaire** sich freiwillig melden **3.** (*se diriger*) **se ~ sur qn/qc** *regard:* sich auf jdn richten; *choix, soupçon:* auf jdn/etw fallen; **se ~ vers qc** *personne:* sich einer S. (*dat*) zuwenden **4.** (*être porté*) **se ~ en été/hiver** *vêtements:* getragen werden; **se ~ beaucoup en ce moment** momentan in sein (*fam*)

porteur, -euse [pɔrtœr, -øz] *m, f* Gepäckträger *m*

portier, -ière [pɔrtje, -jɛr] *m, f* Portier *m*/Portiersfrau *f*

portière [pɔrtjɛr] *f* CHEMDFER, AUT Tür *f*

portion [pɔrsjɔ̃] *f* GASTR Portion *f*

portoricain, ne [pɔrtɔrikɛ̃, -ɛn] *adj* puertoricanisch

Portoricain, ne [pɔrtɔrikɛ̃, -ɛn] *m, f* Puertoricaner *m*

Porto Rico [pɔrtoriko] Puerto Rico *nt*

portrait [pɔrtrɛ] *m* **1.** ART, PHOT Porträt *nt*; ~ **fidèle** [*o* ressemblant] lebensnahes Abbild; **faire le ~ de qn** (*peindre*) jdn porträtieren; (*faire une photo*) eine Porträtauf-

nahme von jdm machen; **se faire tirer le ~** *fam* sich knipsen lassen **2.** *d'une personne* Porträt *nt*; *d'une société* Beschreibung *f*; **faire le ~ de qn** das Porträt [*o* Charakterbild] von jdm entwerfen **3.** ART Porträtmalerei *f* ▶ **se faire esquinter** ~ *fam* die Fassade demoliert kriegen; **être tout le ~ de qn** jdm wie aus dem Gesicht geschnitten sein

portrait-robot [pɔrtrɛrɔbo] <portraits-robots> *m* **1.** Phantombild *nt* **2.** (*caractéristiques*) Standardbild *nt*

portugais [pɔrtygɛ] *m* Portugiesisch *nt*; *v. a.* allemand

portugais, e [pɔrtygɛ, ɛz] *adj* portugiesisch

Portugais, e [pɔrtygɛ, ɛz] *m, f* Portugiese *m*

portugaise [pɔrtygɛz] *f* GASTR portugiesische Auster ▶ **avoir les ~s ensablées** *fam* taub sein

Portugal [pɔrtygal] *m* **le ~** Portugal *nt*

POS [peoɛs] *m abr de* **plan d'occupation des sols** ≈ Flächennutzungsplan *m*

pose [poz] *f* **1.** (*attitude*) [Körper]haltung *f*; ART, PHOT Pose *f* **2.** (*exposition*) Belichtung *f*; (*photo*) Aufnahme *f*; **temps de ~** Belichtungszeit *f* **3.** (*affectation*) Pose *f*; **prendre des ~** sich in Pose werfen

posément [pozemɑ̃] *adv agir* [wohl]überlegt; *parler* ruhig

poser [poze] <1> **I.** *vt* **1.** (*mettre*) [hin]legen *livre, main;* [hin]stellen *échelle, bagages;* [hin]setzen *pieds;* ~ **par terre** auf den Boden stellen, abstellen **2.** MATH [hin]schreiben *opération;* aufstellen *équation* **3.** (*installer*) verlegen *moquette;* anbringen *rideau, serrure;* ankleben *tapisserie* **4.** (*énoncer*) aufstellen *définition, principe;* aufgeben *devinette;* stellen *question, condition* **5.** (*soulever*) aufwerfen *problème, question* **II.** *vi* ~ **pour qn/qc** jdm/für etw Modell sitzen [*o* stehen] **III.** *vpr* **1.** (*exister*) **se ~** *question:* sich stellen; *difficulté, problème:* auftauchen; **il se pose la question si ...** es stellt sich die Frage, ob ...; **se ~ des problèmes** sich + *dat* [selbst] Probleme schaffen **2.** (*cesser de voler*) **se ~ dans/sur qc** *insecte, oiseau:* sich auf etw (*akk*) setzen; *avion:* in etw (*dat*)/auf etw (*dat*) landen **3.** (*se fixer*) **se ~ sur qc** *regard, yeux:* sich auf etw (*akk*) richten; *main:* sich auf etw (*akk*) legen **4.** (*s'appliquer*) **se ~ facilement** *moquette:* sich leicht [ver]legen lassen; *papier peint:* sich leicht ankleben lassen; *rideau:* sich leicht anbringen lassen

positif, -ive [pozitif, -iv] *adj* **1.** (*opp: négatif*) positiv **2.** *critique* konstruktiv

position [pozisjɔ̃] *f* **1.** (*emplacement*)

Lage *f; d'un objet* Platz *m; d'une personne*
Position *f;* **être en première/dernière ~**
in erster/letzter Position liegen; (*dans une
course*) auf dem ersten/letzten Platz liegen; **arriver en première/dernière ~**
coureur: als Erster/Letzter durchs Ziel gehen; *candidat:* an erster/letzter Stelle liegen **2.** *d'une personne* Stellung *f;* (*en
danse*) Position *f; du corps* Haltung *f; ~* **ho-
rizontale/verticale** Horizontal-/Vertikal-
lage *f; ~* **debout** [aufrechter] Stand; **en ~
allongée** [*o* **couchée**] in liegender Stellung; **se mettre en ~ allongée/assise**
sich hinlegen/hinsetzen **3.** (*situation*)
Lage *f;* **dans ma/ta ~** [ich] in meiner/[du]
in deiner Position ▶**être en ~ de force**
sich in einer starken Position befinden
positionnement [pozisjɔnmã] *m* Positio-
nierung *f*
positionner [pozisjɔne] <1> **I.** *vt* **1.** TECH,
COM positionieren **2.** (*situer*) lokalisieren
II. *vpr* **se ~** *personne:* sich plazieren; *produit:* sich positionieren
positivement [pozitivmã] *adv* positiv
posologie [pozɔlɔʒi] *f* Dosierung *f*
possédant, e [posedã, ãt] **I.** *adj classe* besitzend **II.** *m, f gén pl* Besitzende(r) *f(m)*
posséder [posede] <5> *vt* **1.** (*avoir*) besitzen **2.** (*disposer de*) verfügen über (+ *akk*)
expérience, talent; haben *mémoire, réflexes;
~* **la vérité** im Besitz der Wahrheit sein
3. *fam* (*rouler*) hereinlegen
possessif [posesif] *m* Possessiv[pronomen
nt] *nt*
possessif, -ive [posesif, -iv] *adj* **1.** (*dominateur*) besitzergreifend **2.** GRAM possessiv;
adjectif ~ attributives Possessivpronomen;
pronom ~ Possessivpronomen *nt*
possession [posesjɔ̃] *f* Besitz *m;* **avoir qc
en sa ~** etw besitzen; **être en ~ de qc** im
Besitz einer S. (*gen*) sein; **entrer en ~ de
qc** in den Besitz einer S. (*gen*) gelangen
(*form*)
possibilité [posibilite] *f* **1.** (*éventualité*)
Möglichkeit *f* **2.** *pl* (*moyens*) [finanzielle]
Möglichkeiten *Pl;* (*intellectuels*) [geistige]
Fähigkeiten *Pl*
possible [posibl] **I.** *adj* **1.** (*faisable*) möglich; *projet* durchführbar; **tout ce qu'il est
humainement ~** alles Menschenmögliche
2. (*éventuel*) möglich; **il est ~ qu'il vienne** es ist möglich [*o* es kann sein], dass er
kommt **3.** *cas, mesures* erdenklich; **le
moins/plus ~** so wenig/so viel wie möglich; **aussi grand que ~** so groß wie möglich; **les tomates les plus grosses ~s** die
größtmöglichen Tomaten; **autant que ~**
soweit das möglich ist; **autant d'argent/
d'enfants que ~** möglichst viel Geld/viele

Kinder **4.** *fam* (*supportable*) **ne pas être ~**
personne: unmöglich sein ▶*~* **et imaginable** denkbar; **faire tout ce qui est ~ et
imaginable** alles Erdenkliche [*o* Mögliche]
tun; [**c'est**] **pas ~!** *fam* (*indignation*) das
ist doch [wohl] nicht möglich!; (*étonnement*) ist das [denn] die Möglichkeit! **II.** *m*
Mögliche(s) *nt;* **faire** [**tout**] **son ~ pour
faire qc/pour que** + *subj* sein Möglichstes tun um etw zu tun/damit; **être gentil/
doué au ~** äußerst nett/begabt sein
postal, e [pɔstal, o] <postaux> *adj* **carte
~e** Postkarte *f;* **code ~** Postleitzahl *f*
poste[1] [pɔst] *f* Post *f* **2.** (*administration*) Post *f;* **mettre à la ~** zur [*o*
auf die] Post bringen; **par la ~** mit der Post
▶*~* **aérienne** Luftpost *f; ~* **restante** postlagernd
poste[2] [pɔst] *m* **1.** (*emploi*) Stelle *f;* (*dans
une hiérarchie*) Stellung *f; ~* **de diploma-
te/de directeur** Diplomaten-/Direktor-
posten; *~* **de professeur** Lehrerstelle;
avoir un ~ de professeur als Lehrer arbeiten; **être en ~ à Berlin/au ministère**
in Berlin/im Ministerium arbeiten [*o* eine
Stelle haben] **2.** (*lieu de travail*) [Ar-
beits]stelle *f,* Arbeitsplatz *m* **3.** (*appareil*)
Gerät *nt; ~* **de radio/de télévison** Ra-
dio-/Fernsehapparat *m* **4.** (*lieu*) *~* **de
douane/de contrôle** Zoll-/Kontrollstelle
f; ~ **d'incendie** Feuerlöschanlage *f; ~*
d'essence Tankstelle *f; ~* **de pilotage**
Cockpit *nt; ~* **de police** [Polizei]wache *f; ~*
de secours Erste-Hilfe-Posten; (*en montagne*) Bergwacht *f; ~* **frontière** Grenzübergang *m* **5.** MIL Posten *m; ~* **de commandement** Befehlsstelle *f;* (*au combat*)
Gefechtsstand; *~* **d'observation** [*o* **de
garde**] Beobachtungsposten; *~* **d'écoute**
Lauschposten **6.** TELEC Apparat *m; ~* **téléphonique** Telefonanschluss *m* **7.** INFORM *~*
de travail Workstation *f;* (*Windows 95/
NT*) Arbeitsplatz *f*
poster[1] [pɔste] <1> *vt* einwerfen
poster[2] [pɔster] *m* Poster *nt*
postérieurement [pɔsterjœrmã] *adv*
später; *~* **à qc** nach etw
postériorité [pɔsterjɔrite] *f* Spätersein
nt
postillon [pɔstijɔ̃] *m* Spucke *f* (*fam*); **envoyer des ~s à qn** jdn [beim Sprechen]
anspucken
postmoderne [pɔstmɔdɛrn] *adj* postmodern
post mortem [pɔstmɔrtɛm] *adj inv mariage* nach dem Tod eines der Partner erfolgend; *viol* an einer Toten
postnatal, e [pɔstnatal] <s> *adj* postnatal, nach der Geburt [erfolgend]

postsynchronisation [pɔstsɛ̃kʀɔnizasjɔ̃] *f* Nachsynchronisierung *f*

pot [po] *m* **1.** (*en terre*) Topf *m;* (*en verre*) Glas *nt;* (*en plastique, en métal*) Dose *f;* (*en plastique*) Becher *m;* ~ **à eau** Wasserkrug; ~ **à lait** Milchkanne; ~ **de confiture/miel** Glas Marmelade/Honig; ~ **de peinture/colle** Topf Farbe/Leim; ~ **de fleurs** Blumentopf; ~ **de yaourt** Joghurtbecher; ~ **de crème** Dose Creme; **petit ~ pour bébé** Gläschen *nt* Babynahrung; **mettre des plantes en ~** Blumen eintopfen **2.** *fam* (*chance*) **c'est pas de ~!** Pech [gehabt]!; **avoir du ~/ne pas avoir de ~** Schwein/Pech haben **3.** *fam* (*consommation*) Drink *m;* (*réception*) Umtrunk *m;* (*d'adieu*) Ausstand *m;* **payer** [*o* **offrir**] **un ~ à qn** jdm einen ausgeben; **prendre** [*o* **boire**] **un ~** zusammen einen trinken (*fam*) **4.** (*pot de chambre*) [Nacht]topf *m* ▶ **~ de colle** *fam* Klette *f;* **découvrir/dévoiler le ~ aux roses** das Geheimnis entdecken/lüften; **payer les ~s cassés** die Zeche bezahlen müssen; ~ **catalytique** Auspuff *m* mit eingebautem Kat[alysator]; ~ **d'échappement** Auspuff[topf *m*] *m;* [**être**] **sourd comme un ~** stocktaub [sein] (*fam*); **tourner autour du ~** um den heißen Brei herumreden (*fam*)

potable [pɔtabl] *adj* trinkbar; **eau ~** Trinkwasser *nt;* **eau non ~!** kein Trinkwasser!

potage [pɔtaʒ] *m* Suppe *f*

potager [pɔtaʒe] *m* Gemüsegarten *m*

potager, -ère [pɔtaʒe, -ɛʀ] *adj* **jardin ~** Gemüsegarten *m*

pote [pɔt] *m fam* Kumpel *m*

poteau [pɔto] <x> *m* (*pilier*) *a.* SPORT Pfosten *m;* ~ **d'arrivée/départ** Start-/Zielpfosten; ~ **électrique/télégraphique** Leitungs-/Telegrafenmast *m;* ~ **indicateur** Wegweiser *m*

potelé, e [pɔtle] *adj* mollig; **bras** fleischig

potentiel [pɔtɑ̃sjɛl] *m* Potenzial *nt*

potentiel, le [pɔtɑ̃sjɛl] *adj* potenziell

potentiellement [pɔtɑ̃sjɛlmɑ̃] *adv* potenziell; **dangereux** möglicherweise

poterie [pɔtʀi] *f* **1.** (*objet*) Töpferware *f* **2.** (*activité*) Töpferei *f*

potiche [pɔtiʃ] *f* **1.** große Porzellanvase *f* **2.** (*figurant*) Galionsfigur *f*

potier, -ière [pɔtje, -jɛʀ] *m, f* Töpfer *m*

potion [posjɔ̃] *f* ~ **magique** Zaubertrank *m*

potiron [pɔtiʀɔ̃] *m* Kürbis *m*

pou [pu] <x> *m* Laus *f* ▶ **chercher des ~x à qn** Streit mit jdm suchen; **fier** [*o* **orgueilleux**] **comme un ~** *fam* wie ein aufgeblasener Frosch; **laid comme un ~** *fam* hässlich wie die Nacht

pouah [pwa] *interj* igitt

poubelle [pubɛl] *f* (*dans la cuisine*) Mülleimer *m*, Abfalleimer *m*, Mistkübel *m* (A); (*devant la porte*) Mülltonne *f*

pouce [pus] **I.** *m* **1.** *de la main* Daumen *m;* *du pied* große Zehe, großer Zeh **2.** (*mesure*) Zoll *m* ▶ **donner un coup de ~ à qc** bei etw ein bisschen nachhelfen; **ne pas céder d'un** [*o* **un ~ de terrain**] keinen Fußbreit Boden preisgeben; **se tourner les ~s** *fam* Däumchen drehen; **ne pas avancer d'un ~** keinen Schritt weiterkommen; **ne pas reculer d'un ~** keinen Zollbreit zurückweichen; **manger sur le ~** *fam* schnell einen Happen essen **II.** *interj enfantin* halt [*o* **stop**] mal!

poudre [pudʀ] *f* **1.** (*fines particules*) Pulver *nt;* **sucre en ~** Puderzucker *m;* ~ **à laver** Waschpulver **2.** (*produit cosmétique*) [Gesichts]puder *m* ▶ **prendre la ~ d'escampette** sich aus dem Staub machen (*fam*); **jeter** [*o* **mettre**] **de la ~ aux yeux à qn** jdm Sand in die Augen streuen; **ne pas avoir inventé la ~** *fam* das Pulver [auch] nicht [gerade] erfunden haben; **sentir la ~** zum Pulverfass werden können; ~ **de perlimpinpin** *fam* Wunderpülverchen *nt*

poudrerie [pudʀəʀi] *f* CAN (*tourbillons de neige*) Schneegestöber *nt*

poudrier [pudʀije] *m* Puderdose *f*

pouffer [pufe] <1> *vi* ~ [**de rire**] in Lachen ausbrechen

poulailler [pulaje] *m* Hühnerstall *m*

poulain [pulɛ̃] *m* Fohlen *nt*

poule [pul] *f* **1.** (*femelle du coq*) Henne *f* **2.** (*poulet*) Huhn *nt* ▶ **quand les ~s auront des dents** wenn Ostern und Pfingsten auf einen Tag fallen (*fam*); ~ **mouillée** Angsthase *m* (*fam*); **se coucher/se lever avec les ~s** mit den Hühnern zu Bett gehen/aufstehen; **ma ~** *fam* mein Schätzchen

poulet [pulɛ] *m* **1.** ZOOL Huhn *nt* **2.** GASTR Hähnchen *nt;* ~ **rôti** Brathähnchen

pouliche [puliʃ] *f* Stut[en]fohlen *nt*

poumon [pumɔ̃] *m* Lunge *f*, Lungenflügel *m;* **les ~s** die Lunge; **à pleins ~s** aus voller Lunge; **respirer** ganz tief ▶ **cracher ses ~s** *fam* sich (*dat*) die Lunge aus dem Leib husten

poupée [pupe] *f* Puppe *f;* **jouer à la ~** mit Puppen spielen

pour [puʀ] **I.** *prép* **1.** (*but*) für; ~ **le malheur/le plaisir de qn** zu jds Unglück/Freude; **c'est ~ ton bien** das geschieht zu deinem Besten **2.** (*envers*) ~ **qn** sympathie, sentiment für jdn; amour zu jdm; respect vor jdm **3.** (*contre*) ~ **la toux/le rhume**

gegen Husten/Schnupfen **4.** (*en direction de*) nach; **partir ~ Paris/l'étranger** nach Paris/ins Ausland fahren; **~ où?** wohin? **5.** (*jusqu'à, pendant*) für; **~ demain** für [*o* bis] morgen; **~ le moment** [*o* l'instant] im Augenblick; **j'en ai ~ une heure!** ich brauche eine Stunde! **6.** (*à l'occasion de*) zu; **~ l'anniversaire/Noël** zum Geburtstag/zu Weihnachten **7.** (*en faveur de*) **~ qn/qc** für jdn/etw; **être ~ faire qc** dafür sein etw zu tun **8.** (*quant à*) für; **~ moi** meiner Meinung nach **9.** (*à cause de*) wegen; **~ son courage/sa paresse** wegen seines Mutes/seiner Faulheit; **fermé ~ réparations** wegen Reparaturarbeiten geschlossen; **merci ~ votre cadeau!** danke für euer Geschenk!; **remercier qn ~ avoir fait qc** jdm danken, weil er etw getan hat **10.** (*à la place de*) für, i. A.; **~ le directeur, Beate Wengel** der Direktor, i.A. Beate Wengel; **œil ~ œil, dent ~ dent** Auge um Auge, Zahn um Zahn **11.** (*par rapport à*) für; **être grand ~ son âge** groß für sein Alter sein **12.** (*comme*) als; **prendre ~ femme** zur Frau nehmen; **j'ai ~ principe de faire** es ist mein Prinzip etw zu tun; **avoir ~ effet** zur Folge haben **13.** (*pour ce qui est de*) **~ être furieux, je le suis!** ich bin vielleicht wütend!; **~ autant que je sache** soviel ich weiß **14.** (*dans le but de*) **~ faire qc** um etw zu tun; **ce n'est pas ~ me déplaire** das gefällt mir [ganz gut]; **~ que tu comprennes** damit du verstehst **II.** *m* **le ~ et le contre** das Für und [das] Wider; **avoir du ~ et du contre** ein Für und ein Wider haben; **il y a du ~ et du contre** es gibt Argumente dafür und dagegen

pourboire [puʀbwaʀ] *m* Trinkgeld *nt*

pourcentage [puʀsɑ̃ʒ] *m* **1.** *a.* COM **~ sur qc** [prozentualer] Anteil an etw (*dat*); **~ de bénéfices** Gewinnanteil; **le ~ des naissances** die Geburtenrate; **travailler/être payé au ~** auf Provisionsbasis arbeiten/bezahlt werden **2.** (*proportion pour cent*) Prozentsatz *m*

pourchasser [puʀʃase] <1> *vt* verfolgen

pourfendre [puʀfɑ̃dʀ] <14> *vt vieilli littér* angehen gegen

pourpre [puʀpʀ] **I.** *adj* purpurrot, purpurfarben **II.** *m* (*couleur*) Purpur *m*

pourquoi [puʀkwa] **I.** *conj* **1.** (*pour quelle raison*) warum **2.** (*à quoi bon*) **~ continuer/chercher** warum [*o* wozu] [soll ich/ sollen wir/...] weitermachen/suchen ▸ **c'est ~** deshalb, deswegen; **c'est ~?** *fam* was kann ich für Sie tun? **II.** *adv* warum; **je me demande bien ~** ich frage mich wirklich warum; **voilà ~** deshalb; **~ pas?** [*o*

non?] warum [eigentlich] nicht? **III.** *m inv* **1.** (*raison*) **le ~ de qc** der Grund einer S. (*gen*); **chercher le ~ et le comment** nach dem Warum und Weshalb fragen **2.** (*question*) Warum-Frage *f;* **les ~s** die Fragen

pourri [puʀi] *m* **1.** (*pourriture*) **ça sent le ~ dans cette pièce!** in diesem Raum riecht es muffig! (*fam*) **2.** *péj* (*homme corrompu*) Dreckskerl *m* (*fam*)

pourri, e [puʀi] *adj* **1.** *fruit, œuf* faul; *poisson, viande* verdorben; *cadavre* verwest; *arbre, planche* morsch; *feuilles* verfault **2.** (*infect*) *mies* (*fam*); *saison, temps* verregnet; *climat* schlecht; **quel temps ~!** was für ein Mistwetter! (*fam*); **bagnole ~e** Schrottauto *nt* (*fam*) **3.** *personne, société* korrupt; *mœurs* verkommen **4.** *enfant* verzogen

pourrir [puʀiʀ] <8> **I.** *vi* **1.** (*se putréfier*) *œuf:* faul werden; *fruit:* verfaulen; *aliment, poisson:* schlecht werden; *cadavre:* verwesen; *arbre, planche:* [ver]modern **2.** *fam* (*croupir*) **~ en prison/dans la misère** im Gefängnis/im Elend verkümmern; **il pourrit dans cet emploi/ce village** er versauert auf dieser Stelle/in diesem Dorf **II.** *vt* verderben *aliment;* verfaulen lassen *bois, végétaux;* faulen lassen *fruit;* [völlig] verziehen *enfant*

pourrissement [puʀismɑ̃] *m* **1.** *d'une situation* Verschlechterung *f; d'un conflit* Zuspitzung *f;* **espérer le ~ de la grève** hoffen, dass der Streik sich totläuft **2.** (*corruption*) Korrumpierung *f*

poursuivant, e [puʀsɥivɑ̃, ɑ̃t] **I.** *adj* JUR **partie ~e** Kläger(in) *m(f)* **II.** *m, f* **1.** Verfolger(in) *m(f)* **2.** JUR Kläger(in) *m(f)*

poursuivre [puʀsɥivʀ] <*irr*> **I.** *vt* **1.** (*courir après*) verfolgen **2.** (*harceler*) **~ qn** *personne:* jdn bedrängen; *souvenir, images:* jdn verfolgen; *remords:* jdn quälen **3.** (*rechercher*) streben nach *bonheur, gloire, idéal;* verfolgen *but;* suchen nach *vérité;* **~ l'argent** dem Geld nachjagen **4.** (*continuer*) fortsetzen; weiterführen *combat, enquête;* **~ son récit** in seinem Bericht fortfahren **II.** *vi* **1.** (*continuer*) fortfahren; **~ sur un sujet** bei einem Thema bleiben **2.** (*persévérer*) weitermachen **III.** *vpr* **se ~** andauern; *enquête, grève:* weitergeführt werden

pourtant [puʀtɑ̃] *adv* **1.** (*marque l'opposition, le regret*) dennoch; **cette fois ~, ...** diesmal jedoch ... **2.** (*marque l'étonnement*) [aber] doch; **c'est ~ facile!** das ist aber doch leicht!; **c'est ~ vrai, non?** das stimmt aber doch, oder?; **mais ~ tu avais dit que** du hattest aber doch gesagt, dass

pourvoyeur [puʀvwajœʀ] *m* MIL Munitionskanonier *m*

pourvu [puʀvy] *conj* **1.** (*souhait*) wenn ... nur; ~ **que nous ne manquions pas le train!** wenn wir nur den Zug nicht verpassen! **2.** (*condition*) ~ **que cela vous convienne** vorausgesetzt, dass es euch recht ist

poussé, e [puse] *adj étude, discussion, enquête* ausführlich; *technique* hochentwickelt; *travail* ausgefeilt; *précision* höchste(r, s); **il a fait des études très ~es** er hat es in seinem Studium sehr weit gebracht

pousser [puse] <1> **I.** *vt* **1.** (*déplacer*) schieben; [an]schieben *voiture;* antreiben *troupeau;* rücken *meuble* **2.** (*pour ouvrir/ fermer*) ~ **la porte/la fenêtre** die Tür/ das Fenster aufmachen/zumachen **3.** (*ouvrir/fermer en claquant*) ~ **la porte/la fenêtre** die Tür/das Fenster aufstoßen/zuschlagen **4.** (*bousculer*) stoßen; ~ **qn/qc du coude/pied** jdn/etw mit dem Ellbogen/dem Fuß anstoßen **5.** (*entraîner*) *courant, vent:* treiben **6.** (*stimuler*) antreiben *candidat, élève, cheval;* hoch drehen *moteur; machine;* **l'intérêt/l'ambition le pousse** das Interesse/der Ehrgeiz treibt ihn [an] **7.** (*inciter à*) ~ **qn à faire qc** jdn dazu bringen etw zu tun; *envie, intérêt, ambition:* jdn dazu treiben etw zu tun; ~ **qn à la consommation** jdn zum Konsum verleiten; ~ **qn au crime** jdn zum Verbrechen anstiften **8.** (*diriger*) ~ **qn vers qc/qn** jdn zu etw drängen/zu jdm hindrängen; **quelque chose le poussait vers elle** er fühlte sich von ihr angezogen **9.** (*émettre*) ausstoßen *cri, soupir;* ~ **des cris de joie** in Freudengeschrei ausbrechen; ~ **des gémissements** stöhnen; **en ~ une** *fam* was singen **10.** (*exagérer*) ~ **qc à l'extrême/trop loin** etw [bis] zum Äußersten/zu weit treiben; ~ **la jalousie/la gentillesse jusqu'à faire qc** in seiner Eifersucht/Freundlichkeit so weit gehen etw zu tun **11.** (*approfondir*) ~ **plus loin les études/recherches** das Studium/die Forschung weiter vertiefen **12.** (*poursuivre*) vorantreiben *enquête, recherches* **13.** (*cultiver*) faire ~ **des salades/légumes** Salat/Gemüse [an]pflanzen; **faire ~ des fleurs** Blumen ziehen **14.** (*grandir*) **se laisser ~ les cheveux/la barbe** sich (*dat*) die Haare/den Bart wachsen lassen **II.** *vi* **1.** (*croître*) wachsen; **sa première dent a poussé** sein/ihr erster Zahn ist [durch]gekommen **2.** (*faire un effort pour accoucher*) pressen **3.** (*faire un effort pour aller à la selle*) drücken **4.** (*aller*) ~ **jusqu'à Toulon** weiter bis Toulon fahren **5.** (*exercer une poussée*) drängen **6.** *fam* (*exagérer*) übertreiben **III.** *vpr* **se** ~ **1.** (*s'écarter*) Platz machen;

pousse-toi! rutsch mal [zur Seite]! **2.** (*se bousculer*) sich drängen

poussette [pusɛt] *f* (*voiture d'enfant*) [Kinder]sportwagen *m*

poussière [pusjɛʀ] *f* Staub *m;* **faire la** ~ Staub wischen; **avoir une** ~ **dans l'œil** ein Staubkorn im Auge haben ▸**réduire qn/qc en** ~ aus jdm/etw Kleinholz machen (*fam*); **tomber en** ~ zu Staub zerfallen; **200 euros et des** ~**s** *fam* 200 Euro und ein paar Zerquetschte

poussiéreux, -euse [pusjeʀø, -øz] *adj* staubig; *fenêtre* staubbedeckt; *chambre, livres* verstaubt

poussin [pusɛ̃] *m* ORN Küken *nt*

poussoir [puswaʀ] *m d'une montre, sonnette* Knopf *m*

poutre [putʀ] *f* **1.** (*de bois*) Balken *m;* ~**s apparentes** frei liegende Balken *pl* **2.** (*de métal*) Träger *m* **3.** SPORT Schwebebalken *m*

pouvoir[1] [puvwaʀ] <*irr*> **I.** *aux* **1.** (*être autorisé*) können, dürfen; **tu peux aller jouer** du kannst [*o* darfst] spielen gehen; **il ne peut pas venir** er kann [*o* darf] nicht kommen; **puis-je fermer la fenêtre?** kann ich das Fenster schließen? **2.** (*être capable de*) können; **j'ai fait ce que j'ai pu** ich habe getan, was ich konnte; **je ne peux pas m'empêcher de tousser** ich muss ständig husten **3.** (*éventualité*) **elle peut/pourrait être en France** sie kann [*o* könnte] in Frankreich sein; **quel âge peut-il bien avoir?** wie alt er wohl sein mag?; **c'est une chose qui peut arriver** das kann vorkommen **4.** (*suggestion*) **tu peux bien me prêter ton vélo** du kannst [*o* könntest] mir doch wirklich dein Fahrrad leihen; **tu aurais pu nous le dire plus tôt!** das hättest du uns früher sagen können! **II.** *aux impers* **il peut/pourrait pleuvoir** es kann/könnte regnen; **il aurait pu y avoir un accident** es hätte zu einem Unfall kommen können; **cela peut arriver** das kann vorkommen; **il peut se faire que** + *subj* es kann passieren, dass **III.** *vt* (*être capable de*) ~ **quelque chose pour qn** etwas für jdn tun können; **ne rien** ~ [**faire**] **pour qn** nichts für jdn tun können ▸**on ne peut mieux** [aller]bestens; **n'en plus** ~ **de qc** nicht mehr können vor etw (*dat*); **qn n'y peut rien** (*ne peut y porter remède*) jd kann nichts dagegen tun [*o* nichts machen]; (*n'est pas responsable*) jd kann nichts dafür; **si l'on peut dire** wenn man so sagen darf; **on peut dire que qn a bien fait qc** man darf [*o* kann] wohl sagen, dass jd etw wirklich getan hat; **le moins qu'on puisse dire** das mindeste, was man

sagen kann; **qu'est-ce que cela peut te faire?** was geht dich das an?; **ne rien ~** [y] **faire** nichts [daran] ändern können **IV.** *vpr impers* cela [*o ça fam*] se peut/pourrait das kann/könnte sein; **non, ça ne se peut pas** nein, das kann nicht sein; **il se pourrait qu'elle vienne** es könnte sein, dass sie kommt ▸**autant que** faire **se peut** wenn nur irgend möglich

pouvoir² [puvwaʀ] *m* **1.** POL [regierende] Macht; **le parti au ~** die regierende Partei; **être au ~** an der Macht sein; **arriver au ~** an die Macht kommen; **prendre le ~** die Macht ergreifen **2.** (*autorité*) **~ sur qn** Macht *f* über jdn; **tenir qn en son ~** jdn in der Hand [*o* Gewalt] haben **3.** (*influence*) Einfluss *m* [auf jdn] **4.** (*organes de décision*) [Staats]gewalt *f;* **~ absolu** absolute Gewalt; **~ central** Zentralgewalt; **~ exécutif** Exekutive *f;* **~ législatif** Legislative *f;* **~ judiciaire** richterliche Gewalt; **la séparation des ~s** die Gewaltenteilung; **~s publics** Staatsorgane *Pl,* Behörden *Pl* **5.** (*droit, attribution*) *a.* JUR, POL Befugnis *f;* **~s exceptionnels** Sondervollmachten *Pl;* **~ de décision** Entscheidungsbefugnis **6.** ECON **~ d'achat** Kaufkraft *f*

Prague [pʀag] Prag *nt*

praire [pʀɛʀ] *f* Venusmuschel *f*

prairie [pʀeʀi] *f* Wiese *f*

praline [pʀaline] *f* **~ grillée** gebrannte Mandel

pratique [pʀatik] **I.** *adj* **1.** (*commode*) praktisch; *solution* brauchbar; *emploi du temps* günstig **2.** (*réaliste*) praktisch; **n'avoir aucun sens ~** keinerlei praktische Veranlagung haben; **être un esprit ~** praktisch veranlagt sein; **dans la vie ~** im täglichen Leben **3.** (*opp: théorique*) praktisch; **travaux ~s** Übung *f;* **guide ~** Handbuch *nt* **II.** *f* **1.** (*opp: théorie*) Praxis *f;* **dans la** [*o* **en**] **~** in der Praxis; **mettre en ~** in die Praxis umsetzen **2.** (*expérience*) [praktische] Erfahrung *f;* **avoir la ~ du métier** Berufserfahrung haben; **~ de la conduite** Fahrpraxis *f* **3.** (*procédé*) Praktik *f;* **c'était une ~ courante** das war allgemein [so] üblich **4.** (*coutume*) Gepflogenheit *f*

pratiquement [pʀatikmã] *adv* **1.** (*en réalité*) praktisch gesehen **2.** (*presque*) praktisch (*fam*)

pratiquer [pʀatike] <1> **I.** *vt* **1.** (*exercer*) ausüben *métier, sport;* **~ sa religion** seine Religion praktizieren; **~ le tennis/golf** Tennis/Golf spielen **2.** (*mettre en pratique*) praktizieren *méthode;* betreiben *politique;* **~ l'indulgence** Nachsicht üben **3.** (*utiliser*) verlangen *prix* **II.** *vi* **1.** MED praktizieren **2.** REL in die Kirche gehen

pré [pʀe] *m* Wiese *f*

préado [pʀeado] *m, f fam abr de* **préadolescent**

préadolescence [pʀeadɔlesãs] *f* Vorpubertät *f*

préadolescent, e [pʀeadɔlesã, ãt] *m, f* Teeny *m*

préalable [pʀealabl] *adj entretien* vorhergehend; *avis, accord* vorherig; **question ~** Vorfrage *f;* **je voudrais votre accord/avis ~** ich hätte gerne vorher Ihre Zustimmung/Meinung

préau [pʀeo] <x> *m* [Innen]hof *m; d'une école* überdachter Pausenhof

précaution [pʀekosjɔ̃] *f* **1.** (*disposition*) Vorsichtsmaßnahme *f* **2.** (*prudence*) Vorsicht *f;* **avec ~** vorsichtig; **sans ~** unvorsichtig; **par ~** vorsichtshalber; **s'entourer de ~s** vorsichtig sein

précédent, e [pʀesedã, ãt] *adj* vorhergehend; *année* vorige(r, s); **le jour ~** am Vortag *m;* **le mois ~** [im] vorigen [*o* letzten] Monat

précéder [pʀesede] <5> **I.** *vt* **1.** (*dans le temps*) **~ qc** einer S. (*dat*) vorangehen; **le jour qui précédait leur départ** am Tag vor ihrer Abreise **2.** (*dans l'espace*) **~ qc** sich vor einer S. (*dat*) befinden; **l'article précède le nom** der Artikel steht vor dem Nomen **3.** (*devancer*) **~ qn** jdm vorangehen **4.** (*devancer en voiture*) **~ qn** vor jdm [her]fahren; **je vais vous ~ pour …** ich werde vorangehen, um …; **elle m'a précédé de quelques minutes** sie war wenige Minuten vor mir da **II.** *vi* vorausgehen; **les jours qui précédaient** an den Tagen zuvor

préchauffer [pʀeʃofe] <1> *vt* vorheizen *four;* vorglühen *diesel*

prêcher [pʀeʃe] <1> **I.** *vt* verkünden *l'Évangile, croisade;* predigen *fraternité, haine;* **tu peux toujours ~ la bonne parole, …** *hum* du kannst predigen soviel du willst, … (*fig*) **II.** *vi* REL predigen; *hum* Moralpredigten halten (*fig pej*)

précieusement [pʀesjøzmã] *adv* sorgsam

précieux, -ieuse [pʀesjø, -jøz] *adj* wertvoll; *temps, moment* kostbar; **métal ~** Edelmetall *nt;* **objet ~** Wertgegenstand *m; fig* Kostbarkeit *f*

précipice [pʀesipis] *m* Abgrund *m*

précipitamment [pʀesipitamã] *adv* hastig; *partir, s'enfuir* überstürzt

précipitation [pʀesipitasjɔ̃] *f* **1.** (*hâte*) Hast *f; d'un départ, d'une décision* Überstürztheit *f;* **sans ~** in aller Ruhe; **avec ~** voller Hast; **partir avec ~** überstürzt aufbrechen **2.** *pl* METEO Niederschläge *Pl*

précipité, e [pʀesipite] *adj* **1.** *fuite, départ*

précision

• demander des précisions	• rückfragen
Est-ce que tu veux dire par là que ...?	Meinst du damit, dass ...?
Est-ce que cela signifie que ...?	Soll das heißen, dass ...?
Si je vous ai bien compris, ... , non?	Habe ich Sie richtig verstanden, dass ...?
Vous voulez dire que ...?	Wollen Sie damit sagen, dass ...?
• s'assurer que le sens/le but de ses paroles a été compris	• kontrollieren, ob Inhalt/Zweck eigener Äußerungen verstanden werden
Compris?/Pigé? *(fam)*	Kapito? *(sl)*
C'est clair?	Alles klar? *(fam)*/Ist das klar?
Est-ce que tu comprends ce que je veux dire?	Verstehst du, was ich (damit) meine?
Avez-vous compris où je veux en venir?	Haben Sie verstanden, auf was ich hinaus möchte?
Je ne sais pas si je me suis bien fait(e) comprendre.	Ich weiß nicht, ob ich mich verständlich machen konnte.

überstürzt; *décision* übereilt; *personne* voreilig **2.** *pas, rythme* schnell; **sa respiration était ~e** sein/ihr Atem ging schnell
précipiter [pʀesipite] <1> **I.** *vt* **1.** *(jeter)* ~ **qn de l'escalier** jdn die Treppe hinunterstoßen **2.** *(accélérer)* beschleunigen *pas* **II.** *vpr* **1.** *(s'élancer)* **se ~ de qc** sich von etw [hinunter]stürzen **2.** *(s'accélérer)* sich beschleunigen
précis, e [pʀesi, iz] *adj* **1.** *(juste)* genau; *instrument, diagnostic* exakt; *demande, ordre, idée* klar; *geste* präzise; **à 10 heures ~es** um Punkt 10 Uhr **2.** *bruit, contours* deutlich; *dessin, trait* genau; *style* präzise
précisément [pʀesizemɑ̃] *adv* **1.** *(au moment même)* gerade **2.** *(exactement)* genau; **plus ~** genauer gesagt
préciser [pʀesize] <1> **I.** *vt* **1.** *(donner des précisions)* genau[er] erklären *point, fait;* klar[er] ausdrücken *intention, idée;* genau angeben *date, lieu;* **précisez!** werden Sie deutlicher! **2.** *(souligner)* klarstellen **..., précise le commissaire ...,** erläutert der Kommissar **II.** *vpr* **se ~** sich klarer abzeichnen; *menace:* deutlicher werden; *idée, situation:* klarer werden
précision [pʀesizjɔ̃] *f* **1.** *(justesse)* Genauigkeit *f; d'un geste, d'un instrument* Präzision *f;* **avec ~** genau; **être/ne pas être d'une grande ~** sehr genau/nicht sehr genau sein **2.** *des contours, d'un trait* Deutlichkeit *f* **3.** *souvent pl (détail)* [genauere] Angabe
précité, e [pʀesite] *adj* oben erwähnt
précuit, e [pʀekɥi, kɥit] *adj* vorgekocht;

produits ~s Fertigprodukte *Pl*
prédécesseur [pʀedesesœʀ] *m* Vorgänger *m*
prédécoupé, e [pʀedekupe] *adj planche* [schon] zugeschnitten; *viande* [schon] vorgeschnitten
prédestiné, e [pʀedɛstine] *adj* **être ~** vor[her]bestimmt sein; **être ~ à qc** für etw prädestiniert sein
prédéterminer [pʀedetɛʀmine] <1> *vt* [vorher]bestimmen
prédication [pʀedikasjɔ̃] *f* **1.** REL Predigen *nt;* **la ~ de l'Évangile** die Verkündigung des Evangeliums **2.** REL *(sermon)* Predigt *f*
prédiction [pʀediksjɔ̃] *f* Voraussage *f*
prédire [pʀediʀ] <*irr*> *vt* vorhersagen; **~ l'avenir à qn** jdm die Zukunft voraussagen
préencollé, e [pʀeɑ̃kɔle] *adj* vorgeleimt
préface [pʀefas] *f* Vorwort *nt*
préfecture [pʀefɛktyʀ] *f* Präfektur *f;* **~ de police** Polizeipräfektur
préféré, e [pʀefere] **I.** *adj ami* beste(r, s); **chanteur ~** Lieblingssänger *m* **II.** *m, f* Liebling *m*
préférence [pʀefeʀɑ̃s] *f* Vorliebe *f;* **avoir une ~** [*o* des ~s] **pour qn/qc** eine Vorliebe für jdn/etw haben; **accorder** [*o* donner] **la ~ à qn/qc** jdm/einer S. den Vorzug geben; **avoir la ~ sur qn** jdm vorgezogen werden ►**de ~ à qc** vorzugsweise; **de ~ à qc** lieber als etw
préférer [pʀefeʀe] <5> *vt* **1.** *(aimer mieux)* **~ qn à qn** jdn lieber mögen als jdn; **~ qc à qc** etw einer S. *(dat)* vorziehen; **~ le champagne** Champagner bevorzugen;

~ **la ville à la campagne** lieber in der Stadt als auf dem Land leben; **je préfère que** + *subj* mir ist es lieber, wenn; **je te préfère avec les cheveux courts** mir gefällst du mit kurzen Haaren besser; **si tu préfères ...** wenn es dir lieber ist ... **2.** (*prospérer mieux*) ~ **un climat humide/un sol sablonneux** *plante:* in feuchtem Klima/sandigem Boden besonders gut gedeihen

préfet [pʀɛfɛ] *m* Präfekt *m*; ~ **de police** Polizeipräfekt [von Paris]

préfète [pʀefɛt] *f* **Madame la** ~ die Präfektin

préfixe [pʀefiks] *m* Präfix *nt*, Vorsilbe *f*

préhistoire [pʀeistwaʀ] *f* Vorgeschichte *f*

préhistorique [pʀeistɔʀik] *adj* HIST vorgeschichtlich, prähistorisch

préjugé [pʀeʒyʒe] *m* Vorurteil *nt*; **avoir un** ~ **contre qn** jdm gegenüber voreingenommen sein; **sans** ~ unvoreingenommen ▸**qn bénéficie d'un** ~ **favorable** jdm geht ein guter Ruf voraus

préjuger [pʀeʒyʒe] <2a> *vt, vi* ~ [d'] **une réaction/**[d'] **une conduite** eine Reaktion/ein Verhalten vorhersehen; **ne rien laisser** ~ **de la décision prise** keinen Hinweis auf die Entscheidung geben

prélavage [pʀelavaʒ] *m* Vorwäsche *f*

prélever [pʀel(ə)ve] <4> *vt* einbehalten *somme, pourcentage;* abziehen *taxe;* entnehmen *organe, tissu;* abnehmen *sang;* ~ **de l'argent sur le compte** Geld vom Konto abheben

prématurément [pʀematyʀemɑ̃] *adv* vorzeitig; *décider* verfrüht

premier [pʀəmje] *m* **1.** (*aîné*) Erste(r, s) *f*(*m, nt*), erstes Kind **2.** (*jour*) Erste(r) *m*; **le** ~ **du mois/de l'an** am Monatsersten/Neujahrstag **3.** (*dans une charade*) erste Silbe ▸**le** ~ **en date** der Allererste; ~ **concerné** direkt betroffen; **les** ~**s seront les derniers** die Ersten werden die Letzten sein; **jeune** ~ (*jeune vedette*) Jungstar *m*; **en** ~ (*avant les autres*) zuerst, als Erste(r, s); (*pour commencer*) zunächst, als Erstes

premier, -ière [pʀəmje, -jɛʀ] **I.** *adj* **1.** *antéposé* (*opp: dernier*) erste(r, s); *page* Titel-; ~ **venu** erste(r, s), erstbeste(r, s); **en** ~ **lieu** zuerst, als Erstes; **dans les** ~**s temps** anfangs, in der ersten Zeit **2.** *besoins, rudiments* Grund-; *vocation* eigentlich; *objectif, rôle* Haupt-, wichtigste(r, s); *qualité* wichtigste(r, s); **au** ~ **plan** im Vordergrund; **aux premières loges** ganz vorn; **marchandise de** ~ **choix** [*o* **première qualité**] erstklassige [*o* erlesene] Ware **II.** *m, f* **le** ~/**la première** der/die/das Erste; **passez le** ~/**la première!** gehen Sie vor[an]!; **Luc a**

vu Max, le ~ **a plaisanté** Luc hat Max gesehen, Ersterer hat Spaß gemacht

première [pʀəmjɛʀ] *f* **1.** (*vitesse*) erster Gang **2.** SCOL ≈ elfte Klasse **3.** (*manifestation sans précédent*) erstmaliges Ereignis; ~ **mondiale** Weltereignis *nt* **4.** THEAT, CINE Premiere *f*; **grande** ~ Galapremiere **5.** TRANSP erste Klasse; **billet de** ~ /Fahrkarte *f*/Flugticket *nt* erster Klasse ▸**être de** ~ ausgezeichnet [*o* erstklassig] sein; **être de** ~ **pour qc** *fam personne:* einsame Spitze bei etw [*o* unübertroffen in etw (*dat*)] sein (*fam*); *v. a.* **cinquième**

premièrement [pʀəmjɛʀmɑ̃] *adv* **1.** (*en premier lieu*) erstens **2.** (*et d'abord*) im Übrigen

prémisse [pʀemis] *f* Voraussetzung *f*; PHILOS *a.* Prämisse *f* (*geh*)

prenant, e [pʀənɑ̃, ɑ̃t] *adj* **1.** (*captivant*) fesselnd **2.** (*absorbant*) Zeit raubend

prendre [pʀɑ̃dʀ] <13> **I.** *vt* + *avoir* **1.** (*saisir*) nehmen; ~ **qc dans qc** etw aus etw [heraus]nehmen; ~ **qn par le bras** jdn am Arm fassen; ~ **qn par la main** jdn bei der Hand nehmen **2.** (*absorber*) [zu sich] nehmen; trinken *boisson, café;* essen *sandwich;* einnehmen *médicament;* **vous prendrez bien quelque chose?** Sie trinken doch ein Gläschen/essen doch eine Kleinigkeit? **3.** (*aller chercher*) ~ **qn chez lui/à la gare** jdn zu Hause/am Bahnhof abholen **4.** (*emporter*) [mit]nehmen *manteau, parapluie* **5.** TRANSP nehmen, fahren mit *train, métro, ascenseur;* nehmen, fliegen mit *avion;* ~ **le volant** sich ans Steuer setzen **6.** (*dérober*) ~ **de l'argent à qn** jdm Geld wegnehmen; ~ **l'idée/la place de qn** jds Idee/Stelle übernehmen **7.** SPORT übernehmen *relais, ballon;* ~ **le ballon à qn** jdm den Ball abnehmen **8.** (*capturer*) erlegen *gibier;* fangen *poisson, mouches;* einnehmen *forteresse, ville;* **se faire** ~ gefasst werden; **être pris dans qc** in etw (*dat*) gefangen sein **9.** (*se laisser séduire*) **se laisser** ~ **par qn/à qc** auf jdn/etw hereinfallen (*fam*) **10.** (*surprendre*) ~ **qn** jdn ertappen; ~ **qn sur le fait** jdn auf frischer Tat ertappen; **on ne m'y prendra plus!** das passiert mir nicht noch einmal! **11.** (*s'engager dans*) nehmen *route, chemin;* einschlagen *direction;* ~ **l'autoroute/un raccourci** [über die] Autobahn/eine Abkürzung fahren **12.** (*piloter*) übernehmen *commande, gouvernail* **13.** (*acheter*) kaufen; nehmen *chambre, couchette;* ~ **de l'essence** tanken **14.** (*accepter*) ~ **qn comme locataire** jdn als Mieter nehmen; ~ **qn comme cuisinier** jdn als Koch einstellen **15.** PHOT ~ **qn en photo** ein Foto von jdm machen

16. (*noter, enregistrer*) nehmen *empreintes;* machen *notes;* aufschreiben *adresse, nom;* einholen *renseignements;* ~ **un rendez-vous** sich (*dat*) einen Termin geben lassen; ~ **des nouvelles de qn** sich nach jdm erkundigen; ~ **sa température** Fieber messen **17.** (*adopter*) treffen *décision, précautions;* aufsetzen *air innocent;* ergreifen *mesure;* anschlagen *ton menaçant;* ~ **l'apparence/la forme de qc** die Gestalt/die Form einer S. (*gen*) annehmen **18.** (*se lier avec*) sich (*dat*) nehmen *amant, maîtresse* **19.** (*acquérir*) annehmen *couleur, goût de rance;* erhalten *nouveau sens;* schöpfen *courage;* ~ **du poids** zunehmen; ~ **du ventre** einen Bauch bekommen **20.** MED ~ **froid** sich erkälten; **être pris d'un malaise** sich [plötzlich] unwohl fühlen **21.** (*s'accorder*) sich (*dat*) gönnen *plaisir, repos;* nehmen *des congés, vacances;* ~ **sa retraite** in den Ruhestand treten **22.** (*durer*) ~ **deux heures/jours** zwei Stunden/Tage dauern; **ça va me** ~ **longtemps/deux jours** ich werde lange/zwei Tage dafür brauchen **23.** (*coûter*) **ce travail me prend tout mon temps** diese Arbeit nimmt meine ganze Zeit in Anspruch **24.** (*prélever, faire payer*) nehmen *argent, pourcentage;* verlangen *commission, cotisation;* **être pris sur le salaire** vom Gehalt einbehalten werden **25.** *fam* (*recevoir, subir*) abkriegen *averse, coup, reproche;* ~ **la balle/porte en pleine figure** den Ball/die Tür voll ins Gesicht kriegen **26.** (*traiter*) umgehen mit *personne;* anpacken *problème;* ~ **qn par la douceur** jdm sanft beikommen; ~ **qn par les sentiments** an jds Gefühl appellieren **27.** (*réagir à*) ~ **qc au sérieux/tragique** etw ernst/tragisch nehmen; **elle a bien/mal pris la chose** sie hat es/die Sache gut aufgenommen/übel genommen **28.** (*considérer comme*) ~ **qn/qc pour qc** jdn/ etw für etw halten; ~ **qn pour qn** jdn mit jdm verwechseln; ~ **qc pour prétexte** etw zum Vorwand nehmen; **pour qui me prends-tu?** für wen hältst du mich eigentlich? **29.** (*assaillir*) *doute, faim:* überkommen; *colère, envie:* packen, überkommen; *panique:* ergreifen **30.** (*s'écrire*) **ce mot prend deux l/une cédille** dieses Wort schreibt man mit zwei l/mit Cedille ►**tel est pris qui** croyait ~ *prov* wer andern eine Grube gräbt, fällt selbst hinein; **c'est à** ~ **ou à** laisser entweder oder; **il y a à** ~ **et à** laisser *fam* das ist mit Vorsicht zu genießen; à **tout** ~ im Großen und Ganzen; ~ **qc** sur **soi** etw auf sich nehmen; ~ sur **soi de faire qc** es auf sich nehmen etw zu tun; qu'est-ce qui te/lui **prend?** was ist

denn mit dir/ihm/ihr los? **II.** *vi* **1.** (*réussir*) **avec moi, ça ne prend pas!** *fam* das zieht bei mir nicht! **2.**+ *avoir* (*s'enflammer*) *feu:* angehen **3.**+ *avoir o être* (*durcir*) *ciment, mayonnaise:* fest werden **4.**+ *avoir* (*se diriger*) ~ **à gauche/droite** *personne:* [nach] links/rechts abbiegen; *chemin:* nach rechts/links führen **5.**+ *avoir* (*faire payer*) ~ **beaucoup/peu** viel/wenig verlangen; ~ **cher/bon marché** teuer/billig sein; ~ **cher de l'heure** einen hohen Stundenlohn verlangen **III.** *vpr* **1.** (*s'accrocher*) **se** ~ **dans qc** sich in etw (*dat*) verfangen; **se** ~ **le doigt dans la porte** sich den Finger in der Tür einklemmen **2.** (*se considérer*) **se** ~ **trop au sérieux** sich [selbst] zu ernst nehmen **3.** (*procéder*) **s'y** ~ **bien/mal avec qn** gut/ schlecht mit jdm umgehen; **avec lui il faut savoir s'y** ~ ihn muss man zu nehmen wissen; **s'y** ~ **bien/mal avec qc** sich bei etw geschickt/ungeschickt anstellen; **s'y** ~ **à trois reprises** drei Anläufe unternehmen **4.** (*en vouloir*) **s'en** ~ **à qn/qc** jdn/ etw dafür verantwortlich machen **5.** (*s'attaquer*) **s'en** ~ **à qn/qc** jdn/etw angreifen **6.** (*être pris*) **se** ~ *médicament:* [ein]genommen werden; **se** ~ **au filet/à la ligne** *poisson:* mit dem Netz gefangen/geangelt werden **7.** (*se tenir*) **se** ~ **par le bras** sich unterhaken; **se** ~ **par la main** sich an den Händen fassen ►**se** ~ **un** râteau **avec qn** *fam* bei jemandem nicht landen können

prénom [pʀenɔ̃] *m* Vorname *m*

préoccupation [pʀeɔkypasjɔ̃] *f* **1.** (*souci*) Sorge *f* **2.** (*occupation*) Beschäftigung *f*

préoccupé, e [pʀeɔkype] *adj* besorgt; **avoir l'air** ~ besorgt aussehen; **être** ~ **par qc** um etw besorgt sein; **être** ~ **de faire qc** besorgt darum sein etw zu tun

préoccuper [pʀeɔkype] <1> **I.** *vt* **1.** (*inquiéter*) ~ **qn** jdm Sorge bereiten; *avenir, situation:* jdn beunruhigen **2.** (*absorber*) ~ **qn** *problème, affaire:* jdn sehr beschäftigen **II.** *vpr* **se** ~ **de qn/qc** sich um jdn/etw sorgen; **se** ~ **de faire qc** sich darum bemühen etw zu tun

préparatifs [pʀepaʀatif] *mpl* Vorbereitungen *Pl;* ~ **de la fête** Vorbereitungen für das Fest

préparation [pʀepaʀasjɔ̃] *f* **1.** (*mise au point*) Vorbereitung *f; d'un discours, plan* Ausarbeitung *f; d'un repas, poisson* Zubereitung *f; d'un médicament* Herstellung *f; d'un complot* [heimliche] Planung *f;* **avoir qc en** ~ etw in Vorbereitung haben; ~ **au Tour de France** Training *nt* für die Tour de France **2.** SCOL **classe de** ~ Vorbereitungs-

klasse *f;* **la ~ à l'examen** die Examensvor-
bereitung **3.** CHIM, MED Präparat *nt*
préparatoire [pʀepaʀatwaʀ] *adj* **1.**(*qui
prépare*) vorbereitend **2.** SCOL **cours ~ ≈**
1. Klasse Grundschule; **classe ~** Vorbereitungsklasse *f* [auf eine der „grandes écoles"]
préparer [pʀepaʀe] <1> **I.** *vt* **1.**(*confectionner*) vorbereiten, zubereiten *repas;* zubereiten *thé, café;* herstellen *médicament,
pommade;* **plat préparé** Fertiggericht *nt*
2.(*apprêter*) [zusammen]packen *affaires,
bagages;* herrichten *chambre, voiture;* zurechtmachen *gibier, poisson, volaille;* bearbeiten *terre* **3.**(*mettre au point*) vorbereiten *fête, plan, voyage;* **~ un piège à qn** jdm
eine Falle stellen **4.**(*travailler à*) vorbereiten *cours, discours, leçon;* arbeiten an (+
dat) *nouvelle édition, roman, thèse;* sich
vorbereiten auf (+ *akk*) *bac, concours*
5.(*réserver*) ausbrüten (*fam*) *rhume, grippe; iron* **~ une déception/des ennuis à
qn** jdm eine Enttäuschung/Ärger bereiten;
que nous prépare-t-il? was führt er im
Schilde? **6.**(*entraîner*) **j'y étais préparé**
ich war darauf vorbereitet **II.** *vpr* **1.**(*se laver, se coiffer, s'habiller*) **se ~** sich zurechtmachen, sich fertig machen **2.**(*faire en
sorte d'être prêt*) **se ~ à un examen/une
compétition** sich auf eine Prüfung/einen
Wettkampf vorbereiten **3.** *soutenu* (*être
sur le point de*) **se ~ à faire qc** sich an-
schicken etw zu tun **4.**(*approcher*) **se ~**
événement: in der Luft liegen; *orage:* im Anzug sein; *grandes choses, tragédie:* sich abzeichnen **5.**(*devoir être préparé*) **se ~**
examen, plan, voyage: vorbereitet werden
préposition [pʀepozisjɔ̃] *f* Präposition *f*
près [pʀɛ] **I.** *adv* **1.**(*à une petite distance*)
nah[e], in der Nähe **2.**(*dans peu de temps*)
nahe; **être ~** *événement, départ, fête:* bevorstehen ▶**de ~ ou de loin** in irgendeiner Weise; **ni de ~ ni de loin** nicht im Geringsten; *ressembler* in keiner Weise; **qn
en est à un euro ~** bei jdm kommt es auf
jeden Euro an (*fam*); **qn n'en est pas/
plus à qc ~** jdm kommt es auf etw (*akk*)
nicht/nicht mehr an; **ne pas y regarder
de trop ~** *fam* nicht so genau hinsehen; **à
la/au ...** (*très exactement*) **à la minu-
te/au centimètre ~** auf die Minute/auf
den Zentimeter genau; **au franc ~** bis auf
den letzten Franc; **à qc ~** (*pour une différence minime de*) **j'ai raté le bus à quelques secondes ~** ich habe den Bus um ein
paar Sekunden verpasst; (*exception faite de*) **à une exception/quelques détails ~** bis auf eine Ausnahme/einige Details; **à peu [de choses] ~** beinahe; *res-*

sembler ziemlich; **l'hôtel était à peu ~
vide/calme** das Hotel war fast [ganz] leer/
einigermaßen ruhig; **à cela ~ que qn a
fait qc** abgesehen davon, dass jd etw getan
hat; **de** [**tout/très**] **~** *voir, regarder* [ganz]
aus der Nähe; *frôler, approcher* [sehr] nahe;
suivre [ganz/sehr] dicht; *examiner, surveiller, y garder* [ganz/sehr] genau; *se suivre*
kurz hintereinander **II.** *prép* **1.**(*à côté de*)
~ d'une personne/d'un lieu in jds Nähe
(*dat*)/in der Nähe eines Ortes; **~ de Pa-
ris/Cologne** bei [*o* in der Nähe von] Pa-
ris/Köln; **habiter ~ de chez qn** nicht weit
von jdm wohnen; **~ du bord** nah[e] am
Rand **2.**(*à peu de temps de*) **être ~ du
but** nahe am Ziel sein; **être ~ de la retraite** kurz vor der Pensionierung stehen
3.(*presque*) **~ de mille francs/cinq
ans/cent kilomètres** fast [*o* an die] tausend Francs/fünf Jahre/hundert Kilometer; **~ de la moitié/des trois quarts** fast
die Hälfte/drei Viertel ▶**ne pas être ~ de
faire qc** etw bestimmt nicht mehr tun
pré-salé [pʀesale] <**prés-salés**> *m:
Schaf, das auf zeitweise vom Meer über-
schwemmten Wiesen weidet;* GASTR
Fleisch dieser Schafe
prescience [pʀesjɑ̃s] *f* **1.** *soutenu* Vorahnung *f* **2.** REL Vorherwissen *nt;* **Dieu a la ~
de tout notre avenir** Gott kennt unsere
Zukunft
présence [pʀezɑ̃s] *f* **1.** *d'une personne* Anwesenheit *f; d'une chose* Vorhandensein *nt;*
mettre qn en ~ de qn/qc jdn mit jdm/
etw konfrontieren; **en ~ de qn** in jds Anwesenheit (*dat*) **2.**(*personnalité*) Aus-
strahlungskraft *f;* **avoir de la ~** Ausstrahlung haben ▶ **~ d'esprit** Geistesgegenwart
f; **avoir la ~ d'esprit de faire qc** so geistesgegenwärtig sein etw zu tun
présent [pʀezɑ̃] *m* **1.**(*opp: passé*) Gegenwart *f;* **pour le ~** im Moment **2.** GRAM Präsens *nt,* Gegenwart *f;* **participe ~** Partizip
Präsens; **indicatif/subjonctif ~** Indika-
tiv/Konjunktiv Präsens *nt* ▶**à ~** jetzt, zur
Zeit; **à ~ qu'il est parti** jetzt, wo er weggegangen ist; **dès à ~** ab sofort; **jusqu'à ~**
bis jetzt
présent, e [pʀezɑ̃, ɑ̃t] **I.** *adj* **1.** *personne*
anwesend; **les personnes ~es** die Anwe-
senden **2.**(*qui existe*) **avoir qc ~ à
l'esprit/à la mémoire** etw im Kopf/[gut]
in Erinnerung haben **3.** *circonstances, état*
gegenwärtig; *temps* heutig; **à la minute/
l'heure ~e** im Augenblick/zur Stunde **II.**
m, f (*personne*) Anwesende(r) *f(m)*
présentable [pʀezɑ̃tabl] *adj* **1.**(*bien présenté*) **être ~** präsentierbar [*o* vorzeigbar]
sein **2.**(*convenable, décent*) **être ~** *tenue,*

coiffure: sich sehen lassen können; *person-ne:* vorzeigbar sein (*fam*)

présentateur, -trice [pʀezɑ̃tatœʀ, -tʀis] *m, f des informations, du journal télévisé* [Nachrichten]sprecher *m; d'un programme* Ansager *m; d'une émission, discussion* Moderator *m*

présentation [pʀezɑ̃tasjɔ̃] *f* 1. *d'une collection, de modèles, tableaux* Vorführung *f; d'un film, invité, nouveau venu* Vorstellung *f; d'un bilan, du budget* Vorlage *f; d'un problème, d'une idée* Präsentation *f* 2. RADIO, TV *d'une émission, du journal télévisé* Moderation *f; d'un programme* Ansage *f* 3. *d'un billet, document, d'une pièce d'identité* Vorzeigen *nt;* sur ~ d'une pièce d'identité gegen Vorlage eines Ausweises 4. (*aspect extérieur: d'une personne*) [äußere] Erscheinung; (*d'un devoir, texte*) [äußere] Form; (*d'un produit*) Aufmachung *f* 5. (*fait d'introduire qn*) les ~s das Vorstellen; faire les ~s [Menschen einander] vorstellen; votre fils a déjà fait les ~s Ihr Sohn hat uns schon miteinander bekannt gemacht

présenter [pʀezɑ̃te] <1> I. *vt* 1. (*faire connaître*) vorstellen, vorführen *collection, modèles;* vorstellen *film, invité, nouveau venu;* vorführen *cheval, troupe;* ~ qn à un juge/à la justice jdn dem Richter/dem Gericht vorführen 2. RADIO, TV moderieren *émission;* ansagen *programme;* ~ le journal télévisé (*en France*) die Nachrichtensendung moderieren; (*en Allemagne*) die Nachrichten sprechen 3. (*décrire*) ~ qn/qc comme qn/qc jdn/etw als jdn/etw darstellen 4. (*montrer*) vorzeigen *billet, carte d'identité;* vorlegen *document;* zeigen *jambe, dos* 5. (*soumettre*) unterbreiten *problème, théorie;* vorlegen *travail;* (*exprimer*) vorbringen *critique, objection;* aussprechen *condoléances, félicitations;* ausdrücken *regrets;* ~ ses excuses à qn jdn um Entschuldigung bitten 6. (*donner une apparence*) präsentieren; c'est bien présenté das ist gut dargeboten 7. (*avoir*) aufweisen *différence, symptôme, défaut;* mit sich bringen *inconvénients;* bereiten *difficultés;* ~ un intérêt von Interesse sein; ~ un danger/des dangers eine Gefahr darstellen/Gefahren bergen; ~ un aspect rugueux/humide rau/feucht aussehen 8. (*offrir*) bieten; reichen, anbieten *plat, rafraîchissement;* anbieten *fauteuil;* überreichen *fleurs, bouquet* 9. (*proposer*) vorlegen *devis, dossier, projet de loi;* präsentieren *addition, facture;* einreichen *motion, demande* II. *vi* ~ bien/mal *fam* einen guten/schlechten Eindruck hinterlassen III. *vpr* 1. (*décliner son identité*) se ~ à qn sich jdm vorstellen

2. (*se rendre, aller, venir*) se ~ chez qn bei jdm erscheinen; se ~ chez un employeur sich bei einem Arbeitgeber vorstellen 3. (*être candidat*) se ~ à un examen an einer Prüfung teilnehmen; se ~ pour un emploi sich um [*o* für] eine Stelle bewerben 4. (*apparaître, exister, surgir*) se ~ problème, difficulté, obstacle: auftreten; *occasion, spectacle:* sich bieten; se ~ à l'esprit de qn jdm in den Sinn kommen 5. (*paraître, avoir un certain aspect*) se ~ sous forme de cachets es als Tabletten geben; se ~ sous un nouveau jour *problème:* in einem ganz anderen Licht erscheinen; ça se présente bien! das fängt ja gut an! (*fam*)

présentoir [pʀezɑ̃twaʀ] *m* Verkaufsständer *m*

préservatif [pʀezɛʀvatif] *m* (*condom*) Kondom *nt*

présidence [pʀezidɑ̃s] *f* Präsidentschaft *f*

président, e [pʀezidɑ̃, ɑ̃t] *m, f* 1. *d'une association, commission, d'un comité, jury* Vorsitzende(r) *f(m); d'un congrès* Leiter *m; d'une assemblée, université, d'un tribunal* Präsident *m; d'une entreprise* Generaldirektor *m* 2. (*chef de l'État*) le Président/la Présidente der [Staats]präsident/die [Staats]präsidentin; le Président de la République française der französische Staatspräsident 3. CH (*maire dans les cantons de Valais et de Neuchâtel*) Ammann *m* (CH)

président-directeur général , présidente-directrice générale [pʀezidɑ̃diʀɛktœʀʒeneʀal, pʀezidɑ̃tdiʀɛktʀisʒeneʀal, o] <présidents-directeurs généraux> *m, f* Generaldirektor *m*

présidentiable [pʀezidɑ̃sjabl] I. *adj* être ~ [ein] möglicher Präsidentschaftskandidat sein II. *mf* [möglicher] Präsidentschaftskandidat/[mögliche] Präsidentschaftskandidatin

présidentiel, le [pʀezidɑ̃sjɛl] *adj* élections ~les Präsidentschaftswahlen *Pl*

présidentielles [pʀezidɑ̃sjɛl] *fpl* Präsidentschaftswahlen *Pl*

presque [pʀɛsk] *adv* fast, beinahe; tout le monde ou ~ alle oder fast alle; c'est ~ sûr das ist so gut wie sicher; je ne l'ai ~ pas entendu ich habe ihn kaum gehört; je ne connais ~ personne ich kenne fast niemanden; il pleurait ~ er war dem Weinen nahe

presqu'île [pʀɛskil] *f* Halbinsel *f*

press-book [pʀɛsbuk] <press-books> *m* (*attestations professionnelles*) Bewerbungsmappe *f;* (*documents reliés*) Präsentationsmappe *f*

presse [pʀɛs] *f* (*journaux*) Presse *f;* ~ **écrite** Printmedien *Pl;* ~ **à grand tirage** auflagenstarke [Tages]zeitungen *Pl;* ~ **féminine/sportive** Frauen-/Sportzeitschriften *Pl;* ~ **nationale/régionale** überregionale Presse/Regionalpresse [*o* Lokalpresse]; ~ **mensuelle** Monatsschriften *Pl;* ~ **quotidienne** Tagespresse ▸ **avoir bonne/mauvaise** ~ einen guten/schlechten Ruf haben; **avoir une bonne/mauvaise** ~ eine gute/schlechte Presse haben

pressé, e¹ [pʀese] *adj* (*qui se hâte*) *pas* eilig; **être** ~ **d'arriver** es eilig haben anzukommen

pressé, e² [pʀese] *adj citron, orange* [frisch] gepresst

pressentiment [pʀesɑ̃timɑ̃] *m* Vorahnung *f;* **avoir le** ~ **de qc** etw vorausahnen; **avoir le** ~ **qu'il va pleuvoir** das Gefühl haben, dass es [bald] regnen wird

presse-papiers [pʀɛspapje] *m inv* (*Windows 3.**) Zwischenablage *f* **presse-purée** [pʀɛspyʀe] *m inv* Kartoffelpresse *f*

presser¹ [pʀese] <1> **I.** *vt* (*hâter*) beschleunigen *cadence, pas;* überstürzen *choses;* vorantreiben *affaire, événement;* ~ **le départ** früher losfahren; ~ **qn** jdn [zur Eile] antreiben **II.** *vi temps:* drängen; *affaire:* eilen; **le temps presse** es ist höchste Zeit ▸ **ça presse!** *fam* das/es ist dringend! **III.** *vpr* **se** ~ **de faire qc** sich beeilen etw zu tun

presser² [pʀese] <1> **I.** *vt* **1.** (*pour extraire un liquide*) auspressen *fruit, jus;* ausdrücken *éponge;* pressen *pis d'une vache, raisin* **2.** (*serrer: avec la main, les mains*) drücken; ~ **qn contre soi/sa poitrine** jdn an sich/an seine Brust drücken; (*dans un étau*) jdn an sich/an seine Brust pressen **3.** (*comprimer*) ~ **qn contre le mur** jdn an die Wand drücken **II.** *vpr* **1.** (*se serrer*) **se** ~ **contre qn/qc** sich an jdn/etw drücken **2.** (*se bousculer*) **se** ~ **vers la sortie** zum Ausgang drängen

pression [pʀesjɔ̃] *f* **1.** MED, METEO, PHYS Druck *m;* **zone de haute/basse** ~ Hochdruck-/Tiefdruckgebiet *nt;* ~ **atmosphérique** Luftdruck **2.** (*bouton*) Druckknopf *m* **3.** (*contrainte*) Druck *m;* ~ **sociale** gesellschaftliche Zwänge *Pl;* **céder/résister aux** ~**s** dem Druck nachgeben/nicht nachgeben; **il a subi des** ~**s** man hat Druck auf ihn ausgeübt **4.** (*bière*) **bière** [à la] ~ Bier *nt* vom Fass ▸ **être sous** ~ unter Druck stehen

pressurisation [pʀesyʀizasjɔ̃] *f* Druckausgleich *m*

prestement [pʀɛstəmɑ̃] *adv soutenu* schnellstens, rasch

prestidigitation [pʀɛstidiʒitasjɔ̃] *f* Zauberei *f;* **tour de** ~ Zauberkunststück *nt*

prestige [pʀɛstiʒ] *m* Ansehen *nt;* **avoir beaucoup de** ~ hohes Ansehen genießen

prestigieux, -ieuse [pʀɛstiʒjø, -jøz] *adj lieu, événement* glanzvoll; *carrière* glänzend; *objet, produits* von hohem Prestigewert; *métier, école* [hoch]angesehen; *artiste, scientifique* (*remarquable*) bemerkenswert; (*en renom*) renommiert

présumé, e [pʀezyme] *adj auteur* mutmaßlich; **être** ~ **coupable/innocent/ responsable** für schuldig/unschuldig/ verantwortlich gehalten werden

présupposé [pʀesypoze] *m* **1.** *d'un article, d'une doctrine* Voraussetzung *f,* Grundlage *f* **2.** LING, GRAM Präsupposition *f*

présure [pʀezyʀ] *f* Lab *nt*

prêt [pʀɛ] *m* **1.** *d'argent* [Ver]leihen *nt; d'un livre, objet* Ausleihen *nt,* Verleihen *nt* **2.** (*crédit*) Darlehen *nt,* Kredit *m;* (*prêt public*) Anleihe *f;* ~ **à intérêt** verzinsliches Darlehen **3.** (*chose prêtée*) Leihgabe *f*

prêt, e [pʀɛ, pʀɛt] *adj* **1.** (*préparé*) **être** ~ fertig [*o* bereit] sein; **fin** ~ *fam* fix und fertig; **tout est** ~ **pour la cérémonie** für die Feier ist alles vorbereitet; ~ **à cuire/rôtir** koch-/bratfertig; **à vos marques;** ~**s? partez!** auf die Plätze, fertig, los! **2.** (*disposé*) ~ **à faire qc** bereit etw zu tun; **être** ~ **à tout pour faire qc** zu allem bereit sein um etw zu tun

prêt-à-porter [pʀɛtapɔʀte] *m sans pl* Konfektionskleidung *f*

prétendre [pʀetɑ̃dʀ] <14> *vt* **1.** (*affirmer*) behaupten; **à ce qu'on prétend, il est ...** angeblich ist er ... **2.** (*avoir la prétention de*) behaupten; **je ne prétends pas vous convaincre** ich behaupte nicht [*o* ich bilde mir nicht ein], dass ich Sie überzeugen kann

prétendument [pʀetɑ̃dymɑ̃] *adv* angeblich

prétentieusement [pʀetɑ̃sjøzmɑ̃] *adv* auf überhebliche Weise

prétentieux, -ieuse [pʀetɑ̃sjø, -jøz] **I.** *adj personne, ton* überheblich; **avoir l'air** ~ arrogant wirken **II.** *m, f* eingebildeter Mensch; (*femme*) eingebildete Person

prétention [pʀetɑ̃sjɔ̃] *f* **1.** *sans pl* (*vanité*) Überheblichkeit *f;* **sans** ~ *maison* schlicht; *repas* einfach; **avoir/ne pas avoir la** ~ **de faire qc** sich (*dat*) einbilden/nicht einbilden etw tun zu können; **ce diplôme n'a pas la** ~ **de remplacer ...** dieses Diplom erhebt nicht den Anspruch ... zu ersetzen **2.** *gén pl* (*ce à quoi on prétend*) Anspruch *m;* **avoir des** ~**s** Ambitionen haben

prêter [pʀete] <1> **I.** *vt* **1.** (*avancer pour*

un temps) ausleihen *livre, voiture, parapluie;* ~ **de l'argent/100 euros à qn** jdm Geld/100 Euro leihen **2.** (*attribuer*) ~ **une intention à qn** jdm eine Absicht unterstellen **II.** *vi* **1.** (*donner matière à*) ~ **à équivoque** missverständlich sein; ~ **à rire** lachhaft sein **2.** (*consentir un prêt*) ~ **à 8 %** zu [*o* mit] 8 % Zinsen [ver]leihen; ~ **à intérêt/sur gage** auf Zinsen/gegen Pfand leihen **III.** *vpr* **1.** (*consentir*) **se** ~ **à un jeu** bei einem Spiel mitmachen **2.** (*être adapté à*) **se** ~ **à qc** sich für etw eignen

prétexte [pretɛkst] *m* (*raison apparente*) Vorwand *m;* (*excuse*) Ausrede *f;* **mauvais** ~ schlechte Ausrede; **prendre qc comme** [*o* **pour**] ~ etw zum Vorwand nehmen; **sous aucun** ~ unter keinen Umständen; **sous** ~ **de manque de temps, elle est ...** aus angeblichem Zeitmangel ist sie ...

prétexter [pretɛkste] <1> *vt* zum Vorwand nehmen, als Ausrede benutzen; **elle prétexte qu'elle n'a pas le temps** sie gibt vor keine Zeit zu haben

prétoire [pretwar] *m* Gerichtssaal *m*

prêtre [prɛtr] *m* REL Priester *m*

prêtre-ouvrier [prɛtruvrije] <prêtres-ouvriers> *m* Arbeiterpriester *m*

preuve [prœv] *f* **1.** (*indice probant, démonstration*) Beweis *m;* ~ **de qc** Beweis für etw; ~ **en main** anhand von Beweisen; **jusqu'à** ~ **du contraire** bis zum Beweis des Gegenteils; **fournir/établir la** ~ **de qc** den Beweis für etw erbringen/liefern **2.** (*marque*) **une** ~ **d'amour/de bonne volonté** ein Liebesbeweis *m*/ein Zeichen *nt* des guten Willens **3.** MATH ~ **par neuf** Neunerprobe *f* ▶ **faire** ~ **de bonne volonté/courage** guten Willen/Mut zeigen [*o* beweisen]; **faire** ~ **d'entêtement** Sturheit an den Tag legen; **faire ses** ~**s** *élève:* sich beweisen; *méthode:* sich bewähren

preux [prø] *littér* **I.** *adj antéposé chevalier* kühn **II.** *m* kühner Krieger

prévenir [prev(ə)nir] <9> **I.** *vt* **1.** (*aviser*) benachrichtigen; rufen *médecin;* verständigen *police;* ~ **qn de qc** jdn von etw benachrichtigen **2.** (*avertir*) warnen; **je te préviens, si tu continues ainsi ...** ich warne dich, wenn du so weitermachst ...; **tu es prévenu!** jetzt weißt du Bescheid! **II.** *vi* Bescheid sagen [*o* geben]; *tremblement de terre:* sich ankündigen; **arriver sans** ~ *événement:* sich nicht ankündigen

préventif, -ive [prevãtif, -iv] *adj* vorbeugend; **médecine préventive** Präventivmedizin *f;* **mesure préventive** Vorbeugungsmaßnahme *f*

prévention [prevãsjɔ̃] *f* **1.** (*mesures préventives*) ~ **médicale** medizinische Vorsorge; ~ **d'une maladie/de la délinquance** Vorbeugung *f* [gegen eine Krankheit/gegen die Kriminalität] **2.** (*organisme*) **la Prévention routière** die Straßenverkehrswacht

prévenu, e [prev(ə)ny] **I.** *adj* **1.** JUR **être** ~ unter Anklage stehen; **être** ~ **d'un délit** eines Delikts beschuldigt sein/werden **2.** (*qui a des préventions*) **être** ~ **contre qn/qc** gegen jdn/etw [vor]eingenommen sein; **être** ~ **en faveur de qn/qc** für jdn/etw eingenommen sein **II.** *m, f* JUR Beschuldigte(r) *f(m)*

prévisible [previzibl] *adj* vorhersehbar; **difficilement** ~ schwer vorauszusehen

prévision [previzjɔ̃] *f* **1.** *d'un comportement, événement, phénomène* Vorhersehen *nt;* (*prédiction*) Vorhersage *f; des dépenses, recettes* Vorausberechnung *f;* **au-delà de toute** ~ wider Erwarten; **en** ~ **du départ** im Hinblick auf die Abreise **2.** *pl* ECON, FIN Prognosen *Pl;* ~**s boursières** Börsenprognose *f;* ~**s budgétaires** Haushaltsvoranschlag *m;* ~**s météorologiques** Wettervorhersage *f*

prévisionnel, le [previzjɔnɛl] *adj mesures* vorausschauend; *coûts* veranschlagt; *étude, analyse* prognostisch

prévoir [prevwar] <*irr*> *vt* **1.** (*envisager ce qui va se passer*) ~ **qc** etw vorhersehen; **il faut** ~ **les conséquences de ses actes** man muss die Folgen seines Handelns [vorher] bedenken; **laisser** ~ **un malheur** Böses ahnen lassen; **plus beau/moins cher que prévu** schöner/billiger als erwartet **2.** (*projeter*) vorsehen; **l'arrivée de nos hôtes est prévue pour** [*o* **à**] **3 heures** wir erwarten unsere Gäste um 3 Uhr **3.** (*envisager*) vorsehen; [vor]sorgen für *casse-croûte, couvertures;* **ils avaient tout prévu** sie hatten an alles gedacht; **c'est prévu** daran ist gedacht; **tout est prévu pour ton arrivée** für deine Ankunft ist alles vorbereitet

prier [prije] <1> **I.** *vt* **1.** REL ~ **Dieu/les saints** zu Gott/den Heiligen beten; **je prie Dieu/le ciel que ...** + *subj* ich bete zu Gott/zum Himmel, dass ... **2.** (*inviter, solliciter*) ~ **qn de faire qc** jdn bitten etw zu tun; **se faire** ~ sich [lange] bitten lassen **3.** (*ordonner*) ~ **qn de faire qc** jdn bitten etw zu tun ▶ **je vous prie d'**agréer **mes sincères salutations/sentiments les meilleurs** mit freundlichen Grüßen; **je t'**en**/vous** en **prie** (*fais/faites donc*) bitte sehr; (*s'il te plaît*) bitte; (*il n'y a pas de quoi: après un remerciement*) keine Ursache!; (*après une excuse*) das macht [doch] nichts!; **je te/vous prie!** wenn ich bitten darf! **II.** *vi* REL ~ **pour qn/qc** für

jdn/etw beten
prière [pʀijɛʀ] *f* **1.** ʀᴇʟ Gebet *nt;* **dire** [*o* faire] **sa ~/ses ~s** beten **2.** (*demande*) Bitte *f;* **à la ~ de qn** auf jds Bitte [*o* Bitten] (*akk*) [hin]; **j'ai une ~ à vous faire!** ich habe eine Bitte an Sie!; **~ d'essuyer ses pieds!** bitte Füße abtreten! ▸**tu peux faire ta ~!** *hum* du kannst schon mal ein Stoßgebet zum Himmel schicken!
primaire [pʀimɛʀ] **I.** *adj* **école ~** Grundschule *f;* **enseignement ~** Grundschulunterricht *m;* (*institution*) Grundschulwesen *nt;* **inspecteur ~** Schulrat *m* **II.** *m* sᴄᴏʟ Grundschule *f;* **être en ~** in der Grundschule sein
primauté [pʀimote] *f* (*supériorité*) **~ de qc sur qc** Vorrang *m* einer S. (*gen*) vor etw (*dat*); **avoir la ~** eine Vorrangstellung einnehmen
prime [pʀim] *f* **1.** (*allocation*) Prämie *f;* (*en complément du salaire*) Zulage *f;* (*subvention payée par l'État*) Beihilfe *f;* **~ d'ancienneté** Betriebszugehörigkeitszulage; **~ de fin d'année** Weihnachtsgeld *nt;* **~ de rendement** Leistungsprämie; **~ de risque** Gefahrenzulage; **~ de transport** Fahrtkostenzuschuss **2.** (*somme à payer*) **~ d'assurance** Versicherungsprämie *f* ▸**en ~** als Zugabe; (*par-dessus le marché*) noch dazu
primer [pʀime] <1> *vt* prämi[i]eren; **film/livre primé** preisgekrönter Film/preisgekröntes Buch
primevère [pʀimvɛʀ] *f* Primel *f*
primo-infection [pʀimoɛ̃fɛksjɔ̃] <primo-infections> *f* Erstinfektion *f*
prince, princesse [pʀɛ̃s, pʀɛ̃sɛs] *m, f* (*titre nobiliaire*) Fürst *m;* (*fils/fille ou femme de roi*) Prinz *m;* **~ charmant** Märchenprinz; **~ héritier** Kronprinz; **élever qn au rang de ~** jdn in den Fürstenstand erheben ▸**être bon ~** großmütig sein; **vivre comme un ~** fürstlich leben
princesse [pʀɛ̃sɛs] *f v.* **prince**
principal [pʀɛ̃sipal] *m* (*l'important*) **le ~** das Wichtigste; **le ~, c'est que** + *subj* Hauptsache ist, dass
principal, e [pʀɛ̃sipal, o] <-aux> **I.** *adj* **1.** (*le plus important*) wichtigste(r, s) **2.** (*premier dans une hiérarchie*) **les principaux intéressés dans cette histoire** die Hauptbetroffenen in dieser Geschichte; **les raisons ~es** die Hauptgründe; **rôle ~ d'un film** Hauptrolle *f* in einem Film **3.** ɢʀᴀᴍ **proposition ~e** Hauptsatz *m* **II.** *m, f* sᴄᴏʟ Schuldirektor *m, f*
principale [pʀɛ̃sipal] *f* ɢʀᴀᴍ Hauptsatz *m*
principalement [pʀɛ̃sipalmɑ̃] *adv* hauptsächlich

principauté [pʀɛ̃sipote] *f* Fürstentum *nt*
principe [pʀɛ̃sip] *m* **1.** ᴘʜʏs, ᴍᴀᴛʜ Prinzip *nt* **2.** (*règle de conduite*) Prinzip *nt,* Grundsatz *m;* **~ fondamental** Grundprinzip; **avoir des ~s** Prinzipien haben; **qn a pour ~ de faire qc** es ist jds Prinzip etw zu tun **3.** (*hypothèse*) Grundsatz *m;* **poser des ~s** Grundsätze aufstellen ▸**en ~** im Prinzip; **par ~** aus Prinzip; **pour le ~** um des Prinzips willen
printanier, -ière [pʀɛ̃tanje, -jɛʀ] *adj* atmosphère, tenue frühlingshaft; **soleil ~** Frühlingssonne *f;* **robe ~ière** Frühjahrskleid *nt*
printemps [pʀɛ̃tɑ̃] *m* Frühling *m,* Frühjahr *nt; v. a.* **automne**
priori [pʀijɔʀi] *adv v.* **a priori**
prioritaire [pʀijɔʀitɛʀ] **I.** *adj* **1.** (*qui passe en premier*) vorrangig; **être ~** Priorität haben **2.** ᴀᴜᴛ **être ~** automobiliste, route: Vorfahrt haben **II.** *mf* (*personne*) Bevorrechtigte(r) *f(m)*
priorité [pʀijɔʀite] *f* **1.** (*urgence*) Priorität *f;* **définir les ~s** die Prioritäten festlegen **2.** (*droit*) **~ sur qn/qc** Vorrecht *nt* gegenüber jdm; (*préséance*) Vortritt *m* vor jdm; **en ~** als Erstes; **demander la ~** [de parole] darum bitten als Erster sprechen zu dürfen **3.** ᴀᴜᴛ Vorfahrt *f;* **avoir la ~** Vorfahrt haben; **il y a ~ à droite** hier gilt rechts vor links
pris [pʀi] *passé simple de* **prendre**
pris, e [pʀi, pʀiz] **I.** *part passé de* **prendre II.** *adj* **1.** (*occupé*) place besetzt; (*emploi du temps complet*) [völlig] verplant; *personne:* beschäftigt; **avoir les mains ~es** keine Hand frei haben **2.** (*en proie à*) **être ~ de peur/de panique** von Furcht gepackt/von Panik erfasst sein/werden; **être ~ d'envie de faire qc** [plötzlich] das Verlangen haben etw zu tun
prise [pʀiz] *f* **1.** (*action de prendre avec les mains*) Griff *m;* **maintiens bien la ~!** halt dich gut fest! **2.** (*poignée, objet que l'on peut empoigner*) Halt *m;* **lâcher ~** loslassen; *fig* nachgeben **3.** (*animal capturé*) Fang *m;* ᴄʜᴀssᴇ Beute *f* **4.** ᴇʟᴇᴄ **~ de courant** Steckdose *f;* **~ multiple** Mehrfachsteckdose *f* **5.** ᴄɪɴᴇ Aufnahme *f* **6.** *de tabac, de drogue* Prise *f* **7.** ᴍᴇᴅ **~ de sang** (*prélèvement*) Blutabnahme *f;* **se faire faire une ~ de sang** sich (*dat*) Blut abnehmen lassen **8.** (*action d'assumer*) **~ en charge** Übernahme *f* **9.** *fig* **~ de conscience** Bewusstwerden *nt*
prison [pʀizɔ̃] *f* Gefängnis *nt*
prisonnier, -ière [pʀizɔnje, -jɛʀ] **I.** *adj* (*en détention*) **être ~** eingesperrt sein; *soldat:* in Gefangenschaft sein **II.** *m, f* Gefangene(r) *f(m);* **faire ~** gefangen nehmen; **~ de**

guerre Kriegsgefangene(r) *f(m)*
privatif, -ive [privatif, -iv] *adj* **1.** jur ausschließend; **jardin** ~ Garten *m* [nur] zur Privatnutzung; **jouissance privative** alleiniger Nießnutz **2.** *particule, préfixe* privativ
privé [prive] *m* **1.** (*vie privée*) Privatleben *nt;* **dans le** ~ privat; **en** ~ *déclarations, conversation* privat; **confier qc à qn en** ~ jdm etw unter vier Augen anvertrauen **2.** (*secteur privé*) Privatwirtschaft *f*
privé, e [prive] **I.** *adj* (*opp: public*) privat; *secteur, investissement* privatwirtschaftlich; **école** ~**e** Privatschule *f;* **secteur** ~ Privatwirtschaft *f;* **il est ici à titre** ~ er ist privat hier **II.** *m, f fam* (*détective*) Privatdetektiv *m*
priver [prive] <1> **I.** *vt* **1.** (*refuser à*) entziehen; ~ **qn de ses droits civiques** jdm seine Staatsbürgerrechte aberkennen; ~ **qn de liberté** jdm seiner Freiheit (*gen*) berauben **2.** (*faire perdre à*) ~ **qn de tous ses moyens** jdn handlungsunfähig machen; **qn/qc est privé de qc** jdm/einer S. fehlt etw; **être privé d'électricité** keinen Strom mehr haben **3.** (*frustrer*) ~ **qn de qc** jdn um etw bringen; **je ne veux pas vous** ~ ich möchte Ihnen nichts vorenthalten **II.** *vpr* **1.** (*se restreindre*) **se** ~ **pour qn** sich für jdn einschränken **2.** (*renoncer*) **se** ~ **de cigarettes/dessert** auf Zigaretten/den Nachtisch verzichten; **se** ~ **de fumer** darauf verzichten zu rauchen ▶**ne pas se** ~ **de faire qc** es sich (*dat*) nicht nehmen lassen etw zu tun
privilège [privilɛʒ] *m* **1.** *de fortune, naissance* Privileg *nt; de beauté* Vorzug *m* **2.** hist Privileg *nt;* **jouir de** ~**s** Sonderrechte genießen; **les** ~**s des nobles** [*o* **de la noblesse**] die Adelsprivilegien **3.** *d'une visite, rencontre, d'un entretien* Ehre *f*
privilégié, e [privileʒje] **I.** *adj personne, ordres, lieu* privilegiert; *climat, situation* [besonders] günstig; *relations* besonders gut **II.** *m, f* Privilegierte(r) *f(m)*
privilégier [privileʒje] <1> *vt* privilegieren *personne;* ~ **qc** einer S. (*dat*) den Vorzug geben
prix [pri] *m* **1.** (*coût*) Preis *m;* ~ **du pain** Brotpreis; ~ **d'ami** Freundschaftspreis; ~ **coûtant** Selbstkostenpreis; **dernier** ~ äußerster Preis; ~ **d'achat** Einkaufspreis; ~ **de détail** Einzelhandelspreis; ~ **de gros** Großhandelspreis; ~ **de vente** Verkaufspreis; ~ **imposé/marqué** vorgeschriebener/angegebener Preis; **à** ~ **d'or** für teures Geld; **à bas/moitié** ~ billig/zum halben Preis; **à** ~ **salé** zu einem gepfefferten Preis; **hors de** ~ unerschwinglich; **vendre au** ~ **fort** sehr teuer verkaufen; *fig* **ton/votre** ~

sera le mien! nenn mir deinen/nennen Sie mir Ihren Preis! **2.** (*contrepartie*) **le** ~ **de la gloire/du succès** der Preis für den Ruhm/den Erfolg; **à aucun/tout** ~ um keinen/jeden Preis **3.** (*valeur*) **de** ~ von großem Wert; **ne pas avoir de** ~ von unschätzbarem Wert sein **4.** (*distinction*) Auszeichnung *f;* ~ **de beauté** Schönheitspreis; ~ **d'interprétation** Preis für die beste schauspielerische Leistung **5.** (*lauréat*) Preisträger *m;* ~ **Goncourt** Preisträger *m* des Prix Goncourt; ~ **Nobel** Nobelpreisträger; **être un** ~ **Nobel de littérature/médecine** den Nobelpreis für Literatur/Medizin bekommen haben **6.** sport Preis *m;* **Grand Prix [automobile]** Großer Preis; ~ **de consolation** Trostpreis ▶**c'est le même** ~ *fam* das kommt auf eins heraus; **qn paie le** ~ **fort** das kommt jdn teuer zu stehen; **mettre la tête de qn à** ~ einen Preis auf jds Kopf aussetzen; **y mettre le** ~ weder Kosten noch Mühen scheuen
pro [pro] *mf fam abr de* **professionnel** Profi *m*
probabilité [prɔbabilite] *f* Wahrscheinlichkeit *f;* **calcul des** ~**s** Wahrscheinlichkeitsrechnung *f;* **selon toute** ~ höchstwahrscheinlich
probable [prɔbabl] *adj* **il est** ~ **qu'il gagnera** wahrscheinlich wird er gewinnen
probablement [prɔbabləmɑ̃] *adv* wahrscheinlich; ~ **qu'il dira oui** wahrscheinlich wird er ja sagen
problématique [prɔblematik] **I.** *adj* (*qui pose problème*) problematisch **II.** *f* Problemstellung *f;* **définir une** ~ die Problematik umreißen
problème [prɔblɛm] *m* **1.** (*difficulté*) Problem *nt;* **enfant à** ~**s** *fam* Problemkind *nt;* **peau à** ~**s** *fam* sehr empfindliche Haut; **avoir des** ~**s** Probleme haben; **poser un** ~/**des** ~**s à qn** für jdn ein Problem darstellen; **[y a] pas de** ~! *fam* [das ist] kein Problem! **2.** (*question à résoudre*) Problem *nt; moral, philosophique, historique* Frage *f;* philos Problem, Problematik *f;* **faux** ~ Scheinproblem; **les** ~**s de circulation/stationnement** die Verkehrs-/Parkprobleme; ~ **du logement/chômage** Wohnungs-/Arbeitslosenfrage **3.** scol Textaufgabe *f;* ~ **de géométrie/de physique** Geometrie-/Physikaufgabe *f*
procédé [prɔsede] *m* **1.** (*méthode*) Verfahren *nt;* ~ **de fabrication** Herstellungsverfahren **2.** *souvent pl* (*façon d'agir*) Verhalten *nt;* **user de bons/mauvais** ~**s à l'égard de qn** sich jdm gegenüber freundlich [*o* korrekt]/unfreundlich verhalten **3.** *péj* (*recette stéréotypée*) Methode *f*

procéder [pʀɔsede] <5> *vi* (*agir*) verfahren; ~ **par ordre** der Reihe nach vorgehen

procédurier, -ière [pʀɔsedyʀje, -jɛʀ] *adj personne* pedantisch, kleinlich; *formalités* haarspalterisch

procès [pʀɔsɛ] *m* JUR Prozess *m;* **être en ~ avec qn** gegen jdn prozessieren ▸**faire le ~ de qn/qc** mit jdm hart ins Gericht gehen

prochain [pʀɔʃɛ̃] *m* (*être humain*) Nächste(r) *m*

prochain, e [pʀɔʃɛ̃, ɛn] **I.** *adj* **1.** *antéposé carrefour, rue, village* nächste(r, s); *postposé an, mois, semaine* nächste(r, s); **la ~e fois** nächstes Mal, das nächste Mal; **le 15 août ~** am 15. August [dieses Jahres]; **à la ~e occasion** bei der nächsten [*o* bei nächster] Gelegenheit **2.** *postposé arrivée, départ* baldig; *mort* nahe [bevorstehend]; *avenir* nahe **II.** *m, f* **1.** (*personne suivante*) der/die Nächste **2.** (*bus, train, bateau*) der/die/das Nächste

prochaine [pʀɔʃɛn] *f fam* **1.** (*station*) die nächste Haltestelle **2.** (*fois*) **à la ~!** bis zum nächsten Mal!, bis dann! (*fam*)

prochainement [pʀɔʃɛnmã] *adv* demnächst; **très ~** in Kürze

proche [pʀɔʃ] **I.** *adj* **1.** (*à proximité*) nah[e]; **un restaurant tout ~** ein Restaurant ganz in der Nähe; **la ville la plus ~** die nächste Stadt; **être ~ de qc** nah[e] an etw (*dat*) sein; **~s l'un de l'autre/l'une de l'autre** nah[e] beieinander **2.** *antéposé voisin* unmittelbar **3.** *avenir, dénouement, mort* nah[e]; *départ* nah[e] bevorstehend; **être ~ départ:** kurz bevorstehen **4.** *événement* nah[e]; *souvenir* lebendig **5.** *antéposé cousin, parent* nah[e]; **être ~ de qn** (*par la pensée*) jdm nah[e] sein **6.** *sens* verwandt; **être ~ de qc** *langue, prévision, attitude:* einer S. (*dat*) ähnlich sein ▸**de ~ en ~** nach und nach **II.** *mf* **1.** (*ami intime*) Vertraute(r) *f(m)* **2.** *mpl* (*parents*) **les ~s de qn** jds Angehörige *Pl*

Proche-Orient [pʀɔʃɔʀjã] *m* **le ~** der Nahe Osten

proclamer [pʀɔklame] <1> **I.** *vt* **1.** (*affirmer*) verkünden *conviction, vérité;* beteuern *innocence* **2.** (*annoncer publiquement*) proklamieren; ausrufen *état de siège, république;* verkünden *résultats, verdict* **3.** (*désigner comme*) ~ **qn empereur/roi** jdn zum Kaiser/König ausrufen **II.** *vpr* (*se déclarer*) **se ~ indépendant** sich für unabhängig erklären; **se ~ république autonome** sich zur freien Republik erklären

procurer [pʀɔkyʀe] <1> **I.** *vt* **1.** (*faire obtenir*) ~ **qc à qn** jdm zu etw verhelfen **2.** (*apporter*) bereiten *joie, ennuis* **II.** *vpr*

(*obtenir*) **se ~ un travail** sich (*dat*) [eine] Arbeit verschaffen

prodige [pʀɔdiʒ] *m* **1.** (*miracle*) Wunder *nt* **2.** (*merveille*) Wunder[werk *nt*] *nt;* **faire des ~s** Wunder vollbringen **3.** (*personne très douée*) Genie *nt;* **enfant ~** Wunderkind *nt* ▸**tenir du ~** an ein Wunder grenzen

prodigieusement [pʀɔdiʒjøzmã] *adv beau, difficile* ungemein; *doué, intéressant* sehr; *agacer, s'ennuyer* über alle Maßen

prodigue [pʀɔdig] *adj* (*dépensier*) verschwenderisch

producteur, -trice [pʀɔdyktœʀ, -tʀis] **I.** *adj* COM erzeugend; ~ **de blé** Getreide anbauend; ~ **de gaz naturel/charbon** Erdgas/Kohle fördernd; **les pays ~s de pétrole** die Erdöl produzierenden Länder **II.** *m, f* **1.** AGR Erzeuger *m* **2.** (*fabricant*) Produzent *m* **3.** CINE, RADIO, TV Produzent *m*

productif, -ive [pʀɔdyktif, -iv] **I.** *adj* produktiv; *sol* ertragreich; *capital, investissement* gewinnbringend **II.** *mpl* produktive Kräfte *Pl*

production [pʀɔdyksjɔ̃] *f* **1.** (*fait de produire*) Produktion *f* **2.** *de produits manufacturés* Herstellung *f;* ~ **de voitures** Autoproduktion; ~ **d'électricité/énergie** Strom-/Energieerzeugung **3.** (*exploitation*) ~ **de blé/fruits** Weizen-/Obstanbau *m;* ~ **de viande** Fleischproduktion *f* **4.** (*quantité produite*) Produktionsmenge *f; d'énergie* erzeugte Menge; *de pétrole* Fördermenge *f;* AGR Erzeugnisse *Pl* **5.** CINE, RADIO, TV Produktion *f*

productivité [pʀɔdyktivite] *f* **1.** *d'une usine, d'un employé, ouvrier* Produktivität *f* **2.** *d'un service, impôt* Rentabilität *f*

produire [pʀɔdɥiʀ] <*irr*> **I.** *vt* **1.** IND produzieren *matières premières;* herstellen *voitures, produits manufacturés;* erzeugen *électricité* **2.** (*donner*) *cultivateur:* erzeugen; *pays, région, terre:* hervorbringen; *arbre:* tragen **II.** *vi* FIN Gewinn abwerfen **III.** *vpr* **se ~ 1.** (*survenir*) sich ereignen; *changement, silence:* eintreten **2.** (*se montrer: en public*) sich sehen lassen; (*sur la scène*) auftreten

produit [pʀɔdɥi] *m* **1.** IND Produkt *nt,* Erzeugnis *nt;* CHIM, BIO Mittel *nt,* Produkt; ~ **alimentaire** Nahrungsmittel *nt;* ~ **brut** Rohstoff *m;* ~ **de beauté** Schönheitsmittel *nt;* ~ **de première nécessité** Grundnahrungsmittel *nt* **2.** (*rapport, bénéfice*) ~ **brut** Bruttoertrag; ~ **net** Nettoerlös, Gewinn *m;* ~ **intérieur brut** Bruttoinlandsprodukt *nt;* ~ **national brut** Bruttosozialprodukt *nt* **3.** (*résultat*) Produkt *nt* **4.** MATH Produkt *nt*

pro-européen , ne [pʀoøʀɔpeɛ̃, ɛn] *m, f* Europabefürworter *m*

prof *fam,* **professeur** [pʀɔfesœʀ] *mf* **1.** SCOL Lehrer *m;* ~ **de lycée** Gymnasiallehrer *m;* ~ **des écoles** Grundschullehrer *m;* ~ **d'allemand/de piano** Deutsch-/ Klavierlehrer **2.** (*avec chaire*) Professor *m;* (*sans chaire*) Dozent *m*

profession [pʀɔfesjɔ̃] *f* **1.** (*métier*) Beruf *m;* **exercer la** ~ **de qc** von Beruf etw sein **2.** (*corps de métier*) Berufsstand *m*

professionnalisme [pʀɔfesjɔnalism] *m* **1.** (*opp: amateurisme*) Professionalismus *m* **2.** (*compétence*) Professionalität *f*

professionnel, le [pʀɔfesjɔnɛl] **I.** *adj* **1.** *conscience, qualification* beruflich; *cours, enseignement* berufsbezogen; **vie ~le** Berufsleben *nt;* **lycée** ~ ≈ Fachoberschule *f* **2.** *écrivain, journaliste* berufsmäßig; *fig pêcheur* begeistert; *menteur* ausgemacht **3.** (*compétent*) fachkundig **II.** *m, f* **1.** (*homme de métier*) Fachmann *m;* ~ **du tourisme** Tourismusfachmann **2.** (*personne compétente*) Sachkundige(r) *f(m)* **3.** SPORT **passer** ~ *fam* ins Profilager überwechseln

professionnelle [pʀɔfesjɔnɛl] *f fam* (*prostituée*) Prostituierte *f*

professionnellement [pʀɔfesjɔnɛlmã] *adv* beruflich

profil [pʀɔfil] *m* **1.** (*relief*) Profil *nt;* **de** ~ im Profil **2.** *d'une personne* Silhouette *f; d'un édifice* Umriss *m* **3.** *de l'homme d'affaires* Profil *nt* **4.** INFORM ~ **utilisateur** Benutzerprofil *nt* ►**montrer son meilleur** ~ sich von seiner besten Seite zeigen

profit [pʀɔfi] *m* **1.** COM, FIN Profit *m* **2.** (*avantage*) Gewinn *m;* **mettre à** ~ **une situation pour faire qc** eine Situation ausnutzen um etw zu tun; **au** ~ **de qn/qc** zugunsten einer Person/S. (*gen*)

profiter [pʀɔfite] <1> *vi* **1.** (*tirer avantage de*) ~ **d'une situation** von einer Situation profitieren; ~ **d'une occasion** eine Gelegenheit ausnützen [*o* nutzen] **2.** (*être utile à*) ~ **à qn** für jdn von Nutzen sein; *repos, vacances:* jdm gut tun **3.** *fam* (*se fortifier*) Speck ansetzen; *enfant:* gedeihen **4.** *fam* (*être avantageux*) *plat:* gut ausreichen; *vêtement:* lange halten **5.** (*tirer un profit*) ~ **dans un marché** bei einem Handel Profit machen

profiterole [pʀɔfitʀɔl] *f: kleiner mit Eis oder Vanillecreme gefüllter Windbeutel*

profiteur, -euse [pʀɔfitœʀ, -øz] *m, f péj* Profitmacher *m*

profond, e [pʀɔfɔ̃, ɔ̃d] **I.** *adj* **1.** (*qui s'enfonce loin*) tief; *cave* tief [liegend]; ~ **de 50 m** 50 Meter tief **2.** *différence, erreur, igno-*

rance groß; *intérêt, influence* stark; *révérence, sommeil* tief; *sentiment* tief [sitzend]; *nuit* tief[schwarz] **3.** *postposé cause* tiefere(r, s); *signification* tiefer liegend; *tendance* unterschwellig; **la France** ~**e** *das traditionnelle Frankreich* **4.** *esprit, penseur* tiefsinnig; *pensée, réflexion* tiefgründig **5.** *soupir, voix* tief; *regard* intensiv **6.** *postposé* MED *arriéré, débile* stark; **handicapé** ~ Schwerbehinderte(r) *f(m)* **II.** *adv creuser, planter* tief

profondément [pʀɔfɔ̃demã] *adv* **1.** *creuser, s'incliner, pénétrer* tief **2.** *respirer, dormir* tief; *influencer, ressentir* stark; *réfléchir, se tromper* gründlich; *aimer* innig; *souhaiter* sehnlichst **3.** *antéposé choqué, ému, touché* tief; *vexé* schwer; *convaincu* felsenfest; ~ **différent** grundverschieden

profondeur [pʀɔfɔ̃dœʀ] *f* **1.** (*distance*) Tiefe *f;* **50 m de** ~ 50 Meter tief **2.** *d'une voix* Tiefe *f; d'un regard* Intensität *f* ►**en** ~ (*opp: superficiellement*) gründlich; *connaissance, réforme* tief greifend

programmable [pʀɔgʀamabl] *adj* **1.** INFORM programmierbar **2.** TECH vorprogrammierbar

programmation [pʀɔgʀamasjɔ̃] *f* **1.** CINE, RADIO, TV Programmgestaltung *f* **2.** TECH, INFORM Programmierung *f*

programme [pʀɔgʀam] *m* **1.** (*objectif planifié*) Programm *nt;* ~ **d'action/de recherches** Aktions-/Forschungsprogramm **2.** (*livret*) Programm[heft *nt*] *nt* **3.** MEDIA Programm[zeitschrift *f*] *nt* **4.** SCOL Lehrstoff *m,* Lehrplan *m* **5.** UNIV Studienplan *m* ►**vaste** ~**!** *hum* da hast du dir/haben Sie sich aber viel vorgenommen!; **être au** ~ auf dem Programm stehen; THEAT auf dem Spielplan stehen; CINE laufen; **être hors** ~ nicht auf dem Programm stehen; SCOL nicht zum Lehrstoff gehören; **tout un** ~ ein weites Feld

programmer [pʀɔgʀame] <1> *vt* **1.** MEDIA, CINE ins Programm nehmen; THEAT auf den Spielplan setzen; **être programmé** *émission:* auf dem Programm stehen **2.** (*établir à l'avance*) vorausplanen/im Voraus planen *journée, réjouissances, vacances;* **être programmé à dix heures** auf zehn Uhr angesetzt sein **3.** TECH [vor]programmieren *calculateur;* ~ **une machine à laver sur qc** eine Waschmaschine auf etw (*akk*) einstellen

progrès [pʀɔgʀɛ] *m* Fortschritt *m; pl* SCOL Fortschritte *Pl;* **faire des** ~ **en qc** Fortschritte in etw (*dat*) machen ►**il y a du** ~ *fam* es geht voran; **on n'arrête pas le** ~ *fam* nobel geht die Welt zugrunde

progresser [pʀɔgʀese] <1> *vi* **1.** (*s'améliorer*) *écolier, malade, sciences, technique:*

Fortschritte machen; *conditions de vie, culture, humanité:* sich entwickeln **2.** (*augmenter*) *difficultés:* zunehmen; *prix, salaires:* steigen **3.** (*s'étendre*) *épidémie, incendie, inondation:* um sich greifen; *idées, théories:* sich verbreiten **4.** (*avancer*) *explorateur, sauveteur, véhicule:* vorankommen; *armée:* vorrücken

progressif, -ive [pʀɔgʀesif, -iv] *adj amélioration, évolution, transformation* allmählich, progressiv; *développement* schrittweise; *difficulté* zunehmend; *amnésie, paralysie* fortschreitend

progression [pʀɔgʀɛsjɔ̃] *f* **1.** (*amélioration*) Fortschreiten *nt;* *des conditions de vie* Weiterentwicklung *f;* *du bien-être* Steigerung *f* **2.** *du chômage, de l'alcoolisme* Zunahme *f;* *des prix, salaires* Ansteigen *nt* **3.** *d'une épidémie, inondation, d'une incendie* Sichausbreiten *nt;* *d'une maladie* Fortschreiten *nt;* *d'une doctrine, idée, théorie* Verbreitung *f* **4.** *d'un explorateur, sauveteur, véhicule* Vorankommen *nt;* *d'une armée* Vordringen *nt* **5.** MATH Reihe *f*

progressivement [pʀɔgʀesivmɑ̃] *adv* nach und nach; *procéder* schrittweise

progressivité [pʀɔgʀesivite] *f* *d'un changement, d'une évolution* langsames Fortschreiten; FIN Progression *f;* ~ **de l'impôt** Steuerprogression *f*

prohibé, e [pʀɔibe] *adj* [gesetzlich] verboten

proie [pʀwɑ] *f* **1.** (*opp: prédateur*) Beute *f;* **oiseau de** ~ Raubvogel *m* **2.** (*victime*) Opfer *nt* ▶**être en** ~ **à qc** einer S. (*dat*) ausgeliefert sein; **être en** ~ **au doute/aux remords** von Zweifel[n]/Gewissensbissen gequält werden

projet [pʀɔʒɛ] *m* **1.** (*intention*) Plan *m;* ~ **de vacances** Urlaubspläne *Pl;* ~ **de film** Filmprojekt *nt;* **avoir des** ~**s sur qn** mit jdm etwas vorhaben **2.** (*ébauche*) Entwurf *m;* ~ **de contrat** Vertragsentwurf; ~ **de loi** Gesetzesentwurf **3.** *de construction* Entwurf *m*

projeter [pʀɔʒ(ə)te] <3> **I.** *vt* **1.** (*faire un projet*) planen **2.** (*éjecter*) herausschleudern; ausstoßen *fumée;* verspritzen *liquide;* sprühen *étincelles* **II.** *vpr* (*se refléter*) **se** ~ *ombre, silhouette:* sich abzeichnen

prolétaire [pʀɔletɛʀ] **I.** *adj classe, milieu* proletarisch; *manières* proletenhaft **II.** *mf* Proletarier *m*

prolétariat [pʀɔletaʀja] *m* Proletariat *nt*

prolongation [pʀɔlɔ̃gasjɔ̃] *f* **1.** *d'un congé, délai, d'une trêve* Verlängerung *f;* ~ **du délai de paiement** Zahlungsaufschub *m* **2.** SPORT Verlängerung *f* ▶**jouer les** ~**s** SPORT in der Verlängerung spielen; *hum*

kein Ende finden

prolongé, e [pʀɔlɔ̃ʒe] *adj arrêt, séjour* verlängert; *débat, exposition au soleil* ausgedehnt; *cri, rire* langanhaltend; *effort* anhaltend

prolonger [pʀɔlɔ̃ʒe] <2a> **I.** *vt* **1.** (*faire durer davantage*) verlängern **2.** (*rendre plus long*) verlängern; weiterführen *rue* **II.** *vpr* **se** ~ **1.** (*durer*) *séjour:* sich verlängern; *effet, trêve, séance:* andauern; *débat, maladie:* sich in die Länge ziehen **2.** (*s'étendre en longueur*) *chemin, rue:* sich fortsetzen

promenade [pʀɔm(ə)nad] *f* **1.** (*balade: à pied*) Spaziergang *m;* (*en bateau*) Bootsfahrt *f;* (*à cheval*) Ausritt *m;* ~ **en voiture** Spazierfahrt *f* [mit dem Auto]; ~ **à/en vélo** Fahrradtour *f;* **faire faire une** ~ **à qn** jdn spazieren führen **2.** (*lieu où l'on se promène: en ville*) Promenade *f;* (*à la campagne*) Spazierweg *m*

promener [pʀɔm(ə)ne] <4> **I.** *vt* **1.** (*accompagner*) ~ **qn/un animal** mit jdm/einem Tier spazieren gehen **2.** (*laisser errer*) ~ **ses doigts sur le clavier** die Finger über die Tasten gleiten lassen; ~ **son regard sur la plaine** den Blick über die Ebene schweifen lassen ▶**ça me/le promènera** *fam* da komme ich/kommt er ein bisschen raus **II.** *vpr* **1.** (*faire une promenade*) [**aller**] **se** ~ *animal:* herumlaufen; *personne: (à pied)* spazieren gehen; (*à cheval*) ausreiten; (*en bateau*) eine Bootsfahrt machen; **se** ~ **en voiture** [mit dem Auto] spazieren fahren; **se** ~ **à** [*o* **en**] **vélo** eine [kleine] Fahrradtour machen **2.** *fig* **se** ~ *rivière:* sich schlängeln; *chaussettes, livres, outils:* herumfliegen (*fam*); *imagination, regards:* schweifen

promeneur, -euse [pʀɔm(ə)nœʀ, -øz] *m, f* Spaziergänger *m*

promesse [pʀɔmɛs] *f* (*engagement*) Versprechen *nt* ▶~ **en l'air** [*o* **de Gascon**] leere Versprechungen *Pl*

prometteur, -euse [pʀɔmɛtœʀ, -øz] *adj acteur, débuts, politicien* viel versprechend; *signes, sourire* verheißungsvoll

promettre [pʀɔmɛtʀ] <*irr*> **I.** *vt* **1.** (*s'engager à*) versprechen; zusagen *visite;* zusichern *aide;* ~ **le secret à qn** jdm versprechen nichts zu verraten **2.** (*assurer*) versichern; **ça je te le promets!** das schwöre ich dir! **3.** (*laisser présager*) versprechen *du beau temps, un séjour agréable* ▶**c'est promis juré** *fam* das ist hoch und heilig versprochen; [**il ne**] **faut pas lui en** ~ *fam* er/sie begnügt sich nicht mit Versprechungen **II.** *vi* **1.** (*faire une promesse*) sein Versprechen geben **2.** (*être prometteur*) zu Hoffnungen Anlass geben ▶**ça promet!**

hum das fängt ja gut an!, das kann ja heiter werden! **III.** *vpr* (*prendre la résolution de*) **se ~ de faire qc** sich (*dat*) fest vornehmen etw zu tun

promis, e [pʀɔmi, iz] *adj* **être ~ à qn/qc** für jdn/etw bestimmt sein; **être ~ à un grand boom** mit einem Boom rechnen

promotion [pʀɔmosjɔ̃] *f* **1.** (*avancement*) Beförderung *f*; **~ des ventes** Verkaufsförderung *f* **2.** (*progression*) **~ sociale** sozialer Aufstieg **3.** SCOL *Jahrgang einer Hochschule* **4.** (*produit en réclame*) Sonderangebot *nt*

pronom [pʀɔnɔ̃] *m* Pronomen *nt*

pronominal [pʀɔnɔminal, o] <-aux> *m* reflexives Verb

pronominal, e [pʀɔnɔminal, o] <-aux> *adj* pronominal; *verbe* reflexiv

prononcer [pʀɔnɔ̃se] <2> **I.** *vt* **1.** (*articuler*) aussprechen; **ne [pas] pouvoir ~ un mot** kein Wort hervorbringen können **2.** (*dire, exprimer*) äußern *parole;* aussprechen *souhait;* halten *discours, plaidoyer* **II.** *vpr* **1.** (*être articulé*) **se ~ lettre, mot, nom:** ausgesprochen werden **2.** (*prendre position*) **se ~ pour/contre qn/qc** sich für/gegen jdn/etw aussprechen **3.** (*formuler son point de vue, diagnostic*) **se ~ sur qc** zu etw Stellung nehmen

pronostic [pʀɔnɔstik] *m* Prognose *f*

propagande [pʀɔpagɑ̃d] *f* Propaganda *f* ▶**faire de la ~ à/pour qn/qc** für jdn/etw Reklame machen; POL für jdn/etw Propaganda machen

propagation [pʀɔpagasjɔ̃] *f* **1.** (*extension*) Ausbreitung *f* **2.** *d'une idée, nouvelle* Verbreitung *f*

propager [pʀɔpaʒe] <2a> **I.** *vt* (*diffuser*) verbreiten *idée, nouvelle* **II.** *vpr* **se ~ 1.** (*s'étendre*) *épidémie, guerre, incendie:* sich ausbreiten **2.** (*se répandre*) *idée, nouvelle:* sich verbreiten

propice [pʀɔpis] *adj* günstig; **terrain ~** guter Nährboden

proportion [pʀɔpɔʀsjɔ̃] *f* **1.** (*rapport*) [Größen]verhältnis *nt*; **en ~ de qc** im Verhältnis zu etw; **il est grand, et gros en ~** er ist groß und entsprechend dick; **être hors de ~ avec qc** in keinem Verhältnis zu etw stehen **2.** *pl d'une personne, d'un texte, édifice* Proportionen *Pl; d'une recette* Mengenangaben *Pl;* (*importance*) Ausmaße *Pl;* **dans des ~s inattendues** in unerwartetem Ausmaß ▶**toutes ~s gardées** relativ gesehen

proportionnel, le [pʀɔpɔʀsjɔnɛl] *adj* proportional; **moyenne ~le** geometrisches Mittel; **être ~ à qc** proportional zu etw sein, im Verhältnis zu etw stehen

proportionnelle [pʀɔpɔʀsjɔnɛl] *f* POL **la ~** das Verhältniswahlrecht

proportionnellement [pʀɔpɔʀsjɔnɛlmɑ̃] *adv* verhältnismäßig

propos [pʀɔpo] *m gén pl* (*paroles*) Worte *Pl;* **tenir des ~ inacceptables** intolerable Äußerungen von sich geben ▶**bien/mal à ~** zur rechten Zeit/zur Unzeit; **à tout ~** bei jeder Gelegenheit; **à ~ de tout et de rien** beim geringsten Anlass; **juger à ~ de faire qc** es für ratsam halten etw zu tun; **à ce ~** dazu; **hors de ~** [völlig] unangebracht; **à quel ~?** weswegen?; **à ~** übrigens; **à ~ de qc** etw betreffend

proposer [pʀɔpoze] <1> **I.** *vt* **1.** (*soumettre*) vorschlagen; unterbreiten *plan, projet;* beantragen *décret, loi;* stellen *devoir, question, sujet;* **~ une nouvelle loi** *gouvernement:* eine Gesetzesvorlage einbringen **2.** (*offrir*) anbieten *marchandise, paix, récompense, activité;* bieten *prix, spectacle* **3.** (*présenter*) **~ qn pour un poste/comme collaborateur** jdn für einen Posten/als Mitarbeiter vorschlagen **II.** *vpr* **1.** (*avoir pour objectif*) **se ~ un but** sich (*dat*) ein Ziel setzen **2.** (*offrir ses services*) **se ~ à qn comme chauffeur** sich jdm als Chauffeur anbieten

proposition [pʀɔpozisjɔ̃] *f* **1.** (*offre*) Vorschlag *m;* **~ d'emploi** Beschäftigungsangebot *nt;* **~ de loi** Gesetzesvorlage *f* **2.** *pl* (*avances*) Annäherungsversuche *Pl* **3.** MATH Lehrsatz *m* **4.** GRAM Satz *m*

propre¹ [pʀɔpʀ] **I.** *adj* **1.** (*opp: sale*) sauber **2.** (*soigné*) sauber **3.** (*opp: incontinent*) *enfant:* sauber; *animal:* stubenrein **4.** *affaire, argent* sauber **5.** (*non polluant*) umweltfreundlich ▶**me/le voilà ~!** *fam* jetzt sitze ich/sitzt er im Schlamassel! **II.** *m* ▶**c'est du ~!** *fam* sauber! (*iron*); **mettre qc au ~** etw ins Reine schreiben

propre² [pʀɔpʀ] **I.** *adj* **1.** *antéposé* (*à soi*) eigen **2.** *postposé mot, terme* treffend; *sens* eigentlich; **le sens ~ d'un mot** der wörtliche Sinn eines Wortes **3.** *biens, capitaux* eigen **II.** *m* **1.** (*particularité*) charakteristisches Kennzeichen; *de l'homme* Wesensmerkmal *nt* **2.** GRAM **au ~ et au figuré** in wörtlicher und übertragener Bedeutung **3.** (*propriété*) **en ~** als Eigentum

proprement [pʀɔpʀəmɑ̃] *adv* **1.** (*avec soin*) sauber, ordentlich; *manger* anständig **2.** (*avec honnêteté*) anständig

propret, te [pʀɔpʀɛ, ɛt] *adj maison, chambre* schmuck; *personne* adrett

propreté [pʀɔpʀəte] *f* **1.** (*opp: saleté*) Sauberkeit *f* **2.** (*caractère non polluant*) Umweltfreundlichkeit *f*

propriétaire [pʀɔpʀijetɛʀ] *mf* **1.** (*posses-*

P

proposer

• proposer

Et si nous allions au cinéma, aujourd'hui?

Une tasse de thé, **ça te/vous dirait**?

Si nous faisions une petite pause maintenant? **Qu'en penses-tu**?

Est-ce que tu as envie de faire une promenade?

Je propose de reporter la réunion.

• vorschlagen

Wie wär's, wenn wir heute mal ins Kino gehen würden?

Wie wär's mit einer Tasse Tee?

Was hältst du davon, wenn wir mal eine Pause machen würden?

Hättest du Lust, spazieren zu gehen?

Ich schlage vor, wir vertagen die Sitzung.

• demander un souhait, proposer quelque chose

Puis-je vous aider?/Vous désirez?

Vous désirez quelque chose?

Qu'est-ce que tu veux?

Qu'est-ce que tu aimerais/veux manger/boire?

Puis-je vous offrir un verre de vin?

Vous pouvez volontiers utiliser mon téléphone.

• nach Wünschen fragen, etwas anbieten

Kann ich Ihnen helfen?/Was darf's sein?

Haben Sie irgendeinen Wunsch?

Was hättest du denn gern?

Was möchtest/magst du essen/trinken?

Darf ich Ihnen ein Glas Wein **anbieten**?

Sie können gern mein Telefon benutzen.

• accepter une offre

Oui, s'il vous/te plaît./Oui, volontiers.

Merci, c'est gentil de ta part.

Oui, ce serait gentil.

Oh, c'est vraiment gentil!

• Angebote annehmen

Ja, bitte./Ja, gern.

Danke, das ist nett/lieb von dir.

Ja, das wäre nett.

Oh, das ist aber nett!

• refuser une offre

Non, merci!

Mais ce n'est vraiment pas nécessaire!

Je ne peux vraiment pas accepter!

• Angebote ablehnen

Nein, danke!

Aber das ist doch nicht nötig!

Das kann ich doch nicht annehmen!

---

seur) Eigentümer _m,_ Besitzer _m; d'un animal, d'une voiture_ Halter _m_ **2.** (_opp: locataire_) Hauswirt _m;_ (_bailleur_) Vermieter _m_
propriété [pʀɔpʀijete] _f_ **1.** (_domaine, immeuble_) [privates] Anwesen; ~ [**foncière**] Grundbesitz _m_ **2.** (_chose possédée_) Eigentum _nt_ **3.** (_qualité propre_) Eigenschaft _f_
prospecteur, -trice [pʀɔspɛktœʀ, -tʀis] _m, f_ COM Kundenwerber(in) _m(f)_
prospectif, -ive [pʀɔspɛktif, -iv] _adj_ **1.** (_prévisionnel_) vorausschauend; **une étude prospective du marché** eine Trendanalyse **2.** (_orienté vers l'avenir_) zukunftsorientiert
prospectus [pʀɔspɛktys] _m_ Prospekt _m_
prostitué, e [pʀɔstitɥe] _m, f_ Prostituierte(r) _f(m)_

prostitution [pʀɔstitysjɔ̃] _f_ (_métier_) Prostitution _f_
protecteur, -trice [pʀɔtɛktœʀ, -tʀis] **I.** _adj_ **1.** (_défenseur_) [be]schützend **2.** ECON, POL **mesure protectrice** Schutzmaßnahme _f_ **3.** (_condescendant_) gönnerhaft **II.** _m, f_ **1.** (_défenseur_) Beschützer _m_ **2.** (_mécène_) Gönner _m; des arts_ Förderer _m_
protection [pʀɔtɛksjɔ̃] _f_ **1.** (_défense_) Schutz _m;_ ~ **contre qc** Schutz gegen etw [_o_ vor etw (_dat_)]; ~ **de l'enfance** Kinderschutz; ~ **de l'environnement** Umweltschutz **2.** (_appui_) Unterstützung _f;_ **avoir de hautes ~s** von/an höchster Stelle protegiert werden **3.** (_élément protecteur_) Schutzvorrichtung _f_ ►~ <u>sociale</u> soziales Netz; **mesures <u>de</u>** ~ Schutzmaßnahmen

Pl

protégé, e [pʀɔteʒe] **I.** *adj site, territoire* geschützt; *passage* vorfahrtsberechtigt **II.** *m, f* (*favori*) Günstling *m* (*pej*)

protège-cahier [pʀɔtɛʒkaje] <protège-cahiers> *m* [Schutz]umschlag *m*

protéger [pʀɔteʒe] <2a, 5> **I.** *vt* **1.** (*défendre*) schützen; ~ **qn/qc d'un danger** jdn/etw vor einer Gefahr schützen; ~ **qn/qc contre le froid/soleil** jdn/etw gegen Kälte/vor Sonne schützen **2.** (*patronner*) fördern *arts, carrière, sport* **II.** *vpr* (*se défendre*) **se** ~ **contre qn/qc** sich vor jdm/etw schützen

protège-slip [pʀɔtɛʒslip] <protège-slips> *m* Slipeinlage *f*

protestant, e [pʀɔtɛstã, ãt] **I.** *adj* protestantisch; (*en Allemagne*) evangelisch, protestantisch **II.** *m, f* Protestant *m*; (*en Allemagne*) Evangelische(r) *f(m)*, Protestant

protestation [pʀɔtɛstasjɔ̃] *f* (*plainte*) Protestaktion *f*; ~ **écrite** Protestschreiben *nt*

protester [pʀɔtɛste] <1> *vi* (*s'opposer à*) protestieren

protide [pʀɔtid] *m* Proteid *nt*

prototype [pʀɔtɔtip] *m* Prototyp *m*

prout [pʀut] *m fam* Pup[s] *m*; **faire** [**un**] ~ pupsen

prouver [pʀuve] <1> **I.** *vt* **1.** (*démontrer*) beweisen; **il est prouvé que ...** es ist erwiesen, dass ...; **il n'est pas prouvé que** + *subj* es gibt keinen Beweis dafür, dass **2.** (*montrer*) beweisen *amour*; erweisen *reconnaissance; réponse, conduite*: beweisen **II.** *vpr* **se** ~ **1.** (*se convaincre*) *personne*: sich (*dat*) beweisen **2.** (*être démontrable*) *chose*: sich beweisen lassen

provenance [pʀɔv(ə)nãs] *f* (*origine*) Herkunft *f* ▸ **être en** ~ **de ...** aus [*o* von] ... kommen; **de même** ~ der gleichen Herkunft; **de toute** ~ von überall her

provençal [pʀɔvãsal] *m* Provenzalisch *nt*; *v. a.* **allemand**

provençal, e [pʀɔvãsal, o] <-aux> *adj* provenzalisch

Provençal, e [pʀɔvãsal, o] <-aux> *m, f* Provenzale *m*

provençale [pʀɔvãsal] *f* GASTR ▸ **à la** ~ auf provenzalische Art

Provence [pʀɔvãs] *f* **la** ~ die Provence

proverbe [pʀɔvɛʀb] *m* Sprichwort *nt*; **comme dit le** ~ wie es im Sprichwort [so schön] heißt

province [pʀɔvɛ̃s] *f* Provinz *f* ▸ **la Belle Province** Bezeichnung für die Provinz Quebec; **faire** [**très**] ~ *fam* [sehr] provinziell wirken

provincial, e [pʀɔvɛ̃sjal, jo] <-aux> **I.** *adj*

1. *air, manières* provinziell; *rythme* der Provinz; *vie* in der Provinz **2.** CAN *mesures, décision* auf der Provinzebene *f* **II.** *m, f* Provinzbewohner *m*

proviseur [pʀɔvizœʀ] *m* Schulleiter *m* (*in Gymnasien*)

provision [pʀɔvizjɔ̃] *f* **1.** *pl* (*vivres*) [Essens]vorräte *Pl*, [Lebensmittel]vorräte *Pl*; (*pour une excursion*) Proviant *m* **2.** (*réserve*) ~ **d'eau** Wasservorrat *m*; **faire** ~ **de qc** sich (*dat*) einen Vorrat an etw (*dat*) anlegen

provisionnel, le [pʀɔvizjɔnɛl] *adj* **acompte** [*o* **tiers**] ~ Steuervorauszahlung *f*

provisoire [pʀɔvizwaʀ] **I.** *adj* **1.** (*opp: définitif*) provisorisch; *solution, mesure* vorläufig; *installation* behelfsmäßig; *bonheur, liaison* vorübergehend **2.** JUR *arrêt, jugement, sentence* einstweilig **3.** (*intérimaire*) provisorisch **II.** *m* Provisorium *nt*

provisoirement [pʀɔvizwaʀmã] *adv* vorübergehend; **asseyez-vous là** ~ setzt euch vorerst mal hierher

provocant, e [pʀɔvɔkã, ãt] *adj* **1.** (*agressif*) provozierend **2.** (*aguichant*) provozierend; *regard, sourire, fille* verführerisch; *pose* aufreizend

provocateur, -trice [pʀɔvɔkatœʀ, -tʀis] **I.** *adj* provokatorisch; **agent** ~ Provokateur *m* **II.** *m, f* Aufwiegler *m*

provocation [pʀɔvɔkasjɔ̃] *f* (*défi*) Herausforderung *f*; **faire de la** ~ provozieren

provoquer [pʀɔvɔke] <1> **I.** *vt* **1.** (*causer*) verursachen; bewirken *changement*; erregen *colère, gaieté*; herbeiführen *mort, accident*; auslösen *explosion, révolte, désordre* **2.** (*énerver*) reizen; (*défier*) herausfordern **3.** (*aguicher*) aufreizen **II.** *vpr* **se** ~ sich [gegenseitig] provozieren

prudemment [pʀydamã] *adv* **1.** (*avec précaution*) vorsichtig **2.** (*par précaution*) vorsichtshalber

prudence [pʀydãs] *f* Vorsicht *f*; **avoir la** ~ **de faire qc** so vorsichtig sein und etw tun

prudent, e [pʀydã, ãt] *adj* vorsichtig; *personne* bedachtsam; *pas* bedächtig; *silence* klug

prune [pʀyn] *f* (*fruit*) Pflaume *f* ▸ **pour des** ~**s** *fam* für nichts [und wieder nichts]

pruneau [pʀyno] <x> *m* GASTR Backpflaume *f*

prunier [pʀynje] *m* Pflaumenbaum *m* ▸ **secouer qn comme un** ~ *fam* jdn heftig schütteln

Prusse [pʀys] *f* HIST **la** ~ Preußen *nt*; **la** ~ **Orientale** Ostpreußen

prussien, ne [pʀysjɛ̃, jɛn] *adj* preußisch

Prussien, ne [pʀysjɛ̃, jɛn] *m, f* HIST Preuße *m*

prussienne [pʀysjɛn] *f* ►**à la** ~ preußisch
PS [peɛs] *m abr de* **Parti socialiste** *Sozialistische Partei Frankreichs*
P-S [peɛs] *m abr de* **post-scriptum** PS *nt*
pseudonyme [psødɔnim] *m* Pseudonym *nt*
psy [psi] *mf fam abr de* **psychanalyste, psychiatre, psychologue** *Bezeichnung für Berufe, die sich mit Psychologie beschäftigen*
psychiatre [psikjatʀ] *mf* Psychiater *m*
psychiatrique [psikjatʀik] *adj hôpital* psychiatrisch; *troubles* psychisch; **asile** ~ *vieilli* Nervenheilanstalt *f* (*veraltet*)
psychique [psiʃik] *adj* seelisch
psychologie [psikɔlɔʒi] *f* Psychologie *f*
psychologique [psikɔlɔʒik] *adj* **1.** PSYCH psychologisch; *problème, état* psychisch **2.** (*opportun*) psychologisch günstig **3.** (*qui agit sur le psychisme*) psychologisch
psychologiquement [psikɔlɔʒikmã] *adv* psychologisch [gesehen]
psychologue [psikɔlɔg] **I.** *adj* psychologisch begabt **II.** *mf* Psychologe *m*
psychophonie [psikɔfɔni] *f* Gesangstherapie *f*
PTT [petete] *mpl abr de* **Postes, Télégraphes, Téléphones** Post- und Fernmeldewesen *nt*
pu [py] *part passé de* **pouvoir**
pub¹ [pyb] *f fam abr de* **publicité**
pub² [pœb] *m* (*bar*) Pub *m o nt*
puberté [pybɛʀte] *f* Pubertät *f*
publiable [pyblijabl] *adj* **1.** (*qui peut être publié*) **être** ~ *œuvre, texte*: veröffentlicht werden können; (*autorisé*) veröffentlicht werden dürfen; **cette œuvre est difficilement** ~ es ist schwierig dieses Werk zu veröffentlichen **2.** (*qui mérite d'être publié*) veröffentlichenswert sein
public [pyblik] *m* **1.** (*assistance*) Publikum *nt*; (*spectateurs*) Zuschauer *Pl*; (*lecteurs*) Leser[schaft] *f*; (*auditeurs*) Zuhörer[schaft] *f*; **être bon** ~ ein dankbarer Zuhörer/Zuschauer/Leser sein; **le grand** ~ das breite Publikum **2.** (*tous*) Allgemeinheit *f*; **en** ~ (*en présence de personnes*) in der Öffentlichkeit; (*devant un auditoire*) öffentlich; (*devant tout le monde*) in [o vor] aller Öffentlichkeit
public, -ique [pyblik] *adj* **1.** (*commun*) öffentlich; **sur la voie publique** in der Öffentlichkeit; **la rumeur publique veut que ce soit vrai** es geht [allgemein] das Gerücht, dass es wahr ist **2.** (*de l'État*) staatlich; *école* staatlich, öffentlich; *finances* öffentlich; **chaîne publique** öffentlich-rechtlicher Sender; **les services** ~**s** der öffentliche Dienst

publication [pyblikasjɔ̃] *f* Veröffentlichung *f*; Publikation *f*
publiciste [pyblisist] *mf* Werbefachmann *m*
publicitaire [pyblisitɛʀ] *adj* **pancarte** ~ Werbeplakat *nt*; **vente** ~ Werbeaktion *f*
publicité [pyblisite] *f* **1.** (*dans la presse*) Anzeige *f*; (*à la radio, télé*) Werbespot *m*; **une page de** ~ (*dans la presse*) eine Seite Werbung [*o* Reklame]; (*à la radio, télé*) ein Werbeblock *m*; ~ **déguisée** Schleichwerbung *f* **2.** (*réclame*) Werbung *f kein Pl* **3.** *sans pl* (*métier*) Werbung *f* **4.** *sans pl* (*action de rendre public*) Werbung *f*, Publicity *f*
publier [pyblije] <1> *vt* **1.** (*faire paraître*) *auteur*: veröffentlichen; *éditeur*: herausgeben **2.** (*rendre public*) veröffentlichen; bekannt geben *nouvelle*; herausgeben *communiqué*
publiphone<WZ> [pyblifɔn] *m* öffentliches Kartentelefon *nt*
publiquement [pyblikmã] *adv* öffentlich
puce [pys] *f* **1.** ZOOL Floh *m*; **le marché aux** ~**s** der Flohmarkt **2.** INFORM Chip *m* **3.** (*terme d'affection*) **viens, ma** ~**!** komm her, mein Schatz/mein Kleiner/meine Kleine! ►**mettre la** ~ **à l'**oreille **de qn** (*éveiller l'attention*) jdn hellhörig machen; (*éveiller la méfiance*) jdn misstrauisch machen; **secouer** les ~**s à qn** *fam* (*réprimander*) jdm den Kopf waschen; (*dégourdir*) jdn auf Trab bringen; **se** secouer **les** ~**s** sich ranhalten (*fam*)
pucelage [pys(ə)laʒ] *m fam* Unschuld *f*; **perdre son** ~ seine Unschuld verlieren
puceron [pys(ə)ʀɔ̃] *m* Blattlaus *f*
pudding [pudiŋ] *m* Plumpudding *m*
pudeur [pydœʀ] *f* **1.** (*décence*) Scham[haftigkeit] *f*; **manque de** ~ Schamlosigkeit *f* **2.** (*délicatesse*) Feingefühl *nt*; **ayez la** ~ **de vous taire!** seien Sie doch so taktvoll und schweigen Sie!
pudibonderie [pydibɔ̃dʀi] *f* Prüderie *f*
pudique [pydik] *adj* **1.** *comportement, personne* schamhaft; *geste* züchtig **2.** (*plein de réserve*) zurückhaltend
pudiquement [pydikmã] *adv* **1.** (*par euphémisme*) verhüllend **2.** (*chastement*) schamhaft
puer [pɥe] <1> **I.** *vi péj* stinken; **il pue des pieds** *fam* seine Füße stinken **II.** *vt* **1.** *péj* (*empester*) ~ **le renfermé** muffig riechen **2.** *péj fam* (*porter l'empreinte de*) ~ **le fric** nach Geld stinken
puéricultrice [pɥeʀikyltʀis] *f* **1.** (*s'occupant des nouveau-nés*) Säuglingsschwester *f* **2.** (*s'occupant des tout-petits*) Kinderkrankenschwester *f*

pugnace [pygnas] *adj littér* kampflustig
puis[1] [pɥi] *adv* dann; **et ~ après** [*o* **quoi**]?
fam na und?; **et ~ quoi encore!**? *fam* ja,
was denn noch [alles]!?; **et ~** (*en outre*)
und dann [noch]; (*en fin de compte*) und
überhaupt
puis[2] [pɥi] *indic prés de* **pouvoir**
puisatier [pɥizatje] *m* Brunnenbauer *m*
puisque [pɥisk(ə)] <**puisqu'**> *conj* da
[ja]; **mais puisqu'elle est malade!** aber
sie ist doch krank!; **puisqu'il le faut!**
wenn's denn sein muss!
puissance [pɥisɑ̃s] *f* **1.** *sans pl* (*force*)
Kraft *f*; *des éléments* Gewalt *f*; *du vent* Stärke *f* **2.** *sans pl* (*pouvoir*) Macht *f*; **volonté
de ~** Wille *m* zur Macht, Machtstreben *nt*
3. (*État*) Macht *f*; **grande ~** Großmacht *f*
4. TECH *d'un moteur, d'une émission sonore*
Leistung[sfähigkeit] *f* **5.** *pl* (*forces*) Kräfte
Pl **6.** MATH, GEOM **dix ~ deux** zehn hoch
zwei
puissant, e [pɥisɑ̃, ɑ̃t] **I.** *adj* **1.** (*d'une
grande force*) stark; *voix* kraftvoll **2.** (*qui a
du pouvoir*) mächtig **3.** (*qui a un grand potentiel économique ou militaire*) stark;
pays mächtig; *armée* schlagkräftig **4.** (*très
efficace*) wirksam; TECH *moteur* leistungsfähig; *freins* gut **II.** *mpl* **les ~s** die Mächtigen
puisse [pɥis] *subj prés de* **pouvoir**
puits [pɥi] *m* **1.** (*pour l'eau*) Brunnen *m*
2. *d'une mine* Schacht *m;* **~ de pétrole**
[Erd]ölbohrloch *nt*
pull [pyl] *m abr de* **pull-over** *fam* Pulli *m*
pull-over [pylɔvɛʀ, pylɔvœʀ] <**pullovers**> *m* Pullover *m*
pulpeux, -euse [pylpø, -øz] *adj lèvres*
voll; *femme* drall
punaise [pynɛz] *f* **1.** ZOOL Wanze *f* **2.** (*petit
clou*) Reißzwecke *f*
punch [pœnʃ] *m inv* (*dynamisme*) Elan *m;*
avoir du ~ *fam* Schwung haben, dynamisch sein
punir [pyniʀ] <8> *vt* **1.** (*châtier*) bestrafen; **~ qn d'une peine d'emprisonne-
ment** jdn mit Gefängnis bestrafen **2.** (*sévir*) **~ qc** etw bestrafen; **qc est puni de
mort** auf etw (*akk*) steht die Todesstrafe
3. (*opp: récompenser*) **te voilà bien
puni!** [siehst du,] das ist die Strafe!
punition [pynisjɔ̃] *f* **1.** (*peine*) Strafe *f*
2. SCOL Strafarbeit *f* **3.** (*action de punir*)
Bestrafung *f* **4.** (*conséquence néfaste*)
Strafe *f*
punk [pœ̃k, pœnk] **I.** *adj inv lunettes, bijoux* punkig; **musique ~** Punkmusik *f* **II.**
mf (*personne*) Punk[er] *m*
pupitre [pypitʀ] *m* **1.** INFORM Steuerpult *nt*,
Schaltpult *nt* **2.** MUS *d'un musicien, choriste*
Notenständer *m; d'un chef d'orchestre* [Di-

rigenten]pult; *d'un piano* Notenablage *f*
3. (*meuble à plan incliné*) Pult *nt*
pur, e [pyʀ] *adj* **1.** (*non altéré*) rein; *air, eau*
klar **2.** (*non mélangé*) rein **3.** *vérité* rein;
hasard, méchanceté rein; **mais c'est de la
folie ~e!** das ist ja heller [*o* glatter] Wahnsinn! **4.** *recherche, science, mathématiques*
rein **5.** *cœur, amour* rein; *regard* klar; *jeune
fille* unschuldig; *intentions* lauter (*geh*)
6. *ligne, son* rein; *profil* klar; *langue, style*
rein ▸**~ et simple** in Reinform; *refus* unmissverständlich; **un "non" ~ et simple**
ein klares Nein
purée [pyʀe] *f* Püree *nt;* **~ de pommes
de terre** [Kartoffel]püree *nt*, Kartoffelbrei
m
purement [pyʀmɑ̃] *adv* rein; **~ et simplement** [schlicht und] einfach
pureté [pyʀte] *f* **1.** (*opp: souillure*) Reinheit *f*; *de l'air, eau, du ciel* Klarheit *f*; **~ de la
race** Reinrassigkeit *f* **2.** (*perfection*) Reinheit *f*; *d'un visage* Makellosigkeit *f* **3.** *des intentions* Lauterkeit *f*; *d'un regard* Klarheit *f*;
de l'enfance Unschuld *f*
purger [pyʀʒe] <2a> **I.** *vt* **1.** (*vidanger*)
entleeren [und reinigen] *conduite, tuyauterie, chaudière;* ablassen *huile;* entlüften *radiateur* **2.** JUR verbüßen *peine* **3.** MED **~ qn**
jdm ein Abführmittel geben **II.** *vpr* **se ~** ein
Abführmittel nehmen; **un animal se pur-
ge avec qc** ein Tier frisst etw um abzufüh-
ren
purificateur [pyʀifikatœʀ] *m* Reinigungs-
gerät *nt;* **~ d'air** Luftreiniger *m*
purifier [pyʀifje] <1> **I.** *vt* reinigen *air, atmosphère;* klären *eau* **II.** *vpr fig* **se ~ de qc**
sich von etw reinigen
purin [pyʀɛ̃] *m* Jauche *f*
pur-sang [pyʀsɑ̃] <**pur-sang** *o* **purs-
sangs**> *m* Vollblut[pferd] *nt*
pus[1] [py] *m* Eiter *m*
pus[2] [py] *passé simple de* **pouvoir**
pute [pyt] *f péj vulg* Nutte *f*
putois [pytwa] *m* Iltis *m*
putsch [putʃ] *m* Putsch *m*
puzzle [pœzl, pœzœl] *m* **1.** (*jeu*) Puzzle[spiel *nt*] *nt* **2.** (*problème complexe*)
Rätsel *nt*
PVC [pevese] *m abr de* **polyvinylchloride**
inv PVC *nt*
pyjama [piʒama] *m* Schlafanzug *m*, Pyjama *m;* **en ~**[s] im Schlafanzug
pyramide [piʀamid] *f* **1.** ARCHIT Pyramide
f **2.** GEOM Pyramide *f* **3.** (*empilement en
forme de pyramide*) Pyramide *f;* **humaine** [Menschen]pyramide **4.** SOCIOL **~ des
âges** Alterspyramide *f*
Pyrénées [piʀene] *fpl* **les ~** die Pyrenäen

Q

Q, q [ky] *m inv* Q *nt*, q *nt*
QCM [kysɛɛm] *m abr de* **questionnaire à choix multiple**
QI [kyi] *m abr de* **quotient intellectuel** *inv* IQ *m*
qu' [k] *v.* **que**
quadrangulaire [k(w)adʀãgylɛʀ] *adj* viereckig
quadrichromie [k(w)adʀikʀɔmi] *f* Vierfarbendruck *m*
quadriller [kadʀije] <1> *vt* **1.** (*procéder à une opération militaire, policière*) ~ **qc** in etw (*dat*) ein flächendeckendes Netz von Kontrollpunkten errichten **2.** (*tracer des lignes*) ~ **qc** etw in Quadrate einteilen
quadrumane [k(w)adʀyman] **I.** *adj* mit vier Händen; **les singes sont ~s** die Affen haben vier Hände **II.** *m* Vierhänder *m*
quadruplés, -ées [k(w)adʀyple] *mpl, fpl* Vierlinge *Pl*
quai [ke] *m* **1.** TRANSP *d'une gare, station de métro* Bahnsteig *m* **2.** (*pour accoster*) Kai *m* **3.** (*voie publique*) Uferstraße *f;* **les ~s de la Seine** das Seineufer
qualificatif [kalifikatif] *m* (*expression*) Bezeichnung *f*
qualificatif, -ive [kalifikatif, -iv] *adj* GRAM **adjectif** ~ Adjektiv *nt*
qualification [kalifikasjɔ̃] *f* **1.** SPORT Qualifikation *f;* **match de** ~ Qualifikationsspiel *nt* **2.** (*expérience*) ~ **professionnelle** berufliche Qualifikation *f*
qualifié, e [kalifje] *adj* **1.** (*compétent*) *personne* kompetent **2.** (*formé*) qualifiziert; **personnel** ~ Fach[arbeits]kräfte *Pl*
qualifier [kalifje] <1> *vpr* SPORT **se** ~ **pour qc** sich für etw qualifizieren
qualitatif, -ive [kalitatif, -iv] *adj* *analyse* qualitativ; **différence qualificative** Qualitätsunterschied *m*
qualitativement [kalitativmã] *adv* qualitativ, in Bezug auf die Qualität
qualité [kalite] *f* **1.** (*valeur*) Qualität *f;* **de première** ~ erstklassig **2.** (*caractéristique positive*) Vorzug *m; d'une personne* gute Eigenschaft *f;* **~s morales** charakterliche Qualitäten
quand [kã] **I.** *adv* wann; **depuis/jusqu'à ~?** seit/bis wann?; **de** ~ **date ce livre?** wann ist dieses Buch erschienen? **II.** *conj* **1.** (*temporel: événement unique du passé ou du présent*) als; (*événement répétitif,*

événement unique du futur) wenn **2.** *fam* (*le moment où, le fait que*) wenn **3.** (*exclamatif*) ~ **je pense que ...!** wenn ich daran denke, dass ...! ▸~ **même** (*malgré cela*) trotzdem; *fam* (*tout de même*) doch; **tu aurais** ~ **même pu avertir** du hättest doch Bescheid sagen können
quant [kã] *prép* (*pour ce qui concerne*) ~ **à qn/qc** was jdn/etw betrifft; ~ **à moi** ich für mein[en] Teil
quantifier [kãtifje] <1a> *vt* **1.** (*chiffrer*) in Zahlen (*akk*) fassen **2.** PHYS quanteln
quantitatif, -ive [kãtitatif, -iv] *adj* quantitativ
quantitativement [kãtitativmã] *adv* mengenmäßig, quantitativ
quantité [kãtite] *f* **1.** (*nombre*) Menge *f;* (*au sujet d'objets dénombrables*) Anzahl *f;* (*au sujet de personnes*) Zahl *f;* **être** ~ **négligeable** unwichtig sein **2.** (*grand nombre*) [une] ~ **de personnes/choses** eine Menge Menschen/Dinge; [des] ~**s de personnes** unzählige Menschen; [des] ~**s de choses** Unmengen *Pl* von Dingen; **en** ~ unzählig
quarantaine [kaʀãtɛn] *f* **1.** (*environ quarante*) **une** ~ **de personnes/pages** etwa vierzig Personen/Seiten **2.** (*âge approximatif*) **avoir la** ~ [*o* **une** ~ **d'années**] ungefähr vierzig [Jahre alt] sein; **approcher de la** ~ auf die Vierzig zugehen; **avoir largement dépassé la** ~ weit über vierzig [Jahre alt] sein **3.** MED Quarantäne *f* ▸ **qn/un animal est en** ~ MED jd/ein Tier steht unter Quarantäne; *v. a.* **cinquantaine**
quarante [kaʀãt] **I.** *num* vierzig; ~ **et un** einundvierzig; **semaine de** ~ **heures** Vierzigstundenwoche *f* **II.** *m inv* **1.** (*cardinal*) Vierzig *f* **2.** (*taille de confection*) **faire du** ~ ≈ Größe 38 tragen ▸ **les Quarante** te die [vierzig Mitglieder der] Académie française; *v. a.* **cinq, cinquante**
quarantième [kaʀãtjɛm] **I.** *adj antéposé* vierzigste(r, s) **II.** *mf* **le/la** ~ der/die/das Vierzigste **III.** *m* (*fraction*) Vierzigstel *nt; v. a.* **cinquième**
quart [kaʀ] *m* **1.** (*quatrième partie d'un tout*) Viertel *nt;* **trois ~s** drei Viertel; ~ **de finale** Viertelfinale *nt;* ~ **de siècle** Vierteljahrhundert *nt* **2.** (*25 cl*) Viertelliter *m* **3.** (*15 minutes*) Viertelstunde *f;* **un** ~ **d'heure** eine Viertelstunde; (*dans le dé-*

compte des heures) Viertel *nt;* **il est 3 heures et/un** ~ es ist Viertel nach drei, es ist viertel vier (SDEUTSCH); **il est 4 heures moins le** ~ es ist Viertel vor vier, es ist drei viertel vier (SDEUTSCH) **4.** (*partie appréciable*) Großteil *m;* **je n'ai pas fait le** ~ **de ce que je voulais faire** ich habe nur einen Bruchteil dessen getan, was ich tun wollte; **les trois ~s de qc** der Großteil einer S. (*gen*); **les trois ~s du temps** die meiste Zeit ▸**au** ~ **de poil** *fam* haargenau; **au** ~ **de tour** sofort; **passer un mauvais** [*o* sale] ~ **d'heure** Ärger bekommen

quarté [k(w)aʀte] *m* Rennquartett *nt* (*bei Pferdewetten*)

quartier [kaʀtje] *m* **1.** (*partie de ville*) Viertel *nt;* ADMIN [Stadt]bezirk *m;* ~ **résidentiel** Wohngebiet *nt;* **le Quartier latin** das Quartier Latin **2.** (*lieu où l'on habite, habitants*) Viertel *nt;* **les gens du** ~ die Leute aus der Nachbarschaft **3.** CH (*banlieue*) ~ **périphérique** Vorstadtviertel *nt,* Außenquartier *nt* (CH) ▸**avoir** ~ **libre** (*être autorisé à sortir*) ausgehen dürfen; **ne pas faire de** ~ kein Pardon kennen

quart-monde [kaʀmɔ̃d] <quarts-mondes> *m* **1.** (*pauvreté*) **le** ~ die neue Armut; (*personnes défavorisées*) die Opfer *Pl* der neuen Armut **2.** (*pays les plus pauvres*) die Vierte Welt

quasi [kazi] *adv* fast; ~ **mort** halbtot

quatorze [katɔʀz] I. *num* (*cardinal*) vierzehn ▸**c'est reparti comme en** ~ und schon geht's wieder los II. *m inv* Vierzehn *f; v. a.* **cinq**

quatorzième [katɔʀzjɛm] I. *adj antéposé* vierzehnte(r, s) II. *mf* **le/la** ~ der/die/das Vierzehnte III. *m* (*fraction*) Vierzehntel *nt; v. a.* **cinquième**

quatre [katʀ(ə)] I. *num* (*cardinal*) vier ▸**monter l'escalier** ~ **à** ~ (*vu d'en bas*) die Treppe hinaufstürzen; (*vu d'en haut*) die Treppe heraufstürzen; **descendre l'escalier** ~ **à** ~ (*vu d'en haut*) die Treppe hinunterstürzen; (*vu d'en bas*) die Treppe herunterstürzen; **manger comme** ~ für zwei essen; **boire comme** ~ [sehr] viel trinken; **un de ces** ~ [matins] *fam* demnächst II. *m inv* Vier *f; v. a.* **cinq**

quatre-heures [katʀœʀ] *m inv, fam* süße Nachmittagsmahlzeit für Kinder

quatre-quarts [kat(ʀə)kaʀ] *m inv:* Butterkuchen in rechteckiger Form

quatre-quatre [katkatʀə] *m o f inv* AUT Auto *nt* mit Vierradantrieb [*o* Allrad-Antrieb]

quatre-vingt [katʀəvɛ̃] <quatre-vingts> I. *num* ~**s** achtzig; ~ **mille** achtzigtausend II. *m* ~**s** Achtzig *f; v. a.* **cinq,**

cinquante

quatre-vingt-dix [katʀəvɛ̃dis] I. *num* neunzig II. *m inv* Neunzig *f; v. a.* **cinq, cinquante**

quatre-vingt-dixième [katʀəvɛ̃dizjɛm] <quatre-vingt-dixièmes> I. *adj antéposé* neunzigste(r, s) II. *mf* **le/la** ~ der/die/das Neunzigste III. *m* (*fraction*) Neunzigstel *nt; v. a.* **cinquième**

quatre-vingtième [katʀəvɛ̃tjɛm] <quatre-vingtièmes> I. *adj antéposé* achtzigste(r, s) II. *mf* **le/la** ~ der/die/das Achtzigste III. *m* (*fraction*) Achtzigstel *nt; v. a.* **cinquième**

quatre-vingt-onze [katʀəvɛ̃ɔ̃z] I. *num* einundneunzig II. *m inv* Einundneunzig *f; v. a.* **cinq, cinquante**

quatre-vingt-un , **e** [katʀəvɛ̃œ̃, -yn] I. *num* einundachtzig II. *m inv* Einundachtzig *f; v. a.* **cinq, cinquante**

quatre-vingt-unième [katʀəvɛ̃ynjɛm] I. *adj antéposé* einundachtzigste(r, s) II. *mf* **le/la** ~ der/die/das Einundachtzigste III. *m* (*fraction*) Einundachtzigstel *nt; v. a.* **cinquième**

quatrième [katʀijɛm] I. *adj antéposé* vierte(r, s) II. *mf* **le/la** ~ der/die/das Vierte III. *f* SCOL ≈ achte Klasse; *v. a.* **cinquième**

quatrièmement [katʀijɛmmɑ̃] *adv* viertens

que [kə] <qu'> I. *conj* **1.** (*introduit une complétive*) dass; **je ne crois pas** ~ + *subj* ich glaube nicht, dass **2.** (*dans des formules de présentation*) **peut-être** ~ vielleicht **3.** (*dans des questions*) **qu'est-ce c'est?** was ist das?; **qu'est-ce que c'est** ~ **ça?** *fam* was ist denn das?; **quand/où est-ce** ~ **tu pars?** wann/wohin gehst du? **4.** (*reprend une conjonction de subordination*) **si tu as le temps et qu'il fait beau** wenn du Zeit hast und es schön ist **5.** (*introduit une proposition de temps*) **ça fait trois jours qu'il est là** er ist seit drei Tagen da **6.** (*introduit une proposition de but*) damit; **taisez-vous qu'on entende l'orateur!** seien Sie still, damit man den Redner verstehen kann! **7.** (*pour comparer*) **plus/moins/autre ...** ~ mehr/weniger/anders ... als; **tout aussi ...** ~ genauso ... wie; **autant ... ~ genauso** viel(e) ... wie; **tel** ~ [genau] so, wie **8.** (*seulement*) nur; **ne ...** ~ nur; **il n'est arrivé qu'hier** er ist erst gestern angekommen; **la vérité, rien** ~ **la vérité** die Wahrheit, nichts als die Wahrheit II. *adv* (*comme*) wie; [**qu'est-ce**] ~ **c'est beau!** wie schön das ist! III. *pron rel* **1.** (*complément direct: se rapportant à un substantif au singulier*) den/die/das; (*se rapportant à un*

substantif au pluriel) die; **ce** ~ (en fonction de sujet) [das,] was; (en fonction d'objet direct) was; **chose** ~ was; **quoi** ~ tu dises was du auch sagst **2.** (après une indication de temps) **un jour qu'il faisait beau** eines Tages, als das Wetter schön war; **toutes les fois qu'il vient** jedes Mal, wenn er kommt; **le temps** ~ **la police arrive, …** bis die Polizei [endlich] kommt, … **IV.** pron interrog was …?; **qu'est-ce** ~ …? was …?; **ce** ~ was ▸**qu'est-ce qui vous prend?** was ist denn in Sie/euch gefahren?

Québec [kebɛk] m **1.** (ville) Quebec nt **2.** (région) **le** ~ Quebec nt

quel, le [kɛl] **I.** adj **1.** (dans une question) welche(r, s), was für ein(e); ~ **temps fait-il?** wie ist das Wetter?; ~ **heure est-il?** wie viel Uhr ist es?; ~ **est le plus grand des deux?** welcher von beiden ist größer?; **je me demande** ~**le a pu être sa réaction** ich frage mich, wie er/sie wohl reagiert hat; ~ **que soit son choix** ganz gleich, was er/sie wählt; ~**les que soient les conséquences, …** was für Folgen das auch immer haben wird, … **2.** (exclamation) was für ein(e); ~ **dommage!** wie schade!; ~ **talent!** was für ein Talent! (fam) **II.** pron welche(r, s); **de nous deux,** ~ **est le plus grand?** wer ist der größere von uns beiden?

quelconque [kɛlkɔ̃k] adj **1.** (n'importe quel) **un …** ~ irgendein … **2.** (ordinaire) mittelmäßig; **être très** ~ überhaupt nichts Besonderes sein

quelque [kɛlk] **I.** adj indéf, antéposé **1.** pl (plusieurs) einige, ein paar; **à** ~**s pas d'ici** ein paar Schritte von hier entfernt **2.** pl (petit nombre) **les** ~**s fois où …** die wenigen Male, die … **II.** adv ▸ ~ **peu** etwas, ein wenig; **et** ~[s] fam **10 kg et** ~**s** etwas mehr als 10 kg; **cinq heures et** ~[s] ein paar Minuten nach fünf

quelque chose [kɛlkəʃoz] pron etwas, was (fam); ~ **de beau** etwas Schönes; **c'est déjà** ~! das ist doch immerhin etwas ▸**apporter un petit** ~ **à qn** fam jdm eine Kleinigkeit mitbringen; **prendre un petit** ~ fam (une collation) einen Happen essen; (un petit verre) einen Schluck trinken; **il a dû y avoir** ~ **entre qn et qn** zwischen jdm und jdm muss [irgend]etwas vorgefallen sein; **c'est** ~ [tout de même]! fam das ist [doch] allerhand!; **être pour** ~ **dans qc** etwas mit etw zu tun haben; ~ **comme** etwa

quelquefois [kɛlkəfwa] adv manchmal

quelque part [kɛlkpaʀ] adv voir/lire/entendre ~ irgendwo sehen/lesen/hören;

aller/jeter ~ irgendwohin gehen/werfen

quelques-uns , -unes [kɛlkəzœ̃, -yn] pron indéf **1.** (un petit nombre de personnes) einige; (seulement une minorité) einige wenige **2.** (certaines personnes) einige **3.** (certains) **quelques-unes des personnes/choses** einige Menschen/Dinge; **j'en ai mangé** ~/**quelques-unes** ich habe einige davon gegessen

quelqu'un [kɛlkœ̃] pron indéf (une personne) jemand; ~ **d'autre** jemand anders

qu'en-dira-t-on [kɑ̃diʀatɔ̃] m inv **se moquer du** ~ auf das Gerede der Leute pfeifen

quérir [keʀiʀ] <irr, déf> vt **aller** ~ **qn** littér jdn holen gehen; **venir** ~ **qn** littér jdn holen kommen; **envoyer** ~ **qn** littér jdn holen lassen

qu'est-ce que [kɛskə] pron interrog was

qu'est-ce qui [kɛski] pron interrog was

question [kɛstjɔ̃] f **1.** (demande) Frage f; **la** ~ **est: …** die Frage ist [nur], …; **poser une** ~ **à qn** jdm eine Frage stellen; **sans poser de** ~**s** ohne viel zu fragen; [re]**mettre qc en** ~ etw infrage stellen **2.** (problème) **c'est une** ~ **de temps** eine Frage der Zeit; **c'est toute la** ~ das ist die große Frage; **ce n'est pas la** ~ darum geht es [hier/jetzt] nicht **3.** (domaine) **c'est une** ~ **d'habitude** das ist [nur] eine Frage der Gewohnheit **4.** (ensemble de problèmes soulevés) Problem nt; **la** ~ **du chômage** das Problem der Arbeitslosigkeit; **la** ~ **du pétrole/trou d'ozone** das Erdöl-/Ozonlochproblem ▸**il est** ~ **de qn/qc** (il s'agit de) es geht um jdn/etw; (on parle de) es ist die Rede von jdm/etw; **il n'est pas** ~ **de qc** etw ist völlig ausgeschlossen; **hors de** ~ das kommt überhaupt nicht infrage [o in Frage]; **pas** ~! fam [das] kommt nicht in die Tüte!; ~ **qc, …** fam in puncto etw, …

questionnaire [kɛstjɔnɛʀ] m **1.** (formulaire) Fragebogen m; ~ **à choix multiple** Multiplechoicefragebogen m **2.** (série de questions) Fragen Pl

questionner [kɛstjɔne] <1> vt (interroger) ~ **qn sur qc** jury: jdm zu etw Fragen stellen; police: jdn zu etw befragen

question-piège [kɛstjɔ̃pjɛʒ] <questions-pièges> f **1.** (apparemment facile) Fußangel f **2.** (pour nuire) Fangfrage f

quête [kɛt] f (collecte d'argent) [Geld]sammlung f; **faire la** ~ (dans la rue) association: [Geld] sammeln; chanteur des rues: Geld sammeln

quetsche [kwɛtʃ] f **1.** (fruit) Zwetsche f, Zwetschge f (CH, SDEUTSCH) **2.** (eau-de-vie) Zwetschenschnaps m/-wasser nt,

Zwetschgenschnaps/-wasser (CH, SDEUTSCH)
queue [kø] *f* **1.** ZOOL Schwanz *m* **2.** BOT
Stiel *m* **3.** *d'une casserole, poêle* Stiel *m;* ~
de billard Queue *f* **4.** TRANSP *d'un train,*
métro Zugende *nt* **5.** *fam* (*pénis*) Schwanz
m (*vulg*) **6.** (*file de personnes*) Schlange *f;*
faire la ~ Schlange stehen; **se mettre à la**
~ sich anstellen ▸**être rond comme une**
~ **de** pelle *fam* sternhagelvoll sein; **faire**
une ~ **de** poisson **à qn** jdn [beim Überho-
len] schneiden; **n'avoir ni** ~ **ni** tête weder
Hand noch Fuß haben; **à la** ~ basse *fam*
mit eingezogenem Schwanz
queue-de-pie [kød(ə)pi] <queues-de-
pie> *f* Frack *m,* Schwalbenschwanz *m*
(*veraltet*)
qui [ki] **I.** *pron rel* **1.** (*comme sujet: se rap-*
portant à un substantif au singulier) der/
die/das; (*se rapportant à un substantif au*
pluriel) die; **toi** ~ **sais tout** du weißt doch
alles; **le voilà** ~ **arrive** da kommt er ja;
j'en connais ~ **...** ich kenne Leute, die
...; **c'est lui/elle** ~ **a fait cette bêtise** er/
sie hat diesen Blödsinn gemacht; **ce** ~ **...**
(*servant de sujet*) [das,] was ...; (*se rappor-*
tant à une phrase principale) ..., was ...;
ce ~ **se passe est grave** [das,] was sich da
ereignet, ist schlimm; **chose** ~ **...** was ...
2. (*comme complément, remplace une*
personne) **la dame à côté de** ~ **tu es as-**
sis/tu t'assois die Dame, neben der du
sitzt/neben die du dich setzt; **l'ami dans**
la maison de ~ **...** der Freund, in dessen
Haus ...; **la dame à** ~ **c'est arrivé** die
Dame, der das passiert ist **3.** (*celui qui*)
wer; ~ **fait qc ...** (*introduisant un prover-*
be, dicton) wer etw tut, ... ▸**c'est** à ~
criera le plus fort jeder will am lautesten
schreien; ~ **que tu** sois ganz gleich, wer
du bist; **je ne veux être dérangé par** ~
que ce soit ich möchte von niemandem
gestört werden **II.** *pron interrog* **1.** (*qui*
est-ce qui) ~ **...?** wer ...?; ~ **ça?** wer?; ~
c'est qui est là? wer ist denn da? **2.** (*ques-*
tion portant sur la personne complément
direct) ~ **...?** wen ...?; ~ **as-tu vu?**
wen hast du gesehen?; ~ **croyez-vous?**
wem glauben Sie? **3.** (*question portant sur*
la personne complément indirect) **à**/
avec/**pour**/**chez** ~ **...?** wem/mit wem/
für wen/bei wem ...? **4.** (*marque du sujet,*
personne ou chose) **qui est-ce** ~ **...?** wer
...?; **qu'est-ce** ~ **...?** was ...?
quiche [kiʃ] *f* ~ [**lorraine**] Quiche Lorraine
f
quiconque [kikɔ̃k] **I.** *pron rel* (*celui qui*) ~
veut venir wer kommen will; (*toute per-*
sonne qui) jeder, der ... **II.** *pron indéf*
(*personne*) **hors de question que** ~ **sor-**

te es kommt nicht infrage, dass irgendjemand hinausgeht; **elle ne veut recevoir**
d'ordres de ~ sie will sich (*dat*) von niemandem etwas vorschreiben lassen
qui est-ce que [kiɛskə] *pron interrog*
(*question portant sur une personne en po-*
sition complément) wen/wem; **avec**/
par/**pour** ~ **...?** mit wem/durch wen/für
wen ...?
qui est-ce qui [kiɛski] *pron interrog* (*ques-*
tion portant sur une personne en position
sujet) wer
quille [kij] *f* **1.** JEUX Kegel *m;* **jouer aux** ~**s**
kegeln **2.** *fam* (*fin du service militaire*) Abgang *m;* (*sortie de prison*) Entlassung *f*
quincaillerie [kɛ̃kɑjʀi] *f* **1.** (*magasin d'ar-*
ticles de ménage) Haushaltswarengeschäft
nt **2.** (*magasin de petit outillage*) Eisenwarenhandlung *f*
quinquennal, e [kɛ̃kenal, o] <-aux> *adj*
(*qui a lieu tous les cinq ans*) fünfjährlich
quinquennat [kɛ̃kena] *m* fünfjährige Re-
gierungszeit
quinte [kɛ̃t] *f* MED ~ **de toux** Hustenanfall
m
quinzaine [kɛ̃zɛn] *f* **1.** (*environ quinze*)
une ~ **de personnes**/**pages** etwa fünfzehn Personen/Seiten **2.** (*deux semaines*)
revenir dans une ~ [**de jours**] in zwei
Wochen wiederkommen; **la première** ~
de janvier die erste Januarhälfte
quinze [kɛ̃z] **I.** *num* fünfzehn; **tous les** ~
jours alle vierzehn Tage [*o* zwei Wochen]
II. *m inv* **1.** (*cardinal*) Fünfzehn *f* **2.** SPORT
le ~ **d'Irlande** die irische Rugby-National-
mannschaft; *v. a.* **cinq**
quinzième [kɛ̃zjɛm] **I.** *adj antéposé* fünf-
zehnte(r, s) **II.** *mf* **le**/**la** ~ der/die/das
Fünfzehnte **III.** *m* (*fraction*) Fünfzehntel
nt; v. a. **cinquième**
quitte [kit] *adj* **1.** (*sans dettes*) **être** ~ quitt
[miteinander] sein (*fam*) **2.** (*au risque de*)
~ **à faire qc** auch auf die Gefahr hin, dass
man/jd etw tut
quitter [kite] <1> *vt* **1.** (*prendre congé*
de) ~ **qn** jdn verlassen; **ne quittez pas** TE-
LEC bleiben Sie am Apparat **2.** (*rompre*
avec) verlassen *femme, mari, amant, famille*
3. (*sortir de*) ~ **qc** etw verlassen **4.** (*partir*
de) verlassen *ville, pays;* ~ **l'école** die
Schule verlassen; **ils ont quitté Paris** sie
sind aus Paris weggezogen **5.** (*ne plus res-*
ter sur) **la voiture a quitté la route** das
Auto kam von der Straße ab **6.** INFORM ~ **un**
logiciel [*o* **un programme**] ein Programm
beenden
quiz [kwiz] *m* Quiz[sendung *f*] *nt*
quoi [kwa] **I.** *pron rel* **1.** (*annexe d'une*
phrase principale complète) **...,** **ce à** ~ **il**

ne s'attendait pas ..., womit er nicht rechnete; ..., ce en ~ elle se trompait ..., worin sie sich täuschte **2.** (*dans une question indirecte*) elle ne comprend pas ce à ~ on fait allusion sie versteht nicht, worauf angespielt wird; ce sur ~ je veux que nous discutions das, worüber ich mit Ihnen/euch sprechen möchte **3.** (*comme pronom relatif*) à/de ~ ... woran/worüber ...; voilà de ~ je voulais te parler [gerade] darüber wollte ich mit dir sprechen; voilà à ~ je pensais [gerade] daran dachte ich **4.** (*cela*) ..., après ~ ... ..., [und] danach ... **5.** (*ce qui est nécessaire pour*) de ~ faire qc etwas um etw zu tun; as-tu de ~ écrire? hast du etwas zum Schreiben?; elle n'a pas de ~ vivre sie hat nicht genug zum Leben; il y a de ~ s'énerver, non? darüber kann man sich doch wirklich aufregen, oder?; il est très fâché – il y a de ~! er ist sehr böse – dazu hat er allen Grund!; il n'y a pas de ~ rire da gibt es nichts zu lachen ►il n'y a pas de ~! keine Ursache!; **avoir de** ~ *fam* gut betucht sein; ~ que ce soit irgendetwas; si tu as besoin de ~ que ce soit, ... wenn du irgendetwas brauchst, ...; elle n'a jamais dit ~ que ce soit sie hat nie auch nur das Geringste gesagt; ~ qu'il en soit wie dem auch sei; **comme** ~ *fam* woraus folgt, dass; comme ~ on peut se tromper! wie man sich doch täuschen kann!; ~ que ganz gleich, was **II.** *pron interrog* **1.** + *prép* à ~ penses-tu [*o* est-ce

que tu penses]? woran denkst du?; dites-nous à ~ cela sert sagt uns, wozu das gut ist; de ~ n'est-elle pas capable/a-t-elle besoin? wozu ist sie nicht in der Lage/was braucht sie?; cette chaise est en ~? *fam* woraus ist dieser Stuhl?; par ~ commençons-nous? womit fangen wir an? **2.** *fam* (*qu'est-ce que*) was; c'est ~, ce truc? was ist denn das da [für ein Ding]?; tu sais ~? weißt du was?; ~ encore? was ist denn jetzt schon wieder?; tu es idiot, ou ~? *fam* bist du dumm oder was? **3.** (*qu'est-ce qu'il y a de ...?*) ~ de neuf? was gibt's Neues?; ~ de plus facile/beau que ...? was gibt es Einfacheres/Schöneres als ...? **4.** *fam* (*comment?*) was? ►de ~[, de ~]? *fam* was ist los? **III.** *interj* **1.** (*marque la surprise: comment!*) ~! was! **2.** *fam* (*en somme*) ..., ~! eben ...!; il n'est pas bête, il manque un peu d'intelligence, ~! er ist nicht dumm, er ist eben nur ein bisschen beschränkt!

quoique [kwak(ə)] *conj* obwohl

quota [k(w)ɔta] *m* Quote *f*

quotidien [kɔtidjɛ̃] *m* **1.** (*journal*) Tageszeitung *f*; un ~ du matin/soir eine Morgen-/Abendzeitung **2.** (*vie quotidienne*) Alltag *m*; (*train-train*) tägliches Einerlei

quotidien, ne [kɔtidjɛ̃, jɛn] *adj* **1.** (*journalier*) täglich; vie ~ne Alltag *m*; (*train-train*) tägliches Einerlei **2.** (*banal*) banal

quotidiennement [kɔtidjɛnmɑ̃] *adv* täglich

quotient [kɔsjɑ̃] *m* Quotient *m*

R

R, r [ɛʀ] *m inv* R *nt,* r *nt;* **rouler les r** das R rollen

rab [ʀab] *m fam* **il y a du ~** es ist noch etwas übrig

rabâcher [ʀabaʃe] <1> *vt* (*ressasser*) **~ les mêmes choses à qn** jdm ständig dieselben Dinge sagen

rabaisser [ʀabese] <1> *vt* (*dénigrer*) herabsetzen; **~ qn au niveau d'un animal** jdn zu zu einem Tier erniedrigen

rabane [ʀaban] *f* [Raphia]bastgeflecht *nt;* **natte en ~** [geflochtene] Bastmatte

rabat-joie [ʀabaʒwa] *mf inv* Spielverderber *m*

rabbin [ʀabɛ̃] *m* REL Rabbiner *m*

rabot [ʀabo] *m* Hobel *m*

raboter [ʀabɔte] <1> *vt* TECH abhobeln *planche*

rabougri, e [ʀabugʀi] *adj personne* alt und gebückt

rabrouer [ʀabʀue] <1> *vt* anfahren

racaille [ʀakaj] *f* Abschaum *m kein Pl* (*pej*)

raccommoder [ʀakɔmɔde] <1> **I.** *vt* (*réparer*) flicken, stopfen *chaussettes* **II.** *vpr fam* **se ~** sich versöhnen

raccompagner [ʀakɔ̃paɲe] <1> *vt* **~ qn à la maison** jdn nach Hause begleiten

raccourci [ʀakuʀsi] *m* **1.** (*chemin*) Abkürzung *f* **2.** INFORM **~ clavier** Shortcut *m,* Hotkey *m*

raccourcir [ʀakuʀsiʀ] <8> **I.** *vt* (*rendre plus court*) kürzen *texte, vêtement* **II.** *vi* (*devenir plus court*) *jour, vêtement:* kürzer werden; *vêtement:* (*au lavage*) einlaufen

raccroc [ʀakʀo] *m* ►**par ~** (*par hasard*) durch Zufall; (*par chance*) durch einen Glücksfall

raccrocher [ʀakʀɔʃe] <1> **I.** *vi* **1.** TELEC auflegen **2.** SPORT *fam* (*renoncer*) *professionnel:* aufhören **II.** *vpr* (*se cramponner*) **se ~ à qn/qc** sich an jdn/etw klammern

race [ʀas] *f* **1.** (*groupe ethnique*) Rasse *f* **2.** (*sorte*) Spezies *f,* Gattung *f; péj* Brut *f* (*fam*), Sippe *f* (*fam*); **sale ~** üble Brut (*fam*); **être de la même ~** vom gleichen Schlag sein **3.** (*espèce zoologique*) Rasse; **chien/cheval de ~** Rassehund/-pferd

racheter [ʀaʃte] <4> **I.** *vt* **1.** (*acheter en plus*) nachkaufen **2.** (*acheter d'autrui*) **~ une table à qn** jdm einen Tisch abkaufen **II.** *vpr* **se ~ d'une faute** einen Fehler wiedergutmachen

rachitique [ʀaʃitik] *adj* **1.** MED rachitisch **2.** (*chétif*) *personne* schwächlich

rachitisme [ʀaʃitism] *m* Rachitis *f*

racine [ʀasin] *f* **1.** BOT Wurzel *f* **2.** (*origine*) Ursache *f;* **la ~ du mal** die Wurzel des Übels ►**prendre ~** Wurzeln schlagen

racisme [ʀasism] *m* **1.** (*théorie des races*) Rassismus *m* **2.** (*hostilité*) **~ anti-jeunes** Feindseligkeit *f* gegenüber Jugendlichen

raciste [ʀasist] **I.** *adj* rassistisch **II.** *mf* Rassist *m*

racket [ʀakɛt] *m* Schutzgelderpressung *f*

racketter [ʀakete] <1> *vt* **~ qn** Schutzgeld von jdm erpressen

racketteur, -euse [ʀakɛtœʀ, -øz] *m, f* Erpresser *m*

raclée [ʀakle] *f fam* **1.** (*volée de coups*) Tracht *f* Prügel **2.** (*défaite*) Schlappe *f* (*fam*)

racler [ʀakle] <1> **I.** *vt* **1.** (*nettoyer*) scheuern *casserole;* abputzen *semelles, sabots;* abkratzen *boue, croûte* **2.** (*frotter*) schleifen; **le garde-boue racle le pneu** das Schutzblech schleift am Reifen **II.** *vpr* **se ~ la gorge** sich räuspern

raclette [ʀaklɛt] *f* (*fromage*) Raclettekäse *m;* (*spécialité*) Raclette *f o nt*

racoler [ʀakɔle] <1> *vt* werben *adeptes, clients, électeurs;* *prostituée:* ansprechen

racontar [ʀakɔ̃taʀ] *m gén pl, fam* Tratsch *m kein Pl,* Klatsch *m kein Pl*

raconter [ʀakɔ̃te] <1> *vt* **1.** (*narrer*) **~ une histoire à qn** jdm eine Geschichte erzählen; **~ un voyage** eine Reise schildern **2.** (*dire à la légère*) erzählen *histoires, balivernes;* **c'est du moins ce qu'elle raconte** das zumindest erzählt sie ►**~ sa vie à qn** *fam* jdm sein [ganzes] Leben erzählen; **je te/vous raconte pas** *fam* ich kann dir/euch sagen

radar [ʀadaʀ] **I.** *m* Radar[gerät *nt*] *m o nt* **II.** *app* **écran ~** Radarschirm *m*

radiateur [ʀadjatœʀ] *m* **1.** (*de chauffage central*) Heizkörper *m* **2.** AUT Kühler *m*

radical [ʀadikal, o] <-aux> *m* LING Stamm *m*

radical, e [ʀadikal, o] <-aux> *adj* **1.** (*total*) radikal, grundlegend; *refus* grundsätzlich **2.** (*énergique*) radikal; *mesure* radikal, einschneidend, tiefgreifend **3.** (*foncier*) fundamental; **instinct ~** Urinstinkt *m;*

principe ~ Grundprinzip *nt;* **islam** ~ orthodoxer Islam

radicalement [ʀadikalmɑ̃] *adv* **1.**(*entièrement*) radikal, grundlegend **2.**(*absolument*) vollkommen, völlig

radicaliser [ʀadikalize] <1> **I.** *vt* verschärfen *conflit;* verhärten *position;* radikalisieren *opinion, théorie* **II.** *vpr* **se** ~ *parti, régime, théorie:* radikaler werden; *conflit:* sich verschärfen; *position:* sich verhärten

radier [ʀadje] <1> *vt* streichen *candidat, nom;* ~ **qn du barreau/de l'ordre des médecins** jdn aus der Anwaltskammer/Ärztekammer ausschließen

radieux, -ieuse [ʀadjø, -jøz] *adj* strahlend

radin, e [ʀadɛ̃, in] **I.** *adj fam* (*avare*) knauserig **II.** *m, f fam* Geizkragen *m,* Pfennigfuchser *m*

radiner [ʀadine] <1> *vpr fam* **se** ~ auftauchen; **allez, radine-toi!** komm endlich!

radinerie [ʀadinʀi] *f fam* Knauserigkeit *f,* Pfennigfuchserei *f*

radio [ʀadjo] *f* **1.**(*poste*) Radio[gerät *nt*] *nt;* **allumer/éteindre la** ~ das Radio ein-/ausschalten **2.**(*radiodiffusion*) Radio *nt,* Rundfunk *m;* **passer à la** ~ im Radio kommen **3.**(*station*) Sender *m;* ~ **locale/libre** Regionalradio/freies Radio **4.** MED Röntgenaufnahme *f;* **passer une** ~ eine Röntgenaufnahme machen lassen

radioactif, -ive [ʀadjoaktif, -iv] *adj* radioaktiv

radioactivité [ʀadjoaktivite] *f* Radioaktivität *f*

radioamateur, -trice [ʀadjoamatœʀ, -tʀis] *m, f* Funkamateur *m*

radiographie [ʀadjɔgʀafi] *f* MED **1.**(*procédé*) Röntgen *nt* **2.**(*cliché*) Röntgenaufnahme *f,* Röntgenbild *nt*

radiologue [ʀadjɔlɔg] *mf* Radiologe *m*

radiophonique [ʀadjɔfɔnik] *adj* **pièce** ~ Hörspiel *nt*

radio-réveil [ʀadjoʀevɛj] <radios-réveils> *m* Radiowecker *m*

radio-taxi [ʀadjotaksi] <radio-taxis> *m* Funktaxi *nt*

radiotélévisé, e [ʀadjotelevize] *adj* **message** ~ **du chef de l'État** Rundfunk- und Fernsehansprache des Staatschefs

radis [ʀadi] *m* Radieschen *nt;* (*grand* ~) Rettich *m* ▶**ne pas** <u>valoir</u> **un** ~ *fam* keinen Pfifferling wert sein

radius [ʀadjys] *m* ANAT Speiche *f*

radoter [ʀadɔte] <1> *vi* **1.**(*rabâcher*) sich wiederholen **2.**(*déraisonner*) Unsinn reden

radoucir [ʀadusiʀ] <8> *vpr* **se** ~ **1.**(*se calmer*) *personne:* sich besänftigen **2.** METEO *température:* milder werden; *temps:* sich

bessern

rafale [ʀafal] *f* METEO Bö[e] *f;* ~ **de neige/pluie** Schnee-/Regenschauer *m;* ~ **de vent** Windstoß *m;* **le vent souffle en** ~**s** der Wind bläst in Böen

raffermir [ʀafɛʀmiʀ] <8> *vpr* **se** ~ (*devenir ferme*) *voix:* fester werden; *peau, tissu:* straffer werden; *muscles:* kräftiger werden

raffinage [ʀafinaʒ] *m du pétrole, sucre* Raffinieren *nt; du caoutchouc, papier, des métaux* Veredelung *f*

raffiné, e [ʀafine] *adj* **1.**(*délicat*) edel, fein; *goût, plat* erlesen; *personne, esprit* vornehm, kultiviert **2.**(*recherché*) subtil; *coup* raffiniert

raffiner [ʀafine] <1> *vt* **1.** IND raffinieren *pétrole, sucre;* veredeln *métaux, papier* **2.**(*affiner*) verfeinern *goût, langage*

raffinerie [ʀafinʀi] *f* Raffinerie *f;* ~ **de pétrole/sucre** Öl-/Zuckerraffinerie

raffoler [ʀafɔle] <1> *vi* ~ **de qn/qc** in jdn/etw vernarrt sein

raffut [ʀafy] *m fam* Radau *m* ▶**faire du** ~ (*faire un scandale*) Staub aufwirbeln (*fam*)

rafistolage [ʀafistɔlaʒ] *m fam* Zusammenflicken *nt; fig* Notbehelf *m*

rafistoler [ʀafistɔle] <1> *vt fam* zusammenflicken *chaussures, meuble*

rafle [ʀafl] *f* (*arrestation*) Razzia *f,* Massenverhaftung *f;* **être pris dans une** ~ bei einer Razzia verhaftet werden

rafler [ʀafle] <1> *vt fam* mitgehen lassen

rafraîchir [ʀafʀeʃiʀ] <8> *vpr* **se** ~ **1.**(*devenir plus frais*) *air, temps, température:* abkühlen **2.**(*boire*) sich erfrischen **3.**(*se laver*) sich abkühlen **4.**(*arranger sa toilette, son maquillage*) sich frisch machen

rafraîchissement [ʀafʀeʃismɑ̃] *m* **1.**(*boisson*) Erfrischung *f* **2.** INFORM **cycle de** ~ **de la mémoire** Refreshzyklus *m*

raft [ʀaft] *m* Schlauchboot *nt* (für Wildwasserfahrten)

rafting [ʀaftiŋ] *m* Rafting *nt*

ragaillardir [ʀagajaʀdiʀ] <8> *vt boisson, repos:* stärken; *nouvelle:* aufmuntern

rage [ʀaʒ] *f* **1.**(*colère*) Wut *f;* **être fou de** ~ rasend vor Wut sein **2.**(*envie*) Sucht *f,* Drang *m;* **la** ~ **de vivre** der Drang zu leben **3.** MED Tollwut *f*

rageant, e [ʀaʒɑ̃, ɑ̃t] *adj* **c'est** ~ *fam* das ist ärgerlich

rageusement [ʀaʒøzmɑ̃] *adv* wutentbrannt

raglan [ʀaglɑ̃] **I.** *m* Raglan *m* **II.** *app inv manteau* mit Raglanärmeln; **des manches** ~ Raglanärmel *Pl*

ragondin [ʀagɔ̃dɛ̃] *m* **1.**(*animal*) Biberratte *f,* Nutria *f* **2.**(*fourrure*) Nutria *m*

ragot [ʀago] *m fam* Klatsch *m kein Pl,*

Tratsch *m kein Pl*

ragoût [Ragu] *m* Ragout *nt;* ~ de mouton/veau Hammel-/Kalbsragout

raid [Rɛd] *m* MIL Überfall *m,* Angriff *m;* ~ aérien Luftangriff

raide [Rɛd] **I.** *adj* **1.** *personne* starr, unbeweglich; *corps, membre* steif; *cheveux* glatt **2.** *(escarpé)* steil **3.** *fam alcool* stark; *vin* schwer **4.** *fam* *(ivre)* blau **II.** *adv* **1.** *(en pente)* steil **2.** *(brusquement)* tomber ~ mort plötzlich tot umfallen

raie[1] [Rɛ] *f (ligne)* Streifen *m*

raie[2] [Rɛ] *indic et subj prés de* **rayer**

raierai [RɛRɛ] *fut de* **rayer**

raifort [RɛfɔR] *m* Meerrettich *m*

rail [Raj] *m* CHEMDFER, TECH Schiene *f;* deux wagons sont sortis des ~s zwei Wagen sind entgleist

raisin [Rɛzɛ̃] *m* Traube *f;* ~s secs Rosinen *Pl*

raison [Rɛzɔ̃] *f* **1.** *(motif)* Grund *m;* ~ d'être Daseinsberechtigung *f;* ~ de vivre Lebensinhalt *m;* avoir de bonnes/mauvaises ~s gute/schlechte Gründe haben; avoir de fortes ~s de penser que schwerwiegende Gründe haben zu glauben, dass; ce n'est pas une ~ pour faire qc das ist kein Grund etw zu tun; avoir ses ~s seine Gründe haben **2.** *(sagesse)* Vernunft *f;* ramener qn à la ~ jdn wieder zur Vernunft bringen **3.** *(facultés intellectuelles)* Verstand *m;* avoir toute sa ~ bei [klarem] Verstand sein; perdre la ~ den Verstand verlieren ►la ~ du plus fort est toujours la meilleure *prov* der Stärkere hat immer Recht; pour la bonne ~ que je le veux aus dem einfachen Grund, weil ich es will *(fam)*; à plus forte *(après une affirmation)* umso mehr; *(après une négation)* geschweige denn; à tort ou à ~ zu Recht oder zu Unrecht; avoir ~ Recht haben; donner ~ à qn jdm Recht geben; entendre ~ Vernunft annehmen; se faire une ~ sich damit abfinden; pour quelle ~ weshalb, warum; pour une ~ ou pour une autre aus diesem oder jenem Grund

raisonnable [Rɛzɔnabl] *adj (sage)* vernünftig

raisonnement [Rɛzɔnmɑ̃] *m* **1.** *(façon de penser)* Denkweise *f* **2.** *(argumentation)* Schlussfolgerung *f;* ~ analogique/déductif Analogieschluss *m*/deduktiver Schluss

raisonner [Rɛzɔne] <1> *vt (ramener à la raison)* zur Vernunft bringen

rajeunir [RaʒœniR] <8> **I.** *vt* **1.** *(rendre plus jeune)* verjüngen **2.** *(abaisser l'âge moyen)* verjüngen; ça ne me/nous ra-

jeunit pas *hum* tja, ich werde/wir werden eben auch nicht jünger *(fam)* **II.** *vi* **1.** *(se sentir plus jeune)* sich jünger fühlen **2.** *(sembler plus jeune)* jünger scheinen

rajout [Raʒu] *m* Ergänzung *f,* Zusatz *m*

rajouter [Raʒute] <1> *vt* ~ une phrase à qc einen Satz zu etw hinzufügen; il faut ~ du sel/sucre man muss etwas Salz/Zucker hinzugeben ►en ~ *fam* übertreiben

rajuster [Raʒyste] <1> *vt (remettre en place)* zurechtrücken *vêtement, lunettes*

râlant [Rɑlɑ̃] *adj* c'est ~ *fam* das ist ärgerlich

ralenti [Ralɑ̃ti] *m* **1.** CINE, TV Zeitlupe *f;* au ~ im Zeitlupentempo *(fam)*; CINE, TV in Zeitlupe **2.** AUT Leerlauf *m*

ralentir [Ralɑ̃tiR] <8> **I.** *vt* verlangsamen; bremsen *zèle, activité* **II.** *vi marcheur, véhicule:* abbremsen; *progrès:* abnehmen; *croissance:* zurückgehen **III.** *vpr* se ~ **1.** *(devenir plus lent)* allure, mouvement: sich verlangsamen **2.** *(diminuer)* ardeur, effort, zèle: abnehmen, nachlassen; production, croissance: zurückgehen

ralentissement [Ralɑ̃tismɑ̃] *m* de l'allure, de la marche, circulation Verlangsamung *f*

râler [Rɑle] <1> *vi (grogner)* ~ contre qn/qc über jdn/etw motzen *(fam)*; faire ~ qn jdn ärgern

râleur, -euse [RɑlœR, -øz] **I.** *adj fam* motzig **II.** *m, f fam* Meckerer *m*/Meckerziege *f,* Motzer(in) *m(f)*

rallonge [Ralɔ̃ʒ] *f* **1.** *(d'une table)* Ausziehplatte *f* **2.** ELEC Verlängerungskabel *nt*

rallonger [Ralɔ̃ʒe] <2a> *vt* verlängern

rallumer [Ralyme] <1> *vt (allumer)* wieder anzünden *cigarette, feu;* wieder anmachen *lampe, lumière;* wieder einschalten *électricité, lumière*

rallye [Rali] *m* Rallye *f*

RAM [Ram] *f abr de* **Random Access Memory** RAM *m*

ramadan [Ramadɑ̃] *m* Ramadan *m*

ramasser [Ramase] <1> **I.** *vt* **1.** *(collecter)* sammeln *champignons, bois mort, coquillages;* einsammeln *ordures, copies;* zusammentragen, zu etw zusammen *argent* **2.** *fam (embarquer)* festnehmen **3.** *(relever une personne qui est tombée)* ~ qn qui est ivre mort jdn aufrichten, der total betrunken ist **4.** *(prendre ce qui est tombé par terre)* aufheben ►~ qn dans le ruisseau *péj* jdn aus der Gosse auflesen *(fam)* **II.** *vpr* se ~ *(tomber)* hinpurzeln

ramener [Ramne] <4> **I.** *vt* **1.** *(reconduire)* ~ qn chez soi jdn nach Hause zurückbringen **2.** *(faire revenir)* zurückbringen *confiance, paix;* ~ qn à la vie jdn ins Leben zurückbringen; ~ qn à de meilleurs sen-

timents jdn auf bessere Gedanken bringen; ~ **qn à la raison** jdn zur Vernunft bringen **3.** (*amener avec soi*) ~ **qn/qc de Paris** jdn/etw von Paris mitbringen; ~ **un cadeau à qn** *fam* jdm ein Geschenk mitbringen; **ramène-moi du pain, s'il te plaît** bring mir bitte Brot mit ►**la** ~ *fam* (*être prétentieux*) angeben; (*râler*) motzen; ~ **tout à soi** (*être égocentrique*) immer nur an sich (*akk*) denken **II.** *vpr fam* (*arriver*) **se** ~ aufkreuzen

rameur [ʀamœʀ] *m* Rudergerät *nt*

rameuter [ʀamøte] <1> **I.** *vt* **1.** CHASSE ~ **les chiens de la meute** die Hundemeute wieder zusammentreiben **2.** (*rassembler*) ~ **les militants** die aktiven Mitglieder wieder zusammenholen **II.** *vpr* **se** ~ sich [ver]sammeln

rami [ʀami] *m* Rommee *nt*

rancard [ʀɑ̃kaʀ] *m fam* (*rendez-vous*) Treff *m* (*fam*)

rance [ʀɑ̃s] **I.** *adj* ranzig **II.** *m* **sentir le ~/ avoir un goût de** ~ ranzig riechen/ schmecken

ranch [ʀɑ̃tʃ] <[e]s> *m* Ranch *f*

rançon [ʀɑ̃sɔ̃] *f* **1.** (*rachat*) Lösegeld *nt* **2.** (*prix*) **la** ~ **de la gloire/du succès/ progrès** der Preis des Ruhms/Erfolges/ Fortschritts

rancune [ʀɑ̃kyn] *f* **garder** ~ **à qn de qc** jdm etw nachtragen ►**sans** ~! nichts für ungut!

rancunier, -ière [ʀɑ̃kynje, -jɛʀ] *adj* nachtragend

randonnée [ʀɑ̃dɔne] *f* ~ **à pied/skis/bicyclette** Wanderung *f*/Ski-/Radtour *f*

rang [ʀɑ̃] *m* **1.** (*suite de personnes ou de choses*) Reihe *f*; **en** ~ **par deux** in Zweierreihen; **mettez-vous en** ~ stellt euch in einer Reihe auf **2.** (*rangée de sièges*) Reihe *f*; **se placer au premier** ~ sich in die erste Reihe setzen **3.** (*position dans un ordre ou une hiérarchie*) Platz *m* **4.** (*condition*) Rang *m*; **le** ~ **social** die soziale Schicht; **garder/tenir son** ~ seinen Stand wahren

rangée [ʀɑ̃ʒe] *f* Reihe *f*

ranger [ʀɑ̃ʒe] <2a> **I.** *vt* **1.** (*mettre en ordre*) aufräumen *maison, tiroir* **2.** (*mettre à sa place*) zurückstellen *objet*; aufräumen *vêtements* **3.** (*classer*) ordnen *dossiers, fiches* **II.** *vi* **il passe son temps à** ~ er verbringt seine Zeit mit Aufräumen **III.** *vpr* **se** ~ **1.** (*s'écarter*) *piéton:* beiseite gehen; *véhicule:* den Platz freimachen **2.** (*se mettre en rang*) sich aufstellen **3.** (*devenir plus sérieux*) *personnes:* solide werden

ranimer [ʀanime] <1> *vt* **1.** (*ramener à la vie*) wieder beleben *noyé, personne* évanouie **2.** (*revigorer*) *air, boisson:* [wieder] aufmuntern

rap [ʀap] *m* Rap *m*

rapace [ʀapas] **I.** *adj* **1.** (*avide*) räuberisch; **oiseau** ~ Raubvogel *m* **2.** (*cupide*) *homme d'affaires, usurier* habgierig, gewinnsüchtig **II.** *m* ORN Raubvogel *m*

rapatrié, e [ʀapatʀije] *m, f* Repatriierte(r) *f(m)*

rapatrier [ʀapatʀije] <1> *vt* **1.** (*ramener*) [zurück]bringen *personne* **2.** (*renvoyer*) in sein Herkunftsland ausweisen *personne*

râpé, e [ʀɑpe] *adj amandes, fromage* gerieben ►**c'est** ~ *fam* das ist geplatzt

râper [ʀɑpe] <1> *vt* reiben *fromage;* reiben, raspeln *betteraves, carottes*

rapiat, e [ʀapja, jat] **I.** *adj fam* knauserig, knickrig **II.** *m, f fam* Knauser *m*

rapide [ʀapid] **I.** *adj* **1.** (*d'une grande vitesse*) schnell; *manière, progrès, réponse* rasch; *geste, main, personne* flink; **une décision trop** ~ eine übereilte Entscheidung **2.** *décision, démarche* schnell; *besogne* flink; *examen* flüchtig **II.** *m* (*train*) Schnellzug *m*

rapidement [ʀapidmɑ̃] *adv* schnell, rasch; *travailler* flink; **parcourir le journal** ~ die Zeitung flüchtig lesen

rapidité [ʀapidite] *f* (*vitesse*) Schnelligkeit *f;* **agir avec la** ~ **de l'éclair** blitzschnell handeln

rapiécer [ʀapjese] <2, 5> *vt* flicken

rapière [ʀapjɛʀ] *f* Rapier *nt*

rappel [ʀapɛl] *m* **1.** (*remise en mémoire*) ~ **d'un événement/d'une aventure** Erinnerung *f* an ein Ereignis/Abenteuer (*akk*) **2.** (*admonestation*) ~ **à l'ordre** Verweis *m*, Mahnung *f* zur Ordnung; POL Ordnungsruf *m;* ~ **à la raison** Appell *m* an die Vernunft (*akk*) **3.** FIN *d'une facture, cotisation* Mahnung *f* **4.** (*panneau de signalisation*) Wiederholungsschild *nt* **5.** THEAT Herausrufen vor den Vorhang; **il y a eu trois** ~**s** sie bekamen drei Vorhänge

rappeler [ʀap(ə)le] <3> **I.** *vt* **1.** (*remémorer*) wachrufen, wecken *souvenir;* ~ **un ami/une date à qn** jdn an einen Freund/ ein Datum erinnern; ~ **à qn que** jdn daran erinnern, dass ... **2.** (*appeler pour faire revenir*) zurückrufen; vor den Vorhang rufen *acteurs, comédiens* **3.** TELEC zurückrufen **4.** (*évoquer*) ~ **un enfant/tableau à qn** jdn an ein Kind/Gemälde erinnern **II.** *vi* TELEC zurückrufen **III.** *vpr* **se** ~ **qn/qc** sich an jdn/etw erinnern; **se** ~ **qu'il est venu** sich daran erinnern, dass er gekommen ist

rappeur [ʀapœʀ] *m* Rapper *m*

rappliquer [ʀaplike] <1> *vi fam* auftauchen, aufkreuzen

rapport [ʀapɔʀ] *m* **1.** (*lien*) Zusammen-

hang *m;* ~ **entre deux ou plusieurs cho-**
ses Gemeinsamkeit *f* zwischen zwei oder
mehreren Dingen; ~ **de cause à effet**
Kausalzusammenhang *m;* ~ **qualité-prix**
Preis-Leistungs-Verhältnis *nt* **2.** (*relations*)
Beziehungen *Pl;* ~**s d'amitié/de bon voi-**
sinage freundschaftliche/gutnachbarliche
Beziehungen; **les** ~**s franco-allemands**
die deutsch-französischen Beziehungen
3. *pl* (*relations sexuelles*) Geschlechtsverkehr *m,* Sex *m;* **avoir des** ~**s avec qn** Geschlechtsverkehr mit jdm haben **4.** (*comp-*
te rendu) Bericht *m;* **faire/dresser un** ~
sur qn/qc einen Bericht über jdn/etw abfassen; **faire un** ~ **à qn** jdm Bericht erstatten; ~ **de police** Polizeibericht *m* ▸**avoir**
~ **à qc** sich auf etw (*akk*) beziehen; **sous**
tous les ~**s** in jeder Hinsicht; **en** ~ **avec**
passend zu; **par** ~ **à qn/qc** (*par comparai-*
son) im Vergleich zu jdm/etw; (*propor-*
tionnellement) im Verhältnis zu jdm/etw
rapporté, e [Rapɔrte] *adj* *élément, pièce*
angefügt
rapporter [Rapɔrte] <1> I. *vt* **1.** (*rame-*
ner) ~ **un livre à qn** jdm ein Buch mitbringen **2.** (*rendre*) ~ **un livre** ein Buch
zurückbringen **3.** (*être profitable*) ~ **qc à**
qn *action, activité:* jdm etw bringen (*fam*);
métier, travail: jdm etw einbringen **4.** *péj*
(*répéter*) weitertragen (*fam*) II. *vpr* (*être*
relatif à) **se** ~ **à qc** sich auf etw (*akk*) beziehen, mit etw zu tun haben
rapprocher [RapRɔʃe] <1> I. *vt* **1.** (*avan-*
cer) [näher] zusammenrücken *objets, chai-*
ses; **rapproche ta chaise de la table/de**
moi! rück deinen Stuhl näher an den
Tisch/zu mir! **2.** (*réconcilier*) versöhnen
ennemis, familles brouillées; **ce drame**
nous a beaucoup rapprochés dieses Unglück hat uns sehr nahe gebracht
3. (*mettre en accord*) annähern *idées, thè-*
ses II. *vpr* **1.** (*approcher*) **se** ~ **de qn/qc**
sich jdm/einer S. nähern; **rapproche-toi**
de moi! komm näher [zu mir]!; **l'orage/le**
bruit se rapproche de nous das Gewit-
ter/der Lärm kommt näher **2.** (*sympathi-*
ser) **se** ~ sich näher kommen
rapsodie [Rapsɔdi] *f* *v.* **rhapsodie**
raquer [Rake] <1> *vi fam* blechen
raquette [Rakɛt] *f* **1.** SPORT Schläger *m;* ~
de tennis Tennisschläger **2.** (*semelle pour*
la neige) Schneeschuh *m*
rare [RɑR] *adj* **1.** *animal, édition, variété* selten; *objet, mot* ausgefallen, selten; **il est** ~
qu'elle fasse des erreurs sie macht selten Fehler **2.** (*exceptionnel*) außergewöhnlich; *beauté, moment, talent* selten,
außergewöhnlich ▸**se faire** ~ sich nur selten sehen lassen

rarement [RɑRmɑ̃] *adv* selten
rascasse [Raskas] *f* Drachenkopf *m*
raser [Rɑze] <1> I. *vt* **1.** (*tondre*) rasieren;
kahl scheren *cheveux, tête;* **rasé de près/**
de frais glatt/frisch rasiert **2.** (*effleurer*) ~
un mur dicht an einer Mauer (*dat*) entlanggehen; ~ **le sol** *oiseaux, projectiles:*
dicht über dem Boden fliegen **3.** (*détruire*)
dem Erdboden gleichmachen *bâtiment,*
quartier **4.** *fam* (*ennuyer*) anöden II. *vpr*
1. (*se couper ras*) **se** ~ sich rasieren; **se** ~
la barbe/les jambes/la tête sich (*dat*)
den Bart/die Beine/den Kopf rasieren
2. *fam* (*s'ennuyer*) **se** ~ sich anöden
ras-le-bol [Rɑl(ə)bɔl] *m fam* Überdruss *m;*
en avoir ~ **de qc** von etw die Nase voll
haben; ~**!** mir reicht's!
rasoir [RɑzwaR] *m* Rasierapparat *m*
▸**comme un** ~ wie ein Rasiermesser *nt*
rassembler [Rasɑ̃ble] <1> I. *vt* **1.** (*réunir*)
zusammentragen *documents, objets épars*
2. (*regrouper*) ~ **des personnes** *person-*
ne: Menschen um sich versammeln **3.** (*fai-*
re appel à) sammeln *forces, idées;* **j'ai du**
mal à ~ **mes idées** es fällt mir schwer
mich zu konzentrieren II. *vpr* **se** ~ *ba-*
dauds, foule: zusammenströmen; *partici-*
pants: sich versammeln
rassembleur, -euse [Rasɑ̃blœr, -øz] I.
adj einigend II. *m, f* Einiger(in) *m(f)*
rasseoir [RaswaR] <*irr*> *vpr* **se** ~ sich wieder setzen; **va te** ~**!** setz dich wieder hin!
rassir [RasiR] <8> I. *vi* *pain, pâtisserie:* trocken werden II. *vpr* **se** ~ trocken werden
III. *vt* **laisser** ~ **qc** etw austrocknen lassen
rassis, rassie [Rasi] *adj* *pain, pâtisserie*
alt[backen]; *viande* abgehangen
rassurant, e [RasyRɑ̃, ɑ̃t] *adj* *nouvelle* beruhigend; *visage* zuversichtlich; **se mon-**
trer ~ sich zuversichtlich zeigen; **c'est** ~**!**
das ist ja ermutigend!
rassurer [RasyRe] <1> I. *vt* beruhigen; **ne**
pas être rassuré beunruhigt sein; **je ne**
me sens pas rassuré dans sa voiture ich
fühle mich in seinem/ihrem Auto nicht sicher II. *vpr* **se** ~ sich beruhigen; **rassurez-**
vous! seien Sie unbesorgt!; **que les élè-**
ves se rassurent: ... die Schüler können
beruhigt sein: ...
rasta [Rasta] I. *adj inv fam* **musicien** ~
Rastamusiker *m;* **être** ~ auf Rasta (*akk*)
machen II. *m fam* Rasta *mf*
rat [Ra] *m* ZOOL Ratte *f* ▸ ~ **de bibliothè-**
que Bücherwurm *m;* **s'ennuyer comme**
un ~ **mort** sich zu Tode langweilen
ratatiner [Ratatine] <1> *vt* **1.** (*rabougrir*)
[zusammen]schrumpfen lassen *fruit, per-*
sonne; runzlig werden lassen *visage;* **ratati-**
né verschrumpelt (*fam*)

rate [Rat] *f* ANAT Milz *f*
raté, e [Rate] *m, f* Versager *m*
rater [Rate] <1> I. *vt* **1.** (*manquer*) verfehlen *cible;* verpassen *occasion, train;* nicht richtig treffen *ballon* **2.** (*ne pas réussir*) verpfuschen (*fam*) *travail, vie;* **faire ~ qc** etw zum Scheitern bringen; **qn rate une affaire/la mayonnaise** jdm misslingt eine Angelegenheit/die Mayonnaise; **~ son examen** seine Prüfung nicht schaffen; **être raté** missglückt sein; *photos:* nichts geworden sein ▶**ne pas en ~ une** in jedes Fettnäpfchen treten; **ne pas ~ qn** sich (*dat*) jdn vorknöpfen II. *vi affaire, coup, projet:* misslingen III. *vpr* **1.** *fam* (*mal se suicider*) **qn se rate** jds Selbstmordversuch missglückt **2.** (*ne pas se voir*) **se ~** sich verpassen
ratifier [Ratifje] <1> *vt* ratifizieren *loi, traité*
rating [Ratiŋ, Retiŋ] *m* ECON Rating *nt*
ration [Rasjɔ̃] *f* Ration *f* (*a. fig*); **vous avez tous eu la même ~** ihr hattet alle gleich viel; **~ de pain/viande** Brot-/Fleischration; **~ alimentaire** täglicher Nahrungsbedarf; **arrête, il a eu sa ~!** hör auf, es reicht!
rationaliser [Rasjɔnalize] <1> *vt* rationalisieren
rationalité [Rasjɔnalite] *f* Rationalität *f;* **dépourvu de toute ~** völlig vernunftwidrig
rationnellement [Rasjɔnɛlmɑ̃] *adv* rational
rationner [Rasjɔne] <1> *vt* rationieren; **~ qn** jdn auf halbe Ration (*akk*) setzen (*fam*)
raton [Ratɔ̃] *m* ZOOL **~ laveur** Waschbär *m*
ratonnade [Ratɔnad] *f* Ausschreitungen *Pl* (*gegen Minderheiten*)
RATP [ɛRatepe] *f abr de* Régie autonome des transports parisiens *öffentlicher Pariser Verkehrsbetrieb*
rattacher [Ratafe] <1> *vt* **1.** (*renouer*) wieder anbinden; wieder [zu]binden *lacet;* wieder zumachen *ceinture, jupe* **2.** (*annexer*) **~ un territoire à un pays** ein Gebiet an ein Land (*akk*) angliedern
rattraper [Ratrape] <1> I. *vt* **1.** (*rejoindre*) [wieder] einholen **2.** (*regagner*) wettmachen *temps perdu, pertes, retard;* nachholen *sommeil;* nacharbeiten *heures d'absence* **3.** (*retenir*) auffangen; **~ qn par le bras/le manteau** jdn am Arm/Mantel fest halten II. *vpr* **1.** (*se raccrocher*) **se ~ à une branche** sich an einem Ast fest halten **2.** (*compenser*) **se ~** das Versäumte nachholen **3.** (*réparer*) **se ~** das wieder gutmachen; (*corriger une erreur*) einen Fehler berichtigen

rature [RatyR] *f* Streichung *f*
raturer [RatyRe] <1> *vt* [durch]streichen; (*corriger*) verbessern; **une lettre raturée** ein überall verbesserter Brief
rauque [Rok] *adj son, toux* rau; *cri, voix* heiser, rau
ravage [Ravaʒ] *m* **1.** (*dégâts*) Schäden *Pl;* **~s de la grêle/de l'orage** Hagel-/Unwetterschäden **2.** *pl de l'alcool, de la drogue* schädliche Auswirkungen *Pl* ▶**faire des ~s** verheerende Schäden anrichten; **il/elle fait des ~s** *hum* er/sie verdreht allen den Kopf (*fam*)
ravagé, e [Ravaʒe] *adj fam* übergeschnappt (*fam*), bescheuert
ravager [Ravaʒe] <2a> *vt* verwüsten *pays, ville;* vernichten *cultures;* **être ravagé** *pays, ville:* verwüstet sein; *cultures:* vernichtet sein
ravaler [Ravale] <1> *vt* (*retenir*) unterdrücken *larmes, émotion*
raveur, -euse [RɛvœR, -øz] *m, f* Raver(in) *m(f)*
ravi, e [Ravi] *adj* **avoir l'air ~** strahlen; **être ~ de faire qc** erfreut sein etw zu tun
ravigoter [Ravigɔte] <1> *vt fam nouvelle, personne:* aufmuntern; *alcool, douche, repas:* [wieder] auf die Beine (*akk*) bringen (*fam*)
ravin [Ravɛ̃] *m* [Fels]schlucht *f*
ravir [RaviR] <8> *vt* **1.** begeistern; **ta visite me ravit** ich freue mich sehr über deinen Besuch **2.** *soutenu* (*enlever*) rauben *honneur, trésor;* entführen *femme, enfant* ▶**à ~** bezaubernd, hinreißend
raviser [Ravize] <1> *vpr* **se ~** seine Meinung ändern
ravissant, e [Ravisɑ̃, ɑ̃t] *adj* bezaubernd; *femme, beauté* hinreißend
ravisseur, -euse [RavisœR, -øz] *m, f* Entführer *m*
ravitaillement [Ravitajmɑ̃] *m* **1.** *de la population, des troupes* Versorgen *nt* mit Lebensmitteln; **~ en essence/vivres** Versorgung *f* mit Benzin/Lebensmitteln; **aller au ~** etwas zu essen beschaffen **2.** (*denrées alimentaires*) Verpflegung *f* **3.** SPORT Auftanken *nt* **4.** AVIAT **~ en vol** Lufttanken *nt*
ravitailler [Ravitaje] <1> I. *vt* versorgen; **~ en qc** mit etw versorgen; **~ les avions en vol** Flugzeuge in der Luft betanken II. *vpr* **se ~ en qc** sich mit etw eindecken
ravoir [RavwaR] <irr, défec> *vt toujours à l'infin* **1.** (*récupérer*) zurückbekommen, zurückhaben **2.** *fam* (*détacher*) wieder sauber kriegen *casserole, cuivres, vêtements*
rayé, e [Reje] *adj* **1.** (*zébré*) gestreift; *papier* liniert; **~ verticalement/de noir** längs/

schwarz gestreift **2.** (*éraflé*) zerkratzt

rayer [ʀeje] <7> *vt* **1.** (*érafler*) zerkratzen *disque, vitre* **2.** (*biffer*) durchstreichen *mot, nom* **3.** (*supprimer*) ~ **qn/qc de la liste** jdn/etw von der Liste streichen; **être rayé des effectifs** nicht mehr zum Personal gehören; ~ **un souvenir de sa mémoire** eine Erinnerung aus seinem Gedächtnis streichen

rayon [ʀɛjɔ̃] *m* **1.** (*faisceau*) Strahl *m;* ~ **laser** Laserstrahl; ~ **de lumière** Lichtstrahl **2.** *pl* (*radiations*) Strahlen *Pl*, Strahlung *f;* ~**s X** Röntgenstrahlen; ~**s ultraviolets/infrarouges** UV-Strahlen/Infrarotstrahlen **3.** *d'une armoire* Fach *nt;* **ranger ses livres dans les ~s d'une bibliothèque** seine Bücher ins Regal einer Bibliothek zurückstellen **4.** COM Abteilung *f;* ~ **d'alimentation** Lebensmittelabteilung; **c'est tout ce qu'il me reste en** ~ das ist alles, was ich noch [anzubieten] habe **5.** (*distance*) **dans un** ~ **de plus de 20 km** in einem Umkreis von über 20 Kilometer **6.** (*d'une roue*) Speiche *f* ►~ **de soleil** Sonnenschein *m* (*fig*), Lichtblick *m;* **en connaître un** ~ sich da auskennen; **c'est mon** ~ ich kenne mich da aus

rayonner [ʀɛjɔne] <1> *vi* (*irradier*) ~ **de joie** vor Freude strahlen; ~ **de santé** vor Gesundheit strotzen

raz-de-marée [ʀɑdəmaʀe] *m inv* GEOG Flutwelle *f;* **être un vrai** ~ *fig* eine große Wirkung haben

razzia [ʀa(d)zja] *f* Razzia *f;* **faire une** ~ eine Razzia machen

razzier [ʀa(d)zje] <1a> *vt* ausplündern *village;* ~ **les récoltes** über die Ernte herfallen

RDA [ɛʀdea] *f* HIST *abr de* **République démocratique allemande** DDR *f*

ré [ʀe] *m inv* MUS D *nt*, d *nt; v. a.* do

réabonnement [ʀeabɔnmɑ̃] *m* Abonnement[s]verlängerung *f*

réac [ʀeak] *abr de* **réactionnaire I.** *adj fam* verstaubt (*pej*); POL reaktionär **II.** *mf* POL *fam* Reaktionär(in) *m(f)*

réacteur [ʀeaktœʀ] *m* PHYS Reaktor *m;* ~ **nucléaire** Kernreaktor

réaction [ʀeaksjɔ̃] *f* Reaktion *f;* ~ **à une catastrophe** Reaktion auf eine Katastrophe; ~ **en chaîne** Kettenreaktion; **en** ~ **contre qn/qc** als Reaktion auf jdn/etw; **par** ~ als Reaktion; (*par opposition*) aus [bloßer] Opposition; **avoir des ~s rapides/un peu lentes** schnell/etwas langsam reagieren

réactiver [ʀeaktive] <1> *vt* neu beleben *alliance, idéologie;* wieder aufleben lassen *amitié;* wieder anfachen *feu;* MED reaktivie-

ren *maladie, sérum*

réactualiser [ʀeaktyalize] <1> *vt* aktualisieren; wieder aufleben lassen *conflit*

réadaptation [ʀeadaptasjɔ̃] *f* Wiedereingliederung *f; d'un handicapé* Rehabilitation *f;* ~ **à la vie civile/au travail** Wiedereingliederung in die Gesellschaft/in das Berufsleben

réadapter [ʀeadapte] <1> *vt, vpr* ((*se*) *réaccoutumer*) (**se**) ~ **à qc** (sich) wieder in etw (*akk*) eingliedern; (**se**) ~ **à l'école** (sich) wieder an die Schule gewöhnen

réafficher [ʀeafiʃe] <1> *vt* INFORM ~ **les copies des pages visitées** die Kopien der geladenen Seiten wieder einblenden

réaffirmer [ʀeafiʀme] <1> *vt* bekräftigen *intention, volonté;* ~ **une nécessité** auf eine Notwendigkeit (*akk*) erneut hinweisen

réagir [ʀeaʒiʀ] <8> *vi* **1.** (*répondre spontanément*) ~ **à qc** auf etw (*akk*) reagieren; ~ **mal aux antibiotiques** Antibiotika schlecht vertragen **2.** (*s'opposer à*) ~ **contre des idées** sich gegen bestimmte Vorstellungen wehren; ~ **contre un danger** eine Gefahr bekämpfen **3.** MED ~ **contre une infection** *organisme:* gegen eine Infektion ankämpfen

réajustement [ʀeaʒystemɑ̃] *m des salaires, prix* Angleichung *f*

réajuster [ʀeaʒyste] <1> *vt v.* rajuster

réalisable [ʀealizabl] *adj* realisierbar; *souhait* erfüllbar

réalisateur, -trice [ʀealizatœʀ, -tʀis] *m, f* CINE, TV Regisseur *m*

réalisation [ʀealizasjɔ̃] *f* **1.** (*exécution*) Verwirklichung *f*, Realisierung *f* **2.** CINE, RADIO, TV Regie *f*

réaliser [ʀealize] <1> **I.** *vt* **1.** (*accomplir*) verwirklichen, realisieren *ambition, projet, rêve;* wahr machen *intention, menace;* aufbringen *effort;* vollbringen *exploit;* erfüllen *désir* **2.** (*effectuer*) ausführen *travail;* ausarbeiten *plan, maquette;* erzielen *progrès;* tätigen *achat, vente;* durchführen *réforme;* ~ **des économies/des bénéfices** Einsparungen/Gewinne erzielen **3.** (*se rendre compte de*) ~ **l'ampleur de son erreur** sich über das Ausmaß seines Fehlers bewusst werden **II.** *vi* begreifen; **est-ce que tu réalises vraiment?** bist du dir dessen wirklich bewusst?; **j'ai du mal à** ~ ich kann das [alles] nicht recht fassen **III.** *vpr* **se** ~ *ambition, projet:* Wirklichkeit werden; *rêve:* wahr werden; *vœu:* in Erfüllung gehen

réalisme [ʀealism] *m* Realismus *m;* **manquer de** ~ wirklichkeitsfremd sein

réaliste [ʀealist] *adj* realistisch; *descrip-*

tion, portrait wirklichkeitstreu

réalité [ʀealite] *f* **1.** (*réel*) Wirklichkeit *f*, Realität *f*; **devenir** ~ Wirklichkeit werden; *rêve, souhait:* wahr werden; **la** ~ **dépasse la fiction** die Wirklichkeit übertrifft jegliche Vorstellung **2.** (*chose réelle*) Tatsache *f* ▶**en** ~ in Wirklichkeit *f*, tatsächlich

réaménagement [ʀeamenaʒmɑ̃] *m d'un site* Neugestaltung *f*

réaménager [ʀeamenaʒe] <2a> *vt* neu gestalten *site;* ~ **le centre de la ville en zone piétonne** die Innenstadt zu einer Fußgängerzone umgestalten

réanimation [ʀeanimasjɔ̃] *f* Wiederbelebung *f*, Reanimation *f*; **service de** ~ Intensivstation *f*; **en** ~ auf der/die Intensivstation

réanimer [ʀeanime] <1> *vt* wieder beleben

réapparaître [ʀeapaʀɛtʀ] <*irr*> *vi + avoir o être* wieder auftauchen

réapprendre [ʀeapʀɑ̃dʀ] <13> *vt* noch einmal lernen *leçon, poésie;* ~ **à marcher** wieder gehen lernen; ~ **à vivre** in ein normales Leben zurückfinden

réapprovisionner [ʀeapʀɔvizjɔne] <1> *vpr* sich wieder eindecken; **se** ~ **en chocolat** sich wieder mit Schokolade eindecken; **se** ~ **en essence/fuel** sich wieder Benzin/Öl nachliefern lassen

réassortir [ʀeasɔʀtiʀ] <8> **I.** *vt* [wieder] ergänzen; nachkaufen *tissu* **II.** *vpr* **se** ~ **en qc** sich wieder mit etw eindecken; *commerçant:* seinen Bestand an etw (*dat*) auffüllen

réassurance [ʀeasyʀɑ̃s] *f* Rückversicherung *f*

rebaptiser [ʀ(ə)batize] <1> *vt* umbenennen

rébarbatif, -ive [ʀebaʀbatif, -iv] *adj air, mine* abweisend; *style* umständlich; *sujet, tâche* undankbar

rebelote [ʀəbəlɔt] *interj fam* wie könnt's auch anders sein

rebiffer [ʀ(ə)bife] <1> *vpr fam* **se** ~ **contre qn/qc** gegen jdn/etw aufmucken

rebiquer [ʀ(ə)bike] <1> *vi fam* in die Höhe stehen

reblochon [ʀəblɔʃɔ̃] *m:* milder Weichkäse aus Savoyen

rebond [ʀ(ə)bɔ̃] *m* Aufprall *m; de l'eau* Auftreffen *nt; d'un corps* Aufschlagen *nt,* Aufprallen *nt;* **faux** ~ Abspringen *nt* [des Balls]

rebondir [ʀ(ə)bɔ̃diʀ] <8> *vi* ~ **contre qc** *balle, ballon:* von etw (*dat*) abprallen

rebondissement [ʀ(ə)bɔ̃dismɑ̃] *m* Wiederaufleben *nt;* **nouveau** ~ **dans l'affaire X!** Neues *nt* im Fall X!

reboucher [ʀ(ə)buʃe] <1> *vt* wieder zumachen *bouteille, récipient;* wieder zuschütten *tranchée*

rebours [ʀ(ə)buʀ] **1.** (*à rebrousse-poil*) **caresser/lisser à** ~ gegen den Strich streicheln/streichen; **compter à** ~ rückwärts zählen; **compte à** ~ MIL Count-down *m* **2.** *fig* **comprendre/faire qc à** ~ etw falsch verstehen/machen; **prendre qn à** ~ jdn falsch anpacken (*fam*)

rebouteur, -euse [ʀ(ə)butœʀ, -øz] *m, f fam*

reboutonner [ʀ(ə)butɔne] <1> **I.** *vt* wieder zuknöpfen **II.** *vpr* **se** ~ sich wieder zuknöpfen

rébus [ʀebys] *m* Bilderrätsel *nt,* Rebus *m*

recaler [ʀ(ə)kale] <1> *vt* SCOL *fam* durchfallen lassen; **se faire** ~ **au bac/en math** durchs Abi rasseln/in Mathe (*dat*) durchrasseln

récapitulatif [ʀekapitylatif] *m* Auszug *m*

récapituler [ʀekapityle] <1> *vt* noch einmal kurz zusammenfassen; ~ **sa journée** den Tag Revue passieren lassen

recauser [ʀ(ə)koze] <1> *vi fam* ~ **de la vente à qn** noch mal mit jdm über den Verkauf reden; **elle ne m'en a jamais recausé** sie hat nie mehr mit mir darüber gesprochen

recel [ʀəsɛl] *m* Hehlerei *f*; ~ **de cadavre** [unbefugte] Wegnahme einer Leiche; ~ **de malfaiteur/de criminel** Personenhehlerei

récemment [ʀesamɑ̃] *adv* vor kurzem, in letzter Zeit

recensement [ʀ(ə)sɑ̃smɑ̃] *m* ADMIN ~ [**de la population**] Volkszählung *f*

récent, e [ʀesɑ̃, ɑ̃t] *adj événement, période, passé* jüngste(r, s); **être** ~ [ganz] neu sein

recentrer [ʀ(ə)sɑ̃tʀe] <1> **I.** *vt* POL neu ausrichten; TECH neu zentrieren **II.** *vi* SPORT flanken

récepteur [ʀesɛptœʀ] *m* **1.** RADIO Empfänger *m;* ~ **de radio** Rundfunkempfänger **2.** TELEC [**téléphonique**] [Telefon]hörer *m* **3.** (*transformateur*) Energieumwandler *m*

récepteur, -trice [ʀesɛptœʀ, -tʀis] *adj* **antenne réceptrice** Empfangsantenne *f*; **appareil** ~ Energieumwandler *m*; **poste** ~ Empfänger *m*

réception [ʀesɛpsjɔ̃] *f* **1.** (*fête*) Empfang *m;* **donner une** ~ einen Empfang geben **2.** (*accueil*) Empfang *m;* **faire bonne/mauvaise** ~ **à qn** jdn freundlich/unfreundlich empfangen **3.** (*guichet d'accueil*) Empfang *m,* Rezeption *f; d'une entreprise* Empfangsbüro *nt;* (*hall d'accueil*)

[Empfangs]halle *f*

réceptionner [ʀesɛpsjɔne] <1> *vt* in Empfang (*akk*) nehmen

réceptionniste [ʀesɛpsjɔnist] *mf* Empfangschef *m*

récession [ʀesesjɔ̃] *f* Rezession *f*

recette [ʀ(ə)sɛt] *f* **1.** GASTR Rezept *nt* **2.** (*secret, truc*) Patentrezept *nt* **3.** *sans pl* COM Einnahmen *Pl* **4.** *pl* (*opp: dépenses*) Einnahmen *Pl;* ~**s annuelles** Jahresumsatz *m*

receveur, -euse [ʀəs(ə)vœʀ, -øz, ʀ(ə)-səvœʀ, -øz] *m, f* MED Empfänger *m;* ~ **universel** Universalempfänger

recevoir [ʀəs(ə)vwaʀ, ʀ(ə)səvwaʀ] <12> **I.** *vt* **1.** (*obtenir*) erhalten, bekommen *lettre, colis* **2.** RADIO, TV empfangen **3.** (*obtenir en cadeau*) bekommen; (*obtenir en récompense*) ernten *louanges, compliment;* **une décoration** eine Auszeichnung verliehen bekommen; ~ **une poupée en cadeau** eine Puppe geschenkt bekommen **4.** (*percevoir*) bekommen, erhalten; ~ **un bon salaire** ein gutes Gehalt bekommen **5.** (*bénéficier de*) erhalten *instruction, leçon, ordre;* genießen, erhalten *éducation* **6.** (*accueillir*) empfangen; ~ **qn à dîner** jdn zum Abendessen zu Gast haben; **j'ai reçu la visite de ma sœur** ich habe Besuch von meiner Schwester bekommen; **être reçu à l'Élysée** im Elyséepalast empfangen werden **7.** (*subir*) abbekommen *coup, projectile, averse;* einstecken müssen *coups;* ~ **une correction** Prügel beziehen; **elle a reçu le ballon sur la tête** der Ball hat sie am Kopf getroffen **8.** (*accepter*) annehmen *avis, conseil;* **être bien/mal reçu** gut/schlecht aufgenommen werden; **je n'ai pas de conseil/leçon à ~ de vous** Ihren weisen Rat/Ihre Belehrungen können Sie sich sparen; **recevez, cher Monsieur/chère Madame, l'expression de mes sentiments distingués/mes sincères salutations** *form* mit vorzüglicher Hochachtung/mit freundlichen Grüßen **9.** ADMIN, JUR, COM entgegennehmen *déposition, témoignage;* erhalten *commande, demande d'emploi, plainte* **10.** (*admettre*) ~ **qn dans un club/une école** jdn in einen Klub/in eine Schule aufnehmen; **être reçu à un examen** eine Prüfung bestehen; **les candidats reçus** die Kandidaten, die bestanden haben **11.** (*contenir*) **pouvoir ~ des personnes** *salle:* Menschen aufnehmen können; *hôtel:* Menschen unterbringen [*o* beherbergen] können ▶**se faire** [bien/drôlement] ~ ganz schön was abkriegen (*fam*) **II.** *vi* **1.** (*donner une réception*) ~ **à dîner** zum

Abendessen Gäste haben **2.** (*jouer sur son terrain*) Gastgeber sein

rechange [ʀ(ə)ʃɑ̃ʒ] *m* **prendre un** ~ etwas zum Wechseln mitnehmen ▶**pièce de** ~ Ersatzteil *nt;* **roue de** ~ Reserverad *nt;* **solution de** ~ Alternative *f;* **pantalon/chaussures de** ~ Hose *f*/Schuhe *Pl* zum Wechseln

recharge [ʀ(ə)ʃaʀʒ] *f* Nachfüllpatrone *f; d'un produit d'entretien* Nachfüllpackung *f; d'un stylo à bille* Ersatzmine *f*

rechargeable [ʀ(ə)ʃaʀʒabl] *adj briquet* nachfüllbar; *stylo* ~ Patronenfüllhalter *m;* **briquet/rasoir non** ~ Einwegfeuerzeug *nt/*-rasierer *m*

recharger [ʀ(ə)ʃaʀʒe] <2a> **I.** *vt* nachladen *arme;* nachfüllen *briquet;* wieder [auf]laden *accumulateurs, batterie;* ~ **un stylo** eine neue Patrone in einen Füllhalter einsetzen **II.** *vpr* ELEC **se** ~ sich wieder aufladen

réchaud [ʀeʃo] *m* Kocher *m;* ~ **à gaz** Gaskocher

réchauffé [ʀeʃofe] *m* GASTR Aufgewärmte(s) *nt;* **ça doit être du** ~ das ist sicher [nur] aufgewärmt **2.** *fig* **ça sent le** ~**!** das ist ja ein alter Hut! (*fam*)

réchauffé, e [ʀeʃofe] *adj* aufgewärmt (*fam*)

réchauffement [ʀeʃofmɑ̃] *m* Erwärmung *f; des relations, d'une amitié* Besserung *f;* **annoncer un** ~ **des températures** wärmere Temperaturen ankündigen

réchauffer [ʀeʃofe] <1> **I.** *vt* **1.** GASTR aufwärmen; **faire** ~ **qc** etw aufwärmen lassen **2.** (*donner de la chaleur à*) wärmen *corps, membres;* **ce bouillon m'a bien réchauffé** diese Suppe hat mich wieder aufgewärmt; **cela m'a réchauffé le cœur** *fig* das hat mir das Herz erwärmt **II.** *vpr* **1.** (*devenir plus chaud*) **se** ~ *eau, planète:* sich erwärmen; *temps, température:* wärmer werden **2.** (*retrouver sa chaleur*) **se** ~ *pieds, mains:* wieder warm werden; **se** ~ **les doigts/pieds** sich (*dat*) die Finger/Füße wärmen **3.** GASTR **se** ~ **au bain-marie** im Wasserbad warm gemacht werden

recherche [ʀ(ə)ʃɛʀʃ] *f* **1.** (*quête*) Suche *f;* **la** ~ **d'un livre** die Suche nach einem Buch; **être à la** ~ **d'un appartement/de qn** auf der Suche nach einer Wohnung/nach jdm sein **2.** *gén pl* (*enquête*) Nachforschung *f;* **abandonner les** ~**s** die Fahndung einstellen; **faire des** ~**s sur qc** Nachforschungen über etw (*akk*) anstellen **3.** *sans pl* MED, SCOL, UNIV Forschung *f;* **faire de la** ~ **scientifique/fondamentale** wissenschaftliche Forschung/Grundlagenforschung betreiben

recherché, e [R(ə)ʃɛRʃe] *adj* **1.** (*demandé*) begehrt; *acteur, produit* gefragt **2.** (*expression, style* gewählt; *plaisir* erlesen

rechercher [R(ə)ʃɛRʃe] <1> *vt* **1.** (*chercher à trouver*) ~ **un nom/une amie** nach einem Namen/einer Freundin suchen; ~ **un terroriste** nach einem Terroristen fahnden; ~ **l'albumine dans les urines** den Urin auf Eiweiß untersuchen; ~ **où/quand/comment/si c'est arrivé** herauszufinden versuchen, wo/wann/wie/ob das passiert ist; **être recherché pour meurtre/vol** wegen Mordes/Diebstahls gesucht werden **2.** (*reprendre*) **aller** ~ **qn/qc** jdn/etw [wieder] abholen

rechigner [R(ə)ʃiɲe] <1> *vi* ~ **à faire un travail** sich gegen eine Aufgabe sträuben; **en rechignant** widerwillig

rechute [R(ə)ʃyt] *f* MED Rückfall *m;* **avoir une** ~ einen Rückfall haben

rechuter [R(ə)ʃyte] <1> *vi* rückfällig werden; MED einen Rückfall haben

récidive [Residiv] *f* Wiederholung *f;* JUR Rückfall *m,* Rückfälligkeit *f;* **escroquerie avec** ~ Betrug im Rückfall

récidiver [Residive] <1> *vi* es noch einmal tun; JUR rückfällig werden

récidiviste [Residivist] **I.** *adj* rückfällig; **criminel** ~ Wiederholungstäter *m;* **être** ~ ein Wiederholungstäter sein **II.** *mf* JUR Wiederholungstäter *m* (*a. hum*)

récipient [Resipjã] *m* Gefäß *nt,* Behältnis *nt;* (*pour cuisiner*) Schüssel *f*

réciproque [ResipRɔk] **I.** *adj* wechselseitig, auf Gegenseitigkeit beruhend; *hargne, torts* beiderseitig **II.** *f* Gleiche(s) *nt;* **attendre la** ~ das Gleiche [für sich] erwarten; **la** ~ **n'est pas toujours vraie** dies trifft umgekehrt nicht immer zu

réciproquement [ResipRɔkmã] *adv* gegenseitig; **et** ~ und umgekehrt

récit [Resi] *m* Bericht *m;* (*narration*) Erzählung *f;* THEAT Botenbericht; ~ **d'aventures/de voyage** Abenteuergeschichte *f*/ Reisebericht; **faire un** ~ **circonstancié de qc** ausführlich über etw (*akk*) berichten

récital [Resital] <s> *m* Konzert *nt;* ~ **de piano/violon** Klavier-/Violinkonzert; ~ **de chant/danse** Lieder-/Ballettabend *m;* ~ **poétique** Rezitationsabend

récitation [Resitasjɔ̃] *f* SCOL Aufsagen *nt* von Gedichten; (*poème*) Gedicht *nt*

réciter [Resite] <1> *vt* aufsagen *leçon, poème*

réclamation [Reklamasjɔ̃] *f* **1.** (*plainte*) Beschwerde *f;* COM Reklamation *f;* **faire une** ~ reklamieren **2.** (*service*) **les** ~**s** für Reklamationen zuständige Stelle; TELEC Störungsstelle *f*

réclame [Reklam] *f* (*publicité*) Reklame *f,* Werbung *f;* **faire de la** ~ **pour qn/qc** für jdn/etw werben ►**en** ~ im [Sonder]angebot *nt*

réclamer [Reklame] <1> **I.** *vt* **1.** (*solliciter*) erbitten *aide, argent;* bitten um *indulgence, silence, parole* **2.** (*demander avec insistance*) fordern; ~ **qc/qn** etw/nach jdm verlangen **3.** (*revendiquer*) ~ **une augmentation à qn** von jdm eine Einkommenserhöhung fordern **4.** (*nécessiter*) erfordern *patience, soin, temps* **II.** *vi* sich beschweren

reclasser [R(ə)klase] <1> *vt* **1.** (*réaffecter*) anderweitig beschäftigen *employé, ouvrier;* wieder in den Arbeitsprozess eingliedern *chômeur;* **être reclassé** neu beschäftigt werden **2.** (*réajuster*) neu einstufen *fonctionnaire* **3.** (*remettre en ordre*) neu ordnen

réclusion [Reklyzjɔ̃] *f* JUR Freiheitsstrafe *f,* Freiheitsentzug *m;* ~ **criminelle** Gefängnis[strafe *f*] *nt;* **être condamné à la** ~ **criminelle à perpétuité** zu lebenslänglicher Freiheitsstrafe verurteilt sein

recoiffer [R(ə)kwafe] <1> *vpr* **se** ~ sich noch einmal kämmen

recoin [Rəkwɛ̃] *m* Winkel *m;* **fouiller jusque dans les moindres** ~**s** selbst die hintersten Winkel durchsuchen

recoller [R(ə)kɔle] <1> *vt* **1.** (*coller à nouveau*) wieder zukleben *enveloppe;* wieder aufkleben *étiquette, timbre* **2.** (*raccommoder*) wieder zusammenkleben *morceaux, vase cassé* **3.** *fam* (*remettre*) ~ **qn en prison** jdn wieder einbuchten **4.** *fam* (*redonner*) ~ **une amende à qn** jdm noch einmal eine Geldstrafe verpassen

récoltant, e [Rekɔltã, ãt] **I.** *adj* viticulteur ~ Winzer *m;* **propriétaire** ~ Betreiber *m* eines Weinguts **II.** *m, f* Winzer *m*

récolte [Rekɔlt] *f* AGR Ernte *f;* ~ **des abricots/pommes de terre** Aprikosen-/Kartoffelernte

récolter [Rekɔlte] <1> *vt* **1.** AGR ernten **2.** (*recueillir*) sammeln *argent;* bekommen *contraventions, coups, ennuis;* ernten *compliments, lauriers* ►~ **ce qu'on a semé** ernten, was man gesät hat

recommandable [R(ə)kɔmãdabl] *adj* empfehlenswert, zu empfehlen; **un type très peu** ~ ein recht zwielichtiger Typ

recommandation [R(ə)kɔmãdasjɔ̃] *f* **1.** (*appui*) Empfehlung *f;* **lettre de** ~ Empfehlungsschreiben *nt;* **sur la** ~ **de qn** auf jds Empfehlung (*akk*) [hin] **2.** (*conseil*) Rat *m;* **faire des** ~**s à qn** jdm Ratschläge erteilen

recommandé [R(ə)kɔmãde] *m* POST Ein-

schreiben *nt;* **en** ~ per Einschreiben
recommander [ʀ(ə)kɔmɑ̃de] <1> *vt*
1.(*conseiller*) empfehlen; ~ **qn/qc à qn**
jdm jdn/etw empfehlen; **être recommandé** empfohlen sein; *attitude, comportement:*
ratsam sein; ~ **à qn de faire qc** jdm raten
etw zu tun; **il est recommandé de faire
qc** es ist ratsam etw zu tun; **ce vin est à ~
aux amateurs de blanc** der Wein ist
Weißweinliebhabern zu empfehlen **2.**(*appuyer*) empfehlen *candidat* **3.** POST per Einschreiben schicken *lettre, paquet;* **paquet
recommandé**/**lettre recommandée**
Einschreibepäckchen *nt/*-brief *m*
recommencer [ʀ(ə)kɔmɑ̃se] <2> **I.** *vt*
1.(*reprendre*) wieder anfangen; wieder
aufnehmen *combat, lutte;* ~ **une dispute**
wieder zu streiten beginnen; ~ **un récit
depuis le début** noch einmal von vorn erzählen **2.**(*refaire*) noch einmal neu beginnen *travail, vie;* **tout est à** ~ alles muss neu
gemacht werden; **si c'était à ~, ...** wenn
man noch einmal von vorn beginnen könnte, ... **3.**(*répéter*) noch einmal machen *erreur, expérience;* **ne recommence jamais
ça!** mach das [ja] nie wieder! **II.** *vi* **1.**(*reprendre*) wieder anfangen; **les cours ont
recommencé** die Schule/Uni hat wieder
angefangen (*fam*); **la pluie recommence
[à tomber]** es beginnt wieder zu regnen
2.(*essayer de nouveau*) es noch einmal
versuchen; (*refaire un travail, un devoir*)
noch einmal anfangen; (*récidiver*) wieder
anfangen **3.**(*se remettre à*) ~ **à espérer/
marcher** wieder hoffen/gehen; **il recommence à neiger** es fängt wieder an zu
schneien ▸[**et voilà que**] **ça recommence!** jetzt geht das schon wieder los!
récompense [ʀekɔ̃pɑ̃s] *f* ~ **de qc** Dank
m für etw; (*matérielle*) Belohnung *f* für
etw; SCOL, SPORT Preis *m* für etw, Auszeichnung *f* für etw; **obtenir la ~ de qc** den
Dank für etw ernten; **mériter une ~**
Dank/eine Belohnung verdienen; **en ~ de
qc** als Dank/Belohnung für etw
récompenser [ʀekɔ̃pɑ̃se] <1> *vt* belohnen *personne;* ~ **qn d'un effort/service**
jdn für einen Einsatz/Dienst belohnen
recomposer [ʀ(ə)kɔ̃poze] <1> **I.** *vt* zusammensetzen; rekonstruieren *scène;* noch
einmal wählen *numéro de téléphone* **II.** *vpr*
se ~ POL sich wandeln; *majorité:* sich neu
zusammensetzen
recomposition [ʀ(ə)kɔ̃pozisjɔ̃] *f* **1.**(*reconstitution*) [Wieder]zusammensetzen
nt; d'un puzzle Zusammensetzen **2.** POL
Umstrukturierung *f*, Wandel *m; d'une majorité* neue Zusammensetzung
recompter [ʀ(ə)kɔ̃te] <1> **I.** *vi* [noch ein-

mal] nachzählen; (*calculer à nouveau*)
[noch einmal] nachrechnen **II.** *vt* [noch
einmal] nachzählen *monnaie;* [noch einmal]
nachrechnen *opération*
réconcilier [ʀekɔ̃silje] <1> **I.** *vt* [miteinan-
der] versöhnen *personnes;* miteinander in
Einklang bringen *choses;* ~ **qn avec le
père/une idée** jdn mit dem Vater/mit ei-
ner Idee versöhnen **II.** *vpr* **se** ~ *personnes:*
sich [miteinander] versöhnen; **se** ~ **avec
qn/qc** sich mit jdm/etw aussöhnen; **se** ~
avec soi-même mit sich [selbst] ins Reine
kommen
reconductible [ʀ(ə)kɔ̃dyktibl] *adj contrat*
verlängerbar, erneuerbar; **être tacitement
~** sich automatisch [*o* stillschweigend] verlängern; **taxe non** ~ einmalige Steuer
reconduire [ʀ(ə)kɔ̃dɥiʀ] <*irr*> *vt* (*raccompagner*) zurückbringen; (*chez soi*)
heimbringen, nach Hause bringen; (*à la
frontière*) zurückführen, zurückbringen; ~
qn en voiture à la gare jdn wieder zum
Bahnhof fahren
réconfort [ʀekɔ̃fɔʀ] *m* (*soutien*) Halt *m*
kein *Pl* (*fig*), Hilfe *f;* (*consolation*) Trost *m;*
après l'effort, le ~ erst die Arbeit, dann
das Vergnügen
réconfortant, e [ʀekɔ̃fɔʀtɑ̃, ɑ̃t] *adj*
1.(*rassurant*) aufmunternd; *événement* ermutigend; (*consolant*) tröstlich; (*stimulant*) ermunternd, aufmunternd; **être
pour qn une personne ~e** jdm Halt geben (*fig*); **ne pas être très** ~ kein großer
Trost sein **2.**(*fortifiant*) aufbauend, stärkend; **être** ~ *remède, aliment:* eine stärken-
de Wirkung haben
réconforter [ʀekɔ̃fɔʀte] <1> *vt* **1.** trösten; ~ **qn par une lettre** (*consoler*) jdn
mit einem Brief trösten; (*rassurer*) jdn
durch einen Brief ermutigen; (*stimuler*)
jdn mit einem Brief aufmuntern **2.**(*fortifier*) die Lebensgeister wecken; **cela m'a
bien réconforté** das hat mir gut getan
reconnaissance [ʀ(ə)kɔnɛsɑ̃s] *f* **1.**(*gratitude*) Dankbarkeit *f;* (*fait d'admettre les
mérites de qn*) Anerkennung *f;* **faire un
geste de** ~ sich erkenntlich zeigen; **en** ~
de qc (*pour remercier*) als Dank für etw;
(*pour honorer*) als Anerkennung für etw
2. POL Anerkennung *f* **3.** JUR, ADMIN ~ **de
dette** Schuldanerkenntnis *nt;* ~ **d'enfant
naturel** (*par le père*) Anerkenntnis *nt* der
Vaterschaft **4.** *d'un pays, terrain* Erkundung
f; de la situation de l'ennemi Aufklärung *f;*
avion de ~ Aufklärungsflugzeug *nt;* **patrouille de** ~ Spähtrupp *m;* **partir en** ~
die Gegend erkunden **5.** INFORM ~ **optique
de caractères** automatische Schriftener-
kennung; ~ **vocale** Spracherkennung *f*

reconnaissant, e [ʀ(ə)kɔnɛsã, ãt] *adj* dankbar

reconnaître [ʀ(ə)kɔnɛtʀ] <*irr*> **I.** *vt* **1.** (*identifier*) erkennen; **je reconnais bien là ta paresse** da kann man mal wieder sehen, wie faul du bist; ~ **qn à son style** jdn an seinem Stil erkennen; (*se rappeler*) jdn an seinem Stil wieder erkennen; ~ **un faucon d'un aigle** einen Falken von einem Adler unterscheiden können **2.** (*admettre*) anerkennen, zugeben *innocence, qualité;* eingestehen *erreur, faute;* ~ **la difficulté de la tâche** zugeben, dass es sich um eine schwierige Aufgabe handelt; **il faut ~ que nous avons exagéré** wir haben zugegebenermaßen übertrieben **3.** (*admettre comme légitime*) anerkennen *droit;* ~ **qn comme chef** jdn als Chef anerkennen **4.** JUR ~ **qn innocent** jdn für unschuldig befinden (*form*) **5.** (*être reconnaissant de*) zu schätzen wissen *service, bienfait* **II.** *vpr* **1.** (*se retrouver*) **se ~ dans qn/qc** sich in jdm/etw wieder erkennen, sich mit jdm/etw identifizieren **2.** (*être reconnaissable*) **se ~ à qc** an etw (*dat*) zu erkennen sein **3.** (*s'avouer*) **se ~ coupable/vaincu** sich schuldig bekennen/sich geschlagen geben

reconnu, e [ʀəkɔny] **I.** *part passé de* **reconnaître II.** *adj* **1.** *chef* anerkannt; *fait* anerkannt, unbestritten; **il est ~ que ce médicament est très efficace** dieses Medikament gilt als sehr wirksam **2.** (*de renom*) ~ **pour qc** für etw bekannt

reconsidérer [ʀ(ə)kɔ̃sidere] <5> *vt* ~ **qc** etw noch einmal überdenken, noch einmal über etw (*akk*) nachdenken

reconstituer [ʀ(ə)kɔ̃stitɥe] <1> **I.** *vt* **1.** (*remettre dans l'ordre*) rekonstruieren *texte;* nachvollziehen *faits;* zusammensetzen *puzzle;* nachstellen *scène, bataille;* erstellen *généalogie* **2.** (*reformer*) wieder ausbauen *marge de manœuvre;* wieder aufbauen *organisation;* (*réorganiser*) neu ordnen *organisation;* ~ **une fortune** wieder zu einem Vermögen kommen **3.** (*restaurer*) rekonstruieren; wieder aufbauen *vieux quartier, édifice* **4.** BIO regenerieren (*geh*); wieder aufbauen *organe;* wiederherstellen *santé;* ~ **ses forces en mangeant** essen um wieder zu Kräften zu kommen **II.** *vpr* **se ~ armée, parti:** sich neu formieren; *organe:* sich neu bilden, sich regenerieren

reconstitution [ʀ(ə)kɔ̃stitysjɔ̃] *f des faits, d'un texte* Rekonstruktion *f; d'un puzzle* Zusammensetzen *nt;* ~ **de la vérité** Wahrheitsfindung *f*

reconstruction [ʀ(ə)kɔ̃stʀyksjɔ̃] *f* Wiederaufbau *m*

reconstruire [ʀ(ə)kɔ̃stʀɥiʀ] <*irr*> *vt* wieder aufbauen *ville, édifice;* neu [er]schaffen *monde;* ~ **une fortune** wieder zu einem Vermögen kommen; ~ **sa vie** ein neues Leben beginnen

reconversion [ʀ(ə)kɔ̃vɛʀsjɔ̃] *f* **1.** (*recyclage*) **suivre un stage de ~ en informatique** an einer Umschulungsmaßnahme in Informatik teilnehmen **2.** ECON ~ **de l'outil industriel** Umrüstung *f* des Produktionsapparats (*gen*); ~ **économique d'une entreprise** Umstrukturierung *f* eines Unternehmens

reconvertir [ʀ(ə)kɔ̃vɛʀtiʀ] <8> **I.** *vt* **1.** (*adapter*) umwandeln; ~ **un entrepôt en usine** ein Lager zu einem Werk umrüsten; **être reconverti en qc** in etw (*akk*) umgewandelt werden **2.** (*recycler*) ~ **le personnel à l'informatique** das Personal zu Informatikern umschulen **II.** *vpr* **se ~ dans/en qc** auf etw (*akk*) umschulen; *chose:* in etw (*akk*) umgewandelt werden

recopier [ʀ(ə)kɔpje] <1> *vt* **1.** (*transcrire*) ~ **un texte d'un livre** einen Text aus einem Buch abschreiben **2.** (*mettre au propre*) abschreiben, ins Reine schreiben **3.** INFORM ~ **un texte sur une disquette à qn** jdm einen Text auf eine Diskette kopieren

record [ʀ(ə)kɔʀ] **I.** *m* **1.** SPORT Rekord *m* **2.** (*performance*) Rekord *m;* ~ **d'affluence/de production** Besucher-/Produktionsrekord; **battre tous les ~s** alle Rekorde schlagen; **établir un ~** einen Rekord aufstellen **II.** *app inv* **vitesse ~** Rekordgeschwindigkeit *f;* **en un temps ~** in Rekordzeit

recordman [ʀ(ə)kɔʀdman] <s> *m* Rekordhalter *m*

recordwoman [ʀ(ə)kɔʀdwuman] <s> *f* Rekordhalterin *f*

recoucher [ʀ(ə)kuʃe] <1> **I.** *vt* wieder ins Bett bringen **II.** *vpr* **se ~** sich wieder hinlegen

recoudre [ʀ(ə)kudʀ] <*irr*> *vt* **1.** COUT wieder annähen **2.** MED nähen; wieder zunähen *opéré;* ~ **qc à un blessé** einem Verletzten etw nähen

recouper [ʀ(ə)kupe] <1> **I.** *vt* **1.** (*couper de nouveau*) ~ **un morceau à qn** noch ein Stück für jdn abschneiden **2.** (*confirmer*) ~ **qc** *témoignage, renseignement:* sich mit etw decken, mit etw übereinstimmen **II.** *vpr* **se ~** (*coïncider*) *chiffres, faits:* [miteinander] übereinstimmen, sich decken

recourbé, e [ʀ(ə)kuʀbe] *adj bec* krumm, gekrümmt; *cils* ~**s** lange geschwungene Wimpern; **nez ~** Hakennase *f*

recours [ʀ(ə)kuʀ] *m* **1.** (*utilisation*) ~ **à qc** Zurückgreifen *nt* auf etw (*akk*); ~ **à la vio-**

lence Gewaltanwendung *f;* **avoir ~ à qn**
sich an jdn wenden, auf jdn zurückkommen; **avoir ~ à la violence** Gewalt anwenden; **avoir ~ à un service** einen
Dienst in Anspruch nehmen; **avoir ~ à
une organisation** eine Einrichtung um
Hilfe bitten **2.** (*ressource*) Ausweg *m;* (*personne*) Rettung *f;* **sans ~** auswegslos; *décision:* endgültig; **en dernier ~** als letzter
Ausweg
recouvrir [ʀ(ə)kuvʀiʀ] <11> *vt* **1.** (*couvrir entièrement*) ~ **un fauteuil** einen Sessel beziehen; ~ **un mur de papier peint**
eine Wand tapezieren; ~ **le toit de tuiles**
das Dach mit Ziegeln bedecken; ~ **qc** *neige, givre:* etw bedecken, auf etw (*dat*) liegen; **être recouvert de buée/crépi** be-
schlagen/verputzt sein **2.** (*couvrir à nouveau*) ~ **un enfant de qc** *personne:* ein
Kind mit etw wieder zudecken
recracher [ʀ(ə)kʀaʃe] <1> **I.** *vi* ausspucken **II.** *vt* **1.** (*expulser*) [wieder] ausspucken **2.** *fam* (*répéter*) herunterspulen *leçon*
récré [ʀekʀe] *f fam abr de* **récréation** Pause *f*
récréation [ʀekʀeasjɔ̃] *f* **1.** scol Pause *f;*
être/aller en ~ Pause haben/in die Pause
gehen **2.** (*délassement*) Erholung *f,* Entspannung *f;* (*pause*) [Erholungs]pause *f*
recréer [ʀ(ə)kʀee] <1> *vt* neu erschaffen;
(*reconstruire*) rekonstruieren, wieder entstehen lassen
récrire [ʀekʀiʀ] <*irr*> *vt* **1.** (*rewriter*) neu
[o noch einmal] schreiben **2.** (*répondre*) ~
une lettre à qn jdm einen Brief zurück-
schreiben
recroqueviller [ʀ(ə)kʀɔk(ə)vije] <1> *vpr*
1. (*se rétracter*) **se ~** schrumpeln; *fleur:*
welken **2.** (*se tasser*) **se ~** sich zusammen-
kauern; (*avec l'âge*) zusammenschrump-
fen; **se ~ dans les bras de qn** sich in jds
Arme (*akk*) kuscheln; **se ~ sur un objet**
einen Gegenstand umklammern; **se ~ sur
son passé** sich an seine Vergangenheit
klammern; **se ~ sur soi-même** (*s'isoler*)
sich einigeln; (*se tasser*) sich zusammen-
kauern
recrudescence [ʀ(ə)kʀydesɑ̃s] *f* Zunahme *f; de la criminalité* Zunahme *f,* Anstieg
m
recruter [ʀ(ə)kʀyte] <1> **I.** *vt* **1.** mil einziehen, einberufen **2.** (*engager*) finden
membres; werben *clients, adeptes;* anwer-
ben *employés, travailleurs* **II.** *vi* **1.** mil rekrutieren, Soldaten einziehen **2.** (*engager*)
secte: neue Anhänger aufnehmen; *parti, association:* neue Mitglieder aufnehmen; *entreprise, administration:* neue Mitarbeiter

einstellen; **on recrute dans la police** die
Polizei stellt neue Mitarbeiter ein
recta [ʀɛkta] *adv payer* prompt
rectal, e [ʀɛktal, o] <-aux> *adj* rektal
rectangle [ʀɛktɑ̃gl] **I.** *m* Rechteck *nt* **II.**
adj triangle, trapèze rechtwinklig
rectangulaire [ʀɛktɑ̃gylɛʀ] *adj* rechteckig
rectificatif [ʀɛktifikatif] *m* Richtigstellung
f
rectificatif, -ive [ʀɛktifikatif, -iv] *adj* **note
rectificative** Berichtigung *f*
rectification [ʀɛktifikasjɔ̃] *f d'un texte*
Korrektur *f; d'une erreur* Korrektur, Berichtigung *f; d'une déclaration* Richtigstellung *f*
rectifier [ʀɛktifje] <1> *vt* **1.** (*corriger*) berichtigen, korrigieren, verbessern, richtig
stellen; ~ **les défauts d'un produit** die
Fehler eines Produkts ausmerzen **2.** (*redresser*) begradigen *route, tracé;* korrigieren *position;* ~ **la position** Haltung annehmen
rectiligne [ʀɛktiliɲ] *adj* gerade, geradlinig;
parfaitement ~ schnurgerade
recto [ʀɛkto] *m* [Blatt]vorderseite *f;* **au ~**
auf der [Blatt]vorderseite; ~ **verso** beidseitig
rectorat [ʀɛktɔʀa] *m* **1.** (*fonction*) ≈ Leitung *f* eines Oberschulamts (*Leitung eines
Schulaufsichtsbezirks*) **2.** (*bureaux*) Behörde *f* der Schulverwaltung, ≈ Oberschulamt
nt
reçu [ʀ(ə)sy] *m* (*quittance*) Quittung *f*
reçu, e [ʀ(ə)sy] **I.** *part passé de* **recevoir**
II. *adj* **1.** (*couramment admis*) [allgemein]
üblich, herkömmlich; **idée ~e** Vorurteil *nt*
2. *candidat, élève* erfolgreich, der/die bestanden hat; **14 candidats sont ~s sur
les 131 qui se sont présentés** von 131
Kandidaten haben nur 14 bestanden **III.**
m, f ~ **à un examen** Kandidat, der die
Prüfung bestanden hat
recueil [ʀəkœj] *m* (*ensemble*) Sammlung
f; (*livre*) Sammelband *m;* ~ **de poèmes**
Gedichtsammlung, Anthologie *f*
recueillement [ʀ(ə)kœjmɑ̃] *m* Besinnung
f; (*religieux*) Andacht *f;* **avec ~** andächtig,
voller Andacht
recueillir [ʀ(ə)kœjiʀ] <*irr*> **I.** *vt* **1.** (*réunir*) sammeln, zusammenstellen *docu-
ments;* ~ **tous les suffrages** einhellige Zustimmung finden **2.** (*obtenir*) ernten *applaudissements;* sammeln *signatures;* erhalten, auf sich vereinigen *suffrages;* **ne ~ aucun bénéfice de qc** keinerlei Vorteil aus
etw ziehen **3.** (*accueillir*) aufnehmen
4. (*enregistrer*) aufnehmen *témoignage,
déposition;* zusammentragen *réponses, éléments* **II.** *vpr* **se ~** sich sammeln; **se ~ sur
la tombe d'un ami** eines Freundes an des-

sen Grab gedenken

recuire [R(ə)kɥiR] <*irr*> *vt* noch kochen lassen; (*dans une casserole*) noch einmal aufkochen; (*dans une poêle*) [noch] länger braten; (*au four*) noch einmal in den Ofen stellen; [noch] länger backen *gâteau*

recul [R(ə)kyl] *m* **1.** (*éloignement: dans le temps*) Abstand *m;* (*dans l'espace*) Entfernung *f;* **avoir du** ~ [genügend] Abstand haben; **prendre du** ~ (*reculer*) zurückgehen; **avec le** ~ im Nachhinein **2.** FIN Aufschub *m;* ~ **d'échéance** Zahlungsaufschub

reculer [R(ə)kyle] <1> **I.** *vi* **1.** (*opp: avancer*) *véhicule:* rückwärts fahren, zurückstoßen; (*involontairement*) zurückrollen; ~ **devant** qn/qc vor jdm/etw zurückweichen; **faire** ~ qn/**un animal** jdn zurückdrängen/ein Tier zurückscheuchen; ~ **de deux pas** zwei Schritte zurücktreten **2.** (*renoncer*) klein beigeben; ~ **devant une obligation** einem Zwang aus dem Weg gehen; **ne plus pouvoir** ~ nicht mehr zurück können; **faire** ~ qn jdn abschrecken; **rien ne me fera** ~ nichts kann mich aufhalten; **ne** ~ **devant rien** vor nichts zurückschrecken **3.** (*diminuer*) chômage, *influence:* zurückgehen, abnehmen; **faire** ~ **le chômage** die Arbeitslosigkeit abbauen ▸~ **pour mieux sauter** aufgeschoben ist nicht aufgehoben **II.** *vt* zurückschieben *meuble;* versetzen *mur;* [nach hinten] verschieben *frontière;* zurückfahren *véhicule;* verschieben *rendez-vous;* aufschieben *décision, échéance* **III.** *vpr* **se** ~ zurücktreten; **recule-toi!** geh aus dem Weg!

reculons [R(ə)kylɔ̃] **à** ~ rückwärts; **aller à** ~ rückwärts gehen; (*régresser*) Rückschritte machen; **aller en classe à** ~ (*ne pas avoir envie*) unwillig zum Unterricht gehen

récupérable [Rekyperabl] *adj* **1.** (*réutilisable*) *objets* wiederverwertbar; *vieux habits* noch tragbar; *heure, congé* (*à rattraper*) nachzuholen[d], nachzuarbeiten[d]; (*à compenser*) auszugleichen[d]; **ces heures supplémentaires sont** ~s **sous forme de congé** diese Überstunden können durch Urlaub ausgeglichen werden **2.** (*amendable*) *délinquant* resozialisierbar; **ne plus être** ~ ein hoffnungsloser Fall sein

récupération [Rekyperasjɔ̃] *f* **1.** *des biens* Wiedererlangung *f; des forces* Wiederherstellung *f* **2.** *de la chaleur* Rückgewinnung *f; des chiffons, du verre* Wiederverwertung *f;* (*collecte*) Sammeln *nt;* ~ **des vieux papiers** Altpapiersammlung *f* **3.** *des heures de cours* Nachholen *nt; d'une journée de travail* Nachholen, Nacharbeiten *nt; des*

heures supplémentaires (*sous forme de congés*) Ausgleichen *nt*

récupérer [Rekypere] <5> **I.** *vi* sich erholen, wieder Kräfte sammeln **II.** *vt* **1.** (*reprendre*) wieder bekommen, zurückbekommen *argent, biens* **2.** *fam* (*retrouver*) wiederhaben, zurückkriegen *stylo prêté* **3.** *fam* (*aller chercher*) abholen, holen **4.** (*recouvrer*) nachholen, nacharbeiten *journée de travail;* (*sous forme de congés*) ausgleichen *journée de travail*

recyclable [R(ə)siklabl] *adj* ECOL wiederverwertbar

recyclage [R(ə)siklaʒ] *m* ECOL Wiederverwertung *f,* Recycling *nt; de l'air, l'eau* Wiederaufbereitung *f*

recycler [R(ə)sikle] <1> **I.** *vt* **1.** ECOL recyceln, wieder verwerten *déchets, verre;* wieder aufbereiten *eau;* **papier recyclé** Umweltschutzpapier *nt* **2.** (*reconvertir*) umschulen; (*par une formation permanente*) weiterbilden **II.** *vpr* (*se reconvertir*) **se** ~ **dans qc** auf etw umschulen; (*par une formation permanente*) sich in etw (*dat*) weiterbilden; *entreprise:* auf etw (*akk*) umstellen

rédacteur, -trice [Redaktœr, -tris] *m, f* Redakteur *m;* ~ **en chef** Chefredakteur; ~ **publicitaire** Werbetexter *m*

rédaction [Redaksjɔ̃] *f* **1.** *d'un article* Redaktion *f,* Verfassen *nt; d'une encyclopédie* Redaktion *f* **2.** PRESSE Redaktion *f* **3.** SCOL Aufsatz *m*

redécouvrir [R(ə)dekuvrir] <11> *vt* wiederentdecken

redéfinir [R(ə)definir] <8> *vt* neu definieren; neu festlegen *droit;* neu abstecken *objectif*

redémarrer [R(ə)demare] <1> *vi* **1.** (*repartir*) wieder losfahren **2.** *fig entreprise:* wieder in Schwung kommen; *production, machines:* wieder anlaufen; **faire** ~ **l'économie** die Wirtschaft ankurbeln; **faire** ~ **un chantier** eine Baustelle wieder in Betrieb nehmen

redéploiement [R(ə)deplwamɑ̃] *m d'une économie, politique* Umstrukturierung *f; des personnes, postes* Umschichtung *f; des troupes* [Um]verlegung *f*

redéployer [R(ə)deplwaje] <6> **I.** *vt* umstrukturieren *industrie, économie* **II.** *vpr* **se** ~ *secteur économique:* umstrukturiert werden

redescendre [R(ə)desɑ̃dr] <14> **I.** *vt* + *avoir* **1.** (*vu d'en haut*) wieder hinuntergehen; wieder hinuntersteigen *escalier, échelle;* (*en courant*) [wieder] hinunterrennen *escalier;* (*en escaladant*) [wieder] hinunterklettern *escalier, échelle;* (*vu d'en bas*) wie

der herunterkommen; [wieder] herunter-steigen *escalier, échelle;* (*en courant*) wieder herunterrennen *escalier;* (*en escaladant*) [wieder] herunterklettern *escalier, échelle; voiture:* (*vu d'en haut*) wieder hinunterfahren; (*vu d'en bas*) wieder herunterfahren **2.** (*porter vers le bas*) ~ **qn/qc au marché** jdn zum Markt zurückbringen/etw zum Markt hinunterbringen; ~ **qn/qc d'un arbre** jdn/etw [wieder] von einem Baum herunterholen **II.** *vi + être baromètre, fièvre:* wieder fallen; *marée:* zurückgehen; ~ **de son échelle** wieder von der Leiter [herunter]steigen

redevenir [R(ə)dəv(ə)niR] <9> *vi* wieder werden; **être redevenu soi-même** wieder [ganz] der/die Alte sein

rédhibitoire [RedibitwaR] *adj* krass, grundlegend; **vice** ~ JUR Sachmangel *m*

rediffuser [R(ə)difyze] <1> *vt* noch einmal senden, wiederholen

rediffusion [R(ə)difyzjɔ̃] *f* Wiederholung *f*

redire [R(ə)diR] <*irr*> *vt* (*répéter*) noch einmal erzählen *histoire;* (*rapporter*) weitererzählen, weitersagen ►**n'avoir rien/ ne rien trouver à** ~ **à qc** nichts an etw (*dat*) auszusetzen haben/finden

redistribuer [R(ə)distRibɥe] <1> *vt* ~ **qc à qn** (*répartir*) etw an jdn verteilen

redite [R(ə)dit] *f* [unnötige] Wiederholung

redonner [R(ə)dɔne] <1> *vt* **1.** (*rendre*) wieder geben, [wieder] zurückgeben; ~ **de l'espoir** wieder Hoffnung machen; ~ **des forces** kräftigen; ~ **du courage à qn** jdm wieder Mut machen; **ça te redonnera du tonus** das bringt dich wieder in Schwung **2.** (*donner à nouveau*) wieder geben *travail, cours;* noch einmal sagen, wiederholen *nom;* wieder machen *appétit* **3.** (*resservir*) noch einmal servieren; ~ **à boire à qn** jdm noch [etwas] zu trinken geben **4.** (*refaire*) ~ **forme à une chose** einer S. (*dat*) wieder eine Form verleihen; ~ **une couche** [**de peinture**] **à qc** etw überstreichen

redormir [R(ə)dɔRmiR] <*irr*> *vi* noch einmal [ein]schlafen; **ne pas pouvoir** ~ **de la nuit** die ganze Nacht nicht wieder einschlafen können

redoubler [R(ə)duble] <1> **I.** *vt* **1.** SCOL wiederholen **2.** (*accroître*) verdoppeln *effort* **II.** *vi* sitzen bleiben (*fam*)

redresser [R(ə)dRese] <1> **I.** *vt* **1.** (*remettre droit*) strecken *buste, corps;* heben *tête;* ~ **qn** *personne:* jdn [wieder] aufrichten **2.** (*rétablir*) [wieder] in Ordnung bringen; [wieder] ankurbeln *économie;* sanieren *finances;* wieder aufbauen *pays;* ~ **sa courbe** *entreprise:* wieder Zuwachs verzeich-

nen **3.** (*rediriger*) geradeaus lenken, wieder geradeaus fahren *voiture* **II.** *vpr* **se** ~ **1.** (*se tenir très droit*) sich aufrichten; (*de nouveau*) sich wieder aufrichten; **redresse-toi!** halt dich gerade! **2.** (*se relever*) *pays, ville:* sich [wieder] erholen; *finances, situation:* sich wieder erholen, wieder in Ordnung kommen; *économie:* wieder anlaufen

réduction [Redyksjɔ̃] *f* **1.** (*diminution*) Verringerung *f*, Reduzierung *f; de la durée* Verkürzung *f; du personnel* Abbau *m;* ~ **de peine** Strafmilderung *f;* ~ **d'impôts** Steuerermäßigung *f* **2.** (*rabais*) ~ **de 5 % sur un manteau** Nachlass *m* von 5 % auf einen Mantel; ~**s jeunes** Ermäßigungen *Pl* für Jugendliche; ~ **de prix** Preisnachlass; **faire une** ~ **à qn** jdm einen Preisnachlass gewähren

réduire [RedɥiR] <*irr*> **I.** *vt* **1.** (*diminuer*) reduzieren, verringern, senken; kürzen *salaire, texte;* verkürzen *temps de travail, peine;* abbauen *personnel;* einschränken *activité, responsabilités, portée* **2.** (*transformer*) ~ **qc en bouillie** aus etw Brei machen **3.** GASTR einkochen **II.** *vpr* **se** ~ **à qc** sich auf etw (*akk*) beschränken; *montant:* sich auf etw (*akk*) belaufen

réduit, e [Redɥi, it] *adj* **1.** (*miniaturisé*) verkleinert **2.** (*diminué*) reduziert; *prix* reduziert, herabgesetzt; *tarif* ermäßigt

rééchelonnement [Reeʃ(ə)lɔnmɑ̃] *m* ~ [**de la dette**] Umschuldung *f*

réécrire [ReekRiR] <*irr*> *vt v.* récrire

rééditer [Reedite] <1> *vt* **1.** neu herausgeben, [wieder] neu auflegen **2.** *fam* (*recommencer*) wieder machen

réédition [Reedisjɔ̃] *f* **1.** Neuausgabe *f*, Neuauflage *f;* ~ **revue et corrigée** überarbeitete und korrigierte Auflage **2.** (*répétition*) Neuauflage *f*, Wiederholung *f*

réel [Reɛl] *m* Realität *f*, Wirklichkeit *f*

réel, le [Reɛl] *adj* **1.** (*véritable*) real, wirklich; *besoin* tatsächlich; *cause* wahr, eigentlich; **c'est un fait** ~ das ist eine Tatsache **2.** FIN *salaire* real

réellement [Reelmɑ̃] *adv* (*en vérité*) wirklich, ehrlich; (*effectivement*) wirklich, tatsächlich

réembaucher [Reãboʃe] <1> *vt* wieder einstellen

réemploi [Reãplwa] *m d'un ouvrier* Wiedereinstellung *f; d'un produit* Wiederverwendung *f; d'une somme* Reinvestition *f*

réemployer [Reãplwaje] <6> *vt* wieder einstellen; wieder verwenden *produit;* reinvestieren *argent*

réengager [Reãgaʒe] <2a> *vt* wieder einstellen

réessayer [ʀeeseje] <7> vt noch einmal versuchen; noch einmal anprobieren *vête-ment*

réexporter [ʀeɛkspɔʀte] <1> vt wieder ausführen, reexportieren

refaire [ʀ(ə)fɛʀ] <*irr*> vt **1.** (*faire de nouveau*) wieder machen *plat;* neu schreiben *article;* machen *lit;* noch einmal binden *nœud* **2.** (*recommencer*) wieder machen *bruit, fautes;* wieder treiben *sport;* noch einmal abgehen *parcours;* ~ **ses comptes** noch einmal nachrechnen; **qc est à** ~ man muss mit etw noch einmal von vorn anfangen; **si c'était à** ~ wenn ich/du noch einmal von vorn anfangen könnte/könntest **3.** (*remettre en état*) restaurieren *meuble;* neu decken *toit;* renovieren *chambre;* ~ **la peinture de qc** etw neu streichen; **se faire** ~ **le nez** sich (*dat*) die Nase richten lassen

réfectoire [ʀefɛktwaʀ] m *d'une école, d'un hôpital* Speisesaal m; *d'une caserne, usine* Kantine f

référence [ʀefeʀɑ̃s] f **1.** (*renvoi*) Bezug m; *d'un texte* Verweis m; *d'une citation* Quellenangabe f; ADMIN, COM [Akten]zeichen nt; **faire** ~ **à qn/qc** sich auf jdn/etw beziehen; **faire** ~ **à qn dans un livre** jdn in einem Buch erwähnen; **en** ~ **à qc** einer S. (*dat*) entsprechend **2.** (*modèle*) **faire figure de** ~ **pour qn** Maßstäbe setzen, für jdn maßgebend sein; **être une** ~ eine Schlüsselfigur sein; **ne pas être une** ~ *iron* nicht gerade eine Empfehlung sein (*fam*); **servir de** ~ **à qc** als Maßstab für etw dienen; **ouvrage de** ~ Nachschlagewerk nt

référendum [ʀefeʀɑ̃dɔm] m Volksabstimmung f, Volksentscheid m, Referendum nt

refermer [ʀ(ə)fɛʀme] <1> I. vt **1.** (*opp: ouvrir*) [wieder] schließen; [wieder] zumachen *porte* **2.** (*verrouiller*) [wieder] abschließen, [wieder] zuschließen II. vpr **se** ~ sich [wieder] schließen, wieder zugehen; *plaie:* sich [wieder] schließen, wieder zuheilen; **se** ~ **sur qn** *porte:* sich [wieder] hinter jdm schließen

refiler [ʀ(ə)file] <1> vt fam andrehen; ~ **un objet sans valeur à qn** jdm einen wertlosen Gegenstand andrehen; ~ **la grippe à qn** jdn mit ihrer/seiner Grippe anstecken

réfléchi, e [ʀefleʃi] adj **1.** *action, jugement* durchdacht, [wohl]überlegt **2.** GRAM *verbe* reflexiv, rückbezüglich; **pronom** ~ Reflexivpronomen nt

réfléchir [ʀefleʃiʀ] <8> vi **1.** (*penser*) nachdenken, überlegen; **donner à** ~ *chose:* zu denken geben; **demander à** ~ *per-*

sonne: sich (*dat*) Bedenkzeit erbitten **2.** (*cogiter*) ~ **à qc** über etw (*dat*) brüten; **réfléchissez à ce que vous faites** überlegen Sie sich (*dat*) genau, was Sie tun ▸**tout bien réfléchi** bei genauerer Überlegung; **c'est tout réfléchi** daran ist nicht zu rütteln

réflecteur [ʀeflɛktœʀ] m Reflektor m

reflex [ʀeflɛks] I. adj *appareil* ~ Spiegelreflexkamera f II. m Spiegelreflexkamera f

réflexe [ʀeflɛks] m **1.** ANAT Reflex m **2.** (*réaction rapide*) Reflex m; **avoir eu un bon** ~ gut reagiert haben; ~ **de peur** Angstreaktion f; **avoir des/manquer de** ~s ein gutes/kein gutes Reaktionsvermögen haben; **avoir le** ~ **de faire qc** etw reflexartig tun

réflexion [ʀeflɛksjɔ̃] f **1.** (*analyse*) Betrachtung f, Reflexion f (*geh*); **après mûre** ~ nach reiflicher Überlegung; **qc demande** ~ über etw (*akk*) muss man erst noch nachdenken **2.** (*remarque*) Anmerkung f; **faire des** ~**s à qn sur un sujet** jdm seine Überlegungen zu einem Thema mitteilen; **je te dispense de tes** ~**s** behalte deine Kommentare für dich **3.** (*remarque désobligeante*) [spitze] Bemerkung; **faire des** ~**s sur la voisine/la voiture** spitze Bemerkungen über die Nachbarin/das Auto machen; **faire des** ~**s sur le travail de qn** sich über jds Arbeit beschweren; **ma mère me fait toujours des** ~**s** meine Mutter hat immer etwas an mir auszusetzen ▸~ **faite** (*en fin de compte*) letztendlich; (*tout bien considéré*) eigentlich

réforme [ʀefɔʀm] f **1.** ADMIN, POL Reform f; ~**s sociales** soziale Reformen; ~ **de l'orthographe** Rechtschreibreform **2.** HIST **la Réforme** die Kirchenreform, die Reformation

réformé, e [ʀefɔʀme] I. adj MIL [wehrdienst]untauglich II. m, f [Wehrdienst]untaugliche(r) m

réformer [ʀefɔʀme] <1> vt **1.** (*modifier*) reformieren, verbessern **2.** MIL freistellen; ausmustern *appelé*

reformer [ʀ(ə)fɔʀme] <1> I. vt wiederherstellen [*o* formen] [*o* bilden]; formieren *armée;* wieder aufstellen *équipe* II. vpr **se** ~ *nuages:* sich wieder bilden; *alliance:* wieder zu Stande [*o* zustande] kommen; *groupe:* wieder zusammen [*o* zustande] kommen

réformisme [ʀefɔʀmism] m Reformismus m

réformiste [ʀefɔʀmist] I. adj reformistisch II. mf Reformist(in) m(f)

refoulé, e [ʀ(ə)fule] I. adj *pulsion* verdrängt; *personne* verklemmt II. m, f *fam*

verklemmter Mensch, Verklemmte(r) *f(m)*
refouler [R(ə)fule] <1> *vt* **1.**(*repousser*)
zurückschlagen *attaque, envahisseur;* zurückdrängen *foule;* abweisen *intrus, deman-*
de **2.**(*réprimer*) unterdrücken, zügeln; bezähmen *colère;* unterdrücken *pulsion;* verdrängen *souvenir;* zurückhalten *larmes*
refrain [R(ə)fRɛ̃] *m* **1.** MUS Refrain *m,* Kehrreim *m* **2.**(*rengaine*) Lied *nt,* Litanei *f;*
c'est toujours le même ~ es ist immer
dasselbe Lied; **change de** ~! leg mal [wie-
der] eine andere Platte auf! (*fam*)
réfrigérateur [RefRiʒeRatœR] *m* Kühlschrank *m,* Eiskasten *m* (A); ~**-congéla-**
teur combiné Kühl-Gefrier-Kombination *f*
refroidir [R(ə)fRwadiR] <8> **I.** *vt* **1.**(*ra-*
fraîchir) **qc refroidit le jus** der Saft wird
durch etw kalt **2.**(*décourager*) ~ **qn** jdm
einen Dämpfer versetzen **II.** *vi* (*devenir*
plus froid) *moteur, aliment:* [sich] abkühlen;
(*devenir trop froid*) kalt werden; **mettre**
qc à ~ etw kalt stellen **III.** *vpr* se ~ (*deve-*
nir plus froid) *chose:* [sich] abkühlen; (*de-*
venir trop froid) kalt werden; **le temps**
s'est refroidi es hat heute abgekühlt
refuge [R(ə)fyʒ] *m* **1.**(*abri*) Zuflucht[sstät-
te *f*] *f,* Zufluchtsort *m;* **chercher/trouver**
~ **chez qn** bei jdm Zuflucht suchen/fin-
den **2.**(*échappatoire*) Zuflucht *f;* **cher-**
cher/trouver [un] ~ **dans la drogue** zu
Drogen Zuflucht nehmen **3.** SPORT Schutzhütte *f*
réfugié, e [Refyʒje] *m, f* Flüchtling *m*
réfugier [Refyʒje] <1> *vpr* se ~ **chez qn**
sich zu jdm flüchten
refus [R(ə)fy] *m* (*résistance*) Weigerung *f;*
~ **par qn de l'ésotérisme** jds Ablehnung
der Esoterik (*gen*); ~ **de priorité** Missachtung *f* der Vorfahrt; **ce n'est pas de** ~ *fam*
da sage ich nicht nein
refuser [R(ə)fyze] <1> **I.** *vt* **1.**(*opp: ac-*
cepter) ablehnen; ausschlagen *cadeau, invi-*
tation; nicht wollen, verweigern *nourriture;*
~ **qc en bloc/tout net** etw en bloc/rund-
weg ablehnen **2.**(*opp: accorder*) nicht geben, verweigern *objet, permission;* verwehren, verweigern *entrée, accès;* nehmen
priorité **II.** *vi* ablehnen **III.** *vpr* **1.**(*se priver*
de) se ~ **un plaisir** sich (*dat*) ein Vergnü-
gen versagen; **ne rien se** ~ *hum* sich was
gönnen (*fam*) **2.**(*être décliné*) **se** ~ *avan-*
tage, offre: abgelehnt werden können; **ça**
ne se refuse pas dazu kann man doch
nicht nein sagen
réfuter [Refyte] <1> *vt* widerlegen
régal [Regal] *m* Genuss *m,* Gaumenfreude
f; **mon grand** ~, **c'est le strudel** Strudel
esse ich für mein Leben gern; ~ **pour les**
yeux Augenweide *f*

régaler [Regale] <1> *vpr* **1.**(*savourer*) **qn**
se régale de qc etw schmeckt einem, jd
genießt etw; **on va se** ~ das wird ein
Fest[essen] (*fam*) **2.**(*éprouver un grand*
plaisir) **se** ~ **en faisant qc** es genießen
etw zu tun
regard [R(ə)gaR] *m* Blick *m;* ~ **d'envie**
neidvoller Blick; **avec un** ~ **de convoitise**
mit begierigen Blicken; **adresser un** ~ **à**
qn jdm einen Blick zuwerfen; **attirer les**
~**s de qn sur qc** jds Blick auf etw (*akk*)
lenken; **dévorer qn/qc du** ~ jdn/etw mit
den Augen verschlingen; **fusiller qn du** ~
mit Blicken töten; **lancer un** ~/**des** ~**s**
à qn jdm einen Blick/Blicke zuwerfen
regarder [R(ə)gaRde] <1> **I.** *vt* **1.**(*con-*
templer) ansehen, anschauen, betrachten;
(*observer*) beobachten; ~ **la mer pendant**
des heures stundenlang aufs Meer schau-
en; ~ **tomber la pluie** dem Regen zusehen; **il la regarde faire** er sieht ihr zu
2.(*prêter attention*) ansehen, beobachten,
anschauen **3.**(*suivre des yeux avec atten-*
tion) ansehen *chose;* ~ **la télévision** [*o* la
télé *fam*] fernsehen, Fernsehen schauen;
as-tu regardé le film? hast du dir den
Film angesehen? **4.**(*consulter: rapide-*
ment) überfliegen; sehen in (+ *akk*);
durchsehen, durchgehen *courrier;* nachsehen, nachschlagen *numéro, mot;* ~ **sa**
montre auf die Uhr sehen **5.**(*vérifier*) sich
(*dat*) ansehen *mécanisme* **6.**(*envisager,*
considérer) betrachten *situation, être;* ~ **qc**
en face einer S. (*dat*) ins Auge sehen
7.(*concerner*) **ça te regarde pas!** das
geht dich nichts an!; (*être l'affaire de qn*)
das ist deine Angelegenheit; **je fais ce qui**
me regarde ich kümmere mich um meine
eigenen Angelegenheiten ▸**regarde-moi**
cet imbécile *fam* jetzt sieh dir mal diesen
Depp an; **tu m'as** [**bien**] **regardé!** *fam* das
könnte dir so passen!; **regardez-moi ça!**
fam hat man so etwas schon gesehen! **II.**
vi (*s'appliquer à voir*) zusehen, zuschau-
en; **bien** ~ qut hinsehen; ~ **dans un livre**
in einem Buch nachsehen **III.** *vpr* **1.**(*se*
contempler) **se** ~ **dans qc** sich in etw betrachten (*dat*) **2.**(*se mesurer du regard*)
se ~ *personnes:* sich ansehen ▸**tu** [**ne**] **t'es**
[**pas**] **regardé!** *fam* sieh dich doch erst mal
selbst an!
regarnir [R(ə)gaRniR] <8> *vt* [wieder]
auffüllen, ergänzen
régénérer [ReʒeneRe] <5> **I.** *vt* **1.** neu bilden *chairs, tissu;* ~ **ses forces** wieder zu
Kräften kommen **2.** TECH regenerieren *cata-*
lyseur, matériau **II.** *vpr* se ~ sich regenerieren
reggae [Rege] *m* Reggae *m*

régie [ʀeʒi] *f* **1.** CINE, THEAT, TV Aufnahmeleitung *f*, Regieassistenz *f* **2.** (*local*) Regieraum *m*

régime [ʀeʒim] *m* **1.** (*système*) [politisches] System; ~ **capitaliste** kapitalistisches [Wirtschafts]system; ~ **constitutionnel** Verfassung[s]ordnung *f*] *f;* **opposants au** ~ Regimegegner *Pl;* **l'Ancien Régime** HIST das Ancien Régime, der Französische Absolutismus **2.** MED Diät *f;* ~ **végétarien** vegetarische Ernährung[sweise *f*] *f;* ~ **diététique** Diät *f;* **il est au** ~ **sec** bei ihm ist Alkoholentzug angesagt; **être au** ~ eine Diät machen, Diät leben; **mettre qn/se mettre au** ~ jdn auf Diät setzen/eine Diät machen, jdm eine Diät verordnen/sich eine Diät verordnen

régiment [ʀeʒimɑ̃] *m* **1.** MIL Regiment *nt* **2.** (*quantité*) Unmenge *f;* **avoir un** ~ **de cousins** ein ganzes Heer von Vettern haben; **il y en a pour tout un** ~ *fam* das reicht ja für eine ganze Kompanie

région [ʀeʒjɔ̃] *f* **1.** (*contrée*) Gegend *f;* ~ **agricole** landwirtschaftliche Region, landwirtschaftliches Gebiet; ~ **équatoriale/ polaire** Äquator-/Polargebiet; ~ **frontalière** Grenzgebiet; ~ **parisienne** Einzugsgebiet von Paris **2.** ADMIN Region *f*

régional, e [ʀeʒjɔnal, o] <-aux> *adj* (*relatif à une région*) regional

régionaliste [ʀeʒjɔnalist] I. *adj* regionalistisch, lokalpatriotisch (*pej*); **art** ~ Regionalkunst *f* II. *mf* Regionalist(in) *m(f)*

régisseur, -euse [ʀeʒisœʀ, -øz] *m, f* CINE, TV Aufnahmeleiter *m*, Regieassistent *m;* THEAT Inspizient *m*

registre [ʀəʒistʀ] *m* **1.** (*livre*) Schreibheft *nt;* ~ **d'état civil** Personenstandsregister *nt;* ~ **d'hôtel** Gästebuch *nt;* ~s **de comptabilité** [Haupt]bücher *Pl* **2.** MUS Register *nt;* **changer de** ~ einen anderen Ton anschlagen **3.** INFORM Register *nt*

règle [ʀɛgl] *f* **1.** (*loi*) Regel *f;* ~ **du jeu** Spielregel *f;* **échapper à la** ~ eine Ausnahme [von der Regel] sein; **être en** ~ in Ordnung sein; **se faire une** ~ **de faire qc** es sich (*dat*) zur Regel machen etw zu tun; **en** ~ **générale** in der Regel, im Allgemeinen; **les** ~s *de la morale, la politesse* die Regeln, die Grundsätze; **faire partie des** ~s **du métier** zum Beruf gehören; ~ **d'or** goldene Regel **2.** (*instrument*) Lineal *nt*

règlement [ʀɛgləmɑ̃] *m* **1.** (*discipline*) Vorschriften *Pl*, Reglement *nt;* ~ **intérieur** (*d'une entreprise*) Betriebsordnung *f;* (*d'une organisation, assemblée*) Geschäftsordnung *f;* (*d'une école*) Schulordnung *f;* ~ **de police** Polizeiverordnung *f* **2.** (*différend*) ~ **de compte[s]** Abrechnung

f; (*acte de vengeance*) Vergeltungsakt *m;* **avoir un** ~ **de comptes avec qn** mit jdm abrechnen **3.** (*paiement*) Zahlung, Bezahlung *f;* **faire un** ~ **par chèque/en espèces** mit Scheck/[in] bar bezahlen

réglementer [ʀɛgləmɑ̃te] <1> *vt* gesetzlich regeln, reglementieren

régler [ʀegle] <5> I. *vt* **1.** (*résoudre*) regeln; klären *problème, question;* beilegen, schlichten *conflit, différend;* **c'est une affaire réglée** die Sache ist erledigt **2.** (*payer*) bezahlen **3.** (*réguler*) einstellen, regulieren; regeln *circulation;* stellen *montre* **4.** (*fixer*) festlegen, festsetzen *modalités, programme;* **son sort est déjà réglé** sein/ ihr Schicksal ist schon besiegelt II. *vi* zahlen III. *vpr* **1.** (*se résoudre*) **se** ~ *affaire, question:* sich regeln lassen, sich klären **2.** (*être mis au point*) **se** ~ sich einstellen lassen

règles [ʀɛgl] *fpl* Regel *f*, Periode *f;* **avoir ses** ~ seine Regel haben (*fam*)

réglisse [ʀeglis] I. *f* (*plante*) Süßholz *nt* II. *m o f* (*bonbon*) Lakritzebonbon *nt;* (*bâton*) Lakritze *f*

réglo [ʀeglo] *adj fam* korrekt; **c'est** ~! das ist o.k.!; **c'est un type** ~! der Typ ist o.k.

régner [ʀeɲe] <5> *vi* ~ **sur qc** *prince, roi:* über etw (*akk*) regieren [o herrschen]

regonfler [ʀ(ə)gɔ̃fle] <1> *vt* **1.** (*gonfler à nouveau*) wieder aufpumpen *ballon, chambre à air;* (*avec la bouche*) wieder aufblasen *ballon, chambre à air;* ~ **un pneu** im Reifen Luft nachfüllen **2.** *fam* (*tonifier*) wieder aufmuntern *personne;* ~ **le moral de qn** jdm wieder Mut machen; **être regonflé** [à **bloc**] wieder in besserer Stimmung sein

régresser [ʀegʀese] <1> *vi* zurückgehen

regret [ʀ(ə)gʀɛ] *m* **1.** (*contrariété*) Bedauern *nt;* **avoir le** ~ **de faire qc** [es] bedauern etw zu tun; **ne pas avoir de** ~s nichts bereuen; **qn est au** ~ **de faire qc** jd bedauert etw tun zu müssen; **tous mes** ~s es tut mir wirklich Leid **2.** (*nostalgie*) le[s] ~[s] **de qc** die Sehnsucht nach etw; ~s **éternels** in tiefer Trauer ▶**à** ~ *partir* ungern; *accepter* widerstrebend; **allez, sans** ~! nichts für ungut!

regrettable [ʀ(ə)gʀetabl] *adj* bedauerlich

regretter [ʀ(ə)gʀete] <1> I. *vt* **1.** (*se repentir de*) bereuen **2.** (*déplorer*) *attitude, décision, absence* **3.** (*déplorer l'absence de*) ~ **sa jeunesse** seiner Jugend (*dat*) nachtrauern II. *vi* **je regrette** ich bedaure, es tut mir Leid

regrouper [ʀ(ə)gʀupe] <1> I. *vt* (*mettre ensemble*) zusammenlegen; vereinen *personnes;* **des personnes sont regroupées autour de qn** Menschen scharen sich um

jdn; **toute la famille regroupée** die ganze Familie [vereint] **II.** *vpr* **se** ~ **autour de qn** sich um jdn herum aufstellen; (*dans un but commun*) sich jdm anschließen; **regroupez-vous pour la photo** stellt euch für das Foto zusammen

régulariser [ʀegylaʀize] <1> *vt* (*mettre en ordre*) in Ordnung bringen; regeln *acte administratif;* legalisieren *situation* [*de couple*]

réguler [ʀegyle] <1> *vt* regulieren

régulier, -ière [ʀegylje, -jɛʀ] *adj* **1.** (*équilibré*) regelmäßig; *vie, habitudes* geregelt **2.** (*constant*) regelmäßig; *effort* stet (*geh*), kontinuierlich; *résultats, vitesse* gleich bleibend **3.** (*à périodicité fixe*) regelmäßig; *avion, train, ligne* [fahr]planmäßig; **vol** ~ Linienflug *m;* **manger à des heures régulières** seine Mahlzeiten zu festen Zeiten einnehmen **4.** (*légal*) vorschriftsmäßig; **ne pas être en situation régulière** keine gültige Aufenthaltsgenehmigung haben **5.** GRAM, LITTER regelmäßig

régulièrement [ʀegyljɛʀmã] *adv* (*périodiquement*) regelmäßig

réhabilitation [ʀeabilitasjɔ̃] *f* **1.** (*remise en honneur*) Rehabilitierung *f* **2.** (*réinsertion*) Wiedereingliederung *f* in die Gesellschaft

réhabiliter [ʀeabilite] <1> **I.** *vt* **1.** JUR rehabilitieren; ~ **qn dans ses fonctions** jdn wieder in sein Amt einsetzen **2.** (*réinsérer*) rehabilitieren, wieder [in die Gesellschaft] eingliedern **3.** (*remettre à l'honneur*) rehabilitieren; ~ **la mémoire de qn** jdn nach seinem Tode rehabilitieren **II.** *vpr* **se** ~ sich rehabilitieren

réhabituer [ʀeabitɥe] <1> **I.** *vt* ~ **un enfant à qn/qc** *personne:* ein Kind wieder an jdn/etw gewöhnen; ~ **un élève à faire qc** einen Schüler wieder daran gewöhnen etw zu tun **II.** *vpr* **se** ~ **à qn/qc** sich wieder an jdn/etw gewöhnen; **se** ~ **à faire qc** sich wieder daran gewöhnen etw zu tun

réimposer [ʀeɛ̃poze] <1> *vt* neu veranlagen

rein [ʀɛ̃] *m* **1.** (*organe*) Niere *f* **2.** *pl* (*bas du dos*) Kreuz *nt;* **avoir mal aux** ~**s** Kreuzschmerzen haben

réincarnation [ʀeɛ̃kaʀnasjɔ̃] *f* Wiedergeburt *f,* Reinkarnation *f;* **la** ~ **de qn** (*portrait*) jds Ebenbild *nt;* (*personnification*) jds Verkörperung *f*

réincarner [ʀeɛ̃kaʀne] <1> *vpr* REL **se** ~ **dans qc** *âme:* in etw (*dat*) wiedergeboren werden

reine [ʀɛn] *f* **1.** (*souveraine, première*) Königin *f* **2.** JEUX Dame *f*

reinette [ʀɛnɛt] *f* Renette *f*

réinfecter [ʀeɛ̃fɛkte] <1> *vpr* **se** ~ *blessure, plaie:* sich wieder infizieren

réinscription [ʀeɛ̃skʀipsjɔ̃] *f* Wiedereinschreibung *f;* (*chaque semestre*) Rückmeldung *f*

réinscrire [ʀeɛ̃skʀiʀ] <*irr*> **I.** *vt* (*mettre à nouveau sur une liste*) [faire] ~ **qn/qc sur une liste** jdn/etw wieder auf eine Liste setzen; [faire] ~ **qn dans une nouvelle école** jdn in einer neuen Schule anmelden **II.** *vpr* **se** [faire] ~ **sur une liste** sich wieder auf eine Liste setzen lassen; **se** [faire] ~ **à l'université** sich wieder an der Universität einschreiben; (*chaque semestre*) sich [an der Universität] zurückmelden

réinsertion [ʀeɛ̃sɛʀsjɔ̃] *f d'un délinquant* Wiedereingliederung, Resozialisierung *f*

réintégrer [ʀeɛ̃tegʀe] <5> *vt* **1.** (*revenir dans*) ~ **une place** an einen Platz zurückkehren; ~ **sa cellule/maison** in seine Zelle/sein Haus zurückkehren **2.** (*rétablir*) ~ **qn dans un groupe** jdn wieder in eine Gruppe aufnehmen; ~ **qn dans la société** jdn wieder in die Gesellschaft eingliedern

réinventer [ʀeɛ̃vãte] <1> *vt* wieder neu erfinden *monde;* wieder neu entdecken *solidarité, partage, relations*

réinvestir [ʀeɛ̃vɛstiʀ] <8> *vt* FIN ~ **de l'argent dans qc** wieder Geld in etw (*akk*) investieren

réitérer [ʀeiteʀe] <5> *vt* wiederholen

rejeter [ʀəʒ(ə)te] <3> **I.** *vt* **1.** (*refuser*) zurückweisen, ablehnen; verwerfen *hypothèse;* nicht anerkennen *circonstances atténuantes;* **être rejeté** verstoßen sein/werden; (*exclu d'une communauté*) ausgeschlossen sein/werden **2.** (*évacuer*) abgeben *déchets;* spülen *épaves;* wieder ausspucken *nourriture* **3.** (*se décharger de*) ~ **une responsabilité sur qn/qc** die Verantwortung auf jdn abwälzen; ~ **une faute sur qn/qc** jdm/etw die Schuld zuschieben **4.** (*repousser*) zurückwerfen *tête;* zurück machen *épaules;* auswerfen, ausstoßen *terre* **II.** *vpr* **1.** (*faire un mouvement du corps*) **se** ~ **en arrière** einen Satz nach hinten machen **2.** (*s'accuser*) **se** ~ **la faute** [l'un l'autre] sich gegenseitig die Schuld zuschieben

rejoindre [ʀ(ə)ʒwɛ̃dʀ] <*irr*> **I.** *vt* **1.** (*regagner*) treffen *personne;* ~ **son domicile** nach Hause zurückkehren; ~ **un lieu** an einen Ort zurückkehren **2.** (*déboucher*) ~ **une route** auf eine Straße stoßen **3.** (*rattraper*) einholen *personne;* **vas-y, je te rejoins** geh schon [voraus], ich komme nach **II.** *vpr* **se** ~ **1.** (*être d'accord*) *idées, points de vue:* übereinstimmen; *personnes:* sich einig sein, miteinander übereinstimmen

2. (*se réunir*) *personnes:* sich treffen; *choses:* zusammenlaufen, aufeinander treffen

réjouir [ʀeʒwiʀ] <8> *vpr* se ~ de faire qc sich [darüber] freuen etw zu tun; (*à l'avance*) sich darauf freuen etw zu tun; se ~ à l'idée de ... sich bei dem Gedanken freuen, dass ...

relâche [ʀəlɑʃ] *f* (*répit*) un moment de ~ ein Moment Ruhe; sans ~ *poursuivre, combattre* unermüdlich; *travailler, harceler* pausenlos

relâcher [ʀ(ə)lɑʃe] <1> *vt* **1.** (*desserrer*) lockern; entspannen *muscles* **2.** (*libérer*) freilassen **3.** (*cesser de tenir*) loslassen *objet, proie*

relais [ʀ(ə)lɛ] *m* sport Staffel *f*, Staffellauf *m;* le ~ quatre fois cent mètres die viermal-hundert-Meter-Staffel ▶prendre le ~ de qn/qc jdn/etw ablösen

relancer [ʀ(ə)lɑ̃se] <2> *vt* **1.** (*donner un nouvel essor à*) wieder aufnehmen; wieder aufleben lassen *idée, mouvement;* wieder ankurbeln *économie, production, immobilier;* [wieder] anregen *investissement* **2.** *fam* (*harceler*) bedrängen; mahnen *client, débiteur*

relatif [ʀ(ə)latif] *m* GRAM Relativpronomen *nt*

relatif, -ive [ʀ(ə)latif, -iv] *adj* **1.** (*opp: absolu*) relativ **2.** (*partiel*) relativ; être d'une relative discrétion relativ diskret sein **3.** (*en liaison avec*) être ~ à qn/qc sich auf jdn/etw beziehen; ~ à qn/qc jdn/etw betreffend, bezüglich jd/etw **4.** *postposé* GRAM Relativ-

relation [ʀ(ə)lasjɔ̃] *f* **1.** (*rapport*) Beziehung *f*, Verhältnis *nt* **2.** *pl* (*rapport entre personnes*) Beziehungen *Pl;* ~s amicales/tendues freundschaftliches/gespanntes Verhältnis *nt;* ~s d'affaires Geschäftsbeziehungen; avoir une ~ amoureuse/des ~s amoureuses avec qn eine Beziehung mit jdm haben; avoir de bonnes/mauvaises ~s avec qn gute/schlechte Beziehungen zu jdm haben; par ~s durch Beziehungen **3.** (*lien logique*) Zusammenhang *m;* (*en logique*) Relation *f*, nichts mit etw zu tun haben; ~ de cause à effet Kausalzusammenhang **4.** (*personne de connaissance*) Bekannte(r) *f(m)* ▶~s publiques Public Relations *Pl*, Öffentlichkeitsarbeit *f;* en ~ in Verbindung

relationnel, le [ʀ(ə)lasjɔnɛl] *adj* PSYCH relational; problèmes ~s Kontaktschwierigkeiten *Pl*

relative [ʀ(ə)lativ] *f* GRAM Relativsatz *m*

relativement [ʀ(ə)lativmɑ̃] *adv facile, honnête, rare* relativ, verhältnismäßig

relativiser [ʀ(ə)lativize] <1> *vt* relativieren

relativité [ʀ(ə)lativite] *f* PHILOS, PHYS Relativität *f;* théorie de la ~ Relativitätstheorie *f*

relaxant, e [ʀ(ə)laksɑ̃, ɑ̃t] *adj* entspannend

relaxer [ʀ(ə)lakse] <1> **I.** *vt* **1.** (*décontracter*) entspannen **2.** JUR freisprechen **II.** *vpr* se ~ sich entspannen

relayer [ʀ(ə)leje] <7> **I.** *vt* (*remplacer*) ablösen; se faire ~ par qn/qc *personne:* sich von jdm/etw ablösen lassen **II.** *vpr* se ~ pour faire qc sich abwechseln um etw zu tun

relayeur, -euse [ʀ(ə)lɛjœʀ, -jøz] *m, f* Staffelläufer(in) *m(f)*

relecture [ʀ(ə)lɛktyʀ] *f* nochmaliges Lesen; TYP Korrekturlesen *nt*

relent [ʀ(ə)lɑ̃] *m* **1.** (*mauvaise odeur*) übler Geruch *m;* dégager des ~s d'alcool nach Alkohol stinken **2.** *soutenu* (*trace*) un ~/des ~s de qc ein [übler] Beigeschmack von etw

relève [ʀ(ə)lɛv] *f* Ablösung *f;* assurer [o prendre] la ~ (*assurer la succession*) die Nachfolge antreten; la ~ est assurée (*succession*) die Nachfolge ist gesichert; (*génération montante*) es ist genügend Nachwuchs da

relevé [ʀəl(ə)ve, ʀ(ə)ləve] *m* FIN ~ de compte Kontoauszug *m;* ~ d'identité bancaire Bescheinigung mit der Bankverbindung

relevé, e [ʀəl(ə)ve, ʀ(ə)ləve] *adj plat, sauce* gut gewürzt, pikant

relever [ʀəl(ə)ve] <4> **I.** *vt* **1.** (*redresser*) aufheben *blessé, objet tombé;* wieder aufstellen *chaise;* ~ qn jdm hochhelfen **2.** (*remonter*) hochschlagen *col, voile;* höher stellen *siège;* hochklappen *strapontin;* hochziehen *store, chaussettes;* hochstecken *cheveux* **3.** (*noter*) notieren *adresse, renseignement, observation;* ablesen *compteur, électricité, gaz* **II.** *vi* **1.** (*se remettre*) ~ de maladie [gerade] eine Krankheit überstanden haben **2.** (*dépendre de*) ~ de la compétence de qn in jds Zuständigkeit fallen; ~ du miracle das reinste Wunder sein **III.** *vpr* se ~ (*se remettre debout*) [wieder] aufstehen

releveur [ʀəl(ə)vœʀ, ʀ(ə)ləvœʀ] *m* **1.** ANAT Hebemuskel *m*, Levator *m* (*Fachspr.*) **2.** NAUT ~ de mines Minenräumboot *nt*

relief [ʀəljɛf] *m* **1.** GEOG Relief *nt* **2.** (*saillie*) sans ~ glatt; en ~ *carte, impression* Relief-; *caractères* in Relief [gedruckt]; *motif* plastisch herausgearbeitet **3.** ART, ARCHIT Relief *nt* ▶mettre qc en ~ etw hervorheben,

etw herausstellen

relier [Rəlje] <1> vt 1.(*réunir*) [miteinander] verbinden *personnes, choses;* ~ **une appareil à un autre** ein Gerät an ein anderes anschließen 2. GRAM *préposition:* zueinander in Beziehung setzen; ~ **une subordonnée à qc** einen Nebensatz mit etw verbinden 3. TECH binden *livre;* **une édition reliée** [en] **cuir** eine in Leder gebundene Ausgabe

religieuse [R(ə)liʒjøz] *f* 1. REL Ordensschwester *f*, Nonne *f* 2. GASTR *Windbeutel, der mit Schokoladenguss überzogen ist oder in der Schweiz ist es die braune Kruste, die der Fonduekäse am Boden des Caquelons bildet*

religieux [R(ə)liʒjø] *m* Ordensgeistliche(r) *m*

religieux, -ieuse [R(ə)liʒjø, -jøz] *adj* REL *personne* religiös, fromm; *cérémonie, mariage* kirchlich; *musique, chant, habit* Kirchen-; *opinions, vie, tradition, art* religiös; *ordre* geistlich

religion [R(ə)liʒjɔ̃] *f* 1.(*ensemble de croyances*) Religion *f* 2.(*culte*) Glaube *m*, Glaubenslehre *f;* **appartenir à la ~ protestante** der evangelischen Glaubensgemeinschaft angehören

relire [R(ə)liR] <*irr*> I. vt noch einmal lesen *lettre, roman;* (*pour corriger ou bien comprendre*) noch einmal durchlesen *lettre, roman;* (*pour vérifier une référence*) nachlesen *passage* II. vpr se ~ noch einmal lesen, was man geschrieben hat

reloger [R(ə)lɔʒe] <2a> I. vt ~ **qn** jdm eine neue Unterkunft besorgen II. vpr [trouver à] se ~ eine neue Wohnung finden

relooker [R(ə)luke] <1> vt *fam* neu stylen

remâcher [R(ə)maʃe] <1> vt 1.(*ressasser*) [immer wieder] nachgrübeln über (+ *akk*) 2. ZOOL wiederkäuen

remake [Rimɛk] *m* Neuverfilmung *f*, Remake *nt*

rémanent, e [Remanɑ̃, ɑ̃t] *adj* [zurück]bleibend

remaquiller [R(ə)makije] <1> I. vt [neu] schminken II. vpr se ~ sich [neu] schminken

remarcher [R(ə)maRʃe] <1> vi wieder gehen

remarier [R(ə)maRje] <1> vpr wieder heiraten; **il s'est remarié avec une collègue** er hat wieder geheiratet, und zwar eine Kollegin

remarquable [R(ə)maRkabl] *adj* 1.(*extraordinaire*) bemerkenswert, beachtlich 2.(*qui attire l'attention*) bemerkenswert, bedeutsam

remarquablement [R(ə)maRkabləmɑ̃] *adv beau, intelligent* außerordentlich, außergewöhnlich; *jouer, se porter, réussir* hervorragend, außergewöhnlich [gut]

remarque [R(ə)maRk] *f* Bemerkung *f;* (*commentaire*) Anmerkung *f;* **faire une ~ à qn sur qc** jdm gegenüber eine Bemerkung wegen etw machen; **en faire la ~ à qn** jdn darauf hinweisen

remarqué, e [R(ə)maRke] *adj intervention, discours* bemerkenswert; *absence, entrée* auffallend, auffällig

remarquer [R(ə)maRke] <1> I. vt 1.(*apercevoir*) bemerken 2.(*distinguer*) ~ **qn/qc par qc** auf jdn/etw wegen einer S. (*gen*) aufmerksam werden 3.(*noter*) bemerken; **faire ~ qc à qn** jdn auf etw (*akk*) hinweisen; **se faire ~** *péj* auffallen; **sans se faire ~** unauffällig; **remarque, je m'en fiche!** nebenbei bemerkt ist es mir egal!; **remarque, il a essayé** er hat es immerhin versucht II. vpr se ~ auffallen

remballer [Rɑ̃bale] <1> I. vt 1.(*opp: déballer*) wieder einpacken 2. *fam* (*garder pour soi*) für sich behalten; **remballe tes commentaires!** auf deine Kommentare kann ich verzichten! II. vi zusammenpacken

rembarrer [Rɑ̃baRe] <1> vt *fam* ~ **qn** jdm eine Abfuhr erteilen; **se faire ~** eine Abfuhr erteilt kriegen

rembobiner [Rɑ̃bɔbine] <1> vt zurückspulen *bande magnétique, film;* wieder aufwickeln *fil*

rembourrer [Rɑ̃buRe] <1> vt 1.(*matelasser*) ~ **un siège/des épaules avec qc** einen Stuhl/die Schultern mit etw [aus]polstern; **faire ~ des fauteuils** die Sessel aufpolstern lassen 2. *fig* **être bien rembourré** gut gepolstert sein (*fam*)

remboursement [Rɑ̃buRsəmɑ̃] *m d'un emprunt, d'une dette* Rückzahlung *f*, Tilgung *f; des frais* [Rück]erstattung *f;* **contre ~** gegen Nachnahme

rembourser [Rɑ̃buRse] <1> vt [zurück]erstatten, ersetzen; ~ **une dette/un emprunt à qn** jdm seine Schulden/ein Darlehen zurückzahlen; **ce médicament n'est pas remboursé** die Kosten für dieses Medikament werden nicht [zurück]erstattet; **ça rembourse à peine les frais de fonctionnement** das deckt kaum die Betriebskosten [ab]; **je te rembourserai demain!** ich gebe dir das Geld morgen zurück!; **remboursez! remboursez!** *hum* wir wollen unser Geld zurück!

remède [R(ə)mɛd] *m* (*moyen de lutte*) [Heil]mittel *nt; d'un problème* Lösung *f;* ~ **miracle** Wundermittel; ~ **contre l'infla-**

remercier

• remercier	• sich bedanken
Merci!	Danke!
Merci beaucoup!/Un grand merci!	Danke sehr/schön!/Vielen Dank!
Mille fois merci!	Tausend Dank!
Merci, c'est très gentil de ta part!	Danke, das ist sehr lieb von dir!
Merci bien!	Vielen (herzlichen) Dank!
Je vous remercie (beaucoup)!	Ich bedanke mich (recht herzlich)!
• répondre à un remerciement	• auf Dank reagieren
Je t'en/vous en prie!	Bitte!
Je t'en/vous en prie!/Il n'y a pas de quoi!/De rien!	Bitte schön!/Gern geschehen!/Keine Ursache!
De rien!/Mais il n'y a pas de quoi!	Bitte, bitte!/Aber bitte, das ist doch nicht der Rede wert!
Tout le plaisir est pour moi!/C'était tout naturel!	(Aber) das hab ich doch gern getan!/Das war doch selbstverständlich!
• remercier avec reconnaissance	• dankend anerkennen
Merci bien, tu m'as beaucoup aidé(e).	Vielen Dank, du hast mir sehr geholfen.
Que ferions-nous sans toi!	Wo wären wir ohne dich!
Nous n'y serions pas arrivés sans ton aide.	Ohne deine Hilfe hätten wir es nicht geschafft.
Vous nous avez été d'une très grande aide.	Sie waren uns eine große Hilfe.
J'apprécie beaucoup votre engagement.	Ich weiß Ihr Engagement sehr zu schätzen.

tion Mittel zur Bekämpfung der Inflation ►~ de **cheval** Rosskur *f;* le ~ est pire que le **mal** man kann nicht den Teufel mit dem Beelzebub austreiben
remédier [ʀ(ə)medje] <1> *vi* ~ à qc einer Sache (*dat*) Abhilfe schaffen; ~ **à un mal** ein Übel beseitigen
remerciement [ʀ(ə)mɛʀsimɑ̃] *m* Dank *m;* des ~s Dankesbezeigungen *Pl,* Dankesworte *Pl;* **adresser ses** ~s à qn jdm seinen Dank aussprechen; **avec tous mes/nos** ~s mit bestem Dank (*form*); **lettre de** ~ Dankschreiben *nt*
remercier [ʀ(ə)mɛʀsje] <1> *vt* (*dire merci à*) ~ qn/qc de qc jdm/einer S. für etw danken, sich bei jdm für etw bedanken; ~ qn/qc de faire qc jdm/einer S. [dafür] danken, dass er/sie/es etw tut
remettre [ʀ(ə)mɛtʀ] <*irr*> **I.** *vt* **1.** (*replacer*) wieder zurückstellen [*o* zurücklegen]; wieder annähen *bouton;* ~ **debout** wieder hinstellen; ~ **à cuire** noch einmal zum Kochen aufstellen; ~ **qn sur la bonne voie** jdn wieder auf den richtigen Weg bringen **2.** (*rétablir*) ~ qn/faire ~ qn en liberté jdn freilassen/jds Freilassung veranlassen; ~ **une machine en marche** eine Maschine wieder in Gang bringen; ~ **un moteur en marche** einen Motor wieder anlassen; ~ **qc en ordre** etw wieder in Ordnung (*akk*) bringen; ~ **qc à neuf** etw erneuern; ~ **sa montre à l'heure** seine Uhr [richtig] stellen **3.** (*donner*) [über]geben; überreichen *récompense, prix;* einreichen *démission;* abgeben *devoir;* ~ **un paquet à qn** jdm ein Paket [über]geben **4.** (*rajouter*) noch etw dazugeben *ingrédient;* ~ **de l'huile dans le moteur** Öl in den Motor nachfüllen; ~ **du sel dans les légumes** das Gemüse nachsalzen; ~ **du rouge à lèvres** sich (*dat*) die Lippen nachziehen **5.** (*ajourner*) ~ **une décision à la semaine prochaine** eine Entscheidung auf die nächste Woche verschieben; ~ **un jugement à l'année prochaine** ein Urteil auf nächstes Jahr vertagen **6.** (*porter de nouveau*) wieder anziehen *vêtement;* wieder aufsetzen *chapeau* **7.** (*confier*) ~ **un enfant à qn** jdm ein Kind anvertrauen ►~ **ça** *fam* wieder damit anfangen; **en** ~ *fam* dick

auftragen **II.** *vpr* **1.** (*recouvrer la santé*) **se ~ de qc** sich von etw (*dat*) erholen; **remettez-vous maintenant!** nun beruhigen Sie sich doch! **2.** (*recommencer*) **se ~ au travail** sich wieder an die Arbeit machen; **se ~ en mouvement** sich wieder in Bewegung setzen; *mécanisme:* sich wieder in Gang setzen; **se ~ à faire qc** etw wieder tun, wieder anfangen etw zu tun **3.** METEO **le temps se remet au beau/à la pluie** das Wetter wird wieder besser/regnerisch; **il se remet à pleuvoir** es fängt wieder an zu regnen **4.** (*se replacer*) **se ~ en tête du groupe** sich wieder an die Spitze setzen; **se ~ debout/sur ses jambes** wieder aufstehen/wieder auf die Beine stellen; **se ~ à table** wieder essen **5.** (*se réconcilier*) **se ~ avec qn** *fam* sich wieder mit jdm versöhnen; **ils se sont remis ensemble** sie sind wieder zusammen

remise [R(ə)miz] *f* **1.** *d'une clé, d'une rançon* Übergabe *f;* *d'une décoration, d'un cadeau* Übergabe, Überreichung *nt;* *d'une lettre, d'un paquet* Zustellung *f;* (*en mains propre*) Aushändigung *f* **2.** (*dispense, grâce*) Erlass *m;* **~ de peine** Straferlass **3.** (*rabais*) Nachlass *m,* Ermäßigung *f,* Rabatt *m;* **faire une ~ de 5% à qn** jdm 5% Rabatt geben **4.** (*local*) Schuppen *m* ▶**~ en état** [Wieder]instandsetzung *f,* Wiederherrichtung *f;* **~ en forme** Fitnesstraining *nt;* **centre de ~ en forme** Fitnesscenter *nt;* **~ à jour** Aktualisierung; **~ à jour des connaissances** Auffrischen *nt* der Kenntnisse; **~ en marche** Wieder-in-Gang-setzen *nt;* **~ en marche de l'économie** Wiederankurbeln *nt* der Wirtschaft

remix [Rəmiks] *m* Remix *m*

remmener [Rãm(ə)ne] <4> *vt* zurückbringen

remonte-pente [R(ə)mõtpãt] <remonte-pentes> *m* Schlepplift *m*

remonter [R(ə)mõte] <1> **I.** *vi* **1.**+ *être* (*monter à nouveau*) **~ dans une chambre/de la cuisine** wieder in ein Zimmer hinaufgehen/wieder von der Küche heraufkommen; **~ à Paris** wieder nach Paris zurückfahren (*fam*); **~ en bateau/à la nage** stromaufwärts fahren/schwimmen; **~ sur l'échelle** wieder auf die Leiter [hinauf]steigen; **~ sur scène** wieder zur Bühne zurückkehren; **~ faire qc** [wieder] hinaufgehen um etw zu tun; (*venir d'en bas*) [wieder] heraufkommen um etw zu tun **2.**+ *être* (*reprendre place*) **~ à bicyclette** wieder Fahrrad fahren; **~ en voiture** wieder ins Auto steigen; **~ à bord** [wieder] an Bord gehen **3.**+ *avoir* (*s'élever de nouveau*) [wieder] ansteigen **4.**+ *être* (*s'amé-*

liorer) **~ dans l'estime de qn** in jds Ansehen steigen **5.**+ *être* (*glisser vers le haut*) **~ jupe, vêtement:** hochrutschen; *col:* hochstehen **6.**+ *avoir* (*dater de*) **~ au mois dernier/à l'année dernière** *événement, fait:* auf letzten Monat/letztes Jahr zurückgehen; **cela remonte au siècle dernier** das geschah im letzten Jahrhundert; **cet incident remonte à quelques jours** dieser Zwischenfall liegt einige Tage zurück **II.** *vt* + *avoir* **1.** (*parcourir: à pieds*) wieder hinaufgehen; (*dans un véhicule*) hinauffahren; (*à la nage*) hinaufschwimmen, heraufschwimmen *fleuve, rivière* **2.** (*relever*) hochschlagen *col;* hochziehen *chaussettes, pantalon;* hochkrempeln, aufkrempeln *bas du pantalon, manches;* höher hängen *étagère, tableau;* höher ziehen *mur;* SCOL anheben *note* **3.** (*rapporter du bas*) **~ une bouteille de la cave à son père** ihrem/seinem Vater aus dem Keller eine Flasche heraufbringen; (*porter vers le haut*) **~ la valise au grenier** den Koffer auf den Dachboden hinauftragen **4.** (*faire marcher*) aufziehen *mécanisme, montre;* **être remonté** *hum* (*excité*) aufgedreht sein (*fam*); **être remonté contre qn** (*fâché*) wütend auf jdn sein **5.** (*opp: démonter*) wieder anbringen *robinet;* wieder aufmontieren *roue* **6.** (*remettre en état*) wieder in Gang bringen *affaires;* wieder instandsetzen *mur;* **~ qn** (*physiquement*) jdn aufmuntern, jdn wieder auf die Beine bringen; (*moralement*) jdn aufmuntern; **~ le moral de qn** jdm wieder Mut machen

remords [R(ə)mɔR] *m* Schuldgefühl *nt,* Reue *f;* **des ~** Gewissensbisse *Pl;* **avoir des ~** ein schlechtes Gewissen haben; **pas de ~?** bist du/sind Sie sicher?, du bleibst/Sie bleiben dabei?

remorque [R(ə)mɔRk] *f* (*d'un véhicule*) Anhänger *m*

remorquer [R(ə)mɔRke] <1> *vt* abschleppen *voiture;* **se faire ~** abgeschleppt werden

rémouleur [RemulœR] *m* Scherenschleifer(in) *m(f)*

rempailler [Rãpɑje] <1> *vt* neu mit Stroh bespannen, neu flechten

rempart [Rãpɑʀ] *m* MIL [Schutz]wall *m;* *d'une ville* Stadtmauer *f,* Befestigungsmauer *f*

rempiler [Rãpile] <1> **I.** *vt* wieder aufstapeln **II.** *vi fam* sich weiter verpflichten; **~ pour trois ans** um drei Jahre verlängern

remplaçant, e [Rãplasã, ãt] *m, f* MED, SCOL Vertretung *f;* SPORT Ersatzspieler *m*

remplacement [Rãplasmã] *m* **1.** (*intérim*) Vertretung *f;* **faire des ~s** Vertre-

tung[en] machen **2.** FIN ~ **des monnaies nationales** Ablösung *f* der Landeswährungen
remplacer [ʀ̃aplase] <2> **I.** *vt* **1.** (*changer*) ersetzen **2.** (*prendre la place de*) ablösen *personne fatiguée;* ~ **qn** (*temporairement*) jdn vertreten **3.** (*tenir lieu de*) ersetzen **II.** *vpr* **se** ~ sich ersetzen lassen
rempli, e [ʀ̃apli] *adj* **1.** (*plein*) voll; ~ **de personnes** voller Menschen; **tasse** ~**e de thé** Tasse *f* voll Tee **2.** (*rond*) voll **3.** *journée, vie* ausgefüllt; *emploi du temps* voll
remplir [ʀ̃apliʀ] <8> **I.** *vt* **1.** (*rendre plein*) ~ **un carton de choses** einen Karton mit Dingen füllen; ~ **une valise de vêtements** einen Koffer mit Kleidungsstücken voll packen **2.** (*occuper*) füllen; ausfüllen *journée, vie* **3.** (*couvrir*) voll schreiben *page* **4.** (*compléter*) ausfüllen *formulaire, chèque* **5.** (*réaliser, répondre à*) erfüllen *mission, contrat, conditions* **II.** *vpr* **se** ~ **de personnes/liquide** sich mit Menschen/ Flüssigkeit füllen
remployer [ʀ̃aplwaje] <6> *vt v.* **réemployer**
remplumer [ʀ̃aplyme] <1> *vpr fam* **se** ~ **1.** (*grossir*) wieder zunehmen **2.** (*financièrement*) wieder zu Geld kommen
rempocher [ʀ̃apɔʃe] <1> *vt* wieder einstecken
remporter [ʀ̃apɔʀte] <1> *vt* **1.** (*reprendre*) wieder mitnehmen; **faire** ~ **une livraison** eine Lieferung zurückgehen lassen **2.** (*gagner*) davontragen (*geh*); gewinnen *championnat, prix*
rempoter [ʀ̃apɔte] <1> *vt* umtopfen
remuer [ʀ̃amɥe] <1> **I.** *vi* (*bouger*) sich bewegen; (*continuellement*) in Bewegung sein **II.** *vt* **1.** (*bouger*) bewegen; wiegen *hanches;* ~ **les oreilles** mit den Ohren wackeln; ~ **la queue** mit dem Schwanz wedeln **2.** (*mélanger*) rühren *sauce, mayonnaise;* umrühren *café;* mischen *salade* **3.** (*émouvoir*) ergreifen **III.** *vpr* **se** ~ **1.** (*bouger*) sich bewegen **2.** (*faire des efforts*) sich bemühen
renaissance [ʀ(ə)nɛsɑ̃s] *f* **1.** (*vie nouvelle*) Wiedergeburt *f* **2.** HIST, ART **la Renaissance** die Renaissance
renard [ʀ(ə)naʀ] *m* (*animal, fourrure*) Fuchs *m* ▶**fin** ~ schlauer Fuchs; **vieux** ~ alter Fuchs
rencontre [ʀ̃akɔ̃tʀ] *f* **1.** (*fait de se rencontrer*) Begegnung *f;* ~ **secrète** geheimes Treffen *f* **2.** (*entrevue*) Zusammenkunft *f;* (*réunion*) Treffen *nt;* ~ **au sommet** Gipfeltreffen *nt* **3.** SPORT Spiel *nt;* ~ **de football/ boxe/d'athlétisme** Fußballspiel/Box-

kampf *m*/Leichtathletiktreffen *nt* ▶**faire une mauvaise** ~ überfallen werden; **aller**/**venir à la** ~ **de qn** jdm entgegenhen/-kommen; **faire la** ~ **de qn** jdn kennen lernen
rencontrer [ʀ̃akɔ̃tʀe] <1> **I.** *vt* **1.** (*croiser*) ~ **qn** jdm begegnen **2.** (*avoir une entrevue*) ~ **qn** sich mit jdm treffen **3.** (*faire la connaissance de*) kennen lernen **4.** SPORT ~ **qn** auf jdn treffen **5.** (*être confronté à*) ~ **qc** auf etw (*akk*) stoßen **II.** *vpr* **se** ~ **1.** (*se croiser*) sich begegnen; *regards, yeux:* sich treffen **2.** (*avoir une entrevue*) sich treffen **3.** (*faire connaissance*) sich kennen lernen; **il les a fait se** ~ er hat sie zusammengeführt
rendez-vous [ʀ̃adevu] *m inv* **1.** (*rencontre officielle*) Termin *m;* **avoir** ~ **avec qn** einen Termin mit jdm haben; **donner un** ~ **à qn** mit jdm einen Termin ausmachen; **prendre** ~ **avec qn** mit jdm einen Termin ausmachen; **prendre** ~ **chez qn** sich bei jdm einen Termin geben lassen; **sur** ~ nach Vereinbarung **2.** (*rencontre avec un ami*) Verabredung *f;* **avoir** ~ **avec qn** mit jdm verabredet sein; **se donner** ~ sich verabreden; **donner un** ~ **à qn** sich mit jdm verabreden; ~ **à 8 heures/à la gare** wir treffen uns um 8 Uhr/am Bahnhof **3.** (*rencontre entre amoureux*) Rendezvous *nt* **4.** (*lieu de rencontre*) Treffpunkt *m* ▶**être au** ~ *chose:* nicht auf sich warten lassen
rendre [ʀ̃adʀ] <14> **I.** *vt* **1.** (*restituer*) zurückgeben **2.** (*donner en retour*) zurückgeben; erwidern *invitation, visite, salut;* ~ **la monnaie sur 100 euros** auf 100 Euro herausgeben **3.** (*rapporter*) zurückgeben *article défectueux* **4.** (*donner*) abgeben *devoir* **5.** (*redonner*) wiederschenken *liberté;* wiedergeben *espoir;* zurückgeben *courage, vue* **6.** (*faire devenir*) ~ **plus facile** leichter machen; ~ **triste/joyeux** traurig/fröhlich stimmen; ~ **public** veröffentlichen; ~ **moins compliqué** einfacher machen, vereinfachen; **c'est à vous** ~ **fou!** das ist doch zum Verrücktwerden! **7.** JUR fällen *jugement, verdict;* erlassen *arrêt* **8.** (*vomir*) erbrechen **II.** *vi* (*vomir*) sich übergeben **III.** *vpr* **1.** (*capituler*) **se** ~ sich ergeben; **se** ~ **à l'évidence** *fig* sich den Tatsachen beugen **2.** (*aller*) **se** ~ **chez qn/à son travail** zu jdm/zur Arbeit gehen
rendu, e [ʀ̃ady] *part passé de* **rendre**
rêne [ʀɛn] *f* Zügel *m* ▶**lâcher les** ~**s** aufgeben; **prendre les** ~**s de qc** die Führung einer S. (*gen*) übernehmen
renfermé [ʀ̃afɛʀme] *m* **sentir le** ~ muffig riechen
renfermé, e [ʀ̃afɛʀme] *adj* verschlossen

renfermer [Rɑ̃fɛRme] <1> **I.** vt enthalten
II. vpr se ~ **sur soi-même** sich in sich
(akk) zurückziehen
renforcement [Rɑ̃fɔRsəmɑ̃] m Verstärkung f; d'une couleur Intensivierung f; de la
paix Festigung f; de l'amour, de la haine Vertiefung f
renforcer [Rɑ̃fɔRse] <2> **I.** vt **1.** (consolider, intensifier) verstärken **2.** (affermir)
festigen paix, position; verstärken soupçon;
vertiefen sentiment **3.** (confirmer) ~ **qn
dans son opinion** jdn in seiner Meinung
bestärken **II.** vpr (s'affermir) **se** ~ sich festigen; popularité: wachsen
renfort [Rɑ̃fɔR] m ~ **latéral [de sécurité]**
Seitenaufprallschutz m
renier [Rənje] <1> **I.** vt verleugnen; leugnen idée, promesse, passé; ~ **sa foi** sich von
seinem Glauben lossagen **II.** vpr se ~ sich
verleugnen
renifler [R(ə)nifle] <1> **I.** vi schnüffeln **II.**
vt **1.** (sentir) riechen; animal: wittern
2. (aspirer par le nez) schnupfen tabac;
schnüffeln cocaïne **3.** fam (pressentir) wittern
renne [Rɛn] m Ren[tier nt] nt
renommée [R(ə)nɔme] f **1.** sans pl (célébrité) Renommee nt **2.** (réputation) Ruf
m; **de** ~ **mondiale** von Weltruf
renoncer [R(ə)nɔ̃se] <2> vi **1.** (abandonner) verzichten; ~ **au monde/aux plaisirs** dem weltlichen Leben/den Freuden
entsagen (geh); ~ **à sa foi** sich von seinem
Glauben lossagen; ~ **à fumer/boire** aufhören, zu rauchen/trinken **2.** (refuser un
droit) ~ **à qc** auf etw (akk) verzichten
renouer [Rənwe] <1> vi ~ **avec qn** mit
jdm wieder Verbindung aufnehmen; ~
avec qc wieder an etw (akk) anknüpfen
renouveler [R(ə)nuv(ə)le] <3> **I.** vt
1. (remplacer) erneuern; neu wählen députés, parlement; ~ **sa garde-robe** sich
neu einkleiden **2.** (répéter) ~ **une offre à
qn** jdm gegenüber ein Angebot wiederholen; ~ **une question à qn** jdm eine Frage
erneut stellen; ~ **une promesse à qn** jdm
ein Versprechen erneut geben; ~ **sa candidature** sich noch einmal bewerben **3.** (prolonger) verlängern bail, passeport **4.** (rénover) ändern; ~ **l'aspect de qc** einer S.
(dat) ein neues Gesicht geben; **version re-
nouvelée** Neufassung f **II.** vpr se ~
1. (être remplacé) ausgewechselt werden;
peau, cellule: sich erneuern **2.** (se reproduire) sich wiederholen **3.** (innover) sich weiterentwickeln
rénovateur, -trice [Renɔvatœr, -tRis] **I.**
adj reformerisch **II.** m, f Reformer m
rénover [Renɔve] <1> vt **1.** (remettre à

neuf) renovieren; sanieren quartier; restaurieren meuble **2.** (moderniser) modernisieren
renseignement [Rɑ̃sɛɲmɑ̃] m **1.** (information) Information f; (auprès d'un service) Auskunft f; **à titre de** ~ interessehal-
ber; **de plus amples** ~s nähere Informationen **2.** TELEC les ~s die Auskunft **3.** MIL
Geheimdienst m; **les** ~s **généraux** französischer Geheimdienst
renseigner [Rɑ̃seɲe] <1> **I.** vt informieren; ~ **qn sur un élève/la route** document: jdm Aufschluss über einen Schüler/
eine Straße geben **II.** vpr se ~ **sur qn/qc**
sich über jdn/etw informieren
rentabilité [Rɑ̃tabilite] f Rentabilität f
rentrée [Rɑ̃tRe] f **1.** SCOL Schuljahresbe-
ginn m; **le jour de la** ~ der erste/am ersten Schultag; **aujourd'hui, c'est la** ~ [des
classes] heute fängt die Schule wieder an
2. UNIV Semesterbeginn m **3.** (après les vacances d'été) **à la** ~ nach der Sommerpau-
se; **la** ~ **politique/sociale/théâtrale** die
Wiederaufnahme der Geschäfte nach der
Sommerpause/die Wiederaufnahme der
Tarifverhandlungen/der Beginn der neuen
Spielzeit; **faire sa** ~ POL die Geschäfte wieder aufnehmen **4.** (come-back) Comeback
nt; **faire sa** ~ sein Comeback feiern **5.** (fait
de rentrer) Rückkehr f; ~ **dans l'atmosphère** Wiedereintritt m in die Atmosphäre **6.** (somme d'argent) Eingang m
7. (mise à l'abri) Einbringen nt
rentrer [Rɑ̃tRe] <1> **I.** vi + être **1.** (retourner chez soi) nach Hause gehen; **com-
ment rentres-tu?** wie kommst du nach
Hause?; ~ **au pays natal** in seine Heimat
zurückkehren **2.** (revenir chez soi) nach
Hause kommen; ~ **de l'école** von der
Schule nach Hause kommen; **à peine rentré, ...** kaum zu Hause angekommen, ...;
elle est déjà rentrée? ist sie schon zu
Hause? **3.** (entrer à nouveau) zurückgehen
4. (reprendre son travail) professeurs: den
Unterricht wieder aufnehmen; parlement:
[nach der Sommerpause] wieder zusam-
mentreten; députés: [nach der Sommerpau-
se] die Geschäfte wieder aufnehmen; **les
écoliers rentrent** für die Schüler beginnt
die Schule wieder **5.** (entrer) **faire** ~ **qn**
jdn eintreten lassen; ~ **dans un café** in ein
Café gehen; ~ **sans frapper** eintreten
ohne zu klopfen; ~ **par la fenêtre** durchs
Fenster einsteigen; **l'eau/le voleur rentre dans la maison** das Wasser/der Dieb
dringt ins Haus ein **6.** (s'insérer) ~ **dans
une valise/un tiroir** in einen Koffer/eine
Schublade hineinpassen; ~ **les uns dans
les autres** tubes: sich ineinander stecken

lassen **7.** (*être inclus dans*) ~ **dans qc** zu etw gehören; **faire** ~ **qc dans une caté-gorie** etw einer Kategorie zuordnen **8.** (*devenir membre*) ~ **dans la police** zur Polizei gehen; ~ **dans une entreprise** bei einer Firma anfangen; ~ **dans les ordres/au couvent** einem Orden beitreten/ins Kloster gehen; **faire** ~ **qn dans une entreprise** jdm zu einer Stelle in einem Unternehmen verhelfen **9.** (*commencer à étudier*) ~ **en fac** an der Uni anfangen **10.** (*percuter*) ~ **dans qc** gegen etw prallen; *conducteur:* gegen etw fahren **11.** COM, FIN *article:* eintreffen; *créances:* eingehen; **faire** ~ **des commandes/des impôts** Aufträge hereinholen/Steuern einziehen **12.** (*recouvrer*) ~ **dans ses droits** wieder zu seinem Recht kommen; ~ **dans ses frais** seine Unkosten decken ▸ **qn lui rentre dedans** *fam* jd macht ihn fertig **II.** *vt +* avoir **1.** (*ramener à l'intérieur*) hineinbringen; einbringen *foin;* einziehen *tête, ventre;* ~ **sa chemise dans le pantalon** sein Hemd in die Hose stecken; ~ **la voiture au garage** den Wagen in die Garage fahren; ~ **son cou dans les épaules** den Kopf einziehen **2.** (*enfoncer*) ~ **la clé dans la serrure** den Schlüssel in das Schloss stecken **3.** (*refouler*) zurückhalten *larmes;* unterdrücken *rage;* nicht zeigen *déception* **III.** *vpr* **se** ~ **dedans** zusammenstoßen

renversant, e [ʀɑ̃vɛʀsɑ̃, ɑ̃t] *adj fam* umwerfend

renverse [ʀɑ̃vɛʀs] *f* **qn tombe à la** ~ (*en arrière*) jd fällt hintenüber; (*n'en revient pas*) jdn haut es um (*fam*)

renversé, e [ʀɑ̃vɛʀse] *adj* **1.** (*stupéfait*) verblüfft **2.** (*à l'envers*) umgekehrt; **être** ~ auf dem Kopf stehen **3.** *écriture* nach links geneigt

renversement [ʀɑ̃vɛʀsəmɑ̃] *m* **1.** (*changement complet*) Verkehrung *f* ins Gegenteil; *de tendance* Umschwung *m* **2.** POL Sturz *m;* (*par un coup d'État*) Umsturz *m* **3.** (*mise à l'envers*) Umkehrung *f; de l'ordre des mots* Umstellung *f*

renverser [ʀɑ̃vɛʀse] <1> **I.** *vt* **1.** (*faire tomber*) umstoßen; *voiture, vélo:* umfahren; ~ **des arbres** *tempête:* Bäume umstürzen **2.** (*répandre*) verschütten **3.** (*réduire à néant*) aus dem Weg räumen *obstacles* **4.** POL stürzen; umstürzen *ordre établi* **5.** (*pencher en arrière*) nach hinten beugen *corps, tête* **6.** (*retourner*) umdrehen **7.** (*inverser*) umstellen *ordre des mots;* umkehren *fraction;* ins Gegenteil verkehren *situation;* auf den Kopf stellen *image* **8.** *fam* (*étonner*) **ça me renverse** das haut mich um **II.** *vpr* **1.** (*se pencher en arrière*) **se** ~

sich zurücklehnen; **se** ~ **sur le dos** sich auf den Rücken legen **2.** (*se retourner*) **se** ~ umkippen; *bateau:* kentern

renvoi [ʀɑ̃vwa] *m* **1.** (*réexpédition*) ~ **à qn** Rücksendung *f* an jdn **2.** (*avec le pied*) Abstoß *m;* (*avec la main*) Abwurf *m* **3.** (*licenciement*) Entlassung *f* **4.** SCOL, UNIV Verweisung *f;* **le** ~ **d'un élève** die Verweisung eines Schülers von der Schule **5.** (*indication*) ~ **à qc** Verweis *m* auf etw (*akk*) **6.** JUR, POL ~ **devant qc/en qc** Verweisung *f* an etw (*akk*) **7.** (*ajournement*) ~ **à qc** Vertagung *f* auf etw (*akk*) **8.** (*rot*) Aufstoßen *nt;* **avoir des** ~**s** aufstoßen müssen

renvoyer [ʀɑ̃vwaje] <6> *vt* **1.** (*envoyer à nouveau*) ~ **une lettre à un client** einem Kunden noch einmal einen Brief schicken **2.** SPORT zurückspielen **3.** (*retourner*) zurückschicken *ascenseur;* erwidern *compliment* **4.** (*réexpédier*) zurückschicken **5.** (*licencier*) entlassen **6.** SCOL, UNIV ~ **un élève** einen Schüler von der Schule verweisen **7.** (*éconduire*) hinausweisen **8.** (*adresser*) ~ **à qn** zu jdm schicken **9.** JUR, POL ~ **qn devant la cour d'assises** jdn an das Schwurgericht verweisen; ~ **qc en cour de cassation** etw an den Kassationsgerichtshof weiterleiten **10.** (*ajourner*) ~ **à plus tard/à une date ultérieure** auf später/auf ein späteres Datum vertagen

réoccuper [ʀeɔkype] <1> *vt* erneut besetzen

réorganisation [ʀeɔʀganizasjɔ̃] *f* Reorganisation *f*

réorganiser [ʀeɔʀganize] <1> **I.** *vt* umorganisieren, reorganisieren (*geh*) **II.** *vpr* **se** ~ sich neu organisieren

réorientation [ʀeɔʀjɑ̃tasjɔ̃] *f* Neuorientierung *f*

réorienter [ʀeɔʀjɑ̃te] <1> **I.** *vt* **1.** (*changer d'orientation*) neu ausrichten **2.** SCOL ~ **les élèves vers la littérature** die Schüler verstärkt in Literatur unterrichten **II.** *vpr* **se** ~ **vers une branche** die Branche wechseln

réouverture [ʀeuvɛʀtyʀ] *f* Wiedereröffnung *f*

repaire [ʀ(ə)pɛʀ] *m* **1.** *d'un renard* Bau *m; d'un ours* Höhle *f* **2.** (*refuge*) Schlupfwinkel *m* ▸ **c'est un** ~ **de brigands** *hum fam* (*ce sont des voleurs*) da wird man regelrecht ausgenommen; (*c'est un lieu mal famé*) das ist eine üble Spelunke (*pej*)

répandre [ʀepɑ̃dʀ] <14> **I.** *vt* **1.** (*laisser tomber*) ~ **qc par terre/sur la table** etw auf den Boden/Tisch streuen; (*du liquide*) etw auf den Boden/Tisch schütten; (*par mégarde*) etw auf dem Boden/Tisch verstreuen, etw auf dem Boden/Tisch ver-

schütten **2.** (*être source de, faire connaî-tre, susciter*) verbreiten **3.** (*épandre*) aus-strömen lassen *gaz* **4.** (*verser*) vergießen **II.** *vpr* **1.** (*s'écouler*) se ~ sich ergießen **2.** (*se disperser*) **se** ~ sich verteilen **3.** (*se déga-ger*) **se** ~ *chaleur, fumée, odeur:* sich ver-breiten; *son:* tönen **4.** (*se propager*) **se** ~ *bruit, nouvelle, idées:* sich verbreiten; *doctri-ne, mode, coutume:* sich durchsetzen; *infor-mation:* verbreitet werden; *épidémie:* sich ausbreiten **5.** (*se manifester*) **se** ~ **sur qc** sich auf etw (*dat*) breit machen **6.** (*enva-hir*) **se** ~ sich verteilen **7.** (*proférer*) **se** ~ **en louanges sur l'écrivain** sich in gro-ßem Lob über den Schriftsteller ergehen

répandu, e [Repɑ̃dy] **I.** *part passé de* **ré-pandre II.** *adj* **1.** (*épars*) ~ **sur qc** auf etw (*dat*) verstreut **2.** (*courant*) [weit] verbrei-tet

réparable [RepaRabl] *adj panne, objet* re-parabel; *faute, perte* wieder gutzumachen; **être** ~ *réveil:* repariert werden können; *er-reur:* wieder gutzumachen sein

reparaître [R(ə)paRɛtR] <*irr*> *vi* **1.** + *avoir* (*se montrer de nouveau*) wieder auftau-chen; *soleil, lune:* wieder hervorkommen **2.** + *avoir o être* PRESSE *journal, livre:* wieder erscheinen

réparateur, -trice [RepaRatœR, -tRis] **I.** *adj* erquickend (*geh*) **II.** *m, f* Techniker *m*

réparation [RepaRasjɔ̃] *f* **1.** *sans pl* (*remi-se en état*) Reparatur *f; d'un bâtiment* In-standsetzung *f; d'un objet d'art* Restaurie-rung *f; d'une route* Ausbesserung *f; d'un accroc* Flicken *nt; d'une fuite* Abdichten *nt;* **atelier de** ~ Reparaturwerkstatt *f;* AUT Au-towerkstatt *f;* **frais de** ~ Reparaturkosten *Pl;* **être en** ~ repariert werden **2.** (*endroit réparé*) Reparaturstelle *f* **3.** *pl* ARCHIT Reno-vierungsarbeiten *Pl* **4.** *sans pl* (*correction*) Korrigieren *nt* **5.** *sans pl* (*compensation*) Wiedergutmachung *f* **6.** *sans pl* MED *des forces, tissus* Regenerierung *f* **7.** (*dédom-magement*) Entschädigung *f;* **demander** ~ **à un État de qc** von einem Staat Ent-schädigung für etw verlangen; **obtenir** ~ **de qc** für etw entschädigt werden **8.** *pl* POL Reparationen *Pl* ▶ **donner** ~ **de qc** für etw büßen; **surface/coup de pied de** ~ SPORT Strafraum/-stoß *m*

réparer [RepaRe] <1> *vt* **1.** (*remettre en état*) reparieren; instandsetzen *maison;* ausbessern *route;* beheben *dégât;* abdichten *fuite;* flicken *accroc* **2.** (*rattraper*) wieder gutmachen **3.** (*régénérer*) regenerieren *for-ces;* wiederherstellen *santé*

reparler [R(ə)paRle] <1> **I.** *vi* ~ **de qn/qc** auf jdn/etw zurückkommen; **on repar-lera bientôt de lui** er wird bald wieder

von sich reden machen; ~ **à qn** wieder mit jdm sprechen ▶ **on** en **reparlera** *fam* da-rüber unterhalten wir uns später nochmal **II.** *vpr* **se** ~ wieder miteinander sprechen

repartie, répartie [RepaRti] *f* **avoir de la** ~ schlagfertig sein

repartir [R(ə)paRtiR] <10> *vi* + *être* **1.** (*se remettre à avancer*) *voyageur:* wieder auf-brechen; *véhicule:* weiterfahren **2.** (*s'en re-tourner*) wieder zurückkehren; **vous vou-lez déjà** ~? Sie wollen schon wieder ge-hen? **3.** (*fonctionner à nouveau*) *moteur:* wieder anspringen; *chauffage, machine:* wieder gehen; *discussion, dispute:* wieder anfangen; *affaire:* wieder in Gang kommen ▶ **et c'est reparti** [**pour un tour**]! *fam* und schon geht alles wieder [von vorn] los!

répartir [RepaRtiR] <10> **I.** *vt* **1.** (*parta-ger*) ~ **un butin/bénéfice/une somme** eine Beute/einen Gewinn/eine Summe aufteilen; ~ **les touristes entre les deux bus** die Touristen auf die zwei Busse ver-teilen **2.** (*diviser*) ~ **en groupes** in Grup-pen (*akk*) einteilen **3.** (*disposer*) ~ **des troupes aux endroits stratégiques** Trup-pen an strategischen Punkten aufstellen; ~ **des choses sur les étagères** Dinge auf den Regalen verteilen **4.** (*étaler*) ~ **qc sur le corps/sur toute la semaine** etw auf dem Körper/auf die ganze Woche vertei-len; **le programme est réparti sur deux ans** das Programm erstreckt sich über zwei Jahre **II.** *vpr* **1.** (*se partager*) **se** ~ **des per-sonnes/qc** Menschen/etw unter sich auf-teilen **2.** (*être partagé*) **se** ~ verteilt wer-den; **le travail se répartit comme suit** die Arbeit wird folgendermaßen aufgeteilt **3.** (*se diviser*) **se** ~ **en groupes** sich in Gruppen [auf]teilen

répartition [RepaRtisjɔ̃] *f* **1.** (*partage*) Verteilung *f;* **la** ~ **des revenus en France** die Einkommensverteilung in Frankreich; ~ **des frais/rôles entre trois personnes** Verteilung der Kosten/Rollen auf drei Per-sonen; **la** ~ **des élèves entre les classes est la suivante** die Schüler werden wie folgt auf die Klassen verteilt **2.** (*division*) **la** ~ **des touristes en groupes** die Eintei-lung der Touristen in Gruppen (*akk*) **3.** *des troupes* Aufstellung *f* **4.** *d'une crème, lotion* Auftragen *nt; d'un programme* Verteilung *f* **5.** *de pièces, salles* Anordnung *f*

reparution [R(ə)paRysjɔ̃] *f* Wiederer-scheinen *nt*

repas [R(ə)pɑ] *m* **1.** (*nourriture, ensemble de plats*) Essen *nt;* **faire un** ~ **sommaire** schnell etwas essen; **faire un bon** ~ gut es-sen; **aimer les bons** ~ gern gut essen; **partager le** ~ **de qn** mit jdm zusammen

R

speisen (*geh*) **2.** (*fait de manger*) Mahlzeit *f;* **cinq ~ par jour** fünf Mahlzeiten am Tag; **prendre ses ~ au restaurant** seine Mahlzeiten im Restaurant einnehmen; **donner un grand ~** ein Festessen geben; **c'est l'heure du ~** es ist Essenszeit *f;* **~ d'enterrement** CH Leichenmahl *nt,* Traueressen *nt* (CH)

repasser¹ [ʀ(ə)pɑse] <1> **I.** *vi + avoir* bügeln **II.** *vt* **1.** (*défriper*) bügeln **2.** (*aiguiser*) schleifen **III.** *vpr* **se ~** gebügelt werden müssen; **bien/mal se ~** sich gut/schlecht bügeln lassen; **ne pas se ~** bügelfrei sein; (*s'abîmerait*) nicht gebügelt werden dürfen

repasser² [ʀ(ə)pɑse] <1> **I.** *vi + être* **1.** (*revenir*) noch einmal vorbeikommen; **ne pas ~ par la même route** nicht dieselbe Strecke zurückfahren/-gehen **2.** (*passer à nouveau*) *plat:* noch einmal herumgereicht werden; *film:* noch einmal laufen; **~ devant les yeux de qn** *souvenirs:* noch einmal an jdm vorbeiziehen **3.** (*revoir le travail de*) **~ derrière qn** jds Arbeit überprüfen **4.** (*retracer*) **~ sur qc** etw nachziehen ▸ **qn peut** toujours **~!** *fam* darauf kann jd lange warten! **II.** *vt + avoir* **1.** (*franchir de nouveau*) von neuem überqueren **2.** (*refaire*) wiederholen *examen* **3.** (*remettre*) **~ une couche de peinture sur qc** etw noch einmal streichen; **~ le plat au four** das Gericht noch einmal in den Ofen stellen **4.** (*redonner*) noch einmal reichen *plat, outil;* **~ le standard à qn** jdn wieder mit der Vermittlung verbinden; **je te repasse maman** ich gebe dir Mutti wieder **5.** (*rejouer*) noch einmal zeigen **6.** (*passer à nouveau*) **~ qc dans sa tête** [*o* **son esprit**] etw noch einmal an sich vorüberziehen lassen **7.** (*réviser*) noch einmal durchgehen **8.** *fam* (*donner*) **~ un travail à qn** jdm eine Arbeit aufhalsen; **~ une maladie à qn** jdn mit einer Krankheit anstecken

repasseuse [ʀ(ə)pɑsøz] *f* **1.** (*femme*) Büglerin *f* **2.** (*machine*) Mangel *f*

repayer [ʀ(ə)peje] <7> *vt* noch einmal bezahlen

repêchage [ʀ(ə)pɛʃaʒ] *m* **1.** (*fait de retirer de l'eau*) Bergen *nt* **2.** SCOL, UNIV Durchkommenlassen *nt;* (*examen*) Nachprüfung *f* **3.** SPORT Hoffnungslauf *m*

repêcher [ʀ(ə)peʃe] <1> *vt* **1.** (*retirer de l'eau*) bergen **2.** SCOL, UNIV *fam* durchkommen lassen; (*par examen complémentaire*) nachprüfen **3.** SPORT nachträglich qualifizieren

repenser [ʀ(ə)pɑ̃se] <1> **I.** *vi* **~ à qc** etw überdenken; **je vais y ~** ich werde es mir

noch überlegen **II.** *vt* neu durchdenken

repenti, e [ʀ(ə)pɑ̃ti] *adj buveur, fumeur* ehemalig; *malfaiteur, terroriste* reuig

repentir [ʀ(ə)pɑ̃tiʀ] **I.** *m* Reue *f* **II.** <10> *vpr* **se ~ de qc/d'avoir fait qc** etw bereuen/bereuen etw getan zu haben

repérage [ʀ(ə)peʀaʒ] *m* **1.** (*localisation*) Orten *nt* **2.** CINE Location *f;* **faire des ~s** auf Drehortsuche sein

répercussion [ʀepɛʀkysjɔ̃] *f* **1.** (*effet*) Auswirkung *f;* **avoir des ~s négatives** auf negative Resonanz stoßen; **avoir peu de ~s sur qc** sich kaum auf etw (*akk*) auswirken **2.** PHYS *d'un son* Widerhall *m; d'un choc* Wucht *f* **3.** ECON, FIN Abwälzung *f*

répercuter [ʀepɛʀkyte] <1> **I.** *vt* **1.** (*réfléchir*) zurückwerfen **2.** ECON, FIN **~ qc sur les consommateurs/sur les prix des marchandises** etw auf die Verbraucher abwälzen/auf die Warenpreise umlegen **3.** (*transmettre*) weiterleiten **II.** *vpr* **1.** (*être réfléchi*) **se ~** widerhallen **2.** (*se transmettre à*) **se ~ sur qc** sich auf etw niederschlagen

repère [ʀ(ə)pɛʀ] **I.** *m* **1.** (*signe*) Orientierungspunkt *m;* **tracer des ~s sur qc** etw markieren **2.** (*trait*) Markierungsstrich *m* **II.** *app* **borne ~** Markierungsstein *m;* **des dates ~** Meilensteine *Pl*

repérer [ʀ(ə)peʀe] <5> **I.** *vt* **1.** *fam* (*découvrir*) ausfindig machen; **se faire ~** sich verraten; **se faire ~ par qn** jds Aufmerksamkeit auf sich lenken **2.** CINE erkunden *lieux* **3.** (*localiser*) orten **II.** *vpr fam* **1.** (*se retrouver, s'orienter*) **se ~ dans qc** sich in etw (*dat*) zurechtfinden **2.** (*se remarquer*) **se ~** auffallen

répertoire [ʀepɛʀtwaʀ] *m* **1.** *a.* INFORM Verzeichnis *nt;* **~ principal** Wurzelverzeichnis **2.** (*carnet*) Register *nt* **3.** THEAT Repertoire *nt* **4.** *fam* (*grand nombre*) Repertoire *nt*

répertorier [ʀepɛʀtɔʀje] <1> *vt* **1.** (*inscrire dans un répertoire*) in ein Verzeichnis aufnehmen **2.** (*classer*) **~ des personnes/choses** ein Verzeichnis von Personen/Dingen aufstellen

répéter [ʀepete] <5> **I.** *vt* **1.** (*redire*) wiederholen; **répète après moi: ...** sprich mir nach: ...; **ne pas se faire ~ les choses deux fois** sich das nicht zweimal sagen lassen; **~ à son fils de faire qc** seinem/ihrem Sohn noch einmal sagen, dass er etw tun soll; **je vous l'ai répété cent fois déjà** ich habe es euch schon hundertmal gesagt; **combien de fois vous ai-je répété que** wie oft habe ich euch schon gesagt, dass **2.** (*rapporter*) weitererzählen; wiederholen *propos;* **ne va pas le ~!** er-

zähl es nicht weiter! **3.** (*refaire*) wiederholen **4.** (*mémoriser*) lernen **5.** THEAT, MUS proben **6.** (*plagier*) wiederholen **II.** *vi* **1.** (*redire*) wiederholen; **répète un peu!** sag das noch mal! (*fam*) **2.** THEAT proben **III.** *vpr* **1.** (*redire les mêmes choses*) **se ~** sich wiederholen **2.** (*se raconter*) *se ~ histoire:* erzählt werden; **se ~ qc** sich etw weitererzählen **3.** (*se redire la même chose*) **se ~ qc/que ...** sich (*dat*) etw vorsagen/sich immer wieder sagen, dass ... **4.** (*être reproduit, se reproduire*) **se ~** sich wiederholen

répétitif, -ive [ʀepetitif, -iv] *adj* sich ständig wiederholend; *travail* monoton; **faire des gestes ~s** immer dieselben Handgriffe machen

répétition [ʀepetisjɔ̃] *f* **1.** (*redite, renouvellement, reproduction*) Wiederholung *f* **2.** *d'un rôle, morceau* Einstudieren *nt* **3.** THEAT, MUS Probe *f;* **~ générale** Generalprobe; **être en ~** proben ▶ **faire des angines <u>à</u> ~** *fam* eine Angina nach der anderen haben

repeupler [ʀ(ə)pœple] <1> **I.** *vt* **1.** (*peupler à nouveau*) neu besiedeln **2.** (*regarnir*) aufforsten *forêt;* **~ qc d'animaux** etw wieder mit Tieren besetzen **II.** *vpr* **se ~** neu besiedelt werden

repiquage [ʀ(ə)pikaʒ] *m* **1.** HORT **~ de qc** Pikieren *nt* von etw **2.** MEDIA Überspielen *nt;* **faire un ~ de cassettes** Kassetten überspielen **3.** PHOT Retusche *f*

repiquer [ʀ(ə)pike] <1> *vt* **1.** HORT pikieren **2.** MEDIA überspielen **3.** PHOT retuschieren **4.** *fam* (*attraper de nouveau*) wieder erwischen; **il a été repiqué à voler** er ist wieder beim Stehlen erwischt worden

répit [ʀepi] *m* **1.** (*pause*) Pause *f;* **sans ~** pausenlos **2.** (*délai supplémentaire*) Aufschub *m*

replacement [ʀ(ə)plasmɑ̃] *m* Vermittlung *f* einer neuen Stelle

replacer [ʀ(ə)plase] <2> **I.** *vt* **1.** (*remettre à sa place*) zurückstellen, zurücklegen **2.** (*situer*) **~ un événement dans son époque** ein Ereignis im Kontext seiner Zeit sehen **II.** *vpr* **se ~ dans qc** sich in etw (*akk*) zurückversetzen

replanter [ʀ(ə)plɑ̃te] <1> *vt* **1.** (*repiquer*) umsetzen **2.** (*repeupler de végétaux*) neu bepflanzen; aufforsten *forêt* **3.** (*planter à nouveau*) wieder einpflanzen

replat [ʀəpla] *m* Abflachung *f*

replâtrage [ʀ(ə)plɑtʀaʒ] *m* **1.** TECH (*renouvellement*) Erneuerung *f* des Gipsverputzes; (*amélioration*) Ausbesserung *f* des Gipsverputzes **2.** *fam* (*raccommodage*) **c'est du ~** das ist Flickschusterei *f*

replâtrer [ʀ(ə)plɑtʀe] <1> *vt* **1.** (*plâtrer de nouveau*) **~ qc** den Gipsverputz einer S. (*gen*) erneuern **2.** *fam* (*raccommoder*) kitten

replet, -ète [ʀəplɛ, -ɛt] *adj* wohlgenährt; *visage* voll

repli [ʀəpli] *m* **1.** *pl d'un drapeau, de la peau* Falten *Pl; d'une rivière, d'un intestin* Windung *f;* **~ de terrain** Erhebung *f* **2.** (*retraite*) Rückzug *m* **3.** FIN, ECON Rückgang *m* **4.** *d'un pays* Abschottung *f;* **~ sur soi-même** Abkapselung *f* **5.** COUT [doppelter] Einschlag

repliable [ʀ(ə)plijabl] *adj* ausklappbar

replier [ʀ(ə)plije] <1> **I.** *vt* **1.** (*plier à nouveau*) wieder zusammenfalten *journal, carte;* wieder zusammenlegen *nappe, étoffe* **2.** (*plier sur soi-même*) hochkrempeln *bas de pantalon, manche;* falten *feuille;* umknicken *coin d'une page;* zusammenklappen *mètre rigide* **3.** (*rabattre*) anwinkeln *jambes, pattes;* wieder anlegen *ailes;* zurückschlagen *couverture, drap;* wieder einklappen *couteau, lame;* **les jambes repliées** mit angezogenen Beinen **4.** MIL zurückziehen **II.** *vpr* **1.** (*faire retraite*) **se ~** sich zurückziehen **2.** (*se protéger*) **se ~ sur qc** sich hinter etw (*dat*) verschanzen **3.** (*se plier*) **se ~** zusammenklappbar sein **4.** (*se ramasser*) **se ~** *animal:* sich einrollen; (*chat, chien*) sich zusammenrollen **5.** (*se renfermer*) **se ~ pays:** sich abschotten; **se ~ sur soi-même** sich abkapseln

réplique [ʀeplik] *f* **1.** (*réponse*) Antwort *f;* **avoir la ~ facile** schlagfertig sein **2.** (*objection*) **~ à qc** Einwand *m* gegen etw **3.** (*réaction*) **~ à qc** Antwort *f* auf etw (*akk*) **4.** THEAT Antwort *f* **5.** ART Nachbildung *f* ▶ **donner la ~ à qn** THEAT jdm das Stichwort geben; (*répondre*) jdm kontern; **être la vivante ~ de qn** jds lebendes Abbild sein; **sans ~** unwiderlegbar; *obéir* ohne Widerrede

répliquer [ʀeplike] <1> **I.** *vi* **1.** (*répondre*) erwidern **2.** (*protester, répondre avec impertinence*) protestieren **II.** *vt* **~ la même chose à sa mère** seiner/ihrer Mutter dasselbe erwidern; **~ qc à un argument** etw auf ein Argument erwidern

replonger [ʀ(ə)plɔ̃ʒe] <2a> **I.** *vi* **1.** (*faire un plongeon*) **~ dans la piscine** noch einmal ins Schwimmbecken springen **2.** (*aller au fond de l'eau*) **~ dans le bassin** noch einmal im Becken untertauchen **II.** *vt* **1.** (*plonger à nouveau*) **~ les rames dans l'eau** die Ruder noch einmal in das Wasser tauchen; **~ la main dans sa poche** noch einmal in seine Tasche greifen **2.** (*précipiter à nouveau*) **~ les gens/la région dans**

---

refuser de répondre

• refuser de répondre	• Antwort verweigern
Je ne le dirai pas!	Sag ich nicht! *(fam)*
(Je regrette, mais) je ne peux pas te le dire.	Das kann ich dir (leider) nicht sagen.
Je n'ai rien à dire à ce sujet.	Dazu möchte ich nichts sagen.
Je me défends de tout commentaire sur cette affaire.	Ich möchte mich zu dieser Angelegenheit nicht äußern. *(form)*

---

la misère die Menschen/Region erneut ins Elend *(akk)* stürzen **III.** *vpr* **se** ~ **dans qc** sich wieder in etw *(akk)* vertiefen

répondant [ʀepɔ̃dɑ̃] *m* **avoir du** ~ über ausreichende Geldmittel verfügen; *(de la répartie)* schlagfertig sein

répondant, e [ʀepɔ̃dɑ̃, ɑ̃t] *m, f (garant)* Bürge *m*

répondeur [ʀepɔ̃dœʀ] *m* Anrufbeantworter *m;* ~ **interrogeable à distance** Anrufbeantworter mit Fernabfrage

répondeur, -euse [ʀepɔ̃dœʀ, -øz] *adj (impertinent)* aufmüpfig

répondeur-enregistreur [ʀepɔ̃dœʀɑ̃ʀəʒistʀœʀ] <répondeurs-enregistreurs> *m:* Anrufbeantworter mit Aufzeichnungsteil

répondre [ʀepɔ̃dʀ] <14> **I.** *vi* **1.** *(donner une réponse)* ~ **par qc** mit etw antworten; ~ **à une lettre** einen Brief beantworten; ~ **à une question** auf eine Frage antworten; **ne pas** ~ **à des injures** auf Beleidigungen nicht eingehen; ~ **par monosyllabes** nur einsilbige Antworten geben; ~ **en souriant/en haussant les épaules** mit einem Lächeln/einem Achselzucken antworten **2.** *(réagir)* **ne pas** ~ **au téléphone** nicht abnehmen **3.** *(être impertinent)* ~ **à qn** jdm freche Antworten geben **II.** *vt* ~ **qc à qn** jdm etw antworten; ~ **oui** ja sagen; **réponds quelque chose!** gib irgendeine Antwort!; **que dois-je** ~ **à ça?** was soll ich darauf antworten?; **avoir quelque chose/n'avoir rien à** ~ etwas/nichts zu sagen haben; ~ **à qn de faire qc** jdm antworten, er solle etw tun

réponse [ʀepɔ̃s] *f* ~ **à qc** Antwort *f* auf etw *(akk)*; **avoir** ~ **à tout** auf alles eine Antwort haben; **rester sans** ~ unbeantwortet bleiben

reportage [ʀ(ə)pɔʀtaʒ] *m* Reportage *f;* ~ **télévisé** Fernsehreportage

reporter¹ [ʀ(ə)pɔʀtɛʀ, ʀ(ə)pɔʀtœʀ] *mf* Reporter *m*

reporter² [ʀ(ə)pɔʀte] <1> **I.** *vt (différer)* verschieben *date;* ~ **à une date ultérieure**

auf einen späteren Zeitpunkt verschieben **II.** *vpr (se référer)* **se** ~ **à qc** sich auf etw *(akk)* beziehen; **se** ~ **à la page 13** siehe Seite 13

repos [ʀ(ə)po] *m* **1.** *(détente)* Ruhe *f;* **prendre un peu de** ~ sich *(dat)* ein wenig Ruhe gönnen **2.** *(congé)* **une journée de** ~ ein freier Tag; **il a pris une matinée/3 jours de** ~ er hat einen Vormittag/3 Tage frei genommen ▶ **pas de tout** ~ *(fatigant)* anstrengend

reposer¹ [ʀ(ə)poze] <1> **I.** *vt* **1.** *(poser à nouveau)* zurückstellen, zurücklegen **2.** *(répéter)* noch einmal stellen *question;* wieder aufwerfen *problème* **II.** *vi (être fondé sur)* ~ **sur une hypothèse/des observations** sich auf eine Hypothese/Beobachtungen stützen **III.** *vpr* **se** ~ *(se poser à nouveau)* *problème, question:* sich erneut stellen

reposer² [ʀ(ə)poze] <1> **I.** *vt (délasser)* entspannen; **il lit, ça le repose** er liest, dabei kann er ausspannen **II.** *vpr (se délasser)* **se** ~ sich ausruhen

repositionner [ʀ(ə)pɔzisjɔne] <1> **I.** *vt* wieder in die Umlaufbahn bringen *satellite;* wieder platzieren *produit* **II.** *vpr* **se** ~ sich wieder platzieren

repousse [ʀ(ə)pus] *f* Nachwachsen *nt;* **lotion qui favorise la** ~ **des cheveux** Haarwuchsmittel *nt*

repousser¹ [ʀ(ə)puse] <1> **I.** *vt* **1.** *(écarter)* abwehren *attaque, coups, agresseur;* zurückdrängen *ennemi, foule;* beiseite schieben *objet encombrant* **2.** *(écarter avec véhémence)* beiseite stoßen *objet encombrant;* ~ **qn sur le côté** jdn beiseite stoßen **3.** *(refuser)* zurückweisen *aide, arguments, conseil;* abschlagen *demande* **4.** *(remettre à sa place)* wieder zurückschieben *meuble* **5.** *(différer)* verschieben **II.** *vpr* **se** ~ sich abstoßen

repousser² [ʀ(ə)puse] *vi (croître de nouveau)* nachwachsen; **laisser** ~ **sa barbe/ses cheveux** seinen Bart/seine Haare wieder wachsen lassen

réprimander

• réprimander	• zurechtweisen
Votre comportement laisse à désirer.	Ihr Verhalten lässt einiges zu wünschen übrig.
Je vous défends de me parler sur ce ton!	Ich verbitte mir diesen Ton!
Je ne tolèrerai pas cela de votre part!	Das brauch ich mir von Ihnen nicht gefallen zu lassen!
Essayez un peu pour voir!	Unterstehen Sie sich!
Pour qui vous prenez-vous?	Was erlauben Sie sich!
Qu'est-ce qui vous prend?	Was fällt Ihnen ein!

reprendre [ʀ(ə)pʀɑ̃dʀ] <13> **I.** vt **1.**(*récupérer*) wieder einstellen *employé;* zurücknehmen *objet prêté, parole, emballage;* wieder einnehmen *place;* wieder abholen *objet déposé;* zurückerobern *territoire, ville;* ~ **ses enfants à l'école** seine Kinder von der Schule abholen; ~ **sa voiture et rentrer chez soi** wieder ins Auto steigen und nach Hause fahren; ~ **la voiture/le volant après un accident** sich nach einem Unfall wieder ans Steuer setzen **2.**(*retrouver*) wieder aufnehmen *contact, habitudes;* wieder schöpfen *espoir, courage;* wieder annehmen *nom de jeune fille;* ~ **confiance** wieder zuversichtlich sein; ~ **conscience** wieder zu sich kommen; ~ **des couleurs** wieder Farbe bekommen; ~ **des forces** wieder zu Kräften kommen **3.** COM, IND übernehmen *fonds de commerce, entreprise;* in Zahlung nehmen *marchandise usagée* **4.**(*continuer après une interruption*) wieder aufnehmen; fortsetzen *promenade;* wieder ausüben *fonction;* wieder aufnehmen *travail;* wieder ergreifen *parole;* ~ **une lecture** weiterlesen; ~ **un récit** weiterberichten; ~ **la route** weiterfahren; ~ [le **chemin de**] l'école wieder in die Schule gehen; ~ **son cours** *conversation:* fortgesetzt werden; *vie:* wieder seinen Lauf nehmen **5.**(*recommencer*) ~ **la lecture/le récit de qc** etw noch einmal lesen/berichten; **tout** ~ **à zéro** alles noch einmal von vorn anfangen **6.**(*corriger*) verbessern *élève, faute;* korrigieren *travail;* überarbeiten *article, chapitre* **7.** COUT ändern; (*rétrécir*) enger machen; (*raccourcir*) kürzen; (*agrandir*) weiter machen; (*rallonger*) länger machen **8.**(*se resservir de*) noch nehmen *viande, gâteau* **9.**(*s'approprier*) aufgreifen *idée, suggestion* ▶**ça** me/le **reprend** *hum* es packt mich/ihn schon wieder (*fam*); **que je ne t'y reprenne pas!** dass ich dich nicht noch einmal dabei erwische! (*fam*); **on ne m'y reprendra plus**

das passiert mir nicht noch einmal **II.** vi **1.**(*se revivifier*) *affaires:* wieder besser gehen; *vie:* wieder seinen Gang gehen; *convalescent:* wieder zu Kräften kommen **2.**(*recommencer*) *douleurs, musique, pluie:* wieder einsetzen; *bruit, guerre:* von neuem beginnen; *classe, cours:* wieder beginnen; *conversation:* wieder aufgenommen werden **3.**(*enchaîner*) fortfahren **4.**(*répéter*) **je reprends: ...** ich wiederhole: ... **III.** vpr **1.**(*se corriger*) se ~ sich verbessern **2.**(*s'interrompre*) se ~ innehalten **3.** soutenu (*recommencer*) se ~ **à faire qc** wieder beginnen etw zu tun; **s'y** ~ **à deux fois pour faire qc** zwei Anläufe benötigen um etw zu tun **4.**(*se ressaisir*) se ~ sich (*akk*) wieder fangen
représentant, e [ʀ(ə)pʀezɑ̃tɑ̃, ɑ̃t] m, f **1.** COM ~ **en qc** Vertreter m für etw; ~ **de commerce** Handelsvertreter m **2.** JUR, POL, REL Vertreter m
représentation [ʀ(ə)pʀezɑ̃tasjɔ̃] f **1.**(*description*) Darstellung f **2.** THEAT Aufführung f
représenter [ʀ(ə)pʀezɑ̃te] <1> **I.** vt **1.**(*décrire*) darstellen; schildern *faits;* ~ **qn comme qc** jdn als etw hinstellen **2.**(*correspondre à*) sein *progrès, révolution, travail;* darstellen *menace, danger, effort;* verkörpern *autorité* **3.** JUR, POL, COM vertreten **II.** vpr **1.**(*s'imaginer*) se ~ **qn/qc** sich (*dat*) jdn/etw vorstellen **2.**(*survenir à nouveau*) se ~ **à qn** *occasion, possibilité:* sich jdm noch einmal bieten; *problème:* sich jdm erneut stellen **3.** POL se ~ **à qc** sich bei etw erneut zur Wahl stellen
répressif, -ive [ʀepʀesif, -iv] *adj* ein-/beschränkend; **loi répressive** Strafgesetz *nt;* **mesure répressive** Strafmaßnahme f
répression [ʀepʀesjɔ̃] f **1.** JUR strafrechtliche Verfolgung **2.** *d'une insurrection, révolte* Niederschlagung f
réprimander [ʀepʀimɑ̃de] <1> vt zurechtweisen

réprimer [ʀepʀime] <1> vt **1.** (retenir) unterdrücken; zurückhalten larmes **2.** POL niederschlagen révolte

reprisage [ʀ(ə)pʀizaʒ] m Stopfen nt

repris de justice [ʀ(ə)pʀid(ə)ʒystis] m inv Vorbestrafte(r) f(m)

reproche [ʀ(ə)pʀɔʃ] m Vorwurf m; **faire un** ~ **à qn** jdm einen Vorwurf machen

reprocher [ʀ(ə)pʀɔʃe] <1> **I.** vt (faire grief de) ~ **qc à qn** jdm etw vorwerfen; ~ **à qn de faire qc** jdm vorwerfen etw zu tun; **avoir qc à** ~ **à qn** jdm etw vorzuwerfen haben **II.** vpr **se** ~ **qc** sich (dat) Vorwürfe wegen etw machen; **se** ~ **de faire qc** sich (dat) Vorwürfe machen, dass man etw tut; **avoir qc à se** ~ sich (dat) etw vorzuwerfen haben

reproduction [ʀ(ə)pʀɔdyksjɔ̃] f (copie) Reproduktion f

reproduire [ʀ(ə)pʀɔdɥiʀ] <irr> vpr **se** ~ (se répéter) sich wiederholen

reprographie [ʀ(ə)pʀɔgʀafi] f Reprographie f

reptation [ʀɛptasjɔ̃] f Kriechen nt

républicain, e [ʀepyblikɛ̃, ɛn] **I.** adj republikanisch **II.** m, f Republikaner m

république [ʀepyblik] f Republik f; **République démocratique allemande** Deutsche Demokratische Republik; **République fédérale d'Allemagne** Bundesrepublik Deutschland; **République française** Französische Republik; **République populaire de Chine** Volksrepublik China; **République centrafricaine** Zentralafrikanische Republik ▶**on est en** ~ wir leben in einem freien Land

répudiation [ʀepydjasjɔ̃] f d'une chose Ausschlagung f; d'une personne Verstoßen nt

répugnant, e [ʀepyɲɑ̃, ɑ̃t] adj widerlich; **d'une laideur** ~**e** abstoßend hässlich

réputation [ʀepytasjɔ̃] f **1.** (honneur) [guter] Ruf **2.** (renommée) Ruf m; ~ **mondiale** Weltruf; **avoir bonne/mauvaise** ~ einen guten/schlechten Ruf haben; **la** ~ **de qn n'est plus à faire** jds guter Ruf steht außer Zweifel; iron jds Ruf ist bereits ruiniert; **se faire une** ~ sich (dat) einen Namen machen

réputé, e [ʀepyte] adj (connu) bekannt; **ce professeur est** ~ **pour être sévère** dieser Lehrer ist für seine Strenge bekannt

requérir [ʀəkeʀiʀ] <irr> vt **1.** (nécessiter) erfordern **2.** (solliciter) ~ **l'aide de qn** jds Hilfe erbitten **3.** (exiger) fordern explication, justification; anfordern avion spécial, protection

requête [ʀəkɛt] f INFORM Abfrage f

requin [ʀəkɛ̃] m ZOOL Hai[fisch m] m

requinquer [ʀ(ə)kɛ̃ke] <1> **I.** vt fam aufmöbeln; **être requinqué** wieder in Form sein **II.** vpr fam **se** ~ sich erholen

requis, e [ʀəki, iz] part passé de **requérir**

réquisitionner [ʀekizisjɔne] <1> vt (requérir) beschlagnahmen biens; dienstverpflichten hommes ▶**être réquisitionné pour faire la vaisselle** fam zum Spülen abkommandiert worden sein

RER [ɛʀøɛʀ] m abr de **réseau express régional** S-Bahn-Netz in Paris und Umgebung

rescapé, e [ʀɛskape] **I.** adj personne ~**e** Überlebende(r) f(m) **II.** m, f Überlebende(r) f(m)

réseau [ʀezo] <x> m **1.** (structure) Netz nt; ~ **ferroviaire/routier** Eisenbahn-/Straßennetz; ~ **téléphonique/radiophonique** Fernsprech-/Rundfunknetz **2.** (organisation) Organisation f; ~ **d'espionnage/de la mafia** Spionage-/Mafianetz nt **3.** INFORM Netz nt; **le** ~ **Internet** das Internet; ~ **local** lokales Netz

réservation [ʀezɛʀvasjɔ̃] f Reservierung f

réserve [ʀezɛʀv] f **1.** (provision) Vorrat m; **faire des** ~**s pour l'hiver** Vorräte für den Winter anlegen **2.** (lieu protégé) Schutzgebiet nt; ~ **indienne** Indianerreservat nt; ~ **botanique/naturelle/ornithologique** Pflanzen-/Natur-/Vogelschutzgebiet; ~ **de chasse** Wildschutzgebiet ▶**avoir des** ~**s** hum Reserven haben

réservé, e [ʀezɛʀve] adj **1.** (discret) zurückhaltend **2.** (limité à certains) ~ **aux handicapés/autobus** nur für Behinderte/Busse

réserver [ʀezɛʀve] <1> **I.** vt **1.** (garder) freihalten place; ~ **le meilleur pour la fin** das Beste bis zuletzt aufsparen **2.** (retenir) reservieren; buchen voyage; ~ **un billet d'avion** einen Flug buchen **II.** vpr (se ménager) **se** ~ **pour le dessert** sich (dat) seinen Appetit für den Nachtisch aufheben; **se** ~ **pour une meilleure occasion** auf eine bessere Gelegenheit warten; **se** ~ **pour plus tard** noch etwas warten

résidant, e [ʀezidɑ̃, ɑ̃t] m, f d'un immeuble Bewohner(in) m(f); d'une ville, d'un pays Einwohner(in) m(f)

résidence [ʀezidɑ̃s] f **1.** (domicile) Wohnsitz m; **lieu de** ~ Wohnort m; ~ **principale** Hauptwohnsitz; ~ **secondaire** zweiter Wohnsitz **2.** (appartement pour les vacances) Ferienwohnung f **3.** (maison pour les vacances) Ferienhaus nt **4.** (immeuble) Wohnanlage f; ~ **universitaire** Studentenwohnheim nt; ~ **pour personnes âgées** Altenheim nt; ~ **pour handicapés** Behindertenwohnheim

résident, e [ʀezidɑ̃, ɑ̃t] *m, f* (*étranger*) *in einem Gastland ansässiger Ausländer/ansässige Ausländerin;* **les ~s allemands en France** die in Frankreich ansässigen Deutschen

résider [ʀezide] <1> *vi* (*habiter*) wohnen; **les étrangers qui résident en France** die in Frankreich ansässigen Ausländer

résigner [ʀeziɲe] <1> *vpr* **se ~** resignieren; **se ~ à faire qc** sich damit abfinden etw zu tun

résilier [ʀezilje] <1> *vt* kündigen

résiné [ʀezine] *m* (*vin*) geharzter Wein

résineux [ʀezinø] *m* Nadelbaum *m;* **les ~** die Nadelhölzer; **forêt de ~** Nadelwald *m*

résistance [ʀezistɑ̃s] *f* (*opposition*) Widerstand *m;* **la Résistance** HIST die Resistance

résistant, e [ʀezistɑ̃, ɑ̃t] **I.** *adj couleur, matériau* haltbar; *personne, plante, animal* robust; **l'acier est plus ~ que le fer** Stahl ist härter als Eisen **II.** *m, f* HIST Widerstandskämpfer *m*

résister [ʀeziste] <1> *vi* **1.** (*s'opposer*) **~ à qn** sich gegen jdn wehren; **~ à un désir/une passion/tentation** einem Verlangen/einer Leidenschaft/Versuchung widerstehen **2.** (*supporter*) **qc résiste à qc** hält einer S. (*dat*) stand; **~ au feu/lavage** feuerfest/waschecht sein

résolu, e [ʀezɔly] **I.** *part passé de* **résoudre II.** *adj air, personne* entschlossen; *ton* bestimmt; **être ~ à qc** zu etw entschlossen sein; **être ~ à faire qc** entschlossen sein etw zu tun

résolution [ʀezɔlysjɔ̃] *f* **1.** (*décision*) Beschluss *m;* **prendre une ~** einen Beschluss fassen; **prendre des ~s** Vorsätze fassen; **prendre de bonnes ~s** gute Vorsätze fassen; **prendre la ~ de faire qc** den Beschluss fassen etw zu tun **2.** INFORM Auflösung *f*

résonance [ʀezɔnɑ̃s] *f* **1.** (*répercussion*) Resonanz *f;* **avoir une grande ~ dans l'opinion** in der Öffentlichkeit große Resonanz finden **2.** (*connotation*) Anklang *m*

résonner [ʀezɔne] <1> *vi* hallen

résoudre [ʀezudʀ] <*irr*> **I.** *vt* **1.** (*trouver une solution*) lösen *conflit, mystère, problème* **2.** (*décider*) **~ de faire qc** beschließen etw zu tun; **~ qn à faire qc** jdn überzeugen etw zu tun **II.** *vpr* (*se décider*) **se ~ à faire qc** sich zu etw entschließen

respect [ʀɛspɛ] *m* (*égards*) Respekt *m;* **~ de qn/qc** Respekt vor jdm/etw; **devoir le ~ à qn** jdm Respekt schulden; **manquer de ~ à qn** sich jdm gegenüber respektlos benehmen; **par ~ pour qn/qc** aus Achtung vor jdm/etw

respectabilité [ʀɛspɛktabilite] *f* Ehrenhaftigkeit *f*

respecter [ʀɛspɛkte] <1> *vt* **1.** (*avoir des égards pour*) achten; **être respecté** geachtet werden; **se faire ~** sich (*dat*) Respekt verschaffen **2.** (*observer*) wahren *forme, tradition;* einhalten *loi, normes;* beachten *ordre alphabétique, priorité;* **~ un engagement** einer Verpflichtung (*dat*) nachkommen

respectivement [ʀɛspɛktivmɑ̃] *adv* jeweils

respectueusement [ʀɛspɛktɥøzmɑ̃] *adv* mit Respekt; *iron* höflichst

respiration [ʀɛspiʀasjɔ̃] *f* Atmung *f;* **~ artificielle** künstliche Beatmung; **couper la ~ à qn** jdm den Atem verschlagen; **retenir sa ~** den Atem anhalten

respirer [ʀɛspiʀe] <1> *vi* **1.** (*inspirer*) atmen; **respirez fort!** tief einatmen! **2.** (*se détendre*) Luft holen **3.** (*être rassuré*) aufatmen

responsabiliser [ʀɛspɔ̃sabilize] <1> *vt* **~ qn** jds Verantwortungsbewusstsein wecken

responsabilité [ʀɛspɔ̃sabilite] *f* **1.** (*culpabilité*) Verantwortung *f;* **avoir une ~ dans qc** für etw mitverantwortlich sein **2.** JUR Haftung *f;* **~ collective** Gemeinschaftshaftung; **~ civile** Haftpflicht *f;* (*assurance*) Haftpflichtversicherung *f* **3.** (*charge de responsable*) **~ de qc** Verantwortung *f* für etw; **avoir/prendre des ~s** Verantwortung tragen/übernehmen; **avoir de grosses ~s** große Verantwortung tragen; **avoir la ~ de qn/qc** die Verantwortung für jdn/etw haben; **décliner/rejeter toute ~** jegliche Verantwortung ablehnen/von sich weisen; **sous la ~ de qn** unter jds Verantwortung; **il a plusieurs employés sous sa ~** ihm unterstehen mehrere Angestellte **4.** (*conscience*) Verantwortungsbewusstsein *nt*

responsable [ʀɛspɔ̃sabl] **I.** *adj* **1.** (*coupable*) **être ~ de qc** für etw verantwortlich sein **2.** JUR *civilement, pénalement* haftbar; **être ~ de qn/qc devant qn** jdm gegenüber für jdn/etw haften; **être ~ de ses actes** für seine Taten verantwortlich sein **3.** (*chargé de*) **~ de qc** für etw verantwortlich **4.** (*conscient*) verantwortungsbewusst **II.** *mf* **1.** (*auteur*) Verantwortliche(r) *f(m)* **2.** (*personne compétente*) Verantwortliche(r) *f(m); d'une organisation, entreprise* Führungskraft *f;* **~ d'un parti/syndicat** Partei-/Gewerkschaftsfunktionär *m;* **~ politique** politische Führungskraft; **~ technique** technischer Leiter

ressaisir [ʀ(ə)seziʀ] <8> *vpr* (*se maîtri-*

ser) **se** ~ sich wieder fangen

ressasser [R(ə)sase] <1> *vt* bis zum Überdruss wiederholen; ~ **des pensées moroses** in dumpfes Brüten verfallen sein

ressemblance [R(ə)sãblãs] *f* Ähnlichkeit *f;* **avoir une** ~ **avec qc** einer S. (*dat*) sehr ähnlich sein; **il y a une très grande** ~ **entre X et Y** X und Y ähneln sich sehr

ressembler [R(ə)sãble] <1> **I.** *vi* **1.**(*être semblable*) ähneln; ~ **à qn** jdm ähneln **2.**(*être semblable physiquement*) jdm ähnlich sehen; ~ **à qc** einer S. (*dat*) gleichen **3.** *fam* (*être digne de*) ~ **à qn** jdm ähnlich sehen (*fig*); **ça te ressemble de faire qc** das sieht dir ähnlich etw zu tun ▸**à quoi ça ressemble!** *fam* (*c'est nul*) was ist das denn!; **à quoi ça ressemble de faire qc** *fam* (*qu'est-ce que ça veut dire*) was soll denn das etw zu tun; **à quoi il ressemble, ton nouveau copain?** und wie ist dein neuer Freund?; **regarde un peu à quoi tu ressembles!** *fam* du siehst vielleicht aus! **II.** *vpr* **1.**(*être semblables*) **se** ~ sich ähneln **2.**(*être semblables physiquement*) **se** ~ sich ähnlich sehen ▸**qui se ressemble s'assemble** *prov* Gleich und Gleich gesellt sich gern

ressentir [R(ə)sãtiR] <10> *vt* empfinden; spüren *coup, sensation;* **se faire** ~ **sur qc** sich auf etw auswirken

resserrer [R(ə)seRe] <1> **I.** *vt* **1.**(*serrer plus fort*) nachziehen *boulon, vis;* fest ziehen *nœud;* enger schnallen *ceinture* **2.**(*fortifier*) festigen *amitié, relations* **II.** *vpr* **se** ~ **1.**(*devenir plus étroit*) enger werden; *personnes, groupe:* zusamenrücken; *cercle d'amis:* schrumpfen **2.**(*se fortifier*) *amitié:* sich festigen; *relations:* enger werden

resservir [R(ə)seRviR] <*irr*> **I.** *vt* **1.**(*offrir à nouveau au restaurant*) noch servieren **2.**(*offrir à nouveau chez soi, des amis*) noch geben **3.** *péj* (*radoter*) noch einmal auftischen **II.** *vi* (*revenir en usage*) noch einmal Verwendung finden; **ces emballages me resserviront** ich werde diese Verpackungen weiter verwenden **III.** *vpr* **1.**(*reprendre*) **se** ~ **en** [*o* **de**] **qc** noch etw nehmen **2.**(*réutiliser*) **se** ~ **de qc** etw wieder benützen

ressortir [R(ə)sɔRtiR] <10> **I.** *vi* + *être* **1.**(*sortir à nouveau*) *personne:* noch einmal weggehen **2.**(*contraster*) ~ **sur qc** *couleur, qualité:* sich von etw abheben; *détail:* von etw hervortreten; **faire** ~ **qc** (*mettre en relief*) *personne:* etw hervorheben; *chose:* etw zur Geltung bringen **3.** *fam* (*renouer*) ~ **avec qn** wieder mit jdm gehen **II.** *vt* + *avoir* **1.**(*remettre d'actualité*) wieder hervorholen *projet;* wieder herausbrin-

gen *modèle* **2.**(*remettre dehors*) wieder rausstellen *meubles de jardin;* **peux-tu** ~ **l'agenda?** kannst du den Terminkalender noch einmal herausholen?

ressortissant, e [R(ə)sɔRtisã, ãt] *m, f* Staatsangehörige(r) *f(m);* **les** ~**s étrangers résidant en France** die in Frankreich wohnhaften Ausländer

ressouder [R(ə)sude] <1> **I.** *vt* **1.** TECH nachschweißen; zusammenschweißen *choses* **2.**(*braser*) nachlöten; neu verlöten *choses* **3.**(*consolider*) wieder festigen *amitié, amour* **II.** *vpr* **se** ~ **1.**(*se souder à nouveau*) *fracture, os:* wieder zusammenwachsen **2.**(*se consolider*) *amitié, amour:* sich wieder festigen

ressource [R(ə)suRs] *f* **1.** *pl* (*moyens*) Mittel *Pl; de l'État* Einnahmequellen *Pl;* ~**s naturelles** Bodenschätze *Pl;* ~**s personnelles** Eigenkapital *nt;* **sans** ~**s** mittellos **2.** *sans pl* (*recours*) **tu es ma seule** ~ du bist meine letzte Rettung; **en dernière** ~ als letzter Ausweg; **sans** ~ hilflos ▸**avoir de la** ~ sich nicht unterkriegen lassen (*fam*)

ressourcer [R(ə)suRse] <2> *vpr* **se** ~ **1.**(*revenir aux sources*) sich besinnen **2.**(*puiser de nouvelles forces*) neue Kraft schöpfen

ressouvenir [R(ə)suvniR] <9> *vpr littér* **se** ~ **de qc** sich an etw (*akk*) erinnern

ressurgir [RəsyRʒiR] <8> *vi v.* **resurgir**

ressuscité, e [Resysite] *m, f* **1.** REL **le Ressuscité** der Auferstandene **2.** *fig* **vous êtes un vrai** ~! Sie sind ja wieder auferstanden!

ressusciter [Resysite] <1> **I.** *vi* **1.** + *être* REL **être ressuscité** auferstanden sein **2.** + *avoir* (*renaître*) *malade:* wieder aufleben; *nature:* zu neuem Leben erwachen; *projet:* wieder aktuell werden; *pays, entreprise:* sich wieder erholen; *idéologie:* wieder stark werden **II.** *vt* + *avoir* **1.** REL zum Leben erwecken **2.**(*régénérer, faire revivre*) wieder auf die Beine bringen (*fam*) *entreprise, pays:* zu neuem Leben erwecken *malade, nature:* wieder aufleben lassen *idéologie, mode:* **être ressuscité** *malade:* wieder auf den Beinen sein; *entreprise, pays:* sich wieder erholt haben; *idéologie:* wieder stark sein

restant [Restã] *m* Rest *m;* **le** ~ **de la journée** der restliche Tag; ~ **de poulet/tissu** Hühnchen-/Stoffrest

restau [Resto] *m fam abr de* **restaurant** *v.* **resto**

restaurant [RestɔRã] *m* Restaurant *nt,* Gaststätte *f;* **aller au** ~ essen gehen; ~ **universitaire** Mensa *f;* ~ **du cœur** Essen für Obdachlose [*in den Wintermonaten*]

restauration [ʀɛstɔʀasjɔ̃] *f* **1.**(*remise en état*) Restaurierung *f,* Restauration *f* **2.**(*hôtellerie*) Gastronomie *f,* Gaststättengewerbe *nt;* ~ **rapide** Fastfood-Gastronomie *f* **3.** INFORM Wiederherstellung *f*
restaurer [ʀɛstɔʀe] <1> *vt* **1.**(*remettre en état*) restaurieren **2.**(*rétablir*) wiederherstellen *droits, ordre, paix*
reste [ʀɛst] *m* **1.**(*reliquat*) **le ~ de la journée/du temps/de ma vie** der Rest des Tages/der Zeit/meines Lebens; **tout le ~** alles Übrige; **un ~ de tissu** ein Stoffrest; **un ~ d'amour/de pitié** ein Rest [von] Liebe/Mitgefühl **2.** MATH Rest *m* **3.** *pl d'un repas* Reste *Pl;* **ne pas laisser beaucoup de ~s** nicht viel übrig lassen ▶**avoir de beaux ~s** *hum* sich ganz gut gehalten haben (*fam*); **partir sans demander son ~** gehen ohne einen Ton von sich zu geben; **faire** le **~** ein Übriges tun; **du ~** im Übrigen, übrigens; **pour le ~** im Übrigen, ansonsten
rester [ʀɛste] <1> **I.** *vi + être* **1.**(*demeurer, ne pas s'en aller*) bleiben; ~ **au lit** im Bett bleiben; ~ **chez soi** zu Hause bleiben; ~ [**à**] **dîner** zum Essen bleiben; ~ **sans parler/manger/bouger** nicht sprechen/nicht essen/sich nicht bewegen **2.**(*continuer à être*) bleiben; ~ **debout/assis** toute la journée den ganzen Tag stehen/sitzen; ~ **immobile** stillhalten **3.**(*subsister*) [übrig] bleiben, übrig sein; **ça m'est resté** (*dans ma mémoire*) das habe ich [im Gedächtnis] behalten; (*dans mes habitudes*) das habe ich beibehalten; **beaucoup de choses restent à faire** es bleibt noch viel zu tun **4.**(*ne pas se libérer de*) ~ **sur un échec** sich von einem Misserfolg lähmen lassen ▶**en ~ là** es dabei [bewenden] lassen; **y ~** umkommen, ums Leben kommen **II.** *vi impers + être* **1.**(*être toujours là*) **il reste du vin** es ist noch Wein übrig; **il n'est rien resté** es ist nichts übrig [geblieben]; **il ne me reste [plus] que toi/cinquante euros** ich habe nur noch dich/fünfzig Euro **2.**(*ne pas être encore fait*) **je sais ce qu'il me reste à faire** ich weiß, was ich zu tun habe; **reste à savoir si ...** [es] bleibt abzuwarten, ob ...
resto [ʀɛsto] *m fam abr de* **restaurant**
restoroute® [ʀɛstoʀut] *f* Raststätte *f; de l'autoroute* Autobahnraststätte
restreint, e [ʀɛstʀɛ̃, ɛ̃t] **I.** *part passé de* **restreindre II.** *adj vocabulaire* beschränkt; *moyens, nombre* gering, begrenzt; *autorité, choix* eingeschränkt; ~ **à un petit cercle/certaines personnes** auf einen kleinen Kreis/gewisse Menschen begrenzt
restriction [ʀɛstʀiksjɔ̃] *f* Einschränkung *f;*

des dépenses Beschränkung *f;* **mesures de ~** restriktive Maßnahmen *pl* (*geh*); **faire** [*o* **émettre**] **des ~s** Vorbehalte haben; **sans** [**faire de**] ~[**s**] ohne Vorbehalte; **avec des ~s** unter Vorbehalt
restructuration [ʀəstʀyktyʀasjɔ̃] *f de l'économie, d'une entreprise* Umstrukturierung *f; d'un parti* Neuordnung *f*
restructurer [ʀəstʀyktyʀe] <1> *vt* umstrukturieren *entreprise, économie;* neuordnen *parti*
résultat [ʀezylta] *m* **1.** MATH, SPORT, ECON, POL Ergebnis *nt; d'une opération, d'un problème* Resultat *nt;* SCOL Leistung *f; d'un examen* Ergebnis; **les ~s des élections** das Wahlergebnis **2.**(*conséquence*) Folge *f;* **avoir de bons/mauvais ~s** positive/negative Folgen haben; **avoir pour ~ une augmentation des prix** eine Preiserhöhung zur Folge haben, zu einer Preiserhöhung führen **3.**(*chose obtenue*) Ergebnis *nt;* (*réussite*) Resultat *nt,* Erfolg *m;* **c'est déjà un ~** das ist [doch] schon [mal] etwas; **n'obtenir aucun ~** nichts erreichen; **obtenir quelques ~s** einige Erfolge erzielen ▶**sans ~** ohne Erfolg, ergebnislos
résumé [ʀezyme] *m* Zusammenfassung *f* ▶**en ~** (*en bref*) zusammenfassend; (*somme toute*) alles in Allem; **en ~: ...** kurz und gut: ...
résumer [ʀezyme] <1> *vt* (*récapituler*) zusammenfassen, resümieren (*geh*); ~ **qc en une page** etw auf einer Seite zusammenfassen
résurrection [ʀezyʀɛksjɔ̃] *f* Auferstehung *f;* **la Résurrection** die Auferstehung
rétablir [ʀetabliʀ] <8> **I.** *vt* **1.**(*remettre en fonction*) wiederherstellen *communication, courant;* wieder aufnehmen *contact, liaison;* **être rétabli** *communication, contact:* wiederhergestellt sein; *trafic:* wieder fließen **2.**(*restaurer*) wiederherstellen *confiance, équilibre, ordre;* wiederherstellen *monarchie;* richtig stellen *faits;* ~ **la vérité** der Wahrheit zu ihrem Recht verhelfen **3.** MED wiederherstellen; **être rétabli** wiederhergestellt sein, wieder gesund sein **II.** *vpr* se ~ **1.**(*guérir*) *personne:* sich erholen, wieder gesund werden; *pays:* sich wieder erholen; **en voie de se ~** auf dem Wege der Besserung **2.**(*revenir*) *calme, silence:* wieder einkehren; *trafic:* wieder fließen
rétablissement [ʀetablismɑ̃] *m d'un malade* Wiederherstellung *f,* Genesung *f;* **bon ~!** gute Besserung!; **souhaiter un bon ~ à qn** jdm gute Besserung wünschen
retaper [ʀ(ə)tape] <1> **I.** *vt* **1.**(*remettre en état*) renovieren *maison;* überholen *voiture;* zurechtziehen *lit* **2.** *fam* (*rétablir*)

wieder auf die Beine bringen, aufpäppeln *malade* **II.** *vpr fam* se ~ **à la mer/la montagne** sich am Meer/im Gebirge erholen
retard [ʀ(ə)taʀ] *m* **1.** *d'un véhicule* Verspätung *f; d'une personne* Zuspätkommen *nt;* **un ~ d'une heure** eine Verspätung von einer Stunde; **avec une heure/dix minutes de ~** mit einer Stunde/zehn Minuten Verspätung; **arriver en ~** zu spät kommen, sich verspäten; **avoir du ~/deux minutes de ~** *personne:* zu spät/zwei Minuten zu spät kommen; *moyen de transport:* Verspätung/zwei Minuten Verspätung haben; **avoir du ~ sur son planning** seiner [Termin]planung hinterher sein *(fam)*; **être en ~ de dix minutes** *personne:* zehn Minuten zu spät kommen; *moyen de transport:* zehn Minuten Verspätung haben **2.** *(réalisation tardive)* **avoir du ~ dans un travail/paiement** mit einer Arbeit im Rückstand/einer Zahlung im Verzug sein; **être en ~ d'un mois pour payer le loyer** mit der Zahlung der Miete einen Monat im Verzug sein **3.** *(développement plus lent)* Rückständigkeit *f;* SCOL Rückstand *m;* **présenter un ~ de langage/de croissance** in seiner Sprachentwicklung/im Wachstum zurück sein; **être en ~ sur son temps** nicht auf der Höhe der Zeit sein
retardé, e [ʀ(ə)taʀde] *fam* **I.** *adj enfant* zurückgeblieben; *élève* schwach **II.** *m, f* **~(e) mental(e)** Zurückgebliebene(r) *f(m);* **~(e) scolaire** Spätentwickler(in) *m(f);* **classe pour ~s** Förderklasse *f*
retarder [ʀ(ə)taʀde] <1> **I.** *vt* **1.** *(mettre en retard)* aufhalten *personne, véhicule;* ~ **l'arrivée de qn** *personne:* jds Ankunft hinauszögern; *qc* **retarde le départ du train** durch etw verzögert sich die Abfahrt des Zuges **2.** *(ralentir, empêcher)* aufhalten; ~ **qn dans son travail/ses préparatifs** jdn von seiner Arbeit/seinen Vorbereitungen abhalten **II.** *vi* *(être en retard)* ~ **d'une heure** *montre, horloge:* eine Stunde nachgehen
retendre [ʀ(ə)tɑ̃dʀ] <14> *vt* **1.** *(raidir à nouveau)* wieder anziehen; wieder spannen *câble, chaîne;* fest ziehen *lien;* MUS nachspannen, neu spannen *corde* **2.** *(disposer à nouveau)* wieder auswerfen *filet de pêche* **3.** *(présenter à nouveau)* ~ **la main à qn** jdm wieder die Hand reichen
retenir [ʀ(ə)tənir, ʀət(ə)niʀ] <9> **I.** *vt* **1.** *(maintenir en place)* [fest] halten *objet, personne qui glisse;* zurückhalten *foule, personne;* fest halten *bras;* ~ **qn par la manche** jdn am Ärmel fest halten **2.** *(empêcher d'agir)* zurückhalten; **retiens/retenez-**

moi, ou je fais un malheur halte/halten Sie mich zurück oder ich vergesse mich; **je ne sais pas ce qui me retient de le gifler** ich weiß nicht, was mich davon abhält ihn zu ohrfeigen **3.** *(empêcher de tomber)* halten **4.** *(garder)* aufhalten; **je ne te retiens pas plus longtemps** ich will dich nicht länger aufhalten; ~ **qn prisonnier/en otage** jdn gefangen halten/jdn als Geisel fest halten; **j'ai été retenu** ich bin aufgehalten worden **5.** *(requérir)* ~ **l'attention** Aufmerksamkeit erfordern **6.** *(réserver)* reservieren *chambre, place;* reservieren, bestellen *table* **7.** *(se souvenir de)* [im Gedächtnis] behalten, sich merken; **retenez bien la date** merken Sie sich den Termin gut **8.** *(réprimer)* unterdrücken *colère, cri, geste;* unterdrücken, zurückhalten *larmes;* unterdrücken, sich verkneifen *(fam) sourire, soupir de satisfaction;* anhalten *souffle* **9.** *(accepter, choisir)* annehmen *candidature;* ~ **une proposition** einen Vorschlag annehmen, einem Vorschlag zustimmen **10.** *(prélever)* ~ **un montant sur le salaire** einen Betrag vom Lohn abziehen; ~ **les impôts sur le salaire** die Steuer vom Lohn einbehalten ►**je te/le/la retiens!** *fam* das vergesse ich dir/ihm/ihr nicht so schnell! **II.** *vpr* **1.** *(s'accrocher)* **se ~ à qn/qc pour faire qc** sich an jdm/etw [fest] halten um etw zu tun **2.** *(s'empêcher)* **se ~** sich beherrschen, sich zurückhalten, an sich halten; **se ~ pour ne pas rire** sich beherrschen um nicht zu lachen **3.** *(contenir ses besoins naturels)* **se ~** sich beherrschen
retentissant, e [ʀ(ə)tɑ̃tisɑ̃, ɑ̃t] *adj* **1.** *cri* durchdringend, laut; *voix* dröhnend; *bruit* dröhnend; *claque* schallend **2.** Aufsehen erregend; *scandale, succès* Riesen-; *déclaration, discours* spektakulär
retentissement [ʀ(ə)tɑ̃tismɑ̃] *m* **1.** *d'un discours, de mesures politiques* [Nach]wirkung *f; d'une affaire* Auswirkung *f* **2.** *d'un film, d'une œuvre* Wirkung *f;* **avoir un grand ~** großes Aufsehen erregen
réticence [ʀetisɑ̃s] *f* Vorbehalt *m;* **avec ~** widerstrebend; *accepter* unter Vorbehalt[en]
réticent, e [ʀetisɑ̃, ɑ̃t] *adj* **être ~** Vorbehalte haben
retiré, e [ʀ(ə)tiʀe] *adj (solitaire) lieu* entlegen, abgelegen, abgeschieden; **mener une vie ~e** zurückgezogen leben; **vivre complètement ~ du monde** völlig weltabgeschieden leben
retirer [ʀ(ə)tiʀe] <1> **I.** *vt* **1.** *(enlever)* ablegen, ausziehen *vêtement, montre;* abziehen *housses;* ~ **ses lunettes** seine Brille

absetzen; ~ **qc du commerce** etw aus dem Handel zurückziehen; ~ **qc du catalogue/programme** etw aus dem Katalog/Programm nehmen; ~ **son jouet à qn** jdm ihr/sein Spielzeug wegnehmen; ~ **sa confiance à qn** jdm das Vertrauen entziehen; ~ **le permis à qn** jdm den Führerschein abnehmen **2.** (*faire sortir*) herausnehmen; ~ **un gâteau du moule** einen Kuchen aus der Form nehmen; ~ **la clé de la serrure** den Schlüssel abziehen; ~ **qn de l'école** jdn von der Schule nehmen; ~ **qn des décombres** jdn aus den Trümmern bergen **3.** (*prendre possession de*) holen *argent;* abholen *billet;* ~ **de l'argent à la banque/d'un compte** Geld von der Bank/vom Konto abheben **4.** (*ramener en arrière*) zurückziehen *main, tête, troupes* **5.** (*annuler*) zurücknehmen, widerrufen (*form*) *déclaration, paroles;* zurückziehen *accusation, candidature, offre* **6.** (*obtenir*) ~ **des avantages/un bénéfice de qc** Vorteile/einen Gewinn aus etw ziehen; ~ **qc d'une expérience** etw aus einer Erfahrung lernen **7.** (*extraire*) ~ **de l'huile d'une substance** Öl aus einer Substanz gewinnen; ~ **du minerai/du charbon** Erz/Kohle gewinnen **8.** (*tirer de nouveau*) ~ **un coup de feu** noch einen Schuss abgeben **9.** (*faire un second tirage*) **faire** ~ **une photo** neue Abzüge von einem Foto machen lassen **II.** *vi* noch einmal schießen **III.** *vpr* **1.** (*partir*) **se** ~ sich zurückziehen; ~ **dans sa chambre** sich in sein Zimmer zurückziehen, auf sein Zimmer gehen; **se** ~ **à la campagne** sich aufs Land zurückziehen **2.** (*annuler sa candidature*) **se** ~ seine Kandidatur zurückziehen **3.** (*prendre sa retraite*) **se** ~ sich zur Ruhe setzen **4.** (*reculer*) **se** ~ *armée, ennemi:* sich zurückziehen; *eau, mer:* zurückgehen; **retire-toi d'ici!** verzieh dich! (*fam*) **5.** (*quitter*) **se** ~ **de la vie publique/des affaires** sich aus dem öffentlichen Leben/dem Geschäftsleben zurückziehen; **se** ~ **du jeu** sich zurückziehen

retombée [ʀ(ə)tɔ̃be] *f* **1.** *pl* (*répercussions*) Auswirkungen *Pl;* **les ~s médiatiques/publicitaires de qc** das Medienecho/die Werbewirksamkeit einer S. (*gen*) **2.** (*impact*) [Aus]wirkung *f,* Folge *f*

retomber [ʀ(ə)tɔ̃be] <1> *vi* + *être* **1.** (*tomber à nouveau*) wieder hinfallen; ~ **dans l'oubli/la misère/la drogue** in Vergessenheit/in Not/an Drogen geraten; ~ **dans la délinquance** wieder straffällig werden; ~ **sur le même sujet**

wieder auf dasselbe Thema [zurück]kommen **2.** (*tomber après s'être élevé*) aufkommen; *ballon:* aufkommen, aufschlagen; *capot:* wieder zufallen; *fusée:* [wieder] abstürzen; **se laisser** ~ sich [wieder] fallen lassen **3.** (*baisser*) *curiosité, enthousiasme:* nachlassen, verfliegen; *fièvre, cote de popularité:* fallen; ~ **au niveau d'il y a trois ans** *consommation:* auf den Stand von vor drei Jahren zurückgehen **4.** (*redevenir*) ~ **amoureux** sich wieder verlieben; ~ **malade/enceinte** wieder krank/schwanger werden **5.** METEO *brouillard:* wieder aufkommen; *neige:* wieder fallen; **la pluie/la neige retombe** es regnet/schneit wieder **6.** (*échoir à*) ~ **sur qn** auf jdn zurückfallen; **cela va me** ~ **dessus** das wird wieder auf mich zurückfallen; **faire** ~ **la faute sur qn** die Schuld auf jdn schieben; **faire** ~ **la responsabilité sur qn/qc** die Verantwortung auf jdn/etw abwälzen **7.** (*revenir, rencontrer*) ~ **au même endroit** [zufällig] wieder an denselben Ort geraten; ~ **sur qn** jdn [zufällig] wieder treffen

retouche [ʀ(ə)tuʃ] *f d'un vêtement* Änderung *f;* **faire une** ~ **à un vêtement** ein Kleidungsstück [ab]ändern

retoucher [ʀ(ə)tuʃe] <1> **I.** *vt* **1.** (*corriger*) [ab]ändern *vêtement* **2.** (*être remboursé*) ~ **100 euros** 100 Euro zurückbekommen **II.** *vi* **1.** (*toucher de nouveau*) ~ **à qc** etw noch einmal anfassen **2.** (*regoûter à*) ~ **à l'alcool** wieder [Alkohol] trinken

retour [ʀ(ə)tuʀ] **I.** *m* **1.** (*opp: départ*) Rückkehr *f;* (*à la maison*) Heimkehr *f;* (*chemin*) Rückweg *m;* (*à la maison*) Heimweg *m;* (*voyage*) Rückreise *f;* (*à la maison*) Heimreise *f;* **prendre le chemin du** ~ sich auf den Rück-/Heimweg machen; **au** ~ auf dem Rückweg; (*en voiture*) auf der Rückfahrt; (*en avion*) auf dem Rückflug; (*à l'arrivée*) bei der Rückkehr; **au** ~ **du service militaire** nach Beendigung des Militärdienstes; **de** ~ **à la maison** wieder zurück zu Hause; **être de** ~ [wieder] zurück sein **2.** (*à un état antérieur*) ~ **à la nature** Rückkehr *f* zur Natur; (*slogan*) zurück zur Natur; ~ **à l'Antiquité** Rückbesinnung *f* auf die Antike; ~ **à la politique/terre** Rückkehr in die Politik/zum Landleben; ~ **au calme** Beruhigung *f* [der Lage]; ~ **en arrière** Rückblende *f* **3.** (*réapparition*) ~ **de la grippe** Wiederauftreten *nt* der Grippe; **un** ~ **du froid** ein erneuter Kälteeinbruch; **la mode des années 60 est de** ~ die Mode der 60er Jahre ist wieder im Kommen; ~ **en force** Comeback *nt* **4.** TRANSP einfache Fahrkarte für die Rückfahrt; (*avion*) Flugschein *m* für den Rück-

flug; **un aller et ~ pour Paris** eine Rückfahrkarte/ein Hin- und Rückflug *m* nach Paris **5.** MEDIA Rücklauf *m;* **touche de ~ rapide** Rückspultaste *f* ▶**c'est un juste ~ des choses** das ist ausgleichende Gerechtigkeit; **par ~ du courrier** postwendend, umgehend; **~ à l'expéditeur!** zurück an Absender!; *fam (rendre la pareille)* wie du mir, so ich dir; **~ éternel** ewige Wiederkehr **II.** *app* **match ~** Rückspiel *nt*
retourner [ʀ(ə)tuʀne] <1> **I.** *vt + avoir* **1.** *(mettre dans l'autre sens)* umdrehen; wenden *matelas, omelette, viande;* auf den Kopf stellen *caisse, tableau, verre;* JEUX aufdecken **2.** *(mettre à l'envers)* [auf] links drehen *vêtement;* umkrempeln, hochkrempeln *manche, bas de pantalon;* **être retourné** *vêtement:* auf links sein; *col:* nach innen geschlagen sein **3.** *(orienter en sens opposé)* **~ une critique à qn** eine Kritik gegen jdn kehren; **~ un compliment à qn** jdm ein Kompliment zurückgeben; **~ la situation en faveur de qn** die Situation zu jds Gunsten umkehren; **~ l'opinion en sa faveur** einen Meinungsumschwung zu seinen Gunsten herbeiführen; **~ une arme contre soi-même** eine Waffe gegen sich selbst richten **4.** *(faire changer d'opinion)* umstimmen; **~ qn en faveur d'une amie/contre un projet** jdn für eine Freundin/gegen ein Projekt einnehmen **5.** *(renvoyer)* **~ une lettre à l'expéditeur** einen Brief an den Absender zurückschicken; **~ une marchandise** eine Ware zurückgehen lassen **6.** *fam (bouleverser)* auf den Kopf stellen *maison, pièce;* erschüttern *personne;* **le film m'a retourné** der Film hat mich aufgewühlt; **j'en suis tout retourné** ich bin ganz fassungslos **II.** *vi + être* **1.** *(revenir)* zurückkehren, zurückkommen; *(en bus, voiture, train)* zurückfahren; *(en avion)* zurückfliegen; **~ sur ses pas** kehrtmachen, umdrehen; **~ chez soi** nach Hause gehen **2.** *(aller de nouveau)* **~ à la montagne/chez qn** wieder ins Gebirge/zu jdm gehen; *(en bus, voiture, train)* wieder ins Gebirge/zu jdm fahren; *(en avion)* wieder ins Gebirge/zu jdm fliegen **3.** *(se remettre à)* **~ à son travail** wieder an die Arbeit gehen; *(après une maladie, des vacances)* die Arbeit wieder aufnehmen **III.** *vpr + être* **1.** *(se tourner dans un autre sens)* **se ~** *personne:* sich umdrehen; *voiture:* sich überschlagen; *bateau:* kentern; **se ~ sans cesse dans son lit** sich im Bett herumwälzen **2.** *(tourner la tête)* **se ~** sich umschauen; **tout le monde se retournait sur leur passage** alle haben sich nach ihnen umgedreht; **se ~**

vers qn/qc sich zu jdm/etw drehen **3.** *(prendre parti)* **se ~ en faveur de/ contre qn** sich hinter/gegen jdn stellen; **se ~ contre qn** JUR [gerichtlich] gegen jdn vorgehen **4.** *(prendre un nouveau cours)* **se ~ en faveur de/contre qn** *situation:* sich zu jds Gunsten/Ungunsten kehren; *acte, action:* sich zu jds Gunsten/Ungunsten auswirken **5.** *(se tordre)* **se ~ l'épaule** sich die Schulter verrenken; **se ~ le doigt/ bras** sich *(dat)* den Finger/Arm verstauchen **6.** *(repartir)* **s'en ~ dans son pays natal/en France** wieder in sein Heimatland/nach Frankreich zurückkehren ▶**s'en ~ comme on est venu** unverrichteter Dinge wieder gehen
retraduire [ʀ(ə)tʀadɥiʀ] <*irr*> *vt* neu übersetzen
retrait [ʀ(ə)tʀɛ] *m* **1.** *d'argent* Abheben *nt; des bagages, d'un billet* Abholen *nt*, Abholung *f; d'un projet de loi, d'une candidature* Zurückziehen *nt* **2.** *d'une autorisation* Aufhebung *f;* **~ du permis [de conduire]** Führerscheinentzug *m*
retraite [ʀ(ə)tʀɛt] *f* **1.** *(cessation du travail)* [Eintritt in den] Ruhestand *m; des fonctionnaires, militaires* Pensionierung *f;* **l'âge de la ~** die Altersgrenze; *des ouvriers, employés* das Rentenalter; *des fonctionnaires* das Pensionsalter; **~ anticipée** vorzeitiger Ruhestand, Vorruhestand *m; d'un ouvrier, employé* Frührente *f;* **être à la ~** im Ruhestand sein; *ouvrier, employé:* in Rente sein; *fonctionnaire, militaire:* pensioniert sein; **mettre qn à la ~** jdn in den Ruhestand versetzen; *fonctionnaire, militaire* jdn pensionieren; **partir à la ~, prendre sa ~** in den Ruhestand gehen; *ouvrier, employé:* in Rente gehen; *fonctionnaire, militaire:* in Pension gehen; *artisans, professions libérales:* sich zur Ruhe setzen **2.** *(pension)* Altersruhegeld *nt (form); des ouvriers, employés* [Alters]rente *f; des fonctionnaires, militaires* Pension *f,* [Alters]ruhegehalt *nt; ~* **complémentaire** *(assurance)* Zusatzrentenversicherung *f; (pension)* Zusatzrente *f*
retraité, e [ʀ(ə)tʀete] **I.** *adj (à la retraite)* im Ruhestand; *ouvrier, employé* in Rente; *fonctionnaire, militaire* pensioniert, in Pension **II.** *m, f* Ruheständler *m; (ouvrier, employé)* Rentner *m; (fonctionnaire, militaire)* Pensionär *m*
retraitement [ʀ(ə)tʀɛtmɑ̃] *m des combustibles nucléaires* Wiederaufbereitung *f; des déchets* Wiederverwertung *f,* Recycling *nt;* **centre/usine de ~ [des déchets nucléaires]** Wiederaufbereitungsanlage *f; ~* **des vieux papiers** Altpapierrecycling *nt*
retransmettre [ʀ(ə)tʀɑ̃smɛtʀ] <*irr*> *vt*

übertragen; ausstrahlen, übertragen *émission;* ~ **qc en direct/en différé** etw live/als Aufzeichnung übertragen

retransmission [ʀ(ə)tʀɑ̃smisjɔ̃] *f* Übertragung *f; d'une émission* Ausstrahlung *f;* ~ **en direct** Direktübertragung, Live-Übertragung *f;* ~ **en différé** Aufzeichnung *f;* **la ~ du match aura lieu en direct/en différé** das Spiel wird live/als Aufzeichnung übertragen

retravailler [ʀ(ə)tʀavaje] <1> I. *vi* (*reprendre le travail*) wieder arbeiten II. *vt* überarbeiten; umarbeiten *discours, texte;* neu bearbeiten *matière, minerai;* [noch einmal] überdenken *question*

rétrécir [ʀetʀesiʀ] <8> I. *vt* (*rendre plus étroit*) verengen; enger machen *bague, vêtement* II. *vi, vpr laine, tissu:* einlaufen, eingehen; **le pull a rétréci au lavage** der Pulli ist beim Waschen eingegangen

rétro [ʀetʀo] *abr de* **rétrograde** I. *adj inv* (*démodé*) nostalgisch; *mode* Retro- (*kann den Stil der 20er bis 70er Jahre bezeichnen*) II. *adv* nostalgisch (*kann im Stil der 20er bis 70er Jahre sein*)

rétroactivement [ʀetʀoaktivmɑ̃] *adv* rückwirkend; *agir* ~ rückwirkend in Kraft treten; *décision:* rückwirkend gelten

rétrocession [ʀetʀosesjɔ̃] *f* Rückgabe *f;* JUR Rückübertragung *f*

rétrograder [ʀetʀogʀade] <1> *vi* AUT ~ **de troisième en seconde** vom Dritten in den Zweiten zurückschalten

rétroprojecteur [ʀetʀopʀɔʒɛktœʀ] *m* Overheadprojektor *m*, Tageslichtprojektor *m*

rétrospectif, -ive [ʀetʀɔspɛktif, -iv] *adj examen, étude* rückblickend; **jeter un regard** ~ **sur qc** etw rückblickend betrachten

rétrospective [ʀetʀɔspɛktiv] *f* Retrospektive *f*

retrousser [ʀ(ə)tʀuse] <1> *vt* umschlagen, hochkrempeln *manche, bas de pantalon;* hochzwirbeln *moustache;* **retrousser les lèvres** die Zähne blecken; **retrousser les babines** die Zähne fletschen

retrouvailles [ʀ(ə)tʀuvaj] *fpl* Wiedersehen *nt*

retrouver [ʀ(ə)tʀuve] <1> I. *vt* 1. (*récupérer*) wiederfinden; finden, aufspüren *fugitif, enfant perdu;* finden *cadavre;* wiedererhalten *fonction;* wiederbekommen, wiederfinden *place;* ~ **son utilité** wieder benutzt werden; **j'ai retrouvé son portefeuille** ich habe seinen/ihren Geldbeutel wiedergefunden 2. (*rejoindre*) ~ **qn** jdn treffen, sich mit jdm treffen; **attendez-moi, je vous retrouve dans un quart d'heure** wartet/warten Sie auf mich, ich komme in einer Viertelstunde nach 3. (*recouvrer*) ~ **l'équilibre** sein Gleichgewicht wiederfinden; ~ **la foi** wieder zu seinem Glauben finden; ~ **son calme/ses forces/la santé** sich [wieder] beruhigen/wieder zu Kräften kommen; **avoir retrouvé le sourire/le sommeil/l'espoir** wieder lächeln/schlafen/hoffen können 4. (*redécouvrir*) finden *situation, travail, marchandise;* **tu auras du mal à** ~ **une occasion aussi favorable** so eine günstige Gelegenheit findest du nicht so schnell wieder 5. (*reconnaître*) **je te retrouve tel que je t'ai toujours connu** du bist immer noch derselbe; **je retrouve bien là mon mari!** das sieht meinem Mann ähnlich! II. *vpr* 1. (*se réunir*) **se** ~ *personnes:* sich [wieder] treffen; **se** ~ **au bistro** sich in der Kneipe treffen; **j'espère qu'on se retrouvera bientôt** ich hoffe, wir sehen uns bald wieder 2. (*se présenter de nouveau*) **se** ~ *occasion, circonstance:* sich wieder bieten 3. (*être de nouveau*) **se** ~ **dans la même situation** sich wieder in der gleichen Situation befinden; **se** ~ **devant les mêmes difficultés** wieder vor den gleichen Schwierigkeiten stehen; **se** ~ **seul/désemparé** wieder allein/ratlos dastehen 4. (*finir*) **se** ~ **en prison/dans le fossé** sich im Gefängnis/im Graben wiederfinden, im Gefängnis/im Graben landen (*fam*); **se** ~ **sur le pavé** [plötzlich] auf der Straße stehen (*fam*) 5. (*retrouver son chemin*) **se** ~ **dans une ville inconnue** sich in einer fremden Stadt zurechtfinden; **j'arrive toujours à me** ~ ich finde mich immer irgendwie zurecht 6. (*voir clair*) **s'y** ~ sich zurechtfinden; **je n'arrive pas à m'y** ~ ich komme damit nicht zurecht; **s'y** ~ **dans ses calculs** mit seinen Berechnungen zurechtkommen; **s'y** ~ **dans ses explications** Erklärungen (*dat*) folgen können ►**comme on se retrouve!** so sieht man sich wieder!; **on se retrouvera!** *fam* (*menace*) wir sprechen uns noch!

rétroviseur [ʀetʀovizœʀ] *m* Rückspiegel *m;* ~ **extérieur/intérieur** Außen-/Innen[rück]spiegel *m*

réunification [ʀeynifikasjɔ̃] *f de nations, d'États* Wiedervereinigung *f;* **la** ~ **de l'Allemagne** die Wiedervereinigung Deutschlands

réunifier [ʀeynifje] <1> *vt* wieder zusammenführen; wieder vereinigen *nations, États;* **l'Allemagne réunifiée** das wieder vereinigte Deutschland

réunion [ʀeynjɔ̃] *f* 1. (*séance*) Zusammenkunft *f*, Treffen *nt; d'un comité, d'une commission* Sitzung *f;* (*conférence*) Be-

sprechung f, Konferenz f; SCOL Konferenz; (*rassemblement politique/public*) Versammlung f; ~ **de famille** Familientreffen; ~ **de parents d'élèves** Elternabend m; ~ **d'information** Informationsveranstaltung; **être en** ~ in einer Besprechung sein **2.** (*ensemble, rapprochement*) Vereinigung f; d'États Zusammenschluss m; d'amis Kreis m; (*convocation*) Versammlung; **la** ~ **des membres de la famille** die Versammlung der Familienmitglieder

Réunion [ʀeynjɔ̃] f [**l'île de**] **la** ~ die Insel Réunion

réunir [ʀeyniʀ] <8> I. vt **1.** (*mettre ensemble*) sammeln; einsammeln, sammeln *objets, papiers;* sammeln, zusammenstellen, zusammentragen *faits, preuves, arguments;* **les conditions sont réunies pour que la tension baisse** die Voraussetzungen für eine Entspannung der Lage sind gegeben **2.** (*cumuler*) ~ **un maximum d'avantages** maximale Vorteile mit sich bringen; ~ **toutes les conditions exigées** alle erforderlichen Bedingungen erfüllen **3.** (*rassembler*) ~ **des personnes** *personne:* Menschen versammeln; ~ **des articles de presse dans un classeur** Zeitungsartikel in einem Ordner sammeln II. vpr **se** ~ (*se rassembler*) *personnes:* sich treffen, zusammenkommen

réussi, e [ʀeysi] adj **1.** (*couronné de succès*) gelungen; *examen* bestanden; **être vraiment** ~ wirklich gelungen sein **2.** (*bien exécuté*) gelungen; **ne pas être très réussi** nicht besonders gelungen sein ▸**c'est** ~! iron [das war ein] Volltreffer! (*fam*)

réussir [ʀeysiʀ] <8> I. vi **1.** (*aboutir à un résultat*) *chose:* gelingen, Erfolg haben; ~ **bien/mal** Erfolg/keinen Erfolg haben **2.** (*parvenir au succès*) ~ **dans la vie/dans les affaires** im Leben/im Geschäftsleben erfolgreich sein; ~ **à l'/un examen** die/eine Prüfung bestehen; **tout lui réussit** ihm/ihr gelingt alles **3.** (*être capable de*) **il réussit à faire qc** es gelingt ihm etw zu tun; *iron* er bringt es fertig etw zu tun (*fam*); **j'ai réussi à la convaincre** ich habe sie überzeugen können II. vt **1.** (*bien exécuter*) **il réussit qc** ihm gelingt etw; ~ **son effet** seine Wirkung nicht verfehlen **2.** (*réaliser avec succès*) bestehen *épreuve, examen;* ~ **sa vie** etwas aus seinem Leben machen

réussite [ʀeysit] f (*bon résultat, succès*) Erfolg m; (~ *sociale*) Aufstieg m; ~ **d'une tentative** Gelingen nt eines Versuchs

réutiliser [ʀeytilize] <1> vt wieder benutzen; (*à d'autres fins*) [weiter] benutzen [o

verwenden]

revaloir [ʀ(ə)valwaʀ] <irr> vt **je te/vous/lui revaudrai ça, je te/vous le revaudrai/je le lui revaudrai** (*en bien*) dafür werde ich mich [bei dir/Ihnen/ihr/ihm] erkenntlich zeigen; (*en mal*) das zahle ich dir/Ihnen/ihr/ihm heim

revaloriser [ʀ(ə)valɔʀize] <1> vt **1.** (*opp: déprécier*) aufwerten **2.** FIN aufwerten *monnaie;* erhöhen *rente, traitement, salaire*

revanchard, e [ʀ(ə)vɑ̃ʃaʀ, aʀd] m, f rachsüchtiger Mensch; POL Revanchist(in) m(f)

revanche [ʀ(ə)vɑ̃ʃ] f (*vengeance*) Revanche f; (*jeu, match*) Revanche[spiel nt] f; **j'ai gagné! tu veux qu'on fasse la ~?** ich habe gewonnen, soll ich dir Revanche geben?; **prendre sa** ~ sich [dafür] rächen, sich dafür revanchieren; SPORT Revanche nehmen ▸**en** ~ (*par contre*) dagegen; (*en contrepartie*) dafür

rêve [ʀɛv] m Traum m; **beau/mauvais** ~ schöner Traum/Alptraum; **faire un** ~ einen Traum haben, träumen; **fais de beaux ~s!** träum was Schönes!; **une voiture de** ~ ein Traumauto nt; **la femme/la maison/le métier de mes** ~s meine Traumfrau/mein Traumhaus/-beruf ▸**prendre ses** ~s **pour des réalités** Wunsch und Wirklichkeit verwechseln; **c'est le** ~ fam das ist traumhaft

rêvé, e [ʀeve] adj ideal; *solution* Ideal-; *femme, homme* Traum-

réveil [ʀevɛj] m **1.** (*réveille-matin*) Wecker m; **mettre le** ~ **à 6 heures** den Wecker auf 6 Uhr stellen **2.** (*retour à la réalité*) Erwachen nt; **un** ~ **douloureux** ein böses Erwachen

réveiller [ʀeveje] <1> I. vt **1.** (*sortir du sommeil*) [auf]wecken; *bruit:* wach machen; **être réveillé** wach sein; **être bien réveillé** ganz wach sein; **être mal réveillé** noch nicht [so] ganz wach sein; **être à moitié réveillé** noch [ganz] verschlafen sein **2.** (*ramener à la réalité*) wachrütteln, aufrütteln **3.** (*raviver*) wecken *curiosité, jalousie, cupidité;* anregen *appétit;* erregen *rancune* II. vpr **se** ~ **1.** (*sortir du sommeil*) aufwachen **2.** (*se raviver*) wieder kommen; *douleur:* wieder auftreten; *appétit:* sich einstellen; **dès que la douleur se réveillera** sobald Sie wieder Schmerzen bekommen **3.** (*se ranimer*) *souvenir:* wach werden, wiederkehren, zurückkehren; *volcan:* wieder aktiv werden

réveillon [ʀevɛjɔ̃] m (*nuit de Noël/du nouvel an*) Heiligabend m/Silvester[nacht f] nt o m; (*fête*) Weihnachtsfeier f/Silvesterparty f; (*repas*) Weihnachts-/Silvesteressen nt; **fêter le** ~ **de Noël/du nouvel an**

Heiligabend/Silvester feiern

réveillonner [ʀevɛjɔne] <1> *vi* (*fêter Noël/le nouvel an*) Weihnachten/Silvester feiern

révéler [ʀevele] <5> *vt* (*divulguer*) aufdecken; aufzeigen *faits;* aufdecken, enthüllen *scandale;* enthüllen, verraten *secret;* ~ **son intention/opinion/ses projets à qn** jdm seine Absicht/Meinung/Pläne kundtun (*geh*); ~ **qc** *enquête, journal:* etw ans Licht bringen, etw aufdecken

revendiquer [ʀ(ə)vɑ̃dike] <1> *vt* **1.** (*réclamer*) fordern *droit, augmentation de salaire* **2.** (*assumer*) übernehmen, auf sich (*akk*) nehmen *responsabilité;* **l'attentat a été revendiqué par la Maffia/n'a pas été revendiqué** die Mafia/niemand hat sich zu dem Anschlag bekannt

revendre [ʀ(ə)vɑ̃dʀ] <14> *vt* **1.** (*vendre d'occasion*) ~ **un piano à un collègue** einem Kollegen ein Klavier verkaufen **2.** *fig* **avoir de l'énergie à** ~ überschüssige Energie haben

revenir [ʀ(ə)vəniʀ, ʀəvniʀ] <9> *vi + être* **1.** (*venir de nouveau*) *personne, printemps:* wiederkommen; *lettre:* [wieder] zurückkommen; ~ **faire qc** zurückkommen um etw zu tun **2.** (*rentrer*) zurückkommen; ~ **en avion/en voiture/à pied** zurückfliegen/-fahren/-laufen; ~ **dans un instant** gleich wieder da sein **3.** (*recommencer*) ~ **à un projet/sujet** auf ein Projekt/Thema zurückkommen; ~ **à de meilleurs sentiments** wieder versöhnlicher gestimmt sein **4.** (*réexaminer*) ~ **sur une affaire/un scandale** eine Affäre/einen Skandal wieder aufgreifen; ~ **sur un sujet/le passé** auf ein Thema/die Vergangenheit zurückkommen; ~ **sur une opinion** eine Meinung überdenken; **ne revenons pas là-dessus!** sprechen wir nicht mehr darüber! **5.** (*se dédire de*) ~ **sur une décision** eine Entscheidung rückgängig machen **6.** (*se présenter à nouveau à l'esprit*) ~ **à qn** jdm wieder einfallen **7.** (*être déçu par*) ~ **de ses illusions** seine Illusionen verlieren **8.** (*équivaloir à*) **cela revient au même** das läuft aufs Gleiche hinaus; **cela revient à dire que ...** das heißt so viel wie dass ... **9.** (*coûter au total*) ~ **à 100 euros à qn** jdn 100 Euro kosten; ~ **cher/meilleur marché** teuer/günstiger kommen **10.** GASTR **faire** ~ **le lard** den Speck anbraten; **faire** ~ **les oignons/les légumes** die Zwiebeln/das Gemüse andünsten ▶**n'en pas** ~ **de qc** *fam* etw gar nicht fassen können; ~ **de loin** noch einmal davongekommen sein

revente [ʀ(ə)vɑ̃t] *f* Weiterverkauf *m*

revenu [ʀ(ə)vəny, ʀəvny] *m* Einkommen *nt;* ~ **minimum d'insertion** Übergangsgeld zur Eingliederung in das Berufsleben, *entspricht etwa dem Sozialhilfesatz*

rêver [ʀeve, ʀɛve] <1> *vi* **1.** (*avoir un rêve*) ~ **de qn/qc** von jdm/etw träumen **2.** (*désirer*) ~ **de qc** von etw träumen; ~ **de faire qc** davon träumen etw zu tun **3.** (*divaguer*) **te prêter de l'argent? tu rêves!** dir Geld leihen? du träumst wohl!

révérencieux, -euse [ʀeveʀɑ̃sjø, -jøz] *adj littér* ehrfürchtig; **être** ~ **envers qn** jdm gegenüber Respekt zeigen

réversion [ʀevɛʀsjɔ̃] *f* FIN, JUR Übertragung *f;* **pension de** ~ Hinterbliebenenrente *f*

revigorer [ʀ(ə)viɡɔʀe] <1> **I.** *vt* **1.** (*ragaillardir*) *air frais, boisson:* wieder munter machen; *discours, promesse:* wieder aufheitern; *repas:* stärken **2.** (*ranimer*) wieder Leben bringen in (+ *akk*) *entreprise, structures;* wieder neu beleben *idée, doctrine* **II.** *vi* wieder munter machen

réviser [ʀevize] <1> *vt* SCOL wiederholen **II.** *vi* SCOL den Stoff wiederholen

révision [ʀevizjɔ̃] *f* **1.** *d'une opinion, d'un jugement* Revision *f* **2.** *pl* SCOL Wiederholung *f;* **faire ses** ~**s** den Stoff wiederholen

révisionnisme [ʀevizjɔnism] *m* Revisionismus *m*

révisionniste I. [ʀevizjɔnist] *adj thèse, doctrine* revisionistisch **II.** *mf* Revisionist(in) *m(f)*

revitalisant, **e** [ʀ(ə)vitalizɑ̃, ɑ̃t] *adj* **crème** ~**e** Aufbaucreme *f;* **shampooing** ~ Revitalisierungsshampoo *nt*

revitaliser [ʀ(ə)vitalize] <1> *vt* wieder kräftigen *organisme;* wieder beleben *alliance, union;* wirtschaftlich wieder beleben *région;* revitalisieren *cheveux*

revivre [ʀ(ə)vivʀ] <*irr*> **I.** *vi* (*être revigoré*) wieder aufleben **II.** *vt* (*vivre à nouveau*) noch einmal erleben (*fig*), noch einmal durchleben

révocation [ʀevɔkasjɔ̃] *f d'un fonctionnaire* Absetzung *f; d'un contrat* Widerrufung *f;* ~ **de l'Édit de Nantes** Aufhebung *f* des Edikts von Nantes

revoici [ʀ(ə)vwasi] *prép fam* **me** ~ da bin ich wieder; **le** ~ da ist er wieder

revoilà [ʀ(ə)vwala] *prép fam* **me** ~ da bin ich wieder; **le** ~ da ist er wieder; **Nadine!** da ist Nadine schon wieder!

revoir [ʀ(ə)vwaʀ] <*irr*> **I.** *vt* **1.** (*voir à nouveau*) wieder sehen; **au** ~ auf Wiedersehen **2.** (*regarder de nouveau*) sich (*dat*) noch einmal ansehen **3.** (*se souvenir*) vor sich (*dat*) sehen **II.** *vpr* **se** ~ **1.** (*se retrouver*) sich wieder sehen **2.** (*se souvenir de soi*) sich noch sehen

révolte [Revɔlt] *f* (*émeute*) Revolte *f*
révolter [Revɔlte] <1> I. *vt individu:* aufbringen; *crime, injustice:* empören II. *vpr* **se ~ contre qn/qc 1.** (*s'insurger*) sich gegen jdn/etw auflehnen **2.** (*s'indigner*) sich über jdn/etw empören
révolution [Revɔlysjɔ̃] *f* (*changement*) Revolution *f;* **~ culturelle** Kulturrevolution
Révolution [Revɔlysjɔ̃] *f* HIST **la ~** die Französische Revolution
révolutionnaire [RevɔlysjɔnɛR] I. *adj idées, procédé, technique* revolutionär II. *mf* Revolutionär *m*
revolver [RevɔlvɛR] *m* Revolver *m*
revouloir [R(ə)vulwaR] <*irr*> *vt fam* noch wollen
revoyure [R(ə)vwajyR] ►**à la ~!** *fam* bis die Tage!
revue [R(ə)vy] *f* (*magazine*) Zeitschrift *f;* **~ spécialisée** Fachzeitschrift; **~ illustrée** Illustrierte *f;* **~ de presse** Presseschau *f*
révulser [Revylse] <1> I. *vt* zutiefst erschüttern II. *vpr* **le visage se révulse** das Gesicht verzerrt sich; **ses yeux se révulsent** er/sie verdreht die Augen
rewriting [RiRajtiŋ, RəRajtiŋ] *m* Überarbeitung *f*
Reykjavik [Rekjavik] Reykjavik *nt*
rez-de-chaussée [Red(ə)ʃose] *m inv* (*niveau inférieur*) Erdgeschoss *nt;* **habiter au ~** im Erdgeschoss wohnen
RF [ɛRɛf] *f abr de* **République française**
RFA [ɛRɛfɑ] *f abr de* **République fédérale d'Allemagne: la ~** die BRD
rhabiller [Rabije] <1> *vpr* **se ~** (*remettre ses vêtements*) sich wieder anziehen ►**pouvoir aller se ~** *fam* einpacken können
rhapsodie [Rapsɔdi] *f* Rhapsodie *f*
Rhénanie [Renani] *f* **la ~** das Rheinland
Rhénanie-du-Nord-Westphalie [RenanidynɔRvɛstfali] *f* **la ~** Nordrhein-Westfalen *nt*
Rhénanie-Palatinat [Renanipalatina] *f* **la ~** Rheinland-Pfalz *nt*
rhésus [Rezys] *m* MED Rhesusfaktor *m;* [**facteur**] **~ positif/négatif** Rhesusfaktor positiv/negativ
Rhin [Rɛ̃] *m* **le ~** der Rhein
rhinocéros [RinɔseRɔs] *m* Nashorn *nt*
rhinopharyngite [RinofaRɛ̃ʒit] *f* Entzündung *f* der Nasen- und Rachenschleimhaut
rhizome [Rizɔm] *m* Wurzelstock *m*
Rhodes [Rɔd] [**l'île de**] **~** [die Insel] Rhodos *nt*
Rhône [Ron] *m* **le ~** die Rhone
rhubarbe [RybaRb] *f* Rhabarber *m*
rhum [Rɔm] *m* Rum *m*

rhumatologue [Rymatɔlɔg] *mf* Rheumatologe *m*/Rheumatologin *f*
rhume [Rym] *m* **1.** (*coup de froid*) Erkältung *f;* **attraper un ~** sich erkälten **2.** (*rhinite*) Schnupfen *m;* **~ des foins** Heuschnupfen *m*
ri [Ri] *part passé de* **rire**
riais [R(i)jɛ] *imparf de* **rire**
riant, e [R(i)jã, jãt] *part prés de* **rire**
ricaner [Rikane] <1> *vi* **1.** (*avec mépris*) hämisch lachen **2.** (*bêtement*) albern kichern
riche [Riʃ] I. *adj* **1.** (*opp: pauvre*) reich **2.** (*nourrissant*) gehaltvoll; **~ en calories/vitamines** kalorien-/vitaminreich II. *mf* Reiche(r) *f(m);* **nouveau ~** Neureiche(r) *f(m)*
richesse [Riʃɛs] *f* **1.** (*fortune*) Reichtum *m* **2.** *pl* (*ressources*) Reichtümer *Pl; d'un musée* Schätze *Pl* **3.** (*bien*) Gut *nt*
ricocher [Rikɔʃe] <1> *vi* **~ sur qc** *balle:* von etw abprallen; *caillou, pierre:* springen auf etw (*dat*); **faire ~ qc** etw springen lassen
ride [Rid] *f* (*pli*) Falte *f*, Runzel *f*
ridé, e [Ride] *adj personne* voller Falten; *visage* faltig, runzlig
rideau [Rido] <x> *m* **1.** (*voile*) Vorhang *m* **2.** THEAT Vorhang *m* **3.** HIST **le ~ de fer** der eiserne Vorhang
ridicule [Ridikyl] I. *adj personne, vêtement, conduite* lächerlich II. *m* Lächerlichkeit *f;* **le ~ de cette situation** das Lächerliche an dieser Situation; **avoir peur du ~** Angst haben sich lächerlich zu machen; **couvrir qn/se couvrir de ~** jdn/sich lächerlich machen; **tourner qc en ~** etw ins Lächerliche ziehen
ridiculement [Ridikylmã] *adv* lächerlich
ridiculiser [Ridikylize] <1> I. *vt* lächerlich machen II. *vpr* **se ~** sich lächerlich machen
ridule [Ridyl] *f* Fältchen *nt*
rie [Ri] *subj prés de* **rire**
rien [Rjɛ̃] I. *pron indéf* **1.** (*aucune chose*) nichts; **c'est ça ou ~** entweder das oder nichts; **ça ne vaut ~** das ist nichts wert; **~ d'autre** nichts weiter; **~ de nouveau/mieux** nichts Neues/Besseres; **il n'y a plus ~** es ist nichts mehr da **2.** (*seulement*) **~ que la chambre coûte 400 euros** das Zimmer allein kostet schon 400 Euro; **~ que d'y penser** wenn ich nur daran denke **3.** (*quelque chose*) etwas; **être incapable de ~ dire** unfähig sein etwas zu sagen; **rester sans ~ faire** untätig bleiben ►**qn en a ~ à cirer** *fam* das ist jdm piepegal; **ce n'est ~** es ist nicht schlimm; **comme si de ~ n'était** als ob nichts gewesen wäre;

n'**être** pour ~ **dans un problème** mit einem Problem nichts zu tun zu haben; <u>de</u> ~! keine Ursache!, gern geschehen!; **blessure** <u>de</u> ~ **du tout** ganz leichte Verletzung; ~ **du tout** überhaupt nichts; ~ **que ça!** *iron* (*pas plus*) ist das alles?; (*c'est abuser*) aber sonst geht's dir gut! (*fam*) **II.** *m* **1.** (*très peu de chose*) Kleinigkeit *f* **2.** (*un petit peu*) ein wenig; **un** ~ **de cognac** ein Schuss *m* Cognac; **un** ~ **trop large/ moins fort** *fam* ein wenig zu weit/leiser ▸**en un** ~ **de** <u>temps</u> im Nu; <u>comme</u> un ~ *fam* wie nichts

rient [ʀi] *indic prés de* **rire**

riez [ʀ(i)je] *indic prés et impératif de* **rire**

rifle [ʀifl] *m:* Gewehr mit gezogenem Lauf

rigolade [ʀiɡɔlad] *f fam* Spaß *m* ▸**c'est de la** ~ (*c'est facile*) das ist ein Kinderspiel; (*c'est pour rire*) das ist nur ein Spaß; (*ça ne vaut rien*) das ist ein echter Schwindel; <u>prendre</u> **à la** ~ als Spaß auffassen; **prendre un examen à la** ~ eine Prüfung auf die leichte Schulter nehmen

rigolard, e [ʀiɡɔlaʀ, aʀd] *m, f fam* Spaßvogel *m*

rigoler [ʀiɡɔle] <1> *vi fam* **1.** (*rire*) lachen; **faire** ~ **qn** jdn zum Lachen bringen **2.** (*s'amuser*) Spaß haben **3.** (*plaisanter*) ~ **avec qn/qc** einen Spaß mit jdm/etw machen; **pour** ~ zum Spaß; **je** [**ne**] **rigole pas!** ich mache keine Witze! ▸**tu me** <u>fais</u> ~! *iron* du machst mir vielleicht Spaß!

rigolo, te [ʀiɡɔlo, ɔt] **I.** *adj fam* (*amusant*) lustig; *personne, film* urkomisch **II.** *m, f fam* (*homme amusant*) lustiger Kerl

rigoureusement [ʀiɡuʀøzmɑ̃] *adv* **1.** (*sévèrement*) streng; *punir* hart **2.** (*précisément*) peinlich genau; *appliquer* strikt; *raisonner* logisch **3.** (*absolument*) *exact* peinlich; *interdit* strengstens; *authentique* hundertprozentig; ~ **vrai** genau der Wahrheit entsprechend

rigoureux, -euse [ʀiɡuʀø, -øz] *adj* **1.** (*sévère*) streng; *punition* hart **2.** (*exact, précis*) peinlich genau; *méthode* strikt; *logique* streng; *analyse* gründlich; *raisonnement* stichhaltig; *style* streng und einfach **3.** *antéposé exactitude* peinlich; *interdiction* strikt; *authenticité* hundertprozentig **4.** *climat, froid, hiver* streng; *conditions* hart

rigueur [ʀiɡœʀ] *f* **1.** (*sévérité*) Strenge *f*; *d'une punition* Härte *f*; **appliquer la loi avec** ~ das Gesetz strikt anwenden **2.** (*austérité*) Strenge *f*; ~ **économique** Sparpolitik *f*; ~ **salariale** restriktive Lohnpolitik **3.** (*précision*) peinliche Genauigkeit *f*; *d'une analyse* Gründlichkeit *f*; *d'une logique, méthode* Strenge *f*; *d'un raisonnement* Stichhaltigkeit *f*; *d'un style* Strenge *f* und Ein-

fachheit *f* **4.** (*épreuve*) Strenge *f*; *d'un climat* Rauheit *f*; *d'une captivité* Härte *f* ▸**te-** <u>nir</u> ~ **à qn de qc** jdm etw übel nehmen; **à la** ~ (*tout au plus*) allenfalls; (*si besoin est*) notfalls; **une tenue correcte est** <u>de</u> ~ korrekte Kleidung ist unerlässlich

rime [ʀim] *f* Reim *m*

rimer [ʀime] <1> *vi* ~ **avec qc** sich mit etw reimen ▸<u>à</u> **quoi riment ces excentricités?** wozu diese Extravaganzen?; **ne** ~ **à rien** keinen Sinn machen **rince-doigts** [ʀɛ̃sdwa] *m inv* **1.** (*bol*) Fingerschale *f* **2.** (*papier*) Reinigungstuch *m*

rincer [ʀɛ̃se] <2> **I.** *vt* **1.** (*laver*) spülen; abspülen *assiettes;* ausspülen *verres, tasses* **2.** *fam* (*doucher*) **se faire** ~ patschnass werden **II.** *vpr* **se** ~ **la bouche** sich (*dat*) den Mund ausspülen

ringard, e [ʀɛ̃ɡaʀ, aʀd] *fam* **I.** *adj* altmodisch **II.** *m, f* Opa *m*

rions [ʀ(i)jɔ̃] *indic prés et impératif de* **rire**

ripou <*s o x*> [ʀipu] *fam* **I.** *adj* korrupt **II.** *m* korrupter Beamter

rire [ʀiʀ] <*irr*> **I.** *vi* **1.** (*opp: pleurer*) lachen; **faire** ~ **qn** jdn zum Lachen bringen; **laisse**(**z**)-**moi** ~! *iron* dass ich nicht lache! **2.** (*se moquer*) ~ **de qn/qc** über jdn/etw lachen **3.** (*s'amuser*) Spaß haben **4.** (*plaisanter*) Spaß machen; **tu veux** ~! das ist doch nicht dein Ernst! ▸~ **dans sa** <u>barbe</u> sich (*dat*) ins Fäustchen lachen; <u>sans</u> ~? echt? (*fam*) **II.** *m* **1.** (*action de rire*) Lachen *nt* **2.** (*hilarité*) Gelächter *nt;* **fou** ~ Lachkrampf *m*

ris [ʀi] *indic prés et passé simple de* **rire**

risée [ʀize] *f* **être la** ~ **des voisins/du quartier** das Gespött der Nachbarn/des ganzen Viertels sein

risque [ʀisk] *m* **1.** (*péril*) Risiko *nt;* **au** ~ **de déplaire** auf die Gefahr hin, Missfallen zu erregen; **courir un** ~/**des** ~**s** ein Risiko/ Risiken eingehen **2.** *pl* (*préjudice possible*) Risiken *Pl;* **les** ~**s du métier** *fam* Berufsrisiko *nt* ▸**à mes/ses** ~**s et** <u>périls</u> auf eigenes Risiko

risqué, e [ʀiske] *adj* (*hasardeux*) riskant **risquer** [ʀiske] <1> *vt* **1.** (*mettre en danger*) aufs Spiel setzen **2.** (*s'exposer à*) ~ **le renvoi/la prison** Gefahr laufen, entlassen zu werden/ins Gefängnis zu kommen; ~ **la mort** sich in Lebensgefahr begeben; **qn ne risque rien** jdm kann nichts passieren **3.** (*tenter, hasarder*) riskieren; ~ **le coup** es riskieren; ~ **un coup d'œil** einen Blick riskieren ▸**ça** [**ne**] **risque pas!** *fam* das ist wohl kaum drin!; **ça ne risque** <u>pas</u> **de m'arriver** das kann mir nicht passieren

rissoler [ʀisɔle] <1> **I.** *vt* goldbraun ba-

cken *beignets;* goldbraun braten *pommes de terre;* **pommes rissolées** Bratkartoffeln *Pl* **II.** *vi pommes de terre, beignets:* goldbraun werden

ristourne [ʀistuʀn] *f* (*sur achat*) Rabatt *m*

rit [ʀi] *indic prés de* **rire**

rital, e [ʀital] <s> *m péj fam* Spaghettifresser *m*

rituel [ʀitɥɛl] *m* REL, SOCIOL Ritual *nt*

rituel, le [ʀitɥɛl] *adj* (*coutumier*) gewohnheitsmäßig; REL, SOCIOL rituell

rituellement [ʀitɥɛlmã] *adv* **1.** (*invariablement*) wie gewohnt **2.** REL nach dem Ritus

rivage [ʀivaʒ] *m* Küste *f*

rival, e [ʀival, o] <-aux> **I.** *adj* rivalisierend **II.** *m, f* **1.** (*concurrent*) Rivale *m* **2.** (*autre prétendant*) Nebenbuhler *m*

rivaliser [ʀivalize] <1> *vi* **1.** (*soutenir la comparaison*) ~ **avec qn** sich mit jdm messen; ~ **avec qc** sich mit etw messen können **2.** (*se disputer la palme*) ~ **d'élégance** miteinander um Eleganz wetteifern

rive [ʀiv] *f* Ufer *nt;* ~ **droite/gauche** rechtes/linkes Ufer

Riviera [ʀivjɛʀa] *f* **la** ~ die Riviera

rivière [ʀivjɛʀ] *f* (*cours d'eau*) Fluss *m*

riz [ʀi] *m* Reis *m;* ~ **au curry** Curryreis; ~ **au lait** Milchreis; ~ **complet** Vollkornreis; ~ **long** Langkornreis

RMI [ɛʀɛmi] *m abr de* **revenu minimum d'insertion**

RMIste, RMiste [ɛʀɛmist] *v.* **érémiste**

RN [ɛʀɛn] *f abr de* **route nationale**

RNIS [ɛʀɛnis] *m abr de* **réseau de numérique à intégration de service** ≈ ISDN *nt*

roast-beef [ʀoːstbiːf] *m v.* **rosbif**

robe [ʀɔb] *f* (*vêtement féminin*) Kleid *nt;* ~ **de plage/du soir** Strand-/Abendkleid; **se mettre en** ~ ein Kleid anziehen

robe de chambre [ʀɔb də ʃãbʀ] *f* Morgenrock *m*

robinet [ʀɔbinɛ] *m* Hahn *m;* ~ **d'eau/du gaz** Wasser-/Gashahn

roboratif, -ive [ʀɔbɔʀatif, -iv] *adj littér liqueur* stärkend; *activité* anregend; **climat** ~ Reizklima *f*

robot [ʀɔbo] *m* **1.** (*machine automatique*) Roboter *m* **2.** (*appareil ménager*) Küchenmaschine *f*

robotique [ʀɔbɔtik] *f* Robotertechnik *f*

robotiser [ʀɔbɔtize] <1> *vt* automatisieren; zum Roboter machen *personne*

robuste [ʀɔbyst] *adj* robust; *personne, plante* widerstandsfähig; *appétit* gesund; *foi* unerschütterlich

roc [ʀɔk] *m* **1.** (*pierre*) Fels *m* **2.** (*personne*) Fels *m* in der Brandung ▶**des convictions** <u>dures</u> **comme un** ~ unerschüt-

terliche Überzeugungen; **solide** **comme un** ~ kerngesund

rocade [ʀɔkad] *f* Umgehungsstraße *f*

roche [ʀɔʃ] *f* GEOL Gestein *nt*

rocher [ʀɔʃe] *m* Felsen *m*

Rocheuses [ʀɔʃøz] *f pl* **les** ~ die Rocky Mountains

rock [ʀɔk] *adj* **concert de** ~ Rockkonzert *nt*

rock[-and-roll] [ʀɔkɛnʀɔl] *m inv* Rock [and Roll] *m*

rocker, -euse [ʀɔkœʀ, øz] *m, f* **1.** (*musicien*) Rockmusiker(in) *m(f)* **2.** *fam* (*jeune*) Rocker *m/*-braut *f*

rococo [ʀɔkɔko] **I.** *adj* **1.** ART **style** ~ Rokokostil *m* **2.** *péj* altmodisch **II.** *m* Rokoko *nt*

rodéo [ʀɔdeo] *m* **1.** (*des cowboys*) Rodeo *m o nt* **2.** *fam* (*avec moto, voiture*) wilde Verfolgungsjagd

roder [ʀɔde] <1> *vt* **1.** AUT, TECH einfahren *moteur; voiture;* einschleifen *cames, soupapes;* einrollen *engrenages* **2.** (*mettre au point*) einstudieren *revue, spectacle;* ausarbeiten *méthode, scénario;* **cette actrice est bien rodée** diese Künstlerin ist gut eingearbeitet

rôder [ʀode] <1> *vi* (*errer de façon suspecte*) ~ **dans les parages** sich in der Gegend herumtreiben; (*errer au hasard*) ~ **dans les parages** in der Gegend herumlungern

rogatoire [ʀɔgatwaʀ] *adj* **commission** ~ Rechtshilfeersuchen *nt*

rogner [ʀɔɲe] <1> **I.** *vt* **1.** (*couper*) schneiden *ongles;* stutzen *griffes, ailes;* beschneiden *page, pièce, plaque* **2.** (*mordre sur*) kürzen *salaire, argent de poche;* nagen an (+ *dat*) *revenus* **II.** *vi* ~ **sur qc** an etw (*dat*) sparen

rognon [ʀɔɲõ] *m* GASTR Niere *f*

roi [ʀwa] *m* **1.** (*souverain, a. dans les jeux*) König *m* **2.** (*premier*) ~ **du pétrole** Erdölmagnat *m;* **le** ~ **des imbéciles** ein absoluter Dummkopf (*fam*) ▶**galette** [*o* **gâteau** MIDI] **des Rois** Dreikönigskuchen *m;* **heureux comme un** ~ überglücklich; **être plus** <u>royaliste</u> **que le** ~ päpstlicher als der Papst sein

Roi-Soleil [ʀwasɔlɛj] *m inv* **le** ~ der Sonnenkönig

rôle [ʀol] *m* **1.** THEAT, CINE Rolle *f;* **le premier** ~ die Hauptrolle; ~ **de composition/de figurant** Charakter-/Nebenrolle *f* **2.** (*fonction*) Rolle *f* ▶**avoir le beau** ~ gut dastehen

roller [ʀɔlœʀ] *m* [**paire de**] ~**s** Rollerblades *Pl;* **faire du** ~ Inliners fahren

rollmops [ʀɔlmɔps] *m* Rollmops *m*

ROM [ʀɔm] *f inv abr de* **Read Only Me-**

mory ROM *m*

romain, e [ʀɔmɛ̃, ɛn] *adj a.* TYP römisch

Romain, e [ʀɔmɛ̃, ɛn] *m, f* Römer *m*

roman [ʀɔmɑ̃] *m* **1.** LITTER Roman *m; ~ épistolaire/policier* Brief-/Kriminalroman **2.** ARCHIT, ART Romanik *f*

roman, e [ʀɔmɑ̃, an] *adj* ARCHIT, ART romanisch

romanche [ʀɔmɑ̃ʃ] **I.** *adj* **langue** ~ Romantsch *nt* **II.** *m* Romantsch *nt; v. a.* **allemand**

romancier, -ière [ʀɔmɑ̃sje, -jɛʀ] *m, f* Romanschriftsteller *m*

romand, e [ʀɔmɑ̃, ɑ̃d] *adj* **la Suisse** ~**e** die französische Schweiz

Romand, e [ʀɔmɑ̃, ɑ̃d] *m, f* Bewohner *m* der französischen Schweiz, Welschschweizer *m* (CH)

romanesque [ʀɔmanɛsk] *m* **le** ~ das Romantische; **se réfugier dans le** ~ sich in eine Scheinwelt flüchten

romantique [ʀɔmɑ̃tik] **I.** *adj* romantisch **II.** *mf* Romantiker *m*

romarin [ʀɔmaʀɛ̃] *m* Rosmarin *m*

Rome [ʀɔm] Rom *nt*

rompre [ʀɔ̃pʀ] <*irr*> **I.** *vt* (*interrompre*) lösen *fiançailles;* abbrechen *pourparlers, relations* **II.** *vi* (*se séparer*) ~ **avec qn** mit jdm Schluss machen (*fam*); ~ **avec une tradition** mit einer Tradition brechen

romsteck *v.* **rumsteck**

ronces [ʀɔ̃s] *fpl* (*épineux*) Dornenranken *Pl*

ronchon, ne [ʀɔ̃ʃɔ̃, ɔn] **I.** *adj fam* miesepet[e]rig **II.** *m, f fam* (*homme*) Meckerfritze *m;* (*femme*) Meckerliese *f*

rond [ʀɔ̃] **I.** *m* **1.** (*cercle*) Kreis *m* **2.** (*trace ronde*) Ring *m;* ~**s de fumée** Rauchringe *Pl;* ~ **de serviette** Serviettenring *m* **3.** *fam* (*argent*) **n'avoir pas un** ~ keine Knete haben **II.** *adv* **avaler qc tout** ~ etw unzerkaut herunterschlucken; **ne pas tourner** ~ *personne: fam* spinnen

rond, e [ʀɔ̃, ʀɔ̃d] *adj* **1.** (*circulaire, net*) rund **2.** (*rebondi*) dick; *personne* rundlich **3.** *fam* (*ivre*) blau

rondelet, te [ʀɔ̃dlɛ, ɛt] *adj* **1.** (*rondouillard*) mollig **2.** (*coquet*) ansehnlich

rondelle [ʀɔ̃dɛl] *f* GASTR Scheibe *f;* ~ **de carotte/pommes de terre** Möhren-/Kartoffelscheibe; **concombre coupé en** ~**s** in Scheiben geschnittene Gurke

rondouillard, e [ʀɔ̃dujaʀ, aʀd] *adj fam* (*grassouillet*) pummelig

rond-point [ʀɔ̃pwɛ̃] <ronds-points> *m* Kreisverkehr *m*

ronfler [ʀɔ̃fle] <1> *vi* **1.** (*respirer*) *personne:* schnarchen **2.** *fam* (*dormir*) pennen

ronger [ʀɔ̃ʒe] <2a> **I.** *vt* **1.** (*grignoter*) na-

gen an (+ *dat*) **2.** (*miner*) aufreiben, zermürben; **être rongé par la maladie** von der Krankheit aufgefressen werden; **être rongé de remords** von Gewissensbissen geplagt werden **II.** *vpr* **1.** (*se grignoter*) **se** ~ **les ongles** an den Nägeln kauen **2.** (*se tourmenter*) **se** ~ **d'inquiétude** sich vor Sorge (*dat*) verzehren

ronron [ʀɔ̃ʀɔ̃] *m* **1.** *du chat* Schnurren *nt; d'une machine, d'un moteur fam* Surren *nt* **2.** *fam* (*monotonie*) ~ **de la vie quotidienne** Alltagstrott *m*

ronronner [ʀɔ̃ʀɔne] <1> *vi chat:* schnurren; **qn ronronne de satisfaction** jd grunzt vor Zufriedenheit

roquefort [ʀɔkfɔʀ] *m* Roquefort *m*

rosâtre [ʀozɑtʀ] *adj* schmutzigrosa

rosbif [ʀɔzbif] *m* GASTR Roastbeef *nt,* Beiried *f* (A)

rose[1] [ʀoz] *f* BOT Rose *f* ►**frais comme une** ~ frisch wie der junge Morgen; **envoyer qn sur les** ~**s** *fam* jdn abblitzen lassen

rose[2] [ʀoz] **I.** *adj* **1.** (*rouge pâle*) rosa; *joue, teint* rosig **2.** *messagerie* Erotik-; **téléphone** ~ Telefonsex *m* **II.** *m* Rosa *nt;* ~ **saumon** lachsfarbener Ton; ~ **bonbon** Babyrosa ►**voir la vie/tout en** ~ das Leben/alles durch die rosarote Brille sehen

rosé [ʀoze] *m* (*vin*) Rosé[wein *m*] *m*

rosé, e [ʀoze] *adj* rosé

roseau [ʀozo] <x> *m* Schilf[rohr *nt*] *nt;* **être souple comme un** ~ sehr gelenkig sein

rosée [ʀoze] *f* Tau *m*

rossignol [ʀɔsiɲɔl] *m* **1.** ORN Nachtigall *f* **2.** COM *fam* Ladenhüter *m* **3.** (*passe-partout*) Dietrich *m*

rotation [ʀɔtasjɔ̃] *f* **1.** (*mouvement*) Drehung *f,* Rotation *f* **2.** (*série périodique d'opérations*) ~ **du capital/des stocks** Kapital-/Lagerumschlag *m;* ~ **du personnel** Personalwechsel *m*

roter [ʀɔte] <1> *vi fam* rülpsen

rôti [ʀoti] *m* Braten *m;* ~ **de boeuf/porc/veau** Rinder-/Schweine-/Kalbsbraten

rôtir [ʀotiʀ, ʀɔtiʀ] <8> **I.** *vt* **1.** GASTR braten **2.** *fam* (*brûler*) *soleil:* verbrennen **II.** *vi* **1.** GASTR garen; **faire** ~ **qc** etw braten **2.** *fam* (*être exposé au soleil*) braten **III.** *vpr fam* **se** [**faire**] ~ in der Sonne braten

rotor [ʀɔtɔʀ] *m* Rotor *m*

rotule [ʀɔtyl] *f* ANAT Kniescheibe *f* ►**être sur les** ~**s** *fam* fix und fertig sein

roturier, -ière [ʀɔtyʀje, -jɛʀ] **I.** *adj* HIST bürgerlich **II.** *m, f* HIST Bürgerliche(r) *f(m)*

rouble [ʀubl] *m* Rubel *m*

roucoulades [ʀukulad] *fpl du pigeon, de la tourterelle* Gurren *nt*

roucouler [Rukule] <1> **I.** *vi* **1.** ZOOL gurren **2.** *hum* (*tenir des propos tendres*) turteln **II.** *vt hum* säuseln

roue [Ru] *f* **1.** (*partie d'un véhicule*) Rad *nt;* ~ **arrière/avant** Hinter-/Vorderrad; ~ **de secours** AUT Reserverad *nt,* Ersatzrad *nt* **2.** TECH Rad *nt;* **la** ~ **du moulin** das Mühlrad **3.** (*supplice*) Rädern *nt* ►**la cinquième** ~ **du** <u>carrosse</u> das fünfte Rad am Wagen

rouelle [Rwɛl] *f* Beinscheibe *f*

rouge [Ruʒ] **I.** *adj* **1.** (*de couleur rouge*) rot; *poisson* Gold-; *vin* Rot- **2.** (*congestionné*) rot; ~ **de colère** rot vor Wut (*dat*); ~ **comme une écrevisse** krebsrot **3.** (*incandescent*) rot glühend; **la braise est encore** ~ die Glut glimmt noch **4.** POL rot **5.** (*délicat*) **journée classée** ~ **pour le trafic routier** Tag *m* mit hohem Verkehrsaufkommen **II.** *m* **1.** (*couleur*) Rot *nt;* **le feu est au** ~ die Ampel ist rot **2.** *fam* (*vin*) Rote(r) *m;* **un verre de** ~ ein Glas Rotwein; **gros** ~ *fam* einfacher Rotwein **3.** (*fard*) Rouge *nt;* ~ **à lèvres** Lippenstift *m;* **se mettre du** ~ Rouge auflegen **III.** *adv* ►**se fâcher tout** ~ rot vor Zorn werden; **voir** ~ rot sehen

rougeaud, e [Ruʒo, od] *m, f* **un gros** ~ ein rotgesichtiger Dicker (*fam*)

rougeoiement [Ruʒwamã] *m d'un incendie* roter Schein; **le** ~ **du ciel au couchant** das Abendrot

rougeole [Ruʒɔl] *f* Masern *Pl*

rougir [Ruʒir] <8> *vi* **1.** (*exprimer une émotion*) *personne:* rot werden, erröten; ~ **de colère/confusion/plaisir** vor Wut/Verwirrung/Freude rot werden **2.** (*avoir honte*) ~ **de qn** sich für jdn schämen; **faire** ~ **qn** jdm die Röte in die Wangen treiben **3.** (*devenir rouge*) rot werden; *métal:* glühend rot werden

rouille [Ruj] **I.** *f* (*corrosion*) Rost *m* **II.** *adj inv* rostbraun

rouillé, e [Ruje] *adj* **1.** (*couvert de rouille*) rostig, verrostet **2.** (*sclérosé*) eingerostet; *muscles* steif

rouiller [Ruje] <1> *vi* (*se couvrir de rouille*) [ver]rosten

roulant, e [Rulã, ãt] *adj* **1.** (*sur roues*) **fauteuil** ~ Rollstuhl *m* **2.** CHEMDFER *personnel* fahrend **3.** (*mobile*) Roll-; **escalier** ~ Rolltreppe *f;* **tapis** ~ Förderband *nt*

roulé, e [Rule] *adj* **col** ~ Rollkragen *m* ►**bien** ~ *fam* gut gebaut

rouler [Rule] <1> **I.** *vt* **1.** (*faire avancer*) rollen; fahren *brouette, poussette* **2.** (*enrouler*) aufrollen; zusammenrollen *parapluie, crêpe;* drehen *cigarette* **3.** (*enrouler, enrober*) ~ **qc dans la farine** etw in Mehl

(*dat*) wälzen **4.** *fam* (*tromper*) übers Ohr hauen; **se faire** ~ **par qn** von jdm übers Ohr gehauen werden **5.** (*faire tourner une partie du corps*) kreisen mit *épaules;* sich wiegen in (*dat*) *hanches,* rollen **II.** *vi* **1.** (*se déplacer sur roues*) *véhicule, objet:* fahren, rollen; ~ **peu/vite/en 2 CV** wenig/schnell/mit einer Ente fahren **2.** (*tourner sur soi*) rollen; ~ **sous la table** *personne:* unterm Tisch landen ►**ça roule** *fam* alles paletti; <u>**allez roulez!**</u> *fam* auf geht's! **III.** *vpr* (*se vautrer*) **se** ~ **par terre/dans l'herbe** sich auf dem Boden/im Gras rollen; **c'est vraiment à se** ~ **par terre** es ist wirklich zum Totlachen (*fam*)

roulette [Rulɛt] *f* **1.** (*petite roue*) Rolle *f,* Rädchen *nt;* **patins à** ~**s** Rollschuhe *Pl* **2.** (*jeu*) Roulett(e) *nt;* ~ **russe** russisches Roulett(e) ►**marcher comme sur des** ~**s** *fam* wie geschmiert laufen

roumain [Rumɛ̃] *m* Rumänisch *nt; v. a.* **allemand**

roumain, e [Rumɛ̃, ɛn] *adj* rumänisch

Roumain, e [Rumɛ̃, ɛn] *m, f* Rumäne *m*

Roumanie [Rumãni] *f* **la** ~ Rumänien *nt*

roupettes [Rupɛt] *fpl fam* Eier *Pl* (*vulg*)

roupiller [Rupije] <1> *vi fam* pennen, pofen

roupillon [Rupijɔ̃] *m fam* Nickerchen *nt;* **piquer un** ~ ein Nickerchen machen

rouquin, e [Rukɛ̃, in] **I.** *adj personne* rothaarig; *cheveux* rot **II.** *m, f* Rothaarige(r) *f(m)*

rousse [Rus] *v.* **roux**

roussi [Rusi] *m* ►**sentir le** ~ (*sentir le brûlé*) angebrannt riechen; (*être suspect*) nicht [ganz] koscher sein (*fam*)

routard, e [Rutar, ard] *m, f* Rucksacktourist *m*

route [Rut] *f* **1.** (*voie*) Straße *f;* **la** ~ **de Paris** die Straße nach Paris; ~ **nationale/départementale** ≈ Bundes-/Landstraße; ~ **secondaire** Nebenstraße **2.** (*voyage*) Fahrt *f;* **trois heures de** ~ drei Stunden Fahrzeit; **être en** ~ **pour Paris** nach Paris unterwegs sein, auf dem Weg nach Paris sein; **bonne** ~! gute Fahrt! **3.** (*itinéraire, chemin*) Weg *m;* NAUT, AVIAT Route *f;* **demander sa** ~ nach dem Weg fragen; **être sur la bonne** ~ auf dem richtigen Weg sein ►**faire** <u>**fausse**</u> ~ vom Weg abkommen; (*se tromper*) auf dem Holzweg sein; <u>**faire**</u> **de la** ~ viel herumreisen; <u>**mettre qc**</u> **en** ~ etw in Gang setzen; <u>**en**</u> ~! auf geht's! (*fam*)

routier, -ière [Rutje, -jɛR] **I.** *adj* (*relatif à la route*) Straßen-; **prévention routière** Verkehrserziehung *f* **II.** *m, f* (*camionneur*) Fernfahrer *m*

routine [ʀutin] *f* **1.**(*habitude*) Routine *f*;
contrôle/visite de ~ Routineuntersu-
chung *f/*-besuch *m* **2.** INFORM Routinepro-
gramm *nt*

rouvrir [ʀuvʀiʀ] <11> **I.** *vt* wieder aufmachen; wieder aufreißen *blessure, plaie*; wie-
der in Gang setzen *débat* **II.** *vi* wieder aufmachen **III.** *vpr* se ~ *porte*: wieder aufgehen; *blessure, plaie*: wieder aufplatzen; *débat*: wieder in Gang kommen

roux [ʀu] *m* **1.**(*couleur*) Rot *nt* **2.** GASTR
Mehlschwitze, Einbrenn *f* (A)

roux, rousse [ʀu, ʀus] **I.** *adj personne* rothaarig; *barbe, cheveux, feuillage* rot; *pelage,
robe de cheval* rotbraun *f* **II.** *m, f* (*personne*) Rothaarige(r) *f(m)*

royalement [ʀwajalmɑ̃] *adv* **1.**(*magnifiquement*) fürstlich **2.** *fam* (*complètement*) **je m'en moque** ~ das ist mir völlig
wurst

royalties [ʀwajalti] *fpl* **1.**(*pour un brevet,
une licence*) Lizenzgebühr *f* **2.**(*pour une
chanson, une adaptation*) Tantiemen *Pl*
3.(*dans le cas d'une société pétrolière*)
Förderabgaben *Pl*

royaume [ʀwajom] *m* (*monarchie*) Königreich *nt*

Royaume-Uni [ʀwajomyni] *m* le ~ das
Vereinigte Königreich

RPR [ɛʀpeʀ] *m abr de* **Rassemblement
pour la République** *französische konser-
vative Partei der Gaullisten*

ruban [ʀybɑ̃] *m* Band *nt*; ~ **de la Légion
d'honneur** Ordensband der Ehrenlegion;
~ **magnétique** Tonband; INFORM Magnetband; ~ **adhésif** Klebeband, Klebestreifen
m

rubis [ʀybi] *m* (*pierre précieuse*) Rubin *m*

rubrique [ʀybʀik] *f* **1.** PRESSE Rubrik *f*; ~ **lit-
téraire/sportive** Literatur-/Sportteil *m*; ~
des spectacles Veranstaltungskalender *m*
2.(*titre*) Verzeichnis *nt* **3.**(*catégorie*) Rubrik *f*

ruche [ʀyʃ] *f* Bienenstock *m*

rude [ʀyd] *adj* **1.**(*pénible*) hart; *climat* rau;
montée steil **2.** *peau, surface* rau; *étoffe* derb
3. *personne* rau; *manières* derb; *traits* hart
4. *antéposé gaillard* handfest **5.** *antéposé,
fam appétit* gesegnet

rudement [ʀydmɑ̃] *adv fam* (*sacrément*)
verdammt; **avoir** ~ **peur** eine Mordsangst
haben

rudimentaire [ʀydimɑ̃tɛʀ] *adj connaissances* rudimentär; *installation* einfach

rue [ʀy] *f* **1.**(*artère*) Straße *f*; ~ **commer-
çante/à sens unique** Geschäfts-/Ein-
bahnstraße; ~ **piétonne** Fußgängerzone *f*;
en pleine ~ mitten auf der Straße; **dans la**
~ auf der Straße; **traîner dans les** ~s sich

auf der Straße herumtreiben **2.**(*ensemble
des habitants*) **toute la** ~ **la connaît** die
ganze Straße kennt sie; ▶**courir les** ~s *personne*: an jeder Ecke anzutreffen sein; *chose*: gang und gäbe sein

ruelle [ʀyɛl] *f* Gässchen *nt*

rugby [ʀygbi] *m* Rugby *nt*

rugbyman <s *o* -men> [ʀygbiman] *m*
Rugbyspieler *m*

rugueux, -euse [ʀygø, -øz] *adj* rau

Ruhr [ʀuʀ] *f* **1.**(*région*) **la** ~ das Ruhrgebiet; **aller dans la** ~ ins Ruhrgebiet gehen;
les industries de la ~ die Industrie des
Ruhrgebiets **2.**(*rivière*) **la** ~ die Ruhr

ruine [ʀɥin] *f* **1.** *pl* (*décombres*) Trümmer
Pl **2.**(*édifice délabré*) Ruine *f* **3.**(*personne*) hinfälliger Mensch, Wrack *nt* **4.**(*destruction*) **en** ~[s] in Trümmern; **tomber
en** ~[s] zerfallen; **menacer de tomber en**
~[s] zu verfallen drohen **5.**(*perte de biens*)
wirtschaftlicher Ruin; **courir à la** ~ dem
Bankrott entgegensehen

ruiner [ʀɥine] <1> **I.** *vt* **1.**(*dépouiller de
sa richesse*) ruinieren **2.**(*détruire*) ruinieren; zerstören *vie*; ~ **tous les espoirs de
qn** jdm seine ganze Hoffnung nehmen
3.(*coûter cher*) **ça** [ne] **va pas te** ~ *fam*
das wird dich [schon] nicht umbringen **II.**
vpr se ~ **pour qn** sich wegen jdm in den
Ruin stürzen

ruisseau [ʀɥiso] <x> *m* Bach *m*

rumeur [ʀymœʀ] *f* (*bruit qui court*) Gerücht *nt*; ~ **publique** Gerüchteküche *f*;
faire courir une ~ ein Gerücht in Umlauf
bringen

ruminer [ʀymine] <1> **I.** *vt* **1.**(*ressasser*)
brüten über (+ *dat*); ~ **son chagrin** sich
dem Kummer hingeben **2.** ZOOL wiederkäu-
en **II.** *vi* wiederkäuen

rupin, e [ʀypɛ̃, in] **I.** *adj fam personne* betucht; *appartement* nobel; *quartier* Nobel-
II. *m, f fam* Steinreiche(r) *f(m)*

rupture [ʀyptyʀ] *f* **1.**(*cassure*) Bruch *m*
2. *d'une corde* Reißen *nt*; *d'un tendon,
d'une veine* Riss *m* **3.** *de fiançailles* Entlo-
bung *f*; ~ **de contrat/traité** Vertragsbruch
m **4.**(*séparation*) Trennung *f*

ruse [ʀyz] *f* (*subterfuge*) List *f*

rusé, e [ʀyze] **I.** *adj* listig, schlau **II.** *m, f*
raffinierte Person; **c'est une** ~**e** sie ist raffiniert

ruser [ʀyze] <1> *vi* List anwenden

russe [ʀys] **I.** *adj* russisch **II.** *m* Russisch *nt*;
v. a. **allemand**

Russe [ʀys] *mf* Russe *m*; ~ **blanc** Weißrus-
se *m*

Russie [ʀysi] *f* **la** ~ Russland *nt*

rustique [ʀystik] *adj mobilier* rustikal; *objets, outils* einfach; *personne, vie* naturver-

bunden; *coutumes* ländlich; *arbre, plante* robust

rustre [ʀystʀ] *adj* ungehobelt

RV *m abr de* **rendez-vous**

rythme [ʀitm] *m* **1.** MUS Rhythmus *m* **2.** (*allure, cadence*) Tempo *nt;* **ne pas** **pouvoir suivre le** ~ das Tempo nicht halten können; **au** ~ **de qc** im Rhythmus von etw **3.** (*mouvement régulier*) ~ **cardiaque/respiratoire** Herz-/Atemrhythmus *m*

rythmé [ʀitme] *adj* rhythmisch

S

S, s [ɛs] *m inv* S *nt,* s *nt* ▸**virage** en **S** S-Kurve *f*

s *f inv abr de* **seconde** Sek.

S *abr de* **sud**

s' *v.* **se, si**

sa [sa, se] <ses> *dét poss* **1.** sein(e)/ihr(e); *v. a.* **ma 2.** *avec un titre, form* **Sa Majesté** Seine/Ihre Majestät

sabayon [sabajɔ̃] *m* Zaba[gl]ione *f*

sabbat [saba] *m* REL Sabbat *m;* **jour du ~** Sabbat

sabbatique [sabatik] *adj* année, semestre Forschungs-; **congé ~** Beurlaubung *f*

sablage [sablaʒ] *m* Sandstreuen *nt*

sable [sabl] **I.** *m* Sand *m;* **~s mouvants** Treibsand *m* **II.** *adj inv* sandfarben

sablé [sable] *m* GASTR Sandgebäck *nt*

sablé, e [sable] *adj* GASTR **gâteau ~** Sandgebäck *nt;* **pâte ~e** Mürbeteig *m*

sabler [sable] <1> *vt* **1.** (*couvrir de sable*) mit Sand bestreuen **2.** *fig* **~ le champagne** die Champagnerkorken knallen lassen

sableuse [sabløz] *f* (*appareil pour couvrir de sable*) Sandstreuwagen *m*

sabot [sabo] *m* **1.** (*chaussure*) Holzschuh *m;* (*de ville*) Clog *m* **2.** ZOOL Huf *m* **3.** (*pour les véhicules*) **~ de Denver** Parkkralle *f* ▸**je te vois** venir **avec tes gros ~s** Nachtigall, ich hör dir trapsen (*fam*); **comme un ~** (*très mal*) unter aller Kanone (*fam*)

sabotage [sabotaʒ] *m* **1.** (*destruction volontaire*) Sabotage *f;* **~ des machines** Zerstörung *f* der Maschinen **2.** *fig* **~ des négociations** Unterminierung *f* der Verhandlungen

saboter [sabɔte] <1> *vt* **1.** (*détruire volontairement*) sabotieren; **~ une machine** eine Maschine zerstören **2.** *fig* **~ les négociations** die Verhandlungen unterminieren **3.** (*bâcler*) schludern bei

saboteur, -euse [sabɔtœʀ, -øz] *m, f* Saboteur *m*

sabrer [sabʀe] <1> *vt* **1.** (*biffer*) streichen **2.** (*raccourcir*) kürzen **3.** (*ouvrir*) **~ le champagne** einer/der Champagnerflasche den Hals brechen **4.** *fam* (*bâcler*) schludern bei affaire, travail; hinschludern *travail écrit*

sac¹ [sak] **I.** *m* **1.** (*contenant*) Sack *m,* Beutel *m;* **~ à pommes de terre** Kartoffelsack; **~ à linge** Wäschebeutel; **~ postal** Postsack; **mettre en ~s** in Säcke füllen

2. (*en plastique*) [Plastik]tüte *f;* **~ poubelle/congélation** Müll-/Gefrierbeutel *m* **3.** (*en papier*) Papiertüte *f;* **~ aspirateur** Staubsaugerbeutel *m* **4.** (*pour dormir*) **~ de couchage** Schlafsack *m* **5.** (*bagage*) Tasche *f;* **~ à main** Handtasche; **~ à provisions** Einkaufstasche; **~ d'écolier** Schultasche; **~ de marin** Seesack *m;* **~ de plage/ sport/voyage** Bade-/Sport-/Reisetasche; **~ à dos** Rucksack *m;* **partir ~ au dos** mit dem Rucksack losziehen **6.** (*contenu*) **un ~ de pommes de terre/de ciment** ein Sack *m* Kartoffeln/Zement; **~ à malice[s]** Zauberkiste *f* **7.** *fam* (*dix francs ou mille anciens francs*) *1000* alte franz. Franc ▸**~ d'embrouilles** [*o* de **nœuds**] *fam* Wirrwarr *m;* **l'affaire** est/c'est **dans le ~** *fam* die Sache/das ist gebongt; mettre **dans le** même **~** in einen Topf werfen; vider **son ~** *fam* auspacken **II.** *app inv* robe Sack-

sac² [sak] *m* (*pillage*) Plünderung *f;* **mettre à ~** plündern

saccade [sakad] *f* Ruck *m;* **par ~s** stoßweise

saccadé, e [sakade] *adj* respiration, rire stoßweise; *bruit* in kurzen, aufeinander folgenden Stößen

saccager [sakaʒe] <2a> *vt* (*dévaster*) verwüsten; vernichten *récolte*

sacerdoce [sasɛʀdɔs] *m* **1.** REL Priesteramt *nt* **2.** (*vocation*) heiliges Amt

sachant [saʃɑ̃] *part prés de* **savoir**

sache [saʃ] *subj prés de* **savoir**

sachet [saʃɛ] *m* Tüte *f;* **~ de bonbons** Bonbontüte; **~ de lavande** Lavendelsäckchen *nt;* **~ de soupe instantanée** Suppentüte

sacoche [sakɔʃ] *f* Umhängetasche *f;* **~ de cycliste** [Fahrrad]satteltasche *f*

sacquer [sake] <1> *vt fam* **1.** (*renvoyer*) feuern (*fam*); **se faire ~** gefeuert werden (*fam*) **2.** (*noter sévèrement*) schlecht benoten; **se faire ~** schlecht benotet werden **3.** (*refuser à un examen*) durchrasseln lassen (*fam*); **il s'est fait ~** er ist durchgerasselt (*fam*) **4.** (*détester*) **ne pas pouvoir ~ qn** jdn nicht riechen können (*fam*)

sacraliser [sakʀalize] <1> *vt* **1.** (*rendre sacral*) als heilig verehren **2.** (*accorder de la valeur à*) **~ qc** einer Sache (*dat*) einen hohen Wert beimessen

sacre [sakʀ] *m* **1.** *d'un souverain, évêque* Inthronisation *f* **2.** *du printemps* Krönung *f*

sacré [sakʀe] *m* Göttliche(s) *nt*

sacré, e [sakʀe] *adj* **1.** REL heilig; *art, édifice* sakral; *musique* geistlich **2.** *fig horreur* fürchterlich; **terreur** ~**e** Furcht *f* vor übernatürlichen Kräften **3.** *droits* unantastbar; *lois* heilig; **pour lui, le sommeil, c'est** ~ der Schlaf ist ihm heilig **4.** *antéposé, fam* (*maudit*) ~ **nom d'un chien!** verdammt noch mal! **5.** *antéposé, fam* (*satané*) verdammt; *farceur, gaillard* irrsinnig; **avoir un** ~ **talent** ein Wahnsinnstalent haben; **avoir un** ~ **toupet** ganz schön dreist sein; **cette** ~**e Lina a encore gagné!** diese verdammte Lina hat schon wieder gewonnen!

sacrebleu [sakʀəblø] *interj* Donnerwetter

Sacré-Cœur [sakʀekœʀ] *m sans pl* Sacré-Cœur *f*

sacrement [sakʀəmɑ̃] *m* Sakrament *nt;* **derniers** ~**s** Sterbesakramente *Pl;* **saint** ~ heiliges Sakrament

sacrément [sakʀemɑ̃] *adv fam* wahnsinnig, ungeheuer; **il fait** ~ **beau** es ist ein irrsinnig schönes Wetter

sacrer [sakʀe] <1> *vt* **1.** (*introniser*) inthronisieren **2.** (*déclarer*) ~ **qn le meilleur acteur de sa génération** jdn zum besten Schauspieler seiner Generation erklären; **être sacré le meilleur roman de l'année** zum besten Roman des Jahres erklärt werden

sacrifice [sakʀifis] *m* **1.** (*privation*) Opfer *nt;* **faire un** ~ ein Opfer bringen **2.** *sans pl* (*renoncement*) Aufgabe *f;* **sens du** ~ Opfergeist *m;* **faire le** ~ **de qc pour qc** etw für etw opfern **3.** (*immolation*) Opferung *f* ▶**Saint** **Sacrifice** heilige Messe

sacrifié, e [sakʀifje] *m, f* Opfer *nt*

sacrifier [sakʀifje] <1> I. *vt* **1.** (*renoncer à*) opfern; ~ **qn à ses intérêts** jdn seinen Interessen opfern; ~ **qc pour** [*o* à] **qc** etw für etw opfern; ~ **qc pour faire qc** etw opfern, um etw zu tun **2.** (*négliger*) vernachlässigen *personnage, rôle* **3.** COM verramschen (*fam*) *marchandises;* heruntersetzen *prix* **4.** REL opfern **II.** *vpr* **se** ~ **pour ses enfants** sich für seine Kinder aufopfern; **se** ~ **à des idées/pour la patrie** sich für eine Idee/für das Vaterland opfern

sacro-saint , e [sakʀosɛ̃, sɛ̃t] <sacro-saints> *adj iron* sakrosankt

sadique [sadik] I. *adj* sadistisch II. *mf* Sadist *m*

sado [sado] I. *adj fam* Sado-; **ce type est** ~ der Kerl ist ein Sadist II. *m, f fam* Sado *m*

sadomaso [sadomazo] I. *adj inv, fam* Sadomaso-; **il/elle est** ~ er/sie ist sadomasochistisch II. *mf inv, fam* Sadomaso *m*

sadomasochiste [sadomazɔʃist] I. *adj* sadomasochistisch II. *mf* Sadomasochist *m*

safari [safaʀi] *m* Safari *f*

safari-photo [safaʀifɔto] <safaris-photos> *m* Fotosafari *f*

safran [safʀɑ̃] I. *m* **1.** GASTR, BOT Safran *m* **2.** (*couleur*) Safrangelb *nt* II. *adj inv* safrangelb

saga [saga] *f* **1.** (*histoire familiale*) Familiensaga *f* **2.** (*légende*) Saga *f*

sagacité [sagasite] *f* Scharfsinn *m*

sagaie [sagɛ] *f* Lanze *f*

sage [saʒ] I. *adj* **1.** *conseil, personne* weise; *décision* klug **2.** *écolier, enfant* brav **3.** (*chaste*) sittsam (*geh*) **4.** *goût, vêtement* schlicht; *roman* anständig II. *m* Weise(r) *f(m);* **conseil des** ~**s** Rat *m* der Weisen

sage-femme [saʒfam] <sages-femmes> *f* Hebamme *f*

sagement [saʒmɑ̃] *adv* **1.** (*raisonnablement*) klug **2.** (*modérément*) in Maßen **3.** (*docilement*) artig **4.** (*chastement*) sittsam

sagesse [saʒɛs] *f* Weisheit *f;* **agir avec** ~ klug handeln; **la** ~ **de ta décision** deine kluge Entscheidung; **voie de la** ~ vernünftiger Weg; **avoir la** ~ **de faire qc** so klug sein und etw tun ▶~ **des** **nations** Volksweisheit *f*

Sagittaire [saʒitɛʀ] *m* Schütze *m; v. a.* **Balance**

sagouin, e [sagwɛ̃, in] *m, f fam* (*personne malpropre*) Schwein *nt*

Sahara [saaʀa] *m* **le** ~ die Sahara

saharien, ne [saaʀjɛ̃, jɛn] *adj* **1.** GEOG aus der Sahara; *oasis* in der Sahara **2.** *température* tropisch

saharienne [saaʀjɛn] *f* Safari-Jacke *f*

Sahel [saɛl] *m* **le** ~ die Sahelzone

saignant, e [sɛɲɑ̃, ɑ̃t] *adj bifteck, viande* englisch

saignement [sɛɲmɑ̃] *m* **1.** (*perte de sang*) Blutung *f;* **les** ~**s de nez** das Nasenbluten **2.** (*fait de saigner*) Bluten *nt*

saigner [seɲe] <1> I. *vi* bluten; ~ **du nez** aus der Nase bluten ▶**ça va** ~! da werden die Fetzen fliegen! II. *vt* **1.** MED zur Ader lassen **2.** (*tuer*) abstechen *animal;* ~ **qn** jdm die Gurgel durchschneiden **3.** (*exploiter*) schröpfen *personne* III. *vpr* **se** ~ **pour qn** für jdn bluten müssen (*fig*)

saillant [sajɑ̃] *m d'un bastion* Vorsprung *m; d'une frontière* Ausbuchtung *f*

sain, e [sɛ̃, sɛn] *adj* **1.** (*en bonne santé, salubre*) gesund; *constitution* kräftig **2.** *fruit, viande* einwandfrei; *fondations* solide **3.** *affaire, gestion* seriös **4.** *politique, lectures, idées* vernünftig ▶~ **et sauf** gesund und wohlbehalten

saindoux [sɛ̃du] *m* Schweineschmalz *nt*

saint, e [sɛ̃, sɛ̃t] I. *adj* **1.** REL heilig; ~**es**

huiles Salböl *nt;* ~ **patron** Schutzheiliger *m;* **le** ~ **sacrifice de la messe** die heilige Messe; **le Saint Sépulcre** das Heilige Grab; **la Sainte Vierge** die Heilige Jungfrau; **les Saintes Écritures** die Heilige Schrift; **vendredi/samedi** ~ Karfreitag *m/*Karsamstag *m;* **jeudi** ~ Gründonnerstag *m;* **la nuit du samedi** ~ die Osternacht **2.** *antéposé (inspiré par la piété)* **une ~e colère** ein heiliger Zorn **II.** *m, f* REL Heilige(r) *f(m);* **le culte des ~s** die Heiligenverehrung; ~s **de glace** Eisheilige(n) *Pl;* ~ **des saints** Allerheiligste(s) *nt* ▶**ne pas** savoir **à quel** ~ **se vouer** weder ein noch aus wissen

Saint-Barthélémy [sɛ̃baʀtelemi] *f sans pl* **la** ~ die Bartholomäusnacht **saint-bernard** [sɛ̃bɛʀnaʀ] <saint-bernard[s]> *m* **1.** *(chien)* Bernhardiner *m* **2.** *(âme secourable)* Samariter *m* **saint-cyrien** , **ne** [sɛ̃siʀjɛ̃, jɛn] <saint-cyriens> *m, f:* Schüler der Elite-Militärschule *Saint-Cyr* **Sainte-Catherine** [sɛ̃tkatʀin] *f sans pl* ▶**elle** coiffe ~ sie ist fünfundzwanzig Jahre alt und ledig

Sainte-Hélène [sɛ̃telɛn(ə)] GEOG Sankt Helena *nt*

saintement [sɛ̃tmɑ̃] *adv* heilig **Saint-Esprit** [sɛ̃tɛspʀi] *m sans pl* **le** ~ der Heilige Geist **saint-frusquin** [sɛ̃fʀyskɛ̃] *m inv, fam* Krempel *m* **saint-glinglin** [sɛ̃glɛ̃glɛ̃] *f sans pl fam* ▶**à la** ~ am Sankt-Nimmerleins-Tag **saint-honoré** [sɛ̃tɔnɔʀe] *m inv:* mit Sahne oder Pudding gefüllter Brandteigkuchen **Saint-Jean** [sɛ̃ʒɑ̃] *f sans pl* **la** ~ das Johannisfest **Saint-Jean-Baptiste** [sɛ̃ʒɑ̃batist] *f sans pl* **la** ~ Nationalfeiertag der Frankokanadier am 24. Juni

Saint-Marin [sɛ̃maʀɛ̃] *m* San Marino **Saint-Nicolas** [sɛ̃nikɔla] *f sans pl* **la** ~ der Nikolaustag **Saint-Père** [sɛ̃pɛʀ] <Saints-Pères> *m* Heiliger Vater **Saint-Pierre** [sɛ̃pjɛʀ] *m sans pl* Sankt Petrus *m* **Saint-Pierre-et-Miquelon** [sɛ̃pjɛʀemikəlɔ̃] *m* Saint-Pierre-et-Miquelon *kein art* **Saint-Siège** [sɛ̃sjɛʒ] *m sans pl* Heiliger Stuhl **Saint-Sylvestre** [sɛ̃silvɛstʀ] *f sans pl* Silvester *m o nt*

sais [sɛ] *indic prés de* **savoir**

saisie [sezi] *f* **1.** JUR Pfändung *f,* Exekution *f* (A); ~ **immobilière** Immobiliarpfändung; ~ **mobilière** Pfändung einer beweglichen Sache **2.** *(confiscation)* Beschlagnahmung *f* **3.** INFORM Erfassen *nt;* ~ **de l'écran** Screenshot *m*

saisir [seziʀ] <8> **I.** *vt* **1.** *(prendre)* packen; ~ **qn par les épaules/le chien par le collier** jdn an den Schultern/den Hund

am Halsband packen; ~ **qn à bras le corps** jdn mit beiden Armen umfassen **2.** *(attraper)* ~ **le ballon au vol** den Ball auffangen; **réussir à** ~ **la corde** den Strick zu fassen bekommen **3.** *(mettre à profit)* wahrnehmen *chance;* ergreifen *occasion;* zum Anlass nehmen *prétexte* **4.** *(comprendre)* begreifen; ~ **au vol une partie de la conversation** einen Teil des Gesprächs aufschnappen **5.** *(impressionner)* ~ **qn** *beauté:* jdn bezaubern; *ressemblance, changement:* jdn verblüffen **6.** GASTR anbraten *viande* **7.** *(confisquer)* beschlagnahmen **8.** *(porter devant)* anrufen *commission;* ~ **un tribunal d'une affaire** mit einer Sache vor Gericht gehen **9.** INFORM erfassen **II.** *vi fam* durchblicken **III.** *vpr* **se** ~ **de qc** zu etw greifen

saisissant, e [sezisɑ̃, ɑ̃t] *adj (qui surprend)* beauté ergreifend; *changement, différence* erstaunlich; *froid* schneidend

saison [sezɔ̃] *f* **1.** *(division de l'année)* Jahreszeit *f;* **belle/mauvaise** ~ schöne/kalte Jahreszeit; **en toute(s)** ~**(s)** ganzjährig; **il n'y a plus de** ~**s** *fam* das Wetter ist auch nicht mehr das, was es einmal war; **fruits de** ~ Früchte der Saison **2.** *(époque privilégiée)* ~ **littéraire/lyrique** Literatur-/Lyrikwochen *Pl;* ~ **théâtrale** Theatersaison *f;* ~ **des amours** Paarungszeit *f;* ~ **des foins** Zeit *f* der Heuernte **3.** SPORT, TOUR **basse/haute** ~ Neben-/Hochsaison *f;* **morte** ~ flaue Saison; **en/hors** ~ während/außerhalb der Saison; **faire la** ~ während der Saison arbeiten

saisonnier, -ière [sezɔnje, -jɛʀ] **I.** *adj* **1.** *(propre à la saison)* jahreszeitlich **2.** *(limité à la saison)* saisonal **II.** *m, f* Saisonarbeiter *m*

sait [sɛ] *indic prés de* **savoir**

salade [salad] *f* **1.** BOT, GASTR Salat *m;* ~ **verte** grüner Salat; ~ **niçoise** Nizza-Salat; ~ **de tomates/fruits** Tomaten-/Obstsalat; ~ **de saison** Salat der Saison **2.** *fam (confusion)* Salat *m* **3.** *pl, fam (mensonges)* Geschichten *Pl* ▶**vendre sa** ~ **à qn** *fam* jdm seinen Kram andrehen

saladier [saladje] *m* Salatschüssel *f*

salage [salaʒ] *m (contre le verglas)* **le** ~ **des routes** das Salzstreuen [auf den Straßen]

salaire [salɛʀ] *m* **1.** *(rémunération)* Gehalt *nt; d'un ouvrier* Lohn *m;* ~ **minimum interprofessionnel de croissance** gesetzlich garantierter dynamischer Mindestlohn; ~ **de misère** Hungerlohn **2.** *(récompense)* Lohn *m*

salami [salami] *m* Salami *f*

salarial, e [salaʀjal, jo] <-aux> *adj* politi-

que ~e Lohnpolitik *f*
salariat [salaʀja] *m* **1.** Arbeitnehmer *Pl*
2. (*condition*) Status *m* des Arbeitnehmers
salarié, e [salaʀje] **I.** *adj travail* un-
selb[st]ständig; *personne* nicht selb[st]stän-
dig beschäftigt **II.** *m, f* Arbeitnehmer *m*
salaud [salo] **I.** *adj fam* hundsgemein
(*fam*) **II.** *m fam* Dreckskerl *m* (*fam*)
sale [sal] **I.** *adj* **1.** (*opp: propre*) schmutzig
2. *antéposé, fam* (*vilain, louche*) übel;
type, temps mies (*fam*); *coup* hart; **avoir
une ~ gueule** (*visage antipathique*) fies
aussehen (*fam*) **II.** *m fam* **être au ~** in der
schmutzigen Wäsche sein
salé [sale] **I.** *m* **petit ~** gepökeltes Schweinefleisch **II.** *adv manger* salzig
salé, e [sale] *adj* **1.** (*contenant du sel*) gesalzen; **eau salée** Salzwasser *nt;* **être trop
salée** *soupe:* versalzen sein **2.** *fam addition*
gesalzen; *histoire* schlüpfrig
salement [salmã] *adv* **1.** *manger* unma-
nierlich; *travailler* schludrig (*fam*); *gagner*
auf unsaubere Weise **2.** *fam* (*très*) ganz
schön
saler [sale] <1> **I.** *vi* **1.** GASTR salzen **2.** TECH
Salz streuen **II.** *vt* **1.** GASTR salzen **2.** TECH
streuen *route* **3.** *fam* (*corser*) ~ **l'addition**
ganz schön abkassieren (*fam*)
saleté [salte] *f* **1.** (*malpropreté*) Schmut-
zigkeit *f* **2.** (*chose sale*) Dreck *m;* **faire
des ~s partout** alles schmutzig machen
3. (*crasse*) *sans pl* Dreck *m* **4.** *fam* (*objet
sans valeur*) Plunder *m* **5.** *fam* (*crapule:
homme*) Dreckskerl *m;* (*femme*) Miststück *nt kein Pl* (*fam*) **6.** *fam* (*maladie*)
verdammte Krankheit; **ramasser une ~**
sich (*dat*) etwas einfangen (*fam*) **7.** *fam*
(*friandise*) süßes Zeug **8.** (*obscénité*) Un-
anständigkeit *f* ▸**faire des ~s** *euph animal:* sein Geschäft machen; ~ **d'ordina-
teur/de Maurice!** *fam* dieser verdammte
Computer/Maurice!
salir [saliʀ] <8> **I.** *vt* schmutzig machen;
(*complètement*) verschmutzen **II.** *vpr* **se
~ 1.** (*se souiller*) sich schmutzig machen;
se ~ les mains sich (*dat*) die Hände
schmutzig machen **2.** (*devenir sale*)
schmutzig werden
salive [saliv] *f* Speichel *m* ▸**gaspiller sa ~**
fam sich (*dat*) den Mund fusselig reden;
ravaler sa ~ schlucken
saliver [salive] <1> *vi* **1.** (*baver*) Speichel
produzieren **2.** (*convoiter*) ~ **d'envie de
faire un tour en moto** scharf darauf sein
eine Motorradfahrt zu machen (*fam*); ~
d'impatience vor Ungeduld vergehen;
laisser qn ~ d'impatience jdn zappeln
lassen; **faire ~ qn** jdm den Mund
wäss[e]rig machen (*fam*)

salle [sal] *f* **1.** (*pièce*) Saal *m;* ~ **à manger**
Esszimmer *nt;* ~ **d'attente** Wartesaal *m;*
(*chez un médecin*) Wartezimmer *nt;* ~
d'audience Gerichtssaal *m;* ~ **de bains**
Badezimmer *nt;* ~ **de billard** Billardraum
m; ~ **de cinéma** Kino[saal *m*] *nt;* ~ **de
classe** Klassenzimmer *nt;* ~ **de jeux** Spiel-
zimmer *nt;* ~ **de réanimation** Intensivstation *f;* ~ **de réunion** Sitzungssaal *m;* ~ **de
séjour** Wohnzimmer *nt;* ~ **des fêtes** Fest-
halle *f;* ~ **des pas perdus** Bahnhofshalle *f;*
~ **de théâtre** Theater[saal *m*] *nt;* ~ **d'étude** Hausaufgabenraum *m;* ~ **d'opération**
Operationssaal *m;* ~ **polyvalente** Mehrzweckhalle *f;* **faire du sport en ~** Hallen-
sport betreiben **2.** (*cinéma*) Kino *nt;* ~**s
obscures** Kinos *Pl* **3.** (*spectateurs*) Publikum *nt;* **toute la ~** der ganze Saal ▸**faire
~ comble** die Säle füllen
salmigondis [salmigɔ̃di] *m fam* Mischmasch *m*
salmis [salmi] *m* Salmi *nt*
salmonelle [salmɔnɛl] *f* Salmonelle *f*
salmonellose [salmɔneloz] *f* Salmonellose *f*
salon [salɔ̃] *m* **1.** (*salle de séjour*) Wohnzimmer *nt* **2.** (*mobilier*) Sitzgarnitur *f;* ~
de jardin Gartenmöbel *Pl* **3.** (*salle d'hôtel:
pour les clients*) Gesellschaftsraum *m;*
(*pour des conférences, réunions*) Veran-
staltungsraum *m* **4.** (*exposition*) Messe *f;*
Salon du jouet Spielwarenmesse; **Salon
de l'Auto[mobile]** Automobil-Salon *m*
5. (*commerce*) ~ **de coiffure** Friseursalon
m; ~ **de thé** Teestube *f*
salopard [salɔpaʀ] *m fam* Dreckskerl *m;*
bande de ~s Saubande *f* (*fam*)
salope [salɔp] *f* **1.** *vulg* (*débauchée*) Nutte
f **2.** *fam* (*garce*) Miststück *nt*
saloper [salɔpe] <1> *vt fam* **1.** (*bâcler*)
hinschludern **2.** (*salir*) versauen
saloperie [salɔpʀi] *f fam* **1.** (*objet sans valeur*) Ramsch *m kein Pl;* **vendre de la ~**
Ramsch verkaufen (*fam*) **2.** (*saletés*) *gén
pl* Sauerei *f* **3.** (*mauvaise nourriture*) Fraß
m kein Pl **4.** (*maladie*) verdammte Krankheit **5.** (*méchanceté*) Gemeinheit *f;* **faire
une ~ à qn** jdm übel mitspielen **6.** (*obscénité*) Schweinerei *f* ▸**c'est de la ~** das
taugt nichts; ~ **d'ordinateur/de bagnole**
Scheißcomputer *m vulg/*Scheißkiste *f*
salopette [salɔpɛt] *f* Latzhose *f*
salsa [salsa] *f* Salsa *m*
salsifis [salsifi] *m* GASTR Schwarzwurzel *f*
salubre [salybʀ] *adj* gesund
salubrité [salybʀite] *f* **1.** *du climat* gesund-
heitsfördernde Wirkung; *de l'air* Reinheit *f;*
d'un logement gesundheitliche Zuträglich-
keit **2.** (*hygiène*) Hygiene *f* **3.** ADMIN ~ **pu-**

blique öffentliches Gesundheitswesen
saluer [salɥe] <1> I. *vt* **1.** (*dire bonjour*) grüßen; ~ **qn de la main** jdm zuwinken **2.** (*dire au revoir*) ~ **qn** sich von jdm verabschieden **3.** (*rendre hommage*) würdigen **4.** (*accueillir*) begrüßen; ~ **qn par des sifflets** jdn zur Begrüßung auspfeifen; **être salué par des applaudissements** mit Applaus aufgenommen werden **5.** *soutenu* (*considérer*) ~ **Brassens comme chef de file de la chanson française** Brassens als die Nr. 1 des französischen Chansons ansehen **6.** MIL ~ **un supérieur/le drapeau** vor einem Vorgesetzten/vor der Fahne salutieren II. *vi* **1.** THEAT sich verbeugen **2.** MIL salutieren
salut[1] [saly] I. *m* **1.** (*salutation*) Gruß *m;* **faire un** ~ **de la main** winken; **sans un** ~ grußlos **2.** MIL ~ **aux supérieurs/au drapeau** Salutieren *nt* vor den Vorgesetzten/vor der Fahne II. *interj* **1.** *fam* (*bonjour*) ~! hallo! **2.** *fam* (*au revoir*) ~! tschüs!
salut[2] [saly] *m* **1.** (*sauvegarde*) Rettung *f;* **le** ~ **de l'entreprise passe par là** das Unternehmen ist nur so zu retten **2.** REL Heil *nt* **3.** POL ~ **public** öffentliches Wohl
salutaire [salytɛʀ] *adj* heilsam; *décision* richtig; **ce séjour a été** ~ dieser Aufenthalt hat gut getan; ~ **à qn/qc** (*avantageux*) vorteilhaft für jdn/etw; (*secourable*) hilfreich für jdn/etw
salutations [salytasjɔ̃] *fpl form* Grüße *Pl;* **je vous prie/nous vous prions d'agréer, Madame/Monsieur, mes/nos ~s distinguées** mit freundlichen Grüßen; **veuillez agréer, Madame la Présidente, mes respectueuses ~s** hochachtungsvoll
salutiste [salytist] I. *adj* der Heilsarmee II. *mf* Mitglied *nt* der Heilsarmee
Salzbourg [saltsbuʀ] Salzburg *nt*
Samaritain, e [samaʀitɛ̃, ɛn] *m, f* HIST, REL Samariter(in) *m(f)*
samba [sɑ̃mba] *f* Samba *f*
samedi [samdi] *m* Samstag *m; v. a.* **dimanche**
samouraï [samuʀaj] *m* Samurai *m*
samovar [samɔvaʀ] *m* Samowar *m*
S.A.M.U. [samy] *m abr de* **Service d'aide médicale d'urgence** ärztlicher Bereitschaftsdienst; (*médecin*) Notarzt *m;* **appeler le** ~ den Notarzt rufen
sanction [sɑ̃ksjɔ̃] *f* **1.** (*punition*) Strafe *f;* SCOL Strafarbeit *f;* **mériter une** ~ bestraft werden müssen; **être passible d'une** ~ sich strafbar machen **2.** ECON, POL Sanktion *f*
sanctionner [sɑ̃ksjɔne] <1> I. *vt* (*punir*) bestrafen; ECON sanktionieren II. *vi* zu einer Strafmaßnahme greifen

sandwich [sɑ̃dwitʃ] <[e]s> *m* GASTR Sandwich *nt;* ~ **au jambon** Schinkensandwich ▸**prendre en** ~ *fam* (*encadrer*) in die Mitte nehmen *personne, véhicule;* (*coincer*) einkeilen *personne, véhicule;* SPORT in die Zange nehmen *joueur*
sang [sɑ̃] *m* **1.** ANAT Blut *nt;* **donner son** ~ Blut spenden; **être en** ~ bluten; **se gratter jusqu'au** ~ sich blutig kratzen **2.** (*race*) Blut *nt* **3.** (*vie*) Leben *nt;* ~ **etw mit seinem Leben bezahlen** ▸**suer et eau** Blut und Wasser schwitzen; **qn a du** ~ **sur les mains** an jds Händen klebt Blut; **qn a le** ~ **qui lui monte à la tête** jdm steigt das Blut in den Kopf; **ne pas avoir de** ~ **dans ses veines** *fam* keinen Mumm in den Knochen haben; **avoir le** ~ **chaud** hitziges Blut haben; **du** ~ **frais** [*o* **neuf**] frischer Wind; **se faire du mauvais** ~ sich (*dat*) Sorgen machen; **avoir qc dans le** ~ etw im Blut haben; **baigner dans son** ~ in einer Blutlache liegen; **se ronger les ~s** *fam* vor Angst umkommen
sang-froid [sɑ̃fʀwa] *m sans pl* **1.** (*maîtrise de soi*) Beherrschung *f;* **garder son** ~ einen kühlen Kopf bewahren; **perdre son** ~ seine Beherrschung verlieren **2.** (*froideur*) Kaltblütigkeit *f;* **agir avec** ~ kaltblütig handeln; **de** ~ kaltblütig
sanglant, e [sɑ̃glɑ̃, ɑ̃t] *adj* **1.** (*saignant*) blutig **2.** (*violent*) hart; *rencontre, match* hitzig
sanglier [sɑ̃glije] *m* ZOOL, GASTR Wildschwein *nt*
sangloter [sɑ̃glɔte] <1> *vi* schluchzen
sangria [sɑ̃gʀija] *f* Sangria *f*
sangsue [sɑ̃sy] *f* **1.** ZOOL Blutegel *m* **2.** *fam* (*personnage collant*) Klette *f*
sanguin, e [sɑ̃gɛ̃, in] *adj* **1.** ANAT **plasma** ~ Blutplasma *nt* **2.** (*coloré*) rot; **orange** ~**e** Blutorange *f* **3.** *type* sanguinisch
sanguine [sɑ̃gin] *f* (*orange*) Blutorange *f*
sanitaire [sanitɛʀ] I. *adj* sanitär; *mesure* gesundheitspolizeilich; **installations** ~**s** Sanitärinstallationen *Pl;* **cordon** ~ Sperrgürtel *m;* **les services** ~**s** der Wirtschaftskontrolldienst II. *m gén pl* Sanitäranlagen *Pl*
sans [sɑ̃] I. *prép* ohne; ~ **scrupules/manches** skrupel-/ärmellos; ~ **remède** ausweglos; ~ **arrêt** ununterbrochen; ~ **but** ziellos; **partir** ~ **fermer la porte/** ~ **que tu le saches** gehen ohne die Tür zu schließen/ohne dass du es weißt; **la situation n'est pas** ~ **nous inquiéter** nicht, dass wir über die Situation nicht beunruhigt wären; **vous n'êtes pas** ~ **savoir que** Sie wissen doch, dass ▸~ **plus** das ist aber auch alles; ~ **quoi** sonst II. *adv fam* ohne;

il va falloir faire ~ wir werden ohne auskommen müssen

sans-abri [sɑ̃zabʀi] *m inv* Obdachlose(r) *f(m)*

sanscrit [sɑ̃skʀi] *m* Sanskrit *nt; v. a.* **allemand sans-culotte** [sɑ̃kylɔt] <sans-culottes> *m* Sansculotte *m* **sans-emploi** [sɑ̃zɑ̃plwa] *m inv* Arbeitslose(r) *f(m)* **sans-faute** [sɑ̃fot] *m inv* hervorragende Leistung; sport fehlerfreier Durchgang **sans-fil** [sɑ̃fil] *m inv* Funktelefon *nt* **sans-gêne** [sɑ̃ʒɛn] **I.** *adj inv* ungeniert **II.** *m sans pl* (*désinvolture*) Ungeniertheit *f* **III.** *mf inv* (*personne désinvolte*) unverfrorene Person

sanskrit [sɑ̃skʀi] *v.* **sanscrit sans-le-sou** [sɑ̃lsu] *mf inv, fam* armer Schlucker **sans-logis** [sɑ̃lɔʒi] *mf inv, soutenu* Obdachlose(r) *f(m)* **sans-papiers** [sɑ̃papje] *mf inv:* Ausländer, die sich illegal in Frankreich aufhalten

santé [sɑ̃te] *f* **1.** (*opp: malade*) Gesundheit *f;* ~ **mentale** Geisteszustand *m;* **comment va la ~?** wie geht es gesundheitlich?; **être bon pour la** ~ gesund sein; **avoir une** ~ **de fer** eine eiserne Gesundheit haben; **être en bonne/mauvaise** ~ es geht einem gesundheitlich gut/schlecht **2.** admin **le ministre de la Santé** der Gesundheitsminister; **la** ~ **publique** das öffentliche Gesundheitswesen; **les services de** ~ das Gesundheitsamt; (*armée*) der Sanitätsdienst; **profession de la** ~ Heilberuf *m* ►**y laisser sa** ~ *fam* dabei seine Gesundheit ruinieren; **se refaire une** ~ *fam* mal wieder ausspannen; **respirer la** ~ *fam* vor Gesundheit strotzen; **à la** ~ **de qn** auf jds Wohl (*akk*); **à ta ~!** auf dein Wohl!

santiag [sɑ̃tjag] *f fam* Cowboystiefel *m*

santon [sɑ̃tɔ̃] *m* Krippenfigur *f*

saoudien, ne [saudjɛ̃, jɛn] *adj* saudi-arabisch

Saoudien, ne [saudjɛ̃, jɛn] *m, f* Saudi-Araber(in) *m(f)*

saoul, e [su, sul] *adj v.* **soûl**

saouler [sule] <1> *vt v.* **soûler**

saper [sape] <1> *vpr fam* **se** ~ sich in Schale werfen; **être bien sapé** rausgeputzt sein

sapeur-pompier [sapœʀpɔ̃pje] <sapeurs-pompiers> *m* Feuerwehrmann *m;* **les** ~**s** die Feuerwehr, die Brandwache (ch)

saphir [safiʀ] *adj inv* saphirblau

sapidité [sapidite] *f* Schmackhaftigkeit *f;* **agent de** ~ Geschmacksverstärker *m*

sapin [sapɛ̃] **I.** *m* Tanne *f;* ~ **de Noël** Weihnachtsbaum *m* **II.** *app inv* dunkelgrün

saquer [sake] <1> *vt v.* **sacquer**

sarbacane [saʀbakan] *f* Blasrohr *nt*

sarcasme [saʀkasm] *m* Sarkasmus *m;* (*remarque*) sarkastische Bemerkung

sarcastique [saʀkastik] *adj* sarkastisch

sarcloir [saʀklwaʀ] *m* Jäthacke *f*

Sardaigne [saʀdɛɲa] *f* **la** ~ Sardinien *nt*

sardine [saʀdin] *f* Sardine *f* ►**serrés comme** des ~**s en boîte** *fam* dicht gedrängt wie in einer Sardinenbüchse

sardinerie [saʀdinʀi] *f* Sardinenkonservenfabrik *f*

SARL [ɛsɑɛʀɛl] *f abr de* **société à responsabilité limitée** GmbH *f*

sarment [saʀmɑ̃] *m* Weinrebe *f*

sarrasin [saʀazɛ̃] *m* Buchweizen *m*

Sarre [saʀ] *f* **1.** (*région*) **la** ~ Saarland *nt* **2.** (*rivière*) Saar *f*

Sarrebruck [saʀbʀyk] Saarbrücken *nt*

sas [sɑs] *m* **1.** (*dans une écluse*) Schleusenkammer *f* **2.** (*pièce intermédiaire*) Schleuse *f*

satané, e [satane] *adj antéposé* **1.** (*maudit*) verflucht (*fam*) **2.** (*sacré*) toll (*fam*); ~ **farceur!** du Teufelskerl! *m* (*fam*)

satanique [satanik] *adj a.* rel satanisch; *ruse* teuflisch

satellisation [satelizasjɔ̃] *f* **1.** espace Abschießen *nt* in die Umlaufbahn **2.** pol Abhängigkeit *f*

satellite [satelit] **I.** *m* **1.** espace Satellit *m* **2.** astron Trabant *m* **3.** pol Satellitenstaat *m* **II.** *adj ville* ~ Satellitenstadt *f*

satin [satɛ̃] *m* Satin *m;* **peau de** ~ seidenweiche Haut

satiné [satine] *m* **1.** (*aspect luisant*) seidiger Glanz **2.** *de la peau* Zartheit *f*

satiné, e [satine] *adj* seidig glänzend; *peinture* seidenmatt; **papier** ~ Glanzpapier *nt*

satinette [satinɛt] *f* Satin *m*

satire [satiʀ] *f* Satire *f;* **faire la** ~ **de qn/ qc** *pièce, texte:* eine Satire auf jdn/etw sein; *auteur:* über jdn/etw spotten

satisfaction [satisfaksjɔ̃] *f* **1.** *sans pl* (*joie*) Zufriedenheit *f;* **à la** ~ **générale** zur allgemeinen Zufriedenheit **2.** (*auto-satisfaction*) Genugtuung *f* **3.** (*contentement*) Befriedigung *f* **4.** (*action de satisfaire*) **la** ~ **d'un instinct** die Befriedigung eines Triebs; **la** ~ **d'un désir** die Erfüllung eines Wunsches **5.** (*raison d'être satisfait*) Befriedigung *f;* **avoir beaucoup de** ~[s] **avec qn/qc** mit jdm/etw sehr zufrieden sein ►**qn/qc donne** [toute] ~ **à une personne** ein Mensch ist mit jdm/etw [sehr] zufrieden; **donner** ~ **à qn** jdn zufrieden stellen; **donner** ~ **à tout le monde** allen gerecht werden; **obtenir** ~ bekommen, was man will

satisfaire [satisfɛʀ] <*irr*> **I.** *vt* **1.**(*contenter*) *travail, solution:* befriedigen; *personne:* zufrieden stellen **2.**(*assouvir*) befriedigen; stillen *faim, soif* **3.**(*donner droit à*) ~ **une réclamation** eine Reklamation erledigen **II.** *vi* ~ **à une obligation** einer Verpflichtung nachkommen **III.** *vpr* **1.**(*se contenter*) **se** ~ **de qc** sich mit etw begnügen **2.** *euph* (*uriner*) **se** ~ sich erleichtern **3.** *euph* (*prendre son plaisir*) **se** ~ seine Lust befriedigen; (*par la masturbation*) sich selbst befriedigen

satisfait, e [satisfɛ, ɛt] *adj* zufrieden; **être** ~ **de qn/qc** mit jdm/etw zufrieden sein

saturer [satyʀe] <1> *vt* **1.**(*soûler*) satt haben (*fam*); **les politiciens me saturent** von den Politikern habe ich genug (*fam*); **mes élèves me saturent avec leurs questions** ich habe die Fragen meiner Schüler satt **2.**(*plus que rassasier*) **je suis saturé de poisson** *fam* ich kann keinen Fisch mehr sehen; **être saturé de publicité** mit Werbung übersättigt sein **3.**(*surcharger*) verstopfen; **être saturé** *standard:* besetzt sein; *marché:* gesättigt sein

Saturne [satyʀn] *f* Saturn *m*

sauce [sos] *f* GASTR Soße *f;* ~ **béchamel/chasseur** Béchamel-/Jägersoße; ~ **vinaigrette** Vinaigrette *f;* ~ **au vin** Weinsoße; ~ **béarnaise** Sauce Béarnaise *f;* **viande en** ~ Fleisch mit Soße ▶**la** ~ **fait passer le poisson** *fam* es kommt darauf an, wie man die bittere Pille versüßt; **mettre qc à toutes les** ~**s** *fam* etw in allen Variationen servieren; **être mis à toutes les** ~**s** für alles herhalten müssen

saucée [sose] *f fam* Guss *m*

saucer [sose] <2> *vt* **1.**(*essuyer*) austunken **2.** *fam* (*tremper*) **être saucé/se faire** ~ klatschnass sein/werden

sauciflard [sosiflaʀ] *m fam* luftgetrocknete Salami

saucisse [sosis] *f* GASTR Würstchen *nt*

saucisson [sosisɔ̃] *m* GASTR *luftgetrocknete Salami;* ~ **sec** Hartwurst *f* ▶**ficeler qn comme un** ~ *fam* jdn verschnüren; **être ficelé comme un** ~ (*mal vêtu*) unmöglich angezogen sein (*fam*); (*être serré*) eingeschnürt wie eine Wurst sein (*fam*)

sauf [sof] *prép* **1.**(*à l'exception de*) bis auf (+ *akk*); ~ **quand/si** außer wenn; ~ **que** abgesehen davon, dass **2.**(*à moins de*) abgesehen von; JUR vorbehaltlich (+ *gen*) (*form*); ~ **erreur de ma part** wenn ich mich nicht irre; ~ **imprévu** wenn nichts dazwischen kommt; ~ **avis contraire** wenn niemand dagegen ist

saugrenu, e [sogʀəny] *adj* albern; *idée* hirnrissig (*fam*)

saumon [somɔ̃] **I.** *m* Lachs *m* **II.** *adj inv* lachsfarben **III.** *app* **rose** ~ lachsrosa

saumoné, e [somɔne] *adj* **truite** ~**e** Lachsforelle *f*

saumure [somyʀ] *f* Salzlake *f*

sauna [sona] *m* Sauna *f*

saupoudrer [sopudʀe] <1> *vt* **1.** GASTR ~ **qc de sucre/sel** etw mit Zucker/Salz bestreuen; ~ **qc de farine** etw mit Mehl bestäuben **2.** FIN ~ **qn de subventions** Subventionen an jdn verteilen; ~ **les crédits** Kredite nach dem Gießkannenprinzip verteilen

saupoudreuse [sopudʀøz] *f* Streudose *f*

saurai [sɔʀɛ] *fut de* **savoir**

saut [so] *m* **1.**(*bond*) Sprung *m;* ~ **de la mort** salto mortale *m;* ~ **de l'ange** Kopfsprung **2.** SPORT ~ **à la perche** Stabhochsprung *m;* ~ **à la corde** Seilspringen *nt;* ~ **en longueur** Weitsprung; ~ **en parachute** Fallschirm[ab]sprung; ~ **en chute libre** Sprung in freiem Fall; ~ **de haies** Hürdenspringen *nt;* ~ **d'obstacles** Hindernissprung; ~ **périlleux** Salto *m* **3.** INFORM Sprung *m* ▶**au** ~ **du lit** beim Aufstehen; **prendre qn au** ~ **du lit** jdn aus dem Bett holen; **faire le** ~ den Schritt wagen; **faire un** ~ **chez qn** *fam* auf einen Sprung bei jdm vorbeischauen

saute [sot] *f* ~ **de température** plötzlicher Temperaturumschwung; ~ **d'humeur** plötzlicher Stimmungsumschwung; ~ **d'image** Flimmern *nt* des Bildes

sauté [sote] *m* ~ **de veau** Kalbsragout *nt*

saute-mouton [sotmutɔ̃] *m inv* Bockspringen *nt;* **jouer à** ~ Bockspringen machen

sauter [sote] <1> **I.** *vi* **1.**(*bondir*) springen; (*sautiller*) [herum]hüpfen; (~ *vers le haut*) hochspringen; ~ **du lit** aus dem Bett springen; ~ **par la fenêtre/d'un train** aus dem Fenster/aus dem Zug springen **2.** SPORT springen; ~ **en parachute** mit dem Fallschirm abspringen; ~ **à la corde** Seil springen **3.**(*se précipiter*) ~ **sur l'occasion** die Gelegenheit beim Schopf packen; ~ **sur le prétexte** den Vorwand benutzen **4.**(*passer brusquement*) ~ **d'un sujet à l'autre** von einem Thema zum anderen springen; **un élève saute du CP en CE2** ein Schüler überspringt die zweite Klasse **5.**(*jaillir*) *bouchon:* knallen; *bouton, chaîne:* abspringen **6.**(*exploser*) *bâtiment, pont:* in die Luft fliegen (*fam*); *bombe:* hochgehen (*fam*); **faire** ~ **qn/qc** jdn/etw in die Luft sprengen **7.** ELEC *fusibles, plombs:* durchbrennen **8.** *fam* (*ne pas avoir lieu*) *classe, cours:* ausfallen **9.** GASTR **faire** ~ **qc** etw braten; **des pommes de terre**

sautées Bratkartoffeln *Pl* 10.(*clignoter*) *image:* flackern 11.(*annuler*) **faire** ~ **une contravention** eine Geldstrafe rückgängig machen II. *vt* 1.(*franchir*) ~ **un fossé/ mur** über einen Graben/eine Mauer springen 2.(*omettre*) überspringen *étape, page, classe;* vergessen *mot;* auslassen *repas* 3. *fam* (*avoir des relations sexuelles*) bumsen (*vulg*)

sauterelle [sotRɛl] *f* Heuschrecke *f*

sauterie [sotRi] *f fam* Tanzparty *f*

sauteur, -euse [sotœR, -øz] *m, f* SPORT Springer(in) *m(f)*

sauteuse [sotøz] *f* GASTR Bratpfanne *f*

sautiller [sotije] <1> *vi* hüpfen

sauvage [sovaʒ] I. *adj* 1. *camping, grève* wild; *concurrence, vente* illegal 2.(*opp: domestique*) wild; *plante* wild wachsend 3.(*à l'état de nature*) wild; *lieu, pays* unberührt; *beauté* unverfälscht 4.(*violent*) brutal; *haine, horde* wild; *cris* gellend II. *mf* 1.(*solitaire*) Einzelgänger(in) *m(f)* 2.(*brute*) Rohling *m;* **comme des** ~**s** wie die Wilden (*fam*) 3.(*indigène*) Wilde(r) *f(m)*

sauvagement [sovaʒmã] *adv* auf bestialische Weise; *frapper, traiter* brutal

sauvageon, ne [sovaʒɔ̃, ɔn] *m, f* jugendliche(r) Randalierer(in) *m(f)*

sauvegarde [sovgaRd] *f* 1.(*protection*) Schutz *m;* ~ **de l'emploi** Sicherung *f* der Arbeitsplätze 2. INFORM Sicherheitskopie *f;* **faire la** ~ **d'un fichier** eine Sicherungskopie einer Datei erstellen

sauvegarder [sovgaRde] <1> *vt* 1.(*protéger*) sich (*dat*) bewahren *indépendance, liberté;* wahren *droits;* schützen *biens, patrimoine;* aufrechterhalten *relations, image de marque* 2. INFORM sichern

sauve-qui-peut [sovkipø] *m inv* Panik *f*

sauver [sove] <1> I. *vt* 1.(*porter secours*) ~ **qn de la noyade** jdn vor dem Ertrinken retten; ~ **qc d'un naufrage/du feu** etw vor dem Untergang/dem Feuer retten; ~ **qn du désespoir** jdn aus der Verzweiflung retten; ~ **la vie à qn** jdm das Leben retten; **il a été sauvé par sa ceinture de sécurité** der Sicherheitsgurt war seine Rettung 2.(*sauvegarder*) ~ **une entreprise de la faillite** ein Unternehmen vor dem Konkurs bewahren 3. INFORM sichern *fichiers* ►~ **les meubles** retten, was zu retten ist II. *vi* retten; **un réflexe/geste qui sauve** ein rettender Reflex/eine rettende Geste ►**sauve qui peut!** rette sich wer kann! III. *vpr* 1.(*échapper à*) **se** ~ **d'un mauvais pas** sich wieder herauswinden 2.(*s'enfuir*) **se** ~ flüchten 3. *fam* (*s'en aller*) **se** ~ sich auf die Socken machen 4.(*déborder*) **se** ~ überkochen

savant, e [savã, ãt] I. *adj* 1.(*érudit*) gelehrt; **être** ~ **en histoire** in Geschichte sehr bewandert sein; **c'est trop** ~ **pour moi** das ist mir zu hochgestochen (*fam*) 2. *antéposé péj discussion* hochgestochen; *calcul* kompliziert 3.(*habile*) geschickt; **c'est un** ~ **dosage** das ist wohl dosiert 4.(*dressé*) dressiert II. *m, f* 1.(*lettré*) Gelehrte(r) *f(m)* 2.(*scientifique*) Wissenschaftler(in) *m(f)*

savate [savat] *f* Hauslatschen *m* (*fam*); (*chaussure*) Treter *m* (*fam*); **en** ~**s** *fam* in Pantoffeln ►**traîner la** ~ *fam* sich herumtreiben; (*vivoter*) sich so durchschlagen

saveur [savœR] *f* 1.(*goût*) Geschmack *m;* **avoir une** ~ **âcre/douce** bitter/süß schmecken; **sans** ~ geschmacklos 2. *d'une nouveauté, d'un interdit* Reiz *m; d'une formule, d'un style* Würze *f*

Savoie [savwa] *f* **la** ~ Savoyen *nt*

savoir [savwaR] <*irr*> I. *vt* 1.(*être au courant*) wissen; ~ **la nouvelle par les journaux/sa famille** die Neuigkeit aus den Zeitungen/von seiner Familie erfahren haben; **faire** ~ **à qn que** jdm Bescheid sagen, dass; **on sait que** es ist bekannt, dass 2.(*connaître*) können *leçon, rôle;* kennen *détails;* ~ **qc de** [*o* **sur**] **qn/qc** etw über jdn/etw wissen; **bien** ~ **sa leçon** seine Lektion gut gelernt haben; **tâcher d'en** ~ **davantage** versuchen mehr zu erfahren 3.(*être capable de*) ~ **attendre/dire non** warten/nein sagen können; **je ne saurais vous renseigner** ich kann Ihnen leider keine Auskunft geben 4.(*être conscient*) wissen 5. BELG, NORD (*pouvoir*) **ne pas** ~ **venir à l'heure** nicht pünktlich sein können ►~ **y faire** *fam* wissen, wie man's macht; **qn ne sait plus où se mettre** *fam* jd würde sich am liebsten in ein Mauseloch verkriechen; **ne rien vouloir** ~ davon nichts wissen wollen; **à** ~ nämlich; **on ne sait jamais** man kann nie wissen; **en quelque chose** ein Lied davon singen können (*fam*); **n'en rien** ~ keine Ahnung haben II. *vi* wissen ►**pas que je sache** nicht dass ich wüsste; **pour autant que je sache!** soviel ich weiß! III. *vpr* 1.(*être connu*) **se** ~ bekannt sein 2.(*avoir conscience*) **se** ~ **en danger/malade** wissen, dass man in Gefahr/krank ist ►**tout se sait** nichts bleibt verborgen IV. *m* Wissen *nt*

savoir-faire [savwaʀfɛʀ] *m inv* Know-how *nt* **savoir-vivre** [savwaʀvivʀ] *m inv* Benehmen *nt*

savon [savɔ̃] *m* **1.** (*savonnette*) Seife *f;* ~ **de Marseille** Kernseife *f* **2.** *fam* (*réprimande*) Rüffel *m;* **passer un** ~ **à qn** jdm einen Rüffel erteilen (*fam*), jdm den Kopf waschen (*fam*); **prendre un [bon]** ~ was zu hören kriegen (*fam*)

savonner [savɔne] <1> **I.** *vt* einseifen **II.** *vpr* **se** ~ sich einseifen

savonnette [savɔnɛt] *f* Toilettenseife *f*

savourer [savuʀe] <1> **I.** *vt* genießen *mets, boisson;* auskosten *triomphe, vengeance* **II.** *vi* genießen

savoureux, -euse [savuʀø, -øz] *adj* köstlich

saxe [saks] *m* Meiß[e]ner Porzellan *nt*

Saxe [saks] *f* **la** ~ Sachsen *nt*

Saxe-Anhalt [saksanalt] *f* Sachsen-Anhalt *nt*

saxo [sakso] **I.** *m* Saxophon *nt* **II.** *mf* Saxophonist(in) *m(f)*

saxon [saksɔ̃] *m* Sächsisch *nt; v. a.* **allemand**

saxon, ne [saksɔ̃, ɔn] *adj* sächsisch

Saxon, ne [saksɔ̃, ɔn] *m, f* Sachse/Sächsin *m/f*

saxophone [saksɔfɔn] *m* Saxophon *nt*

saxophoniste [saksɔfɔnist] *mf* Saxophonist(in) *m(f)*

saynète [sɛnɛt] *f* Sketch *m*

scabreux, -euse [skabʀø, -øz] *adj* **1.** *conversation, histoire* schlüpfrig; *allusion* anzüglich; *sujet* gewagt **2.** *soutenu* (*risqué*) gewagt

scalp [skalp] *m* Skalp *m*

scampi [skãpi] *mpl* Scampi *Pl*

scandale [skãdal] *m* **1.** (*éclat*) Skandal *m;* **presse à** ~ Skandalpresse *f* **2.** (*indignation*) Empörung *f* **3.** (*tapage*) Lärm *m;* ~ **sur la voie publique** öffentliche Ruhestörung ▶**faire** ~ Staub aufwirbeln (*fig*)

scandaleusement [skãdaløzmã] *adv* **1.** (*honteusement*) skandalös **2.** (*outrageusement*) unerhört; *exagéré, sous-estimé* maßlos

scandaleux, -euse [skãdalø, -øz] *adj* **1.** (*honteux*) skandalös; *prix, propos* unverschämt; *vie* skandalumwittert; **il est** ~ **que** + *subj* es ist ein Skandal, dass **2.** (*qui exploite le scandale*) **la chronique scandaleuse** die Skandalberichte *Pl*

scandaliser [skãdalize] <1> **I.** *vt* schockieren; **être scandalisé que** empört darüber sein, dass **II.** *vpr* **se** ~ **de qc** sich über etw (*akk*) empören; **se** ~ **que** + *subj* empört darüber sein, dass

scander [skãde] <1> *vt* im Sprechchor ru-

fen *slogans*

scandinave [skãdinav] *adj* skandinavisch

Scandinave [skãdinav] *mf* Skandinavier(in) *m(f)*

Scandinavie [skãdinavi] *f* **la** ~ Skandinavien *nt*

scanner [skane] <1> *vt* scannen

scanner [skanɛʀ] *m,* **scanneur** [skanœʀ] *m* Scanner *m;* ~ **à main/à plat** Hand-/Flachbettscanner

scarification [skaʀifikasjɔ̃] *f* **1.** AGR *d'une écorce* Einritzen *nt; du gazon* Vertikutieren *nt* **2.** MED Hautritzung *f* **3.** TRANSP Aufreißen *nt*

scarole [skaʀɔl] *f* Endivie *f*

scatologique [skatɔlɔʒik] *adj* skatologisch

sceau [so] <x> *m* Siegel *nt* ▶**sous le** ~ **du secret** unter dem Siegel der Verschwiegenheit

sceller [sele] <1> *vt* **1.** TECH einzementieren *crochet, couronne dentaire;* einmauern *pierre;* einlassen *barreaux;* kleben *dalle* **2.** (*confirmer solennellement*) besiegeln; bekräftigen *engagement* **3.** (*authentifier par un sceau*) siegeln **4.** (*fermer hermétiquement*) versiegeln **5.** (*apposer les scellés*) mit Siegeln versehen

scellés [sele] *mpl* Amtssiegel *Pl;* (*plomb*) Plomben *Pl;* **mettre les** ~ die Siegel anbringen; **apposer les** ~ **sur qc** etw amtlich versiegeln; **lever les** ~ das Siegel aufbrechen; **sous** ~ unter Verschluss

scénario [senaʀjo, senaʀi] <s *o* scénarii> *m* **1.** *d'un film* Drehbuch *nt; d'une pièce de théâtre* Gerüst *nt; d'une bande dessinée* Story *f; d'un roman* Aufbau *m* **2.** (*déroulement prévu*) Ablauf *m; d'un attentat, hold-up* Plan *m; d'une opération de police* Vorgehensweise *f;* **c'est toujours le même** ~ es ist immer dasselbe Spiel

scénariste [senaʀist] *mf* Drehbuchautor(in) *m(f)*

scène [sɛn] *f* **1.** (*spectacle*) Szene *f;* ~ **d'amour** Liebesszene **2.** (*querelle*) Szene *f;* ~ **de jalousie** Eifersuchtsszene; ~ **de ménage** Ehekrach *m;* **faire une** ~ **à qn** jdm eine Szene machen **3.** (*estrade*) Bühne *f;* (*séquence*) Szene *f;* **entrer en** ~ auftreten; **mettre une histoire en** ~ eine Geschichte auf der Bühne darstellen; **mettre une pièce de théâtre en** ~ ein Theaterstück inszenieren; **en** ~! auf die Bühne! **4.** (*décor*) Bühnenbild *nt* **5.** *d'un crime, drame* Schauplatz *m*

scénique [senik] *adj gestuelle, traitement* szenisch; **les indications** ~**s** die Bühnenanweisungen

sceptique [sɛptik] **I.** *adj* skeptisch **II.** *mf* Skeptiker(in) *m(f)*

schah [ʃa] *m* Schah *m*
schéma [ʃema] *m* **1.** (*abrégé*) Schema *nt*
2. (*dessin*) schematische Zeichnung; ~ **de montage** Montageplan *m*
schématique [ʃematik] *adj a. péj* schematisch
schématiquement [ʃematikmã] *adv* in groben Zügen
schématisation [ʃematizasjɔ̃] *f* Schematismus *m*
schématiser [ʃematize] <1> *vt* schematisch darstellen
schilling [ʃiliŋ] *m* Schilling *m*
schizoïde [skizɔid] **I.** *adj* schizoid **II.** *mf* Schizoide(r) *f(m)*
schizophrène [skizɔfʀɛn] **I.** *adj* schizophren **II.** *mf* Schizophrene(r) *f(m)*
schizophrénie [skizɔfʀeni] *f* Schizophrenie *f*
Schleswig-Holstein [ʃlɛsvigɔlʃtajn] *m* le ~ Schleswig-Holstein *nt*
Schleu, e [ʃlø] *v.* **Chleuh**
schlinguer [ʃlɛ̃ge] <1> *vi fam* müffeln
schmolitz [ʃmɔlits] *m* CH **faire** ~ Brüderschaft trinken
schnaps [ʃnaps] *m* Schnaps *m*
schnock, schnoque [ʃnɔk] **I.** *adj fam* bescheuert **II.** *m fam* **vieux** ~ alter Knacker
schuss [ʃus] *m* Schussfahrt *f;* **descendre tout** ~ *fam* Schuss fahren
scie [si] *f* Säge *f;* ~ **égoïne** Fuchsschwanz *m;* ~ **circulaire** Kreissäge; ~ **à bois** Holzsäge; ~ **à découper** Laubsäge
sciemment [sjamã] *adv* absichtlich; **prendre** ~ **une décision** wissentlich eine Entscheidung treffen
science [sjãs] *f* **1.** (*domaine scientifique*) Wissenschaft *f* **2.** (*disciplines scolaires*) **les** ~**s** die Naturwissenschaften *Pl;* ~**s appliquées/humaines** angewandte/Humanwissenschaften *Pl;* ~**s politiques** Politologie *f;* **faculté des** ~**s** naturwissenschaftliche Fakultät **3.** (*connaissance*) ~ **de l'être** Lehre *f* des Seins **4.** (*savoir faire*) Fertigkeit *f* **5.** (*érudition*) Wissen *nt* ▶**avoir la** ~ **infuse** *fam* die Weisheit gepachtet haben (*pej*)
science-fiction [sjãsfiksjɔ̃] *f inv* Sciencefiction *f;* **roman/film de** ~ Sciencefictionroman *m/*-film *m*
scientifique [sjãtifik] **I.** *adj* wissenschaftlich **II.** *mf* **1.** (*savant*) Wissenschaftler(in) *m(f)* **2.** (*élève*) Naturwissenschaftler *m*
scientifiquement [sjãtifikmã] *adv* wissenschaftlich; ~ **parlant** wissenschaftlich gesehen
scientologie [sjãtɔlɔʒi] *f* Scientology *f;* **Église de** ~ Scientology-Kirche *f*
scier [sje] <1> *vt* **1.** (*couper*) sägen; absä-

gen *arbres* **2.** *fam* (*estomaquer*) umhauen; **être scié** platt sein (*fam*)
scinder [sɛ̃de] <1> **I.** *vt* spalten *parti;* ~ **une question/un problème** eine Frage/ein Problem aufspalten; **scindé en deux** zweigeteilt **II.** *vpr* **se** ~ **en qc** sich in etw (*akk*) aufsplittern; *parti:* sich in etw (*akk*) spalten
scintiller [sɛ̃tije] <1> *vi* funkeln
scission [sisjɔ̃] *f* Spaltung *f;* **faire** ~ sich abspalten
sclérose [sklerоz] *f* **1.** *des institutions, d'un parti* Verknöcherung *f; d'une personne* Verkalkung *f* **2.** MED Sklerose *f;* ~ **en plaques** multiple Sklerose
scléroser [skleroze] <1> **I.** *vt* verknöchern lassen *personne;* lähmen *initiatives;* **être sclérosé** *personne:* festgefahren sein; *institution:* unbeweglich sein **II.** *vpr* **1.** (*se figer*) **se** ~ *société:* unbeweglich werden; **se** ~ **dans ses habitudes** in seinen Gewohnheiten festgefahren sein **2.** MED **se** ~ sich verhärten
scolaire [skɔlɛʀ] *adj* **1.** (*relatif à l'école*) schulisch; **année** ~ Schuljahr *nt;* **échec** ~ Schulversagen *nt* **2.** *péj* (*livresque*) akademisch; **parler un allemand** ~ Schuldeutsch sprechen
scolariser [skɔlaʀize] <1> *vt* **1.** (*admettre dans une école*) einschulen; **être scolarisé** eingeschult werden, eine Schule besuchen **2.** (*doter d'écoles*) ~ **un pays/une région** in einem Land/in einem Gebiet Schulen einrichten
scolarité [skɔlaʀite] *f* Schulbesuch *m;* **années de** ~ Schulzeit *f;* ~ **obligatoire** Schulpflicht *f*
scoliose [skɔljoz] *f* Skoliose *f*
scoop [skup] *m* Knüller *m* (*fam*)
scooter [skutœʀ, skutɛʀ] *m* Motorroller *m;* ~ **des mers** Jetski *m;* ~ **des neiges** Motorschlitten *m*
score [skɔʀ] *m* SPORT Spielergebnis *nt;* (*en cours de partie*) Spielstand *m;* POL *électoral* Ergebnis *nt;* **mener au** ~ in Führung liegen
scorpion [skɔʀpjɔ̃] *m* ZOOL Skorpion *m*
Scorpion [skɔʀpjɔ̃] *m* Skorpion *m; v. a.* **Balance**
scotch® [skɔtʃ] *m sans pl* (*adhésif*) Tesafilm® *m*
scotcher [skɔtʃe] <1> *vt* kleben; (*pour fermer*) [mit Tesafilm] zukleben
scout, e [skut] **I.** *adj* Pfadfinder-; *fraternité* der Pfadfinder **II.** *m, f* Pfadfinder(in) *m(f)*
scratcher [skʀatʃe] <1> *vi fam* scratchen
script [skʀipt] *m* **1.** CINE Drehbuch *nt;* THEAT Regiebuch *nt* **2.** (*écriture*) Druckschrift *f;* **en** ~ in Druckschrift **3.** (*retranscription*) Skript *nt*

scrupule [skʀypyl] *m* **1.** *souvent pl* (*hésitation*) Skrupel *m*; **avoir des ~s à faire qc** Hemmungen haben etw zu tun; **comprendre les ~s de qn** jds Bedenken verstehen; **être sans ~**[s] keine Skrupel haben; **un individu sans ~s** ein skrupelloses Individuum **2.** (*souci*) **~ d'exactitude** Bemühen *nt* um Genauigkeit

scrupuleusement [skʀypyløzmɑ̃] *adv* peinlich genau

scruter [skʀyte] <1> *vt* mit den Augen absuchen *horizon*; mit seinem Blick zu durchdringen suchen *pénombre*; prüfen *conscience*

scrutin [skʀytɛ̃] *m* Wahl *f*; **~ majoritaire** Mehrheitswahl

sculpter [skylte] <1> **I.** *vt* formen; schnitzen *bois*; mit Schnitzereien verzieren *meuble, objet en bois*; behauen *marbre, pierre*; **~ qc dans du marbre** etw in Marmor hauen **II.** *vi* sich als Bildhauer betätigen

sculpteur [skyltœʀ] *m* Bildhauer(in) *m(f)*; **~ sur bois** Holzschnitzer *m*

sculpture [skyltyʀ] *f* **1.** (*art*) **la ~** die Bildhauerei; **la ~ sur pierre** das Meißeln; **la ~ sur bois** die Holzschnitzerei **2.** (*statue*) Skulptur *f*

SDF [ɛsdeɛf] *m, f abr de* **sans domicile fixe** Obdachlose(r) *f(m)*

SDN [ɛsdeɛn] *f abr de* **Société des Nations** Völkerbund *m*

se [sə] <*devant voyelle ou h muet* **s'**> *pron pers* **1.** sich; **il/elle ~ voit dans le miroir** er/sie sieht sich im Spiegel; **il/elle ~ demande s'il/si elle a raison** er/sie fragt sich, ob er/sie Recht hat **2.** (*l'un l'autre*) sich; **ils/elles ~ suivent/font confiance** sie folgen/vertrauen einander **3.** *avec les verbes pronominaux* sich; **ils/elles ~ nettoient** sie machen sich sauber; **il/elle ~ nettoie les ongles** er/sie macht sich (*dat*) die Nägel sauber; **il/elle ~ fait couper les cheveux** er/sie lässt sich (*dat*) die Haare schneiden

séance [seɑ̃s] *f* **1.** CINE, THEAT Vorstellung *f*; **~ privée** Privatvorführung *f* **2.** (*période*) Sitzung *f*; **~ de gymnastique** Turnstunde *f*; AUT **~ d'essais** Probefahrt *f*; **~ de tir** Schießübung *f*; **~ de pose** Modellsitzen *nt*; **~ de spiritisme** Séance *f* **3.** (*réunion*) Sitzung *f*; **en ~** in einer Sitzung; **être en ~** tagen; **lever la ~** die Sitzung aufheben; (*interrompre*) die Sitzung unterbrechen **4.** *fam* (*scène*) Szene *f* ▸ **~ tenante** unverzüglich

séant [seɑ̃] *adj v.* **seyant**

seau [so] <x> *m* Eimer *m*; **un ~ d'eau** ein Eimer Wasser; **~ à glace** Eiskübel *m*; **~ de plage** Sandeimer *m* ▸ **il pleut à ~x** *fam* es

gießt wie aus Kübeln

SEBC [ɛsøbese] *m abr de* **Système européen de banques centrales** ESZB *nt*

sec [sɛk] **I.** *adv* **1.** *démarrer* ruckartig; *frapper* kräftig **2.** *boire* kräftig ▸ **aussi** **~** *fam* sofort; *répondre* wie aus der Pistole geschossen **II.** *m* **étang à ~** ausgetrockneter Teich; **mettre à ~** trockenlegen; **être à ~** (*sans argent*) blank sein (*fam*); **mettre qc au ~** etw ins Trockene bringen; **tenir qc au ~** etw trocken lagern

sec, sèche [sɛk, sɛʃ] *adj* **1.** trocken **2.** *figue* getrocknet; **légumes ~s** Hülsenfrüchte *Pl*; **fruits ~s** Dörrobst *nt*; **raisins ~s** Rosinen *Pl* **3.** *bras* dürr; *cheveu* spröde; *peau, toux* trocken **4.** *bruit, rire* kurz und heftig; *coup* rasch **5.** *personne* kurz angebunden; *refus* klar; *réponse, merci* knapp; *lettre* kühl; *ton* schroff; *cœur* hart **6.** *style* trocken **7.** SPORT *jeu, placage* hart **8.** *whisky, gin* pur **9.** *champagne, vin* trocken **10.** JEUX **atout, valet** blank

sèche-cheveux [sɛʃʃəvø] *m inv* Föhn *m*
sèche-linge [sɛʃlɛ̃ʒ] *m inv* Wäschetrockner *m* **sèche-mains** [sɛʃmɛ̃] *m inv* Händetrockner *m*

sèchement [sɛʃmɑ̃] *adv démarrer* ruckartig; *frapper, tirer* hart; *refuser, répondre* schroff

sécher [seʃe] <5> **I.** *vt* **1.** (*rendre sec*) trocknen; (*en essuyant*) abtrocknen *personne, mains* **2.** *fam* (*ne pas assister à*) schwänzen **II.** *vi* **1.** (*devenir sec*) trocknen; **mettre le linge à ~** die Wäsche zum Trocknen aufhängen **2.** (*se déshydrater*) *bois*: trocken werden; *plante, terre*: austrocknen; *fleur, fruits*: vertrocknen **3.** *fam* (*ne pas savoir*) passen müssen; **~ en math** in Mathe alt aussehen **III.** *vpr* **se ~** sich abtrocknen; (*au soleil*) sich trocknen; **se ~ les mains** sich (*dat*) die Hände abtrocknen; **se ~ les cheveux** [avec un séchoir] sich (*dat*) die Haare föhnen

sécheresse [sɛʃʀɛs] *f* Trockenheit *f*

sécheuse [seʃøz] *f* CAN (*sèche-linge*) Wäschetrockner *m*

séchoir [seʃwaʀ] *m* Trockengestell *nt*

second [s(ə)gɔ̃] *m* (*dans une charade*) zweite Silbe; *v. a.* **cinquième**

second, e [s(ə)gɔ̃, ɔ̃d] **I.** *adj antéposé* **1.** (*deuxième*) zweite(r, s); **en ~ lieu** dann **2.** (*qui n'a pas la primauté*) zweite(r, s); **au ~ plan** im Hintergrund; **au ~ plan du tableau** im Mittelgrund des Bildes; **de ~ ordre** unbedeutend **3.** *jeunesse, nature* zweite(r, s); *vie* neu **II.** *m, f* **le/la ~(e)** der/die/das Zweite

secondaire [s(ə)gɔ̃dɛʀ] **I.** *adj* **1.** *action, rôle* Neben-; *détail* nebensächlich; **ne jou-**

er qu'un rôle ~ dans une affaire in einer Sache nur eine untergeordnete Rolle spielen 2. SCOL l'enseignement ~ der Unterricht an weiterführenden Schulen 3. MED effets ~s Nebenwirkungen *Pl* 4. ECON *secteur* sekundär II. *m* SCOL le ~ die weiterführende Schule; (*au lycée*) die Gymnasialstufe

seconde [s(ə)gɔ̃d] *f* 1. (*unité de temps*) Sekunde *f;* GEOM, MUS Sekunde 2. (*temps très court*) Augenblick *m;* patienter deux ~s sich einen Moment gedulden; une ~, j'arrive! Sekunde, ich komme! 3. (*vitesse*) zweiter Gang 4. SCOL ≈ zehnte Klasse 5. TRANSP zweite Klasse; billet de ~ Fahrkarte *f*/Flugticket *nt* zweiter Klasse

seconder [s(ə)gɔ̃de] <1> *vt* ~ qn dans son travail jdm bei einer Arbeit zur Hand gehen; être secondé par qn von jdm unterstützt werden

secouer [s(ə)kwe] <1> I. *vt* 1. (*agiter*) schütteln; (*pour débarrasser*) ausschütteln *nappe, tapis;* ~ qn [pour le réveiller] jdn wachrütteln; ~ la poussière de la veste den Staub von der Jacke schütteln 2. (*ballotter*) *explosion, bombardement:* erschüttern; *autobus, avion:* durchrütteln *personne;* hin und her schütteln *arbre, embarcation* 3. (*traumatiser*) *émotion:* erschüttern; *deuil, maladie:* mitnehmen ▶il n'en a rien à ~ de qc *fam* etw ist ihm total egal II. *vpr fam* se ~ 1. (*s'ébrouer*) sich schütteln 2. (*réagir*) sich aufraffen

secourable [s(ə)kuʀabl] *adj* hilfreich; tendre une main ~ à qn jdm seine Hilfe anbieten

secourir [s(ə)kuʀiʀ] <*irr*> *vt* ~ qn jdm Hilfe leisten

secourisme [s(ə)kuʀism] *m* erste Hilfe; faire du ~ beim Rettungsdienst arbeiten

secouriste [s(ə)kuʀist] *mf* Sanitäter(in) *m(f)*

secours [s(ə)kuʀ] *m* 1. (*sauvetage*) erste Hilfe; (*organisme*) Rettungsdienst *m;* (*en montagne*) Bergwacht *f;* les ~ die Rettungsmannschaft; donner les premiers ~ aux accidentés den Unfallopfern erste Hilfe leisten 2. (*aide*) Hilfe *f;* appeler qn à son ~ jdn zu Hilfe rufen; porter [*o* prêter] ~ à qn jdm Hilfe leisten; aller [*o* courir]/ voler au ~ de qn/qc jdm/einer S. zu Hilfe kommen/eilen; au ~! [zu] Hilfe!; sortie de ~ Notausgang *m* 3. (*subvention*) Unterstützung *f*

secousse [s(ə)kus] *f* 1. (*choc*) Stoß *m;* par ~s stoßweise 2. POL Erschütterung *f*

secret [səkʀɛ] *m* 1. (*cachotterie*) Geheimnis *nt;* ~ d'alcôve Bettgeheimnis; ~ de Polichinelle *fam* offenes Geheimnis; gar-

der un ~ ein Geheimnis wahren; ne pas avoir de ~ pour qn vor jdm kein Geheimnis haben 2. *sans pl* (*confidentialité*) Verschwiegenheit *f;* le ~ médical/professionnel die ärztliche Schweigepflicht/das Berufsgeheimnis; ~ de la confession Beichtgeheimnis *nt;* garder le ~ sur qc [*o* de qc] etw geheim halten 3. POL ~ défense Militärgeheimnis *nt* ▶être dans le ~ des dieux zu den Eingeweihten gehören; l'astrologie n'a plus de ~ pour elle sie weiß alles über die Astrologie; être dans le ~/dans le ~ de qn zu den Eingeweihten/zu jds Eingeweihten gehören; mettre qn dans le ~ jdn in das Geheimnis einweihen; cadenas/serrure à ~ Kombinationsschloss *nt;* les personnes qui sont dans le ~ die Eingeweihten; en [grand] ~ [ganz] im Geheimen

secret, -ète [səkʀɛ, -ɛt] *adj* 1. *agent, service, code* Geheim-; *ennemi* versteckt; *blessure* unsichtbar; *vice* heimlich; garder qc ~ etw geheim halten 2. *soutenu* (*renfermé*) verschlossen

secrétaire [s(ə)kʀetɛʀ] I. *mf* Sekretär(in) *m(f);* ~ médical Sprechstundenhilfe *f* 2. (*fonction*) ~ général d'un institut Generalsekretär *m* eines Instituts; ~ général des Nations Unies UNO-Generalsekretär *m* II. *m* Sekretär *m;* ~ de direction Chefsekretär *m;* ~ de mairie Stadtdirektor *m;* ~ de séance Protokollführer *m;* ~ d'État aux Affaires étrangères/à la Guerre Staatssekretär *m* im Auswärtigen Amt/im Kriegsministerium

secrétariat [s(ə)kʀetaʀja] *m* 1. (*service administratif*) Sekretariat *nt;* ~ général des Nations Unies Generalsekretariat der Vereinten Nationen; ~ d'État/de direction Staats-/Chefsekretariat 2. (*fonction officielle*) Amt *nt* des Sekretärs 3. (*emploi de secrétaire: pour un homme*) Sekretärberuf *m;* (*pour une femme*) Sekretärinnenberuf *m* 4. (*bureau*) Sekretariat *nt*

secrètement [səkʀɛtmɑ̃] *adv agir, informer* heimlich; *désirer, espérer* insgeheim

secte [sɛkt] *f* 1. (*groupe organisé*) Sekte *f* 2. *péj* (*clan*) Klüngel *m*

secteur [sɛktœʀ] *m* 1. (*domaine*) Bereich *m;* ~ d'économie Wirtschaftszweig *m;* ~ d'activité Betätigungsfeld *nt* 2. ADMIN, POL Bezirk *m;* MIL ~ de recrutement Einzugsgebiet *nt;* ~ sauvegardé Schutzgebiet *nt* 3. ELEC Netz *nt;* panne de ~ Netzausfall *m* 4. ECON *primaire, secondaire, tertiaire* Sektor *m* 5. (*coin*) Gegend *f*

section [sɛksjɔ̃] *f* 1. ADMIN, POL Abschnitt *m; d'une voie ferrée* Streckenabschnitt; *d'un parcours* Teilstrecke *f;* TRANSP Zone *f*

2. (*branche*) JUR Abteilung *f;* SCOL Fachrichtung *f* **3.** (*groupe*) ~ **d'un syndicat** Gewerkschaftsgruppe *f;* MIL Zug *m;* **~s spéciales** Sondereinheiten *Pl* **4.** MED Durchtrennung *f*

sectionnement [sɛksjɔnmɑ̃] *m* Durchtrennung *f*

sectionner [sɛksjɔne] <1> I. *vt* **1.** (*couper*) durchtrennen *artère, fil;* **il a eu trois doigts sectionnés** ihm wurden drei Finger abgetrennt **2.** (*subdiviser*) aufteilen *circonscription, groupe* II. *vpr* **se** ~ *câble, fil:* reißen

sectoriel, le [sɛktɔʀjɛl] *adj* ADMIN, POL nach Sektoren; *revendications* branchenbedingt

sectorisation [sɛktɔʀizasjɔ̃] *f* ADMIN, POL Aufteilung *f* [in Bezirke]; *d'un projet, de revendications* Aufspaltung *f*

sécu [seky] *f abr de* **Sécurité sociale**

séculaire [sekylɛʀ] *adj* jahrhundertealt

sécularisation [sekylaʀizasjɔ̃] *f* Säkularisierung *f*

secundo [səgɔ̃do] *adv* zweitens

sécuriser [sekyʀize] <1> *vt* ~ **qn** jdm ein Gefühl der Sicherheit geben; **ne pas se sentir très sécurisé** sich nicht sehr sicher fühlen

sécurité [sekyʀite] *f* **1.** (*opp: danger*) Sicherheit *f;* **règles de** ~ Sicherheitsvorschriften *Pl;* **conseils de** ~ Sicherheitshinweise *Pl;* **être en** ~ in Sicherheit sein **2.** (*sentiment*) Sicherheit *f;* **se sentir en** ~ sich sicher fühlen **3.** POL, ECON ~ **de l'emploi** sicherer Arbeitsplatz; **la** ~ **de l'emploi n'est pas assurée** die Sicherheit des Arbeitsplatzes ist nicht gewährleistet; ~ **civile** Zivilschutz *m;* ~ **publique** öffentliche Sicherheit; ~ **routière** Sicherheit *f* auf den Straßen; **Sécurité sociale** staatliche Sozial- und Krankenversicherung **4.** HIST ~ **d'État** Stasi *f* (*fam*), Staatssicherheit *f* ▶ **jouer la** ~ auf Nummer sicher gehen (*fam*); **en toute** ~ in aller Ruhe, ganz beruhigt

sédatif [sedatif] *m* Beruhigungsmittel *nt;* (*qui calme la douleur*) schmerzstillendes Mittel

sédentaire [sedɑ̃tɛʀ] *adj* sesshaft; *profession, travail* ortsgebunden

sédentarité [sedɑ̃taʀite] *f* Sesshaftigkeit *f*

séducteur, -trice [sedyktœʀ, -tʀis] I. *adj* verführerisch; **manœuvres ~trices** Verführungskünste *Pl* II. *m, f* Verführer(in) *m(f);* (*qui séduit par son talent*) Verführungskünstler *m*

séduction [sedyksjɔ̃] *f* **1.** (*pouvoir de séduire*) verführerischer Charme; (*par le talent*) Verführungskunst *f;* **un discours plein de** ~ eine Rede voller Überzeu-

gungskraft; **succomber à la** ~ **de qn** jdm nicht widerstehen können **2.** (*attrait*) Reiz *m; du pouvoir, de la richesse* Verlockung *f*

séduire [seduiʀ] <*irr*> I. *vt* **1.** (*tenter*) verführen; **être séduit** verführt sein; *fig* hingerissen sein; ~ **qn avec des propositions alléchantes** jdn mit verführerischen Vorschlägen locken **2.** (*plaire à*) überzeugen *personne; pièce:* begeistern *personne;* **être séduit par une idée** von einer Idee angetan sein II. *vi* bezaubern

séduisant, e [seduizɑ̃, ɑ̃t] *adj* verführerisch; *personne* anziehend; *projet, proposition* verlockend; *style* ansprechend; *éloquence* hinreißend

segmenter [sɛgmɑ̃te] <1> *vt* gliedern *sujet;* aufteilen *surface;* ~ **en plusieurs parties** in mehrere Teile gliedern

ségrégation [segʀegasjɔ̃] *f* Trennung *f*

ségrégationniste [segʀegasjɔnist] I. *adj* segregationistisch (*geh*); *politique, problème* der Rassentrennung; *manifestation* zugunsten der Rassentrennung; *troubles* infolge der Rassentrennung; *idée, article, journal* rassistisch II. *mf* Befürworter(in) *m(f)* der Rassentrennung

seigle [sɛgl] *m* Roggen *m*

sein [sɛ̃] *m* ANAT Brust *f;* **donner le** ~ **à un enfant, nourrir un enfant au** ~ einem Kind die Brust geben

Seine [sɛn] *f* **la** ~ die Seine

seize [sɛz] I. *num* sechzehn II. *m inv* Sechzehn *f; v. a.* **cinq**

seizième [sɛzjɛm] I. *adj antéposé* sechzehnte(r, s) II. *mf* **le/la** ~ der/die/das Sechzehnte III. *m* **1.** (*fraction*) Sechzehntel *nt* **2.** SPORT ~ **de finale** Ausscheidungsrunde *f* zum Achtelfinale; *v. a.* **cinquième**

séjour [seʒuʀ] *m* **1.** (*fait de séjourner*) Aufenthalt *m;* (*vacances*) Urlaub *m* **2.** (*salon*) Esszimmer *nt* **3.** JUR **être interdit de** ~ Aufenthaltsverbot haben

séjourner [seʒuʀne] <1> *vi* sich aufhalten; ~ **quelque temps à l'hôtel** einige Zeit im Hotel wohnen

sel [sɛl] *m* **1.** GASTR Salz *nt;* ~ **de cuisine/table** Speise-/Tafelsalz; **gros** ~ grobes Salz; **sans** ~ salzlos **2.** CHIM Salz *nt;* **~s de bain** Badesalz *nt;* **les ~s** das Riechsalz; ~ **gemme** Steinsalz **3.** (*piquant*) Würze *f; d'une histoire* Witz *m* ▶ **ne pas manquer de** ~ *histoire, remarque:* es in sich (*dat*) haben (*fam*)

sélectif, -ive [selɛktif, -iv] *adj* selektiv; **collecte sélective des déchets** getrennte Müllabfuhr; **recrutement** ~ Auswahlverfahren *nt*

sélection [selɛksjɔ̃] *f* **1.** (*fait de choisir*) Auswahl *f;* SPORT [Spieler]auswahl; (*joueur*

sélectionné) Auswahlspieler *m;* (*équipe sélectionnée*) Auswahl[mannschaft *f*]; **faire une ~** eine Auswahl treffen **2.** (*choix avec règles et critères*) Auswahlverfahren *nt;* **critères de ~** Auswahlkriterien *Pl;* **match de ~** Ausscheidungsspiel *nt;* **test** [*o* **épreuve**] **de ~** Eignungstest *m;* **bouton de ~** TECH Wählknopf *m* **3.** ZOOL, BIO Selektion *f;* **~ naturelle** natürliche Auslese

sélectionné, e [selɛksjɔne] *m, f* SPORT Auswahlspieler(in) *m(f)*

sélectionner [selɛksjɔne] <1> *vt* **1.** (*choisir*) auswählen; aufstellen *joueur;* **~ des élèves** eine Auswahl unter den Schülern treffen **2.** INFORM anklicken, auswählen

sélectionneur, -euse [selɛksjɔnœʀ, -øz] *m, f* Eignungsprüfer(in) *m(f);* SPORT ≈ Bundestrainer(in) *m(f)* (*der/die die Mannschaftsaufstellung vornimmt*)

sélectivement [selɛktivmɑ̃] *adv* selektiv; **classer des livres ~** beim Ordnen der Bücher eine Auswahl treffen

sélénium [selenjɔm] *m* CHIM Selen *nt*

self [sɛlf] *m fam* Selbstbedienungsrestaurant *nt*

self-control [sɛlfkɔ̃tʀol] <self-controls> *m* Selbstbeherrschung *f*

self-service [sɛlfsɛʀvis] <self-services> *m* Selbstbedienung *f;* (*magasin*) Selbstbedienungsladen *m;* (*restaurant*) Selbstbedienungsrestaurant *nt*

selle [sɛl] *f* **1.** (*siège*) Sattel *m* **2.** GASTR Rücken *m* **3.** (*matières fécales*) **~s** Stuhl[gang *m*] *m*

sellerie [sɛlʀi] *f* **1.** Sattelzeug *nt* **2.** (*local*) Sattelraum *m* **3.** (*profession*) Sattlerei *f*

sellette [sɛlɛt] *f* **mettre qn sur la ~** jdn auf die Anklagebank bringen

selon [s(ə)lɔ̃] *prép* **1.** (*conformément à*) **~ votre volonté/les instructions** gemäß Ihrem Wunsch/den Anweisungen **2.** (*en fonction de*) **~ l'humeur** je nach Laune; **~ leur âge et leur taille** nach Alter und Größe; **~ mes moyens** soweit es meine finanziellen Mittel erlauben; **c'est ~** *fam* es kommt darauf an **3.** (*d'après*) **~ les journaux** den Zeitungen zufolge; **~ moi** meines Erachtens

semaine [s(ə)mɛn] *f* **1.** (*sept jours*) Woche *f;* **la ~ de trente-cinq heures** die Fünfunddreißigstundenwoche; **la ~ du blanc** die weiße Woche; **à la ~** wochenweise; **en ~** unter der Woche **2.** REL **~ sainte** Karwoche *f* ▶ **la ~ des quatre jeudis** *fam* Sankt Nimmerleinstag *m*

sémantique [semɑ̃tik] **I.** *adj* semantisch; **champ ~** Wortfeld *nt* **II.** *f* Semantik *f*

semblable [sɑ̃blabl] **I.** *adj* **1.** (*pareil*) solche(r, s); *objets, personnes* gleich; **rien de**

~ nichts Derartiges **2.** *antéposé* (*tel*) so ein(e); **une ~ désinvolture** so eine Frechheit **3.** (*ressemblant*) ähnlich; **~ à qn/qc** jdm/einer S. ähnlich **II.** *mf* **1.** (*prochain*) Mitmensch *m* **2.** (*congénère*) **mon/ton/son ~** meines-/deines-/seines-/ihresgleichen; **toi et tes ~s** *péj* du und deinesgleichen

semblant [sɑ̃blɑ̃] *m* **un ~ de jardin** so etwas [Ähnliches] wie ein Garten; **un ~ de bonheur** ein Anflug von Glück; **un ~ de vérité** ein Hauch von Wahrheit; **retrouver un ~ de calme** etwas Ruhe genießen können ▶ **être sous le faux ~s** der Schein trügt; **faire ~ de dormir** so tun, als würde man schlafen; **elle ne pleure pas: elle fait juste ~!** sie weint nicht [wirklich], sie tut nur so [als ob]!; **faire ~ de rien** *fam* so tun, als wäre nichts gewesen

sembler [sɑ̃ble] <1> **I.** *vi* **~ préoccupé** besorgt zu sein scheinen; **tu me sembles nerveux** mir scheint, du bist nervös **II.** *vi impers* **1.** (*paraître*) **il semble que la situation s'est** [*o* **se soit**] **aggravée** es sieht ganz so aus, als habe sich die Lage verschlimmert; **il semblerait que** + *subj* allem Anschein nach **2.** (*avoir l'impression de*) **il me semble bien vous avoir déjà rencontré** ich habe das Gefühl, Ihnen schon einmal begegnet zu sein **3.** (*paraître*) **il me semble, à ce qu'il me semble** [wie] mir scheint; **semble-t-il** wie es scheint

semelle [s(ə)mɛl] *f* Sohle *f;* **~ de cuir** Ledersohle *f;* **~ intérieure** Einlage *f* ▶ **être de la** [**vraie**] **~** *bifteck, escalope:* zäh wie Leder sein; **ne pas avancer d'une ~** keinen Schritt vorwärts kommen; **ne pas céder** [*o* **reculer**] **d'une ~** keinen Fußbreit zurückweichen; **ne pas lâcher** [*o* **quitter**] **qn d'une ~** jdm auf Schritt und Tritt folgen

semer [s(ə)me] <4> **I.** *vi* säen **II.** *vt* **1.** AGR [aus]säen *graines;* einsäen *jardin, champ;* **cette plate-bande est semée de pensées** in diesem Beet sind Stiefmütterchen gesät **2.** (*propager*) säen *discorde, zizanie;* verbreiten *terreur, panique* **3.** (*truffer*) **~ un texte de citations** einen Text mit Zitaten spicken; **être semé de difficultés** voller Schwierigkeiten sein **4.** (*se débarrasser de*) abhängen (*fam*)

semestre [s(ə)mɛstʀ] *m* Halbjahr *nt;* UNIV Semester *nt;* **par ~** halbjährlich

semestriel, le [s(ə)mɛstʀijɛl] *adj assemblée* halbjährlich; *bulletin* Halbjahres-; *revue* halbjährlich erscheinend

sémillant, e [semijɑ̃, jɑ̃t] *adj hum soutenu* sprühend

séminaire [seminɛʀ] *m* Seminar *nt*

sémite [semit] *adj* semitisch

semoule [s(ə)mul] **I.** *f* GASTR Grieß *m* ▶**pédaler dans la ~** *fam* nur Bahnhof verstehen; *police, enquêteurs:* im Dunkeln tappen **II.** *app sucre* Streu-

sempiternel, le [sɑ̃pitɛʀnɛl] *adj antéposé* ewig; *chapeau, costume* unvermeidlich

sénat [sena] *m* POL, HIST Senat *m;* **le Sénat** der Senat; (*bâtiment*) das Senatsgebäude

sénateur, -trice [senatœʀ, tʀis] *m, f* Senator(in) *m(f)*

sénatoriales [senatɔʀjal] *fpl* Senatswahlen *Pl*

Sénégal [senegal] *m* **le ~** der Senegal

sénégalais, e [senegalɛ, ɛz] *adj* senegalesisch

Sénégalais, e [senegalɛ, ɛz] *m, f* Senegalese/Senegalesin *m/f*

sénile [senil] *adj* altersschwach; MED *atrophie, démence* Alters-

senior [senjɔʀ] **I.** *adj équipe* Senioren- **II.** *mf* **1.** (*sportif plus âgé*) Senior(in) *m(f)* **2.** (*vieillard*) **les ~s** die älteren Herrschaften

sens¹ [sɑ̃s] *m* (*signification*) Sinn *m;* **à double ~** doppeldeutig; **au ~ large/figuré** im weiteren/übertragenen Sinn; **être dépourvu de tout ~** [*o* **n'avoir aucun ~**] völlig unsinnig sein; **être plein de ~** sehr sinnvoll sein

sens² [sɑ̃s] *m* **1.** (*direction*) Richtung *f;* **~ de la marche/flèche** Fahrt-/Pfeilrichtung; **dans le ~ contraire** andersherum; **dans le ~ de la longueur** der Länge nach; **dans le ~ des aiguilles d'une montre** im Uhrzeigersinn; **dans tous les ~** hin und her; **partir dans tous les ~** sich in alle Richtungen zerstreuen; **en ~ inverse** umgekehrt; **aller/rouler en ~ inverse** in die entgegengesetzte Richtung fahren; **revenir en ~ inverse** umkehren; **caresser dans le ~ du poil** mit dem Strich streicheln **2.** (*idée*) Sinn *m;* **dans le ~ de qn/qc** in jds Sinn (*dat*)/im Sinn einer S. (*gen*); **aller dans le même ~** dasselbe Ziel verfolgen; **aller dans le ~ d'un compromis** auf einen Kompromiss hinauslaufen; **aller dans le bon ~** *personne:* auf dem richtigen Weg sein; **aller dans le ~ de l'Histoire** folgerichtig sein; **donner des ordres dans ce ~** in diesem Sinne Anweisungen geben **3.** AUT **~ giratoire** Kreisverkehr *m;* **~ unique** Einbahnstraße *f;* **~ interdit** Einbahnstraße *f;* (*panneau*) Durchfahrtsverbot *nt;* **rouler en ~ interdit** in verbotener Fahrtrichtung fahren ▶**~ dessus dessous** völlig durcheinander; **tout va ~ dessus dessous** alles geht drunter und drüber

(*fam*); **mettre qc ~ dessus dessous** etw völlig durcheinander bringen; **raisonnements à ~ unique** eingleisige Überlegungen; **en ce ~ que ...** insofern als ...; **en un [certain] ~** in gewissem Sinn

sens³ [sɑ̃s] *m* **1.** ANAT Sinn *m* **2.** (*sensualité*) **les ~** die Sinne **3.** (*aptitude*) **~ moral** Moralgefühl *nt;* **~ pratique** Sinn *m* für das Praktische; **avoir le ~ du rythme** musikalisch sein; **~ de l'humour** Sinn *m* für Humor; **~ de l'orientation** Orientierungssinn *m;* **~ de la répartie** Schlagfertigkeit *f;* **avoir le ~ de la répartie/la musique** schlagfertig/musikalisch sein; **avoir le ~ des réalités** realistisch denken **4.** (*sagesse, raison*) **bon ~, ~ commun** gesunder Menschenverstand ▶**reprendre ses ~** wieder zur Besinnung kommen; **tomber sous le ~** sich von selbst verstehen; **à mon ~** meines Erachtens

sensas[s] [sɑ̃sas] *adj inv, fam abr de* **sensationnel**

sensation [sɑ̃sasjɔ̃] *f* Empfindung *f;* (*émotion*) Gefühl *nt;* **avoir une ~ de chaleur** sich [unnormal] heiß fühlen; **~ de brûlure** Art *f* Brennen; **~ de bien-être** wohliges Gefühl; **~ de malaise** unangenehmes Gefühl ▶**~s fortes** Nervenkitzel *m;* **faire ~** Aufsehen erregen; **presse à ~** Sensationspresse *f;* **roman/film à ~** reißerischer Roman/Film

sensationnel [sɑ̃sasjɔnɛl] *m* Sensation *f*

sensationnel, le [sɑ̃sasjɔnɛl] *adj* **1.** (*extraordinaire*) sensationell **2.** *fam* (*super*) sagenhaft

sensé, e [sɑ̃se] *adj* vernünftig

sensibilisation [sɑ̃sibilizasjɔ̃] *f* **~ à qc** Sensibilisierung *f* für etw

sensibiliser [sɑ̃sibilize] <1> *vt* **~ qn à** [*o* **sur**] **qc** jdn für etw sensibilisieren; **être sensibilisé à qc** für etw empfänglich sein

sensibilité [sɑ̃sibilite] *f* **1.** PSYCH *d'une personne* Sensibilität *f;* **être d'une grande ~** sehr sensibel sein **2.** ANAT Sensibilität *f;* **être d'une extrême ~** äußerst empfindlich sein; **~ au froid** Kälteempfindlichkeit *f*

sensible [sɑ̃sibl] *adj* **1.** (*émotif*) sensibel, empfindsam **2.** (*opp: indifférent*) **~ aux attentions** empfänglich für Aufmerksamkeiten **3.** (*fragile*) empfindlich; **être très ~ de la gorge** einen empfindlichen Hals haben; **~ au froid** kälteempfindlich **4.** (*perceptible*) spürbar; *goût, odeur* deutlich **5.** *odorat, ouïe* fein **6.** (*délicat*) heikel; **point ~** wunder Punkt **7.** PHILOS fühlend; **univers/monde ~** Sinnenwelt *f* **8.** (*difficile*) *quartier* sozial schwierig

sensiblement [sɑ̃sibləmɑ̃] *adv* deutlich

sensoriel, le [sɑ̃sɔʀjɛl] *adj vie, organe, nerf*

Sinnes-; *éducation* der Sinne; *information* sensorisch

sensualité [sãsɥalite] *f* Sinnlichkeit *f*

sensuel, le [sãsɥɛl] *adj* sinnlich

sentence [sãtãs] *f* **1.** JUR Urteil *nt* **2.** (*adage*) Sinnspruch *m*

sentencieux, -euse [sãtãsjø, -jøz] *adj langage, style, ton* sentenziös (*geh*); *personne* schulmeisterlich

senti, e [sãti] *adj* **un discours bien ~** treffende Worte; **vérité bien ~e** bittere Wahrheit

sentier [sãtje] *m* [Fuß]weg *m;* **~ de grande randonnée** Hauptwanderweg ▶**sortir des ~s battus** neue Wege gehen

sentiment [sãtimã] *m* **1.** (*émotion*) Gefühl *nt;* **~ de culpabilité** Schuldgefühl *nt;* **~ de fierté** Stolz *m;* **~ de tendresse** zärtliches Gefühl **2.** (*sensibilité*) Gefühl *nt* **3.** (*conscience*) **~ de sa valeur** Selbstwertgefühl *nt* **4.** (*impression*) Meinung *f;* **le ~ d'être un raté** das Gefühl ein Versager zu sein **5.** *pl* (*formule de politesse*) **mes meilleurs ~s** meine besten Grüße; **veuillez agréer l'assurance de mes ~s distingués** mit freundlichen Grüßen; **veuillez agréer l'assurance de mes ~s respectueux, veuillez croire à mes ~s dévoués** hochachtungsvoll **6.** *pl* (*tendance*) Gefühle *Pl;* **avoir de bons/mauvais ~s à l'égard de qn** jdm wohl-/übelgesonnen sein ▶**partir d'un bon ~** gut gemeint sein; **grands ~s** Gefühlskitsch *m;* **revenir à de meilleurs ~s** zur Einsicht kommen; **déborder de grands ~s** vor Schmalz triefen (*fam*); **prendre qn par les ~s** jdn von der Gefühlsseite her anpacken

sentimental, e [sãtimãtal, o] <-aux> **I.** *adj* **1.** *nature, personne* gefühlbetont **2.** *problème, vie* Liebes- **3.** *attachement, réaction, valeur* gefühlsmäßig **4.** *péj* (*avec sensibilité*) sentimental; *film* schnulzig (*fam*) **II.** *m, f* Gefühlsmensch *m*

sentimentalisme [sãtimãtalism] *m* Gefühlsduselei *f*

sentir [sãtiʀ] <10> **I.** *vt* **1.** (*humer*) riechen **2.** (*goûter*) schmecken **3.** (*ressentir*) spüren; **~ la fatigue gagner qn** spüren, wie die Müdigkeit jdn ergreift **4.** (*avoir une odeur*) **~ la fumée** nach Rauch riechen; **ça sent le brûlé** es riecht verbrannt; **cette pièce sent le renfermé** in diesem Raum riecht es muffig **5.** (*avoir un goût*) **~ l'ail/la vanille** nach Knoblauch/Vanille schmecken **6.** (*annoncer*) **ça sent la neige** es sieht nach Schnee aus **7.** (*pressentir*) spüren; **~ que** spüren, dass **8.** (*rendre sensible*) **faire ~ son autorité à qn** jdn seine Autorität spüren lassen; **faire ~ à qn que**

jdn merken lassen, dass ▶**ne pas pouvoir ~ qn** jdn nicht ausstehen können **II.** *vi* **1.** (*avoir une odeur*) riechen; **~ bon** gut riechen **2.** (*puer*) stinken; **il sent des pieds** er hat Schweißfüße **III.** *vpr* **1.** (*se trouver*) **se ~ fatigué** sich müde fühlen **2.** (*être perceptible*) **se ~** *amélioration, changement, effet:* zu spüren sein; **se faire ~** *conséquences:* seine Wirkung zeigen; *effet:* spürbar sein ▶**ne pas se ~ bien** *fam* (*déménager*) eine Meise haben; **se ~ mal** (*s'évanouir*) ohnmächtig werden; *fam* (*déménager*) eine Meise haben; **ne pas pouvoir se ~** sich nicht ausstehen können; **ne plus se ~ de joie/bonheur** vor Freude/Glück ganz außer sich (*dat*) sein

seoir [swaʀ] <*irr*> *vi littér* **~ à qn** *toilette:* jdn [gut] kleiden; *comportement:* zu jdm passen; **il lui sied de prendre cette décision** es geziemt sich für ihn diese Entscheidung zu treffen (*geh*)

séparation [sepaʀasjɔ̃] *f* **1.** (*action de séparer*) Trennung *f;* *de convives, manifestants* Auseinandergehen *nt* **2.** JUR **~ de biens** Gütertrennung *f;* **~ de corps** Trennung von Tisch und Bett; **~ de fait** Getrenntleben *nt* **3.** POL Trennung *f;* *de pouvoirs* Teilung *f* **4.** (*distinction*) Trennung *f* **5.** (*cloison*) [mur de] **~** Trennwand *f*

séparé, e [sepaʀe] *adj* getrennt; *étude* gesondert; *pièce* separat

séparément [sepaʀemã] *adv examiner* einzeln; *vivre* getrennt

séparer [sepaʀe] <1> **I.** *vt* **1.** (*désunir*) trennen; **~ qc en deux groupes** etw in zwei Gruppen aufteilen; **~ un enfant de ses parents** ein Kind von seinen Eltern trennen **2.** (*diviser*) trennen **3.** (*détacher*) abtrennen **4.** (*être interposé entre*) trennen; **le Rhin sépare la France de l'Allemagne** der Rhein bildet die Grenze zwischen Frankreich und Deutschland **5.** (*différencier*) trennen *idées, théories;* auseinander halten *problèmes;* **~ la théorie de la pratique** die Theorie von der Praxis trennen **II.** *vpr* **1.** (*se défaire de*) **se ~ de qn/qc** sich von jdm/etw trennen; **ne jamais se ~ de son passeport** immer seinen Pass bei sich haben **2.** (*se diviser*) **se ~** *branche:* sich gabeln; **se ~ de qc** *route:* von etw abzweigen; **se ~ en qc** *rivière, route:* sich in etw (*akk*) teilen; **nos routes se séparent** unsere Wege trennen sich **3.** (*se détacher*) **se ~** sich voneinander lösen; **se ~ de qc** sich von etw lösen **4.** (*se disperser*) **se ~** sich trennen

sépia [sepja] *adj inv* sepia[braun]

sept [sɛt] **I.** *num* sieben **II.** *m inv* Sieben *f; v. a.* **cinq**

septante [sɛptɑ̃t] *num* BELG, CH (*soixante-dix*) siebzig; *v. a.* **cinq, cinquante**
septantième [sɛ̃ptɑ̃tjɛm] *adj antéposé* BELG, CH (*soixante-dixième*) siebzigste(r, s); *v. a.* **cinquième**
septembre [sɛptɑ̃bʀ] *m* September *m;* *v. a.* **août**
septennat [sɛptena] *m* siebenjährige Amtszeit
septième [sɛtjɛm] **I.** *adj antéposé* sieb[en]te(r, s) **II.** *mf* **le/la** ~ der/die/das Sieb[en]te **III.** *m* (*fraction*) Sieb[en]tel *nt;* *v. a.* **cinquième**
septièmement [sɛtjɛmmɑ̃] *adv* sieb[en]tens
septuagénaire [sɛptɥaʒenɛʀ] **I.** *adj* siebzigjährig **II.** *mf* Siebzigjährige(r) *f(m)*, Siebziger(in) *m(f)* (*fam*)
séquelle [sekɛl] *f d'un accident, d'une maladie* Folge[erscheinung *f*] *f*
séquence [sekɑ̃s] *f* CINE, TV, LING Sequenz *f;* INFORM Folge *f*
séquentiel, le [sekɑ̃sjɛl] *adj* INFORM fortlaufend
séquestration [sekɛstʀasjɔ̃] *f de biens* Beschlagnahmung *f;* ~ **de personne** Freiheitsberaubung *f;* ~ **d'enfant** Kindesraub *m*
séquestrer [sekɛstʀe] <1> *vt* **1.** JUR beschlagnahmen *biens* **2.** (*enfermer*) einsperren *personne;* gefangen halten *otage*
sera [səʀa], **serai** [səʀɛ] *fut de* **être**
seras [səʀa] *fut de* **être**
serbe [sɛʀb] **I.** *adj* serbisch **II.** *m* Serbisch *nt;* *v. a.* **allemand**
Serbe [sɛʀb] *mf* Serbe/Serbin *m/f*
Serbie [sɛʀbi] *f* **la** ~ Serbien *nt*
serbo-croate [sɛʀbokʀɔat] <serbo-croates> **I.** *adj* serbokroatisch **II.** *m* Serbokroatisch *nt;* *v. a.* **allemand**
serein, e [səʀɛ̃, ɛn] *adj visage, âme, personne* heiter
sereinement [səʀɛnmɑ̃] *adv agir, juger* mit Ruhe
sérénité [seʀenite] *f* Heiterkeit *f;* **en toute** ~ mit aller Ruhe
serez [səʀe] *fut de* **être**
sergent-chef [sɛʀʒɑ̃ʃɛf] <sergents-chefs> *m* Stabsunteroffizier *m*
série [seʀi] *f* **1.** *de casseroles* Satz *m; de photo* Serie *f; de volumes* Reihe *f;* ~ **spéciale d'un ouvrage** Sonderausgabe *f* eines Werkes **2.** (*succession*) Serie *f;* [**toute**] **une** ~ **de questions** eine ganze Reihe von Fragen; ~ **d'accidents/de succès** Serie von Unfällen/Erfolgsserie **3.** CINE, TV Serie *f* **4.** COM **véhicule de** ~ Serienwagen *m* ► **noire** (*roman*) Kriminalroman *m;* (*succession de malheurs*) Pechsträhne *f;* **en** ~ se-

rienweise; **hors** ~ (*extraordinaire*) außergewöhnlich; IND in Sonderanfertigung hergestellt
sérieusement [seʀjøzmɑ̃] *adv* **1.** *croire, penser* im Ernst **2.** *agir, travailler* ernsthaft; **vous parlez** ~? meinen Sie das im Ernst? **3.** (*gravement*) ernstlich; *touché, blessé* schwer
sérieux [seʀjø] *m* **1.** (*fiabilité*) Ernsthaftigkeit *f; d'une entreprise, d'un projet* Seriosität *f; d'un employé* Zuverlässigkeit *f* **2.** *d'une personne* Gewissenhaftigkeit *f* **3.** (*air grave*) Ernst *m;* **garder son** ~ ernst bleiben **4.** *d'une situation, d'un état* Ernst *m* ► **prendre au** ~ ernst nehmen; **se prendre au** ~ sich wichtig nehmen
sérieux, -euse [seʀjø, -jøz] *adj* **1.** (*opp: inconséquent*) ernst; **pas** ~, **s'abstenir** nur ernst gemeinte Zuschriften **2.** *maladie, affaire, état* ernst; **être atteint d'une maladie sérieuse** ernstlich erkrankt sein **3.** *personne, air* seriös **4.** (*digne de confiance*) seriös; *employé* zuverlässig; *promesse* ernst gemeint **5.** *élève, apprenti* ernsthaft **6.** *problème* ernst zu nehmend; *renseignement* vertrauenswürdig **7.** *études, recherches, travail* ernsthaft **8.** *a. antéposé différence, somme* gewaltig; *raison* gewichtig **9.** (*sage*) anständig
seriner [s(ə)ʀine] <1> *vt fam* (*rabâcher*) *publicité:* anpreisen; ~ **qc à un enfant** einem Kind etw wieder und wieder sagen
seringue [s(ə)ʀɛ̃g] *f* MED Spritze *f*
serment [sɛʀmɑ̃] *m* (*engagement solennel*) Schwur *m;* ~ **sur l'honneur** Beteuerung auf Ehre und Gewissen *f;* ~ **professionnel** Amtseid *m;* ~ **d'Hippocrate** MED hippokratischer Eid; **prêter** ~ einen Eid ablegen; **faire un faux** ~ einen Meineid schwören; **sous** ~ unter Eid
séropo [seʀopo] *mf fam v.* **séropositif**
séropositif, -ive [seʀopozitif, -iv] **I.** *adj* seropositiv; (*en parlant du sida*) HIV-positiv **II.** *m, f* Seropositive(r) *f(m);* (*atteint du sida*) HIV-Positive(r) *f(m)*
séropositivité [seʀopozitivite] *f* **constater la** ~ **de qn** feststellen, dass jd seropositiv ist; (*due au virus du sida*) feststellen, dass jd HIV-positiv ist; **un film qui traite de la** ~ ein Film über Aids
serpent [sɛʀpɑ̃] *m* **1.** (*reptile*) Schlange *f;* ~ **à lunettes/à sonnettes** Brillen-/Klapperschlange **2.** (*personne mauvaise*) **langue de** ~ Lästerzunge *f* **3.** ECON ~ **monétaire européen** europäische Währungsschlange
serpentin [sɛʀpɑ̃tɛ̃] *m* (*ruban*) Luftschlange *f*
serpillière [sɛʀpijɛʀ] *f* Scheuertuch *nt;*

passer la ~ feucht [auf]wischen
serpolet [sɛʁpɔlɛ] *m* Feldthymian *m*
serre [sɛʁ] *f* AGR Gewächshaus *nt;* (*serre chauffée*) Treibhaus *nt;* **fruits/légumes de** ~ Treibhausobst/-gemüse
serré [seʁe] *adv* **1.** (*avec prudence*) **jouer** ~ vorsichtig spielen; *fig* taktieren **2.** *vivre* bescheiden **3.** *écrire* eng
serré, e [seʁe] *adj* **1.** *café, alcool* stark **2.** (*petit*) **budget** ~ äußerst beschränkte Mittel *Pl;* **délai** ~ kurze Frist **3.** *forêt, foule* dicht; **en rangs** ~**s** in dichten Reihen; **des mailles** ~**es** dichte Maschen **4.** *débat, discussion* heiß; *combat* hart; *course* Kopf-an-Kopf-; *analyse, argumentation* überzeugend; *style* straff **5.** *train de vie* bescheiden; **être** ~ kein Geld haben
serre-joint [sɛʁʒwɛ̃] <serre-joints> *m* [Schraub]zwinge *f*
serrer [seʁe] <1> **I.** *vt* **1.** (*tenir en exerçant une pression*) umklammern; ~ **la main de qn** jdm die Hand schütteln; ~ **qn/qc dans ses bras/contre soi** jdn/etw an sich (*akk*) drücken; ~ **qn à la gorge** jdn würgen **2.** (*contracter*) zusammenbeißen *dents, mâchoires;* zusammenpressen *lèvres;* ballen *poings;* ~ **la gorge à qn** jdm die Kehle zuschnüren; **il a le cœur serré devant qc** ihm wird es bei etw ganz traurig ums Herz; **qn serre les fesses** *fig fam* jdm wird angst [und bange] **3.** (*rendre très étroit*) enger schnallen *ceinture;* fest ziehen *nœud* **4.** (*se tenir près de*) ~ **qn/qc** sich dicht an jdn/etw halten; ~ **une femme** *fig* sich an eine Frau heranmachen; **serre bien ta droite!** halte dich schön rechts!; ~ **qn/qc contre un mur** jdn/etw gegen eine Mauer drängen **5.** (*rapprocher*) zusammenrücken lassen *invités;* ~ **les lignes/les mots** eng schreiben; ~ **les rangs** aufschließen; **être serrés** *personnes:* eng nebeneinander sitzen/stehen/…; *objets:* dicht gedrängt stehen/liegen/… **6.** (*restreindre*) kürzen *budget;* einschränken *dépenses;* ~ **les délais** knappe Fristen setzen **II.** *vi* ~ **à droite/à gauche** sich rechts/links halten **III.** *vpr* **se** ~ **1.** (*se rapprocher*) *personnes:* enger zusammenrücken; **se** ~ **contre qn** sich [eng] an jdn schmiegen; **serrons-nous autour du feu!** lasst uns näher ans Feuer rücken! **2.** (*se contracter*) **sa gorge se serre** seine/ihre Kehle ist wie zugeschnürt ▶**se** ~ **la** cein-ture *fam* den Gürtel enger schnallen
serrure [seʁyʁ] *f* Schloss *nt;* ~ **de sûreté** Sicherheitsschloss
serrurier, -ière [seʁyʁje, -jɛʁ] *m, f* Schlosser(in) *m(f)*
serve [sɛʁv] *f v.* **serf**

serveur [sɛʁvœʁ] *m* Server *m;* ~ **de courrier** Mail Server
serveur, -euse [sɛʁvœʁ, -øz] *m, f* (*employé*) Bedienung *f,* Kellner(in) *m(f)*
serviable [sɛʁvjabl] *adj* hilfsbereit
service [sɛʁvis] *m* **1.** (*au restaurant, bar*) Bedienung *f;* (*à l'hôtel, dans un magasin*) Service *m;* **manger au premier/second** ~ die frühere/spätere Tischzeit wählen; **le** ~ **est assuré jusqu'à …/est terminé** ≈ die Küche ist bis … geöffnet/ist geschlossen **2.** (*pourboire*) Bedienung[sgeld *nt*] *f;* ~ **compris** Bedienung inbegriffen **3.** *pl* (*aide*) Dienste *Pl;* **se passer des** ~**s de qn** *form* auf jds Mitarbeit (*akk*) verzichten **4.** (*organisme officiel*) ~ **administratif d'État** Behörde *f; d'une commune* Dienststelle *f;* ~**s de l'immigration** Einwanderungsbehörde *f;* ~ **du feu** CH Feuerwehr *f,* Brandwache *f* (CH); ~ **d'ordre** Ordnungsdienst *m;* **un** ~ **public** eine öffentliche Einrichtung; **le** ~ **public** der öffentliche Dienst; **entreprise du** ~ **public** staatliches Unternehmen; ~ **de santé** Gesundheitsamt *nt;* **les** ~**s sociaux** die sozialen Einrichtungen; ~**s spéciaux/secrets** Geheimdienst *m* **5.** (*département*) Abteilung *f;* ~ [**des**] **achats** Einkaufsabteilung *m;* ~ **après-vente** Kundendienst *m;* ~ **administratif/**~**s administratifs** *d'une entreprise* Verwaltungsabteilung *f;* ~ [**de**] **dépannage** Reparaturdienst *m; des appareils électroménagers* Kundendienst *m;* AUT Pannendienst *m;* ~ **du personnel** Personalabteilung **6.** MED Abteilung *f;* ~ **de cardiologie/d'urologie** Kardiologie *f/*Urologie *f;* ~ **de réanimation** Intensivstation *f;* ~ **des urgences** Notaufnahme *f* **7.** MIL Militärdienst *m;* ~ **civil** Zivildienst *m;* **être bon pour le** ~ [für den Wehrdienst] tauglich sein; **faire son** ~ [**militaire**] seinen Militärdienst ableisten **8.** (*activité professionnelle*) Dienst *m;* **pendant le** ~ im Dienst; **heures de** ~ Dienstzeit *f;* **être de** ~ Dienst haben **9.** (*prestations*) Dienstleistung *f* **10.** (*action de servir*) Dienst *m;* ~ **de l'État** Staatsdienst *m;* ~ **de permanence** Bereitschaftsdienst *m;* **escalier de** ~ Dienstbotenaufgang *m;* (*escalier des fournisseurs*) Lieferantenaufgang *m* **11.** (*faveur*) Gefallen *m;* **demander un** ~ **à qn** jdn um einen Gefallen bitten; **rendre** ~ **à qn** jdm behilflich sein; **qu'y a-t-il pour votre** ~**?** womit kann ich Ihnen dienen? **12.** (*assortiment pour la table*) Service *nt;* ~ **à fondue/raclette** Fondue-/Racletteset *nt;* ~ **à thé** Teeservice *nt* **13.** (*engagement au tennis*) Aufschlag *m;* (*jeu où on sert au tennis*) Aufschlagspiel *nt;* (*au volley-ball*) Aufgabe

f **14.** REL ~ [**religieux**] Gottesdienst *m;* ~ **funèbre** Trauergottesdienst ▸**à ton/votre ~!** gern geschehen!; ~ **en ligne** Hotline *f;* **entrer en** ~ *unité de production:* den Betrieb aufnehmen; **mettre qc en** ~ etw in Betrieb nehmen; **hors** ~ außer Betrieb

serviette [sɛʀvjɛt] *f* **1.** (*pour la toilette*) Handtuch *nt;* ~ **de plage /de bain** Strand-/Badetuch; ~ **hygiénique** [Damen]binde *f* **2.** (*serviette de table*) Serviette *f;* ~ **en papier** Papierserviette **3.** *d'un homme, d'une femme d'affaires* Aktentasche *f*

servir [sɛʀviʀ] <*irr*> **I.** *vt* **1.** (*offrir*) ~ **une boisson/un repas à qn** jdm ein Getränk/ ein Gericht servieren; ~ **quelque chose à boire/à manger à qn** jdm etwas zu trinken/zu essen geben; **on lui sert le petit-déjeuner au lit** das Frühstück wird ihm/ ihr ans Bett gebracht; **c'est servi!** *fam* das Frühstück/Essen ist fertig! **2.** (*fournir un client*) *commerçant:* bedienen; **on vous sert, Madame/Monsieur?** werden Sie schon bedient?; **bien/mal** ~ **qn** (*qualitativement*) jdm gute/schlechte Ware verkaufen; (*quantitativement*) großzügig/jdm zu wenig abwiegen; **qu'est-ce que je vous sers?** was darf es sein? ▸**on n'est jamais si bien servi que par soi-même** *prov* man macht am besten alles selbst **II.** *vi* **1.** (*être utile*) *voiture, outil:* von Nutzen sein; *conseil, explication:* nützlich sein; ~ **à qn à la réparation/à faire la cuisine** *machine, outil:* jdm zur Reparatur dienen/ dazu dienen zu kochen; **à quoi cet outil peut-il bien** ~? wozu dient dieses Werkzeug eigentlich?; **rien ne sert de t'énerver** es bringt nichts, wenn du dich aufregst (*fam*) **2.** (*tenir lieu de*) ~ **de guide à qn** für jdn den Fremdenführer machen; **ça te servira de leçon!** das wird dir eine Lehre sein!; **cela lui sert de prétexte** das ist für ihn/sie ein guter Vorwand **3.** (*être utilisable*) zu gebrauchen sein; **ce vélo peut encore/ne peut plus** ~ dieses Rad ist noch/ nicht mehr zu gebrauchen **4.** (*au tennis*) aufschlagen; (*au volley-ball*) aufgeben ▸**rien ne sert de courir, il faut partir à point** *prov* zu spät ist zu spät **III.** *vpr* **1.** (*utiliser*) **se** ~ **d'un copain/article pour faire qc** einen Kumpel/Artikel benutzen, um etw zu tun; **se** ~ **de ses relations** seine Beziehungen spielen lassen; **ne pas savoir se** ~ **de ses dix doigts** zwei linke Hände haben **2.** (*prendre soi-même qc*) **se** ~ sich bedienen; **se** ~ **de légumes** [sich (*dat*)] Gemüse nehmen **3.** (*être servi*) **ce vin se sert frais** dieser Wein wird kühl serviert

serviteur [sɛʀvitœʀ] *m* (*domestique*) Diener *m*

ses [se] *dét poss v.* **sa, son**

sésame [sezam] *m* **1.** BOT Sesam *m* **2.** (*passe-partout*) Zauberformel *f* ▸**Sésame, ouvre-toi** Sesam, öffne dich

session [sesjɔ̃] *f* **1.** *d'une assemblée, d'un tribunal* (*séance*) Sitzung *f;* (*période*) Sitzungsperiode *f;* ~ **d'examens** Prüfungsphase *f* **2.** INFORM Sitzung *f;* **ouvrir/clore une** ~ sich ein-/ausloggen

set [sɛt] *m* **1.** SPORT Satz *m;* ~ **gagnant** Gewinnsatz **2.** (*service de table*) Set *nt* **3.** (*nécessaire*) Set *nt;* ~ **de rasage** Rasierset

seuil [sœj] **I.** *m* **1.** (*pas de la porte*) [Tür]schwelle *f;* **rester sur le** ~ **de la porte** in der Tür stehen bleiben; **franchir le** ~ über die Schwelle treten **2.** (*limite*) Grenze *f;* ~ **auditif** Hörschwelle *f;* ~ **de pauvreté** Armutsgrenze *f;* ~ **de rentabilité** Rentabilitätsgrenze *f;* ~ **de tolérance** Toleranzschwelle *f* **II.** *app inv* **valeur** ~ (*minimum*) Grenzwert *m;* (*maximum*) Höchstwert *m;* **salaire** ~ Einkommensgrenze *f*

seul, e [sœl] **I.** *adj* **1.** (*sans compagnie*) allein; **tout** ~ ganz allein; ~ **à** ~ allein; **parler à qn** ~ **à** ~ jdn unter vier Augen sprechen; **parler tout** ~ Selbstgespräche führen; **eh vous, vous n'êtes pas** ~! he, die anderen sind auch noch da!; **ça descend tout** ~ *fam* das rutscht ganz von alleine **2.** (*célibataire*) allein stehend **3.** *antéposé* (*unique*) einzig; ~ **et unique** einzig; **une ~e fois** ein einziges Mal; **être** ~ **de son espèce** einzigartig sein; **déclarer d'une ~e voix** einstimmig erklären; **pour la ~e raison que** einzig und allein deswegen, weil **4.** (*uniquement*) nur; **lui** ~ **est** [*o il est* ~] **capable de le faire** er allein ist dazu fähig; ~**s les invités sont admis** nur die geladenen Gäste sind zugelassen; ~ **le résultat importe** nur das Ergebnis zählt **II.** *m, f* **le/la** ~(**e**) der/die Einzige; **vous n'êtes pas le** ~ **à …** Sie sind nicht der Einzige, der …; **un/une** ~(**e**) ein Einziger/ eine Einzige

seulement [sœlmɑ̃] *adv* **1.** (*pas davantage*) nur **2.** (*opp: déjà*) erst ▸**non** ~ **…, mais** [**encore**] … nicht nur …, sondern auch [noch]; **pas** ~ **soutenu** (*pas même*) nicht einmal; **si** ~ wenn nur; **si** ~ **j'en avais les moyens!** wenn ich es mir nur leisten könnte!; **tu as gagné à la loterie? – si** ~! hast du in der Lotterie gewonnen? – schön wär's!

sève [sɛv] *f* BOT Saft *m*

sévère [sevɛʀ] *adj* **1.** (*rigoureux*) streng; *critique, jugement* hart; *climat* rau; *concur-*

rence scharf; *lutte* unerbittlich; **la sélection est** ~ es wird eine strenge Auslese getroffen **2.** *crise, pertes* schwer; *échec* schlimm

sévèrement [sevɛʀmɑ̃] *adv* **1.** *critiquer* scharf; *éduquer, punir* streng; **juger** ~ **qn/qc** mit jdm/etw hart ins Gericht gehen; **être** ~ **battu** eine schwere Niederlage hinnehmen müssen **2.** (*gravement*) schwer

sévérité [severite] *f* **1.** (*rigueur*) Strenge *f;* *d'une critique, d'un verdict* Härte *f; d'un climat* Rauheit *f;* **être d'une grande** ~ sehr streng sein; **un regard d'une telle** ~ **que** ... ein dermaßen strenger Blick, dass ... **2.** (*austérité*) Strenge *f;* **style d'une grande** ~ sehr strenger Stil **3.** *soutenu* (*gravité*) Schwere *f*

sévices [sevis] *mpl* Misshandlung *f;* **exercer des** ~ **sur qn** jdn misshandeln

sèvres [sɛvʀ] *m* Sèvresporzellan *nt;* (*objet*) Gegenstand *m* aus Sèvresporzellan

sexagénaire [sɛksaʒenɛʀ] **I.** *adj* **un homme/une femme** ~ ein Mann/eine Frau in den Sechzigern; **être** ~ über sechzig Jahre alt sein **II.** *mf* Sechzigjährige(r) *f(m)*

sex-appeal [sɛksapil] <sex-appeals> *m* Sexappeal *m*

sexe [sɛks] *m* **1.** (*catégorie*) Geschlecht *nt;* **des personnes des deux** ~s Menschen beiderlei Geschlechts; **le beau** ~ das schöne Geschlecht; **le** ~ **faible/fort** das schwache/starke Geschlecht **2.** *fam* (*sexualité*) Sex *m* **3.** (*organe*) Geschlechtsorgan *nt* ▸**discuter du** ~ **des anges** sich in [endlosen] Scheindiskussionen verlieren

sex-shop [sɛksʃɔp] <sex-shops> *m* Sexshop *m*

sex-symbol [sɛkssɛ̃bɔl] <sex-symbols> *m* Sexsymbol *nt*

sexualité [sɛksɥalite] *f* **1.** (*comportement sexuel*) Sexualität *f;* **les perversions de la** ~ die sexuellen Perversionen **2.** BIO Sexualität *f*

sexué, e [sɛksɥe] *adj* être, *reproduction* geschlechtlich; **animaux** ~s getrenntgeschlechtige Tiere; **être** ~s geschlechtliche Wesen sein

sexuel, le [sɛksɥɛl] *adj* **1.** (*relatif à la sexualité*) sexuell; *éducation* Sexual-; *tourisme* Sex- (*fam*); **acte** ~ Geschlechtsakt *m* **2.** (*relatif au sexe*) Geschlechts-

sexuellement [sɛksɥɛlmɑ̃] *adv* sexuell

sexy [sɛksi] *adj inv, fam* sexy

seyait [sɛjɛ] *imparf de* **seoir**

seyant, e [sɛjɑ̃, jɑ̃t] *part prés de* **seoir**

shah [ʃa] *m* Schah *m*

shaker [ʃɛkœʀ] *m* Shaker *m*

shampo[o]ing [ʃɑ̃pwɛ̃] *m* Shampoo *nt;* ~ **colorant** Tönungsshampoo; **faire un** ~ à

qn jdm die Haare waschen

shampouiner [ʃɑ̃pwine] <1> *vt v.* **shampooiner**

shampouineur, -euse [ʃɑ̃pwinœʀ, -øz] *m, f v.* **shampooineur**

shérif [ʃeʀif] *m* Sheriff *m*

sherry [ʃeʀi] *m* Sherry *m*

shetland [ʃɛtlɑ̃d] *m* **1.** (*tissu*) Shetland *m* **2.** (*pull-over*) Shetlandpullover *m*

shooter [ʃute] <1> **I.** *vi* SPORT schießen **II.** *vt* SPORT schießen *penalty;* treten *corner* **III.** *vpr fam* **se** ~ **à qc** (*se droguer*) etw fixen; **se** ~ **au champagne** *hum* sich an Champagner gewöhnen (*hum*)

short [ʃɔʀt] *m* Shorts *Pl;* ~ **de foot** Fußballhose *f*

shorty [ʃɔʀti] *m* Boxershorts *Pl* (*für Frauen*)

si¹ [si] <devant voyelle ou h muet **s'**> **I.** *conj* **1.** (*condition*) wenn; ~ **tu es sage,** ... wenn du artig bist, ... **2.** (*hypothèse*) ~ **je ne suis pas là, partez sans moi** wenn ich nicht pünktlich da bin, geht/fahrt ohne mich los; ~ **j'étais riche, ...** wenn ich reich wäre ...; ~ **j'avais su!** wenn ich das gewusst hätte! **3.** (*opposition*) auch wenn ..., so ... [doch]; ~ **toi tu es mécontent, moi, je ne le suis pas!** auch wenn du unzufrieden bist, ich bin es nicht! **4.** (*éventualité*) wenn; ~ **nous profitions du beau temps?** wenn wir das schöne Wetter ausnutzten? **5.** (*désir, regret*) wenn ... nur; **ah** ~ **je les tenais!** wenn ich sie nur zu fassen bekäme!; ~ **seulement tu étais venu hier!** wenn du doch bloß gestern gekommen wärst! ▸~ **ce n'est ...** (*ou même*) wenn nicht [sogar] ...; ~ **ce n'est qn/qc** (*en dehors de*) außer jdm/etw; ~ **c'est ça** *fam* ja dann **II.** *m inv* (*hypothèse*) Wenn *nt;* **je n'ai que faire de tous tes** ~! du mit deinem ständigen Wenn und Aber!; **avec des** ~, **on mettrait Paris en bouteille** wenn das Wörtchen „wenn" nicht wär', wär' mein Vater Millionär

si² [si] *adv* **1.** (*dénégation*) doch; **mais** ~! [aber ja] doch! **2.** (*tellement*) so; **ne parle pas** ~ **bas!** sprich nicht so leise!; **une** ~ **belle fille** ein so hübsches Mädchen; **elle était** ~ **impatiente que** sie war so ungeduldig, dass **3.** (*aussi*) ~ ... **que** so ... wie; **il n'est pas** ~ **intelligent qu'il le paraît** er ist nicht so klug, wie er aussieht ▸~ **bien que** so ..., dass; **j'en avais assez,** ~ **bien que je suis partie** ich hatte dermaßen genug, dass ich ging; [oh] ~ **que** ~! [o] doch!

si³ [si] *adv* (*interrogation indirecte*) ob

si⁴ [si] *m inv* MUS H *nt,* h *nt; v. a.* **do**

SI [ɛsi] *m abr de* **système international**

d'unités

siamois [sjamwa] *m* (*chat*) Siamkatze *f*

siamois, es [sjamwa, waz] *mpl, fpl* (*jumeaux*) siamesische Zwillinge *Pl*

Sibérie [siberi] *f* la ~ Sibirien *nt*

sibérien, ne [siberjɛ̃, jɛn] *adj* sibirisch

Sibérien, ne [siberjɛ̃, jɛn] *m, f* Sibirer(in) *m(f)*, Sibirier(in) *m(f)*

sibyllin, e [sibilɛ̃, in] *adj comportement* rätselhaft; *ouvrage* unverständlich; *paroles* sibyllinisch (*geh*)

sic [sik] *adv* sic

SICAV [sikav] *f abr de* **Société d'Investissement à Capital Variable** (*société*) Investmentfondsgesellschaft *f*; (*titre*) Investmentfondsanteil *m*

Sicile [sisil] *f* la ~ Sizilien *nt*

sicilien, ne [sisiljɛ̃, jɛn] *adj* sizilianisch

sicilien [sisiljɛ̃] *m* Sizilianisch *nt; v. a.* **allemand**

Sicilien, ne [sisiljɛ̃, jɛn] *m, f* Sizilianer(in) *m(f)*

sida [sida] *m* le ~ Aids *nt*

sidaïque [sidaik], **sidatique** [sidatik] **I.** *adj inv* aidskrank **II.** *mf* Aidskranke(r) *f(m)*

side-car [sidkar] <side-cars> *m* (*motocyclette plus side-car*) Motorrad *nt* mit Beiwagen

sidérant, e [siderɑ̃, ɑ̃t] *adj* verblüffend

sidérer [sidere] <5> *vt fam* verblüffen; **être sidéré** sprachlos sein; **être sidéré par qc** über etw nur staunen können

sidérurgie [sideryrʒi] *f* Eisen- und Stahlindustrie *f*

sidérurgique [sideryrʒik] *adj* Eisen- und Stahl-; *procédé* Eisenverhüttungs-; *usine* ~ Stahlwerk *nt; bassin* ~ Eisenhüttenrevier *nt;* **grand groupe** ~ großer Eisenhüttenkonzern; **produit** ~ Erzeugnis *nt* der Eisen- und Stahlindustrie

sidérurgiste [sideryrʒist] *mf* Hüttenarbeiter(in) *m(f)*

sidologue [sidɔlɔg] *mf* Aids-Spezialist(in) *m(f)*

siècle [sjɛkl] *m* **1.** (*période de cent ans*) Jahrhundert *nt;* **de** ~ **en** ~ von Jahrhundert zu Jahrhundert; **au III** *m ~* **avant J.C.** im 3. Jahrhundert v. Chr. **2.** (*période remarquable*) **le ~ de Louis XIV/de Périclès** das Zeitalter Ludwigs XIV./des Perikles; **le Siècle des Lumières** das Zeitalter der Aufklärung; **le Grand Siècle** das Zeitalter Ludwigs XIV.; **le ~ de l'atome** das Atomzeitalter **3.** (*période très longue*) Ewigkeit *f* (*fam*); **depuis des ~s** seit einer Ewigkeit (*fam*); **il y a des ~s que je ne t'ai vu** *fam* ich habe dich ja seit einer Ewigkeit nicht mehr gesehen; **mais ça fait un** ~ **de ça!** aber das ist ja schon eine

Ewigkeit her! (*fam*) ▶**du** ~ *fam* combat, marché, inondation Jahrhundert-

sied [sje] *indic prés de* **seoir**

siège [sjɛʒ] *m* **1.** (*meuble*) Sitz *m;* ~ **avant/arrière** AUT Vorder-/Rücksitz; ~ **pour enfant** Kindersitz; ~ **pliant** Klappstuhl *m* **2.** (*action d'assiéger*) Belagerung *f* **3.** (*au Parlement*) Sitz *m* **4.** *d'une organisation* Sitz *m;* ~ **social** [Firmen]sitz

siéger [sjeʒe] <2a, 5> *vi* **1.** (*avoir un siège*) députés, procureur: sitzen **2.** (*tenir séance*) tagen

sien, ne [sjɛ̃, sjɛn] *pron poss* **1.** le ~/la ~ne der/die/das Seine/Ihre, seine(r, s)/ihre(r, s); **les** ~s die Seinen/Ihren, seine/ihre; *v. a.* **mien 2.** *pl* (*ceux de sa famille*) **les** ~s seine/ihre Angehörigen; (*ses partisans*) seine/ihre Anhänger ▶**faire des** ~nes *fam personne:* Unfug machen; *voiture:* verrückt spielen; **à la** [**bonne**] ~**ne!** *hum fam* auf sein/ihr Wohl!; **y mettre du** ~ tun, was man kann

siéra [sjera] *fut de* **seoir**

sierra [sjera] *f* Sierra *f*

sieste [sjɛst] *f* Mittagsschlaf *m*

sifflement [sifləmɑ̃] *m* Pfeifen *nt; du serpent, de la vapeur* Zischen *nt;* ~ **d'oreilles** Ohrensausen *nt;* ~ **d'admiration** bewundernder Pfiff

siffler [sifle] <1> **I.** *vi* pfeifen; *gaz, vapeur, serpent:* zischen; ~ **aux oreilles de qn** an jds Ohr (*dat*) vorbeipfeifen **II.** *vt* **1.** (*appeler*) ~ **son copain/chien** nach seinem Kumpel/Hund pfeifen; ~ **une fille** hinter einer jungen Frau herpfeifen **2.** (*signaler en sifflant*) pfeifen; ~ **le départ de la course/la fin du match** das Rennen anpfeifen/das Spiel abpfeifen **3.** (*huer*) auspfeifen; **se faire** ~ ausgepfiffen werden **4.** (*moduler*) pfeifen chanson, mélodie **5.** *fam* (*boire*) hinunterstürzen, kippen *verre*

sifflet [siflɛ] *m* **1.** (*instrument*) Pfeife *f;* **coup de** ~ Pfiff *m* **2.** *pl* (*huées*) Pfiffe *Pl* ▶**couper le** ~ **à qn** *fam* (*couper la parole*) jdm über den Mund fahren; **ça me coupe le** ~! da bleibt mir die Spucke weg!

siffloter [siflɔte] <1> *vt, vi* [vor sich hin] pfeifen

sigle [sigl] *m* Abkürzung *f*, Kürzel *nt*

signal [siɲal, o] <-aux> *m* **1.** (*signe conventionnel*) Signal *nt;* (*signe convenu*) Zeichen *nt;* (*signe annonciateur*) [An]zeichen *nt;* ~ **convenu** vereinbartes Zeichen; **donner le** ~ **du départ** das Startzeichen geben **2.** (*avertisseur*) Signal *nt;* (*système*) Signalanlage *f;* ~ **automatique** automatisches Signal; (*système*) Signalanlage; ~ **sonore** akustisches Signal; ~ **d'alarme**

Alarmsignal; CHEMDFER Notbremse *f;* **déclencher le ~ d'alarme** den Alarm auslösen; **~ de détresse** Notsignal *nt* **3.** INFORM Signal *nt;* **~ de sollicitation** Eingabeaufforderung *f*

signalement [siɲalmã] *m d'une personne* Personenbeschreibung *f; d'un véhicule, malfaiteur* Beschreibung *f*

signaler [siɲale] <1> *vt* **1.** (*attirer l'attention sur*) melden *fait nouveau, perte, vol;* **~ un détail/une erreur à qn** jdn auf ein Detail/einen Fehler hinweisen **2.** (*marquer par un signal*) **~ la direction à qn** *carte, écriteau, balise:* jdm die Richtung weisen **3.** (*indiquer*) **~ l'existence de qc** auf die Existenz einer S. (*gen*) hindeuten ▶ **rien à ~** keine besonderen Vorkommnisse; MED ohne Befund

signalisation [siɲalizasjɔ̃] *f d'un aéroport, port* (*par lumière*) Befeuerung *f;* (*au sol*) Pistenmarkierung *f; d'une route* (*par panneaux*) Beschilderung *f;* (*au sol*) Fahrbahnmarkierung *f;* (*par feu*) Ampelanlage[n *Pl*] *f;* **feu de ~** Ampel *f*

signataire [siɲatɛʀ] **I.** *adj État, pays, gouvernement* Signatar-; **les membres ~s du traité** die[jenigen] Mitglieder, die das Abkommen unterzeichnet haben; **partie ~** vertragschließende Partei **II.** *mf* Unterzeichner(in) *m(f)*

signature [siɲatyʀ] *f* **1.** (*action*) Unterzeichnung *f;* **apposer sa ~ au bas de qc** seine Unterschrift unter etw (*akk*) setzen **2.** (*marque d'authenticité*) Unterschrift *f; d'un peintre* Signatur *f;* **~ légalisée** beglaubigte Unterschrift

signe [siɲ] *m* **1.** (*geste*) Zeichen *nt;* **~ de** [la] **croix** Kreuzzeichen *nt;* **faire le ~ de la croix/un ~ de croix** sich bekreuzigen; **~ de la main** [Hand]zeichen *nt;* **~ de la tête** Kopfbewegung *f;* **~ de tête affirmatif/négatif** Nicken *nt*/Kopfschütteln *nt;* **~ de bienvenue** Willkommensgeste *f;* **~ de refus** ablehnende Bewegung; **faire ~ à qn** (*pour signaler qc*) jdm zuwinken; (*pour contacter qn*) sich bei jdm melden; **faire un ~ de la tête à son partenaire** seinem Partner zunicken; **faire ~ à son fils de faire qc** seinem/ihrem Sohn bedeuten etw zu tun; **faire ~ que oui/non** (*de la tête*) zustimmend nicken/den Kopf schütteln; (*d'un geste*) ein Zeichen der Zustimmung/ Ablehnung machen **2.** (*indice*) Anzeichen *nt;* **~ annonciateur** erstes Anzeichen; **~ avant-coureur** Vorzeichen *nt;* MED Symptom *nt* **3.** (*trait distinctif*) Merkmal *nt;* **~s particuliers: néant** besondere Kennzeichen: keine; **~s extérieurs de richesse** sichtbare Zeichen von Reichtum **4.** (*symbole*) Zeichen *nt;* GRAM **~ de ponctuation** Satzzeichen; **~ négatif/positif** Minus-/ Pluszeichen; **~ d'égalité/de multiplication** Gleichheits-/Multiplikationszeichen **5.** ASTROL Sternzeichen *nt;* **~ du zodiaque** Tierkreiszeichen *nt* ▶ **ne pas donner ~ de vie** (*ne pas donner de nouvelles*) nichts von sich hören lassen; (*paraître mort*) kein Lebenszeichen von sich geben; **c'est bon/ mauvais ~** das ist ein gutes/schlechtes Zeichen

signer [siɲe] <1> *vt* **1.** (*apposer sa signature*) unterschreiben; unterzeichnen *pétition, traité;* **~ un tableau** *peintre:* ein Bild signieren; **~ qc de son nom/de sa main** etw mit seinem [vollen] Namen/eigenhändig unterschreiben **2.** (*produire sous son nom*) verfassen *œuvre, pièce;* malen *tableau;* **être signé de qn** von jdm stammen ▶ **c'est signé** *fam* es ist [doch] sonnenklar, wer das war; **être signé** *fam* jds Stempel tragen

signet [siɲɛ] *m* INFORM Bookmark *f*

significatif, -ive [siɲifikatif, -iv] *adj* **1.** *date, décision, fait* bedeutsam; *geste, silence, sourire* vielsagend; **être ~ de qc** etw erkennen lassen **2.** (*important*) bedeutend

signification [siɲifikasjɔ̃] *f* (*sens*) Bedeutung *f*

signifier [siɲifje] <1> *vt* **1.** (*avoir pour sens*) bedeuten; **qu'est-ce que cela signifie?** was hat das zu bedeuten? **2.** (*faire connaître*) **~ une intention à qn** jdm eine Absicht zu verstehen geben; **~ une décision à qn** JUR jdm eine Entscheidung zustellen ▶ **qu'est-ce que ça signifie?** (*se dit pour exprimer son mécontentement*) was soll denn das?

silence [silɑ̃s] *m* **1.** *sans pl* (*absence de bruit*) Stille *f;* (*calme*) Ruhe *f;* **~ de mort** Totenstille *f;* **travailler en ~** arbeiten, ohne Lärm zu machen; **souffrir en ~** vor sich hinleiden; **le ~ se fait dans la salle** im Saal kehrt Ruhe ein; **le ~ des enfants m'inquiète** die Kinder sind beunruhigend still; **quel ~!** was für eine [wohltuende] Ruhe!; **~!** Ruhe!; **~! on tourne!** Achtung, Aufnahme! **2.** (*absence de paroles, d'information*) Schweigen *nt;* **gêné/éloquent ~** betretenes/beredtes Schweigen; **~ glacial** eisiges Schweigen; **garder le ~ sur qc** über etw (*akk*) Stillschweigen bewahren; **passer qc sous ~** kein Wort über etw verlieren; **réduire qn au ~** jdn zum Schweigen bringen; **rompre le ~** das Schweigen brechen ▶ **la parole est d'argent, mais le ~ est d'or** *prov* Reden ist Silber, Schweigen ist Gold (*prov*)

silencieusement [silɑ̃sjøzmã] *adv*

demander le silence

• demander le silence	• um Ruhe bitten
Chut!	Psst! *(fam)*
Silence!	Ruhig!
Ferme-la! *(fam)*/Ecrase! *(fam)*	Halt's Maul!/Schnauze! *(derb)*
Taisez-vous!/Du calme!	Jetzt seien Sie doch mal ruhig!
Écoute-moi bien, maintenant!	Jetzt hör mir mal zu!
Tais-toi donc!	Jetzt sei mal still!
Je voudrais aussi dire quelque chose!	Ich möchte auch noch etwas sagen!
Merci! Moi, je pense que ...	Danke! ICH meine dazu, ...
(à un public) Un peu de calme, s'il vous plaît!	*(an ein Publikum)* Ich bitte um Ruhe.
Pourriez-vous vous taire, s'il vous plaît!	Wenn ihr jetzt bitte mal ruhig sein könnt!

1. *(sans bruit)* lautlos **2.** *(en secret)* heimlich

silencieux [silɑ̃sjø] *m* Schalldämpfer *m*

silencieux, -euse [silɑ̃sjø, -jøz] *adj* **1.** *(opp: bruyant)* leise; *personne, méditation* still **2.** *(où règne le silence)* still **3.** *personne* still, schweigsam; **majorité silencieuse** schweigende Mehrheit; **rester ~** schweigen

silhouette [silwɛt] *f* **1.** *d'une personne* Silhouette *f;* **la ~ voûtée de qn** jds gebeugte Gestalt **2.** *(figure indistincte)* Umriss *m* **3.** *(contour)* Kontur *f* **4.** *(dessin)* Schattenriss *m*

silice [silis] *f* Kieselerde *f*

siliceux, -euse [silisø, -øz] *adj* Kiesel-; *terrain* kieselsäurehaltig; **terre/roche siliceuse** Kieselerde *f*/Kieselgestein *nt*

silicium [silisjɔm] *m* Silizium *nt*

silicone [silikon] *m* Silikon *nt*

silicose [silikoz] *f* [Quarz]staublunge *f*

sillonner [sijɔne] <1> *vt* *(traverser)* **~ une ville** *personnes, touristes:* kreuz und quer durch eine Stadt gehen/fahren; *canaux, routes:* eine Stadt durchziehen; **~ le ciel** *avions:* am Himmel ihre Bahnen ziehen; *éclairs:* den Himmel durchzucken

silure [silyʀ] *m* Wels *m*

simiesque [simjɛsk] *adj* affenähnlich

similaire [similɛʀ] *adj* vergleichbar; *goûts* sehr ähnlich

simili [simili] *m* Imitation *f;* **en ~** unecht

similicuir [similikɥiʀ] *m* Kunstleder *nt*

similitude [similityd] *f* *(analogie)* Ähnlichkeit *f;* **présenter certaines ~s** gewisse Gemeinsamkeiten aufweisen

simple [sɛ̃pl] **I.** *adj* **1.** *(facile)* einfach; **être ~ à faire** einfach zu tun sein; **rien de plus ~ à réaliser!** nichts leichter als das!; **le plus ~, c'est ...** am einfachsten ist es, ...

2. *(modeste)* einfach; *personne, revenus* bescheiden; *cérémonie* schlicht; **être issu d'une famille ~** das Kind einfacher Leute sein **3.** *feuille, nœud* einfach; **un aller ~ pour Paris, s'il vous plaît** eine einfache Fahrkarte nach Paris, bitte **4.** *postposé (non composé)* einfach; **temps ~** einfache Zeitform; **corps ~** CHIM chemischer Grundstoff **5.** *antéposé (rien d'autre que)* einfach; **~ soldat/employé de bureau** einfacher Soldat/Büroangestellter; **formalité** reine Formalität; **regard** flüchtiger Blick; **~ remarque** kleine Bemerkung; **appeler pour un ~ renseignement** nur wegen einer Auskunft anrufen; **un ~ coup de téléphone aurait suffi** ein [kurzer] Anruf hätte genügt; **"sur ~ appel"** „Anruf genügt" **6.** *(naïf)* einfältig ▸**c'est [bien] ~** *fam* das ist ganz einfach; **écoute, c'est ~, si tu ...** jetzt hör' mir mal gut zu: wenn du ...; **si tu ..., c'est bien ~, je te quitte!** wenn du ..., dann verlasse ich dich ganz einfach!; **c'est bien ~, il ne m'écoute jamais!** er hört mir einfach nie zu!; **tu penses que tu vas t'en tirer comme ça, mais ce serait trop ~!** du glaubst, du wirst ungeschoren davonkommen, aber das könnte dir so passen! **II.** *m* **1.** SPORT Einzel *nt;* **un ~ dames/messieurs** ein Damen-/Herreneinzel **2.** *(personne naïve)* **~ d'esprit** geistig Behinderte(r) *f(m)* ▸**passer du ~ au double** sich verdoppeln

simplement [sɛ̃pləmɑ̃] *adv* **1.** *s'exprimer* einfach; *se vêtir* schlicht; *recevoir, se comporter* ungezwungen **2.** *(seulement)* [einfach] nur; **ce sont ~ des hommes** das sind [einfach] nur Menschen; **tout ~** *(sans plus)* einfach nur; *(absolument)* [ganz] einfach

simplicité [sɛ̃plisite] *f* **1.** *(opp: complexi-*

té) Einfachheit *f;* **être d'une extrême/de la plus grande** ~ außerordentlich/äußerst einfach sein; **être d'une** ~ **enfantine** kinderleicht sein **2.** (*naturel*) Schlichtheit *f;* **être resté d'une grande** ~ sehr bescheiden geblieben sein; **parler avec** ~ sich einfach [und verständlich] ausdrücken; **être célébré dans la** ~ in schlichtem Rahmen stattfinden; **recevoir qn en toute** ~ jdn empfangen ohne große Umstände zu machen **3.** (*naïveté*) Naivität *f;* **avoir la** ~ **de croire qc** so naiv sein etw zu glauben

simplificateur, -trice [sɛ̃plifikatœʀ, -tʀis] *adj* [zu] stark vereinfachend; **avoir l'esprit très** ~ dazu neigen die Dinge zu vereinfachen

simplification [sɛ̃plifikasjɔ̃] *f* (*action de rendre simple*) Vereinfachung *f;* ~ **du travail** Arbeitserleichterung *f*

simplifier [sɛ̃plifje] <1> **I.** *vt* vereinfachen; leichter machen *existence, tâche, travail* **II.** *vpr* **se** ~ **la vie/l'existence** sich (*dat*) das Leben/das Dasein erleichtern

simplisme [sɛ̃plism] *m* übermäßige Vereinfachung; **faire preuve de** ~ die Dinge simplifizieren (*geh*)

simpliste [sɛ̃plist] *adj* einseitig; **être** ~ die Dinge zu einseitig sehen

simulation [simylasjɔ̃] *f* **1.** (*reconstitution*) Simulation *f;* **jeu de** ~ Rollenspiel *nt* **2.** (*action de simuler un sentiment*) Heuchelei *f;* (*action de simuler une maladie*) Simulieren *nt*

simuler [simyle] <1> *vt* **1.** (*feindre*) vortäuschen; heucheln *sentiment;* **un appel de détresse simulé** ein fingierter Notruf **2.** (*reconstituer*) simulieren

simultané, e [simyltane] *adj* gleichzeitig; **traduction** ~**e** Simultandolmetschen *nt*

simultanéité [simyltaneite] *f* Gleichzeitigkeit *f*

simultanément [simyltanemɑ̃] *adv* gleichzeitig

sincère [sɛ̃sɛʀ] *adj* **1.** (*franc, loyal*) aufrichtig; *aveu* offen; *ami, repentir* echt; *explication, réponse* ehrlich **2.** (*véritable*) ~**s condoléances** aufrichtiges Beileid; **croyez à mes plus** ~**s regrets** ich bedauere zutiefst; **veuillez agréer mes plus** ~**s salutations** mit [den] besten Grüßen

sincèrement [sɛ̃sɛʀmɑ̃] *adv* **1.** *avouer* offen; *regretter* aufrichtig; **il est** ~ **désolé de qc** etw tut ihm aufrichtig leid; **je te le dis** ~ ich sage es dir [ganz] offen; ~**, tu ne veux pas y aller?** du willst also wirklich nicht hingehen? **2.** (*à franchement parler*) ehrlich gesagt

sincérité [sɛ̃seʀite] *f des aveux, d'une personne, d'un sentiment* Aufrichtigkeit *f;*

d'une explication, réponse Ehrlichkeit *f;* **en toute** ~ ehrlich gesagt

sine qua non [sinekwanɔn] *adj v.* **condition**

Singapour [sɛ̃gapuʀ] Singapur *nt*

singe [sɛ̃ʒ] *m* **1.** ZOOL Affe *m;* **grand** ~ Menschenaffe *m;* **l'homme descend du** ~ der Mensch stammt vom Affen ab; *v. a.* **guenon 2.** *fam* (*personne laide*) hässlicher Kerl/hässliche Frau *m/f* **3.** *fam* (*personne qui imite*) Kasper *m;* **faire le** ~ *fam* herumkaspern ▸ **être poilu comme un** ~ *fam* behaart wie ein Affe sein

singeries [sɛ̃ʒʀi] *fpl fam* (*grimaces*) Grimassen *Pl;* (*pitreries*) Albereien *Pl;* **faire des** ~ *fam* (*des grimaces*) Grimassen schneiden; (*des pitreries*) herumalbern

singulariser [sɛ̃gylaʀize] <1> *vpr* **se** ~ **par qc** durch etw auffallen

singularité [sɛ̃gylaʀite] *f* **1.** *sans pl* (*caractère original*) Originalität *f;* **présenter une** ~ eine Besonderheit aufweisen **2.** *pl* (*excentricité*) Absonderlichkeit *f;* **les** ~**s de son comportement** sein/ihr absonderliches Verhalten

singulier [sɛ̃gylje] *m* Singular *m*

singulier, -ière [sɛ̃gylje, -jɛʀ] *adj* (*bizarre*) sonderbar; (*étonnant*) erstaunlich

singulièrement [sɛ̃gyljɛʀmɑ̃] *adv* **1.** (*étrangement*) eigenartig **2.** (*fortement*) außerordentlich

sinistre [sinistʀ] **I.** *adj* **1.** (*lugubre*) trostlos; **avoir l'air** ~ düster drein blicken **2.** (*inquiétant*) unheilvoll **3.** *nouvelle, spectacle* schrecklich **II.** *m* (*catastrophe*) Katastrophe *f;* **maîtriser un** ~ einen Brand unter Kontrolle haben

sinistré, e [sinistʀe] **I.** *adj bâtiment* zerstört; *personnes* ~**es à la suite des inondations** Opfer *Pl* der Überschwemmungskatastrophe; **zone** [*o* **région**] ~**e** Katastrophengebiet *nt* **II.** *m, f* [Katastrophen]opfer *nt;* **les** ~**s de la dernière guerre** die Opfer des letzten Krieges; **l'inondation a fait de nombreux** ~**s** durch die Überschwemmung sind viele zu Schaden gekommen

sinistrose [sinistʀoz] *f* Pessimismus *m*

sinologue [sinɔlɔg] *mf* Sinologe *m*/Sinologin *f*

sinon [sinɔ̃] *conj* **1.** (*dans le cas contraire*) sonst, andernfalls **2.** (*si ce n'est*) **que faire** ~ **attendre?** was können wir anderes tun als warten?; **à quoi sert la clé** ~ **à faire qc** wozu ist der Schlüssel eigentlich gut, wenn nicht dazu etw zu tun; **aucun roman** ~ **"Madame Bovary"** kein Roman außer „Madame Bovary"; **il ne s'intéresse à rien** ~ **à la musique** er interessiert sich für nichts anderes, als für Musik; ~ ...

du [*o* au] **moins** (*en tout cas*) wenn nicht ..., so doch [wenigstens] ...

sinus [sinys] *m* ANAT [Nasen]nebenhöhle *f*

sinusite [sinyzit] *f* [Nasen]nebenhöhlen-entzündung *f*

Sioux [sju] *m* Sioux *m* ▶**des** <u>ruses</u> **de** ~ teuflische Listen

siphonné, e [sifɔne] *adj fam* **être** ~ spinnen

siphonner [sifɔne] <1> *vt* (*transvaser le contenu*) absaugen; (*vider un contenant*) leeren

sirène [siʀɛn] *f* **1.** (*signal*) Sirene *f;* **les** ~**s sonnent** die Sirenen heulen; ~ **d'alarme** Alarmsirene **2.** (*femme poisson*) Meerjungfrau *f* **3.** *hum* (*symbole de séduction*) **chant des** ~**s** Sirenengesang *m*

sirop [siʀo] *m* **1.** (*solution sucrée concentrée*) Sirup *m;* ~ **de citron/framboise/fraise** Zitronen-/Himbeer-/Erdbeersirup *m* **2.** (*boisson diluée*) Saft *m* (*mit Wasser verdünnter Sirup*) **3.** (*liquide sucré des boîtes de conserve*) **pêches au** ~ Pfirsiche in gezuckertem Fruchtsaft **4.** MED Sirup *m;* ~ **contre la toux** Hustensaft

siroter [siʀɔte] <1> *vt fam* [langsam und mit Genuss] trinken

sismique [sismik] *adj* **secousse** ~ Erdstoß *m*

site [sit] *m* **1.** (*paysage*) Landschaft *f;* (*région*) Gegend *f;* ~ **classé** Landschaftsschutzgebiet *f;* ~ **historique** historische Stätte; ~ **naturel** Naturschönheit *f;* ~ **sauvage** Stück *nt* unberührte Natur; ~ **touristique** Sehenswürdigkeit *f* **2.** (*lieu d'activité*) Standort *m; de production* Produktionsstätte *f;* ~ **archéologique** Ausgrabungsstätte *f;* ~ **olympique** olympischer Austragungsort *m* **3.** INFORM Site *f;* ~ **sur Internet**, ~ **Web** Web-Site *f;* **s'offrir un** ~ **sur Internet** [sich] eine Website einrichten ▶~ **propre** Busspur *f*

sitôt [sito] **I.** *adv* ▶**pas de** ~ so bald nicht **II.** *conj* ~ **entré, il enleva ses chaussures** sobald er eingetreten war, zog er seine Schuhe aus ▶~ **dit,** ~ **fait** gesagt, getan

situation [situasjɔ̃] *f* **1.** *d'une personne* Lage *f;* ~ **de famille** Familienstand *m;* ~ **délicate** schwierige Lage; **la** ~ **sociale de qn** jds soziale Verhältnisse; **des** ~**s sociales** (*des cas sociaux*) Sozialfälle *Pl;* **dans ma** ~ in meiner Lage; **agir en** ~ **de légitime défense** in Notwehr handeln; **remettre qc en** ~ etw im Kontext sehen **2.** *d'une personne* Lage *f; d'un pays* [wirtschaftliche] Stellung *f;* **la** ~ **de l'emploi en France** die Lage auf dem französischen Arbeitsmarkt; ECON, FIN Lage *f* **3.** (*emploi*) [An]stellung *f;* **avoir une belle** ~ eine gute Stellung haben;

ben; **se faire une** ~ sich hocharbeiten

situé, e [situe] *adj* gelegen; **être** ~ **au nord/sud** *quartier, region:* im Norden/Süden liegen; *maison:* im Norden/Süden stehen; **bien/mal** ~ günstig/ungünstig gelegen; **bureaux à louer,** ~**s en plein centre ville** Büroräume zu vermieten, direkt im Stadtzentrum [gelegen]

situer [situe] <1> **I.** *vt* **1.** (*localiser dans l'espace par la pensée*) ~ **son film/l'action de son roman à Paris** seinen Film/seinen Roman in Paris spielen lassen; **je ne situe pas très bien ce lieu** ich weiß [im Moment] nicht genau, wo dieser Ort liegt; **pouvez-vous** ~ **l'endroit précis où ...?** wissen Sie, wo genau ...? **2.** (*localiser dans le temps*) ~ **qc en l'an ...** etw um ... ansiedeln **3.** *fam* (*définir*) einordnen *personne* **II.** *vpr* **se** ~ **1.** (*se localiser dans l'espace*) liegen; **l'action de ce roman se situe à Paris/dans les collines** dieser Roman spielt in Paris/in den Hügeln **2.** (*se localiser dans le temps*) **se** ~ **en l'an ...** im Jahr ... stattfinden **3.** (*se localiser à un certain niveau*) **se** ~ **entre 25 et 35 %** zwischen 25 und 35 % liegen; **se** ~ **à un niveau inférieur/supérieur** niedriger/höher sein **4.** (*se définir*) **se** ~ wissen, wo jdn steht; **se** ~ **par rapport à qc** wissen, wie jd sich einer S. (*dat*) gegenüber verhalten soll

six [sis, *devant une voyelle* siz, *devant une consonne* si] **I.** *num* sechs **II.** *m inv* Sechs *f; v. a.* **cinq**

sixième [sizjɛm] **I.** *adj antéposé* sechste(r, s) **II.** *mf* **le/la** ~ der/die/das Sechste **III.** *m* (*fraction*) Sechstel *nt* **IV.** *f* SCOL ≈ sechste Klasse; *v. a.* **cinquième**

skate [skɛt] *m fam,* **skate-board** [skɛtbɔʀd] <skate-boards> *m* Skateboard *nt;* **faire du** ~ Skateboard fahren

sketch [skɛtʃ] <[e]s> *m* Sketch *m*

ski [ski] *m* **1.** (*objet*) Ski *m,* Schi *m;* **à** ~**s** auf Skiern; **randonnée à** ~**s** Skiwanderung *f* **2.** (*sport*) Skilauf[en *nt*] *m,* Skifahren *nt;* ~ **de fond** [Ski]langlauf; ~ **de piste** Abfahrt[slauf *m*] *f;* ~ **de randonnée** Skiwandern *nt;* ~ **alpin** alpiner Skilauf; ~ **artistique/acrobatique** Buckelpistenfahren *nt*/Skiakrobatik *f;* ~ **nordique** nordische Kombination; **aller au** ~ *fam* Ski fahren gehen; **faire du** ~ Ski fahren; **des chaussures de** ~ Skistiefel *Pl;* **station de** ~ Wintersportort *m*

skiable [skjabl] *adj* **neige** zum Skifahren geeignet; **domaine/piste/saison** ~ Skigebiet *nt*/-piste *f*/-saison *f*

skier [skje] <1> *vi* Ski fahren

skieur, -euse [skjœʀ, -jøz] *m, f* Skifahrer(in) *m(f);* ~ **de fond/de randonnée**

[Ski]langläufer *m*/Tourenskifahrer *m*

skin[head] [skin(ɛd)] *m* Skin[head *m*] *m*

slalom [slalɔm] *m* **1.** (*épreuve de ski*) Slalom[lauf *m*] *m*; ~ **spécial/[super-]géant** Spezial-/Riesenslalom **2.** (*en canoë-kayak*) ~ [**nautique**] Kanuslalom *m* **3.** (*parcours sinueux*) Slalom[kurs *m*] *m*; **faire du** ~ (*en marchant*) im Zickzack gehen; (*en conduisant*) Slalom fahren; **en** ~ im Slalom

slalomer [slalɔme] <1> *vi* **1.** SPORT Slalom fahren **2.** (*zigzaguer: en marchant*) im Zickzack gehen; (*en conduisant, en roulant*) Slalom fahren

slalomeur, -euse [slalɔmœʀ, -øz] *m, f* Slalomfahrer(in) *m(f)*

slave [slav] *adj* slawisch

Slave [slav] *mf* Slawe/Slawin *m/f*

slip [slip] *m* Slip *m*; ~ **de bain** Badehose *f* ▶**se** retrouver **en** ~ *fam* alles bis aufs Hemd verlieren

slogan [slɔgã] *m* Slogan *m*; ~ **politique** politisches Schlagwort; ~ **publicitaire** Werbeslogan

slovaque [slɔvak] **I.** *adj* slowakisch **II.** *m* Slowakisch *nt*; *v. a.* **allemand**

Slovaque [slɔvak] *mf* Slowake/Slowakin *m/f*

Slovaquie [slɔvaki] *f* **la** ~ die Slowakei

slovène [slɔvɛn] **I.** *adj* slowenisch **II.** *m* Slowenisch *nt*; *v. a.* **allemand**

Slovène [slɔvɛn] *mf* Slowene/Slowenin *m/f*

Slovénie [slɔveni] *f* **la** ~ Slowenien *nt*

slow [slo] *m* Slowfox *m*

smala [smala] *f hum fam* Sippe *f* (*hum*); **avec toute sa** ~ mit Kind und Kegel

smash [sma(t)ʃ] *m* Schmetterball *m*

smasher [sma(t)ʃe] <1> *vt, vi* schmettern

SME [ɛsɛmø] *m abr de* **Système monétaire européen** EWS *nt*

S.M.I.C. [smik] *m abr de* **salaire minimum interprofessionnel de croissance** tariflich festgelegter Mindestlohn; **au** ~ zum tariflich festgelegten Mindestlohn

smicard, e [smikaʀ, aʀd] *m, f fam* Mindestlohnempfänger(in) *m(f)*

smurf [smœʀf] *m* Breakdance *m*

snack [snak] *m*, **snack-bar** [snakbaʀ] <snack-bars> *m* Schnellimbiss *m*

SNCF [ɛsɛnseɛf] *f abr de* **Société nationale des chemins de fer français** französische Eisenbahngesellschaft

snob [snɔb] **I.** *adj* versnobt (*pej*) **II.** *mf* Snob *m* (*pej*)

snober [snɔbe] <1> *vt* von oben herab behandeln *personne*; sich (*dat*) zu gut sein für *invitation*; verschmähen *repas*

snowboard [snobɔʀd] *m* Snowboard *m*

soap-opéra [sopɔpeʀa] <soap-opéras>

m Soap *f*

sobrement [sɔbʀəmã] *adv* **1.** *boire, manger* mäßig; *vivre* bescheiden **2.** *s'habiller* schlicht; *s'exprimer* einfach

sociable [sɔsjabl] *adj* **1.** (*aimable*) gesellig **2.** SOCIOL sozial; *fourmi, abeille* staatenbildend; **l'homme est de nature** ~ der Mensch ist von Natur aus ein soziales Wesen

social [sɔsjal, jo] <-aux> *m* **1.** (*questions sociales*) sozialer Bereich **2.** (*politique*) Sozialpolitik *f*

social, e [sɔsjal, jo] <-aux> *adj* **1.** *vie, convention* gesellschaftlich; *conflit, inégalités, classe* sozial; **partenaires sociaux** Sozialpartner *Pl*, Tarifpartner *Pl*; **mener une action** ~**e contre qc** sich sozial gegen etw engagieren **2.** ADMIN **aide** ~**e** Sozialhilfe *f*; **logement** ~ Sozialwohnung *f*; **avantage** ~ soziale Vergünstigung **3.** *homme* sozial; *insecte* staatenbildend; **un être** ~ ein soziales Wesen **4.** *loi, politique* sozial

social-démocrate, **sociale-démocrate** [sɔsjaldemɔkʀat, sɔsjodemɔkʀat] <sociaux-démocrates> **I.** *adj* sozialdemokratisch **II.** *m, f* Sozialdemokrat(in) *m(f)*

social-démocratie [sɔsjaldemɔkʀasi] <social-démocraties> *f* Sozialdemokratie *f*

socialement [sɔsjalmã] *adv* sozial

socialisation [sɔsjalizasjɔ̃] *f* **1.** POL Sozialisierung *f* **2.** PSYCH Sozialisation *f*

socialiser [sɔsjalize] <1> *vt* POL, PSYCH sozialisieren

socialisme [sɔsjalism] *m* Sozialismus *m*; ~ **d'État** Staatssozialismus

socialiste [sɔsjalist] **I.** *adj* sozialistisch **II.** *mf* Sozialist(in) *m(f)*

socialo [sɔsjalo] *mf fam abr de* **socialiste** Sozi *mf*

socialo-communiste [sɔsjalokɔmynist] <socialo-communistes> *adj* sozialistisch-kommunistisch; *alliance, coalition* zwischen Sozialisten und Kommunisten

sociétaire [sɔsjetɛʀ] *mf* **1.** (*membre*) Mitglied *nt* **2.** (*membre d'une coopérative*) [Genossenschafts]mitglied *nt*; (*membre d'une société*) Gesellschafter(in) *m(f)*

société [sɔsjete] *f* **1.** (*communauté*) Gesellschaft *f*; ~ **de consommation** Konsumgesellschaft; **problème de** ~ gesellschaftliches Problem; **intérêt de la** ~ gesellschaftliches Interesse; **vivre en** ~ *fourmis:* in Staaten leben **2.** ECON Gesellschaft *f*, Unternehmen *nt*; ~ **à responsabilité limitée** Gesellschaft mit beschränkter Haftung; ~ **anonyme** Aktiengesellschaft; ~ **civile** Gesellschaft des bürgerlichen Rechts

3.(*club*) ~ **littéraire/savante** literarische/wissenschaftliche Gesellschaft **4.**(*ensemble de personnes*) Gruppe *f;* **la bonne** ~ die feine Gesellschaft; **les gens de la bonne** ~ die feinen Leute; **la haute** ~ die Highsociety **5.** POL **Société des Nations** Völkerbund *m*

socioculturel, le [sɔsjokyltyRɛl] *adj* soziokulturell **socio-économique** [sɔsjoekɔnɔmik] <socio-économiques> *adj* sozioökonomisch **socio-éducatif, -ive** [sɔsjoedykatif, iv] <socio-éducatifs> *adj* sozialpädagogisch **sociolinguistique** [sɔsjolɛ̃gɥistik] I. *f* Soziolinguistik *f* II. *adj* soziolinguistisch

sociologie [sɔsjɔlɔʒi] *f* Soziologie *f*

sociologique [sɔsjɔlɔʒik] *adj* soziologisch

sociologiquement [sɔsjɔlɔʒikmɑ̃] *adv* soziologisch

sociologue [sɔsjɔlɔg] *mf* Soziologe/Soziologin *m/f*

sociopolitique [sɔsjopɔlitik] *adj* sozialpolitisch **socio-professionnel** , **le** [sɔsjopRɔfesjɔnɛl] <socio-professionels> I. *adj activité* beruflich und gesellschaftlich; *enquête* das berufliche und soziale Umfeld betreffend; **origine** ~**le** soziale Herkunft und Berufsausbildung; **catégorie** ~**le** Berufsgruppe *f* II. *m, f* (*responsable*) Vertreter(in) *m(f)* beruflicher und sozialer Gruppen

socquette [sɔkɛt] *f* Socke *f;* (*pour femmes, enfants*) Söckchen *nt*

soda [sɔda] *m* (*boisson aromatisée*) Limonade *f*, Kracherl *nt* (A *fam*)

sodomie [sɔdɔmi] *f* Analverkehr *m*

sodomiser [sɔdɔmize] <1> *vt* ~ **qn** mit jdm anal koitieren

sœur [sœR] I. *f* **1.**(*opp: frère*) Schwester *f;* ~ **de lait** Milchschwester; ~ **d'infortune** *soutenu* Leidensgefährtin *f* **2.**(*objet semblable*) Gegenstück *nt* **3.** REL [Ordens]schwester *f;* **ma** ~ Schwester; **bonne** ~ *fam* fromme Schwester; **se faire** [bonne] ~ ins Kloster gehen ▶**et ta** ~[, elle bat le beurre]? *fam* kümmere dich um deinen eigenen Mist! II. *adj* **1.**(*semblable*) verwandt **2.**(*apparentés*) **être** ~**s** *choses:* einander ähnlich sein

sœurette [sœRɛt] *f* Schwesterchen *nt*

sofa [sɔfa] *m* Sofa *nt*

Sofia [sɔfja] Sofia *nt*

SOFRES [sɔfRɛs] *f abr de* **Société française d'enquêtes par sondages** kommerzielles Meinungsforschungsinstitut in Frankreich

software [sɔftwɛR, sɔftwaR] *m* Software *f*

soi [swa] I. *pron pers avec une préposition* sich (*dat o akk*); **chez** ~ [bei sich (*dat*)] zu Hause; **malgré** ~ (*à contrecœur*) gegen seinen Willen; (*par hasard*) unabsichtlich ▶**avoir** qc sur ~ etw bei sich haben; **en** ~ an sich; **un genre en** ~ eine Gattung für sich II. *m* Selbst *nt;* **la conscience du** ~ das Ich-Bewusstsein

soi-disant [swadizɑ̃] I. *adj inv, antéposé* sogenannt II. *adv* angeblich; ~ **qu'il serait en vacances** *fam* anscheinend ist er auf Urlaub

soie [swa] *f* **1.**(*tissu*) Seide *f;* ~ **grège/sauvage** Roh-/Wildseide; **peinture sur** ~ Seidenmalerei *f* **2.**(*poils*) Borste *f;* **en** ~**s de sanglier** aus Wildschweinborsten

soif [swaf] *f* **1.**(*besoin de boire*) Durst *m;* **avoir** ~ Durst haben; *plante:* ausgedörrt sein; **donner** ~ **à qn** jdn durstig machen; **boire à sa** ~ ausreichend trinken **2.**(*désir*) ~ **d'indépendance** Unabhängigkeitsstreben *nt;* ~ **de vengeance** Rachsucht *f;* ~ **de vivre** Lebenshunger *m* ▶**il fait** ~ *fam* es ist ziemlich trockene Luft hier (*fig*) Aufforderung zum Trinken; **laisser** qn **sur sa** ~ *livre, spectacle:* jds Erwartungen nicht erfüllen; *personne:* jdn hinhalten; **mourir de** ~ verdursten; **rester sur sa** ~ (*avoir encore* ~) noch Durst haben; (*rester insatisfait*) [noch] nicht befriedigt sein; **boire jusqu'à plus** ~ *fam* sich vollaufen lassen

soignant, e [swaɲɑ̃, ɑ̃t] *adj* **personnel** ~ Pflegepersonal *nt*

soigner [swaɲe] <1> I. *vt* **1.**(*traiter*) *médecin:* behandeln; *infirmier:* pflegen; ~ **son rhume à la maison** seinen Schnupfen zu Hause auskurieren; **se faire** ~ sich behandeln lassen **2.**(*avoir soin de*) sich kümmern um, umsorgen *personne;* versorgen *animal, plante;* pflegen *mains, chevelure, plante;* achten auf (+ *akk*) *style, tenue;* viel Sorgfalt verwenden auf (+ *akk*) *travail, repas;* **savoir** ~ **ses invités** seine Gäste verwöhnen; **être soigné** *travail:* sorgfältig gemacht sein **3.** *iron fam* (*forcer l'addition*) schröpfen, ausnehmen *client;* (*maltraiter*) fertig machen *adversaire;* **attraper un rhume soigné** (*dat*) einen ordentlichen Schnupfen holen; **l'addition est soignée** die Rechnung ist gesalzen ▶**va** [*o* tu devrais] **te faire** ~! *fam* du hast sie wohl nicht alle! II. *vpr* **1.**(*essayer de se guérir*) **se** ~ sich pflegen; **se** ~ **tout seul** sich selbst kurieren **2.** *hum* (*avoir soin de soi*) **se** ~ es sich (*dat*) gut gehen lassen **3.**(*pouvoir être soigné*) **se** ~ **par** [*o* avec] **une thérapie** mit einer Therapie behandelt werden ▶**ça se soigne!** *fam* du hast/der hat sie wohl nicht alle!; **la paresse, ça se soigne** gegen Faulheit ist ein Kraut gewachsen

soigneusement [swaɲøzmɑ̃] *adv travailler* gewissenhaft; *installer* sorgfältig; *ranger* ordentlich; *éviter* peinlich

soigneux, -euse [swaɲø, -øz] *adj* **1.** (*appliqué*) sorgfältig; (*ordonné*) ordentlich; **être ~ dans son travail** gewissenhaft arbeiten **2.** (*soucieux*) **être ~ de ses affaires** mit seinen Sachen sorgfältig umgehen; **être ~ de sa personne** auf ein gepflegtes Äußeres achten **3.** *soutenu* (*minutieux*) eingehend

soi-même [swaɛm] *pron pers* selbst; **on se sent ~ heureux** man fühlt sich [selbst] glücklich; **le respect de ~** die Selbstachtung

soin [swɛ̃] *m* **1.** *sans pl* (*application*) Sorgfalt *f;* (*ordre et propreté*) Ordnungssinn *m;* **avec beaucoup de ~** sehr sorgfältig **2.** *pl* (*traitement médical*) Behandlung *f,* Pflege *f;* **~s intensifs/palliatifs** Intensiv-/Palliativpflege; **~s à domicile** häusliche Pflege; **les premiers ~s** erste Hilfe; **donner des ~s à qn** jdn pflegen, jdn behandeln; **donner les premiers ~s** erste Hilfe leisten **3.** *pl* (*hygiène*) **~s du visage/corps** Gesichts-/Körperpflege *f* **4.** *sans pl* (*responsabilité*) **confier à un voisin le ~ de la maison** einem Nachbarn auftragen, sich um das Haus zu kümmern; **laisser à sa mère le ~ de faire qc** es seiner/ihrer Mutter überlassen etw zu tun **5.** *pl* (*attention*) Zuwendung *f* ▶**aux bons ~s de qn** zu Händen von jdm; **être aux petits ~s pour qn** jdm jeden Wunsch von den Augen ablesen

soir [swaʀ] **I.** *m* Abend *m;* **le ~ tombe** es wird Abend; **au ~** am Abend; **hier au ~** gestern Abend; **pour le repas de ce ~** heute zum Abendessen; **8 heures du ~** 8 Uhr abends, 20 Uhr; **le ~** abends; **un beau ~** eines schönen Abends; **l'autre ~** neulich Abend ▶**du ~ au matin** die ganze Nacht [über]; **le Grand Soir** der Tag der Wende; **être du ~** *fam* (*être en forme le soir*) ein Nachtmensch sein; (*être de l'équipe du soir*) Spätdienst haben **II.** *adv* abends; **hier ~** gestern Abend; **mardi ~** [am] Dienstagabend; **tous les lundis ~[s]** jeden Montagabend

soirée [swaʀe] *f* **1.** (*fin du jour*) Abend *m;* **en ~** abends; **demain en ~** morgen Abend; **en fin de ~** am späten Abend; **toute la ~** den ganzen Abend [über]; **dans la ~** im Laufe des Abends; **lundi dans la ~,** **dans la ~ de lundi** im Laufe des Montagabends **2.** (*fête*) [Abend]gesellschaft *f;* **~ dansante/costumée** Tanzabend *m/*Kostümfest *nt;* **tenue de ~** Abendkleidung *f* **3.** THEAT, CINE Abendvorstellung *f;* **en ~** in der Abendvorstellung

sois [swa] *subj prés de* **être**

soit **I.** [swat] *adv* (*d'accord*) einverstanden; **eh bien ~!** also gut! **II.** [swa] *conj* **1.** (*alternative*) **~ ..., ~ ...** [entweder] ... oder ...; **~ qu'il soit malade, ~ qu'il n'ait pas envie** entweder ist er krank oder er hat keine Lust **2.** (*c'est-à-dire*) das heißt

soixantaine [swasɑ̃tɛn] *f* **1.** (*environ soixante*) **une ~ de personnes/pages** etwa sechzig Personen/Seiten **2.** (*âge approximatif*) **avoir la ~** [*o* **une ~ d'années**] ungefähr sechzig [Jahre alt] sein; **approcher de la ~** auf die Sechzig zugehen; **avoir largement dépassé la ~** weit über sechzig [Jahre als] sein

soixante [swasɑ̃t] **I.** *num* sechzig; **~ et un** einundsechzig; **~ et onze** einundsiebzig **II.** *m inv* Sechzig *f; v. a.* **cinq, cinquante**

soixante-dix [swasɑ̃tdis] **I.** *num* siebzig **II.** *m inv* Siebzig *f; v. a.* **cinq, cinquante**

soixante-dixième [swasɑ̃tdizjɛm] <soixante-dixièmes> **I.** *adj antéposé* siebzigste(r, s) **II.** *mf* **le/la ~** der/die/das Siebzigste **III.** *m* (*fraction*) Siebzigstel *nt; v. a.* **cinquième**

soixante-huitard , -arde [swasɑ̃tɥitaʀ, -aʀd] <soixante-huitards> *m, f* Achtundsechziger(in) *m(f)*

soixantième [swasɑ̃tjɛm] **I.** *adj antéposé* sechzigste(r, s) **II.** *mf* **le/la ~** der/die/das Sechzigste **III.** *m* (*fraction*) Sechzigstel *nt; v. a.* **cinquième**

soja [sɔʒa] *m* Soja[bohne *f*] *f*

sol¹ [sɔl] *m* **1.** (*terre*) Boden *m;* **~ argileux/calcaire/sablonneux** Ton-/Kalk-/Sandboden **2.** (*croûte terrestre*) [Erd]boden *m;* **être allongé sur le ~** auf dem Boden liegen; **personnel au ~** AVIAT Bodenpersonal *nt* **3.** (*d'une pièce, maison*) [Fuß]boden *m;* **exercices au ~** SPORT Bodenübungen *Pl* **4.** (*territoire*) Boden *m* ▶**le ~ se dérobe sous les pieds de qn** jdm schwankt der Boden unter den Füßen

sol² [sɔl] *m inv* MUS G *nt,* g *nt; v. a.* **do**

solaire [sɔlɛʀ] *adj* **1.** ASTROL, ASTRON **système ~** Sonnensystem *nt;* **cadran ~** Sonnenuhr *f* **2.** (*utilisant la force du soleil*) **centrale ~** Solarkraftwerk *nt;* **capteur ~** Sonnenkollektor *m;* **architecture ~** eine die Solarenergie nutzende Bauweise **3.** (*protégeant du soleil*) **huile ~** Sonnenöl *nt*

soldat [sɔlda] *m* **1.** MIL Soldat *m;* **le Soldat inconnu** der Unbekannte Soldat; **se faire ~** [de métier] Berufssoldat werden **2.** JEUX **~ de plomb** Zinnsoldat *m;* **jouer aux petits ~s** mit [Spielzeug]soldaten spielen **3.** (*militant*) **~ du droit** Kämpfer *m* für das Recht; **~ de la liberté** Freiheitskämpfer *m;* **~ du Christ** Soldat *m* Christi ▶**jouer au**

<u>pet</u>it ~ **avec qn** *fam* jdm gegenüber den wilden Mann spielen

soldate [sɔldat] *f fam* Soldatin *f*

solde[1] [sɔld] *m* **1.** *pl* (*marchandises*) Sonderangebot[e *Pl*] *nt;* **dans les ~s de lainage** bei den herabgesetzten Strickwaren **2.** (*braderie*) Ausverkauf *m;* (*en fin de saison*) Schlussverkauf *m;* **~s d'été/d'hiver** Sommer-/Winterschlussverkauf; **en ~** im Sonderangebot; *acheter, vendre* im Sonderangebot **3.** (*balance*) Saldo *m;* (*reliquat*) Restbetrag *m;* ~ **débiteur/créditeur** Passiv-/Aktivsaldo

solde[2] [sɔld] *f d'un soldat* Sold *m; d'un matelot* Heuer *f* ▶**être <u>à</u> la ~ de qn** in jds Sold (*dat*) stehen

solder [sɔlde] <1> **I.** *vt* **1.** COM herabsetzen; ~ **qc à un client** einem Kunden etw billiger verkaufen; ~ **tout son stock** einen Räumungsverkauf machen **2.** FIN begleichen, bezahlen *dette;* (*fermer*) abschließen *compte* **II.** *vpr* **se ~ par un échec/succès** *conférence, tentative:* mit einem Misserfolg/Erfolg enden; **se ~ par un bénéfice/déficit** *budget, compte, opération:* mit einem Überschuss/Defizit abschließen

soldeur, -euse [sɔldœʀ, -øz] *m, f* Discounter(in) *m(f)*

soleil [sɔlɛj] *m* **1.** ASTRON Sonne *f;* **le Soleil** die Sonne; ~ **de minuit** Mitternachtssonne; ~ **couchant/levant** Sonnenuntergang/-aufgang *m;* **au ~ levant** bei Sonnenaufgang **2.** (*rayonnement*) Sonne *f;* (*temps ensoleillé*) Sonne[nschein *m*] *f;* **se mettre au ~** sich in die Sonne legen; **déteindre au ~** in der Sonne bleichen; **un coin au ~** ein sonniges Plätzchen; **il fait ~** die Sonne scheint; **prendre le ~** Sonne abbekommen **3.** (*fleur*) **grand ~** gemeine Sonnenblume **4.** (*acrobatie*) Welle *f;* **grand ~** Riesenwelle; **faire un ~** *personne:* einen Salto machen; *voiture:* sich überschlagen ▶**ôte-toi de mon ~!** geh mir aus der Sonne! (*fam*)

solennel, le [sɔlanɛl] *adj* **1.** *cérémonie, obsèques* feierlich; **rendre des honneurs ~s à qn** jdn feierlich ehren **2.** *occasion, promesse* feierlich; *avertissement* ernst **3.** *péj* (*affecté*) gekünstelt (*pej*)

solennellement [sɔlanɛlmã] *adv* **1.** (*avec éclat*) in feierlichem Rahmen **2.** *jurer* feierlich; *promettre* hoch und heilig; *s'exprimer* gewählt

solennité [sɔlanite] *f* **1.** *d'un événement, d'une cérémonie* Feierlichkeit *f; d'un lieu* Würde *f;* **avec ~** in feierlichem Ton, mit feierlicher Miene **2.** *péj* (*gravité affectée*) übertriebene Förmlichkeit **3.** (*fête*) Feierlichkeit[en *f*] *Pl*

solidaire [sɔlidɛʀ] *adj* **1.** (*lié*) **être ~(s)** solidarisch sein; **se montrer ~(s)** sich solidarisch zeigen; **être ~ de** [*o* avec] **qn/de qc** hinter jdm/etw stehen **2.** (*interdépendant*) **être ~s** *questions, phénomènes:* zusammenhängen; *mécanismes, matériaux:* fest miteinander verbunden sein; **être ~ de qc** fest mit etw verbunden sein

solidariser [sɔlidaʀize] <1> *vpr* **se ~** sich zusammenschließen; **se ~ avec qn** sich mit jdm solidarisch erklären; **se ~ avec qc** sich mit etw einverstanden erklären

solidarité [sɔlidaʀite] *f* Solidarität *f;* **la ~ entre les collègues** die Solidarität unter den Kollegen; ~ **professionnelle** Solidarität innerhalb des Berufsstandes; ~ **ouvrière** Solidarität der Arbeiter[klasse]

solide [sɔlid] **I.** *adj* **1.** (*opp: liquide*) fest; **corps ~** Festkörper *m* **2.** *construction, outil* stabil; *matériau* haltbar; *personne, santé* robust **3.** *connaissances* fundiert; *amitié* unerschütterlich; *source, base* zuverlässig; *position* gesichert; **être doué d'un ~ bon sens** einen gesunden Menschenverstand haben **4.** (*robuste, vigoureux*) kräftig; **ne pas être très ~ sur ses jambes** nicht ganz sicher auf den Beinen sein **5.** *antéposé, fam fortune, repas, coup de poing* ordentlich; *appétit* gesund **II.** *m* **1.** GEOM, PHYS [geometrischer] Körper *m* **2.** (*aliments*) **du ~** feste Nahrung; **ne pas pouvoir encore manger de ~** noch keine feste Nahrung zu sich nehmen können **3.** *fam* (*chose sûre, résistante*) **c'est du ~!** das ist was Solides!

solidement [sɔlidmã] *adv* **1.** *fixer* gut; *construire* solide; **tenir ~ le bout d'une corde** das Seilende gut festhalten **2.** *s'établir, s'installer* fest; *structurer* schlüssig; **être/rester ~ attaché à ses amis** mit seinen Freunden eng verbunden sein/bleiben

solidité [sɔlidite] *f* **1.** *d'une machine* Robustheit *f; d'un meuble* Stabilität *f; d'un tissu, vêtement* Strapazierfähigkeit *f; d'une personne* Robustheit *f; d'un ouvrage* Solidität *f; d'un nœud* Festigkeit *f;* **être d'une grande ~** *ouvrage:* sehr solide sein; **avoir la ~ d'un roc** *personne:* unverwüstlich sein **2.** *d'une position* Sicherheit *f; d'une personne* Unerschütterlichkeit *f* **3.** *d'un argument, raisonnement* Stichhaltigkeit *f*

soliloquer [sɔlilɔke] <1> *vi* einen Monolog halten; (*avec soi-même*) Selbstgespräche führen

solitaire [sɔlitɛʀ] **I.** *adj* **1.** *vie* zurückgezogen; *vieillard* vereinsamt; *caractère* einzelgängerisch **2.** *arbre, rocher* einzeln; *maison* abgelegen **3.** *parc, chemin* einsam; *demeure* verlassen **II.** *mf* Einzelgänger(in) *m(f);* (*er-

mite) Einsiedler(in) *m(f)* ►**en** ~ allein[e];
un tour du monde en ~ eine Einhand-
weltumsegelung III. *m* **1.** (*diamant*) Solitär *m* **2.** (*jeu*) Solitär[spiel *nt*] *m*
solitude [sɔlityd] *f* **1.** (*isolement*) Einsamkeit *f* **2.** (*tranquillité*) Alleinsein *nt* **3.** (*lieu
solitaire*) Abgeschiedenheit *f*
solliciter [sɔlisite] <1> *vt form* (*demander*) ~ **une autorisation de qn** jdn um
eine Genehmigung ersuchen; ~ **de qn
une audience/explication** von jdm eine
Audienz/eine Erklärung erbitten; ~ **de qn
des dommages et intérêts** jdm gegenüber Schadenersatz fordern; ~ **un emploi**
sich auf eine Stelle bewerben
solstice [sɔlstis] *m* Sonnenwende *f*; ~
d'été/d'hiver Sommer-/Wintersonnen-
wende
solubilité [sɔlybilite] *f* Löslichkeit *f*; **la** ~
d'une substance dans l'eau die Wasser-
löslichkeit einer Substanz (*gen*)
soluble [sɔlybl] *adj* **1.** *substance, café* löslich; ~ **dans l'eau** wasserlöslich **2.** (*pouvant être résolu*) **être** ~ *problème:* lösbar
sein
soluté [sɔlyte] *m* Lösung *f*
solution [sɔlysjɔ̃] *f* **1.** (*issue*) Lösung *f*; ~ **à
un** [*o* **d'un**] **problème** Lösung für ein Problem; ~ **de facilité** [zu] einfache Lösung; ~
de repli Ausweichlösung; ~ **miracle** Patentrezept *nt* **2.** (*résultat*) Lösung *f*; **trouver la** ~ **d'une équation** eine Gleichung
lösen **3.** *d'une énigme, d'un rébus* [Aufl]lö-
sung *f* **4.** CHIM, MED Lösung *f*; ~ **pharma-
ceutique/médicamenteuse** flüssiges
Medikament ► ~ **finale** HIST, POL Endlösung
f
solvable [sɔlvabl] *adj client, pays* zahlungsfähig; *débiteur* kreditwürdig; **non** ~
client, pays zahlungsunfähig; *débiteur* nicht
kreditwürdig; **marché/demande** ~ kauf-
kräftiger Markt
sombre [sɔ̃bʀ] *adj* **1.** *lieu* dunkel; *nuit* finster; **il fait** ~ es ist dunkel **2.** (*foncé*) **un
bleu/rouge** ~ ein dunkles Blau/Rot; **gris**
~ dunkelgrau **3.** *heure, année* dunkel; *avenir, réalité, tableau* düster; *pensée* trübe
4. *roman* düster; *visage* bedrückt; *caractère,
personne* trübsinnig **5.** *antéposé, fam histoire* finster; (*bizarre*) konfus
sombrer [sɔ̃bʀe] <1> *vi* **1.** (*faire naufrage*) untergehen; ~ **au fond de la mer** auf
den Meeresgrund hinabsinken **2.** (*se perdre*) *personne:* den Boden unter den Füßen
verlieren; *œuvre:* der Vergessenheit anheim
fallen (*geh*); ~ **dans la folie/l'alcool** dem
Wahnsinn/dem Alkohol verfallen
sommaire [sɔmɛʀ] **I.** *adj* **1.** *analyse, réponse, exposé* kurz[gefasst] **2.** *examen* flüchtig;

réparation oberflächlich; *repas* schnell
3. *exécution* standrechtlich; **justice** ~
Standrecht *nt;* **procédure** ~ Schnellverfahren *nt* **II.** *m* **1.** (*table des matières*) Inhaltsverzeichnis *nt* **2.** (*résumé*) Zusammenfassung *f*
sommairement [sɔmɛʀmɑ̃] *adv* **1.** (*brièvement*) kurz **2.** (*simplement*) sparsam
3. (*de façon expéditive*) im Schnellverfahren
somme[1] [sɔm] *f* **1.** (*quantité d'argent*)
Summe *f* **2.** (*total*) Summe *f*; **faire la** ~ **de
qc** etw zusammenrechnen; **la** ~ **des angles d'un triangle** die Winkelsumme im
Dreieck **3.** (*ensemble*) Gesamtheit *f*; **la** ~
des dégâts/des besoins der Gesamtscha-
den/alle Bedürfnisse ►**en** ~, ~ **toute** alles
in Allem
somme[2] [sɔm] *m* (*sieste*) Schläfchen *nt;*
piquer un ~ *fam* ein Nickerchen machen
sommeil [sɔmɛj] *m* **1.** (*fait de dormir*)
Schlaf *m;* (*envie de dormir*) Schläfrigkeit *f;*
avoir ~ müde sein; **tomber de** ~ zum
Umfallen müde sein; **être réveillé en
plein** ~ mitten aus dem Schlaf gerissen
werden; ~ **réparateur** Erholungsschlaf; ~
paradoxal REM-Schlaf; **dans le premier**
~ kurz nach dem Einschlafen **2.** *de la nature* Schlaf *m; d'une ville* Verschlafenheit *f;
de la conscience, des sens* Trägheit *f;* **être
en** ~ ruhen; **laisser qc en** ~ etw auf sich
(*dat*) beruhen lassen ►**dormir du** ~ **du
juste** *hum* den Schlaf des Gerechten schlafen (*hum*)
sommeiller [sɔmeje] <1> *vi* (*somnoler*)
im Halbschlaf liegen
sommes [sɔm] *indic prés de* **être**
sommet [sɔmɛ] *m* **1.** *d'une montagne* Gipfel *m; d'une tour, hiérarchie* Spitze *f; d'une
pente, vague* Kamm *m; d'un arbre* Wipfel *m;
d'un crâne* Scheitel *m;* ~ **d'un toit** Dach-
first *m;* **sur les** ~**s** in den Bergen; **au** ~
d'une tour (*sans mouvement*) [oben] auf
einem Turm; (*avec mouvement*) auf einen
Turm [hinauf] **2.** (*apogée*) Höhepunkt *m;*
être au ~ **de la gloire** am Gipfel des
Ruhms angelangt sein **3.** POL Gipfel[treffen
nt] *m;* ~ **européen** europäisches Gipfeltreffen; **au** ~ *accord, négociation* auf höchster Ebene
somnambule [sɔmnɑ̃byl] **I.** *adj* mondsüchtig **II.** *mf* Schlafwandler; **comme un**
~ wie in Trance
somnifère [sɔmnifɛʀ] *m* Schlafmittel *nt;*
(*cachet, pilule*) Schlaftablette *f*
somnoler [sɔmnɔle] <1> *vi* (*dormir à
moitié*) halb schlafen
somptueusement [sɔ̃ptɥɔzmɑ̃] *adv* verschwenderisch, aufwendig

sompteux, -euse [sɔ̃ptɥø, -øz] *adj vête-ment* luxuriös; *résidence* prunkvoll; *repas* feudal; *cadeau* großzügig

son¹ [sɔ̃] **I.** *m* **1.** (*sensation auditive*) Ton *m;* *d'une voix, cloche, d'un instrument* Klang *m;* (*ondes*) Schall *m;* LING Laut *m;* ~ **guttural** Guttural[laut]; **au** ~ **de l'accordéon** zu den Klängen des Akkordeons **2.** CINE, RADIO, TV Ton *m;* *d'un appareil* Klang *m;* (*bruit*) Lautstärke *f;* **baisser le** ~ leiser machen; **synchroniser le** ~ **et l'image** Ton und Bild aufeinander abstimmen ▸~ **de cloche** Version *f;* **c'est un autre** ~ **de cloche** das sind ganz andere Töne; **n'entendre qu'un** ~ **de cloche** nur eine Seite hören **II.** *app* [**spectacle**] ~ **et lumière** TOUR Licht-Ton-Inszenierung *f* (*an historischen Bauwerken*)

son² [sɔ̃, se] <**ses**> *dét poss* **1.** sein(e)/ihr(e); ~ **vase** seine/ihre Vase; *v. a.* **mon 2.** *après un indéfini* sein; **à chacun** ~ **dû** jedem das Seine; **c'est chacun** ~ **tour** immer der Reihe nach **3.** *avec un titre, form* **Son Altesse Royale** Seine/Ihre Königliche Hoheit

sonal [sɔnal] *m* Jingle *m*

sondage [sɔ̃daʒ] *m* **1.** (*enquête*) Umfrage *f;* ~ **d'opinion** Meinungsumfrage; ~ **d'écoute** Hörerumfrage **2.** (*contrôle rapide*) Überprüfung *f;* **faire quelques** ~**s** **dans qc** etw durch Stichproben überprüfen

sonde [sɔ̃d] *f* MED Sonde *f;* (*cathéter*) Katheter *m*

sondé, e [sɔ̃de] *m, f* Befragte(r) *f(m)*

sonder [sɔ̃de] <1> *vt* **1.** ADMIN befragen *personnes;* erforschen *intentions;* ~ **l'opinion** Meinungsumfragen machen **2.** (*interroger insidieusement*) ausfragen *personne* **3.** (*pénétrer*) erforschen *conscience, cœur, sentiments;* ~ **l'avenir** ergründen, was die Zukunft bringt

sondeur [sɔ̃dœR] *m* NAUT Peilgerät *nt;* TECH Sondiergerät *nt;* ~ **à ultrasons** Ultraschallecholot *nt*

songer [sɔ̃ʒe] <2a> **I.** *vi* (*penser*) ~ **à qn/qc** an jdn/etw denken; (*réfléchir*) über jdn/etw nachdenken; ~ **à faire qc** daran denken etw zu tun **II.** *vt* **tout cela est bien étrange, songeait-il** das ist alles sehr eigenartig, dachte er bei sich

songeur, -euse [sɔ̃ʒœR, -ʒøz] *adj* **1.** (*perdu dans ses pensées*) nachdenklich **2.** (*perplexe*) **être** ~ nachdenklich werden; **laisser qn** ~ jdn nachdenklich stimmen

sonnant, e [sɔnɑ̃, ɑ̃t] *adj* **à minuit** ~/**à 4 heures** ~**es** Punkt Mitternacht/4 Uhr

sonné, e [sɔne] *adj* **1.** *fam* (*cinglé*) be-

scheuert **2.** *fam* (*groggy*) groggy **3.** (*annoncé par la cloche*) **il est minuit** ~/**4 heures** ~**es** es schlägt Mitternacht/4 Uhr ▸**avoir cinquante ans** **bien** ~**s** *fam* gut und gerne über die Fünfzig sein

sonner [sɔne] <1> **I.** *vt* **1.** (*tirer des sons de*) läuten *cloche;* blasen *clairon;* ~ **trois coups** dreimal klingeln [*o* läuten A] **2.** (*annoncer*) ~ **l'alarme** *personne:* Alarm schlagen; *sirène:* heulen; *tocsin:* Sturm läuten **3.** (*appeler*) ~ **qn** [nach] jdm klingeln [*o* läuten A] **4.** *fam* (*étourdir, secouer*) fertig machen; *coup, maladie, nouvelle:* umhauen; **être sonné** groggy sein **5.** *fam* (*réprimander*) **se faire** ~ **par qn** von jdm eins aufs Dach bekommen ▸**on** [ne] **t'a pas sonné** *fam* du hast hier gar nichts zu melden **II.** *vi* **1.** (*produire un son*) *cloche:* läuten; *réveil, téléphone:* klingeln, läuten (A); *angélus, trompette:* ertönen **2.** (*produire un effet*) ~ **bien** *proposition:* gut klingen; ~ **juste** echt klingen; *film:* echt wirken; ~ **faux** *aveux:* unaufrichtig klingen **3.** (*être annoncé*) *heure:* schlagen; *fin:* gekommen sein; **midi/minuit sonne** es schlägt Mittag/Mitternacht; **la récréation sonne** es klingelt [*o* läutet A] zur Pause; **quand sonne l'heure de qc** wenn die Zeit für etw gekommen ist **4.** (*s'annoncer*) klingeln, läuten (A) **5.** (*tinter*) *monnaie, clé:* klimpern; *marteau:* klingen; **faire** ~ **qc** mit etw klimpern

sonnerie [sɔnRi] *f* **1.** (*appel sonore*) Läuten *nt;* *d'un téléphone* Klingeln *nt,* Läuten (A) **2.** *d'un réveil* Läutwerk *nt;* ~ **électrique** elektrische Klingel; **remonter la** ~ **d'un réveil** das Läutwerk des Weckers aufstellen

sonnette [sɔnɛt] *f* *d'une porte d'entrée* Klingel *f;* (*mécanisme*) Alarmanlage *f;* ~ **d'alarme** Alarmglocke ▸**tirer la** ~ **d'alarme** Alarm schlagen; **tirer les** ~**s** (*pour s'amuser*) Klingeln putzen gehen (*fam*); (*pour demander de l'aide*) überall um Hilfe betteln

sono [sɔno] *f fam abr de* **sonorisation 1.** Verstärkeranlage *f* **2.** (*équipe*) Tontechniker *Pl*

sonore [sɔnɔR] *adj* **1.** *voix* klangvoll; *gifle, rire* schallend; *baiser* schmatzend **2.** (*relatif au son*) **onde** ~ Schallwelle *f;* **bande/film/piste** ~ Tonband *nt/-*film *m/-*spur *f;* **ambiance/fond** ~ Geräuschkulisse *f;* **nuisances** ~**s** Lärmbelästigung *f* **3.** *lieu, voûte* hallend **4.** LING *consonne* stimmhaft

sont [sɔ̃] *indic prés de* **être**

sophistiqué, e [sɔfistike] *adj* **1.** (*perfectionné*) hochentwickelt; (*fonctionnel*) durchdacht **2.** (*complexe*) kompliziert

3. *beauté* künstlich; *manières* gekünstelt; *te-nue* aufwendig; *mise en scène* raffiniert; *argumentation* subtil

sophistiquer [sɔfistike] <1> vt (*perfectionner*) perfektionieren

soprano <s o soprani> [sɔpʀano] *m* (*voix*) Sopran[stimme *f*] *m*

sorbet [sɔʀbɛ] *m* Sorbet[t] *m o nt;* ~ [au] **citron** Zitronensorbet

sorcier, -ière [sɔʀsje, -jɛʀ] **I.** *adj* ►**ce n'est pas** [bien] ~ das ist leichter als es aussieht **II.** *m, f* (*femme*) Hexe *f;* (*homme*) Hexer *m* ►**ne pas être** ~ *fam* (*ne pas pouvoir faire*) nicht hexen können; (*ne pas pouvoir savoir*) nicht hellsehen können

sordide [sɔʀdid] *adj* **1.** *quartier, ruelle* heruntergekommen **2.** *circonstances* widerwärtig; *crime, individu* niederträchtig; *avarice, égoïsme* schnöde

sort [sɔʀ] *m* **1.** (*condition*) Schicksal *nt;* (*situation*) Lage *f* **2.** (*destinée*) Schicksal *nt;* **quel a été le** ~ **de ton ami/votre voiture?** was ist aus deinem Freund/Ihrem Auto geworden?; **connaître le même** ~ **que** dasselbe Schicksal erleiden wie; **abandonner qn à son triste** ~ jdn seinem traurigen Schicksal überlassen **3.** (*hasard*) Zufall *m;* **c'est le** ~ **qui décidera** wir überlassen es dem Zufall; **le** ~ **a tourné** das Blatt hat sich gewendet; **tirer le vainqueur/les numéros gagnants au** ~ den Sieger/die Gewinnzahlen auslosen ►**faire un** ~ **à un gigot/à une bouteille** *fam* eine Hammelkeule verspachteln/eine Flasche niedermachen; **le** ~ **en est jeté** die Würfel sind gefallen

sortable [sɔʀtabl] *adj fam* vorzeigbar; **elle est** ~ sie kann sich sehen lassen, man kann sich mit ihr sehen lassen; **il n'est pas** ~ er kann sich nirgends sehen lassen, man kann sich mit ihm nirgends sehen lassen

sortant, e [sɔʀtɑ̃, ɑ̃t] **I.** *adj* **1.** *coalition, député, ministre* scheidend *attr,* bisherig *attr* **2.** (*tiré au sort*) durch das Los bestimmt; **les numéros** ~**s** die Gewinnzahlen **II.** *m, f* (*député*) Abgeordnete(r) *f(m)* mit auslaufendem Mandat; (*ministre*) scheidender Minister *m;* **les entrants et les** ~**s** die Ein- und Ausgehenden

sorte [sɔʀt] *f* Art *f,* Sorte *f;* **plusieurs** ~**s de pommes** mehrere Apfelsorten; **toutes** ~**s de personnes/choses** alle möglichen Menschen/Dinge; **des disques de toutes** ~**s** Schallplatten aller Art; **ne plus avoir de marchandises d'aucune** ~ keinerlei Waren mehr haben ►**en quelque** ~ in gewisser Weise; **faire en** ~ **que tout se passe bien** es so einrichten, dass alles gut geht; **de la** ~ auf diese Art und Weise

sortie [sɔʀti] *f* **1.** *d'une personne* Herauskommen *nt; d'une personne* Hinausgehen *nt;* ~ **de prison/d'hôpital** Entlassung *f* aus dem Gefängnis/Krankenhaus; **la** ~ **de piste** AUT das Abkommen von der Fahrbahn **2.** (*promenade*) Spaziergang *m;* (*en voiture, à bicyclette*) Spazierfahrt *f;* (*excursion*) Ausflug *m;* SCOL Exkursion *f;* **la première** ~ **depuis une maladie** der erste Ausgang nach einer Krankheit; **être de** ~ *personne:* ausgehen; **tu es de** ~ **aujourd'hui?** willst du heute ausgehen? **3.** *d'un bâtiment* Ausgang *m; d'une autoroute, d'un garage* Ausfahrt *f; d'une localité* Ortsausgang *m;* (*grande route*) Ausfallstraße *f;* ~ **de secours** Notausgang *m;* ~ **des ateliers/de l'usine** Werkstor *nt;* ~ **des artistes** Künstlereingang *m* **4.** (*panneau*) ~ **de camions** (*devant une usine*) Werksausfahrt *f;* (*devant un chantier*) Baustellenausfahrt *f;* ~ **d'école** [Vorsicht] Schulkinder!; ~ **de garage** Ausfahrt freihalten! **5.** *d'un spectacle, d'une saison* Ende *nt;* ~ **de l'école/des bureaux** Schul-/Büroschluss *m;* **à la** ~ [du magasin/du bureau] nach der Arbeit; **à la** ~ **de l'usine** bei Betriebsschluss **6.** *d'une publication* Erscheinen *nt,* Veröffentlichung *f; d'un disque* Erscheinen; *d'un film* Anlaufen *nt; d'un nouveau modèle, véhicule* Markteinführung *f;* **la** ~ **de ce film est prévue pour le mois prochain** dieser Film soll nächsten Monat in die Kinos kommen **7.** SPORT *d'un ballon* Aus *nt; d'un gardien* Herauslaufen *nt;* ~ [**de but**] Torlinie *f* **8.** *de capitaux, devises* Abfluss *m,* Ausfuhr **9.** (*output*) Ausgabe *f;* (*édition*) ~ [**sur imprimante**] Ausdruck *m* ►**fausse** ~ THEAT vorgetäuschter Abgang; **attendre qn à la** ~ *fam* jdn schon noch [dran]kriegen

sortir [sɔʀtiʀ] <10> **I.** *vi* + *être* **1.** (*partir*) hinausgehen; (*venir*) herauskommen; ~ **par la fenêtre** aus dem Fenster steigen; **faire** ~ **qn** jdn hinausschicken; **faire** ~ **un animal** ein Tier hinausjagen; **laisser** ~ **qn** jdn [weg]gehen lassen; **laisser** ~ **un animal** ein Tier hinauslassen **2.** (*quitter*) **du magasin** aus dem Geschäft gehen, das Geschäft verlassen; (*venir*) aus dem Geschäft kommen, das Geschäft verlassen; ~ **du lit** aus dem Bett kommen; [**mais**] **d'où sorstu?** woher kommst du denn?; ~ **de chez ses amis** bei seinen Freunden weggehen; **elle vient justement de** ~ **d'ici** sie ist gerade weggegangen; **à quelle heure sorstu du bureau?** um wie viel Uhr verlässt du das Büro?; ~ **de prison** aus dem Gefängnis kommen; **en sortant du théâtre** beim Verlassen des Theaters; ~ **du garage** *voitu-*

re: aus der Garage fahren; ~ **de la piste/ route** von der Fahrbahn/Straße abkommen; **la faim fait ~ le loup du bois** der Hunger treibt den Wolf aus dem Wald **3.** (*quitter son domicile*) weggehen; ~ **de chez soi** aus dem Haus gehen; ~ **faire les courses** einkaufen gehen; **faire ~ un enfant/un animal** mit einem Kind an die [frische] Luft gehen/ein Tier ausführen; **laisser ~ un enfant/un animal** ein Kind/ein Tier hinauslassen **4.** (*se divertir*) ausgehen; ~ **en boîte/en ville** in die Disko/in die Stadt gehen **5.** *fam* (*avoir une relation amoureuse avec*) ~ **avec qn** mit jdm gehen **6.** (*en terminer avec*) ~ **d'une période difficile** eine schwierige Zeit hinter sich (*dat*) haben; **ne pas être encore sorti d'embarras** noch nicht aus dem Schneider sein (*fam*); **être à peine sorti de convalescence** [noch] kaum genesen sein **7.** (*être tel après un événement*) ~ **indemne d'un accident** einen Unfall unverletzt überstehen; ~ **vainqueur/vaincu d'un concours** als Sieger/Verlierer aus einem Wettbewerb hervorgehen; **être sorti grandi d'une épreuve** an einer Prüfung gewachsen sein; **être sorti diminué d'une maladie** nach einer Krankheit angeschlagen sein **8.** (*faire saillie*) ~ **de qc** aus etw (*dat*) vorstehen; (*en haut*) aus etw (*dat*) herausragen; (*en bas*) unter etw (*dat*) hervorschauen; **les yeux lui sortaient de la tête** *fig* ihm/ihr fielen fast die Augen aus dem Kopf (*fig*) **9.** com *capitaux, devises:* abfließen, ausgeführt werden **10.** (*s'écarter*) ~ **du sujet/de la question** vom Thema/von der Frage abkommen; **ça m'était complètement sorti de l'esprit** das war mir völlig entfallen **11.** SPORT ins Aus gehen; ~ **en touche** ins Seitenaus gehen; **être sorti** im Aus sein; **être sorti en touche** im Seitenaus sein **12.** (*être issu de*) ~ **de qc** aus etw (*dat*) kommen; ~ **de l'école de musique** die Musikschule besucht haben **13.** (*apparaître*) *bourgeons, plante:* sprießen; *dent:* durchkommen; ~ **de terre** aus der Erde kommen **14.** (*paraître*) *livre, disque:* erscheinen; *film:* anlaufen; *nouveau modèle, voiture:* auf den Markt kommen; **vient de ~** soeben erschienen; ~ **sur les écrans** in die Kinos kommen **15.** JEUX *numéro:* fallen, gewinnen; *couleur:* ausgespielt werden ▶ **[mais] d'où tu sors?** *fam* wo lebst du denn?; **ne pas en ~** *fam* bei etw kein Land sehen **II.** *vt* + *avoir* **1.** (*mener dehors*) ausführen; (*porter dehors*) hinausbringen; **ça vous sortira** so kommen Sie auch mal raus (*fam*) **2.** (*expulser*) hinauswerfen **3.** (*libérer*) ~ **qn** d'une situation difficile jdn aus einer schwierigen Lage befreien; ~ **qn de l'ordinaire** *chose:* für jdn eine Abwechslung sein **4.** (*retirer d'un lieu*) herausholen; ~ **les disques/les robes légères** die Schallplatten/die leichten Kleider hervorholen; ~ **qc d'un sac/d'un tiroir/d'une valise** etw aus einer Tasche/einem Schubfach/einem Koffer herausnehmen; **ne pas arriver à ~ qc** etw nicht herausbekommen; ~ **la voiture du garage** das Auto aus der Garage fahren; ~ **les mains de ses poches** die Hände aus den Taschen nehmen **5.** COM ~ **des marchandises** Waren ausführen; (*en fraude*) Waren schmuggeln **6.** (*lancer sur le marché*) herausbringen *nouveau modèle, véhicule, film, livre, disque* **7.** *fam* (*débiter*) von sich geben (*pej*) *âneries, sottises;* ~ **des âneries à qn** jdm dummes Zeug auftischen (*pej*) **8.** *fam* (*éliminer*) aus dem Rennen werfen; **se faire ~ par qn** gegen jdn ausscheiden **9.** *fam* (*tirer*) ziehen *numéro, carte* **III.** *vpr* + *être* **1.** (*se tirer*) **se ~ d'une situation/d'un piège** aus einer Situation/Falle herauskommen **2.** (*réussir*) **s'en ~** klarkommen (*fam*); (*échapper à un danger, un ennui*) noch einmal davonkommen (*fam*); (*survivre*) durchkommen (*fam*); **je ne m'en sors plus** (*fam*) ich komme damit nicht mehr klar (*fam*) **IV.** *m* **au ~ du lit** beim Aufstehen; **au ~ d'une réunion** beim Verlassen einer Versammlung

S.O.S. [ɛsoɛs] *m* **1.** (*appel*) SOS *nt* **2.** (*organisation*) ~ **médecins** medizinischer Not[fall]dienst; ~ **dépannage** Pannenhilfe *f;* ~ **femmes battues** Hilfe für Frauen in Not; ~ **Racisme** *französische Organisation gegen Rassismus* ▶ **lancer un** ~ SOS funken; *fig fam* einen Hilferuf loslassen

sottement [sɔtmɑ̃] *adv* dummerweise

sottisier [sɔtizje] *m* Stilblütensammlung *f*

sou [su] *m pl, fam* (*argent*) Geld *nt,* Kröten *Pl;* **ça en fait des** ~**s!** *fam* das ist ein ganzer Haufen Geld! ▶ **ne pas avoir un** ~ **en poche** *fam* keinen Pfennig [Geld] in der Tasche haben; **propre comme un** ~ **neuf** blitzsauber; **être beau comme un** ~ **neuf** zum Anbeißen schön sein; **de quatre** ~**s** Billig- (*pej*); **L'Opéra de quat'** ~**s** Die Dreigroschenoper; **ne pas avoir** [*o* **être sans**] **le** ~ *fam* blank sein; **compter ses** ~**s** *fam* nachsehen, ob man genügend Geld hat; (*être avare*) jeden Groschen dreimal umdrehen; **un** ~ [**c'**]**est un** ~ *prov* wer den Pfennig nicht ehrt, ist des Talers nicht wert (*prov*); **avec lui un** ~ **est un** ~ für ihn zählt jeder Pfennig; **être près de ses** ~**s** *fam* auf den Pfennig schauen; **ne pas être**

rigolo <u>pour</u> un ~ kein bisschen lustig sein
souci [susi] *m* **1.** *souvent pl* (*inquiétude*)
Sorge *f;* **se faire du ~ pour qn/qc** sich
(*dat*) Sorgen um jdn/wegen etw machen;
sans ~ ohne Sorgen **2.** (*préoccupation*)
Anliegen *nt* **3.** (*respect*) **le ~ de la véri-**
té/perfection das Bemühen um Wahrhaf-
tigkeit/Vollkommenheit; **par ~ de vérité**
im Bemühen um Wahrhaftigkeit; **par ~**
d'égalité wegen der Gleichberechtigung
soucier [susje] <1> *vpr* **se ~ de qn/de la**
nourriture sich um jdn/um die Verpflegung kümmern; **se ~ de l'avenir** für die
Zukunft vorsorgen; **se ~ de l'heure** die
[Uhr]zeit beachten; **ne pas se ~ de la vé-**
rité sich nicht um die Wahrheit kümmern
soucieux, -euse [susjø, -jøz] *adj* **1.** *person-*
ne, air, ton besorgt **2.** (*préoccupé*) **être ~**
de qn/de l'avenir sich um jdn/um die
Zukunft sorgen; **être ~ de la vérité** auf
die Wahrheit bedacht sein
soucoupe [sukup] *f* Untertasse *f* ▶ **~ vo-**
lante fliegende Untertasse
soudain, e [sudɛ̃, ɛn] **I.** *adj événement,*
geste unerwartet; *sentiment* jäh; **ce fut**
très ~ das kam völlig unerwartet **II.** *adv*
plötzlich
soudainement [sudɛnmɑ̃] *adv* plötzlich
soudard [sudaʀ] *m* brutaler Soldat; **les ~s**
die Soldateska
souffle [sufl] *m* **1.** (*expiration*) Atemzug
m; (*respiration*) Atmen *nt;* (*capacité pul-*
monaire) Atmung *f;* **le dernier ~** der letzte Atemzug; **~ au cœur** Herzgeräusche *Pl;*
avoir le ~ court kurzatmig sein; **arriver**
le ~ haletant außer Atem ankommen;
éteindre les bougies d'un [seul] **~** alle
Kerzen auf einmal ausblasen; **il faut du ~**
man braucht einen guten Atem; **manquer**
de ~ atemlos sein; **perdre le ~** außer
Atem kommen **2.** *d'une explosion* Druckwelle *f; d'un incendie* Sog *m; d'un ventila-*
teur Luftzug *m* **3.** (*vent*) Wehen *nt;* **~ d'air**
Luftzug *m;* **~ du vent** Wind[hauch *m*] *m;*
il n'y a pas un ~ [d'air/de vent] es regt
sich kein Lüftchen **4.** (*vitalité*) Tatkraft *f;*
(*persévérance*) Stehvermögen *nt; il faut*
du ~ pour cela man braucht dafür einen
langen Atem; **second ~** neuer Schwung
5. *d'un écrivain, poète* Schöpferkraft *f; d'une*
œuvre, histoire Inspiration *f;* **le ~ d'un gé-**
nie die geniale Inspiration; **le ~ créateur**
de Dieu der schöpferische Atem Gottes
▶ **avoir du ~** Kondition haben; (*avoir du*
culot) Nerven haben; **couper le ~ à qn**
jdm die Sprache verschlagen; **être à cou-**
per le ~ atemberaubend sein; **ne pas**
<u>manquer</u> **de ~** ziemlich dreist sein; <u>re-</u>
<u>prendre</u> **son ~** (*respirer*) Luft holen; (*se*

calmer) tief durchatmen; **dans un ~** kaum
hörbar; **d'un ~** um Haaresbreite
soufflé [sufle] *m* GASTR Auflauf *m,* Soufflee
nt; **~ au fromage** Käseauflauf
soufflé, e [sufle] *adj fam* (*stupéfait*) **[en]**
être ~ platt sein
souffler [sufle] <1> **I.** *vi* **1.** METEO *vent:* wehen; **ça souffle** es ist windig **2.** (*insuffler*
de l'air) **~ sur/dans qc** auf/in etw (*akk*)
blasen; **~ sur ses doigts** in die Hände hauchen **3.** (*haleter*) keuchen **4.** (*se reposer*)
verschnaufen **5.** (*prendre du recul*) **laisser**
~ qn jdm [noch] etwas Zeit lassen **II.** *vt*
1. (*éteindre*) ausblasen **2.** (*déplacer en*
soufflant) [weg]pusten; *vent:* wegwehen; **~**
la poussière dans les yeux den Staub in
die Augen pusten; **~ la fumée au visage**
de qn jdm den Rauch ins Gesicht pusten
3. *fam* (*enlever*) **~ une affaire à qn** jdm
einen Auftrag [vor der Nase] wegschnappen; JEUX **~ un pion** einen Stein kassieren
(*fam*) **4.** (*détruire*) zerstören **5.** (*dire dis-*
crètement) **~ un secret à qn** jdm ein Geheimnis zuflüstern; **~ un poème à l'oreil-**
le de qn jdm ein Gedicht ins Ohr flüstern;
THEAT jdm ein Gedicht soufflieren; SCOL jdm
ein Gedicht vorsagen **6.** *fam* (*stupéfier*)
umhauen **7.** TECH **~ le verre** Glas *nt* blasen
souffrance [sufʀɑ̃s] *f* **1.** (*douleur physique*
ou morale) Schmerz *m* **2.** (*fait de souffrir*)
Leiden *nt*
souffre-douleur [sufʀədulœʀ] *mf inv*
Prügelknabe *m*
souffrir [sufʀiʀ] <11> **I.** *vi* **1.** (*avoir mal*)
leiden; **faire ~ qn** jdm wehtun; **ses dents**
le font ~ er hat Zahnschmerzen **2.** (*avoir*
mal quelque part) **~ de la tête/de l'esto-**
mac/des reins Kopf-/Magen-/Nieren-
schmerzen haben **3.** (*avoir mal à cause de*)
~ du froid/de la chaleur unter der Käl-
te/Hitze leiden; **~ de la faim/de la soif**
Hunger/Durst leiden; **~ de malnutri-**
tion/d'un manque de lumière an den
Folgen falscher Ernährung/an Lichtmangel
(*dat*) leiden; (*être malheureux*) leiden;
faire ~ qn *personne:* jdn unglücklich machen; *échec, séparation:* schmerzen; **~**
d'être seul darunter leiden alleine zu sein
5. (*être endommagé à cause de*) **~ du gel**
cultures: unter dem Frost leiden; **~ d'une**
grave crise *pays:* in einer schweren Krise
stecken; **sa réputation souffre de ce**
scandale dieser Skandal schadet seinem
Ruf **6.** *fam* (*avoir des difficultés*) **il a souf-**
fert pour avoir l'examen es war nicht
einfach für ihn die Prüfung zu bestehen **II.**
vt **1.** (*endurer*) [er]dulden **2.** (*admettre*)
ne ~ aucun retard keine Verspätung dulden; **~ quelques exceptions** gewisse

soulagement/sérénité

• exprimer le soulagement	• Erleichterung ausdrücken
Ça y est!	Geschafft!
Dieu merci!	Gott sei Dank!
Enfin!	Endlich!
Heureusement que ça s'est passé comme ça!	Bin ich froh, dass es so gekommen ist!
Quelle chance que tu sois venu(e)!	Ein Glück, dass du gekommen bist!
• exprimer la sérénité	• Gelassenheit ausdrücken
Ça va aller.	Es wird schon werden.
Ce n'est pas si grave.	Alles halb so schlimm.
Ne vous en faites pas, nous finirons bien par y arriver.	Keine Angst, das werden wir schon hinkriegen.
Ne vous faites pas de soucis.	Machen Sie sich keine Sorgen.
Nous verrons bien.	Abwarten und Tee trinken. *(fam)*
Pas de panique/d'affolement!	Nur keine Panik/Aufregung!
Restons calme!/Ne nous affolons pas! *(fam)*	Ganz ruhig bleiben!

Ausnahmen dulden

soufisme [sufism] *m* Sufismus *m*

soufre [sufʀ] **I.** *adj inv* **jaune** ~ schwefelgelb **II.** *m* Schwefel *m* ▸**sentir le** ~ spüren, dass etw faul ist *(fam)*

souhait [swɛ] *m* **1.** *(désir)* Wunsch *m*; **exprimer le** ~ **de faire qc** den Wunsch äußern etw zu tun **2.** *(très, très bien)* **joli à** ~ bildhübsch; **paisible à** ~ herrlich friedlich; **marcher à** ~ *entreprise, affaire:* [ganz] nach Wunsch [ver]laufen ▸**à tes/vos** ~**s!** Gesundheit!

souhaiter [swete] <1> *vt* **1.** *(désirer)* ~ **qc** sich *(dat)* etw wünschen; ~ **que** hoffen, dass; **nous souhaitons manger** wir möchten essen; **je souhaiterais t'aider davantage** ich würde dir gern[e] noch mehr helfen **2.** *(espérer pour quelqu'un)* ~ **bonne nuit/beaucoup de bonheur à qn** jdm gute Nacht/viel Glück wünschen; ~ **bien des choses pour la nouvelle année à qn** jdm alles Gute für das neue Jahr wünschen; ~ **un joyeux anniversaire à qn** jdm alles Gute zum Geburtstag wünschen

soûl [su] *m* **tout mon/ton** ~ nach Herzenslust *f*

soul [sul] *f* **la musique** ~ Soulmusik *f*

soûl, **soûle** [su, sul] *adj fam (ivre)* blau; **être complètement** ~ total blau sein

soulagement [sulaʒmã] *m (fait de ne plus être inquiet)* Erleichterung *f*; **un soupir de** ~ ein Seufzer der Erleichterung

soulager [sulaʒe] <2a> **I.** *vt* **1.** *a. fig (ôter une charge lourde)* entlasten **2.** *(calmer la douleur)* ~ **qn** jds Schmerzen lindern **3.** *(rassurer)* ~ **qn** *nouvelle, aveu:* jdn erleichtern; **être soulagé** *personne:* erleichtert sein **II.** *vpr* **1.** *(se défouler)* **se** ~ **en faisant qc** sich *(dat)* Erleichterung verschaffen, indem man etw tut **2.** *fam (satisfaire un besoin naturel)* **se** ~ sich erleichtern

soûler [sule] <1> **I.** *vt* **1.** *(enivrer)* ~ **qn à la bière/au whisky** jdn mit Bier/Whiskey betrunken machen; **ça soûle!** das macht blau! *(fam)* **2.** *(tourner la tête)* ~ **qn** jdn [ganz] benommen machen *(fam)* **II.** *vpr* **1.** *(s'enivrer)* **se** ~ **à la bière/au whisky** sich mit Bier/Whiskey betrinken **2.** *(se griser)* **se** ~ **de musique** sich an der Musik berauschen

soulever [sul(ə)ve] <4> *vt* **1.** *(lever)* [hoch]heben *poids* **2.** *(relever légèrement)* anheben **3.** *(susciter)* aufwerfen *problème, question*

souligner [suliɲe] <1> *vt* **1.** *(tirer un trait sous)* unterstreichen; **souligné de deux traits/en rouge** doppelt/rot unterstrichen **2.** *(accentuer, marquer)* betonen; **être souligné de bleu** *yeux:* durch einen blauen Lidstrich betont sein **3.** *(insister sur)* unterstreichen, betonen *importance, risques*

soumettre [sumɛtʀ] <*irr*> **I.** *vt* **1.** *(asservir)* ~ **un joueur à qn/qc** einen Spieler jdm/einer S. unterwerfen **2.** *(faire subir)* ~ **qn à des tests/analyses** jdn [einer Reihe von] Untersuchungen/Analysen unterwerfen; ~ **qn à une épreuve** jdm eine Prü-

fung auferlegen **3.** (*présenter*) ~ **une idée/un projet à qn** jdm einen Vorschlag/ein Projekt unterbreiten **II.** *vpr* **1.** (*obéir*) **se** ~ sich unterwerfen; **se** ~ **à la loi/à une décision** sich dem Gesetz/einer Entscheidung fügen **2.** (*se plier à, suivre*) **se** ~ **à un entraînement spécial** sich einem speziellen Training unterziehen

soumis, e [sumi,-z] *part passé de* **soumettre**

soupçon [supsɔ̃] *m* **1.** (*suspicion*) Verdacht *m kein Pl;* **de graves** ~**s** ein schwerer Verdacht; **être au-dessus de tout** ~ über jeden Verdacht erhaben sein (*geh*); **éveiller les** ~**s de qn** jds Verdacht erregen **2.** (*très petite quantité*) **un** ~ **de sel/poivre** eine Spur Salz/Pfeffer; **un** ~ **d'ironie** ein Hauch von Ironie

soupçonner [supsɔne] <1> *vt* (*suspecter*) ~ **qn de vol** jdn des Diebstahls verdächtigen; **être soupçonné de meurtre** des Totschlags verdächtigt werden

soupe [sup] *f* **1.** (*potage*) Suppe *f;* **assiette/cuillère à** ~ Suppenteller *m/*-löffel *m;* ~ **à l'oignon/de légumes** Zwiebel-/Gemüsesuppe; **à la** ~! *fam* Essen ist fertig! **2.** (*neige fondue*) Schneematsch *m* **3.** (*organisme charitable*) ~ **populaire** Armenküche *f* ▶**être trempé comme une** ~ *fam* klatschnass sein; **cracher dans la** ~ *fam* in die eigene Suppe spucken

soupir [supir] *m* (*signe d'émotion*) Seufzer *m;* **pousser un** ~ **de soulagement** (*être soulagé*) [erleichtert] aufatmen

soupirant [supirɑ̃] *m hum* Verehrer *m*

soupirer [supire] <1> *vi* seufzen

souple [supl] *adj* **1.** (*opp: rigide*) biegsam; *lentilles de contact* weich; *cuir* geschmeidig **2.** *bras, jambes, personne* gelenkig **3.** (*adaptable*) flexibel

souplesse [suplɛs] *f* (*adaptabilité*) Flexibilität *f; d'une personne* Anpassungsfähigkeit *f*

source [surs] **I.** *f* **1.** (*point d'eau*) Quelle *f;* ~ **thermale/d'eau minérale** Thermal-/Mineralquelle; **eau de** ~ Quellwasser *nt* **2.** (*naissance d'un cours d'eau*) Quelle *f,* Ursprung *m;* **prendre sa** ~ **en Suisse** in der Schweiz entspringen **3.** PHYS, OPT ~ **lumineuse/d'énergie** Licht-/Energiequelle *f* **4.** (*origine de l'information*) **de** ~ **sûre/bien informée** aus sicherer/gut unterrichteter Quelle ▶**couler de** ~ [doch] klar sein (*fam*) **II.** *app* INFORM **langage** ~ Programmiersprache *f*

sourcilleux, -euse [sursijø, øz] *adj* **1.** *littér* (*sévère*) gestreng (*geh*) **2.** (*pointilleux*) kleinlich

sourd, e [sur, surd] **I.** *adj* **1.** (*qui n'entend* pas) taub; (*qui n'entend pas bien*) schwerhörig; ~ **d'une oreille** auf einem Ohr taub/schwerhörig **2.** *bruit* dumpf **II.** *m, f* (*personne: qui n'entend pas*) Gehörlose(r) *f(m);* (*qui n'entend pas bien*) Schwerhörige(r) *f(m)*

sourd-muet , sourde-muette [surmɥɛ, surd(ə)mɥɛt] <sourds-muets> *m, f* Taubstumme(r) *f(m)*

souriant, e [surjɑ̃, jɑ̃t] *adj* freundlich

sourire [surir] **I.** *m* Lächeln *nt;* **faire un** ~ lächeln; **faire un** ~ **à qn** jdn anlächeln; **avoir le** ~ *fam* gut gelaunt sein; **garder le** ~ [immer] freundlich bleiben **II.** <*irr*> *vi* **1.** (*avoir un sourire*) lächeln **2.** (*adresser un sourire*) ~ **à qn** jdn anlächeln

souris [suri] *f a.* INFORM Maus *f*

sourisodrome [surizodrom] *m fam* Mauspad *nt*

sournoisement [surnwazmɑ̃] *adv* **1.** *observer* lauernd **2.** (*insidieusement*) heimtückisch

sous [su] *prép* **1.** (*spatial avec direction*) unter (+ *akk*); **mettre qc** ~ **le bras** etw unter den Arm nehmen; **pousser sa chaise** ~ **la table** seinen Stuhl unter den Tisch schieben **2.** (*spatial sans direction*) unter (+ *dat*); **nager** ~ **l'eau** unter Wasser schwimmen **3.** (*temporel: pour exprimer un délai*) ~ **huitaine** innerhalb einer Woche (*gen*); ~ **peu** binnen kurzem **4.** (*manière*) ~ **les applaudissements de la foule** unter dem Beifall der Menge **5.** (*dépendance*) unter (+ *dat*); ~ **les ordres de qn** unter jdm; ~ **ma responsabilité/surveillance** unter meiner Verantwortung/Aufsicht; ~ **contrôle médical** unter ärztlicher Kontrolle **6.** (*causal*) unter (+ *dat*); **casser** ~ **le poids de qc** unter dem Gewicht einer S. (*gen*) zusammenbrechen **7.** METEO in (+ *dat*); ~ **la pluie** im Regen; ~ **le soleil** in der Sonne **8.** MED **être** ~ **perfusion** am Tropf hängen; **être** ~ **antibiotiques/cortisone** mit Antibiotika/Kortison behandelt werden

sous-développé, e [sudev(ə)lɔpe] <sous-développés> *adj* unterentwickelt; **pays** ~ Entwicklungsland *nt* **sous-développement** [sudev(ə)lɔpmɑ̃] <sous-développements> *m* Unterentwicklung *f* **sous-directeur , -trice** [sudirɛktœr, -tris] <sous-directeurs> *m, f* stellvertretender Direktor/stellvertretende Direktorin *m/f* **sous-entendre** [suzɑ̃tɑ̃dr] <14> *vt* (*dire implicitement*) zu verstehen geben; ~ **par qc que** mit etw andeuten wollen, dass **sous-entendu , e** [suzɑ̃tɑ̃dy] <sous-entendus> *m* Anspielung *f;* **parler par** ~**s** in Andeutungen

sprechen **sous-estimer** [suzɛstime] <1> vt **1.** (*évaluer au-dessous de son prix*) ~ **un bijou/une maison** den Wert eines Schmuckstückes/Hauses unterschätzen **2.** (*mal juger la valeur*) unterschätzen *adversaire, difficulté* **sous-évaluer** [suzevalɥe] <1> vt unterbewerten **sous-marin** [sumaʀɛ̃] <sous-marins> *m* U-Boot *nt;* ~ **nucléaire** Atom-U-Boot **sous-préfecture** [supʀefɛktyʀ] <sous-préfectures> *f* (*chef-lieu d'arrondissement*) Sitz *m* einer Unterpräfektur, ≈ Kreisstadt *f* **sous-préfet** , **Mme le sous-préfet** [supʀefɛ] <sous-préfets> *m, f* Unterpräfekt(in) *m,* ≈ Landrat/Landrätin *m/f* **sous-pull** [supyl] <sous-pulls> *m* Unterziehpullover *m* **sous-sol** [susɔl] <sous-sols> *m* (*dans un immeuble*) Untergeschoss *nt* **sous-tasse** [sutas] <sous-tasses> *f* Untertasse *f* **sous-titrer** [sutitʀe] <1> vt untertiteln; **version originale sous-titrée** Originalfassung *f* mit Untertiteln

soustraire [sustʀɛʀ] <*irr*> I. *vi* subtrahieren II. *vpr* se ~ **à une obligation** sich (*akk*) einer Verpflichtung entziehen **soustraiter** [sutʀete] <1> vt **1.** (*donner en sous-traitance*) an Subunternehmer *Pl* vergeben **2.** (*agir comme sous-traitant*) als Subunternehmer ausführen

soutenance [sut(ə)nãs] *f* Disputation *f*

soutenir [sut(ə)niʀ] <9> vt **1.** (*porter*) halten; *colonne, poutre:* tragen **2.** (*étayer, maintenir droit*) abstützen **3.** (*maintenir debout, en bonne position*) stützen **4.** (*assister*) ~ **qn dans le malheur** jdm im Unglück eine Hilfe sein **5.** (*aider*) ~ **financièrement/moralement** finanziell/moralisch unterstützen **6.** (*empêcher de faiblir*) stärken; stützen *monnaie;* wach halten *intérêt;* ~ **ses efforts** in seinen Anstrengungen nicht nachlassen **7.** (*prendre parti pour*) verteidigen; sich einsetzen für *cause;* ~ **qn** zu jdm halten **8.** (*affirmer*) ~ **que** behaupten, dass **9.** (*résister à*) ~ **le regard de qn** jds Blick standhalten

soutenu, e [sut(ə)ny] I. *part passé de* **soutenir** II. *adj* **1.** *attention, effort* beständig **2.** *style, langue* gehoben

souterrain [suteʀɛ̃] *m* (*passage*) unterirdischer Gang; (*pour piétons*) Unterführung *f* **souterrain, e** [suteʀɛ̃, ɛn] *adj* (*sous terre*) unterirdisch; **passage** ~ Unterführung *f*

soutien [sutjɛ̃] *m* **1.** (*aide, appui*) Unterstützung *f;* ~ **de famille** Ernährer *m* der Familie; **apporter son** ~ **à qn** jdn unterstützen **2.** scol Nachhilfe *f;* **cours de** ~ Stützkurs *m*

soutien-gorge [sutjɛ̃gɔʀʒ] <soutiens-

gorge[s]> *m* Büstenhalter *m;* ~ **ampliforme** Push-up-BH *m*

soutirer [sutiʀe] <1> vt (*escroquer*) ~ **de l'argent à qn** jdm Geld abluchsen (*fam*)

souvenir[1] [suv(ə)niʀ] <9> *vpr* **1.** (*se rappeler*) se ~ **de qn/qc** sich an jdn/etw erinnern **2.** (*se remémorer*) **qn se souvient à qui il a parlé** jd weiß [noch], mit wem er gesprochen hat **3.** (*se venger*) **je m'en souviendrai!** das werde ich mir merken!

souvenir[2] [suv(ə)niʀ] I. *m* **1.** (*image dans la mémoire*) **le** ~ **de qc** die Erinnerung an etw (*akk*); **si mes** ~**s sont exacts, ...** wenn ich mich recht erinnere, ...; **garder un bon/mauvais** ~ **de qn/qc** jdn/etw in guter/schlechter Erinnerung behalten **2.** (*ce qui rappelle qn/qc*) **un** ~ **de ma grand-mère/de mon enfance** eine Erinnerung an meine Großmutter/Kindheit; **en** ~ **de qc/qn** zum Andenken an etw/ jdn **3.** (*objet touristique*) Andenken *nt,* Souvenir *nt* II. *app* **photo-**~ Erinnerungsfoto *nt*

souvent [suvã] *adv* oft, häufig; **le plus** ~ meistens

souverainement [suv(ə)ʀɛnmã] *adv* **1.** (*extrêmement*) äußerst **2.** (*en toute indépendance*) souverän

souveraineté [suv(ə)ʀɛnte] *f d'un État, peuple* Souveränität *f*

soviétique [sɔvjetik] *adj* sowjetisch; **l'Union** ~ die Sowjetunion **Soviétique** [sɔvjetik] *mf* Sowjetrusse/ -russin *m/f;* **les** ~**s** die Sowjets

soyeux, -euse [swajø, -jøz] *adj* **1.** (*doux*) seidenweich **2.** (*brillant*) seidig

SPA [ɛspea] *f abr de* **Société protectrice des animaux** französischer Tierschutzverein

spacieux, -euse [spasjø, -jøz] *adj* geräumig

spaghettis [spageti] *mpl* Spaghetti *Pl*

sparadrap [spaʀadʀa] *m* [Heft]pflaster *nt*

spasmophilie [spasmɔfili] *f* Spasmophilie *f* (*Fachspr.*); *v. a.* **tétanie, tétanos**

spatial, e [spasjal, jo] <-aux> *adj* **1.** (*de l'espace*) räumlich **2.** espace **voyage** ~ [Welt]raumfahrt *f*

spatiotemporel, le [spasjotãpɔʀɛl] *adj* raumzeitlich

spatule [spatyl] *f* **1.** (*ustensile*) Spachtel *m;* (*en cuisine*) Pfannenwender *m; d'un médecin* Spatel *m* **2.** *d'un ski* Spitze *f*

spécial, e [spesjal, jo] <-aux> *adj* **1.** (*opp: général*) spezielle(r, s); **équipement** ~ Spezialausrüstung *f;* **autorisation** ~**e** Sondergenehmigung *f;* **pouvoirs spéciaux** Sondervollmachten *Pl;* **rien de** ~ nichts Besonderes **2.** (*bizarre*) eigenartig

spécialement [spesjalmã] *adv* **1.**(*en particulier*) [ganz] besonders **2.**(*tout exprès*) extra **3.** *fam* (*pas vraiment*) **tu as faim? – non, pas** ~ hast du Hunger? – nein, nicht besonders

spécialisation [spesjalizasjõ] *f* Spezialisierung *f*

spécialisé, e [spesjalize] *adj* spezialisiert; **être** ~ **dans qc** auf etw (*akk*) spezialisiert sein

spécialiser [spesjalize] <1> I. *vt* ~ **qn dans un domaine précis** jdn auf einem speziellen Gebiet einsetzen II. *vpr* **se** ~ **dans** [*o* en] **qc** sich (*akk*) auf etw (*akk*) spezialisieren

spécialiste [spesjalist] *mf* **1.**(*expert*) Spezialist(in) *m(f)*; ~ **de l'art moderne** Spezialist für moderne Kunst **2.**(*technicien*) Fachmann/-frau *m/f* **3.** MED Facharzt/-ärztin *m/f*

spécialité [spesjalite] *f* **1.** SCI, TECH Spezialgebiet *f* **2.**(*produit caractéristique*) Spezialität *f*; ~ **gastronomique** Spezialität

spécification [spesifikasjõ] *f* Spezifizierung *f*

spécificité [spesifisite] *f* spezifische Besonderheit

spécifier [spesifje] <1> *vt* genau angeben; *loi:* genau festlegen; ~ **qu'il est interdit de faire qc** ausdrücklich verbieten etw (*akk*) zu tun

spécifique [spesifik] *adj* spezifisch

spécifiquement [spesifikmã] *adv* spezifisch

spécimen [spesimɛn] *m* **1.**(*exemplaire*) Exemplar *nt* **2.**(*exemplaire publicitaire*) Probeexemplar *nt*

spectacle [spɛktakl] *m* **1.**(*ce qui s'offre au regard*) Anblick *m;* ~ **de la nature** Naturschauspiel *nt* **2.** THEAT, MEDIA Vorstellung *f;* ~ **dramatique/chorégraphique** Bühnenstück *nt*/Ballett *nt;* **aller au** ~ ins Theater/Kino/... gehen **3.**(*show-business*) **le monde du** ~ Showgeschäft *nt* **4.**(*avec de gros moyens*) **à grand** ~ mit großem Aufwand

spectaculaire [spɛktakylɛʀ] *adj* spektakulär

spectateur, -trice [spɛktatœʀ, -tʀis] *m, f* **1.** THEAT, SPORT Zuschauer(in) *m(f)* **2.**(*observateur*) Beobachter(in) *m(f)*

spéculatif, -ive [spekylatif, -iv] *adj* spekulativ; **gain** ~ Spekulationsgewinn *m*

spéculation [spekylasjõ] *f* **1.** FIN, COM Spekulation *f* **2.**(*supposition*) Spekulation *f;* **faire des** ~**s sur qc** Spekulationen über etw (*akk*) anstellen

spéculer [spekyle] <1> *vi* **1.** FIN, COM ~ **sur qc** mit etw spekulieren **2.**(*compter*

sur) ~ **sur qc** auf etw (*akk*) spekulieren (*fam*)

speech [spitʃ] *m* Rede *f*

spéléologie [speleɔlɔʒi] *f* **1.**(*science*) Höhlenkunde *f* **2.**(*loisirs*) Erkundung *f* von Höhlen

spencer [spɛnsœʀ, spɛnsɛʀ] *m* Spenzer *m*

spermatozoïde [spɛʀmatɔzɔid] *m* Spermium *nt*

sperme [spɛʀm] *m* Sperma *nt*

spermicide [spɛʀmisid] *adj* samenabtötend

sphère [sfɛʀ] *f* **1.** SCI Kugel *f* **2.**(*domaine*) Bereich *m;* ~ **d'influence** Einflussbereich; ~ **d'action** Wirkungskreis *m;* ~ **d'activité** Betätigungsfeld *nt*

spirale [spiʀal] *f a. fig* (*forme, fil métallique*) Spirale *f;* **cahier à** ~ Heft *nt* mit Spiralbindung; ~ **de prix** Preisspirale *f*

spiritualité [spiʀitɥalite] *f* **1.** REL Spiritualität *f* (*geh*) **2.** PHILOS Geistigkeit *f*

spirituel, le [spiʀitɥɛl] *adj* **1.**(*plein d'esprit*) geistreich **2.** REL geistlich **3.**(*qui se rapporte à l'esprit*) geistig

spirituellement [spiʀitɥɛlmã] *adv* (*avec esprit*) geistreich

spleen [splin] *m* Schwermut *m*

splendeur [splãdœʀ] *f* **1.** *a. iron* (*grande beauté, merveille*) Pracht *f* kein *Pl* **2.**(*gloire*) Glanz *m*

splendide [splãdid] *adj* prächtig

spoiler [spɔjlɛʀ] *m* Spoiler *m*

sponsor [spõsɔʀ, spɔnsɔʀ] *m* Sponsor(in) *m(f)*

sponsoring [spõsɔʀiŋ] *m,* **sponsorisation** [spõsɔʀizasjõ] *f* Sponsoring *nt*

sponsoriser [spõsɔʀize] <1> *vt* sponsern

spontané, e [spõtane] *adj* **1.** *geste, mouvement* spontan **2.** *personne, caractère* impulsiv

spontanéité [spõtaneite] *f* Spontaneität *f*

spontanément [spõtanemã] *adv* **1.**(*sans réfléchir*) spontan **2.**(*librement*) freiwillig

sport [spɔʀ] I. *adj inv* **coupe** sportlich; **s'habiller** ~ sich sportlich kleiden II. *m* **1.**(*activité sportive*) Sport *m;* ~ **de combat** Kampfsport; ~**s de combat** Kampfsportarten *Pl;* ~ **de compétition** Leistungssport; ~ **professionnel** Profisport; **faire du** ~ Sport treiben; **chaussures de** ~ Sportschuhe *Pl* **2.**(*forme d'activité sportive*) Sportart *f;* ~**s nautiques** Wassersportarten *Pl;* ~ **d'hiver** (*activité*) Wintersport *m;* ~**s d'hiver** Wintersportarten *Pl;* (*séjour*) Winterurlaub *m;* **pratiquer plusieurs** ~**s** mehrere Sportarten betreiben ▶**ça, c'est du** ~ da gehört allerhand dazu

sportif, -ive [spɔʀtif, -iv] I. *adj* **1.**(*de sport*) **les pages sportives d'un journal**

der Sportteil einer Zeitung **2.** (*de compéti-tion*) **pratiquer la danse/la natation sportive** das Tanzen/das Schwimmen als Sport betreiben **3.** (*qui fait du sport*) sport-lich **4.** *allure, démarche* sportlich **II.** *m, f* Sportler(in) *m(f)*; ~ **en chambre** sportbe-geisterter Fernsehzuschauer *m*

spot [spɔt] *m* **1.** (*lampe*) Spot *m* **2.** (*pro-jecteur*) Scheinwerfer *m* **3.** (*message pu-blicitaire*) ~ **publicitaire** Werbespot *m*

spray [spʀɛ] *m* **1.** (*pulvérisation*) Spray *m* o nt **2.** (*atomiseur*) Spraydose *f*

sprint [spʀint] *m* **1.** (*course sur petite dis-tance*) Sprint *m* **2.** (*fin de course*) ~ [**final**] Endspurt *m*

sprinteur, -euse [spʀintœʀ, -øz] *m, f* Sprinter(in) *m(f)*; (*en athlétisme*) Kurz-streckenläufer *m*

squale [skwal] *m* Hai[fisch *m*] *m*

square [skwaʀ] *m* [kleine] Grünanlage (*in-mitten eines Platzes*)

squash [skwaʃ] *m* Squash *nt*

squatter [skwate] <1> *vt* [ein Haus] beset-zen

squatteur [skwatœʀ] *m v.* **squatter**

squelette [skəlɛt] *m* **1.** ANAT, ARCHIT Skelett *nt* **2.** *fam* (*personne très maigre*) Klapper-gestell *nt*

squelettique [skəletik] *adj* (*très maigre*) spindeldürr

Sri Lanka [sʀilɑ̃ka] *m* **le** ~ Sri Lanka *nt*

SS [ɛsɛs] *mpl abr de* **Schutzstaffel** SS *f*

stabiliser [stabilize] <1> **I.** *vt* **1.** (*consoli-der, équilibrer*) stabilisieren; befestigen *ac-cotement, terrain* **2.** (*rendre stable*) stabili-sieren *monnaie, situation* **3.** (*éviter toute fluctuation*) [konstant] halten *poids, vitesse* **II.** *vpr* **se** ~ (*devenir stable*) *monnaie, situa-tion, maladie* sich stabilisieren

stabilité [stabilite] *f* ECON, POL Stabilität *f*; ~ **des prix** Preisstabilität

stable [stabl] *adj* **1.** (*ferme, équilibré*) sta-bil; *terrain* befestigt **2.** (*durable*) dauerhaft **3.** *monnaie, prix, situation* stabil; *temps* be-ständig

stade [stad] *m* **1.** SPORT Stadion *nt*; ~ **olym-pique** Olympiastadion **2.** (*phase*) Stadium *nt*

staff [staf] *m* Stab *m*

stage [staʒ] *m* **1.** (*en entreprise*) Prakti-kum *nt*; (*en rédaction*) Volontariat *nt*; **fai-re un** ~ ein Praktikum/Volontariat ma-chen **2.** (*séminaire*) Kurs *m*; ~ **de per-fectionnement** Fortbildungskurs; ~ **d'ini-tiation à qc** Einführungskurs in etw (*akk*) **3.** (*période avant la titularisation*) ≈ Refe-rendariat *nt*

stagiaire [staʒjɛʀ] **I.** *adj* **avocat** ~ ≈ [Ge-richts]referendar; **professeur** ~ ≈ [Studi-

en]referendar **II.** *mf* (*en entreprise*) Prakti-kant(in) *m(f)*; (*en rédaction*) Volontär(in) *m(f)*

stagner [stagne] <1> *vi* **1.** (*croupir*) ste-hen **2.** ECON stagnieren

stalactite [stalaktit] *f* [hängender] Tropf-stein *m*

stalagmite [stalagmit] *f* [stehender] Tropf-stein *m*

stalinisme [stalinism] *m* Stalinismus *m*

stand [stɑ̃d] *m* **1.** (*dans une exposition*) [Messe]stand *m* **2.** (*dans une fête*) Bude *f*; ~ **de tir** (*dans une fête*) Schießbude **3.** SPORT ~ **de ravitaillement** (*dans une course cycliste, pédestre*) Verpflegungs-stelle *f*; (*dans une course automobile*) Box *f*

standard¹ [stɑ̃daʀ] *m* TELEC [Telefon]zen-trale *f*

standard² [stɑ̃daʀ] **I.** *adj inv* **1.** (*fabriqué en grande série*) **modèle** ~ Serienmodell *nt* **2.** (*normalisé*) genormt; **pièce** ~ Seri-enteil *nt* **3.** (*dépourvu d'originalité*) [allge-mein] üblich; IND standardisiert; *voiture* mit Standardausrüstung; **modèle** ~ Standard-modell *nt* **4.** LING **langue** ~ Hochsprache *f* **II.** *m* (*norme*) Standard *m*, Norm *f*; ~ **de sécurité** Sicherheitsnorm; ~ **de vie** Le-bensstandard *m*

standardiser [stɑ̃daʀdize] <1> *vt* stan-dardisieren

standardiste [stɑ̃daʀdist] *mf* Telefo-nist(in) *m(f)*

staphylocoque [stafilɔkɔk] *m* Staphylo-kokkus *m* (*Fachspr.*)

star [staʀ] *f* Star *m*; ~ **de cinéma** Filmstar *m*

starting-block [staʀtiŋblɔk] <starting-blocks> *m* Startblock *m*

station [stasjɔ̃] *f* **1.** TRANSP Station *f*, Halte-stelle *f*; ~ **de taxis** Taxistand *m* **2.** (*émet-teur*) Sender *m* **3.** TECH, REL Station *f*; ~ **d'épuration** Kläranlage *f*; ~ [**d'**]**essence** Tankstelle *f*; ~ **météorologique** Wetter-station; ~ **orbitale/spatiale** [Welt]raum-station; ~ **radar** Radarstation; **les quator-ze** ~**s du chemin de Croix** die vierzehn Stationen des Kreuzwegs **4.** TOUR ~ **bal-néaire/de sports d'hiver** Bade-/Winter-sportort *m*; ~ **thermale** Thermalkurort *m*

stationnaire [stasjɔnɛʀ] *adj* (*qui n'évolue pas*) unverändert

stationnement [stasjɔnmɑ̃] *m* Parken *nt*; **voitures en** ~ parkende Autos *Pl*; **ticket/disque de** ~ Parkschein *m*/Parkscheibe *f*; ~ **payant** gebührenpflichtiges Parken; ~ **interdit** Parken verboten; **panneau de** ~ **interdit** Halteverbotsschild *nt*

stationner [stasjɔne] <1> *vi* (*être garé*)

parken; **interdiction de** ~ Parkverbot *nt*
station-service [stasjɔ̃sɛʀvis] <**stations-service[s]**> *f* Tankstelle *f*
statisticien, ne [statistisjɛ̃, jɛn] *m, f* Statistiker(in) *m(f)*
statistique [statistik] I. *adj* statistisch II. *f* 1. (*science*) Statistik *f;* **les** ~**s** die Statistik 2. (*chiffres*) Statistik *f;* **faire des** ~**s** Statistiken erstellen
statistiquement [statistikmɑ̃] *adv* statistisch
statue [staty] *f* Statue *f;* ~ **de marbre/de bronze/de bois** Marmor-/Bronze-/Holzstatue; **la** ~ **de la Liberté** die Freiheitsstatue
statufier [statyfje] <1a> *vt* 1. *fam* (*élever une statue à*) ~ **qn** jdn auf den Sockel heben 2. (*pétrifier*) versteinern
statu quo [statykwo] *m inv* Status quo *m*
statut [staty] *m* 1. *a.* ADMIN Status *m;* ~ **de fonctionnaire** Beamtenstatus; ~ **social** gesellschaftlicher Status *m. pl* JUR *d'une association, société* Satzung *f*
steak [stɛk] *m* Steak *nt*
stèle [stɛl] *f* Stele *f*
sténo [steno] I. *mf abr de* **sténographe** Stenograf [*o* Stenograph](in) *m(f)* II. *mf abr de* **sténodactylo** Stenotypist(in) *m(f)* III. *f abr de* **sténographie** Steno *f* (*fam*); **en** ~ in Steno
sténodactylo [stenodaktilo] *mf* Stenotypist(in) *m(f)*
sténodactylographie [stenodaktilɔɡʀafi] *f* Stenotypieren *nt*
sténographie [stenɔɡʀafi] *f* Stenografie *f*
stentor [stɑ̃tɔʀ] *m v.* **voix**
stéréophonie [steʀeɔfɔni] *f* Stereofonie *f*
stéréotype [steʀeɔtip] *m* Stereotyp *nt*
stérile [steʀil] *adj* 1. BIO, AGR unfruchtbar 2. (*sans microbes*) steril 3. LITTER, ART unschöpferisch
stérilet [steʀilɛ] *m* Spirale *f* (*fam*)
stérilisateur [steʀilizatœʀ] *m* Sterilisator *m*
stériliser [steʀilize] <1> *vt* sterilisieren
stérilité [steʀilite] *f* 1. BIO, AGR Unfruchtbarkeit *f* 2. (*absence de microbes*) Keimfreiheit *f* 3. ART, LITTER Unproduktivität *f* 4. *fig d'un débat* Unfruchtbarkeit *f*
steward [stiwaʀt] *m* Steward *m*
stick [stik] *m* Stift *m;* ~ **de colle** Klebestift; ~ **à lèvres** Lippenstift
stimulant [stimylɑ̃] *m* 1. (*médicament*) anregendes Mittel 2. (*incitation*) Ansporn *m*
stimulant, e [stimylɑ̃, ɑ̃t] *adj* 1. (*fortifiant*) anregend 2. (*qui ouvre l'esprit*) anregend 3. (*encourageant*) aufmunternd
stimulateur [stimylatœʀ] *m* ~ **cardiaque**

Herzschrittmacher *m*
stimuler [stimyle] <1> *vt* 1. (*activer, augmenter*) anregen 2. (*encourager*) anspornen
stock [stɔk] *m* 1. COM Lager *nt,* Bestand *m;* **avoir en** ~ auf Lager haben; **liquider son** ~ seinen Lagerbestand verkaufen; ~ **de marchandises** Warenlager 2. (*réserve*) Vorrat *m;* ~ **de sucre** Zuckervorrat 3. (*grande quantité*) **garde ce stylo, j'en ai tout un** ~ *fam* behalte den Stift, ich habe jede Menge davon
stocker [stɔke] <1> *vt* 1. (*mettre en réserve*) ~ **des noisettes** *animal* sich (*dat*) einen Vorrat Haselnüsse anlegen 2. INFORM ~ **les données sur une disquette** die Daten auf einer Diskette [ab]speichern
Stockholm [stɔk´ɔlm] Stockholm *nt*
stoïquement [stɔikmɑ̃] *adv* unerschütterlich
stomatologie [stɔmatɔlɔʒi] *mf* Stomatologie *f*
stop [stɔp] I. *interj* 1. (*halte*) stopp; ~ **à l'inflation** stoppt die Inflation 2. (*dans un télégramme*) stop II. *m* 1. (*panneau*) Stoppschild *nt;* (*feu*) Haltesignal *nt* 2. (*feu arrière*) Bremslicht *nt* 3. (*auto-stop*) **faire du** ~ *fam* trampen, per Anhalter fahren; **en** ~ *fam* per Anhalter III. *app* **panneau** ~ Stoppschild *nt*
stopper [stɔpe] <1> I. *vi* stehen bleiben, anhalten II. *vt* 1. (*arrêter la marche de*) stoppen 2. (*arrêter*) stoppen *inflation, chômage*
store [stɔʀ] *m* 1. (*rideau à enrouler*) Rollo *nt* 2. (*rideau de magasin*) Rollladen *m* 3. (*à lamelles*) ~ **vénitien** Jalousie *f*
Strasbourg [stʀasbuʀ] Straßburg *nt*
strass [stʀas] *m* Strass *m*
stratagème [stʀataʒɛm] *m* List *f*
stratégie [stʀateʒi] *f* Strategie *f;* **jeu de** ~ Strategiespiel; ~ **électorale d'un parti** Wahlkampfstrategie einer Partei
stratégique [stʀateʒik] *adj objectif, repli, intérêt* strategisch; *matière première, position* strategisch wichtig
stratifié [stʀatifje] *m* Schicht[press]stoff *m*
stress [stʀɛs] *m* Stress *m kein Pl*
stressant, e [stʀɛsɑ̃, ɑ̃t] *adj* stressig (*fam*)
stresser [stʀɛse] <1> I. *vt* stressen (*fam*); **être stressé** im Stress sein (*fam*) II. *vi* sich stressen
stretching [stʀɛtʃiŋ] *m* Stretching *nt*
strict, e [stʀikt] *adj* 1. (*sévère*) streng; **être très** ~ **sur le règlement** es sehr genau mit den Bestimmungen nehmen; **être** ~ **avec qn** streng mit jdm sein 2. *principe, observation, respect* streng, strikt 3. *antéposé*

(*exact*) **c'est la ~e vérité** das ist die reine Wahrheit **4.** *antéposé minimum* absolut; **le ~ nécessaire** das Allernötigste; **dans la plus ~e intimité** im engsten Familienkreis **5.** (*littéral*) **au sens ~** im engeren Sinne **6.** *vêtement, tenue* streng geschnitten

strictement [stʀiktəmɑ̃] *adv* **1.** (*pour renforcer*) strikt; **~ interdit** streng verboten; **c'est ~ pareil** das ist genau das Gleiche; **~ confidentiel** streng vertraulich **2.** (*littéralement, au sens restreint*) **~ parlant** genau genommen **3.** (*sobrement*) **~ vêtu** streng gekleidet

stridulation [stʀidylasjɔ̃] *f* Zirpen *nt*

string [stʀiŋ] *m* String-Tanga *m*

strip-tease [stʀiptiz] <strip-teases> *m* (*spectacle*) Striptease *m;* **faire un ~** strippen

strip-teaseur , **-euse** [stʀiptizœʀ, -øz] <strip-teaseurs> *m, f* Stripteasetänzer(in) *m(f)*

strophe [stʀɔf] *f* Strophe *f*

structure [stʀyktyʀ] *f* **1.** (*organisation*) Struktur *f;* **~ de la personnalité** Persönlichkeitsstruktur; **réforme de ~** Strukturreform *f* **2.** (*lieu, service social*) **~ d'accueil** soziale Einrichtung

structurer [stʀyktyʀe] <1> I. *vt* strukturieren; gliedern *exposé, ouvrage* II. *vpr* **se ~** sich organisieren

strychnine [stʀiknin] *f* Strychnin *nt*

studio [stydjo] *m* **1.** MEDIA Studio *nt;* **~ de télévision/cinéma** Fernseh-/Filmstudio; **~ d'enregistrement** Aufnahmestudio; **à vous, les ~s** wir schalten zurück ins Studio **2.** (*logement*) Einzimmerwohnung *f,* Studio *nt*

stupéfaction [stypefaksjɔ̃] *f* (*étonnement*) Verblüffung *f*

stupéfait, e [stypefɛ, ɛt] *adj* (*étonné*) verblüfft

stupéfiant [stypefjɑ̃] *m* Betäubungsmittel *nt,* Rauschgift *nt*

stupéfiant, e [stypefjɑ̃, jɑ̃t] *adj* verblüffend

stupéfié, e [stypefje] *adj* (*très étonné*) verblüfft

stupéfier [stypefje] <1> *vt* (*étonner*) verblüffen

stupeur [stypœʀ] *f* (*étonnement*) Verblüffung *f;* **être frappé de ~** verblüfft sein

stupide [stypid] *adj* **1.** (*inintelligent*) dumm; *vie, travail* stumpfsinnig **2.** *accident, pari* dumm

stupidement [stypidmɑ̃] *adv* **1.** *se conduire* dumm; *rire* dummerweise; **répondre ~** eine dumme Antwort geben **2.** (*absurdement*) sinnlos

stupidité [stypidite] *f* **1.** (*inintelligence,*

bêtise) Dummheit *f* **2.** (*action, propos stupide*) Dummheit *f,* Blödsinn *f*

style [stil] *m* **1.** (*écriture*) Stil *m;* **~ parlé/écrit** gesprochene/geschriebene Sprache; **~ administratif/publicitaire** Behörden-/Werbesprache *f;* **avoir un ~ soutenu/négligé** sich gewählt/nachlässig ausdrücken; **en ~ télégraphique** im Telegrammstil **2.** (*discours*) Rede *f;* **~ direct/indirect** direkte/indirekte Rede; **~ indirect libre** erlebte Rede **3.** (*genre*) Art *f; d'un vêtement* Stil *m; d'un immeuble, d'une maison* [Bau]stil; **des meubles de ~** Stilmöbel *Pl* **4.** ART, LITTER Stil *m;* **sculpture de ~ expressionniste** Skulptur *f* im Stil des Expressionismus **5.** (*manière personnelle*) Stil *m; ~* **de vie** Lebensstil; **avoir du ~** Stil haben; **arriver en retard, c'est bien dans son ~!** zu spät zu kommen ist typisch für ihn!

stylisme [stilism] *m* Design *nt*

styliste [stilist] *mf* Stilist(in) *m(f);* IND Designer(in) *m(f)*

stylistique [stilistik] I. *adj* stilistisch II. *f* Stilistik *f*

stylo [stilo] *m* Füller *m; ~* [à] **plume** Füllfederhalter *m; ~* [à] **bille** Kugelschreiber *m;* **tu n'aurais pas un ~?** *fam* hast du mal einen Stift für mich?

stylo-feutre [stiloføtʀ] <stylos-feutres> *m* Filzstift *m*

su [sy] *part passé de* **savoir**

suavité [sɥavite] *f d'une odeur, musique* Lieblichkeit *f; des manières, de la voix* Sanftheit *f*

subconscient [sybkɔ̃sjɑ̃] *m* Unterbewusstsein *nt*

subdiviser [sybdivize] <1> *vt* (*diviser encore*) **~ une échelle en qc** eine Skala [weiter] in etw (*akk*) unterteilen

subdivision [sybdivizjɔ̃] *f* (*fait de subdiviser*) erneute Unterteilung

subir [sybiʀ] <8> *vt* **1.** (*être victime de*) erleiden; **des injustices subies** erlittenes Unrecht **2.** (*endurer*) erdulden; über sich ergehen lassen *événements;* auf sich nehmen *conséquences* **3.** (*être soumis à*) **~ le charme/l'influence** dem Charme/Einfluss erliegen; **~ une opération/un interrogatoire** operiert/vernommen werden **4.** (*être l'objet de*) erfahren *modification* **5.** *fam* (*devoir supporter*) ertragen *personne*

subitement [sybitmɑ̃] *adv* [ganz] plötzlich

subjectif, -ive [sybʒɛktif, -iv] *adj* subjektiv

subjectivité [sybʒɛktivite] *f* Subjektivität *f*

subjonctif [sybʒɔ̃ktif] *m* GRAM Subjonctif *m*

subjuguer [sybʒyge] <1> *vt* (*fasciner*) in

seinen Bann ziehen

sublime [syblim] **I.** *adj* **1.** (*admirable*) überwältigend **2.** (*d'une haute vertu*) erhaben **II.** *m* Erhabene *nt*

submerger [sybmɛRʒe] <2a> *vt* **1.** (*inonder*) unter Wasser (*akk*) setzen, fluten *digue, rives;* überschwemmen *plaine, terres;* **être submergé** unter Wasser stehen **2.** (*envahir*) ~ **qn de travail/de questions** jdn mit Arbeit/Fragen überhäufen

submersible [sybmɛRsibl] *adj navire, sous-marin* tauchfähig; **terre** ~ Überschwemmungsland *nt*

subordonné, e [sybɔRdɔne] **I.** *m, f* Untergebene(r) *f(m)* **II.** *adj proposition* untergeordnet

subordonnée [sybɔRdɔne] *f* Nebensatz *m*

subornation [sybɔRnasjɔ̃] *f* Bestechung *f*

subsidiaire [sybzidjɛR, sypsidjɛR] *adj* zusätzlich; *raison* weitere(r, s)

subsidiarité [sybzidjaRite] *f* Subsidiarität *f*

subsister [sybziste] <1> *vi* **1.** (*subvenir à ses besoins*) [über]leben **2.** (*demeurer*) *doute, erreur:* weiter bestehen; ~ **de qc** von etw bleiben

subsonique [sypsɔnik] *adj* Unterschall-

substance [sypstɑ̃s] *f* **1.** (*matière*) Substanz *f* **2.** *d'un article, livre* wesentlicher Inhalt; **en** ~ im Wesentlichen

substantif [sypstɑ̃tif] *m* Substantiv *nt*, Hauptwort *nt*

substituer [sypstitɥe] <1> **I.** *vt* ~ **un collègue/un mot à un autre** (*volontairement*) einen Kollegen durch einen anderen/ein Wort durch ein anderes ersetzen; (*involontairement*) einen Kollegen/ein Wort mit einem anderen vertauschen **II.** *vpr* **se** ~ **à qn** sich an jds Stelle *f* (*akk*) setzen

substitut [sypstity] *m* **1.** (*remplacement*) Ersatz *m;* **être le** ~ **de qn/qc** jdn/etw ersetzen **2.** JUR ~ **du procureur** Staatsanwalt/-anwältin *m/f*

substitution [sypstitysjɔ̃] *f* (*volontaire*) Austauschen *nt;* (*involontaire*) Vertauschen *nt*

subterfuge [syptɛRfyʒ] *m* Ausflucht *f*

subtil, e [syptil] *adj personne* scharfsinnig; *raisonnement* feinsinnig; *distinction, nuance* fein; *parfum* zart

subtilement [syptilmɑ̃] *adv* **1.** *argumenter, raisonner* feinsinnig; *exprimer* nuanciert **2.** (*habilement*) geschickt

subtiliser [syptilize] <1> *vt* ~ **un livre à qn** jdm ein Buch stehlen

subtilité [syptilite] *f soutenu* **1.** (*finesse*) Subtilität *f* (*geh*); *d'une analyse* Nuanciert-

heit *f;* ~ **d'esprit** Scharfsinnigkeit *f* **2.** *d'un art, d'une langue* Feinheit *f*

subtropical, e [sybtRɔpikal, o] <-aux> *adj* subtropisch

subvenir [sybvǝniR] <9> *vi* ~ **à qc** für etw aufkommen

subvention [sybvɑ̃sjɔ̃] *f* Subvention *f*

subventionner [sybvɑ̃sjɔne] <1> *vt* subventionieren

succéder [syksede] <5> **I.** *vi* **1.** (*venir après*) ~ **à qc** auf etw (*akk*) folgen **2.** (*assurer la succession*) ~ **à qn** jds Nachfolge *f* antreten **3.** (*hériter*) erben **II.** *vpr* **se** ~ einander folgen

succès [syksɛ] *m* **1.** (*opp: échec*) Erfolg *m;* ~ **en qc** Erfolg bei etw; ~ **fou** *fam* Wahnsinnserfolg; ~ **de circonstance** Augenblickserfolg; **avoir du** ~ **auprès de qn** bei jdm Erfolg haben; **être couronné de** ~ von Erfolg gekrönt sein; **remporter un** ~ einen Erfolg erzielen; **à** ~ Erfolgs-; **avec/sans** ~ mit/ohne Erfolg **2.** (*conquête amoureuse*) Erfolg *m kein Pl;* ~ **féminins** Erfolg bei den Frauen **3.** SPORT, MIL Sieg *m*

successeur [syksesœR] *m* Nachfolger(in) *m(f)*

successif, -ive [syksesif, -iv] *adj époques, générations* aufeinander folgend; *tâches* stets neu anfallend

succession [syksesjɔ̃] *f* **1.** (*transmission du pouvoir*) Nachfolge *f;* **prendre la** ~ **de qn/qc** die Nachfolge einer Person/S. (*gen*) antreten **2.** (*héritage*) Erbschaft *f,* Verlassenschaft *f* (A); **droits de** ~ Erbschaftssteuer *f*

successivement [syksesivmɑ̃] *adv* nacheinander

succinctement [syksɛ̃tmɑ̃] *adv* kurz [und bündig]

succion [sy(k)sjɔ̃] *f* Saugen *nt; d'une plaie, blessure* Aussaugen *nt*

succomber [sykɔ̃be] <1> *vi* **1.** (*mourir*) sterben; ~ **à qc** einer S. (*dat*) erliegen **2.** (*être vaincu*) ~ **sous qc** einer S. (*dat*) erliegen; ~ **sous le poids de qc** unter dem Gewicht einer S. (*gen*) zusammenbrechen **3.** (*céder à*) ~ **à la tentation/au charme de qn/qc** der Versuchung/dem Charme einer Person/S. (*gen*) erliegen

succulent, e [sykylɑ̃, ɑ̃t] *adj* köstlich

succursale [sykyRsal] *f* Filiale *f*

sucer [syse] <2> **I.** *vt* **1.** (*aspirer*) aussaugen *sang, suc d'une plante, citron* **2.** (*lécher*) lutschen *bonbon;* ~ **le crayon/le pouce** am Bleistift/Daumen lutschen **3.** *vulg* (*faire une fellation*) ~ **qn** jdm einen blasen **II.** *vpr* **se** ~ gelutscht werden

sucette [sysɛt] *f* (*bonbon*) Lutscher *m*

sucre [sykR] *m* Zucker *m;* (*morceau*) Stück

nt Zucker; ~ **candi/cristallisé/glace** Kandis-/[mittelgrober] Kristall-/Puderzucker; ~ **en morceaux** Würfelzucker; ~ **en poudre** feiner Kristallzucker; ~ **de canne** Rohrzucker *m* ▶**casser du** ~ **sur le dos de qn** *fam* jdn durch den Dreck ziehen; **être tout** ~ **tout** <u>miel</u> zuckersüß sein

sucré, e [sykʀe] *adj* süß; (*par addition de sucre*) gesüßt

sucrer [sykʀe] <1> **I.** *vt* **1.**(*mettre du sucre*) zuckern, süßen **2.** *fam* (*supprimer*) ~ **l'argent de poche à un enfant** einem Kind das Taschengeld streichen **II.** *vi* (*rendre sucré*) süßen **III.** *vpr fam* **se** ~ absahnen

sucrerie [sykʀəʀi] *f* (*friandise*) Süßigkeit *f*

sucrette® [sykʀɛt] *f* Süßstofftablette *f*

sud [syd] **I.** *m* Süden *m;* **au** ~ (*dans/vers la région*) im/in den Süden; (*vers le point cardinal*) nach Süden; **au** ~ **de qc** südlich von etw; **dans le** ~ **de** im Süden von; **du** ~ aus dem Süden; **les Allemands du** ~ die Süddeutschen; **vers le** ~ nach Süden; **l'autoroute du Sud** die Autobahn nach Süden **II.** *adj inv* Süd-; *banlieue, latitude* südlich

sud-africain, e [sydafʀikɛ̃, ɛn] <sud-africains> *adj* südafrikanisch **Sud-Africain, e** [sydafʀikɛ̃, ɛn] <Sud-Africains> *m, f* Südafrikaner(in) *m(f)* **sud-américain, e** [syd ̃ameʀikɛ̃, ɛn] <sud-américains> *adj* südamerikanisch **Sud-Américain, e** [sydameʀikɛ̃, ɛn] <Sud-Américains> *m, f* Südamerikaner(in) *m(f)* **sud-coréen, ne** [sydkɔʀeɛ̃, ɛn] <sud-coréens> *adj* südkoreanisch **Sud-Coréen, ne** [sydkɔʀeɛ̃, ɛn] <Sud-Coréens> *m, f* Südkoreaner(in) *m(f)* **sud-est** [sydɛst] *inv* **I.** *m* Südosten *m* **II.** *adj inv* südöstlich; **vent** ~ Südostwind *m* **sud-ouest** [sydwɛst] **I.** *m* Südwesten *m* **II.** *adj inv* südwestlich; **vent** ~ Südwestwind *m* **sud-vietnamien, ne** [sydvjɛtnamjɛ̃, jɛn] <sud-vietnamiens> *adj* HIST südvietnamesisch **Sud-Vietnamien, ne** [sydvjɛtnamjɛ̃, jɛn] <Sud-Vietnamiens> *m, f* HIST Südvietnamese/-vietnamesin *m/f*

Suède [sɥɛd] *f* **la** ~ Schweden *nt*

suédine [sɥedin] *f* Wildlederimitation *f*

suédois [sɥedwa] *m* Schwedisch *nt; v. a.* **allemand**

suédois, e [sɥedwa, waz] *adj* schwedisch

Suédois, e [sɥedwa, waz] *m, f* Schwede/Schwedin *m/f*

suée [sɥe] *f fam* Schweißausbruch *m;* **attraper une bonne** ~ kräftig ins Schwitzen kommen

suer [sɥe] <1> *vi* **1.**(*transpirer*) ~ **de qc** vor etw (*dat*) schwitzen **2.**(*se donner beaucoup de mal*) ~ **sur qc/pour faire qc** sich mit etw quälen/sich abmühen etw zu tun

sueur [sɥœʀ] *f* Schweiß *m;* **avoir des** ~**s** Schweißausbrüche *Pl* haben; **être en** ~ schweißnass sein ▶**à la** ~ **de son** <u>front</u> im Schweiße seines/ihres Angesicht[e]s; **qn a des** ~**s** <u>froides</u> jdm bricht der kalte Schweiß aus

suffire [syfiʀ] <*irr*> **I.** *vi* **1.**(*être assez*) ~ **à qn** jdm genügen **2.**(*satisfaire*) ~ **aux besoins** für die Bedürfnisse *Pl* aufkommen; ~ **aux obligations** den Verpflichtungen (*dat*) nachkommen **II.** *vi impers* (*être suffisant*) **il suffit d'une fois** einmal reicht; **il suffit que vous soyez là pour qu'il se calme** um ihn zu beruhigen genügt es, wenn Sie da sind; **ça suffit** [**comme ça**]! *fam* jetzt reicht's! **III.** *vpr* **se** ~ **à soi-même** (*matériellement*) sich selbst versorgen; (*intellectuellement*) sich (*dat*) selbst genügen

suffisamment [syfizamɑ̃] *adv* ~ **grand** groß genug; ~ **affranchie** ausreichend frankiert; ~ **de temps/livres** genügend Zeit/Bücher; ~ **à boire** genug zu trinken

suffisant, e [syfizɑ̃, ɑ̃t] *adj nombre, techniques* ausreichend; *place* genügend *inv; résultat, somme* erforderlich, notwendig; **ne pas être** ~ nicht reichen; ~ **pour faire qc** ausreichend um etw zu tun

suffixe [syfiks] *m* Nachsilbe *f,* Suffix *nt*

suffoquer [syfɔke] <1> **I.** *vt* **1.**(*étouffer*) ~ **qn** jdm den Atem nehmen **2.**(*stupéfier*) ~ **qn** jdm den Atem verschlagen; (*s'emparer de*) *colère, joie:* jdn überwältigen **II.** *vi* **1.**(*perdre le souffle*) ersticken **2.**(*ressentir une vive émotion*) ~ **de colère** vor Wut außer sich (*dat*) sein

suffrage [syfʀaʒ] *m* **1.**(*voix*) [Wahl]stimme *f;* ~ **universel** allgemeines Wahlrecht; **les** ~**s exprimés** die abgegebenen Stimmen **2.** *pl* (*approbation*) Zustimmung *f;* **remporter tous les** ~**s** allgemeinen Beifall finden

suggérer [sygʒeʀe] <5> *vt* **1.**(*proposer*) ~ **un voyage à qn** jdm eine Reise vorschlagen **2.**(*inspirer*) ~ **une solution à qn** jdn auf eine Lösung bringen

suggestion [sygʒɛstjɔ̃] *f* Vorschlag *m;* **faire une** ~ **à qn** (*proposer*) jdm einen Vorschlag machen; (*conseiller*) jdm etw raten

suicidaire [sɥisidɛʀ] *adj* selbstmörderisch

suicide [sɥisid] **I.** *m* **1.**(*mort volontaire*) Selbstmord *m* **2.**(*entreprise suicidaire*) Selbstmord *m;* **c'est du** ~ das ist glatter Selbstmord (*fam*) **II.** *app opération* selbst-

mörderisch; *commando* Selbstmord-; *avion* Kamikaze-

suicider [sɥiside] <1> *vpr se* ~ **1.** (*se tuer*) Selbstmord begehen **2.** (*se détruire*) sich [selbst] zugrunde richten

suis [sɥi] *indic prés de* **être**

suisse [sɥis] **I.** *adj* Schweizer *attr; peuple* schweizerisch; ~ **romand** welsch[schweizerisch] **II.** *m* (*garde*) Schweizer Gardist *m;* (*bedeau*) Küster *m* ▸**petit** ~ GASTR *Rahmquark in kleinen Portionen;* boire/manger en ~ *fam* heimlich trinken/essen

Suisse [sɥis] **I.** *f* **la** ~ die Schweiz **II.** *mf* Schweizer(in) *m(f);* **c'est un** ~ **allemand/romand** er ist Deutsch-/Französischschweizer [*o* Welschschweizer CH]

Suissesse [sɥisɛs] *f* Schweizerin *f;* ~ **romande** Welschschweizerin *f*

suite [sɥit] *f* **1.** *d'une lettre, d'un roman* Rest *m; d'une affaire* Nachspiel *nt;* **attendre la** ~ abwarten, wie es weiter geht **2.** *d'événements, de nombres* [Ab]folge *f; d'objets, de personnes* Reihe *f* **3.** (*conséquence*) Folge *f;* **sans** ~ ohne Folgen *Pl* **4.** (*nouvel épisode*) Fortsetzung *f,* Folge *f;* **la** ~ **au prochain numéro** Fortsetzung folgt **5.** (*cohérence*) Zusammenhang *m* **6.** (*appartement*) Suite *f* **7.** INFORM ~ **bureautique** Office-Paket *nt* ▸**tout de** ~ sofort; **tout de** ~ **avant/après** kurz davor/gleich danach; **donner** ~ **à qc** auf etw (*akk*) reagieren; **entraîner qc à sa** ~ etw mit sich bringen; **faire** ~ **à qc** auf etw (*akk*) folgen; **prendre la** ~ **de qn/qc** jdn/etw ablösen; ~ **à qc** Bezug *m* nehmend auf etw (*akk*); **à la** ~ [**l'un de l'autre**] nacheinander; **à la** ~ **de qc** nach etw; **et ainsi de** ~ und so weiter; **de** ~ (*d'affilée*) hintereinander; *fam* **par la** ~ später; **par** ~ **de qc** infolge einer S. (*gen*)

suivant [sɥivã] *prép* **1.** (*conformément à*) gemäß (+ *dat*); (*en fonction de*) je nach (+ *dat*) **2.** (*le long de*) entlang (+ *dat*)

suivant, e [sɥivã, ãt] **I.** *adj* **1.** (*qui vient ensuite*) nächste(r, s) **2.** (*ci-après*) folgende(r, s) **II.** *m, f* Nächste(r) *f(m);* **au** ~! der Nächste!

suiveur, -euse [sɥivœr, -øz] *m, f* **1.** SPORT Begleiter(in) *m(f)* **2.** (*opp: meneur*) Mitläufer(in) *m(f)*

suivi [sɥivi] *m d'une affaire* Weiterverfolgung *f; d'un produit* Kundendienst *m;* ~ **médical** medizinische Betreuung

suivi, e [sɥivi] *adj* **1.** (*continu*) regelmäßig; *effort* kontinuierlich **2.** *conversation, raisonnement* zusammenhängend; *politique* konsequent

suivre [sɥivʀ] <*irr*> **I.** *vt* **1.** (*aller derrière*) ~ **qn/une route** jdm/einer Straße folgen;

faire ~ **qn** jdn beschatten lassen **2.** (*venir ensuite*) ~ **qn sur une liste** auf einer Liste gleich nach jdm kommen; **l'hiver suit l'automne** auf den Herbst folgt der Winter **3.** (*hanter*) verfolgen **4.** (*se conformer à*) ~ **qn/qc** jdm/einer S. folgen; ~ **la mode** mit der Mode gehen **5.** SCOL besuchen *classe, cours* **6.** (*observer*) beobachten, beaufsichtigen *élève, malade;* verfolgen *actualité, affaire, compétition* **7.** COM ständig führen *article, produit* **8.** (*comprendre*) ~ **qn/qc** jdm/einer S. [geistig] folgen ▸[**être**] **à** ~ *personne:* vorbildlich [sein]; *exemple:* mustergültig [sein]; **à** ~ Fortsetzung *f* folgt **II.** *vi* **1.** (*venir après*) folgen **2.** (*réexpédier*) **faire** ~ **qc** etw nachsenden lassen **3.** (*être attentif*) aufpassen; (*assimiler*) mitkommen **4.** (*évoluer parallèlement*) gleichziehen **III.** *vi impers* **comme suit** wie folgt **IV.** *vpr* **se** ~ **1.** (*se succéder*) aufeinander folgen **2.** (*être cohérent*) einen Zusammenhang haben

sujet [syʒɛ] *m* **1.** (*thème*) Thema *nt* **2.** (*cause*) Grund *m;* **sans** ~ grundlos **3.** (*individu*) Mensch *m;* **brillant** ~ glänzender Schüler/glänzende Schülerin; **d'élite** Spitzenschüler *m;* **mauvais** ~ übles Subjekt (*pej*) **4.** GRAM Subjekt *nt* **5.** PHILOS Subjekt *nt* ▸**c'est à quel** ~? *fam* worum geht's?; **à ce** ~ diesbezüglich; **au** ~ **de qn/qc** bezüglich einer Person/S. (*gen*), was jdn/etw betrifft

sujet, te [syʒɛ, ʒɛt] *adj* **être** ~ **à la migraine** für Migräne anfällig sein; **être** ~ **au mal de mer** leicht seekrank werden; **être** ~ **à faire qc** dazu neigen, etw zu tun

sujétion [syʒesjɔ̃] *f soutenu* **1.** (*dépendance*) ~ **à qn/qc** Abhängigkeit *f* von jdm/etw **2.** (*contrainte*) Bürde *f*

sulfurisé, e [sylfyʀize] *adj* mit Schwefelsäure *f* behandelt; **papier** ~ Pergamentpapier *nt*

sultanat [syltana] *m* Sultanat *nt*

summum [sɔ(m)mɔm] *m* **1.** *d'une civilisation, de la gloire* Höhepunkt *m* **2.** *iron* (*comble*) Gipfel *m*

super¹ [sypɛʀ] *m abr de* **supercarburant** Super *nt;* ~ **sans plomb/plombé** Super bleifrei/verbleit

super² [sypɛʀ] *adj inv, fam* super

superbe [sypɛʀb] *adj repas, vin* erstklassig; *corps, yeux, paysage* wunderschön; *performance, résultat* erstklassig, fantastisch; *enfant* prächtig; *temps* herrlich; **elle a une mine** ~ sie sieht blendend aus

superbement [sypɛʀbəmã] *adv* großartig

superchampion, ne [sypɛʀʃãpjɔ̃, jɔn] *m, f* Spitzensportler(in) *m(f)*

superficie [sypɛʀfisi] *f d'un terrain, pays*

Fläche *f; d'un appartement* Grundfläche; **unité de** ~ Flächenmaß *nt*

superficiel, le [sypɛʀfisjɛl] *adj* oberflächlich

superficiellement [sypɛʀfisjɛlmɑ̃] *adv* oberflächlich

superflu [sypɛʀfly] *m* Überflüssige(s) *nt*

superflu, e [sypɛʀfly] *adj* überflüssig

superforme [sypɛʀfɔʀm] *f fam* Höchstform *f*

supérieur [sypeʀjœʀ] *m* Hochschulwesen *nt*

supérieur, e [sypeʀjœʀ] **I.** *adj* **1.** (*plus haut dans l'espace*) obere(r, s); *lèvre, mâchoire* Ober- **2.** (*plus élevé dans la hiérarchie*) höhere(r, s); *animal, plante* höher entwickelt; *cadre* leitend; **enseignement** ~ Hochschulwesen *nt;* **d'ordre** ~ höherwertig **3.** (*de grande qualité*) hervorragend; *produit* erstklassig **4.** (*qui dépasse*) **être** ~ **à un coureur par la vitesse/en vitesse** einem Läufer in Bezug auf Geschwindigkeit (*akk*) überlegen sein; ~ **en nombre/par la qualité** zahlenmäßig größer/qualitativ besser; **être** ~ **à la moyenne** über dem Durchschnitt *m* liegen **5.** *air, regard, ton* überlegen **II.** *m, f* Vorgesetzte(r) *f(m);* REL Superior(in) *m(f)*

supériorité [sypeʀjɔʀite] *f* ~ **sur qn/qc** Überlegenheit *f* jdm/etw gegenüber; **complexe de** ~ Größenwahn *m*

superlatif [sypɛʀlatif] *m* Superlativ *m*

supermarché [sypɛʀmaʀʃe] *m* Supermarkt *m*

superposé, e [sypɛʀpoze] *adj couches* übereinander liegend; *livres, pierres* aufeinander getürmt; *lits* ~**s** Etagenbett *nt*

superposer [sypɛʀpoze] <1> **I.** *vt* **1.** (*faire chevaucher*) übereinander legen **2.** (*empiler*) auftürmen **II.** *vpr* **1.** (*se recouvrir*) **se** ~ *figures géométriques:* sich decken; *images:* sich überdecken **2.** (*s'ajouter*) **se** ~ **à qc** *couche:* etw überlagern; *élément, renseignements:* zu etw hinzukommen

superproduction [sypɛʀpʀɔdyksjɔ̃] *f* Monumentalfilm *m*

supersonique [sypɛʀsɔnik] *m* Überschallflugzeug *nt*

superstitieux, -euse [sypɛʀstisjø, -jøz] *adj* abergläubisch

superstition [sypɛʀstisjɔ̃] *f* Aberglaube[n] *m*

superviser [sypɛʀvize] <1> *vt* überprüfen; beaufsichtigen *travail*

superviseur [sypɛʀvizœʀ] *m* INFORM Kontrollprogramm *nt*

supervision [sypɛʀvizjɔ̃] *f* Überprüfung *f; d'un travail* Beaufsichtigung *f;* PSYCH Supervision *f*

supplément [syplemɑ̃] *m* **1.** (*surplus*) zusätzliche Menge; **un** ~ **de salaire** eine Gehalts-/Lohnzulage; **en** ~ zusätzlich **2.** *d'un journal, d'une revue* Beilage *f; d'un dictionnaire* Ergänzungsband *m* **3.** (*somme d'argent à payer*) Aufpreis *m;* CHEMDFER Zuschlag *m*

supplémentaire [syplemɑ̃tɛʀ] *adj* zusätzlich; *édition, train* Sonder-; **heure** ~ Überstunde *f*

supplice [syplis] *m* (*souffrance*) Qual *f* ▸ **être au** ~ [wie] auf glühenden Kohlen sitzen; **mettre qn au** ~ jdn quälen

supplicié, e [syplisje] *m, f* [zu Tode] Gefolterte(r) *f(m)*

supplier [syplije] <1> *vt* ~ **qn de faire qc** jdn inständig bitten etw zu tun

support [sypɔʀ] *m* **1.** (*soutien*) Stütze *f; d'un meuble, d'une statue* Sockel *m* **2.** INFORM ~ **d'information** Datenträger *m,* Medium *nt*

supportable [sypɔʀtabl] *adj* erträglich

supporter [sypɔʀte] <1> **I.** *vt* **1.** (*psychiquement*) ertragen; hinnehmen *malheur;* sich (*dat*) gefallen lassen *mauvais traitement;* ~ **de faire qc** es ertragen etw zu tun; **mal/ne pas** ~ **que** + *subj* se nicht ausstehen können, wenn; **je ne peux pas le** ~ ich kann ihn nicht ausstehen **2.** (*physiquement*) vertragen *alcool, chaleur;* aushalten *douleur;* überstehen *opération;* **ne pas** ~ **l'avion/la vue du sang** das Fliegen nicht vertragen/kein Blut *nt* sehen können; ~ **la chaleur** *plat:* hitzebeständig sein **3.** (*subir*) hinnehmen müssen *affront, avanies, échec;* ~ **les conséquences de qc** die Folgen einer S. zu tragen haben **4.** SPORT ~ **qn/qc** (*donner son appui*) jdn/etw unterstützen; (*encourager*) jdn/etw anfeuern **II.** *vpr* **se** ~ miteinander auskommen

supposé, e [sypoze] *adj* mutmaßlich

supposer [sypoze] <1> *vt* **1.** (*imaginer*) annehmen; **je suppose qu'il va revenir** ich nehme an, dass er zurückkommen wird; **supposons qu'il revienne** nehmen wir [einmal] an, er käme zurück **2.** (*présumer*) ~ **qc** etw vermuten **3.** (*impliquer*) voraussetzen

supposition [sypozisjɔ̃] *f* Vermutung *f*

suppôt [sypo] *m littér* Handlanger(in) *m(f)*

supprimer [syprime] <1> **I.** *vt* **1.** (*enlever*) ~ **un avantage/emploi à qn** jdm einen Vorteil/eine Stelle streichen; ~ **le permis à qn** jdm den Führerschein entziehen **2.** (*abolir*) abschaffen *libertés, peine de mort* **3.** (*faire disparaître*) beseitigen *fatigue, trace;* stillen *douleur;* ~ **le sucre** auf Zucker (*akk*) verzichten **4.** (*tuer*) beseitigen **II.** *vpr* **se** ~ sich umbringen

supraconducteur [sypʀakɔ̃dyktœʀ] *m* Supraleiter *m*

suprématie [sypʀemasi] *f* Überlegenheit *f*, Vorherrschaft *f*

suprême [sypʀɛm] I. *adj bonheur, degré* höchste(r, s); *cour, instance* oberste(r, s); *pouvoir* größte(r, s) II. *m* GASTR ~ **de volaille/poissons** Geflügelbrust *f*/Fischfilet *nt* mit Sahnesoße

suprêmement [sypʀɛmmɑ̃] *adv* äußerst

sur [syʀ] *prép* **1.** (*spatial*) ~ **qn/qc** (*vers*) auf jdn/etw; (*au-dessus de*) über jdn/etw; (*non directionnel*) auf jdn/etw; (*au-dessus de*) über jdm/etw **2.** (*temporel*) ~ **le soir** gegen Abend *m;* ~ **ses vieux jours** auf seine/ihre alten Tage; ~ **le coup** (*immédiatement*) auf der Stelle; (*au début*) im ersten Augenblick; ~ **ce je vous quitte** und nun gehe ich **3.** (*successif*) **coup** ~ **coup** Schlag auf Schlag (*akk*) **4.** (*causal*) ~ **sa recommandation** auf seine/ihre Empfehlung hin; ~ **présentation d'une pièce d'identité** gegen Vorlage eines Ausweises **5.** (*modal*) **ne me parle pas** ~ **ce ton!** sprich nicht in diesem Ton mit mir!; ~ **mesure** nach Maß; ~ **le mode mineur** in Moll (*dat*); ~ **l'air de ...** auf die Melodie ... **6.** (*au sujet de*) ~ **qn/qc** über jdn/etw **7.** (*proportionnalité, notation, dimension*) **neuf fois** ~ **dix** neun von zehn Mal; **un enfant** ~ **deux** jedes zweite Kind; **faire 5 mètres** ~ **4** 5 mal 4 Meter groß sein

sûr, e [syʀ] *adj* **1.** (*convaincu*) ~ **de qn/qc** jds/einer S. sicher; **j'en suis** ~ ich bin [mir] dessen sicher, da bin ich [mir] ganz sicher; **être** ~ **de faire qc/qu'il va réussir** sicher sein etw zu tun/, dass er Erfolg haben wird **2.** (*certain*) sicher **3.** (*sans danger*) sicher; **en lieu** ~ an einem sicheren Ort **4.** (*digne de confiance*) zuverlässig; *temps* beständig; *valeur* sicher **5.** (*solide*) sicher; *raisonnement* gesund ▶ **bien** ~ sicherlich, selbstverständlich; **bien** ~ **que oui/non** *fam* aber sicher/sicherlich nicht; **être** ~ **et certain** absolut sicher sein; **rien n'est moins** ~ das ist höchst unwahrscheinlich; **le plus** ~ **est de faire qc** es ist das Beste etw zu tun; **c'est** ~ *fam* na klar; **pas** [**si**] ~! *fam* nicht gesagt

suractivité [syʀaktivite] *f* Überaktivität *f*

surajouter [syʀaʒute] <1> I. *vt* ~ **une strophe à un poème** einem Gedicht eine Strophe hinzufügen II. *vpr* **se** ~ **à qc** noch zu etw hinzukommen

suralimentation [syʀalimɑ̃tasjɔ̃] *f* Überernährung *f*

surbooking [syʀbukiŋ] *m* Überbuchung *f*

surcharge [syʀʃaʀʒ] *f* **1.** (*excès de charge*) Überladung *f* **2.** (*excédent de poids*) Über-

gewicht *nt;* ~ **de bagages** Übergepäck *nt* **3.** (*surcroît*) ~ **de dépenses** Mehrausgaben *Pl;* ~ **des programmes scolaires** Überlastung *f* der Lehrpläne

surcharger [syʀʃaʀʒe] <2a> *vt* **1.** (*charger à l'excès*) überladen **2.** (*imposer une charge à*) ~ **une machine/un ouvrier de travail** eine Maschine/einen Arbeiter mit Arbeit überlasten; **être surchargé de travail** in Arbeit (*dat*) ersticken

surchauffer [syʀʃofe] <1> *vt* überheizen; **imagination surchauffée** übersteigerte Fantasie

surchemise, sur-chemise [syʀʃ(ə)miz] <sur-chemises> *f* Jackenhemd *nt*

surclasser [syʀklase] <1> *vt* **1.** (*dominer*) ~ **qn** jdm [weit] überlegen sein; **être surclassé** unterlegen sein **2.** (*être de qualité supérieure à*) ~ **un produit** einem Produkt überlegen sein

surconsommation [syʀkɔ̃sɔmasjɔ̃] *f* übermäßiger Konsum; ~ **de qc** übermäßiger Konsum von etw (*dat*)

surdimensionné, e [syʀdimɑ̃sjɔne] *adj* überdimensional

surdité [syʀdite] *f* (*perte totale de l'ouïe*) Taubheit *f;* (*perte partielle de l'ouïe*) Schwerhörigkeit *f*

surdoué, e [syʀdwe] I. *adj* hoch begabt II. *m, f* Hochbegabte(r) *f(m)*

sureffectif [syʀefɛktif] *m* Überbesetzung *f;* **entreprise en** ~ Unternehmen mit zu großer Belegschaft; **classe en** ~ Klasse mit zu vielen Schülern

sûrement [syʀmɑ̃] *adv* sicher[lich], bestimmt

surenchérir [syʀɑ̃ʃeʀiʀ] <8> *vi* mehr bieten; (*en rajouter*) auftrumpfen; ~ **sur qn/qc** jdn/etw überbieten

surendetté, e [syʀɑ̃dete] *adj* überschuldet

surendettement [syʀɑ̃dɛtmɑ̃] *m* Überschuldung *f*

sûreté [syʀte] *f* **1.** (*précision*) Sicherheit *f* **2.** (*sécurité*) Sicherheit *f;* **épingle/serrure de** ~ Sicherheitsnadel *f*/-schloss *nt;* **mettre qn/qc en** ~ jdn/etw in Sicherheit bringen; **pour plus de** ~ sicherheitshalber

surévaluer [syʀevalɥe] <1> *vt* überschätzen *personne;* zu hoch schätzen *immeuble, nombre;* zu hoch ansetzen *prix*

surf [sœʀf] *m* **1.** (*sport*) Surfen *nt;* (*sur la neige*) Snowboard fahren *nt;* **faire du** ~ surfen; (*sur la neige*) Snowboard *nt* fahren **2.** (*planche: pour l'eau*) Surfbrett *nt;* (*pour la neige*) Snowboard *nt* **3.** INFORM Surfen *nt;* **faire du** ~ **sur le Net** im Internet surfen

surface [syʀfas] *f* **1.** (*aire*) Fläche *f; d'un*

appartement, d'une pièce [Wohn]fläche; GEOM Flächeninhalt *m;* ~ **de réparation** SPORT Strafraum *m;* ~ **corrigée** JUR *durch Bewertungsziffern korrigierte Wohnfläche* (*zur Mietpreisberechnung*) **2.**(*couche superficielle*) Oberfläche *f;* ~ **de l'eau** Wasseroberfläche; **à la** ~ auf der/die Oberfläche **3.**(*apparence des choses*) Oberfläche *f* ▶**grande** ~ Supermarkt *m;* **faire** ~ auftauchen; **refaire** ~ wieder auftauchen, wieder zu sich kommen; **en** ~ an der Oberfläche, oberflächlich

surfer [sœʀfe] <1> *vi* **1.**(*sur l'eau*) surfen **2.** INFORM surfen; ~ **sur le Web** im Web surfen

surfeur, -euse [sœʀfœʀ, -øz] *m, f* **1.**(*sur l'eau*) Surfer(in) *m(f)* **2.**(*sur la neige*) Snowboardfahrer(in) *m(f)* **3.** INFORM Surfer(in) *m(f)*

surfiler [syʀfile] <1> *vt* versäubern

surfin, e [syʀfɛ̃, in] *adj* extrafein

surfing [sœʀfiŋ] *m* INFORM Surfen *nt;* **faire du** ~ **sur le Net** im Internet surfen

surgelé, e [syʀʒəle] *adj* tiefgekühlt

surgelés [syʀʒəle] *mpl* Tiefkühlkost *f*

surgénérateur [syʀʒeneʀatœʀ] *m* schneller Brüter

surgir [syʀʒiʀ] <8> *vi* auftauchen

surhomme [syʀɔm] *m* Übermensch *m*

surhumain, e [syʀymɛ̃, ɛn] *adj* übermenschlich

surjet [syʀʒɛ] *m* Überwendlingsnaht *f*

sur-le-champ [syʀləʃɑ̃] *adv* auf der Stelle

surligner [syʀliɲe] <1> *vt* INFORM markieren

surligneur [syʀliɲœʀ] *m* Textmarker *m*

surmener [syʀməne] <4> I. *vt* ~ **qn/qc** jdn/etw überbeanspruchen II. *vpr* **se** ~ sich übernehmen

surmonter [syʀmɔ̃te] <1> I. *vt* überwinden II. *vpr* **se** ~ **1.**(*se maîtriser*) sich beherrschen **2.**(*être maîtrisé*) *timidité:* überwunden werden

surnaturel, le [syʀnatyʀɛl] *adj* übernatürlich; REL überirdisch

surnom [syʀnɔ̃] *m* **1.**(*sobriquet*) Spitzname *m* **2.**(*qualificatif*) Beiname *m*

surnombre [syʀnɔ̃bʀ] *m* Überzahl *f*

surnommer [syʀnɔme] <1> *vt* ~ **qn** Junior jdm den Spitznamen Junior geben

suroffre [syʀɔfʀ] *f* COM höheres Angebot

surpasser [syʀpase] <1> *vpr* **se** ~ sich selbst übertreffen

surpayer [syʀpeje] <1> *vt* überbezahlen *personne;* zu teuer bezahlen *chose*

surpeuplé, e [syʀpœple] *adj pays* über[be]völkert; *salle* überfüllt

surplace [syʀplas] *m d'une économie* Stagnation *f; d'un gouvernement* Auf-der-Stel-

le-Treten *nt;* **faire du** ~ auf der Stelle treten; SPORT einen Stehversuch unternehmen

surplomber [syʀplɔ̃be] <1> *vt* ~ **qc** *étage:* in etw (*akk*) hineinragen; *lumière:* über etw (*akk*) strahlen

surplus [syʀply] *m d'une somme* Rest *m; d'une récolte* Überschuss *m;* ~ **d'un stock/de marchandises** Restbestände *Pl* ▶**au** ~ zudem

surpopulation [syʀpɔpylasjɔ̃] *f* Über[be]völkerung *f*

surprenant, e [syʀpʀənɑ̃, ɑ̃t] *adj* überraschend; *effets d'un médicament, progrès* erstaunlich

surprendre [syʀpʀɑ̃dʀ] <13> I. *vt* **1.**(*étonner*) überraschen; **être surpris de qc/que qn fasse qc** über etw (*akk*) überrascht sein/überrascht sein, dass jd etw tut **2.**(*prendre sur le fait*) ~ **qn à faire qc** jdn dabei überraschen, wie er etw tut **3.**(*découvrir*) zufällig aufdecken *complot, secret;* mitanhören *conversation;* herauslesen *sourire* **4.**(*prendre au dépourvu*) ~ **qn dans son bureau** jdn in seinem Büro überfallen **5.**(*prendre à l'improviste*) **la pluie nous a surpris** wir wurden vom Regen überrascht II. *vpr* **se** ~ **à faire qc** sich dabei ertappen, wie man etw tut

surpris, e [syʀpʀi, iz] *part passé de* **surprendre**

surprise [syʀpʀiz] *f* **1.**(*étonnement*) Überraschung *f;* **faire la** ~ **à qn** jdn überraschen; **à la grande** ~ **de qn** zu jds großer Überraschung; **avec/par** ~ überrascht/ überraschend **2.**(*chose inattendue*) Überraschung *f*

surproduction [syʀpʀɔdyksjɔ̃] *f* Überproduktion *f*

surréaliste [syʀʀealist] I. *adj* **1.** ART, LITTER surrealistisch **2.** *fam* (*extravagant*) irre II. *mf* Surrealist(in) *m(f)*

sursaut [syʀso] *m* **1.**(*haut-le-corps*) Zusammenfahren *nt;* **avoir un** ~ [de surprise] wie vom Donner gerührt sein **2.** Hochschrecken *nt;* **se réveiller en** ~ aus dem Schlaf hochfahren **3.** *de colère* Ausbruch *m; d'énergie* Schub *m*

sursauter [syʀsote] <1> *vi* zusammenzucken; (*de peur*) aufschrecken; **faire** ~ **qn** *personne:* jdn zusammenzucken; *nouvelle, bruit:* jdn zusammenzucken lassen

sursis [syʀsi] *m* **1.**(*délai*) Fristverlängerung *f;* (*pour payer*) Aufschub *m* **2.** JUR Bewährung *f*

surtaxe [syʀtaks] *f* (*pour une lettre mal affranchie*) Nachporto *nt;* (*pour un envoi exprès*) Zuschlag[sporto *nt*] *m*

surtension [syʀtɑ̃sjɔ̃] *f* Überspannung *f*

surtout [syʀtu] *adv* **1.**(*avant tout*) vor al-

s

lem **2.** *fam* (*d'autant plus*) **j'ai peur de lui,** ~ **qu'il est si fort** ich habe Angst vor ihm, besonders, wo er doch so stark ist ▶ ~ **pas** auf keinen Fall

surveillance [sуRvɛjɑ̃s] *f* (*contrôle*) Aufsicht *f;* *des travaux, de la police* Überwachung *f;* *des études* Beaufsichtigung *f;* **être sous étroite/haute** ~ unter strenger Aufsicht stehen/streng überwacht werden; **service de** ~ Überwachungsdienst *m*

surveillant, e [sуRvɛjɑ̃, jɑ̃t] *m, f* Aufsicht[sperson *f*] *f; de prison* Wärter(in) *m(f); de magasin* Detektiv(in) *m(f);* MED ~**e** [**de salle**] Stationsschwester *f*

surveillé, e [sуRveje] *adj* **1.** SCOL *étude* unter Aufsicht **2.** JUR *liberté* mit Bewährungsaufsicht

surveiller [sуRveje] <1> *vt* **1.** (*prendre soin de*) beaufsichtigen *enfant;* ~ **un malade** bei einem Kranken Wache halten **2.** (*suivre l'évolution*) überwachen; wachen über (+ *akk*) *éducation des enfants;* beobachten *comportement* **3.** (*garder*) aufpassen auf (+ *akk*) **4.** (*assurer la protection de*) bewachen **5.** GASTR aufpassen auf (+ *akk*) **6.** SCOL beaufsichtigen *élèves;* ~ **un examen** bei einer Prüfung die Aufsicht führen

survêt [sуRvɛt] *m fam abr de* **survêtement**

survêtement [sуRvɛtmɑ̃] *m* Freizeitkleidung *f;* SPORT Trainingsanzug *m*

survie [sуRvi] *f* **1.** (*maintien en vie*) Überleben *nt* **2.** REL Leben *nt* nach dem Tod[e]

survivant, e [sуRvivɑ̃, ɑ̃t] **I.** *adj* überlebend **II.** *m, f* (*rescapé*) Überlebende(r) *f(m)*

survivre [sуRvivR] <*irr*> *vi* **1.** (*demeurer en vie*) ~ **à qc** etw überleben **2.** (*vivre plus longtemps que*) ~ **à qn/qc** jdn/etw überleben

survoler [sуRvɔle] <1> *vt* **1.** AVIAT überfliegen **2.** (*examiner*) überfliegen *article;* flüchtig streifen *question*

sus [sy(s)] *adv* ~ **à l'ennemi!** nieder mit dem Feind!

susceptibilité [sysɛptibilite] *f* Empfindlichkeit *f*

susceptible [sysɛptibl] *adj* **1.** (*ombrageux*) empfindlich **2.** (*en mesure de*) **être** ~ **de faire qc** imstande sein etw zu tun

susciter [sysite] <1> *vt* **1.** (*faire naître*) hervorrufen; verursachen *querelle;* erregen *jalousie* **2.** (*provoquer*) in den Weg legen *obstacle;* stiften *troubles*

susnommé, e [sysnɔme] *adj form* oben genannt

suspect, e [syspɛ, ɛkt] **I.** *adj* **1.** (*louche*) verdächtig; **être** ~ **à qn** jdm verdächtig

sein **2.** (*soupçonné*) **être** ~ **de qc** einer S. (*gen*) verdächtig sein **3.** (*douteux*) verdächtig **II.** *m, f* Verdächtige(r) *f(m)*

suspecter [syspɛkte] <1> *vt* (*soupçonner*) ~ **un collègue de qc** einen Kollegen einer S. (*gen*) verdächtigen

suspendre [syspɑ̃dR] <14> *vt* **1.** (*accrocher*) aufhängen; ~ **qc au porte-manteau/au mur** etw an den Kleiderständer/ an die Wand hängen **2.** (*rester collé à*) **être suspendu à la radio/aux lèvres de qn** am Radiogerät kleben/an jds Lippen (*dat*) hängen (*fam*) **3.** (*interrompre*) aussetzen, unterbrechen *séance, réunion;* vorübergehend einstellen *paiement* **4.** (*remettre*) aufschieben, hinauszögern *décision;* verschieben *jugement* **5.** (*destituer*) suspendieren *fonctionnaire;* sperren *joueur*

suspens [syspɑ̃] ▶**procès en** ~ ruhendes Verfahren; **projet en** ~ Projekt in der Schwebe; **dossier en** ~ nicht geschlossene Akte

suspense [syspɛns] *m* Spannung *f;* **à** ~ spannend

suspicieux, -euse [syspisjø, -jøz] *adj* misstrauisch

suspicion [syspisjɔ̃] *f* Verdacht *m;* ~ **légitime** Besorgnis *f* der Befangenheit; **avoir des** ~**s de qc envers un employé** einen Angestellten bei etw in Verdacht haben

svelte [svɛlt] *adj* schlank

SVP [ɛsvepe] *abr de* **s'il vous plaît**

sweat-shirt [switʃœRt] <sweat-shirts> *m* Sweatshirt *nt*

swing [swiŋ] *m* **1.** MUS Swing *m* **2.** BOXE Schwinger *m*

syllabe [sil(l)ab] *f* Silbe *f*

symbiose [sɛ̃bjoz] *f* Symbiose *f*

symbole [sɛ̃bɔl] *m* **1.** (*image*) Symbol *nt* **2.** CHIM, MATH Symbol *nt* **3.** REL Glaubensbekenntnis *nt*

symbolique [sɛ̃bɔlik] **I.** *adj* **1.** (*emblématique, très modique*) symbolisch **2.** (*figuratif*) Bilder-; **signe** ~ Symbol *nt* **II.** *f* Symbolik *f*

symboliquement [sɛ̃bɔlikmɑ̃] *adv* symbolisch

symboliser [sɛ̃bɔlize] <1> *vt* **1.** (*matérialiser par un symbole*) versinnbildlichen **2.** (*être le symbole de*) symbolisieren

symétrie [simetRi] *f a.* GEOM Symmetrie *f*

symétrique [simetRik] *adj* **1.** (*pendant*) ~ **de qc** symmetrisch zu etw **2.** GEOM symmetrisch

symétriquement [simetRikmɑ̃] *adv* symmetrisch

sympa [sɛ̃pa] *adj fam abr de* **sympathique**

sympathie [sɛ̃pati] *f* **1.** (*inclination*) ~

pour qn/qc Sympathie *f* für jdn/etw; **inspirer la** ~ sympathisch sein **2.** (*affinité*)
Zuneigung *f*
sympathique [sɛ̃patik] *adj* **1.** *personne,
animal* sympathisch **2.** *fam* (*charmant*)
nett; *accueil* freundlich; *ambiance* angenehm; *plat* lecker
sympathiser [sɛ̃patize] <1> *vi* ~ **avec qn**
mit jdm sympathisieren
symphonie [sɛ̃fɔni] *f* Sinfonie *f*
symphonique [sɛ̃fɔnik] *adj orchestre* Sin-
fonie-
symptôme [sɛ̃ptom] *m* **1.** *d'une guerre,
crise* Anzeichen *nt; de la méfiance* Zeichen
nt **2.** MED Symptom *nt*
synagogue [sinagɔg] *f* (*édifice*) Synagoge *f*
synchronique [sɛ̃kRɔnik] *adj* synchronis-
tisch; LING synchronisch
synchronisation [sɛ̃kRɔnizasjɔ̃] *f* **1.** MEDIA
Synchronisation *f* **2.** (*concordance*) Koor-
dinierung *f*
synchroniser [sɛ̃kRɔnize] <1> *vt* **1.** (*coordonner*) synchronisieren; **ne pas être
synchronisé** nicht im Takt sein **2.** (*mettre
en concordance*) ~ **une grève avec celle
d'un autre syndicat** einen Streik mit dem
einer anderen Gewerkschaft abstimmen
syncope [sɛ̃kɔp] *f* Ohnmacht *f;* **avoir une
[o tomber en]** ~ ohnmächtig werden
syndical, e [sɛ̃dikal, o] <-aux> *adj* Ge-
werkschafts-; *action* gewerkschaftlich
syndicat [sɛ̃dika] *m* **1.** (~ *de salariés*) Gewerkschaft *f* **2.** (*pour les touristes*) ~
d'initiative Fremdenverkehrsamt *nt*
synergie [sinɛRʒi] *f* Synergie *f,* Zusammen-
wirken *nt*
synonyme [sinɔnim] **I.** *adj* synonym; **être**
~ **de qc** ein Synonym *nt* für etw sein **II.** *m*
Synonym *nt*
syntaxe [sɛ̃taks] *f* Syntax *f*
syntaxique [sɛ̃taksik] *adj* syntaktisch

synthèse [sɛ̃tɛz] *f* Synthese *f;* (*exposé
d'ensemble*) Gesamtüberblick *m;* ~ **de
qc/entre des choses** Synthese aus etw/
aus Dingen; **faire la** ~ **de qc** einen Gesamtüberblick über etw (*akk*) geben ▸ ~
vocale elektronisch erzeugte Sprache; **ré-
sine/produit de** ~ Kunstharz *nt*/Synthe-
seprodukt *nt*
synthétique [sɛ̃tetik] **I.** *adj matériau* synthetisch; *fibres, caoutchouc* Kunst-; *fibres*
Chemie- **II.** *m* Synthetics *Pl*
synthétiseur [sɛ̃tetizœR] *m* MUS Synthesizer *m*
systématique [sistematik] **I.** *adj* systematisch; *refus* kategorisch **II.** *f* Systematik *f*
systématiquement [sistematikmɑ̃] *adv*
systematisch; *refuser* kategorisch
système [sistɛm] *m* **1.** (*structure*) System
nt; ~ **économique/solaire** Wirtschafts-/
Sonnensystem; ~ **nerveux/digestif** Ner-
vensystem/Verdauungsapparat *m;* ~ **de
vie** Lebensform *f;* ~ **international d'unités** SI-System *nt* **2.** *de fermeture* Vorrichtung *f* **3.** *fam* (*combine*) Taktik *f;* **connaître le** ~ *fam* den Dreh raushaben; ~ **D** *fam*
Kunst *f* sich aus der Affäre zu ziehen
4. (*institution*) System *nt* **5.** INFORM ~
d'exploitation Betriebssystem *nt;* ~ **de
gestion de base de données** Datenbank-
verwaltungssystem *nt;* ~ **expert** Experten-
system *nt* **6.** AUT ~ **de guidage** Navigati-
onssystem *nt;* ~ **de signalisation** (*feux*)
Ampelsystem *nt; (signaux de route*) Beschilderung *f;* (*marques*) Markierung *f*
▸**taper** *fam* **sur le** ~ **à qn** jdm auf den
Wecker gehen
Système [sistɛm] *m* System *nt;* ~ **européen de banques centrales** Europäisches System der Zentralbanken; ~ **monétaire européen** Europäisches Währungssystem

T

T, t [te] *m inv* T *nt,* t *nt;* **en T** T-förmig
t *f abr de* **tonne** t
t' *pron v.* **te, tu**
ta [ta, te] <tes> *dét poss* dein(e); *v. a.* **ma**
tabac [taba] **I.** *m* **1.** (*plante*) Tabak[pflanze
f] *m* **2.** (*produit*) Tabak *m;* ~ **à priser**
Schnupftabak *m* **3.** *fam* (*magasin*) Laden
m für Tabakwaren ►**faire un** ~ *fam* einen
Bombenerfolg haben; **passer qn à** ~ *fam*
jdn zusammenschlagen **II.** *adj inv* tabakfar-
ben
tabagisme [tabaʒism] *m* übermäßiger Ta-
bakkonsum; ~ **passif** passives Rauchen
tabernacle [tabɛrnakl] **I.** *m* (*armoire*) Ta-
bernakel *m o nt* **II.** *interj* CAN *fam* verdammt [noch mal]
table [tabl] *f* **1.** (*meuble*) Tisch *m; d'autel*
Platte *f;* **dresser** [*o* **mettre**] **la** ~ den Tisch
decken; **être à** ~ bei Tisch sitzen; **à** ~! zu
Tisch!; ~ **d'hôte** Stammtisch *m;* ~ **d'écoute** Abhöranlage *f;* **service de** ~ Tafelser-
vice *nt* **2.** (*tablée*) Tafel *f,* Tischgesellschaft
f **3.** (*nourriture*) Essen *nt* **4.** (*tablette*) ~
mortuaire Grabtafel *f* **5.** (*tableau*) ~ **alphabétique** alphabetisch geordnete Liste;
~ **des matières** Inhaltsverzeichnis *nt*
►**s'asseoir à la même** ~ *personnes:* sich
am runden Tisch zusammensetzen; ~ **ronde** (*conférence*) Gespräch *nt* am runden
Tisch; (*tablée*) Tafelrunde *f;* **se mettre à** ~
(*aller manger*) sich zu Tisch setzen; *fam*
(*avouer sa faute*) auspacken
tableau [tablo] <x> *m* **1.** ART Bild *nt;*
(*peinture*) Gemälde *nt* **2.** (*scène, paysage*)
Bild *m* **3.** (*description*) Bild *nt* **4.** SCOL
[Schul]tafel *f;* ~ **noir** [Wand]tafel *f* **5.** (*panneau*) schwarzes Brett; ~ **indicateur de
vitesse** Tachometer *m o nt;* ~ **de service**
Dienstplan *m;* ~ **de bord** *d'une voiture* Armaturenbrett *nt; d'un bateau, avion* Instru-
mentenbrett *m* **6.** (*présentation graphique*) Tabelle *f* **7.** (*présentoir mural*) ~ **des
clés** Schlüsselbrett *nt;* ~ **des fusibles** Si-
cherungskasten *m* **8.** INFORM Tabelle *f*
►**gagner/miser sur les deux** ~**x** es mit
beiden Seiten halten (*fam*); ~ **d'honneur**
SCOL *Lob für gute Leistungen am Trimeste-
rende*
tabler [table] <1> *vi* ~ **sur qc** mit etw
rechnen
tablette [tablɛt] *f* **1.** (*plaquette*) Lutsch-
tablette *f* **2.** *d'un lavabo* [Ablage]platte *f;*

HIST [Schreib]tafel *f; d'une armoire* Brett *nt;*
~ **de chocolat** Tafel *f* Schokolade **3.** CAN
(*bloc de papier à lettres*) Schreibblock *m*
tableur [tablœʀ] *m* INFORM Tabellenkalkulationsprogramm *nt*
tablier [tablije] *m* **1.** (*vêtement*) Schürze *f;
d'un écolier* Kittel *m* **2.** *d'une cheminée*
Schutzgitter *nt* **3.** AUT Spritzwand *f*
tabou [tabu] *m* Tabu *nt*
tabou, e [tabu] *adj* **1.** *sujet, mot* Tabu-; *lieu*
mit einem Tabu belegt **2.** (*intouchable*) unantastbar
taboulé [tabule] *m: Salat aus Weizengrieß
und Gemüse*
tabouret [taburɛ] *m* **1.** (*petit siège*) Hocker *m,* Stockerl *nt* (A) **2.** (*support pour les
pieds*) Fußschemel *m*
tac [tak] *m* (*bruit sec*) ~ **d'une mitrailleuse** Knattern *nt* eines Maschinengewehrs
►**répondre du** ~ **au** ~ wie aus der Pistole
geschossen kontern (*fam*)
tache [taʃ] *f* **1.** (*salissure*) Fleck *m;* ~ **de
rousseur** Sommersprosse *f;* ~ **de vin** Feu-
ermal *nt* **2.** (*flétrissure*) Makel *m* **3.** (*impression visuelle*) Fleck *m; de couleur,
peinture* Klecks *m* ►**faire** ~ **d'huile** um
sich greifen; **faire** ~ **dans une soirée**
nicht in die Abendgesellschaft passen
tâche [taʃ] *f* **1.** (*besogne*) Arbeit *f* **2.** (*mission*) Aufgabe *f* ►**être dur à la** ~ Durch-
haltevermögen haben; **à la** ~ (*au travail*)
bei der Arbeit; (*selon le travail rendu*)
nach Auftrag
tacher [taʃe] <1> **I.** *vi* Flecken *Pl* machen
II. *vt* **1.** (*faire des taches sur*) ~ **qc** etw beflecken; **taché de sang** blutbefleckt
2. (*moucheter*) ~ **la peau de qc** die Haut
mit etw sprenkeln **3.** (*souiller*) beflecken
III. *vpr* **se** ~ *tissu:* Flecken *Pl* bekommen;
personne: sich schmutzig machen
tâcher [taʃe] <1> *vi* **1.** (*s'efforcer*) ~ **de
faire qc** versuchen, etw zu tun **2.** (*faire en
sorte*) ~ **que** + *subj* zusehen, dass
tâcheron [taʃʀɔ̃] *m péj* (*obscur travailleur*)
Hilfsarbeiter(in) *m(f);* (*ouvrier agricole autrefois*) Tagelöhner(in) *m(f);* (*dans une entreprise*) Handlanger(in) *m(f)*
tacheter [taʃte] <3> *vt* sprenkeln
tachycardie [takikaʀdi] *f* Herzjagen *nt*
tachymètre [takimɛtʀ] *m* Tachometer *m o
nt*
tacite [tasit] *adj* stillschweigend

tacitement [tasitmɑ̃] *adv* stillschweigend
taciturne [tasityʀn] *adj* **1.** (*silencieux*) schweigsam **2.** (*morose*) wortkarg
tacle [takl] *m* Tackling *nt*
tacot [tako] *m fam* AUT alte Kiste
tact [takt] *m* Takt *m*; **avoir du/manquer de** ~ taktvoll/taktlos sein
tacticien, ne [taktisjɛ̃, jɛn] *m, f* Taktiker(in) *m(f)*
tactile [taktil] *adj* Tast-; *écran* zum Berühren
tactique [taktik] **I.** *adj* taktisch **II.** *f* Taktik *f*
taffe [taf] *f fam* Zug *m*; **tu me donnes une** ~? lässt du mich mal ziehen?
taffetas [tafta] *m* Taft *m*
tag [tag] *m* **1.** INFORM Tag *m* **2.** (*graffiti*) Graffiti *Pl*
tagliatelles [taljatɛl] *fpl* Tagliatelle *Pl*
tagueur, -euse [tagœʀ, -øz] *m, f* Sprüher(in) *m(f)*
taie [tɛ] *f d'un oreiller* Bezug *m*
taïga [taiga] *f* Taiga *f*
taille[1] [taj] *f* **1.** *d'une personne* [Körper]größe *f* **2.** (*dimension, importance*) Größe *f*; **de** ~ *fam* riesengroß **3.** (*pointure*) [Konfektions]größe *f*; **la** ~ **en dessous** eine Nummer kleiner; **quelle** ~ **faites-vous?** welche Größe haben Sie? **4.** (*partie du corps, d'un vêtement*) Taille *f* ▶**être de** ~ **à faire qc** Manns genug sein etw zu tun; **ne pas être à sa** ~ *vêtement*: nicht seine/ihre Größe sein; *personne*: jdm nicht gewachsen sein
taille[2] [taj] *f* **1.** *d'un diamant* Schleifen *nt*; *d'une pierre* Behauen *nt*; *du bois* Schnitzen *nt* **2.** HORT [Be]schneiden *nt*
taillé, e [taje] *adj* **1.** (*bâti*) ~ **en qc** geformt wie etw **2.** (*destiné*) ~ **pour qc** für etw gemacht
taille-crayon [tajkʀɛjɔ̃] <taille-crayon[s]> *m* Blei[stift]anspitzer *m*
tailler [taje] <1> **I.** *vt* **1.** (*couper*) zurückschneiden *arbre*; [an]spitzen *crayon*; [sich (*dat*)] schneiden *ongles*; [be]hauen *pierre*; schleifen *diamant*; schnitzen *pièce de bois* **2.** (*découper*) [zu]schneiden *robe* **3.** (*creuser*) ~ **un trou dans qc** ein Loch in etw (*akk*) graben **II.** *vpr* **1.** (*conquérir*) **se** ~ **une place au soleil** sich (*dat*) einen Platz an der Sonne sichern **2.** (*se couper*) **se** ~ **la barbe** sich (*dat*) den Bart stutzen
tailleur [tajœʀ] *m* **1.** (*couturier*) Schneider *m* **2.** (*tenue*) Kostüm *nt* ▶**être assis en** ~ im Schneidersitz sitzen
tailleur, -euse [tajœʀ, -jøz] *m, f de diamants* Schleifer *m; ~* **de pierre** Steinmetz *m*
tailleur-pantalon [tajœʀpɑ̃talɔ̃] <tailleurs-pantalons> *m* Hosenanzug *m*
tain [tɛ̃] *m* Spiegelbelag *m; **glace sans** ~ Spionspiegel *m*

taire [tɛʀ] <irr> **I.** *vpr* **1.** (*être silencieux*) **se** ~ schweigen **2.** (*faire silence*) **se** ~ verstummen **3.** (*s'abstenir de parler*) **se** ~ **sur qc** über etw (*akk*) schweigen **II.** *vt* **1.** (*celer*) verschweigen **2.** (*refuser de dire*) nicht nennen *raison;* nicht sagen *vérité* **III.** *vi* **faire** ~ **qn** dafür sorgen, dass jd ruhig ist
Taiwan [tajwan] *m* Taiwan *nt*
talé, e [tale] *adj fruit* mit Druckstellen
talent [talɑ̃] *m* **1.** (*aptitude particulière*) Talent *nt*, Begabung *f;* **avoir du** ~ begabt sein **2.** *sans pl* (*valeur exceptionnelle*) Talent *nt*; **forcer son** ~ sich überanstrengen **3.** (*personne*) Talent *nt*
talentueux, -euse [talɑ̃tɥø, -øz] *adj* talentiert
talkie-walkie [tokiwoki] <talkies-walkies> *m* Walkie-Talkie *nt*
Talmud [talmyd] *m* **le** ~ der Talmud
talon [talɔ̃] *m* **1.** ANAT Ferse *f* **2.** (*pièce de chaussure*) Absatz *m; ~* **aiguille** Pfennigabsatz *m* **3.** (*bout*) Ende *nt; d'un jambon, fromage* letztes Stück **4.** (*partie non détachable d'une feuille de carnet*) Durchschrift *f* **5.** TECH *d'un ski* Ende *nt; d'une lame de couteau* Angel *f* **6.** JEUX Talon *m* ▶**qn a qn sur ses** ~**s** jd ist jdm auf den Fersen; **être sur les** ~**s de qn** jdm auf den Fersen sein
talonnade [talɔnad] *f* SPORT Hackentrick *m*
talonner [talɔne] <1> *vt* **1.** (*suivre de près*) ~ **qn** jdm auf den Fersen sein **2.** (*harceler*) *personne*: bedrängen **3.** (*frapper du talon: au rugby*) hakeln; (*au football*) mit der Hacke treten
talquer [talke] <1> *vt* mit Talk einreiben
talus [taly] *m* Böschung *f*
tambour [tɑ̃buʀ] *m* **1.** MUS, ARCHIT, TECH Trommel *f* **2.** (*musicien*) Trommler *m* **3.** (*tourniquet*) Drehtür *f* ▶**sans** ~ **ni trompette** sang- und klanglos; ~ **battant** im Eiltempo
tambourin [tɑ̃buʀɛ̃] *m* Tamburin *nt*
tambouriner [tɑ̃buʀine] <1> *vi* ~ **à** [*o* **sur**] **qc** an [*o* gegen] etw (*akk*) trommeln
tambour-major [tɑ̃buʀmaʒɔʀ] <tambours-majors> *m* Tambourmajor *m*
tamis [tami] *m* **1.** (*crible*) Sieb *nt* **2.** SPORT Saitenbespannung *f* ▶**passer une région au** ~ eine Gegend durchkämmen
Tamise [tamiz] *f* **la** ~ die Themse
tamiser [tamize] <1> *vt* **1.** (*passer au tamis*) [durch]sieben **2.** (*filtrer*) dämpfen *lumière*
tampon [tɑ̃pɔ̃] **I.** *m* **1.** (*en coton*) Bausch *m* **2.** (*périodique*) Tampon *m* **3.** (*à récurer*) Topfkratzer *m* **4.** (*pansement*) Tupfer

m **5.**(*cachet*) Stempel *m* **6.**(*bouchon*) Pfropfen *m* **7.** CHEMDFER Puffer *m* ▶~ **bu-vard** Löscher *m;* ~ **marqueur** Textmarker *m* **II.** *app inv* Puffer‑

tamponner [tɑ̃pɔne] <1> **I.** *vt* **1.**(*essuyer*) abtupfen **2.**(*nettoyer*) säubern *plaie* **3.**(*heurter*) ~ **qc** *voiture:* mit etw zusammenstoßen **4.**(*timbrer*) [ab]stempeln **II.** *vpr* (*se heurter*) **se** ~ *voitures:* zusammenstoßen

tamponneur, -euse [tɑ̃pɔnœʀ, -øz] *adj* **auto tamponneuse** Autoskooter *m*

tam-tam [tamtam] <tam-tams> *m* **1.** MUS afrikanische Trommel **2.**(*tapage*) Tamtam *nt* (*fam*)

tancer [tɑ̃se] <2> *vt littér* schelten (*geh*) *personne*

tandem [tɑ̃dɛm] *m* **1.**(*cycle*) Tandem *nt* **2.**(*duo*) Gespann *nt*

tandis que [tɑ̃dikə] *conj* + *indic* während [hingegen]

tanga [tɑ̃ga] *m* Tanga *m*

tangent, e [tɑ̃ʒɑ̃, ʒɑ̃t] *adj* **1.**(*très juste*) knapp; **élève** ~ Schüler, der noch um Haaresbreite versetzt worden ist **2.** GEOM tangential

tangente [tɑ̃ʒɑ̃t] *f* **1.** GEOM Tangente *f* **2.** MATH Tangens *m* ▶**prendre la** ~ sich aus dem Staub machen

tangentiel, le [tɑ̃ʒɑ̃sjɛl] *adj* tangential

tangible [tɑ̃ʒibl] *adj* greifbar; *preuve* handfest

tanguer [tɑ̃ge] <1> *vi* **1.** NAUT stampfen **2.** *fam* (*tituber*) torkeln **3.** *fam* (*vaciller*) ~ **autour de qn** *objets:* sich um jdn drehen

tanière [tanjɛʀ] *f* **1.** *d'un animal* Unterschlupf *m; d'un malfaiteur* Schlupfwinkel *m* **2.**(*lieu retiré*) Schlupfloch *nt*

tanin [tanɛ̃] *m* Tannin *nt*

tank [tɑ̃k] *m* **1.**(*réservoir*) Tank *m* **2.** *fam* (*grosse voiture*) Straßenkreuzer *m*

tanner [tane] <1> *vt* **1.**(*préparer des peaux*) gerben **2.** *fam* (*harceler*) nerven *personne* **3.**(*hâler*) gerben *visage*

tannerie [tanʀi] *f* **1.**(*opérations*) [Loh]gerbung *f* **2.**(*établissement*) [Loh]gerberei *f*

tanneur, -euse [tanœʀ, -øz] *m, f* [Loh]gerber(in) *m(f)*

tannin [tanɛ̃] *m v.* **tanin**

tant [tɑ̃] **I.** *adv* **1.** *aimer, vouloir* so sehr; *manger, travailler* so viel; *aimé, attendu, espéré* so [sehr] **2.**(*une telle quantité*) ~ **de choses** so viele Dinge; ~ **de fois** so oft; **comme il y en a** ~ wie es derer viele gibt **3.**(*autant*) ~ **qu'il peut** so viel er kann; **ne pas en demander** ~ gar nicht umso viel bitten **4.**(*aussi longtemps que*) ~ **que tu seras là** solange du da bist; ~ **que j'y suis** wenn ich schon [mal] dabei bin **5.**(*dans la*

mesure où) ~ **qu'à faire la vaisselle, tu peux aussi …** wenn du schon mal abspülst, kannst du auch gleich … ▶**vous m'en direz** ~! *fam* nein, so was!; ~ **qu'à faire** wenn es schon sein muss; **en** ~ **que** [in der Eigenschaft] als **II.** *m* (*date*) **le** ~ der Soundsovielte

tante [tɑ̃t] *f* **1.**(*parente*) Tante *f* **2.** *vulg* (*homosexuel*) Tunte *f*

tantième [tɑ̃tjɛm] **I.** *adj* soundsovielte(r, s) **II.** *m* Tantieme *f*

tantôt [tɑ̃to] *adv* **1.**(*en alternance*) ~ **à pied** ~ **à vélo** mal zu Fuß, mal mit dem Fahrrad **2.** BELG (*tout à l'heure*) später

taoïsme [taoism] *m* Taoismus *m*

taon [tɑ̃] *m* ZOOL Bremse *f*

tapage [tapaʒ] *m* **1.**(*vacarme*) Krach *m* **2.**(*publicité*) Wirbel *m*

tapageur, -euse [tapaʒœʀ, -ʒøz] *adj* *liaison, vie* skandalös; *enfant* laut; *publicité* marktschreierisch; *toilette* Aufsehen erregend

tapant, e [tapɑ̃, ɑ̃t] *adj* auf die Minute genau

tape [tap] *f* Klaps *m*

tape-à-l'œil [tapalœj] *inv* **I.** *adj* *toilette* auffällig **II.** *m* Kitsch *m*

taper [tape] <1> **I.** *vi* **1.**(*donner des coups*) klopfen; ~ **à la porte** an die Tür klopfen; ~ **sur qn** jdn schlagen **2.**(*frapper*) ~ **de la main sur la table** mit der Hand auf den Tisch schlagen; ~ **dans le ballon** gegen den Ball treten; ~ **des mains** in die Hände klatschen **3.**(*dactylographier*) tippen **4.** *fam* (*dire du mal de*) ~ **sur qn** jdn herziehen **5.** *fam* (*cogner*) *soleil:* knallen ▶~ **à côté** *fam* danebentippen **II.** *vt* **1.**(*battre*) klopfen *tapis;* ~ **qn/un animal** jdn/ein Tier schlagen; (*amicalement*) jdm/einem Tier einen Klaps geben **2.**(*cogner*) ~ **le pied contre qc** den Fuß gegen etw schlagen **3.**(*frapper de*) ~ **la table du poing** mit der Faust auf den Tisch hauen **4.**(*produire en tapant*) ~ **trois coups à la porte** dreimal an die Tür klopfen **5.**(*dactylographier*) tippen **6.** INFORM eingeben *texte, code, 3615* **III.** *vpr* ▶**c'est à se** ~ **la tête contre les murs!** das ist zum Auswachsen! (*fam*); **s'en** ~ **de qn/qc** *fam* auf jdn/etw pfeifen; **je m'en tape** *fam* das ist mir wurst

tapette [tapɛt] *f* **1.**(*petite tape*) Klaps *m* **2.**(*ustensile: pour les tapis*) Teppichklopfer *m;* (*pour les mouches*) Fliegenklatsche *f* **3.**(*piège*) Falle *f*

tapir [tapiʀ] <8> *vpr* **se** ~ **sous/derrière qc** *animal, personne:* sich unter/hinter etw (*dat*) verkriechen

tapis [tapi] *m* **1.**(*ouvrage*) Teppich *m*

2.(*textile protecteur*) Matte *f* **3.**JEUX Tuch *nt* **4.**(*vaste étendue*) Teppich *m* **5.**INFORM ~ [pour] souris Mauspad *nt* ▶~ **roulant** Laufband *nt;* NAUT Rollsteg *m;* (*pour bagages*) Gepäckband *nt;* **aller au** ~ SPORT zu Boden gehen; (*être vaincu*) eine Schlappe erleiden (*fam*); **envoyer qn au** ~ SPORT jdn auf die Bretter schicken; (*vaincre*) jdn ausstechen; **mettre qc sur le** ~ etw zur Sprache bringen; **revenir sur le** ~ *sujet, thème:* wieder zur Sprache kommen

tapisser [tapise] <1> *vt* **1.**(*revêtir*) tapezieren *mur, pièce;* beziehen *fauteuil* **2.**(*recouvrir*) *lierre, mousse:* bedecken

tapisserie [tapisʀi] *f* **1.**(*revêtement*) Tapete *f* **2.**(*pose du papier peint*) Tapezieren *nt* **3.**(*activité*) Teppichweben *nt;* (*tapis*) Wandteppich *m* ▶**faire** ~ ein unbeteiligter Zuschauer sein; (*à un bal*) ein Mauerblümchen *nt* sein

tapotement [tapɔtmɑ̃] *m des doigts* Trommeln *nt*

tapoter [tapɔte] <1> *vt* (*taper à petits coups répétés*) tätscheln *joues*

taquin, e [takɛ̃, in] **I.** *adj caractère, personne* schelmisch **II.** *m, f* Schelm *m*

taquiner [takine] <1> **I.** *vt* **1.**(*s'amuser à agacer*) necken **2.**(*faire légèrement souffrir*) *choses:* plagen **II.** *vpr se* ~ sich necken

taquinerie [takinʀi] *f* Neckerei *f*

tarabiscoté, e [taʀabiskɔte] *adj* überladen; *histoire* völlig verdreht

tarabuster [taʀabyste] <1> *vt* **1.**(*importuner*) drängen **2.**(*causer de l'inquiétude*) ~ **qn** *choses:* jdm keine Ruhe lassen

tarama [taʀama] *m* Taramas *m*

tard [taʀ] **I.** *adv* (*tardivement*) spät; **le plus** ~ **possible** so spät wie möglich; **au plus** ~ spätestens; **pas plus** ~ **que ...** erst ... ▶**mieux vaut** ~ **que jamais** *prov* besser spät als nie **II.** *m* **sur le** ~ spät

tarder [taʀde] <1> *vi* **1.**(*traîner*) trödeln; **sans** ~ umgehend; ~ **à faire qc** zögern etw zu tun **2.**(*se faire attendre*) auf sich warten lassen; **tu ne vas pas** ~ **à t'endormir** du wirst gleich einschlafen

tardif, -ive [taʀdif, -iv] *adj* **1.**(*qui vient, qui se fait tard*) spät **2.** AGR *fruits, fleurs* spät

tardivement [taʀdivmɑ̃] *adv* spät

tare [taʀ] *f* **1.***d'une personne, société* Makel *m* **2.** MED Vorbelastung *f* **3.**(*poids de l'emballage*) Tara *f* **4.**(*contrepoids*) Gewicht[stein *m*] *nt;* **faire la** ~ austarieren

taré, e [taʀe] *m, f* **1.** *fam* (*idiot*) Verrückte(r) *f(m)* **2.** MED geistig Behinderte(r) *f(m)*

tari, e [taʀi] *adj rivière* ausgetrocknet; *source, imagination* versiegt; *ressources* erschöpft

tarif [taʀif] *m* (*barème*) Tarif *m;* *d'une répa-* ration Preis *m*

tarifer [taʀife] <1> *vt* ~ **la marchandise** den Preis der Ware festlegen

tarification [taʀifikasjɔ̃] *f* COM Preis-/Gebühren-/Zollfestsetzung *f*

tarir [taʀiʀ] <8> **I.** *vi* (*cesser de couler*) versiegen (*geh*) **II.** *vt* (*assécher*) austrocknen *mare, fleuve;* versiegen lassen (*geh*) *puits, source* **III.** *vpr se* ~ (*s'assécher*) versiegen

tartare [taʀtaʀ] *adj* **1.** HIST **les populations** ~s die Tartarenvölker **2.** GASTR **steak** ~ Tartarsteak *nt*

Tartare [taʀtaʀ] *mf* HIST Tartare/Tartarin *m/f*

tarte [taʀt] **I.** *f* **1.** GASTR Kuchen *m;* ~ **aux cerises/prunes** Kirschkuchen/Pflaumenkuchen **2.** *fam* (*gifle*) Schelle *f* **II.** *adj fam* doof

Tartempion [taʀtɑ̃pjɔ̃] *m péj fam* Soundso

tartine [taʀtin] *f* **1.** GASTR Brot *nt;* ~ **beurrée** Butterbrot; ~ **grillée** Toast *m* **2.** *péj fam* (*long développement*) **écrire des** ~s einen ganzen Roman schreiben

tartiner [taʀtine] <1> *vt* GASTR bestreichen

tartre [taʀtʀ] *m* Kesselstein *m;* *des dents* Zahnstein *m*

tartuf[f]e [taʀtyf] **I.** *m* Heuchler(in) *m(f)* **II.** *adj* scheinheilig

tas [tɑ] *m* **1.**(*amas*) Haufen *m* **2.** *fam* (*beaucoup de*) **un** ~ **de choses/personnes** eine Menge Dinge/Menschen

tasse [tɑs] *f* Tasse *f;* ~ **de café** Tasse Kaffee; ~ **à café** Kaffeetasse ▶**ce n'est pas ma** ~ **de thé** *fam* das ist nichts für mich

tassé, e [tɑse] *adj café, pastis* stark

tasseau [tɑso] <x> *m* Leiste *f*

tassement [tɑsmɑ̃] *m* **1.***des sédiments, des neiges* Sichsetzen *nt;* *de terrain* Absacken *nt* **2.***du sol* Befestigen *nt* **3.** MED *des vertèbres* Zusammensacken *nt;* (*dû à un traumatisme*) Stauchung *f* **4.**(*diminution*) Rückgang *m*

tasser [tɑse] <1> **I.** *vt* (*comprimer*) zusammendrücken; zusammenpressen *paille, foin;* fest stampfen *terre;* (*en tapant*) fest klopfen *neige, sable* **II.** *vpr se* ~ **1.**(*s'affaisser*) in sich (*akk*) zusammensinken; *terrain, neige:* sich setzen **2.** *fam* (*s'arranger*) *difficulté, chose:* sich regeln; *ennui, querelle:* sich legen

tâter [tɑte] <1> **I.** *vt* **1.**(*palper*) befühlen; fühlen *pouls* **2.**(*sonder*) sondieren (*geh*) *terrain* **II.** *vi* (*faire l'expérience*) ~ **de qc** die Erfahrung einer S. (*gen*) machen **III.** *vpr se* ~ *fam* (*hésiter*) noch überlegen

tâte-vin [tɑtvɛ̃] *m inv v.* **taste-vin**

tatillon, ne [tatijɔ̃, jɔn] **I.** *adj* pedantisch

(pej) **II.** *m, f* Pedant(in) *m(f)*
tâtonnement [tɑtɔnmɑ̃] *m* **1.** *(essai hési-tant)* Versuch *m* **2.** *(marche incertaine)* Tasten *nt*
tâtonner [tɑtɔne] <1> *vi* **1.** *(chercher en hésitant)* ausprobieren **2.** *(se déplacer sans voir)* sich vorantasten
tâtons [tɑtɔ̃] *mpl* **à ~** tastend
tatouage [tatwaʒ] *m* **1.** *(action)* Tätowieren *nt* **2.** *(dessin sur la peau)* Tätowierung *f*
tatouer [tatwe] <1> *vt* tätowieren
tatoueur, -euse [tatwœʀ, -øz] *m, f* Tätowierer(in) *m(f)*
taudis [todi] *m* *(logement misérable)* Elendsbehausung *f*
taupe [top] *f* ZOOL Maulwurf *m*
taupinière [topinjɛʀ] *f* Maulwurfshügel *m*
taureau [tɔʀo] <x> *m* ZOOL Stier *m*
Taureau [tɔʀo] <x> *m* Stier *m; v. a.* **Balance**
tauromachie [tɔʀɔmaʃi] *f* Stierkampf *m*
taux [to] *m* **1.** *(pourcentage administrative fixé)* Satz *m* **2.** *(mesure statistique)* Quote *f;* **~ d'activité/de chômage** Beschäftigungs-/Arbeitslosenquote; **~ de change** Wechselkurs *m;* **~ de conversion** *pl* Konversionskurse *mPl;* **~ de mortalité** Sterblichkeitsziffer *f;* **~ de natalité** Geburtenrate *f;* **~ d'intérêt** Zinssatz *m* **3.** MED **~ de cholestérol/sucre** Cholesterin-/Zuckerspiegel *m* **4.** TECH **~ de compression** Druckverhältnis *nt*
tavelé, e [tav(ə)le] *adj* fleckig
taverne [tavɛʀn] *f* **1.** *(gargote)* Wirtshaus *nt* **2.** HIST Herberge *f*
tavernier, -ière [tavɛʀnje, -jɛʀ] *m, f* Wirt(in) *m(f)*
taxable [taksabl] *adj* **1.** *(imposable)* abgabenpflichtig **2.** *(à la douane)* zollpflichtig
taxation [taksasjɔ̃] *f des prix* Festsetzung *f; des marchandises, produits* Besteuerung *f;* **~ des salaires** Lohnsteuerveranlagung *f*
taxe [taks] *f* *(impôt)* Steuer *f;* **~ professionnelle** Gewerbesteuer; **~ de séjour** Kurtaxe *f;* **~ à la valeur ajoutée** Mehrwertsteuer *f;* **toutes ~s comprises** Steuer und Abgaben inbegriffen; **hors ~s** Steuer nicht inbegriffen; *(sans T.V.A.)* ohne Mehrwertsteuer
taxer [takse] <1> *vt* **1.** *(imposer)* besteuern **2.** *(fixer le prix)* den Preis festsetzen für *marchandise, produit*
taxi [taksi] *m* **1.** *(véhicule)* Taxi *nt* **2.** *fam* *(chauffeur)* Taxifahrer(in) *m(f)*
taxidermiste [taksidɛʀmist] *mf* Tierpräparator(in) *m(f)*
taxiphone® [taksifɔn] *m* Münzfernsprecher *m*

Tchad [tʃad] *m* **1.** *(État)* **le ~** der Tschad **2.** *(lac)* **le [lac] ~** der Tschadsee
tchador [tʃadɔʀ] *m* Schador *m*
tchao [tʃao] *interj fam* tschau
tchatche [tʃatʃ] *f* MIDI **avoir de la ~** *fam* eine Quasselstrippe sein
tchatcher [tʃatʃe] <1> *vi fam* quatschen
tchécoslovaque [tʃekɔslɔvak] *adj* HIST tschechoslowakisch
Tchécoslovaque [tʃekɔslɔvak] *mf* HIST Tschechoslowake/Tschechoslowakin *m/f*
Tchécoslovaquie [tʃekɔslɔvaki] *f* HIST Tschechoslowakei *f*
tchèque [tʃɛk] **I.** *adj* tschechisch **II.** *m* Tschechisch *nt; v. a.* **allemand**
Tchèque [tʃɛk] *mf* Tscheche/Tschechin *m/f*
tchétchène [tʃetʃɛn] **I.** *adj* tschetschenisch **II.** *m* Tschetschenisch *nt; v. a.* **allemand**
Tchétchène [tʃetʃɛn] *mf* Tschetschene/Tschetschenin *m/f*
TD [tede] *m abr de* **travaux dirigés** UNIV Übung *f*
te [tə] <*devant voyelle ou h muet* **t'**> *pron pers* dich, dir; *v. a.* **me**
té [te] *m* **1.** *(règle)* Reißschiene *f* **2.** *(ferrure)* T-Stück *nt*
technicien, ne [tɛknisjɛ̃, jɛn] **I.** *adj* technisch **II.** *m, f* **1.** *(professionnel qualifié)* Techniker(in) *m(f)* **2.** *(expert)* Fachmann/-frau *m/f*
technicité [tɛknisite] *f* hohe Spezialisiertheit
technico-commercial, e [tɛknikokɔmɛʀsjal, jo] <technico-commerciaux> **I.** *adj* kaufmännisch-technisch **II.** *m, f* COM kaufmännisch-technische(r) Angestellte(r) *f(m)*
technique [tɛknik] **I.** *adj* technisch; *ouvrage, revue, terme* Fach-; **lycée ~** Fachoberschule *f* **II.** *m* SCOL Fachschulwesen *nt* **III.** *f* Technik *f*
techniquement [tɛknikmɑ̃] *adv* technisch
techno [tɛknɔ] **I.** *adj* **musique ~** Technomusik **II.** *f* Techno *m o nt*
technologie [tɛknɔlɔʒi] *f* Technologie *f;* **~ de pointe** Spitzentechnologie *f*
technologique [tɛknɔlɔʒik] *adj* technologisch
technopôle [tɛknɔpol] *m:* Stadtteil, in *dem ausschließlich Forschungs- und Hochschultechnologieunternehmen sitzen*
teenager [tinɛdʒœʀ] *mf* Teenager *m*
tee-shirt [tiʃœʀt] <tee-shirts> *m* T-Shirt *nt*
Téfal® [tefal] *adj inv* Teflon®
téflon® [teflɔ̃] *m* Teflon® *nt*
teigneux, -euse [tɛɲø, -øz] **I.** *adj fam* ver-

bissen **II.** *m, f* **1.** *fam* (*hargneux*) Fiesling *m* **2.** MED an Grind Erkrankte(r) *f(m)*

teindre [tɛ̃dʀ] <*irr*> **I.** *vt* färben; ~ **qc en rouge/noir** etw rot/schwarz färben **II.** *vpr* (*se donner une teinte*) **se ~** sich (*dat*) die Haare färben

teint [tɛ̃] *m* (*couleur de la peau*) Teint *m* ►**bon ~** *hum* waschecht; **grand ~** farbecht

teint, e [tɛ̃, tɛ̃t] *part passé de* **teindre**

teinte [tɛ̃t] *f* (*couleur*) Farbe *f*

teinter [tɛ̃te] <1> **I.** *vt* (*colorer*) tönen **II.** *vpr* **1.** (*se colorer*) **se ~ de roux** sich rot färben **2.** (*se nuancer*) **son discours se teintait d'ironie/d'amertume** er/sie wurde ironisch/bitter

teinture [tɛ̃tyʀ] *f* **1.** (*colorant*) Färbemittel *nt* **2.** MED **~ d'arnica/iode** Arnika-/Jodtinktur *f* **3.** (*fait de teindre*) Färben *nt*

teinturier, -ière [tɛ̃tyʀje, -jɛʀ] *m, f* **1.** (*commerçant*) **porter qc chez le ~** etw zur Reinigung bringen **2.** (*artisan*) Färber(in) *m(f)*

tek [tɛk] *m v.* **teck**

tel, le [tɛl] **I.** *adj indéf* **1.** (*semblable, si fort/grand*) **un ~/une ~le ...** solch ein(e) ...; **de ~(s)** ... solche ... **2.** (*ainsi*) **~le n'est pas mon intention** das ist nicht meine Absicht; **~ père, ~ fils** wie der Vater, so der Sohn **3.** (*comme*) **~ que qn/qc** wie jd/etw; **un homme ~ que lui** ein Mann wie er **4.** (*un certain*) **~ jour et à ~le heure** an dem und dem Tag und um die und die Zeit ►**passer pour ~** dafür gehalten werden; **en tant que ~** als solche(r, s); **~ quel, ~ que** *fam* (*dans le même état*) **je vous rends vos livres ~s quels** ich gebe Ihnen die Bücher so zurück, wie ich sie bekommen habe; **il n'y a rien de ~** es gibt nichts Besseres **II.** *pron indéf* **si ~ ou ~ te dit ...** wenn dir dieser oder jener sagt, ...

télé [tele] *f fam abr de* **télévision**

téléachat [teleaʃa] *m* Teleshopping *nt*

Télécarte® [telekaʀt] *f* Telefonkarte *f*

télécharger [teleʃaʀʒe] *vt* INFORM (*vers l'amont*) hochladen; (*vers l'aval*) herunterladen

Télécom [telekɔm] France **~** *französische Telefongesellschaft, entspricht der deutschen Telekom*

télécommande [telekɔmɑ̃d] *f* **1.** (*boîtier*) Fernsteuerung *f*; *d'une télé, d'un magnétoscope* Fernbedienung *f* **2.** (*procédé*) Fernbedienung *f*

télécommander [telekɔmɑ̃de] <1> *vt* **1.** TECH mit Fernbedienung steuern **2.** (*organiser à distance*) [aus der Ferne] lenken

télécommunication [telekɔmynikasjɔ̃] *f* *gén pl* **1.** (*administration*) Fernmeldewe-

sen *nt* **2.** (*technique*) Fernmeldetechnik *f*

télécoms [telekɔm] *fpl fam abr de* **télécommunications**

télécopie [telekɔpi] *f* Fax *nt*

télécopieur [telekɔpjœʀ] *m* Faxgerät *nt*

télédiffuser [teledifyze] <1> *vt* im Fernsehen übertragen

télédiffusion [teledifyzjɔ̃] *f* Fernsehübertragung *f*

téléenseignement [teleɑ̃sɛɲəmɑ̃] *m* Fernstudium *nt*

téléfax [telefaks] *m* Telefax *nt*

téléfilm [telefilm] *m* Fernsehfilm *m*

télégramme [telegʀam] *m* Telegramm *nt*

télégraphe [telegʀaf] *m* Telegraf *m*

télégraphie [telegʀafi] *f* Telegrafie *f*

télégraphier [telegʀafje] <1> *vt* **1.** (*envoyer un message en morse*) telegrafieren **2.** NAUT funken

télégraphique [telegʀafik] *adj* **1.** TELEC telegrafisch **2.** (*abrégé*) **style ~** Telegrammstil *m*

téléguider [telegide] <1> *vt* **1.** (*diriger à distance*) durch Fernlenkung steuern **2.** (*influencer à distance*) solchen

téléinformatique [teleɛ̃fɔʀmatik] *f* Datenfernverarbeitung *f*

télématique [telematik] **I.** *adj* telematisch; **journal ~** Btx-Zeitung *f* **II.** *f* Datenfernübertragung *f*

téléobjectif [teleɔbʒɛktif] *m* Teleobjektiv *nt*

télépaiement [telepɛmɑ̃] *m* elektronische Zahlungsweise

télépendulaire [telepɑ̃dylɛʀ] *m* Telearbeit *f*

téléphérique [teleferik] *m* Seilbahn *f*

téléphone [telefɔn] *m* Telefon *nt;* **~ à touches** Tastentelefon *nt;* **~ sans fil** schnurloses Telefon; **~ arabe** *hum* Buschtrommel *f* (*fam*); **~ portable** Mobiltelefon, Handy *nt;* **~ public** Telefonzelle *f;* **~ à cartes** Kartentelefon *nt;* **~ visuel** Bildtelefon; **appeler/avoir qn au ~** jdn anrufen/ mit jdm telefonieren; **être au ~** telefonieren

téléphoner [telefɔne] <1> **I.** *vt* (*transmettre par téléphone*) **~ une nouvelle à une amie** einer Freundin telefonisch eine Neuigkeit mitteilen **II.** *vi* (*parler au téléphone*) telefonieren; **~ à qn** jdn anrufen **III.** *vpr* **se ~** sich anrufen

téléphonie [telefɔni] *f* **~ (numérique) mobile** (digitaler) Mobilfunk *m*

téléphonique [telefɔnik] *adj* telefonisch

télé-réalité [teleʀealite] *f* Reality-TV *nt*

téléreportage [teleʀ(ə)pɔʀtaʒ] *m* Fernsehreportage *f*

télescopage [teleskɔpaʒ] *m* Kollision *f*

télescope [teleskɔp] *m* Teleskop *nt*

télescoper [telɛskɔpe] <1> **I.** *vt* (*heurter violemment*) ~ **une voiture/un train/qn** mit einem Auto/Zug/jdm zusammenprallen **II.** *vpr* **se** ~ (*se percuter*) aufeinander prallen

télescopique [telɛskɔpik] *adj* **1.** ASTRON teleskopisch **2.** TECH ausziehbar

télésiège [telesjɛʒ] *m* Sessellift *m*

téléski [teleski] *m* Schlepplift *m*

téléspectateur, -trice [telespɛktatœʀ, -tʀis] *m, f* Fernsehzuschauer(in) *m(f)*

télésurveillance [telesyʀvɛjãs] *f* Fernüberwachung *f*

Télétel® [teletɛl] *m* Bildschirmtext® *m*

Télétex® [teletɛks] *m* Teletex® *m*

télétexte [teletɛkst] *m* Videotext *m*

télétransmission [teletʀãsmisjɔ̃] *f* Fernübertragung *f*

télétravail [teletʀavaj] *m* Telearbeit *f*

téléviser [televize] <1> *vt* im Fernsehen übertragen

téléviseur [televizœʀ] *m* Fernseher *m*

télévision [televizjɔ̃] *f* **1.** (*organisme*) Fernsehen *nt* **2.** (*technique*) Fernsehtechnik *f* **3.** (*programmes*) Fernsehen *nt;* **regarder la** ~ fernsehen; **à la** ~ im Fernsehen; ~ **par câble/satellite** Kabel-/Satellitenfernsehen *nt* **4.** (*chaîne*) [Fernseh]programm *nt* **5.** (*récepteur*) Fernseher *m*

télévisuel, le [televizɥɛl] *adj* Fernsehen-

télex [telɛks] *m* **1.** (*appareil*) Fernschreiber *m* **2.** (*message*) Telex *nt*

télexer [telɛkse] <1> *vt* telexen

tellement [tɛlmã] *adv* **1.** (*si*) so; **ce serait** ~ **mieux** das wäre weitaus besser **2.** (*tant*) [so] sehr **3.** (*beaucoup*) **pas/plus** ~ *fam* venir nicht oft/nicht mehr oft; *boire, manger, travailler* nicht so viel/nicht mehr so viel; *aimer* nicht sehr/nicht mehr sehr **4.** *fam* (*tant de*) **avoir** ~ **d'amis/de courage** so viele Freunde/so viel Mut haben **5.** (*parce que*) so; **on le comprend à peine** ~ **il parle vite** man versteht ihn kaum, so schnell spricht er

tellurique [telyʀik] *adj courant, prospection* Erd-; *planète* terrestrisch

téméraire [temeʀɛʀ] *adj* **1.** (*audacieux*) gewagt **2.** (*imprudent*) gewagt

témérité [temeʀite] *f* Kühnheit *f*

témoignage [temwaɲaʒ] *m* **1.** JUR [Zeugen]aussage *f* **2.** (*récit*) Aussage *f* **3.** (*attestation*) Zeugnis *nt* **4.** (*manifestation*) Beweis *m*

témoigner [temwaɲe] <1> **I.** *vi* **1.** (*déposer*) ~ **en faveur de/contre qn** zugunsten von jdm/gegen jdn aussagen **2.** (*faire un récit*) berichten **3.** (*attester, jurer*) ~ **de qc** etw bezeugen **4.** (*démontrer*) ~ **de qc**

etw beweisen **5.** (*manifester*) ~ **de qc** *choses:* von etw zeugen **II.** *vt* **1.** (*certifier*) bezeugen **2.** (*exprimer*) zeigen; hegen *aversion;* entgegenbringen *sympathie*

témoin [temwɛ̃] **I.** *m* **1.** (*personne qui a vu, entendu ou qui témoigne*) Zeuge/Zeugin *m/f* **2.** (*à un mariage*) Trauzeuge **3.** JUR **faux** ~ falscher Zeuge; ~ **oculaire** Augenzeuge; ~ **à charge/décharge** Belastungs-/Entlastungszeuge **4.** *d'une époque, d'un événement* Zeuge/Zeugin *m/f* **5.** (*preuve*) **être** [**un**] ~ **de qc** Zeuge einer S. (*gen*) sein **6.** SPORT Staffelstab *m* **7.** (*voyant lumineux*) Kontrollleuchte *f* **II.** *app* **lampe** ~ Kontrolllampe *f;* **appartement** ~ Musterwohnung *f*

tempe [tãp] *f* Schläfe *f*

tempérament [tãpeʀamã] *m* **1.** (*caractère*) Natur *f* **2.** (*forte personnalité*) Temperament *nt* ▸**vente à** ~ Ratenkauf *m*

température [tãpeʀatyʀ] *f* **1.** METEO, PHYS Temperatur *f;* ~ **ambiante** Raumtemperatur; ~ **d'ébullition/de fusion** Siede-/Schmelzpunkt *m* **2.** (*chaleur du corps*) [Körper]temperatur *f* **3.** (*fièvre*) Fieber *nt;* **prendre la** ~ **de qn** bei jdm Fieber messen **4.** (*ambiance*) Stimmung *f*

tempéré, e [tãpeʀe] *adj* **1.** (*modéré*) *a.* METEO gemäßigt **2.** MUS temperiert; **bien** ~ wohltemperiert

tempérer [tãpeʀe] <5> **I.** *vt* **1.** METEO mildern **2.** (*modérer*) bremsen; zügeln *ardeur, enthousiasme;* lindern *douleur, peine* **II.** *vpr* *soutenu* **se** ~ sich mäßigen

tempête [tãpɛt] *f* **1.** METEO Unwetter *nt,* Sturm *m;* ~ **de neige** Schneesturm **2.** (*agitation*) Unruhe *f* **3.** (*déchaînement*) ~ **d'injures** Flut *f* [von] Beleidigungen; ~ **d'applaudissements/de rires** Beifallssturm *m*/Lachsalve *f*

tempêter [tãpete] <1> *vi* ~ **contre qn/qc** gegen jdn/etw wettern

temple [tãpl] *m* **1.** ART, HIST Tempel *m* **2.** REL *protestant* Kirche *f;* **le Temple** der Templerorden **3.** HIST der Temple

tempo <**tempi** *o* **s**> [tɛmpo, tɛmpi] *m a.* MUS Tempo *nt*

temporaire [tãpɔʀɛʀ] *adj* **1.** (*intérimaire*) befristet; **travail** ~ Zeitarbeit *f;* **à titre** ~ vorübergehend **2.** (*passager*) momentan; **exposition** ~ Sonderausstellung *f*

temporairement [tãpɔʀɛʀmã] *adv* vorübergehend

temporel [tãpɔʀɛl] *m* Zeitliche *nt*

temporel, le [tãpɔʀɛl] *adj* **1.** LING temporal **2.** (*opp: spatial*) zeitlich **3.** (*opp: éternel*) vergänglich

temporisateur, -trice [tãpɔʀizatœʀ, -tʀis] *m, f* jd, der mit der Verzögerungstak-

tik agiert

temporisation [tɑ̃pɔʀizasjɔ̃] *f* Abwarten *nt*

temporiser [tɑ̃pɔʀize] <1> *vi* abwarten

temps[1] [tɑ̃] *m* **1.**(*durée*) Zeit *f;* **passer tout son ~ à faire qc** seine ganze Zeit damit verbringen etw zu tun; **avoir/ne pas avoir le ~ de faire qc** Zeit haben/keine Zeit haben etw zu tun; **avoir tout son ~** viel Zeit haben; **~ libre** Freizeit *f;* **à plein ~** ganztags; **emploi à ~ complet** Vollzeitbeschäftigung *f;* **emploi à ~ partiel** Teilzeitbeschäftigung *f* **2.**(*déroulement du temps*) Zeit *f* **3.**(*moment*) Zeitpunkt *m* **4.** *pl* (*époque*) Zeiten *Pl* **5.**(*période*) Zeitalter *nt;* **les jeunes de notre ~** die heutige Jugend; **le bon vieux ~** die gute alte Zeit **6.**(*saison*) **le ~ des cerises/moissons** die Kirschen-/Erntezeit **7.** GRAM, LING Zeit *f* **8.** TECH Takt *m;* **moteur à deux ~** Zweitaktmotor *m* **9.** MUS Takt *m* **10.** SPORT Zeit *f* ▶**le ~ c'est de l'argent** *prov* Zeit ist Geld; **en ~ et lieu** zur rechten Zeit am rechten Ort; **en deux ~ trois mouvements** im Handumdrehen; **la plupart** [*o* **les trois quarts**] **du ~** die meiste Zeit; **le plus clair de mon/ton ~** der Großteil meiner/deiner Zeit; **ces derniers ~** in letzter Zeit; **trouver le ~ long** (*s'impatienter*) ungeduldig werden; (*s'ennuyer*) sich langweilen; **~ mort** Leerlauf *m;* SPORT Auszeit *f;* **dans un premier/second ~** zunächst/anschließend; **tout le ~** ständig; **il y a un ~ pour tout** alles zu seiner Zeit; **n'avoir qu'un ~** nicht von Dauer sein; **il est** [**grand**] **~ de faire qc/qu'il parte** es ist [höchste] Zeit etw zu tun/, dass er geht; **il était ~!** es war allerhöchste Zeit!; **mettre du ~ à faire qc** lange brauchen um etw zu tun; **passer le ~** die Zeit totschlagen; **à ~** rechtzeitig; **faire qc à ~ perdu** wenn [gerade] nichts zu tun ist, etw machen; **dans le ~** früher; **de ~ en ~** von Zeit zu Zeit; **de tout ~** immer schon; **depuis le ~** seither; **depuis le ~ que ...** es ist schon ewig her, dass ...; **depuis ce ~-là** seitdem; **en même ~** gleichzeitig; **en ~ de crise/guerre/paix** in Krisen-/-Kriegs-/Friedenszeiten *Pl;* **en ~ normal** [*o* **ordinaire**] normalerweise; **en peu de ~** in kurzer Zeit; **ces ~-ci** in letzter Zeit

temps[2] [tɑ̃] *m* METEO Wetter *nt;* **il fait beau/mauvais ~** das Wetter ist schön/schlecht; **quel ~ fait-il?** wie ist das Wetter? ▶**un ~ à ne pas mettre un chien** [*o* **le nez**] **dehors** *fam* ein Wetter, bei dem man nicht einmal einen Hund vor die Tür jagt; **par tous les ~** bei Wind und Wetter

tenable [t(ə)nabl] *adj* **ne pas être ~** unerträglich sein; *position, point de vue:* nicht haltbar sein

tenace [tənas] *adj* **1.**(*persistant*) hartnäckig; *haine* erbittert; *croyance* unerschütterlich **2.** *personne, résistance* hartnäckig

ténacité [tenasite] *f* **1.**(*obstination*) Hartnäckigkeit *f* **2.**(*persévérance*) Beharrlichkeit *f* **3.**(*persistance*) Hartnäckigkeit *f; d'un préjugé* Unausrottbarkeit *f*

tenailler [tənɑje] <1> *vt faim:* quälen

tenailles [t(ə)nɑj] *fpl* [Beiß]zange *f*

tenant, e [tənɑ̃, ɑ̃t] *m, f* SPORT **le ~ de la coupe** der [derzeitige] Pokalsieger; **la ~e du titre** die Titelverteidigerin ▶**les ~s et les aboutissants** (*circonstances*) die Begleitumstände; **d'un seul ~** zusammenhängend

tendance [tɑ̃dɑ̃s] **I.** *f* **1.** PSYCH Neigung *f* **2.**(*propension*) **à la rêverie** Hang *m* zur Träumerei **3.**(*opinion*) Gesinnung *f* **4.**(*orientation*) Trend *m* **II.** *adj inv* Trend-; **les couleurs les plus ~ de l'hiver** die absoluten Trendfarben für den Winter; **le noir restera très ~** Schwarz bleibt weiterhin Trendfarbe

tendancieusement [tɑ̃dɑ̃sjøzmɑ̃] *adv* voreingenommen

tendeur [tɑ̃dœʀ] *m* (*câble pour fixer*) [Gummi]spanner *m*

tendineux, -euse [tɑ̃dinø, -øz] *adj* **1.**(*coriace*) sehnig **2.** ANAT Sehnen-

tendinite [tɑ̃dinit] *f* Sehnenentzündung *f*

tendon [tɑ̃dɔ̃] *m* Sehne *f*

tendre[1] [tɑ̃dʀ] <14> **I.** *vt* **1.**(*raidir*) spannen **2.**(*installer*) aufhängen *tapisserie* **3.**(*présenter*) ausstrecken *bras;* recken *cou;* hinhalten *joue;* entgegenstrecken *main* ▶**~ la main** (*mendier*) betteln; **~ la main à qn** (*offrir son aide à qn*) jdm die Hand reichen **II.** *vpr* **se ~** (*se raidir*) sich spannen; *relations:* angespannt werden **III.** *vi* **1.**(*aboutir à*) **à faire qc** letztlich etw tun **2.**(*viser à*) **à qc** auf etw (*akk*) abzielen **3.** MATH **~ vers zéro/l'infini** gegen null/unendlich streben

tendre[2] [tɑ̃dʀ] **I.** *adj* **1.**(*opp: dur*) weich; *peau, viande* zart **2.**(*affectueux*) zärtlich; *ami* liebevoll **3.**(*jeune, délicat*) zart **4.** *couleur* zart **II.** *mf* **c'est un/une ~** er/sie ist zart besaitet

tendrement [tɑ̃dʀəmɑ̃] *adv* liebevoll; *aimer* innig[lich]

tendresse [tɑ̃dʀɛs] *f* **1.** *sans pl* (*affection*) [zärtliche] Liebe **2.** *pl* (*marques d'affection*) Zärtlichkeit *f* **3.** *fam* (*complaisance*) Nachsicht *f*

tendreté [tɑ̃dʀəte] *f* Zartheit *f*

ténèbres [tenɛbʀ] *fpl* REL Finsternis *f*

ténébreux [tenebʀø] *m* **beau ~** *hum*

schöner dunkler Jüngling, der an einen spanischen Helden erinnert

ténébreux, -euse [tenebʀø, -øz] *adj soutenu* (*malaisé à comprendre*) dunkel

teneur [tənœʀ] *f* **1.** (*contenu exact*) Wortlaut *m* **2.** (*proportion*) Gehalt *m*

tenir [t(ə)niʀ] <9> **I.** *vt* **1.** halten **2.** (*rester dans un lieu*) ~ **la chambre/le lit** im Zimmer/Bett bleiben **3.** (*avoir*) führen *article, marchandise* **4.** MUS halten *note* **5.** (*avoir sous son contrôle*) ~ **son cheval** sein Pferd halten **6.** (*s'occuper de*) führen *comptes, hôtel, magasin, maison* **7.** (*assumer*) halten *conférence, meeting;* spielen *rôle* **8.** (*avoir reçu*) ~ **une information de qn** eine Information von jdm haben **9.** (*occuper*) einnehmen *largeur, place* **10.** (*résister à*) ~ **l'eau** wasserdicht sein **11.** (*habiter*) ~ **qn** *jalousie, colère, envie:* packen **12.** (*être contraint*) **être tenu à qc/de faire qc** an etw (*akk*) gebunden sein/etw tun müssen ►~ **lieu de qc** die Stelle von etw einnehmen **II.** *vi* **1.** (*être attaché*) ~ **à qn** an jdm hängen **2.** (*vouloir absolument*) ~ **à faire qc/à ce que ...** + *subj* Wert darauf legen etw zu tun/, ... **3.** (*être fixé*) halten **4.** (*être cohérent*) *raisonnement, théorie:* haltbar sein; *argument:* stichhaltig sein; *histoire:* glaubhaft sein **5.** (*être contenu dans*) ~ **dans une voiture** in einem Auto Platz haben **6.** (*se résumer*) ~ **en un mot** in einem Wort zusammenfassen **7.** (*durer*) [sich] halten **8.** (*ressembler à*) ~ **de qn/qc** jdm/einer S. ähneln **9.** (*être maître*) stechen ►~ **bon** durchhalten; **tiens/tenez!** hier!; **tiens! il pleut** schau [mal]! es regnet **III.** *vpr* **1.** (*se prendre*) **se** ~ **par la main** Hand in Hand gehen **2.** (*s'accrocher*) **se** ~ **à qc** sich an etw (*dat*) fest halten **3.** (*rester, demeurer*) **se** ~ **debout/assis/couché** stehen/sitzen/liegen **4.** (*se comporter*) **se** ~ sich benehmen **5.** (*avoir lieu*) **se** ~ **dans une ville/le mois prochain** *réunion, conférence:* in einer Stadt/nächsten Monat stattfinden **6.** (*être cohérent*) **se** ~ *événements, faits:* stimmig sein **7.** (*se limiter à*) **s'en** ~ **à qc** es bei etw bewenden lassen **8.** (*respecter*) **se** ~ **à qc** sich an etw (*akk*) halten **9.** (*se considérer comme*) **se** ~ **pour qc** sich für etw halten ►**se le** ~ **pour dit** sich (*dat*) das gesagt sein lassen **IV.** *vi impers* (*dépendre de*) **ça tient à qn/qc** das hängt von jdm/etw ab

tennis [tenis] **I.** *m* **1.** SPORT Tennis *nt;* **jouer au** ~ Tennis spielen; ~ **de table** Tischtennis *nt* **2.** (*court*) Tennisplatz *m* **II.** *mpl* (*chaussures*) Turnschuhe *Pl*

tennis-elbow [tenisɛlbo] <tennis-el-

bows> *m* Tennisarm *m*

tennisman [tenisman, -mɛn] <s *o* -men> *m* Tennisspieler *m*

ténor [tenɔʀ] **I.** *m* **1.** (*soliste*) Tenor *m* **2.** (*grande figure*) Kopf *m* (*fig*) **II.** *adj* **le saxophone** ~ das Tenorsaxophon

tension [tɑ̃sjɔ̃] *f* **1.** *d'une corde, d'un muscle, ressort* Spannung *f* **2.** TECH, ELEC, PHYS Spannung *f* **3.** MED Blutdruck *m;* **avoir** [*o* **faire**] **de la** ~ zu hohen Blutdruck haben

tentacule [tɑ̃takyl] *m* ZOOL Tentakel *m o nt*

tentateur, -trice [tɑ̃tatœʀ, -tʀis] **I.** *adj* **1.** (*séducteur*) verführerisch **2.** REL *esprit, démon* der Versuchung (*gen*) **II.** *m, f* **1.** (*personne*) Verführer(in) *m(f)* **2.** (*diable*) **le Tentateur** der Versucher

tentation [tɑ̃tasjɔ̃] *f* **1.** (*désir*) Versuchung *f* **2.** REL Versuchung *f*

tentative [tɑ̃tativ] *f* Versuch *m;* JUR ~ **de meurtre/viol/vol** versuchte(r) Mord *m*/Vergewaltigung *f*/Diebstahl *m*

tente [tɑ̃t] *f* Zelt *nt*

tenter [tɑ̃te] <1> *vt* **1.** (*allécher*) reizen **2.** (*essayer*) versuchen

ténu, e [teny] *adj* **1.** *son, bruit* schwach; *nuance, distinction* fein **2.** *fil* fein

tenu, e [t(ə)ny] *part passé de* **tenir**

tenu [t(ə)ny] *m* SPORT Zeitspiel *nt*

tenue [t(ə)ny] *f* **1.** (*comportement*) Verhalten *nt; d'un élève* Betragen *nt;* **avoir de la** ~/**manquer de** ~ gute Manieren/keine Manieren haben **2.** (*vêtements*) Kleidung *f;* **changer de** ~ sich umziehen **3.** MIL Uniform *f* **4.** *d'une maison, d'un compte, restaurant* Führung *f;* **la** ~ **des livres de comptes** die Buchhaltung **5.** *d'un congrès, d'une assemblée* Tagung *f* **6.** *d'un film, roman, journal* Niveau *nt* **7.** FIN *d'une monnaie* Stand *m;* **bonne** ~ Stabilität *f* **8.** AUT ~ **de route** Straßenlage *f*

tequila [tekila] *f* Tequila *m*

ter [tɛʀ] *adv* **habiter au 12** ~ in [Nummer] 12/3 wohnen

tergiversation [tɛʀʒivɛʀsasjɔ̃] *f gén pl* **1.** (*hésitation*) Zaudern *nt* **2.** *pl* (*fauxfuyants*) Ausflüchte *Pl*

tergiverser [tɛʀʒivɛʀse] <1> *vi* **1.** (*user de faux-fuyants*) Ausflüchte machen **2.** (*hésiter*) zaudern

terme¹ [tɛʀm] *m* **1.** *d'un stage, voyage* Ende *nt; d'un travail* Abschluss *m;* **toucher à son** ~ *stage, soirée:* zu Ende gehen; *entreprise, travail, délai:* sich dem Ende nähern **2.** (*date limite*) Frist *f;* **à court/moyen/long** ~ kurz-/mittel-/langfristig **3.** ECON **marché/vente à** ~ Terminmarkt *m*/-verkauf *m* **4.** (*date de l'accouchement*) Geburtstermin *m;* **naissance avant** ~ Früh-

geburt *f* **5.**(*échéance*) Zahlungstermin *m* **6.**(*loyer*) Miete *f*

terme² [tɛʀm] *m* **1.**(*mot*) Ausdruck *m* **2.**TECH Fachausdruck **3.**LING Terminus *m;* **en d'autres ~s** mit anderen Worten **4.**GRAM, MATH Element *nt; d'une phrase, équation* Term *m* **5.** *pl d'un contrat, d'une loi* Wortlaut *m* ▸**être en bons/mauvais ~s avec qn** ein gutes/gespanntes Verhältnis zu jdm haben

terminaison [tɛʀminɛzɔ̃] *f* Endung *f*

terminal [tɛʀminal, o] <-aux> *m* Terminal *nt*

terminal, e [tɛʀminal, o] <-aux> *adj* **formule ~e** Schlussformel *f;* **phase ~e** Endphase *f*

terminale [tɛʀminal] *f* SCOL ≈ dreizehnte Klasse

terminer [tɛʀmine] <1> **I.** *vt* **1.**(*finir*) beenden; erledigen *devoirs, travail;* fertig stellen *œuvre;* zu Ende führen *démonstration, explication;* abschließen *études;* aufessen *plat, salade;* leer essen *assiette;* austrinken *boisson, verre, bouteille* **2.**(*passer la fin de*) beenden *soirée, vacances* **3.**(*être le dernier élément de*) abschließen **II.** *vi* ▸**de lire le journal** die Zeitung zu Ende lesen; **en ~ avec un sujet/une tâche** ein Thema/eine Aufgabe beenden; **pour ~, ...** zum Abschluss ... **III.** *vpr* **se ~** *année, vacances, stage:* zu Ende gehen; **se ~ bien/mal** *histoire:* gut/schlecht ausgehen

terminologie [tɛʀminɔlɔʒi] *f* Terminologie *f*

terminus [tɛʀminys] *m* Endstation *f*

terne [tɛʀn] *adj* **1.** *cheveux* stumpf; *œil, regard* trüb; *visage* fahl; *teint* farblos; *couleur* matt; *miroir, glace* blind; *métal* angelaufen **2.** *vie, conversation* eintönig; *journée* ereignislos; *style* farblos; *personne* unscheinbar

terni, e [tɛʀni] *adj couleur* verblichen; *coloris* blass; *métal, chandelier* angelaufen

ternir [tɛʀniʀ] <8> **I.** *vt* **1.**(*défraîchir*) ausbleichen *rideau, tissu;* verblassen lassen *couleur;* anlaufen lassen *métal* **2.**(*nuire à*) beflecken *honneur* **II.** *vpr* **se ~** *rideau, tissu:* ausbleichen; *couleur, coloris:* verblassen; *métal, chandelier:* anlaufen

terrain [tɛʀɛ̃] *m* **1.**(*parcelle*) Grundstück *nt* **2.** AGR Parzelle *f;* (*~ à bâtir*) [Bau]grundstück *nt* **3.**(*espace réservé*) **~ de camping/jeu** Campingplatz *m*/Spielfeld *nt* **4.**(*sol*) **~ plat/accidenté/vague** ebenes/unebenes/unbebautes Gelände; **véhicule tout ~** Geländefahrzeug *nt* **5.** *gén pl* GEOL Formation *f* **6.**(*prédisposition*) **~ allergique** Veranlagung *f* zu Allergien **7.**(*domaine*) Gebiet *nt* **8.** MIL Gelände *nt* **9. ~ d'entente avec qn** Verständigungsbasis *f* mit

jdm ▸**aller sur le ~** sich an Ort und Stelle begeben; **céder du ~** zurückweichen; *fig* Zugeständnisse machen; **connaître le ~** sich auskennen; **être sur son ~** in seinem Element sein; **homme/femme de ~** Praktiker(in) *m(f)*

terrarium [tɛʀaʀjɔm] *m* Terrarium *nt*

terrasse [tɛʀas] *f* **1.**(*plateforme en plein air*) *a.* GEOG Terrasse *f* **2.**(*toit plat*) [**toit en**] **~** Flachdach *nt*

terrasser [tɛʀase] <1> *vt* **1.**(*vaincre*) vernichtend schlagen **2.**(*accabler*) *mauvaise nouvelle:* [völlig] niederschmettern; *émotion, fatigue:* überwältigen **3.**(*tuer*) **être terrassé par une embolie/un infarctus** einer Embolie/einem Infarkt erliegen

terre [tɛʀ] *f* **1.** *sans pl* (*planète*) **la Terre** die Erde **2.** *sans pl* (*le monde*) **la ~** die Erde **3.** *sans pl* (*croûte terrestre*) **la ~** die Erde; **sous ~** (*avec mouvement*) unter die Erde; (*sans mouvement*) unter der Erde; **par ~** (*avec mouvement*) auf den Boden; (*sans mouvement*) auf dem Boden **4.**(*matière*) Erde *f* **5.**(*terre cultivable*) Boden *m;* **cultiver la ~** das Land bewirtschaften; **~ battue** [*fest*] gestampfter Boden; **légumes de pleine ~** Freilandgemüse *nt* **6.** SPORT Sandplatz *m* **7.** *gén pl* (*propriété*) Grundbesitz *m kein Pl* **8.**(*contrée, pays*) Land *nt; ~* **natale** Heimat[land *nt*] *f; ~* **d'élection** (*d'une personne*) Wahlheimat *f* **9.**(*continent*) Land *nt; ~* **ferme** Festland **10.** *sans pl* (*vie à la campagne*) **la ~** das Land **11.** *sans pl* (*argile*) Ton *m; ~* **cuite** (*matière*) Terrakotta *f* **12.** *sans pl* ELEC Erde *f;* **la mise à la ~** die Erdung **13.**(*opp: ciel*) Erde *f;* **être sur ~** auf der Welt sein ▸**revenir** [*o* **redescendre**] **sur ~** *fam* auf den Boden der Tatsachen zurückkehren; **être par ~** *projet, plan:* gescheitert sein; *entreprise:* bankrott sein

terre à terre [tɛʀatɛʀ] *adj inv personne* nüchtern; *préoccupations* alltäglich

terrer [tɛʀe] <1> **I.** *vt* häufeln *pommes de terre, asperges;* mit [frischer] Erde bedecken *pelouse* **II.** *vpr* **se ~ 1.**(*se cacher*) *animal:* sich verkriechen; *fuyard, criminel:* sich verstecken; *soldat:* in Deckung gehen **2.**(*vivre reclus*) sich zurückziehen

terrestre [tɛʀɛstʀ] *adj* **1.**(*de la Terre*) **croûte/surface ~** Erdkruste *f*/-oberfläche *f* **2.** *espèce* auf der Erde lebend; *vie* auf der Erde **3.** *animal* landlebend; *espèce, variété* terrestrisch **4.**(*opp: aérien, maritime*) auf dem Landweg; *moyens de transport* zu Lande **5.** *plaisirs* irdisch; *séjour* auf Erden

terreur [tɛʀœʀ] *f* **1.**(*peur violente*) Entsetzen *nt* **2.**(*terrorisme*) Terror *m;* **la Terreur** die Schreckensherrschaft **3.**(*person-*

ne ou chose terrifiante) **être une ~** fam
personne: ein Tyrann m sein; enfant: ein
[kleines] Ungeheuer sein

terreux, -euse [teʀø, -øz] adj **1.** goût,
odeur erdig **2.** mains, chaussures, salade voller Erde; route mit Erde bedeckt **3.** façade
grau; visage fahl

terrible [teʀibl] **I.** adj **1.** crime entsetzlich;
catastrophe, dirigeant de parti furchtbar; jugement, année, arme schrecklich; personnage Furcht erregend **2.** (très intense)
schrecklich, fürchterlich **3.** (turbulent)
furchtbar **4.** fam (super) toll **II.** adv fam
echt stark

terriblement [teʀibləmɑ̃] adv schrecklich; dangereux, sévère äußerst

terrien, ne [teʀjɛ̃, jɛn] **I.** adj **1.** (qui possède des terres) **il est propriétaire ~** er ist
Grundbesitzer **2.** tradition, mœurs ländlich;
ascendance, racines bäuerlich **II.** m, f (habitant de la Terre) Erdbewohner(in) m(f)

terrifiant, e [teʀifjɑ̃, jɑ̃t] adj Furcht erregend; nouvelle erschreckend

terrifier [teʀifje] <1> vt in Angst und
Schrecken versetzen

territoire [teʀitwaʀ] m d'un animal Revier
nt; d'un pays, d'une nation Territorium nt;
d'une ville Gebiet nt; d'un juge, évêque Zuständigkeitsbereich m; **~ d'outre-mer**
überseeisches Gebiet

territorial, e [teʀitɔʀjal, jo] <-aux> adj
territorial

terroir [teʀwaʀ] m Gegend f; **vin/accent
du ~** Landwein m/regionaler Akzent;
écrivain/poète du ~ Heimatdichter m

terroriser [teʀɔʀize] <1> vt **1.** (faire très
peur) **~ qn** jdm große Angst machen
2. (opprimer) terrorisieren

terrorisme [teʀɔʀism] m Terrorismus m

terroriste [teʀɔʀist] **I.** adj terroristisch;
acte/attentat **~** Terroranschlag m **II.** mf
Terrorist(in) m(f)

tertiaire [teʀsjɛʀ] **I.** adj emploi im Dienstleistungsgewerbe; activité des Dienstleistungsbereichs **II.** m **le ~** der Dienstleistungssektor

tertio [teʀsjo] adv drittens

tes [te] dét poss v. **ta, ton**

test [tɛst] m Test m; **~ de dépistage du
sida** [o **de séropositivité**] Aidstest m

testable [tɛstabl] adj prüfbar

testament [tɛstamɑ̃] m **1.** JUR Testament
nt **2.** ART, LITTER, POL Vermächtnis nt ►**l'Ancien/le Nouveau Testament** das Alte/
das Neue Testament

testamentaire [tɛstamɑ̃tɛʀ] adj héritier
testamentarisch

tester [tɛste] <1> vt (mettre à l'épreuve)
testen; prüfen élève, candidat

testeur [tɛstœʀ] m (appareil) Testgerät nt

testeur, -euse [tɛstœʀ, -øz] m, f Tester(in)
m(f)

tétaniser [tetanize] <1> vpr muscle, membre: verkrampfen

tétanos [tetanos] m **1.** (maladie) Tetanus
m **2.** (contraction du muscle) Muskelstarre f

tête [tɛt] f **1.** (partie du corps) Kopf m;
baisser/courber la ~ den Kopf einziehen
2. (mémoire, raison) **ne pas avoir de ~**
fam ein Gedächtnis wie ein Sieb haben;
perdre la ~ (devenir fou) den Verstand
verlieren; (perdre son sang-froid) den Kopf
verlieren **3.** (mine, figure) **avoir une bonne ~** fam nett aussehen; **avoir une sale ~**
fam (avoir mauvaise mine) mies aussehen;
(être antipathique) unsympathisch wirken
4. (longueur) **avoir** [o **faire**] **une ~ de
moins/plus que qn** einen Kopf kleiner/
größer als jd sein **5.** (vie) **jouer** [o **risquer**]
sa ~ Kopf und Kragen riskieren **6.** (personne) **~ couronnée** gekröntes Haupt; **~ de
linotte** [o **en l'air**] fam Schussel m; **~ de
mule** [o **cochon**] fam Dickschädel m; **~
de Turc** Prügelknabe m **7.** (chef) **être la ~
de qc** fam der Kopf einer S. (gen) sein
8. (première place) Spitze f; (les premiers)
Spitzengruppe f; **wagon de ~** vorderster
Wagen; **prendre la ~ d'un gouvernement/d'une entreprise** die Führung einer Regierung/die Leitung einer Firma
übernehmen; **prendre la ~ de la classe**
Klassenbeste(r) sein; **à la ~ de qc** an der
Spitze einer S. (gen) **9.** d'un chapitre, d'une
liste Anfang m **10.** d'un clou, d'une épingle
Kopf m; d'un lit Kopfende nt; d'un champignon Hut m; **~ d'un arbre** Baumkrone f; **~
de ligne** Endstation f **11.** BOT d'ail Zwiebel
f; de céleri Knolle f; d'artichaut Kopf m
12. TECH **~ chercheuse d'une fusée**
Suchkopf m einer Rakete; **~ de lecture**
d'un magnétophone Tonkopf m; **~ nucléaire** Atomsprengkopf m **13.** INFORM **~ de
lecture-écriture** Schreib-Lesekopf m
14. SPORT Kopfball m ►**à la ~ du client**
fam nach Sympathie; **avoir la ~ de l'emploi** fam einen seinen Beruf ansehen;
acteur: für die Rolle wie geschaffen sein;
agir ~ baissée überstürzt handeln; **se jeter dans qc ~ baissée** sich Hals über Kopf
in etw stürzen; **avoir la ~ dure** eigensinnig sein; **garder la ~ froide** einen kühlen
Kopf bewahren; **avoir la ~ grosse** fam die
Nase hoch tragen; **faire qc à ~ reposée**
etw in aller Ruhe tun; **avoir toute sa ~**
noch gut beisammen sein; **ne plus avoir
toute sa ~** langsam senil werden; **avoir la
~ à ce qu'on fait** bei der Sache sein; **en**

avoir par-dessus la ~ *fam* die Nase voll haben; **se** **casser** la ~ sich (*dat*) den Kopf zerbrechen; **enfoncer** qc dans la ~ de qn (*forcer à se rappeler*) jdm etw einbläuen; (*faire comprendre*) jdm etw begreiflich machen; **faire** la ~ à qn *fam* mit jdm schmollen; **n'en** **faire** qu'à sa ~ nur das tun, was einem passt; **se** **mettre** en ~ de faire qc (*décider*) es sich (*dat*) in den Kopf setzen etw zu tun; **se mettre dans la ~ que ...** (*imaginer*) sich einreden, dass ...; **se** **monter** la ~ *fam* (*se faire des idées*) sich (*dat*) etwas einbilden; (*se faire des illusions*) sich (*dat*) etw vormachen; **monter à la ~ de qn** *vin:* jdm in den Kopf steigen; *succès:* jdm zu Kopf steigen; **passer au-dessus de la ~ de qn** über jds Horizont (*akk*) gehen; **se** **payer** la ~ de qn *fam* jdn auf den Arm nehmen; **piquer une ~ dans** qc *fam* (*plonger*) einen Kopfsprung in etw (*akk*) machen; (*tomber*) kopfüber in etw (*akk*) fallen; **redresser** [o **relever**] la ~ (*redevenir fier*) den Kopf wieder hoch tragen; (*reprendre du poil de la bête*) wieder auf dem Weg nach oben sein; **il a une ~ qui ne me revient pas** *fam* seine Nase passt mir nicht; **ne pas savoir où donner de la ~** *fam* nicht [mehr] wissen, wo einem der Kopf steht; |**faire**| **tourner** la ~ à qn *personne:* jdm den Kopf verdrehen; *succès, gloire:* jdm zu Kopf steigen; *vin, manège:* jdn benommen machen; **pensées** **de** derrière la ~ *fam* Hintergedanken *Pl;* **avoir quelque chose** **derrière** la ~ etwas im Schilde führen

tête-à-queue [tɛtakø] *m inv* **faire un ~** *voiture:* sich um die eigene Achse drehen

tête-à-tête [tɛtatɛt] *m inv* (*entretien*) Gespräch *nt* unter vier Augen **tête-de-nègre** [tɛtdənɛgR] I. *adj inv* dunkelbraun II. *f* Negerkuss *m*

tétée [tete] *f* 1. (*action de téter*) Saugen *nt* 2. (*repas*) **donner la ~ à un enfant** einem Kind die Brust geben; (*avec un biberon*) einem Kind die Flasche geben

téter [tete] <5> I. *vt* ~ **le sein/le biberon** an der Brust/am Fläschchen saugen; ~ **sa mère** *bébé:* gestillt werden; *chaton:* gesäugt werden II. *vi* saugen; **donner à ~ à un animal** ein Tier mit der Flasche füttern

tétine [tetin] *f* 1. (*biberon*) Sauger *m* 2. (*sucette pour calmer*) Schnuller *m*

téton [tetɔ̃] *m* 1. *fam* (*sein*) Brust *f* 2. TECH Zapfen *m*

tétraplégie [tetRapleʒi] *f* Lähmung *f* aller vier Gliedmaßen

tétraplégique [tetRapleʒik] I. *adj personne* an Armen und Beinen gelähmt II. *mf* an Armen und Beinen Gelähmte(r) *f(m)*

têtu, e [tety] I. *adj* starrköpfig; *air* eigensinnig; *front* eigenwillig II. *m, f* Starrkopf *m*

teuf [tœf] *f fam* Party *f*

teufeur, -euse [tœfœR, øz] *m, f fam* Partygänger(in) *m(f)*

teuf-teuf [tœftœf] <teufs-teufs> *m enfantin fam* Töfftöff *nt*

teuton, ne [tøtɔ̃, ɔn] *adj* teutonisch

Teuton, ne [tøtɔ̃, ɔn] *m, f* Teutone/Teutonin *m/f*

texte [tɛkst] *m* 1. (*écrit*) Text *m* 2. *d'un télégramme, d'une lettre* Wortlaut *m*

textile [tɛkstil] I. *adj* 1. (*susceptible d'être tissé*) textil; **matière ~** Faserstoff *m* 2. (*qui concerne la fabrication*) **industrie/usine ~** Textilindustrie *f*/-fabrik *f* II. *m* 1. (*matière*) Faserstoff *m; pl* Textilien *Pl* 2. (*industrie*) Textilindustrie *f*

texto [tɛksto] *m* SMS *f*

textuel, le [tɛkstɥɛl] *adj* 1. *copie, traduction* wörtlich 2. *réponse, contenu* wortgetreu

textuellement [tɛkstɥɛlmɑ̃] *adv* wörtlich; *répéter* Wort für Wort; *reproduire* wortgetreu

texture [tɛkstyR] *f du sol* Beschaffenheit *f; d'une crème, huile* Konsistenz *f*

TF1 [teɛfœ̃] *f abr de* **Télévision Française 1ère chaîne** erstes Programm des französischen Fernsehens

TGV [teʒeve] *m abr de* train à grande vitesse Hochgeschwindigkeitszug *m,* ≈ ICE *m*

thaï [taj] *m* 1. (*groupe de langues*) **le ~** die Thaisprachen *Pl* 2. (*langue officielle de Thaïlande*) Thai *nt; v. a.* **allemand**

thaï, e [taj] *adj* **langues ~es** Thaisprachen *Pl*

Thaï, e [taj] *m, f* Thai *mf*

thaïlandais, e [tajlɑ̃dɛ, ɛz] *adj* thailändisch

Thaïlandais, e [tajlɑ̃dɛ, ɛz] *m, f* Thailänder(in) *m(f)*

Thaïlande [tajlɑ̃d] *f* **la ~** Thailand *nt*

thaumaturge [tomatyRʒ] *mf* Wundertäter(in) *m(f)*

thé [te] *m* [schwarzer] Tee

théâtral, e [teatRal, o] <-aux> *adj effet, geste* theatralisch

théâtralement [teatRalmɑ̃] *adv fig* theatralisch

théâtre [teatR] *m* 1. (*édifice, spectacle*) Theater *nt;* ~ **de verdure** Freilichtbühne *f* 2. (*art dramatique*) Theater *nt;* **école de ~** Schauspielschule *f* 3. (*genre littéraire*) Theater *nt* 4. (*œuvres*) Dramen *Pl* 5. *des combats, d'une dispute* Schauplatz *m*

théière [tejɛR] *f* Teekanne *f*

théine [tein] *f* Thein *nt*

thématique [tematik] I. *adj* thematisch II. *f* Thematik *f*

thème [tɛm] *m* 1. (*sujet*) Thema *nt; d'une discussion* Gegenstand *m; d'une peinture* Motiv *nt* 2. SCOL Übersetzung *f* in die Fremdsprache; ~ **allemand** Übersetzung ins Deutsche 3. MUS Thema *nt* 4. ASTROL ~ **astral** [Geburts]horoskop *nt*

théorème [teɔrɛm] *m* Lehrsatz *m;* ~ **de Pythagore** Satz des Pythagoras

théoricien, ne [teɔrisjɛ̃, jɛn] *m, f* Theoretiker(in) *m(f)*

théorie [teɔri] *f* 1. (*conception*) Theorie *f;* ~ **de l'hérédité/des ensembles** Vererbungs-/Mengenlehre *f* 2. *sans pl* (*opp: pratique*) Theorie *f;* **en** ~ in der Theorie

théorique [teɔrik] *adj* theoretisch

théoriquement [teɔrikmɑ̃] *adv* 1. (*logiquement*) theoretisch 2. *fondé, justifié* theoretisch

théoriser [teɔrize] <1> I. *vt* eine Theorie aufstellen zu II. *vi* ~ **sur qn/qc** über jdn/etw Theorien aufstellen

thérapeute [terapøt] *mf* 1. (*médecin*) Therapeut(in) *m(f)* 2. (*psychothérapeute*) [Psycho]therapeut(in) *m(f)*

thérapeutique [terapøtik] I. *adj* therapeutisch II. *f* 1. (*science*) Therapeutik *f* 2. (*traitement*) Therapie *f*

thérapie [terapi] *f* 1. (*science*) Therapeutik *f* 2. (*traitement*) Therapie *f* 3. (*psychothérapie*) [Psycho]therapie *f;* **être en** ~ eine Therapie machen

thermes [tɛrm] *mpl* 1. (*dans une station thermale*) Thermalbad *nt* 2. HIST Thermen *Pl*

thermique [tɛrmik] I. *adj énergie* thermisch; **effet/conductibilité** ~ Wärmeübertragung *f*/-leitfähigkeit *f;* **moteur** ~ Verbrennungsmotor *m* II. *f* Wärmelehre *f*

thermoactif, -ive [tɛrmoaktif, -iv] *adj* atmungsaktiv **thermodynamique** [tɛrmodinamik] I. *adj* thermodynamisch II. *f* Thermodynamik *f* **thermoélectrique** [tɛrmoelɛktrik] *adj* thermoelektrisch

thermomètre [tɛrmɔmɛtr] *m* Thermometer *nt; de l'opinion, la conjoncture* Barometer *nt*

thermonucléaire [tɛrmonykleɛr] *adj* thermonuklear

thermos® [tɛrmos] *m o f* Thermosflasche® *f*

thermostat [tɛrmɔsta] *m* Thermostat *m;* ~ **d'ambiance** Raumthermostat *m*

thésard, e [tezar, ard] *m, f fam* Doktorand(in) *m(f)*

thésaurus [tezɔrys] *m* Thesaurus *m*

thèse [tɛz] *f* 1. (*point de vue défendu*) These *f* 2. (*recherches, ouvrage*) ~ **de**

troisième cycle Doktorarbeit *f;* (*thèse de doctorat d'État*) Habilitationsschrift *f;* (*soutenance*) Rigorosum *nt*

thon [tɔ̃] *m* Thunfisch *m*

thonier [tɔnje] *m* Schiff *nt* für den Thunfischfang

Thora [tɔra] *f* 1. (*Pentateuque*) Thora *f* 2. (*rouleau*) Thora[rolle *f*]

thoracique [tɔrasik] *adj coupe des* Brustkorbs

thorax [tɔraks] *m d'un homme* Brustkorb *m; d'un insecte* Thorax

thriller [sriler] *m* Thriller *m*

thrombose [trɔ̃boz] *f* Thrombose *f*

thune [tyn] *f pop* **avoir de la** ~ Kies haben; **n'avoir pas/plus une** ~ völlig blank sein

Thurgovie [tyrgovi] *f* **la** ~ der Thurgau **Thuringe** [tyrɛ̃ʒ] *f* **la** ~ Thüringen *nt* **thuya** [tyja] *m* Thuja *f*

thym [tɛ̃] *m* Thymian *m*

thyroïde [tirɔid] I. *adj* **cartilage/glande** ~ Schildknorpel *m*/-drüse *f* II. *f* Schilddrüse *f*

thyroïdien, ne [tirɔidjɛ̃, jɛn] *adj* **hormone/hyperfonctionnement** ~(**ne**) Schilddrüsenhormon *nt*/-überfunktion *f*

tibia [tibja] *m* Schienbein *nt*

tic [tik] *m* 1. (*contraction nerveuse*) ~ **nerveux** nervöser Tick 2. (*manie*) Tick *m*

ticket [tikɛ] *m* (*de train, bus, métro*) [Fahr]karte *f;* (*de match, manège*) [Eintritts]karte; (*de cantine*) Essensmarke *f;* (*numéro d'attente*) Nummer *f;* ~ **de caisse** Kassenzettel *m;* ~ **de cinéma/quai** Kino-/Bahnsteigkarte ►**avoir le** ~ **avec qn** *fam* bei jdm gut ankommen

ticket-repas [tikɛ-rəpa] <tickets-repas> *m* Essensmarke *f* **ticket-restaurant** [tikɛrɛstɔrɑ̃] *m* Essensmarke *f*

tic-tac [tiktak] *m inv* Ticken *nt*

tiède [tjɛd] *adj* 1. *eau, repas, café* lauwarm; *lit, gâteau* [noch] warm 2. *engagement, accueil, soutien* lau; *sentiment, foi* halbherzig

tiédeur [tjedœr] *f* 1. *de la température, de l'air; d'un hiver* Milde *f; de l'eau* Wärme *f* 2. *d'un sentiment, accord, d'une participation* Lauheit *f*

tiédir [tjedir] <8> I. *vi* 1. (*refroidir*) abkühlen 2. (*se réchauffer*) sich erwärmen II. *vt* 1. (*réchauffer*) erwärmen; wärmen *mains* 2. (*refroidir*) abkühlen [lassen]

tiédissement [tjedismɑ̃] *m* 1. (*réchauffement*) Erwärmung *f* 2. (*refroidissement*) Abkühlen *nt*

tien, ne [tjɛ̃, tjɛn] *pron poss* 1. (*ce que l'on possède*) **le** ~/**la** ~**ne** der/die/das deine, deine(r, s); **les** ~**s** die deinen, deine; *v. a.* **mien** 2. *pl* (*ceux de ta famille*) **les** ~**s** dei-

ne Angehörigen; (*tes partisans*) deine Anhänger ▸**à la ~ne**[, **Étienne**]! *fam* prost!; **tu pourrais y mettre** du ~! auch du könntest mithelfen!

tiendrai [tjɛ̃dʀɛ] *fut de* **tenir**

tienne [tjɛn] *subj prés de* **tenir**

tiennent [tjɛn] *indic prés et subj prés de* **tenir**

tiens, tient [tjɛ̃] *indic prés de* **tenir**

tierce [tjɛʀs] *f* **1.** JEUX Folge *f* von drei Karten einer Farbe **2.** MUS Terz *f* **3.** (*en escrime*) Terz *f*

tiercé [tjɛʀse] *m* **1.** SPORT Dreierwette *f* [im Pferdetoto] **2.** (*série de trois éléments arrivant en tête*) **le ~ gagnant/vainqueur de qc** die drei Bestplatzierten einer Sache (*gen*)

tiers [tjɛʀ] *m* **1.** (*fraction*) Drittel *nt* **2.** (*tierce personne*) **un ~** ein Dritter; **assurance au ~** Haftpflichtsicherung *f* ▸**~ payant** Selbstkostenanteil *m* [des Krankenversicherten]; **~ provisionnel** Steuervorauszahlung *f*

tiers, tierce [tjɛʀ, tjɛʀs] *adj* dritte(r, s)

tiers-monde [tjɛʀmɔ̃d] *m sans pl* **le ~** die Dritte Welt **tiers-mondiste** [tjɛʀmɔ̃dist] <tiers-mondistes> I. *adj actions* zur Unterstützung der Dritten Welt II. *mf* Interessenvertreter(in) *m(f)* der Dritten Welt

TIG [teiʒe] *m abr de* **travaux d'intérêt général** gemeinnützige Arbeit (*anstelle einer Gefängnisstrafe*)

tige [tiʒ] *f* **1.** *d'une fleur, feuille* Stiel *m*, Stängel *m*; *d'une céréale, graminée* Halm *m* **2.** (*partie mince et allongée*) Stange *f*; (*plus mince*) Stift *m*; *d'une clé, plume, colonne, de botte* Schaft *m*

tignasse [tiɲas] *f fam* Wuschelkopf *m*

tigre [tigʀ] *m* Tiger *m; fig* Bestie *f; v. a.* **tigresse**

tigré, e [tigʀe] *adj chat, pelage* getigert; *cheval* gescheckt

tigresse [tigʀɛs] *f* Tigerin *f; fig* [wilde] Furie; *v. a.* **tigre**

tilleul [tijœl] *m* **1.** BOT Linde *f* **2.** (*infusion*) Lindenblütentee *m*

tilt [tilt] *m d'un flipper* Signal *nt* für das Spielende ▸**ça a** fait **~ dans ma tête** der Groschen ist bei mir gefallen (*fam*)

timbale [tɛ̃bal] *f* **1.** (*gobelet*) Trinkbecher *m* [aus Metall]; (*contenu*) Becher **2.** MUS [Kessel]pauke *f* ▸**décrocher la ~** *fam* (*gagner*) das Große Los ziehen

timbre[1] [tɛ̃bʀ] *m* **1.** POST Briefmarke *f* **2.** (*cachet, instrument*) Stempel *m;* POST Poststempel **3.** *d'une carte d'adhérent* Gebührenmarke *f;* **~ fiscal** Steuermarke *f* **4.** MED Pflaster *nt*

timbre[2] [tɛ̃bʀ] *m* (*qualité du son*) Klang

m; d'une flûte, voix Klang[farbe *f*]

timbré, e[1] [tɛ̃bʀe] *adj* POST frankiert

timbré, e[2] [tɛ̃bʀe] *adj fam* (*un peu fou*) übergeschnappt

timbre-amende [tɛ̃bʀamɑ̃d] <timbres-amendes> *m* Strafgebührenmarke *f* **timbre-poste** [tɛ̃bʀəpɔst] <timbres-pos­te> *m* Briefmarke *f*

timbrer [tɛ̃bʀe] <1> *vt* **1.** (*affranchir*) frankieren **2.** (*marquer d'un cachet*) [ab]stempeln

timide [timid] **I.** *adj* **1.** *personne* schüchtern **2.** *sourire, voix* zaghaft; *manières, air* schüchtern **3.** *avancée, pas, réponse, critique* zaghaft; *tentative* schüchtern **II.** *mf* schüchterner Mensch

timidement [timidmɑ̃] *adv* schüchtern

timidité [timidite] *f d'une personne* Schüchternheit *f; d'une démarche, avancée* Zaghaftigkeit *f*

timing [tajmiŋ] *m* Timing *nt*

timonerie [timɔnʀi] *f* NAUT **1.** (*lieu*) Ruderhaus *nt* **2.** (*matelots*) Rudergänger *mPl* **3.** (*service*) Ruderwache *f*

timonier [timɔnje] *m* NAUT Steuermann *m*

timoré, e [timɔʀe] **I.** *adj péj* [über]ängstlich **II.** *m, f péj* [über]ängstlicher Mensch

tins [tɛ̃] *passé simple de* **tenir**

tintamarre [tɛ̃tamaʀ] *m* Getöse *nt*

tinter [tɛ̃te] <1> **I.** *vi cloche:* läuten; *grelot, clochette:* klingeln; *verres:* klingen; *bouteilles:* klirren **II.** *vt* läuten *cloche, clochette*

tintouin [tɛ̃twɛ̃] *m fam* **1.** (*vacarme*) Radau *m* **2.** (*souci, tracas*) Sorge *f*

tique [tik] *f* Zecke *f*

tiquer [tike] <1> *vi fam* das Gesicht verziehen

tir [tiʀ] *m* **1.** MIL Schießen *nt;* (*série de projectiles*) Feuer *nt;* **~ à blanc** Schießen *nt* mit Platzpatronen **2.** SPORT Schuss *m;* **~ au but** Torschuss *m;* (*penalty*) Elfmeterschuss **3.** (*projectile tiré*) Schuss *m* **4.** (*stand*) Schießstand *m;* (*forain*) Schießbude *f* ▸**rectifier** [*o* **rajuster**] **le ~** (*changer de direction*) den Kurs ändern

tirade [tiʀad] *f* **1.** *souvent péj* (*paroles*) Wortschwall *m kein Pl* (*pej*) **2.** THEAT Monolog *m*

tirage [tiʀaʒ] *m* **1.** *d'une carte, lettre, d'un numéro* Ziehen *nt; d'un numéro gagnant, nom* Auslosung *f; de la loterie, du loto* Ziehung *f* **2.** FIN *d'un chèque* Ausstellung *f* **3.** *d'un livre, ouvrage* Druck *m;* (*ensemble des exemplaires*) Auflage *f* **4.** ART *d'une estampe, lithographie* Druck *m* **5.** PHOT *d'un film, négatif, d'une photo* Abziehen *nt* **6.** *d'un vin, porto, whisky* Abziehen *nt* **7.** *d'une cheminée, d'un poêle* Zug *m*

tiraillement [tiʀajmɑ̃] *m* **1.** *gén pl* (*sensa-*

tion douloureuse) ziehende Schmerzen *Pl*
2. (*conflit: chez une personne*) Hin- und
Hergerissensein *nt;* (*entre plusieurs personnes*) Spannungen *Pl*
tirailler [tiʀɑje] <1> **I.** *vt* **1.** (*tirer à petits coups*) zerren an (*pej*); glatt ziehen *pli*
2. (*harceler*) ~ **qn** *personne:* jdn bedrängen; *chose, personne:* jdm zusetzen **II.** *vi*
Schüsse abgeben
tirailleur [tiʀɑjœʀ] *m* Einzelschütze *m*
Tirana [tiʀana] Tirana *nt*
tirant [tiʀɑ̃] *m* **1.** (*cordon*) Schnur *f*
2. *d'une chaussure* Besatz *m* **3.** NAUT ~
d'eau Tiefgang *m*
tiré [tiʀe] *m* ~ **à part** Sonderdruck *m*
tiré, e [tiʀe] **I.** *adj* (*fatigué*) abgespannt **II.**
m, f FIN Bezogene(r) *f(m)*
tire-au-flanc [tiʀoflɑ̃] *m inv* Drückeberger
m (*fam*) **tire-botte** [tiʀbɔt] <tire-bottes> *m* **1.** (*planchette*) Stiefelknecht *m*
2. (*crochet*) Schuhanzieher *m* **tire-bouchon** [tiʀbuʃɔ̃] <tire-bouchons> *m*
Korkenzieher *m*, Stoppelzieher *m* (A)
▶ **avoir des boucles en** ~ Korkenzieherlocken *Pl* haben **tire-bouchonner** [tiʀbuʃɔne] <1> *vi chaussettes, pantalon:* Falten
werfen **tire-d'aile** [tiʀdɛl] **à** ~ flügelschlagend
tire-fesses [tiʀfɛs] *m inv, fam* Schlepplift *m*
tire-lait [tiʀlɛ] *m inv* Milchpumpe *f* **tirelarigot** [tiʀlaʀigo] **à** ~ *fam* reichlich
tirelire [tiʀliʀ] *f* Sparbüchse *f*
tirer [tiʀe] <1> **I.** *vt* **1.** (*exrcer une force de traction*) ziehen *signal d'alarme, chasse d'eau;* (*vers le bas*) herunter ziehen *jupe, manche;* (*vers le haut*) hoch ziehen *chaussettes, collant;* (*pour lisser*) glatt ziehen *drap, collant;* (*pour tendre/maintenir tendu*) spannen *corde, toile;* ~ **la sonnette**
klingeln **2.** (*tracter*) ziehen *chariot, véhicule, charge* **3.** (*éloigner*) wegziehen **4.** (*fermer*) zuziehen *porte;* vorschieben *verrou;* (*ouvrir*) aufziehen *tiroir, porte coulissante, rideau;* zurückschieben *verrou* **5.** (*aspirer*)
~ **une longue bouffée** einen langen Zug
machen **6.** (*lancer un projectile*) abfeuern
balle; abgeben *coup de fusil, revolver* **7.** (*toucher, tuer*) [ab]schießen *perdrix, lièvre*
8. (*tracer*) ziehen *trait, ligne* **9.** (*prendre au hasard*) ziehen *carte, numéro, lettre*
10. (*faire sortir*) ~ **qn du lit** jdn aus dem
Bett holen; ~ **qn de son sommeil** jdn aus
dem Schlaf reißen; ~ **qn du pétrin** jdm
aus der Patsche helfen; ~ **une citation/un
extrait d'un roman** ein Zitat/einen Auszug [aus] einem Roman entnehmen
11. (*emprunter à*) ~ **son origine de qc**
coutume: auf etw (*akk*) zurückgehen
12. (*déduire*) ~ **une conclusion/leçon**

de qc eine Schlussfolgerung/Lehre aus
etw ziehen **13.** FIN ausstellen *chèque*
14. PHOT abziehen *film, négatif, photo*
15. ART, TYP drucken *ouvrage, estampe, lithographie* **16.** (*transvaser*) [auf Flaschen] abziehen *vin* ▶ **on ne peut rien ~ de qn** (*qn refuse de parler*) aus jdm ist nichts herauszubekommen **II.** *vi* **1.** (*exercer une traction*) ~ **sur les rênes de son cheval** seinem Pferd die Zügel anziehen **2.** (*aspirer*)
~ **sur sa pipe/cigarette** an seiner Pfeife/
Zigarette ziehen **3.** (*gêner*) *peau, cicatrice:*
spannen **4.** CHASSE, MIL *personne, arme, fusil:*
schießen **5.** (*au football*) schießen; (*au basket*) werfen **6.** (*avoir une certaine ressemblance avec*) ~ **sur qc** *couleur:* in etw
(*akk*) spielen; ~ **sur qn** BELG, NORD nach
jdm schlagen **7.** TYP ~ **à 2000 exemplaires** eine Auflage von 2000 Exemplaren haben **8.** (*avoir du tirage*) ~ **bien/mal** *cheminée, poêle:* gut/schlecht ziehen **III.** *vpr*
1. *fam* (*s'en aller*) **se** ~ sich verdrücken
2. (*se sortir*) **se** ~ **d'une situation/d'embarras** sich aus einer Situation/schwierigen Lage lavieren **3.** (*se blesser*) **se** ~ **une
balle dans la tête** sich (*dat*) eine Kugel in
den Kopf schießen ▶ **s'en** ~ *fam* **il s'en
tire bien/mal** (*à la suite d'un accident,
d'une maladie*) er ist noch einmal glimpflich davongekommen/es hat ihn schwer
getroffen; (*à la suite d'un ennui*) er zieht
sich gut/schlecht aus der Affäre; (*réussir*)
er macht seine Sache gut/schlecht
tiret [tiʀɛ] *m* Gedankenstrich *m;* (*division*)
Trennungsstrich
tireur, -euse [tiʀœʀ, -øz] *m, f* **1.** MIL Schütze/Schützin *m/f* **2.** (*au football*) Spieler/
-in, der/die auf das Tor schießt; (*au basket*)
Werfer(in) *m(f);* ~ **à l'arc** Bogenschütze
3. FIN *d'un chèque, d'une lettre de change*
Aussteller(in) *m(f)*
tireuse [tiʀøz] *f* PHOT Kopiergerät *nt*
tiroir [tiʀwaʀ] *m* Schublade *f*
tiroir-caisse [tiʀwaʀkɛs] <tiroirs-caisses> *m* Geldschublade *f* der Registrierkasse
tisane [tizan] *f* [Kräuter]tee *m;* ~ **à la
menthe** Pfefferminztee *m*
tisanière [tizanjɛʀ] *f* Aufgussgefäß *nt*
tison [tizɔ̃] *m* glimmendes Stück Holz
tisonner [tizɔne] <1> *vt* schüren
tisser [tise] <1> *vt* **1.** TEXTIL weben *tapis;*
verweben *laine* **2.** (*ourdir*) *araignée:* spinnen **3.** (*constituer*) spinnen *intrigue;* in die
Hand nehmen *destin*
tisserand, e [tisʀɑ̃, ɑ̃d] *m, f* Weber(in)
m(f)
tissu [tisy] *m* **1.** TEXTIL Stoff *m;* ~ **éponge**
Frottee *m* o *nt* **2.** *de contradictions, d'intri-*

gues Netz *nt; d'inepties* Aneinanderreihung *f* **3.** BIO [Zell]gewebe *nt* **4.** SOCIOL ~ **social** soziales Gefüge

titanesque [titanɛsk] *adj travail* gewaltig; *entreprise, œuvre* gigantisch

titiller [titije] <1> *vt* **1.** (*chatouiller*) kitzeln **2.** *fam* (*asticoter*) **l'envie de tout raconter la titille** es juckt sie alles zu erzählen

titre [titʀ] *m* **1.** (*intitulé*) Titel *m; d'un chapitre, article de journal* Überschrift *f;* **faire les gros ~s de qc** MEDIA in etw Schlagzeilen machen **2.** (*qualité*) Titel *m;* ~ **de citoyen** Eigenschaft *f* als Staatsbürger **3.** (*trophée*) Titel *m* **4.** (*pièce justificative*) Bescheinigung *f;* ~ **de transport** Fahrausweis *m* **5.** (*valeur, action*) Wertpapier *nt* **6.** (*proportion*) CHIM *d'un alcool, d'une solution* Gehalt *m* ▸**à double** ~ in zweierlei Hinsicht; **à juste** ~ mit [vollem] Recht; **à ce** ~ in dieser Eigenschaft; **à** ~ **de qn** als jd

titrer [titʀe] <1> *vt* **1.** (*donner un titre à*) ~ **qc sur qc** *journal:* mit einer Schlagzeile über etw (*akk*) aufmachen **2.** CHIM ~ **12/25 degrés** einen Gehalt von 12/25 Prozent haben

titubant, e [titybã, ãt] *adj démarche* schwankend; *ivrogne* torkelnd

tituber [titybe] <1> *vi* ~ **d'ivresse** vor Trunkenheit (*dat*) torkeln

titulaire [titylɛʀ] **I.** *adj* **1.** *professeur, instituteur* verbeamtet **2.** (*détenteur*) ~ **d'un poste** ein Amt bekleidend; ~ **d'un diplôme/permis** ein Diplom/eine Erlaubnis besitzend **II.** *mf* **1.** SCOL, UNIV, ADMIN Beamte(r)/Beamtin *m/f* **2.** (*détenteur*) ~ **d'une carte/d'un permis** Besitzer einer Karte/Erlaubnis (*gen*); ~ **d'un poste** Inhaber eines Amtes (*gen*)

titulariser [titylaʀize] <1> *vt* verbeamten *fonctionnaire;* ernennen zu *professeur d'université*

TNT [teɛnte] *m abr de* **trinitrotoluène** TNT *nt*

toast [tost] *m* **1.** (*pain grillé*) Toast *m* **2.** (*allocution*) Trinkspruch *m*

toboggan [tɔbɔgã] *m* **1.** TECH Rutsche *f* **2.** (*piste glissante*) Rutschbahn *f*

toc [tɔk] *m fam* (*imitation*) **du** ~ Ramsch *m;* **en** ~ unecht

Togo [tɔgo] *m* **le** ~ Togo *nt*

tohu-bohu [tɔybɔy] *m inv, fam* Tohuwabohu *nt*

toi [twa] *pron pers* **1.** *fam* (*pour renforcer*) du; ~, **tu n'as pas ouvert la bouche** du hast den Mund nicht aufgemacht; **c'est** ~ **qui l'as dit** du hast das gesagt; **il veut t'aider, ~?** dir möchte er helfen? **2.** *avec un verbe à l'impératif* **regarde-~** sieh dich an;

imagine-toi ... stell dir vor ...; **lave-~ les mains** wasch dir die Hände **3.** *avec une préposition* **avec/sans** ~ mit dir/ohne dich; **à** ~ **seul** du allein **4.** *dans une comparaison* du; **je suis comme** ~ ich bin wie du; **plus fort que** ~ stärker als du **5.** (*emphatique*) **c'est ~?** bist du's?; **si j'étais** ~ wenn ich du wäre; *v. a.* **moi**

toile [twal] *f* **1.** (*tissu*) Stoff *m* **2.** (*pièce de tissu*) Tuch *nt* **3.** *fig* ~ **de fond** Hintergrund *m* **4.** ART Gemälde *nt* **5.** NAUT Segel *Pl* **6.** INFORM ~ **[d'araignée] mondiale** World Wide Web *nt* ▸~ **d'araignée** Spinnennetz *nt;* (*poussière*) Spinnwebe *f;* **tisser sa** ~ seine Fäden ziehen

Toile [twal] *f* **la** ~ das Web

toilettage [twaletaʒ] *m d'un chat* Pflege *f; d'un chien* Pflege; **salon de** ~ Hunde- und Katzensalon *m*

toilette [twalɛt] *f* **1.** (*soins corporels*) Waschen *nt;* **faire sa** ~ *personne:* sich waschen; *animal:* sich putzen; *d'un édifice, monument* Reinigung *f* **3.** (*vêtements*) Kleidung *f* **4.** *pl* (*W.-C.*) Toilette *f;* **aller aux ~s** auf die Toilette gehen

toiletter [twalete] <1> *vt* pflegen *chat;* trimmen *chien*

toi-même [twamɛm] *pron pers* (*toi en personne*) du selbst; *v. a.* **moi-même**

toiser [twaze] <1> **I.** *vt* verächtlich anschauen **II.** *vpr* **se** ~ sich [gegenseitig] verächtlich anschauen

toison [twazɔ̃] *f* **1.** (*pelage*) Schaffell *nt* **2.** (*chevelure*) Haarpracht *f* **3.** (*poils*) Behaarung *f* ▸**la Toison d'or** HIST das Goldene Vlies

toit [twa] *m* **1.** (*couverture*) Dach *nt* **2.** (*maison*) Bleibe *f*

toiture [twatyʀ] *f* Bedachung *f*

Tokyo [tɔkjo] Tokio *nt*

tôlard, e [tolaʀ, aʀd] *m, f fam v.* **taulard**

tôle [tol] *f* **1.** METAL Blech *nt* **2.** AUT [Karosserie]blech *nt*

tôlé, e [tole] *adj neige* vereist

tolérable [tɔleʀabl] *adj* zumutbar; *douleur* erträglich

tolérance [tɔleʀãs] *f* **1.** (*largeur d'esprit*) Toleranz *f* **2.** MED ~ **à qc** Verträglichkeit *f* einer S. (*gen*) **3.** (*marge admise*) Spielraum *m*

tolérant, e [tɔleʀã, ãt] *adj* tolerant

tolérer [tɔleʀe] <5> **I.** *vt* **1.** (*autoriser*) dulden *infraction, pratique* **2.** (*supporter*) ertragen; aushalten *douleur;* dulden *contradiction, retard, comportement* **3.** MED vertragen **II.** *vpr* (*se supporter*) **se** ~ sich vertragen

tollé [tɔle] *m* Aufschrei *m* der Empörung

T.O.M. [tɔm] *mpl abr de* **territoire d'ou-**

tre-mer überseeisches Gebiet

tomate [tɔmat] *f* Tomate *f*, Paradeiser *m* (A)

tombal, e [tɔ̃bal, o] <s *o* -aux> *adj* Grab-

tombant, e [tɔ̃bɑ̃, ɑ̃t] *adj* herabhängend; *épaules* hängend

tombe [tɔ̃b] *f* Grab *nt*

tombeau [tɔ̃bo] <x> *m* Grabmal *nt*

tombée [tɔ̃be] *f* ~ **de la nuit** [*o* **du jour**] Einbruch *m* der Dunkelheit

tomber [tɔ̃be] <1> *vi* + *être* **1.** (*chuter*) *personne:* [hin]fallen; *animal:* stürzen; ~ **en arrière/en avant** nach hinten/nach vorne fallen; ~ **dans les bras de qn** jdm in die Arme fallen; ~ **du troisième étage** aus dem dritten Stock fallen; ~ [**par terre**] *personne, bouteille, chaise:* umfallen; *arbre, pile d'objets, poteau:* umstürzen; *échafaudage:* einstürzen; *branches, casseroles:* herunterfallen **2.** (*s'abattre*) ~ **du ciel** vom Himmel fallen **3.** (*être affaibli*) ~ **de fatigue/sommeil** vor Erschöpfung/Müdigkeit (*dat*) umfallen **4.** (*se détacher*) *cheveux, dent:* ausfallen; *feuille, masque:* fallen **5.** (*arriver*) *nouvelle, télex:* eintreffen; **qc tombe un lundi** etw fällt auf [einen] Montag (*akk*) **6.** (*descendre*) *nuit, soir:* hereinbrechen; *neige, pluie, averse:* fallen; *foudre:* einschlagen **7.** THEAT *rideau:* fallen **8.** (*être vaincu*) *dictateur, gouvernement:* gestürzt werden; *record:* gebrochen werden **9.** (*mourir*) fallen **10.** (*baisser*) *vent:* sich legen; *colère:* nachlassen; *enthousiasme, exaltation:* nachlassen **11.** (*disparaître, échouer*) *obstacle:* beseitigt sein/werden; *plan, projet:* fallen gelassen werden **12.** (*pendre*) fallen; **bien/mal** ~ *vêtement:* gut/schlecht fallen **13.** *fam* (*se retrouver*) ~ **enceinte** schwanger werden; ~ **d'accord** sich einig werden **14.** (*être pris*) ~ **dans un piège** in einen Hinterhalt geraten **15.** (*être entraîné*) ~ **dans l'oubli** in Vergessenheit (*akk*) geraten **16.** (*concerner par hasard*) ~ **sur qn** *bus* treffen; *sort:* auf jdn fallen **17.** (*rencontrer, arriver par hasard*) ~ **sur un article** auf einen Artikel stoßen; ~ **sur qn** jdn [zufällig] treffen **18.** (*abandonner*) **laisser** ~ **un projet/une activité** ein Projekt fallen lassen/eine Tätigkeit sein lassen **19.** (*se poser*) ~ **sur qn/qc** *conversation:* auf jdn/etw kommen; *regard:* auf jdn/etw fallen **20.** *fam* (*attaquer*) ~ **sur qn** über jdn herfallen ▸**bien/mal** ~ gelegen/ungelegen kommen; **ça tombe bien/mal** das trifft sich gut/schlecht

tome [tɔm] *m* Band *m*

tom[m]e [tɔm] *f: Käsesorte aus Savoyen*

ton¹ [tɔ̃] *m* **1.** (*manière de s'exprimer*) Ton *m;* **d'un** [*o* **sur un**] ~ **convaincu/humoristique** in einem überzeugten/humoristischen Ton **2.** *d'une voix* Klang *m;* **baisser/hausser le** ~ zu schreien aufhören/zu schreien anfangen; (*se calmer/s'échauffer*) sich beruhigen/sich erhitzen **3.** (*couleur*) Farbton *m* **4.** MUS Tonart *f*, Ton *m* ▸**il est de** <u>bon</u> ~ **de faire qc** es gehört zum guten Ton etw zu tun

ton² [tɔ̃, te] <tes> *dét poss* (*à toi*) dein(e); *v. a.* **mon** ▸**ne fais pas** ~ <u>malin</u>! gib nicht so an!

tonalité [tɔnalite] *f* **1.** TELEC Freizeichen *nt* **2.** *d'une voix* Klang *m* **3.** (*échelle*) Tonalität *f* **4.** LING Klang *m* **5.** *d'un tableau, paysage, texte* Grundstimmung *f*

tondeuse [tɔ̃døz] *f* **1.** (*pour les cheveux, la barbe*) Haar-/Bartschneider *m* **2.** (*pour le jardin*) ~ [**à gazon**] Rasenmäher *m*

tondre [tɔ̃dʀ] <14> *vt* scheren; mähen *gazon;* schneiden *haie*

tondu, e [tɔ̃dy] **I.** *part passé de* **tondre II.** *adj cheveux* geschoren; *personne, tête* [kahl] geschoren; *pelouse, pré* gemäht; *haie* geschnitten

tong [tɔ̃g] *f* Sandale *f* mit Zehenriemchen

tonifiant [tɔnifjɑ̃] *m* Tonikum *nt*

tonifier [tɔnifje] <1> **I.** *vt* kräftigen *cheveux, muscles, peau;* stärken *organisme, personne;* beleben *esprit, personne* **II.** *vi* anregen

tonique [tɔnik] **I.** *adj* **1.** *froid* belebend; *boisson* tonisch **2.** *idée, lecture* anregend **3.** LING *syllabe, voyelle* betont **II.** *m* MED Tonikum *nt*

tonitruant, e [tɔnitʀyɑ̃, ɑ̃t] *adj* laut; *voix* durchdringend; *fig* lautstark

tonne [tɔn] *f* **1.** (*unité*) Tonne *f* **2.** *fam* (*énorme quantité*) [ganze] Tonne ▸**en** <u>fai</u><u>re des ~s</u> *fam* dick auftragen

tonneau [tɔno] <x> *m* **1.** (*récipient*) Fass *nt* **2.** (*accident de voiture*) Überschlag *m* **3.** (*acrobatie aérienne*) Rolle *f*

tonnelet [tɔnlɛ] *m* Fässchen *nt*

tonnelier, -ière [tɔnəlje, -jɛʀ] *m, f* Böttcher(in) *m(f)*

tonnelle [tɔnɛl] *f* [Garten]laube *f*

tonner [tɔne] <1> **I.** *vi* **1.** (*retentir*) *artillerie, canons:* donnern **2.** (*parler*) ~ **contre qc** gegen etw wettern **II.** *vi impers* **il tonne** es donnert

tonnerre [tɔnɛʀ] *m* **1.** METEO Donner *m* **2.** (*manifestation bruyante*) ~ **de protestations** Proteststurm *m;* ~ **d'applaudissements** Beifallssturm *m* ▸**fille/type/voiture** <u>du</u> ~ *fam* super Mädchen/Typ/Auto

tonsure [tɔ̃syʀ] *f* **1.** REL Tonsur *f* **2.** *fam* (*calvitie*) Platte *f*

tonte [tɔ̃t] *f* **1.** (*action*) Scheren *nt;* *d'un*

gazon Mähen *nt; d'une haie* Schneiden *nt*
2. (*époque*) Scherzeit *f*
tonus [tɔnys] *m* **1.** (*dynamisme*) Tatkraft *f*
2. ANAT ~ **musculaire** Muskeltonus *m*
top [tɔp] **I.** *adj inv, antéposé* **1.** *fam* (*super*) voll super; **la boutique la plus** ~ die absolute Topboutique **2.** COUT ~ **model** Topmodel *nt* **II.** *m* **1.** RADIO Gongschlag *m* **2.** (*signal de départ*) ~ [**de départ**] Startsignal *nt* **3.** SPORT Startschuss *m* **4.** *fam* (*niveau maximum*) **le** ~ das Beste
topo [tɔpo] *m fam* **1.** (*exposé oral*) Kurzvortrag *m* **2.** (*exposé écrit*) kurze Darstellung *f* **3.** *péj* (*répétition ennuyeuse*) Sermon *m*
topologie [tɔpɔlɔʒi] *f* Topologie *f*
topométrie [tɔpɔmetʀi] *f* [Erd]vermessung *f*
toponyme [tɔpɔnim] *m* Ortsname *m*
toponymie [tɔpɔnimi] *f* Ortsnamenkunde *f*
toquard, e [tɔkaʀ, aʀd] *v.* tocard
toque [tɔk] *f* **1.** *d'un juge, magistrat* Toque *f; d'un cuisinier* Mütze *f* **2.** (*distinction*) Stern *m*
toqué, e [tɔke] **I.** *adj fam* (*cinglé*) bekloppt **II.** *m, f fam* Bekloppte(r) *f(m)*
Torah [tɔʀa] *f* Thora *f*
torche [tɔʀʃ] *f* **1.** (*flambeau*) Fackel *f* **2.** (*lampe électrique*) Taschenlampe *f*
torchis [tɔʀʃi] *m* Strohlehm *m*
torchon [tɔʀʃɔ̃] *m* **1.** (*tissu*) Tuch *nt;* **donner un coup de** ~ **sur/à qc** etw abwischen **2.** *fam* (*mauvais journal*) Käseblatt *nt* **3.** (*sale travail*) Geschmiere *nt* (*fam*) ▶**il ne faut pas mélanger les** ~**s et les serviettes** *fam* man darf nicht alles in einen Topf werfen
tordant, e [tɔʀdɑ̃, ɑ̃t] *adj fam* (*drôle*) zum Brüllen
tord-boyaux [tɔʀbwajo] *m inv, fam* Fusel *m*
tordre [tɔʀdʀ] <14> **I.** *vt* **1.** (*serrer en tournant*) [aus]wringen *linge;* zwirnen *brins, fils* **2.** (*plier*) verbiegen; **être tordu** *jambe, nez, règle:* krumm sein **3.** (*déformer*) ~ **la bouche/les traits de qn** jdm den Mund/die Züge von jdm verzerren **II.** *vpr* **1.** (*faire des contorsions*) **se** ~ **de douleur** sich vor Schmerz (*dat*) verziehen; **se** ~ **de rire** sich vor Lachen biegen (*fam*) **2.** (*se luxer*) **se** ~ **un membre** sich (*dat*) ein Glied verrenken
tordu, e [tɔʀdy] **I.** *part passé de* tordre **II.** *adj fam esprit, personne, idée* verschroben; *raisonnement* seltsam **III.** *m, f fam* Verrückte(r) *f(m)*
toréador [tɔʀeadɔʀ] *m* Stierkämpfer *m*
toréer [tɔʀee] <1> *vi* gegen den Stier

kämpfen
tornade [tɔʀnad] *f* Tornado *m*
torpédo [tɔʀpedo] *f* AUT, HIST *offener Tourenwagen*
torpeur [tɔʀpœʀ] *f* Erstarrung *f;* (*dans un pays*) Lähmung *f*
torpille [tɔʀpij] *f* MIL Torpedo *m*
torpiller [tɔʀpije] <1> *vt* **1.** MIL torpedieren **2.** (*faire échouer*) sabotieren; hintertreiben *plan, projet*
torpilleur [tɔʀpijœʀ] *m* Torpedoboot *nt*
torréfier [tɔʀefje] <1> *vt* rösten
torrent [tɔʀɑ̃] *m* **1.** (*cours d'eau*) Gebirgsbach *m* **2.** (*flot abondant*) ~ **de boue** Schlammmasse *f;* ~ **de larmes** Strom von Tränen ▶**il pleut à** ~**s** es gießt in Strömen
torrentiel, le [tɔʀɑ̃sjɛl] *adj pluies* Sturzregen
torride [tɔʀid] *adj* **1.** (*brûlant*) heiß; *chaleur* brütend **2.** (*passionné*) heiß (*fam*)
torsade [tɔʀsad] *f* **1.** (*cordelette*) Kordel *f* **2.** (*coiffure*) geflochtener Zopf
torsader [tɔʀsade] <1> *vt* flechten *brins, cheveux*
torse [tɔʀs] *m* **1.** (*poitrine*) Oberkörper *m* **2.** ANAT Rumpf *m* **3.** ART Torso *m*
torsion [tɔʀsjɔ̃] *f de la bouche, des traits* Verzerren *nt*
tort [tɔʀ] *m* **1.** (*erreur*) Fehler *m* **2.** (*préjudice*) Nachteil *m;* (*moral*) Unrecht *nt;* **avoir** [**grand**] ~ **de faire qc** etw zu Unrecht tun; **faire du** ~ **à qn/qc** jdm/einer S. schaden ▶**à** ~ **ou à raison** zu Recht oder zu Unrecht; **à** ~ **et à travers** unüberlegt
torticolis [tɔʀtikɔli] *m* steifer Hals
tortillard [tɔʀtijaʀ] *m fam* Bummelzug *m*
tortillement [tɔʀtijmɑ̃] *m* Verrenkung *f; des fesses, hanches* Wackeln *nt*
tortiller [tɔʀtije] <1> **I.** *vt* zwirbeln *cheveux;* [zer]knittern *cravate, mouchoir* **II.** *vi* ~ **des hanches/fesses** mit der Hüfte/dem Hintern wackeln ▶**y a pas à** ~ *fam* daran gibt es nichts zu rütteln **III.** *vpr* **se** ~ (*se tourner sur soi-même*) *personne:* herumzappeln; *animal:* sich winden
tortionnaire [tɔʀsjɔnɛʀ] *mf* Folterknecht *m*
tortue [tɔʀty] *f* **1.** ZOOL Schildkröte *f* **2.** *fam* (*personne très lente*) Schnecke *f*
tortueux, -euse [tɔʀtɥø, -øz] *adj* **1.** *chemin* verschlungen; *escalier, ruelle* verwinkelt **2.** *conduite* undurchsichtig; *manœuvres* undurchschaubar
torture [tɔʀtyʀ] *f* **1.** (*supplice*) Folter *f* **2.** (*souffrance*) Qual *f* ▶**mettre qn à la** ~ jdn auf die Folter spannen
torturer [tɔʀtyʀe] <1> **I.** *vt* **1.** (*supplicier*) foltern *personne;* quälen *animal* **2.** (*faire souffrir*) *douleur, doute, faim, jalousie, re-*

mords: plagen **3.**(*déformer*) **être torturé par qc** *traits, visage:* durch etw entstellt sein **II.** *vpr* **se** ~ grübeln

tôt [to] *adv* **1.**(*de bonne heure*) früh **2.**(*à une date ou une heure avancée*) früh **3.**(*vite*) **plus** ~ früher; **le plus** ~ **possible** so bald wie möglich ▶~ **ou tard** früher oder später; **pas plus** ~ **... que** (*à peine*) kaum ..., da

total [tɔtal, o] <-aux> *m* (*somme*) Gesamtbetrag *m* ▶**faire le** ~ **de qc** die Bilanz aus etw ziehen; **au** ~ (*en tout*) insgesamt; (*somme toute*) alles in Allem

total, e [tɔtal, o] <-aux> *adj* **1.**(*absolu*) total; *maîtrise* vollkommen; *désespoir, obscurité, ruine* völlig **2.** FIN, MATH *hauteur, somme* Gesamt-

totalement [tɔtalmɑ̃] *adv* völlig; *détruit, ruiné* vollkommen

totaliser [tɔtalize] <1> *vt* **1.**(*additionner*) zusammenzählen **2.**(*atteindre*) kommen auf (+ *akk*) *nombre, points, voix;* zählen *habitants*

totalitaire [tɔtalitɛʀ] *adj* totalitär

totalité [tɔtalite] *f* Gesamtheit *f*

totem [tɔtɛm] *m* **1.**(*symbole*) Totem *nt* **2.**(*statue*) Totempfahl *m*

toucan [tukɑ̃] *m* ORN Tukan *m*

touchant, e [tuʃɑ̃, ɑ̃t] *adj*(*émouvant*) rührend; *situation, histoire* ergreifend

touche [tuʃ] *f* **1.** *d'un accordéon, piano a.* INFORM Taste *f* **2.**(*coup de pinceau*) Strich *m* **3.** PECHE Anbiss *m;* **qn a une** ~ bei jdm beißt ein Fisch an **4.**(*en escrime*) Treffer *m;* (*au football, rugby: ligne*) Seitenlinie *f;* (*sortie du ballon*) Aus *nt* **5.** *fam* (*aspect*) Outfit *n* ▶**faire une** ~ *fam* eine Eroberung machen; **sur la** ~ (*au bord du terrain*) auf der Ersatzbank; *fam* (*à l'écart*) im/ins Abseits

touche-à-tout [tuʃatu] *mf inv, fam* **1.**(*enfant*) *Kind, das alles anfasst* **2.**(*personne aux activités multiples*) Hansdampf in allen Gassen *m* (*fam*) **3.**(*personne aux talents multiples*) Tausendsassa *m* (*fam*)

toucher [tuʃe] <1> **I.** *vt* **1.**(*porter la main sur*) berühren **2.**(*entrer en contact avec*) berühren *ballon, fond, sol;* reichen bis an (+ *akk*) *plafond* **3.**(*être contigu à*) ~ **qc** an etw (*akk*) grenzen **4.**(*frapper*) *balle, coup, explosion, mesure, politique:* treffen **5.**(*concerner*) betreffen; *histoire, affaire:* angehen **6.**(*émouvoir*) *critique, reproche:* treffen; *drame, deuil, scène:* berühren **7.**(*recevoir*) bekommen *argent, ration, commission;* beziehen *pension, traitement;* (*à la banque*) abheben *argent* **8.**(*contacter*) erreichen *personne* **9.**(*atteindre*) erreichen *port, côte* **II.** *vi* **1.**(*porter la main sur*) ~ **à qc** etw an-

fassen **2.**(*se servir de*) ~ **à ses économies** an sein Erspartes gehen **3.**(*tripoter*) ~ **à qn** jdn anrühren **4.**(*modifier*) ~ **au règlement** die Regeln antasten **5.**(*concerner*) ~ **à un domaine** ein Gebiet berühren **6.**(*aborder*) ~ **à un problème/sujet** ein Problem/Thema ansprechen **7.**(*être proche de*) ~ **à un lieu/objet** an einen Ort/ein Objekt fast angrenzen; ~ **à sa fin** dem Ende zugehen **III.** *vpr* **se** ~ (*être en contact*) *personnes:* sich berühren; *immeubles, localités, propriétés:* aneinander grenzen **IV.** *m* **1.**(*sens*) Tastsinn *m* **2.**(*impression*) Beschaffenheit *f* MUS Anschlag *m;* SPORT Ballgefühl *nt* ▶**au** ~ beim Berühren

touffe [tuf] *f* Büschel *nt*

touffu, e [tufy] *adj* (*épais*) dicht; *sourcils* buschig; *végétation* üppig

toujours [tuʒuʀ] *adv* **1.**(*constamment*) immer **2.**(*encore*) immer noch **3.**(*en toutes occasions*) immer **4.**(*malgré tout*) dennoch ▶**qn peut** ~ **faire qc** (*qn aura beau*) jd kann etw tun, so viel er will; **depuis** ~ seit eh und je

toupet [tupɛ] *m* **1.**(*touffe*) Büschel *nt* **2.** *fam* (*culot*) Frechheit *f*

tour¹ [tuʀ] *f* **1.**(*monument*) Turm *m;* MIL Wehrturm; ~ **de contrôle** Tower *m;* ~ **de forage** Bohrturm *m;* ~ **de guet** Wachturm *m* **2.**(*immeuble*) Hochhaus *nt* JEUX Turm *m* ▶**une vraie** ~ *fam* ein richtiger Kleiderschrank

tour² [tuʀ] *m* **1.**(*circonférence*) Umfang *m; des yeux* Ränder *Pl;* ~ **de cou** Halsband *nt;* ~ **de hanches/poitrine** Hüftweite *f/* Brustumfang *m* **2.**(*brève excursion*) Tour *f;* **faire un** ~ eine Runde machen; ~ **de France** SPORT Tour *f* de France; HIST *Wanderschaft eines Handwerksgesellen;* ~ **d'horizon** Überblick *m* **3.**(*succession alternée*) ~ **de garde/surveillance** Wachdienst *m;* **c'est au** ~ **de qn de faire qc** jd ist dran etw zu tun (*fam*) **4.**(*rotation*) Umdrehung *f* **5.**(*duperie*) Streich *m* **6.**(*tournure*) [Rede]wendung *f* **7.**(*exercice habile*) Kunststück *nt;* ~ **de force** Kraftakt *m;* (*exploit moral*) Heldentat *f;* ~ **de prestidigitation** [*o* **de magie**] Zaubertrick *m;* ~ **de main** Fingerfertigkeit *f* **8.**(*séance*) Runde *f;* ~ **de chant** Konzert *nt* **9.** POL Wahlgang *m;* ~ **de scrutin** Wahlgang *m* ▶**faire le** ~ **du cadran** zwölf volle Stunden schlafen; **en un** ~ **de main** im Handumdrehen; **à** ~ **de rôle** abwechselnd; **jouer un** ~ **à qn** jdm übel mitspielen; **prendre un** ~ **désagréable/inquiétant** einen unangenehmen/beunruhigenden Verlauf nehmen; **c'est un** ~ **à prendre** das ist eine Frage der Übung

tourbière [tuʀbjɛʀ] *f* [Torf]moor *nt*

tourbillon [tuʀbijɔ̃] *m* **1.** (*vent*) Wirbelsturm *m;* ~ **de neige** Schneegestöber *nt* **2.** (*masse d'eau*) Strudel *m* **3.** (*colonne tournoyante*) ~ **de sable** Sandsturm *m* **4.** (*agitation*) ~ **de la vie** Lauf *m* des Leben

tourbillonnant, e [tuʀbijɔnɑ̃, ɑ̃t] *adj vent* Wirbel-; *eau* strudelnd; *feuilles, fumée* wirbelnd

tourbillonnement [tuʀbijɔnmɑ̃] *m* (*tournoiement*) ~ **des feuilles/de la fumée** Blätter-/Rauchwirbel *m*

tourbillonner [tuʀbijɔne] <1> *vi feuilles:* [herum]wirbeln; *eaux:* strudeln; *fumée, neige, poussière:* aufwirbeln

tourisme [tuʀism] *m* Tourismus *m;* AUT **voiture de grand** ~ Grand-Tourisme-Wagen *m;* ~ **vert** Naturtourismus *m;* **agence/office de** ~ Reisebüro *nt*/Fremdenverkehrsamt *nt*

touriste [tuʀist] *mf* Tourist(in) *m(f)*

touristique [tuʀistik] *adj* **1.** (*relatif au tourisme*) touristisch; *activités* Freizeit-; *attrait* für Touristen; *billet, menu* Touristen-; *renseignement* Touristen- **2.** *région* Ferien-; **ville** ~ Ferienort *m*

tourmente [tuʀmɑ̃t] *f soutenu* (*tempête*) Unwetter *nt*

tourmenté, e [tuʀmɑ̃te] *adj* **1.** (*angoissé*) gequält **2.** *côte, formes, paysages* zerklüftet; *style* verzerrt **3.** *mer* stürmisch; *vie* bewegt

tourmenter [tuʀmɑ̃te] <1> **I.** *vt* **1.** (*tracasser*) *ambition, envie, jalousie:* quälen; *doute, remords, scrupules:* plagen **2.** (*importuner*) ~ **qn de qc** jdn mit etw bedrängen **II.** *vpr* **se** ~ sich (*dat*) Sorgen machen

tournage [tuʀnaʒ] *m* **1.** CINE Dreharbeiten *Pl;* ~ **d'un film** Dreharbeiten für einen Film **2.** TECH Drehbankarbeiten *Pl*

tournant [tuʀnɑ̃] *m* **1.** (*virage*) Kurve *f* **2.** *d'une carrière, histoire, vie* Wendepunkt *m; d'un match, d'une politique* Wende *f*

tournant, e [tuʀnɑ̃, ɑ̃t] *adj plaque, pont, scène* Dreh-

tourné, e [tuʀne] *adj* (*aigri*) schlecht geworden; *sauce, vin* umgekippt; *lait* sauer geworden ▶ **article/lettre bien/mal** ~ gut/schlecht formulierter Artikel/Brief

tourne-disque [tuʀnədisk] <tourne-disques> *m* Plattenspieler *m*

tournée [tuʀne] *f* **1.** (*circuit*) Tour *f; d'un artiste* Tournee *f;* **être en** ~ auf Tournee sein; *d'un conférencier* [Vortrags]reise *f* **2.** *fam* (*au café*) Runde *f*

tourner [tuʀne] <1> **I.** *vt* **1.** (*mouvoir en rond*) drehen; herumdrehen *clé;* drehen *poignée* **2.** (*orienter*) ~ **la lampe vers la gauche/le haut** die Lampe nach links/

nach oben drehen; ~ **le dos à qn/qc** jdm/etw den Rücken zuwenden **3.** (*retourner*) umdrehen *disque;* umblättern *page;* umdrehen *feuille* **4.** (*remuer*) umrühren **5.** (*contourner*) umgehen; (*en voiture, à vélo*) umfahren **6.** (*détourner*) abwenden *regard;* wegdrehen *tête* **7.** (*formuler*) formulieren **8.** (*transformer*) ~ **qn/qc en ridicule** [*o* **dérision**] jdn/etw lächerlich machen; ~ **à son avantage** zu seinen/ihren Gunsten wenden **9.** CINE drehen **10.** TECH drehen; drechseln *bois* **II.** *vi* **1.** (*pivoter sur son axe*) sich drehen **2.** (*avoir un déplacement circulaire*) *personne, animal:* im Kreis herumlaufen; **la terre tourne autour du soleil** die Erde dreht sich um die Sonne **3.** (*fonctionner*) laufen; ~ **à vide** leer laufen; *moteur:* im Leerlauf sein; ~ **à plein rendement** [*o* **régime**] auf vollen Touren laufen; **faire** ~ **un moteur** einen Motor laufen lassen **4.** (*avoir trait à*) **la conversation tourne autour de qn/qc** die Unterhaltung dreht sich um jdn/etw **5.** (*bifurquer*) abbiegen **6.** (*s'inverser*) umschlagen; *vent:* drehen; **la chance a tourné** das Blatt hat sich gewendet **7.** (*évoluer*) ~ **à/en qc** sich zu etw entwickeln; *événement:* als etw enden; **le temps tourne au beau** es wird heiter **8.** (*devenir aigre*) *crème, lait:* sauer werden **9.** CINE [Filme] drehen **10.** (*approcher*) ~ **autour de qc** *prix, nombre:* [ungefähr] bei etw liegen ▶ ~ **bien/ mal** *personne:* sich positiv entwickeln/auf die schiefe Bahn geraten; *chose:* gut/schlecht ausgehen **III.** *vpr* **1.** **se** ~ **vers qn/qc** (*s'adresser à*) sich an jdn/etw wenden; (*s'orienter*) sich jdn/etw zuwenden; *chose:* sich auf jdn/etw richten **2.** (*changer de position*) **se** ~ **vers qn/de l'autre côté** sich zu jdm/andersherum drehen

tournesol [tuʀnəsɔl] *m* Sonnenblume *f*

tourneur, -euse [tuʀnœʀ, -øz] *m, f* Dreher(in) *m(f); (sur bois)* Drechsler(in) *m(f)*

tournevis [tuʀnəvis] *m* Schraubendreher *m*, Schraubenzieher *m*

tourniquet [tuʀnikɛ] *m* **1.** (*barrière*) Drehkreuz *nt* **2.** (*porte*) Drehtür *f* **3.** (*pour arroser*) Rasensprenger *m* **4.** (*présentoir*) Drehständer *m*

tournis [tuʀni] *m fam* Drehwurm *m*

tournoi [tuʀnwa] *m* Turnier *nt*

tournoiement [tuʀnwamɑ̃] *m* Kreisen *nt; des feuilles* Herumwirbeln *nt*

tournoyer [tuʀnwaje] <6> *vi* sich [im Kreis] drehen; (*plus vite*) herumwirbeln

tournure [tuʀnyʀ] *f* **1.** (*évolution*) Wendung *f;* **prendre bonne** ~ sich zum Guten wenden **2.** LING Wendung *f;* (*idiomatique*)

Redewendung **3.** (*apparence*) Erscheinung *f* **4.** ~ **d'esprit** Denkweise *f* ▶**prendre** ~ Gestalt annehmen

tour-opérateur [tuʀɔpeʀatœʀ] <tour-opérateurs> *m* Reiseveranstalter *m*

tourtereau [tuʀtəʀo] <x> *m* **1.** *pl hum* (*amoureux*) Turteltäubchen *Pl* **2.** ORN Turteltaubenjunge(s) *nt*

tourterelle [tuʀtəʀɛl] *f* Turteltaube *f*

tourtière [tuʀtjɛʀ] *f* (*moule à tarte*) runde Pastetenform

tous [tu, tus] *v.* tout

Toussaint [tusɛ̃] *f* **la** ~ Allerheiligen *nt*

tousser [tuse] *vi* **1.** (*avoir un accès de toux*) husten **2.** (*s'éclaircir la gorge*) sich räuspern **3.** (*pour avertir*) hüsteln **4.** (*avoir des ratés*) *moteur:* stottern

toussotement [tusɔtmɑ̃] *m* [leichter] Husten; (*pour avertir, de gêne*) Hüsteln *nt*

toussoter [tusɔte] <1> *vi* **1.** (*tousser légèrement*) leicht husten **2.** (*pour avertir, de gêne*) hüsteln

tout, e [tu, tut, tus/tu, tut] <tous, toutes> I. *adj indéf* **1.** *sans pl* (*entier*) ~ **le temps/l'argent** die ganze Zeit/das ganze Geld; ~ **le monde** jeder[mann]; **il a plu** ~**e la journée** es hat den ganzen Tag geregnet; **de** ~ **son poids** mit seinem ganzen Gewicht; ~ **ce bruit** dieser ganze Lärm, all dieser Lärm; **nous avons** ~ **notre temps** wir können uns Zeit lassen **2.** *sans pl* (*tout à fait*) **c'est** ~ **le contraire** ganz im Gegenteil **3.** *sans pl* (*seul, unique*) **c'est** ~ **l'effet que ça te fait** mehr fällt dir dazu nicht ein? **4.** *sans pl* (*complet*) **j'ai lu** ~ **Balzac** ich habe alles von Balzac gelesen; ~ **Londres** ganz London; **à** ~ **prix** um jeden Preis; **à** ~**e vitesse** in aller Eile, schleunigst **5.** *sans pl* (*quel qu'il soit*) ~ **homme** jeder [Mensch]; **de** ~**e manière** auf jeden Fall **6.** *pl* (*l'ensemble des*) ~**es les places** alle Plätze; **tous les jours** jeden Tag; **dans tous les cas** in jedem Fall, in allen Fällen **7.** *pl* (*chaque*) **tous les quinze jours** alle vierzehn Tage; **tous les deux jours** jeden zweiten Tag **8.** *pl* (*ensemble*) **nous avons fait tous les cinq ce voyage** wir fünf haben diese Reise gemacht **9.** *pl* (*la totalité des*) **à tous égards** in jeder Beziehung; **de tous côtés** *arriver* von allen Seiten; *regarder* nach allen Seiten; **de** ~**es sortes** aller Art; **un film tous publics** ein Film für jedes Publikum; **chiffon** ~ **usage** Allzwecktuch *nt* II. *pron indéf* **1.** *sans pl* (*opp: rien*) alles **2.** *pl* (*opp: personne/aucun*) alle; **un film pour tous** ein Film *m* für jedermann; **nous tous** wir alle; **tous/**~**es ensemble** alle zusammen **3.** *sans pl* (*l'ensemble des choses*) ~ **ce qui bouge** alles,

was sich bewegt ▶**il/elle a** ~ **pour lui/elle** *fam* alles spricht für ihn/sie; **et c**[e n]**'est pas** ~! und das ist [noch] nicht alles!; **être** ~ **pour qn** jds Ein und Alles sein; **c**[e n]**'est pas** ~ [**que**] **de faire qc** es reicht nicht etw zu tun; ~ **est** **bien qui finit bien** *prov* Ende gut, alles gut (*prov*); **et** ~ [**et** ~] *fam* und so weiter [und so fort]; ~ **ou rien** alles oder nichts; **en** ~ (*au total*) im Ganzen; (*dans toute chose*) in allem; **en** ~ **et pour** ~ alles in allem III. *adv* **1.** (*totalement*) ganz; **le** ~ **premier/dernier** der Allererste/-letzte; **c'est** ~ **autre chose** das ist etwas ganz Anderes **2.** (*très, vraiment*) ganz; ~ **autrement/simplement** ganz anders/einfach; ~ **près** ganz in der Nähe; ~ **près de** ganz nahe bei; ~ **à côté** gleich daneben; ~ **à côté de qn/qc** genau neben jdm/etw; ~ **autour** ringsherum; ~ **autour de** rings um **3.** (*aussi*) ~**e maligne qu'elle soit** so schlau sie auch ist **4.** *inv* (*en même temps*) ~ **en faisant qc** während jd etw tut; (*quoique*) obwohl jd etw tut **5.** (*en totalité*) ganz; **tissu** ~ **laine/soie** Stoff *m* aus reiner Wolle/Seide ▶~ **à coup** plötzlich; ~ **d'un coup** (*en une seule fois*) gleichzeitig; (*soudain*) plötzlich; ~ **à fait** ganz; **être** ~ **à fait charmant** äußerst charmant sein; **c'est** ~ **à fait possible** das ist sehr gut möglich; ~ **de suite** sofort; **c'est** ~ **comme** *fam* es läuft auf dasselbe hinaus; **c'est** ~ **vu** das ist todsicher (*fam*); ~ **de même** (*quand même*) trotz alledem; **le** ~ **Paris** alles, was in (*dat*) Paris Rang und Namen hat IV. *m* **1.** (*totalité*) Gesamtheit *f* **2.** (*ensemble*) **le** ~ das Ganze ▶[**pas**] **du** ~! [ganz und] gar nicht!; **elle n'avait pas du** ~ **de pain** sie hatte überhaupt kein Brot [im Haus]

tout-à-l'égout [tutalegu] *m sans pl* Abwasseranschluss *m*

toutefois [tutfwa] *adv* jedoch

tout-petit [tup(ə)ti] <tout-petits> *m* Kleinkind *nt*

tout-puissant, toute-puissante [tupɥisɑ̃, tutpɥisɑ̃t] <tout-puissants> I. *adj* allmächtig II. *m, f* **1.** (*souverain absolu*) allmächtiger Herrscher/allmächtige Herrscherin *m/f* **2.** REL **le Tout-Puissant** der Allmächtige

tout-terrain [tuteʀɛ̃] <tout-terrains> I. *adj* Gelände-; **vélo** ~ Mountainbike *nt* II. *m* (*véhicule*) Geländewagen *m*

tout-venant [tuv(ə)nɑ̃] *m inv* **le** ~ **1.** (*gens banals*) jeder x-Beliebige **2.** (*choses courantes*) nichts Besonderes

toux [tu] *f* Husten *m*

toxicité [tɔksisite] *f* Giftigkeit *f*

toxico [tɔksiko] *mf abr de* **toxicomane**

toxicologique [tɔksikɔlɔʒik] *adj* toxikologisch

toxicologue [tɔksikɔlɔg] *mf* Toxikologe/Toxikologin *m/f*

toxicomane [tɔksikɔman] **I.** *adj* drogensüchtig **II.** *mf* [Drogen]süchtige(r) *f(m)*

toxicomanie [tɔksikɔmani] *f* Drogensucht *f*

toxique [tɔksik] *adj* giftig, toxisch; *gaz* Gift-; **pouvoir** ~ Giftigkeit *f*

trac [tʀak] *m fam* Lampenfieber *nt;* **avoir le** ~ Lampenfieber haben

tracas [tʀaka] *m* Sorgen *Pl;* **se faire du** ~ sich (*dat*) Sorgen machen

tracasser [tʀakase] <1> **I.** *vt* ~ **qn** jdm Sorgen bereiten; *administration:* jdn schikanieren **II.** *vpr* **se** ~ **pour qn/qc** sich (*dat*) um jdn/etw Sorgen machen

tracasserie [tʀakasʀi] *f gén pl* Scherereien *Pl* (*fam*)

tracassier, -ière [tʀakasje, -jɛʀ] *adj* lästig; *administration, bureaucratie* schikanös

trace [tʀas] *f* **1.** (*empreinte*) Spur *f;* *d'un animal* Fährte *f* **2.** (*marque laissée*) Spur *f;* (*cicatrice*) Narbe *f;* ~**s de fatigue** Anzeichen *Pl* von Müdigkeit; **disparaître sans laisser de** ~**s** spurlos verschwinden **3.** (*voie tracée*) Pfad *m;* (*au ski*) Spur *f* **4.** (*quantité minime*) ~**s de poison** Spuren *Pl* von Gift ▸**marcher sur les** ~**s de qn** in jds Fußstapfen (*akk*) treten; **suivre qn à la** ~ jdm auf den Fersen sein

tracé [tʀase] *m* **1.** (*parcours*) Verlauf *m* **2.** *du réseau routier/ferroviaire* Streckenführung *f;* *d'un bâtiment, d'installations* Grundriss *m* **3.** (*graphisme*) Linienführung *f*

tracer [tʀase] <2> *vt* **1.** (*dessiner*) zeichnen; schreiben *chiffre, mot;* ziehen *ligne* **2.** (*frayer*) bahnen *piste;* anlegen *route* **3.** (*décrire*) skizzieren *portrait, tableau*

traceur [tʀasœʀ] *m* **1.** CHIM, MED, RADIO Indikator *m* **2.** INFORM Plotter *m*

trachée-artère [tʀaʃeaʀtɛʀ] <trachées-artères> *f* Luftröhre *f*

trachéite [tʀakeit] *f* Luftröhrenentzündung *f*

trachéotomie [tʀakeɔtɔmi] *f* Luftröhrenschnitt *m*

tract [tʀakt] *m* Flugblatt *nt;* ~ **publicitaire** Werbeprospekt *m*

tractable [tʀaktabl] *adj* Zug-; **poids/charge** ~ Zugleistung *f*/Anhängerlast *f*

tracter [tʀakte] <1> *vt* schleppen; ziehen *caravane*

tracteur [tʀaktœʀ] *m* **1.** AUT [Sattel]schlepper *m* **2.** AGR Traktor *m*

traction [tʀaksjɔ̃] *f* **1.** TECH Zugkraft *f* **2.** AUT Antrieb *m;* ~ **avant/arrière** Vorder-/Hinterradantrieb *m;* **c'est une** ~ **avant/**

arrière das Auto hat Vorder-/Hinterradantrieb **3.** (*à la barre, aux anneaux*) Klimmzug *m* **4.** CHEMDFER Antrieb *m*

tradition [tʀadisjɔ̃] *f* **1.** (*coutume*) Tradition *f* **2.** *sans pl* (*coutumes transmises*) Tradition *f* **3.** REL Tradition *f* **4.** JUR Übergabe *f* ▸**dans la [grande]** ~ **de qn/qc** wie es bei jdm/etw Tradition ist; **de** ~ traditionell

traditionnel, le [tʀadisjɔnɛl] *adj* **1.** (*conforme à la tradition*) traditionell; *idée* althergebracht **2.** (*habituel*) üblich

traditionnellement [tʀadisjɔnɛlmɑ̃] *adv* **1.** (*selon la tradition*) traditionsgemäß **2.** (*habituellement*) üblicherweise **3.** (*comme toujours*) wie üblich

traducteur [tʀadyktœʀ] *m* INFORM ~ **de poche** Sprachcomputer *m*

traducteur, -trice [tʀadyktœʀ, -tʀis] *m, f* (*interprète*) Übersetzer(in) *m(f)*

traduction [tʀadyksjɔ̃] *f* **1.** (*dans une autre langue*) Übersetzung *f;* ~ **en allemand/français** Übersetzung ins Deutsche/Französische; ~ **simultanée** Simultandolmetschen *nt* **2.** *d'un sentiment* Ausdruck *m*

traduire [tʀadyiʀ] <*irr*> **I.** *vt* **1.** (*dans une autre langue*) ~ **Goethe de l'allemand en français** Goethe vom Deutschen ins Französische übersetzen **2.** (*exprimer*) ~ **une pensée/un sentiment** *chose:* der Ausdruck eines Gedankens/eines Gefühls sein; *personne:* einen Gedanken/ein Gefühl zum Ausdruck bringen **3.** JUR ~ **en justice** [*o* **devant les tribunaux**] dem Gericht überstellen **II.** *vpr* **1.** (*être traduisible*) **se** ~ **en qc** sich in etw (*akk*) übersetzen lassen **2.** (*s'exprimer*) **se** ~ **par qc** *sentiment:* sich in etw (*dat*) ausdrücken

traduisible [tʀaduizibl] *adj* übersetzbar; *doctrine* umsetzbar

trafic [tʀafik] *m* **1.** (*circulation*) Verkehr *m* **2.** *péj* (*commerce*) Schwarzhandel *m;* ~ **de drogues** Drogenhandel *m* **3.** *fam* (*activité suspecte*) Machenschaften *Pl*

traficoter [tʀafikɔte] <1> *vt fam* **1.** (*falsifier*) frisieren; verfälschen *produit* **2.** (*bricoler*) ~ **un appareil** an einem Gerät herumbasteln **3.** (*manigancer*) aushecken

trafiquant, e [tʀafikɑ̃, ɑ̃t] *m, f* Schieber(in) *m(f);* ~ **de drogue** Dealer

trafiquer [tʀafike] <1> *vt fam* **1.** (*falsifier*) frisieren *comptes, moteur;* verfälschen *produit* **2.** (*bricoler*) ~ **qc** an etw (*dat*) herumbasteln **3.** (*manigancer*) aushecken

tragédie [tʀaʒedi] *f* Tragödie *f*

tragédien, ne [tʀaʒedjɛ̃, jɛn] *m, f* Tragödiendarsteller(in) *m(f)*

tragique [tʀaʒik] **I.** *adj auteur* Tragödien-;

accident tragisch **II.** *m* **1.** *sans pl* (*genre littéraire*) Tragödie *f* **2.** *sans pl* (*gravité*) Tragik *f*
tragiquement [tʀaʒikmã] *adv* tragisch; *mourir* auf tragische [Art und] Weise
trahir [tʀaiʀ] <8> **I.** *vt* **1.** (*tromper*) verraten; hintergehen *ami;* betrügen *femme;* missbrauchen *confiance* **2.** (*révéler*) verraten **3.** (*dénaturer*) verfälschen *auteur, pièce* **4.** (*lâcher*) *sens:* täuschen **II.** *vi* Verrat begehen **III.** *vpr* se ~ **par une action/un geste** sich durch eine Handlung/Geste verraten
trahison [tʀaizɔ̃] *f* **1.** (*traîtrise*) Verrat *m kein Pl; d'une femme* Treuebruch *m* **2.** *d'une œuvre* Verfälschung *f*
train [tʀɛ̃] *m* **1.** CHEMDFER Zug *m;* ~ **express/omnibus/rapide** Eilzug/Nahverkehrszug/Schnellzug; ~ **à grande vitesse** Hochgeschwindigkeitszug *m;* ~ **électrique/à vapeur** Eisenbahn mit Elektrolokomotive/mit Dampflokomotive; **le** ~ **en direction/venant de Lyon** der Zug nach/aus Lyon; **prendre le** ~ mit dem Zug fahren **2.** (*allure*) Tempo *nt;* ~ **de sénateur** Schneckentempo *nt;* **à ce** ~ bei diesem Tempo; ~ **de vie** Lebensstandard *m* **3.** (*jeu*) Satz *m;* **un** ~ **de roues/pneus** ein Satz Räder/Reifen; ~ **d'atterrissage** Fahrwerk *nt* **4.** *de textes, négociations* Reihe *f;* ~ **de réformes** Reformpaket *nt;* ~ **d'expulsions/de licenciements** Ausweisungs-/Entlassungsflut *f* **5.** AUT ~ **avant/arrière** Vorder-/Hinterachse *f* ▶**prendre le** ~ **en marche** sich noch anschließen; **mener grand** ~ auf großem Fuße leben; **un** ~ **peut en cacher un autre** der erste Eindruck kann täuschen; **être en** ~ **de faire qc** gerade etw tun, [gerade] dabei sein etw zu tun; **en** ~ (*en forme*) fit; **mettre en** ~ (*moralement*) aufmuntern; (*physiquement*) fit machen; (*personne*) in Stimmung bringen
traînant, e [tʀɛnã, ãt] *adj* **1.** (*lent*) schleppend; *démarche* schlurfend **2.** (*qui traîne à terre*) hängend
traînard, e [tʀɛnaʀ, aʀd] *m, f fam* (*lambin*) Trödelfritze/Trödelliese *m/f*
traîne [tʀɛn] *f* COUT Schleppe *f* ▶**à la** ~ (*en retard*) zu spät
traîneau [tʀɛno] <x> *m* Schlitten *m*
traînée [tʀɛne] *f* (*trace*) Spur *f; d'une étoile filante* Schweif *m* ▶**comme une** ~ **de poudre** wie ein Lauffeuer
traînement [tʀɛnmã] *m* Nachschleppen *nt;* ~ **de pieds** Schlurfen *nt*
traîner [tʀɛne] <1> **I.** *vt* **1.** (*tirer*) ziehen; *véhicule:* schleppen; nachziehen *jambe* **2.** (*emmener de force*) schleppen **3.** (*être*

encombré de) mitschleppen (*fam*); ~ **avec soi** mit sich herumschleppen (*fam*) **4.** (*ne pas se séparer de*) ~ **une idée** an einer Idee festhalten **II.** *vi* **1.** (*lambiner*) *personne:* trödeln; *discussion, maladie, procès:* sich [hin]ziehen **2.** (*vadrouiller*) *personne:* herumhängen **3.** (*être en désordre*) herumliegen **4.** (*pendre à terre*) schleifen **5.** (*être lent*) **elle a l'accent qui traîne** sie hat einen schleppenden Tonfall **III.** *vpr* **1.** (*se déplacer difficilement*) **se** ~ sich dahinschleppen **2.** (*se forcer*) **se** ~ **pour faire qc** sich richtig aufraffen müssen etw zu tun
train-ferry [tʀɛ̃feʀi] <train-ferrys *o* train-ferries> *m* Eisenbahnfähre *f*
training [tʀeniŋ] *m* (*entraînement*) [Fitness]training *nt*
train-train [tʀɛ̃tʀɛ̃] *m sans pl, fam* [Alltags]trott *m*
traire [tʀɛʀ] <irr, défec> *vt* melken
trait [tʀɛ] *m* **1.** (*ligne*) Strich *m* **2.** (*caractéristique*) [Grund]zug *m; distinctif, dominant* Merkmal *nt* **3.** *gén pl* (*lignes du visage*) [Gesichts]züge *Pl* **4.** (*preuve*) Beweis *m* **5.** (*courroie*) Zugriemen *m* **6.** MUS Passage *f* **7.** LING Merkmal *nt;* ~ **d'union** LING Bindestrich *m;* (*lien*) Bindeglied *nt* ▶~ **de génie** Geistesblitz *m;* **boire à longs** ~**s** in langen Zügen trinken; **avoir** ~ **à qc** etw betreffen; *film, livre:* von etw handeln; **tirer un** ~ **sur qc** (*renoncer*) etw aufgeben; (*mettre un terme*) einen Schlussstrich unter etw (*akk*) ziehen; **d'un** ~ in einem Zug; ~ **pour** ~ ganz genau
traitant, e [tʀɛtã, ãt] *adj* pflegend; *shampoing, lotion* Pflege-; *médecin* behandelnd
traite [tʀɛt] *f* **1.** (*achat à crédit*) ~ **de qc** Rate *f* für etw **2.** AGR *des vaches* Melken *nt* **3.** (*trafic*) Handel *m;* **la** ~ **des noirs/blanches** der Sklaven-/Mädchenhandel ▶[**tout**] **d'une** [**seule**] ~ in einem [einzigen] Zug
traité [tʀete] *m* **1.** POL Vertrag *m;* ~ **de Maastricht** Maastrichtabkommen *nt;* ~ **de Versailles** Versailler Vertrag *m* **2.** (*ouvrage*) Abhandlung *f*
traitement [tʀɛtmã] *m* **1.** MED Behandlung *f* **2.** *du chômage, d'un problème, d'une question* Handhabung *f* **3.** (*comportement*) ~ **de qn** Art *f* mit jdm umzugehen; ~ **de faveur** Sonderbehandlung *f* **4.** TECH Behandeln *nt; de l'eau, de déchets radioactifs* [Wieder]aufbereitung *f* **5.** INFORM ~ **multitâche** Multitasking *nt;* ~ **de l'information** [*o des données*] Datenverarbeitung *f;* ~ **de texte** Textverarbeitung *f* **6.** (*rémunération*) Gehalt *nt*
traiter [tʀete] <1> **I.** *vt* **1.** (*se comporter*

envers) behandeln **2.** MED behandeln; **se faire** ~ **pour qc** wegen etw in Behandlung sein **3.** (*qualifier*) ~ **qn de fou/menteur** jdn einen Spinner/Lügner nennen **4.** (*analyser*) behandeln *sujet* **5.** (*régler*) erledigen *affaire, question;* bearbeiten *dossier* **6.** TECH behandeln; [wieder]aufbereiten *déchets, eaux;* raffinieren *pétrole;* **oranges non traitées** ungespritzte Orangen **7.** INFORM verarbeiten *données, texte* **8.** (*recevoir à table*) bewirten **II.** *vi* **1.** (*avoir pour sujet*) ~ **de qc** sich mit etw befassen; *conférencier:* über etw (*akk*) sprechen; *film:* von etw handeln **2.** (*négocier*) ~ **avec qn** mit jdm verhandeln **III.** *vpr* (*être réglé*) **se** ~ erledigt werden

traître, traîtresse [tʀɛtʀ, tʀɛtʀɛs] **I.** *adj* **1.** (*qui trahit*) verräterisch **2.** (*sournois*) tückisch; *escalier, virage* gefährlich; *paroles* trügerisch **II.** *m, f* (*judas*) ~ **à qn/qc** Verräter an jdm/etw ▶**en** ~ hinterrücks

traîtrise [tʀɛtʀiz] *f* **1.** (*déloyauté*) Hinterlist *f* **2.** (*acte perfide*) Verrat *m* **3.** (*danger caché*) Tücke *f; d'un escalier, virage* Gefährlichkeit *f*

trajectoire [tʀaʒɛktwaʀ] *f* **1.** *d'un véhicule* Kurs *m; d'un projectile* Flugbahn *f; d'une planète* Umlaufbahn *f* **2.** (*carrière*) Laufbahn *f*

trajet [tʀaʒɛ] *m* Strecke *f; d'une artère, d'un nerf* Bahn *f*

tram [tʀam] *m fam abr de* **tramway**

trame [tʀam] *f* **1.** TEXTIL Schuss[faden *m*] *m* **2.** *d'un récit, film, livre* Gerüst *nt;* **sur cette** ~ vor diesem Hintergrund ▶**usé jusqu'à la** ~ fadenscheinig

tramer [tʀame] <1> **I.** *vt* **1.** (*ourdir*) planen *coup;* schmieden *complot* **2.** TEXTIL weben **II.** *vpr* **se** ~ **contre qn/qc** *intrigue:* gegen jdn/etw im Gange sein; *complot:* gegen jdn/etw geschmiedet werden

tramontane [tʀamɔ̃tan] *f* Tramontana *f*

trampoline [tʀɑ̃pɔlin] *m* Trampolin *nt*

tramway [tʀamwɛ] *m* Straßenbahn *f*

tranchant [tʀɑ̃ʃɑ̃] *m* **1.** (*côté coupant*) Schneide *f* **2.** *d'un argument* Durchschlagskraft *f; d'un reproche* Härte *f* ▶**être à double** ~ zweischneidig sein

tranchant, e [tʀɑ̃ʃɑ̃, ɑ̃t] *adj* **1.** (*coupant*) scharf **2.** (*péremptoire*) scharf; *reproche* heftig; *personne* kategorisch **3.** (*trop vif*) hart

tranche [tʀɑ̃ʃ] *f* **1.** (*portion*) Scheibe *f* **2.** *de travaux* Abschnitt *m; de remboursement* Rate *f;* ~ **d'âge** Altersstufe *f;* ~ **de revenus** Einkommensklasse *f;* ~ **de vie** Lebensabschnitt *m* **3.** *d'une pièce de monnaie* Rand *m; d'une planche* Kante *f; d'un livre* Schnitt *m* **4.** (*viande*) Stück Rindfleisch

aus einem Teil der Blume ▶**s'en payer une** ~ *fam* seinen Spaß haben

tranché, e [tʀɑ̃ʃe] *adj* klar

tranchée [tʀɑ̃ʃe] *f* **1.** (*fossé*) Graben *m; des câbles* Kanal *m* **2.** MIL [Schützen]graben *m*

trancher [tʀɑ̃ʃe] <1> **I.** *vt* **1.** (*couper au couteau*) durchschneiden; (*couper à l'épée*) durchschlagen **2.** (*résoudre*) entscheiden *différend, débat;* klären *question* **II.** *vi* (*décider*) ~ **en faveur de qn/qc** eine Entscheidung zugunsten von jdm/etw treffen

tranchoir [tʀɑ̃ʃwaʀ] *m* **1.** (*planche*) Tranchierbrett *nt* **2.** (*couteau*) Tranchiermesser *nt*

tranquille [tʀɑ̃kil] **I.** *adj* **1.** (*calme*) ruhig; *eau* still; *élève, enfant* brav **2.** *endroit* friedlich **3.** (*en paix*) **être** ~ *personne:* seine/ihre Ruhe haben; **laisser** ~ in Ruhe lassen **4.** (*rassuré*) beruhigt **5.** *conviction* still; *courage* fest **6.** *iron fam* (*certain*) **là, je suis** ~ da kann man Gift drauf nehmen ▶**pouvoir dormir** ~ beruhigt sein können; **se tenir** ~ stillhalten **II.** *adv fam* **1.** (*facilement*) mit links **2.** (*sans crainte*) in aller [Seelen]ruhe

tranquillement [tʀɑ̃kilmɑ̃] *adv* **1.** (*paisiblement*) in [aller] Ruhe; *vivre* in Frieden **2.** (*avec maîtrise de soi*) ruhig **3.** (*sans risque*) unbesorgt **4.** (*sans se presser*) in [aller] Ruhe

tranquillisant [tʀɑ̃kilizɑ̃] *m* Beruhigungsmittel *nt*

tranquillisant, e [tʀɑ̃kiliz ɑ̃, ɑ̃t] *adj* beruhigend

tranquilliser [tʀɑ̃kilize] <1> **I.** *vt* beruhigen **II.** *vpr* **se** ~ sich beruhigen

tranquillité [tʀɑ̃kilite] *f* **1.** (*calme*) Ruhe *f; d'un lieu, de la mer, rue* Stille *f* **2.** (*sérénité*) Ruhe *f; matérielle* Sicherheit *f* ▶**en toute** ~ ungestört

transaction [tʀɑ̃zaksjɔ̃] *f* COM Geschäft *nt;* ~ **boursière** Börsentransaktion

transactionnel, le [tʀɑ̃zaksjɔnɛl] *adj* JUR Vergleichs-

transalpin, e [tʀɑ̃zalpɛ̃, in] *adj* **1.** (*italien*) italienisch **2.** GEOG, HIST transalpin[isch]

transat, transatlantique [tʀɑ̃zatlɑ̃tik] **I.** *adj* überseeisch **II.** *m* **1.** (*paquebot*) Ozeandampfer *m* **2.** (*chaise*) Liegestuhl *m* **III.** *f* [Trans]atlantikregatta *f*

transbordement [tʀɑ̃sbɔʀdəmɑ̃] *m d'une cargaison* Umschlagen *nt; de passagers* Umsteigen *nt;* NAUT Umschiffen *nt*

transborder [tʀɑ̃sbɔʀde] <1> *vt* umschlagen *marchandises;* umsteigen lassen *personnes;* NAUT umschiffen *personnes*

transbordeur [tʀɑ̃sbɔʀdœʀ] **I.** *adj* **navire** ~ Fähre *f* **II.** *m* (*car-ferry*) Autofähre *f*

transcendance [tʀɑ̃sɑ̃dɑ̃s] *f* Transzendenz *f*

transcendantal, e [tʀɑ̃sɑ̃dɑ̃tal, o] <-aux> *adj* transzendental

transcender [tʀɑ̃sɑ̃de] <1> I. *vt* (*dépasser*) ~ qc die Grenzen einer S. (*gen*) überschreiten II. *vpr* se ~ über sich selbst hinauswachsen

transcodage [tʀɑ̃skɔdaʒ] *m* (*action*) Übersetzen *nt;* (*résultat*) Übersetzung *f*

transcoder [tʀɑ̃skɔde] <1> *vt* umkodieren

transcodeur [tʀɑ̃skɔdœʀ] *m* Transcoder *m*

transcription [tʀɑ̃skʀipsjɔ̃] *f* 1. (*copie*) Abschrift *f; d'une émission, conversation* Niederschrift *f* 2. LING, MUS, BIO Transkription *f; ~* **phonétique** Lautschrift *f*

transcrire [tʀɑ̃skʀiʀ] <*irr*> *vt* 1. (*copier*) abschreiben *manuscrit, texte;* aufschreiben *message oral* 2. ADMIN, JUR eintragen 3. LING, BIO, MUS transkribieren

transculturel, le [tʀɑ̃skyltyʀɛl] *adj* kulturübergreifend

transdisciplinaire [tʀɑ̃sdisiplinɛʀ] *adj* fächerübergreifend

transe [tʀɑ̃s] *f* 1. *pl* (*affres*) Ängste *Pl* 2. (*état second*) Trance *f*

transept [tʀɑ̃sɛpt] *m* Querschiff *nt*

transférable [tʀɑ̃sfeʀabl] *adj* 1. (*transportable*) transportfähig 2. FIN transferabel; *propriété, valeur* übertragbar

transférer [tʀɑ̃sfeʀe] <5> *vt* 1. (*déplacer*) verlegen *bureaux, gouvernement;* überführen *cendres, dépouille;* überführen *prisonnier;* versetzen *fonctionnaire;* **nos bureaux ont été transférés** wir sind umgezogen 2. JUR transferieren 3. FIN ~ **une somme à qn** jdm einen Betrag überweisen 4. PSYCH ~ **une émotion sur qn/qc** eine Emotion auf jdn/etw übertragen

transfert [tʀɑ̃sfɛʀ] *m* 1. *du gouvernement* Verlegung *f; d'un bureau* Umzug *m; de cendres* Überführung *f; de prisonnier* Verlegung *f; de fonctionnaire* Versetzung *f; de population* Umsiedlung *f; de documents* Umlagerung *f* 2. SPORT Transfer *m* 3. FIN Überweisung *f* 4. PSYCH, INFORM Übertragung *f*

transfiguration [tʀɑ̃sfigyʀasjɔ̃] *f* 1. (*transformation*) Verwandlung *f* 2. REL **la Transfiguration** die Verklärung [Christi]

transfigurer [tʀɑ̃sfigyʀe] <1> *vt* völlig verwandeln; verklären *visage, réalité*

transfo [tʀɑ̃sfo] *m fam abr de* **transformateur** Trafo *m*

transformable [tʀɑ̃sfɔʀmabl] *adj* veränderbar; **être** ~ **en qc** sich in etw (*akk*) verwandeln lassen

transformateur [tʀɑ̃sfɔʀmatœʀ] *m* ELEC Transformator *m*

transformation [tʀɑ̃sfɔʀmasjɔ̃] *f* 1. (*changement*) Veränderung *f; d'une maison, pièce* Umbau *m kein Pl; de matières premières* Verarbeitung *f kein Pl* 2. (*métamorphose*) ~ **en qc** Verwandlung *f* in etw (*akk*) 3. SPORT Erhöhung *f*

transformer [tʀɑ̃sfɔʀme] <1> I. *vt* 1. (*modifier*) verwandeln; umstrukturieren *entreprise;* [ab]ändern *vêtement;* verarbeiten *matière première* 2. (*opérer une métamorphose*) ~ **une pièce en bureau** einen Raum in ein Arbeitszimmer umgestalten 3. SPORT verwandeln *pénalité, penalty;* erhöhen *essai* 4. MATH umformen II. *vpr* 1. (*changer*) **se** ~ sich verändern 2. (*changer de nature*) **se** ~ **en jeune homme sérieux** zu einem ernsthaften jungen Mann werden 3. CHIM, PHYS **l'eau se transforme en glace** Wasser wird zu Eis

transfuge [tʀɑ̃sfyʒ] *mf* Überläufer(in) *m(f)*

transfusé, e [tʀɑ̃sfyze] *m, f* Empfänger(in) *m(f)* einer [Blut]transfusion

transfuser [tʀɑ̃sfyze] <1> *vt* übertragen *sang;* ~ **qn** jdm Blut übertragen

transfusion [tʀɑ̃sfyzjɔ̃] *f* [Blut]transfusion *f*

transgenre [tʀɑ̃sʒɑ̃ʀ] I. *adj* transsexuell II. *mf* Transsexuelle(r) *f(m)*

transgresser [tʀɑ̃sgʀese] <1> *vt* ~ **la loi** das Gesetz übertreten

transgression [tʀɑ̃sgʀesjɔ̃] *f* ~ **d'une interdiction** Verstoß *m* gegen ein Verbot

transhumer [tʀɑ̃zyme] <1> *vi animal:* das Weidegebiet wechseln

transiger [tʀɑ̃ziʒe] <2a> *vi* (*faire un compromis*) ~ **avec qn/qc** sich mit jdm/einer S. abfinden; ~ **avec le collègue** mit dem Kollegen einen Kompromiss schließen; ~ **sur un point** in einem Punkt nachgeben

transistor [tʀɑ̃zistɔʀ] *m* 1. RADIO Transistorradio *nt* 2. ELEC Transistor *m*

transit [tʀɑ̃zit] *m* 1. COM *des voyageurs, marchandises* Transit *m* 2. ANAT Verdauung *f* ►**en** ~ Transit-

transitaire [tʀɑ̃zitɛʀ] *adj* Transit-

transiter [tʀɑ̃zite] <1> *vi* ~ **par qc** durch etw reisen; (*en avion*) über etw (*akk*) fliegen; *marchandise:* transitieren

transitif, -ive [tʀɑ̃zitif, -iv] *adj* transitiv; **verbe** ~ **direct/indirect** Verb *nt* mit direktem Objekt/mit indirektem Objekt

transition [tʀɑ̃zisjɔ̃] *f* (*passage*) ~ **de l'enfance à qc** Übergang *m* von der Kindheit zu etw; MUS Überleitung *f;* CINE Überblendung *f;* PHYS Übergang *m;* **sans** ~ übergangslos ►**de** ~ Übergangs-

transitivité [trᾶzitivite] *f* Transitivität *f*

transitoire [trᾶzitwaʀ] *adj* vorüberge-hend; *période* Übergangs-

transitoirement [trᾶzitwarmᾶ] *adv* vor-läufig

translation [trᾶslasjɔ̃] *f* GEOM Parallelver-schiebung *f*

translucide [trᾶslysid] *adj* durchschei-nend

translucidité [trᾶslysidite] *f* **1.**(*transpa-rence*) Transparenz *f* **2.** TECH Lichtdurch-lässigkeit *f*

transmanche [trᾶsmᾶʃ] *adj* **trafic** ~ Ver-kehr *m* über den Ärmelkanal

transmetteur [trᾶsmetœʀ] *m* Sender *m*

transmettre [trᾶsmɛtʀ] <*irr*> I. *vt* **1.**(*lé-guer*) weitergeben **2.**(*faire parvenir*) über-mitteln *message;* weiterleiten *renseigne-ment, ordre* **3.** RADIO, TELEC, TV übertragen **4.** BIO, MED ~ **une maladie à qn** jdn mit ei-ner Krankheit anstecken **5.** SCI ~ **de l'énergie/un signal** Energie/ein Signal übertragen; *corps conducteur:* leiten II. *vpr* **1.**(*se passer*) **se ~ qc** sich (*dat*) etw über-geben; **se ~ une maladie/des nouvelles** sich [gegenseitig] anstecken/benachrichti-gen **2.**(*se communiquer*) **se ~** *secret:* wei-tergesagt werden; *métier:* weitergereicht werden; *maladie:* übertragen werden

transmissible [trᾶsmisibl] *adj* **1.** MED an-steckend **2.** JUR vererbbar

transmission [trᾶsmisjɔ̃] *f* **1.**(*passation*) Weitergabe *f;* ~ **de l'autorité à qn** Über-tragung *f* der Machtbefugnisse auf jdn **2.**(*diffusion*) ~ **d'une information à qn** Weiterleitung *f* einer Information an jdn; ~ **d'une lettre à qn** Zustellung *f* einer Brief-sendung an jdn; ~ **de données** Daten-übertragung *f;* ~ **de pensée** Gedanken-übertragung *f* **3.** RADIO, TELEC, TV Übertra-gung *f;* ~ **à distance** Fernübertragung **4.** SPORT *d'un ballon* Übergabe *f* **5.** BIO, MED, TECH Übertragung *f* **6.** AUT Getriebe *nt*

transmutation [trᾶsmytasjɔ̃] *f* PHYS, CHIM Umwandlung *f*

transparaître [trᾶspaʀɛtʀ] <*irr*> *vi forme, jour, idées, sentiment:* durchscheinen

transparence [trᾶspaʀᾶs] *f* **1.** *du cristal, verre* Transparenz *f; de l'air, de l'eau* Klar-heit *f* **2.**(*absence de secret*) Transparenz *f; d'une allusion* Deutlichkeit *f*

transparent [trᾶspaʀᾶ] *m* [Transpa-rent]folie *f*

transparent, e [trᾶspaʀᾶ, ᾶt] *adj* **1.**(*opp: opaque*) durchsichtig; *air, eau* klar; **papier** ~ Pauspapier *nt* **2.**(*sans secret*) transpa-rent; *affaire, négociation* offen **3.** *regard, yeux* klar; *personne* leicht zu durchschauen **4.**(*évident*) offensichtlich; *allusion* deut-

lich

transpercer [trᾶspɛʀse] <2> *vt* **1.**(*per-cer*) durchbohren; *balle:* durchschlagen **2.**(*passer au travers*) *froid:* durchdringen; *regard:* durchbohren; ~ **qc** *pluie:* durch etw dringen

transpiration [trᾶspiʀasjɔ̃] *f* **1.**(*proces-sus*) Schwitzen *nt* **2.**(*sueur*) Schweiß *m;* (*soudaine*) Schweißausbruch *m*

transpirer [trᾶspiʀe] <1> *vi* **1.**(*suer*) schwitzen **2.** *fam* (*se donner du mal*) ~ **sur qc** über etw ins Schwitzen geraten

transplant [trᾶsplᾶ] *m* Transplantat *nt*

transplantable [trᾶsplᾶtabl] *adj* **1.** MED transplantierbar **2.** AGR umpflanzbar

transplantation [trᾶsplᾶtasjɔ̃] *f* **1.** BIO, MED Transplantation *f; d'un organe* Ver-pflanzung *f* **2.** AGR Umpflanzen *nt* **3.**(*dé-placement*) Verpflanzung *f; d'une popula-tion* Umsiedlung *f*

transplanté, e [trᾶsplᾶte] *m, f* **1.** MED Or-ganempfänger(in) *m(f)* **2.** SOCIOL Fremdling *m;* (*d'une autre région/ville*) Zugezoge-ne(r) *f(m)*

transplanter [trᾶsplᾶte] <1> I. *vt* **1.** BIO, MED verpflanzen **2.** AGR umpflanzen **3.**(*dé-placer*) umsiedeln *population* II. *vpr* **se ~** umsiedeln

transport [trᾶspɔʀ] *m* **1.**(*achemine-ment*) Transport *m; de bagages, voyageurs* Beförderung *f; d'énergie* Übertragung *f* **2.** *pl* TRANSP **les ~s** das Verkehrswesen; ~**s aériens/routiers** Luft-/Straßenverkehr *m;* **le ministre des ~s** der Verkehrsminis-ter ▶**entreprise de ~** Spedition *f;* **moyens de ~** Verkehrsmittel *Pl;* ~**s en commun** öffentliche Verkehrsmittel *Pl*

transportable [trᾶspɔʀtabl] *adj marchan-dise* transportabel; *blessé, malade* transport-fähig

transporter [trᾶspɔʀte] <1> *vt* **1.**(*ache-miner*) transportieren *blessé, prisonnier;* befördern *voyageur* **2.** TECH übertragen *éner-gie, son* **3.**(*transférer*) versetzen; verlagern *scène, action*

transporteur [trᾶspɔʀtœʀ] *m* **1.** TECH Förderer *m* **2.**(*entreprise*) Transportunter-nehmen *nt*

transposable [trᾶspozabl] *adj* **1.**(*qui peut être transposé*) übertragbar **2.** MUS transponierbar

transposer [trᾶspoze] <1> *vt* **1.**(*transfé-rer*) übertragen **2.** MUS transponieren *mor-ceau*

transposition [trᾶspozisjɔ̃] *f* **1.**(*trans-fert*) Übertragung *f;* (*dans une autre épo-que*) Verlagerung *f* **2.** MUS Transposition *f*

transsexuel, le [trᾶ(s)sɛksɥɛl] I. *adj* transsexuell II. *m, f* Transsexuelle(r) *f(m)*

transvaser [tʀɑ̃svɑze] <1> vt umfüllen
transversal, e [tʀɑ̃svɛʀsal, o] <-aux> adj
quer verlaufend; **rue ~e** Querstraße f
transversale [tʀɑ̃svɛʀsal] f **1.** (itinéraire)
Querverbindung f **2.** (route) Querstraße f
transversalement [tʀɑ̃svɛʀsalmɑ̃] adv
quer
trapèze [tʀapɛz] m **1.** GEOM Trapez nt
2. SPORT Trapez nt **3.** ANAT Trapezmuskel m
trapéziste [tʀapezist] mf Trapezkünst-
ler(in) m(f)
trapézoïdal, e [tʀapezɔidal, o] <-aux>
adj trapezförmig
trappe [tʀap] f **1.** (ouverture) Klappe f;
(dans le plancher) Falltür f; ~ **d'évacuation** Notausstieg m **2.** THEAT [Bühnen]ver-
senkung f **3.** (piège) Falle f ▶**passer à la
~** in der Versenkung verschwinden (fam)
trappeur [tʀapœʀ] m Trapper m
trapu, e [tʀapy] adj gedrungen
traque [tʀak] f du gibier Treibjagd f; d'un
malfaiteur, d'une vedette Verfolgung f
traquenard [tʀaknaʀ] m (a. fig) Falle f
traquer [tʀake] <1> vt verfolgen abus, injustices; Jagd machen auf (+ akk) vedette,
voleur
trash [tʀaʃ] adj inv fam trashing
traumatique [tʀomatik] adj traumatisch
traumatisant, e [tʀomatizɑ̃, ɑ̃t] adj schockierend; **une expérience ~e** ein trauma-
tisches Erlebnis
traumatiser [tʀomatize] <1> vt **1.** (choquer) ~ **qn** jdm einen Schock versetzen;
échec, culpabilité: für jdn zu einem Trauma
werden; **être traumatisé par qc** durch
etw einen Schock erleiden **2.** MED ~ **qn** bei
jdm ein Trauma hinterlassen
traumatisme [tʀomatism] m Trauma nt
traumatologie [tʀomatɔlɔʒi] f **1.** (science) Unfallmedizin f **2.** (service) Unfallstati-
on f
traumatologiste [tʀomatɔlɔʒist] mf Un-
fallarzt/-ärztin m/f; (chirurgien) Unfallchi-
rurg(in) m(f)
travail [tʀavaj, o] <-aux> m **1.** (activité)
Arbeit f; **travaux dirigés** [o **pratiques**]
SCOL [praktische] Übungen Pl; ~ **d'amateur** stümperhafte Arbeit; ~ **de force**
Schwerstarbeit f; ~ **de fourmi** Fleißarbeit
f; ~ **d'équipe** Teamarbeit f **2.** (tâche) Arbeit f **3.** (activité professionnelle) Arbeit f;
~ [au] **noir** Schwarzarbeit f; ~ **intérimaire**
[o **temporaire**] Zeitarbeit f; **se mettre au ~**
sich an die Arbeit machen; ~ **à la chaîne**
Fließbandarbeit f; ~ **à plein temps** Ganz-
tagsbeschäftigung f; ~ **à temps partiel**
Teilzeitarbeit f; **travaux d'utilité collective** (emploi) ABM-Stelle f **4.** pl (ensemble
de tâches) **les travaux domestiques**/

ménagers die Hausarbeit; **travaux d'urbanisme** städtebauliche Maßnahmen Pl
5. (réalisation) Arbeit f; (résultat) Werk nt
6. (publication) Arbeit f **7.** ECON Arbeit f
8. (façonnage) Bearbeitung f; ~ **de la pâte**
Kneten nt des Teiges **9.** (fonctionnement)
Arbeit f; ~ **des reins** Nierenfunktion f
10. (effet) [Ein]wirkung f; ~ **de l'érosion**/
de la fermentation Erosions-/Gärprozess
m **11.** PHYS Arbeit f **12.** ADMIN **travaux publics** Bauarbeiten Pl der öffentlichen
Hand; (opp: secteur du bâtiment) Tiefbau
m; **ingénieur des travaux publics** [Hochun-
und] Tiefbauingenieur; **travaux!** Bauarbeiten! **13.** HIST **travaux forcés** Zwangsarbeit
f ▶**mâcher le ~** à qc jdm alles vorkauen
(fam); **se tuer au ~** sich totarbeiten (fam)
travailler [tʀavaje] <1> **I.** vi **1.** (accomplir
sa tâche) arbeiten **2.** (exercer un métier)
arbeiten; ~ **à son compte** selbstständig
sein **3.** (s'exercer) arbeiten; musicien:
üben; sportif: trainieren **4.** (viser un but) ~
à un reportage/**sur un projet** an einer
Reportage/einem Projekt arbeiten; ~ **à satisfaire les clients** bestrebt sein die Kunden zufriedenzustellen **5.** (fonctionner)
esprit, muscle: arbeiten; **faire ~ sa tête**
(l'utiliser) den Kopf gebrauchen; (réfléchir
beaucoup) angestrengt nachdenken
6. (subir des modifications) arbeiten; cidre, vin: gären **II.** vt **1.** bearbeiten;
[durch]kneten pâte; bearbeiten terre; feilen
an (+ dat) phrase, style; **travaillé à la
main** handgearbeitet **2.** (s'entraîner à)
üben; [ein]üben morceau de musique
3. (tourmenter) ~ **qn** jdm zu schaffen machen; douleur, fièvre: jdn plagen; problème,
question: jdn beschäftigen **4.** (opp: chômer) **les jours non travaillés** die Tage, an
denen nicht gearbeitet wurde
travailleur, -euse [tʀavajœʀ, -jøz] **I.** adj
fleißig **II.** m, f **1.** (salarié) Arbeiter(in)
m(f), Erwerbstätige(r) f(m); ~ **de force**
Schwerarbeiter m; ~ **indépendant** Selbst-
ständige(r) f(m); ~ **immigré**/**étranger**
Gastarbeiter/ausländischer Arbeitnehmer
2. (personne laborieuse) fleißiger Mensch
travailliste [tʀavajist] **I.** adj POL **parti ~** Labour Party f **II.** mf Mitglied nt der Labour
Party
traveller [tʀavlœʀ], **traveller's chèque**
<traveller's chèques> m Reisescheck m
travelling [tʀavliŋ] m CINE Kamerafahrt f
travelo [tʀavlo] m fam Tunte f (pej sl)
travers [tʀavɛʀ] m (petit défaut) Schwäche f ▶**à ~ champs** querfeldein; **avoir qc
en ~ de la gorge** etw noch nicht ge-
schluckt haben (fam); **prendre qc de ~**
etw in den falschen Hals bekommen

(*fam*); **regarder qn de** ~ (*avec suspicion*) jdn schief ansehen (*fam*); (*avec animosité*) jdn böse ansehen; **à** ~ **qc**, **au** ~ **de qc** (*en traversant*) durch etw hindurch; (*par l'intermédiaire de*) durch etw; **passer à** ~ **les mailles du filet** *fam* der Polizei entkommen; **à** ~ **les siècles** über Jahrhunderte [hinweg]; **à** ~ **le monde** überall in der Welt; **de** ~ (*en biais*) schief; (*mal*) verkehrt; **en** ~ quer

traversable [tʀavɛʀsabl] *adj* passierbar; *rue* überquerbar; *rivière, forêt* durchquerbar

traversée [tʀavɛʀse] *f* (*franchissement*) ~ **d'une rue/d'un pont** Überqueren *nt* einer Straße/Brücke; ~ **d'une région/ d'une ville en voiture** Fahrt *f* durch eine Gegend/Stadt; **la** ~ **de l'Atlantique** die Überquerung des Atlantiks ▶~ **du désert** Durststrecke *f*

traverser [tʀavɛʀse] <1> *vt* **1.** (*franchir*) überqueren; (*à pied*) gehen über (+ *akk*); (*en voiture, à vélo*) fahren über (+ *akk*); (*à la nage*) durchschwimmen; **faire** ~ **qn** jdn über die Straße führen **2.** (*se situer en travers de*) *route:* durchqueren; *fleuve:* fließen durch; *pont:* führen über (+ *akk*) **3.** (*transpercer*) dringen durch; *clou:* sich bohren in (+ *akk*) **4.** (*subir*) durchmachen **5.** (*se manifester dans*) **cette idée lui traverse l'esprit** diese Idee schießt ihm/ihr durch den Kopf **6.** (*fendre*) sich (*dat*) einen Weg bahnen durch **7.** (*barrer*) **une balafre lui traversait le front** eine Narbe zog sich quer über seine/ihre Stirn

traversier [tʀavɛʀsje] *m* CAN (*bac*) Fähre *f*

traversier, -ière [tʀavɛʀsje, -jɛʀ] *adj* quer [gestellt]; **flûte ~ière** Querflöte *f*

traversin [tʀavɛʀsɛ̃] *m:* lange, mit Federn gefüllte Kopfkissenrolle

travesti [tʀavɛsti] *m* **1.** (*homosexuel*) Transvestit *m* **2.** (*rôle: pour un homme*) Frauenrolle *f*; (*pour une femme*) Hosenrolle *f*; (*artiste*) Travestiekünstler *m*

travesti, e [tʀavɛsti] *adj* verkleidet; **bal** ~ Maskenball *m*

travestir [tʀavɛstiʀ] <8> *vt* **1.** (*falsifier*) verfälschen; falsch wiedergeben *pensée;* verstellen *voix* **2.** (*déguiser*) ~ **qn en fée** jdn als Fee verkleiden

travestissement [tʀavɛstismɑ̃] *m* **1.** (*déformation*) Verfälschung *f*; *de la vérité, réalité* verzerrte Darstellung; *d'une pensée* verzerrte Wiedergabe; *de la voix* Verstellung *f* **2.** (*déguisement*) Verkleidung *f*

trayeuse [tʀɛjøz] *f* (*machine*) Melkmaschine *f*

trébuchant, e [tʀebyʃɑ̃, ɑ̃t] *adj* **1.** (*chancelant*) schwankend; *ivrogne* torkelnd **2.** *voix* stockend; *diction* holprig

trébucher [tʀebyʃe] <1> *vi* **1.** (*buter*) ~ **sur une pierre** über einen Stein stolpern **2.** (*être arrêté par*) **faire** ~ jdm ein Bein stellen; *fig* jdn in Schwierigkeiten bringen

trèfle [tʀɛfl] *m* **1.** BOT Klee *m* **2.** JEUX Kreuz *nt* **3.** (*figure*) Kleeblatt *nt* **4.** ARCHIT Dreipass *m*

treille [tʀɛj] *f* **1.** (*tonnelle*) Weinlaube *f* **2.** (*vigne*) Spalierwein *m*

treize [tʀɛz] **I.** *num* dreizehn **II.** *m inv* Dreizehn *f; v. a.* **cinq**

treizième [tʀɛzjɛm] **I.** *adj antéposé* dreizehnte(r, s) **II.** *mf* **le/la** ~ der/die/das Dreizehnte **III.** *m* (*fraction*) Dreizehntel *nt; v. a.* **cinquième**

tréma [tʀema] **I.** *m* Trema *nt* **II.** *app* **e/i/ u** ~ e/i/u [mit] Trema; **a/o/u** ~ (*en allemand*) ä/ö/ü

tremblant, e [tʀɑ̃blɑ̃, ɑ̃t] *adj* zitternd; *lueur* flackernd

tremblement [tʀɑ̃bləmɑ̃] *m* **1.** (*frissonnement*) Zittern *nt; des jambes* Schlottern *nt; d'une lumière, flamme* Flackern *nt; ~***s de fièvre** Schüttelfrost *m; ~* **de terre** Erdbeben *nt* **2.** (*vibration*) Beben *nt; des feuilles* Zittern *nt; des ~***s** Erschütterungen *Pl*

trembler [tʀɑ̃ble] <1> *vi* **1.** (*frissonner*) zittern; *flamme, lumière:* flackern; ~ **de colère** vor Wut beben **2.** (*vibrer*) beben; *voix:* zittern **3.** (*avoir peur*) erschauern; **faire** ~ **qn** jdm Angst [und Bange] machen

trembloter [tʀɑ̃blɔte] <1> *vi* [leicht] zittern

trémousser [tʀemuse] <1> *vpr* **se** ~ *danseur:* sich verrenken; *enfant:* zappeln

trempe [tʀɑ̃p] *f* **1.** (*fermeté*) Charakterstärke *f* **2.** *fam* (*correction*) Dresche *f* **3.** TECH *de l'acier, du verre* Härten *nt*

trempé, e [tʀɑ̃pe] *adj* **1.** (*mouillé*) durchnässt; ~ **de sueur** schweißgebadet **2.** TECH *acier* gehärtet; **en verre** ~ aus Sicherheitsglas ▶**bien** ~ stark

tremper [tʀɑ̃pe] <1> **I.** *vt* **1.** (*mouiller*) durchnässen; durchtränken *sol* **2.** (*humecter*) quellen lassen *grains, semence* **3.** (*plonger*) ~ **sa plume dans l'encre** seine Feder in die Tinte eintauchen; ~ **son croissant dans son café au lait** sein Croissant in den Milchkaffee tunken **4.** TECH härten *acier* **II.** *vi* **1.** (*rester immergé*) **laisser** ~ **des légumes secs** Hülsenfrüchte quellen lassen **2.** (*participer à*) ~ **dans qc** in etw (*akk*) verwickelt sein

tremplin [tʀɑ̃plɛ̃] *m* **1.** SPORT Sprungbrett *nt;* (*au ski*) Sprungschanze *f* **2.** (*aide, soutien*) Sprungbrett *nt*

trench-coat [tʀɛnʃkot] <trench-coats> *m* Trenchcoat *m*

trentaine [tʀɑ̃tɛn] *f* **1.** (*environ trente*)

une ~ de personnes/pages etwa dreißig Personen/Seiten **2.** (*âge approximatif*) **avoir la ~** [*o* une ~ **d'années**] ungefähr dreißig [Jahre alt] sein; **approcher de la ~** auf die Dreißig zugehen; **avoir largement dépassé la ~** weit über dreißig [Jahre alt] sein

trente [tʀãt] **I.** *num* dreißig **II.** *m inv* Dreißig *f; v. a.* **cinq, cinquante**

trentenaire [tʀãtnɛʀ] *adj* dreißigjährig; **prescription ~** Verjährungsfrist *f* von dreißig Jahren

trente-six [tʀãtsis] **I.** *num* **1.** (*chiffre*) sechsunddreißig; *v. a.* **cinq 2.** *fam* (*une grande quantité*) x ▸voir ~ **chandelles** Sterne sehen (*fam*) **II.** *m fam* ▸tous les ~ **du mois** alle Jubeljahre [mal]

trentième [tʀãtjɛm] **I.** *adj antéposé* dreißigste(r, s) **II.** *mf* **le/la ~** der/die/das Dreißigste **III.** *m* (*fraction*) Dreißigstel *nt; v. a.* **cinquième**

trépidant, e [tʀepidã, ãt] *adj* **1.** *danse* rhythmisch; *rythme* pulsierend **2.** (*fébrile*) pulsierend

trépider [tʀepide] <1> *vi* vibrieren; *machine:* dröhnen

trépied [tʀepje] *m* **1.** (*siège*) Dreifuß *m* **2.** (*support*) Dreibein *nt; d'un appareil photo* Stativ *nt*

trépignement [tʀepiɲmã] *m* Trampeln *nt;* (*de colère*) Aufstampfen *nt*

trépigner [tʀepiɲe] <1> *vi* ~ **d'impatience** vor Ungeduld von einem Fuß auf den anderen treten

très [tʀɛ] *adv* sehr; *nécessaire* dringend; **avoir ~ faim/peur** großen Hunger/große Angst haben; **faire ~ attention** gut aufpassen

Très-Haut [tʀɛo] *m* **le ~** der Allerhöchste (*geh*)

trésor [tʀezɔʀ] *m* **1.** (*richesse enfouie*) Schatz *m* **2.** *pl* (*richesses*) Schätze *Pl* **3.** (*source précieuse*) **dépenser des ~s d'ingéniosité** sich äußerst einfallsreich zeigen **4.** ADMIN, FIN **Trésor** [public] (*moyens financiers*) Staatskasse *f;* (*l'État*) öffentliche Hand; (*administration*) Finanzverwaltung *f;* (*bureau*) Finanzamt *nt*

trésorerie [tʀezɔʀʀi] *f* **1.** (*budget*) Finanzen *Pl* **2.** (*gestion*) Haushaltsführung *f; d'une entreprise* (*budget*) [Firmen]gelder *Pl;* (*gestion*) [betriebliches] Rechnungswesen **3.** ADMIN, FIN Finanzverwaltung *f;* (*bureau*) Finanzamt *nt;* (*gestion du budget de l'État*) Etatverwaltung *f*

trésorier, -ière [tʀezɔʀje, -jɛʀ] *m, f* Kassenführer(in) *m(f); d'une association, d'un club* Kassenwart *m; d'un parti, syndicat* Schatzmeister(in) *m(f)*

tressaillir [tʀesajiʀ] <*irr*> *vi* zusammenzucken; *maison:* erzittern; *cœur:* beben

tressauter [tʀesote] <1> *vi* **1.** (*être secoué*) *personne:* hin- und hergeworfen werden; (*dans un véhicule*) durchgerüttelt werden **2.** (*sursauter*) zusammenzucken; (*dans son sommeil, dans ses pensées*) hochschrecken

tresse [tʀɛs] *f* Zopf *m*

tresser [tʀese] <1> *vt* flechten

tréteau [tʀeto] <x> *m* **1.** (*support*) Bock *m* **2.** THEAT **les ~x** die Bühne

treuil [tʀœj] *m* Winde *f*

trêve [tʀɛv] *f* **1.** (*répit*) Ruhepause *f* **2.** (*arrêt des hostilités*) Waffenruhe *f* ▸**mettre une ~ à qc** einer S. (*dat*) ein Ende setzen; **~ de plaisanteries!** Spaß beiseite!

Trèves [tʀɛv] Trier *nt*

trévise [tʀeviz] *f* Radicchio *m*

tri [tʀi] *m* **1.** (*choix*) [Aus]sortieren *nt; ~* **des déchets** Mülltrennung *f;* **faire le ~ de qc** eine Auswahl zwischen etw (*dat*) treffen **2.** POST Sortieren *nt* **3.** INFORM **effectuer un ~ croissant/décroissant** auf-steigend/absteigend sortieren

triade [tʀijad] *f* Dreiergruppe *f*

trial [tʀijal] *m* **1.** (*moto*) Moto-Cross-Rad *nt* **2.** (*course*) Moto-Cross[-Rennen *nt*] *nt*

triangle [tʀijãgl] *m* **1.** GEOM Dreieck *nt* **2.** AUT **~ de présignalisation** Warndreieck *nt* **3.** MUS Triangel *m*

triangulaire [tʀijãgylɛʀ] **I.** *adj* **1.** (*à trois côtés*) dreieckig; *prisme, pyramide* dreisei-tig **2.** (*à trois*) zwischen drei Parteien **II.** *f* POL Dreikampf *m*

triathlon [tʀi(j)atlɔ̃] *m* Triathlon *m*

triathlonien, ne [tʀi(j)atlɔnjɛ̃, jɛn] *m, f* Triathlet(in) *m(f)*

tribal, e [tʀibal, o] <-aux> *adj* **organisation ~e** Stammesorganisation *f*

tribord [tʀibɔʀ] *m* Steuerbord *nt kein Pl*

tribu [tʀiby] *f* **1.** SOCIOL Stamm *m* **2.** *iron* (*grande famille*) Sippe *f*

tribunal [tʀibynal, o] <-aux> *m* **1.** (*juridiction*) Gericht *nt; ~* **administratif** Ver-waltungsgericht; **~ correctionnel** Strafge-richt [der zweiten Instanz]; **le ~ compé-tent** das zuständige Gericht; **~ de com-merce** Handelsgericht; **~ fédéral** CH (*cour suprême de la Suisse*) Bundesgericht; **~ de grande instance** Zivilgericht [der zweiten Instanz]; **~ de police** ≈ Amtsge-richt für Strafsachen; **~ d'instance** Zivilge-richt [der ersten Instanz]; **~ pour enfants** Jugendgericht **2.** (*bâtiment*) Gericht[sge-bäude *nt*] *nt* **3.** REL **~ suprême** höchstes Gericht

tribune [tʀibyn] *f* **1.** (*estrade*) [Redner]tri-büne *f* **2.** (*galerie surélevée*) [Zuhörer]tri-

büne f; SPORT d'un champ de courses, stade [Zuschauer]tribüne **3.** (lieu d'expression) Forum nt; (dans un journal) Kolumne f ▸**monter** à la ~ auf die [Redner]tribüne steigen; (prendre la parole) das Wort ergreifen

tribut [tʀiby] m **1.** HIST Tribut m **2.** (sacrifice) Tribut m; **le ~ du sang** der Blutzoll

tributaire [tʀibytɛʀ] adj ~ **de qn/qc** abhängig von jdm/etw

tricentenaire [tʀisɑ̃tnɛʀ] **I.** adj dreihundertjährig **II.** m d'une personne dreihundertster Geburtstag; d'un événement dreihundertster Jahrestag; (cérémonie) Dreihundertjahrfeier f

tricher [tʀiʃe] <1> vi **1.** (frauder) betrügen; ~ **aux cartes/à l'examen** beim Kartenspiel/in der Prüfung mogeln (fam) **2.** (tromper) ~ **sur le prix** den Preis verfälschen

tricherie [tʀiʃʀi] f Betrügerei f; (au jeu, à l'examen) Schummeln nt (fam)

tricheur, -euse [tʀiʃœʀ, -øz] **I.** adj **être ~** [gern] schummeln **II.** m, f Betrüger(in) m(f); (au jeu, à l'examen) Schummler(in) m(f); (aux cartes) Falschspieler(in) m(f)

tricolore [tʀikɔlɔʀ] **I.** adj **1.** (bleu, blanc, rouge) blauweißrot **2.** (français) französisch **3.** (de trois couleurs) dreifarbig **II.** mpl SPORT **les ~s** die französische Nationalmannschaft

tricot [tʀiko] m **1.** (vêtement) Pullover m; (gilet tricoté) Strickweste f; ~ **de corps** Unterhemd nt **2.** (étoffe) Strickware f **3.** (action) Stricken nt

tricoter [tʀikɔte] <1> **I.** vt stricken; **tricoté à la main/à la machine** hand-/maschinengestrickt **II.** vi (faire du tricot) stricken; **aiguille à ~** Stricknadel f ▸~ **des jambes** fam die Beine unter den Arm nehmen

tricycle [tʀisikl] m Dreirad nt

trident [tʀidɑ̃] m **1.** PECHE dreizackiger Fischspeer **2.** AGR [dreizinkige] Heugabel **3.** HIST Dreizack m

tridimensionnel, le [tʀidimɑ̃sjɔnɛl] adj dreidimensional

triennal, e [tʀijenal, o] <-aux> adj **1.** (qui dure trois ans) dreijährig **2.** (qui a lieu tous les trois ans) alle drei Jahre stattfindend

trier [tʀije] <1> vt **1.** (sélectionner) auswählen; aussortieren fruits, habits **2.** (classer) sortieren

trieur, -euse [tʀijœʀ, -jøz] m **1.** MIN Sortiermaschine f **2.** AGR Trieur m

trigo fam, **trigonométrie** [tʀigɔnɔmetʀi] f Trigonometrie f

trigonométrique [tʀigɔnɔmetʀik] adj trigonometrisch

trilatéral, e [tʀilateʀal, o] <-aux> adj ECON, POL trilateral

trilingue [tʀilɛ̃g] **I.** adj dreisprachig **II.** mf Dreisprachige(r) f(m)

trilobé, e [tʀilɔbe] adj BOT dreilappig

trimbal[l]er [tʀɛ̃bale] <1> **I.** vt fam herumschleppen; (en voiture) herumkutschieren; schleppen bagages **II.** vpr fam **se ~ dans les rues** durch die Straßen schlendern

trimer [tʀime] <1> vi schuften (fam)

trimestre [tʀimɛstʀ] m **1.** (période de trois mois) Quartal nt; SCOL Trimester nt **2.** (somme) vierteljährliche Zahlung

trimestriel, le [tʀimɛstʀijɛl] adj paiement vierteljährlich; publication vierteljährlich erscheinend

trimestriellement [tʀimɛstʀijɛlmɑ̃] adv vierteljährlich

tringle [tʀɛ̃gl] f Stange f

Trinité [tʀinite] f **la** [**Sainte**] ~ die Dreifaltigkeit

trinquer [tʀɛ̃ke] <1> vi ~ **à la santé de qn** auf jdn anstoßen

trio [tʀijo] m a. MUS Trio nt

triomphal, e [tʀijɔ̃fal, o] <-aux> adj triumphal; accueil begeistert

triomphalement [tʀijɔ̃falmɑ̃] adv triumphierend; accueillir jubelnd

triomphalisme [tʀijɔ̃falism] m Siegesgewissheit f; (après un succès) Triumphgefühl nt

triomphateur, -trice [tʀijɔ̃fatœʀ, -tʀis] **I.** adj air triumphierend; nation, parti siegreich **II.** m, f Sieger(in) m(f)

triomphe [tʀijɔ̃f] m **1.** (victoire éclatante) Triumph m **2.** (grand succès) triumphaler Erfolg **3.** (joie rayonnante) Triumph[gefühl nt] m **4.** HIST Triumphzug m

triompher [tʀijɔ̃fe] <1> vi **1.** (remporter une victoire) triumphieren; personne: siegen; vérité: ans Licht kommen; doctrine, mode: sich durchsetzen **2.** (crier victoire) triumphieren **3.** (faire un triomphe) einen [großen] Triumph feiern

trip [tʀip] m fam Trip m

tripartite [tʀipaʀtit] adj dreiseitige(r, s); **gouvernement** ~ Dreiparteienregierung f

tripe [tʀip] f **1.** pl GASTR Kaldaunen Pl **2.** pl, fam (boyau de l'homme) Eingeweide Pl **3.** pl, fam (ventre) Bauch m ▸**prendre qn aux ~s** fam nouvelle, accident: jdm unter die Haut gehen; misère, violence: jdm an die Nieren gehen; **faire qc avec** _ses_ ~**s** fam (avec enthousiasme) etw mit Leib und Seele tun; (intuitivement) etw aus dem Bauch heraus tun

triphasé [tʀifaze] m Drehstrom m

triphasé, e [tʀifaze] adj **courant** ~ Dreh-

---

tristesse/déception/consternation

• exprimer la tristesse

Ça me rend triste que nous ne nous entendions pas bien.

C'est tellement dommage qu'il se laisse aller de la sorte.

Ces événements me dépriment.

• Traurigkeit ausdrücken

Es macht/stimmt mich traurig, dass wir uns nicht verstehen.

Es ist so schade, dass er sich so gehen lässt.

Diese Ereignisse deprimieren mich.

• exprimer la déception

Je suis (très) déçu(e) par sa réaction.

Tu m'as (terriblement) déçu(e).

Je n'aurais pas cru ça de sa part.

J'aurais souhaité autre chose.

• Enttäuschung ausdrücken

Ich bin über seine Reaktion (sehr) enttäuscht.

Du hast mich (schwer) enttäuscht.

Das hätte ich nicht von ihr erwartet.

Ich hätte mir etwas anderes gewünscht.

• exprimer la consternation

Ce n'est pas croyable!

Mais c'est monstrueux!

C'est le bouquet!/C'est le comble!

Mais tu veux rire!

Je n'y crois pas!

Je suis bouleversé(e).

Mais ce n'est pas possible!

• Bestürzung ausdrücken

Das ist (ja) nicht zu fassen!

Das ist (ja) ungeheuerlich!

Das ist ja (wohl) die Höhe!

Das kann doch nicht dein Ernst sein!

Ich fass es nicht!

Das bestürzt mich.

Das kann/darf (doch wohl) nicht wahr sein!

---

strom *m*

tripier, -ière [tʀipje, -jɛʀ] *m, f: Metzger(in) in einer „triperie"*

triple [tʀipl] **I.** *adj* dreifach **II.** *m* le ~ du **prix** das Dreifache des Preises; **le** ~ **de temps** dreimal so viel Zeit

triplé [tʀiple] *m* SPORT dreifacher Sieg; (*trois victoires de suite*) Hattrick *m*

triplement [tʀipləmɑ̃] **I.** *adv* **1.** (*trois fois*) dreifach **2.** (*tout à fait*) hundertprozentig; *vrai* absolut **II.** *m* **1.** (*multiplication*) Verdreifachung *f* **2.** (*agrandissement*) Erweiterung *f; d'une autoroute, voie* Bau *m* einer dritten Spur

tripler [tʀiple] <1> **I.** *vt* **1.** (*multiplier par trois*) verdreifachen **2.** (*agrandir de trois éléments*) ~ **l'autoroute** eine dritte Autobahnspur [aus]bauen **II.** *vi* sich verdreifachen

triplés, -ées [tʀiple] *mpl, fpl* Drillinge *Pl*

triporteur [tʀipɔʀtœʀ] *m* Lieferdreirad *nt*

tripoter [tʀipɔte] <1> **I.** *vt* **1.** (*triturer*) herumspielen mit (+ *dat*) (*fam*) *objets;* begrapschen (*fam*) *fruits;* herumfummeln an (+ *dat*) (*fam*) *bouton;* herumspielen an (+ *dat*) (*fam*) *appareil* **2.** (*toucher avec insistance*) betatschen (*fam*) **II.** *vi* **1.** (*fouiller*) ~ **dans un tiroir** in einer Schublade [he-

rum]kramen (*fam*) **2.** (*trafiquer*) dunkle Geschäfte machen **III.** *vpr* **1.** (*se caresser*) **se** ~ sich befummeln (*fam*) **2.** (*triturer*) **se** ~ **la barbe en parlant** beim Sprechen an seinem Bart herumzwirbeln

trique [tʀik] *f* (*gourdin*) Knüppel *m* ▶**être sec comme un <u>coup</u> de** ~ nur Haut und Knochen sein

trisomie [tʀizɔmi] *f* Trisomie *f*

triste [tʀist] *adj* **1.** (*affligé*) traurig; *air* trübselig; **avoir l'air** ~ traurig aussehen **2.** *a. antéposé* traurig; *pensée* trübselig; *paysage, région, couleur, bâtiment* trist **3.** *antéposé nouvelle* traurig; *événements, destin* tragisch; *mine* kläglich; **avoir une** ~ **mine** schlecht aussehen **4.** *antéposé péj époque, mémoire* traurig; *affaire* unerfreulich; *résultats* kläglich ▶**ne pas être** ~ *fam personne:* eine Nummer für sich sein; *soirée, voyage,* ein Erlebnis sein

tristement [tʀistəmɑ̃] *adv* **1.** *regarder* traurig; *parler, raconter* betrübt **2.** (*de façon lugubre*) traurig **3.** (*cruellement*) auf traurige Weise

tristesse [tʀistɛs] *f* **1.** (*état de mélancolie*) Traurigkeit *f* **2.** (*chagrin*) Trauer *f*

tristounet, te [tʀistunɛ, ɛt] *adj fam* traurig; *temps* trist

trithérapie [tʀiteʀapi] *f* (*contre le sida*) Kombitherapie *f*

triton [tʀitɔ̃] *m* **1.** ZOOL [Wasser]molch *m* **2.** HIST **Triton** Triton *m*

trituration [tʀityʀasjɔ̃] *f* **1.** (*mastication*) Zermahlen *nt* **2.** (*broyage*) Zerreiben *nt;* (*pilage*) Zerstoßen *nt;* (*malaxage*) Durchkneten *nt*

triturer [tʀityʀe] <1> *vt* **1.** (*broyer*) zerkleinern; zerkauen *aliments;* zerstoßen *médicament, sel* **2.** (*tripoter*) knautschen (*fam*) *veste;* knüllen (*fam*) *mouchoir;* herumkauen auf (+ *dat*) (*fam*) *crayon*

trivial, e [tʀivjal, jo] <-aux> *adj* **1.** (*vulgaire*) ordinär **2.** (*ordinaire*) banal **3.** (*évident*) trivial

trivialement [tʀivjalmɑ̃] *adv* ordinär

trivialité [tʀivjalite] *f* **1.** (*vulgarité*) Primitivität *f* **2.** (*banalité*) Banalität *f*

TRM [teɛʀɛm] *f abr de* **toile du réseau mondial** WWW *nt*

troc [tʀɔk] *m* **1.** (*échange*) **un** ~ ein Tausch[geschäft *nt*] *m* **2.** (*système économique*) **le** ~ der Tauschhandel

troglodyte [tʀɔɡlɔdit] **I.** *adj v.* **troglodytique II.** *m* **1.** (*habitant d'une grotte*) Höhlenmensch *m* **2.** ORN Zaunkönig *m*

troglodytique [tʀɔɡlɔditik] *adj* **habitations** ~s Höhlenwohnungen *Pl*

trognon [tʀɔɲɔ̃] *m* Kerngehäuse *nt; de chou* Strunk *m*

trois [tʀwa] **I.** *num* (*cardinal*) drei ▶**en** ~ **mots** mit zwei, drei Worten **II.** *m inv* Drei *f; v. a.* **cinq**

trois-étoiles [tʀwazetwal] **I.** *adj inv* mit drei Sternen **II.** *m inv* **1.** (*hôtel*) Dreisternehotel *nt* **2.** (*restaurant*) Dreisternerestaurant *m* **trois-huit** [tʀwauɥit] *mpl inv* **faire les** ~ in drei Schichten arbeiten

troisième [tʀwazjɛm] **I.** *adj antéposé* dritte(r, s); **le** ~ **âge** (*période de vie*) der Ruhestand; (*personnes âgées*) die Senioren; **le** ~ **cycle** *Studium nach Abschluss der Magisterprüfung, das mit einem Doktortitel oder einer Spezialisierung abschließt* **II.** *mf* **le/la** ~ der/die/das Dritte **III.** *f* SCOL ≈ neunte Klasse; *v. a.* **cinquième**

troisièmement [tʀwazjɛmmɑ̃] *adv* drittens

trois-mâts [tʀwamɑ] *m inv* Dreimaster *m* **trois-pièces** [tʀwapjɛs] *m inv* **1.** Dreizimmerwohnung *f* **2.** COUT **costume** ~ dreiteiliger Anzug **trois-quatre** [tʀwakatʀ] *m inv* MUS Dreivierteltakt *m*

trolleybus [tʀɔlɛbys] *m* Trolleybus *m*

trombe [tʀɔ̃b] *f* **1.** (*forte averse*) Wolkenbruch *m* **2.** METEO Windhose *f* ▶**en** ~ *fam* wie ein Wirbelwind *m;* **passer en** ~ vorbeirasen

trombone [tʀɔ̃bɔn] *m* **1.** MUS Posaune *f* **2.** (*attache*) Büroklammer *f* **II.** *mf* Posaunist(in) *m(f)*

trompe [tʀɔ̃p] *f* **1.** MUS Horn *nt* **2.** AUT Hupe *f* **3.** HIST [Signal]horn **4.** ZOOL Rüssel *m; d'un insecte* Saugrüssel **5.** ANAT *souvent pl* Eileiter *m* **6.** TECH **à eau/à mercure** Wasserstrahl-/Quecksilberpumpe *f*

trompe-l'œil [tʀɔ̃plœj] *m inv* ART Trompe-l'œil *m*

tromper [tʀɔ̃pe] <1> **I.** *vt* **1.** (*duper*) täuschen; ~ **qn sur le prix** jdn mit dem Preis betrügen **2.** (*être infidèle à*) ~ **qn avec qn** jdn mit jdm betrügen **3.** (*déjouer*) überlisten **4.** (*décevoir*) enttäuschen *attente, espoir* **5.** (*faire oublier*) hinweghelfen über (+ *akk*); lindern *faim, soif* **II.** *vi* täuschen **III.** *vpr* **1.** (*faire erreur*) **se** ~ sich irren; **se** ~ **dans son calcul** sich verrechnen **2.** (*confondre*) **se** ~ **de direction** die falsche Richtung nehmen; (*en voiture*) sich verfahren; **se** ~ **de numéro** [**de téléphone**] sich verwählen ▶**à s'y** ~ zum Verwechseln ähnlich

tromperie [tʀɔ̃pʀi] *f* Betrug *m* kein *Pl*

trompette [tʀɔ̃pɛt] **I.** *f* MUS Trompete *f* ▶**nez en** ~ Stupsnase *f* **II.** *m* **1.** MUS Trompeter(in) *m(f)* **2.** MIL Hornist(in) *m(f)*

trompettiste [tʀɔ̃petist] *mf* Trompeter(in) *m(f)*

trompeur, -euse [tʀɔ̃pœʀ, -øz] *adj* trügerisch; *promesse* falsch; *distance, résultats* irreführend; *ressemblance* täuschend; *personne* betrügerisch; *discours* lügnerisch

trompeusement [tʀɔ̃pøzmɑ̃] *adv* in betrügerischer Absicht

tronc [tʀɔ̃] *m* **1.** BOT Stamm *m* **2.** ANAT Rumpf *m* **3.** ARCHIT *d'une colonne* Schaft *m* **4.** SCOL ~ **commun** (*cycle commun*) Unter- und Mittelstufe einer Gesamtschule; (*partie de programme commune*) Pflichtfächer *Pl;* UNIV Pflichtkurse *Pl*

tronçon [tʀɔ̃sɔ̃] *m* **1.** (*partie*) Teil *m; d'une voie ferrée, route, autoroute* Teilstrecke *f* **2.** (*morceau coupé*) Stück *nt; d'une colonne* Trommel *f*

tronçonner [tʀɔ̃sɔne] <1> *vt* **1.** (*diviser en tronçons*) zerteilen **2.** (*découper*) zerschneiden **3.** (*scier*) zersägen

tronçonneuse [tʀɔ̃sɔnøz] *f* Motorsäge *f*

trône [tʀon] *m* Thron *m*

trôner [tʀone] <1> *vi* thronen; *tableau:* prangen

tronquer [tʀɔ̃ke] <1> *vt* auslassen *détail;* nicht zu Ende führen *conclusion;* verstümmeln *texte, citation;* verfälschen *données*

trop [tʀo] *adv* **1.** *grand, cher* zu; *manger, faire* zu viel; *insister, négliger* zu sehr **2.** (*en quantité excessive*) ~ **de temps/travail**

zu viel Zeit *f*/Arbeit *f* **3.**(*pas tellement*) **ne pas ~ aimer** nicht besonders mögen; **ne pas ~ savoir** nicht genau wissen; **je n'ai pas ~ envie** ich habe keine große Lust ▸**c'est ~!** (*il ne fallait pas*) das wäre doch nicht nötig gewesen!; (*c'est la meilleure*) das gibt's doch nicht!

trophée [tʀɔfe] *m* Trophäe *f*

tropical, e [tʀɔpikal, o] <-aux> *adj* **climat ~** tropisches Klima

tropique [tʀɔpik] *m* **1.** GEOG Wendekreis *m* **2.**(*région tropicale*) **les ~s** die Tropen

trop-perçu [tʀɔpɛʀsy] <trop-perçus> *m* **1.** ADMIN zu viel erhobener Betrag **2.** COM Überschuss *m* **trop-plein** [tʀɔplɛ̃] <trop-pleins> *m* **1.**(*tuyau d'évacuation*) Überlauf[rohr *nt*] *m* **2.**(*surplus*) Überfülle *f* **3.**(*excès*) **~ d'amour/d'énergie** Übermaß *nt* an Liebe/Energie

troquer [tʀɔke] <1> *vt* tauschen

troquet [tʀɔke] *m fam* Kneipe *f*

trot [tʀo] *m* **1.**(*allure*) Trab *m* **2.**(*discipline*) **course de ~ attelé** Trabrennen [mit Sulky] *nt*

trotte [tʀɔt] *f fam* Stück *nt* [Weg]

trotter [tʀɔte] <1> *vi* **1.** *fam* (*aller à petits pas*) *animal:* trippeln; *personne:* trotten **2.**(*aller au trot*) *cheval:* traben

trotteur, -euse [tʀɔtœʀ, -øz] *m, f* (*cheval*) Traber *m*

trotteuse [tʀɔtøz] *f* Sekundenzeiger *m*

trottiner [tʀɔtine] <1> *vi* trappeln; *enfant:* trippeln

trottinette [tʀɔtinɛt] *f* Roller *m*

trottoir [tʀɔtwaʀ] *m* Bürgersteig *m*

trou [tʀu] *m* **1.**(*cavité*) Loch *nt; d'une aiguille* Öhr *nt; ~* **de la serrure** Schlüsselloch **2.**(*moment de libre*) freier Augenblick **3.**(*déficit*) Loch *nt; ~* [**dans la couche**] **d'ozone** Ozonloch *nt* **4.** *d'un témoignage, d'une œuvre* Lücke *f; ~* **de mémoire** Black-out *m o nt* ▸**rester dans son ~** *fam* zu Hause herumhocken

troublant, e [tʀublɑ̃, ɑ̃t] *adj* **1.**(*déconcertant*) irritierend; *élément* störend **2.**(*inquiétant*) beunruhigend **3.**(*étrange*) merkwürdig **4.**(*qui inspire le désir*) aufregend

trouble[1] [tʀubl] **I.** *adj* **1.** *image, vue* verschwommen; *liquide, lumière* trüb **2.** *période* zwiespältig **II.** *adv voir* unscharf

trouble[2] [tʀubl] *m* **1.** *pl* MED Beschwerden *Pl; psychiques, mentaux* Störungen *Pl* **2.** *pl politiques, sociaux* Unruhen *Pl* **3.**(*désarroi*) Aufregung *f* **4.**(*agitation*) Durcheinander *nt*

trouble-fête [tʀubləfɛt] <trouble-fêtes> *mf* Spielverderber(in) *m(f)*

troubler [tʀuble] <1> **I.** *vt* **1.**(*gêner forte-*

ment) stören **2.**(*perturber*) beunruhigen **3.**(*déranger*) stören **4.**(*émouvoir*) verwirren **5.**(*altérer*) beeinträchtigen *digestion, facultés mentales* **6.**(*altérer la clarté*) verdüstern *atmosphère, ciel;* trüben *eau* **II.** *vpr* **se ~** (*devenir trouble*) sich trüben; *mémoire:* nachlassen

troué, e [tʀue] *adj* durchlöchert

trouée [tʀue] *f* (*ouverture*) Loch *nt; d'une forêt* Schneise *f*

trouer [tʀue] <1> **I.** *vt* **1.**(*faire un trou*) ein Loch machen **2.**(*faire plusieurs trous*) zerlöchern; *balles:* durchlöchern **3.**(*traverser*) *rayon de lumière:* durchdringen **II.** *vpr* **se ~** ein Loch/Löcher bekommen

trouille [tʀuj] *f fam* ficher [*o* flanquer] la **~ à qn** jdm Angst einjagen

troupe [tʀup] *f* THEAT, MIL Truppe *f*

troupeau [tʀupo] <x> *m* Herde *f*

trousse [tʀus] *f* (*étui à compartiments*) Beutel *m; ~* **à outils** Werkzeugset *nt; ~* **d'écolier** [Feder]mäppchen *nt; ~* **de toilette** [*o* **voyage**] Kulturbeutel *m* ▸**avoir qn à ses ~s** jdm im Nacken haben; **être aux ~s de qn** jdm auf den Fersen sein

trousseau [tʀuso] <x> *m* **1.**(*clés*) Schlüsselbund *m o nt* **2.**(*vêtements*) Kleidung *f kein Pl; d'une mariée* Aussteuer *f*

trouvaille [tʀuvaj] *f* [glücklicher] Fund

trouver [tʀuve] <1> **I.** *vt* **1.**(*découvrir*) finden; bekommen *information;* aufbringen *capitaux* **2.**(*avoir le sentiment*) **étrange que + *subj*** es merkwürdig finden, dass **3.**(*voir*) **~ du plaisir à faire qc** Gefallen finden etw zu tun; **aller/venir ~ qn** jdn besuchen gehen/kommen **II.** *vpr* **1.**(*être situé*) **se ~** sich befinden **2.**(*être*) **se ~ bloqué/coincé** blockiert/eingeklemmt sein; **se ~ dans l'obligation de partir** sich gezwungen sehen zu gehen **3.**(*se sentir*) **se ~ bien/mal** sich gut/schlecht fühlen **4.**(*exprime la coïncidence*) **se ~ être nés le même jour** *personnes:* [zufällig] am gleichen Tag geboren sein **5.**(*se rencontrer*) **un bon job se trouve toujours** es findet sich immer eine gute Stelle **III.** *vpr impers* **1.**(*par hasard*) **il se trouve que ... zufällig ... 2.**(*on trouve, il y a*) **il se trouve toujours un pour faire qc** es findet sich immer einer, mit dem man etw machen kann ▸**si ça se trouve, il va pleuvoir** *fam* es kann gut sein, dass es regnen wird

truand [tʀyɑ̃] *m* Gauner(in) *m(f)*

truander [tʀyɑ̃de] <1> *vt fam* reinlegen

truc [tʀyk] *m* **1.** *fam* (*chose*) Ding *nt* **2.** *fam* (*personne*) Dings *mf;* **c'est Truc, tu sais** das ist der/die Dings, du weißt schon **3.** *fam* (*combine*) Trick *m* **4.**(*tour*)

[Zauber]trick *m* ▸ **c'est mon** ~ *fam* das ist meine Sache; **c'est pas mon** ~ *fam* das ist nicht mein Fall

trucage [tʀykaʒ] *m* **1.** *de statistiques, de la réalité* Verfälschung *f; des élections* Fälschung *f; du vin* Panschen *nt* **2.** CINE, PHOT Trickaufnahme *f*

trucider [tʀyside] <1> *vt fam* umbringen

truculence [tʀykylɑ̃s] *f* Urwüchsigkeit *f*

truculent, e [tʀykylɑ̃, ɑ̃t] *adj* urwüchsig

truelle [tʀyɛl] *f* Kelle *f*

truffe [tʀyf] *f* **1.** BOT, GASTR Trüffel *f* **2.** (*museau*) Schnauze *f*

truffer [tʀyfe] <1> *vt* **1.** GASTR trüffeln **2.** *fig* ~ **un texte de citations** einen Text mit Zitaten spicken

truie [tʀɥi] *f* Sau *f*

truite [tʀɥit] *f* Forelle *f*

truquage [tʀykaʒ] *m v.* trucage

truquer [tʀyke] <1> *vt* fälschen; panschen *vin*

trust [tʀœst] *m* ECON Trust *m*

tsar [tsaʀ] *m* Zar *m*

tsarine [tsaʀin] *f* Zarin *f*

tsariste [tsaʀist] *adj* zaristisch

t-shirt [tiʃœʀt] *m abr de* **tee-shirt** T-shirt *nt*

tsigane [tsigan] **I.** *adj* **musique** ~ Zigeunermusik *f* **II.** *mf* Zigeuner(in) *m(f)*

TSVP *abr de* **tournez s'il vous plaît** b.w.

TTC [tetese] *abr de* **toutes taxes comprises** inkl. MwSt.

tu [ty] <*fam, devant voyelle ou h muet* **t'**> **I.** *pron pers* ~ **es grand** du bist groß **II.** *m* **dire** ~ **à qn** du zu jdm sagen

tu, e [ty] *part passé de* taire

tuba [tyba] *m* **1.** MUS Tuba *f* **2.** SPORT Schnorchel *m*

tube [tyb] *m* **1.** (*tuyau*) Rohr *nt;* (*petit*) Röhrchen *nt;* ~ **à essai** Reagenzglas *nt* **2.** ELEC Röhre *f* **3.** (*emballage à presser*) Tube *f* **4.** ANAT ~ **digestif** Verdauungstrakt *m* **5.** *fam* (*chanson*) Hit *m*

tubercule [tybɛʀkyl] *m* BOT [Wurzel]knolle *f*

tuberculeux, -euse [tybɛʀkylø, -øz] **I.** *adj personne* tuberkulosekrank **II.** *m, f* MED Tuberkulosekranke(r) *f(m)*

tuberculose [tybɛʀkyloz] *f* Tuberkulose *f*

tubéreux, -euse [tyberø, -øz] *adj* BOT knollenartig

tubulaire [tybylɛʀ] *adj lampe* röhrenförmig

tubulure [tybylyʀ] *f* **1.** (*ensemble de tubes*) Rohrsystem *nt* **2.** (*conduit*) Rohr *nt;* TECH ~ **d'alimentation** Versorgungsleitung *f*

T.U.C. [tyk] *m abr de* **travail d'utilité collective** ABM-Stelle

tucard, e [tykaʀ, kaʀd] *m, f* junge(r) ABM-

Stelleninhaber(in) *f(m)*

tuciste [tysist] *m, f v.* tucard

tué, e [tɥe] *m, f* Todesopfer *nt*

tue-mouche[s] [tymuʃ] **I.** *adj inv* **papier/ruban** ~ Fliegenfänger *m* **II.** *m* Fliegenklatsche *f*

tuer [tɥe] <1> **I.** *vt* **1.** (*donner la mort à*) töten; erlegen *gibier;* **se faire** ~ umkommen **2.** (*nuire à*) zerstören *espoir, environnement;* vernichten *initiative, insectes* **II.** *vi animal, personne:* töten; *poison, arme:* tödlich sein; *catastrophe:* Menschenleben fordern **III.** *vpr* **1.** (*être victime d'un accident*) **se** ~ umkommen **2.** (*se donner la mort*) **se** ~ sich umbringen **3.** (*se fatiguer*) **se** ~ **à qc** sich mit etw abmühen

tuerie [tyʀi] *f* Gemetzel *nt*

tue-tête [tytɛt] **à** ~ lauthals

tueur, -euse [tɥœʀ, -øz] *m, f* Mörder(in) *m(f)*

tuf [tyf] *m* Tuff[stein *m*] *m*

tuile [tɥil] *f* **1.** *d'un toit* [Dach]ziegel *m* **2.** *fam* (*événement fâcheux*) unangenehme Überraschung **3.** GASTR Teegebäck *nt*

tuilerie [tɥilʀi] *f* Ziegelei *f*

tulipe [tylip] *f* Tulpe *f*

tuméfié, e [tymefje] *adj* geschwollen

tumeur [tymœʀ] *f* Tumor *m*

tumulte [tymylt] *m d'une foule* Tumult *m; des flots, d'un orage* Toben *nt; des passions* Sturm *m; de la rue, de la ville* (*agitation*) Treiben *nt;* (*bruit*) Lärm *m*

tumultueux, -euse [tymyltɥø, -øz] *adj* **1.** (*agité*) stürmisch; *période, vie* bewegt; *discussion* hitzig; *flots* tosend **2.** (*bruyant*) lärmend

tune [tyn] *f v.* thune

tuner [tynœʀ] *m* Tuner *m*

tunique [tynik] *f* **1.** (*vêtement ample*) Tunika *f* **2.** MIL Uniformrock *m*

Tunisie [tynizi] *f* **la** ~ Tunesien *nt*

tunisien, ne [tynizjɛ̃, jɛn] *adj* tunesisch

Tunisien, ne [tynizjɛ̃, jɛn] *m, f* Tunesier(in) *m(f)*

tunnel [tynɛl] *m* **1.** (*galerie*) Tunnel *m* **2.** (*période difficile*) Durststrecke *f*

turbine [tyʀbin] *f* Turbine *f*

turbo¹ [tyʀbo] *adj inv véhicule, version* mit Turbomotor; **moteur** ~ Turbomotor *m*

turbo², turbocompresseur [tyʀbokɔ̃pʀesœʀ] *m* Turbokompressor *m* (*als Verdichter arbeitende Turbomaschine in einem Abgasturbolader*)

turbulence [tyʀbylɑ̃s] *f* **1.** (*agitation*) a. PHYS, METEO Turbulenz *f* **2.** (*caractère*) Lebhaftigkeit *f*

turbulent, e [tyʀbylɑ̃, ɑ̃t] *adj* **1.** (*agité*) wild **2.** (*rebelle*) aufsässig

turc [tyʀk] *m* Türkisch *nt; v. a.* **allemand**

T

turc, turque [tyʀk] *adj* türkisch
Turc, Turque [tyʀk] *m, f* Türke/Türkin *m/ f*
turf [tœʀf, tyʀf] *m* Pferderennsport *m*
turfiste [tœʀfist, tyʀfist] *mf* jd, der/die bei Pferderennen wettet
turque [tyʀk] *v.* **turc** ▶**W.-C. à la ~** Stehklo[sett] *nt*
Turquie [tyʀki] *f* **la ~** Türkei *f*
turquoise [tyʀkwaz] **I.** *f* (*pierre*) Türkis *m* **II.** *m* (*couleur*) Türkis *nt* **III.** *adj inv* türkis[farben]; **bleu ~** türkisblau
tus [ty] *passé simple de* **taire**
tutélaire [tytelɛʀ] *adj* JUR schützend; *service* Aufsicht führend
tutelle [tytɛl] *f* **1.** (*protection abusive*) Bevormundung *f* **2.** JUR *d'un mineur* Vormundschaft *f; d'un aliéné* Betreuung *f* **3.** ADMIN, POL Kontrolle *f;* **en** [*o* **sous**] **~** unter Aufsicht ▶**prendre qn sous sa ~** JUR die Vormundschaft für jdn übernehmen; (*protéger*) jdn unter seine Fittiche nehmen (*fam*)
tuteur [tytœʀ] *m* (*support*) Stütze *f*
tuteur, -trice [tytœʀ, -tʀis] *m, f* **1.** JUR *d'un mineur* Vormund *m; d'un aliéné* Betreuer(in) *m(f)* **2.** SCOL, UNIV Tutor(in) *m(f)*
tutoiement [tytwamã] *m* Duzen *nt*
tutorat [tytɔʀa] *m* Tutorium *nt*
tutoyer [tytwaje] <6> **I.** *vt* duzen **II.** *vpr* **se ~** sich duzen
tutu [tyty] *m* Tutu *nt*
tuyau [tɥijo] <x> *m* **1.** (*tube rigide*) Rohr *nt;* (*tube souple*) Schlauch *m; d'une cheminée* Schacht *m; ~* **d'alimentation** Zulauf *m; ~* **d'arrosage** [Wasser]schlauch *m; ~* **d'aspiration** Saugrohr *nt; ~* **d'échappement** Ablauf *m;* AUT Auspuff[rohr *nt*] *m* **2.** *fam* (*conseil*) Tipp *m*
tuyauterie [tɥijotʀi] *f d'une installation, chaudière* Leitungsnetz *nt*
TV [teve] *f abr de* **télévision** Fernsehen *nt*
TVA [tevea] *f abr de* **taxe à la valeur ajoutée** MwSt.
tweed [twid] *m* Tweed *m*

tympan [tɛ̃pɑ̃] *m* **1.** ANAT Trommelfell *nt* **2.** ARCHIT Tympanon *nt*
type [tip] **I.** *m* **1.** (*archétype*) Prototyp *m* **2.** (*genre*) Art *f; asiatique, humain* Typus *m* **3.** (*modèle*) Typ *m; ~* **de véhicule** Fahrzeugtyp **4.** (*individu quelconque*) Typ *m* (*fam*) ▶**du troisième ~** der dritten Art **II.** *app inv* typisch
typé, e [tipe] *adj* **être très ~** sehr typisch sein
typhoïde [tifɔid] **I.** *adj* **fièvre ~** Typhusfieber *nt* **II.** *f* Typhus *m*
typhon [tifɔ̃] *m* Taifun *m*
typhus [tifys] *m* Typhus *m*
typique [tipik] *adj* **1.** (*caractéristique*) **~ de qn/qc** typisch für jdn/etw **2.** (*spécifique*) **caractère ~** spezifisches Merkmal
typiquement [tipikmã] *adv* **c'est ~ français** das ist typisch französisch
typographe [tipɔgʀaf] *mf* [Schrift]setzer(in) *m(f)*
typographie [tipɔgʀafi] *f* Typografie *f*
typographique [tipɔgʀafik] *adj* typografisch
typologie [tipɔlɔʒi] *f* Typologie *f*
tyran [tiʀɑ̃] *m* Tyrann *m*
tyrannie [tiʀani] *f* **1.** *d'un monarque* Tyrannei *f; d'un régime* Gewaltherrschaft *f* **2.** *d'une personne* Tyrannei *f; des médias* Diktatur *f; d'une mode* Diktat *nt*
tyrannique [tiʀanik] *adj* **1.** HIST *pouvoir* tyrannisch; **régime ~** Gewaltherrschaft *f* **2.** (*autoritaire*) herrschsüchtig; *mode* diktatorisch
tyranniser [tiʀanize] <1> *vt* tyrannisieren
Tyrol [tiʀɔl] *m* **le ~** Tirol *nt*
tyrolien, ne [tiʀɔljɛ̃, jɛn] *adj* tirol[er]isch; *chant, population* Tiroler *inv;* **danse ~ne** Schuhplattler *m*
Tyrolien, ne [tiʀɔljɛ̃, jɛn] *m, f* Tiroler(in) *m(f)*
tyrolienne [tiʀɔljɛn] *f* MUS Jodler *m*
tzar [tsaʀ] *m v.* **tsar**
tzarine [tsaʀin] *f v.* **tsarine**
tzigane [tsigan] *adj v.* **tsigane**

U

U, u [y] *m inv* U *nt*, u *nt;* **en U** in U-Form
UCT [ysete] *f abr de* **Unité Centrale de Traitement** CPU *f*
UDF [ydɛf] *f abr de* **Union pour la démocratie française** *liberal-konservative Parteienkonföderation Frankreichs*
UEFA [yefa] *f abr de* **Union of European Football Associations** UEFA *f*
UEM [yøɛm] *f abr de* **Union économique et monétaire** WWU *f*
UFR [yɛfɛʀ] *f abr de* **unité de formation et de recherche** [*universitärer*] *Fachbereich*
UHT [yaʃte] *f abr de* **ultra-haute température** *v.* **lait**
UIT [yite] *f abr de* **Union internationale des télécommunications** IFU *f*
Ukraine [ykʀɛn] *f* **l'~** die Ukraine
ukrainien [ykʀɛnjɛ̃] *m* Ukrainisch *nt; v. a.* **allemand**
ukrainien, ne [ykʀɛnjɛ̃, jɛn] *adj* ukrainisch
Ukrainien, ne [ykʀɛnjɛ̃, jɛn] *m, f* Ukrainer(in) *m(f)*
ulcère [ylsɛʀ] *m* Geschwür *nt*
ulcérer [ylseʀe] <5> *vt* tief kränken
ULM [yɛlɛm] *m abr de* **ultra-léger motorisé** Ultraleichtflugzeug *nt*
ultérieur, e [ylteʀjœʀ] *adj* spätere(r, s)
ultérieurement [ylteʀjœʀmɑ̃] *adv* später; *regretter* im Nachhinein
ultime [yltim] *adj a. antéposé* [aller]letzte(r, s); *ironie* äußerste(r, s)
ultra [yltʀa] *mf* (*extrémiste de droite/gauche*) Ultrarechte(r)/-linke(r) *f(m)*
ultraconfidentiel, le [yltʀakɔ̃fidɑ̃sjɛl] *adj fam* streng vertraulich
ultraconservateur, -trice [yltʀakɔ̃sɛʀvatœʀ, -tʀis] *adj fam* extrem konservativ
ultraléger, -ère [yltʀaleʒe, -ɛʀ] *adj* extraleicht
ultramoderne [yltʀamɔdɛʀn] *adj* hochmodern
ultrarapide [yltʀaʀapid] *adj fam* superschnell
ultrasensible [yltʀasɑ̃sibl] *adj* hoch empfindlich
ultrason [yltʀasɔ̃] *m* Ultraschall *m*
ultraviolet [yltʀavjɔlɛ] *m* Ultraviolett *nt;* **les ~s** ultraviolette Strahlen
ultraviolet, te [yltʀavjɔlɛ, ɛt] *adj* ultraviolett
ululement [ylylmɑ̃] *m v.* **hululement**

Ulysse [ylis(ə)] *m* Odysseus *m*
UME [yɛmø] *f abr de* **Union monétaire européenne** EWU *f*
un [œ̃] **I.** *m inv* Eins *f* **II.** *adv* erstens; **~, je suis fatigué, deux, j'ai faim** erstens bin ich müde, und zweitens habe ich Hunger; *v. a.* **cinq**
un, une [œ̃, yn] **I.** *art indéf* **1.** (*un certain*) ein(e); **avec ~ grand courage** mit großer Tapferkeit; **ce n'est pas ~ Picasso!** das ist kein Picasso! **2.** (*intensif*) **il y a ~** [*de ces*] **bruit** ein derartiger Lärm; **ce type est d'~ culot!** der Kerl ist vielleicht frech! **II.** *pron* **1.** (*chose/personne parmi d'autres*) ein(e); **en connaître ~ qui …** jemanden kennen, der …; **être l'~ de ceux qui …** zu denen gehören, die …; **~ de ces jours, il va tomber!** eines schönen Tages wird er hinfallen! **2.** (*chose/personne opposée à une autre*) **les ~s et les autres** die einen und die anderen; **ils sont assis en face l'~ de l'autre** sie sitzen einander gegenüber; **ils sont aussi menteurs l'~ que l'autre** sie lügen alle beide; **s'injurier l'~ l'autre** sich gegenseitig beschimpfen ►**l'~ dans l'autre** alles in allem; **l'~**[e] **ou l'autre** [entweder] der/die/das eine oder der/die/das andere; **comme pas ~**[e] wie kein anderer/keine andere; **et d'~**[e]! *fam* das wäre das Erste!; **~**[e] **par ~**[e] einer/eine/eines nach dem/der andern **III.** *num* **1.** ein(e) **2.** (*non divisible*) einzig; **Dieu est ~** es gibt nur einen Gott ►**c'est tout ~** das ist alles eins; **ne faire qu'~** ein Herz und eine Seele sein; **ne faire ni ~e ni deux** nicht lange überlegen; **c'était moins ~e!** *fam* das war haarscharf!; *v. a.* **cinq**
unanime [ynanim] *adj consentement* einhellig; *avis* übereinstimmend; *vote* einstimmig
unanimement [ynanimmɑ̃] *adv approuver* einhellig; *décider* einstimmig; **être ~ convaincu de qc** ausnahmslos von etw überzeugt sein
unanimité [ynanimite] *f* Übereinstimmung *f; des suffrages* Einstimmigkeit *f;* **à l'~** einstimmig
une [yn] *f* **la ~** (*première page du journal*) die Titelseite; *tv* das erste Programm; (*premier sujet*) das Thema des Tages; (*table/chambre/… numéro un*) die Eins

uni, e [yni] *adj* **1.** (*sans motifs*) ungemustert; (*unicolore*) einfarbig **2.** (*en union*) vereint; **les Etats Unis d'Amérique** die Vereinigten Staaten von Amerika; **~s par qc** durch etw verbunden **3.** *surface* glatt; *chemin* eben

unicolore [ynikɔlɔʀ] *adj* einfarbig

unième [ynjɛm] *adj* **vingt et ~** einundzwanzigste(ʀ, s)

unificateur, -trice [ynifikatœʀ, -tʀis] *adj principe* einigend; **mouvement ~** Sammelbewegung *f*

unification [ynifikasjɔ̃] *f* Vereinigung *f;* *des tarifs* Vereinheitlichung *f;* *de l'Allemagne* Wiedervereinigung

unifier [ynifje] <1> I. *vt* **1.** (*unir*) vereinen; zusammenschließen *partis* **2.** (*uniformiser*) vereinheitlichen *programmes* II. *vpr* **s'~** sich vereinigen

uniforme [ynifɔʀm] I. *adj* **1.** (*pareil*) gleich[artig]; **des goûts ~s** Einheitsgeschmack *m* **2.** (*standardisé*) vereinheitlicht **3.** *vitesse* gleichbleibend; *paysage, vie* eintönig; *mouvement* gleichförmig II. *m* Uniform *f*

uniformisation [ynifɔʀmizasjɔ̃] *f du mode de vie* Angleichung *f;* *des tarifs* Vereinheitlichung *f*

uniformiser [ynifɔʀmize] <1> *vt* vereinheitlichen, einander anpassen *programmes*

uniformité [ynifɔʀmite] *f* **1.** *des mœurs* Übereinstimmung *f;* *des produits* Einheitlichkeit *f* **2.** (*monotonie*) Eintönigkeit *f*

unijambiste [yniʒɑ̃bist] I. *adj* einbeinig II. *mf* Einbeinige(r) *f(m)*

unilatéral, e [ynilateʀal, o] <-aux> *adj jugement* einseitig; *garantie* nur für eine Seite verbindlich; POL unilateral; **stationnement ~** Parken *nt* auf nur einer der beiden Straßenseiten

unilatéralement [ynilateʀalmɑ̃] *adv* im Alleingang; POL einseitig

unilingue [ynilɛ̃g] *adj* einsprachig

union [ynjɔ̃] *f* **1.** (*alliance*) Vereinigung *f;* *de partis* Zusammenschluss *m;* **en ~ avec qn** gemeinsam mit jdm **2.** (*vie commune*) Lebensgemeinschaft *f;* **l'~ conjugale** der Bund der Ehe **3.** *des éléments* Zusammenstellung *f* **4.** (*association*) Verband *m;* **~ syndicale** Gewerkschaftsbund *m*

Union économique [ynjɔ̃ ekɔnɔmik] *f* Wirtschaftsunion *f*

Union européenne [ynjɔ̃ øʀɔpeɛn] *f* Europäische Union

Union monétaire [ynjɔ̃ mɔnetɛʀ] *f* Währungsunion *f*

Union Soviétique [ynjɔ̃ sɔvjetik] *f* HIST Sowjetunion *f*

unique [ynik] *adj* **1.** (*seul*) einzig; *monnaie*

einheitlich; **prix ~** Einheitspreis *m;* **enfant ~** Einzelkind *nt;* **à voie ~** einspurig; **rue à sens ~** Einbahnstraße *f* **2.** (*exceptionnel*) einzigartig

uniquement [ynikmɑ̃] *adv* nur

unir [yniʀ] <8> I. *vt* **1.** (*associer*) verein[ig]en **2.** (*marier*) trauen **3.** (*combiner*) verbinden mit **4.** (*relier*) *chemin de fer, langage:* verbinden II. *vpr* **1.** (*s'associer*) **s'~** sich vereinigen **2.** (*se marier*) **s'~** heiraten **3.** (*se combiner*) **s'~ à qc** sich mit etw verbinden

unisexe [ynisɛks] *adj* für Mann und Frau

unisson [ynisɔ̃] *m* Unisono *nt; a.* MUS **être à l'~ de qc** gleichstimmig mit etw sein; **se mettre à l'~ de qn** mit jdm harmonieren

unitaire [ynitɛʀ] *adj* **1.** POL *revendications* einheitlich; *mouvement* geschlossen **2.** COM *production* auf ein Produkt beschränkt

unité [ynite] *f* **1.** *d'une famille* Zusammenhalt *m;* *d'une classe* Einheit *f;* *d'un texte* Zusammenhang *m;* **~ d'action** gemeinsames Handeln; **~ de vues** gleiche Standpunkte **2.** POL Einheit *f* **3.** (*étalon de mesure*) Einheit *f;* **~ de distance** Längenmaß *nt* **4.** MATH Einer *m* **5.** (*section*) *a.* MIL Einheit *f;* **~ de réanimation** Intensivstation *f* **6.** INFORM, TECH **~ de stockage** Speicher[einheit *f*] *m;* **~ de bande magnétique/disque** Band-/Diskettenlaufwerk *nt;* **~ de sortie** Ausgabegerät *nt* **7.** COM **prix à l'~** Einzelpreis *m*

univers [ynivɛʀ] *m* **1.** ASTRON Universum *nt,* Weltall *nt* **2.** (*milieu*) Welt *f; familier* Umgebung *f; politique* Umfeld *nt*

universaliser [ynivɛʀsalize] <1> I. *vt* verallgemeinern II. *vpr* **s'~** sich verbreiten

universalité [ynivɛʀsalite] *f* Universalität *f; d'une idée* Allgemeingültigkeit *f*

universel, le [ynivɛʀsɛl] *adj* **1.** (*mondial*) weltweit; **exposition ~le** Weltausstellung *f* **2.** (*opp: particulier*) allgemein; *proposition* allgemein verbindlich **3.** *remède* universell; **clé ~le** Universalschlüssel *m*

universellement [ynivɛʀsɛlmɑ̃] *adv* **1.** allgemein **2.** (*mondialement*) weltweit

universitaire [ynivɛʀsitɛʀ] I. *adj* universitär; *titre* akademisch; **résidence ~** Studentenwohnheim *nt;* **diplôme ~** Hochschuldiplom *nt;* **restaurant ~** Mensa *f* II. *mf* Hochschullehrer(in) *m(f)*

université [ynivɛʀsite] *f* Universität *f;* **~ d'été** Sommerkurs *m;* **~ du troisième âge** Seniorenstudium *nt;* **~ populaire** Volkshochschule *f*

uploader [œplode] <1> *vt* INFORM hochladen

uranium [yʀanjɔm] *m* Uran *nt*

Uranus [yʀanys] *f* Uranus *m*

urbain, e [yʀbɛ̃, ɛn] *adj* städtisch; *aménagement, paysage* Stadt-
urbanisation [yʀbanizasjɔ̃] *f* **1.** *d'une région, d'un pays* Urbanisierung *f* **2.** *d'un secteur, d'une zone* städtische Bebauung
urbanisme [yʀbanism] *m* Städtebau *m*
urbaniste [yʀbanist] *mf* Stadtplaner(in) *m(f)*
urée [yʀe] *f* Harnstoff *m*
urgence [yʀʒɑ̃s] *f* **1.** (*caractère urgent*) Dringlichkeit *f*; **il y a ~** es eilt; **d'~** unverzüglich **2.** (*cas urgent*) dringende Angelegenheit; *a.* MED Notfall *m*; **les ~s** Notfallstation *f*; **le secours de première ~** die erste Hilfe
urgent, e [yʀʒɑ̃, ʒɑ̃t] *adj cas* dringend; *affaire* dringlich; **~!** eilt!
urinaire [yʀinɛʀ] *adj maladie ~* Erkrankung *f* der Harnwege; **calcul ~** Harnstein *m*
urine [yʀin] *f* Urin *m*
uriner [yʀine] <1> *vi* urinieren
urne [yʀn] *f* **1.** Urne *f* **2.** POL [Wahl]urne *f*; **aller aux ~s** wählen gehen
URSS [yɛʀɛsɛs] *f* HIST *abr de* **Union des républiques socialistes soviétiques: l'~** die UdSSR
urticaire [yʀtikɛʀ] *f* [allergischer] Hautausschlag ▸**qn/qc donne de l'~ à qn** *fam* jd ist gegen jdn/etw allergisch
US [yɛs] *f abr de* **Union sportive** SV *m*
us [ys] *mpl* **~ et coutumes** Sitten und Bräuche *Pl*
usage [yzaʒ] *m* **1.** (*utilisation*) Gebrauch *m*; *d'un appareil* Benutzen *nt*; *d'une méthode* Anwendung *f*; *d'une salle* Benutzung *f*; **à l'~ de qn/qc** für jdn/etw; **hors d'~** außer Betrieb; **méthode en ~** verbreitete Methode; **être d'~ courant** häufig benutzt werden; (*habituel*) gang und gäbe sein **2.** JUR **~ de faux** Verwendung *f* gefälschter Urkunden *m* **3.** (*façon de se servir*) Bedienung *f* **4.** (*consommation*) Verbrauch *m* **5.** (*faculté*) **retrouver l'~ de la vue** wieder sehen können; **perdre l'~ de la parole** die Sprache verlieren **6.** (*coutume*) Brauch *m*; **c'est contraire aux ~s** das verstößt gegen die Sitten; **c'est l'~ de faire qc** es ist üblich, etw zu tun ▸**à l'~** in der Praxis
usagé, e [yzaʒe] *adj* abgenutzt; *pile* verbraucht
usager, -ère [yzaʒe, -ɛʀ] *m, f* Benutzer(in) *m(f)*; *du gaz* Verbraucher(in) *m(f)*; **~ de la route** Verkehrsteilnehmer *m*
usant, e [yzɑ̃, ɑ̃t] *adj* anstrengend
usé, e [yze] *adj* (*détérioré*) abgenutzt; *semelles* abgelaufen
user [yze] <1> **I.** *vt* **1.** (*détériorer*) abnut-

zen; abtragen *roche;* verschleißen *mécanique* **2.** (*épuiser*) ruinieren *santé;* **~ qn** jdm zusetzen **3.** (*consommer*) verbrauchen **II.** *vi* **~ d'un droit** von einem Recht Gebrauch machen; **~ de termes** Ausdrücke *Pl* gebrauchen ▸**~ et abuser de qc** etw schamlos ausnutzen **III.** *vpr* **s'~** sich abnutzen; **s'~ à qc** sich bei etw aufreiben; **s'~ les yeux** sich (*dat*) die Augen verderben
usine [yzin] *f* Fabrik *f;* **~ d'automobiles** Automobilwerk *nt;* **~ d'incinération des déchets** Müllverbrennungsanlage *f;* **~ de traitement des déchets radioactifs** Wiederaufbereitungsanlage *f*
ustensile [ystɑ̃sil] *m* Gerät *nt,* Utensil *nt* meist *Pl*
usuel, le [yzɥɛl] *adj* gebräuchlich; *emploi* allgemein üblich; *mot* gängig; *objet* weit verbreitet
usure [yzyʀ] *f* **1.** (*détérioration*) Abnutzung *f* **2.** (*état*) abgenutzter Zustand **3.** (*érosion*) Abschleifung *f* **4.** (*affaiblissement*) Verschleiß *m* ▸**avoir qn à l'~** *fam* jdn herumkriegen
usurier, -ière [yzyʀje, -jɛʀ] *m, f* Wucherer *m*/Wucherin *f*
usurper [yzyʀpe] <1> *vt* **~ le pouvoir** widerrechtlich die Macht an sich (*akk*) reißen; **~ un titre** sich (*dat*) einen Titel widerrechtlich aneignen
ut [yt] *m inv* MUS C *nt,* c *nt*
utérus [yteʀys] *m* Gebärmutter *f*
utile [ytil] **I.** *adj* (*profitable*) *cadeau* nützlich; *action* sinnvoll **II.** *m* Nützliche(s) *nt;* **joindre l'~ à l'agréable** das Angenehme mit dem Nützlichen verbinden
utilement [ytilmɑ̃] *adv* nützlich; *employer* nutzbringend
utilisable [ytilizabl] *adj* verwendbar; *matériel* brauchbar; *livre* benutzbar; **ce n'est plus ~** das ist nicht mehr zu gebrauchen
utilisation [ytilizasjɔ̃] *f d'un téléphone* Benutzung *f; d'un produit* Verwendung *f; de l'énergie* Nutzung *f*
utiliser [ytilize] <1> *vt* **1.** (*se servir de*) benutzen; **~ de l'huile pour la cuisine** Speiseöl zum Kochen verwenden **2.** (*recourir à*) nutzen *avantage;* anwenden *moyen;* gebrauchen *mot* **3.** (*exploiter*) ausnutzen *personne;* verwerten *restes*
utilitaire [ytilitɛʀ] **I.** *adj* **1.** (*susceptible d'être utilisé*) für den Gebrauch bestimmt; *objet* Gebrauchs- **2.** (*intéressé*) auf Nutzen ausgerichtet **II.** *m* **1.** INFORM Utility *nt* **2.** AUT Nutzfahrzeug *nt*
utilité [ytilite] *f* **1.** (*aide*) Nutzen *m* **2.** (*caractère utile*) Nützlichkeit *f;* **association reconnue d'~ publique** gemeinnütziger

Verein; **je n'en ai pas l'**~ dafür habe ich keine Verwendung
UV [yve] **I.** *mpl abr de* **ultraviolets** UV-Strahlen *Pl* **II.** *f abr de* **unité de valeur** UNIV Schein *m*

V

V, v [ve] *m inv* V *nt,* v *nt* **2.** *(forme)* **décolleté en V** V-Ausschnitt *m*

va [va] *indic prés de* **aller**

vacance [vakɑ̃s] *f* **1.** *pl* SCOL, UNIV Ferien *Pl;* **~s scolaires** Schulferien; **être en ~s** Ferien haben; **bonnes ~s!** schöne Ferien! **2.** *pl* (*congé*) Urlaub *m kein Pl;* **partir en ~s** in Urlaub fahren **3.** *(poste)* unbesetzte Stelle

vacancier, -ière [vakɑ̃sje, -jɛʀ] *m, f* Urlauber(in) *m(f)*

vacant, e [vakɑ̃, ɑ̃t] *adj* unbesetzt

vacarme [vakaʀm] *m* Lärm *m*

vacation [vakasjɔ̃] *f* **1.** *(rémunération)* Honorar *nt* **2.** *(remplacement)* Vertretung *f*

vaccin [vaksɛ̃] *m* **~ contre le tétanos** Tetanusimpfstoff *m*

vaccinal, e [vaksinal, o] <-aux> *adj* **complication ~e** Impfkomplikation *f*

vaccination [vaksinasjɔ̃] *f* Impfung *f*

vacciner [vaksine] <1> *vt* MED impfen

vache [vaʃ] **I.** *f* **1.** ZOOL Kuh *f* **2.** *(cuir)* Rindsleder *nt* ▸**années/période de ~s grasses/maigres** [sieben] fette/magere Jahre; **la ~!** *fam* Donnerwetter! **II.** *adj fam (méchant)* gemein

vachement [vaʃmɑ̃] *adv fam* echt

vacher, -ère [vaʃe, -ɛʀ] *m, f* Kuhhirt(in) *m(f)*

vacherie [vaʃʀi] *f fam* Gemeinheit *f*

vacherin [vaʃʀɛ̃] *m* **1.** *(fromage)* Weichkäse aus dem französischen Jura **2.** *(dessert)* eisgekühltes Baisergebäck mit Crème fraîche

vachette [vaʃɛt] *f* **1.** kleine Kuh **2.** *(cuir)* Vachetteleder *nt*

vacillant, e [vasijɑ̃, jɑ̃t] *adj* schwankend; *lumière* flackernd

vaciller [vasije] <1> *vi personne:* taumeln; *poteau:* wackeln; *lumière:* flackern

vacuité [vakɥite] *f* Nichtigkeit *f*

vadrouille [vadʀuj] *f* **être en ~** *fam* auf Achse sein

va-et-vient [vaevjɛ̃] *m inv* **1.** *(mouvement alternatif)* Hin und Her *nt* **2.** ELEC Wechselschalter *m*

vagabond, e [vagabɔ̃, ɔ̃d] **I.** *adj* **1.** *(errant)* **vie ~e** Vagabundenleben *nt* **2.** *(sans règles)* rastlos **II.** *m, f (sans domicile fixe)* Landstreicher(in) *m(f)*

vagabonder [vagabɔ̃de] <1> *vi (errer)* umherziehen

vagin [vaʒɛ̃] *m* Scheide *f*

vaginal, e [vaʒinal, o] <-aux> *adj* vaginal

vague¹ [vag] **I.** *adj* **1.** *a. antéposé (indistinct)* undeutlich **2.** *antéposé (lointain)* entfernt **3.** *manteau* weit **II.** *m (imprécision)* Unklarheit *f;* **dans le ~** im Unklaren

vague² [vag] *f* **1.** GEOG Welle *f* **2.** METEO **~ de chaleur/de froid** Hitze-/Kältewelle *f* **3.** *(afflux)* **des ~s d'immigrants** Zustrom *m* von Einwanderern

vaguement [vagmɑ̃] *adv* **1.** *(opp: précisément)* ungefähr **2.** *(un peu)* **avoir l'air ~ surpris** etwas überrascht aussehen

vaillance [vajɑ̃s] *f* Beherztheit *f*

vaillant, e [vajɑ̃, ʒɑ̃t] *adj* beherzt

vaille [vaj] *subj prés de* **valoir**

vain, e [vɛ̃, vɛn] *adj (inutile)* vergeblich ▸**en ~** vergeblich

vaincre [vɛ̃kʀ] <irr> **I.** *vi soutenu* siegen **II.** *vt soutenu* **1.** MIL besiegen *pays* **2.** SPORT schlagen **3.** *(surmonter)* überwinden

vaincu, e [vɛ̃ky] **I.** *part passé de* **vaincre** **II.** *adj* besiegt; **s'avouer ~** sich geschlagen geben **III.** *m, f (perdant)* Verlierer(in) *m(f)*

vainement [vɛnmɑ̃] *adv* vergeblich

vainqueur [vɛ̃kœʀ] **I.** *adj (victorieux)* siegreich **II.** *m* MIL, SPORT, POL Sieger(in) *m(f)*

vairon [vɛʀɔ̃] *adj* **yeux ~s** verschieden[farbig]e Augen

vais [vɛ] *indic prés de* **aller**

vaisseau¹ [vɛso] <x> *m* ANAT Gefäß *nt*

vaisseau² [vɛso] <x> *m* **1.** ESPACE **~ spatial** Raumschiff *nt* **2.** ARCHIT Mittelschiff *nt*

vaisselier [vɛsəlje] *m* Geschirrschrank *m*

vaisselle [vɛsɛl] *f* **1.** *(service de table)* [Tafel]geschirr *nt kein Pl* **2.** *(objets à nettoyer)* Geschirr *nt;* **faire** [*o* **laver**] **la ~** das Geschirr spülen

val [val, vo] <vaux> *m* Tal *nt*

valable [valabl] *adj a.* JUR, COM [rechts]gültig

valablement [valabləmɑ̃] *adv* **1.** *(légitimement)* rechtmäßig **2.** *(convenablement)* zufriedenstellend **3.** *(d'une manière efficace)* sinnvoll

Valais [valɛ] *m* **le ~** das Wallis

valdinguer [valdɛ̃ge] <1> *vi fam* **contre qc** gegen etw knallen

valence [valɑ̃s] *f* CHIM Wertigkeit *f*

valériane [valeʀjan] *f* Baldrian *m*

valet [valɛ] *m* **1.** *(domestique)* [Haus]die-

ner *m* **2.** JEUX Bube *m*

valeur [valœʀ] *f* **1.** (*prix*) Wert *m;* ~ **marchande** Handelswert; **de** ~ wertvoll **2.** POST **envoi en ~ déclarée** Wertsendung *f* **3.** (*cours*) [Kurs]wert *m;* (*titre*) Wertpapier *nt* **4.** ECON [Waren]wert *m;* ~ **ajoutée** Mehrwert; ~ **d'échange** Tauschwert **5.** (*importance*) Bedeutung *f;* **accorder** [*o* **attacher**] **de la ~ à qc** Wert auf etw (*akk*) legen; **mettre qn/qc en ~** jdn/etw zur Geltung bringen **6.** (*équivalent*) **la ~ d'un litre** ungefähr ein Liter **7.** MATH, MUS, JEUX Wert *m;* **la ~ de x** der Wert von x

validation [validasjɔ̃] *f* **1.** *d'un passeport* Gültigkeitserklärung *f* **2.** INFORM Bestätigung *f*

valide [valid] *adj* **1.** *personne* gesund; **être** ~ **fit sein** (*fam*) **2.** (*valable*) gültig

valider [valide] <1> *vt* **1.** (*certifier*) für gültig erklären *passeport;* entwerten *titre de transport* **2.** INFORM bestätigen

validité [validite] *f* Gültigkeit *f*

valise [valiz] *f* [Reise]koffer *m;* **faire sa ~** den Koffer packen

vallée [vale] *f* Tal *nt*

vallon [valɔ̃] *m* kleines Tal

vallonné, e [valɔne] *adj* hügelig

valoir [valwaʀ] <*irr*> **I.** *vi* **1.** (*coûter*) kosten; **combien ça vaut?** wie viel kostet das? **2.** (*mettre en avant*) **faire ~ un argument** ein Argument geltend machen **II.** *vt* **1.** (*avoir de la valeur*) taugen; ~ **qc/ne pas ~ grand-chose** etw/nicht viel wert sein **2.** (*être valable*) sinnvoll sein; **autant vaut** [*o* **vaudrait**] **faire qc** da kann man genauso gut etw tun **3.** (*être équivalent à*) den gleichen Wert haben wie; JEUX zählen; **rien ne vaut un bon lit quand on est fatigué** es geht nichts über ein gutes Bett, wenn man müde ist **4.** (*mériter*) lohnen; **cette ville vaut le détour** diese Stadt ist einen Umweg wert **5.** (*avoir pour conséquence*) ~ **qc à qn** jdm etw einbringen; **qu'est-ce qui nous vaut cet honneur?** was verschafft uns die Ehre? **III.** *vpr* **se ~ 1.** COM gleich viel kosten; **ces deux vases se valent** diese Vasen sind gleich im Preis **2.** (*être comparable*) *personnes, choses:* [ver]gleich[bar] sein

valorisant, e [valɔʀizɑ̃, ɑ̃t] *adj* dem Ansehen förderlich

valorisation [valɔʀizasjɔ̃] *f* *d'une région* Aufwertung *f; des déchets* [Wieder]verwertung *f*

valoriser [valɔʀize] <1> *vt* ECON aufwerten *région;* [wieder]verwerten *déchets*

valse [vals] *f* Walzer *m*

valser [valse] <1> *vi* einen Walzer tanzen

valve [valv] *f* **1.** TECH Ventil *nt* **2.** ZOOL [Mu-

schel]schale *f*

valvule [valvyl] *f* Klappe *f*

vamp [vɑ̃p] *f* Vamp *m*

vamper [vɑ̃pe] <1> *vt* (*fam*) anmachen

vampire [vɑ̃piʀ] *m* Vampir *m*

vampiriser [vɑ̃piʀize] *vt fam* ~ **qn** jdn hörig machen

van [vɑ̃] *m* Pferdetransporter *m*

vandale [vɑ̃dal] *mf* (*destructeur*) Vandale/Vandalin *m/f*

vanille [vanij] *f* GASTR, BOT Vanille[schote *f*] *f*

vanillé, e [vanije] *adj crème, sucre* Vanille-

vanité [vanite] *f* Eitelkeit *f;* **être d'une immense ~** äußerst eingebildet sein

vaniteux, -euse [vanitø, -øz] *adj* eingebildet

vanne [van] *f* **1.** NAUT *d'une écluse* Schleusentor *nt* **2.** *fam* (*plaisanterie*) **lancer des ~s à qn** über jdn witzeln

vanné, e [vane] *adj fam personne* [völlig] kaputt

vannerie [vanʀi] *f* **1.** (*fabrication*) Korbmacherei *f* **2.** (*objets*) Korbware *f*

vannier [vanje] *m* Korbmacher(in) *m(f)*

vantail [vɑ̃taj, o] <-aux> *m* [Tür-, Fenster]flügel *m*

vantard, e [vɑ̃taʀ, aʀd] **I.** *adj* prahlerisch **II.** *m, f* Prahler(in) *m(f)*

vantardise [vɑ̃taʀdiz] *f* Prahlerei *f*

vanter [vɑ̃te] <1> **I.** *vt* [in den höchsten Tönen] loben; [an]preisen *marchandise* **II.** *vpr* **se ~** prahlen; **se ~ de qc** sich einer S. (*gen*) rühmen

va-nu-pieds [vanypje] *mf inv* Landstreicher(in) *m(f)*

vapes [vap] *fpl* ▸ **être dans les ~** *fam* benebelt sein

vapeur [vapœʀ] **I.** *f* **1.** (*buée*) ~ **d'eau** Wasserdampf *m* **2.** (*énergie*) **bateau/machine à ~** Dampfschiff *nt*/-maschine *f* **3.** *pl* (*émanation*) Dämpfe *Pl;* ~**s d'essence** Benzindämpfe ▸ **renverser la ~** mit Volldampf herumreißen; **à toute ~** mit Volldampf (*fam*) **II.** *m* Dampfschiff *nt*

vaporeux, -euse [vapɔʀø, -øz] *adj tissu, cheveux* duftig

vaporisateur [vapɔʀizatœʀ] *m* Zerstäuber *m*

vaporisation [vapɔʀizasjɔ̃] *f d'un parfum* Zerstäuben *nt; d'une plante* Besprühen *nt*

vaporiser [vapɔʀize] <1> **I.** *vt* **1.** (*pulvériser*) zerstäuben **2.** (*imprégner*) besprühen; ~ **les cheveux avec de la laque** die Haare mit Haarlack besprühen **II.** *vpr* **se ~ qc quelque part** [sich (*dat*)] etw irgendwohin sprühen

vaquer [vake] <1> *vi* ~ **à ses occupations** seiner Beschäftigung nachgehen

varappe [vaʀap] *f* Klettern *nt;* **faire de la ~** klettern

varech [vaʀɛk] *m* [See]tang *m*

vareuse [vaʀøz] *f* (*blouse*) Matrosenjacke

variable [vaʀjabl] **I.** *adj* **1.** (*opp: constant*) variabel **2.** METEO veränderlich; **vent ~** Wind *m* aus wechselnden Richtungen **II.** *f* Variable *f*

variante [vaʀjɑ̃t] *f* (*forme différente*) Variante *f*

variateur [vaʀjatœʀ] *m* **~ de lumière** Dimmer *m*

variation [vaʀjasjɔ̃] *f* **1.** (*changement*) Veränderung *f* **2.** MUS Variation *f*

varice [vaʀis] *f souvent pl* Krampfader *f*

varicelle [vaʀisɛl] *f* Windpocken *Pl*

varié, e [vaʀje] *adj* **1.** (*divers*) abwechslungsreich **2.** (*très différent*) unterschiedlich

varier [vaʀje] <1> **I.** *vi* **1.** (*évoluer*) sich [ver]ändern **2.** (*être différent*) unterschiedlich sein **II.** *vt* **1.** (*diversifier*) abwechslungsreich[er] gestalten **2.** (*changer*) wechseln

variété [vaʀjete] *f* **1.** (*diversité*) Vielfalt *f* **2.** (*changement*) Abwechslung *f* **3.** ZOOL, BOT [Ab]art *f* **4.** THEAT *pl* Varietee[theater *nt*] *nt* **5.** MEDIA *pl* [bunte] Unterhaltungssendung

variole [vaʀjɔl] *f* Pocken *Pl*

variolique [vaʀjɔlik] *adj* Pocken-

Varsovie [vaʀsɔvi] Warschau *nt*

vas [va] *indic prés de* **aller**

vasculaire [vaskylɛʀ] *adj* ANAT, MED Gefäß-; **troubles ~s** Durchblutungsstörungen *Pl*

vase¹ [vɑz] *m* **1.** (*récipient*) [Blumen]vase *f* **2.** PHYS **le principe des ~s communicants** das Prinzip der kommunizierenden Röhren

vase² [vɑz] *f* Schlamm *m*

vaseline [vazlin] *f* Vaseline *f*

vaseux, -euse [vɑzø, -øz] *adj* **1.** (*boueux*) schlammig **2.** *fam* (*confus*) verworren **3.** *fam* (*mal en point*) **être complètement ~** völlig daneben sein

vasistas [vazistas] *m* ARCHIT Oberlicht *nt*

vasque [vask] *f* niedriges Wasserbecken

vassal, e [vasal, o] <-aux> *m, f* HIST Vasall(in) *m(f)*

vaste [vast] *adj antéposé* **1.** (*immense*) weit; *appartement* geräumig **2.** *vêtement* weit **3.** (*puissant*) mächtig

Vatican [vatikɑ̃] *m* **le ~** der Vatikan

vaudeville [vodvil] *m* Vaudeville *nt*

vaudevillesque [vodvilɛsk] *adj* wie in einem Vaudeville; *situation* grotesk

vaudou [vodu] *m inv* Wodu[kult *m*] *m*

vaudrai [vodʀe] *fut de* **valoir**

vau-l'eau [volo] *adv* ▶**aller à ~** Schiff-

bruch erleiden

vaurien, ne [voʀjɛ̃, jɛn] *m, f* Taugenichts *m* (*pej*)

vaut [vo] *indic prés de* **valoir**

vautour [votuʀ] *m* ORN Geier *m*

vautrer [votʀe] <1> *vpr* (*s'étendre*) sich wälzen; **se ~ dans un fauteuil** sich in einen Sessel lümmeln (*fam*)

vaux [vo] *indic prés de* **valoir**

va-vite [vavit] *adv fam* ▶**à la ~** auf die Schnelle

veau [vo] <x> *m* **1.** ZOOL Kalb *nt;* **~ marin** Seehund *m* **2.** (*viande*) Kalbfleisch *nt*

vecteur [vɛktœʀ] *m* **1.** MATH Vektor *m* **2.** (*support*) **~ de culture** Kulturträger *m*

vectoriel, le [vɛktɔʀjɛl] *adj* MATH, INFORM vektoriell

vécu [veky] *m* **le ~** das Erlebte

vécu, e [veky] **I.** *part passé de* **vivre II.** *adj* **1.** (*réel*) erlebt **2.** (*éprouvé*) selbst empfunden

vécus [veky] *passé simple de* **vivre**

vedettariat [vədetaʀja] *m* (*condition de vedette*) Berühmtheit *f*

vedette [vədɛt] **I.** *f* **1.** (*rôle principal*) Hauptdarsteller(in) *m(f);* **avoir** [*o* **tenir**] **la ~** die Hauptrolle spielen **2.** (*personnage connu*) Star *m* **3.** (*centre de l'actualité*) **avoir** [*o* **tenir**] **la ~** im Mittelpunkt stehen **II.** *app* **mannequin ~** Topmodel *nt;* MEDIA **émission ~** Quotenhit *m*

végétal [veʒetal, o] <-aux> *m* Pflanze *f*

végétal, e [veʒetal, o] <-aux> *adj* pflanzlich

végétarien, ne [veʒetaʀjɛ̃, jɛn] **I.** *adj* vegetarisch **II.** *m, f* Vegetarier(in) *m(f)*

végétatif, -ive [veʒetatif, -iv] *adj* ANAT vegetativ

végétation [veʒetasjɔ̃] *f* **1.** BOT Vegetation *f* **2.** *pl* MED Polypen *Pl*

végéter [veʒete] <5> *vi plante:* kümmern; *personne:* dahinvegetieren

véhémence [veemɑ̃s] *f d'une discussion* Heftigkeit *f*

véhément, e [veemɑ̃, ɑ̃t] *adj* heftig

véhiculaire [veikylɛʀ] *adj* **langue ~** Verkehrssprache *f*

véhicule [veikyl] *m* **1.** TRANSP Fahrzeug *nt* **2.** *d'une maladie* Überträger *m; d'une information* Übermittler *m* **3.** (*support*) Medium *nt*

véhiculer [veikyle] <1> *vt* **1.** TRANSP transportieren **2.** (*transmettre*) übertragen *maladie;* vermitteln *savoir;* mitteilen *émotions*

veille [vɛj] *f* **1.** (*jour précédent*) Vortag *m;* **la ~ au soir** am Vorabend; **la ~ de Noël** am Heiligen Abend **2.** (*fait de ne pas dormir*) Wachsein *nt* **3.** (*garde de nuit*) [Nacht]wache *f* ▶**à la ~ de qc** (*peu avant*)

kurz vor etw (*dat*)

veillée [veje] *f* **1.**(*soirée*) abendliche Zusammenkunft **2.**(*action de veiller*) Wache *f*

veiller [veje] <1> I. *vi* **1.**(*faire attention à*) ~ **à qc** auf etw (*akk*) achten **2.**(*surveiller*) Wache halten; ~ **sur qn/qc** auf jdn/etw aufpassen **3.**(*ne pas dormir*) wach sein II. *vt* ~ **qn** bei jdm Wache halten

veilleur [vɛjœʀ] *m* ~ **de nuit** Nachtwächter *m*

veilleuse [vɛjøz] *f* **1.**(*petite lampe*) Nachtlicht *nt* **2.** *pl* (*feu de position*) Standlicht *nt* **3.** *d'un réchaud* Zündflamme *f;* **mettre la flamme en** ~ die Flamme klein[er] stellen ►**se mettre en** ~ kürzer treten (*fam*)

veinard, e [vɛnaʀ, aʀd] *m, f fam* Glückspilz *m*

veine [vɛn] *f* **1.** ANAT Vene *f* **2.**(*inspiration*) künstlerische Ader **3.** *fam* (*chance*) Dusel *nt* **4.**(*veinure*) Maserung *f*

veiné, e [vene] *adj peau, marbre* geädert; *bois* gemasert

veineux, -euse [vɛnø, -øz] *adj* venös

velcro® [vɛlkʀo] *m* Klettverschluss *m*

véliplanchiste [veliplɑ̃ʃist] *mf* [Wind]surfer(in) *m(f)*

velléitaire [veleitɛʀ] *adj* willensschwach

velléité [veleite] *f soutenu* Anwandlung *f*

vélo [velo] *m* **1.**(*bicyclette*) [Fahr]rad *nt;* **à** [*o* **en** *fam*] ~ mit dem [Fahr]rad **2.**(*activité*) Rad fahren *nt*

vélocité [velɔsite] *f* Geschwindigkeit *f*

vélodrome [velodʀom] *m* Radrennbahn *f*

vélomoteur [velomɔtœʀ] *m* Moped *nt*

véloski [veloski] *m* Skibob *m*

velours [v(ə)luʀ] *m* **1.**(*tissu*) Samt *m,* Velours *m* **2.** *d'une pêche* samtige Beschaffenheit

velouté [vəlute] *m d'une peau* samtige Beschaffenheit; *d'un vin* Milde *f; d'un potage* Sämigkeit *f; de la voix* Weichheit *f*

velouté, e [vəlute] *adj* **1.**(*doux au toucher*) samtweich **2.** GASTR sämig **3.** *teint* samtig

velu, e [vəly] *adj* behaart

venaison [vənɛzɔ̃] *f* Wild[bret *nt*] *nt*

vénal, e [venal, o] <-aux> *adj* käuflich; *péj personne* bestechlich

venant [vənɑ̃] ►**à tout** ~ dem ersten Besten

vendable [vɑ̃dabl] *adj* verkäuflich

vendange [vɑ̃dɑ̃ʒ] *f souvent pl* (*récolte*) Weinlese *f*

vendanger [vɑ̃dɑ̃ʒe] <2a> I. *vi* Trauben lesen II. *vt* lesen *raisin;* abernten *vigne*

vendangeur, -euse [vɑ̃dɑ̃ʒœʀ, -ʒøz] *m* Weinleser(in) *m(f)*

Vendée [vɑ̃de] *f* **la** ~ die Vendée

vendetta [vɑ̃deta, vɑ̃dɛtta] *f* Blutrache *f*

vendeur, -euse [vɑ̃dœʀ, -øz] I. *m, f* **1.**(*opp: acheteur*) Verkäufer(in) *m(f)* **2.**(*marchand*) ~ **de légumes** Gemüsehändler II. *adj* **1.**(*qui fait vendre*) verkaufsfördernd **2.**(*qui vend*) **les pays ~s de pétrole** die Erdöl exportierenden Länder

vendre [vɑ̃dʀ] <14> I. *vi* COM verkaufen; **faire** ~ den Absatz fördern; **être à** ~ zu verkaufen sein II. *vt* **1.**(*céder*) ~ **une maison à qn** jdm ein Haus verkaufen; ~ **qc aux enchères** etw versteigern; ~ **qc par correspondance** etw im Versandhandel vertreiben **2.** *péj* (*marchander*) ~ **son âme** seine Seele verkaufen **3.** *fam* (*trahir*) verpfeifen III. *vpr* **1.** COM **se** ~ sich verkaufen lassen; **se** ~ **bien/mal** sich gut/schlecht verkaufen **2.** *fig* **se** ~ *candidat:* sich gut verkaufen

vendredi [vɑ̃dʀədi] *m* Freitag *m;* **Vendredi saint** Karfreitag; *v. a.* **dimanche**

vendu, e [vɑ̃dy] I. *part passé de* **vendre** II. *adj* (*corrompu*) gekauft

vénéneux, -euse [venenø, -øz] *adj* giftig

vénérable [veneʀabl] *adj* ehrwürdig

vénération [veneʀasjɔ̃] *f* Verehrung *f*

vénérer [veneʀe] <5> *vt* verehren

vénérien, ne [veneʀjɛ̃, jɛn] *adj* **maladie ~ne** Geschlechtskrankheit *f*

vénézolan, e [venezɔlɑ̃, an] *adj* venezolanisch

Vénézolan, e [venezɔlɑ̃, an] *m, f* Venezolaner(in) *m(f)*

Venezuela [venezɥɛla] *m* **le** ~ Venezuela *nt*

vengeance [vɑ̃ʒɑ̃s] *f* Rache *f*

venger [vɑ̃ʒe] <2a> I. *vt* rächen II. *vpr* **se** ~ **de qn/qc** sich an jdm/für etw rächen

vengeur, -geresse [vɑ̃ʒœʀ, -ʒ(ə)ʀɛs] *adj* rachsüchtig (*geh*)

venimeux, -euse [vənimø, -øz] *adj* giftig

venin [vənɛ̃] *m* Gift *nt*

venir [v(ə)niʀ] <9> I. *vi* + *être* **1.**(*arriver*) kommen; **viens avec moi!** komm mit!; **faire** ~ **le médecin** den Arzt rufen; **faire** ~ **les touristes** Touristen anlocken **2.**(*se présenter à l'esprit*) **l'idée m'est venue de chercher dans ce livre** mir kam die Idee in diesem Buch zu suchen **3.**(*parvenir*) ~ **jusqu'à qn/qc** bis zu jdm/etw dringen **4.**(*arriver*) kommen; *nuit:* hereinbrechen; **laisser** ~ [erst mal] abwarten; **alors, ça vient?** *fam* na wird's bald? **5.**(*se situer dans un ordre*) kommen; **à** ~ folgend; (*temps*) zukünftig **6.**(*se développer*) *plante:* gedeihen **7.**(*étendre ses limites*) ~ **jusqu'à qc** bis an etw (*akk*) reichen **8.**(*provenir*) ~ **d'Angleterre** aus England

stammen; **ce mobilier lui vient de sa mère** die Möbel sind von seiner/ihrer Mutter **9.** (*découler, être la conséquence*) **~ de qc** von etw kommen **10.** (*aboutir à*) **où veut-il en ~?** worauf will er hinaus? **II.** *aux ~ être* **1.** (*se déplacer pour*) **je viens manger** ich komme essen **2.** (*avoir juste fini*) **je viens [juste/à peine] de finir** ich habe gerade aufgehört **3.** (*être conduit à*) **s'il venait à passer par là** wenn er hier vorbeikommen sollte; **elle en vint à penser que** sie fing [langsam] an zu glauben, dass **III.** *vi impers + être* **il viendra un temps où** es wird eine Zeit kommen, wo **2.** (*provenir*) **de là vient que ...** daher kommt es, dass ...; **d'où vient que ...** wie kommt es, dass ...

vénitien [venisjɛ̃] *m* Venezianisch *nt; v. a.* **allemand**

vénitien, ne [venisjɛ̃, jɛn] *adj* venezianisch; **blond ~** rotblond

Vénitien, ne [venisjɛ̃, jɛn] *m, f* Venezianer(in) *m(f)*

vent [vɑ̃] *m* **1.** METEO, NAUT Wind *m; ~ du nord* Nordwind; **il y a du ~** es ist windig; **à tous les ~s** bei Wind und Wetter **2.** (*courant d'air*) Luftzug *m;* **instrument à ~** Blasinstrument *nt* **3.** (*tendance*) **dans le ~** in Mode ▸**quel bon ~ vous/t'amène?** *hum* was führt Sie/dich hierher?; **avoir eu ~ de qc** Wind von etw bekommen haben (*fam*)

vente [vɑ̃t] *f* **1.** (*action*) Verkauf *m; ~ flash* Sonderverkauf *m; ~ au détail* Einzelhandel *m; ~ par correspondance* Versandhandel; **mettre en ~** auf den Markt bringen **2.** (*service*) Vertrieb *m* **3.** *pl* (*chiffre d'affaires*) Umsatz *m* **4.** (*réunion où l'on vend*) ~ *aux enchères* (*action*) Versteigerung *f;* (*réunion*) Auktion *f*

venté, e [vɑ̃te] *adj* windig

venter [vɑ̃te] <1> *vi impers* **il vente** es ist windig

venteux, -euse [vɑ̃tø, -øz] *adj* windig

ventilateur [vɑ̃tilatœʀ] *m* Ventilator *m*

ventilation [vɑ̃tilasjɔ̃] *f* **1.** (*aération*) [Be]lüftung *f* **2.** *du courrier* Verteilung *f*

ventiler [vɑ̃tile] <1> *vt* **1.** (*aérer*) [be]lüften *pièce* **2.** (*répartir*) ~ *des dépenses sur plusieurs mois* die Ausgaben auf mehrere Monate verteilen

ventouse [vɑ̃tuz] *f* **1.** (*dispositif*) Saugfuß *m;* **faire ~** sich festsaugen **2.** ZOOL Saugnapf *m;* BOT Haftwurzel *f* **3.** MED Schröpfkopf *m*

ventral, e [vɑ̃tʀal, o] <-aux> *adj* **douleurs ~es** Bauchschmerzen *Pl*

ventre [vɑ̃tʀ] *m* Bauch *m;* **avoir mal au ~** Bauchschmerzen *Pl* haben; **prendre du ~** Bauch ansetzen ▸**courir à ~ terre** wie der

Blitz rennen (*fam*); **avoir quelque chose dans le ~** etwas drauf haben (*fam*)

ventrée [vɑ̃tʀe] *f fam* **s'en mettre une ~** ordentlich zulangen

ventricule [vɑ̃tʀikyl] *m* Kammer *f; ~ droit/gauche* rechte/linke Herzkammer

ventriloque [vɑ̃tʀilɔk] **I.** *adj* **être ~** bauchreden können **II.** *mf* Bauchredner(in) *m(f)*

ventru, e [vɑ̃tʀy] *adj personne* dickbäuchig; *cruche* bauchig

venu, e [v(ə)ny] **I.** *part passé de* **venir II.** *adj* **bien/mal ~** angebracht/unangebracht **III.** *m, f* **nouveau ~** Neuankömmling *m*

venue [v(ə)ny] *f* Kommen *nt*

Vénus [venys] *f* Venus *f*

vêpres [vɛpʀ] *fpl* REL Vesper *f*

ver [vɛʀ] *m* Wurm *m; ~ blanc* Engerling *m; ~ de terre* Regenwurm *m; ~ luisant* Leuchtkäfer *m; ~ solitaire* Bandwurm *m; ~ à soie* Seidenraupe *f;* **être mangé** [*o piqué*] *aux ~s bois, fruit:* wurmstichig sein ▸**tirer les ~s du nez à qn** jdm die Würmer aus der Nase ziehen (*fam*); **nu comme un ~** *fam* splitternackt

véracité [veʀasite] *f* Wahrhaftigkeit *f*

verbal, e [vɛʀbal, o] <-aux> *adj accord* mündlich; **expression ~e** sprachlicher Ausdruck

verbalement [vɛʀbalmɑ̃] *adv* mündlich, mit Worten, verbal

verbaliser [vɛʀbalize] <1> **I.** *vi* ~ **contre qn** jdn gebührenpflichtig verwarnen **II.** *vt* (*mettre une contravention*) ~ **qn** jdm einen Strafzettel verpassen (*fam*)

verbe [vɛʀb] *m* GRAM Verb *nt*

verdâtre [vɛʀdɑtʀ] *adj* grünlich; *teint* fahl

verdeur [vɛʀdœʀ] *f* (*acidité*) Säure *f; d'un vin* Herbheit *f*

verdict [vɛʀdikt] *m* Urteil *nt; ~ d'acquittement* Freispruch *m*

verdir [vɛʀdiʀ] <8> **I.** *vi nature:* grünen **II.** *vt* grün färben

verdure [vɛʀdyʀ] *f* **1.** (*végétation, couleur*) Grün *nt;* **un tapis de ~** ein grüner Teppich **2.** (*légumes*) Grüne(s) *nt*

véreux, -euse [veʀø, -øz] *adj* **1.** *fruit* wurmig **2.** *personne* zwielichtig

verge [vɛʀʒ] *f* **1.** ANAT [männliches] Glied **2.** (*baguette*) Stock *m*

verger [vɛʀʒe] *m* Obstgarten *m*

vergeture [vɛʀʒətyʀ] *f* Schwangerschaftsstreifen *m*

verglacé, e [vɛʀglase] *adj* vereist

verglas [vɛʀglɑ] *m* Glatteis *nt*

vergogne [vɛʀgɔɲ] *f* **sans ~** schamlos

véridique [veʀidik] *adj information* richtig; *histoire* wahr

vérifiable [veʀifjabl] *adj* nachprüfbar

vérificateur [veʀifikatœʀ] *m* INFORM ~ **orthographique** Rechtschreibkontrolle *f*

vérificateur, -trice [veʀifikatœʀ, -tʀis] *m*, *f* Kontrolleur(in) *m(f)*

vérification [veʀifikasjɔ̃] *f* 1.(*contrôle*) Überprüfung *f* 2.(*confirmation*) Bestätigung *f*

vérifier [veʀifje] <1> I. *vt* 1.(*contrôler*) überprüfen 2.(*confirmer*) bestätigen II. *vpr* **se** ~ *soupçon:* sich bestätigen

vérin [veʀɛ̃] *m* TECH Winde *f*

véritable [veʀitabl] *adj* 1.(*réel*) wirklich *attr* 2. *antéposé* (*vrai*) richtig *attr,* wahr *attr* 3. *postposé* (*authentique*) echt

véritablement [veʀitabləmã] *adv* 1.(*réellement*) wirklich 2.(*à proprement parler*) eigentlich

vérité [veʀite] *f* 1.(*opp: mensonge*) Wahrheit *f* 2. *sans pl* (*connaissance du vrai*) Wahrheit *f;* **dire la** ~ die Wahrheit sagen 3. *sans pl* (*réalisme*) Wirklichkeitstreue *f* 4. *sans pl* (*sincérité*) Aufrichtigkeit *f* ►**il n'y a que la** ~ **qui blesse** *prov* getroffene Hunde bellen (*prov*); **à la** ~ ehrlich gesagt; **en** ~ eigentlich

verjus [veʀʒy] *m* Saft *m* von unreifen Trauben

verlan [veʀlã] *m: Art Geheimsprache, in der die Silben gewisser Wörter in umgekehrter Reihenfolge gesprochen werden*

vermeil [veʀmɛj] *m* vergoldetes Silber

vermeil, le [veʀmɛj] *adj* [leuchtend] rot

vermicelle [veʀmisɛl] *m* Fadennudel *f*

vermifuge [veʀmify3] *adj* **remède** ~ Wurmmittel *nt*

vermillon [veʀmijɔ̃] I. *adj inv* zinnoberrot II. *m* Zinnoberrot *nt*

vermine [veʀmin] *f* 1. *sans pl* (*parasites*) Ungeziefer *nt* 2. *sans pl* (*racaille*) Gesindel *nt* (*pej*)

vermisseau [veʀmiso] <x> *m* Würmchen *nt*

vermoulu, e [veʀmuly] *adj* wurmstichig

vermout[h] [veʀmut] *m* Wermut[wein *m*] *m*

vernir [veʀniʀ] <8> I. *vt* lackieren *bois;* firnissen *peinture* II. *vpr* **se** ~ **les ongles** sich (*dat*) die Nägel lackieren

vernis [veʀni] *m* 1.(*laque*) Firnis *m;* ~ **à ongles** Nagellack *m* 2.(*aspect brillant*) Glanz *m* 3.(*façade*) Fassade *f* (*fig*)

vernissage [veʀnisa3] *m* 1.(*action*) Lackieren *nt* 2.(*inauguration*) Vernissage *f* (*geh*)

vernisser [veʀnise] <1> *vt* glasieren

vérole [veʀɔl] *f fam* Syphilis *f;* **petite** ~ Pocken *Pl*

vérolé, e [veʀɔle] *adj* INFORM fehlerhaft

véronique [veʀɔnik] *f* Ehrenpreis *m*

verrai [veʀɛ] *fut de* **voir**

verrat [veʀa] *m* Zuchteber *m*

verre [veʀ] *m* 1.(*matière*) Glas *nt kein Pl;* ~ **à vitre** Fensterglas; ~ **de sécurité** Sicherheitsglas 2.(*récipient*) Glas *nt;* ~ **à pied** Stielglas 3.(*contenu*) Glas *nt;* **deux** ~**s de vin** zwei Glas Wein; **prendre un** ~ ein Gläschen trinken (*fam*) 4. *d'une montre* Glas *nt;* OPT [Brillen]glas *nt;* ~ **de contact** Kontaktlinse *f*

verrerie [veʀʀi] *f* 1.(*fabrication*) Glasherstellung *f* 2.(*objet*) Glas *nt kein Pl,* Glaswaren *Pl* 3.(*fabrique*) Glashütte *f*

verrier [veʀje] *m* Glasbläser *m*

verrière [veʀjɛʀ] *f* 1.(*toit*) Glasdach *nt* 2.(*paroi*) Glaswand *f*

verrou [veʀu] *m* 1.(*loquet*) Riegel *m* 2.(*serrure*) Schloss *nt*

verrouiller [veʀuje] <1> *vt* 1.(*fermer*) verriegeln 2.(*bloquer*) blockieren; INFORM durch Kode sperren *disquette*

verrue [veʀy] *f* MED Warze *f*

vers[1] [veʀ] *prép* 1.(*en direction de*) ~ **qn/ qc** auf jdn/etw zu, zu jdm/etw hin; ~ **le sud** nach Süden; **se tourner** ~ **qn/qc** sich jdm/etw zuwenden 2.(*aux environs de: lieu*) bei, in der Nähe von; (*temps*) gegen, etwa um; ~ **midi** gegen Mittag; ~ **la mi-juin** etwa Mitte Juni

vers[2] [veʀ] *m* Vers[zeile *f*] *m;* **faire des** ~ dichten; **en** ~ in Versform

versant [veʀsã] *m* (*pente*) [Berg]hang *m; d'un toit* [Dach]schräge *f*

versatile [veʀsatil] *adj personne, caractère* unbeständig; **humeur** ~ Launenhaftigkeit *f*

versatilité [veʀsatilite] *f* Unbeständigkeit *f*

verse [veʀs] *f* **il pleut à** ~ es gießt in Strömen

Verseau [veʀso] <x> *m* Wassermann *m; v. a.* **Balance**

versement [veʀsəmã] *m* Zahlung *f;* (*sur un compte*) Einzahlung *f*

verser [veʀse] <1> I. *vt* 1.(*faire couler*) ~ **de l'eau à qn** jdm Wasser eingießen; ~ **du riz dans un plat** Reis in eine Schüssel schütten 2.(*payer*) ~ **une somme à qn** jdm einen Betrag zahlen; ~ **qc sur un compte** etw auf ein Konto einzahlen 3.(*ajouter*) ~ **qc au dossier** etw zu den Akten legen II. *vi* 1.(*basculer*) umkippen 2.(*faire couler*) **cette cafetière verse bien** aus dieser Kaffeekanne gießt es sich gut

verset [veʀsɛ] *m* 1. REL *de la Bible, du Coran* Vers *m* 2.(*couplet*) Strophe *f*

verseur, -euse [veʀsœʀ, -øz] *adj* **bec** ~ Tülle *f*

verseuse [veʀsøz] *f* Kaffeekanne *f*

versificateur, -trice [veʀsifikatœʀ, -tʀis]

m, f **1.** (*poète*) Dichter(in) *m(f)* **2.** *péj* Versemacher(in) *m(f)* (*pej*)
versifier [vɛʀsifje] <1> **I.** *vi* dichten **II.** *vt* in Verse setzen
version [vɛʀsjɔ̃] *f* **1.** MUS, THEAT, CINE Version *f*, Fassung *f*; **en ~ originale sous-titrée** in Originalfassung mit Untertiteln **2.** (*modèle*) Modell *nt*; **la ~ 5 portes d'une voiture** der Fünftürer **3.** (*interprétation*) Version *f*; **ma ~ de ce qui c'est passé** meine Version der Ereignisse **4.** SCOL Übersetzung *f* aus der Fremdsprache
verso [vɛʀso] *m* Rückseite *f*
versus [vɛʀsys] *prép* versus
vert [vɛʀ] *m* Grün *nt*; **le feu est passé au ~** die Ampel hat auf Grün geschaltet; **passer au ~** *voiture:* bei Grün fahren
vert, e [vɛʀ, vɛʀt] **I.** *adj* **1.** (*de couleur verte*) grün **2.** (*blême*) **~ de peur/jalousie** blass vor Angst/Neid (*dat*) **3.** (*écologiste*) grün **4.** (*de végétation*) **espaces ~s** Grünflächen *Pl* **5.** (*à la campagne*) **classe ~e** [Aufenthalt *m* im] Schullandheim *nt* **6.** *fruit* grün; *vin* sauer **7.** *bois* grün; *légumes* frisch **8.** (*vaillant*) rüstig **9.** (*agricole*) **l'Europe ~e** der europäische Agrarmarkt **II.** *m, f* (*écologiste*) Grüne(r) *f(m)*
vertébral, e [vɛʀtebʀal, o] <-aux> *adj* **colonne ~e** Wirbelsäule *f*
vertèbre [vɛʀtɛbʀ] *f* Wirbel *m*
vertébré [vɛʀtebʀe] *m* Wirbeltier *nt*
vertébré, e [vɛʀtebʀe] *adj* **animal ~** Wirbeltier *nt*
vertement [vɛʀtəmɑ̃] *adv répliquer* schroff; *réprimander* scharf
vertical, e [vɛʀtikal, o] <-aux> *adj* (*opp: horizontal*) senkrecht, vertikal; TECH lotrecht
verticale [vɛʀtikal] *f* Senkrechte *f*, Vertikale *f*; TECH Lot *nt*
verticalement [vɛʀtikalmɑ̃] *adv* senkrecht, vertikal
vertige [vɛʀtiʒ] *m* **1.** *sans pl* (*peur du vide*) Schwindel[gefühl *nt*] *m*; **être sujet au ~** nicht schwindelfrei sein **2.** (*malaise*) Schwindelanfall *m*; **il a le ~** ihm wird schwind[e]lig; **donner le ~ à qn** *personne, situation:* jdn schwind[e]lig machen; *hauteur:* Schwindel erregend sein **3.** (*égarement*) Taumel *m*; **~ du pouvoir** Machtrausch *m*
vertigineux, -euse [vɛʀtiʒinø, -øz] *adj* Schwindel erregend
vertu [vɛʀty] *f* **1.** (*qualité*) Tugend *f* **2.** *sans pl* (*moralité*) Tugend[haftigkeit *f*] *f* **3.** (*pouvoir*) Kraft *f*; (*effet bénéfique*) [positive] Wirkung ►**en ~ de** kraft, aufgrund (+ *gen*); **en ~ de la loi** kraft Gesetzes
vertueusement [vɛʀtɥøzmɑ̃] *adv* tugend-

haft
vertueux, -euse [vɛʀtɥø, -øz] *adj* tugendhaft
verve [vɛʀv] *f* Witz *m*, Geist *m*; **être en ~** *personne:* in Form sein; **avec beaucoup de ~** mitreißend
verveine [vɛʀvɛn] *f* Eisenkraut *nt*
vésicule [vezikyl] *f* **1.** ANAT Blase *f*; **~ biliaire** Gallenblase *f* **2.** MED Bläschen *nt*
vespasienne [vɛspazjɛn] *f* Pissoir *nt*
vespéral, e [vɛspeʀal, o] <-aux> *adj littér* abendlich
vessie [vesi] *f* [Harn]blase *f*; *d'un poisson* Schwimmblase *f* ►**faire prendre à qn des ~s pour des lanternes** *fam* jdm einen Bären aufbinden
veste [vɛst] *f* **1.** (*vêtement court*) Jacke *f* **2.** (*veston*) Jackett *nt* **3.** (*gilet*) Strickjacke *f*
vestiaire [vɛstjɛʀ] *m* Garderobe *f*
vestibule [vɛstibyl] *m* *d'un appartement* Flur *m*; *d'une maison* Diele *f*
vestige [vɛstiʒ] *m souvent pl* [Über]rest *m*
vestimentaire [vɛstimɑ̃tɛʀ] *adj* **dépenses ~s** Ausgaben *Pl* für Kleidung
veston [vɛstɔ̃] *m* Sakko *m o nt*
vêtement [vɛtmɑ̃] *m* Kleidungsstück *nt*; **des ~s** Kleidung *f*; **changer de ~s** sich umziehen
vétéran, e [veteʀɑ̃, an] *m, f* **1.** MIL Veteran *m* **2.** (*personne expérimentée*) [alter] Routinier **3.** SPORT **~s** Senioren; (*hommes*) Alte Herren
vétérinaire [veteʀinɛʀ] **I.** *adj* tierärztlich *f* **II.** *mf* Tierarzt/-ärztin *m/f*
vétille [vetij] *f* Lappalie *f*
vêtir [vetiʀ] <irr> *vpr soutenu* **se ~** sich ankleiden; **se ~ de qc** sich in etw (*akk*) kleiden
veto [veto] *m inv* Veto *nt*; **droit de ~** Vetorecht *nt*
vét|t|étiste [vetetist] *mf* Mountainbiker(in) *m(f)*
vêtu, e [vety] **I.** *part passé de* **vêtir II.** *adj* bekleidet, angezogen; **~ de qc** in etw (*dat*) [gekleidet]
veuf, veuve [vœf, vœv] **I.** *adj* verwitwet **II.** *m, f* Witwer/Witwe *m/f*; **~ de qn** jds Witwer
veuille [vœj] *subj prés de* **vouloir**
veulent [vœl] *indic prés de* **vouloir**
veut, veux [vø] *indic prés de* **vouloir**
vexation [vɛksasjɔ̃] *f* Demütigung *f*
vexer [vɛkse] <1> **I.** *vt* kränken **II.** *vpr* **se ~** gekränkt sein; **se ~ de qc** etw übelnehmen
via [vja] *prép* über, via (+ *akk*)
viabiliser [vjabilize] <1> *vt* erschließen *terrain*

viabilité [vjabilite] *f* **1.** *d'une route* Befahrbarkeit *f* **2.** *d'un terrain* Erschließung *f* **3.** (*aptitude à vivre*) Lebensfähigkeit *f*

viable [vjabl] *adj* lebensfähig

viaduc [vjadyk] *m* Viadukt *m o nt*

viager [vjaʒe] *m* Leibrente *f*

viager, -ère [vjaʒe, -ɛʀ] *adj* auf Lebenszeit

viande [vjãd] *f* Fleisch *nt;* ~ **froide** kalter Braten

viander [vjãde] <1> *vpr fam* **se** ~ einen Unfall bauen

viatique [vjatik] *m* **1.** (*équipement de voyage*) [Marsch]gepäck *nt* **2.** (*communion*) letzte Kommunion

vibrant, e [vibʀã, ãt] *adj* **1.** (*tremblant*) leidenschaftlich; ~ **de colère** bebend vor Wut (*dat*) **2.** MUS *corde* vibrierend

vibraphone [vibʀafɔn] *m* Vibraphon *nt*

vibration [vibʀasjõ] *f d'une voix* Beben *nt; d'un moteur* Vibrieren *nt; d'une corde* Schwingung *f; de l'air* Flimmern *nt*

vibrato [vibʀato] *m* Vibrato *nt*

vibratoire [vibʀatwaʀ] *adj* **mouvement** ~ Schwingung *f*

vibrer [vibʀe] <1> **I.** *vi* **1.** (*trembler*) *mur, voix:* beben; *corde, moteur:* vibrieren **2.** (*trahir une émotion*) ~ **de colère** *personne:* vor Zorn beben (*dat*) **II.** *vt* rütteln *béton*

vibromasseur [vibʀomasœʀ] *m* MED Massagegerät *nt;* (*objet érotique*) Vibrator *m*

vicaire [vikɛʀ] *m* Kaplan *m;* ~ **général** Generalvikar *m*

vice [vis] *m* **1.** *sans pl* (*débauche, immoralité*) Laster *nt* **2.** (*anomalie*) Mangel *m;* ~ **de construction** Konstruktionsfehler *m*

vice-consul [viskõsyl] <vice-consuls> *m* Vizekonsul *m*

vicelard, e [vislaʀ, aʀd] *fam* **I.** *adj* **1.** *personne* gewieft (*fam*) **2.** *air* lüstern **II.** *m, f* (*homme*) zudringlicher Kerl (*fam*); (*femme*) zudringliches Weib (*fam*)

vice-présidence [vispʀezidãs] <vice-présidences> *f* Vizepräsidentschaft *f* **vice-président, e** [vispʀezidã, ãt] <vice-présidents> *m, f* Vizepräsident(in) *m(f)* **vice-roi, vice-reine** [visʀwa, visʀɛn] <vice-rois> *m* Vizekönig(in) *m(f)*

vice versa [vis(e)vɛʀsa] *adv* et ~ und umgekehrt

vichy [viʃi] **I.** *m* **1.** (*tissu*) Vichy[stoff *m*] *m* **2.** (*eau minérale*) **un** ~ ein Mineralwasser **II.** *f* Mineralwasser *nt*

vicier [visje] <1> *vt* verderben *goût, relations;* **l'air vicié** (*d'une pièce*) die verbrauchte Luft; (*des grandes villes*) die verschmutzte Luft

vicieux, -euse [visjø, -jøz] **I.** *adj* **1.** (*obsédé sexuel*) lüstern (*geh*), geil (*pej*) **2.** *fam* (*vache, tordu*) gemein, fies **3.** *cheval* heim-

tückisch **4.** SPORT *balle, tir* angetäuscht **II.** *m, f* **1.** (*cochon*) Perverse(r) *f(m)* **2.** *fam* (*tordu: homme*) Fiesling *m;* (*femme*) fiese Person

vicinal, e [visinal, o] <-aux> *adj* **chemin** ~ Gemeindeweg *m*

vicomte, -esse [vikõt, -ɛs] *m, f* Vicomte/Vicomtesse *m/f*

victime [viktim] *f* **1.** (*blessé*) Opfer *nt;* (*mort*) [Todes]opfer *nt* **2.** (*personne/chose qui subit*) Opfer *nt;* **être [la]** ~ **de qn/qc** jds Opfer/[das] Opfer einer S. (*gen*) sein **3.** REL Opfer[tier *nt*] *nt*

victoire [viktwaʀ] *f* Sieg *m;* ~ **sur qn/qc** Sieg über jdn/etw

victorieux, -euse [viktɔʀjø, -jøz] *adj* **1.** (*vainqueur*) siegreich **2.** (*fanfaron*) siegessicher

victuailles [viktɥaj] *fpl* Lebensmittel *Pl*

vidange [vidãʒ] *f* **1.** *d'un circuit* [Ent]leerung *f;* AUT Ölwechsel *m* **2.** *d'un évier* Abfluss *m* **3.** *pl* (*effluents*) Fäkalien *Pl*

vidanger [vidãʒe] <2a> *vt* **1.** AUT **faire** ~ **une voiture** bei einem Auto einen Ölwechsel machen lassen **2.** (*vider*) ~ **un circuit** das Wasser aus einem Kreislauf ablassen

vidangeur [vidãʒœʀ] *m* Fäkaliengrubenentleerer(in) *m(f)*

vide [vid] **I.** *adj* **1.** (*opp: plein*) leer **2.** *discussion* sinnlos; ~ **de qc** ohne etw **3.** (*opp: occupé*) frei, leer **II.** *m* **1.** *sans pl* (*abîme*) Abgrund *m* **2.** PHYS luftleerer Raum; ~ **absolu** absolutes Vakuum; **emballé sous** ~ Vakuum verpackt **3.** (*espace vide*) Lücke *f* **4.** (*néant*) Leere *f* ▸**faire le** ~ (*débarrasser*) gründlich aufräumen; (*évacuer ses soucis*) abschalten (*fam*); **à** ~ (*pour rien*) ins Leere; (*sans chargement*) leer

vidéo [video] **I.** *f* **1.** (*technique*) Videotechnik *f,* Video *nt* **2.** (*film, émission*) Video *nt* **II.** *adj inv* **caméra** ~ Videokamera *f;* **cassette** ~ Videokassette *f;* **film** ~ Videofilm *m;* **jeu** ~ Videospiel *nt*

vidéoclip [videoklip] *m* Videoclip *m*

vidéoconférence [videokõfeʀãs] *f* Videokonferenz *f*

vidéophone [videofɔn] *m* Bildtelefon *nt*

vide-ordures [vidɔʀdyʀ] *m inv* Müllschlucker *m*

vidéotex® [videotɛks] *m* Videotext *m;* (*interactif*) Bildschirmtext *m*

vidéothèque [videotɛk] *f* Videothek *f*

vidéotransmission [videotʀãsmisjõ] *f* Übertragung *f* auf [eine] Videowand **vide-pomme** [vidpɔm] <vide-pommes> *m* Apfelausstecher *m*

vider [vide] <1> **I.** *vt* **1.** (*retirer le contenu de*) leeren; ~ **un bassin de son eau** das

Wasser aus einem Becken ablassen **2.** (*verser*) ausgießen *bouteille;* auskippen *boîte* **3.** (*faire s'écouler*) ausgießen *substance liquide;* ausschütten *substance solide* **4.** (*consommer*) ~ **son verre** sein Glas leeren **5.** (*voler le contenu de*) ausräumen (*fam*) *appartement* **6.** *fam* (*expulser*) rausschmeißen **7.** *fam* (*fatiguer*) **être vidé** total geschafft sein **8.** GASTR ausnehmen *poisson* **II.** *vpr* **1.** (*perdre son contenu*) **se** ~ *bouteille:* auslaufen; *ville:* sich leeren **2.** (*s'écouler*) **se** ~ **dans le caniveau** *eaux usées:* in den Rinnstein abfließen

videur, -euse [vidœʀ, -øz] *m, f* Rausschmeißer *m* (*fam*)

vie [vi] *f* **1.** (*existence*) Leben *nt;* **revenir à la** ~ (*reprendre conscience*) wieder zu sich (*dat*) kommen; (*reprendre goût à la vie*) wieder aufleben; **être en** ~ am Leben sein; **être sans** ~ leblos sein **2.** (*façon de vivre*) Lebensweise *f;* **la** ~ **active** das Berufsleben; **voir la** ~ **en rose** alles durch die rosa Brille sehen; **c'est la** ~! so ist das Leben! **3.** (*biographie*) Lebensgeschichte *f* ►**à la** ~, **à la mort** auf Gedeih und Verderb; **gagner sa** ~ seinen Lebensunterhalt verdienen; **refaire sa** ~ **avec qn** mit jdm ein neues Leben anfangen; **à** ~ auf Lebenszeit

vieil [vjɛj] *adj v.* **vieux**

vieillard [vjɛjaʀ] *m* Greis *m*

vieille [vjɛj] *v.* **vieux**

vieillerie [vjɛjʀi] *f* ~**s** alter Trödel (*fam*); (*vêtements*) alte Klamotten *Pl* (*fam*)

vieillesse [vjɛjɛs] *f* **1.** (*opp: jeunesse*) Alter *nt* **2.** *sans pl* (*personnes âgées*) **la** ~ die Alten *Pl*

vieillir [vjɛjiʀ] <8> **I.** *vi* **1.** (*prendre de l'âge*) *personne:* alt werden; *chose:* altern; *fromage, vin:* reifen **2.** *péj* (*diminuer*) *personne:* altern **3.** (*se démoder*) an Aktualität verlieren; **être vieilli** veraltet sein **II.** *vt* (*faire paraître plus vieux*) *coiffure, vêtements:* älter machen **III.** *vpr* **se** ~ (*se faire paraître plus vieux*) sich älter machen

vieillissement [vjɛjismɑ̃] *m d'une personne* Älterwerden *nt; d'une population* Überalterung *f; d'une idéologie* Veralten *nt*

vieillot, te [vjɛjo, jɔt] *adj* altmodisch

vielle [vjɛl] *f* [Dreh]leier *f*

viendrai [vjɛ̃dʀɛ] *fut de* **venir**

vienne [vjɛn] *subj prés de* **venir**

Vienne [vjɛn] Wien *nt*

viennent [vjɛn] *indic prés de* **venir**

viennois, e [vjɛnwa, waz] *adj* Wiener *inv,* wienerisch

Viennois, e [vjɛnwa, waz] *m, f* Wiener(in) *m(f)*

viennoiserie [vjɛnwazʀi] *f* Feingebäck *nt*

viens, vient [vjɛ̃] *indic prés de* **venir**

vierge [vjɛʀʒ] *adj* **1.** *fille, garçon* unschuldig; *fille* unberührt **2.** *disquette, page* leer; *film* unbelichtet **3.** (*inexploré*) unberührt; **la forêt** ~ der Urwald **4.** (*pur*) rein

Vierge [vjɛʀʒ] *f* **1.** REL **la** ~ **Marie** die Jungfrau Maria; **la Sainte** ~ die Heilige Jungfrau **2.** ASTROL Jungfrau *f; v. a.* **Balance**

Viêt-nam , Vietnam [vjɛtnam] *m* **le** ~ Vietnam *nt*

vietnamien [vjɛtnamjɛ̃] *m* Vietnamesisch *nt; v. a.* **allemand**

vietnamien, ne [vjɛtnamjɛ̃, jɛn] *adj* vietnamesisch

Vietnamien, ne [vjɛtnamjɛ̃, jɛn] *m, f* Vietnamese/Vietnamesin *m/f*

vieux [vjø] **I.** *m* (*choses anciennes*) alte Sachen *Pl* **II.** *adv faire, s'habiller* alt; **faire** ~ *coiffure, habits:* alt machen

vieux, vieil, vieille [vjø, vjɛj] **I.** *adj* **1.** alt; **être** ~ **d'un mois/de deux ans** einen Monat/zwei Jahre alt sein; **la vieille ville de Heidelberg** die Altstadt von Heidelberg **2.** *antéposé* (*de longue date*) langjährig; **mon vieil ami** mein alter Freund **3.** *antéposé péj fam con, schnock* fies, gemein ►**se faire** ~ alt werden; **vivre** ~ ein hohes Alter erreichen **II.** *m, f* **1.** (*vieille personne*) Alte(r) *f(m);* **un petit** ~/**une petite vieille** *fam* ein alter Opa/eine alte Oma **2.** *fam* (*mère/père*) Alte(r) *f(m);* **mes** ~ meine Alten (*fam*) ►**mon [petit]** ~!/**ma [petite] vieille!** *fam* mein Lieber!/meine Liebe!

vif [vif] *m* PECHE Köderfisch *m* ►**le** ~ **du sujet** der Kern der Sache; **au** ~ zutiefst; **sur le** ~ (*sur place*) vor Ort

vif, vive [vif, viv] *adj* **1.** *personne* lebhaft **2.** (*rapide*) schnell, rasch; **avoir l'esprit** ~ aufgeweckt sein **3.** *douleur* heftig; *soleil* sengend; *froid* schneidend; *couleur* kräftig; *lumière* hell **4.** *antéposé plaisir,intérêt* groß; *souvenir,regret* lebhaft; *impression,chagrin* tief **5.** (*vivant*) lebend; **eau vive** fließendes Wasser **6.** *angle* scharf; **plaie à** ~ offene Wunde

vigie [viʒi] *f* **1.** (*en marine*) Ausguck[posten *m*] *m* **2.** (*surveillance*) Wache *f*

vigilance [viʒilɑ̃s] *f* Wachsamkeit *f*

vigile [viʒil] *mf* Wächter(in) *m(f)*, Wachmann *m*

vigne [viɲ] *f* **1.** BOT Wein *m;* **pied de** ~ Rebstock *m* **2.** (*vignoble*) Weinberg *m* **3.** *sans pl* (*activité viticole*) Weinbau *m*

vigneron, ne [viɲ(ə)ʀɔ̃, ɔn] **I.** *adj* activité ~**ne** Weinbau *m* **II.** *m, f* Winzer(in) *m(f)*, Weinhauer(in) *m(f)* (A)

vignette [viɲɛt] *f* **1.** HIST *d'une automobile* Kfz-Steuermarke *f* **2.** (*attestant un paie-*

ment) Kontrollmarke *f* **3.**(*image*) Sammelbild *nt* **4.**(*petite illustration*) Vignette *f*

vignoble [viɲɔbl] *m* **1.**(*terrain*) Weinberg *m* **2.** *sans pl*(*ensemble de ~s*) Weinbaugebiet *nt*

vigogne [vigɔɲ] *f* Vikunja *nt*

vigoureusement [viguʀøzmɑ̃] *adv* (*avec force*) kräftig; (*avec détermination*) energisch

vigoureux, -euse [viguʀø, -øz] *adj* **1.**(*fort*) kräftig **2.**(*ferme*) kraftvoll **3.**(*énergique*) energisch

vigueur [vigœʀ] *f* **1.** *d'une personne* Vitalität *f*; *sans ~* kraftlos **2.** *d'un argument* Kraft *f*; *d'une réaction* Heftigkeit *f*; **avec ~** mit Nachdruck ▸**en** ~ in Kraft, geltend

Viking [vikiŋ] *m* Wikinger *m*

vilain [vilɛ̃] *m* (*grabuge*) **il va y avoir du ~** das wird Ärger geben

vilain, e [vilɛ̃, ɛn] *adj* **1.**(*laid*) hässlich **2.** *antéposé mot* unanständig; *coup* gemein; **jouer un ~ tour à qn** jdm übel mitspielen **3.** *antéposé* (*inquiétant*) schlimm **4.** *antéposé enfantin* (*personne, animal*) ungezogen **5.** *antéposé* (*désagréable*) schlecht

vilebrequin [vilbʀəkɛ̃] *m* AUT Kurbelwelle *f*

vilenie [vil(ə)ni] *f*, **vilénie** [vileni] *f littér* Gemeinheit *f*

villa [villa] *f* Villa *f*

village [vilaʒ] *m* Dorf *nt*

villageois, e [vilaʒwa, waz] *m, f* Dorfbewohner(in) *m(f)*

village-vacances [vilaʒvakɑ̃s] *m* Feriendorf *nt*

ville [vil] *f* **1.**(*agglomération*) Stadt *f*; **~ jumelée** Partnerstadt *f* **2.**(*quartier*) Stadtteil *m*; **vieille ~** Altstadt *f* **3.**(*opp: la campagne*) **la ~** die Stadt **4.**(*municipalité*) Stadt[verwaltung *f*] *f* ▸**en** ~ in der/die Stadt

villégiature [vi(l)leʒjatyʀ] *f* (*vacances*) Ferien *Pl*, Sommerfrische *f*

ville-satellite [vilsatelit] <villes-satellites> *f* Satellitenstadt *f*

vin [vɛ̃] *m* Wein *m*; **~ blanc/rosé/rouge** Weißwein/Rosé[wein]/Rotwein; **~ de pays** Landwein ▸**quand le ~ est tiré, il faut le boire** *prov* wer A sagt, muss auch B sagen (*prov*); **cuver son ~** *fam* seinen Rausch ausschlafen

vinaigre [vinɛgʀ] *m* Essig *m* ▸**tourner au ~** eine schlechte Wendung nehmen

vinaigrer [vinegʀe] <1> *vt* mit Essig abschmecken

vinaigrette [vinɛgʀɛt] *f* Vinaigrette *f*

vinasse [vinas] *f fam* billiger Wein

vindicatif, -ive [vɛ̃dikatif, -iv] *adj* rach-

süchtig

vindicte [vɛ̃dikt] *f littér* **désigner qn à la ~ publique** [*o* **populaire**] jdn anprangern

vineux, -euse [vinø, øz] *adj couleur* weinrot

vingt [vɛ̃] **I.** *num* **1.**(*cardinal*) zwanzig **2.**(*dans l'indication des époques*) **les années ~** die zwanziger Jahre **II.** *m inv* Zwanzig *f*; *v. a.* **cinq**

vingtaine [vɛ̃tɛn] *f* **1.**(*environ vingt*) **une ~ de personnes/pages** etwa zwanzig Personen/Seiten **2.**(*âge approximatif*) **avoir la ~** [*o* **une ~ d'années**] ungefähr zwanzig [Jahre alt] sein

vingt-deux [vɛ̃tdø] **I.** *num* **1.** zweiundzwanzig **2.**(*dans l'indication de l'âge, la durée*) **avoir/avoir bientôt ~ ans** zweiundzwanzig [Jahre alt] sein/werden; **personne/période de ~ ans** Zweiundzwanzigjährige(r) [*o* 22-Jährige(r)]/Zeitraum von zweiundzwanzig Jahren **3.**(*dans l'indication de l'heure*) **il est ~ heures** es ist zweiundzwanzig [Uhr] **4.**(*dans l'indication de la date*) **le ~ mars** écrit:, **le 22 mars** der zweiundzwanzigste März; *écrit:* der 22. März **5.**(*dans l'indication de l'ordre*) **arriver ~ ou vingt-troisième** als Zweiundzwanzigste(r) oder Dreiundzwanzigste(r) kommen ▸**~!** *fam* Achtung! **II.** *m inv* **1.** Zweiundzwanzig *f* **2.**(*numéro*) Nummer *f* zweiundzwanzig **3.** TRANSP **le ~** die Linie [*o* Nummer] zweiundzwanzig **4.** JEUX Zweiundzwanzig *f* **III.** *f* (*table/chambre/... numéro ~*) Zweiundzwanzig *f*; *v. a.* **cinq**

vingt-et-un [vɛ̃teœ̃] **I.** *num* einundzwanzig **II.** *m inv* **1.**(*cardinal*) Einundzwanzig *f* **2.** JEUX **quatre cent ~** Siebzehnundvier *nt*; *v. a.* **cinq**

vingtième [vɛ̃tjɛm] **I.** *adj antéposé* zwanzigste(r, s) **II.** *mf* **le/la ~** der/die/das Zwanzigste **III.** *m* **1.**(*fraction*) Zwanzigstel *nt* **2.**(*siècle*) zwanzigstes Jahrhundert; *v. a.* **cinquième**

vinicole [vinikɔl] *adj* **région ~** Weinbaugebiet *nt*

vinifier [vinifje] <1> *vt, vi* keltern

vînmes [vɛ̃m], **vinrent** [vɛ̃ʀ], **vins** [vɛ̃], **vint** [vɛ̃], **vîntes** [vɛ̃t] *passé simple de* **venir**

vinyle [vinil] *m* Vinyl *nt*

viol [vjɔl] *m* Vergewaltigung *f*

violateur, -trice [vjɔlatœʀ, -tʀis] *m, f* *d'un secret* Verräter(in) *m(f)*; *d'un domicile* Einbrecher(in) *m(f)*; *d'un lieu sacré* Schänder(in) *m(f)*; **~ des lois** Gesetzesbrecher

violation [vjɔlasjɔ̃] *f* **1.** *d'un secret* Verrat *m*; *d'un serment* Bruch *m*; **~ des correspondances** Verletzung *f* des Briefgeheim-

nisses **2.** (*effraction*) ~ **de domicile** Hausfriedensbruch *m* **3.** *d'un lieu sacré* Schändung *f*

viole [vjɔl] *f* Viola *f*

violemment [vjɔlamɑ̃] *adv* heftig

violence [vjɔlɑ̃s] *f* **1.** (*brutalité*) Gewalt *f*; **par la** ~ mit Gewalt **2.** (*acte de* ~: *physique*) Gewalttätigkeit *f*; (*morale*) Zwang *m*; **se faire** ~ sich zwingen **3.** *du comportement, d'une tempête* Heftigkeit *f*

violent, e [vjɔlɑ̃, ɑ̃t] *adj* **1.** *personne* gewalttätig; *mort* gewaltsam; **acte** ~ Gewalttat *f* **2.** (*intense*) heftig **3.** *désir* stark

violenter [vjɔlɑ̃te] <1> *vt* ~ **qn** jdm Gewalt antun

violer [vjɔle] <1> *vt* **1.** (*abuser de*) vergewaltigen; **se faire** ~ **par qn** von jdm vergewaltigt werden **2.** (*transgresser*) verletzen *droit, traité;* brechen *promesse;* verraten *secret* **3.** (*profaner*) verletzen *frontière;* schänden *lieu sacré*

violet [vjɔlɛ] *m* Violett *nt*

violet, te [vjɔlɛ, ɛt] *adj* violett

violette [vjɔlɛt] *f* BOT Veilchen *nt*

violeur [vjɔlœʀ] *m* Vergewaltiger *m*

violon [vjɔlɔ̃] *m* Violine *f*, Geige *f*

violoncelle [vjɔlɔ̃sɛl] *m* [Violon]cello *nt*

violoncelliste [vjɔlɔ̃selist] *mf* Cellist(in) *m(f)*

violoneux [vjɔlɔnø] *m* HIST Dorffiedler(in) *m(f)*

violoniste [vjɔlɔnist] *mf* Geiger(in) *m(f)*, Violinist(in) *m(f)*

VIP [veipe, viajpi] *m inv abr de* Very Important Person *fam* VIP *m*

vipère [vipɛʀ] *f* **1.** ZOOL Viper *f* **2.** (*personne*) [Gift]schlange *f*

virage [viʀaʒ] *m* **1.** (*tournant*) Kurve *f* **2.** *d'une politique* Wende *f* **3.** CHIM ~ **au bleu/rouge** Blau-/Rotfärbung *f* ▶**faire un** ~ *route:* eine Kurve machen

viral, e [viʀal, o] <-aux> *adj* Virus-

virée [viʀe] *f fam* Spritztour *f*

virement [viʀmɑ̃] *m* FIN Überweisung *f*

virer [viʀe] <1> **I.** *vi véhicule:* abbiegen; *temps:* umschlagen; *personne:* umschwenken; *visage, couleur:* sich verfärben **II.** *vt* **1.** FIN ~ **une somme à qn/ sur le compte de qn** [jdm] einen Betrag überweisen/einen Betrag auf jds Konto überweisen **2.** *fam* (*renvoyer*) feuern **3.** *fam* (*se débarrasser de*) rausschmeißen

virevolter [viʀvɔlte] <1> *vi* eine plötzliche Drehung vollführen

virginal, e [viʀʒinal, o] <-aux> *adj* soutenu jungfräulich

virginité [viʀʒinite] *f* Jungfräulichkeit *f*

virgule [viʀgyl] *f* Komma *nt*

viril, e [viʀil] *adj* (*mâle*) männlich; *attitude* mannhaft

viriliser [viʀilize] <1> *vt* **1.** (*opp: féminiser*) männlicher machen **2.** MED ~ **qn** jds Potenz steigern

virilité [viʀilite] *f* **1.** ANAT Potenz *f* **2.** (*caractère viril*) Männlichkeit *f*

virole [viʀɔl] *f* Zwinge *f*

virologiste [viʀɔlɔʒist] *mf*, **virologue** [viʀɔlɔg] *mf* Virologe/Virologin *m/f*

virtuel, le [viʀtɥɛl] *adj* **1.** (*possible*) virtuell; *réussite* potentiell **2.** INFORM virtuell

virtuellement [viʀtɥɛlmɑ̃] *adv* (*pratiquement*) so gut wie

virtuose [viʀtɥoz] *mf* MUS Virtuose/Virtuosin *m/f*

virtuosité [viʀtɥozite] *f d'un pianiste* Virtuosität *f*; *d'un artiste* Kunstfertigkeit *f*

virulence [viʀylɑ̃s] *f* **1.** *d'une critique* Heftigkeit *f* **2.** MED *d'un microbe* Virulenz *f*

virulent, e [viʀylɑ̃, ɑ̃t] *adj* **1.** (*véhément*) heftig **2.** MED *microbe* virulent; *poison* stark

virus [viʀys] *m* **1.** MED Virus *m o nt* **2.** INFORM [Computer]virus *m o nt*

vis¹ [vis] *f* Schraube *f*; AUT ~ **platinée** Unterbrecherkontakt *m*

vis² [vi] *indic prés de* vivre

vis³ [vi] *passé simple de* voir

visa [viza] *m* **1.** (*autorisation de résider*) Visum *nt*; ~ **d'entrée/de sortie** Einreise-/Ausreisevisum **2.** (*signature*) [Genehmigungs]vermerk *m*

visage [vizaʒ] *m* **1.** (*figure*) Gesicht *nt*; **Visage pâle** Bleichgesicht *nt* **2.** (*mine*) Miene *f* **3.** (*aspect*) [Erscheinungs]bild *nt*; **à ~ humain** mit menschlichem Gesicht

visagiste® [vizaʒist] *mf* Visagist(in) *m(f)*

vis-à-vis [vizavi] **I.** *prép* **1.** (*en face de*) ~ **de l'église** gegenüber der Kirche **2.** (*envers*) ~ **de qn/qc** jdm/einer S. gegenüber **3.** (*comparé à*) ~ **de qn/qc** im Vergleich zu jdm/etw **II.** *m inv* (*personne, immeuble*) Gegenüber *nt*

viscéral, e [viseʀal, o] <-aux> *adj* **1.** *peur* tiefsitzend **2.** ANAT **muscle** ~ Organmuskel *m*

viscère [visɛʀ] *m* inneres Organ; **les ~s** die Eingeweide *Pl*

viscosité [viskozite] *f* **1.** *de la peau* Klebrigkeit *f* **2.** PHYS *d'un liquide* Zähflüssigkeit *f*

visée [vize] *f* **1.** *d'une arme* Zielen *nt*; *d'un appareil* Ausrichten *nt* **2.** *pl* (*dessein*) ~**s sur qc** Streben *nt* nach etw

viser¹ [vize] <1> **I.** *vi* **1.** (*avec une arme*) zielen **2.** (*avoir pour but*) ~ **au succès** nach Erfolg (*dat*) streben; ~ **haut** hoch hinaus wollen **II.** *vt* **1.** (*mirer*) *tireur:* zielen auf (+ *akk*) **2.** (*ambitionner*) anstreben *carrière* **3.** (*concerner*) ~ **qn/qc** *remarque:* jdm/etw (*dat*) gelten; *mesure:* jdm/etw

(*akk*) betreffen **4.** (*chercher à atteindre*) es abgesehen haben auf (+ *akk*)

viser² [vize] <1> vt (*mettre un visa sur*) beglaubigen *document;* mit einem Sichtvermerk versehen *passeport*

viseur [vizœʀ] *m* Visier *nt*

visibilité [vizibilite] *f* **1.** METEO [Fern]sicht *f;* TRANSP Sichtverhältnisse *Pl* **2.** *d'un objet* Sichtbarkeit *f*

visible [vizibl] *adj* **1.** (*qui peut être vu*) sichtbar; ~ **à l'œil nu** mit bloßem Auge erkennbar; **être** ~ *personne:* zu sprechen sein **2.** (*évident*) merklich

visiblement [vizibləmã] *adv* [offen]sichtlich

visière [vizjɛʀ] *f* Mützenschirm *m; d'une casquette* Schild *m*

visioconférence [vizjokɔ̃feʀãs] *f* Videokonferenz *f*

vision [vizjɔ̃] *f* **1.** (*faculté*) Sehvermögen *nt* **2.** (*perception avec appareil*) Sicht *f* **3.** (*action de voir qc*) Anblick *m* **4.** (*conception*) [An]sicht *f;* ~ **du monde** Weltanschauung *f* **5.** (*apparition*) *a.* REL Vision *f*

visionnaire [vizjɔnɛʀ] **I.** *adj* **1.** (*intuitif*) [hell]seherisch **2.** (*halluciné*) zu Halluzinationen neigend **II.** *mf* **1.** (*intuitif*) *a.* REL Visionär(in) *m(f)* **2.** *péj* (*illuminé*) Phantast *m*

visionner [vizjɔne] <1> *vt* sich (*dat*) ansehen *film, diapositives*

visionneuse [vizjɔnøz] *f* **1.** (*appareil*) Bildbetrachter *m* **2.** INFORM Viewer *m*

visite [vizit] *f* **1.** (*action de visiter*) Besuch *m; d'un musée* Besichtigung *f;* ~ **guidée** Führung *f;* **rendre** ~ **à qn** jdn besuchen; **en** ~ zu Besuch **2.** *des bagages* Durchsuchung *f* **3.** MED *d'un médecin* Hausbesuch *m;* ~ **médicale** ärztliche Untersuchung

visiter [vizite] <1> **I.** *vt* **1.** (*explorer*) besichtigen **2.** MED besuchen *malades* **3.** COM, MED, REL ~ **qn** bei jdm einen Hausbesuch machen **II.** *vpr* **se** ~ zu besichtigen sein

visiteur, -euse [vizitœʀ, -øz] *m, f* **1.** (*personne qui visite*) Besucher(in) *m(f);* (*hôte*) Gast *m* **2.** (*métier*) ~ **des douanes** Zollinspektor

vison [vizɔ̃] *m* Nerz[mantel *m*] *m*

visqueux, -euse [viskø, -øz] *adj liquide* zähflüssig; *peau* klebrig

visser [vise] <1> **I.** *vt* TECH zuschrauben *couvercle* **II.** *vi* schrauben **III.** *vpr* **se** ~ sich schrauben lassen

visu¹ [vizy] *adv v.* **de visu**

visu² [vizy] *m abr de* **visuel**

visualisation [vizɥalizasjɔ̃] *f* bildliche Darstellung; INFORM Anzeige *f;* ~ **de la page** Seitenansicht *f*

visualiser [vizɥalize] <1> *vt* bildlich dar-

stellen; *écran:* anzeigen

visuel [vizɥɛl] *m* INFORM Display *nt*

visuel, le [vizɥɛl] *adj mémoire* visuell; *panneau* anschaulich

visuellement [vizɥɛlmã] *adv* **1.** (*quant à la vue*) optisch **2.** (*de visu*) mit eigenen Augen

vit¹ [vi] *indic prés de* **vivre**

vit² [vi] *passé simple de* **voir**

vital, e [vital, o] <-aux> *adj* **1.** BIO, PHILOS *fonction* lebenswichtig; **principe** ~ Lebensprinzip *nt* **2.** (*essentiel*) vital; *question* existenziell

vitalité [vitalite] *f* **1.** (*énergie*) Vitalität *f* **2.** (*longévité*) Lebenskraft *f*

vitamine [vitamin] *f* Vitamin *nt*

vitaminé, e [vitamine] *adj* vitaminhaltig

vite [vit] *adv* schnell; **ce sera** ~ **fait** das geht schnell; **faire** ~ sich beeilen; **au plus** ~ so schnell wie möglich

vîtes [vit] *passé simple de* **voir**

vitesse [vitɛs] *f* **1.** (*rapidité*) Geschwindigkeit *f;* **à la** ~ **de 100 km/h** mit einer Geschwindigkeit von 100 km/h; ~ **maximale** Höchstgeschwindigkeit; **en grande/ petite** ~ CHEMDFER, POST als Expressgut/als Frachtgut **2.** (*promptitude*) Schnelligkeit *f* **3.** AUT Gang *m;* **changer de** ~ schalten ▶**à la** ~ **grand V** *fam* in Windeseile; **prendre** [*o* **gagner**] **qn de** ~ jdn überrunden; **à toute** ~ (*à vive allure*) mit hoher Geschwindigkeit; (*rapidement*) in aller Eile; **en** [**quatrième**] ~ *fam* in aller Eile

viticole [vitikɔl] *adj* **production** ~ Weinproduktion *f*

viticulteur, -trice [vitikyltœʀ, -tʀis] *m, f* Winzer(in) *m(f)*

viticulture [vitikyltyʀ] *f* Weinbau *m*

vitrage [vitʀaʒ] *m* Verglasung *f*

vitrail [vitʀaj, o] <-aux> *m* buntes [Kirchen]fenster *nt*

vitre [vitʀ] *f* **1.** (*carreau*) [Fenster]scheibe *f* **2.** (*fenêtre*) Fenster *nt*

vitré, e [vitʀe] *adj* verglast; **porte** ~**e** Glastür *f*

vitrer [vitʀe] <1> *vt* verglasen

vitrerie [vitʀəʀi] *f* **1.** (*activité*) Glaserei *f* **2.** (*marchandise*) Glaserartikel *m*

vitreux, -euse [vitʀø, -øz] *adj yeux* glasig

vitrier [vitʀije] *m* Glaser(in) *m(f)*

vitrification [vitʀifikasjɔ̃] *f* **1.** *d'un émail, d'une substance* Verschmelzung *f* zu Glas **2.** *d'un parquet* Versiegelung *f*

vitrifier [vitʀifje] <1> *vt* **1.** (*action*) zu Glas verschmelzen *substance* **2.** (*recouvrir*) versiegeln *parquet*

vitrine [vitʀin] *f* **1.** (*étalage*) Schaufenster *nt* **2.** (*armoire vitrée*) Vitrine *f*

vitriol [vitʀijɔl] *m fig* **critique au** ~ ätzen-

de Kritik

vitrioler [vitʀijɔle] <1> vt ~ **qn** jdm Säure ins Gesicht schütten

vitrocéramique [vitʀoseʀamik] f Glaskeramik f

vitupérer [vitypeʀe] <5> vi ~ **contre qn** auf jdn schimpfen

vivable [vivabl] adj personne angenehm; monde lebenswert

vivace [vivas] adj **1.** BOT plante mehrjährig **2.** (tenace) lebendig; haine tiefsitzend

vivacité [vivasite] f **1.** (promptitude) Lebhaftigkeit f; ~ **d'esprit** schnelle Auffassungsgabe f **2.** d'un langage Heftigkeit f **3.** d'une couleur Leuchtkraft f; d'une émotion Heftigkeit f

vivant [vivã] m **1.** (personne en vie) Lebende(r) f(m); **bon** ~ Genießer(in) m(f) **2.** REL les ~s die Lebenden Pl ▸**du** ~ **de qn** zu jds Lebzeiten Pl

vivant, e [vivã, ãt] adj **1.** (en vie) lebend; **être encore** ~ noch am Leben sein **2.** souvenir lebhaft; rue belebt **3.** (doué de vie) lebend; **être** ~ Lebewesen nt **4.** (expressif) lebendig, anschaulich **5.** (en usage) gebräuchlich

vivarium [vivaʀjɔm] m Vivarium nt

vivat [viva] m gén pl Hochruf m

vive¹ [viv] **I.** adj v. **vif II.** interj ~ **la mariée/la liberté!** es lebe die Braut/die Freiheit!

vive² [viv] f ZOOL Petermännchen nt

vivement [vivmã] **I.** adv **1.** (intensément) lebhaft; regretter zutiefst **2.** (brusquement) barsch **3.** briller hell **II.** interj (souhait) ~ **les vacances!** wenn nur schon Ferien wären!

vivier [vivje] m (étang) Fischteich m; (bac) Frischwasserbehälter m

vivifier [vivifje] <1> vt **1.** (stimuler) beleben; kräftigen personne, plante **2.** (animer) Leben bringen in (+ akk) région, ville

vivipare [vivipaʀ] adj ZOOL lebend gebärend

vivisection [viviseksjɔ̃] f Vivisektion f

vivoter [vivɔte] <1> vi fam dahin vegetieren; (avec des petits moyens) sich durchschlagen

vivre [vivʀ] <irr> **I.** vi **1.** (exister, habiter, mener sa vie) leben; ~ **bien/pauvrement** ein gutes/ärmliches Leben führen **2.** (subsister) ~ **de son salaire/ses rentes** von seinem Gehalt/seiner Rente leben; **faire** ~ **qn** jdn ernähren **3.** (persister) coutume: lebendig sein **4.** (être plein de vie) portrait: Lebendigkeit ausstrahlen; rue: voller Leben sein ▸**il faut bien** ~ irgendwie muss man sich (dat) die Brötchen verdienen; **qui vivra verra** prov kommt Zeit, kommt Rat **II.**

vt **1.** (passer) erleben moment; leben vie **2.** (être mêlé à) erleben événement **3.** (éprouver intensément) miterleben époque

vivres [vivʀ] mpl Verpflegung f ▸**couper les** ~ **à qn** jdm den Unterhalt streichen

vizir [viziʀ] m Wesir m

vlan [vlã] interj fam peng

VO [veo] f abr de **version originale** Originalfassung f

vocabulaire [vɔkabylɛʀ] m **1.** (terminologie) Vokabular nt **2.** d'une langue Wortschatz m **3.** (dictionnaire) Grundwortschatz m

vocal, e [vɔkal, o] <-aux> adj **1.** corde Stimm- **2.** (du chant) musique ~e Vokalmusik f; **technique** ~e Stimmtechnik f

vocalique [vɔkalik] adj vokalisch

vocalisation [vɔkalizasjɔ̃] f Vokalisation f

vocalise [vɔkaliz] f Stimmübung f

vocaliser [vɔkalize] <1> **I.** vi vokalisieren **II.** vt vokalisieren consonne **III.** vpr se ~ consonne: vokalisiert werden

vocatif [vɔkatif] m Vokativ m

vocation [vɔkasjɔ̃] f **1.** (disposition) Berufung f; **il faut avoir la** ~**!** fam dazu muss man wirklich berufen sein! **2.** d'une personne, d'un peuple Bestimmung f **3.** REL [innere] Berufung; **avoir la** ~ berufen sein

vocifération [vɔsifeʀasjɔ̃] f souvent pl Geschrei nt kein Pl

vociférer [vɔsifeʀe] <5> **I.** vi schreien; ~ **contre qn** jdn anschreien **II.** vt brüllen ordre

vocodeur [vɔkɔdœʀ] m INFORM Spracherkennungs-PC m

vodka [vɔdka] f Wodka m

vœu [vø] <x> m **1.** (désir) Wunsch m; **faire un** ~ sich (dat) etwas wünschen **2.** pl (souhaits) [Glück]wunsch m **3.** REL Gelübde nt

vogue [vɔg] f Beliebtheit f; **en** ~ in Mode

voguer [vɔge] <1> vi littér NAUT [dahin] fahren/segeln; (dériver) [dahin] treiben

voici [vwasi] **I.** adv hier; ~ **mon père et voilà ma mère** hier mein Vater und da meine Mutter **II.** prép soutenu (il y a) ~ **quinze ans que ...** vor 15 Jahren ...; (depuis) ~ **bien des jours que** schon einige Tage **III.** interj soutenu **1.** (réponse) hier! **2.** (présentation) bitte [sehr]!

voie [vwa] f **1.** (passage) Weg m; ~ **d'accès** Zufahrtstraße; ~ **de garage** Abstellgleis nt; ~ **sans issue** Sackgasse f **2.** d'une route [Fahr]spur f; ~ **d'eau** (brèche) Leck nt **3.** CHEMDFER ~ [**ferrée**] [Bahn]gleis nt **4.** (moyen de transport) ~ **aérienne** Luftweg m; **par** ~ **postale** per Post; ~ **des ondes** Funk m **5.** (filière) Weg m; ~ **de la**

réussite Weg zum Erfolg **6.** (*ligne de conduite*) Weg *m;* **s'engager sur la ~ du mal** sich auf Abwege begeben; ~ **de fait** (*violence*) Gewalttat *f;* ~ **de recours** JUR Rechtsmittel *nt* **7.** (*conduit*) Weg *m,* Kanal *m;* **~s respiratoires** Atemwege *Pl* **8.** AUT Spurweite *f* **9.** ASTRON ~ **lactée** Milchstraße *f* ▶**par ~ de conséquence** als logische Folge; **être en bonne** ~ *affaire:* gut vorankommen; **être en ~ de guérison** auf dem Wege der Besserung sein

voilà [vwala] **I.** *adv* **1.** (*opp: voici*) da, dort; **voici ma maison, et ~ le jardin** hier mein Haus und da der Garten **2.** (*pour désigner*) ~ **mes amis** das sind meine Freunde; ~ **pour toi** das ist für dich; ~ **pourquoi/où ...** deshalb also/dort[hin] also ...; **et ~ tout** und das ist alles; **la jeune femme que** ~ die junge Frau dort; **en ~ une histoire!** das ist vielleicht eine Geschichte!; **me ~/te ~** hier bin ich/da bist du **3.** *explétif* ~ **que** jetzt; **et le ~ qui recommence** jetzt fängt er schon wieder an (*fam*); **en ~ assez!** jetzt aber genug! ▶~ **ce que c'est de faire une bêtise** *fam* das hat man davon, wenn man eine Dummheit macht; **en veux-tu, en ~** *fam* mehr als genug; **nous y ~** das ist es also **II.** *prép* (*il y a*) ~ **quinze ans que** es ist 15 Jahre her, dass; (*depuis*) ~ **bien une heure que** schon seit einer Stunde **III.** *interj* **1.** (*réponse*) hier! **2.** (*présentation*) bitte [sehr]! **3.** (*naturellement*) **et ~!** natürlich!

voilage [vwalaʒ] *m* Store *m*

voile[1] [vwal] *m* **1.** (*foulard*) Schleier *m;* **prendre le ~** REL den Schleier nehmen (*geh*) **2.** (*tissu fin, pour cacher*) Tuch *nt* **3.** (*léger écran*) Schleier *m;* ~ **de brume** Dunstschleier **4.** *fig de l'oubli* Schleier *m* **5.** PHOT Schleier *m* **6.** MED Schatten *m* **7.** ANAT *du palais* Gaumensegel *nt* **8.** BOT *d'un champignon* Schleier *m* ▶**sous le ~ de la dévotion** unter dem Deckmantel der Frömmigkeit

voile[2] [vwal] *f* **1.** NAUT Segel *nt;* **bateau à ~s** Segelboot *nt* **2.** SPORT **la ~** [das] Segeln; **faire de la ~** segeln

voilé, e[1] [vwale] *adj* **1.** *femme* verschleiert; *statue* verhüllt **2.** *allusion* versteckt

voilé, e[2] [vwale] *adj* (*déformé*) *planche* verzogen; **être ~** *roue:* eine Acht haben

voilement [vwalmã] *m* *d'une planche* Verwerfung *f; d'une roue* Acht *f*

voiler[1] [vwale] <1> **I.** *vpr* **se ~ 1.** (*se dissimuler*) sich verschleiern **2.** (*perdre sa clarté*) *ciel:* sich bedecken; *horizon:* verschwimmen; *regard:* sich trüben; *voix:* heiser werden **II.** *vt* (*cacher*) verhüllen, bedecken *visage*

voiler[2] [vwale] <1> **I.** *vpr* (*se fausser*) **se ~ roue:** sich verbiegen **II.** *vt* (*fausser*) verbiegen *roue, étagère*

voilette [vwalɛt] *f* [Hut]schleier *m*

voilier [vwalje] *m* **1.** NAUT Segelboot *nt,* Segeljacht *f* **2.** (*fabricant*) Segelmacher(in) *m(f)*

voilure [vwalyʀ] *f* **1.** NAUT Segelfläche *f* **2.** AVIAT Tragfläche *f*

voir [vwaʀ] <*irr*> **I.** *vt* **1.** (*percevoir par la vue*) sehen; **je l'ai vu comme je vous vois** ich habe ihn/es mit eigenen Augen gesehen **2.** (*montrer*) **fais-moi donc ~ ce que** lass mich doch mal sehen, was **3.** (*rencontrer*) sehen; (*rendre visite à*) zusammenkommen mit *personne;* **aller/venir ~ qn** jdn besuchen **4.** (*examiner*) [sich (*dat*)] ansehen *dossier, leçon;* ~ **page 6** siehe Seite 6 **5.** (*constater*) sehen; **on le voit: ...** eins steht fest: ...; ~ **qn/qc faire qc** erleben, wie jd/etw etw macht **6.** (*connaître*) erleben *drame, guerre;* **elle a vu son chiffre d'affaires tripler** ihr Umsatz hat sich verdreifacht; **en ~ [de dures]** *fam* Schlimmes erleben **7.** (*comprendre*) sehen, begreifen *problème;* **faire ~ à qn que** *personne:* jdm klar machen, dass; *expérience:* jdm zeigen, dass **8.** (*se représenter*) ~ **qc/qn sous un autre jour** etw/jdn ganz anders sehen; ~ **ça [d'ici]!** *fam* sich (*dat*) etw lebhaft vorstellen können **9.** (*trouver*) ~ **une solution à qc** eine Lösung für etw sehen **10.** (*apparaître*) **faire/laisser ~ sa déception** sich (*dat*) seine/ihre Enttäuschung anmerken lassen **11.** (*sentir*) ~ **venir la catastrophe** die Katastrophe kommen sehen ▶**je voudrais bien t'y/vous y ~** *fam* du hast/Sie haben gut reden; **on aura tout vu!** *fam* das ist nicht zu fassen!; **avoir quelque chose/n'avoir rien à ~ avec** [*o dans*] **cette histoire** etwas/nichts mit dieser Geschichte zu tun haben; ~ **venir** abwarten **II.** *vi* **1.** **tu** [**y** *fam*] **vois sans tes lunettes?** kannst du [was] ohne deine Brille sehen? **2.** (*prévoir*) ~ **grand/petit** großzügig/knapp kalkulieren **3.** (*constater*) sehen; **on verra bien** wir werden [schon] sehen **4.** (*veiller*) **il faut ~ à ce que** + *subj* man sollte darauf achten, dass **5.** *fam* (*donc*) **essaie/regarde ~!** probier/sieh mal! ▶**à toi de ~** du musst es wissen; **pour ~** zum Ausprobieren; **vois-tu** weißt du **III.** *vpr* **1.** (*être visible*) **se ~ bien la nuit** *couleur:* in der Nacht deutlich zu sehen sein **2.** (*se rencontrer*) **se ~** sich sehen **3.** (*se produire*) **se ~** *phénomène:* sich ereignen; **ça ne s'est jamais vu** das hat es [ja] noch nie gegeben **4.** (*se trouver*) **se ~ contraint de faire qc** sich gezwun-

gen sehen etw zu tun **5.** (*constater*) **se ~
mourir** spüren, dass man stirbt; **il s'est vu
refuser l'entrée** man hat ihm den Eintritt
verwehrt **6.** (*s'imaginer*) **se ~ faire qc**
sich (*dat*) vorstellen können etw zu tun
voire [vwaʀ] *adv* ja sogar
voirie [vwaʀi] *f* **1.** (*routes*) [öffentliche]
Straßen *Pl* **2.** (*entretien des routes*) Stra-
ßenmeisterei *f;* (*service administratif*) Stra-
ßenbauamt *nt* **3.** (*enlèvement des ordures*) Müllabfuhr *f;* (*dépotoir*) Müllhalde *f*
voisin, e [vwazɛ̃, in] **I.** *adj* **1.** *maison* Nach-
bar-; *rue* benachbart; *pièce* Neben-; **région
~e de la frontière** Grenzregion *f;* **être ~
de qc** an etw (*akk*) angrenzen **2.** *sens* ähnlich; *espèce animale* verwandt; **être ~ de
qc** einer S. (*dat*) ähnlich sein **II.** *m, f*
Nachbar(in) *m(f);* **passe à ton ~!** weitergeben!
voisinage [vwazinaʒ] *m* **1.** (*voisins*)
Nachbarschaft *f;* **des relations de bon ~**
gutnachbarliche Beziehungen **2.** (*proximité*) [unmittelbare] Nähe **3.** (*environs*) Umgebung *f*
voisiner [vwazine] <1> *vi* **~ avec qn/qc**
sich neben jdm/etw (*dat*) befinden
voiture [vwatyʀ] *f* **1.** AUT Auto *nt;* **~ particulière** Personen[kraft]wagen, Pkw; **~ de
course** Rennwagen; **~ de location/d'occasion** Mietwagen/Gebrauchtwagen; **~
d'enfant** Kinderwagen *m* **2.** CHEMDFER [Ei-
senbahn]wagen *m* **3.** (*véhicule attelé*)
Fuhrwerk *nt;* **~ à cheval** Pferdewagen *m*
4. (*véhicule utilitaire*) **~ de livraison** Lieferwagen *m;* **~ de dépannage** Abschleppwagen; **~ d'infirme** Rollstuhl *m* ▶**en ~**
mit dem Auto; CHEMDFER **en ~, s'il vous
plaît!** bitte einsteigen!
voiture-balai [vwatyʀbalɛ] <voitures-
balais> *f* SPORT Begleitfahrzeug *nt* **voitu-
re-bar** [vwatyʀbaʀ] <voitures-bars> *f*
CHEMDFER Büfettwagen *m* **voiture-lit**
[vwatyʀli] <voitures-lits> *f* Schlafwagen *m* **voiture-radio** [vwatyʀʀadjo]
<voitures-radio> *f* voi-
ture-restaurant [vwatyʀʀɛstɔʀɑ̃] <voi-
tures-restaurants> *f* Speisewagen *m*
voix [vwa] *f* **1.** (*organe de la parole*) Stimme *f;* **d'une ~ forte** mit einer lauten Stimme; **à ~ basse** leise; **~ de stentor** dröh-
nende Stimme **2.** (*organe du chant*)
[Sing]stimme *f;* **avoir la ~ fausse/juste**
falsch/richtig singen; **~ de ténor/tête** Te-
nor-/Kopfstimme *f;* **à une/deux ~** ein-/
zweistimmig **3.** *d'un animal* Stimme *f; d'un
instrument* Ton *m; du vent* Lied *nt* **4.** (*suffrage*) [Wähler]stimme *f;* **d'une seule ~**
einstimmig **5.** *du peuple, de la conscience*
Stimme *f; d'un ami* Rat *m;* **faire entendre**

la ~ de qn in jds Namen (*dat*) sprechen
6. LING Form *f;* **~ passive/active** Passiv/
Aktiv *nt;* **être utilisé à la ~ passive** *verbe:*
im Passiv stehen ▶**avoir ~ au chapitre**
[ein Wort] mitzureden haben; **de vive ~**
mündlich; **élever la ~** (*hausser le ton*) seine Stimme heben, lauter werden; (*s'exprimer*) die Stimme erheben (*geh*)
vol¹ [vɔl] *m* **1.** AVIAT, ZOOL Flug *m;* **~ de nuit**
Nachtflug; **~ domestique** Inlandsflug
2. SPORT **~ libre** Drachenfliegen *nt;* **~ à
voile** Segelfliegen ▶**à ~ d'oiseau** in der
Luftlinie; **en ~ plané** im Gleitflug; **prendre son ~** *oiseau:* fortfliegen; *adolescent:*
flügge werden; **rattraper qc au ~** etw im
Flug fangen
vol² [vɔl] *m* (*larcin*) Diebstahl *m;* (*avec violence*) Raub *m;* **~ à main armée** bewaff-
neter Raubüberfall; **~ avec effraction** Ein-
bruchsdiebstahl
volaille [vɔlɑj] *f* Geflügel[fleisch *nt*] *nt*
volailler, -ère [vɔlɑje, -ɛʀ] *m, f* Geflügel-
händler(in) *m(f)*
volant [vɔlɑ̃] *m* **1.** AUT Lenkrad *nt;* **être au
~** am Steuer sitzen; **se mettre au** [*o* **prendre le**] **~** sich ans Steuer setzen **2.** TECH
Schwungrad *nt* **3.** *d'un rideau* Volant *m*
4. SPORT Federball *m* **5.** (*personnel volant*)
pl Flugpersonal *nt*
volant, e [vɔlɑ̃, ɑ̃t] *adj* **1.** (*qui vole*) fliegend; **machine ~e** Flugmaschine *f* **2.** *feuille* lose; *personnel* mobil; *pont* beweglich;
douane ~e Zollstreife *f*
volatil, e [vɔlatil] *adj* **1.** CHIM flüchtig
2. *soutenu* (*qui disparaît*) vergänglich;
mémoire ~e INFORM Arbeitsspeicher *m*
volatile [vɔlatil] *m* Geflügel *nt*
volatilisation [vɔlatilizasjɔ̃] *f* **1.** CHIM Ver-
dunstung *f* **2.** (*disparition*) spurloses Verschwinden
volatiliser [vɔlatilize] <1> **I.** *vt* verdunsten lassen **II.** *vpr* **se ~ 1.** CHIM verdunsten
2. (*disparaître*) spurlos verschwinden
volatilité [vɔlatilite] *f* Flüchtigkeit *f*
vol-au-vent [vɔlovɑ̃] *m inv* Blätterteigpastete *f*
volcan [vɔlkɑ̃] *m* Vulkan *m*
volcanique [vɔlkanik] *adj* vulkanisch
volcanologue [vɔlkanɔlɔg] *mf* Vulkano-
loge/Vulkanologin *m/f*
volée [vɔle] *f* **1.** (*groupe*) **une ~ de moineaux** ein Schwarm *m* Spatzen **2.** (*décharge*) **une ~ de projectiles** ein Kugel-
hagel *m* **3.** (*raclée*) Schläge *Pl;* **une ~ de
coups** eine Tracht Prügel **4.** SPORT Volley
m; **jouer/monter à la ~** am Netz spielen/
ans Netz gehen ▶**~ de bois vert** (*critiques
violentes*) harte Kritik; **personnage de
haute ~** hervorragende Persönlichkeit;

prendre sa ~ (*s'émanciper*) flügge werden; **à la** ~ (*d'un geste ample*) ausladend; (*au passage*) im Vorbeigehen; **à toute** ~ mit viel Schwung

voler¹ [vɔle] <1> *vi* **1.** (*se mouvoir dans l'air*) fliegen **2.** (*être projeté*) *feuilles, pierre:* fliegen; *information:* kursieren; ~ **au vent** *feuilles:* im Wind flattern; **faire** ~ **des feuilles** Blätter aufwirbeln **3.** (*courir*) eilen

voler² [vɔle] <1> **I.** *vt* **1.** (*dérober*) stehlen; wegnehmen *place* **2.** (*tromper*) ~ **qn sur la quantité** jdn in Bezug auf die Menge betrügen ▸**il ne l'a pas volé** *fam* das geschieht ihm recht **II.** *vi* stehlen

volet [vɔlɛ] *m* **1.** (*persienne*) [Fenster]laden *m;* ~ **roulant** Rollladen *m,* Rollbalken *m* (A) **2.** *d'une pièce administrative* [Falt]blatt *nt; d'un triptyque* Flügel *m* **3.** AVIAT, TECH, AUT Klappe *f* **4.** *d'un plan* Teil *m* ▸**trier des personnes/choses sur le** ~ Menschen/Dinge sorgfältig aussuchen

voleter [vɔlte] <4> *vi* (*voltiger*) flattern

voleur, -euse [vɔlœr, -øz] **I.** *adj* (*qui dérobe*) diebisch **II.** *m, f* Dieb(in) *m(f);* ~ **à la tire** Taschendieb; ~ **de grand chemin** Wegelagerer ▸**au** ~! haltet den Dieb!; **partir** [*o* **filer**] **comme un** ~ sich [wie ein Dieb] davonschleichen

volière [vɔljɛr] *f* Voliere *f*

volley[-ball] [vɔlɛ(bol), vɔlɛ(bal)] *m sans pl* Volleyball *m*

volleyer [vɔleje] <1> *vi* Volleyball spielen

volleyeur, -euse [vɔlɛjœr, -jøz] *m, f* **1.** (*joueur de volley*) Volleyballspieler(in) *m(f)* **2.** SPORT Netzspieler(in) *m(f)*

volontaire [vɔlɔ̃tɛr] **I.** *adj* **1.** (*voulu*) beabsichtigt; **incendie** ~ Brandstiftung *f* **2.** (*non contraint*) freiwillig; **engagé(e)** ~ Freiwillige(r) *f(m)* **3.** (*décidé*) energisch; *péj personne* eigensinnig **II.** *mf* **1.** *a.* MIL Freiwillige(r) *f(m)* **2.** *péj* (*personne têtue*) Starrkopf *m* (*pej*)

volontairement [vɔlɔ̃tɛrmɑ̃] *adv* **1.** (*exprès*) absichtlich **2.** (*de son plein gré*) freiwillig **3.** JUR in gegenseitigem Einvernehmen

volontariat [vɔlɔ̃tarja] *m* **1.** (*bénévolat*) Freiwilligkeit *f* **2.** MIL freiwilliger Dienst

volontariste [vɔlɔ̃tarist] **I.** *adj* voluntaristisch **II.** *mf* PHILOS Voluntarist(in) *m(f)*

volonté [vɔlɔ̃te] *f* **1.** (*détermination*) Wille *m* **2.** (*désir*) Wunsch *m* **3.** (*énergie*) Willensstärke *f* ▸**avec la meilleure** ~ **du monde** beim besten Willen; **à** ~ nach Belieben

volontiers [vɔlɔ̃tje] *adv* **1.** (*avec plaisir*) gern[e]; **plus** ~/**le plus** ~ lieber/am liebsten **2.** (*souvent*) gern

volt [vɔlt] *m* Volt *nt*

voltage [vɔltaʒ] *m* ELEC Spannung *f*

volte-face [vɔltəfas] *f inv a. fig* Kehrtwendung *f* (*a. fig*)

voltige [vɔltiʒ] *f* **1.** (*au cirque*) **numéro de haute** ~ Trapeznummer *f* **2.** AVIAT Kunstfliegen *nt* **3.** (*équitation*) Kunstreiten *nt*

voltiger [vɔltiʒe] <2a> *vi* **1.** (*voler çà et là*) hin- und herfliegen **2.** (*flotter légèrement*) **faire** ~ **qc** etw durch die Luft wirbeln

voltigeur, -euse [vɔltiʒœr, -ʒøz] *m, f* **1.** (*acrobate au trapèze*) Trapezkünstler(in) *m(f)* **2.** (*acrobate sur un cheval*) Voltigierer(in) *m(f)*

voltmètre [vɔltmɛtr] *m* Spannungsmesser *m*

volubile [vɔlybil] *adj* redselig

volubilité [vɔlybilite] *f* Redseligkeit *f*

volume [vɔlym] *m* **1.** SCI Volumen *nt* **2.** COM [Gesamt]menge *f; des investissements* Umfang *m* **3.** (*intensité de la voix*) Volumen *nt;* ~ **sonore** [*o* **du son**] Lautstärke *f* **4.** (*tome*) Band *m* **5.** (*objet*) Körper *m*

volumétrique [vɔlymetrik] *adj* volumetrisch; **analyse** ~ Maßanalyse *f;* **compteur** ~ Volumenzähler *m*

volumineux, -euse [vɔlyminø, -øz] *adj dossier* umfangreich; *paquet* voluminös

volumique [vɔlymik] *adj* **masse** ~ Dichte *f*

volupté [vɔlypte] *f* **1.** (*plaisir sensuel*) Genuss *m* **2.** (*plaisir sexuel*) Wollust *f* (*geh*) **3.** (*plaisir intellectuel*) Wonne *f*

voluptueusement [vɔlyptɥøzmɑ̃] *adv* genüsslich

voluptueux, -euse [vɔlyptɥø, -øz] **I.** *adj* sinnlich **II.** *m, f* Sinnenmensch *m*

volute [vɔlyt] *f* **1.** (*spirale*) Windung *f* **2.** ARCHIT Volute *f*

vomi [vɔmi] *m fam* Erbrochene *nt*

vomir [vɔmir] <8> **I.** *vt* (*régurgiter*) [er]brechen, speiben (A) **II.** *vi* sich übergeben

vomissement [vɔmismɑ̃] *m* **1.** (*action*) Erbrechen *nt* **2.** (*vomissure*) Erbrochene *nt*

vomissure [vɔmisyr] *f souvent pl* Erbrochene *nt*

vomitif [vɔmitif] *m* MED Brechmittel *nt*

vomitif, -ive [vɔmitif, -iv] *adj* MED Brechreiz auslösend

vont [vɔ̃] *indic prés de* aller

vorace [vɔras] *adj animal, personne* gefräßig

voracement [vɔrasmɑ̃] *adv* gierig

voracité [vɔrasite] *f* Gier *f* (*a. fig*)

vortex [vɔrtɛks] *m* **1.** (*dans un fluide*) Strudel *m* **2.** METEO Wirbel *m*

vos [vo] *dét poss v.* **votre**

Vosges [voʒ] *fpl* **les** ~ die Vogesen *Pl*

votant, e [vɔtɑ̃, ɑ̃t] *m, f* **1.** (*participant au vote*) Wähler(in) *m(f)* **2.** (*électeur*) Stimmberechtigte(r) *f(m)*

votation [vɔtasjɔ̃] *f* CH ~ **populaire** Volksabstimmung *f*

vote [vɔt] *m* **1.** *des crédits* Bewilligung *f; d'un projet de loi* Annahme *f* **2.** (*suffrage*) Abstimmung *f;* POL Wahl *f;* ~ **de confiance** Vertrauensvotum *nt;* ~ **par correspondance** Briefwahl

voter [vɔte] <1> I. *vi* wählen; ~ **contre/pour qn/qc** gegen/für jdn/etw stimmen; ~ **sur qc** über etw (*akk*) abstimmen; ~ **à main levée** durch Handzeichen abstimmen II. *vt* bewilligen *crédits;* verabschieden *loi*

votre [vɔtʀ] <**vos**> *dét poss* **1.** (*à une/plusieurs personne(s)* *vouvoyée(s)*) Ihr(e); ~ **chaise** Ihr Stuhl; **à** ~ **approche** als Sie näher kommen; (*à plusieurs personnes tutoyées*) euer/eu[e]re; ~ **maison** euer Haus; **à** ~ **avis** eu[e]rer Meinung nach; *v. a.* **ma, mon 2.** *avec un titre, form* **Votre Majesté** Eu[e]re Majestät

vôtre [votʀ] *pron poss* **1.** **le/la** ~ (*à une/plusieurs personne(s)* *vouvoyée(s)*) der/die/das Ihre/ihre, Ihre(r, s); (*à plusieurs personnes tutoyées*) der/die/das Eu[e]re/eu[e]re, eurer/eu[e]re(s) **2.** *pl* (*ceux de votre famille*) **les** ~**s** Ihre/eure Angehörigen; (*vos partisans*) Ihre/eu[e]re Anhänger; **il est des** ~**s** er gehört zu Ihnen/euch, er ist einer von Ihnen/euch ▶**à la [bonne]** ~**!** *fam* auf Ihr/euer Wohl!; *v. a.* **mien**

vouer [vwe] <1> I. *vt* **1.** (*condamner*) verdammen; ~ **qn/qc à l'échec** jdn/etw zum Scheitern verurteilen **2.** (*consacrer*) widmen *Zeit* **3.** REL ~ **qc à un saint/une sainte** etw einem/einer Heiligen weihen **4.** (*ressentir*) ~ **de la haine à qn** Hass gegen jdn hegen II. *vpr* **se** ~ **à qn/qc** sich jdm/einer Sache widmen

vouloir [vulwaʀ] <*irr*> I. *vt* **1.** (*exiger*) wollen; ~ **un livre de qn** ein Buch von jdm verlangen; **que lui voulez-vous?** was wollen Sie von ihm/ihr? **2.** (*souhaiter*) **il veut/voudrait ce gâteau/deux kilos de pommes** er will/möchte diesen Kuchen/zwei Kilo Äpfel; **il voudrait être médecin** er wäre gerne Arzt **3.** (*consentir à*) **veux-tu/voulez-vous** [*o* **veuillez**] [*o* **voudriez-vous**] **prendre place** (*poli*) würdest du/würden Sie bitte Platz nehmen; (*impératif*) nimm/nehmen Sie bitte Platz **4.** (*attendre*) erwarten *décision, réponse;* **que veux-tu/voulez-vous que je te/vous dise?** was erwartest Du/erwarten Sie von

mir? **5.** (*nécessiter*) brauchen *soins* **6.** (*faire en sorte*) **le hasard a voulu que** + *subj* der Zufall wollte es, dass **7.** (*prétendre*) vorschreiben; **la loi veut que** + *subj* das Gesetz schreibt vor, dass ▶**bien** ~ **que** + *subj* einverstanden sein, dass; **il l'a voulu!** er hat es [ja] so gewollt! II. *vi* **1.** (*être disposé*) wollen **2.** (*souhaiter*) wollen, mögen **3.** (*accepter*) **ne plus** ~ **de qn/qc** von jdm/etw nichts mehr wissen wollen **4.** (*avoir des griefs envers*) **en** ~ **à un collègue de qc** einem Kollegen wegen etw böse sein **5.** (*avoir des visées sur*) **en** ~ **à qc/qn** es auf etw/jdn abgesehen haben ▶[**moi,**] **je veux bien** (*volontiers*) [oh ja,] gerne; ich möchte gerne; (*concession douteuse*) [na ja,] von mir aus; **en** ~ *fam* ehrgeizig sein; **en veux-tu, en voilà!** in Hülle und Fülle III. *vpr* **se** ~ **honnête** nett sein wollen ▶**s'en** ~ **de qc** sich Vorwürfe wegen etw machen

voulu, e [vuly] I. *part passé de* **vouloir** II. *adj* **1.** *effet* gewünscht; *moment* richtig; **en temps** ~ rechtzeitig **2.** (*délibéré*) absichtlich; **c'est** ~ *fam* das ist gewollt

vous [vu] I. *pron pers, 2. pers. pl* **1.** *sujet* ihr; ~ **êtes grands** ihr seid groß; **nous avons fini, mais pas** ~ wir sind fertig, aber ihr [noch] nicht; ~ **autres** ihr **2.** *complément d'objet direct et indirect* euch; **je** ~ **aime** ich liebe euch; **il** ~ **demande le chemin** er fragt euch nach dem Weg; **il** ~ **laisse/fait conduire** [**la voiture**] er lässt euch [das Auto] fahren **3.** *avec être, devenir, sembler, soutenu* **cela** ~ **semble bon** das erscheint euch gut; *v. a.* **me 4.** *avec les verbes pronominaux* **vous** ~ **nettoyez** [**les ongles**] ihr macht euch [die Nägel] sauber **5.** *fam* (*pour renforcer*) ~**, vous n'avez pas ouvert la bouche** ihr habt den Mund nicht aufgemacht; **c'est** ~ **qui l'avez dit** ihr habt das gesagt; **il veut** ~ **aider,** ~**?** euch möchte er helfen? **6.** (*avec un sens possessif*) **le cœur** ~ **battait fort** eure Herzen schlugen heftig **7.** *avec un présentatif* ihr; ~ **voici!** hier seid ihr! **8.** *avec une préposition* **avec/sans** ~ mit/ohne euch; **à** ~ **deux** ihr beide; **la maison est à** ~**?** gehört das Haus euch?; **c'est à** ~ **de décider** ihr müsst entscheiden; **c'est à** ~**!** ihr seid dran! **9.** *dans une comparaison* ihr; **nous sommes comme** ~ wir sind wie ihr; **plus fort que** ~ stärker als ihr II. *pron pers, forme de politesse* **1.** ~ **habitez ici?** wohnen Sie hier?; **nous avons fini, mais pas** ~ wir sind fertig, aber Sie [noch] nicht **2.** *complément d'objet direct et indirect* **je** ~ **aime** ich liebe Sie; **il** ~ **explique le chemin** er erklärt Ihnen den Weg; **il** ~ **laisse/**

fait conduire [la voiture] er lässt Sie [das] Auto fahren **3.** *avec être, devenir, sembler, soutenu* cela ~ **semble bon** das erscheint Ihnen gut; *v. a.* **me 4.** *avec les verbes pronominaux* **vous ~ nettoyez** [les ongles] Sie machen sich [die Nägel] sauber **5.** *fam* (*pour renforcer*) ~, **vous n'avez pas ouvert la bouche** Sie haben den Mund nicht aufgemacht; **c'est ~ qui l'avez dit** Sie haben das gesagt; **il veut ~ aider, ~?** Ihnen möchte er helfen? **6.** (*avec un sens possessif*) **le cœur ~ battait fort** Ihr Herz schlug heftig **7.** *avec un présentatif* Sie; **~ voici!** hier sind Sie! **8.** *avec une préposition* **avec/sans** ~ mit Ihnen/ohne Sie; **à ~ deux** Sie beide; **la maison est à ~?** gehört das Haus Ihnen?; **c'est à ~ de décider** Sie müssen entscheiden; **c'est à ~!** Sie sind dran!; **de ~ à moi** unter uns **9.** *dans une comparaison* Sie; **je suis comme ~** ich bin wie Sie; **plus fort que ~** stärker als Sie **III.** *pron* **1.** (*on*) man; **~ ne pouvez même pas dormir** man kann nicht einmal schlafen **2.** ([*à*] *quelqu'un*) **des choses qui ~ gâchent la vie** Dinge, die einem das Leben schwer machen **IV.** *m* **dire ~ à qn** Sie zu jdm sagen

vous-même [vumɛm] <vous-mêmes> **I.** *pron pers, 2. pers. pl* **1.** (*toi et toi en personne*) ~**s n'en saviez rien** ihr wusstet nichts davon; **vous êtes venus de ~s** ihr seid von selbst (*dat*) gekommen **2.** (*toi et toi aussi*) ebenfalls, auch; *v. a.* **nous-même II.** *pron pers, forme de politesse* **1.** (*toi de politesse en personne*) ~ **n'en saviez rien** Sie selbst wussten nichts davon; **vous êtes venu de ~** Sie von selbst (*dat*) gekommen **2.** (*toi de politesse aussi*) ebenfalls, auch; *v. a.* **moi-même**

voussure [vusyʀ] *f* Wölbung *f;* **~ de la fenêtre** Fensterbogen *m*

voûte [vut] *f* **1.** ARCHIT Gewölbe *nt* **2.** ANAT **~ crânienne** Schädeldach *nt* **3.** (*ciel*) **~ étoilée** Sternenzelt *nt* (*geh*)

voûter [vute] <1> **I.** *vt* **1.** ARCHIT mit einem Gewölbe versehen; **être voûté** gewölbt sein **2.** (*courber*) krümmen; **l'âge avait voûté son dos** sein/ihr Rücken war vom Alter [ganz] gekrümmt **II.** *vpr* **se ~** sich krümmen

vouvoiement [vuvwamã] *m* Siezen *nt*

vouvoyer [vuvwaje] <6> **I.** *vt* siezen, mit Sie anreden **II.** *vpr* **se ~** sich siezen

voyage [vwajaʒ] *m* **1.** (*le fait de voyager*) Reise *f;* **~ en avion/train** Flug-/Bahnreise **2.** (*trajet*) Fahrt *f;* **~ aller/retour** Hin-/Rückfahrt **3.** *fam* (*trip*) Trip *m*

voyager [vwajaʒe] <2a> *vi* **1.** (*aller en voyage*) reisen **2.** COM **~ pour une entre-**

prise Handelsreisende(r) *f(m)* eines Unternehmens sein **3.** (*être transporté*) *marchandises:* befördert werden

voyageur, -euse [vwajaʒœʀ, -ʒøz] **I.** *adj* **être d'humeur voyageuse** reiselustig sein **II.** *m, f* **1.** (*personne qui voyage*) Reisende(r) *f(m)* **2.** (*dans un avion/sur un bateau*) Fluggast *m*/Passagier *m* **3.** COM **~ de commerce** [Handels]reisende(r) *f(m)*

voyagiste [vwajaʒist] *m* Reiseveranstalter *m*

voyais [vwajɛ] *imparf de* **voir**

voyance [vwajãs] *f* (*occultisme*) Hellsehen *nt*

voyant [vwajã] *m* Kontrolllampe *f*

voyant, e [vwajã, jãt] **I.** *part prés de* **voir II.** *adj* (*qui se remarque*) auffallend **III.** *m, f* **1.** (*devin*) Hellseher(in) *m(f)* **2.** (*opp: aveugle*) Sehende(r) *f(m)*

voyelle [vwajɛl] *f* Vokal *m*

voyeur, -euse [vwajœʀ, -jøz] *m, f* **1.** (*amateur de scènes lubriques*) Voyeur *m* **2.** (*curieux*) Schaulustige(r) *f(m)*

voyeurisme [vwajœʀism] *m* **1.** (*perversion du voyeur*) Voyeurismus *m* **2.** (*curiosité*) Schaulust *f*

voyez [vwaje], **voyons** [vwajɔ̃] *indic prés et impératif de* **voir**

voyou [vwaju] **I.** *adj* **il/elle est un peu ~** er/sie ist ein kleiner Gauner **II.** *m* **1.** (*délinquant*) Gauner *m* **2.** (*garnement*) Schlingel *m*

VPC [vepese] *f abr de* **vente par correspondance** Versandhandel *m*

vrac [vʀak] *m* Schüttgut *nt;* **en ~** lose

vrai [vʀɛ] **I.** *m* **le ~** das Wahre; **être dans le ~** Recht haben; **il y a du ~** da ist etwas Wahres daran ▶ **à dire ~** [*o* **à ~ dire**] offen gestanden; **pour de ~** *fam* im Ernst **II.** *adv* **dire** [*o* **parler**] **~** die Wahrheit sagen; **faire ~** echt aussehen

vrai, e [vʀɛ] *adj* **1.** (*véridique*) wahr; *événement* tatsächlich **2.** *postposé* (*conforme à la réalité*) lebensecht **3.** *antéposé* (*authentique*) echt; *cause, délice* wahr; *nom* richtig **4.** *antéposé* (*digne de ce nom*) echt **5.** *antéposé méthode, moyen* [einzig] richtig ▶ **il n'en est pas moins ~ qu'il est trop jeune** nichtsdestoweniger ist er zu jung; **pas ~?** *fam* oder?; **~ de ~** *fam* waschecht; **~! ?** wirklich!/?

vraiment [vʀɛmã] *adv* wirklich

vraisemblable [vʀɛsãblabl] *adj* **1.** (*plausible*) einleuchtend **2.** (*probable*) wahrscheinlich

vraisemblablement [vʀɛsãblabləmã] *adv* wahrscheinlich

vraisemblance [vʀɛsãblãs] *f* **1.** (*crédibilité*) Glaubwürdigkeit *f* **2.** (*probabilité*)

Wahrscheinlichkeit *f*

vrille [vʀij] *f* **1.** TECH Nagelbohrer *m* **2.** AVIAT Schraube *f* **3.** BOT Ranke *f* ►**en** ~ spiralenförmig

vrillé, e [vʀije] *adj* **1.** BOT mit Ranken **2.** (*tordu*) verdreht

vriller [vʀije] <1> **I.** *vi avion:* trudeln; *cordon, fil:* sich verdrehen **II.** *vt a. fig* (*percer*) [durch]bohren (*a. fig*)

vrombir [vʀɔ̃biʀ] <8> *vi* brummen

vroom, vroum [vʀum] *interj* brumm

VRP [veɛʀpe] *mf abr de* **voyageur représentant placier** *inv* Handelsreisende(r) *f(m)*

vs *prép abr de* **versus** vs

VTC [vetese] *m abr de* **vélo tout-chemin** Trekkingrad *nt*

VTT [vetete] *m abr de* **vélo tout-terrain** **1.** (*vélo*) Mountainbike *nt,* M.T.B. **2.** (*sport*) Mountainbike-Fahren *nt*

vu [vy] **I.** *prép* in Anbetracht (+ *gen*) **II.** *conj* ~ **que ... da ... III.** *m* **c'est du déjà/ jamais** ~ das ist nichts Neues/völlig neu ►**au** ~ **et au su de tous** vor aller Augen **IV.** *adv* **ni** ~ **ni connu** ohne dass jd etw bemerkt **V.** *adj* (*compris*) alles klar; ~**?** *fam* klar?

vu, e [vy] **I.** *part passé de* **voir II.** *adj* **1.** (*d'accord*) in Ordnung **2.** *form* (*lu*) zur Kenntnis genommen **3.** (*observé*) **la remarque est bien/mal** ~**e** die Bemerkung ist [zu]treffend/unzutreffend **4.** (*apprécié*) **être bien/mal** ~ **de qn** von jdm gern/ nicht gern gesehen sein ►**c'est tout** ~**!** *fam* Schluss jetzt!

vue [vy] *f* **1.** (*sens*) Sehvermögen *nt;* **bonne** ~ gute Augen *Pl;* **organe de la** ~ Sehorgan *nt;* ~ **d'aigle** Adlerauge *nt* **2.** (*regard*) Blick *m;* **perdre qn/qc de** ~ jdn/ etw aus den Augen verlieren **3.** (*panorama*) Aussicht *f* **4.** *d'une personne, du sang* Anblick *m* **5.** (*photo, peinture*) Ansicht *f;* ~ **d'ensemble** *fig* Überblick *m* **6.** *des événements* Vorstellung *f;* **les** ~**s de qn** jds Ansichten *Pl* **7.** (*visées*) **avoir qn/qc en** ~ jdn/etw im Auge haben ►**à** ~ **de nez** *fam* über den Daumen gepeilt; **à** ~ **d'œil** merklich; **garder à** ~ unter Aufsicht stellen; **dessiner à** ~ nach Augenmaß zeichnen; **à la** ~ **de qn** (*en voyant qn*) bei jds Anblick; (*sous le regard de qn*) vor jds Augen; **en** ~ (*visible*) im Blickfeld; (*tout proche*) in Sicht; (*envié*) begehrt; (*célèbre*) sehr bekannt; **en** ~ **de** [**faire**] **qc** im Hinblick auf etw

vulcanisation [vylkanizasjɔ̃] *f* Vulkanisierung *f*

vulcaniser [vylkanize] <1> *vt* vulkanisieren

vulgaire [vylgɛʀ] **I.** *adj* **1.** (*grossier*) vulgär **2.** *antéposé* (*quelconque*) gewöhnlich **3.** *postposé* (*populaire*) volkstümlich **II.** *m* **le** ~ das Gewöhnliche; **tomber dans le** ~ vulgär werden

vulgairement [vylgɛʀmɑ̃] *adv* **1.** (*grossièrement*) vulgär **2.** (*couramment*) für gewöhnlich

vulgarisateur, -trice [vylgaʀizatœʀ, -tʀis] **I.** *adj* populärwissenschaftlich **II.** *m, f* **jouer le rôle de** ~ **de qc** etw allgemein zugänglich machen

vulgarisation [vylgaʀizasjɔ̃] *f* allgemeine Verbreitung; *de la connaissance, de la science* Popularisierung *f* (*geh*); **revue de** ~ populärwissenschaftliche Zeitschrift

vulgariser [vylgaʀize] <1> **I.** *vt* allgemein zugänglich machen **II.** *vpr* **se** ~ zum Allgemeingut werden

vulgarité [vylgaʀite] *f* **1.** *d'un langage* vulgärer Stil; *d'une personne* vulgäre Art **2.** (*parole vulgaire*) vulgärer Ausdruck

vulnérabilité [vylneʀabilite] *f* Verletzbarkeit *f;* **la** ~ **de ma situation** meine prekäre Situation

vulnérable [vylneʀabl] *adj* verletzbar; *situation* prekär

vulve [vylv] *f* **la** ~ die äußeren Geschlechtsorgane *Pl* [der Frau]

W

W, w [dubləve] *m inv* W *nt*, w *nt*
wagon [vagɔ̃] *m* CHEMDFER Wagen *m*, Waggon *m*
wagon-citerne [vagɔ̃sitɛʀn] <wagons-citernes> *m* Tankwagen *m*
wagon-lit [vagɔ̃li] <wagons-lits> *m* Schlafwagen *m*
wagon-restaurant [vagɔ̃ʀɛstɔʀɑ̃] <wagons-restaurants> *m* Speisewagen *m*
walkie-talkie [wokitoki, wɔlkitɔlki] *m v.* talkie-walkie
walkyrie [valkiʀi] *f* Walküre *f*
Wallis-et-Futuna [walisefytyna] *französisches Territorium auf den Fidschiinseln*
wallon [walɔ̃] *m* Wallonisch *nt*; *v. a.* allemand
wallon, ne [walɔ̃, ɔn] *adj* wallonisch
Wallon, ne [walɔ̃, ɔn] *m, f* Wallone/Wallonin *m/f*
Wallonie [walɔni] *f* la ~ Wallonien *nt*
warning [waʀniŋ] *m* Warnblinkanlage *f*
Waterloo [watɛʀlo] *m* (*ville belge*) Waterloo *nt*
water-polo [watɛʀpɔlo] <water-polos> *m* Wasserball *m*
waterproof [watɛʀpʀuf] *adj inv* wasserfest
wattheure [watœʀ] *m* Wattstunde *f*

W-C [vese, dublǝvese] *mpl abr de* **water-closet(s)** WC *nt*
web, Web [vɛb] **I.** *m abr de* **World Wide Web**: le ~ das Web **II.** *app* Web-
webmane [wɛbman] *mf* Internetfreak *mf*
webmestre [wɛbmɛstʀ] *m* Webmaster *m*
webnaute [wɛbnot] *mf* [Internet]surfer(in) *m(f)*
week-end [wikɛnd] <week-ends> *m* Wochenende *nt*
welsch, e [vɛlʃ] *adj* CH *iron* welsch[schweizerisch]
Welsch, e [vɛlʃ] *m, f* CH *iron* Welschschweizer(in) *m(f)*
western [wɛstɛʀn] *m* Western *m*
Westphalie [vɛsfali] *f* la ~ Westfalen *nt*
white-spirit [wajtspiʀit] *m inv* Terpentinersatz *m*
wisigoth, e [vizigo, ɔt] *adj* HIST westgotisch; le peuple ~ die Westgoten
Wisigoth, e [vizigo, ɔt] *m, f* HIST Westgote/Westgotin *m/f*
Wok [wɔk] *m* Wok *m*
World Wide Web *m* World Wide Web *nt*
Wurtemberg [vyʀtɛ̃bɛʀ] *m* le ~ Württemberg *nt*
Wurtzbourg [vyʀtsbuʀ] Würzburg *nt*
WWW *v.* **World Wide Web**

X

X, x [iks] *m inv* **1.** X *nt*, x *nt* **2.** *fam* (*plusieurs*) **x fois** x-mal gesagt **3.** (*Untel*) [Herr/Frau] X; **X ou Y** irgendeiner; **contre X** gegen unbekannt **4.** CINE **film classé X** nicht jugendfreier Film

xénophobe [gzenɔfɔb] **I.** *adj* ausländerfeindlich **II.** *mf* ausländerfeindliche Person

xylophone [gzilɔfɔn] *m* Xylophon *nt*

Y

Y, y [igRɛk] *m inv* Y *nt*, y *nt*
y [i] **I.** *adv* dort **II.** *pron pers* (*à/sur cela*) **s'y entendre** sich damit auskennen; **ne pas y tenir** keinen Wert darauf legen
yacht [jɔt] *m* Jacht *f*
yacht-club [jɔtklœb] <yacht-clubs> *m* Jachtklub *m*
yachting [jɔtiŋ] *m* Segelsport *m*
yacht[s]man [jɔtman, -mɛn] <s *o* -men> *m* Segler *m*
ya[c]k [jak] *m* Yak *m*
yaourt [jauRt] *m* Joghurt *m o nt*
Yémen [jemɛn] *m* **le** ~ Jemen *m*
yeux [jø] *mpl v.* œil

yéyé, yé-yé [jeje] *inv* **I.** *adj fam* **musique** ~ ≈ Beatmusik *f* **II.** *m* (*style*) Musik-/Modestil der Beatgeneration **III.** *mf fam* (*adepte*) ≈ Beatnik *m*
yiddish [jidiʃ] **I.** *adj inv* jiddisch **II.** *m* Jiddisch *nt; v. a.* **allemand**
yog[h]ourt [jɔgurt] *m v.* **yaourt**
yougoslave [jugɔslav] *adj* jugoslawisch
Yougoslave [jugɔslav] *mf* Jugoslawe/Jugoslawin *m/f*
Yougoslavie [jugɔslavi] *f* **République fédérale de** ~ Bundesrepublik *f* Jugoslawien
youpi, youppie [jupi] *interj* hurra
yuppie [jupi] *mf* Yuppie *m*

Z

Z, z [zɛd] *m inv* Z *nt*, z *nt*
Zaïre [zaiR] *m* HIST **le** ~ Zaire *nt*
Zambie [zãbi] *f* **la** ~ Sambia *nt*
zapper [zape] <1> *vi* zappen
zapping [zapiŋ] *m* Zappen *nt*
zèbre [zɛbR] *m* ZOOL Zebra *nt*
zébrer [zebRe] <5> *vt* **être zébré de qc** mit etw gestreift sein
zébrure [zebRyR] *f* **1.** (*rayure*) Streifen *Pl* **2.** (*marques sur la peau*) Striemen *Pl*
Zélande [zelãd] *f* **la** ~ Seeland *nt*
zélateur, -trice [zelatœR, -tRis] *m, f littér d'une cause, personne* Jünger *m*
zèle [zɛl] *m* Eifer *m;* **faire du** ~ *péj* übereifrig sein (*pej*)
zélé, e [zele] *adj* eifrig
zen [zɛn] **I.** *adj inv* **le bouddhisme** ~ der Zenbuddhismus **II.** *m* Zen *nt*
zénith [zenit] *m a. fig* Zenit *m* (*a. fig*)
Z.E.P. [zɛp] *f abr de* **zone d'éducation**

prioritaire *sozial problematisches Gebiet, das gezielte [Schul]bildungsmaßnahmen erfordert*
zéro [zeRo] **I.** *num* **1.** *antéposé* (*aucun*) null **2.** *fam* (*nul*) **qn/qc est** ~ jd/etw ist eine Null **II.** *m* **1.** *inv* (*nombre*) Null *f* **2.** METEO, PHYS *a. fig* Nullpunkt *m* (*a. fig*) **3.** (*rien*) Nichts *nt;* **compter pour** ~ *fam* nicht[s] zählen **4.** (*personne incapable*) Null *f* (*fig*)
zeste [zɛst] *m* **1.** (*écorce*) ~ **de citron râpé** geriebene Zitronenschale **2.** *fig* Spur *f* (*fig*)
zézayer [zezeje] <7> *vi* lispeln, zuzeln (A)
zieuter [zjøte] <1> *vt fam* anglotzen
zigoto [zigɔto] *m fam* Typ[e *f*] *m*
zigouiller [ziguje] <1> *vt fam* (*tuer*) ~ **qn** jdn in Stücke schneiden
zigzag [zigzag] *m* Zickzack[linie *f*] *m*
zigzaguer [zigzage] <1> *vi* zickzacken;

(*à pied/en véhicule*) im Zickzack gehen/ fahren; *route:* im Zickzack verlaufen

Zimbabwe [zimbabwe] *m* le ~ Simbabwe *nt*

zinc [zɛ̃g] *m* **1.** (*métal*) Zink *nt* **2.** *fam* (*comptoir*) Theke *f* **3.** *fam* (*avion*) Vogel *m*

zingueur [zɛ̃gœʀ] *m* Galvaniseur *m*

zinzin [zɛ̃zɛ̃] *fam* **I.** *adj* plemplem **II.** *m* Ding *nt*

zip® [zip] *m* Reißverschluss *m*

zizi [zizi] *m enfantin fam* Schniedel *m*

zodiacal, e [zɔdjakal, o] <-aux> *adj* **signe** ~ Sternzeichen *nt*

zodiaque [zɔdjak] *m* Tierkreis *m*

zonard, e [zonaʀ, aʀd] **I.** *adj fam* asozial **II.** *m, f péj fam* (*marginal*) Asoziale(r) *f(m)* (*pej*)

zone [zon] *f* **1.** (*secteur*) Zone *f;* ~ **bleue** Kurzparkzone; ~ **d'influence** Einflussbereich *m* **2.** GEOG Zone *f;* ~ **côtière** Küstengebiet *nt;* ~ **de dépression** Tiefdruckgebiet *nt* **3.** FIN ~ **monétaire** Geldwirtschaftszone *f;* ~ **douanière** Zollgebiet *nt* **4.** ECON ~ **euro** Euro-Währungsgebiet *nt*

5. INFORM ~ **de dialogue** Dialogbox *f*
6. HIST **la zone** ~ die freie Zone

zoner [zone] <1> *vi fam* in den sozial problematischen Randbezirken leben

zoo [z(o)o] *m* Zoo *m*

zoologique [zɔɔlɔʒik] *adj* zoologisch; **parc** ~ Tierpark *m*

zoophile [zɔɔfil] **I.** *adj* **1.** (*qui aime les animaux*) [übertrieben] tierlieb **2.** (*qui pratique la zoophilie*) sodomitisch **II.** *mf* **1.** (*qui aime les animaux*) Tierliebhaber(in) *m(f)* **2.** (*qui pratique la zoophilie*) Sodomit(in) *m(f)*

zou [zu] *interj fam* hopp [hopp]

zozoter [zɔzɔte] <1> *vi fam* lispeln

Z.U.P. [zyp] *f abr de* **zone à urbaniser en priorité** Gebiet mit vorrangigen städtebaulichen Entwicklungsmaßnahmen

zuper [zype] *vt:* in ein Gebiet mit vorrangigen städtebaulichen Entwicklungsmaßnahmen umwandeln

Zurich [zyʀik] Zürich

zut [zyt] *interj fam* verdammt

Allemand-Français
Deutsch-Französisch

A

A, a [aː] <-, -> *nt* **1.** (*Buchstabe*) A *m*/a *m* **2.** MUS la *m* ▸ **das A und** |**das**| **O einer S.** (*gen*) l'essentiel *m* de qc; **von A bis Z** *fam* de A à Z

à [a] *präp + nom* **à ein Liter/drei Euro** à un litre/trois euros

Ä, ä [ɛː] <-, -> *nt* A *m*/a *m* tréma

AA 1. *Abk von* **Auswärtiges Amt 2.** *Abk von* **Anonyme Alkoholiker**

Aachen ['aːxən] <-s> *nt* Aix-la-Chapelle

Aal [aːl] <-[e]s, -e> *m* anguille *f*

aalen *vr fam* **sich ~** se prélasser

aalglatt *adj* glissant(e) comme une anguille

a.a.O. *Abk von* **am angegebenen Ort** ib[id].

Aargau ['aːɐ̯gaʊ] <-s> *m* **der ~** l'Argovie *f*

Aas [aːs] <-es, -e *o* Äser> *nt* **1.** (*Tierleiche*) charogne *f* **2.** <Äser> *fam* (*Schimpfwort*) salaud *m*/salope *f*

Aasgeier <-s, -> *m* vautour *m*

ab [ap] **I.** *präp + dat* **1.** (*räumlich*) ~ **hier** à partir d'ici; **der Zug fährt ~ Hamburg** le train part de Hambourg **2.** (*zeitlich*) ~ **nächster Woche** à partir de la semaine prochaine; ~ **sofort** dès maintenant **3.** COM **der Preis ~ Werk** le prix au départ usine **II.** *adv* **1.** (*weg, fort*) **zur Post geht es links** ~ pour aller à la poste, il faut tourner à gauche; **Berlin ~ 14.15 Uhr** départ de Berlin [à] 14 h 15 **2.** *fam* (*abgelöst*) **ein Knopf ist ab** j'ai perdu un bouton; **erst muss die alte Farbe ~** il faut d'abord enlever l'ancienne peinture ▸~ **und zu** NDEUTSCH de temps en temps

abländern *vt* remanier *Text;* amender *Gesetzentwurf*

Abänderung *f* eines *Textes* modification *f;* eines *Urteils* réformation *f*

ablarbeiten *vt* **1.** (*tilgen*) travailler pour rembourser *Schulden* **2.** (*der Reihe nach erledigen*) exécuter

abartig I. *adj* **1.** *fam* (*pervers*) déviant(e) **2.** *fam* (*unglaublich*) dingue **II.** *adv* (*pervers*) de manière anormale

Abbau <-s> *m* **1.** eines *Gerüsts* démontage *m* **2.** MIN (*von Kohle*) exploitation *f* **3.** (*Verringerung*) von *Arbeitskräften* réduction *f;* von *Leistungen* suppression *f;* von *Vorurteilen* élimination *f;* **sozialer** ~ dégradation *f* des conditions sociales **4.** CHEM *von Alkohol* décomposition *f;* von *Schadstoffen* filtrage *m*

abbaubar *adj* CHEM, ÖKOL décomposable; **biologisch** ~ biodégradable

ablbauen I. *vt* **1.** (*zerlegen*) démonter *Gerüst* **2.** MIN **Kohle** ~ exploiter du charbon **3.** (*verringern*) supprimer *Arbeitsstellen;* éliminer *Vorurteile* **4.** CHEM **etw** ~ *Körper:* décomposer qc; *Leber:* filtrer qc **II.** *vi fam* connaître une baisse de régime

ablbeißen *irr* **I.** *vt* couper avec les dents; **etw** ~ couper qc avec les dents; **ein Stück von einer Wurst** ~ croquer un morceau de saucisse; **sich** (*dat*) **die Zunge** ~ se mordre la langue **II.** *vi* mordre

ablbeizen *vt* décaper *Tür*

ablbekommen* *vt irr fam* **1.** (*als Anteil erhalten*) recevoir; **jeder bekommt etwas ab** tout le monde en aura **2.** (*getroffen werden*) recevoir *Spritzer, Prügel;* récolter *Kratzer;* **etwas** ~ *Person:* être amoché; *Auto:* être esquinté **3.** (*loslösen können*) enlever

ablbestellen* *vt* décommander *Ware;* annuler la réservation de *Hotelzimmer*

ablbezahlen* *vt* achever de payer *Schulden;* **etw** ~ payer qc à crédit

ablbiegen *irr vi + sein* tourner; **nach links/rechts** ~ tourner à gauche/à droite; **von der Straße** ~ quitter la route

Abbiegespur *f* (*Rechtsabbiegespur*) file *f* de droite; (*Linksabbiegespur*) file de gauche

Abbild *nt* **1.** *a. fig* (*Bild*) image *f* **2.** (*Plastik*) représentation *f*

ablbilden *vt* représenter

Abbildung <-, -en> *f* **1.** illustration *f; einer Person* représentation *f* **2.** MATH projection *f*

ablbinden *irr* **I.** *vt* **1.** (*losbinden*) dénouer *Krawatte* **2.** MED mettre un garrot à *Arm;* ligaturer *Arterie* **3.** (*andicken*) **etw mit etw** ~ lier qc avec qc **II.** *vi Beton:* prendre

ablblasen *vt irr fam* (*absagen*) annuler

ablblättern *vi + sein* **1.** *Pflanze:* s'effeuiller **2.** (*sich lösen*) **von etw** ~ *Farbe:* s'écailler de qc

ablblenden I. *vi* CINE couper **II.** *vt* **die Scheinwerfer** ~ se mettre en code[s]

Abblendlicht *nt* codes *mpl*

ablblitzen *vi + sein fam* **jdn** ~ **lassen** envoyer balader qn

ablblocken *fam* **I.** *vt* faire barrage; **jdn/etw mit etw** ~ faire barrage à qn/qc par qc **II.** *vi* refuser la discussion

ạb|brechen *irr* **I.** *vt* + *haben* **1.** (*lösen*) casser *Ast;* cueillir *Blüte;* **ein Stück von etw ~** couper un morceau de qc **2.** (*abbauen*) lever *Lager;* démonter *Zelt* **3.** (*niederreißen*) détruire *Gebäude* **4.** (*beenden*) interrompre *Kontakt;* rompre *Beziehungen* **5.** INFORM annuler ▶ **sich** (*dat*) **einen ~** *fam* (*viel reden, erklären*) se casser la tête **II.** *vi* **1.** + *sein* (*kaputtgehen*) se casser **2.** (*beendet werden*) *Verhandlungen:* s'interrompre

ạb|bremsen I. *vt* réduire la vitesse de *Fahrzeug* **II.** *vi Person:* ralentir sa vitesse

ạb|brennen *irr* **I.** *vt* + *haben* **1.** brûler *Bewuchs* **2.** (*niederbrennen*) incendier *Dorf* **3.** (*brennen lassen*) tirer *Feuerwerk* **II.** *vi* + *sein* **1.** (*niederbrennen*) *Dorf:* être détruit par un incendie **2.** (*sich aufbrauchen*) *Kerze:* se consumer ▶ **abgebrannt sein** (*kein Geld haben*) être à sec (*fam*)

ạb|bringen *vt irr* **jdn vom Weg/vom Thema ~** détourner qn du chemin/du sujet; **jdn davon ~ etw zu tun** dissuader qn de faire qc; **sich von einer Meinung nicht ~ lassen** ne pas vouloir se défaire d'une opinion

ạb|bröckeln *vi* + *sein* s'effriter

Ạbbruch *m* **1.** (*Abriss*) démolition *f* **2.** (*Beendigung*) *von Beziehungen* rupture *f; einer Reise* arrêt *m* **3.** MED *einer Schwangerschaft* interruption *f* ▶ **einer S.** (*dat*) **keinen ~ tun** *fam* ne pas ternir qc

ạbbruchreif *adj* **1.** (*baufällig*) bon(ne) pour la démolition **2.** CH (*schrottreif*) bon(ne) pour la casse

ạb|buchen *vt* prélever; **das Abbuchen** le prélèvement

Ạbbuchung *f* prélèvement *m*

ạb|bürsten I. *vt* (*reinigen*) brosser **II.** *vr* **sich ~** brosser ses vêtements

ạb|büßen *vt* purger *Strafe;* expier *Schuld*

Abc [a(ː)be(ː)'tseː] <-, -> *nt* alphabet *m*

ạb|checken *vt fam* (*kontrollieren*) vérifier; **~, ob … vérifier que …**

Abc-Schütze *m hum* petit écolier *m*

ABC-Waffen *Pl* MIL armes *fpl* ABC

ạb|danken *vi Minister:* démissionner; *Herrscher:* abdiquer

Ạbdankung <-, -en> *f* (*Rücktritt*) *eines Ministers* démission *f; eines Herrschers* abdication *f*

ạb|decken *vt* **1.** débarrasser *Tisch* **2.** (*bedecken*) recouvrir **3.** (*von den Dachziegeln befreien*) **das Dach ~** *Person:* démonter la toiture; *Sturm:* arracher les tuiles du toit **4.** FIN **etw mit etw ~** couvrir qc par qc

Ạbdeckung *f* (*Material*) revêtement *m*

ạb|dichten *vt* **1.** colmater *Ritzen;* étancher *Rohr* **2.** (*isolieren*) **~ gegen** isoler contre

ạb|drehen I. *vt* + *haben* **1.** (*abstellen*) fer-

mer *Gas;* éteindre *Licht* **2.** CINE tourner *Film, Szene* **II.** *vi* + *haben* o *sein Schiff, Flugzeug:* changer de cap

ạb|driften *vi* + *sein* **1.** (*abgetrieben werden*) dériver **2.** *fig* (*abgleiten*) **nach rechts ~** *Person:* virer à droite; **in den Suff ~** tourner à l'alcoolo (*fam*)

Ạbdruck¹ <-drücke> *m* empreinte *f*

Ạbdruck² <-drucke> *m* **1.** (*Veröffentlichung*) parution *f* **2.** *kein Pl* (*das Nachdrucken*) reproduction *f*

ạb|drucken *vt* faire paraître; **abgedruckt werden** *Artikel:* paraître

ạb|drücken I. *vt* **1.** MED comprimer **2.** *fam* (*bezahlen*) raquer *Betrag* **II.** *vi* tirer

ạb|dunkeln *vt* **1.** (*abschirmen*) tamiser la lumière de *Lampe* **2.** (*dunkler machen*) obscurcir *Farbe;* occulter *Fenster*

ạb|ebben *vi* + *sein Wut:* passer; *Streit:* se calmer; *Lärm:* diminuer

abend *adv s.* Abend

Abend ['aːbənt] <-s, -e> *m* (*Tageszeit*) soir *m;* **jeden ~** tous les soirs; **am ~** (*heute ~*) ce soir; (*jeden ~*) le soir; **heute/gestern/morgen ~** ce/hier/demain soir; **am frühen/späten ~** tôt/tard dans la soirée; **am ~ des 13.** le 13 au soir; **~ für ~** soir après soir; **eines schönen ~s** un beau soir; **gegen ~** vers le soir; **es wird ~** le soir tombe; **es ist ~** il fait nuit; **zu ~ essen** geh dîner; **guten ~!** bonsoir!

Abendbrot *nt* repas froid du soir; **~ essen** dîner [froid] **Abenddämmerung** *f* crépuscule *m* **Abendessen** *nt* dîner *m*

abendfüllend *adj* qui occupe toute la soirée

Abendkasse *f* caisse *f* **Abendkleid** *nt* robe *f* du soir **Abendkurs** *m* cours *m* du soir **Abendland** *nt kein Pl* geh **das ~** l'Occident *m*

abendländisch ['aːbəntlɛndɪʃ] *adj* occidental(e)

abendlich *adj Nachrichten, Stille* du soir; *Veranstaltung* en soirée

Abendmahl *nt kein Pl* REL **das ~** la sainte Cène **Abendrot** *nt* coucher *m* de soleil

abends ['aːbənts] *adv* (*heute Abend*) ce soir; (*jeden Abend*) le soir

Abendschule *f* cours *mpl* du soir **Abendstunde** *f* heure *f* de la soirée; **bis in die ~n** jusqu'au soir **Abendvorstellung** *f* séance *f* du soir

Abenteuer ['aːbəntɔyɐ] <-s, -> *nt a. fig* aventure *f*

abenteuerlich I. *adj* **1.** *Reise* riche en aventures; *Leben* aventureux(-euse); **ein ~es Erlebnis** une aventure **2.** *Geschichte* rocambolesque **II.** *adv* (*fantastisch*) **~ klingen** sembler extravagant

Abenteuerlust *f* attrait *m* de l'aventure **Abenteuerroman** *m* roman *m* d'aventures **Abenteuerspielplatz** *m* terrain *m* d'aventures

Abenteurer(in) ['aːbəntɔyrə] <-s, -> *m(f)* aventurier(-ière) *m(f)*

aber ['aːbə] I. *konj* 1.(*jedoch*) mais; ~ **dennoch, ...** et pourtant ... 2.(*wirklich*) **das ist ~ nett von Ihnen** ça, c'est sympa de votre part; ~ **selbstverständlich!** mais bien sûr!; **oder** ~ ou bien [alors] 3.(*oh*) voyons; ~, ~! [voyons,] voyons! II. *adv* ▸ ▪ **und abermals** *geh* à de nombreuses reprises

Aberglaube[n] *m* superstition *f*

abergläubisch ['aːbəɡlɔybɪʃ] *adj* superstitieux(-euse)

abIerkennen* *vt irr* **jdm einen Titel ~** retirer un titre à qn; **jdm ein Recht ~** priver qn d'un droit

Aberkennung <-, -en> *f eines Titels* dépossession *f; eines Rechts* privation *f*

abermalig *adj attr* nouveau(-velle) antéposé

abermals ['aːbəmaːls] *adv* une nouvelle fois

abIernten *vt* récolter; **die Obstbäume ~** récolter les fruits des arbres

abertausend *num geh* des milliers [et des milliers] **Abertausende** *Pl geh* des milliers *mpl* [et des milliers]; **zu ~n** par milliers

aberwitzig *adj geh* insensé(e); ~ **sein** être un défi au bon sens

abfahrbereit *s.* **abfahrtbereit**

abIfahren *irr* I. *vi + sein* 1.(*losfahren*) partir 2. SPORT descendre [à skis] 3. *fam* (*beeindruckt sein*) **auf jdn/etw ~** craquer pour qn/qc II. *vt* 1.+ *haben o sein* (*bereisen*) **ein Land ~** parcourir un pays [de long en large] 2.+ *haben o sein* (*inspizieren*) inspecter *Strecke* III. *vr + haben* **sich ~** *Reifen:* s'user

Abfahrt *f* 1. *eines Zugs* départ *m* 2. *fam* (*Autobahnabfahrt*) sortie *f* 3. SPORT descente *f;* (*~sstrecke*) piste *f* [de ski]

abfahrtbereit *adj* prêt(e) à partir

Abfahrtslauf *m* descente *f* **Abfahrtszeit** *f* heure *f* de départ

Abfall <-[e]s, Abfälle> *m* 1.(*unbrauchbare Überreste*) déchets *mpl;* (*Müll*) ordures *fpl* 2. *kein Pl* POL sécession *f* 3. REL apostasie *f* 4. *kein Pl* (*Neigung*) *eines Geländes* déclivité *f*

Abfallbeseitigung *f* collecte *f* et traitement des déchets **Abfalleimer** *m* poubelle *f*

abIfallen *vi irr + sein* 1.(*herunterfallen*) **von etw ~** tomber de qc 2.(*abtrünnig sein*) *Gläubiger:* apostasier; *Gruppierung:*

faire sécession 3.(*schwinden*) **von jdm ~** *Scheu:* disparaître de qn 4.(*sich neigen*) **gegen etw ~** *Gelände, Hang:* descendre vers qc; ~**d** en pente 5.(*sich vermindern*) *Druck, Temperatur:* baisser 6.(*zurückfallen*) *Sportler:* rétrograder

Abfallentsorgung *f* élimination *f* des déchets; (*Müllentsorgung*) élimination des ordures **Abfallexperte** *m*, **-expertin** *f* expert(e) *m(f)* en matière de traitement des déchets **Abfallhaufen** *m* tas *m* d'ordures

abfällig I. *adj* dédaigneux(-euse) II. *adv* avec dédain

Abfallprodukt *nt* 1. CHEM résidu *m* 2.(*Nebenprodukt*) sous-produit *m* **Abfallverwertung** *f* recyclage *m* [des déchets] **Abfallwirtschaft** *f* industrie *f* des déchets

abIfangen *vt irr* 1.(*aufhalten*) intercepter 2.(*abwehren*) amortir *Schlag*

abIfärben *vi a. fig* déteindre

abIfassen *vt* rédiger

abIfedern I. *vt + haben* 1.(*dämpfen*) amortir *Sprung, Stoß;* améliorer la suspension de *Wagen* 2.(*abmildern*) freiner *Verlust* II. *vi + haben o sein* SPORT 1.(*hochfedern*) prendre de l'élan 2.(*zurückfedern*) se recevoir [au sol]; **das Abfedern** la réception

abIfertigen *vt* 1.(*versandfertig machen*) enregistrer 2.(*be- und entladen*) s'occuper du fret de 3.(*bedienen*) servir *Passagier;* **jdn am Zoll ~** contrôler qn à la douane 4.(*behandeln*) **jdn barsch/kurz ~** expédier qn durement/rapidement

Abfertigung *f* 1. *von Paketen* expédition *f* 2.(*~sstelle*) enregistrement *m* 3.(*Bedienung*) *eines Kunden* service *m* 4.(*Kontrolle*) *von Reisenden* contrôle *m* 5. A (*Abfindung*) dédommagement *m*

Abfertigungshalle *f* hall *m* d'enregistrement **Abfertigungsschalter** *m* guichet *m* d'enregistrement

abIfeuern *vt* tirer *Schuss*

abIfinden *irr* I. *vt* dédommager II. *vr* **sich mit jdm/etw ~** s'accommoder de qn/qc

Abfindung <-, -en> *f* dédommagement *m*

abIflachen I. *vi + sein Niveau:* baisser; *Kultur:* décliner; *Diskussion:* s'effriter II. *vt + haben* niveler *Wall*

abIflauen ['apflaʊən] *vi + sein* 1.(*schwächer werden*) *Wind:* faiblir; ~**d** faible 2.(*zurückgehen*) *Interesse:* retomber

abIfliegen *vi irr + sein Passagier:* partir; *Flugzeug:* décoller; **nach München ~** s'envoler pour Munich; **von Hamburg ~** décoller de Hambourg

abIfließen *vi irr + sein* 1.(*wegfließen*) s'écouler 2.(*sich entleeren*) se vider 3. FIN **ins Ausland ~** *Kapital:* fuir à l'étranger

Abflug *m eines Passagiers* départ *m* [en avion]; *eines Flugzeugs* décollage *m*

abflugbereit *adj ~* **sein** *Passagier:* être prêt à s'envoler; *Flugzeug* être prêt au décollage

Abflughalle *f* salle *f* d'embarquement

AbflussRR *m* **1.** *kein Pl* (*das Abfließen*) écoulement *m; fig von Kapital* fuite *f* **2.** (*~rohr*) [conduit *m* d']écoulement *m*

AbflussreinigerRR *m* déboucheur *m* **Abflussrinne**RR *f* caniveau *m* **Abflussrohr**RR *nt* collecteur *m*

Abfolge *f geh* succession *f*

Abfrage *f* INFORM requête *f*

ab|fragen *vt* **1.** interroger; **jdn etw** ~ interroger qn sur qc **2.** INFORM consulter *Daten*

ab|frieren *irr* **I.** *vi* + *sein Blüte:* geler **II.** *vt* + *haben* ▶ **sich** (*dat*) **einen** ~ *fam* se les geler

Abfuhr <-, -en> *f* **1.** *kein Pl form* (*Abtransport*) ramassage *m* **2.** (*Zurückweisung*) fin *f* de non-recevoir; **jdm eine** ~ **erteilen** opposer une fin de non-recevoir à qn **3.** (*sportliche Niederlage*) **jdm eine** ~ **erteilen** infliger une défaite à qn

ab|führen **I.** *vt* **1.** (*wegbringen*) emmener *Person;* ~! emmenez-le! **2.** (*bezahlen*) **etw an jdn/etw** ~ verser qc à qn/qc **II.** *vi* MED être laxatif

Abführmittel *nt* laxatif *m*

ab|füllen *vt* **1.** (*abziehen*) tirer; **etw in Flaschen** ~ mettre qc en bouteilles **2.** *fam* (*betrunken machen*) soûler la gueule à

Abgabe *f* **1.** *kein Pl* (*das Abgeben*) *eines Urteils* délivrance *f* **2.** *kein Pl* (*das Abliefern*) *eines Passes* dépôt *m* **3.** *kein Pl* (*Verkauf*) *von Alkoholika* vente *f* **4.** *kein Pl* (*Abstrahlung*) *von Wärme, Energie* rayonnement *m* **5.** *kein Pl* (*das Abspielen*) *des Balls* passe *f* **6.** (*Steuer*) taxe *f;* **jährliche** ~**n** impôts *mpl*

abgabenfrei *adj* exonéré(e) d'impôts **abgabenpflichtig** *adj* assujetti(e) à l'impôt

Abgabetermin *m* date *f* limite de remise

Abgang <-gänge> *m* **1.** (*von der Schule*) **sich für einen vorzeitigen** ~ **von der Schule entscheiden** se décider à quitter l'école prématurément **2.** *kein Pl* (*Ausscheiden aus einem Amt*) départ *m; (in den Ruhestand*) départ en retraite **3.** *kein Pl* THEAT sortie *f* **4.** *kein Pl* (*Absendung*) *von Briefen* expédition *f* **5.** (*Absprung*) sortie *f* **6.** MED *form eines Embryos* expulsion *f* **7.** A (*Fehlbetrag*) débit *m*

Abgänger(in) <-s, -> *m(f) form* élève *mf* qui quitte l'école

Abgangszeugnis *nt* certificat *m* de fin de scolarité

Abgas *nt meist Pl* gaz *mpl* d'échappement

abgasarm *adj Auto* propre; ~ **sein** polluer

peu **abgasfrei** **I.** *adj* non polluant(e); ~ **sein** ne pas produire de gaz d'échappement **II.** *adv* sans polluer **Abgassonderuntersuchung** *f* contrôle *m* antipollution

ab|geben *irr* **I.** *vt* **1.** (*verschenken*) donner; **etw an jdn** ~ donner qc à qn **2.** (*verkaufen*) **etw an jdn** ~ céder qc à qn **3.** (*hinterlegen*) **etw bei jdm** ~ déposer qc chez qn **4.** (*äußern*) donner *Meinung;* **eine Stellungnahme zu etw** ~ émettre une opinion à propos de qc **5.** POL donner *Stimme;* **die abgegebenen Stimmen** les suffrages *mpl* [exprimés] **6.** (*einreichen*) rendre *Doktorarbeit* **7.** (*überlassen, übergeben*) laisser *Arbeit, Auftrag* **8.** (*liefern*) **den Rahmen für etw** ~ constituer le cadre de qc; **den Stoff für etw** ~ fournir la matière pour qc **9.** *fam* (*sein*) **eine gute Lehrerin** ~ faire une bonne enseignante **10.** (*abfeuern*) **einen Schuss auf jdn/etw** ~ tirer sur qn/qc **11.** (*ausströmen lassen*) émettre *Wärme* **12.** (*abspielen*) passer *Ball* **13.** (*verlieren*) **Punkte/den Platz an jdn** ~ *Mannschaft:* céder des points/la place à qn **II.** *vr* **1.** **sich nicht mit Kleinigkeiten** ~ ne pas perdre son temps avec des babioles **2.** *pej* (*sich einlassen*) **sich mit jdm** ~ fréquenter qn **III.** *vi Spieler:* faire une passe

abgebrannt *adj fam* fauché(e)

abgebrochen *adj Ausbildung* interrompu(e)

abgebrüht *adj fam* (*skrupellos*) pourri(e); (*dreist*) culotté(e)

abgedroschen *adj pej fam* rebattu(e)

abgefuckt ['apgəfakt] *adj vulg* (*heruntergekommen*) nase (*fam*)

abgegriffen *adj* **1.** (*abgenutzt*) abîmé(e) **2.** (*sinnentleert*) usé(e)

abgehackt **I.** *adj Sprechweise* haché(e) **II.** *adv* ~ **sprechen** avoir un débit haché

abgehangen *adj Fleisch* rassis(rassie)

abgehärtet *adj* **gegen Schnupfen** ~ **sein** être résistant aux rhumes; **gegen Vorwürfe/Kritik** ~ **sein** être vacciné contre les reproches/critiques (*fam*)

ab|gehen *irr* **I.** *vi* + *sein* **1.** partir; **von etw** ~ *Farbe:* partir de qc; *Knopf:* se détacher de qc **2.** (*abgezogen werden*) **von dieser Summe gehen fünf Prozent Rabatt ab** il faut déduire cinq pour cent de la somme totale **3.** (*abzweigen*) **von etw** ~ *Straße, Weg:* quitter qc **4.** (*Abstand nehmen*) **von einer Forderung** ~ renoncer à une revendication **5.** (*abfahren*) *Zug:* partir; *Schiff:* appareiller **6.** *fam* (*fehlen*) **jdm geht etw ab** qn manque de qc **7.** (*fortgehen*) **von der Schule** ~ quitter l'école **8.** MED *Embryo:* être expulsé **9.** (*verlaufen*) **ohne Komplikationen** ~ se passer sans complications **10.** *fam* (*passieren*) se passer; **da geht**

doch nichts ab! il n'y a pas d'ambiance! **II.** *vt* + *sein* **1.** (*absuchen*) **die Straße ~** repasser dans la rue **2.** (*in Augenschein nehmen*) **eine Strecke ~** parcourir un itinéraire

abgehetzt *adj* stressé(e)

abgehoben *adj* **1.** *Sprache* abstrait(e); *Vorstellung* irréaliste **2.** (*weltfremd*) coupé(e) du réel

abgekartet ['apgəkartət] *adj fam* goupillé(e) à l'avance

abgeklärt ['apgəkle:ɐt] **I.** *adj* serein(e) **II.** *adv* séreinement

abgelegen *adj Dorf* isolé(e)

ab|gelten *vt irr* acquitter *Ansprüche*

abgeneigt *adj* **jdm nicht ~ sein** ne pas être mal disposé envers qn; **nicht ~ sein etw zu tun** avoir bien envie de faire qc

Abgeordnete(r) *f(m) dekl wie adj* député(e) *m(f)*

abgerissen *adj Person* déquenillé(e); *Kleidung* en lambeaux

Abgesandte(r) *f(m) dekl wie adj geh* émissaire *m;* POL ambassadeur(-drice) *m(f)*

abgeschieden ['apgəʃi:dən] *geh adj, adv* loin de tout

Abgeschiedenheit <-> *f* isolement *m*

abgeschlossen *adj* **1.** *attr Wohnung* indépendant(e) **2.** *Grundstück* clos(e)

abgeschmackt ['apgəʃmakt] *adj* de mauvais goût

abgesehen *adv* ~ **von ihm/dieser Frage** [mis] à part lui/cette question; ~ **davon, dass …** mis à part [le fait] que …

abgespannt *adj Aussehen* fatigué(e)

abgestanden ['apgəʃtandən] *adj* **1.** *Bier* éventé(e); *Wasser* pas frais(fraîche) **2.** *Luft* vicié(e)

abgestumpft *adj Person* endurci(e); *Gewissen, Gefühle* émoussé(e)

ab|gewinnen* *vt irr* (*mögen*) **einer S.** (*dat*) **etwas/nichts ~** apprécier quelque chose/ne trouver aucun plaisir à qc

ab|gewöhnen* *vt* **jdm etw ~** faire perdre qc à qn; **sich** (*dat*) **etw ~** arrêter de faire qc ▸**zum Abgewöhnen** <u>sein</u> *fam* être écœurant

abgezehrt *adj* étique

Abglanz *m* reflet *m;* **ein schwacher/matter ~ einer S.** (*gen*) un faible/pâle reflet de qc

ab|gleiten *vi irr* + *sein geh* **1.** (*abrutschen*) glisser **2.** (*abschweifen*) **in etw** (*akk*) **~** tomber dans qc; **von etw** (*akk*) **~** s'écarter de qc **3.** (*absinken*) déraper **4.** (*abprallen*) **an jdm ~** *Beleidigung:* laisser qn indifférent

Abgott *m,* **-göttin** *f* idole *f*

abgöttisch ['apgœtrʃ] **I.** *adj* idolâtre (*soutenu*) **II.** *adv* jusqu'à l'idolâtrie; **jdn ~ lie-**ben idolâtrer qn

ab|grasen *vt* **1.** (*abfressen*) **etw ~** *Tier:* brouter qc **2.** *fam* (*besuchen*) **ein Vertriebsgebiet ~** *Vertreter:* ratisser un district de distribution **3.** *fam* (*bearbeiten*) épuiser *Gebiet, Thema*

ab|grenzen I. *vt* (*einfrieden*) délimiter **II.** *vr* **sich gegen jdn/etw ~** se démarquer de qn/qc

Abgrenzung <-, -en> *f* **1.** *kein Pl* (*das Einfrieden*) délimitation *f* **2.** (*Einfriedung*) *eines Grundstücks* clôture *f* **3.** (*Eingrenzung*) *von Begriffen* définition *f* **4.** (*das Abgrenzen*) démarcation *f*

Abgrund *m a. fig* abîme *m*

abgrundhässlichRR *adj* laid(e) comme un pou

abgrundtief *adj* très profond(e)

ab|gucken I. *vt fam* pomper; **eine Lösung von jdm ~** pomper une solution sur qn ▸**jdm** <u>etwas</u> ~ *euph fam* reluquer qn **II.** *vi* **bei jdm ~** *Schüler:* copier sur qn

AbgussRR *m* **1.** KUNST moulage *m* **2.** DIAL (*Ausguss*) évier *m*

ab|hacken *vt* abattre [à la hache]; **einen Baum/Ast ~** abattre un arbre/couper une branche [à la hache]; **sich** (*dat*) **etw ~** se trancher qc

ab|haken *vt* **1.** (*markieren*) cocher **2.** (*den Schlussstrich ziehen*) tirer un trait sur *Affäre;* classer *Sache*

ab|halten *vt irr* **1.** (*hindern*) empêcher; **jdn davon ~ etw zu tun** empêcher qn de faire qc; **sich von etw ~ lassen** se laisser dissuader par qc **2.** (*am Eindringen hindern*) protéger de *Kälte* **3.** (*durchführen*) organiser *Wahlen*

ab|handeln *vt* (*behandeln*) traiter *Thema*

abhanden [ap'handən] *adv* ~ **kommen** disparaître

Abhandlung *f* (*wissenschaftliche Arbeit*) étude *f*

Abhang *m* versant *m*

ab|hängen[1] *vi irr* **1.** + *haben* (*abhängig sein*) **von jdm/etw ~** dépendre de qn/qc **2.** + *sein* rassir *Fleisch*

ab|hängen[2] *vt* + *haben* **1.** (*abkuppeln*) décrocher **2.** *fam* (*hinter sich lassen*) **jdn/etw ~** semer qn/qc

abhängig *adj* **1.** (*bedingt*) **von etw ~ sein** dépendre de qc **2.** *euph* (*süchtig*) dépendant(e)

Abhängige(r) *f(m) dekl wie adj* **1.** (*abhängiger Mensch*) personne *f* dépendante **2.** (*Süchtiger*) toxicomane *mf*

Abhängigkeit <-, -en> *f* **1.** (*Angewiesensein*) dépendance *f;* ~ **von jdm** dépendance à l'égard de qn; **ihre gegenseitige ~** leur interdépendance **2.** *euph* (*Sucht*) dé-

pendance *f* 3. *kein Pl* (*Bedingtheit*) **in ~ von einer S.** **erfolgen** avoir lieu en relation étroite avec qc

Abhängigkeitsverhältnis *nt* rapport *m* de dépendance

ab|härten I. *vt* endurcir; **jdn gegen etw ~** endurcir qn à qc II. *vi* **gegen etw ~** endurcir à qc III. *vr* **sich gegen Kälte ~** s'endurcir au froid

Abhärtung <-> *f* 1. (*das Abhärten*) endurcissement *m* 2. (*Widerstandsfähigkeit*) ~ **gegen etw** (*akk*) résistance *f* à qc

ab|hauen[1] <hieb ab *o fam* haute ab, **abgehauen**> *vt* abattre [à la hache]; **einen Baum ~** abattre un arbre [à la hache]

ab|hauen[2] <haute ab, **abgehauen**> *vi* + *sein fam* (*fortgehen*) se casser

ab|heben *irr* I. *vi* 1. *Flugzeug:* décoller 2. (*abnehmen*) décrocher *Hörer* 3. SPIEL couper 4. JUR *form* (*sich beziehen*) **auf etw** (*akk*) **~** *Gericht:* faire référence à qc 5. *fam* (*spinnen*) déconner; (*ins Träumen kommen*) planer II. *vt irr* 1. **Geld vom Konto ~** retirer de l'argent de son compte 2. SPIEL tirer *Karte* 3. (*herunterheben*) rabattre *Masche* III. *vr* 1. (*sich unterscheiden*) **sich von jdm/etw ~** se distinguer de qn/qc 2. (*sich abzeichnen*) **sich vom Himmel ~** *Silhouette:* se détacher du ciel

ab|heften *vt* archiver *Papiere*

ab|heilen *vi Wunde:* guérir

ab|helfen *vi irr* **einem Missstand ~** remédier à un inconvénient

Abhilfe *f* remède *m;* **~ schaffen** trouver le remède qui s'impose

ab|hobeln *vt* raboter

ab|holen *vt* 1. (*hingehen und mitnehmen*) aller chercher; (*kommen und mitnehmen*) venir chercher; **jdn/etw ~ lassen** faire chercher qn/qc 2. *euph* (*verhaften*) emmener

Abholmarkt *m* libre-service *m* **Abholpreis** *m* prix *m* à emporter

ab|holzen *vt* abattre *Bäume, Wald;* déboiser *Gebiet;* **das Abholzen** déboisement *m*

Abhöraktion *f* écoutes *fpl* téléphoniques **Abhöranlage** *f* table *f* d'écoute

ab|horchen *vt* MED ausculter

ab|hören *vt* 1. (*belauschen*) écouter *Gespräch, Telefonat* 2. (*überwachen*) **von jdm abgehört werden** être mis sur écoute par qn 3. (*abfragen*) interroger *Schüler* 4. MED ausculter *Patienten*

Abhörgerät *nt* micro *m* **abhörsicher** *adj* antiécoute *inv*

Abi ['abi] <-s, -s> *nt fam Abk von* **Abitur** ≈ bac *m*

Abitur [abi'tuːɐ̯] <-s, -e> *nt* ≈ baccalauréat *m*

Abiturient(in) [abituri'ɛnt] <-en, -en> *m(f)* bachelier(-ière) *m(f)*

Abiturklasse *f* [classe *f* de] terminale *f* **Abiturzeugnis** *nt* [diplôme *m* du] baccalauréat *m*

ab|kapseln *vr* 1. (*sich isolieren*) **sich ~** s'isoler du monde; **sich von jdm/etw ~** s'isoler de qn/qc 2. MED **sich ~** s'enkyster

ab|kassieren* I. *vt* 1. **jdn/etw ~** *Bedienung:* encaisser qn/qc 2. *fam* (*einnehmen*) empocher II. *vi* 1. (*abrechnen*) **bei jdm ~** *Bedienung:* encaisser l'addition de qn 2. *fam* (*finanziell profitieren*) palper; **beim Lotto ganz schön ~** gagner un sacré paquet au loto

ab|kauen *vt* ronger *Fingernagel*

ab|kaufen *vt* 1. (*von jdm kaufen*) **jdm etw ~** acheter qc à qn 2. *fam* (*glauben*) **ich kaufe dir das nicht ab!** tu me feras pas gober ça!

Abkehr <-> *f* éloignement *m*

ab|kehren *geh* I. *vt* détourner *Blick* II. *vr* **sich von etw ~** se détourner de qc

ab|kippen *vt* déverser

ab|klappern *vt fam* ratisser; **die Gegend nach jdm/etw ~** ratisser la région pour trouver qn/qc; **alle Läden nach jdm/etw ~** faire tous les magasins pour trouver qn/qc

ab|klären *vt* clarifier; **mit jdm ~, ob ...** élucider avec qn si ...

Abklatsch <-[e]s, -e> *m* (*schlechte Kopie*) pâle imitation *f*

ab|klemmen *vt* 1. (*abbinden*) comprimer *Arterie* 2. ELEC débrancher *Kabel*

ab|klingen *vi irr* + *sein* 1. (*leiser werden*) **etw klingt ab** [l'intensité de] qc diminue 2. (*schwinden*) *Wut:* [re]tomber; *Erkältung:* guérir; *Fieber:* baisser

ab|klopfen *vt* 1. (*abschlagen*) **etw ~** enlever qc [en tapant dessus] 2. (*reinigen*) battre *Teppich* 3. MED percuter *Brustkorb;* **jdn ~** ausculter qn par percussion

ab|knallen *vt pej fam* descendre

ab|knicken I. *vt* + *haben* 1. (*abbrechen*) [plier et] casser *Blume, Stängel* 2. (*falten*) plier *Papier* II. *vi* + *sein* 1. (*umknicken und abbrechen*) *Blume, Stängel:* [plier et] casser 2. (*abzweigen*) bifurquer; **von etw ~** *Straße:* quitter qc

ab|knöpfen *vt* 1. (*durch Knöpfen entfernen*) déboutonner; **etw von etw ~** déboutonner qc de qc 2. *fam* (*abverlangen*) **jdm etw ~** taxer qc à qn

ab|knutschen *vt pej fam* (*küssen*) **jdn ~** rouler une pelle à qn; **sich ~** se rouler des pelles

ab|kochen *vt* faire bouillir *Wasser*

ab|kommandieren* *vt* détacher; **jdn ins**

Gebirge ~ détacher qn à la montagne
ạbǀkommen *vi irr + sein* **1.**(*abweichen*) vom Weg ~ dévier du chemin **2.**(*aufgeben*) von einer Gewohnheit ~ perdre une habitude **3.**(*abschweifen*) perdre le fil; vom Thema/Punkt ~ s'écarter d'un sujet/point
Ạbkommen <-s, -> *nt* accord *m*
ạbkömmlich ['apkœmlɪç] *adj* disponible; ~ sein être disponible
Ạbkömmling ['apkœmlɪŋ] <-s, -e> *m geh*(*Nachkomme*) descendant *m*
ạbǀkönnen *vt irr fam*(*leiden können*) jdn nicht ~ ne pas pouvoir blairer qn; etw nicht ~ ne pas supporter qc
ạbǀkoppeln I. *vt* décrocher; etw von etw ~ décrocher qc de qc II. *vr fam* sich von etw ~ se séparer de qc
ạbǀkratzen I. *vt + haben* gratter *Tapete* II. *vi + sein fam*(*sterben*) crever
ạbǀkriegen *s.* abbekommen
ạbǀkühlen I. *vi + sein* **1.**(*kälter werden*) refroidir **2.**(*an Intensität verlieren*) se refroidir II. *vt + haben* **1.**(*kalt stellen*) etw ~ mettre qc au frais **2.**(*weniger intensiv machen*) refroidir *Beziehung;* faire retomber *Zorn* III. *vr + haben* **1.** es kühlt [sich] ab ça se rafraîchit **2.**(*an Intensität verlieren*) sich ~ *Beziehungen:* se refroidir
Ạbkühlung *f* **1.**METEO rafraîchissement *m* **2.**(*kühlende Erfrischung*) sich (*dat*) eine leichte ~ verschaffen se rafraîchir un peu
Ạbkunft <-> *f geh* origine *f;* edler/asiatischer ~ sein être d'origine noble/asiatique
ạbǀkürzen I. *vt* **1.**(*verkürzt schreiben*) „Doktor" wird mit „Dr." abgekürzt en abrégé, "Docteur" s'écrit "Dr" **2.**(*verkürzen*) etw um etw ~ écourter qc de qc II. *vi* **1.**(*als Abkürzung schreiben*) écrire en abrégé **2.**(*einen kürzeren Weg nehmen*) prendre un raccourci
Ạbkürzung *f eines Worts* abréviation *f; eines Wegs* raccourci *m*
ạbǀladen *vt irr* **1.**(*deponieren*) déposer *Schutt* **2.**(*entladen*) décharger *Anhänger* **3.**(*absetzen*) déposer *Passagiere* **4.***fam* (*abwälzen*) décharger *Schuld*
Ạblage *f* **1.**(*~möglichkeit*) etw als ~ für die Zeitungen benutzen utiliser qc pour y poser les journaux **2.**(*Archiv*) archives *fpl;* (*für Akten*) classeurs *mpl* d'archivage **3.** *kein Pl* (*das Ablegen*) archivage *m;* die ~ machen archiver **4.** (*~korb*) corbeille *f* à courrier
ạbǀlagern I. *vt + haben* **1.**GEOL déposer *Schlamm* **2.**(*lagern*) entreposer *Müll* II. *vi + haben o sein Holz:* sécher III. *vr + haben* sich auf/in etw (*dat*) ~ *Kalk, Sediment:* se déposer sur/dans qc

Ạblagerung *f* **1.** *kein Pl* (*Trocknung*) von *Holz* séchage *m* **2.**(*Sedimentbildung*) sédiment *m*
Ạblassᴿᴿ <-es, -lässe>, **Ablaß** ['aplas, *Pl:* 'aplɛsə] <-sses, -lässe> *m* REL indulgence *f*
ạbǀlassen *irr* I. *vt* **1.**(*abfließen lassen*) vider; Wasser/Luft aus etw ~ vider l'eau/ enlever l'air de qc **2.**(*leeren*) vidanger *Teich* II. *vi* **1.** geh(*abgehen*) von etw ~ renoncer à qc **2.**(*in Ruhe lassen*) von jdm ~ laisser qn tranquille
Ạblauf *m* **1.**(*Verlauf*) déroulement *m* **2.**(*das Verstreichen*) *einer Frist* expiration *f;* nach ~ von drei Tagen passé le délai de trois jours **3.**LITER (*Handlungsablauf*) action *f*
ạbǀlaufen I. *vi irr + sein* **1.**(*abfließen*) s'écouler; aus etw ~ s'écouler de qc **2.**(*sich leeren*) *Becken:* se vider **3.**(*ungültig werden*) *Ausweis, Visum:* expirer; abgelaufen périmé **4.**(*verstreichen*) *Frist:* expirer; *Zeit:* s'achever **5.**(*auslaufen*) *Vertrag:* arriver à échéance **6.**(*vonstatten gehen*) gut/friedlich ~ *Demonstration:* se dérouler bien/sans heurts **7.**MEDIA *Tonband, Videokassette:* passer **8.***fam* (*unbeeindruckt lassen*) an ihr läuft alles ab rien ne réussit à la perturber II. *vt irr* **1.**+ *haben* (*abnützen*) [sich (*dat*)] die Absätze/Sohlen ~ user ses talons/semelles **2.**+ *haben* o *sein* (*abgehen*) eine Strecke ~ parcourir un trajet [à pied]
ạbǀlecken *vt* lécher
ạbǀlegen I. *vt* **1.**(*hinlegen*) déposer **2.**(*archivieren*) ranger *Akten* **3.**(*ausziehen*) retirer *Hut, Mantel* **4.**(*aufgeben*) se départir de *Scheu;* se défaire de *Gewohnheit* **5.**(*absolvieren*) passer *Prüfung* **6.**(*aussprechen, leisten*) faire *Geständnis;* prêter *Eid;* die Beichte ~ se confesser **7.**SPIEL écarter **8.**ZOOL pondre *Eier;* déposer *Laich* II. *vi* **1.** *Schiff:* lever l'ancre; vom Hafen ~ quitter le port **2.** geh (*den Mantel ausziehen*) se débarrasser
Ạbleger <-s, -> *m* **1.**BOT bouture *f* **2.***fam* (*Filiale*) filiale *f* **3.** *hum fam* (*Sprössling*) rejeton *m*
ạbǀlehnen I. *vt* **1.**(*zurückweisen*) refuser *Bewerber;* rejeter *Angebot* **2.**(*sich weigern*) es ~ etw zu tun refuser de faire qc **3.**(*missbilligen*) désapprouver *Benehmen* II. *vi* refuser
ạbǀlehnend I. *adj Antwort, Haltung* négatif(-ive); *Einstellung* de refus II. *adv* sich äußern négativement; ich stehe dieser Sache eher ~ gegenüber je suis plutôt hostile à cette affaire
Ạblehnung <-, -en> *f* **1.** *kein Pl* (*die Zurückweisung*) *eines Bewerbers* refus *m;* ei-

nes Angebots, Vorschlags rejet *m;* **auf** ~ **sto-ßen** *Bewerber:* se heurter à un refus; *Vorschlag:* être rejeté **2.** (*Schreiben*) refus *m* **3.** (*Missbilligung*) réprobation *f*
ạbl̠leisten *vt form* effectuer
ạbl̠leiten I. *vt* **1.** (*umleiten*) détourner *Bach* **2.** (*ausströmen lassen*) évacuer *Gase* **3.** (*herleiten*) déduire *Anspruch* **4.** MATH déduire *Formel;* dériver *Funktion* **5.** LING dériver *Form* **II.** *vr* **sich aus/von etw** ~ *Anspruch:* découler de qc; *Vorrecht:* provenir de qc; LING dériver de qc
Ạbleitung *f* **1.** LING *einer Form* dérivation *f;* (*abgeleitetes Wort*) dérivé *m* **2.** MATH *einer Funktion* dérivée *f; einer Formel* déduction *f*
ạbl̠lenken I. *vt* (*zerstreuen*) distraire **II.** *vi* **1.** (*ausweichen*) dévier; **vom Thema** ~ détourner la conversation **2.** (*der Zerstreuung dienen*) changer les idées **III.** *vr* **sich mit Sport** ~ se changer les idées en faisant du sport
Ạblenkung *f* **1.** (*Zerstreuung*) distraction *f* **2.** (*Störung*) diversion *f* **3.** PHYS diffraction *f*
Ạblenkungsmanöver *nt* manœuvre *f* de diversion
ạbl̠lesen *irr* **I.** *vt* **1.** relever *Zählerstand;* consulter *Messgerät* **2.** (*vorlesen*) **etw vom Blatt** ~ lire qc sur le papier **3.** (*erkennen*) **etw an bestimmten Vorkommnissen** ~ déduire qc de certains incidents **II.** *vi* **1.** (*den Zählerstand feststellen*) relever le(s) compteur(s) **2.** (*vorlesen*) lire son texte; **vom Blatt** ~ lire sa feuille
ạbl̠lichten *vt* **1.** *fam* (*fotografieren*) photographier **2.** (*fotokopieren*) photocopier
ạbl̠liefern *vt* **1.** remettre *Schlüssel;* rendre *Diplomarbeit* **2.** (*zustellen*) livrer *Ware* **3.** *hum fam* (*übergeben*) **sein Kind/seinen Hund bei jdm** ~ laisser son enfant/chien chez qn
ạbl̠lösen I. *vt* **1.** relayer *Kollegen;* relever *Wachposten* **2.** (*ersetzen*) remplacer *Politiker* **3.** (*abmachen*) décoller *Etikett* **4.** (*abkratzen*) enlever *Lack* **5.** FIN purger *Hypothek* **II.** *vr* **1.** (*sich abwechseln*) **sich beim Fahren** ~ se relayer pour conduire **2.** (*abgehen*) **sich** ~ *Etikett:* s'enlever; *Lack:* s'écailler; *Netzhaut:* se décoller
Ạblösesumme *f* [montant *m* du] transfert *m*
Ạblösung *f* **1.** (*Auswechslung*) *eines Mitarbeiters* relève *f* **2.** (*Ersatzmann*) remplaçant(e) *m(f)* **3.** (*Entlassung*) *eines Ministers* remplacement *m*
ạbl̠luchsen [apl̩ʊksn] *vt fam* **jdm etw** ~ soutirer qc à qn
ABM [a:be:'ʔɛm] <-> *f Abk von* **Arbeitsbeschaffungsmaßnahme** mesure *f* d'aide à l'emploi

ạbl̠machen *vt* **1.** *fam* (*entfernen*) enlever; **etw von etw** ~ enlever qc de qc **2.** (*vereinbaren*) **etw mit jdm** ~ convenir de qc avec qn; **abgemacht!** d'accord!
Ạbmachung <-, -en> *f* accord *m*
ạbl̠magern *vi* + *sein* maigrir
Ạbmagerungskur *f* cure *f* d'amaigrissement
ạbl̠malen *vt* peindre; (*kopieren*) copier
Ạbmarsch *m* départ *m*
ạbl̠melden I. *vt* **1.** retirer *Schüler* **2.** (*nicht mehr nutzen*) demander la résiliation de *Telefon* **3.** *fam* (*unten durch sein*) **der ist bei mir abgemeldet** je ne veux plus entendre parler de lui **II.** *vr* **1.** (*seinen Umzug anzeigen*) **sich** ~ faire une déclaration de changement de domicile **2.** (*sein Fortgehen melden*) **sich bei jdm** ~ demander une autorisation de sortie à qn; MIL prendre congé de qn
Ạbmeldung *f* **1.** *eines Telefons* résiliation *f; eines Autos* déclaration *f* de non-utilisation **2.** (*Anzeige des Umzugs*) déclaration *f* de changement de domicile
ạbl̠messen *vt irr* mesurer
Ạbmessung *f meist Pl* dimension *f*
ạbl̠mildern *vt* atténuer *Aufprall, Sturz;* édulcorer *Äußerung*
ạbl̠montieren* *vt* démonter; **etw von der Decke** ~ démonter qc du plafond
ạbl̠mühen *vr* **sich** ~ se donner du mal; **sich mit jdm/etw** ~ se donner du mal avec qn/pour faire qc
ạbl̠nabeln I. *vt* couper le cordon ombilical de *Neugeborenes* **II.** *vr fig* **sich** ~ couper le cordon [ombilical]
ạbl̠nagen *vt* ronger
Ạbnäher <-s, -> *m* pince *f*
Ạbnahme ['apna:mə] <-, -n> *f* **1.** (*Rückgang*) *des Umsatzes* baisse *f; des Gewichts* perte *f;* ~ **des Interesses** baisse d'intérêt **2.** (*Kauf*) achat *m* **3.** (*Prüfung*) *eines Neubaus* réception *f; eines Fahrzeugs* contrôle *m* technique **4.** (*das Herunternehmen*) décrochage *m*
ạbl̠nehmen *irr* **I.** *vi* **1.** (*dünner werden*) perdre du poids; **an den Hüften/im Gesicht** ~ maigrir des hanches/du visage **2.** (*zurückgehen*) *Anzahl:* baisser; *Interesse:* décliner **3.** TELEC décrocher **II.** *vt* **1.** (*wegnehmen*) **jdm etw** ~ retirer qc à qn **2.** *fam* (*rauben*) **jdm viel Geld** ~ piquer beaucoup d'argent à qn; (*abgewinnen*) soutirer au jeu beaucoup d'argent à qn **3.** (*herunternehmen*) décrocher *Wäsche* **4.** (*tragen helfen*) **jdm die Tasche/den Mantel** ~ débarrasser qn de son sac/manteau **5.** (*entgegennehmen*) prendre livraison de *Ware* **6.** (*übernehmen*) **jdm**

Abneigung ausdrücken

• Antipathie ausdrücken
Ich mag ihn nicht (besonders).
Ich finde diesen Typ unmöglich.
Das ist ein (richtiges) Arschloch. *(vulg)*
Ich kann ihn nicht leiden/ausstehen/
riechen. *(fam)*
Diese Frau geht mir auf den Geist/
Wecker/Keks. *(fam)*

• exprimer l'antipathie
Je ne l'aime pas (beaucoup).
Je trouve que ce type est impossible.
C'est un (sacré) connard.
Je ne peux pas le voir/l'encadrer/le
sentir.
Cette femme me tape sur le système/
les nerfs.

• Langeweile ausdrücken
Wie langweilig!/Sowas von
langweilig!
Ich schlaf gleich ein! *(fam)*/Das ist ja
zum Einschlafen!
Der Film ist ja zum Gähnen. *(fam)*
Diese Disco ist total öde.

• exprimer l'ennui
Comme c'est ennuyeux!/Mais
qu'est-ce que c'est ennuyeux!
Ça m'endort!/C'est soporifique!

Ce film fait bâiller (d'ennui).
On s'ennuie (à mourir) dans cette boîte.

• Abscheu ausdrücken
Igitt!
Du widerst mich an!
Das ist geradezu widerlich!
Das ist (ja) ekelhaft!

Das ekelt mich an.
Ich finde das zum Kotzen. *(sl)*

• exprimer le dégoût
Be(u)rk!/Quelle horreur!
Tu me dégoûtes!
C'est absolument répugnant!
C'est (vraiment) dégoûtant/
dégueulasse!
Ça me dégoûte.
Je trouve ça dégueulasse. *(fam)*

Arbeit/Sorgen ~ soulager qn du travail/ des soucis **7.** SPIEL piocher **8.** *(amputieren)* couper **9.** *fam (glauben)* gober **10.** *(begutachten)* réceptionner *Gebäude;* **sein Auto vom TÜV ~ lassen** soumettre sa voiture au contrôle technique **11.** *(durchführen)* effectuer *Inspektion;* faire passer *Prüfung*
Abnehmer(in) <-s, -> *m(f)* acheteur(-euse) *m(f);* ~ **finden** trouver preneur
Abneigung *f* aversion *f*
abnorm [apˈnɔrm] **I.** *adj* anormal(e) **II.** *adv* **1.** MED de façon anormale **2.** *(überdurchschnittlich)* anormalement
abnormal [ˈapnɔrmal] A, CH *s.* abnorm
ablnötigen *vt geh* jdm Respekt/Bewunderung ~ ne pouvoir que susciter le respect/l'admiration de qn
ablnutzen I. *vt* user; **abgenutzt** usé **II.** *vr* **sich** ~ **1.** *(verschleißen) Reifen:* s'user; *Möbel:* s'abîmer **2.** *(unwirksam werden) Worte:* finir par être usé; *Drohung:* finir par tomber à plat
Abnutzung *f* usure *f*
Abo [ˈabo] <-s, -s> *nt fam Abk von* **Abonnement** abonnement *m*
Abonnement [abɔnəˈmãː] <-s, -s> *nt* abonnement *m*

Abonnent(in) [abɔˈnɛnt] <-en, -en> *m(f)* abonné(e) *m(f)*
abonnieren* [abɔˈniːrən] *vt* s'abonner à *Zeitung;* prendre un abonnement à *Konzerte*
ablordnen *vt* envoyer en mission; jdn ~ envoyer qn en mission
Abordnung *f* délégation *f*
Abort [aˈbɔrt] <-s, -e> *m* MED *(Fehlgeburt)* fausse couche *f; (Schwangerschaftsabbruch)* avortement *m*
ablpassen *vt* **1.** guetter *Zeitpunkt* **2.** *(auflauern)* jdn ~ guetter qn
ablpausen *vt* décalquer
ablpfeifen *irr* **I.** *vt* siffler *Halbzeit* **II.** *vi (zur Halbzeit/am Spielende pfeifen)* siffler la mi-temps/la fin du match
Abpfiff *m* coup *m* de sifflet final
Abprall <-[e]s, -e> *m eines Balls* rebond *m;* **1.** *einer Kugel* ricochet *m*
ablprallen *vi* + *sein* **1.** *(zurückprallen)* rebondir; **von etw/an etw** *(dat)* ~ *Ball:* rebondir sur qc; *Geschoss:* ricocher sur qc **2.** *(nicht treffen)* **an jdm** ~ *Beleidigung:* glisser sur qn
ablpumpen *vt* pomper; **Wasser aus etw** ~ pomper de l'eau de qc

ab|putzen vt (reinigen) nettoyer
ab|quälen vr 1.(sich abmühen) **sich mit einer Arbeit** ~ s'acharner sur un travail 2.(sich abzwingen) **sich** (dat) **ein Lächeln** ~ se forcer pour/à sourire
ab|qualifizieren vt dénigrer; **jdn** ~ Person: dénigrer qn; Bemerkung: discréditer qn
ab|rackern vr fam **sich** ~ se crever
ab|raten vi irr **jdm von etw** ~ déconseiller qc à qn
ab|räumen vt débarrasser Tisch
ab|reagieren* I. vt défouler Aggressionen; **seine Wut an jdm** ~ passer sa rage sur qn II. vr fam **sich** ~ se défouler
ab|rechnen vi 1.(das Gehalt berechnen) faire les comptes 2.(die Zeche berechnen) encaisser; **beim Abrechnen** en faisant la caisse 3.(zur Rechenschaft ziehen) **mit jdm** ~ régler ses comptes avec qn
Abrechnung f 1.(Schlussrechnung) comptes mpl 2.(Aufstellung) facture f détaillée 3.(Abzug) von Steuern déduction f 4.(Rache) règlement m de comptes
Abrede f ▶**etw in** ~ **stellen** form contester qc
ab|reiben vt irr 1.(entfernen) **etw** ~ enlever qc en frottant 2.(säubern) **sich** (dat) **die Hände an etw** (dat) ~ se frotter les mains sur qc 3.(trockenreiben) **jdn/sich mit einem Handtuch** ~ essuyer qn/s'essuyer avec une serviette
Abreibung f fam raclée f
Abreise f départ m
ab|reisen vi + sein partir en voyage; **ich reise ab** je m'en vais; Hotelgast: je quitte la chambre
ab|reißen irr I. vt + haben 1.(abtrennen) arracher; **etw von der Wand** ~ arracher qc du mur 2.(niederreißen) raser Gebäude II. vi + sein 1.(reißen) Seil: se casser 2.(aufhören) Kontakt: s'interrompre
Abreißkalender m éphéméride f
ab|richten vt dresser
ab|riegeln vt boucler Straße
ab|ringen vt irr **sich** (dat) **ein Lächeln** ~ se forcer à sourire
AbrissRR m 1.eines Gebäudes démolition f 2.(Übersicht) abrégé m
ab|rücken vi + sein 1.(wegrücken) s'écarter; **von jdm/etw** ~ s'écarter de qn/qc 2.(abmarschieren) se mettre en marche
Abruf m 1.FIN einer Summe retrait m 2.INFORM von Daten consultation f ▶**auf** ~ **bereitstehen** être à disposition
abrufbar adj Daten consultable
abrufbereit adj 1.Person prêt(e) à intervenir; Ware disponible 2.FIN encaissable; ~ **sein** Kredit: pouvoir être retiré
ab|rufen vt irr 1.prendre livraison de Waren

2.FIN retirer Kredit 3.INFORM consulter Daten
ab|runden vt 1.arrondir; **eine Zahl nach unten** ~ arrondir un chiffre au chiffre inférieur 2.(vollkommen machen) parfaire Abend, Geschmack 3.(rund machen) arrondir Kanten
abrupt [ap'rʊpt] adj brusque
ab|rüsten I. vi réduire les armements II. vt réduire Atomwaffen
Abrüstung f kein Pl désarmement m **Abrüstungsverhandlungen** Pl négociations fpl pour le désarmement
ab|rutschen vi + sein glisser; **an etw** (dat)/**von etw** ~ glisser sur qc
ABS [a:be:'ʔɛs] <-> nt Abk von **Antiblockiersystem** A.B.S. m
ab|sacken vi + sein 1.(einsinken) s'affaisser 2.Flugzeug: perdre brusquement de l'altitude 3.fam (sich verschlechtern) dégringoler
Absage ['apza:gə] f réponse f négative
ab|sagen I. vt décommander Teilnahme; annuler Spiel II. vi **jdm** ~ se décommander auprès de qn
ab|sägen vt 1.scier Ast 2.POL fam **jdn** ~ faire sauter qn
ab|sahnen fam I. vt se mettre dans les poches; **etw** ~ se mettre qc dans les poches II. vi **bei jdm** ~ s'en ficher plein les poches sur le dos de qn
Absatz m 1.(Schuhabsatz) talon m 2.(Abschnitt) paragraphe m 3.(Treppenabsatz) palier m [de repos] 4.(Verkauf) ventes fpl; **guten/reißenden** ~ **finden** se vendre bien/comme des petits pains ▶**auf dem** ~ **kehrtmachen** tourner les talons
Absatzchance f débouché m **Absatzflaute** f marasme m des ventes **Absatzgebiet** nt secteur m commercial **Absatzmarkt** m débouché m
ab|saugen vt 1.aspirer; **etw aus etw/von etw** ~ aspirer qc de qc 2.(Staub saugen) passer l'aspirateur sur Teppich
ab|schaben vt (entfernen) racler; **den Putz/den Rost von etw** ~ racler le crépi/la rouille de qc
ab|schaffen vt (beseitigen) supprimer Zoll, Strafe; abroger Gesetz; abolir Privileg
ab|schalten I. vt éteindre Fernseher; couper Strom; arrêter Motor II. vi fam Person: décrocher III. vr **sich** ~ Maschine, Strom: se couper
ab|schätzen vt évaluer Kosten; prévoir Reaktion
abschätzig adj Bemerkung désobligeant(e); Blick méprisant(e)
ab|schauen vt A fam (abgucken) copier; **etw von jdm** ~ copier qc sur qn

Abschaum *m kein Pl pej* rebut *m*
ab|scheiden *irr* **I.** *vt* + *haben* **1.**(*absondern*) sécréter **2.** CHEM séparer **II.** *vr* CHEM sich von etw ~ se séparer de qc
Abscheu <-[e]s> *m* dégoût *m*
abscheulich [apˈʃɔylɪç] *adj* **1.**(*entsetzlich*) abominable **2.** *fam Schmerzen* atroce; *Kälte* épouvantable
ab|schicken *vt* expédier *Brief;* envoyer *Kurier*
Abschiebehaft *f* maintien *m* administratif; **in** ~ **kommen** faire l'objet d'une mesure de rétention administrative avant l'expulsion
ab|schieben *irr vt* + *haben* **1.**(*ausweisen*) expulser **2.**(*abwälzen*) **die Schuld auf jdn** ~ faire endosser la culpabilité à qn
Abschiebung *f* reconduite *f* à la frontière
Abschied [ˈapʃiːt] <-[e]s, -e> *m* adieu *m* *souvent pl;* **von jdm** ~ **nehmen** faire ses adieux à qn
Abschiedsbrief *m* lettre *f* d'adieu[x]
ab|schießen *vt irr* **1.** MIL, JAGD abattre **2.**(*abfeuern*) tirer *Pfeil;* lancer *Rakete* **3.** *fam* (*erschießen*) descendre **4.** *fam* (*entlassen*) dégommer
Abschirmdienst *m* militärischer ~ ≈ services *mpl* de contre-espionnage; (*in Frankreich*) D.G.S.E. *f*
ab|schirmen *vt* **1.**(*schützen*) isoler; **jdn von jdm/etw** ~ isoler qn de qn/qc **2.**(*dämpfen*) tamiser [la lumière de] *Lampe*
ab|schlachten **I.** *vt* massacrer **II.** *vr* **sich** [**gegenseitig**] ~ se massacrer
ab|schlaffen *vi* + *sein fam* avoir un coup de pompe; (*schlapp sein*) être ramollo
Abschlag *m* **1.**(*Preisnachlass*) réduction *f,* rabais *m* **2.**(*Vorschuss*) **ein** ~ **auf etw** (*akk*) un acompte sur qc **3.** SPORT remise *f* en jeu
ab|schlagen *irr* **I.** *vt* **1.**(*abtrennen*) casser *Henkel;* ébrecher *Ecke* **2.**(*fällen*) abattre *Baum* **3.**(*ablehnen*) décliner *Einladung;* **jdm eine Bitte** ~ repousser une demande à qn **4.** SPORT **den Ball** ~ remettre le ballon en jeu **II.** *vi Torwart:* dégager
abschlägig [ˈapʃlɛːgɪç] *adj* négatif(-ive); **jdn/etw** ~ **bescheiden** *form* donner une réponse négative à qn/rejeter qc
Abschlag[s]zahlung *f* acompte *m*
ab|schleifen *irr* **I.** *vt* **1.**(*entfernen*) éliminer qc par ponçage **2.**(*glätten*) poncer *Oberfläche* **II.** *vr* **sich** ~ **1.**(*sich abnutzen*) s'émousser **2.**(*nachlassen, sich verlieren*) se dégrossir
Abschleppdienst *m* service de dépannage *m*
ab|schleppen *vt* **1.**(*wegziehen*) remorquer **2.** *fam* (*mitnehmen*) **jdn/etw** ~ embar-

quer qn/qc
Abschleppfahrzeug *nt* dépanneuse *f* **Abschleppseil** *nt* câble *m* de remorquage
ab|schließen *irr* **I.** *vt* **1.**(*zuschließen*) etw ~ fermer qc à clé **2.**(*absolvieren*) achever *Schule;* **mit abgeschlossenem Studium** avec un diplôme en poche **3.**(*vereinbaren*) conclure *Geschäft;* passer *Vertrag;* souscrire *Versicherung* **4.**(*beenden*) conclure *Rede;* clôturer *Konferenz;* clore *Geschäftsjahr* **II.** *vi* **1.**(*zuschließen*) fermer à clé **2.**(*Vertrag schließen*) **mit jdm** ~ *Kunde:* faire affaire avec qn **3.** FIN, COM **mit Gewinn/Verlust** ~ se solder par des gains/pertes **4.**(*zum Abschluss bringen*) **mit der Vergangenheit** ~ tirer un trait sur le passé **5.**(*eingefasst sein*) **mit einer Borte/Verzierung** ~ être bordé d'un galon/d'une décoration
abschließend **I.** *adj Bemerkung* final(e) **II.** *adv bemerken* en conclusion
Abschluss^RR *m* **1.** *kein Pl* (*Ende*) conclusion *f; eines Geschäftsjahrs* clôture *f;* **etw zum** ~ **bringen** conclure qc; **zum** ~ **kommen** *Redner:* conclure **2.**(*~prüfung*) diplôme *m* [de fin d'études]; (*Hauptschulabschluss*) certificat *m* de fin d'études **3.**(*Zustandekommen*) *eines Geschäfts* conclusion *f; eines Vertrags* souscription *f;* ~ **einer Wette** pari *m* **4.**(*Geschäft*) marché *m;* **einen** ~ **tätigen** conclure un marché **5.** FIN *von Konten* bilan *m* ▶**der krönende** ~ le Clou
Abschlussklasse^RR *f* [classe *f* de] terminale *f* **Abschlussprüfung**^RR *f* examen *m* de fin d'études **Abschlusszeugnis**^RR *nt* diplôme *m* de fin d'études
ab|schmecken *vt* vérifier l'assaisonnement de *Gericht;* **etw mit Gewürz/Salz** ~ assaisonner qc avec des épices/du sel
ab|schmettern *vt fam* (*zurückweisen*) envoyer valser *Antrag;* rejeter *Klage*
ab|schminken **I.** *vr* **sich** ~ se démaquiller **II.** *vt* démaquiller *Gesicht* ▶**sich** (*dat*) **etw** ~ **können** *fam* pouvoir faire une croix sur qc
ab|schnallen **I.** *vi fam* (*fassungslos sein*) être scié; **da schnallst du ab!** ça t'en bouche un coin! **II.** *vt* [**sich** (*dat*)] **den Rucksack** ~ décrocher son sac à dos; [**sich** (*dat*)] **die Skier** ~ enlever ses skis
ab|schneiden *irr* **I.** *vt* **1.**(*abtrennen, versperren*) couper **2.**(*unterbinden*) **jdm das Wort** ~ couper la parole à qn **II.** *vi fam* **bei etw gut/schlecht** ~ s'en tirer bien/mal avec qc
Abschnitt *m* **1.**(*Passus*) *eines Textes* paragraphe *m; eines Formulars* partie *f* **2.**(*abtrennbares Stück*) *einer Bestellkarte* coupon *m; einer Eintrittskarte* partie *f* détacha-

ble **3.** (*Zeitabschnitt*) période *f* **4.** (*Teil, Bereich*) *eines Gebäudes* partie *f*; *einer Autobahn* tronçon *m*; *einer Strecke* étape *f*
ạb|schöpfen *vt* **1.** (*herunternehmen*) das Fett ~ dégraisser; den Schaum ~ écumer; den Rahm von der Milch ~ écrémer le lait **2.** ÖKON résorber *Gewinn*
ạb|schotten ['apʃɔtən] **I.** *vr sich* ~ s'isoler; sich gegen äußere Einflüsse ~ se fermer aux influences externes; abgeschottet leben mener une vie recluse **II.** *vt* NAUT cloisonner
ạb|schrauben *vt* dévisser
ạb|schrecken I. *vt* **1.** faire peur à; jdn von etw ~ dissuader qn de qc; sich nicht ~ lassen ne pas se laisser intimider **2.** GASTR refroidir *Eier* **II.** *vi Waffen:* être dissuasif
ạbschreckend I. *adj Beispiel, Wirkung* dissuasif(-ive); *Eindruck* défavorable; *Hässlichkeit* repoussant(e) **II.** *adv* ~ wirken *Strafe:* avoir un effet dissuasif
Ạbschreckung <-, -en> *f* **1.** MIL dissuasion *f* **2.** (*das Fernhalten*) der ~ dienen servir d'intimidation
ạb|schreiben *irr* **I.** *vt* **1.** (*kopieren*) recopier **2.** (*plagiieren*) etw bei jdm/aus etw ~ copier qc sur qn/dans qc **3.** FIN déduire *Betrag* **4.** *fam* (*verloren geben*) ich hatte ihn schon abgeschrieben j'en avais [déjà] fait mon deuil ►bei jdm abgeschrieben sein *fam* être mort et enterré pour qn **II.** *vi* (*plagiieren*) von jdm/etw ~ copier sur qn/qc
Ạbschreibung *f* FIN déduction *f*
Ạbschrift *f* duplicata *m*
ạb|schürfen *vr* sich (*dat*) die Haut ~ s'écorcher la peau
Ạbschürfung <-, -en> *f* écorchure *f*
Ạbschuss^RR *m* **1.** (*das Abfeuern*) *eines Geschützes* tir *m*; *einer Rakete* lancement *m* **2.** (*Zerstörung*) *eines Flugkörpers* destruction *f* **3.** JAGD zehn Abschüsse erzielen abattre dix pièces de gibier ►zum ~ freigeben JAGD autoriser le tir de *Tier*; *fig fam* lâcher la meute sur *Politiker*
ạbschüssig ['apʃʏsɪç] *adj Straße* escarpé(e); *Hang* abrupt(e)
Ạbschussliste^RR *f* ►auf der ~ stehen *fam* être sur la liste des gens à abattre **Abschussrampe**^RR *f* rampe *f* de lancement
ạb|schütteln *vt* **1.** secouer; die Krümel von etw ~ secouer les miettes de qc **2.** (*sich befreien von*) semer *Verfolger* **3.** (*vertreiben*) évacuer *Ärger*
ạb|schwächen I. *vt* atténuer *Wirkung;* édulcorer *Formulierung;* amortir *Aufprall* **II.** *vr* sich ~ *Lärm:* s'atténuer
ạb|schweifen *vi* + *sein* faire une digression; vom Thema ~ s'écarter du sujet
ạb|schwellen *vi irr* + *sein* **1.** *Entzündung,*

Füße: désenfler **2.** (*sich vermindern*) *Lärm:* faiblir
ạb|schwören *vi irr* dem Glauben ~ abjurer sa foi; dem Alkohol ~ décider de renoncer à l'alcool
ạb|segnen *vt fam* donner sa bénédiction à
ạbsehbar *adj* prévisible; es ist ~, dass on peut s'attendre à ce que + *subj*
ạb|sehen *irr* **I.** *vt* (*voraussehen*) etw ~ können pouvoir prévoir qc ►es auf jdn abgesehen haben (*jdn schikanieren wollen*) avoir qn dans le collimateur; (*an jdm interessiert sein*) avoir jeté son dévolu sur qn; es auf etw (*akk*) abgesehen haben en vouloir à qc **II.** *vi* von einer Strafe ~ renoncer à une peine
ạb|seilen *vr* sich ~ **1.** (*sich hinunterlassen*) descendre avec une corde; *Bergsteiger:* descendre en rappel **2.** *fam* (*verschwinden*) reprendre ses billes
ạb|sein *s.* ab **II.**
ạbseits ['apzaits] **I.** *adv* **1.** à l'écart **2.** SPORT ~ stehen être hors-jeu **II.** *präp* + *gen* ~ des Dorfs liegen être à l'écart du village **Abseits** <-, -> *nt* **1.** SPORT hors-jeu *m* **2.** (*das Aus*) im gesellschaftlichen ~ leben être marginalisé sur le plan social
ạb|senden *vt irr o reg* expédier
Ạbsender(in) <-s, -> *m(f)* expéditeur(-trice) *m(f)*
ạb|servieren* *vt* **1.** (*abräumen*) débarrasser *Tisch* **2.** *fam* (*kaltstellen*) balancer **3.** *fam* (*umbringen*) liquider
ạb|setzen I. *vt* **1.** (*des Amtes entheben*) destituer **2.** (*abnehmen*) enlever *Hut* **3.** (*hinstellen*) poser *Trinkgefäß* **4.** (*aussteigen lassen*) déposer *Mitfahrer* **5.** COM écouler *Produkt* **6.** FIN etw von der Steuer ~ déduire qc des impôts **7.** (*nicht stattfinden lassen*) annuler *Veranstaltung* **8.** MED arrêter *Medikament* **9.** (*wegnehmen*) lever *Feder, Flöte;* trinken ohne das Glas abzusetzen boire d'un trait **II.** *vr* **1.** *a.* CHEM, GEOL sich ~ se déposer **2.** *fam* (*verschwinden*) sich ~ se tirer **3.** (*sich unterscheiden*) sich von jdm/etw ~ trancher sur qn/qc **III.** *vi* trinken ohne abzusetzen boire d'un trait
Ạbsetzung <-, -en> *f einer Fernsehsendung* déprogrammation *f*
ạb|sichern I. *vr* sich ~ prendre des précautions; sich gegen etw ~ se prémunir contre qc **II.** *vt* **1.** (*garantieren*) garantir **2.** (*sicher machen*) einen Raum durch etw ~ protéger une pièce au moyen de qc
Ạbsicht <-, -en> *f* **1.** intention *f*; mit etw eine ~ verfolgen poursuivre un but avec qc **2.** (*Mutwillen*) etw mit ~ tun faire qc exprès; das war keine/das war ~ ce

Absicht ausdrücken

• nach Absicht fragen	• demander l'intention
Was bezwecken Sie damit?	Que voulez-vous faire avec cela?
Was hat das alles für einen Zweck?	À quoi ça sert, tout ça?
Was wollen Sie damit behaupten/ sagen?	Que voulez vous dire?

• Absicht ausdrücken	• exprimer l'intention
Ich **werde** diesen Monat noch das Wohnzimmer tapezieren.	Je **vais** tapisser le salon, ce mois-ci.
Ich habe für nächstes Jahr eine Reise nach Italien **vor/geplant.**	J'envisage/Je projette de faire un voyage en Italie l'année prochaine.
Ich beabsichtige, eine Klage gegen die Firma zu erheben.	J'ai l'intention de déposer une plainte contre l'entreprise.
Ich habe bei dem Menü als Dessert eine Mousse au Chocolat ins Auge gefasst.	Au menu, j'ai en vue une mousse au chocolat comme dessert.
Ich habe mir in den Kopf gesetzt, den Pilotenschein zu machen.	Je me suis mis en tête de passer la licence de pilote.

• Absichtslosigkeit ausdrücken	• exprimer le manque d'intention
Das war nicht von mir beabsichtigt.	Je ne l'ai pas fait exprès.
Das liegt mir fern.	Ça ne me viendrait pas à l'idée.
Ich habe nicht die Absicht, dir irgendwelche Vorschriften zu machen.	Je n'ai pas l'intention de te donner des ordres.
Ich habe es nicht auf Ihr Geld abgesehen.	Je n'en veux pas à votre argent.

n'était pas/c'était intentionnel

absichtlich *adj* intentionnel(le)

ab|sinken *vi irr + sein* **1.** *Leistung:* baisser; *Boden:* s'affaisser **2.** *Schiff:* sombrer [au fond de la mer]

ab|sitzen *irr* **I.** *vt + haben* **1.** (*verbringen*) laisser passer *Zeit* **2.** (*verbüßen*) purger *Haftstrafe* **II.** *vi + sein Reiter:* mettre pied à terre

absolut [apzo'luːt] **I.** *adj* **1.** *Verbot, Ruhe* absolu(e); *Ablehnung* catégorique **2.** *fam* (*völlig*) total(e) **II.** *adv fam unverständlich* absolument

Absolution [apzolu'tsi̯oːn] <-, -en> *f* REL absolution *f;* jdm die ~ **erteilen** donner l'absolution à qn

Absolutismus [apzolu'tɪsmʊs] <-> *m* absolutisme *m*

absolutistisch *adj Herrscher* absolu(e); *Herrschaftsanspruch* absolutiste

Absolvent(in) [apzɔl'vɛnt] <-en, -en> *m(f)* (*Universitätsabsolvent*) diplômé(e) *m(f)*

absolvieren* [apzɔl'viːrən] *vt* effectuer *Ausbildung;* passer *Prüfung;* accomplir *Wehrdienst*

absonderlich *adj, adv* bizarre

ab|sondern I. *vt* **1.** (*isolieren*) isoler **2.** (*ausscheiden*) sécréter **II.** *vr* sich von jdm ~ s'isoler de qn

Absonderung <-, -en> *f* ANAT (*Sekret*) sécrétion *f*

absorbieren* [apzɔr'biːrən] *vt a. fig* absorber

ab|spalten I. *vr* **1.** REL, POL sich von etw ~ se séparer de qc **2.** CHEM sich von etw ~ se libérer de qc **II.** *vt* CHEM **Moleküle von etw** ~ libérer des molécules de qc

Abspann <-[e]s, -e> *m* CINE, TV générique *m*

ab|specken ['apʃpɛkən] *fam* **I.** *vi* **1.** (*abnehmen*) perdre du lard **2.** (*verkleinert werden*) *Abteilung:* dégraisser **II.** *vt* (*reduzieren*) **eine abgespeckte Version** une version allégée

ab|speichern *vt* INFORM sauvegarder; **etw auf der Festplatte** ~ sauvegarder qc sur le disque dur

ab|speisen *vt* éconduire gentiment; **ich lasse mich von Ihnen nicht einfach so** ~! vous ne vous en tirerez pas à si bon compte!

abspenstig ['apʃpɛnstɪç] *adj* jdm jdn/ etw ~ **machen** détourner qn/qc de qn

ạb|sperren I. *vt* **1.** (*versperren*) barrer **2.** (*abstellen*) couper *Gas* **3.** SDEUTSCH (*zuschließen*) **die Tür** ~ fermer la porte à clé **II.** *vi* SDEUTSCH fermer à clé
Ạbsperrung *f* **1.** *kein Pl* (*das Absperren*) barrage *m* **2.** (*Sperre*) barrage *m;* (*Absperrgitter*) barrière *f*
ạb|spielen I. *vr* **sich** ~ *Szene:* se dérouler **II.** *vt* **1.** passer *CD* **2.** SPORT passer *Ball*
Ạbsprache *f* accord *m;* **nach** ~ après accord
ạb|sprechen *irr* **I.** *vt* **1.** convenir de *Plan;* s'entendre sur *Aussagen;* **wir haben abgesprochen, dass ...** nous avons convenu que ... **2.** (*aberkennen*) dénier *Recht* **II.** *vr* **sich** ~ (*eine Vereinbarung treffen*) se concerter
ạb|springen *vi irr* + *sein* **1.** SPORT sauter **2.** (*sich lösen*) **von etw** ~ *Farbe, Lack:* s'écailler de qc **3.** *fam* (*sich zurückziehen*) se raviser
Ạbsprung *m* **1.** (~ *stelle*) saut *m* **2.** (*Abgang vom Gerät*) sortie *f* **3.** *fam* (*Ausstieg*) **den** ~ **schaffen** sauter le pas; **den** ~ **verpasst haben** avoir raté le coche
ạb|stammen *vi kein PP* **von jdm** ~ descendre de qn
Ạbstammung <-, -en> *f* origine *f*
Ạbstand *m* **1.** (*räumliche Distanz*) écart *m;* ~ **halten** (*im Straßenverkehr*) garder les distances **2.** (*zeitliche Distanz*) intervalle *m* **3.** (*innere Distanz*) recul *m* **4.** SPORT (*Unterschied in der Wertung*) avance *f;* (*Rückstand*) retard *m;* **mit großem** ~ **führen** mener très largement ►**von etw** ~ **nehmen** *form* renoncer à qc; **mit** ~ **de** loin
ạb|statten ['apʃtatən] *vt* **jdm einen Besuch** ~ rendre visite à qn
ạb|stauben I. *vt* **1.** dépoussiérer *Möbel* **2.** *fam* (*sich aneignen*) **etw von/bei jdm** ~ resquiller qc à qn **II.** *vi* faire la poussière
ạb|stechen *irr* **I.** *vt* saigner (*fam*) **II.** *vi* **von jdm/etw** ~ se distinguer de qn/qc
Ạbstecher <-s, -> *m* (*Ausflug*) virée *f* (*fam*); (*Umweg*) crochet *m*
ạb|stecken *vt* **1.** (*markieren*) jalonner *Grundstück* **2.** (*feststecken*) épingler *Saum* **3.** (*umreißen*) esquisser les contours de *Ziel*
ạb|stehen *vi irr Haare:* être hérissé; *Zöpfe:* être écarté; *Ohren:* être décollé
Ạbsteige *f fam* **1.** (*Stundenhotel*) hôtel *m* de passe **2.** (*schäbiges Hotel*) hôtel *m* borgne
ạb|steigen *vi irr* + *sein* **1.** (*heruntersteigen*) *Bergsteiger:* descendre; **vom Fahrrad/Pferd** ~ descendre de vélo/de cheval **2.** *fam* (*sich einquartieren*) **in einer klei-**

nen Pension ~ descendre dans une petite pension **3.** (*sich verschlechtern*) **in die zweite Liga** ~ descendre en deuxième division; **beruflich/sozial** ~ régresser professionnellement/socialement
Ạbsteiger <-s, -> *m* SPORT relégué *m*
ạb|stellen *vt* **1.** (*hinstellen*) déposer; **etw bei jdm** ~ déposer qc chez qn **2.** (*parken*) garer *Wagen* **3.** (*ausschalten*) débrancher *Computer;* arrêter *Motor;* couper *Gas* **4.** (*abkommandieren*) détacher
Ạbstellgleis *nt* voie *f* de garage **Ạbstellraum** *m* débarras *m*
ạb|stempeln *vt* **1.** tamponner *Brief* **2.** *pej* (*abwerten*) **jdn als Wichtigtuer** ~ cataloguer qn comme frimeur
ạb|sterben *vi irr* + *sein* **1.** mourir **2.** (*gefühllos werden*) *Arm:* s'engourdir
Ạbstieg ['apʃtiːk] <-[e]s, -e> *m* **1.** (*das Hinabklettern*) descente *f* **2.** (*Verlust der sozialen Stellung*) déchéance *f* **3.** SPORT descente *f;* **vom** ~ **bedroht sein** être au bord de la relégation
ạb|stillen I. *vt* sevrer *Baby* **II.** *vi* cesser d'allaiter
ạb|stimmen I. *vi* voter; **über etw** (*akk*) ~ **lassen** soumettre qc au vote **II.** *vt* (*in Einklang bringen*) accorder *Instrumente;* coordonner *Termine;* **den Teppich und die Vorhänge aufeinander** ~ assortir le tapis et les rideaux **III.** *vr* **sich mit jdm** ~ se mettre d'accord avec qn
Ạbstimmung *f* (*Stimmabgabe*) vote *m,* scrutin *m;* **in geheimer** ~ à bulletin secret
abstinent [apsti'nɛnt] *adj* abstinent(e)
Abstinẹnz [apsti'nɛnts] <-> *f* abstinence *f*
Abstinẹnzler(in) <-s, -> *m(f) pej* non-buveur(-euse) *m(f)*
Ạbstoß *m* SPORT dégagement *m*
ạb|stoßen *irr* **I.** *vt* **1.** MED rejeter *Transplantat* **2.** (*anwidern*) dégoûter **3.** (*abschlagen*) écorner *Ecke, Stück* **4.** (*verkaufen*) vendre *Wertpapiere* **5.** (*nicht eindringen lassen*) être imperméable à *Wasser* **6.** (*wegstoßen*) **das Boot vom Ufer** ~ éloigner le bateau de la rive **II.** *vr* (*sich wegbewegen*) **sich** ~ s'élancer **III.** *vi Aussehen:* être répugnant
abstoßend *adj* répugnant(e)
abstrahieren* [apstra'hiːrən] *vi* abstraire
abstrakt [ap'strakt] *adj* abstrait(e)
Abstraktion <-, -en> *f* abstraction *f*
ạb|streifen *vt* **1.** retirer *Ring;* ôter *Handschuhe* **2.** DIAL (*reinigen*) essuyer *Schuhe, Füße*
ạb|streiten *vt irr* **1.** nier *Tat;* dénier *Beteiligung* **2.** (*absprechen*) contester; **das kann man nicht** ~ il faut bien le reconnaître
Ạbstrich *m* **1.** *meist Pl* (*Streichung von Mitteln*) réduction *f;* **erhebliche** ~**e an etw**

(*dat*) des coupes *fpl* sombres dans qc **2.** *Pl* (*Einschränkung*) ~**e machen müssen** (*ideell*) devoir en rabattre; (*finanziell*) devoir se restreindre **3.** MED frottis *m*
ạb|stufen *vt* **1.** (*terrassieren*) étager **2.** (*staffeln*) échelonner *Gehälter* **3.** (*herabstufen*) rétrograder *Mitarbeiter;* réduire *Tarif* **4.** (*nuancieren*) dégrader *Farbtöne*
Ạbstufung <-, -en> *f* **1.** (*Geländestufe*) terrasse *f* **2.** kein *Pl* (*das Herabstufen*) eines *Mitarbeiters* rétrogradation *f;* eines *Tarifs* réduction *f* **3.** (*Staffelung*) barème *m* **4.** (*Nuance*) dégradé *m*
ạb|stumpfen I. *vt* + *haben* abrutir *Person;* émousser *Gewissen* **II.** *vi* **1.** + *sein Person:* s'abrutir; *Gewissen:* s'émousser **2.** + *haben* (*abstumpfend wirken*) être abrutissant
Ạbsturz *m* **1.** eines *Flugzeugs* écrasement *m; eines Bergsteigers* chute *f* **2.** INFORM *Computers* plantage *m* (*fam*)
ạb|stürzen *vi* + *sein* **1.** *Flugzeug:* s'écraser; *Bergsteiger:* dévisser **2.** INFORM *Computer:* se bloquer
ạb|stützen I. *vt* étayer *Decke* **II.** *vr* **sich mit etw/an etw** (*dat*) ~ s'appuyer sur qc/à qc
ạb|suchen *vt* **1.** ratisser *Gegend* **2.** (*ableuchten*) **etw** ~ *Scheinwerfer:* balayer qc
absụrd [ap'zʊrt] *adj* absurde
Absurdität [apzʊrdi'tɛːt] <-, -en> *f* absurdité *f*
Abszẹssᴿᴿ [aps'tsɛs] <-es, -e>, **Abszẹß** <-sses, -sse> *m* abcès *m*
Ạbt [apt, *Pl:* ɛptə] <-[e]s, ⸗e> *m* abbé *m*
ạb|tasten *vt* **1.** *a.* MED palper **2.** (*durchsuchen*) fouiller **3.** INFORM **etw** ~ *Scanner:* lire qc par balayage
ạb|tauchen *vi* + *sein fam* (*verschwinden*) se planquer
ạb|tauen I. *vt* + *haben* dégivrer *Kühlschrank* **II.** *vi* + *sein Eis:* fondre
Abtei [ap'tai] <-, -en> *f* abbaye *f*
Abteil [ap'tail] *nt* compartiment *m*
ạb|teilen *vt* délimiter *Raum;* **von etw eine Ecke** ~ séparer un coin de qc
Abteilung [ap'tailʊŋ] *f* **1.** einer *Firma, eines Krankenhauses* service *m; eines Geschäfts* rayon *m* **2.** MIL détachement *m*
Abteilungsleiter(in) *m(f) einer Firma* chef *mf* de service; *eines Geschäfts* chef de rayon
ạb|tippen *vt fam* taper
Ạbtissin [ɛp'tɪsɪn] <-, -nen> *f* abbesse *f*
ạb|törnen ['aptœrnən] *vt* faire flipper
ạb|töten *vt* tuer
ạb|tragen *vt irr* **1.** user *Kleidung* **2.** *geh* (*abbezahlen*) s'acquitter de *Schulden* **3.** *geh* (*abräumen*) enlever *Geschirr* **4.** (*entfernen*) niveler *Gelände;* déblayer *Boden;* démolir *Mauer* **5.** GEOL éroder *Boden*

ạbträglich ['aptrɛːklɪç] *adj Bemerkung* préjudiciable
ạb|transportieren* *vt* **1.** (*wegfahren*) transporter *Bauschutt;* enlever *Müll* **2.** (*evakuieren*) évacuer *Opfer;* transférer *Gefangene*
ạb|treiben *irr* **I.** *vt* + *haben* **1.** MED **ein Kind** ~ **lassen** se faire avorter d'un enfant **2.** (*forttreiben*) déporter *Ballon;* entraîner *Schwimmer* **3.** (*zu Tal treiben*) faire redescendre *Vieh;* **die Kühe von der Alm** ~ ramener les vaches du pâturage **II.** *vi* **1.** + *haben* MED ~ **lassen** se faire avorter **2.** + *sein* (*abkommen*) *Boot, Ballon:* dériver; **vom Kurs** ~ *Boot, Ballon:* dévier de sa route; **vom Ufer** ~ être entraîné au large
Abtreibung <-, -en> *f* avortement *m*
Abtreibungspille *f fam* pilule *f* abortive
ạb|trennen *vt* **1.** (*abreißen*) détacher; **etw von etw** ~ détacher qc de qc **2.** (*abmachen*) **die Ärmel von etw** ~ découdre les manches de qc **3.** (*abteilen*) délimiter *Raum* **4.** (*abschneiden*) couper **5.** (*amputieren*) amputer
ạb|treten *irr* **I.** *vt* + *haben* **1.** JUR céder **2.** *fam* (*überlassen*) refiler **3.** (*abnutzen*) user *Teppich, Schuhe* **4.** (*durch Treten entfernen*) secouer *Schnee;* gratter *Schmutz* **II.** *vi* + *sein* **1.** (*abgehen*) **von der Bühne** ~ sortir de scène **2.** *fam* (*sterben*) claquer **3.** MIL rompre les rangs
Abtreter <-s, -> *m fam* (*Fußmatte*) paillasson *m;* (*Gitterrost*) décrottoir *m*
Abtretung <-, -en> *f* JUR cession *f*
ạb|trocknen I. *vt* essuyer **II.** *vi* essuyer [la vaisselle] **III.** *vr* **sich** ~ s'essuyer
ạb|tropfen *vi* + *sein* [s']égoutter
ạbtrünnig ['aptrʏnɪç] *adj Ketzer* renégat(e); *Provinz* dissident(e); **dem Glauben** ~ **werden** renier sa foi
Ạbtrünnige(r) *f(m) dekl wie adj* dissident(e) *m(f)*
ạb|tun *vt irr* **1.** (*nicht beachten*) ignorer *Argument;* **etw mit einem Achselzucken** ~ écarter qc d'un haussement d'épaules **2.** (*erledigen*) **die Sache war mit einem Brief abgetan** l'affaire était réglée par une lettre
ạb|tupfen *vt* **1.** (*entfernen*) éponger *Blut;* essuyer *Tränen* **2.** (*reinigen*) essuyer *Gesicht;* nettoyer *Wunde*
ạb|turnen ['aptœrnən] *s.* abtörnen
ạb|verlangen* *vt* exiger *Geld;* **jdm etw** ~ exiger qc de qn
ạb|wägen ['apvɛːgən] *vt irr* peser *Vorteile;* examiner avec soin *Angebot*
ạb|wählen *vt* blackbouler *Person;* abandonner *Schulfach*
ạb|wälzen *vt* se décharger de *Verantwor-*

tung; répercuter *Kosten;* **die Schuld/Arbeit auf jdn** ~ rejeter la faute/se décharger de la corvée sur qn

ạb|wandeln *vt* modifier *Melodie*

ạb|wandern *vi* + *sein* **1.** (*wegziehen*) déménager **2.** *fig fam Kapital:* fuir

Ạbwart(in) ['apvart] ['apvart] <-s, -e> *m(f)* CH gardien(ne) *m(f)* d'un/de l'immeuble

ạb|warten *vt, vi* attendre *Ergebnis;* **er kann es nicht ~ sie anzurufen** il est impatient de lui téléphoner

ạbwärts ['apvɛrts] *adv* en bas; **weiter ~** plus bas

abwärts|gehen *s.* **abwärts**

Abwärtstrend *m* tendance *f* à la baisse

Ạbwasch ['apvaʃ] <-[e]s> *m fam* **den ~ machen** faire la vaisselle

ạbwaschbar *adj* lavable

ạb|waschen *irr* **I.** *vt* **1.** (*säubern*) laver **2.** (*entfernen*) enlever **II.** *vi* faire la vaisselle

Ạbwasser <-wässer> *nt* eaux *fpl* usées; **industrielle Abwässer** eaux industrielles

Ạbwasseraufbereitung *f* traitement *m* des eaux usées **Ạbwasserkanal** *m* égout *m* **Ạbwasserreinigung** *f* épuration *f* des eaux usées

ạb|wechseln *vr* (*im Wechsel handeln*) **sich ~** alterner; **sich mit jdm ~** alterner avec qn; **sich beim Kochen/Spülen ~** se relayer pour faire la cuisine/vaisselle

ạbwechselnd *adv* (*einer nach dem anderen*) à tour de rôle; (*eins nach dem anderen*) tour à tour

Ạbwechslung <-, -en> *f* (*Zerstreuung*) distraction *f;* (*Veränderung*) changement *m;* **zur ~** pour changer

ạbwechslungsreich *adj* varié(e)

Ạbweg *m meist Pl* **auf ~e geraten** sortir du droit chemin

ạbwegig ['apveːgɪç] *adj* aberrant(e)

Ạbwehr ['apveːɐ̯] *f* **1.** SPORT défense *f* **2.** MIL riposte *f* **3.** (*Spionageabwehr*) contre-espionnage *m* **4.** MED (*das Abwehren*) défense *f;* (*Abwehrsystem*) défenses *fpl* **5.** (*Ablehnung*) résistance *f*

ạb|wehren **I.** *vt* **1.** *a.* MIL (*zurückschlagen*) repousser **2.** SPORT repousser *Strafstoß;* stopper *Angriff* **3.** (*abblocken*) parer *Schlag* **4.** (*abwenden*) écarter *Gefahr;* enrayer *Auswirkungen* **II.** *vi* **1.** (*ablehnen*) refuser; **~d die Hände heben** lever les mains en signe de dénégation **2.** SPORT dégager

Ạbwehrkräfte *Pl* MED défenses *fpl* [immunitaires] **Abwehrreaktion** *f* MED réaction *f* de défense

ạb|weichen *vi irr* + *sein* **1.** (*nicht befolgen*) **von etw ~** s'écarter de qc **2.** (*sich unterscheiden*) **von etw ~** *Auffassung:* s'écarter

de qc; **voneinander ~** diverger; **~d** *Meinung* différent **3.** (*abkommen*) **vom Kurs ~** dévier de sa route

Ạbweichung <-, -en> *f* **1.** (*Unterschiedlichkeit*) divergence *f* **2.** (*Kursabweichung*) déviation *f* **3.** TECH (*Differenz*) écart *m*

ạb|weisen *vt irr* **1.** (*wegschicken*) renvoyer **2.** (*ablehnen*) rejeter *Bitte;* refuser *Bewerber*

ạbweisend *adj* rebutant(e); **~ zu jdm sein** être bourru avec qn

ạb|wenden *irr o reg* **I.** *vr geh* (*sich wegdrehen*) **sich ~** se détourner; **sich von jdm/ der Tür ~** tourner le dos à qn/la porte **II.** *vt* **1.** (*verhindern*) éviter *Folgen;* détourner *Unheil;* écarter *Gefahr* **2.** *geh* (*zur Seite wenden*) détourner *Blick*

ạb|werben *vt irr* débaucher *Mitarbeiter;* racoler *Kunden*

ạb|werfen *irr* **I.** *vt* **1.** (*aus der Luft werfen*) lâcher *Ballast;* parachuter *Hilfsgüter;* lancer *Flugblätter;* larguer *Bomben* **2.** (*zu Boden werfen*) jdn ~ *Reittier:* désarçonner qn **3.** (*verlieren*) perdre *Blätter* **4.** (*erzielen*) rapporter *Gewinn* **5.** *geh* (*abschütteln*) secouer *Joch;* briser *Fesseln* **6.** SPIEL se défausser de *Karte* **II.** *vi* *Torwart:* dégager [à la main]

ạb|werten *vt* FIN dévaluer *Währung*

ạbwertend *adj* péjoratif(-ive)

Ạbwertung *f* einer *Währung* dévaluation *f*

ạbwesend ['apveːzənt] *adj* absent(e)

Ạbwesenheit <-, -en> *f* (*opp: Anwesenheit*) absence *f*

ạb|wickeln *vt* **1.** (*herunterwickeln*) défaire *Verband;* **etw von einer Rolle ~** dérouler qc d'un rouleau; **die Wolle von der Spule ~** débobiner la laine **2.** (*erledigen*) exécuter *Auftrag;* réaliser *Geschäft*

Ạbwicklung <-, -en> *f* (*Erledigung*) eines *Auftrags* exécution *f;* eines *Geschäfts* réalisation *f*

ạb|wiegeln *vi* minimiser

ạb|wiegen *vt irr* peser

ạb|wimmeln *vt fam* envoyer balader *Vertreter;* **sich nicht so leicht ~ lassen** ne pas se laisser rebuter si facilement

ạb|winken *vi* faire un geste de dénégation ▶**bis zum Abwinken** *fam* à faire crier grâce

ạb|wischen *vt* essuyer

Ạbwurf *m* **1.** *von Ballast* lâchage *m; von Bomben* largage *m* **2.** SPORT dégagement *m* [à la main]

ạb|würgen *vt fam* **1.** caler *Motor* **2.** (*im Keim ersticken*) couper court à *Diskussion;* étouffer *Forderung*

ạb|zahlen *vt* **1.** (*zurückzahlen*) rembourser

Kredit **2.** (*in Raten bezahlen*) **etw** ~ payer qc à tempérament; **etw in Raten** ~ payer qc en plusieurs versements

ab|zählen I. *vt* compter *Betrag;* **das Fahrgeld abgezählt bereithalten** préparer l'appoint du prix du billet **II.** *vi* compter

Abzahlung *f eines Kredits* remboursement *m*

Abzeichen *nt* insigne *m*

ab|zeichnen I. *vt* **1.** (*abmalen*) reproduire **2.** (*signieren*) signer **II.** *vr* **sich** ~ **1.** (*erkennbar werden*) se profiler **2.** (*durchscheinen*) *Unterwäsche, Träger:* se dessiner

Abziehbild *nt* décalcomanie *f*

ab|ziehen *irr* **I.** *vi* **1.** + *sein* MIL se retirer **2.** + *sein fam* (*weggehen*) décamper; **zieh ab!** *fam* fiche le camp! **3.** + *sein* (*wegziehen*) *Rauch:* se dissiper; *Gewitter:* s'éloigner **II.** *vt* + *haben* **1.** (*einbehalten*) retenir *Steuern* **2.** (*abrechnen*) déduire *Betrag* **3.** (*subtrahieren*) retrancher *Zahlen* **4.** (*entnehmen*) retirer **5.** (*entfernen*) **jdm die Haut** ~ écorcher qn; **einem Tier das Fell** ~ dépouiller un animal **6.** (*von den Bezügen befreien*) **das Bett** ~ retirer les draps [du lit] **7.** (*abfüllen*) tirer *Most, Wein;* **Wein auf Flaschen** ~ mettre du vin en bouteilles **8.** (*vervielfältigen*) tirer *Text, Vorlage*

ab|zielen *vi* **1.** (*treffen wollen*) **auf jdn/ etw** ~ *Bemerkung, Seitenhieb:* viser qn/qc; **worauf zielst du mit deiner Bemerkung ab?** où veux-tu en venir avec ta remarque? **2.** (*zum Ziel haben*) **auf etw** (*akk*) ~ *Person:* avoir qc en vue; *Gesetz, Maßnahme:* viser à qc

ab|zocken *vt fam* arnaquer

Abzug *m* **1.** (*Einbehalt*) *von Sozialabgaben* retenue *f* **2.** (*das Abziehen*) *eines Rabatts* déduction *f* **3.** (*Vervielfältigung*) copie *f* **4.** (*Bilderabzug*) épreuve *f* **5.** *kein Pl* MIL retrait *m* **6.** FIN *von Kapital* retrait *m* **7.** (*Luftzufuhr*) *eines Kamins* tirage *m;* (~*söffnung*) conduit *m* de fumée **8.** (*Drücker*) *einer Schusswaffe* détente *f*

abzüglich ['aptsy:klɪç] *präp* + *gen* déduction faite de

ab|zweigen I. *vi* + *sein* bifurquer; **von etw** ~ *Weg, Gleis:* bifurquer de qc; **an etw** (*dat*)/**von etw** ~ *Kabel:* partir de qc **II.** *vt* + *haben fam* **hundert Euro von etw** ~ prélever cent euros sur qc

Abzweigung <-, -en> *f eines Wegs* embranchement *m; eines Kabels* branchement *m*

ach [ax] *interj* **1.** (*Ausruf der Verärgerung*) ah; ~ **was!** allons donc! **2.** (*Ausruf der Überraschung*) ah; ~ **nein!** *fam* allons bon!; ~ **wirklich?** ah oui?; ~ **so!** (*nun gut*) bon, bon!; (*aha*) ah bon!

Ach <-s, -[s]> *nt* ► **mit** ~ **und** Krach *fam* de justesse

Achse ['aksə] <-, -n> *f* **1.** *eines Fahrzeugs* essieu *m* **2.** PHYS, MATH axe *m* ► **auf** ~ **sein** *fam* être [toujours] sur les chemins

Achsel ['aksl] <-, -n> *f* **1.** (~*höhle*) aisselle *f* **2.** (*Schulter*) épaule *f*; **mit den** ~**n zucken** hausser les épaules

Achselhöhle *f* aisselle *f*

Achsenbruch *m* rupture *f* d'essieu

acht¹ [axt] *num* huit; ~ [Jahre alt] sein avoir huit ans; **mit** ~ [Jahren] à huit ans; **es ist** ~ [Uhr] il est huit heures; **um/gegen** ~ [Uhr] à/vers huit heures; **kurz vor** ~ peu avant huit heures; **es ist schon kurz nach** ~ il est déjà huit heures passées; **alle** ~ **Stunden** toutes les huit heures; **heute/[am] Montag in** ~ **Tagen** dans huit jours/lundi en huit; **es steht** ~ **zu drei** le score est de huit à trois

acht² *adv* **zu** ~ **sein** être huit; **etw zu** ~ **tun** faire qc à huit

Acht¹ [axt] <-, -en> *f* **1.** (*Zahl, Spielkarte*) huit *m* **2.** *kein Pl* (*U-Bahn-, Bus-, Straßenbahnlinie*) huit *m* **3.** (*einer* ~ *ähnelnde Form, Linie*) **eine** ~ **haben/laufen** faire un huit

Acht² <-> *f* ~ **geben** faire attention; **auf jdn/etw** ~ **geben** surveiller qn/qc; ~ **geben, dass** veiller à ce que + *subj;* **außer** ~ **lassen** ne pas tenir compte de; **nicht außer** ~ **lassen** ne pas négliger; **nimm dich in** ~! prends garde [à toi]!; **sich in** ~ **nehmen** se tenir sur ses gardes; **sich vor jdm/etw in** ~ **nehmen** se méfier de qn/qc

achtbar *adj geh* honorable

achte(r, s) *adj* **1.** huitième; **jeder** ~ **Franzose** un Français sur huit **2.** (*bei Datumsangaben*) **der** ~ **März** le huit mars; **am** ~**n März** le huit mars; **am Freitag, den** ~**n März** le vendredi huit mars; **Bonn, den** ~**n März** Bonn, le huit mars

Achte(r) *f(m) dekl wie adj* **1.** **als** ~**r**/~ en huitième position; **jeder** ~ une personne sur huit **2.** (*bei Datumsangabe*) **der** ~/**am** ~**n** le huit **3.** (*als Namenszusatz*) **Karl der** ~ Charles VIII

Achteck *nt* octogone *m*

achteckig *adj* octogonal(e)

achteinhalb *num* ~ **Meter** huit mètres et demi

achtel *adj* **ein** ~ **Gramm** un huitième de gramme

Achtel <-s, -> *nt* **1.** *a.* MATH huitième *m* **2.** (~*liter*) ballon *m* **3.** (*achtel Pfund*) **ein** ~ **Butter** une demi-plaquette de beurre

Achtelfinale *nt* huitième *m* de finale **Achtelnote** *f* croche *f*

achten I. *vt* **1.** (*wertschätzen*) estimer; **jdn hoch ~** tenir qn en haute estime; **etw hoch ~** estimer beaucoup qc **2.** (*respektieren*) respecter *Gesetze* **II.** *vi* **1.** (*aufpassen*) **auf jdn/etw ~** surveiller qn/qc **2.** (*beachten*) **auf jdn/etw ~** faire attention à qn/qc **3.** (*sehen auf*) **darauf ~ etw zu tun** veiller à faire qc

ächten *vt* **1.** HIST proscrire **2.** (*verdammen*) **jdn ~** frapper qn d'ostracisme

achtens *adv* huitièmement

achtenswert *adj Person* respectable; *Leistung* méritoire

Achterbahn *f* grand huit *m*

achterlei *adj inv* **~ Sorten Brot** huit sortes de pain; **in ~ Größen** en huit tailles

achtfach I. *adj* octuple; **eine ~e Vergrößerung** un agrandissement huit fois plus grand; **die ~e Menge nehmen** prendre huit fois cette quantité; **in ~er Ausfertigung** en huit exemplaires **II.** *adv falten* huit fois; *ausfertigen* en huit exemplaires **Achtfache(s)** *nt dekl wie adj* octuple *m;* **das ~ verdienen** gagner huit fois plus; **um das ~ de huit fois; um das ~ höher** huit fois plus élevé

acht|geben *s.* **Acht²**

achthundert ['axt'hʊndɛt] *num* huit cents

achtkantig I. *adj* à huit arêtes **II.** *adv* ►**jdn ~ rauswerfen** *fam* ficher qn dehors

achtlos I. *adj* inattentif(-ive); **~ sein** ne pas faire attention **II.** *adv* sans faire attention

Achtlosigkeit <-> *f* inattention *f*

achtmal *adv* huit fois; **~ so viel** huit fois plus; **~ so viele ...** huit fois plus de ...

achtsam I. *adj geh* précautionneux(-euse); **~ mit etw sein** faire attention à qc **II.** *adv geh* soigneusement

Achtsamkeit <-> *f geh* soin *m*

Achtstundentag [axt'ʃtʊndənta:k] *m* journée *f* de huit heures **achtstündig** *adj attr* de huit heures **achttausend** ['axt'tauzənt] *num* huit mille **Achtundsechziger(in)** <-s, -> *m(f)* soixante-huitard(e) *m(f)* (*fam*)

Achtung ['axtʊŋ] <-> *f* **1.** (*Wertschätzung*) respect *m;* **sich** (*dat*) **~ bei jdm verschaffen** imposer le respect à qn **2.** (*Vorsicht*) **~!** attention!; **~, fertig, los!** attention! prêts? partez! ►**alle ~!** chapeau bas!

Ächtung ['ɛçtʊŋ] <-, -en> *f* **1.** *a.* HIST proscription *f* **2.** (*Verdammung*) *von Gewalt, von Kriegen* condamnation *f*

achtzehn *num* dix-huit; *s. a.* **acht¹ achtzehnte(r, s)** *adj* dix-huitième; *s. a.* **achte(r, s) achtzeilig** *adj Gedicht, Strophe* de huit vers; *Text* de huit lignes

achtzig ['axtsɪç] *num* quatre-vingts, hui-

tante (CH), octante (BELG); **~ [Jahre alt] sein** avoir quatre-vingts ans; **mit ~ [Jahren]** à quatre-vingts ans; **mit ~ Stundenkilometern** à quatre-vingts kilomètres à l'heure ►**jdn mit etw auf ~ bringen** *fam* mettre qn en pétard avec qc; **auf ~ sein** *fam* être en pétard

achtziger *adj inv* **die ~ Jahre** les années *fpl* quatre-vingts; **der ~ Jahrgang** (*Wein*) la cuvée quatre-vingts; *fig* (*Menschen*) la promotion quatre-vingts

achtzigste(r, s) *adj* quatre-vingtième; **jdn zum ~n Geburtstag gratulieren** féliciter qn pour son quatre-vingtième anniversaire

ächzen ['ɛçtsən] *vi* **1.** gémir; **vor Schmerzen/Anstrengung ~** gémir de douleur/sous l'effort; **das/ein Ächzen** les gémissements/un gémissement; **~ und stöhnen** *fam* geindre **2.** (*knarren*) *Baum, Haus:* grincer

Acker ['akɐ, *Pl:* 'ɛkɐ] <-s, ¨> *m* champ *m*

Ackerbau *m kein Pl* agriculture *f* **Ackerland** *nt kein Pl* terre *f* arable

ackern *vi fam* bosser

Acryl [a'kry:l] <-s> *nt* CHEM acrylique *m*

Action ['ækʃən] <-> *f fam* (*spannende Handlung*) action *f;* (*lebhafte Stimmung*) animation *f*

Actionfilm *m* film *m* d'action

a.D. [a:'de:] *Abk von* **außer Dienst** E.R.

ADAC [a:de:ʔa:'tse:] <-> *m Abk von* **Allgemeiner Deutscher Automobil-Club** club automobile allemand

ad acta *adv* **etw ~ legen** *geh* classer [définitivement] qc

Adamsapfel *m fam* pomme *f* d'Adam **Adamskostüm** *nt* costume *m* d'Adam; **im ~** *hum fam* en costume d'Adam

Adapter [a'daptɐ] <-s, -> *m* TECH adaptateur *m*

adäquat [adɛ'kva:t] *adj Honorar* convenable; *Übersetzung* juste; *Verhalten* adéquat(e)

addieren* [a'di:rən] *vt* additionner *Zahlen*

Addition [adi'tsio:n] <-, -en> *f* addition *f*

ade [a'de:] *interj* SDEUTSCH au revoir

Adel ['a:dəl] <-s> *m* (*~sgeschlechter*) noblesse *f;* **von ~ sein** être noble

adelig *adj s.* **adlig**

adeln *vt* (*den Adel verleihen*) anoblir

Adelstitel *m* titre *m* nobiliaire

Ader ['a:dɐ] <-, -n> *f* **1.** ANAT veine *f* **2.** MIN filon *m* **3.** ELEC fil *m* **4.** BOT nervure *f* ►**eine künstlerische ~ haben** avoir un don pour l'art

AderlassRR ['a:dɐlas] <-es, -lässe>, **Aderlaß** <-lasses, -lässe> *m geh* (*Verlust*) hémorragie *f*

ad hoc [at hɔk] *adv geh* sur-le-champ

adieu [a'di̯øː] *interj s.* **ade**
Adjektiv ['atjɛktiːf] <-s, -e> *nt* adjectif *m*
adjektivisch ['atjɛktiːvɪʃ] *adj* adjectival(e)
Adler ['aːdlɐ] <-s, -> *m* aigle *m*
Adlerauge *nt* œil *m* d'aigle ▸~n **haben** avoir un regard d'aigle **Adlernase** *f* nez *m* aquilin
adlig *adj* noble **Adlige(r)** *f(m) dekl wie adj* noble *mf*
Administration [atmɪnɪstra'tsi̯oːn] <-, -en> *f* administration *f*
administrativ [atmɪnɪstra'tiːf] *adj* administratif(-ive)
Admiral(in) [atmi'raːl] <-s, -e *o* Admiräle> *m(f)* MIL amiral *m*
adoptieren* [adɔp'tiːrən] *vt* adopter
Adoption [adɔp'tsi̯oːn] <-, -en> *f* adoption *f*
Adoptiveltern *Pl* parents *mpl* adoptifs **Adoptivkind** *nt* [enfant *m*] adopté *m*
Adrenalin [adrena'liːn] <-s> *nt* adrénaline *f*
Adrenalinstoß *m* décharge *f* d'adrénaline
Adressat(in) [adrɛ'saːt] <-en, -en> *m(f)* *geh (Empfänger)* destinataire *mf*
Adressbuch^RR *nt* **1.** *(amtliches Verzeichnis)* annuaire *m* **2.** *(Notizbuch)* carnet *m* d'adresses
Adresse [a'drɛsə] <-, -n> *f* **1.** *a.* INFORM adresse *f* **2.** *(Firma, Firmenname)* **die ersten** ~**n** les meilleures maisons *fpl;* **eine der besten** ~**n für Software** une des meilleures marques de logiciels ▸**bei jdm mit etw an der falschen** ~ **sein** *fam* se tromper d'adresse pour qc en s'adressant à qn
adressieren* [adrɛ'siːrən] *vt* mettre l'adresse sur; **etw an jdn/etw** ~ adresser qc à qn/qc
Adria <-> *f* **die** ~ l'Adriatique *f*
A-Dur *nt* la *m* majeur
Advent [at'vɛnt] <-s, -e> *m* avent *m*
Adventskalender *m* calendrier *m* de l'avent **Adventskranz** *m* couronne *f* de l'avent
Adverb [at'vɛrp] <-s, -ien> *nt* adverbe *m*
adverbial [atvɛr'bi̯aːl] *adj* adverbial(e)
Advokat(in) [atvo'kaːt] <-en, -en> *m(f)* A, CH avocat(e) *m(f)*
Aerobic [ɛ'roːbɪk] <-s> *nt* aérobic *f*
Aerodynamik [aerody'naːmɪk] *f* **1.** PHYS aérodynamique *f* **2.** AUT aérodynamisme *m*
Affäre [a'fɛːrə] <-, -n> *f* **1.** *(Angelegenheit)* affaire *f* **2.** *(Liebesabenteuer)* aventure *f* ▸**sich mit etw aus der** ~ **ziehen** *fam* se dépatouiller en faisant qc
Affe ['afə] <-n, -n> *m* **1.** singe *m* **2.** *fam (unangenehmer Mensch)* conard *m;* **ich glaub', mich laust der** ~! *fam* les bras

m'en tombent!
Affekt [a'fɛkt] <-[e]s, -e> *m* JUR [im]pulsion *f;* **etw im** ~ **tun** faire qc sous le coup d'une émotion
Affekthandlung *f* acte *m* impulsif
affektiert [afɛk'tiːɐt] *pej* **I.** *adj Person* maniéré(e); *Benehmen, Stil* affecté(e) **II.** *adv* avec affectation
affenartig *adj* simiesque **affengeil** *adj fam* génial(e) **Affenhitze** *f fam* chaleur *f* à crever **Affentempo** *nt fam* vitesse *f* dingue; **in einem** ~ à fond la caisse **Affentheater** *nt fam* cirque *m*
Affiche ['afiʃ] <-, -n> *f* CH affiche *f*
affig *pej fam* **I.** *adj Benehmen* chichiteux(-euse); *Eindruck* ridicule **II.** *adv* **sich** ~ **anstellen** faire des simagrées
Äffin ['ɛfɪn] <-, -nen> *f* guenon *f*
Afghane [af'gaːnə] <-n, -n> *m*, **Afghanin** *f* Afghan(e) *m(f)*
afghanisch [af'gaːnɪʃ] **I.** *adj* afghan(e) **II.** *adv* ~ **miteinander sprechen** discuter en afghan; *s. a.* **deutsch**
Afghanisch [af'gaːnɪʃ] <-[s]> *nt kein art* afghan *m; s. a.* **Deutsch**
Afghanistan [af'gaːnɪstaːn] <-s> *nt* l'Afghanistan *m*
Afrika ['aːfrika] <-s> *nt* l'Afrique *f*
Afrikaner(in) [afri'kaːnɐ] <-s, -> *m(f)* Africain(e) *m(f)*
afrikanisch *adj* africain(e)
After ['aftɐ] <-s, -> *m* anus *m*
Aftershave^RR [a:ftɐ'ʃeɪv] <-[s], -s>, **After-shave** *nt* après-rasage *m*
AG [aːˈgeː] <-, -s> *f Abk von* **Aktiengesellschaft** S.A. *f*
Ägäis [ɛ'gɛːɪs] <-> *f* **die** ~ la mer Égée
Agave [aga:və] <-, -n> *f* agave *m*
Agent(in) [a'gɛnt] <-en, -en> *m(f)* agent *m*
Agentur [agɛn'tuːɐ] <-, -en> *f* COM, MEDIA agence *f*
Agglomeration [aglomera'tsi̯oːn] <-, -en> *f geh* région *f* à forte concentration urbaine
Aggregat [agre'gaːt] <-[e]s, -e> *nt* TECH organe *m; (Stromaggregat)* groupe *m* électrogène
Aggression [agrɛ'si̯oːn] <-, -en> *f* **1.** PSYCH agressivité *f pas de pl* **2.** MIL agression *f*
aggressiv [agrɛ'siːf] *adj* **1.** agressif(-ive) **2.** CHEM *Stoff* corrosif(-ive)
Aggressivität [agrɛsivi'tɛːt] <-, -en> *f* agressivité *f*
agieren* [a'giːrən] *vi geh* agir; **als Vermittler** ~ faire fonction d'intermédiaire
Agitation [agita'tsi̯oːn] <-, -en> *f* agitation *f*

Agitator [agi'taːtoːɐ̯] <-s, -toren> *m*,
Agitatorin *f* agitateur(-trice) *m(f)*
Agonie [ago'niː] <-, -n> *f geh* agonie *f*
Agrarerzeugnis *nt* produit *m* agricole
Agrarland *nt* pays *m* agricole **Agrarre-**
form *f* réforme *f* agraire **Agrarwissen-**
schaft *f* agronomie *f*
Ägypten [ε'ɡʏptən] <-s> *nt* l'Égypte *f*
Ägypter(in) <-s, -> *m(f)* Égyptien(ne) *m(f)*
ägyptisch *adj* égyptien(ne)
Ägyptisch *nt* l'égyptien *m*
ah [aː] *interj* (*Ausruf des Erstaunens*) ah
äh [εː] *interj* (*Pausenfüller*) euh
aha [a'ha(ː)] *interj* **1.** (*ach so*) ha [ha]
2. (*sieh da*) tiens [tiens]
Aha-Erlebnis *nt* déclic *m*
Ahn [aːn] <-[e]s *o* -en, -en> *m geh* ancêtre *m;* **unsere ~en** nos aïeux *mpl*
ahnden ['aːndən] *vt form* sanctionner *Ver-*
stoß; punir *Verbrechen*
ähneln ['εːnəln] **I.** *vi* ressembler; **jdm/ei-**
ner S. **~** ressembler à qn/qc **II.** *vr sich*
(*dat*) **~** *geh* se ressembler
ahnen ['aːnən] *vt* **1.** se douter de *Ereignis;*
pressentir *Gefahr;* **nichts ~d** pris au dépourvu; *handeln* sans se douter de rien;
das konnte ich doch nicht ~! je ne pouvais pas le deviner! **2.** (*undeutlich wahr-*
nehmen) deviner *Umrisse*
Ahnenforschung *f* généalogie *f*
ähnlich ['εːnlɪç] **I.** *adj* semblable; **in ~er**
Weise de façon similaire; **jdm sehr ~ se-**
hen ressembler beaucoup à qn **II.** *adv* de la
même façon; **sie ist ~ unverfroren wie**
ihr Bruder elle est aussi effrontée que son
frère ▶**das sieht ihm [ganz] ~!** *fam* c'est
bien de lui! **III.** *präp* + *dat* comme
Ähnlichkeit <-, -en> *f* **1.** (*ähnliches Aus-*
sehen) ressemblance *f;* **mit jdm/etw ~**
haben ressembler à qn/qc **2.** (*Vergleich-*
barkeit) *einer Tat* similitude *f*
Ahnung <-, -en> *f* **1.** (*Vorgefühl*) pressentiment *m* **2.** (*Vermutung*) présomption *f;*
er hatte keine ~, dass il ne s'est pas dou-
té que + *subj;* **ich hatte ja keine ~!** je
n'étais pas du tout au courant!; **keine ~!**
fam aucune idée! **3.** *fam* (*Wissen*) ~/**kei-**
ne ~ von EDV haben s'y connaître/n'y
rien connaître en informatique ▶**keine**
blasse ~ von etw haben *fam* ne pas avoir
la moindre idée de qc
ahnungslos I. *adj* **1.** (*arglos*) inconscient(e)
[du danger]; **~ sein** ne se douter de rien
2. (*unwissend*) **~ sein** être ignorant **II.**
adv (*arglos*) sans se douter de rien
ahoi [a'hɔy] *interj* ohé
Ahorn ['aːhɔrn] <-s, -e> *m* érable *m*
Ähre ['εːrə] <-, -n> *f* (*Blütenstand*) épi *m*
Aids [əɪds] <-> *nt* sida *m*

Aidshilfe *f* association *f* antisida **aidsinfi-**
ziert *adj* séropositif(-ive) **aidskrank** *adj* sidaïque **Aidskranke(r)** *f(m)* *dekl wie adj* sidaïque *mf* **Aidsspezialist** *m*, **-in** *f* sidologue *m* **Aidstest** *m* test *m* de dépistage du
sida **Aidsvirus** *nt* virus *m* du sida
Airbag ['εːɛbεk] <-s, -s> *m* airbag® *m*
Airbus ['εːɐ̯bʊs] *m* airbus® *m*
Akademie [akade'miː] <-, -en> *f ≈* institut *m* universitaire de technologie; (*Kunst-*
akademie) école *f* des beaux-arts
Akademiker(in) [aka'deːmikɐ] <-s, ->
m(f) diplômé(e) *m(f)* de l'enseignement
supérieur
akademisch *adj* universitaire
Akazie [a'kaːtsi̯ə] <-, -n> *f* acacia *m*
akklimatisieren* [aklimati'ziːrən] *vr sich*
~ s'acclimater
Akkord [a'kɔrt] <-[e]s, -e> *m* **1.** MUS accord *m* **2.** IND im **~ arbeiten** travailler aux
pièces
Akkordarbeit *f* travail *m* à la tâche
Akkordeon [a'kɔrdeɔn] <-s, -s> *nt* accordéon *m*
Akku ['aku] <-s, -s> *m fam* accu *m*
akkurat [aku'raːt] *adj* *Person* minu-
tieux(-euse)
Akkusativ ['akuzatiːf] <-s, -e> *m* accusatif *m*
Akkusativobjekt *nt* complément *m* à l'accusatif
Akne ['aknə] <-, -n> *f* acné *f*
akribisch [a'kriːbɪʃ] *adj* *geh* méticu-
leux(-euse)
Akrobat(in) [akro'baːt] <-en, -en> *m(f)*
acrobate *mf*
akrobatisch *adj* acrobatique
Akronym [akro'nyːm] <-s, -e> *nt* LING
acronyme *m*
Akt¹ [akt] <-[e]s, -e> *m* **1.** KUNST nu *m*
2. THEAT acte *m* **3.** (*Handlung*) acte *m;* **ein**
~ der Verzweiflung un acte désespéré
4. *form* (*Geschlechtsakt*) acte *m* sexuel
▶**das ist doch kein ~!** *fam* c'est pas la
mer à boire!
Akt² <-[e]s, -en> *m* SDEUTSCH, A *s.* **Akte**
Akte ['aktə] <-, -n> *f* dossier *m* ▶**etw zu**
den ~n legen (*ablegen*) classer qc; (*als er-*
ledigt betrachten) classer qc [définitive-
ment]
Aktenkoffer *m* mallette *f* **aktenkundig**
adj **~ sein** *Vorfall:* être consigné **Akten-**
ordner *m* classeur *m* **Aktenschrank** *m*
classeur *m* **Aktentasche** *f* serviette *f* **Ak-**
tenzeichen *nt* numéro *m* de dossier
Aktfoto *nt* photo *f* de nu
Aktie ['aktsi̯ə] <-, -n> *f* action *f* ▶**jds ~n**
fallen/steigen les actions de qn baissent/
montent

Aktiengesellschaft *f* société anonyme *f*
Aktienindex *m* indice *m* boursier Aktienkurs *m* cours *m*
Aktion [ak'tsioːn] <-, -en> *f* 1. *a.* MIL action *f;* in ~ treten *Person:* passer à l'action; *Plan, Vorschrift:* entrer en vigueur 2. (*Verkaufsmaßnahme*) promotion *f*
Aktionär(in) [aktsi̯oˈnɛːɐ̯] <-s, -e> *m(f)* actionnaire *mf*
Aktionsradius *m* 1. *eines Schiffs, Flugzeugs* rayon *m* d'action 2. (*Wirkungsbereich*) champ *m* d'action
aktiv [ak'tiːf] *adj* 1. (*rührig*) actif(-ive) 2. (*berufstätig*) en activité
Aktiva [ak'tiːva] *Pl* actif *m*
aktivieren* [akti'viːrən] *vt* 1. (*mobilisieren*) stimuler 2. MED activer 3. (*auslösen*) déclencher *Mechanismus*
Aktivist(in) [akti'vɪst] <-en, -en> *m(f)* homme *m/*femme *f* d'action; (*politisch aktiver Mensch*) militant(e) *m(f)*
Aktivität [aktvi'tɛːt] <-, -en> *f* activité *f*
Aktivurlaub *m* vacances *fpl* actives
Aktmalerei *f* peinture *f* de nus Aktmodell *nt* modèle *m* nu
aktualisieren* *vt* 1. [ré]actualiser 2. INFORM mettre à jour
Aktualität [aktu̯ali'tɛːt] <-, -en> *f* actualité *f*
Aktuar(in) [aktu̯'aːɐ̯] <-s, -e> *m(f)* CH secrétaire *mf*
aktuell [ak'tu̯ɛl] *adj* actuel(le); *Buch, Film* d'actualité
Akupressur [akuprɛ'suːɐ̯] <-, -en> *f* massage *m* par pression
akupunktieren* *vt* akupunktiert werden se faire soigner par acupuncture
Akupunktur [akupʊŋk'tuːɐ̯] <-, -en> *f* acupuncture *f*
Akustik [a'kʊstɪk] <-> *f* acoustique *f*
akustisch I. *adj* acoustique; *Frage* d'acoustique II. *adv schlecht* du point de vue de l'acoustique
akut [a'kuːt] *adj* 1. MED aigu(ë) 2. *Problem* urgent(e); *Mangel* aigu(ë)
AKW [aːkaː'veː] <-s, -s> *nt Abk von* Atomkraftwerk centrale *f* nucléaire
Akzent [ak'tsɛnt] <-[e]s, -e> *m* accent *m;* den ~ auf etw (*akk*) legen *fig* mettre l'accent sur qc; ~e setzen *fig* marquer un tournant
akzentfrei *adj, adv* sans accent
akzentuieren* *vt* accentuer *Silbe*
akzeptabel [aktsɛp'taːbəl] *adj* acceptable
Akzeptanz [aktsɛp'tants] <-> *f* admission *f;* ~ einer S. (*gen*) admission de qc; die hohe/geringe ~ dieses Produkts la bonne/mauvaise acceptation de ce produit
akzeptieren* [aktsɛp'tiːrən] *vt, vi* accep-

ter
Alabaster [ala'bastɐ] <-s, -> *m* albâtre *m*
Alarm [a'larm] <-[e]s, -e> *m* 1. (*Warnsignal*) alarme *f* 2. MIL (*Alarmzustand*) alerte *f* ▶ ~ schlagen donner l'alarme; (*warnen*) tirer la sonnette d'alarme
Alarmanlage *f* système *m* d'alarme
Alarmbereitschaft *f* état *m* d'alerte; jdn/etw in ~ versetzen mettre qn/qc en alerte
alarmieren* [alar'miːrən] *vt* 1. alerter *Feuerwehr, Polizei* 2. (*beunruhigen*) jdn ~ *Gerücht:* alarmer qn
alarmierend *adj* alarmant(e)
Alarmsignal *nt* signal *m* d'alarme Alarmstufe *f* seuil *m* d'alerte; ~ Rot l'alerte rouge
Alaska [a'laska] <-s> *nt* l'Alaska *m*
Alb <-> *f* die Schwäbische ~ le Jura souabe
Albaner(in) [al'baːnɐ] <-s, -> *m(f)* Albanais(e) *m(f)*
Albanien [al'baːniən] <-s> *nt* l'Albanie *f*
albanisch I. *adj* albanais(e) II. *adv* ~ miteinander sprechen discuter en albanais; *s. a.* deutsch
Albanisch <-[s]> *nt kein art* albanais *m; s. a.* Deutsch
Albatros ['albatrɔs] <-, -se> *m* albatros *m*
Alben *Pl von* Album
albern[1] ['albɐn] I. *adj* (*kindisch*) un peu niais(e) II. *adv sich benehmen* de façon puérile
albern[2] *vi* bêtifier
Albernheit <-, -en> *f* 1. *kein Pl* (*alberne Art*) *einer Person* niaiserie *f* 2. (*Handlung*) enfantillage *m;* (*Äußerung*) bêtise *f*
Albino [al'biːno] <-s, -s> *m* albinos *mf*
Albtraum[RR] *s.* Alptraum
Album ['albʊm, *Pl:* 'albən] <-s, Alben> *nt* album *m*
Alchimie [alçi'miː] <-> *f* alchimie *f*
Alge ['algə] <-, -n> *f* algue *f*
Algebra ['algebra] <-> *f* algèbre *f*
Algerien [al'geːriən] <-s> *nt* l'Algérie *f*
Algerier(in) <-s, -> *m(f)* Algérien(ne) *m(f)*
algerisch *adj* algérien(ne)
Algorithmus [algo'rɪtmʊs] <-, -men> *m* algorithme *m*
alias ['aːlias] *adv* alias
Alibi ['aːlibi] <-s, -s> *nt* alibi *m*
Alimente [ali'mɛntə] *Pl* pension *f* alimentaire
Alkohol ['alkohoːl] <-s, -e> *m* alcool *m*
alkoholabhängig *adj* alcoolique Alkoholeinfluss[RR] *m form* effet *m* de l'alcool; unter ~ stehen être en état d'ébriété Alkoholfahne *f fam* haleine *f* qui sent l'alcool; eine ~ haben puer l'alcool alkoholfrei

adj sans alcool **Alkoholgehalt** *m eines Getränks* teneur *f* en alcool; *des Bluts* alcoolémie *f* **alkoholhaltig** *adj* alcoolisé(e) **Alkoholiker(in)** [alko'hoːlikɐ] <-s, -> *m(f)* alcoolique *mf*
alkoholisch *adj* **1.** *Getränk* alcoolisé(e) **2.** CHEM à base d'alcool
Alkoholismus <-> *m* alcoolisme *m*
Alkoholmissbrauch^RR *m* abus *m* d'alcool
Alkoholspiegel *m* taux *m* d'alcool dans le sang **Alkoholtest** *m* alcootest® *m* **Alkoholvergiftung** *f* intoxication *f* par l'alcool
all [al] *pron indef* ~ **die Arbeit** tout le travail
All [al] <-s> *nt* cosmos *m*
allabendlich I. *adj* du soir II. *adv* tous les soirs
alle ['alə] *adj fam* **die Seife ist** ~ il n'y a plus de savon ▸ **jdn** ~ **machen** *fam* bousiller qn
alle(r, s) ['alə, -lɐ, -ləs] *pron indef* **1.** *attr* (*der/die/das gesamte* ...) **ich wünsche dir** ~**s Gute** je te souhaite bien des choses; **das** ~**s** tout ça; ~**s, was du willst** tout ce que tu veux; **trotz** ~**m** malgré tout; **jdn über** ~**s lieben** aimer qn par-dessus tout; **vor** ~**m** avant tout **2.** (*die gesamten* ...) ~ **Kollegen/Kolleginnen** tous/toutes les collègues; ~ **beide** tous/toutes les deux **3.** (*alle Leute*) **bitte** ~**s aussteigen!** tout le monde descend! **4.** *fam* (*im Einzelnen und insgesamt*) **wer war** ~**s da?** qui donc était là?; **was sie** ~**s weiß!** incroyable tout ce qu'elle sait! **5.** (*regelmäßig jeder/jede* ...) ~ **zwei Stunden** toutes les deux heures **6.** (*jeder/jede erdenkliche* ...) **er hat** ~**n Grund dankbar zu sein** il a de bonnes raisons pour être reconnaissant ▸ **hast du sie noch** ~? *fam* tu es sonné?; **der hat sie [wohl] nicht mehr** ~! *fam* il déménage!; ~**s in** ~**m** (*zusammengerechnet*) en tout; (*insgesamt betrachtet*) tout compte fait
Allee [a'leː] <-, -n> *f* allée *f*
allein I. *adj* **1.** ~ **sein** être seul; **etw** ~ **entscheiden** décider qc en son nom propre; ~ **stehend** (*ledig*) célibataire; ~ **erziehend sein** être parent unique **2.** (*isoliert, ohne Hilfe*) [tout(e)] seul(e) II. *adv* **1.** (*bereits*) rien que **2.** (*ausschließlich*) uniquement; **das ist ganz** ~ **deine Sache** c'est exclusivement ton affaire **3.** (*selbständig, selbsttätig*) **etw von** ~ **tun** faire qc de soi-même; **das läuft von** ~ ça roule tout seul
alleine *s.* allein
Alleinerbe *m*, **-erbin** *f* unique héritier(-ière) *m(f)* **alleinerziehend** *s.* allein I. **Alleinerziehende(r)** *f(m)* dekl wie adj pa-

rent *m* unique **Alleingang** <-gänge> *m* initiative *f* individuelle; SPORT action *f* isolée; **etw im** ~ **tun** faire qc en solitaire **Alleinherrschaft** *f einer Person* autocratie *f* **alleinige(r, s)** *adj* **der** ~**e Erbe** l'unique héritier; **die** ~**e Vertretung einer S.** (*gen*) **haben** être le représentant exclusif de qc **Alleinsein** *nt* solitude *f* **alleinstehend** *s.* **allein I. Alleinunterhalter(in)** *m(f)* a. fig artiste *mf*
allemal *adv fam* **1.** (*ohne Schwierigkeit*) à tous les coups; ~! sans problème! **2.** (*in jedem Falle*) de toute façon
allenfalls *adv* **1.** (*höchstens*) tout au plus **2.** (*bestenfalls*) au mieux
allerbeste(r, s) I. *adj* **der/die/das** ~ ... le meilleur/la meilleure ...; **ich wünsche dir das Allerbeste!** je t'adresse tous mes meilleurs vœux! II. *adv* **es ist am** ~**n, wenn** le mieux serait que + *subj* **allerdings** *adv* **1.** (*jedoch*) toutefois **2.** (*in der Tat*) en effet **3.** (*gewiss*) ~! et comment! **allererste(r, s)** *adj* **1.** das Allererste, was wir tun müssen** la première chose à faire **2.** (*ausgezeichnet*) ~ **Qualität** qualité *f* première **allerfrühestens** *adv* au plus tôt
Allergie [alɛr'giː] <-, -n> *f* allergie *f*; **eine** ~ **gegen etw haben** avoir une allergie à qc
Allergietest *m* test *m* d'allergie **Allergiker(in)** <-s, -> *m(f)* personne *f* allergique
allergisch *adj* allergique; **gegen jdn/etw** ~ **sein** être allergique à qn/qc
allerhand *adj inv fam* **1.** (*allerlei*) ~ **Süßigkeiten** un tas de sucreries **2.** *erzählen, verdrücken* pas mal de choses; *gewinnen, transportieren* un paquet ▸ **das ist [ja]** ~! (*das ist unverschämt*) c'est un peu fort!; (*das ist erstaunlich*) eh ben dis donc!
Allerheiligen <-> *nt* Toussaint *f*; **an** ~ à la Toussaint
allerlei *adj inv* ~ **Spielzeug** toutes sortes de jouets; ~ **erzählen** raconter toutes sortes de choses
allerletzte(r, s) *adj* **1.** (*letzte, neueste*) **der/die/das** ~ ... le tout dernier/la toute dernière ... **2.** *fam* (*geschmacklos*) **das/er ist das Allerletzte!** c'est/il est pire que tout! **allerliebst** I. *adj* ravissant(e) II. *adv* d'une manière charmante **allermeiste(r, s)** *adj* **die** ~**n** la très grande majorité; **die** ~**n Menschen** la très grande majorité des gens **allerneu[e]ste(r, s)** *adj* **auf dem** ~**n Stand sein** être absolument à jour; **weißt du schon das Allerneueste?** tu connais la dernière? (*fam*)
Allerseelen ['alɐ'zeːlən] <-> *nt* jour *m* des Morts; **an** ~ le jour des Morts

allerseits ['alɐ'zaɪts] *adv* guten Morgen ~! bonjour tout le monde!
allerspätestens *adv* au plus tard **allerwenigste(r, s)** ['alɐ've:nɪçstə, -tɐ, -təs] *adj* (*Mindeste*) **das** ~ la moindre des choses; **das ist das** ~, **was man erwarten kann!** c'est le moins qu'on puisse attendre!
alles *s.* **alle(r, s)**
allesamt ['alə'zamt] *adv fam* tous/toutes
Allesfresser ['alləsfrɛsɐ] <-s, -> *m* omnivore *m* **Alleskleber** *m* colle *f* universelle
allgegenwärtig ['alge:gənvɛrtɪç] *adj geh* omniprésent(e)
allgemein ['algə'maɪn] I. *adj* 1. (*nicht speziell*) général(e); **im Allgemeinen** en général 2. *Wahlrecht* universel(le); *Wehrpflicht* obligatoire 3. (*allen gemeinsam*) général(e) II. *adv* 1. *formulieren* de façon générale; ~ **bildend** *Schule* d'enseignement général 2. *gültig* généralement; *verbreitet* communément; ~ **gültige Aussage** déclaration *f* universelle; **es ist** ~ **bekannt, dass ...** tout le monde sait que ... 3. ~ **zugänglich** *Informationen* accessible au public; ~ **verständlich** accessible à tous; *darstellen, sich ausdrücken* de manière intelligible
Allgemeinbefinden *nt* état *m* général **allgemeinbildend** *s.* **allgemein** II. **Allgemeinbildung** *f kein Pl* culture *f* générale **allgemeingültig** *s.* **allgemein** II. **Allgemeinheit** <-, -en> *f* 1. *kein Pl* (*Öffentlichkeit*) collectivité *f*; **der** ~ (*dat*) **zugänglich sein** *Einrichtung:* être ouvert au public; *Daten:* être accessible au public 2. *kein Pl* (*Unbestimmtheit*) *einer Äußerung* généralité *f*
Allgemeinmedizin *f* médecine *f* générale **allgemeinverständlich** *s.* **allgemein** II. **Allgemeinwohl** *nt* intérêt *m* général
Allheilmittel [al'haɪlmɪtəl] *nt* panacée *f*
Allianz [a'liants] <-, -en> *f* alliance *f*
Alligator [ali'ga:to:ɐ] <-s, -toren> *m* alligator *m*
alliiert *adj* allié(e)
Alliierte(r) *f(m) dekl wie adj* **die** ~n HIST les Alliés *mpl*
alljährlich ['al'jɛːɐlɪç] I. *adj attr* annuel(le) II. *adv* tous les ans
Allmacht *f kein Pl* toute-puissance *f*
allmächtig [al'mɛçtɪç] *adj* tout(e)-puissant(e)
allmählich [al'mɛːlɪç] I. *adj attr* progressif(-ive) II. *adv* **es wird** ~ **Zeit, dass** il sera bientôt temps que + *subj*
Allradantrieb ['alra:t'antri:p] *m* quatre roues *fpl* motrices
allseitig ['alzaɪtɪç] I. *adj* unanime; *Zufriedenheit* général(e); *Unruhe* généralisé(e) II.

adv begabt universellement; *informiert* sur tout
allseits *adv* 1. partout; *bekannt* de tous 2. *informiert* sur tout; *vorbereitet* à fond
Alltag ['alta:k] *m* 1. (*Werktag*) jour *m* ouvrable 2. (*Einerlei*) *einer Ehe* quotidien *m*
alltäglich [al'tɛːklɪç] *adj* 1. *attr* (*tagtäglich*) quotidien(ne) 2. (*gang und gäbe*) ~ **sein** *Situation:* être habituel 3. (*gewöhnlich*) ordinaire
alltags ['alta:ks] *adv* en semaine
Alltagskleidung *f* tenue *f* de tous les jours
allwissend ['al'vɪsənt] *adj* 1. *fam* au courant de tout 2. REL omniscient(e)
Allwissenheit <-> *f* omniscience *f*
allzeit *adv geh* toujours; ~ **bereit sein** être toujours prêt
allzu ['altsu:] *adv* bien trop; ~ **früh** bien trop tôt; ~ **lang[e]** bien trop long; ~ **oft** bien trop souvent; ~ **sehr** que trop; **nicht** ~ **sehr!** pas plus que ça!; ~ **viel** trop (*fam*); **etw** ~ **gern tun** adorer faire qc; **etw nicht** ~ **gern mögen** ne pas raffoler de qc
allzufrüh *s.* allzu **allzugern** *s.* allzu **allzulang[e]** *s.* allzu **allzusehr** *s.* allzu **allzuviel** *s.* allzu
Allzweckreiniger <-s, -> *m* nettoyant *m* multiusage
Alm [alm] <-, -en> *f* alpage *m*
Almosen ['almo:zən] <-s, -> *nt* 1. (*Spende*) aumône *f* 2. (*geringer Betrag*) misère *f*
Alpaka <-s, -s> *nt* (*Lama, Wolle*) alpaga *m*
Alpen ['alpən] *Pl* **die** ~ les Alpes *fpl*
Alpenpass^RR *m* col *m* des Alpes **Alpenveilchen** *nt* cyclamen *m* **Alpenvorland** *nt* **das** ~ les Préalpes *fpl*
Alphabet [alfa'be:t] <-[e]s, -e> *nt* alphabet *m*
alphabetisch I. *adj* alphabétique II. *adv* par ordre alphabétique
alphabetisieren* *vt* 1. (*unterrichten*) alphabétiser 2. (*ordnen*) **etw** ~ classer qc par ordre alphabétique
alphanumerisch [alfanu'me:rɪʃ] *adj* alphanumérique
Alphastrahlen *Pl* PHYS rayons *mpl* alpha
alpin [al'pi:n] *adj* alpin(e)
Alpinist(in) [alpi'nɪst] <-en, -en> *m(f)* alpiniste *mf*
Alptraum ['alptraʊm, *Pl:* 'alptrɔymə] *m* cauchemar *m*
als [als] *konj* 1. (*zeitlich*) quand; (*zu der Zeit, da*) alors que; **damals,** ~ **...** à l'époque où ...; **gerade,** ~ **...** au moment précis où ... 2. (*vergleichend*) **größer** ~ **...** plus grand que ... 3. (*gleichsam*) **es klang,** ~ **ob ein Glas zerbrach** ça a fait un bruit comme si un verre se cassait; **er sah aus,** ~ **ob er schliefe** il avait l'air de

dormir; **es sieht aus,** ~ **würde es bald schneien** on dirait qu'il va bientôt neiger **4.** (*ausschließend*) **es ist zu spät,** ~ **dass** il est trop tard pour que + *subj* **5.** (*zur Bezeichnung einer Eigenschaft*) ~ **Lehrer** en tant que professeur; **schon** ~ **Kind hatte er** ... déjà enfant, il avait ...; **ich** ~ **dein Onkel** ... moi qui suis ton oncle, je ...; **noch** ~ **alte Frau** ... devenue une vieille femme, ...; ~ **Held gefeiert werden** être fêté en héros; ~ **Beweis** comme preuve **also** ['alzo] **I.** *adv* **1.** (*folglich*) donc **2.** (*nun ja*) eh bien; ~ **wie ich schon sagte** bon, comme je l'ai déjà dit **3.** (*tatsächlich*) donc; **das ist** ~ **dein letztes Wort?** bon alors, c'est ton dernier mot? **II.** *interj* **1.** (*ach*) [ainsi] donc; ~ **so was!** non mais ça alors!; ~ **doch!** donc c'était bien ça!; **na** ~**!** ah quand même! **2.** (*überleitender Pausenfüller*) bon; ~ **gut** bon d'accord **Alsterwasser** ['alstɐvasɐ] *nt* NDEUTSCH panaché *m*

alt [alt] <⸚er, ⸚este> *adj* **1.** (*betagt*) vieux(vieille); **ein** ~**er Mann** un vieil homme; ~ **werden** vieillir **2.** (*ein bestimmtes Alter habend*) **zwanzig Jahre** ~ **sein** avoir vingt ans; **ein drei Jahre** ~**es Mädchen** une fille [âgée] de trois ans; **wie** ~ **bist du?** quel âge as-tu?; **mein älterer Bruder** mon frère aîné **3.** *Gegenstand* vieux(vieille) *antéposé*; ~**es Brot** du pain rassis **4.** *attr* (*ehemalig*) **mein** ~**er Kollege** mon ancien collègue; **das** ~**e Paris** le vieux Paris **5.** *attr* (*unverändert*) **der Alte sein** être le même; **alles bleibt beim Alten** les choses ne changent pas ▸ **Alt und Jung** jeunes et vieux; ~ **aussehen** *fam* avoir bonne mine (*iron*); **man ist so** ~**, wie man sich fühlt** on a l'âge qu'on veut bien avoir; **hier werde ich nicht** ~ *fam* je ne vais pas m'encroûter ici

Alt[1] [alt] <-s, -e> *m* MUS [contr]alto *m*

Alt[2] *s.* **Altbier**

Altar [al'taːɐ, *Pl:* al'tɛːrə] <-s, Altäre> *m* autel *m*

altbacken ['altbakən] *adj* **1.** *Brot* rassis(rassie) **2.** *Person* vieux jeu *inv*; *Ansichten* dépassé(e) **Altbau** <-bauten> *m* **1.** (*Gebäude*) construction *f* ancienne **2.** *s.* **Altbauwohnung Altbauwohnung** *f* logement *m* ancien **altbekannt** ['altbə'kant] *adj* *Tatsache, Witz* archiconnu(e); *Lokal* de vieille réputation **altbewährt** ['altbə'vɛːɐt] *adj* **1.** *Freundschaft, Verbindung* de longue date; *Tradition* bien établi(e) **2.** *Methode, Mittel* qui a fait ses preuves **Altbier** *nt* bière maltée à haute fermentation **altdeutsch** *adj* rustique

Alte(r) *f(m) dekl wie adj* **1.** *fam* (*Mensch*)

vieux *m*/vieille *f;* **die** ~**n** les vieux *mpl* **2.** *pej fam* (*Ehemann/-frau*) bonhomme *m*/bonne femme *f* **3.** *pej fam* (*Vater/Mutter*) vieux *m*/vieille *f;* **meine** ~**n** mes vieux *mpl*

Altenheim *s.* **Altersheim Altenpflege** *f* assistance *f* aux personnes âgées **Altenpfleger(in)** *m(f)* infirmier(-ière) *m(f)* en gériatrie

Alter ['altɐ] <-s, -> *nt* **1.** (*Lebensalter*) âge *m;* **im** ~ **von fünfzig Jahren** à l'âge de cinquante ans; **ein Mann mittleren** ~**s** un homme entre deux âges; **sie ist in meinem** ~ elle a mon âge **2.** (*Bejahrtheit*) vieillesse *f;* **im** ~ devenu vieux **älter** *adj* **1.** *Komp von* **alt 2.** *Person* âgé(e) **altern** *vi* + *sein* vieillir **alternativ** [altɐna'tiːf] **I.** *adj* alternatif(-ive) **II.** *adv leben* de façon alternative **Alternative** [altɐna'tiːvə] <-, -n> *f* alternative *f;* **vor eine** ~ **gestellt werden** être face à une alternative **Alternative(r)** *f(m) dekl wie adj* **1.** (*Umweltschützer*) écolo *mf* (*fam*) **2.** POL alternatif(-ive) *m(f)*

alters ▸ **von** *geh* ~ [**her**] de tout temps **altersbedingt** *adj* dû(due) à l'âge; ~ **sein** être lié à l'âge **Altersbeschwerden** *Pl* maux *mpl* liés à l'âge **Alterserscheinung** *f* signe *m* de vieillesse **Altersgenosse** *m*, **-genossin** *f* personne *f* du même âge **Altersgrenze** *f* **1.** âge *m* limite **2.** (*für die Rente*) âge *m* de la retraite **Altersgruppe** *f* tranche *f* d'âge **Altersheim** *nt* maison *f* de retraite **Alterspyramide** *f* pyramide *f* des âges **Altersruhegeld** *nt form* [pension *f*] retraite *f* **altersschwach** *adj* **1.** *Person, Tier* diminué(e) [par l'âge] **2.** *fam* *Auto, Gerät* foutu(e); *Möbel* bien malade **Altersschwäche** *f* *kein Pl* décrépitude *f* **Altersstufe** *f* **1.** (*Altersgruppe*) tranche *f* d'âge **2.** (*Lebensabschnitt*) étape *f* de la vie **Altersunterschied** *m* différence *f* d'âge **Altersversicherung** *f* assurance *f* vieillesse **Altersversorgung** *f* (*Rente*) prestations *fpl* vieillesse; (*Vorsorge*) retraite *f* complémentaire

Altertum ['altɐtuːm] <-s> *nt* Antiquité *f* **altertümlich** ['altɐtyːmlɪç] *adj* **1.** (*altmodisch*) passé(e) de mode **2.** *Brauchtum* [très] ancien(ne); *Begriff, Wort* archaïque **Altertumswert** *m* valeur *f* d'ancienneté ▸ ~ **haben** *hum fam* être une véritable antiquité

Alterung <-, -en> *f* vieillissement *m* **Alterungsprozess**[RR] *m* processus *m* de vieillissement

älteste(r, s) *Superl von* **alt**

Älteste(r) *f(m) dekl wie adj* plus âgé(e)

m(f); (*bei Geschwistern*) aîné(e) *m(f);* (*in einer Gruppe*) doyen(ne) *m(f)* [d'âge]
Ältestenrat *m* POL ≈ comité *m* des sages; *eines Stammes* Conseil *m* des Anciens
Altglas *nt* verre *m* usagé **Altglascontainer** *m* container *m* à verre **altgriechisch** *adj Literatur, Text* en grec ancien; *Grammatik* du grec ancien **althergebracht** ['althe:ɐgəbraxt] *adj Art, Brauch* traditionnel(le); *Tradition* très ancien(ne) **althochdeutsch** ['altho:xdɔytʃ] *adj Literatur, Text* en ancien haut allemand **Althochdeutsch** <-[s]> *nt kein Art* l'ancien haut allemand *m;* **auf** ~ en ancien haut allemand **Altkleidersammlung** *f* collecte *f* de vieux vêtements
altklug *adj Kind, Gesicht* précoce; *Bemerkung* d'une maturité précoce
Altlast *f meist Pl* **1.** ÖKOL déchet *m* toxique **2.** (*Überbleibsel*) vieille baderne *f* (*fam*) **ältlich** ['ɛltlɪç] *adj* plus tout(e) jeune
Altmaterial *nt* déchets *mpl* **Altmetall** *nt* vieux métaux *mpl* **altmodisch** I. *adj* **1.** *Kleidung* démodé(e); *Einrichtung, Möbelstück* vieillot(te) **2.** *Ansicht, Methode* dépassé(e); ~ **sein** être vieux jeu II. *adv gekleidet* de façon démodée; *eingerichtet* de façon vieillotte **Altöl** *nt* huile *f* usagée **Altpapier** *nt* vieux papiers *mpl* **Altpapiercontainer** *m* container *m* pour les vieux papiers **Altpapiersammlung** *f* collecte *f* de vieux papiers **Altstadt** *f* vieille ville *f* **Altstimme** *f* voix *f* d'alto
Alt-Taste *f* INFORM touche *f* Option
Altweibersommer [alt'vaɪbezɔmɐ] *m* **1.** (*Nachsommer*) été *m* indien **2.** (*Spinnfäden*) filandres *fpl*
Alufolie *f fam* papier *m* [d']alu
Aluminium [alu'mi:niʊm] <-s> *nt* aluminium *m*
Aluminiumfolie *f* feuille *f* d'aluminium; (*Haushaltsfolie*) papier *m* d'aluminium
Alzheimer ['altshaɪmɐ] <-s> *m* MED *fam* maladie *f* d'Alzheimer
am = **an dem** **1.** (*zur Bildung des Superlativs*) ~ **schnellsten rennen** courir le plus vite; **das ist** ~ **besten** c'est ce qu'il y a de mieux **2.** *fam* (*beim*) ~ **Arbeiten sein** être en train de travailler
Amalgam [amal'ga:m] <-s, -e> *nt* amalgame *m*
Amateur(in) (ama'tø:ɐ) <-s, -e> *m(f)* amateur *m*
Ambiente <-> *nt geh* ambiance *f*
Ambition [ambi'tsio:n] <-, -en> *f meist Pl* ambition *f;* ~**en auf etw** (*akk*) **haben** ambitionner qc
ambivalent [ambiva'lɛnt] *adj geh* ambivalent(e); *Gefühle, Beziehung* ambigu(ë)

Amboss^RR ['ambɔs] <-es, -e>, **Amboß** <-sses, -sse> *m* enclume *f*
ambulant [ambu'lant] I. *adj* ambulatoire; *Patient* en consultation externe; *Kosten* sans hospitalisation II. *adv behandeln* en ambulatoire
Ambulanz [ambu'lants] <-, -en> *f* **1.** *einer Klinik* consultation *f* externe **2.** (*Rettungswagen*) ambulance *f*
Ameise ['a:maɪzə] <-, -n> *f* fourmi *f*
Ameisenbär *m* fourmilier *m* **Ameisenhaufen** *m* fourmilière *f* **Ameisensäure** *f* acide *m* formique
amen ['a:mɛn] *interj* amen
Amerika [a'me:rika] <-s> *nt* l'Amérique *f*
Amerikaner [ameri'ka:nɐ] <-s, -> *m* **1.** Américain *m* **2.** GASTR ≈ palet *m* glacé **Amerikanerin** <-, -nen> *f* Américaine *f*
amerikanisch *adj* américain(e)
Amethyst [ame'tʏst] <-s, -e> *m* améthyste *f*
Aminosäure [a'mi:nozɔyrə] *f* CHEM acide *m* aminé
Ammann ['aman] <-männer> *m* CH **1.** (*Landamman*) président *m* du canton; (*Gemeindeamman*) maire *m* **2.** JUR (*Vollstreckungsbeamter*) huissier *m*
Amme ['amə] <-, -n> *f* nourrice *f*
Ammenmärchen *nt fam* histoire *f* à dormir debout
Ammoniak [amo'niak] <-s> *nt* CHEM ammoniac *m*
Amnestie [amnɛs'ti:] <-, -n> *f* amnistie *f*
amnestieren* [amnɛs'ti:rən] *vt* amnistier
Amöbe [a'mø:bə] <-, -n> *f* BIO amibe *f*
Amok ['a:mɔk] <-s> *m* ~ **laufen** être pris de folie furieuse
Amokläufer(in) *m(f)* fou *m* furieux/folle *f* furieuse
amoralisch ['amora:lɪʃ] *adj* amoral(e)
Amortisation [amɔrtiza'tsio:n] <-, -en> *f* ÖKON amortissement *m*
amortisieren* [amɔrti'zi:rən] I. *vt* amortir II. *vr* **sich** ~ être amorti
amourös [amu'rø:s] *adj geh Verwicklungen, Abenteuer* amoureux(-euse)
Ampel ['ampəl] <-, -n> *f* feu *m*
Ampere [am'pe:ɐ] <-[s], -> *nt* PHYS ampère *m*
Amperemeter [ampe:rə'me:tɐ] *nt* PHYS ampèremètre *m*
Amphetamin <-s, -e> *nt* amphétamine *f*
Amphibie [am'fi:biə] <-, -n> *f* ZOOL amphibien *m*
amphibisch *adj* ZOOL, MIL amphibie
Amphitheater *nt* amphithéâtre *m*
Ampulle [am'pʊlə] <-, -n> *f* ampoule *f*
Amputation [amputa'tsio:n] <-, -en> *f* amputation *f*

amputieren* [ampuˈtiːrən] *vt, vi* amputer
Amsel [ˈamzəl] <-, -n> *f* merle *m*
Amt [amt, *Pl:* ˈɛmtə] <-[e]s, ⁼er> *nt*
1. (*Behörde*) administration *f*; **das Auswärtige** ~ *le ministère des Affaires étrangères allemand* 2. (*Abteilung einer Behörde*) service *m* [administratif] 3. (*Stellung*)
fonction *f*; **noch im** ~ **sein** être encore en
fonction; **kraft meines** ~**es** en vertu des
pouvoirs qui me sont conférés; **von** ~**s wegen** à titre officiel 4. (*offizielle Aufgabe*)
charge *f* 5. (*Fernamt*) central *m* 6. (~*slei-
tung*) ligne *f* [avec l'extérieur] 7. (*Hochamt*) célébration *f* ▶**seines** ~**es walten**
geh remplir son office
amtieren* [amˈtiːrən] *vi* être en fonction;
als Bürgermeister ~ exercer les fonctions
de maire; (*vorübergehend*) faire fonction
de maire; ~**d** en fonction
amtlich *adj Dokument* officiel(le)
Amtsantritt *m* entrée *f* en fonctions **Amts-
arzt** *m*, **-ärztin** *f* médecin-conseil *mf*
Amtsblatt *nt* bulletin *m* officiel **Amts-
deutsch** *nt pej* jargon *m* administratif
Amtseid *m* serment *m* professionnel
Amtsenthebung *f*, **Amtsentsetzung** <-,
-en> *f* CH, A destitution *f* **Amtsgeheim-
nis** *nt* 1. *kein Pl* (*Schweigepflicht*) devoir
m de réserve 2. (*vertrauliche Mitteilung*)
secret *m* professionnel **Amtsgericht** *nt* tribunal *m* d'instance **Amtshandlung** *f* acte
m administratif **Amtsinhaber(in)** *m(f)* titulaire *mf* d'un/du poste **Amtsmissbrauch**^RR *m* abus *m* de pouvoir **Amtsrich-
ter(in)** *m(f)* juge *m* d'instance **Amtssprache** *f* 1. (*Landessprache*) langue *f* officielle 2. *kein Pl* (*Behördensprache*) langage *m*
administratif **Amtsweg** *m* voie *f* hiérarchique **Amtszeit** *f* mandat *m*
Amulett [amuˈlɛt] <-[e]s, -e> *nt* amulette
f
amüsant [amyˈzant] I. *adj* (*lustig*) amu-
sant(e); (*unterhaltsam*) divertissant(e) II.
adv de façon divertissante
amüsieren* [amyˈziːrən] I. *vr* 1. (*sich vergnügen*) **sich** ~ s'amuser 2. (*komisch finden*) **sich über jdn/etw** ~ trouver qn/qc
amusant II. *vt* amuser
Amüsierviertel *nt* quartier *m* chaud
an [an] I. *präp* + *dat* 1. (*direkt bei*) ~ **der
Tür** près de la porte; ~ **der Wand** contre le
mur; **am Fluss** sur le fleuve; **Frankfurt
am Main** Francfort-sur-le-Main; ~ **dieser
Stelle** à cet endroit; **am Tisch sitzen** être
[assis] à la table; **am Computer arbeiten**
travailler sur ordinateur 2. (*in Berührung
mit*) ~ **der Wand stehen** *Person:* être
adossé au mur; *Gegenstand:* être contre le
mur; **einen Ring am Finger tragen** por-

ter au doigt une alliance; **jdn** ~ **der Hand
nehmen** prendre qn par la main 3. (*auf,
in*) ~ **der Universität** à l'université 4. (*zur
Zeit von*) **am Morgen** le matin; ~ **Weihnachten** à Noël 5. (*verbunden mit*) **das
Schöne** ~ **jdm/etw** ce qu'il y a de beau
chez qn/dans qc 6. (*nebeneinander*) **Tür**
~ **Tür** porte à porte; **Haus** ~ **Haus wohnen** habiter l'un à côté de l'autre II. *präp*
+ *akk* 1. (*räumlich*) ~**s Telefon gehen** répondre au téléphone 2. (*zeitlich*) **bis** ~
mein Lebensende jusqu'à la fin de ma
vie ▶ ~ **[und für] sich** en soi III. *adv* 1. (*ungefähr*) ~ **die zwanzig Personen** dans les
vingt personnes 2. (*Ankunftszeit*) **Köln** ~
16 Uhr 15 arrivée à Cologne 16 h 15
3. *fam* (*eingeschaltet*) ~ **sein** *Elektrogerät:*
être allumé; *Strom:* être ouvert; **Licht** ~! al-
lume/allumez! 4. *fam* (*angezogen*) **ohne
etwas** ~ sans rien sur le dos 5. (*ab*) **von
jetzt** ~ à partir de maintenant
Anabolikum <-s, -ka> *nt* anabolisant *m*
anal [aˈnaːl] I. *adj* anal(e) II. *adv messen,
einführen* par voie rectale
analog [anaˈloːk] I. *adj* 1. (*entsprechend*)
analogue; ~ **zu etw** analogue à qc 2. IN-
FORM analogique II. *adv* 1. (*entsprechend*)
~ **zu etw** par analogie avec qc 2. INFORM
analogiquement
Analogie [analoˈgiː] <-, -n> *f* analogie *f*;
in ~ **zu etw** par analogie avec qc
Analphabet(in) [ˈanʔalfabeːt] <-en,
-en> *m(f) a. pej* analphabète *mf*
Analphabetismus [anʔalfabeˈtɪsmʊs]
<-> *m* analphabétisme *m*
Analyse [anaˈlyːzə] <-, -n> *f* analyse *f*
analysieren* [analyˈziːrən] *vt* analyser
Analysis <-> *f* MATH analyse *f*
analytisch [anaˈlyːtɪʃ] I. *adj Person, Den-
ken* analytique; *Arbeit, Fähigkeit* d'analyse
II. *adv* de façon analytique
Anämie [anɛˈmiː] <-, -n> *f* MED anémie *f*
Ananas [ˈananas] <-, - *o* -se> *f* ananas *m*
Anarchie [anarˈçiː] <-, -n> *f* anarchie *f*
Anarchist(in) [anarˈçɪst] <-en, -en> *m(f)*
anarchiste *mf*
anarchistisch *adj Person, Partei* anarchiste;
Auftreten anarchique
Anatomie [anatoˈmiː] <-, -n> *f kein Pl*
anatomie
anatomisch [anaˈtoːmɪʃ] *adj* anatomique
an|baggern [ˈanbagɐn] *vt fam* draguer
an|bahnen I. *vt* amorcer *Gespräche* II. *vr*
sich ~ *Freundschaft:* s'amorcer; *Unheil:* se
préparer
Anbau <-bauten> *m* 1. (*Gebäude*) bâtiment *m* annexe; (*freistehend*) annexe *f*
2. *kein Pl* (*das Anpflanzen*) culture *f*
3. *kein Pl* (*das Errichten*) ajout *m*

anbieten

• nach Wünschen fragen, etwas anbieten	• demander un souhait, proposer quelque chose
Kann ich Ihnen helfen?/Was darf's sein?	Puis-je vous aider?/Vous désirez?
Haben Sie irgendeinen Wunsch?	Vous désirez quelque chose?
Was hättest du denn gern?	Qu'est-ce que tu veux?
Was möchtest/magst du essen/trinken?	Qu'est-ce que tu aimerais/veux manger/boire?
Wie wär's mit einer Tasse Kaffee? *(fam)*	Une tasse de café, ça te/vous dirait?
Darf ich Ihnen ein Glas Wein **anbieten**?	Puis-je vous offrir un verre de vin?
Sie können gern mein Telefon benutzen.	Vous pouvez volontiers utiliser mon téléphone.
• Angebote annehmen	• accepter une offre
Ja, bitte./Ja, gern.	Oui, s'il vous/te plaît./Oui, volontiers.
Danke, das ist nett/lieb von dir.	Merci, c'est gentil de ta part.
Ja, das wäre nett.	Oui, ce serait gentil.
Oh, das ist aber nett!	Oh, c'est vraiment gentil!
• Angebote ablehnen	• refuser une offre
Nein, danke!	Non, merci!
Aber das ist doch nicht nötig!	Mais ce n'est vraiment pas nécessaire!
Das kann ich doch nicht annehmen!	Je ne peux vraiment pas accepter!

anlbauen I. *vt* **1.** (*anpflanzen*) cultiver **2.** (*bauen*) ajouter **II.** *vi* [s']agrandir **Anbaufläche** *f* terre *f* cultivable **Anbaugebiet** *nt* zone *f* cultivée
anlbehalten* *vt irr* etw ~ garder qc [sur soi]
anbei [an'baj] *adv form* ci-joint(e)
anlbeißen *irr* **I.** *vi* **1.** *Fisch:* mordre **2.** *fam* (*Interesse haben*) mordre à l'hameçon; **bisher hat noch keiner angebissen!** j'ai pas encore fait de touche! **II.** *vt* entamer *Obst, Kuchen* ►**zum Anbeißen** *fam* à croquer
anlbelangen* ['anbəlaŋən] *vt geh* concerner; **was mich anbelangt ...** en ce qui me concerne...
anlbellen *vt* aboyer; **jdn** ~ *Hund:* aboyer après qn
anlberaumen* ['anbəraumən] *vt form* fixer
anlbeten *vt* adorer
Anbetracht ['anbətraxt] ►**in** ~ **dessen, dass ...** compte tenu du fait que ...
anlbetreffen* *s.* **anbelangen**
anlbiedern ['anbi:dən] *vr pej* sich ~ fayoter (*fam*); **sich bei jdm** ~ fayoter auprès de qn
anlbieten *irr* **I.** *vt* **1.** (*zur Auswahl vorschla-*

gen) offrir; **jdm etw** ~ offrir qc à qn **2.** (*verkaufen*) proposer **3.** (*zur Verfügung stellen*) **jdm seinen Platz** ~ offrir sa place à qn **II.** *vr* **1.** (*sich zur Verfügung stellen*) **sich** ~ **etw zu tun** [se] proposer de faire qc **2.** (*nahe liegen*) **sich geradezu** ~ *Lösung:* s'imposer de toute évidence; *Ort:* faire parfaitement l'affaire
Anbieter(in) *m(f)* offreur(-euse) *m(f); einer Ware* fournisseur(-euse) *m(f); einer Dienstleistung* prestataire *mf*
anlbinden *vt irr* (*festbinden*) attacher; **jdn/etw an etw** (*akk o dat*) ~ attacher qn/qc à qc
Anblick *m* **1.** (*Bild*) spectacle *m* **2.** *kein Pl* (*das Blicken, Erblicken*) vue *f*
anlblicken *vt geh* regarder
anlbraten *vt irr* faire revenir
anlbrechen *irr* **I.** *vi* + *sein Tag:* se lever; *Nacht:* tomber; *Jahreszeit:* commencer **II.** *vt* + *haben* **1.** entamer *Packung* **2.** (*teilweise brechen*) angebrochen werden/sein *Stuhlbein, Knochen:* se fêler/être fêlé
anlbrennen *irr* **I.** *vi* + *sein* brûler; (*anhängen*) attacher; **angebrannt sein** être brûlé; **angebrannt riechen/schmecken** sentir le brûlé/avoir un goût de brûlé ►**nichts** ~ **lassen** *fam* [ne] faire ni une ni

deux **II.** *vt* + *haben* faire prendre
ạn|bringen *vt irr* **1.** *(befestigen)* fixer; **etw**
an etw *(dat)* ~ fixer qc à qc **2.** *(montie-*
ren) poser *Regal;* installer *Telefon* **3.** *(vor-*
bringen) **etw als Argument** ~ présenter
qc comme argument **4.** *(äußern)* émettre
Bemerkung
Ạnbruch *m kein Pl geh einer Epoche* commencement *m;* **bei ~ des Tags** au lever du
jour; **bei ~ der Nacht** à la tombée de la
nuit
ạn|brüllen *vt* **1.** *jdn* ~ *Löwe:* rugir en di-
rection de qn **2.** *fam* *(anschreien)* **jdn** ~
Person: gueuler après qn; **angebrüllt wer-**
den se faire engueuler
Anchovis [anˈʃoːvɪs] <-, -> *f* anchois *m*
Ạndacht [ˈandaxt] <-, -en> *f* **1.** REL prière
f **2.** *(Kontemplation)* **in ~ versunken**
sein être plongé dans la méditation
ạndächtig [ˈandɛçtɪç] **I.** *adj* **1.** *Stille* re-
cueilli(e) **2.** *Blick* admiratif(-ive) **II.** *adv be-*
ten avec recueillement
ạn|dauern *vi* persister; *Gespräche, Schieße-*
reien: se poursuivre
ạndauernd *adj* **1.** qui persiste; *Gespräche,*
Schießereien qui se poursuit **2.** *(ständig)*
continuel(le)
Ạndenken <-s, -> *nt* **1.** *(Gegenstand)* souvenir *m;* **~ an jdn/etw** souvenir de qn/qc
2. *kein Pl (Erinnerung)* **im ~ an jdn/etw**
en souvenir de qn/qc
ạndere(r, s) [ˈandərə, -rə, -rəs] *pron indef*
1. [etwas] **~s** autre chose; **ich möchte**
nichts ~s tun, als schlafen je ne souhaite
rien d'autre que dormir; **ein ~r/eine ~**
un/une autre; **und ~** et autres; **etwas/**
nichts ~s quelque chose/rien d'autre
2. *(zusätzlich)* **ich habe noch ~** j'en ai encore d'autres ▶**alles ~ als zufrieden sein**
être tout sauf content; **unter ~m/~n** entre
autres; **und ~s** et cætera
ạndererseits *adv* d'un autre côté
ạndermal *adv* ▶**ein ~** une autre fois
ạndern [ˈɛndən] **I.** *vt* **1.** *(verändern)*
changer *Lage, Umstände* **2.** *(abändern)*
changer de *Namen, Richtung;* modifier *Da-*
ten **3.** *(umnähen)* retoucher *Kleidungsstück*
II. *vr* **sich ~** changer
ạndernfalls *adv* sinon
ạnders [ˈandəs] *adj, adv* **1.** différemment;
~ denkend *Bürger* dissident; *Kritiker* non-
conformiste; **~ sein** être différent; **~**
schmecken avoir un autre goût; **ganz ~**
aussehen avoir une tout autre allure; **sich**
~ überlegen changer d'avis; **es geht**
nicht ~ il n'y pas moyen de faire autrement **2.** *(sonst)* sinon; **jemand ~** quelqu'un d'autre ▶**jd kann nicht ~** *fam* qn
ne peut pas faire autrement; **jdm wird**

ganz ~ *(jdm wird schwindelig)* qn se sent
mal
ạndersartig *adj* différent(e)
ạndersdenkend *s.* **anders**
Ạndersdenkende(r) *f(m) dekl wie adj* dissi-
dent(e) *m(f)*
ạndersgläubig *adj* de confession différente
ạndersherum **I.** *adv* **1.** *(in die andere*
Richtung) dans l'autre sens **2.** *(aus der an-*
deren Richtung) en sens inverse **3.** *(in Be-*
zug auf Kleidung) de l'autre côté **II.** *adj*
▶**~ sein** *fam* être homo **anderslautend** *s.*
anders ạnderswo [ˈandəsˈvoː] *adv* ailleurs **ạnderswoher** *adv* d'ailleurs **ạnders-**
wohịn *adv* ailleurs
ạnderthạlb [ˈandətˈhalp] *num* un(e) et de-
mi(e)
Ạnderung <-, -en> *f* **1.** *eines Entwurfs* modification *f; eines Gesetzes* amendement *m*
2. *(Schneiderarbeit)* retouche *f*
Ạnderungsschneider(in) *m(f)* retou-
cheur(-euse) *m(f)* **Ạnderungsvorschlag**
m proposition *f* de modification; *(für ein*
Gesetz) proposition *f* d'amendement
ạnderweitig [ˈandəvaitɪç] **I.** *adj attr* autre
II. *adv beschäftigt, hören* par ailleurs; *infor-*
miert ailleurs
ạn|deuten **I.** *vt* **1.** *(erwähnen)* évoquer *An-*
gelegenheit **2.** *(zu verstehen geben)* **jdm**
~, dass ... laisser entendre à qn que ...
3. *(skizzieren)* esquisser *Thema* **II.** *vr* **sich**
bei jdm ~ *Veränderungen:* s'esquisser chez
qn
Ạndeutung *f* **1.** *(Hinweis)* allusion *f;* **eine**
~ über jdn/etw machen faire une insi-
nuation à propos de qn/qc **2.** *(Spur)* *einer*
Farbe soupçon *m* **3.** *(Anflug)* *eines Lä-*
chelns ébauche *f*
ạndeutungsweise *adv* **1.** *(indirekt)* à mots
couverts **2.** *(rudimentär)* très vaguement
Andorra [anˈdɔra] <-s> *nt* l'Andorre *f*
Andorraner(in) <-s, -> *m(f)* Andorran(e)
m(f)
andorranisch *adj* andorran(e)
Ạndrang *m kein Pl* **1.** *(Menschenmenge)*
affluence *f* **2.** *(Zustrom)* *von Wassermassen*
afflux *m*
Andreạskreuz *nt a.* REL croix *f* de Saint-André
ạn|drehen *vt* **1.** *(anstellen)* ouvrir *Gas;* allu-
mer *Licht, Heizung* **2.** *(festdrehen)* serrer
Schraube **3.** *fam* *(verkaufen)* **jdm etw ~** refiler qc à qn
ạndrerseits *s.* **andererseits**
ạn|drohen *vt* menacer; **jdm etw ~** mena-
cer qn de qc
Ạndrohung *f* menace *f;* **unter ~ von Ge-**
walt en menaçant d'utiliser la violence
ạn|ecken *vi* + *sein fam* choquer; **bei jdm**

mit etw ~ choquer qn par qc
an|eignen *vr* **1.** (*erwerben*) **sich** (*dat*) **Kenntnisse** ~ acquérir des connaissances **2.** (*nehmen*) **sich** (*dat*) **etw** ~ s'approprier qc
aneinander [an?aɪ'nandɐ] *adv* **1.** (*räumlich*) **die Dominosteine** ~ **fügen** mettre les dominos bout à bout; **Perlen auf einer Schnur** ~ **reihen** enfiler des perles sur un fil; ~ **hängen** être attaché l'un à l'autre; **sich** ~ **fügen** se combiner **2.** (*zeitlich*) **sich** ~ **reihen** se succéder **3.** *fig* **mit jdm** ~ **geraten** s'empoigner avec qn
aneinander|fügen *s.* **aneinander aneinander|geraten*** *s.* **aneinander aneinander|hängen** *s.* **aneinander aneinander|reihen** *s.* **aneinander**
Anekdote [anɛk'doːtə] <-, -n> *f* anecdote
an|ekeln *vt* dégoûter
Anemone [ane'moːnə] <-, -n> *f* anémone *f*
anerkannt ['an?ɛɐkant] *adj* **1.** *Tatsache* reconnu(e) **2.** *Experte* agréé(e); *Diplom* reconnu(e); *Prüfung* validé(e); *Schule* habilité(e); **staatlich** ~ reconnu par l'État
an|erkennen* *vt irr* **1.** (*würdigen*) reconnaître **2.** SPORT homologuer *Leistung* **3.** (*akzeptieren*) accepter *Meinung;* ~, **dass** ... reconnaître que ...
anerkennend I. *adj* approbateur(-trice) **II.** *adv* en signe d'approbation
Anerkennung *f* **1.** (*Würdigung*) reconnaissance *f* **2.** (*lobende Zustimmung*) approbation *f;* **jds** ~ **finden** *Leistung:* recevoir les faveurs de qn **3.** SPORT homologation *f*
an|fachen ['anfaxən] *vt a. fig geh* attiser
an|fahren *irr* **I.** *vi* + *sein* (*losfahren*) démarrer **II.** *vt* + *haben* **1.** (*streifen*) accrocher *Person, Auto* **2.** (*liefern*) livrer *Ware* **3.** NAUT mettre le cap sur *Hafen* **4.** (*schelten*) houspiller
Anfahrt *f* **1.** (*Strecke, Zeit*) trajet *m* **2.** (*das Kommen*) **zwanzig Euro für die** ~ **verlangen** *Taxifahrer, Handwerker:* exiger vingt euros pour la course
Anfall *m* **1.** (*Herzanfall, Asthmaanfall*) crise *f; (Schwächeanfall)* malaise *m; (Ohnmachtsanfall)* syncope *f* **2.** (*Wutanfall*) accès *m;* **einen** ~ **kriegen** *fam* piquer sa crise
an|fallen *irr* **I.** *vt* + *haben* (*angreifen*) attaquer **II.** *vi* + *sein* **1.** (*entstehen*) *Nebenprodukte, Müll:* être produit **2.** FIN *Kosten:* être dû **3.** (*sich anhäufen*) *Papier:* s'accumuler; **die** ~**de Arbeit** le travail à effectuer
anfällig ['anfɛlɪç] *adj* (*kränklich*) *Person* de santé fragile; **für etw** ~ **sein/werden** être/devenir réceptif à qc

Anfang ['anfaŋ, *Pl:* 'anfɛŋə] <-[e]s, Anfänge> *m* **1.** (*Beginn*) début *m,* commencement *m;* **den** ~ **machen** prendre l'initiative; **einen neuen** ~ **machen** prendre un nouveau départ; **am** ~ au début; **von** ~ **an** dès le départ; ~ **September** début septembre; ~ **des Jahres** au début de l'année; ~ **vierzig sein** avoir la quarantaine; **von** ~ **bis Ende** du début [jusqu']à la fin **2.** (*Ursprung*) *des Lebens* commencement *m; einer Firma* débuts *mpl* ▸**der** ~ **vom Ende** le commencement de la fin (*fam*); **aller** ~ **ist schwer** *prov* tous les débuts sont difficiles
an|fangen *irr* **I.** *vt* **1.** (*beginnen*) commencer *Arbeit;* ~ **mit** commencer par **2.** *fam* (*anbrechen*) entamer *Packung* **3.** (*angehen*) **etw richtig/anders** ~ s'y prendre bien/autrement avec qc ▸**mit jdm ist nichts anzufangen** il n'y a rien à tirer de qn; **nichts mit sich anzufangen wissen** ne pas savoir quoi faire de ses dix doigts **II.** *vi* **1.** **mit seinem Vortrag** ~ commencer sa conférence **2.** (*beginnen*) *Veranstaltung:* commencer **3.** (*ins Berufsleben gehen*) **als Vertreter** ~ débuter comme représentant
Anfänger(in) ['anfɛŋɐ] <-s, -> *m(f)* débutant(e) *m(f)*
anfänglich ['anfɛŋlɪç] *adj attr Übelkeit* initial(e); **nach** ~**em Zögern** après avoir hésité au début
anfangs ['anfaŋs] **I.** *adv* au début **II.** *präp* + *gen* CH ~ **des Monats** en début de mois; ~ **des Jahres** au début de l'année
Anfangsbuchstabe *m* [lettre *f*] initiale *f* **Anfangsstadium** *nt einer Krankheit* premier stade *m; eines Projekts, Versuchs* phase *f* initiale **Anfangszeit** *f* premiers temps *mpl*
an|fassen I. *vt* **1.** (*berühren*) toucher; **jdn am Ärmel** ~ saisir qn par la manche; **jdn grob** ~ empoigner qn sans ménagement **2.** (*ergreifen*) **die Flasche am Hals** ~ prendre la bouteille par le goulot **3.** (*angehen*) aborder *Angelegenheit, Problem* **4.** (*behandeln*) traiter; **jdn richtig/falsch** ~ s'y prendre bien/mal avec qn ▸**zum Anfassen** *fam* (*verständlich*) accessible [à tous]; (*volksnah*) proche des gens **II.** *vi* **1.** (*berühren*) toucher **2.** (*helfen*) [**mit**] ~ filer un coup de main (*fam*) **III.** *vr* (*sich bei der Hand nehmen*) **sich** ~ se donner la main
an|fauchen *vt* **1.** **jdn** ~ *Katze:* feuler en direction de qn **2.** *fam* (*zurechtweisen*) engueuler
anfechtbar ['anfɛçtbaːɐ] *adj* contestable; JUR attaquable

an|fechten *vt irr* **1.** contester *Aussage, These* **2.** JUR contester la validité de *Abkommen, Vertrag;* faire appel de *Beschluss, Urteil*
an|fertigen *vt* confectionner *Kleidungsstück;* fabriquer *Möbelstück;* dresser *Protokoll*
Anfertigung *f eines Kleidungsstücks* confection *f; eines Möbelstücks* fabrication *f; eines Protokolls* rédaction *f*
an|feuchten *vt* humecter
an|feuern *vt* **1.** (*anspornen*) encourager; ~de **Zurufe** des cris d'encouragement **2.** (*anheizen*) allumer *Ofen*
an|flehen *vt* supplier
an|fliegen *irr* **I.** *vt* + *haben* **eine Stadt** ~ (*sich nähern*) approcher d'une ville; (*eine Flugverbindung unterhalten*) desservir une ville **II.** *vi* + *sein* **angeflogen kommen** *Vogel:* arriver; *Geschoss:* fuser
Anflug *m* **1.** AVIAT approche *f;* **beim** ~ **auf Rom** à la descente sur Rome **2.** (*Spur*) **der** ~ **eines Lächelns** l'ébauche *f* d'un sourire
an|fordern *vt* demander
Anforderung *f* **1.** *kein Pl* (*das Anfordern*) demande *f* **2.** *meist Pl* (*Anspruch*) exigences *fpl;* **große ~en an jdn stellen** être très exigeant avec qn; **den ~en genügen** remplir les conditions
Anfrage *f* **1.** demande *f* [de renseignement]; **auf** ~ sur demande **2.** INFORM demande *f*
an|fragen *vi* demander; (*Auskunft erfragen*) se renseigner
an|freunden *vr* **1.** **sich** ~ se lier d'amitié; **sich mit jdm** ~ se lier d'amitié avec qn **2.** (*sich gewöhnen an*) **sich mit jdm/etw** ~ se faire à qn/qc
an|fühlen **I.** *vt* toucher **II.** *vr* **sich weich/rau** ~ être doux/rêche [au toucher]
an|führen *vt* **1.** (*befehligen*) commander *Truppe* **2.** (*vorbringen*) donner *Grund;* fournir *Beweise;* mentionner *Zitat*
Anführer(in) *m(f)* **1.** *einer Truppe* commandant *m; einer Bande* chef *mf* **2.** *pej* (*Rädelsführer*) meneur(-euse) *m(f)*
Anführungszeichen *nt meist Pl* guillemets *mpl;* ~e **unten/oben** guillemets ouvrants/fermants
Angabe <-, -n> *f* **1.** *meist Pl* (*Aussage*) déclaration *f;* ~n **über etw** (*akk*)/**zu etw machen** donner des indications à propos de qc/sur qc; ~n **zur Person** renseignements *mpl* sur l'identité **2.** (*Aufgabe*) das ist seine/ihre ~ cela lui incombe **3.** *kein Pl fam* (*Prahlerei*) frime *f*
an|geben *irr* **I.** *vt* **1.** (*nennen*) donner *Grund, Namen* **2.** (*behaupten*) fournir *Gründe* **3.** (*anzeigen*) indiquer *Preis* **II.** *vi* **1.** (*prahlen*) frimer (*fam*) **2.** SPORT servir

Angeber(in) <-s, -> *m(f)* frimeur(-euse) *m(f)* (*fam*)
Angeberei [angeˈbəˈraj] <-, -en> *f fam* **1.** *kein Pl* (*das Prahlen*) frime *f* **2.** *meist Pl* (*Äußerung, Handlung*) fanfaronnade *f*
angeblich [ˈangeːplɪç] **I.** *adj* prétendu(e) **II.** *adv* soi-disant
angeboren *adj* **1.** *Behinderung* congénital(e) **2.** *fam* (*chronisch*) inné(e)
Angebot <-[e]s, -e> *nt* **1.** offre *f* **2.** (*Warenangebot*) choix *m;* ~ **und Nachfrage** l'offre et la demande **3.** (*Sonderangebot*) promotion *f*
angebracht [ˈangəbraxt] *adj* **1.** (*sinnvoll*) opportun(e) **2.** (*angemessen*) **für jdn/etw** ~ **sein** être approprié pour qn/qc
angegossen [ˈangəgɔsən] *adj* ▶**wie passen** *fam* aller comme un gant
angeheiratet *adj* par alliance
angeheitert [ˈangəhajtet] *adj fam* éméché(e)
an|gehen *irr* **I.** *vi* + *sein* **1.** *Licht:* s'allumer; *Elektrogerät:* se mettre en route **2.** (*zu brennen beginnen*) *Feuer:* prendre **3.** (*vorgehen, ankämpfen*) **gegen jdn** ~ agir contre qn; **gegen die Flammen** ~ combattre le feu; **gegen den Drogenhandel** ~ s'attaquer au trafic de drogue **4.** (*vertretbar sein*) être possible; **es geht nicht an, dass** il est inacceptable que + *subj* **II.** *vt* **1.** + *haben o* SDEUTSCH *sein* (*in Angriff nehmen*) s'attaquer à *Problem;* entamer *Verhandlungen* **2.** + *sein* aborder *Hindernis* **3.** + *haben* (*attackieren*) attaquer **4.** + *haben* (*betreffen*) concerner; **das geht dich nichts an!** ça ne te regarde pas!; **was geht dich das an?** de quoi je me mêle? (*fam*); **was mich angeht, ...** pour ma part, ...
angehend *adj* futur(e)
an|gehören* *vi* faire partie de; **einer Partei** ~ être membre d'un parti; **einer Gruppe** ~ faire partie d'un groupe; **der Vergangenheit** ~ appartenir au passé
Angehörige(r) *f(m) dekl wie adj* **1.** (*Familienangehöriger*) [proche] parent(e) *m(f);* **meine ~n wohnen alle in Süddeutschland** toute ma famille vit en Allemagne du Sud **2.** (*Mitglied*) membre *m*
Angeklagte(r) *f(m) dekl wie adj* accusé(e) *m(f)*
Angel [ˈaŋəl] <-, -n> *f* **1.** canne *f* à pêche **2.** (*Türangel, Fensterangel*) gond *m*
Angelegenheit *f* **1.** affaire *f;* **in welcher** ~ **wollen Sie mich sprechen?** à quel sujet désirez-vous me voir? **2.** (*Aufgabe*) das ist seine/ihre ~ cela lui incombe
angelernt *adj* **1.** *Arbeiter* spécialisé(e) **2.** *Wissen* approximatif(-ive)
Angelhaken *m* hameçon *m*

angeln ['aŋəln] **I.** *vi* **1.** pêcher; ~ **gehen** aller à la pêche **2.** *(greifen)* **nach dem Telefon** ~ essayer d'attraper le téléphone **II.** *vt* **1.** *(fischen)* pêcher; **wir haben noch nicht viel geangelt** nous n'avons pas pris grand-chose **2.** *fam (ergattern)* **sich** *(dat)* **einen Millionär** ~ mettre le grappin sur un millionnaire

Angelpunkt *m* question *f* centrale **Angelrute** *f* canne *f* à pêche

angemessen I. *adj Preis* raisonnable; *Honorar* adapté(e); *Kleidung* approprié(e); *Verhalten* convenable; **der Leistung** *(dat)* ~ **sein** être proportionnel au rendement **II.** *adv würdigen* à sa/leur juste valeur; *bezahlen* en conséquence; *sich verhalten* convenablement

angenehm ['angəne:m] **I.** *adj* agréable; **es wäre mir ~er, wenn** je préférerais que + *subj;* [**sehr**] ~! enchanté! **II.** *adv* ~ **riechen** sentir bon; ~ **überrascht sein** être agréablement surpris

angenommen ['angənɔmən] *PP von* **annehmen**

angepasst^RR ['angəpast], **angepaßt I.** *adj* conformiste **II.** *adv sich verhalten* selon la norme

angeregt ['angəre:kt] **I.** *adj Atmosphäre, Diskussion* animé(e) **II.** *adv* de façon animée

angeschlagen *adj fam Person* mal fichu(e); *Gesundheit* chancelant(e); *Nerven* en pelote

angesehen *adj Person* estimé(e); *Firma* de renom

Angesicht <-[e]s, -er> *nt geh* face *f;* **von ~ zu** ~ seul à seul ►**im** ~ **des** Todes devant la mort

angesichts *präp* + *gen* face à; ~ **der Tatsache, dass ...** du fait que ...

angespannt ['angəʃpant] **I.** *adj* tendu(e) **II.** *adv* [très] attentivement

Angestellte(r) *f(m) dekl wie adj* employé(e) *m(f)*

angetan *adj (erbaut)* conquis; **von jdm/ etw sehr** ~ **sein** être tout à fait conquis par qn/qc

angetrunken *adj* un peu gris(e)

angewandt ['angəvant] *adj attr Wissenschaft* appliqué(e)

angewiesen ['angəvi:zən] *adj* **auf jdn/ etw** ~ **sein** dépendre de qn/qc; **sie sind auf jede Euro** ~ ils en sont à compter chaque euro

anIgewöhnen* **I.** *vt* habituer; **jdm etw** ~ habituer qn à qc **II.** *vr* **sich** *(dat)* **etw** ~ prendre l'habitude de faire qc

Angewohnheit *f* habitude *f*

angewurzelt *adj* ►**wie** ~ stehen bleiben rester planté [là]

Angina [aŋ'gi:na] <-, Anginen> *f* angine *f*

anIgleichen *irr* **I.** *vt* harmoniser; **etw einer S.** *(dat)* ~ harmoniser qc avec qc **II.** *vr* **sich** **jdm** ~ s'adapter à qn; **sich aneinander** ~ *Kulturen, Systeme:* s'harmoniser les uns/ unes avec les autres

Angleichung *f* harmonisation *f; der Preise, Gehälter* réajustement *m;* ~ **an etw** *(akk)* harmonisation à qc

Angler(in) ['aŋlə] <-s, -> *m(f)* pêcheur(-euse) *m(f)* à la ligne

anIgliedern *vt* annexer; **etw einem Staat** ~ annexer qc à un État; **etw einem Konzern** ~ rattacher qc à un groupe

Angliederung *f eines Gebiets* annexion *f; einer Organisation, Firma* rattachement *m*

anglikanisch [aŋgli'ka:nɪʃ] *adj* anglican(e)

Anglistik [aŋ'glɪstɪk] <-> *f* lettres *fpl* et civilisation anglaises

anIglotzen *vt fam* **jdn** ~ regarder qn avec des yeux ronds

angreifbar *adj Person* critiquable; *Theorie* contestable

anIgreifen *irr* **I.** *vt* **1.** **jdn/etw** ~ attaquer qn/qc **2.** *(schädigen)* **etw** ~ attaquer qc **3.** *(beeinträchtigen)* **jdn** ~ *Nachricht:* affecter qn; *Stress:* altérer la santé de qn **4.** *(anbrechen)* puiser dans *Geld* **II.** *vi* attaquer

Angreifer(in) <-s, -> *m(f)* **1.** MIL assaillant(e) *m(f)* **2.** *meist Pl* SPORT attaquant(e) *m(f)*

anIgrenzen *vi* être limitrophe; **an etw** *(akk)* ~ *Land:* être limitrophe de qc; *Fluss, See:* être en bordure de qc

Angriff *m* **1.** MIL, SPORT offensive *f* **2.** *(Kritik)* attaque *f* ►**etw in** ~ **nehmen** s'attaquer à qc

Angriffsfläche *f* cible *f* **angriffslustig** *adj Journalist, Opposition* combatif(-ive); SPORT offensif(-ive)

angst ►**jdm** wird ~ [**und bange**] qn prend peur

Angst [aŋst, *Pl:* 'ɛŋstə] <-, ^=e> *f* **1.** peur *f;* **vor jdm/etw** ~ **haben** avoir peur de qn/ qc; **um jdn/etw** ~ **haben** avoir peur pour qn/qc; ~ **bekommen** prendre peur; **keine** ~! *fam* pas de panique! **2.** PSYCH angoisse *f*

Angsthase *m fam* trouillard(e) *m(f)*

ängstigen ['ɛŋstɪgən] **I.** *vt* faire peur à; **jdn** ~ *(in Furcht versetzen)* faire peur à qn; *(in Sorge versetzen)* inquiéter qn **II.** *vr* **1.** *(sich fürchten)* **sich vor jdm/etw** ~ avoir peur de qn/qc **2.** *(sich sorgen)* **sich um jdn/wegen etw** ~ s'inquiéter pour qn/de qc

ängstlich ['ɛŋstlɪç] **I.** *adj* **1.** *Person, Blick*

Angst/Sorge ausdrücken

• Angst/Befürchtungen ausdrücken

Ich habe (da) ein ungutes Gefühl.
Mir schwant nichts Gutes. *(fam)*
Ich rechne mit dem Schlimmsten.
Diese Menschenmengen **machen mir
Angst.**
Diese Rücksichtslosigkeit **beängstigt
mich.**
Ich habe **Angst, dass** du dich verletzen
könntest.
Ich habe **Angst vorm** Zahnarzt.
Ich habe **Bammel/Schiss vor** der
Prüfung. *(fam)*

• **Sorge ausdrücken**

Sein Gesundheitszustand **macht mir
große Sorgen.**
Ich **mache mir Sorgen um** dich.
Die steigenden Arbeitslosenzahlen
beunruhigen mich.
Die Sorge um ihn **bereitet mir schlaflose
Nächte.**

• exprimer la peur/les craintes

J'ai un mauvais pressentiment.
Je ne pressens rien de bon.
Je m'attends au pire.
J'ai peur de la foule.

Ce sans-gêne **m'inquiète.**

J'ai peur que tu te blesses.

J'ai peur du dentiste.
J'ai la frousse/trouille de l'examen.

• **exprimer le souci**

Son état de santé **m'inquiète beaucoup.**

Je me fais du souci pour toi.
L'augmentation des chiffres du chômage
m'inquiète.
Je passe des nuits blanches à me faire
du souci pour lui.

---

craintif(-ive) **2.**(*besorgt*) ~ **werden/sein**
s'inquiéter/être inquiet **II.** *adv hüten, verbergen* jalousement
Ängstlichkeit <-> *f* **1.**(*Furcht*) crainte *f*
2.(*Besorgtheit*) inquiétude *f*
Angstschweiß *m* sueur *f* d'angoisse
an|gucken *vt fam* regarder
an|gurten I. *vr* sich ~ mettre sa ceinture
[de sécurité] **II.** *vt* attacher
an|haben *vt irr* **1.***fam* (*angezogen haben*)
porter; **nichts** ~ être tout nu **2.***fam* (*angeschaltet haben*) **den Fernseher** ~ avoir la
télé allumée **3.**(*zuleide tun*) **jdm etwas** ~
können pouvoir faire du mal à qn; *Konkur-
rent, Widersacher:* pouvoir nuire à qn; **die
Kälte kann mir nichts** ~ le froid n'a aucune prise sur moi
an|halten *irr* **I.** *vi* **1.**(*stehen bleiben*) s'arrê-
ter **2.**(*fortdauern*) *Wetter:* continuer; *Beschwerden:* persister; *Lärm:* durer **3.**(*werben*) **um die Hand der Tochter** ~ demander la main de la fille **II.** *vt* **1.**(*stoppen*) stopper *Person, Fahrzeug;* retenir *Luft*
2.(*anleiten*) **jdn zu Ordnung** ~ éduquer
qn à être ordonné
anhaltend *adj Hitze* persistant(e); *Lärm* con-
tinuel(le)
Anhalter(in) *m(f)* auto-stoppeur(-euse)
m(f); **per** ~ **fahren** faire de l'auto-stop
Anhaltspunkt *m* indice *m*
anhand [an'hant] *präp + gen* à l'aide de

Anhang <-[e]s, Anhänge> *m* appendice
m
an|hängen I. *vt* **1.**(*befestigen*) accrocher
Schild **2.**(*ankuppeln*) atteler *Wohnwagen*
3.(*hinzufügen*) ajouter *Bemerkung* **4.***fam*
(*anlasten*) **jdm einen Diebstahl** ~ coller
un vol sur le dos de qn **II.** *vr* (*hinterherfah-
ren*) **sich an jdn/etw** ~ *Fahrer, Wagen:*
coller qn/qc (*fam*) **III.** *vi irr* **jdm** ~ *Vorwurf, Makel:* coller à la peau de qn (*fam*)
Anhänger <-s, -> *m* **1.**(*Wagen*) remorque
f **2.**(*Schmuckstück*) pendentif *m*
Anhänger(in) <-s, -> *m(f)* **1.** SPORT supporter *mf* **2.**(*Gefolgsmann*) partisan(e) *m(f)*
Anhängerschaft <-> *f* **1.** SPORT supporte[u]rs *mpl* **2.**(*Gefolgsleute*) partisans *mpl*
anhänglich ['anhɛŋlɪç] *adj Kind* très atta-
ché(e); *Haustier* attaché(e)
Anhänglichkeit <-> *f eines Kindes* attachement *m; eines Haustiers* fidélité *f*
an|hauchen *vt* souffler en direction de
an|häufen I. *vt* amasser *Geld;* entasser *Müll*
II. *vr* sich ~ s'accumuler
an|heben *vt* **1.** soulever *Möbelstück;* le-
ver *Glas* **2.**(*erhöhen*) augmenter *Abgaben;*
élargir *Freigrenze*
an|heften *vt* fixer; **etw mit Heftklam-
mern** ~ agrafer qc
anheimRR [an'haɪm] *geh* **dem Staat** ~ **fallen** *Vermögen, Erbschaft:* tomber en déshé-
rence; **einem Betrug** ~ **fallen** être victime

d'une escroquerie; **es jdm ~ stellen etw zu tun** laisser qn libre de faire qc
anheimlfallen s. anheim **anheimlstellen** s. anheim
anlheuern I. *vt* enrôler **II.** *vi* **auf einem Schiff ~** s'engager sur un bateau
Anhieb ['anhiːp] ▶**auf ~** *fam* d'emblée
anlhimmeln ['anhɪməln] *vt fam* **jdn ~** (*verehren*) adorer qn; (*schwärmerisch ansehen*) dévorer qn des yeux
Anhöhe *f* hauteur *f*
anlhören I. *vt* **1.**(*bewusst hören*) écouter **2.**(*mithören*) entendre **II.** *vr* **1.** **sich komisch/heiser ~** *Person:* avoir une drôle de voix/la voix enrouée **2.**(*Klänge wiedergeben*) **sich gut ~** *Anlage:* avoir un bon son
Anhörung <-, -en> *f* audition *f*
animalisch [ani'maːlɪʃ] *adj pej* animal(e)
Animateur(in) [anima'tøːɐ] <-s, -e> *m(f)* animateur(-trice) *m(f)*
animieren* [ani'miːrən] **I.** *vt* inciter; **jdn zu etw ~** inciter qn à [faire] qc **II.** *vi* stimuler
animierend *adj* (*anregend*) stimulant(e)
Anis [a'niːs] <-[es], -e> *m* **1.**(*Pflanze, Gewürz*) anis *m* **2.**(*Schnaps*) anisette *f*
anlkämpfen *vi* lutter; **gegen jdn/etw ~** lutter contre qn/qc
Ankauf *m* achat *m; eines Grundstücks* acquisition *f;* **An- und Verkauf** vente *f* et achat
anlkaufen *vt* acheter
Anker ['aŋkɐ] <-s, -> *m* ancre *f;* **den ~ werfen/lichten** jeter/lever l'ancre
ankern *vi* **1.**(*den Anker werfen*) jeter l'ancre **2.**(*vor Anker liegen*) mouiller
Ankerplatz *m* mouillage *m*
anlketten *vt* **1.** attacher *Fahrrad* **2.**(*fesseln*) enchaîner *Sträfling*
Anklage *f* **1.** JUR (*Tatvorwurf*) inculpation *f;* (*~vertreter*) accusation *f;* **gegen jdn ~ wegen etw erheben** engager des poursuites contre qn pour qc; **wegen etw unter ~ stehen** faire l'objet de poursuites pour qc **2.**(*Vorwurf, Klage*) accusation *f*
Anklagebank <-bänke> *f* banc *m* des accusés
anlklagen I. *vt* **1.** JUR inculper **2.**(*anprangern*) dénoncer *Missstände, Politik* **3.**(*beschuldigen*) accuser **II.** *vi* *Person:* accuser; *Rede:* être une accusation
anklagend I. *adj* accusateur(-trice) **II.** *adv* **~ ansehen** d'un air accusateur
Ankläger(in) *m(f)* accusateur(-trice) *m(f)*
Anklageschrift *f* acte *m* d'accusation
Anklang *m* **1.** *kein Pl* (*Zustimmung*) accueil *m* favorable, écho *m* [favorable]; **bei jdm ~ finden** *Person:* avoir du succès au-

près de qn; *Plan:* être bien accueilli par qn **2.**(*Reminiszenz*) **~ an jdn/etw** référence *f* à qn/qc
anlkleben *vt* + *haben* coller
Ankleidekabine *f eines Geschäfts* cabine *f* d'essayage
anlkleiden I. *vt geh* vêtir **II.** *vr geh* **sich ~** s'habiller
Ankleideraum *m eines Schwimmbads* vestiaire *m*
anlklicken *vt* INFORM cliquer sur
anlklopfen *vi* frapper
anlknabbern *vt fam* grignoter
anlknipsen *vt fam* allumer
anlknüpfen I. *vt* **1.**(*befestigen*) attacher *Schnur* **2.**(*aufnehmen*) nouer *Beziehung* **II.** *vi* **an alte Zeiten ~** renouer avec le passé
anlkommen *irr* **I.** *vi* + *sein* **1.**(*das Ziel erreichen*) arriver **2.** *fam* (*Anklang finden*) **bei jdm ~** *Idee:* être bien accueilli par qn; *Mode:* avoir du succès auprès de qn; **nicht [gut] ~** faire un bide **3.** *fam* (*Eindruck machen*) **bei jdm ~/gut ~** avoir la cote auprès de qn **4.**(*sich behaupten*) **gegen jdn ~ können** arriver à s'imposer à qn **II.** *vi unpers* + *sein* **es kommt darauf an, dass** il importe que + *subj* ▶**es darauf ~ lassen** *fam* risquer le coup; **es auf etw** (*akk*) **~ lassen** *fam* se laisser embarquer dans qc
Ankömmling ['ankœmlɪŋ] <-s, -e> *m* arrivant(e) *m(f)*
anlkotzen *vt fam* (*anwidern*) faire gerber
anlkreiden *vt* reprocher; **jdm etw ~** reprocher qc à qn
anlkreuzen *vt* cocher
anlkündigen *vt, vr* [**sich**] **~** [s']annoncer
Ankündigung *f* **1.** *kein Pl* (*das Ankündigen*) annonce *f* **2.**(*Vorzeichen*) *einer Katastrophe* signe *m* avant-coureur
Ankunft ['ankʊnft] <-, Ankünfte> *f* arrivée *f;* **bei ~ des Zuges** lors de l'entrée [du train] en gare
anlkurbeln *vt* **1.** relancer *Wirtschaft* **2.**(*in Gang setzen*) **den Motor ~** mettre le moteur en marche
anllächeln *vt* sourire à
anllachen *vt* regarder en riant; **jdn ~** regarder qn en riant; *Sonne:* sourire à qn
Anlage <-, -n> *f* **1.**(*Produktionsgebäude*) complexe *m* **2.** *kein Pl* (*das Schaffen*) *eines Stausees* construction *f; eines Parks* aménagement *m* **3.**(*Einrichtung*) **sanitäre ~n** installations sanitaires **4.**(*Briefbeilage*) annexe *f;* INFORM attachement *m;* **als ~** en annexe **5.** *meist Pl* (*Veranlagung*) [pré]dispositions *fpl* **6.** *kein Pl* (*Gliederung*) *eines Romans* plan *m*

anǁlangen *vt* + *haben* **1.** (*betreffen*) concerner; **was das Projekt anlangt, ...** en ce qui concerne le projet, ... **2.** SDEUTSCH (*anfassen*) toucher

Anlassᴿᴿᴿ ['anlas, *Pl:* 'anlɛsə] <-es, **Anlässe**>, **Anlaß** <-sses, **Anlässe**> *m* **1.** (*Grund*) raison *f* **2.** (*Gelegenheit*) occasion *f;* **beim geringsten ~** pour un oui ou pour un non; **aus gegebenem ~** puisque l'occasion en est/était/... donnée **3.** (*Veranstaltung*) **ein festlicher ~ sein** être l'occasion de festivités

anǁlassen *irr* **I.** *vt* **1.** [faire] démarrer *Auto* **2.** *fam* (*anbehalten*) garder *Schuhe* **3.** *fam* (*nicht abstellen*) laisser tourner *Motor;* laisser brûler *Kerze* **II.** *vr fam* **sich gut/ schlecht ~** *Geschäft, Tag:* se présenter bien/mal

Anlasser <-s, -> *m* démarreur *m*

anlässlichᴿᴿᴿ ['anlɛslɪç], **anläßlich** *präp* + *gen* à l'occasion de

anǁlasten *vt* reprocher; **jdm etw ~** reprocher qc à qn

Anlauf *m* **1.** SPORT élan *m* **2.** (*Versuch*) essai *m*

anǁlaufen *irr* **I.** *vi* + *sein* **1.** (*beginnen*) *Saison, Verhandlungen:* commencer **2.** (*herauskommen*) *Film:* sortir **3.** (*Anlauf nehmen*) prendre de l'élan **4.** (*beschlagen*) *Brille, Spiegel:* s'embuer **5.** (*die Hautfarbe ändern*) **blau ~** devenir tout bleu **6.** (*oxidieren*) *Metall:* s'oxyder **II.** *vt* + *haben* faire escale dans *Bucht, Hafen*

Anlaufstelle *f* lieu *m* d'accueil

Anlaut *m* son *m* initial

anǁlegen **I.** *vt* **1.** (*erstellen*) constituer *Akte;* établir *Liste* **2.** aménager *Garten* **3.** (*ansammeln*) constituer *Vorratslager* **4.** FIN placer **5.** (*ausgeben*) mettre **6.** (*beabsichtigen*) **es auf einen Streit ~** chercher une dispute **7.** (*anlehnen*) mettre *Leiter* **8.** (*hinlegen*) appliquer *Lineal* **9.** *geh* (*anziehen, antun*) mettre *Schmuck* **10.** (*ausrichten*) **ein Projekt auf sechs Jahre ~** concevoir un projet sur six ans **II.** *vi* **1.** **im Hafen ~** faire escale dans le port **2.** (*zielen*) **mit einem Gewehr auf jdn ~** mettre qn en joue avec un fusil **III.** *vr* **sich mit jdm ~** entrer en conflit avec qn

Anlegeplatz *m* embarcadère *m*, débarcadère *m*

Anleger(in) <-s, -> *m(f)* investisseur(-euse) *m(f)*

anǁlehnen **I.** *vt* **1.** poser; **etw an etw** (*akk*) **~** poser qc contre qc **2.** (*offen lassen*) **das Fenster ~** laisser la fenêtre entrouverte **II.** *vr* **1.** **sich an jdn/etw ~** s'appuyer contre qn/qc **2.** (*sich orientieren*) **sich an etw** (*akk*) **~** *Inszenierung:* s'inspirer de qc

Anlehnung <-, -en> *f* (*Orientierung*) **in ~ an jdn/etw** en référence à qn/qc

anlehnungsbedürftig *adj* qui a besoin de se sentir entouré(e)

anǁleiern *vt fam* goupiller

Anleihe <-, -n> *f* emprunt *m;* **eine ~ aufnehmen** contracter un emprunt

anǁleiten *vt* (*unterweisen*) instruire; **jdn ~ etw zu tun** apprendre à qn à faire qc

Anleitung *f* directives *fpl*

anǁlernen *vt* (*einarbeiten*) former

anǁlesen *vt irr* **1.** lire le début de *Buch* **2.** (*aneignen*) **sich** (*dat*) **etw ~** assimiler qc par la lecture

anǁliefern *vt* livrer à domicile; **etw ~** livrer qc à domicile

Anlieferung *f* livraison *f* [à domicile]

anǁliegen *vi irr* **1.** *Problem:* être à régler **2.** eng ~ *Kleid:* être moulant

Anliegen <-s, -> *nt* (*Bitte*) demande *f*

anliegend *adj* **1.** *Schreiben:* ci-joint(e) **2.** *Grundstück:* attenant(e) **3.** (*den Körper betonend*) **ein eng ~es Kleid** un robe moulante **4.** *Haare:* plaqué(e)

Anlieger(in) <-s, -> *m(f)* riverain(e) *m(f);* **~ frei!** accès réservé aux riverains!

anǁlocken *vt* attirer *Käufer;* appâter *Tier*

anǁlügen *vt irr* mentir à

Anm. *Abk von* **Anmerkung**

Anmache <-> *f fam* drague *f*

anǁmachen *vt* **1.** (*anstellen*) allumer **2.** (*zubereiten*) assaisonner *Salat* **3.** *fam* (*befestigen*) fixer **4.** *fam* (*gefallen*) **jdn total ~** *Projekt, Film:* intéresser vachement qn **5.** *fam* (*flirten, ansprechen*) draguer **6.** *fam* (*rüde ansprechen*) **jdn ~** prendre qn à partie

anǁmalen **I.** *vt* (*bemalen*) peindre **II.** *vr pej fam* **sich ~** se peinturlurer

anǁmaßen ['anmaːsən] *vr* **sich** (*dat*) **etw ~** se permettre qc

anmaßend *adj* prétentieux(-euse)

Anmaßung <-, -en> *f* prétention *f*

Anmeldeformular *nt* formulaire *m* d'inscription

Anmeldegebühr *f* frais *mpl* d'inscription

anǁmelden **I.** *vt* **1.** (*ankündigen*) annoncer *Gast, Besucher;* **ich bin angemeldet** j'ai rendez-vous **2.** (*vormerken lassen*) inscrire **3.** (*polizeilich melden*) déclarer *Wohnsitz* **4.** (*registrieren lassen*) déclarer *Radio;* déposer *Patent* **5.** (*geltend machen*) faire valoir *Anspruch;* exprimer *Bedenken* **II.** *vr* **1.** (*ankündigen*) **sich ~** annoncer sa venue **2.** (*sich eintragen lassen*) **sich zu einem Kurs ~** s'inscrire à un cours **3.** (*einen Termin vereinbaren*) **sich ~** prendre rendezvous **4.** (*sich polizeilich melden*) **sich in Stuttgart ~** déclarer son domicile à Stutt-

gart

Anmeldung f **1.** *kein Pl* (*Ankündigung*) eines Besuchs annonce f **2.** (*Terminvereinbarung*) rendez-vous m **3.** (*Einschreibung*) inscription f **4.** (*Registrierung*) eines Einwohners enregistrement m; eines Radiogeräts déclaration f; eines Patents dépôt m

an|merken vt **1.** (*ansehen*) **sich** (*dat*) **den Ärger** ~ **lassen** laisser transparaître sa colère; **ich merke dir an, dass ...** je lis à ton visage que ... **2.** (*bemerken, äußern*) **etwas** ~ faire une remarque

Anmerkung <-, -en> f commentaire m

Anmut ['anmuːt] <-> f geh grâce f

anmutig adj geh Person gracieux(-euse); Gemälde charmant(e)

an|nähen vt coudre; **eine Tasche an etw** (*akk o dat*) ~ coudre une poche à qc; **einen Knopf wieder** ~ recoudre un bouton

an|nähern **I.** vr sich [einander] ~ se rapprocher **II.** vt rapprocher

annähernd adj approximatif(-ive)

Annäherung <-, -en> f rapprochement m

Annäherungsversuch m tentative f de rapprochement; **~e machen** faire des avances

annäherungsweise adv approximativement

Annahme ['annaːmə] <-, -n> f **1.** (*Vermutung*) supposition f; **in der ~, dass ...** en supposant que ...; **der ~** (*gen*) **sein, dass ...** supposer que ... **2.** *kein Pl* (*das Annehmen*) eines Angebots acceptation f **3.** *kein Pl* JUR, POL eines Gesetzes adoption f

Annahmestelle f **1.** (*Lottoannahmestelle*) bureau m de validation **2.** (*Anlieferstelle*) point m de récupération

annehmbar adj **1.** (*akzeptabel*) acceptable **2.** Qualität, Preis convenable; Duft, Geschmack correct(e)

an|nehmen irr **I.** vt **1.** (*akzeptieren*) accepter Angebot; relever Herausforderung **2.** (*meinen*) supposer; **~, dass ...** supposer que ...; **du nimmst doch nicht etwa an, dass ...** tu n'imagines quand même pas que ... **3.** (*billigen*) adopter Gesetz **4.** (*sich zulegen*) prendre Angewohnheit; adopter Staatsangehörigkeit **5.** (*zulassen*) accepter Anmeldung; admettre Patienten **6.** (*bekommen*) prendre Aussehen **II.** vr sich einer Angelegenheit (*gen*) ~ se charger d'une affaire

Annehmlichkeit <-, -en> f **1.** (*Bequemlichkeit*) commodité f **2.** (*Vorteil*) avantage m

annektieren* [anɛkˈtiːrən] vt annexer

anno, Anno ['ano] adv anno **1810** en 1810 ▸**von anno dazumal** fam qui date de Mathusalem

Annonce [aˈnõːsə] <-, -n> f [petite] annonce f

annoncieren* [anõˈsiːrən] **I.** vi passer une annonce/des annonces **II.** vt mettre une annonce/des annonces pour Haus, Auto

annullieren* [anʊˈliːrən] vt annuler

an|löden ['anʔøːdən] vt fam barber

anomal ['anomaːl] adj anormal(e)

Anomalie [anomaˈliː] <-, -n> f anomalie f

anonym [anoˈnyːm] adj anonyme; **~ bleiben** garder l'anonymat

Anonymität [anonymiˈtɛːt] <-> f anonymat m

Anorak ['anorak] <-s, -s> m anorak m

an|ordnen vt **1.** (*festsetzen*) décréter Maßnahme; imposer Überstunden **2.** (*ordnen*) classer

Anordnung <-, -en> f **1.** (*Verfügung*) einer Behörde disposition f; eines Vorgesetzten ordre m; **auf ~ der Geschäftsleitung** sur ordre de la direction **2.** (*Ordnung*) von Karteikarten classement m

anorganisch ['anɔrgaːnɪʃ] adj inorganique

anormal ['anɔrmaːl] s. anomal

an|packen **I.** vt fam **1.** (*anfassen*) empoigner **2.** (*beginnen*) se mettre à Arbeit, Aufgabe, Projekt **II.** vi fam [mit] ~ filer un coup de main

an|passen **I.** vt **1.** (*passend machen*) etw einer S. (*dat*) ~ adapter qc à qc; Handwerker: ajuster qc à qc **2.** (*anmessen, anprobieren*) jdm etw ~ essayer qc à qn **II.** vr sich jdm ~ s'adapter à qn; **sich einer S.** (*dat*) ~ Mieten, Preise: évoluer en fonction de qc

Anpassung <-, -en> f (*Abstimmung*) adaptation f; (*Neufestsetzung*) réajustement m

anpassungsfähig adj capable de s'adapter

Anpassungsfähigkeit f adaptabilité f

Anpassungsschwierigkeiten Pl difficultés fpl d'adaptation

an|peilen vt **1.** (*orten*) repérer **2.** (*ansteuern*) mettre le cap sur Hafen **3.** fam (*anstreben*) loucher sur Position

an|pfeifen irr **I.** vi Schiedsrichter: siffler [le coup d'envoi] **II.** vt fam (*zurechtweisen*) engueuler

Anpfiff m **1.** SPORT der ~ le coup d'envoi **2.** fam (*Zurechtweisung*) engueulade f; **einen ~ bekommen** se prendre un savon

an|pflanzen vt planter Blumen; cultiver Nutzpflanzen

an|piepsen vt biper (*fam*)

an|pirschen vr sich ~ **1.** Jäger: s'approcher [sans bruit] **2.** fam (*sich nähern*) s'approcher en douce

an|prangern ['anpraŋən] vt vilipender; **etw als Missstand** ~ dénoncer qc comme

étant inacceptable
an|preisen *vt irr* vanter
Anprobe *f* essayage *m*
an|probieren* *vt, vi* essayer
an|pumpen *vt fam* taper; **jdn um zehn Euro** ~ taper dix euros à qn
an|quatschen *vt fam* tenir la jambe à; **von jdm angequatscht werden** se faire tenir la jambe par qn
an|rechnen *vt* 1.(*gutschreiben*) déduire *Anzahlung;* faire la reprise de *Gebrauchtwagen* 2.(*berechnen*) **jdm etw** ~ facturer qc à qn 3.(*bewerten*) compter *Fehler* 4.(*einschätzen, würdigen*) **jdm/sich etw als Verdienst** ~ mettre qc à l'actif de qn/s'attribuer le mérite de qc
Anrecht *nt* droit *m;* ~ **auf etw** (*akk*) droit à qc
Anrede *f* titre *m*
an|reden *vt* s'adresser à; **jdn mit einem Titel** ~ appeler qn par un titre; **jdn mit „du"** ~ dire "tu" à qn
an|regen I. *vt* 1.(*ermuntern*) stimuler; **jdn zu etw** ~ inciter qn à qc 2. *geh* (*vorschlagen*) ~ **etw zu tun** suggérer de faire qc 3. BIO ouvrir *Appetit* II. *vi Kaffee:* stimuler
anregend *adj* stimulant(e); (*sexuell stimulierend*) excitant(e)
Anregung *f* 1.(*Vorschlag*) suggestion *f* 2.(*Impuls*) impulsion *f* 3. *kein Pl* BIO stimulation *f*
an|reichern ['anʀaiçɐn] I. *vt* 1. CHEM enrichir; **etw mit etw** ~ enrichir qc avec qc 2. **etw mit Vitaminen** ~ rehausser qc avec des vitamines II. *vr* BIO, CHEM **sich im Körper** ~ s'accumuler dans le corps
Anreise *f* 1.(*Anfahrt*) voyage *m* 2.(*Ankunft*) arrivée *f*
an|reisen *vi* + *sein* 1.(*ein Ziel anfahren*) voyager 2.(*eintreffen*) arriver
Anreiz *m* invite *f;* ~**e bieten etw zu tun** donner des motifs *mpl* pour faire qc
an|rempeln ['anʀɛmpəln] *vt* bousculer
an|rennen *vi irr* + *sein* 1. **angerannt kommen** *Person:* arriver en courant; *Pferd:* arriver au galop; *Hund, Katze:* arriver à toute allure 2.(*anstürmen*) **gegen die feindlichen Stellungen** ~ se lancer contre les positions ennemies
Anrichte ['anʀɪçtə] <-, -n> *f* buffet *m*
an|richten *vt* 1.(*garnieren*) présenter *Essen* 2.(*verursachen*) causer *Schaden, Unheil;* **was hast du da wieder angerichtet!** qu'est-ce que t'as encore fabriqué! (*fam*)
anrüchig ['anʀyçɪç] *adj* 1. *Lokal, Viertel* mal famé(e); *Etablissement* douteux(-euse); *Geschäft* louche 2. *Abbildung* indécent(e)
an|rücken *vi* + *sein fam* (*herbeikommen*) rappliquer

Anruf *m* 1. TELEC coup *m* de téléphone 2. MIL sommation *f*
Anrufbeantworter <-s, -> *m* répondeur *m* [téléphonique]
an|rufen *irr* I. *vt* 1. TELEC **jdn** ~ téléphoner à qn 2. JUR **eine höhere Instanz** ~ en appeler à une plus haute instance II. *vi* **bei jdm/für jdn** ~ appeler chez/pour qn
Anrufer(in) <-s, -> *m(f)* correspondant(e) *m(f)*
an|rühren *vt* 1.(*berühren*) **jdn/etw** ~ toucher qn/à qc 2. *geh* (*innerlich bewegen*) toucher 3.(*zubereiten*) préparer *Teig* 4.(*mischen, verrühren*) mélanger *Farbe*
ans [ans] = an das *s.* an
Ansage ['anza:gə] *f* 1. *der Nachrichten* présentation *f;* *des Programms* annonce *f* 2. SPIEL **jd hat die** ~ c'est à qn de parler; (*beim Skat*) qn fait les annonces
an|sagen I. *vt* (*durchsagen*) présenter *Nachrichten;* annoncer *Programm* II. *vr* (*sich ankündigen*) **sich** ~ s'annoncer III. *vi* RADIO, TV présenter
Ansager(in) <-s, -> *m(f)* (*Conférencier*) animateur(-trice) *m(f)*
an|sammeln I. *vt* amasser *Dinge;* accumuler *Zinsen, Vermögen* II. *vr* **sich** ~ *Personen:* se rassembler; *Staub:* s'accumuler; *Gegenstände:* s'entasser
Ansammlung *f* 1. *von Gegenständen* amoncellement *m* 2.(*Menschenmenge*) foule *f* 3.(*das Anstauen*) *von Hass, Wut* accumulation *f*
ansässig ['anzɛsɪç] *adj form* domicilié(e)
Ansatz *m* 1. *der Haare* base *f* 2.(*Anzeichen*) signe *m* 3.(*Beginn*) **im** ~ **richtig/falsch sein** être juste dans les grandes lignes/faux dès le départ 4.(*Schicht, Ablagerung*) *von Kalk* dépôt *m;* *von Rost* couche *f*
Ansatzpunkt *m* point *m* de départ *pas de pl* ansatzweise *adv* dans les grandes lignes
an|schaffen I. *vt* (*kaufen*) acheter; [**sich** (*dat*)] **etw** ~ [s']acheter qc II. *vi fam* **für jdn** ~ **gehen** faire le tapin pour qn
Anschaffung <-, -en> *f* achat *m*
an|schalten I. *vt* mettre en marche *Anlage;* allumer *Strom* II. *vr* **sich** ~ *Anlage:* se mettre en marche; *Licht, Strom:* s'allumer
an|schauen *vt* regarder
anschaulich *adj* *Vortrag* clair(e); *Beispiel* parlant(e); **jdm etw** ~ **machen** illustrer qc pour qn
Anschaulichkeit <-> *f* *einer Beschreibung* clarté *f;* *eines Vortrags, Beispiels* caractère *f* explicite
Anschauung <-, -en> *f* 1.(*Ansicht*) façon *f* de voir; **nach unserer** ~ à notre avis;

eine andere ~ **vertreten** concevoir les choses différemment **2.** *geh* (*Vorstellung*) idée *f* **3.** *geh* (*Erfahrung*) **aus eigener** ~ de ma/sa/… propre expérience

Anschauungsmaterial *nt* documents *mpl*

Anschein *m* apparence *f;* **dem äußeren** ~ **nach** vu de l'extérieur; **es hat den** ~, **als ob** … ▶**allem** ~ **nach** selon toute apparence

anscheinend *adv* apparemment

an|schicken *vr geh* **sich** ~ **etw zu tun** se disposer à faire qc

an|schieben *vt, vi irr* pousser

an|schießen *irr* **I.** *vt* (*verletzen*) **jdn** ~ blesser qn [d'un coup de fusil/revolver] **II.** *vi* **angeschossen kommen** *Fahrzeug:* arriver comme une flèche

Anschissᴿᴿ <-es, -e>, **Anschiß** <-sses, -sse> *m vulg* engueulade *f* (*fam*); **einen** ~ **bekommen** se faire engueuler (*fam*)

Anschlag *m* **1.** (*Attentat*) attentat *m;* **auf jdn/etw einen** ~ **verüben** commettre un attentat contre qn/qc **2.** (*Bekanntmachung*) avis *m;* (*Plakat*) affiche *f* **3.** (*geschriebenes Zeichen*) **250 Anschläge in der Minute schreiben** taper 250 signes à la minute **4.** ᴍᴜꜱ *eines Pianisten* toucher *m* **5.** (*Widerstand*) *eines Pedals* seuil *m* de résistance; **einen leichten** ~ **haben** *Tastatur:* avoir une frappe douce; **bis zum** ~ à fond **6.** (*schussbereite Stellung*) **das Gewehr im** ~ **haben** tenir braqué le fusil

Anschlagbrett *nt* panneau *m* d'affichage

an|schlagen *irr* **I.** *vt* + *haben* **1.** (*befestigen*) apposer *Plakat;* fixer *Brett;* **etw am schwarzen Brett** ~ afficher qc sur le tableau d'affichage **2.** ᴍᴜꜱ jouer *Ton, Akkord;* frapper *Taste* **3.** (*beschädigen*) ébrécher *Teller* **4.** (*anstimmen*) prendre *Ton;* **einen anderen Ton** ~ changer de ton **II.** *vi* **1.** + *haben* ꜱᴘᴏʀᴛ *Schwimmer:* toucher **2.** + *haben* (*wirken*) **bei jdm** ~ *Therapie:* agir chez qn **III.** *vr* **sich** ~ se cogner

an|schleichen *vr irr* **sich** ~ s'approcher tout doucement; **sich an jdn/etw** ~ s'approcher tout doucement de qn/qc

an|schleppen *vt* **1.** traîner *Koffer* **2.** *fam* apporter *Essen* **3.** *fam* (*mitbringen*) **jdn** ~ trimballer qn **4.** (*zu schleppen beginnen*) remorquer *Auto*

an|schließen *irr* **I.** *vt* **1.** brancher *Elektrogerät;* **etw** ~ raccorder qc **2.** (*befestigen*) **das Fahrrad am Geländer** ~ attacher le vélo à la rampe **II.** *vr* **1.** (*mitgehen*) **sich jdm** ~ se joindre à qn; **sich einer Partei** (*dat*) ~ s'engager dans un parti; **einer Organisation angeschlossen sein** être rattaché à une organisation **2.** (*beipflichten*) **sich jdm/einer Theorie** ~ se rallier à qn/une

théorie **3.** (*folgen*) **sich an die Preisverleihung** ~ succéder à la remise des prix **III.** *vi* **an etw** (*akk*) ~ succéder à qc

anschließend **I.** *adj* qui suit/suivait/… [immédiatement] **II.** *adv* ensuite

Anschlussᴿᴿ *m* **1.** (*Telefonanschluss*) branchement *m* [téléphonique] **2.** (*Telefonverbindung*) **der** ~ **ist besetzt** la ligne est occupée; **kein** ~ **unter dieser Nummer!** le numéro que vous avez demandé n'est plus en service actuellement! **3.** *kein Pl* (*das Anschließen*) *eines Computers* connexion *f* **4.** (~*zug*) ~ **an einen Zug/nach Marseille haben** avoir une correspondance avec un train/pour Marseille **5.** *kein Pl* (*Kontakt*) contacts *mpl;* ~ **finden** nouer des contacts

an|schmiegen [ˈanʃmiːɡən] *vr* (*sich anlehnen*) **sich** ~ se blottir; **sich an jdn/etw** ~ se blottir contre qn/qc

anschmiegsam *adj* **1.** *Person* câlin(e) **2.** *Material* souple

an|schnallen *vt* **1.** (*angurten*) attacher *Kind;* **sich** ~ attacher sa ceinture [de sécurité] **2.** (*unterschnallen*) attacher *Schlittschuhe*

an|schnauzen *vt fam* engueuler

an|schneiden *vt irr* **1.** (*anbrechen*) entamer *Brot* **2.** (*ansprechen*) aborder *Problem*

Anschnitt *m* (*erstes Stück*) *eines Laibs* entame *f*

Anchovis [anˈʃoːvɪs] *s.* **Anchovis**

an|schrauben *vt* visser; **ein Schild an etw** (*akk o dat*) ~ visser un écriteau à qc

an|schreiben *irr* **I.** *vt* **1.** écrire; **etw an die Tafel** ~ écrire qc au tableau **2.** (*sich wenden an*) **jdn wegen etw** ~ envoyer un courrier à qn à cause de qc **3.** *fam* (*auf Kredit geben*) **jdm etw** ~ mettre qc sur le compte de qn **II.** *vi fam* (*Kredit gewähren*) faire crédit; **bei jdm** ~ **lassen** faire mettre sur sa note chez qn

an|schreien *vt irr* crier; **jdn wegen etw** ~ crier après qn à cause de qc

Anschrift *f* adresse *f*

Anschuldigung <-, -en> *f* accusation *f*

an|schwärzen *vt fam* **1.** (*schlecht machen*) débiner; **jdn bei jdm** ~ débiner qn auprès de qn **2.** (*denunzieren*) **jdn wegen etw** ~ balancer qn à cause de qc

an|schweigen *irr* **I.** *vt* opposer son mutisme à **II.** *vr* **sich** [**gegenseitig**] ~ ne plus s'adresser la parole

an|schweißen *vt* souder; **ein Metallstück an etw** (*dat o akk*) ~ souder un morceau de métal à qc

an|schwellen *vi irr* + *sein Arm:* enfler

an|schwemmen *vt* + *haben* **etw** ~ *Meer:* rejeter qc [sur la rive]

an!schwindeln *vt fam* raconter des bobards à

anIsehen *vt irr* **1.** (*anblicken*) regarder; **jdn unschuldig/böse ~** regarder qn d'un air innocent/méchant **2.** (*besichtigen*) **sich** (*dat*) **etw ~** visiter qc **3.** (*Zuschauer sein*) **sich** (*dat*) **etw ~** voir qc; (*Fernsehzuschauer sein*) regarder qc **4.** (*halten für*) **jdn als seinen Freund ~** considérer qn comme son ami **5.** (*anmerken*) **jdm die Erleichterung ~** pouvoir lire le soulagement sur le visage de qn; **man sieht ihm sein Alter nicht an** il ne paraît pas son âge ►**sieh mal einer an!** *fam* eh ben, voyons! (*iron*)

Ansehen <-s> *nt* (*Reputation*) réputation *f*; **bei jdm großes ~ genießen** jouir d'une grande estime auprès de qn

ansehnlich *adj* **1.** *Erbschaft* important(e); *Leistung* beau(belle) **2.** *Person, Gebäude* beau(belle) *antéposé*

anIseilen *vt* encorder; **jdn/sich ~** encorder qn/s'encorder

anIsein *s.* **an III.**

anIsengen *vt* + *haben* roussir

anIsetzen **I.** *vt* **1.** (*anfügen*) ajouter; **ein Verlängerungsstück an etw** (*akk o dat*) **~** ajouter un raccord à qc **2.** (*positionieren*) placer *Werkzeug;* **das Glas [zum Trinken] ~** porter le verre à sa bouche **3.** (*veranschlagen*) estimer; **die Kosten zu niedrig ~** sous-estimer les coûts **4.** (*festlegen*) fixer *Termin* **5.** (*hetzen*) **einen Detektiv auf jdn/etw ~** mettre un détective derrière qn/sur qc **6.** (*bilden*) **Grünspan/Rost ~** se couvrir de vert-de-gris/de rouille **7.** (*zubereiten*) préparer *Bowle* **II.** *vi* **1.** (*beginnen*) **zum Sprechen/Trinken ~** s'apprêter à parler/boire **2.** (*dick machen*) **bei jdm ~** *Essen:* faire grossir qn

Ansicht <-, -en> *f* **1.** (*Meinung*) avis *m;* **der ~ sein, dass ...** être d'avis que ...; **ich teile Ihre ~** je suis tout à fait de votre avis; **nach ~ ihrer Eltern** selon ses parents; **meiner/seiner ~ nach** à mon/son avis **2.** (*Abbildung*) vue *f* **3.** *kein Pl* (*das Prüfen*) examen *m;* **zur ~** pour examen

Ansichtskarte *f* carte *f* postale **Ansichtssache** *f* [reine] **~ sein** être une question de point de vue

anIsiedeln ['anzi:dəln] **I.** *vt* installer *Volk;* introduire *Tierart;* implanter *Industrie* **II.** *vr* **sich ~** *Personen, Keime:* se fixer; *Industrie:* s'implanter

Ansiedler(in) *m(f)* colon *m*

Ansiedlung *f* colonie *f*

ansonsten *adv fam* **1.** (*im Übrigen*) pour le reste **2.** (*sonst*) à part ça **3.** (*andernfalls*) sinon

anIspannen *vt* **1.** bander *Muskel;* crisper *Nerven* **2.** (*anschirren*) atteler *Pferd, Wagen*

Anspannung *f* (*Spannung, Konzentration*) tension *f*

anIspielen **I.** *vi* **1.** (*andeuten*) faire allusion; **mit einer Bemerkung auf jdn/etw ~** faire allusion par une remarque à qn/qc **2.** *SPORT* donner le coup d'envoi **II.** *vt* passer le ballon à *Spieler*

Anspielung <-, -en> *f* allusion *f*

anIspitzen *vt* tailler *Bleistift*

Ansporn <-[e]s> *m* motivation *f*

anIspornen *vt* **1.** (*ermuntern*) motiver; **jdn ~ etw zu tun** pousser qn à faire qc **2.** (*antreiben*) éperonner *Pferd*

Ansprache *f* allocution *f*

ansprechbar *adj* (*nicht beschäftigt*) disponible; *Kranker:* lucide

anIsprechen *irr* **I.** *vt* **1.** (*anreden*) adresser la parole à **2.** (*betiteln*) **wie soll ich Sie ~?** comment dois-je vous appeler? **3.** (*sich wenden an*) **jdn auf etw** (*akk*) **~** parler à qn de qc **4.** (*erwähnen*) aborder *Thema* **5.** (*beeindrucken*) **jdn ~** *Person:* impressionner qn; *Kunstwerk:* interpeler qn; (*gefallen*) plaire à qn **II.** *vi* **1.** **auf etw** (*akk*) **~** *Patient:* réagir à qc; **bei jdm ~** *Medikament:* faire de l'effet à qn **2.** (*reagieren*) *Bremse:* répondre

ansprechend *adj* *Äußeres* charmant(e); *Verpackung* attrayant(e); *Umgebung* plaisant(e)

Ansprechpartner(in) *m(f)* interlocuteur(-trice) *m(f)*

anIspringen *irr* **I.** *vi* + *sein* **1.** *Fahrzeug:* démarrer **2.** *fam* (*reagieren*) **auf etw** (*akk*) **~** réagir à qc **II.** *vt* + *haben* **jdn ~** bondir sur qn

Anspruch *m* **1.** (*Anrecht*) droit *m;* **~ auf etw** (*akk*) **haben** avoir droit à qc **2.** (*Forderung*) **~ auf etw** (*akk*) **erheben** *Person:* revendiquer qc; *Theorie:* prétendre à qc **3.** (*Gebrauch*) **ein Angebot in ~ nehmen** profiter d'une offre; **ein Recht in ~ nehmen** faire valoir un droit **4.** *Pl* (*Anforderung*) exigences *fpl;* **hohe Ansprüche an jdn stellen** *Person:* être très exigeant avec qn; *Aufgabe:* exiger beaucoup de qn ►**jdn in ~ nehmen** accaparer qn

anspruchslos *adj* **1.** *Person, Pflanze* peu exigeant(e) **2.** (*trivial*) sans prétention

anspruchsvoll *adj* **1.** *Person, Tätigkeit* exigeant(e) **2.** (*niveauvoll*) ambitieux(-euse)

anIspucken *vt* cracher sur

anIstacheln ['anʃtaxəln] *vt* aiguillonner; **jdn [dazu] ~ etw zu tun** inciter qn à faire qc

Anstalt ['anʃtalt] <-, -en> *f* **1.** (*Heilanstalt*) établissement *m* spécialisé (*euph*)

2. *geh* (*Einrichtung*) établissement *m;* (*Privateinrichtung*) institution *f*
Anstalten *Pl* préparatifs *mpl;* ~ **machen** [*o* **treffen**] **das Land zu verlassen** prendre des dispositions en vue de quitter le pays; **keine** ~ **machen aufzubrechen** ne pas sembler disposé à partir
Anstand *m* courtoisie *f;* **keinen** ~ **haben** n'avoir aucun sens des convenances
anständig ['anʃtɛndɪç] **I.** *adj* **1.** *Person* décent(e); *Verhalten* honorable; *Lokal* convenable **2.** *fam* (*akzeptabel*) bon(ne) *antéposé* **II.** *adv fam* (*akzeptabel*) *bezahlen, essen* correctement
anstandshalber *adv* par souci des convenances **anstandslos** *adv einwilligen* sans hésitation; *bezahlen* sans difficulté; *durchkommen* sans encombre
an|starren *vt* regarder fixement
anstatt [an'ʃtat] **I.** *präp + gen* ~ **der Eltern** à la place des parents; ~ **eines Briefs** au lieu d'une lettre **II.** *konj* ~ **zu antworten** au lieu de répondre
an|stauen *vr* **sich** ~ *Wasser, Hass:* s'accumuler
an|stechen *vt irr* **1.** piquer *Braten* **2.** (*beschädigen*) crever *Reifen* **3.** (*anzapfen*) **ein Fass** ~ mettre un tonneau en perce
an|stecken I. *vt* **1.** épingler *Orden* **2.** (*anzünden*) **sich** (*dat*) **eine Zigarette** ~ s'allumer une cigarette **3.** (*in Brand stecken*) faire brûler *Papier;* incendier *Gebäude* **4.** (*infizieren*) contaminer; **jdn mit etw** ~ passer qc à qn **5.** *fig* **jdn mit seiner Begeisterung** ~ communiquer son enthousiasme à qn **II.** *vr* **sich bei jdm** ~ être contaminé par qn; **sich bei jdm mit etw** ~ attraper qc au contact de qn
ansteckend *adj* contagieux(-euse)
Anstecknadel *f* épingle *f*
Ansteckung <-, -en> *f* contamination *f*
Ansteckungsgefahr *f* risque *m* de contagion
an|stehen *vi irr + haben o* sᴅᴇᴜᴛsᴄʜ *sein* **1.** (*Schlange stehen*) faire la queue; **nach etw** ~ faire la queue pour qc **2.** (*zu erledigen sein*) *Arbeit:* rester en suspens; *Termin:* être à l'ordre du jour **3.** (*bevorstehen*) **etw steht bei jdm an** qn a qc de prévu
an|steigen *vi irr + sein* **1.** (*sich erhöhen*) grimper **2.** (*steiler werden*) *Weg:* monter
anstelle [an'ʃtɛlə] *präp + gen* ~ **eines Menschen** à la place d'un homme
an|stellen I. *vt* **1.** allumer *Licht;* mettre *Wasser;* ouvrir *Gas;* brancher *Klingel;* **eine Maschine** ~ mettre une machine en route **2.** (*beschäftigen*) **jdn als Drucker** ~ embaucher qn comme imprimeur; **bei jdm als Sekretärin angestellt sein** être em-

ployé chez qn comme secrétaire **3.** *form* (*durchführen*) **Nachforschungen** ~ procéder à des recherches **4.** *fam* (*bewerkstelligen*) **es geschickt** ~ s'en sortir bien **5.** *fam* (*anrichten*) **etw** ~ faire des conneries **II.** *vr* **1.** **sich** ~ faire la queue **2.** *fam* (*sich verhalten*) **sich geschickt** ~ s'y prendre bien
Anstellung *f* emploi *m*
an|steuern *vt* **1.** **etw** ~ *Schiff:* mettre le cap sur qc **2.** (*anvisieren*) viser *Fortschritt;* poursuivre *Zweck*
Anstich *m eines Fasses* mise *f* en perce
Anstieg ['anʃtiːk] <-[e]s, -e> *m* **1.** *kein Pl* (*das Ansteigen*) *der Kosten* hausse *f* **2.** (*Aufstieg*) **der** ~ **zum Gipfel** l'ascension *f* du sommet **3.** *kein Pl* (*Steigung*) *einer Straße* pente *f*
an|stiften *vt* **1.** inciter; **jdn** [**dazu**] ~ **Unfug zu machen** inciter qn à faire des bêtises **2.** (*anzetteln*) fomenter *Komplott*
Anstifter(in) *m(f)* instigateur(-trice) *m(f)*
Anstiftung *f* incitation *f;* ~ **zu einer Straftat** incitation à un délit
an|stimmen *vt* entonner *Lied*
an|stinken *vt fam* gaver
Anstoß *m* **1.** (*Ansporn*) impulsion *f* **2.** *geh* (*Ärgernis*) **bei jdm** ~ **erregen** scandaliser qn; **an etw** (*dat*) ~ **nehmen** être choqué par qc **3.** sᴘᴏʀᴛ coup *m* d'envoi
an|stoßen *irr* **I.** *vi* **1.** + *sein* (*dagegen stoßen*) se cogner **2.** + *haben* (*prosten*) **auf jdn/etw** ~ trinquer à la santé de qn/à qc **II.** *vt* + *haben* **1.** (*berühren*) **jdn mit dem Fuß** ~ pousser qn du pied **2.** (*in Bewegung setzen*) frapper *Kugel* **3.** (*in Gang setzen*) déclencher
anstößig ['anʃtøːsɪç] *adj* choquant(e)
an|strahlen *vt* (*anleuchten*) illuminer
an|streben *vt* aspirer à; ambitionner *Stelle*
an|streichen *vt irr* **1.** **etw rot** ~ peindre qc en rouge **2.** (*markieren*) marquer
Anstreicher(in) <-s, -> *m(f)* peintre *mf*
an|strengen ['anʃtrɛŋən] **I.** *vr* **1.** (*sich einsetzen*) **sich** ~ se fatiguer **2.** (*sich Mühe geben*) **sich in der Schule** ~ se donner de peine à l'école **II.** *vt* **1.** (*strapazieren*) fatiguer **2.** (*beanspruchen*) concentrer *Kräfte;* **sein Gehör/seine Augen** ~ tendre l'oreille/écarquiller les yeux **3.** ᴊᴜʀ (*einleiten*) intenter *Prozess*
anstrengend *adj* fatigant(e)
Anstrengung <-, -en> *f* **1.** (*Kraftaufwand*) dépense *f* physique **2.** (*Bemühung*) effort *m*
Anstrich *m* **1.** *kein Pl* (*das Anstreichen*) *eines Gebäudes* peinture *f* **2.** (*Farbüberzug*) couche *f* [de peinture] **3.** *kein Pl* (*Note*) **ein künstlerischer** ~ une touche artisti-

que
Ạnsturm m (Andrang) ruée f; ~ **auf die Geschäfte/Banken** ruée sur les magasins/banques
Antagonịst(in) <-en, -en> m(f) antagoniste mf
ạn|tanzen vi + sein fam se pointer; **bei jdm** ~ se pointer chez qn
Antạrktis [ant'?arktɪs] <-> f **die** ~ l'Antarctique m
antạrktisch adj antarctique
ạn|tasten vt (beeinträchtigen) porter atteinte à Würde
Ạnteil m **1.** (Teil) part f; ~ **an etw** (dat) part de qc; ~ **an etw** (dat) **haben** prendre une part active à qc **2.** (Kapitalbeteiligung) ~ **an etw** (dat) participation f dans qc **3.** (~nahme) **an etw** (dat) ~ **nehmen** prendre part à qc
ạnteilig adj proportionnel(le)
Ạnteilnahme ['antai̯lna:mə] <-> f **1.** (Beileid) condoléances fpl **2.** (Interesse) intérêt m
Antẹnne [an'tɛnə] <-, -n> f antenne f
Anthologie [antolo'gi:] <-, -n> f anthologie f
Anthrax m MED anthrax m
Anthrazit [antra'tsi:t] <-s, -e> m anthracite m
Anthropologie [antropolo'gi:] <-> f anthropologie f
Anthroposophie [antropozo'fi:] <-> f anthroposophie f
anthroposophisch adj anthroposophique
Antialkoholiker(in) [anti?alko'ho:likɐ] m(f) antialcoolique mf **antiautoritär** ['anti?au̯toritɛ:ɐ̯] adj antiautoritaire **Antibabypille** [anti'be:bipɪlə] f fam pilule f
Antibiotikum [antib i̯'o:tikʊm] <-s, -biotika> nt antibiotique m **Antifaltencreme** f crème anti-âge f **Antifaschịsmus** [antifa'ʃɪsmʊs] m antifascisme m
antịk [an'ti:k] adj **1.** (aus der Antike stammend) antique **2.** (als Antiquität anzusehen) ancien(ne)
Antike <-> f Antiquité f
antiklerikal [antikleri'ka:l] adj anticlérical(e) **Antikörper** ['antikœrpɐ] m anticorps m
Antịllen Pl **die** ~ les Antilles fpl
Antilope [anti'lo:pə] <-, -n> f antilope f
Antipathie [antipa'ti:] <-, -n> f antipathie f; ~ **gegen jdn** antipathie envers qn
ạn|tippen vt tapoter Person, Taste; effleurer Bremse, Bildschirm
Antiquariat [antikvari'a:t] <-[e]s, -e> nt (Geschäft) librairie f d'occasion
antiquarisch [anti'kva:rɪʃ] adj, adv d'occasion

antiquiert adj geh suranné(e)
Antiquität [antikvi'tɛ:t] <-, -en> f antiquité f
Antisemịt(in) m(f) antisémite mf **antisemitisch** adj antisémite **Antisemitịsmus** [antizemi'tɪsmʊs] <-> m antisémitisme m **antisẹptisch** [anti'zɛptɪʃ] adj antiseptique **Antivịrenprogramm** nt INFORM antivirus m
ạn|törnen ['antœrnən] vt fam jdn ~ Droge: speeder qn; Musik: faire vibrer qn
Ạntrag ['antra:k, Pl: 'antrɛ:gə] <-[e]s, Anträge> m **1.** demande f; **einen** ~ **auf** etw (akk) **stellen** faire une demande de qc **2.** (~sformular) [formulaire m de] demande f **3.** JUR requête f **4.** POL motion f
Ạntragsformular nt formulaire m de demande **Ạntragsteller(in)** ['antra:kʃtɛlɐ] <-s, -> m(f) form demandeur(-euse) m(f); JUR requérant(e) m(f)
ạn|treffen vt irr **1.** rencontrer; **jdn zu Hause** ~ rencontrer qn à la maison **2.** (vorfinden) jdn **beim Essen** ~ trouver qn en train de manger
ạn|treiben irr vt + haben **1.** faire avancer Person, Tier **2.** (drängen) pousser Mitarbeiter; **jdn zur Eile** ~ presser qn **3.** etw an **den Strand/ans Ufer** ~ rejeter qc sur la plage/sur le rivage **4.** (veranlassen) jdn ~ etw zu tun Sehnsucht: pousser qn à faire qc
ạn|treten irr **I.** vt + haben **1.** (beginnen) **eine Reise** ~ partir en voyage; **eine Strafe** ~ commencer à purger une peine **2.** (übernehmen) prendre Stellung; entrer en possession de Erbe; **sein Amt** ~ prendre ses fonctions **II.** vi + sein **1.** (sich aufstellen) Soldaten: se rassembler; **im Hof** ~ Häftlinge: se placer dans la cour; **in Reihen** ~ se mettre en rang[s] **2.** (erscheinen) **zum Wettkampf** ~ se présenter en compétition; **gegen jdn** ~ Sportler: affronter qn
Ạntrieb [an'tri:p] m **1.** (~skraft) propulsion f **2.** (Impuls) motivation f; **etw aus eigenem** ~ **tun** faire qc de sa propre initiative
Ạntriebskraft f force f motrice **Ạntriebswelle** f arbre m de transmission
ạn|trinken vt irr fam **1.** entamer Flasche **2. sich** (dat) **Mut** ~ se donner du courage en buvant un verre ► **sich** (dat) **einen** ~ se prendre une cuite
Ạntritt m kein Pl **1.** (Beginn) début m **2.** (Übernahme) eines Amtes prise f en charge; einer Erbschaft entrée f en possession
ạn|trocknen vi + sein **1.** sécher; **an etw** (dat) ~ sécher sur qc **2.** (ein wenig trocknen) commencer à sécher

Antwort verweigern

• Antwort verweigern
Sag ich nicht! *(fam)*
Das kann ich dir (leider) nicht sagen.

Dazu möchte ich nichts sagen.
Ich möchte mich zu dieser
Angelegenheit nicht äußern. *(form)*

• refuser de répondre
Je ne le dirai pas !
(Je regrette, mais) je ne peux pas te le dire.
Je n'ai rien à dire à ce sujet.
Je me défends de tout commentaire sur cette affaire.

---

an|tun *vt irr* jdm ein Leid ~ faire du mal à qn; sich *(dat)* etwas ~ *euph* attenter à ses jours ▸ das hat es ihm angetan cela l'a séduit
an|turnen ['antœrnən] *s.* antörnen
Antwort ['antvɔrt] <-, -en> *f* réponse *f;* ~ auf etw *(akk)* réponse à qc; um ~ wird gebeten! répondez s'il vous plaît! ▸ nie um eine ~ verlegen sein ne jamais être à court de réponses
antworten I. *vi* 1. répondre; jdm ~ répondre à qn; jdm auf seine Frage/seinen Brief ~ répondre à la question/lettre de qn 2. *(reagieren)* mit einem Lächeln ~ répondre par un sourire II. *vt* ~, dass ... répondre que ...
Antwortschreiben *nt form* [lettre-]réponse *f*
an|vertrauen* I. *vt* confier; er hat ihr ein Geheimnis anvertraut il lui a confié un secret II. *vr* sich jdm ~ se confier à qn
an|visieren* [-vi-] *vt* 1. *(ins Visier nehmen)* viser 2. *(anstreben)* envisager
an|wachsen *vi irr* + sein 1. *(Wurzeln schlagen)* prendre racine 2. *(zunehmen)* Bevölkerung: augmenter; Lärm, Lautstärke: s'intensifier
Anwalt ['anvalt, *Pl:* 'anvɛltə] <-[e]s, Anwälte> *m,* Anwältin *f* avocat(e) *m(f)*
Anwaltsbüro *nt* 1. *(Anwaltssozietät)* cabinet *m* d'avocats 2. *(Büro)* étude *f* Anwaltschaft <-, -en> *f* 1. *kein Pl (das Verteidigen)* défense *f* 2. *(Gesamtheit der Anwälte)* ordre *m* des avocats Anwaltskanzlei *f* 1. *(Anwaltssozietät)* cabinet *m* d'avocats 2. *(Büro)* étude *f*
Anwandlung *f* lubie *f;* etw in einer ~ von Großzügigkeit tun faire qc dans un [soudain] accès de générosité
an|wärmen *vt* réchauffer Milch; chauffer Bett
Anwärter(in) *m(f)* 1. *(Kandidat)* candidat(e) *m(f)* 2. *SPORT* favori(e) *m(f)*
an|weisen *vt irr (beauftragen)* donner des instructions; jdn ~ etw zu tun donner des instructions à qn pour qu'il fasse qc
Anweisung *f* instruction *f;* auf ~ der Geschäftsleitung sur ordre de la direction
anwendbar *adj* applicable
an|wenden *vt reg o irr* employer Technologie; se servir de Programm; appliquer Regel
Anwender(in) <-s, -> *m(f)* INFORM utilisateur(-trice) *m(f)*
Anwendung *f* 1. *kein Pl (der Gebrauch)* utilisation *f;* einer Regel application *f;* ~ von Gewalt recours *m* à la force 2. INFORM application *f*
an|werben *vt irr a.* MIL recruter
an|werfen *irr vt* 1. lancer Motor 2. *fam (anstellen)* allumer Elektrogerät
Anwesen ['anve:zən] <-s, -> *nt geh* propriété *f*
anwesend ['anve:zənt] *adj* présent(e); bei einer Besprechung ~ sein être présent à une discussion
Anwesende(r) *f(m) dekl wie adj* personne *f* présente
Anwesenheit <-> *f* présence *f;* in seiner/ihrer ~ en sa présence
Anwesenheitsliste *f* feuille *f* de présence
an|widern ['anvi:dɐn] *vt* dégoûter
Anwohner(in) <-s, -> *m(f)* riverain(e) *m(f)*
an|wurzeln *vi* ▸ wie angewurzelt dastehen rester figé sur place
Anzahl *f kein Pl* nombre *m*
an|zahlen *vt* verser un acompte sur le prix de Auto
Anzahlung *f* acompte *m;* eine ~ machen verser un acompte
an|zapfen *vt* 1. ein Fass ~ mettre un tonneau en perce 2. *fam (technisch manipulieren)* se brancher clandestinement sur Stromnetz; das Telefon ~ mettre le téléphone sur écoute
Anzeichen *nt* 1. *(Indiz)* signe *m* 2. MED symptôme *m*
an|zeichnen *vt* 1. *(markieren)* marquer 2. etw an die Tafel ~ dessiner qc au tableau
Anzeige <-, -n> *f* 1. JUR plainte *f;* ~ erstatten porter plainte; ~ gegen unbekannt plainte *f* contre X 2. *(Inserat)* annonce *f* 3. *(Bekanntgabe)* einer Heirat faire-part *m*

4. *kein Pl* (*das Anzeigen*) *eines Messwerts* indication *f;* *des Spielstands* affichage *m*

anlzeigen *vt* **1.** JUR signaler *Straftat;* **jdn wegen etw ~** porter plainte contre qn pour qc **2.** (*angeben*) indiquer *Messwert;* signaler *Richtung*

Anzeigenblatt *nt* journal *m* de petites annonces **Anzeigenteil** *m* rubrique *f* des petites annonces

Anzeigetafel *f* panneau *m* d'affichage; SPORT tableau *m* d'affichage

anlzetteln *vt* fomenter *Verschwörung;* déclencher *Streit*

anlziehen *irr* **I.** *vt* **1.** mettre *Kleid;* **sich** (*dat*) **etw ~** mettre qc; **jdm etw ~** mettre qc à qn; **die Kinder warm ~** habiller les enfants chaudement **2.** (*straffen*) tirer *Schlinge* **3.** (*festziehen*) serrer *Handbremse* **4.** (*an den Körper ziehen*) ramener *Bein* **5.** (*anlocken*) attirer *Besucher* **6.** PHYS *Magnet:* attirer **II.** *vr* **1.** **sich ~** s'habiller **2.** (*sich attraktiv finden*) **sich** [**gegenseitig**] **~** *Verliebte:* se sentir attirés l'un vers l'autre **anziehend** *adj* *Äußeres* attirant(e); *Werbung* attrayant(e)

Anziehungskraft *f* **1.** (*Attraktivität*) attrait *m* **2.** PHYS attraction *f*

Anzug *m* **1.** costume *m* **2.** (*Hosenanzug*) tailleur-pantalon *m* ▶**im ~ sein** *Armee:* être en marche; *Gewitter:* se préparer; *Gefahr:* être imminent

anzüglich ['antsy:klɪç] *adj* **1.** *Bemerkung* désobligeant(e) **2.** *Witz* scabreux(-euse); *Geste* obscène

anlzünden *vt* **1.** allumer; **sich** (*dat*) **eine Zigarette ~** s'allumer une cigarette **2.** (*in Brand stecken*) incendier *Gebäude*

Anzünder *m* (*für Gasherde*) allume-gaz *m;* (*für Kohle*) allume-feu *m*

anlzweifeln *vt* douter de; **etw ~** douter de qc

AOK [a:ʔo:'ka:] <-, -s> *f Abk von* **Allgemeine Ortskrankenkasse** *caisses d'assurance-maladie allemande*

apart [a'part] **I.** *adj* *Frau* qui a du cachet; **~ aussehen** avoir de la classe **II.** *adv* *sich kleiden, sich einrichten* avec recherche

Apartheid [a'pa:ɐ̯thajt] <-> *f* apartheid *m*

Apartment [a'partmənt] <-s, -s> *nt* studio *m*

Apathie [apa'ti:] <-, -n> *f* apathie *f*

apathisch [a'pa:tɪʃ] *adj* apathique

Aperitif [aperi'ti:f] <-s, -s *o* -e> *m* apéritif *m*

Apfel ['apfəl, *Pl:* 'ɛpfəl] <-s, ⸚> *m* pomme *f* ▶**der ~ fällt nicht weit vom Stamm** *prov* tel père, tel fils; **in den sauren ~ beißen** *fam* avaler la pilule

Apfelbaum *m* pommier *m* **Apfelkuchen**

m tarte *f* aux pommes **Apfelmus** *nt* compote *f* de pommes **Apfelsaft** *m* jus *m* de pomme

Apfelsine [apfəl'zi:nə] <-, -n> *f* orange *f*

Apfelstrudel *m* sorte de chausson aux pommes avec des morceaux de pommes à l'intérieur et qui se consomme avec une crème à la vanille **Apfelwein** *m* ≈ cidre *m*

apodiktisch *geh* **I.** *adj* apodictique **II.** *adv* apodictiquement

Apostel [a'pɔstəl] <-s, -> *m* REL *a. fig geh* (*Verfechter*) apôtre *m*

Apostroph [apo'stro:f] <-s, -e> *m* apostrophe *f*

Apotheke [apo'te:kə] <-, -n> *f* pharmacie *f*

apothekenpflichtig *adj* vendu(e) uniquement en pharmacie

Apotheker(in) <-s, -> *m(f)* pharmacien(ne) *m(f)*

Apparat [apa'ra:t] <-[e]s, -e> *m* **1.** (*elektrisches Gerät*) appareil *m* **2.** (*Fernsehapparat*) poste *m* **3.** (*Telefon*) appareil *m;* **bleiben Sie am ~!** ne quittez pas! **4.** *Pl selten* (*Verwaltungsapparat*) appareil *m*

Apparatur [apara'tu:ɐ̯] <-, -en> *f* appareillage *m*

Appartement [apartə'mã:] <-s, -s *o* CH -e> *nt* **1.** *s.* **Apartment 2.** (*Hotelsuite*) suite *f*

Appell [a'pɛl] <-s, -e> *m a.* MIL appel *m;* **~ an die Vernunft** appel à la raison; **einen ~ an jdn richten** lancer un appel à qn; **zum ~ antreten** se présenter à l'appel

appellieren* [apɛ'li:rən] *vi* **1.** (*sich wenden*) exhorter; **an jdn ~ etw zu tun** exhorter qn à faire qc **2.** (*ansprechen*) **an etw** (*akk*) **~** en appeler à qc

Appetit [ape'ti:t] <-[e]s> *m* appétit *m;* **~ auf etw** (*akk*) **haben** avoir envie de qc; **jdm den ~ verderben** couper l'appétit à qn; **guten ~!** bon appétit!

appetitanregend *adj Speise* appétissant(e)

appetitlich *adj Speise, Aussehen* appétissant(e)

Appetitlosigkeit <-> *f* manque *m* d'appétit **Appetitzügler** <-s, -> *m* coupe-faim *m*

applaudieren* [aplaʊ̯'di:rən] *vi* applaudir; **jdm ~** applaudir qn

Applaus [a'plaʊ̯s] <-es> *m* applaudissements *mpl*

apportieren* *vt, vi Hund:* rapporter

Après-Ski [aprɛ'ʃi:] <-> *nt* après-ski *m*

Aprikose [apri'ko:zə] <-, -n> *f* abricot *m*

April [a'prɪl] <-[s], -e> *m* avril *m;* **im ~** en avril, au mois d'avril; **Anfang/Ende ~** début/fin avril; **ab** [**dem**] **ersten ~** à partir du premier avril; **sie ist am 10. ~ 1963 geboren** elle est née le 10 avril 1963; **es**

ist ~ c'est le mois d'avril; **Berlin, den 9.** ~ **1998** Berlin, le 9 avril 1998; **Freitag, den 6.** ~ **1998** vendredi 6 avril 1998 ▸**jdn in den** ~ **schicken** faire un poisson d'avril à qn

Aprilscherz *m* poisson *m* d'avril **Aprilwetter** *nt* giboulées *fpl* de mars

a priori [a: pri'oːri] *adv a.* PHILOS *geh* a priori

apropos [apro'poː] *adv geh* à propos; ~ **Kino, da fällt mir ein, dass ...** à propos cinéma, ça me fait penser que ...

Aquädukt [akvɛ'dʊkt] <-[e]s, -e> *m o nt* aqueduc *m*

Aquamarin [akvama'riːn] <-s, -e> *m* aigue-marine *f*

Aquaplaning [akva'plaːnɪŋ] <-s> *nt* aquaplaning *m*

Aquarell [akva'rɛl] <-s, -e> *nt* aquarelle *f*

Aquarium [a'kvaːrɪʊm] <-s, -rien> *nt* aquarium *m*

Äquator [ɛ'kvaːtoːɐ] <-s, -toren> *m* équateur *m*

äquivalent [ɛkviva'lɛnt] *adj geh* équivalent(e)

Äquivalent <-s, -e> *nt* équivalent *m*

Ar [aːɐ] <-s, -e> *nt o m* are *m*

Ära ['ɛːra] <-, Ären> *f geh* ère *f*

Araber(in) ['arabɐ] <-s, -> *m(f)* Arabe *mf*

arabisch I. *adj* arabe; *Klima, Wüste* d'Arabie **II.** *adv* ~ **miteinander sprechen** discuter en arabe; *s. a.* **deutsch**

Arabisch <-[s]> *nt kein art* arabe *m; s. a.* **Deutsch**

Arbeit ['arbajt] <-, -en> *f* **1.** (*Tätigkeit*) travail *m;* **sich an die** ~ **machen** se mettre au travail; **bei der** ~ **sein** être au travail **2.** (~*splatz*) travail *m;* ~ **haben** avoir du travail; **ohne** ~ **sein** être sans travail; ~ **suchend** à la recherche d'un emploi **3.** (*Werk*) travail *m*, ouvrage *m* **4.** SCHULE (*Klassenarbeit*) contrôle *m;* (*Hausarbeit*) devoir *m* **5.** *kein Pl* (*Mühe*) travail *m;* **jdm** ~/**viel** ~ **machen** donner du travail/beaucoup de travail à qn

arbeiten I. *vi* **1.** (*tätig sein*) travailler; **an etw** (*dat*) ~ travailler à qc **2.** (*berufstätig sein*) ~ [**gehen**] travailler; **die** ~**de Bevölkerung** la population active **3.** (*funktionieren*) *Maschine:* fonctionner **4.** (*sich chemisch, physikalisch verändern*) travailler **II.** *vr* (*sich vorwärts bewegen*) **sich durch das Gestein** ~ se frayer un chemin dans la roche; **sich durch die Akten** ~ venir à bout des dossiers **III.** *vt* **1.** (*herstellen*) fabriquer **2.** (*beruflich tun*) **etwas/nichts** ~ faire quelque chose/ne rien faire

Arbeiter(in) <-s, -> *m(f)* **1.** (*Industriearbeiter*) ouvrier(-ière) *m(f);* **ungelernter** ~

manœuvre *m* **2.** (*tätiger Mensch*) **ein gewissenhafter** ~ un travailleur consciencieux

Arbeiterbewegung *f* mouvement *m* ouvrier **Arbeiterfamilie** *f* famille *f* ouvrière **Arbeiterklasse** *f* classe *f* ouvrière **Arbeiterschaft** <-> *f* ouvriers *mpl*, travailleurs *mpl* **Arbeiterviertel** *nt* quartier *m* ouvrier **Arbeiterwohlfahrt** *f* association comparable à une mutualité ouvrière **Arbeitgeber(in)** <-s, -> *m(f)* employeur(-euse) *m(f)*

Arbeitgeberanteil *m* cotisation *f* patronale **Arbeitgeberverband** *m* syndicat *m* patronal

Arbeitnehmer(in) *m(f)* salarié(e) *m(f)* **Arbeitnehmeranteil** *m* cotisation *f* salariale

Arbeitsablauf *m* processus *m* de fabrication

arbeitsam *adj geh* travailleur(-euse)

Arbeitsamt *nt* agence *f* pour l'emploi **Arbeitsaufwand** *m* somme *f* de travail; **der** ~ **für die Reparatur** le temps de travail nécessaire à la réparation **Arbeitsausfall** *m* perte *f* de travail **Arbeitsbedingungen** *Pl* conditions *fpl* de travail **Arbeitsbeschaffungsmaßnahme** *f* mesure *f* d'aide à l'emploi **Arbeitseifer** *m* ardeur *f* au travail **Arbeitserlaubnis** *f* **1.** (*Recht*) autorisation *f* de travail **2.** (*Bescheinigung*) carte *f* de travail **Arbeitsessen** *nt* repas *m* d'affaires **arbeitsfähig** *adj Person* apte au travail **Arbeitsgang** <-gänge> *m* **1.** (*Produktionsabschnitt*) phase *f* de fabrication **2.** (*Bearbeitungsabschnitt*) phase *f* [de travail] **Arbeitsgemeinschaft** *f* (*Projektgruppe*) groupe *m* d'études **Arbeitsgericht** *nt* ≈ conseil *m* des prud'hommes (*constitué par des juges professionnels en Allemagne*) **arbeitsintensiv** *adj* qui exige un travail intensif **Arbeitskleidung** *f* tenue *f* de travail **Arbeitsklima** *nt* ambiance *f* de travail **Arbeitskollege** *m*, **-kollegin** *f* collègue *mf* de travail **Arbeitskraft** *f* **1.** *kein Pl* (*Leistungskraft*) puissance *f* de travail **2.** (*Mitarbeiter*) travailleur(-euse) *m(f)* **Arbeitslager** *nt* camp *m* de travail **Arbeitsleben** *nt kein Pl* vie *f* professionnelle **Arbeitslohn** *m* salaire *m*

arbeitslos *adj* au chômage; ~ **werden**/**sein** se retrouver/être au chômage

Arbeitslose(r) *f(m) dekl wie adj* chômeur(-euse) *m(f)*

Arbeitslosengeld *nt* allocation *f* [de] chômage (*accordée pendant les 18 premiers mois de chômage*) **Arbeitslosenhilfe** *f* allocation [de] chômage accordée aux chômeurs de longue durée dans le besoin **Ar-**

beitslosenquote *f* taux *m* de chômage **Arbeitslosenversicherung** *f* assurance *f* chômage **Arbeitslosenzahl** *f* nombre *m* des chômeurs **Arbeitslosigkeit** <-> *f* chômage *m* **Arbeitsmarkt** *m* marché *m* de l'emploi **Arbeitsmaterial** *nt* (*Ausrüstung*) équipement *m* [professionnel] **Arbeitsminister(in)** *m(f)* ministre *mf* du Travail **Arbeitsmoral** *f* conscience *f* professionnelle **Arbeitsniederlegung** *f* arrêt *m* du travail **Arbeitsort** *m* lieu *m* de travail **Arbeitspapier** *nt Pl* (*Dokument*) die ~e le dossier **Arbeitsplan** *m* planning *m* [de travail] **Arbeitsplatz** *m* 1. (*Platz*) poste *m* de travail 2. (*Stelle*) emploi *m* **Arbeitsrecht** *nt* droit *m* du travail **Arbeitsrichter(in)** *m(f)* ≈ prud'homme *m* (*juge professionnel en Allemagne*) **arbeitsscheu** *adj pej* réfractaire au travail **Arbeitsschutz** *m* protection *f* contre les maladies et les accidents du travail **Arbeitsspeicher** *m* INFORM mémoire *f* vive **Arbeitsstelle** *f* 1. (*Anstellung*) emploi *m* 2. (*Arbeitsort*) lieu *m* de travail **Arbeitssuche** *f* recherche *f* d'un emploi **Arbeitstag** *m* 1. journée *f* de travail 2. (*Werktag*) jour *m* ouvrable **Arbeitsteilung** *f* répartition *f* du travail **arbeitsuchend** *adj s.* **Arbeit Arbeitsuchende(r)** *f(m) dekl wie adj* demandeur(-euse) *m(f)* d'emploi **arbeitsunfähig** *adj* en incapacité de travail **Arbeitsunfähigkeit** *f* incapacité *f* de travail **Arbeitsunfall** *m* accident *m* du travail **Arbeitsverhältnis** *nt* contrat *m* de travail **Arbeitsvermittlung** *f* 1. (*das Vermitteln*) recrutement *m* 2. (*Abteilung im Arbeitsamt*) agence *f* pour l'emploi 3. (*private Agentur*) bureau *m* de placement **Arbeitsvertrag** *m* contrat *m* de travail **Arbeitsverweigerung** *f* refus *m* d'effectuer un travail **Arbeitsweise** *f* 1. (*Vorgehensweise*) méthode *f* de travail 2. (*Funktionsweise*) *eines Geräts* mode *m* de fonctionnement **Arbeitswelt** *f* monde *m* du travail **Arbeitswoche** *f* semaine *f* de travail **Arbeitszeit** *f* temps *m* de travail; **gleitende** ~ horaire *m* flexible **Arbeitszeitverkürzung** *f* réduction *f* du temps de travail **Arbeitszeugnis** *nt* certificat *m* de travail **Arbeitszimmer** *nt* bureau *m*

archaisch [ar'ça:ɪʃ] *adj* archaïque **Archäologe** [arçεo'lo:gə] <-n, -n> *m*, **Archäologin** *f* archéologue *mf* **Archäologie** [arçεolo'gi:] <-> *f* archéologie *f* **archäologisch** [arçεo'lo:gɪʃ] *adj* archéologique **Arche** ['arçə] <-, -n> *f* arche *f*; **die ~**

Noah l'Arche de Noé **Architekt(in)** [arçi'tεkt] <-en, -en> *m(f)* architecte *mf* **architektonisch** [arçitεk'to:nɪʃ] *adj* architectural(e) **Architektur** [arçitεk'tu:ɐ̯] <-, -en> *f* architecture *f* **Archiv** [ar'çi:f] <-s, -e> *nt* archives *fpl* **Archivar(in)** [arçi'va:ɐ̯] <-s, -e> *m(f)* archiviste *mf* **archivieren*** *vt* archiver **ARD** [a:ʔεɐ̯'de:] <-> *f Abk von* **Arbeitsgemeinschaft der Rundfunkanstalten Deutschlands** première chaîne publique de radio et de télévision allemande **Ardennen** *Pl* die ~ les Ardennes *fpl* **Areal** [are'a:l] <-s, -e> *nt* 1. (*Fläche*) superficie *f* 2. (*Gelände*) terrain *m* **Ären** *Pl von* **Ära Arena** [a're:na] <-, Arenen> *f* 1. *eines Stadions* terrain *m* 2. (*Stierkampfarena*) arène *f* 3. (*Zirkusarena*) piste *f* **arg** [ark] <ᵉer, ᵉste> SDEUTSCH I. *adj* 1. grave; *Schicksal* cruel(le); *Enttäuschung* grand(e) *antéposé;* unser ärgster Feind notre pire ennemi; das Ärgste befürchten craindre le pire 2. *attr fam Freude* grand(e) *antéposé* ► im Argen liegen *geh* être en mauvaise posture II. *adv* (*schlimm, übel*) ~ in der Klemme stecken être dans un sacré pétrin (*fam*) **Argentinien** [argεn'ti:niən] <-s> *nt* l'Argentine *f* **Ärger** ['εrgɐ] <-s> *m* 1. (*Unmut*) colère *f* 2. (*Unannehmlichkeiten*) ennuis *mpl;* mit jdm ~ haben avoir des ennuis avec qn; jetzt gibt es ~ maintenant ça va aller mal; mach [mir] keinen ~! *fam* [ne] me fais pas d'histoires! **ärgerlich** *adj* 1. *Blick* irrité(e) 2. *Angelegenheit* ennuyeux(-euse) **ärgern** ['εrgɐn] I. *vt* 1. jdn ~ énerver qn; es ärgert mich, dass er nie pünktlich ist cela m'énerve qu'il ne soit jamais à l'heure 2. (*mutwillig reizen, necken*) agacer II. *vr* sich über jdn/etw ~ se mettre en colère contre qn/à cause de qc **Ärgernis** <-ses, -se> *nt* [objet *m* de] scandale **Arglist** ['arklɪst] <-> *f geh* perfidie *f* **arglistig** *geh adj* perfide (*littér*) **arglos** *adj Person* confiant(e); *Bemerkung* innocent(e) **Argument** [argu'mεnt] <-[e]s, -e> *nt* argument *m;* ein ~ für/gegen etw un argument à l'appui de/contre qc **argumentieren*** [argumεn'ti:rən] *vi* argumenter; mit etw ~ argumenter de qc **Argwohn** ['arkvo:n] <-s> *m geh* suspicion *f*

Ärger ausdrücken

- Unzufriedenheit ausdrücken

Das entspricht nicht meinen Erwartungen.
Ich hätte erwartet, dass Sie sich nun mehr Mühe geben.
So hatten wir es nicht vereinbart.

- Verärgerung ausdrücken

Das ist (ja) unerhört!
Eine Unverschämtheit ist das!/So eine Frechheit!
Das ist doch wohl die Höhe!
Das darf doch wohl nicht wahr sein!
Das nervt! *(fam)*

Das ist ja nicht mehr zum Aushalten! *(fam)*

- exprimer l'insatisfaction

Cela ne répond pas à mes attentes.
J'aurais espéré que vous vous donniez plus de mal.
Nous n'en avions pas convenu ainsi.

- exprimer l'irritation

C'est incroyable/inouï!
Mais c'est une honte!/Quel culot!/ Quelle impertinence!
Alors là, c'est le bouquet/le comble!
Mais ce n'est pas vrai/possible!
C'est énervant!/Ça commence à m'énerver!
C'est/Ça devient insupportable!

---

f
argwöhnen ['arkvøːnən] *vt geh* soupçonner
argwöhnisch *geh adj* soupçonneux(-euse)
Arie ['aːriə] <-, -n> *f* aria *f;* (*Opernarie*) air *m* d'opéra
Arier(in) ['aːriɐ] <-s, -> *m(f)* Aryen(ne) *m(f)*
arisch ['aːrɪʃ] *adj* aryen(ne)
Aristokrat(in) [arɪstoˈkraːt] <-en, -en> *m(f)* aristocrate *mf*
Aristokratie [arɪstokraˈtiː] <-, -n> *f* aristocratie *f*
aristokratisch *adj* aristocratique
Arithmetik [arɪtˈmeːtɪk] <-> *f* arithmétique *f*
Arkade [arˈkaːdə] <-, -n> *f* arcade *f*
Arktis ['arktɪs] <-> *f* **die** ~ l'Arctique *m*
arktisch *adj* 1. GEOG arctique 2. *fig Temperaturen* polaire
arm [arm] <⁻er, ⁻ste> I. *adj* 1. (*mittellos*) pauvre; **jdn** ~ **machen** ruiner qn 2. (*bedauernswert*) pauvre *antéposé;* **das** ~**e Kind!** le pauvre enfant! 3. (*karg*) pauvre ▶**Arm und Reich** pauvres *mpl* et riches *mpl* II. *adv*▶~ **dran sein** *fam* être à plaindre
Arm [arm] <-[e]s, -e> *m* 1. bras *m;* **jdm den** ~ **reichen** *geh* offrir le bras à qn; ~ **in** ~ bras dessus, bras dessous; **ein Kind im** ~ **halten** tenir un enfant dans ses bras; **jdn in den** ~ **nehmen** prendre qn dans ses bras; **sich** (*dat*) **in den** ~**en liegen** être enlacés 2. *kein Pl* (*Machtinstrument*) bras *m;* **der** ~ **des Gesetzes** *geh* le bras de la justice 3. (*Flussarm*) bras *m* 4. (*armähnli-*

cher Teil) *eines Krans* bras *m; eines Leuchters* branche *f* ▶**jdm unter die** ~**e greifen** tirer qn d'affaire; **jdm in die** ~**e laufen** *fam* tomber sur qn; **jdn auf den** ~ **nehmen** faire marcher qn (*fam*), se payer la tête de qn (*fam*)
Armatur [armaˈtuːɐ] <-, -en> *f meist Pl* 1. (*Schalt- und Messgerät*) (*im Auto*) commande *f;* (*im Flugzeug*) instrument *m* de bord 2. (*Badarmatur*) **die** ~**en** la robinetterie
Armaturenbrett *nt* tableau *m* de bord
Armband <-bänder> *nt* bracelet *m* **Armbanduhr** *f* montre-bracelet *f* **Armbinde** *f* 1. *eines Blinden* brassard *m* 2. (*Armschlinge*) écharpe *f* **Armbrust** *f* arbalète *f*
Arme(r) *f(m) dekl wie adj* 1. (*mittelloser Mensch*) pauvre(-esse) *m(f)* 2. (*bedauernswerter Mensch*) **du** ~**r!** mon pauvre [petit]!
Armee [arˈmeː] <-, -n> *f* 1. MIL armée *f;* **die Rote** ~ HIST l'armée rouge 2. (*riesige Menge*) **eine** ~ **von Heuschrecken** une armée de sauterelles
Ärmel ['ɛrməl] <-s, -> *m* manche *f* ▶**sich** (*dat*)| **die** ~ **hochkrempeln** retrousser ses manches; **etw aus dem** ~ **schütteln** *fam* sortir qc de son chapeau
Ärmelkanal *m* **der** ~ la Manche
ärmellos *adj* sans manches
Armenhaus *nt* HIST asile *m*
Armenien [arˈmeːniən] <-s> *nt* l'Arménie *f*
armenisch I. *adj* arménien(ne) II. *adv* ~ **miteinander sprechen** discuter en arménien; *s. a.* **deutsch**

Armenisch <-[s]> nt kein art arménien m;
s. a. **Deutsch**
Armenviertel nt quartier m pauvre
Armlehne f accoudoir m **Armleuchter** m
1. (*Leuchter*) candélabre m **2.** *pej fam*
(*Dummkopf*) andouille f
ärmlich ['ɛrmlɪç] adj **1.** *Verhältnisse* misérable **2.** *Essen* maigre antéposé
Armreif m bracelet m
armselig ['armzeːlɪç] adj **1.** (*sehr arm*)
miteux(-euse) **2.** (*dürftig*) maigre antéposé
3. *Feigling* misérable antéposé; *Ausrede* minable; *Summe* misérable
Armsessel m fauteuil m [à accoudoirs]
Armut ['armuːt] <-> f **1.** (*Bedürftigkeit*)
pauvreté f **2.** (*Dürftigkeit*) des Stils indigence f; **geistige** ~ pauvreté f intellectuelle
Armutsgrenze f seuil m de pauvreté **Armutszeugnis** ►**sich** (*dat*) **mit einer Bemerkung ein** ~ **ausstellen** démontrer
son incapacité en faisant une remarque
Aroma [a'roːma] <-s, **Aromen** o -s o
-ta> nt arôme m
Aromaforschung f aromacologie f
aromatisch [aro'maːtɪʃ] adj **1.** *Duft* aromatique **2.** (*wohlschmeckend*) savoureux(-euse)
aromatisieren* vt aromatiser
arrangieren* [arãˈʒiːrən] I. vt **1.** (*organisieren*) organiser **2.** (*gestalten*) arranger **II.**
vr (*übereinkommen*) **sich mit jdm** ~ s'arranger avec qn
Arrest [a'rɛst] <-[e]s, -e> m **1.** (*Freiheitsentzug*) détention f **2.** (*Schularrest*) consigne f **3.** MIL arrêts mpl
arrogant [aro'gant] adj arrogant(e)
Arroganz <-> f arrogance f
Arsch [arʃ, Pl: 'ɛrʃə] <-[e]s, ⁼e> m vulg
1. (*Gesäß*) cul m (*fam*) **2.** (*blöder
Mensch*) conard m ►**am** ~ **der Welt** en
pleine cambrousse (*fam*); **sich** (*dat*) **den**
~ **abfrieren** se geler le cul; **leck mich**
[**doch**] **am** ~! va te faire foutre!; **jdm geht**
etw am ~ **vorbei** qn n'a rien à cirer de qc
Arschkriecher(in) m(f) vulg lèche-cul mf
Arschloch nt vulg trou m du cul
Arsen [ar'zeːn] <-s> nt CHEM arsenic m
Arsenal [arzeˈnaːl] <-s, -e> nt (*Waffenlager*) arsenal m
Art. *Abk von* **Artikel** art.
Art [aːɐt] <-, -en> f **1.** (*Spezies*) espèce f
2. (*Sorte*) genre m; **jede** ~ **von Gewalt
ablehnen** refuser toute forme de violence
3. (*Weise*) façon f; **auf diese** ~ **und Weise**
de cette façon; **auf natürliche/seltsame**
~ d'une manière naturelle/étrange **4.** kein
Pl (*Wesensart*) nature f **5.** kein Pl (*Benehmen*) manières fpl ►**etw nach** ~ **des**

Hauses zubereiten préparer qc maison
Artenschutz m protection f des espèces
Artensterben nt disparition f des espèces
Artenvielfalt f variété f des espèces
Arterie [ar'teːriə] <-, -n> f ANAT artère f
Arterienverkalkung f MED artériosclérose f
artfremd adj atypique
Artgenosse m, -**genossin** f congénère mf
artgerecht adj *Tierhaltung* qui respecte les
besoins des animaux
Arthrose <-, -n> f arthrose f
artig ['artɪç] adj *Kind* sage
Artikel [ar'tiːkəl] <-s, -> m article m
Artikulation [artikula'tsi̯oːn] <-, -en> f
articulation f
artikulieren* [artiku'liːrən] I. vt articuler
II. vr geh **sich in etw** (*dat*) ~ s'exprimer
dans qc
Artillerie [artɪla'riː] <-> f artillerie f
Artischocke [arti'ʃɔkə] <-, -n> f artichaut m
Artist(in) [ar'tɪst] <-en, -en> m(f) **1.** (*Zirkusartist*) artiste mf de cirque; (*Zirkusakrobat*) acrobate mf **2.** (*Könner*) artiste mf
artistisch adj **1.** *Kunststück* artistique **2.** (*geschickt*) acrobatique
artverwandt adj d'espèce voisine
Arznei [a:ɐts'nai] <-, -en> f médicament
m
Arzneimittel nt médicament m **Arzneimittelhersteller** m fabricant m de produits pharmaceutiques
Arzt [a:ɐtst, Pl: 'ɛːɐtstə] <-es, ⁼e> m, **Ärztin** f médecin mf, docteur mf; **zum** ~ **gehen** aller chez le médecin
Arztbesuch m visite f du médecin
Ärztekammer f conseil m de l'ordre des
médecins **Ärzteschaft** <-> f corps m médical
Arzthelfer(in) m(f) auxiliaire mf médical(e)
Ärztin ['ɛːɐtstɪn] s. **Arzt**
ärztlich ['ɛːɐtstlɪç] I. adj *Attest* médical(e)
II. adv **sich** ~ **behandeln lassen** suivre
un traitement médical
Arztpraxis f cabinet m médical
As¹ <-ses, -se> s. **Ass**
As² <-, -> nt MUS la m bémol
Asbest [as'bɛst] <-[e]s, -e> m amiante m
Asbestsanierung f désamiantage m **asbestverseucht** adj contaminé(e) par l'amiante
aschblond adj blond cendré inv
Asche ['aʃə] <-, -n> f cendre f souvent pl
Aschenbahn f [piste f] cendrée f **Aschenbecher** m cendrier m **Aschenputtel**
['aʃənpʊtəl] <-s> nt Cendrillon f
Ascher <-s, -> m fam cendrier m
Aschermittwoch [aʃe'mɪtvɔx] m mercre-

di *m* des Cendres
aschfahl *adj Gesicht* livide **aschgrau** *adj*
   Haar cendré(e); *Kleidung* [d'un] gris cendré
   inv
ASCII-Code ['askikoːt] *m* INFORM code *m*
   ASCII
asexuell ['aseksu̯ɛl] *adj* asexué
Asiat(in) [a'ziaːt] <-en, -en> *m(f)* Asiati-
   que *mf*
asiatisch *adj* asiatique
Asien ['aːziən] <-s> *nt* l'Asie *f*
Askese [as'keːzə] <-> *f* ascèse *f*
Asket(in) [as'keːt] <-en, -en> *m(f)* ascète
   mf
asketisch *adj* ascétique
asozial ['azotsiaːl] *adj* asocial(e)
Aspekt [as'pɛkt] <-[e]s, -e> *m* aspect *m*
Asphalt [as'falt] <-[e]s, -e> *m* asphalte *m*,
   bitume *m*
asphaltieren* [asfal'tiːrən] *vt* asphalter
Aspik <-s, -e> *m* o A *nt* aspic *m*
Aspirin® [aspi'riːn] <-s> *nt* aspirine *f*
AssRR [as] <-es, -e> *nt* **1.** (*Spielkarte*) as *m*
   2. (*fähiger Mensch*) as *m;* **ein ~ in Physik
   sein** être un as de la physique
aß [aːs] *Imp von* **essen**
Assel ['asəl] <-, -n> *f* cloporte *m*
Assimilation [asimila'tsi̯oːn] <-, -en> *f*
   assimilation *f*
assimilieren* [asimi'liːrən] *vt a.* BIO assimiler
Assistent(in) [asɪs'tɛnt] <-en, -en> *m(f)*
   assistant(e) *m(f)*
Assistenz <-> *f geh* (*Mithilfe*) concours *m*
Assistenzarzt *m*, **-ärztin** *f* ≈ interne *mf*
   des hôpitaux
assistieren* [asɪs'tiːrən] *vi* assister; **jdm
   bei etw ~** assister qn dans qc
Assoziation [asotsia'tsi̯oːn] <-, -en> *f
   geh* association *f*
assoziieren* *vt geh* **etw mit etw ~** associer qc à qc
Ast [ast, *Pl:* 'ɛstə] <-[e]s, ⸚e> *m* (*Zweig*)
   branche *f* ▸**auf dem absteigenden ~
   sein** *fam* être en perte de vitesse
Aster ['astɐ] <-, -n> *f* aster *m*
Asteroid [astero'iːt] <-en, -en> *m* astéroïde *m*
Astgabel *f* fourche *f*
Asthet(in) [ɛs'teːt] <-en, -en> *m(f)* esthète *mf*
Ästhetik [ɛs'teːtɪk] <-, -en> *f* **1.** (*Wissenschaft*) esthétique *f* **2.** *kein Pl* (*Schönheit*)
   caractère *m* esthétique
ästhetisch *adj* esthétique
Asthma ['astma] <-s> *nt* asthme *m*
Asthmatiker(in) [ast'maːtikɐ] <-s, ->
   m(f) asthmatique *mf*
asthmatisch *adj Beschwerden* asthmatique;

Anfall d'asthme
Astloch *nt* trou *m* laissé par un nœud
astrein *adj fam* (*hervorragend*) impec
Astrologe [astro'loːgə] <-n, -n> *m*, **As-
   trologin** *f* astrologue *mf*
Astrologie [astrolo'giː] <-> *f* astrologie *f*
astrologisch [astro'loːgɪʃ] *adj Zeitschrift*
   d'astrologie; *Gutachten* astrologique
Astronaut(in) [astro'nau̯t] <-en, -en>
   m(f) astronaute *mf*
Astronom(in) [astro'noːm] <-en, -en>
   m(f) astronome *mf*
Astronomie [astrono'miː] <-> *f* astronomie *f*
astronomisch *adj Instrument* astronomique; *Werk* d'astronomie; *Kenntnisse* en astronomie
ASU <-, -s> *f Abk von* **Abgassonderuntersuchung** HIST contrôle *m* antipollution
Asyl [a'zyːl] <-s, -e> *nt* **1.** *Pl selten* (*Zuflucht*) asile *m;* **jdm ~ gewähren** *Staat:* accorder le droit d'asile à qn; *Privatperson:* offrir un asile à qn **2.** (*Obdachlosenheim*)
   asile *m* de nuit [pour les sans-abri]
Asylant(in) *m(f)* demandeur(-euse) *m(f)*
   d'asile
Asylantenwohnheim *nt* foyer *m* pour les
   demandeurs d'asile
Asylantrag *m* demande *f* d'asile **Asylbe-
   werber(in)** *m(f)* demandeur(-euse) *m(f)*
   d'asile **Asylrecht** *nt* (*Recht auf Asyl*) droit
   m d'asile
Asymmetrie [azʏme'triː] *f* asymétrie *f*
asymmetrisch ['azʏmeːtrɪʃ] *adj* asymétrique
Aszendent <-en, -en> *m* ASTRON, ASTROL
   ascendant *m*
at [ɛt] INFORM ar[r]obas *m*
Atelier [ate'lje:] <-s, -s> *nt* **1.** (*Künstler-
   werkstatt*) atelier *m* **2.** (*Filmatelier*) studio
   m [de production]
Atem ['aːtəm] <-s> *m* **1.** (*~ luft*) souffle *m;*
   außer ~ sein être hors d'haleine **2.** (*~ge-
   ruch*) haleine *f* **3.** (*das Atmen*) respiration
   f ▸**den längeren ~ haben** tenir le coup
   (*fam*); **den ~ anhalten** retenir sa respiration; (*sehr gespannt sein*) retenir son souffle; **jdn in ~ halten** (*jdn auf Trab halten*)
   tenir qn en mouvement; (*jdn in Spannung
   halten*) tenir qn en haleine; **das/es verschlägt einem [glatt] den ~!** c'est à en
   avoir le souffle coupé!
atemberaubend *adj Schönheit* vertigi-
   neux(-euse) **Atembeschwerden** *Pl* troubles *mpl* respiratoires
atemlos *adj* **1.** (*außer Atem*) essoufflé(e)
   2. *Stille* absolu(e)
Atemnot *f* crise *f* d'étouffements **Atem-
   pause** *f* pause *f* pour respirer **Atemwege**

Pl voies *fpl* respiratoires **Atemzug** *m* inspiration *f* ►**im selben** ~ en même temps
Atheismus [ate'ɪsmʊs] <-> *m* athéisme *m*
Atheist(in) [ate'ɪst] <-en, -en> *m(f)* athée *mf*
atheistisch [ate'ɪstɪʃ] *adj* athée
Athen [a'teːn] <-s> *nt* Athènes
Äther ['ɛːtɐ] <-s> *m* CHEM éther *m*
ätherisch [ɛ'teːrɪʃ] *adj* CHEM *Öl* essentiel(le)
Äthiopien [ɛti'opiən] <-s> *nt* l'Éthiopie *f*
äthiopisch *adj* éthiopien(ne)
Athlet(in) [at'leːt] <-en, -en> *m(f)* athlète *mf*
athletisch *adj Körperbau* athlétique
Atlanten *Pl von* **Atlas**
Atlantik [at'lantɪk] <-s> *m* der ~ l'Atlantique *m*
atlantisch *adj* atlantique
Atlas ['atlas, *Pl:* 'at'lantən] <- *o* -ses, Atlanten *o* -se> *m* atlas *m*
atmen ['aːtmən] *vt, vi* respirer
Atmosphäre [atmo'sfɛːrə] <-, -n> *f* atmosphère *f*
atmosphärisch *adj* atmosphérique
Atmung <-> *f* respiration *f*
Ätna ['ɛːtna, 'ɛtna] <-[s]> *m* der ~ l'Etna *m*
Atoll [a'tɔl] <-s, -e> *nt* atoll *m*
Atom [a'toːm] <-s, -e> *nt* atome *m*
Atomangriff *m* attaque *f* nucléaire
atomar [ato'maːɐ] *adj* 1. PHYS atomique 2. MIL *Bedrohung* nucléaire
Atombombe *f* bombe *f* atomique **Atomenergie** *f* énergie nucléaire *f* **Atomexplosion** *f* explosion *f* nucléaire
atomisieren* [atomi'ziːrən] *vt* pulvériser
Atomkern *m* noyau *m* [de l'atome] **Atomkraft** *f kein Pl* énergie *f* nucléaire **Atomkraftwerk** *nt* centrale *f* nucléaire **Atomkrieg** *m* guerre *f* nucléaire **Atommacht** *f* puissance *f* nucléaire **Atommüll** *m* déchets *mpl* nucléaires **Atomphysik** *f* physique *f* nucléaire **Atomrakete** *f* fusée *f* nucléaire **Atomreaktor** *m* réacteur *m* nucléaire **Atomsprengkopf** *m* ogive *f* nucléaire **Atomtest** *m* essai *m* nucléaire **Atomwaffe** *f* arme *f* nucléaire **atomwaffenfrei** *adj Zone* dénucléarisé(e) **Atomwaffensperrvertrag** *m* traité *m* de non-prolifération [des armes nucléaires] **Atomzeitalter** *nt kein Pl* das ~ l'ère *f* atomique
Atrium ['aːtriʊm] <-s, Atrien> *nt* 1. patio *m* 2. HIST atrium *m*
ätsch [ɛːtʃ] *interj fam* bien fait
Attacke [a'takə] <-, -n> *f* 1. MIL (*Reiterangriff*) charge *f* de cavalerie 2. SPORT, MED *a. fig* attaque *f*
attackieren* *vt* attaquer

Attentat ['atəntaːt] <-[e]s, -e> *nt* attentat *m;* **ein ~ auf jdn verüben** commettre un attentat contre qn
Attentäter(in) [atəntɛːtɐ] *m(f)* auteur *m* de l'attentat
Attest [a'tɛst] <-[e]s, -e> *nt* certificat *m* [médical]
attestieren* *vt* attester
Attraktion [atrak'tsjoːn] <-, -en> *f* 1. *kein Pl* (*Anziehungskraft*) attrait *m* 2. (*Glanznummer*) attraction *f*
attraktiv [atrak'tiːf] *adj* 1. *Person* séduisant(e) 2. *Stadt* attrayant(e); *Angebot* intéressant(e)
Attraktivität [atraktivi'tɛːt] <-> *f* 1. *einer Person* pouvoir *m* de séduction 2. (*Anreiz*) *einer Stadt* caractère *m* attrayant; *eines Angebots* caractère intéressant
Attrappe [a'trapə] <-, -n> *f* 1. (*Nachbildung*) objet *m* factice 2. (*gemalte optische Täuschung*) trompe-l'œil *m*
Attribut [atri'buːt] <-[e]s, -e> *nt* 1. *geh* (*Eigenschaft*) particularité *f* 2. GRAM *eines Substantivs* épithète *f*
attributiv [atribu'tiːf] *adj Adjektiv* épithète
atypisch ['atypɪʃ] *adj* atypique
ätzen ['ɛtsən] *vi Säure:* corroder
ätzend *adj* 1. CHEM corrosif(-ive) 2. *Geruch* délétère 3. *fam* (*sehr schlecht*) chiant(e)
au [aʊ] *interj* 1. (*Ausruf des Schmerzes*) aïe 2. (*Ausruf der Freude*) ~ **ja/klasse!** *fam* ouah super!
Aubergine [obɛr'ʒiːnə] <-, -n> *f* aubergine *f*
auch [aʊx] *adv* 1. (*ebenfalls*) aussi; **ich möchte ~ mitkommen** moi aussi, j'aimerais venir; ~ **die Regierung** le gouvernement [lui] aussi; **nicht nur ich, sondern ~ er** non seulement moi, mais lui aussi; **ich ~ nicht** moi non plus 2. (*sogar*) même; ~ **wenn** même si 3. (*verstärkend*) effectivement; **wozu [denn] ~?** de toute façon, à quoi bon?; **ich habe das nicht nur gesagt, ich meine das ~!** je ne l'ai pas seulement dit, je le pense [effectivement]! 4. (*immer*) **was er ~ sagen wird** quoi qu'il dise; **wie dem ~ sei** quoi qu'il en soit ►~ **gut!** [eh bien] tant pis!; ~ **das noch!** il ne manquait plus que ça!
Audienz [aʊ'djɛnts] <-, -en> *f* audience *f*
audiovisuell [aʊdjovi'zɥɛl] *adj* audiovisuel(le)
Auditorium [aʊdi'toːrjʊm] <-s, -rien> *nt* 1. *geh* (*Zuhörerschaft*) auditoire *m* 2. (*Hörsaal*) amphithéâtre *m*
Auerhahn ['aʊɐhaːn] *m* coq *m* de bruyère
Auerochse ['aʊɐɔksə] *m* aurochs *m*
auf [aʊf] **I.** *präp + dat* 1. sur; ~ **dem Tisch/dem Teller** sur la table/dans l'as-

siette; ~ dem **Boden** par terre; ~ der **Straße** dans la rue; ~ dem **Meeresgrund** au fond de la mer; ~ dem **Land** à la campagne; ~ einer **Insel** sur une île; auf **Mallorca/Korsika** à Majorque/en Corse 2.(*in, bei*) à; ~ der **Schule/Post/Bank** à l'école/la poste/la banque; ~ einem **Sparkonto** sur un compte [d']épargne 3.(*während*) pendant; ~ dem **Weg** en chemin; ~ der **Feier** à la fête 4.(*für*) ~ einen **Tee bleiben** rester le temps de boire un thé II. *präp + akk* 1.sur; ~ den **Tisch/den Teller** sur la table/dans l'assiette; ~ den **Boden** par terre; ~ die **Straße gehen** sortir dans la rue; ~ **Land fahren** aller à la campagne 2.(*zu*) à; ~ die **Schule/Post/Bank** à l'école/la poste/la banque; ~ das **Fest gehen** aller à la fête 3.(*bei Zeitangaben*) ~ einen **Dienstag fallen** tomber un mardi; etw ~ die **nächste Woche verschieben** repousser qc à la semaine prochaine; in der **Nacht** ~ **Dienstag** dans la nuit de lundi [à mardi] 4.(*bei Maß- und Mengenangaben*) à; sich ~ zehn **Meter nähern** s'approcher à dix mètres; ~ die **Sekunde/ den Pfennig genau** à la seconde/au centime près 5.(*pro*) pour; fünf **Liter** ~ **hundert Kilometer verbrauchen** consommer cinq litres aux cent [kilomètres] 6.(*aufgrund, infolge*) sur; ~ **Wunsch des Chefs** sur la demande du chef; ~ den **Rat des Arztes** [hin] suite au conseil du médecin 7.(*mittels*) ~ diese **Art** de cette manière 8.(*in Trinksprüchen*) ~ dein **Wohl!** à la tienne! 9.(*mit Superlativen*) jdn ~ das **herzlichste begrüßen** saluer qn de la manière la plus cordiale III. *adv* 1.(*los*) ~ **geht's!** on y va!; ~ nach **Kalifornien!** en route pour la Californie! 2.*fam* (*setz/setzt auf!*) **Helm** ~! mets ton/mettez votre casque! 3.*fam* (*offen*) ~ **sein** être ouvert; **Mund** ~! ouvre/ouvrez la bouche! 4.*fam* (*aufgestanden*) ~ **sein** être debout 5.(*nach oben*) ~ **und ab fahren** *Aufzug:* monter et descendre ►~ **und ab gehen** faire les cent pas; mit etw geht es ~ **und ab** qc a des hauts et des bas; ~ **und davon sein** avoir filé IV. *konj* ~ **dass** *geh* souhaitons que + *subj*

auf|**arbeiten** *vt* 1.traiter *Akten* 2.(*auswerten*) exploiter *Literatur* 3.(*bewältigen*) assumer *Vergangenheit*

auf|**atmen** *vi* 1.respirer profondément 2.(*erleichtert sein*) respirer

auf|**bahren** *vt* exposer *Sarg*

Aufbau <-bauten> *m kein Pl* 1.(*Zusammenbauen*) eines Regals montage *m;* einer Stereoanlage installation *f* 2.(*Wiederaufbau*) ~ **Ost** reconstruction *f* de l'Est 3.(*Er-*

richtung) *einer Wirtschaftsordnung* instauration *f;* *eines Unternehmens* mise *f* sur pied 4.(*das Herstellen*) *von Kontakten* établissement *m* 5.(*Struktur*) *eines Unternehmens* organisation *f;* *eines Geräts* agencement *m;* *eines Romans* composition *f;* *eines Atoms* structure *f*

auf|**bauen** I. *vt* 1.monter *Regal;* installer *Stereoanlage* 2.(*errichten*) [wieder] ~ reconstruire *Land* 3.(*schaffen*) instaurer *Wirtschaftsordnung;* mettre sur pied *Unternehmen;* sich (*dat*) eine **Existenz** ~ organiser sa vie 4.(*herstellen*) établir *Kontakt* 5.(*arrangieren*) installer *Spielfiguren;* dresser *Büfett* 6.(*basieren*) etw auf der **Vermutung** ~, dass ... fonder qc en supposant que ... 7.ELEC, PHYS établir *Spannung* 8.PHYS, CHEM symmetrisch **aufgebaut sein** avoir une structure symétrique II. *vi* auf etw (*dat*) ~ *Theorie:* se fonder sur qc III. *vr* 1.*fam* (*sich postieren*) sich vor jdm/etw ~ se planter devant qn/qc 2.IN-FORM sich ~ *Homepage:* s'afficher

auf|**bäumen** *vr* sich ~ se cabrer; sich gegen jdn/etw ~ se cabrer contre qn/qc

auf|**bauschen** *vt* (*übertreiben*) gonfler *Kleinigkeit;* etw zu einem **Skandal** ~ faire tout un scandale de qc

auf|**begehren*** *vi geh* se soulever; gegen jdn/etw ~ se soulever contre qn/qc

auf|**behalten*** *vt irr* garder *Hut*

auf|**bekommen*** *vt irr fam* 1.**Hausaufgaben** ~ avoir des devoirs [à faire] 2.(*öffnen können*) arriver à ouvrir

auf|**bereiten*** *vt* ÖKOL traiter *Wasser;* [wieder] ~ retraiter *Brennelemente*

Aufbereitung <-, -en> *f* 1.von Wasser traitement *m* 2.(*Wiederaufbereitung*) von Brennelementen retraitement *m*

auf|**bessern** *vt* (*erhöhen*) augmenter *Gehalt;* arrondir *Taschengeld*

auf|**bewahren*** *vt* garder

Aufbewahrung <-, -en> *f* 1.(*Verwahrung*) dépôt *m;* jdm etw zur ~ **geben** confier la garde de qc à qn 2.(*Ort der Gepäckaufbewahrung*) consigne *f*

auf|**bieten** *vt irr* 1.mobiliser *Mittel* 2.(*Eheschließungsabsichten veröffentlichen*) publier les bans du mariage de

auf|**binden** *vt irr* défaire *Krawatte;* délacer *Schuh*

auf|**blähen** I. *vt* 1.ballonner *Darm* 2.*fig* aufgebläht *Verwaltungsapparat* hypertrophié II. *vr* sich ~ *Ballon:* [se] gonfler; *Darm:* ballonner

aufblasbar *adj* gonflable

auf|**blasen** *irr* I. *vt* gonfler II. *vr* 1.sich automatisch ~ se gonfler automatiquement 2.*pej fam* (*sich wichtig machen*) sich ~ se

rengorger; **aufgeblasen** bouffi d'orgueil
auf|bleiben *vi irr* + *sein fam* **1.** (*geöffnet bleiben*) rester ouvert(e) **2.** (*nicht zu Bett gehen*) rester debout
auf|blenden *vi* **1.** (*das Fernlicht einschalten*) se mettre en pleins phares; (*die Lichthupe betätigen*) faire un appel de phares **2.** PHOT ouvrir le diaphragme
auf|blicken *vi* **1.** lever les yeux; **zu jdm/etw** ~ lever les yeux en direction de qn/qc **2.** *fig* (*als Vorbild verehren*) **zu jdm** ~ admirer qn
auf|blitzen *vi* **1.** + *haben* (*aufleuchten*) *Leuchtturm:* jeter un éclair de lumière **2.** + *sein fig* **in jdm** ~ *Erinnerung:* jaillir dans l'esprit de qn
auf|blühen *vi* + *sein* **1.** (*sich öffnen*) *Knospe:* s'épanouir **2.** (*aufleben*) *Person:* s'épanouir **3.** (*sich entwickeln*) *Kultur:* fleurir
auf|brauchen *vt* épuiser *Vorräte;* finir *Packung*
auf|brausen *vi* + *sein* **1.** *Beifall:* éclater **2.** (*wütend werden*) *Person:* monter comme une soupe au lait
aufbrausend *adj Person* soupe au lait *inv*
auf|brechen *irr* **I.** *vt* + *haben* forcer *Verschluss;* fracturer *Pkw* **II.** *vi* + *sein* **1.** *Eisdecke:* se fendre; *Wunde:* s'ouvrir **2.** (*sich auf den Weg machen*) **zu einer Reise/nach Prag** ~ partir en voyage/à Prague
auf|brezeln *vr fam* se bichonner
auf|bringen *vt irr* **1.** (*bezahlen*) réunir *Summe;* régler *Miete* **2.** (*mobilisieren*) trouver *Geduld* **3.** (*erzürnen*) **jdn gegen jdn/etw** ~ monter [la tête à] qn contre qn/qc
Aufbruch *m kein Pl* **1.** (*das Fortgehen*) départ *m* **2.** *geh* (*Erneuerung*) renouveau *m*
auf|brühen *vt* préparer; **sich** (*dat*) **einen Tee** ~ se faire un thé
auf|brummen *vt fam* **jdm eine Strafe/Arbeit** ~ coller une punition/un travail à qn
auf|bürden *vt geh* **jdm eine Arbeit** ~ accabler qn d'un travail; **jdm die ganze Verantwortung** ~ imputer toute la responsabilité à qn
auf|decken *vt* **1.** découvrir *Schlafenden;* défaire *Decke* **2.** (*enthüllen*) découvrir *Wahrheit;* élucider *Zusammenhänge;* démasquer *Komplott* **3.** SPIEL retourner *Spielkarte*
auf|donnern *vr pej fam* **sich** ~ se faire un look d'allumeuse
auf|drängen **I.** *vt* forcer à prendre; **jdm etw** ~ forcer qn à prendre qc **II.** *vr* **sich jdm** ~ *Person:* imposer sa présence à qn; *Verdacht:* s'imposer à [l'esprit de] qn
auf|drehen **I.** *vt* **1.** ouvrir *Hahn* **2.** *fam* (*lauter stellen*) **das Radio voll** ~ mettre la radio à plein[s] tube[s] **II.** *vi fam* (*loslegen*) *Person:* s'éclater; **aufgedreht sein** être re-

monté
aufdringlich *adj* **1.** *Person* envahissant(e) **2.** *Parfüm* pénétrant(e); *Kleidung* voyant(e)
Aufdringlichkeit <-, -en> *f* **1.** *kein Pl einer Person* caractère *m* importun **2.** (*Penetranz*) *eines Kleidungsstücks* côté *m* tape-à-l'œil
Aufdruck <-drucke> *m* (*Zeichen*) inscription *f*; (*Text*) impression *f*
auf|drücken *vt* **1.** (*öffnen*) **etw** ~ ouvrir qc en poussant dessus **2.** (*drücken auf*) apposer *Stempel*
auf|drucken *vt* imprimer; **etw auf etw** (*akk*) ~ imprimer qc sur qc
aufeinander [aʊfʔaɪˈnandɐ] *adv* **1.** (*räumlich*) **zwei Scheiben Brot** ~ **legen** mettre deux tartines de pain l'une sur l'autre; ~ **liegen** *Personen, Tiere:* être couchés l'un sur l'autre/les uns sur les autres; *Gegenstände:* être empilés **2.** ~ **folgen** se succéder; ~ **folgend** *Ereignisse* successif; *Tage* de suite **3.** (*gegen*) ~ **stoßen** *Truppen, Meinungen:* s'affronter **4.** (*gegenseitig*) ~ **angewiesen sein** *Personen:* être tributaires l'un de l'autre/les uns des autres
aufeinander|folgen *s.* aufeinander **auf-einanderfolgend** *s.* aufeinander **aufeinander|legen** *s.* aufeinander **aufeinan-der|liegen** *s.* aufeinander
aufeinander|prallen *s.* aufeinander **aufeinander|stoßen** *s.* aufeinander
aufeinander|treffen *s.* aufeinander
Aufenthalt [ˈaʊfʔɛnthalt] <-[e]s, -e> *m* **1.** séjour *m* **2.** (*Halt eines Zugs*) arrêt *m*
Aufenthaltserlaubnis *f* permis *m* de séjour **Aufenthaltsgenehmigung** *f* permis *m* de séjour **Aufenthaltsort** *m* lieu *m* de résidence **Aufenthaltsraum** *m* salle *f* de détente
auf|erlegen* *vt geh* **jdm eine Prüfung/Strafe** ~ imposer un examen/infliger une punition à qn
auf|erstehen* *vi irr* + *sein* ressusciter
Auferstehung <-, -en> *f* résurrection *f*
auf|essen *irr* **I.** *vt* terminer *Essen* **II.** *vi* finir son assiette
auf|fahren *irr* **I.** *vi* + *sein* **1.** **auf eine Rampe/Fähre** ~ monter sur une rampe/un ferry **2.** (*kollidieren mit*) **auf jdn/ein Fahrzeug** ~ emboutir qn/un véhicule **3.** (*näher heranfahren*) **dicht auf seinen Vordermann** ~ talonner le véhicule qui précède **4.** (*hochschrecken*) sursauter; **aus dem Schlaf** ~ s'éveiller en sursaut **II.** *vt* + *haben* **1.** MIL (*in Stellung bringen*) **Geschütze** ~ mettre des pièces d'artillerie en batterie **2.** *fam* (*herbeischaffen*) sortir *Speisen*

auffordern

• jemanden auffordern	• demander à quelqu'un de faire quelque chose
Kannst du grade mal kommen?	Pourrais-tu venir une minute?
Besuch mich doch mal.	Passe donc me voir.
Denk dran, mich heute Abend anzurufen.	N'oublie pas de me téléphoner ce soir.
Ich muss Sie bitten, den Raum zu verlassen. *(form)*	Je dois vous prier de quitter la pièce. *(form)*
• zu gemeinsamem Handeln auffordern	• inviter quelqu'un à une action commune
Auf geht's! *(fam)*	Allons-y!
An die Arbeit!/Fangen wir mit der Arbeit an!	(Allez,) au travail!/Mettons-nous au travail!
Lasst uns mal in Ruhe darüber reden.	Parlons-en tranquillement.
Wollen wir jetzt nicht endlich mal damit anfangen?	Et si nous commencions/nous nous y mettions (à la fin)?
• verlangen	• exiger
Ich will/bestehe darauf, dass du gehst.	Je veux que/j'insiste pour que tu partes.
Ich verlange eine Erklärung von Ihnen.	J'exige des explications de votre part.
Das ist das Mindeste, was man verlangen kann.	C'est le minimum qu'on puisse demander.

Auffahrt *f* **1.** *kein Pl* (*das Hinauffahren*) montée *f* **2.** (*Zufahrt*) accès *m;* (*Autobahnauffahrt*) bretelle *f* d'accès [à l'autoroute]
Auffahrunfall *m* carambolage *m*
auf|**fallen** *vi irr* + *sein* **1.** (*ins Auge springen*) *Person:* ne pas passer inaperçu(e); *Sache:* se remarquer; **jdm** ~ *Person:* attirer l'attention de qn; *Sache:* frapper qn; **mir fällt auf, dass ...** je remarque que ... **2.** (*auf angenehme/unangenehme Weise bemerkt werden*) *Person:* se distinguer/se faire remarquer; **angenehm/unangenehm** ~ produire une impression agréable/désagréable
auffallend I. *adj Kleidungsstück* voyant(e); *Ähnlichkeit* frappant(e); *Intelligenz* remarquable **II.** *adv ruhig* étonnamment
auffällig I. *adj Kleidung* qui ne passe pas inaperçu(e); *Farbe* voyant(e) **II.** *adv nervös* visiblement; *sich verhalten* étrangement
auf|**fangen** *vt irr* **1.** attraper *Ball* **2.** (*sammeln*) recueillir *Regenwasser* **3.** (*zufällig hören*) intercepter *Funkspruch;* saisir [au vol] *Gesprächsfetzen* **4.** (*kompensieren*) compenser *Verluste* **5.** (*dämpfen*) amortir *Aufprall*
Auffanglager *nt* centre *m* d'accueil
auf|**fassen** *vt* concevoir; **etw als Einladung/Beleidigung** ~ concevoir qc comme une invitation/offense; **etw richtig/falsch/anders** ~ comprendre qc comme il faut/de travers/autrement
Auffassung *f* (*Vorstellung*) conception *f;* (*Meinung*) avis *m*
Auffassungsgabe *f kein Pl* intelligence *f*
auffindbar *adj* ~ **sein** pouvoir être retrouvé; **nicht** ~ **sein** être introuvable
auf|**finden** *vt irr* retrouver; **nirgends aufzufinden sein** être introuvable
auf|**flackern** *vi* + *sein* **1.** *Feuer, Kerze:* se raviver **2.** *Kämpfe:* se rallumer
auf|**fliegen** *vi irr* + *sein* **1.** (*hochfliegen*) *Vogel:* prendre son envol **2.** *fam* (*entdeckt werden*) *Bande:* se faire pincer; *Betrug:* être démasqué
auf|**fordern** *vt* **1.** **jdn zum Bleiben/Gehen** ~ prier qn de rester/partir **2.** (*zum Tanz bitten*) **jdn** ~ inviter qn [à danser]
Aufforderung *f* **1.** (*Bitte*) demande *f* pressante; (*Bitte um einen Tanz*) invitation *f* **2.** (*Anordnung*) *der Polizei* ordre *m; eines Gerichts* injonction *f*
auf|**forsten** ['aʊffɔrstən] *vt* boiser *Wald;* **das Aufforsten** le [re]boisement
auf|**fressen** *vt irr* dévorer
auf|**frischen I.** *vt* + *haben* **1.** rafraîchir *Kenntnisse;* renouer *Freundschaft* **2.** (*erneuern*) ravaler *Anstrich* **3.** MED faire le rappel

de *Impfung* **4.** (*ergänzen*) renouveler *Vorrat* **II.** *vi unpers* + *sein* **es frischt auf** ça se rafraîchit

auflführen I. *vt* **1.** représenter *Theaterstück;* interpréter *Komponisten;* jouer *Oper* **2.** (*auflisten*) produire *Zeugen;* énumérer *Fakten;* citer *Beispiele* **II.** *vr* **sich gut/ schlecht** ~ bien/mal se comporter **Aufführung** *f eines Stücks* représentation *f*

auflfüllen *vt* **1.** remplir *Tank* **2.** (*nachfüllen*) **Benzin** ~ reprendre de l'essence; **Öl** ~ remettre de l'huile

Aufgabe <-, -n> *f* **1.** tâche *f;* **die** ~ **haben etw zu tun** avoir pour tâche de faire qc **2.** (*Pflicht*) devoir *m* **3.** (*Auftrag*) mission *f* **4.** SCHULE (*Übung*) exercice *m* **5.** (*Zweck*) *eines Gerätes* fonction *f* **6.** *kein Pl* (*Ablieferung*) *von Gepäck* dépôt *m; eines Pakets* expédition *f* **7.** *kein Pl* (*Verzicht*) renoncement *m* **8.** *kein Pl a.* SPORT (*Nichtfortführen*) abandon *m* **9.** *kein Pl* (*Kapitulation*) reddition *f*

auflgabeln *vt fam* dégoter *Person* **Aufgabenbereich** *m* ressort *m* **Aufgabenheft** *nt* cahier *m* d'exercices **Aufgabenstellung** *f* **1.** (*gestellte Aufgabe*) mission *f* **2.** SCHULE (*Formulierung*) **die** ~ **ist ziemlich unklar** l'exercice *m* n'est pas posé clairement

Aufgang <-gänge> *m* **1.** *der Sonne* lever *m* **2.** (*Treppe*) escalier *m;* (*Treppenhaus*) cage *f* d'escalier

auflgeben *irr* **I.** *vt* **1.** abandonner *Studium, Hoffnung;* quitter *Freunde, Wohnort;* fermer [définitivement] *Geschäft;* se défaire de *Gewohnheit;* **gib's auf!** *fam* laisse tomber! **2.** (*auftragen*) **jdm Hausaufgaben** ~ donner des devoirs à qn **3.** (*zu lösen geben*) **jdm Fragen/ein Rätsel** ~ poser des questions/une énigme à qn **4.** (*abliefern*) faire enregistrer *Gepäck;* poster *Brief, Paket;* [faire] passer *Annonce* **II.** *vi* abandonner

Aufgebot *nt* **1.** (*große Menge*) **ein großes** ~ **von Freiwilligen** une multitude de bénévoles **2.** (*Heiratsankündigung*) publication *f* des bans; **das** ~ **bestellen** faire publier les bans

aufgebracht I. *adj* en colère; **wegen jdm/ etw** ~ **sein** être déchaîné contre qn/à cause de qc **II.** *adv* reden, gestikulieren sous l'emprise de la colère

aufgedunsen *adj Gesicht* bouffi(e); *Bauch* gonflé(e)

auflgehen *vi irr* + *sein* **1.** *Sonne:* se lever **2.** (*sich öffnen*) *Tür:* s'ouvrir; *Vorhang:* se lever **3.** (*sich lösen*) *Knoten:* se défaire **4.** (*sich lösen, verwirklichen lassen*) *Rechnung:* tomber juste; *Planung:* se réaliser **5.** (*klar werden*) **jdm geht etw auf** qn

commence à comprendre qc **6.** (*Erfüllung finden*) **völlig in etw** (*dat*) ~ s'investir entièrement dans qc **7.** (*wachsen*) *Saat:* lever

aufgehoben *adj* **bei jdm gut/schlecht** ~ **sein** être en de bonnes/mauvaises mains chez qn

aufgeklärt *adj* PHILOS *Person* éclairé(e) **aufgekratzt** *adj fam* excité(e) **aufgelegt** *adj* **gut/schlecht** ~ **sein** être de bonne/mauvaise humeur

aufgelöst *adj* **1.** (*außer sich*) bouleversé(e); **völlig** ~ **sein** être complètement bouleversé **2.** (*erschöpft*) fourbu(e); **ganz** ~ **sein** n'en plus pouvoir

aufgeregt *adj Person* excité(e); (*nervös*) énervé(e)

aufgeschlossen *adj Person* ouvert(e) **aufgeschmissen** *adj fam* paumé(e); ~ **sein** être dans le potage

aufgesetzt I. *adj Lächeln, Fröhlichkeit* forcé(e) **II.** *adv* ~ **wirken** faire l'effet d'être forcé

aufgeweckt *adj* vif(vive) [d'esprit]; *Kind* dégourdi(e)

auflgießen *vt irr* (*aufbrühen*) **[den] Kaffee/Tee** ~ verser de l'eau sur le café/thé **auflgliedern** *vr* **sich** ~ se décomposer; **sich in etw** (*akk*) ~ se décomposer en qc **auflgreifen** *vt irr* **1.** saisir *Vorschlag;* s'emparer de *Fall;* **eine Idee/ein Thema wieder** ~ reprendre une idée/un sujet **2.** (*festnehmen*) arrêter *Täter*

aufgrund [aufˈgrʊnt] *präp* + *gen* en raison de; ~ **zahlreicher Beschwerden** suite à de nombreuses plaintes

Aufguss[RR] *m* **1.** MED infusion *f* **2.** (*in der Sauna*) projection *f* d'eau

auflhaben *irr fam* **I.** *vt* **1.** (*geöffnet haben*) ouvrir *Geschäft* **2.** (*aufgesetzt haben*) avoir [mis] *Hut* **3.** (*als Aufgabe bekommen haben*) avoir *Hausaufgaben;* **heute haben wir nichts/viel auf** aujourd'hui, on n'a pas/on a beaucoup de devoirs **II.** *vi Geschäft:* être ouvert

auflhalsen *fam* **I.** *vt* coller; **jdm eine Arbeit** ~ coller un travail à qn **II.** *vr* **sich** (*dat*) **etw** ~ se coller qc sur le dos

auflhalten *irr* **I.** *vt* **1.** *a. fig* (*am Weiterkommen hindern*) retenir *Person;* arrêter *Fahrzeug* **2.** *fam* (*offen hinhalten*) tendre *Hand;* **seine Tasche** ~ tendre son sac ouvert **II.** *vr* **1.** **sich in der Wohnung/im Garten** ~ se trouver dans l'appartement/le jardin; **sich drei Tage in Paris** ~ rester trois jours à Paris; **sich einige Jahre in Wien** ~ séjourner quelques années à Vienne **2.** (*verweilen*) **sich bei einem Punkt** ~ s'attarder sur un point **3.** *fam* (*sich weiterhin befassen*) **sich mit jdm/etw** ~ passer du

temps avec qn/à faire qc
auf|hängen I. vt **1.** [sus]pendre, accrocher Bild, Mantel; pendre, étendre Wäsche; raccrocher Hörer **2.** (erhängen) pendre **II.** vr sich an etw (dat) ~ se pendre à qc
Aufhänger <-s, -> m **1.** COUT bride f **2.** fam (Anknüpfungspunkt) point m de départ
auf|häufen vt, vr [sich] ~ [s']amasser
auf|heben irr vt **1.** ramasser; **etw von der Erde/vom Teppich** ~ ramasser qc à terre/sur le tapis **2.** (aufbewahren) garder **3.** (abschaffen) abroger Gesetz; casser Urteil **4.** (beenden) lever Embargo
Aufheben ▶viel/nicht viel ~[s] machen geh faire/ne pas faire toute une histoire
Aufhebung <-, -en> f **1.** eines Gesetzes, einer Verfügung abrogation f; eines Urteils invalidation f **2.** (Beendigung) levée f
auf|heitern I. vt dérider Person; détendre Stimmung **II.** vr sich ~ **1.** Gesicht: s'éclairer **2.** METEO Himmel: se dégager
Aufheiterung <-, -en> f **1.** zur allgemeinen ~ pour détendre l'atmosphère **2.** METEO éclaircie f
auf|heizen I. vt [é]chauffer Stimmung; réchauffer Atmosphäre **II.** vr sich ~ Atmosphäre, Stimmung: s'enfiévrer
auf|helfen vi irr jdm ~ aider qn à se mettre debout
auf|hellen I. vt éclaircir Haare **II.** vr sich ~ Gesicht: s'éclaircir; Wetter: s'éclaircir
auf|hetzen vt exciter; jdn gegen jdn/etw ~ exciter qn contre qn/qc; jdn zu Gewalttaten ~ pousser qn à des actes de violence
auf|heulen vi **1.** Person, Tier: pousser un hurlement **2.** (laut tönen) Sirene: se mettre à mugir; Sturm: se mettre à rugir; Motor: s'emballer; seinen Motor ~ lassen faire rugir son moteur
auf|holen I. vt rattraper Rückstand **II.** vi rattraper son retard
auf|horchen vi dresser l'oreille
auf|hören vi arrêter ▶da hört sich doch alles auf! fam là, c'est le bouquet!
auf|kaufen vt accaparer Sammlung; acheter en grande quantité Immobilien
aufklappbar adj rabattable
auf|klappen vt + haben soulever Deckel; ouvrir Buch; déplier Liegestuhl
auf|klaren ['aufkla:rən] vi Himmel, Wetter: se dégager; es klart auf le temps s'éclaircit
auf|klären I. vt **1.** (aufdecken) ein Rätsel/Verbrechen ~ tirer une énigme/un crime au clair **2.** (erklären) expliquer Missverständnis **3.** (informieren) jdn über etw (akk) ~ mettre qn au courant de qc **4.** (über Sexuelles unterrichten) jdn ~ faire l'éducation sexuelle de qn; aufgeklärt

sein avoir reçu une éducation sexuelle **5.** MIL reconnaître Lage **II.** vr sich ~ Rätsel, Himmel: s'éclaircir; Missverständnis: s'expliquer
Aufklärung f **1.** (Aufdeckung) élucidation f **2.** (Klärung) explication f **3.** (Information) ~ über etw (akk) éclaircissements mpl sur qc **4.** (sexuelle ~) éducation f sexuelle **5.** MIL reconnaissance f **6.** kein Pl PHILOS die ~ les lumières fpl
auf|kleben vt coller; etw auf etw (akk) ~ coller qc sur qc
Aufkleber m autocollant m
auf|knacken vt **1.** casser Nuss **2.** fam fracturer Auto, Tresor
auf|knöpfen vt déboutonner Bluse; défaire Knopf
auf|knoten vt dénouer Schnürsenkel, Tuch; défaire Knoten
auf|kochen vt + haben die Milch/Suppe ~ porter le lait/la soupe à ébullition
auf|kommen vi irr + sein **1.** (finanzieren) für jdn [o jds Unterhalt] ~ subvenir aux besoins de qn; für die Kosten/den Schaden ~ prendre les coûts/les dégâts en charge **2.** (entstehen) Zweifel: se faire jour; Gerücht: commencer à circuler **3.** METEO Wind: se lever **4.** (landen) hart/weich auf dem Boden ~ Person: se recevoir rudement/en douceur au sol
Aufkommen <-s, -> nt **1.** (Gesamtmenge) ~ an Steuern produit m des impôts; ~ an Verkehr le trafic routier **2.** kein Pl (das Entstehen) apparition f
auf|kratzen vt gratter Oberfläche; eine Wunde ~ gratter une plaie jusqu'au sang
auf|kreischen vi pousser des cris; vor Freude/Schreck ~ pousser des cris de joie/d'épouvante
auf|krempeln vt retrousser Ärmel
auf|kreuzen vi + sein fam (erscheinen) se pointer; bei jdm ~ se pointer chez qn
auf|kriegen vt fam **1.** arriver à ouvrir Tür **2.** (aufgetragen bekommen) Hausaufgaben ~ avoir des devoirs [à faire]
auf|lachen vi éclater de rire
auf|laden irr **I.** vt **1.** charger; etw auf etw (akk) ~ charger qc sur qc **2.** fam (aufbürden) jdm die ganze Arbeit/Verantwortung ~ mettre tout le travail/toute la responsabilité sur le dos de qn **3.** ELEC [re]charger Batterie **II.** vr sich ~ Batterie: se charger d'électricité
Auflage <-, -n> f **1.** (Ausgabe) édition f **2.** (~nhöhe, ~nzahl) tirage m **3.** (Verpflichtung) condition f; jdm eine ~/~n machen imposer un cahier des charges à qn
Auflage[n]höhe f tirage m

auf|lassen *vt irr* **1.** *fam (geöffnet lassen)* **etw** ~ laisser qc ouvert **2.** *fam (aufbehalten)* garder *Hut*
auf|lauern *vi* guetter; **jdm** ~ guetter qn
Auflauf *m* **1.** *(Speise)* soufflé *m* **2.** *(Menschenauflauf)* attroupement *m*
auf|laufen *vi irr + sein* **1.** rentrer; **auf etw** *(akk o dat)* ~ *Person:* rentrer dans qc; *Schiff:* s'échouer sur qc **2.** *(scheitern)* échouer **3.** *(sich ansammeln)* *Zinsen:* s'accumuler
auf|leben *vi + sein* **1.** *Person:* s'animer **2.** *(wiederbelebt werden)* *Erinnerungen:* se ranimer
auf|lecken *vt* lécher
auf|legen **I.** *vt* **1.** mettre *Schallplatte;* reposer *Telefonhörer;* [re]mettre *Holz, Kohle* **2.** *(veröffentlichen)* éditer *Buch;* **neu aufgelegt werden** être réédité **II.** *vi Person:* raccrocher
auf|lehnen *vr* se rebeller; **sich gegen jdn/etw** ~ se rebeller contre qn/qc
Auflehnung <-, -en> *f* rébellion *f*
auf|lesen *vt irr* **1.** ramasser **2.** *pej fam (zufällig finden und mitnehmen)* dégoter *Person*
auf|leuchten *vi + haben o sein Augen, Sterne:* se mettre à briller; *Licht:* s'allumer; *Blitz:* déchirer le ciel
auf|liegen *irr vi* reposer; **auf etw** *(dat)* ~ reposer sur qc
auf|listen *vt* faire la liste de
auf|lockern **I.** *vt* **1.** SPORT détendre *Muskulatur* **2.** *(ansprechender machen)* détendre *Stimmung;* adoucir *Frisur;* **den Unterricht** ~ rendre le cours plus attrayant **II.** *vr* **sich** ~ **1.** SPORT *Person:* se détendre **2.** METEO *Bewölkung:* se dissiper
Auflockerung *f* **1.** SPORT *der Muskeln* assouplissement *m* **2.** *(ansprechendere Gestaltung)* **zur** ~ **des Unterrichts** pour rendre plus attrayant le cours **3.** METEO *der Bewölkung* dissipation *f*
auf|lodern *vi + sein* **1.** *Flammen:* jaillir [en flamboyant] **2.** *(beginnen)* *Kämpfe:* se déchaîner
auf|lösen **I.** *vt* **1.** **etw** ~ *Person:* [faire] dissoudre qc; *Säure:* décomposer qc **2.** *(beenden)* disperser *Versammlung;* dissoudre *Parlament;* fermer *Konto;* liquider *Haushalt* **3.** MATH, MUS résoudre *Klammern* **II.** *vr* **sich** ~ *(sich zersetzen)* se décomposer; *Pulver, Tablette:* se dissoudre; *Nebel:* se dissiper
Auflösung *f* **1.** *kein Pl (Zersetzung)* dissolution *f; von Nebel* dissipation *f* **2.** *kein Pl (Beendigung der Existenz)* *eines Parlaments* dissolution *f; einer Versammlung* dispersion *f; eines Haushalts* liquidation *f; eines Kontos* fermeture *f; eines Vertrags* résolution *f* **3.** *(Bildauflösung)* définition *f;* IN-

FORM résolution *f*
auf|machen **I.** *vt* **1.** *fam* ouvrir; défaire *Mantel, Schnürsenkel* **2.** *(eröffnen)* monter *Firma* **3.** *(präsentieren)* **einen Bericht spannend** ~ présenter un reportage de façon captivante **II.** *vi* **jdm** ~ ouvrir à qn **III.** *vr (aufbrechen)* **sich in die Stadt** ~ partir en ville
Aufmacher *m* PRESSE [article *m*] leader *m*
Aufmachung <-, -en> *f einer Person* tenue *f; einer Titelseite* présentation *f*
auf|malen *vt* peindre; **etw auf etw** *(akk)* ~ *(mit einem Pinsel)* peindre qc sur qc; *(mit einem Stift)* dessiner qc sur qc
auf|marschieren* *vi + sein* MIL se déployer
auf|merken *vi* **1.** dresser l'oreille **2.** *geh (Acht geben)* faire attention
aufmerksam *adj* **1.** attentif(-ive); **auf jdn/etw** ~ **werden** remarquer qn/qc; **jdn auf etw** *(akk)* ~ **machen** faire remarquer qc à qn **2.** *(zuvorkommend)* attentionné(e); **[das ist] sehr** ~ **von Ihnen!** c'est très aimable à vous!
Aufmerksamkeit <-, -en> *f* **1.** *kein Pl (Wachsamkeit)* attention *f* **2.** *kein Pl (Zuvorkommenheit)* attentions *fpl* **3.** *(Geschenk)* **kleine** ~ gentille attention *f*
auf|möbeln *vt fam* **1.** **etw [wieder]** ~ retaper qc **2.** *(aufmuntern)* requinquer *Person*
auf|mucken *vi fam* râler; **gegen jdn/etw** ~ râler contre qn/qc
auf|muntern *vt* **1.** **jdn** ~ *Person:* remonter [le moral à] qn; *Kaffee:* ragaillardir qn **2.** *(ermutigen)* **jdn zu etw** ~ encourager qn à [faire] qc
aufmunternd **I.** *adj Lächeln, Zurufe* d'encouragement **II.** *adv* **jdm** ~ **zulächeln** sourire à qn pour l'encourager
aufmüpfig *adj fam Schüler* récalcitrant(e)
auf|nähen *vt* coudre; **etw auf etw** *(akk)* ~ coudre qc sur qc
Aufnahme <-, -n> *f* **1.** *kein Pl (Empfang)* accueil *m; von Gästen* réception *f* **2.** *kein Pl (Rezeption)* *eines Theaterstücks* accueil *m* **3.** *kein Pl (das Aufnehmen)* *(in ein Krankenhaus)* admission *f; (in eine Liste)* insertion *f* **4.** *kein Pl (Beginn)* *einer Tätigkeit* début *m* **5.** *kein Pl (Einverleibung)* *von Nahrung* prise *f; von Nährstoffen* absorption *f* **6.** *(Fotografie)* photo[graphie] *f* **7.** *(Tonbandaufnahme, Videoaufnahme)* enregistrement *m*
aufnahmefähig *adj* réceptif(-ive); **für etw** ~ **sein** être réceptif à qc **Aufnahmegebühr** *f* droits *mpl* d'admission **Aufnahmeprüfung** *f* examen *m* d'entrée
auf|nehmen *vt irr* **1.** *(empfangen)* accueillir *Gast* **2.** *(beherbergen)* héberger *Gäste;* accueillir *Asylbewerber* **3.** *(rezipieren)*

prendre *Nachricht;* accueillir *Buch* **4.** (*zulassen*) **jdn** ~ *Internat:* admettre qn **5.** (*beginnen*) entamer *Tätigkeit;* prendre *Kontakt;* **Verbindung zu jdm** ~ entrer en relation avec qn **6.** (*sich einverleiben*) prendre *Nahrung;* absorber *Nährstoffe* **7.** (*fotografieren*) **jdn/etw** ~ prendre qn/qc en photo; (*filmen*) filmer qn/qc **8.** (*auf Tonband, Video festhalten*) enregistrer **9.** (*feststellen*) prendre *Personalien* **10.** (*geistig verarbeiten*) enregistrer **11.** FIN prendre *Kredit* ► **es mit jdm/etw** ~ **können** pouvoir se mesurer avec qn/qc

auf‖nötigen *vt* imposer; **jdm seine Meinung** ~ imposer son opinion à qn; **jdm einen Nachtisch** ~ forcer qn à prendre un dessert

auf‖opfern *vr* **sich** ~ se sacrifier; **sich für jdn/etw** ~ se sacrifier pour qn/qc

aufopfernd *s.* **aufopferungsvoll**

auf‖päppeln *vt fam* retaper

auf‖passen *vi* **1.** faire attention; **im Unterricht** ~ être attentif en cours **2.** (*beaufsichtigen*) **auf jdn** ~ surveiller qn; **auf einen Hund/eine Wohnung** ~ garder un chien/un appartement

Aufpasser(in) <-s, -> *m(f) pej* surveillant(e) *m(f);* SCHULE pion(ne) *m(f)* (*fam*)

auf‖peitschen *vt* **1.** fouetter *Meer* **2.** exciter *Menschen, Sinne*

auf‖picken *vt* picorer *Futter*

auf‖platzen *vi* + *sein Frucht:* éclater; *Naht:* craquer; *Wunde:* s'ouvrir

auf‖plustern I. *vt* gonfler *Gefieder* II. *vr* **sich** ~ **1.** *Vogel:* gonfler ses plumes **2.** *pej fam* (*sich wichtig machen*) faire de l'esbroufe

Aufprall <-[e]s, -e> *m* choc *m; eines Geschosses* impact *m*

auf‖prallen *vi* + *sein* s'écraser; **auf etw** (*akk o dat*) ~ s'écraser contre qc

Aufpreis *m* supplément *m*

auf‖pumpen *vt* gonfler

auf‖putschen *vt* **1.** doper **2.** (*aufwiegeln*) exciter

Aufputschmittel *nt* dopant *m*

auf‖quellen *vi irr* + *sein* gonfler

auf‖raffen *vr* **1.** **sich von seinem Lager** ~ se soulever de sa couche **2.** (*sich entschließen*) **sich zu einem Brief** ~ [parvenir à] se décider à écrire une lettre

auf‖ragen *vi Berg, Turm:* se dresser

auf‖rappeln *vr fam* **1.** **sich** [**wieder**] ~ se ramasser; (*zu Kräften kommen*) se retaper **2.** **sich endlich** ~ **etw zu tun** se décider enfin à faire qc

auf‖rauen^RR, **auf‖rauhen** *vt* gratter [légèrement] *Oberfläche*

auf‖räumen I. *vt* ranger *Zimmer* II. *vi*

1. (*Ordnung schaffen*) ranger **2.** *fam* (*beseitigen*) **mit etw** ~ mettre fin à qc

Aufräumungsarbeiten *Pl* travaux *mpl* de déblaiement

auf‖rechnen *vt* (*verrechnen*) **etw gegen etw** ~ défalquer qc de qc

aufrecht [ˈaʊfrɛçt] *adj Gang* en position verticale; *Körperhaltung* le dos droit

aufrecht‖erhalten* *vt irr* maintenir *Kontakt, These;* persister dans *Anklage, Behauptung*

Aufrechterhaltung *f des Kontakts* maintien *m*

auf‖regen I. *vt* énerver II. *vr* **sich über jdn/etw** ~ s'énerver à cause de qn/qc

aufregend *adj* passionnant(e); **wie** ~! *fam* comme c'est palpitant!

Aufregung *f* **1.** (*aufgeregte Stimmung*) excitation *f;* (*Beunruhigung*) énervement *m* **2.** (*Durcheinander*) agitation *f*

aufreibend *adj Arbeit* usant(e)

auf‖reihen I. *vt* enfiler *Perlen* II. *vr* **sich** ~ *Personen:* s'aligner; **aufgereiht** en rangs

auf‖reißen *irr* I. *vt* + *haben* **1.** ouvrir *Brief, Straße;* déchirer *Umschlag;* **das Fenster/die Tür** ~ ouvrir la fenêtre/la porte d'un geste brusque **2.** (*beschädigen*) déchirer *Kleid;* égratigner *Haut* **3.** *fam* (*kennen lernen*) lever II. *vi* + *sein Wolkendecke:* se déchirer

auf‖reizend *adj* excitant(e)

auf‖richten I. *vt* **1.** relever; **den Oberkörper** ~ redresser le buste **2.** (*aufrecht hinstellen*) monter *Zelt;* dresser *Maibaum* II. *vr* **sich** ~ se redresser

aufrichtig *adj* sincère

Aufrichtigkeit <-> *f* sincérité *f*

auf‖rollen I. *vt* **1.** rouler *Teppich;* enrouler *Kabel* **2.** (*entrollen*) dérouler *Poster* **3.** (*erneut aufgreifen*) **wieder** ~ rouvrir *Fall* II. *vr* **sich automatisch** ~ *Bandmaß:* se rembobiner automatiquement

auf‖rücken *vi* + *sein* **1.** (*weiterrücken*) se pousser **2.** (*aufsteigen*) monter en grade

Aufruf *m* **1.** appel *m;* **ein** ~ **zum Streik** un appel à la grève **2.** *kein Pl* (*das Aufrufen*) *einer Person* appel *m; eines Flugs* annonce *f* **3.** *kein Pl* INFORM *eines Programms* appel *m*

auf‖rufen *irr* I. *vt* **1.** **jdn** ~ **etw zu tun** appeler qn à faire qc **2.** (*rufen*) faire l'appel de *Teilnehmer* **3.** (*auffordern*) appeler *Passagier;* désigner *Schüler* **4.** (*bekannt geben*) annoncer *Flug* **5.** INFORM appeler *Programm* II. *vi* **zum Streik/Widerstand** ~ appeler à la grève/résistance

Aufruhr [ˈaʊfruːɐ̯] <-[e]s, -e> *m* **1.** (*Aufstand*) émeute *f* **2.** *kein Pl geh* (*Unruhe*) *der Bevölkerung* [vive] agitation *f;* **jdn in** ~ **versetzen** mettre qn en ébullition

aufrührerisch *adj attr* **1.** *Bevölkerung* rebelle; *Stimmung* insurrectionnel(le) **2.** *Flugblatt* séditieux(-euse)
auflrunden *vt* arrondir
auflrüsten I. *vi* s'armer **II.** *vt* **1.** armer *Land* **2.** INFORM augmenter la capacité de *Rechner*
Aufrüstung *f* **1.** armement *m;* **atomare/ konventionelle** ~ armement nucléaire/ conventionnel **2.** INFORM *eines Rechners* augmentation *f* de la capacité
auflrütteln *vt* **1.** **jdn aus dem Schlaf** ~ tirer qn du sommeil **2.** (*aufstören*) provoquer un choc chez *Person;* réveiller *Gewissen*
aufs [aʊfs] = **auf das 1.** *fam s.* **auf 2.** *bei Superl* ~ **Äußerste** à l'extrême
auflsagen *vt* réciter
auflsammeln *vt* ramasser
aufsässig ['aʊfzɛsɪç] *adj* récalcitrant(e); *Mitarbeiter* insoumis(e)
Aufsatz *m* **1.** (*Schulaufsatz*) rédaction *f;* (*in der Oberstufe*) dissertation *f* **2.** (*Essay*) essai *m*
auflsaugen *vt reg o irr* éponger *Flüssigkeit;* absorber *Tintenklecks;* aspirer *Staub*
auflschauen *s.* **aufblicken**
auflscheuchen *vt* effaroucher *Reh, Vogel*
auflschichten *vt* empiler
auflschieben *vt irr* **1.** (*öffnen*) ouvrir *Schiebetür* **2.** (*zurückschieben*) tirer *Riegel* **3.** (*verschieben*) **etw auf den nächsten Tag** ~ remettre qc au lendemain ▸ **aufgeschoben ist nicht aufgehoben** *prov* ce n'est que partie remise
auflschießen *irr vi* + *sein* **1.** *Flammen:* jaillir **2.** *Jugendlicher:* monter en graine
Aufschlag *m* **1.** (*Aufprall*) impact *m* **2.** SPORT service *m* **3.** (*Aufpreis*) majoration *f*
auflschlagen *irr* **I.** *vi* **1.** + *sein* (*auftreffen*) s'écraser; **auf etw** (*akk o dat*) ~ s'écraser sur qc; *Meteorit:* tomber sur qc; **mit dem Kopf auf dem Boden** ~ se cogner la tête par terre **2.** + *haben* SPORT servir **II.** *vt* + *haben* **1.** ouvrir *Buch* **2.** (*öffnen*) ouvrir *Augen* **3.** (*aufbauen*) monter *Zelt* **4.** (*einrichten*) installer *Lager* **5.** (*zusätzlich berechnen*) **hundert Euro auf etw** (*akk*) ~ majorer le prix de qc de cent euros
auflschließen *irr* **I.** *vt* ouvrir *Schrank* **II.** *vi* **jdm** ~ ouvrir à qn
auflschlitzen *vt* **1.** (*beschädigen*) taillader **2.** (*verletzen*) **jdm/einem Tier den Bauch** ~ éventrer qn/un animal
Aufschluss^RR *m* (*Aufklärung*) éclaircissements *mpl;* **jdm** ~ **über jdn/etw geben** donner des éclaircissements à qn sur qn/qc
auflschlüsseln *vt* **1.** (*zuordnen*) établir un calcul détaillé de *Kosten* **2.** (*analysieren*)

etw nach Altersgruppen ~ analyser qc par tranches d'âge
aufschlussreich^RR *adj* instructif(-ive); *Information* révélateur(-trice)
auflschnappen *vt fam* (*mitbekommen*) saisir au vol
auflschneiden *irr* **I.** *vt* **1.** (*tranchieren*) découper *Kuchen* **2.** (*auseinander schneiden*) couper *Knoten* **3.** MED inciser *Geschwür* **II.** *vi fam* (*prahlen*) frimer
Aufschneider(in) *m(f) fam* frimeur(-euse) *m(f)*
Aufschnitt *m kein Pl* (*Wurstaufschnitt*) charcuterie *f* en tranches; (*Käseaufschnitt*) fromage *m* en tranches
auflschnüren *vt* défaire *Paket, Schnürsenkel;* délacer *Schuh*
auflschrauben *vt* (*öffnen*) ouvrir *Marmeladenglas;* dévisser *Deckel*
auflschrecken <schreckte *o* schrak auf, aufgeschreckt> *vi* + *sein Person:* sursauter; (*aus dem Schlaf*) se réveiller en sursaut
Aufschrei *m* cri *m* strident
auflschreiben *irr vt* (*niederschreiben*) noter
auflschreien *vi irr* pousser un cri
Aufschrift *f* inscription *f*
Aufschub *m* **1.** (*Verzögerung*) report *m* **2.** FIN (*Stundung*) délai *m*
auflschürfen *vt* **sich** (*dat*) **das Knie** ~ s'écorcher le genou
auflschütten *vt* (*aufhäufen*) déverser *Sand*
auflschwatzen *vt fam* fourguer; **jdm etw** ~ fourguer qc à qn; **sich** (*dat*) **etw von jdm** ~ **lassen** se faire refiler qc par qn
Aufschwung *m* **1.** (*Auftrieb*) élan *m* **2.** ÖKON essor *m* **3.** SPORT rétablissement *m*
auflsehen *vi irr* lever les yeux; **von etw** ~ lever les yeux de qc; **zu jdm** ~ lever les yeux vers qn; (*bewundern*) vénérer qn
Aufsehen *nt* remue-ménage *m;* ~ **erregen** faire sensation; ~ **erregend** *Neuigkeit* sensationnel; *Modell* qui fait sensation; *Bericht* qui fait du bruit
aufsehenerregend *s.* **Aufsehen**
Aufseher(in) *m* <-s, -> *m(f)* gardien(ne) *m(f)*
auflsein *s.* **auf III.**
auflsetzen **I.** *vt* **1.** mettre *Brille* **2.** (*auf den Boden*) poser *Fuß* **3.** (*verfassen*) rédiger *Schreiben* **4.** (*zur Schau tragen*) **ein aufgesetztes Lächeln** un sourire de façade **II.** *vr* **sich** ~ se redresser **III.** *vi* **auf der Piste** ~ *Flugzeug:* se poser sur qc
Aufsicht <-, -en> *f* **1.** *kein Pl* (*Überwachung*) surveillance *f* **2.** (*Person*) personne *f* [chargée] de [la] surveillance
Aufsichtsbehörde *f* autorité *f* de contrôle
Aufsichtpflicht *f* devoir *m* de surveillance
Aufsichtsrat *m* conseil *m* de surveil-

lance
auf|sitzen *vi irr* **1.** + *sein Reiter:* monter en
selle **2.** + *sein fam* (*hereinfallen*) **jdm** ~ se
faire avoir par qn
auf|spannen *vt* **1.** tendre *Netz* **2.** ouvrir
Schirm, Trockenständer
auf|sparen *vt* économiser *Kräfte;* [**sich**
(*dat*)] **etwas Käse** ~ [se] mettre un peu de
fromage de côté
auf|sperren *vt* **1.** **den Schnabel** ~ ouvrir le
bec en grand **2.** SDEUTSCH, A ouvrir *Tür*
auf|spielen *vr fam* **sich** ~ faire de l'esbrou-
fe; **sich als Held** ~ jouer au héros
auf|spießen *vt* piquer; (*mit einem Spieß*)
embrocher; (*mit einer Nadel*) épingler
auf|springen *vi irr* + *sein* **1.** (*hochsprin-
gen*) bondir **2.** (*auf etw springen*) **auf den
Zug** ~ sauter dans le train [en marche]
3. (*sich öffnen*) s'ouvrir d'un seul coup
auf|spüren *vt* dépister; **jdn/ein Tier** ~ *Per-
son:* dépister qn/un animal; *Tier:* flairer
qn/un animal
auf|stacheln *vt* exciter; **jdn zum Wider-
stand** ~ exciter qn à la résistance; **jdn gegen jdn** ~ monter qn contre qn
auf|stampfen *vi* [**mit dem Fuß**] ~ trépi-
gner
Aufstand *m* soulèvement *m,* insurrection *f*
aufständisch *adj* insurgé(e)
auf|stapeln *vt* empiler
auf|stauen *vr* **sich** ~ *Wasser, Ärger:* s'accu-
muler
auf|stecken *vt* **1.** relever *Haare* **2.** *fam* (*auf-
geben*) laisser tomber
auf|stehen *vi irr* + *sein* **1.** (*sich erheben*) se
lever **2.** (*das Bett verlassen*) se lever **3.** (*offen sein*) être [grand] ouvert
auf|steigen *vi irr* + *sein* **1.** (*in die Luft stei-
gen*) s'élever [dans les airs]; *Rauch:* monter
2. (*besteigen*) **auf ein Pferd** ~ monter sur
un cheval; **zum Gipfel** ~ grimper jusqu'au
sommet **3.** (*befördert werden*) monter en
grade; **zum Abteilungsleiter** ~ être promu chef de service **4.** SPORT **in die Bundesliga** ~ ≈ monter en première division
Aufsteiger <-s, -> *m* **1.** (*erfolgreicher
Mensch*) homme *m* qui gravit [tous] les
échelons **2.** SPORT promu *m*
Aufsteigerin <-, -nen> *m fam* femme *f*
qui gravit [tous] les échelons
auf|stellen **I.** *vt* **1.** (*aufbauen*) installer *Ge-
rät;* ériger *Denkmal;* poser *Falle* **2.** (*äußern*)
poser *Behauptung;* avancer *Vermutung*
3. (*ausarbeiten*) échafauder *Theorie* **4.** (*erstellen*) dresser *Liste;* établir *Rechnung*
5. (*postieren*) poster *Wachposten* **6.** (*nomi-
nieren*) désigner *Kandidaten;* sélectionner
Spieler; composer *Mannschaft;* lever *Trup-
pen* **7.** (*erzielen*) établir *Rekord* **II.** *vr* **sich**

~ (*sich hinstellen*) *Sportler:* se placer
Aufstellung *f kein Pl* **1.** (*das Aufstellen*) *eines Geräts* installation *f; eines Denkmals*
érection *f* **2.** (*Äußerung*) *einer Behauptung*
formulation *f* **3.** (*Ausarbeitung*) *einer
Theorie* élaboration *f* **4.** (*Erstellung*) *einer
Liste* établissement *m* **5.** MIL *einer Wache*
mise *f* en place; *einer Truppe* levée *f*
6. (*Nominierung*) *eines Kandidaten* désignation *f; eines Spielers* sélection *f; einer
Mannschaft* composition *f* **7.** SPORT *eines Re-
kords* établissement *m*
Aufstieg ['aʊfʃtiːk] <-[e]s, -e> *m* ascension *f;* **der berufliche** ~ la promotion professionnelle; **der** ~ **in die Bundesliga** ≈ la
montée en première division
Aufstiegschance [-ʃãːs(ə), -ʃaŋs(ə)] *f*
perspective *f* de promotion
auf|stöbern *vt* **1.** (*entdecken*) dénicher
2. JAGD débusquer
auf|stocken *vt* **1.** (*erhöhen*) augmenter;
**etw auf tausend Euro/um zehn Pro-
zent** ~ augmenter qc jusqu'à mille euros/
de dix pour cent **2.** ARCHIT surélever *Gebäude*
auf|stoßen *irr* **I.** *vi* **1.** + *haben* (*rülpsen*)
avoir un renvoi; *Baby:* faire son rot **2.** + *sein
fam* (*auffallen*) **jdm** ~ frapper qn **II.** *vt* +
haben (*öffnen*) **die Tür** ~ ouvrir la porte
d'un coup
Aufstrich *m* préparation *f* à tartiner
auf|stützen **I.** *vt* s'appuyer sur *Arme* **II.** *vr*
sich auf etw (*akk*) ~ s'appuyer sur qc
auf|suchen *vt geh* **1.** (*besuchen*) aller con-
sulter *Arzt* **2.** (*sich begeben*) **die Toilette**
~ aller aux toilettes
auf|takeln *vr pej fam* **sich** ~ s'attifer
Auftakt *m* **1.** (*Beginn*) ouverture *f;* **der** ~
zu etw le début de qc **2.** MUS anacrouse *f*
auf|tanken **I.** *vt* faire le plein [de carburant]
de *Wagen* **II.** *vi* **1.** (*volltanken*) faire le plein
[de carburant] **2.** *fam* (*sich erholen*) se requinquer
auf|tauchen *vi* + *sein* **1.** *U-Boot:* remonter à
la surface **2.** (*zum Vorschein kommen*) *Person, Beweisstück:* apparaître
auf|tauen **I.** *vi* + *sein* **1.** (*tauen*) *Tiefkühl-
kost:* décongeler; *Erdreich:* dégeler **2.** *fig
Person:* se dégeler **II.** *vt* + *haben* décongе-
ler *Tiefkühlkost;* dégeler *Autoschloss*
auf|teilen *vt* **1.** (*aufgliedern*) diviser; **etw
in Bereiche/Parzellen** ~ diviser qc en
secteurs/parcelles **2.** (*verteilen*) répartir
Aufteilung *f* (*Einteilung*) division *f;* ~ **in
Teams** (*akk*) division en équipes
auf|tischen *vt* **1.** servir *Essen* **2.** *fam* (*erzäh-
len*) **jdm etw** ~ faire gober qc à qn
Auftrag ['aʊftraːk, *Pl:* 'aʊftrɛːgə] <-[e]s,
Aufträge> *m* **1.** (*Bestellung von Produk-*

ten) commande *f;* (*Bestellung von Leistungen*) contrat *m;* den ~ für ein Projekt bekommen obtenir le marché pour un projet; im ~ von ... d'ordre de ... (*form*) **2.** (*Anweisung*) ordre *m;* jdm den ~ geben etw zu tun charger qn de faire qc; etw im ~ von jdm tun faire qc sur ordre de qn **3.** *kein Pl geh* (*Mission*) mission *f*

auf|tragen *irr* **I.** *vt* **1.** (*aufstreichen*) appliquer; etw auf etw (*akk*) ~ appliquer qc sur qc **2.** *form* (*beauftragen*) jdm ~ etw zu tun charger qn de faire qc **II.** *vi* ▶ **dick** ~ *pej fam* en rajouter

Auftraggeber(in) *m(f)* mandant(e) *m(f);* *eines Lieferanten* client(e) *m(f);* *eines Autors* commanditaire *mf* **Auftragsbestätigung** *f* confirmation *f* de commande **Auftragslage** *f* état *m* des carnets de commandes

auf|treffen *vi irr + sein* auf der Linie ~ *Ball:* toucher la ligne

auf|treiben *vt irr + haben fam* (*ausfindig machen*) dégoter

auf|trennen *vt* défaire *Naht;* découdre *Saum*

auf|treten *irr* **I.** *vi + sein* **1.** (*den Fuß aufsetzen*) poser le pied; leise ~ ne pas faire de bruit en marchant **2.** (*eintreten*) *Schwierigkeiten:* apparaître; *Verzögerungen:* survenir **3.** (*erscheinen*) als Zeuge ~ comparaître comme témoin **4.** THEAT (*spielen*) se produire; (*auftauchen*) entrer en scène **5.** (*sich benehmen*) arrogant/bescheiden ~ se montrer arrogant/modeste **6.** (*handeln*) als Vermittler ~ intervenir en tant que médiateur **II.** *vt + haben* enfoncer *Tür*

Auftreten <-s> *nt* **1.** (*Benehmen*) comportement *m,* conduite *f* **2.** (*Erscheinen*) *einer Person, Krankheit* apparition *f*

Auftrieb *m* **1.** *kein Pl* PHYS poussée *f* verticale **2.** *kein Pl* (*frischer Schwung*) impulsion *f*

Auftritt *m* **1.** (*Erscheinen*) apparition *f* **2.** THEAT entrée *f* en scène

auf|trumpfen *vi* (*sich großtun*) parader; mit etw ~ parader avec qc

auf|tun *irr* **I.** *vr* **1.** *geh* (*sich öffnen*) s'ouvrir; sich vor jdm ~ *Tür, Abgrund:* s'ouvrir devant qn **2.** (*sich ergeben*) sich ~ *Möglichkeit:* se présenter **II.** *vt fam* (*entdecken*) découvrir

auf|türmen **I.** *vt* empiler **II.** *vr geh* sich ~ *Probleme:* s'accumuler

auf|wachen *vi + sein* se réveiller

auf|wachsen *vi irr + sein* grandir

auf|wallen *vi + sein* **1.** *Wasser:* frémir **2.** *geh* in jdm ~ *Emotionen:* monter en qn

Aufwand ['aʊfvant] <-[e]s> *m kein Pl* **1.** (*Einsatz*) investissement *m;* (*finanziell*)

dépense *f;* der zeitliche ~ le temps investi **2.** (*Luxus*) faste *m;* [großen] ~ treiben (*viel Geld ausgeben*) mener grand train; (*viel einsetzen*) investir beaucoup

aufwändigᴿᴿ *adj* **1.** (*teuer*) coûteux(-euse) **2.** (*umfangreich*) de longue haleine

Aufwandsentschädigung *f* indemnités *fpl* de représentation

auf|wärmen **I.** *vt* **1.** réchauffer *Essen* **2.** *fam* (*zur Sprache bringen*) etw [wieder] ~ remettre qc sur le tapis **II.** *vr* sich ~ se réchauffer; *Sportler:* s'échauffer

auf|warten *vi geh* (*zu bieten haben*) mit etw ~ avoir qc à offrir

aufwärts ['aʊfvɛrts] *adv* **1.** (*nach oben*) vers le haut; der Weg führt ~ le chemin monte **2.** (*ab*) von fünf Euro ~ à partir de cinq euros **3.** (*besser*) es geht mit jdm/ etw ~ la situation de qn/qc s'améliore

aufwärts|gehen *s.* aufwärts

Aufwärtstrend *m der Preise* tendance *f* à la hausse; *der Konjunktur* tendance *f* ascendante

auf|wecken *vt* réveiller

auf|weichen **I.** *vt + haben* **1.** (*morastig machen*) détremper *Boden* **2.** (*weich machen*) ramollir *Brot* **II.** *vi + sein* (*morastig werden*) *Boden, Erde:* se ramollir

auf|weisen *vt irr* **1.** (*haben*) présenter; Kenntnisse aufzuweisen haben avoir des connaissances à son actif **2.** (*enthalten*) comporter *Fehler*

auf|wenden *vt reg o irr* (*einsetzen*) déployer *Energie;* consacrer *Zeit;* engager *Material*

aufwendig *adj, adv s.* aufwändig

Aufwendung *f Pl* (*Ausgaben*) dépenses *fpl*

auf|werfen *irr vt* soulever *Frage*

auf|werten *vt* **1.** ÖKON réévaluer; etw um zwei Prozent ~ réévaluer qc de deux pour cent **2.** *fig* rehausser *Ansehen*

Aufwertung *f* **1.** ÖKON réévaluation *f* **2.** *fig des Ansehens* renforcement *m;* *einer Rolle* revalorisation *f*

auf|wickeln *vt* (*aufrollen*) enrouler *Garn*

auf|wiegeln ['aʊfviːgəln] *vt* exciter à la révolte; jdn ~ exciter qn à la révolte; Menschen gegeneinander ~ monter les gens les uns contre les autres

Aufwind *m* **1.** *kein Pl* (*Aufschwung*) reprise *f* **2.** METEO courant *m* ascendant

auf|wirbeln **I.** *vi + sein* s'envoler en tourbillonnant **II.** *vt + haben* soulever des tourbillons de *Staub*

auf|wischen **I.** *vt* essuyer *Wasser;* passer la serpillière sur *Fußboden* **II.** *vi* passer la serpillière

auf|wühlen *vt* **1.** *geh* (*stark bewegen*) bouleverser **2.** (*aufwerfen*) aufgewühlt sein

Meer: être démonté; *Wasser:* être très agité
auf|zählen *vt* énumérer
Aufzählung *f* énumération *f*
auf|zäumen *vt* brider ►**etw von hinten ~**
fam prendre qc par le mauvais bout
auf|zeichnen *vt* **1.** enregistrer *Sendung*
2. (*aufmalen*) **etw auf etw** (*akk*) **~** dessiner qc sur qc; (*erklärend*) faire un croquis
de qc sur qc
Aufzeichnung *f* **1.** *einer Sendung* enregistrement *m* **2.** *meist Pl* (*Notizen*) notes *fpl*
auf|zeigen *vt* démontrer
auf|ziehen *irr* **I.** *vt + haben* **1.** (*öffnen*)
ouvrir *Vorhang;* défaire *Schleife* **2.** (*herausziehen*) tirer *Schublade* **3.** (*befestigen*)
monter *Saite* **4.** (*spannen*) remonter *Uhr*
5. (*großziehen*) élever *Kind* **6.** *fam* (*verspotten*) **jdn mit etw ~** charrier qn à cause de qc **7.** (*veranstalten*) organiser *Fest* **II.**
vi + sein Gewitter: s'approcher
Aufzucht *f kein Pl* (*das Großziehen*) élevage *m*
Aufzug *m* **1.** (*Fahrstuhl*) ascenseur *m;* (*Lastenaufzug*) monte-charge *m;* (*Speisenauf-
zug*) monte-plat *m* **2.** (*Festzug*) défilé *m*
3. *kein Pl* (*das Herannahen*) *eines Gewit-
ters* arrivée *f* **4.** THEAT acte *m* **5.** *kein Pl pej
fam* (*Kleidung*) accoutrement *m*
auf|zwingen *irr* **I.** *vt* (*gewaltsam auferle-
gen*) **jdm etw ~** imposer qc à qn **II.** *vr*
sich jdm ~ *Gedanke:* s'imposer à qn
Augapfel *m* ANAT globe *m* oculaire ►**jdn/
etw wie seinen ~ hüten** surveiller qn/qc
comme la prunelle de ses yeux
Auge ['aʊɡə] <-s, -n> *nt* **1.** œil *m;* **grü-
ne/braune ~n haben** avoir les yeux
verts/marron; **jdm in die ~n schauen** regarder qn dans les yeux **2.** (*Sehfähigkeit*)
gute/schlechte ~n haben avoir une bon-
ne/mauvaise vue **3.** (*Punkt beim Würfeln*)
point *m* **4.** BOT *einer Kartoffel* œil *m* **5.** (*Fettauge*) œil *m* ►**keine ~n im Kopf haben**
fam ne pas avoir les yeux en face des trous;
aus den ~n, aus dem Sinn *prov* loin des
yeux, loin du cœur; **~ um ~, Zahn um
Zahn** REL œil pour œil, dent pour dent; **mit
einem blauen ~ davonkommen** *fam*
s'en tirer à bon compte; **mit bloßem ~** à
l'œil nu; **etw mit [seinen] eigenen ~n
gesehen haben** avoir vu qc de ses propres
yeux; **jdn mit großen ~n anschauen** regarder qn en ouvrant de grands yeux; **die
~n offen halten** ouvrir l'œil; **jdm schöne
~n machen** faire les yeux doux à qn; **jdm
wird schwarz vor ~n** tout se brouille devant les yeux de qn; **unter vier ~n** entre
quat'z'yeux (*fam*); **so weit das ~ reicht** à
perte de vue; **jdm etw von den ~n ablesen** lire qc dans les yeux de qn; **jdn/etw**

im ~ behalten (*beobachten*) ne pas quitter qn/qc des yeux; (*sich vormerken*) marquer qn/qc sur ses tablettes; **jdm etw aufs
~ drücken** *fam* imposer qc à qn; **ins ~
fassen** avoir en vue *Projekt;* envisager *Möglichkeit;* **jdm etw vor ~n führen** montrer
qc à qn; **ins ~ gehen** *fam* foirer; **ein ~ auf
jdn/etw haben** (*aufpassen*) avoir l'œil
sur qn/qc; **nur ~n für jdn haben** n'avoir
d'yeux que pour qn; **jdn nicht aus den
~n lassen** ne pas quitter qn des yeux;
[**große**] **~n machen** *fam* ouvrir de grands
yeux; **ins ~ fallen** sauter aux yeux; **seinen ~n nicht trauen** n'en pas croire ses
yeux; **sich aus den ~n verlieren** se perdre de vue; **ein ~ zudrücken** *fam* fermer
les yeux; **kein ~ zutun** *fam* ne pas fermer
l'œil; **in jds ~n** (*dat*) aux yeux de qn; **vor
aller ~n** aux yeux de tous; **~n zu und
durch!** *fam* foncer tête baissée!
Augenarzt *m*, **-ärztin** *f* oculiste *mf* **Au-
genaufschlag** *m* œillade *f* **Augenblick**
m instant *m,* moment *m;* **im ersten ~**
dans un premier temps; **im richtigen ~** au
bon moment; **im ~** pour le moment; **einen ~, bitte** un instant, s'il vous plaît; **jeden ~** à tout moment
augenblicklich *adj* **1.** (*sofort*) instanta-
né(e) **2.** (*derzeitig*) actuel(le) **3.** *Besserung*
momentané(e); *Modeerscheinung* passa-
ger(-ère)
Augenbraue *f* sourcil *m;* **die ~n hochziehen** froncer les sourcils
augenfällig *adj Abweichen* évident(e); *Unterschied* qui saute aux yeux
Augenfarbe *f* couleur *f* des yeux/d'yeux
Augengläser *Pl* A *plʌ* lunettes *fpl* **Au-
genheilkunde** *f* ophtalmologie *f* **Augenhöhe** *f* niveau *m* des yeux; **in ~** au niveau
des yeux **Augenhöhle** *f* orbite *f* **Augen-
klappe** *f* cache-œil *m* **Augenlicht** *nt kein
Pl geh* vue *f* **Augenlid** *nt* paupière *f* **Augenmaß** *nt kein Pl* **1.** (*für Entfernungen*)
nach ~ à vue d'œil **2.** *fig* juste vision *f* des
choses **Augenmerk** <-s> *nt kein Pl* attention *f;* **sein ~ auf etw** (*akk*) **richten** fixer
son attention sur qc **Augenringe** *Pl* cernes
mpl **Augenschein** *m kein Pl* (*Anschein*)
apparence *f;* **dem ~ nach** en apparence
►**jdn/etw in ~ nehmen** examiner qn/qc
augenscheinlich I. *adj* évident(e) **II.** *adv*
manifestement
Augentropfen *Pl* gouttes *fpl* pour les yeux
Augenweide *f* régal *m* pour les yeux **Au-
genwinkel** *m* coin *m* de l'œil **Augenwischerei** <-, -en> *f pej* poudre *f* aux yeux
Augenzeuge *m*, **-zeugin** *f* témoin *m*
oculaire **Augenzwinkern** <-s> *nt* clignement *m* d'œil

August [au̯'gʊst] <-[e]s, -e> *m* août *m;*
s. a. **April**
Auktion [au̯k'tsi̯oːn] <-, -en> *f* vente *f*
aux enchères
Auktionator [au̯ktsi̯o'naːtoːɐ̯] <-s, -to-
ren> *m*, **Auktionatorin** *f* commissaire-
priseur *m*
Aula ['au̯la] <-, Aulen> *f* salle *f* des fêtes
AupairmädchenRR, **Au-pair-Mädchen**
[o'pɛːr'mɛːtçən] *nt* [jeune] fille *f* au pair
Aura ['au̯ra] <-> *f geh* aura *f*
aus [au̯s] I. *präp + dat* 1. (*räumlich*) de; ~
dem Zimmer gehen sortir de la chambre;
~ **dem Fenster sehen** regarder par la fenêtre; **einen Artikel ~ der Zeitung ausschneiden** découper un article dans le
journal; **Zigaretten ~ dem Automaten
ziehen** prendre des cigarettes au distributeur; ~ **der Flasche trinken** boire à la
bouteille 2. (*zur Angabe der Ursache*) par;
~ **Angst/Liebe** par peur/amour 3. (*zur
Angabe der Herkunft*) de; ~ **Hamburg/
Frankreich** d'Hambourg/de France
4. (*zur Angabe der Beschaffenheit*) en; ~
Gold/Wolle en or/laine II. *adv fam*
1. (*beendet*) ~ **sein** être fini; **zwischen
ihnen ist es** ~ c'est fini entre eux 2. (*nicht
an*) ~ **sein** *Gerät, Feuer:* être éteint; *Motor:*
être arrêté; **Licht** ~! éteins/éteignez la lumière! 3. SPORT ~ **sein** *Ball:* être hors jeu
4. (*ausgerichtet*) **auf jdn** ~ **sein** avoir jeté
son dévolu sur qn; **auf etw** (*akk*) ~ **sein**
ne viser que qc 5. (*ausgegangen*) **mit jdm**
~ **sein** être sorti avec qn
Aus <-> *nt* 1. SPORT sortie *f;* **ins ~ gehen**
Ball: sortir 2. (*Spielende*) **das** ~ la fin du
match 3. (*Ende*) fin *f;* **das soziale ~** la
mort sociale; **das ist das ~ für die Verhandlungen** cela signifie la rupture des
négociations
aus|arbeiten *vt* élaborer
aus|arten *vi + sein* dégénérer; **in einen
Streit** ~ dégénérer en dispute
aus|atmen *vt, vi* expirer
aus|baden *vt fam* **das musst du alleine** ~
c'est à toi seul de payer les pots cassés
aus|baggern *vt* creuser *Graben*
aus|balancieren* [-balãsiːrən] *vt a. fig*
équilibrer
Ausbau *m kein Pl* 1. (*das Ausbauen*) *eines
Dachgeschosses* aménagement *m* 2. (*das
Herausmontieren*) *eines Geräteteils* démontage *m* 3. (*das Verbessern*) *von Beziehungen* renforcement *m;* *einer Freundschaft*
consolidation *f*
aus|bauen *vt* 1. (*baulich erweitern*) amé-
nager; **etw zu einem Studio** ~ aménager
qc en studio 2. (*herausmontieren*) **etw
aus etw** ~ démonter qc de qc 3. (*verbes-*

sern) renforcer *Kontakte;* consolider
Freundschaft, Markt
ausbaufähig *adj* 1. *fam Idee* perfectible
2. *Absatz, Markt* qui peut être consolidé; *Beziehung* qui peut être renforcé
aus|bedingen* *vt irr* se réserver; **sich** (*dat*)
von jdm ein Recht ~ se réserver un droit
de la part de qn
aus|beißen *vt irr* **sich** (*dat*) **einen Zahn** ~
se casser une dent
aus|bessern *vt* raccommoder *Kleidungs-
stück;* réparer *Dach*
aus|beulen I. *vt* déformer *Kleidungsstück* II.
vr **sich** ~ se déformer
Ausbeute *f* 1. MIN **die ~ an Erz/Kohle** le
rendement en minerai/charbon 2. (*Gewinn*) gain *m*
aus|beuten *vt a.* MIN exploiter
Ausbeuter(in) <-s, -> *m(f) pej* exploi-
teur(-euse) *m(f)*
Ausbeutung <-, -en> *f a.* MIN exploitation
f
aus|bezahlen* *vt* verser *Geld;* payer *Person*
aus|bilden I. *vt* 1. (*beruflich unterweisen*)
former *Azubi;* entraîner *Nachwuchssportler;*
jdn zum Arzt/Sänger ~ former qn à la
médecine/au chant 2. (*entwickeln*) développer; **eine ausgebildete Stimme** une
voix qui a été travaillée II. *vr* (*sich schulen*) **sich zum Pianisten** ~ se former au
piano
Ausbilder(in) <-s, -> *m(f)* (*in einem Betrieb*) formateur(-trice) *m(f)*
Ausbildung *f* (*Schulung*) formation *f*
Ausbildungsplatz *m* place *f* d'apprenti
Ausbildungsvertrag *m* contrat *m* d'apprentissage
aus|bleiben *vi irr + sein* (*nicht erfolgen*) ne
pas venir; *Symptome:* ne pas se manifester
aus|blenden I. *vt* 1. (*herausnehmen*) cou-
per *Szene* 2. (*ausklingen lassen*) **den Ton
[langsam]** ~ éteindre le son en fondu II. *vr*
wir müssen uns leider ~ nous sommes
malheureusement obligés de rendre l'antenne
Ausblick *m* 1. (*Aussicht*) vue *f;* **der ~ auf
etw** (*akk*) la vue sur qc 2. (*Zukunftsvision*)
perspective *f*
aus|booten *vt fam* débarquer *Konkurrenten*
aus|borgen *vt fam* 1. (*verleihen*) filer; **jdm
etw** ~ filer qc à qn 2. (*sich ausleihen*)
[**sich** (*dat*)] **etw von jdm** ~ piquer qc à qn
aus|brechen *irr vi + sein* 1. (*sich*) *évader;* **aus
dem Gefängnis** ~ s'évader de prison; **aus
dem Käfig** ~ s'échapper de la cage 2. *fig*
aus der Ehe/einer Beziehung ~ rompre
avec le mariage/une relation 3. (*zur Eruption gelangen*) *Vulkan:* entrer en éruption
4. (*losbrechen*) *Krieg:* éclater; *Hass:* se dé-

chaîner; *Seuche:* se déclarer **5.** (*verfallen in*) in **Jubel** ~ laisser éclater sa joie; in **Tränen** ~ fondre en larmes; in **Gelächter** ~ éclater de rire

Ausbrecher(in) <-s, -> *m(f)* évadé(e) *m(f)*

aus|breiten I. *vt* **1.** (*hinlegen*) étaler; **etw vor jdm** ~ étaler qc devant qn **2.** (*ausstrecken*) déployer *Flügel;* **die Arme** ~ ouvrir [grand] les bras **3.** (*darlegen*) **seine Pläne vor jdm** ~ exposer ses plans à qn **II.** *vr* **1.** (*sich erstrecken*) **sich** ~ s'étendre **2.** (*übergreifen*) **sich auf etw** (*akk o dat*) ~ *Feuer, Seuche:* se propager à/sur qc; *Krieg:* s'étendre à qc

Ausbreitung <-, -en> *f eines Feuers, einer Seuche* propagation *f; eines Kriegs* extension *f*

ausbrennen *irr vi + sein* **1.** *Haus:* brûler **2.** *Feuer:* s'éteindre **3.** *sl* (*energielos sein*) **ausgebrannt sein** être nase (*fam*)

aus|bringen *vt irr* porter; **einen Toast auf jdn** ~ porter un toast à l'honneur de qn

Ausbruch *m* **1.** (*das Ausbrechen*) évasion *f;* ~ **aus etw** évasion de qc **2.** MIL percée *f* **3.** (*Beginn*) déclenchement *m* **4.** (*Eruption*) éruption *f; eines Geysirs* jaillissement *m* **5.** (*Entladung*) ~ **von Hass/Wut** explosion *f* de haine/colère

aus|brüten *vt* **1.** **etw** ~ *Vogel:* couver qc [jusqu'à éclosion] **2.** *fam* (*aushecken*) mijoter

Ausbuchtung <-, -en> *f* échancrure *f*

aus|buddeln *vt fam* (*ausgraben*) déterrer

aus|bügeln *vt fam* (*bereinigen*) arranger

aus|bürgern ['aʊsbʏrgən] *vt* déclarer déchu de sa nationalité; **jdn** ~ déclarer qn déchu de sa nationalité

Ausbürgerung <-, -en> *f* déchéance *f* de la nationalité

aus|bürsten *vt* brosser *Mantel;* **einen Fleck** ~ enlever une tache à la brosse

Ausdauer *f kein Pl* persévérance *f;* (*körperlich*) endurance *f*

ausdauernd *adj Mitarbeiter* persévérant(e); *Bemühungen* constant(e); *Sportler* résistant(e)

ausdehnbar *adj* extensible

aus|dehnen I. *vr* **1.** **sich** ~ *Ballonhülle:* se gonfler; *Metall, Gas:* se dilater; **ausgedehnt** *Fläche, Park* étendu **2.** (*sich ausbreiten*) **sich auf ein Land** ~ *Krieg, Seuche:* s'étendre à un pays **3.** **sich** ~ *Wartezeit:* se prolonger; **ausgedehnt** *Spaziergang* prolongé **II.** *vt* **1.** (*verlängern*) prolonger *Urlaub* **2.** (*erweitern*) **etw auf das Nachbarland** ~ étendre qc au pays voisin

Ausdehnung *f* **1.** (*Verlängerung*) *eines Aufenthalts* prolongation *f* **2.** (*Ausbreitung*) *eines Kriegs* extension *f; eines Brands, einer*

Seuche propagation *f* **3.** (*Fläche*) étendue *f*

aus|denken *vt irr* **sich** (*dat*) **eine Ausrede** ~ inventer une excuse; **sich** (*dat*) **einen Plan** ~ imaginer un plan

aus|diskutieren* *vt* discuter [à fond]; **etw** ~ discuter qc [à fond]

aus|drehen *vt fam* fermer

Ausdruck[1] <-drücke> *m* **1.** (*Bezeichnung*) expression *f* **2.** *kein Pl* (*Gesichtsausdruck*) expression *f* **3.** *kein Pl* (*Bekundung*) **in etw** (*dat*) **zum** ~ **kommen** s'exprimer à travers qc; **als** ~ **meiner Dankbarkeit** en témoignage de ma gratitude

Ausdruck[2] <-drucke> *m* (*ausgedruckter Text*) imprimé *m*

aus|drucken *vt* lister *Statistik, Tabelle;* imprimer *Text*

aus|drücken I. *vt* **1.** (*bekunden*) *Blick:* exprimer **2.** (*formulieren*) exprimer *Meinung* **3.** (*auspressen*) presser *Orange;* [sich (*dat*)] **einen Pickel** ~ [se] percer un bouton **4.** (*löschen*) écraser *Zigarette* **II.** *vr* **1.** (*formulieren*) **sich** ~ s'exprimer **2.** (*sich widerspiegeln*) **sich in etw** (*dat*) ~ s'exprimer dans qc

ausdrücklich ['aʊsdrʏklɪç] **I.** *adj attr Erlaubnis* exprès(-esse); *Zuwiderhandlung* caractérisé(e) **II.** *adv* expressément

ausdruckslos *adj* inexpressif(-ive)

ausdrucksvoll *adj* expressif(-ive)

Ausdrucksweise *f* façon *f* de s'exprimer

aus|dünsten *vt* dégager

Ausdünstung <-, -en> *f einer Person, eines Tiers* transpiration *f; von Farbe* émanation *f;* **giftige** ~**en** des émanations toxiques

auseinander [aʊsʔaɪˈnandɐ] *adv* **1.** (*räumlich entfernt*) **weit** ~ **liegen** *Ortschaften:* être [très] loin les uns des autres; **sich** ~ **setzen** se mettre/placer séparément **2.** (*zeitlich entfernt*) **drei Jahre** ~ **sein** *Personen:* avoir trois ans de différence; **zeitlich weit** ~ **liegen** *Ereignisse:* être éloignés dans le temps **3.** (*separat*) **etw** ~ **schreiben** écrire qc séparément **4.** *fam* (*getrennt*) ~ **sein** *Paar:* être séparés

auseinander|brechen I. *vt s.* **brechen I.** **II.** *vi s.* **brechen II.**

auseinander|bringen *s.* **bringen**

auseinander|falten *s.* **falten**

auseinander|gehen *s.* **gehen I.**

auseinander|halten *s.* **halten I.**

auseinander|laufen *s.* **laufen I.**

auseinander|leben *s.* **leben II.**

auseinander|nehmen *s.* **nehmen**

auseinander|reißen *s.* **reißen II.**

auseinander|rücken *vi, vt s.* **rücken**

auseinander|setzen *vt, vr s.* **setzen**

Auseinandersetzung <-, -en> *f*

1.(*Streit*) explication *f* **2.**(*Beschäftigung*) die ~ **mit etw** la prise en compte de qc **auseinander|streben** *s.* streben **auseinander|treiben I.** *vt s.* treiben I. II. *vi s.* treiben II.

auserkoren *adj geh* élu(e); **dazu ~ sein etw zu tun** être appelé à faire qc **auserlesen** *adj* de choix **aus|erwählen*** *vt geh* **jdn zu etw ~** élire qn pour qc; **jdn ~ etw zu tun** choisir qn pour faire qc **ausfahrbar** *adj Fahrgestell* escamotable; *Antenne* télescopique **aus|fahren** *irr* **I.** *vt* + *haben* **1.**(*ausliefern*) livrer *Waren* **2.**(*herauslassen*) sortir *Antenne* **II.** *vi* + *sein* (*sich nach außen bewegen*) *Antenne:* sortir **Ausfahrt** *f* (*Hofausfahrt, Autobahnausfahrt*) sortie *f;* **~ freihalten!** sortie de voitures! **Ausfahrt[s]schild** *nt* panneau *m* de sortie d'autoroute **Ausfall** *m* **1.**(*Fehlbetrag*) déficit *m;* (*Verlust*) perte *f* **2.**(*Versagen*) défaillance *f; eines Organs* arrêt *m* **3.** *kein Pl* (*das Nichtstattfinden*) annulation *f* **4.** *kein Pl* (*Fehlen*) *von Mitarbeitern* absence *f* **aus|fallen** *vi irr* + *sein* **1.**(*herausfallen*) *Haare:* tomber; **ihr fallen die Haare aus** elle perd ses cheveux **2.**(*nicht stattfinden*) être supprimé; **~ lassen** laisser tomber (*fam*) *Termin;* faire sauter *Unterrichtsstunde;* sauter *Mahlzeit* **3.**(*nicht funktionieren*) *Apparat:* tomber en panne; *Atmung:* s'arrêter; *Organ:* cesser de fonctionner **4.**(*entfallen*) *Verdienst:* disparaître **5.**(*nicht zur Verfügung stehen*) *Person:* manquer; *Maschine:* lâcher **6.**(*beschaffen sein*) **groß/klein/eng ~** *Kleidungsstück:* tailler grand/petit/étroit; **gut/schlecht ~** *Klassenarbeit:* être bon/mauvais **ausfallend** *adj* offensant(e); **~ werden** se faire insultant **Ausfallstraße** *f* voie *f* de dégagement **aus|fechten** *vt irr* vider *Streit* **aus|fegen** *vt* balayer **aus|feilen** *vt fig* peaufiner (*soutenu*) *Rede* **aus|fertigen** *vt form* établir *Dokument* **Ausfertigung** *f form* **1.** *kein Pl* *eines Dokuments* établissement *m* **2.**(*Abschrift*) exemplaire *m* **ausfindig** *adj* **jdn/etw ~ machen** trouver qn/qc **aus|fliegen** *irr vi* + *sein* **1.** *Vogel:* s'envoler **2.** *fam* (*weggehen*) s'envoler **aus|fließen** *vi irr* + *sein Öl:* s'écouler **aus|flippen** ['a̲ʊsflɪpən] *vi* + *sein fam* **1.**(*wütend werden*) piquer sa crise; **völlig ~** péter les plombs **2.**(*sich freuen*) ne plus

se sentir **3.**(*durchdrehen*) débloquer; **total ausgeflippt sein** être complètement cinglé **Ausflucht** ['a̲ʊsflʊxt] <-flüchte> *f* fauxfuyant *m* **Ausflug** *m* (*Betriebsausflug*) excursion *f;* (*Wanderung*) randonnée *f* **Ausflügler(in)** <-s, -> *m(f)* excursionniste *mf* **Ausflugslokal** *nt* restaurant *m* touristique **Ausflugsziel** *nt* but *m* d'excursion **Ausfluss**^RR *m* **1.**(*Abflussstelle*) *eines Beckens* écoulement *m* **2.** *kein Pl* MED pertes *fpl* [blanches] **aus|fragen** *vt* interroger en détail; **jdn ~** interroger qn en détail **aus|fransen** *vi* + *sein Stoffrand:* s'effilocher **aus|fressen** *vt irr fam* **hast du wieder was ausgefressen?** tu as encore fait quelque chose de travers? **Ausfuhr** <-, -en> *f kein Pl* (*Export*) exportation *f* **ausführbar** *adj* réalisable **Ausfuhrbestimmungen** *Pl* dispositions *fpl* réglementant les exportations **aus|führen** *vt* **1.**(*durchführen*) exécuter *Befehl;* remplir *Auftrag;* réaliser *Plan, Bauarbeiten;* faire *Operation* **2.**(*exportieren*) exporter **3.**(*erläutern*) **jdm etw ~** exposer qc à qn **4.**(*spazieren führen*) sortir **ausführlich** ['a̲ʊsfy:ɐ̯lɪç] **I.** *adj* détaillé(e) **II.** *adv* en détail **Ausführlichkeit** <-> *f* présentation *f* détaillée; **in aller ~** dans les moindres détails **Ausführung** *f* **1.** *kein Pl* (*Durchführung*) exécution *f; einer Anweisung* application *f* **2.**(*Modell*) modèle *m;* **einfache/elegante ~** version *f* ordinaire/de luxe **3.** *meist Pl* (*Darlegung*) exposé *m* **aus|füllen** *vt* **1.**(*Antworten eintragen*) remplir *Antrag* **2.**(*befriedigen*) **jdn ganz ~** *Beschäftigung:* satisfaire parfaitement qn **Ausgabe** *f* **1.** *kein Pl* (*das Austeilen*) *von Proviant* distribution *f; von Fahrkarten, Dokumenten* délivrance *f* **2.** *kein Pl* FIN *von Aktien* émission *f* **3.** INFORM *einer Datei, von Daten* édition *f* **4.**(*Schalter*) (*Bücherausgabe*) guichet *m;* (*Essensausgabe*) comptoir *m* **5.**(*Edition*) *eines Buchs* édition *f;* (*Version*) version *f* **6.** *Pl* (*Kosten*) dépenses *fpl* **Ausgang** <-gänge> *m* **1.** *eines Gebäudes, einer Ortschaft* sortie *f* **2.** AVIAT porte *f* **3.**(*Ausgeherlaubnis*) **~ haben** pouvoir sortir **4.** *kein Pl* (*Ende*) *einer Epoche* fin *f* **5.** *kein Pl* (*Ergebnis*) issue *f* **Ausgangspunkt** *m* point *m* de départ **Ausgangssperre** *f* (*für Zivilisten*) couvre-feu *m;* (*für Soldaten*) consigne *f*

aus|geben *irr* **I.** *vt* **1.** (*austeilen*) distribuer; **Essen/Medikamente an jdn** ~ distribuer des repas/médicaments à qn **2.** (*aushändigen, verkaufen*) délivrer *Ausweise, Fahrkarten;* donner *Karten* **3.** INFORM **etw** ~ *Drucker:* sortir qc **4.** FIN émettre *Aktie* **5.** (*aufwenden*) dépenser *Geld* **6.** *fam* (*spendieren*) **eine Runde/ein Bier** ~ payer une tournée/bière **II.** *vr* **sich jdm gegenüber als Arzt** ~ se faire passer pour un médecin aux yeux de qn

ausgebucht *adj Hotel* complet(-ète); *Reise* complètement réservé(e)

ausgebufft *adj fam Person* roublard(e); *Methode* pas très catholique

ausgefallen *adj Person* original(e); *Hobby, Speise* peu ordinaire

ausgeglichen *adj Person* pondéré(e)

Ausgeglichenheit <-> *f einer Person* pondération *f*

aus|gehen *vi irr* + *sein* **1.** (*aus dem Haus gehen*) sortir **2.** (*ausfallen*) *Haare:* tomber; **ihm gehen die Haare aus** il perd ses cheveux **3.** (*zugrunde legen*) **von einem geringen Umsatz** ~ escompter un chiffre d'affaire modeste; **davon ~, dass ...** partir du principe que ... **4.** (*herrühren*) **von jdm** ~ *Vorschlag:* être de qn **5.** (*seinen Ursprung haben*) **von etw** ~ *Straße:* partir de qc; *Strahlung:* se dégager de qc **6.** (*erlöschen*) *Feuer:* s'éteindre **7.** (*enden*) **gut/schlecht** ~ *Spiel, Verhandlungen:* bien/mal se terminer; *Film:* bien/mal finir **8.** (*schwinden*) *Vorräte:* s'épuiser

ausgehungert *adj* **1.** *fam* (*sehr hungrig*) affamé(e); ~ **sein** avoir les crocs **2.** (*ausgezehrt*) famélique

ausgekocht *adj pej fam* (*durchtrieben*) roublard(e)

ausgelassen **I.** *adj Kind* turbulent(e); *Stimmung* débridé(e) **II.** *adv* avec entrain

Ausgelassenheit <-> *f* (*ausgelassene Stimmung*) exubérance *f;* (*auf einer Party*) ambiance *f* du tonnerre (*fam*); *von Kindern* turbulence *f*

ausgemacht *adj* **1.** **es ist ~, dass ...** il est convenu que ... **2.** *attr fam Witzbold* sacré(e) *antéposé; Lügner* fieffé(e) *antéposé*

ausgemergelt *adj* décharné(e)

ausgenommen *präp* + *akk* à l'exception de; **ihn/sie** ~ excepté lui/elle

ausgepowert [-pauɐt] *adj fam Person* vidé(e)

ausgeprägt *adj* **1.** prononcé(e); *Stolz* grand(e) **2.** *Gesichtszüge* accusé(e); *Kinn* proéminent(e)

ausgerechnet ['ausgə(')rɛçnət] *adv* ~ **jetzt/heute** juste maintenant/aujourd'hui; ~ **mir muss das passieren!**

c'est justement à moi que ça arrive!

ausgeschlafen **I.** *PP von* **ausschlafen II.** *adj* bien reposé(e)

ausgeschlossen **I.** *PP von* **ausschließen II.** *adj* **völlig ~!** c'est absolument hors de question!

ausgeschnitten *adj Kleid* décolleté(e)

ausgesorgt ►~ **haben** avoir assuré ses vieux jours

ausgesprochen *adj* **1.** extrême; *Begabung* affirmé(e); *Ähnlichkeit* grand(e) **2.** (*ausgeprägt*) prononcé(e); **eine ~e Schönheit sein** être une vraie beauté (*fam*); **du hast wirklich ~es Pech!** tu n'as vraiment pas de chance!

ausgestorben *adj* **1.** *Tierart* disparu(e) **2.** [wie] ~ **sein** *Gegend* être désert

ausgesucht *adj* **1.** *Wein* fin(e); *Qualität* choisi(e) **2.** *Worte* choisi(e); *Gesellschaft* trié(e) sur le volet

ausgewachsen *adj* **1.** *Tier* adulte **2.** *fam Blödsinn* achevé(e); *Skandal* parfait(e)

ausgewählt *adj* **1.** *Werke* choisi(e) **2.** sélectionné(e); *Kreise* d'élite; *Weine* fin(e)

ausgewogen *adj Ernährung* équilibré(e); *Programm* bien réparti(e)

Ausgewogenheit <-> *f* équilibre *m*

ausgezeichnet ['ausgə(')tsaiçnət] *adj* excellent(e)

ausgiebig ['ausgi:bɪç] **I.** *adj Mahlzeit* copieux(-euse); *Mittagsschlaf* réparateur(-trice); *Bericht* détaillé(e); *Gebrauch* abondant(e) **II.** *adv schlafen* bien; *berichten* par le menu; *gebrauchen* abondamment

aus|gießen *vt irr* **1.** (*weggießen*) jeter *Kaffee* **2.** (*leeren*) vider *Krug*

Ausgleich <-[e]s, -e> *m* **1.** (*Kompensierung, Entschädigung*) compensation *f;* **zum** ~ pour compenser **2.** *kein Pl* SPORT égalisation *f;* **den** ~ **erzielen** égaliser [le score] **3.** FIN *der Schuld* remboursement *m*

aus|gleichen *irr* **I.** *vt* **1.** (*wettmachen*) compenser **2.** FIN balancer *Konto;* rembourser *Schulden;* régler *Rechnung* **3.** (*ausbalancieren*) régler *Konflikte* **II.** *vi* SPORT **zum 1:1** ~ égaliser 1 à 1 **III.** *vr* **sich durch etw** ~ *Ungleichheiten:* être compensé par qc

Ausgleichssport *m* sport *m* de compensation **Ausgleichstor** *nt* but *m* égalisateur

aus|gleiten *vi irr* + *sein geh* glisser; **auf etw** (*dat*) ~ glisser sur qc

aus|graben *vt irr* exhumer *Leiche;* déterrer *Pflanzen;* mettre à jour *Altertümer*

Ausgrabung *f* **1.** *eines Schatzes, einer Leiche* exhumation *f* **2.** ARCHÄOL (*Grabungsarbeiten*) fouilles *fpl;* (*Grabungsfund*) trouvaille *f* due aux fouilles

aus|grenzen *vt* exclure; **jdn/etw aus einem Bereich** ~ exclure qn/qc d'un do-

maine
aus|gucken *vr fam* sich (*dat*) jdn/etw ~ repérer qn/qc
Ausguss^RR *m* (*Spüle*) évier *m*
aus|haben *irr* **I.** *vt fam* **1.** (*beendet haben*) avoir fini [de lire] *Buch;* **Schule** ~ sortir de l'école **2.** (*ausgezogen haben*) avoir enlevé *Schuhe* **II.** *vi fam Schüler:* sortir [de l'école]
aus|hacken *vt* crever *Augen*
aus|haken I. *vt* décrocher *Fensterladen, Kette* **II.** *vi unpers* ▸ **bei** jdm hakt es aus *fam* (*jd versteht nichts mehr*) qn patauge; (*jd wird wütend*) qn pique une crise
aus|halten *irr* **I.** *vt* **1.** (*ertragen können*) supporter; **das ist ja nicht auszuhalten!** c'est insupportable! **2.** (*standhalten*) supporter *Belastungen* **3.** *pej fam* (*unterhalten*) entretenir **II.** *vi* tenir
aus|handeln *vt* négocier; **etw mit jdm** ~ négocier qc avec qn
aus|händigen ['aʊshɛndɪgən] *vt* remettre; **jdm etw** ~ remettre qc à qn
Aushang *m* affiche *f*
aus|hängen I. *vt* **1.** (*bekannt machen*) afficher *Nachricht* **2.** (*aus den Angeln heben*) décrocher *Tür;* faire sauter *Haken* **II.** *vi irr Ankündigung:* être affiché
Aushängeschild *nt* **1.** (*Reklametafel*) enseigne *f* **2.** (*Renommierstück*) figure *f* de proue
aus|harren *vi* persévérer
aus|hauchen *vt geh* expirer *Atem;* **sein Leben** ~ rendre l'âme
aus|heben *vt irr* **1.** (*ausschaufeln*) déblayer *Erde;* creuser *Grab* **2.** (*hochgehen lassen*) débusquer *Bande;* neutraliser *Schlupfwinkel*
aus|hecken *vt fam* manigancer
aus|helfen *vi irr* donner un coup de main; **jdm** ~ donner un coup de main à qn; **jdm mit etw** ~ dépanner qn en lui prêtant qc
aus|heulen *vr fam* sich **bei jdm** ~ aller pleurer chez qn
Aushilfe *f* **1.** (*Hilfe*) intérim *m* **2.** (*Hilfskraft*) intérimaire *mf*
Aushilfskraft *f* intérimaire *mf* **aushilfsweise** *adv* **in einer Firma** ~ **tätig sein** être intérimaire dans une entreprise
aus|höhlen *vt* évider *Kürbis;* éroder *Ufer*
aus|holen *vi* **1.** *Boxer:* lever la main/le bras [pour frapper]; *Tennisspieler:* prendre son élan; **mit dem Hammer** ~ brandir le marteau; **mit weit** ~**den Schritten** à grandes enjambées **2.** (*ausschweifen*) **weit** ~ *Redner:* se perdre dans les détails
aus|horchen *vt fam* cuisiner; **jdn über jdn/etw** ~ cuisiner qn sur qn/qc
aus|hungern *vt* réduire par la famine; **jdn** ~ réduire qn par la famine
aus|kennen *vr irr* sich ~ s'y connaître; **sich**

in Paris ~ bien connaître Paris; **sich mit Kindern** ~ savoir s'y prendre avec les enfants; **sich mit Computern** ~ s'y connaître en ordinateurs
aus|kippen *vt fam* vider
aus|klammern *vt* mettre entre parenthèses; **etw** ~ mettre qc entre parenthèses
Ausklang *m geh kein Pl* fin *f*
ausklappbar *adj* escamotable
aus|klappen *vt* sortir
aus|kleiden I. *vt* (*beziehen*) **etw mit einer Tapete** ~ recouvrir qc de papier peint **II.** *vr geh* sich ~ se dévêtir
aus|klingen *vi irr* + *sein geh Tag:* décliner; **etw mit einem Lied** ~ **lassen** terminer qc en chantant
aus|klinken *vr fam* (*nicht mehr mitmachen*) sich ~ tirer son épingle du jeu
aus|klopfen *vt* battre *Teppich;* débourrer *Pfeife*
aus|klügeln *vt fam* goupiller *System;* **ausgeklügelt** ingénieux
aus|knipsen *vt fam* éteindre *Licht*
aus|kommen *vi irr* + *sein* **1.** (*zurechtkommen*) s'en sortir; **mit dem Geld** ~ s'en sortir avec l'argent; **ohne Auto** ~ pouvoir se passer de voiture **2.** (*sich vertragen*) **mit jdm gut/nicht gut** ~ s'entendre bien/mal avec qn
Auskommen <-s> *nt* ressources *fpl;* **sein** ~ **haben/finden** [bien] s'en sortir
aus|kosten *vt* (*genießen*) savourer; profiter de *Leben*
aus|kratzen *vt* gratter *Bratpfanne*
aus|kugeln *vt* sich (*dat*) **den Arm/das Gelenk** ~ se démettre le bras/l'articulation; **ausgekugelt** démis
aus|kühlen *vi* + *sein Person:* prendre froid; *Raum:* se refroidir; *Speise:* refroidir
aus|kundschaften *vt* reconnaître *Weg;* explorer *Lage;* espionner *feindliche Stellungen*
Auskunft ['aʊskʊnft] <-, -künfte> *f* **1.** (*Information*) renseignement *m;* **bei jdm eine** ~ **über jdn/etw einholen** se renseigner sur qn/qc auprès de qn **2.** (~*sschalter*) information *f* **3.** (*Fernsprechauskunft*) renseignements *mpl*
aus|kuppeln *vi* débrayer
aus|kurieren* **I.** *vt fam* **etw** ~ soigner qc jusqu'à complète guérison **II.** *vr fam* sich ~ bien se soigner
aus|lachen *vt* se moquer de
aus|laden *vt irr* **1.** (*entladen*) décharger **2.** (*Einladung zurücknehmen*) décommander *Gast*
ausladend *adj Äste* retombant(e); *Hüften* large; *Bewegung* ample
Auslage *f* **1.** (*Schaufenster*) vitrine *f* **2.** (*ausgestellte Ware*) choix *m* **3.** *meist Pl*

FIN frais *mpl*
aus‖lagern *vt* (*verlagern*) transférer; délocaliser *Produktion*
Ausland *nt kein Pl* étranger *m*
Ausländer(in) [ˈauslɛndɐ] <-s, -> *m(f)* étranger(-ère) *m(f)*
ausländerfeindlich *adj* xénophobe **Ausländerfeindlichkeit** *f* xénophobie *f*
ausländisch *adj attr* (*aus dem Ausland stammend*) *Freunde, Erzeugnisse* étranger(-ère); *Pflanze* exotique
Auslandsabteilung *f* service *m* des relations avec l'étranger **Auslandsaufenthalt** *m* séjour *m* à l'étranger **Auslandsgeschäft** *nt* affaire *f* avec l'étranger **Auslandsgespräch** *nt* communication *f* avec l'étranger **Auslandskorrespondent(in)** *m(f)* correspondant(e) *m(f)* à l'étranger **Auslandsreise** *f* voyage *m* à l'étranger **Auslandsvertretung** *f* **1.** POL légation *f* **2.** COM représentation *f* [à l'étranger]
aus‖lassen *irr* **I.** *vt* **1.** (*weglassen*) omettre; oublier *Satz* **2.** (*verpassen*) laisser passer *Gelegenheit* **3.** (*abreagieren*) **seine Wut/Launen an jdm** ~ passer sa colère/mauvaise humeur sur qn **4.** *fam* (*ausgeschaltet lassen*) ne pas allumer *Radio* **II.** *vr* **sich über jdn/etw** ~ se prononcer sur qn/qc
Auslassung <-, -en> *f kein Pl* (*das Weglassen*) omission *f*
Auslassungspunkte *Pl* points *mpl* de suspension
aus‖lasten *vt* **1.** (*voll beanspruchen*) **etw** ~ utiliser qc à plein rendement **2.** (*voll fordern*) **jdn** ~ *Arbeit:* occuper qn à plein temps
Auslauf *m kein Pl* (*Bewegungsfreiheit*) espace *m* [pour se dépenser]
aus‖laufen *irr vi* + *sein* **1.** (*herauslaufen*) *Flüssigkeit:* [s'é]couler; *Behälter:* fuir **2.** NAUT appareiller **3.** (*nicht fortgeführt werden*) *Modell:* être en fin de série **4.** (*enden*) *Vertrag:* expirer
Ausläufer <-s, -> *m* **1.** METEO prolongement *m* **2.** *meist Pl* GEO contreforts *mpl*
aus‖laugen *vt* **1.** (*Nährstoffe entziehen*) épuiser *Boden* **2.** (*erschöpfen*) épuiser *Person*
Auslaut *m* son *m* final
aus‖leben **I.** *vr* **sich** ~ **1.** (*das Leben auskosten*) profiter de la vie **2.** (*sich verwirklichen*) *Phantasie:* s'exprimer **II.** *vt geh* objectiver *Neigungen*
aus‖lecken *vt* lécher
aus‖leeren *vt* vider *Eimer;* **etw in den Abfluss** ~ déverser qc dans la canalisation
aus‖legen *vt* **1.** (*ausbreiten*) étaler *Waren* **2.** (*hinlegen*) placer *Köder* **3.** (*bedecken*) **etw mit Stoff** ~ revêtir qc de tissu **4.** (*deu-*

ten) **etw richtig/falsch** ~ interpréter qc bien/mal **5.** (*vorstrecken*) **jdm zehn Euro** ~ avancer dix euros à qn
Auslegung <-, -en> *f* (*Deutung*) interprétation *f*
aus‖leiern **I.** *vi* + *sein* se détendre **II.** *vr* + *haben* **sich** ~ se détendre **III.** *vt* + *haben* détendre *Gummizug*
Ausleihe <-, -n> *f* **1.** *kein Pl* (*das Ausleihen*) prêt *m* **2.** (*Schalter*) guichet *m* de prêt
aus‖leihen *vt irr* prêter; **jdm etw** ~ prêter qc à qn; **sich** (*dat*) **etw bei/von jdm** ~ emprunter qc à qn
aus‖lernen *vi* **ausgelernt haben** *Auszubildender:* avoir terminé son apprentissage; **ausgelernt** diplômé ▶**man lernt nie aus** *prov* on apprend à tout âge
Auslese <-, -n> *f* **1.** (*Elite*) élite *f* **2.** (*Wein*) grand cru *m* **3.** *kein Pl* (*Auswahl*) sélection *f;* **natürliche** ~ sélection naturelle
aus‖lesen *irr vt* **1.** **ein Buch** ~ lire un livre jusqu'au bout **2.** (*aussondern*) trier
aus‖liefern *vt* **1.** (*liefern*) livrer *Waren* **2.** (*überstellen*) **jdn an ein Land** ~ extrader qn dans un pays **3.** (*preisgeben*) **jdm/einer S. ausgeliefert sein** être livré à qn/qc
Auslieferung *f* **1.** (*Lieferung*) *einer Ware* livraison *f* **2.** (*Überstellung*) *einer Person* extradition *f*
aus‖liegen *vi irr* (*bereitliegen*) être étalé; *Prospekte:* être à disposition
aus‖loben *vt* offrir une récompense; **etw für etw** ~ offrir une récompense de qc pour qc
aus‖löffeln *vt* **die Suppe** ~ manger la soupe [à la cuillère] ▶**etw** ~ **müssen** *fam* trinquer pour qc
aus‖löschen *vt* **1.** (*ausschalten*) éteindre *Feuer, Licht;* souffler *Kerze* **2.** (*tilgen*) effacer *Erinnerung* **3.** (*vernichten*) éliminer *Volk;* détruire *Existenz*
aus‖losen *vt, vi* tirer au sort; **jdn/etw** ~ tirer qn/qc au sort
aus‖lösen *vt* (*in Gang setzen, hervorrufen*) déclencher
Auslöser <-s, -> *m* **1.** PHOT déclencheur *m* **2.** (*Anlass*) motif *m;* PSYCH déclencheur *m*
Auslosung <-, -en> *f* tirage *m* au sort
Auslösung *f* *eines Alarms, einer Reaktion* déclenchement *m*
aus‖machen *vt* **1.** *fam* (*ausschalten*) éteindre **2.** (*entdecken*) apercevoir *Gestalt;* (*ermitteln*) repérer *Position* **3.** (*vereinbaren*) fixer *Termin;* **etw mit jdm** ~ convenir de qc avec qn **4.** (*klären*) **das müsst ihr unter euch** (*dat*) ~ il vous faut régler ça entre vous **5.** (*darstellen*) **den Zauber einer**

Landschaft ~ faire le charme d'un paysage **6.** *fam* (*Wirkung haben*) **etwas/viel/ nichts** ~ faire de l'effet/beaucoup d'effet/ ne faire aucun effet **7.** (*stören*) **jdm etwas/nichts** ~ déranger/ne pas déranger qn
aus|malen I. *vr* sich (*dat*) etw ~ s'imaginer qc II. *vt* (*kolorieren*) colorier
Ausmaß *nt* **1.** (*Ausdehnung*) étendue *f;* (*Größe*) dimensions *fpl* **2.** (*Umfang*) ampleur *f;* **immer größere ~e annehmen** prendre des proportions de plus en plus grandes
aus|merzen *vt* **1.** (*ausrotten*) éliminer **2.** (*beseitigen*) supprimer *Fehler*
aus|messen *vt irr* mesurer
aus|misten *vt* **1.** nettoyer *Stall* **2.** *fam* (*ausräumen*) faire le tri dans *Schrank*
aus|mustern *vt* **1.** (*aussortieren*) éliminer *Maschine* **2.** MIL réformer
Ausnahme ['au̯sna:mə] <-, -n> *f* exception *f;* **bei etw die** ~ **sein** faire exception dans qc; **mit** ~ **von ein paar Zuschauern** excepté quelques spectateurs; **mit einer** ~ à une exception près
Ausnahmefall *m* cas *m* d'exception **Ausnahmezustand** *m* état *m* d'urgence
ausnahmslos *adj, adv* sans exception
ausnahmsweise *adv* exceptionnellement
aus|nehmen *irr vt* **1.** (*ausweiden*) vider *Geflügel* **2.** (*ausschließen*) excepter **3.** *fam* (*um Geld erleichtern*) (*beim Glücksspiel*) plumer; (*bei einem Handel*) arnaquer
ausnehmend *geh* I. *adj Erscheinung* exceptionnel(le) II. *adv* extraordinairement
aus|nüchtern *vi + sein* dessoûler
Ausnüchterungszelle *f* cellule *f* de dégrisement
aus|nutzen *vt* **1.** (*ausbeuten*) exploiter **2.** (*sich zunutze machen*) profiter de
aus|nützen *bes.* SDEUTSCH, A *s.* ausnutzen
aus|packen I. *vt* défaire *Koffer;* ouvrir *Geschenk;* déballer *Ware* II. *vi fam* (*gestehen*) se mettre à table
aus|peitschen *vt* fouetter
aus|pfeifen *vt irr* siffler
aus|plaudern *vt* rapporter
aus|plündern *vt* (*ausrauben*) dévaliser *Person;* piller *Ortschaft, Laden*
aus|posaunen* *vt fam* etw ~ crier qc sur les toits
aus|prägen *vr* (*sich entwickeln*) **sich** ~ se manifester
aus|pressen *vt* presser *Frucht*
aus|probieren* *vt* essayer; ~, **ob/wie ...** faire un essai pour voir si/comment ...; **etw an jdm** ~ tester qc sur qn
Auspuff <-[e]s, -e> *m* pot *m* d'échappement

aus|pumpen *vt* **1.** **den Keller** ~ vider la cave [avec une pompe]; **jdm den Magen** ~ faire un lavage d'estomac à qn **2.** *fam* (*erschöpfen*) **ausgepumpt sein** être pompé
aus|pusten *vt fam* souffler
aus|quartieren* *vt* déloger
aus|quetschen *vt* **1.** (*auspressen*) presser *Frucht* **2.** *fam* (*ausfragen*) **jdn über jdn/ etw** ~ cuisiner qn sur qn/qc
aus|radieren* *vt* **1.** (*wegradieren*) gommer **2.** *fam* (*vernichten*) exterminer *Menschheit;* rayer de la carte *Stadt*
aus|rangieren* *vt fam* etw ~ mettre qc au rancart
aus|rasten *vi + sein fam* (*durchdrehen*) craquer
aus|rauben *vt* dévaliser; piller *Grabstätte*
aus|räumen *vt* **1.** vider *Schrank* **2.** *fam* (*ausrauben*) vider **3.** (*beseitigen*) régler *Missverständnis;* balayer *Zweifel*
aus|rechnen *vt* **1.** (*ermitteln*) calculer *Gewicht* **2.** (*lösen*) résoudre *Mathematikaufgabe* **3.** (*vermuten*) **sich** (*dat*) **Chancen** ~ compter sur ses chances
Ausrede *f* prétexte *m;* **faule** ~ *fam* faux prétexte
aus|reden I. *vi* finir de parler; **jdn** ~ **lassen** laisser qn terminer II. *vt* **jdm etw** ~ dissuader qn de [faire] qc
aus|reichen *vi* suffire; **für jdn/etw** ~ suffire pour qn/qc
ausreichend *adj* **1.** (*genügend*) suffisant(e) **2.** (*Schulnote*) ≈ passable; (*in Frankreich*) neuf/dix sur vingt
aus|reifen *vi + sein* **1.** *Frucht, Wein:* mûrir **2.** **ausgereift sein** *Technik, Idee:* être au point
Ausreise *f* sortie *f* [du territoire]
Ausreiseantrag *m* demande *f* [d'autorisation] de sortie du territoire **Ausreisegenehmigung** *f* autorisation *f* de sortie du territoire, visa *m*
aus|reisen *vi + sein* quitter le territoire
aus|reißen *irr* I. *vt + haben* arracher *Haare* II. *vi + sein fam* (*davonlaufen*) se sauver
Ausreißer(in) <-s, -> *m(f)* **1.** (*Person, Tier*) fugueur(-euse) *m(f)* **2.** *fam* (*Ausnahme*) exception *f*
aus|reiten *irr vi + sein* sortir à cheval
aus|renken *vt* sich (*dat*) **den Arm** ~ se déboîter le bras
aus|richten I. *vt* **1.** (*übermitteln*) transmettre *Gruß;* **jdm** ~, **dass ...** dire à qn que ... **2.** (*bewirken*) **etwas** ~ **können** réussir à obtenir quelque chose; **nichts** ~ **können** ne rien pouvoir obtenir **3.** (*einstellen*) **das Teleskop auf etw** (*akk*) ~ orienter le téléscope sur qc **4.** (*konzipieren*) **die Produkte auf den Markt** ~ adapter les pro-

duits en fonction du marché **5.** (*veranstalten*) organiser *Hochzeit* **II.** *vr* sich an etw (*dat*) ~ se ranger à qc

Ausrichtung *f kein Pl* **1.** (*Einstellung*) *einer Antenne* orientation *f; eines Teleskops* mise *f* au point **2.** (*Veranstaltung*) *einer Hochzeit* organisation *f*

Ausritt *m* sortie *f* à cheval

aus|rollen *vt* + *haben* **1.** (*entrollen*) dérouler *Kabel* **2.** (*rollen*) den Teig ~ étendre la pâte [au rouleau]

aus|rotten *vt* exterminer *Volk;* éliminer *Schädlinge, Ideen*

Ausrottung <-, -en> *f* extermination *f*

aus|rücken *vi* + *sein Truppen:* se mettre en marche; *Feuerwehr:* sortir

Ausruf *m* exclamation *f*

aus|rufen *vt irr* **1.** (*laut rufen*) s'exclamer **2.** (*bekannt geben*) annoncer *Haltestelle* **3.** (*über Lautsprecher suchen*) jdn ~ lassen faire appeler qn **4.** (*proklamieren*) proclamer *Streik, Krieg*

Ausrufezeichen *nt* point *m* d'exclamation

aus|ruhen I. *vi, vr* [sich] ~ se reposer **II.** *vt* reposer *Füße*

aus|rupfen *vt* arracher *Federn, Unkraut*

aus|rüsten *vt* armer *Armee;* équiper *Fahrzeug*

Ausrüstung *f* équipement *m; einer Armee* armement *m*

aus|rutschen *vi* + *sein* (*ausgleiten*) glisser; auf etw (*dat*) ~ glisser sur qc

Ausrutscher <-s, -> *m fam* (*Fehlleistung*) faux pas *m;* (*Fehltritt*) gaffe *f*

Aussaat *f* **1.** *kein Pl* (*das Säen*) semis *mpl; des Getreides* semailles *fpl* **2.** (*Saat*) semence *f*

aus|säen *vt* semer

Aussage *f* **1.** (*Darstellung*) déclaration *f;* (*Zeugenaussage*) déposition *f* **2.** (*Sinngehalt*) *eines Romans* message *m*

aussagekräftig *adj* expressif(-ive)

aus|sagen I. *vt* **1.** JUR déclarer **2.** (*deutlich machen*) viel/wenig über jdn/etw ~ *Foto:* en dire long/peu sur qn/qc **II.** *vi* JUR vor Gericht (*dat*) ~ *Angeklagter:* déposer en justice; *Zeuge:* témoigner en justice

aussätzig ['aʊsʀ^ɛtsɪç] *adj* lépreux(-euse)

aus|saugen *vt* **1.** (*leer saugen*) sucer **2.** (*ausbeuten*) jdn/etw ~ saigner qn/qc à blanc

aus|schalten *vt* **1.** (*abstellen*) éteindre *Gerät, Licht;* couper *Strom* **2.** (*eliminieren*) éliminer *Gegner*

Ausschank ['aʊsʃaŋk, *Pl:* 'aʊsʃɛŋkə] <-[e]s, -schänke> *m kein Pl* (*das Ausschenken*) ~ von 18 bis 24 Uhr service *m* de 18 à 24 heures

Ausschau <-> *f* nach jdm/etw ~ halten regarder pour trouver qn/qc

aus|schauen *vi* (*entgegensehen*) nach jdm/etw ~ chercher qn/qc des yeux

aus|scheiden *irr* **I.** *vi* + *sein* **1.** (*nicht weitermachen*) aus seinem Amt ~ quitter ses fonctions; aus einem Wettkampf/Rennen ~ se retirer d'une compétition/course **2.** (*nicht in Betracht kommen*) *Plan:* ne pas être retenu; *Kandidat:* être éliminé **II.** *vt* + *haben* éliminer *Giftstoffe*

Ausscheidung <-, -en> *f Pl* (*Exkrement*) excréments *mpl*

Ausscheidungskampf *m* match *m* éliminatoire

aus|schenken *vt* (*verkaufen*) servir; Wein an jdn ~ servir du vin à qn

aus|scheren *vi* + *sein* (*abschwenken*) déboîter; nach links/rechts ~ *Fahrzeug:* déboîter à gauche/droite

aus|schildern *vt* signaler; ausgeschildert indiqué(e)

aus|schimpfen *vt* gronder; jdn wegen etw ~ gronder qn à cause de qc

aus|schlachten *vt fam* **1.** ein altes Auto ~ mettre une vieille auto en pièces **2.** ein Ereignis ~ mettre un événement à profit

aus|schlafen *irr* **I.** *vi, vr* [sich] ~ dormir tout son soûl **II.** *vt* seinen Rausch ~ cuver son vin/sa bière (*fam*)

Ausschlag *m* **1.** *einer Kompassnadel* déviation *f* **2.** MED éruption *f* [cutanée] ►bei etw den ~ geben être déterminant pour/dans qc

aus|schlagen *irr* **I.** *vt* + *haben* **1.** (*herausschlagen*) jdm einen Zahn ~ casser une dent à qn **2.** (*ablehnen*) décliner *Angebot* **II.** *vi* **1.** + *haben* (*treten*) *Pferd:* ruer **2.** + *haben o sein* (*sich bewegen*) *Kompassnadel:* osciller; *Wünschelrute:* vibrer

ausschlaggebend *adj Umstand* déterminant(e); *Stimme* prépondérant(e)

aus|schließen *vt irr* **1.** (*entfernen*) exclure; jdn aus einer Gemeinschaft/von den Verhandlungen ~ exclure qn d'une communauté/des négociations **2.** (*für unmöglich halten*) exclure *Fehler*

ausschließlich I. *adj attr Vertretung* exclusif(-ive) **II.** *präp* + *gen* sauf

aus|schlüpfen *vi* + *sein Küken:* éclore

Ausschluss^{RR} *m* exclusion *f;* unter ~ der Öffentlichkeit à huis clos

aus|schmücken *vt* décorer; etw mit etw ~ (*dekorieren*) décorer qc avec qc; (*ausgestalten*) enjoliver qc avec qc

aus|schneiden *vt irr* découper; etw aus einer Zeitung ~ découper qc dans un journal

Ausschnitt *m* **1.** (*Zeitungsausschnitt*) coupure *f* [de presse] **2.** MATH (*Sektor*) secteur

m **3.** (*Dekolleté*) décolleté *m* **4.** (*kleiner Auszug*) **ein ~ aus einem Foto/Film** un détail d'une photo/un extrait d'un film
aus|schöpfen *vt* **1.** vider *Flüssigkeit* **2.** (*Gebrauch machen von*) user de *Befugnisse;* exploiter à fond *Möglichkeiten;* épuiser *Reserven*
aus|schreiben *vt irr* **1.** (*ungekürzt schreiben*) écrire en toutes lettres *Wort* **2.** (*ausstellen*) établir *Rechnung;* libeller *Scheck;* rédiger *Rezept* **3.** (*bekannt machen*) annoncer *Wahlen;* **eine Stelle ~** mettre un poste au concours
Ausschreibung <-, -en> *f eines Projekts, einer Arbeit* mise *f* en adjudication, appel *m* d'offres; *einer Stelle* mise au concours
Ausschreitung <-, -en> *f meist Pl* (*Gewalttaten*) acte *m* de violence
Ausschuss^{RR} — **Ausschuss**^RR *m* **1.** (*Komitee*) comité *m,* commission *f* **2.** *kein Pl* (*Fehlproduktion*) rebut *m*
Ausschussware^RR *f* marchandise *f* de rebut
aus|schütteln *vt* secouer *Tischtuch*
aus|schütten *vt* **1.** (*ausleeren*) vider **2.** (*absondern*) sécréter *Hormon* **3.** FIN verser *Dividende*
Ausschüttung <-, -en> *f* FIN *einer Dividende* distribution *f*
ausschweifend *adj Fantasie* débordant(e); *Leben* de débauche
Ausschweifung <-, -en> *f* excès *mpl*
aus|schweigen *vr irr sich* **~** garder le silence; **sich über etw** (*akk*) **~** ne rien dire au sujet de qc
aus|schwenken *vi* + *sein* se déporter; **zur Seite ~** *Anhänger:* se déporter sur le côté
aus|sehen *irr vi* **1.** *gut/schlecht* **~** avoir bonne/mauvaise mine; **wie sieht ein Leguan aus?** à quoi ressemble un iguane?; **gut ~d** beau **2.** (*den Anschein haben*) **sie sieht** [ganz so] **aus, als ...** on dirait qu'elle ...; **nach etwas/nichts ~** *Haus, Mantel:* faire de l'effet/ne ressembler à rien; **es sieht nach Schnee/Regen aus** on dirait qu'il va neiger/pleuvoir ▶**so siehst du** [gerade] **aus!** *fam* à d'autres!; **sehe ich so aus?** *fam* est-ce que j'en ai l'air?
Aussehen <-s, -> *nt* aspect *m;* **jdn nach dem ~ beurteilen** juger qn sur les apparences
aus|sein *s.* aus II.
außen ['aʊsən] *adv* à l'extérieur; **von ~** de l'extérieur; **nach ~ aufgehen** *Tür:* s'ouvrir sur l'extérieur ▶**~ vor bleiben** *Person:* être laissé à l'écart; *Angelegenheit:* être laissé de côté
Außenbezirk *m* quartier *m* périphérique
Außenbordmotor *m* moteur *m* hors-

bord
aus|senden *vt irr geh* **1.** (*ausschicken*) envoyer *Boten* **2.** (*ausstrahlen*) émettre *Signal*
Außendienst *m* visites *fpl* à la clientèle
Außenhandel *m* commerce *m* extérieur
Außenminister(in) *m(f)* ministre *mf* des Affaires étrangères **Außenministerium** *nt* ministère *m* des Affaires étrangères **Außenpolitik** *f* politique *f* extérieure **außenpolitisch** I. *adj Debatte* concernant la politique extérieure; *Kurs* de la politique extérieure II. *adv* en politique extérieure
Außenseite *f eines Kleidungsstücks* endroit *m; eines Gebäudes* façade *f* extérieure **Außenseiter(in)** <-s, -> *m(f)* marginal(e) *m(f);* SPORT outsider *m*
Außenspiegel *m* rétroviseur *m* extérieur **Außenstände** *Pl* dettes *fpl* actives **Außenstehende(r)** *f(m) dekl wie adj* personne *f* extérieure **Außenstelle** *f* filiale *f* **Außenstürmer(in)** *m(f)* ailier(-ière) *m(f)* **Außentemperatur** *f* température extérieure *f* **Außenwelt** *f* monde *m* extérieur
außer ['aʊsɐ] I. *präp* + *dat* **1.** (*ausgenommen*) **alle ~ dir** tous sauf toi, tous toi excepté; **~ den Kindern habe ich niemanden gesehen** à part les enfants, je n'ai vu personne; **man hörte nichts ~ ihrem Atem** on n'entendait rien que sa respiration **2.** (*außerhalb*) **~ Sicht/Gefahr sein** être hors de vue/danger ▶**~ sich** (*dat*) **sein** être hors de soi II. *präp* + *akk* **etw ~** [jeden] **Zweifel stellen** mettre qc hors de doute ▶**~ sich geraten** sortir de ses gonds III. *konj* **~ dass ...** si ce n'est que ...; **~** [wenn] sauf si
außerdem ['aʊsɐde:m] *adv* en plus
außerdienstlich I. *adj Telefonat* privé(e) II. *adv* privé
äußere(r, s) *adj* **1.** *Rand, Verletzung* externe; *Planet* supérieur(e) **2.** *Anlass* apparent(e)
Äußere(s) *nt dekl wie adj* apparence *f;* **ein angenehmes ~s haben** avoir un physique agréable
außerehelich I. *adj Geschlechtsverkehr* extraconjugal(e); *Kind* illégitime II. *adv* hors mariage **außergewöhnlich** ['aʊsɐgə'vø:nlɪç] I. *adj Person, Begabung* exceptionnel(le) II. *adv* particulièrement
außerhalb ['aʊsɐhalp] I. *adv* à l'extérieur; **~ wohnen** habiter en dehors [de la ville] II. *präp* + *gen* en dehors de; **~ der Stadt** à la périphérie de la ville
außerirdisch *adj* extraterrestre
äußerlich ['ɔysɐlɪç] *adj* **1.** *Ähnlichkeit* extérieur(e); *Verletzung* externe **2.** (*oberflächlich*) superficiel(le); [rein] **~ betrachtet** au premier abord
Äußerlichkeit <-, -en> *f* **1.** (*äußere Form*)

superficialité *f* 2.(*Unwesentliches*) détails *mpl* superficiels

äußern ['ɔysɐn] I. *vt* exprimer *Meinung;* émettre *Kritik* II. *vr* 1. **sich zu etw** ~ (*Stellung nehmen*) se prononcer sur qc; (*seine Meinung sagen*) donner son avis sur qc 2.(*in Erscheinung treten*) **sich durch etw** ~ *Krankheit, Unzufriedenheit:* se manifester par qc

außerordentlich ['ausɐ'ʔɔrdəntlɪç] I. *adj* (*ungewöhnlich*) exceptionnel(le) II. *adv* extrêmement **außerorts** *adv* CH, A hors agglomération **außerplanmäßig** I. *adj Besuch, Ausgaben* non prévu(e) II. *adv* en dehors des horaires prévus

äußerst ['ɔysɛst] *adv* (*höchst*) extrêmement; (*absolut*) vraiment

außerstande [ausɐ'ʃtandə] *adj* ~ **sein etw zu tun** être dans l'impossibilité de faire qc; (*körperlich unfähig sein*) être hors d'état de faire qc

äußerste(r, s) *adj* 1. **der** ~ **Punkt** le point le plus éloigné; **am** ~**n Ende des Tisches** à l'extrémité de la table 2. *Zugeständnis, Preis* dernier(-ière); **mit** ~**r Kraft** de toutes ses/mes/... forces

Äußerste(s) *nt dekl wie adj* **auf das** ~ **gefasst sein** s'attendre au pire; **bis zum** ~**n gehen** aller jusqu'au bout

Äußerung <-, -en> *f* (*Bemerkung*) observation *f;* (*Aussage*) propos *mpl*

aus|setzen I. *vt* 1. abandonner *Kind, Haustier;* lâcher *Wild* 2.(*preisgeben*) **jdn/etw einer Gefahr** (*dat*) exposer qn/qc à un danger; **heftigen Vorwürfen ausgesetzt sein** faire l'objet de reproches virulents 3.(*festsetzen*) offrir *Belohnung;* accorder *Summe* 4.(*unterbrechen*) suspendre *Verhandlung;* cesser *Rückzahlung, Zinsen* 5. JUR surseoir *Strafverfolgung* 6.(*bemängeln*) **an jdm/etw etwas auszusetzen haben** avoir quelque chose à redire à qn/qc II. *vr* **sich einer Gefahr** (*dat*) ~ s'exposer à un danger III. *vi* 1.(*pausieren*) **bei etw** ~ faire une pause au cours de qc; **eine Runde** ~ passer son tour 2.(*versagen*) *Atmung, Herz:* s'arrêter; *Motor:* caler; *Zündung:* avoir des ratés

Aussetzer <-s, -> *m* TECH *fam* raté *m*

Aussicht *f* 1.(*Blick*) vue *f;* ~ **auf etw** (*akk*) vue sur qc 2.(*Chance*) chance *f;* **das sind ja schöne** ~**en!** *iron fam* ça promet! ► **etw in** ~ **haben** avoir qc en vue; **jdm etw in** ~ **stellen** laisser entrevoir qc à qn

aussichtslos *adj* vain(e); **so gut wie** ~ **sein** être quasiment impossible

Aussichtslosigkeit <-> *f einer Situation* caractère *m* désespéré

Aussichtspunkt *m* point *m* de vue **aus-**

sichtsreich *adj* prometteur(-euse) **Aussichtsturm** *m* belvédère *m*

aus|sieben *vt* (*fam*) 1. sélectionner; **die Besten aus einer Gruppe** ~ sélectionner les meilleurs d'un groupe 2. **ungeeignete Bewerber** ~ trier les candidats non qualifiés

aus|siedeln *vt* expatrier

Aussiedler(in) <-s, -> *m(f)* (*Emigrant*) émigrant(e) *m(f);* (*Zurückgekehrte*) rapatrié(e) *m(f)*

aus|söhnen ['auszø:nən] *vr* **sich** ~ se réconcilier; **sich mit jdm** ~ se réconcilier avec qn

Aussöhnung <-, -en> *f* réconciliation *f*

aus|sortieren* *vt* trier

aus|spannen I. *vt fam* (*abspenstig machen*) **er hat ihm die Freundin ausgespannt** il lui a piqué sa petite amie II. *vi Person:* se détendre

aus|sparen *vt* 1.(*frei lassen*) ne pas recouvrir *Fläche, Platz* 2.(*ausnehmen*) laisser de côté *Frage, Thema*

Aussparung <-, -en> *f* emplacement *m*

aus|sperren I. *vt* 1. jdn ~ enfermer qn dehors 2.(*von der Arbeit ausschließen*) lockouter II. *vr* **sich** ~ s'enfermer dehors (*en laissant les clés à l'intérieur*)

Aussperrung <-, -en> *f* lock-out *m*

aus|spielen I. *vt* 1. jouer *Karte, Trumpf* 2.(*manipulativ einsetzen*) **jdn gegen jdn** ~ se servir de qn contre qn II. *vi* (*das Spiel eröffnen*) ouvrir la partie; (*eine Karte ablegen*) jouer une carte

aus|spionieren* *vt* espionner

Aussprache *f* 1. *kein Pl* (*Artikulation*) prononciation *f* 2.(*Unterredung*) explication *f*

aus|sprechen *irr* I. *vt* 1.(*artikulieren*) prononcer *Laut, Wort* 2.(*äußern*) dire *Satz, Verleumdung;* exprimer *Meinung, Verdächtigung;* donner *Warnung* 3.(*ausdrücken*) **jdm sein Bedauern** ~ exprimer son regret à qn 4. JUR prononcer *Scheidung, Strafe* II. *vr* 1.(*offen sprechen*) **sich mit jdm über etw** (*akk*) ~ s'expliquer à propos de qc avec qn 2.(*Stellung beziehen*) **sich für/gegen jdn/etw** ~ se prononcer pour/contre qn/qc III. *vi* finir [de parler]; **lassen Sie mich doch** ~! laissez-moi finir!

Ausspruch *m* 1.(*Bemerkung*) remarque *f* 2.(*geflügeltes Wort*) bon mot *m*

aus|spucken *vt, vi* cracher; **vor jdm** ~ cracher devant qn

aus|spülen *vt* rincer *Geschirr;* **sich** (*dat*) **den Mund** ~ se rincer la bouche

aus|staffieren* *vt* 1.(*einrichten*) aménager *Raum* 2.(*einkleiden*) **jdn mit etw** ~ affubler qn de qc (*fam*)

Ausstand *m* 1.(*Streik*) grève *f;* **in den** ~

treten se mettre en grève **2.** CH, A, SDEUTSCH (*Abschiedsfeier*) retrait *m;* **seinen ~ geben** fêter son départ
aus|stanzen *vt* découper; **etw aus einer Metallfolie ~** découper qc dans une feuille de métal
aus|statten ['aʊsʃtatən] *vt* **1.** installer *Raum* **2.** (*versehen, ausrüsten*) **jdn mit etw ~** équiper qn de qc
Ausstattung <-, -en> *f* **1.** (*Ausrüstung*) équipement *m* **2.** (*Einrichtung*) agencement *m*
aus|stechen *vt irr* **1.** (*zerstören, entfernen*) crever *Auge* **2.** (*übertreffen*) supplanter
aus|stehen *irr* **I.** *vt* supporter *Qualen;* **große Angst um jdn ~** avoir très peur pour qn ▸ **jdn/etw nicht ~ können** *fam* ne pas pouvoir supporter qn/qc **II.** *vi* **1.** (*anstehen*) **[noch] ~** *Antwort:* ne pas être encore là; *Stellungnahme:* être attendu **2.** COM, FIN être dû
aus|steigen *vi irr +* *sein* **1.** descendre; **aus dem Bus/Zug ~** descendre du bus/train **2.** *fam* (*aufgeben*) **aus etw ~** abandonner qc
Aussteiger(in) <-s, -> *m(f)* (*sich von der Gesellschaft Abwendender*) marginal(e) *m(f)*
aus|stellen I. *vt* **1.** (*zur Schau stellen*) exposer *Waren, Bilder* **2.** (*ausfertigen*) établir *Rechnung;* délivrer *Bescheinigung;* **einen Scheck auf jdn ~** émettre un chèque au nom de qn **3.** *fam* (*abstellen*) éteindre *Radio;* arrêter *Kaffeemaschine* **II.** *vi Künstler:* exposer
Aussteller(in) <-s, -> *m(f)* **1.** exposant(e) *m(f)* **2.** (*Ausfertiger*) *eines Schecks* tireur(-euse) *m(f)* **3.** (*ausstellende Behörde*) bureau *m* de délivrance
Ausstellung <-, -en> *f* **1.** (*Kunstausstellung, Messe*) exposition *f* **2.** *kein Pl* (*Ausfertigung*) *einer Rechnung* établissement *m; einer Urkunde* délivrance *f; eines Schecks* émission *f*
Ausstellungskatalog *m* catalogue *m* [de l'exposition] **Ausstellungsstück** *nt* modèle *m* d'exposition
aus|sterben *vi irr +* *sein Familie, Geschlecht:* s'éteindre; *Tierart, Pflanzenart:* disparaître
Aussteuer <-, -n> *f* trousseau *m*
Ausstieg <-[e]s, -e> *m* **1.** *kein Pl* (*das Aussteigen*) descente *f* **2.** (*Ausgang*) *eines Busses, Wagens* sortie *f* **3.** *kein Pl* (*das Aufgeben*) **der ~ aus der Atomenergie** la sortie du nucléaire
aus|stopfen *vt* **1.** (*präparieren*) empailler *Tier* **2.** (*ausfüllen*) bourrer *Kissen;* calfeutrer *Ritze*

Ausstoß *m* **1.** (*Produktion*) production *f* **2.** (*Emission*) *von Schadstoffen* émission *f*
aus|stoßen *vt irr* **1.** (*von sich geben*) pousser *Laut, Schrei;* proférer *Drohung* **2.** (*herausstoßen*) rejeter *Staub, Gas;* expulser *Plazenta* **3.** (*ausschließen*) (*aus einer Organisation*) exclure; (*aus einer Gemeinschaft*) rejeter
aus|strahlen I. *vt +* *haben* **1.** (*abstrahlen, senden*) diffuser **2.** (*verbreiten*) exprimer *Ruhe;* répandre *Unruhe* **II.** *vi +* *sein* **1.** (*sich ausdehnen*) *Wärme:* se diffuser; *Licht:* jaillir **2.** (*übergehen*) **auf jdn/etw ~** gagner qn/qc
Ausstrahlung *f* **1.** (*Wirkung*) *einer Person* rayonnement *m* **2.** (*das Senden*) diffusion *f*
aus|strecken I. *vt* tendre *Arm;* sortir *Fühler* **II.** *vr* **sich ~** s'étirer; **ausgestreckt daliegen** être étendu là de tout son long
aus|streuen *vt* (*verstreuen*) répandre *Vogelfutter*
aus|strömen I. *vt +* *haben* **1.** (*austreten lassen*) exhaler *Duft;* dégager *Kälte, Wärme* **2.** (*verbreiten*) répandre *Ruhe* **II.** *vi +* *sein* **1.** (*herauskommen*) **aus etw ~** *Wasser:* s'écouler de qc; *Gas:* s'échapper de qc **2.** (*ausgehen*) **von jdm/etw ~** *Duft:* émaner de qn/qc **3.** (*ausstrahlen*) **von etw ~** *Hitze, Wärme:* se dégager de qc
aus|suchen *vt* choisir
Austausch *m* échange *m;* **im ~ gegen etw** en échange de qc
austauschbar *adj* **1.** *Teil* remplaçable; *Begriffe* interchangeable **2.** (*nicht unverwechselbar*) **~ sein** *Person:* être permutable
aus|tauschen I. *vt* **1.** (*ersetzen*) remplacer *Spieler;* échanger *Motor* **2.** (*wechselseitig geben*) échanger *Gefangene, Erfahrungen* **II.** *vr* **sich über jdn/etw ~** parler de qn/qc
Austauschschüler(in) *m(f)* élève *mf* qui participe à un échange scolaire
aus|teilen *vt* **1.** (*verteilen*) distribuer *Essen, Spielkarten* **2.** (*erteilen*) donner *Schläge;* administrer *Sakrament*
Auster ['aʊstɐ] <-, -n> *f* huître *f*
Austernpilz *m* pleurote *m*
aus|toben *vr* **sich ~** *Kind:* se défouler; *Erwachsener:* mener une vie de bâton de chaise
aus|tragen *irr vt* **1.** (*zustellen*) **die Post ~** distribuer le courrier [à domicile] **2.** (*stattfinden lassen*) régler *Konflikt;* disputer *Wettkampf* **3.** (*bis zur Geburt behalten*) garder *Kind*
Austragung <-, -en> *f eines Wettkampfs* déroulement *m*
Austragungsort *m* lieu *m* organisateur de

la compétition
Australien [aʊsˈtraːliən] <-s> *nt* l'Australie *f*
Australier(in) <-s, -> *m(f)* Australien(ne) *m(f)*
australisch *adj* australien(ne)
aus|treiben *irr vt* **1.** (*abgewöhnen*) **jdm seine Launen** ~ faire passer ses humeurs à qn **2.** *geh* (*verbannen*) exorciser *Dämon*
aus|treten *irr* **I.** *vi + sein* **1.** (*nach außen treten*) *Flüssigkeit:* s'écouler; *Gas:* s'échapper; *Blut:* couler **2.** **nur Infin fam** (*zur Toilette gehen*) aller quelque part **3.** (*ausscheiden*) **aus einer Partei** ~ quitter un parti; **aus der Kirche** ~ se détourner de l'Église **II.** *vt + haben* **1.** (*auslöschen*) **das Feuer** ~ éteindre le feu avec les pieds; **eine Zigarettenkippe** ~ écraser un mégot [du pied] **2.** (*abnutzen*) élargir *Schuhe*
aus|tricksen *vt fam* feinter *Fußballspieler*
aus|trinken *irr* **I.** *vt* finir *Getränk;* vider *Tasse, Glas* **II.** *vi* vider son verre
Austritt *m* **1.** *kein Pl* (*das Herauskommen*) *von Wasser* fuite *f; von Gas* émission *f; von Blut* écoulement *m* **2.** (*das Ausscheiden*) démission *f*
aus|trocknen **I.** *vt + haben* **1.** (*trockenlegen*) assécher *Sumpf* **2.** (*trocken machen*) dessécher *Haut* **II.** *vi + sein Wasserlauf:* tarir; *Haut:* se déshydrater; *Brot, Käse:* se dessécher
aus|tüfteln *vt fam* bricoler *Konstruktion, Computerprogramm;* mijoter *Plan*
aus|üben *vt* **1.** (*praktizieren, innehaben*) exercer **2.** (*wirksam werden lassen*) **Einfluss auf jdn** ~ exercer une influence sur qn; **auf jdn Druck** ~ faire pression sur qn
Ausübung *f* exercice *m;* **in** ~ **ihrer Pflicht** dans l'exercice de ses fonctions
aus|ufern *vi + sein* dégénérer; **in eine endlose Diskussion** ~ dégénérer en une discussion interminable
Ausverkauf *m* soldes *mpl*
ausverkauft *adj Artikel, Sonderangebot* épuisé(e); *Konzert, Veranstaltung* complet(-ète)
Auswahl *f* (*Wahl, Sortiment*) choix *m*
aus|wählen **I.** *vt* choisir; **sich** (*dat*) **jdn/ etw** ~ choisir qn/qc; **jdn unter mehreren Bewerbern** ~ choisir qn parmi plusieurs candidats **II.** *vi* choisir
Auswahlmenü *nt* INFORM barre *f* de sélection
Auswanderer *m,* **Auswanderin** *f* émigrant(e) *m(f)*
aus|wandern *vi + sein* émigrer; **nach Australien/in die USA** ~ émigrer en Australie/aux Etats-Unis
Auswanderung *f* émigration *f*

auswärtig [ˈaʊsvɛrtɪç] *adj attr* **1.** (*auswärts befindlich*) étranger(-ère) **2.** (*von auswärts stammend*) [qui vient] de l'extérieur **3.** POL *Angelegenheiten* extérieur(e); *Vertretung* étranger(-ère)
auswärts [ˈaʊsvɛrts] *adv wohnen, spielen* à l'extérieur; **von** ~ **kommen** venir de l'extérieur; ~ **essen** manger en ville
Auswärtsspiel *nt* match *m* à l'extérieur
aus|waschen *irr* **I.** *vt* **1.** (*beseitigen*) **die Flecken aus einem Kleid** ~ faire partir les taches d'une robe en la lavant **2.** (*säubern*) laver *Geschirr, Wunde;* rincer *Pinsel, Wäsche* **II.** *vr* **sich** ~ *Farbe:* passer
auswechselbar *adj Begriff* interchangeable; *Teil, Element* remplaçable
aus|wechseln *vt* remplacer *Spieler;* changer *Zündkerzen*
Auswechselspieler(in) [-ks-] *m(f)* remplaçant(e) *m(f)*
Auswechs[e]lung <-, -en> *f einer Person* remplacement *m; einer Geschäftsleitung, eines Teils* changement *m*
Ausweg *m* issue *f*
ausweglos *adj Lage* sans issue; *Situation* désespéré(e)
Ausweglosigkeit <-> *f* désespoir *m*
aus|weichen *vi irr + sein* **1.** éviter; **jdm/einer S.** ~ éviter qn/qc; (*ein Hindernis umgehen*) **nach links/rechts** ~ faire une embardée sur la gauche/droite **2.** *fig* **jdm/ einer S.** ~ se défiler devant qn *fam*/esquiver qc; ~**de Antworten geben** répondre évasivement **3.** (*als Alternative wählen*) **auf etw** (*akk*) ~ se rabattre sur qc
Ausweichmanöver *nt* **1.** manœuvre *f* d'évitement **2.** (*Ausflucht*) échappatoire *f*
aus|weinen *vr* **sich** ~ soulager son cœur; **sich bei jdm** ~ soulager son cœur auprès de qn
Ausweis [ˈaʊsvaɪs] <-es, -e> *m* carte *f;* (*Personalausweis*) carte *f* d'identité
aus|weisen *irr* **I.** *vt* **1.** (*des Landes verweisen*) expulser **2.** (*Identität nachweisen*) **jdn als Betrüger** ~ *Papiere:* prouver que qn est un fraudeur **II.** *vr* **sich** ~ justifier son identité
Ausweiskontrolle *f* contrôle *m* d'identité
Ausweisung *f* (*Abschiebung*) expulsion *f*
aus|weiten **I.** *vt* **1.** (*weiter machen*) élargir **2.** (*verbessern*) développer *Kontakte, Handel* **II.** *vr* **1.** **sich** ~ *Kleidung:* s'élargir; *Gummiband:* se distendre **2.** (*sich ausdehnen*) **sich zu etw** ~ *Konflikt:* dégénérer en qc
Ausweitung <-, -en> *f eines Konflikts* extension *f*
auswendig *adv* **etw** ~ **lernen/können** apprendre/savoir qc par cœur
aus|werfen *vt irr* **1.** jeter *Anker, Netz*

2. (*ausstoßen*) cracher *Lava, Asche* **3.** IN-FORM sortir *Informationen* **4.** (*verteilen*) allouer *Dividende*

aus|werten *vt* éplucher *Zeitungen, Prospekte;* dépouiller *Statistiken*

Auswertung *f von Zeitungen, Prospekten* épluchage *m; einer Statistik* dépouillement *m*

aus|wickeln *vt* enlever le papier de *Geschenk*

aus|wirken *vr* sich ~ avoir des répercussions; **sich negativ/positiv auf etw** (*akk*) ~ avoir des répercussions négatives/positives sur qc

Auswirkung *f* répercussion *f souvent pl*

aus|wischen *vt* **1.** (*löschen*) effacer **2.** (*säubern*) essuyer ► **jdm eins** ~ *fam* jouer un sale tour à qn

aus|wringen ['aʊsvrɪŋən] *vt irr* tordre

Auswuchs <-es, =e> *m* **1.** MED excroissance *f* **2.** (*Missstand*) excès *m;* **Auswüchse der Fantasie** aberrations *fpl* de l'imagination

aus|wuchten *vt* équilibrer

Auswurf *m* **1.** MED expectoration *f* **2.** *kein Pl* (*das Auswerfen*) *von Asche, Lava* projection *f*

aus|zahlen *vt* **1.** (*Betrag aushändigen*) verser *Gehalt;* rembourser *Pflichtteil* **2.** (*abfinden*) régler *Arbeiter;* désintéresser *Gläubiger;* rembourser *Kompagnon, Miterben*

aus|zählen *vt* **1.** dépouiller *Stimmen* **2.** SPORT **jdn** ~ compter qn K.-O.

Auszahlung *f* **1.** *eines Gehalts, von Spesen* versement *m; eines Erbteils* paiement *m; eines Pflichtteils* remboursement *m;* **die ~ der Löhne** la paie **2.** (*Abfindung*) *einer Person* remboursement *m*

Auszählung *f von Stimmen* dépouillement *m*

aus|zeichnen I. *vt* **1.** (*mit Preisschild versehen*) étiqueter *Ware* **2.** (*ehren*) **jdn mit einem Preis/Orden** ~ décerner un prix/une médaille à qn **3.** (*hervorheben*) distinguer *Person* **II.** *vr* **sich durch etw** ~ se distinguer par qc

Auszeichnung *f* **1.** *kein Pl* (*das Auszeichnen*) *eines Artikels* étiquetage *m* **2.** *kein Pl* (*das Ehren*) distinction *f* honorifique **3.** (*Orden*) décoration *f* **4.** (*Preis*) prix *m;* **etw mit** ~ **bestehen** réussir qc avec mention

ausziehbar *adj Antenne* télescopique; *Tisch* à rallonges

aus|ziehen *irr* **I.** *vt + haben* **1.** (*entkleiden*) déshabiller *Person* **2.** (*ablegen*) enlever *Kleidungsstück* **3.** (*verlängern*) [r]allonger *Tisch;* [é]tirer *Antenne* **II.** *vi + sein* (*Wohnung aufgeben*) déménager **III.** *vr + haben*

sich ~ se déshabiller

Ausziehtisch *m* table *f* à rallonges

Auszubildende(r) <-n, -n> *f(m) dekl wie adj* apprenti(e) *m(f)*

Auszug <-[e]s, =e> *m* **1.** (*Umzug*) déménagement *m* **2.** (*Auswanderung*) procession *f;* **der ~ aus Ägypten** l'Exode *m* [des Hébreux] **3.** (*Ausschnitt*) *eines Textes, einer Rede* extrait *m* **4.** (*Kontoauszug*) relevé *m*

auszugsweise *adv* par extraits

autark [aʊ'tark] *adj Land* qui vit dans l'autarcie; *Wirtschaft* autosuffisant(e)

Autarkie [aʊtar'kiː] <-, -n> *f* (*wirtschaftlich*) autosuffisance *f;* (*landwirtschaftlich*) autarcie *f*

authentisch [aʊ'tɛntɪʃ] *adj* authentique

Authentizität [aʊtɛntitsi'tɛːt] <-> *f* authenticité *f*

Auto ['aʊto] <-s, -s> *nt* voiture *f;* ~ **fahren** conduire; (*mitfahren*) aller en voiture; **mit dem** ~ **fahren** prendre la voiture; (*mitfahren*) aller en voiture

Autoatlas *m* atlas *m* routier **Autobahn** *f* autoroute *f* **Autobahnausfahrt** *f* sortie *f* d'autoroute **Autobahngebühr** *f* péage *m* **Autobahnkreuz** *nt* échangeur *m* **Autobahnpolizei** *f* gendarmerie *f* **Autobahnraststätte** *f* restoroute *m*

AutobiografieRR [aʊtobiogra'fiː], **Autobiographie** *f* autobiographie *f*

Autobombe *f* voiture *f* piégée

Autodidakt(in) [aʊtodi'dakt] <-en, -en> *m(f)* autodidacte *mf*

autodidaktisch *adj* autodidacte

Autodieb(in) *m(f)* voleur(-euse) *m(f)* de voiture[s] **Autofähre** *f* [car-]ferry *m* **Autofahrer(in)** *m(f)* automobiliste *mf* **Autofahrt** *f* trajet *m* en voiture

autogen [aʊto'geːn] *adj* TECH, PSYCH autogène

Autogramm [aʊto'gram] <-s, -e> *nt* autographe *m*

Autokino *nt* ciné-parc *m*

Autokrat(in) <-en, -en> *m(f)* autocrate *mf*

Autokratie [aʊtokra'tiː] <-, -n> *f* autocratie *f*

autokratisch *adj* autocratique

Automat [aʊto'maːt] <-en, -en> *m* (*Verkaufsautomat*) distributeur *m* [automatique]; (*Musikautomat*) juke-box *m;* (*Spielautomat*) machine *f* à sous

Automatik [aʊto'maːtɪk] <-, -en> *f* **1.** (*Steuerungsautomatik*) automatisme *m* **2.** (*~getriebe*) embrayage *m* automatique

automatisch [aʊto'maːtɪʃ] *adj* automatique

automatisieren* [aʊtomati'ziːrən] *vt* au-

tomatiser
Automechaniker(in) *m(f)* mécanicien(ne) *m(f)* [-auto]
autonom [au̯to'noːm] *adj* autonome
Autonome(r) *f(m) dekl wie adj* autonomiste *mf*
Autonomie [au̯tono'miː] <-, -n> *f* autonomie *f*
Autonummer *f* numéro *m* d'immatriculation
Autopilot *m* TECH pilotage *m* automatique
Autopsie [au̯tɔ'psiː] <-, -n> *f* autopsie *f*
Autor ['au̯toːɐ̯] <-s, -toren> *m*, **Autorin** *f* auteur *mf*
Autoradio *nt* autoradio *m* **Autoreifen** *m* pneu *m* [de voiture] **Autoreisezug** *m* train *m* autos-couchettes **Autorennen** *nt* course *f* automobile
autorisieren* [au̯tori'ziːrən] *vt* autoriser
autoritär [au̯tori'tɛːɐ̯] *adj* autoritaire
Autorität [au̯tori'tɛːt] <-, -en> *f* autorité *f*
autoritätsgläubig *adj pej Person* qui accepte aveuglément une autorité
Autoschlange *f* file *f* de voitures **Autoschlüssel** *m* clé *f* de voiture **Autoskooter** ['au̯toskuːtɐ] <-s, -> *m* auto *f* tamponneuse **Autostunde** *f* heure *f* de voiture; **eine ~ von Köln entfernt** à une heure de voiture de Cologne

Autosuggestion [au̯tozʊgɛs'tɪ̯oːn] *f* autosuggestion *f*
Autotelefon *nt* radiotéléphone *m* **Autotür** *f* portière *f* **Autounfall** *m* accident *m* de voiture **Autoverkehr** *m* circulation *f* [automobile] **Autoverleih** *m* (*Unternehmen*) société *f* de location de voitures; (*Niederlassung*) agence *f* de location de voitures **Autowerkstatt** *f* garage *m* **Autowrack** *nt* épave *f* de voiture
autsch [au̯tʃ] *interj fam* aïe
auwei[a] *interj* oh là là
Avantgarde [avã'gardə] <-, -n> *f geh* avant-garde *f*
avantgardistisch [avãgar'dɪstɪʃ] *adj* avant-gardiste
Aversion [avɛr'zɪ̯oːn] <-, -en> *f* aversion *f*; **eine ~ gegen jdn/etw haben** avoir qn/qc en aversion
Avocado [avo'kaːdo] <-, -s> *f* avocat *m*
Axt [akst, *Pl:* 'ɛkstə] <-, ⁼e> *f* hache *f*
Azalee <-, -n> *f* azalée *f*
Azoren *Pl* die ~ les Açores *fpl*
Azteke [ats'teːkə] <-n, -n> *m*, **Aztekin** *f* Aztèque *mf*
Azubi [a'tsuːbi] <-s, -s> *m*, <-, -s> *f Abk von* **Auszubildende(r)** apprenti(e) *m(f)*
azurblau *adj geh* bleu azur *inv*

B

B, b [be:] <-, -> *nt* **1.** (*Buchstabe*) B *m/b*
m **2.** MUS (*Note, Ton*) si *m* bémol; (*Ernied-rigungszeichen*) bémol *m*
Baby ['be:bi] <-s, -s> *nt* bébé *m*
Babyjahr *nt fam* congé *m* parental d'éduca-tion **babysitten** ['be:bɪztən] *vi nur Infin* faire du baby-sitting **Babysitter(in)** ['be:bɪztɐ] <-s, -> *m(f)* baby-sitter *mf*
Bach [bax, *Pl:* 'bɛçə] <-[e]s, ˵e> *m* ruis-seau *m;* (*Gebirgsbach*) torrent *m*
Bachstelze *f* bergeronnette *f*
Backblech *nt* plaque *f* de four
backbord[s] *adv* NAUT à bâbord
Backe ['bakə] <-, -n> *f* **1.** (*Wange*) joue *f*
2. *fam* (*Pobacke*) fesse *f* **3.** TECH *eines Schraubstocks, einer Bremse* mâchoire *f*
backen ['bakən] <backt *o* bäckt, back-te, gebacken> **I.** *vt* faire *Brot, Kuchen;* **selbst gebacken** fait maison **II.** *vi* cuire
Backenbart *m* favoris *mpl* **Backenkno-chen** *m* pommette *f* **Backenzahn** *m* mo-laire *f*
Bäcker ['bɛkɐ] <-s, -> *m* **1.** boulanger *m*
2. (*Bäckerei*) **zum ~ gehen** aller à la bou-langerie; **beim ~** chez le boulanger
Bäckerei [bɛkə'raj] <-, -en> *f* boulangerie *f*
Bäckerin <-, -nen> *f* boulangère *f*
Bäckermeister(in) *m(f)* maître *m* boulan-ger
Backform *f* moule *m* à gâteau **Backmi-schung** *f* préparation *f* instantanée pour gâteaux **Backobst** *nt* fruits *mpl* secs **Back-ofen** *m* four *m*
Backpfeife *f* DIAL gifle *f*
Backpflaume *f* pruneau *m* **Backpulver** *nt* levure *f* chimique
Backspace-Taste ['bækspeɪstastə] *f* IN-FORM touche *f* Retour arrière
Backstein *m* brique *f* **Backstube** *f* fournil *m*
Backup [bɛk'ʔap] *nt* INFORM copie *f* de sau-vegarde
Backwaren *Pl* pâtisseries *fpl*
Bad [ba:t, *Pl:* 'bɛːdɐ] <-[e]s, ˵er> *nt* **1.** *a.* CHEM bain *m* **2.** (*das Schwimmen*) baigna-de *f* **3.** (*Badezimmer*) salle *f* de bains
4. (*Schwimmbad*) piscine *f* **5.** (*Kurort*) sta-tion *f* thermale; (*Seebad*) station balnéaire
Badeanzug *m* maillot *m* de bain [une pièce]
Badehose *f* maillot *m* de bain **Badekap-pe** *f* bonnet *m* de bain **Badelatschen** *m*

fam tongs *fpl* **Bademantel** *m* peignoir *m*
Bademeister(in) *m(f)* maître-nageur *m*
baden ['ba:dən] **I.** *vi* **1.** prendre un bain; **heiß ~** prendre un bain bouillant
2. (*schwimmen*) **in einem See ~** se bai-gner dans un lac **II.** *vt* donner un bain à *Kind*
Baden-Württemberg <-s> *nt* le Bade-Wurtemberg
Badeort *s.* **Bad Badesaison** [-zɛzõ:, -zɛzɔŋ] *f* saison *f* balnéaire **Badetuch** *s.* **Badehandtuch Badewanne** *f* baignoire *f*
Badezimmer *nt* salle *f* de bains
Badminton ['bætmɪntən] <-> *nt* badmin-ton *m*
baff [baf] *adj fam* **da bist du baff, was?** ça t'en bouche un coin, hein?
BAFöG ['ba:føːk] <-> *nt Abk von* **Bundes-ausbildungsförderungsgesetz** *fam* (*Sti-pendium*) ≈ bourse *f* d'études (*en partie à titre de prêt*)
Bagatelle [baga'tɛlə] <-, -n> *f* bagatelle *f*
bagatellisieren* [bagatɛli'ziːrən] **I.** *vt* minimiser **II.** *vi* minimiser l'affaire
Bagatellschaden *m* dommage *m* minime
Bagger ['bagɐ] <-s, -> *m* excavatrice *f*
baggern **I.** *vt* creuser *Baugrube;* **Sand ~** ex-caver du sable **II.** *vi* creuser
Baggersee *m* lac *m* artificiel
Bahn [ba:n] <-, -en> *f* **1.** (*Eisenbahn*) train *m;* **mit der ~** par le train; **per ~** par voie ferrée **2.** (*Verkehrsnetz, Verwaltung der Eisenbahn*) chemins *mpl* de fer
3. (*Straßenbahn*) tram *m* **4.** SPORT piste *f; eines Schwimmbeckens* couloir *m* **5.** *einer Rakete* trajectoire *f; eines Himmelskörpers* orbite *f* **6.** (*Stoffbahn*) lé *m;* (*Tapeten-bahn*) panneau *m* **7.** (*Fahrbahn*) voie *f* ► ~ **frei!** cédez le passage!; **aus der ~!** barrez-vous! (*fam*)
Bahnbeamte(r) *m dekl wie adj,* **Bahnbe-amtin** *f* employé(e) *m(f)* des chemins de fer **bahnbrechend** *adj* révolutionnaire
Bahndamm *m* remblai *m*
bahnen ['ba:nən] *vt* **sich** (*dat*) **einen Weg ~** *Person:* se frayer un chemin; *Fluss:* se creuser un passage
Bahnfahrt *f* voyage *m* en train **Bahngleis** *nt* voie *f* ferrée **Bahnhof** *m* gare *f* **Bahn-hofshalle** *f* hall *m* de la gare **Bahnhofs-mission** *f* centre *m* d'accueil de la gare
Bahnhofsvorsteher(in) *m(f)* chef *mf* de

gare **Bahnlinie** *f* ligne *f* de chemin de fer
Bahnschranke *f*, **Bahnschranken** *m* A
barrière *f* de passage à niveau **Bahnsteig**
['baːnʃtaɪk] *m* quai *m* de gare **Bahnüber-**
gang *m* passage *m* à niveau; **beschrank-**
ter/unbeschrankter ~ passage à niveau
muni de barrières/sans barrières **Bahn-**
wärter(in) *m(f)* garde-barrière *mf*
Bahre ['baːrə] <-, -n> *f* (*Krankenbahre*) civière *f*; (*Totenbahre*) catafalque *m*
Baiser [bɛ'zeː] <-s, -s> *nt* GASTR meringue *f*
Baisse ['bɛːsə] <-, -n> *f* FIN baisse *f*
Bajonett [bajo'nɛt] <-[e]s, -e> *nt* baïonnette *f*
Bakterie [bak'teːriə] <-, -n> *f meist Pl*
bactérie *f*
bakteriell [bakte'riɛl] I. *adj* bactérien(ne)
II. *adv* par des bactéries
bakteriologisch [bakterio'loːgɪʃ] *adj*
bactériologique
Balance [ba'lãːsə] <-, -n> *f* équilibre *m*
balancieren* [balã'siːrən] I. *vt + haben*
tenir en équilibre; **etw auf dem Kopf** ~ tenir qc en équilibre sur sa tête II. *vi + sein*
(*sich bewegen*) se tenir en équilibre
bald [balt] <eher, am ehesten> I. *adv*
1.(*in Kürze*) bientôt; **so** ~ **wie möglich** le
plus tôt possible; **nicht so** ~ pas de si tôt;
bis ~! à bientôt! 2.(*schnell*) vite; ~ **darauf**
peu après 3.(*fast*) presque; ~ **wäre ich**
hingefallen j'ai failli tomber 4. *fam* (*end-*
lich) enfin ▸ **wird's** ~? *fam* alors, ça vient?
II. *konj geh* ~ **regnet es** il va pleuvoir sous
peu
Baldachin <-s, -e> *m* baldaquin *m*
baldig ['baldɪç] *adj attr Antwort* rapide; *Be-*
such, Wiedersehen prochain(e); *Genesung*
prompt(e)
baldigst *adv* aussi tôt que possible
baldmöglichst *adj form* dans les plus brefs
délais
Baldrian ['baldriaːn] <-s, -e> *m* valériane
f
Balg[1] [balk, *Pl:* 'bɛlgə] <-[e]s, ˵e> *m*
1. soufflet *m* 2.(*Tierhaut*) peau *f*
Balg[2] [balk, *Pl:* 'bɛlgə] <-[e]s, ˵er> *m o nt*
pej fam (*Kind*) mioche *m*
balgen ['balgən] *vr* **sich** ~ se chamailler;
sich um etw ~ se chamailler pour qc
Balgerei [balgə'raɪ] <-, -en> *f* bagarre *f*
Balkan ['balkaːn] <-s> *m* **der** ~ les Balkans *mpl*; (*das Gebirge*) le [mont] Balkan;
auf dem ~ dans les Balkans
Balken ['balkən] <-s, -> *m* 1.(*Holzbal-*
ken) poutre *f* 2.(*Stützbalken*) pilier *m*
3. SPORT (*Schwebebalken*) poutre *f* 4. TYP
barre *f*
Balkenwaage *f* balance *f* à fléau
Balkon [bal'kɔŋ] <-s, -s> *m* balcon *m*

Ball [bal, *Pl:* 'bɛlə] <-[e]s, ˵e> *m* 1. balle *f*;
(*in der Größe eines Fußballs*) ballon *m;* ~
spielen jouer à la balle/au ballon 2.(*run-*
der Gegenstand) boule *f* 3.(*Tanzfest*) bal
m ▸ **am** ~ **bleiben** *Spieler:* avoir la balle;
fig se tenir au courant
Ballade [ba'laːdə] <-, -n> *f* ballade *f*
Ballast [ba'last] <-[e]s, -e> *m* 1. NAUT, AVI-
AT lest *m* 2.(*Unnützes*) poids *m* mort
3.(*lästiger Mensch*) charge *f*
Ballaststoffe *Pl* fibres *fpl* [alimentaires]
ballen ['balən] I. *vt* serrer; **die Faust** ~
serrer le poing II. *vr* **sich** ~ *Verkehr:* se concentrer; *Probleme:* s'accumuler
Ballen ['balən] <-s, -> *m* 1.(*Packen*) balle
f; (*klein*) ballot *m* 2. ANAT éminence *f*; (*Teil*
der Pfote) coussinet *m*
Ballerina [balə'riːna] <-, **Ballerinen**> *f*
ballerine *f*
ballern ['balən] *fam* I. *vi* 1. tirailler
2.(*Knallkörper zünden*) faire du boucan
avec des pétards II. *vt* ▸ **jdm eine** ~ en
mettre une à qn
Ballett [ba'lɛt] <-[e]s, -e> *nt* ballet *m*
Balletttänzer(in)[RR] *m(f)* danseur(-euse)
m(f)
Balljunge *m* ramasseur *m* de balles **Ball-**
kleid *nt* robe *f* de bal
Ballon [ba'lɔŋ] <-s, -s> *m* ballon *m*
Ballsaal *m* salle *f* de bal **Ballspiel** *nt* jeu *m*
de ballon
Ballung [ba'lʊŋ] <-, -en> *f* concentration
f
Ballungsgebiet *nt* région *f* à forte concentration urbaine
Balsam ['balzaːm] <-s, **Balsame**> *m* baume *m*
Baltikum ['baltikʊm] <-s> *nt* **das** ~ les
pays *mpl* baltes
baltisch *adj* balte
Balustrade <-, -n> *f* balustrade *f*
Balz [balts] <-> *f* 1. parade *f* nuptiale
2.(~*zeit*) pariade *f*
balzen *vi* 1. *Vogel:* effectuer une parade
nuptiale 2. *hum Mann:* se pavaner
Bambus ['bambʊs] <-[ses], -se> *m* bambou *m*
Bambusrohr *nt* bambou *m* **Bambusspros-**
sen *Pl* pousses *fpl* de bambou
Bammel <-s> *m fam* trouille *f*; **vor jdm/**
etw ~ **haben** avoir la trouille de qn/qc
banal [ba'naːl] *adj* banal(e)
banalisieren* *vt geh* banaliser
Banalität [banali'tɛːt] <-, -en> *f* banalité *f*
Banane [ba'naːnə] <-, -n> *f* banane *f*
Banause [ba'naʊzə] <-n, -n> *m pej du* ~!
espèce d'ignare!
band [bant] *Imp von* **binden**
Band[1] [bant, *Pl:* 'bɛndə] <-[e]s, ˵er> *nt*

1. ruban *m* **2.** (*Tonband*) bande *f* [magnéti-
que] **3.** (*Fließband*) chaîne *f*; (*Förderband*)
tapis *m* **4.** *meist Pl* ANAT ligament *m* ►**am
laufenden** ~ *fam* sans arrêt; *produzieren*
en série
Band² [bant, *Pl:* 'bɛndə] <-[e]s, ᵘe> *m*
volume *m*; **in zwei Bänden** en deux volumes ►**etw** **spricht** **Bände** qc en dit long
Band³ [bænt] <-, -s> *f* groupe *m*; (*Jazz-
band*) orchestre *m*
Bandage [ban'da:ʒə] <-, -n> *f* bandage *m*
bandagieren* [banda'ʒi:rən] *vt* bander
Bandbreite *f von Gehältern* échelle *f*; *von
Meinungen* éventail *m*; *von Wechselkursen*
marge *f* de fluctuation
Bande¹ ['bandə] <-, -n> *f* **1.** (*Verbrecher-
bande*) gang *m* **2.** *fam* (*Kinder*) bande *f*
Bande² <-, -n> *f* SPORT bande *f*
Bändelᴿᴿ *m* lacet *m*
Banderole [bandə'ro:lə] <-, -n> *f* bande
f fiscale
Bänderrissᴿᴿ *m* MED déchirure *f* des liga-
ments **Bänderzerrung** *f* claquage *m*
bändigen ['bɛndɪgən] *vt* **1.** dompter *Tier,
Temperament* **2.** (*beruhigen*) en venir à
bout avec *Kind*
Bandit(in) [ban'di:t] <-en, -en> *m(f)*
bandit *m*
Bandmaß *nt* mètre *m* souple; (*aus Metall*)
mètre à ruban **Bandscheibe** *f* disque *m*
[intervertébral] **Bandwurm** *m* ver *m* solitaire
bang|e| <-er *o* ᵘer, -ste *o* ᵘste> *adj Augen-
blick* angoissant(e); *Schweigen* plein(e) d'inquiétude; **jdm ist** ~ qn a peur
Bange ['baŋə] *f* |nur| **keine** ~! *fam* pas de
panique!
bangen ['baŋən] *vi geh* trembler; **um
jdn/etw** ~ trembler pour qn/qc; **jdm
bangt [es] vor etw** qn s'inquiète pour qc
Bank¹ [baŋk, *Pl:* 'bɛŋkə] <-, ᵘe> *f* **1.** banc
m **2.** (*Werkbank*) établi *m*
Bank² <-, -en> *f* (*Geldinstitut, Spielbank*)
banque *f*
Bankangestellte(r) *f(m) dekl wie adj* em-
ployé(e) *m(f)* de banque **Bankautomat** *m*
distributeur *m* automatique de billets
Banker(in) ['bɛŋkɐ] <-s, -> *m(f) fam* ban-
quier(-ière) *m(f)*
Bankett [ban'kɛt] <-[e]s, -e> *nt* banquet
m
Bankgeheimnis *nt* secret *m* bancaire
Bankguthaben *nt* avoir *m* en banque
Bankier [baŋ'kje:] <-s, -s> *m* banquier *m*
Bankkaufmann *m*, **-kauffrau** *f* em-
ployé(e) *m(f)* de banque diplômé(e) **Bankkonto** *nt* compte *m* en banque **Bankkre-
dit** *m* crédit *m* bancaire **Bankleitzahl** *f*
code *m* banque **Banknote** *f* billet *m* [de

banque] **Bankraub** *m* hold-up *m* **Bank-
räuber(in)** *m(f)* cambrioleur(-euse) *m(f)*
de banque
bankrott [baŋ'krɔt] *adj* en faillite
Bankrott [bank'rɔt] <-[e]s, -e> *m* faillite
f; ~ **gehen** faire faillite
Banküberfall *m* hold-up *m* **Bankverbindung** *f* coordonnées *fpl* bancaires; **jdm
seine** ~ **mitteilen** communiquer ses coordonnées bancaires à qn; (*in Frankreich*)
donner son RIB à qn
Bann [ban] <-[e]s> *m* **1.** *geh* (*Einfluss*)
envoûtement *m*; **in den** ~ **einer Person/
Sache geraten** se laisser envoûter par qn/
qc **2.** HIST bannissement *m*; REL anathème
m ►**jdn in seinen** ~ **ziehen** fasciner qn
bannen ['banən] *vt* **1.** *geh* (*faszinieren*)
fasciner *Zuschauer* **2.** (*abwenden*) conjurer
Gefahr **3.** (*exkommunizieren*) anathémati-
ser
Banner ['banɐ] <-s, -> *nt* étendard *m*
Bannkreis *m* sphère *f* d'influence
Baptist(in) <-en, -en> *m(f)* baptiste *mf*
bar [ba:ɐ̯] **I.** *adj* **1.** en liquide; **in** ~ en espèces **2.** *Zufall* pur(e) **II.** *adv* ~ **zahlen** payer
en espèces
Bar [ba:ɐ̯] <-, -s> *f* **1.** (*Nachtlokal*) boîte *f*
de nuit **2.** (*Theke*) bar *m*
Bär [bɛ:ɐ̯] <-en, -en> *m* ours *m*
Baracke [ba'rakə] <-, -n> *f* baraque *f*
Barbar(in) <-en, -en> *m(f)* barbare *mf*
►**sich wie die** ~**en benehmen** se comporter comme des sauvages
Barbarei [barba'raɪ] <-, -en> *f* barbarie *f*
barbarisch I. *adj a.* HIST barbare **II.** *adv* sauvagement
barbusig I. *adj* avec les seins nus; ~ **sein**
être seins nus **II.** *adv* seins nus
Bardame *f* barmaid *f*
Bärendienst ►**jdm einen** ~ **erweisen** rendre un mauvais service à qn **Bärenhunger**
m faim *f* de loup; **einen** ~ **haben** *fam*
avoir une faim de loup
Barett [ba'rɛt] <-[e]s, -e *o* -s> *nt* **1.** MIL béret *m* **2.** UNIV, JUR toque *f* **3.** REL barrette *f*
barfuß *adj* ~ **gehen** marcher pieds nus
barg [bark] *Imp von* **bergen**
Bargeld *nt* argent *m* liquide
bargeldlos *adj* **der** ~**e Zahlungsverkehr**
la transaction par virement
Barhocker *m* tabouret *m* de bar
Bärin *f* ourse *f*
Bariton ['ba:ritɔn] <-s, -e> *m* baryton *m*
Barium ['ba:rjʊm] <-s> *nt* CHEM baryum
m
Barkauf *m* achat *m* au comptant
Barke ['barkə] <-, -n> *f* barque *f*
Barkeeper ['ba:ɐ̯ki:pɐ] <-s, -> *m* barman
m

barmherzig [barm'hɛrtsɪç] *adj* charitable; miséricordieux(-euse) *Gott*

Barmherzigkeit <-> *f* charité *f; Gottes* miséricorde *f*

Barmixer *s.* **Barkeeper**

barock [ba'rɔk] *adj* baroque

Barock <-[s]> *nt o m* baroque *m*

Barometer [baro'me:tɐ] <-s, -> *nt a. fig* baromètre *m*

Baron(in) [ba'ro:n] <-s, -e> *m(f)* baron(ne) *m(f)*

Baroness[RR] <-, -en> *f* baronne *f*

Barren ['barən] <-s, -> *m* **1.** barres *fpl* parallèles; (*Stufenbarren*) barre *f* fixe **2.** (*Goldbarren*) lingot *m*

Barriere [ba'rie:rə] <-, -n> *f* **1.** barrière *f* **2.** PSYCH blocage *m*

Barrikade [bari'ka:də] <-, -n> *f* barricade *f*

barsch [barʃ] **I.** *adj* brusque **II.** *adv* brutalement

Barsch [ba:ɐʃ] <-[e]s, -e> *m* perche *f*

Barscheck *m* chèque *m* de retrait

barst [barst] *Imp von* **bersten**

Bart [ba:ɐt, *Pl:* 'bɛɐtə] <-[e]s, =e> *m* **1.** (*Vollbart*) barbe *f; (Schnurrbart)* moustache *f; (Kinnbart)* bouc *m* **2.** (*Tasthaare*) moustaches *fpl* **3.** (*Teil eines Schlüssels*) panneton *m*

Barthaar *nt* **1.** poil *m* de barbe **2.** *Pl* (*Schnurrhaare*) moustaches *fpl*

bärtig ['bɛːetɪç] *adj* barbu(e)

bartlos *adj* imberbe **Bartstoppeln** *Pl* barbe *f* piquante **Bartwisch** *m* A balayette *f*

Barzahlung *f* paiement *m* en espèces

Basar [ba'za:ɐ] <-s, -e> *m* **1.** (*Markt*) bazar *m* **2.** (*Wohltätigkeitsbasar*) vente *f* de charité

Base ['ba:zə] <-, -n> *f* CHEM base *f*

Baseball ['beɪsbo:l] <-s> *m* base-ball *m*

Basel ['ba:zəl] <-s> *nt* Bâle *f*

Basen *Pl von* **Basis**, **Base**

basieren* [ba'zi:rən] *vi* s'appuyer; **auf einer S.** ~ s'appuyer sur qc

Basilika [ba'zi:lika] <-, **Basiliken**> *f* basilique *f*

Basilikum [ba'zi:likʊm] <-s> *nt* basilic *m*

Basis ['ba:zɪs] <-, **Basen**> *f* base *f*

basisch ['ba:zɪʃ] CHEM *adj* basique

Basisdemokratie *f* démocratie *f* directe

Baske ['baskə] <-n, -n> *m*, **Baskin** *f* Basque *mf*

Baskenland *nt* das ~ le Pays basque **Baskenmütze** *f* béret *m* basque

Basketball *m* basket[-ball] *m*

baskisch ['baskɪʃ] *adj* basque

Bass[RR] [bas, *Pl:* 'bɛsə] <-es, =sse>, **Baß** <-sses, =sse> *m* **1.** MUS (*Stimme, Sänger*) basse *f* **2.** RADIO, TV basses *fpl*

Bassin [ba'sɛ̃:] <-s, -s> *nt* **1.** (*Schwimmbecken*) bassin *m* **2.** (*Behälter*) citerne *f*

Bassist(in) <-en, -en> *m(f)* **1.** (*Sänger*) basse *f* **2.** (*Streicher*) [contre]bassiste *mf*

Bassschlüssel[RR] *m* clé *f* de fa **Bassstimme**[RR] *f* [voix *f* de] basse *f*

Bast [bast] <-[e]s, -e> *m* raphia *m*

basta ['basta] *interj fam* basta

Bastard ['bastart] <-[e]s, -e> *m* **1.** *pej fam* (*Schimpfwort*) fils *m* de pute **2.** HIST bâtard(e) *m(f)* **3.** BOT hybride *m*

Bastelei [bastə'laɪ] <-, -en> *f pej fam* (*kifflige Arbeit*) travail *m* fastidieux

basteln ['bastəln] **I.** *vi* bricoler; **an etw** (*dat*)~ bricoler à qc **II.** *vt* **jdm etw** ~ bricoler qc pour qn

Bastion [bas'tio:n] <-, -en> *f* bastion *m*

Bastler(in) ['bastlɐ] <-s, -> *m(f)* bricoleur(-euse) *m(f)*

bat [ba:t] *Imp von* **bitten**

Bataillon [batal'jo:n] <-s, -e> *nt* bataillon *m*

Batik ['ba:tɪk] <-, -en> *f* batik *m*

Batist [ba'tɪst] <-[e]s, -e> *m* batiste *f*

Batterie [batə'ri:] <-, -n> *f* **1.** pile *f; (Autobatterie)* batterie *f* **2.** (*Mischbatterie*) mélangeur *m* **3.** *fam* (*Ansammlung*) **eine ganze** ~ **von ...** tout un stock de ... **4.** MIL batterie *f*

batteriebetrieben *adj* [qui fonctionne] à piles

Batzen <-s, -> *m* (*Klumpen*) motte *f* ▸**ein schöner** ~ [**Geld**] *fam* un joli magot

Bau[1] [baʊ] <-[e]s, -ten> *m* **1.** *kein Pl* (*das Bauen*) construction *f; im* ~ **befindlich** en [cours de] construction **2.** (*Gebäude*) bâtiment *m* **3.** (~*werk*) édifice *m* **4.** *kein Pl fam* (~*stelle*) chantier *m; auf dem* ~ **arbeiten** travailler sur des chantiers **5.** *kein Pl fam* (*Arrestzelle*) trou *m*

Bau[2] <-[e]s, -e> *m* (*Fuchsbau*) terrier *m*

Bauabschnitt *m* tranche *f* de travaux **Bauamt** *nt* office *m* d'urbanisme **Bauarbeiten** *Pl* travaux *mpl* **Bauarbeiter(in)** *m(f)* ouvrier(-ière) *m(f)* du bâtiment

Bauch [baʊx, *Pl:* 'bɔyçə] <-[e]s, **Bäuche**> *m* **1.** ventre *m* **2.** *fig* (*eines Schiffs*) coque *f; eines Flugzeugs* soute *f; einer Flasche* ventre *m* ▸**aus dem** ~ [**heraus**] *entscheiden* instinctivement; *spielen* avec ses tripes (*fam*)

Bauchfell *nt* ANAT péritoine *m* **Bauchhöhle** *f* cavité *f* abdominale

bauchig ['baʊxɪç] *adj* bombé(e)

Bauchladen *m* éventaire *m* **Bauchlandung** *f eines Flugzeugs* atterrissage *m* sur le ventre ▸**eine** ~ **mit etw** machen *fam* se planter avec qc **Bauchnabel** *m* nombril *m* **Bauchredner(in)** *m(f)* ventriloque *mf*

Bauchschmerzen *Pl* mal *m* au ventre
Bauchspeicheldrüse *f* ANAT pancréas *m*
Bauchtanz *m* danse *f* du ventre **Bauch-**
weh *s.* **Bauchschmerzen**
Baudenkmal *nt* construction *f* à caractère
historique **Bauelement** *nt eines Gebäudes*
élément *m* [préfabriqué]; *einer Maschine*
composant *m*
bauen ['baʊən] **I.** *vt* **1.** construire *Gebäu-*
de; faire *Nest* **2.** (*herstellen*) fabriquer *Mö-*
bel; construire *Maschine* **3.** *fam* (*verursa-*
chen) provoquer *Unfall* **II.** *vi* **1.** (*ein Haus*
bauen) [faire] construire **2.** (*vertrauen*) **auf**
jdn/etw ~ compter sur qn/qc
Bauer¹ ['baʊɐ] <-n *o* -s, -n> *m* **1.** paysan
m; (*Landwirt*) agriculteur *m* **2.** *pej fam*
plouc *m* **3.** SPIEL pion *m* ▸ **was der** ~ **nicht**
kennt, frisst er nicht *prov* ≈ on ne mange
que ce qu'on connaît
Bauer² <-s, -> *nt o m* (*Vogelkäfig*) cage *f*
Bäuerchen <-s, -> *nt Kinderspr.* rot *m*
(*fam*); [ein] ~ **machen** faire son rot
Bäuerin ['bɔyərɪn] *f* paysanne *f;* (*Landwir-*
tin) agricultrice *f*
bäuerlich ['bɔyɐlɪç] *adj* (*ländlich*) agricole
Bauernbrot *nt* pain *m* de campagne **Bau-**
ernfrühstück *nt* plat composé de
pommes de terre sautées, d'œufs brouillés
et de lard **Bauernhaus** *nt* ferme *f* **Bau-**
ernhof *m* ferme *f* **bauernschlau** *adj* fi-
naud(e)
Bauersfrau *f* fermière *f*
baufällig *adj* délabré(e)
Baufirma *f* entreprise *f* de construction
Baugenehmigung *f* permis *m* de construire **Baugerüst** *nt* échafaudage *m* **Bau-**
gesellschaft *f* société *f* de construction
Baugewerbe *nt* [industrie *f* du] bâtiment
m **Baugrube** *f* fouille *f* de construction
Baugrundstück *nt* terrain *m* à bâtir **Bau-**
herr(in) *m(f)* maître *m* d'ouvrage **Bau-**
holz *nt* bois *m* de charpente **Baujahr** *nt*
eines Gebäudes année *f* de construction; *ei-*
nes Autos année *f* de fabrication **Baukas-**
ten *m* jeu *m* de construction **Bauklotz** *m*
pièce *f* de jeu de construction **Bauland** *nt*
terrain *m* constructible **Baulärm** *m kein pl*
bruit *m* de[s] travaux [de construction]
Bauleiter(in) *m(f)* chef *mf* de chantier
baulich *adj* ~**e Veränderungen vorneh-**
men faire des transformations
Baum [baʊm, *Pl.:* 'bɔymə] <-[e]s, Bäu-
me> *m* **1.** arbre *m* **2.** *fam* (*Weihnachts-*
baum) sapin *m*
Baumarkt *m* **1.** (*Geschäft*) hypermarché *m*
de l'outillage et des matériaux **2.** (*Bauge-*
werbe) [industrie *f* du] bâtiment *m* **Bau-**
material *nt* matériaux *mpl* de construction **Baumeister(in)** *m(f)* **1.** HIST maître *m*

d'œuvre **2.** *geh* (*Architekt*) architecte *mf*
baumeln ['baʊməln] *vi fam* pendouiller
Baumkrone *f* cime *f* de l'arbre **Baum-**
nuss^RR *f* CH noix *f* **Baumrinde** *f* écorce *f*
d'arbre **Baumschule** *f* pépinière *f* **Baum-**
stamm *m* tronc *m* d'arbre **Baumsterben**
nt dépérissement *m* des arbres **Baum-**
struktur *f* INFORM structure *f* arborescente
Baumstumpf *m* souche *f* [d'arbre] **Baum-**
wolle *f* coton *m*
Bauordnung *f* législation *f* sur les constructions **Bauplan** *m* **1.** (*Planzeichnung*)
plan *m* de construction **2.** *fig* **genetischer**
~ structure *f* génétique **3.** *Pl* (*Bauvorha-*
ben) projets *mpl* de construction **Bau-**
platz *m* terrain *m* à bâtir
bäurisch ['bɔyrɪʃ] *adj pej* grossier(-ière)
Bauruine *f* construction *f* inachevée **Bau-**
satz *m* kit *m*
Bausch [baʊʃ] <-es, -e *o* Bäusche>
(*Wattebausch*) tampon *m*
bauschen *vr* **sich** ~ *Kleidung, Vorhang:* bouffer
bauschig *adj* bouffant(e)
Bauschutt *m* gravats *mpl* **bausparen** *vi*
nur Infin souscrire une épargne-logement
Bausparer(in) *m(f)* titulaire *mf* d'un plan
d'épargne-logement **Bausparkasse** *f* caisse *f* d'épargne-logement **Bausparvertrag**
m plan *m* d'épargne-logement **Baustein**
m **1.** (*Stein*) pierre *f* de construction **2.** IN-
FORM **elektronischer** ~ composant *m*
électronique **3.** (*Bestandteil*) élément *m*
constitutif **Baustelle** *f* chantier *m* **Baustil**
m style *m* [architectural] **Baustoff** *s.* **Bau-**
material Baustopp *m* arrêt *m* des travaux **Bausubstanz** *f* état *m* du gros œuvre **Bauteil** *nt* **1.** TECH élément *m* préfabri-
qué **2.** (*Maschinenbauteil*) constituant *m*
Bauten *Pl von* **Bau¹**
Bauträger(in) *m(f)* promoteur *m* immobilier **Bauunternehmen** *nt* entreprise *f* de
bâtiment **Bauvorhaben** *nt* projet *m* de
construction **Bauweise** *f* (*Art des Bauens*)
méthode *f* de construction; (*Stil*) style *m*
Bauwerk *nt* construction *f;* (*Gebäude*)
édifice *m* **Bauzaun** *m* clôture *f* de chantier
Bayer(in) ['baɪɐ] <-n, -n> *m(f)* Bavarois(e)
m(f)
bayerisch ['baɪərɪʃ] *adj* bavarois(e)
Bayern ['baɪɐn] <-s> *nt* la Bavière
bayrisch ['baɪrɪʃ] *s.* **bayerisch**
Bazillus [ba'tsɪlʊs] <-, Bazillen> *m*
1. MED bacille *m* **2.** *fig geh* virus *m*
Bd., Bde. *Abk von* **Band, Bände**
B-Dur [be:'du:ɐ] <-> *nt* MUS si *m* bémol
majeur
beabsichtigen* [bə'ʔapzɪçtɪɡən] *vt*

1. (*planen*) ~ **etw zu tun** envisager de faire qc; **wie beabsichtigt** comme prévu **2.** (*wollen, bezwecken*) **das war beabsichtigt** c'était voulu

beachten* *vt* **1.** (*befolgen*) suivre *Ratschlag;* respecter *Vorfahrt* **2.** (*berücksichtigen*) tenir compte de **3.** (*mit Aufmerksamkeit bedenken*) faire attention à

beachtenswert *adj* remarquable

beachtlich *adj* **1.** considérable; *Leistung* remarquable **2.** *Stellung* important(e)

Beachtung <-> *f* **1.** *einer Anleitung* observation *f; einer Vorschrift* respect *m* **2.** (*Aufmerksamkeit*) **jdm/einer S.** ~ **schenken** prêter attention à qn/qc

Beamte(r) [bə'ʔamtə] *m dekl wie adj,* **Beamtin** *f* fonctionnaire *mf;* (*Bahnbeamter,* ~ *in öffentlichen Ämtern*) employé(e) *m(f)*

Beamtenbeleidigung *f* outrage *m* à magistrat **Beamtentum** <-s> *nt* **1.** (*Stand der Beamten*) fonctionnariat *m* **2.** (*Beamtenschaft*) fonction *f* publique **Beamtenverhältnis** *nt* statut *m* de fonctionnaire; **im** ~ **stehen** être fonctionnaire

beamtet *adj* fonctionnarisé(e); *Lehrer* titulaire

Beamtin [bə'ʔamtɪn] *s.* **Beamte(r)**

beängstigen* [bə'ʔɛŋstɪgən] *vt geh* inquiéter

beängstigend I. *adj* inquiétant(e) **II.** *adv* ~ **schön** d'une beauté troublante

beanspruchen* [bə'ʔanʃprʊxən] *vt* **1.** (*fordern*) demander *Schadenersatz;* **ein Territorium für sich** ~ revendiquer un territoire pour soi **2.** (*erfordern*) prendre *Zeit* **3.** (*in Anspruch nehmen*) accaparer *Kraft;* **jds Gastfreundschaft** ~ abuser de l'hospitalité de qn **4.** (*strapazieren*) **beruflich sehr beansprucht sein** être très pris par le travail

Beanspruchung <-, -en> *f* **1.** (*das Fordern*) *eines Territoriums* revendication *f; eines Territoriumsatzes* réclamation *f* **2.** (*Inanspruchnahme*) sollicitation *f*

beanstanden* *vt* critiquer; **etw an jdm/ etw** ~ critiquer qc chez qn/dans qc

Beanstandung <-, -en> *f* critique *f; von Waren* réclamation *f*

beantragen* *vt* **1.** demander *Kredit, Sozialhilfe* **2.** JUR requérir **3.** POL proposer

beantworten* [bə'ʔantvɔrtən] *vt* répondre à

Beantwortung <-, -en> *f* réponse *f;* ~ **einer Frage** réponse à une question

bearbeiten* *vt* **1.** s'occuper de *Antrag* **2.** (*herrichten*) travailler *Material, Boden* **3.** (*behandeln*) traiter **4.** (*überarbeiten*) remanier *Manuskript;* arranger *Musikstück;*

adapter *Buch* **5.** *fam* (*schlagen*) battre **6.** *fam* (*einwirken auf*) travailler; **jdn politisch** ~ influencer qn politiquement

Bearbeiter(in) *m(f)* **1.** (*Sachbearbeiter*) personne *f* compétente; *einer Akte* personne chargée **2.** (*Autor*) rédacteur(-trice) *m(f);* MUS arrangeur(-euse) *m(f);* CINE, THEAT adaptateur(-trice) *m(f)*

Bearbeitung <-, -en> *f* **1.** *eines Werkstoffs* travail *m* **2.** (*das Behandeln*) *eines Antrags* traitement *m* **3.** (*die Überarbeitung*) remaniement *m;* MUS arrangement *m;* CINE, THEAT adaptation *f* **4.** (*bearbeitete Fassung*) *eines Buchs* nouvelle édition *f*

Bearbeitungsgebühr *f* frais *mpl* de dossier

beargwöhnen* [bə'ʔarkvø:nən] *vt* regarder d'un mauvais œil; **jdn/etw** ~ regarder qn/qc d'un mauvais œil

beatmen* *vt* (*Mund zu Mund*) faire du bouche-à-bouche; (*künstlich*) pratiquer la respiration artificielle

beaufsichtigen* [bə'ʔaufzɪçtɪgən] *vt* surveiller

beauftragen* *vt* charger; **jdn mit etw** ~ charger qn de qc

Beauftragte(r) *f(m) dekl wie adj* mandataire *mf*

bebauen* *vt* **1.** construire; **dicht bebaut sein** être fortement urbanisé **2.** (*Anbau*) cultiver *Acker*

Bebauung <-, -en> *f* **1.** (*das Bebauen*) aménagement *m* **2.** (*Bauten*) construction *f* **3.** (*das Anbauen*) culture *f*

beben ['be:bən] *vi* trembler

Beben ['be:bən] <-s, -> *nt* tremblement *m*

bebildern* *vt* illustrer

Becher ['bɛçɐ] <-s, -> *m* gobelet *m;* (*Plastikbecher, Pappbecher*) verre *m*

bechern ['bɛçɐn] *vi hum fam* picoler

Becken ['bɛkən] <-s, -> *nt* **1.** *a.* GEOL, ANAT bassin *m* **2.** (*Spülbecken*) bac *m* [à évier]; (*Waschbecken*) lavabo *m* **3.** *meist Pl* MUS cymbales *fpl*

bedacht [bə'daxt] **I.** *adj* **1.** (*überlegt*) réfléchi(e) **2.** (*besorgt*) **auf etw** (*akk*) ~ **sein** être très soucieux de qc; **darauf** ~ **sein, dass** accorder une grande importance à ce que + *subj* **II.** *adv* avec circonspection

Bedacht ▶**mit** ~ *geh* (*vorsichtig*) avec circonspection; (*absichtlich*) volontairement

bedächtig [bə'dɛçtɪç] **I.** *adj* **1.** (*gemessen*) posé(e) **2.** (*besonnen*) réfléchi(e) **II.** *adv* **1.** (*gemessen*) posément **2.** (*vorsichtig*) avec circonspection

bedanken* *vr* **sich** ~ dire merci; **sich bei jdm für etw** ~ remercier qn de qc

Bedarf [bə'darf] <-[e]s> *m* besoins *mpl;* **bei** ~ en cas de besoin; **je nach** ~ selon les

besoins ▸ [danke,] **kein** ~! *iron fam* merci bien!

bedauerlich [bə'daʊɐlɪç] *adj* regrettable **bedauerlicherweise** [bə'daʊɐlɪçɐ'vajzə] *adv* malheureusement **bedauern*** [bə'daʊɐn] *vt* **1.** regretter **2.** (*bemitleiden*) plaindre **Bedauern** <-s> *nt* **1.** (*Kummer*) regret *m* **2.** (*Mitgefühl*) sympathie *f* **bedauernswert** *adj*, **bedauernswürdig** *adj geh* malheureux(-euse) antéposé; ~ **sein** être à plaindre

bedecken* I. *vt* **1.** (*zudecken*) recouvrir **2.** (*verhüllen, überhäufen*) couvrir II. *vr* **sich mit etw** ~ se couvrir de qc **bedeckt** *adj Himmel* couvert(e)

bedenken* *irr vt* **1.** penser à **2.** (*durchdenken*) réfléchir à *Maßnahmen*; **jdm zu** ~ **geben, dass** ... faire remarquer à qn que ... **Bedenken** <-s, -> *nt* **1.** *Pl* (*Zweifel*) doutes *fpl*; ~ **haben** émettre des réserves **2.** *kein Pl* (*das Überlegen*) réflexion *f*; **ohne** ~ sans hésitation **bedenkenlos** I. *adj* (*nicht zögernd*) inconditionnel(le) II. *adv* **1.** (*ohne Überlegung*) sans hésitation **2.** (*skrupellos*) sans scrupules **bedenklich** *adj* **1.** *Methoden* douteux(-euse) **2.** *Neuigkeiten* inquiétant(e); *Gesundheitszustand* critique **3.** *Miene* préoccupé(e) **Bedenkzeit** *f* délai *m* de réflexion

bedeuten* *vt* **1.** (*ausdrücken*) signifier; (*meinen*) vouloir dire; (*versinnbildlichen*) symboliser; **was hat das zu** ~? qu'est-ce que ça veut dire?; **das hat nichts zu** ~ ça ne veut rien dire **2.** (*ankündigen*) présager **3.** (*gelten*) **Geld bedeutet mir viel** j'attache beaucoup d'importance à l'argent; **was bedeute ich dir?** qu'est-ce que je représente pour toi? **bedeutend** I. *adj* important(e); *Leistung* remarquable; *Erfolg* considérable II. *adv* (*beträchtlich*) nettement **bedeutsam** *adj* **1.** important(e); *Fortschritt* considérable **2.** (*viel sagend*) significatif(-ive) **Bedeutung** <-, -en> *f* **1.** (*Sinn*) sens *m*; **in wörtlicher/übertragener** ~ au sens propre/figuré **2.** (*Wichtigkeit*) importance *f*; (*Geltung*) valeur *f* **bedeutungslos** *adj* insignifiant(e) **Bedeutungslosigkeit** <-> *f* insignifiance *f* **bedeutungsvoll** *s.* bedeutsam **Bedeutungswandel** *m* changement *m* de sens **bedienen*** I. *vt* **1.** servir; **werden Sie schon bedient?** on s'occupe de vous? **2.** (*umsorgen*) **sich von jdm** ~ **lassen** se faire servir par qn **3.** (*benutzen*) se servir de *Telefon*; faire fonctionner *Computer*; fai-

re marcher *Maschine* **4.** SPIEL fournir à II. *vi* **1.** servir **2.** SPIEL fournir III. *vr* **sich** ~ se servir; ~ **Sie sich!** servez-vous!

bedienerfreundlich *adj* facile d'utilisation; INFORM convivial(e) **Bedienstete(r)** *f(m) dekl wie adj* ADMIN agent *m* de la fonction publique **Bedienung** <-, -en> *f* **1.** *kein Pl* (*Handhabung*) utilisation *f*; *einer Schaltzentrale* fonctionnement *m*; *eines Geschützes* service *m* **2.** *kein Pl* (*das Bedienen*) *eines Kunden* service *m* **3.** (*Kellner*) garçon *m*; (*Kellnerin*) serveuse *f*; ~! garçon/Mademoiselle! **Bedienungsanleitung** *f* mode *m* d'emploi **Bedienungsfehler** *m* erreur *f* de manipulation

bedingen* [bə'dɪŋən] *vt* **1.** (*verursachen*) provoquer; **durch etw bedingt sein** être dû à qc **2.** (*verlangen*) nécessiter **bedingt** I. *adj* (*eingeschränkt*) partiellement; ~ **gültig/richtig** partiellement valable/correct; **das ist nur** ~ **richtig** c'est vrai en partie II. *adj* conditionnel(le) **Bedingung** <-, -en> *f* condition *f* **bedingungslos** I. *adj* sans condition II. *adv* inconditionnellement; **jdm** ~ **vertrauen** avoir une confiance absolue en qn **bedrängen*** *vt* **1.** (*bestürmen*) harceler; **jdn mit etw** ~ harceler qn de qc; **jdn** ~ **etw zu tun** presser qn de faire qc **2.** SPORT pousser **3.** (*belasten*) tourmenter **Bedrängnis** <-, -se> *f geh* détresse *f* **bedrohen*** *vt* menacer **bedrohlich** I. *adj* menaçant(e) II. *adv* de façon menaçante **Bedrohung** *f* menace *f* **bedrucken*** *vt* imprimer **bedrücken*** *vt* tourmenter **bedrückend** *adj Nachricht* déprimant(e); *Schweigen* oppressant(e) **bedrückt** I. *adj Person* abattu(e); *Schweigen* pesant(e) II. *adv schweigen* lugubrement **Beduine** <-n, -n> *m*, **Beduinin** *f* Bédouin(e) *m(f)* **bedürfen** <bedarf, bedurfte, bedurft> *vi geh* avoir besoin de **Bedürfnis** <-ses, -se> *nt* besoin *m* **bedürfnislos** *adj* frugal(e) **bedürftig** *adj Person* dans le besoin **Beefsteak** ['bi:fste:k] *nt* **1.** (*Steak*) bifteck *m* **2.** (*Frikadelle*) steak *m* haché **beehren*** *vt iron geh* honorer **beeiden*** *vt* affirmer sous serment; **etw** ~ affirmer qc sous serment **beeilen*** *vr* **1.** (*schnell machen*) **sich** ~ se dépêcher **2.** *geh* (*nicht zögern*) **sich** ~ **etw zu tun** s'empresser de faire qc **beeindrucken*** *vt* impressionner

beeindruckend *adj* impressionnant(e)
beeinflussbar^{RR}, **beeinflußbar** *adj* influençable
beeinflussen* [bəˈʔaɪnflʊsən] *vt* influencer
Beeinflussung <-, -en> *f* influence *f*
beeinträchtigen* [bəˈʔaɪntrɛçtɪgən] *vt* nuire à; restreindre *Freiheit;* **der Lärm beeinträchtigt meine Konzentration** le bruit m'empêche de bien me concentrer
Beeinträchtigung <-, -en> *f einer Beziehung* dégradation *f; der Qualität* détérioration *f; der Arbeit* perturbation *f; der Bewegungsfreiheit* restriction *f*
beenden* *vt* mettre fin à *Gespräch, Verhandlungen;* terminer *Studium;* mettre un terme à *Streit;* lever *Blockade;* cesser *Krieg;* INFORM quitter *Programm*
beendigen* *s.* **beenden**
Beendigung <-> *f* fin *f*
beengen* [bəˈɛŋən] *vt* étouffer; **jdn** ~ *Person:* étouffer qn; *Zimmerdecke:* oppresser qn; *Kleidungsstück:* serrer qn
beengt I. *adj* étroit(e); **in sehr ~en Verhältnissen wohnen** être logé très à l'étroit **II.** *adv wohnen* à l'étroit
beerben* *vt* **1.** hériter *Verstorbenen* **2.** *(nachfolgen)* succéder à
beerdigen* [bəˈʔeːɐdɪgən] *vt* enterrer
Beerdigung <-, -en> *f* enterrement *m*
Beerdigungsfeier *f* funérailles *fpl (form)*
Beerdigungsinstitut *nt* [entreprise *f* de] pompes *fpl* funèbres
Beere [ˈbeːrə] <-, -n> *f* baie *f; (Weinbeere)* grain *m*
Beet [beːt] <-[e]s, -e> *nt* plate-bande *f; (Blumenbeet)* parterre *m; (Gemüsebeet)* carré *m*
befähigen* [bəˈfɛːɪgən] *vt* **1.** **jdn zu etw** ~ rendre qn capable de qc **2.** *(berechtigen)* **jdn zu etw** ~ *Ausbildung:* qualifier qn pour qc
befähigt *adj (fähig)* compétent(e); *(qualifiziert)* qualifié(e)
Befähigung <-> *f (Können)* compétence *f; (naturgegebene Eignung)* aptitude *f; (Qualifikation)* qualification *f*
befahl [bəˈfaːl] *Imp von* **befehlen**
befahrbar *adj Straße* praticable; *Wasserweg* navigable
befahren* *vt irr* **1.** emprunter *Straße;* naviguer sur *Seeweg* **2.** MIN descendre dans *Schacht;* exploiter *Grube*
Befall <-[e]s> *m* invasion *f;* ~ **einer Pflanze** invasion d'une plante; **bei** ~ **der inneren Organe** si les organes sont attaqués
befallen*[1] *vt irr* **1.** **jdn** ~ *Virus:* contaminer qn; **eine Pflanze** ~ *Schädlinge:* infester une plante **2.** *(überkommen)* **jdn befällt**

hohes Fieber qn est pris d'une forte fièvre
befallen[2] *adj Organ* contaminé(e); *Pflanze* infesté(e)
befangen *adj* **1.** *(gehemmt)* inhibé(e) **2.** *(parteiisch)* partial(e)
Befangenheit <-> *f* **1.** *(Gehemmtheit)* inhibitions *fpl* **2.** *(Parteilichkeit)* partialité *f*
befassen* **I.** *vr* **sich mit jdm/etw** ~ s'occuper de qn/qc; **sich mit einem Angebot** ~ étudier une offre; **sich mit etw näher** ~ examiner qc de plus près **II.** *vt form* **jdn mit etw** ~ charger qn de qc
Befehl [bəˈfeːl] <-[e]s, -e> *m* **1.** ordre *m* **2.** *(~sgewalt)* **den** ~ **über etw** *(akk)* **haben** avoir le commandement de qc **3.** INFORM instruction *f* ▶**auf** ~ *fam* sur commande; MIL selon les ordres
befehlen <befiehlt, befahl, befohlen> *vt* ordonner; ~, **dass** ordonner que + *subj;* **du hast mir gar nichts zu** ~! tu n'as pas d'ordres à me donner!
befehligen* *vt* commander
Befehlsform *f* GRAM impératif *m* **befehlsgemäß** *adj* conforme aux ordres [reçus]
Befehlsgewalt *f* commandement *m* **Befehlshaber(in)** [bəˈfeːlsˌhaːbɐ] <-s, -> *m(f)* commandant(e) *m(f)* **Befehlston** *m* ton *m* impérieux **Befehlsverweigerung** *f* MIL insubordination *f* **Befehlszeile** *f* INFORM ligne *f* de commande
befestigen* [bəˈfɛstɪgən] *vt* **1.** *(anbringen)* fixer; **etw an etw** *(dat)* ~ fixer qc à qc **2.** *(fest machen)* stabiliser *Fahrbahn;* consolider *Deich* **3.** MIL fortifier
Befestigung <-, -en> *f* **1.** fixation *f* **2.** MIL fortification *f* **3.** *(bauliche Konsolidierung) einer Fahrbahn* stabilisation *f; eines Damms* consolidation *f*
Befestigungsanlage *f* fortifications *fpl*
befeuchten* *vt* humidifier
befiehlt [bəˈfiːlt] *3. Pers Präs von* **befehlen**
befinden* *irr* **I.** *vr* **1.** *(sich aufhalten)* **sich im Ausland** ~ être à l'étranger **2.** *form (sich fühlen)* **sich gut/schlecht** ~ se porter bien/mal **II.** *vt form* **jdn für kompetent** ~ déclarer qn compétent; **etw für angemessen** ~ considérer qc comme convenable **III.** *vi geh* **über jdn/etw** ~ se prononcer sur qn/qc
Befinden <-s> *nt* **1.** *(Gesundheitszustand)* état *m* [de santé] **2.** *geh (Meinung)* position *f*
befindlich *adj meist attr form* étant; **die an der Macht ~e Regierung** le gouvernement [qui est/était] au pouvoir; **im Bau** ~ **sein** être en construction
befingern* *vt fam* tripoter
beflecken* *vt* **1.** tacher **2.** *geh (entehren)*

salir *Ehre*
beflissen [bəˈflɪsən] **I.** *adj Schüler* appliqué(e); *Mitarbeiter* zélé(e); *Diener* empressé(e) **II.** *adv* avec empressement
beflügeln* *vt geh* jdn ~ stimuler qn; *Liebe, Angst:* donner des ailes à qn
befohlen [bəˈfoːlən] *PP von* **befehlen**
befolgen* *vt* suivre; respecter *Vorschrift;* exécuter *Befehl*
befördern* *vt* **1.** (*transportieren*) transporter; acheminer *Briefe;* **etw mit/durch etw** ~ **lassen** expédier qc par qc **2.** (*aufrücken lassen*) jdn ~ promouvoir qn; **befördert werden** avoir de l'avancement
Beförderung *f* **1.** *von Personen, Waren* transport *m; von Postsendungen* acheminement *m* **2.** (*das Aufrücken*) *eines Mitarbeiters, Soldaten* promotion *f; eines Beamten* avancement *m*
Beförderungsmittel *nt* moyen *m* de transport
befrachten* *vt* charger
befragen* *vt* **1.** interroger; entendre *Zeugen;* **jdn nach seiner Meinung** ~ demander son avis à qn **2.** (*um Rat fragen*) consulter
Befragte(r) *f(m) dekl wie adj* personne *f* interrogée
Befragung <-, -en> *f* **1.** interrogation *f; eines Zeugen* interrogatoire *m* **2.** (*Umfrage*) sondage *m*
befreien* **I.** *vt* **1.** libérer *Person, Land* **2.** (*freistellen*) **jdn von einer Pflicht** ~ exempter qn d'une obligation; **jdn vom Wehrdienst** ~ dispenser qn du service militaire **3.** (*entlasten, erlösen*) **jdn von einer Verantwortung/von seinen Schmerzen** ~ soulager qn d'une charge/de ses douleurs **4.** (*reinigen*) **die Straße vom Abfall** ~ débarrasser les rues des détritus **II.** *vr sich* ~ **1.** (*entkommen*) s'évader **2.** *Volk:* se libérer **3.** (*sich lösen*) se débarrasser *Vorurteil*
befreiend I. *adj Lachen* libérateur(-trice) **II.** *adv* ~ **wirken** soulager
Befreier(in) <-s, -> *m(f)* libérateur(-trice) *m(f)*
befreit I. *adj Person* soulagé(e); *Lächeln* de soulagement **II.** *adv* de soulagement
Befreiung <-, -en> *f* **1.** (*das Befreien*) *einer Person, eines Landes* libération *f; eines Tiers* délivrance *f* **2.** (*Freistellung*) dispense *f;* (*Steuerbefreiung*) exonération *f* **3.** (*Erlösung*) soulagement *m*
befremden* [bəˈfrɛmdən] **I.** *vt* déconcerter **II.** *vi* paraître insolite
Befremden <-s> *nt* **zu meinem** ~ à ma [grande] stupeur
befremdet *adj* stupéfait(e)

befremdlich *adj geh* déconcertant(e)
befreunden* [bəˈfrɔyndən] *vr* **sich** ~ **se lier d'amitié; sich mit jdm** ~ se lier d'amitié avec qn
befreundet *adj Person* ami(e); *Staat* allié(e)
befrieden* *vt geh* POL rétablir la paix dans *Land*
befriedigen* [bəˈfriːdɪgən] **I.** *vt* **1.** satisfaire **2.** (*sexuell befriedigen*) donner du plaisir à **II.** *vi Lösung:* être satisfaisant **III.** *vr* **sich** [**selbst**] ~ se masturber
befriedigend *adj a.* SCHULE satisfaisant(e)
befriedigt I. *adj* satisfait(e); (*sexuell erfüllt*) comblé(e) sur le plan sexuel **II.** *adv* avec satisfaction
Befriedigung <-> *f* **1.** (*das Zufriedenstellen*) satisfaction *f* **2.** (*das Stillen*) assouvissement *m* **3.** (*sexuelle* ~) satisfaction *f* [sexuelle]
befristen* *vt* fixer un délai pour *Tätigkeit, Projekt;* **etw auf ein Jahr** ~ limiter qc à un an
befristet I. *adj* **1.** temporaire; *Arbeitsverhältnis* à durée déterminée **2.** FIN *Anlage* à [court/long] terme **II.** *adv* ~ **gelten** avoir une durée de validité déterminée
Befristung <-, -en> *f* **1.** limitation *f* de durée **2.** (*Gültigkeitsdauer*) durée *f* de validité
befruchten* *vt* **1.** féconder; **jdn/ein Tier künstlich** ~ inséminer qn/un animal artificiellement **2.** (*geistig anregen*) enrichir
Befruchtung <-, -en> *f* fécondation *f;* **künstliche** ~ insémination *f* artificielle
Befugnis [bəˈfuːknɪs] <-, -se> *f form* habilitation *f*
befugt [bəˈfuːkt] *adj form* ~ **sein etw zu tun** avoir autorité pour faire qc
befühlen* *vt* tâter
Befund <-[e]s, -e> *m* résultat *m; ärztlicher* ~ résultat de l'analyse médicale
befürchten* *vt* craindre
Befürchtung <-, -en> *f* craintes *fpl;* **die** ~ **haben, dass** craindre que + *subj*
befürworten* [bəˈfyːɛvɔrtən] *vt* appuyer; ~, **dass** préconiser que + *subj*
befürwortend *adj* favorable
Befürworter(in) <-s, -> *m(f) einer Haltung, eines Vorgehens* partisan(e) *m(f); einer Idee* avocat(e) *m(f)*
begabt [bəˈgaːpt] *adj* doué(e); **hoch** ~ surdoué
Begabung [bəˈgaːbʊŋ] <-, -en> *f* **1.** (*Talent*) don *m* **2.** (*Mensch*) talent *m*
begann [bəˈgan] *Imp von* **beginnen**
begatten* **I.** *vt* couvrir **II.** *vr sich* ~ ZOOL s'accoupler
begeben* *vr irr geh* **1.** (*gehen, fahren*) **sich in den Garten** ~ se rendre dans le

jardin; **sich ins Haus** ~ entrer dans la maison; **sich an die Arbeit** ~ se mettre au travail **2.** *fig* **sich in eine schwierige Lage** ~ se mettre dans une situation difficile; **sich in Gefahr** ~ s'exposer au danger; **sich in Behandlung** ~ aller se faire soigner
Begebenheit <-, -en> *f geh* événement *m*
begegnen* [bə'ge:gnən] **I.** *vi* + *sein* **1.** (*treffen*) jdm/einer S. ~ rencontrer qn/qc **2.** *geh* (*entgegentreten*) **einer S.** (*dat*) **mit Misstrauen** ~ accueillir qc avec méfiance **3.** (*widerfahren*) **jdm begegnet etw** qc arrive à qn **II.** *vr* **sich** (*dat*) ~ se rencontrer
Begegnung <-, -en> *f* **1.** *a.* SPORT rencontre *f* **2.** (*das Kennenlernen*) ~ **mit etw** contact *m* avec qc
begehbar *adj* praticable à pied
begehen* *vt irr* **1.** (*verüben*) commettre *Tat, Verbrechen;* faire *Dummheit* **2.** *geh* (*feiern*) célébrer **3.** (*betreten*) passer sur *Weg*
begehren* [bə'ge:rən] *vt geh* désirer
Begehren <-s, -> *nt geh* désir *m*
begehrenswert *adj Person* désirable; *Gegenstand* tentant(e)
begehrlich *geh* **I.** *adj* de convoitise **II.** *adv* avec convoitise
begehrt *adj Person* courtisé(e); *Stellung* convoité(e); *Urlaubsort* prisé(e)
begeistern* [bə'gaɪstən] **I.** *vt* enthousiasmer; **jdn für seine Ziele** ~ rallier qn à ses visées **II.** *vr* **sich für jdn/etw** [*o* **an etw** (*dat*)] ~ s'enthousiasmer pour qn/qc
begeistert I. *adj* **1.** (*hingerissen*) enthousiaste; **von etw** ~ **sein** être enthousiasmé par qc **2.** (*leidenschaftlich*) passionné(e) **II.** *adv* avec enthousiasme
Begeisterung <-> *f* enthousiasme *m*
begeisterungsfähig *adj* capable de s'enthousiasmer
Begierde [bə'gi:ɐdə] <-, -n> *f geh* **1.** soif *f;* ~ **nach Besitz/Macht** soif de possession/pouvoir **2.** (*sexuelles Verlangen*) concupiscence *f*
begierig *adj* **1.** avide **2.** (*voll sexuellem Verlangen*) concupiscent(e) (*hum*)
begießen* *vt irr* arroser
Beginn [bə'gɪn] <-[e]s> *m* (*zeitlicher Anfang*) commencement *m;* (*räumlicher Anfang*) début
beginnen <begann, begonnen> **I.** *vi* commencer; (*wieder beginnen*) recommencer **II.** *vt* (*anfangen*) commencer
beglaubigen* [bə'glaʊbɪgən] *vt* légaliser *Unterschrift;* authentifier *Testament;* **eine Kopie** ~ **lassen** faire certifier une copie conforme
Beglaubigung <-, -en> *f* **1.** *einer Kopie* attestation *f* de conformité; *einer Unterschrift*

légalisation *f; eines Testaments* authentification *f* **2.** POL accréditation *f*
begleichen* *vt irr* régler
begleiten* *vt a.* MUS accompagner
Begleiter(in) <-s, -> *m(f)* accompagnateur(-trice) *m(f)*
Begleiterscheinung *f* effet *m* secondaire
Begleitmusik *f eines Films* musique *f* de/du film **Begleitperson** *f form* accompagnateur(-trice) *m(f)* **Begleitschreiben** *nt* lettre *f* d'accompagnement; *einer Warensendung* notice *f* explicative **Begleitumstände** *Pl* circonstances *fpl* concomitantes
Begleitung <-, -en> *f* **1.** *kein Pl* (*das Begleiten*) compagnie *f* **2.** *kein Pl* (*Gesellschaft*) **in** ~ accompagné; **in** ~ **eines Freundes** en compagnie d'un ami **3.** *kein Pl* (*Begleiter*) accompagnateur(-trice) *m(f);* **ohne** ~ non accompagné **4.** MUS accompagnement *m* [musical]
beglücken* *vt* combler d'aise; **jdn mit etw** ~ combler d'aise qn avec qc
beglückwünschen* *vt* féliciter
begnadet* [bə'gna:dət] *adj Künstler* d'un talent exceptionnel
begnadigen* [bə'gna:dɪgən] *vt* gracier
Begnadigung <-, -en> *f* grâce *f*
begnügen* [bə'gny:gən] *vr* **sich mit etw** ~ se contenter de qc
Begonie [-niə] <-, -n> *f* bégonia *m*
begonnen [bə'gɔnən] *PP von* **beginnen**
begraben* *vt irr* **1.** enterrer **2.** (*verschütten*) ensevelir
Begräbnis [bə'grɛ:pnɪs] <-ses, -se> *nt* enterrement *m*
begradigen* [bə'gra:dɪgən] *vt* rectifier
begreifen* *irr* **I.** *vt* **1.** (*verstehen*) comprendre **2.** (*nachvollziehen, mitempfinden*) concevoir *Verhalten, Gefühl;* comprendre *Person* **3.** (*auffassen*) **etw als Herausforderung** ~ considérer qc comme un défi **II.** *vi* **schnell/langsam** ~ comprendre facilement/difficilement **III.** *vr* **sich als Künstler** ~ se considérer comme artiste
begreiflich *adj* compréhensible; **jdm etw** ~ **machen** faire comprendre qc à qn
begreiflicherweise [bə'graɪflɪçɐ'vaɪzə] *adv* bien entendu
begrenzen* *vt* **1.** (*die Grenze bilden*) [dé]limiter **2.** (*beschränken*) limiter
begrenzt I. *adj* limité(e); *Rahmen* étroit(e) **II.** *adv* de façon limitée
Begrenztheit <-> *f* caractère *m* limité
Begrenzung <-, -en> *f* **1.** *kein Pl* (*das Begrenzen*) délimitation *f; Geschwindigkeit:* limitation *f* **2.** (*Grenze*) limite *f*
Begriff <-[e]s, -e> *m* **1.** (*Wort*) terme *m;* (*Inhalt*) notion *f* **2.** (*Vorstellung*) concep-

tion *f;* **sich** *(dat)* **einen ~ von etw machen** se faire une idée de qc; **für meine/ seine ~e** selon moi/lui **3.** *(Inbegriff)* symbole *m* ▶**im ~** sein **etw zu tun** être sur le point de faire qc
begriffen *adj form* **im Gehen ~** sein être sur le point de partir
begrifflich *adj attr* sémantique
begriffsstutzig *adj* borné(e); **~** sein avoir du mal à comprendre
begründen* *vt* **1.** justifier **2.** *(gründen)* fonder *Geschäft;* créer *Ruhm*
Begründer(in) *m(f)* *eines Staats* fondateur(-trice) *m(f); einer Theorie* créateur(-trice) *m(f)*
begründet *adj* fondé(e) ▶**in etw** *(dat)* **~** sein s'expliquer par qc
Begründung *f* **1.** *(Erläuterung, Rechtfertigung)* justification *f* **2.** *(Urteilsbegründung)* exposé *m* des motifs **3.** *geh* *(Gründung)* fondation *f*
begrüßen* *vt* saluer
begrüßenswert *adj* *Vorschlag* qui mérite d'être salué; **es ist ~, dass** je me félicite/ nous nous félicitons de ce que + *subj*
Begrüßung <-, -en> *f* souhaits *mpl* de bienvenue
begünstigen* [bə'gʏnstɪgən] *vt* favoriser; JUR prêter assistance à
Begünstigung <-, -en> *f* **1.** kein Pl *(das Begünstigen)* **eine ~ des öffentlichen Verkehrs bewirken** *Maßnahme:* favoriser les transports en commun **2.** kein Pl *(das Bevorzugen)* **~ eines Kindes** favoritisme *m* à l'égard d'un enfant **3.** JUR **~ des Täters** assistance *f* prêtée à l'auteur du crime
begutachten* *vt* **1.** *(fachlich prüfen)* expertiser *Gegenstand, Schaden* **2.** *fam* *(ansehen)* examiner
begütert [bə'gyːtɐt] *adj geh* fortuné(e)
begütigend I. *adj* apaisant(e) **II.** *adv* de façon apaisante
behaart [bə'haːɐt] *adj* poilu(e)
Behaarung <-, -en> *f* **1.** pilosité *f* **2.** ZOOL pelage *m*
behäbig [bə'hɛːbɪç] *adj* *Person* flegmatique; *Bewegung* posé(e)
behaftet [bə'haftət] *adj* **mit einer Krankheit ~** sein être atteint d'une maladie; **mit Mängeln ~** sein être défectueux
behagen* [bə'haːgən] *vi* plaire; **jdm ~** plaire à qn
Behagen <-s> *nt* plaisir *m*
behaglich [bə'haːklɪç] *adj* agréable
Behaglichkeit <-> *f* confort *m*
behalten* *vt irr* **1.** garder **2.** *(nicht vergessen)* retenir
Behälter [bə'hɛltɐ] <-s, -> *m* récipient *m;* *(groß)* réservoir *m*

behandeln* *vt* **1.** *a. fig* traiter; **jdn/etw schlecht ~** maltraiter qn/qc **2.** *(pflegen)* **etw mit Wachs ~** entretenir qc avec de la cire
Behandlung <-, -en> *f* **1.** *(Umgang)* traitement *m* **2.** *(Versorgung)* *eines Patienten* consultation *f* [médicale]; *einer Verletzung* soins *mpl* [médicaux]; *(Therapie)* traitement *m* [médical]; **bei jdm in ~** sein être en traitement chez qn **3.** *(Pflege)* entretien *m* **4.** *(chemische Bearbeitung)* traitement *m* **5.** *(Abhandlung)* **bei der ~ dieser Frage** en traitant cette question
Behandlungskosten *Pl* frais *mpl* médicaux
Behandlungsmethode *f* méthode *f* de traitement
behängen* *vt* couvrir; **jdn/sich mit Orden ~** *pej* couvrir qn/se couvrir de décorations; **die Wände mit Bildern ~** accrocher des tableaux aux murs
beharren* [bə'haran] *vi* ne pas démordre de; **auf seiner Meinung ~** ne pas démordre de son opinion
beharrlich I. *adj* *Person* persévérant(e); *Schweigen* obstiné(e) **II.** *adv* avec ténacité; *schweigen, sich weigern* obstinément
behaupten* [bə'haʊptən] **I.** *vt* **1.** *(sagen)* prétendre **2.** *(erfolgreich verteidigen)* maintenir *Vorsprung* **II.** *vr* **sich gegen jdn/etw ~** s'imposer face à qn/qc
Behauptung <-, -en> *f* **1.** *(Äußerung)* affirmation *f* **2.** *(Verteidigung, das Sichbehaupten)* maintien *m*
Behausung <-, -en> *f* hum geh logis *m* *(littér)*
beheben* *vt irr* **1.** réparer *Fehler, Schaden;* remédier à *Störung, Missstände;* aplanir *Schwierigkeit* **2.** A retirer *Geldbetrag*
beheimatet *adj* **in Berlin ~** originaire de Berlin
beheizbar *adj* *Raum, Freibad* disposant d'un chauffage; *Heckscheibe* chauffant(e); **~** sein *Raum, Freibad:* avoir un chauffage
beheizen* *vt* chauffer *Wohnung*
Behelf <-[e]s, -e> *m* moyen *m* de fortune
behelfen* *vr irr* **1.** *(als Ersatz verwenden)* **sich mit etw ~** se contenter provisoirement de qc **2.** *(auskommen)* **sich ~** se débrouiller
behelfsmäßig *adj* *(provisorisch)* provisoire; *(improvisiert)* de fortune
behelligen* [bə'hɛlɪgən] *vt* importuner *(soutenu)*
beherbergen* [bə'hɛrbɛrgən] *vt* héberger
beherrschen* I. *vt* **1.** *(können)* maîtriser **2.** *(herrschen über)* dominer **3.** *(verfolgen)* **von einer Idee beherrscht werden** être dominé par une idée **II.** *vr* **sich ~** se domi-

ner
beherrscht *adj* contrôlé(e)
Beherrschung <-> *f* **1.** (*das Können*) *eines Instruments, einer Sprache* maîtrise *f;* *eines Handwerks* connaissance *f* **2.** (*Kontrolle*) maîtrise *f* de soi; **die ~ verlieren** perdre la maîtrise de soi **3.** (*das Herrschen*) domination *f*
beherzigen* [bə'hɛrtsɪgən] *vt* suivre *Rat*
beherzt [bə'hɛrtst] **I.** *adj* courageux(-euse); (*entschlossen*) résolu(e) **II.** *adv* résolument
behilflich [bə'hɪlflɪç] *adj* **jdm ~ sein** aider qn; **jdm beim Aussteigen ~ sein** aider qn à descendre
behindern* *vt* gêner; **jdn ~** *Person, Kleid:* gêner qn; *Verletzung:* handicaper qn; **die Verhandlungen ~** *Aktionen:* entraver les négociations; **schwer behindert** lourdement handicapé
Behinderte(r) *f(m) dekl wie adj* handicapé(e) *m(f);* **geistig/körperlich ~** handicapé mental/physique
behindertengerecht *adj* adapté(e) aux handicapés
Behinderung <-, -en> *f* **1.** handicap *m;* **geistige/körperliche ~** handicap mental/physique **2.** *kein Pl* gêne *f;* **~ des Straßenverkehrs** entrave *f* à la circulation
Behörde [bə'hø:ɐdə] <-, -n> *f* **1.** (*Dienststelle*) service *m* [administratif] **2.** (*Amtsgebäude*) bâtiment *m* public
behördlich [bə'hø:ɐtlɪç] *adj* officiel(le)
behüten* *vt* veiller sur
behütet **I.** *adj* protégé(e) **II.** *adv* à l'abri du monde
behutsam [bə'hu:tza:m] **I.** *adj* précautionneux(-euse) **II.** *adv* avec précaution
Behutsamkeit <-> *f* précaution *f*
bei [baj] *präp + dat* **1.** (*räumlich*) **~ jdm** chez qn; (*in der Nähe von jdm*) auprès de qn; **~m Bäcker** chez le boulanger **2.** (*mit*) **etw ~ sich haben** avoir qc sur soi **3.** (*zur Angabe eines Tätigkeitsbereichs*) **~ einer Behörde/der Post arbeiten** travailler dans une administration/à la poste **4.** (*an*) **jdn ~ der Hand fassen** prendre qn par la main **5.** (*anlässlich, während*) **~ der Vorführung** pendant la présentation; **~ seiner Ankunft** à son arrivée; **störe mich nicht ~ der Arbeit!** ne me dérange pas quand je travaille! **6.** (*zur Angabe der Umstände*) **~ Kerzenlicht** aux chandelles; **~ einer Flasche Wein** en buvant une bouteille de vin; **~ vierzig Grad** par quarante degrés; **~ Eis und Schnee** qu'il gèle ou qu'il neige; **Paris ~ Regen** Paris sous la pluie **7.** (*im Fall von*) **~ Gefahr/Feuer/Nebel** en cas de danger/d'incendie/de

brouillard **8.** (*zur Angabe der Herkunft, Urheberschaft*) **der Fehler lag ~ ihr** l'erreur venait d'elle; **~ Camus** chez Camus **9.** (*zur Angabe annähernder Größen*) **der Preis liegt ~ hundert Euro** le prix est d'environ cent euros **10.** (*trotz*) **~ all seinen Bemühungen** malgré tous ses efforts **11.** (*in Schwurformeln*) **~ meiner Ehre/meinem Leben** sur mon honneur/ma vie; **ich schwöre ~ Gott** je jure devant Dieu
bei|behalten* *vt irr* garder
Beiboot *nt* canot *m* de bord
bei|bringen *vt irr* **1.** (*lehren, mitteilen*) apprendre; (*zu verstehen geben*) faire comprendre **2.** (*zufügen*) **jdm eine Wunde ~** faire une blessure à qn **3.** (*herbeibringen*) amener *Person;* apporter *Gegenstand*
Beichte ['bajçtə] <-, -n> *f* confession *f;* **zur ~ gehen** aller se confesser
beichten **I.** *vt a. fig, hum fam* (*gestehen*) confesser **II.** *vi* se confesser
Beichtgeheimnis *nt* secret *m* de la confession **Beichtstuhl** *m* confessionnal *m* **Beichtvater** *m* confesseur *m*
beide ['bajdə] *pron, adj* **1.** **die ~n Frauen/Häuser** les deux femmes/maisons; **welches von den ~n Kleidern willst du?** laquelle des deux robes veux-tu?; **die ~n lieben sich** ils s'aiment tous les deux; **euch/uns ~n** ~ vous/nous deux **2.** (*zwei Dinge*) **~s** les deux [choses]; **eins von ~n!** c'est l'un ou [c'est] l'autre! **3.** SPORT **fünfzehn/dreißig ~** quinze/trente partout
beiderlei ['bajdə'laj] *adj inv, attr* **Kinder ~ Geschlechts** des enfants des deux sexes
beiderseitig ['bajdəzajtɪç] *adj* réciproque **beiderseits** ['bajdəzajts] **I.** *adv* **1.** (*auf beiden Seiten*) des deux côtés **2.** (*gegenseitig*) chacun(e) de son côté **II.** *präp + gen* **~ des Rheins** des deux côtés du Rhin
beidhändig **I.** *adj Person* ambidextre; *Rückhand* à deux mains **II.** *adv* à deux mains
beidseitig ['bajtzajtɪç] **I.** *adj Beschichtung* des deux côtés; *Lähmung* bilatéral(e) **II.** *adv* des deux côtés; **~ gelähmt sein** avoir une paralysie bilatérale
beidseits CH, SDEUTSCH *s.* beiderseits II.
beieinander [baj?aj'nandɐ] *adv* l'un(e) près de l'autre/les un(e)s près des autres; **~ sein** être réunis; **sehr dicht ~ wohnen** (*in einer Siedlung*) habiter les uns sur les autres
beieinander|haben *s.* beieinander
beieinander|sein *s.* beieinander
Beifahrer(in) *m(f)* passager(-ère) *m(f)* avant
Beifahrersitz *m* siège *m* du passager avant
Beifall <-[e]s> *m* **1.** applaudissements *mpl*

2. (*Zustimmung*) approbation *f*
beifällig ['baifɛlıç] **I.** *adj* approbateur(-trice) **II.** *adv nicken, schmunzeln* d'un air approbateur
Beifallssturm *m* tempête *f* d'applaudissements
bei|fügen *vt* **1.** (*mitsenden*) joindre **2.** (*ergänzend sagen*) ajouter *Bemerkung*
Beigabe <-, -n> *f* **1.** *kein Pl* (*das Beigeben*) addition *f* **2.** (*Beilage*) accompagnement *m*
beige [be:ʃ] *adj inv* beige
bei|geben *vt irr* (*hinzufügen*) ajouter
Beigeschmack *m* **1.** petit goût *m* **2.** *fig eines Wortes* connotation *f*
Beiheft *nt* (*beigegebenes Heft*) encart *m;* PRESSE supplément *m*
Beihilfe *f* **1.** (*finanzielle Unterstützung*) aide *f* financière **2.** JUR ~ **zum Diebstahl** complicité *f* de vol
bei|kommen *vi irr* + *sein* **jdm/einer S.** ~ venir à bout de qn/qc
Beil [bail] <-[e]s, -e> *nt* **1.** (*Werkzeug*) hache *f* **2.** (*Fallbeil, Hackbeil*) couperet *m*
Beilage *f* **1.** GASTR garniture *f* **2.** *kein Pl* (*das Beilegen*) **wir bitten Sie um** ~ **der Rechnung** nous vous prions de joindre la facture à votre envoi **3.** (*Publikation*) supplément *m;* (*Werbebeilage*) encart *m* publicitaire **4.** A, CH (*Anlage*) annexe *f*
beiläufig ['bailɔyfıç] **I.** *adj* incident(e) **II.** *adv* **1.** (*nebenbei*) incidemment **2.** A (*ungefähr*) à peu près
bei|legen *vt* **1.** (*dazulegen*) joindre **2.** (*schlichten*) régler
beileibe *adv* ~ **nicht!** surtout pas!
Beileid *nt kein Pl* condoléances *fpl* ▶ **mein herzliches** ~! mes sincères condoléances!
Beileidskarte *s.* **Kondolenzkarte**
bei|liegen *vi irr* **einer S.** (*dat*) ~ être joint à qc
beiliegend **I.** *adj* joint(e) **II.** *adv* ~ **übersenden wir Ihnen ...** veuillez trouver ci-joint ...
beim [baim] = **bei dem** *s.* **bei**
bei|mengen *vt* ajouter *Gewürze;* mélanger *Gift*
bei|messen *vt irr* **einer S.** (*dat*) **Bedeutung** ~ accorder de l'importance à qc
Bein [bain] <-[e]s, -e> *nt* **1.** *einer Person* jambe *f; eines Tiers* patte *f* **2.** (*Tischbein, Stuhlbein*) pied *m* **3.** (*Hosenbein*) jambe *f* ▶ **auf eigenen** ~**en stehen** voler de ses propres ailes; **sich** (*dat*) **kein** ~ **ausreißen** *fam* ne pas se casser la nénette; **jdn wieder auf die** ~**e bringen** remettre qn d'aplomb; **etw auf die** ~**e stellen** mettre qc sur pied; **jdm ein** ~ **stellen** faire un croche-pied à qn; (*hereinlegen*) mettre des bâtons dans les roues à qn (*fam*)

beinah[e] *adv* ~ **immer/nie** presque toujours/jamais; ~ **hätte es einen Unfall gegeben** il a failli y avoir un accident
Beiname *m* surnom *m*
Beinbruch *m* fracture *f* de la jambe
bei|nhalten* [bə'ʔınhaltən] *vt* **1.** (*enthalten*) comporter **2.** (*bedeuten*) signifier
Beinprothese *f* jambe *f* artificielle
Beipackzettel *m* notice *f*
bei|pflichten *vi* approuver; **jdm/einer S.** ~ approuver qn/qc
Beirat ['baira:t, *Pl:* 'bairɛ:tə] *m* conseil *m* consultatif
bei|rren* [bə'ʔırən] *vt* troubler; **sich nicht** ~ **lassen** ne pas se laisser troubler
beisammen [bai'zamən] *adv* **1.** l'un(e) près de l'autre/les un(e)s près des autres; ~ **sein** être réunis; **sehr dicht** ~ **wohnen** (*in einer Siedlung*) habiter les uns sur les autres; **zu dicht** ~ **stehen** être trop près l'un de l'autre **2.** *fig* **körperlich/geistig noch gut** ~ **sein** être encore très alerte/ avoir encore toute sa tête
beisammen|haben *vt irr fam* avoir [réuni] ▶ **[sie] nicht alle** ~ *fam* débloquer **beisammen|sein** *s.* **beisammen** **Beisammensein** *nt* réunion *f*
Beischlaf *m form* coït *m;* **den** ~ **vollziehen** accomplir l'acte sexuel
Beisein ▶ **im** ~ en présence; **ohne sein** ~ en son absence
bei|seite [bai'zaitə] *adv* **1.** (*räumlich*) geh **bitte etwas** ~! écarte-toi un peu, s'il te plaît!; **jdn/etw** ~ **schieben** pousser qn/ qc de côté **2.** *fig* **etw** ~ **lassen** laisser qc de côté; **jdn/etw** ~ **schaffen** supprimer qn/ détourner qc
Beis[e]l <-s, -n> *nt* A *fam* bistro[t] *m*
bei|setzen *vt geh* inhumer *Toten;* déposer *Urne*
Beisetzung <-, -en> *f geh eines Toten* inhumation *f; einer Urne* dépôt *m*
Beisitzer(in) <-s, -> *m(f)* assesseur(-euse) *m(f)*
Beispiel *nt* exemple *m*
beispielhaft **I.** *adj* **1.** (*vorbildlich*) modèle **2.** (*veranschaulichend*) exemplaire **II.** *adv* de manière exemplaire
beispiellos *adj* **1.** (*einzigartig gut*) unique **2.** sans précédent; *Frechheit* inouï(e)
beispielsweise *adv* par exemple
beißen ['baisən] <*biss, gebissen*> **I.** *vt* mordre **II.** *vi* **1.** mordre **2.** (*brennen*) brûler; **in der Nase/den Augen** ~ *Rauch:* irriter le nez/les yeux **III.** *vr* **1.** **sich** (*akk o dat*) **auf die Zunge** ~ se mordre la langue **2.** (*nicht harmonieren*) **diese Farben** ~ **sich** ces couleurs jurent entre elles
beißend *adj* **1.** *Rauch, Geruch* âcre **2.** *fig*

Spott, Ironie caustique
Beißzange *f* tenailles *fpl*
Beistand *m kein Pl* soutien *m; eines Priesters* assistance *f;* **jdm seelischen ~ leisten** soutenir qn moralement
bei|**stehen** *vi irr* jdm ~ assister qn
bei|**steuern** *vt* verser *Summe;* apporter *Teil, Gegenstand*
bei|**stimmen** *s.* **zustimmen**
Beistrich *m bes.* A virgule *f*
Beitrag ['baitra:k, *Pl:* 'baitrε:gə] <-[e]s, ⁼e> *m* **1.**(*Mitgliedsbeitrag*) cotisation *f;* (*Versicherungsbeitrag*) prime *f* **2.**(*Artikel, Aufsatz*) article *m* **3.**(*Filmbeitrag, Radiobeitrag*) sujet *m* **4.**(*Mitwirkung*) **einen ~ zu etw leisten** apporter sa contribution à qc
bei|**tragen** *irr vi, vr* contribuer
Beitragszahler(in) *m(f)* cotisant(e) *m(f)*
bei|**treten** *vi irr + sein* **einem Verein ~** adhérer à un club
Beitritt *m* adhésion *f;* **seinen ~ erklären** s'inscrire
Beitrittserklärung *f* déclaration *f* d'adhésion
Beiwagen *m* side-car *m*
Beiwerk *nt geh* rajout *m*
bei|**wohnen** *vi form* (*miterleben*) **einer S.** (*dat*) ~ assister à qc
Beize ['baitsə] <-, -n> *f* **1.**(*Holzbeize*) teinture *f* **2.**(*das Färben*) teinture *f* **3.** GASTR marinade *f* **4.** JAGD fauconnerie *f*
beizeiten [bai'tsaitən] *adv* (*rechtzeitig*) à temps; (*früh*) assez tôt
beizen ['baitsən] *vt* **1.** teinter **2.** GASTR [faire] mariner
bejahen * [bə'ja:ən] *vt* **1.** répondre par l'affirmative à *Frage* **2.**(*gutheißen*) approuver
bejahend *adj* affirmatif(-ive)
bejammern * *vt* se lamenter sur
bejammernswert *adj Person* pitoyable; *Schicksal* lamentable
bejubeln * *vt* fêter
bekämpfen * **I.** *vt* **1.** combattre **2.**(*eindämmen*) lutter contre *Krankheit, Arbeitslosigkeit* **II.** *vr* **sich gegenseitig ~** se combattre mutuellement
Bekämpfung <-, -en> *f* lutte *f;* **zur ~ der Kriminalität** pour combattre la criminalité
bekannt [bə'kant] *adj* **1.**(*berühmt*) ~ **werden** accéder à la notoriété; **durch etw in der Öffentlichkeit ~ werden** se faire connaître du public par qc; ~ **für etw sein** être connu pour qc; **wohl** ~ bien connu **2.**(*nicht unbekannt*) connu(e); **das war mir nicht ~** je n'étais pas au courant de cela; **das ist doch allgemein ~** tout le monde sait cela **3.**(*nicht fremd*) **jdm ~ sein** être connu à qn; **jdn mit jdm ~ ma-**

chen présenter qn à qn; **mit jdm ~ sein** connaître qn **4.**(*öffentlich*) ~ **geben** proclamer *Wahlergebnis;* ~ **machen** publier *Aufruf;* révéler *Information;* ~ **werden** être divulgué; **das darf nicht ~ werden** personne ne doit l'apprendre
Bekannte(r) *f(m) dekl wie adj* connaissance *f;* (*Freund*) ami(e) *m(f)*
Bekanntenkreis *m* relations *fpl*
bekanntermaßen *s.* **bekanntlich**
Bekanntgabe *f einer Nachricht, Hochrechnung* annonce *f; eines Wahlergebnisses* proclamation *f*
bekannt|**geben** *s.* **bekannt**
Bekanntheit <-> *f* notoriété *f*
Bekanntheitsgrad *m* degré *m* de notoriété
bekanntlich *adv* comme chacun sait
bekannt|**machen** *s.* **bekannt**
Bekanntmachung <-, -en> *f* **1.** publication *f* **2.**(*Anschlag*) avis *m*
Bekanntschaft <-, -en> *f* **1.** *kein Pl* (*das Kennenlernen*) connaissance *f;* **jds ~ machen** faire la connaissance de qn **2.** *fam* (*Bekanntenkreis*) connaissances *fpl*
bekannt|**werden** *s.* **bekannt**
bekehren * *vt, vr* [**sich**] ~ [se] convertir; **jdn/sich zu etw ~** convertir qn/se convertir à qc
Bekehrung <-, -en> *f* conversion *f*
bekennen * *irr* **I.** *vt* **1.**(*eingestehen*) reconnaître **2.** REL confesser, proclamer **II.** *vr* **1. sich zu jdm ~** se prononcer pour qn; **sich schuldig ~** s'avouer coupable; **sich zu einer Tat ~** reconnaître un fait **2.**(*sich zeigen als*) ~ **der Christ sein** être chrétien déclaré
Bekennerschreiben *nt* lettre *f* pour revendiquer une action
Bekenntnis [bə'kɛntnɪs] *nt* **1.**(*Eingeständnis*) aveu *m* **2.**(*das Eintreten*) ~ **zu etw** profession *f* de foi en faveur de qc **3.** REL *des Glaubens, von Sünden* confession *f*
beklagen * **I.** *vt* déplorer **II.** *vr* **sich bei jdm/über etw ~** se plaindre à qn/de qc
beklagenswert *adj* regrettable
bekleben * *vt* **eine Wand mit etw ~** coller qc sur un mur
bekleckern * *fam* **I.** *vt* tacher **II.** *vr* **sich mit etw ~** se tacher avec qc
bekleiden * *geh* **I.** *vt* occuper *Posten, Rang;* exercer *Amt* **II.** *vr* **sich mit etw ~** se vêtir de qc
bekleidet *adj* vêtu(e); **mit etw ~ sein** être vêtu de qc
Bekleidung *f* **1.** vêtements *mpl* **2.** *kein Pl form* (*das Innehaben*) *eines Amtes* exercice *m*
beklemmend I. *adj* **1.** *Enge* oppressant(e)

2. *Gefühl, Schweigen* angoissant(e) **II.** *adv*
~ **wirken** *Zimmer:* avoir quelque chose
d'oppressant
Beklemmung <-, -en> *f* oppression *f;* ~**en**
bekommen être pris d'angoisses
beklommen [bə'klɔmən] **I.** *adj* angois-
sé(e) **II.** *adv* avec angoisse
Beklommenheit <-> *f* angoisse *f*
bekloppt [bə'klɔpt] *s.* **bescheuert**
beknackt *s.* **bescheuert**
beknien* *vt fam* tanner
bekommen* *irr* **I.** *vt* + *haben* **1.**(*erhalten*)
recevoir; percevoir *Ration;* obtenir *Anschluss, Mehrheit;* **sie hat das Buch geliehen** ~ on lui a prêté ce livre; **soeben** ~
wir die Nachricht, dass ... nous venons
d'apprendre que ...; **was** ~ **Sie für die
Fahrt?** combien vous dois-je pour la course?; **wann bekommt man hier etwas zu
essen?** quand est-ce que l'on peut manger,
ici? **2.** *fig* **etw zu tun** ~ aller avoir de quoi
faire; **etw an den Kopf** ~ recevoir qc à la
tête; **sie hat ihren Wunsch erfüllt** ~ elle
a eu ce qu'elle a souhaité **3.**(*sich einhan-
deln*) avoir *Ärger;* prendre (*fam*) *Gefängnisstrafe* **4.**(*erdulden, sich zuziehen*) attraper
Krankheit; avoir *Schlaganfall* **5.**(*entwickeln*) avoir *Angst, Bedenken;* **Risse** ~ se
fissurer; **Flecken** ~ se tacher; **eine Glatze**
~ se dégarnir; **einen Zahn** ~ [être en train
de] faire une dent **6.**(*zur Welt bringen*) **sie
hat gestern ein Mädchen** ~ elle a eu une
fille hier **7.**(*erwarten*) **sie** ~ **Nachwuchs**
ils attendent une naissance **8.**(*erreichen*)
avoir (*fam*) *Bus, Zug* **9.**(*behandelt werden
mit*) **ein Kreislaufmittel** ~ devoir prendre
un veinotonique; **dieser Patient bekommt eine Spritze** on fait une piqûre à
ce patient **10.**(*wünschen*) **was** ~ **Sie bitte?** (*im Restaurant*) qu'est-ce que je vous
sers?; (*im Laden*) qu'est-ce que vous désirez?; **ich bekomme ein Brötchen** pour
moi, ce sera un petit pain **11.**(*bewegen
können*) **jdn ins Bett/aus dem Bett** ~
faire aller qn au lit/tirer qn du lit; **etw
nach oben/unten** ~ arriver à monter/
descendre qc ►**jdn dazu** ~ **etw zu tun**
fam arriver à faire faire qc à qn **II.** *vi* + *sein*
das Essen ist ihr gut/nicht ~ elle a bien/
n'a pas supporté le repas
bekömmlich [bə'kœmlɪç] *adj* digeste;
nicht sehr ~ peu digeste
beköstigen* [bə'kœstɪgən] *vt* nourrir
bekräftigen* *vt* confirmer
Bekräftigung <-, -en> *f* confirmation *f*
bekränzen* *vt* couronner
bekreuzigen* *vr sich* ~ se signer
bekriegen* **I.** *vr sich* [gegenseitig] ~ se
faire la guerre **II.** *vt* faire la guerre à

bekritzeln* *vt* griffonner sur
bekümmert *adj* (*sorgenvoll*) préoccupé(e);
(*traurig*) affligé(e)
bekunden* [bə'kʊndən] *vt* manifester;
sein Interesse/seine Abneigung ~ manifester son intérêt/sa réprobation
belächeln* *vt* sourire de
beladen*[1] *irr* **I.** *vt* charger *Wagen* **II.** *vr* **sich
mit etw** ~ transporter qc; *fig* prendre qc
sur soi
beladen[2] *adj* chargé(e); **mit Säcken** ~
chargé de sacs; **schwer** ~ lourdement
chargé
Belag [bə'laːk, *Pl:* bə'lɛːgə] <-[e]s, ⸗e> *m*
1. *einer Pizza, eines Kuchens* garniture *f*
2.(*Zahnbelag*) plaque *f* dentaire; (*Zungen-
belag*) dépôt *m* **3.**(*Schicht*) dépôt *m*
4.(*Bremsbelag*) garniture *f* **5.**(*Fußbodenbelag, Straßenbelag*) revêtement *m*
Belagerer <-s, -> *m,* **Belagerin** *f* assié-
geant(e) *m(f)*
belagern* [bə'laːgɐn] *vt a. fig fam* assiéger
Belagerung <-, -en> *f* MIL siège *m*
Belagerungszustand *m* état *m* de siège
Belang [bə'laŋ] <-[e]s, -e> *m* **1.** *Pl* (*Interesse, Angelegenheit*) affaires *fpl;* **er vertritt die** ~**e seiner Mandantin** il défend
les intérêts de sa cliente **2.**(*Bedeutung*)
ohne/von ~ **sein** être sans importance/
avoir de l'importance
belangen* *vt* JUR poursuivre [en justice];
jdn wegen etw ~ poursuivre qn [en justi-
ce] pour qc
belanglos *adj* insignifiant(e)
belassen* *vt irr* **1.**(*bewenden lassen*) **es
bei etw** ~ s'en tenir à qc **2.** *form* (*bleiben
lassen*) **ein Möbel an seinem Platz** ~
laisser un meuble à sa place **3.**(*verhaftet
sein lassen*) **jdn in seinem Glauben** ~
laisser croire qn
belastbar *adj* **1. eine bis zu zwanzig Tonnen** ~**e Brücke** un pont pouvant porter
une charge allant jusqu'à vingt tonnes
2.(*beanspruchbar*) ~ **sein** être performant
3. ÖKOL **die Atmosphäre ist nicht unbegrenzt** ~ on ne peut indéfiniment polluer
l'atmosphère; **die Gewässer sind immer
weniger** ~ l'équilibre hydrographique est
de plus en plus fragile **4.** FIN **wie hoch ist
mein Konto** ~**?** de quel découvert puis-je
disposer sur mon compte?
Belastbarkeit <-, -en> *f* **1.** *einer Brücke,
Straße* charge *f* admissible; *eines Aufzugs*
poids *m* autorisé **2.** *fig* possibilités *fpl*
3. ÖKOL **die** ~ **der Atmosphäre ist überschritten** les limites de la pollution atmosphérique sont dépassées **4.** FIN *eines Steuerzahlers* capacité *f* fiscale

belasten* I. vt 1.(*beschweren*) charger 2.(*stark fordern*) exiger trop de *Person;* jdn mit Arbeit ~ accabler qn de travail 3.(*bedrücken*) jdn mit etw ~ encombrer qn de qc; etw belastet ihn qc pèse sur lui 4.ÖKOL polluer *Umwelt;* stark belastet sein *Gewässer, Luft:* être très pollué 5.MED solliciter *Körper, Kreislauf* 6.JUR charger; ~des Material pièces *fpl* à conviction 7.FIN débiter *Konto;* jdn mit hohen Gebühren ~ grever qn avec des taxes élevées II. vr 1.(*sich aufbürden*) sich mit etw ~ s'encombrer de qc 2.JUR sich [selbst] ~ se charger soi-même
belästigen* [bə'lɛstɪgən] vt incommoder; jdn ~ *Person:* incommoder qn; *Lärm:* gêner qn; jdn sexuell ~ harceler qn sexuellement
Belästigung <-, -en> f (*Störung, Nachstellung*) harcèlement m; sexuelle ~ harcèlement sexuel
Belastung [bə'lastʊŋ] <-, -en> f 1.(*schweres Gewicht*) charge f 2.(*Anstrengung*) *einer Person* charges *fpl;* (*Last*) corvée f 3.(*Bürde*) poids m 4.ÖKOL pollution f; eine ~ der Umwelt darstellen représenter une nuisance pour l'environnement 5.(*Beanspruchung*) eine ~ für die Nerven sein mettre les nerfs à l'épreuve 6.JUR charges *fpl* 7.FIN *eines Steuerzahlers* charge f; *eines Kontos* débit m; die steuerliche ~ la pression fiscale 8. Pl (*Ausgaben*) dépenses *fpl*
Belastungsprobe f 1.TECH charge f d'essai; MED test m d'endurance 2. *fig einer Ehe, Koalition* épreuve f de vérité **Belastungszeuge** m, -zeugin f témoin m à charge
belauern* vt épier
belaufen* vr irr sich auf hundert Euro (*akk*) ~ se monter à cent euros
belauschen* vt épier
beleben* I. vt 1.(*anregen*) ragaillardir *Person;* activer *Kreislauf* 2.(*lebendig machen*) wieder ~ r[é]animer *Person;* faire revivre *Tradition* 3.(*lebendig gestalten*) animer *Unterhaltung;* etw neu ~ ranimer qc 4.(*ankurbeln*) stimuler *Konjunktur, Wirtschaft;* etw neu ~ relancer qc II. vr 1.sich [wieder] ~ *Konjunktur, Wirtschaft:* connaître une reprise 2.(*sich bevölkern*) sich ~ *Straßen:* s'animer III. vi stimuler
belebend adj (*anregend*) stimulant(e); (*erfrischend*) tonifiant(e)
belebt adj 1.(*bevölkert*) animé(e) 2.*Natur* vivant(e)
Belebung <-, -en> f stimulation f
Beleg [bə'le:k] <-[e]s, -e> m 1.(*Kassenbon*) ticket m de caisse; (*Quittung*) quittance f 2.(*Nachweis*) justificatif m; (*Un-*

terlage) document m [à l'appui] 3.(*Quellennachweis*) référence f
belegen* vt 1. GASTR garnir; mit etw ~ garnir de qc; ein mit Schinken belegtes Brot ≈ un sandwich au jambon 2.(*beweisen*) prouver *Abstammung;* justifier *Behauptung* 3.(*bestrafen*) jdn mit einem Bußgeld ~ frapper qn d'une amende 4. UNIV suivre *Kurs* 5.(*innehaben, bewohnen*) occuper
Belegexemplar nt exemplaire m justificatif
Belegschaft <-, -en> f effectif m
belegt adj *Zunge* chargé(e); *Mandeln* blanc (blanche); *Stimme* enroué(e)
Belegung <-, -en> f inscription f; ~ eines Kurses inscription à un cours
Belegungsrecht nt JUR droit m d'occupation
belehren* vt 1. pej faire la leçon à 2.(*informieren*) jdn über etw (*akk*) ~ informer qn de qc; JUR renseigner qn sur qc 3. sich ~ lassen accepter d'entendre raison
belehrend pej adj doctoral(e)
Belehrung <-, -en> f 1. pej (*Lehre*) conseil m 2.(*Zurechtweisung*) *eines Zeugen, Angeklagten* information f; *eines Verkehrssünders* avertissement m
beleibt [bə'laɪpt] adj geh corpulent(e)
beleidigen* [bə'laɪdɪgən] vt offenser; ~d offensant
beleidigt adj offensé(e); ~ sein être vexé
Beleidigung <-, -en> f injure f
beleihen* vt irr hypothéquer *Haus;* Schmuck ~ prendre des bijoux en gage
belesen adj cultivé(e)
beleuchten* vt 1.(*erhellen*) éclairer 2.(*mit Festbeleuchtung versehen*) illuminer 3. geh (*betrachten*) examiner *Problem*
Beleuchtung <-, -en> f 1.éclairage m 2.(*Festbeleuchtung*) illumination f
Belgien ['bɛlgiən] <-s> nt la Belgique
Belgier(in) ['bɛlgiɐ] <-s, -> m(f) Belge mf
belgisch adj belge
Belgrad ['bɛlgra:t] <-s> nt Belgrade
belichten* vt exposer
Belichtung <-, -en> f exposition f
Belichtungsmesser <-s, -> m posemètre m **Belichtungszeit** f temps m de pose
belieben* geh I. vt iron ~ etw zu tun se plaire à faire qc II. vi wie es euch beliebt geh comme il vous plaira
Belieben <-s> nt guise f; ganz nach ~ tout à sa/ma/... guise
beliebig I. adj quelconque; einen ~en Stift nehmen prendre un stylo quelconque; jedes ~e Argument/Rätsel n'importe quel argument/quelle énigme II. adv à volonté; ~ viele Versuche machen faire autant d'essais que l'on veut; ~ lange/ oft aussi longtemps/souvent que l'on veut

beliebt adj apprécié(e); **sich ~ machen** se faire bien voir
Beliebtheit <-> f popularité f; eines Buchs, Films audience f; eines Orts renommée f; **sich großer ~ erfreuen** être très apprécié
beliefern vt fournir
Belieferung f livraison f
bellen ['bɛlən] vi aboyer
Belletristik [bɛle'trɪstɪk] <-> f [belles-]lettres fpl
belletristisch adj littéraire
belohnen* vt récompenser
Belohnung <-, -en> f récompense f
belüften* vt aérer
Belüftung f 1. kein Pl (das Belüften) aération f 2. (Anlage) ventilation f
belügen* irr I. vt mentir à II. vr sich [selbst] ~ se faire des illusions
belustigen* [bə'lʊstɪgən] I. vt amuser; **jdn ~** Person: amuser qn; **~d** amusant II. vr geh **sich über jdn/etw ~** s'amuser de qn/qc
Belustigung <-, -en> f amusement m; **zu jds ~** pour amuser qn
bemächtigen* [bə'mɛçtɪgən] vr geh **sich jds/einer S.** (gen) ~ s'emparer de qn/qc
bemalen* vt peindre
Bemalung <-, -en> f 1. kein Pl (das Bemalen) ornementation f 2. (Motiv) décor m
bemängeln* [bə'mɛŋəln] vt se plaindre; **~, dass** se plaindre [de ce] que + subj; **etw an jdm/einer S. ~** critiquer qc chez qn/à propos de qc
bemannt [bə'mant] adj habité(e); **~ sein** Raumschiff, U-Boot: avoir un équipage
bemerkbar adj perceptible; **sich durch etw ~ machen** se manifester par qc
bemerken* vt 1. (wahrnehmen) remarquer 2. (äußern) faire une remarque
bemerkenswert adj remarquable
Bemerkung <-, -en> f remarque f
bemessen* irr I. vt calculer; **knapp/reichlich ~ sein** Zeit: être calculé juste/large II. vr form **sich nach etw ~** Gehalt: se mesurer à qc; Steuer, Strafe: se calculer selon qc
bemitleiden* [bə'mɪtlaɪdən] I. vt prendre en pitié; **jdn ~** prendre qn en pitié II. vr **sich selbst ~** se lamenter sur son propre sort
bemitleidenswert adj pitoyable
bemühen* [bə'myːən] I. vr 1. (sich Mühe geben) **sich ~** faire des efforts; **bitte ~ Sie sich nicht!** je vous en prie, ne vous dérangez pas! 2. (sich kümmern) **sich um jdn ~** être aux petits soins avec qn; **sich um eine Stelle ~** s'efforcer d'obtenir un poste 3. geh (gehen) **sich zu jdm ~** rendre visite à qn; **sich nach nebenan ~** aller dans la

pièce à côté II. vt geh 1. (beauftragen) faire appel à 2. (benutzen) avoir recours à Ausrede; consulter Notizbuch
bemüht adj Mitarbeiter sérieux(-euse); Schüler appliqué(e); **um Gerechtigkeit ~ sein** s'efforcer d'être juste
Bemühung <-, -en> f 1. effort m 2. Pl (Dienstleistung) eines Arztes soins mpl; eines Anwalts services mpl
bemuttern* [bə'mʊtɐn] vt materner
benachbart [bə'naxbaːɐ̯t] adj voisin(e)
benachrichtigen* [bə'naːxrɪçtɪgən] vt informer; **jdn von etw ~** informer qn de qc
Benachrichtigung <-, -en> f 1. kein Pl (das Benachrichtigen) **sich um die ~ der Eltern kümmern** se charger d'informer les parents; **ich bitte um sofortige ~** je désire être mis au courant immédiatement 2. (Nachricht) notification f
benachteiligen* [bə'naːxtailɪgən] vt 1. (zurücksetzen) désavantager; **jdn wegen etw ~** désavantager qn en raison de qc 2. (behindern) **jdn jdm gegenüber ~** Umstand: handicaper qn par rapport à qn
Benachteiligte(r) f(m) dekl wie adj déshérité(e) m(f)
Benachteiligung <-, -en> f 1. kein Pl (das Benachteiligen) **die ständige ~ von Minderheiten** le fait que les minorités sont constamment défavorisées; **die ~ eines Menschen aus religiösen Gründen ist verboten** personne ne doit être l'objet de discrimination religieuse 2. (Nachteil) handicap m
Bendel s. Bändel
Benediktiner(in) <-s, -> m(f) bénédictin(e) m(f)
benehmen* vr irr 1. (sich gesittet verhalten) **sich ~** se tenir bien; **benimm dich! tiens-toi bien!** 2. (sich verhalten) **sich anständig/schlecht ~** se tenir correctement/mal
Benehmen <-s> nt comportement m; **kein ~ haben** ne pas savoir se tenir
beneiden* [bə'naidən] vt envier; **jdn um etw ~** envier qc à qn
beneidenswert adj enviable
Beneluxländer [bene'lʊkslɛndɐ] Pl **die ~** le Benelux, les pays mpl du Benelux
benennen* vt irr 1. (mit Namen versehen) nommer 2. (nennen) désigner
Benennung <-, -en> f 1. (Bezeichnung) dénomination f 2. (Ernennung) eines Kandidaten désignation f; eines Zeugen citation f
benetzen* vt geh mouiller; humecter Lippen
Bengel ['bɛŋəl] <-s, -[s]> m 1. (frecher

Junge) garnement *m*; **du frecher/unverschämter** ~! espèce d'effronté/de petit voyou! **2.** *fam* (*netter Junge*) gamin *m*
benommen [bə'nɔmən] *adj* (*vom Schlaf, durch Drogen*) abruti(e); (*durch einen Schlag*) sonné(e); (*durch einen Schock*) étourdi(e)
Benommenheit <-> *f* engourdissement *m*
benoten* *vt* noter
benötigen* [bə'nøːtɪgən] *vt* avoir besoin de
Benotung <-, -en> *f* (*Note*) note *f*
benutzbar *adj Gegenstand* utilisable
benutzen* *vt* **1.** utiliser; consulter *Literatur;* **nach dem Benutzen** après usage **2.** (*wahrnehmen*) saisir *Gelegenheit;* profiter de *Nachmittag* **3.** (*fahren mit*) prendre *Bus, Straßenbahn* **4.** (*ausnutzen*) se servir de *Person;* **sich benutzt fühlen** se sentir exploité
benützen* *s.* benutzen
Benutzer(in) <-s, -> *m(f)* einer *Software* utilisateur(-trice) *m(f)*; *eines Verkehrsmittels* usager(-ère) *m(f)*
benutzerfreundlich *adj Gerät, Wörterbuch* pratique; *Computer, Programm* convivial(e)
Benutzeroberfläche *f* INFORM interface *f* d'utilisateur
Benutzung *f kein Pl eines Gegenstands* usage *m; eines Wegs, Zimmers* utilisation *f; eines Nachschlagewerks* consultation *f*
Benutzungsgebühr *f* taxe *f* d'utilisation; (*Leihgebühr*) taxe *f* de location
Benzin [bɛn'tsiːn] <-s, -e> *nt* essence *f*
Benzinkanister *m* bidon *m* d'essence **Benzinpumpe** *f* pompe *f* à essence **Benzinverbrauch** *m* consommation *f* d'essence
Benzol [bɛn'tsoːl] <-s, -e> *nt* CHEM benzène *m*
beobachten* [bə'ʔoːbaxtən] *vt* **1.** (*genau betrachten*) observer **2.** (*observieren*) **beobachtet werden** être surveillé **3.** (*bemerken*) **an jdm/etw** ~ observer chez qn/dans qc
Beobachter(in) <-s, -> *m(f)* observateur(-trice) *m(f)*
Beobachtung <-, -en> *f* **1.** observation *f* **2.** (*Kontrolle*) surveillance *f*
Beobachtungsgabe *f kein Pl* esprit *m* d'observation
beordern* *vt* envoyer; **jdn nach Bonn/zu sich** ~ envoyer qn à Bonn/convoquer qn
bepacken* **I.** *vt* charger **II.** *vr* **sich mit etw** ~ se charger de qc
bepflanzen* *vt* planter *Beet*
Bepflanzung *f* (*die Pflanzen*) plantations *fpl*
bequatschen* *vt fam* **1.** (*bereden*) discuter **2.** (*überreden*) baratiner

bequem [bə'kveːm] *adj* **1.** (*angenehm*) confortable; **es sich** (*dat*) ~ **machen** se mettre à l'aise **2.** *Bedienung* commode **3.** *Elektrogerät* pratique **4.** *pej Person* paresseux(-euse)
bequemen* *vr* consentir à
Bequemlichkeit <-> *f* **1.** (*Behaglichkeit*) confort *m* **2.** (*Trägheit*) paresse *f*
berappen* *vt fam* payer
beraten* *irr* **I.** *vt* **1.** (*informieren*) conseiller **2.** (*besprechen*) délibérer sur **II.** *vr* **sich über jdn/etw** ~ débattre de qn/qc; **sich mit jdm über jdn/etw** ~ se concerter avec qn au sujet de qn/qc
beratend I. *adj* consultatif(-ive) **II.** *adv* **jdm** ~ **zur Seite stehen** assister qn à titre de conseiller
Berater(in) <-s, -> *m(f)* conseiller(-ère) *m(f)*; COM, FIN, JUR conseil *m*
beratschlagen* [bə'raːtʃlaɡən] *vt, vi* délibérer [de]
Beratung <-, -en> *f* **1.** *kein Pl* (*Besprechung*) délibération *f* **2.** (*das Beratenwerden*) **auf die** ~ **durch Experten angewiesen sein** devoir s'en remettre aux conseils des experts **3.** (*Information*) *eines Patienten* consultation *f*
Beratungsstelle *f* service *m* de consultation
berauben* *vt* **1.** (*bestehlen*) dévaliser; **jdn einer S.** (*gen*) ~ dépouiller qn de qc **2.** *geh* (*entziehen*) **jdn seiner Rechte** ~ priver qn de ses droits
berauschen* *geh* **I.** *vt* enivrer **II.** *vr* **1.** (*sich betrinken*) s'enivrer **2.** (*in Ekstase geraten*) se délecter
berauschend I. *adj Droge* euphorisant(e); *Getränk, Wirkung* grisant(e) **II.** *adv* ~ **wirken** avoir un effet euphorisant
Berber <-s, -> *m* **1.** Berbère *m* **2.** *sl* (*Obdachloser*) clodo *m* (*pop*) **3.** (*Teppich*) tapis *m* berbère
Berberin <-, -nen> *f* **1.** Berbère *f* **2.** *sl* (*Obdachlose*) clodo *f* (*pop*)
Berberteppich *m* tapis *m* berbère
berechenbar [bə'rɛçənbaːɐ] *adj* **1.** *Kosten, Projekt* évaluable **2.** *Person* dont on peut prévoir les réactions; *Politik* prévisible
berechnen* *vt* **1.** (*ausrechnen*) calculer **2.** (*in Rechnung stellen*) facturer **3.** (*veranschlagen*) prévoir
berechnend *adj pej* calculateur(-trice)
Berechnung *f a. pej* calcul *m*
berechtigen* [bə'rɛçtɪgən] *vt* **berechtigt sein etw zu tun** avoir le droit de faire qc; **sich zu etw berechtigt fühlen** se sentir autorisé à faire qc
berechtigt *adj* légitime
berechtigterweise [bə'rɛçtɪçtɐ'vaɪzə]

adv form à juste titre

Berechtigung <-, **-en**> *f* **1.** (*Befugnis*) autorisation *f;* **die/keine ~ haben etw zu tun** être/ne pas être autorisé à faire qc **2.** (*Rechtmäßigkeit*) *einer Forderung* légitimité *f*

bereden* **I.** *vt* **1.** discuter **2.** (*überreden*) convaincre **II.** *vr* **sich ~ se** concerter; **sich mit jdm über etw** (*akk*) **~** discuter avec qn de qc

Beredsamkeit <-> *f geh* éloquence *f*

beredt [bə'reːt] *adj geh* **1.** *Gestik, Mimik* expressif(-ive) **2.** (*viel sagend, redegewandt*) éloquent(e)

Bereich [bə'raiç] <-[e]s, **-e**> *m* **1.** (*Gebiet*) zone *f* **2.** (*Verantwortungsbereich*) domaine *m*, secteur *m*

bereichern* [bə'raiçɐn] **I.** *vr* **sich ~ s'**enrichir; **sich an jdm/etw ~ s'**enrichir grâce à qn/avec qc **II.** *vt* enrichir [de]

Bereicherung <-, **-en**> *f* enrichissement *m*

Bereifung <-, **-en**> *f* pneumatiques *mpl*

bereinigen* *vt* régler

Bereinigung *f* règlement *m*

bereisen* *vt* parcourir

bereit [bə'rait] *adj* **1.** (*fertig, vorbereitet*) prêt(e) **2.** (*willens*) disposé(e)

bereiten* *vt* **1.** (*verursachen*) **jdm Freude ~** causer de la joie à qn; **jdm Kopfschmerzen ~** donner mal à la tête à qn **2.** (*zuteil werden lassen*) **jdm eine Überraschung ~** réserver une surprise à qn **3.** *geh* (*zubereiten*) préparer

bereit|halten **I.** *vt irr* **1.** (*griffbereit haben*) préparer *Ausweis, Geld;* tenir prêt(e) *Gerät, Spritze* **2.** (*in petto haben*) **für jdn eine Überraschung ~** réserver une surprise à qn **II.** *vr* **sich für etw ~ se** tenir prêt pour qc

bereit|legen *vt* préparer; **jdm etw ~** préparer qc à qn

bereit|liegen *vi irr* être prêt; **für jdn ~** être à la disposition de qn

bereit|machen *vr* **sich ~ se** préparer; **sich für jdn/etw ~ se** préparer pour qn/qc

bereits [bə'raits] *adv* déjà

Bereitschaft <-, **-en**> *f* **1.** *kein Pl* (*Bereitwilligkeit*) bonne volonté *f* **2.** *kein Pl* (*~sdienst*) service *m* de garde; **~ haben** être de [service de] garde **3.** (*Alarmbereitschaft*) **in ~ sein** être en alerte **4.** (*Einheit der Polizei*) unité *f* de gardes mobiles

Bereitschaftsarzt *m*, **-ärztin** *f* médecin *mf* de garde **Bereitschaftsdienst** *m* service *m* de garde

bereit|stehen *vi irr* être prêt

bereit|stellen *vt* **1.** (*zur Verfügung stellen*) préparer; **etw für jdn ~** mettre qc à la disposition de qn **2.** (*einsetzen*) prévoir *Zug,*

Sonderzug; **Truppen ~** mettre des troupes en place

Bereitstellung *f von Material, Fahrzeugen* mise *f* à disposition; *von Zügen, Truppen* mise *f* en place

bereitwillig **I.** *adj* empressé(e) **II.** *adv* avec empressement

Bereitwilligkeit <-> *f* empressement *m*

bereuen* [bə'rɔyən] *vt* se repentir de

Berg [bɛrk] <-[e]s, **-e**> *m* **1.** montagne *f;* (*Hügel*) colline *f* **2.** *Pl* (*Gebirge*) montagne *f;* **in die ~e fahren** aller à la montagne **3.** (*große Menge*) **~e von Zeitschriften** des monceaux de revues ▸**über den ~/** **noch nicht über den ~ sein** *fam* avoir passé le cap [difficile]/ne pas être sorti de l'auberge

bergab [bɛrk'ʔap] *adv* en descente; **~ gehen** descendre ▸**mit etw geht es ~** qc est sur la mauvaise pente **bergan** *s.* **bergauf**

Bergarbeiter(in) *m(f)* mineur *m*

bergauf [bɛrk'ʔauf] *adv* en montant; **~ gehen** grimper ▸**mit jdm geht es ~** qn remonte la pente; **mit dem Umsatz geht es wieder ~** les affaires reprennent

Bergbahn *f* (*Zahnradbahn*) train *m* de montagne; (*Seilbahn*) téléphérique *m*

Bergbau *m kein Pl* industrie *f* minière; **im ~ arbeiten** travailler à la mine **Bergbewohner(in)** *m(f)* montagnard(e) *m(f)*

bergen ['bɛrgən] <*birgt, barg, geborgen*> *vt* **1.** (*retten, sicherstellen*) sauver *Personen, Kunstschätze;* remonter *Ertrunkenen;* récupérer *Giftfässer, Ladung;* renflouer *Schiffswrack* **2.** (*befreien*) dégager *Unfallopfer* **3.** *geh* (*enthalten*) **Kunstschätze [in sich** (*dat*)] **~** recéler des trésors **4.** (*mit sich bringen*) **eine Gefahr/Vorteile [in sich] ~** présenter un danger/des avantages **5.** *geh* (*verstecken*) **sein Gesicht in den Händen ~** dissimuler son visage dans ses mains

Bergführer(in) *m(f)* guide *mf* de montagne

Berggipfel *m* sommet *m* **Berghütte** *f* refuge *m*

bergig *adj* montagneux(-euse)

Bergkette *f* chaîne *f* de montagnes **Bergland** *nt* région *f* montagneuse **Bergmann** <**-leute**> *m* mineur *m* **Bergpredigt** *f* Sermon *m* sur la Montagne **Bergrücken** *m* arête *f* **Bergspitze** *f* pic *m* **Bergstation** *f* station *f* supérieure **bergsteigen** *vi irr, nur Infin und PP* ▸**haben o sein** faire de l'alpinisme; **das Bergsteigen** l'alpinisme *m* **Bergsteiger(in)** <-s, -> *m(f)* alpiniste *mf* **Bergtour** [-tuːɐ] *f* randonnée *f* en montagne

Bergung ['bɛrgʊŋ] <-, **-en**> *f von Verletzten* sauvetage *m; eines Schiffswracks* ren-

flouement *m; einer Ladung* récupération *f*
Bergungsmannschaft *f* équipe *f* de secours
Bergwacht ['bɛrkvaxt] *f* secours *m* en montagne **Bergwand** *f* paroi *f* rocheuse
Bergwanderung *f* randonnée *f* en montagne **Bergwerk** *nt* mine *f*
Bericht [bə'rɪçt] <-[e]s, -e> *m* 1.(*Report*) rapport *m* 2. reportage *m;* **ein ausführlicher** ~ **über etw** (*akk*) un compte rendu détaillé de qc
berichten* I. *vi* 1.(*mitteilen*) informer; **jdm über etw** (*akk*) ~ informer qn de qc; **jdm darüber ~, dass ...** informer qn que **...; es wird berichtet, dass ...** on raconte que ... 2. **aus aller Welt ~** *Journalist:* envoyer des reportages du monde entier; **das Fernsehen berichtet über das Tagesgeschehen** la télévision nous informe sur les faits du jour; **wie uns soeben berichtet wird** comme on nous le communique à l'instant II. *vt* **jdm etw ~** raconter qc à qn
Berichterstatter(in) [bə'rɪçtʔɛeʃtatə] <-s, -> *m(f)* correspondant(e) *m(f)* **Berichterstattung** *f* 1.(*Nachrichteninformation*) reportage *m* 2. POL consultation *f*
berichtigen* [bə'rɪçtɪɡən] *vt a.* JUR corriger
Berichtigung <-, -en> *f* 1. correction *f* 2. JUR rectification *f*
berieseln* *vt* (*bewässern*) arroser
beritten [bə'rɪtən] *adj* à cheval
Berlin [bɛr'liːn] <-s> *nt* Berlin
Berliner¹ <-s, -> *m* 1. Berlinois *m* 2. DIAL (*Gebäck*) beignet *m*
Berliner² *adj attr* berlinois(e); **das ~ Wappen** les armoiries de Berlin
Berlinerin <-, -nen> *f* Berlinoise *f*
Bermudas [bɛr'muːdas] *Pl* 1. GEOG **die ~** les Bermudes *fpl* 2.(*Hosen*) bermuda *m*
Bern [bɛrn] <-s> *nt* Berne
Berner(in) <-s, -> *m(f)* Bernois(e) *m(f)*
Bernstein *m kein Pl* ambre *m* jaune
bersten ['bɛrstən] <birst, barst, geborsten> *vi* + *sein geh* 1. *Glasgefäß, Vase:* se fendre; *Erde, Damm:* exploser; *Ballon:* éclater; *Reifen:* crever 2. *fig* crever de
berüchtigt [bə'rʏçtɪçt] *adj Person* tristement célèbre; *Gegend* mal famé(e)
berücksichtigen* [bə'rʏkzɪçtɪɡən] *vt* 1. tenir compte de; **berücksichtigt werden** être pris en compte 2.(*wohlwollend prüfen*) prendre en considération; **eine Bewerbung** ~ retenir une candidature
Berücksichtigung <-> *f* prise *f* en considération; **unter** ~ **seines Alters** compte tenu de son âge
Beruf [bə'ruːf] <-[e]s, -e> *m* profession *f;*

(*Handwerksberuf*) métier *m*
berufen¹ *adj* 1.(*kompetent*) compétent(e) 2.(*auserwählt*) **sich für etw ~ fühlen** se sentir une vocation pour qc; **sich ~ fühlen etw zu tun** se sentir la vocation de faire qc
berufen*² *irr* I. *vt* nommer; **jdn in ein Amt ~** nommer qn à une fonction II. *vr* **sich auf jdn/etw ~** se référer à qn/qc
beruflich *adj* professionnel(le)
Berufsausbildung *f* formation *f* professionnelle **Berufsaussichten** *Pl* débouchés *mpl* **Berufsberater(in)** *m(f)* conseiller(-ère) *m(f)* d'orientation **Berufsberatung** *f* orientation *f* professionnelle **Berufsbezeichnung** *f* profession *f* **Berufsbild** *nt* profil *m* **Berufserfahrung** *f* expérience *f* professionnelle **Berufsgenossenschaft** *f* caisse *f* de prévoyance des accidents du travail **Berufskrankheit** *f* maladie *f* professionnelle **Berufsleben** *nt* vie *f* professionnelle; **im ~ stehen** exercer une activité professionnelle **berufsmäßig** I. *adj* professionnel(le) II. *adv* professionnellement; **etw ~ betreiben** pratiquer qc à titre professionnel **Berufsrisiko** *nt* risques *mpl* du métier **Berufsschule** *f* centre *m* de formation [professionnelle] **Berufssoldat(in)** *m(f)* soldat(e) *m(f)* de métier **berufstätig** *adj* actif(-ive); **~ sein** travailler **Berufstätige(r)** *f(m) dekl wie adj* personne *f* active **berufsunfähig** *adj* qui ne peut plus exercer de profession **Berufsunfähigkeit** *f* incapacité *f* à exercer une profession **Berufsverband** *m* association *f* professionnelle **Berufsverbot** *nt* interdiction *f* professionnelle **Berufsverkehr** *m* circulation *f* aux heures de pointe **Berufswahl** *f* choix *m* d'une profession
Berufung [bə'ruːfʊŋ] <-, -en> *f* 1. JUR appel *m;* (*in Frankreich*) cassation *f;* **in die ~ gehen** se pourvoir en appel; (*in Frankreich*) se pourvoir en cassation; **gegen ein Urteil ~ einlegen** faire appel d'un jugement 2.(*Angebot für ein Amt*) ~ **auf einen Lehrstuhl** nomination *f* à une chaire 3.(*innere Bestimmung*) vocation *f;* **aus ~** par vocation 4.(*Bezugnahme*) **unter ~ auf jdn/etw** en se référant à qn/qc
beruhen* *vi* **auf etw** (*dat*) ~ *Angelegenheit, Bericht:* reposer sur qc; *Brauch:* remonter à qc ▶ **etw auf sich** (*dat*) ~ **lassen** ne pas donner suite à qc
beruhigen* [bə'ruːɪɡən] I. *vt* 1. **jdn** ~ *Musik, Medikament:* calmer qn; *Nachricht:* rassurer qn 2.(*Bedenken zerstreuen*) rassurer; (*trösten*) calmer 3.(*reduzieren, entlasten*) réduire *Verkehr* II. *vr* **sich ~** se calmer
beruhigend I. *adj* 1. *Gewissheit, Nachricht*

beruhigen

• **beruhigen**	• **calmer**

Nur keine Panik/Aufregung!
Machen Sie sich keine Sorgen.
Keine Angst, das werden wir **schon** hinkriegen.
Abwarten und Tee trinken. *(fam)*
Es wird schon werden.
Alles halb so schlimm.
Ganz ruhig bleiben!

Pas de panique/d'affolement!
Ne vous faites pas de soucis.
Ne vous en faites pas, nous finirons **bien** par y arriver.
Nous verrons bien (ce qui se passera).
Ça va aller.
Ce n'est pas si grave.
Restons calme!/Ne nous affolons pas! *(fam)*

---

rassurant(e); *Musik* apaisant(e) **2.** MED *Medikament* calmant(e) **II.** *adv* de façon rassurante; ~ **wirken** *Medikament:* avoir un effet calmant
Beru**higung** <-> *f* **1.** (*das Beruhigen*) **zur** ~ **der Nerven** pour calmer les nerfs **2.** (*das Beruhigtsein*) apaisement *m* **3.** (*Versicherung*) **zu deiner** ~ **kann ich sagen:** ... pour te rassurer, je peux te dire: ...
Beru**higungsmittel** *nt* calmant *m*
berü**hmt** [bə'ry:mt] *adj* célèbre
Berü**hmtheit** <-, -en> *f* célébrité *f;* ~ **erlangen** devenir célèbre
berü**hren*** **I.** *vt* **1.** toucher; **etw leicht** ~ effleurer qc **2.** (*seelisch bewegen*) toucher; **jdn peinlich** ~ gêner qn; **jdn schmerzlich** ~ faire mal à qn **3.** (*kurz erwähnen*) évoquer; **etw nur kurz** ~ ne faire qu'effleurer qc **II.** *vr* **sich** ~ *Personen, Gegenstände:* se toucher
Berü**hrung** <-, -en> *f* **1.** (*Anfassen*) contact *m;* (*leicht, vorsichtig*) effleurement *m* **2.** (*Erwähnung*) *eines Themas* évocation *f* ►**mit jdm/etw in** ~ **kommen** toucher qn/qc; *fig* entrer en contact avec qn/qc
Berü**hrungsangst** *f meist Pl* peur des contacts **Ber**ü**hrungspunkt** *m* point *m* commun; GEOM point *m* de contact
besagen* *vt* vouloir dire; **was besagt das schon?** qu'est-ce que ça prouve?
besagt *adj attr form* **der ~e Schriftsteller** ledit écrivain; **~e Frau Braun** ladite Madame Braun; **der Besagte** le susnommé
besai**ten*** *vt* mettre des cordes à
besa**men*** *vt* inséminer
besä**nftigen*** [bə'zɛnftɪgən] *vt* calmer
Besä**nftigung** <-, -en> *f* **zu seiner** ~ pour le calmer; **zur** ~ **ihres Zornes** pour calmer sa colère
Besa**tz** <-es, ⁼e> *m* (*Einfassung*) garniture *f;* (*Borte*) bordure *f*
Besa**tzung** <-, -en> *f eines Schiffes, Pan-*

zers équipage *m; einer Festung* garnison *f*
Besa**tzungsarmee** *f* armée *f* d'occupation **Bes**a**tzungsmacht** *f* occupant *m* **Bes**a**tzungszone** *f* zone *f* d'occupation
besau**fen*** *vr irr fam* **sich** ~ se soûler la gueule
Besä**ufnis** [bə'zɔʏfnɪs] <-ses, -se> *nt fam* beuverie *f*
beschä**digen*** *vt* abîmer *Gegenstand, Lack;* endommager *Fahrzeug, Haus, Gerät*
Beschä**digung** <-, -en> *f* **1.** *kein Pl* (*das Beschädigen*) endommagement *m* **2.** (*beschädigte Stelle*) dégâts *mpl*
bescha**ffen***[1] *vt* procurer
bescha**ffen**[2] *adj form* **so** ~ **sein, dass** ... être tel que ...
Bescha**ffenheit** <-> *f* texture *f*
Bescha**ffung** <-> *f* **jdm bei der** ~ **falscher Papiere helfen** aider qn à se procurer de faux papiers; **sich um die** ~ **einer Unterkunft kümmern** s'occuper de trouver un hébergement
beschä**ftigen*** [bə'ʃɛftɪgən] **I.** *vr* **sich** ~ s'occuper; **sich mit jdm** ~ s'occuper de qn; **sich mit etw** ~ s'intéresser à qc **II.** *vt* **1.** **jdn mit etw** ~ *Eltern, Lehrer:* occuper qn à qc **2.** (*interessieren*) **jdn** ~ *Frage, Problem:* préoccuper qn **3.** (*an-, einstellen*) employer
beschä**ftigt** *adj* **1.** occupé(e); **mit jdm/etw** ~ **sein** être occupé avec qn/à qc; **viel** ~ très occupé **2.** (*angestellt*) **als Sekretärin/bei einer Bank** ~ **sein** travailler comme secrétaire/dans une banque
Beschä**ftigte(r)** *f(m) dekl wie adj* **die ~n** (*Werktätige*) les employé(e)s; (*Belegschaft*) le personnel; **die ~n in den Banken** les employés de banque
Beschä**ftigung** <-, -en> *f* **1.** (*Tätigkeit*) occupation *f* **2.** *kein Pl* (*geistige Tätigkeit*) ~ **mit etw** étude *f* de qc **3.** *kein Pl* (*~sverhältnis*) emploi *m*
Beschä**ftigungstherapie** *f* ergothérapie *f*

beschämen* *vt* faire honte à
beschämend I. *adj* **1.**(*demütigend*) humiliant(e) **2.**(*schändlich*) honteux(-euse) **II.** *adv* de honte
beschämt *adj* Person honteux(-euse)
beschatten* *vt* prendre en filature; jdn ~ prendre qn en filature; jdn ~ **lassen** faire suivre qn
Beschattung <-, -en> *f* (*Überwachung*) filature *f*
beschauen* *vt* **1.** contrôler *Fleisch* **2.** DIAL (*betrachten*) [sich (*dat*)] jdn/etw ~ contempler qn/qc
beschaulich I. *adj* paisible; REL contemplatif(-ive) **II.** *adv* leben au calme; gestalten tranquillement
Beschaulichkeit <-> *f* calme *m*
Bescheid [bə'ʃaɪt] <-[e]s, -e> *m* **1.** ADMIN réponse *f*; **positiver** ~ confirmation *f*; **negativer** ~ réponse *f* négative **2.**(*Nachricht*) information *f*; jdm ~ **über etw** (*akk*) **geben** informer qn de qc ▸jdm ~ **sagen** dire à qn; **über etw** (*akk*) ~ **wissen** être au courant de qc; **ich weiß ~**! oui, oui, je sais!
bescheiden¹ [bə'ʃaɪdən] **I.** *adj* **1.**(*genügsam, einfach*) modeste **2.** *fam* (*gering*) assez minable **3.** *Frage* modeste **4.** *euph fam* Essen infect(e); Gefühl, Situation désagréable; Wetter sale antéposé; Zustand minable **II.** *adv* **1.**(*selbstgenügsam, einfach*) modestement **2.** *euph fam* (*miserabel*) **ihm geht es** ~ il est mal foutu
bescheiden*² *irr* **I.** *vt* **1.** form (*entscheiden*) statuer sur *Antrag*; **etw positiv/abschlägig** ~ accepter/rejeter qc **2.** geh (*zuteil werden lassen*) jdm beschieden sein être donné à qn **II.** *vr geh* **sich mit etw** ~ se contenter de qc
Bescheidenheit <-> *f* **1.** einer Person modestie *f* **2.**(*Einfachheit*) eines Lebensstils simplicité *f* **3.**(*Geringfügigkeit*) eines Gehalts modicité *f*; einer Leistung médiocrité *f* ▸[nur] **keine falsche** ~! pas de fausse modestie!
bescheinigen* [bə'ʃaɪnɪɡən] *vt* faire un certificat; jdm etw ~ faire un certificat de qc à qn; **den Empfang einer S.** (*gen*) ~ accuser réception de qc
Bescheinigung <-, -en> *f* **1.** kein Pl (*das Bescheinigen*) attestation *f* **2.**(*Dokument*) certificat *m*
bescheißen* *irr fam* **I.** *vt* entuber **II.** *vi* **bei etw** ~ tricher à qc
beschenken* *vt* faire un cadeau/des cadeaux; jdn ~ faire un cadeau/des cadeaux à qn
bescheren* [bə'ʃeːrən] *vt* **1.**(*schenken*) jdm etw ~ offrir qc à qn pour Noël **2.**(*be-*

schenken) jdn **mit etw** ~ faire cadeau de qc à qn pour Noël **3.**(*zuteil werden lassen*) jdm etw ~ accorder qc à qn
Bescherung <-, -en> *f* distribution *f* des cadeaux de Noël
bescheuert [bə'ʃɔyɐt] *fam* **I.** *adj* **1.**(*blöd*) débile **2.** Gefühl, Situation emmerdant(e); Wetter dégueulasse **II.** *adv* **sich** ~ **anstellen** faire le con; ~ **aussehen** avoir l'air débile
beschichten* *vt* recouvrir
beschießen* *vt irr* **1.** jdn/etw ~ Geschütze: mitrailler qn/qc; Flugzeug, Kriegsschiff: bombarder qn/qc **2.** PHYS bombarder
beschildern* *vt* signaliser *Straße*; étiqueter *Exponate*
Beschilderung <-, -en> *f* signalisation *f*
beschimpfen* *vt* insulter
Beschimpfung <-, -en> *f* **1.** kein Pl (*das Beschimpfen*) injure *f* **2.**(*Schimpfworte*) insultes *fpl*
Beschiss^RR <-es>, **Beschiß** <-sses> *m sl* arnaque *f* (*fam*)
beschissen [bə'ʃɪsən] *fam* **I.** *adj* Situation, Gefühl emmerdant(e); Wetter, Bezahlung dégueulasse **II.** *adv* **sich** ~ **fühlen** être mal foutu; **ihm geht es** ~ il est dans la merde (*vulg*)
Beschlag <-[e]s, ̈e> *m* ferrure *f* ▸jdn/**etw in** ~ **nehmen** monopoliser qn/qc
beschlagen*¹ *irr* **I.** *vt* + haben ferrer *Pferd* **II.** *vi* + sein (*anlaufen*) se couvrir de buée
beschlagen² *adj* **in etw** (*dat*) **sehr** ~ **sein** être très ferré en qc (*fig*)
beschlagnahmen* *vt* **1.** JUR saisir **2.** hum (*in Anspruch nehmen*) jdn ~ accaparer qn
beschleichen* *vt irr geh* envahir
beschleunigen* [bə'ʃlɔynɪɡən] **I.** *vt, vi* accélérer; **seine Schritte** ~ presser le pas **II.** *vr* **sich** ~ s'accélérer
Beschleunigung <-, -en> *f* accélération *f*
beschließen* *irr vt* **1.** décider **2.**(*verbindlich festlegen*) adopter *Gesetz, Plan* **3.** geh (*beenden*) terminer
Beschluss^RR <-es, ̈e>, **Beschluß** <-sses, ̈sse> *m* **1.**(*Entscheidung*) décision *f*; **einen** ~ **fassen** prendre une décision **2.** JUR eines Gerichts arrêt *m*; **auf** ~ **des Gerichts** par décret du tribunal
beschlussfähig^RR *adj* ~ **sein** atteindre le quorum **Beschlussfähigkeit^RR** *f* capacité *f* de statuer **beschlussunfähig^RR** *adj* ~ **sein** ne pas atteindre le quorum
beschmieren* **I.** *vt* **1.**(*besudeln*) barbouiller *Tafel*; faire des taches *Tischdecke* **2.**(*bestreichen*) tartiner **II.** *vr* **sich** ~ se tacher
beschmutzen* *vt a. fig* salir
Beschmutzung <-, -en> *f* salissures *fpl*
beschneiden* *vt irr* **1.** tailler *Baum*; rogner

Bogen, Flügel **2.** REL circoncire *Jungen;* exciser *Mädchen* **3.** (*beschränken*) réduire; amputer *Rechte*
Beschneidung <-, -en> *f* **1.** *von Bäumen* taille *f; von Bögen, der Flügel* rognage *m* **2.** REL *eines Jungen* circoncision *f; eines Mädchens* excision *f* **3.** (*Beschränkung*) réduction *f; von Rechten* amputation *f*
beschnüffeln* *vt, vr* [sich] ~ [se] renifler
beschnuppern* **I.** *vt* **1.** jdn/etw ~ *Tier:* flairer qn/qc **2.** *fam* (*kennen lernen*) tâter **II.** *vr* **sich** [gegenseitig] ~ *Tiere:* se renifler; *fig fam Personen:* se jauger
beschönigen* [bə'ʃø:nɪgən] *vt* embellir *Vorfall;* ~d *Darstellung* édulcoré
beschränken* [bə'ʃrɛŋkən] **I.** *vt* limiter **II.** *vr* **sich auf etw** (*akk*) ~ se limiter à qc; **sich darauf** ~ **etw zu tun** se contenter de faire qc
beschränkt *adj* **1.** (*eingeschränkt*) limité(e); **räumlich** ~ **sein** être à l'étroit **2.** *pej* (*geistig*) limité(e) (*fam*); (*engstirnig*) borné(e)
Beschränktheit <-> *f* **1.** (*Begrenztheit*) *von Mitteln* insuffisance *f* **2.** (*mangelnde Intelligenz*) manque *m* d'intelligence; (*Engstirnigkeit*) étroitesse *f* d'esprit
Beschränkung <-, -en> *f* limitation *f*
beschreiben* *vt irr* **1.** (*darstellen*) décrire **2.** (*voll schreiben*) remplir *Heft* **3.** (*vollführen*) décrire *Kreis*
Beschreibung *f* **1.** (*das Schildern*) description *f; eines Täters* signalement *m* **2.** *fam* (*Beipackzettel, Gebrauchsanweisung*) notice *f*
beschreiten* *vt irr geh* **1.** emprunter *Pfad, Weg* **2.** *fig* prendre *Weg*
beschriften* [bə'ʃrɪftən] *vt* mettre une adresse sur *Umschlag;* étiqueter *Marmeladenglas*
Beschriftung <-, -en> *f* **1.** *kein Pl* (*das Beschriften*) inscription *f; einer Gedenktafel* gravure *f; eines Marmeladenglases* étiquetage *m* **2.** (*Aufschrift*) inscription *f; eines Marmeladenglases* étiquette *f*
beschuldigen* [bə'ʃʊldɪgən] *vt* accuser de; JUR inculper de
Beschuldigte(r) *f(m) dekl wie adj* accusé(e) *m(f)*
Beschuldigung <-, -en> *f* accusation *f*
beschummeln* *fam* **I.** *vt* rouler; **jdn beim Kartenspiel/um zehn Euro** ~ rouler qn aux cartes/de dix euros **II.** *vi* **bei etw** ~ tricher à qc
Beschuss^RR, **Beschuß** *m* **1.** (*mit Munition*) tir *m;* (*mit Granaten, Raketenwerfern*) bombardement *m;* (*mit automatischen Waffen*) mitraillage *m* **2.** PHYS (*Neutronenbeschuss*) bombardement *m*

beschützen* *vt* (*behüten*) protéger
Beschützer(in) <-s, -> *m(f)* protecteur(-trice) *m(f)*
beschwatzen* *vt fam* **1.** (*überreden*) baratiner **2.** (*bereden*) discuter de
Beschwerde [bə'ʃveːɐ̯də] <-, -n> *f* **1.** plainte *f* **2.** JUR recours *m;* (*gegen das Urteil einer höheren Instanz*) pourvoi *m* **3.** *Pl* MED (*Leiden, Schmerzen*) douleurs *fpl*
beschweren [bə'ʃveːrən] **I.** *vr* **sich** ~ se plaindre; **sich über jdn/etw** ~ se plaindre de qn/qc **II.** *vt* **die Briefe mit etw** ~ poser qc sur les lettres
beschwerlich *adj* pénible
beschwichtigen* [bə'ʃvɪçtɪgən] *vt* calmer *Person, Zorn;* soulager *Gewissen*
beschwindeln* *vt fam* **1.** (*belügen*) raconter des bobards *mpl* à **2.** (*betrügen*) rouler
beschwingt [bə'ʃvɪŋt] *adj Person* plein(e) d'entrain; *Musik* entraînant(e); *Gang* léger(-ère)
beschwipst *adj fam* éméché(e)
beschwören* *vt irr* **1.** (*beeiden*) jurer **2.** (*anflehen*) **jdn** ~ **etw zu tun** supplier qn de faire qc **3.** (*magisch beeinflussen*) conjurer *Dämon, Geist, Teufel;* charmer *Schlange* **4.** *geh* (*hervorrufen*) évoquer *Erinnerung, Vergangenheit*
beseelen* *vt* **1.** (*durchdringen*) **jdn** ~ *Mut, Zuversicht:* remplir qn; *Geist:* animer qn **2.** (*mit Leben erfüllen*) animer
beseitigen* [bə'zajtɪgən] *vt* **1.** faire disparaître *Spuren, Hindernisse;* enlever *Schmutz, Müll;* dissiper *Zweifel* **2.** *euph* (*umbringen*) supprimer
Beseitigung <-> *f* **1.** *von Spuren* élimination *f; von Flecken, Schmutz* enlèvement *m; eines Zweifels* dissipation *f; eines Hindernisses* suppression *f* **2.** *euph* (*Tötung*) *einer Person* suppression *f*
Besen ['be:zən] <-s, -> *m* balai *m*
Besenschrank *m* placard *m* à balais **Besenstiel** *m* manche *m* à balai
besessen [bə'zɛsən] *adj* **1.** (*unter einem Zwang stehend*) obsédé(e); **von etw** ~ **sein** être obsédé par qc **2.** REL **vom Teufel** ~ **sein** être possédé du démon ►**wie** ~ comme un forcené
Besessene(r) *f(m) dekl wie adj* **1.** (*fanatischer Mensch*) fanatique *mf* **2.** REL possédé(e) *m(f)* ►**wie ein** ~**r** comme un forcené
Besessenheit <-> *f* **1.** obsession *f* **2.** REL possession *f*
besetzen* *vt* **1.** (*belegen*) réserver *Platz, Stuhl* **2.** (*widerrechtlich beziehen*) occuper; squatter *Haus* **3.** (*ausfüllen*) pourvoir *Stelle, Amt;* distribuer *Rolle;* **eine Stelle/**

eine Rolle mit jdm ~ attribuer un poste/ un rôle à qn **4.** (*verzieren*) **etw mit Pailletten** ~ garnir qc de paillettes
besetzt *adj* **1.** *Platz, Leitung, WC* occupé(e) **2.** (*gefüllt*) *Saal:* comble; *Theater, Kino:* plein(e) à craquer **3.** (*bezogen*) occupé(e); **ein ~es Haus** un squat
Besetztzeichen *nt* signal *m* "occupé"
Besetzung <-, -en> *f* **1.** *eines Postens, einer Stelle* attribution *f* **2.** (*Vergabe*) *einer Rolle* distribution *f* **3.** (*Mannschaftskonstellation*) formation *f* **4.** *a.* MIL (*das Okkupieren*) occupation *f; eines Hauses* squat *m*
besichtigen* [bə'zıçtıgən] *vt* visiter
Besichtigung <-, -en> *f* visite *f*
besiedeln* [bə'zi:dəln] *vt* **1.** *Volk, Pflanzenart:* peupler **2.** (*kolonisieren*) **etw** ~ *Siedler:* coloniser qc; (*bewohnen*) habiter dans qc
Besied[e]lung <-, -en> *f* **1.** *kein Pl* (*das Besiedeln*) *einer Landschaft* colonisation *f; eines Wirtschaftsraums* peuplement *m* **2.** (*Ansiedlung*) peuplement *m*
besiegeln* *vt* **1.** (*bestärken*) sceller; confirmer *Versprechen, Zusage* **2.** (*endgültig machen*) sceller *Schicksal, Untergang;* sanctionner *Scheitern*
besiegen* *vt* vaincre *Person, Land;* battre *Mannschaft*
Besiegte(r) *f(m) dekl wie adj* vaincu(e) *m(f)*
besinnen* *vr irr* **1.** (*überlegen*) **sich** ~ réfléchir; **sich eines anderen** ~ *geh* changer d'avis; **sich eines Besseren** ~ *geh* se raviser **2.** (*sich erinnern*) **sich auf jdn/etw** ~ se souvenir de qn/qc
besinnlich *adj Person* méditatif(-ive); *Zeit* de méditation; **ein paar ~e Minuten** quelques minutes de recueillement
Besinnung <-> *f* **1.** (*Bewusstsein*) connaissance *f;* **bei/ohne ~ sein** être conscient/ sans connaissance **2.** (*Reflexion*) recueillement *m*
besinnungslos *adj* sans connaissance
Besinnungslosigkeit <-> *f* inconscience *f*
Besitz <-es> *m* **1.** (*Eigentum*) biens *mpl;* (*Grundbesitz*) propriété *f;* (*landwirtschaftlicher* ~) terres *fpl* **2.** (*das Besitzen*) possession *f; einer Schusswaffe* détention *f* ►**von jdm** ~ **ergreifen** *geh Leere, Verzweiflung:* s'emparer de qn
Besitzanspruch *m* droit *m* de possession
besitzanzeigend *adj* GRAM possessif(-ive)
besitzen* *vt irr* posséder
Besitzer(in) <-s, -> *m(f)* propriétaire *mf*
besitzlos *adj* (*ohne Besitz*) sans biens; (*mittellos*) démuni(e) **Besitztum** <-s, -tümer> *nt* (*Grundbesitz*) terres *fpl;* (*Eigentum*) propriété *f* **Besitzverhältnisse** *Pl*

répartition *f* des biens
besoffen [bə'zɔfən] *adj fam* bourré(e)
besohlen* [bə'zo:lən] *vt* mettre une semelle à
besolden* [bə'zɔldən] *vt* rétribuer
Besoldung <-, -en> *f* **1.** (*das Besolden*) rétribution *f* **2.** (*Gehalt*) traitement *m*
besondere(r, s) [bə'zɔndərə, -rə, -rəs] *adj* **1.** particulier(-ière); *Fall, Umstand* spécial(e); *Ehre, Freude* tout(e) particulier(-ière); *Qualität, Schönheit* exceptionnel(le) **2.** *Raum, Tür* à part; *Weinkarte* séparé(e)
Besondere(s) *nt dekl wie adj* **1.** (*Eigenschaft*) **das** ~ **an diesem Gerät** ce que cet appareil a de particulier **2.** (*Person*) **jemand/nichts** ~**s** quelqu'un de spécial/ d'ordinaire **3.** (*Sache*) **etwas/nichts** ~**s** quelque chose/rien de spécial ►**im** ~**n** en particulier
Besonderheit <-, -en> *f* particularité *f; einer Person* signe *m* particulier
besonders [bə'zɔndɐs] *adv* **1.** particulièrement; **nicht** ~ **warm/teuer** pas tellement chaud/cher; **nicht** ~ **viel** pas vraiment beaucoup **2.** (*vor allem*) surtout; ~ **du müsstest das wissen** toi le premier/la première tu devrais savoir ça
besonnen [bə'zɔnən] **I.** *adj Charakter, Vorgehen* réfléchi(e); *Art* posé(e) **II.** *adv* avec circonspection; **sich** ~ **verhalten** garder son sang-froid
Besonnenheit <-> *f* circonspection *f*
besorgen* *vt* **1.** (*beschaffen*) procurer **2.** (*kaufen*) acheter **3.** (*erledigen*) effectuer *Arbeit;* se charger de *Auftrag*
Besorgnis [bə'zɔrknıs] <-, -se> *f* inquiétude *f;* ~ **erregend sein** être inquiétant
besorgniserregend *s.* **Besorgnis**
besorgt [bə'zɔrkt] *adj* **1.** *Person* inquiet(-ète); *Miene* soucieux(-euse) **2.** (*fürsorglich*) **um jdn** ~ **sein** être aux petits soins pour qn; **um etw** ~ **sein** être très soucieux de qc
Besorgung <-, -en> *f* **1.** (*Einkauf*) course *f;* ~**en machen** faire des courses **2.** *kein Pl* (*das Kaufen*) achat *m*
bespannen* *vt* tapisser *Wand;* recouvrir *Stuhl;* [re]corder *Gitarre, Tennisschläger*
Bespannung *f* **1.** (*Stoffbespannung*) tenture *f* **2.** (*Saiten*) *eines Instruments* cordes *fpl; eines Tennisschlägers* cordage *m*
bespielbar *adj* SPORT *Rasen* praticable
bespielen* *vt* **1.** enregistrer *Kassette* **2.** SPORT jouer sur *Platz, Feld*
bespitzeln* *vt* espionner
besprechen* *irr* **I.** *vt* **1.** discuter; **etw mit jdm** ~ discuter de qc avec qn; **wie besprochen** comme convenu **2.** (*rezensieren*) faire la critique de **3.** MEDIA enregistrer

II. *vr* **sich** ~ se concerter; **sich mit jdm** ~ s'entretenir avec qn

Besprechung <-, -en> *f* **1.** (*Konferenz*) réunion *f;* (*Unterredung*) entretien *m* **2.** (*Rezension*) critique *f* **3.** *kein Pl* (*das Besprechen*) discussion *f*

bespritzen* I. *vt* **1.** (*befeuchten*) asperger **2.** (*beschmutzen*) éclabousser **3.** (*besprühen*) vaporiser *Pflanze* II. *vr* **sich** ~ **1.** (*sich befeuchten*) s'asperger **2.** (*sich beschmutzen*) s'éclabousser

besprühen* *vt* **1.** vaporiser; **etw mit Wasser** ~ vaporiser de l'eau sur qc **2.** (*bemalen*) bomber *Wand*

bespucken* *vt* cracher sur

besser ['bɛsɐ] I. *adj Komp von* **gut 1.** (*von höherer Qualität*) meilleur(e); **ein** ~**er Computer** un ordinateur de meilleure qualité; **das Wetter wird** ~ le temps s'améliore **2.** (*von höherer Qualifikation*) ~ **sein** (*höher befähigt*) être meilleur; (*besser geeignet*) être mieux **3.** (*vernünftiger, angebrachter*) **es ist** ~, **wenn** il vaut mieux que + *subj;* **es ist** ~ **zuerst das hier zu machen** c'est mieux de commencer par faire ceci **4.** (*sozial höher gestellt*) supérieur(e); **er wohnt in einer** ~**en Gegend** il habite dans les beaux quartiers II. *adv Komp von* **gut, wohl** *schwimmen, tanzen, singen* mieux; **dieser Käse/Apfel schmeckt** ~ **als der andere** ce fromage est meilleur/cette pomme est meilleure que l'autre; **ich kann das** ~**!** je sais mieux le faire! ▶~ **gehen** jdm/etw **geht es besser** qn/qc va mieux; **oder** ~ **gesagt** plus exactement; **es** ~ **haben** avoir une vie plus agréable; **immer alles** ~ **wissen** [**wollen**] se croire plus malin que tout le monde; **um so** ~**!** *fam* tant mieux!

besser|gehen *s.* **besser** II.

bessern I. *vr* **sich** ~ s'améliorer II. *vt* corriger *Person;* améliorer *Lage*

Besserung <-> *f* **1.** amélioration *f* **2.** (*Gesundung*) **gute** ~**!** bon rétablissement!

Besserwisser(in) <-s, -> *m(f) pej* pédant(e) *m(f)*

Bestand [bə'ʃtant, *Pl:* bə'ʃtɛndə] <-[e]s, ⁼e> *m* **1.** *kein Pl* (*Fortdauer*) persistance *f;* *einer Regierung, Koalition* stabilité *f;* ~ **haben** être durable **2.** (*vorhandene Menge*) ~ **an Medikamenten** stock *m* de médicaments; ~ **an Bäumen** peuplement *m* [forestier]; **den** ~ **von etw aufnehmen** faire l'inventaire de qc **3.** *kein Pl* A (*das Bestehen*) existence *f*

beständig *adj* **1.** *Verhalten* constant(e); *Wetter* stable **2.** *Freundschaft* durable **3.** (*widerstandsfähig*) résistant(e) **4.** *attr* continuel(le); *Regen* ininterrompu(e)

Beständigkeit <-> *f* **1.** *des Wetters* stabilité *f* **2.** (*Dauerhaftigkeit*) constance *f* **3.** (*Widerstandsfähigkeit*) résistance *f*

Bestandsaufnahme *f* **1.** inventaire *m* **2.** *fig* bilan *m*

Bestandteil *m* composant *m;* (*Einzelteil*) élément *m*

bestärken* *vt* appuyer; **jdn in seinem Entschluss** ~ conforter qn dans sa décision

Bestärkung *f* **1.** (*Unterstützung*) appui *m* **2.** (*Erhärtung*) *eines Verdachts, Vorsatzes* renforcement *m*

bestätigen* [bə'ʃtɛːtɪgən] *vt* **1.** renforcer la certitude de *Person;* confirmer *Theorie, Aussage;* entériner *Urteil* **2.** (*quittieren*) attester *Anwesenheit, Teilnahme;* confirmer *Auftrag, Bestellung;* valider *Befehl, Eingabe;* **hiermit wird bestätigt, dass** par la présente, nous certifions que

Bestätigung <-, -en> *f* **1.** *a.* JUR (*das Bestätigen*) confirmation *f* **2.** *kein Pl* (*das Attestieren*) *der Anwesenheit* attestation *f;* *eines Auftrags* confirmation *f;* INFORM *eines Befehls, einer Eingabe* validation *f* **3.** (*Schriftstück*) *der Teilnahme* attestation *f;* *eines Auftrags, einer Bestellung* confirmation *f*

bestatten* [bə'ʃtatən] *vt geh* inhumer

Bestattung <-, -en> *f geh* inhumation *f,* obsèques *fpl*

Bestattungsinstitut *nt* [entreprise *f* de] pompes *fpl* funèbres

bestäuben* [bə'ʃtɔybən] *vt* **1.** *etw* ~ *Biene:* féconder qc **2.** GASTR saupoudrer

Bestäubung <-, -en> *f* pollinisation *f*

bestaunen* *vt* admirer

beste(r, s) ['bɛstə, -tɐ, -təs] I. *adj Superl von* **gut 1.** *attr* meilleur(e); **von** ~**r Qualität** de la meilleure qualité; **aus** ~**m Hause** de très bonne famille **2.** (*am besten qualifiziert, geeignet*) **der/die Beste** le meilleur/la meilleure ▶**der erste Beste** le premier venu; **sein Bestes tun** faire de son mieux; **zu seinem Besten** pour son bien II. *adv* **er/sie singt am** ~**n** c'est lui/elle qui chante le mieux; **es wäre** [**wohl**] **am** ~**n, wenn** le mieux serait que + *subj*

bestechen* *irr* I. *vt* **1.** soudoyer **2.** (*für sich einnehmen*) séduire II. *vi* (*beeindrucken*) *Person:* fasciner; *Gemälde, Garten:* séduire

bestechlich *adj* vénal(e)

Bestechung <-, -en> *f* corruption *f;* *eines Zeugen* subornation *f*

Bestechungsgeld *nt meist Pl* pot-de-vin *m*

Bestechungsversuch *m* tentative *f* de corruption

Besteck <-[e]s, -e> *nt* **1.** couverts *mpl* **2.** (*medizinische Instrumente*) instruments *mpl* **3.** (*Drogenbesteck*) matériel *m*

de drogué

bestehen* *irr* **I.** *vt* **1.** réussir *Prüfung* **2.** (*durchstehen*) surmonter *Gefahr, Probe;* sortir vainqueur de *Kampf* **II.** *vi* **1.** (*gegeben sein*) **es besteht die Möglichkeit, dass** il se peut que + *subj* **2.** (*existieren*) **seit langem** ~ *Brauch, Tradition:* exister depuis longtemps; ~ **bleiben** *Hoffnung, Verdacht:* demeurer; *Vorschrift:* rester valable **3.** (*sich zusammensetzen*) **aus Einzelteilen** ~ se composer d'éléments **4.** (*zum Inhalt haben*) **die Aufgabe besteht darin etw zu tun** notre tâche consiste à faire qc **5.** (*standhalten*) **vor jdm/etw** ~ **können** pouvoir affronter qn/qc **6.** (*insistieren*) **auf etw** (*dat*) ~ tenir à qc

Bestehen <-s> *nt* **1.** (*Vorhandensein*) existence *f* **2.** (*Beharren*) insistance *f* **3.** (*erfolgreiches Absolvieren*) ~ **einer Prüfung** réussite *f* à un examen

bestehen|bleiben *s.* **bestehen II.**

bestehend *adj* **1.** *Vorschrift* en vigueur **2.** *Gesellschaftsordnung* existant(e); *Verhältnisse* actuel(le)

bestehlen* *vt irr* voler

besteigen* *vt irr* **1.** (*erklettern*) escalader *Berg;* monter au sommet de *Turm;* monter sur *Gerüst, Thron;* monter à *Leiter, Tribüne* **2.** (*aufsteigen*) monter sur *Pferd* **3.** (*einsteigen*) monter dans *Bus, Flugzeug, Auto;* monter sur *Fahrrad, Motorrad, Fähre*

Besteigung *f* ascension *f*

bestellen* *vt* **1.** (*kaufen wollen*) commander; **etw bei jdm** ~ commander qc chez qn **2.** (*reservieren*) réserver *Hotelzimmer* **3.** (*ausrichten*) transmettre **4.** (*kommen lassen*) faire venir *Mitarbeiter;* appeler *Taxi* **5.** (*bearbeiten*) cultiver *Acker* ▶ **wie bestellt und nicht abgeholt** *hum fam* tout bête

Bestellnummer *f* numéro *m* de commande

Bestellschein *m* bon *m* de commande

Bestellung <-, -en> *f* **1.** commande *f* **2.** (*Reservierung*) réservation *f* **3.** (*Bearbeitung*) *eines Ackers* culture *f* **4.** (*Berufung*) *eines Gutachters, Vormundes* désignation *f* ▶ **auf** ~ sur commande

Bestellzettel *s.* **Bestellschein**

bestenfalls *adv* au mieux

bestens *adv* **1.** très bien; *bedienen, sich bewähren* parfaitement; **das hat sich** ~ **bewährt** cela s'est avéré parfait **2.** (*herzlich*) cordialement

besteuern* *vt* imposer *Person, Firma;* taxer *Alkohol, Tabak*

Besteuerung <-, -en> *f von Einkünften* imposition *f; von Gütern* taxation *f*

Bestform *f* top niveau *m*

bestialisch [bɛsˈti̯aːlɪʃ] **I.** *adj* **1.** (*grausam*)

sauvage **2.** *fam* (*unerträglich*) infect(e) **II.** *adv fam stinken, wehtun* vachement

besticken* *vt* broder

Bestie [ˈbɛsti̯ə] <-, -n> *f* **1.** (*Tier*) bête *f* féroce **2.** *pej* (*Mensch*) monstre *m*

bestimmen* **I.** *vt* **1.** (*festsetzen*) fixer *Preis, Ort;* déterminer *Grenze* **2.** (*entscheiden*) décider; *Gesetzgeber, Parlament:* décréter; *Gesetz, Vorschrift:* stipuler **3.** (*prägen*) caractériser *Landschaft, Epoche* **4.** (*beeinflussen*) déterminer *Wert, Konjunktur* **5.** (*wissenschaftlich einordnen*) identifier *Tier, Pflanze;* déterminer *Alter, Herkunft* **6.** (*vorsehen*) désigner *Nachfolger;* destiner *Erbteil* **II.** *vi* **1.** (*befehlen*) décider **2.** (*verfügen*) **über jdn/etw** ~ disposer de qn/qc

bestimmend *adj* **1.** *Faktor, Einfluss* déterminant(e) **2.** *Person* déterminé(e); *Persönlichkeit* fort(e)

bestimmt **I.** *adj* **1.** *Buch, Vorstellung* précis(e) **2.** *Preis, Summe* fixé(e); **am** ~ **Tag/Ort** au jour/lieu dit; **zur** ~ **en Stunde** à l'heure dite **3.** GRAM *Artikel* défini(e) **4.** décidé(e); *Ton* ferme **5.** *Personen, Kreise* certain(e) **II.** *adv* **1.** (*sicher*) certainement; ~ **wissen, dass …** être sûr que … **2.** (*entschieden*) catégoriquement; **sehr** ~ **auftreten** être très déterminé

Bestimmtheit <-> *f* détermination *f; eines Tons* fermeté *f;* **etw mit** ~ **sagen können** pouvoir dire qc avec certitude

Bestimmung <-, -en> *f* **1.** (*Vorschrift*) règlement *m;* (*vertraglich*) clause *f;* (*administrativ*) disposition *f* **2.** *kein Pl* (*Zweck*) destination *f* **3.** (*Schicksal*) destinée *f;* (*Berufung*) vocation *f* **4.** (*Festlegung*) fixation *f* **5.** (*Analyse, Ermittlung*) *eines Fundes* identification *f; des Alters* détermination *f* **6.** (*Definition*) définition *f*

Bestimmungsort *m* [lieu *m* de] destination *f*

Bestleistung *f* meilleure performance *f*

bestrafen* *vt* **1.** punir; pénaliser *Sportler* **2.** JUR condamner

Bestrafung <-, -en> *f* punition *f; eines Sportlers* pénalisation *f*

bestrahlen* *vt* **1.** MED *jdn* ~ traiter qn aux rayons X **2.** (*beleuchten*) illuminer *Gebäude*

Bestrahlung *f* **1.** MED radiothérapie *f* **2.** (*Beleuchtung*) illumination *f*

Bestreben *nt* souci *m;* **im** ~ **etw zu tun** soucieux de faire qc; **in seinem/ihrem** ~ **etw zu tun** dans son souci de faire qc

bestrebt *adj* ~ **sein etw zu tun** s'efforcer de faire qc

Bestrebung *f meist Pl* effort *m*

bestreichen* *vt irr* enduire; **etw mit Salbe/Farbe** ~ enduire qc de pommade/

peinture; **das Brot mit Butter/Marmelade** ~ beurrer le pain/tartiner le pain de confiture
bestreiken* vt faire grève dans *Firma;* **der Betrieb wird bestreikt** l'entreprise est en grève; **bestreikt en grève**
bestreiten* vt irr **1.** *(leugnen)* contester; ~ **etw zu tun** nier faire qc **2.** *(finanzieren)* payer *Kosten, Unterhalt;* financer *Studium* **3.** *(gestalten)* assurer *Veranstaltung, Gestaltung*
bestreuen* vt saupoudrer; **den Kuchen mit etw** ~ saupoudrer le gâteau de qc
Bestseller ['bɛstzɛlɐ] <-s, -> m best-seller m
Bestsellerliste f meilleures ventes fpl
bestürmen* vt assaillir
bestürzt [bə'ʃtʏrtst] **I.** adj *Person, Gesicht* bouleversé(e); *Miene* consterné(e) **II.** adv avec consternation
Bestürzung <-> f consternation f
Bestzeit f meilleur temps m
Besuch [bə'zuːx] <-[e]s, -e> m **1.** visite f; **einen** ~ **bei jdm machen** aller voir qn **2.** *(Frequentieren)* fréquentation f **3.** *(Besucher)* visiteur m; *(Gast)* invité(e) m(f); ~ **haben** avoir de la visite
besuchen* vt **1.** aller voir *Freund, Verwandten* **2.** *(aufsuchen)* aller voir *Kunden;* visiter *Patienten* **3.** *(frequentieren)* aller à *Schule, Theater;* visiter *Museum;* assister à *Gottesdienst;* suivre *Kurs*
Besucher(in) <-s, -> m(f) **1.** visiteur(-euse) m(f); *(Gast)* invité(e) m(f) **2.** *(Interessent, Kunde)* einer Veranstaltung, Ausstellung visiteur(-euse) m(f); eines Lokals client(e) m(f) **3.** *(Zuschauer)* spectateur(-trice) m(f); *(Zuhörer)* auditeur(-trice) m(f) **4.** *(Teilnehmer)* participant(e) m(f)
Besuchszeit f heures fpl de visite
besucht adj **gut/schlecht** ~ *Ausstellung, Museum* beaucoup/peu visité; **viel** ~ qui attire un grand nombre de personnes
betagt [bə'taːkt] adj geh âgé(e)
betasten* vt palper; tâter *Frucht, Käse*
betätigen* [bə'tɛːtɪɡən] **I.** vt actionner *Hebel;* appuyer sur *Pedal, Bremse, Schalter;* tourner *Knopf;* tirer *Wasserspülung* **II.** vr *(aktiv sein)* **sich politisch** ~ faire de la politique; **sich künstlerisch** ~ avoir une activité artistique
Betätigung <-, -en> f **1.** kein Pl *(das Betätigen)* **durch** ~ **dieses Hebels/Knopfes** en actionnant ce levier/en appuyant sur ce bouton; **vor** ~ **des Schalters** avant d'actionner le commutateur **2.** *(Tätigkeit)* activité f
Betätigungsfeld nt domaine m
betäuben* [bə'tɔybən] vt **1.** MED endor-

mir **2.** *(unterdrücken)* **seinen Kummer mit Alkohol/durch Arbeit** ~ noyer son chagrin dans l'alcool/le travail ▶ **wie betäubt sein** *Person:* être comme assommé
betäubend adj *Lärm* assourdissant(e); *Duft* entêtant(e)
Betäubung <-, -en> f **1.** MED anesthésie f; **örtliche** ~ anesthésie locale **2.** *(Benommenheit)* étourdissement m **3.** *(Unterdrückung)* des Kummers refoulement m
Betäubungsmittel nt anesthésique m
Bete ['beːtə] <-, -n> f **Rote** ~ betterave f rouge
beteiligen* [bə'tailɪɡən] **I.** vt **jdn am Gewinn** ~ attribuer une part du bénéfice à qn; **jdn an einer Firma** ~ faire participer qn aux bénéfices d'une entreprise **II.** vr **sich an etw** *(dat)* ~ participer à qc
beteiligt adj **1. an etw** *(dat)* ~ **sein** *(teilnehmen, mitwirken)* être associé à qc; *(verwickelt sein)* être impliqué dans qc **2.** FIN, COM **an einer Firma** ~ **sein** avoir une part dans une entreprise
Beteiligte(r) f(m) dekl wie adj *(Mitwirkender)* participant(e) m(f); *(Betroffener)* personne f concernée
Beteiligung <-, -en> f **1.** kein Pl *(Teilnahme)* participation f; ~ **an etw** *(dat)* participation à qc **2.** FIN, COM *(Anteil)* ~ **an etw** *(dat)* participation f dans qc
beten ['beːtən] **I.** vi prier; **zu Gott** ~ prier Dieu; **für jdn** ~ prier pour qn **II.** vt dire *Vaterunser*
beteuern* [bə'tɔyɐn] vt assurer
betiteln* vt **1.** intituler *Buch, Film* **2.** pej *(beschimpfen)* traiter de **3.** *(anreden)* appeler
Beton [be'tɔŋ] <-s> m béton m
betonen* [bə'toːnən] vt **1.** LING accentuer **2.** MUS soutenir **3.** *(zur Geltung bringen)* souligner, mettre en valeur *Figur, Formen* **4.** *(nachdrücklich erwähnen)* insister sur; ~**, dass ...** souligner que ...
betonieren* [beto'niːrən] vt bétonner
Betonmischer <-s, -> m bétonnière f; *(Lkw)* toupie f
betont [bə'toːnt] **I.** adj *Höflichkeit, Sachlichkeit* marqué(e); *Eleganz* prononcé(e); *Gleichgültigkeit, Lässigkeit* ostensible **II.** adv ostensiblement
Betonung <-, -en> f **1.** LING accentuation f; **die** ~ **liegt auf der ersten Silbe** la première syllabe est accentuée **2.** kein Pl *(das Hervorheben)* mise f en valeur **3.** kein Pl *(nachdrückliche Erwähnung)* **die** ~ **einer S.** *(gen)* l'accent m mis sur qc **4.** kein Pl *(Nachdruck)* insistance f
betören* [bə'tøːrən] vt envoûter
betörend **I.** adj envoûtant(e) **II.** adv d'une

façon envoûtante
betr. *Abk von* **betreffend, betreffs**
Betr. *Abk von* **Betreff**
Betracht [bə'traxt] <-[e]s> *m* ▶in ~/
nicht in ~ **kommen** entrer/ne pas entrer
en ligne de compte; **etw außer ~ lassen**
ne pas prendre qc en considération; **in ~
ziehen, dass** envisager que + *subj*
betrachten* I. *vt* **1.** (*anschauen*) contempler *Person, Kunstwerk;* regarder *Foto;* **einen Gegenstand genau ~** examiner un
objet **2.** (*bedenken, untersuchen*) considérer; **genau betrachtet** tout bien considéré
3. (*halten für*) **jdn als Freund ~** considérer qn comme un ami II. *vr* **1.** (*sich anschauen*) **sich ~** se contempler **2.** (*sich
halten für*) **sich als jds Freund ~** se considérer comme l'ami de qn
Betrachter(in) <-s, -> *m(f) eines Kunstwerks* contemplateur(-trice) *m(f); eines Ge-
schehens* observateur(-trice) *m(f)*
beträchtlich [bə'trɛçtlɪç] I. *adj* considérable II. *adv erhöhen, steigen, zurückgehen*
considérablement; *höher, niedriger* nettement
Betrachtung <-, -en> *f* **1.** *kein Pl* (*das Anschauen*) contemplation *f; eines Gegenstands* observation *f* **2.** (*Untersuchung,
Analyse*) étude *f;* **bei genauerer ~** en y regardant de plus près **3.** *meist Pl* (*Überlegung*) réflexion *f*
Betrachtungsweise *f* façon *f* de voir
Betrag [bə'traːk, *Pl:* bə'trɛːgə] <-[e]s,
ᵈe> *m* (*Rechnungsbetrag*) montant *m;*
(*Geldbetrag*) somme *f;* **~ dankend erhalten** pour acquit
betragen* *irr* I. *vi* s'élever à; **hundert
Euro/drei Prozent ~** s'élever à cent eu-
ros/trois pour cent; **zwei Meter/fünf
Tonnen ~** représenter deux mètres/cinq
tonnes II. *vr* **sich gut/schlecht ~** se conduire bien/mal
Betragen <-s> *nt* conduite *f;* **~: ungenügend** zéro de conduite
betrauen* *vt* confier; **jdn mit etw ~** confier qc à qn
betrauern* *vt* pleurer *Toten, Tod;* déplorer
Verlust
beträufeln* *vt* mettre quelques gouttes de;
etw mit Rum ~ mettre quelques gouttes
de rhum sur qc
Betreff [bə'trɛf] <-[e]s, -e> *m form* objet *m*
betreffen* *vt irr* (*angehen*) concerner;
was mich/dich betrifft quant à moi/toi;
was die Feier betrifft pour ce qui est de
la fête
betreffend *adj attr* **1.** (*besagt*) **die ~e Zeitung** le journal en question **2.** (*zuständig*)
die ~e Kollegin la collègue compétente

3. (*bezüglich*) **den Vertrag ~** concernant
le contrat
Betreffende(r) *f(m) dekl wie adj* (*betroffe-
ne Person*) personne *f* concernée; (*zuständige Person*) personne *f* compétente
betreffs *präp + gen form* **~ Ihres Angebots** concernant votre offre
betreiben* *vt irr* **1.** (*ausüben, treiben*)
exercer *Gewerbe;* effectuer *Forschung;* pratiquer *Politik* **2.** (*unternehmerisch führen*)
tenir *Firma;* exploiter *Kraftwerk;* régir *Sender* **3.** (*hinarbeiten auf*) travailler à *Stilllegung;* mener *Untersuchung, Prozess* **4.** TECH
**elektrisch/mit Batterien betrieben
werden** fonctionner à l'électricité/à pile
Betreiber(in) <-s, -> *m(f)* exploitant(e)
m(f); eines Geschäfts, eines Restaurants gé-
rant(e) *m(f)*
betreten*¹ *vt irr* **1.** entrer dans *Gebäude,
Raum;* monter sur *Podium;* entrer en *Bühne*
2. (*treten auf*) marcher sur *Teppich* **3.** *fig*
gefährliches Terrain ~ aborder un sujet
dangereux
betreten² *adj Person* gêné(e); *Schweigen*
embarrassé(e); *Gesicht, Miene* déconfit(e)
betreuen* [bə'trɔʏən] *vt* prendre en charge *Kind, Patienten;* s'occuper de *Kunden,
Tier;* être responsable de *Abteilung*
Betreuer(in) <-s, -> *m(f) einer Reisegruppe*
responsable *mf; einer Mannschaft* diri-
geant(e) *m(f);* **medizinischer ~** soigneur
m
Betreuung <-> *f* **1.** (*das Betreuen*) prise *f*
en charge **2.** (*Betreuer*) *von Pflegebedürfti-
gen* aide-soignant(e) *m(f); einer Mannschaft*
encadrement *m*
Betrieb [bə'triːp] <-[e]s, -e> *m* **1.** (*Industriebetrieb*) entreprise *f* **2.** (*Belegschaft*)
personnel *m* **3.** *kein Pl* (*~samkeit*) activité
f **4.** (*Tätigkeit, Ablauf*) activité *f; einer Maschine, Fabrik* fonctionnement *m; einer
Bahnlinie* exploitation *f;* **etw in ~ setzen**
mettre qc en marche; **in/außer ~ sein**
être en/hors service
betrieblich *adj attr* **1.** (*zur Firma gehörend*)
de l'entreprise **2.** (*firmenintern*) interne à
l'entreprise
betriebsam *adj* actif(-ive)
Betriebsamkeit <-> *f* activité *f*
Betriebsangehörige(r) *f(m) dekl wie adj*
employé(e) *m(f)* de l'entreprise **Betriebs-
anleitung** *f* notice *f* d'utilisation **Be-
triebsausflug** *m* sortie *f* d'entreprise **betriebsbereit** *adj* prêt(e) à fonctionner **betriebseigen** *adj Kindergarten* de l'entreprise **Betriebsferien** *Pl* fermeture *f* annuelle
Betriebsgeheimnis *nt* information *f* confi-
dentielle; (*Produktionsgeheimnis*) secret
m de fabrication **Betriebskapital** *nt* fonds

m de roulement **Betriebsklima** *nt* climat *m* de l'entreprise **Betriebskosten** *Pl einer Firma, Maschine* frais *mpl* d'exploitation; *eines Kraftfahrzeugs* frais fixes **Betriebsleiter(in)** *m(f)* directeur(-trice) *m(f)* d'entreprise **Betriebsleitung** *f* (*Person, Büro*) direction *f* **Betriebsprüfung** *f* contrôle *m* fiscal **Betriebsrat** *m*, **-rätin** *f* délégué(e) *m(f)* du personnel **Betriebsschluss**^RR *m* fermeture *f* [de l'entreprise] **Betriebsstörung** *f* panne *f* **Betriebssystem** *nt* INFORM système *m* d'exploitation **Betriebsunfall** *m* accident *m* du travail **Betriebsvereinbarung** *f* accord *m* d'entreprise **Betriebswirt(in)** *m(f)* diplômé(e) *m(f)* en gestion d'entreprise **Betriebswirtschaft** *f* (*Schulfach*) économie *f* d'entreprise; (*Studienfach*) gestion *f* [d'entreprise]

betrinken* *vr irr* **sich** ~ se soûler; **sich mit etw** ~ se soûler à qc

betroffen [bə'trɔfən] **I.** *adj* **1.** (*beteiligt*) concerné(e); **von etw** ~ **sein** être concerné par qc **2.** (*bestürzt*) consterné(e) **II.** *adv* avec consternation

Betroffene(r) *f(m) dekl wie adj* personne *f* concernée

Betroffenheit <-> *f* consternation *f*

betrüben* *vt* faire de la peine à; **jdn** ~ *Person:* faire de la peine à qn; *Verhalten:* désoler qn

betrüblich [bə'try:plɪç] *adj* attristant(e); ~ **sein** être fâcheux

betrübt *adj* désolé(e)

Betrug [bə'tru:k, *Pl:* bə'try:gə] <-[e]s> *m* **1.** (*Straftat*) escroquerie *f* **2.** (*Schwindel*) duperie *f*

betrügen* [bə'try:gən] *irr* **I.** *vt* **1.** (*finanziell hintergehen*) frauder; **jdn um etw** ~ escroquer qc à qn **2.** (*beschwindeln*) duper; **sich in etw** (*dat*) **betrogen sehen** se sentir abusé dans qc **3.** (*untreu sein*) **jdn mit jdm** ~ tromper qn avec qn **II.** *vr* **sich** [**selbst**] ~ s'abuser

Betrüger(in) <-s, -> *m(f)* fraudeur(-euse) *m(f)*; (*beim Spielen*) tricheur(-euse) *m(f)*

Betrügerei <-, -en> *f pej* **1.** (*finanzieller Betrug*) escroquerie *f* **2.** (*Schwindel*) duperie *f*; (*beim Spielen*) tricherie *f* **3.** *meist Pl* (*Seitensprung*) infidélités *fpl*

betrügerisch *adj pej* frauduleux(-euse)

betrunken [bə'trʊŋkən] *adj* ivre

Betrunkene(r) *f(m) dekl wie adj* personne *f* ivre

Bett [bɛt] <-[e]s, -en> *nt* **1.** (*Möbel*) lit *m*; **französisches** ~ grand lit; **ins** ~ **gehen** aller se coucher; **im** ~ **sein** être dans son lit; **im** ~ **liegen** être couché; **jdn ins** ~ **bringen** coucher qn **2.** (~*decke*) couverture *f*; (*Daunenbett*) couette *f* **3.** (*Flussbett*) lit *m*

►**ans** ~ **gefesselt sein** *geh* être cloué au lit; **mit jdm ins** ~ **gehen** *euph* coucher avec qn

Bettbezug *m* housse *f* de couette **Bettdecke** *f* couverture *f*; (*Daunendecke*) couette *f*

bettelarm ['bɛtəl'?arm] *adj* totalement démuni(e)

Bettelei [bɛtə'laɪ] <-, -en> *f pej* mendicité *f*

Bettelmönch *m* moine *m* mendiant

betteln *vi* mendier

betten *vt* (*hinlegen*) coucher; **weich gebettet** douillettement couché

Bettgestell *nt* bois *m* de lit **Bettkante** *f* [re]bord *m* du lit

bettlägerig ['bɛtlɛ:gərɪç] *adj* (*momentan*) alité(e); (*dauernd*) grabataire

Bettlaken *nt* drap *m* **Bettlektüre** *f* livre *m* de chevet

Bettler(in) ['bɛtlɐ] <-s, -> *m(f)* mendiant(e) *m(f)*

Bettnässer(in) <-s, -> *m(f)* incontinent(e) *m(f)* **Bettruhe** *f* repos *m* **Betttuch**^RR <-tücher> *nt* drap *m* **Bettvorleger** *m* descente *f* de lit **Bettwäsche** *f* parure *f* de lit **Bettzeug** *nt fam* literie *f*

betucht [bə'tu:xt] *adj fam* rupin(e); ~/**nicht** ~ **sein** rouler/ne pas rouler sur l'or

betulich [bə'tu:lɪç] **I.** *adj* **1.** (*gemächlich*) apathique **2.** (*besorgt*) soucieux(-ieuse) **3.** (*wenig einfallsreich*) fade **II.** *adv* (*gemächlich*) nonchalamment

betupfen* *vt* tamponner *Wunde, Pickel;* moucheter *Stoff, Leinwand*

beugen ['bɔygən] **I.** *vt* **1.** (*neigen*) pencher *Kopf, Rumpf, Oberkörper;* fléchir *Knie, Arm* **2.** GRAM conjuguer *Verb;* décliner *Adjektiv, Substantiv* **II.** *vr* **1.** (*sich neigen*) **sich nach links/nach vorn/zur Seite** ~ se pencher sur la gauche/en avant/sur le côté **2.** (*sich unterwerfen*) **sich** ~ s'incliner

Beugung <-, -en> *f* **1.** (*das Beugen*) *eines Arms* flexion *f* **2.** GRAM flexion *f* **3.** (*Brechung*) *von Licht* diffraction *f*

Beule ['bɔylə] <-, -n> *f* bosse *f*

beunruhigen* [bə'ʊnru:ɪgən] **I.** *vt* inquiéter; ~**d** inquiétant **II.** *vr* **sich wegen jdm/etw** ~ s'inquiéter au sujet de qn/qc

beunruhigt *adj* inquiet(-ète); **über etw** (*akk*) ~ **sein** être inquiet de qc

beurkunden* *vt* authentifier

beurlauben* *vt* **1.** (*Urlaub geben, bewilligen*) donner un congé à; MIL donner une permission à; **einen Schüler vom Unterricht** ~ dispenser un élève de cours **2.** (*vom Dienst suspendieren*) **jdn** ~ mettre qn en disponibilité; **von etw beurlaubt sein** être suspendu de qc **3.** UNIV

sich ~ lassen *Lehrkraft:* se mettre en disponibilité; *Student:* demander l'autorisation d'interrompre ses études
beurteilen* *vt* juger *Person;* estimer *Kunstobjekt, Wertgegenstand*
Beurteilung <-, -en> *f* **1.** *kein Pl* (*das Beurteilen*) jugement *m* **2.** (*Einschätzung*) einer *Publikation, Aufführung* critique *f; eines Kunstobjekts, Wertgegenstands* estimation *f* **3.** (*schriftliches Urteil*) appréciation *f*
Beute ['bɔytə] <-> *f* **1.** (*Jagdbeute*) eines *Jägers* prise *f; eines Tiers* proie *f* **2.** (*Diebesbeute, Kriegsbeute*) butin *m* **3.** geh (*Opfer*) proie *f*
Beutel ['bɔytəl] <-s, -> *m* **1.** sac *m* **2.** fam (*Geldbeutel*) bourse *f* **3.** ZOOL poche *f*
Beuteltier *nt* marsupial *m*
bevölkern* [bə'fœlkən] *vt* **1.** (*besiedeln*) peupler *Gebiet, Land* **2.** (*beleben*) remplir
bevölkert *adj* **1.** (*besiedelt*) peuplé(e) **2.** (*belebt*) fréquenté(e)
Bevölkerung <-, -en> *f* population *f*
Bevölkerungsdichte *f* densité *f* de population **Bevölkerungsexplosion** *f* explosion *f* démographique **Bevölkerungsgruppe** *f* groupe *m* de population **Bevölkerungsschicht** *f* couche *f* de [la] population **Bevölkerungszunahme** *f* croissance *f* démographique
bevollmächtigen* [bə'fɔlmɛçtɪgən] *vt* donner pouvoir; **jdn ~ etw zu tun** donner pouvoir à qn de faire qc
Bevollmächtigte(r) *f(m)* dekl wie adj fondé(e) *m(f)* de pouvoir; POL mandataire *mf*
bevor [bə'foːɐ] *konj* **1.** (*ehe*) avant que + subj; **~ ich abreise, möchte ich gerne ...** avant de partir en voyage, je voudrais ... **2.** (*solange*) **~ du nicht aufräumst, darfst du nicht gehen** tu ne partiras pas tant que tu n'auras pas rangé
bevormunden* [bə'foːɐmʊndən] *vt* tenir en tutelle; **jdn ~** tenir qn en tutelle
Bevormundung <-, -en> *f* tutelle *f;* (*durch einen Chef, Staat*) paternalisme *m*
bevorlstehen *vi irr* **1.** (*zu erwarten haben*) **jdm ~** attendre qn **2.** (*in Kürze eintreten*) **etw steht bevor** on est à la veille de qc
bevorstehend *adj* imminent(e)
bevorzugen* [bə'foːɐtsuːgən] *vt* **1.** (*begünstigen*) favoriser **2.** (*lieber mögen*) préférer
bevorzugt I. *adj* **1.** privilégié(e) **2.** (*beliebt*) préféré(e) **II.** *adv bedienen, behandeln* avec des égards particuliers; *zustellen* en priorité
Bevorzugung <-, -en> *f* préférence *f*
bewachen* *vt* **1.** (*beaufsichtigen*) surveiller **2.** SPORT marquer *Spieler;* garder *Tor*
Bewacher(in) <-s, -> *m(f)* (*Wächter*) gardien(ne) *m(f)*

bewachsen* [bə'vaksən] **I.** *vt irr* recouvrir **II.** *adj* **mit Moos ~** recouvert de mousse
Bewachung <-, -en> *f* **1.** *kein Pl* surveillance *f* **2.** (*Wachmannschaft*) garde *f*
bewaffnen* [bə'vafnən] *vt, vr* [sich] ~, [s']armer; **jdn/sich mit etw ~** armer qn/s'armer de qc
Bewaffnung <-, -en> *f* armement *m*
bewahren* [bə'vaːrən] *vt* **1.** (*schützen*) préserver **2.** (*behalten*) préserver *Ehre, Traditionen;* garder *Geheimnis* **3.** geh (*aufbewahren*) garder
bewähren* [bə'vɛːrən] *vr* **sich ~** *Person,* *Methode:* faire ses preuves; *Freundschaft:* résister au temps; **bewährt** qui a fait ses preuves
bewahrheiten* [bə'vaːɐhaɪtən] *vr* **sich ~** se vérifier
Bewährung <-, -en> *f* JUR sursis *m*
Bewährungsfrist *f* période *f* de probation **Bewährungshelfer(in)** *m(f)* agent *m* de probation **Bewährungsprobe** *f* mise *f* à l'épreuve; **die ~ bestehen** réussir la mise à l'épreuve
bewältigen* [bə'vɛltɪgən] *vt* **1.** (*meistern*) venir à bout de **2.** (*verarbeiten*) assumer *Vergangenheit;* digérer (*fam*) *Erlebnis*
bewandert [bə'vandət] *adj* **~ sein** être expert
Bewandtnis [bə'vantnɪs] <-, -se> *f* geh **mit jdm/etw hat es eine besondere ~** qn/qc est un cas particulier; **das hat folgende ~** geh voilà ce qui en est
bewässern* [bə'vɛsən] *vt* arroser; irriguer *Feld*
Bewässerung <-, -en> *f* arrosage *m; eines Feldes* irrigation *f*
bewegen*[1] [bə'veːgən] **I.** *vt* **1.** (*rühren*) déplacer **2.** (*beschäftigen*) **jdn ~** *Gedanke, Vorstellung:* occuper l'esprit de qn; (*aufwühlen*) *Ereignis, Erlebnis:* remuer qn **3.** (*bewirken*) **viel/wenig ~** faire bouger beaucoup/peu de choses **II.** *vr* **1.** sich ~ *Person:* bouger **2.** (*verkehren, rotieren*) **sich frei/um die Sonne ~** se déplacer librement/autour du soleil **2.** (*schwanken*) **sich um die hundert Euro ~** *Preis:* tourner autour de cent euros
bewegen[2] <bewog, bewogen> *vt* amener; **jdn zum Nachgeben/Einlenken ~** amener qn à céder/composer; **sich ~ lassen etw zu tun** se laisser convaincre de faire qc ▶ **sich bewogen fühlen etw zu tun** geh se sentir poussé à faire qc
Beweggrund *m* mobile *m*
beweglich [bə'veːklɪç] *adj* **1.** *Gelenk, Feiertag* mobile **2.** *Person* mobile; *Fahrzeug* maniable **3.** (*geistig beweglich*) **~ sein**

être vif
bewegt [bə'veːkt] *adj* **1.** *Oberfläche, Wasser* agité(e) **2.** (*erlebnisreich*) mouvementé(e) **3.** (*innerlich gerührt*) **von etw** ~ **sein** être touché par qc
Bewegung <-, -en> *f* **1.** mouvement *m;* (*Geste*) geste *m;* (*Fortbewegung*) déplacement *m;* **sich in** ~ **setzen** se mettre en mouvement; **keine** |**falsche**| ~! pas un geste! **2.** (*körperliche Betätigung*) exercice *m* **3.** (*Ergriffenheit*) émotion *f* **4.** POL, KUNST mouvement *m* **5.** (*Dynamik, Änderung*) changement *m*
Bewegungsablauf *m* enchaînement *m* des mouvements **Bewegungsfreiheit** *f* liberté *f* de mouvement **bewegungslos** *adj, adv* immobile
bewehrt *adj* armé(e); ~ **mit etw** armé(e) de qc
beweihräuchern* [bə'vajrɔyçən] I. *vt* **1.** REL encenser **2.** *pej* (*mit Lob bedenken*) **jdn** ~ porter qn aux nues II. *vr pej* **sich** |**selbst**| ~ s'envoyer des fleurs
beweinen* *vt* pleurer *Verstorbenen;* déplorer *Scheitern, Tod*
Beweis [bə'vajs] <-es, -e> *m* a. JUR preuve *f* ▶ **etw unter** ~ **stellen** prouver qc
Beweisaufnahme *f* examen *m* des preuves
beweisbar *adj* prouvable
beweisen* *irr* I. *vt* **1.** (*nachweisen*) prouver; **jdm etw** ~ (*anlasten*) prouver qc contre qn **2.** (*erkennen lassen*) **Takt** ~ **faire** preuve de tact; **das beweist, dass ...** cela prouve que ... II. *vr* **sich** ~ faire ses preuves
Beweisführung *f* exposé *m* des preuves **Beweiskraft** *f* force *f* probante **beweiskräftig** *adj* probant(e) **Beweislage** *f* preuves *fpl* rassemblées **Beweismaterial** *nt* pièces *fpl* à conviction **Beweisstück** *nt* pièce *f* à conviction
bewenden *vt* **es bei** [*o* **mit**] **etw** ~ **lassen** s'en tenir à qc; **es dabei** ~ **lassen etw zu tun** se contenter de faire qc
bewerben* *irr* I. *vr* **sich** ~ (*akk*) poser sa candidature II. *vt* promouvoir *Produkt*
Bewerber(in) <-s, -> *m(f)* candidat(e) *m(f)*
Bewerbung <-, -en> *f* **1.** candidature *f;* ~ **um eine Stelle** candidature à un emploi **2.** (*Werbemaßnahmen*) promotion *f*
Bewerbungsgespräch *nt* entretien *m* [d'embauche] **Bewerbungsschreiben** *nt* lettre *f* de candidature **Bewerbungsunterlagen** *Pl* dossier *m* de candidature
bewerfen* *irr vt* bombarder
bewerkstelligen* [bə'vɛrkʃtɛlɪgən] *vt* (*zuwege bringen*) réussir [à faire]
bewerten* *vt* **1.** (*benoten*) évaluer

2. (*schätzen*) estimer
Bewertung *f* **1.** (*Benotung*) évaluation *f* **2.** (*Schätzung*) estimation *f*
bewilligen* [bə'vɪlɪgən] *vt* approuver *Geldmittel;* accorder *Antrag*
Bewilligung <-, -en> *f* **1.** *kein Pl* (*das Bewilligen*) *eines Etats, einer Stelle* approbation *f; von Geldmitteln* octroi *m; von Krediten* accord *m* **2.** (*schriftliche Genehmigung*) autorisation *f*
bewirken* *vt* **1.** (*verursachen*) provoquer **2.** (*erreichen*) obtenir
bewirten* [bə'vɪrtən] *vt* régaler; (*im Restaurant*) restaurer; **jdn mit etw** ~ servir qc à qn
bewirtschaften* *vt* **1.** exploiter *Land, Betrieb* **2.** (*staatlich kontrollieren*) réglementer; rationner *Lebensmittel*
Bewirtung <-, -en> *f* **1.** (*Bedienung*) service *m* **2.** (*Speisen und Getränke*) boire *m* et manger
bewog [bə'voːk] *Imp von* **bewegen**[2]
bewogen [bə'voːgən] *PP von* **bewegen**[2]
bewohnbar *adj* habitable
bewohnen* *vt* habiter
Bewohner(in) <-s, -> *m(f)* habitant(e) *m(f)*
bewölken* [bə'vœlkən] *vr* **sich** ~ *Himmel:* se couvrir
bewölkt *adj* nuageux(-euse)
Bewölkung <-, -en> *f* nuages *mpl*
Bewunderer <-s, -> *m,* **Bewunderin** *f* admirateur(-trice) *m(f)*
bewundern* *vt* admirer
bewundernswert *adj geh* admirable
Bewunderung <-, -en> *f* admiration *f*
bewusst[RR] [bə'vʊst], **bewußt** I. *adj* **1.** *attr* (*vorsätzlich*) délibéré(e) **2.** *attr Handlung* réfléchi(e); *Ernährung* équilibré(e) **3.** *attr Nichtraucher* convaincu(e); *Ablehnung, Einstellung* délibéré(e) **4.** PSYCH conscient(e) **5.** *attr* (*besagt*) fameux(-euse) *antéposé* II. *adv* **1.** *leben* de façon équilibrée **2.** (*vorsätzlich*) délibérément **3.** (*klar*) **sich** (*dat*) **etw** ~ **machen** prendre conscience de qc
bewusstlos[RR], **bewußtlos** *adj Person* inconscient(e); *Verfassung, Zustand* d'inconscience; ~ **werden/sein** perdre connaissance/être inconscient
Bewusstlosigkeit[RR], **Bewußtlosigkeit** <-, -en> *f* inconscience *f;* (*kurzfristig*) évanouissement *m;* (*Koma*) coma *m*
bewußt|machen *s.* **bewusst** II.
Bewusstsein[RR], **Bewußtsein** <-s> *nt* **1.** (*bewusster Zustand*) conscience *f;* **bei vollem/klarem** ~ **sein** être conscient/lucide; **das** ~ **verlieren** perdre conscience **2.** PHILOS, PSYCH conscient *m* **3.** (*explizites Wissen*) conscience *f*

bezahlen* *vt, vi* payer
bezahlt *adj* payé(e); **gut** ~ *Position, Stellung* bien payé ▶**sich für jdn** ~ **machen** être payant pour qn
Bezahlung *f* **1.** *kein Pl* (*das Bezahlen*) paiement *m* **2.** (*Entlohnung*) rémunération *f;* (*Lohn, Gehalt*) paie *f*
bezähmen* *geh* **I.** *vt* réfréner **II.** *vr* **sich** ~ se retenir
bezaubern* **I.** *vt* charmer *Person;* **bezaubert sein** être sous le charme **II.** *vi* avoir du charme
bezaubernd *adj* **1.** *Person, Klang* charmant(e); *Gegenstand, Schönheit* ravissant(e) **2.** *iron* (*wenig erfreulich*) charmant(e) *antéposé*
bezeichnen* **I.** *vt* **1.** (*bedeuten*) désigner **2.** (*kennzeichnen*) indiquer **3.** (*benennen*) qualifier **II.** *vr* **sich als liberal** ~ se qualifier de libéral
bezeichnend *adj* typique
Bezeichnung *f* **1.** (*Name, Beschreibung*) désignation *f* **2.** (*Kennzeichnung*) indication *f*
bezeugen* [bə'tsɔygən] *vt* **1.** (*bestätigen*) *Person:* certifier; *Äußerung, Verhalten:* attester; **etw unter Eid** ~ témoigner qc sous serment **2.** *geh* (*nachweisen*) certifier *Richtigkeit, Umstand*
bezichtigen* [bə'tsɪçtɪgən] *vt* accuser; **jdn einer S.** (*gen*) ~ accuser qn de qc
beziehen* *irr* **I.** *vt* **1.** recouvrir *Polster;* **die Betten frisch** ~ changer les draps **2.** (*einnehmen*) emménager dans *Wohnung;* prendre *Posten, Stellung, Standpunkt* **3.** COM recevoir *Lieferung, Zeitschrift* **4.** FIN percevoir *Einkommen, Rente;* CH percevoir *Steuern* **5.** *fam* (*bekommen*) [se] prendre *Ohrfeige, Schelte* **6.** (*in Beziehung setzen*) **etw auf jdn/etw** ~ rapporter qc à qn/qc **II.** *vr* **1.** **sich** ~ *Himmel:* se couvrir **2.** (*betreffen*) **sich auf jdn/etw** ~ *Bemerkung:* se rapporter à qn/qc **3.** (*sich berufen*) **sich auf jdn/etw** ~ se référer à qn/qc
Bezieher(in) <-s, -> *m(f)* **1.** FIN bénéficiaire *mf;* *von Sozialleistungen* prestataire *mf* **2.** (*Abonnent*) abonné(e) *m(f)* **3.** COM *eines Artikels, einer Ware* acheteur(-euse) *m(f)*
Beziehung <-, -en> *f* **1.** (*Verbindung*) rapport *m* **2.** *meist Pl* (*nützliche Bekanntschaften*) relation *f souvent pl* **3.** (*Verhältnis, Liebesbeziehung*) relation *f* **4.** (*Hinsicht*) **in mancher/jeder** ~ **Recht haben** avoir raison à bien des égards/à tous [les] égards
beziehungslos *adj* indépendant(e) **beziehungsweise** *konj* (*oder auch*) ou bien; (*oder vielmehr*) ou plutôt; (*respektive*) respectivement

beziffern* [bə'tsɪfɐn] **I.** *vt* chiffrer *Schaden, Verlust;* estimer *Anzahl* **II.** *vr* **sich auf tausend Euro** ~ *Schaden, Verlust:* se chiffrer à mille euros; **die Zahl der Opfer beziffert sich auf hundert** le nombre des sinistrés s'élève à cent
Bezirk [bə'tsɪrk] <-[e]s, -e> *m* **1.** (*Gebiet*) région *f* **2.** COM secteur *m* **3.** (*Verwaltungsbezirk*) district *m* administratif; A, CH district **4.** (*Stadtbezirk*) ≈ arrondissement *m*
bezug *s.* Bezug
Bezug [bə'tsuːk, *Pl:* bə'tsyːgə] <-[e]s, ⁼e> *m* **1.** (*Bettbezug*) housse *f;* (*Kissenbezug*) taie *f;* **die Bezüge wechseln** changer la literie **2.** (~ *sstoff*) revêtement *m* **3.** COM achat *m; von Zeitschriften* abonnement *m* **4.** (*das Erhalten*) *von Einkommen* perception *f* **5.** *Pl* (*Einkünfte*) *eines Verwaltungsangestellten* émoluments *mpl; eines Abgeordneten* indemnités *fpl;* (*Honorar*) honoraires *mpl* **6.** (*Beziehung*) ~ **zu etw** rapport *m* à qc; **keinen** ~ **zur Wirklichkeit haben** ne pas avoir le sens des réalités **7.** CH (*das Beziehen*) *eines Hauses* emménagement *m* ▶**auf etw** (*akk*) ~ **nehmen** faire référence à qc; ~ **nehmend auf etw** (*akk*) en référence à qc; **in** ~ **auf etw** concernant qc
bezüglich [bə'tsyːklɪç] **I.** *präp + gen* ~ **Ihres Angebots** *form* concernant votre offre **II.** *adj* relatif(-ive)
Bezugnahme [bə'tsuːknaːmə] *f form* ▶**unter** ~ **auf etw** (*akk*) en référence à qc
bezugsfertig *adj* habitable **Bezugsperson** *f* personne *f* d'identification **Bezugsquelle** *f* source *f* d'approvisionnement
bezwecken* [bə'tsvɛkən] *vt* **1.** (*bewirken*) **etwas/nichts** ~ servir à quelque chose/ne servir à rien **2.** (*beabsichtigen*) **etwas mit etw** ~ rechercher quelque chose avec qc; **etw** ~ *Maßnahme:* viser qc
bezweifeln* *vt* mettre en doute; **etw** ~ mettre qc en doute; **~, dass** douter que + *subj*
bezwingen* *irr* **I.** *vt* **1.** (*besiegen*) vaincre **2.** (*überwinden*) prendre *Festung* **3.** (*bezähmen*) maîtriser *Neugierde, Wut* **II.** *vr* **sich** ~ se maîtriser
BGB [beːgeː'beː] <-> *nt Abk von* **Bürgerliches Gesetzbuch** code *m* civil
BGH [beːgeː'haː] <-> *m Abk von* **Bundesgerichtshof** cour *f* suprême fédérale
BH [beː'haː] <-[s], -[s]> *m fam Abk von* **Büstenhalter** soutif *m*
Bhagwan <-s, -s> *m* Bhagwan *m*
bi [biː] *adj fam* ~ **sein** être bi
Biathlon ['biːatlɔn] <-s, -s> *nt* biathlon *m*
Bibel ['biːbəl] <-, -n> *f* bible *f*
bibelfest *adj Person* qui connaît bien sa Bi-

ble
Biber [ˈbiːbɐ] <-s, -> *m* **1.** (*Tier, Fell*) castor *m* **2.** (*Baumwollflanell*) flanelle *f*
Bibliografieᴿᴿ [bibliograˈfiː] <-, -n> *f* bibliographie *f*
bibliografischᴿᴿ [biblioˈgraːfɪʃ] *adj* bibliographique
Bibliographie *s.* **Bibliografie**
bibliographisch *s.* **bibliografisch**
Bibliothek [biblioˈteːk] <-, -en> *f* bibliothèque *f*
Bibliothekar(in) [biblioteˈkaːɐ̯] <-s, -e> *m(f)* bibliothécaire *mf*
biblisch [ˈbiːblɪʃ] *adj* **1.** (*aus der Bibel*) biblique **2.** *hum Alter* canonique
Bidet [biˈdeː] <-s, -s> *nt* bidet *m*
bieder [ˈbiːdɐ] *adj* **1.** (*brav*) bien sage **2.** *pej* (*einfältig*) simplet(te)
Biedermann <-männer> *m pej* brave homme *m*
biegen [ˈbiːgən] <bog, gebogen> **I.** *vt* + *haben* **1.** tordre; plier *Zweig, Weidengerte;* **auseinander** ~ écarter **2.** GRAM A décliner *Adjektiv, Substantiv;* conjuguer *Verb* ▸ **auf Biegen und Brechen** *fam* envers et contre tout **II.** *vi* + *sein* **nach rechts/links** ~ tourner à droite/gauche; **zu schnell um die Kurve** ~ *Fahrer, Fahrzeug:* prendre son virage trop vite **III.** *vr* + *haben* **1.** sich **nach vorne/rechts** ~ se pencher en avant/à droite **2.** (*sich verziehen*) **sich** ~ *Baum:* plier; *Kerze, Metallstab:* se tordre; *Regalbrett:* ployer
biegsam *adj* souple
Biegsamkeit <-> *f* souplesse *f*
Biegung <-, -en> *f* **1.** (*Kurve*) *einer Straße* tournant *m; eines Flusses* courbe *f;* **eine** ~ **machen** *Straße:* faire un virage; *Fluss:* faire une courbe **2.** (*Krümmung*) *einer Wirbelsäule* courbure *f* **3.** GRAM A flexion *f*
Biene [ˈbiːnə] <-, -n> *f* abeille *f*
Bienenhonig *m* miel *m* d'abeilles **Bienenkönigin** *f* reine *f* des abeilles **Bienenschwarm** *m* essaim *m* [d'abeilles] **Bienenstich** *m* **1.** (*Stich*) piqûre *f* d'abeille **2.** GASTR amandine *f* (*gâteau aux amandes*) **Bienenstock** *m* ruche *f* [en bois] **Bienenwachs** *nt* cire *f* d'abeille
Bier [biːɐ̯] <-[e]s, -e> *nt* bière *f*
Bierbauch *m fam* abdo[minaux] *mpl* Kronenbourg® **Bierbrauerei** *f* brasserie *f* **Bierdeckel** *m* sous-bock *m*
bierernst *adj fam* sérieux(-euse) comme un pape
Biergarten *m* brasserie *f* en plein air **Bierglas** *nt* verre *m* à bière **Bierkrug** *m* chope *f* [à bière] **Bierzelt** *nt* chapiteau *m* (*grande tente où est installée une brasserie*)
Biest [biːst] <-[e]s, -er> *nt pej fam*

1. (*bösartiges Tier*) sale bête *f;* (*Insekt*) bestiole *f* **2.** (*Mensch*) teigne *f*
biestig *fam adj* hargneux(-euse)
bieten [ˈbiːtən] <bot, geboten> **I.** *vt* **1.** offrir **2.** *pej* (*zumuten*) infliger; **sich** (*dat*) **etw** ~/**nicht** ~ **lassen** tolérer/ne pas tolérer qc **II.** *vi* **1.** SPIEL annoncer **2.** (*ein Angebot machen*) enchérir **III.** *vr* **1.** (*sich anbieten*) **sich** ~ *Chance, Lösung:* se présenter **2.** (*sich darbieten*) **sich jdm** ~ *Anblick, Schauspiel:* s'offrir à qn
Bigamie [bigaˈmiː] <-, -n> *f* bigamie *f*
bigott *adj* bigot(e)
Bikini [biˈkiːni] <-s, -s> *m* deux-pièces *m*
Bilanz [biˈlants] <-, -en> *f* bilan *m;* **eine** ~ **aufstellen** dresser un bilan ▸ ~ **ziehen** faire le bilan
Bilanzbuchhalter(in) *m(f)* [*expert-*]comptable chargé(e) du bilan
bilateral [ˈbiː(ˌ)lateraːl] *adj* bilatéral(e)
Bild [bɪlt] <-[e]s, -er> *nt* **1.** (*Gemälde*) tableau *m;* (*Zeichnung*) dessin *m* **2.** (*Foto*) photo *f;* **ein** ~ **machen** prendre une photo **3.** TV, CINE image *f* **4.** (*Spiegelbild*) image *f* **5.** (*Anblick*) spectacle *m;* (*Aussehen*) aspect *m* **6.** (*Vorstellung*) image *f* ▸ **über jdn/etw im** ~**e sein** être renseigné sur qn/qc; **jetzt bin ich im** ~**e** maintenant je suis au courant **Bildband** <-bände> *m* livre *m* illustré **Bilddatei** *f* INFORM fichier *m* vidéo
bilden [ˈbɪldən] **I.** *vt* **1.** former **2.** (*darstellen*) constituer *Gruppe, Höhepunkt* **3.** KUNST **etw aus etw** ~ modeler qc en qc **II.** *vr* **sich** ~ **1.** (*entstehen*) se former **2.** (*sich Bildung verschaffen*) se cultiver **III.** *vi* former
Bilderbogen *m* planche *f* **Bilderbuch** *nt* livre *m* d'images **Bilderrahmen** *m* cadre *m* **Bildfläche** *f* écran *m* ▸ **auf der** ~ **erscheinen** *fam* faire son apparition
bildhaft **I.** *adj* imagé(e) **II.** *adv* de façon imagée
Bildhauer(in) <-s, -> *m(f)* sculpteur *m* **Bildhauerei** [ˈbɪlthauərai] <-> *f* sculpture *f* **bildhübsch** [ˈbɪltˈhʏpʃ] *adj* ravissant(e)
bildlich **I.** *adj* **1.** *Darstellung* imagé(e) **2.** (*in bildhafter Sprache*) figuré(e), métaphorique **II.** *adv* **1.** *darstellen* en images; **stell dir das mal** ~ **vor!** représente-toi la scène! **2.** (*in bildhafter Sprache*) au [sens] figuré
Bildnis [ˈbɪltnɪs] <-ses, -se> *nt geh* portrait *m;* (*auf Münzen*) effigie *f*
Bildplatte *f* vidéodisque *m* **Bildqualität** *f* **1.** TV, CINE qualité *f* de l'image **2.** PHOT qualité *f* d'image **Bildröhre** *f* tube *m* cathodique **Bildschärfe** *f* netteté *f* de l'image **Bildschirm** *m* écran *m* **Bildschirmarbeit**

f travail *m* sur écran **Bildschirmschoner** *m* INFORM économiseur *m* d'écran **Bildschirmtext** *m* ≈ minitel® *m* **bildschön** *s.* bildhübsch **Bildstörung** *f* perturbation *f* de l'image; (*Bildausfall*) panne *f* d'image **Bildtelefon** *nt* visiophone *m* **Bildung** ['bɪldʊŋ] <-, -en> *f* 1. kein Pl (*Kenntnisse*) culture *f;* (*Erziehung*) formation *f* 2. kein Pl a. BOT (*das Hervorbringen*) formation *f* 3. kein Pl (*das Bilden*) einer Regierung, von Vermögen constitution *f;* einer Meinung, Theorie formation *f* 4. GRAM formation *f* 5. LING (*Wort*) forme *f* **Bildungsgut** *nt* bien *m* culturel **Bildungslücke** *f* lacune *f* **Bildungspolitik** *f* politique *f* éducative **Bildungsreise** *f* voyage *m* éducatif **Bildungsurlaub** *m* congé-formation *m* **Bildungsweg** *m* formation *f;* auf dem zweiten ~ en formation parallèle **Bildungswesen** *nt* enseignement *m* **Bildzuschrift** *f* réponse *f* avec photo **Billard** ['bɪljart] <-s, -e o A -s> *nt* billard *m* **Billett** [bɪl'jɛt] <-[e]s, -e o -s> *nt* 1. A (*Brief*) lettre *f* 2. CH (*Fahrkarte*) billet *m* **Billiarde** [bɪl'jardə] <-, -n> *f* mille billions *mpl* **billig** ['bɪlɪç] *adj* 1. (*preisgünstig*) bon marché; ~ einkaufen acheter à bon prix; nicht ganz ~ sein ne pas être bon marché; jdm etw ~/~er verkaufen vendre qc à qn à prix réduit/moins cher; diese Äpfel sind ~er ces pommes sont meilleur marché 2. fam Preis bas(se) 3. pej (*minderwertig*) bon marché 4. pej (*primitiv*) eine ~e Ausrede une pauvre excuse (*fam*) **billigen** ['bɪlɪgən] *vt* approuver **Billigpreis** *m* prix *m* bas **Billigung** <-, -en> *f* approbation *f* **Billigwaren** Pl ÖKON marchandises *fpl* bas de gamme **Billion** [bɪl'jo:n] <-, -en> *f* billion *m* **bimmeln** *vi* fam carillonner; Telefon, Wecker: sonner **Bimsstein** ['bɪmsʃtajn] *m* 1. pierre *f* ponce 2. (*Baustein*) béton *m* ponce **bin** [bɪn] 1. Pers Präs von sein¹ **binär** [bi'nɛːɐ̯] *adj* binaire **Binärcode** *m* INFORM code *m* binaire **Binärdatei** *f* INFORM binaire *m* **Binärdaten** Pl INFORM données *fpl* binaires **Binde** ['bɪndə] <-, -n> *f* 1. MED bande *f;* (*Schlinge*) écharpe *f* 2. (*Monatsbinde*) serviette *f* hygiénique 3. (*Armbinde*) brassard *m* 4. (*Augenbinde*) bandeau *m* **Bindegewebe** *nt* tissu *m* conjonctif **Bindeglied** *nt* lien *m* **Bindehaut** *f* conjonctive *f* **Bindemittel** *nt* agglutinant *m;* TECH liant *m*

binden <band, gebunden> I. *vt* 1. (*zusammenbinden*) (*durch Bündeln*) lier; (*durch Knoten*) nouer 2. (*herstellen*) fabriquer Kranz, Strauß 3. (*verpflichten*) jdn an etw (*akk*) ~ lier qn à qc 4. CHEM fixer 5. GASTR, TECH épaissir 6. FIN Kapital ~ immobiliser des capitaux 7. (*mit einem Einband versehen*) relier Buch II. *vi* 1. (*eine Gefühlsbindung schaffen*) lier III. *vr* 1. (*eine Beziehung eingehen*) sich an jdn ~ se lier avec qn 2. (*sich verpflichten*) sich ~ s'engager **bindend** *adj* ferme; eine ~e Zusage machen faire une promesse ferme; für jdn ~ sein engager qn **Bindestrich** *m* trait *m* d'union **Bindewort** <-wörter> *nt* conjonction *f* **Bindfaden** *m* ficelle *f* **Bindung** <-, -en> *f* 1. (*Verbundenheit*) attachement *m* 2. (*Verpflichtung*) engagement *m* 3. (*Beziehung*) liaison *f* 4. SPORT fixation *f* 5. TEXTIL armure *f* 6. CHEM liaison *f* 7. PHYS combinaison *f* **binnen** ['bɪnən] *präp*+ dat o gen ~ einem Jahr [o eines Jahres form] dans un délai d'un an; ~ kurzem sous peu **Binnengewässer** *nt* eaux *fpl* continentales **Binnenhafen** *m* port *m* fluvial **Binnenhandel** *m* commerce *m* intérieur **Binnenmarkt** *m* marché *m* intérieur; der europäische ~ le marché intérieur européen **Binnenmeer** *nt* mer *f* intérieure **Binnenschifffahrt**^RR *f* navigation *f* fluviale **Binse** ['bɪnzə] <-, -n> *f* jonc *m* ▶in die ~n gehen fam foirer **Binsenweisheit** *f* truisme *m* **Bio** <-> kein Artikel SCHULE fam sci[ences] *fpl* nat; sie ist gut in ~ elle est bonne en bio **bioaktiv** *adj* à activateur biologique **Biochemie** [bioçe'mi:] *f* biochimie *f* **biodynamisch** [biody'na:mɪʃ] *adj* biologique **Biogas** *nt* biogaz *m* **Biograf(in)**^RR [bio'gra:f] <-en, -en> *m(f)* biographe *mf* **Biografie**^RR [biografi:] <-, -n> *f* 1. (*Buch*) biographie *f* 2. (*Lebenslauf*) curriculum *f* [vitae] **biografisch**^RR [bio'gra:fɪʃ] *adj* biographique **Biographie** *s.* Biografie **biographisch** [bio'gra:fɪʃ] *s.* biografisch **Bioladen** *m* fam magasin *m* bio **Biologe** [bio'lo:gə] <-n, -n> *m*, **Biologin** *f* biologiste *mf* **Biologie** [biolo'gi:] <-> *f* biologie *f* **biologisch** [bio'lo:gɪʃ] I. *adj* biologique II. *adv* biologiquement; ~ abbaubar biodégradable

Biomechanik *f kein pl* biomécanique *f*
Biophysik [biofy'zi:k] *f* biophysique *f*
Biopsie [-'psi:ən] <-, -n> *f* biopsie *f*
Biorhythmus ['bi:orʏtmʊs] *m* biorythme
m **Biosphäre** [bio'sfɛ:rə] *f* biosphère *f*
Biotechnik [bio'tɛçnɪk] *f* biotechnique *f*
Biotop [bio'to:p] <-s, -e> *nt* biotope *m*
BIP ['be:ʔi:ʔpe:] <-> *nt Abk von* **Bruttoinlandsprodukt** P.I.B. *m*
birgt [bɪrkt] *3. Pers Präs von* **bergen**
Birke ['bɪrkə] <-, -n> *f* bouleau *m*
Birkhuhn *nt* tétras-lyre *m*
Birnbaum *m* poirier *m*
Birne ['bɪrnə] <-, -n> *f* **1.** (*Frucht*) poire *f*
2. (*Glühbirne*) ampoule *f* **3.** *fam* (*Kopf*) caboche *f*
birnenförmig ['bɪrnənfœrmɪç] *adj* en forme de poire
birst [bɪrst] *3. Pers Präs von* **bersten**
bis [bɪs] **I.** *präp + akk* **1.** (*zeitlich*) jusqu'à; (*nicht später als*) d'ici; **warte ~ nächste Woche** attends jusqu'à la semaine prochaine; **vom ersten ~ dritten März** du premier au trois mars **2.** (*räumlich*) ~ **Frankfurt fahren** aller jusqu'à Francfort **II.** *präp mit adv o pron* **1.** (*zeitlich*) ~ **jetzt** jusqu'à maintenant; ~ **dahin** d'ici là; **er hat ~ jetzt noch nicht angerufen** il n'a pas encore appelé; ~ **bald!** à bientôt!; ~ **dann!** à tout à l'heure!; ~ **gleich!** à tout de suite!; ~ **später!** à plus tard! **2.** (*räumlich*) ~ **hierhin** jusqu'ici; **von oben ~ unten** de haut en bas; ~ **wohin ...?** jusqu'où ...? **3.** (*einschließlich*) **alles ~ auf den letzten Krümel aufessen** manger tout jusqu'à la dernière miette **4.** (*mit Ausnahme von*) **alle ~ auf Robert** tous sauf Robert; **alle ~ auf einen** tous à l'exception d'un seul **III.** *adv* ~ **zum Herbst muss es fertig sein** ça doit être fini d'ici l'automne; **ich bin ~ gegen acht Uhr noch da** je serai encore là jusque vers huit heures; ~ **zum 17. Lebensjahr** jusqu'à l'âge de 17 ans; ~ **zu zehn Metern hoch werden** atteindre jusqu'à dix mètres de haut **IV.** *konj* **1.** (*ungefähr*) **zwei ~ drei Stunden** entre deux et trois heures **2.** (*so lange, bis*) jusqu'à ce que + *subj;* **warte hier, ~ ich wiederkomme** attends ici jusqu'à ce que je revienne
Bisam ['bi:zam] <-s, -e *o* -s> *m* (~*pelz*) rat *m* musqué
Bisamratte *f* rat *m* musqué
Bischof ['bɪʃɔf] <-s, ⸚e> *m*, **Bischöfin** *f* évêque *m*
bischöflich ['bɪʃœflɪç] *adj* épiscopal(e)
Bischofsamt *nt* épiscopat *m* **Bischofssitz** *m* évêché *m* **Bischofsstab** *m* crosse *f*
bisexuell [bizɛ'ksu̯ɛl] *adj* bisexuel(le)
bisher [bɪs'he:ɐ̯] *adv* jusqu'à présent; ~

noch nicht! pas encore!
bisherig *adj attr* **die ~e Personalchefin** (*gegenwärtig/ehemalig*) la chef du personnel actuelle/en poste jusqu'ici; **sein ~es Verhalten** le comportement qu'il a eu jusqu'à présent
Biskaya <-> *f* GEOG **die ~** le golfe de Gascogne
Biskuit [bɪs'kvi:t] <-[e]s, -s *o* -e> *nt o m* génoise *f*
bislang [bɪs'laŋ] *s.* **bisher**
Bismarckhering *m* hareng *m* mariné
Bison ['bi:zɔn] <-s, -s> *m* bison *m*
biss^RR [bɪs], **biß** *Imp von* **beißen**
Biss^RR [bɪs] <-es, -e>, **Biß** <-sses, -sse> *m* **1.** (*das Beißen*) **mit einem kräftigen ~ d'un bon coup de dent 2.** (~*verletzung,* ~*wunde*) morsure *f*
bisschen^RR, **bißchen** ['bɪsçən] **I.** *pron indef, inv* **ein ~ Milch** un peu de lait; **kein ~ Geduld haben** n'avoir pas du tout de patience; **ein ~ mehr** un peu plus; **ein ~ wenig/zu wenig** pas assez/trop peu; **kein ~ besser/schlechter** pas mieux/pas pire **II.** *nt klein geschrieben* **ein ~ un** peu; **das ~, das** le peu qui/que
Bissen ['bɪsən] <-s, -> *m* **1.** (*Happen*) morceau *m* **2.** (*Mundvoll*) bouchée *f*
bissig I. *adj* **1.** *Hund* qui mord; ~ **sein** mordre; **Vorsicht, ~er Hund!** attention, chien méchant! **2.** *virulent(e)*; *Ton, Antwort* mordant(e) **II.** *adv* **antworten** d'une manière mordante; *reagieren* avec virulence
Bisswunde^RR *f* morsure *f*
bist [bɪst] *2. Pers Präs von* **sein**[1]
Bistum ['bɪstu:m] <-s, -tümer> *nt* évêché *m*
bisweilen [bɪs'vai̯lən] *adv geh* de temps à autre
Bit [bɪt] <-[s], -[s]> *nt* INFORM bit *m*
bitte ['bɪtə] *adv* **1.** (*Höflichkeitsformel in Bitten, Aufforderungen*) s'il vous plaît; (*wenn man den Gesprächspartner duzt*) s'il te plaît; **Herr Ober, ~ zahlen!** garçon, l'addition s'il vous plaît! **2.** (*Höflichkeitsformel in Antworten*) ~ [**schön**]! je vous en prie!/je t'en prie!; ~, **gern geschehen!** il n'y a pas de quoi!, de rien!; ~ **nach Ihnen!** mais je vous en prie, après vous! **3.** (*in ironischen, sarkastischen Antworten*) **na ~!** ah, vous voyez [bien]!/ah, tu vois [bien]!; ~, **wie du willst!** c'est comme tu voudras! **4.** (*Höflichkeitsformel in Nachfragen*) [**wie**] ~? pardon?
Bitte <-, -n> *f* demande *f;* **ich habe eine ~ an Sie** je veux vous demander une faveur
bitten <bat, gebeten> **I.** *vt* **1.** **jdn um etw ~** demander qc à qn; **jdn ~ etw zu tun** prier qn de faire qc; **darf ich Sie um**

bitten

• bitten

Kannst/Könntest du bitte mal den Müll runterbringen?
Bitte sei so gut und bring mir meine Jacke.
Wärst du so nett und würdest mir die Zeitung mitbringen?
Würden Sie bitte so freundlich sein und Ihr Gepäck etwas zur Seite rücken?
Darf ich Sie bitten, Ihre Musik etwas leiser zu stellen?

• um Hilfe bitten

Kannst du mir einen Gefallen tun?
Darf/Dürfte ich Sie um einen Gefallen bitten?
Könntest du mir bitte helfen?
Könnten Sie mir bitte behilflich sein?
Ich wäre Ihnen dankbar, wenn Sie mir dabei helfen könnten.

• demander

Peux-tu/Pourrais-tu descendre la poubelle, s'il te plaît?
Sois gentil(le), apporte-moi ma veste.

Aurais-tu la gentillesse de me rapporter un journal?
Auriez-vous l'amabilité de pousser votre valise sur le côté?
Puis-je vous demander de baisser un peu votre musique?

• demander de l'aide

Peux-tu me rendre un service?
Puis-je/Pourrais-je vous demander un service?
Pourrais-tu m'aider, s'il te plaît?
Pourriez-vous m'aider, s'il vous plaît?
Je vous serais très reconnaissant(e) si vous pouviez m'aider.

das Brot ~? pourriez-vous me passer le pain, s'il vous plaît? **2.** (*einladen*) **jdn zum Abendessen** ~ inviter qn à dîner **3.** (*bestellen*) **jdn zu sich** ~ demander à voir qn ► **sich gerne** ~ **lassen** aimer [bien] se faire prier; **aber ich bitte Sie/dich!** mais enfin, voyons!; (*schockiert*) je vous en/t'en prie! **II.** *vi* **1.** darf ich um Ihre Aufmerksamkeit ~? puis-je vous demander un peu d'attention?; **darf ich** ~? (*beim Tanzen*) puis-je me permettre?; **es wird gebeten nicht zu rauchen** *form* (*als Hinweis*) on est prié de ne pas fumer; (*als Schildinschrift*) prière de ne pas fumer **2.** (*flehen*) supplier; **um Gnade** ~ demander grâce **3.** (*hereinbitten*) **ich lasse** ~! faites entrer! ► **wenn ich** ~ **darf!** (*auffordernd*) si possible!; (*befehlend*) je vous prie!
Bitten <-s> *nt* supplications *fpl*
bitter I. *adj* **1.** *Geschmack* amer(-ère); ~**e Schokolade** chocolat *m* noir **2.** *Enttäuschung* amer(-ère); *Verlust* douloureux(-euse); *Unrecht* cruel(le); *Kälte, Frost* rigoureux(-euse) **3.** *Hohn, Ironie* amer(-ère) **4.** *Lachen, Worte* amer(-ère) **II.** *adv* **1.** ~ **schmecken** avoir un goût amer **2.** *lachen* avec amertume **3.** *bereuen* amèrement
bitterböse ['bɪtɐ'bø:zə] **I.** *adj Person* très fâché(e); *Kommentar, Brief* très méchant(e); *Blick* mauvais(e); ~ **werden** se mettre en colère **II.** *adv antworten, sich ausdrücken* sur un ton méchant; **jdn** ~ **ansehen** regarder qn d'un œil mauvais

bitterernst ['bɪtɐ'ʔɛrnst] **I.** *adj Person* très sérieux(-euse); *Lage* très grave **II.** *adv* **es** ~ **meinen** être tout ce qu'il y a de plus sérieux **bitterkalt** *adj Tag, Nacht* glacial(e)
Bitterkeit <-> *f a. fig* amertume *f*
bitterlich *adj* amer(-ère)
Bittsteller(in) <-s, -> *m(f)* pétitionnaire *mf*
Biwak ['bi:vak] <-s, -s *o* -e> *nt* bivouac *m*
bizarr [bi'tsar] *adj* bizarre
Bizeps <-es, -e> *m* biceps *m*
BKA [be:ka:'ʔa:] <-> *nt Abk von* **Bundeskriminalamt** direction générale de la police judiciaire
Blabla [bla'bla:] <-s> *nt pej fam* [bla]blabla *m*
Blackout, Black-outRR ['blɛk?aʊt] <-s, -s> *m* (*Bewusstseinstrübung*) perte *f* de conscience momentanée; (*in einer Prüfung*) trou *m* [noir]
blähen ['blɛ:ən] **I.** *vt* gonfler **II.** *vr* **sich** *Segel, Vorhänge:* se gonfler **III.** *vi Hülsenfrüchte:* ballonner
Blähung <-, -en> *f meist Pl* ballonnement *m*
blamabel [bla'ma:bəl] *adj geh* honteux(-euse)
Blamage [bla'ma:ʒə] <-, -n> *f geh* honte *f*
blamieren* [bla'mi:rən] **I.** *vt* ridiculiser **II.** *vr* **sich durch etw** ~ se couvrir de ridicule par qc
blanchieren* [blã'ʃi:rən] *vt* blanchir
blank [blaŋk] *adj* **1.** (*glänzend*) brillant(e); (*sauber*) étincelant(e) [de propreté]; (*abge-*

scheuert) lustré(e); ~ **sein** (*glänzend*) briller **2.** (*rein, pur*) pur(e) **3.** (*bloß*) nu(e) ▸~ **sein** *fam* être fauché
Blank [blæŋk] *nt* TYP, INFORM blanc *m*
Blankoscheck *m* chèque *m* en blanc **Blankovollmacht** *f* blanc-seing *m;* **jdm ~ geben** donner les pleins pouvoirs à qn
Blase ['bla:zə] <-, -n> *f* **1.** ANAT vessie *f* **2.** MED ampoule *f;* (*Brandblase*) cloque *f* **3.** (*Luftblase*) bulle *f* **4.** (*Sprechblase*) bulle *f* **5.** *pej fam* (*Clique*) bande *f*
Blasebalg <-[e]s, -bälge> *m* soufflet *m* **blasen** ['bla:zən] <bläst, blies, geblasen> I. *vi* souffler II. *vt* **1. den Staub vom Buch ~** souffler sur la poussière du livre **2.** (*spielen*) jouer *Melodie;* jouer de *Trompete* **3.** *vulg* (*fellationieren*) **jdm einen ~** tailler une pipe à qn
Blasenentzündung *f* MED cystite *f*
Bläser(in) ['blɛ:zɐ] <-s, -> *m(f)* joueur(-euse) *m(f)* d'instrument à vent; **die ~ und die Streicher** les cuivres *mpl* et les cordes
blasiert [bla'zi:ɐ̯t] I. *adj pej geh* hautain(e) II. *adv* **sich benehmen** de manière snob; *sprechen* sur un ton hautain
Blasinstrument *nt* instrument *m* à vent
Blaskapelle *f* fanfare *f* **Blasmusik** *f* musique *f* de fanfare
Blasphemie [-'mi:ən] <-, -n> *f geh* blasphème *m*
blassᴿᴿ [blas], **blaß** *adj* **1.** (*bleich, hell*) pâle **2.** (*schwach*) vague **3.** (*nichtssagend*) fade
Blässe ['blɛsə] <-, -n> *f* **1.** (*blasse Farbe*) pâleur *f* **2.** (*nichtssagende Art*) fadeur *f*
blässlichᴿᴿ, **bläßlich** *adj* pâlot(te)
bläst [blɛ:st] *3. Pers Präs von* **blasen**
Blatt [blat, *Pl:* 'blɛtə] <-[e]s, -er> *nt* **1.** *einer Pflanze* feuille *f* **2.** (~ *Papier*) feuille *f* **3.** (*Seite*) page *f* **4.** (*Grafik*) feuillet *m* **5.** (*Zeitung*) journal *m* **6.** (*flächiger Teil*) eines Ruders, Propellers pale *f* **7.** SPIEL jeu *m* **8.** JAGD, GASTR (*Schulter*) épaule *f* ▸**kein ~ vor den Mund nehmen** ne pas mâcher ses mots; **noch ein unbeschriebenes ~ sein** être encore novice
blättern ['blɛtɐn] I. *vi* **1. in etw** (*dat*) ~ feuilleter qc; (*suchend*) chercher dans qc **2.** INFORM dérouler; **nach oben/unten ~** faire défiler vers le haut/le bas II. *vt* **etw auf den Tisch ~** aligner qc sur la table
Blätterteig *m* pâte *f* feuilletée
Blattgold *nt* feuille *f* d'or **Blattgrün** *nt* chlorophylle *f* **Blattlaus** *f* puceron *m* **Blattpflanze** *f* plante *f* verte
Blattwerk *nt kein Pl* feuillage *m*
blau [blaʊ̯] *adj* **1.** bleu(e) **2.** *fam* (*betrunken*) ~ **sein** être soûl
Blau <-s, – *fam* -s> *nt* bleu *m*

blauäugig *adj* **1.** (*mit blauen Augen*) aux yeux bleus **2.** (*naiv*) naïf(-ïve) **Blaubeere** *f* myrtille *f*
Blaue ▸**er lügt das ~ vom Himmel** [herunter] *fam* il ment comme il respire
blaugrau *adj* gris bleu *inv* **blaugrün** *adj* bleu vert *inv* **Blauhelm** *m* casque *m* bleu
Blaukraut *nt* SDEUTSCH, A chou *m* rouge
bläulich ['blɔylɪç] *adj* bleuté(e); (*ins Blaue spielend*) bleuâtre
Blaulicht *nt* gyrophare *m;* **mit ~** avec le gyrophare en marche **Blaumeise** *f* mésange *f* bleue **Blausäure** *f* CHEM acide *m* prussique **blauschwarz** *adj* bleu nuit *inv* **Blauwal** *m* [grande] baleine *f* bleue
Blazer ['ble:zɐ] <-s, -> *m* blazer *m*
Blech [blɛç] <-[e]s, -e> *nt* **1.** *kein Pl* (*Material*) tôle *f;* (*Weißblech*) fer-blanc *m* **2.** (*Stück* ~) [morceau *m* de] tôle *f* **3.** (*Backblech*) plaque *f* [de four] **4.** *kein Pl fam* (*Unsinn*) bêtises *fpl*
Blechblasinstrument *nt* cuivre *m*
Blechdose *f* boîte *f* en fer-blanc
blechen *fam* I. *vt* raquer II. *vi* casquer
blechern *adj* **1.** *attr* en tôle; (*aus Weißblech*) en fer-blanc **2.** *Geräusch* creux(-euse); *Klang* métallique
Blechinstrument *s.* **Blechblasinstrument**
Blechschaden *m* dégâts *mpl* matériels [de tôle]
blecken *vt* montrer *Zähne*
Blei [blaɪ̯] <-[e]s, -e> *nt* **1.** *kein Pl* (*Metall*) plomb *m* **2.** (*Lot*) fil *m* à plomb **3.** (*Kugeln*) plomb *m*
Bleibe ['blaɪbə] <-, -n> *f* demeure *f;* (*vorübergehend*) abri *m;* **eine/keine ~ haben** avoir un logement/être sans logis
bleiben ['blaɪbən] <blieb, geblieben> I. *vi* + *sein* **1.** (*verweilen*) rester; **zu Hause/bei jdm/im Büro ~** rester à la maison/chez qn/au bureau; **sie möchten unter sich ~** ils préfèrent rester entre eux; **wo bleibst du so lange?** mais qu'est-ce que tu fais [encore]? **2.** (*weiterhin sein*) **gleich ~** rester stable; **es soll regnerisch ~** les pluies doivent persister; **offen ~** *Tür:* rester ouvert; *Frage:* rester en suspens **3.** (*zurückbleiben*) **liegen ~** *Gegenstände:* rester là; **im Zug liegen ~** rester dans le train **4.** (*übrig bleiben*) **drei Fehler sind stehen geblieben** on a oublié trois fautes **5.** (*in der Erinnerung bleiben*) **an jdm hängen ~** *Verdacht:* peser sur qn **6.** (*festsitzen*) **hängen ~** rester accroché; **kleben ~** rester collé **7.** (*nicht vorankommen*) **liegen ~** *Fahrzeug:* rester immobilisé; **mit einer Panne liegen ~** rester en panne; **stecken ~** *Fahrer, Fahrzeug:* s'enliser; **stehen ~** *Person:* s'arrêter; *Uhr:* être arrêté; *Fahr-*

zeug: s'immobiliser; ~ **Sie sofort stehen!** halte! **8.** (*hinkommen, hingeraten*) **wo ist meine Brille geblieben?** où sont passées mes lunettes? **9.** *fam* (*unterkommen*) **wo sollen die Leute alle ~?** où vont-ils tous crécher?; **sieh zu, wo du bleibst!** débrouille-toi [tout seul]! **10.** (*verharren*) **bei einer Marke** ~ rester fidèle à une marque; **es bleibt bei meiner Entscheidung** je maintiens ma décision **11.** (*übrig bleiben*) **stehen** ~ *Getränk, Essen:* rester; **mir bleibt keine andere Wahl** je n'ai pas le choix ▶**das bleibt sich gleich** ça revient au même; **etw** ~ **lassen das Rauchen** ~ **lassen** *fam* arrêter de fumer; **wo waren wir stehen geblieben?** où en étions-nous [restés]?; **das bleibt unter uns** cela reste entre nous **II.** *vi unpers* **es bleibt zu hoffen, dass ...** il ne reste qu'à espérer que ...; **es bleibt abzuwarten, ob ...** il ne reste plus qu'à attendre si ...
bleibend *adj* **1.** (*beständig*) permanent(e) **2.** (*unveränderlich*) **gleich** ~ constant; **gleich** ~ **sein** rester constant
bleiben‖lassen *s.* bleiben I.
bleich [blaiç] *adj* blême; *Gesichtsfarbe, Haut* pâle
bleichen <bleichte, gebleicht> **I.** *vt* + *haben* blanchir *Farbe, Wäsche;* éclaircir *Haare* **II.** *vi* + *sein* **diese Tapeten** ~ **schnell** ces papiers [peints] perdent vite leurs couleurs
bleiern *adj* **1.** *attr* (*aus Blei*) en plomb **2.** (*bleifarben*) plombé(e) **3.** (*schwer lastend*) accablant(e)
bleifrei *adj Benzin* sans plomb **bleihaltig** ['blaihaltɪç] *adj* plombifère; *Benzin* contenant du plomb **Bleikristall** *nt* cristal *m* de plomb **bleischwer** ['blaiʃveːɐ̯] *adj* de plomb **Bleistift** *m* crayon *m* [à papier] **Bleistiftspitzer** *m* taille-crayon *m*
Blende ['blɛndə] <-, -n> *f* **1.** PHOT (*Öffnung*) diaphragme *m;* (*~nzahl*) ouverture *f* **2.** (*Lichtschutz*) écran *m* **3.** ARCHIT (*blinder Bogen*) arcade *f* aveugle; (*blinde Tür*) fausse porte *f* **4.** (*Stoffblende*) garniture *f*
blenden ['blɛndən] **I.** *vt* **1.** éblouir **2.** (*täuschen*) abuser **3.** (*blind machen*) aveugler **II.** *vi* **1.** *Sonne:* éblouir **2.** (*hinters Licht führen*) chercher à impressionner
blendend I. *adj* excellent(e) **II.** *adv* **1.** (*großartig*) merveilleusement bien **2.** (*strahlend*) ~ **weiß** d'un blanc éclatant
Blick [blɪk] <-[e]s, -e> *m* **1.** (*das Schauen*) regard *m;* (*flüchtig*) coup *m* d'œil **2.** (*Augen*) **den** ~ **heben/senken** lever/baisser les yeux; **alle** ~**e auf sich** (*akk*) **ziehen** attirer tous les regards [sur soi] **3.** *kein Pl* (*Augenausdruck*) regard *m* **4.** *kein Pl* (*Aus-*

blick) vue *f* **5.** *kein Pl* (*Urteilskraft*) coup *m* d'œil **6.** (*Hinblick, Hinsicht*) **mit** ~ **auf die kommenden Wahlen** eu égard aux prochaines élections ▶**auf den ersten** ~ (*sofort*) du premier coup d'œil; (*beim ersten flüchtigen Hinsehen*) à première vue; **auf den zweiten** ~ en [y] regardant de plus près; **auf einen** ~, **mit einem** ~ d'un [seul] coup d'œil
blicken I. *vi* regarder **II.** *vt* **sich** ~ **lassen** se montrer; **sich bei jdm** ~ **lassen** aller voir qn
Blickfang *m* point *m* de mire **Blickfeld** *nt* champ *m* de vision **Blickkontakt** *m* contact *m* visuel; **mit jdm** ~ **haben** regarder qn dans les yeux **Blickpunkt** *m* point *m* de vue **Blickwinkel** *m* angle *m;* **aus diesem** ~ sous cet angle
blieb [bliːp] *Imp von* bleiben
blies [bliːs] *Imp von* blasen
blind [blɪnt] **I.** *adj* **1.** aveugle **2.** *Fenster* mat(e) **3.** (*ohne Ausgang*) en cul-de-sac **4.** (*ohne Sicht*) sans visibilité **II.** *adv* **1.** (*wahllos*) au hasard **2.** (*unkritisch*) aveuglément
Blinddarm *m* ANAT appendice *m* **Blinddarmentzündung** *f* appendicite *f*
Blinde(r) *f(m) dekl wie adj* aveugle *mf*
Blindekuh *kein art* colin-maillard *m;* ~ **spielen** jouer à colin-maillard
Blindenhund *m* chien *m* d'aveugle **Blindenschrift** *f* [écriture *f*] braille *m*
Blindflug *m* vol *m* sans visibilité **Blindgänger** <-s, -> *m* MIL engin *m* explosif non éclaté
Blindheit <-> *f kein Pl* cécité *f*
blindlings ['blɪntlɪŋs] *adv* aveuglément
Blindschleiche ['blɪntʃlaiçə] <-, -n> *f* orvet *m*
blindwütig I. *adj* aveugle(e) par la colère **II.** *adv* dans une rage aveugle
blinken ['blɪŋkən] **I.** *vi* **1.** *Edelstein:* scintiller **2.** (*blitzen*) **vor Sauberkeit** ~ étinceler **3.** (*Zeichen geben*) clignoter; **rechts/ links** ~ *Autofahrer:* mettre son clignotant à droite/gauche **II.** *vt* SOS ~ émettre des signaux de S.O.S.
Blinker <-s, -> *m* **1.** AUT clignotant *m* **2.** (*Angelköder*) cuillère *f*
Blinklicht *nt* **1.** (*Signal*) feu *m* clignotant **2.** *fam* (*Blinkleuchte*) clignotant *m* **Blinkzeichen** *nt* signal *m* optique; ~ **geben** faire des signaux lumineux
blinzeln ['blɪntsəln] *vi* cligner des yeux; (*zwinkern*) faire un clin d'œil
Blitz [blɪts] <-es, -e> *m* **1.** éclair *m;* (*~schlag*) foudre *f;* **vom** ~ **getroffen werden** être frappé par la foudre **2.** (*das Aufblitzen*) éclair *m* **3.** PHOT flash *m* ▶**wie ein**

~ **einschlagen** faire l'effet d'une bombe; **wie der** ~ *fam* comme l'éclair
Blitzableiter <-s, -> *m* **1.** paratonnerre *m* **2.** *fig* souffre-douleur *m inv* **blitzartig I.** *adj* d'une rapidité foudroyante **II.** *adv* en un éclair
blitzblank *adj fam* nickel *inv*
blitzen I. *vi unpers* **es blitzt** il y a des éclairs **II.** *vi* (*strahlen*) étinceler **III.** *vt fam* **geblitzt werden** *Autofahrer:* se faire prendre par un radar
Blitzgerät *nt* radar *m* **Blitzkrieg** *m* guerre *f* éclair **Blitzlicht** *nt* flash *m* **Blitzschlag** *m* foudre *f* **blitzschnell** *s.* **blitzartig**
Block¹ [blɔk, *Pl:* 'blœkə] <-[e]s, ̈e> *m* (*Quader*) bloc *m;* (*aus Schokolade*) plaque *f*
Block² <-[e]s, ̈e *o* -s> *m* **1.** (*Häuserblock*) pâté *m* de maisons; (*großes Mietshaus*) bloc *m* **2.** (*Schreibblock*) bloc *m;* (*Notizblock*) bloc-notes *m;* (*Fahrkartenblock*) carnet *m* **3.** POL bloc *m* **4.** (*Kernreaktorblock*) réacteur *m*
Blockade [blɔ'ka:də] <-, -n> *f* **1.** (*Absperrung, Isolierung*) blocus *m* **2.** (*Denkblockade*) blocage *m*
Blockflöte *f* flûte *f* à bec
blockfrei *adj* non-aligné(e)
Blockhaus *nt* cabane *f* en rondins
blockieren* [blɔ'ki:rən] **I.** *vt* bloquer; couper *Stromzufuhr* **II.** *vi* **Bremsen, Rad:** [se] bloquer
Blocksatz *m* composition *f* en carré **Blockschokolade** *f* chocolat *m* à cuire **Blockschrift** *f* caractères *mpl* d'imprimerie
blöd[e] *fam* **I.** *adj* **1.** (*dumm*) idiot(e) **2.** *Situation* embêtant(e); **zu** ~! c'est con! **II.** *adv* comme un idiot/une idiote; *gucken* bêtement; *sich verhalten* comme un manche
Blödelei <-, -en> *f fam* **1.** *kein Pl* (*das Blödeln*) conneries *fpl* **2.** (*Bemerkung*) bêtises *fpl*
blödeln *vi fam* déconner
blöderweise ['blø:də'vajzə] *adv fam* bêtement
Blödheit <-, -en> *f fam* connerie *f*
Blödmann <-männer> *m fam* imbécile *m*
Blödsinn *m kein Pl pej fam* bêtise *f*
blödsinnig *adj pej fam Idee* stupide
blöken ['blø:kən] *vi* bêler
blond [blɔnt] *adj Person, Haare* blond(e)
blondieren* [blɔn'di:rən] *vt* teindre en blond; **die Haare** ~ teindre les cheveux en blond
Blondine [blɔn'di:nə] <-, -n> *f* blonde *f*
bloß [blo:s] **I.** *adj* **1.** (*unbedeckt*) nu(e) **2.** *attr* (*alleinig*) pur(e) **II.** *adv fam* **1.** (*nur*) seulement **2.** (*eine Frage oder Aufforderung verstärkend*) **was hat sie** ~? qu'est-

ce qui lui prend?; **hör** ~ **auf damit!** arrête donc!
Blöße ['blø:sə] <-, -n> *f geh* (*Nacktheit*) nudité *f*
bloßllegen *vt* **1.** (*ausgraben*) dégager **2.** (*enthüllen*) dévoiler **bloßlstellen I.** *vt* ridiculiser **II.** *vr* **sich** ~ se couvrir de ridicule
Blouson [blu'zõ:] <-[s], -s> *m o nt* blouson *m*
blubbern *vi fam* gargouiller
Bluejeans, Blue Jeans^RR ['blu:dʒi:ns] *Pl* blue-jean *m*
Blues [blu:s] <-, -> *m* (*Musik*) blues *m;* (*Tanz*) slow *m*
Bluff [blʊf, blaf, blœf] <-[e]s, -s> *m* bluff *m*
bluffen ['blœfən] *vt, vi fam* bluffer
blühen ['bly:ən] *vi* **1.** *Pflanze:* fleurir; *Garten, Park:* être en fleurs **2.** (*florieren*) être florissant **3.** *fam* (*bevorstehen*) **das kann mir auch noch** ~! ça me pend au nez!
blühend *adj* **1.** *Pflanze, Garten* en fleur[s] **2.** *Gesichtsfarbe, Gesundheit* florissant(e); **ein** ~**es Aussehen** une mine resplendissante **3.** (*florierend*) florissant(e) **4.** *Unsinn, Phantasie* délirant(e) (*fam*)
Blume ['blu:mə] <-, -n> *f* **1.** (*Blüte, Pflanze*) fleur *f* **2.** (*Duftnote*) des Weins, Weinbrands bouquet *m* **3.** (*Bierschaum*) mousse *f* ▶ **etw durch die** ~ **sagen** faire comprendre qc à demi-mot
Blumenbeet *nt* parterre *m* [de fleurs] **Blumenhändler(in)** *m(f)* fleuriste *mf* **Blumenkasten** *m* jardinière *f* [de fleurs] **Blumenkohl** *m* chou-fleur *m* **Blumenladen** *m* fleuriste *m* **Blumenstrauß** <-sträuße> *m* bouquet *m* [de fleurs] **Blumentopf** *m* **1.** (*Topf*) pot *m* à fleurs **2.** (*Topfpflanze*) pot *m* de fleurs **Blumenvase** *f* vase *m*
blumig **I.** *adj* **1.** *Parfüm* fleuri(e); *Wein* bouqueté(e) **2.** *Sprache* fleuri(e) **II.** *adv* **sich** ~ **ausdrücken** utiliser un langage fleuri
Bluse ['blu:zə] <-, -n> *f* (*mit Kragen*) chemisier *m;* (*Hemdbluse*) chemise *f*
Blut [blu:t] <-[e]s> *nt* sang *m*
blutarm *adj* anémié(e) **Blutbad** *nt* bain *m* de sang; **ein** ~ **anrichten** faire un carnage **Blutbahn** *f* circuit *m* sanguin **Blutbank** <-banken> *f* banque *f* du sang **Blutbild** *nt* formule *f* sanguine **Blutdruck** *m* tension *f* [artérielle]; **zu hohen/niedrigen** ~ **haben** faire de l'hypertension/l'hypotension **Blutdruckmesser** *m* tensiomètre *m* **blutdrucksenkend I.** *adj* hypotenseur(-euse) **; ein** ~**es Mittel** un hypotenseur **II.** *adv* ~ **wirken** avoir un effet hypotenseur
Blüte ['bly:tə] <-, -n> *f* **1.** *einer Pflanze*

fleur *f* **2.** *kein Pl* (*das Blühen*) floraison *f*
3. *fam* (*falsche Banknote*) faux billet *m*
4. *kein Pl geh* (*Höhepunkt*) apogée *m*
Blutegel ['bluːtʔeːgəl] *m* sangsue *f*
bluten *vi* saigner
Blütenblatt *nt* pétale *m*
Bluter <-s, -> *m* hémophile *m*
Blutergussᴿᴿ ['bluːtʔɛɡʊs] *m* hématome
m
Bluterkrankheit *f* hémophilie *f*
Blütezeit *f* **1.** (*Zeit des Blühens*) floraison *f*
2. (*Zeit hoher Blüte*) *einer Kultur* prospérité
f
Blutfleck *m* tache *f* de sang **Blutgefäß** *nt*
vaisseau *m* sanguin **Blutgerinnsel** *nt* caillot *m* [de sang] **Blutgerinnung** *f* coagulation *f* **Blutgruppe** *f* groupe *m* sanguin
Bluthochdruck *m* hypertension *f*
blutig *adj* **1.** (*blutend*) en sang **2.** (*blutbefleckt*) taché(e) de sang; ~ **sein** être plein
de sang **3.** GASTR saignant(e) **4.** *Schlacht* san-
glant(e) **5.** *fam* (*völlig*) **ein ~er Anfänger**
un novice complet
blutjung *adj* tout(e) jeune
Blutkonserve *f* poche *f* de sang (*destinée à
la transfusion*) **Blutkörperchen**
['bluːtkœrpeçən] *nt* globule *m;* **rotes/
weißes** ~ globule rouge/blanc **Blutkrebs**
m leucémie *f* **Blutkreislauf** *m* circulation
f sanguine **blutleer** *adj* MED *Gesicht, Kopf*
exsangue **Blutplasma** *nt* plasma *m* sanguin **Blutplättchen** ['bluːtplɛtçən] <-s,
-> *nt* plaquette *f* [sanguine] **Blutprobe** *f*
prise *f* de sang **Blutrache** *f* vendetta *f*
blutrünstig ['bluːtrʏnstɪç] *adj* sanguinai-
re **Blutsauger** *m* (*Insekt*) suceur *m* de
sang **Blutsauger(in)** *m(f)* suceur(-euse)
m(f) de sang
Blutsbruder *m* frère *m* de sang
Blutspende *f* don *m* du sang **Blutspen-
der(in)** *m(f)* donneur(-euse) *m(f)* de sang
blutstillend *adj* hémostatique
Blutstropfen *m* goutte *f* de sang **blutsverwandt** *adj* consanguin(e)
Bluttat *f geh* assassinat *m* **Bluttransfusion**
f transfusion *f* sanguine
Blutung <-, -en> *f* **1.** saignement *m;* **innere ~en** hémorragie *f* interne **2.** (*Monatsblutung*) règles *fpl*
blutunterlaufen *adj Augen* injecté(e) de
sang; **eine ~e Stelle** une ecchymose **Blut-
untersuchung** *f* analyse *f* de sang **Blut-
vergießen** <-s> *nt geh* effusion *f* de sang
souvent pl **Blutvergiftung** *f* empoisonnement *m* du sang **Blutverlust** *m* perte *f* de
sang **Blutwurst** *f* boudin *m* [noir] **Blutzu-
ckerwert** *m* MED glycémie *f*
BLZ *f Abk von* **Bankleitzahl** code *m* banque
b-Moll ['beːmɔl] *nt* si *m* bémol mineur

BND [beːʔɛnˈdeː] <-> *m Abk von* **Bundes-
nachrichtendienst** service de renseignements fédéral allemand
Bö [bøː] <-, -en> *f* rafale *f*
Boa ['boːa] <-, -s> *f* ZOOL, COUT boa *m*
Bob [bɔp] <-s, -s> *m* bob[sleigh] *m*
Bock [bɔk, *Pl:* 'bœkə] <-[e]s, ⸗e> *m*
1. (*Schafbock*) bélier *m;* (*Ziegenbock*)
bouc *m;* (*Rehbock*) chevreuil *m;* (*Ramm-
ler*) bouquin *m* **2.** (*Untergestell*) tréteau *m*
3. (*Sportgerät*) cheval *m* d'arçons **4.** *fam*
(*Lust*) ~/**keinen ~ haben etw zu tun**
avoir/ne pas avoir envie de faire qc **5.** *fam*
(*Schimpfwort*) **so ein sturer ~!** quelle
tête de mule! **6.** (*Kutschbock*) siège *m* du
cocher
Bockbier *nt* bière *f* forte
bocken *vi fam Person:* faire la tête; *Tier:* refuser d'avancer
bockig *adj Erwachsener* récalcitrant(e); *Tier*
rétif(-ive); **ein ~es Kind** un enfant entêté
Bockshorn ▸**sich von jdm ins ~ jagen
lassen** *fam* se laisser intimider par qn
Bockspringen *nt* SPORT saut *m* au cheval
d'arçons **Bockwurst** *f* saucisse *f* (*réchauffée à l'eau bouillante*)
Boden ['boːdən, *Pl:* 'bøːdən] <-s, ⸗> *m*
1. (*Erde, Grundfläche*) sol *m;* **zu ~ fallen/
sinken** *Person:* s'effondrer **2.** (*Acker*) sol
m; (*Erdreich*) terre *f* **3.** *kein Pl* (*Grund und
~*) terrain *m* **4.** (*Territorium*) sol *m* **5.** (*Fußboden*) sol *m* **6.** (*Teppichboden*) moquette
f **7.** NDEUTSCH (*Dachboden*) grenier *m*
8. (*unterster Teil*) *eines Behälters, Gewässers* fond *m;* *einer Flasche* cul *m* **9.** (*Tortenboden*) fond *m* de tarte **10.** (*Grundlage*)
base *f* ▸**den ~ unter den Füßen verlieren** perdre pied; **auf dem ~ der Tatsachen bleiben** s'en tenir aux faits; **an ~
gewinnen/verlieren** gagner/perdre du
terrain
Bodenbelag *m* revêtement *m* de sol **Bo-
denfrost** *m* gelée *f* au sol **Bodenhaftung**
f adhérence *f* au sol **bodenlos** *adj* **1.** *fam*
(*unerhört*) inouï(e) **2.** (*sehr tief*) sans fond
Bodenpersonal *nt* AVIAT personnel *m* au
sol **Bodenschätze** *Pl* richesses *fpl* minières
Bodensee *m* **der ~** le lac de Constance
bodenständig *adj* **1.** (*lange ansässig*) autochtone **2.** (*fest in einer Region verwurzelt*) attaché(e) **3.** (*unkompliziert*) nature
Bodenturnen *nt* gymnastique *f* au sol
Body ['bɔdi] <-s, -s> *m* body *m*
Bodybuilding ['bɔdibɪldɪŋ] <-s> *nt* bo-
dy-building *m*
bog [boːk] *Imp von* **biegen**
Bogen ['boːɡən, *Pl:* 'bøːɡən] <-s, ⸗ *o* ⸗>
m **1. a.** MATH (~*linie*) arc *m;* **einen ~ ma-**

chen *Straße, Fluss:* faire un coude **2.**(*Papierbogen*) feuille *f* **3.**(*Schusswaffe*) arc *m* **4.** MUS *eines Streichinstruments* archet *m;* (*Haltebogen*) [signe *m* de] liaison *f* **5.** ARCHIT arc *m* **6.**(*Brückenbogen*) arche *f*

bogenförmig ['boːgənfœrmɪç] *adj* arqué(e) **Bogengang** <-gänge> *m* arcades *fpl* **Bogenschießen** *nt* tir *m* à l'arc **Bogenschütze** *m*, **-schützin** *f* archer *m*/archère *f;* SPORT tireur *m*/tireuse *f* à l'arc

Böhmen ['bøːmən] <-s> *nt* la Bohême **böhmisch** *adj* bohémien(ne)

Bohne ['boːnə] <-, -n> *f* **1.** haricot *m* **2.**(*Kaffeebohne*) grain *m* [de café] **Bohnenkaffee** *m* café *m;* (*ungemahlen*) café *m* en grains **Bohnenstange** *f* **1.** rame *f* **2.** *hum fam* (*großer Mensch*) grande perche *f*

bohnern **I.** *vt* cirer **II.** *vi* passer la cireuse **Bohnerwachs** *nt* encaustique *f*

bohren ['boːrən] **I.** *vt* **1.** creuser *Brunnen* **2.** TECH percer *Beton, Holz, Metall* **3.**(*graben*) **ein Loch** ~ *Insekt:* creuser un trou **4.**(*hineinstoßen*) **etw in etw** (*akk*) ~ enfoncer qc dans qc **II.** *vi* **1.**(*stochern*) **in der Nase** ~ se mettre les doigts dans le nez **2.** MED *Zahnarzt:* passer la roulette **3.** MIN creuser **4.** *fam* (*fragen*) revenir à la charge **5.**(*quälend nagen*) **in jdm** ~ *Zweifel:* ronger qn **III.** *vr* **sich in die Erde** ~ *Speer:* se planter dans le sol

bohrend *adj Schmerz* lancinant(e) **Bohrer** <-s, -> *m* **1.**(*Bohrmaschine*) perceuse *f;* (*Bohreinsatz*) mèche *f* **2.**(*Handbohrer*) chignole *f* **3.** MED (*Zahnarztbohrer*) fraise *f*

Bohrinsel *f* plate-forme *f* de forage **Bohrloch** *nt* **1.** MIN puits *m* de forage **2.**(*gebohrtes Loch*) trou *m* **Bohrmaschine** *f* perceuse *f* [électrique] **Bohrturm** *m* derrick *m*

Bohrung <-, -en> *f* **1.** *kein Pl* (*das Bohren*) **eine** ~ **nach Erdöl** un forage pour trouver du pétrole **2.**(*Bohrloch*) forage *m*

böig ['bøːɪç] *adj Wetter* venteux(-euse); ~**er Wind** vent *m* en rafales

Boiler ['bɔylɐ] <-s, -> *m* chauffe-eau *m* **Boje** ['boːjə] <-, -n> *f* balise *f*

Bolero <-s, -s> *m* MUS, COUT boléro *m* **Bolivien** [bo'liːvjən] <-s> *nt* la Bolivie **Bollwerk** ['bɔlvɛrk] *nt geh* bastion *m* **Bolschewismus** [bɔlʃe'vɪsmʊs] <-> *m* HIST bolchevisme *m*

bolschewistisch *adj* HIST bolchevique **Bolzen** ['bɔltsən] <-s, -> *m* **1.** TECH boulon *m* **2.**(*Geschoss*) flèche *f*

Bombardement [bɔmbardə'mãː] <-s, -s> *nt* MIL bombardement *m* **bombardieren*** [bɔmbar'diːrən] *vt*

1.(*mit Bomben*) bombarder; (*mit Granaten*) pilonner **2.**(*überschütten*) **jdn mit Fragen** ~ assaillir qn de questions

bombastisch [bɔm'bastɪʃ] *pej adj* **1.**(*schwülstig*) ronflant(e) **2.**(*pompös*) pompeux(-euse)

Bombe ['bɔmbə] <-, -n> *f* **1.** MIL bombe *f* **2.**(*Geldbombe*) sacoche *f* ▸**wie eine ~ einschlagen** faire l'effet d'une bombe **Bombenangriff** *m* bombardement *m* **Bombenanschlag** *m* attentat *m* à la bombe **Bombendrohung** *f* alerte *f* à la bombe **Bombenerfolg** *m fam* succès *m* fou **Bombengeschäft** *nt fam* affaire *f* en or **bombensicher** ['bɔmbən'zɪçɐ] *adj* **1.** *Bunker* anti-bombe **2.** *fam Tipp* absolument sûr(e)

Bomber <-s, -> *m fam* bombardier *m* **Bon** [bɔŋ] <-s, -s> *m* **1.**(*Kassenzettel*) ticket *m* de caisse **2.**(*Gutschein*) bon *m* **Bonbon** [bɔŋ'bɔŋ] <-s, -s> *nt o m* bonbon *m*

Bonn [bɔn] <-s> *nt* Bonn

Bonus ['boːnʊs] <- *o* -ses, - *o* -se *o* Boni> *m* **1.**(*Versicherungsrabatt*) bonus *m* **2.**(*Punktgutschrift*) bonification *f* **3.**(*Vorteil*) bonus *m*

Bonze ['bɔntsə] <-n, -n> *m* **1.** *pej* pontife *m* (*fam*) **2.** REL bonze *m*

Boom [buːm] <-s, -s> *m* boom *m* **boomen** ['buːmən] *vi* connaître un boom **Boot** [boːt] <-[e]s, -e> *nt* bateau *m;* (*Ruderboot*) barque *f;* (*Segelboot*) voilier *m;* ~ **fahren** faire du bateau ▸**wir sitzen alle in einem** ~ nous sommes tous logés à la même enseigne

Bootsfahrt *f* promenade *f* en bateau **Bootshaus** *nt* hangar *m* à bateaux **Bootsmann** <-leute> *m* NAUT quartier-maître *m;* MIL premier-maître *m* **Bootsverleih** *m* location *f* de bateaux

Bor [boːɐ] <-s> *nt* CHEM bore *m* **Bord**[1] [bɔrt] <-[e]s> *m* **an** ~ **gehen/ kommen** monter à bord; **über** ~ **gehen** passer par-dessus bord ▸**etw über** ~ **werfen** jeter qc par-dessus bord; *fig* mettre qc au panier

Bord[2] <-[e]s, -e> *nt* (*Wandbrett*) tablette *f* **Bordell** [bɔr'dɛl] <-s, -e> *nt* maison *f* close

Bordkarte *f* carte *f* d'embarquement **Bordstein** *m* bordure *f* de trottoir **Bordüre** <-, -n> *f* bordure *f*

borgen ['bɔrgən] **I.** *vr* **sich** ~ (*dat*) **etw von jdm** ~ emprunter qc à qn **II.** *vt* **jdm etw** ~ prêter qc à qn

Borke ['bɔrkə] <-, -n> *f* **1.** BOT écorce *f* **2.** NDEUTSCH (*Schorf*) croûte *f*

Borkenkäfer *m* ZOOL bostryche *m* **borniert** [bɔr'niːɐt] *adj pej* borné(e)

Börse ['bœrzə] <-, -n> *f* (*Wertpapierhandel, Gebäude*) Bourse *f*
Börsenbericht *m* bulletin *m* de la Bourse
Börsenkrach *m* krach *m* boursier **Börsenkurs** *m* cours *m* de Bourse **börsennotiert** *adj* FIN *Firma* coté(e) en Bourse
Börsenspekulation *f* spéculation *f* en Bourse **Börsenstart** *m* FIN introduction *f* en Bourse
Borste ['bɔrstə] <-, -n> *f* 1. *einer Bürste* poil *m*; (*fein*) soie *f* 2.(*Schweineborste*) soie *f*
borstig *adj* poilu(e)
Borte ['bɔrtə] <-, -n> *f* galon *m*
bösartig ['bøːsʔaːɐ̯tɪç] *adj* 1. méchant(e) 2. MED malin(-igne)
Böschung ['bœʃʊŋ] <-, -en> *f* einer Straße, eines Bahndamms talus *m*; eines Flusses, Kanals berge *f*
böse ['bøːzə] I. *adj* 1. *Person, Grinsen* méchant(e); *Absicht, Geist* mauvais(e) *antéposé; Kräfte* maléfique 2. *fam* (*unartig*) vilain(e); **du ~s Kind!** sale gosse! 3. *attr Angelegenheit, Sache* sale *antéposé; Folgen, Konsequenzen* fâcheux(-euse); *Streich* mauvais(e) *antéposé* 4. *Gesicht* fâché(e); **sei [mir] nicht ~, aber ...** ne m'en veux pas, mais ... 5. *fam* (*schlimm*) méchant(e) *antéposé* II. *adv* 1.(*übel wollend*) méchamment; **ich habe es nicht ~ gemeint!** je n'ai pas pensé à mal! 2.(*schlimm*) **~ aussehen** ne pas être beau [à voir]; **das/es sieht ~ für ihn aus** ça se présente mal pour lui 3. *fam sich blamieren* méchamment
Bösewicht <-[e]s, -e *o* -er> *m* hum fam **na, du kleiner ~!** espèce de petit galopin!
boshaft ['boːshaft] *adj* méchant(e)
Bosheit ['boːshaɪt] <-, -en> *f* méchanceté *f*
Bosnien ['bɔsniən] <-s> *nt* la Bosnie
Bosnien-Herzegowina ['bɔsniənhɛrtsəˈɡoːvina] <-s> *nt* la Bosnie-Herzégovine
Bosnier(in) ['bɔsniɐ] <-s, -> *m(f)* Bosniaque *mf*
bosnisch *adj* bosniaque
Boss[RR] [bɔs] <-es, -e>, **Boß** <-sses, -sse> *m fam* boss *m*
böswillig I. *adj* 1. *Bemerkung* méchant(e); *Plan* malveillant(e) 2. JUR *Absicht, Verlassen* délictueux(-euse) II. *adv* avec malveillance; **~ handeln** agir dans une mauvaise intention
Böswilligkeit <-> *f* malveillance *f*
bot [boːt] *Imp von* **bieten**
Botanik [boˈtaːnɪk] <-> *f* botanique *f*
botanisch I. *adj* botanique II. *adv betrachten* du point de vue botanique

Bote ['boːtə] <-n, -n> *m*, **Botin** *f* 1.(*Kurier*) messager(-ère) *m(f)* 2.(*Laufbursche*) coursier(-ière) *m(f); einer Kanzlei, Firma* commissionnaire *mf*
Botengang <-gänge> *m* course *f*
Botschaft ['boːtʃaft] <-, -en> *f* 1.(*Gesandtschaft*) ambassade *f* 2. *geh* (*Nachricht*) annonce *f*; (*Mitteilung, Nachricht*) message *m* 3.(*Aussage*) *eines Werks* message *m*
Botschafter(in) <-s, -> *m(f)* ambassadeur(-drice) *m(f)*
Bottich ['bɔtɪç] <-[e]s, -e> *m* baquet *m*
Bouillon [bʊlˈjɔŋ] <-, -s> *f* bouillon *m* gras
Boulevard [buləˈvaːɐ̯] <-s, -s> *m* boulevard *m*
Boulevardjournalist(in) *m(f)* journaliste *mf* people **Boulevardpresse** *f pej* presse *f* à sensation
Boutique [buˈtiːk] <-, -n> *f* boutique *f*
Bowle ['boːlə] <-, -n> *f* boisson alcoolisée à base de vin ou de champagne à laquelle on ajoute du sucre et des fruits
Bowling ['boːlɪŋ] <-s, -s> *nt* bowling *m*
Box [bɔks] <-, -en> *f* 1.(*Pferdebox, Einstellplatz*) box *m* 2.(*Montageplatz für Rennwagen*) stand *m* 3.(*Behälter*) mallette *f* 4.(*Lautsprecherbox*) enceinte *f*
boxen ['bɔksən] I. *vi* boxer; **gegen jdn/um etw ~** boxer contre qn/pour qc II. *vt* 1.(*schlagen*) donner des coups de poing à 2. SPORT *fam* boxer
Boxen <-s> *nt* boxe *f*
Boxer(in) <-s, -> *m(f)* boxeur(-euse) *m(f)*
Boxershorts *Pl* boxer-short *m*
Boxhandschuh *m* gant *m* de boxe **Boxkampf** *m* 1. match *m* de boxe 2. *kein Pl* (*Boxsport*) boxe *f*
Boykott [bɔyˈkɔt] <-[e]s, -e *o* -s> *m* boycott[age] *m*
boykottieren* [bɔykɔˈtiːrən] *vt* boycotter
brach [braːx] *Imp von* **brechen**
Brachland *nt* friche *f* **brachliegen** *vi irr a. fig* (*generell*) être en friche; (*vorübergehend*) être en jachère
brachte ['braxtə] *Imp von* **bringen**
Braindrain[RR] [brɛɪnˈdreɪn] <-s> *m kein pl* fuite *f* des cervaux
Branche ['brãːʃə] <-, -n> *f* (*Wirtschaftszweig, Tätigkeitsbereich*) branche *f*
Branchenbuch *nt*, **Branchenverzeichnis** *nt* <~~> pages jaunes *fpl*
Brand [brant, *Pl:* 'brɛndə] <-[e]s, ̈-e> *m* 1.(*Feuer*) incendie *m; etw in ~ stecken* mettre le feu à qc; **in ~ geraten** prendre feu 2. *fam* (*Durst*) **einen ~ haben** avoir la pépie 3. MED gangrène *f* 4. BOT rouille *f*
brandaktuell *adj fam Thema, Frage, Buch*

d'une brûlante actualité **Brandanschlag**
m incendie *m* criminel **Brandblase** *f* cloque *f*
branden ['brandən] *vi* déferler; **an** [*o* gegen] **etw** ~ déferler contre qc
Brandenburg ['brandənbʊrk] <-s> *nt* (*Bundesland*) le Brandebourg
brandmarken *vt* (*anprangern*) dénoncer; **jdn als Betrüger** ~ dénoncer qn comme étant un escroc
brandneu ['brant'nɔy] *adj fam Computer, Auto* flambant neuf(neuve); ~ **sein** *CD, Buch, Film:* venir de sortir **Brandschaden** *m* dégâts *mpl* causés par le feu **Brandstifter(in)** *m(f)* incendiaire *mf* **Brandstiftung** *f* incendie *m* criminel
Brandung <-, -en> *f* déferlement *m* des vagues
Brandwunde *f* brûlure *f*
brannte ['brantə] *Imp von* **brennen**
Branntwein ['brantvaɪn] *m* eau-de-vie *f*
Brasilien [bra'zi:liən] <-s> *nt* le Brésil
brät [brɛːt] *3. Pers Präs von* **braten**
Bratapfel *m* pomme *f* [cuite] au four
braten ['braːtən] <brät, briet, gebraten> **I.** *vt* faire cuire; **etw in der Pfanne/im Ofen** ~ faire cuire qc à la poêle/au four **II.** *vi* (*gar werden*) cuire
Braten <-s, -> *m* rôti *m*
Bratensoße *f* sauce *f* de rôti
Brathähnchen *nt*, **Brathendl** ['braːthɛndl] <-s, -[n]> *nt* A, SDEUTSCH poulet *m* rôti **Brathering** *m* hareng *m* frit puis mariné **Bratkartoffeln** *Pl* pommes *fpl* de terre sautées **Bratpfanne** *f* poêle *f* [à frire]
Bratsche ['braːtʃə] <-, -n> *f* alto *m*
Bratwurst *f* **1.** (*gebratene Wurst*) saucisse *f* grillée **2.** (*Wurst zum Braten*) saucisse *f* à griller
Brauch [braux, *Pl:* 'brɔyçə] <-[e]s, Bräuche> *m* coutume *f*
brauchbar *adj* **1.** (*geeignet*) adéquat(e) **2.** (*verwendbar*) utilisable **3.** (*gut*) valable
brauchen ['brauxən] **I.** *vt* **1.** (*nötig haben*) avoir besoin de; **jdn/etw** ~ avoir besoin de qn/qc **2.** (*aufwenden müssen*) **eine Stunde** ~ **um etw zu tun** mettre une heure pour faire qc; **wie lange** ~ **Sie noch?** il vous faut encore combien de temps? **3.** (*gebrauchen*) **jdn/etw nicht** ~ **können** n'avoir vraiment pas besoin de qn/qc **4.** (*verbrauchen*) consommer *Strom, Wasser* **II.** *aux modal* **du brauchst nur anzurufen** tu dois juste téléphoner; **Sie** ~ **es gar nicht erst zu versuchen** ce n'est pas la peine d'essayer
Brauchtum <-[e]s, -tümer> *nt* coutumes *fpl*

Braue ['brauə] *f* sourcil *m*
brauen ['brauən] *vt* **1.** brasser *Bier* **2.** *fam* (*zubereiten*) concocter
Brauer(in) <-s, -> *m(f)* brasseur(-euse) *m(f)*
Brauerei [brauə'raɪ] <-, -en> *f* **1.** (*Betrieb*) brasserie *f* **2.** *kein Pl* (*das Brauen*) brassage *m*
braun [braun] *adj* **1.** *Haar, Haarfarbe* brun(e); *Augen, Pullover* marron *inv* **2.** *Hautfarbe* mat(te) **3.** (*sonnengebräunt*) ~ [gebrannt] bronzé **4.** *pej* (*nationalsozialistisch*) nazi(e)
Braunbär *m* ours *m* brun
Bräune ['brɔynə] <-> *f* couleur *f* brune; (*Sonnenbräune*) bronzage *m*
bräunen I. *vt* **1.** jdn/die Haut ~ faire bronzer qn/brunir la peau **2.** GASTR faire revenir *Speck;* faire dorer *Zwiebeln, Butter;* faire brunir *Mehl* **II.** *vi* **1.** *Sonne:* bronzer **2.** (*braun werden*) **in der Sonne** ~ bronzer au soleil **3.** GASTR *Braten:* dorer; *Butter:* rissoler **III.** *vr* **sich** ~ *Person:* se [faire] bronzer; *Haut:* brunir
braungebrannt *s.* **braun**
Braunkohle *f* lignite *m*
bräunlich *adj* brunâtre
brausen ['brauzən] *vi* **1.** + *haben Wind, Wellen:* mugir; ~**der Beifall** un tonnerre d'applaudissements **2.** + *sein fam* (*rasen*) **durch die Stadt** ~ foncer à travers la ville
Brausepulver [-fɐ, -və] *nt* limonade *f* en poudre **Brausetablette** *f* comprimé *m* effervescent
Braut [braut, *Pl:* 'brɔytə] <-, Bräute> *f* mariée *f*
Bräutigam ['brɔytɪgam] <-s, -e> *m* marié *m*
Brautjungfer *f* demoiselle *f* d'honneur **Brautkleid** *nt* robe *f* de mariée **Brautpaar** *nt* [jeunes] mariés *mpl*
brav [braːf] *adj* **1.** sage; *Haustier* brave antéposé **2.** (*bieder*) sage
bravo ['braːvo] *interj* bravo
Bravour [bra'vuːɐ] <-> *f geh* (*Meisterschaft*) virtuosité *f*; (*Kühnheit*) bravoure *f*; **etw mit** ~ **tun** (*meisterhaft*) faire qc avec brio; (*mit Kühnheit*) faire qc avec entrain
BravurRR *s.* **Bravour**
BRD [beːʔɛɐ'deː] <-> *f Abk von* **Bundesrepublik Deutschland: die** ~ la R.F.A.
Brecheisen *nt* pince-monseigneur *f*
brechen ['brɛçən] <bricht, brach, gebrochen> **I.** *vt* + *haben* **1.** casser *Knochen* **2.** (*zerbrechen*) briser *Eis;* rompre *Brot;* **auseinander** ~ rompre **3.** (*herausbrechen*) **die Steine aus der Mauer** ~ arracher les pierres du mur **4.** (*abbauen*) *Marmor* ~ extraire du marbre **5.** (*nicht*

einhalten) rompre *Vertrag, Schwur* **6.**(*übertreffen*) battre *Rekord* **7.**(*niederkämpfen*) briser *Widerstand;* détruire *Willen* **8.** *geh* (*pflücken*) cueillir *Blume* **9.**(*abprallen lassen*) réfracter *Licht;* briser *Wellen* **10.**(*erbrechen*) vomir **II.** *vi* **1.**+ *sein Achse, Ast:* [se] casser; **auseinander** ~ *Möbelstück, Familie:* se disloquer **2.**+ *sein* (*brüchig sein*) *Leder:* se fendre; *Teppich:* se couper **3.**+ *sein* (*hindurchbrechen*) **durch die Wolken** ~ *Sonne:* faire une percée à travers les nuages **4.**+ *haben* (*den Kontakt, die Gewohnheit beenden*) **mit jdm/etw** ~ rompre avec qn/qc **5.**+ *haben* (*sich erbrechen*) vomir **III.** *vr* + *haben* **sich an etw** ~ *Wellen:* se briser contre qc; *Licht:* se réfracter sur qc; *Schall:* se répercuter sur qc

Brechmittel *nt* MED vomitif *m* **Brechreiz** *m* nausée *f*

Brechung <-, -en> *f des Lichts* réfraction *f; des Schalls* répercussion *f; der Meereswellen* déferlement *m*

Brei [braj] <-[e]s, -e> *m* **1.**(*Speise*) bouillie *f;* (*Püree*) purée *f;* **etw zu** ~ **zerstampfen** réduire qc en purée **2.**(*dickflüssige Masse*) pâte *f*

breiig *adj* visqueux(-euse)

breit [brajt] **I.** *adj* **1.**large; *Schrift* étendu(e); *nez* plat; **drei Meter** ~ **sein** avoir trois mètres de large; **etw** ~**er machen** élargir qc **2.**(*breitschultrig*) large [d'épaules] **3.** *Publikum* vaste; *Zustimmung* large *antéposé;* **die** ~**e Öffentlichkeit** le grand public **4.** *Grinsen* large *antéposé; Lachen* gros(se) *antéposé* **5.** *Dialekt* prononcé(e) **6.** DIAL *fam* (*betrunken*) ~ **sein** être bourré **II.** *adv* **1.** **etw** ~ **drücken** aplatir qc **2.**(*kräftig*) ~ **gebaut sein** être carré d'épaules **3.**(*ungeniert*) ~ **grinsen** arborer un large sourire; ~ **lachen** éclater d'un gros rire **4.**(*breitbeinig*) **sich** ~ **hinsetzen** s'étendre **5.**(*viel Raum einnehmend*) **sich** ~ **machen** *Person:* prendre beaucoup de place; *Stimmung:* monter; *Ideologie:* se répandre

breitbeinig *adj, adv* les jambes écartées

Breite <-, -n> *f* **1.**largeur *f* **2.**(*Ausgedehntheit*) étendue *f* **3.** GEOG latitude *f* **4.**(*Ausführlichkeit*) **in aller** ~ en long et en large

Breitengrad *m* GEOG degré *m* de latitude **breitlmachen** *s.* breit II.

breitlschlagen *vt irr fam* baratiner; **sich von jdm** ~ **lassen** se laisser baratiner par qn

breitschult[e]rig *adj* large d'épaules

breitltreten *irr fam* s'appesantir sur *Thema;* étaler *Geschichte, Details*

Bremen ['breːmən] <-s> *nt* Brême

Bremsbacke *f* mâchoire *f* de frein

Bremse ['brɛmzə] <-, -n> *f* **1.** AUT frein *m* **2.** ZOOL taon *m*

bremsen ['brɛmzən] **I.** *vi* **1.**freiner **2.**(*hinhaltend reagieren*) *Partei, Opposition:* faire barrage **II.** *vt* **1.**(*abbremsen*) [faire] freiner *Fahrzeug, Zug* **2.**(*verzögern*) freiner *Entwicklung* **3.**(*dämpfen*) refréner *Begeisterung* **4.** *fam* (*zurückhalten*) retenir *Person, Redefluss*

Bremslicht *nt* [feu *m* de] stop *m* **Bremspedal** *nt* pédale *f* de frein **Bremsspur** *f* trace *f* de freins

Bremsung <-, -en> *f* freinage *m*

Bremsweg *m* distance *f* de freinage

brennbar *adj* combustible

Brennelement *nt* PHYS élément *m* combustible

brennen ['brɛnən] <brannte, gebrannt> **I.** *vi* **1.**(*in Flammen stehen*) brûler **2.**(*angezündet sein*) brûler; *Zigarette:* être allumé **3.**(*sich entzünden*) **nicht** ~ ne pas s'allumer; *Streichholz, Kohle:* ne pas s'enflammer **4.**(*angeschaltet sein*) être allumé **5.**(*schmerzen*) brûler; **auf der Haut/Zunge** ~ piquer la peau/langue **6.**(*inständig sinnen*) **auf Rache** (*akk*) ~ avoir soif de vengeance **7.**(*ungeduldig sein*) **darauf** ~ **etw zu tun** brûler de faire qc **II.** *vi unpers* **es brennt!** au feu! ▸**wo brennt's denn?** *fam* il y a le feu quelque part? **III.** *vt* **1.**(*rösten*) griller *Mandeln;* torréfier *Kaffee* **2.**(*destillieren*) distiller *Schnaps* **3.**(*härten*) cuire *Ton* **4.**(*einbrennen, aufbrennen*) marquer *Rind;* **ein Loch in den Teppich** ~ faire un trou sur le tapis **IV.** *vr* **sich an etw** (*dat*) ~ se brûler à qc

brennend **I.** *adj* **1.** *Hitze* torride; *Durst* ardent(e) **2.** *Frage, Problem* brûlant(e); *Wichtigkeit* capital(e); *Interesse* vif(vive) *antéposé* **II.** *adv fam interessiert* vivement

Brenner ['brɛnɐ] <-s, -> *m* TECH brûleur *m* **Brennerei** [brɛnə'raj] <-, -en> *f* distillerie *f*

Brennessel *s.* Brennnessel

Brennglas *nt* miroir *m* ardent **Brennholz** *nt* bois *m* de chauffage **Brennnessel**[RR] *f* ortie *f* **Brennpunkt** *m* **1.** OPT foyer *m* **2.** MATH focale *f* **3.**(*Zentrum*) *der Ereignisse* centre *m;* **ein sozialer** ~ un quartier sensible **Brennstoff** *m* combustible *m* **Brennweite** *f* OPT distance *f* focale

brenzlig ['brɛntslɪç] *adj fam Situation* critique; **das ist/wird mir zu** ~ ça sent le roussi

Bretagne [bre'tanjə] <-> *f* **die** ~ la Bretagne

Bretone [bre'toːnə] <-n, -n> *m*, **Breto-**

Briefe

• Anrede in Briefen	• Formule de début de lettre
Liebe/r ...,	Mon cher/Ma chère ...,
Hallo, ...!/Hi, ...! *(fam)*	Salut, ...!
Liebe/r Frau/Herr ...,	Cher Monsieur/Chère Madame ...,
Sehr geehrte/r Frau/Herr ... *(form)*	Monsieur/Madame ... *(form)*
Sehr geehrte Damen und Herren ...	Madame, Monsieur/Mesdames, Messieurs
• Schlussformeln in Briefen	• Formule de fin de lettre
Tschüss! *(fam)*/Ciao! *(fam)*	Salut! *(fam)*
Alles Gute! *(fam)*	Bonne chance!
Herzliche/Liebe Grüße *(fam)*	Je vous/t'embrasse bien fort
Viele Grüße	Grosses bises
Mit (den) besten Grüßen	Je vous prie/Nous vous prions d'agréer, Madame .../Monsieur ..., mes/nos très sincères salutations.
Mit freundlichen Grüßen *(form)*	Je vous prie/Nous vous prions de croire, Madame .../Monsieur ..., à l'assurance de mes/nos sentiments distingués. *(form)*

---

nin *f* Breton(ne) *m(f)*
bretonisch [bre'to:nɪʃ] **I.** *adj* breton(ne)
II. *adv* en breton; *s. a.* **deutsch**
Brett [brɛt] <-[e]s, -er> *nt* **1.**(*Planke*)
planche *f* **2.**(*Regalbrett*) étagère *f*
3.(*Holzplatte*) planche *f*; (*klein*) planchette *f* **4.**(*Sprungbrett*) plongeoir *m* **5.**(*Spielbrett*) plateau *m* [de jeu]; (*Schachbrett*)
échiquier *m*; (*Damebrett*) damier *m* ▶**das**
schwarze ~ le tableau d'affichage
Bretterzaun *m* palissade *f* **Brettspiel** *nt*
jeu *m* de table
Brezel ['bre:tsəl] <-, -n> *f* bretzel *m*
bricht ['brɪçt] *3. Pers Präs von* **brechen**
Bridge [brɪdʒ] <-> *nt* bridge *m*
Brief [bri:f] <-[e]s, -e> *m* **1.**lettre *f*
2.(*Versendungsart*) **etw als** ~ **schicken**
envoyer qc comme lettre **3.**REL épître *f*
▶**blauer** ~ SCHULE *fam* avertissement *m*
Briefbeschwerer <-s, -> *m* presse-papiers
m **Briefbogen** *m* feuille *f* de papier à lettres **Briefbombe** *f* lettre *f* piégée **Briefdrucksache** *f* imprimé-lettre *m* **Brieffreund(in)** *m(f)* correspondant(e) *m(f)*
Briefgeheimnis *nt* secret *m* postal
Briefing ['bri:fɪŋ] <-s, -s> *nt* briefing *m*
Briefkasten *m* boîte *f* aux lettres; **elektronischer** ~ boîte aux lettres électronique
Briefkastenfirma *f* société *f* boîte aux lettres **Briefkopf** *m* en-tête *m* [de lettre]
brieflich *adj, adv* par écrit
Briefmarke *f* timbre[-poste] *m* **Briefmarkenautomat** *m* distributeur *m* [automati-

que] de timbres[-poste] **Briefmarkensammlung** *f* collection *f* de timbres **Brieföffner** *m* coupe-papier *m* **Briefpapier** *nt*
papier *m* à lettres **Brieftasche** *f* portefeuille *m* **Brieftaube** *f* pigeon *m* voyageur
Briefträger(in) *m(f)* facteur(-trice) *m(f)*
Briefumschlag *m* enveloppe *f* **Briefwaage** *f* pèse-lettres *m* **Briefwahl** *f* vote *m*
par correspondance **Briefwechsel** *m* correspondance *f*
briet [bri:t] *Imp von* **braten**
Brigade [bri'ga:də] <-, -n> *f* brigade *f*
Brikett [bri'kɛt] <-s, -s> *nt* briquette *f*
brillant [brɪl'jant] *adj* brillant(e)
Brillant [brɪl'jant] <-en, -en> *m* brillant
Brillanz [brɪl'jants] <-> *f einer Rede, Darbietung* virtuosité *f*; *eines Einfalls* ingéniosité *f*; *des Klangs* pureté *f*; *eines Fotos* netteté
f
Brille ['brɪlə] <-, -n> *f* lunettes *fpl*
Brillenetui [-ɛtvi:] *nt* étui *m* à lunettes
Brillenträger(in) *m(f)* porteur(-euse) *m(f)*
de lunettes; ~ **sein** porter des lunettes
bringen ['brɪŋən] <br**a**chte, gebr**a**cht>
vt **1.**apporter **2.**(*servieren*) servir **3.**(*wegbringen*) [ap]porter **4.**(*vermitteln*) apporter *Nachricht* **5.**(*befördern*) amener; *Fahrer:* conduire **6.**(*begleiten*) **jdn nach Hause** ~ ramener qn à la maison; **jdn zur Tür**
~ [r]accompagner qn à la porte **7.**(*darbieten*) **etw** ~ *Artist, Theater:* présenter qc;
Kino: passer qc; *Schauspieler:* jouer qc; *Fern-*

sehen: diffuser qc **8.**(*veröffentlichen*) publier **9.**(*bescheren*) apporter *Regen;* donner *Ernte* **10.**(*schicken, versetzen*) **jdn vor Gericht** ~ mener qn devant le tribunal; **jdn in Bedrängnis** ~ mettre qn dans l'embarras **11.**(*rauben*) **jdn um den Schlaf** ~ empêcher qn de dormir; **du wirst mich noch um den Verstand** ~ tu me feras perdre la tête **12.**(*lenken*) **das Gespräch auf jdn/etw** ~ amener la conversation sur qn/qc **13.**(*einbringen*) rapporter *Geld* **14.** *fam* (*hin-, wegbekommen*) **etw nicht von der Stelle** ~ ne pas arriver à bouger qc **15.**(*bewegen*) **jdn dazu** ~ **etw zu tun** amener qn à faire qc; **jdn so weit** ~, **dass er aufgibt** forcer qn à céder **16.**(*bewerkstelligen*) **jdn zum Weinen** ~ faire pleurer qn; **etw durcheinander** ~ (*in Unordnung bringen*) déranger qc; (*verwechseln*) confondre qc **17.**(*erreichen*) **sie brachte es auf 105 Jahre** elle a atteint 105 ans; **es auf eine Zwei in Deutsch** ~ ≈ réussir à avoir un quinze en allemand **18.**(*Erfolg haben*) **es zu etwas/ nichts** ~ arriver à quelque chose/n'arriver à rien **19.** *fam* (*machen*) **das kannst du doch nicht** ~**!** tu vas pas faire ça! **20.** *fam* (*gut sein*) **es voll** ~ assurer un max **21.** *fam* (*funktionieren*) **es nicht mehr** ~ *Motor:* ne plus tenir le coup **22.**(*sich aneignen*) **etw an sich** (*akk*) ~ s'approprier qc **23.**(*bewältigen*) **etw hinter sich** (*akk*) ~ en finir avec qc **24.**(*zur Folge haben*) **etw mit sich** ~ avoir qc pour conséquence **25.**(*fertig bringen*) **es nicht über sich** (*akk*) ~ **etw zu tun** ne pas pouvoir se résoudre à faire qc ▸**das bringt** <u>nichts</u> *fam* c'est pas la peine

brisant [briˈzant] *adj* **1.** *geh* (*heikel*) brûlant(e) **2.** *Sprengstoff* explosif(-ive)

Brisanz [briˈzants] <-> *f geh eines Problems* caractère *m* brûlant

Brise [ˈbriːzə] <-, -n> *f* brise *f*

Britannien [briˈtanjən] <-s> *nt* HIST les îles *fpl* Britanniques

Brite [ˈbrɪtə] <-n, -n> *m*, **Britin** *f* Britannique *mf*

britisch *adj* britannique

bröckelig *adj Brot, Gestein, Mauer* friable; ~ **werden** *Gestein, Mauer:* s'effriter

bröckeln *vi* **1.**+ *haben Gestein:* s'effriter; *Brot:* s'émietter **2.**+ *sein* **von etw** ~ *Putz:* s'effriter de qc; *Farbe:* se détacher de qc

Brocken [ˈbrɔkən] <-s, -> *m* **1.**(*Erdbrocken*) motte *f* **2.**(*Steinbrocken*) bloc *m* [de pierre] **3.** *Pl fig* **ein paar** ~ **Französisch** quelques bribes *fpl* de français **4.** *fam* (*massiger Mensch*) costaud *m* ▸**ein** <u>harter</u> ~ **sein** *fam Gegner, Aufgabe:*

être un gros morceau

brodeln [ˈbroːdəln] *vi* bouillonner

Brokat [broˈkaːt] <-[e]s, -e> *m* brocart *m*

Broker(in) [ˈbroːkɐ] <-s, -> *m(f)* agent *m* de change

Brokkoli [ˈbrɔkoli] *Pl* brocoli *m*

Brom [broːm] <-s> *nt* CHEM brome *m*

Brombeere [ˈbrɔmbeːrə] *f* **1.**(*Frucht*) mûre *f* **2.**(*Strauch*) ronce *f*

Bronchialkatarr(h)[RR] [brɔnçiˈaːlkatar] *m* bronchite *f*

Bronchie [ˈbrɔnçiə] <-, -n> *f meist Pl* bronche *f*

Bronchitis [brɔnˈçiːtɪs] <-, -tiden> *f* bronchite *f*

Bronze [ˈbrõːsə] <-, -n> *f* bronze *m*

Bronzemedaille [ˈbrõːsəmedaljə] *f* médaille *f* de bronze

Bronzezeit *f* âge *m* du bronze

Brosche [ˈbrɔʃə] <-, -n> *f* broche *f*

Broschüre [brɔˈʃyːrə] <-, -n> *f* brochure *f*

Brot [broːt] <-[e]s, -e> *nt* pain *m;* **belegtes** ~ sandwich *m*

Brotbelag *m* garniture *f* sur le pain

Brötchen [ˈbrøːtçən] <-s, -> *nt* petit pain *m*

Brotkasten *m* boîte *f* à pain **Brotkorb** *m* corbeille *f* à pain **Brotkruste** *f* croûte *f* du pain **brotlos** *adj* (*stellungslos*) sans emploi

Brotmaschine, **Brotschneidemaschine** *f* trancheuse *f* à pain

Browsen [brauzən] <-s> *nt* INFORM exploration *f*

Browser [ˈbrauzɐ] *m* INFORM explorateur *m;* (*für das Internet*) navigateur *m* Web

Bruch [brʊx, *Pl:* ˈbrʏçə] <-[e]s, ⸚e> *m* **1.**(*das Brechen*) *einer Achse, eines Damms* rupture *f* **2.**(*Nichteinhaltung*) *eines Vertrags* rupture *f;* *eines Gesetzes* violation *f* **3.** MED (*Knochenbruch*) fracture *f;* (*Eingeweidebruch*) hernie *f* **4.** *fig einer Entwicklung* cassure *f;* **mit der Tradition** rupture *f* **5.**(*Zerwürfnis, Entzweiung*) rupture *f* **6.** MATH fraction *f* **7.** *kein Pl* (*zerbrochene Ware*) débris *mpl* **8.** *fam* (*Einbruch*) casse *m* ▸**zu** ~ **gehen** *Geschirr, Vase:* se casser; **in die Brüche** <u>gehen</u> *Beziehung, Ehe:* se solder par un échec

Bruchbude *f pej fam* taudis *m*

brüchig [ˈbrʏçɪç] *adj* **1.** *Gestein* friable; *Leder, Pergament* cassant(e) **2.** *Stimme* cassé(e) **3.**(*überholt, hinfällig*) fragile

Bruchlandung *f* atterrissage *m* forcé

Bruchrechnen *nt*, **Bruchrechnung** *f* calcul *m* de fractions **Bruchstück** *nt* **1.**(*Scherbe*) morceau *m* **2.**(*Ausschnitt*) *eines Lieds* fragment *m;* *einer Rede* bribes *fpl*

bruchstückhaft I. *adj* morcelé(e); *Beweis* incomplet(-ète) **II.** *adv* partiellement; *mit-*

bekommen par bribes **Bruchteil** *m* fraction *f* **Bruchzahl** *f* nombre *m* fractionnaire
Brücke ['brʏkə] <-, -n> *f* **1.** *a. fig* pont *m* **2.** NAUT passerelle *f* **3.** (*Zahnersatz*) bridge *m* **4.** (*Teppich*) carpette *f* **5.** SPORT pont *m*
Bruder ['bruːdɐ, *Pl:* 'bryːdɐ] <-s, ⸗> *m* frère *m*
brüderlich *adj* fraternel(le)
Bruderschaft <-, -en> *f* REL confrérie *f*
Brüderschaft <-, -en> *f* **mit jdm ~ trinken** trinquer avec qn (*pour marquer le début du tutoiement*)
Brühe ['bryːə] <-, -n> *f* **1.** (*Suppe*) bouillon *m*; **eine kräftige ~** un consommé **2.** *pej fam* (*Schmutzwasser*) eau *f* cradingue
brühen *vt* [sich (*dat*)] **einen Kaffee/Tee ~** se faire un café/un thé
brühwarm ['bryː'varm] *fam* **I.** *adj* tout(e) chaud(e) **II.** *adv weitererzählen* illico **Brühwürfel** *m* cube *m* de bouillon
brüllen ['brʏlən] **I.** *vi* **1.** *Person:* crier; (*lang und heftig*) hurler **2.** (*Laute von sich geben*) *Affe:* hurler; *Raubtier:* rugir; *Stier, Vieh:* mugir **II.** *vt* **er brüllte mir etwas ins Ohr** il m'a crié quelque chose à l'oreille
brummeln *vt, vi* grommeler
brummen ['brʊmən] **I.** *vi* **1.** *Insekt, Kreisel:* bourdonner; *Bär:* grogner; *Motor:* ronfler; *Triebwerk:* vrombir **2.** (*singen*) chanter d'une voix caverneuse **3.** *fam* (*in Haft sein*) être en cabane **4.** (*murren*) ronchonner **II.** *vt* grommeler *Antwort, Namen*
Brummer <-s, -> *m fam* **1.** (*Insekt*) espèce *f* de bourdon **2.** (*Lastwagen*) gros-cul *m*
Brummi <-s, -s> *m hum fam* bahut *m*
Brummschädel *m fam* **einen ~ haben** avoir mal aux cheveux; (*verkatert sein*) avoir la gueule de bois
brünett [bry'nɛt] *adj* brun(e)
Brunft [brʊnft, *Pl:* 'brʏnftə] <-, ⸗e> *f* [période *f* du] rut *m*
Brunnen ['brʊnən] <-s, -> *m* **1.** (*Ziehbrunnen*) puits *m* **2.** (*Zierbrunnen*) fontaine *f*
Brunst [brʊnst, *Pl:* 'brʏnstə] *s.* **Brunft**
brünstig ['brʏnstɪç] *adj* **1.** *Tier:* en rut **2.** *hum* (*lüstern*) lubrique
brüsk [brʏsk] **I.** *adj* brutal(e) **II.** *adv sich abwenden* brusquement; *sagen, abfertigen* brutalement
brüskieren* [brʏs'kiːrən] *vt* brusquer
Brüssel ['brʏsəl] <-s> *nt* Bruxelles
Brüsseler(in) <-s, -> *m(f)* Bruxellois(e) *m(f)*
Brust [brʊst, *Pl:* 'brʏstə] <-, ⸗e> *f* **1.** (*~kasten*) thorax *m* **2.** (*weibliche ~*) sein *m*; (*Büste*) poitrine *f* **3.** GASTR poitrine *f*; *von Geflügel* blanc *m* **4.** (*~schwimmen*)

die 200 Meter ~ gewinnen gagner le 200 mètres brasse
Brustbein *nt* ANAT sternum *m* **Brustbeutel** *m* pochette *f* de sécurité (*portée sur la poitrine autour du cou*)
brüsten ['brʏstən] *vr* **sich ~** se vanter; **sich mit etw ~** se vanter de qc
Brustfell *nt* ANAT plèvre *f* **Brustkasten** *m fam* coffre *m* **Brustkorb** *m* cage *f* thoracique **Brustkrebs** *m* cancer *m* du sein **Brustschwimmen** *nt* brasse *f* **Brusttasche** *f* (*außen*) poche *f* de poitrine; (*innen*) poche intérieure **Brustumfang** *m* tour *m* de poitrine
Brüstung ['brʏstʊŋ] <-, -en> *f* **1.** (*Balkonbrüstung*) balustrade *f* **2.** (*Fensterbrüstung*) appui *m* de fenêtre
Brustwarze *f* mamelon *m*
Brut [bruːt] <-, -en> *f* **1.** *kein Pl* (*das Brüten*) couvaison *f* **2.** (*die Jungtiere*) *von Hühnern, Vögeln* couvée *f*; *von Bienen* couvain *m*
brutal [bru'taːl] *adj* **1.** *Person, Vorgehen, Misshandlung* brutal(e); **ein ~er Kerl** une brute **2.** *Gesicht* de brute
Brutalität [brutali'tɛːt] <-, -en> *f* brutalité *f*
brüten ['bryːtən] *vi* **1.** *Vogel:* couver **2.** (*grübeln*) **über etw** (*dat*) **~** cogiter sur qc
brütendheiß *s.* **heiß I.**
Brüter <-s, -> *m* **schneller ~** sur[ré]générateur *m*
Brutkasten *m* MED couveuse *f* **Brutstätte** *f* **1.** (*Nistplatz*) nid *m* **2.** *fig* **eine ~ des Lasters** un lieu de perdition
brutto ['brʊto] *adv* brut
Bruttoeinkommen *nt* revenu *m* brut **Bruttogehalt** *nt* salaire *m* brut **Bruttolandsprodukt** *nt* produit *m* intérieur brut **Bruttolohn** *m* salaire *m* brut **Bruttosozialprodukt** *nt* produit *m* national brut
brutzeln ['brʊtsəln] **I.** *vi* cuire; **in der Pfanne ~** cuire à la poêle **II.** *vt fam* **sich etw ~** faire cuire qc
BSE [beːʔɛs'eː] <-> *f Abk von* **bovine spongiforme Enzephalopathie** encéphalopathie *f* spongiforme bovine
Btx [beːteː'ʔɪks] *Abk von* **Bildschirmtext** HIST ≈ minitel® *m*
Bub [buːp] <-en, -en> *m* SDEUTSCH, A, CH gamin *m*
Bube <-n, -n> *m* SPIEL valet *m*
Buch [buːx, *Pl:* 'byːçə] <-[e]s, ⸗er> *nt* **1.** livre *m* **2.** *meist Pl* (*Geschäftsbuch*) livre *m* de comptes ►**..., wie er/es im ~e steht** ..., tel qu'on se l'imagine
Buchbinder(in) <-s, -> *m(f)* relieur(-euse) *m(f)* **Buchbinderei** [buːxbɪndə'raj] <-,

-en> *f* **1.**(*Betrieb*) atelier *m* de relieur **2.** *kein Pl* (*das Binden*) reliure *f* **Buchdruck** *m kein Pl* typographie *f* **Buchdrucker(in)** *m(f)* typographe *mf*
Buche ['buːxə] <-, -n> *f* hêtre *m*
Buchecker <-, -n> *f* faine *f*
buchen ['buːxən] *vt* **1.** réserver; s'inscrire à *Reise* **2.** COM (*verbuchen*) **etw** ~ *Person:* comptabiliser qc; *Registrierkasse:* enregistrer qc
Bücherbord <-borde> *nt* (*Brett*) tablette *f;* (*Regal*) étagères *fpl* **Bücherbrett** *nt* tablette *f*
Bücherei [byːçəˈraɪ] <-, -en> *f* bibliothèque *f*
Bücherregal *nt* étagères *fpl;* (*in einer Bibliothek*) rayon *m* de bibliothèque **Bücherschrank** *m* bibliothèque *f* **Büchersendung** *f* colis *m* de livres
Buchfink *m* pinson *m* **Buchführung** *f* comptabilité *f* **Buchhalter(in)** *m(f)* comptable *mf* **buchhalterisch** *adj Pflichten, Tätigkeit* de comptable; *Arbeit* de comptabilité **Buchhaltung** *f* **1.**(*Rechnungsabteilung*) [service *m* de la] comptabilité *f* **2.**(*Buchführung*) comptabilité *f* **Buchhandel** *m* (*Handel*) commerce *m* du livre; **im** ~ **erhältlich** disponible en librairie **Buchhändler(in)** *m(f)* libraire *mf* **Buchhandlung** *f* librairie *f* **Buchmacher(in)** *m(f)* bookmaker *m* **Buchmesse** *f* foire *f* du livre **Buchprüfer(in)** *m(f)* expert-comptable *m*
Buchsbaum ['buks-] *m* buis *m*
Buchse ['buksə] <-, -n> *f* **1.** ELEC douille *f* **2.** TECH manchon *m*
Büchse ['byksə] <-, -n> *f* **1.**(*Behälter, Konserve*) boîte *f* **2.**(*Sammelbüchse*) tronc *m* **3.**(*Jagdgewehr*) carabine *f*
Büchsenöffner *m* ouvre-boîte *m*
Buchstabe ['buːxʃtaːbə] <-n[s], -n> *m* lettre *f;* (*Druckbuchstabe*) caractère *m* [d'imprimerie]
buchstabieren* [buːxʃtaˈbiːrən] *vt* épeler **buchstäblich** ['buːxʃtɛːplɪç] *adv* littéralement
Buchstütze *f* serre-livres *m*
Bucht [buxt] <-, -en> *f* **1.**(*Meeresbucht*) baie *f;* (*klein*) crique *f;* **die Deutsche** ~ la baie allemande **2.**(*Parkbucht*) place *f* [de parking]
Buchung <-, -en> *f* **1.** TOUR réservation *f* **2.**(*Verbuchung*) écriture *f*
Buchweizen *m* sarrasin *m*
Buckel ['bukəl] <-s, -> *m* **1.**(*Verwachsung*) bosse *f* **2.** *fig* **einen** ~ **machen** *Katze:* faire le gros dos **3.** *fam* (*Rücken*) dos *m* **4.** *fam* (*Bergkuppe*) mamelon *m* **5.**(*Wölbung*) bosse *f* ►**rutsch mir** [doch] **den** ~ **runter!** *fam* lâche-moi les baskets!

buckelig *s.* bucklig
Buckelige(r) *s.* Bucklige(r)
buckeln *vi fam* **1.** *Katze:* faire le gros dos **2.** *pej* (*devot sein*) **vor jdm** ~ courber l'échine devant qn
bücken ['bykən] *vr* **sich** ~ se pencher; **sich nach etw** ~ se pencher pour ramasser qc
bucklig *adj fam* **1.** *Person* bossu(e) **2.** *Straße, Fläche* bosselé(e)
Bucklige(r) *f(m) dekl wie adj* bossu(e) *m(f)*
Bückling ['byklɪŋ] <-s, -e> *m* (*Hering*) hareng *m* saur
Budapest <-s> *nt* Budapest
buddeln ['budəln] *fam* **I.** *vi* faire un trou/des trous **II.** *vt* creuser *Loch*
Buddhismus [buˈdɪsmus] <-> *m* bouddhisme *m*
Buddhist(in) [buˈdɪst] <-en, -en> *m(f)* bouddhiste *mf*
buddhistisch [buˈdɪstɪʃ] **I.** *adj* bouddhiste **II.** *adv* selon le rite bouddhiste
Bude ['buːdə] <-, -n> *f* **1.** cabane *f* **2.**(*Kiosk*) stand *m*
Budget [byˈdʒeː] <-s, -s> *nt* budget *m*
Büfett [byˈfeː] <-[e]s, -e *o* -s> *nt* **1.**(*Anrichte*) buffet *m* **2.**(*angerichtete Speisen*) **kaltes** ~ buffet *m* froid **3.**(*Schanktisch*) comptoir *m*
Büffel ['byfəl] <-s, -> *m* buffle *m*
büffeln *vt, vi fam* bûcher
Buffet [byˈfeː] <-s, -s> *nt,* **Büffet** [byˈfeː] <-s, -s> *nt* CH (*Bahnhofsgaststätte*) buffet *m*
Bug [buːk] <-[e]s, -e> *m* **1.** *eines Schiffs* proue *f; eines Flugzeugs* nez *m* **2.** <Büge> GASTR épaule *f*
Bügel ['byːɡəl] <-s, -> *m* **1.**(*Kleiderbügel*) cintre *m* **2.**(*Brillenbügel*) branche *f* **3.**(*Steigbügel*) étrier *m* **4.**(*Einfassung*) *einer Geldbörse, Handtasche* monture *f* **5.**(*Schleppliftbügel*) perche *f* **6.**(*Handtaschengriff*) poignée *f*
Bügelbrett *nt* table *f* à repasser **Bügeleisen** *nt* fer *m* à repasser **Bügelfalte** *f* pli *m* [de pantalon] **bügelfrei** *adj* infroissable; ~ **sein** ne pas se repasser
bügeln ['byːɡəln] *vt, vi* repasser; **etw glatt** ~ repasser qc [pour enlever les faux plis]
buh [buː] *interj* [h]ou
buhen *vi fam* pousser des huées de mécontentement
buhlen ['buːlən] *vi pej geh* **um etw** ~ chercher à s'attirer qc
Bühne ['byːnə] <-, -n> *f* **1.** *eines Theaters* scène *f;* **auf der** ~ **stehen** se produire [sur scène] **2.**(*Theater*) théâtre *m* **3.**(*Tribüne*) estrade *f* **4.**(*Hebebühne*) pont *m* élévateur ►**etw über die** ~ **bringen** *fam* en finir avec qc

Bühnenbild *nt* décors *mpl* **Bühnenbild-ner(in)** ['byːnənbɪltnɐ] <-s, -> *m(f)* scénographe *mf* **bühnenreif** *adj* 1. *Stück* prêt [à être représenté] 2. *iron Auftritt, Szene* théâtral(e)

Buhruf *m* huées *fpl*

buk *Imp von* **backen**

Bukarest ['buːkarɛst] <-s> *nt* Bucarest

Bukett <-s, -s *o* -e> *nt* (*Strauß, Duft*) bouquet *m*

Bulgare <-n, -n> *m*, **Bulgarin** *f* Bulgare *mf*

Bulgarien [bʊl'gaːriən] <-s> *nt* la Bulgarie

bulgarisch [bʊl'gaːrɪʃ] I. *adj* bulgare II. *adv* ~ **miteinander sprechen** discuter en bulgare; *s. a.* **deutsch**

Bullauge *nt* hublot *m*

Bulldozer ['bʊldoːzɐ] <-s, -> *m* bulldozer

Bulle ['bʊlə] <-n, -n> *m* 1. (*Rind*) taureau *m* 2. (*männliches Tier*) mâle *m* 3. *fam* (*starker Mann*) gros balèze *m* 4. *fam* (*Polizist*) flic *m*

Bulletin [byl'tɛ̃ː] <-s, -s> *nt* communiqué *m*

bum *interj* boum; **es machte ~** ça a fait boum

Bumerang ['buːməraŋ] <-s, -s *o* -e> *m* boomerang *m*

Bummel <-s, -> *m* balade *f*

Bummelei <-, -en> *f pej fam* **Schluss mit der ~!** arrête/arrêtez de traînasser!

bummeln *vi* 1. + *sein* (*schlendern, spazieren*) ~ **gehen** aller se balader 2. + *haben fam* (*trödeln*) traînasser

Bummelstreik *m* grève *f* du zèle **Bummelzug** *m fam* tortillard *m*

bums *interj s.* **bum**

bumsen ['bʊmzən] I. *vi unpers* + *haben fam* **es bumst** (*es kracht*) ça fait boum; (*ein Unfall passiert*) ça cartonne II. *vi* 1. + *haben fam* (*schlagen*) **gegen die Tür ~** tambouriner à la porte [en faisant un boucan pas possible] 2. + *sein* (*prallen*) **auf/gegen etw ~** rentrer dans qc 3. + *haben vulg* (*koitieren*) baiser (*fam*); **mit jdm ~** coucher avec qn III. *vt* + *haben vulg* **jdn ~** baiser qn (*fam*)

Bund¹ [bʊnt, *Pl:* 'bʏndə] <-[e]s, ̈-e> *m* 1. (*Vereinigung, Verband*) association *f* 2. (*Konföderation*) fédération *f* 3. (*Bündnis*) alliance *f* 4. POL [**der**] ~ **und** [**die**] **Länder** le Bund et les Länder 5. *fam* (*Bundeswehr*) **der ~** l'armée [allemande] 6. (*Rockbund, Hosenbund*) ceinture *f* 7. MUS *eines Zupfinstruments* touche *f* ▶ **den ~ fürs Leben schließen** *geh* contracter mariage; **mit jdm im ~e sein** être le complice de

qn

Bund² <-[e]s, -e> *nt* botte *f;* **zwei ~ Radieschen** deux bottes de radis

Bündel ['bʏndəl] <-s, -> *nt* 1. **ein ~ Wäsche/Kleidung** un paquet de linge/vêtements; **ein ~ Banknoten** une liasse de billets de banque; **ein ~ Stroh** une botte de paille 2. (*große Menge*) **ein ganzes ~ von Fragen** tout un tas de questions 3. **faire ses valises; jeder hat sein ~ zu tragen** chacun doit porter sa croix

bündeln *vt* 1. (*zusammenschnüren*) faire un paquet/des paquets avec *Zeitungen, Altpapier;* faire une liasse/des liasses avec *Banknoten;* faire une botte/des bottes avec *Radieschen, Stroh* 2. OPT focaliser *Strahlen*

bündelweise *adv* verkaufen en bottes

Bundesanstalt *f* office *m* fédéral **Bundesausbildungsförderungsgesetz** *nt* loi fédérale visant à promouvoir la formation et déterminant les bourses d'études **Bundesbahn** *f* chemins *mpl* de fer; **die Deutsche ~** HIST les chemins de fer allemands; **die Österreichischen/Schweizerischen ~en** les chemins de fer autrichiens/suisses **Bundesbank** *f* banque *f* fédérale; **die Deutsche ~** la banque fédérale allemande **Bundesbürger(in)** *m(f)* citoyen(ne) *m(f)* de la République fédérale d'Allemagne **Bundesgebiet** *nt* territoire *m* fédéral **Bundesgenosse** *m*, **-genossin** *f* allié(e) *m(f)* **Bundesgericht** *nt* CH Tribunal *m* fédéral [suprême] **Bundesgerichtshof** *m* cour *f* suprême fédérale **Bundesgrenzschutz** *m* police fédérale allemande pour la protection des frontières **Bundeshauptstadt** *f* capitale *f* fédérale **Bundeskanzler(in)** *m(f)* chancelier *m* fédéral; CH chancelier *m* de la Confédération **Bundeskanzleramt** *nt* chancellerie *f* fédérale **Bundesland** *nt* Land *m* **Bundesliga** *f* SPORT ≈ première division *f* **Bundesminister(in)** *m(f)* ministre *mf* fédéral **Bundesministerium** *nt* ministère *m* fédéral **Bundespost** *f* poste *f* fédérale; **die Deutsche ~** HIST la poste fédérale allemande; **die Österreichische ~** la poste fédérale autrichienne **Bundespräsident(in)** *m(f)* président(e) *m(f)* de la République fédérale; CH président(e) *m* de la Confédération **Bundesrat** *m* Conseil *m* fédéral; A, CH Conseil *m* fédéral **Bundesregierung** *f* gouvernement *m* fédéral **Bundesrepublik** *f* République *f* fédérale; **die ~ Deutschland** la République fédérale d'Allemagne **Bundesstaat** *m* 1. (*Staatenbund*) État *m* fédéral 2. (*Gliedstaat*) État *m* fédéré **Bundesstraße** *f* ≈ route *f* nationale **Bundestag** *m* Bundestag *m* **Bundestagspräsi-**

dent(in) *m(f)* président(e) *m(f)* du Bundestag **Bundestagswahl** *f* élections *fpl* au Bundestag **Bundesverdienstkreuz** *nt* croix *f* fédérale du Mérite **Bundesverfassungsgericht** *nt* tribunal *m* constitutionnel suprême **Bundesversammlung** *f* Assemblée *f* fédérale **Bundeswehr** ['bʊndəsveːɐ̯] *f* armée *f* fédérale **bundesweit** *adj, adv* dans l'ensemble du territoire fédéral

bündig ['bʏndɪç] **I.** *adj* **1.** *Antwort, Auskunft* concis(e) **2.** *(auf gleicher Ebene)* plan(e) **II.** *adv antworten* de manière concise

Bündnis ['bʏntnɪs] <-ses, -se> *nt* alliance *f*; ~ **90/Die Grünen** POL *parti allemand écologiste et alternatif*

Bungalow ['bʊŋgalo] <-s, -s> *m* bungalow *m*

Bungeejumping ['bandʒidʒampɪŋ] <-s> *nt* saut *m* à l'élastique

Bunker ['bʊnkɐ] <-s, -> *m* bunker *m*

bunt [bʊnt] **I.** *adj* **1.** de toutes les couleurs; *Stoff, Vorhang* multicolore; **sehr** ~ **sein** être très coloré **2.** *(ungeordnet)* disparate **3.** *Menge, Gewirr* bigarré(e); *Mischung, Auswahl* varié(e) **II.** *adv* **1.** *anstreichen* de toutes les couleurs; ~ **bemalt** peint [de multiples couleurs]; **sich** ~ **färben** *Laub:* devenir multicolore **2.** *(ungeordnet)* ~ **verstreut im Zimmer liegen** être posé pêle-mêle dans la pièce **3.** *(abwechslungsreich)* ~ **gemischt** varié ▶ **jdm wird es zu** ~ *fam* qn en a marre

buntgemischt *s.* bunt **II.**

Buntspecht *m* pic *m* épeiche **Buntstift** *m* crayon *m* de couleur **Buntwäsche** *f* linge *m* de couleur

Bürde ['bʏrdə] <-, -n> *f geh* fardeau *m*

Burenwurst ['buːrenvʊrst] *f* A saucisse *f* *(réchauffée à l'eau bouillante)*

Burg [bʊrk] <-, -en> *f* **1.** HIST château *m* fort **2.** *(Sandburg)* château *m* de sable

Bürge ['bʏrgə] <-n, -n> *m*, **Bürgin** *f* JUR garant(e) *m(f)*, caution *f*

bürgen *vi* **1.** JUR se porter garant **2.** *(Qualität verbürgen)* garantir

Bürger(in) ['bʏrgɐ] <-s, -> *m(f)* citoyen(ne) *m(f)*

Bürgerinitiative *f* comité *m* de défense **Bürgerkrieg** *m* guerre *f* civile

bürgerlich *adj* **1.** *attr Recht* civil(e) **2.** *(dem Bürgertum entsprechend)* bourgeois(e)

Bürgermeister(in) *m(f)* maire *m* **Bürgerrecht** *nt meist Pl* droit *m* civique **Bürgerrechtler(in)** ['bʏrgɐrɛçtlɐ] <-s, -> *m(f)* défenseur *m* des droits du citoyen

Bürgerschaft <-, -en> *f* **1.** *(die Bürger)* citoyens *mpl* **2.** *(Bürgervertretung)* munici-

palité *f*

Bürgersteig ['bʏrgɐʃtajk] <-[e]s, -e> *m* trottoir *m*

Bürgertum <-[e]s> *nt* bourgeoisie *f*

Bürgin ['bʏrgɪn] *s.* **Bürge**

Bürgschaft ['bʏrkʃaft] <-, -en> *f* caution *f*; **für jdn/etw** ~ **leisten** se porter garant pour qn/de qc

Burgund [bʊr'gʊnt] <-[s]> *nt* la Bourgogne

Burgunder <-s, -> *m* *(Wein)* bourgogne *m*

burlesk [bʊr'lɛsk] *adj* burlesque

Büro [by'roː] <-s, -s> *nt* bureau *m*

Büroangestellte(r) *f(m)* *dekl wie adj* employé(e) *m(f)* de bureau **Büroarbeit** *f* travail *m* de bureau **Bürobedarf** *m* fournitures *fpl* de bureau **Bürohaus** *nt* immeuble *m* de bureaux **Bürokaufmann** *m*, **-kauffrau** *f* secrétaire *mf* commercial(e) **Büroklammer** *f* trombone *m*

Bürokrat(in) [byro'kraːt] <-en, -en> *m(f) pej* bureaucrate *mf*

Bürokratie [byrokra'tiː] <-, -n> *f* bureaucratie *f*

bürokratisch [byro'kraːtɪʃ] **I.** *adj* bureaucratique **II.** *adv* de façon bureaucratique

Bürostunden *Pl* heures *fpl* de bureau

Bursche ['bʊrʃə] <-n, -n> *m* **1.** *(Halbwüchsiger)* jeune *m;* **na warte,** ~! attends un peu, mon gaillard ! **2.** *fam (Kerl)* **ein [ganz] übler** ~ un sale type **3.** *fam (Exemplar)* engin *m*

Burschenschaft <-, -en> *f* corporation *f* d'étudiants

burschikos [bʊrʃi'koːs] *adj Mädchen* sans façons; *Art, Benehmen* décontracté(e) *(fam)*; *Ausdrucksweise* relâché(e)

Bürste ['bʏrstə] <-, -n> *f* brosse *f*

bürsten *vt* brosser

Bus [bʊs] <-ses, -se> *m* **1.** bus *m;* *(Reisebus)* car *m* **2.** INFORM bus *m*

Busbahnhof *m* gare *f* routière

Busch [bʊʃ] *Pl:* ['bʏʃə] <-[e]s, ⸚e> *m* **1.** *(Strauch)* buisson *m* **2.** *(Buschwald)* brousse *f*

Büschel ['bʏʃəl] <-s, -> *nt* touffe *f*

büschelweise *adv* par touffes

buschig **I.** *adj* touffu(e); *Augenbrauen* en broussaille **II.** *adv wachsen* en buisson

Buschmesser *nt* machette *f*

Busen ['buːzən] <-s, -> *m* poitrine *f*

Busfahrer(in) *m(f)* conducteur *m/* conductrice *f* de bus **Bushaltestelle** *f* arrêt *m* de bus **Buslinie** *f* ligne *f* de bus

Bussard ['bʊsart] <-s, -e> *m* buse *f*

Buße ['buːsə] <-, -n> *f* **1.** *kein Pl* REL pénitence *f* **2.** *(Schadenersatz)* amende *f*

büßen ['byːsən] **I.** *vt* **1.** **er hat seinen Leichtsinn mit dem Leben gebüßt** son

inconscience lui a coûté la vie; **das wirst**
[*o* **sollst**] **du mir** ~! tu vas me le payer!
2. CH (*mit einer Geldbuße belegen*) **jdn** ~
frapper qn d'une amende **II.** *vi* **für etw** ~
subir les conséquences de qc; **dafür wird
er mir** ~! il me le paiera!
Büßer(in) <-s, -> *m(f)* pénitent(e) *m(f)*
Bußgeld *nt* amende *f* **Bußgeldbescheid**
m contravention *f* **Buß- und Bettag** *m*
*jour férié protestant consacré à la péni-
tence et au recueillement*
Büste ['bʏstə] <-, -n> *f* **1.** *a.* KUNST buste *m*
2. (*Schneiderpuppe*) mannequin *m*
Büstenhalter *m* soutien-gorge *m*
Butangas *nt* butane *m*
Butt [bʊt] <-[e]s, -e> *m* turbot *m*
Bütte ['bʏtə] <-, -n> *f* DIAL baquet *m* **Büt-**

tenrede *f* DIAL discours *m* de carnaval
Butter ['bʊtə] <-> *f* beurre *m*
Butterbrot *nt* tartine *f* [de beurre] **Butterbrotpapier** *nt* papier *m* sulfurisé **Butterdose** *f* beurrier *m* **Buttermilch** *f* petit-lait
m **butterweich I.** *adj* **1.** *Frucht* fondant(e)
2. *Landung* en douceur **II.** *adv landen* en
douceur
Button ['bat(ə)n] <-s, -s> *m* badge *m*
Butzenscheibe *f* vitre *f* en cul de bouteille
b.w. *Abk von* **bitte wenden** T.S.V.P.
BWL [be:ve:ˈʔɛl] *Abk von* **Betriebswirt-
schaftslehre** sciences *fpl* éco
Byte [bajt] <-s, -s> *nt* INFORM octet *m*
byzantinisch *adj* byzantin(e)
bzw. *Abk von* **beziehungsweise**

C

C, c [tse:] <-, -> *nt* **1.** (*Buchstabe*) C *m*/c *m* **2.** MUS do *m*
ca. *Abk von* **circa** env.
Cabrio *s.* **Kabrio**
CAD [tse:ʔaːˈdeː] <-> *nt Abk von* **computer-aided design** C.A.O. *f*
Caddie [ˈkɛdi] <-s, -> *m* SPORT **1.** (*Mensch*) caddie *m* **2.** (*Wagen*) chariot *m* de golf
Café [kaˈfeː] <-s, -s> *nt* ≈ salon *m* de thé
Cafeteria [kafetəˈriːa] <-, -s> *f* cafétéria *f*
cal *Abk von* [**Gramm**]**kalorie** cal.
Callboy [ˈkɔːlbɔy] <-s, -s> *m* call-boy *m*
  Callgirl [ˈkɔːlgœːl] <-s, -s> *nt* call-girl *f*
CAM [tse:ʔaːˈɛm] <-> *nt Abk von* **computer-aided manufacturing** fabrication *f* assistée par ordinateur
Camcorder [ˈkɛmkɔrdɐ] <-s, -> *m* caméscope *m*
Camembert [ˈkaməmbɛːɐ] <-s, -s> *m* camembert *m*
Camp [kɛmp] <-s, -s> *nt* camp *m*
campen [ˈkɛmpən] *vi* faire du camping
Camping [ˈkɛmpɪŋ] <-s> *nt* camping *m*
Campingplatz *m* terrain *m* de camping
Campus [ˈkampʊs] <-, -> *m* campus *m*
Canasta <-s> *nt* canasta *f*
Cannabis [ˈkanabɪs] <-> *m* cannabis *m*
Cañon [ˈkanjɔn] <-s, -s> *m* canyon *m*
CapsLock-Taste [ˈkæpslɔktˈastə] *f* INFORM touche *f* verrouillage majuscule
Caravan [ˈkaravan] <-s, -s> *m* (*Wohnwagen*) caravane *f*
Carepaket [ˈkɛː(r)paˈkeːt] *nt* HIST colis *m* de ravitaillement
CarsharingRR [ˈkaː(r)ʃɛːrɪŋ] <-s> *m* covoiturage *m*
Cartoon [kaɐˈtuːn] <-s, -s> *m o nt* dessin *m* [humoristique]
CashewnussRR [ˈkɛʃunʊs] *f* noix *f* de cajou
Cayennepfeffer [kaˈjɛnˈpfɛfɐ] *m* poivre *m* de Cayenne
CB-Funk [tse:ˈbeːfʊŋk] *m* C.B. *f*
CD [tse:ˈdeː] <-, -s> *f Abk von* **Compact Disc** C.D. *m*, compact *m*
CD-Brenner [tse:ˈdeːbrɛnɐ] <-s, -> *m* graveur *m* de CD **CD-Player** [tse:ˈdeːplɛɐ] <-s, -> *m* lecteur *m* laser
CD-ROM [tse:ˈdeːrɔm] <-, -s> *f* INFORM CD-ROM *m*, cédérom *m* **CD-ROM-Laufwerk** *nt* INFORM lecteur *m* de CD-ROM
CD-Spieler *s.* **CD-Player**

CDU [tse:de:ˈʔuː] <-> *f Abk von* **Christlich-Demokratische Union** *parti chrétien-démocrate d'Allemagne*
C-Dur [ˈtse:duːɐ] <-> *nt* do *m* majeur
Cellist(in) [tʃɛˈlɪst] <-en, -en> *m(f)* violoncelliste *mf*
Cello [ˈtʃɛlo] <-s, -s *o* **Celli**> *nt* violoncelle *m*
Cellophan® [tsɛloˈfaːn] <-s> *nt* cellophane® *f*
Celsius [ˈtsɛlziʊs] *kein Art, unv* Celsius
Cembalo [ˈtʃɛmbalo] <-s, -s *o* **Cembali**> *nt* clavecin *m*
Cent [ˈsɛnt] *m* cent *m*, euro centime *m*
Chamäleon [kaˈmɛːleɔn] <-s, -s> *nt* caméléon *m*
Champagner [ʃamˈpanjɐ] <-s, -> *m* champagne *m*
Champignon [ˈʃampɪnjɔŋ] <-s, -s> *m* champignon *m* de Paris
Champion(ne) [ˈtʃɛmpiˌən] <-s, -s> *m* champion(ne) *m(f)*
Chance [ˈʃãːs(ə)] <-, -n> *f* **1.** (*Möglichkeit*) chance *f*; **keine ~ ungenutzt lassen** ne pas laisser passer sa chance **2.** (*Torchance*) occasion *f* **3.** *Pl* (*Aussichten*) chances *fpl*; **die ~n auf einen Erfolg** les chances de succès; **wie stehen die ~n?** *fam* comment ça se présente?
Chancengleichheit [ˈʃãːsn] *f kein Pl* égalité *f* des chances
chancenlos [ˈʃãːsnloːs] *adj* malchanceux(-euse); **~ sein** n'avoir aucune chance
Chanson [ʃãˈsõː] <-s, -s> *nt* chanson *f* (*à texte*)
Chansonsänger(in) *m(f)* chanteur(-euse) *m(f)* (*à texte*)
Chaos [ˈkaːɔs] <-> *nt* chaos *m*; **in der Wohnung herrscht ein einziges ~** c'est le chaos total dans l'appartement
Chaostheorie *f* théorie *f* du chaos
Chaot(in) [kaˈoːt] <-en, -en> *m(f) pej* personne *f* bordélique (*fam*)
chaotisch [kaˈoːtɪʃ] **I.** *adj Person* bordélique (*fam*); *Durcheinander* chaotique (*fam*) **II.** *adv* **bei den Nachbarn geht es ~ zu** c'est le bordel chez les voisins (*fam*); **ziemlich ~ klingen** avoir l'air bien confus
Charakter [kaˈraktɐ] <-s, -tere> *m* **1.** (*Wesen*) caractère *m*; **den ~ prägen** former le caractère **2.** (*Mensch*) personnalité *f*; **sie sind ganz gegensätzliche ~e** ils

ont des personnalités opposées **3.** *Pl* (*Gestalt*) caractère *m;* **die typischen ~e in den Komödien Molières** les personnages typiques des comédies de Molière ►~ **haben** avoir du caractère
Charakterdarsteller(in) *m(f)* acteur *m/* actrice *f* qui joue des rôles de caractère
Charaktereigenschaft *f* trait *m* de caractère **charakterfest** *adj* de caractère; ~ **sein** avoir du caractère
charakterisieren* [karakteri'zi:rən] *vt* **1.** (*schildern*) décrire **2.** (*kennzeichnen*) caractériser
Charakterisierung <-, -en> *f* description *f*
Charakteristik [karakte'rɪstɪk] <-, -en> *f* **1.** (*Schilderung*) portrait *m* **2.** TECH (*Eigenschaft*) caractéristique *f*
charakteristisch [karakte'rɪstɪʃ] *adj* caractéristique; **für jdn/etw ~ sein** être caractéristique chez qn/de qc
charakterlos *adj Person* sans caractère; *Verhalten* méprisable
Charakterschwein *nt fam* salaud *m* **charaktervoll** *adj* **1.** *Verhalten* droit(e) **2.** *Gesichtszüge* qui a du caractère **Charakterzug** *m* trait *m* de caractère
charmant [ʃar'mant] **I.** *adj* charmant(e); **sehr ~ von dir!** très gentil de ta part! **II.** *adv* de façon charmante
Charme [ʃarm] <-s> *m* charme *m;* ~ **haben** avoir du charme
Charmeur [ʃar'møːɐ̯] <-s, -e> *m* charmeur *m*
Charta ['karta] <-, -s> *f* charte *f*
Charterflug ['tʃartɐfluːk] *m* [vol *m*] charter *m* **Charterfluggesellschaft** *f* compagnie *f* de charters **Charterflugzeug** *s.* **Chartermaschine Chartergesellschaft** *s.* **Charterfluggesellschaft Chartermaschine** *f* [avion *m*] charter *m*
chartern ['tʃartɐn] *vt* affréter
Charts [tʃaːts] *Pl* hit-parade *m*
Chassis [ʃa'siː, 'ʃasiː] <-, -> *nt* châssis *m*
Chat [tʃæt] *m* INFORM chat *m*
chatten ['tʃætən] *vi fam* INFORM chatter
Chauffeur(in) [ʃɔ'føːɐ̯] <-s, -e> *m(f)* chauffeur *m*
Chauvi ['ʃoːvi] <-s, -s> *m fam* macho *m*
Chauvinismus [ʃovi'nɪsmʊs] <-> *m pej* **1.** POL chauvinisme *m* **2.** (*männlicher ~*) machisme *m*
Chauvinist [ʃovi'nɪst] <-en, -en> *m pej* **1.** POL chauvin(e) *m(f)* **2.** (*Sexist*) machiste *m*
chauvinistisch [ʃovi'nɪstɪʃ] *adj pej* **1.** POL chauvin(e) **2.** (*sexistisch*) machiste
checken ['tʃɛkən] *vt* **1.** (*überprüfen*) vérifier **2.** *fam* (*begreifen*) piger **3.** SPORT contrer *Mitspieler*

Check-in ['tʃɛk'in] <-s, -s> *m* enregistrement *m*
Checkliste *f* **1.** (*Passagierliste*) liste *f* des passagers **2.** (*Kontrollliste des Piloten*) liste *f* de vérification **3.** (*allgemeine Aufstellung*) liste *f*
Check-up ['tʃɛkap] <-s, -s> *m* **1.** MED bilan *m* de santé **2.** TECH révision *f*
Chef ['ʃɛf] <-s, -s> *m* patron *m*
Chefarzt *m,* **-ärztin** *f* médecin-chef *mf*
Chefetage *f* bureaux *mpl* de la direction
Chefin ['ʃɛfɪn] <-, -nen> *f* **1.** *einer Firma* patronne *f; einer Abteilung* chef *f* (*fam*); *eines Kabinetts* directrice *f* **2.** *fam* (*Frau des Chefs*) patronne *f*
Chefredakteur(in) ['ʃɛfredaktøːɐ̯] *m(f)* rédacteur(-trice) *m(f)* en chef **Chefsekretär(in)** *m(f)* secrétaire *mf* de direction
chem. *adj Abk von* **chemisch**
Chemie [çe'miː] <-> *f* **1.** chimie *f* **2.** *fam* (*Chemikalie*) produit *m* chimique
Chemiefaser *f* fibre *f* synthétique
Chemikalie [çemi'kaːli̯ə] <-, -n> *f meist Pl* produit *m* chimique
Chemiker(in) ['çeːmikɐ] <-s, -> *m(f)* chimiste *mf*
chemisch ['çeːmɪʃ] **I.** *adj* chimique; *Labor* de chimie **II.** *adv* ~ **behandelt sein** avoir subi un traitement chimique; **etw ~ untersuchen** faire une analyse chimique de qc
Chemotherapie *f* chimiothérapie *f*
Chicorée [ʃiko're:, 'ʃikore:] <-> *f,* <-s> *m* endive *f*
Chiffre ['ʃɪfrə] <-, -n> *f* **1.** *einer Annonce* numéro *m* [d'identification] **2.** (*Zeichen*) code *m* secret
chiffrieren* [ʃɪ'friːrən] *vt* coder
Chile ['tʃiːle] <-s> *nt* le Chili
Chili ['tʃiːli] <-s> *m* **1.** (*Schote*) piment *m* fort **2.** (*Soße*) chili *m*
China ['çiːna] <-s> *nt* la Chine
Chinakohl ['çiːna-] *m* chou *m* de Chine
Chinese [çi'neːzə] <-n, -n> *m,* **Chinesin** *f* Chinois(e) *m(f)*
chinesisch [çi'neːzɪʃ] **I.** *adj* chinois(e) ►**das ist ~ für mich** *fam* pour moi, c'est du chinois **II.** *adv* ~ **miteinander sprechen** discuter en chinois; *s. a.* **deutsch**
Chinesisch <-[s]> *nt kein art* chinois *m; s. a.* **Deutsch**
Chinin [çi'niːn] <-s> *nt* quinine *f*
Chip [tʃɪp] <-s, -s> *m* **1.** INFORM puce *f* **2.** *meist Pl* (*Kartoffelchip*) chips *f* **3.** (*runde Spielmarke*) jeton *m; (rechteckige Spielmarke*) plaque *f*
Chirurg(in) [çi'rʊrk] <-en, -en> *m(f)* chirurgien(ne) *m(f)*
Chirurgie [çirʊr'giː] <-, -n> *f* chirurgie *f*

chirurgisch [çi'rʊrgɪʃ] *adj* chirurgical(e);
~**e Abteilung** service *m* de chirurgie
Chlor [kloːɐ] <-s> *nt* chlore *m*
chlorig ['kloːrɪç] *adj Wasser* chloré(e)
Chloroform [kloɐo-] <-s> *nt* chloroforme
m
Chlorophyll <-s> *nt* chlorophylle *f*
Choke [tʃoːk] <-s, -s> *m* starter *m*
Cholera ['koːlera] <-> *f* MED choléra *m*
cholerisch [ko'leːrɪʃ] *adj* colérique
Cholesterin [çɔlɛste'riːn] <-s> *nt* cholestérol *m*
Chor [koːɐ̯, *Pl:* 'køːrə] <-[e]s, ⁼e> *m*
1. (*Gruppe von Sängern*) chorale *f;* (*in der
Kirche, Armee*) chœur *m;* (*Opernchor*)
chœurs *mpl;* **im ~ rufen** crier en chœur
2. (*Komposition, Altarraum*) chœur *m*
Choral [ko'raːl, *Pl:* ko'rɛːlə] <-s, Chorä-
le> *m* choral *m*
Choreograf(in)ᴿᴿ [koreo'graːf] <-en,
-en> *m(f)* chorégraphe *mf*
Choreografieᴿᴿ [koreogra'fiː] <-, -n> *f*
chorégraphie *f*
choreografischᴿᴿ [koreo'graːfɪʃ] *adj* cho-
régraphique
Choreograph(in) [koreo'graːf] <-en,
-en> *m(f)* chorégraphe *mf*
Choreographie [koreogra'fiː, -'fiːən] <-,
-n> *f* chorégraphie *f*
Chorgesang *m* chœur *m* **Chorknabe** *m*
petit chanteur *m* **Chorleiter(in)** *m(f)* chef
mf de chorale **Chorsänger(in)** *m(f)* choriste *mf*
Chose ['ʃoːzə] <-, -n> *f fam* **1.** (*Angelegenheit*) truc *m* **2.** (*Dinge*) **die ganze ~** tout
le bazar
Chr. J.C.; *Abk von* **Christus, Christi**
Christ(in) ['krɪst] <-en, -en> *m(f)* chré-
tien(ne) *m(f)*
Christbaum *m* DIAL arbre *m* de Noël
Christdemokrat(in) *m(f)* chrétien(ne)-dé-
mocrate *m(f)*
Christentum ['krɪstntuːm] <-[e]s> *nt*
christianisme *m*
Christi *gen von* **Christus**
Christin *s.* **Christ**
Christkind *nt* **1.** enfant *m* Jésus **2.** (*Symbol-
figur für Weihnachten*) petit Jésus *m*
christlich I. *adj* chrétien(ne) II. *adv* dans la
foi chrétienne
Christmesse *f* messe *f* de minuit **Christ-
mette** ['krɪst-] *f* messe *f* de minuit
Christus ['krɪstʊs] <Christi> *m* REL le
Christ; KUNST christ *m;* **vor/nach Christi**
[Geburt] avant/après Jésus-Christ; **Christi**
Himmelfahrt l'Ascension *f*
Chrom [kroːm] <-s> *nt* CHEM chrome *m*
chromatisch [kro'maːtɪʃ] *adj* chromatique
Chromosom [kromo'zoːm] <-s, -en> *nt*

chromosome *m*
Chronik ['kroːnɪk] <-, -en> *f* chronique *f*
chronisch ['kroːnɪʃ] I. *adj* chronique II.
adv ~ **kranke Menschen** des malades
chroniques
Chronist(in) [kro'nɪst] <-en, -en> *m(f)*
chroniqueur(-euse) *m(f)*
Chronologie [kronolo'giː] <-, -n> *f* chronologie *f*
chronologisch [krono'loːgɪʃ] I. *adj* chronologique II. *adv* dans l'ordre chronologique
Chronometer [krono'meːtɐ] <-s, -> *nt*
montre *f* de précision
Chrysantheme [kryzan'teːmə] <-, -n> *f*
chrysanthème *m*
CIA ['siːʔaiʔeː] <-> *f o m Abk von* **Central**
Intelligence Agency CIA *f*
Cineast(in) [sine'ast] <-en, -en> *m(f)*
geh **1.** (*Filmschaffender*) cinéaste *mf*
2. (*Filmkenner*) cinéphile *mf*
circa ['tsɪrka] *adv s.* **environ**
cis, Cis [tsɪs] <-, -> *nt* do *m* dièse
City ['sɪti] <-, -s> *f* centre-ville *m*
Clan [klaːn] <-s, -e *o* -s> *m a. fig, pej* clan
m
clean [kliːn] *adj fam* ~ **sein** *Person:* être
clean
Clementine [klemɛn'tiːnə] *f* clémentine *f*
clever ['klɛvɐ] *adj fam* **1.** (*gewitzt, geschickt*) futé(e); **nicht ~ genug sein** ne
pas être assez fute-fute **2.** *pej* (*raffiniert*)
habile
Clinch [klɪntʃ] <-[e]s> *m* **1.** SPORT (*beim
Boxen*) corps à corps *m* **2.** *fam* (*Auseinandersetzung*) partie *f* de bras de fer; **mit
jdm im ~ sein** être en désaccord avec qn
Clip <-s, -s> *m* **1.** (*Videoclip*) clip *m* [vidéo]
2. (*Ohrclip*) clip *m*
Clique ['klɪkə] <-, -n> *f* **1.** (*Freundeskreis*)
bande *f* **2.** *pej* clique *f*
Cliquenwirtschaft *f pej fam* copinage *m*
Clou [kluː] <-s, -s> *m* **1.** (*Glanzpunkt*)
clou *m* **2.** (*Kernpunkt*) nœud *m*
Clown(in) [klaʊn] <-s, -s> *m(f)* clown *m*
▸ **sich zum ~ machen** se ridiculiser; **den
~ spielen** faire le clown
Club [klʊp] <-s, -s> *m* club *m*
cm *Abk von* **Zentimeter** cm
c-Moll ['tseːmɔl] <-> *nt* do *m* mineur
Co. *Abk von* **Kompagnon, Kompanie** Co
Coach [koʊtʃ] <-[s], -s> *m* entraîneur *m*
Cockpit ['kɔkpɪt] <-s, -s> *nt* cockpit *m*
Cocktail ['kɔkteɪl] <-s, -s> *m* cocktail *m*
Code [koːt] *m* code *m*
Codex ['koːdɛks] <- *o* -es, -e *o* Codizes>
m **1.** (*Verhaltensregeln*) code *m* **2.** (*Hand-
schrift*) manuscrit *m*
Cognac® ['kɔnjak] <-s, -s> *m* cognac *m*

Coitus <-, -> *m* coït *m;* ~ **interruptus** coït interrompu
Cola <-, -[s]> *f fam* coca *m*
Collage [kɔ'laːʒə] <-, -n> *f* collage *m*
Colt® [kɔlt] <-s, -s> *m* colt *m*
Comeback, Come-back^RR [kam'bɛk] <-[s], -s> *nt* come-back *m;* **sein** ~ **feiern** faire son come-back
Comicheft ['kɔmɪk'hɛft] *nt* bande *f* dessinée
Coming-out [kamɪŋ'aʊt] <-[s], -s> *nt* eines Homosexuellen aveu *m* public de son homosexualité
Compactdisc^RR, **Compact Disc** [kɔm'pakt'dɪsk] <- -, – -s> *f* disque *m* compact
Compiler [kɔm'pailɐ] <-s, -> *m* INFORM compilateur *m*
Computer [kɔm'pjuːtɐ] <-s, -> *m* ordinateur *m*
Computerarbeitsplatz *m* poste *m* de travail informatisé **Computerausdruck** *m* listing *m* **Computerfreak** [kɔm'pjuːtɐfriːk] *m fam* mordu(e) *m(f)* d'ordinateur **computergesteuert** *adj Fertigung* informatisé(e); *Ampel* commandé(e) par ordinateur **computergestützt** *adj, adv* assisté(e) par ordinateur **Computergrafik**^RR *f* graphique *m* sur ordinateur **Computergrafiker(in)**^RR *m(f)* infographiste *mf*
computerisieren* [kɔmpjutəri'ziːrən] *vt* informatiser
computerlesbar *adj* lisible informatiquement **Computerlinguistik** *f* linguistique *f* informatique **Computerspiel** *nt* 1. jeu *m* vidéo 2. *meist Pl* (Spielesoftware) ludiciel *m* **Computertechnik** *f* technique *f* informatique **Computertomographie** *f* MED scanographie *f* **Computervirus** [-viː-] *m* virus *m* [informatique] **Computerzeitalter** *nt* époque *f* de l'informatique
Conférencier [kõferã'sje:] <-s, -s> *m* animateur *m*
Container [kɔn'teːnɐ] <-s, -> *m* 1. COM conteneur *m* 2. (Müllcontainer) benne *f* [à ordures]
Containerschiff *nt* porte-conteneurs *m*
Contergan® [kɔntɛr'gaːn] *nt* thalidomide *f*
Controlling [kɔn'troːlɪŋ] <-s> *nt* contrôle *m* de gestion
cool [kuːl] *adj fam* cool
Copilot(in) ['koːpiloːt] *m(f)* copilote *mf*
Copyright ['kɔpirajt] <-s, -s> *nt* copyright *m*
Cord [kɔrt] <-s> *m* velours *m* [côtelé]
Cordjeans [kɔrtdʒiːnz] *Pl* jean *m* en velours
Cornflakes^RR ['kɔːnfleɪks] *Pl* corn-flakes

mpl
Cornichon [kɔrni'ʃõ:] <-s, -s> *nt* cornichon *m*
Cortison [kɔrti'zoːn] <-s, -e> *nt* MED cortisone *f*
Couch [kaʊtʃ] <-, -es o -en> *f o* CH *m* canapé *m*
Couchgarnitur *f* salon *m* **Couchtisch** *m* table *f* de salon
Couleur [ku'løːɐ] <-, -s> *f geh* **Journalisten jeder** ~ des journalistes de toutes couleurs politiques
Count-down^RR ['kaunt'daun] <-s, -s> *m* o *nt* compte *m* à rebours
Coup [kuː] <-s, -s> *m* coup *m;* **einen** ~ **landen** réussir un coup [de maître]
Coupé [ku'peː] <-s, -s> *nt* 1. (Limousine) coupé *m* 2. A (Zugabteil) compartiment *m*
Coupon [ku'põ:] <-s, -s> *m* 1. ticket *m* détachable 2. (Antwortschein) coupon-réponse *m* 3. FIN coupon *m* [d'action]
Courage [ku'ra:ʒə] <-> *f fam* courage *m*
Cousin [ku'zɛ̃:] <-s, -s> *m* cousin *m*
Cousine [ku'ziːnə] <-, -n> *f* cousine *f*
Cover ['kavɐ] <-s, -[s]> *nt* 1. (Titelseite) couverture *f* 2. (Plattenhülle) pochette *f*
Covergirl ['kavɐɡœːl] <-s, -s> *nt* covergirl *f* **Coverversion** *f* reprise *f*
Cowboy ['kaʊbɔy] <-s, -s> *m* cow-boy *m*
Crack [krɛk] <-s, -s> *m* crack *m*
Crashtest ['krɛʃtɛst] *m* essai *m* de collision
Creme [kreːm] <-, -s> *f* crème *f*
Crème [kreːm] ▶die ~ de la ~ *geh* la fine fleur
cremig ['kreːmɪç] I. *adj* crémeux(-euse) II. *adv* rühren jusqu'à consistance crémeuse
Crew [kruː] <-, -s> *f* 1. AVIAT, NAUT équipage *m* 2. (Arbeitsgruppe) équipe *f*
Croissant [kroa'sõ:] <-[s], -s> *nt* croissant *m*
Croupier [kru'pje:] <-s, -s> *m* croupier *m*
CSU [tse:ʔɛs'ʔuː] <-> *f Abk von* **Christlich-Soziale Union** aile bavaroise du parti chrétien-démocrate
Cup [kap] <-s, -s> *m* SPORT coupe *f*
Curry ['kœri] <-s, -s> *m* o *nt* curry *m*
Currywurst *f* saucisse grillée au curry
Cursor ['kœrzɐ] <-s, -> *m* INFORM curseur *m*
cutten ['katən] I. *vi* faire un montage II. *vt* faire le montage de Filmszene
Cutter(in) ['katɐ] <-s, -> *m(f)* monteur(-euse) *m(f)*
CVJM [tse:fauʔɔt'ʔɛm] *m Abk von* **Christlicher Verein Junger Menschen** Union *f* des jeunes chrétiens
C-Waffe ['tse:'vafə] *f* arme *f* chimique
Cybersex ['saɪbɐsɛks] *m* cybersexe *m* **Cyberspace** ['saɪbɐspɛɪs] *m* cyberespace *m*

D

D, d [de:] <-, -> *nt* **1.** (*Buchstabe*) D *m*/d
m **2.** MUS ré *m*
da [da:] **I.** *adv* **1.** (*dort, an dieser Stelle*) là;
~ **ist ein Bach** voilà un ruisseau; ~ **drü-**
ben là-bas; ~, **wo** ... là où ...; **schau mal,**
~! regarde voir!; **dieses Haus** ~ cette mai-
son-là; ~ **kommst du** [ja]! te voilà!
2. (*hier*) ~! tiens/tenez!; ~ **hast du dein**
Buch! voilà ton livre!; **wo ist denn nur**
meine Brille? – Da! où sont passées mes
lunettes? – Les voilà! **3.** *fam* (*anwesend*) ~
sein être là; **ich bin gleich wieder** ~! je
reviens tout de suite! **4.** (*gekommen*) **es**
ist jemand für dich ~ il y a [là] quelqu'un
qui te demande; **war der Postbote schon**
~? le facteur est passé?; **ist die Überwei-**
sung inzwischen ~? est-ce que mon virement est arrivé? **5.** (*verfügbar*) **für jdn** ~
sein être là pour qn **6.** *fam* (*geistig anwe-*
send) **nur halb** ~ **sein** avoir la tête ailleurs; **wieder voll** ~ **sein** être de nouveau
frais et dispos **7.** (*in diesem Augenblick*)
[juste] à ce moment **8.** (*daraufhin*) alors; ~
lachte sie nur elle s'est contentée de rire
9. *fam* (*in diesem Fall*) ~ **hast du Glück**
gehabt! tu as eu de la chance!; **was gibt's**
denn ~ **zu lachen?** il n'y a pas de quoi
rire!; **und** ~ **wunderst du dich noch?** et
ça t'étonne?; ~ **fällt mir gerade ein, ...**
tiens, au fait, ...; ~ **kann man nichts ma-**
chen tant pis ▶~ **und dort** ici et là **II.** *konj*
1. (*weil*) comme **2.** *geh* (*als, wenn*) où;
die Stunde, ~ ... l'heure où ...
da|behalten* *vt irr* **1.** garder **2.** (*in Haft hal-*
ten) incarcérer
dabei [da'baj] *adv* **1.** (*daneben*) avec; (*in*
der Nähe) à côté; **ich stand direkt** ~ je
me trouvais juste à côté **2.** (*währenddes-*
sen) en même temps; (*bei dieser Gelegen-*
heit, diesem Ereignis) à cette occasion
3. (*im Begriff*) [gerade] ~ **sein etw zu tun**
être en train de faire qc **4.** (*bei dieser Ak-*
tion, in diesem Zusammenhang) ~ **wurde**
er leider erwischt malheureusement, on
l'a surpris en train de faire cela; **kauf die-**
sen Wagen, aber denk ~ **daran, dass ...**
tu peux acheter cette voiture, mais n'oublie pas que ...; **ein wenig Angst war**
schon [mit] ~ ce n'était pas sans une certaine crainte; **ich habe** ~ **nicht viel ge-**
lernt je n'y ai pas appris grand-chose; **es**
kommt nichts ~ **heraus** il n'en sortira

rien; **ich habe mir nichts** ~ **gedacht** j'ai
dit ça comme ça **5.** (*bei einer Veranstal-*
tung, Unternehmung) **bei etw** ~ **sein** participer à qc; **ich war** ~ j'y étais; **ich bin**
[mit] ~ je suis partant; **ich bin mit zehn**
Euro ~ je veux bien mettre dix euros; ~
sein ist alles l'essentiel, c'est de participer
6. (*obgleich*) et pourtant **7.** (*wie es verein-*
bart ist) **wir sollten es** ~ **belassen** nous
devrions en rester là; **es bleibt** ~, **dass ihr**
morgen alle mitkommt c'est toujours
d'accord, vous venez tous demain; **...,**
und ~ **bleibt es!** ..., un point, c'est tout!
▶**nichts** ~ **finden** ne pas voir ce qu'il y a
de mal; **da** ist [doch] **nichts** ~! (*das ist*
nicht schwierig) ça n'est pas sorcier!; (*das*
ist nicht schlimm) ça n'a pas d'importance!; **was** ist **schon** ~? qu'est-ce que ça
peut faire?
dabei|bleiben *vi irr* + *sein* rester
dabei|haben *vt irr* **jdn** ~ avoir qn avec soi;
etw ~ avoir qc sur soi
dabei|sein *s.* **dabei**
dabei|stehen *vi irr* [mit] ~ être là; **bei etw**
[mit] ~ être présent à qc
da|bleiben *vi irr* + *sein* rester
Dach [dax, *Pl:* 'dɛçɐ] <-[e]s, ⸚er> *nt*
1. toit *m;* **unterm** ~ **wohnen** habiter sous
les combles **2.** (*Schutzdach*) auvent *m;*
etw unter ~ **und** Fach **bringen** (*in Si-*
cherheit bringen) mettre qc à l'abri; (*zum*
Abschluss bringen) conclure qc; **kein** ~
über dem Kopf **haben** *fam* être sans abri;
jdm aufs ~ steigen *fam* sonner les cloches à qn
Dacharbeiten *Pl* réparations *fpl* de toiture
Dachboden *m* grenier *m;* **auf dem** ~ au
grenier **Dachdecker(in)** <-s, -> *m(f)*
couvreur *m* **Dachfenster** *nt* fenêtre *f*
mansardée **Dachgepäckträger** *m* galerie
f **Dachgeschoss**[RR] *nt* étage *m* mansardé
Dachkammer *f* mansarde *f* **Dachorgani-**
sation *f* centrale *f* **Dachrinne** *f* gouttière *f*
Dachs [daks] <-es, -e> *m* blaireau *m*
Dachschaden *m* dégât *m* de toiture ▶**ei-**
nen ~ **haben** *fam* avoir une araignée au
plafond **Dachstube** *f* DIAL mansarde *f*
Dachstuhl *m* charpente *f*
dachte ['daxtə] *Imp von* **denken**
Dachterrasse *f* toit *m* en terrasse **Dachver-**
band *m* confédération *f* **Dachwohnung** *f*
appartement *m* mansardé **Dachziegel** *m*

tuile *f*

Dackel <-s, -> *m* **1.** teckel *m* **2.** DIAL *fam* (*Schimpfwort*) idiot *m*

Dadaïsmus <-> *m* dadaïsme *m*

dadurch [da'dʊrç] *adv* **1.** (*da hindurch*) par-là **2.** (*aus diesem Grund*) de ce fait; (*auf diese Weise*) de cette façon; ~, **dass** ... du fait que ...

dafür [da'fy:ɐ̯] *adv* **1.** (*für das*) pour cela; **was wohl der Grund ~ sein mag?** quelle peut bien en être la raison?; **das ist kein Beweis ~, dass er es war** cela ne prouve pas que c'était lui **2.** (*deswegen*) pour ça; ~ **bin ich ja da** je suis là pour ça; **ich bezahle Sie nicht ~, dass** je ne vous paie pas pour que + *subj* **3.** (*als Gegenleistung*) en échange; **er packte aus, ~ ließ man ihn laufen** il a parlé, c'est pour cela qu'on l'a relâché **4.** (*andererseits*) en revanche **5.** (*im Hinblick darauf*) ~, **dass du angeblich nichts weißt** pour quelqu'un qui prétend ne rien savoir **6.** (*für das, für dieses*) **ich kann nichts ~, dass ...** je n'y peux rien, moi, si ...; **was kann ich denn ~?** que veux-tu/voulez-vous que j'y fasse?; **ich interessiere mich nicht ~** ça ne m'intéresse pas; **sie opfert ihre ganze Freizeit ~** elle y consacre tous ses loisirs; **es ist zwar kein Silber, man könnte es aber ~ halten** ce n'est pas de l'argent, mais on pourrait croire que c'en est **7.** (*befürwortend*) ~ **sein** être pour; **ich bin ~, dass** je suis d'avis que + *subj*

dafürlkönnen *s.* dafür

dagegen [da'ge:gən] **I.** *adv* **1.** (*örtlich*) là contre; **er setzte sich an den Baumstamm und lehnte sich ~** il s'assit au pied de l'arbre et s'appuya contre **2.** (*gegen das, gegen dieses*) contre cela; ~ **sein, dass** être contre le fait que + *subj;* **sie kann doch nichts ~ haben** elle ne peut pas ne pas être d'accord; **haben Sie etwas ~, wenn ich rauche?** ça vous dérange si je fume?; **sollen wir ausgehen? – Ich hätte nichts ~!** on sort? – Je veux bien!; **ich kann nichts ~ machen** je n'y peux rien **3.** (*im Vergleich dazu*) en comparaison **II.** *konj* en revanche

dagegenlhalten *vt irr* **1.** (*einwenden*) **etwas ~** [y] opposer quelque chose; ~, **dass ...** [y] objecter que ... **2.** (*vergleichend hinhalten*) **etw ~** mettre qc à côté **dagegenlsetzen** *vt* y opposer; **etwas ~** y opposer quelque chose **dagegenlstellen** *vr* **sich ~** s'y opposer **dagegenlstemmen** *vr* **sich ~** s'y opposer avec force

dalhaben *vt irr, Zusammenschreibung nur bei Infin und PP fam* **1.** (*vorrätig/zur Hand haben*) **etw ~** avoir qc [en réserve/sous la

main] **2.** (*zu Besuch haben*) **jdn ~** avoir la visite de qn

daheim [da'haɪm] *adv* SDEUTSCH, A, CH **1.** (*in Bezug auf die Wohnung*) chez moi/soi/...; **bei ihm ~** chez lui **2.** (*in Bezug auf den Wohnort*) **wie jetzt wohl das Wetter ~ sein mag?** quel temps peut-il bien faire chez nous? **3.** (*in Bezug auf die Heimat*) **von ~ fortgehen** quitter son pays natal; **in Augsburg ~ sein** être d'Augsbourg **Daheim** <-s> *nt* SDEUTSCH, A, CH chez-soi *m*

daher [da'he:ɐ̯] *adv* **1.** (*von dort*) de là; **ich komme gerade ~** j'en viens **2.** (*aus diesem Grund*) c'est pourquoi; ...; ... ~ **war sie verärgert** ... de là son énervement **daherlbringen** *vt irr* A apporter **dahergelaufen** *adj pej* **ein ~er Kerl** un pas grand-chose (*fam*) **daherlkommen** *vi irr* + *sein* **1.** (*herankommen*) arriver **2.** *fam* (*sich zeigen*) **schick ~** être bien habillé **daherlreden** **I.** *vi* parler sans réfléchir **II.** *vt* **etw ~** dire qc sans réfléchir; **was der wieder daherredet!** [il dit] n'importe quoi! (*fam*)

dahin [da'hɪn] **I.** *adv* **1.** (*an diesen Ort*) y; **ich will nicht ~** je ne veux pas y aller **2.** (*in dem Sinne*) ~ **gehend** en ce sens; **sie haben sich ~ gehend geeinigt, dass** ils se sont mis d'accord pour que + *subj;* **all unsere Bestrebungen gehen ~, dass** tous nos efforts tendent à ce que + *subj* ►**es kommt noch ~, dass** on va en arriver à ce que + *subj;* **bis ~** (*solange*) d'ici là; (*inzwischen*) entre-temps **II.** *adj* ~ **sein** *Vase, Kanne:* être irréparable; *Teppich:* être irrécupérable; **all meine Hoffnungen sind ~** tous mes espoirs se sont évanouis **dahinlgehen** *vi irr* + *sein geh* **1.** (*vergehen*) *Zeit, Jahre:* passer **2.** *euph* (*sterben*) disparaître

dahingestellt *adj* ►**das bleibt ~** la question reste posée

dahinten [da'hɪntən] *adv* là-bas

dahinter [da'hɪntɐ] *adv* **1.** (*räumlich*) [là] derrière **2.** (*zeitlich*) après **3.** *fig fam* ~ **kommen, warum ...** arriver à comprendre pourquoi ...; **da steckt dein Bruder ~** derrière tout ça, il y a ton frère; **da steckt [doch] was ~!** ça cache quelque chose!, il n'y a rien là-dessous; (*das sind leere Versprechungen*) c'est du vent!; **voll ~ stehen** apporter pleinement son soutien **dahinterlklemmen** *s.* dahinter **dahinterlkommen** *s.* dahinter **dahinterlstecken** *s.* dahinter **dahinterlstehen** *s.* dahinter

Dahlie ['da:liə] <-, -n> *f* dahlia *m*

dalassen *vt irr* **1.** (*an Ort und Stelle lassen*)

jdn ~ laisser qn; **etw** ~ laisser qc là
2. (*überlassen*) jdm etw ~ laisser qc à qn
daliegen *vi irr* **1.** (*liegen*) *Person:* être étendu là; *Gegenstand:* être là; **bewegungslos**
~ gésir inanimé **2.** (*sein*) **der See lag ruhig da** rien ne troublait le calme du lac
dalli *adv fam* ▶**nun** **mach** **mal** ~! allez,
magne-toi!; ~, ~! et que ça saute!
damalig ['daːmaːlɪç] *adj attr* d'alors
damals ['daːmaːls] *adv* à l'époque; **seit** ~
depuis lors; **von** ~ de l'époque
Damast <-[e]s, -e> *m* damas *m*
Dame ['daːmə] <-, -n> *f* **1.** (*Frau*) dame *f;*
eine ältere ~ une dame d'un certain âge;
die ~ **des Hauses** la maîtresse de maison;
meine sehr verehrten ~**n und Herren!**
form Mesdames et Messieurs! **2.** *Pl* SPORT
dames *fpl;* **unsere** ~**n** notre équipe féminine **3.** *kein Pl* (*Spiel*) jeu *m* de dames; ~
spielen jouer aux dames **4.** (*Schach, Karten*) dame *f*
Damebrett *nt* damier *m*
Damenbinde *f* serviette *f* périodique **Damenfußball** *m* football *m* féminin **Damengesellschaft** *f* **1.** (*Damenrunde*) cercle *m* féminin **2.** (*Damenbegleitung*) **in** ~
sein être en galante compagnie **Damenmode** *f* mode *f* féminine **Damentoilette**
[-toalɛtə] *f* toilettes *fpl* pour dames **Damenwahl** *f* quart *m* d'heure américain
Damespiel *nt* jeu *m* de dames
Damhirsch ['damhɪrʃ] *m* daim *m*
damisch *fam* **I.** *adj* SDEUTSCH, A **1.** (*dämlich*)
idiot(e); **dieser** ~**e Kerl!** quel idiot!
2. (*schwindlig*) jdn ~ **machen** donner le
tournis à qn **II.** *adv* SDEUTSCH, A (*sehr*) drôlement
damit [da'mɪt] **I.** *adv* **1.** (*mit diesem Gegenstand*) avec; ~ **kann man Wasser erhitzen** on peut chauffer de l'eau avec; **was
soll ich** ~**?** que veux-tu/voulez-vous que
j'en fasse? **2.** (*mit dieser Angelegenheit*)
nichts ~ **zu tun haben** n'avoir rien à voir
là-dedans; ~ **fing alles an** c'est ainsi que
tout a commencé; ~ **ist noch bis Oktober Zeit** ça peut attendre octobre; **musst
du denn immer wieder** ~ **anfangen?**
est-il vraiment nécessaire de revenir sans
arrêt là-dessus? **3.** (*mit diesen Worten, diesem Verhalten*) ~ **hatte ich nicht gerechnet** je ne m'y attendais pas; **was willst du
~ sagen?** qu'entends-tu par là?; **sind Sie** ~
einverstanden? vous êtes d'accord? **4.** (*in
Befehlen*) **weg** ~! enlève-moi ça!; **Schluss**
~! ça suffit!; **her** ~, **das ist mein Geld!**
donne-moi ça, c'est mon argent! **5.** (*somit*)
ainsi **II.** *konj* pour que + *subj;* **halt dich
fest,** ~ **du nicht fällst!** tiens-toi bien pour
ne pas tomber!

dämlich ['dɛːmlɪç] *pej fam* **I.** *adj*
1. (*dumm*) stupide; **dieser** ~**e Kerl** cet imbécile **2.** (*ungeschickt*) **zu** ~! c'est trop
bête! **II.** *adv* **sich** ~ **anstellen** s'y prendre
comme un manche; **guck nicht so** ~! ne
prends pas cet air idiot!
Damm [dam, *Pl:* 'dɛmə] <-[e]s, ⸗e> *m*
1. (*Staudamm*) barrage *m;* (*Deich*) digue *f*
2. (*Schutzwall*) digue *f* **3.** ANAT périnée *m*
▶**wieder auf dem** ~ **sein** *fam* être de
nouveau d'attaque
dämmen *vt* amortir *Schall;* isoler *Rohr,
Wand*
dämmerig ['dɛmərɪç] *adj* **1.** **es ist** ~ il
commence à faire nuit **2.** *Licht* faible *antéposé*
Dämmerlicht *nt* **1.** (*Halbdunkel*) pénombre *f* **2.** (*nach Sonnenuntergang*) crépuscule *m*
dämmern ['dɛmɐn] **I.** *vi* **1.** *geh Tag:* se lever; *Abend:* tomber **2.** *fam* (*klar werden*)
**so langsam dämmert es mir, was er
meinte** je commence à piger ce qu'il a
voulu dire **II.** *vi unpers* **es dämmert** (*morgens*) il commence à faire jour; (*abends*) la
nuit tombe
Dämmerung ['dɛmərʊŋ] <-, -en> *f*
1. (*Abenddämmerung*) crépuscule *m;* **in
der** ~ au crépuscule **2.** (*Morgendämmerung*) aube *f*
Dämon ['dɛːmɔn] <-s, Dämonen> *m* démon *m*
dämonisch [dɛ'moːnɪʃ] **I.** *adj* démoniaque
II. *adv* d'une façon démoniaque
Dampf [dampf] <-[e]s, ⸗e> *m* **1.** (*Wasserdampf*) vapeur *f* **2.** *Pl* CHEM émanation *f*
▶~ **ablassen** *fam* décompresser; **jdm** ~
machen *fam* secouer les puces à qn
Dampfbad *nt* **1.** bain *m* de vapeur
2. (*Raum*) étuve *f* humide **Dampfbügeleisen** *nt* fer *m* [à] vapeur
dampfen *vi* + *haben Schüssel:* fumer; *Badezimmer:* être plein de vapeur; *Pferd:* être fumant
dämpfen ['dɛmpfən] *vt* **1.** étouffer *Geräusch;* baisser *Stimme;* **gedämpft** *Farben*
estompé; *Licht* tamisé **2.** (*mindern*) amortir
Stoß **3.** (*mäßigen*) freiner *Person;* tempérer
Begeisterung; apaiser *Wut* **4.** (*mit Dampf
glätten*) **ein Kleid** ~ repasser une robe à la
vapeur **5.** GASTR **etw** ~ cuire qc à l'étuvée
Dämpfer ['dɛmpfɐ] <-s, -> *m einer Trompete* sourdine *f; eines Klaviers* étouffoir *m*
▶**jdm einen** ~ **aufsetzen** freiner qn; **einen** ~ **bekommen** être refroidi
Dampfer <-s, -> *m* vapeur *m*
Dampfkessel *m* chaudière *f* à vapeur
Dampfkochtopf *m* autocuiseur *m*
Dampflokomotive [-tiːvə] *f* locomotive

f à vapeur **Dampfmaschine** *f* machine à vapeur *f* **Dampfnudel** *f* SDEUTSCH *boule au levain cuite à l'étuvée* **Dampfschiff** <-s, -e> *nt* vapeur *m*

Dämpfung <-, -en> *f* **1.** (*Abschwächung*) *von Schall, Geräuschen* amortissement *m* **2.** (*Milderung*) *der Inflation, Konjunktur* ralentissement *m*

Dampfwalze *f* rouleau *m* compresseur

danach [da'naːx] *adv* **1.** (*zeitlich, örtlich*) après **2.** (*zielgerichtet*) **das Kind sah den Ball und wollte** ~ **greifen** l'enfant a aperçu le ballon et a voulu l'attraper **3.** (*demnach*) **es liegen Zeugenaussagen vor;** ~ **war er in der fraglichen Zeit dort** il y a des témoignages, selon lesquels il était à cet endroit pendant le laps de temps en question **4.** (*hiernach*) **ich sehne mich so** ~ j'en aurais tellement envie; **bitte richten Sie sich** ~! veuillez vous y conformer! **5.** *fam* (*zumute*) **ein Spaziergang? Irgendwie ist mir** ~! une promenade? J'en ai bien envie!

Däne ['dɛːnə] <-n, -n> *m*, **Dänin** *f* Danois(e) *m(f)*

daneben [da'neːbən] *adv* **1.** *legen, stellen* à côté; **rechts** ~ à sa/leur/... droite; **links** ~ à sa/leur/... gauche **2.** (*verglichen damit*) à côté **3.** (*außerdem*) **tagsüber ist sie im Büro,** ~ **muss sie sich noch um den Haushalt kümmern** pendant la journée, elle est au bureau, et il faut en plus qu'elle s'occupe des tâches ménagères

daneben|benehmen* *vr irr fam* **sich** ~ se comporter mal

daneben|gehen *vi irr + sein* **1.** *Schuss:* manquer son but **2.** *fig fam* foirer

daneben|liegen *vi irr fam* être à côté de la plaque

daneben|sein *vi irr + sein fam Person:* être à côté de la plaque

daneben|treffen *vi irr* (*vorbeitreffen*) *Person:* manquer son coup; *Pfeil, Schuss:* manquer son but; **danebengetroffen!** raté!

Dänemark ['dɛːnəmark] <-s> *nt* le Danemark

Dänin ['dɛːnɪn] *s.* **Däne, Dänin**

dänisch I. *adj* danois(e) II. *adv* ~ **miteinander sprechen** discuter en danois; *s. a.* **deutsch**

Dänisch <-[s]> *nt kein art* danois *m; s. a.* **Deutsch**

dank [daŋk] *präp + gen o dat* grâce à; ~ **deiner Hilfe** grâce à ton aide

Dank <-[e]s> *m* **1.** (*Anerkennung*) remerciement *m;* **vielen** ~ merci beaucoup; **herzlichen** ~ je vous remercie de tout cœur **2.** *iron* (*Undank*) **zum** ~ **dafür** pour tout remerciement; **das ist der** ~ **dafür**

voilà le remerciement **3.** (~ *barkeit*) gratitude *f*

Dankadresse *f form* remerciements *mpl* officiels

dankbar I. *adj* **1.** *Person, Blick* reconnaissant(e); **ich wäre Ihnen** ~**, wenn** je vous serais reconnaissant de + *infin* **2.** *Aufgabe* gratifiant(e); (*finanziell*) lucratif(-ive) **3.** *Zuhörer* facile II. *adv* avec gratitude; **jdn** ~ **anlächeln** adresser un sourire reconnaissant à qn

Dankbarkeit <-> *f* gratitude *f*

danke *adv* merci; ~ **schön** merci bien; **jdm für etw** ~ **sagen** dire merci à qn pour qc; **ja,** ~ oui, merci

danken I. *vi* remercier; **jdm für seine Hilfe/sein Geschenk** ~ remercier qn de son aide/pour son cadeau; **nichts zu** ~! de rien!, [il n'y a] pas de quoi! II. *vt* **jdm etw** ~ dire merci à qn pour qc

dankend *adv* ~ **annehmen** accepter avec joie; ~ **ablehnen** refuser poliment; **Betrag** ~ **erhalten** pour acquit

dankenswert *adj* méritoire

dann [dan] *adv* **1.** (*danach*) ensuite; **noch drei Tage,** ~ **habe ich Geburtstag** encore trois jours et c'est mon anniversaire **2.** (*irgendwann später*) un peu plus tard **3.** (*zu dem Zeitpunkt*) ~**, wenn** au moment où **4.** (*unter diesen Umständen*) alors; **ich fahre nur** ~**, wenn du mitkommst** je ne partirai qu'à condition que tu m'accompagnes; ~ **eben nicht!** comme vous voulez! **5.** (*sonst*) **wenn nicht du, wer** ~? si ce n'est pas toi, qui est-ce? **6.** (*außerdem*) **erst zu spät kommen und** ~ **auch noch stören** non seulement il arrive en retard, mais en plus il dérange tout le monde ▶ ~ **und wann** de temps en temps

daran *adv* **1.** *befestigen* y; *vorbeigehen* à côté **2.** (*zeitlich*) ensuite; ~ **knüpfte sich eine lebhafte Diskussion** il s'ensuivit une vive discussion **3.** (*an dieser Sache*) **erinnerst du dich noch** ~? tu t'en souviens?; ~ **denken** y penser; **bist du** ~ **interessiert?** ça t'intéresse?; ~ **ist nichts Wort wahr** il n'y a rien de vrai dans tout ça

daran|gehen *vi irr + sein* ~ **etw zu tun** se mettre à faire qc **daran|machen** *vr fam* **sich** ~ s'y mettre; **sich** ~ **etw zu tun** se mettre à faire qc **daran|setzen** I. *vt* **alles** ~ **etw zu tun** mettre tout en œuvre pour faire qc II. *vr* **sich** ~ **s'y** mettre

darauf *adv* **1.** (*örtlich*) dessus; **ein Gebäude mit sechs Schornsteinen** ~ un bâtiment surmonté de six cheminées **2.** (*danach*) puis; **bald** ~ peu après; ~ **folgend** suivant; **am** ~ **folgenden Tag** le lende-

---

sich bedanken

• sich bedanken	• remercier
Danke!	Merci!
Danke sehr/schön!/Vielen Dank!	Merci beaucoup!/Un grand merci!
Tausend Dank!	Mille fois merci!
Danke, das ist sehr lieb von dir!	Merci, c'est très gentil de ta part!
Vielen (herzlichen) Dank!	Merci bien!
Ich bedanke mich (recht herzlich)!	Je vous remercie (beaucoup)!

• auf Dank reagieren	• répondre à un remerciement
Bitte!	Je t'en/vous en prie!
Bitte schön!/Gern geschehen!/Keine Ursache!	Je t'en/vous en prie!/Il n'y a pas de quoi!/De rien!
Bitte, bitte!/Aber bitte, das ist doch nicht der Rede wert!	De rien!/Mais il n'y a pas de quoi!
(Aber) das hab ich doch gern getan!/Das war doch selbstverständlich!	Tout le plaisir est pour moi!/C'était tout naturel!

• dankend anerkennen	• remercier avec reconnaissance
Vielen Dank, du hast mir sehr geholfen.	Merci bien, tu m'as beaucoup aidé(e).
Wo wären wir ohne dich!	Que ferions-nous sans toi!
Ohne deine Hilfe hätten wir es nicht geschafft.	Nous n'y serions pas arrivés sans ton aide.
Sie waren uns eine große Hilfe.	Vous nous avez été d'une très grande aide.
Ich **weiß** Ihr Engagement **sehr zu** schätzen.	J'**apprécie beaucoup** votre engagement.

---

main; **einen Monat** ~ un mois après **3.**(*auf einen Bezugspunkt zurückführend*) ~ **basieren** se fonder là dessus; **sich** ~ **beziehen** s'y référer; **sich** ~ **stützen, dass** ... s'appuyer sur le fait que ... **4.**(*als Reaktion*) là-dessus **5.**(*auf eine Sache*) y; **sich** ~ **vorbereiten** s'y préparer; **sich** ~ **verlassen** compter dessus; ~ **kannst du stolz sein** tu peux en être fier

dar<u>au</u>ffolgend *s.* darauf

daraufhin [daːrˈaʊfhɪn] *adv* **1.**(*infolgedessen*) dans la suite **2.**(*im Hinblick darauf*) etw ~ **untersuchen, ob** ... inspecter qc pour voir si ...

daraus *adv* **1.**(*aus diesem Material*) en **2.**(*aus diesem Gefäß*) ~ **kann man essen** on peut manger dedans **3.**(*aus dieser Sache, Angelegenheit*) ~ **ergibt sich** ... il en résulte ...; **was ist** ~ **eigentlich geworden?** qu'est-ce que ça a donné?

dar|bieten [ˈdaːɐ̯biːtən] *irr* **I.** *vt geh* **1.**(*vorführen*) présenter *Schauspiel;* dire *Gedicht* **2.**(*anbieten*) offrir *Speisen;* tendre *Hand* **II.** *vr* **sich jdm** ~ *Anblick, Gelegenheit:* se présenter à qn

Darbietung <-, -en> *f* **1.**(*das Vorführen*) représentation *f* **2.**(*Nummer*) numéro *m*

darf [darf] *3. Pers Präs von* **dürfen**

darin *adv* **1.**(*in dem/der*) à l'intérieur **2.**(*in dieser Hinsicht*) **sie stimmen** ~ **überein, dass** ... ils/elles sont d'accord sur le fait que ...; ~ **irrst du dich!** là, tu te trompes!

dar|legen [ˈdaːɐ̯leːgən] *vt* exposer

Darlegung <-, -en> *f* exposé *m*

Darlehen [ˈdaːɐ̯leːən] <-s, -> *nt* (*aus Sicht der Bank*) prêt *m;* (*aus Sicht des Kunden*) emprunt *m;* **ein** ~ **gewähren** consentir un prêt; **ein** ~ **von** ... **aufnehmen** faire un emprunt de ...

Darm [darm, *Pl:* ˈdɛrmə] <-[e]s, ⸚e> *m* **1.** ANAT intestin *m* **2.**(*von Schlachttieren*) boyau *m*

Darmgrippe *f* grippe *f* intestinale **Darminfektion** *f* entérite *f*

dar|stellen [ˈdaːɐ̯ʃtɛlən] **I.** *vt* **1.**(*wiedergeben*) représenter **2.**(*verkörpern*) interpréter **3.**(*beschreiben*) exposer *Theorie;* établir *Verlauf* **4.**(*bedeuten*) constituer *Fortschritt* **II.** *vr* **1.** sich als schwierig ~ s'avérer difficile **2.**(*sich ausgeben als*) **er stellt**

sich immer als großzügig dar il raconte toujours qu'il est généreux

Darsteller(in) <-s, -> *m(f)* interprète *mf*

Darstellung <-, -en> *f* **1.** *kein Pl (das Darstellen)* représentation *f* **2.** *kein Pl* THEAT *einer Rolle* interprétation *f; eines Stoffes* représentation *f* **3.** *(objektive/subjektive Wiedergabe) von Ereignissen, Fakten* présentation *f*

darüber *adv* **1.** *legen, gehen* dessus; *liegen* par-dessus **2.** *(höher, weiter oben)* au-dessus; ~ **liegen** se situer au-dessus; *Nebel:* recouvrir; **er lag mit seinem Angebot noch** ~ il proposait davantage **3.** *(über ... hinweg)* par-dessus; **der Graben ist nicht breit, man kann** ~ **springen** le fossé n'est pas large, on peut l'enjamber d'un saut **4.** *(mehr)* **die Teilnehmer waren 50 Jahre alt und** ~ les participants avaient 50 ans et plus **5.** *(währenddessen)* pendant ce temps; **sie hatte gelesen und war** ~ **eingeschlafen** elle s'était endormie en lisant **6.** *(über diese/dieser Angelegenheit)* à ce sujet; ~ **reden** en parler; ~ **nachdenken** y réfléchir; ~ **stehen** être au-dessus de ça ►~ **hinweg sein** *(über den Ärger)* avoir dépassé ce stade; *(über einen Verlust)* en avoir fait son deuil; ~ **hinaus** au delà

darüber|liegen *s.* darüber **darüber|stehen** *s.* darüber

darum *adv* **1.** *(deshalb)* c'est pourquoi; **sie ist zwar klein, aber** ~ **nicht schwach** elle est petite, mais pas faible pour autant; **warum?** – ~! pourquoi? – Parce que! **2.** *(örtlich)* ~ [herum] tout autour **3.** *(um diese Angelegenheit)* jdn ~ **bitten etw zu tun** demander à qn de faire qc; **es geht** ~, **wer am schnellsten laufen kann** il s'agit de savoir qui court le plus vite

darunter *adv* **1.** *(unter diesem/diesen Gegenstand)* en dessous; ~ **hervorsehen** *Person:* apparaître; *Gegenstand:* dépasser; **seine Unterschrift** ~ **setzen** y apposer sa signature **2.** *(unter dieser Etage)* en dessous **3.** *(unter dieser/diese Grenze)* ~ **liegen** *Werte:* être inférieur **4.** *(mitten unter diesen)* parmi eux/elles; **einige Länder der EU,** ~ **Dänemark, Frankreich, ...** quelques pays de l'Union européenne, dont le Danemark, la France, ... **5.** *(unter dieser Angelegenheit)* ~ **leiden** en souffrir; **was verstehst du denn** ~? qu'est-ce que tu entends par là?; ~ **kann ich mir nichts vorstellen** ça ne me dit rien **6.** *(dazwischen)* **etw** ~ **mischen** y mélanger qc ►~ **fallen** *(zu einer Kategorie gehören)* en faire partie; *(davon betroffen sein)* être concerné

darunter|fallen *s.* darunter

das[1] [das] *art def, Neutrum, nom und akk Sing* le/la; ~ **kleine Mädchen** la petite fille; ~ **Arbeiten** le travail; ~ **Schöne** le beau

das[2] **I.** *pron dem, Neutrum, nom und akk Sing* ~ **Kind da** cet enfant-là; **was ist denn** ~ **da?** qu'est-ce que c'est que ça? **II.** *pron rel, Neutrum, nom Sing* qui; **ein Pferd,** ~ **nicht gehorcht** un cheval qui n'obéit pas **III.** *pron rel, Neutrum, akk Sing* que; **ein Kind,** ~ **alle mögen** un enfant que tous apprécient

da|sein *s.* da I.

Dasein <-s> *nt* **1.** *a.* PHILOS existence *f* **2.** *(Anwesenheit)* présence *f*

Daseinsberechtigung *f* **1.** *eines Menschen* droit *m* à l'existence **2.** *einer Sache* raison *f* d'être

da|sitzen *vi irr* **1.** être là; **untätig** ~ rester assis sans rien faire **2.** *fam (zurechtkommen müssen)* **ohne einen Pfennig** ~ se retrouver sans un sou

dasjenige *pron dem* ~ **Baby, das** ... ce bébé qui ...; **unser Haus ist kleiner als** ~ **unserer Freunde** notre maison est plus petite que celle de nos amis

dass[RR], **daß** [das] *konj* **1.** que + *indic o subj;* **schade,** ~ **dommage que** + *subj;* **ich bin dagegen,** ~ je ne suis pas d'accord que + *subj;* **das liegt daran,** ~ ... cela vient du fait que ... **2.** *(zur Angabe der Folge)* que; **er hupte so laut,** ~ **alle wach wurden** il a klaxonné si fort que tous se sont réveillés **3.** *(als Einleitung einer Aufforderung)* **und** ~ **du pünktlich zurückkommst!** et tâche de rentrer à l'heure!

dasselbe *pron dem, nom und akk Sing* le/la même

da|stehen *vi irr* **1.** être là; **ratlos** ~ rester là perplexe **2.** *(erscheinen)* **allein** ~ se retrouver seul; **als Lügner** ~ faire figure de menteur

Datei [da'tai] <-, -n> *f* INFORM fichier *m*

Dateianhang *m* fichier *m* attaché **Dateiname** *m* nom *m* de fichier

Daten[1] ['da:tən] *Pl von* Datum

Daten[2] *Pl* **1.** *a.* INFORM *(Angaben)* données *fpl* **2.** TECH informations *fpl;* **technische** ~ caractéristiques *fpl*

Datenaustausch *m* échange *m* de données **Datenautobahn** *f* autoroute *f* de l'information **Datenbank** <-banken> *f* banque *f* de données **Datenbestand** *m* stock *m* de données **Datenerfassung** *f* saisie *f* de données **Datenfernübertragung** *f* télétransmission *f* **Datenfernverarbeitung** *f* télétraitement *m* **Datenformat** *nt* format *m* de données **Datenklau** <-s> *m kein pl fam* piratage *m* de données **Datenkompri-**

mierung *f* compression *f* de données **Datenmenge** *f* masse *f* de données **Datenmissbrauch**^RR *m* utilisation *f* abusive de données **Datenschrott** *m* données *fpl* non exploitables **Datenschutz** *m* protection *f* des données **Datenschützer(in)** <-s, -> *m(f) fam* contrôleur(-euse) *m(f)* de l'utilisation des données informatiques **Datensicherung** *f* sauvegarde *f* des données **Datensperre** *f* système *m* de verrouillage d'accès **Datenträger** *m* support *m* de données **Datentypist(in)** ['daːtəntypɪst] <-en, -en> *m(f)* opérateur(-trice) *m(f)* de saisie **Datenübernahme** *f* réception *f* de données **Datenübertragung** *f* transmission *f* de données **Datenverarbeitung** *f* traitement *m* des données **Datenzentrum** *nt* serveur *m* de réseau

datieren* [da'tiːrən] **I.** *vt* (*mit Datum versehen*) dater; *etw auf den* 5.*Mai* ~ dater qc du 5 mai **II.** *vi* **1.** (*stammen*) **aus der Steinzeit** ~ dater de l'âge de pierre **2.** (*mit Datum versehen sein*) **vom** 30.**April** ~ être daté du 30 avril **3.** (*bestehen*) **seit letzten Sommer** ~ *Freundschaft:* dater de l'été dernier

Dativ ['daːtiːf] <-s, -e> *m* datif *m*

Dativobjekt *nt* complément *m* au datif

DAT-Kassette *f* cassette *f* D.A.T.

Dattel ['datəl] <-, -n> *f* datte *f*

Datum ['daːtʊm] <-s, Daten> *nt* date *f*; **was für ein** ~ **haben wir heute?** quel jour sommes-nous aujourd'hui?

Datumsstempel *m* **1.** (*Stempel*) dateur *m* **2.** (*Aufdruck*) cachet *m*

Dauer ['daʊɐ] <-> *f* durée *f* ▶**von** ~ **sein** durer; **auf die** ~ à la longue; **auf** ~ pour une durée illimitée

Dauerarbeitslosigkeit *f* chômage *m* de longue durée **Dauerauftrag** *m* FIN virement *m* permanent; **per** ~ par virement permanent **Dauerbrenner** <-s, -> *m fam* **1.** (*Thema*) question *f* qui reste d'actualité **2.** *fam* (*Erfolg*) succès *m; der Film war ein* ~ le film a fait un tabac

dauerhaft *adj* **1.** *Material* résistant(e) **2.** *Bündnis* durable; *Einrichtung* permanent(e) **Dauerkarte** *f* carte *f* d'abonnement **Dauerlauf** *m* jogging *m*

dauern ['daʊɐn] *vi* **1.** (*andauern*) durer **2.** (*Zeit benötigen*) **es dauerte lange, bis er den Weg gefunden hatte** il a mis longtemps à trouver le chemin ▶**das dauert und dauert!** *fam* que c'est long!

dauernd **I.** *adj* *Frieden* durable; *Ausstellung* permanent(e); *Anstellung* stable; *Wohnsitz* fixe; *Ärger* continuel(le) **II.** *adv* **1.** (*für immer*) définitivement **2.** (*immer wieder*)

sans arrêt

Dauerstellung *f* emploi *m* stable **Dauerwelle** *f* permanente *f* **Dauerzustand** *m* **ein** ~ **werden** devenir la règle

Daumen ['daʊmən] <-s, -> *m* pouce *m* ▶**jdm die** ~ **drücken** croiser les doigts pour porter chance à qn; **über den** ~ **gepeilt** grosso modo

Daune ['daʊnə] <-, -n> *f* plumule *f;* ~**n** du duvet

Daunendecke *f* couette *f* en duvet **Daunenschlafsack** *m* duvet *m*

Daviscup^RR ['deːviskap] <-[s]> *m* coupe *f* Davis

davon [da'fɔn] *adv* **1.** (*von diesem Ort*) **nicht weit** ~ un peu plus loin; **hier bin ich auf dem Foto, links** ~ **meine Tante** c'est moi sur la photo, et à ma gauche ma tante **2.** (*von diesem*) ~ **essen** en manger; **möchten Sie mehr** ~**?** vous en voulez plus?; **das ist nicht alles, sondern nur ein Teil** ~ ce n'est pas tout mais seulement une partie **3.** (*von dieser Sache*) **sich kaum** ~ **unterscheiden** ne s'en distinguer que par un petit détail **4.** (*dadurch*) ~ **wird man dick** ça fait grossir; ~ **stirbst du nicht!** tu n'en mourras pas!; **sie wachte** ~ **auf** ça la réveilla **5.** (*mittels dieser Sache*) **ich lebe doch** ~**!** j'en vis! **6.** (*hinsichtlich dieser Sache*) **was halten Sie** ~**?** qu'en pensez-vous?; **reden wir nicht mehr** ~**!** n'en parlons plus!; **wissen Sie etwas** ~**?** vous êtes au courant? ▶**ich habe nichts** ~**!** je n'en ai que faire!; **was hast du denn** ~**?** qu'est-ce que tu y gagnes?; **das kommt** ~**!** voilà ce qui arrive!

davon|jagen **I.** *vt + haben* chasser **II.** *vi + sein Person:* s'enfuir; *Auto:* s'éloigner à toute allure **davon|kommen** *vi irr + sein* **mit einer Geldstrafe** ~ s'en sortir avec une amende; **nicht ungeschoren** ~ y laisser des plumes **davon|laufen** *vi irr + sein* **1.** (*weglaufen*) se sauver; (*von zu Hause fortlaufen*) fuguer **2.** (*hinter sich lassen*) **jdm** ~ distancer qn **3.** *fam* (*verlassen*) **jdm** ~ lâcher qn **4.** (*eskalieren*) *Kosten:* s'envoler **davon|machen** *vr sich* ~ *fam* se casser **davon|rennen** *vi irr + sein* partir en courant **davon|tragen** *vt irr* **1.** (*wegtragen*) emporter **2.** (*erringen*) remporter *Sieg;* retirer *Ruhm* **3.** (*erleiden*) subir *Schaden;* recevoir *Prellung*

davor^1 [da'foːɐ] *adv* **1.** (*räumlich*) devant **2.** (*zeitlich*) avant **3.** (*in Bezug auf eine Sache*) **jdn** ~ **warnen etw zu tun** avertir qn de ne pas faire qc; **Angst** ~ **haben etw zu tun** avoir peur de faire qc

davor^2 *adv* **1.** (*räumlich*) **dort ist das Rathaus, und** ~ **befindet sich ...** la mairie

est là-bas, et juste devant se trouve ...
2.(*zeitlich*) **ich muss zur Post gehen
und ~ noch zum Bäcker** il faut que j'aille
à la poste et avant chez le boulanger **3.**(*vor
dieser Person, Sache*) ~ **fürchtet er sich**
c'est ça qu'il craint
dazu¹ [da'tsu:] *adv* **1.**(*gleichzeitig*) **sie
singt, und ~ spielt sie Harfe** elle chante
tout en jouant de la harpe **2.**(*außerdem*)
par-dessus le marché **3.**(*zu dem Gegenstand*) **dies ist die Tischdecke, und
dies sind die Servietten** ~ voici la nappe,
et voici les serviettes qui vont avec **4.**(*zu
der Konsequenz*) **das führte ~, dass ...**
ça a eu pour résultat que ... **5.**(*zu der Sache*) **du musst mir helfen! – Wie komme ich ~!** *fam* il faut que tu m'aides! – Tu
veux rire ou quoi!; **ich würde gern etwas
~ sagen** je voudrais dire quelques mots à
ce propos; **was meinst du ~?** qu'en penses-tu?
dazu² *adv* **1.**(*zu dieser Sache*) **wozu gehört dieses Teil? – Dazu!** avec quoi va
cette pièce? – Avec ça! **2.**(*zu dieser Konsequenz*) **wie konnte es nur ~ kommen?**
comment a-t-on pu en arriver là? **3.**(*dafür*)
~ **ist er zu unerfahren** pour ça, il n'a pas
assez d'expérience
dazu|geben *vt irr* **1.**(*zusätzlich geben*)
jdm etw ~ donner à qn qc en plus **2.**(*da-
zutun*) ajouter
dazu|gehören* *vi* **1.** *Freund:* être à sa pla-
ce; *Zubehör:* aller avec **2.**(*erforderlich
sein*) **es gehört schon einiges dazu, das
zu tun** il faut une certaine dose de courage
pour oser faire ça
dazugehörig *adj attr* qui va avec
dazu|kommen *vi irr + sein* **1.** arriver en
plus **2.**(*hinzugefügt werden*) venir s'ajouter; **kommt noch etwas dazu?** et avec
ceci?
dazu|lernen *vt* apprendre
dazu|tun *vt irr fam* ajouter
dazwischen [da'tsvɪʃən] *adv* **1.**(*zwischen
zwei Dingen*) entre les deux; (*zwischen
mehreren Dingen*) y **2.**(*in der Zwischenzeit*) entre-temps
dazwischen|kommen *vi irr + sein*
1.(*räumlich*) **mit dem Finger** ~ s'y coincer le doigt **2.**(*zeitlich*) **leider ist mir etwas dazwischengekommen** j'ai malheureusement eu un empêchement; **wenn
nichts dazwischenkommt, ...** sauf im-
prévu, ... **dazwischen|reden** *vi* couper la
parole; **jdm** ~ couper la parole à qn **da-
zwischen|treten** *vi irr + sein* **1.** s'interpo-
ser **2.** *geh* (*störend auftreten*) s'immiscer
DB [de:'be:] <-> *f Abk von* **Deutsche
Bahn** *société des chemins de fer alle-*

mands
DDR [de:de:'?ɛr] <-> *f Abk von* **Deutsche
Demokratische Republik** HIST **die ~ la**
R.D.A.; **die ehemalige ~** l'ex-R.D.A.
Deal ['di:l] <-s, -s> *m fam* deal *m;* **mit jdm
einen ~ machen** passer un marché avec
qn
dealen ['di:lən] *vi fam* **mit etw ~** dealer qc
Dealer(in) ['di:lɐ] <-s, -> *m(f) fam* dealer
m
Debatte [de'batə] <-, -n> *f* **1.**(*Streitgespräch*) débat *m;* **zur ~ stehen** être à
l'ordre du jour; **sich auf keine ~ einlassen** refuser la discussion **2.** POL débats *mpl*
debattieren* *vt, vi* débattre [de]
Debüt [de'by:] <-s, -s> *nt* débuts *mpl;*
sein ~ liefern faire ses débuts
dechiffrieren* [deʃi'fri:rən] *vt* déchiffrer
Deck [dɛk] <-[e]s, -s> *nt* **1.**(*Schiffsdeck*)
pont *m* **2.**(*Parkdeck*) niveau *m*
Deckblatt *nt eines Papierstapels* couverture
f
Decke ['dɛkə] <-, -n> *f* **1.**(*Zimmerdecke*)
plafond *m* **2.**(*Wolldecke*) couverture *f*
3.(*Bettdecke*) couette *f* ▸ **jdm fällt die ~
auf den Kopf** *fam* qn a l'impression
d'avoir la tête dans un bocal; **an die ~ gehen** *fam* exploser; **mit jdm unter einer ~
stecken** *fam* être de mèche avec qn
Deckel ['dɛkəl] <-s, -> *m* (*Verschluss*) couvercle *m* ▸ **jdm eins auf den ~ geben**
fam remonter les bretelles à qn
decken I. *vt* **1.** couvrir; *Tisch* mettre **2.** SPORT
marquer II. *vr sich* ~ **1.** *Aussagen:* se recouper **2.** GEOM *Figuren:* coïncider
Deckmantel *m* prétexte *m* **Deckname** *m*
pseudonyme *m*
Deckung ['dɛkʊŋ] <-, -en> *f* **1.** SPORT (*das
Decken*) marquage *m;* (*Verteidigung*) défense *f* **2.**(*Feuerschutz*) couverture *f;* **jdm
~ geben** couvrir qn **3.** MIL abri *m* **4.**(*das
Verheimlichen*) dissimulation *f* **5.** COM, FIN
eines Schecks provision *f;* **zur ~ der Schulden** pour couvrir les dettes **6.**(*Übereinstimmung*) **unterschiedliche Interessen
zur ~ bringen** faire coïncider des intérêts
différents
deckungsgleich *adj* **1.** GEOM coïncident(e)
2. *Aussage* concordant(e); ~ **sein** coïncider
Decoder [di'kɔʊdɐ] <-s, -> *m* décodeur *m*
decodieren* *vt* décoder
defekt [de'fɛkt] *adj* défectueux(-euse)
Defekt <-[e]s, -e> *m* **1.** TECH panne *f;* **einen ~ haben** avoir un problème **2.** MED
(*Missbildung*) malformation *f;* (*psychische
Störung*) troubles *mpl*
defensiv [defɛn'zi:f] *adj* défensif(-ive)
Defensive [defɛn'zi:və] <-, -n> *f* MIL défensive *f;* SPORT défense *f*

definieren* [defi'niːrən] *vt* définir
Definition [defini'tsi̯oːn] <-, -en> *f* définition *f*
definitiv [defini'tiːf] **I.** *adj* précis(e) **II.** *adv sich entscheiden* définitivement
Defizit ['deːfitsɪt] <-s, -e> *nt* **1.** FIN, COM déficit *m* **2.** (*Mangel*) ~ **an Zuwendung** (*dat*) manque *m* d'attention; **ein ~ an etw haben** manquer de qc
deformieren* [defɔr'miːrən] *vt* déformer
deftig ['dɛftɪç] *adj* **1.** *Mahlzeit* consistant(e) **2.** *Prügel* bon(ne) *antéposé* **3.** *Witz* cru(e) **4.** *Preis* sacré(e) *antéposé* (*fam*)
Degen ['deːgən] <-s, -> *m* épée *f*
degeneriert *adj* dégénéré(e)
degradieren* [degra'diːrən] *vt* dégrader
dehnbar ['deːnbaːɐ̯] *adj a. fig* élastique
dehnen *vt Gummizug* détendre; *Glieder* étirer; *Wörter* allonger
Dehnung <-, -en> *f* **1.** (*das Ausdehnen*) tension *f* **2.** (*gedehnte Aussprache*) allongement *m*
Deich [daɪç] <-[e]s, -e> *m* digue *f*
Deichsel ['daɪksəl] <-, -n> *f* timon *m*
deichseln *vt fam* goupiller
dein [daɪn] *pron poss* **1.** ~ **Bruder** ton frère; ~**e Freundin** ta copine; ~**e Eltern** tes parents; **dieses Buch ist** ~[**e]s** ce livre est à toi **2.** *substantivisch* **der/die/das Deine** le tien/la tienne; **du hast das Deine bekommen** tu as eu ta part; **du hast das Deine getan** tu as fait ce que tu avais à faire
deiner *pron pers, Gen von* **du** *geh* **ich werde** ~ **gedenken** je me souviendrai de toi
deinerseits ['daɪnɐ'zaɪts] *adv* **1.** (*du wiederum*) de ton côté **2.** (*was dich betrifft*) pour ta part
deinesgleichen ['daɪnəs'glaɪçən] *pron inv* **1.** *pej* (*Menschen deines Schlags*) **du und** ~ toi et tes semblables *mpl* **2.** (*Menschen wie du*) **du verkehrst nur mit** ~ tu ne fréquentes que les gens de ta sorte
deinetwegen ['daɪnət've:gən] *adv* **1.** (*wegen dir*) à cause de toi **2.** (*dir zuliebe*) pour toi **3.** (*wenn es nach dir ginge*) s'il ne tient qu'à toi
deinetwillen ['daɪnət'vɪlən] **um** ~ pour ton bien
Dekade [de'kaːdə] <-, -n> *f* (*zehn Tage*) décade *f*; (*zehn Jahre*) décennie *f*
dekadent [deka'dɛnt] *adj* décadent(e)
Dekadenz [deka'dɛnts] <-> *f* décadence *f*
Dekan(in) [de'kaːn] <-s, -e> *m(f)* doyen(ne) *m(f)*
Dekanat [deka'naːt] <-[e]s, -e> *nt* décanat *m*
deklarieren* [dekla'riːrən] *vt* déclarer
deklassieren* *vt* **1.** (*sozial benachteiligen*)

dégrader 2. (*im ökonomischen Wettbewerb, im Sport überflügeln*) surclasser
Deklination [deklina'tsi̯oːn] <-, -en> *f* GRAM déclinaison *f*
deklinieren* [dekli'niːrən] *vt* GRAM décliner
dekodieren* *s.* **decodieren**
Dekolleté, DekolleteeRR [dekɔl'teː] <-s, -s> *nt* décolleté *m*
Dekor [de'koːɐ̯] <-s, -s *o* -e> *m o nt* **1.** (*Muster*) motif *m* **2.** THEAT décor *m*
Dekorateur(in) [dekora'tøːɐ̯] <-s, -e> *m(f)* décorateur(-trice) *m(f)*
Dekoration [dekora'tsi̯oːn] <-, -en> *f* **1.** *kein Pl* (*Ausschmückung*) décoration *f* **2.** (*Schaufensterdekoration*) vitrine *f* **3.** THEAT décors *mpl*
dekorativ [dekora'tiːf] *adj* décoratif(-ive)
dekorieren* [deko'riːrən] *vt* décorer
Dekret [de'kreːt] <-[e]s, -e> *nt* décret *m*
Delegation [delega'tsi̯oːn] <-, -en> *f* délégation *f*
delegieren* [dele'giːrən] *vt* déléguer; **etw an jdn** ~ déléguer qc à qn
Delegierte(r) *f(m) dekl wie adj* délégué(e) *m(f)*
DelfinRR [dɛl'fiːn] *s.* **Delphin**
delikat [deli'kaːt] *adj* **1.** (*wohlschmeckend*) délicieux(-euse); **sehr** ~ succulent **2.** (*behutsam*) subtil(e) **3.** (*heikel*) délicat(e) **4.** *geh* (*empfindlich*) sensible
Delikatesse [delika'tɛsə] <-, -n> *f* mets *m* de choix
Delikt [de'lɪkt] <-[e]s, -e> *nt* délit *m*
Delinquent(in) <-en, -en> *m(f) geh* délinquant(e) *m(f)*
Delirium [de'liːri̯ʊm] <-s, -rien> *nt* délire *m*; **im** ~ **sein** délirer
Delphin <-s, -e> *m* dauphin *m*
Delta ['dɛlta] <-s, -s *o* Delten> *nt* delta *m*
dem¹ [deːm] **I.** *art def, maskulin, dat Sing von* **der¹, I. 1. von** ~ **Nachbarn sprechen** parler du voisin; **sie folgte** ~ **Mann** elle suivit l'homme; **er gab** ~ **Großvater den Brief** il donna la lettre à son grand-père **2.** *fam* (*in Verbindung mit Eigennamen*) **ich werde es** ~ **Frank sagen** je le dirai à Frank **II.** *art def, Neutrum, dat Sing von* **das¹: von** ~ **Kind sprechen** parler de l'enfant; **an** ~ **Fenster klopfen** frapper à la fenêtre; **die Frau auf** ~ **Foto** la femme sur la photo
dem² **I.** *pron dem, maskulin, dat Sing von* **der², I.** ce/cette; **zeig deine Eintrittskarte** ~ **Mann da!** présente ton billet d'entrée à ce monsieur-là! **II.** *pron dem, Neutrum, dat Sing von* **das²: möchtest du mit** ~ **Plüschtier hier spielen?** veux-tu jouer avec cette peluche-là? **III.** *pron*

rel, maskulin, dat Sing von **der²**, I.: **der Kollege**, ~ **ich den Brief geben soll** le collègue à qui je dois donner la lettre; **der Freund, mit** ~ **ich mich gut verstehe** l'ami avec qui je m'entends bien **IV.** *pron rel, Neutrum, dat Sing von* **das²**, II.: **das Kind**, ~ **dieses Spielzeug gehört** l'enfant à qui appartient ce jouet

Demagoge [dema'goːgə] <-n, -n> *m*, **Demagogin** *f pej* démagogue *mf*

Demagogie [demago'giː] <-, -n> *f pej* démagogie *f*

demagogisch [dema'goːgɪʃ] *pej* I. *adj* démagogique II. *adv* avec démagogie

Dementi [de'mɛnti] <-s, -s> *nt* démenti *m*

dementieren* [demɛn'tiːrən] I. *vt* démentir II. *vi* donner un démenti

dementsprechend ['deːmʔɛnt'ʃprɛçənt] *adj Anordnung* en conséquence; *Bemerkung* dans ce sens; ~ **sein** être à l'avenant

demgegenüber ['deːmgeːgən'ʔyːbɐ] *adv* en revanche

demgemäß *s.* **dementsprechend**

Demission [demɪ'si̯oːn] <-, -en> *f* démission *f*

demnach ['deː(ː)mnaːx] *adv* 1. (*danach*) il ressort que ... 2. (*folglich*) en conséquence

demnächst ['deːm'nɛːçst] *adv* prochainement

Demo ['deːmo] <-, -s> *f fam Abk von* **Demonstration** manif *f*

Demokrat(in) [demo'kraːt] <-en, -en> *m(f)* démocrate *mf*

Demokratie [demokra'tiː] <-, -n> *f* démocratie *f*

demokratisch *adj* démocratique

demokratisieren* *vt* démocratiser

demolieren* [demo'liːrən] *vt* 1. (*zerstören*) démolir 2. (*beschädigen*) endommager *Fahrzeug*; **völlig demoliert** complètement défoncé

Demonstrant(in) [demɔn'strant] <-en, -en> *m(f)* manifestant(e) *m(f)*

Demonstration [demɔnstra'tsi̯oːn] <-, -en> *f* 1. (*Protestkundgebung*) manifestation *f* 2. (*Bekundung, Veranschaulichung*) démonstration *f*; **eine** ~ **des guten Willens** une marque de bonne volonté

demonstrativ [demɔnstra'tiːf] *adj* ostensible

Demonstrativpronomen *nt* (*adjektivisches/substantivisches Pronomen*) adjectif *m*/pronom *m* démonstratif

demonstrieren* [demɔn'striːrən] I. *vi* manifester II. *vt* 1. (*bekunden*) manifester 2. (*veranschaulichen*) démontrer

demontieren* [demɔn'tiːrən] *vt* (*abmontieren*) démanteler *Fabrik*

---

demoralisieren* [demorali'ziːrən] *vt* 1. (*entmutigen*) démoraliser 2. (*moralisch untergraben*) avilir *Bevölkerung*

demotivieren* *vt geh* PSYCH démotiver

demselben *pron dem, dat Sing von* **derselbe/dasselbe** au même; ~ **Mann helfen** aider le même homme

Demut ['deːmuːt] <-> *f* humilité *f*; **in** ~ humblement

demütig ['deːmyːtiç] *adj* humble

demütigen *vt* humilier

Demütigung <-, -en> *f* humiliation *f*

demzufolge ['de(ː)mtsu'fɔlgə] *adv* 1. (*wonach*) il en ressort que ... 2. (*folglich*) donc

den¹ [deːn] I. *art def, maskulin, akk Sing von* **der¹** le/la; **sie begrüßt** ~ **Nachbarn** elle salue le voisin; ~ **Salat essen** manger la salade II. *art def, dat Pl von* **der¹**, **die¹**, **das¹** aux; **mit** ~ **Freundinnen sprechen** parler avec ses copines; **von** ~ **Kollegen sprechen** parler des collègues; **sie folgte** ~ **Leuten** elle suit les gens

den² I. *pron dem, maskulin, akk Sing von* **der²**, I. ce/cette; ~ **Angeber kann ich nicht leiden!** je ne supporte pas ce frimeur!; **darf ich** ~ **streicheln?** je peux le caresser, celui-là? II. *pron rel, akk Sing von* **der²**, II. que

denen [deːnən] I. *pron dem, dat Pl von* **der²**, I., **die²**, I., **das²**, I. à ceux II. *pron rel, dat Pl von* **die²** à qui

Den Haag <-s> *m* La Haye *f*

Denkanstoß *m* piste *f* de réflexion

denkbar *adj* concevable; **sich** (*dat*) **alle nur ~e Mühe geben** se donner toutes les peines possibles et imaginables; **es ist durchaus ~, dass** il n'est pas impensable que + *subj*

denken ['dɛnkən] <**dachte, gedacht**> I. *vi* 1. (*überlegen*) penser 2. (*meinen*) penser que ...; **ich denke ja** je pense que oui 3. (*urteilen*) **gut von jdm** ~ penser du bien de qn; **inzwischen denke ich anders** j'ai changé d'avis; **wie** ~ **Sie darüber?** qu'en pensez-vous? 4. (*sich vorstellen*) **denk nur, Eva heiratet!** imagine, Eva se marie! ▶**ich denke nicht daran!** je n'en ai pas la moindre intention!; **jdm zu** ~ **geben** donner à réfléchir à qn; **wo denkst du hin!** qu'est-ce que tu crois! II. *vt* 1. (*annehmen*) **nur das Schlechteste von jdm** ~ penser tout mal possible de qn 2. (*ahnen*) **das habe ich mir fast gedacht** j'en étais à peu près sûr 3. (*sich vorstellen*) **sich** (*dat*) **etw** ~ s'imaginer qc; **ich habe mir das so gedacht:** ... je vois les choses comme ça: ... 4. (*beabsichtigen*) **sich** (*dat*) **nichts Böses** ~ ne pas

penser à mal
Denken <-s> *nt* pensée *f*
Denker(in) <-s, -> *m(f)* penseur(-euse)
m(f)
Denkfehler *m* erreur *f* de raisonnement
Denkfigur *f geh* figure *f* de pensée
Denkmal <-s, ⸗er *o* -e> *nt* monument *m;*
jdm ein ~ **errichten** ériger un monument
à [la gloire de] qn; **sich** (*dat*) **mit etw ein**
~ **setzen** passer à la postérité avec qc
Denkmalschutz *m* protection *f* des monu-
ments historiques
Denkprozessᴿᴿ *m* évolution *f* des mentali-
tés **denkwürdig** *adj* mémorable **Denk-**
zettel *m* jdm einen ~ **verpassen** *fam*
flanquer une bonne leçon à qn
denn [dɛn] I. *konj* 1. (*weil*) car 2. (*voraus-*
gesetzt) **es sei** ~, ... à moins que ... +
subj II. *adv* 1. (*eigentlich*) donc; **he, was**
soll das ~? holà, qu'est-ce qui se passe?;
wo ~ **sonst?** où d'autre? 2. ɴᴅᴇᴜᴛꜱᴄʜ *fam*
(*dann*) alors
dennoch ['dɛnɔx] *adv* malgré tout; **und** ~
et pourtant
denselben I. *pron dem, akk von* **derselbe**
le/la même; **für** ~ **Sänger schwärmen**
raffoler du même chanteur II. *pron dem,*
dat von **dieselben** aux mêmes
Denunziant(in) [denʊn'tsi̯ant] <-en,
-en> *m(f) pej* délateur(-trice) *m(f)*
denunzieren* [denʊn'tsiːrən] *vt pej* (*an-*
zeigen) dénoncer; **jdn bei jdm** ~ dénoncer qn à qn
Deo ['deːo], **Deodorant** ['deːodo'rant]
<-s, -s> *nt* déodorant *m*
Deoroller *m* déodorant *m* à bille **Deospray**
nt o m déodorant *m*
Departement [departə'mãː] <-s, -s> *nt*
département *m*
deplatziertᴿᴿ [depla'tsiːɐ̯t] incongru(e)
Deponie [depo'niː] <-, -n> *f* décharge *f*
deponieren* [depo'niːrən] *vt* 1. (*hinter-*
legen) **etw bei der Bank** ~ mettre qc en
dépôt à la banque 2. (*hinstellen*) **etw im**
Keller ~ mettre qc dans la cave
deportieren* *vt* déporter
Depot [de'poː] <-s, -s> *nt* 1. (*Lager*) entrepôt *m* 2. ꜰɪɴ coffre-fort *m* 3. ᴛʀᴀɴꜱᴘ dépôt
m 4. (*Bodensatz*) *von Wein* dépôt *m* 5. ᴄʜ
(*Flaschenpfand*) consigne *f*
Depp [dɛp] <-en *o* -s, -e[n]> *m* ꜱᴅᴇᴜᴛꜱᴄʜ,
A, ᴄʜ *fam* andouille *f*
Depression [deprɛ'si̯oːn] <-, -en> *f* dépression *f*
depressiv *adj* dépressif(-ive)
deprimieren* [depri'miːrən] *vt* déprimer
Deputierte(r) *f(m) dekl wie adj* député(e)
m(f)
der[1] [deːɐ̯] I. *art def, maskulin, nom Sing*

le/la; ~ **Nachbar** le voisin; ~ **Salat** la salade II. *art def, feminin, gen Sing von* **die**[1],
I. de la/du III. *art def, feminin, dat Sing*
von **die**[1], I. à la/au; **mit** ~ **Nachbarin**
sprechen parler avec la voisine; **sie folgte**
~ **Frau/Menge** elle suivit la femme/foule
IV. *art def, gen Pl von* **die**[1], II. des; **das**
Ende ~ **Ferien** la fin des vacances
der[2] I. *pron dem, maskulin, nom Sing* ce/
cette; ~ **Mann da** cet homme-là; **beißt** ~?
est-ce qu'il mord? II. *pron rel, maskulin,*
nom Sing qui; **ein Mann,** ~ **es eilig hatte**
un homme qui était pressé III. *pron dem,*
feminin, gen Sing von **die**[2], I. de cette/de
ce IV. *pron dem, feminin, dat Sing von*
die[2], I. à cette/à ce; **mit** ~ **Freundin ver-**
stehe ich mich gut je m'entends bien
avec cette copine; **glaub** ~ **bloß nicht!** ne
la crois surtout pas, celle-là! V. *pron dem,*
gen Pl von **die**[1], II. de ces VI. *pron rel, fe-*
minin, dat Sing von **die**[2], III. à qui; **die**
Freundin, mit ~ **ich mich gut verstehe**
l'amie avec qui je m'entends bien; **die Käl-**
te, unter ~ **sie leiden** le froid dont ils
souffrent
derart ['deːɐ̯'ʔaːɐ̯t] *adv* à tel point; ~ **rei-**
zen, dass ... provoquer à tel point que ...;
es ist ~ **heiß, dass** ... il fait tellement
chaud que ...
derartig I. *adj* tel(le) II. *adv* si
derb [dɛrp] I. *adj* 1. *Manieren* grossier(-ère)
2. *Stoff* solide II. *adv* 1. *anfahren* brutalement 2. *sich ausdrücken* grossièrement
Derby ['dɛrbi] <-s, -s> *nt* derby *m*
deregulieren* *vt* ᴘᴏʟ, öᴋᴏɴ dérégler
deren ['deːrən] I. *pron dem, gen Sing von*
die[2], II.: **seine Mutter, seine Schwester**
und ~ **Hund** sa mère, sa sœur et le chien
de cette dernière II. *pron dem, gen Pl von*
die[2], III.: **ein Ehepaar mit seinen**
Freunden und ~ **Kindern** un couple
avec ses amis et les enfants de ces derniers
III. *pron rel, gen Sing von* **die**[2], III. dont;
die Frau, ~ **Namen ich vergessen habe**
la femme dont j'ai oublié le nom; **die**
Freundin, mit ~ **Hilfe ich eine Woh-**
nung gefunden habe l'amie avec l'aide
de qui j'ai trouvé un logement IV. *pron rel,*
gen Pl von **die**[2], V. dont
derentwillen ['deːrənt'vɪlən] *adv* 1. (*auf*
eine Person bezogen) **um** ~ pour qui; (*de-*
monstrativ) pour celle-là 2. (*auf eine Sache*
bezogen) **um** ~ (*Sing*) pour lequel; (*Pl*)
pour lesquels
derer ['deːrɐ] *pron dem, gen Pl von* **die**[2],
II. de ceux
dergestalt *adv geh* ainsi; ~**, dass** ... à tel
point que ...
dergleichen ['deːɐ̯'glaiçən] *pron dem, inv*

ce genre de choses; ~ **Fälle sind selten** ce genre de cas est rare; **und** ~ **mehr** et cetera

derjenige *pron dem, maskulin, nom Sing* ce/cette; ~ **Mann, der** ... l'homme qui ...; ~, **der das gesagt hat** celui qui a dit cela ▶ **das ist** ~, **welcher!** *fam* c'est lui notre homme!

derlei *pron dem, inv* ce genre de choses; ~ **Probleme** ce genre de problèmes

dermaßen ['deːɐ̯'maːsən] *s.* **derart**

derselbe *pron dem, nom Sing* le/la même

derzeit ['deːɐ̯'tsaɪt] *adv* actuellement

derzeitig *adj attr* actuel(le); **mein ~es Befinden ist ausgezeichnet** je suis en excellente forme actuellement

des [dɛs] **I.** *art def, maskulin o. Neutrum, Gen Sing von* **der**[1], **I., das I.** du/de la; **der Name** ~ **Hundes** le nom du chien **II.** *pron dem, maskulin o. Neutrum, gen Sing von* **der**[2], **I., das II.** de ce/de cette; **der Name** ~ **Kindes** le nom de cet enfant

Des <-> *nt* MUS ré m bémol

Desaster [de'zastɐ] <-s, -> *nt* désastre *m*

Deserteur(in) [dezɛr'tøːɐ̯] <-s, -e> *m(f)* déserteur *m*

desertieren* [dezɛr'tiːrən] *vi + sein* déserter

desgleichen ['dɛs'glaɪçən] *adv* également

deshalb ['dɛs'halp] *adv* ~ **ist das nicht möglich** c'est la raison pour laquelle cela n'est pas possible; ~ **müssen Sie sich nicht gleich aufregen!** ce n'est pas une raison pour vous énerver!

Design [di'zaɪn] <-s, -s> *nt* design *m; eines Kleidungsstücks* style *m*

Designer(in) [di'zaɪnɐ] <-s, -> *m(f)* designer *mf; (Modeschöpfer)* styliste *mf*

Desinfektion [dezɪnfɛk'tsi̯oːn] <-, -en> *f* désinfection *f*

Desinfektionsmittel *nt* désinfectant *m*

desinfizieren* [dezɪnfi'tsiːrən] *vt* désinfecter

Desinteresse ['dɛsʔɪntərɛsə] *nt* manque *m* d'intérêt; ~ **an etw** manque d'intérêt pour qc

desinteressiert ['dɛsʔɪntərɛsiːɐ̯t] *adj Zuschauer* peu intéressé(e); **an etw** ~ ne pas intéressé par qc

Desktop ['dɛsktɔp] <-s, -s> *m* INFORM ordinateur *m* de table

Desktop-PublishingRR ['dɛsktɔppablɪʃɪŋ] <-> *nt* publication *f* assistée par ordinateur

desorientiert ['dɛsʔori̯ɛntiːɐ̯t] *adj* désorienté(e)

Despot(in) [dɛs'poːt] <-en, -en> *m(f)* despote *mf*

despotisch I. *adj* despotique **II.** *adv* en des-

pote

desselben *pron dem,* du même/de la même

dessen ['dɛsən] **I.** *pron dem,* **mein Onkel und** ~ **Haus** mon oncle et la maison de ce dernier **II.** *pron rel,* dont; **der Freund, mit** ~ **Hilfe ich das Auto repariert habe** l'ami avec l'aide de qui j'ai réparé la voiture

dessentwillen *adv* **das Kind, um** ~ **sie sich gesorgt hatten** l'enfant pour qui ils s'étaient fait des soucis; **der Frieden, um** ~ **sie zu Verhandlungen bereit waren** la paix pour laquelle ils étaient prêts à entamer des négociations

Dessert [dɛ'sɛːɐ̯] <-s, -s> *nt* dessert *m*

Dessous [dɛ'suː] <-, -> *nt meist Pl* dessous *mpl*

destillieren* [dɛstɪ'liːrən] *vt* distiller

desto ['dɛsto] *konj* **je eher du dich daranmachst,** ~ **schneller bist du fertig** plus vite tu t'y mettras, plus vite tu auras terminé; **je länger ich darüber nachdenke,** ~ **fragwürdiger finde ich dieses Angebot** plus je réfléchis, plus cette offre me paraît louche

destruktiv [destrʊk'tiːf] *adj* négatif(-ive)

deswegen ['dɛs've:gən] *s.* **deshalb**

Detail [de'taɪ] <-s, -s> *nt* détail *m; in allen* ~**s** dans les moindres détails

detailliert [deta'ji:ɐ̯t] **I.** *adj* détaillé(e); *Vorstellung* précis(e) **II.** *adv* en détail

Detektiv(in) [detɛk'ti:f] <-s, -e> *m(f)* **1.** (*Privatdetektiv*) détective *m* **2.** (*Zivilfahnder*) inspecteur(-trice) *m(f)*

Detektivbüro *nt* agence *f* de détectives

Detektivroman *m* roman *m* policier

determinieren* *vt geh* déterminer

Detonation [detona'tsi̯oːn] <-, -en> *f* détonation *f*

detonieren* [deto'ni:rən] *vi + sein* exploser

deuten ['dɔytən] **I.** *vt* interpréter *Traum, Text;* **jdm die Zukunft** ~ prédire l'avenir à qn **II.** *vi* **1.** (*zeigen*) **auf etw** ~ montrer qc **2.** (*hinweisen*) **auf etw** ~ faire penser à qc

deutlich ['dɔytlɪç] **I.** *adj* **1.** *Konturen* net(te); *Aussprache* distinct(e); *Skizze* clair(e); *Schrift* lisible **2.** (*eindeutig*) clair(e) **II.** *adv* **1.** distinctement; *schreiben* lisiblement **2.** *sagen* clairement; *merken* sans le moindre doute

Deutlichkeit <-, -en> *f* clarté

deutsch [dɔytʃ] **I.** *adj* allemand(e); **die ~e Staatsangehörigkeit** la nationalité allemande **II.** *adv* en allemand; ~ **miteinander sprechen** discuter en allemand

Deutsch <-[s]> *nt kein art* **1.** (*Sprache*) l'allemand *m;* ~ **lernen/verstehen** apprendre/comprendre l'allemand; ~ **können**

savoir parler l'allemand; **sprechen Sie ~?** parlez-vous allemand?; **sich auf ~ unterhalten** discuter en allemand; **wie heißt „arrivederci" auf ~?** comment dit-on "arrivederci" en allemand? **2.** (*Unterrichtsfach*) **gut in ~** sein être bon en allemand ▸**auf gut ~** *fam* ≈ en bon français

Deutsche(r) *f(m) dekl wie adj* Allemand(e) *m(f)*; **~r sein** être Allemand

deutsch-französisch *adj* **ein ~es Wörterbuch** un dictionnaire allemand-français; **die ~e Freundschaft** l'amitié franco-allemande **Deutschland** *nt* l'Allemagne *f;* **in ~** en Allemagne **deutschsprachig** ['dɔytʃ-ʃpraːxɪç] *adj Bevölkerung, Gebiet* germanophone; *Literatur* en langue allemande

Deutung <-, -en> *f* interprétation *f*

Devise [de'viːzə] <-, -n> *f* (*Wahlspruch*) devise *f*

Devisen [de'viːzən] *Pl* (*Währung*) devises *fpl*

Devisenhandel *m* marché *m* des changes

Dezember [de'tsɛmbɐ] <-s, -> *m* décembre *m; s. a.* **April**

dezent [de'tsɛnt] **I.** *adj Farbe, Lächeln* discret(-ète) **II.** *adv andeuten* discrètement; *gekleidet* avec discrétion

dezentral [detsɛn'traːl] *adj* décentralisé(e)

Dezernat [detsɛr'naːt] <-[e]s, -e> *nt* service *m*

Dezernent(in) [detsɛr'nɛnt] <-en, -en> *m(f)* chef *mf* de service

Dezibel ['deːtsibɛl] <-s, -> *nt* décibel *m*

dezimal [detsi'maːl] *adj* décimal(e)

Dezimalstelle *f* décimale *f* **Dezimalsystem** *nt* système *m* décimal

Dezimeter [detsi'meːtɐ] *m o nt* décimètre *m*

dezimieren* *vt* décimer

DFÜ [deːʔɛfʔyː] <-> *f Abk von* **Datenfernübertragung** télétransmission *f* des données

DGB [deːgeːˈbeː] <-> *m Abk von* **Deutscher Gewerkschaftsbund** *confédération des syndicats allemands*

d. h. *Abk von* **das heißt** c.-à-d.

Dia ['diːa] <-s, -s> *nt* diapo *f* (*fam*)

Diabetes <-> *m* diabète *m*

Diabetiker(in) [dia'beːtikɐ] <-s, -> *m(f)* diabétique *mf*

diabolisch [dia'boːlɪʃ] *geh adj* diabolique

Diadem [dia'deːm] <-s, -e> *nt* diadème *m*

Diagnose [dia'gnoːzə] <-, -n> *f* MED diagnostic *m*

Diagnosezentrum *nt* centre *m* de médecine préventive

diagnostizieren* [diagnɔsti'tsiːrən] *vt* diagnostiquer; **etw bei jdm ~** diagnosti-

quer qc chez qn

diagonal [diago'naːl] *adj* diagonal(e)

Diagonale <-, -n> *f* diagonale *f*

Diagramm [dia'gram] <-s, -e> *nt* diagramme *m*

Diakon(in) <-s *o* -en, -e[n]> *m(f)* diacre *m*

Diakonie <-> *f* diaconat *m*

Diakonissin <-, -nen> *f* diaconesse *f*

Dialekt [dia'lɛkt] <-[e]s, -e> *m* dialecte *m*

dialektal [dialɛk'taːl] *adj* dialectal(e)

Dialektik [dia'lɛktɪk] <-> *f* PHILOS dialectique *f*

Dialog [dia'loːk] <-[e]s, -e> *m* dialogue *m;* **in ~ treten** entamer un dialogue

Dialogfenster *nt* INFORM fenêtre *f* de dialogue conversationnel

Diamant [dia'mant] <-en, -en> *m* diamant *m*

Diapositiv [diapozi'tiːf] *nt* diapositive *f*

Diaprojektor ['diapro'jɛktoːɐ̯] *m* projecteur *m* de diapositives

diät *s.* **Diät**

Diät [di'ɛːt] <-, -en> *f* (*Ernährungsregeln*) régime *m* alimentaire; **jdn auf ~ setzen** *fam* mettre qn au régime

Diäten *Pl* indemnité *f* parlementaire

Diätkost *f* aliments *mpl* diététiques

dich [dɪç] **I.** *pron pers, akk von* **du:** **ich habe ~ gesehen** je t'ai vu; **er hat ~ gemeint** c'est de toi qu'il parlait; **ohne ~** sans toi **II.** *pron refl* **du hast ~ verändert** tu as changé; **du darfst ~ nicht wundern, wenn ...** ne t'étonne pas si ...

dicht [dɪçt] **I.** *adj* **1.** épais(se); *Verkehr* dense; *Reihe* serré(e) **2.** (*undurchdringlich*) *Nebel* épais(se); *Regen* dru(e) **3.** (*undurchlässig*) étanche; *Fenster* hermétique; *Stoff* impermeable; *Vorhänge* épais(se) **4.** (*fest*) *Gewebe* serré(e) ▸**nicht ganz ~ sein** *fam* déconner **II.** *adv* **1.** (*nah*) **~ beieinander stehen** être près les uns des autres; **~ hinter jdm stehen** être juste derrière qn **2.** (*unmittelbar*) **~ bevorstehen** être imminent **3.** (*stark*) **~ besiedelt sein** être très peuplé; **~ bewölkt sein** être très nuageux **4.** (*fest*) *schließen* hermétiquement; *weben* serré

dichtbesiedelt *s.* **dicht II. dichtbewölkt** *s.* **dicht II.**

Dichte <-, -n> *f a.* PHYS densité *f; eines Waldes* épaisseur *f*

dichten ['dɪçtən] **I.** *vt* composer *Ode, Ballade* **II.** *vi* faire de la poésie

Dichter(in) <-s, -> *m(f)* poète *m* / poétesse *f*

dichterisch *adj* poétique

dichtgedrängt *s.* **dicht II. dichthalten** *vi irr fam* ne pas lâcher le morceau **dichtmachen** *vt, vi fam* fermer *Laden, Fabrik, Gren-*

ze

Dichtung <-, -en> *f* **1.** (*Dichtkunst*) poésie *f;* (*Fiktion*) fiction *f* **2.** TECH joint *m*

dick [dɪk] **I.** *adj* **1.** gros(se) *antéposé* **2.** (*stark*) **ein zwei Zentimeter ~es Brett** une planche de deux centimètres d'épaisseur **3.** (*dickflüssig*) *Sauce, Nebel* épais(se); *Milch* caillé(e) **4.** *fam* (*eng*) *Freundschaft* grand(e) *antéposé* ► **mit jdm durch ~ und dünn gehen** suivre qn jusqu'en enfer **II.** *adv* **1.** (*warm*) **sich ~ anziehen** bien se couvrir **2.** (*deutlich*) *unterstreichen* en gros **3.** (*reichlich*) **etw ~ auftragen** étaler une grosse couche de qc **4.** *fam* (*sehr gut*) **~ befreundet sein** être comme cul et chemise; **~ im Geschäft sein** faire son beurre ► **~ auftragen** *pej fam* en rajouter; **etw ~e haben** *fam* en avoir ras le bol de qc

Dickdarm *m* gros intestin *m*

Dicke <-, -n> *f* grosseur *f;* *einer Schicht* épaisseur *f;* **eine ~ von einem Meter haben** avoir un mètre d'épaisseur

dickfellig *adj pej fam* buté(e) **dickflüssig** *adj* visqueux(-euse); *Sauce* épais(se) **Dickhäuter** ['dɪkhɔytɐ] <-s, -> *m hum fam* pachyderme *m* ► **ein ~ sein** avoir la peau dure

Dickicht ['dɪkɪçt] <-[e]s, -e> *nt* **1.** (*Gebüsch*) fourré *m* **2.** (*Unübersichtlichkeit*) maquis *m*

Dickkopf *m fam* **1.** (*Starrsinn*) entêtement *m;* **einen ~ haben** être tête de mule; **seinen ~ durchsetzen** faire ses quatre volontés **2.** (*Mensch*) tête *f* de mule

dickköpfig ['dɪkkœpfɪç] *adj fam* têtu(e) **Dickwanst** *m pej fam* gros *m* plein de soupe

Didaktik [di'daktɪk] <-, -en> *f* didactique *f*

didaktisch *adj* didactique

die¹ [di:] **I.** *art def, feminin, nom und akk Sing* le/la; **~ Großmutter anrufen** téléphoner à la grand-mère **II.** *art def, nom und akk Pl von* **der¹, die¹ I., das¹** les

die² **I.** *pron dem, feminin, nom und akk Sing* ce/cette; **~ weiß das doch nicht!** celle-là, elle ne le sait pas! **II.** *pron dem, nom und akk Pl von* **der²,I., die² I., das²,I.** ces; **~ wissen das doch nicht!** ils ne le savent pas, eux! **III.** *pron rel, feminin, nom Sing* qui; **eine Frau, ~ es eilig hatte** une femme, qui était pressée **IV.** *pron rel, feminin, akk Sing* que; **eine Frau, ~ man schätzt** une femme qu'on apprécie **V.** *pron rel, nom Pl* qui; **Menschen, ~ es eilig hatten** des gens qui étaient pressés **VI.** *pron rel, akk Pl* que; **drei Städte, ~ wir besichtigen werden** trois villes que nous

allons visiter **VII.** *pron dem o rel, feminin, nom Sing* celle qui; **~ dieses Amt anstrebt** celle qui brigue ce fauteuil

Dieb(in) [di:p] <-[e]s, -e> *m(f)* voleur(-euse) *m(f);* **haltet den ~!** au voleur! ► **Gelegenheit macht ~e** *prov* l'occasion fait le larron

Diebesgut ['di:bəsgu:t] *nt kein Pl* butin *m* **diebisch** *adj* **1.** *Person* voleur(-euse) **2.** (*heimlich*) *Freude* furtif(-ive)

Diebstahl <-[e]s, ⸚e> *m* vol *m;* **schwerer ~** vol qualifié; **geistiger ~** plagiat *m*

diejenige *pron dem, feminin, nom und akk Sing* cette; **~ Kollegin, die ...** cette collègue qui ...; **für ~ Schülerin mit den besten Noten** pour l'élève ayant obtenu les meilleurs résultats

diejenigen *pron dem, nom und akk Pl von* **derjenige, diejenige, dasjenige:** **~ Schüler, die teilnehmen wollen** ceux parmi les élèves qui souhaitent participer; **eine Überraschung für ~n unter Ihnen, die ...** une surprise pour ceux d'entre vous qui ...; **für meine Schuhe und ~ meiner Kinder** pour mes chaussures à moi et celles de mes enfants

Diele ['di:lə] <-, -n> *f* (*Flur*) vestibule *m*

dienen ['di:nən] *vi* **1.** (*nützlich sein*) **der Verteidigung** (*dat*) ~ servir à la défense; **wozu soll das alles ~?** ça sert à quoi, tout ça? **2.** (*helfen*) **mit etw ~ können** pouvoir être utile en qc; **womit kann ich ~?** en quoi puis-je être utile?; **mit dieser Auskunft ist mir wenig gedient** ce renseignement ne m'avance pas beaucoup; **ist dir mit einem Schraubenzieher gedient?** est-ce qu'un tournevis t'irait? **3.** (*verwendet werden*) **jdm als Brieföffner ~** servir de coupe-papier à qn **4.** MIL **bei der Marine ~** faire son service dans la marine

Diener <-s, -> *m fam* (*Verbeugung*) **einen ~ machen** s'incliner

Diener(in) <-, -> *m(f)* serviteur *m,* servante *f*

dienern *vi pej* faire des courbettes; **vor jdm ~** faire des courbettes à qn

Dienerschaft <-, -en> *f* domestiques *mpl*

dienlich *adj* **einer S. ~ sein** être utile à qc

Dienst [di:nst] <-[e]s, -e> *m* **1.** service *m;* **bei jdm ~ tun** travailler chez qn; **jdn vom ~ befreien** donner un congé à qn; **außer ~** (*in der Freizeit*) en congé; **~** (*in der Ruhestand*) en retraite; **öffentlicher ~** fonction *f* publique **2.** *meist Pl* (*Unterstützung, Gefallen*) services *mpl;* **jdm einen ~ erweisen** rendre service à qn

Dienstag ['di:nsta:k] *m* mardi *m;* **am ~** (*dienstags*) le mardi; (*kommenden ~*) mardi prochain; (*letzten ~*) mardi dernier; ~

vormittags/abends/nachts le mardi matin/soir/dans la nuit; **jeden** ~ tous les mardis; [am] **letzten** ~ mardi dernier; **am nächsten** ~ mardi prochain; **an einem** ~ un mardi; **hast du diesen** ~ **Zeit?** tu as le temps mardi?; **heute ist** ~**, der 31. Mai** aujourd'hui nous sommes le mardi 31 mai **Dienstagabend** *m* mardi *m* soir **Dienstagmorgen** *m* mardi *m* matin

dienstags *adv* le mardi

Dienstantritt *m* prise *f* de service **Dienstanweisung** *f* instructions *fpl* [de service] **Dienstbereitschaft** *f* (*Notbereitschaft*) garde *f* **dienstfrei** *adj Tag* de libre **Dienstgeheimnis** *nt* secret *m* professionnel **Dienstgrad** *m* (*Rangstufe*) grade *m* **diensthabend** *s.* **Dienst Dienstleistung** *f Pl* WIRTSCH prestations *fpl* de service **Dienstleistungsgewerbe** *m* secteur *m* tertiaire

dienstlich **I.** *adj Angelegenheit* professionnel(le); *Schreiben* officiel(le) **II.** *adv verreisen* à titre professionnel; *sprechen* pour affaires

Dienstmädchen *nt* bonne *f* **Dienstplan** *m* tableau *m* de service **Dienstreise** *f* déplacement *m* professionnel; **auf** ~ **gehen** partir en déplacement **Dienstschluss**RR *m* fermeture *f* **Dienststelle** ['diːnstʃtɛlə] *f* bureau *m;* **die höhere** ~ l'autorité *f* supérieure **Dienstvorschrift** *f* règlement *m* [intérieur]; MIL consigne *f* **Dienstwagen** *m* voiture *f* de fonction **Dienstzeit** *f* **1.** (*Arbeitszeit*) horaire *m* de travail **2.** (*Dienstjahre*) années *fpl* de service

dies [diːs] *pron dem, inv* **1.** (*das hier*) ~ **ist meine Tante** voici ma tante; ~ **ist der Freund, der bei uns wohnt** c'est l'ami qui habite chez nous; ~ **alles gehört mir** tout ça est à moi **2.** (*dieses*) ce/cette ▶**über** ~ **und** das **sprechen** parler de choses et d'autres

diesbezüglich *adj, adv form* à ce sujet

diese(r, s) ['diːzə, -zɐ, -zəs] *pron dem* ce/cette; ~**s Kind** cet enfant; **in** ~**n Jahren** ces années-là ▶~**s und** jenes différentes choses *fpl*

Diesel <-s> *nt fam* gasoil *m*

dieselbe *pron dem, nom und akk Sing von* **derselbe** le/la même; **diese beiden Bücher hat** ~ **Journalistin geschrieben** c'est la même journaliste qui a écrit ces deux livres

dieselben *pron dem, nom und akk Pl von* **derselbe, dieselbe, dasselbe** les mêmes

Dieselmotor *m* [moteur *m*] diesel *m* **Dieselöl** *s.* **Diesel**

dieser, **dieses** *s.* **diese(r, s)**

diesig ['diːzɪç] *adj* brumeux(-euse)

diesjährig *adj attr* de cette année **diesmal** *adv* cette fois-ci **diesseitig** *adj* **1.** (*auf dieser Seite*) de ce côté-ci **2.** *geh* (*irdisch*) *Leben* d'ici-bas; *Denken* temporel(le)

diesseits ['diːszaɪts] *präp + gen* ~ **des Flusses** de ce côté-ci du fleuve

Diesseits <-> *nt* das ~ (*die Welt*) les choses *fpl* d'ici-bas; (*das Leben*) la vie ici-bas; **im** ~ dans ce bas monde

Dietrich ['diːtrɪç] <-s, -e> *m* rossignol *m*

Differential [dɪfərɛn'tsi̯aːl] *s.* **Differenzial**

Differentialrechnung *s.* **Differenzialrechnung**

Differenz [dɪfe'rɛnts] <-, -en> *f* **1.** différence *f* **2.** (*zeitlicher Abstand*) écart *m* **3.** *meist Pl* (*Meinungsverschiedenheit*) différend *m*

DifferenzialRR [dɪfərɛn'tsi̯aːl] <-s, -e> *nt* MATH différentielle *f*

DifferenzialrechnungRR *f* MATH calcul *m* différentiel

differenzieren* [dɪfərɛn'tsiːrən] *geh* **I.** *vi* différencier; **zwischen zwei Phänomenen** ~ faire la distinction entre deux phénomènes **II.** *vt* nuancer *Behauptung;* modifier *Angebot*

differenziert [dɪfərɛn'tsiːɐ̯t] *geh adj* nuancé(e); *Methode* subtil(e)

digital [digi'taːl] **I.** *adj Daten, Anzeige* numérique; *Technik* digital(e); *Kassette* audionumérique **II.** *adv* ~ **erfolgen** s'effectuer par numérisation; **etw** ~ **darstellen** digitaliser qc

digitalisieren* *vt* **1.** numériser *Daten, Anzeige* **2.** (*digital darstellen*) digitaliser

Digitalkamera *f* appareil *m* photo numérique **Digitalzeitalter** *nt* ère *f* numérique

Diktat [dɪk'taːt] <-[e]s, -e> *nt* **1.** dictée *f* **2.** (*Zwang, Willkür*) diktat *m*

Diktator [dɪk'taːtoːɐ̯] <-s, -toren> *m*, **Diktatorin** *f pej* dictateur(-trice) *m(f)*

diktatorisch [dɪkta'toːrɪʃ] *pej* **I.** *adj* dictatorial(e) **II.** *adv* dictatorial(e)

Diktatur [dɪkta'tuːɐ̯] <-, -en> *f pej* dictature *f*

diktieren* [dɪk'tiːrən] *vt* dicter; **jdm etw** ~ dicter qc à qn

Diktiergerät *nt* dictaphone *m*

Dilemma [di'lɛma] <-s, -s *o* -ta> *nt geh* dilemme *m*

Dilettant(in) [dilɛ'tant] <-en, -en> *m(f)* dilettante *mf*

Dill [dɪl] <-[e]s, -e> *m* aneth *m*

Dimension [dimɛn'zi̯oːn] <-, -en> *f* dimension *f*

DIN [diːn] <-> *f Abk von* **Deutsche Industrie-Norm** norme industrielle allemande; **im Format** ~ **A4** de format A4

Ding [dɪŋ] <-[e]s, -e *o fam* -er> *nt* **1.** *(Gegenstand, Sache)* machin *m;* **persönliche ~e** des affaires *fpl* personnelles **2.** *Pl (Angelegenheit, Frage)* **so, wie die ~e liegen** au point où en sont les choses; **wie ich die ~e sehe, wird das nicht einfach sein** il me semble que cela ne sera pas facile ▶ **die ~e beim Namen nennen** appeler les choses par leur nom; **das ist ein ~ der Unmöglichkeit** cela relève de l'impossible; **aller guten ~e sind drei** *prov* jamais deux sans trois; **ein krummes ~ drehen** *fam* faire un mauvais coup; **über den ~en stehen** être au-dessus de ça

dingfest *adj* **jdn ~ machen** arrêter qn

Dingsbums [dɪŋsbʊms] <-> *nt fam (Gegenstand)* truc *m*

Dinosaurier [dino'zaʊriɐ] *m* dinosaure *m*

Diode <-, -n> *f* diode *f*

Dioptrie [-'triːən] <-, -n> *f* dioptrie *f*

Diphtherie [dɪfte'riː] <-, -n> *f* MED diphtérie *f*

Diphthong [dɪf'tɔŋ] <-s, -e> *m* diphtongue *f*

Dipl. *Abk von* **Diplom** diplôme

Diplom [di'ploːm] <-s, -e> *nt* diplôme *m*

Diplomarbeit *f* mémoire *m*

Diplomat(in) [diplo'maːt] <-en, -en> *m(f)* diplomate *mf*

Diplomatie [diploma'tiː] <-> *f* diplomatie *f*

diplomatisch *adj* diplomatique

Diplomingenieur(in) *m(f)* ingénieur *mf* diplômé(e)

dir [diːɐ] **I.** *pron pers, dat von* **du: das wird ~ gut tun** ça te fera du bien; **gehört das Fahrrad ~?** c'est à toi, ce vélo?; **geht es ~ heute besser?** tu vas mieux aujourd'hui? **II.** *pron refl* **stell ~ vor, es klappt!** figure-toi, ça marche!; **was hast du ~ dabei gedacht?** qu'est-ce que tu avais en tête?

direkt [di'rɛkt] **I.** *adj* direct(e) **II.** *adv (ohne Umweg)* directement; *antworten, fragen* sans détour; **etw ~ übertragen** retransmettre qc en direct

Direktbank *f* banque *f* directe

Direktion [dirɛk'tsjoːn] <-, -en> *f* **1.** *(Geschäftsleitung, Büro)* direction *f* **2.** CH *(Ressort)* ministère *m* cantonal

Direktor [di'rɛktoːɐ] <-s, -toren> *m*, **Direktorin** *f* directeur(-trice) *m(f)*

Direktorium [dirɛk'toːrjʊm] <-s, -rien> *nt* directoire *m*

Direktrice [dirɛk'triːsə] <-, -n> *f* styliste *f*

Direktübertragung *f* retransmission *f* en direct **Direktverbindung** *f* liaison *f* directe **Direktzugriff** *m* INFORM accès *m* direct

Dirigent(in) [diri'gɛnt] <-en, -en> *m(f)* chef *mf* d'orchestre

dirigieren* [diri'giːrən] *vt* **1.** diriger *Orchester* **2.** *(leiten)* diriger *Firma, Wirtschaft;* régler *Verkehr*

Dirne ['dɪrnə] <-, -n> *f* prostituée *f*

Disco ['dɪsko] <-, -s> *f fam Abk von* **Diskothek** boîte *f*

Disharmonie *f* **1.** MUS discordance *f* **2.** *geh (Unstimmigkeit)* discorde *f*

Diskette [dɪs'kɛtə] <-, -n> *f* disquette *f;* **eine ~ in das Laufwerk legen** introduire une disquette dans le lecteur

Diskettenbox *f* boîte *f* à disquettes **Diskettenlaufwerk** [dɪs'kɛtənlaʊfvɛrk] *nt* lecteur *m* de disquettes

Disko <-, -s> *f fam* boîte *f;* **in die ~ gehen** aller en boîte

Diskont [dɪs'kɔnt] <-s, -e> *m* **1.** escompte *m* **2.** *s.* **Diskontsatz**

Diskontsatz *m* taux *m* d'escompte

Diskothek [dɪsko'teːk] <-, -en> *f* discothèque *f*

Diskrepanz [dɪskre'pants] <-, -en> *f* décalage *m*

diskret [dɪs'kreːt] *geh* **I.** *adj Person* discret(-ète); *Angelegenheit* confidentiel(le) **II.** *adv* avec discrétion

Diskretion [dɪskre'tsjoːn] <-> *f* discrétion *f*

diskriminieren* [dɪskrimi'niːrən] *vt geh* discriminer

diskriminierend *adj geh* discriminatoire

Diskriminierung <-, -en> *f geh* discrimination *f*

Diskus ['dɪskʊs] <-, Disken> *m* disque *m*

Diskussion [dɪskʊ'sjoːn] <-, -en> *f* débat *m;* **zur ~ stehen** être à l'ordre du jour; **das steht nicht zur ~** là n'est pas la question

diskutieren* [dɪsku'tiːrən] *vi* discuter; **mit jdm über etw** *(akk)* ~ discuter avec qn de qc

Display [dɪs'plɛɪ] <-s, -s> *nt* INFORM écran *m* de visualisation

disponieren* [dɪspo'niːrən] *vi geh* disposer

Disposition [dɪspozi'tsjoːn] <-, -en> *f geh* disposition; **jdm zur ~ stehen** être disponible à qn

Dispositionskredit *m* découvert *m* autorisé

Disput [dɪs'puːt] <-[e]s, -e> *m geh* discussion *f*

Disqualifikation [dɪskvalifika'tsjoːn] <-, -en> *f* disqualification *f*

disqualifizieren* [dɪskvalifi'tsiːrən] *vt* disqualifier

Dissertation [dɪsɛrta'tsjoːn] <-, -en> *f* thèse *f* [de troisième cycle]

Dissident(in) [dɪsi'dɛnt] <-en, -en> *m(f)* dissident(e) *m(f)*

Dissonanz [dɪso'nants] <-, -en> *f a.* MUS dissonance *f*

Distanz [dɪs'tants] <-, -en> *f a. fig* distance *f*

distanzieren* [dɪstan'tsiːrən] *vr* **sich von jdm** ~ prendre ses distances par rapport à qn

distanziert *geh* **I.** *adj* distant(e) **II.** *adv* **sich verhalten** de façon distante

Distel ['dɪstəl] <-, -n> *f* chardon *m*

Distrikt [dɪs'trɪkt] <-[e]s, -e> *m* district *m*

Disziplin [dɪstsi'pliːn] <-, -en> *f* discipline *f;* ~ **üben** faire preuve de discipline

disziplinarisch [dɪstsipli'naːrɪʃ] *adj* disciplinaire

Disziplinarverfahren *nt* procédure *f* disciplinaire

diszipliniert [dɪstsipli'niːɐt] *geh* **I.** *adj* discipliné(e) **II.** *adv* de façon disciplinée

disziplinlos I. *adj* indiscipliné(e) **II.** *adv* de façon indisciplinée

dito ['diːto] *adv* de même

Diva <-, -s *o* Diven> ['diːva, 'diːvən] *f* (*Sängerin*) diva *f;* (*Filmschauspielerin*) star *f*

divergieren* [divɛrgiːrən] *vi geh* diverger

divers [di'vɛrs] *adj attr geh* ~**e Fragen** diverses questions; **Diverses besprechen** discuter de diverses choses

Dividende [divi'dɛndə] <-, -n> *f* dividende *m*

dividieren* [divi'diːrən] *vt, vi* diviser; **eine Zahl durch drei** ~ diviser un nombre par trois

Division [divi'zi̯oːn] <-, -en> *f* MATH, MIL division *f*

DKP [deːkaː'peː] <-> *f Abk von* **Deutsche Kommunistische Partei** *parti communiste ouest-allemand*

DM *Abk von* **Deutsche Mark** DM

D-Netz ['deːnɛts] *nt* réseau *m* de radiotéléphone à couverture européenne

DNS [deːʔɛn'ʔɛs] <-> *f Abk von* **Desoxyribonukleinsäure** A.D.N. *m*

doch [dɔx] **I.** *konj* mais **II.** *adv* **1.** (*dennoch*) quand même; **kommen Sie** ~ **morgen wieder** revenez donc demain **2.** (*wirklich*) tout de même **3.** (*Widerspruch ausdrückend*) si **4.** (*hoffentlich*) **du hast dich** ~ **bei ihr bedankt?** j'espère bien que tu l'as remerciée?; **du hast mir** ~ **die Wahrheit gesagt, oder?** tu m'as bien dit la vérité, n'est-ce pas? **5.** (*zweifellos*) **du weißt** ~, **wie das ist** tu sais bien comment c'est; **Sie kennen sich hier** ~ **aus** vous connaissez certainement l'endroit

Docht [dɔxt] <-[e]s, -e> *m* mèche *f*

Dock [dɔk] <-s, -s *o* -e> *nt* dock *m*

Dogma ['dɔgma] <-s, Dogmen> *nt* dogme *m*

dogmatisch [dɔg'maːtɪʃ] *adj pej* dogmatique

Dohle <-, -n> *f* choucas *m*

Doktor ['dɔktoːɐ] <-s, -toren> *m*, **Doktorin** *f* **1.** (*Arzt*) docteur *m;* **guten Tag, Frau/Herr** ~! bonjour, docteur! **2.** (*akademischer Grad*) docteur *m;* ~ **der Philosophie** docteur ès lettres

Doktorand(in) [dɔkto'rant] <-en, -en> *m(f)* doctorant(e) *m(f)*

Doktorarbeit *f* thèse *f* [de troisième cycle]

Doktorin *s.* **Doktor**

Doktortitel *m* titre *m* de docteur; **den** ~ **haben** posséder le titre de docteur

Doktrin [dɔk'triːn] <-, -en> *f* **1.** (*Programm*) principe *m* **2.** *geh* (*Lehre*) doctrine *f*

Dokument [doku'mɛnt] <-[e]s, -e> *nt* **1.** (*Schriftstück*) document *m* **2.** (*Zeugnis*) témoignage *m*

Dokumentarfilm [dokumɛn'taːɐfɪlm] *m* [film *m*] documentaire *m*

dokumentarisch [dokumɛn'taːrɪʃ] **I.** *adj* documentaire **II.** *adv beweisen* par des documents; **etw** ~ **belegen** documenter qc

Dokumentation [dokumɛnta'tsi̯oːn] <-, -en> *f* **1.** (*Nachweissammlung*) dossier *m* **2.** (*Beschreibung*) documentation *f*

dokumentieren* [dokumɛn'tiːrən] *vt* (*aufzeigen*) **etw** ~ *Person:* manifester qc; *Schriftstück:* témoigner de qc

Dolch [dɔlç] <-[e]s, -e> *m* poignard *m*

doll *fam* **I.** *adj* **1.** (*schlimm*) méchant(e) antéposé **2.** (*großartig*) super **3.** (*unerhört*) dingue **II.** *adv* DIAL *sich freuen* drôlement; **so** ~, **dass …** tellement que …

Dollar ['dɔlar] <-[s], -s> *m* dollar *m*

dolmetschen ['dɔlmɛtʃən] **I.** *vi* servir d'interprète; **für jdn** ~ servir d'interprète à qn **II.** *vt* traduire *Gespräch*

Dolmetscher(in) <-s, -> *m(f)* interprète *mf*

Dolomiten *Pl* **die** ~ les Dolomites *fpl*

Dom [doːm] <-[e]s, -e> *m* cathédrale *f*

Domäne [do'mɛːnə] <-, -n> *f* domaine *m*

dominant [domi'nant] *adj* **1.** *Person* dominateur(-trice); **eine** ~**e Persönlichkeit** une forte personnalité **2.** BIO dominant(e); ~ **vererbt werden** être un caractère héréditaire dominant

Dominante <-, -n> *f* MUS dominante *f*

Dominanz [domi'nants] <-, -en> *f* **1.** autorité *f* **2.** BIO dominance *f*

dominieren* **I.** *vi* **1.** (*vorherrschen*) commander **2.** (*überwiegen*) prédominer **II.** *vt* dominer

Domino ['doːmino] <-s, -s> *nt* SPIEL domi-

nos *mpl*
Domizil <-s, -e> *nt geh* domicile *m*
Dompfaff ['dɔːmpfaf] <-en, -en> *m* bouvreuil *m*
Dompteur(in) [dɔmp'tøːɐ̯] <-s, -e> *m(f)* dompteur(-euse) *m(f)*
Dompteuse [dɔmp'tøːzə] <-, -n> *f* dompteuse *f*
Donau ['doːnaʊ̯] <-> *f* die ~ le Danube
Döner <-s, -s> *m* kebab *m*
Donner ['dɔnɐ] <-s, -> *m* tonnerre *m*
donnern I. *vi unpers* + *haben* es donnert il tonne II. *vi* + *sein fam* 1.(*prallen*) auf das Dach ~ s'abattre à grand fracas sur le toit; mit dem Auto gegen den Baum ~ s'écraser avec fracas contre un arbre en voiture 2.(*sich bewegen*) durch den Bahnhof ~ *Zug:* traverser la gare dans un bruit fracassant III. *vt* + *haben fam* etw gegen die Wand ~ claquer qc contre le mur
Donnerschlag *m* coup *m* de tonnerre
Donnerstag *m* jeudi *m; s. a.* Dienstag
Donnerstagabend *m* jeudi *m* soir **Donnerstagmorgen** *m* jeudi *m* matin
donnerstags *adv* le jeudi
Donnerwetter *nt fam* (*Schelte*) tempête *f;* ein ~ über sich (*akk*) ergehen lassen müssen devoir laisser passer l'orage ▶~! *fam* chapeau!; zum ~! *fam* mille tonnerres!
doof [doːf] <döfer, döfste> *adj fam* 1.(*unsinnig*) débile 2.(*geistig beschränkt*) ~ sein *Person:* être un crétin 3.(*ärgerlich*) eine ~e Sache une affaire à la con; zu ~ aber auch! c'est vraiment trop bête!
Doofmann <-männer> *m fam* connard *m*
Dope [doːp] <-s, -s> *nt fam* dope *f*
dopen ['doːpən] *vt* doper
Doping ['dɔpɪŋ] <-s, -s> *nt* dopage *m*
Dopingkontrolle ['doːpiŋkɔn'trɔlə] *f* contrôle *m* antidopage
Doppel ['dɔpəl] <-s, -> *nt a.* SPORT double *m*
Doppelbelastung *f* double charge *f* **Doppelbett** *nt* lit *m* à deux places **Doppeldecker** <-s, -> *m* 1.*fam* (*Bus*) autobus *m* à impériale 2.(*Flugzeug*) biplan *m*
doppeldeutig *adj* à double sens
Doppeldeutigkeit <-, -en> *f* ambiguïté *f*
Doppelgänger(in) <-s, -> *m(f)* sosie *m*
Doppelglasfenster *nt* fenêtre *f* à double vitrage **doppelgleisig** I. *adj Strecke* à double voie II. *adv* etw ~ ausbauen élargir qc à deux voies ▶~ fahren jouer sur [les] deux tableaux **Doppelkinn** *nt* double menton *m* **doppelklicken** <*PP* doppelgeklickt, *Infin* doppelzuklicken> *vi* cliquer deux fois **Doppelleben** *nt* double

vie *f* **Doppelmoral** ['dɔpəlmoraːl] *f* double morale *f* **Doppelname** *m* (*Nachname*) nom *m* double; (*Vorname*) prénom *m* double **Doppelpunkt** *m* deux-points *mpl;* hier steht ein ~ ici il y a deux-points **Doppelstecker** *m* prise *f* multiple **doppelstöckig** *adj Haus, Bett, Bus* à deux étages; ~ sein avoir deux étages **Doppelstunde** *f* heure *f* double
doppelt I. *adj* (*zweifach*) das ~e Gehalt le double salaire; die ~e Menge deux fois la quantité II. *adv* 1. ~ so groß wie … deux fois plus grand que … 2. (*zweifach*) prüfen, bezahlen deux fois 3. (*um so mehr*) vorsichtig, zählen doublement ▶~ und dreifach plutôt deux fois qu'une; ~ genäht hält besser! deux précautions valent mieux qu'une
Doppelte(s) *nt dekl wie adj* das ~ le double; auf das ~ ansteigen doubler
Doppelverdiener(in) *m(f)* 1. *Pl* (*Paar*) couple *m* avec deux salaires 2. (*Einzelperson*) ~ sein cumuler deux salaires **Doppelwährungsphase** *f* période *f* de double circulation **Doppelzentner** *m* quintal *m* **Doppelzimmer** *nt* chambre *f* double
Dorf [dɔrf, *Pl:* 'dœrfə] <-[e]s, ⸚er> *nt* village *m;* auf dem ~ dans le village; er ist vom ~ il est de la campagne; die Leute vom ~ les villageois *mpl*
Dorfbewohner(in) *m(f)* villageois(e) *m(f)*
Dorfschaft <-, -en> *f* CH petite commune *f*
Dorn [dɔrn] <-[e]s, -en> *m* 1. (*Stachel*) épine *f* 2.<*Dorne*> (*Metallstift*) *einer Gürtelschnalle* ardillon *m;* (*Werkzeug*) mandrin *m* ▶jdm ein ~ im Auge sein *Person:* hérisser qn; *Sache:* être une insulte permanente pour qn
dornig *adj* épineux(-euse)
Dornröschen [dɔrn'røːsçən] *nt* la Belle au bois dormant
dörren ['dœrən] I. *vt* + *haben* etw ~ *Person:* sécher qc; *Hitze, Sonne:* dessécher qc II. *vi* + *sein Obst, Fisch:* sécher
Dörrobst *nt* fruits *mpl* secs
Dorsch [dɔrʃ] <-[e]s, -e> *m* morue *f*
dort [dɔrt] *adv* là-bas; ~ oben là-haut; ~ unten là en bas; von ~ de là; jdn ~ behalten garder qn sur place; ich komme gerade de von ~ j'en reviens juste
dorther ['dɔrt'heːɐ̯] *adv* ich komme doch gerade ~! mais je viens juste d'en revenir! **dorthin** ['dɔrt'hɪn] *adv* ~ gehen aller là-bas; bis ~ jusque là-bas; wie komme ich ~? comment je peux y aller? **dorthinaus** ['dɔrthɪ'naʊ̯s] *adv* ~ bitte! la sortie est là-bas! ▶frech bis ~ sein *fam* être insolent à un point pas possible **dorthinein** ['dɔrthɪ'naɪ̯n] *adv* là-dedans

dortig adj attr Einrichtungen sur place; Ge-pflogenheiten de là-bas

Dose ['do:zə] <-, -n> f (Büchse) boîte f; (Getränkedose) canette f

Dosen Pl von **Dosis, Dose**

dösen ['dø:zən] vi fam somnoler

Dosenmilch f lait m en boîte **Dosenöffner** m ouvre-boîte m

dosieren* [do'zi:rən] vt doser; **etw spar-sam** ~ doser qc avec parcimonie

Dosierung <-, -en> f 1. (Dosis) dose f 2. kein Pl (das Dosieren) dosage m

Dosis ['do:zɪs] <-, Dosen> f dose f; **in kleinen Dosen** à petites doses

Dossier [dɔ'sie:] <-s, -s> nt dossier m

Dotcom-Unternehmen nt [entreprise f] dotcom f

dotieren* [do'ti:rən] vt rémunérer; **eine Stelle mit ... Euro** ~ rémunérer un em-ploi à hauteur de ... euros; **gut dotiert** lu-cratif

Dotter ['dɔtɐ] <-s, -> m o nt jaune m d'œuf

Double ['du:bl] <-s, -s> nt doublure f

down [daʊn] adj fam ~ **sein** être à plat

downloaden ['daʊnlɔʊdən] vt INFORM té-lécharger Text

Dozent(in) [do'tsɛnt] <-en, -en> m(f) (Universitätsdozent) maître m de confé-rences; (Volkshochschuldozent) forma-teur(-trice) m(f); ~ **für Linguistik sein** être chargé de cours de linguistique

Dozentur <-, -en> f charge f d'enseigne-ment

dpa [de:pe:'ʔa:] <-> f Abk von **Deutsche Presse-Agentur** agence f dpa

Dr. Abk von **Doktor** Dr; **guten Tag, Herr ~ Bauer!** bonjour Monsieur Bauer!

Drache ['draxə] <-n, -n> m HIST dragon m

Drachen ['draxən] <-s, -> m 1. (Spiel-zeug) cerf-volant m; **einen ~ steigen las-sen** lancer un cerf-volant 2. (Flugdrachen) deltaplane® m 3. pej fam (zänkische Frau) dragon m

Drachenfliegen nt deltaplane® m **Dra-chenflieger(in)** m(f) libériste mf

Dragee, Dragée [dra'ʒe:] <-s, -s> nt dra-gée f

Draht [dra:t, Pl: 'drɛ:tə] <-[e]s, ⸚e> m fil m métallique ► **zu jdm einen guten ~ ha-ben** être bien avec qn; **der heiße ~** le té-léphone rouge; **auf ~ sein** fam être dans le coup

Drahtbürste f brosse f métallique **Draht-gitter** nt grillage m métallique

drahtig ['dra:tɪç] adj 1. Person ner-veux(-euse) 2. (rau) Haar dur(e)

drahtlos adj sans fil; ~**e Telegrafie** radioté-légraphie f

Drahtseil nt câble m métallique **Drahtseil-bahn** f (Schwebebahn) téléphérique m; (Schienenbahn) funiculaire m **Drahtzie-her(in)** <-s, -> m(f) instigateur(-trice) m(f); **er soll der ~ sein** on dit qu'il tire les ficelles

drall [dral] adj Busen plantureux(-euse); Ba-cken rebondi(e); Arme, Beine bien en chair

Drama ['dra:ma] <-s, Dramen> nt dra-me m

Dramatik <-> f intensité f dramatique; (Dichtkunst) dramaturgie f

Dramatiker(in) [dra'ma:tɪkɐ] <-s, -> m(f) dramaturge mf

dramatisch I. adj dramatique **II.** adv de fa-çon dramatique

dramatisieren* [dramati'zi:rən] vt, vi dramatiser

Dramaturg(in) <-en, -en> m(f) conseil-ler(-ère) m(f) artistique

Dramaturgie [dramatʊr'gi:] <-, -en> f 1. (Lehre) dramaturgie f 2. (Gestaltung) adaptation f 3. (Abteilung) réalisation f

dran [dran] adv fam ► **früh/spät** ~ **sein** être en avance/en retard; **gut** ~ **sein** fam être bien loti; **schlecht** ~ **sein** fam être en mauvaise posture; **er ist** ~ c'est à lui

dranbleiben ['dranblaɪbən] vi irr + sein fam 1. Anrufer: ne pas quitter 2. SPORT **an jdm** ~ s'accrocher à qn

drang Imp von **dringen**

Drang [draŋ, Pl: 'drɛŋə] <-[e]s, ⸚e> m be-soin m; **sein/ihr** ~ **nach Anerkennung** son besoin d'approbation; **der** ~ **nach Os-ten** la poussée vers l'Est

drangehen vi irr + sein fam **an etw** (akk) ~ toucher à qc

Drängelei [drɛŋə'laɪ] <-, -en> f fam 1. (Gedränge) bousculade f 2. kein Pl (das Drängeln) harcèlement m

drängeln ['drɛŋəln] **I.** vi Wartende: pous-ser; **bitte nicht** ~**!** ne bousculez pas, s'il vous plaît! **II.** vt **jdn** ~ harceler qn; **das Drängeln** le harcèlement **III.** vr **sich an der Kasse** ~ jouer des coudes à la caisse

drängen ['drɛŋən] **I.** vi 1. zum Ausgang ~ pousser vers la sortie; **in den Bus** ~ se bousculer pour entrer dans le bus 2. (for-dern) **zum Aufbruch** ~ vouloir hâter le départ; **auf eine Antwort** ~ insister pour obtenir une réponse; **warum drängst du so zur Eile?** pourquoi nous presses-tu ain-si? 3. (eilig sein) **die Zeit drängt** le temps presse **II.** vt 1. (drücken) **jdn zur Seite** ~ pousser qn sur le côté 2. (auffordern) **jdn** ~ **etw zu tun** presser qn de faire qc; **sich nicht** ~ **lassen** ne pas se laisser stresser 3. (treiben) **jdn** ~ **etw zu tun** Umstände, Unruhe: pousser qn à faire qc; **meine Ter-**

mine ~ **mich zur Eile** mes rendez-vous m'obligent à me dépêcher **III.** *vr* **1.** **sich zum Eingang** ~ se bousculer vers l'entrée; **sich durch die Menge** ~ se frayer un chemin dans la foule **2.** (*sich häufen*) *Termine:* s'accumuler

Drängen <-s> *nt* insistance *f*

drangsalieren* *vt* harceler

dran|hängen *fam* **I.** *vt* **1.** (*befestigen*) accrocher; **etw daran** ~ y accrocher qc **2.** (*erübrigen*) **an eine Sendung noch eine halbe Stunde** ~ prolonger une émission d'une demi-heure **II.** *vr* **sich an jdn** ~ ne pas lâcher qn d'une semelle **dran|kommen** *vi irr* + *sein fam* **1.** (*erreichen*) **an etw** (*akk*) ~ arriver à attraper qc; **kommst du dran?** tu peux l'attraper/les attraper? **2.** (*an die Reihe kommen*) **du kommst dran** c'est ton tour **3.** (*aufgerufen werden*) se faire interroger **4.** (*durchgenommen werden*) être traité; **was kommt im Unterricht dran?** quel est le sujet du cours?

dran|kriegen *vt fam* (*hereinlegen*) entuber **dran|nehmen** *vt irr fam* interroger *Schüler;* prendre *Patienten* **dran|setzen** ['dranzɛtsən] **I.** *vt* **alles** ~ **um zu …** mettre tout en œuvre pour … **II.** *vr fam* **sich** ~ s'y mettre

drastisch ['drastɪʃ] **I.** *adj* **1.** (*einschneidend*) draconien(ne) **2.** (*überdeutlich*) radical(e) **II.** *adv* **1.** (*einschneidend*) de façon draconienne **2.** (*überdeutlich*) **um es** ~ **auszudrücken** pour le dire tout à fait clairement

drauf [drauf] *adv fam* dessus ► **gut** ~ **sein** *fam* avoir la pêche; ~ **und dran sein etw zu tun** être à deux doigts de faire qc (*fam*) **Draufgänger(in)** ['draufgɛŋɐ] <-s, -> *m(f)* fonceur(-euse) *m(f)* (*fam*)

drauf|gehen *vi irr* + *sein fam* **1.** (*sterben*) y rester; **bei einem Unfall** ~ y rester lors d'un accident **2.** (*ausgegeben werden*) **beim Pokern** ~ *Geld:* y passer dans une partie de poker **3.** (*beschädigt werden*) **bei etw** ~ *Anzug, Geschirr:* être bousillé au cours de qc **drauf|haben** *vt irr fam* **1.** (*kennen*) **seinen Text** ~ connaître son texte sur le bout du doigt; **viele Witze** ~ être un sacré déconneur; **etwas** ~ être calé; **nichts** ~ être un nullard/une nullarde **2.** (*fahren*) **ein hohes Tempo** ~ tracer; **gut hundert Sachen** ~ faire bien du cent **drauf|hauen** *vi irr fam* cogner dessus **drauf|kommen** *vi irr* + *sein fam* **jdm** ~ démasquer qn (*fig*) **drauf|legen** *vt fam* **hundert Euro** ~ y mettre cent euros de plus

drauflos [drauf'loːs] *adv* **immer munter** ~**!** allez, du nerf! (*fam*)

drauflos|fahren *vi fam* partir à l'aventure **drauflos|reden** *vi fam* se mettre à causer à tort et à travers **drauflos|schreiben** *vi fam* écrire comme ça vient

drauf|machen *vt* ► **einen** ~ faire la java (*fam*) **Draufsicht** *f* vue *f* plongeante **drauf|zahlen** *fam* **I.** *vt* **1.** **eine Rallonge de;** **hundert Euro** ~ (*zusätzlich bezahlen*) mettre une rallonge de cent euros; (*zu viel bezahlen*) se faire carotter de cent euros **II.** *vi* ~ **müssen** devoir y laisser des plumes

draus *adv s.* daraus

draußen ['drausən] *adv* **1.** dehors; **nach** ~ dehors; **von** ~ de dehors **2.** (*nicht im Hafen*) en mer; ~ **auf dem Meer** en pleine mer

drechseln ['drɛksəln] **I.** *vt* façonner au tour; **etw** ~ façonner qc au tour **II.** *vi* travailler au tour

Drechsler(in) ['drɛkslɐ] <-s, -> *m(f)* tourneur(-euse) *m(f)* sur bois

Dreck [drɛk] <-[e]s> *m* **1.** *fam* (*Schlamm*) gadoue *f;* (*Schmutz*) saloperie *f;* ~ **machen** faire des cochonneries; **vor** ~ **starren** être dégueulasse **2.** *pej fam* (*Schund*) merde *f* **3.** *pej fam* (*nichts*) **einen** ~ **davon verstehen** y piger que dalle; **einen** ~ **wert** sein valoir des clopinettes; **sich einen** ~ **um jdn kümmern** *fam* en avoir rien à branler de qn (*vulg*); ► ~ **am Stecken haben** *fam* traîner une casserole; **der letzte** ~ **sein** *fam* n'être qu'une merde (*vulg*); **jdn durch den** ~ **ziehen** *fam* traîner qn dans la boue

Dreckarbeit *f fam* **1.** (*Schmutzarbeit*) travail *m* salissant **2.** *pej* (*niedere Arbeit*) sale boulot *m*

dreckig **I.** *adj* **1.** (*schmutzig*) sale; **sich** ~ **machen** se salir **2.** *fam* (*gemein*) sale antéposé **II.** *adv fam* **1.** (*abstoßend*) ~ **lachen** avoir un sale rire **2.** (*miserabel*) **es geht ihr** ~ elle est mal foutue; (*finanziell*) elle est dans la mouise

Drecksarbeit *f fam* **1.** (*Schmutzarbeit*) travail *m* salissant **2.** *pej* (*niedere Arbeit*) sale boulot *m* **Drecksau** *f pej vulg* (*Frau*) salope *f;* (*Mann*) salaud *m* **Dreckspatz** *m fam* [petit] cochon *m*

Dreh [dreː] <-s, -s *o* -e> *m fam* truc *m;* **den** ~ **heraushaben** *fam* avoir trouvé le truc ► [so] **um den** ~ *fam* à quelque chose près

Drehbank <-bänke> *f* tour *m* **drehbar** *adj* pivotant(e) **Drehbewegung** *f* rotation *f* **Drehbuch** *nt* scénario *m* **Drehbuchautor(in)** *m(f)* scénariste *mf*

drehen ['dreːən] **I.** *vt* **1.** (*herumdrehen*) bouger *Hand;* tourner *Kopf, Schlüssel;* **nach**

links ~ tourner à gauche **2.**(*rollen*) rouler *Zigarette;* faire *Pillen* **3.** CINE tourner **4.**(*stellen*) **die Musik leiser** ~ baisser le son; **die Heizung höher** ~ monter le chauffage **5.** *fam* (*hinkriegen*) goupiller ▸**wie man es auch dreht und wendet** qu'on prenne le problème par n'importe quel bout (*fam*) **II.** *vi* **1.** **an einem Knopf** ~ tourner un bouton **2.**(*umdrehen*) *Fahrer:* faire demi-tour; *Wind:* tourner **3.**(*Filmaufnahmen machen*) tourner **III.** *vr* **1.**(*rotieren*) **sich** ~ tourner **2.**(*sich umdrehen*) **sich nach rechts/links** ~ se tourner à droite/gauche **3.**(*betreffen*) **sich um Politik** ~ traiter de politique; **es dreht sich darum, dass ...** ce qu'il y a, c'est que ...; **alles dreht sich um ihn** il est le centre du monde ▸**mir dreht sich alles** j'ai la tête qui tourne
Dreher(in) <-s, -> *m(f)* tourneur(-euse) *m(f)*
Drehkreuz *nt* tourniquet *m* **Drehorgel** *f* orgue *m* de Barbarie **Drehscheibe** *f a. fig* plaque *f* tournante **Drehstuhl** *m* chaise *f* pivotante **Drehtür** *f* porte *f* à tambour
Drehung <-, -en> *f* rotation *f;* (*Kreis*) tour *m;* **eine** ~ **zur Seite machen** pivoter sur le côté
Drehwurm ▸**einen** ~ **kriegen** *fam* attraper le tournis
drei [draɪ] *num* trois; *s. a.* **acht**[1]
Drei <-, -en> *f* **1.** trois *m* **2.**(*Schulnote*) note située entre onze et treize sur vingt; *s. a.* **Acht**[1]
Drei-D-Effekt [draɪˈdeːɛˈfɛkt] *m* effet *m* de relief **Drei-D-Film** *m* film *m* en 3D
dreidimensional [ˈdraɪdimɛnzˌjonaːl] **I.** *adj* tridimensionnel(le); *Raum* à trois dimensions **II.** *adv darstellen, wiedergeben* en trois dimensions **Dreieck** *nt* triangle *m* **dreieckig** *adj* triangulaire **Dreiecksverhältnis** *nt* ménage *m* à trois **dreieinhalb** *num* ~ **Meter** trois mètres et demi; *s. a.* **achteinhalb**
dreierlei *adj inv* ~ **Sorten Brot** trois sortes de pain; *s. a.* **achterlei**
dreifach I. *adj* triple; **die** ~**e Menge nehmen** en prendre trois fois plus **II.** *adv falten* trois fois; *s. a.* **achtfach Dreifaltigkeit** <-> *f* REL Trinité *f* **dreifarbig** *adj* tricolore **Dreigangschaltung** *f* dérailleur *m* à trois vitesses **dreihundert** [ˈdraɪˈhʊndɐt] *num* trois cents **Dreikäsehoch** [draɪˈkɛːzəhoːx] <-s, -s> *m hum fam* demi-portion *f* **Dreikönige** [draɪˈkøːnɪgə] *Pl* Épiphanie *f* **Dreikönigsfest** *nt* Épiphanie *f* **Dreiländereck** [draɪˈlɛndɐʔɛk] *nt* triangle *m* de trois pays **dreimal** [ˈdraɪmaːl] *adv* trois fois ▸~ **darfst du raten!** *fam* je te le donne en mille!; *s. a.* **achtmal**

drein|blicken *vi* **traurig** ~ avoir l'air triste
drein|reden *vi fam* **1.**(*belehren*) **lass dir nicht** ~**!** n'écoute pas les autres! **2.**(*unterbrechen*) **jdm** ~ couper la parole à qn
Dreirad *nt* **1.**(*Spielzeug*) tricycle *m* **2.**(*Lieferfahrzeug*) triporteur *m* **Dreisatz** *m kein Pl* règle *f* de trois
dreißig [ˈdraɪsɪç] *num* trente; *s. a.* **achtzig Dreißig** <-, -en> *f* trente *m*
dreißiger *adj inv* **die** ~ **Jahre** les années trente; *s. a.* **achtziger**
dreißigjährig *adj attr* de trente ans; *s. a.* **achtzigjährig**
dreißigste(r, s) *adj* trentième; *s. a.* **achtzigste(r, s)**
dreist [draɪst] *adj* impudent(e); **immer** ~**er werden** avoir de plus en plus d'aplomb
dreistellig *adj Betrag* à trois chiffres; *Zahl* de trois chiffres
Dreistigkeit <-, -en> *f einer Person, eines Verhaltens* impudence *f; eines Einbruchs* audace *f*
dreitausend [ˈdraɪˈtaʊzənt] *num* trois mille
dreiteilig *adj* en trois parties; **ein** ~**er Anzug** un costume trois-pièces
dreiviertel [ˈdraɪˈfɪrtl] *s.* **viertel Dreiviertelstunde** [ˈdraɪvɪrtəlˈʃtʊndə] *f* trois quarts *mpl* d'heure **Dreivierteltakt** [-ˈfɪrtl] *m* mesure *f* à trois temps **Dreizack** [ˈdraɪtsak] <-s, -e> *m* trident *m* **dreizehn** *num* treize; *s. a.* **acht**[1] ▸**jetzt schlägt's** ~ *fam* alors là, c'est le bouquet! **dreizehnte(r, s)** *adj* treizième; *s. a.* **achte(r, s)**
dreschen [ˈdrɛʃən] <drischt, drosch, gedroschen> *vt* **1.** battre *Getreide* **2.** *fam* (*prügeln*) **jdn windelweich** ~ flanquer une bonne dérouillée à qn
Dreschmaschine *f* batteuse *f*
Dresden [ˈdreːsdən] <-s> *nt* Dresde
dressieren* [drɛˈsiːrən] *vt* **1.**(*abrichten*) dresser; **ein Tier darauf** ~ **etw zu tun** apprendre à un animal à faire qc; **ein dressierter Hund** un chien savant **2.** *pej* (*erziehen*) dresser *Person*
Dressing <-s, -s> *nt* sauce *f* de salade
Dressur [drɛˈsuːɐ] <-, -en> *f* dressage *m*
dribbeln [ˈdrɪbəln] *vi* dribbler
driften *vi* + *sein* **1.**(*auf dem Wasser treiben*) dériver **2.**(*hintreiben*) **zur Mitte** ~ *Partei:* dériver vers le centre; **in die Isolation** ~ *Staat:* s'isoler de plus en plus
Drill [drɪl] <-[e]s> *m* **1.** MIL mise *f* au pas **2.** SCHULE *pej* rabâchage *m* (*fam*)
drillen *vt* **1.** MIL **jdn** ~ mettre qn au pas **2.**(*erziehen*) **jdn** ~ faire travailler qn à la baguette; **auf absoluten Gehorsam ge-**

drillt sein *Kind:* être dressé à obéir au doigt et à l'œil
Drilling ['drɪlɪŋ] <-s, -e> *m* 1. triplé *m;* ~**e bekommen** avoir des triplés *mpl* 2. *(Jagdgewehr)* drilling *m*
drin [drɪn] *adv fam* 1. dedans; **in der Vase ist noch Wasser** ~ il y a encore de l'eau dans le vase 2. *(möglich)* ~ **sein** pouvoir se faire; **das ist nicht** ~ c'est pas possible
dringen ['drɪŋən] <drang, gedrungen> *vi* 1.+ *sein (stoßen)* **durch etw** ~ *Person, Tier:* pénétrer dans qc; *Speer, Regen:* traverser qc; *Licht:* percer qc; **in etw** *(akk)* ~ *Geschoss:* traverser qc 2.+ *sein (vordringen)* **an die Öffentlichkeit** ~ *Nachricht:* être connu du grand public 3.+ *sein geh (einwirken)* **mit Bitten in jdn** ~ presser qn de prières; **in jdn** ~ **etw zu tun** presser qn de faire qc 4.+ *haben (fordern)* **auf etw** *(akk)* ~ exiger qc; **darauf** ~, **dass etw getan wird** insister que qc soit fait
dringend I. *adj Anruf* urgent(e); *Operation* d'urgence; *Warnung* pressant(e) **II.** *adv benötigen* de toute urgence; *operieren* d'urgence; *warnen, bitten* avec insistance; *erforderlich* absolument
dringlich *s.* **dringend**
Dringlichkeit <-> *f* urgence *f*
Drink [drɪŋk] <-s, -s> *m* boisson *f;* (*mit Alkohol*) drink *m*
drinnen ['drɪnən] *adv* à l'intérieur
drin|stecken ['drɪnʃtɛkən] *vi fam* 1. **in etw** *(dat)* ~ *Schlüssel:* être dans qc 2. *(verwickelt sein)* **in etw** *(dat)* **mit** ~ être dans le coup; **in was steckst du da wieder drin?** dans quoi tu t'es encore embarqué? 3. *(investiert sein)* **in diesem Haus steckt viel Arbeit drin** on a mis beaucoup de travail dans cette maison **drin|stehen** *vi irr fam* 1. être dedans 2. *(verzeichnet sein)* **in einem Buch** ~ se trouver dans un livre
drischt 3. *Pers Präs von* **dreschen**
dritt [drɪt] *adv* **zu** ~ **sein** être à trois; *s. a.* **acht²**
dritte(r, s) *adj* 1. troisième 2. *(bei Datumsangaben)* **der** ~ **Mai** le trois mai; *s. a.* **achte(r, s)**
drittel *adj* troisième; *s. a.* **achtel**
drittens *adv* troisièmement
Dritte-Welt-Laden ['drɪtə'vɛltla:dən] *m* magasin *m* de produits du tiers-monde
DRK [de:?ɛr'ka:] <-> *nt Abk von* **Deutsches Rotes Kreuz** Croix-Rouge *f* allemande
droben ['dro:bən] *adv geh* là-haut
Droge ['dro:gə] <-, -n> *f* drogue *f;* ~**n nehmen** prendre de la drogue; **harte/weiche** ~**n** des drogues dures/douces;

unter ~**n stehen** être drogué
drogenabhängig *adj* toxicomane **Drogenabhängige(r)** *f(m) dekl wie adj* toxicomane *mf* **Drogenberatungsstelle** *f* association *f* d'aide pour les drogués **Drogenhandel** *m* trafic *m* de drogue **drogensüchtig** *s.* **drogenabhängig Drogenszene** *f* milieu *m* de la drogue **Drogentote(r)** *f(m) dekl wie adj* mort(e) *m(f)* par overdose
Drogerie [drogə'ri:] <-, -n> *f* droguerie-herboristerie *f*
Drogist(in) <-en, -en> *m(f)* droguiste-herboriste *mf*
Drohbrief *m* lettre *f* de menace
drohen ['dro:ən] *vi* 1. menacer; **jdm mit etw** ~ menacer qn de qc; **jdm** ~ **etw zu tun** menacer qn de faire qc 2. *(bevorstehen) Gefahr:* menacer; **ihnen droht die Verurteilung** leur condamnation semble inévitable 3. *(im Begriff sein)* **einzustürzen** ~ menacer de s'écrouler
drohend *adj Blick, Wolken* menaçant(e); *Gefahr* imminent(e)
Drohne <-, -n> *f* ZOOL faux bourdon *m*
dröhnen ['drø:nən] **I.** *vi* 1. *(dumpf klingen) Stimme, Musik:* résonner; *Donner:* gronder 2. *(dumpf widerhallen) Wand:* résonner; **ihm dröhnt der Schädel** il a la tête qui bourdonne **II.** *vr* **sich voll** ~ *fam (sich betrinken)* se bourrer; *(Drogen nehmen)* se défoncer
dröhnend *adj Stimme* de stentor; *Gelächter* sonore; *Applaus* vibrant(e); **ein** ~**er Lärm** un grondement
Drohung ['dro:ʊŋ] <-, -en> *f* menace *f;* **eine leere** ~ une menace en l'air
drollig ['drɔlɪç] *adj* 1. *(belustigend)* **Art, Anekdote** drôle 2. *(niedlich)* mignon(ne)
Dromedar ['dro:meda:ɐ̯] <-s, -e> *nt* dromadaire *m*
Drops [drɔps] <-, – *o* -e> *m o nt* bonbon *m*
drosch *Imp von* **dreschen**
Drossel ['drɔsəl] <-, -n> *f* grive *f*
drosseln ['drɔsəln] *vt* réduire *Heizung;* **das Tempo auf 30 km/h** ~ réduire la vitesse à 30 km/h
drüben ['dry:bən] *adv* en face
drüber ['dry:bɐ] *adv s.* **darüber**
Druck¹ [drʊk, *Pl:* 'drʏkə] <-[e]s, ⸚e> *m* 1. PHYS pression *f* 2. *(drückendes Gefühl)* (*in der Brust*) oppression *f;* (*im Magen, Kopf*) lourdeur *f;* ~ **auf der Blase haben** avoir une envie pressante 3. *kein Pl (das Drücken)* **mit einem** ~ **auf diese Taste** par simple pression sur cette touche 4. *kein Pl (Zwang, Zeitnot)* contrainte *f;* **unter** ~ **stehen** être sous pression; (*in Zeitnot sein*) être pressé par le temps; **jdn unter** ~

setzen presser qn; **hinter etw** (*akk*) ~ **machen** *fam* faire accélérer qc **5.** *fam* (*Drogeninjektion*) shoot *m*
Druck² <-[e]s, -e> *m* **1.** *kein Pl* (*das Drucken*) impression *f;* **etw in** ~ **geben** faire imprimer qc **2.** (*gedrucktes Werk*) imprimé *m*
Druckbehälter *m* récipient *m* sous pression
Druckbleistift *m* portemine *m* **Druckbogen** *m* feuille *f* d'impression **Druckbuchstabe** *m* caractère *m* d'imprimerie
Drückeberger(in) ['drʏkəbɛrgə] <-s, -> *m(f)* *pej fam* **1.** (*Faulenzer*) tire-au-cul *m* **2.** (*Feigling*) dégonflé(e) *m(f)*
drucken ['drʊkən] *vt, vi* imprimer
drücken ['drʏkən] **I.** *vt* **1.** appuyer sur *Klinke, Knopf* **2.** (*pressen*) **jdn an sich** (*akk*) ~ étreindre qn; **jdm einen Kuss auf die Stirn** ~ déposer un baiser sur le front de qn **3.** (*schieben*) **etw nach vorne** ~ pousser qc en avant; **den Hut in die Stirn** ~ enfoncer le chapeau jusqu'aux oreilles **4.** (*behindern, schmerzen*) **jdn** ~ *Schuhe, Gürtel:* serrer qn; *Rucksack, Last:* peser sur qn **5.** (*herabsetzen*) faire baisser *Leistung, Niveau* **6.** (*bedrücken*) **jdn** ~ *Sorgen, Schulden:* oppresser qn **7.** *fam* (*Rauschgift spritzen*) **sich** (*dat*) **Heroin** ~ se shooter à l'heroïne **II.** *vi* **1.** (*ein Druckgefühl verursachen*) *Brille, Schuhe:* serrer; **im Magen** ~ *Essen:* peser sur l'estomac **2.** (*pressen*) **auf einen Knopf** ~ appuyer sur un bouton; **bitte** ~! poussez S.V.P.! **3.** (*bedrückend sein*) *Verantwortung:* être oppressant **4.** *fam* (*Rauschgift spritzen*) se shooter **III.** *vr* **1.** **sich an die Wand** ~ se plaquer contre le mur; **sich in eine Ecke** ~ se blottir dans un coin **2.** *fam* (*sich entziehen*) **sich** ~ se défiler; **sich vor einem Problem** ~ essayer de couper à un problème
drückend *adj* **1.** (*lastend*) *Last* lourd(e); *Armut, Verantwortung* accablant(e) **2.** (*schwül*) lourd(e)
Drucker <-s, -> *m* TECH imprimante *f*
Drucker(in) <-s, -> *m(f)* imprimeur(-euse) *m(f)*
Drücker <-s, -> *m* **1.** ELEC (*Knopf*) bouton *m;* (*Türöffner*) loquet *m* **2.** (*Gewehrabzug*) détente *f* ▶ **auf den letzten** ~ *fam* à la dernière minute; **am** ~ **sein** *fam* être aux commandes
Druckerei [drʊkəˈraɪ] <-, -en> *f* imprimerie *f*
Druckerlaubnis *f* imprimatur *m*
Druckerschwärze *f* encre *f* d'imprimerie
Druckertreiber *m* INFORM driver *m*
Druckfehler *m* faute *f* d'impression
Druckknopf *m* bouton-pression *m* **Druckluft** *f kein Pl* air *m* comprimé **Druckmes-**

ser <-s, -> *m* manomètre *m* **Druckmittel** *nt* moyen *m* de pression
druckreif *adj* prêt(e) à imprimer **Drucksache** *f* imprimé *m* **Druckschrift** *f* **1.** (*Schriftart*) [écriture *f* en] lettres *fpl* d'imprimerie **2.** MEDIA imprimé *m*
Druckstelle *f* meurtrissure *f* **Drucktaste** *f* touche *f*
Druckvorlage *f* original *m*
Druckwelle ['drʊkvɛlə] *f* onde *f* de choc
drum [drʊm] *adv fam* **1.** (*um den, die, das*) ~ **herum** tout autour **2.** (*deswegen*) ~ **sagt er nichts** c'est pour ça qu'il ne dit rien ▶ **mit allem Drum und Dran** avec tout le tralala; **sei's** ~! soit!
Drumherum <-s> *nt fam* **das ganze** ~ le tralala
drunten ['drʊntən] *adv* DIAL en bas
drunter ['drʊntɐ] *adv* ▶ **das Drunter und Drüber** le remue-ménage; **alles geht** ~ **und drüber** c'est la pagaille (*fam*)
Drüse ['dry:zə] <-, -n> *f* glande *f*
Dschungel ['dʒʊŋəl] <-s, -> *m* jungle *f*
dt. *adj, adv Abk von* **deutsch** alld.
DTP [de:te:ˈpe:] <-> *nt Abk von* **Desktop publishing** P.A.O. *f*
Dtzd. *Abk von* **Dutzend**
du [du:] *pron pers, 2. Pers, Sing* **1.** tu; **hast** ~ **Zeit?** as-tu le temps?; **wenn ich** ~ **wäre** si j'étais toi **2.** (*als Anrede*) toi; **zu jdm** ~ **sagen** dire tu à qn; ~ **Arme!** ma pauvre!; ~ **Mutti, kannst** ~ **mir mal helfen?** dis, maman, est-ce que tu peux m'aider? ▶ **mit jdm per** ~ **sein** tutoyer qn
Du <-[s]> *nt* **sie hat ihm das** ~ **angeboten** elle lui a proposé de la tutoyer ▶ **mit jdm auf** ~ **und** ~ **stehen** être à tu et toi avec qn (*fam*)
dual [du'a:l] *adj* dual(e)
Dualsystem [du'a:lzʏste:m] *nt* système *m* binaire
Dübel ['dy:bəl] <-s, -> *m* cheville *f*
ducken ['dʊkən] *vr* **1.** (*sich bücken*) se baisser; **sich vor etw** (*dat*) ~ se baisser pour éviter qc; **sich in eine Ecke** ~ se tapir dans un coin **2.** *pej* (*unterwürfig sein*) **sich** ~ plier l'échine
Duckmäuser(in) ['dʊkmɔyzɐ] <-s, -> *m(f) pej* dégonflé(e) *m(f)* (*fam*)
dudeln I. *vi pej fam Radio:* seriner la même rengaine **II.** *vt pej fam* seriner
Dudelsack ['du:dəlzak] *m* cornemuse *f*
Duell [du'ɛl] <-s, -e> *nt* duel *m;* **jdn zum** ~ **herausfordern** provoquer qn en duel
duellieren* [duɛˈliːrən] *vr* **sich** ~ se battre; **sich mit jdm** ~ se battre en duel avec qn
Duett [du'ɛt] <-[e]s, -e> *nt* duo *m*
Duft [dʊft, *Pl:* 'dʏftə] <-[e]s, ⸚e> *m* von

Blumen, Gewürzen parfum *m; eines Essens, Kaffees, Parfüms* arôme *m; eines Bratens* fumet *m*

dufte ['dʊftə] *adj* DIAL *fam* d'enfer

duften I. *vi* sentir bon; **nach Harz** ~ sentir la résine **II.** *vi unpers* **es duftet** ça sent bon; **es duftet nach Veilchen** ça sent la violette

duftend *adj attr* odorant(e)

Duftstoff *m* CHEM substance *f* aromatique; BIO substance *f* odorante

dulden ['dʊldən] *vt* tolérer; supporter [le poids de] *Leid*

duldsam [dʊltzaːm] **I.** *adj* tolérant(e); **einer S. gegenüber** ~ **sein** être tolérant face à qc **II.** *adv* d'une façon tolérante

dumm [dʊm] <ːer, ːste> **I.** *adj* **1.** bête **2.** (*albern, unsinnig*) stupide; ~**es Zeug reden** dire des bêtises **3.** *fam* (*ärgerlich*) *Sache, Geschichte* sale *antéposé;* **ich habe das** ~**e Gefühl, dass ...** j'ai le sentiment désagréable que ... **II.** *adv* ~ **fragen** poser des questions idiotes; ~ **dastehen** se retrouver comme un idiot; **sich** ~ **anstellen** faire l'idiot ▸**sich** (*akk*) ~ **und dämlich zahlen** *fam* dépenser un pognon fou; **jdm** ~ **kommen** *fam* marcher sur les pieds de qn; **jdn für** ~ **verkaufen** *fam* prendre qn pour une andouille

Dumme(r) *f(m)* *dekl wie adj fam* gros bêta *m/* grosse bêtasse *f;* **der** ~ **sein** être le dindon; **einen** ~**n finden** trouver une bonne poire

dummerweise ['dʊmɐvajzə] *adv* **1.** (*leider*) ~ **habe ich kein Geld dabei** c'est bête, je n'ai pas d'argent sur moi **2.** (*unklugerweise*) bêtement

Dummheit <-, -en> *f* bêtise *f*

Dummkopf *m pej fam* andouille *f;* **sei kein** ~**!** ne fais pas le con!

Dummy ['dami] <-, -s> *m* mannequin *m*

dumpf [dʊmpf] **I.** *adj* **1.** (*hohl klingend*) sourd(e); *Ton* grave **2.** (*feucht, muffig*) *Luft* moite; *Geruch* de renfermé **3.** (*unbestimmt*) *Ahnung* vague; *Schmerz* diffus(e) **4.** (*stumpfsinnig*) *Geist, Sinn* obtus(e) **II.** *adv* **1.** (*hohl*) *klingen* sourdement; *aufprallen* avec un son sourd **2.** (*stumpfsinnig*) *starren* d'un air stupide

Düne ['dyːnə] <-, -n> *f* dune *f*

Dung [dʊŋ] <-[e]s> *m* fumier *m*

Düngemittel *nt* engrais *m*

düngen ['dʏŋən] **I.** *vt* mettre de l'engrais dans *Acker, Garten;* mettre de l'engrais à *Beet, Pflanzen;* **die Pflanzen mit Kompost** ~ composter les plantes **II.** *vi* **1.** mettre de l'engrais **2.** (*düngende Wirkung haben*) **schlecht** ~ être un mauvais engrais

Dünger <-s, -> *m* engrais *m*

dunkel ['dʊŋkəl] *adj* **1.** *Zimmer, Nacht* sombre; **es wird** ~ il fait de plus en plus sombre; **im Dunkeln** dans l'obscurité **2.** (*von düsterer Farbe*) *Kleidung, Haut, Wolke* sombre; *Haare* foncé(e); *Brot* bis(e) **3.** (*tief*) *Stimme, Klang* grave **4.** (*unklar*) *Andeutung, Erinnerung* confus(e); *Ursprung* obscur(e); *Verdacht* vague *antéposé* **5.** *pej* (*zwielichtig*) *Punkt, Vergangenheit* obscur(e); *Geschäfte* louche ▸**jdn im Dunkeln lassen** laisser qn dans le vague; **im Dunkeln tappen** être dans le brouillard

Dunkel <-s> *nt geh* **1.** (*Dunkelheit*) obscurité *f* **2.** (*Undurchschaubarkeit*) mystère *m*

dunkelblau *adj* bleu foncé *inv* **dunkelblond** *adj* blond foncé *inv* **dunkelhaarig** ['dʊŋkəlhaːrɪç] *adj* brun(e) **dunkelhäutig** ['dʊŋkəlhɔytɪç] *adj* à la peau brune; ~ **sein** être brun de peau

Dunkelheit <-> *f* obscurité *f;* **bei einbrechender** ~ à la nuit tombante

Dunkelkammer *f* chambre *f* noire

Dunkelrot *adj* *Kleidung, Stoff* rouge foncé *inv*

Dunkelziffer *f* chiffres *mpl* non connus

dünn [dʏn] **I.** *adj* **1.** (*schlank*) mince; (*mager*) maigre; ~**er werden** maigrir; **sich** ~ **machen** *fam* rentrer son ventre **2.** (*nicht konzentriert*) *Brei* liquide; *Kaffee, Tee* léger(-ère); *Suppe* clair(e) **3.** (*fein, leicht*) *Stoff* fin(e) **4.** (*spärlich*) *Haarwuchs, Besiedlung* clairsemé(e) **II.** *adv* ~ **besiedelt sein** être peu peuplé ▸~ **gesät sein** ne pas courir les rues

dünnbesiedelt *s.* **dünn II. dünnbevölkert** *s.* **dünn II. Dünndarm** *m* ANAT intestin *m* grêle **dünnflüssig** *adj* liquide **dünnlmachen** *vr fam* **sich** ~ se casser

Dunst [dʊnst, *Pl:* 'dʏnstə] <-[e]s, ːe> *m* **1.** (*Nebel*) brume *f* **2.** (*Dampf*) vapeur *f* **3.** (*Geruch*) odeur *f;* (*Ausdünstung*) émanation *f* ▸**keinen blassen** ~ **von etw haben** *fam* y connaître que dalle à qc

Dunstabzugshaube *f* hotte *f* [aspirante]

dünsten ['dʏnstən] *vt* faire cuire à la vapeur; **etw** ~ faire cuire qc à la vapeur

Dunstglocke *f* nappe *f* de pollution

dunstig ['dʊnstɪç] *adj* **1.** (*neblig*) brumeux(-euse) **2.** (*verraucht*) *Kneipe, Wartesaal* enfumé(e)

Duo ['duːo] <-s, -s> *nt* **1.** MUS duo *m* **2.** (*Paar*) tandem *m;* **ihr zwei seid mir ein feines** ~**!** vous deux, vous me faites une sacrée paire!

Duplikat [dupli'kaːt] <-[e]s, -e> *nt* double *m;* ADMIN duplicata *m*

Dur [duːɐ] <-> *nt* mode *m* majeur

durch [dʊrç] **I.** *präp* + *akk* **1.** (*hindurch*) ~ **das Fenster** par la fenêtre; ~ **die Stadt**

bummeln faire un tour en ville; ~ **den Fluss waten** passer une rivière à gué; **quer ~ das Tal gehen** traverser la vallée; ~ **sein** (*passiert haben*) *Zug:* être passé **2.** (*mit Hilfe*) **etw ~ einen Boten bekannt geben** faire savoir qc par un messager **3.** (*aufgrund, infolge*) ~ **Zufall** par hasard; ~ **Fragen** à force de demander; ~ **den Unfall das Bewusstsein verlieren** perdre conscience à la suite de l'accident **4.** (*dank*) ~ **jdn** grâce à qn **5.** (*während*) **das ganze Jahr ~ arbeiten** travailler pendant toute l'année; ~ **den Winter kommen** tenir tout l'hiver **6.** MATH **vier geteilt ~ zwei** quatre divisé par deux **II.** *adv* **1.** *fam* (*vorbei*) **es ist Mittag ~** il est midi passé **2.** *fam* (*fertig*) **mit etw ~ sein** *Buch, Hausaufgaben* avoir fini [de lire] qc **3.** *fam* (*kaputt*) ~ **sein** *Seil, Sohlen:* être nase **4.** *fam* (*genehmigt*) ~ **sein** *Gesetz:* être passé; *Antrag:* être accordé **5.** *fam* (*gar*) ~ **sein** être bien cuit **6.** *fam* (*reif*) ~ **sein** *Käse:* être bien fait ▶ ~ **und ~ ehrlich sein** être on ne peut plus intègre; ~ **und ~ nass sein** être mouillé jusqu'aux os

durch|arbeiten I. *vt* **1. ein Buch ~** étudier un livre à fond **2.** (*durchkneten*) travailler *Teig* **II.** *vi* travailler sans interruption **III.** *vr* **1. sich durch die Post ~** venir à bout du courrier **2.** (*sich durchkämpfen*) **sich durch ein Dickicht ~** se frayer un passage à travers le fourré **durch|atmen** *vi* respirer profondément

durchaus [dʊrçˈʔaʊs] *adv* **1.** (*unbedingt*) absolument **2.** (*völlig, sehr*) tout à fait; **eine ~ unerfreuliche Nachricht** une très très mauvaise nouvelle **3.** (*überhaupt*) ~ **nicht schlecht sein** être loin d'être mauvais

durch|beißen [ˈdʊrçbaɪsən] *irr* **I.** *vt* couper avec ses dents; **etw ~** couper qc avec ses dents **II.** *vr fam* **sich ~** s'en sortir à force de persévérance **durch|blättern** *vt,* **durchblättern*** *vt* feuilleter

Durchblick *m* **1.** (*Ausblick*) **der ~ auf das Tal** la vue sur la vallée **2.** *fam* (*Überblick*) **den ~ bei etw haben** assurer dans qc; **keinen ~ haben** n'y piger rien **durch|blicken** *vi* **1.** (*hindurchsehen*) **durch etw ~** regarder à travers qc **2.** *fam* (*den Überblick haben*) **ich blicke da nicht mehr durch** j'y pige plus rien **3.** (*erkennbar werden*) **etw ~ lassen** laisser paraître qc; ~ **lassen, dass …** laisser entendre que …

durch|bluten* [ˈdʊrçbluːtən] *vt* irriguer; **gut durchblutet sein** être bien irrigué; **schlecht durchblutete Hände haben** avoir des problèmes de circulation dans les

mains

Durchblutung [dʊrçˈbluːtʊŋ] *f* circulation *f* sanguine

durchbohren* [ˈdʊrçboːrən] *vt* **1.** transpercer **2.** *fig* **jdn mit Blicken ~** fusiller qn du regard

durch|boxen *vr fam* **sich ~** se battre **durch|braten** *irr vt* + *haben* faire [bien] rôtir **durch|brechen¹** [ˈdʊrçbrɛçən] *irr* **I.** *vt* + *haben* **etw ~** casser qc en deux **II.** *vi* + *sein* **1.** *Brett:* se casser **2.** (*hervorkommen*) *Sonne, Zahn:* percer; *Knospen:* sortir **3.** (*sich zeigen*) *Eifersucht:* transparaître **durchbrechen*²** *vt irr* **1.** (*gewaltsam passieren*) enfoncer *Mauer* **2.** (*überwinden*) franchir *Schallmauer;* forcer *Blockade*

durch|brennen *vi irr* **1.** + *sein Glühbirne:* griller; *Sicherung:* sauter **2.** + *haben* (*ununterbrochen brennen*) *Ofen:* continuer de brûler; *Lampe:* brûler **3.** + *sein fam* (*davonlaufen*) **jdm ~** *Kind:* fuguer [de chez qn]; **mit jdm ~** *Ehepartner:* se barrer avec qn **durch|bringen** *irr vt* **1.** (*durchsetzen*) réussir à faire passer *Gesetz, Kandidaten* **2.** (*mit Unterhalt versorgen*) **jdn ~** subvenir aux besoins de qn **3.** (*ausgeben*) dilapider *Vermögen*

Durchbruch *m* **1.** (*Erfolg*) percée *f;* **sein ~ zur Spitze** son pas décisif vers la tête; **einer S.** (*dat*) **zum ~ verhelfen** permettre à qc de percer **2.** MIL percée *f* **3.** *kein Pl* (*das Hindurchkommen*) *eines Zahnes* percée *f;* **zum ~ kommen** *Eifersucht:* se faire jour **4.** MED *des Blinddarms* perforation *f* **5.** (*Öffnung*) brèche *f*

durch|checken [ˈdʊrçtʃɛkən] *vt fam* **1. jdn ~** *Arzt:* examiner qn **2.** (*überprüfen*) **die Passagierliste ~** passer la liste des passagers en revue

durchdacht *adj* **wohl ~** mûrement réfléchi(e)

durchdenken* [ˈdʊrçdɛŋkən] *vt irr* **etw ~** réfléchir mûrement à qc

durch|diskutieren* *vt* discuter à fond; **etw mit jdm ~** discuter à fond de qc avec qn **durch|drehen I.** *vi* **1.** + *haben Räder:* tourner dans le vide **2.** + *haben o sein fam* (*die Nerven verlieren*) disjoncter; **durchgedreht sein** *fam* avoir pété les plombs **II.** *vt* + *haben* GASTR mouliner *Gemüse, Kartoffeln;* hacher *Fleisch* **durch|dringen¹** [ˈdʊrçdrɪŋən] *vi irr* + *sein* **1.** (*eindringen*) passer à travers; **durch etw ~** *Regen, Kälte:* passer à travers qc **2.** (*hindringen*) *Stimme, Geräusch:* passer à travers; **bis zu jdm ~** parvenir jusqu'à qn **durchdringen*²** [dʊrçˈdrɪŋən] *vt irr* **1.** (*durch etw dringen*) passer à travers *Material;* percer *Dunkelheit* **2.** *geh* (*erfüllen*)

jdn ~ *Gefühl:* s'emparer de qn (*fam*)
durchdringend ['dʊrçdrɪŋənt] *adj Kälte*
mordant(e); *Schmerz* aigu(ë); *Schrei, Blick*
perçant(e); *Geruch* pénétrant(e)
dụrch|drücken *vt* **1.** tendre *Knie* **2.** *fam*
(*durchsetzen*) faire passer *Vorhaben, Ände-
rungen;* ~, **dass** réussir à obtenir que +
subj
durcheinạnder [dʊrç?ại'nandə] **I.** *adj*
fam **1.** (*unordentlich*) ~ **sein** *Wohnung:*
être en pagaille; *Karteikarten:* être tout mélangé; **hier ist alles** ~ c'est le foutoir ici
2. (*verwirrt*) ~ **sein** être tourneboulé **II.**
adv **viel** ~ **essen** manger beaucoup et
n'importe comment
Durcheinạnder <-s> *nt* **1.** (*Unordnung*)
désordre *m* **2.** (*Wirrwarr*) confusion *f*
durcheinạnder|bringen *s.* **bringen**
dụrch|fahren *vi irr* + *sein* **1.** **durch etw** ~
passer par qc **2.** (*nicht anhalten*) **bei Rot** ~
passer au [feu] rouge; **bis Frankfurt** ~ *Zug:*
ne pas s'arrêter avant Francfort
Dụrchfahrt *f* **1.** (*Öffnung*) passage *m;* ~
bitte freihalten! ne pas stationner! **2.** *kein*
Pl (*das Durchfahren*) passage *m;* ~ **verboten!** passage interdit! **3.** *kein Pl* (*das Fahren im Transitverkehr*) **auf der** ~ **sein** être
en transit **Dụrchfall** *m* **1.** MED diarrhée *f*
2. *fam* (*Misserfolg*) échec *m* **dụrch|fallen**
vi irr + *sein* **1.** (*fallen*) passer à travers;
durch ein Loch ~ passer à travers un trou
2. *fam* (*nicht bestehen*) **bei etw** ~ se faire
étendre à qc **3.** (*einen Misserfolg haben*)
Aufführung: être un fiasco **dụrch|feiern**
['dʊrçfạiən] *vt, vi fam* faire la java
dụrch|fließen *vi irr* + *sein* s'écouler à tra-
vers; **durch etw** ~ *Wasser:* s'écouler à travers qc
durchfọrschen* [dʊrç'fɔrʃən] *vt*
1. (*durchstreifen*) explorer *Gegend*
2. (*durchsuchen*) **Bücher nach etw** ~
consulter des livres à la recherche de qc
dụrch|fragen *vr* **sich** ~ finir par trouver [à
force de poser des questions] **dụrchführ-
bar** *adj* réalisable **dụrch|führen I.** *vt* **1.** fai-
re *Messung, Reform;* **einen Plan** ~ mettre
un plan à exécution **2.** (*hindurchführen*)
jdn durch etw ~ *Führer:* guider qn à travers qc **3.** (*durchleiten*) **ein Kabel unter
einer Mauer** ~ faire passer un câble sous
un mur **II.** *vi* (*verlaufen*) **durch etw** ~ traverser qc
Dụrchführung *f eines Projekts* mise *f* en
œuvre **Dụrchgang** *m* **1.** passage *m;* **kein**
~**!** passage interdit! **2.** (*Phase*) *eines Wettkampfs* tour *m* **dụrchgängig I.** *adj* (*allge-
mein feststellbar*) général(e) **II.** *adv* ablehnen, befürworten à l'unanimité; *feststellen*
de manière constante **Dụrchgangsstraße**

f grand axe *m* **dụrch|geben** *vt irr* (*über
Radio, Fernsehen*) communiquer **dụrch-
gefroren** *adj* [complètement] gelé(e)
dụrch|gehen *irr* **I.** *vi* + *sein* **1.** *Person:*
avancer; **durch den Zoll** ~ passer la doua-
ne **2.** *fam* (*durchpassen*) **unter der Tür** ~
passer sous la porte **3.** (*keinen Zwischenhalt machen*) *Flug, Zug:* être direct **4.** *fam*
(*ohne Unterbrechung andauern*) être non-
stop **5.** (*durchdringen*) **durch etw** ~ *Strahlung, Regen:* traverser qc **6.** (*angenommen
werden*) *Antrag:* être adopté **7.** (*außer Kontrolle geraten*) *Pferd:* s'emballer [et s'en-
fuir]; **seine Nerven gingen ihm durch**
ses nerfs le lâchèrent ► **etw** ~ **lassen** laisser passer qc **II.** *vt* + *sein* (*prüfend durchlesen*) revoir *Text* **dụrchgehend I.** *adj*
1. *Öffnungszeiten* sans interruption
2. (*ohne Zwischenhalt fahrend*) *Zug* di-
rect(e) **II.** *adv* (*ständig*) en permanence; ~
geöffnet ouvert sans interruption **dụrch-
geknallt** *adj fam Person* à la masse
dụrch|greifen *vi irr* **1.** (*eingreifen*) pren-
dre des mesures énergiques; **hart** ~ sévir
2. (*hindurchfassen*) **durch etw** ~ passer la
main à travers qc **dụrchgreifend** *adj Maß-
nahme* énergique **dụrch|halten** *irr* **I.** *vt*
1. (*ertragen*) supporter **2.** (*weiterhin
durchführen*) poursuivre *Streik* **3.** (*beibehalten*) tenir *Tempo;* aller jusqu'au bout de
Strecke **4.** (*aushalten*) résister à *Beanspruchung* **II.** *vi* (*standhalten, funktionieren*)
tenir bon **Dụrchhaltevermögen** ['dʊrç-
altəfɛemø:gən] *nt* endurance *f*
dụrch|hängen *vi irr* + *haben o sein*
1. (*schlaff hängen*) *Hängebrücke:* être arqué; *Seil:* être lâche **2.** *fam* (*abgespannt
sein*) être à plat; (*deprimiert sein*) avoir le
blues; **lass dich nicht so** ~**!** ne te laisse
pas aller comme ça! **dụrch|kämmen¹**
['dʊrçkɛmən] *vt* peigner; (*durchbürsten*)
coiffer
durchkạmmen*² [dʊrç'kɛmən] *vt* (*durchsuchen*) passer au peigne fin; **etw nach
jdm** ~ passer qc au peigne fin pour trouver
qn
dụrch|kneten *vt* **1.** GASTR bien pétrir *Teig*
2. *fam* (*massieren*) **jdn** ~ masser [vigou-
reusement] qn **dụrch|kommen** *vi irr* +
sein **1.** (*durchfahren*) passer; **durch ein
Dorf** ~ traverser un village **2.** (*passieren*)
pouvoir passer **3.** (*durchdringen*) **durch
etw** ~ *Feuchtigkeit:* s'infiltrer à travers qc
4. (*in Erscheinung treten*) **bei jdm** ~ *Eifersucht:* se faire sentir chez qn **5.** (*Erfolg haben*) **bei jdm mit etw** ~ avoir du succès
avec qc auprès de qn; **mit Englisch
kommt man überall durch** avec l'anglais
on passe partout **6.** (*Prüfung bestehen*)

réussir **7.** *fam* (*überleben*) s'en tirer
8. (*durchgesagt werden*) **im Radio ~** *Meldung:* passer à la radio
durchkreuzen★1 ['dʊrçkrɔytsən] *vt geh*
1. (*vereiteln*) contrarier *Pläne* **2.** (*durchqueren*) parcourir
durchkreuzen² [dʊrç'krɔytsən] *vt*
(*durchstreichen*) barrer
DurchlassRR <-es, -lässe> *m* **1.** (*Durchgang*) passage *m* **2.** *kein Pl geh* (*Einlass*)
jdm ~ **gewähren** accorder le droit de passage à qn **durchlassen** *vt irr* **1.** laisser passer *Person, Licht* **2.** *fam* (*durchgehen lassen*) jdm etw ~ passer qc à qn **durchlässig** ['dʊrçlɛsɪç] *adj* **1.** (*porös*) perméable
2. *fig* ~ **sein** *System:* être souple; *Grenze:* être facile à passer **Durchlauf** *m* **1.** INFORM
exécution *f* **2.** SPORT manche *m*
durchlaufen¹ ['dʊrçlaufən] *irr* **I.** *vi* +
sein passer; **ohne Pause** ~ marcher sans
s'arrêter **II.** *vt + haben* user *Sohlen*
durchlaufen★2 [dʊrç'laufən] *vt irr*
1. (*durchqueren*) traverser *Gebiet* **2.** SPORT
parcourir *Strecke* **3.** (*absolvieren*) faire *Ausbildung;* traverser *Phase;* **die Schule** ~ effectuer sa scolarité **4.** (*erfassen*) **jdn** ~
Schauder: parcourir qn; **es durchlief mich
siedend heiß** j'en ai eu des bouffées de
chaleur
durchleben★ *vt* **1.** (*erleben*) vivre *Zeit*
2. (*durchmachen*) passer par *Angst* **durchleiden**★ *vt irr* endurer *Qualen, Entbehrungen*
durchlesen *vt irr* etw ~ (*dat*) lire qc; (*bis
zum Ende*) lire qc en entier; **etw auf Fehler** ~ (*dat*) relire qc pour trouver des fautes; **das Durchlesen** la lecture
durchleuchten★ ['dʊrçlɔyçtən] *vt* **1.** MED
radiographier *Patienten* **2.** *fam* (*überprüfen*) éplucher *Angelegenheit;* **einen Bewerber** ~ examiner un candidat à la loupe
durchmachen I. *vt* **1.** (*mitmachen*) avoir
Krankheit; traverser *schwere Zeiten;* vivre
Unangenehmes **2.** (*durchlaufen*) faire *Ausbildung;* passer par *Phase* **II.** *vi fam*
1. (*durchfeiern*) faire la bringue jusqu'au
petit matin **2.** (*durcharbeiten*) travailler en
non-stop
Durchmesser <-s, -> *m* diamètre *m; einer
Gewehrkugel* calibre *m;* **im** ~ de diamètre/
calibre
durchmogeln ['dʊrçmo:gəln] *vr fam*
sich durch die Kontrolle ~ se débrouiller
pour passer le contrôle; **sich durch die
Schule** ~ ne pas être très catholique à
l'école
durchnässen★ *vt* tremper; **völlig durchnässt sein** être complètement trempé
durchnehmen *vt irr* faire **durchnumme-**

rieren★RR *vt* numéroter **durchpausen** *vt*
calquer
durchqueren★ [dʊrç'kveːrən] *vt* traverser
durchrasseln ['dʊrçrasəln] *s.* **durchfallen**
Durchreise *f* **1.** (*das Durchreisen*) traversée *f;* **die** ~ **durch ein Land** la traversée
d'un pays **2.** (*Durchfahrt*) **auf der** ~ **sein**
être de passage
durchreisen¹ ['dʊrçrajzən] *vi + sein*
1. voyager sans s'arrêter; **die Nacht** ~
voyager toute la nuit **2.** (*durchqueren*) traverser
durchreisen★2 [dʊrç'rajzən] *vt* parcourir
Gegend
durchreißen *irr* **I.** *vt + haben* déchirer **II.**
vi + sein Seil: se casser; *Stoff:* se déchirer
durchringen *vr irr* **sich dazu** ~ **etw zu
tun** se résoudre à faire qc **durchrosten** *vi*
+ *sein* rouiller [complètement]
durchs [dʊrçs] = *fam* **durch das** *s.* **durch**
Durchsage ['dʊrçzaːgə] *f* communiqué
m; (*Verkehrsdurchsage*) point *m* sur la circulation routière; (*Wetterdurchsage*) bulletin *m* météo **durchsagen** *vt* **1.** RADIO, TV
communiquer; **die Zeit im Radio** ~ donner l'heure à la radio **2.** (*mündlich weitergeben*) transmettre *Parole;* **nach hinten
~!** faites passer derrière! **durchsägen** *vt*
scier [en deux]; **etw** ~ scier qc [en deux]
durchschaubar *adj* **1.** clair(e); **schwer** ~
peu clair **2.** *Charakter:* transparent(e); **ein
schwer ~er Mensch** une personne impénétrable
durchschauen★1 [dʊrç'ʃauən] *vt* voir clair
dans *Intrige;* deviner *Absichten;* **leicht zu** ~
sein être facile à déceler; **jdn** ~ voir clair
dans le jeu de qn; **du bist durchschaut!**
tu es découvert!
durchschauen² *s.* **durchsehen**
durchscheuern *vt* user; **durchgescheuert sein** être élimé
durchschlafen *vi irr* dormir d'une traite
Durchschlag ['dʊrçʃlaːk] *m* **1.** (*Kopie*) copie *f* **2.** (*Sieb*) passoire *f*
durchschlagen *irr* **I.** *vt + haben* **1.** enfoncer *Wand* **2. einen Nagel durch etw** ~ enfoncer un clou à travers qc **II.** *vi + sein* **bei
jdm** ~ *Eigenschaft:* ressortir chez qn **III.** *vr
+ haben* (*sich durchbringen*) **er muss
sich** ~ il doit se débrouiller comme il peut
(*fam*)
durchschlagend *adj Erfolg* éclatant(e); *Argument* décisif(-ive)
Durchschlagpapier *nt* (*Kohlepapier*) [papier *m*] carbone *m* **Durchschlagskraft** *f*
1. *eines Geschosses* force *f* de pénétration
2. (*überzeugende Wirkung*) impact *m*
durchschleusen *vt* **1.** NAUT écluser *Schiff*

2. *fam* faire passer; **jdn durch eine Kontrolle** ~ faire passer un contrôle à qn
durchǀschneiden ['dʊrçʃnaɪdən] *vt irr* couper *Brot, Draht;* **jdm die Kehle** ~ trancher la gorge à qn
Durchschnitt ['dʊrçʃnɪt] *m* **1.** (*Mittelwert*) moyenne *f;* **unter dem** ~ en dessous de la moyenne **2.** (*die Mehrzahl*) **der** ~ **der Kunden** la majorité des clients **durchschnittlich** ['dʊrçʃnɪtlɪç] **I.** *adj* moyen(ne) **II.** *adv* **1.** (*im Durchschnitt*) en moyenne **2.** (*mäßig*) moyennement
Durchschnittsalter *nt* âge *m* moyen **Durchschnittseinkommen** *nt* revenu *m* moyen **Durchschnittsgeschwindigkeit** *f* vitesse *f* moyenne
Durchschrift *f* double *m*
durchǀschütteln *vt* secouer **durchǀschwitzen** *vt* tremper de sueur; **etw** ~ tremper qc de sueur **durchǀsehen** *irr* **I.** *vt* **1.** (*überprüfen*) vérifier; **etw auf Fehler** (*akk*) ~ relire qc pour corriger **2.** (*durchblättern*) feuilleter **II.** *vi* (*hindurchsehen*) **durch etw** ~ regarder à travers qc; **durch das Kleid kann man** ~ on peut voir à travers la robe **durchǀsein** *s.* **durch I., II.**
durchǀsetzen¹ ['dʊrçzɛtsən] **I.** *vt* **1.** (*erzwingen*) imposer **2.** (*verwirklichen*) imposer *Plan;* faire aboutir *Forderung* **3.** (*bewilligt bekommen*) **etw bei jdm** ~ faire accepter qc par qn; **bei jdm** ~**, dass** obtenir de qn que + *subj* **II.** *vr* **1.** (*sich Geltung verschaffen*) **sich gegen jdn** ~ s'imposer face à qn; **sich mit etw nicht** ~ **können** ne pas avoir beaucoup de succès avec qc **2.** (*sich verbreiten*) **sich** ~ *Idee:* s'imposer
durchsetzen*² [dʊrç'zɛtsən] *vt* (*infiltrieren*) **eine Organisation mit etw** ~ noyauter une organisation avec qc
Durchsetzungsvermögen ['dʊrçzɛtsʊŋsfɛɛmøːgən] *nt* capacité *f* de s'imposer
Durchsicht *f* examen *m;* **bei** ~ **der Rechnungen** en vérifiant les factures; **die Post zur** ~ le courrier à dépouiller
durchsichtig *adj* **1.** transparent(e) **2.** (*offensichtlich*) évident(e)
durchǀsickern *vi* + *sein* **1.** (*bekannt werden*) filtrer; **zu jdm** ~ filtrer jusqu'à qn; **es ist durchgesickert, dass ...** on a divulgué que ...; **etw** ~ **lassen** laisser filtrer qc; ~ **lassen, dass** laisser filtrer l'information selon laquelle **2.** (*durchdringen*) **durch etw** ~ *Flüssigkeit:* s'infiltrer à travers qc
durchǀsprechen *vt irr* discuter; **etw mit jdm** ~ discuter de qc avec qn **durchǀstehen** *vt irr* **1.** (*ertragen*) surmonter *harte Zeiten;* endurer *Entbehrungen* **2.** (*standhalten*) résister *Beanspruchung;* réussir *Test*

durchǀstellen ['dʊrçʃtɛlən] **I.** *vt* passer *Gespräch* **II.** *vi* **einen Moment, ich stelle durch!** un moment, je vous mets en communication!
durchstöbern* [dʊrç'ʃtøːbən] *vt fam* farfouiller; **einen Schrank nach etw** ~ farfouiller dans une armoire pour trouver qc **durchstoßen***¹ [dʊrç'ʃtoːsən] *vt irr* **1.** (*durchbohren*) transpercer **2.** MIL percer **durchǀstoßen²** [dʊrç'ʃtoːsən] *irr* **I.** *vi* + *sein* **1.** (*durchdringen*) s'enfoncer; **durch etw** ~ s'enfoncer dans qc **2.** MIL (*vorstoßen*) **bis zu etw** ~ faire une percée jusqu'à qc **II.** *vt* + *haben* **eine Stange durch etw** ~ enfoncer une barre dans qc
durchǀstreichen *vt irr* (*ausstreichen*) rayer **durchstreifen*** [dʊrç'ʃtraɪfən] *vt geh* parcourir *Gegend*
durchsuchen* ['dʊrçzuːxən] *vt* fouiller *Person, Wohnung;* explorer *Gegend;* **eine Wohnung nach etw** ~ fouiller un appartement à la recherche de qc; *Polizei:* perquisitionner un appartement à la recherche de qc
Durchsuchung [dʊrç'zuːxʊŋ] <-, -en> *f* **1.** fouille *f* **2.** (*durch die Polizei*) *einer Wohnung* perquisition *f; einer Gegend* exploration *f*
Durchsuchungsbefehl [dʊrç'zuːxʊŋsbəfeːl] *m* mandat *m* de perquisition
durchǀtrennen *vt,* **durchtrennen*** *vt* sectionner
durchtrieben [dʊrç'triːbən] *adj pej* rusé(e)
durchwachsen [dʊrç'vaksən] *adj* **1.** *Speck* maigre **2.** *hum fam* (*mittelmäßig*) ~ **sein** être couci-couça
Durchwahl ['dʊrçvaːl] *f* **1.** ligne *f* directe **2.** *fam* (~*nummer*) numéro *m* de poste
durchǀwählen *vi* appeler directement
durchweg *adv* **sie sind** ~ **zufrieden** ils sont tous contents
durchǀwühlen¹ [dʊrç'vyːlən] **I.** *vt* fouiller; **etw nach etw** ~ fouiller qc à la recherche de qc **II.** *vr* **1.** (*sich durcharbeiten*) **sich** ~ voir le bout; **sich durch etw** ~ venir à bout de qc **2.** (*durch Wühlen gelangen*) **sich durch etw** ~ (*dat*) *Maulwurf:* se creuser un passage dans qc
durchwühlen*² ['dʊrçvyːlən] *vt* **1.** (*durchstöbern*) retourner *Schrank, Zimmer* **2.** (*aufwühlen*) **die Erde** ~ fouiller la terre; **den Boden** ~ *Granaten:* ravager le sol
durchǀzählen *vt, vi* compter
durchǀziehen¹ ['dʊrçtsiːən] *irr* **I.** *vt* + *haben* **1.** (*hindurchziehen*) **einen Faden durch etw** ~ faire passer un fil par qc

2. *fam* (*zu Ende führen*) **einen Plan ~** mener à bien un plan **II.** *vi* + *sein* **1.** (*durchkommen*) **durch die Stadt ~** traverser la ville **2.** GASTR (*marinieren*) macérer **III.** *vr* + *haben* **sich durch etw ~** *Motiv, Thema:* se retrouver tout au long de qc **durchziehen***² [dʊrçˈtsiːən] *vt irr* **1.** (*durchqueren*) parcourir **2.** (*enthalten sein*) **ein Buch ~** *Thema:* traverser un livre **3.** (*durch etw verlaufen*) *Verkehrswege:* traverser; **von Flüssen durchzogenen** traversé de fleuves
durchzucken* *vt* **1.** *geh Blitz:* sillonner **2.** (*einfallen*) *Gedanke:* traverser
Durchzug *m* **1.** *kein Pl* (*Luftzug*) courant *m* d'air **2.** (*das Durchziehen*) passage *m* ▸ **auf ~ schalten** *fam* faire la sourde oreille
dürfen¹ [ˈdʏrfən] <**darf, durfte, dürfen**> *aux modal* **1.** pouvoir; **etw tun ~** pouvoir faire qc; (*Erlaubnis haben*) avoir le droit de faire qc **2.** (*Anlass haben, können*) **ich darf annehmen, dass ...** je peux supposer que ...; **wir ~ uns nicht beklagen** on n'a pas à se plaindre; **Sie ~ mir das ruhig glauben** vous pouvez me croire; **man wird doch wohl noch fragen ~!** on a tout de même le droit de poser la question! **3.** (*sollen, müssen*) **wir ~ den Bus nicht verpassen** il ne faut pas que nous rations notre bus; **wir ~ uns nichts anmerken lassen** nous ne devons rien laisser transparaître; **das hätte er nicht tun ~** il n'aurait pas dû faire ça; **du darfst ihm das nicht übel nehmen** il ne faut pas lui en vouloir; **es darf nicht sein, dass** il est inadmissible que + *subj* **4.** (*in Höflichkeitsformeln*) **darf ich noch ein Stück Kuchen haben?** puis-je avoir encore un morceau de gâteau?; **dürfte ich um Ihre Aufmerksamkeit bitten!** pourrais-je avoir votre attention s'il vous plaît!; **darf ich um den nächsten Tanz bitten?** m'accorderez-vous la prochaine danse?; **was darf es denn sein?** vous désirez? **5.** (*zum Ausdruck der Wahrscheinlichkeit*) **es dürfte genügen, wenn ...** cela devrait suffire si ...; **es dürfte wohl das Beste sein, wenn** le mieux serait de + *infin*; **es klingelt, das dürfte Christina sein** ça sonne, ça doit être Christina
dürfen² <**darf, durfte, gedurft**> **I.** *vi* pouvoir; (*Erlaubnis haben*) avoir la permission; **darf ich? – Ja, du darfst** je peux? – Oui, tu peux **II.** *vt* **er darf alles** il peut faire tout ce qu'il veut; **darf sie das wirklich?** elle a vraiment la permission?; **das hätten Sie nicht ~!** vous n'auriez pas dû faire ça!
dürftig [ˈdʏrftɪç] **I.** *adj* **1.** (*kärglich*) *Essen*

frugal(e); *Unterkunft* rudimentaire; *Bekleidung* miteux(-euse) **2.** *pej* (*kümmerlich*) *Einkommen* dérisoire **3.** (*nicht ausreichend*) *Ergebnis* piètre *antéposé* **4.** (*spärlich*) *Vegetation* clairsemé(e) **II.** *adv* (*kümmerlich*) *beleuchtet* faiblement; *bekleidet* misérablement
dürr [dʏr] *adj* **1.** (*trocken*) *Ast, Laub* mort(e); *Boden* sec(sèche) **2.** *pej* (*dünn*) maigre **3.** (*knapp*) succinct(e)
Dürre [ˈdʏrə] <-, -n> *f* sécheresse *f*
Durst [dʊrst] <-[e]s> *m* soif *f;* **großen ~ haben** avoir très soif; **~ auf etw** (*akk*) **haben** avoir envie de boire qc; **~ machen** *Essen:* donner soif ▸ **einen über den ~ getrunken haben** *fam* avoir bu un coup de trop
durstig *adj Person* assoiffé(e); **jdn ~ machen** donner soif à qn
durststillend *adj* désaltérant(e) **Durststrecke** *f* période *f* difficile
Dusche [ˈdʊʃə] <-, -n> *f* douche *f*
duschen **I.** *vi, vr* [sich] **~** se doucher **II.** *vt* doucher
Duschgel *nt* gel *m* douche
Düse [ˈdyːzə] <-, -n> *f a.* AVIAT tuyère *f*
Dusel [ˈduːzəl] <-s> *m* **1.** (*Glück*) **~ haben** *fam* avoir du pot; **so ein ~!** *fam* quel pot! **2.** (*Benommenheit*) **im ~ sein** *fam* être dans les vapes
düsen [ˈdyːzən] *vi* + *sein fam* **nach München ~** (*fliegen*) filer en avion à Munich; (*fahren*) filer à Munich; **zum Bäcker ~** (*schnell gehen*) foncer chez le boulanger
Düsenantrieb *m* propulsion *f* par réaction; **mit ~** à réaction **Düsenflugzeug** *nt* avion *m* à réaction **Düsenjäger** [ˈdyːzənjɛːgɐ] *m* MIL chasseur *m* à réaction **Düsentriebwerk** *nt* propulseur *m* à réaction
Dussel <-s, -> *m fam* andouille *f*
dusslig^RR *fam* **I.** *adj* con(ne) **II.** *adv* **sich ~ anstellen** faire le con
düster [ˈdyːstɐ] *adj* **1.** (*finster*) *Stimmung* sombre; **es ist ~ draußen** il fait sombre dehors **2.** (*bedrückend*) sombre *antéposé; Gestalten* sinistre; **mit der Prüfung sieht es ~ aus** l'examen ne s'annonce pas très bien
Dutzend [ˈdʊtsənt] <-s, -e> *nt* **1.** (*zwölf Stück*) douzaine *f* **2.** *Pl fam* (*jede Menge*) douzaines *fpl;* **~e von Schülern kamen angelaufen** des douzaines d'élèves sont arrivés en courant
dutzendmal *adv fam* des dizaines de fois
duzen [ˈduːtsən] *vt, vr* [sich] **~** [se] tutoyer
DV <-> *f Abk von* **Datenverarbeitung** informatique *f*
DVD *f Abk von* **digital videodisc** DVD *m*
DVD-Player [-plɛɪɐ] <-s, -> *m* lecteur *m*

DVD

Dyn̲amik [dy'naːmɪk] <-> *f* **1.** PHYS dynamique *f* **2.** (*Triebkraft*) *einer Idee* dynamique *f*; *einer Person* dynamisme *m*
dyn̲amisch I. *adj* **1.** *Entwicklung* dynamique **2.** (*regelmäßig angepasst*) *Rente* indexé(e) **II.** *adv* avec dynamisme

Dynam̲it [dyna'miːt] <-s> *nt a. fig* dynamite *f*
Dyn̲amo [dy'naːmo] <-s, -s> *m* dynamo *f*
Dynast̲ie [dynas'tiː] <-, -n> *f* dynastie *f*
D-Zug ['deːtsuːk] *m* express *m* ▶ich b̲i̲n̲ [doch] **kein** ~! *hum fam* je ne suis pas aux pièces!

E

E, e [eː] <-, -> *nt* **1.** E *m*/e *m* **2.** MUS mi *m*
Ẹbbe ['ɛbə] <-, -n> *f* marée *f* basse; ~ **und**
Flut le flux et le reflux
eben¹ ['eːbən] **I.** *adj* (*flach, glatt*) plat(e);
zu ~er Erde (*im Erdgeschoss*) au rez-de-
chaussée; (*auf dem Erdboden*) à même le
sol **II.** *adv verlaufen* sur le plat
eben² *adv* **1.** (*gerade*) **was hast du ~ gesagt?** qu'est-ce que tu viens de dire?; **dein
Bruder war ~ noch hier/da** ton frère
était encore ici/là à l'instant **2.** (*nämlich*)
justement; **na ~!** alors, tu vois/vous voyez!
3. (*nun einmal*) tout simplement; **es ist ~
so** c'est comme ça **4.** (*gerade noch*) (*mengenmäßig*) [tout] juste; (*zeitlich*) de justesse
Ebenbild *nt* portrait *m;* **ganz sein/dein ~**
tout son/ton portrait
ebenbürtig *adj Gegner, Partner* de même
valeur
ebendạ ['eːbən'daː] *adv* (*genau dort*) là-
même; (*in Verweisen*) ibidem **ebenda-
rụm** *adv* voilà justement pourquoi **eben-
dạs, ebender** *pron dem* justement ce(tte)
ebendeshạlb *s.* ebendarum **ebendes-
wegen** *s.* ebendarum **ebendie** *pron
dem* justement ce(tte) **ebendiese(r, s)**
pron dem, geh justement ce(tte)
Ebene ['eːbənə] <-, -n> *f* **1.** (*ebene Gegend*) plaine *f* **2.** GEOM, PHYS plan *m* **3.** (*Stufe*) échelon *m*, niveau *m*
ebenerdig *adj* de plain-pied
ebenfalls *adv* aussi, également; **ich ~** moi
aussi; **ich war ~ nicht eingeladen** moi
non plus, je n'étais pas invité; **danke, ~!**
merci, pareillement!
Ebenmaß *nt kein Pl geh* harmonie *f*
ebenmäßig **I.** *adj Proportionen* harmo-
nieux(-euse); *Gestalt* bien proportionné(e)
II. *adv* **~ geformt sein** être bien propor-
tionné
ebenso ['eːbənzoː] *adv* **1.** (*genauso*) **~
gern/gut** tout aussi bien; **~ lang[e]/oft**
[tout] aussi longtemps/souvent; **~ sehr/
viel** tout autant; **~ wenig** tout aussi peu; **~
intelligent wie ...** tout aussi intelligent
que ... **2.** (*desgleichen*) également
ebensogern *s.* ebenso **ebensogut** *s.*
ebenso **ebensolang[e]** *s.* ebenso **eben-
sooft** *s.* ebenso **ebensosehr** *s.* ebenso
ebensoviel *s.* ebenso **ebensowenig** *s.*
ebenso

Eber ['eːbɐ] <-s, -> *m* verrat *m;* (*wilder ~*)
sanglier *m*
E-Business ['iːbɪznɪs] <-> *f kein pl* e-com-
merce *m*
EC [eːˈtseː] <-s, -s> *m* **1.** *Abk von* **Eurocity**[-**Zug**] Eurocity *m* **2.** FIN *Abk von* **Euroscheck** eurochèque *m*
Ẹcho ['ɛço] <-s, -s> *nt* **1.** (*Widerhall, Reaktion*) écho *m* **2.** (*Nachbeter*) réplique *f*
Ẹcholot *nt* sonde *f* acoustique
Ẹchse ['ɛksə] <-, -n> *f* saurien *m*
ẹcht [ɛçt] **I.** *adj* **1.** (*nicht künstlich*) véritable; *Haar, Bräunung* naturel(le); (*nicht gefälscht*) *Unterschrift, Gemälde* authentique;
ein ~er Geldschein un vrai billet **2.** (*aufrichtig*) *Liebe* sincère; *Schmerz* vrai(e)
3. (*typisch*) vrai(e) *antéposé* **4.** (*beständig*)
Farbe grand teint *inv* **5.** (*wirklich*) *Problem,
Reinfall* véritable *antéposé* **II.** *adv* **1.** (*typisch*) typique **2.** (*rein*) **~ Gold/Silber
sein** être de l'or/l'argent véritable **3.** *fam*
(*wirklich*) vraiment
Ẹchtheit <-> *f* (*echte Beschaffenheit*) authenticité *f;* (*Aufrichtigkeit*) sincérité *f*
Ẹck [ɛk] <-[e]s, -e> *nt* **1.** A, SDEUTSCH
(*Ecke*) coin *m* **2.** SPORT (*Ecke des Tores*)
coin *m*
Ẹckball *m* corner *m;* **einen ~ verwandeln**
marquer un but sur corner
Ẹcke <-, -n> *f* **1.** *eines Zimmers, Buches* coin
m; GEOM *einer Fläche, eines Körpers* angle *m*
2. (*Straßenecke*) coin *m;* **gleich um die ~**
juste au coin **3.** *fam* (*Gegend*) coin *m*
4. *fam* (*Strecke*) bout *m* de chemin
5. SPORT corner *m* ▶ **an allen ~n und Enden sparen** économiser sur tout [et n'importe quoi]
ẹckig *adj* **1.** *Tisch* carré(e); *Skulptur, Gesicht*
anguleux(-euse) **2.** (*ungelenk*) raide
Ẹckpfeiler *m* ARCHIT pilier *m* d'angle **Ẹck-
zahn** *m* canine *f*
ECOFIN ['ekofiːn] *m Abk von* **Rat der
Wirtschafts- und Finanzminister** ECO-
FIN *m*
Ecu [eˈkyː] <-[s], -[s]> *m*, <-, -> *f Abk von*
European currency unit écu *m*
edel ['eːdəl] **I.** *adj* **1.** *geh* noble **2.** (*hochwertig*) *Hölzer* précieux(-euse); *Wein* noble
3. (*reinrassig*) *Pferd* de race **4.** *geh* (*schön
geformt*) *Profil* aristocratique **II.** *adv handeln* noblement; *verarbeitet* élégamment; **~
denken** avoir des pensées nobles

Edelfrau f dame f de la noblesse **Edelgas** nt gaz m rare **Edelmann** <-leute> m gentilhomme m **Edelmetall** nt métal m précieux **Edelmut** m kein Pl geh noblesse f d'âme **edelmütig** ['eːdəlmyːtɪç] I. adj geh noble II. adv avec magnanimité; ~ **handeln** se montrer magnanime **Edelstahl** m acier m affiné **Edelstein** m pierre f précieuse **Edeltanne** f sapin m argenté **Edelweiß** <-[es], -e> nt edelweiss m **Edikt** [e'dɪkt] <-[e]s, -e> nt édit m **editieren*** vt INFORM éditer Datei, Text **Edition** [edi'tsi̯oːn] <-, -en> f 1.(Ausgabe) édition f 2.(Verlag) maison f d'édition **Editor** ['eːditoːɐ̯] <-s, -toren> m 1.geh (Herausgeber) éditeur m 2. INFORM éditeur m [de textes] **Editorin** <-, -nen> f geh éditrice m **EDV** [eːdeː'fau] <-> f kein Pl INFORM Abk von **elektronische Datenverarbeitung** informatique f **EDV-Anlage** f installation f informatique **EDV-Fachmann** m, **-frau** f informaticien(ne) m(f) **Efeu** ['eːfɔy] <-s> m lierre m **Effeff** ▶**aus dem** ~ fam sur le bout des doigts **Effekt** [ɛ'fɛkt] <-[e]s, -e> m (Wirkung) effet m **effektiv** [ɛfɛk'tiːf] adj 1.(wirksam) Maßnahme efficace 2.(tatsächlich) Verbesserung effectif(-ive); Zinsen réel(le) **effektvoll** [ɛ'fɛktfɔl] adj qui fait de l'effet **effizient** [ɛfi'tsi̯ɛnt] I. adj geh performant(e) II. adv geh avec efficience **Efta** ['ɛfta] <-> f Abk von **European Free Trade Association** A.E.L.E. f **EG** [eː'geː] <-> f 1. Abk von **Europäische Gemeinschaft** C.E. f 2.COM Abk von **Eingetragene Genossenschaft** coopérative f inscrite au registre **egal** [e'gaːl] I. adj fam 1.(gleich aussehend) identique 2.(gleichgültig) jdm ~ **sein** ne pas avoir d'importance pour qn; ~, **was** quoi que + subj; ~, **wie/wo/warum** ... peu importe comment/où/pourquoi ...; **das ist mir** ~ ça m'est égal II. adv fam (gleich) pareillement **Egge** <-, -n> f herse f **Egoismus** [ego'ɪsmʊs] <-, -ismen> m égoïsme m **Egoist(in)** <-en, -en> m(f) égoïste mf **egoistisch** I. adj égoïste II. adv d'une manière égoïste **eh¹** [eː] interj fam 1.(he) eh 2.(wie bitte) hein **eh²** adv ▶seit/wie ~ **und je** depuis/comme toujours **ehe** ['eːə] konj (bevor) avant que [ne] +

subj; **sie verabschiedet sich,** ~ **sie fährt** elle dit au revoir avant de partir **Ehe** ['eːə] <-, -n> f mariage m; **die** ~ **schließen** Standesbeamter: procéder au mariage; **eine glückliche** ~ **führen** former un couple heureux; ~ **ohne Trauschein** union f libre **eheähnlich** adj mit jdm in einer ~en Gemeinschaft leben vivre maritalement avec qn **Ehebett** nt lit m conjugal **Ehebrecher(in)** <-s, -> m(f) homme m/femme f adultère **Ehebruch** m adultère m **Ehefrau** f femme f **Ehegatte** m 1.form époux m 2. Pl JUR die ~n les époux **Ehegattensplitting** nt FIN imposition f séparée des époux **Ehegattin** f form épouse f **Ehekrach** m fam scène f de ménage **Eheleben** nt kein Pl vie f conjugale **Eheleute** Pl form conjoints mpl **ehelich** I. adj conjugal(e); Kind légitime; Rechte matrimonial(e) II. adv ein ~ geborenes Kind un enfant légitime **ehelos** adv bleiben célibataire; leben dans le célibat **ehemalig** ['eːəmaːlɪç] adj attr (früher) ancien(ne) **ehemals** ['eːəmaːls] adv form jadis (soutenu) **Ehemann** <-männer> m mari m **Ehepaar** nt couple m **Ehepartner(in)** m(f) conjoint(e) m(f) **eher** ['eːɐ̯] adv 1.(früher) kommen, gehen plus tôt; **je** ~, **desto besser** plus tôt ce sera, mieux ce sera 2.(wahrscheinlicher) plutôt; **das ist** ~ **möglich** c'est plus probable 3.(lieber, mehr) plutôt **Ehering** m alliance f **Ehescheidung** f divorce m **Eheschließung** f mariage m **ehest** ['eːəst] adv A [très] bientôt **eheste(r, s)** I. adj der ~ **Termin** le prochain rendez-vous possible; **bei** ~r **Gelegenheit** à la première occasion II. adv am ~n (am wahrscheinlichsten) très vraisemblablement; (am liebsten) de préférence **ehestens** ['eːəstəns] adv 1.(frühestens) au plus tôt 2.A s. ehest **Eheverkündigung** f CH publication f des bans **Ehevermittlung** f 1.kein Pl (das Vermitteln) conseil m matrimonial 2.(Büro) agence f matrimoniale **Ehevertrag** m contrat m de mariage **ehrbar** ['eːɐ̯baːɐ̯] adj respectable **Ehre** ['eːrə] <-, -n> f honneur m; **zu** ~n **kommen** être à l'honneur; **jdm zu** ~n en l'honneur de qn; **in** ~n **halten** respecter Andenken; **wir geben uns** (dat) **die** ~, ... form nous avons l'honneur de ...; **jdm die letzte** ~ **erweisen** geh rendre les derniers honneurs à qn ▶**auf** ~ **und Gewissen** en son/ton/... âme et conscience; **mit wem**

habe ich die ~? *iron form* à qui ai-je l'honneur?; **was verschafft mir die** ~? *iron form* qu'est-ce qui me vaut l'honneur?
ehren *vt* honorer; **jdn durch/mit etw** ~ honorer qn de qc; **hoch geehrt** très honoré *antéposé;* **sich durch etw geehrt fühlen** être honoré de qc
Ehrenamt *nt* fonction *f* honorifique **ehrenamtlich** *adj Mitarbeiter, Tätigkeit* bénévole; *Vorsitzender* honoraire **Ehrenbürger(in)** *m(f)* citoyen(ne) *m(f)* d'honneur **Ehrendoktor** *m* docteur *m* honoris causa **Ehrengast** *m* invité(e) *m(f)* d'honneur
ehrenhaft *adj* honorable
Ehrenmal *nt* monument *m* aux morts **Ehrenmann** <-männer> *m* homme *m* d'honneur **Ehrenplatz** *m* place *f* d'honneur **Ehrenrettung** *f* réhabilitation *f;* **zu seiner/ihrer** ~ pour sa réhabilitation **Ehrenrunde** *f* **1.** SPORT tour *m* d'honneur **2.** SCHULE *iron* redoublement *m* **Ehrensache** *f* affaire *f* d'honneur **Ehrentag** *m geh* grand jour *m;* **zum heutigen** ~ en ce jour solennel **Ehrenurkunde** *f* diplôme *m* d'honneur **ehrenvoll** *adj Auftrag, Aufgabe, Friede* honorable; *Begräbnis* solennel(le); **etw als** ~ **betrachten** considérer qc comme un honneur **ehrenwert** *s.* ehrbar **Ehrenwort** <-worte> *nt* parole *f* d'honneur; **sein** ~ **brechen** manquer à sa parole; **sein** ~ **halten** tenir parole
ehrerbietig ['eːɐ̯ʔɛɐbiːtɪç] *geh* **I.** *adj* déférent(e) **II.** *adv* avec déférence
Ehrfurcht *f* respect *m;* **die** ~ **vor jdm/etw** le respect pour qn/de qc
ehrfürchtig **I.** *adj* respectueux(-euse) **II.** *adv* avec respect
ehrfurchtsvoll **I.** *adj* respectueux(-euse) **II.** *adv* avec respect
Ehrgefühl *nt kein Pl* sens *m* de l'honneur
Ehrgeiz *m* ambition *f*
ehrgeizig *adj* ambitieux(-euse)
ehrlich **I.** *adj* **1.** (*aufrichtig*) sincère; *Absicht, Angebot* honnête **2.** (*verlässlich*) *Mitarbeiter, Finder* honnête **II.** *adv* **1.** *teilen, verdienen, spielen* honnêtement **2.** (*aufrichtig, offen*) ~ **gesagt, ...** franchement ...; **um** ~ **zu sein, ...** pour parler franchement, ... **3.** *fam* (*wirklich*) **ich kann nichts dafür,** ~**!** je n'y peux rien, vraiment!
Ehrlichkeit <-> *f* **1.** (*Aufrichtigkeit*) sincérité *f* **2.** (*Verlässlichkeit*) honnêteté *f*
ehrlos **I.** *adj Person* sans honneur **II.** *adv* de façon infâme
Ehrung ['eːrʊŋ] <-, -en> *f* (*Beweis der Wertschätzung*) distinction *f*
ehrwürdig *adj* **1.** *Gebäude, Alter* vénérable **2.** REL révérend(e)
Ei [aj] <-[e]s, -er> *nt* **1.** œuf *m;* **hartes/**

weiches ~ œuf dur/à la coque **2.** ANAT ovule *m* **3.** *Pl vulg* (*Hoden*) couilles *fpl* **4.** *Pl vulg* (*Mark*) balles *fpl* (*fam*) ▶**wie aus dem** ~ **gepellt** *fam* tiré à quatre épingles; **jdn wie ein rohes** ~ **behandeln** prendre des gants avec qn; **sich** (*dat*) [*o* einander] **gleichen wie ein** ~ **dem anderen** se ressembler comme deux gouttes d'eau
Eibe <-, -n> *f* if *m*
Eiche ['ajçə] <-, -n> *f* (*Baum, Holz*) chêne *m*
Eichel ['ajçəl] <-, -n> *f* BOT, ANAT gland *m*
Eichhörnchen *nt* écureuil *m*
Eid [ajt] <-[e]s, -e> *m* JUR serment *m;* **einen** ~ **auf jdn/etw leisten** prêter serment sur qn/qc; **unter** ~ **stehen** être assermenté
eidbrüchig *adj* parjure; ~ **werden** se parjurer (*soutenu*)
Eidechse ['ajdɛksə] *f* lézard *m*
eidesstattlich *adj Erklärung* sur l'honneur
Eidgenosse *m,* **-genossin** *f* citoyen(ne) *m(f)* helvétique **Eidgenossenschaft** *f* **die Schweizerische** ~ la Confédération helvétique **eidgenössisch** ['ajtɡənœsɪʃ] *adj* helvétique; (*im Gegensatz zu kantonal*) confédéral(e)
eidlich **I.** *adj Abmachung* passé(e) sous serment **II.** *adv gebunden, verpflichtet* par serment
Eidotter ['ajdɔtɐ] *m o nt* jaune *m* d'œuf
Eierbecher *m* coquetier *m* **Eierkuchen** ≈ crêpe *f* **Eierlikör** *m* liqueur *f* au jaune d'œuf
eiern *vi fam Rad:* être voilé; *Schallplatte:* être gondolé
Eierschale *f* coquille *f* d'œuf **Eierstock** *m* ANAT ovaire *m* **Eieruhr** *f* sablier *m* [de cuisine]
Eifer ['ajfɐ] <-s> *m* **1.** zèle *m;* **mit** ~ **bei der Sache sein** se donner à fond **2.** (*Eile, Aufregung*) **er hat im** ~ **die Schlüssel vergessen** dans son agitation, il a oublié les clés ▶**im** ~ **des Gefechts** *fam* dans le feu de l'action
Eifersucht *f kein Pl* jalousie *f*
eifersüchtig *adj* jaloux(-ouse); **jdn** ~ **machen** rendre qn jaloux
Eiffelturm ['ajfəltʊrm] *m* tour *f* Eiffel
eifrig ['ajfrɪç] **I.** *adj Schüler* studieux(-euse); *Leser, Sammler* fervent(e); *Theater-, Museumsbesucher* assidu(e); *Bemühen* empressé(e); *Suche* intensif(-ive) **II.** *adv lernen* avec assiduité; ~ **bemüht sein etw zu tun** s'efforcer avec zèle de faire qc
Eigelb <-s> *nt* jaune *m* d'œuf
eigen ['ajɡən] *adj* **1.** *Zimmer, Haus, Auto* propre *antéposé;* **er besitzt kein** ~**es**

Land il n'a pas de terrain à lui **2.** (*ganz persönlich*) *Meinung* personnel(le) **3.** (*separat*) *Bad, Eingang* particulier(-ière) **4.** (*typisch*) **jdm ~ sein** être propre à qn **5.** (*eigenartig*) *Reiz, Schönheit* particulier(-ière) **6.** DIAL (*pingelig*) **in etw** (*dat*) **~ sein** être pointilleux sur qc ► **etw sein Eigen** **nen·** **nen** *geh* détenir qc

Eigenart *f einer Person* particularité *f; einer Landschaft, Stadt* caractère *m* particulier **eigenartig** I. *adj* particulier(-ière) II. *adv sich benehmen* bizarrement; ~ **riechen** sentir une drôle d'odeur **Eigenbedarf** *m* besoins *mpl* personnels **Eigenbrötler(in)** <-s, -> *m(f)* original(e) *m(f)* **Eigendyna·** **mik** *f* dynamique *f* interne **eigenhändig** I. *adj* **Ihre ~e Unterschrift** votre propre signature II. *adv* moi-même/lui-même/...

Eigenheim *nt* maison *f* individuelle **Eigenheit** *s.* **Eigenart** **Eigeninitiative** *f* initiative *f* individuelle; **in ~ de sa/leur/...** propre initiative **Eigenkapital** *nt einer Person* apport *m* personnel; *einer Firma* capital *m* propre **Eigenname** *m* nom *m* propre **Eigennutz** ['aɪɡənnʊts] <-es> *m* intérêt *m* personnel **eigennützig** ['aɪɡənnʏtsɪç] I. *adj* intéressé(e) II. *adv* par intérêt [personnel]

eigens *adv* **1.** (*extra*) spécialement **2.** (*ausschließlich*) tout exprès

Eigenschaft <-, -en> *f* **1.** (*Charaktereigenschaft*) trait *m* de caractère; **gute und** **schlechte ~en** des qualités et des défauts **2.** CHEM, PHYS propriété *f*

Eigenschaftswort <-wörter> *nt* adjectif *m* **eigensinnig** *adj* obstiné(e) **eigenständig** ['aɪɡənʃtɛndɪç] I. *adj* autonome II. *adv* de façon autonome

eigentlich ['aɪɡəntlɪç] I. *adj* **1.** (*wirklich*) *Name, Wesen, Zweck* véritable; *Tatsache, Wert* réel(le) **2.** (*ursprünglich*) d'origine II. *adv* **1.** (*normalerweise*) en principe **2.** (*überhaupt*) au juste; **wie reden Sie ~** **mit mir?** qu'est-ce que c'est, cette façon de [me] parler? **3.** (*wirklich*) en fait; **wie alt** **bist du ~?** mais quel âge as-tu au fait?

Eigentor *nt* but *m* contre son camp **Eigentum** <-s> *nt* propriété *f;* (*Besitzgüter*) biens *mpl*

Eigentümer(in) ['aɪɡəntyːmɐ] <-s, -> *m(f)* propriétaire *mf*

eigentümlich ['aɪɡəntyːmlɪç] I. *adj* **1.** (*merkwürdig*) particulier(-ière); *Verhalten* singulier(-ière) **2.** *geh* (*typisch*) **jdm/** **einer S. ~ sein** être caractéristique de qn/ qc **3.** (*übel*) **mir ist/wird ganz ~** je me sens/commence à me sentir tout drôle II. *adv sich verhalten* bizarrement; ~ **ausse·** **hen** avoir un drôle d'aspect

Eigentümlichkeit <-, -en> *f* **1.** *einer Person* particularité *f; eines Minerals, einer Pflanze* propriété *f* **2.** *kein Pl* (*Merkwürdigkeit*) bizarrerie *f*

Eigentumswohnung *f* appartement *m* en copropriété **eigenwillig** *adj* **1.** (*eigensinnig*) obstiné(e) **2.** (*unkonventionell*) original(e)

eignen ['aɪɡnən] *vr* **sich ~** être apte; **sich** **für eine bestimmte Arbeit ~** être apte à faire un certain travail; **sich als Illustra·** **tion ~** pouvoir servir d'illustration; **die CD** **eignet sich sehr gut zum Verschenken** le CD fera sûrement un beau cadeau **Eignung** <-> *f* aptitude *f;* **seine ~ für die·** **se Arbeit** son aptitude à faire ce travail; **die ~ zum Lehrer** l'aptitude pour être enseignant

Eignungstest *m* examen *m* d'aptitude **Eilbote** *m,* **-botin** *f* porteur(-euse) *m(f)* spécial(e) **Eilbrief** *m* lettre *f* [par] exprès; **als** ~ en exprès

Eile ['aɪlə] <-> *f* hâte *f;* **in ~ sein** être pressé; **jdn zur ~ antreiben** inciter qn à se dépêcher [davantage]; **nur keine ~!** doucement!

Eileiter *m* (*bei Menschen*) trompe *f* de Fallope

eilen ['aɪlən] I. *vi* **1.** + **sein nach Hause ~** se dépêcher de rentrer; **durch die Stra·** **ßen ~** courir dans les rues **2.** + *sein fig* **von Erfolg zu Erfolg ~** accumuler les succès **3.** + *haben* (*dringlich sein*) *Angelegenheit:* être urgent; **Eilt!** urgent! II. *vi unpers* + *haben* **es eilt** c'est urgent

eilig I. *adj* **1.** (*dringend*) urgent(e); **es mit** **etw ~ haben** être pressé de faire qc **2.** (*schnell*) pressé(e) II. *adv* rapidement **Eiltempo** *nt* **im ~** *fam* en quatrième vitesse **Eilzustellung** *f* distribution *f* exprès **Eimer** ['aɪmɐ] <-s, -> *m* seau *m* ► **im ~** **sein** *fam* être foutu

ein [aɪn] *adv* **auf „~" drücken** appuyer sur "marche" ► **weder ~ noch aus wissen,** **weder aus noch ~ wissen** ne savoir plus quoi faire

ein I. *num* un(e); **es ist ~ Uhr** il est une heure; ~ **Stunde/~en Tag dauern** durer une heure/une journée; ~ **Pfund/Kilo** **wiegen** peser une livre/un kilo; **sie hat** **nicht ~ Wort gesagt** elle n'a pas dit un seul mot; *s. a.* **eins** ► **mein/sein Ein und** **Alles** tout ce que j'ai/qu'il a de plus cher; **das ist doch ~ und dasselbe** c'est du pareil au même (*fam*); ~ **und derselbe/die·** **selbe** (*dieselbe Person*) une seule et même personne II. *art indef* **1.** un/une; ~ **Buch/Tisch** un livre/une table; ~e **Tür** une porte; **als Tochter ~er Lehrerin** en

tant que fille d'enseignante; **so ~e Frechheit!** quelle insolence!; *s. a.* **eine(r, s)**
2. (*jeder*) ~ **Wal ist ein Säugetier** les ba-
leines sont des mammifères
Einakter <-s, -> *m* pièce *f* en un acte
einander [ai'nandə] *pron geh* se/nous/
vous; **wir respektieren ~** nous nous res-
pectons mutuellement; **reicht ~ die Hände** donnez-vous la main
ein|arbeiten I. *vr* sich ~ (*am Arbeitsplatz*)
s'adapter; **sich in etw** (*akk*) ~ se mettre au
courant de qc **II.** *vt* (*einweisen*) former;
jdn in etw (*akk*) ~ initier qn à qc
einarmig I. *adj Person* manchot(e) **II.** *adv*
avec un [seul] bras
ein|äschern ['ai̯nʔɛʃən] *vt* incinérer *Toten*
ein|atmen I. *vt* respirer; inhaler *Gas, Dämp-
fe* **II.** *vi* inspirer
einäugig ['ai̯nʔɔ̯ɡɪç] *adj* borgne
Einbahnstraße *f* [rue *f* à] sens *m* unique
ein|balsamieren* ['ai̯nbalzami:rən] **I.** *vt*
embaumer **II.** *vr hum fam* **sich mit etw ~**
s'enduire le corps de qc
Einband <-bände> *m* reliure *f*
einbändig ['ai̯nbɛndɪç] *adj* en un volume
Einbau <-bauten> *m meist Pl* (*eingebau-
tes Teil*) équipement *m*
ein|bauen *vt* **1.** (*montieren*) installer *Mö-
bel;* poser, monter *Motor, Geräteteil* **2.** (*einfügen*) insérer *Hinweis, Zitat;* intégrer *Theorie*
Einbauküche *f* cuisine *f* intégrée
Einbauschrank *m* placard *m*
ein|behalten* *vt irr* retenir
ein|berufen* *vt irr* **1.** (*zusammenkommen
lassen*) convoquer **2.** MIL incorporer
Einberufung *f* **1.** *kein Pl* convocation *f;* MIL
incorporation *f* **2.** (*~sbescheid*) avis *m*
d'incorporation
ein|betten *vt* implanter *Fundament;* insérer
Implantat
Einbettzimmer *nt* chambre *f* à un lit; (*im
Krankenhaus*) chambre *f* privée
ein|beziehen* *vt irr* **1.** (*beteiligen*) impli-
quer; **jdn in etw** (*akk*) ~ (*mitreden
lassen*) impliquer qn dans qc; (*mitwirken
lassen*) associer qn à qc **2.** (*berücksichtigen*) **etw in etw** (*akk*) [*mit*] ~ prendre en
compte qc pour qc
ein|biegen *vi irr* + *sein* tourner; **in eine
Straße ~** tourner dans une rue
ein|bilden *vr* **1.** (*phantasieren*) **sich** (*dat*)
etw ~ s'imaginer qc **2.** (*stolz sein*) **sich**
(*dat*) **etwas/einiges auf seine Leistungen ~** être fier/ne pas être peu fier de ses
performances; **was bildest du dir eigentlich ein?** *fam* pour qui tu te prends?
Einbildung *f* **1.** *kein Pl* (*Phantasie*) imagination *f* **2.** *kein Pl* (*Arroganz*) prétention *f*

Einbildungskraft *f kein Pl* imagination *f*
ein|blenden I. *vt* CINE, TV insérer; RADIO in-
tercaler **II.** *vr* TV, RADIO **sich in etw** (*akk*) ~
passer l'antenne à qc
Einblick *m* **1.** (*Einsichtnahme*) aperçu *m;* ~
in etw (*akk*) aperçu de qc; **jdm ~ in etw**
(*akk*) **gewähren** (*betrachten lassen*) laisser qn regarder dans qc; (*kennen lernen
lassen*) laisser qn recueillir des informations sur qc; ~ **in etw** (*akk*) **gewinnen**
pouvoir se faire une idée de qc; ~ **in die
Unterlagen haben/nehmen** avoir/pren-
dre connaissance des documents **2.** *Pl*
(*Kenntnisse*) **jdm interessante ~e eröffnen** ouvrir des perspectives intéressantes à
qn **3.** (*Sicht*) [**einen**] ~ **in den Garten haben** avoir vue sur le jardin
ein|brechen *irr* **I.** *vi* **1.** + *haben o sein* cam-
brioler; (*einen Einbruch verüben*) **bei
jdm/in etw** (*akk o dat*) ~ cambrioler qn/
qc **2.** + *sein* (*eindringen*) **in ein Land ~**
envahir un pays **3.** + *sein* (*einsinken*) **auf
dem Eis** ~ passer au travers de la glace
4. + *sein* (*einstürzen*) *Decke:* s'effondrer;
Stollen, Tunnel: s'ébouler **II.** *vt* + *haben* enfoncer *Tür, Wand*
Einbrecher(in) *m(f)* cambrioleur(-euse)
m(f)
ein|bringen *irr* **I.** *vt* **1.** (*eintragen*) rappor-
ter; **jdm etw** ~ rapporter qc à qn **2.** (*beitragen*) apporter *Kapital, Know-how* **3.** (*einfahren*) rentrer *Ernte* **4.** (*vorschlagen*) **etw in**
Parlament ~ déposer qc au Parlement **II.**
vr **sich bei etw/in etw** (*akk*) ~ s'investir
dans qc
ein|brocken *fam vt* **jdm etwas** [**Schönes**]
~ mettre qn dans le pétrin
Einbruch *m* **1.** cambriolage *m;* ~ **in etw**
(*akk*) cambriolage de qc **2.** *kein Pl* (*Einsturz*) effondrement *m* **3.** *kein Pl* (*das Fallen*) *des Kurses* chute *f* **4.** (*Verluste*) échec
m **5.** (*Beginn*) *des Winters* irruption *f*
ein|bürgern I. *vt* **1.** ADMIN naturaliser; **sich
in der** [*o* **die**] **Schweiz** ~ **lassen** se faire
naturaliser Suisse **2.** (*heimisch machen*)
acclimater *Tier, Pflanze* **3.** (*verbreiten*) importer *Fremdwort, Brauch* **II.** *vr* **1.** (*übernommen werden*) **sich** ~ *Fremdwort,
Brauch:* s'implanter **2.** (*üblich werden*) **das
hat sich bei uns/in der Firma so einge-
bürgert** c'est devenu une habitude chez
nous/dans l'entreprise
Einbuße *f* perte *f;* **finanzielle ~n erleiden**
subir des pertes financières
ein|büßen I. *vt* perdre; **sein Leben** ~ per-
dre la vie **II.** *vi* **sehr an Ansehen** ~ perdre
beaucoup de son crédit
ein|checken ['ai̯ntʃɛkən] **I.** *vi* **1.** *Fluggast:*
se faire enregistrer; **nach dem Einche-**

cken après l'enregistrement **2.** (*absteigen*) im **Hotel** ~ descendre dans l'hôtel; (*sich anmelden*) se présenter à l'hôtel **II.** *vt* enregistrer *Fluggast;* faire enregistrer *Gepäck* **ein|cremen I.** *vt* mettre de la crème; **er cremt ihr den Rücken ein** il lui met de la crème sur le dos **II.** *vr* **sich** (*dat*) **das Gesicht** ~ se mettre de la crème sur le visage **ein|dämmen** ['ajndɛmən] *vt a. fig* endiguer; enrayer *Seuche;* circonscrire *Brand* **ein|decken I.** *vr* **sich mit Gemüse/ Fleisch** ~ s'approvisionner en légumes/ viande; **sich mit Holz/Kohle** ~ faire des provisions de bois/charbon **II.** *vt* **1.das Dach mit etw** ~ couvrir le toit de qc **2.** *fam* (*überhäufen*) **jdn mit etw** ~ submerger qn de qc **eindeutig** ['ajndɔytɪç] **I.** *adj* **1.** (*unmissverständlich*) clair(e); *Absage, Weigerung, Bitte* explicite **2.** (*unzweifelhaft*) *Beweis, Niederlage, Sieg* indiscutable **II.** *adv* (*ohne jeden Zweifel*) manifestement; **ganz** ~ de toute évidence **Eindeutigkeit** <-> *f* (*Unzweifelhaftigkeit*) netteté *f,* évidence *f; eines Beweises* caractère *m* indiscutable **ein|dicken I.** *vt* + *haben* épaissir *Soße* **II.** *vi* + *sein Soße:* épaissir **eindimensional** *adj* **1.** unidimensionnel(le) **2.** *Denkweise* monolithique **ein|dösen** *vi* + *sein fam* s'assoupir **ein|dringen** *vi irr* + *sein* **1.in etw** (*akk*) ~ *Einbrecher:* s'introduire dans qc; *Truppen, Wasser:* pénétrer dans qc **2.** (*sich einarbeiten*) **in die Materie** ~ étudier plus à fond le sujet **3.** (*bestürmen*) **mit etw auf jdn** ~ harceler qn de qc **eindringlich I.** *adj Bitte, Stimme, Warnung* pressant(e); *Rede* suppliant(e) **II.** *adv bitten, warnen* avec insistance **Eindringling** <-s, -e> *m* intrus(e) *m(f)* **Eindruck** <-drücke> *m* **1.** impression *f;* **den** ~ **haben, dass** ... avoir l'impression que ...; **von jdm/etw den** ~ **gewinnen, dass** ... avoir peu à peu le sentiment à propos de qn/qc que ...; **den** ~ **erwecken, als sei alles in Ordnung** donner l'impression que tout va bien; **Eindrücke sammeln** emmagasiner des impressions **2.** (*Wirkung, Effekt*) **unter dem** ~ **einer S.** (*gen*) **stehen** être sous le coup de qc **3.** (*Abdruck*) empreinte *f* **ein|drücken I.** *vt* **1.** (*beschädigen*) *etw* ~ *Person, Wassermassen:* enfoncer qc; *Sturm, Explosion:* défoncer qc, démolir qc **2.** (*verletzen*) **das Lenkrad hat ihm den Brustkorb eingedrückt** le volant lui a écrasé la cage thoracique **II.** *vr* **sich in etw** (*akk*) ~ *Tischbeine, Reifen:* laisser des marques sur

qc **eindrücklich** CH, **eindrucksvoll I.** *adj* impressionnant(e) **II.** *adv* de façon saisissante **eine(r, s)** *pron indef* **1.** (*jemand*) quelqu'un; ~ **aus der Nachbarschaft** une voisine; ~**s der Kinder** un des enfants; **du bist mir** ~**r!** *fam* [non mais,] toi alors!; **das ist** ~**r!** c'est quelqu'un!; *s. a.* **ein 2.** *fam* (*man*) **und das soll** ~**r glauben?** laisse-moi rire! **3.** (*eine Sache*) ~**s** [*o* **eins**] **gefällt mir nicht an ihm** il y a une chose qui me déplaît en lui; *s. a.* **eins ▸** ~**r für alle, alle für** ~**n** *prov* un pour tous, tous pour un **ein|ebnen** *vt* aplanir **eineiig** ['ajn?ajɪç] *adj* ~**e Zwillinge** de vrais jumeaux **eineinhalb** *num* un(e) ... et demi(e) **eineinhalbmal** *adv* une fois et demie; *s. a.* **achtmal** **einem** *pron indef, dat von* **man: solch ein Entschluss fällt** ~ **schwer** on a du mal à prendre une telle décision; **wenn** ~ **das nicht gefällt** si on n'aime pas cela **einen** ['ajnən] *pron indef, akk von* **man: das freut** ~ on s'en réjouit; **er grüßt** ~ **nie** il ne vous dit jamais bonjour **ein|engen** *vt* **1.** (*bedrängen*) étouffer **2.** (*beschränken*) **jdn in etw** (*dat*) ~ restreindre qn dans qc **3.** (*beengen*) *Kleidungsstück:* serrer **einer** *pron s.* **eine(r, s)** **Einer** <-s, -> *m* **1.** MATH unité *f* **2.** SPORT skif[f] *m* **einerlei** ['ajnəˈlaj] *adj inv* ~ **sein** être égal; **das ist mir/ihm** ~ ça m'est/lui est égal **Einerlei** <-s> *nt* monotonie *f* **einerseits** ['ajnəˈzajts] *adv* ~ ... **andererseits** ... d'un côté ..., de l'autre [côté] ... **eines** *pron s.* **eine** **einfach** ['ajnfax] **I.** *adj* **1.** (*nicht schwierig, nicht kompliziert*) facile; **eine ganz** ~**e Konstruktion** une construction élémentaire; **es sich** (*dat*) **mit etw zu** ~ **machen** s'en tirer un peu vite avec qc **2.** (*nicht doppelt*) *Knoten, Faden* simple; *Ausfertigung* en un exemplaire **3.** (*nicht hin und zurück*) **eine** ~**e Fahrkarte** un aller simple **II.** *adv* **1.** (*leicht*) *erklären* simplement; ~ **zu verstehen sein** être facile à comprendre **2.** (*geradezu*) vraiment **3.** (*ohne Umstände*) *weggehen, hinunterschlingen* tout bonnement **4.** (*verstärkend*) **es will** ~ **nichts werden** ça ne veut pas marcher **Einfachheit** <-> *f* simplicité *f;* **der** ~ **halber** pour plus de simplicité **ein|fädeln** ['ajnfɛːdəln] **I.** *vt* **1.** enfiler; **einen Faden/einen Film in etw** (*akk*) ~ faire passer un fil/engager une pellicule dans qc **2.** *fam* (*einleiten*) combiner *Ge-*

schäft; manigancer *Intrige* **II.** *vr* **sich in etw** (*akk*) ~ *Autofahrer:* s'insérer dans qc
einlfahren *irr* **I.** *vi* + *sein* **1.** faire son entrée; **in etw** (*akk*) ~ *Rennfahrer:* faire son entrée dans/sur qc; **in den Bahnhof/Hafen** ~ entrer en gare/dans le port **2.** MIN **in etw** (*akk*) ~ descendre dans qc **II.** *vt* + *haben* **1.** (*kaputtfahren*) défoncer *Mauer* **2.** (*einziehen*) rentrer *Antenne, Fahrgestell* **3.** (*zu benutzen beginnen*) roder *Auto*
Einfahrt *f* **1.** *kein Pl des Zuges* entrée *f* en gare; *des Schiffes* arrivée *f* au port; ~ **haben** *Zug:* entrer en gare **2.** (*Zufahrt*) voie *f* d'accès; ~ **freihalten!** sortie de véhicules!
Einfall *m* **1.** (*Idee*) idée *f* **2.** MIL **der** ~ **des Feindes in unser Land** l'invasion de notre pays par l'ennemi **3.** *kein Pl* (*das Einfallen*) *des Lichtes, der Strahlen* pénétration *f*
einlfallen *vi irr* + *sein* **1.** (*in den Sinn kommen*) **jdm** ~ venir à l'esprit de qn; **sich** (*dat*) **etwas** ~ **lassen** trouver quelque chose; **was fällt Ihnen ein!** qu'est-ce qui vous prend? (*fam*) **2.** (*in Erinnerung kommen*) **jdm fällt etw** [**wieder**] **ein** qn retrouve qc **3.** (*einstürzen*) s'écrouler **4.** (*eindringen*) **in etw** (*akk*) ~ envahir qc **5.** (*hereinströmen*) **in etw** (*akk*) ~ *Licht:* rentrer dans qc **6.** (*einsinken*) *Gesicht, Wangen:* se creuser
einfallslos *adj, adv* sans imagination
einfallsreich I. *adj* qui fait preuve d'imagination **II.** *adv* de façon ingénieuse; (*originell*) de manière originale
Einfalt ['aɪnfalt] <-> *f* naïveté *f*
einfältig ['aɪnfɛltɪç] *adj Person, Frage* naïf(-ïve); *Gemüt* candide
Einfamilienhaus *nt* maison *f* individuelle
einfarbig I. *adj* d'une seule couleur; *Stoff* uni(-e) **II.** *adv streichen* d'une seule couleur
einlfassen *vt* **1.** border *Beet* **2.** (*mit Borte*) galonner **3.** sertir *Edelstein*
einlfetten *vt* graisser *Leder, Backform*
einlfinden *vr irr form* sich ~ *Gäste:* arriver
einlflößen *vt* **1.** (*geben*) **jdm Arznei** ~ faire prendre des médicaments à qn **2.** (*erwecken*) **jdm Ehrfurcht/Vertrauen** ~ inspirer du respect/[de la] confiance à qn; **du flößt ihm Angst ein** tu lui fais peur
Einflugschneise *f* axe *m* d'atterrissage
EinflussRR *m* **1.** (*Wirkung*) *einer Person* influence *f*; *der Witterung, des Windes* action *f*; **auf etw** (*akk*) ~ **nehmen** peser sur qc **2.** (*Beziehungen*) **seinen** ~ **geltend machen** faire jouer son crédit
einflussreichRR *adj* influent(e)
einlfordern ['aɪnfɔrdən] *vt geh* exiger; **etw von jdm** ~ exiger qc de qn
einförmig ['aɪnfœrmɪç] **I.** *adj* uniforme **II.** *adv verlaufen* de façon uniforme

einlfrieden ['aɪnfriːdən] *vt geh* enclore
einlfrieren *irr* **I.** *vi* + *sein Wasserleitung:* geler; **im See** ~ *Boot, Pflanzen:* être pris dans les glaces du lac **II.** *vt* + *haben* **1.** (*konservieren*) congeler *Lebensmittel* **2.** (*suspendieren*) geler *Projekt, Gehälter*
einlfügen I. *vt* rajouter **II.** *vr* **1.** (*sich anpassen*) **sich in eine Gemeinschaft** ~ s'adapter à une communauté **2.** (*hineinpassen*) **sich gut in die Landschaft** ~ *Bauwerk:* bien s'intégrer dans l'environnement
Einfügetaste *f* INFORM touche *f* Insertion
einlfühlen *vr* sich in jdn ~ se mettre à la place de qn
einfühlsam ['aɪnfyːlzaːm] **I.** *adj Person, Verhalten, Worte* compréhensif(-ive) **II.** *adv vorgehen, sich verhalten* avec tact; *schildern* avec beaucoup de sensibilité
Einfühlungsvermögen *nt* (*gegenüber Menschen*) faculté *f* d'identification
Einfuhr ['aɪnfuːɐ] <-, -en> *f* importation *f*
einlführen I. *vt* **1.** (*importieren*) importer **2.** (*bekannt machen*) introduire; établir *Sitte;* lancer *Artikel* **3.** (*einweisen*) **jdn in seine Arbeit** ~ initier qn à son travail **4.** (*hineinschieben*) **etw in etw** (*akk*) ~ introduire qc dans qc **II.** *vr* sich gut/hervorragend ~ *Person:* faire bonne/très bonne impression **III.** *vi* **in etw** (*akk*) ~ *Person, Vortrag:* initier à qc; ~**de Worte** paroles d'introduction
Einführung *f* **1.** (*Einweisung*) initiation *f;* **die** ~ **in eine Tätigkeit/neue Aufgabe** l'initiation à une activité/une nouvelle tâche; **die** ~ **in ein Amt** l'installation *f* dans une fonction **2.** (*Einleitung*) **die** ~ **in etw** (*akk*) l'introduction *f* à qc
Einfuhrzoll *m* taxe *f* à l'importation
Eingabe *f* **1.** ADMIN pétition *f* **2.** INFORM entrée *f*
Eingabegerät *nt* INFORM périphérique *m* d'entrée-sortie **Eingabetaste** ['aɪnga:bətastə] *f* INFORM touche *f* Entrée
Eingang <-gänge> *m* **1.** entrée *f;* **kein** ~**!** entrée interdite! **2.** *Pl* (~*spost im Büro*) courrier *m* **3.** *kein Pl* (*Erhalt*) réception *f*
eingängig I. *adj* **1.** (*einprägsam*) *Spruch, Slogan* évocateur(-trice) **2.** (*einleuchtend*) *Erklärung, Theorie* limpide **II.** *adv* d'une façon limpide
eingangs I. *adv* au début **II.** *präp* + *gen* au début de
einlgeben *vt irr* **1.** (*verabreichen*) **jdm etw** ~ administrer qc à qn **2.** INFORM **etw in den Computer** ~ entrer qc dans l'ordinateur **3.** *geh* (*inspirieren*) **jdm einen Gedanken/eine Idee** ~ inspirer une pensée/idée à qn

eingebildet adj **1.** pej (hochmütig) prétentieux(-euse) **2.** (imaginär) imaginaire
eingeboren adj (einheimisch) autochtone
Eingeborene(r) f(m) dekl wie adj autochtone mf
Eingebung <-, -en> f inspiration f
eingefahren adj Verhaltensweise conventionnel(le)
eingefallen adj Gesicht émacié(e); Wangen creux(-euse)
eingefleischt ['ajngəflajʃt] adj attr Junggeselle, Optimist endurci(e); Demokrat convaincu(e)
ein|gehen irr **I.** vi + sein **1.** (ankommen) arriver; **im Sekretariat** ~ Post: arriver au secrétariat **2.** FIN **auf dem Konto** ~ être viré sur le compte **3.** (sterben) **an etw** (dat) ~ Tier, Pflanze: mourir de qc **4.** (einlaufen) **beim Waschen** ~ Kleidung: rétrécir au lavage **5.** (sich auseinander setzen) **auf jdn/etw** ~ s'occuper de qn/aborder qc **6.** (zustimmen) **auf ein Angebot** ~ accepter une offre **7.** (Aufnahme finden) **in die Geschichte** ~ entrer dans l'histoire **8.** fam (einleuchten) **es will mir nicht** ~, **dass** ... je n'arrive pas à comprendre que ... **II.** vt + sein accepter Kompromiss; courir Risiko; prendre Verpflichtung; faire Wette; conclure Bündnis
eingehend I. adj détaillé(e) **II.** adv à fond
Eingemachte(s) nt dekl wie adj conserves fpl
eingeschränkt ['ajngəʃrɛnkt] adj Möglichkeiten limité(e)
eingeschrieben I. adj Mitglied inscrit(e); Brief, Sendung recommandé(e) **II.** adv en recommandé
eingespielt adj bien rodé(e); **gut aufeinander** ~ **sein** former une bonne équipe
Eingeständnis nt aveu m
ein|gestehen* irr **I.** vt admettre Irrtum, Schwäche **II.** vr sich (dat) ~, **dass** ... s'avouer que ...
eingetragen adj Mitglied inscrit(e); Verein déclaré(e); Warenzeichen déposé(e)
Eingeweide <-s, -> nt meist Pl viscères mpl
Eingeweihte(r) f(m) dekl wie adj (Experte) initié(e) m(f)
eingleisig adj Strecke à voie unique
ein|gliedern I. vt **1.** (integrieren) réinsérer; **jdn [wieder] in etw** (akk) ~ réinsérer qn dans qc **2.** ADMIN, POL **etw in ein Unternehmen** ~ incorporer qc dans une entreprise **II.** vr sich **in etw** (akk) ~ s'intégrer dans qc
ein|graben irr **I.** vt enterrer; **jdn/etw in etw** (akk) ~ enterrer qn/qc dans qc **II.** vr sich **in etw** (akk) ~ Fluss: s'enfoncer dans

qc
ein|gravieren* vt graver; **etw in etw** (akk) ~ graver qc dans qc
ein|greifen vi irr **1.** (einschreiten) intervenir **2.** (sich einschalten) **in etw** (akk) ~ intervenir dans qc; **helfend** ~ donner un coup de main
ein|grenzen vt **1.** délimiter Grundstück, Gebiet **2.** fig limiter
Eingriff m **1.** MED intervention f **2.** (Übergriff) **ein** ~ **in etw** (akk) une atteinte à qc
ein|haken I. vt accrocher; **etw in etw** (akk) ~ accrocher qc dans qc **II.** vi fam **bei einem Thema/an einem Punkt** ~ réagir aussitôt à propos d'un sujet/sur un point **III.** vr sich **bei jdm** ~ prendre le bras à qn
Einhalt m geh **jdm/einer S.** (akk) ~ **gebieten** arrêter qn/qc
ein|halten irr **I.** vt **1.** (beachten) respecter Abmachung; suivre Diät **2.** (beibehalten) maintenir Geschwindigkeit, Kurs **II.** vi geh s'interrompre
ein|handeln vt fam (hinnehmen müssen) **sich** (dat) **Probleme/Ärger** ~ s'attirer des problèmes/des ennuis
einhändig ['ajnhɛndɪç] **I.** adj manchot(e) **II.** adv d'une [seule] main
ein|hängen I. vt **1.** (montieren) accrocher Tür, Fenster **2.** (auflegen) raccrocher Hörer **II.** vi raccrocher **III.** vr sich **bei jdm** ~ prendre le bras à qn
ein|heben vt irr A encaisser Geld, Steuern
ein|heften vt classer
einheimisch ['ajnhajmɪʃ] adj **1.** (ortsansässig) Bevölkerung, Pflanzen, Tiere local(e); (in dem Land, der Gegend ansässig) indigène **2.** (opp: ausländisch) Produkt, Industrie national(e); Mannschaft local(e)
Einheimische(r) f(m) dekl wie adj (Ortsansässiger) habitant(e) m(f); (Inländer) personne f du pays; **die** ~n (Ortsbewohner) les gens mpl du coin; (Inländer) les gens mpl du pays
Einheit <-, -en> f **1.** a. MIL unité f; **eine [geschlossene]** ~ **bilden** former un tout **2.** (Einigkeit) union f **3.** (Telefoneinheit) unité f
einheitlich I. adj **1.** (gleich) Farbe, Kleidung uniforme **2.** (in sich geschlossen) Gestaltung, Werk homogène; Front unitaire **II.** adv handeln, vorgehen de façon unitaire; gestalten de façon homogène; sich kleiden de façon uniforme
Einheitspreis m prix m unique **Einheitstarif** m tarif m unique
einhellig adj unanime
ein|holen vt **1.** (einziehen) [r]amener Netz; amener Fahne, Segel **2.** (anfordern) de-

mander *Gutachten* **3.** (*erreichen*) rattraper **4.** ([*wieder*] *einholen*) rattraper *Versäumtes, Zeit*
Einhorn *nt* licorne *f*
ein|hüllen I. *vt geh* envelopper II. *vr geh* sich in eine Decke ~ s'envelopper dans une couverture
einhundert *num* cent
einig ['ajnɪç] *adj* **1.** (*geeint*) uni(e) **2.** (*einer Meinung*) sich (*dat*) über etw (*akk*) ~ sein/werden être/se mettre d'accord sur qc; sich (*dat*) [darüber] ~ sein, dass être d'accord pour que + *subj*
einige(r, s) ['ajnɪɡə, -ɡɐ, -ɡəs] *pron indef* **1.** (*ziemlich viel, ziemlich groß*) ~s Geld/ ~ Zeit pas mal d'argent/de temps; in ~r Entfernung à une certaine distance; ~s an Mut une certaine dose de courage; das kostet aber ~s! ça n'est pas donné! **2.** (*mehrere*) plusieurs; ~ tausend Teilnehmer plusieurs milliers de participants; in/vor ~n Tagen dans/il y a quelques jours; ~ Mal plusieurs fois; ~ von euch quelques-uns d'entre vous; nur ~ wenige seuls quelques-uns; mit Ausnahme ~r weniger à l'exception d'un petit nombre de gens; ~ andere certains autres
einigemal *s.* einige(r, s)
einigen I. *vr* sich ~ se mettre d'accord; sich auf/über etw (*akk*) ~ se mettre d'accord sur qc II. *vt* Menschen/ein Volk ~ unifier des personnes/un peuple
einiger *pron s.* einige(r, s)
einigermaßen I. *adv* **1.** (*ziemlich*) relativement; ich bin ~ überrascht, dass je suis relativement surpris que + *subj* **2.** (*leidlich*) moyennement; er hat sich wieder ~ erholt il s'est à peu près remis II. *adj fam* der Film/der Nachtisch war ~ le film/le dessert n'était pas trop mal
einiges *s.* einige(r, s)
Einigkeit <-> *f* **1.** (*Eintracht*) *einer Nation, eines Volkes* union *f* **2.** (*Übereinstimmung*) entente *f*; in diesem Punkt herrscht ~ tous les avis sont unanimes sur ce point
Einigung <-, -en> *f* **1.** *kein Pl* (*das Vereinen*) *von Staaten* unification *f*; die ~ Europas l'union *f* de l'Europe **2.** (*Übereinstimmung, Vereinbarung*) accord *m*
ein|jagen *vt* jdm Furcht/Schrecken ~ effrayer qn; jdm Angst ~ faire peur à qn
einjährig ['ajnjɛːrɪç] *adj* **1.** *Kind, Tier* [âgé(e)] d'un an **2.** BOT annuel(le) **3.** (*ein Jahr dauernd*) d'un an
ein|kalkulieren* *vt* **1.** (*mit bedenken*) [mit] ~, dass ... tenir compte du fait que ... **2.** (*mit einrechnen*) etw in seine Berechnungen [mit] ~ inclure qc dans ses calculs

ein|kassieren* *vt* **1.** (*kassieren*) encaisser; einen Betrag von jdm ~ encaisser une somme auprès de qn **2.** *fam* (*wegnehmen*) embarquer
Einkauf *m* (*das Einkaufen*) achat *m*
ein|kaufen I. *vt* acheter; etw billig/teuer ~ acheter qc bon marché/cher II. *vi* ~ gehen aller faire des/les courses III. *vr* (*einen Anteil erwerben*) sich in etw (*akk*) ~ acheter des parts dans qc
Einkäufer(in) *m(f)* acheteur(-euse) *m(f)*
Einkaufsbummel *m* lèche-vitrines *m* **Einkaufspreis** *m* prix *m* coûtant; zum ~ à prix coûtant **Einkaufswagen** *m* chariot *m* **Einkaufszeile** *f* alignement *m* de boutiques; (*Haupteinkaufsstraße*) rue *f* commerçante **Einkaufszentrum** *nt* centre *m* commercial
ein|kehren *vi* + *sein geh* s'installer; bei jdm [wieder] ~ *Ruhe, Friede, Not:* s'installer chez qn
ein|klagen *vt* opposer juridiquement *Anspruch, Zusage;* poursuivre le recouvrement de *Schulden*
ein|klammern *vt* (*mit runden/eckigen Klammern*) mettre entre parenthèses/crochets; etw ~ mettre qc entre parenthèses/crochets
Einklang *m geh* harmonie *f*
ein|kleben *vt* coller
ein|kleiden I. *vt* habiller *Rekruten, Novizen* II. *vr* sich neu ~ renouveler sa garde-robe
ein|klemmen *vt* (*quetschen*) coincer
ein|kochen I. *vt* + *haben* etw ~ mettre qc en conserve II. *vi* + *sein* réduire
Einkommen <-s, -> *nt* revenu *m*
Einkommensgrenze *f* (*obere Grenze*) plafond *m* de ressources; (*untere Grenze*) seuil *m* de revenus **einkommensschwach** *adj* à faibles revenus **Einkommen[s]steuer** *f* impôt *m* sur le revenu
ein|kreisen *vt* **1.** (*kennzeichnen*) entourer *Zahl, Wort, Stelle* **2.** (*umschließen*) encercler *Person, Tier* **3.** (*eingrenzen*) cerner
Einkünfte ['ajnkʏnftə] *Pl* revenus *mpl*
ein|laden[1] *irr vt* **1.** inviter; jdn zum Essen/in ein Restaurant/zu sich ~ inviter qn à manger/au restaurant/chez soi **2.** CH (*auffordern*) jdn ~ etw zu tun inviter qn à faire qc
ein|laden[2] *vt irr* charger
einladend I. *adj* **1.** (*auffordernd*) *Geste* engageant(e); *Blick, Lächeln* enjôleur(-euse) **2.** (*appetitlich*) *Essen* appétissant(e); *Lokal* attrayant(e) II. *adv* dekorieren, Tisch decken de façon charmante
Einladung *f* invitation *f*
Einlage <-, -n> *f* **1.** (*Schuheinlage*) semelle *f* [intérieure] **2.** THEAT intermède *m*

einladen

• **einladen**	• **inviter**
Besuch mich doch, ich würde mich sehr freuen.	**Viens me voir,** ça me ferait très plaisir.
Nächsten Samstag lasse ich eine Party steigen. **Kommst du auch?** *(fam)*	Je fais une fête samedi prochain. **Tu viens aussi?**
Darf ich Sie zu einem Arbeitsessen **einladen?**	**Puis-je vous inviter** à un repas/dîner d'affaires?
Ich würde Sie gern zum Abendessen **einladen.**	**J'aimerais vous inviter** à dîner.

3. GASTR **Brühe mit** ~ *bouillon enrichi de vermicelles, de légumes ou de petits morceaux de viande* **4.** FIN *(Spareinlage)* dépôt *m;* *(Beteiligung)* apport *m*

ein‖lagern *vt* faire [sa] provision de *Vorräte, Kartoffeln, Kohlen;* entreposer *Brennstäbe, Raketen;* **eingelagert** stocké

Einlagerung *f* **1.** *(das Einlagern)* stockage *m* **2.** MINER incrustation *f*

ein‖langen ['aɪnlaŋən] *vi* A arriver

Einlass RR **<-es,** ⁼e**>,** **Einlaß** ['aɪnlas] **<-sses,** ⁼sse**>** *m* **1.** *kein Pl (Zutritt)* accès *m;* ~ **ab 19 Uhr** ouverture *f* des portes à partir de 19 heures; ~ **finden** être admis **2.** TECH admission *f*

ein‖lassen *irr* **I.** *vt* **1.** *(eintreten lassen)* faire entrer **2.** *(einlaufen lassen)* **sich** *(dat)* **ein Bad** ~ se faire couler un bain **3.** *(einarbeiten)* **etw in Holz/Metall** ~ incruster qc dans du bois/métal **4.** A *(bohnern)* cirer *Boden* **II.** *vr* **1.** *(eingehen auf)* **sich auf eine Diskussion** ~ s'embarquer dans une discussion **2.** *pej (Kontakt aufnehmen)* **sich mit jdm** ~ s'acoquiner avec qn **3.** JUR **sich zu etw** ~ déposer des conclusions concernant qc

Einlauf *m* **1.** *kein Pl (das Betreten)* ~ **ins Stadion** entrée *f* dans le stade **2.** *kein Pl (das Hineinlaufen)* ~ **ins Ziel** franchissement *m* de la ligne d'arrivée **3.** MED lavement *m*

ein‖laufen *irr* **I.** *vi* + *sein* **1.** *(kleiner werden)* *Pullover:* rétrécir **2.** *(hineinströmen)* *Badewasser:* couler **3.** *(hineinlaufen)* **ins Stadion** ~ faire son entrée dans le stade; **in die Zielgerade** ~ aborder la dernière ligne droite **4.** *(einfahren)* **in den Hafen** ~ entrer dans le port **II.** *vt* + *haben* **Schuhe** ~ faire des chaussures [à son pied] **III.** *vr* **sich** ~ *Sprinter:* [courir pour] s'échauffer; *Maschine:* se roder

ein‖leben *vr* **sich** ~ s'acclimater; **sich bei jdm/in etw** *(akk o dat)* ~ s'intégrer chez qn/s'acclimater à qc

ein‖legen *vt* **1.** *(hineintun)* introduire *Kas-*

sette; mettre *Sohlen* **2.** *(die Gangschaltung betätigen)* passer *Gang* **3.** GASTR faire mariner *Heringe* **4.** *(machen)* faire *Pause, Sonderschicht* **5.** *(geltend machen)* émettre *Protest* **6.** *(einzahlen)* déposer *Gelder* **7.** *(einarbeiten)* incruster *Intarsien*

ein‖leiten *vt* **1.** ouvrir *Untersuchung;* engager *Verfahren;* **gegen jdn Maßnahmen/ Schritte** ~ prendre des mesures/entamer une action contre qn **2.** MED provoquer *Geburt* **3.** *(den Beginn darstellen)* marquer le début de *Zeitalter* **4.** *(den Auftakt bilden)* introduire *Buch* **5.** *(hineinleiten)* **Abwässer in einen See** ~ déverser des eaux usées dans un lac

einleitend I. *adj* préliminaire **II.** *adv* en [guise d']introduction

Einleitung *f* **1.** *(Beginn)* préface *f* **2.** *kein Pl (die Inangriffnahme)* *einer Untersuchung* ouverture *f; eines Verfahrens* introduction *f; von Maßnahmen* prise *f; von Schritten* mise *f* en œuvre **3.** *kein Pl (das Einleiten)* *von Abwasser* déversement *m*

ein‖lenken *vi* *(sich versöhnlich zeigen)* lâcher du lest

ein‖lesen ['aɪnleːzən] *irr* **I.** *vt* INFORM entrer par lecture directe; **etw in den Rechner** ~ entrer qc dans l'ordinateur par lecture directe **II.** *vr* **sich in ein Sachgebiet** ~ se familiariser avec un domaine

ein‖leuchten *vi* *Argument:* être clair; **es leuchtet mir nicht ein, wieso ...** je ne vois pas bien pourquoi ...

einleuchtend I. *adj* *Erklärung* clair(e); *Argument* convaincant(e) **II.** *adv* *erklären* clairement; *begründen* de façon convaincante

ein‖liefern *vt* déposer; **etw beim Postamt** ~ déposer qc à la poste; **jdn ins Krankenhaus/Gefängnis** ~ hospitaliser/incarcérer qn

Einlieferung *f* *eines Patienten* hospitalisation *f; eines Häftlings* incarcération *f; von Briefen, Paketen* dépôt *m*

ein‖loggen ['aɪnlɔgən] *vr* INFORM **sich** ~ se connecter; **sich ins Netz/ins Internet** ~

se connecter au réseau/sur Internet

ein|lösen *vt* **1.** FIN honorer *Scheck* **2.** (*auslösen*) retirer *Pfand* **3.** (*wahr machen*) honorer *Versprechen*

Einlösung *f* **1.** *eines Schecks* paiement *m* **2.** (*Auslösung*) *eines Pfands* retrait *m* **3.** (*das Wahrmachen*) *eines Versprechens* accomplissement *m*

ein|machen *vt* mettre en bocaux; **Obst/ Gemüse** ~ mettre des fruits/légumes en bocaux

Einmachglas *nt* (*für Obst, Gemüse*) bocal *m*; (*für Marmelade*) pot *m* [à confitures]

einmal *adv* **1.** (*ein einziges Mal*) une fois; **wieder** ~ encore une fois; ~ **mehr** une fois de plus; ~ **vier ist vier** une fois quatre quatre **2.** (*mal*) un jour; ~ **sagt er dies,** ~ **das** il dit tantôt blanc, tantôt noir; **nicht** ~ [ne] ... même pas **3.** (*irgendwann in der Vergangenheit*) autrefois; **es war** ~ il était une fois **4.** (*irgendwann in der Zukunft*) un jour; **ich will** ~ **Pilot werden** plus tard, je veux être pilote ▶**auf** ~ (*plötzlich*) tout d'un coup; (*an einem Stück*) d'un seul coup

Einmaleins [ˈaɪnmaːlˈʔaɪns] <-> *nt* table *f* de multiplication

einmalig **I.** *adj* unique **II.** *adv* *schön, gut* extraordinairement

Einmalspritze [ˈaɪnmaːlʃprɪtsə] *f* seringue *f* jetable

Einmarsch *m* **1.** MIL ~ **in ein Land** invasion *f* d'un pays **2.** (*Einzug*) ~ **ins Stadion** entrée *f* dans le stade

ein|marschieren* *vi* + *sein* a. MIL **in ein Gebiet/Land** ~ envahir un territoire/pays

Ein-Megabit-Chip [aɪnmegaˈbittʃɪp] *m* INFORM puce *f* de 128 Ko

ein|mischen *vr* **sich** ~ s'immiscer; **sich in etw** (*akk*) ~ s'immiscer dans qc; **misch dich da nicht ein!** ne te mêle pas de ça!

Einmischung *f* ingérence *f*; ~ **in fremde Angelegenheiten** ingérence dans les affaires des autres

einmotorig *adj* monomoteur

ein|münden *vi* + *sein* **in etw** (*akk*) ~ *Straße:* déboucher sur qc; *Fluss, Rohr:* se jeter dans qc

Einmündung [ˈaɪnmʏndʊŋ] *f* **1.** **an der** ~ **dieser Straße** au débouché de cette rue **2.** (*Mündung*) *eines Flusses* confluent *m*; *eines Stromes* embouchure *f*; *eines Rohrs* sortie *f*

einmütig [ˈaɪnmyːtɪç] **I.** *adj* unanime **II.** *adv befürworten* d'une seule voix

Einnahme [ˈaɪnnaːmə] <-, -n> *f* **1.** (*eingenommenes Geld*) rentrée *f* [d'argent] **2.** *Pl* (*Einkünfte*) revenus *mpl* **3.** *kein Pl* (*das Einnehmen*) *eines Medikaments* prise *f*

4. *kein Pl* (*das Erobern*) *einer Stellung, Stadt* prise *f*

Einnahmequelle *f* source *f* de revenus, ressources *fpl*

ein|nehmen *vt irr* **1.** (*verdienen*) encaisser *Geld* **2.** (*einziehen*) percevoir *Steuern* **3.** (*zu sich nehmen*) prendre *Medikament* **4.** (*besetzen*) occuper *Position;* **seinen Platz** ~ prendre place **5.** (*vertreten*) adopter *Standpunkt* **6.** MIL prendre; **eingenommen** conquis ▶**von sich eingenommen sein** *pej* être imbu de sa personne

einnehmend *adj* plein(e) de séduction

ein|nicken *vi* + *sein fam* piquer du nez

ein|nisten *vr* **1.** *pej* (*sich niederlassen*) **sich bei jdm** ~ *Person:* s'incruster chez qn (*fam*); *Ungeziefer:* s'installer chez qn **2.** (*nisten*) **sich** ~ *Vogel:* nicher **3.** ANAT **sich in der Gebärmutter** ~ *Ei:* s'implanter dans l'utérus

Einöde *f* étendue *f* déserte

ein|ordnen **I.** *vt* **1.** (*einsortieren*) classer *Karteikarten* **2.** (*klassifizieren*) **ein Kunstwerk zeitlich** ~ déterminer l'époque d'une œuvre **II.** *vr* **1.** (*sich einfügen*) **sich in etw** (*akk*) ~ s'intégrer dans qc **2.** (*Fahrspur wählen*) **sich** [*richtig*] ~ se mettre dans la bonne file

ein|packen **I.** *vt* **1.** (*verpacken*) emballer; **etw in Papier** ~ emballer qc dans du papier **2.** (*einstecken*) **sich** (*dat*) **warme Sachen** ~ prendre des vêtements chauds **3.** *fam* (*einmummeln*) emmitoufler **II.** *vi* faire sa valise ▶~ **können** *fam* pouvoir remballer ses gaules **III.** *vr fam* **sich in etw** (*akk*) ~ s'emmitoufler dans qc

ein|parken [ˈaɪnparkən] *vt, vi* [se] garer

ein|passen **I.** *vt* ajuster **II.** *vr* **sich in etw** (*akk*) ~ s'adapter à qc

ein|pendeln [ˈaɪnpɛndəln] *vr* **sich** ~ se stabiliser; **sich auf etw** (*akk*) ~ se stabiliser à qc

ein|pflanzen [ˈaɪnplantsən] *vt* **1.** planter **2.** MED **jdm etw** ~ implanter qc à qn

ein|prägen **I.** *vr* **sich leicht** ~ être facile à retenir **II.** *vt* **1.** (*einschärfen*) **sich** (*dat*) **einen Namen** ~ retenir un nom; **jdm etw** ~ inculquer qc à qn **2.** (*prägen*) **etw in Metall** ~ graver qc dans du métal

einprägsam *adj* facile à retenir

ein|programmieren* *vt* INFORM installer

ein|quartieren* **I.** *vt* loger; MIL cantonner **II.** *vr* **sich bei jdm** ~ *Gast:* s'installer chez qn

ein|rahmen *vt a. fig* encadrer

ein|rasten *vi* + *sein* s'enclencher; **in etw** (*akk*) ~ s'enclencher dans qc

ein|räumen *vt* **1.** (*hineinstellen*) ranger **2.** (*zugeben*) admettre **3.** (*gewähren*) ac-

corder *Frist, Kredit* **4.** (*zugestehen*) reconnaître *Rechte*
ein|reden I. *vt* faire croire; **jdm etw** ~ faire croire qc à qn; **sich** (*dat*) ~, **dass** ... se persuader que ... **II.** *vi* **auf jdn** ~ harceler qn [de paroles]
ein|reiben *irr* **I.** *vt* **1.** (*reiben*) **etw in die Haut/Haare** ~ frictionner la peau/les cheveux avec qc **2.** (*massieren*) **jdm den Rücken** ~ frictionner le dos de qn **II.** *vr* **sich mit etw** ~ se frictionner avec qc
ein|reichen *vt* **1.** (*übersenden*) déposer *Bewerbungen, Unterlagen* **2.** (*beantragen*) remettre *Entlassung;* déposer une demande de *Versetzung, Pensionierung*
ein|reihen I. *vt* classer **II.** *vr* **sich in eine Schlange** ~ prendre place dans une file d'attente
Einreise *f* entrée *f*
ein|reisen *vi* + *sein form* entrer; **in die USA/nach Großbritannien** ~ entrer aux États-Unis/en Grande-Bretagne
Einreisevisum *nt* visa *m* d'entrée
ein|reißen *irr* **I.** *vi* + *sein* **1.** *Stoff, Papier:* se déchirer **2.** *fam* (*zur Gewohnheit werden*) devenir une [mauvaise] habitude **II.** *vt* + *haben* **1.** abattre *Mauer* **2.** déchirer *Papier*
ein|renken ['ajnrɛŋkən] *vt* MED remboîter *Arm, Schulter*
ein|richten I. *vt* **1.** (*möblieren*) aménager *Wohnung* **2.** (*ausstatten*) aménager *Hobbyraum;* installer *Labor, Praxis* **3.** (*eröffnen*) ouvrir *Konto* **4.** (*arrangieren*) **es so** ~, **dass alle dabei sein können** s'arranger pour que tous soient là **5.** MED réduire *Bruch* **II.** *vr* **1.** (*sich möblieren*) **sich neu** ~ se meubler de neuf **2.** (*sich der Lage anpassen*) **sich** ~ s'adapter **3.** (*sich einstellen*) **sich auf lange Wartezeiten** ~ se préparer mentalement à une longue attente
Einrichtung <-, -en> *f* **1.** (*Wohnungseinrichtung*) mobilier *m* **2.** (*Ausstattung*) *eines Labors* aménagement *m* [intérieur] **3.** *kein Pl* (*das Möblieren*) *einer Wohnung* ameublement *m;* (*das Ausstatten*) *eines Labors* équipement *m* **4.** *kein Pl* (*das Schaffen*) *einer Dienststelle* création *f; einer Behörde* installation *f* **5.** *kein Pl* (*das Eröffnen*) *eines Kontos* ouverture *f* **6.** *Pl* (*Anlage*) **sanitäre** ~**en** installations *fpl* sanitaires **7.** (*Institution*) organisation *f*
ein|rollen I. *vt* rouler *Teppich, Plakat* **II.** *vr* + *haben* **sich** ~ *Person:* se pelotonner; *Igel, Katze:* se rouler en boule; *Schlange:* se lover **III.** *vi* + *sein Zug:* entrer en gare
ein|rosten *vi* + *sein a. fig* (*rostig werden*) [se] rouiller
ein|rücken I. *vi* + *sein* **1.** (*eindringen*) **in ein Land** ~ pénétrer dans un pays **2.** (*ein-*

gezogen werden*) *Soldat:* être incorporé; **zum Militär** ~ partir à l'armée **3.** (*zurückkehren*) *Feuerwehr, Truppen:* [wieder] ~ réintégrer ses quartiers **II.** *vt* + *haben* TYP **etw** ~ mettre qc en retrait
eins [ajns] **I.** *num* un; **es ist** ~ il est une heure; *s. a.* **acht[1] II.** *adj* **1.** (*eine Einheit*) ~ **sein** être une seule et même chose; **das ist alles** ~ *fam* c'est du pareil au même **2.** *fam* (*egal*) **das ist mir** ~ je m'en balance **3.** (*einig*) **mit jdm/etw** ~ **sein** être en harmonie avec qn/qc
Eins <-, -en> *f* **1.** un *m* **2.** (*Schulnote*) excellente note entre dix-huit et vingt
einsam ['ajnzaːm] **I.** *adj* **1.** (*verlassen*) *Person* seul(e); *Leben* solitaire **2.** (*abgelegen*) *menschenleer*) *Dorf, Alm, Strand* isolé(e) **3.** (*vereinzelt*) *Boot, Fasan* isolé(e) **4.** (*allein getroffen*) *Entschluss* unilatéral(e) **II.** *adv* *leben, liegen* à l'écart
Einsamkeit <-, -en> *f* solitude *f*
ein|sammeln *vt* **1.** ramasser *Schulhefte;* collecter *Spenden* **2.** (*aufsammeln*) ramasser *Gegenstände*
Einsatz <-es, =e> *m* **1.** (*Leistungsbereitschaft*) engagement *m* **2.** SPIEL mise *f* **3.** FIN mise *f* de fonds **4.** *kein Pl* (*die Aufbietung, Verwendung*) *eines Spielers* entrée *f* en jeu; *von Truppen* engagement *m;* **der** ~ **von Atomwaffen** le recours aux armes nucléaires **5.** (*Aktion*) *der Polizei, Feuerwehr* intervention *f; von Truppen* opération *f;* **im** ~ **sein** *Feuerwehr:* être en action; *Soldaten:* être en opération **6.** MUS départ *m*
Einsatzbefehl *m der Polizei* ordre *m* d'intervention; *der Truppen* ordre *m* d'engagement **einsatzbereit** *adj Truppen, Geschütze* opérationnel(le); *Feuerwehr, Wasserwerfer* prêt(e) à intervenir **Einsatzbereitschaft** *f* **in** ~ **sein** être à pied d'œuvre
ein|saugen *vt* aspirer *Luft, Duft*
ein|scannen ['ajnskɛnən] *vt* scanner; **das Einscannen** le scannage
ein|schalten I. *vt* **1.** (*in Betrieb setzen*) allumer **2.** (*hinzuziehen*) **jdn in die Ermittlungen** ~ avoir recours à qn pour l'enquête **II.** *vr* **sich in etw** (*akk*) ~ intervenir dans qc
Einschaltquote *f* audimat *m*
ein|schärfen *vt* recommander
ein|schätzen *vt* estimer; **jdn/etw richtig** ~ estimer qn/qc à sa juste valeur; **jdn/etw falsch** ~ se tromper sur qn/qc
Einschätzung ['ajnʃɛtsʊŋ] *f* jugement *m* porté; **die** ~ **einer S.** (*gen*) le jugement porté sur qc
ein|schenken *vt* verser
ein|schicken *vt* envoyer
ein|schieben *vt* *irr* **1.** (*hineinschieben*) in-

troduire; **eine CD-ROM in das Laufwerk** ~ introduire un CD-ROM dans le lecteur **2.** (*zusätzlich einsetzen*) ajouter *Sonderzug* **3.** *fam* (*zwischendurch drannehmen*) **einen Patienten** ~ prendre un patient en plus **4.** (*einfügen*) se ménager *Unterbrechung*

ein|schiffen I. *vt* embarquer **II.** *vr* **sich in Hamburg/nach Australien** ~ [s']embarquer à Hambourg/pour l'Australie

ein|schlafen *vi irr* + *sein* **1.** (*in Schlaf fallen*) s'endormir; **bei/über etw** (*dat*) ~ s'endormir pendant/sur qc **2.** (*gefühllos werden*) s'engourdir **3.** (*nachlassen*) *Beziehung:* s'espacer puis s'interrompre; *Freundschaft:* ne plus être entretenu

ein|schläfern ['aɪnʃlɛːfən] *vt* **1.** endormir *Kind* **2.** (*schläfrig machen*) **jdn** ~ *Hitze:* endormir qn **3.** *euph* (*töten*) piquer *Tier*

einschläfernd *adj a.* MED soporifique; **ein ~es Mittel** un somnifère

Einschlag *m* **1.** **der ~ des Blitzes** la foudre **2.** MIL *eines Geschosses* impact *m* **3.** (*Schussloch*) [point *m* d']impact *m* **4.** (*Anteil*) **ein leichter asiatischer** ~ un petit air asiatique

ein|schlagen *irr* **I.** *vt* + *haben* **1.** planter *Nagel* **2.** (*aufbrechen*) défoncer *Tür;* fracasser *Fenster* **3.** (*zerschmettern*) **jdm den Schädel** ~ fracasser le crâne de qn **4.** (*einwickeln*) **etw in Zeitungspapier** ~ (*akk*) emballer qc dans du papier journal **5.** (*wählen*) prendre *Richtung;* entrer dans *Laufbahn* **II.** *vi* **1.** + *haben o sein* **in etw** (*akk*) ~ *Blitz:* tomber sur qc **2.** + *sein* MIL (*auftreffen*) **in etw** (*akk*) ~ *Geschoss:* tomber sur qc **3.** + *haben o sein* *fam* (*für Aufsehen sorgen*) *Nachricht:* faire grand bruit **4.** + *haben* (*einprügeln*) **auf jdn/etw** ~ taper comme un sourd sur qn/qc **5.** + *haben* (*seinen Handschlag geben*) toper; **schlag ein!** tope là!

einschlägig ['aɪnʃlɛːgɪç] **I.** *adj Literatur, Paragraph* s'y rapportant **II.** *adv* JUR à ce titre

ein|schleichen *vr irr* **1.** (*hineinschleichen*) **sich in ein Haus** ~ se glisser dans une maison **2.** *fig* **sich** ~ *Verdacht:* s'insinuer; *Fehler:* se glisser

ein|schleppen *vt* introduire

ein|schließen *vt irr* **1.** (*einsperren*) enfermer **2.** (*wegschließen*) enfermer; **eingeschlossen** mis sous clé **3.** (*inbegriffen sein*) **im Preis eingeschlossen sein** être compris dans le prix **4.** MIL (*einkesseln*) encercler

einschließlich I. *präp* + *gen* ~ **aller Ausgaben** y compris toutes les dépenses **II.** *adv* inclus(e)

ein|schmeicheln *vr* **sich** ~ s'insinuer; **sich**

bei jdm ~ s'insinuer dans les bonnes grâces de qn

einschmeichelnd *adj Stimme* enjôleur(-euse); *Musik* langoureux(-euse)

ein|schmieren I. *vt fam* **1.** (*einölen*) graisser *Metallteil* **2.** (*eincremen*) **jdm den Rücken mit etw** ~ enduire le dos de qn de qc **II.** *vr fam* **sich mit Sonnenöl** ~ s'enduire le corps d'huile solaire

ein|schnappen *vi* + *sein* **1.** *Tür, Türschloss:* se [re]fermer **2.** *fam* (*beleidigt sein*) **eingeschnappt sein** faire la gueule

ein|schneiden *irr* **I.** *vt* **1.** (*einen Schnitt machen*) entailler *Papier, Stoff* **2.** (*hineinschneiden*) **einen Namen/ein Zeichen in etw** (*akk*) ~ graver un nom/un signe dans qc **3.** GEOG **in den Fels eingeschnitten sein** *Tal, Flussbett:* être entaillé dans la roche **II.** *vi* [**in die Haut**] ~ rentrer dans la peau

einschneidend *adj Bedeutung* décisif(ive); *Veränderung, Wirkung* radical(e)

Einschnitt *m* **1.** GEOG **ein ~ im Fels** une entaille dans la roche **2.** (*Schnitt*) coupure *f* [accidentelle]; (*in eine Baumrinde*) entaille *f* **3.** MED incision *f* **4.** (*Zäsur*) tournant *m*

ein|schränken ['aɪnʃrɛŋkən] **I.** *vt* **1.** (*reduzieren*) restreindre *Ausgaben* **2.** (*beschränken*) restreindre *Rechte, Vollmachten* **II.** *vr* **sich** ~ se restreindre

einschränkend I. *adj* restrictif(-ive) **II.** *adv* à titre restrictif

Einschränkung <-, -en> *f* **1.** (*Beschränkung*) restriction *f;* **~en machen** apporter des restrictions; **mit der ~, dass** sous réserve que + *subj;* **ohne ~[en]** sans restriction **2.** *kein Pl* (*das Reduzieren*) des *Alkoholkonsums* réduction *f*

ein|schreiben *irr* **I.** *vt* **eingeschrieben** *Brief, Päckchen* recommandé **II.** *vr* **sich in eine Liste/für einen Kurs** ~ s'inscrire sur une liste/pour un cours

Einschreiben *nt* [envoi *m*] recommandé *m;* ~ **mit Rückschein** envoi recommandé avec accusé de réception; **etw als** [*o* **per**] ~ **schicken** envoyer qc en recommandé

Einschreibung *f* inscription *f*

ein|schreiten *vi irr* + *sein* **gegen jdn** ~ intervenir contre qn; **gegen etw** ~ prendre des mesures contre qc

Einschub *m* rajout *m*

ein|schüchtern *vt* intimider

ein|schulen *vt* **eingeschult werden** être scolarisé

Einschulung *f* scolarisation *f*

EinschussRR *m* (*in einem Gebäude*) impact *m;* (*im Körper*) blessure *f* par balle

ein|schweißen *vt* **1.** *Nahrungsmittel* ~ emballer des aliments sous vide **2.** TECH

souder *Rohrstück, Blechstück*
einsehbar *adj Gelände, Raum* visible
ein|sehen *vt irr* **1.** (*begreifen*) reconnaître;
das sehe ich nicht ein! je ne suis pas
d'accord! **2.** (*prüfen*) (*eingehend*) examiner; (*flüchtig*) prendre connaissance de
3. (*hineinsehen*) avoir vue sur *Garten, Gelände*
Einsehen <-> *nt* **kein** ~ **haben** ne rien
vouloir entendre
ein|seifen *vt* **1.** jdn/sich ~ savonner qn/se
savonner **2.** *fam* (*hintergehen*) rouler
einseitig I. *adj* **1.** *Liebe, Zuneigung* non par-
tagé(e); *Willenserklärung, Absicht* unilaté-
ral(e) **2.** MED localisé(e) d'un côté **3.** (*unausgewogen*) *Ausbildung, Studium* trop spécia-
lisé(e); *Begabung* limité(e) [à un seul domai-
ne]; *Ernährung* peu varié(e) **4.** (*voreingenommen*) partial(e) **II.** *adv* **1.** (*auf einer
Seite*) d'un [seul] côté **2.** (*unausgewogen*)
sich ~ **ernähren** avoir une alimentation
peu variée **3.** (*parteiisch*) avec partialité
Einseitigkeit <-, -en> *f* **1.** (*Voreingenommenheit*) partialité *f* **2.** (*Unausgewogen-
heit*) *der Ausbildung* manque *m* de diversité; *der Ernährung* déséquilibre *m*
ein|senden *vt irr* envoyer
Einsender(in) *m(f)* expéditeur(-trice) *m(f)*
Einsendeschluss^RR *m* date *f* limite; **der** ~
für etw la date limite d'envoi de qc
ein|setzen I. *vt* **1.** (*einfügen*) poser *Fenster-
scheibe, Ersatzteil* **2.** (*einnähen*) mettre *Flicken;* monter *Ärmel* **3.** (*hineinschreiben*)
inscrire *Lösungswort, Ziffer* **4.** (*ernennen*)
instituer *Komitee;* jdn zum [*o* als] **Erben** ~
instituer qn héritier **5.** (*zum Einsatz bringen*) faire appel à *Truppen, Polizei;* avoir recours à *Waffen;* mettre en service *Sonderzug* **6.** (*aufbieten*) déployer *Kraft;* mettre en
œuvre *Mittel;* mettre en jeu *Leben* **7.** SPIEL
jouer *Los;* miser *Geldbetrag* **II.** *vi* (*beginnen*) commencer; *Sturm:* se mettre à souffler; *Regen:* se mettre à tomber **III.** *vr*
1. (*sich engagieren*) **sich** ~ s'investir; **sich
voll** ~ se donner à fond **2.** (*sich verwenden
für*) **sich für jdn/etw** ~ intervenir en faveur de qn/œuvrer pour qc
Einsicht *f* **1.** (*Vernunft*) raison *f* **2.** (*Erkenntnis*) révélation *f* **3.** (*Durchsicht*) ~ **in
die Akten/Unterlagen** consultation *f*
des dossiers/documents; **jdm etw zur** ~
vorlegen présenter qc à qn pour examen
einsichtig *adj* **1.** (*vernünftig*) sensé(e); ~
sein se montrer raisonnable **2.** (*verständlich*) plausible
Einsiedler(in) *m(f) a. fig* ermite *m*
einsilbig ['ajnzɪlbɪç] *adj* **1.** *Wort* monosyl-
labique **2.** (*wortkarg*) *Person* peu loquace;
Antwort laconique

ein|sinken *vi irr* + *sein* [s']enfoncer; **in etw**
(*akk o dat*) ~ [s']enfoncer dans qc
ein|sitzen *vi irr form Sträfling:* purger une
peine de prison
ein|spannen *vt* **1.** atteler *Ochsen, Pferd*
2. (*hineinspannen*) serrer *Werkstück;* placer *Briefbogen* **3.** *fam* (*heranziehen*) **jdn
für etw** ~ mettre qn à contribution pour qc
ein|sparen *vt* **1.** ÖKOL économiser, faire des
économies de *Energie, Strom, Wasser* **2.** FIN
économiser sur *Ausgaben, Geld, Löhne*
Einsparung <-, -en> *f* ÖKOL *von Energie,
Strom, Wasser* économie *f*
ein|speichern *vt* INFORM entrer; **Daten in
den Rechner** ~ entrer des données dans
l'ordinateur
ein|speisen *vt* **1.** **Strom in das Netz** ~ ali-
menter le réseau en courant [électrique]
2. INFORM entrer *Daten, Programme*
ein|sperren *vt* enfermer
ein|spielen I. *vr* **1.** **sich** ~ *Regelung, Zusam-
menarbeit:* se roder **2.** (*sich aneinander gewöhnen*) **sich aufeinander** ~ *Beziehungs-
partner:* apprendre à se connaître; *Kollegen:*
apprendre à travailler ensemble **3.** SPORT
sich ~ *Spieler:* s'échauffer; *Mannschaft:*
trouver ses automatismes **II.** *vt* **1.** (*einbringen*) couvrir *Kosten* **2.** (*senden*) diffuser
Beitrag
Einsprache CH *s.* **Einspruch**
einsprachig ['ajnʃpraːxɪç] *adj Wörterbuch*
monolingue
ein|springen *vi irr* + *sein* **1.** (*vertreten*) ve-
nir à la rescousse; **für jdn** ~ remplacer qn
au pied levé **2.** (*finanziell aushelfen*) mettre la main au porte-monnaie
Einspruch *m* **1.** (*Einwand*) objection *f*
2. (*Rechtsmittel*) recours *m*
einspurig ['ajnʃpuːrɪç] **I.** *adj* **1.** *Strecke* à
une voie **2.** *pej Denken* sectaire **II.** *adv*
1. *befahrbar* sur une [seule] voie **2.** *pej denken* de façon sectaire
einst [ajnst] *adv* **1.** (*früher*) autrefois;
Russland ~ **und heute** la Russie d'hier et
d'aujourd'hui **2.** *geh* (*in Zukunft*) un jour
Einstand *m* **1.** (*Arbeitsanfang*) entrée *f* en
fonction; **seinen** ~ **geben** arroser son entrée en fonction[s] **2.** *kein Pl* SPORT égalité *f*
ein|stecken *vt* **1.** (*in die Tasche tun*) **etw** ~
mettre qc dans sa poche **2.** (*mitnehmen*)
ich habe vergessen Geld einzustecken
j'ai oublié de prendre de l'argent [avec moi]
3. *fam* (*in die eigene Tasche stecken*) rafler **4.** *fam* (*einwerfen*) **einen Brief** ~ mettre une lettre à la boîte **5.** *fam* (*hinnehmen, erleiden*) encaisser **6.** (*anschließen*)
brancher *Stecker*
ein|stehen *vi irr* + *sein* (*sich verbürgen*) **für
jdn/etw** ~ répondre de qn/qc; **mit sei-**

nem Wort dafür ~**, dass ...** donner sa parole que ...
ein|steigen *vi irr + sein* **1.** (*besteigen*) monter; **in ein Auto/einen Zug** ~ monter en voiture/dans un train; **bitte** ~**!** en voiture, s'il vous plaît! **2.** *fam* (*sich beteiligen*) **in ein Geschäft** ~ entrer dans une affaire; **in die Politik** ~ se lancer dans la politique
einstellbar *adj* réglable
ein|stellen I. *vt* **1.** embaucher; **jdn als Buchhalter** ~ embaucher qn comme comptable **2.** (*beenden*) cesser *Arbeit, Erscheinen;* stopper *Projekt;* suspendre *Prozess;* **ein Verfahren** ~ rendre un non-lieu **3.** (*regulieren, justieren*) régler **4.** (*hineinstellen*) ranger *Buch;* garer *Auto* **5.** (*egalisieren*) égaler *Rekord* **II.** *vr* **1.** (*auftreten*) **sich** ~ *Zweifel:* se manifester; *Beschwerden:* survenir; *Schmerzen:* se faire sentir **2.** (*sich anpassen*) **sich auf jdn/etw** ~ se mettre au diapason de qn/qc **3.** (*sich einfinden*) **sich** ~ *Person:* paraître **III.** *vi Firma:* embaucher
einstellig *adj* à un chiffre; ~ **sein** avoir un seul chiffre
Einstellung *f* **1.** *von Mitarbeitern* embauche *f* **2.** (*Beendigung*) *einer Arbeit, eines Projekts* interruption *f* **3.** (*Justierung*) réglage *m; der Entfernung* réglage *m* **4.** (*Kameraeinstellung*) plan *m;* **eine lange** ~ un plan-séquence **5.** *meist Pl* INFORM paramètre *m* **6.** (*Haltung, Meinung*) **die richtige** ~ **mitbringen** faire preuve du bon état d'esprit; **das ist die falsche** ~ c'est la mauvaise attitude
Einstellungsgespräch *nt* entretien *m* d'embauche
Einstich *m* piqûre *f*
Einstieg ['aɪnʃtiːk] <-[e]s, -e> *m* **1.** (*Tür, Öffnung*) porte *f* **2.** *kein Pl* (*das Einsteigen*) **der** ~ **ist hinten** la montée se fait à l'arrière **3.** (*Zugang*) **der** ~ **in die Materie** l'initiation *f* à cette matière **4.** *kein Pl* (*Übernahme, Anwendung*) ~ **in die Marktwirtschaft/Kernenergie** entrée *f* dans l'économie de marché/adoption *f* de l'énergie nucléaire
einstig *adj attr* ancien(ne) *antéposé*
ein|stimmen I. *vi* **1.** (*mitsingen*) se mettre également à chanter; **in einen Kanon [mit]** ~ reprendre un canon **2.** (*sich anschließen*) faire chorus; **in etw** (*akk*) ~ s'associer à qc **II.** *vt* **jdn/sich auf ein Fest** ~ mettre qn/se mettre dans l'ambiance de la fête
einstimmig I. *adj* **1.** *Lied* à une [seule] voix **2.** (*einmütig*) *Beschluss, Wahl* unanime **II.** *adv* **1.** *singen* à l'unisson **2.** (*einmütig*) *beschließen, wählen* à l'unanimité

einstöckig ['aɪnʃtœkɪç] *adj* à un étage
ein|streuen *vt* **1.** (*einflechten*) glisser; **eine Bemerkung in etw** (*akk*) ~ glisser une remarque dans qc **2.** (*ganz bestreuen*) **etw mit Streusalz** ~ saler qc
ein|studieren* *vt* répéter *Lied, Gedicht, Rolle;* étudier *Antwort, Grimasse;* **einstudiert** *Antwort* tout prêt
ein|stufen *vt* [re]classer *Person;* classer *Produkt*
einstündig ['aɪnʃtʏndɪç] *adj attr* d'une heure
Einsturz *m eines Gebäudes* écroulement *m; einer Decke* effondrement *m; einer Mauer* éboulement *m*
ein|stürzen *vi + sein* **1.** (*zusammenbrechen*) *Gebäude:* s'écrouler; *Decke:* s'effondrer; *Mauer:* s'ébouler **2.** (*eindringen*) **auf jdn** ~ *Ereignisse:* s'abattre sur qn
Einsturzgefahr *f* risque *m* d'écroulement
einstweilen *adv* **1.** (*vorläufig*) momentanément **2.** (*in der Zwischenzeit*) entre-temps
einstweilig *adj attr Schließung, Sperrung* temporaire; *Anordnung* provisoire
eintägig ['aɪntɛːgɪç] *adj attr* d'une [seule] journée
Eintagsfliege *f* **1.** ZOOL éphémère *m o f* **2.** *fig* chose *f* éphémère
ein|tauchen I. *vt + haben* tremper **II.** *vi + sein* **in etw** (*akk*) ~ *Person:* plonger dans qc; *U-Boot:* s'enfoncer dans qc
ein|tauschen *vt* **1.** (*tauschen*) échanger **2.** (*umtauschen*) changer *Devisen*
ein|tausend *num form* mille
ein|teilen *vt* **1.** (*aufteilen*) répartir *Vorräte, Urlaub;* **ich habe mir das so eingeteilt, dass** je me suis organisé de telle sorte que + *indic o subj* **2.** (*verpflichten*) **jdn zu etw** ~ affecter qn à qc **3.** (*unterteilen*) subdiviser *Skala;* **etw in Unterarten** ~ classer qc en sous-espèces
einteilig ['aɪntaɪlɪç] *adj* une pièce; **ein** ~**er Badeanzug** un [maillot] une pièce
Einteilung *f* **1.** *der Vorräte, Zeit, des Geldes* répartition *f* **2.** ~ **zum Wachdienst** affectation *f* au service de garde
ein|tippen *vt* saisir *Daten, Text;* **etw in den Computer** ~ entrer qc dans l'ordinateur
eintönig ['aɪntøːnɪç] **I.** *adj* monotone; *Stimme* monocorde **II.** *adv vortragen* de façon monotone
Eintopf *m* potée *f*
Eintracht <-> *f* concorde *f* (*soutenu*)
einträchtig I. *adj Stimmung* cordial(e) **II.** *adv* dans la concorde (*soutenu*)
Eintrag ['aɪntraːk, *Pl:* 'aɪntrɛːgə] <-[e]s, ¨e> *m* **1.** (*Vermerk*) note *f* **2.** JUR inscription *f* **3.** SCHULE avertissement *m* **4.** (*Artikel in einem Wörterbuch, Lexikon*) article *m*

5. form (*Einleiten*) von Schadstoffen, Abwässern émission *f*
ein|tragen *vt irr* **1.** (*einschreiben*) inscrire; **jdn/sich in eine Liste** ~ inscrire qn/s'inscrire sur une liste **2.** JUR **jdn/etw ins Handelsregister** ~ inscrire qn/qc au registre du commerce **3.** (*einzeichnen*) inscrire, porter
einträglich ['ajntrɛːklɪç] *adj* lucratif(-ive)
Eintragung *s.* **Eintrag**
ein|treffen *vi irr* + *sein* **1.** (*ankommen*) arriver; **am Ziel/in Frankfurt/bei jdm** ~ arriver au but/à Francfort/chez qn **2.** (*in Erfüllung gehen*) *Prophezeiung:* s'accomplir; *Vorhersage:* se vérifier; *Katastrophe:* se produire
ein|treiben *vt irr* **1.** rentrer *Vieh* **2.** (*einziehen*) recouvrer *Geld*
ein|treten *irr* **I.** *vi* **1.** + *sein* entrer **2.** + *sein* (*beginnen*) **mit jdm in Verhandlungen/eine Diskussion** ~ entrer en négociations/discussion avec qn **3.** + *sein* (*sich ereignen*) *Fall, Besserung:* se produire; *Verschlechterung, Übelkeit:* se manifester; *Bewusstlosigkeit, Tod:* intervenir; **das Eintreten** l'apparition *f* **4.** + *sein* (*auftreten*) *Stille:* se faire; *Tauwetter:* arriver **5.** + *sein* (*gelangen*) **in die Umlaufbahn** ~ se mettre sur orbite **6.** + *sein* (*sich einsetzen*) **für jdn/etw** ~ prendre fait et cause pour qn/défendre qc **7.** + *haben* (*treten*) **auf jdn** ~ donner des coups de pied à qn **II.** *vt* + *haben* **1.** (*zerstören*) **die Tür** ~ défoncer la porte [à coups de pied] **2.** (*sich eindrücken*) **sich** (*dat*) **einen Dorn** ~ s'enfoncer une épine dans le pied
ein|trichtern *vt fam* **jdm etw** ~ seriner qc à qn
Eintritt *m* (*das Betreten*, ~*sgeld*) entrée *f;* ~ **frei** entrée libre; (*bei Besichtigungen*) entrée gratuite
Eintrittsgeld *nt* prix *m* d'entrée **Eintrittskarte** *f* ticket *m* d'entrée
ein|trudeln ['ajntruːdəln] *vi* + *sein fam* se pointer
ein|tunken *vt* DIAL tremper; **Brot in etw** (*akk*) ~ tremper du pain dans qc
ein|üben *vt* répéter *Rolle, Stück*
ein|verleiben* ['ajnfɛɐlajbən] *vt* **1.** (*eingliedern*) **einem Land ein Gebiet** ~ annexer un territoire à un pays; **einem Konzern eine Firma** ~ absorber une firme dans un groupe **2.** (*hinzufügen*) **etw einer Ausstellung** ~ s'approprier qc pour enrichir une exposition **3.** *hum fam* (*verzehren*) **sich** (*dat*) **etw** ~ engouffrer qc
Einvernehmen <-s> *nt* accord *m; in gutem* ~ en bonne intelligence
einverstanden *adj* d'accord; **mit jdm/etw**

~ **sein** être d'accord avec qn/sur qc; **sich mit etw** ~ **erklären** donner son accord pour qc; ~! d'accord!
Einverständnis <-ses, -se> *nt* accord *m*
Einwand ['ajnvant, *Pl:* 'ajnvɛndə] <-[e]s, ⁼e> *m* objection *f*
Einwanderer *m*, **Einwanderin** *f* immigrant(e) *m(f)*
ein|wandern *vi* + *sein* **nach Neuseeland/in die USA** ~ immigrer en Nouvelle-Zélande/aux États-Unis
Einwanderung ['ajnvandərʊŋ] *f* immigration *f*
Einwanderungspolitik *f kein pl* politique *f* de l'immigration
einwandfrei *I. adj* **1.** (*tadellos*) impeccable; *Leumund* irréprochable; *Lebensmittel* [de qualité] irréprochable **2.** (*unzweifelhaft*) *Beweis, Tatsache* incontestable **II.** *adv* (*unzweifelhaft*) *zeigen* formellement; *beweisen* de façon irréfutable; *erlogen* incontestablement
einwärts *adv* vers l'intérieur
Einwegflasche *f* bouteille *f* non consignée
Einwegverpackung *f* emballage *m* perdu
ein|weichen *vt* ramollir *Zwieback;* faire tremper *Linsen, Wäsche*
ein|weihen *vt* **1.** (*eröffnen*) inaugurer **2.** (*vertraut machen*) **jdn in etw** (*akk*) ~ mettre qn au courant de qc
Einweihung <-, -en> *f* inauguration *f*
ein|weisen *vt irr* **1.** MED **jdn** [in ein Krankenhaus] ~ hospitaliser qn; **jdn in eine psychiatrische Klinik** ~ interner qn dans une clinique psychiatrique **2.** (*unterweisen*) **jdn in seine Aufgaben** ~ mettre qn au courant en ce qui concerne ses tâches **3.** (*Zeichen machen*) guider
ein|wenden *vt irr* **etwas gegen jdn** ~ reprocher quelque chose à qn; **etwas/nichts gegen etw einzuwenden haben** avoir quelque chose/n'avoir rien à objecter à qc
ein|werfen *irr* **I.** *vt* **1.** poster *Brief, Umschlag;* glisser *Münze;* **etw in den Postkasten** ~ mettre qc à la boîte aux lettres **2.** (*zerschlagen*) [fra]casser *Fensterscheibe* **3.** SPORT **den Ball** ~ remettre le ballon en jeu **II.** *vi Spieler:* faire la remise en jeu
ein|wickeln **I.** *vt* **1.** envelopper **2.** *fam* (*überlisten*) emboîner **II.** *vr* **sich in etw** (*akk*) ~ s'enrouler dans qc
ein|willigen *vi* donner son accord; **in etw** (*akk*) ~ donner son accord pour qc
Einwilligung <-, -en> *f* accord *m*
ein|wirken *vi* **1.** (*beeinflussen*) **auf jdn/etw** ~ exercer une influence sur qn/qc **2.** (*Wirkung haben*) **auf etw** (*akk*) ~ *Kraft:* exercer une action sur qc; *Salbe:* agir sur qc

einwilligen

• einwilligen
Einverstanden!/Okay!/Abgemacht!
Kein Problem!
Geht in Ordnung!
Wird gemacht!/Mach ich!

• donner son accord
D'accord!/O.k.!/Marché conclu!
Pas de problème!
D'accord!/Ça marche!
Ce sera fait! Je le fais!

Einwirkung f 1.(*Einfluss*) influence f; ~ auf jdn/etw influence sur qn/qc 2.(*Wirkung*) *einer Kraft* effet m; *eines Mittels* action f
Einwohner(in) <-s, -> m(f) habitant(e) m(f)
Einwohnermeldeamt nt administration locale où chaque changement de domicile doit être déclaré
Einwurf m 1. kein Pl (*das Einwerfen*) *eines Briefs* postage m; *einer Münze, Altglasflasche* introduction f 2.(~*öffnung*) *eines Briefkastens* fente f; *eines Automaten, Containers* ouverture f 3. SPORT [re]mise f en jeu; **den ~ ausführen** effectuer la touche 4.(*Bemerkung*) remarque f
Einzahl f kein Pl GRAM singulier m
einlzahlen vt verser; **Geld auf ein Konto ~** verser de l'argent sur un compte
Einzahlung f versement m
einlzäunen ['aɪntsɔynən] vt clôturer
Einzel ['aɪntsəl] <-s, -> nt SPORT simple m
Einzelblatteinzug m alimentation f feuille à feuille **Einzelfahrschein** m ticket m à l'unité **Einzelfall** m cas m isolé **Einzelfrage** f meist pl question f particulière **Einzelgänger(in)** ['aɪntsəlgɛŋɐ] <-s, -> m(f) 1. solitaire mf 2. ZOOL animal m solitaire **Einzelhaft** f isolement m cellulaire **Einzelhandel** m commerce m de détail **Einzelhändler(in)** m(f) détaillant(e) m(f) **Einzelheit** <-, -en> f détail m **Einzelkind** nt enfant m unique
einzeln I. adj 1.(*separat*) **ein ~er Teller kostet ...** une assiette seule coûte ...; **die ~en Teile des Regals** les différentes parties de l'étagère 2.(*individuell*) **ein ~er Mensch** un individu seul; **jeder ~e Bürger** chaque citoyen à lui tout seul 3.(*gesondert, einsam*) isolé(e) 4.(*einige wenige*) **~e Gäste** quelques rares invités; **~e Fragen** des questions isolées 5. substantivisch (*Mensch*) **der Einzelne** l'individu m 6. substantivisch (*manches*) **Einzelnes habe ich nicht verstanden** je n'ai pas compris certaines choses ▶**im Einzelnen** en détail II. adv abgeben, verkaufen, kaufen séparément; **bitte ~ eintreten!** une seule personne à la fois, s'il vous plaît!

Einzelperson f personne f seule **Einzelstück** nt pièce f unique **Einzelteil** nt pièce f; **etw in ~e zerlegen** mettre qc en pièces détachées **Einzelzimmer** nt chambre f individuelle
einlziehen irr I. vt + haben 1. rentrer 2.(*nach innen ziehen*) accepter *Geldschein*; tirer *Papier* 3.(*kassieren*) prélever *Steuern, Gebühren* 4.(*beschlagnahmen*) confisquer 5.(*aus dem Umlauf nehmen*) **etw ~** retirer qc de la circulation 6.(*einberufen*) **jdn zum Militärdienst ~** incorporer qn au service militaire 7.(*einbauen*) monter *Wand*; poser *Zwischendecke* 8.(*einsaugen*) aspirer *Flüssigkeit*; inspirer *Luft*; inhaler *Rauch* II. vi + sein 1.(*in eine Wohnung ziehen*) **in etw** (*akk*)/**bei jdm ~** emménager dans qc/chez qn 2.(*aufgesogen werden*) **in etw** (*akk*) **~** pénétrer dans qc 3.(*einmarschieren*) entrer 4.(*gewählt werden*) **ins Parlament ~** faire son entrée au parlement
einzig I. adj 1.(*alleinig*) seul(e); **etw als Einziger tun** être le seul à faire qc; **kein Einziger** pas un; **kein** [o **nicht ein**] **~er Schüler** pas le moindre élève 2. substantivisch (*einziges Kind*) **unser Einziger/unsere Einzige** notre fils/fille unique 3.(*unvergleichlich*) **~ in seiner Art sein** être unique en son genre 4.(*völlig*) **eine ~e Qual** une vraie torture II. adv **die ~ mögliche Lösung** la seule et unique solution possible; **das ~ Richtige** la seule chose de correcte
einzigartig I. adj unique en son genre II. adv extraordinairement; **~ schön sein** être d'une beauté sans nom
Einzigartigkeit ['aɪntsɪçartɪçkaɪt] <-> f caractère m unique
Einzug m 1.(*Bezug einer Wohnung*) emménagement m 2.(*Einmarsch*) *von Sportlern, Truppen* entrée f 3.(*Wahlerfolg*) **~ ins Parlament** entrée f au parlement 4. TYP retrait m
Eis [aɪs] <-es> nt 1. glace f; **~ laufen** faire du patin à glace; **Champagner auf ~ legen** mettre du champagne au frais 2.(*Speiseeis*) glace f; **~ am Stiel** esquimau® m ▶**jdn/etw auf ~ legen** fam mettre qn/qc

au placard
Eisbahn *f* patinoire *f* **Eisbär** *m* ours *m*
blanc **Eisbecher** *m* **1.** (*Gefäß*) coupe *f* à
glace; (*Pappbecher*) petit pot *m* à glace
2. (*Portion*) coupe *f* de glace; (*in einem*
Pappbecher) petit pot *m* de glace **Eisbein**
nt GASTR jambonneau *m* **Eisberg** *m* iceberg
m **Eisblume** *f* fleur *f* de givre **Eisbrecher**
m brise-glace *m* **Eiscafé** *s.* **Eisdiele Ei-**
schnee *m* (*von einem Ei/mehreren Ei-*
ern) blanc *m* [battu]/blancs [battus] en neige **Eiscreme** *f* crème *f* glacée **Eisdiele** *f*
glacier *m*
Eisen ['ajzən] <-s, -> *nt* **1.** *kein Pl a.* MED
fer *m* **2.** (*~beschlag*) ferrure *f* ▶ **mehrere/**
noch ein ~ **im Feuer haben** *fam* avoir
plus d'une corde à son arc; **man muß das**
~ **schmieden, solange es heiß ist** *prov* il
faut battre le fer pendant qu'il est chaud;
ein heißes ~ un sujet brûlant
Eisenbahn *f* **1.** (*Zug*) train *m* **2.** (*Spielzeug-*
eisenbahn) train *m* [électrique] **Eisenbah-**
ner(in) <-s, -> *m(f) fam* cheminot(e) *m(f)*
Eisenbahnnetz *nt* réseau *m* ferroviaire
Eisenbahnwagen *m* wagon *m* **eisenhal-**
tig *adj Erz* ferreux(-euse); *Nahrungsmittel*
riche en fer **Eisenmangel** *m* carence *f* en
fer **Eisen- und Stahlindustrie** *f* sidérurgie *f* **Eisenwaren** *Pl* articles *mpl* de quincaillerie **Eisenwarenhandlung** *f* quincaillerie *f*
eisern I. *adj a. fig* de fer II. *adv* **1.** (*uner-*
schütterlich) *schweigen* obstinément; *spa-*
ren, trainieren inlassablement; *einhalten* résolument **2.** (*hart*) *durchgreifen* d'une façon implacable
Eisfläche *f* surface *f* gelée **eisgekühlt** *adj*
glacé(e) **Eisglätte** *f* verglas *m* **Eishockey**
[ajshɔki] *nt* hockey *m* sur glace
eisig ['ajzıç] I. *adj* **1.** (*kalt*) glacial(e) **2.** *fig*
glacial(e); *Schrecken, Grauen* glaçant(e) II.
adv empfangen de manière glaciale
Eiskaffee *m* café froid avec une boule de
glace à la vanille et de la chantilly **eiskalt**
I. *adj* **1.** glacé(e); *Wohnung* glacial(e) **2.** *fig*
glacé(e); *Mörder* implacable II. *adv han-*
deln, vorgehen de sang froid; ~ **reagieren**
rester de glace **Eiskunstlauf** *m* patinage *m*
artistique
eislaufen *vi irr s.* **Eis**
Eisprung *m* ovulation *f*
Eisschnelllauf *m* patinage *m* de vitesse **Eis-**
scholle *f* bloc *m* de glace **Eisschrank** *m*
réfrigérateur *m; s.* **Kühlschrank Eiswür-**
fel *m* glaçon *m* **Eiszapfen** *m* stalactite *f*
de glace **Eiszeit** *f* **1.** période *f* glaciaire
2. *fig* période *f* de refroidissement
eitel ['ajtəl] *pej adj* (*selbstgefällig*) vani-
teux(-euse); (*in Bezug auf das Äußere*) co-

quet(te)
Eitelkeit <-> *f pej* (*Selbstgefälligkeit*) vanité *f;* (*in Bezug auf das Äußere*) coquetterie
f
Eiter ['ajtɐ] <-s> *m* pus *m*
eiterig *s.* **eitrig**
eitern *vi* suppurer
eitrig *adj* ..: *Wunde* purulent(e)
Eiweiß *nt* **1.** protéine *f* **2.** GASTR blanc *m*
d'œuf
Eizelle *f* ovule *m*
Ejakulation <-, -en> *f* éjaculation *f*
ejakulieren* [ejaku'liːrən] *vi* éjaculer
Ekel¹ ['eːkəl] <-s> *m* (*Abscheu*) dégoût *m;*
(*Überdruss*) nausée *f;* ~ **erregend** répugnant
Ekel² <-s, -> *nt pej fam* (*ekelhafter*
Mensch) salaud *m/* salope *f;* **du** ~! espèce
de dégueulasse!
ekelerregend *s.* **Ekel¹**
ekelhaft I. *adj* **1.** répugnant(e) **2.** *fam* (*hef-*
tig) *Schmerzen* affreux(-euse) II. *adv*
1. *stinken, sich benehmen* de façon dégoû-
tante (*fam*); ~ **schmecken** avoir un goût
dégoûtant **2.** *fam* (*unangenehm*) *jucken* affreusement
ekelig ['eːkəlıç] *s.* **ekelhaft**
ekeln I. *vt* dégoûter II. *vt unpers* **mich**
ekelt es vor jdm/etw je suis dégoûté par
qn/qc III. *vr* **sich vor jdm/etw** ~ éprouver de la répulsion pour qn/qc
EKG [eːkaːˈgeː] <-s, -s> *nt Abk von* **Elek-**
trokardiogramm électrocardiogramme *m*
eklig ['eːklıç] *s.* **ekelhaft**
Eklipse [ɛk'lıpsə] <-, -n> *f* éclipse *f*
Ekstase [ɛk'staːzə] <-, -n> *f* extase *f*
Ekzem [ɛk'tseːm] <-s, -e> *nt* eczéma *m*
Elan <-s> *m geh* entrain *m*
elastisch [e'lastıʃ] *adj* élastique; *Gelenk*
mobile
Elastizität [elastitsi'tɛːt] <-, -en> *f a. fig*
élasticité *f*
Elbe ['ɛlbə] <-> *f* **die** ~ l'Elbe *f*
Elch [ɛlç] <-[e]s, -e> *m* élan *m*
Elchtest *m* test *m* de la baïonnette
Electronic Banking [elɛk'trɔnık'bɛŋkıŋ]
<- -s> *nt* règlement *m* électronique des
opérations bancaires
Electronic Cash-Service [elɛktrɔnık-
'kɛʃsœrvıs] <- – -> *m* paiement *m* par
carte
Elefant [ele'fant] <-en, -en> *m* éléphant
m
elegant [ele'gant] I. *adj* élégant(e) II. *adv*
avec élégance
Eleganz [ele'gants] <-> *f* élégance *f*
elektrifizieren* [elɛktrifi'tsiːrən] *vt* électrifier
Elektrik [e'lɛktrık] <-, -en> *f* installation *f*

électrique
Elektriker(in) [e'lɛktrikɐ] <-s, -> *m(f)*
électricien(ne) *m(f)*
elektrisch [e'lɛktrɪʃ] **I.** *adj* électrique **II.**
adv funktionieren à l'électricité; *sich rasie-*
ren au rasoir électrique
elektrisieren* [elɛktri'siːrən] *vt* électriser
Elektrizität [elɛktritsi'tɛːt] <-> *f* électricité
f
Elektrizitätswerk *nt* centrale *f* électrique
Elektroauto *nt* voiture *f* électrique
Elektrode [elɛk'troːdə] <-, -n> *f* électrode
f
Elektrogerät *nt* appareil *m* électrique
Elektrogeschäft *nt* magasin *m* d'électroménager **Elektroherd** *m* cuisinière *f* électrique **Elektroingenieur(in)** *m(f)* ingénieur *mf* électricien **Elektrokardio-**
gramm [elɛktrokardio'gram] *nt* MED
électrocardiogramme *m* **Elektromagnet**
m électroaimant *m* **elektromagnetisch I.**
adj électromagnétique **II.** *adv* par électro-
magnétisme **Elektromotor** *m* moteur *m*
électrique
Elektron ['eːlɛktrɔn] <-s, -tronen> *nt*
électron *m*
Elektronenmikroskop *nt* microscope *m*
électronique
Elektronik <-> *f* électronique *f*
elektronisch [elɛk'troːnɪʃ] *adj* électronique
Elektrorasierer *m* rasoir *m* électrique **Elek-**
troschock *m* électrochoc *m* **Elektrotech-**
nik *f kein Pl* électrotechnique *f* **Elektro-**
techniker(in) *m(f)* électrotechnicien(ne)
m(f)
Element [ele'mɛnt] <-[e]s, -e> *nt* élément *m*
elementar [elemɛn'taːɐ̯] *adj* **1.** élémentaire **2.** (*urwüchsig, mächtig*) primaire
elend ['eːlɛnt] *adj* **1.** *Leben, Verhältnisse,*
Hütte misérable **2.** (*krank*) *Aussehen* pitoyable; **sich** ~ **fühlen** se sentir mal **3.** *pej*
fam (*gemein*) misérable
Elend <-[e]s> *nt* misère *f* ▶ **das** **heulende**
~ **kriegen** *fam* attraper le blues
elendig DIAL *s.* **elend**
Elendsviertel *nt* quartier *m* miséreux
elf [ɛlf] *num* onze; *s. a.* **acht** ¹
Elf <-, -en> *f* (*Zahl, Fußballmannschaft*)
onze *m*
Elfe <-, -n> *f* sylphide *f*
Elfenbein ['ɛlfənbaɪn] *nt* ivoire *m*
elfenbeinfarben *adj* couleur d'ivoire **El-**
fenbeinküste *f* Côte-d'Ivoire *f*; **die Repu-**
blik ~ la République de Côte-d'Ivoire
Elfmeter [ɛlf'meːtɐ] *m* penalty *m* **Elfme-**
terschießen <-s> *nt* tir *m* au but
elfte(r, s) *adj* **1.** onzième **2.** (*bei Datumsan-*

gaben) **der** ~ **März** le onze mars; *s. a.*
achte(r, s)
eliminieren* [elimi'niːrən] *vt* éliminer
Gegner, Konkurrenten; supprimer *Fehler*
elitär [eli'tɛːɐ̯] **I.** *adj Person, Einstellung* élitiste; *Gruppe, Schicht* élitaire **II.** *adv den-*
ken, handeln de façon élitiste
Elite [e'liːtə] <-, -n> *f* élite *f*
Eliteschule *f* école *f* prestigieuse
Elixier <-s, -e> *nt* élixir *m*
Ellbogen <-bogen> *m* coude *m*
Ellbogengesellschaft *f* société *f* d'arrivis-
tes
Ellenbogen *s.* **Ellbogen**
ellenlang *adj fam Liste, Roman* intermina-
ble; **ein** ~**er Kerl** une grande perche
Ellipse [ɛ'lɪpsə] <-, -n> *f* ellipse *f*
elliptisch [ɛ'lɪptɪʃ] *adj* elliptique
E-Lok ['eːlɔk] <-, -s> *f Abk von* **elektri-**
sche Lokomotive locomotive *f* électrique
Elsassᴿᴿ <- *o* -es>, **Elsaß** ['ɛlzas] <- *o*
-sses> *nt das* ~ l'Alsace *f*
Elsässer(in) ['ɛlzɛsɐ] <-s, -> *m(f)* Alsa-
cien(ne) *m(f)*
elsässisch ['ɛlzɛsɪʃ] *adj* alsacien(ne); **die** ~**e**
Hauptstadt la capitale de l'Alsace
Elsässisch <-[s]> *nt* l'alsacien *m*; **auf** ~ en
alsacien
Elsass-Lothringenᴿᴿ ['ɛlzas 'loːtrɪŋən] *nt*
HIST l'Alsace-Lorraine *f*
Elster ['ɛlstɐ] <-, -n> *f* pie *f*
elterlich ['ɛltɐlɪç] *adj Fürsorge* des parents;
~**e Sorge** autorité *f* parentale
Eltern ['ɛltɐn] *Pl* parents *mpl*
Elternabend *m* réunion *f* parents-profes-
seurs **Elternhaus** *nt* **1.** (*Gebäude*) maison
f familiale **2.** (*familiäres Umfeld*) milieu *m*
familial
Email [e'maɪ] <-s, -s> *nt* émail *m*
E-Mail ['iːmeɪl] <-, -s> *f o nt* (*Nachricht*)
courrier *m* électronique
E-Mail-Adresse ['iːmeɪla'drɛsə] *f* adresse
f électronique
Emaille [e'maljə] <-, -n> *s.* **Email**
Emanze [e'mantsə] <-, -n> *f pej fam* féministe *f*
Emanzipation <-, -en> *f* émancipation *f*
emanzipieren* [emantsi'piːrən] *vr* **sich**
~ s'émanciper; **sich von etw** ~ s'émanciper de qc
Embargo [ɛm'bargo] <-s, -s> *nt* embargo
m
Emblem [ɛm'bleːm, ã'bleːm] <-[e]s, -e>
nt **1.** (*Hoheitszeichen*) emblème *m*
2. (*Sinnbild*) symbole *m*
Embolie [-'liːən] <-, -n> *f* embolie *f*
Embryo ['ɛmbryo] <-s, -s *o* Embryo-
nen> *m o* A *nt* MED embryon *m*
Emigrant(in) [emi'grant] <-en, -en>

m(f) émigré(e) *m(f)*

Emigration [emigraˈtsi̯oːn] <-, -en> *f* émigration *f*

emigrieren* [emiˈgriːrən] *vi + sein* nach Frankreich/in die USA ~ émigrer en France/aux Etats-Unis

Emirat [emiˈraːt] <-[e]s, -e> *nt* émirat *m*

Emission [emɪˈsi̯oːn] <-, -en> *f* ÖKOL, FIN émission *f*

emittieren* *vt* ÖKOL dégager *Abgase, Schadstoffe*

Emotion [emoˈtsi̯oːn] <-, -en> *f* émotion *f*

emotional *adj* émotif(-ive)

empfahl *Imp von* **empfehlen**

empfand *Imp von* **empfinden**

Empfang [ɛmˈpfaŋ, *Pl:* ɛmˈpfɛŋə] <-[e]s, -e> *m* **1.** *kein Pl* (*das Entgegennehmen*) réception *f;* etw in ~ nehmen réceptionner qc; jdn in ~ nehmen *fam* accueillir qn **2.** *kein Pl* TV, RADIO réception *f* **3.** (*Rezeption*) réception *f* **4.** *kein Pl* (*Begrüßung*) accueil *m;* jdm einen stürmischen ~ bereiten réserver un accueil enthousiaste à qn **5.** (*Festveranstaltung*) réception *f*

empfangen <empfängt, empfing, empfangen> *vt* **1.** *geh* (*erhalten*) recevoir *Post, Auftrag* **2.** *geh* (*begrüßen*) accueillir *Gäste, Freunde* **3.** TV, RADIO einen Sender über Satellit ~ capter une chaîne par satellite

Empfänger(in)¹ [ɛmˈpfɛŋɐ] <-s, -> *m(f)* **1.** *eines Briefs, Pakets* destinataire *mf;* *einer Zahlung, Überweisung* bénéficiaire *mf;* ~ verzogen n'habite plus à l'adresse indiquée **2.** MED *eines Organs, einer Blutspende* receveur/-veuse *m/f*

Empfänger² <-s, -> *m* (*Empfangsgerät*) récepteur *m*

empfänglich [ɛmˈpfɛŋlɪç] *adj* **1.** (*anfällig*) sensible **2.** (*offen, aufgeschlossen*) réceptif(-ive)

empfängnisverhütend *adj Mittel* contraceptif(-ive) **Empfängnisverhütung** *f* contraception *f*

Empfangsbestätigung *f* accusé *m* de réception **Empfangschef(in)** *m(f)* chef *mf* de la réception **Empfangsdame** *s.* **Empfangschef(in)**

empfängt *3. Pers Präs von* **empfangen**

empfehlen [ɛmˈpfeːlən] <empfiehlt, empfahl, empfohlen> I. *vt* recommander; jdm ~ etw zu tun recommander à qn de faire qc II. *vr unpers* (*ratsam sein*) es empfiehlt sich etw zu tun il est recommandé de faire qc III. *vr* **1.** sich jdm als Sachverständiger ~ se présenter à qn comme expert **2.** *hum geh* (*sich verab-*

schieden) sich ~ tirer sa révérence

empfehlenswert *adj* **1.** (*ratsam*) préférable **2.** (*gut*) *Lokal, Hotel* recommandable

Empfehlung <-, -en> *f* **1.** (*Rat, Referenz*) recommandation *f* **2.** *meist Pl form* (*höflicher Gruß*) ... verbleibe ich mit den besten ~en, Ihr/Ihre ... ... avec mes sentiments les plus dévoués ...

Empfehlungsschreiben *nt* lettre *f* de recommandation

empfiehlt *3. Pers Präs von* **empfehlen**

empfinden [ɛmˈpfɪndən] <empfand, empfunden> *vt* **1.** éprouver *Gefühl* **2.** (*auffassen*) ressentir

Empfinden <-s> *nt* impression *f;* für mein ~ à mon sens

empfindlich I. *adj* **1.** (*leicht reizbar*) susceptible **2.** (*leicht zu beschädigen*) fragile; gegen Sonnenlicht ~ sein craindre la lumière du soleil; hoch ~ *Material* très fragile **3.** (*anfällig, wenig robust*) fragile **4.** (*spürbar*) sévère; *Kälte* vif(vive) **5.** (*fein reagierend*) *Messgerät, Film* sensible II. *adv* ~ auf etw (*akk*) reagieren réagir vivement à qc

Empfindlichkeit <-, -en> *f* **1.** (*Reizbarkeit*) susceptibilité *f* **2.** *kein Pl* (*Beschaffenheit*) *eines Materials* fragilité *f;* PHOT, TECH sensibilité *f* **3.** *kein Pl* MED ~ gegen eine Krankheit sensibilité *f* à une maladie

empfindsam *adj* sensible

Empfindung <-, -en> *f* **1.** (*Gefühlsregung*) sentiment *m* **2.** (*sinnliche Wahrnehmung*) sensation *f* **3.** (*Eindruck*) impression *f*

empfing *Imp von* **empfangen**

empfunden *PP von* **empfinden**

empor [ɛmˈpoːɐ̯] *adv geh* en haut

emporlarbeiten *vr geh* sich zu etw ~ parvenir par son travail à devenir qc

Empore <-, -n> *f* galerie *f;* (*Orgelempore*) tribune *f*

empören* [ɛmˈpøːrən] I. *vt* indigner II. *vr* **1.** (*sich entrüsten*) sich über jdn/etw ~ s'indigner contre qn/de qc **2.** (*rebellieren*) sich gegen jdn/etw ~ se révolter contre qn/qc

empörend *adj* révoltant(e)

Emporkömmling [ɛmˈpoːɐ̯kœmlɪŋ] <-s, -e> *m pej* parvenu(e) *m(f)*

emporlragen [ɛmˈpoːɐ̯raːgən] *vi geh* se dresser; über etw (*akk*) ~ se dresser au dessus de qc **emporlsteigen** *irr geh* I. *vi + sein* **1.** *Nebel:* s'élever **2.** *fig* in jdm ~ *Angst:* monter en qn II. *vt + sein* monter *Stufen, Treppe;* gravir *Berg*

empört [ɛmˈpøːɐ̯t] I. *adj* indigné(e); über jdn/etw ~ sein être indigné contre qn/de qc II. *adv* avec indignation

Empörung <-, -en> *f* **1.** *kein Pl* (*Entrüstung*) indignation *f* **2.** (*Rebellion*) révolte *f*
Ems ['ɛms] <-> *f* **die** ~ l'Ems *f*
emsig ['ɛmzɪç] I. *adj Person* travailleur(-euse); *Ameise, Biene* laborieux(-euse); *Tätigkeit* intense II. *adv arbeiten* avec ardeur; *lernen* avec assiduité; *sammeln* infatigablement
Emu <-s, -s> *m* émeu *m*
Endabrechnung *f* facture *f* définitive
Ende ['ɛndə] <-s, -n> *nt* **1.** *kein Pl* (*zeitlicher Abschluss*) fin *f*; *eines Projekts* aboutissement *m*; **zu** ~ **gehen** *Urlaub, Vertrag*: se terminer; *Vorräte*: s'épuiser; **etw zu** ~ **bringen** mener qc à son terme **2.** *kein Pl* (*bei Zeit-, Altersangaben*) ~ **Januar** fin janvier; ~ **1950** à la fin de l'année 1950; **er ist** ~ **zwanzig** il approche de la trentaine **3.** (*räumlicher Abschluss*) bout *m* **4.** *kein Pl geh* (*Tod*) fin *f* **5.** DIAL (*Stückchen*) bout *m* ▶~ **gut, alles gut** *prov* tout est bien qui finit bien; **letzten** ~**s** au bout du compte; (*schließlich*) en fin de compte; (*sogar, vielleicht*) des fois (*fam*); **am** ~ **sein** *fam* (*erschöpft sein*) être vidé; (*ruiniert, mittellos sein*) être raide
Endeffekt *m* résultat *m*; **im** ~ en fin de compte
enden *vi* **1.** (*zu Ende gehen*) *Jahr, Urlaub*: se terminer; **nicht** ~ **wollender Beifall** des applaudissements à n'en plus finir **2.** (*ablaufen*) *Frist, Ultimatum*: expirer **3.** (*räumlich*) *Rock, Weg*: s'arrêter
Endergebnis *nt* résultat *m* définitif; **im** ~ en fin de compte **endgültig** *adj* définitif(-ive) **Endhaltestelle** *f* terminus *m*
Endivie [ɛn'diːviə] <-, -n> *f* chicorée *f*
Endkampf *m* finale *f*
endlich I. *adv* enfin; **na** ~**!** *fam* c'est pas trop tôt! II. *adj* MATH, PHILOS fini(e)
endlos I. *adj* **1.** (*ständig*) *Ärger* sans fin **2.** (*sehr lang, ausgedehnt*) interminable; *Weite* infini(e) II. *adv* (*sehr lange*) indéfiniment
Endlospapier *nt* papier *m* en continu
Endphase *f* phase *f* finale **Endprodukt** *nt* produit *m* final **Endrunde** *f* SPORT finale *f*
Endsilbe *f* syllabe *f* finale **Endspiel** *nt* SPORT finale *f* **Endspurt** *m* SPORT sprint *m*
Endstadium *nt einer Krankheit* stade *m* terminal **Endstation** *f* TRANSP *a. fig* terminus *m* **Endsumme** *f* somme *f* totale
Endung <-, -en> *f* terminaison *f*
Endverbraucher(in) *m(f)* consommateur *m* final/consommatrice *f* finale **Endziffer** *f* dernier chiffre *m*
Energie [enɛr'giː] <-, -n> *f* **1.** PHYS énergie *f* **2.** *kein Pl* (*Tatkraft*) énergie *f*; **viel**/**wenig** ~ **haben** être très/peu dynamique

Energiebedarf *m* besoins *mpl* énergétiques **energiebewusst**^RR I. *adj* économe en énergie II. *adv* de façon économe en énergie **Energiequelle** *f* source *f* d'énergie **Energiesparen** *nt* économies *fpl* d'énergie **Energieverbrauch** *m* consommation *f* d'énergie **Energieversorgung** *f* approvisionnement *m* en énergie **Energievorrat** *m* ressources *fpl* énergétiques
energisch [e'nɛrgɪʃ] *adj* énergique
eng [ɛŋ] I. *adj* **1.** *Öffnung* étroit(e) **2.** (*beengt*) *Raum* exigu(ë) **3.** (*knapp sitzend*) *Kleidung* étroit(e); **jdm zu** ~ **sein** serrer trop qn **4.** (*dicht gedrängt*) *Pflanzung* rapproché(e) **5.** (*beschränkt*) étroit(e); *Horizont* limité(e); *Rahmen* strict(e) **6.** (*eingeschränkt*) **im** ~**eren Sinne** dans un sens plus strict; **in die** ~**ere Wahl kommen** être parmi les premiers choix **7.** (*nah, vertraut*) *Beziehung, Freundschaft* étroit(e); *Verwandtschaft* proche **8.** *fam* (*schwierig*) **das wird** ~ *fam* ça va être dur II. *adv* **1.** (*knapp*) ~ **anliegen** *Kleidung*: être moulant; **einen Rock** ~**er machen** ajuster une jupe **2.** (*dicht*) ~ **nebeneinander sitzen**/**stehen** être serrés l'un contre l'autre; **sehr** ~ **tanzen** danser étroitement enlacés **3.** (*nah, vertraut*) *liiert* étroitement; ~ **befreundet sein** avoir des liens d'amitié étroits **4.** *fam* (*kleinlich, intolerant*) **etw [zu]** ~ **sehen** être trop à cheval sur qc; **etw nicht so** ~ **sehen** ne pas être trop pointilleux sur qc
Engagement [ãgaʒə'mãː] <-s, -s> *nt* **1.** *geh* engagement *m* **2.** (*Verpflichtung*) *eines Künstlers* engagement *m*
engagieren* [ãga'ʒiːrən] I. *vt* engager II. *vr* **sich für jdn**/**etw** ~ s'engager pour qn/qc
engagiert [ãga'ʒiːɐt] *adj geh Person, Kunstwerk* engagé(e)
enganliegend *s.* **eng** II.
engbefreundet *s.* **eng** II.
Enge ['ɛŋə] <-> *f einer Kurve* étroitesse *f*; *eines Raums* exiguïté *f* ▶**jdn in die** ~ **treiben** pousser qn dans ses derniers retranchements
Engel ['ɛŋəl] <-s, -> *m* ange *m*
engherzig *adj* mesquin(e)
England ['ɛŋlant] *nt* l'Angleterre *f*
Engländer(in) <-s, -> *m(f)* Anglais(e) *m(f)*
englisch ['ɛŋlɪʃ] I. *adj* anglais(e) II. *adv* **1.** ~ **miteinander sprechen** discuter en anglais; *s. a.* **deutsch 2.** (*auf britische Art*) **das Fleisch** ~ **braten** faire griller la viande de façon saignante
Englisch <-[s]> *nt kein art* anglais *m*; *s. a.* **Deutsch**
engmaschig *adj Netz* à mailles serrées

Ẹngpass^{RR} *m* **1.** GEOG défilé *m* **2.** (*Fahrbahnverengung*) rétrécissement *m* **3.** ÖKON goulot *m* d'étranglement
ẹngstirnig *pej* **I.** *adj* Person borné(e); Denken étroit(e) **II.** *adv* handeln à courte vue
Ẹnkel(in) ['ɛŋkəl] <-s, -> *m(f)* **1.** petit-fils *m*/petite-fille *f;* **die** ~ les petits-enfants *mpl* **2.** (*Nachfahre*) descendant(e) *m(f)*
Ẹnkelkind *s.* **Ẹnkel(in)**
enọrm [e'nɔrm] **I.** *adj* **1.** (*sehr groß*) Belastung énorme; Hitze, Kälte terrible; Kraft, Geschwindigkeit inouï(e); Summe exorbitant(e) **2.** *fam* (*beeindruckend*) das ist ja ~! ça, c'est vraiment super! **II.** *adv fam* (*sehr*) günstig, praktisch vachement
Ensemble [ã'sã:bəl] <-s, -s> *nt* **1.** THEAT troupe *f* **2.** MUS, COUT ensemble *m*
entạrten* [ɛnt'ʔartən] *vi* + *sein* dégénérer
entbẹhren* [ɛnt'be:rən] *vt* (*verzichten auf*) jdn/etw ~ **können** pouvoir se passer de qn/qc
entbẹhrlich [ɛnt'be:ɐ̯lɪç] *adj* superflu(e)
Entbẹhrung <-, -en> *f* privation *f*
entbịnden* *irr* **I.** *vt* (*dispensieren*) jdn **von seinem Versprechen** ~ délier qn de sa promesse **II.** *vi* MED accoucher
Entbịndung *f* **1.** MED accouchement *m* **2.** kein Pl (*Dispensierung*) déliement *m*
Entbịndungsstation *f* maternité *f*
entblöβen* [ɛnt'blø:sən] geh **I.** *vt* **1.** dénuder Beine, Oberkörper **2.** MIL, SPORT découvrir **II.** *vr* **sich** ~ se découvrir; Exhibitionist: s'exhiber
entbrẹnnen* *vi irr* + *sein* geh **1.** Kampf, Streit: éclater **2.** *fig* s'enflammer
entdẹcken* *vt* **1.** dénicher Person, Gegenstand; trouver Fehler, Versteck **2.** (*herausfinden, bemerken*) **wieder** ~ redécouvrir **3.** (*durch Forschung finden*) découvrir Virus, Kontinent
Entdẹcker(in) <-s, -> *m(f)* explorateur(-trice) *m(f)*
Entdẹckung *f* (*das Entdecken, das Entdeckte*) découverte *f;* (*talentierter Mensch*) révélation *f*
Entdẹckungsreise *f* voyage *m* d'exploration
Ẹnte ['ɛntə] <-, -n> *f* **1.** canard *m;* (*weibliches Tier*) cane *f* **2.** *fam* (*Falschmeldung*) bobard *m* **3.** *fam* (*Auto*) deuche *f*
entẹhren* [ɛnt'ʔe:rən] *vt* déshonorer
entẹignen* [ɛnt'ʔai̯gnən] *vt* exproprier
entẹrben* *vt* déshériter
Ẹnterich ['ɛntərɪç] <-s, -e> *m* canard *m* [mâle]
Entertainer(in) ['ɛntəte:nɐ] <-s, -> *m(f)* animateur(-trice) *m(f)*
Ẹnter-Taste *f* INFORM touche *f* Entrée
entfạchen* [ɛnt'faxən] *vt* geh **1.** déclen-

cher Brand, Feuer **2.** (*entfesseln*) attiser Leidenschaft; déclencher Streit
entfạhren* *vi irr* + *sein* jdm ~ Seufzer, Schrei: échapper à qn
entfạllen* *vi irr* + *sein* **1.** (*aus dem Gedächtnis kommen*) jdm ~ sortir de l'esprit à qn, échapper à qn **2.** (*wegfallen, nicht stattfinden*) Punkt: être laissé de côté; Veranstaltung: être annulé **3.** (*zukommen*) **auf** jdn ~ Anteil: revenir à qn **4.** geh (*entgleiten*) **die Vase entfiel ihr** le vase lui tomba des mains
entfạlten* **I.** *vt* **1.** déplier Zeitung, Brief **2.** (*entwickeln*) déployer Aktivität; épanouir Fähigkeiten, Kräfte **3.** (*zur Geltung bringen*) déployer Pracht **II.** *vr* **sich** ~ **1.** Fallschirm: s'ouvrir **2.** (*sich entwickeln*) Persönlichkeit, Talent: s'épanouir
Entfạltung <-, -en> *f* **1.** eines Fallschirms ouverture *f* **2.** (*Entwicklung*) von Aktivitäten déploiement *m;* eines Talents, der Persönlichkeit épanouissement *m* **3.** (*Demonstration*) von Pracht déploiement *m*
entfärben* *vt*, *vr* [sich] ~ [se] décolorer
entfẹrnen* [ɛnt'fɛrnən] **I.** *vt* **1.** enlever Fleck, Blinddarm, Hindernis **2.** (*forttun, fortbringen*) jdn aus der Schule ~ exclure qn de l'école **II.** *vr* **sich von/aus etw** ~ s'éloigner de qc
Entfẹrnen-Taste *f* INFORM touche *f* Effacement
entfẹrnt **I.** *adj* **1.** reculé(e); **von jdm/etw** ~ **sein** être loin de qn/qc; **fünf Kilometer/drei Stunden von etw** ~ **sein** être à cinq kilomètres/trois heures de qc **2.** (*weitläufig*) Verwandtschaft éloigné(e) **3.** (*gering*) Ähnlichkeit vague antéposé **II.** *adv* **1.** (*geringfügig*) de loin; erinnern vaguement **2.** (*weitläufig*) ~ **verwandt sein mit** ... être parent éloigné de ...
Entfẹrnung <-, -en> *f* **1.** distance *f;* **in einer** ~ **von drei Metern, in drei Metern** ~ à une distance de trois mètres; **aus der** ~ de loin **2.** kein Pl (*das Entfernen*) eines Flecks, Hindernisses élimination *f* **3.** kein Pl (*das Weggehen*) unerlaubte ~ von der Truppe absence *f* illégale de la troupe
entfẹsseln* *vt* déclencher Begeisterung, Krieg
entflạmmen* geh **I.** *vt* + *haben* **1.** enflammer **2.** (*verliebt machen*) conquérir **II.** *vi* + *sein* **1.** Streit: éclater; Liebe: s'enflammer **2.** (*verliebt sein*) **für jdn entflammt sein** être épris de qn
entfliehen* *vi irr* + *sein* **1.** (*fliehen*) s'enfuir; **aus der Haft** ~ s'évader de prison **2.** geh (*entkommen*) **dem Lärm/der Hektik** ~ échapper au bruit/à l'agitation
entfrẹmden* **I.** *vt* **1.** (*fremd machen*)

zwei Menschen einander ~ rendre deux personnes étrangères l'une à l'autre **2.** (*zweckentfremden*) **etw seinem Zweck** ~ détourner qc de son usage **II.** *vr* **sich jdm** ~ se détacher de qn

Entfremdung <-, -en> *f* détachement *m*

entführen* *vt* **1.** enlever, kidnapper *Kind, Geisel;* détourner *Flugzeug* **2.** *hum fam* (*wegnehmen*) emprunter

Entführer(in) *m(f)* ravisseur(-euse) *m(f);* (*Luftpirat*) pirate *mf* de l'air

Entführung *f eines Kindes, einer Geisel* enlèvement *m; eines Flugzeugs* détournement *m*

entgegen [ɛnt'ge:gən] **I.** *adv* **dem Ziel** ~ au devant du but; **dem Morgen/Sommer** ~ vers le matin/l'été **II.** *präp + dat* **1.** (*zuwider*) ~ **unserer Abmachung** contrairement à notre accord **2.** (*im Gegensatz zu*) ~ **allen Erwartungen** contre toute attente

entgegen|bringen *vt irr* **jdm Vertrauen/ Achtung** ~ faire preuve de confiance/respect à l'égard de qn; **einer S.** (*dat*) **Interesse/Verständnis** ~ manifester de l'intérêt/de la compréhension pour qc **entgegen|gehen** *vi irr* + *sein* **1.** **jdm** ~ aller à la rencontre de qn **2.** (*zu erwarten haben*) **einer Gefahr/dem Tod** ~ aller au devant d'un danger/de la mort

entgegengesetzt **I.** *adj* **Richtung, Interessen** opposé(e) **II.** *adv* ~ **handeln** faire le contraire

entgegen|halten *vt irr* **1.** (*hinhalten*) **jdm etw** ~ tendre qc à qn **2.** (*als Gegenargument anführen*) présenter *Einwand, Beweis* **entgegen|kommen** *vi irr* + *sein* **1.** **jdm** ~ venir à la rencontre de qn; (*fahrend*) arriver en sens inverse de qc **2.** (*Zugeständnisse machen*) **jdm** ~ faire une concession à qn **3.** (*entsprechen*) **jds Interessen** (*dat*) ~ aller dans le sens des intérêts de qc **Entgegenkommen** <-s> *nt* **1.** (*gefällige Haltung*) compréhension *f* **2.** (*Zugeständnis*) concession *f* **entgegenkommend** *adj* bienveillant(e) **entgegen|nehmen** *vt irr* accepter *Brief, Ware;* encaisser *Geldbetrag* **entgegen|setzen** *vt* **nichts entgegenzusetzen haben** n'avoir rien à redire à qc **entgegen|stehen** *vi irr* **dem steht nichts entgegen** rien ne s'y oppose **entgegen|steuern** *vi* combattre; **einem Trend** ~ combattre une tendance

entgegnen* [ɛnt'ge:gnən] *vt* rétorquer

entgehen* *vi irr* + *sein* **1.** (*nicht bemerkt werden, entkommen*) échapper **2.** (*ungenutzt bleiben*) **sich** (*dat*) **etw** ~ **lassen** laisser passer qc

entgeistert [ɛnt'gaistɐt] **I.** *adj* hébété(e) **II.** *adv* **anstarren** l'air hébété

Entgelt [ɛnt'gɛlt] <-[e]s, -e> *nt form* rétribution *f;* **gegen** ~ moyennant finances

entgiften* *vt* ÖKOL, MED épurer

entgleisen* [ɛnt'glaizən] *vi* + *sein* **1.** *Zug, Straßenbahn:* dérailler **2.** (*ausfallend werden*) commettre un impair

entgleiten* *vi irr* + *sein* **1.** **jds Händen** ~ glisser des mains de qn **2.** (*verloren gehen*) *Kontrolle, Leitung:* échapper

enthaaren* [ɛnt'ha:rən] *vt* épiler

Enthaarung <-, -en> *f* épilation *f*

enthalten* *irr* **I.** *vt* **1.** contenir **2.** (*einschließen*) **im Preis** [**mit**] ~ **sein** être compris dans le prix **II.** *vr* (*nicht abstimmen*) **sich** [**der Stimme**] ~ s'abstenir

enthaltsam [ɛnt'haltza:m] **I.** *adj Person* modéré(e); *Leben* d'abstinence **II.** *adv* ~ **leben** vivre dans l'abstinence

Enthaltsamkeit <-> *f* abstinence *f;* (*sexuelle Abstinenz*) chasteté *f*

Enthaltung [ɛnt'haltʊŋ] *f* (*Stimmenthaltung*) abstention *f*

enthärten* *vt* adoucir *Wasser*

enthaupten* [ɛnt'hauptən] *vt* décapiter

entheben* *vt irr geh* **1.** **jdn seines Amtes/Dienstes** ~ relever qn de ses fonctions **2.** (*entbinden*) **jdn aller Verpflichtungen** ~ dégager qn de toute obligation

enthüllen* **I.** *vt* dévoiler **II.** *vr* **sich jdm** ~ se révéler à qn

Enthüllung <-, -en> *f* **1.** *eines Denkmals* dévoilement *m* **2.** (*Aufdeckung*) révélation *f*

enthusiastisch [ɛntuzi'astɪʃ] **I.** *adj* enthousiaste **II.** *adv* avec enthousiasme

entjungfern* *vt* dépuceler

entkalken* *vt* détartrer *Kaffeemaschine;* adoucir *Wasser*

entkernen* *vt* dénoyauter *Kirsche, Pfirsich, Olive;* épépiner *Apfel, Birne, Orange*

entknoten* *vt* dénouer

entkommen* *vi irr* + *sein* s'échapper; **jdm** ~ échapper à qn

entkorken* *vt* déboucher

entkräften* [ɛnt'krɛftən] *vt* **1.** (*schwächen*) épuiser **2.** (*widerlegen*) réfuter *Behauptung, Verdacht*

entladen* *irr* **I.** *vt* décharger **II.** *vr* **1.** **sich über jdm/etw** ~ *Gewitter:* éclater au-dessus de qn/qc **2.** ELEC **sich** ~ se décharger **3.** (*ausbrechen*) **sich über jdm** ~ *Emotionen:* éclater contre qn

entlang [ɛnt'laŋ] **I.** *präp + dat o gen* le long de **II.** *präp + akk* le long de **III.** *adv* **hier** ~ par ici; **wir müssen die Grenze** ~ nous devons longer la frontière

entlang|gehen *irr vi* + *sein* **eine Straße** ~ longer une route

entlarven* [ɛnt'larfən] **I.** *vt* **1.** (*enttar-*

nen) démasquer **2.** (*aufdecken*) **ein Angebot als Falle** ~ découvrir qu'une offre est un piège **II.** *vr* **sich selbst als Lügner** ~ se démasquer soi-même comme étant un menteur
entlassen* *vt irr* **1.** licencier *Mitarbeiter* **2.** (*gehen lassen*) laisser sortir *Patienten;* libérer *Häftling;* **aus der Haft** ~ **werden** sortir de prison **3.** *geh* (*verabschieden*) congédier *Besucher, Bittsteller*
Entlassung <-, -en> *f* (*Kündigung*) licenciement *m*
entlasten* *vt* **1.** JUR décharger **2.** (*von einer Belastung befreien*) soulager *Person;* délester *Verkehr* **3.** (*ausgleichen*) créditer *Konto* **4.** (*bestätigen*) donner quitus à *Vorstand, Hausverwaltung*
Entlastung <-, -en> *f* **1.** JUR décharge *f* **2.** (*Hilfe*) soulagement *m;* **zu deiner** ~ pour te soulager **3.** (*Bestätigung*) quitus *m*
entlaufen* *vi irr* + *sein* **1.** (*fliehen*) *Häftling, Sklave:* s'évader; *Heimkind:* faire une fugue **2.** (*fortlaufen*) **Hund/Katze** ~! perdu chien/chat!
entledigen* [ɛnt'leːdɪgən] *vr geh* **1.** (*aus dem Wege räumen*) **sich eines Komplizen** ~ se débarrasser d'un complice **2.** (*erfüllen*) **sich eines Auftrags** ~ s'acquitter d'une mission
entleeren* *vt* vider *Behälter, Darm;* vidanger *Grube, Becken*
entlegen [ɛnt'leːgən] *adj* **1.** (*abgelegen*) isolé(e) **2.** *Gedanke, Vorstellung* saugrenu(e)
entlocken* *vt* soutirer; **einem Instrument Töne** ~ tirer des sons d'un instrument
entlohnen* *vt* CH **jdn für etw** ~ rétribuer qn pour qc
entmachten* [ɛnt'maxtən] *vt* renverser
entmilitarisieren* [ɛntmilitari'ziːrən] *vt* démilitariser
entmündigen* [ɛnt'mʏndɪgən] *vt* mettre sous tutelle; **jdn wegen etw** ~ mettre qn sous tutelle pour qc
Entmündigung <-, -en> *f* **1.** JUR mise *f* sous tutelle **2.** (*Bevormundung*) déresponsabilisation *f*
entmutigen* [ɛnt'muːtɪgən] *vt* décourager
Entmutigung <-, -en> *f* découragement *m*
Entnahme [ɛnt'naːmə] <-, -n> *f* prélèvement *m*
entnehmen* *vt irr* **1.** (*herausnehmen*) etw [aus] der Schublade ~ retirer qc du tiroir **2.** MED **jdm Blut** ~ prélever du sang à qn **3.** (*schlussfolgern*) **einem Artikel** ~, **dass ...** déduire d'un article que ...
entpuppen* [ɛnt'pʊpən] *vr* se révéler;

sich als Betrüger ~ se révéler être un escroc
entreißen* *vt irr* arracher
entrichten* *vt form* régler
entrinnen* *vi irr* + *sein geh* **jdm/einer S.** ~ échapper à qn/qc
entrückt [ɛnt'rʏkt] *adj geh* absent(e); **der Wirklichkeit** (*dat*) ~ **sein** être détaché de la réalité
entrümpeln* [ɛnt'rʏmpəln] *vt* débarrasser
entrüsten* [ɛnt'rʏstən] *vr* **sich über jdn** ~ être scandalisé par qn; **sich über etw** ~ s'indigner de qc
entrüstet I. *adj* indigné(e) **II.** *adv* d'un air outré; *rufen, sagen* d'un ton outré
Entrüstung *f* indignation *f;* ~ **über jdn/etw** indignation contre qn/qc
entsagen* *vi geh* **einer S.** (*dat*) ~ renoncer à qc
entschädigen* *vt a.* JUR dédommager
Entschädigung *f* (*Leistung*) indemnité *f*
entschärfen* *vt* **1.** désamorcer *Bombe, Mine* **2.** (*entspannen*) décrisper *Debatte, Konflikt*
Entscheid [ɛnt'ʃait] *s.* Entscheidung
entscheiden* *irr* **I.** *vt* **1.** (*beschließen*) ~, **dass/ob/wann ...** décider que/si/quand ... **2.** (*klären*) trancher *Fall* **3.** (*gewinnen*) **etw [für sich]** ~ avoir une influence décisive sur qc; **das Spiel ist entschieden** le match est joué **II.** *vi* décider; **für jdn/etw** ~ se prononcer en faveur de qn/qc **III.** *vr* (*beschließen*) **sich** ~ se décider
entscheidend I. *adj* (*ausschlaggebend*) décisif(-ive); *Fehler, Irrtum* grave **II.** *adv* de manière décisive
Entscheidung *f* **1.** (*Beschluss*) décision *f;* **jdn vor eine** ~ **stellen** mettre qn au pied du mur **2.** JUR verdict *m* **3.** SPORT résultat *m*
entschieden [ɛnt'ʃiːdən] **I.** *PP von* **entscheiden II.** *adj* **1.** (*entschlossen*) *Befürworter, Gegner* résolu(e) **2.** (*eindeutig*) *Ablehnung* catégorique; *Befürwortung* total(e); *Stellungnahme* clair(e) [et net(te)] **III.** *adv* **1.** (*entschlossen*) *ablehnen* catégoriquement **2.** (*eindeutig*) incontestablement
Entschiedenheit <-> *f* détermination *f;* **mit [aller]** ~ catégoriquement
entschließen* *vr irr* **sich** ~ se décider; **sich für/zu etw** ~ opter pour qc; **sich zu nichts** ~ **können** ne pas arriver à se décider
entschlossen [ɛnt'ʃlɔsən] **I.** *PP von* **entschließen II.** *adj* décidé(e); **fest** ~ déterminé; **wild** ~ *fam* remonté à bloc; **zu allem** ~ prêt à tout **III.** *adv* avec détermination
Entschlossenheit <-> *f* détermination *f*

sich entscheiden

• nach Entschlossenheit fragen	• s'assurer d'une décision
Sind Sie sicher, dass Sie das wollen?	**Êtes-vous sûr(e)** de vouloir cela?
Haben Sie sich das gut überlegt?	**Y avez-vous bien réfléchi?**
Wollen Sie nicht lieber dieses Modell?	**Ne préféreriez-vous pas plutôt** ce modèle?

• Entschlossenheit ausdrücken	• exprimer sa détermination
Ich habe mich entschieden: Ich werde an der Feier nicht teilnehmen.	**Je me suis décidé(e):** je ne participerai pas à la cérémonie.
Ich habe mich dazu durchgerungen, ihr alles zu sagen.	**Je me suis résolu(e) à** tout lui dire.
Wir sind (fest) entschlossen, nach Australien auszuwandern.	**Nous sommes (fermement) décidé(e)s à** émigrer en Australie.
Ich lasse mich von nichts/niemandem davon abbringen, es zu tun.	**Rien/Personne ne me dissuadera de** le faire.
Ich werde auf keinen Fall kündigen.	**Il est hors de question que je** démissionne.

• Unentschlossenheit ausdrücken	• exprimer son hésitation
Ich weiß immer noch nicht, was ich tun soll.	**Je ne sais toujours pas quoi faire.**
Wir sind uns noch im Unklaren darüber, was wir tun werden.	**Nous ne savons pas encore ce que** nous ferons.
Ich bin mir noch unschlüssig, ob ich die Wohnung mieten soll oder nicht.	**J'hésite encore si** je prends l'appartement ou non.
Ich habe mich noch nicht entschieden.	**Je ne me suis pas encore décidé(e).**
Ich bin noch zu keinem Entschluss darüber gekommen.	**Je n'ai pas encore pris de décision.**

Entschluss^{RR} *m* décision *f;* **einen ~ fassen** prendre une décision

entschlüsseln* *vt* décoder

entschuldigen* [ɛnt'ʃʊldɪgən] **I.** *vi* excuser; **~ Sie, können Sie mir sagen, ... s'il** vous plaît, pouvez-vous me dire ...; **Sie müssen** [schon] **~, ...** excusez-moi, ... **II.** *vr* **1.** **sich bei jdm ~** s'excuser auprès de qn **2.** (*sich abwesend melden*) **sich ~** *Schüler:* s'excuser **III.** *vt* **1.** **jdn ~** excuser qn **2.** (*als abwesend melden*) **jdn/etw bei jdm ~** excuser qn/qc auprès de qn **3.** (*verzeihlich machen*) **etw ~** *Umstand, Tatsache:* excuser qc

Entschuldigung <-, -en> *f* **1.** (*Bitte um Verzeihung*) excuses *fpl;* **sie hat ihre Eltern wegen etw um ~ gebeten** elle a prié ses parents de l'excuser de qc; **ich bitte vielmals um ~** je vous demande mille fois pardon; **~!** pardon!, excuse-moi/excusez-moi!; **~, wie spät ist es bitte?** excusez-moi, vous avez l'heure s'il vous plaît? **2.** (*Rechtfertigung*) excuse *f;* **als ~ für etw** pour excuser qc; **zu meiner/deiner ~ à** ma/ta décharge **3.** (*~sschreiben*) mot *m* d'excuse

entsenden* *vt irr o reg geh* **1.** (*offiziell*) **jdn zu einer Tagung ~** déléguer qn à une conférence **2.** (*schicken*) **jdn zu jdm ~** envoyer qn auprès de qn

entsetzen* **I.** *vt* effarer; **jdn ~** *Umstand, Tatsache:* effarer qn **II.** *vr* **sich über jdn/ etw ~** être horrifié par qn/qc; (*fassungslos sein*) être effaré par qn/qc

Entsetzen <-s> *nt* horreur *f*

entsetzlich *adj* horrible

entsichern* *vt* enlever le cran de sûreté de *Pistole*

entsinnen* *vr irr geh* se souvenir; **wenn ich mich recht entsinne** si mes souvenirs sont exacts

entsorgen* *vt* **1.** (*wegschaffen*) évacuer **2.** (*von Abfallstoffen befreien*) éliminer les déchets de *Stadt, Fabrik*

Entsorgung <-, -en> *f von Müll* évacuation *f*

sich entschuldigen

• zugeben, eingestehen

Ich bin Schuld daran.
Ja, es war mein Fehler.
Da habe ich Mist gebaut. *(sl)*
Ich gebe es ja zu: Ich habe zu vorschnell gehandelt.
Sie haben Recht, ich hätte mir die Sache gründlicher überlegen sollen.

• admettre, avouer

C'est de ma faute.
Oui, c'était de ma faute.
Là, j'ai fait une connerie. *(fam)*
Je l'admets: j'ai agi trop vite.

Vous avez raison, j'aurais dû mieux réfléchir à la question.

• sich entschuldigen

(Oh,) das hab ich nicht gewollt!
Das tut mir Leid!
Entschuldigung!/Verzeihung!/ Pardon!
Entschuldigen Sie bitte!
Das war nicht meine Absicht.
Ich muss mich dafür wirklich entschuldigen.

• s'excuser

(Oh,) je ne l'ai pas fait exprès!
Je suis désolé(e)!
Excuse-moi!/Excusez-moi!/Pardon!/ Je te/vous demande pardon!
Excusez-moi!/Je suis désolé(e)!
Ce n'était pas dans mes intentions.
Excusez-moi, je suis vraiment désolé(e).

• auf Entschuldigungen reagieren

Schon okay! *(fam)*/Das macht doch nichts!
Keine Ursache!/Macht nichts!

Machen Sie sich darüber keine Gedanken.
Lassen Sie sich darüber keine grauen Haare wachsen. *(fam)*

• accepter des excuses

Ça va!/Ça ne fait rien!

Ce n'est pas grave!/Ça ne fait rien!/ Ne t'en fais pas!
Ne vous faites pas de soucis!

Ne vous faites pas de cheveux blancs pour ça!

---

entspannen* I. *vr* sich ~ *Person, Lage:* se détendre; **entspannt** détendu II. *vt* 1. *(lockern)* détendre *Muskeln, Nerven* 2. *(beruhigen)* détendre *Lage*
Entspannung *f* détente *f;* **zur** ~ pour se détendre
entsprechen* *vi irr* 1. *(übereinstimmen mit)* **einer** S. *(dat)* ~ correspondre à qc 2. *(genügen)* **den Anforderungen/Bedingungen** ~ satisfaire aux exigences/conditions
entsprechend I. *adj* 1. *(angemessen)* Entschädigung, Gehalt correspondant(e) 2. *(gemäß)* Benehmen, Kleidung approprié(e) 3. *(zuständig)* Sachbearbeiter compétent(e) II. *adv* bezahlen, handeln en conséquence III. *präp + dat* ~ **Ihrem Vorschlag/unserer Abmachung** conformément à votre proposition/notre accord
Entsprechung <-, -en> *f* 1. *(Gegenstück)* pendant *m* 2. *(Übereinstimmung)* point *m* commun
entspringen* *vi irr + sein* **in den Bergen** ~ *Fluss:* prendre sa source dans les monta-

gnes
entstammen* *vi + sein* **einer armen Familie** *(dat)* ~ être issu d'une famille pauvre
entstehen* *vi irr + sein* 1. *(zu existieren beginnen)* se constituer; *Kunstwerk, Gebäude, Stadtteil:* naître; **das Haus ist in acht Monaten entstanden** la maison a été construite en l'espace de huit mois 2. *(verursacht werden)* Brand, Streit, Unruhe: se déclencher 3. CHEM se former 4. *(sich ergeben)* **ihm** ~ **durch den Unfall Kosten** l'accident lui a occasionné des frais
Entstehung <-, -en> *f* 1. *(das Werden)* des Lebens origine *f;* eines Kunstwerkes création *f;* eines Gebäudes construction *f* 2. *(Verursachung)* eines Streits, Brandes origine *f* 3. CHEM formation *f*
entstellen* *vt* 1. *(verunstalten)* défigurer Person, Gesicht 2. *(verzerren)* **etw** ~ Hass, Schmerz: déformer qc 3. *(verzerrt wiedergeben)* déformer Vorfall, Wahrheit
enttäuschen* I. *vt* décevoir II. *vi* Sportler, Mannschaft: être décevant; *Auto, Elektroge-*

rät: se révéler décevant(e)

enttäuscht [ɛnt'tɔyʃt] **I.** *adj* déçu(e); **von jdm/etw ~ sein** être déçu par qn/qc **II.** *adv* **dreinschauen** d'un air déçu; **sagen** d'un ton déçu

Enttäuschung *f* déception *f;* **jdm eine ~ bereiten** décevoir [les espérances de] qn

entthronen * *vt geh* détrôner

entwaffnen * [ɛnt'vafnən] *vt a. fig* désarmer

entwässern * [ɛnt'vɛsən] *vt* drainer

entweder ['ɛntveːdɐ] *konj* ~ ..., **oder** ... ou [bien] ..., ou [bien] ... ►~ **oder!** [c'est] l'un ou l'autre!

entweichen * *vi irr* + *sein* **1.** (*austreten*) fuir; **aus etw** ~ *Gas, Luft:* fuir de qc **2.** *geh* (*fliehen*) **aus etw** ~ s'échapper de qc

entweihen * *vt* profaner

entwenden * *vt geh* dérober; **jdm etw ~** dérober qc à qn

entwerfen * *vt irr* **1.** (*zeichnerisch*) concevoir; faire les plans de *Gartenanlage, Gebäude* **2.** (*ausarbeiten*) élaborer

entwerten * *vt* **1.** (*abstempeln*) valider *Fahrschein, Eintrittskarte;* oblitérer *Briefmarke* **2.** (*im Wert mindern*) dévaluer *Banknoten, Münzen* **3.** *fig* déprécier *Argument*

Entwertung *f* **1.** (*das Abstempeln*) validation *f;* **von** *Briefmarken* oblitération *f* **2.** (*Wertminderung*) *von Banknoten, Münzen* dévaluation *f*

entwickeln * **I.** *vt* **1.** (*erfinden*) développer **2.** (*am Bildschirm entwerfen*) concevoir **3.** (*ausarbeiten*) élaborer **4.** (*entfalten*) développer *Talent;* déployer *Energie* **5.** PHOT développer **6.** (*entstehen lassen*) dégager *Gas, Hitze* **II.** *vr* **sich ~ 1.** (*sich entfalten*) se développer; **aus der Raupe entwickelt sich der Schmetterling** la chenille se transforme en papillon **2.** (*vorankommen*) *Verhandlungen:* évoluer **3.** CHEM *Gase, Wärme:* se former

Entwicklung <-, -en> *f* **1.** (*das Entwickeln*) mise *f* au point; *eines Präparats, Verfahrens* développement *m* **2.** (*das Entwerfen*) élaboration *f* **3.** (*Entfaltung*) développement *m;* **von** *Kräften* déploiement *m* **4.** PHOT développement *m* **5.** (*das Vorankommen*) *eines Projektes* évolution *f* **6.** CHEM formation *f*

Entwicklungshelfer(in) *m(f)* coopérant(e) *m(f)* **Entwicklungshilfe** *f* POL aide *f* au[x pays en voie de] développement **Entwicklungsland** *nt* pays *m* en voie de développement **Entwicklungsstufe** *f* stade *m* de développement

entwischen * [ɛnt'vɪʃən] *vi* + *sein* se sauver; **aus etw** ~ se sauver de qc; **jdm ~** échapper à qn

entwürdigend [ɛnt'vʏrdɪgənt] *adj* dégradant(e)

Entwürdigung *f* avilissement *m*

Entwurf *m* **1.** (*Skizze*) projet *m;* (*eines Modemachers*) dessin *m* **2.** (*Konzept*) ébauche *f*

entwurzeln * *vt* déraciner

entziehen * *irr* **I.** *vt* **1.** (*wegnehmen*) retirer *Hand, Führerschein, Vertrauen* **2.** (*fern halten*) **jdn den Blicken der Schaulustigen ~** soustraire qn à la vue des badauds **3.** (*entnehmen*) **einer S.** (*dat*) **das Wasser ~** extraire l'eau de qc **II.** *vr* **sich jdm/einer S. ~** se dérober à qn/qc

Entziehungskur *f* cure *f* de désintoxication

entziffern * [ɛnt'tsɪfən] *vt* déchiffrer

entzücken * [ɛnt'tsʏkən] *vt* ravir; **von jdm entzückt sein** être sous le charme de qn; **über etw** (*akk*) **entzückt sein** être ravi de qc

Entzücken [ɛn'tsʏkən] <-s> *nt* ravissement *m*

entzückend *adj* ravissant(e)

Entzug <-[e]s> *m* **1.** ADMIN *eines Führerscheins, einer Lizenz* retrait *m* **2.** MED désaccoutumance *f* **3.** *fam* (*Entziehungskur*) cure *f* de désintoxication; **auf ~ sein** être en cure de désintoxication

Entzugserscheinung *f* syndrome *m* de manque

entzündbar [ɛnt'tsʏndbaːɐ̯] *adj* inflammable

entzünden * **I.** *vt geh* allumer; [faire] craquer *Streichholz* **II.** *vr* (*erkranken, in Brand geraten*) **sich ~** s'enflammer; **entzündet** enflammé

Entzündung *f* inflammation *f*

entzwei [ɛnt'tsvai] *adj* ~ **sein** être cassé

entzweigehen *vi irr* + *sein* se casser

Enzyklopädie [ɛntsyklope'diː] <-, -n> *f* encyclopédie *f*

enzyklopädisch [ɛntsyklo'pɛːdɪʃ] *adj* encyclopédique

Enzym [ɛn'tsyːm] <-s, -e> *nt* MED, BIO enzyme *f*

Epidemie [epide'miː] <-, -n> *f* MED épidémie *f*

Epilepsie [epilɛ'psiː] <-, -n> *f* MED épilepsie *f*

epileptisch MED **I.** *adj* épileptique **II.** *adv* ~ **veranlagt sein** être prédisposé à l'épilepsie

Epilog [epi'loːk] <-s, -e> *m* épilogue *m*

episch ['eːpɪʃ] *adj Gedicht* épique

Episode [epi'zoːdə] <-, -n> *f* épisode *m*

Epizentrum [epi'tsɛntrʊm] *nt* GEOL épicentre *m*

Epoche [e'pɔxə] <-, -n> *f* époque *f*

Epos ['eːpɔs] <-, Epen> *nt* épopée *f*
er [eːɐ̯] *pron pers, 3. Pers Sing, nom* **1.** (*auf
eine Person, ein männliches Tier bezo-
gen*) il; (*betont*) lui; ~ **ist nicht da** il n'est
pas là; **sie ist größer als** ~ elle est plus
grande que lui; **da kommt** ~**!** le voilà qui
arrive!; ~ **ist es** [**wirklich**]**!** c'est bien lui!
2. (*allgemein auf ein Tier, eine Sache bezogen*) **einem Storch/Hubschrauber zuschauen, wie** ~ **fliegt** regarder voler une
cigogne/un hélicoptère
erachten* [ɛɐ̯'ʔaxtən] *vt geh* considérer
Erachten <-s> *nt* **meines** ~**s** à mon avis
erahnen* *vt geh* entrevoir
erarbeiten* *vt* **1.** (*durch Arbeit erwerben*)
sich (*dat*) **sein Wissen hart** ~ acquérir
ses connaissances à la sueur de son front
2. (*ausarbeiten*) réaliser *Entwurf, Vorschlag*
Erbanlage ['ɛrpʔanlaːɡə] *f meist Pl* caractère *m* héréditaire
erbarmen* [ɛɐ̯'barmən] **I.** *vt* faire pitié à
II. *vr* **1.** (*Mitleid haben*) **sich eines Bett-
lers/einer S.** ~ avoir pitié d'un men-
diant/de qc **2.** *hum fam* (*sich annehmen*)
sich ~ se dévouer
Erbarmen <-s> *nt* pitié *f;* ~ **mit jdm/etw
haben** avoir de la pitié pour qn/qc; **voller**
~ pris de pitié; ~**!** pitié!
erbärmlich [ɛɐ̯'bɛrmlɪç] **I.** *adj* **1.** (*gemein*)
Kerl, Schuft infâme **2.** (*furchtbar*) *Angst,
Hunger, Kälte* terrible **3.** (*jämmerlich*) lamentable; *Hütte, Unterkunft* misérable **II.**
adv pej **1.** (*gemein*) **sich** ~ **verhalten** se
conduire de façon déplorable **2.** (*furchtbar*)
kalt, frieren, wehtun terriblement **3.** (*jämmerlich*) *schluchzen* à fendre l'âme
erbarmungslos *adj* impitoyable
erbauen* **I.** *vt* **1.** (*errichten*) bâtir, construire *Gebäude, Ortschaft* **2.** *geh* (*seelisch bereichern*) **jdn** ~ *Kunstwerk, Musik:* enrichir
spirituellement qn **II.** *vr geh* **sich an etw**
(*dat*) ~ savourer spirituellement qc
erbaulich *adj* édifiant(e)
Erbauung <-, -en> *f eines Gebäudes* construction *f*
Erbe ['ɛrbə] <-s> *nt* JUR *a. fig* héritage *m*
Erbe <-n, -n> *m,* **Erbin** *f* héritier(-ière)
m(f)
erbeben* *vi + sein geh* (*beben*) *Erde, Gebäude:* trembler
erben ['ɛrbən] **I.** *vt* **1.** hériter; **etw von
jdm** ~ hériter qc de qn **2.** *hum fam* (*geschenkt bekommen*) **etw von jdm** ~ récupérer qc de qn **II.** *vi* hériter
erbeuten* [ɛɐ̯'bɔytən] *vt* capturer; **etw** ~
Tier: capturer qc; *Verbrecher, Soldat:* s'emparer de qc
Erbfaktor *m* MED facteur *m* héréditaire **Erb-
folge** *f* [ordre *m* de] succession *f* **Erbgut**

nt kein Pl MED patrimoine *m* héréditaire
erbittert *adj* acharné(e)
Erbitterung <-> *f* acharnement *m*
Erbkrankheit *f* MED maladie *f* héréditaire
erblassen* [ɛɐ̯'blasən] *vi + sein* blêmir
erblich ['ɛrplɪç] *adj* héréditaire
erblicken* *vt geh* **1.** (*sehen*) apercevoir
2. (*erkennen*) **in jdm/einer S. eine Gefahr** ~ voir in qn/dans qc un danger
erblinden* *vi + sein* perdre la vue
Erblindung <-, -en> *f* cécité *f*
erblühen* *vi + sein geh* fleurir
erbrechen *irr vt, vi* vomir
Erbrecht *nt* droit *m* de succession
erbringen* [ɛɐ̯'brɪŋən] *vt irr* **1.** (*aufbringen*) régler *Summe, Ratenzahlung;* verser
Kaution; réaliser *Leistung* **2.** (*einbringen*)
rapporter *Gewinn* **3.** (*ergeben*) aboutir à
Kenntnisse, Ergebnisse **4.** JUR apporter *Beweis;* produire *Alibi*
Erbschaft <-, -en> *f* héritage *m*
Erbse ['ɛrpsə] <-, -n> *f* pois *m*
Erbsünde *f* péché *m* originel
Erdachse ['eːɐ̯tʔaksə] *f* axe *m* terrestre
erdacht [ɛɐ̯'daxt] *adj* inventé(e)
Erdapfel *m* A, SDEUTSCH pomme *f* de terre
Erdatmosphäre *f* atmosphère *f* terrestre
Erdball *s.* **Erdkugel Erdbeben** *nt* tremblement *m* de terre **Erdbeere** *f* (*Frucht*)
fraise *f* **Erdboden** *m* sol *m* ►**etw dem** ~
gleichmachen raser qc
Erde ['eːɐ̯də] <-, -n> *f* **1.** *kein Pl* (*Welt*)
terre *f;* **auf der ganzen** ~ au monde
2. (*Planet*) Terre *f* **3.** (*Erdboden, Erdreich*)
terre *f;* **auf der** ~ par terre; **über/unter
der** ~ au dessus du niveau du sol/sous
terre
erdenken* *vt irr* imaginer
erdenklich *adj attr* imaginable; **alles** ~
Gute/Schlechte tout le bien/mal possible
Erdgas *nt* gaz *m* naturel **Erdgeschoss**^RR *nt*
rez-de-chaussée *m*
erdichten* *vt geh* inventer
Erdkugel *f* globe *m* terrestre **Erdkunde** *f*
géographie *f* **Erdnuss**^RR *f* (*Frucht*) ca-
cah[o]uète *f* **Erdoberfläche** *f* surface *f* terrestre **Erdöl** *nt* pétrole *m*
erdolchen* *vt geh* poignarder
Erdreich *nt* terre *f*
erdröhnen* *vi + sein* **1.** (*widerhallen*) résonner; **von Musik/Gehämmer** ~ *Ge-
bäude, Raum:* résonner de musique/coups
de marteau **2.** (*dröhnen*) *Lautsprecher,
Wand:* vibrer
erdrosseln* *vt* étrangler
erdrücken* *vt* **1.** (*zermalmen*) **jdn** ~ écraser qn; *Schlange:* étouffer qn **2.** *fig* **jdn mit
etw** ~ étouffer qn avec qc **3.** *fig* (*überwältl-
gen*) **jdn** ~ *Sorgen:* étouffer qn; *Schulden:*

prendre qn à la gorge
Erdrutsch ['eːɐ̯t̬rʊtʃ] *m* **1.** (*Erdbewegung*)
glissement *m* de terrain **2.** (*überwältigen-
der Wahlsieg*) raz *m* de marée **Erdstoß** *m*
secousse *f* sismique **Erdteil** *m* continent *m*
erdulden* *vt* endurer
Erdumdrehung *f* rotation *f* de la Terre [sur
elle-même] **Erdumlaufbahn** *f* orbite *f* terrestre
ereignen* [ɛɐ̯'ʔaɪɡnən] *vr* **sich** ~ se produire
Ereignis <-ses, -se> *nt* événement *m*
ereignisreich *adj* mouvementé(e)
Erektion [erɛk'tsi̯oːn] <-, -en> *f* érection
f
Eremit(in) [ere'miːt] <-en, -en> *m(f)* ermite *m*
erfahren[1] *irr* I. *vt* **1.** (*zu hören bekommen*)
apprendre *Neuigkeit;* être informé de *Plan;*
etw über jdn/etw ~ apprendre qc au sujet de qn/qc **2.** (*erleben*) faire l'expérience
de *Liebe, Leid* II. *vi* **von etw/über etw**
(*akk*) ~ être informé de qc
erfahren[2] *adj* (*kundig*) expérimenté(e)
Erfahrung <-, -en> *f* expérience *f;* ~ **haben** avoir de l'expérience; ~**en sammeln**
faire ses propres expériences; **ein Mann
mit** ~ un homme d'expérience; **die** ~ **machen, dass ...** faire l'expérience que ...
erfassen* *vt* **1.** (*mitreißen*) **jdn/etw** ~
Auto, Strömung: happer qn/qc **2.** (*befallen*)
jdn ~ *Traurigkeit, Verlangen:* saisir qn
3. (*begreifen*) comprendre **4.** (*registrieren*) recenser **5.** INFORM saisir *Daten, Text*
Erfassung *f* **1.** ADMIN recensement *m* **2.** IN-
FORM saisie *f*
erfinden* *vt irr* **1.** (*neu hervorbringen*) inventer **2.** (*erdichten*) inventer *Geschichte;*
frei erfunden sein *Behauptung:* être inventé de toutes pièces; *Namen, Personen:*
être imaginaire
Erfinder(in) *m(f)* inventeur(-trice) *m(f)*
erfinderisch *adj* ingénieux(-euse)
Erfolg [ɛɐ̯'fɔlk] <-[e]s, -e> *m* succès *m;*
mit etw/bei jdm keinen ~ **haben** ne pas
avoir de succès avec qc/auprès de qn; **viel**
~**!** bonne chance!
erfolgen* *vi* + *sein form* avoir lieu
erfolglos I. *adj* **1.** *Person* malchanceux(-eu-
se) **2.** (*vergeblich*) *Bestrebungen, Versuch*
infructueux(-euse); ~ **bleiben** rester vain
II. *adv* sans succès
Erfolglosigkeit <-> *f* **1.** *eines Autors, Künstlers* insuccès *m* **2.** (*Vergeblichkeit*) inutilité
f
erfolgreich I. *adj* couronné(e) de succès; ~
sein réussir II. *adv* avec succès
Erfolgserlebnis *nt* réussite *f*
erfolgversprechend I. *adj* prometteur(-eu-

se) II. *adv* de façon prometteuse; ~ **aussehen** avoir l'air prometteur
erforderlich [ɛɐ̯'fɔrdɐlɪç] *adj* nécessaire;
es ist ~, **dass** il est nécessaire que + *subj;*
etw ~ **machen** rendre qc nécessaire
erfordern* *vt* exiger; demander *Zeit*
Erfordernis <-ses, -se> *nt* exigence *f*
erforschen* *vt* explorer; étudier *Verhalten,
Zusammenhänge;* rechercher *Hintergründe,
Wahrheit*
Erforschung *f einer Gegend* exploration *f;
eines Verhaltens* étude *f; der Wahrheit* recherche *f;* ~ **des Gewissens** examen *m*
de conscience
erfragen* *vt* demander; **etw von jdm** ~
erfreuen* I. *vt* faire plaisir; **jdn mit etw** ~
faire plaisir à qn avec qc II. *vr* **1.** (*Freude
haben*) **er hat sich an ihrem Geschenk
erfreut** son cadeau lui a fait plaisir **2.** *geh*
(*genießen*) **sich großer Beliebtheit** ~
jouir d'une grande popularité
erfreulich I. *adj* qui fait plaisir; **es wäre** ~,
wenn Sie mir ... cela me ferait plaisir si
vous ... + *subj* II. *adv* remarquablement
erfrieren* *vi irr* + *sein* **1.** (*eingehen*) *Pflanze:* geler **2.** (*absterben*) **ihm sind die Fin-
ger/Zehen erfroren** il a les doigts/orteils
gelés **3.** (*sterben*) mourir de froid; **erfroren** gelé
erfrischen* I. *vt* **1.** (*abkühlen*) **jdn** ~ *Dusche, Getränk:* rafraîchir qn **2.** (*beleben*)
jdn ~ *Kaffee, Ruhepause:* faire du bien à qn;
wieder erfrischt sein être de nouveau en
forme II. *vi* rafraîchir III. *vr* **sich** ~ se rafraîchir
erfrischend I. *adj Getränk, Dusche, Humor*
rafraîchissant(e) II. *adv* ~ **wirken** *Getränk,
Dusche:* avoir un effet rafraîchissant; ~
kühl rafraîchissant
Erfrischung <-, -en> *f* **1.** (*Getränk*) rafraîchissement *m; zur* ~ comme rafraîchissement **2.** (*Abkühlung*) **eine** ~ **brauchen**
avoir besoin de se rafraîchir
erfüllen* *vt* **1.** remplir *Funktion, Zweck;*
satisfaire *Forderung, Bitte;* accomplir *Aufgabe;* **sich** (*dat*) **einen Wunsch** ~ se faire
[un petit] plaisir **2.** (*anfüllen*) **den Raum** ~
Duft, Klänge: emplir la pièce **3.** (*durchdringen*) **jdn** ~ *Gefühl:* envahir qn II. *vr* **sich** ~
Wunsch: se réaliser
Erfüllung *f* **1.** satisfaction *f; einer Pflicht, eines Vertrags* respect *m; in* ~ **gehen** se réaliser **2.** (*Befriedigung*) épanouissement *m*
ergänzen* [ɛɐ̯'ɡɛntsən] I. *vt* (*vervollständigen*) compléter II. *vr* **sich** [*o* **einander
geh**] ~ se compléter
Ergänzung <-, -en> *f* **1.** [r]ajout *m* **2.** (*das
Auffüllen*) *eines Lagers* [ré]approvisionne-

ment *m; einer Sammlung* enrichissement *m*
3. GRAM complément *m*
ergattern* [ɛɐ'gatɐn] *vt fam* dégot[t]er
ergeben*[1] *irr* **I.** *vt* **1.** (*als Resultat haben*)
montrer **2.** (*reichen für*) correspondre à
3. MATH donner *Betrag* **II.** *vr* **1.** MIL **sich** jdm
~ se rendre à qn **2.** (*sich fügen*) **sich in
sein Schicksal** ~ se résigner à son sort
3. (*sich hingeben*) **sich dem Alkohol** ~
s'adonner à l'alcool **4.** (*folgen*) **sich aus
etw** ~ résulter de qc
ergeben² *adj* **1.** *Gesicht, Blick* résigné(e)
2. (*treu*) *Person* dévoué(e)
Ergebenheit <-> *f* **1.** (*Demut*) résignation
f **2.** (*Treue*) dévouement *m*
Ergebnis [ɛɐ'ge:pnɪs] <-ses, -se> *nt* résultat *m;* **zu dem** ~ **führen, dass ...** avoir
pour conséquence que ...
ergebnislos I. *adj* sans résultat **II.** *adv* sans
[qu'on parvienne à un] résultat
ergehen* *irr* **I.** *vi* + *sein form* **an** jdn ~ *Bescheid:* être adressé à qn ▶**etw über sich**
(*akk*) ~ **lassen** supporter qc **II.** *vr* + *haben*
(*sich auslassen*) **sich in Schmähungen
gegen** jdn/etw ~ se répandre en invecti-
ves contre qn/qc
ergiebig [ɛɐ'gi:bɪç] *adj* **1.** (*sparsam*)
Waschmittel, Shampoo économique
2. (*fruchtbar*) *Diskussion* fertile
ergreifen* *vt irr* **1.** (*fassen*) saisir **2.** (*übergreifen*) **von den Flammen ergriffen
werden** être pris dans les flammes **3.** (*in
die Wege leiten*) prendre *Maßnahmen*
ergreifend I. *adj* bouleversant(e) **II.** *adv*
schildern, berichten de façon bouleversante
ergriffen [ɛɐ'grɪfɐn] *adj* bouleversé(e)
ergründen* *vt* étudier *Phänomen;* pénétrer
Sinn
Erguss[RR] [ɛɐ'gʊs] *m* **1.** (*Bluterguss*) hématome *m* **2.** (*Samenerguss*) éjaculation *f*
3. GEOL *von Lava* coulée *f* **4.** *pej* (*Gefühlsausbruch*) épanchement *m*
erhaben [ɛɐ'ha:bɐn] *adj* sublime; *Gedanke*
noble
Erhabenheit <-> *f* majesté *f; eines Augenblicks* solennité *f; eines Gedankens* noblesse
f
Erhalt *m* **1.** *form* (*Empfang*) *einer Lieferung,
Zahlung* réception *f;* **den** ~ **einer S.** (*gen*)
bestätigen accuser réception de qc **2.** (*das
Bewahren*) ~ **der Macht** maintien *m* au
pouvoir
erhalten* *irr* **I.** *vt* **1.** (*bekommen*) recevoir
Erlaubnis, Urlaub, Preis **2.** (*bewahren*) sauvegarder *Bauwerk, Fassade;* maintenir *Leistungsfähigkeit;* conserver *Gesundheit, Vitamine;* **sich** (*dat*) **seinen Optimismus** ~
garder son optimisme **3.** *fam* (*treu*) jdm ~
bleiben *Person:* rester aux côtés de qn **II.**

vr **sich** ~ *Brauch:* se maintenir
erhältlich [ɛɐ'hɛltlɪç] *adj* disponible; **kaum
noch** ~ pratiquement introuvable
Erhaltung *f einer Fassade, eines Kunstwerks*
sauvegarde *f; der Arbeitskraft, Gesundheit*
préservation *f; des Friedens, Einvernehmens*
maintien *m*
erhängen* **I.** *vt* pendre *f* **II.** *vr* **sich** ~ se
pendre
erhärten* **I.** *vt Zeuge:* confirmer; *Aussage,
Beweis:* renforcer **II.** *vr* **sich** ~ *Verdacht:* se
confirmer
erheben* *irr* **I.** *vt* **1.** (*hochheben*) lever
Glas, Waffe **2.** (*einfordern*) **eine Steuer
auf etw** (*akk*) ~ percevoir un impôt sur qc
II. *vr* **1.** (*aufstehen*) **sich von seinem
Platz** ~ se lever de son siège **2.** (*sich auflehnen*) **sich gegen** jdn/etw ~ se révolter contre qn/qc **3.** (*aufragen*) **sich über
etw** (*akk*) ~ s'élever au-dessus de qc
4. (*herabblicken auf*) **sich über** jdn ~
s'élever au-dessus de qn
erheblich [ɛɐ'he:plɪç] **I.** *adj Belastung, Verspätung, Vorteil* considérable; *Nachteil* sé-
rieux(-euse) **II.** *adv* **1.** *stören* considérablement; *beeinträchtigen* sérieusement
2. (*deutlich*) *teurer, besser, weniger, mehr*
nettement
Erhebung *f* **1.** (*Einforderung*) *von Steuern*
levée *f; von Abgaben* perception *f* **2.** (*Aufstand*) insurrection *f* **3.** (*Ermittlung*) *von
Daten* relevé *m* **4.** GEOG hauteur *f*
erheitern* [ɛɐ'haitɐn] *vt* dérider
erhellen* **I.** *vt* (*hell machen*) éclairer **II.** *vr*
sich ~ *Himmel:* s'éclaircir
erhitzen* [ɛɐ'hɪtsɐn] **I.** *vt* **1.** (*heiß machen*) faire chauffer; **etw auf 70 °C** ~ faire
chauffer qc à 70° C **2.** (*zum Schwitzen
bringen*) jdn ~ donner chaud à qn **II.** *vr*
sich an etw (*dat*) ~ s'échauffer à propos
de qc
erhoffen* *vr* **sich** ~ espérer; **sich** (*dat*)
etw von jdm/etw ~ espérer qc de qn/qc
erhöhen* [ɛɐ'hø:ɐn] **I.** *vt* **1.** rehausser;
etw um einen Meter ~ rehausser qc d'un
mètre **2.** FIN accroître *Zahl* **3.** (*verstärken*)
intensifier *Wirkung;* faire monter *Spannung*
4. MUS hausser *Note* **II.** *vr* **1.** FIN **sich um
drei Prozent** ~ augmenter de trois pour
cent; **sich auf hundert Euro** ~ s'élever à
cent euros **2.** (*sich verstärken*) **sich** ~ *Blutdruck:* augmenter; *Wirkung:* s'intensifier
erhöht [ɛɐ'hø:t] *adj* **1.** MED *Blutdruck* éle-
vé(e); *Wert* en augmentation; *Herzschlag,
Puls* accéléré(e); **bei ~em Blutdruck** en
cas d'hypertension **2.** (*gesteigert*) *Aufmerksamkeit* accru(e)
Erhöhung <-, -en> *f* **1.** (*Anhebung*) *von
Gehältern, Gebühren* augmentation *f; von*

Zahlen accroissement *m* **2.** (*Zunahme*) einer *Spannung* renforcement *m;* einer *Wirkung* intensification *f;* des *Blutdrucks, der Produktion* augmentation *f;* der *Frequenz* accélération *f*

erholen* *vr* **1.** sich ~ se remettre; **sich von einer Krankheit/Operation** ~ se remettre d'une maladie/opération **2.** (*ausspannen*) sich ~ se reposer

erholsam [ɛɐ'hoːlzaːm] *adj Urlaub* reposant(e); *Schlaf* réparateur(-trice)

Erholung <-> *f* einer *Person* repos *m*

Erholungsort *m* lieu *m* de repos

erhören* *vt geh* **1.** exaucer *Bitte, Gebet;* accéder à *Flehen* **2.** (*sich erweichen lassen*) **jdn** ~ céder à qn

erinnern* [ɛɐ'ʔɪnən] **I.** *vt* rappeler; **jdn an etw** (*akk*) ~ rappeler qc à qn **II.** *vr* **sich an jdn/etw** ~ se souvenir de qn/qc; **soweit ich mich** ~ **kann** autant que je me souvienne **III.** *vi* **1.** (*hinweisen auf*) **daran ~, dass ...** rappeler que ... **2.** (*denken lassen an*) **an jdn/etw** ~ faire penser à qn/qc

Erinnerung <-, -en> *f* **1.** (*Gedächtnis*) mémoire *f;* **jds** ~ (*dat*) **nachhelfen** rafraîchir la mémoire de qn **2.** *meist Pl* (*Eindruck*) ~ **an etw** (*akk*) souvenir *m* de qc **3.** *Pl* (*Memoiren*) mémoires *fpl* **4.** *form* (*Zahlungserinnerung*) rappel *m*

erkälten* [ɛɐ'kɛltən] *vr* **sich** ~ prendre froid

erkältet [ɛɐ'kɛltət] *adj* enrhumé(e); ~ **klingen** avoir une voix enrhumée

Erkältung <-, -en> *f* rhume *m*

erkennen* *irr* **I.** *vt* **1.** (*wahrnehmen*) distinguer *Einzelheiten, Details;* s'apercevoir de *Fehler;* **jdn zu** ~ **geben, dass ...** faire comprendre à qn que ...; ~ **lassen, dass ...** indiquer que ... **2.** (*identifizieren*) reconnaître *Person, Stimme;* déceler *Krankheit, Motorschaden;* **jdn an etw [wieder]** (*dat*) ~ reconnaître qn à qc **II.** *vi* **1.** *JUR* **auf Freispruch** ~ prononcer un non-lieu **2.** *SPORT* **auf Elfmeter** (*akk*) ~ accorder un penalty

erkenntlich [ɛɐ'kɛntlɪç] *adj* **sich jdm für etw** ~ **zeigen** témoigner à qn sa reconnaissance pour qc

Erkenntnis *f a.* PHILOS, PSYCH connaissance *f;* **zu der** ~ **kommen, dass ...** arriver à la conclusion que ...

Erkennungszeichen *nt* signe *m* de reconnaissance

erklärbar [ɛɐ'klɛːɐbaːɐ̯] *adj* explicable

erklären* **I.** *vt* **1.** (*erläutern*) expliquer; **jdm ~, dass/warum ...** expliquer à qn que/pourquoi ...; **das lässt sich nur schwer** ~ c'est difficile à expliquer **2.** KUNST, LITER interpréter *Bild, Text* **3.** (*bekannt geben*) annoncer *Rücktritt;* exprimer *Einverständnis;* déclarer *Krieg* **4.** (*deklarieren*) **jdn für tot/schuldig/vermisst** ~ déclarer qn mort/coupable/disparu **II.** *vr* **1.** (*sich aufklären*) **sich** ~ *Vorfall:* s'expliquer **2.** (*sich bezeichnen*) **sich mit jdm solidarisch** ~ se déclarer solidaire de qn

erklärt *adj attr Gegner, Liebling* déclaré(e); *Ziel* avoué(e); **der ~e Favorit dieses Rennens** le super-favori de cette course

Erklärung *f* **1.** (*Darlegung*) explication *f* **2.** (*Presseerklärung, öffentliche Stellungnahme*) déclaration *f*

erklingen* *vi irr +* **sein** *geh* retentir

erkranken* *vi +* **sein** *Person, Tier:* tomber malade; **an etw** (*dat*) ~ attraper qc; **an Krebs** (*dat*) **erkrankt sein** être atteint du cancer

Erkrankung <-, -en> *f* maladie *f*

erkunden [ɛɐ'kʊndən] *vt* **1.** MIL reconnaître **2.** (*sondieren*) sonder

erkundigen* [ɛɐ'kʊndɪgən] *vr* **1.** (*fragen nach*) **sich** ~ se renseigner; **sich bei jdm nach jdn/etw** ~ se renseigner auprès de qn sur qn/qc **2.** (*Informationen einholen*) **sich bei jdm über jdn/etw** ~ prendre des renseignements sur qn/qc auprès de qn

Erkundung <-, -en> *f* MIL reconnaissance *f*

erlangen* [ɛɐ'laŋən] *vt geh* obtenir

ErlassRR <-es, -e *o* A ⁼e>, **Erlaß** [ɛɐ'las] <-sses, -sse *o* A ⁼sse> *m* **1.** (*Verordnung*) arrêté *m* **2.** *kein Pl* (*das Erlassen*) einer *Strafe, von Schulden* remise *f;* von *Sünden* rémission *f*

erlassen* *vt irr* **1.** **jdm die Gebühren** ~ exonérer qn des taxes; **jdm seine Strafe** ~ gracier qn; **jdm die Schulden** ~ remettre les dettes à qn **2.** (*verkünden*) édicter *Befehl;* promulguer *Verfügung*

erlauben* [ɛɐ'laʊbən] **I.** *vt* **1.** (*gestatten*) permettre; **jdm etw** ~ permettre qc à qn; ~ **Sie/erlaubst du, dass** vous permettez/tu permets que + *subj;* ~ **Sie, dass ich mich vorstelle!** permettez-moi de me présenter! **2.** *form* (*ermöglichen*) **jdm etw** ~ *Finanzen, Mittel:* permettre qc à qn **II.** *vr* **1.** (*sich leisten*) **sich** (*dat*) **etw** ~ s'offrir qc **2.** (*wagen*) **sich** (*dat*) **eine Bemerkung** ~ se permettre [de faire] une remarque; **was** ~ **Sie sich [eigentlich]!** pour qui vous prenez-vous?

Erlaubnis <-, -se> *f* **1.** (*Genehmigung*) permission *f* **2.** (*Schriftstück*) autorisation *f*

erläutern* [ɛɐ'lɔʏtən] *vt* expliquer; **jdm etw** ~ expliquer qc à qn

Erläuterung <-, -en> *f* explication *f;* ~**en zum Text** des explications relatives au texte

erlauben

• um Erlaubnis bitten	• demander la permission
Darf ich Sie kurz stören/unterbrechen?	**Puis-je** vous déranger/interrompre un instant?
Haben/Hätten Sie was dagegen, wenn ich das Fenster aufmache?	**Cela vous dérange si** j'ouvre la fenêtre?
Sind Sie damit einverstanden, wenn ich im Juli Urlaub nehme?	**Êtes-vous d'accord pour que** je prenne mes vacances en juillet?
• erlauben	• permettre
Wenn du mit deinen Hausaufgaben fertig bist, **darfst du** raus spielen.	**Tu pourras** aller jouer quand tu auras fini tes devoirs.
Sie dürfen gern hereinkommen.	**Entrez (donc), je vous prie.**
In diesem Bereich **dürfen** Sie rauchen.	**Vous avez le droit de** fumer dans cette zone.
Wenn Sie möchten, können Sie hier parken.	Vous pouvez vous garer ici, **si vous voulez.**

Erle ['ɛrlə] <-, -n> f (*Baum, Holz*) aulne m
erleben* vt **1.** vivre *Ereignis;* passer *Urlaub* **2.** (*durchmachen*) endurer *Schlimmes;* connaître *Enttäuschung;* essuyer *Misserfolg;* **der/die kann was ~**! *fam* ça va barder pour lui/elle! **3.** (*Zeitzeuge sein von*) connaître *Herrscher* **4.** (*kennen lernen, mit ansehen*) entendre *Redner, Musiker;* voir *Schauspieler*
Erlebnis <-ses, -se> nt expérience f [vécue]
erledigen* [ɛɐ'le:dɪɡən] **I.** vt **1.** (*ausführen*) accomplir *Aufgabe, Formalitäten;* effectuer *Besorgung;* [das] **wird erledigt!** *fam* ça roule! **2.** *fam* (*erschöpfen*) **jdn ~** *Arbeit:* crever qn **3.** *fam* (*umbringen*) liquider ►**das ist erledigt!** *fam* (*Schwamm drüber*) c'est réglé! **II.** *vr* **sich von selbst ~** s'arranger tout seul
Erledigung <-, -en> f **1.** (*Ausführung*) exécution f; **für die ~ der Korrespondenz zuständig sein** être responsable de la correspondance **2.** (*Besorgung*) **~en machen müssen** avoir des choses à faire
erlegen* [ɛɐ'le:ɡən] vt **1.** abattre *Tier* **2.** A (*bezahlen*) acquitter
erleichtern* [ɛɐ'laiçtɐn] **I.** vt **1.** (*einfacher machen*) faciliter *Arbeit, Aufgabe;* adoucir *Los* **2.** (*beruhigen*) **jdn ~** *Nachricht:* soulager qn **3.** (*leichter machen*) alléger *Tasche, Rucksack* **4.** *hum fam* (*bestehlen*) **jdn um hundert Euro ~** soulager qn de cent euros **II.** *vr euph geh* **sich ~** se soulager
Erleichterung <-, -en> f soulagement m; **zu deiner ~ kann ich dir sagen, dass ...** pour te rassurer, je peux te dire que ...
erleiden* vt *irr* subir *Niederlage, Verluste;*

endurer *Schmerzen*
erlernen* vt apprendre
erlesen adj *Geschmack* raffiné(e); *Kunstwerk, Teppich* de qualité; *Wein* de choix
erleuchten* vt **1.** (*erhellen*) éclairer **2.** (*inspirieren*) **jdn ~** *Gott:* éclairer qn; *Eingebung:* illuminer qn
Erleuchtung <-, -en> f (*Inspiration*) illumination f
erliegen* vi *irr+* sein **einem Irrtum ~** être dans l'erreur; **der Krankheit ~** succomber à la maladie
erlöschen <erlischt, erlosch, erloschen> vi + sein *Feuer, Leidenschaft:* s'éteindre
erlösen* vt délivrer; **jdn aus/von etw ~** délivrer qn de qc
Erlösung f **1.** (*Erleichterung*) soulagement m; **der Tod war für ihn eine ~** la mort fut pour lui une délivrance **2.** REL Rédemption f
ermächtigen* [ɛɐ'mɛçtɪɡən] vt habiliter; **jdn zu etw ~** habiliter qn à faire qc
Ermächtigung <-, -en> f autorisation f
ermahnen* vt (*warnend mahnen*) **jdn ~** rappeler qn à l'ordre
Ermahnung f rappel m à l'ordre
ermäßigen* [ɛɐ'mɛ:sɪɡən] vt faire une réduction; **etw um drei Prozent ~** faire une réduction sur qc de trois pour cent
Ermäßigung <-, -en> f réduction f
ermessen* vt *irr* concevoir
Ermessen <-s> nt appréciation f; **nach menschlichem/freiem ~** pour autant qu'on puisse juger/en toute liberté
ermitteln* [ɛɐ'mɪtəln] **I.** vt **1.** (*herausfinden*) identifier *Täter;* retrouver *Gesuchten;*

Erleichterung ausdrücken

• Erleichterung ausdrücken	• exprimer le soulagement
Bin ich froh, dass es so gekommen ist!	Heureusement que ça s'est passé comme ça!
Mir fällt ein Stein vom Herzen!	Ça me libère d'un gros poids!
Ein Glück, dass du gekommen bist!	Quelle chance que tu sois venu(e)!
Gott sei Dank!	Dieu merci!
Geschafft!	Ça y est!
Endlich!	Enfin!

découvrir *Versteck;* établir *Identität* **2.** (*feststellen*) déterminer; désigner *Sieger* **3.** (*errechnen*) calculer *Wert* **II.** *vi* JUR **gegen jdn wegen etw** ~ enquêter sur qn pour qc **Ermittlung** <-, -en> *f* **1.** *kein Pl* (*das Feststellen*) *eines Siegers* désignation *f* **2.** JUR **~en durchführen** mener une enquête **Ermittlungsverfahren** *nt* information *f* judiciaire

ermöglichen* [ɛɐ̯'møːklɪçən] *vt* permettre; **jdm etw** ~ permettre qc à qn; **es jdm** ~ **etw zu tun** permettre à qn de faire qc

ermorden* *vt* assassiner

ermüden* [ɛɐ̯'myːdən] **I.** *vt + haben* fatiguer *Person* **II.** *vi + sein* **1.** (*müde werden*) se fatiguer **2.** TECH fatiguer

ermüdend *adj* fatigant(e)

Ermüdung <-, -en> *f* **1.** (*das Ermüden*) fatigue *f* **2.** TECH usure *f*

ermuntern* [ɛɐ̯'mʊntɐn] *vt* **1.** (*ermutigen*) **jdn** ~ **etw zu tun** encourager qn à faire qc **2.** (*beleben*) revigorer

Ermunterung <-, -en> *f* encouragement *m*

ermutigen* [ɛɐ̯'muːtɪgən] *vt* encourager; **jdn zu einer Bewerbung** ~ encourager qn à poser sa candidature

ernähren* **I.** *vt* **1.** (*mit Nahrung versorgen*) nourrir *Person;* donner à manger à *Tier* **2.** (*unterhalten*) **jdn** ~ *Person:* entretenir qn; *Tätigkeit:* faire vivre qn **II.** *vr* **1.** **sich von etw** ~ se nourrir de qc; **sich ungesund** ~ se nourrir de manière peu variée **2.** (*seinen Unterhalt bestreiten*) **sich** ~ assurer sa subsistance; **sich von etw** ~ vivre de qc

Ernährer(in) <-s, -> *m(f)* **der** ~ **sein** être celui qui entretient la famille

Ernährung <-> *f* **1.** (*Art des Ernährens*) alimentation *f;* **richtige** ~ alimentation équilibrée; **falsche** ~ mauvaise alimentation **2.** (*Unterhalt*) entretien *m* **3.** (*Nahrung*) **pflanzliche** ~ nourriture *f* végétarienne

Ernährungswissenschaft *f* diététique *f*

Ernährungswissenschaftler(in) *m(f)* nutritionniste *mf*

ernennen* *vt irr* nommer

Ernennung *f* nomination *f;* **ihre** ~ **zur Ministerin** sa nomination en qualité de ministre

erneuern* [ɛɐ̯'nɔyɐn] *vt* **1.** changer *Bettwäsche, Reifen;* renouveler *Verband, Ausweis, Pass* **2.** (*renovieren*) renover

erneut [ɛɐ̯'nɔyt] **I.** *adj attr* nouveau(-velle) *antéposé* **II.** *adv* de nouveau

erniedrigen* [ɛɐ̯'niːdrɪgən] **I.** *vt* **1.** (*demütigen*) humilier **2.** MUS [a]baisser **II.** *vr* **sich** ~ s'abaisser

Erniedrigung <-, -en> *f* (*Demütigung*) humiliation *f*

ernst [ɛrnst] *adj* **1.** (*gravierend*) *Krankheit, Lage* grave; *Zustand* sérieux(-euse); **es steht** ~ **um ihn** son état est sérieux **2.** (*nicht heiter*) *Person* sérieux(-euse); *Miene, Blick, Stimmung* austère **3.** (*aufrichtig*) *Absicht* réel(le); **es** ~ **meinen** être sérieux; **damit ist es ihr** ~ cela lui tient à cœur; ~ **gemeint** sérieux **4.** (*wichtig*) *Anlass* grave; *Anliegen* important(e); **jdn/etw** ~ **nehmen** prendre qn/qc au sérieux

Ernst [ɛrnst] <-[e]s> *m* **1.** (*~haftigkeit*) *eines Blicks, einer Stimme* gravité *f; von Worten* sérieux *m;* **feierlicher** ~ ferme résolution *f;* **allen** ~**es** sérieusement **2.** (*Bedrohlichkeit*) *einer Situation, Lage* gravité *f* **3.** (*Entschlossenheit*) détermination *f*

Ernstfall *m* situation *f* de crise; **im** ~ en cas de coup dur; **den** ~ **proben** procéder à des exercices d'alerte simulée **ernstgemeint** *s.* **ernst**

ernsthaft **I.** *adj* **1.** *Person, Vorschlag* sérieux(-euse) **2.** (*eindringlich*) *Ton, Worte* grave; *Miene* sévère **3.** MED grave **II.** *adv* **1.** (*wirklich*) *glauben, verliebt* sérieusement **2.** (*ernstlich, gravierend*) *erkranken, krank* gravement **3.** (*eindringlich*) *ermahnen, warnen* sérieusement

Ernsthaftigkeit <-> *f* (*Aufrichtigkeit*) sérieux *m*

ẹrnstlich I. *adj attr Absicht* ferme *antéposé; Bedenken* sérieux(-euse) **II.** *adv s.* **ernsthaft II.**
Ẹrnte ['ɛrntə] <-, -n> *f* **1.** (*Ertrag*) récolte *f* **2.** *kein Pl* (*Getreideernte*) moisson *f*; (*Obsternte*) cueillette *f*; (*Kartoffelernte*) récolte *f*
Ẹrnte|dank|fest *nt* jour *f* d'action de grâce (*pour les moissons et les récoltes*)
ẹrnten ['ɛrntən] *vt* **1.** récolter; moissonner *Getreide;* cueillir *Obst* **2.** (*erlangen*) etw mit/für etw ~ récolter qc avec/pour qc
ernüchtern* [ɛɐˈnʏçtən] *vt* jdn ~ *Alltag:* ramener qn à la réalité; *Wirklichkeit:* faire retomber qn sur terre; ~d *Vorfall* qui fait l'effet d'une douche froide; *Gespräch* qui ramène à la réalité
Ernüchterung <-, -en> *f* désillusion *f*
Erọberer [ɛɐˈʔoːbəɐ] <-s, -> *m*, **Erọberin** *f* conquérant(e) *m(f)*
erọbern* [ɛrˈʔoːbɐn] *vt* MIL *a. fig* conquérir
Erọberung <-, -en> *f* conquête *f*
eröffnen* I. *vt* **1.** ouvrir *Geschäft, Praxis;* inaugurer *Ausstellung, Museum* **2.** JUR engager *Verfahren* **3.** (*beginnen*) ouvrir *Diskussion, Schachpartie, Feuer* **4.** (*mitteilen*) jdm etw ~ révéler qc à qn **5.** (*bieten*) jdm gute Aussichten ~ ouvrir de bonnes perspectives à qn **II.** *vr* sich jdm durch etw ~ *Möglichkeiten, Wege:* s'ouvrir à qn grâce à qc **III.** *vi* FIN ruhig/hektisch ~ débuter calmement/très vite
Eröffnung *f* **1.** *eines Geschäfts, einer Praxis* ouverture *f*; *einer Ausstellung, eines Museums* inauguration *f* **2.** *a.* JUR, MIL (*Beginn*) ouverture *f*
erörtern* [ɛɐˈʔœrtən] *vt* discuter
Erörterung <-, -en> *f* **1.** (~*saufsatz*) dissertation *f* **2.** *kein Pl* (*das Erörtern*) discussion *f*
Erosiọn [eroˈzjoːn] <-, -en> *f* érosion *f*
Erọtik [eˈroːtɪk] <-> *f* érotisme *m*
erọtisch *adj* érotique
erprẹssen* *vt* **1.** (*nötigen*) faire chanter **2.** (*abpressen*) Geld von jdm ~ extorquer de l'argent à qn
Erprẹsser(in) <-s, -> *m(f)* maître *m* chanteur
Erprẹssung <-, -en> *f* **1.** (*das Erpressen*) *einer Person* chantage *m* **2.** (*das Abpressen*) *von Geld, eines Zugeständnisses* extorsion *f*
erprọben* *vt* tester *Gerät, Verfahren*
erprọbt [ɛɐˈproːbt] *adj* **1.** (*erfahren*) *Person* chevronné(e) **2.** (*zuverlässig*) *Gerät* fiable; *Verfahren* éprouvé(e)
erquịcken* [ɛɐˈkvɪkən] *vt* rafraîchir; jdn ~ *Quelle, Getränk:* rafraîchir qn; *Schlaf:* revi-

gorer qn
errạten* [ɛɐˈraːtən] *vt irr* deviner
errẹchnen* *vt* calculer
errẹgbar [ɛɐˈreːkbaːɐ] *adj* (*leicht aufzuregen*) susceptible; **leicht ~ sein** être hypersusceptible
errẹgen* [ɛɐˈreːgən] **I.** *vt* **1.** (*aufregen*) jdn ~ *Vorwurf, Streit:* irriter qn **2.** (*sexuell anregen*) exciter **3.** (*hervorrufen*) susciter *Neid, Heiterkeit;* éveiller *Zweifel;* **Aufsehen/Anstoß ~** faire sensation/scandale **II.** *vr* sich über jdn/etw ~ être énervé par qn/qc
Errẹger <-s, -> *m* agent *m* pathogène
Errẹgung *f* **1.** (*Aufgewühltsein*) énervement *m* **2.** (*Aufgebrachtsein*) irritation *f*; **in ~ geraten** se mettre dans tous ses états **3.** (*sexuelle ~*) excitation *f* **4.** *kein Pl* (*Erzeugung*) *von Missfallen, Zweifel* apparition *f*; **~ öffentlichen Ärgernisses** outrage *m* à la pudeur publique
erreichbar *adj* **1.** **~ sein** *Person:* être joignable; *Ort:* être accessible **2.** (*nicht abgelegen*) **der Bahnhof ist zu Fuß/in zehn Minuten ~** on peut rejoindre la gare à pied/en dix minutes
erreichen* *vt* **1.** (*reichen an*) attraper; **etw mit der Hand ~** (*in der Entfernung/Höhe*) attraper qc avec la main **2.** (*erlangen*) atteindre *Zweck, Alter* **3.** (*bewirken*) **etw bei jdm ~** obtenir qc de qn; **damit erreichst du nur, dass sie ärgerlich wird** [comme ça,] tu ne vas réussir qu'à l'énerver **4.** (*antreffen*) jdn ~ *Person:* joindre qn; *Nachricht:* parvenir à qn **5.** (*nicht verpassen*) avoir *Zug, Flugzeug, Fähre* **6.** (*eintreffen*) **den Bahnhof ~** *Zug:* atteindre la gare; **sein Ziel ~** arriver à destination **7.** (*hingelangen*) arriver à *Amt, Gebäude*
errịchten* *vt* **1.** (*erbauen*) construire *Haus;* ériger *Bauwerk* **2.** (*aufstellen*) dresser **3.** (*begründen*) instaurer *Herrschaft, Tyrannei;* fonder *Reich*
errịngen* *vt irr* **1.** (*erkämpfen*) remporter *Sieg* **2.** (*erlangen*) gagner *Vertrauen*
erröten* [ɛɐˈrøːtən] *vi + sein* rougir; **vor Freude/Scham ~** rougir de plaisir/honte
Errụngenschaft [ɛɐˈrʊŋənʃaft] <-, -en> *f* **1.** (*Erfolg*) conquête *f*; **die neuesten ~en der Technik** les toutes dernières nouveautés *fpl* techniques **2.** *hum* (*Anschaffung*) acquisition *f*
Ersạtz [ɛɐˈzats] <-es> *m* **1.** (*Mensch*) remplaçant(e) *m(f)*; (*Gerät*) appareil *m* de remplacement; (*Stoff, Ware*) produit *m* de remplacement **2.** (*Entschädigung*) dédommagement *m*
Ersạtzdienst *m* service *m* civil **Ersạtz-**

mann <-männer *o* -leute> *m* remplaçant(e) *m(f)* **Ersatzteil** *nt* pièce *f* de rechange **ersatzweise** *adv* en remplacement; ~ **für etw** en remplacement de qc **ersaufen*** *vi irr* + *sein fam* boire le bouillon **erschaffen** *vt irr a.* REL créer **Erschaffung** *f a.* REL création *f* **erscheinen*** *vi irr* + *sein* **1.** (*sichtbar werden*) apparaître **2.** (*veröffentlicht werden*) *Buch, Zeitschrift:* sortir **3.** (*scheinen, vorkommen*) **jdm ruhig** ~ paraître calme [à qn] **4.** (*sich einfinden*) **zum Dienst** ~ prendre son service; **wieder auf der Bildfläche** ~ *hum* réapparaître **5.** (*sich als Vision zeigen*) **jdm** ~ *Geist, Verstorbener:* apparaître à qn **Erscheinen** <-s> *nt* **1.** (*das Auftreten*) *von Gästen, Besuchern* arrivée *f* **2.** (*Veröffentlichung*) sortie *f* **3.** (*Vision*) *von Verstorbenen, Geistern* apparition *f* **Erscheinung** <-, -en> *f* **1.** (*Phänomen*) phénomène *m;* **in** ~ **treten** se manifester; **persönlich in** ~ **treten** apparaître en personne **2.** (*Persönlichkeit*) **eine elegante** ~ une figure élégante **3.** (*Vision*) apparition *f* **Erscheinungsbild** *nt einer Person* apparence *f* [extérieure]; *einer Stadt, eines Gebäudes* aspect *m* extérieur **erschießen*** *irr* I. *vt* abattre II. *vr* **sich** ~ se tuer [d'un coup d'une arme à feu] **Erschießung** <-, -en> *f* exécution *f* **erschlaffen*** [ɛɐ'ʃlafən] *vi* + *sein Muskeln:* se relâcher; *Arme, Penis:* mollir; *Haut:* se ramollir; **etw** ~ **lassen** relâcher qc **erschlagen*** [1] *vt irr* **1.** (*töten*) tuer; **von einem Baum** ~ **werden** être écrasé par un arbre; **von einem Blitz** ~ **werden** être touché mortellement par l'éclair **2.** *fig* **von den Informationen** ~ **werden** être submergé d'informations **erschlagen**[2] *adj fam* ~ **sein** être crevé **erschließen*** *irr* I. *vt* **1.** viabiliser *Grundstück, Baugebiet* **2.** (*sich zugänglich machen*) ouvrir *Gebiet;* conquérir *Käufer-, Wählerschicht;* dégager *Einnahmequelle;* **Bodenschätze** ~ mettre des ressources minières en exploitation **3.** (*zugänglich werden*) **sich jdm** ~ *Gedicht:* se révéler à qn; *Wunderwelt:* s'ouvrir à qn **erschöpfen*** I. *vt* **1.** (*ermüden*) épuiser **2.** (*aufbrauchen*) épuiser *Kräfte, Geduld;* absorber *Mittel* II. *vr* (*zu Ende gehen*) **sich** ~ s'épuiser; *Interesse:* s'émousser **Erschöpfung** <-, -en> *f* épuisement *m* **erschossen** I. *PP von* **erschießen** II. *adj fam* **völlig** ~ **sein** être complètement vidé **erschrecken**[1] <erschreckte, erschreckt> *vt* + *haben* **1.** (*in Schrecken versetzen*) faire peur à **2.** (*bestürzen*) **das**

erschreckt mich ça m'effraie **erschrecken**[2] <erschrickt, erschrak, erschrocken> *vi* + *sein* avoir peur; **vor jdm/etw** ~ avoir peur de qn/qc; **sie erschrak bei dem Gedanken, dass** elle a été effrayée à l'idée que + *subj* **erschrecken**[3] <erschrickt, erschreckte *o* erschrak, erschreckt *o* erschrocken> *vr* + *haben fam* **sich** ~ être effrayé; **sich über eine Nachricht** ~ être effrayé par un message **erschreckend** I. *adj* effrayant(e) II. *adv* **1.** (*schrecklich*) de façon épouvantable; ~ **aussehen** avoir un aspect effrayant **2.** (*unglaublich*) wenig, wenige vraiment **erschrocken** I. *PP von* **erschrecken**[2], **erschrecken**[3] II. *adj* effrayé(e) **erschüttern*** [ɛɐ'ʃʏtɐn] *vt* **1.** (*zum Beben bringen*) **etw** ~ *Erdstoß, Explosion:* secouer qc **2.** (*infrage stellen*) ébranler *Glaubwürdigkeit* **3.** (*tief bewegen*) **jdn** ~ *Nachricht:* bouleverser qn; **das hat mich sehr erschüttert** ça m'a beaucoup frappé; **sie kann nichts mehr** ~ plus rien ne peut l'atteindre **erschütternd** *adj Nachricht, Szene* bouleversant(e); *Umstand* dramatique **erschüttert** *adj Person* bouleversé(e); *Gesichtsausdruck* décomposé(e); **über etw** (*akk*) ~ **sein** être consterné par qc **Erschütterung** <-, -en> *f* **1.** (*Stoß, Bewegung*) secousse *f* **2.** *fig eines Staates, Preisgefüges* déstabilisation *f pas de pl* **3.** (*Beeinträchtigung*) affaiblissement *m* **4.** (*Ergriffenheit*) consternation *f* **erschweren*** [ɛɐ'ʃveːrən] *vt* compliquer; **jdm etw** ~ compliquer qc à qn **erschwinglich** [ɛɐ'ʃvɪŋlɪç] *adj Preis* abordable; *Lebensstandard* accessible; **kaum noch** ~**e Mieten** des loyers presque inabordable **ersehen*** *vt irr* **aus etw** ~, **dass ...** voir d'après qc que ... **ersetzen*** *vt* **1.** (*erstatten*) rembourser *Unkosten* **2.** (*austauschen*) **etw durch etw** ~ remplacer qc par qc **3.** (*vertreten*) **den Kindern die Mutter** ~ remplacer la mère auprès des enfants **ersichtlich** [ɛɐ'zɪçtlɪç] *adj Ursache* apparent(e); **aus etw ist** ~, **dass ...** il ressort de qc que ... **ersparen*** *vt* **1.** **jdm etw** ~ épargner qc à qn **2.** FIN [**sich** (*dat*)] **ein Vermögen** ~ mettre une fortune de côté **Ersparnis** [ɛɐ'ʃpaːɐnɪs] <-, -se> *f*, <-ses, -se> *nt* A **1.** *kein Pl* (*Einsparung*) **eine** ~ **an Kosten** une économie de frais; **eine** ~ **von einer Stunde** un gain d'une heure **2.** *meist Pl* FIN économies *fpl*

erst [eːɐ̯st] *adv* **1.** (*zuerst*) d'abord **2.** (*nicht früher, jünger als*) ~ **jetzt** seulement maintenant; ~ **als ich dich sah** ce n'est que lorsque je t'ai vu **3.** (*schon*) seulement **4.** (*gerade, unlängst*) **gerade** ~ à l'instant; **er hat eben** ~ **das Büro verlassen** il vient de quitter son travail; ~ **gestern/ heute** pas plus tard qu'hier/seulement aujourd'hui; ~ **vor kurzem** tout récemment ▸ **jetzt** ~ **recht** eh bien, raison de plus

erstarren* *vi + sein* **1.** (*fest werden*) se solidifier; **bei 0 °C erstarrt Wasser zu Eis** l'eau gèle à 0° C **2.** (*steif werden*) **vor Kälte** (*dat*) ~ *Person:* être transi de froid; *Finger, Hände:* s'engourdir de froid **3.** *fig* se figer; **vor Schrecken** (*dat*) ~ être paralysé par la peur

erstatten* [ɛɐ̯'ʃtatən] *vt* **1.** rembourser *Unkosten* **2.** *form* (*mitteilen*) signaliser qc; **jdm Bericht über etw** (*akk*) ~ faire un rapport à qn sur qc; **gegen jdn Anzeige** ~ déposer plainte contre qn

Erstattung <-, -en> *f* (*Vergütung*) remboursement *m*

Erstaufführung *f* première *f*

erstaunen* **I.** *vt + haben* **jdn** ~ étonner qn **II.** *vi + sein* **über etw** (*akk*) **erstaunt sein** être étonné par qc

Erstaunen *nt* étonnement *m*

erstaunlich **I.** *adj* étonnant(e); **es ist** ~, **dass/wie** c'est étonnant que + *subj*/de voir comment **II.** *adv gut, billig, wenig* étonnamment

erstbeste(r, s) ['eːɐ̯st'bɛstə, -tɐ, -təs] *adj attr* **der** ~ **Mann** le premier homme venu; **das** ~ **Auto** la première voiture venue

erste(r, s) ['eːɐ̯stə, -tɐ, -təs] *adj* **1.** premier(-ière) *antéposé;* **die ~n drei Häuser** les trois premières maisons; **das** ~ **Mal/ beim ~n Mal** la première fois; **zum ~n Mal** pour la première fois **2.** (*bei Datumsangaben*) **am ~n September** le premier septembre **3.** (*führend*) **das** ~ **Hotel am Ort** le premier hôtel de la ville ▸ **der/das** ~ **beste ...** le premier ... venu; **fürs Erste, als Erstes** pour commencer; *s. a.* **achte(r, s)**

erstechen* *vt irr* poignarder; **jdn mit etw** ~ poignarder qn avec qc

Erste-Hilfe-Kurs *m* cours *m* de secourisme

ersteigern* *vt* ÖKON acquérir aux enchères

erstellen* *vt* **1.** (*bauen*) construire; **etw in Beton** (*dat*) ~ construire qc en béton **2.** (*anfertigen*) dresser *Gutachten, Liste*

erstemal *s.* **erste(r, s)**

erstenmal *s.* **erste(r, s)**

erstens *adv* premièrement

ersticken* [ɛɐ̯'ʃtɪkən] **I.** *vi + sein* **1.** (*sterben*) s'étouffer; **am Rauch/Gas** ~ s'étouf-

fer avec de la fumée/asphyxier par le gaz; **an einer Fischgräte** ~ s'étrangler avec une arête **2.** (*erlöschen*) *Feuer:* s'éteindre **3.** *fig* **im Geld** ~ crouler sous l'or **II.** *vt + haben* étouffer

Erstickung <-> *f* étouffement *m*

erstklassig ['eːɐ̯stklasɪç] **I.** *adj* **1.** excellent(e); *Service, Stoff* de première qualité; *Ware* de premier choix **2.** (*sehr kompetent*) *Chirurg, Anwalt* de premier plan **II.** *adv* à la perfection; *sich kleiden* impeccablement; ~ **schmecken** être excellent

erstmalig **I.** *adj* premier(-ière) antéposé **II.** *adv form* pour la première fois

erstmals *adv* pour la première fois

erstrangig ['eːɐ̯straŋɪç] *adj* **1.** (*wichtig*) primordial(e) **2.** FIN de premier rang

erstreben* *vt geh* aspirer à

erstrebenswert *adj* tentant(e)

erstrecken* **I.** *vr* **1.** (*sich ausdehnen*) **sich** ~ s'étendre; **sich in beide Richtungen/ über große Weiten** ~ s'étendre des deux côtés/sur de grandes étendues **2.** (*beziehen*) **sich auf Details** ~ s'étendre aux détails **II.** *vt* CH **eine Frist/einen Abgabetermin um eine Woche** ~ prolonger un délai/une date limite de remise d'une semaine

ertappen* **I.** *vt* prendre sur le fait; **jdn** ~ prendre qn sur le fait **II.** *vr* **sich bei dem Gedanken an jdn/etw** ~ se surprendre à penser à qn/qc

erteilen* *vt form* **1.** (*zukommen lassen*) donner *Auftrag;* accorder *Genehmigung;* décerner *Lob* **2.** SCHULE **jdm Unterricht** ~ donner un cours à qn

ertönen* [ɛɐ̯'tøːnən] *vi + sein* se faire entendre; **seine Stimme** ~ **lassen** faire retentir sa voix

Ertrag [ɛɐ̯'traːk] <-[e]s, ⁼e> *m* AGR rendement *m;* FIN revenu *m;* **gute Erträge bringen** [*o* **abwerfen**] AGR avoir un bon rendement; FIN assurer des bénéfices

ertragen* *vt irr* supporter

erträglich [ɛɐ̯'trɛːklɪç] *adj* supportable

ertränken* **I.** *vt* noyer **II.** *vr* **sich** ~ se noyer

erträumen* *vr* **sich** (*dat*) **jdn/etw** ~ rêver de qn/qc

ertrinken* *vi irr + sein* **in etw** (*dat*) ~ se noyer dans qc

Ertrinken <-s> *nt* noyade *f;* **Tod durch** ~ mort *f* par noyade

erübrigen* [ɛɐ̯'ʔyːbrɪgən] **I.** *vr* **sich** ~ être superflu; **da erübrigt sich jeder Kommentar!** ça se passe de commentaire! **II.** *vt* **etw** ~ **können** ne plus avoir besoin de qc; **etwas Zeit für jdn** ~ **können** s'arranger pour accorder un peu de temps à qn

erwachen* vi + sein geh 1. (aufwachen) se réveiller; aus einem Traum ~ sortir d'un rêve; vom Lärm ~ être réveillé par le bruit 2. (sich regen) Gefühle: s'éveiller ▶ein böses Erwachen un réveil douloureux erwachsen [ɛʁvaksn] adj Person adulte; eine ~e Tochter haben avoir une grande fille Erwachsene(r) f(m) dekl wie adj adulte mf erwägen* [ɛʁ'vɛːɡən] vt irr étudier Angebot; envisager Möglichkeit; réfléchir Schritt Erwägung <-, -en> f réflexion f; etw in ~ ziehen envisager qc erwähnen* [ɛʁ'vɛːnən] vt 1. (nennen) citer Person; mentionner Angebot 2. (bemerken) jdm gegenüber ~, dass ... évoquer devant qn le fait que ... Erwähnung <-, -en> f mention f erwärmen* I. vt 1. (warm machen) faire chauffer Essen; réchauffer Luft; auf 30 °C erwärmt werden être chauffé à 30° C 2. (begeistern) jdn für etw ~ gagner qn à qc II. vr 1. sich ~ se réchauffer; sich auf 30 °C ~ atteindre 30° C [en se réchauffant] 2. (sich begeistern) sich für etw ~ se passionner pour qc erwarten* vt 1. (entgegensehen) attendre Kind, Besuch, Post 2. (voraussetzen) von jdm ~, dass attendre [de qn] que + subj 3. (rechnen mit) attendre Unheil Erwartung <-, -en> f 1. Pl (Hoffnung) attentes fpl; den ~en entsprechen Person: répondre aux espoirs; Leistung: être conforme aux espérances; große ~en an etw (akk) knüpfen fonder de grands espoirs sur qc 2. kein Pl (Anspannung) voller ~ rendu fébrile par l'attente erwecken* vt 1. (hervorrufen) susciter Interesse, Zweifel; donner Eindruck 2. geh (aufwecken) réveiller erweisen* [ɛʁ'vaizən] irr I. vt 1. jdm einen Gefallen ~ rendre un service [à qn] 2. (nachweisen) établir Schuld; es ist erwiesen, dass ... il est prouvé que ... II. vr 1. sich als richtig/falsch ~ se révéler [être] juste/faux 2. (sich zeigen) sich jdm gegenüber dankbar ~ se montrer reconnaissant envers qn erweitern* [ɛʁ'vaitɐn] I. vt 1. (verbreitern) élargir Öffnung 2. (umbauen) agrandir Flughafen 3. (vergrößern) élargir Angebot; augmenter Kapazität; enrichir Produktpalette II. vr 1. sich auf etw (akk)/um etw ~ Straße, Tunnel: s'élargir à/de qc 2. ANAT sich ~ Gefäß: se dilater Erweiterung <-, -en> f 1. (Verbreiterung) einer Straße élargissement m 2. (Umbau) eines Flughafens extension f 3. (Vergrößerung) eines Angebots élargissement m; ei-

nes Katalogs enrichissement m; der Kapazität accroissement m Erwerb [ɛʁ'vɛrp] <-[e]s, -e> m form 1. kein Pl (Kauf) acquisition f 2. (~stätigkeit) gagne-pain m erwerben* vt irr 1. (erlangen) acquérir Besitz, Titel, Würde; conquérir Achtung; gagner Vertrauen 2. (kaufen) faire l'acquisition de erwerbsfähig adj form apte à exercer un emploi erwerbslos adj form sans-emploi erwidern* [ɛʁ'viːdɐn] vt 1. (antworten) répliquer 2. (zurückgeben) rendre Gruß, Kuss; retourner Kompliment erwirtschaften* vt réaliser Gewinn; enregistrer Verlust erwischen* vt fam 1. (ertappen) pincer; jdn beim Stehlen ~ pincer qn en train de voler 2. (zu fassen bekommen) choper Person, Tier 3. (erreichen) réussir à avoir Bus, Bahn; jdn gerade noch ~ trouver qn encore 4. (treffen) die Kugel hat ihn am Arm erwischt il s'est pris une balle dans le bras erworben [ɛʁ'vɔrbən] adj MED acquis(e) erwünscht [ɛʁ'vʏnʃt] adj 1. (gewünscht) Effekt escompté(e); Eigenschaft, Kenntnisse souhaité(e) 2. (willkommen) Gelegenheit attendu(e); Anwesenheit souhaité(e); Rauchen nicht ~! prière de ne pas fumer! erwürgen* [ɛʁ'vʏrɡən] vt étrangler Erz [eːɐ̯ts] <-es, -e> nt minerai m erzählen* vt, vi raconter Erzähler(in) m(f) 1. (Novellist) conteur(-euse) m(f) 2. LITER (im Roman) narrateur(-trice) m(f) 3. (Geschichtenerzähler) conteur(-euse) m(f) Erzählung f 1. (Prosawerk) conte m 2. kein Pl (das Erzählen) récit m Erzbischof ['ɛrtsbɪʃɔf] m, -bischöfin f archevêque m Erzengel m archange m erzeugen* vt 1. (produzieren, hervorbringen) produire 2. (hervorrufen) provoquer Ärger; es verstehen Spannung zu ~ s'y entendre pour créer le suspense Erzeuger(in) <-s, -> m(f) 1. landwirtschaftlicher Produkte producteur(-trice) m(f) 2. hum fam (Vater) géniteur m Erzeugnis <-ses, -se> nt produit m Erzgebirge ['eːɐ̯tsɡəbɪrɡə] nt das ~ les monts Métallifères Erzherzog(in) m(f) archiduc m/archiduchesse f erziehen* vt irr 1. élever Kind; jdn streng katholisch ~ donner une éducation strictement catholique à qn 2. (anleiten) jdn zur Ordnung/Selbständigkeit ~ apprendre l'ordre/l'indépendance à qn Erzieher(in) <-s, -> m(f) éducateur(-trice) m(f)

erzieherisch *adj* éducatif(-ive)
Erziehung *f* éducation *f*
erziehungsberechtigt
[ɛɛ'tsiːʊŋsbərɛçtɪgt] *adj* investi(e) de l'autorité parentale **Erziehungsberechtigte(r)** *f(m) dekl wie adj* responsable *mf* légal(e) **Erziehungswissenschaft** *f kein Pl* pédagogie *f*
erzielen* *vt* **1.** (*erreichen*) parvenir à *Einigung;* obtenir *Ergebnis;* remporter *Gewinn, Preis;* tirer *Treffer;* atteindre *Geschwindigkeit* **2.** SPORT établir *Rekord;* réaliser *Jahresbestzeit;* marquer *Punkt*
erzürnen* [ɛɛ'tsʏrnən] *geh* **I.** *vt* mettre en colère; **jdn** ~ mettre qn en colère **II.** *vr* **sich über jdn/etw** ~ se mettre en colère contre qn/à propos de qc
erzwingen* *vt irr* forcer *Entscheidung;* **ein erzwungenes Geständnis** un aveu obtenu sous la contrainte
es [ɛs] **I.** *pron pers, 3. Pers Sing, nom* **1.** (*Person, Tier, Sache*) il/elle; **wo ist mein Buch/Hemd? – Es liegt auf dem Bett!** où est mon livre/ma chemise? – Il/Elle est sur le lit! **2.** (*das*) ~ **ist Onkel Paul/Tante Inge** c'est l'oncle Paul/la tante Inge; **ich bin** ~ c'est moi; ~ **sind meine Kinder/Bücher** ce sont mes enfants/livres; **hoffentlich macht** ~ **Ihnen nichts aus** j'espère que cela ne vous gêne pas (*fam*) **3.** (*einem Subjektsatz vorausgehend*) ~ **gefällt ihr, dass** ça lui plaît que + *subj;* ~ **freut mich, dass es dir gut geht** je suis content que tu ailles bien **4.** (*in unpersönlichen Ausdrücken*) ~ **regnet/schneit** il pleut/neige; ~ **ist warm** il fait chaud; ~ **geht ihr/ihnen gut** elle va/ils vont bien; ~ **ist schon drei Uhr** il est déjà trois heures; **jetzt reicht** ~**!** cela suffit maintenant! (*fam*) **5.** (*in passivischen Ausdrücken*) ~ **wurde getanzt** on dansait **6.** (*in reflexiven Ausdrücken*) **hier lebt** ~ **sich angenehm** ici, la vie est agréable **7.** (*als Einleitewort mit folgendem Subjekt*) ~ **meldete sich niemand** personne ne se manifesta; ~ **fehlen zehn Euro** il manque dix euros **II.** *pron pers, 3. Pers Sing, akk* **1.** (*Person, Tier, Sache*) le/la; **möchtest du dieses Brötchen/Stück Kuchen oder kann ich** ~ **nehmen?** veux-tu ce petit pain/cette part de gâteau ou puis-je le/la prendre? **2.** (*das*) le; **ich glaube** ~ **nicht** je ne le crois pas **3.** (*einem Objektsatz vorausgehend*) ~ **nicht mögen, dass/wenn** ne pas aimer que + *subj*
Es <-, -> *nt* MUS mi *m* bémol
ESA ['eːzaː] <-> *f Abk von* **European Space Agency** ASE *f*
Escape-Taste [ɪ'skeɪp'tastə] *f* INFORM tou-

che *f* Echappement
Esche ['ɛʃə] <-, -n> *f* (*Baum, Holz*) frêne *m*
Esel ['eːzəl] <-s, -> *m* **1.** âne *m* **2.** *fam* (*Dummkopf*) **ich** ~**!** ce que je suis bête!
Eselsbrücke *f fam* moyen *m* mnémotechnique **Eselsohr** *nt fam* corne *f*
eskalieren* [ɛska'liːrən] **I.** *vi* dégénérer; **zu etw** ~ dégénérer en qc **II.** *vt* accroître *Spannungen;* envenimer *Konflikt*
Eskimo ['ɛskimo] <-s, -s> *m,* **-frau** *f* Esquimau(de) *m(f)*
Eskorte [ɛs'kɔrtə] <-, -n> *f* escorte *f*
Esoterik [ezo'teːrɪk] <-> *f* ésotérisme *m*
esoterisch [ezo'teːrɪʃ] *adj* ésotérique
Espresso [ɛs'prɛso] <-[s], -s *o* Espressi> *m* [café *m*] express *m*
Esprit [ɛs'priː] <-s> *m geh* esprit *m;* **eine Frau mit** ~ une femme d'esprit
Essay ['ɛsɛ] <-s, -s> *m o nt* essai *m*
essbar^RR, **eßbar** ['ɛsbaːɐ̯] *adj Pilz* comestible
essen ['ɛsən] <isst, aß, gegessen> **I.** *vt* manger; **gern Obst** ~ aimer les fruits ▶ **das** [*o* **der Fall**] **ist gegessen** *fam* c'est classé **II.** *vi* **1.** manger; **gut/warm** ~ manger bien/chaud; **chinesisch** ~ **gehen** aller manger chinois; **von einem Teller** ~ manger dans une assiette **2.** (*probieren*) **von etw** ~ prendre de qc
Essen <-s, -> *nt* **1.** (*Mahlzeit, Speise*) repas *m;* **das** ~ **kochen** faire à manger **2.** (*Festessen*) banquet *m* **3.** (*Nahrung*) nourriture *f*
Essen[s]marke *f* ticket *m* [de] repas **Essenszeit** *f* heure *f* du repas
Essenz [ɛ'sɛnts] <-, -en> *f a. fig* essence *f*
Essig ['ɛsɪç] <-s, -e> *m* vinaigre *m*
Essiggurke *f* cornichon *m* à la russe **Esskastanie**^RR, **Eßkastanie** *f* châtaigne *f* **Esslöffel**^RR, **Eßlöffel** *m* cuillère *f* à soupe **Esszimmer**^RR, **Eßzimmer** *nt* salle *f* à manger
Este ['eːstə] <-n, -n> *m,* **Estin** *f* Estonien(ne) *m(f)*
Estland ['eːstlant] *nt* l'Estonie *f*
estnisch ['ɛstnɪʃ] **I.** *adj* estonien **II.** *adv* ~ **miteinander sprechen** discuter en estonien; *s. a.* **deutsch**
Estnisch <-[s]> *nt kein art* estonien *m; s. a.* **Deutsch**
Estragon ['ɛstragɔn] <-s> *m* estragon *m*
ESZB [eːʔɛstsɛt'beː] <-> *nt Abk von* **Europäisches System der Zentralbanken** SEBC *m*
etablieren* [eta'bliːrən] **I.** *vt* établir **II.** *vr* **sich als Arzt** ~ s'établir comme médecin **etabliert** *adj geh* établi(e)
Etage [e'taːʒə] <-, -n> *f* étage *m;* **in der obersten** ~ au dernier étage

Etagenbett *nt* lits *mpl* superposés
Etappe [e'tapə] <-, -n> *f a.* SPORT étape *f;*
in ~n par étapes
Etat [e'taː] <-s, -s> *m a.* POL budget *m;* **Ein-**
griffe in den ~ ponctions *fpl* budgétaires
etc. [ɛt'tseːtera] *Abk von* **et cetera** etc.
Ethik ['eːtɪk] <-> *f* éthique *f*
ethisch *adj* éthique
ethnisch ['ɛtnɪʃ] *adj* ethnique
Ethnologie [ɛtnoloˈgiː] <-, -n> *f* ethnologie *f*
Etikett [etiˈkɛt] <-[e]s, -e[n]> *nt* étiquette
f
Etikette [etiˈkɛtə] <-> *f* (*Verhaltensre-*
geln) étiquette *f*
etikettieren* [etikɛˈtiːrən] *vt* étiqueter
etliche(r, s) ['ɛtlɪçə, -çɐ, -çəs] *pron indef*
1. *attr* pas mal de **2.** (*zahlreiche Personen*)
~ **waren zum ersten Mal da** [un] bon
nombre d'entre eux étaient là pour la première fois **3.** (*einiges*) ~s pas mal de choses; **um ~s älter/größer sein** être bien
plus âgé/grand
Etui [ɛt'viː] <-s, -s> *nt* étui *m*
etwa ['ɛtva] *adv* **1.** (*ungefähr*) [in] ~ à peu
près **2.** (*zum Beispiel*) par exemple **3.** (*wo-*
möglich) par hasard; **willst du ~ hier**
bleiben? tu veux vraiment rester ici?;
oder ~ nicht? ou [bien] non?
etwas ['ɛtvas] *pron indef* **1.** quelque chose;
~/**nichts sagen** dire quelque chose/ne
rien dire; **kannst du mir ~ davon abge-**
ben? peux-tu m'en donner?; **hast du ~**
von ihr gehört? as-tu eu de ses nouvelles?; **hast du ~?** il y a quelque chose qui
ne va pas? **2.** *attr* ~ **Nettes/Neues** quelque chose de gentil/de nouveau; ~ **ande-**
res wäre es, wenn ... ce serait [tout] autre chose si ...; **so ~ Dummes!** que c'est
bête! **3.** (*ein wenig*) un peu; ~ **Kaffee** un
peu de café; ~ **arbeiten** travailler un peu
Etymologie [etymoloˈgiː] <-, -n> *f* étymologie *f*
etymologisch [etymoˈloːgɪʃ] *adj* étymologique
EU [eːˈuː] <-> *f Abk von* **Europäische**
Union CE *f*
euch [ɔyç] **I.** *pron pers, dat von* **ihr**[1]
1. vous; **mit** ~ avec vous; **alle außer** ~
tous excepté vous; **eine Bekannte von** ~
une de vos connaissances; **weg mit** ~! allez-vous-en! **2.** *refl* vous; **stellt ~ vor, sie**
heiraten! figurez-vous, ils vont se marier!
II. *pron pers, akk von* **ihr**[1] **1.** vous; **er be-**
obachtet ~ il vous regarde **2.** *refl* **beeeilt**
~! dépêchez-vous!
euer ['ɔyɐ] *pron poss* **1.** ~ **Bruder** votre
frère; **eure Schwester** votre sœur; **eure**
Bücher vos livres; **dieser Koffer ist eu-**

rer cette valise est à vous; **ist das mein**
Schlüssel oder eurer? est-ce ma clé ou la
vôtre?; **alles Liebe, eure Petra/Eltern**
affectueusement, Petra/vos parents **2.** *sub-*
stantivisch geh **der/die/das eure** le/la
vôtre; **sind das unsere Schlüssel oder**
die euren? est-ce que ce sont nos clés ou
les vôtres?; **tut ihr das Eure!** faites ce que
vous avez à faire!; **die Euren** les vôtres
mpl (*soutenu*) **3.** (*gewohnt, üblich*) **wollt**
ihr jetzt ~ **Nickerchen machen?** vous
voulez faire votre petite sieste habituelle?
EU-Kommission *f* Commission *f* européenne **EU-Länder** *Pl* pays *mpl* membres de
l'UE
Eule ['ɔylə] <-, -n> *f* chouette *f;* (*mit Ohr-*
federn) hibou *m*
EU-Ministerrat *m* Conseil *m* européen **EU-**
Mitgliedstaaten *Pl* Etats *mpl* membres
de l'UE
Eunuch [ɔyˈnuːx] <-en, -en> *m* eunuque
m
Euphorie [ɔyfoˈriː] <-, -n> *f* euphorie *f*
euphorisch [ɔyˈfoːrɪʃ] *adj* euphorique
EUR *Abk von* **Euro** EUR
Euratom [ɔyraˈtoːm] <-> *f Abk von* **Euro-**
päische Atomgemeinschaft Euratom *m*
eurerseits ['ɔyrɐˈzaɪts] *adv* **1.** (*ihr wieder-*
um) de votre côté **2.** (*was euch betrifft*)
pour votre part
eures ['ɔyrəs] *s.* **euer**
euresgleichen ['ɔyrəsˈglaɪçən] *pron inv*
1. *pej* (*Menschen eures Schlags*) vos semblables *mpl;* **ihr und** ~ vous et vos semblables **2.** (*Menschen wie ihr*) **ihr verkehrt**
nur mit ~ vous ne fréquentez que les gens
de votre sorte
euretwegen ['ɔyrətˈveːgən] *adv* (*wegen*
euch) à cause de vous; (*euch zuliebe*) pour
vous
Euro ['ɔyro] <-[s], -[s]> *m* euro *m;* **der**
Übergang zum ~ le passage à l'euro; **auf**
~ **lauten** être libellé en euros; **am** ~ **teil-**
nehmen participer au passage à l'euro
Euro-Banknoten *Pl* billets *mpl* [en] euro
Eurocheque *s.* **Euroscheck Eurocity**
['ɔyrosɪti] <-s, -s> *m* Eurocity *m* **Euro-**
dollars *Pl* eurodollars *mpl* **Euromarkt** *m*
marché *m* européen **Euro-Münzen** *Pl* pièces *fpl* [en] euro
Europa [ɔyˈroːpa] <-s> *nt* l'Europe *f*
Europaabgeordnete(r) *f(m) dekl wie adj*
eurodéputé(e) *m(f)*
Europäer(in) [ɔyroˈpɛːɐ] <-s, -> *m(f)* Eu-
ropéen(ne) *m(f)*
europäisch *adj* européen(ne)
Europameister(in) *m(f)* champion(ne)
m(f) d'Europe **Europapokal** *m* coupe *f*
d'Europe **Europarat** *m kein Pl* Conseil *m*

de l'Europe **Europawahl** *f* élections *fpl* européennes

Euroscheck [ˈɔyroʃɛk] *m* eurochèque *m*

Eurotunnel *m̄* tunnel *m* sous la manche

Eurovision [ɔyroviˈzjoːn] *f* eurovision *f*

Eurowährung *f* eurodevise *f* **Euro-Währungsgebiet** *nt*, **Euro-Zone** *f* zone *f* euro

Euthanasie [ɔytanaˈziː] <-> *f* euthanasie *f*

ev. *Abk von* **evangelisch** protestant(e)

e.V., E.V. [eːˈfau] *Abk von* **eingetragener Verein** association *f* déclarée

evakuieren* [evakuˈiːrən] *vt* évacuer *Bewohner, Stadt, Region*

Evakuierung <-, -en> *f* évacuation *f*

evangelisch [evaŋˈgeːlɪʃ] *adj* protestant(e)

Evangelium [evaŋˈgeːliʊm] <-s, -lien> *nt* évangile *m*

Eventualität [evɛntualiˈtɛːt] <-, -en> *f* éventualité *f*

eventuell [evɛnˈtuɛl] *adj* éventuel(le)

Evolution [evoluˈtsjoːn] <-, -en> *f* évolution *f*

evtl. *adj, adv Abk von* **eventuell**

E-Werk [ˈeːvɛrk] *nt Abk von* **Elektrizitätswerk** centrale *f* électrique

EWG [eːveːˈgeː] <-> *f* HIST *Abk von* **Europäische Wirtschaftsgemeinschaft** C.E.E. *f*

EWI [eːveˈʔiː] <-> *nt Abk von* **Europäisches Währungsinstitut** IME *m*

ewig [ˈeːvɪç] **I.** *adj* (*immer während*) éternel(le) **II.** *adv* **1.** (*seit jeher*) bestehen de toute éternité **2.** (*für immer*) **auf** ~ pour toujours **3.** *fam* (*ständig*) toujours **4.** *fam* (*eine lange Zeit*) une éternité; (*seit langem*) depuis une éternité

Ewigkeit <-, -en> *f* éternité *f*

EWS [eːveːˈʔɛs] <-> *nt Abk von* **Europäisches Währungssystem** S.M.E. *m*

EWU [eːveːˈʔuː] <-> *f Abk von* **Europäische Währungsunion** U.M.E. *f*

ex *adv fam* ▸ **etw** [auf] ~ **trinken** boire qc cul sec

Examen [ˈɛksaːmən] <-s, – *o* Examina> *nt* examen *m*; ~ **machen** passer ses examens

Exekution [ɛksekuˈtsjoːn] <-, -en> *f* **1.** exécution *f* **2.** A (*Pfändung*) saisie *f*

Exekutive [ɛksekuˈtiːvə] <-, -n> *f* exécutif *m*

Exemplar [ɛksɛmˈplaːɐ̯] <-s, -e> *nt* exemplaire *m*; **ein seltenes** ~ un spécimen rare

exemplarisch [ɛksɛmˈplaːrɪʃ] **I.** *adj* (*beispielhaft*) exemplaire **II.** *adv bestrafen* de façon exemplaire

exerzieren* [ɛksɛrˈtsiːrən] **I.** *vi* MIL faire l'exercice **II.** *vt* **1.** répéter **2.** *geh* (*praktizieren*) pratiquer

Exhibitionismus [ɛkshibitsjoˈnɪsmʊs]

<-> *m* exhibitionnisme *m*

Exhibitionist(in) [ɛkshibitsjoˈnɪst] <-en, -en> *m(f)* exhibitionniste *mf*

Exil [ɛˈksiːl] <-s, -e> *nt* exil *m*; **ins** ~ **nach Südamerika gehen** s'exiler en Amérique du Sud

Existentialismus [ɛksɪstɛntsjaˈlɪsmʊs] *s.* **Existenzialismus**

existentiell [ɛksɪstɛnˈtsjɛl] *s.* **existenziell**

Existenz [ɛksɪsˈtɛnts] <-, -en> *f* **1.** *kein Pl* (*das Existieren*) existence *f* **2.** (*Lebensgrundlage*) moyens *mpl* d'existence

Existenzangst *f* angoisse *f* existentielle

Existenzberechtigung *f kein Pl einer Person* droit *m* à l'existence; *einer Sache* raison *f* d'être

ExistenzialismusRR [ɛksɪstɛntsjaˈlɪsmʊs] <-> *m* existentialisme *m*

existenziellRR [ɛksɪstɛnˈtsjɛl] *adj* vital(e)

Existenzminimum *nt* minimum *m* vital

existieren* [ɛksɪsˈtiːrən] *vi* **1.** (*vorhanden sein*) exister **2.** (*leben*) **von etw** ~ vivre de qc

exklusiv [ɛkskluˈziːf] *adj* raffiné(e)

exkommunizieren* [ɛkskɔmuniˈtsiːrən] *vt* excommunier

Exkrement <-[e]s, -e> *nt meist Pl geh* excrément *m*

Exkursion <-, -en> *f* excursion *f*

exmatrikulieren* [ɛksmatrikuˈliːrən] *vt* radier; **jdn/sich** ~ radier qn/se faire radier de la liste des étudiants

Exot(in) [ɛˈksoːt] <-en, -en> *m(f)* **1.** (*Mensch*) habitant(e) *m(f)* d'un pays lointain; *fam* (*ausgefallene Person*) drôle *m* de spécimen (*fam*) **2.** (*Pflanze*) plante *f* exotique; (*Tier*) animal *m* exotique; *fam* (*ausgefallenes Exemplar*) modèle *m* rare

exotisch [ɛˈksoːtɪʃ] *adj* **1.** (*fremdländisch*) *Person* d'un pays lointain; *Pflanze, Aussehen* exotique **2.** *fam* (*ausgefallen*) *Person* farfelu(e); *Exemplar* extravagant(e); *Hobby, Beruf* insolite

expandieren* *vi* **1.** (*sich vergrößern*) *Firma*: s'agrandir **2.** PHYS *Gas, Wasserdampf*: se dilater; *Universum*: être en expansion

Expansion [ɛkspanˈzjoːn] <-, -en> *f* POL, COM expansion *f*

Expedition [ɛkspediˈtsjoːn] <-, -en> *f* **1.** (*Forschungsreise*) expédition *f* **2.** (*Versandabteilung*) [service *m* d']expédition *f*

Experiment [ɛksperiˈmɛnt] <-[e]s, -e> *nt* expérience *f*; (*wissenschaftlicher Versuch*) expérimentation *f*

experimentell [ɛksperimɛnˈtɛl] **I.** *adj* expérimental(e); **auf ~e Weise** expérimentalement **II.** *adv* ~ **vorgehen** expérimenter

experimentieren* [ɛksperimɛnˈtiːrən] *vi* faire des expériences; **mit etw/an Tieren**

~ faire des expériences avec qc/sur des animaux

Experte [ɛks'pɛrtə] <-n, -n> m, **Expertin** f expert(e) m(f)

explizit [ɛkspli'tsiːt] geh adj Anordnung explicite

explodieren* [ɛksplo'diːrən] vi + sein a. fig exploser

Explorer [ɪk'splɔːrɐ] <-s, -> m INFORM explorateur m

Explosion [ɛksplo'zi̯oːn] <-, -en> f a. fig explosion f

explosionsartig I. adj 1. **ein** ~**es Geräusch** un bruit d'explosion 2. (rasant) Zunahme explosif(-ive) II. adv à une vitesse fulgurante

explosiv [ɛksplo'ziːf] adj explosif(-ive)

Exponat [ɛkspo'naːt] <-[e]s, -e> nt pièce f d'exposition

Exponent [ɛkspo'nɛnt] <-en, -en> m 1. représentant m 2. MATH exposant m

Export [ɛks'pɔrt] <-[e]s, -e> m exportation f

Exporteur(in) [ɛkspɔr'tøːɐ̯] <-s, -e> m(f) exportateur(-trice) m(f)

exportieren* [ɛkspɔr'tiːrən] vt 1. exporter; **etw ins Ausland/nach Australien** ~ exporter qc à l'étranger/vers l'Australie 2. fig exporter Inflation; transmettre Virus

ExpressRR <-es>, **Expreß** [ɛks'prɛs] <-sses> m per ~ par exprès

exquisit [ɛkskvi'ziːt] I. adj Essen, Wein exquis(e); Lokal excellent(e) II. adv ~ schmecken être exquis

extern [ɛks'tɛrn] adj Schüler externe; Kan-

didat venu(e) de l'extérieur; Prüfung subi(e) à l'extérieur

extra ['ɛkstra] adv 1. (besonders) extra[-]; ~ **dünne Scheiben** des tranches fpl extrafines 2. (zusätzlich) en plus 3. (eigens) exprès 4. (gesondert) à part

Extra <-s, -s> nt accessoire m [optionnel]

Extrablatt nt édition f spéciale

Extrakt [ɛks'trakt] <-[e]s, -e> m extrait m

extravagant [ɛkstrava'gant] I. adj extravagant(e) II. adv de façon extravagante

Extrazug m CH train m spécial

extrem [ɛks'treːm] I. adj extrême II. adv 1. mit adj (äußerst) ~ **links/rechts stehen** Politiker: être d'extrême gauche/droite 2. mit Verb **sich** ~ **konzentrieren** se concentrer énormément

Extrem <-s, -e> nt extrême m

Extremist(in) [ɛkstre'mɪst] <-en, -en> m(f) extrémiste mf

Extremitäten [ɛkstremi'tɛːtən] Pl extrémités fpl

exzellent [ɛkstsɛ'lɛnt] I. adj excellent(e) II. adv sich fühlen en excellente forme; speisen extrêmement bien

Exzellenz [ɛkstse'lɛnts] <-, -en> f Excellence f; **Eure** ~! Votre Excellence!

exzentrisch [ɛks'tsɛntrɪʃ] adj excentrique

ExzessRR <-es, -e>, **Exzeß** [ɛks'tsɛs] <-sses, -sse> m meist Pl excès m; **etw bis zum** ~ **treiben** pousser qc à l'extrême

exzessiv [ɛkstsɛ'siːf] adj excessif(-ive)

Eyeliner ['aɪlaɪnɐ] <-s, -> m eye-liner m

EZB [eːtsɛt'beː] <-> f Abk von **Europäische Zentralbank** BCE f

F

F, f [ɛf] <-, -> *nt* **1.** (*Buchstabe*) F *m*/f *m* **2.** MUS fa *m*
Fa. *Abk von* **Firma** Sté
Fabel ['faːbəl] <-, -n> *f* a. *fig* fable *f*
fabelhaft *adj* *Aussehen, Wetter* merveilleux(-euse); *Qualität* fabuleux(-euse); **das ist ja** ~! c'est vraiment sensationnel!
Fabelwesen *nt* être *m* fabuleux
Fabrik [fa'briːk] <-, -en> *f* usine *f*
Fabrikant(in) [fabri'kant] <-en, -en> *m(f)* **1.** (*Fabrikbesitzer*) industriel(le) *m(f)* **2.** (*Hersteller*) fabricant(e) *m(f)*
Fabrikarbeiter(in) *m(f)* ouvrier(-ière) *m(f)* d'usine
Fabrikat [fabri'kaːt] <-[e]s, -e> *nt* **1.** (*Produkt*) produit *m* **2.** (*Marke*) marque *f*
Fabrikation [fabrika'tsĭoːn] <-, -en> *f* fabrication *f*
Fabrikgelände *nt* terrain *m* industriel
fabrikneu *adj* fraîchement sorti(e) d'usine
fabrizieren* [fabri'tsiːrən] *vt* a. *fig* fabriquer
fabulieren* *vi* raconter des histoires
Facette [fa'sɛtə] <-, -n> *f* facette *f*
Fach [fax, *Pl:* 'fɛçɐ] <-[e]s, ¨er> *nt* **1.** *einer Tasche* compartiment *m*; *eines Schranks* rayon *m* **2.** (*Schubfach*) tiroir *m* **3.** (*Schulfach*) matière *f* **4.** (*Sachgebiet*) domaine *m*; **vom** ~ **sein** être du métier
Facharbeiter(in) *m(f)* ouvrier(-ière) *m(f)* qualifié(e) **Facharzt** *m*, **-ärztin** *f* [médecin *mf*] spécialiste *mf* **fachärztlich** *adj* *Behandlung* par un(e) spécialiste; *Gutachten* d'un(e) spécialiste **Fachausdruck** <-ausdrücke> *m* terme *m* technique **Fachbereich** *m* *einer Universität* ≈ unité *f* de formation et de recherche **Fachbuch** *nt* ouvrage *m* spécialisé
fächeln ['fɛçəln] **I.** *vi* **mit etw** ~ agiter qc pour produire un courant d'air **II.** *vt* **jdn/ sich mit etw** ~ éventer qn/s'éventer avec qc
Fächer ['fɛçɐ] <-s, -> *m* éventail *m*
Fachfrau *f* spécialiste *f* **Fachgebiet** *nt* spécialité *f* **fachgerecht** *adj* approprié(e); *Ausbildung* spécialisé(e) **Fachgeschäft** *nt* magasin *m* spécialisé **Fachhochschule** *f* école supérieure spécialisée où on peut faire des études techniques ou artistiques **Fachidiot(in)** *m(f)* *pej fam* spécialiste *mf* borné(e) **Fachkenntnisse** *Pl* connaissances *fpl* professionnelles **Fachkraft** *f* spécia-

liste *mf;* **Fachkräfte** personnel *m* qualifié **fachkundig** *adj* compétent(e) **Fachlehrer(in)** *m(f)* enseignant(e) *m(f)* qualifié(e) **fachlich I.** *adj* *Qualifikation* professionnel(le); *Beratung* compétent(e) **II.** *adv* sur le plan professionnel **Fachliteratur** *f* littérature *f* spécialisée **Fachmann** <-leute> *m* spécialiste *m* **fachmännisch** ['faxmɛnɪʃ] **I.** *adj* de spécialiste **II.** *adv* *prüfen* en connaisseur; *beraten* avec compétence **Fachrichtung** *f* branche *f* **Fachschule** *f* école *f* professionnelle **fachsimpeln** ['faxzɪmpəln] *vi fam* parler boutique; **mit jdm** ~ parler boutique avec qn **Fachsprache** *f* jargon *m* **Fachwerk** *nt* *kein Pl* colombage *m* **Fachwerkhaus** *nt* maison *f* à colombages **Fachwissen** *nt* savoir *m* technique **Fachwort** *nt* terme *m* technique **Fachzeitschrift** *f* revue *f* spécialisée
Fackel ['fakəl] <-, -n> *f* torche *f*
fackeln *vi fam* **nicht [lange]** ~ ne faire ni une ni deux
Fackelzug *m* retraite *f* aux flambeaux
fad(e) [faːt ('faːdə)] **I.** *adj* **1.** *Geschmack* fade **2.** (*langweilig*) *Person* insipide **II.** *adv* ~ **schmecken** être fade
Faden ['faːdən, *Pl:* 'fɛːdən] <-s, ¨> *m* a. MED fil *m* ▶ **alle Fäden [fest] in der Hand halten** tenir les rênes; **der rote** ~ le fil conducteur; **dort laufen alle Fäden zusammen** c'est là qu'on tire [toutes] les ficelles; **den** ~ **verlieren** perdre le fil
Fadenkreuz *nt* OPT réticule *m*
fadenscheinig *adj* **1.** *pej Ausrede* cousu(e) de fil blanc **2.** (*abgewetzt*) usé(e) jusq-'à la corde
Fagott [fa'gɔt] <-[e]s, -e> *nt* basson *m*
fähig ['fɛːɪç] *adj* capable; *Mitarbeiter* qualifié(e); **zu allem** ~ **sein** être capable de tout
Fähigkeit <-, -en> *f* **1.** *kein Pl* (*das Imstandesein*) faculté *f*, capacité *f* **2.** (*Begabung*) aptitude *f*
fahl [faːl] *adj* blafard(e)
Fähnchen <-s, -> *nt* *Dim von* **Fahne** petit drapeau *m*
fahnden ['faːndən] *vi* rechercher; **nach jdm/etw** ~ rechercher qn/qc
Fahndung <-, -en> *f* recherches *fpl*
Fahndungsliste *f* liste *f* des personnes re-

cherchées

Fahne ['faːnə] <-, -n> f 1. (Banner) drapeau m 2. fam (Alkoholfahne) haleine f qui pue l'alcool; **eine ~ haben** fam puer l'alcool 3. TYP placard m

Fahneneid m serment m de fidélité au drapeau **Fahnenflucht** f kein Pl désertion f; **~ begehen** déserter **fahnenflüchtig** adj **~ werden** déserter **Fahnenmast** m mât m **Fahrausweis** m 1. titre m de transport 2. CH (Führerschein) permis m de conduire **Fahrbahn** f 1. (Straße) chaussée f 2. (Fahrspur) voie f [de circulation]

Fähre ['fɛːrə] <-, -n> f bac m; (Autofähre) [car-]ferry m

fahren ['faːrən] <fährt, fuhr, gefahren> I. vi 1. + sein (Fahrgast sein) **nach Hamburg/Frankreich ~** aller à Hambourg/en France; **mit dem Zug ~** prendre le train; **auf der Autobahn ~** rouler sur l'autoroute; **wollen wir ~ oder zu Fuß gehen?** nous y allons en voiture ou à pied? 2. + sein (sich bewegen) Fahrzeug: rouler; **nach oben/unten ~** Fahrstuhl: monter/descendre 3. + sein (ein Fahrzeug lenken) conduire; **links ~** rouler à gauche; **gegen etw ~** rentrer dans qc 4. + sein (losfahren) partir 5. + sein (verkehren) passer; **alle zehn Minuten ~** Verkehrsmittel: passer toutes les dix minutes; **~ heute keine Busse?** les bus ne circulent pas aujourd'hui?; **welche Linie fährt zum Bahnhof?** quelle ligne va jusqu'à la gare? 6. + sein (reisen) **mit der Bahn ~** voyager en train 7. + sein (zucken) **der Schreck fuhr ihr in die Glieder** la peur lui a coupé les jambes; **was ist [denn] in dich gefahren?** qu'est-ce qui t'a pris? 8. + haben o sein (streichen) **sich** (dat) **mit der Hand über die Stirn ~** se passer la main sur le front 9. + sein fam (zurechtkommen) **mit jdm/etw gut ~** être satisfait de qn/qc ►**einen ~ lassen** fam lâcher un pet II. vt 1. + haben (lenken) conduire Auto; rouler sur Fahrrad 2. + haben (befördern) conduire Personen; transporter Sachen 3. + sein (benutzen) **Autobahn ~** Person: prendre l'autoroute 4. + sein (als Geschwindigkeit haben) **90 km/h ~** rouler à 90 km/h 5. + haben o sein SPORT effectuer Rennen

Fahrenheit Fahrenheit

fahrenǁlassen* s. fahren I.

Fahrer(in) ['faːrɐ] <-s, -> m(f) 1. (Autofahrer) conducteur(-trice) m(f); (Motorradfahrer) motard(e) m(f) 2. (Chauffeur) chauffeur m

Fahrerflucht f délit m de fuite

Fahrerlaubnis f form permis m de conduire

Fahrgast m passager(-ère) m(f) **Fahrgeld**

nt (für den Bus) argent m pour le ticket; (für den Zug) argent pour le billet **Fahrgemeinschaft** f covoiturage m **Fahrgestell** nt eines Autos châssis m

fahrig ['faːrɪç] adj Person surexcité(e); Bewegung nerveux(-euse)

Fahrkarte f ticket m; (für den Zug) billet m **Fahrkartenautomat** m distributeur m [automatique] de tickets **Fahrkartenschalter** m guichet m [de vente] des billets

fahrlässig ['faːɐ̯lɛsɪç] adj imprudent(e); JUR Tötung par imprudence **Fahrlässigkeit** <-, -en> f imprudence f **Fahrlehrer(in)** m(f) moniteur(-trice) m(f) d'auto-école

Fährmann <-männer o -leute> ['fɛːɐ̯man] m passeur m

Fahrplan m [indicateur m] horaire m **fahrplanmäßig** I. adj prévu(e) [selon l'horaire] II. adv selon l'horaire prévu **Fahrpreis** m prix m du transport **Fahrprüfung** f examen m du permis de conduire **Fahrrad** nt vélo m, bicyclette f

Fahrradfahrer(in) m(f) cycliste mf **Fahrradkurier** m coursier(-ière) m(f) à bicyclette **Fahrradständer** m (am Fahrrad) béquille f; (Gestell für Fahrräder) support m pour vélos **Fahrradweg** m piste f cyclable

Fahrschein s. Fahrkarte

Fahrscheinautomat m distributeur m automatique [de tickets]

Fährschiff s. Fähre

Fahrschule f auto-école f **Fahrschüler(in)** m(f) élève mf d'auto-école **Fahrspur** f voie f [de circulation]; **die rechte/linke ~** la voie de droite/gauche **Fahrstuhl** m ascenseur m **Fahrstunde** f leçon f de conduite

Fahrt [faːɐ̯t] <-, -en> f 1. (das Fahren) trajet m; **freie ~** circulation f fluide; (für Züge) voie f libre; **gute ~!** bonne route! 2. (Geschwindigkeit) allure f; **mit voller ~** à pleine vitesse 3. (Reise) voyage m; **hattet ihr eine angenehme ~?** vous avez fait bon voyage?; **eine einfache ~ nach London** un aller simple pour Londres ►**eine ~ ins Blaue** une excursion surprise; **in ~ kommen** fam (in Schwung kommen) trouver la forme

fährt [fɛːɐ̯t] 3. Pers Präs von fahren

Fährte ['fɛːɐ̯tə] <-, -n> f trace f, piste f ►**auf der falschen ~ sein** être sur la mauvaise piste

Fahrtenbuch nt AUT carnet m de route **Fahrtenmesser** nt poignard m scout **Fahrtenschreiber** m tachygraphe m **Fahrtkosten** Pl frais mpl de transport **Fahrtrichtung** f destination f; **in ~** dans le

sens de la marche; **entgegen der** ~ dans le sens contraire

fahrtüchtig *adj Person* en état de conduire; *Kraftfahrzeug* en [bon] état de marche

Fahrtwind *m* déplacement *m* d'air

Fahrverbot *nt* (*generelles* ~) interdiction *f* de circuler; (*gegen Einzelpersonen*) suspension *f* de permis **Fahrwasser** ►in jds ~ (*dat*) **schwimmen** *fam* naviguer dans les eaux de qn **Fahrweise** *f* façon *f* de conduire **Fahrzeit** *f* durée *f* du trajet **Fahrzeug** <-, -e> *nt* véhicule *m*

Fahrzeugbrief *m titre de propriété du véhicule* **Fahrzeughalter(in)** *m(f)* propriétaire *mf* du véhicule **Fahrzeugpapiere** *Pl* papiers *mpl* du véhicule **Fahrzeugschein** *m* ≈ carte *f* grise

Faible ['fɛːbl] <-s, -s> *nt* faible *m*

fair [fɛːɐ̯] **I.** *adj Person* fair-play; *Angebot, Spiel* correct(e); **das ist nicht** ~! ce n'est pas juste! **II.** *adv spielen* avec fair-play; *kämpfen* loyalement; *sich verhalten* de façon correcte

FairnessRR, **Fairneß** ['fɛːɐ̯nɛs] <-> *f* fairplay *m*

Fäkalien [-liən] *Pl* matières *fpl* fécales

Fakir <-s, -e> *m* fakir *m*

Faksimile <-s, -s> *nt* fac-similé *m*

Fakt <-[e]s, -en> *m o nt* fait *m*

faktisch ['faktɪʃ] **I.** *adj attr* effectif(-ive) **II.** *adv* en fait

Faktor ['faktoːɐ̯] <-s, -toren> *m* facteur *m*

Faktum ['faktʊm] <-s, **Fakten**> *nt geh* fait *m*

Fakultät [fakʊl'tɛːt] <-, -en> *f* faculté *f*

Falke ['falkə] <-n, -n> *m a.* POL faucon *m*

Fall [fal, *Pl:* 'fɛlə] <-[e]s, ⁼e> *m* **1.** *a.* GRAM, MED, JUR cas *m;* **in diesem** ~ dans ce cas; **für den** ~**, dass** au cas où + *cond;* **das ist nicht der** ~ ce n'est pas le cas; **gesetzt den** ~ à supposer que + *subj;* **auf jeden** ~ en tout cas; **auf keinen** ~ en aucun cas; **für alle Fälle** pour tous les cas; **auf alle Fälle** en tout cas; **er ist ein hoffnungsloser** ~ on ne peut plus rien faire pour lui **2.** *kein Pl a. fig* (*das Fallen*) chute *f;* **der freie** ~ la chute libre ►**klarer** ~! *fam* évidemment!; **sein/mein/...** ~ **sein** *fam Person:* être son/mon/... genre; *Sache:* être son/mon/... truc; **von** ~ **zu** ~ cas par cas

Fallbeil *nt* guillotine *f*

Falle ['falə] <-, -n> *f* **1.** *a. fig* piège *m; jdm* **eine** ~ **stellen** *fig* tendre un piège à qn; **in der** ~ **sitzen** *fig* être pris au piège **2.** *fam* (*Bett*) pieu *m*

fallen ['falən] <**fällt, fiel, gefallen**> *vi + sein* **1.** (*hinabfallen, umfallen*) tomber; **auf**

den Boden/ins Wasser ~ tomber par terre/dans l'eau; **auf/durch/in etw** (*akk*) ~ *Licht:* tomber sur/passer par/pénétrer dans qc **2.** (*stolpern*) **über etw** (*akk*) ~ buter sur qc **3.** *fam* (*nicht bestehen*) **durch die Prüfung** ~ être recalé à l'examen **4.** (*sinken*) *Wert, Preise:* baisser; **die Aktien sind gefallen** les actions ont connu une baisse **5.** MIL *Soldat:* tomber à la guerre; *Festung:* tomber **6.** (*treffen*) **auf jdn** ~ *Wahl, Verdacht:* se porter sur qn; **auf einen Dienstag** ~ tomber un mardi **7.** JUR **an den Erben** ~ revenir à l'héritier **8.** (*ergehen*) *Entscheidung:* être pris; *Urteil:* tomber **9.** (*sich ereignen*) *Ausgleichstreffer:* être marqué; *Schuss:* être tiré **10.** (*geäußert werden*) *Wort:* être prononcé; *Bemerkung:* être fait **11.** (*sein, sich erweisen*) **jdm leicht** ~ être facile pour qn; **es fällt mir schwer das zu sagen** j'ai du mal à dire ça ►~ **lassen** abandonner *Plan;* laisser échapper *Bemerkung*

fällen ['fɛlən] *vt* **1.** abattre *Baum* **2.** JUR prendre *Entscheidung;* rendre *Urteil*

fallen‖lassen* *s.* **fallen**

Fallgrube *f* trappe *f*

fällig ['fɛlɪç] *adj* **1.** FIN *Rechnung* parvenu(e) à échéance; ~ **sein** être exigible; **bis zum 23./innerhalb von zehn Tagen** ~ **sein** être payable avant le 23/dans les dix jours **2.** (*erforderlich*) *Entschuldigung* dû(e); *Reform* attendu(e)

Fälligkeit <-, -en> *f* échéance *f;* **bei/nach/vor** ~ à/après/avant l'échéance

Fallobst *nt* fruits *mpl* tombés

falls [fals] *konj* au cas où + *cond;* ~ **möglich/nötig** si possible/nécessaire

Fallschirm *m* parachute *m;* **mit dem** ~ **abspringen** sauter en parachute **Fallschirmjäger(in)** *m(f)* MIL parachutiste *mf* **Fallschirmspringer(in)** *m(f)* parachutiste *mf* **Fallstrick** *m* piège *m* **Fallstudie** *f* étude *f* de cas

fällt [fɛlt] *3. Pers Präs von* **fallen**

Falltür *f* trappe *f*

falsch [falʃ] **I.** *adj* **1.** (*nicht richtig*) faux(fausse); *Schlüssel, Zug* mauvais(e); *Verdacht* non fondé(e); **hier sind Sie** ~ vous n'êtes pas où il faut **2.** (*nicht aufrichtig*) *Versprechen* mensonger(-ère); *Person* faux(fausse) **3.** (*gefälscht*) *Schmuck, Banknote* faux(fausse) **4.** (*unangebracht*) *Scham* faux(fausse) ►**an den Falschen geraten** ne pas avoir choisi la bonne adresse; **mit etw** ~ **liegen** *fam* se fourrer le doigt dans l'œil à propos de qc **II.** *adv* mal; *singen* faux

Falschaussage *f* JUR faux témoignage *m*

fälschen ['fɛlʃən] *vt* falsifier *Urkunde;* con-

trefaire *Banknoten, Unterschrift*
Fälscher(in) <-s, -> *m(f)* faussaire *mf*
Falschfahrer(in) *m(f)* automobiliste *mf* circulant à contresens **Falschgeld** *nt* fausse monnaie *f*
Falschheit <-> *f* fausseté *f*
fälschlich ['fɛlʃlɪç] *adj Annahme* erroné(e); *Behauptung* faux(fausse)
fälschlicherweise *adv* (*irrtümlicherweise*) de façon erronée
Falschmeldung *f* fausse nouvelle *f* **Falschmünzer(in)** ['falʃmʏntsɐ] <-s, -> *m(f)* faux-monnayeur *m*/fausse-monnayeuse *f* **Falschparker(in)** ['falʃparkɐ] *m(f)* automobiliste *mf* mal garé(e) **Falschspieler(in)** *m(f)* tricheur(-euse) *m(f)*
Fälschung ['fɛlʃʊŋ] <-, -en> *f* **1.** *kein Pl* (*das Fälschen*) falsification *f* **2.** (*das Gefälschte*) faux *m*
fälschungssicher *adj* infalsifiable
Faltblatt *nt* dépliant *m* **Faltboot** *nt* canot *m* pliant
Falte ['faltə] <-, -n> *f* **1.** *eines Kleidungsstücks, Papiers* pli *m*; *eines Stoffs* fronce *f*; ~**n werfen** faire des plis **2.** (*Hautfalte*) ride *f*; **die Stirn in ~n legen** plisser le front
falten ['faltən] *vt* plier *Papier, Wäschestück*; joindre *Hände*; **auseinander** ~ déplier
Faltenrock *m* jupe *f* plissée
Falter ['faltɐ] <-s, -> *m* papillon *m*
faltig *adj* **1.** (*zerknittert*) froissé(e) **2.** (*runzelig*) *Haut* ridé(e)
Falz <-es, -e> *m* TECH rainure *f*
falzen ['faltsən] *vt* plier *Papier*
Fam. *Abk von* **Familie** famille *f*
familiär [famiˈliɛːɐ̯] *adj* **1.** familial(e) **2.** (*zwanglos*) *Atmosphäre* décontracté(e); *Umgangston* familier(-ière)
Familie [faˈmiːliə] <-, -n> *f* famille *f*; **aus guter** ~ **sein** être de bonne famille; **eine** ~ **gründen** fonder une famille ►**das kommt in den besten** ~**n vor** ça peut arriver à tout le monde
Familienangehörige(r) *f(m) dekl wie adj* membre *m* de la famille **Familienbetrieb** *m* entreprise *f* familiale **Familienfeier** *f* réunion *f* familiale **Familienkreis** *m* **im engsten** ~ dans la plus stricte intimité **Familienleben** *nt* vie *f* de famille **Familienmitglied** *s.* **Familienangehörige(r)** **Familienname** *m* nom *m* de famille **Familienoberhaupt** *nt* chef *m* de famille **Familienplanung** *f* planning *m* familial **Familienstand** *m* situation *f* de famille **Familienvater** *m* père *m* de famille **Familienverhältnisse** *Pl* situation *f* familiale
Fan [fɛn] <-s, -s> *m* fan *mf*
Fanal <-s, -e> *nt geh* signal *m*
Fanatiker(in) [faˈnaːtɪkɐ] <-s, -> *m(f)* fa-

natique *mf*
fanatisch [faˈnaːtɪʃ] *adj Person* fanatique; *Schrei* excité(e)
Fanatismus [fanaˈtɪsmʊs] <-> *m* fanatisme *m*
Fanclub ['fɛnklʊb] *m* fan-club *m*
fand [fant] *Imp von* **finden**
Fanfare [fanˈfaːrə] <-, -n> *f* (*Instrument*) clairon *m*
Fang [faŋ] *Pl:* 'fɛŋə] <-[e]s, ≃e> *m* **1.** *kein Pl* (*das Fangen*) (*von Fischen*) pêche *f*; (*von Tieren*) chasse *f* **2.** (*Beute*) *einer Person* prise *f*; *eines Tiers* proie *f* ►**mit jdm/etw einen guten** ~ **machen** faire une belle prise avec qn/qc
Fangarm *m* tentacule *m*
fangen [faŋən] <fängt, fing, gefangen> **I.** *vt* **1.** attraper *Ball* **2.** arrêter *Verbrecher* **3.** *Jäger:* attraper *Tier*; capturer *Pelztier*; prendre *Fisch* ►**eine** ~ *fam* en attraper une **II.** *vr* **1.** (*nicht stürzen*) **sich** ~ reprendre l'équilibre **2.** (*sich seelisch beruhigen*) **sich wieder** ~ se ressaisir
Fangen <-s> *nt* ~ **spielen** jouer au chat
Fangflotte *f* flotte *f* de pêche **Fangfrage** *f* question *f* piège
Fangopackung ['faŋgo-] *f* cataplasme *m* [chaud] de boue minérale
Fangschaltung *f* système *m* de détection de la provenance des appels
fängt [fɛŋt] *3. Pers Präs von* **fangen**
Fanklub *s.* **Fanclub**
Fantasie [fantaˈziː] <-, -n> *f* **1.** *kein Pl* imagination *f* **2.** *meist Pl* (*Träumerei*) fantasme *m* **3.** MUS fantaisie *f*
fantasielosRR *adj Person* dépourvu(e) d'imagination; *Sache* banal(e)
fantasieren*RR [fantaˈziːrən] *vi* **1.** [af]fabuler; **von jdm/etw** ~ [af]fabuler à propos de qn/qc **2.** MED délirer
fantasievollRR *adj Person* imaginatif(-ive); *Darstellung* plein(e) d'imagination
Fantast(in)RR [fanˈtast] <-en, -en> *m(f)* pej rêveur(-euse) *m(f)*
fantastischRR **I.** *adj* **1.** *fam* (*großartig*) formidable; *Figur* fantastique; *Geschwindigkeit* incroyable **2.** *geh* (*illusionär*) *Vorstellung, Geschichte* fantastique **II.** *adv fam* (*großartig*) merveilleusement [bien]; ~ **schmecken** avoir vachement bon goût
Farbband <-bänder> *nt* ruban *m* **Farbbild** *nt* photo *f* en couleurs **Farbdruck** *m* **1.** *kein Pl* impression *f* en couleurs **2.** (*Erzeugnis*) imprimé *m* en couleurs **Farbdrucker** *m* imprimante *f* couleur
Farbe ['farbə] <-, -n> *f* **1.** (*Farbton*) couleur *f*; *eines Stoffs* coloris *m*; **in** ~ en couleurs **2.** (*Gesichtsfarbe*) teint *m*; ~ **bekommen** prendre des couleurs **3.** (*Druck-*

farbe) couleur *f;* (*Malfarbe*) peinture *f;* (*Färbemittel*) teinture *f ▶ ~* **bekennen** annoncer la couleur

farbecht *adj* grand teint *inv*

färben ['fɛrbən] **I.** *vt* teindre; **sich** (*dat*) **die Haare rot ~** se teindre les cheveux en roux **II.** *vi fam* (*abfärben*) déteindre **III.** *vr* **sich ~** *Laub:* se colorer; **sich orange ~** prendre des teintes orangées

farbenblind *adj* daltonien(ne) **farbenfroh** *adj* très coloré(e) **Farbenlehre** *f* théorie *f* des couleurs **Farbenpracht** *f* couleurs *fpl* somptueuses **farbenprächtig** *adj* aux couleurs somptueuses **Farbenspiel** *nt* jeu *m* des couleurs

Färber(in) ['fɛrbɐ] *<-s, ->* *m(f)* teinturier(-ière) *m(f)*

Färberei [fɛrbə'raɪ] *<-, -en>* *f* teinturerie *f* **Farbfernsehen** *nt* télévision *f* en couleur **Farbfernseher** *m fam* télé *f* couleur **Farbfilm** *m* film *m* couleur **Farbfoto** *s.* **Farbbild**

farbig ['farbɪç] **I.** *adj* **1.** (*mehrfarbig*) coloré(e) **2.** (*einfarbig*) de couleur **3.** *Foto, Film* en couleur **3.** *Hautfarbe, Person* de couleur **4.** (*anschaulich*) coloré(e) **II.** *adv* **1.** *anstreichen* en couleur **2.** (*anschaulich*) d'une manière colorée

Farbige(r) *f(m) dekl wie adj* homme *m*/ femme *f* de couleur

Farbkasten *m* boîte *f* de couleurs **Farbkopierer** *m* [photo]copieur *m* couleur

farblich *adj* de couleurs

farblos *adj* **1.** incolore **2.** (*unauffällig*) terne; (*langweilig*) insipide

Farbmonitor *m* moniteur *m* couleur **Farbscanner** *m* scanne[u]r *m* couleur **Farbstift** *m* crayon *m* de couleur **Farbstoff** *m* (*Färbemittel*) colorant *m* **Farbton** *<-töne>* *m* **1.** (*Farbe*) ton *m* **2.** (*Tönung, Nuance*) teinte *f*

Färbung ['fɛrbʊŋ] *<-, -en>* *f* **1.** *kein Pl* (*das Färben*) *von Textilien* teinture *f* **2.** (*Tönung*) couleur *f*

Farce [fars] *<-, -n>* *f* farce *f;* **zur ~ werden** devenir ridicule

Farm [farm] *<-, -en>* *f* **1.** ranch *m* **2.** (*Nutztierfarm*) ferme *f* d'élevage intensif

Farmer(in) *<-s, ->* *m(f)* exploitant(e) *m(f)* agricole

Farn [farn] *<-[e]s, -e>* *m* fougère *f*

Fasan [fa'zaːn] *<-s, -e[n]>* *m* faisan *m*

Fasching ['faʃɪŋ] *<-s, -e o -s>* *m* SDEUTSCH carnaval *m*

Faschismus [fa'ʃɪsmʊs] *<->* *m* fascisme *m* **Faschist(in)** [fa'ʃɪst] *<-en, -en>* *m(f)* fasciste *mf*

faschistisch *adj* fasciste

faseln ['faːzəln] *pej fam* **I.** *vi* débloquer **II.** *vt* radoter

Faser ['faːzɐ] *<-, -n>* *f* fibre *f*

faserig *adj* fibreux(-euse); *Fleisch* filandreux(-euse)

fasern *vi Gewebe:* s'effilocher

Faserschreiber *m* crayon *m* feutre

Fasnacht SDEUTSCH, CH *s.* **Fastnacht**

Fass^RR [fas] *<-es, Fässer>,* **Faß** *<-sses, Fässer>* *nt* (*Holzfass*) tonneau *m;* (*Metallfass*) fût *m* métallique; (*Ölfass*) bidon *m;* **Bier vom ~** bière *f* [à la] pression *m ▶* **ein ~ ohne Boden** un vrai gouffre; **das schlägt dem ~ den Boden aus!** *fam* c'est le bouquet!

Fassade [fa'saːdə] *<-, -n>* *f* **a.** *fig* façade *f*

fassbar^RR, **faßbar** *adj* **1.** (*konkret, benennbar*) concret(-ète) **2.** (*begreiflich*) **es ist kaum ~, dass** c'est à peine croyable que + *subj*

Fassbier^RR *nt* bière *f* [à la] pression

fassen ['fasən] **I.** *vt* **1.** (*ergreifen*) saisir; **jdn an der Hand ~** prendre qn par la main; **etw zu ~ bekommen** attraper qc; **fass!** mords! **2.** (*festnehmen*) arrêter **3.** (*zu etw gelangen*) prendre *Entschluss;* **keinen klaren Gedanken ~ können** ne pas arriver à se concentrer **4.** (*begreifen*) réaliser; **ich kann es nicht ~!** je n'arrive pas à y croire! **5.** (*aufnehmen können*) pouvoir contenir **6.** (*einfassen*) monter *Edelstein* **II.** *vr* **sich wieder ~** se ressaisir

Fasson [fa'sõː, fa'sɔŋ] *▶* **jeder soll nach seiner ~ selig werden** *Spr.* chacun mène sa vie comme il l'entend

Fassung ['fasʊŋ] *<-, -en>* *f* **1.** *einer Glühbirne* douille *f; eines Edelsteins, einer Brille* monture *f* **2.** (*Version*) version *f* **3.** *kein Pl* (*Selbstbeherrschung*) maîtrise *f* de soi/de lui-même/d'elle-même/...; **die ~ bewahren/verlieren** garder/perdre son sangfroid; **etw mit ~ tragen** prendre qc avec stoïcisme

fassungslos *adj* décontenancé(e); **~ sein** être stupéfait

Fassungslosigkeit *<->* *f* stupeur *f*

Fassungsvermögen *nt eines Behälters* contenance *f*

fast [fast] *adv* presque; **~ immer/drei Uhr** presque toujours/trois heures; **er wäre ~ gestürzt** il a failli tomber; **~ hätte ich's vergessen** pour un peu, je l'aurais oublié

fasten ['fastən] *vi* être à la diète; REL jeûner

Fastenkur *f* cure *f* d'amaigrissement **Fastenzeit** *f* carême *m*

Fastfood^RR, **Fast Food**^RR ['faːstfuːd] *<-[s]>* *nt* restauration *f* rapide

Fastnacht *f kein Pl* carnaval *m*

Faszination <-, -en> *f* fascination *f*
faszinieren* [fastsi'niːrən] *vt* fasciner
faszinierend *adj* fascinant(e)
fatal [fa'taːl] *adj geh* fatal(e); *Irrtum* affreux(-euse)
Fatalismus [fata'lɪsmʊs] <-> *m geh* fatalisme *m*
Fata Morgana <- -, – Morganen *o* -s> *f* mirage *m*
fauchen ['fauxən] *vi Tier:* feuler; *Person:* grogner
faul [faul] *adj* **1.**(*nicht fleißig*) paresseux(-euse) **2.**(*verfault*) *Lebensmittel* avarié(e); *Wasser* putride; *Obst, Holz, Laub* pourri(e); *Zahn* gâté(e) **3.** *fam* (*zweifelhaft*) *Kompromiss* boiteux(-euse); *Ausrede* mauvais(e) *antéposé;* **an der Sache ist etwas ~** il y a quelque chose de pas net dans cette affaire
faulen ['faulən] *vi* + *haben o sein* pourrir; *Wasser:* croupir
faulenzen ['faulɛntsən] *vi* fainéanter
Faulenzer(in) <-s, -> *m(f) pej* fainéant(e) *m(f)*
Faulheit <-> *f* paresse *f*
faulig *s.* **faul**
Fäulnis ['fɔylnɪs] <-> *f von Getreide, Holz* pourriture *f; von Fleisch* décomposition *f*
Faulpelz *m pej fam* feignant(e) *m(f)* **Faultier** *nt* ZOOL paresseux *m*
Fauna ['fauna] <-, Faunen> *f* faune *f*
Faust [faust, *Pl:* 'fɔystə] <-, Fäuste> *f* poing *m;* **die ~ ballen** serrer le poing ▸ **auf eigene ~** *vorgehen* de sa/ma/... propre initiative; *handeln* de son/mon/... propre chef
Fäustchen ['fɔystçən] <-s, -> *nt* ▸ **sich** (*dat*) **ins ~ lachen** rire dans sa barbe (*fam*), rire sous cape (*fam*)
faustdick ['faust'dɪk] *adj fam Lüge* grossier(-ière)
fausten *vt* dégager du poing; **etw ~** dégager qc du poing
faustgroß *adj* gros(se) comme le poing **Fausthandschuh** *m* moufle *f*
Fäustling <-s, -e> *s.* **Fausthandschuh**
Faustregel *f* règle *f* générale **Faustschlag** *m* coup *m* de poing
Favorit(in) [favo'riːt] <-en, -en> *m(f)* favori(te) *m(f)*
Fax ['faks] <-, -e> *nt* fax *m; (Gerät)* [télé]fax *m*
Faxanschluss^RR *m* prise *f* [de] fax
faxen **I.** *vi* envoyer un fax **II.** *vt* faxer
Faxen *Pl fam* (*Albereien*) gamineries *fpl*
Faxgerät *nt* [télé]fax *m*
Fazit ['faːtsɪt] <-s, -s *o* -e> *nt* bilan *m; (Ergebnis)* résultat *m;* **das ~ aus etw ziehen** dresser le bilan de qc

FCKW [ɛftseːkaːˈveː] <-s, -s> *m Abk von* **Fluorchlorkohlenwasserstoff** C.F.C. *m*
FCKW-frei *adj* sans C.F.C.
F-Dur ['ɛfduːɐ] <-> *nt* fa *m* majeur
Februar ['feːbruaːɐ] <-[s] -e> *m* février *m; s. a.* **April**
fechten ['fɛçtən] <ficht, focht, gefochten> *vi* **1.** faire de l'escrime **2.** (*sich einsetzen*) **für etw ~** combattre pour qc
Fechter(in) <-s, -> *m(f)* escrimeur(-euse) *m(f)*
Feder ['feːdɐ] <-, -n> *f* **1.** (*Vogelfeder*) plume *f;* (*Hutfeder*) plumet *m* **2.** TECH ressort *m* **3.** (*Schreibfeder*) plume *f* ▸ **sich mit fremden ~n schmücken** se parer des plumes du paon; **noch in den ~n liegen** *fam* être encore au plumard
Federball *m* **1.** volant *m* **2.** *kein Pl* (*Spiel*) badminton *m* **Federbett** *nt* couette *f*
federführend **I.** *adj* responsable **II.** *adv* **an etw** (*dat*) **~ beteiligt sein** prendre une part prépondérante à qc **Federgewicht** *nt* poids *m* plume **federleicht** ['feːdɐ'laiçt] *adj* ultra-léger(-ère)
Federlesen ▸ **ohne viel ~[s]** purement et simplement
federn **I.** *vi* faire ressort; **in den Knien ~** se recevoir en souplesse **II.** *vt* **gut/schlecht gefedert sein** avoir une bonne/mauvaise suspension
Federung <-, -en> *f* suspension *f*
Federvieh *nt fam* volailles *fpl*
Federweiße(r) *m dekl wie adj* vin *m* nouveau
Federzeichnung *f* dessin *m* à la plume
Fee [feː] <-, -n> *f* fée *f*
Feedback, Feed-back^RR ['fiːdbɛk] <-s, -s> *nt* réactions *fpl*
Feeling ['fiːlɪŋ] <-s> *nt* (*Feinfühligkeit*) feeling *m*
Fegefeuer ['feːgəfɔyɐ] *nt* purgatoire *m*
fegen ['feːgən] **I.** *vt* + *haben* **1.** balayer *Straße;* ramoner *Schornstein* **2.** CH (*feucht wischen*) laver **II.** *vi* **1.** + *haben* (*ausfegen*) balayer **2.** + *haben* CH (*feucht wischen*) passer la serpillière **3.** + *sein fam* (*jagen*) **um die Ecke ~** tourner en sprintant au coin de la rue; **über die Dächer ~** balayer les toits
Fehde ['feːdə] <-, -n> *f geh* querelle *f*
fehl *s.* **Platz**
Fehl ▸ **ohne ~ [und Tadel]** *geh* irréprochable
Fehlanzeige *f* ~**!** *fam* le bide complet! **Fehlbetrag** *m* COM déficit *m* **Fehldiagnose** *f* erreur *f* de diagnostic **Fehleinschätzung** *f* erreur *f* d'appréciation
fehlen ['feːlən] **I.** *vi* **1.** manquer; **mir fehlen hundert Euro** il me manque cent eu-

ros **2.**(*abwesend sein*) im Unterricht ~ être absent du cours **3.**(*krank sein*) **fehlt dir etwas?** tu ne vas pas bien? ►**das hat mir gerade noch gefehlt!** *fam* il ne me manquait plus que que ça! **II.** *vi unpers* **es fehlt etw** il manque qc; **es fehlt jdm an etw** (*dat*) qn manque de qc
Fehlentscheidung *f* mauvaise décision *f*
Fehler ['feːlɐ] <-s, -> *m* **1.** faute *f;* **einen ~ machen** faire une faute; **das ist mein ~** c'est [de] ma faute **2.**(*Mangel*) défaut *m*
fehlerfrei *s.* fehlerlos
fehlerhaft I. *adj* **1.**(*mangelhaft*) *Arbeit* incorrect(e); *Ware* défectueux(-euse); *Rechnung* erroné(e) **2.**(*beschädigt*) endommagé(e) **II.** *adv* mal
fehlerlos *adj Arbeit* impeccable
Fehlerquelle *f* source *f* d'erreur
Fehlgeburt *f* fausse couche *f* **fehl|gehen** *vi irr + sein geh* (*sich irren*) faire erreur
Fehlgriff *m* erreur *f* **Fehlinformation** *f* fausse information *f* **Fehlinvestition** *f* mauvais placement *m* **Fehlkonstruktion** *f* **eine ~ sein** être mal conçu **Fehlschlag** *m* échec *m* **fehl|schlagen** *vi irr + sein* échouer **Fehlstart** *m* SPORT faux départ *m;* TECH lancement *m* raté **Fehltritt** *m* **1.** faux pas *m* **2.** *geh* (*Verstoß gegen die Moral*) écart *m* de conduite **Fehlurteil** *nt* JUR erreur *f* judiciaire **Fehlverhalten** *nt* mauvais comportement *m* **Fehlzündung** *f* AUT raté *m* [d'allumage]
Feier ['faɪɐ] <-, -n> *f* (*Fest*) fête *f;* (*Festakt*) cérémonie *f* ►**zur ~ des Tages** en cet honneur
Feierabend *m* (*Arbeitsschluss*) fin *f* de la journée de travail; (*Geschäftsschluss*) heure *f* de fermeture; ~**!** la journée est finie!; (*in Gaststätten*) on ferme!
feierlich *adj* solennel(le) ►**das ist ja [schon] nicht mehr ~!** *fam* c'est vraiment lamentable!
Feierlichkeit <-, -en> *f* festivité *f; kein Pl eines Augenblicks* solennité *f*
feiern ['faɪɐn] **I.** *vt* **1.** fêter *Fest;* organiser *Party;* **das muss gefeiert werden!** ça se fête! **2.**(*umjubeln*) fêter *Sieger* **II.** *vi* faire la fête
Feierstunde *f* cérémonie *f* **Feiertag** *m* jour *m* férié
feig|e| *adj* lâche
Feige ['faɪgə] <-, -n> *f* (*Frucht*) figue *f*
Feigenbaum *m* figuier *m* **Feigenblatt** *nt* BOT feuille *f* de figuier
Feigheit <-> *f* lâcheté *f*
Feigling ['faɪklɪŋ] <-s, -e> *m* lâche *mf;* **du ~!** espèce de lâche!
Feile ['faɪlə] <-, -n> *f* lime *f*
feilen ['faɪlən] *vt* limer

feilschen ['faɪlʃən] *vi pej* marchander; **um etw ~** marchander qc
fein [faɪn] **I.** *adj* **1.** *Staub, Linie, Gehör; Humor* fin(e) **2.**(*erlesen*) *Geruch, Geschmack* subtil(e); *Gericht* fin(e); **etwas Feines** quelque chose d'exquis **3.** *fam* (*anständig*) *Charakter* sympathique **4.**(*vornehm*) distingué(e) **5.**(*sehr gut*) ~**!** super! (*fam*) ►~ |he|raus sein *fam* ne pas avoir à se plaindre **II.** *adv Kinderspr.* sei ~ **artig!** sois bien sage!
Feinarbeit *f* fignolage *m*
Feind(in) [faɪnt] <-[e]s, -e> *m(f)* ennemi(e) *m(f);* **sich** (*dat*) **jdn zum ~ machen** se faire un ennemi de qn
Feindbild *nt* spectre *m*
feindlich *adj* **1.** MIL ennemi(e) **2.**(*feindselig*) hostile
Feindschaft <-, -en> *f* (*Haltung*) hostilité *f;* (*Verhältnis*) haine *f*
feindselig *adj* hostile
Feindseligkeit <-, -en> *f* hostilité *f*
einfühlig ['faɪnfyːlɪç] *adj* sensible; (*taktvoll*) qui a du tact
Feingefühl *nt kein Pl* sensibilité *f,* délicatesse *f*
feinglied|e|rig *adj* gracile (*soutenu*)
Feinheit <-, -en> *f a. fig* finesse *f*
feinkörnig *adj* fin(e) **Feinkost** *f* épicerie *f* fine **Feinkostgeschäft** *nt* épicerie *f* fine **feinmaschig** *adj* aux mailles serrées **Feinmechanik** *f* mécanique *f* de précision **Feinmechaniker(in)** *m(f)* mécanicien(ne) *m(f)* de précision **Feinschmecker(in)** <-s, -> *m(f)* gourmet *m* **Feinwäsche** *f* linge *m* délicat **Feinwaschmittel** *nt* lessive *f* basse température
feist [faɪst] *adj pej* gras(se)
feixen *vi fam* ricaner
Feld [fɛlt] <-[e]s, -er> *nt* **1.** *kein Pl* (*offenes Gelände*) campagne *f;* **freies ~** rase campagne **2.**(*Acker*) champ *m* **3.**(*abgeteilte Fläche*) *eines Formulars* cadre *m; eines Spielbretts* case *f* **4.** SPORT (*Spielfeld*) terrain *m* **5.** PHYS champ *m* ►**ein weites ~** un vaste sujet; **etw ins ~ führen** *geh* avancer qc; **das ~ räumen** (*Platz machen*) libérer le terrain
Feldarbeit *f* travail *m* des champs **Feldbett** *nt* lit *m* de camp **Feldblume** *f* fleur *f* des champs **Feldflasche** *f* gourde *f* **Feldfrüchte** *Pl* produits *mpl* de la terre **Feldherr** *m* général *m* en chef **Feldjäger(in)** *m(f)* MIL *Pl* **die ~** la police militaire **Feldküche** *f* cuisine *f* roulante **Feldlazarett** *nt* hôpital *m* de campagne **Feldmarschall(in)** *m(f)* feld-maréchal(e) *m(f)* **Feldmaus** *f* campagnol *m* **Feldpost** *f* poste *f* militaire **Feldsalat** *m* mâche *f* **Feld-**

stecher <-s, -> *m* jumelles *fpl* **Feldwebel(in)** ['fɛltveːbəl] <-s, -> *m(f)* feldwebel *m;* (*in der französischen Armee*) adjudant(e) *m(f)* **Feldweg** *m* chemin *m* de terre **Feldzug** *m* campagne *f*

Felge ['fɛlgə] <-, -n> *f* **1.** jante *f* **2.** SPORT tour *m* d'appui

Felgenbremse *f* frein *m* sur jante

Fell [fɛl] <-[e]s, -e> *nt* pelage *m* ▸ jdm das ~ über die <u>Ohren</u> ziehen *fam* doubler qn; ein <u>dickes</u> ~ haben *fam* être blindé

Fels [fɛls] <-ens, -en> *m* **1.** rocher *m* **2.** (*~gestein*) roche *f*

Felsblock <-blöcke> *m* bloc *m* de pierre

Felsen ['fɛlzən] <-s, -> *m* rocher *m*

felsenfest I. *adj* inébranlable **II.** *adv überzeugt sein* absolument; *glauben* dur comme fer

Felsgestein *nt* roche *f*

felsig *adj Küste* rocheux(-euse); *Gegend* couvert(e) de rochers

Felsspalte *f* crevasse *f* **Felswand** *f* paroi *f* rocheuse

feminin [femi'niːn] *adj a.* GRAM féminin(e)

Femininum <-s, Feminina> *nt* féminin *m*

Feminismus [femi'nɪsmʊs] <-> *m* féminisme *m*

Feminist(in) [femi'nɪst] <-en, -en> *m(f)* féministe *mf*

feministisch *adj* féministe

Fenchel ['fɛnçəl] <-s> *m* fenouil *m*

Fenster ['fɛnstɐ] <-s, -> *nt a.* INFORM fenêtre *f* ▸ weg vom ~ <u>sein</u> *fam* être hors circuit

Fensterbank <-bänke> *f* tablette *f* d'appui **Fensterflügel** *m* battant *m* de fenêtre **Fensterladen** *m* volet *m*

fensterln ['fɛnstɐln] *vi* SDEUTSCH, A *passer par la fenêtre pour rejoindre sa bien-aimée*

Fensterplatz *m* place *f* côté fenêtre **Fensterputzer(in)** <-s, -> *m(f)* laveur(-euse) *m(f)* de carreaux **Fensterrahmen** *m* châssis *m* de fenêtre **Fensterscheibe** *f* vitre *f*

Ferien ['feːriən] *Pl* vacances *fpl;* (*Betriebsferien*) fermeture *f* annuelle; die <u>großen</u> ~ les grandes vacances; **in die** ~ **fahren** partir en vacances; ~ **haben** être en vacances

Feriendorf *nt* village-vacances *m* **Feriengast** *m* vacancier(-ière) *m(f)* en pension **Ferienhaus** *nt* maison *f* de vacances **Ferienkurs** *m* cours *m* de vacances **Ferienort** *m* lieu *m* de vacances **Ferientag** *m* jour *m* de vacances **Ferienwohnung** *f* appartement *m* de vacances **Ferienzeit** *f* [période *f* des] vacances *fpl*

Ferkel ['fɛrkəl] <-s, -> *nt* **1.** ZOOL porcelet *m* **2.** *pej fam* (*unsauberer Mensch*) cochon(ne) *m(f)*

Ferkelei <-, -en> *f pej fam* cochonnerie *f*

fern [fɛrn] **I.** *adj* **1.** (*räumlich*) lointain(e) **2.** (*zeitlich*) loin *attr* **II.** *adv* **1.** (*räumlich*) loin; **von** ~ de loin; **sich von etw** ~ **halten** ne pas s'approcher de qc **2.** *fig* **jdm** ~ **liegen** ne venir pas à l'esprit de qn

Fernabfrage *f* interrogation *f* à distance **Fernbedienung** *f* télécommande *f* **fern|bleiben** *vi irr + sein geh* **dem Unterricht** ~ ne pas venir au cours

Ferne <-> *f* lointain *m;* **in der** ~ au loin; **für die** ~ *Brille* pour voir de loin; **in weiter** ~ **liegen** être encore très loin

ferner I. *adv* encore et toujours ▸ **unter** ~ <u>liefen</u> *fam* dans la catégorie "ne fait pas le poids" **II.** *konj* de plus

Fernfahrer(in) *m(f)* routier(-ière) *m(f)* **Fernflug** *m* vol *m* long-courrier **Ferngespräch** *nt* communication *f* à moyenne et grande distance **Fernglas** *nt* [paire *f* de] jumelles *fpl* **fern|halten** *s.* fern **II. Fernheizung** *f* chauffage *m* à distance **Fernkurs[us]** *m* cours *m* par correspondance **Fernlastzug** *m* poids *m* lourd **Fernlenkung** *f* téléguidage *m;* **mit** ~ téléguidé **Fernlicht** *nt* phares *mpl* **fern|liegen** *s.* fern **II.**

Fernmeldeamt *nt* centre *m* télécoms (*fam*) **Fernmeldesatellit** *m* satellite *m* de télécommunications **Fernmeldetechnik** *f kein Pl* télécommunications *fpl*

fernmündlich I. *adj form* téléphonique **II.** *adv form* par téléphone **Fernost** ['fɛrn'ʔɔst] *kein art* **in/nach** ~ en Extrême-Orient **fernöstlich** ['fɛrn'ʔœstlɪç] *adj* d'Extrême-Orient **Fernrohr** *nt* télescope *m* **Fernschreiben** *nt* télex *m* **Fernschreiber** *m* téléscripteur *m*

Fernsehansager(in) *m(f)* speaker/ine *m/f* **Fernsehanstalt** *f* société *f* de télévision **Fernsehantenne** *f* antenne *f* de télévision **Fernsehapparat** *m form* poste *m* de télévision

fern|sehen *vi irr* regarder la télévision **Fernsehen** <-s> *nt* télévision *f;* **im** ~ à la télé[vision]

Fernseher <-s, -> *m fam* télé *f*

Fernsehgebühren *Pl* redevance *f* télé (*fam*) **Fernsehgerät** *nt form* téléviseur *m* **Fernsehkamera** *f* caméra *f* de télévision **Fernsehprogramm** *nt* **1.** programme *m* de télévision **2.** (*Kanal*) chaîne *f* de télévision **Fernsehsender** *m* émetteur *m* de télévision **Fernsehsendung** *f* émission *f* de télévision **Fernsehturm** *m* tour *f* de télévision **Fernsehzuschauer(in)** *m(f)* téléspectateur(-trice) *m(f)*

Fernsicht *f* vue *f*

Fernsprecher <-s, -> *m form* téléphone *m*

Fernsprechteilnehmer(in) *m(f)* abonné(e) *m(f)* du téléphone

fern|steuern *vt* télécommander **Fernsteuerung** *f* (*Gerät*) télécommande *f*

Fernstraße *f* grande route *f* **Fernstudium** *nt* cours *m* universitaire à distance **Fernverkehr** *m* trafic *m* routier sur les grands axes; EISENBAHN trafic grandes lignes **Fernwärme** *f* chauffage *m* urbain **Fernweh** <-s> *nt geh* besoin *m* de courir le monde **Fernziel** *nt* but *m* lointain

Ferse ['fɛrzə] <-, -n> *f* talon *m* ▶**jdm auf den ~n sein** être sur les talons de qn **Fersengeld** ▶~ **geben** *fam* foutre le camp

fertig ['fɛrtɪç] **I.** *adj* **1.** (*abgeschlossen*) *Arbeit* terminé(e); ~ **werden** finir; **mit etw ~ sein** avoir fini qc **2.** (*bereit*) *Speise* prêt(e); ~ **zum Aufbruch** prêt à partir ▶~ **sein** *fam* (*erschöpft*) être crevé; (*verblüfft*) être scié; **mit jdm ~ werden** *fam* arriver à tenir qn; **mit etw ~ werden** (*bewältigen*) venir à bout de qc **II.** *adv* **1.etw ~ bringen** arriver à faire qc; **der bringt das ~!** *iron fam* il le fera!; **etw ~ stellen** finir qc **2.** (*bereit*) **sich für etw ~ machen** se préparer pour qc ▶**jdn ~ machen** *fam Person:* mettre qn dans un état épouvantable; *Situation:* démolir qn

Fertigbau <-bauten> *m* **1.** *kein Pl* (*Bauweise*) préfabriqué *m* **2.** (*Gebäude*) construction *f* préfabriquée **fertig|bringen** *s.* **fertig II.**

fertigen ['fɛrtɪɡən] *vt form* fabriquer

Fertiggericht *nt* plat *m* cuisiné **Fertighaus** *nt* maison *f* préfabriquée

Fertigkeit <-, -en> *f* **1.** *kein Pl* (*Geschicklichkeit*) adresse *f* **2.** *Pl* (*Fähigkeiten*) aptitudes *fpl*

fertig|machen *s.* **fertig II. Fertignahrung** *f* GASTR prêt-à-consommer *m* **Fertigprodukt** *nt* produit *m* fini **fertig|stellen** *s.* **fertig II.**

Fertigung <-, -en> *f* fabrication *f* **Fertigungsstandort** *m* lieu *m* de fabrication

Fes [fɛs] <-, -> *nt* MUS fa *m* bémol

fesch [fɛʃ] *adj* A *fam* **1.** (*hübsch*) joli(e) **2.** (*nett*) **sei ~!** sois sympa!

Fessel ['fɛsəl] <-, -n> *f* **1.** lien *m;* (*Kette*) chaîne *f;* **jdn in ~n legen** mettre qn aux fers (*soutenu*). ANAT *eines Menschen* attaches *fpl* (*soutenu*); *eines Pferds* paturon *m* (*soutenu*)

Fesselballon [-balɔŋ, -baloːn, -baloː:] *m* ballon *m* captif

fesseln ['fɛsəln] *vt* **1.** attacher; **jdn mit etw an etw** ~ attacher qn avec qc à qc; **ans Bett gefesselt sein** *fig* être cloué au lit; **jdn an sich** (*akk*) ~ *fig geh* s'attacher

qn **2.** (*faszinieren*) *Buch, Film:* captiver; *Anblick:* envoûter

fesselnd *adj Bericht* passionnant(e)

fest [fɛst] **I.** *adj* **1.** solide; ~ **werden** *Lava:* se solidifier **2.** (*endgültig*) *Entschluss* ferme; *Absicht* ferme *antéposé;* *Plan* bien arrêté(e) **3.** (*nicht locker*) *Händedruck* ferme; *Knoten* serré(e) **4.** (*dauerhaft*) *Anstellung* définitif(-ive); *Mitarbeiter, Wohnsitz* permanent(e); *Kosten, Einkommen* fixe **II.** *adv* **1.** (*kräftig*) fort **2.** (*nicht locker*) *zudrehen* à fond; *zubinden* solidement **3.** (*nachdrücklich*) *zusagen* formellement; *glauben* fermement **4.** (*dauerhaft*) *vereinbaren* définitivement; ~ **angestellt** sous contrat à durée indéterminée **5.** (*tief*) *schlafen* profondément

Fest [fɛst] <-[e]s, -e> *nt* fête *f;* **frohes ~!** joyeuse fête!

Festakt *m* cérémonie *f*

festangestellt *s.* **fest II.**

fest|beißen *vr irr* **1.** **sich** ~ s'accrocher avec ses dents; **sich an jdm/etw** ~ s'accrocher avec ses dents à qn/qc **2.** *fig* **sich an etw** (*dat*) ~ *Person:* s'accrocher sur qc

fest|binden *vt irr* attacher; **etw an etw** (*dat*) ~ attacher qc à qc

Festessen *nt* banquet *m*

fest|fahren *vr irr a. fig* **sich** ~ s'enliser

Festgeld *nt* dépôt *m* à terme fixe **Festgeldkonto** *nt* compte *m* de dépôt à terme

fest|halten *irr* **I.** *vt* **1.** retenir **2.** (*konstatieren*) mettre en exergue; (*schriftlich*) consigner par écrit **II.** *vi* **an jdm/etw** ~ être fidèle à qn/qc **III.** *vr* **sich an jdm/etw** ~ s'accrocher à qn/qc

festigen ['fɛstɪɡən] *vt, vr* [**sich**] ~ [se] consolider

Festiger <-s, -> *m* fixateur *m*

Festigkeit <-> *f* (*Stabilität*) résistance *f*

Festigung <-, -en> *f* consolidation *f*

Festival ['fɛstɪvəl] <-s, -s> *nt* festival *m*

fest|klammern *vr* **sich** ~ s'agripper; **sich an jdm/etw** ~ s'agripper à qn/qc

fest|kleben *vt* + *haben* coller **II.** *vi* + *sein* **an etw** (*dat*) ~ coller à qc **fest|klemmen** *vt* coincer; **etw mit etw** ~ coincer avec qc

Festkörper *m* PHYS corps *m* solide

Festland *nt* **1.** (*Landmasse*) continent *m* **2.** *kein Pl* (*opp: Wasserfläche*) continents *mpl*

fest|legen **I.** *vt* fixer **II.** *vr* **sich auf etw** (*akk*) ~ s'engager à propos de qc

festlich ['fɛstlɪç] **I.** *adj Anlass* solennel(le); *Stimmung* de fête; *Kleidung* de cérémonie; *Beleuchtung* des grands jours **II.** *adv* ~ **begehen** *geh* célébrer

Festlichkeit <-, -en> *f* (*Feier*) fête *f;* **die ~en** les festivités *fpl*

festliegen vi irr 1.(festgesetzt sein) être fixé 2.(nicht weiterkönnen) être bloqué **festlmachen** I. vt 1.(befestigen) fixer 2.(vereinbaren) fixer Termin; conclure Geschäft II. vi NAUT **an etw** (dat) ~ accoster qc **festlnageln** vt 1.clouer 2.fam (festlegen) **jdn auf etw** (akk) ~ coincer qn sur qc

Festnahme ['fɛstnaːmə] <-, -n> f arrestation f

festlnehmen vt irr arrêter

Festplatte f INFORM disque m dur

Festpreis m prix m fixe

Festrede f discours m officiel **Festsaal** m salle f des fêtes

festlschrauben vt serrer

Festschrift f brochure f commémorative

festlsetzen I. vt fixer Preis; déterminer Wert II. vr **sich** ~ Schmutz: s'incruster

festlsitzen vi irr 1.ne plus bouger; (halten) tenir bien; Schmutz: être incrusté 2.(stecken geblieben sein) Fahrzeug: être enlisé; Schiff: être immobilisé

Festspiele Pl festival m **Festspielhaus** nt palais m des festivals

festlstehen vi irr 1.(festgelegt sein) être fixé 2.(unveränderlich sein) Entschluss: être irrévocable; Meinung: être fait; **es steht fest, dass ...** il est clair que ...

feststehend adj attr Redewendung tout(e) fait(e); Reihenfolge déterminé(e)

festlstellen vt 1.(ermitteln) établir Sachverhalt 2.(konstatieren) constater Veränderung 3.(arretieren) bloquer

Feststellung f 1.(Bemerkung) remarque f 2.(Ermittlung) eines Täters identification f; eines Sachverhalts établissement m 3.(Beobachtung) observation f; (das Bemerken) constatation f

Festtag m jour m de fête

Festung ['fɛstʊŋ] <-, -en> f forteresse f

festverzinslich ['fɛstfɛɛtsɪnslɪç] adj à revenu fixe

Festzelt nt chapiteau m **Festzug** m cortège m

Fete ['feːtə, 'fɛːtə] <-, -n> f fête f

Fetisch ['feːtɪʃ] <-[e]s, -e> m fétiche m

Fetischist(in) <-en, -en> m(f) fétichiste mf

fett [fɛt] I. adj 1.(fetthaltig) gras(se) 2.pej (dick) Person, Tier gros(se) antéposé, énorme 3.TYP gras(se) 4.(üppig) Boden gras(se); fam Gewinn gros(se) antéposé II. adv 1.essen gras 2.TYP ~ **gedruckt** [imprimé] en caractères gras

Fett <-[e]s, -e> nt graisse f ► **sein** ~ **ablkriegen** fam se faire remettre en place

fettarm I. adj allégé(e) II. adv essen, kochen léger **Fettauge** nt rond m de graisse **Fett-**

druck m [caractères mpl] gras m

fetten I. vt graisser II. vi Haut, Haare: être gras; Creme: être huileux

Fettfleck m tache f de graisse **fettgedruckt** s. fett II. **Fettgehalt** m teneur f en matières grasses

fettig adj gras(se)

fettleibig adj geh obèse

fettlöslich adj liposoluble **Fettnäpfchen** ['fɛtnɛpfçən] <-s, -> nt fam ►**ins** ~ **treten** faire une gaffe **Fettpolster** nt fam bourrelet m de graisse **fettreich** adj très gras(se) **Fettsäure** f acide m gras **Fettschicht** f couche f de graisse **Fettsucht** f kein Pl obésité f **Fettwanst** m pej tas m de graisse (fam)

fetzen ['fɛtsən] I. vt fam arracher II. vi + haben fam (mitreißen) déménager

Fetzen ['fɛtsən] <-s, -> m von Papier, Stoff lambeau m; der Haut morceau m; eines Gesprächs bribe f; **etw in** ~ **reißen** déchirer qc en morceaux

fetzig adj fam Musik qui déménage; Frisur, Kleidung d'enfer

feucht [fɔyçt] adj humide

Feuchtbiotop m o nt biotope m humide (spéc) **feuchtfröhlich** adj hum fam Abend bien arrosé(e); Gesellschaft joyeux(-euse)

Feuchtigkeit <-> f humidité f

Feuchtigkeitscreme [-kreːm] f crème f hydratante **Feuchtigkeitsgehalt** m der Luft taux m d'humidité

feuchtkalt adj froid(e) et humide **feuchtwarm** adj chaud(e) et humide

feudal [fɔyˈdaːl] adj 1.HIST féodal(e) 2.fam (luxuriös) Essen royal(e); Restaurant de luxe

Feudalismus <-> m régime m féodal

Feuer ['fɔyɐ] <-s, -> nt 1.feu m; **das olympische** ~ la flamme olympique; **jdm** ~ **geben** donner du feu à qn; ~ **speiend** Drache qui crache du feu; Vulkan qui vomit du feu; ~ **legen** mettre le feu 2.(Brand) incendie m; ~**!** au feu! 3.kein Pl MIL (Beschuss) tir m; **das** ~ **eröffnen/einstellen** Militär: ouvrir/cesser le feu 4.kein Pl (Schwung) passion f ►~ **und Flamme für jdn/etw sein** fam être tout feu tout flamme pour qn/qc; **jdm** ~ **unter dem Hintern machen** fam pousser qn aux fesses; ~ **fangen** prendre feu; fig s'enflammer; **für jdn durchs** ~ **gehen** se jeter dans le feu pour qn

Feueralarm m alerte f au feu **Feuerbefehl** m MIL ordre m de tirer **feuerbeständig** adj résistant(e) au feu; Material ininflammable **Feuerbestattung** f incinération f **Feuereifer** m ardeur f **feuerfest** adj Glas résistant(e) aux températures élevées; Por-

zellan à feu **Feuergefahr** *f* danger *m* d'incendie **feuergefährlich** *adj* [facilement] inflammable **Feuergefecht** *nt* fusillade *f* **Feuerleiter** *f eines Gebäudes* échelle *f* de secours; *eines Feuerwehrfahrzeugs* grande échelle [des pompiers] **Feuerlöscher** *m* extincteur *m* **Feuermelder** <-s, -> *m* avertisseur *m* d'incendie **feuern** I. *vi* 1. (*schießen*) faire feu 2. (*heizen*) mit Holz ~ se chauffer au bois II. *vt fam* (*entlassen*) virer **Feuerpause** *f* MIL trêve *f* **Feuerprobe** *f fig* épreuve *f* du feu; **die** ~ **bestehen** faire ses preuves **feuerrot** *adj* rouge vif *inv;* ~ **werden** devenir écarlate **Feuerschlucker(in)** *m(f)* cracheur(-euse) *m(f)* de feu **feuerspeiend** *s.* **Feuer Feuerstein** *m* 1. *eines Feuerzeugs* pierre *f* à briquet 2. MINER silex *m* **Feuerstelle** *f* foyer *m* **Feuerung** <-, -en> *f* kein Pl (*Brennstoff*) combustible *m* **Feuerversicherung** *f* assurance *f* incendie **Feuerwache** *f* caserne *f* de pompiers **Feuerwehr** ['fɔyeveːɐ̯] <-, -en> *f* [sapeurs-]pompiers *mpl;* **die freiwillige** ~ les pompiers volontaires **Feuerwehrauto** *nt* camion *m* de pompiers **Feuerwehrmann** <-leute *o* -männer> *m* [sapeur-]pompier *m* **Feuerwerk** *nt* feu *m* d'artifice **Feuerwerkskörper** *m* pièce *f* d'artifice **Feuerzangenbowle** [-boːlə] *f* boisson chaude à base de rhum, de vin rouge et de jus de fruit qu'on fait flamber **Feuerzeug** <-[e]s, -e> *nt* briquet *m*

Feuilleton [fœjə'tõː] <-s, -s> *nt* pages *fpl* culturelles

feurig ['fɔyrɪç] *adj* (*temperamentvoll*) Liebhaber ardent(e); *Blick* enflammé(e); *Pferd* fougueux(-euse)

ff. *Abk von* folgende Seiten ss.

Fiaker ['fiakɐ] <-s, -> *m* A (*Kutsche*) fiacre *m*

Fiasko ['fiasko] <-s, -s> *nt* fiasco *m*

ficht [fɪçt] 3. *Pers Präs von* fechten

Fichte ['fɪçtə] <-, -n> *f* épicéa *m;* (*Holz*) sapin *m*

ficken ['fɪkən] *vt, vi vulg* baiser

fidel [fi'deːl] *adj fam* joyeux(-euse)

Fieber ['fiːbɐ] <-s> *nt a. fig* fièvre *f;* ~ **haben** avoir de la fièvre

fieberfrei *adj* ~/wieder ~ sein ne pas/ne plus avoir de fièvre

fieberhaft *adj* 1. *Eile* fébrile 2. MED accompagné(e) de fièvre

Fieberkurve *f* courbe *f* de température

fiebern *vi* 1. être fiévreux 2. (*sich sehnen*) nach etw ~ attendre fébrilement qc

fiebersenkend *adj* ~es Mittel [médica-ment *m*] fébrifuge *m* **Fieberthermometer** *nt* thermomètre *m* médical

fiebrig ['fiːb(ə)rɪç] *adj* 1. MED fiévreux(-euse) 2. (*aufgeregt*) fébrile

Fiedel ['fiːdəl] <-, -n> *f hum fam* violon *m* **fiedeln** *vt, vi hum* violoner (*fam*)

fiel [fiːl] *Imp von* fallen

fies [fiːs] *fam adj* Verhalten vache; **ein** ~**er Kerl** un type infect

fifty-fifty ['fɪftɪ'fɪftɪ] *adv* **die Chancen stehen** ~ il y a une chance sur deux

Figur [fi'guːɐ̯] <-, -en> *f* 1. (*Körperbau*) silhouette *f;* **auf seine** ~ **achten** faire attention à sa ligne 2. (*Schachfigur*) pièce *f* 3. LITER personnage *m* 4. (*Skulptur, Zeichnung*) figure *f* ▶**eine gute** ~ **machen** faire une bonne impression

figurativ *adj* 1. *geh* figuratif(-ive) 2. LING figuré(e)

figürlich *adj* Darstellung figuré(e)

Fiktion [fɪk'tsioːn] <-, -en> *f geh* fiction *f*

fiktiv [fɪk'tiːf] *adj geh* fictif(-ive)

Filet [fi'leː] <-s, -s> *nt* filet *m*

Filetsteak *nt* steak *m* dans le filet

Filiale [fi'liaːlə] <-, -n> *f* succursale *f; einer Bank, Versicherung* agence *f*

Filialleiter(in) *m(f)* gérant(e) *m(f)* de succursale; *einer Bank, Versicherung* responsable *mf* d'agence

Filigranarbeit *f* ouvrage *m* de filigrane

Film [fɪlm] <-[e]s, -e> *m* 1. (*Kinofilm, Fernsehfilm*) film *m* 2. PHOT pellicule *f* 3. (*Branche*) cinéma *m;* **zum** ~ **gehen** *fam* se lancer dans le cinéma 4. (*dünne Schicht*) pellicule *f*

Filmarchiv *nt* (*für Spielfilme*) cinémathèque *f;* (*für Dokumentarfilme*) filmothèque *f* **Filmatelier** *nt* studio *m* **Filmbranche** *f* cinéma *m* **Filmemacher(in)** *m(f)* cinéaste *mf*

filmen ['fɪlmən] I. *vt* filmer II. *vi* tourner **Filmfestspiele** *Pl* festival *m* du film

filmisch *adj* cinématographique

Filmkamera *f* caméra *f* **Filmmusik** *f* musique *f* de film

Filmproduzent(in) *m(f)* producteur(-trice) *m(f)* de cinéma **Filmprojektor** *m* projecteur *m* de film **Filmregisseur(in)** *m(f)* réalisateur(-trice) *m(f)* de cinéma **Filmriss**^RR *m* ▶**einen** ~ **haben** *fam* avoir un trou [de mémoire] **Filmschauspieler(in)** *m(f)* acteur(-trice) *m(f)* de cinéma **Filmstar** *m* vedette *f* de cinéma **Filmverleih** *m* société *f* de distribution de films **Filmvorführer(in)** *m(f)* projectionniste *mf*

Filter ['fɪltɐ] <-s, -> *nt o m* filtre *m*

Filterkaffee *m* café-filtre *m*

filtern *vt* filtrer

Filterpapier *nt* papier-filtre *m* **Filtertüte** *f*

filtre *m* **Filterzigarette** *f* cigarette *f* [à bout] filtre
filtrieren* *vt* filtrer
Filz [fɪlts] <-es, -e> *m* **1.**(*Wollmaterial*) feutre *m* **2.** POL *pej* magouille *f* (*fam*)
filzen ['fɪltsən] **I.** *vi Wolle:* feutrer **II.** *vt fam* fouiller *Person*
Filzhut *m* feutre *m* **Filzlaus** *f* ZOOL pou *m* du pubis **Filzpantoffel** *m* charentaise *f* **Filzstift** *m* [crayon-]feutre *m*
Fimmel ['fɪməl] <-s, -> *m pej fam* marotte *f*
Finale [fi'naːlə] <-s, – *o* -s> *nt* **1.** SPORT finale *f* **2.** MUS finale *m*
Finalist(in) *m(f)* finaliste *mf*
Finanzamt *nt* fisc *m;* (*Gebäude*) perception *f* **Finanzbeamte(r)** *m dekl wie adj,* **Finanzbeamtin** *f* fonctionnaire *mf* aux finances
Finanzen [fi'nantsən] *Pl* finances *fpl*
finanziell [finan'tsi̯ɛl] *adj* financier(-ière)
finanzierbar *adj* financièrement réalisable
finanzieren* [finan'tsiːrən] *vt* financer
Finanzierung <-, -en> *f* financement *m*
finanzkräftig *adj Unternehmen* qui dispose de ressources solides **Finanzkrise** *f* crise *f* budgétaire **Finanzlage** *f* situation *f* financière **Finanzminister(in)** *m(f)* ministre *mf* des Finances **Finanzministerium** *nt* ministère *m* des Finances **Finanzpolitik** *f* politique *f* budgétaire **finanzschwach** *adj* économiquement faible
Findelkind ['fɪndəlkɪnt] *nt* enfant *mf* trouvé(e)
finden ['fɪndən] <fand, gefunden> **I.** *vt* **1.** trouver; **wieder ~** retrouver; **bei jdm Hilfe ~** trouver de l'aide auprès de qn **2.** (*einschätzen*) **jdn/etw gut ~** trouver qn/qc bon; **das finde ich nicht/auch!** je ne trouve pas/je trouve aussi! ▸**nichts an etw** (*dat*) **~** ne rien trouver d'extraordinaire à qc; **nichts dabei ~ etw zu tun** ne rien voir de mal à faire qc **II.** *vi* **1.** nach **Hause ~** trouver son chemin pour rentrer chez soi; **zu sich selbst ~** se retrouver **2.** (*meinen*) **~, [dass]** ... trouver que ... **III.** *vr* **1.** (*wieder auftauchen*) **sich wieder ~** refaire surface **2.** (*sich ausfindig machen lassen*) **es findet sich keiner, der** ... il n'y a personne pour ... **3.** (*sich begegnen*) **sich ~** se trouver
Finder <-s, -> *m* **der [ehrliche] ~** la personne qui le rapportera
Finderlohn *m* récompense *f*
findig *adj* futé(e)
Finesse <-, -n> *f geh Pl* (*Detail*) détails *mpl* sophistiqués
fing [fɪŋ] *Imp von* **fangen**
Finger ['fɪŋɐ] <-s, -> *m* doigt *m;* **der klei-**ne ~ le petit doigt; **mit dem ~ auf jdn/etw zeigen** montrer qn/qc du doigt ▸**die ~ im Spiel haben** *fam* tremper dans une affaire; **keinen ~ krumm machen** *fam* (*nicht helfen*) ne pas remuer le petit doigt; **sich** (*dat*) **etw an den fünf ~n abzählen können** *fam* pouvoir [bien] se douter de qc; **jdn in die ~ kriegen** *fam* attraper qn; **die ~ von etw lassen** *fam* laisser tomber qc; **sich** (*dat*) **etw aus den ~n saugen** *fam* inventer qc [de toutes pièces]; **jdm auf die ~ gucken** *fam* avoir qn à l'œil; **sich** (*dat*) **bei etw die ~ verbrennen** *fam* se brûler les ailes dans qc; **jdn um den kleinen ~ wickeln** *fam* mener qn par le bout du nez
Fingerabdruck <-abdrücke> *m* empreinte *f* digitale **Fingerbreit** <-, -> *m* ▸**keinen ~ nachgeben** ne pas céder d'un pouce **Fingerfarbe** *f* peinture *f* au doigt **fingerfertig** *adj* habile de ses doigts **Fingerfertigkeit** *f* dextérité *f* **Fingerhandschuh** *m* gant *m* **Fingerhut** *m* **1.** (*Nähutensil*) dé *m* [à coudre] **2.** BOT digitale *f* [pourprée] **Fingerkuppe** *f* bout *m* du doigt
fingern *vi* tripoter; **an etw** (*dat*) **~** tripoter qc (*fam*)
Fingernagel *m* ongle *m* **Fingerspitze** *f* bout *m* du doigt **Fingerspitzengefühl** *nt kein Pl* doigté *m;* (*Takt*) tact *m* **Fingerzeig** <-s, -e> *m Gottes* signe *m*
fingieren* [fɪŋ'giːrən] *vt* simuler
Finish ['fɪnɪʃ] <-s, -s> *nt* finish *m*
Fink [fɪŋk] <-en, -en> *m* pinson *m*
Finne ['fɪnə] <-n, -n> *m,* **Finnin** *f* Finlandais(e) *m(f)*
finnisch [fɪnɪʃ] **I.** *adj* finlandais(e); *Kultur, Literatur, Sprache* finnois(e) **II.** *adv* **~ miteinander sprechen** discuter en finnois; *s. a.* **deutsch**
Finnisch <-[s]> *nt kein art* finnois *m; s. a.* **Deutsch**
Finnland ['fɪnlant] *nt* la Finlande
finster ['fɪnstɐ] *adj* **1.** (*dunkel*) sombre; *Nacht* noir(e); **im Finstern** dans le noir **2.** (*düster, schrecklich*) *Miene, Gedanken* sinistre; *Zeit* obscur(e); *Gestalt* lugubre ▸**im Finstern tappen** être dans le brouillard
Finsternis <-, -se> *f* **1.** (*Dunkelheit*) obscurité *f* **2.** ASTRON éclipse *f*
Finte ['fɪntə] <-, -n> *f* feinte *f*
Firlefanz <-es> *m fam* (*überflüssige Dinge*) gadgets *mpl*
Firma ['fɪrma] <-, **Firmen**> *f* entreprise *f,* firme *f*
Firmament [fɪrma'mɛnt] <-s> *nt* firmament *m*
firmen *vt* confirmer

Firmen *Pl von* **Firma**
firmeneigen *adj* appartenant à l'entreprise
Firmeninhaber(in) *m(f)* propriétaire *mf* d'une/de l'entreprise **Firmenname** *m* raison *f* sociale **Firmenwagen** *m* voiture *f* d'entreprise **Firmenzeichen** *nt* emblème *m* de l'entreprise
firmieren* *vi* als ... ~ avoir comme raison sociale ...
Firmling ['fɪrmlɪŋ] <-s, -e> *m* confirmand(e) *m(f)*
Firmung ['fɪrmʊŋ] <-, -en> *f* confirmation *f*
Firn [fɪrn] <-[e]s, -e> *m* névé *m*
Firnis ['fɪrnɪs] <-ses, -se> *m* vernis *m*
First [fɪrst] <-[e]s, -e> *m* faîte *m*
Fis [fɪs] <-, -> *nt* fa *m* dièse
Fisch [fɪʃ] <-[e]s, -e> *m* **1.** poisson *m* **2.** ASTROL er ist ~ il est Poissons ►**weder** ~ **noch Fleisch sein** *fam* être ni chair ni poisson; **munter wie ein** ~ **im Wasser** *fam* [heureux] comme un poisson dans l'eau; **das sind kleine** ~**e** *fam* (*unwichtige Dinge*) ce sont des broutilles; **stumm wie ein** ~ *fam* muet comme une carpe
Fischauge *nt* **1.** ZOOL œil *m* de poisson **2.** PHOT objectif *m* à très grand angle
fischen *vt, vi* pêcher
Fischer(in) <-s, -> *m(f)* pêcheur(-euse) *m(f)*
Fischerboot *nt* bateau *m* de pêche **Fischerdorf** *nt* village *m* de pêcheurs
Fischerei [fɪʃə'raj] <-> *f kein Pl* pêche *f*
Fischereihafen *m* port *m* de pêche
Fischernetz *nt* filet *m* de pêche
Fischfabrik *f* conserverie *f* de poisson
Fischfang *m kein Pl* pêche *f* **Fischfilet** *nt* filet *m* de poisson **Fischgründe** *Pl* fonds *mpl* de pêche **Fischkutter** *m* chalutier *m* **Fischmarkt** *m* marché *m* aux poissons **Fischmehl** *nt* farine *f* de poisson **Fischstäbchen** ['fɪʃʃtɛːpçən] *nt* [tranche *f* de] poisson *m* pané **Fischsterben** *nt* hécatombe *f* de poissons **Fischzucht** *f kein Pl* (*Tätigkeit*) pisciculture *f*
Fisimatenten *Pl fam* simagrées *fpl*
Fiskus ['fɪskʊs] <-, -se *o* Fisken> *m* fisc *m*
Fisole <-, -n> *f* A haricot *m* vert
Fistel <-, -n> *f* fistule *f*
fit [fɪt] *adj* en forme; **sich** ~ **halten** entretenir sa forme
FitnessRR, **Fitneß** ['fɪtnɛs] <-> *f* [bonne] condition *f* physique
FitnesscenterRR ['fɪtnɛssɛntɐ] *nt* centre *m* de culturisme
Fittich <-[e]s, -e> *m geh* aile *f* ►**jdn unter seine** ~**e nehmen** *hum* prendre qn sous son aile
fix [fɪks] *adj* **1.** (*feststehend*) fixe **2.** *fam*

(*flink*) rapide ►**jdn** ~ **und fertig machen** *fam* (*demütigen*) passer un savon à qn; (*erschöpfen*) crever qn
Fixa *Pl von* **Fixum**
fixen ['fɪksən] *vi fam* se shooter
Fixer(in) <-s, -> *m(f) fam* camé(e) *m(f)*
fixieren* [fɪ'ksiːrən] *vt* **1.** *geh* (*schriftlich festhalten*) fixer **2.** (*anstarren*) fixer qn [du regard] **3.** PSYCH **auf jdn/etw fixiert sein** faire une fixation sur qn/qc **4.** PHOT fixer
Fixierung <-, -en> *f a.* PSYCH fixation *f*
Fixkosten *Pl* coûts *mpl* fixes **Fixpunkt** *m* point *m* fixe **Fixstern** *m* étoile *f* fixe
Fixum ['fɪksʊm] <-s, Fixa> *nt* fixe *m*
Fjord [fjɔrt] <-[e]s, -e> *m* fjord *m*
FKK [ɛfkak'aː] <-> *Abk von* Freikörperkultur nudisme *m*
FKK-Strand *m* plage *f* de nudistes
flach [flax] **I.** *adj* **1.** *Land, Stirn* plat(e); *Dach* en terrasse **2.** (*niedrig*) *Gebäude, Hügel* peu élevé(e); *Absatz* plat(e); *Gewässer* peu profond(e); *Teller* plat(e) **3.** (*nicht steil*) *Küste, Hang* peu escarpé(e) **4.** (*oberflächlich*) *Unterhaltung* superficiel(le) **II.** *adv* **liegen** à plat; *atmen* faiblement
Flachbau *m* construction *f* basse **Flachdach** *nt* toit *m* en terrasse **Flachdruck** *m kein Pl* (*Verfahren*) [procédé *m*] offset *m*
Fläche ['flɛçə] <-, -n> *f* **1.** (*Oberfläche, Ebene*) surface *f; eines Würfels* face *f* **2.** (*messbare Oberfläche*) superficie *f*
Flächenbrand *m* incendie *m* gigantesque **flächendeckend** *adj* généralisé(e); *Netz* vaste; *Maßnahmen* sur une grande échelle **Flächeninhalt** *m* GEOM superficie *f* **Flächenmaß** *nt* mesure *f* de superficie
flach|fallen *vi irr + sein fam* tomber à l'eau
flächig *adj Gesicht* plein(e)
Flachland *nt* pays *m* plat
flach|liegen *vi irr fam* (*krank sein*) être sur le flanc **Flachmann** <-männer> *m fam* flasque *f*
Flachs [flaks] <-es> *m* **1.** BOT, TEXTIL lin *m* **2.** *fam* (*Witzelei*) blague *f*
flachsblond *adj Haare* blond filasse
flachsen [-ks-] *vi fam* déconner
flackern ['flakɐn] *vi Feuer:* vaciller; *Licht:* clignoter
Fladen ['flaːdən] <-s, -> *m* **1.** GASTR galette *f* **2.** (*Kuhfladen*) bouse *f*
Fladenbrot *nt* pain plat en forme de galette
Flagge ['flagə] <-, -n> *f* drapeau *m;* NAUT pavillon *m;* **unter französischer** ~ **fahren** battre pavillon français
flaggen *vi* hisser le drapeau
Flaggschiff *nt* vaisseau *m* amiral
Flair [flɛːɐ̯] <-s> *nt o geh m einer Person* aura *f; eines Ortes* ambiance *f; einer Stadt*

charme *m*
Flak <-, – *o* -s> *f Abk von* **Flug|zeug|ab-wehrkanone** (*Kanone*) canon *m* antiaérien
Flakon [fla'kõː] <-s, -s> *nt o m* flacon *m*
flambieren* [flam'biːrən] *vt* flamber
Flame ['flaːmə] <-n, -n> *m*, **Flamin** *o* **Flämin** *f* Flamand(e) *m(f)*
Flamingo [fla'mɪŋgo] <-s, -s> *m* flamant *m* rose
flämisch ['flɛːmɪʃ] **I.** *adj* flamand(e) **II.** *adv* ~ **miteinander sprechen** discuter en flamand; *s. a.* **deutsch**
Flämisch <-[s]> *nt kein art* flamand *m*; *s. a.* **Deutsch**
Flamme ['flamə] <-, -n> *f* flamme *f*; *etw* **auf kleiner** ~ **kochen** cuire qc à feu doux; **in** ~**n aufgehen** prendre feu; **in** ~**n stehen** être en flammes
flammend *adj* **1.** (*leuchtend*) **ein** ~**es Rot** un roux ardent **2.** (*leidenschaftlich*) *Rede* enflammé(e)
Flammenwerfer <-s, -> *m* lance-flammes *m*
Flandern ['flandən] <-s> *nt* la Flandre
flandrisch *adj* flamand(e)
Flanell [fla'nɛl] <-s, -e> *m* flanelle *f*
flanieren* *vi* + *haben o sein* flâner
Flanke ['flaŋkə] <-, -n> *f* **1.** *a.* MIL flanc *m* **2.** SPORT tir *m* au centre
flanken *vi* SPORT passer au centre
flankieren* [flaŋ'kiːrən] *vt* **von** jdm/etw **flankiert werden** être encadré par qn/qc
Flansch <-[e]s, -e> *m* collet *m*
flapsig *fam* **I.** *adj Benehmen* désinvolte **II.** *adv sich benehmen* avec impertinence
Fläschchen <-s, -> *nt eines Säuglings* biberon *m*
Flasche ['flaʃə] <-, -n> *f* **1.** bouteille *f*; **eine** ~ **Wasser** une bouteille d'eau; **aus der** ~ **trinken** boire à la bouteille **2.** (*Säuglingsflasche*) biberon *m* **3.** *fam* (*Versager*) minable *mf* ▸**zur** ~ **greifen** se mettre à boire
Flaschenbier *nt* bière *f* en bouteille **Flaschengärung** *f* fermentation *f* en bouteilles **Flaschenhals** *m* goulot *m* [de bouteille] **Flaschennahrung** *f* nourriture *f* de bébé spéciale biberon **Flaschenöffner** *m* ouvre-bouteille[s] *m* **Flaschenpfand** *nt* consigne *f* [pour bouteilles] **Flaschenpost** *f* bouteille *f* à la mer **Flaschenzug** *m* palan *m*
Flaschner(in) ['flaʃnɐ] <-s, -> *m(f)* SDEUTSCH, CH plombier *m*
flatterhaft *adj pej* inconstant(e)
flattern ['flatən] *vi* **1.** + *haben Tier*: battre des ailes; *Hände*: trembler; *Fahne*: flotter **2.** + *sein* (*irgendwohin flattern*) *Schmetterling*: papillonner; *Vogel*: voleter; **zu Boden**

~ *Papier*: s'envoler sur le sol
Flattersatz *m* composition *f* en drapeau
flau [flaʊ] *adj* **1.** (*unwohl*) **mir ist** ~ **je me sens mal 2.** *Geschäft, Börse* morose
Flaum [flaʊm] <-[e]s> *m* duvet *m*
Flausch <-[e]s, -e> *m* molleton *m*
flauschig *adj* moelleux(-euse)
Flausen ['flaʊzən] *Pl fam* **1.** (*Unsinn*) sottises *fpl*; **nichts als** ~ **im Kopf haben** ne penser qu'à faire des conneries **2.** (*Ausflüchte*) balivernes *fpl*
Flaute ['flaʊtə] <-, -n> *f* **1.** NAUT calme *m* **2.** COM marasme *m*; (*nicht sehr betriebsame Zeit*) période *f* creuse
Flechte ['flɛçtə] <-, -n> *f* **1.** BOT lichen *m* **2.** MED dartre *m*
flechten ['flɛçtən] <flicht, flocht, geflochten> *vt* tresser *Haare, Korb, Kranz*
Fleck [flɛk] <-[e]s, -e *o* -en> *m* **1.** (*Schmutzfleck, Farbfleck*) tache *f*; **blauer** ~ bleu *m* **2.** (*Stelle*) endroit *m*; (*Stück Land*) bout *m* de terrain ▸**nicht vom** ~ **kommen** ne pas avancer; **sich nicht vom** ~ **rühren** ne pas bouger [d'un pouce]
Fleckchen <-s, -> *nt* (*Gegend*) endroit *m*
Flecken <-s, -> *m* (*Fleck*) tache *f*
Fleckenentferner <-s, -> *m* détachant *m*
fleckenlos *adj* sans tache
Fleckentferner <-s, -> *m* détachant *m*
fleckig ['flɛkɪç] *adj Kleidungsstück* taché(e); *Haut, Frucht* tacheté(e)
Fledermaus ['fleːdɐmaʊs] *f* chauve-souris *f*
Flegel ['fleːgəl] <-s, -> *m pej* (*Kind*) garnement *m*; (*Mann*) mufle *m*
flegelhaft *adj pej* sans-gêne
flehen ['fleːən] *vi geh* supplier; **um Gnade** ~ demander grâce
flehentlich ['fleːəntlɪç] *geh* **I.** *adj Blick, Bitte* implorant(e) **II.** *adv* en suppliant; *bitten* instamment
Fleisch [flaɪʃ] <-[e]s> *nt* **1.** (*Nahrungsmittel*) viande *f*; ~ **fressend** carnivore **2.** ANAT chair *f* **3.** (*Fruchtfleisch*) chair *f* ▸**jdm in** ~ **und Blut übergehen** devenir une habitude pour qn; **sich** (*akk o dat*) **ins eigene** ~ **schneiden** se nuire à soi-même [par qc]
Fleischbrühe *f* (*Bouillon*) bouillon *m* de viande; (*Kraftbrühe*) consommé *m*
Fleischer(in) <-s, -> *m(f)* boucher(-ère) *m(f)*
Fleischerei [flaɪʃə'raɪ] <-, -en> *f* boucherie *f*
fleischfarben *adj* [de] couleur chair
fleischfressend *s.* **Fleisch** **Fleischgericht** *nt* plat *m* de viande **Fleischhauer(in)** *m(f)* A boucher(-ère) *m(f)*
fleischig *adj Person* dodu(e); *Frucht* charnu(e)

Fleischkloß *m* GASTR boulette *f* de viande
fleischlich *adj attr* **1.** *Kost* à base de viande **2.** *geh Begierden* charnel(le)
fleischlos *adj Kost* sans viande
Fleischpastete *f* pâté *m* **Fleischsalat** *m* lanières de cervelas préparées avec des cornichons et de la mayonnaise **Fleischspieß** *m* brochette *f* de viande **Fleischtomate** *f* tomate *f* charnue [à farcir] **Fleischvergiftung** *f* intoxication *f* alimentaire causée par de la viande avariée **Fleischwolf** *m* hache-viande *m* **Fleischwunde** *f* lésion *f* profonde **Fleischwurst** *f* sorte de cervelas
Fleiß [flaɪs] <-[e]s> *m kein Pl* zèle *m*, application *f* ▸**ohne ~ kein Preis** *prov* on n'a rien sans peine
fleißig I. *adj Mitarbeiter* travailleur(-euse); *Schüler* appliqué(e); *fam Sammler* assidu(e) **II.** *adv arbeiten* avec application
flektieren* *vt* décliner *Substantiv;* conjuguer *Verb*
flennen [ˈflɛnən] *vi pej fam* pleurnicher
fletschen [ˈflɛtʃən] *vt* **die Zähne ~** montrer les dents
flexibel [flɛˈksiːbəl] *adj* flexible; *Material* souple
Flexibilität [flɛksibiliˈtɛːt] <-> *f* **1.** (*Anpassungsfähigkeit*) flexibilité *f* **2.** (*Elastizität*) souplesse *f*
Flexion [flɛˈksioːn] <-, -en> *f eines Substantivs, Adjektivs* déclinaison *f; eines Verbs* conjugaison *f*
flicht [flɪçt] *3. Pers Präs von* **flechten**
flicken [ˈflɪkən] *vt* rapiécer *Kleidung;* réparer *Fahrradschlauch, Schuhe*
Flicken <-s, -> *m* (*Stück Stoff*) pièce *f;* (*Stück Gummi*) rustine *f*
Flickwerk *nt kein Pl pej* rafistolage *m* (*fam*)
Flickzeug <-[e]s, -e> *nt* nécessaire *m* de réparation
Flieder [ˈfliːdɐ] <-s, -> *m* lilas *m*
fliederfarben *adj* [de couleur] lilas
Fliege [ˈfliːgə] <-, -n> *f* **1.** ZOOL mouche *f* **2.** COUT nœud *m* papillon ▸**zwei ~n mit einer Klappe schlagen** *fam* faire d'une pierre deux coups; **er tut keiner ~ etwas zuleide** il ne ferait pas de mal à une mouche (*fam*); **die ~ machen** *fam* se casser
fliegen [ˈfliːgən] <flog, geflogen> **I.** *vi* + *sein* **1.** voler; **nach Paris ~** *Flugzeug:* voler vers Paris; *Fluggesellschaft:* desservir Paris; *Person:* aller à Paris en avion; **auf den Boden ~** *Ball:* voler sur le sol **2.** (*eilen*) voler; **jdm um den Hals ~** sauter au cou de qn **3.** *fam* (*hinausgeworfen werden*) se faire virer **4.** *fam* (*durchfallen*) **durch eine Prüfung ~** se ramasser à un examen **5.** *fam* (*angezogen werden*) **auf jdn/etw ~** craquer pour qn/qc **II.** *vt* **1.** + *haben o*

sein (*steuern*) piloter *Flugzeug* **2.** + *haben* (*befördern*) transporter par avion *Passagiere, Güter* **3.** + *haben o sein* (*zurücklegen*) faire *Route, Strecke*
fliegend *adj attr* **1.** volant(e) **2.** (*nicht stationär*) *Händler* ambulant(e)
Fliegenfänger <-s, -> *m* attrape-mouche *m* **Fliegengewicht** *nt* SPORT poids *m* mouche **Fliegengitter** *nt* moustiquaire *f* **Fliegenklatsche** <-, -n> *f* tapette *f* **Fliegenpilz** *m* amanite *f* tue-mouche
Flieger [ˈfliːgɐ] <-s, -> *m* **1.** (*Pilot*) aviateur *m* **2.** *fam* (*Flugzeug*) avion *m*
Fliegeralarm *m* alerte *f* aérienne **Fliegerei** <-> *f* aviation *f* **Fliegerhorst** *m* base *f* aérienne **Fliegerin** <-, -nen> *f* aviatrice *f*
fliehen [ˈfliːən] <floh, geflohen> *vi* + *sein* s'enfuir; **zu jdm ~** se réfugier chez qn
fliehend *adj Kinn* fuyant(e)
Fliehkraft *f* force *f* centrifuge
Fliese [ˈfliːzə] <-, -n> *f* carreau *m* [de céramique]
fliesen *vt* carreler
Fliesenleger(in) <-s, -> *m(f)* carreleur(-euse) *m(f)*
Fließband <-bänder> *nt* chaîne *f* [de montage]; **am ~ arbeiten** travailler à la chaîne
fließen [ˈfliːsən] <floss, geflossen> *vi* + *sein* **1.** *Flüssigkeit:* couler; **durch Paris ~** *Fluss:* traverser Paris; **in die Seine ~** se jeter dans la Seine **2.** (*sich bewegen*) *Luftmassen:* affluer; *elektrischer Strom:* passer; **~der Verkehr** circulation *f* fluide
fließend I. *adj Grenze, Übergang* flou(e) **II.** *adv lesen, sprechen* couramment
Fließheck *nt* arrière *m* liftback
flimmerfrei *adj Bildschirm* avec une stabilité parfaite de l'image **Flimmerkiste** *f pej fam* télé *f*
flimmern [ˈflɪmɐn] *vi Bild* trembler; *Luft:* vibrer; **es flimmert ihr vor den Augen** elle a un éblouissement
flink [flɪŋk] **I.** *adj Person, Finger* agile; *Bewegung* vif(vive) **II.** *adv sich bewegen* avec agilité; *arbeiten* avec adresse
Flinte [ˈflɪntə] <-, -n> *f* (*Schrotflinte*) fusil *m* [de chasse] ▸**die ~ ins Korn werfen** *fam* jeter le manche après la cognée
Flipper [ˈflɪpɐ] <-s, -> *m* flipper *m*
flippern *vi* jouer au flipper
Flirt [flœrt] <-s, -s> *m* flirt *m*
flirten [flœrtən] *vi* flirter
Flittchen [ˈflɪtçən] <-s, -> *nt pej fam* traînée *f*
Flitter [ˈflɪtɐ] <-s, -> *m* **1.** (*Pailletten*) paillettes *fpl* **2.** *kein Pl pej* (*Tand*) clinquant *m*
Flitterwochen *Pl* lune *f* de miel

flitzen ['flɪtsən] *vi* + *sein fam* (*sich schnell fortbewegen*) filer

flocht [flɔxt] *Imp von* **flechten**

Flocke ['flɔkə] <-, -n> *f* (*Schneeflocke, Getreideflocke*) flocon *m;* (*Staubflocke*) mouton *m*

flockig *adj* floconneux(-euse)

flog [floːk] *Imp von* **fliegen**

floh [floː] *Imp von* **fliehen**

Floh [floː, *Pl:* 'fløːə] <-[e]s, ⸚e> *m* 1. ZOOL puce *f* 2. *Pl fam* (*Geld*) fric *m* ▶ **jdm einen ~ ins Ohr setzen** *fam* fourrer une idée dans le crâne de qn

Flohmarkt *m* marché *m* aux puces

Flop [flɔp] <-s, -s> *m fam* bide *m*

Flora ['floːra] <-, Floren> *f* flore *f*

Florenz [flo'rɛnts] <-> *nt* Florence

Florett [flo'rɛt] <-[e]s, -e> *nt* 1. fleuret *m* 2. *kein Pl* (*Fechtdisziplin*) escrime *f* au fleuret

florieren* [flo'riːrən] *vi Geschäft:* prospérer; *Wirtschaft:* être florissant

Florist(in) [flo'rɪst] <-en, -en> *m(f)* fleuriste *mf*

Floskel ['flɔskəl] <-, -n> *f* figure *f* de rhétorique

flossRR, **floß** *Imp von* **fließen**

Floß [floːs, *Pl:* 'fløːsə] <-es, Flöße> *nt* radeau *m*

Flosse ['flɔsə] <-, -n> *f* 1. ZOOL nageoire *f* 2. (*Schwimmflosse*) palme *f* 3. *fam* (*Hand*) patte *f*

flößen *vt* (*ein~*) faire avaler

Flößer(in) <-s, -> *m(f)* flotteur(-euse) *m(f)*

Flöte ['fløːtə] <-, -n> *f* (*Instrument*) flûte *f*

flöten I. *vi* 1. MUS jouer de la flûte 2. (*zwitschern*) siffler ▶ ~ **gehen** *fam* s'envoler en fumée II. *vt* jouer à la flûte *Melodie*

flöten|gehen *s.* **flöten** I. **Flötenspieler(in)** *m(f)* joueur(-euse) *m(f)* de flûte

Flötist(in) [fløː'tɪst] <-en, -en> *m(f)* flûtiste *mf*

flott [flɔt] *fam* I. *adj* 1. (*zügig*) *Arbeiter* rapide; *Bedienung* dégourdi(e); *Musik* entraînant(e) 2. (*schick*) *Person* smart(e); *Auto, Kleidung* fringant(e) 3. (*unbeschwert*) *Lebensstil* dépensier(-ière) II. *adv* 1. (*zügig*) vite; **aber ein bisschen ~!** *fam* plus vite que ça! 2. (*schick*) *sich anziehen* chic

Flotte ['flɔtə] <-, -n> *f* MIL flotte *f*

Flottenstützpunkt *m* base *f* navale **flott|machen** *vt* mettre à flot *Schiff;* mettre en état *Fahrzeug*

Flöz [fløːts] <-es, -e> *nt* filon *m*, couche *f* [sédimentaire]

Fluch [fluːx, *Pl:* 'flyːçə] <-[e]s, ⸚e> *m* 1. (*Schimpfwort*) juron *m* 2. *kein Pl* (*Verwünschung*) malédiction *f*

fluchen ['fluːxən] *vi* jurer; **auf jdn/etw ~**

jurer contre qn/qc

Flucht [flʊxt] <-, -en> *f* 1. fuite *f;* (*aus dem Gefängnis*) évasion *f;* **auf der ~ sein** être en fuite; **die ~ ergreifen** *geh* prendre la fuite; **jdn in die ~ schlagen** faire fuir qn; **die ~ nach vorn** *fig* la fuite en avant 2. ARCHIT alignement *m* 3. *geh* (*Zimmerflucht*) enfilade *f*

fluchtartig I. *adj* précipité(e) II. *adv* avec précipitation

flüchten ['flʏçtən] I. *vi* + *sein* [s'en]fuir II. *vr* + *haben* **sich ins Haus/in den Alkohol ~** se réfugier dans la maison/l'alcool

Fluchtgefahr *f* risque *m* de fuite **Fluchthelfer(in)** *m(f)* (*Schleuser*) passeur(-euse) *m(f)* **Fluchthilfe** *f* complicité *f* de fuite

flüchtig ['flʏçtɪç] I. *adj* 1. *Person* fugitif(-ive); ~ **sein** être en fuite 2. (*kurz*) *Berührung* fugitif(-ive); *Blick* furtif(-ive); *Arbeit* superficiel(le); *Bekanntschaft* vague 3. CHEM volatil(e) II. *adv grüßen* rapidement; *kennen* superficiellement

Flüchtigkeit <-, en> *f* 1. *kein Pl* (*kurze Dauer*) caractère *m* éphémère 2. *kein Pl* (*Oberflächlichkeit*) caractère *m* superficiel 3. (*Unachtsamkeit*) inattention *f* 4. *kein Pl* CHEM volatilité *f*

Flüchtigkeitsfehler *m* faute *f* d'inattention

Flüchtling ['flʏçtlɪŋ] <-s, -e> *m* réfugié(e) *m(f)*

Flüchtlingslager *nt* camp *m* de réfugiés **Flüchtlingsstrom** *m* afflux *m* de réfugiés

Fluchtversuch *m* tentative *f* de fuite; (*Ausbruchsversuch*) tentative *f* d'évasion **Fluchtweg** *m* 1. *eines Häftlings* chemin *m* d'évasion 2. (*in Gebäuden*) issue *f* de secours

Flug [fluːk, *Pl:* 'flyːgə] <-[e]s, ⸚e> *m* vol *m;* **einen ~ buchen** réserver un billet sur un vol; **guten ~!** bon vol! ▶ **wie im ~[e] vergehen** filer à toute allure

Flugabwehr *f* défense *f* antiaérienne **Flugangst** *f* peur *f* de monter en avion **Flugbahn** *f* trajectoire *f* **Flugbegleiter(in)** *m(f)* AVIAT steward *m*/hôtesse *f* de l'air **Flugblatt** *nt* tract *m* **Flugdauer** *f* durée *f* de vol

Flügel ['flyːgəl] <-s, -> *m* 1. *a.* AVIAT, ARCHIT, POL, SPORT aile *f;* **mit den ~n schlagen** battre des ailes 2. (*Fensterflügel, Türflügel*) battant *m;* (*Altarflügel*) volet *m* 3. *eines Propellers* pale *f;* *einer Windmühle* aile *f* 4. MIL flanc *m* 5. MUS piano *m* à queue ▶ **jdm die ~ stutzen** rogner les ailes à qn; **die ~ hängen lassen** *fam* baisser les bras; **jdm ~ verleihen** *geh* donner des ailes à qn

flügellahm *adj Vogel* blessé(e) à l'aile **Flügelmutter** <-muttern> *f* papillon *m*

Flügeltür f porte f à deux battants
Fluggast m passager(-ère) m(f)
flügge ['flʏgə] adj ~ **sein** Vogel: savoir voler; Kind: voler de ses propres ailes
Fluggesellschaft f compagnie f aérienne **Flughafen** m aéroport m **Flughöhe** f altitude f [de vol] **Flugkapitän(in)** m(f) commandant(e) m(f) de bord **Flugkörper** m engin m volant **Fluglärm** m bruit m [du trafic] aérien **Fluglehrer(in)** m(f) moniteur(-trice) m(f) d'aviation **Fluglinie** f ligne f aérienne **Fluglotse** m, **-lotsin** f contrôleur(-euse) m(f) de la navigation aérienne **Flugobjekt** nt objet m volant; **unbekanntes** ~ objet volant non identifié **Flugpersonal** nt personnel m volant **Flugplan** m horaire m des vols **Flugplatz** m aérodrome m **Flugreise** f voyage m en avion **Flugschein** m (Pilotenschein) brevet m de pilote **Flugschreiber** m boîte f noire **Flugsicherung** f sécurité f aérienne **Flugsimulator** m simulateur m de vol **flugtauglich** adj apte à voler **Flugticket** nt billet m d'avion **Flugverbindung** f liaison f aérienne **Flugverbot** nt interdiction f de vol **Flugverkehr** m trafic m aérien **Flugzeit** f durée f de vol
Flugzeug ['fluːktsɔyk] <-[e]s, -e> nt avion m; **per** ~ par avion
Flugzeugabsturz m crash m **Flugzeugbau** m kein Pl construction f aéronautique **Flugzeugbesatzung** f équipage m de l'avion **Flugzeugentführung** f détournement m d'avion **Flugzeugträger** m porte-avions m **Flugzeugunglück** nt accident m d'avion
Fluidum <-s, Fluida> nt fluide m
Fluktuation [flʊktua'tsjoːn] <-, -en> f geh fluctuations fpl
fluktuieren* [flʊktu'iːrən] vi geh fluctuer
Flunder ['flʊndɐ] <-, -n> f flétan m
flunkern ['flʊŋkɐn] vi fam raconter des bobards
Fluor ['fluːoɐ] <-s> nt CHEM fluor m
Fluorchlorkohlenwasserstoff ['fluːoɐkloːɐ'vaseʃtɔf] m CHEM chlorofluorocarbone m
fluoreszieren* [fluorɛs'tsiːrən] vi être fluorescent
Fluorid <-[e]s, -e> nt CHEM fluorure m
Flur¹ [fluːɐ] <-[e]s, -e> m (Korridor) couloir m; (Diele) vestibule m
Flur² [fluːɐ] <-, -en> f geh (freies Land) campagne f ▶**allein auf weiter** ~ **sein** être seul à perte de vue; (ohne Gleichgesinnte sein) rester à l'écart
Flurbereinigung f remembrement m **Flurschaden** m 1. AGR dégâts mpl causés aux cultures 2. fig dégâts mpl

Fluss^{RR} [flʊs] <-es, ⁼sse>, **Fluß** <-sses, ⁼sse> m (Strom) fleuve m; (Nebenfluss) rivière f
flussabwärts^{RR} [flʊs'ʔapvɛrts] adv en aval; ~ **fahren** descendre le cours de la rivière **Flussarm^{RR}** m bras m [de rivière] **flussaufwärts^{RR}** [flʊs'ʔaufvɛrts] adv en amont; ~ **fahren** remonter le cours de la rivière **Flussbett^{RR}** nt lit m du fleuve/de la rivière
Flussdiagramm^{RR} nt INFORM ordinogramme m
flüssig ['flʏsɪç] I. adj 1. (opp: fest) liquide; Glas, Metall, Wachs fondu(e) 2. (fließend) Verkehr, Stil fluide 3. (verfügbar) Mittel disponible; **Geld** ~ **machen** débloquer des fonds ▶~/**nicht** ~ **sein** fam être en fonds/à sec II. adv lesen, sprechen aisément; schreiben avec aisance
Flüssiggas nt gaz m liquide
Flüssigkeit <-, -en> f (flüssige Substanz) liquide m
Flusskrebs^{RR} m écrevisse f **Flusslauf^{RR}** m cours m du fleuve/de la rivière **Flussmündung^{RR}** f embouchure f du fleuve **Flusspferd^{RR}** nt hippopotame m **Flussufer^{RR}** nt rive f
flüstern ['flʏstɐn] I. vi chuchoter II. vt chuchoter; **jdm etwas ins Ohr** ~ chuchoter quelque chose à l'oreille de qn ▶**das kann ich dir** ~! fam ça, fais-moi confiance!; **dem werde ich was flüstern!** celui-là, il va m'entendre!
Flüsterpropaganda f bouche à oreille m **Flüsterton** <-töne> m chuchotement m; **im** ~ à voix basse
Flut [fluːt] <-, -en> f 1. kein Pl (opp: Ebbe) marée f montante/haute; **die** ~ **kommt** la marée monte; **die** ~ **geht zurück** la marée se retire 2. meist Pl geh (Wassermassen) flots mpl 3. (große Menge) **eine** ~ **von Briefen** un déferlement de lettres
fluten I. vi + sein geh Hochwasser: couler à flots; **ins Zimmer** ~ Licht: inonder la pièce II. vt + haben (voll laufen lassen) remplir d'eau; (unter Wasser setzen) submerger
Flutkatastrophe f inondation f catastrophique **Flutlicht** nt kein Pl projecteurs mpl
flutschen I. vi + sein fam glisser; **aus der Hand** ~ glisser des mains II. vi + haben fam Arbeit: marcher comme sur des roulettes
Flutwelle f raz m de marée
focht [fɔxt] Imp von **fechten**
Fock <-, -en> f NAUT [voile f de] misaine f
föderal adj fédéral(e)
Föderalismus [fødera'lɪsmʊs] <-> m fédéralisme m

föderalistisch [fødera'lɪstɪʃ] *adj Verfassung* fédéral(e); *Tendenzen* fédéraliste
Föderation [fødera'tsi̯oːn] <-, -en> *f* fédération *f*
fohlen ['foːlən] *vi* pouliner
Fohlen ['foːlən] <-s, -> *nt eines Pferds* poulain *m*
Föhn [føːn] <-[e]s, -e> *m* **1.** METEO fœhn *m*, föhn *m* **2.** (*Haartrockner*) sèche-cheveux *m*
föhnenᴿᴿ ['føːnən] *vt* sécher; **sich** (*dat*) **die Haare** ~ se sécher les cheveux au séchoir
Föhre <-, -n> *f* DIAL pin *m* sylvestre
Fokus ['foːkʊs] <-, -se> *m* OPT, MED foyer *m*
Folge ['fɔlgə] <-, -n> *f* **1.** (*Auswirkung*) conséquence *f;* **zur** ~ **haben** avoir pour conséquence; **das wird für Sie** ~**n haben!** vous en subirez les conséquences! **2.** (*Reihe*) *von Eindrücken, Zahlen* série *f;* INFORM *von Befehlen* séquence *f;* **in** ~ de suite **3.** RADIO, TV épisode *m*
Folgeerscheinung *f* effet *m*
folgen ['fɔlgən] *vi* **1.** + *sein a. fig* jdm/einer S. ~ suivre qn/qc; **können Sie mir** ~**?** vous me suivez? **2.** + *sein* (*als Nächstes kommen*) venir ensuite; **auf jdn/etw** ~ succéder à qn/qc; **wie folgt** comme suit **3.** + *haben* (*gehorchen*) jdm ~ obéir à qn **4.** + *sein* (*resultieren*) **aus etw** ~ résulter de qc
folgend *adj Seite* suivant(e); **im Folgenden** comme suit; **es handelt sich um Folgendes** voici de quoi il s'agit
folgendermaßen *adv* de la manière suivante
folgenlos *adj* ~ **bleiben** ne pas tirer à conséquence
folgenschwer *adj* lourd(e) de conséquences
folgerichtig *adj* logique
folgern ['fɔlgən] **I.** *vt* conclure **II.** *vi* déduire
Folgerung <-, -en> *f* conclusion *f*
Folgezeit *f* **in der** ~ par la suite; (*in der Zukunft*) à l'avenir
folglich ['fɔlklɪç] *adv* par conséquent
folgsam ['fɔlkzaːm] **I.** *adj* docile **II.** *adv* bravement
Folgsamkeit <-> *f* docilité *f*
Folie ['foːli̯ə] <-, -n> *f* (*Plastikfolie*) film *m* plastique; (*Aluminiumfolie*) feuille *f* d'alu[minium]
Folklore [fɔlk'loːrə] <-> *f* folklore *m*
folkloristisch [fɔlkloˈrɪstɪʃ] *adj* folklorique
Folter ['fɔltɐ] <-, -n> *f* torture *f* ▶ **jdn auf die** ~ **spannen** faire languir qn

Folterbank <-bänke> *f* chevalet *m* de torture **Folterkammer** *f* chambre *f* de torture
foltern *vt* torturer
Fonᴿᴿ [foːn] *s.* **Phon**
Fön® <-[e]s, -e> *m* sèche-cheveux *m*
Fonds [fõː(s)] <-, -> *m* fonds *m*
Fondsmanager(in) *m(f)* manageur(-euse) *m(f)* de fonds
Fondue [fõˈdyː] <-s, -s> *nt*, <-, -s> *f* fondue *f*
fönen *s.* **föhnen**
Fonotypist(in)ᴿᴿ *s.* **Phonotypist(in)**
Fontäne [fɔnˈtɛːnə] <-, -n> *f* jet *m* [d'eau]
foppen ['fɔpən] *vt fam* faire marcher
forcieren* [fɔrˈsiːrən] *vt geh* accélérer *Arbeiten;* redoubler *Anstrengungen*
forciert [-ˈsiː-] *adj geh Lächeln* forcé(e)
Förderanlage *f* équipements *mpl* d'extraction
Förderband <-bänder> *nt* tapis *m* roulant; MIN convoyeur *m*
Förderer <-s, -> *m*, **Förderin** *f* protecteur(-trice) *m(f); eines Künstlers* mécène *m*
Fördergelder *pl* ADMIN subvention *f*
Förderkorb *m* monte-charge *m*
förderlich *adj* **einer S.** (*dat*) ~ **sein** être utile à qc
Fördermittel *Pl* aide[s] *f* financière[s]
fordern ['fɔrdɐn] **I.** *vt* **1.** (*verlangen*) *Person, Gewerkschaft:* revendiquer *Rechte* **2.** (*abverlangen*) exiger; **viel von jdm** ~ *Person:* exiger beaucoup de qn; *Sache:* demander beaucoup de qn **3.** (*kosten*) **zehn Menschenleben** ~ coûter la vie à dix personnes **II.** *vi* ~, **dass** exiger que + *subj*
fördern ['fœrdɐn] *vt* **1.** (*unterstützen*) aider *Personen;* favoriser *Karriere;* encourager *Projekt, Talent* **2.** (*finanzieren*) financer *Projekt* **3.** MIN, TECH extraire
fordernd *adj* exigeant(e)
Förderschacht *m* puits *m* d'extraction **Förderturm** *m* tour *f* d'extraction
Forderung <-, -en> *f* **1.** *von Rechten* revendication *f* **2.** (*Erwartung*) exigence *f;* ~**en an jdn stellen** poser des exigences à qn **3.** FIN créance *f*
Förderung <-, -en> *f* **1.** (*Unterstützung*) encouragement *m; von Künstlern, Sportlern* aide *f* **2.** (*finanzielle Hilfe*) aide *f* financière; (*durch Steuergelder*) subvention *f* **3.** MIN, TECH extraction *f*
Forelle [foˈrɛlə] <-, -n> *f* truite *f*
Foren *Pl von* **Forum**
Form [fɔrm] <-, -en> *f* **1.** forme *f;* **in** ~ **von** sous forme de **2.** *Pl* (*Umgangsform*) manières *fpl;* **die** ~ **wahren** *geh* observer les convenances; **der** ~ **halber** pour la for-

me **3.** *kein Pl* (*Kondition*) forme *f;* in ~ bleiben garder sa forme **4.** (*Back-, Guss-form*) moule *m* ▶in **aller** ~ en bonne et due forme; ~ **annehmen** prendre forme
formal [fɔr'maːl] *adj* formel(le)
Formaldehyd <-s> *m* CHEM formaldéhyde *m*
Formalität [fɔrmali'tɛːt] <-, -en> *f* formalité *f*
Format [fɔr'maːt] <-[e]s, -e> *nt* **1.** (*Grö-ße*) format *m* **2.** (*Bedeutung*) *einer Person* carrure *f;* ~ **haben** *Person:* avoir de l'envergure
formatieren* *vt* INFORM formater
Formatierung <-, -en> *f* INFORM formatage *m*
Formation [fɔrma'tsi̯oːn] <-, -en> *f* formation *f*
formbar *adj* malléable
formbeständig *adj* indéformable
Formel ['fɔrməl] <-, -n> *f a.* MATH, CHEM formule *f* ▶etw **auf eine einfache** ~ **bringen** résumer qc à une formule simple
formell [fɔr'mɛl] *adj* **1.** (*offiziell*) officiel(le) **2.** (*förmlich*) formaliste
formen ['fɔrmən] *vt* former
Formenlehre *f* **1.** GRAM morphologie *f* **2.** MUS théorie *f* des formes musicales
Formfehler *m* JUR vice *m* de forme; (*Fehlverhalten*) inconvenance *f*
formieren* [fɔr'miːrən] *vt, vr* [sich] ~ [se] former
Formierung <-, -en> *f* formation *f*
förmlich ['fœrmlɪç] **I.** *adj* **1.** (*formell*) Bitte dans les formes **2.** (*unpersönlich*) Person formaliste; Begrüßung cérémonieux(-euse) **II.** *adv* (*regelrecht*) vraiment
Förmlichkeit <-, -en> *f* **1.** *kein Pl* (*Steif-heit*) formalisme *m* **2.** *meist Pl* formes *fpl;* ohne ~en sans cérémonie
formlos *adj* **1.** (*gestaltlos*) · informe **2.** (*zwanglos*) sans cérémonie **3.** ADMIN ein ~er **Antrag** une demande sur papier libre
Formsache *f* formalité *f; eine reine* ~ **sein** n'être qu'une simple formalité
Formular [fɔrmu'laːɐ̯] <-s, -e> *nt* formulaire *m*
formulieren* [fɔrmu'liːrən] **I.** *vt* formuler **II.** *vi* s'exprimer
Formulierung <-, -en> *f* **1.** *kein Pl* (*das Formulieren*) formulation *f* **2.** (*Ausdruck*) expression *f*
formvollendet *adj* Design de finition parfaite
forsch [fɔrʃ] *adj* Auftreten fringant(e); Vor-gehen dynamique
forschen ['fɔrʃən] *vi* **1.** faire de la recherche **2.** (*suchen*) **nach etw** ~ chercher qc
forschend *adj* Blick scrutateur(-trice) (*littér*)

Forscher(in) <-s, -> *m(f)* chercheur(-euse) *m(f)*
Forschung <-, -en> *f* recherche *f* scientifique
Forschungsauftrag *m* mission *f* scientifique **Forschungsergebnis** *nt* résultat *m* de la recherche scientifique **Forschungs-reise** *f* voyage *m* d'exploration **For-schungszentrum** *nt* centre *m* de recherches
Forst [fɔrst] <-[e]s, -e[n]> *m* bois *m*
Forstamt *nt* ≈ administration *f* des bois et forêts; (*in Frankreich*) Eaux et Forêts *fpl*
Förster(in) ['fœrstɐ] <-s, -> *m(f)* garde *m* forestier
Forsthaus *nt* maison *f* forestière
Forstwirt(in) *m(f)* ≈ titulaire *m* du diplôme d'une école supérieure des forêts; (*in Frankreich*) ingénieur *mf* des Eaux et Forêts **Forstwirtschaft** *f* exploitation *f* forestière
Forsythie [fɔr'zyːtsi̯ə] <-, -n> *f* forsythia *m*
fort [fɔrt] *adv* ~ **sein** Geld, Schlüssel: avoir disparu; Person: être parti; ~ **mit euch!** allez-vous-en!; **schnell** ~! déguerpissons!; ~ **damit!** à la poubelle! ▶in **einem** ~ sans arrêt; **und so** ~ et ainsi de suite
Fort [foːɐ̯] <-s, -s> *nt* fort *m*
fortan *adv* geh dorénavant
Fortbestand ['fɔrtbəʃtant] *m kein Pl einer* Institution maintien *m; einer Tierart* subsistance *f*
fort|bestehen* *vi irr* Institution: se maintenir; Tradition: persister; Zustand: continuer
fortlbewegen* *vt, vr* [se] déplacer
Fortbewegung *f kein Pl* locomotion *f*
Fortbewegungsmittel *nt* moyen *m* de locomotion
fortlbilden **I.** *vr* sich ~ se perfectionner **II.** *vt* donner des cours de formation [continue] à
Fortbildung *f kein Pl* formation *f* continue
fortlbleiben *vi irr* + *sein* nicht lange ~ ne pas être parti longtemps
Fortdauer *f* persistance *f*
fortldauern *vi* persister
fortdauernd *adj* persistant(e)
forte *adv* MUS forte
fortlfahren **I.** *vi* **1.** + *sein* (*wegfahren*) partir **2.** + *haben o sein* (*weitermachen*) poursuivre; ~ **etw zu tun** continuer à faire qc **II.** *vt* + *haben* emmener Person; emporter Gegenstand
fortlfallen *s.* wegfallen
fortlführen *vt* **1.** (*fortsetzen*) continuer **2.** (*wegführen*) emmener
Fortführung *f* continuation *f*
Fortgang *m kein Pl* **1.** (*Weggang*) départ *m*

2. (*weiterer Verlauf*) poursuite *f*

fọrt|gehen *vi* + *sein* **1.** partir; **von jdm/ aus einer Stadt** ~ quitter qn/une ville **2.** (*sich fortsetzen*) se poursuivre

fọrtgeschritten ['fɔrtgəʃrɪtən] *adj* avancé(e)

Fọrtgeschrittene(r) *f(m)* *dekl wie adj* personne *f* au niveau perfectionnement

fọrtgesetzt ['fɔrtgəsɛtst] **I.** *adj* permanent(e) **II.** *adv* continuellement

fọrt|jagen *vt* + *haben* chasser *Tier, Person*

fọrt|kommen *vi* + *sein* **1.** (*sich entfernen*) partir; **mach, dass du fortkommst!** *fam* dégage! **2.** (*Erfolg haben*) avancer

Fọrtkommen <-> *nt* (*Karriere*) avancement *m*

fọrt|können *vi irr* (*abkömmlich sein*) pouvoir s'absenter

fọrt|laufen *vi irr* + *sein Person:* s'échapper; *Tier:* se sauver

fọrtlaufend **I.** *adj* continu(e) **II.** *adv erscheinen* régulièrement; *nummerieren* dans l'ordre

fọrt|leben *vi geh* **in jdm/etw** ~ se survivre dans qn/qc

fọrt|pflanzen *vr* **sich** ~ se reproduire

Fọrtpflanzung *f kein Pl* reproduction *f*

fọrt|schaffen *s.* **wegschaffen**

fọrt|schicken *vt* renvoyer

fọrt|schreiten *vi irr* + *sein* progresser

fọrtschreitend *adj* croissant(e)

Fọrtschritt *m* progrès *m;* ~**e erzielen** progresser

fọrtschrittlich *adj Einstellung* progressiste; *Methode* avancé(e)

fọrt|setzen **I.** *vt* poursuivre; **fortgesetzt werden** continuer **II.** *vr* **sich** ~ (*andauern*) se poursuivre; (*sich erstrecken*) s'étendre

Fọrtsetzung <-, -en> *f* **1.** *kein Pl* (*das Fortsetzen*) poursuite *f* **2.** (*folgender Teil*) suite *f;* ~ **folgt** à suivre

Fọrtsetzungsroman *m* roman-feuilleton *m*

fọrtwährend *adj attr* perpétuel(le)

fọrt|wollen *vi* vouloir partir

fọrt|ziehen *s.* **wegziehen**

Fọrum ['fo:rʊm] <-s, Foren> *nt* **1.** (*Diskussionsforum*) forum *m* **2.** (*Personenkreis*) cercle *m*

fossil [fɔ'si:l] *adj* fossile

Fossil <-s, -ien> *nt* fossile *m*

Föten *Pl von* **Fötus**

Foto ['fo:to] <-s, -s> *nt* photo[graphie] *f*

Fọtoalbum *nt* album *m* de photos **Fotoapparat** *m* appareil *m* photo[graphique]

fotogẹn [foto'ge:n] *adj* photogénique

Fotograf(in) [foto'gra:f] <-en, -en> *m(f)* photographe *mf*

Fotografie [fotogra'fi:] <-, -n> *f* photo[graphie] *f*

fotografieren* [fotogra'fi:rən] **I.** *vt* prendre une photo de **II.** *vi* prendre des photos

fotografisch *adj* photographique

Fotokopie [fotoko'pi:] *f* photocopie *f* **fotokopieren*** [fotoko'pi:rən] *vt* photocopier **Fotokopiergerät** *nt* photocopieur *m* **Fotolabor** *nt* laboratoire *m* photo **Fotomodell** *nt* modèle *m* **Fotomontage** *f* montage-photos *m* **Fotozelle**^RR *f* cellule *f* photoélectrique

Fötus ['fø:tʊs] <-[ses], Föten *o* -se> *m* MED fœtus *m*

Fọtze <-, -n> *f vulg* con *m*

Foul [faʊl] <-s, -s> *nt* SPORT faute *f*

foulen ['faʊlən] SPORT *vt, vi* commettre une faute; **jdn** ~ commettre une faute sur qn

Foxtrott <-s, -e *o* -s> *m* fox-trot *m*

Foyer [foa'je:] <-s, -s> *nt* foyer *m*

FPÖ ['ɛfpe:ʔø:] *f Abk von* **Freiheitliche Partei Österreichs** parti libéral de droite autrichien à tendance nationaliste

Fr. *Abk von* **Frau** Mme

Fracht [fraxt] <-, -en> *f* **1.** *eines Schiffs* cargaison *f; eines Lastwagens* chargement *m; eines Flugzeugs* fret *m* aérien **2.** (*Gebühr*) fret *m*

Frạchtbrief *m* COM connaissement *m;* (*beim Straßentransport*) lettre *f* de voiture

Frạchter <-s, -> *m* cargo *m*

Frạchtgut *nt* marchandise *f* en petite vitesse **Frachtkosten** *Pl* frais *mpl* de transport **Frachtraum** *m* *eines Schiffs* cale *f; eines Flugzeugs* soute *f* **Frachtschiff** *nt* cargo *m* **Frachtverkehr** *m* trafic *m* de marchandises

Frạck [frak, *Pl:* 'frɛkə] <-[e]s, ⁼e *o fam* -s> *m* frac *m*

Frạge ['fra:gə] <-, -n> *f* question *f* ▸ **das ist die** [**große**] ~ c'est là toute la question; **in** ~ **kommen** entrer en ligne de compte; **das kommt nicht in** ~ il n'en est pas question; **außer** ~ **stehen** être évident; **etw in** ~ **stellen** remettre qc en question; [**das ist**] **gar keine** ~! la question ne se pose même pas!; **ohne** ~ sans aucun doute

Frạgebogen *m* questionnaire *m*

fragen ['fra:gən] **I.** *vi* **1.** poser des questions/une question; **frag nicht so dumm!** *fam* ne pose pas de questions idiotes! **2.** (*verlangen*) **nach jdm** ~ demander [à parler à] qn; **nach etw** ~ demander qc ▸ **da fragst du noch?** et tu me poses encore la question? **II.** *vr* **sich** ~, **ob ...** se demander si ... **III.** *vt* **jdn etw** ~ demander qc à qn; **das dürfen Sie mich nicht** ~! ce n'est pas à moi qu'il faut le demander!

fragend **I.** *adj* interrogateur(-trice) **II.** *adv* d'une manière interrogative

Fragesatz *m* phrase *f* interrogative **Fragestellung** *f* **1.** (*Formulierung*) façon *f* de formuler une question **2.** (*Problem*) problème *m* **Fragestunde** *f* questions *fpl* orales **Fragewort** <-wörter> *nt* [pronom *m*] interrogatif *m* **Fragezeichen** *nt* point *m* d'interrogation

fraglich ['fraːklɪç] *adj* **1.** (*unsicher*) douteux(-euse); **es ist ~, ob ...** il est à se demander si ... **2.** *attr* (*betreffend*) en question

fraglos *adv* incontestablement

Fragment [fra'gmɛnt] <-[e]s, -e> *nt* fragment *m*

fragmentarisch [fragmɛn'taːrɪʃ] *adj* fragmentaire

fragwürdig *adj* (*zweifelhaft*) douteux(-euse); *pej* (*anrüchig*) louche

Fraktion [frak'tsi̯oːn] <-, -en> *f* POL groupe *m* parlementaire

Fraktionssitzung *f* séance *f* du groupe parlementaire **Fraktionsvorsitzende(r)** *f(m)* *dekl wie adj* président(e) *m(f)* du groupe parlementaire

Fraktur <-, -en> *f* MED fracture *f*

Franc [frãː] <-, -s> *m* franc *m*

frank [fraŋk] ▶~ **und frei** en toute franchise

Franke ['fraŋkə] <-n, -n> *m*, **Fränkin** *f* GEOG Franconien(ne) *m(f)*

Franken¹ <-s> *nt* GEOG Franconie *f*

Franken² <-s, -> *m* franc *m* suisse

Frankfurt ['fraŋkfʊrt] <-s> *nt* Francfort

Frankfurter <-, -> *f* GASTR saucisse *f* de Francfort

frankieren* [fraŋ'kiːrən] *vt* affranchir **Frankiermaschine** *f* machine *f* à affranchir **Frankierung** <-, -en> *f* affranchissement *m*

franko *adv unv* franco

Frankokanadier(in) [fraŋkoka'naːdi̯ɐ] *m(f)* Franco-Canadien(ne) *m(f)* **frankokanadisch** ['fraŋkokanadɪʃ] *adj* franco-canadien(ne) **frankophon** [fraŋko'foːn] *adj* *geh* francophone

Frankreich ['fraŋkrai̯ç] <-s> *nt* la France

Franse ['franzə] <-, -n> *f* frange *f*

fransig *adj* effrangé(e)

Franziskaner(in) <-s, -> *m(f)* franciscain(e) *m(f)*

Franzose [fran'tsoːzə] <-n, -n> *m*, **Französin** *f* Français(e) *m(f)*

französisch [fran'tsøːzɪʃ] **I.** *adj* français(e) **II.** *adv* ~ **miteinander sprechen** discuter en français; *s. a.* **deutsch**

Französisch <-[s]> *nt kein art* français *m*; *s. a.* **Deutsch**

französischsprachig *adj* francophone

frappieren* *vt geh* surprendre

Fräse <-, -n> *f* (*Fräsmaschine*) fraiseuse *f*

fräsen ['frɛːzən] *vt* fraiser

fraß [fraːs] *Imp von* **fressen**

Fraß [fraːs] <-es, -e> *m* **1.** *pej fam* (*Essen*) tambouille *f* **2.** (*für Tiere*) pâture *f*

Fratz <-es, -e *o* -en, -en> *m fam* petit chou *m*/petite choute *f*

Fratze ['fratsə] <-, -n> *f* **1.** *pej* (*Gesicht*) face *f* hideuse **2.** (*Grimasse*) grimace *f*

frau [frau̯] *pron* on (*formation féministe par opposition au "man" soi-disant masculin*)

Frau [frau̯] <-, -en> *f* **1.** (*a. Ehefrau*) femme *f* **2.** (*in der Anrede*) ~ **Müller** madame Müller; ~ **Ministerin/Doktor** Madame la Ministre/la docteur

Frauchen ['frau̯çən] <-s, -> *nt fam* (*Haustierbesitzerin*) maîtresse *f*

Frauenarzt *m*, **-ärztin** *f* gynécologue *mf* **Frauenbeauftragte(r)** *f(m) dekl wie adj* délégué(e) *m(f)* à la condition féminine **Frauenbewegung** *f kein Pl* mouvement *m* féministe **frauenfeindlich** *adj* misogyne **Frauenhaus** *nt* foyer *m* pour femmes **Frauenheilkunde** *f* gynécologie *f* **Frauenheld** *m* tombeur *m* **Frauenklinik** *f* clinique *f* gynécologique **Frauenquote** *f* quota *m* féminin **Frauenrechtler(in)** ['frau̯ənrɛçtlɐrɪn] <-s, -> *m(f)* combattant(e) pour les droits de la femme *m* **Frauenwahlrecht** *nt* [droit *m* de] vote *m* des femmes **Frauenzimmer** *nt pej* bonne femme *f* (*fam*)

Fräulein ['frɔy̯lai̯n] <-s, *o* -s> *nt* (*in der Anrede*) ~ **Schmidt** mademoiselle Schmidt

fraulich *adj* féminin(e)

Freak [friːk] <-s, -s> *m fam* mordu(e) *m(f)*

frech [frɛç] *adj* **1.** *Person, Antwort* effronté(e); *Lüge* éhonté(e); ~ **sein** (*in den Äußerungen*) être insolent; (*im Benehmen*) être impudent **2.** *Kleidung* osé(e)

Frechdachs *m fam* galopin(e) *m(f)*

Frechheit <-, -en> *f* effronterie *f*; **die ~ besitzen etw zu tun** avoir l'audace de faire qc

Fregatte <-, -n> *f* NAUT frégate *f*

frei [frai̯] **I.** *adj* **1.** libre; *Einstellung* libéral(e); *Mitarbeiter* indépendant(e); *Beruf* libéral(e); *Stunde* [de] libre; *Tag* de congé; **einen Tag ~ nehmen** prendre un jour de congé; **sich von etw ~ machen** s'affranchir de qc **2.** *Platz* libre; *Zimmer, Wohnung* [de] libre; *Stelle* vacant(e) **3.** (*kostenlos*) gratuit(e) **4.** (*unverheiratet*) libre **5.** (*leer*) blanche; **eine Seite ~ lassen** laisser une page **6.** *Gelände, Natur* plein(e) **7.** *Rede* sans notes; *Übersetzung* libre ▶**ich bin so ~!** *form* si vous [me] permettez! **II.** *adv* **1.** (*un-*

beeinträchtigt) librement; ~ **laufend** *Huhn* en liberté; ~ **stehend** *Gebäude:* isolé(e) **2.** (*ungezwungen*) de manière décontractée **3.** (*improvisiert*) librement; ~ **nach Goethe** en citant très librement Goethe
Freibad *nt* piscine *f* en plein air
frei|bekommen* *irr* **I.** *vi fam Schüler:* avoir un jour de libre **II.** *vt* faire libérer *Häftling*
Freiberufler(in) <-s, -> *m(f)* travailleur *m* indépendant/travailleuse *f* indépendante
freiberuflich I. *adj* (*selbständig*) indépendant(e) **II.** *adv arbeiten* à son compte
Freibetrag *m* montant *m* exonéré
Freibier *nt* bière *f* gratuite
Freibrief ▸**kein** ~ **für etw sein** ne pas être un passe-droit pour qc
Freie(s) *nt dekl wie adj* **im** ~**n** *stattfinden* en plein air; *übernachten* à la belle étoile
Freier ['fraiɐ] <-s, -> *m* (*Kunde einer Prostituierten*) client *m*
Freiexemplar *nt* exemplaire *m* gratuit
Freigabe *f des Wechselkurses* libération *f*
Freigänger(in) <-s, -> *m(f)* détenu(e) *m(f)* qui a un droit de sortie
frei|geben *irr* **I.** *vt* libérer *Gefangenen, Aktienkurs;* débloquer *Mieten, Preise;* autoriser la sortie de *Film;* ouvrir à la circulation *Strecke* **II.** *vi* jdm **zwei Stunden** ~ donner deux heures de libre à qn
freigebig *adj* généreux(-euse)
Freigebigkeit <-> *f* générosité *f*
Freigeist *s.* **Freidenker(in)**
frei|haben *vi irr fam* être en congé; *Schüler:* ne pas avoir cours
Freihafen *m* port *m* franc
frei|halten *vt irr* **1.** ne pas stationner devant *Einfahrt;* **Einfahrt** ~! sortie de voitures ! **2.** garder *Platz*
Freihandelszone *f* zone *f* de libre-échange
freihändig ['fraihɛndɪç] *adj, adv Rad fahren* sans les mains
Freiheit ['fraihait] <-, -en> *f* liberté *f;* **in** ~ **leben** vivre en liberté; **sich** (*dat*) ~**en erlauben** se permettre des libertés ▸~, **Gleichheit, Brüderlichkeit** liberté, égalité, fraternité; **sich** (*dat*) **die** ~ **nehmen etw zu tun** prendre la liberté de faire qc
freiheitlich I. *adj* libéral(e) **II.** *adv gesinnt* de tendance libérale
Freiheitsberaubung *f* atteinte *f* à la liberté [individuelle] **Freiheitskampf** *m* lutte *f* pour la liberté **Freiheitsstatue** *f* statue *f* de la Liberté **Freiheitsstrafe** *f* peine *f* de prison
freiheraus *adv* franchement
Freiherr *m* baron *m*
Freikarte *f* place *f* gratuite
frei|kaufen *vt* racheter
frei|kommen *vi irr + sein* être remis en li-

berté
Freikörperkultur *f kein Pl* nudisme *m*
Freiland *nt kein Pl* AGR pleine terre *f*
frei|lassen *vt irr* relaxer *Verhafteten;* relâcher *Geisel*
Freilassung <-, -en> *f einer Geisel* libération *f*
Freilauf *m* roue *f* libre
freilaufend *s.* **frei II.**
frei|legen *vt* mettre au jour
Freileitung *f* ELEC ligne *f* aérienne
freilich ['fraillɪç] *adv* **1.** (*allerdings*) toutefois **2.** *bes.* SDEUTSCH (*natürlich*) bien sûr
Freilichtbühne *f* théâtre *m* de plein air
Freilos *nt* billet *m* de loterie gratuit
frei|machen I. *vt* **1.** POST affranchir **2.** (*entkleiden*) dénuder; **den Oberkörper** ~ enlever le haut **II.** *vi fam* prendre un repos **III.** *vr* **sich** ~ se déshabiller
Freimaurer *m* franc-maçon *m*
freimütig ['fraimy:tɪç] *adj* franc(franche)
Freimütigkeit <-> *f* franchise *f*
Freiraum *m* liberté *f* d'action
freischaffend *adj attr* indépendant(e)
Freischaffende(r) *f(m) dekl wie adj* freelance *mf*
Freischärler(in) <-s, -> *m(f)* milicien(ne) *m(f)*
frei|schwimmen *vr irr* ▸**sich** ~ passer son brevet de natation premier degré
frei|setzen *vt* **1.** *a.* CHEM libérer **2.** *euph* (*entlassen*) remercier
Freisetzung <-, -en> *f* **1.** *a.* CHEM libération *f* **2.** *euph* (*Entlassung*) congédiement *m*
frei|sprechen *vt irr* JUR jdn ~ déclarer qn non coupable
Freisprechmikrofon[RR], **Freisprechmikrophon** *nt* TECH micro[phone] *m* mains-libres
Freispruch *m* JUR non-lieu *m*
Freistaat *m* État *m* libre; **der** ~ **Bayern** l'État libre de Bavière
frei|stehen *irr* **I.** *vi unpers* **es steht ihr frei, das zu tun** elle est libre de faire cela **II.** *vi Gebäude:* être inoccupé
frei|stellen *vt* **1.** **es jdm** ~, **ob ...** laisser à qn le choix de décider si ... **2.** (*beurlauben*) suspendre, dispenser du cours *Schüler*
Freistoß *m* coup *m* franc
Freistunde *f* heure *f* de libre
Freitag ['fraita:k] *m* vendredi *m; s. a.* **Dienstag**
freitags *adv* le vendredi
Freitod *m euph* suicide *m* **Freitreppe** *f* perron *m* **Freiwild** *nt* **1.** gibier *m* **2.** *fig* proie *f* facile
freiwillig I. *adj Dienst, Helfer* bénévole; *Versicherung, Teilnahme* facultatif(-ive) **II.** *adv* de son plein gré

Fr<u>ei</u>willige(r) *f(m) dekl wie adj a.* MIL volontaire *mf*
Fr<u>ei</u>willigkeit <-> *f* volontariat *m*
Fr<u>ei</u>wurf *m* coup *m* franc
Fr<u>ei</u>zeichen *nt* tonalité *f*
Fr<u>ei</u>zeit *f kein Pl* loisirs *mpl*
Fr<u>ei</u>zeitangebot *nt* liste *f* des loisirs **Fr<u>ei</u>zeitbeschäftigung** *f* occupation *f* **Fr<u>ei</u>zeitgestaltung** *f* organisation *f* des loisirs **Fr<u>ei</u>zeitindustrie** *f* industrie *f* des loisirs **Fr<u>ei</u>zeitkleidung** *f* tenue *f* décontractée **Fr<u>ei</u>zeitpark** *m* parc *m* de loisirs **Fr<u>ei</u>zeitverhalten** *nt* manière *f* de concevoir les loisirs **Fr<u>ei</u>zeitwert** *m* **einen hohen ~ haben** *Region:* offrir un large éventail de loisirs
freizügig [ˈfraɪtsyːɡɪç] *adj* **1.** *Moral* libéral(e); *Kleidung* audacieux(-euse) **2.** (*großzügig*) abondant(e)
Freizügigkeit <-, -en> *f einer Person* largeur *f* d'esprit; *der Sitten* liberté *f*
fr<u>e</u>md [frɛmt] *adj* **1.** (*nicht einheimisch*) étranger(-ère); **ich bin hier ~** je ne suis pas d'ici **2.** de quelqu'un d'autre; *Leute, Angelegenheiten* autre; *Eigentum* d'autrui **3.** (*unbekannt*) étranger(-ère), inconnu(e)
fr<u>e</u>mdartig *adj* étrange; (*exotisch*) exotique
fr<u>e</u>mdbestimmt *adj* dépendant(e)
Fr<u>e</u>mde [ˈfrɛmdə] <-> *f geh* **in die/der ~** à l'étranger *m*
Fr<u>e</u>mde(r) *f(m) dekl wie adj* (*Unbekannter*) inconnu(e) *m(f);* (*Ortsfremder, Ausländer*) étranger(-ère) *m(f)*
fr<u>e</u>mdenfeindlich *adj* xénophobe **Fr<u>e</u>mdenführer(in)** *m(f)* guide *mf* **Fr<u>e</u>mdenlegion** *f* Légion *f* [étrangère] **Fr<u>e</u>mdenverkehr** *m* tourisme *m* **Fr<u>e</u>mdenverkehrsverein** *m* syndicat *m* d'initiative **Fr<u>e</u>mdenzimmer** *nt* chambre *f* d'hôte
fr<u>e</u>md|gehen *vi irr + sein fam* être infidèle
Fr<u>e</u>mdherrschaft *f kein Pl* domination *f* étrangère **Fr<u>e</u>mdkörper** *m* MED corps *m* étranger **fr<u>e</u>mdländisch** [ˈfrɛmtlɛndɪʃ] *adj* exotique **Fr<u>e</u>mdsprache** *f* langue *f* étrangère **Fr<u>e</u>mdsprachenkorrespondent(in)** *m(f)* secrétaire *mf* bilingue/trilingue **fr<u>e</u>mdsprachig** *adj Literatur, Unterricht* en langue étrangère; *Besucher, Tourist* parlant une langue étrangère **fr<u>e</u>mdsprachlich** *adj Unterricht* de langues étrangères **Fr<u>e</u>mdwort** <-wörter> *nt* mot *m* étranger **Fr<u>e</u>mdwörterbuch** *nt* dictionnaire *m* des mots étrangers
fren<u>e</u>tisch *adj* frénétique
frequent<u>ie</u>ren* *vt geh* fréquenter
Frequ<u>e</u>nz [freˈkvɛnts] <-, -en> *f a.* PHYS, MED fréquence *f*
Fr<u>e</u>sko [ˈfrɛsko] <-s, Fresken> *nt* KUNST

fresque *f*
Fress<u>a</u>lien [frɛˈsaːliən] *Pl fam* bouffe *f*
Fr<u>e</u>sse [ˈfrɛsə] <-, -n> *f vulg* gueule *f* (*fam*); **die ~ halten** fermer sa gueule (*fam*); **jdm eine in die ~ hauen** casser la gueule à qn (*fam*)
fr<u>e</u>ssen [ˈfrɛsən] <fr<u>i</u>sst, fraß, gefr<u>e</u>ssen> I. *vt, vi* **1.** manger; **aus/von etw ~** *Tier:* manger dans qc **2.** *pej fam* (*essen*) bouffer ►**jdn zum Fressen <u>gern</u> haben** *fam* adorer qn; **jdn gefressen <u>haben</u>** *fam* ne pas pouvoir sentir qn II. *vr* (*eindringen*) **sich in etw** (*akk*) **~** *Bohrer:* s'enfoncer dans qc; *Rost, Säure:* ronger qc
Fr<u>e</u>ssen <-s> *nt* **1.** (*Futter*) nourriture *f* **2.** *pej fam* (*Essen*) bouffe *f* ►**ein gefund<u>e</u>nes ~ für jdn sein** *fam* être une bonne aubaine pour qn
Fresser<u>ei</u> <-, -en> *f pej sl* (*Gelage*) bouffe *f* (*fam*)
Fr<u>e</u>ssnapf^{RR}, Fr<u>e</u>ßnapf *m* gamelle *f* **Fr<u>e</u>sssack^{RR}, Fr<u>e</u>ßsack** *m pej fam* goinfre *mf*
Fr<u>e</u>ttchen [ˈfrɛtçən] <-s, -> *nt* furet *m*
Fr<u>eu</u>de [ˈfrɔydə] <-, -n> *f kein Pl* joie *f;* **jdm eine ~ machen** faire plaisir à qn; **~ am Leben haben** avoir goût à la vie; **es ist mir eine ~** c'est une joie pour moi; **zu meiner großen ~** à ma grande joie ►**Freud und <u>Leid</u>** *geh* les joies et les peines
Fr<u>eu</u>denfest *nt* joyeuse fête *f* **Fr<u>eu</u>dengeschrei** *nt* cris *mpl* de joie **Fr<u>eu</u>denhaus** *nt* maison *f* close **Fr<u>eu</u>denmädchen** *nt euph* fille *f* de joie **Fr<u>eu</u>densprung** *m* saut *m* de joie **Fr<u>eu</u>dentanz** *m* ►**einen ~ <u>aufführen</u>** danser de joie **Fr<u>eu</u>dentaumel** *m* joie *f* folle **Fr<u>eu</u>dentränen** *Pl* larmes *fpl* de joie
fr<u>eu</u>destrahlend *adj* rayonnant(e) [de joie]
fr<u>eu</u>dig [ˈfrɔydɪç] I. *adj* **1.** (*voller Freude*) joyeux(-euse) **2.** (*erfreulich*) heureux(-euse) II. *adv* joyeusement; **~ erregt** excité(e) de joie
fr<u>eu</u>dlos [ˈfrɔytloːs] *adj* sans joie
fr<u>eu</u>en [ˈfrɔyən] I. *vr* **sich ~** être heureux; **sich über jdn/etw ~** être content de qn/qc; **sich für jdn/mit jdm ~** se réjouir pour qn/avec qn; **sich auf jdn/etw ~** se réjouir [d'avance] de qn/qc II. *vt* **jdn ~** *Geschenk, Nachricht:* réjouir qn; **es freut mich, dass** je me réjouis que + *subj*
Fr<u>eu</u>nd(in) [frɔynt] <-[e]s, -e> *m(f)* **1.** ami(e) *m(f);* **<u>unter</u> ~en** *fam* entre amis **2.** (*Anhänger*) amateur *m* ►**mein <u>lieber</u> ~!** *iron* mon petit ami!; **du bist mir ein <u>schöner</u> ~!** *iron fam* tu parles d'un ami!
Fr<u>eu</u>ndeskreis [ˈfrɔyndəskraɪs] *m* cercle *m* d'amis; **im engs<u>te</u>n ~ feiern** fêter dans la plus stricte intimité

Freude/Begeisterung ausdrücken

• Freude ausdrücken

Wie schön, dass du gekommen bist!
Ich bin sehr froh, dass wir uns wieder sehen.
Sie haben mir damit **eine große Freude bereitet.**
Ich könnte vor lauter Freude in die Luft springen. *(fam)*

• exprimer sa joie

Je suis content(e) que tu sois venu(e)!
Je suis très heureux de vous revoir.

Vous m'avez fait très plaisir.

J'en saute de joie.

• Begeisterung ausdrücken

Fantastisch!
Toll! *(fam)*/**Wahnsinn!** *(sl)*/**Super!** *(sl)*/
Cool! *(sl)*/**Krass!** *(sl)*
Auf diesen Sänger **fahre ich voll ab.** *(sl)*
Ich bin ganz hin und weg. *(fam)*
Ihre Darbietung **hat mich richtig mitgerissen.**

• exprimer son enthousiasme

Fantastique!
Génial!/**Dingue!** *(fam)*/**Super!** *(fam)*/
Cool! *(fam)*/**Trop cool!** *(fam)*
Je suis dingue de ce chanteur *(fam)*.
Je craque complètement.
J'ai vraiment été emballé(e) par sa représentation.

---

fre̲undlich ['frɔyntlɪç] **I.** *adj* **1.** (*liebenswürdig*) aimable; ~ **zu jdm sein** être aimable envers qn; **das ist sehr ~ von Ihnen** c'est très aimable à vous; **so ~ sein und etw tun** avoir l'amabilité de faire qc **2.** *Himmel* serein(e); *Wetter* agréable; *Zimmer* accueillant(e) **II.** *adv* de façon amicale
fre̲undlicherwe̲ise ['frɔyntlɪçɐ'vaizə] *adv* aimablement; **könnten Sie mir ~ sagen, …?** auriez-vous l'amabilité de me dire …?
Fre̲undlichkeit <-, -en> *f* **1.** *kein Pl* (*Liebenswürdigkeit*) amabilité *f* **2.** (*Handlung*) aimable attention *f*; (*Bemerkung*) parole *f* aimable
Fre̲undschaft <-, -en> *f* amitié *f*; **mit jdm ~ schließen** se lier d'amitié avec qn; **da hört die ~ auf!** il y a des limites! (*fam*)
fre̲undschaftlich I. *adj* amical(e) **II.** *adv* amicalement; **mit jdm ~ verbunden sein** être lié d'amitié avec qn
Fre̲undschaftsdienst *m* service *m* d'ami **Fre̲undschaftspreis** *m* prix *m* d'ami **Fre̲undschaftsspiel** *nt* rencontre *f* amicale
Fre̲vel ['fre:fəl] <-s, -> *m geh* ignominie *f*; REL sacrilège *m*
fre̲velhaft *adj geh* ignominieux(-euse); *Tat* criminel(le)
Fre̲vler(in) ['fre:flɐ] <-s, -> *m(f) geh* scélérat(e) *m(f)*, criminel(le) *m(f)*; REL sacrilège *mf*
Fri̲ede ['fri:də] <-ns, -n> *m* REL ~ **sei mit euch!** la paix soit avec vous!
Fri̲eden <-s, -> *m* paix *f*; **im ~** en temps de paix; **mit jdm ~ schließen** faire la paix avec qn; **~ stiften** faire régner la paix; **[er]**

ruhe in ~! REL qu'il repose en paix! ▶**jdn in ~ lassen** laisser qn en paix
Fri̲edensbewegung *f* mouvement *m* pacifiste **Fri̲edenskonferenz** *f* conférence *f* de paix **Fri̲edensnob̲elpreis** *m* prix *m* Nobel de la paix **Fri̲edenspfeife** *f* calumet *m* de la paix **Fri̲edenspolitik** *f* politique *f* de paix **Fri̲edensrichter(in)** *m(f)* **1.** juge *m* de paix **2.** CH (*Laienrichter*) arbitre *m* **Fri̲edenssicherung** *f* maintien *m* de la paix **fri̲edensstiftend** *adj Maßnahme* pacifique **Fri̲edenstaube** *f* colombe *f* de la paix **Fri̲edenstruppe** *f* force *f* d'interposition **Fri̲edensverhandlungen** *Pl* négociations *fpl* de paix **Fri̲edensvertrag** *m* traité *m* de paix **Fri̲edenszeit** *f* période *f* de paix; **in ~en** en temps de paix
fri̲edfertig ['fri:tfɛrtɪç] *adj* pacifique
Fri̲edfertigkeit *f* caractère *m* conciliant
Fri̲edhof ['fri:tho:f] *m* cimetière *m*
fri̲edlich I. *adj* pacifique; *Anblick* paisible **II.** *adv sterben* en paix
fri̲edliebend ['fri:tli:bənt] *adj* pacifique
fri̲eren ['fri:rən] <fror, gefroren> **I.** *vi* **1.** + *haben* avoir froid; **an den Füßen/ Händen ~** avoir froid aux pieds/mains **2.** + *sein* (*gefrieren*) geler **II.** *vi unpers* + *haben* **es friert** il gèle **III.** *vt unpers* + *haben* **es friert mich** je suis gelé(e)
Fri̲es [fri:s] <-es, -e> *m* ARCHIT frise *f*
Fri̲ese ['fri:zə] <-n, -n> *m*, **Fri̲esin** *f* Frison(ne) *m(f)*
fri̲esisch *adj* frison(ne)
frigi̲d|e *adj* frigide
Frikade̲lle [frika'dɛlə] <-, -n> *f* boulette *f* [de viande]

Frikassee [frika'seː] <-s, -s> *nt* fricassée *f*

Frisbee® ['frɪzbiː] <-, -s> *nt* frisbee® *m*

frisch [frɪʃ] **I.** *adj* **1.** *Lebensmittel, Luft, Farbe* frais(fraîche); *Kräfte, Mut* nouveau(-velle); ~ **und munter sein** *fam* être frais et dispos **2.** (*sauber*) propre; **sich ~ machen** faire un brin de toilette **3.** (*kühl*) frais(fraîche); **es ist ~** il fait frais **II.** *adv* fraîchement; ~ **gestrichen!** peinture fraîche!; **die Betten ~ beziehen** changer les draps ► ~ **gebacken** *hum fam Ehepaar* [tout(e)] jeune; *Lehrer* frais(fraîche) émoulu(e)

Frische ['frɪʃə] <-> *f* fraîcheur *f* ►**in alter ~** *fam* plus frais(fraîche) que jamais

Frischfleisch *nt* viande *f* fraîche **frischgebacken** *s.* **frisch II. Frischkäse** *m* fromage *m* frais

Frischling ['frɪʃlɪŋ] <-s, -e> *m* marcassin *m*

Friseur(in) [fri'zøːɐ̯] <-s, -e> *m(f)* coiffeur(-euse) *m(f)*

Friseursalon [fri'zøːɐ̯zalõː, -zalɔŋ] *m* salon *m* de coiffure

Friseuse [fri'zøːzə] <-, -n> *f* coiffeuse *f*

frisieren* [fri'ziːrən] *vt* **1.** coiffer *Person, Haare* **2.** *fam* trafiquer *Abrechnung, Auto*

Frisör *s.* **Friseur**

Frisöse *s.* **Friseuse**

frisst[RR], **frißt** [frɪst] *3. Pers Präs von* **fressen**

Frist [frɪst] <-, -en> *f* délai *m;* **eine ~ einhalten** observer un délai; **eine ~ verstreichen lassen** laisser expirer un délai; **innerhalb einer ~ von ...** dans un délai de ...

fristen ['frɪstən] *vt* **sein Dasein ~** mener sa vie

Fristenregelung *f* loi *f* sur l'interruption volontaire de grossesse

fristgerecht *adj, adv* dans les délais [impartis]

fristlos *adj, adv kündigen* sans préavis

Frisur [fri'zuːɐ̯] <-, -en> *f* coiffure *f*

fritten *s.* **frittieren**

Fritten *Pl fam* frites *fpl*

frittieren*[RR] *vt* faire frire

frivol [fri'voːl] *adj* déplacé(e)

Frl. *Abk von* **Fräulein** Mlle

froh [froː] *adj* **1.** (*glücklich*) joyeux(-euse) **2.** *fam* (*zufrieden*) **über etw** (*akk*) ~ **sein** être content de qc; [darüber] ~ **sein, dass** se réjouir que + *subj* **3.** (*erfreulich*) heureux(-euse); *Nachricht* bon(ne)

fröhlich ['frøːlɪç] **I.** *adj* joyeux(-euse) **II.** *adv* allègrement

Fröhlichkeit <-> *f* gaieté *f*

frohlocken* *vi geh* (*Schadenfreude empfinden*) jubiler

Frohnatur *f geh* (*Mensch*) heureuse nature

f **Frohsinn** *m kein Pl* heureuse nature *f*, heureux caractère *m*

fromm [frɔm] <=er *o* -er, =ste *o* -ste> *adj* pieux(-euse)

Frömmelei [frœmə'laj] <-, -en> *f pej* bigoterie *f*

Frömmigkeit ['frœmɪçkajt] <-> *f* piété *f*

Fron <-, -en> *f geh* corvée *f*

Fronarbeit *f* **1.** CH travail *m* d'intérêt général (*bénévole*) **2.** HIST corvée *f*

frönen ['frøːnən] *vi geh* **einer S.** (*dat*) ~ s'adonner à qc

Fronleichnam [froːn'lajçnaːm] *kein Pl, kein art* la Fête-Dieu

Front [frɔnt] <-, -en> *f* **1.** (*Vorderseite*) devant *m* **2.** MIL, POL, METEO front *m* ►**klare ~en schaffen** mettre les choses [clairement] au point

frontal [frɔn'taːl] **I.** *adj attr* frontal(e) **II.** *adv* de front; *darstellen* de face

Frontalangriff *m* MIL attaque *f* frontale **Frontalzusammenstoß** *m* collision *f* frontale

Frontantrieb *m* traction *f* avant **Frontwechsel** [-vɛksl] *m* POL revirement *m*

fror [froːɐ̯] *Imp von* **frieren**

Frosch [frɔʃ, *Pl:* 'frœʃə] <-[e]s, =e> *m* ZOOL grenouille *f* ►**einen ~ im Hals** *fam* haben avoir un chat dans la gorge; **sei kein ~!** *fam* ne te fais pas prier!

Froschmann <-männer> *m* homme-grenouille *m* **Froschperspektive** *f* contreplongée *f* **Froschschenkel** *m* cuisse *f* de grenouille

Frost [frɔst, *Pl:* 'frœstə] <-[e]s, =e> *m* gel *m;* **bei eisigem ~** par forte gelée

Frostbeule *f* engelure *f*

frösteln ['frœstəln] **I.** *vi* grelotter **II.** *vt unpers* **es fröstelt ihn** il a des frissons

Frostgefahr *f* risque *m* de gelée

frostig I. *adj a. fig* glacial(e) **II.** *adv* avec froideur; *klingen* glacial(e)

Frostschaden *m* dégât *m* causé par le gel **Frostschutzmittel** *nt* antigel *m*

Frottee [frɔ'teː] <-s, -s> *nt o m* tissu *m* éponge

Frotteehandtuch *nt* serviette *f* éponge

frottieren* [frɔ'tiːrən] *vt, vr* [se] frictionner

Frotzelei <-, -en> *f fam* (*Bemerkung*) sarcasme *m*

frotzeln *vi fam* se moquer

Frucht [frʊxt, *Pl:* 'frʏçtə] <-, =e> *f a. fig* fruit *m;* **Früchte tragen** donner des fruits

fruchtbar *adj* (*Person, Tier*) fécond(e); *Erde* fertile; *Gespräch, Arbeit* fructueux(-euse)

Fruchtbarkeit <-> *f* fécondité *f*

Fruchtblase *f* poche *f* des eaux

Früchtchen <-s, -> *nt fam* chenapan *m*

Fruchteis *nt* glace *f* aux fruits

fruchten ['frʊxtən] *vi* porter ses fruits; **nichts** ~ ne servir à rien
Fruchtfleisch *nt* pulpe *f*
fruchtig *adj* fruité(e)
fruchtlos *adj Bemühungen* infructueux(-euse); *Ermahnungen* sans effet
Fruchtsaft *m* jus *m* de fruit **Fruchtwasser** *nt* liquide *m* amniotique
früh [fry:] I. *adj* 1. tôt; **es ist noch** ~ il est encore tôt; **am ~en Abend** tôt dans la soirée; **am ~en Morgen** de bon matin; **der ~este Zug** le [tout] premier train; **seine ~e Kindheit** sa prime enfance (*soutenu*) 2. *Eintritt, Winter* précoce; *Tod* prématuré(e) II. *adv aufbrechen* de bonne heure; **heute** ~ ce matin; **von** ~ **bis spät** du matin au soir; **~er als sechs Uhr** avant six heures ▸ **~er oder später** tôt ou tard
Frühaufsteher(in) <-s,-> *m(f)* lève-tôt *mf* (*fam*) **Frühdienst** *m* service *m* du matin
Frühe ['fry:ə] <-> *f* **in aller** ~ de bon matin
früher ['fry:ɐ] I. *adj* 1. (*vergangen*) passé(e) 2. (*ehemalig*) ancien(ne) II. *adv* (*ehemals*) autrefois; **von** ~ d'autrefois
Früherkennung *f* dépistage *m* précoce
frühestens ['fry:əstəns] *adv* au plus tôt
frühestmöglich *adj attr* **zum ~en Zeitpunkt** le plus tôt possible
Frühgeburt *f* 1. naissance *f* avant terme 2. (*Kind*) prématuré(e) *m(f)* **Frühjahr** *nt* printemps *m* **Frühjahrsmüdigkeit** *f* fatigue intervenant au printemps **frühkindlich** *adj* infantile
Frühling ['fry:lɪŋ] <-s, -e> *m* printemps *m*
Frühlingsanfang *m* début *m* du printemps **frühlingshaft** *adj* printanier(-ière) **Frühlingsrolle** *f* GASTR rouleau *m* de printemps
Frühmesse *f* première messe *f* **frühmorgens** [fry:'mɔrgəns] *adv* de bon matin **Frühnebel** *m* brume *f* matinale **frühreif** *adj Kind* précoce **Frührentner(in)** *m(f)* préretraité(e) *m(f)* **Frühschicht** *f* équipe *f* du matin; ~ **haben** être [de l'équipe] du matin **Frühschoppen** *m* réunion le dimanche matin dans le bistrot du coin **Frühsport** *m* gymnastique *f* matinale **Frühstadium** *nt* stade *m* précoce **Frühstart** *m* SPORT faux départ *m*
Frühstück <-stücke> *nt* petit-déjeuner *m*
frühstücken *vi* prendre son petit-déjeuner **Frühstücksfernsehen** *nt* émissions *fpl* [de télé] matinales **Frühstückspause** *f* pause *f* petit-déjeuner (*fam*)
Frühverrentung *f* retraite *f* anticipée
Frühwerk *nt* œuvre *f* de jeunesse **frühzeitig** I. *adj* précoce; *Tod* prématuré(e); *Operation* effectué(e) à temps II. *adv* [suffisamment] tôt; (*vorzeitig*) prématurément
Frust [frʊst] <-[e]s> *m fam* frustration *f*

Frustration [frʊstra'tsi̯o:n] <-, -en> *f* frustration *f*
frustrieren* [frʊs'tri:rən] *vt fam* frustrer
F-Schlüssel ['ɛfʃlʏsəl] *m* MUS clé *f* de fa
Fuchs [fʊks, *Pl:* 'fʏksə] <-es, -̈e> *m* 1. (*Tier, Pelz*) renard *m* 2. (*Pferd*) alezan *m* 3. *fam* (*Mensch*) [fin] renard *m;* **ein schlauer** ~ un vieux renard
Fuchsbau <-baue> *m* renardière *f*
fuchsen [-ks-] *vt fam* **jdn** ~ foutre qn en rogne
Fuchsie ['fʊksi̯ə] <-, -n> *f* fuchsia *m*
Füchsin ['fʏksɪn] <-, -nen> *f* ZOOL renarde *f*
Fuchsschwanz *m* (*Säge*) [scie *f*] égoïne *f* **fuchsteufelswild** ['fʊksˈtɔy̯fəlsˈvɪlt] *adj fam* furax
Fuchtel ['fʊxtəl] ▸ **unter jds** ~ (*dat*) *fam* sous la coupe de qn
fuchteln *vi fam* gesticuler; **mit etw** ~ agiter qc
Fug [fu:k] ▸ **mit** ~ **und** **Recht** *geh* à bon droit
Fuge ['fu:gə] <-, -n> *f* 1. (*Ritze*) *im Holz* rainure *f; in der Mauer* joint *m* 2. MUS fugue *f* ▸ **aus den ~n geraten** *geh* s'en aller à vau-l'eau
fügen ['fy:gən] I. *vr* **sich** ~ (*sich unterordnen*) se soumettre; (*passen*) bien s'intégrer; (*sich ergeben*) s'arranger II. *vt geh* **etw an/auf etw** ~ (*akk*) ajouter qc à/sur qc
fügsam *adj geh* docile
Fügung <-, -en> *f* effet *m* de la Providence; **eine glückliche** ~ un hasard providentiel; **eine** ~ **des Schicksals** un arrêt du destin
fühlbar *adj* 1. (*merklich*) sensible 2. (*tastbar*) palpable
fühlen ['fy:lən] I. *vt* 1. (*empfinden*) sentir; (*spüren*) ressentir *Schmerz* 2. (*ertasten*) toucher II. *vi* **nach etw** ~ porter la main à qc; **fühl mal!** touche [voir]! III. *vr* 1. **sich schlecht** ~ se sentir mal; **wie** ~ **Sie sich?** comment vous sentez-vous? 2. (*sich einschätzen*) se considérer comme
Fühler <-s, -> *m* 1. *eines Insekts* antenne *f; einer Schnecke* corne *f* 2. TECH (*Temperaturfühler*) sonde *f;* (*Sensor*) capteur *m* ▸ **seine** ~ **ausstrecken** *fam* tâter le terrain
Fühlung ▸ **mit jdm in** ~ **bleiben** rester en contact avec qn
fuhr [fu:ɐ] *Imp von* **fahren**
Fuhre ['fu:rə] <-, -n> *f* 1. (*Ladung*) chargement *m* 2. (*Fahrt*) course *f*
führen ['fy:rən] I. *vt* 1. (*geleiten*) guider; (*hin~*) conduire; **jdn zu jdm** ~ conduire qn chez qn; **jdn über die Straße** ~ faire

traverser la rue à qn; **jdn durch eine Stadt** ~ guider qn à travers une ville **2.** (*bringen*) **jdn auf ein Thema** ~ amener qn sur un sujet; **was führt Sie zu mir?** *form* qu'est-ce qui vous amène?; **das Glas zum Mund** ~ porter le verre à ses lèvres **3.** (*leiten*) diriger **4.** *form* (*steuern*) conduire **5.** *form* porter *Namen, Titel;* **mit sich** ~ avoir avec soi *Papiere, Waffen* **6.** COM vendre *Artikel* **II.** *vi* **1.** (*in Führung liegen*) mener; **2:0** ~ mener 2 à 0 **2.** (*verlaufen*) **durch den Tunnel** ~ traverser le tunnel; **nach Kassel** ~ mener à Kassel **3.** (*als Ergebnis haben*) **zu etw** ~ conduire à qc; **das führt zu nichts** ça ne mène à rien **III.** *vr form* (*sich benehmen*) se conduire

führend *adj* de premier plan; **in etw** (*dat*) ~ **sein** être leader dans qc

Führer(in) ['fy:rɐ] <-s, -> *m(f)* **1.** (*Leiter*) dirigeant(e) *m(f)* **2.** (*Reiseführer, Bergführer*) guide *mf* **3.** CH (*Lenker*) conducteur(-trice) *m(f)* ▶**der** ~ NS le führer

Führerhaus *nt* cabine *f* **Führerschein** *m* permis *m* [de conduire]; **den** ~ **machen** passer le permis [de conduire] **Führerscheinentzug** *m* retrait *m* du permis [de conduire]

Fuhrpark *m* parc *m* automobile

Führung ['fy:rʊŋ] <-, -en> *f* **1.** (*Besichtigung*) visite *f* guidée **2.** *kein Pl* (*Betragen*) conduite *f* **3.** *kein Pl* (*leitende Gruppe*) direction *f;* **unter jds** ~ (*dat*) sous la direction de qn **4.** *kein Pl* SPORT avance *f;* **in** ~ **gehen** prendre la tête; **in** ~ **liegen** être en tête

Führungsanspruch *m* leadership *m* **Führungsebene** *f* **auf** ~ au niveau de la direction **Führungskraft** *f* cadre *m* supérieur **Führungsspitze** *f* *eines Unternehmens* direction *f; einer Partei* comité *m* directeur **Führungsstil** *m* style *m* de direction **Führungszeugnis** *nt* certificat *m* de bonne conduite

Fuhrunternehmen *nt* société *f* de transports **Fuhrwerk** *nt* charrette *f*

Fülle ['fylə] <-> *f* **1.** *des Klanges, des Haares* volume *m* **2.** (*Körperfülle*) embonpoint *m* **3.** (*Menge*) **eine** ~ **von etw** une foule de qc

füllen ['fylən] **I.** *vt* **1.** remplir *Gefäß* **2.** GASTR farcir **3.** (*ein~*) **etw in einen Behälter** ~ verser qc dans un récipient **II.** *vr sich* ~ se remplir

Füller ['fylɐ] <-s, -> *m* stylo *m*

Füllfederhalter *m* stylo-plume *m* **Füllgewicht** *nt* COM poids *m* net

füllig *adj Figur* enveloppé(e); *Haar* volumineux(-euse)

Füllung <-, -en> *f* **1.** *eines Polsters* rem-

bourrage *m; eines Zahns* plombage *m* **2.** GASTR farce *f* **3.** (*Türfüllung*) panneau *m*

Fummel <-s, -> *m fam* fringues *fpl*

fummeln ['fʊməln] *vi fam* **1.** (*hantieren*) tripatouiller; **an etw** (*dat*) ~ tripatouiller qc **2.** (*sexuell*) se peloter

Fund [fʊnt] <-[e]s, -e> *m* **1.** *kein Pl form* (*das Entdecken*) découverte *f; einen* ~ **machen** *geh* faire une découverte **2.** (*etwas Gefundenes*) trouvaille *f*

Fundament [fʊndaˈmɛnt] <-[e]s, -e> *nt* **1.** fondations *fpl* **2.** (*Grundlage*) base *f; das* ~ **zu etw legen** jeter les bases de qc

fundamental [fʊndamɛnˈtaːl] *adj* fondamental(e)

Fundamentalismus [fʊndamɛntaˈlɪsmʊs] <-> *m* fondamentalisme *m;* REL intégrisme *m*

Fundamentalist(in) [fʊndamɛntaˈlɪst(in)] <-en, -en> *m(f)* intégriste *mf*

Fundbüro *nt* bureau *m* des objets trouvés **Fundgrube** *f* mine *f*

fundiert *adj Beurteilung* fondé(e); *Untersuchung* approfondi(e)

fündig ['fʏndɪç] *adj* ~ **werden** trouver quelque chose

Fundort *m* lieu *m* de la découverte **Fundsache** *f* objet *m* trouvé

Fundus <-, -> *m* THEAT magasin *m* des accessoires

fünf [fʏnf] *num* cinq ▶**es ist** ~ [Minuten] **vor zwölf** il est grand temps [d'agir]; ~[e] **gerade sein lassen** *fam* fermer un œil; *s. a.* **acht**[1]

Fünf <-, -en> *f* (*Schulnote*) ≈ huit *m* [sur vingt]

Fünfeck *nt* pentagone *m* **fünfeckig** *adj* pentagonal(e) **fünfeinhalb** *num* ~ **Meter** cinq mètres et demi; *s. a.* **achteinhalb**

Fünfer ['fʏnfɐ] <-s, -> *m fam* (*Lottogewinn*) cinq bons numéros *mpl*

fünferlei *adj inv attr* ~ **Sorten Brot** cinq sortes de pain; *s. a.* **achterlei**

Fünfeuroschein *m* billet *m* de cinq euros **Fünfeurostück** *nt* pièce *f* de cinq euros **fünffach I.** *adj* **die** ~**e Menge nehmen** prendre cinq fois la dose **II.** *adv* **falten** cinq fois; *s. a.* **achtfach**

fünfhundert *num* cinq cents **Fünfjahresplan** *m* plan *m* quinquennal **Fünfkampf** *m* pentathlon *m*

Fünfling <-s, -e> *m* quintuplé(e) *m(f)*

fünfmal *adv* cinq fois; *s. a.* **achtmal** **Fünfprozentklausel** *f* clause *f* des cinq pour cent **fünfstellig** *adj Zahl* de cinq chiffres

fünft *adv* **zu** ~ **sein** être cinq; *s. a.* **acht**[2]

Fünftagewoche [fʏnfˈtaːgəvɔxə] *f* semaine *f* de cinq jours **fünftausend** *num* cinq mille

fünfte(r, s) *adj* 1. cinquième 2. (*bei Datumsangabe*) der ~ **März** le cinq mars; *s. a.* **achte(r, s)**
fünftel *adj* cinquième; *s. a.* **achtel**
Fünftel <-s, -> *nt* cinquième *m*
fünfzehn *num* quinze; *s. a.* **acht**[1]
fünfzig ['fʏnftsɪç] *num* cinquante; *s. a.* **achtzig**
Fünfzig <-, -en> *f* cinquante *m*
fünfziger *adj inv* die ~ **Jahre** les années *fpl* cinquante; *s. a.* **achtziger**
Fünfzigeuroschein *m* billet *m* de cinquante euros
fünfzigjährig *adj attr* de cinquante ans; *s. a.* **achtzigjährig**
fünfzigste(r, s) *adj* cinquantième; *s. a.* **achtzigste(r, s)**
Fünfzimmerwohnung *f* appartement *m* de cinq pièces
fungieren* [fʊŋ'giːrən] *vi* (*walten*) als **etw** ~ *Person:* faire fonction de qc; *Gegenstand:* faire office de qc
Funk [fʊŋk] <-s> *m* radio *f*
Funkamateur(in) [-amatøːɐ] *m(f)* radio-amateur *m*
Fünkchen ►**ein** ~ **Hoffnung** une lueur d'espoir
Funke ['fʊŋkə] <-ns, -n> *m* étincelle *f;* ~**n sprühend** projetant des étincelles ►**ein** ~ **Hoffnung** une lueur d'espoir
funkeln ['fʊŋkəln] *vi* étinceler
funkelnagelneu ['fʊŋkəl'naːgəl'nɔy] *adj fam* flambant neuf(neuve)
funken ['fʊŋkən] I. *vt* transmettre par radio; **eine Nachricht/ein Signal** ~ transmettre une nouvelle/lancer un signal par radio II. *vi* (*Funken sprühen*) faire des étincelles III. *vi unpers fam* (*verstehen*) **es hat bei ihm gefunkt** il a pigé
Funker(in) <-s, -> *m(f)* [opérateur(-trice) *m(f)*] radio *m*
Funkgerät *nt* appareil *m* de radio **Funkhaus** *nt* studios *mpl* **Funksprechgerät** *nt* talkie-walkie *m* **Funkspruch** *m* message *m* radio **Funkstille** *f* TELEC silence *m* radio ►**es herrscht bei jdm** ~ *fam* c'est le grand silence chez qn **Funkstreife** *f* ronde *f* de police [en voiture radio] **Funktaxi** *nt* radio-taxi *m* **Funktelefon** *nt* radiotéléphone *m*
Funktion [fʊŋk'tsi̯oːn] <-, -en> *f* fonction *f;* **in** ~ **treten** entrer en fonction; **außer** ~ **sein** être hors service
funktional [fʊŋktsi̯o'naːl] *s.* **funktionell**
Funktionär(in) [fʊŋtsi̯o'nɛːɐ] <-s, -e> *m(f)* permanent(e) *m(f)*
funktionell *adj a.* MED fonctionnel(le)
funktionieren* [fʊŋtsi̯o'niːrən] *vi* fonctionner

Funktionstaste *f* INFORM touche *f* [de] Fonction **funktionstüchtig** *adj* en état de marche
Funkturm *m* tour *f* hertzienne **Funkverbindung** *f* liaison *f* radio **Funkverkehr** *m* radiocommunication *f*
Funzel <-, -n> *f pej fam* loupiote *f*
für [fyːɐ] *präp* + *akk* 1. pour; ~ **Kinder** pour enfants; ~ **jdn bestimmt sein** être destiné à qn; jdn ~ **intelligent halten** juger qn intelligent(e) 2. (*wiederholend*) **Tag** ~ **Tag** jour après jour 3. *mit Fragepronomen* **was** ~ ... quel(le)s ...; **was** ~ **ein** ... quelle sorte de ...; ~ **was soll das gut sein?** à quoi cela peut-il servir? ►~ **sich** (*allein*) seul(e); **jeder** ~ **sich** chacun pour soi; **etw** ~ **sich [allein] entscheiden** décider de qc à titre personnel; ~ **sich [genommen]** pris(e) séparément
Für <-> *nt* ►**das** ~ **und Wider** le pour et le contre
Fürbitte *f* prière *f* [d'intercession]
Furche ['fʊrçə] <-, -n> *f* 1. (*Ackerfurche*) sillon *m* 2. (*Gesichtsfalte*) ride *f*
furchen *vt geh* 1. tracer des sillons dans *Acker* 2. rider *Stirn*
Furcht [fʊrçt] <-> *f* peur *f;* **jdm** ~ **einflößen** faire peur à qn; ~ **erregend** effrayant(e)
furchtbar I. *adj* terrible; **das ist ja** ~! mais c'est affreux! II. *adv mit adj* terriblement; *mit Verb* affreusement
fürchten ['fʏrçtən] I. *vt* 1. redouter 2. (*be~*) craindre; **nichts zu** ~ **haben** n'avoir rien à craindre II. *vr* **sich vor jdm/etw** ~ avoir peur de qn/qc III. *vi* **um jdn/etw** ~ craindre pour qn/qc; **zum Fürchten sein** faire peur
fürchterlich ['fʏrçtəlɪç] *s.* **furchtbar**
furchterregend *s.* **Furcht**
furchtlos *adj Person* hardi(e); *Vorgehen* courageux(-euse)
Furchtlosigkeit <-> *f* audace *f*
furchtsam *adj geh* craintif(-ive)
Furchtsamkeit <-, -en> *f geh* crainte *f*
füreinander [fyːɐ'ʔai̯'nandɐ] *adv* l'un(e) pour l'autre/les un(e)s pour les autres; ~ **bestimmt sein** être faits l'un pour l'autre
Furie ['fuːri̯ə] <-, -n> *f pej* (*Frau*) furie *f*
Furnier [fʊr'niːɐ] <-s, -e> *nt* placage *m*
furnieren* [fʊr'niːrən] *vt* plaquer
Furore [fu'roːrə] <-> *f*, <-s> *nt* ►~ **machen** *fam* faire un malheur
Fürsorge ['fyːɐ̯zɔrgə] *f kein Pl* 1. (*Betreuung*) soins *mpl* 2. *fam* (*Sozialhilfe*) aide *f* sociale
Fürsorgepflicht *f* devoir *m* d'assistance [sociale]
fürsorglich I. *adj* attentionné(e) II. *adv*

avec soin
Fürsprache *f* intervention *f;* ~ **für jdn einlegen** intercéder en faveur de qn
Fürsprecher(in) *m(f)* avocat(e) *m(f)*
Fürst(in) ['fʏrst] <-en, -en> *m(f)* prince(-esse) *m(f)*
Fürstentum <-[e]s, -tümer> *nt* principauté *f*
fürstlich I. *adj* princier(-ière); *Trinkgeld* royal(e) **II.** *adv* de façon princière
Furt [fʊrt] <-, -en> *f* gué *m*
Furunkel [fu'rʊŋkəl] <-s, -> *nt o m* furoncle *m*
Fürwort <-wörter> *nt* pronom *m*
Furz [fʊrts, *Pl:* 'fʏrtsə] <-es, ⁼e> *m fam* pet *m*
furzen *vi fam* péter
Fusel ['fuːzəl] <-s, -> *m pej fam* tordboyaux *m*
Fusion [fu'zi̯oːn] <-, -en> *f* COM, PHYS fusion *f*
fusionieren* [fuzi̯o'niːrən] *vi* fusionner
Fuß [fuːs, *Pl:* 'fyːsə] <-es, ⁼e> *m* **1.** pied *m;* **gut zu ~ sein** avoir de bonnes jambes; **sich jdm zu Füßen werfen** se jeter aux pieds de qn; **zu ~ à** pied; **bei ~!** au pied! **2.** *kein Pl* (*Längenmaß*) pied *m* ▶**auf eigenen Füßen stehen** voler de ses propres ailes; **sich auf freiem ~ befinden** être en liberté; **auf großem ~ leben** mener grand train; **mit jdm auf gutem ~ stehen** être en bons termes avec qn; **kalte Füße bekommen** *fam* se défiler; **irgendwo ~ fassen** prendre pied quelque part; **einer S. auf dem ~e folgen** succéder [immédiatement] à qc; **etw mit Füßen treten** fouler aux pieds qc
Fußabtreter <-s, -> *m* DIAL décrottoir *m*
Fußbad *nt* bain *m* de pieds **Fußball** *m* **1.** *kein Pl* (*Spiel*) football *m* **2.** (*Ball*) ballon *m* [de football] **Fußballer(in)** <-s, -> *m(f) fam* footballeur(-euse) *m(f)* **Fußballfan** *m* fan *mf* de foot **Fußballmannschaft** *f* équipe *f* de football **Fußballplatz** *m* terrain *m* de football **Fußballspiel** *nt* match *m* de football **Fußballspieler(in)** *m(f)* joueur(-euse) *m(f)* de football **Fußballverein** *m* club *m* de football
Fußbank <-bänke> *f* petit banc *m* **Fußboden** *m* sol *m* **Fußbodenbelag** *m* revê-

tement *m* de sol **Fußbreit** <-> *m kein Pl* pied *m;* **keinen ~** *zurückweichen* pas d'une semelle **Fußbremse** *f* pédale *f* de frein
Fussel ['fʊsəl] <-, -n> *f,* <-s, -> *m* peluche *f*
fusselig *adj* qui peluche
fusseln *vi* pelucher
fußen ['fuːsən] *vi* reposer; **auf etw ~** (*dat*) reposer sur qc
Fußende *nt* pied *m*
Fußgänger(in) ['fuːsgɛŋɐ] <-s, -> *m(f)* piéton(ne) *m(f)*
Fußgängerampel *f* feu *m* pour piétons **Fußgängerüberweg** *m* passage *m* pour piétons **Fußgängerzone** *f* zone *f* piétonne
Fußgelenk *nt* cheville *f*
fußläufig *adj* à pied
fussligRR, **fußlig** ['fʊsliç] *s.* fusselig
Fußmarsch *m* marche *f* à pied **Fußmatte** *f* paillasson *m* **Fußnote** *f* note *f* [de bas de page] **Fußpflege** *f* soins *mpl* des pieds **Fußpilz** *m* mycose *f* [du pied] **Fußsohle** *f* plante *f* du pied **Fußspitze** *f* pointe *f* du pied **Fußspur** *f* trace *f* de pas **Fußstapfen** *m* ▶**in jds ~ treten** (*akk*) marcher sur les traces de qn **Fußtritt** *m* coup *m* de pied **Fußvolk** *nt pej fam* **das ~** le petit peuple **Fußweg** *m* (*Pfad*) sentier *m* **Fußzeile** *f* pied *m* de page
futsch [fʊtʃ] *adj fam* **~ sein** être fichu
Futter ['fʊtɐ] <-s, -> *nt* **1.** *kein Pl* (*Nahrung*) nourriture *f* **2.** *eines Mantels, Umschlags* doublure *f* **3.** TECH mandrin *m*
Futteral [fʊtə'raːl] <-s, -e> *nt* étui *m*
Futterkrippe *f* mangeoire *f*
futtern ['fʊtɐn] *vt, vi fam* bouffer
füttern ['fʏtɐn] *vt* **1.** nourrir *Säugling, Tier* **2.** INFORM *fam* alimenter *Computer* **3.** COUT doubler
Futternapf *m* écuelle *f* **Futterneid** *m* ≈ peur *f* d'en avoir moins que les autres **Futterpflanze** *f* plante *f* fourragère
Fütterung ['fʏtərʊŋ] <-, -en> *f* (*Tierfütterung*) alimentation *f*
Futterzusatz *m* AGR complément *m* alimentaire
Futur [fu'tuːɐ̯] <-s, -e> *nt* GRAM futur *m*
futuristisch [futu'rɪstɪʃ] *adj* futuriste

G

G, g [ge:] <-, -> *nt* **1.** G *m*/g *m* **2.** MUS sol *m*
g *Abk von* **Gramm** g
gab [ga:p] *Imp von* **geben**
Gabe ['ga:bə] <-, -n> *f* **1.** *geh* (*Geschenk*) présent *m* **2.** (*Spende*) **eine milde** ~ une aumône **3.** (*Begabung*) don *m* **4.** *kein Pl* (*das Verabreichen*) administration *f*
Gabel ['ga:bəl] <-, -n> *f* **1.** fourchette *f* **2.** (*Heugabel*) fourche *f*
gabeln ['ga:bəln] *vr* **sich** ~ *Straße:* bifurquer
Gabelstapler ['ga:bəlʃta:plə] <-s, -> *m* chariot *m* élévateur [à fourche]
Gabelung <-, -en> *f* bifurcation *f*
Gabentisch *m* table *où sont disposés les cadeaux à Noël ou pour un anniversaire*
gackern ['gakən] *vi a. fig, pej* glousser (*péj*)
gaffen ['gafən] *vi pej* reluquer; **nach jdm/ etw** ~ reluquer qn/qc (*fam*)
Gag [gɛk] <-s, -s> *m* gag *m*
Gage ['ga:ʒə] <-, -n> *f* cachet *m*
gähnen ['gɛ:nən] *vi* bâiller
Gala ['ga(:)la] <-> *f* tenue *f* de gala; **sich in** ~ **werfen** *fam* se mettre sur son trente et un
galaktisch [ga'laktɪʃ] *adj Nebel* galactique
galant [ga'lant] *adj* galant(e)
Galavorstellung *f* représentation *f* de gala
Galeere [ga'le:rə] <-, -n> *f* galère *f*
Galerie [galə'ri:] <-, -n> *f* **1.** (*Kunstgalerie*) galerie *f* [d'art] **2.** ARCHIT galerie *f* **3.** CH, A (*Tunnel*) tunnel *m*
Galerist(in) [galə'rɪst] <-en, -en> *m(f)* galeriste *mf*
Galgen ['galgən] <-s, -> *m* potence *f*
Galgenfrist *f fam* ultime délai *m* **Galgenhumor** *m* humour *m* noir
Galionsfigur *f a. fig* figure *f* de proue
Galle ['galə] <-, -n> *f* **1.** (*Organ*) vésicule *f* biliaire **2.** (*Sekret*) bile *f*
Gallenblase *f* vésicule *f* biliaire **Gallenstein** *m* calcul *m* biliaire
Gallert ['galət, ga'lɛrt] <-[e]s, -e> *nt* gelée *f*
gallertartig [ga'lɛrt'a:ɐ̯tɪç] *adj* gélatineux(-euse)
Gallien ['galiən] <-s> *nt* Gaule *f*
Gallier(in) ['galiə] <-, -> *m(f)* Gaulois(e) *m(f)*
gallisch *adj* gaulois(e)

Galopp [ga'lɔp] <-s, -s *o* -e> *m* galop *m*; **im** ~ au galop
galoppieren* [galɔ'pi:rən] *vi* + *haben o sein* galoper
galt [galt] *Imp von* **gelten**
galvanisch [gal'va:nɪʃ] *adj* TECH galvanique
galvanisieren* [galvani'zi:rən] *vt* TECH galvaniser
Gamasche <-, -n> *f* guêtre *f*
Gambe <-, -n> *f* viole *f* de gambe
Gamepad ['geɪmpɛd] <-s, -s> *nt* INFORM gamepad *m*
Gameshow ['geɪmʃoʊ] <-, -s> *f* jeu *m* télévisé
Gammastrahlen ['gamaʃtra:lən] *Pl* PHYS rayons *mpl* gamma
gammelig *adj fam Obst* pourri(e)
gammeln ['gaməln] *vi pej fam* (*faulenzen*) gland[ouill]er
GämseRR ['gɛmzə] <-, -n> *f* chamois *m*
gäng [gaŋ] ►~ **und gäbe sein** être monnaie courante
Gang [gaŋ, *Pl:* 'gɛŋə] <-[e]s, =e> *m* **1.** *kein Pl* (~*art*) démarche *f* **2.** (*Behördengang*) démarche *f*; **der** ~ **zum Zahnarzt** la visite chez le dentiste **3.** (*Ablauf*) *der Ereignisse, Geschäfte* cours *m* **4.** GASTR plat *m* **5.** TECH vitesse *f*; **im ersten/dritten** ~ en première/troisième **6.** (*Korridor*) couloir *m* ►**in vollem** ~**e sein** *Vorbereitungen, Party:* battre son plein; **in** ~ **bringen** mettre en marche *Maschine;* entamer *Verhandlungen;* **in** ~ **kommen** *Arbeiten:* démarrer; *Verhandlungen:* s'engager
Gangart *f eines Pferdes* allure *f*
gangbar *adj* **ein** ~**er Weg** un chemin praticable; *fig* une voie envisageable
Gängelband ►**jdn am** ~ **führen** *pej* tenir qn en laisse
gängeln ['gɛŋəln] *vt pej* tenir en laisse
gängig ['gɛŋɪç] *adj* **1.** (*üblich*) courant(e) **2.** COM *Artikel* demandé(e); *Größe* courant(e)
Gangschaltung *f* (*beim Auto*) changement *m* de vitesse; (*beim Fahrrad*) dérailleur *m*
Gangster ['gɛŋstə] <-s, -> *m pej* gangster *m*
Gangway ['gɛŋweɪ] <-, -s> *f* passerelle *f* [d'embarquement]
Ganove [ga'no:və] <-n, -n> *m pej fam* (*Verbrecher*) truand *m*

Gans [gans, Pl: 'gɛnzə] <-, ⁼e> f 1. oie f 2. pej fam (Schimpfwort) |du| dumme ~! espèce d'âne!

Gänseblümchen ['gɛnzəbly:mçən] nt pâquerette f Gänsebraten m oie f rôtie Gänsefüßchen ['gɛnzəfy:sçən] Pl fam guillemets mpl Gänsehaut f chair f de poule; eine ~ haben avoir la chair de poule Gänseleberpastete f foie m gras [d'oie] Gänsemarsch m im ~ à la queue leu leu Gänserich ['gɛnzərıç] <-s, -e> m jars m Gänseschmalz nt graisse f d'oie

ganz [gants] I. adj 1. (gesamt, vollzählig) complet(-ète); die ~e Nachbarschaft tous les voisins; die ~e Wahrheit toute la vérité; ~ Paris tout Paris 2. Drehung complet(-ète); Zahl entier(-ière); eine ~e Note une ronde f; den ~en Tag [über] toute la journée 3. fam (all der/die/das ...) dieses ~e Gerede tous ces discours 4. fam (unbeschädigt) intact(e); etw [wieder] ~ machen rafistoler qc 5. fam (nur) ~e zehn Euro spenden donner tout juste dix euros 6. fam (ziemlich viel) eine ~e Menge Geld une sacrée somme [d'argent] II. adv 1. kalt, hoch très; fürchterlich, schön vraiment; begeistert, überrascht totalement; allein tout; egal, ruhig parfaitement; ~ gleich, was passiert quoi qu'il arrive; ~ recht! très juste! 2. fam (ziemlich) assez; ein ~ gutes Gehalt un assez bon salaire 3. (an der äußersten Stelle) tout [à fait] 4. (vollständig) complètement ►~ und gar totalement; ~ und gar nicht pas du tout

Ganze(s) nt dekl wie adj 1. (Ganzheit) ensemble m 2. (alle Sachen) das ~ le tout; (die ganze Angelegenheit) tout cela (fam) ►aufs ~ gehen fam risquer le tout; es geht ums ~ risquer le tout pour le tout Gänze <-> f intégralité f; in seiner/ihrer ~ geh dans son intégralité ganzheitlich adj global(e) Ganzheitsmedizin f médecine f globale ganzjährig adj, adv [durant] toute l'année ganzlich ['gɛntslıç] I. adj Fehlen, Mangel total(e) II. adv totalement ganztägig ['gantstɛ:gıç] I. adj Arbeit, Stelle à temps complet; Ausflug d'une journée II. adv toute la journée; arbeiten à plein temps Ganztagsschule f type d'école et de scolarité où les cours ont lieu toute la journée

gar¹ [ga:ɐ̯] adv 1. (überhaupt) ~ nichts/ niemand absolument rien/personne; ~ nicht teuer pas cher(chère) du tout 2. (geschweige) 100 oder ~ 200 Euro sind einfach zu viel 100 voire 200 euros sont bien trop

gar² adj ~ sein être bien cuit Garage [ga'ra:ʒə] <-, -n> f garage m Garant(in) [ga'rant] <-en, -en> m(f) garant(e) m(f) Garantie [garan'ti:] <-, -n> f garantie f; ein Jahr ~ haben être garanti un an garantieren* [garan'ti:rən] I. vt garantir II. vi für etw ~ Person: se porter garant(e) pour qc garantiert adv fam er hat das ~ vergessen! à coup sûr, il l'a oublié! Garantieschein m bon m de garantie Garaus ►jdm den ~ machen fam achever qn Garbe ['garbə] <-, -n> f 1. (Getreidegarbe) gerbe f 2. (Geschossgarbe) rafale f Garde ['gardə] <-, -n> f garde f Garderobe [gardə'ro:bə] <-, -n> f 1. (Ständer) portemanteau m 2. (Aufbewahrungsraum) vestiaire m 3. geh (Kleidung) garde-robe f 4. (Umkleideraum) eines Schauspielers loge f Garderobenfrau f dame f du vestiaire Garderobenmarke f numéro m de vestiaire Garderobenständer m portemanteau m Gardine [gar'di:nə] <-, -n> f rideau m ►hinter schwedischen ~n sitzen hum fam être à l'ombre Gardinenpredigt ►jdm eine ~ halten hum fam sonner les cloches à qn Gardinenstange f tringle f à rideau garen ['ga:rən] vt [faire] cuire Fleisch, Gemüse gären ['gɛ:rən] <gärte o gor, gegärt o gegoren> vi + haben o sein fermenter Garn [garn] <-[e]s, -e> nt fil m Garnele [gar'ne:lə] <-, -n> f crevette f [rose] garnieren* [gar'ni:rən] vt garnir; einen Braten/Kuchen mit etw ~ garnir un rôti de qc/décorer un gâteau avec qc Garnison [garni'zo:n] <-, -en> f garnison f Garnitur [garni'tu:r] <-, -en> f parure f; eine ~ Bettwäsche/Unterwäsche une parure de draps/de linge garstig ['garstıç] adj geh 1. (ungezogen) vilain(e) 2. (abscheulich) répugnant(e), affreux(-euse) Garten ['gartən, Pl: 'gɛrtən] <-s, ⁼> m jardin m; zoologischer ~ jardin m zoologique ►der ~ Eden le jardin d'Éden Gartenarbeit f jardinage m Gartenarchitekt(in) m(f) [architecte mf] paysagiste mf Gartenbau m kein Pl horticulture f Gartenfest nt garden-party f Gartengerät nt outil m de jardin Gartenhaus nt pavillon m Gartenlaube f gloriette f Gartenschere f sécateur m Gartenzaun m

clôture *f* de jardin **Gartenzwerg** *m* nain *m* de jardin

Gärtner(in) ['gɛrtnɐ] <-s, -> *m(f)* jardinier(-ière) *m(f)*

Gärtnerei [gɛrtnə'raj] <-, -en> *f* établissement *m* horticole; (*Gemüsegärtnerei*) entreprise *f* maraîchère

gärtnern *vi* jardiner

Gärung ['gɛːrʊŋ] <-, -en> *f* fermentation *f*

Gas [gaːs] <-es, -e> *nt* **1.** gaz *m* **2.** *fam* (~*pedal*) accélérateur *m* **3.** (*Treibstoff*) ~ **geben** accélérer; [das] ~ **wegnehmen** lever le pied

Gasfeuerzeug *nt* briquet *m* à gaz **Gasflasche** *f* bouteille *f* de gaz **gasförmig** ['gaːsfœrmɪç] *adj* gazeux(-euse) **Gashahn** *m* robinet *m* du gaz **Gasherd** *m* cuisinière *f* à gaz **Gaskocher** *m* réchaud *m* à gaz **Gasleitung** *f* conduite *f* de gaz; (*Fernleitung*) gazoduc *m* **Gasmaske** *f* masque *m* à gaz **Gaspedal** *nt* pédale *f* d'accélérateur

Gässchen^RR, **Gäßchen** <-s, -> *nt Dim von* **Gasse** [petite] ruelle *f*

Gasse ['gasə] <-, -n> *f* **1.** ruelle *f* **2.** A (*Straße*) rue *f*

Gassi ▶~ **gehen** *fam* faire sortir le chien

Gast [gast, *Pl:* 'gɛstə] <-es, ˮe> *m* **1.** invité(e) *m(f)* **2.** (*Hotelgast*) pensionnaire *mf* **3.** (*Besucher*) hôte *m; bei jdm zu ~ sein geh* être l'hôte de qn

Gastarbeiter(in) *m(f)* travailleur immigré *m/* travailleuse immigrée *f*

Gästebuch *nt* livre *m* d'hôtes **Gästezimmer** *nt* chambre *f* d'amis

gastfreundlich *adj* hospitalier(-ière) **Gastfreundschaft** *f* hospitalité *f* **Gastgeber(in)** *m(f)* hôte(-esse) *m(f)* **Gastgewerbe** *nt* industrie *f* hôtelière **Gasthof** *m* auberge *f* **Gasthörer(in)** *m(f)* auditeur(-trice) *m(f)* libre

gastieren* [gas'tiːrən] *vi* se produire en tournée

Gastland *nt* pays *m* d'accueil

gastlich *adj geh Haus* hospitalier(-ière); *Bewirtung* prévenant(e)

Gastmannschaft *f* équipe *f* des visiteurs **Gastrecht** *nt kein Pl* lois *fpl* de l'hospitalité

Gastronom(in) <-en, -en> *m(f)* restaurateur(-trice) *m(f)*

Gastronomie [gastrono'miː] <-, -n> *f form* restauration *f*

gastronomisch [gastro'noːmɪʃ] *adj* gastronomique

Gastspiel *nt* **1.** **ein** ~ **geben** se produire en tournée **2.** SPORT match *m* [à l'] extérieur

Gaststätte *f* café-restaurant *m* **Gaststube** *f* salle *f* de restaurant **Gastwirt(in)** *m(f)*

cafetier-restaurateur *m/* cafetière-restauratrice *f* **Gastwirtschaft** *s.* Gaststätte

Gasuhr *s.* Gaszähler **Gasvergiftung** *f* intoxication *f* par le gaz **Gaszähler** *m* compteur *m* à gaz

GATT <-> *nt Abk von* General Agreement on Tariffs and Trade GATT *m*

Gatte ['gatə] <-n, -n> *m*, **Gattin** *f form* époux *m/* épouse *f*

Gatter ['gatɐ] <-s, -> *nt* barrière *f*

Gattung ['gatʊŋ] <-, -en> *f* **1.** BIO ordre *m* **2.** (*Kunstgattung*) genre *m*

GAU [gau] <-s, -s> *m Abk von* größter anzunehmender Unfall accident *m* maximal hypothétique

Gaudi ['gaudi] <-> *f* SDEUTSCH, A *fam* das war vielleicht eine ~! ce qu'on a pu se marrer!

Gaukler(in) <-s, -> *m(f)* HIST bateleur(-euse) *m(f)* [de foire]

Gaul [gaul, *Pl:* 'gɔylə] <-[e]s, Gäule> *m pej* canasson *m*

Gaumen ['gaumən] <-s, -> *m* palais *m*

Gauner(in) ['gaunɐ] <-s, -> *m(f) pej* **1.** (*Betrüger*) escroc *m* **2.** *fam* (*schlaue Person*) filou *m*

Gaunerei <-, -en> *f pej* escroquerie *f*

Gazastreifen ['gaːza-] *m* bande *f* de Gaza

Gaze ['gaːzə] <-, -n> *f* gaze *f*

Gazelle [ga'tsɛlə] <-, -n> *f* gazelle *f*

G-Dur ['geːduːɐ] <-> *nt* sol *m* majeur

geädert *adj Blatt* nervuré(e)

geartet *adj* **1.** (*veranlagt*) **ganz anders ~ sein** être d'un caractère tout à fait différent **2.** (*beschaffen*) **ein anders ~er Fall** un cas d'[une] autre nature

Geäst <-[e]s> *nt kein Pl* branchage *m*

geb. *Abk von* **geborene(r)** né(e)

Gebäck [gə'bɛk] <-[e]s> *nt* **1.** pâtisseries *fpl;* (*Kleingebäck*) petits gâteaux *mpl;* (*Kekse*) gâteaux *mpl* secs **2.** A (*Brötchen*) [petit] pain *m*

gebacken [gə'bakən] *PP von* backen

Gebälk [gə'bɛlk] <-[e]s> *nt* charpente *f*

geballt [gə'balt] *adj* **mit ~er Kraft** de toutes mes/ses/... forces

gebannt [gə'bant] *adj* fasciné(e)

gebar [gə'baːɐ] *Imp von* gebären

Gebärde [gə'bɛːɐdə] <-, -n> *f* geste *m*

gebärden* *vr* **sich ~** se comporter

Gebaren <-s> *nt* comportement *m*

gebären [gə'bɛːrən] <gebiert, gebar, geboren> *vt* mettre au monde *Kind; in Italien geboren sein* être né en Italie

Gebärmutter <-mütter> *f* utérus *m*

Gebäude [gə'bɔydə] <-s, -> *nt* bâtiment *m*

Gebäudekomplex *m* [grand] ensemble *m* **Gebäudereinigung** *f* (*Betrieb*) entreprise

f de nettoyage industriel

gebaut *adj* bâti(e); **gut ~ sein** être bien bâti

Gebeine [gə'baɪnə] *Pl geh* ossements *mpl*

Gebell [gə'bɛl] <-s> *nt pej* aboiements *mpl* [continuels]

geben ['ge:bən] <gibt, gab, gegeben> **I.** *vt* **1.** (*aushändigen, reichen, schenken*) donner; **gibst du mir mal das Salz?** tu peux me passer le sel? **2.** donner *Antwort, Befehl;* **jdm ein Zeichen ~** faire signe à qn **3.** donner *Empfang, Konzert, Interview;* jouer *Theaterstück* **4.** (*produzieren*) **Milch ~** donner du lait **5.** faire *Rabatt* **6.** donner *Kraft, Mut* **7.** donner *Unterricht, Nachhilfestunden;* **Deutsch/Mathe ~** enseigner l'allemand/les maths **8.** (*verbinden mit*) passer **9.** donner *Frist, Termin* **10.** von sich ~ émettre *Laute, Worte* ▶ **sie würde viel darum ~ dabei zu sein** elle donnerait cher pour y assister; **viel/nichts auf etw** (*akk*) **~** faire cas/ne faire aucun cas de qc **II.** *vi a.* SPIEL donner **III.** *vt unpers* **1.** (*vorhanden sein*) **es gibt ...** il y a ... **2.** (*sein, sich ereignen*) **was gibts?** qu'est-ce qu'il y a?; **wann gibt es Essen?** quand est-ce qu'on mange? ▶ **das gibt's doch nicht!** *fam* (*freudig überrascht*) [c'est] pas possible!; (*unangenehm überrascht*) c'est pas vrai!; **was es nicht alles gibt!** *fam* on aura tout vu! **IV.** *vr* (*nachlassen*) **sich ~** se calmer; **das wird sich bald ~** ça s'arrangera bientôt

Gebet [gə'be:t] <-[e]s, -e> *nt* prière *f*

Gebetbuch *nt* livre *m* de prières

gebeten [gə'be:tən] *PP von* bitten

gebeugt I. *adj Haltung, Kopf* courbé(e); *Schultern* voûté(e) **II.** *adv* voûté(e)

gebiert [gə'bi:ɐt] *3. Pers Präs von* gebären

Gebiet [gə'bi:t] <-[e]s, -e> *nt* **1.** (*Fläche*) territoire *m;* (*Region*) région *f* **2.** (*Sachgebiet*) domaine *m*

gebieten* [gə'bi:tən] *irr geh* **I.** *vt* **1.** (*befehlen*) ordonner, imposer **2.** (*verlangen*) [es] **~, dass** *Umstände:* exiger que + *subj* **II.** *vi* **1.** (*herrschen*) **über jdn/etw ~** régner sur qn/qc **2.** (*verfügen*) **über etw** (*akk*) **~** disposer de qc

Gebieter(in) <-s, -> *m(f) geh* maître(-esse) *m(f)*

gebieterisch *geh* **I.** *adj* impérieux(-euse) **II.** *adv* d'un air impérieux

Gebietsanspruch *m* revendication *f* territoriale **Gebietsreform** *f* réforme *f* territoriale **gebietsweise** *adv* par endroits

Gebilde [gə'bɪldə] <-s, -> *nt* (*Ding*) chose *f;* (*Formation*) formation *f*

gebildet [gə'bɪldət] *adj* cultivé(e)

Gebinde <-s, -> *nt geh* (*Blumengebinde*)

gerbe *f*

Gebirge [gə'bɪrgə] <-s, -> *nt* montagnes *fpl;* **im/ins ~** à la montagne

gebirgig *adj* montagneux(-euse)

Gebirgsbach *m* torrent *m* **Gebirgslandschaft** *f* (*Gegend*) paysage *m* de montagne

Gebiss^{RR} <-es, -e>, **Gebiß** [gə'bɪs] <-sses, -sse> *nt* dentition *f;* (*Zahnprothese*) dentier *m*

gebissen [gə'bɪsən] *PP von* beißen

Gebläse [gə'blɛ:zə] <-s, -> *nt* ventilateur *m*

geblasen *PP von* blasen

geblichen *PP von* bleichen

geblieben [gə'bli:bən] *PP von* bleiben

geblümt *adj Kleid* à fleurs

Geblüt <-[e]s> *nt geh* **von** [edlem] **~** de sang noble

gebogen [gə'bo:gən] **I.** *PP von* biegen **II.** *adj Nase, Schnabel* recourbé(e)

geboren [gə'bo:rən] **I.** *PP von* gebären **II.** *adj* **1.** **Anne Lauer, ~e Klein** Anne Lauer, née Klein **2.** (*gebürtig*) de naissance **3.** (*perfekt*) **die ~e Schauspielerin sein** être la parfaite actrice

geborgen [gə'bɔrgən] **I.** *PP von* bergen **II.** *adj* à l'abri; **sich ~ fühlen** se sentir en sécurité

Geborgenheit <-> *f* [sentiment *m* de] sécurité *f*

geborsten [gə'bɔrstən] *PP von* bersten

Gebot [gə'bo:t] <-[e]s, -e> *nt* **1.** (*Befehl, Anweisung*) règle *f* **2.** *geh* (*Erfordernis*) exigence *f;* **ein ~ der Höflichkeit** une règle de politesse **3.** (*bei Auktionen*) enchère *f* **4.** REL commandement *m;* **die Zehn ~e** les dix commandements

geboten [gə'bo:tən] **I.** *PP von* gebieten, bieten **II.** *adj geh* besondere **Vorsicht ist ~** une prudence extrême s'impose

Gebr. *Abk von* Gebrüder: **~ Lang** Lang frères *mpl*

gebracht [gə'braxt] *PP von* bringen

gebrannt [gə'brant] *PP von* brennen

gebraten [gə'bra:tən] *PP von* braten

Gebräu <-[e]s, -e> *nt pej* breuvage *m* infâme

Gebrauch [gə'braux, *Pl:* gə'brɔyçə] <-[e]s, Gebräuche> *m* **1.** *kein Pl* (*das Verwenden*) usage *m; eines Worts* emploi *m; von etw* **~ machen** faire usage de qc, user de qc; **vor ~ schütteln!** agiter avant usage!

gebrauchen* *vt* utiliser *Werkzeug, Mittel;* employer *Ausdruck, Wort* ▶ **zu nichts zu sein** *fam Person:* n'être bon à rien

gebräuchlich [gə'brɔyçlɪç] *adj Verfahren* courant(e), en usage; *Präparat* utilisé(e);

Wort usité(e)
Gebrauchsanweisung *f* notice *f* d'utilisation, mode *m* d'emploi **Gebrauchsgegenstand** *m* objet *m* d'usage courant **gebraucht** [gə'braʊxt] *adj, adv* d'occasion **Gebrauchtwagen** *m* voiture *f* d'occasion **Gebrechen** [gə'brɛçən] <-s, -> *nt geh* déficience *f* [fonctionnelle] **gebrechlich** [gə'brɛçlɪç] *adj* sénile **gebrochen** [gə'brɔxən] **I.** *PP von* **brechen II.** *adj* 1. *Person* brisé(e) 2. *(fehlerhaft)* **in** ~**em Deutsch** en mauvais allemand **III.** *adv* ~ **Französisch sprechen** parler un mauvais français **Gebrüder** [gə'bry:dɐ] *Pl* frères *mpl* **Gebrüll** [gə'brʏl] <-[e]s> *nt* 1. *eines Rindes* mugissements *mpl,* beuglements *mpl; eines Löwen* rugissements *mpl* 2. *(Geschrei)* hurlements *mpl* **gebückt I.** *adj* voûté(e); **in** ~**er Haltung** penché(e) **II.** *adv* le dos courbé **Gebühr** [gə'by:ɐ] <-, -en> *f* taxe *f;* (*Telefongebühr*) tarif *m;* (*Rundfunk-, Fernsehgebühr*) redevance *f;* **eine** ~ **erheben** prélever une taxe; ~ **bezahlt Empfänger** port dû [par le destinataire] **gebühren*** [gə'by:rən] *geh* **I.** *vi* **ihr gebührt Respekt** elle mérite le respect *(fam)* **II.** *vr* **wie es sich für einen Sportler gebührt** comme il convient en tant que sportif *(fam)* **gebührend I.** *adj* 1. *Achtung, Respekt* dû(due) 2. *Abstand* approprié(e) **II.** *adv* **sein Erfolg wurde** ~ **gefeiert** son succès fut dûment fêté **Gebühreneinheit** *f* unité *f* **gebührenfrei** *adj Anruf* gratuit(e); ~**e Telefonnumer** numéro *m* vert **gebührenpflichtig** *adj* payant(e); *Autobahnbenutzung* à péage **gebunden** [gə'bʊndən] **I.** *PP von* **binden II.** *adj* 1. *Preise* imposé(e) 2. *(verpflichtet)* **vertraglich** ~ **sein** être lié par contrat **Geburt** [gə'bu:ɐt] <-, -en> *f* 1. *kein Pl* (*das Geborenwerden*) naissance *f; von* ~ de naissance 2. *(Entbindung)* accouchement *m;* **bei der** ~ lors de l'accouchement **Geburtenkontrolle** *f kein Pl* contrôle *m* des naissances **Geburtenregelung** *f kein Pl* régulation *f* des naissances **Geburtenrückgang** *m* baisse *f* de la natalité **geburtenschwach** *adj* ~**er Jahrgang** classe *f* d'âge creuse **geburtenstark** *adj* ~**er Jahrgang** année *f* à forte natalité **Geburtenziffer** *f* taux *m* de natalité **gebürtig** [gə'bʏrtɪç] *adj* de naissance; **aus Ulm** ~ **sein** être [originaire] d'Ulm **Geburtsdatum** *nt* date *f* de naissance **Geburtshaus** *nt* maison *f* natale **Geburtshilfe** *f kein Pl* obstétrique *f* **Geburtsjahr**

nt année *f* de naissance **Geburtsort** *m* lieu *m* de naissance **Geburtstag** *m* 1. anniversaire *m;* **sie hat** ~ c'est son anniversaire; [seinen] ~ **feiern** fêter son anniversaire 2. *(Geburtsdatum)* date *f* de naissance **Geburtstagsfeier** *f* fête *f* d'anniversaire **Geburtstagskind** *nt hum* **das** ~ ≈ celui/celle qui est à l'honneur du jour **Geburtsurkunde** *f* acte *m* de naissance **Gebüsch** [gə'bʏʃ] <-[e]s, -e> *nt* buissons *mpl* **gedacht** [gə'daxt] *PP von* **denken, gedenken** **Gedächtnis** [gə'dɛçtnɪs] <-ses, -se> *nt* 1. mémoire *f;* **kein gutes** ~ **für Namen haben** ne pas avoir la mémoire des noms; **jdn/etw im** ~ **behalten** garder qn/qc en mémoire; **sich** *(dat)* **etw ins** ~ **zurückrufen** se remettre qc en mémoire; **aus dem** ~ **aufsagen** de mémoire 2. *(Andenken)* souvenir *m* **Gedächtnislücke** *f* trou *m* de mémoire **Gedächtnisschwund** *m* MED perte *f* de la mémoire **Gedanke** [gə'daŋkə] <-ns, -n> *m* 1. *(Überlegung)* pensée *f;* (*Einfall*) idée *f;* **mit dem** ~**n spielen etw zu tun** caresser l'idée de faire qc (*soutenu*) 2. *(Vorstellung)* idée *f* ▶ **jdn auf andere** ~**n bringen** changer les idées à qn; **auf dumme** ~**n kommen** *fam* faire des bêtises; **sich** *(dat)* **über etw** *(akk)* ~**n machen** réfléchir à qc; *(sich Sorgen machen)* s'inquiéter de qc; **ganz in** ~**n sein** être absorbé dans ses pensées **Gedankenaustausch** *m* échange *m* de points de vue **Gedankenfreiheit** *f kein Pl* liberté *f* de pensée **Gedankengang** <-gänge> *m* raisonnement *m* **Gedankengut** *nt kein Pl* idéologie *f* **gedankenlos I.** *adj Handlung, Vorgehen* inconsidéré(e) **II.** *adv* sans réfléchir **Gedankenstrich** *m* tiret *m* **Gedankenübertragung** *f* transmission *f* de pensée **gedankenverloren** *geh adv* d'un air absent **gedanklich** *adj* intellectuel(le) **Gedärm** [gə'dɛrm] <-[e]s, -e> *nt einer Person* intestins *mpl; eines Tieres* boyaux *mpl* **Gedeck** [gə'dɛk] <-[e]s, -e> *nt* 1. *(Tischgedeck)* couvert *m* 2. *(Tagesmenü)* menu *m* du jour **gedeckt I.** *PP von* **decken II.** *adj* 1. *Farben* neutre 2. FIN *Scheck* approvisionné(e) **Gedeih** ▶ **jdm auf** ~ **und Verderb ausgeliefert sein** être entièrement livré à qn **gedeihen** [gə'daɪən] <gedieh, gediehen> *vi + sein* 1. *(sich entwickeln)* bien pousser 2. *(vorankommen) Verhandlungen,*

Pläne: prendre une bonne tournure **gedenken*** *vi irr* **1.** *geh* (*ehren*) **jds/einer S.** ~ commémorer qn/qc; (*erwähnen*) rappeler [solennellement] le souvenir de qn/ qc **2.** (*beabsichtigen*) ~ **etw zu tun** avoir l'intention de faire qc **Gedenken** <-s> *nt* souvenir *m;* **zum** ~ **an jdn/etw** à la mémoire de qn/en souvenir de qc **Gedenkfeier** *f* fête *f* commémorative **Gedenkminute** *f* minute *f* de silence **Gedenkstätte** *f* mémorial *m* **Gedenkstunde** *f* cérémonie *f* commémorative **Gedenktafel** *f* plaque *f* commémorative **Gedicht** [gə'dɪçt] <-[e]s, -e> *nt* poème *m* **gediegen** [gə'diːgən] *adj* **1.** (*rein*) pur(e) **2.** (*solide*) solide **gedieh** [gə'diː] *Imp von* **gedeihen gediehen** [gə'diːən] *PP von* **gedeihen Gedöns** <-es> *nt fam* cinéma *m;* **viel** ~ **um etw machen** faire tout un cinéma pour qc **Gedränge** [gə'drɛŋə] <-s> *nt* cohue *f* **gedrängt** *adj* (*knapp*) succinct(e) **gedroschen** [gə'drɔʃən] *PP von* **dreschen gedruckt** *adj* imprimé(e); **klein** ~ *Text* écrit(e) en petits caractères ►**er/sie lügt wie** ~ il/elle ment comme il/elle respire **gedrückt** *adj Stimmung* morose **gedrungen** [gə'drʊŋən] **I.** *PP von* **dringen II.** *adj Körper, Gestalt* trapu(e) **Gedudel** <-s> *nt pej fam eines Radios* ritournelle *f* **Geduld** [gə'dʊlt] <-> *f* patience *f;* **mit jdm/etw** ~ **haben** être patient avec qn/ qc; **die** ~ **verlieren** perdre patience **gedulden*** [gə'dʊldən] *vr* **sich** ~ patienter **geduldig I.** *adj* patient(e) **II.** *adv* patiemment **Geduldsfaden** ►**jdm reißt der** ~ *fam* qn est à bout de patience **Geduldsprobe** *f* **für jdn eine harte** ~ **sein** mettre la patience de qn à rude épreuve **Geduldsspiel** *nt* jeu *m* de patience **gedunsen** *adj Gesicht, Wangen* boursouflé(e) **gedurft** [gə'dʊrft] *PP von* **dürfen geehrt** [gə'ʔeːɐt] *adj* (*bei schriftlicher Anrede*) **Sehr ~e Damen und Herren, ...** Madame, Monsieur, ...; **Sehr ~er Herr Lang, ...** Monsieur, ... **geeignet** [gə'ʔaignət] *adj Bewerber* qui convient; *Maßnahme* adéquat(e); *Moment* approprié(e); **für eine Arbeit** ~ **sein** convenir pour un travail **Gefahr** [gə'faːɐ] <-, -en> *f* **1.** danger *m;* **außer/in** ~ **sein** être hors de/en danger; **bei** ~ en cas de danger **2.** (*Risiko*) **auf die** ~ **hin, dass** quitte à ce que + *subj;* **auf ei-**

gene ~ à ses risques et périls **gefährden*** [gə'fɛːɐdən] *vt* **1.** mettre en danger [la vie de] **2.** (*in Frage stellen*) compromettre **Gefährdung** <-, -en> *f* atteinte *f;* ~ **der öffentlichen Sicherheit** atteinte à la sécurité publique **gefahren** *PP von* **fahren Gefahrenherd** *m* foyer *m* de troubles **Gefahrenzone** *f* zone *f* dangereuse **Gefahrenzulage** *f* prime *f* de risque **gefährlich** [gə'fɛːɐlɪç] **I.** *adj* dangereux(-euse) **II.** *adv* (*bedrohlich*) *aussehen* menaçant(e) **gefahrlos** *adj, adv* sans danger **Gefährt** <-[e]s, -e> *nt hum geh* véhicule *m* **Gefährte** [gə'fɛːɐtə] <-n, -n> *m*, **Gefährtin** *f geh* compagnon *m*/compagne *f* **Gefälle** [gə'fɛlə] <-s, -> *nt* **1.** (*Neigungsgrad*) pente *f;* **einer Straße** déclivité *f* **2.** (*Unterschied*) écart *m* **gefallen¹** [gə'falən] <gefällt, gefiel, gefallen> *vi* **jdm** [**gut**] ~ plaire à qn ►**sich** (*dat*) **etw** ~ **lassen** (*hinnehmen*) tolérer qc; (*sehr gut finden*) trouver qc à son goût; **sich** (*dat*) **nichts gefallen lassen** ne pas se laisser faire **gefallen²** *PP von* **fallen Gefallen¹** <-s> *nt geh* plaisir *m;* **an etw** (*dat*) ~ **finden** trouver du plaisir à qc; **sie findet großes** ~ **an ihm** il lui plaît beaucoup **Gefallen²** <-s, -> *m* service *m;* **jdm einen** ~ **tun** rendre un service à qn **Gefallene(r)** *f(m) dekl wie adj* soldat *m* mort à la guerre **gefällig** [gə'fɛlɪç] *adj* **1.** *Person* serviable **2.** (*ansprechend*) charmant(e) **3.** *fam* (*erwünscht*) [**ein**] **Kaffee ~?** vous prendrez un café? **Gefälligkeit** <-, -en> *f* **1.** (*Gefallen*) service *m;* **jdm eine** ~ **erweisen** rendre [un] service à qn **2.** *kein Pl* (*das Entgegenkommen*) complaisance *f;* **etw aus** ~ **tun** faire qc par complaisance **gefälligst** *adv fam* **sei** ~ **still!** tu vas me faire le plaisir de te taire!; **das soll er ~ selbst machen!** il n'a qu'à le faire lui-même! **gefangen** [gə'faŋən] **I.** *PP von* **fangen II.** *adj* **jdn** ~ **halten** retenir prisonnier(-ière) qn; **jdn** ~ **nehmen** faire qn prisonnier(-ère) **Gefangene(r)** *f(m) dekl wie adj* **1.** (*Häftling*) détenu(e) *m(f)* **2.** (*Kriegsgefangener*) prisonnier(-ière) *m(f)* **gefangen|halten** *s.* **gefangen II. Gefangennahme** <-, -n> *f eines Soldaten* capture *f*

gefangen|nehmen s. gefangen II.
Gefangenschaft <-, -en> f captivité f; **in ~ geraten** être fait prisonnier
Gefängnis [gə'fɛŋnɪs] <-ses, -se> nt 1. prison f; **ins ~ kommen** aller en prison 2. (~strafe) **jdn zu zwei Jahren ~ verurteilen** condamner qn à deux ans de prison
Gefängnisstrafe f peine f de prison **Gefängniswärter(in)** m(f) gardien(ne) m(f) de [la] prison **Gefängniszelle** f cellule f
Gefasel <-s> nt pej radotage m
Gefäß [gə'fɛːs] <-es, -e> nt 1. (Behälter) récipient m 2. ANAT vaisseau m
Gefäßkrankheit f maladie f vasculaire
gefasstRR, **gefaßt** [gə'fast] I. adj 1. Person calme 2. (eingestellt) **sich auf etw** (akk) ~ **machen** s'attendre à qc II. adv avec calme; ~ **wirken** donner une impression de calme
Gefecht [gə'fɛçt] <-[e]s, -e> nt combat m ▸**jdn außer ~ setzen** (kampfunfähig machen) mettre qn hors de combat; (handlungsunfähig machen) mettre qn sur la touche
gefeiert adj très populaire
gefeit [gə'fajt] adj geh **gegen etw ~ sein** être à l'abri de qc
gefestigt adj Person, Charakter solide
Gefieder [gə'fiːdɐ] <-s, -> nt plumage m
gefiedert adj (mit Federn) à plumes
gefiel Imp von **gefallen**
Gefilde <-s, -> nt geh contrée f
Geflecht [gə'flɛçt] <-[e]s, -e> nt 1. (Flechtwerk) lacis m 2. (Gewirr) entrelacs m
gefleckt [gə'flɛkt] adj tacheté(e)
Geflimmer <-s> nt (schlechtes Bild) tremblement m des images
geflissentlich adv geh à dessein
geflochten [gə'flɔxtən] PP von **flechten**
geflogen [gə'floːgən] PP von **fliegen**
geflohen [gə'floːən] PP von **fliehen**
geflossen [gə'flɔsən] PP von **fließen**
Geflügel [gə'flyːgəl] <-s> nt volaille f
geflügelt [gə'flyːgəlt] adj ailé(e)
Geflüster [gə'flʏstɐ] <-s> nt chuchotements mpl
gefochten [gə'fɔxtən] PP von **fechten**
Gefolge [gə'fɔlgə] <-s, -> nt cortège m
Gefolgschaft <-, -en> f 1. (Anhängerschaft) partisans mpl 2. (Gehorsam) **jdm die ~ verweigern** refuser de suivre qn 3. HIST (Gefolge) cortège m
gefragt [gə'fraːkt] adj Künstler en vogue; Produkt demandé(e)
gefräßig [gə'frɛːsɪç] adj pej Tier vorace; Person glouton(ne)
Gefreite(r) f(m) dekl wie adj (in der Artillerie) brigadier m

gefressen PP von **fressen**
gefrieren* [gə'friːrən] vi irr + sein geler; **gefroren** gelé(e)
Gefrierfach nt freezer m **gefriergetrocknet** adj lyophilisé(e) **Gefrierpunkt** m point m de congélation; **über dem ~ au-dessus de 0°** **Gefrierschrank** m congélateur m armoire **Gefriertruhe** f congélateur m [coffre]
gefroren [gə'froːrən] I. PP von **frieren**, **gefrieren** II. adj hart ~ complètement gelé(e)
Gefüge [gə'fyːgə] <-s, -> nt geh structure f
gefügig adj docile; Untergebener soumis(e); **[sich** (dat)] **jdn ~ machen** soumettre qn à sa volonté
Gefühl [gə'fyːl] <-[e]s, -e> nt 1. (Sinneswahrnehmung) sensation f; **kein ~ mehr in den Fingern haben** ne plus sentir ses doigts 2. (seelische Empfindung) sentiment m; **jds ~e verletzen** froisser qn 3. (Gespür) intuition f; **etw im ~ haben** sentir qc 4. (Ahnung, Eindruck) pressentiment m
gefühllos adj 1. insensible; (vor Kälte taub) engourdi(e) 2. (ohne Gespür) Person insensible
Gefühlsausbruch m réaction f passionnée **Gefühlsduselei** <-, -en> f pej fam sensiblerie f **gefühlskalt** adj 1. (herzlos) de glace 2. (frigide) frigide **gefühlsmäßig** adv intuitivement **Gefühlsregung** f émotion f
gefühlvoll I. adj Person sensible II. adv avec beaucoup de sensibilité
gefüllt adj Tomate, Paprikaschote farci(e); Gebäck fourré(e); **mit Hackfleisch/Likör ~** farci(e) de viande hachée/fourré(e) à la liqueur
gefunden [gə'fʊndən] PP von **finden**
gegangen [gə'gaŋən] PP von **gehen**
gegeben [gə'geːbən] I. PP von **geben** II. adj 1. (vorhanden) présent(e); **aus ~em Anlass** puisque l'occasion en est donnée; **unter den ~en Umständen** étant donné les circonstances 2. (geeignet) **zu ~er Zeit** en temps voulu
gegebenenfalls adv le cas échéant
Gegebenheit <-, -en> f meist Pl réalité f
gegen ['geːgən] I. präp + akk 1. (entgegen) contre; ~ **jdn/etw sein** être contre qn/qc 2. (wider) **das ist ~ unsere Abmachung** c'est contraire à notre accord 3. (an) **eine Wand/einen Baum prallen** Auto: heurter un mur/un arbre 4. (für) ~ **Quittung** contre accusé de réception; **bar** [au] comptant 5. (verglichen mit) comparé(e) à 6. (ungefähr) ~ **acht Uhr/Mit-**

tag vers huit heures/midi **II.** *adv* ~ **zehn Personen** une dizaine de personnes **Gegenangriff** *m* contre-attaque *f* **Gegenantrag** *m* contre-proposition *f* **Gegenanzeige** *f* contre-indication *f* **Gegenargument** *nt* objection *f* **Gegenbeispiel** *nt* contre-exemple *m* **Gegenbesuch** *m* jdm einen ~ **abstatten** rendre sa visite à qn **Gegenbewegung** *f* réaction *f* **Gegenbeweis** *m* preuve *f* du contraire; den ~ **erbringen** apporter la preuve du contraire **Gegend** ['geːgənt] <-, -en> *f* **1.** *a.* ANAT région *f;* die ~ **von Paris** la région parisienne; in der ~ **von Hamburg leben** vivre du côté de Hambourg **2.** (*nähere Umgebung*) das muss hier in der ~ **sein** ça ne doit pas être loin d'ici **3.** (*Wohngegend*) quartier *m* **Gegendarstellung** *f* **1.** version *f* contradictoire **2.** (*Presseartikel*) réponse *f* **gegeneinander** [geːgənʔaiˈnandɐ] *adv* **1.** (*einer gegen den anderen*) ~ **spielen** *Mannschaften, Sportler:* entrer en lice [l'un(e) contre l'autre] **2.** (*nebeneinander*) zwei Fotos ~ **halten** mettre deux photos en regard **gegeneinanderlhalten** *s.* gegeneinander **Gegenfahrbahn** *f* voie *f* opposée **Gegenfrage** *f* question *f* en réponse à une question **Gegengewicht** *nt* **1.** (*Gewicht*) contrepoids *m* **2.** *fig* ein ~ **zu etw schaffen** faire contrepoids à qc **Gegengift** *nt* contrepoison *m* **Gegenkandidat(in)** *m(f)* challenge[u]r *m* **Gegenklage** *f* demande *f* reconventionnelle **gegenläufig** *adj* Bewegung opposé(e); *Tendenz* contraire **Gegenleistung** *f* contrepartie *f;* als ~ **für etw** en contrepartie de qc **gegenllenken** *vi* contrebraquer **gegenllesen** *vt irr* faire une relecture de **Gegenlicht** *nt* contrejour *m* **Gegenliebe** *f* auf wenig ~ **stoßen** ne pas avoir beaucoup de succès **Gegenmaßnahme** *f* (*vorbeugende Maßnahme*) mesure *f* préventive; (*Maßnahme zur Bekämpfung*) mesure *f* énergique **Gegenmittel** *nt* antidote *m* **Gegenpartei** *f* JUR partie *f* adverse **Gegenreformation** *f* contre-réforme *f* **Gegenrichtung** *f* direction *f* opposée **Gegensatz** *m* **1.** (*Gegenteil*) contraire *m;* im ~ **zu seiner Behauptung** contrairement à son affirmation **2.** *Pl* (*Unterschiedlichkeit*) différences *fpl* ▶ **Gegensätze ziehen** sich **an** *prov* les extrêmes s'attirent **gegensätzlich** ['geːgənzɛtslɪç] **I.** *adj* opposé(e) **II.** *adv* d'une façon différente **Gegenschlag** *m* riposte *f* **Gegenseite** *f* **1.** (*gegenüberliegende Seite*) autre côté *m*

2. JUR partie *f* adverse **gegenseitig** ['geːgənzaitɪç] *adj* mutuel(le) **Gegenseitigkeit** *f* auf ~ **beruhen** être [tout à fait] réciproque **Gegenspieler(in)** *m(f)* adversaire *mf* **Gegensprechanlage** *f* interphone *m* **Gegenstand** <-[e]s, ⸚e> *m* **1.** (*Ding, Objekt*) objet *m* **2.** (*Thema*) *einer Abhandlung* sujet *m* **gegenständlich** ['geːgənʃtɛntlɪç] **I.** *adj* Malerei figuratif(-ive) **II.** *adv* darstellen d'une manière figurative **gegenstandslos** *adj* sans objet **gegenlsteuern** *s.* gegenlenken **Gegenstimme** *f* PARL voix *f* contre **Gegenstück** *nt* pendant *m* **Gegenteil** *nt* contraire *m;* ganz im ~! bien au contraire! **gegenteilig** *adj* contraire **gegenüber** [geːgənˈʔyːbɐ] **I.** *präp* + *dat* **1.** ~ **dem Bahnhof** en face de la gare **2.** (*zu, in Bezug auf*) jdm/einer S. ~ à l'égard de qn/qc; mir ~ **hat er das nicht geäußert** il ne me l'a pas dit en face **3.** (*im Vergleich zu*) jdm ~ **im Vorteil sein** avoir un avantage par rapport à qn **II.** *adv* wohnen en face **Gegenüber** <-s, -> *nt* vis-à-vis *m* **gegenüberlliegen** *vi irr* jdm/einer S. ~ se trouver en face de qn/qc **gegenüberliegend** *adj attr* d'en face **gegenüberlsitzen** *vi irr* sich (*dat*) ~ être assis l'un/l'une en face de l'autre **gegenüberlstehen** *vi irr* (*eingestellt sein*) jdm/einer S. wohlwollend ~ être favorable à qn/qc; jdm/einer S. misstrauisch ~ être méfiant à l'égard de qn/qc **gegenüberlstellen** *vt* confronter; jdn einem Zeugen ~ confronter qn avec un témoin **Gegenüberstellung** *f* confrontation *f* **Gegenverkehr** *m* circulation *f* en sens inverse **Gegenvorschlag** *m* contre-proposition *f* **Gegenwart** ['geːgənvart] <-> *f* **1.** *a.* GRAM présent *m* **2.** (*heutige Zeit*) époque *f* actuelle; die Kunst der ~ l'art contemporain **3.** (*Anwesenheit*) présence *f;* in seiner ~ en sa présence **gegenwärtig** ['geːgənvɛrtɪç] **I.** *adj* **1.** *attr* Angebot, Lage actuel(le); zum ~en Zeitpunkt à l'heure actuelle **2.** *geh* (*erinnerlich*) etw ist jdm ~ qn a qc présent à l'esprit **II.** *adv* à l'heure actuelle **Gegenwehr** *f* résistance *f* **Gegenwert** *m* contre-valeur *f* **Gegenwind** *m* vent *m* contraire **gegenlzeichnen** *vt* contresigner **Gegenzug** *m* (*Reaktion*) riposte *f* **gegessen** [gəˈgɛsən] *PP von* essen

geglichen [gə'glɪçən] *PP von* **gleichen**
geglitten [gə'glɪtən] *PP von* **gleiten**
geglommen [gə'glɔmən] *PP von* **glimmen**
Gegner(in) ['ge:gnɐ] <-s, -> *m(f)* 1. MIL ennemi(e) *m(f)* 2. SPORT adversaire *mf* 3. (*opp: Befürworter*) opposant(e) *m(f)* **gegnerisch** *adj attr* 1. MIL ennemi(e) 2. SPORT, JUR adverse
Gegnerschaft <-, -en> *f* opposition *f;* ~ **gegen etw** opposition à qc
gegolten [gə'gɔltən] *PP von* **gelten**
gegoren [gə'go:rən] *PP von* **gären**
gegossen [gə'gɔsən] *PP von* **gießen**
gegraben *PP von* **graben**
gegriffen [gə'grɪfən] *PP von* **greifen**
Gehabe [gə'ha:bə] <-s> *nt pej fam* (*affektiertes Verhalten*) manières *fpl*
gehabt I. *PP von* **haben** II. ▸**wie gehabt** comme toujours
Gehackte(s) *nt dekl wie adj* viande *f* hachée
Gehalt¹ [gə'halt, *Pl:* gə'hɛltə] <-[e]s, ⁼er> *nt o* A *m* (*Monatsgehalt*) salaire *m*
Gehalt² <-[e]s, -e> *m* 1. (*Anteil*) teneur *f;* ~ **an Kalzium** teneur en calcium 2. (*gedanklicher Inhalt*) contenu *m*
gehalten [gə'haltən] *PP von* **halten**
gehaltlos *adj* 1. (*nährstoffarm*) peu nutritif(-ive) 2. (*nichts sagend*) inconsistant(e)
Gehaltsabrechnung *f* bulletin *m* de paye
Gehaltsempfänger(in) *m(f)* salarié(e) *m(f)* **Gehaltserhöhung** *f* augmentation *f* de salaire **Gehaltskürzung** *f* diminution *f* de salaire **Gehaltsvorstellung** *f meist Pl* prétentions *fpl* salariales **Gehaltszahlung** *f* versement *m* du salaire **Gehaltszulage** *f* supplément *m* de salaire
gehaltvoll *adj* 1. (*nahrhaft*) nutritif(-ive) 2. (*geistvoll*) riche
gehandikapt [gə'hɛndikɛpt] *adj fam* handicapé(e)
gehangen [gə'haŋən] *PP von* **hängen**
geharnischt *adj Antwort* virulent(e)
gehässig [gə'hɛsɪç] I. *adj* venimeux(-euse) II. *adv* avec malveillance
Gehässigkeit <-, -en> *f* 1. *kein Pl* (*Boshaftigkeit*) hargne *f* 2. (*Bemerkung*) méchanceté *f*
gehauen *PP von* **hauen**
gehäuft [gə'hɔyft] I. *adj* 1. *Löffel* bon(ne); **ein ~er Esslöffel Mehl** une bonne cuillerée de farine 2. (*wiederholt*) répété(e) II. *adv* fréquemment
Gehäuse [gə'hɔyzə] <-s, -> *nt* 1. *eines Geräts* boîtier *m* 2. (*Kerngehäuse*) trognon *m*
gehbehindert ['ge:bəhɪndɐt] *adj* ~ **sein** avoir du mal à se déplacer
Gehege [gə'he:gə] <-s, -> *nt* enclos *m*

geheim [gə'haɪm] I. *adj* secret(-ète); **streng** ~ strictement confidentiel(le); **im Geheimen** en secret II. *adv abstimmen* à bulletins secrets; **etw vor jdm** ~ **halten** cacher qc à qn
Geheimdienst *m* services *mpl* secrets **Geheimfach** *nt* compartiment *m* secret **geheim|halten** *s.* **geheim** II. **Geheimhaltung** *f* secret *m;* ~ **einer S.** (*gen*) secret sur qc
Geheimnis [gə'haɪmnɪs] <-ses, -se> *nt* secret *m;* **aus etw kein** ~ **machen** ne pas faire mystère de qc ▸**ein offenes** ~ un secret de Polichinelle
Geheimniskrämer(in) *m(f) pej* cachottier(-ière) *m(f)* **Geheimnistuerei** [-tu:ə'raɪ] *f pej fam* cachotteries *fpl* **geheimnisvoll** *adj* mystérieux(-euse) **Geheimnummer** *f* 1. (*Telefonnummer*) numéro *m* sur la liste rouge 2. (*Geheimzahl*) code *m* confidentiel **Geheimpolizei** *f* police *f* secrète **Geheimratsecken** *Pl hum fam* tempes *fpl* dégarnies **Geheimtipp**^RR *m* tuyau *m* (*fam*) **Geheimtür** *f* porte *f* dérobée **Geheimzahl** *f* code *m* confidentiel; **geben Sie Ihre** ~ **ein** faites votre code
Geheiß [gə'haɪs] <-es> *nt geh* **auf sein/ihr** ~ sur son ordre
geheißen *PP von* **heißen**
gehemmt *adj Person* inhibé(e)
gehen ['ge:ən] <ging, gegangen> I. *vi* + *sein* 1. (*sich fortbewegen*) aller; **zu jdm/zur Post** ~ aller chez qn/à la poste; **ans Telefon/an die Tür** ~ aller au téléphone/à la porte; **in die Stadt/den Wald** ~ aller en ville/dans la forêt; **über die Straße** ~ traverser la rue 2. (*zu Fuß* ~) marcher 3. (*besuchen*) **ins Kino/an die Uni** ~ aller au cinéma/à la fac; **schwimmen/einkaufen/tanzen** ~ aller nager/faire les courses/danser 4. (*weg~*) partir, s'en aller 5. (*eine Tätigkeit aufnehmen*) **in die Industrie/die Politik** ~ entrer dans l'industrie/la politique; **zum Theater** ~ se lancer dans le théâtre 6. (*zeigen nach*) **auf den Garten** ~ *Balkon, Fenster:* donner sur le jardin 7. (*funktionieren, florieren*) *Uhr, Maschine, Geschäft:* marcher; **sehr gut** ~ *Ware:* fonctionner très bien; **gut** ~**d** *Geschäft:* prospère 8. *fam* (*verlaufen*) **glatt** ~ marcher comme sur des roulettes; **gut** ~ bien se passer; **na, wenn das mal gut geht!** ça m'étonnerait que ça se passe bien! 9. (*sich entwickeln, bewegen*) **auseinander** ~ *Paar:* se séparer; *Beziehung, Ehe:* briser; *Menschenmenge:* se disperser; *Ansichten:* diverger 10. (*sich unterbringen lassen*) **durch die Tür** ~ *Schrank:* passer par la porte; **in diesen Saal** ~ **500 Perso-**

nen cette salle peut accueillir 500 personnes **11.**(*dauern*) durer **12.**(*reichen*) der **Rock geht ihr bis zum/bis übers Knie** la jupe lui va jusqu'au genou/jusqu'en-dessous du genou; **das Wasser geht ihm bis zur Hüfte** l'eau lui monte jusqu'aux hanches; **der Schaden geht in die Millionen** les dommages s'élèvent à des millions **13.**(*auf~*) *Teig:* lever **14.** *fam* (*sich kleiden*) **in Schwarz** ~ mettre du noir **15.** *fam* (*sich verkleiden*) **als Fee** ~ se déguiser en fée **16.**(*ertönen*) *Klingel, Telefon:* sonner **17.**(*möglich sein*) **ja, das geht** oui, c'est possible **18.**(*lauten*) **die Melodie/der Text geht so:** ... l'air est/les paroles sont [ainsi]: ... **19.**(*belasten*) **jdm nahe** ~ toucher profondément qn, affecter qn **20.** *fam* (*liiert sein*) **mit jdm** ~ sortir avec qn **21.**(*urteilen*) **nach dem Gefühl** ~ se fier à son intuition; **danach kann man nicht** ~ on ne peut pas se fier à ça **22.**(*abhängen von*) **wenn es nach mir ginge** si ça ne tenait qu'à moi **23.**(*geschehen*) **vor sich** ~ se passer ▶ **sich** ~ **lassen** (*nachlässig sein*) se laisser aller; (*sich nicht beherrschen*) ne pas se contrôler; **es geht nichts über** ... il n'y a rien de tel que ...; **nichts geht mehr** rien ne va plus **II.** *vi unpers + sein* **1.**(*sich fühlen, befinden*) **jdm geht es** [gesundheitlich] **gut/nicht gut** qn va bien/ne vas pas bien; **wie geht es dir?** comment vas-tu?; **wie gehts?** *fam* comment ça va? **2.**(*ergehen*) **mir geht es genauso** pour moi, c'est la même chose **3.**(*zu schaffen sein*) **geht es, oder soll ich dir tragen helfen?** ça va, ou faut-il que je t'aide à porter? **4.**(*sich drehen um*) **es geht um viel Geld** beaucoup d'argent est en jeu; **es geht ihm nur ums Prestige** le prestige, c'est tout ce qui lui importe **5.**(*sich begeben*) **es geht nach oben/unten** ça monte/descend; **jetzt geht es nach Hause!** c'est l'heure de rentrer!; **auf gehts!** allez [, on y va]!; **wohin geht es im Urlaub?** où vas-tu/allez-vous en vacances? **III.** *vt + sein* prendre *Weg;* **eine Strecke** ~ prendre un chemin à pied **gehen|lassen*** *vr s.* gehen I.

Geher(in) <-s, -> *m(f)* SPORT marcheur(-euse) *m(f)*

gehetzt *adj* **1.** *Person, Wild* traqué(e) **2.**(*gestresst*) stressé(e)

geheuer [gə'hɔyɐ] *adj* **diese Sache ist mir nicht ganz** ~ cette affaire ne me paraît pas très nette

Geheul <-[e]s> *nt pej* (*Weinen*) pleurnicheries *fpl*

Gehilfe [gə'hɪlfə] <-n, -n> *m,* **Gehilfin** *f* **1.**(*Helfer*) aide *mf* **2.**(*Komplize*) complice

mf

Gehirn [gə'hɪrn] <-[e]s, -e> *nt* cerveau *m;* (~*substanz*) cervelle *f*

Gehirnerschütterung *f* commotion *f* cérébrale **Gehirnschlag** *m* attaque *f* [d'apoplexie] **Gehirnwäsche** *f* lavage *m* de cerveau

gehoben [gə'ho:bən] **I.** *PP von* heben **II.** *adj Stellung* élevé(e); *Ausdrucksweise* distingué(e); *Stilebene* soutenu(e); *Stimmung* bonne

Gehöft [gə'hø:ft] <-[e]s, -e> *nt* ferme *f*

geholfen [gə'hɔlfən] *PP von* helfen

Gehölz <-es, -e> *nt geh* bosquet *m*

Gehör [gə'hø:ɐ] <-[e]s, -e> *nt* ouïe *f;* **ein gutes** ~ **haben** avoir une bonne oreille ▶ **jdm/einer S.** ~ **schenken** prêter une oreille attentive à qn/qc; **sich** ~ **verschaffen** arriver à se faire entendre

gehorchen* *vi* obéir; **jdm** ~ obéir à qn

gehören* **I.** *vi* **1.**(*Eigentum sein*) **jdm** ~ appartenir à qn; **das gehört mir** c'est à moi **2.** *fig* (~ *Herz, Liebe:* appartenir à qn/qc; *Sympathie:* aller à qn/qc **3.**(*dazu~*) **zur Familie** ~ faire partie de la famille; **nicht zur Sache** ~ être hors sujet **4.**(*hin~*) **du gehörst ins Bett** tu devrais être au lit; **er/sie gehört bestraft** il faudrait le/la punir **5.**(*nötig sein*) **dazu gehört viel Geduld/Mut** il faut beaucoup de patience/courage pour faire ça **II.** *vr* **das gehört sich nicht** ça ne se fait pas; **wie es sich gehört** comme il faut

Gehörgang <-gänge> *m* conduit *m* auditif

gehörig **I.** *adj* **1.** *attr* (*entsprechend*) convenable **2.** *geh* (*gehörend*) **zu etw** ~ afférent(e) à qc **3.** *attr fam* (*beträchtlich*) sacré(e) antéposé, bon(ne) antéposé **II.** *adv fam ausschimpfen* salement; **da hast du dich** ~ **getäuscht** tu t'es mis le doigt dans l'œil

gehörlos *adj form* sourd(e)

Gehörlose(r) *f(m) dekl wie adj form* sourd(e) *m(f)*

gehörnt *adj Tier* cornu(e)

gehorsam [gə'ho:ɐza:m] **I.** *adj* obéissant(e); ~ **sein** obéir **II.** *adv* docilement

Gehorsam <-s> *m* obéissance *f*

Gehörsinn *m* ouïe *f*

Gehsteig ['ge:ʃtaɪk] *m,* **Gehweg** ['ge:ve:k] *m* trottoir *m*

Geier ['gaɪɐ] <-s, -> *m* vautour *m*

Geifer <-s> *m* bave *f*

geifern *vi pej* (*sich gehässig äußern*) bavasser (*fam*)

Geige ['gaɪgə] <-, -n> *f* violon *m;* ~ **spielen** jouer du violon ▶ **die erste/zweite** ~ **spielen** *fig fam* donner le la/jouer les deuxièmes couteaux

geigen *vi* jouer du violon
Geigenbauer(in) <-s, -> *m(f)* luthier(-ière) *m(f)*
Geiger(in) <-s, -> *m(f)* violoniste *mf;* (*Orchestermusiker*) violon *m*
Geigerzähler ['gaigetsɛːlɐ] *m* compteur *m* Geiger
geil [gail] I. *adj* 1. (*lüstern*) vicieux(-euse) 2. *fam* (*sehr gut*) super *inv; Musik, Kleider* génial(e), d'enfer II. *adv* 1. (*lüstern*) de façon lubrique 2. *fam* (*sehr gut*) super bien; ~ **aussehen** avoir un look d'enfer
Geisel ['gaizəl] <-, -n> *f* otage *mf;* jdn als ~ **nehmen** prendre qn en otage
Geiseldrama *nt* prise *f* d'otages **Geiselnahme** ['gaizəlnaːmə] <-, -n> *f* prise *f* d'otage[s] **Geiselnehmer(in)** <-s, -> *m(f)* preneur(-euse) *m(f)* d'otage[s]
Geiß [gais] <-, -en> *f* SDEUTSCH, A, CH (*Ziege*) chèvre *f*
Geißbock *m* SDEUTSCH, A, CH bouc *m*
Geißel ['gaisəl] <-, -n> *f* 1. (*Peitsche*) fouet *m* 2. *geh* (*Plage*) fléau *m*
geißeln *vt* (*schlagen*) flageller
Geist [gaist] <-[e]s, -er> *m* 1. *kein Pl* (*Vernunft*) intelligence *f* 2. *kein Pl* (*Scharfsinn*) esprit *m* 3. (*geistige Wesenheit*) esprit *m;* **der Heilige** ~ le Saint-Esprit 4. (*Gespenst*) spectre *m* ▸jdm **auf den** ~ **gehen** *fam* taper sur le système à qn; **den/seinen** ~ **aufgeben** *fam* rendre l'âme
Geisterbahn *f* train *m* fantôme **Geisterfahrer(in)** *m(f) fam chauffard circulant à contresens sur l'autoroute* **geisterhaft** *adj, adv* fantomatique **Geisterhand** ▸wie von ~ comme par magie
geistern *vi* + *sein* (*spuken*) hanter
Geisterstadt *f* ville *f* fantôme **Geisterstunde** *f* douze coups *mpl* de minuit
geistesabwesend I. *adj* absent(e) II. *adv* antworten l'air absent **Geistesblitz** *m fam* trait *m* de génie **Geistesgegenwart** *f* présence *f* d'esprit **geistesgegenwärtig** *adj* Tat qui témoigne de présence d'esprit **geistesgestört** *adj* souffrant de troubles mentaux; ~ **sein** avoir des troubles mentaux **geisteskrank** *adj* malade mental(e); ~ **sein** souffrir de maladie mentale **Geisteskranke(r)** *f(m) dekl wie adj* malade *mf* mental(e) **Geisteskrankheit** *f* maladie *f* mentale **Geisteswissenschaften** *Pl* sciences *fpl* humaines **Geisteswissenschaftler(in)** *m(f)* spécialiste *mf* des sciences humaines; (*opp: Naturwissenschaftler*) littéraire *mf* **geisteswissenschaftlich** *adj* de sciences humaines **Geisteszustand** *m* état *m* mental
geistig ['gaistɪç] I. *adj* 1. (*verstandesmä-*

ßig) intellectuel(le) 2. (*spirituell*) spirituel(le) II. *adv* MED mentalement; ~ **behindert** handicapé(e) mental(e)
geistlich ['gaistlɪç] *adj* religieux(-euse); *Amt* ecclésiastique
Geistliche(r) *f(m) dekl wie adj* ecclésiastique *mf*
geistlos *adj* stupide
geistreich *adj* Person spirituel(le); Beschäftigung, Unterhaltung enrichissant(e) **geistvoll** *adj* Äußerung plein(e) d'esprit
Geiz [gaits] <-es> *m* avarice *f*
geizen *vi* lésiner; **mit etw** ~ lésiner sur qc
Geizhals *m pej* grippe-sou *m*
geizig *adj* avare
Geizkragen *s.* Geizhals
Gejammer [gə'jamɐ] <-s> *nt pej fam* jérémiades *mpl*
Gejohle <-s> *nt pej* clameurs *fpl*
gekannt [gə'kant] *PP von* kennen
Gekicher [gə'kɪçɐ] <-s> *nt pej fam* ricanements *mpl*
geklappt <-s> *nt pej fam* tintamarre *m*
gekleidet *adj* modisch/gut ~ sein être habillé à la mode/bien habillé
Geklimper <-s> *nt pej fam* (*Klaviergeklimper*) pianotage *m*
geklommen *PP von* klimmen
geklungen [gə'klʊŋən] *PP von* klingen
geknickt [gə'knɪkt] *adj fam* déprimé(e)
gekniffen [gə'knɪfən] *PP von* kneifen
Geknister <-s> *nt* froissement *m*
gekommen *PP von* kommen
gekonnt [gə'kɔnt] I. *PP von* können II. *adj* techniquement parfait(e)
Gekritzel [gə'krɪtsəl] <-s> *nt pej* (*Hingekritzeltes*) pattes *fpl* de mouche
gekrochen [gə'krɔxən] *PP von* kriechen
gekünstelt [gə'kʏnstəlt] *pej* I. *adj* affecté(e), apprêté(e) II. *adv* avec affectation
Gel [geːl] <-s, -e> *nt* gel *m*
Gelächter [gə'lɛçtɐ] <-s, -> *nt* rires *mpl*
gelackmeiert [gə'lakmaiɐt] *adj fam* **der/die Gelackmeierte sein** se faire pigeonner
geladen [gə'laːdən] I. *PP von* laden II. *adj fam* ~ **sein** être furax
Gelage [gə'laːgə] <-s, -> *nt* orgie *f*
gelähmt [gə'lɛːmt] *adj* paralysé(e); **halbseitig** ~ hémiplégique
Gelähmte(r) *f(m) dekl wie adj* paralysé(e) *m(f)*
Gelände [gə'lɛndə] <-s, -> *nt* terrain *m*
Geländefahrzeug *s.* Geländewagen
geländegängig *adj* tout-terrain **Geländelauf** *m* cross *m*
Geländer [gə'lɛndɐ] <-s, -> *nt* (*Treppengeländer*) rampe *f;* (*Balkongeländer, Brückengeländer*) balustrade *f*

Geländewagen *m* véhicule *m* tout-terrain
gelang [gə'laŋ] *Imp von* **gelingen**
gelangen* [gə'laŋən] *vi* + *sein* **1.** (*hin-kommen*) **ans Ziel** ~ arriver au but; **an die Öffentlichkeit** ~ être rendu public **2.** *fig form* **zum Abschluss/zur Aufführung** ~ être terminé/représenté **3.** (*erwerben*) **zu Ruhm/Ehren** ~ accéder à la célébrité/aux honneurs
gelangweilt I. *adj Person* qui s'ennuie; *Blick* d'ennui **II.** *adv dasitzen, zuhören* l'air ennuyé
gelassen [gə'lasən] **I.** *PP von* **lassen II.** *adj* placide; |**ganz**| ~ **bleiben** rester imperturbable
Gelassenheit <-> *f* flegme *m*
Gelatine [ʒela'tiːnə] <-> *f* gélatine *f*
gelaufen *PP von* **laufen**
geläufig [gə'lɔyfɪç] *adj* courant(e); **jdm** ~ **sein** être familier à qn
gelaunt [gə'laʊnt] *adj* **gut/schlecht** ~ **sein** être de bonne/mauvaise humeur, être bien/mal disposé
gelb [gɛlp] *adj* jaune
Gelb <-s, – *o* -s *fam*> *nt* **1.** (*Farbe*) jaune *m* **2.** (*gelbes Ampellicht*) |feu *m*| orange *m;* **bei** ~ **über die Ampel fahren** passer à l'orange
Gelbe(s) ►**das ist nicht gerade das** ~ **vom Ei** *fam* ça ne casse pas des briques
Gelbfieber *nt* fièvre *f* jaune
gelblich *adj* jaune pâle; *Gesichtsfarbe* jaunâtre
Gelbsucht *f* MED jaunisse *f*
Geld [gɛlt] <-[e]s, -er> *nt* **1.** *kein Pl* (*Zahlungsmittel*) argent *m;* **bares** ~ des espèces *fpl,* du liquide; **etw für teures** ~ **kaufen** acheter qc au prix fort; **mit etw** ~ **machen** *fam* |se| faire du fric avec qc; **eine Idee zu** ~ **machen** *fam* tirer du fric d'une idée **2.** *Pl* (*Mittel*) fonds *mpl;* **öffentliche** ~**er** deniers *mpl* publics ►~ **wie Heu haben** être plein aux as; **das** ~ **zum Fenster hinauswerfen** jeter l'argent par les fenêtres; **jdm das** ~ **aus der Tasche ziehen** se jeter sur l'argent de qn; **ins** ~ **gehen** *fam* finir par chiffrer; **in** |*o* im| ~ **schwimmen** *fam* être plein aux as, rouler sur l'or
Geldangelegenheit *f* question *f* d'argent; **in** ~**en** en matière d'argent **Geldanlage** *f* placement *m* financier **Geldautomat** *m* distributeur *m* de billets, billetterie *f* **Geldbeutel** *m,* **Geldbörse** *f* porte-monnaie *m* **Geldbuße** *f* amende *f* **Geldgeber(in)** *m(f)* bailleur(-esse) *m(f)* de fonds **Geldgeschäft** *nt* opération *f* financière **geldgierig** *adj* cupide **Geldhahn** ►**jdm den** ~ **zudrehen** couper les vivres à qn **Geldinstitut** *nt* établissement *m* financier **Geldma-**

cherei <-, -en> *f pej fam le fait de ne faire qc que dans un but lucratif* **Geldmittel** *Pl* capitaux *mpl* **Geldschein** *m* billet *m* de banque **Geldschrank** *m* coffre-fort *m* **Geldsorgen** *Pl* soucis *mpl* d'argent **Geldstrafe** *f* amende *f* **Geldstück** *nt* pièce *f* de monnaie **Geldtransporter** *m* convoyeur *m* de fonds **Geldwäsche** *f* blanchiment *m* de l'argent **Geldwechsel** *m* change *m* **Geldwert** *m* pouvoir *m* d'achat de la monnaie
geleckt *adj* ►**wie** ~ **aussehen** *fam Person:* être tiré à quatre épingles
Gelee [ʒe'leː] <-s, -s> *m o nt* gelée *f*
Gelege <-s, -> *nt* couvée *f*
gelegen [gə'leːgən] **I.** *PP von* **liegen II.** *adj* **1.** (*passend*) opportun(e); *Anlass* bon(ne) antéposé; **der Besuch kommt mir** ~/**nicht sehr** ~ la visite tombe/ne tombe pas très à propos **2.** (*von Wichtigkeit, Interesse*) **ihr ist sehr|** daran ~, **dass** il lui importe beaucoup que **3.** (*befindlich*) **einsam** ~ **sein** *Haus, Ortschaft:* être isolé
Gelegenheit <-, -en> *f* occasion *f;* **bei** ~ à l'occasion; **bei der ersten/nächsten** ~ à la première occasion ►**die** ~ **beim Schopf ergreifen** sauter sur l'occasion
Gelegenheitsarbeit *f* petit boulot *m* (*fam*) **Gelegenheitskauf** *m* occasion *f*
gelegentlich [gə'leːgəntlɪç] **I.** *adj attr* **von** ~**en Aufheiterungen abgesehen** à part quelques éclaircies passagères **II.** *adv* **1.** (*manchmal*) de temps en temps **2.** (*bei Gelegenheit*) à l'occasion
gelehrig *adj* éveillé(e); *Tier* intelligent(e)
gelehrt [gə'leːɐt] *adj* érudit(e) **Gelehrte(r)** *f(m) dekl wie adj* érudit(e) *m(f)*
Geleise [gə'laɪzə] <-s, -> *nt* A, CH voie *f; s.* **Gleis**
Geleit [gə'laɪt] <-[e]s, -e> *nt* **1.** (*Eskorte*) escorte *f* **2.** *kein Pl geh* (*das Geleiten*) **freies** ~ JUR sauf-conduit *m* ►**jdm das letzte** ~ **geben** *geh* accompagner qn à sa dernière demeure
geleiten* *vt geh* accompagner **Geleitschutz** *m* escorte *f;* **jdm/einer S.** ~ **geben** escorter qn/qc
Gelenk [gə'lɛŋk] <-[e]s, -e> *nt* **1.** ANAT articulation *f* **2.** TECH joint *m* **Gelenkbus** *m* bus *m* articulé **Gelenkentzündung** *f* arthrite *f*
gelenkig *adj* souple
gelernt *adj Bäcker, Friseurin* qualifié(e)
gelesen *PP von* **lesen**
geliebt [gə'liːpt] *adj* bien-aimé(e); **heiß** ~ adoré(e); **viel** ~ très apprécié(e)
Geliebte(r) *f(m) dekl wie adj* amant *m*/maîtresse *f*

geliefert [gəˈliːfət] *adj fam* ~ **sein** être fichu

geliehen [gəˈliːən] *PP von* **leihen**

gelieren* [ʒeˈliːrən, ʒəˈliːrən] *vi* se gélifier

gelind|e| I. *adj* **1.** *geh* (*gemäßigt*) tempéré(e); *Frost, Regen* léger(-ère) **2.** *fam Wut, Schrecken* terrible II. *adv* ~ **gesagt** c'est le moins que l'on puisse dire

gelingen [gəˈlɪŋən] <**gelang, gelungen**> *vi* + *sein Werk, Coup:* réussir; **nicht gelungen sein** *Essen, Kuchen:* être raté; **jdm gelingt es etw zu tun** qn réussit à faire qc

Gelingen <-s> *nt* réussite *f*; **auf** [**ein**] **gutes** ~! à votre/notre réussite!

gelitten [gəˈlɪtən] *PP von* **leiden**

gell|e| *interj* SDEUTSCH, CH *s.* **gelt**

gellen [ˈgɛlən] *vi* retentir

gellend *adj* strident(e), perçant(e)

geloben* *vt geh* promettre solennellement; **jdm etw** ~ promettre solennellement qc à qn

Gelöbnis [gəˈløːpnɪs] <-ses, -se> *nt* **1.** *geh* (*Versprechen*) promesse *f* solennelle; **ein** ~ **ablegen** prêter serment **2.** MIL serment *m*

gelockt *adj Haare* bouclé(e)

gelogen [gəˈloːgən] *PP von* **lügen**

gelöst *adj Person, Atmosphäre, Stimmung* détendu(e)

gelt *interj* SDEUTSCH, A, CH *fam* hein

gelten [ˈgɛltən] <**gilt, galt, gegolten**> I. *vi* **1.** (*gültig sein*) être valable; *Gesetz, Vorschrift:* être en vigueur; *Zahlungsmittel:* avoir cours; **Einwände** ~ **lassen** admettre des objections; **die Wette gilt!** tope/topez-là!; **das gilt nicht!** ce n'est pas du jeu! **2.** (*bestimmt sein*) **jdm/einer S.** ~ *Aufmerksamkeit:* être consacré à qn/qc; *Attentat, Schuss:* être dirigé contre qn/qc **3.** (*sich beziehen*) **für jdn** ~ *Aussage:* valoir pour qn; **das gilt auch für dich** c'est aussi valable pour toi **4.** (*angesehen werden*) **als zuverlässig** ~ *Person:* passer pour [être] fiable; **es gilt als sicher, dass** on affirme que II. *vt* **viel/wenig** ~ *Meinung:* avoir un certain poids/n'avoir aucune valeur

geltend *adj attr Preis, Bestimmung* en vigueur; *Meinung* répandu(e)

Geltung <-, -en> *f* **1.** (*Gültigkeit*) validité *f;* ~ **haben** être valable; *Gesetz, Vorschrift:* être en vigueur **2.** (*Ansehen*) considération *f; sich/einer S.* (*dat*) ~ **verschaffen** s'imposer/faire respecter qc **3.** (*Wirkung*) **etw zur** ~ **bringen** mettre qc en valeur; **zur** ~ **kommen** être mis en valeur

Geltungsbedürfnis *nt kein Pl* besoin *m* de se faire valoir

Gelübde [gəˈlʏpdə] <-s, -> *nt* vœu *m;* **ein** ~ **ablegen** faire un vœu

gelungen [gəˈlʊŋən] I. *PP von* **gelingen** II. *adj attr Abend* [très] réussi(e); *Essen* [bien] réussi(e)

gelüsten* *vt unpers geh* **jdn gelüstet es etw zu tun** qn a [grande] envie de faire qc

GEMA [ˈgeːma] <-> *f Abk von* **Gesellschaft für musikalische Aufführungs- und mechanische Vervielfältigungsrechte** ≈ S.A.C.E.M. *f*

gemächlich [gəˈmɛːçlɪç] *adj* tranquille, paisible

Gemahl(in) [gəˈmaːl] <-s, -e> *m(f) geh* époux *m*/épouse *f*

Gemälde [gəˈmɛːldə] <-s, -> *nt* tableau *m*, peinture *f*

Gemäldegalerie *f* galerie *f* de peinture[s]

gemasert *adj Holz, Marmor* veiné(e)

gemäß [gəˈmɛːs] I. *präp* + *dat* conformément à; ~ **Ihrem Wunsch** selon vos désirs II. *adj* **jdm/einer S.** ~ **sein** être adapté à qn/qc

gemäßigt [gəˈmɛːsɪçt] *adj* **1.** *Klima, Zone* tempéré(e) **2.** (*moderat*) modéré(e)

Gemäuer [gəˈmɔyɐ] <-s, -> *nt* murailles *fpl*

Gemecker [gəˈmɛkɐ] <-s> *nt* **1.** *einer Ziege* bêlement *m gén pl* **2.** *pej fam* (*Nörgelei*) rouspétances *fpl*

gemein [gəˈmain] *adj* **1.** (*niederträchtig*) infâme **2.** *fam* (*unfair*) vache; **das war** ~ **von dir!** c'est vache d'avoir fait cela! **3.** *Lüge* odieux(-euse); *Bemerkung* méchant(e), de mauvais goût **4.** (*gemeinsam*) **etw mit jdm/etw** ~ **haben** avoir qc en commun avec qn/qc

Gemeinde [gəˈmaində] <-, -n> *f* **1.** (*Kommune*) commune *f* **2.** (*Pfarrgemeinde*) paroisse *f; (Gläubige bei der Messe*) assistance *f*

Gemeindeamt *nt* municipalité *f* **Gemeindemitglied** *nt* paroissien(ne) *m(f)* **Gemeinderat** *m* conseil *m* municipal **Gemeinderat** *m*, **-rätin** *f* conseiller *m* municipal/conseillère *f* municipale **Gemeindeschwester** *f* infirmière *f* à domicile (*employée par la commune*) **Gemeindeversammlung** *f* CH assemblée *f* municipale **Gemeindewahl** *f* élections *fpl* municipales **Gemeindezentrum** *nt* foyer *m* socioculturel

Gemeineigentum *nt* propriété *f* publique **gemeingefährlich** *adj* représentant un danger public **Gemeingut** *nt* bien *m* commun

Gemeinheit <-, -en> *f* **1.** méchanceté *f* **2.** *fam* (*Ärgernis*) vacherie *f*

gemeinhin [gəˈmainhɪn] *adv* communément **Gemeinnutz** *m* intérêt *m* général

gemeinnützig [gə'maɪnnʏtsɪç] *adj Verein* à but non lucratif; *Einrichtung* d'utilité publique **Gemeinplatz** *m* lieu *m* commun **gemeinsam I.** *adj* **1.** commun(e); *Konto* joint(e) **2.** (*verbindend*) **sie haben vieles** ~ ils/elles ont beaucoup de choses en commun **II.** *adv besprechen, lösen* ensemble **Gemeinsamkeit** <-, -en> *f* (*das Gemeinsame*) point *m* commun **Gemeinschaft** <-, -en> *f von Personen, Staaten* communauté *f;* **die Europäische** ~ la Communauté européenne **gemeinschaftlich I.** *adj Projekt* en coopération; *Nutzung, Aktivitäten* [en] commun **II.** *adv erarbeiten, nutzen* en commun; *begehen* en complicité **Gemeinschaftsantenne** *f* antenne *f* collective **Gemeinschaftsarbeit** *f* travail *m* collectif **Gemeinschaftskunde** *f kein Pl* instruction *f* civique **Gemeinschaftspraxis** *f* cabinet *m* de groupe **Gemeinschaftsproduktion** *f* coproduction *f* **Gemeinschaftsraum** *m* salle *f* commune **Gemeinsinn** *m kein Pl* esprit *m* de solidarité **gemeinverständlich** *adj* in ~em Deutsch dans un allemand accessible à tous **Gemeinwesen** *nt* communauté *f* **Gemeinwohl** *nt* intérêt *m* commun/général **Gemenge** [gə'mɛŋə] <-s, -> *nt* **1.** (*Gemisch*) mélange *m* **2.** (*Durcheinander*) fouillis *m* **gemessen** [gə'mɛsən] **I.** *PP von* **messen** **II.** *adj Auftreten* grave; *Höflichkeit* réservé(e); ~**en Schrittes** à pas mesurés **Gemetzel** [gə'mɛtsəl] <-s, -> *nt* carnage *m* **gemieden** [gə'miːdən] *PP von* **meiden** **Gemisch** [gə'mɪʃ] <-[e]s, -e> *nt* mélange *m* **gemischt** [gə'mɪʃt] *adj* mélangé(e), mêlé(e); *Kost, Gemüse* varié(e); *Chor, Klasse* mixte **gemocht** [gə'mɔxt] *PP von* **mögen** **gemolken** [gə'mɔlkən] *PP von* **melken** **Gemse** *s.* **Gämse** **Gemurmel** [gə'mʊrməl] <-s> *nt* murmures *mpl* **Gemüse** [gə'myːzə] <-s, -> *nt* légumes *mpl* **Gemüseanbau** *m* culture *f* maraîchère **Gemüsebeet** *nt* carré *m* de légumes **Gemüsegarten** *m* [jardin *m*] potager *m* **Gemüsehändler(in)** *m(f)* marchand(e) *m(f)* de légumes **Gemüsesuppe** *f* soupe *f* de légumes **gemusst**^{RR}, **gemußt** [gə'mʊst] *PP von* **müssen** **gemustert** [gə'mʊstɐt] *adj* imprimé(e);

bunt/braun ~ en imprimé multicolore/brun **Gemüt** [gə'myːt] <-[e]s, -er> *nt* **ein zartes/empfindliches** ~ un cœur tendre/sensible; **die ~er bewegen** émouvoir les esprits ▸ **sich** (*dat*) **etw zu ~e führen** (*essen, trinken*) déguster qc; **jdm aufs** ~ **schlagen** saper le moral à qn; **etwas fürs** ~ *hum* quelque chose de très sentimental **gemütlich I.** *adj* **1.** *Wohnung* douillet(te), confortable; *Sessel, Bett* confortable; **es sich/jdm** ~ **machen** se mettre à son aise/mettre qn à son aise **2.** *Abend* agréable; *Beisammensein, Lokal* sympathique **II.** *adv* **1.** (*gemächlich*) tranquillement **2.** (*behaglich, gesellig*) confortablement **Gemütlichkeit** <-> *f* **1.** (*Behaglichkeit*) *einer Wohnung* confort *m* [douillet]; *eines Lokals* atmosphère *f* sympathique **2.** (*Gemächlichkeit*) **etw in aller** ~ **tun** faire qc bien tranquillement **Gemütsbewegung** *f* émotion *f* **gemütskrank** *adj* neurasthénique **Gemütsmensch** *m fam* bonne pâte *f* **Gemütsruhe** *f* quiétude *f;* **in aller** ~ *fam* en toute quiétude **Gemütsverfassung** *f* état *m* d'âme **Gen** [geːn] <-s, -e> *nt* BIO gène *m* **genannt** [gə'nant] *PP von* **nennen** **genarbt** *adj* grenu(e) **genas** [gə'naːs] *Imp von* **genesen** **genau** [gə'naʊ] **I.** *adj* **1.** (*exakt*) précis(e) **2.** (*gewissenhaft*) **in etw** (*dat*) ~ **sein** être rigoureux dans qc **II.** *adv* **1.** exactement; *kennen* très bien; *passen* juste; **auf die Sekunde/den Millimeter** ~ à la seconde/au millimètre près; **es stimmt** ~ c'est tout à fait juste; **etw** ~/**nicht** ~ **wissen** savoir parfaitement/ne pas savoir exactement qc; **so** ~ **wollte ich es nicht wissen!** je ne voulais pas en savoir tant! **2.** (*eben, gerade*) justement; ~! *fam* absolument! ▸ ~ **genommen** strictement parlant; **es mit etw** ~ **nehmen** prendre qc au pied de la lettre **genaugenommen** *s.* **genau II.** **Genauigkeit** <-> *f* précision *f,* exactitude *f* **genauso** [gə'naʊzoː] *adv* de même; ~ **gut/schlecht wie** tout aussi bien/mal que; **es ist** ~ **gekommen, wie ...** c'est arrivé exactement comme ... **Genbank** *f* BIO banque *f* d'informations génétiques **Gendarm** [ʒan'darm] <-en, -en> *m* A gendarme *m* **Gendarmerie** [ʒandarmə'riː] <-, -n> *f* A gendarmerie *f* **Genealogie** [-'giːən] <-, -n> *f* généalogie *f* **genehm** [gə'neːm] *adj geh* **jdm** ~ **sein** *Person:* plaire à qn; *Lösung, Vorschlag, Termin:* agréer à qn

genehmigen* [gə'neːmɪgən] I. vt autoriser; einen Antrag ~ Behörde: autoriser une demande; genehmigt! approuvé! II. vr sich (dat) etw ~ fam s'offrir qc Genehmigung <-, -en> f 1. (das Genehmigen) autorisation f; eines Antrags acceptation f 2. (Berechtigungsschein) autorisation f

genehmigungspflichtig adj soumis(e) à une autorisation préalable

geneigt [gə'naıkt] adj geh ~ sein etw zu tun être disposé à faire qc

Genera Pl von Genus

General [genə'raːl] <-[e]s, -e o ⁼e> m général m

Generaldirektor(in) m(f) directeur m général/directrice f générale

Generalin <-, -nen> f général m; (Frau eines Generals) générale f

Generalintendant(in) m(f) directeur m général/directrice f générale

generalisieren* vi généraliser

Generalkonsul(in) m(f) consul m général

Generalkonsulat nt consulat m général

Generalprobe f [répétition f] générale f

Generalsekretär(in) m(f) secrétaire mf général(e) Generalstab m état-major m

Generalstreik m grève f générale generalüberholen* vt nur Infin und PP einen Wagen ~ lassen faire faire une révision complète d'une voiture Generalversammlung f assemblée f générale Generalvertreter(in) m(f) représentant m exclusif/représentante f exclusive

Generation [genəra'tsi̯oːn] <-, -en> f génération f

Generationenvertrag m pacte m de solidarité entre générations

Generationskonflikt m conflit m des générations Generationswechsel [-ks-] m (bei Menschen) renouvellement m des générations

Generator [genə'raːtoːɐ̯] <-s, -toren> m génératrice f

generell [genə'rɛl] I. adj général(e) II. adv d'une manière générale

generieren* vt INFORM produire

genesen [gə'neːzən] <genas, -> vi + sein geh se remettre; von einer Operation/nach einer Grippe ~ se remettre d'une opération/se rétablir après une grippe

Genesung [gə'neːzʊŋ] <-, -en> f guérison f; (nach einem Unfall) rétablissement m

Genetik [ge'neːtɪk] <-> f génétique f
genetisch [ge'neːtɪʃ] adj génétique

Genf [gɛnf] <-s> nt Genève

Genfer See <- -s> m der ~ le lac Léman

Genforscher(in) m(f) généticien(ne) m(f)

Genforschung f génétique f

genial [ge'ni̯aːl] adj génial(e)

Genialität [geni̯ali'tɛːt] <-> f einer Person génie m; eines Plans caractère m génial

Genick [gə'nɪk] <-[e]s, -e> nt nuque f ▶jdm das ~ brechen fam (zugrunde richten) casser les reins à qn

GenickschussRR m balle f dans la nuque

Genickstarre f raideur f de la nuque

Genie [ʒe'niː] <-s, -s> nt génie m

genieren* [ʒe'niːrən] vr sich ~ être gêné; sich vor jdm ~ être gêné devant qn

genießbar adj consommable

genießen [gə'niːsən] <genoss, genossen> vt 1. profiter de Leben, Wetter, Urlaub 2. (essen, trinken) savourer 3. geh recevoir Erziehung; jouir de Ansehen, Vertrauen

Genießer(in) <-s, -> m(f) bon vivant m; (Feinschmecker) gourmet m

genießerisch I. adj épicurien(ne) II. adv voluptueusement

genital [geni'taːl] adj des parties génitales

Genitalbereich m zone f des parties génitales

Genitalien [geni'taːli̯ən] Pl les parties génitales

Genitiv ['geːnitiːf] <-s, -e> m GRAM génitif m

Genius ['geːni̯ən] <-, Genien> m génie m

Genmanipulation f manipulation f génétique

Genom <-s, -e> nt BIO génome f

genommen [gə'nɔmən] PP von nehmen

genossRR, genoß [gə'nɔs] Imp von genießen

Genosse [gə'nɔsə] <-n, -n> m, Genossin f camarade mf

genossen [gə'nɔsən] PP von genießen

Genossenschaft <-, -en> f coopérative f
genossenschaftlich I. adj coopératif(-ive) II. adv en coopérative

Genossin [gə'nɔsɪn] s. Genosse

genötigt adj ~ sein/sich ~ sehen etw zu tun être contraint/se voir contraint de faire qc

Genre ['ʒãːrə] <-s, -s> nt KUNST genre m

Gentechnik f génétique f Gentechniker(in) m(f) spécialiste mf en génétique

gentechnisch adj génétique Gentechnologie f génie m génétique

genug [gə'nuːk] adv assez; das ist ~ ça suffit; ~ Käse/Brot assez de fromage/pain; alt/groß ~ assez vieux(vieille)/grand(e) ▶von etw ~ haben (überdrüssig sein) en avoir assez de qc; jetzt ist[s] aber ~! ça suffit maintenant!

Genüge [gə'nyːgə] <-> f ▶zur ~ (hinrei-

chend) suffisamment; (*bis zum Überdruss*) à satiété
genügen* [gə'nyːgən] *vi* **1.** (*ausreichen*) suffire; **jdm** ~ suffire à qn **2.** (*gerecht werden*) den **Ansprüchen/Wünschen** ~ satisfaire aux exigences/désirs
genügend *adv* suffisamment
genügsam I. *adj* peu exigeant(e); ~ **sein** se contenter de peu **II.** *adv leben* frugalement
Genugtuung [gə'nuːktuːʊŋ] <-> *f* satisfaction *f*
Genus ['gɛnʊs] <-, **Genera**> *nt* GRAM genre *m*
Genussᴿᴿ <-es, ::sse>, **Genuß** [gə'nʊs, *Pl:* gə'nʏsə] <-sses, ::sse> *m* **1.** (*Köstlichkeit*) régal *m*, délice *m* **2.** (*Freude*) **es ist ein** ~ **etw zu tun** c'est un [vrai] plaisir de faire qc; **mit** ~ avec délectation **3.** *kein Pl form* (*Verzehr*) consommation *f* ▶**in den** ~ **einer Sache** (*gen*) **kommen** pouvoir bénéficier de qc
genüsslichᴿᴿ [gə'nʏslɪç], **genüßlich I.** *adj* de délectation **II.** *adv* avec délectation
Genussmittelᴿᴿ *nt* stimulant *m*
Geograf(in)ᴿᴿ *s.* **Geograph(in)**
Geografieᴿᴿ *s.* **Geographie**
geografischᴿᴿ *s.* **geographisch**
Geograph(in) [geo'graːf] <-en, -en> *m(f)* géographe *mf*
Geographie [geogra'fiː] <-> *f* géographie *f*
geographisch I. *adj* géographique; *Studium, Unterricht* de géographie **II.** *adv* géographiquement
Geologe [geo'loːgə] <-n, -n> *m*, **Geologin** *f* géologue *mf*
Geologie [geolo'giː] <-> *f* géologie *f*
geologisch [geo'loːgɪʃ] *adj* géologique
Geometrie [geome'triː] <-> *f* géométrie *f*
geometrisch [geo'meːtrɪʃ] *adj* géométrique
Geophysik [geofy'ziːk] *f* géophysique *f*
Gepäck [gə'pɛk] <-[e]s> *nt* bagages *mpl*
Gepäckabfertigung *f* guichet *m* d'enregistrement des bagages **Gepäckablage** *f* porte-bagages *m* **Gepäckannahme** *f s.* **Gepäckabfertigung Gepäckaufbewahrung** *f* consigne *f* **Gepäckausgabe** *f* guichet *m* de retrait des bagages **Gepäckkontrolle** *f* contrôle *m* des bagages **Gepäcknetz** *nt* filet *m* à bagages **Gepäckschalter** *m* guichet *m* d'enregistrement des bagages **Gepäckschein** *m* bulletin *m* de bagages **Gepäckstück** *nt* bagage *m* **Gepäckträger** *m* **1.** (*Person*) porteur *m* **2.** (*Vorrichtung*) porte-bagages *m* **Gepäckwagen** *m* fourgon *m*
Gepard ['geːpart] <-s, -e> *m* guépard *m*
gepfeffert [gə'pfɛfɐt] *adj fam* **1.** (*sehr teu-*

er) salé(e) **2.** (*schwer*) dur(e)
gepfiffen [gə'pfɪfən] *PP von* **pfeifen**
gepflegt [gə'pfleːkt] **I.** *adj* **1.** *Person, Aussehen* soigné(e); *Eindruck* bien entretenu(e) **2.** *Ausdrucksweise* raffiné(e); *Restaurant, Speisen* de qualité **II.** *adv* ~ **essen gehen** aller manger dans un bon restaurant
Gepflogenheit [gə'pfloːgənhajt] <-, -en> *f geh* habitude *f*
gepierct [-pɪəst] *adj* percé(e)
Geplapper [gə'plapɐ] <-s> *nt pej fam* bavardages *mpl*; *eines Kindes* babillage *m*
Geplätscher [gə'plɛtʃɐ] <-s> *nt* clapotis *m*
Geplauder <-s> *nt* causeries *fpl*
Gepolter [gə'pɔltɐ] <-s> *nt* (*Geräusch von Schritten*) vacarme *m*
Gepräge <-s> *nt geh* cachet *m*
gepriesen [gə'priːzən] *PP von* **preisen**
gepunktet *adj* **1.** *Linie* pointillé(e) **2.** *Stoff, Kleid* **blau** ~ à pois bleus
gequält [gə'kvɛːlt] **I.** *adj Lächeln* forcé(e) **II.** *adv lächeln* d'un air contraint
Gequassel <-s> *nt pej fam* bavardages *mpl*
gequollen [gə'kvɔlən] *PP von* **quellen**
gerade [gə'raːdə] **I.** *adj* **1.** (*aufrecht, nicht krumm*) droit(e) **2.** (*opp: ungerade*) pair(e) **3.** (*aufrichtig*) franc(franche), droit(e) **II.** *adv* **1.** (*aufrecht, nicht krumm*) ~ **sitzen** se tenir droit(e) sur sa chaise/son siège; ~ **stehen** se tenir droit(e) **2.** (*im Augenblick, soeben*) justement; ~ **vor zehn Minuten** il y a juste dix minutes; **sie arbeitet** ~ elle est en train de travailler; **er ist** ~ **angekommen** il vient d'arriver **3.** (*knapp*) **sie hat die Prüfung** ~ **so bestanden** elle a réussi son examen de justesse **4.** (*genau*) ~ **deswegen habe ich das gesagt** c'est justement pour cette raison que j'ai dit ça **5.** (*ausgerechnet*) **nicht** ~ **hübsch/billig** pas spécialement beau/bon marché ▶~ **biegen** (*in gerade Form biegen*) redresser; *fam* (*in Ordnung bringen*) arranger
Gerade [gə'raːdə] <-n, -n> *f* **1.** GEOM droite *f* **2.** SPORT ligne *f* droite **3.** (*beim Boxen*) **rechte** ~ direct *m* du droit
geradeaus [gəraː'daʊs] *adv* tout droit
gerade biegen *s.* **gerade II. geradehalten** *s.* **gerade II. geradeheraus** [gəraːdəh'raʊs] *fam* **I.** *adj* ~ **sein** être franc **II.** *adv sagen* franco **gerade sitzen** *s.* **gerade II. geradeso** *adv* ~ **viel** tout autant **geradestehen** *vi irr* **für jdn/etw** ~ répondre de qn/qc
geradewegs [gə'raːdəveːks] *adv* directement
geradezu [gə'raːdətsuː] *adv* tout simplement
geradlinig [gə'raːtliːnɪç] **I.** *adj* **1.** (*in gerader Richtung*) rectiligne **2.** (*aufrichtig*)

droit(e) **II.** *adv verlaufen* en ligne droite
gerammelt ▶~ voll *fam* plein(e) à craquer
Gerangel <-s> *nt* (*Auseinandersetzung*) bagarre *f*
Geranie [geˈraːniə] <-, -n> *f* géranium *m*
gerann *Imp von* **gerinnen**
gerannt [gəˈrant] *PP von* **rennen**
Gerät [gəˈrɛːt] <-[e]s, -e> *nt* **1.**(*Haushaltsgerät, Bürogerät*) ustensile *m* **2.**(*Gartengerät*) outil *m* [de jardin]; **die ~e** l'outillage *m* [de jardin] **3.**(*Elektrogerät*) appareil *m* **4.**(*Turngerät*) agrès *mpl* **5.** *kein Pl*(*Ausrüstung*) outils *mpl*
geraten [gəˈraːtən] <gerät, geriet, ~>
vi + sein **1.**(*gelangen*) **in einen Sturm** ~ être surpris par la tempête; **in Schwierigkeiten** ~ se retrouver en difficulté; **an jdn** ~ tomber sur qn (*fam*) **2.**(*unbeabsichtigt kommen*) **unter einen Zug** ~ passer sous un train; **mit der Hand in die Maschine** ~ se prendre la main dans la machine **3.**(*einen Zustand erlangen*) **in Wut** ~ se mettre en colère; **in Panik** ~ être pris de panique; **durcheinander** ~ *Person:* perdre le nord; *Unterlagen:* se mélanger; **ins Schwitzen** ~ se mettre à transpirer, s'emballer pour qc; **in Brand** ~ commencer à brûler; **ins Stocken** ~ *Gespräch:* commencer à se traîner; *Verkehr:* se ralentir **4.**(*ausfallen*) **jdm zu lang/groß** ~ être trop long/grand pour qn; **etw gerät jdm gut/ nicht gut** ~ réussir/ne réussit pas qc **5.**(*ähnlich werden*) **nach jdm** ~ ressembler à qn ▶**außer sich** ~ sortir de ses gonds
Geräteschuppen *m* remise *f* à outils **Geräteturnen** *nt* exercices *mpl* aux agrès
Geratewohl [gəraːtəˈvoːl] *nt* ▶**aufs** ~ *fam* au petit bonheur [la chance]
geraum *adj attr geh Weile* long(longue)
geräumig [gəˈrɔymɪç] *adj* spacieux(-euse)
Geräusch [gəˈrɔyʃ] <-[e]s, -e> *nt* bruit *m* **geräuscharm** *adj* silencieux(-euse) **geräuschempfindlich** *adj* sensible au[x] bruit[s] **Geräuschkulisse** *f* bruit *m* de fond; *MEDIA* bruitage *m* **geräuschlos I.** *adj* silencieux(-euse) **II.** *adv* sans bruit **geräuschvoll I.** *adj* bruyant(e) **II.** *adv* bruyamment
gerben [ˈgɛrbən] *vt* tanner
Gerber(in) <-s, -> *m(f)* tanneur(-euse) *m(f)*
Gerberei [gɛrbəˈrai] <-, -en> *f* tannerie *f*
gerecht [gəˈrɛçt] **I.** *adj* **1.**(*unparteiisch*) juste **2.**(*verdient*) juste, équitable **3.**(*berechtigt*) justifié(e); *Sache* juste ▶**jdm/ei- ner S.** ~ **werden** (*angemessen urteilen*) apprécier qn/qc à sa juste valeur **II.** *adv* équitablement
gerechterweise *adv* pour être juste

gerechtfertigt *adj* justifié(e)
Gerechtigkeit <-> *f* justice *f;* **ausgleichende** ~ justice *f* distributive; **jdm** ~ **widerfahren lassen** *geh* rendre justice à qn **Gerechtigkeitssinn** *m* sens *m* de la justice
Gerede [gəˈreːdə] <-s> *nt* **1.**(*Klatsch*) racontars *mpl;* **ins** ~ **kommen** faire jaser [les gens] **2.**(*leeres Gerede*) histoires *fpl*
geregelt *PP von* **regeln II.** *adj* (*regelmäßig*) régulier(-ière)
gereichen* *vi geh* **jdm/einer S. zur Ehre** ~ faire honneur à qn/qc
gereizt [gəˈraitst] **I.** *PP von* **reizen II.** *adj Person, Ton* agacé(e); *Stimmung* de grande nervosité **III.** *adv* avec irritation
Geriatrie <-> *f MED* gériatrie *f*
Gericht [gəˈrɪçt] <-[e]s, -e> *nt* **1.** *GASTR* plat *m* **2.**(*Institution*) tribunal *m;* **jdn vor** ~ **bringen** traduire qn en justice; **etw vor** ~ **bringen** saisir le tribunal de qc; **wegen etw vor** ~ **stehen** passer en jugement pour qc **3.**(*Gebäude*) palais *m* de justice **4.** *REL* **das Jüngste** ~ le Jugement dernier ▶**mit jdm ins** ~ **gehen** chapitrer dûment qn
gerichtlich I. *adj attr* judiciaire **II.** *adv* en justice; **etw** ~ **untersuchen** mener une enquête judiciaire sur qc
Gerichtsakte *f* dossier *m* **Gerichtsbeschluss**^RR *m* décision *f* de justice **Gerichtsdiener** *m* huissier *m* appariteur **Gerichtsgebäude** *nt* palais *m* de justice **Gerichtshof** *m* cour *f* de justice; **der Europäische** ~ la Cour de justice des Communautés européennes; **der Oberste** ~ la Cour suprême **Gerichtskosten** *Pl* frais *mpl* de justice **Gerichtsmedizin** *f* médecine *f* légale **Gerichtsmediziner(in)** *m(f)* médecin *mf* légiste **Gerichtssaal** *m* salle *f* d'audience, prétoire *m* **Gerichtsstand** *m* juridiction *f* **Gerichtsverfahren** *nt* procédure *f* judiciaire **Gerichtsverhandlung** *f* audience *f* **Gerichtsvollzieher(in)** <-s, -> *m(f)* huissier *m*
gerieben [gəˈriːbən] **I.** *PP von* **reiben II.** *adj fam* roublard(e)
geriet *Imp von* **geraten**[1]
gering [gəˈrɪŋ] **I.** *adj* **1.** faible; *Anzahl, Menge* petit(e); **sehr** ~ insignifiant(e); **nicht die ~ste Ahnung haben** n'avoir pas la moindre idée; **nicht das Geringste bemerken** ne s'apercevoir de rien du tout **2.**(*niedrig*) bas(se) **3.**(*nicht nennenswert*) ~**e Bedeutung haben** avoir peu d'importance **4.** *Qualität, Kenntnisse* médiocre ▶**nicht im Geringsten** pas le moins du monde **II.** *adv* ~ **schätzen** mépriser *Person, Leistung;* sous-estimer *Gefahr, Folgen*

Geringschätzung ausdrücken

• Geringschätzung/Missfallen
ausdrücken

Ich halte nicht viel von dieser Theorie.

Davon halte ich gar/überhaupt nichts.

Komm mir bloß nicht mit Psychologie!
(fam)
(Es tut mir Leid, aber) **ich habe für** diese
Typen **nichts übrig.** *(fam)*
Ich kann mit moderner Kunst **nichts
anfangen.** *(fam)*

• exprimer le dédain/
mécontentement

Je trouve que cette théorie n'est pas
très bien.

Je ne trouve pas ça bien./Je n'en
pense rien de bien.

Ne me parle pas de psychologie!

(Je suis désolé(e) mais) ce genre de
personnes ne m'intéresse pas du tout.
L'art moderne ne me dit rien du tout.

---

geringelt *adj Socken* à rayures horizontales
geringfügig [gəˈrɪŋfyːgɪç] I. *adj* insignifiant(e), peu important(e), minime II. *adv*
légèrement
gering|schätzen *s.* **gering** II.
geringschätzig [gəˈrɪŋʃɛtsɪç] I. *adj* méprisant(e) II. *adv denken, sprechen* avec mépris
gerinnen [gəˈrɪnən] <gerann, geronnen> *vi + sein Blut:* coaguler; *Milch:* cailler
Gerinnsel [gəˈrɪnzəl] <-s, -> *nt* MED caillot *m*
Gerinnung <-, -en> *f* coagulation *f*
Gerippe [gəˈrɪpə] <-s, -> *nt* squelette *m*
gerissen [gəˈrɪsən] I. *PP von* **reißen** II. *adj fam Person* roublard(e)
Gerissenheit <-> *f fam* roublardise *f*
geritten [gəˈrɪtən] *PP von* **reiten**
Germ [gɛrm] <-> *f* A levure *f*
Germane [gɛrˈmaːnə] <-n, -n> *m*, **Germanin** *f* Germain(e) *m(f)*
germanisch *adj* HIST, LING germanique
Germanist(in) <-en, -en> *m(f)* germaniste *mf*
Germanistik [gɛrmaˈnɪstɪk] <-> *f* langue *f* et littérature *f* allemandes
gern|e| <lieber, am liebsten> *adv* 1. jdn
~ **haben** aimer [bien] qn; **sie haben sich**
~ **ils** s'aiment [bien]; **etw** ~ **tun** aimer bien
faire qc; **ich möchte** ~ **essen gehen** [*o*
würde| je voudrais bien aller au restaurant; ~ **geschehen!** [il n'y a] pas de quoi!;
ja, ~**!** volontiers! 2. (*ohne weiteres*) sans
problème; **das glaube ich** ~**!** je veux bien
le croire! 3. (*gewöhnlich, oft*) volontiers
▶**du** kannst **mich mal** ~ **haben!** *iron
fam* tu peux aller te faire voir!
Gernegroß <-, -e> *m hum fam* crâneur(-euse) *m(f)*
gerochen [gəˈrɔxən] *PP von* **riechen**
Geröll [gəˈrœl] <-[e]s, -e> *nt* éboulis *m*

geronnen [gəˈrɔnən] *PP von* **rinnen, gerinnen**
Gerste [ˈgɛrstə] <-, -n> *f* orge *f*
Gerstenkorn *nt* 1. grain *m* d'orge 2. MED
orgelet *m*
Gerte [ˈgɛrtə] <-, -n> *f* verge *f*
Geruch [gəˈrʊx, *Pl:* gəˈrʏçə] <-[e]s, ̈-e> *m*
odeur *f*
geruchlos *adj* inodore
Geruchssinn *m* odorat *m; eines Hundes* flair
m
Gerücht [gəˈrʏçt] <-[e]s, -e> *nt* rumeur *f;*
ein ~ **in die Welt setzen** répandre une
rumeur; **es geht das** ~**, dass** le bruit court
que
gerufen *PP von* **rufen**
geruhen* *vi form* ~ **etw zu tun** daigner faire qc
geruhsam [gəˈruːzaːm] *adj* tranquille
Gerümpel [gəˈrʏmpəl] <-s> *nt pej* bric-
à-brac *m*
Gerundium [geˈrʊndiʊm] <-s, -dien> *nt*
GRAM gérondif *m*
gerungen [gəˈrʊŋən] *PP von* **ringen**
Gerüst [gəˈrʏst] <-[e]s, -e> *nt* 1. (*Baugerüst*) échafaudage *m* 2. (*Grundplan*) *eines
Aufsatzes* charpente *f*
Ges <-, -> *nt* MUS sol *m* bémol
gesalzen [gəˈzaltsən] I. *PP von* **salzen** II.
adj fam Preis exorbitant(e); *Rechnung* salé(e)
gesammelt *adj Werke* complet(-ète)
gesamt [gəˈzamt] *adj attr* **die ~e Familie**
toute la famille; **die ~en Kosten** le total
des frais
Gesamtansicht *f* vue générale *f* **Gesamt-
auflage** *f* tirage *m* global **Gesamtausgabe** *f* [édition *f* des] œuvres *fpl* complètes
Gesamtbetrag *m* montant *m* global **ge-
samtdeutsch** *adj* panallemand(e) **Gesamteindruck** *m* impression d'ensemble *f*
Gesamtergebnis *nt* résultat *m* global **ge-**

samteuropäisch *adj* paneuropéen(ne)
Gesamtheit <-> *f von Personen* ensemble *m; von Tieren, Pflanzen* totalité *f*
Gesamthochschule *f* université *f* polyvalente **Gesamtschule** *f* collège *m* (*regroupant les trois filières du premier et second cycle en Allemagne*) **Gesamtübersicht** *f* vue *f* d'ensemble **Gesamtumsatz** *m* chiffre d'affaires *m* total **Gesamtverzeichnis** *nt* inventaire *m* complet **Gesamtwert** *m* valeur *f* totale
gesandt [gə'zant] *PP von* senden²
Gesandte(r) *f(m) dekl wie adj* POL ministre *mf* plénipotentiaire
Gesandtschaft <-, -en> *f* légation *f*
Gesang [gə'zaŋ, *Pl:* gə'zɛŋə] <-[e]s, ˸e> *m* **1.** *kein Pl* chant *m* **2.** (*Lied*) chant *m;* **gregorianischer** ~ [chant *m*] grégorien *m*
Gesangbuch *nt* livre *m* de cantiques **Gesangverein** *m* chorale *f*
Gesäß [gə'zɛːs] <-es, -e> *nt* derrière *m*
Gesäßtasche *f* poche *f* revolver
gesättigt I. *PP von* sättigen **II.** *adj* CHEM saturé(e)
Geschädigte(r) *f(m) dekl wie adj* victime *f*
geschaffen [gə'ʃafən] *PP von* schaffen²
Geschäft [gə'ʃɛft] <-[e]s, -e> *nt* **1.** (*Laden*) magasin *m* **2.** (*Unternehmen*) affaire *f; ins ~ gehen fam* aller au boulot **3.** (*Handel*) commerce *m;* **die ~e gehen gut** les affaires *fpl* vont bien; **das ~ mit Computern** le commerce des ordinateurs; **mit jdm ins ~ kommen** faire affaire avec qn **4.** *kein Pl* (*Gewinn*) **ein ~ machen** faire une affaire **5.** *Kinderspr. fam* **sein ~ verrichten** faire ses besoins
Geschäftemacher(in) *m(f) pej* affairiste *mf*
geschäftig I. *adj* affairé(e) **II.** *adv* de façon affairée
geschäftlich I. *adj Verabredung, Gespräch* d'affaires; *Kontakt, Angebot* commercial(e) **II.** *adv* pour affaires; **~ unterwegs sein** être en voyage pour les affaires
Geschäftsabschluss ^RR *m* conclusion d'une affaire *f* **Geschäftsaufgabe** *f* cessation *f* d'activité **Geschäftsbedingungen** *Pl* **die allgemeinen ~** les conditions *fpl* générales **Geschäftsbericht** *m* rapport *m* d'activité **Geschäftsbeziehungen** *Pl* relations *fpl* commerciales **Geschäftsbrief** *m* lettre *f* d'affaires **Geschäftsbuch** *nt* livre *m* de commerce **geschäftsfähig** *adj* JUR apte à accomplir un acte juridique **Geschäftsfrau** *f* femme *f* d'affaires **Geschäftsfreund(in)** *m(f)* relation *f* d'affaires **geschäftsführend** *adj* **1.** ~**er Direktor** directeur *m* général **2.** (*amtierend*) **die ~e Regierung/Ministerin** le gouvernement en place/la ministre en fonction **Ge-**

schäftsführer(in) *m(f) einer Firma* gérant(e) *m(f); eines Vereins, einer Partei* secrétaire *mf* général(e) **Geschäftsführung** *f* (*Leitung*) direction *f* **Geschäftsinhaber(in)** *m(f)* patron(ne) *m(f)* **Geschäftsjahr** *nt* exercice *m* **Geschäftskosten** *Pl* **auf ~** aux frais de la société **Geschäftslage** *f* (*Gegend*) **in guter/bester ~** bien/très bien situé(e) **Geschäftsleitung** *s.* **Geschäftsführung** **Geschäftsleute** *Pl von* **Geschäftsmann Geschäftsmann** <-leute> *m* homme *m* d'affaires **Geschäftsordnung** *f* règlement *m* intérieur **Geschäftspartner(in)** *m(f)* **1.** partenaire *mf* commercial(e) **2.** (*Kompagnon*) associé(e) *m(f)* **Geschäftsreise** *f* voyage *m* d'affaires **geschäftsschädigend** *adj* préjudiciable à l'entreprise **Geschäftsschluss**^RR *m* fermeture *f* des magasins **Geschäftssinn** *m* sens *m* des affaires **Geschäftsstelle** *f einer Partei, eines Vereins* bureau *m;* (*Filiale*) agence *f* **Geschäftsstunden** *Pl* heures *fpl* de bureau **geschäftstüchtig** *adj* doué(e) en affaires **Geschäftsverbindung** *f* relation *f* d'affaires **Geschäftsviertel** *nt* quartier *m* des affaires **Geschäftszeit** *f* heures *fpl* d'ouverture
geschah [gə'ʃaː] *Imp von* geschehen
gescheckt *adj Fell* tacheté(e)
geschehen [gə'ʃeːən] <geschieht, geschah, ~> *vi + sein* **1.** (*sich ereignen*) se passer; *Unfall, Ereignis:* arriver; **als ob nichts ~ wäre** comme si de rien n'était **2.** (*getan werden*) **es muss etwas ~!** il faut faire quelque chose!; **was soll damit ~?** que faut-il en faire? **3.** (*begangen werden*) *Verbrechen:* se produire **4.** (*widerfahren*) **er weiß nicht, wie ihm geschieht** il ne sait pas ce qui lui arrive ▸**es ist um jdn/etw ~** c'en est fait de qn/qc
Geschehen <-s, -> *nt geh* événements *mpl*
gescheit [gə'ʃait] *adj* **1.** (*klug*) intelligent(e) **2.** (*vernünftig*) raisonnable
Geschenk [gə'ʃɛŋk] <-[e]s, -e> *nt* cadeau *m;* **jdm ein ~ machen** faire un cadeau à qn
Geschenkartikel *m* article-cadeau *m* **Geschenkpackung** *f* emballage-cadeau *m* **Geschenkpapier** *nt* papier cadeau *m*
Geschichte [gə'ʃɪçtə] <-, -n> *f* **1.** (*Erzählung, Wissenschaft*) histoire *f* **2.** *fam* (*Angelegenheit*) histoire *f;* **das sind [ja] schöne ~n!** *fam* en voilà de belles!; ▸**~ machen** faire date; **mach keine ~n!** *fam* allez, pas d'histoires!
geschichtlich *adj* historique
Geschichtsbuch *nt* livre *m* d'histoire **Geschichtsschreibung** *f* historiographie *f*
Geschick¹ [gə'ʃɪk] <-s> *nt* habileté *f*

Geschick² <-[e]s, -e> *nt geh* (*Schicksal*) destin *m*
Geschicklichkeit <-> *f* habileté *f*
geschickt I. *adj* adroit(e) II. *adv* sich ~ anstellen [savoir] bien se débrouiller
geschieden [gə'ʃiːdən] I. *PP von* scheiden II. *adj* divorcé(e)
geschieht [gə'ʃiːt] *3. Pers Präs von* geschehen
geschienen [gə'ʃiːnən] *PP von* scheinen
Geschirr [gə'ʃɪr] <-[e]s, -e> *nt* 1. vaisselle *f;* (*Service*) service *m* 2. (*Riemenzeug*) *von Zugtieren* harnais *m*
Geschirrspülmaschine *f* lave-vaisselle *m*
Geschirrspülmittel *nt* produit *m* [pour la] vaisselle **Geschirrtuch** <-tücher> *nt* torchon *m*
geschissen [gə'ʃɪsən] *PP von* scheißen
geschlafen *PP von* schlafen
geschlagen [gə'ʃlaːgən] *PP von* schlagen
Geschlecht [gə'ʃlɛçt] <-[e]s, -er> *nt* 1. *kein Pl* (*geschlechtliche Zugehörigkeit*) sexe *m;* **beiderlei** ~s des deux sexes 2. GRAM genre *m* 3. (*Sippe*) famille *f* 4. (*Generation*) génération *f* ►das schwache/ starke ~ *hum fam* le sexe faible/fort
geschlechtlich *adj* sexuel(le); *Fortpflanzung* sexué(e)
Geschlechtsakt *m* acte *m* sexuel **Geschlechtshormon** *nt* hormone *f* sexuelle **Geschlechtskrankheit** *f* maladie *f* vénérienne **Geschlechtsmerkmal** *nt* caractères *mpl* sexuels **Geschlechtsorgan** *nt* organe *m* génital **geschlechtsreif** *adj* formé(e); *Mädchen* nubile **Geschlechtsreife** *f* maturité *f* sexuelle **Geschlechtsverkehr** *m* rapports *mpl* sexuels
geschlichen [gə'ʃlɪçən] *PP von* schleichen
geschliffen [gə'ʃlɪfən] *PP von* schleifen²
geschlossen [gə'ʃlɔsən] I. *PP von* schließen II. *adj* 1. *Front* uni(e); *Ablehnung* général(e) 2. *Schneedecke, Bebauung* homogène 3. LING *Vokal* fermé(e) III. *adv befürworten, ablehnen* unanimement; ~ hinter jdm stehen faire bloc derrière qn
geschlungen [gə'ʃlʊŋən] *PP von* schlingen
Geschmack [gə'ʃmak, *Pl:* gə'ʃmɛkə] <-[e]s, ⁼e *o hum fam* ⁼er> *m* goût *m;* für meinen ~ zu mild trop doux à mon goût; ~ haben avoir du goût; einen guten/ schlechten ~ haben avoir bon/mauvais goût ►an etw (*dat*) ~ finden prendre goût à qc; auf den ~ kommen y prendre goût; über ~ lässt sich nicht streiten *prov* des goûts et des couleurs on ne discute pas
geschmacklich *adj* de goût

geschmacklos *adj* 1. *Speise* fade 2. (*taktlos*) de mauvais goût
Geschmacklosigkeit <-, -en> *f* 1. *kein Pl* (*Mangel an Takt*) mauvais goût *m* 2. (*taktlose Bemerkung*) incongruité *f*
Geschmacksfrage *f* question *f* de goût **geschmacksneutral** *adj* GASTR insipide **Geschmacksrichtung** *f* (*Aroma*) arôme *m* **Geschmackssache** *f* affaire *f* de goût; das ist reine ~ c'est une affaire de goût **Geschmackssinn** *m kein Pl* sens *m* du goût **Geschmacksverirrung** *pej* ►unter ~ leiden *fam* avoir un goût de chiotte
geschmackvoll I. *adj* de bon goût II. *adv* avec goût
geschmeidig [gə'ʃmaɪdɪç] I. *adj* 1. souple; *Masse, Teig* malléable 2. (*biegsam*) souple II. *adv sich bewegen* avec souplesse
Geschmier[e] <-s> *nt pej fam* (*unsauber Geschriebenes*) gribouillage *m*
geschmissen [gə'ʃmɪsən] *PP von* schmeißen
geschmolzen [gə'ʃmɔltsən] *PP von* schmelzen
Geschnetzelte(s) *nt dekl wie adj* émincé *m*
geschnitten [gə'ʃnɪtən] *PP von* schneiden
geschoben [gə'ʃoːbən] *PP von* schieben
gescholten [gə'ʃɔltən] *PP von* schelten
Geschöpf [gə'ʃœpf] <-[e]s, -e> *nt* (*Person, Tier*) créature *f*
geschoren [gə'ʃoːrən] *PP von* scheren¹
GeschossRR [gə'ʃɔs] <-es, -e>, **Geschoß** <-sses, -sse> *nt* 1. (*Stockwerk*) étage *m;* im ersten ~ au premier étage 2. MIL projectile *m*
geschossen [gə'ʃɔsən] *PP von* schießen
geschraubt *pej* I. *adj Stil* tarabiscoté(e) II. *adv reden* de manière tarabiscotée
Geschrei <-s> *nt* (*Lärm*) cris *mpl*
geschrieben [gə'ʃriːbən] *PP von* schreiben
geschrien *PP von* schreien
geschritten [gə'ʃrɪtən] *PP von* schreiten
geschunden [gə'ʃʊndən] *PP von* schinden
Geschütz [gə'ʃʏts] <-es, -e> *nt* MIL pièce *f* d'artillerie ►schweres ~ auffahren *fam* sortir la grosse artillerie
Geschützfeuer *nt kein Pl* feu *m* d'artillerie **geschützt** *adj Standort, Art* protégé(e); *Name, Marke* déposé(e)
Geschwader <-s, -> *nt von Flugzeugen* escadrille *f*
Geschwätz [gə'ʃvɛts] <-es> *nt pej fam* 1. (*dummes Gerede*) conneries *fpl* 2. (*Klatsch*) ragots *mpl* [de bonnes femmes]
geschwätzig *adj pej* bavard(e)

geschweige [gəˈʃvaɪgə] *konj* et encore moins

geschwiegen [gəˈʃviːgən] *PP von* **schweigen**

geschwind [gəˈʃvɪnt] SDEUTSCH *adj* rapide

Geschwindigkeit [gəˈʃvɪndɪçkaɪt] <-, -en> *f* vitesse *f*

Geschwindigkeitsbeschränkung *f* limitation *f* de vitesse **Geschwindigkeitsüberschreitung** *f* excès *m* de vitesse

Geschwister [gəˈʃvɪstɐ] *Pl* frères et sœurs *mpl*

geschwollen [gəˈʃvɔlən] **I.** *PP von* **schwellen II.** *adj pej Ausdrucksweise* ronflant(e) **III.** *adv pej* d'une manière pompeuse

geschwommen [gəˈʃvɔmən] *PP von* **schwimmen**

geschworen [gəˈʃvoːrən] *PP von* **schwören**

Geschworene(r) *f(m) dekl wie adj* juré(e) *m(f)*

Geschwulst [gəˈʃvʊlst, *Pl:* gəˈʃvʏlstə] <-, ⁻e> *f* tumeur *f*

geschwunden [gəˈʃvʊndən] *PP von* **schwinden**

geschwungen [gəˈʃvʊŋən] **I.** *PP von* **schwingen II.** *adj Linie* courbe

Geschwür [gəˈʃvyːɐ̯] <-s, -e> *nt* abcès *m*; *(Magengeschwür)* ulcère *m*

gesehen *PP von* **sehen**

Geselle [gəˈzɛlə] <-n, -n> *m* **1.** *(Handwerksgeselle)* compagnon *m* **2.** *(Kerl)* gaillard *m*; **ein lustiger ~** un gai luron

gesellen* [gəˈzɛlən] *vr geh* **sich zu jdm ~** se joindre à qn

Gesellenbrief *m* brevet *m* d'apprentissage **Gesellenprüfung** *f* [examen *m* du] certificat *m* d'aptitude professionnelle **Gesellenstück** *nt* ouvrage *m* de compagnon

gesellig I. *adj Person* sociable; *Runde* entre amis **II.** *adv zusammensitzen* entre amis

Geselligkeit <-> *f* convivialité *f*

Gesellin [gəˈzɛlɪn] <-, -nen> *f* compagnon *m*

Gesellschaft [gəˈzɛlʃaft] <-, -en> *f* **1.** SOZIOL, ÖKON société *f* **2.** *(Fest)* réception *f*; **geschlossene ~** réunion *f* privée **3.** *kein Pl (Begleitung)* compagnie *f*; **jdm ~ leisten** tenir compagnie à qn

Gesellschafter(in) <-s, -> *m(f)* *(Teilhaber)* associé(e) *m(f)*

gesellschaftlich *adj* social(e)

gesellschaftsfähig *adj Person* sortable; *Benehmen* convenable **Gesellschaftskritik** *f* critique *f* sociale **Gesellschaftsordnung** *f* ordre *m* social **gesellschaftspolitisch** *adj* en matière de politique sociale **Gesellschaftsschicht** *f* couche *f* sociale **Gesell-**

schaftsspiel *nt* jeu *m* de société

gesessen [gəˈzɛsən] *PP von* **sitzen**

Gesetz [gəˈzɛts] <-es, -e> *nt* loi *f*

Gesetzbuch *nt* code *m*; **Bürgerliches ~** code *m* civil **Gesetzentwurf** *m*, **Gesetzesvorlage** *f* projet *m* de loi

gesetzgebend *adj* législatif(-ive) **Gesetzgeber(in)** *m(f)* législateur(-trice) *m(f)* **Gesetzgebung** <-, -en> *f* législatif *m*

gesetzlich I. *adj* légal(e) **II.** *adv vorgeschrieben, anerkannt* par la loi

gesetzlos *adj Zustand* anarchique

gesetzmäßig I. *adj* légal(e); *(rechtmäßig)* légitime **II.** *adv* d'une manière légale

Gesetzmäßigkeit <-, -en> *f* légalité *f*

gesetzt [gəˈzɛtst] *adj* posé(e)

gesetzwidrig *adj* illégal(e)

Gesicht [gəˈzɪçt] <-[e]s, -er> *nt* **1.** visage *m* **2.** *(Erscheinungsbild)* einer Stadt, Landschaft physionomie *f* ▶ **jdm wie aus dem ~ geschnitten sein** être le portrait tout craché de qn; **jdm im ~ geschrieben stehen** être écrit sur le visage de qn; **sein wahres ~ zeigen** montrer son vrai visage; **etw zu ~ bekommen** [avoir l'occasion de] voir qc; **ein [langes] ~ machen** faire une tête d'enterrement; **jdm etw ins ~ sagen** dire qc à qn en face; **sein ~ verlieren/wahren** perdre/sauver la face

Gesichtsausdruck <-ausdrücke> *m* expression *f* [du visage] **Gesichtsfarbe** *f* teint *m* **Gesichtskreis** *m* champ *m* [visuel] **Gesichtspunkt** *m* point *m* de vue **Gesichtswasser** *nt* lotion *f* pour le visage **Gesichtszüge** *Pl* traits *mpl* [du visage]

Gesims [gəˈzɪms] <-es, -e> *nt* corniche *f*

Gesindel [gəˈzɪndəl] <-s> *nt pej* racaille *f*

gesinnt [gəˈzɪnt] *adj* gleich ~ sympathisant(e); **jdm gut/übel ~ sein** être bien/mal intentionné à l'égard de qn

Gesinnung [gəˈzɪnʊŋ] <-, -en> *f* opinions *fpl*

Gesinnungsgenosse *m*, **-genossin** *f* einer Person ami(e) *m(f)* politique **Gesinnungswandel** *m* revirement *m* [d'opinion], volte-face *f inv*

gesittet [gəˈzɪtət] *adj Person* bien élevé(e); *Benehmen* correct(e)

Gesöff <-[e]s, -e> *nt pej sl* pisse *f* d'âne

gesoffen [gəˈzɔfən] *PP von* **saufen**

gesogen [gəˈzoːgən] *PP von* **saugen**

gesondert [gəˈzɔndɛt] *adj* séparé(e)

gesonnen [gəˈzɔnən] **I.** *PP von* **sinnen II.** *adj geh (gewillt)* ~ **sein etw zu tun** être disposé à faire qc

gesotten [gəˈzɔtən] *PP von* **sieden**

gespalten [gəˈʃpaltən] *PP von* **spalten**

Gespann [gəˈʃpan] <-[e]s, -e> *nt* **1.** *(Zugtiere)* attelage *m* **2.** *(Wagen und Zugtiere)*

équipage *m* **3.** (*Paar*) paire *f*
gespannt [gə'ʃpant] **I.** *adj* **1.** *Zuhörer, Zu-schauer* captivé(e); *Aufmerksamkeit* soute-nu(e); *Erwartung* curieux(-euse) **2.** *Lage* tendu(e) **II.** *adv* attentivement
Gespenst [gə'ʃpɛnst] <-[e]s, -er> *nt* (*Geist*) fantôme *m*
gespenstisch I. *adj* fantomatique; *Ort, Ruhe* sinistre **II.** *adv* ~ **aussehen** avoir un aspect sinistre
gespien *PP von* **speien**
gesponnen [gə'ʃpɔnən] *PP von* **spinnen**
Gespött [gə'ʃpœt] <-[e]s> *nt* raillerie *f*
▶ **sich zum** ~ [**der Leute**] **machen** se couvrir de ridicule
Gespräch [gə'ʃprɛːç] <-[e]s, -e> *nt* **1.** (*Unterhaltung*) conversation *f;* **mit jdm ins** ~ **kommen** entrer en conversation avec qn **2.** (*förmliche Unterredung*) entre-tien *m* **3.** *Pl* (*politische Verhandlung*) pourparlers *mpl* **4.** (*Telefongespräch*) communication *f* [téléphonique]
gesprächig *adj* loquace
gesprächsbereit *adj* ouvert(e) à la discus-sion **Gesprächseinheit** *f* TELEC unité *f* **Ge-sprächspartner(in)** *m(f)* interlocu-teur(-trice) *m(f)* **Gesprächsstoff** *m* sujet *m* de conversation
gesprenkelt [gə'ʃprɛŋkəlt] *adj* tacheté(e)
gesprochen [gə'ʃprɔxən] *PP von* **spre-chen**
gesprossen [gə'ʃprɔsən] *PP von* **sprie-ßen**
gesprungen [gə'ʃprʊŋən] *PP von* **sprin-gen**
Gespür [gə'ʃpyː] <-s> *nt* flair *m;* **ein gu-tes** ~ **für etw haben** avoir une bonne in-tuition pour qc
Gestalt [gə'ʃtalt] <-, -en> *f* **1.** (*Mensch*) créature *f* **2.** *pej* (*fragwürdiges Individu-um*) individu *m* **3.** (*Wuchs*) silhouette *f* **4.** (*literarische, historische Figur*) person-nage *m* **5.** (*äußere Form*) forme *f;* ~ **an-nehmen** prendre corps; **in** ~ **von** sous la forme de
gestalten* **I.** *vt* **1.** organiser *Leben, Freizeit;* présenter *Unterricht, Text;* animer *Pro-gramm* **2.** *a.* ARCHIT, KUNST concevoir; (*kon-struieren*) agencer; (*einrichten*) aména-ger; (*schmücken*) décorer **II.** *vr* **sich schwierig** ~ s'avérer difficile
gestalterisch *adj* de design; *Begabung, Ta-lent* de créateur
Gestaltung <-, -en> *f* **1.** *des Lebens, der Freizeit* organisation *f; des Unterrichts, eines Textes* présentation *f; eines Programms* ani-mation *f* **2.** *a.* ARCHIT, KUNST conception *f;* (*Einrichtung*) aménagement *m;* (*Dekora-tion*) décoration *f*

Gestammel <-s> *nt* *pej* bredouillement *m* *gén pl*
gestand *Imp von* **gestehen**
gestanden [gə'ʃtandən] *PP von* **stehen, gestehen**
geständig [gə'ʃtɛndɪç] *adj Angeklagter* qui avoue; ~ **sein** avouer
Geständnis [gə'ʃtɛntnɪs] <-ses, -se> *nt* JUR aveux *mpl;* **ein** ~ **ablegen** passer aux aveux
Gestank [gə'ʃtaŋk] <-[e]s> *m* puanteur *f*
Gestapo <-> *f* NS *Abk von* **Geheime Staatspolizei** Gestapo *f*
gestatten* [gə'ʃtatən] *vt form* permettre; **jdm etw** ~ permettre qc à qn; ~ **Sie, dass ich rauche?** vous permettez que je fume?
Geste ['gɛstə] <-, -n> *f* (*Bewegung, Hand-lung*) geste *m*
Gesteck <-[e]s, -e> *nt* composition *f* flora-le
gestehen <gestand, gestanden> *vt* avouer *Fehler, Tat, Verbrechen;* **offen ge-standen** à vrai dire
Gestein [gə'ʃtain] <-[e]s, -e> *nt* roche *f*
Gestell [gə'ʃtɛl] <-[e]s, -e> *nt* **1.** (*Regalge-stell*) étagère *f* **2.** (*Brillengestell*) monture *f* **3.** TECH (*Unterbau*) châssis *m;* (*Stütze*) support *m*
gestern ['gɛstɐn] *adv* hier; ~ **Morgen/ Mittag** hier matin/à midi; ~ **vor einer Woche/acht Tagen** il y a eu une semai-ne/huit jours hier ▶ **er ist nicht von** ~ *fam* il n'est pas né de la dernière pluie
gestiefelt ▶ ~ **und gespornt** *hum fam* fin prêt(e)
gestiegen [gə'ʃtiːgən] *PP von* **steigen**
Gestik ['gɛstɪk, 'geːstɪk] <-> *f* gestes *mpl*
gestikulieren* [gɛstiku'liːrən] *vi* gesticu-ler
Gestirn [gə'ʃtɪrn] <-[e]s, -e> *nt geh* cons-tellation *f*
gestochen [gə'ʃtɔxən] *PP von* **stechen**
gestohlen [gə'ʃtoːlən] *PP von* **stehlen**
gestorben [gə'ʃtɔrbən] *PP von* **sterben**
gestört [gə'ʃtøːɐt] *adj* **1.** (*nicht harmo-nisch*) en crise **2.** (*verwirrt*) caractériel(le)
gestoßen *PP von* **stoßen**
Gestotter [gə'ʃtɔtɐ] <-s> *nt* *pej fam* bé-gaiements *mpl*
Gesträuch <-[e]s, -e> *nt* buissons *mpl*
gestreift [gə'ʃtraift] *adj* rayé(e); **quer** ~ à rayures horizontales
gestrichen [gə'ʃtrɪçən] **I.** *PP von* **strei-chen II.** *adj* **ein ~er Esslöffel Zucker** une cuillère rase de sucre
gestrig ['gɛstrɪç] *adj* **die ~e Zeitung** le journal d'hier
gestritten [gə'ʃtrɪtən] *PP von* **streiten**
Gestrüpp [gə'ʃtrʊp] <-[e]s, -e> *nt* brous-

sailles *fpl*

gestunken [gə'ʃtʊŋkən] *PP von* **stinken**

Gestüt [gə'ʃty:t] <-[e]s, -e> *nt* haras *m*

Gesuch [gə'zu:x] <-[e]s, -e> *nt* requête *f;* **ein ~ einreichen** présenter une requête

gesucht [gə'zu:xt] *adj* (*begehrt*) recherché(e)

Gesumm <-[e]s> *nt von Insekten* bourdonnement *m*

gesund [gə'zʊnt] <⁼er *o* -er, ⁼este *o* -este> **I.** *adj* **1.** *a. fig Person, Firma* en bonne santé; *Organ, Wirtschaft* sain(e); *Herz* solide; *Gesichtsfarbe* frais(fraîche); *Appetit* bon(ne) *antéposé;* **wieder ~ werden** se rétablir **2.** (*gut für die Gesundheit*) sain(e); **Obst ist ~** les fruits sont bons pour la santé **3.** *Misstrauen* de bon aloi, sain(e) ►**~ und munter** en pleine forme **II.** *adv leben, sich ernähren* sainement

gesunden* [gə'zʊndən] *vi* + *sein geh Person:* recouvrir la santé; *Wirtschaft:* se rétablir

Gesundheit <-> *f* santé *f;* **bei guter ~** en bonne santé; **auf deine/Ihre ~!** à ta/votre santé!

gesundheitlich I. *adj* de santé **II.** *adv* **wie geht es Ihnen ~?** comment va la santé?

Gesundheitsamt *nt* services *mpl* d'hygiène **gesundheitsschädlich** *adj* dangereux(-euse) pour la santé **Gesundheitswesen** *nt* santé *f* [publique] **Gesundheitszeugnis** *nt* certificat *m* médical **Gesundheitszustand** *m kein Pl* état *m* de santé

gesundschreibenᴿᴿ *vt* faire un certificat médical de reprise du travail; **jdn ~** faire un certificat médical de reprise du travail à qn

gesund|schrumpfen *fam vt* assainir *Unternehmen*

Gesundung <-> *f geh* guérison *f;* (*wirtschaftlich*) convalescence *f*

gesungen [gə'zʊŋən] *PP von* **singen**

gesunken [gə'zʊŋkən] *PP von* **sinken**

getan [gə'ta:n] *PP von* **tun**

getigert *adj* tigré(e)

Getöse [gə'tø:zə] <-s> *nt* fracas *m; des Verkehrs* vacarme *m; eines Wasserfalls* tumulte *m*

getragen [gə'tra:gən] **I.** *PP von* **tragen II.** *adj Melodie* assez lent(e); *Rhythmus* modéré(e)

Getrampel <-s> *nt pej fam* piétinement *m*

Getränk [gə'trɛŋk] <-[e]s, -e> *nt* boisson *f*

Getränkeautomat *m* distributeur *m* de boissons

getrauen* *vr* **sich ~ etw zu tun** oser faire qc

Getreide [gə'traɪdə] <-s, -> *nt* céréales *fpl* **Getreide[an]bau** *m kein Pl* culture *f* céréalière

getrennt [gə'trɛnt] **I.** *adj Haushalt, Zimmer* séparé(e) **II.** *adv leben* séparément; *schreiben* en deux mots

getreten *PP von* **treten**

getreu [gə'trɔy] **I.** *adj geh* fidèle **II.** *präp* + *dat* **~ unserer Abmachung** conformément à notre convention

Getriebe [gə'tri:bə] <-s, -> *nt* TECH boîte *f* de vitesses

getrieben [gə'tri:bən] *PP von* **treiben**

Getriebeschaden *m* détérioration *f* de l'engrenage

getroffen [gə'trɔfən] *PP von* **treffen, triefen**

getrogen [gə'tro:gən] *PP von* **trügen**

getrost [gə'tro:st] *adv* **sich ~ auf jdn verlassen können** pouvoir compter sur qn en toute tranquillité

getrunken [gə'trʊŋkən] *PP von* **trinken**

Getto ['gɛto] <-s, -s> *nt* ghetto *m*

Getue [gə'tu:ə] <-s> *nt pej fam* chiqué *m;* **dieses alberne ~** ces chichis *mpl*

Getümmel <-s> *nt* cohue *f*

getüpfelt [gə'tʏpfəlt] *adj,* **getupft** [gə'tʊpft] *adj* à pois

Getuschel <-s> *nt pej fam* messes *fpl* basses

geübt [gə'ʔy:pt] *adj Fahrer, Griff* expert(e); **in etw** (*dat*) **~ sein** être expert dans qc

GEW [ge:'e:'ve:] <-> *f Abk von* **Gewerkschaft Erziehung und Wissenschaft** syndicat des enseignants allemands

Gewächs [gə'vɛks] <-es, -e> *nt* **1.** (*Pflanze*) plante *f* **2.** MED excroissance *f*

gewachsen [gə'vaksən] **I.** *PP von* **wachsen**¹ **II.** *adj* **jdm ~ sein** pouvoir se mesurer à qn; **einer S.** (*dat*) **~ sein** être à la hauteur de qc

Gewächshaus *nt* serre *f*

gewagt [gə'va:kt] *adj* osé(e); (*gefährlich*) risqué(e)

gewählt [gə'vɛːlt] **I.** *adj Ausdrucksweise* choisi(e) **II.** *adv sich ausdrücken* en termes choisis

Gewähr [gə'vɛːɐ̯] <-> *f* garantie *f;* **für etw keine ~ übernehmen** ne pas garantir qc; **ohne ~** sous réserve d'erreur

gewahr *adj geh* **einer S.** (*gen*) **~ werden** s'apercevoir de qc

gewähren* [gə'vɛːrən] **I.** *vt* **1.** accorder *Kredit, Rabatt* **2.** (*zuteil werden lassen*) apporter **II.** *vi geh* **jdn ~ lassen** laisser faire qn

gewährleisten* *vt* garantir; **jdm etw ~** garantir qc à qn

Gewährleistung *f* garantie *f*

Gewahrsam [gə'vaːɐ̯zaːm] <-s> *m* **1.** (*Verwahrung*) **etw in ~ nehmen** prendre qc en garde **2.** (*Haft*) garde *f;* **sich in** [polizeilichem] **~ befinden** être détenu **Gewährsmann** <-männer *o* -leute> *m* informateur(-trice) *m(f)* **Gewährung** <-, -en> *f* octroi *m* **Gewalt** [gə'valt] <-, -en> *f* **1.** (*Herrschaft*) pouvoir *m;* **elterliche ~** autorité *f* parentale; **jdn in seiner ~ haben** tenir qn à sa merci; **die ~ über etw verlieren** (*akk*) perdre le contrôle de qc **2. kein Pl** (*gewaltsames Vorgehen*) violence *f;* **~ anwenden** recourir à la force **3. kein Pl** (*Heftigkeit*) violence *f* ▶ **das ist höhere ~** c'est un cas de force majeure; **sich in der ~ haben** être maître de soi; **mit ~** par la force; (*unbedingt*) à tout prix **Gewaltakt** *m* acte *m* de violence **Gewaltanwendung** *f* recours *m* à la violence **Gewaltenteilung** *f* séparation *f* des pouvoirs **gewaltfrei** *adj* non-violent(e) **Gewaltherrschaft** *f kein Pl* despotisme *m* **gewaltig I.** *adj* **1.** (*heftig*) violent(e), grande *antéposé* **2.** *Bauwerk, Menge* énorme; *Anblick* impressionnant(e) **II.** *adv fam* drôlement **gewaltlos I.** *adj* non-violent(e) **II.** *adv* sans violence; *demonstrieren* pacifiquement **Gewaltlosigkeit** <-> *f* non-violence *f* **gewaltsam I.** *adj Tod* violent(e) **II.** *adv durchsetzen* par la force; **etw ~ öffnen** forcer qc **Gewalttat** *f* acte *m* de violence **Gewalttäter(in)** *m(f)* criminel(le) *m(f)* **gewalttätig** *adj* violent(e) **Gewalttätigkeit** *f* violence *f* **Gewaltverbrechen** *nt* crime *m;* (*Mord*) crime *m* de sang **Gewand** [gə'vant, *Pl:* gə'vɛndə] <-[e]s, ⁼er> *nt geh* robe *f* **gewandt** [gə'vant] **I.** *PP von* **wenden II.** *adj Redner* habile; *Auftreten* aisé(e); *Bewegung* souple **III.** *adv auftreten* avec aisance **Gewandtheit** <-> *f von Bewegungen* souplesse *f* **gewann** [gə'van] *Imp von* **gewinnen** **Gewäsch** <-[e]s> *nt pej fam* foutaises *fpl* **gewaschen** *PP von* **waschen** **Gewässer** [gə'vɛsɐ] <-s, -> *nt* eaux *fpl* **Gewässerschutz** *m* protection *f* des eaux **Gewebe** [gə've:bə] <-s, -> *nt a.* ANAT tissu *m* **Gewehr** [gə've:ɐ̯] <-[e]s, -e> *nt* fusil *m* **Gewehrkolben** *m* crosse *f* de fusil **Gewehrlauf** *m* canon *m* de fusil **Geweih** [gə'vaj] <-[e]s, -e> *nt* bois *mpl* **Gewerbe** [gə'vɛrbə] <-s, -> *nt* (*Handwerk*) activité *f* artisanale; (*Handel*) activité commerciale; (*Industrie*) activité industrielle **Gewerbeaufsicht** *f* inspection *f* du travail **Gewerbebetrieb** *m* (*Geschäft*) entreprise *f* commerciale **Gewerbegebiet** *nt* zone *f* industrielle **Gewerbeordnung** *f* (*Vorschriften für Handwerk/Handel/Industrie*) réglementation *f* de l'artisanat/du commerce/de l'industrie **Gewerbeschein** *m* licence *f* **Gewerbesteuer** *f* taxe *f* professionnelle **Gewerbetreibende(r)** *f(m) dekl wie adj* (*Handwerker*) artisan(e) *m(f);* (*Kaufmann*) commerçant(e) *m(f);* (*Fabrikinhaber*) [petit(e)] industriel(le) *m* **gewerblich** [gə'vɛrplɪç] **I.** *adj Ausbildung* technique; *Nutzung* à des fins professionnelles **II.** *adv nutzen* à des fins professionnelles **gewerbsmäßig** *adv* à titre professionnel **Gewerkschaft** [gə'vɛrkʃaft] <-, -en> *f* syndicat *m* **Gewerkschaft[l]er(in)** <-s, -> *m(f)* syndicaliste *mf* **gewerkschaftlich I.** *adj* syndical(e) **II.** *adv* au niveau syndical **Gewerkschaftsbund** *m* confédération *f* syndicale **Gewerkschaftsmitglied** *nt* syndiqué(e) *m(f)* **gewesen** [gə've:zən] *PP von* **sein**[1] **gewichen** [gə'vɪçən] *PP von* **weichen** **Gewicht** [gə'vɪçt] <-[e]s, -e> *nt* **1. kein Pl** (*Schwere, Körpergewicht*) poids *m* **2.** (*Metallstück*) poids *m;* SPORT haltères *fpl* ▶ **ins ~/nicht ins ~ fallen** avoir de l'importance/n'avoir aucune importance **gewichten*** *vt* évaluer *Fakten, Projekte* **Gewichtheben** <-s> *nt* SPORT haltérophilie *f* **Gewichtheber(in)** <-s, -> *m(f)* haltérophile *mf* **gewichtig** *adj* **1.** *hum* (*schwer*) fort(e), corpulent(e) **2.** (*bedeutsam*) important(e) **Gewichtsklasse** *f* catégorie *f* **Gewichtsverlust** *m* perte *f* de poids **Gewichtszunahme** *f* prise *f* de poids **gewieft** [gə'viːft] *fam* **I.** *adj* roublard(e) **II.** *adv* de manière roublarde **gewiesen** [gə'viːzən] *PP von* **weisen** **gewillt** [gə'vɪlt] *adj* **~ sein etw zu tun** être disposé à faire qc **Gewimmel** [gə'vɪməl] <-s> *nt* grouillement *m* **Gewimmer** <-s> *nt* gémissements *mpl* **Gewinde** [gə'vɪndə] <-s, -> *nt* filetage *m* **Gewinn** [gə'vɪn] <-[e]s, -e> *m* **1.** (*Profit*) bénéfice *m;* **etw mit ~ verkaufen** vendre qc avec bénéfices; **viel/einen ordentlichen ~ bringen** rapporter beaucoup/pas mal **2.** (*Preis*) gain *m;* (*Treffer*) numéro *m* gagnant; **einen ~ machen** gagner [à la loterie] **3. kein Pl** (*Vorteil*) enrichissement *m*

Gewinnbeteiligung *f* participation *f* aux bénéfices **gewinnbringend I.** *adj Geschäft* rentable; *Geldanlage* lucratif(-ive); *Verkauf* avantageux(-euse) **II.** *adv wirtschaften* de façon rentable; *anlegen* lucrativement; *verkaufen* avantageusement **gewinnen** [gə'vɪnən] <gewann, gewonnen> **I.** *vt* **1.** gagner *Preis, Prozess, Krieg;* remporter *Spiel, Meisterschaft* **2.** (*überreden*) **jdn als Mitarbeiter** ~ gagner qn comme collaborateur; **jdn für eine Idee** ~ gagner qn à une idée **3.** (*erzeugen*) **Kohle/Erz** ~ extraire du charbon/du minerai; **etw aus etw** ~ tirer qc de qc ▶**wie gewonnen, so zerronnen** *prov* argent vite gagné sera vite envolé **II.** *vi* **1.** (*siegen*) gagner **2.** (*Gewinn bringen*) *Los, Zahlen:* être gagnant **3.** (*zunehmen*) **an Sicherheit/Bedeutung** ~ gagner en assurance/importance **4.** (*besser wirken, aussehen*) **sie gewinnt durch ihre neue Frisur** sa nouvelle coiffure l'avantage **gewinnend** *adj Art* engageant(e) **Gewinner(in)** <-s, -> *m(f)* gagnant(e) *m(f);* MIL vainqueur *m* **Gewinnmarge** [-'marʒə] <-, -n> *f* ÖKON marge *f* bénéficiaire **Gewinnspanne** *f* marge *f* bénéficiaire **Gewinnzahl** *f* numéro *m* gagnant **Gewinsel** [gə'vɪnzəl] <-s> *nt eines Tieres* gémissements *mpl; einer Person* geignements *mpl* **Gewirr** [gə'vɪr] <-[e]s> *nt* **1.** (*Knäuel*) enchevêtrement *m* **2.** *fig* (*Stimmengewirr*) brouhaha *m* **gewiss**RR, **gewiß** [gə'vɪs] **I.** *adj* **1.** *attr* (*nicht näher benannt*) certain(e) *antéposé* **2.** (*sicher*) sûr(e); [sich (*dat*)] **einer S.** (*gen*) ~ **sein** être sûr de qc **II.** *adv* certainement; **aber** ~! mais bien sûr! **Gewissen** [gə'vɪsən] <-s> *nt* conscience *f;* **ein schlechtes** ~ **haben** avoir mauvaise conscience; **sein** ~ **erleichtern** soulager sa conscience ▶**jdn/etw auf dem** ~ **haben** avoir qn/qc sur la conscience; **jdm ins** ~ **reden** faire appel à la conscience de qn **gewissenhaft** *adj* consciencieux(-euse) **gewissenlos I.** *adj* sans scrupule **II.** *adv* sans aucun scrupule **Gewissenlosigkeit** <-, -en> *f kein Pl* (*Skrupellosigkeit*) manque *m* de scrupules **Gewissensbisse** *Pl* remords *mpl* **Gewissensfrage** *f* cas *m* de conscience **Gewissensfreiheit** *f* liberté *f* de conscience **Gewissensgründe** *Pl* raisons *fpl* de conscience **Gewissenskonflikt** *m* débat *m* de conscience **gewissermaßen** *adv* en quelque sorte

GewissheitRR, **Gewißheit** *f* certitude *f;* **sich** (*dat*) ~ **über etw** (*akk*) **verschaffen** faire toute la lumière sur qc; ~ **über etw** (*akk*) **haben** connaître avec certitude qc **Gewitter** [gə'vɪtɐ] <-s, -> *nt* orage *m* **gewitterig** *s.* **gewittrig** **gewittern*** *vi unpers* **es gewittert** il fait de l'orage **Gewitterregen** *m* averse *f* orageuse **Gewitterwolke** *f* nuage *m* orageux **gewittrig** *adj* orageux(-euse) **gewitzt** [gə'vɪtst] *adj* roué(e) **geweben** [gə'vo:bən] *PP von* **weben** **gewogen** [gə'vo:gən] **I.** *PP von* **wägen, wiegen**² **II.** *adj geh* **jdm/einer S.** ~ **sein** être dévoué à qn/qc **gewöhnen*** [gə'vøːnən] **I.** *vt* habituer; **jdn an etw** (*akk*)~ habituer qn à qc; **an jdn/etw gewöhnt sein** être habitué à qn/qc **II.** *vr* **sich an jdn/etw** ~ s'habituer à qn/qc **Gewohnheit** [gə'vo:nhaɪt] <-, -en> *f* habitude *f;* **aus** ~ par habitude **gewohnheitsmäßig** *adv* par habitude **Gewohnheitsrecht** *nt* (*Recht*) droit *m* d'usage **Gewohnheitstier** *nt hum fam* **ein** ~ **sein** être esclave de ses habitudes **Gewohnheitstrinker(in)** *m(f)* buveur *m* invétéré/buveuse *f* invétérée **gewöhnlich** [gə'vøːnlɪç] **I.** *adj* **1.** (*üblich*) habituel(le) **2.** (*durchschnittlich*) ordinaire **3.** *pej* (*ordinär*) vulgaire **II.** *adv* **1.** **wie** ~ comme d'habitude **2.** *pej* (*ordinär*) de manière ordinaire **gewohnt** [gə'vo:nt] *adj Stunde, Zeit* habituel(le), *Umgebung* familier(-ière); **etw** ~ **sein** être habitué à qc; **es** ~ **sein, etw zu tun/, dass** avoir l'habitude de faire qc/que + *subj* **Gewöhnung** [gə'vøːnʊŋ] <-> *f* accoutumance *f;* ~ **an etw** (*akk*) accoutumance à qc **gewöhnungsbedürftig** *adj* à quoi il faut s'habituer **Gewölbe** [gə'vœlbə] <-s, -> *nt* **1.** (*~decke*) voûte *f* **2.** (*Raum*) cave *f* voûtée **gewollt I.** *adj* intentionnel(le) **II.** *adv* délibérément **gewonnen** [gə'vɔnən] *PP von* **gewinnen** **geworben** [gə'vɔrbən] *PP von* **werben** **geworden** [gə'vɔrdən] *PP von* **werden** **geworfen** [gə'vɔrfən] *PP von* **werfen** **gewrungen** [gə'vrʊŋən] *PP von* **wringen** **Gewühl** [gə'vyːl] <-[e]s> *nt* (*Gedränge*) cohue *f* **gewunden** [gə'vʊndən] **I.** *PP von* **winden**¹ **II.** *adj Flusslauf, Weg* sinueux(-euse) **gewunken** [gə'vʊŋkən] *fam PP von* **winken**

Gewürz [gə'vʏrts] <-es, -e> *nt* épice *f;* (~*mischung*) condiment *m*
Gewürzgurke *f* cornichon *m* à la russe
gewusst^{RR} [gə'vʊst], **gewußt** *PP von* **wissen**
gez. *adj Abk von* **gezeichnet** *s.* **zeichnen**
gezackt [gə'tsakt] *adj Blatt* crénelé(e); *Hahnenkamm* dentelé(e)
Gezanke <-s> *nt pej fam* chamailleries *fpl*
Gezeiten [gə'tsajtən] *Pl* marées *fpl*
Gezeitenkraftwerk *nt* usine *f* marémotrice **Gezeitenwechsel** *m* changement *m* de marée
Gezeter [gə'tse:tɐ] <-s> *nt fam* braillements *mpl*
gezielt [gə'tsi:lt] **I.** *adj* ciblé(e) **II.** *adv* de façon ciblée
geziemen* [gə'tsi:mən] *vr geh* **es geziemt sich für jdn etw zu tun** il sied à qn de faire qc
geziemend *geh adv* comme il se doit
geziert *pej* **I.** *adj* affecté(e) **II.** *adv* avec affectation
gezogen [gə'tso:gən] *PP von* **ziehen**
Gezwitscher [gə'tsvɪtʃɐ] <-s> *nt* gazouillement *m*
gezwungen [gə'tsvʊŋən] **I.** *PP von* **zwingen II.** *adj Benehmen* contraint(e); *Lachen* forcé(e) **III.** *adv* **ihr Lachen wirkt etwas** ~ elle a un rire un peu forcé
gezwungenermaßen *adv* contraint(e) et forcé(e)
ggf. *adv Abk von* **gegebenenfalls**
Ghetto *s.* **Getto**
gibt [gi:pt] *3. Pers Präs von* **geben**
Gicht [gɪçt] <-> *f* goutte *f*
Giebel ['gi:bəl] <-s, -> *m* pignon *m*
Giebeldach *nt* toit *m* à pignon **Giebelfenster** *nt* fenêtre *f* du pignon
Gier [gi:ɐ] <-> *f* **1.** (*maßloses Verlangen*) avidité *f;* (*Essgier*) voracité *f* **2.** (*Geldgier*) cupidité *f*
gieren ['gi:rən] *vi* avoir une envie folle; **nach etw** ~ avoir une envie folle de qc
gierig I. *adj Person, Blick* avide **II.** *adv essen, trinken* avec avidité
gießen ['gi:sən] <goss, gegossen> **I.** *vt* **1.** arroser *Pflanzen* **2.** (*schütten*) **Wasser auf/über etw** (*akk*) ~ verser de l'eau dans/sur qc; **etw voll** ~ remplir qc à ras bord **3.** (*herstellen, formen*) **etw in Bronze** ~ couler qc en bronze **II.** *vi unpers fam* **es gießt** il tombe des cordes
Gießer(in) <-s, -> *m(f)* fondeur(-euse) *m(f)*
Gießerei [gi:sə'raj] <-, -en> *f* fonderie *f*
Gießkanne *f* arrosoir *m*
Gift [gɪft] <-[e]s, -e> *nt* poison *m;* *einer Schlange* venin *m* ▶**darauf kannst du** ~ **nehmen** *fam* tu peux en être sûr

Giftgas *nt* gaz *m* toxique **giftgrün** *adj* d'un vert criard
giftig *adj* **1.** *Schlange* venimeux(-euse); *Pflanze* vénéneux(-euse); *Chemikalie, Stoff* toxique **2.** *fam Person, Bemerkung* venimeux(-euse)
Giftmischer(in) <-s, -> *m(f)* empoisonneur(-euse) *m(f)* **Giftmüll** *m* déchets *mpl* toxiques **Giftpilz** *m* champignon *m* vénéneux **Giftschlange** *f* serpent *m* venimeux **Giftstoff** *m* substance *f* toxique **Giftzwerg(in)** *m(f) pej fam* nabot(e) *m(f)* malfaisant(e)
Gigabyte ['gi:gabaɪt] *nt* INFORM giga-octet *m*
Gigant(in) [gi'gant] <-en, -en> *m(f)* géant(e) *m(f)*
gigantisch *adj* **1.** gigantesque **2.** *fam* (*sehr gut*) géant(e)
Gigolo ['ʒi:golo, 'ʒɪgolo] <-s, -s> *m* gigolo *m* (*fam*)
Gilde <-, -n> *f* HIST guilde *f*
gilt [gɪlt] *3. Pers Präs von* **gelten**
Gin [dʒɪn] <-s, -s> *m* gin *m*
ging [gɪŋ] *Imp von* **gehen**
Ginster ['gɪnstɐ] <-s, -> *m* genêt *m*
Gipfel ['gɪpfəl] <-s, -> *m* **1.** (*Bergspitze*) sommet *m* **2.** (*Zenit*) *des Glücks* comble *m;* *einer Karriere* sommet *m* **3.** (~*konferenz*) sommet *m* ▶**das ist der** ~**!** *fam* c'est le comble!
Gipfelkonferenz *f* conférence *f* au sommet
gipfeln *vi* atteindre son apogée; **in etw** (*dat*) ~ atteindre son apogée dans qc
Gipfelpunkt *m* **1.** *einer Flugbahn* sommet *m* **2.** (*Höhepunkt*) apogée *m* **Gipfeltreffen** *nt* rencontre *f* au sommet
Gips [gɪps] <-es, -e> *m* **1.** plâtre *m;* **den Fuß in** ~ **haben** avoir le pied dans le plâtre **2.** MINER gypse *m*
Gipsabdruck <-abdrücke> *m* empreinte *f* **Gipsbein** *nt* jambe plâtrée *f*
gipsen *vt* MED *fam* plâtrer
Gipser(in) <-s, -> *m(f)* plâtrier(-ière) *m(f)*
Gipsfigur *f* statue[tte *f*] *f* en plâtre **Gipsverband** *m* plâtre *m*
Giraffe [gi'rafə] <-, -n> *f* girafe *f*
Girlande [gɪr'landə] <-, -n> *f* guirlande *f*
Girlie ['gœrli] <-s, -s> *n* girlie *f*
Giro ['ʒi:ro] <-s, -s *o A* **Giri**> *nt* virement *m*
Girokonto *nt* compte *m* courant
Gis <-, -> *nt* sol *m* dièse
Gischt [gɪʃt] <-[e]s, -e> *m,* <-, -en> *f* écume *f*
Gitarre [gi'tarə] <-, -n> *f* guitare *f;* ~ **spielen** jouer de la guitare
Gitarrist(in) <-en, -en> *m(f)* guitariste *mf*

Gitter ['gɪtɐ] <-s, -> *nt* **1.**(*Metallgitter*) grille *f* **2.**(*Holzgitter*) treillage *m* **3.**GEOG, MATH quadrillage *m* **4.**PHYS, CHEM structure *f* ▶hinter ~/~n *fam* derrière les barreaux

Gitterfenster *nt* fenêtre *f* à barreaux **Gitterrost** *m* grille *f*

Glaceehandschuh^RR, **Glacéhandschuh** [gla'se:hantʃu:] *m* gant *m* en chevreau glacé ▶jdn/etw mit ~en anfassen *fam* prendre des gants avec qn/pour qc

Gladiole <-, -n> *f* glaïeul *m*

Glamour ['glɛmɐ] *m* o *nt kein pl* einer Sache ~ verleihen glamouriser qc

Glanz [glants] <-es> *m* **1.** *von Haaren, Augen, Perlen* brillant *m; einer Fläche, von Sternen, Schuhen* éclat *m* **2.**(*Pracht*) magnificence *f*

glänzen ['glɛntsən] *vi* **1.**briller; *Möbel, Schuhe:* reluire; *Sterne:* scintiller; *Fläche:* miroiter **2.**(*sich hervortun*) durch Wissen ~ briller par son savoir

glänzend I. *adj* **1.**brillant(e); *Möbel, Schuhe* reluisant(e); *Fläche* miroitant(e) **2.***Aussehen* superbe; *Einfall, Idee* brillant(e) **II.** *adv bestehen, spielen* superbement

Glanzleistung *f* brillante performance *f* **glanzlos** *adj Haare* terne; *Augen* éteint(e); *Oberfläche* mat(e) **glanzvoll** *adj Auftritt, Vorführung* brillant(e); *Fest* somptueux(-euse) **Glanzzeit** *f* seine/ihre ~ l'époque *f* de sa splendeur

Glarus <-> *nt* Glaris

Glas [gla:s, *Pl:* 'glɛːzə] <-es, ⁼er> *nt* **1.**(*Trinkgefäß*) verre *m* **2.**(*Material*) verre *m* **3.**(*Konservenglas*) bocal *m;* (*Honigglas, Marmeladenglas*) pot *m* **4.**(*Brillenglas*) verre *m* ▶ein ~ über den Durst trinken boire un coup de trop; zu tief ins ~ geschaut haben *fam* avoir un verre dans le nez

Glasbläser(in) *m(f)* souffleur(-euse) *m(f)* de verre

Gläschen ['glɛːsçən] <-s, -> *nt Dim von* **Glas** petit verre *m*

Glascontainer *m* container *m* à verre **Glaser(in)** ['gla:zɐ] <-s, -> *m(f)* vitrier(-ière) *m(f)*

Glaserei [gla:zə'raj] <-, -en> *f* vitrerie *f* **gläsern** ['glɛːzɐn] *adj* **1.**(*aus Glas*) de verre **2.***fig* (*transparent*) transparent

Glasfaser *f meist Pl* fibre *f* de verre **Glasfaserkabel** *nt* TELEC câble *m* à fibres optiques **Glashaus** ▶wer [selbst] im ~ sitzt, soll nicht mit Steinen werfen *Spr.* avant d'en remonter aux autres, il faut balayer devant sa porte **Glashütte** *f* verrerie *f*

glasieren* [gla'zi:rən] *vt* **1.**émailler *Ziegel, Kacheln* **2.**napper *Kuchen*

glasig ['gla:zɪç] *adj* **1.***Augen, Blick* vi-

treux(-euse) **2.**(*durchsichtig*) die Zwiebeln ~ dünsten faire blondir les oignons

glasklar I. *adj* limpide **II.** *adv fam beweisen* [très] clairement

Glasmalerei *f* peinture *f* sur verre **Glasperle** *f* perle *f* en verre **Glasscheibe** *f* verre *m;* (*Fensterscheibe*) vitre *f* **Glasscherbe** *f* morceau *m* de verre **Glassplitter** *m* éclat *m* de verre **Glastür** *f* porte *f* vitrée

Glasur [gla'zu:ɐ] <-, -en> *f* **1.**TECH glaçure *f* **2.**GASTR glaçage *m*

Glaswolle *f* laine *f* de verre

glatt [glat] <-er *o* ⁼er, -este *o* ⁼este> **I.** *adj* **1.** *Fläche, Wasserfläche* plan(e) **2.** *Haut, Stoff, Oberfläche* lisse **3.** *Haare* raide; *Fell* lisse **4.** *Straße, Fußboden* glissant(e) **5.** *Landung* en douceur; *Ablauf, Verlauf* sans accroc **6.** *attr fam Verstoß, Bruch* type; *Betrug, Lüge, Unsinn* pur(e) *antéposé;* ein ~er Betrag un compte tout rond **7.** *pej Person* glissant(e) comme une anguille **II.** *adv* **1.**(*problemlos*) sans accroc **2.** *fam abstreiten, vergessen* carrément

glatt|bügeln *s.* bügeln

Glätte ['glɛtə] <-> *f* **1.**(*Glattheit*) der Haut douceur *f; der Haare* raideur *f; eines Fells* caractère *m* lisse **2.**(*Straßenglätte*) aufgrund der ~ der Straße en raison de la chaussée glissante

Glatteis *nt* verglas *m* ▶jdn aufs ~ führen induire qn en erreur

glätten ['glɛtən] **I.** *vt* **1.**lisser *Haar;* défroisser *Banknote* **2.**(*besänftigen*) apaiser **II.** *vr* sich ~ *Wogen:* s'apaiser

glatt|gehen *s.* gehen **I. glattrasiert** *s.* rasieren **I. glatt|streichen** *s.* streichen **I.**

glattweg *adv fam* carrément

Glatze ['glatsə] <-, -n> *f* calvitie *f;* eine ~ bekommen/haben devenir chauve/ avoir une calvitie

Glatzkopf *m fam* **1.**(*Kopf*) boule *f* de billard **2.**(*Mensch*) crâne *m* d'œuf

glatzköpfig ['glatskœpfɪç] *adj* chauve; (*kahl geschoren*) à la tête rasée

Glaube ['glaʊbə] <-ns> *m* **1.**REL croyance *f;* der christliche ~ la foi chrétienne; evangelischen/jüdischen ~ns sein être de confession protestante/juive **2.**(*Überzeugung*) foi *f;* in dem ~n sein, dass être persuadé que; jdn in dem ~n [be]lassen, dass laisser croire à qn que; jdm/einer S. ~n/keinen ~n schenken accorder un crédit/n'accorder aucun crédit à qn/qc; in gutem ~n de bonne foi

glauben ['glaʊbən] **I.** *vt* **1.**croire; jdm etw ~ croire qc de qn; ~, dass croire que; das glaube ich dir nicht je ne te crois pas; es ist nicht zu ~ c'est à peine croyable; ob du es glaubst oder nicht, ... que tu me

glauben

• Glauben ausdrücken	• exprimer la croyance
Ich glaube, dass sie die Prüfung bestehen wird.	Je crois qu'elle réussira l'examen.
Ich glaube an den Sieg unserer Mannschaft.	Je crois que notre équipe gagnera.
Ich halte diese Geschichte **für wahr.**	Je pense que cette histoire est vraie.
• Vermutungen ausdrücken	• exprimer des hypothèses
Ich vermute, sie wird nicht kommen.	Je suppose qu'elle ne viendra pas.
Ich nehme an, dass er mit seiner neuen Arbeit zufrieden ist.	Je présume/suppose qu'il est satisfait de son nouveau travail.
Ich halte einen Börsenkrach in der nächsten Zeit **für (durchaus) denkbar/ möglich.**	Je considère qu'un krach boursier est (tout à fait) possible dans un avenir proche.
Ich habe da so eine Ahnung.	J'ai comme un pressentiment.
Es kommt mir so vor, als würde er uns irgendetwas verheimlichen.	J'ai l'impression qu'il nous cache quelque chose.
Ich habe da so den Verdacht, dass sie bei der Abrechnung einen Fehler gemacht hat.	Je la soupçonne d'avoir fait une erreur dans les comptes.
Ich habe das Gefühl, dass sie das nicht mehr lange mitmacht.	J'ai le sentiment qu'elle ne va plus tenir le coup longtemps.

croies ou non ...; **das glaubst du doch selbst nicht!** *fam* tu n'y crois pas toi-même! **2.** (*vermuten*) **jdn in New York ~** croire qn à New York **II.** *vi* **1.** **jdm ~** croire qn **2.** *a.* REL **an jdn/etw ~** croire en qn/à qc ▸**dran ~ müssen** *fam* (*sterben*) devoir y passer; (*ranmüssen*) être obligé de s'y mettre **Glauben** *s.* **Glaube Glaubensbekenntnis** *nt* (*Konfession*) confession *f* **Glaubensfreiheit** *f* liberté *f* de religion **Glaubensgemeinschaft** *f* communauté *f* religieuse **glaubhaft I.** *adj* digne de foi **II.** *adv* de façon convaincante **Glaubhaftigkeit** <-> *f* crédibilité *f* **gläubig** ['glɔybɪç] *adj* REL croyant(e) **Gläubige(r)** *f(m) dekl wie adj* croyant(e) *m(f)* **Gläubiger(in)** <-s, -> *m(f)* créancier(-ière) *m(f)* **glaubwürdig** *adj Person* crédible **gleich** [glaiç] **I.** *adj* **1.** (*ähnlich, identisch*) même *antéposé;* **der ~e Kuli/Schlüssel** le même stylo à bille/la même clé; **er hat das Gleiche gesagt** il a dit la même chose; **ihr Männer seid doch alle ~!** vous, les hommes, vous êtes bien tous pareils!; **jdm an Mut/Schönheit ~ sein** égaler qn en courage/beauté **2.** MATH **zwei mal zwei ist ~ vier** deux fois deux égalent

quatre **3.** (~*gültig*) **das ist ihm/ihr völlig ~** cela lui est complètement égal; **ganz ~, wer das getan hat** peu importe qui a fait cela; **ganz ~, was er sagt** quoi qu'il dise; **es ist ihr ~, ob/wo ...** [*savoir*] si/où ... la laisse indifférente ▸**Gleich und Gleich gesellt sich gern** *prov* qui se ressemble s'assemble; **Gleiches mit Gleichem vergelten** rendre la pareille **II.** *adv* **1.** *behandeln, gekleidet* de la même façon; **~ groß/ schwer sein** être de même taille/poids; **~ alt/stark sein** être du même âge/de force égale **2.** (*unmittelbar*) **~ neben/hinter der Kirche** juste à côté de/derrière l'église **3.** (*in Kürze*) tout de suite; **es ist ~ sechs Uhr** il est bientôt six heures; **jetzt ~** dès maintenant; **~ heute** dès aujourd'hui; **~ nachdem sie gegangen war** juste après qu'elle soit partie; **~ danach** [*o* **darauf]** aussitôt après; **bis ~!** à tout de suite! **4.** (*ohnehin*) **habe ich es nicht ~ gesagt!** c'est bien ce que j'avais dit! **5.** (*eben*) **wie heißt sie** [doch] **~?** comment s'appelle-t-elle déjà? **III.** *präp + dat geh* **~ einem Kind** semblable à un enfant **gleichaltrig** ['glaiçaltrɪç] *adj* du même âge **gleichartig** *adj* de même nature **gleichbedeutend** *adj* **mit etw ~ sein** équivaloir à qc **gleichberechtigt** *adj* égal(e) en droits **Gleichberechtigung** *f* égalité *f* des droits

gleich|bleiben s. bleiben I.
gleichbleibend s. bleibend
gleichen ['glaiçən] <glich, geglichen> vi ressembler; **jdm/einer S.** ~ ressembler à qn/qc; **sich** (dat) ~ se ressembler
gleichermaßen adv de la même façon
gleichfalls adv également; **danke** ~! merci pareillement!
gleichförmig ['glaiçfœrmiç] I. adj Verlauf uniforme; Struktur homogène II. adv verlaufen uniformément; strukturiert, aufgebaut de façon homogène
gleichgeschlechtlich adj 1. (homosexuell) homosexuel(le) 2. (gleichgeschlechtig) de même sexe
gleichgesinnt s. gesinnt
Gleichgewicht nt kein Pl a. fig équilibre m; **jdn aus dem** ~ **bringen** déséquilibrer qn; **das** ~ **verlieren** perdre l'équilibre
Gleichgewichtsstörung f trouble m de l'équilibre
gleichgültig adj 1. Person indifférent(e); Gesicht impassible 2. (belanglos) sans intérêt 3. (egal) **jdm** ~ **sein** être indifférent à qn
Gleichgültigkeit f indifférence f
Gleichheit <-, -en> f 1. (Übereinstimmung) similitude f 2. (gleiche Stellung) **die** ~ **von Mann und Frau** l'égalité f de l'homme et de la femme
Gleichheitszeichen nt signe m d'égalité
gleich|kommen vi irr + sein 1. égaler; **jdm/einer S. an Wichtigkeit** ~ égaler qn/qc en importance 2. (gleichbedeutend sein) **einer S.** (dat) ~ revenir à qc
gleichlautend s. lauten
gleich|machen vt niveler
gleichmäßig I. adj régulier(-ière) II. adv atmen, sich bewegen régulièrement; auftragen uniformément
Gleichmäßigkeit f (Regelmäßigkeit) régularité f
Gleichmut m impassibilité f
gleichmütig ['glaiçmy:tiç] adj impassible
Gleichnis <-ses, -se> nt parabole f
gleichsam adv geh pour ainsi dire; ~ **als ob** ... tout comme si ...
gleich|schalten vt pej **gleichgeschaltet** mis(e) au pas
Gleichschritt m kein Pl pas m cadencé; **im** ~ **marschieren** marcher au pas cadencé
gleichseitig adj Dreieck équilatéral(e)
gleich|setzen vt 1. (vergleichen) **Unsicherheit mit Unwissenheit** ~ confondre manque d'assurance et ignorance 2. (als gleichwertig ansehen) **die Jungen mit den Alten** ~ mettre les jeunes et les vieux au même rang
Gleichstand m kein Pl égalité f de score

gleich|stellen vt mettre sur un pied d'égalité; **die Frauen den Männern** ~ mettre les femmes et les hommes sur un pied d'égalité; **die Angestellten mit den Beamten** ~ assimiler les employés aux fonctionnaires
Gleichstellung f kein Pl égalité f; **die** ~ **der Frauen mit den Männern** l'égalité des femmes par rapport aux hommes
Gleichstrom m courant m continu
gleich|tun vt irr; unpers égaler; **es jdm in etw** (dat) ~ égaler qn en qc
Gleichung <-, -en> f équation f
gleichviel adv geh qu'importe
gleichwertig adj Ersatz équivalent(e); Gegner de force égale
gleichwohl [glaiç'vo:l] adv geh néanmoins
gleichzeitig I. adj Vorgänge simultané(e); Ereignisse contemporain(e) II. adv (zur gleichen Zeit) en même temps
gleich|ziehen vi irr fam se hausser au niveau; **mit jdm in etw** (dat) ~ se hausser au niveau de qn pour qc
Gleis [glais] <-es, -e> nt voie f; **der Zug fährt auf** ~ **zwölf ein** le train entre en gare sur la voie douze ▶**etw wieder ins** [rechte] ~ **bringen** remettre qc sur les rails
gleißend ['glaisnd] adj geh éblouissant(e)
gleiten ['glaitən] <glitt, geglitten> vi 1. + sein (schweben) Vogel, Segelflugzeug: planer 2. + sein (huschen) **über etw** (akk) ~ Blick, Lächeln: glisser sur qc; **seine Hand über etw** ~ **lassen** passer sa main sur qc 3. + sein (rutschen) **ins Wasser/zu Boden** ~ glisser dans l'eau/par terre
Gleitflug m vol m plané **Gleitmittel** nt lubrifiant m **Gleitschirm** m parapente m
Gleitschirmfliegen nt parapente m
Gleitzeit f (opp: Kernzeit) heures fpl mobiles
Gletscher ['glɛtʃɐ] <-s, -> m glacier m
Gletscherspalte f crevasse f
glich [gliç] Imp von gleichen
Glied [gli:t] <-[e]s, -er> nt 1. (Körperteil) membre m 2. (Fingerglied, Zehenglied) phalange f; (Kettenglied) maillon m 3. fig einer Gesellschaft membre m 4. (Penis) membre m [viril]
gliedern ['gli:dɐn] I. vt diviser; **etw in verschiedene Abschnitte** ~ diviser qc en plusieurs parties II. vr sich in etw (akk) ~ se diviser en qc
Gliederung <-, -en> f 1. kein Pl (das Gliedern) eines Aufsatzes division f 2. (Aufbau) einer Firma, Organisation structure f; eines Aufsatzes plan m
Gliedmaßen ['gli:tma:sən] Pl membres

mpl

glimmen ['glɪmən] <glǫmm, geglǫmmen> *vi Licht, Asche:* rougeoyer
Glimmer <-s, -> *m geh (Schimmer)* lueur *f*
GlimmstängelRR, **Glimmstengel** *m hum fam* tige *f*
glimpflich ['glɪmpflɪç] **I.** *adj Ausgang, Verlauf* bénin(-igne); *Strafe* léger(-ère) **II.** *adv (ohne schlimme Folgen)* de façon bénigne; **du bist ~ davongekommen!** tu t'en es tiré(e) à bon compte!
glitschig ['glɪtʃɪç] *adj fam* glissant(e)
glitt [glɪt] *Imp von* **gleiten**
glitzern [glɪtsɐn] *vi* scintiller
global [glo'baːl] **I.** *adj (weltweit)* général(e) **II.** *adv (weltweit)* universellement
Globalisierung <-> *f* mondialisation *f*
Globen *Pl von* **Globus**
Globetrotter(in) <-s, -> *m(f)* bourlingueur(-euse) *m(f) (fam)*
Globus ['gloːbʊs] <- *o* -ses, Globen *o* -se> *m* globe *m* [terrestre]
Glöckchen <-s, -> *nt Dim von* **Glocke** clochette *f*
Glocke ['glɔkə] <-, -n> *f* **1.** *(Kirchenglocke)* cloche *f* **2.** *(Läutwerk)* sonnerie *f; (Ladenglocke)* sonnette *f* **3.** *(Käseglocke)* cloche *f* [à fromage] ►**etw an die große ~ hängen** *fam* crier qc sur les toits
Glockenblume *f* campanule *f* [des murailles] **glockenförmig** *adj Blüte* en forme de clochette **Glockengeläut[e]** *nt* carillon *m* **Glockenschlag** *m* ►**mit dem ~** à l'heure sonnante **Glockenspiel** *nt* carillon *m* **Glockenturm** *m* clocher *m*
glomm [glɔm] *Imp von* **glimmen**
Glorie ['gloːriə] <-> *f geh* gloire *f*
glorifizieren* [glorifi'tsiːrən] *vt* célébrer; **jdn als Helden ~** célébrer qn comme un héros
glorreich ['gloːrraɪç] *adj* glorieux(-euse)
Glossar <-s, -e> *nt* glossaire *m*
Glosse ['glɔsə] <-, -n> *f* commentaire *m* [succinct]
Glotze <-, -n> *f sl* téloche *f*
glotzen ['glɔtsən] *vi pej fam* reluquer
Glück [glʏk] <-[e]s> *nt* **1.** *(opp: Pech)* chance *f; jdm ~ bringen* porter chance à qn; **~/kein ~ haben** avoir de la/ne pas avoir de chance; **viel ~!** bonne chance!; **zum ~** par chance; **ein ~!** heureusement! **2.** *(Freude, Zufriedenheit)* bonheur *m* ►**jeder ist seines ~es Schmied** *prov* chacun est l'artisan de son propre bonheur; **~ im Unglück haben** avoir de la chance dans son malheur; **auf gut ~** au petit bonheur [la chance] *(fam)*; **von ~ sagen können, dass** pouvoir dire qu'il a eu de la chance que + *subj;* **noch nichts von sei-**

nem ~ wissen *iron (nicht wissen, was bevorsteht)* ne pas savoir ce qui l'attend; **~ auf!** MIN salut!
Glucke ['glʊkə] <-, -n> *f (Henne mit Küken)* poule *f; (brütende Henne)* couveuse *f*
glücken ['glʏkən] *vi + sein Unternehmen, Plan:* réussir
gluckern ['glʊkɐn] *vi + haben* glouglouter *(fam)*
glücklich I. *adj* **1.** *Person, Zeit* heureux(-euse); *Gesicht, Lächeln* ravi(e); **sich ~ schätzen können** pouvoir s'estimer heureux(-euse) **2.** *(erfreulich, vom Glück begünstigt)* heureux(-euse) *antéposé* **II.** *adv leben* heureux(-euse); **~ verheiratet sein** être heureux en ménage
glücklicherweise *adv* par chance
Glücksbringer <-s, -> *m* porte-bonheur *m*
glückselig *adj Person* pleinement heureux(-euse)
Glücksfall *m* coup *m* de chance **Glücksgriff** *m* coup *m* de maître **Glückskind** *nt fam* veinard(e) *m(f)* **Glückspilz** *m fam* **du ~!** quel(le) veinard(e)! **Glücksrad** *nt* roue *f* de la fortune **Glückssache** *f* ►**reine ~ sein** être une pure question de chance **Glücksspiel** *nt* jeu *m* de hasard **Glückssträhne** *f* baraka *f (fam)*; **eine ~ haben** avoir la baraka **Glückstag** *m* jour *m* de chance **Glückstreffer** *m* coup *m* gagnant *(fam)* **Glückszahl** *f* chiffre *m* porte-bonheur **Glückwunsch** *m* félicitation *f; herzlichen ~ zur bestandenen Prüfung!* toutes mes félicitations pour tes examens!; **herzlichen ~ zum Geburtstag!** bon anniversaire! **Glückwunschkarte** *f* carte *f* de félicitations **Glückwunschtelegramm** *nt* télégramme *m* de félicitations
Glucose <-> *f* CHEM glucose *m*
Glühbirne *f* ampoule *f*
glühen ['glyːən] *vi* **1.** *(glimmen)* être incandescent; *Docht, Zigarette:* rougeoyer **2.** *(sehr heiß sein)* être brûlant **3.** *fig vor Erregung (dat)* ~ brûler d'excitation *(soutenu)*
glühend I. *adj* **1.** *Metall* incandescent(e); *Kohle* ardent(e); **weiß ~d** incandescent(e) **2.** *(sehr heiß)* brûlant(e); **eine ~e Hitze** une fournaise **3.** *(leidenschaftlich)* enflammé(e) **II.** *adv heiß* terriblement
Glühlampe *f* ampoule *f* électrique
Glühwein *m* vin *m* chaud
Glühwürmchen ['glyːvʏrmçən] *nt fam* ver *m* luisant
Glukose *s.* **Glucose**
Glut [gluːt] <-, -en> *f eines Feuers* braise *f; einer Zigarette* cendre *f* incandescente
Gluthitze *f* fournaise *f*
Glyzerin [glytse'riːn] <-s> *nt* glycérine *f*

GmbH [geːʔɛmbeːˈhaː] <-, -s> *f Abk von*
Gesellschaft mit beschränkter Haftung
S.A.R.L. *f*
g-Moll [ˈeːmɔl] <-> *nt* sol *m* mineur
Gnade [ˈgnaːdə] <-, -n> *f* **1.** (*Gunst*) faveurs *fpl* **2.** (*Milde, Nachsicht*) grâce *f*; **um**
~ **bitten** demander grâce ▶~ **vor Recht**
ergehen lassen faire preuve d'indulgence; **von Gottes** ~n par la grâce de Dieu
Gnadenfrist *f* délai *m* de grâce
gnadenlos *adj* impitoyable
Gnadenstoß *m* coup *m* de grâce
gnädig [ˈgnɛːdɪç] **I.** *adj* **1.** (*herablassend*)
condescendant(e) **2.** (*milde*) clément(e) **II.**
adv **1.** (*herablassend*) d'un air condescendant **2.** (*milde*) avec clémence
Gnom [gnoːm] <-en, -en> *m* **1.** (*Sagenfigur*) gnome *m* **2.** *pej fam* (*kleiner*
Mensch) nabot *m*
Gnu <-s, -s> *nt* gnou *m*
Goal [goːl] <-s, -s> *nt* A, CH but *m*
Gobelin [gobaˈlɛ̃ː] <-s, -s> *m* gobelin *m*
Gockel <-s, -> *m bes.* SDEUTSCH coq *m*
GokartRR <-[s], -s> *m* kart *m*
Gold [gɔlt] <-[e]s> *nt* **1.** or *m* **2.** *fam*
(~*medaille*) médaille *f* d'or ▶**nicht für alles** ~ **der Welt** pas pour tout l'or du monde; **es ist nicht alles** ~, **was glänzt** *prov*
tout ce qui brille n'est pas d'or
Goldader *f* filon *m* d'or **Goldbarren** *m* lingot *m* d'or **Golddoublé** *nt*, **Golddublee**
[gɔltdubleː] *nt* plaqué *m* or
golden [ˈgɔldən] **I.** *adj attr* en or **II.** *adv*
glänzen d'un éclat doré
goldfarben *adj* doré(e) **Goldfisch** *m* poisson *m* rouge **goldgelb** *adj* jaune d'or
Goldgräber(in) [ˈgɔltgrɛːbɐ] *m(f)* chercheur(-euse) *m(f)* d'or **Goldgrube** *f*
1. *fam* (*lukratives Unternehmen*) mine *f*
d'or **2.** *s.* **Goldmine** **Goldhamster** *m*
hamster *m* [doré]
goldig *adj fam* (*allerliebst*) chou(te)
Goldmedaille *f* médaille *f* d'or **Goldmine**
f mine *f* d'or **Goldregen** *m* BOT cytise *m*
goldrichtig [ˈgɔltrɪçtɪç] *fam adj* ~ **sein**
Person: être en or; *Antwort, Entscheidung:*
être impeccable **Goldschmied(in)** *m(f)* orfèvre *mf* **Goldschmiedekunst** *f* orfèvrerie *f* **Goldstück** *nt* (*Goldmünze*) pièce *f*
d'or **Goldwaage** *f* trébuchet *m*
Golf¹ [gɔlf] <-[e]s, -e> *m* golfe *m*
Golf² <-s> *nt* golf *m;* ~ **spielen** jouer au
golf
Golfplatz *m* terrain *m* de golf **Golfschläger** *m* club *m* de golf **Golfspieler(in)** *m(f)* joueur(-euse) *m(f)* de golf **Golfstrom** *m* GEOG
der ~ le Gulf Stream
Gondel [ˈgɔndəl] <-, -n> *f* **1.** (*Schiff*) gondole *f* **2.** (*Kabine*) *einer Seilbahn:* [télé]cabi-

ne *f; eines Fesselballons* nacelle *f*
Gong [gɔŋ] <-s, -s> *m* gong *m*
gongen *vi unpers* **es gongt** le gong retentit
Gongschlag *m* coup *m* de gong
gönnen [ˈgœnən] *vt* **1.** (*neidlos zugestehen*) **jdm etw** ~ se réjouir pour qn de qc;
du gönnst mir auch gar nichts! tu ne
m'accordes aucun plaisir! **2.** (*gewähren*)
jdm etw ~ accorder qc à qn; **sich** (*dat*)
etw ~ s'offrir qc
Gönner(in) <-s, -> *m(f)* bienfaiteur(-trice)
m(f); eines Künstlers mécène *m*
gönnerhaft *pej* **I.** *adj* condescendant(e) **II.**
adv avec condescendance
gor [goːɐ̯] *Imp von* **gären**
Gör [gøːɐ̯] <-[e]s, -en> *nt*, **Göre** <-, -n> *f*
fam (*Kind*) gosse *mf;* (*Mädchen*) gamine *f*
Gorilla [goˈrɪla] <-s, -s> *m a. fig fam* (*Leibwächter*) gorille *m*
Gospel [ˈgɔspl] <-s, -s> *nt o m*, **Gospelsong** [ˈgɔsplzɔŋ] *m* gospel *m*
gossRR [gɔs], **goß** *Imp von* **gießen**
Gosse [ˈgɔsə] <-, -n> *f* **1.** caniveau *m*
2. *pej fam* (*Elend, Verwahrlosung*) **in der**
~ **enden** finir dans le ruisseau
Gote <-n, -n> *m*, **Gotin** *f* Goth(e) *m(f)*
Gotik [ˈgoːtɪk] <-> *f* gothique *m*
gotisch *adj* got[h]ique
Gott [gɔt] <-es, ⁼er> *m*, **Göttin** *f* **1.** dieu
m/déesse *f* **2.** (~ *der Christen*) Dieu *m;*
bei ~ **schwören** jurer devant Dieu; **der**
liebe ~ le bon Dieu; ~ **hab ihn/sie selig!**
que Dieu ait son âme!; ~ **sei Dank!** Dieu
merci!; **ach du lieber** ~! *fam* [oh] mon
Dieu!; ~ **bewahre!** Dieu m'en garde!
(*fam*); **in** ~**es Namen!** *fam* au nom de
Dieu!; **grüß** ~! SDEUTSCH, A bonjour! ▶**leben wie** ~ **in Frankreich** *fam* vivre comme un coq en pâte; **über** ~ **und die Welt**
reden *fam* parler de tout et de rien; **weiß**
~ **nicht** *fam* certainement pas; **um** ~**es**
willen! mon Dieu!; (*ich bitte Sie/dich*)
pour l'amour de Dieu
Gotterbarmen ▶**zum** ~ **weinen** *fam* pleurer à fendre l'âme
Götterspeise *f* GASTR dessert *m* gélifié
Gottesdienst *m* office *m* [religieux]; (*katholisch*) messe *f* **gottesfürchtig** *adj*
pieux(-euse) **Gotteshaus** *nt* maison *f* du
Seigneur; (*katholisch*) église *f;* (*evangelisch*) temple *m* **Gotteslästerung** <-,
-en> *f* blasphème *m*
Gottheit <-, -en> *f* divinité *f*
Göttin [ˈgœtɪn] *s.* **Gott**
göttlich [ˈgœtlɪç] *adj* **1.** divin(e) **2.** *Humor*
sublime
gottlob [gɔtˈloːp] *adv geh* Dieu merci
gottlos *adj Person* athée; *Leben* païen(ne);
Gesinnung irréligieux(-euse)

Gottvater m Dieu m le père **gottver-dammt** adj sl foutu(e) (fam) **gottverlassen** ['gɔtfɛɛ'lasən] adj fam perdu(e) **Götze** ['gœtsə] <-n, -n> m, **Götzenbild** nt idole f

Gouvernante [guvɛr'nantə] <-, -n> f gouvernante f **Gouverneur(in)** [guvɛr'nøːɐ] <-s, -e> m(f) gouverneur m

Grab [graːp, Pl: 'grɛːbə] <-[e]s, ⸚er> nt tombe f; jdn zu ~e tragen geh porter qn en terre ▸ ein Geheimnis mit ins ~ nehmen emporter un secret dans la tombe; sich (dat) sein eigenes ~ schaufeln courir à sa perte; verschwiegen sein wie ein ~ être [muet comme] une tombe; sich im ~e umdrehen fam se retourner dans sa tombe **graben** ['graːbən] <gräbt, grub, gegraben> I. vi creuser; nach Wasser/Gold ~ chercher de l'eau/or [en creusant] II. vt creuser Loch, Grube, Tunnel III. vr fig sich jdm ins Gedächtnis ~ se graver dans la mémoire de qn **Graben** ['graːbən, Pl: 'grɛːbən] <-s, ⸚> m 1. fossé m 2. (Schützengraben) tranchée f 3. GEOL fosse f **Grabesstille** f geh silence m de mort (fam) **Grabinschrift** f inscription f tombale **Grabkammer** f chambre f funéraire **Grabmal** <-s, -mäler o geh -e> nt tombeau m **Grabschändung** f violation f de sépulture **Grabstätte** f geh sépulture f **Grabstein** m pierre f tombale **gräbt** [grɛːpt] 3. Pers Präs von graben **Grabung** <-, -en> f fouilles fpl **Grad** [graːt] <-[e]s, -e> m 1. (Wärme-, Kälte-, Winkelmaß) degré m; zwanzig ~ Wärme vingt degrés; zehn ~ Kälte dix degrés en dessous de zéro; ein Winkel von 60 ~ un angle de 60 degrés 2. (Stufe) degré m; Verbrennung ersten/zweiten ~es brûlure f au premier/deuxième degré 3. (Rang) grade m; akademischer ~ grade universitaire 4. (Ausmaß) bis zu einem gewissen ~[e] jusqu'à un certain point; im höchsten ~[e] au plus haut point **Gradeinteilung** f graduation f **Gradmesser** <-s, -> m indicateur m; ~ für etw indicateur de qc **graduell** adj Veränderung progressif(-ive) **Graf** [graːf] <-en, -en> m, **Gräfin** f comte m/comtesse f **Graffiti** [gra'fiːti] Pl graffitis mpl **Grafik** ['graːfɪk] <-, -en> f 1. (Kunstwerk) œuvre f graphique 2. kein Pl (Kunstform, Technik) arts mpl graphiques 3. (Schaubild) graphique m

Grafikchip m INFORM puce f graphique **Grafiker(in)** ['graːfikɐ] <-s, -> m(f) graphiste mf; (Werbegrafiker) dessinateur(-trice) m(f) publicitaire **Grafikkarte** f INFORM carte f graphique **Grafikmodus** m INFORM mode m graphique **Grafikprogramm** nt INFORM grapheur m **Gräfin** ['grɛːfɪn] s. Graf **grafisch** adj graphique **Grafit**RR [gra'fiːt] s. Graphit **gräflich** adj du comte **Grafologe**RR s. Graphologe **Grafschaft** <-, -en> f comté m **gram** adj geh jdm ~ sein en vouloir à qn **Gram** [graːm] <-[e]s> m geh affliction f **grämen** ['grɛːmən] geh vr sich ~ s'affliger; sich über jdn/etw ~ s'affliger à cause de qn/qc **Gramm** [gram] <-s, -e> nt gramme m; hundert ~ Tee cent grammes de thé **Grammatik** [gra'matɪk] <-, -en> f grammaire f **grammatikalisch** [gramati'kaːlɪʃ], **grammatisch** adj grammatical(e); Regel de grammaire **Grammofon**®RR, **Grammophon**® [gra-mo'foːn] <-s, -e> nt gramophone® m **Granat** [gra'naːt] <-[e]s, -e o A -en> m MINER grenat m **Granatapfel** m grenade f **Granate** [gra'naːtə] <-, -n> f obus m; (Handgranate) grenade f **grandios** [gran'dioːs] I. adj Anblick grandiose; Idee génial(e); Erfolg triomphal(e) II. adv remarquablement bien **Granit** [gra'niːt] <-s, -e> m granit[e] m **Granne** <-, -n> f barbe f **grantig** fam adj de mauvais poil **Granulat** <-[e]s, -e> nt (Streumaterial) granulat m **Grapefruit** ['greːpfruːt] <-, -s> f pamplemousse m **Graphik** s. Grafik **Graphit** <-s, -e> m graphite m **grapschen** fam I. vt choper; [sich (dat)] jdn/etw ~ choper qn/qc II. vi nach etw ~ choper qc **Gras** [graːs, Pl: 'grɛːzə] <-es, ⸚er> nt 1. kein Pl (Rasen, Wiese) herbe f 2. meist Pl (~pflanze) graminée f ▸ ins ~ beißen fam manger les pissenlits par la racine; das ~ wachsen hören iron fam faire des supputations hasardeuses; über eine Sache ~ wachsen lassen fam laisser qc tomber dans l'oubli **grasen** ['graːzən] vi brouter **grasgrün** ['graːs'gryːn] adj vert pomme inv **Grashalm** m brin m d'herbe **Grashüpfer** <-s, -> m fam sauterelle f

grassieren* [gra'si:rən] *vi* sévir
grässlich^{RR}, **gräßlich** ['grɛslɪç] *adj* horrible
Grat [gra:t] <-[e]s, -e> *m eines Bergs, Dachs* crête *f*
Gräte ['grɛ:tə] <-, -n> *f* arête *f*
Gratifikation <-, -en> *f* gratification *f*
gratinieren* [grati'ni:rən] *vt* [faire] gratiner
gratis ['gra:tɪs] I. *adv* gratis II. *adj* etw ist ~ qc est gratuit(e)
Gratisprobe *f* échantillon *m* gratuit **Gratisvorstellung** *f* représentation *f* gratuite
Grätsche ['grɛ:tʃə] <-, -n> *f* grand écart *m*
grätschen *vi* + *sein* SPORT sauter
Gratulant(in) [gratu'lant] <-en, -en> *m(f)* personne *f* qui félicite
Gratulation [gratula'tsi̯o:n] <-, -en> *f* félicitations *fpl*
gratulieren* [gratu'li:rən] *vi* féliciter; **jdm zu einem Jubiläum** ~ féliciter qn à l'occasion d'un anniversaire; **ich gratuliere Ihnen zum Geburtstag** je vous souhaite un bon anniversaire; [**ich**] **gratuliere!** félicitations!
Gratwanderung *f* (*schwieriges Unterfangen*) exercice *m* sur la corde raide
grau [grau̯] *adj* 1. *Farbe* gris(e) 2. (*trostlos*) morne; **der ~e Alltag** la grisaille du quotidien
Grau <-s, – *o fam* -s> *nt* gris *m*
grauäugig *adj Person* aux yeux gris **graublau** *adj* gris ardoise *inv; Augen* couleur du temps **Graubrot** DIAL *s.* Mischbrot
Graubünden [grau̯'byndən] <-s> *nt* [canton *m* des] Grisons *mpl*
Gräuel^{RR} ['grɔyəl] <-s, -> *m geh* atrocité *f* **Gräuelmärchen**^{RR} *nt* atrocité *f* inventée **Gräueltat**^{RR} *f* atrocité *f*
grauen¹ ['grau̯ən] *vi geh Morgen, Tag:* poindre
grauen² *vi unpers* **mir graut vor jdm/etw** qn/qc m'épouvante
Grauen <-s, -> *nt* 1. *kein Pl* (*Entsetzen*) épouvante *f*; ~ **erregend** horrible 2. (*Ereignis*) horreur *f*; **die ~ des Krieges** les horreurs de la guerre
grauenerregend *s.* Grauen
grauenhaft, **grauenvoll** *adj* 1. (*entsetzlich*) horrible 2. *fam Durcheinander, Lärm* infernal(e); *Bild, Musik* horrible
grauhaarig *adj Person* aux cheveux gris
graulen *fam vt* **jdn aus dem Haus** ~ faire perdre à qn l'envie de rester à la maison
gräulich¹ ['grɔylɪç] *adj* grisâtre; *Haare* grisonnant(e)
gräulich^{RR2} *adj* atroce
graumeliert *adj Stoff* gris moucheté [de blanc] *inv*
Graupe ['grau̯pə] <-, -n> *f* (*Weizenkorn*) blé *m*

mondé
Graupel <-, -n> *f meist Pl* grésil *m*
Graupelschauer *m* giboulée *f*
Graus <-es> *m fam* **für jdn ein** ~ **sein** être un cauchemar pour qn
grausam ['grau̯za:m] *adj* (*brutal*) cruel(le)
Grausamkeit <-, -en> *f* 1. *kein Pl* (*Verhalten*) cruauté *f* 2. (*Tat*) atrocité *f*
grausen ['grau̯zən] *s.* **grauen²**
Grausen <-s> *nt* épouvante *f*
grausig *s.* **grauenhaft**
Grauzone *f* zone *f* d'ombre
Graveur(in) [gra'vø:ɐ̯] <-s, -e> *m(f)* graveur(-euse) *m(f)*
gravieren* [gra'vi:rən] *vt* graver
gravierend *adj Unterschied* grand(e); *Fehler, Irrtum* grave
Gravierung <-, -en> *f* gravure *f*
Gravitation [gravita'tsi̯o:n] <-> *f* gravitation *f*
Gravur [gra'vu:ɐ̯] <-, -en> *f* gravure *f*
Grazie ['gra:tsi̯ə] <-, -n> *f kein Pl* (*Anmut*) *einer Person, Bewegung* grâce *f*
grazil [gra'tsi:l] *adj* gracile
graziös [gra'tsi̯ø:s] *adj* gracieux(-euse)
Greenpeace ['gri:npi:s] *ohne Art* Greenpeace
greifbar I. *adj* 1. (*verfügbar*) disponible 2. *Ergebnis, Vorteil* concret(-ète) II. *adv* ~ **nahe** *fig* à portée de main
greifen ['grai̯fən] <griff, gegriffen> I. *vt* (*nehmen, er~, fangen*) attraper ▶zum **Greifen nahe** à portée de main II. *vi* 1. **nach etw** ~ saisir qc 2. (*benutzen*) **zum Hammer/zu einem Buch** ~ prendre le marteau/un livre 3. TECH *Reifen, Sohlen:* adhérer 4. (*Wirkung haben*) faire effet
Greifer <-s, -> *m* TECH grappin *m*
Greifvogel *m* rapace *m*
greis *adj geh Person* vieux(vieille)
Greis(in) [grai̯s] <-es, -e> *m(f)* vieillard *m*/vieille *f*
Greisenalter *nt* quatrième âge *m*
grell [grɛl] I. *adj* 1. *Sonne* éblouissant(e); *Licht, Farbe* cru(e) 2. *Stimme* perçant(e) II. *adv* 1. ~ **scheinen** *Sonne:* être éblouissant; ~ **leuchten** *Farben:* être cru 2. (*schrill*) ~ **klingen** émettre des sons perçants
Gremium ['gre:mium] <-s, Gremien> *nt* commission *f*
Grenzbeamte(r) *m dekl wie adj,* **Grenzbeamtin** *f* agent *m* des douanes **Grenzbereich** *m kein Pl* (*Umkreis der Landesgrenze*) secteur *m* frontalier
Grenze ['grɛntsə] <-, -n> *f* 1. (*Staatsgrenze*) frontière *f*; **die ~ zu/mit Frankreich** la frontière avec la France 2. (*Trennlinie, Abgrenzung*) limite *f*; **die ober[st]e/unter[st]e** ~ le maximum/minimum; **ihm/**

ihr sind ~n gesetzt il/elle est limité(e); **seinem Engagement sind ~n gesetzt** son engagement a des bornes ▶**sich in ~n halten** *Freude:* être mesuré; *Kosten:* être raisonnable

grenzen *vi* 1. **an ein Land ~** confiner à un pays 2. *fig* **an ein Wunder ~** être à la limite du miracle

grenzenlos I. *adj* 1. illimité(e) 2. *Macht* illimité(e); *Vertrauen* infini(e) **II.** *adv* infiniment

Grenzfall *m* cas *m* limite **Grenzgänger(in)** ['grɛntsgɛŋɐ] <-s, -> *m(f)* frontalier(-ière) *m(f)* **Grenzgebiet** *nt* zone *f* frontalière **Grenzkonflikt** *m* conflit *m* de frontière **Grenzkontrolle** *f* contrôle *m* douanier **Grenzlinie** *f* SPORT ligne *f* **Grenzposten** *m* poste *m* [·]frontière **Grenzschutz** *m fam* (*Truppe*) [unité *f* de] garde-frontière *f* **Grenzstein** *m* borne *f* **Grenzübergang** *m* poste *m* frontière **grenzüberschreitend** *adj Handel* transfrontalier(-ière) **Grenzverkehr** *m* trafic *m* transfrontalier **Grenzwert** *m* valeur *f* limite

Greuel *s.* **Gräuel**

Greuelmärchen *s.* **Gräuelmärchen**

Greueltat *s.* **Gräueltat**

greulich *s.* **gräulich²**

Griebe ['griːbə] <-, -n> *f meist Pl* petits lardons *mpl* frits

Grieche ['griːçə] <-n, -n> *m* Grec *m*

Griechenland *nt* la Grèce

Griechin ['griːçɪn] <-, -nen> *f* Grecque *f*

griechisch ['griːçɪʃ] **I.** *adj* grec(grecque) **II.** *adv ~* **miteinander sprechen** discuter en grec; *s. a.* **deutsch**

Griechisch <-[s]> *nt kein art* grec *m; s. a.* **Deutsch**

Griesgram ['griːsgraːm] <-[e]s, -e> *m pej* grincheux(-euse) *m(f)*

griesgrämig ['griːsgrɛːmɪç] *adj* grincheux(-euse); *~* **dreinschauen** avoir l'air grincheux(-euse)

Grieß [griːs] <-es, -e> *m* semoule *f*

Grießbrei *m* [bouillie *f* de] semoule *f*

griff [grɪf] *Imp von* **greifen**

Griff [grɪf] <-[e]s, -e> *m* 1. (*Haltegriff, Tragegriff*) poignée *f; eines Schirms, Messers* manche *m; einer Pistole* crosse *f* 2. (*Handgriff*) geste *m; mit einem ~* en un tournemain 3. *a.* SPORT (*Greifbewegung, Grifftechnik*) prise *f* ▶**jdn/etw in den ~ bekommen** *fam* venir à bout de qn/qc; **jdn/etw im ~ haben** avoir qn/qc bien en main

griffbereit *adj ~* **sein** être à portée de [la] main

Griffel ['grɪfəl] <-s, -> *m* 1. crayon *m* d'ardoise 2. *meist Pl fam* (*Finger*) paluche *f*

griffig *adj* 1. (*handlich*) maniable 2. *Untergrund* qui accroche 3. (*praktikabel*) pénétrant(e)

Grill [grɪl] <-s, -s> *m* 1. barbecue *m* 2. (*Kühlergrill*) calandre *f*

Grille ['grɪlə] <-, -n> *f* ZOOL grillon *m*

grillen ['grɪlən] **I.** *vi* faire un barbecue **II.** *vt etw ~* faire griller qc [au barbecue]

Grillparty *f* barbecue *m*

Grimasse [gri'masə] <-, -n> *f* grimace *f; ~n* **schneiden** faire des grimaces

grimmig ['grɪmɪç] **I.** *adj* 1. furibond(e) 2. *Kälte* terrible **II.** *adv* furieusement

Grind <-[e]s, -e> *m fam* (*Hautausschlag*) teigne *f*

grinsen ['grɪnzən] *vi* ricaner

Grinsen <-s> *nt* ricanement *m*

grippal [grɪ'paːl] *adj* grippal(e)

Grippe ['grɪpə] <-, -n> *f* grippe *f; fam* (*fiebrige Erkältung*) rhume *m;* [**die/eine**] *~* **haben** avoir la grippe/un rhume

Grippewelle *f* épidémie *f* de grippe

Grips [grɪps] <-es, -e> *m fam* jugeote *f; seinen ~* **anstrengen** faire travailler sa matière grise

Grislibärᴿᴿ, **Grizzlybär** ['grɪsli-] *m* grizzli *m*

grob [groːp] <ᵉᵉr, ᵉᵉste> **I.** *adj* 1. *Gesichtszüge, Mehl* grossier(-ière); *Sieb* gros(se) 2. (*ungefähr*) sommaire; **in ~en Zügen** en gros 3. (*barsch*) grossier(-ière) 4. *Fehler* grossier(-ière) ▶**aus dem Gröbsten heraus sein** avoir passé le plus dur **II.** *adv* 1. *sortieren, mahlen* grossièrement 2. (*barsch*) grossièrement

Grobheit <-, -en> *f* grossièreté *f*

Grobian ['groːbiaːn] <-[e]s, -e> *m pej* (*ungehobelter Mensch*) mufle *m*

grobkörnig *adj* 1. *Mehl, Sand* gros(se) 2. PHOT à gros grains

gröblich *geh* **I.** *adj Verstoß* grave; *Missachtung* grand(e) **II.** *adv* de façon grossière

grobmaschig *adj Netz* à grosses mailles

grobschlächtig *adj pej* mal dégrossi(e)

Grog [grɔk] <-s, -s> *m* grog *m*

groggy ['grɔgi] *adj fam* groggy *inv*

grölen ['grøːlən] *pej fam vt, vi* brailler

Groll [grɔl] <-[e]s> *m geh* ressentiment *m; einen ~* **gegen jdn hegen** nourrir du ressentiment contre qn

grollen *vi* 1. *geh* ruminer; **jdm wegen etw ~** garder rancune à qn de qc 2. (*dröhnen*) *Donner:* gronder

Grönland ['grøːnlant] <-s> *nt* le Groenland

Grönländer(in) ['grøːnlɛndɐ] <-, -> *m(f)* Groenlandais(e) *m(f)*

grönländisch *adj* groenlandais(e)

Gros [groː] <-, -> *nt* gros *m*

Groschen ['grɔʃən] <-s, -> m **1.** A groschen m **2.** *fam* (*Geld*) ein paar ~ quelques sous ►bei ihr ist der ~ gefallen *hum fam* ça a fait tilt **Groschenroman** m *pej* roman m de quatre sous

groß [groːs] <⸗er, ⸗te> I. *adj* **1.** (*nicht klein*) grand(e) antéposé; ein ~er Park/ Fluss un grand parc/fleuve; hundert Quadratmeter ~ sein mesurer cent mètres carrés **2.** (*in Bezug auf die Körpergröße*) grand(e) antéposé; eine ~e Frau une femme grande; er ist 1,80 m ~ il mesure 1,80 m; wie ~ bist du? combien mesurestu? **3.** (*erheblich, heftig*) grand(e) antéposé; *Summe, Erfolg, Dummheit* gros(se); *Pause* long(ue) antéposé; *Verspätung* important(e) **4.** (*älter*) meine ~e Schwester ma grande sœur **5.** *Buchstabe* majuscule; ein ~es V un V majuscule **6.** *Dichter, Werk, Erfindung* grand(e) antéposé **7.** (*als Namenszusatz*) der/die Große le Grand/la Grande; Karl der Große Charlemagne ►im Großen und Ganzen dans l'ensemble; Groß und Klein petits et grands (*fam*) II. *adv* **1.** *fam* (*besonders*) sich nicht ~ um etw kümmern ne pas s'occuper des masses de qc; was soll man da schon ~ sagen? qu'est-ce qu'on peut bien dire de plus? **2.** (*in ~em Umfang*) en grande pompe; ~ einkaufen *fam* faire ses grosses courses **3.** *fam* (*großartig*) mit etw ~ rauskommen faire un tabac avec qc; ~ daherreden se payer de mots ►~ und breit *fam schildern* en long et en large; *sich entschuldigen* dans toutes les règles de l'art; etw ~ schreiben *fam* accorder beaucoup d'importance à qc

großartig I. *adj* Person, *Plan* génial(e) (*fam*); *Bauwerk* grandiose; na, [das ist ja] ~! *iron fam* génial! II. *adv funktionieren* magnifiquement

Großaufnahme f gros plan m **Großbetrieb** m grande entreprise f

Großbritannien [groːsbri'tanjən] <-s> nt la Grande-Bretagne

Großbuchstabe m majuscule f; *TYP* capitale f

Größe ['grøːsə] <-, -n> f **1.** *einer Fläche* superficie f; *eines Raums* taille f; *einer Zahl* importance f **2.** (*Körpergröße, Höhe, Länge*) taille f; in voller ~ dans toute sa grandeur **3.** (*Kleidergröße*) taille f; (*Schuhgröße*) pointure f **4.** *kein Pl* (*Erheblichkeit*) eines *Erfolgs* importance f **5.** MATH, PHYS (*Wert*) grandeur f; unbekannte ~ inconnue f **6.** *kein Pl* (*Bedeutsamkeit*) einer *Person* grandeur f **7.** (*bedeutender Mensch*) personnalité f

Großeinkauf m grosses courses fpl (*fam*) **Großeinsatz** m der *Polizei* intervention f massive **Großeltern** *Pl* grands-parents mpl **Großenkel(in)** m(f) arrière-petit-fils m/arrière-petite-fille f **Größenordnung** f ordre m de grandeur **großenteils** ['groːsən'tajls] *adv* en grande partie **Größenunterschied** m (*in Bezug auf die Körpergröße, den Umfang*) différence f de taille **Größenverhältnis** nt (*Proportion*) proportions fpl **Größenwahn** m *pej* mégalomanie f **größenwahnsinnig** *adj* mégalomane

größer *Komp von* groß **Großfahndung** f vastes recherches fpl **Großfamilie** f grande famille f **Großformat** nt grand format m **Großgrundbesitzer(in)** m(f) grand propriétaire m [terrien] **Großhandel** m commerce de m gros; etw im ~ kaufen acheter qc chez un grossiste **Großhändler(in)** m(f) grossiste mf **Großhandlung** f magasin m de gros **großherzig** *geh* I. *adj* magnanime II. *adv* généreusement **Großherzog(in)** m(f) grand-duc m/grande-duchesse f **Großherzogtum** nt grand-duché m **Großhirn** nt cerveau m **Großhirnrinde** f cortex m [cérébral] **großkotzig** ['groːskɔtsɪç] *pej fam* I. *adj* vantard(e) II. *adv* avec vantardise **Großküche** f cuisine f industrielle **Großmacht** f grande puissance f **Großmarkt** m marché m de gros; (*für Lebensmittel, Blumen*) marché-gare m **Großmaul** nt *pej fam* grande gueule f **Großmut** <-> f *geh* magnanimité f **großmütig** ['groːsmyːtɪç] s. **großherzig Großmutter** f grand-mère f **Großneffe** m petit-neveu m **Großnichte** f petite-nièce f **Großonkel** m grand-oncle m **Großraum** m agglomération f **Großraumabteil** nt compartiment m à grande capacité **Großraumbüro** nt bureau m en espace ouvert **großräumig** ['groːsrɔymɪç] I. *adj* (*geräumig*) spacieux(-euse) II. *adv absperren* dans un large rayon; *umfahren* largement **Großraumwagen** m [wagon-]salle m **Großrechner** m macroordinateur m **großlschreiben**[RR] *vt irr* etw ~ écrire qc en majuscules **Großschreibung** f écriture f majuscule **großspurig** ['groːsʃpuːrɪç] *pej* I. *adj* vantard(e) II. *adv verkünden* avec vantardise **Großstadt** f grande ville f **Großstädter(in)** m(f) habitant(e) m(f) d'une grande ville **großstädtisch** *adj Atmosphäre* de grande ville; ~ wirken faire grande ville **Großtante** f grand-tante f

größte(r, s) *Superl von* groß **Großteil** m **1.** (*der größere Teil*) der ~ la

majeure partie **2.** (*erheblicher Teil*) grande partie *f;* **zu einem ~** en grande partie **größtenteils** ['grøːstən'tails] *adv* das Bild ist **~ fertig** le tableau est en majeure partie fini; (*fast alle(s)*) pour la plupart **größtmöglich** *adj* **der/die ~e ...** le plus grand/la plus grande ... possible **Großunternehmen** *s.* **Großbetrieb Großvater** *m* grand-père *m* **Großveranstaltung** *f* grande manifestation *f* **Großverdiener(in)** *m(f)* gros salaire *m* **großlziehen** *vt irr* élever *Kind, Tier* **großzügig** ['groːstsyːgɪç] **I.** *adj* **1.** (*freigebig*) généreux(-euse); (*nachsichtig*) large d'esprit **2.** *Planung* de grande envergure; *Wohnung* vaste **II.** *adv* **1.** (*freigebig*) généreusement; *behandeln* avec largesse d'esprit **2.** (*weiträumig*) en grand **Großzügigkeit** <-> *f* **1.** (*Freigebigkeit*) générosité *f;* (*Nachsichtigkeit*) largesse *f* d'esprit **2.** (*Weiträumigkeit*) grandeur *f*
grotesk [groˈtɛsk] *adj* grotesque
Grotte ['grɔtə] <-, -n> *f* grotte *f*
grub [gruːp] *Imp von* graben
Grübchen ['gryːpçən] <-s, -> *nt* fossette *f*
Grube ['gruːbə] <-, -n> *f* **1.** fosse *f;* (*klein*) trou *m* **2.** (*Baugrube*) tranchée *f* **3.** (*Bergwerk*) mine *f* ▶ **wer andern eine ~ gräbt, fällt selbst hinein** *prov* tel est pris qui croyait prendre
Grübelei [gryːbəˈlai] <-, -en> *f* ruminations *fpl*
grübeln ['gryːbəln] *vi* ruminer; **über etw** (*akk o dat*) **~** ruminer qc
Grubenarbeiter *m* mineur *m* **Grubenunglück** *nt* accident *m* de mine
Grübler(in) <-s, -> *m(f)* méditatif(-ive) *m(f)*
grüezi ['gryːɛtsi] *interj* CH bonjour
Gruft [gruft, *Pl:* 'grʏftə] <-, ˮe> *f* caveau *m*
Grufti <-s, -s> *m sl* ringard(e) *m(f)* (*fam*)
grün [gryːn] *adj* **1.** *Farbe, Hemd* vert(e) **2.** *Politiker, Wähler* vert(e); *Politik* écologiste ▶ **jdn ~ und blau schlagen** *fam* rouer qn de coups
Grün <-s, - *o fam* -s> *nt* **1.** vert *m;* **die Ampel steht auf ~** le feu est vert **2.** (*~fläche*) espace *m* vert; *eines Golfplatzes* green *m* **3.** (*~pflanzen*) verdure *f* ▶ **das ist dasselbe in ~** *fam* c'est kif-kif
grün-alternativ ['gryːnalˈtɛnaˈtiːf] *adj* écologiste et alternatif(-ive)
Grünanlage *f* espace *m* vert
Grund [grunt, *Pl:* 'grʏndə] raison *f;* **1.** (*Veranlassung, Beweggrund*) raison *f;* **aus gutem ~** avec (juste) raison; **aus gesundheitlichen Gründen** pour des raisons de santé; **ohne ~** sans raison **2.** (*Ursa-*

che) cause *f* **3.** *kein Pl* (*Erdboden*) sol *m* **4.** A (*~besitz*) **~ und Boden besitzen** posséder du terrain **5.** *kein Pl* (*Boden*) *eines Gewässers, Gefäßes* fond *m;* **auf ~ laufen** *Schiff:* toucher le fond **6.** *kein Pl* (*Untergrund, Hintergrund*) fond *m* ▶ **jdn in ~ und Boden reden** couper le sifflet à qn (*fam*); **im ~e meines Herzens** au fond de mon cœur; **einer S.** (*dat*) **auf den ~ gehen** aller au fond des choses; **den ~ zu etw legen** poser les fondements de qc; **von ~ auf** de fond en comble; **zu ~e gehen** *Person:* se perdre
Grundausbildung *f* formation *f* de base **Grundausstattung** *f* équipement *m* de base **Grundbedingung** *f* condition *f* de base **Grundbegriff** *m* notion *f* élémentaire **Grundbesitz** *m* propriété *f* foncière *mpl* **Grundbesitzer(in)** *m(f)* propriétaire *mf* foncier(-ière) **Grundbuch** *nt* cadastre *m*
gründen ['grʏndən] **I.** *vt* **1.** (*schaffen*) fonder *Firma, Verein* **2.** (*fußen lassen*) **seine Hoffnungen auf etw** (*akk*) **~** fonder ses espoirs sur qc **II.** *vi, vr* [**sich**] **auf etw** (*akk*) **~** [se] baser sur qc
Gründer(in) <-s, -> *m(f)* fondateur(-trice) *m(f)*
grundfalsch *adj* absolument faux(fausse)
Grundfesten ▶ **etw in seinen ~ erschüttern** ébranler qc jusque dans ses fondements **Grundfläche** *f* superficie *f* **Grundform** *f* **1.** forme primitive *f* **2.** GRAM forme *f* de base; *eines Verbs* infinitif *m* **Grundgebühr** *f* taxe *f* de base **Grundgedanke** *m* idée *f* fondamentale **Grundgesetz** *nt* (*Verfassung*) **das ~** la constitution allemande **Grundhaltung** *f* position *f*
grundieren* [grʊnˈdiːrən] *vt* appliquer une sous-couche sur
Grundierung <-, -en> *f* (*Grundanstrich*) sous-couche *f*
Grundkapital *nt* capital *m* engagé **Grundkonsens** *m* SOZIOL, POL consensus *m* de base **Grundkurs** *m* SCHULE cours *m* de base; UNIV [cours d']initiation *f* **Grundlage** *f* base *f;* **jeder ~ entbehren** être dénué de tout fondement **grundlegend I.** *adj* *Erkenntnisse, Unterschiede* essentiel(le) **II.** *adv* fondamentalement
gründlich ['grʏntlɪç] **I.** *adj* *Person, Arbeit* rigoureux(-euse); *Kenntnisse* approfondi(e) **II.** *adv* **1.** *arbeiten* rigoureusement **2.** *fam sich irren* lourdement
Gründlichkeit <-> *f* rigueur *f*
Grundlinie *f* **1.** GEOM base *f* **2.** SPORT ligne *f* de fond **Grundlohn** *m* salaire *m* de base **grundlos I.** *adj* *Verdacht, Aufregung* infondé(e); *Lachen* sans raison **II.** *adv* sans rai-

son **Grundmauer** *f* soubassement *m* **Grundnahrungsmittel** *nt* denrée *f* alimentaire de base
Gründonnerstag [gryːnˈdɔnɛstaːk] *m* jeudi *m* saint
Grundpfeiler *m* pilier *m* **Grundrechenart** *f* opération *f* [élémentaire] **Grundrecht** *nt* droit *m* fondamental **Grundriss**^RR *m* **1.** (*Zeichnung*) plan *m* **2.** (*Kurzfassung*) abrégé *m* **Grundsatz** *m* principe *m;* **es sich** (*dat*) **zum ~ machen fair zu sein** avoir pour principe d'être régulier **grundsätzlich** [ɡrʊntzɛtslɪç] **I.** *adj* **1.** *Problem, Unterschied* fondamental(e) **2.** *attr* (*prinzipiell*) de principe **II.** *adv* **1.** (*völlig*) fondamentalement **2.** (*prinzipiell*) au fond **3.** *verbieten* formellement; *ablehnen* strictement
Grundschule *f* ≈ école *f* primaire **Grundschullehrer(in)** *m(f)* instituteur(-trice) *m(f)* **Grundstein** *m* première pierre *f* ▶**den ~ zu etw** legen poser la première pierre de qc **Grundsteuer** *f* impôt *m* foncier **Grundstock** *m* base *f* **Grundstoff** *m* **1.** (*Rohstoff*) matière *f* première **2.** CHEM corps *m* simple **Grundstück** *nt* propriété *f;* (*Baugrundstück*) terrain *m* **Grundstücksmakler(in)** *m(f)* agent *m* immobilier **Grundton** *m* **1.** MUS *eines Akkords* note *f* fondamentale; *einer Tonleiter* clé *f*, clef *f* **2.** (*Grundfarbe*) ton *m* dominant **3.** *fig* (*Stimmung*) note *f* dominante
Gründung [ˈɡrʏndʊŋ] <-, -en> *f* fondation *f*
grundverschieden *adj* radicalement différent(e) **Grundwasser** *nt* nappe *f* phréatique **Grundwasserspiegel** *m* niveau *m* de la nappe phréatique **Grundwortschatz** *m* vocabulaire *m* de base **Grundzahl** *s.* **Kardinalzahl**
Grüne(r) *f(m)* *dekl wie adj* POL écolo *mf* (*fam*); **die ~n** les verts
Grüne(s) *nt dekl wie adj* (*Natur*) **ins ~ fahren** [aller] se mettre au vert; **im ~n** dans la nature
grünen *vi geh* verdir
Grünfink *m* verdier *m* **Grünfläche** *f* espace *m* vert **Grünfutter** *nt* fourrage *m* vert **Grünkern** *m* grain *m* vert d'épeautre **Grünkohl** *m* chou *m* de Milan
grünlich *adj* verdâtre
Grünschnabel *m fam* blanc-bec *m* **Grünspan** *m* vert-de-gris *m* **Grünstreifen** *m* (*Mittelstreifen*) terre-plein *m* central; (*Seitenstreifen*) terre-plein [aménagé]
grunzen [ˈɡrʊntsən] *vi* **1.** *Schwein:* grogner **2.** *fam* (*laut atmen*) grogner
Grünzeug <-s> *nt* **1.** *fam* verdure *f;* **~ zum Garnieren** de la verdure pour garnir **2.** A (*Suppengrün*) herbes *fpl* potagères

Gruppe [ˈɡrʊpə] <-, -n> *f* groupe *m*
Gruppenarbeit *f kein Pl* (*in der Schule*) travail *m* de groupe; (*in der Arbeitswelt*) travail en équipe **Gruppenbild** *nt* photo *f* de groupe **Gruppendynamik** *f* dynamique *f* de groupe **Gruppenleiter(in)** *m(f)* (*Leiter einer Arbeitsgruppe*) chef *mf* d'équipe **Gruppenreise** *f* voyage *m* organisé **Gruppensex** *m* rapports *mpl* sexuels en groupe **gruppenweise** *adv* par groupes
gruppieren* [ɡrʊˈpiːrən] **I.** *vt* rassembler; **die Gäste/die Stühle um den Tisch ~** rassembler les invités/chaises autour de la table **II.** *vr* **sich um jdn/etw ~** se rassembler autour de qn/qc
Gruppierung <-, -en> *f* **1.** POL groupuscule *m;* (*innerhalb einer Partei*) fraction *f* **2.** (*Anordnung*) disposition *f*
Gruselfilm *m* film *m* d'épouvante **gruselig** [ˈɡruːzəlɪç] *adj* épouvantable **gruseln** [ˈɡruːzəln] **I.** *vt, vi unpers* **ihn** [*o* **ihm**] **gruselt es** il a le frisson **II.** *vr* **sich ~** avoir le frisson
gruslig *s.* **gruselig**
Gruß [ɡruːs, *Pl:* ˈɡryːsə] <-es, ⁼e> *m* **1.** (*Begrüßung*) salut *m;* **zum ~** en guise de salut **2.** (*übermittelter ~*) salutations *fpl;* **jdm Grüße von jdm bestellen** donner le bonjour à qn de la part de qn; **einen** [**schönen**] **~ an die Kinder** bien le bonjour aux enfants **3.** (*schriftliche Grußformel*) **mit freundlichen Grüßen** reçois/recevez mes sincères salutations
grüßen [ˈɡryːsən] **I.** *vt* **1.** (*be~*) saluer **2.** (*Grüße übermitteln*) **jdn von jdm ~** saluer qn de la part de qn; **grüß dich!** *fam* salut! **II.** *vi* dire bonjour; **Paul lässt ~** Paul donne le bonjour **III.** *vr* **sich ~** se saluer
grußlos *adv* sans dire bonjour **Grußwort** <-worte> *nt* discours *m* de bienvenue
Grütze [ˈɡrʏtsə] <-, -n> *f* bouillie *f* de gruau ▶**rote ~** compote refroidie de fruits rouges, épaissie avec de la fécule
gucken [ˈɡʊkən] *vi fam* **1.** (*sehen*) regarder **2.** (*hervor~*) dépasser
Guckloch *nt* (*in einer Wand, einem Zaun*) judas *m*
Guerilla [ɡeˈrɪlja] <-, -s> *f* (*~krieg*) guérilla *f*
Gugelhupf [ˈɡuːɡəlhʊpf] <-s, -e> *m* A, SDEUTSCH kouglof *m*
Guillotine [ɡɪljoˈtiːnə] <-, -n> *f* guillotine *f*
Gulasch [ˈɡʊlaʃ] <-[e]s, -e *o* -s> *nt o m* goulache *m o f*, goulasch *m*
Gulaschkanone *f sl* roulante *f* (*fam*) **Gulaschsuppe** *f* soupe *f* de goulasch
Gulden [ˈɡʊldən] <-s, -> *m a.* HIST florin *m*
Gülle <-> *f* lisier *m*

Gully ['gʊli] <-s, -s> *m o nt* bouche *f* d'égout

gültig ['gʏltɪç] *adj* **1.** *Fahrschein, Eintrittskarte* valable; *Pass* valide **2.** *Urteil, Gesetz* en vigueur **3.** *(legal)* légal(e)

Gültigkeit <-> *f* validité *f*

Gummi[1] ['gʊmi] <-s, -[s]> *m o nt* **1.** *(Material)* caoutchouc *m* **2.** <-s> *fam* *(Kondom)* capote *f* [anglaise]

Gummi[2] <-s, -s> *m fam* *(Radiergummi)* gomme *f* [à effacer]

Gummi[3] <-s, -s> *nt fam* *(~ band)* élastique *m*

Gummiband <-bänder> *nt* élastique *m*

Gummibärchen *nt* ourson *m* [gélifié]

Gummibaum *m* caoutchouc *m*

gummieren* *vt* gommer

Gummihandschuh *m* gant *m* en caoutchouc **Gummiknüppel** *m fam* matraque *f* [en caoutchouc] **Gummiring** *m* élastique *m* **Gummistiefel** *m* botte *f* en caoutchouc **Gummizelle** *f* cellule *f* capitonnée **Gummizug** *m* [bande *f*] élastique *m*

Gunst [gʊnst] <-> *f* **1.** *(Wohlwollen)* bienveillance *f; in jds ~ (dat)* **stehen** être dans les bonnes grâces de qn **2.** *fig (günstige Konstellation)* **die ~ der Stunde** l'opportunité du moment **3.** *(Vergünstigung)* faveur *f* ►**zu** **seinen/meinen/... ~en** en sa/ma/... faveur

günstig ['gʏnstɪç] **I.** *adj* **1.** *(zeitlich passend)* favorable; *Zugverbindung, Flug* commode **2.** *(preis~)* avantageux(-euse) **II.** *adv* **1.** *kaufen* à un prix avantageux **2.** *(gut)* **es trifft sich ~, dass** ça tombe bien que + *subj; im ~sten Fall* dans le meilleur des cas

Günstling ['gʏnstlɪŋ] <-s, -e> *m pej eines Herrschers* favori(te) *m(f)*

Gurgel ['gʊrgəl] <-, -n> *f* gorge *f* ►**sie wäre ihm am liebsten an die ~ gesprungen** *fam* elle aurait voulu lui sauter dessus

gurgeln *vi* **1.** *(den Rachen spülen)* faire un gargarisme/des gargarismes **2.** *(gluckern)* gargouiller

Gurke ['gʊrkə] <-, -n> *f* *(Salatgurke)* concombre *m; (eingelegt)* cornichon *m;* **saure ~n** cornichons à la russe

Gurkensalat *m* salade *f* de concombre

gurren ['gʊrən] *vi a. fig* roucouler

Gurt [gʊrt] <-[e]s, -e> *m* **1.** *(Riemen)* sangle *f* **2.** *(Sicherheitsgurt)* ceinture *f* de sécurité

Gürtel ['gʏrtəl] <-s, -> *m* ceinture *f* ►**den ~ enger schnallen** *fam* se serrer la ceinture

Gürtellinie *f* taille *f* ►**unter die ~ zielen** viser en dessous de la ceinture **Gürtelrei-**

fen *m* pneu *m* à carcasse radiale **Gürtelrose** *f* MED zona *m* **Gürtelschnalle** *f* boucle *f* de ceinture **Gürteltier** *nt* tatou *m*

Gurtpflicht *f* port *m* obligatoire de la ceinture de sécurité **Gurtstraffer** <-s, -> *m* rétracteur *m* de ceinture de sécurité

Guru ['guːru] <-s, -s> *m* REL gourou *m*, guru *m*

GUS [gʊs, geːʔuːʔɛs] <-> *f Abk von* **Gemeinschaft Unabhängiger Staaten: die ~** la C.E.I.

Guss[RR] <-es, Güsse>, **Guß** [gʊs] <Gusses, Güsse> *m* **1.** *kein Pl* METAL *(das Gießen)* fonte *f* **2.** *(Zuckerguss)* couche *f* de sucre **3.** *fam* *(Regenguss)* saucée *f* ►**[wie] aus einem ~** comme formant une unité

Gusseisen[RR] *nt* fonte *f* **gusseisern**[RR] *adj* en fonte **Gussform**[RR] *f* moule *m*

Gusto <-s> *m* guise *f; [ganz] nach ~ geh* à ma/sa/... guise

gut [guːt] **I.** <bẹsser, bẹste> *adj* **1.** *(opp: schlecht)* bon(ne) *antéposé; ~e* **Augen/Ohren haben** avoir de bons yeux/l'oreille fine; **jdn/etw ~ finden** trouver bien qn/qc **2.** *Mann, Frau* bon(ne) *postposé; Mutter, Sohn* bon(ne) *antéposé;* **er ist ein ~er Mensch** c'est quelqu'un de bien; **~ zu jdm sein** être gentil avec qn; **sei so ~ und hilf mir mal!** sois gentil(le) de m'aider! **3.** *(körperlich wohl)* **ihm/ihr ist nicht ~** il/elle ne se sent pas bien **4.** *(gelungen)* ~ **werden/sein** *Foto:* être réussi **5.** *meist attr Charakter, Manieren* bon(ne) *antéposé; Benehmen* correct(e) **6.** *(richtig)* **~ so!** c'est bien comme ça! **7.** *Idee* bon(ne) *antéposé; Angebot* intéressant(e) **8.** *Schüler, Leistung* bon(ne) *antéposé; ~* **in Geschichte sein** être bon en histoire **9.** *(Schulnote)* bonne note située entre quatorze et seize sur vingt **10.** *Mittel, Methode* bon(ne) *antéposé; ~* **gegen Husten sein** être bon contre la toux; **wer weiß, wozu das noch ~ ist!** qui sait à quoi ça peut servir un jour! **11.** *(reichlich)* **eine ~e Stunde Zeit haben** avoir une bonne heure ►**~ und schön, aber ...** c'est bien joli, mais ... *(fam);* **du bist ~!** *iron fam* elle est bonne, celle-là!; **es mit etw ~ sein lassen** *fam* en rester là avec qc; **lass mal ~ sein!** *fam* laisse tomber!; **das wird [wieder] ~** tout va s'arranger; **schon ~!** *fam* c'est bon[, c'est bon]! **II.** <bẹsser, am bẹsten> *adv* **1.** *(opp: schlecht)* bien; **~ gelaunt sein** être de bonne humeur; **sich ~ lesen lassen** se lire bien; **[das hast du] ~ gemacht!** bien joué! **2.** *(reichlich)* bien, largement **3.** *(leicht, erfolgreich)* bien **4.** *(angenehm)* ~ **riechen** sentir bon; **sich ~ anhören** *Vorschlag:* avoir l'air intéressant(e); **das**

schmeckt ~ c'est bon ▶~ **dran** sein *fam* être à envier; ~ **drauf** sein *fam* (*gut gelaunt sein*) être bien luné; (*gut in Form sein*) avoir la pêche; ~ und **gern**|e| largement; du **hast** ~ **reden/lachen!** tu as beau dire/rire!; ~ **gehen** (*florieren*) bien marcher; (*sich gut verkaufen*) bien se vendre; **es** ~ **haben** avoir de la chance; **das kann** ~ **sein** ça se pourrait bien; **machs** ~**!** *fam* salut!; **sich** ~ **mit jdm stellen** se mettre bien avec qn; ~ **daran tun etw zu tun** avoir intérêt à faire qc; **so** ~ **wie ...** *fam* pratiquement ... **Gut** <-[e]s, ⸗er> *nt* **1.** (*Ware*) bien *m* **2.** (*Landgut*) domaine *m* **3.** JUR **unbewegliche Güter** biens *mpl* immobiliers ▶**Gut und Böse** le bien et le mal **Gutachten** ['guːtʔaxtən] <-s, -> *nt* expertise *f* **Gutachter(in)** <-s, -> *m(f)* expert(e) *m(f)* **gutartig** *adj* **1.** *Person* d'un bon naturel; *Tier* inoffensif(-ive) **2.** MED bénin(-igne) **gutaussehend** *s.* aussehen **I. gutbezahlt** *s.* bezahlt **Gutdünken** ['guːtdʏŋkən] <-s> *nt* sie entschied nach [eigenem] ~ elle a décidé comme bon lui semblait **Gute(s)** *nt* dekl wie adj **1.** (*qualitativ Hochwertiges*) etwas ~s quelque chose de bon **2.** (*Angenehmes, Positives*) ~s über jdn **sagen** dire du bien à propos de qn; **das** ~ **daran ist, dass** l'avantage, c'est que; **alles** ~**!** bonne chance! **3.** (*gute Tat*) ~s tun faire le bien ▶**an das** ~ **im Menschen glauben** croire en la bonté humaine; **es hat alles sein** ~s *prov* toute chose a du bon **Güte** ['gyːtə] <-> *f* (*Freundlichkeit*) bonté *f*; würden Sie die ~ haben einen Koffer zu tragen? *form* auriez-vous la bonté de porter ma valise? ▶**es war ein Reinfall erster** ~ *fam* on s'est planté comme c'est pas permis; ach du **liebe** ~**!** *fam* c'est pas vrai! **Güteklasse** *f* catégorie *f* **Gutenachtgeschichte** [guːtə'naxtgəʃɪçtə] *f* histoire *f* pour dormir **Gutenachtkuss**[RR] [guːtə'naxtkʊs] bisou *m* (*fam*) **Güterbahnhof** *m* gare *f* de marchandises **Gütergemeinschaft** *f* communauté *f* de biens **Gütertrennung** *f* séparation *f* des biens **Güterverkehr** *m* transport *m* [de] marchandises **Güterwagen** *m* wagon *m* de marchandises **Güterzug** *m* train *m* de marchandises **Gütesiegel** *nt* marque *f* de qualité; **etw**

mit einem ~ **versehen** labelliser qc **Gütezeichen** *nt* marque *f* de qualité **gut**|**gehen I.** *vi unpers s.* gehen **II. II.** *vi s.* gehen **I. gutgehend** *s.* gehen **I. gutgelaunt** *s.* gelaunt **gutgemeint** *s.* meinen **I. gutgläubig** *adj* crédule **Guthaben** <-s, -> *nt* avoir *m* **gut**|**heißen** *vt irr* accepter, admettre **gutherzig** *adj geh* généreux(-euse) **gütig** ['gyːtɪç] *adj* **1.** bienveillant(e); (*nachsichtig*) complaisant(e) **2.** (*freundlich*) würden Sie so ~ sein ... *geh* voudriez-vous avoir l'obligeance de ... **gütlich** ['gyːtlɪç] *adj, adv* à l'amiable **gut**|**machen** *vt* **1.** (*in Ordnung bringen*) réparer *Fehler, Unrecht;* **etwas/viel an jdm gutzumachen haben** avoir quelque chose/beaucoup à se faire pardonner de qn **2.** (*sich revanchieren*) **ich weiß gar nicht, wie ich das** ~ **soll** je ne sais pas comment rendre la pareille **gutmütig** ['guːtmyːtɪç] *adj* d'un bon naturel **Gutmütigkeit** <-> *f* complaisance *f* **Gutsbesitzer(in)** *m(f)* propriétaire *mf* d'un domaine **Gutschein** *m* bon *m* **gut**|**schreiben** *vt irr* **jdm etw** ~ inscrire qc au crédit de qn **Gutschrift** *f* **1.** (*gebuchter Betrag*) crédit *m* **2.** (*Beleg*) avis *m* de crédit **Gutsherr(in)** *m(f) s.* Gutsbesitzer(in) **Gutshof** *m* ferme *f* domaniale **gutsituiert** *s.* situiert **Gutsverwalter(in)** *m(f)* gérant(e) *m(f)* de propriété **gut**|**tun** *s.* tun **III. gutunterrichtet** *s.* unterrichten **I. gutwillig I.** *adj* plein(e) de bonne volonté **II.** *adv* de plein gré **Gymnasiallehrer(in)** *m(f)* professeur *mf* de Gymnasium **Gymnasiast(in)** [gʏmnazi'ast] <-en, -en> *m(f)* élève *mf* de Gymnasium **Gymnasium** [gʏm'naːziʊm] <-s, -ien> *nt* établissement scolaire comprenant les classes entre l'école primaire et le baccalauréat **Gymnastik** [gʏm'nastɪk] <-> *f* gymnastique *f* **Gynäkologe** [gynɛko'loːgə] <-n, -n> *m*, **Gynäkologin** *f* gynécologue *mf* **Gynäkologie** <-> *f* gynécologie *f* **gynäkologisch** [gynɛko'loːgɪʃ] *adj* gynécologique

H

H, h [haː] <-, -> *nt* **1.** (*Buchstabe*) H *m*/h *m* **2.** MUS si *m*
ha *Abk von* **Hektar** ha
Haar [haː̯ɐ] <-[e]s, -e> *nt* **1.** (*einzelnes Kopfhaar*) cheveu *m;* (*gesamtes Kopfhaar*) cheveu *mpl;* **sie hat blondes ~** elle a les cheveux blonds; **die ~e kurz/offen tragen** avoir les cheveux courts/au vent **2.** (*Körperhaar, Tierhaar*) poil *m* ▸ |**immer**| **ein ~ in der Suppe finden** *fam* chercher la petite bête; **~e auf den Zähnen haben** *fam* ne pas avoir la langue dans sa poche; **sich in die ~e kriegen** *fam* se tomber sur le poil; **sich** (*dat*) **die ~e raufen** s'arracher les cheveux
Haaransatz *m* naissance *f* des cheveux **Haarausfall** *m* chute *f* des cheveux **Haarband** <-bänder> *nt* ruban *m* **Haarbürste** *f* brosse *f* à cheveux
haaren *vi* perdre ses poils
Haaresbreite ▸ |**nur**| **um ~** d'un cheveu **Haarfarbe** *f* couleur *f* de[s] cheveux **Haarfestiger** *m* fixateur *m* [pour les cheveux] **haargenau** *adj Beschreibung* minutieux(-euse)
haarig *adj fam* (*heikel*) délicat(e)
Haarklammer *f* pince *f* [à cheveux] **haarklein** *adv* par le menu **Haarnadel** *f* épingle *f* à cheveux **Haarnadelkurve** *f* virage *m* en épingle [à cheveux] **Haarnetz** *nt* résille *f* **Haarpflege** *f* soins *mpl* capillaires **Haarreif** *m* serre-tête *m* **haarscharf** *adv daneben* de très peu **Haarschleife** *f* nœud *m* [dans les cheveux] **Haarschnitt** *m* (*das Schneiden, die Frisur*) coupe *f* de cheveux **Haarspalterei** [haːɐ̯ʃpaltaˈraɪ] <-, -en> *f pej* ergotage *m;* **das ist ~!** c'est couper les cheveux en quatre! **Haarspange** *f* grosse barrette *f* [à cheveux] **Haarspray** *nt o m* laque *f* **haarsträubend** [ˈhaːɐ̯ʃtrɔɪbənt] *adj* scandaleux(-euse) **Haarteil** *nt* postiche *m* **Haartrockner** *m* sèche-cheveux *m* **Haarwaschmittel** *nt* shampo[o]ing *m* **Haarwasser** *nt* lotion *f* capillaire **Haarwuchs** *m* pousse *f* des cheveux/poils **Haarwurzel** *f* racine *f* du cheveu
Hab ▸ **sein/ihr ganzes ~ und Gut** *geh* tous ses biens *mpl*
Habe [ˈhaːbə] <-> *f geh* **seine/ihre ganze ~** tous ses biens *mpl*
haben [ˈhaːbən] <hat, hatte, gehabt>
I. *vt* **1.** (*besitzen, verfügen über; aufwei-*

sen) avoir; **Kinder ~** avoir des enfants; **dieses Haus hat einen Garten** cette maison a un jardin; **jdn/etw bei sich ~** avoir qn avec soi/qc sur soi **2.** (*führen, verkaufen*) avoir; **~ Sie Wasserkocher?** est-ce que vous avez des bouilloires électriques? **3.** (*umfassen*) **eine Größe/Fläche/einen Inhalt von ... ~** avoir une grandeur/surface/contenance de ... **4.** SCHULE avoir *Lehrer, Note;* **heute ~ wir Chemie** aujourd'hui nous avons chimie **5.** (*empfinden, erleben*) avoir; **Lust/Angst ~** avoir envie/peur; **Sonne/schlechtes Wetter ~** avoir du soleil/du mauvais temps; **wir hatten heute Nacht Vollmond** cette nuit, c'était la pleine lune; **ihr habt's aber schön warm!** il fait agréablement chaud chez vous! **6.** MED **es am Herzen/im Rücken ~** *fam* être malade du cœur/avoir mal au dos **7.** (*ausstehen*) **ich kann es nicht ~, wenn** je ne supporte pas que + *subj* ▸ **noch/nicht mehr zu ~ sein** *fam Mann, Frau:* être encore libre/être déjà pris; **es in sich ~** *fam Arbeit, Aufgabe:* être plus compliqué que ça en a l'air; *Wein:* faire de l'effet; **Paul hat etwas mit Brigitte** il y a quelque chose entre Paul et Brigitte; **viel/wenig von jdm/etw ~** profiter beaucoup/peu de qn/qc; **jdn vor sich ~, der ...** (*dat*) avoir affaire à qn qui ...; **ich hab's!** *fam* [ça y est,] j'y suis!; **hast du was?** qu'est-ce que tu as?; **wie hätten Sie es gern?** comment le/la/les désirez-vous? **II.** *vr fam* **er hat sich immer so mit seinem Auto** il est drôlement maniaque avec sa voiture **III.** *vr unpers fam* ▸ **und damit hat es sich!** *fam* et après basta! **IV.** *vi modal* **du hast zu gehorchen** tu dois obéir; **du hast dich nicht darum zu kümmern** tu n'as pas à t'occuper de ça **V.** *aux* **er hat/hatte den Brief geschrieben** il a/avait écrit la lettre; **ihr habt euch getäuscht** vous vous êtes trompé(e)s; **sie hätte ihm helfen können/müssen** elle aurait pu/dû l'aider
Haben <-s> *nt* FIN avoir *m;* **mit tausend Euro im ~ sein** avoir un crédit de mille euros
Habenichts <-[es], -e> *m fam* sans-le-sou *m*
Habgier *f* rapacité *f*
habgierig *adj* rapace

habhaft *adj geh* **eines Menschen/einer S.** ~ **werden** s'emparer d'une personne/ de qc
Habicht ['haːbɪçt] <-s, -e> *m* autour *m*
Habilitation <-, -en> *f qualification pour l'enseignement supérieur*
habilitieren* I. *vr* **sich** ~ se qualifier pour l'enseignement supérieur **II.** *vt* habiliter
Habseligkeiten *Pl* affaires *fpl*
Habsucht *s.* **Habgier habsüchtig** *s.* **habgierig**
Hachse DIAL *s.* **Haxe**
Hackbeil *nt* couperet *m*
Hackbraten *m* rôti *m* de viande hachée
Hacke ['hakə] <-, -n> *f* **1.** (*Ferse, Absatz*) talon *m* **2.** (*Werkzeug*) houe *f* **3.** A hache *f*
Hackebeil *nt* couperet *m*
hacken ['hakən] **I.** *vt* **1.** (*zerkleinern*) hacher; **Holz** ~ fendre du bois **2.** (*auflockern*) biner; (*von Unkraut befreien*) sarcler **II.** *vi* **1.** nach **jdm/etw** ~ *Vogel:* donner des coups de bec à qn/dans qc **2.** (*den Boden bearbeiten*) sarcler **3.** INFORM *fam* pirater; **das Hacken** le piratage [informatique]
Hacker(in) ['hakɐ] <-s, -> *m(f) fam* (*Computerpirat*) pirate *mf* [informatique]; (*Computerfan*) mordu(e) *m(f)* d'informatique
Hackfleisch *nt* viande *f* hachée
Hackordnung *f* ordre *m* hiérarchique
Häcksel <-s> *nt o m* fourrage *m* haché
Hacksteak *nt* steak *m* haché
Hader <-s> *m geh* discorde *f* (*littér*)
hadern *vi* se révolter; **mit etw** ~ se révolter contre qc
Hafen ['haːfən] *Pl:* 'hɛːfən] <-s, ⁼> *m* **1.** port *m;* **in den** ~ **einlaufen** entrer au port; **aus dem** ~ **auslaufen** quitter le port **2.** *geh* (*Zufluchtsort*) havre *m*
Hafenanlagen *Pl* installations *fpl* portuaires **Hafenarbeiter(in)** *m(f)* docker *m* **Hafeneinfahrt** *f* entrée *f* du port **Hafenkneipe** *f fam* bar *m* [du port] **Hafenrundfahrt** *f* visite *f* du port en bateau **Hafenstadt** *f* ville *f* portuaire **Hafenverwaltung** *f* administration *f* portuaire **Hafenviertel** *nt* quartier *m* du port **Hafenzufahrt** *f* accès *m* au port
Hafer ['haːfɐ] <-s, -> *m* avoine *f*
Haferbrei *m* bouillie *f* d'avoine **Haferflocken** *Pl* flocons *mpl* d'avoine
Häferl <-s, -n> *nt* A *fam* tasse *f*
Haferschleim *m* crème *f* d'avoine
Haft [haft] <-> *f* détention *f;* **in** ~ **sein** être en détention; **zu fünf Jahren** ~ **verurteilt werden** être condamné à cinq ans de prison; **aus der** ~ **entlassen werden** être libéré

Haftanstalt *f* maison *f* d'arrêt
haftbar *adj* **für etw** ~ **sein** être responsable de qc; **jdn für etw** ~ **machen** rendre qn responsable de qc
Haftbefehl *m* mandat *m* d'arrêt **Haftdauer** *f* détention *f*
haften ['haftən] *vi* **1.** (*die Haftung übernehmen*) **für jdn/etw** ~ *Person:* être responsable de qn/qc; **jdm dafür** ~, **dass** garantir à qn que **2.** COM **mit seinem Vermögen** ~ être responsable sur son capital **3.** (*festkleben*) **an/auf etw** (*dat*) ~ adhérer sur qc; **an/auf etw** (*dat*) ~ **bleiben** adhérer à qc **4.** (*sich festsetzen*) **auf/an etw** (*dat*) ~ **bleiben** *Rauch, Geruch:* rester imprégné(e) dans qc **5.** (*hängen bleiben*) **an jdm** ~ *Makel, Verleumdung:* rester attaché(e) au nom de qn; *Verdacht:* continuer de peser sur qn **6.** (*im Gedächtnis bleiben*) **jdm** ~ **bleiben** rester gravé(e) dans la mémoire de qn
haften|bleiben *s.* **haften**
Haftentlassung *f* [re]mise *f* en liberté
Häftling ['hɛftlɪŋ] <-s, -e> *m* détenu(e) *m(f)*
Haftnotiz *f* post-it® *m*
Haftpflicht *f* **1.** *fam* (~*versicherung*) assurance *f* responsabilité civile **2.** (*Schadenersatzpflicht*) responsabilité *f* civile **haftpflichtig** *adj* civilement responsable **haftpflichtversichert** *adj* ~ **sein** être assuré en responsabilité civile **Haftpflichtversicherung** *f* assurance *f* responsabilité civile
Haftrichter(in) *m(f)* juge *m* d'instruction **Haftstrafe** *f* peine *f* de prison
Haftung <-, -en> *f* **1.** JUR responsabilité *f; einer Versicherung* garantie *f* **2.** *kein Pl* TECH, PHYS adhérence *f*
Hagebutte ['haːgəbʊtə] <-, -n> *f* cynor[r]hodon *m*
Hagebuttentee *m* tisane *f* de cynor[r]hodon
Hagel ['haːgəl] <-s> *m* grêle *f*
Hagelkorn <-körner> *nt* grêlon *m*
hageln ['haːgəln] **I.** *vi unpers* grêler; **es hagelt** il grêle **II.** *vt unpers fam* **es hagelt Geschosse/Steine** il tombe une grêle de balles/pierres
Hagelschauer *m* averse *f* de grêle
hager ['haːgɐ] *adj* maigre; *Person, Arme, Beine, Gestalt* grêle; *Hals* maigre
Hahn [haːn, *Pl:* 'hɛːnə] <-[e]s, ⁼e> *m* **1.** coq *m* **2.** (*Wetterhahn*) coq *m* de clocher **3.** (*Wasserhahn*) robinet *m* **4.** (*Zapfhahn*) chantepleure *f* ▸ ~ **im Korb sein** *fam* être comme le coq au milieu de la basse-cour
Hähnchen ['hɛːnçən] *nt* poulet *m;* **ein gebratenes** ~ un poulet rôti

Hahnenfuß m bouton-d'or m **Hahnen-kampf** m combat m de coqs
Hai <-[e]s, -e> m requin m
Häkchen nt Dim von Haken (Zeichen) coche f
Häkelarbeit f (gehäkelter Gegenstand) ouvrage m au crochet
häkeln ['hɛːkəln] I. vi faire du crochet; das **Häkeln** le crochet II. vt etw ~ faire qc au crochet
Häkelnadel f crochet m
Haken ['haːkən] <-s, -> m 1. [clou m à] crochet m; (Handtuchhaken) crochet m; (Kleiderhaken) patère f 2. (Angelhaken) hameçon m 3. SPORT crochet m 4. (Zeichen) coche f; **hinter jedem Namen einen ~ machen** cocher chaque nom 5. fam (Schwierigkeit) hic m ▶**die Sache hat einen ~** fam il y a quelque chose qui cloche
hakenförmig adj en forme de crochet **Hakenkreuz** nt croix f gammée **Hakennase** f nez m crochu
halb [halp] I. adj 1. **ein ~er Meter** un demi mètre; **das ~e Buch** la moitié du livre 2. (bei der Angabe der Uhrzeit) ~ **sieben** six heures et demie; **gleich ist es** ~ il va être la demie; **es ist erst drei vor** ~ il n'est que vingt-sept; **um fünf nach** ~ à moins vingt-cinq 3. fam (ein Großteil von) ~ **Köln/Frankreich** presque tout Cologne/toute la France; **die ~en Pralinen sind ja schon weg!** la moitié des bonbons au chocolat sont déjà partis! 4. (~herzig) ~**e Reformen/Schritte** des demi-réformes/demi-mesures; **mit ~em Ohr zuhören** n'écouter que d'une oreille ▶**das ist nichts Halbes und nichts Ganzes** fam ce n'est ni fait ni à faire II. adv 1. (zur Hälfte) à moitié; **etw nur ~ verbrauchen** n'utiliser qc qu'à moitié; **nicht ~ so schön sein wie ...** être loin d'être aussi beau que ...; ~ **so intelligent sein wie ...** être deux fois moins intelligent que ...; ~ **so viel** moitié moins 2. (~wegs) antéposé; **das Fleisch ist noch** ~ **roh** la viande est encore à moitié crue 3. (teilweise, nicht ganz) **etw nur ~ verstehen** ne comprendre qc qu'à moitié; **nur ~ hinhören/zuhören** n'écouter que d'une oreille
halbamtlich adj semi-officiel(le) **Halbbildung** f pej culture f au rabais **Halbbruder** m demi-frère m; **mein** ~ **väterlicherseits/mütterlicherseits** mon frère consanguin/utérin **Halbdunkel** nt pénombre f **Halbedelstein** m pierre f fine
halbe-halbe ▶**mit jdm** ~ **machen** fam faire fifty-fifty avec qn
halber ['halbɐ] präp + gen geh **der Form**

~ **pour la forme; der Ordnung/Pflicht** ~ par souci de l'ordre/du devoir; **der Sicherheit** ~ par mesure de sécurité
halbfett I. adj 1. TYP [de]mi-gras(se) 2. GASTR allégé(e) II. adv TYP en demi-gras **Halbfinale** nt demi-finale f
halbherzig I. adj Antwort, Zustimmung du bout des lèvres; Reform timide II. adv sans conviction; antworten, zustimmen du bout des lèvres
halbieren* [hal'biːrən] I. vt 1. (teilen) **etw** ~ partager qc en deux; (schneiden) couper qc en deux 2. (um die Hälfte vermindern) réduire de moitié II. vr **sich** ~ diminuer de moitié
Halbinsel f presqu'île f; (groß) péninsule f **Halbjahr** nt semestre m **halbjährig** adj attr (ein halbes Jahr dauernd) [d'une durée] de six mois **halbjährlich** I. adj semestriel(le) II. adv tous les six mois **Halbkanton** m CH demi-canton m **Halbkreis** m demi-cercle m **Halbkugel** f hémisphère m **halblang** adj mi-long(-longue) **halblaut** adj [prononcé(e)] à mi-voix **Halbleiter** m TECH semi-conducteur m **halblinks** s. links I. **halbmast** adv auf ~ en berne **Halbmesser** m rayon m **Halbmond** m 1. demi-lune f 2. (Symbol) croissant m **halbmondförmig** adj en demi-lune **halbnackt** s. nackt **halboffen** s. offen I. **Halbpension** f demi-pension f **halbrechts** s. rechts I. **Halbschatten** m clair-obscur m **Halbschlaf** m demi-sommeil m; **im** ~ **sein** être à moitié endormi **Halbschuh** m chaussure f basse **Halbschwergewicht** nt kein Pl (Gewichtsklasse) poids m mi-lourd **Halbschwester** f demi-sœur f **halbstündig** ['halpʃtʏndɪç] adj attr d'une demi-heure **halbstündlich** ['halpʃtʏntlɪç] adj, adv toutes les demi-heures **halbtags** adv à mi-temps **Halbtagsarbeit** f kein Pl (Arbeit) [travail m à] mi-temps m **Halbtagsbeschäftigung** f emploi m à mi-temps **Halbtagskraft** f salarié(e) m(f) à mi-temps **halbtot** s. tot **halbvoll** s. voll I. **halbwach** s. wach **Halbwahrheit** f demi-vérité f **Halbwaise** f orphelin(e) m(f) [de père/mère] **halbwegs** ['halpveːks] adv 1. (einigermaßen) à peu près 2. (nahezu) pratiquement **Halbwertszeit** f PHYS période f **Halbwissen** nt pej semblant m de savoir **halbwüchsig** ['halpvʏːksɪç] adj adolescent(e) **Halbzeit** f mi-temps f
Halde ['haldə] <-, -n> f 1. (Müllhalde) montagne f d'ordures 2. MIN (Kohlenhalde) dépôt m de charbon; (Abraumhalde) terril m 3. (Lager, Lagerbestand) stock m d'invendus; **etw auf** ~ **legen** mettre qc en réserve

half [half] *Imp von* **helfen**

Hälfte ['hɛlftə] <-, -n> *f* moitié *f;* **eine Frucht in zwei ~n zerteilen** couper un fruit en deux; **die eine ~** l'une des [deux] moitiés; **Kinder unter zehn Jahren zahlen die ~** les enfants de moins de dix ans paient demi-tarif; **um die ~ größer als ...** une fois et demie plus grand(e) que ...; **etw um die ~ anheben/vermindern** augmenter/baisser qc de moitié; **um die ~ mehr/weniger** moitié plus/moins; **zur ~** à moitié *antéposé*

Halfter[1] ['hakftɐ] <-s, -> *m o nt* (*Teil des Geschirrs*) licou *m*

Halfter[2] <-, -n> *f,* <-s, -> *nt* (*Holster*) gaine *f* [de revolver]

Hall <-[e]s, -e> *m* **1.** *geh* (*Schall*) résonance *f* **2.** (*Widerhall*) écho *m*

Halle ['halə] <-, -n> *f* **1.** (*Ankunftshalle, Ausstellungshalle*) hall *m* **2.** (*großer Saal*) [grande] salle *f* **3.** (*Sporthalle*) salle *f* [de sport]; (*Turnhalle*) gymnase *m;* (*Tennishalle*) tennis *m* couvert; **in der ~** en salle

hallen ['halən] *vi* résonner

Hallenbad *nt* piscine *f* couverte **Hallenhandball** *m* handball *m* en salle

Hallig <-, -en> *f* île plate du Schleswig-Holstein recouverte en partie ou en totalité par la mer lors des grosses marées

hallo [ha'lo:] *interj* **1.** (*Begrüßung*) salut **2.** (*Gruß am Telefon*) allo, allô **3.** (*Ausruf der Überraschung*) tiens **4.** (*Anrede*) ~, **Sie!** hé, vous!

Hallo <-s, -s> *nt* salut *m*

Halluzination [halutsina'tsi̯o:n] *f* hallucination *f* ▶**an ~en leiden** *Kranker:* souffrir d'hallucinations; *iron fam* avoir des hallucinations

Halm [halm] <-[e]s, -e> *m* **1.** (*Grashalm*) brin *m;* (*Strohhalm*) [brin *m* de] paille *f;* (*Getreidehalm*) tige *f;* (*Stoppelhalm*) chaume *m;* (*Schilfhalm*) roseau *m* **2.** (*Trinkhalm*) paille *f*

Halogen <-s, -e> *nt* CHEM halogène *m*

Halogenbirne *f* ampoule *f* halogène **Halogenlampe** *f* [lampe *f* à] halogène *m*

Hals [hals, *Pl:* 'hɛlzə] <-es, ⁼e> *m* **1.** cou *m* **2.** (*Rachen*) gorge *f* **3.** (*Flaschenhals*) col *m* ▶~ **über Kopf** en quatrième vitesse (*fam*); **jdm mit etw vom ~ bleiben** *fam* ne pas casser les pieds à qn avec qc; **jdn am ~ haben** *fam* avoir qn sur le dos; **das hängt mir zum ~ heraus** *fam* j'en ai ras le bol; **sich jdn vom ~ schaffen** *fam* se débarrasser de qn; **sich jdm an den ~ werfen** *pej fam* se jeter sur qn

Halsabschneider(in) <-s, -> *m(f) pej fam* rapace *m* **Halsausschnitt** *m* encolure *f* **Halsband** <-bänder> *nt* **1.** (*Hundehals-*

band, Katzenhalsband*) collier *m* **2. (*Schmuckband aus Samt*) ruban *m* [de velours]

halsbrecherisch ['halsbrɛçərɪʃ] **I.** *adj Tempo* fou(folle); *Aktion, Fahrt* casse-cou *inv* **II.** *adv herumturnen, klettern* au risque de se casser le cou

Halsentzündung *f* inflammation *f* de la gorge **Halskette** *f* chaîne *f* [de cou]; (*mit Steinen besetzt*) collier *m* **Hals-Nasen-Ohren-Arzt** ['hals'na:zən'ʔo:rənartst] *m,* **-Ärztin** *f* oto-rhino-laryngologiste *mf* **Halsschlagader** *f* [artère *f*] carotide *f* **Halsschmerzen** *Pl* mal *m* de gorge; ~ **haben** avoir mal à la gorge **halsstarrig** *pej adj* buté(e) (*fam*) **Halstuch** *nt* foulard *m* **Hals- und Beinbruch** *interj* bonne chance **Halsweh** *s.* **Halsschmerzen Halswirbel** *m* vertèbre *f* cervicale

halt [halt] *interj* halte[-là]

Halt <-[e]s, -e *o* -s> *m* **1.** (*Stütze*) appui *m;* **als ~ gedacht sein** être fait pour se [re]tenir **2.** (*Greif-, Trittstelle beim Bergsteigen*) prise *f* **3.** *fig* **dem Haar ~ geben** donner du maintien aux cheveux **4.** (*Gleichgewicht*) **jdm ~ geben** être un soutien pour qn; **den ~ verlieren** perdre l'équilibre **5.** (*inneres Gleichgewicht*) équilibre *m* [moral/psychologique] **6.** (*Stopp*) arrêt *m;* ~ **machen** s'arrêter; **ohne ~ durchfahren** *Zug:* être sans arrêt

hält [hɛlt] *3. Pers Präs von* **halten**

haltbar *adj* **1.** *Lebensmittel, Konserve* [de] longue conservation; ~ **sein** se conserver; **etw ~ machen** conserver qc; **mindestens ~ bis ...** à consommer de préférence avant le ... **2.** (*strapazierfähig*) résistant(e); ~ **sein** faire de l'usage (*fam*); *Leder:* résister; **lange ~ sein** durer longtemps **3.** *Behauptung, Theorie, Vorwurf* qui tient debout

Haltbarkeit <-, -en> *f* **1.** *von Konserven, Lebensmitteln* durée *f* de conservation **2.** (*Widerstandsfähigkeit*) résistance *f*

Haltbarkeitsdatum *nt* date *f* limite [de consommation]

halten ['haltən] <hält, hielt, gehalten> **I.** *vt* **1.** (*fest~*) tenir **2.** (*zum Bleiben veranlassen*) retenir **3.** (*strecken*) **die Beine ins Wasser ~** garder les jambes dans l'eau **4.** (*tragen*) **etw ~** *Haken, Mauerhaken:* maintenir qc **5.** (*stützen*) soutenir **6.** (*zurück~*) **etw ~** *Isolierschicht:* maintenir qc; *Ventil:* contenir qc **7.** SPORT arrêter *Ball* **8.** (*haben*) [sich (*dat*)] **ein Tier ~** avoir un animal **9.** conserver *Tabellenplatz, Rekord;* maintenir *Position;* **vor Müdigkeit kaum noch die Augen offen ~ können** ne plus pouvoir garder les yeux ouverts à cause de la fatigue **10.** MIL défendre *Festung, Stadt*

11. maintenir *Behauptung, Theorie*
12. (*handhaben*) **auseinander** ~ distinguer; **es mit etw genauso/ähnlich/anders** ~ faire pareillement/analoguement/ autrement avec qc; **das kannst du ~, wie du willst** tu fais comme tu veux **13.** (*farblich gestalten*) **das Kinderzimmer ganz in Hellblau** ~ décorer la chambre d'enfant tout en bleu clair **14.** prononcer *Rede, Ansprache;* faire *Vortrag, Diavortrag* **15.** tenir *Versprechen, Zusage* **16.** (*ansehen als*) **jdn für einen Journalisten/Angeber** ~ prendre qn pour un journaliste/frimeur; **hältst du ihn für den Schuldigen?** crois-tu qu'il soit coupable?; **ich hätte Sie für ehrlicher gehalten** je vous aurais cru plus honnête **17.** (*denken*) **etwas/nichts von jdm/etw** ~ faire cas/ne faire aucun cas de qn/qc; **etwas/viel davon** ~ **etw zu tun** trouver bien/très bien de faire qc; **nichts davon** ~ **etw zu tun** ne pas être d'avis de faire qc **II.** *vi* **1.** (*fest~*) tenir; **kannst du mal einen Moment ~?** tu peux tenir ça une minute? **2.** (*haltbar sein*) *Konserve:* se garder; *Lebensmittel:* se conserver **3.** (*stehen bleiben*) *Fahrer, Fahrzeug:* s'arrêter **4.** SPORT arrêter **5.** (*stehen zu*) **zu jdm** ~ prendre le parti de qn **III.** *vr* **1.** (*sich festhalten*) **sich an etw** (*dat*) ~ se tenir à qc **2.** (*nicht verderben*) **sich** ~ se garder **3.** METEO **sich** ~ se maintenir; *Schnee:* tenir **4.** (*eine Richtung verfolgen*) **sich rechts/ nach Süden** ~ tenir sa droite/le cap sud **5.** (*sich richten nach*) **sich an ein Versprechen/die Tatsachen** ~ tenir sa promesse/s'en tenir aux faits; **sich an die Regeln** ~ respecter les règles; **sich eng an den Text** ~ rester très près du texte **6.** (*sich orientieren an*) **sich an jdn** ~ s'en tenir à qn **7.** (*haften*) **sich** ~ *Duft, Parfüm, Gestank:* persister; *Gas, Giftstoff:* se maintenir **8.** (*sich behaupten*) **sich** ~ *Regierung:* tenir; *Truppen:* se maintenir **9.** (*eine bestimmte Haltung haben*) **sich aufrecht/ im Gleichgewicht** ~ se tenir droit/en équilibre **10.** (*sich wenden an*) **sich an jdn** ~ s'adresser à qn **11.** (*einschätzen*) **sich für einen Künstler/für klug** ~ se considérer comme artiste/intelligent(e); **du hältst dich wohl für unwiderstehlich?** tu te crois irrésistible?

Halter(in) <-s, -> *m(f)* **1.** *eines Fahrzeugs* utilisateur *m* habituel; (*Versicherter*) assuré *m* **2.** (*Besitzer*) *eines Haustiers* propriétaire *m*
Halterung <-, -en> *f* support *m*
Haltestelle *f von Bussen* arrêt *m*; *von Straßenbahnen, S-Bahnen, U-Bahnen* station *f*
Halteverbot *nt kein Pl* **1.** interdiction *f* de s'arrêter; **absolutes/eingeschränktes** ~ **arrêt** *m*/stationnement *m* interdit **2.** (*Bereich*) **im** ~ **parken/stehen** se garer/être garé en zone d'arrêt interdit **Halteverbotsschild** *nt* panneau *m* d'arrêt interdit
haltlos *adj Person, Charakter, Vorwurf* inconsistant(e)
halt|machen *s.* **Halt**
Haltung <-, -en> *f* **1.** (*Körperhaltung*) attitude *f* **2.** SPORT style *m* **3.** (*Meinung*) position *f;* **eine klare** ~ **einnehmen** avoir une position claire **4.** *kein Pl* (*Verhalten*) attitude *f* **5.** *kein Pl* (*Beherrschtheit*) contenance *f;* ~ **bewahren** faire bonne contenance **6.** *kein Pl von Haustieren* détention *f;* *von Vieh* élevage *m*
Haltungsfehler *m* malformation *f* du squelette; SPORT faute *f* de style
Halunke [ha'lʊŋkə] <-n, -n> *m* **1.** *pej* (*Gauner*) fripouille *f* (*fam*) **2.** *hum* (*Schlingel*) fripon *m*
Hamburg ['hambʊrk] <-s> *nt* Hambourg
Hamburger[1] ['hambʊrgə] <-s, -> *m* hamburger *m*
Hamburger[2] *adj attr* de Hambourg, hambourgeois(e)
Hamburger(in) <-s, -> *m(f)* Hambourgeois(e) *m(f)*
Häme <-> *f geh* hargne *f*
hämisch ['hɛ:mɪʃ] **I.** *adj Bemerkung, Blick* hargneux(-euse); *Grinsen* sardonique **II.** *adv bemerken* hargneusement; *grinsen* sardoniquement
Hammel ['haməl] <-s, -> *m* **1.** (*Tier, Fleisch*) mouton *m* **2.** *pej fam* (*Dummkopf*) connard *m*
Hammelfleisch *nt* [viande *f* de] mouton *m*
Hammelkeule *f* gigot *m* de mouton
Hammer ['hame, *Pl:* 'hɛme] <-s, ⁼> *m* **1.** *a.* SPORT, ANAT, MUS marteau *m* **2.** *fam* (*Fehler*) connerie *f;* (*Unverschämtheit*) insolence *f;* **das ist [ja] ein ~!** (*das ist falsch*) quelle connerie!; (*das ist unverschämt*) c'est le comble!; (*das ist unglaublich*) c'est pas croyable! ▶ **du hast einen ~!** *fam* t'es [complètement] marteau!
hämmern ['hɛmen] *vi* **1.** *Handwerker, Bastler:* donner des coups de marteau; **das Hämmern** le martèlement **2.** (*klopfen*) **gegen die Wand/die Tür** ~ marteler le mur/la porte **3.** (*pulsieren*) *Puls, Herz:* battre très fort
Hammerwerfen <-s> *nt* lancer *m* du marteau **Hammerwerfer(in)** <-s, -> *m(f)* lanceur(-euse) *m(f)* de marteau
Hammondorgel ['hɛmənd-] *f* orgue *m* [électronique] Hammond
Hämorrhoide, **Hämorride**[RR] [hɛmɔr'i:dən] *f* MED *meist Pl* hémorroïde *f*

Hampelmann ['hampəlman] <-män-ner> *m* pantin *m* ►jdn zum ~ **machen**, **einen** ~ **aus jdm** **machen** *fam* prendre qn pour un pantin
hampeln *vi fam* gigoter
Hamster ['hamstɐ] <-s, -> *m* hamster *m*
hamstern **I.** *vi* se constituer des provisions **II.** *vt* faire des provisions de *Lebensmittel, Kohlen*
Hand [hant, *Pl:* 'hɛndə] <-, ⸚e> *f* **1.** main *f;* **jdm die** ~ **geben** *geh* donner la main à qn; **etw zur** ~ **nehmen** *geh* prendre qc; **etw aus der** ~ **legen** poser qc; **mit der flachen** ~ du plat de la main; **von** ~ **genäht** cousu(e) à la main; **Hände weg!** bas les pattes! *(fam)* **2.** *(Seite)* **linker/rechter** ~ à [main] gauche/droite **3.** *(Besitz, Obhut)* **in jds Hände übergehen** passer aux mains de qn; **aus privater** ~ d'un particulier; **bei jdm in guten Händen sein** être en de bonnes mains avec qn; **zu Händen [von] Herrn Peter Braun** à l'attention de Monsieur Peter Braun **4.** *(Gewalt, Entscheidungsgewalt)* **jdn völlig in der** ~ **haben** tenir qn sous sa coupe; **in der** ~ **von Entführern sein** être aux mains de kidnappeurs; **jdm in die Hände fallen** *Person:* tomber aux mains de qn; **in jds** ~ *(dat)* **liegen** *geh* dépendre de qn ►**man konnte die** ~ **nicht vor den Augen sehen** on n'y voyait goutte; ~ **und Fuß haben** se tenir; **sich mit Händen und Füßen wehren** *fam* se défendre de toutes ses forces; **von der** ~ **in den Mund leben** vivre au jour le jour; **seine Hände in Unschuld waschen** s'en laver les mains; **freie** ~ **haben** avoir carte blanche; **jds rechte** ~ **sein** être le bras droit de qn; **eine** ~ **voll** une poignée; **alle Hände voll zu tun haben** avoir du travail par-dessus la tête; **etw fällt jdm in die Hände** qc tombe entre les mains/aux mains de qn; **jdm die** ~ **darauf geben** promettre qc à qn; **jdm zur** ~ **gehen** donner un coup de main à qn; **mit etw** ~ **in** ~ **gehen** aller de pair avec qc; **jdn an der** ~ **haben** *fam* avoir qn sous la main; **[klar] auf der** ~ **liegen** être clair comme de l'eau de roche; **zur** ~ **sein** être à disposition; **jdn auf Händen tragen** porter qn aux nues; **eine** ~ **wäscht die andere** un bienfait n'est jamais perdu; **an** ~ **einer S.** *(gen)* à l'aide de qc; **tausend Euro [bar] auf die** ~ **bekommen** *fam* recevoir mille euros cash; **unter der** ~ *anbieten, verkaufen* sous le manteau
Handarbeit *f* **1.** *kein Pl* *(Arbeit mit den Händen)* travail *m* manuel; **in** ~ **hergestellt** fabriqué(e) à la main **2.** *(Gegenstand)* ouvrage *m* fait à la main; *(kunstge-*werblicher *Gegenstand)* travail *m* artisanal; **etw ist** ~ qc est fait(e) à la main **3.** *(Näh-, Strick-, Häkelarbeit)* travaux *mpl* d'aiguille **4.** *fam* *(~sunterricht)* [cours *m* de] couture *f* **Handball** *m* **1.** *kein Pl* *(Spiel)* handball *m;* ~ **spielen** faire du handball **2.** *(Ball)* balle *f,* ballon *m* **Handballer(in)** *m(f) fam* joueur(-euse) *m(f)* de hand **Handballspieler(in)** *m(f)* handballeur(-euse) *m(f)* **Handbesen** *s.* **Handfeger Handbetrieb** *m* *kein Pl* fonctionnement *m* manuel **Handbewegung** *f* geste *m* de la main **handbreit I.** *adj* large comme la main **II.** *adv* ~ **offen stehen** *Fenster, Tür:* être ouvert d'une largeur de main **Handbremse** *f* frein *m* à main; *eines Fahrrads* frein **Handbuch** *nt* manuel *m*
Händchen <-s, -> *nt Dim von* **Hand** menotte *f;* ~ **halten** *fam* se tenir par la main **Handcreme** *f* crème *f* pour les mains **Händedruck** ['hɛndədrʊk] <-drücke> *m* poignée *f* de main **Handel** ['handəl] <-s> *m kein Pl* **1.** commerce *m;* ~ **treiben** faire du commerce; **etw in den** ~ **bringen** mettre qc sur le marché; **etw aus dem** ~ **ziehen** retirer qc du commerce **2.** *(Abmachung, Geschäft)* marché *m*
Händel *Pl geh* *(Streit)* dispute *f*
handeln ['handəln] **I.** *vi* **1.** mit etw ~ faire le commerce de qc **2.** *(feilschen)* **um den Preis** ~ marchander le prix **3.** *(tätig sein)* agir **4.** *(vorgehen, verfahren)* **richtig/falsch/egoistisch** ~ agir de manière correcte/incorrecte/égoïste **5.** *(zum Thema haben)* **von jdm/etw** ~ traiter de qn/qc **II.** *vr unpers* **bei dem Bild handelt es sich um eine Fälschung** en ce qui concerne le tableau, il s'agit d'un faux **III.** *vt* **1. an der Börse/für 50 Euro das Kilo gehandelt werden** se négocier à la Bourse/pour 50 euros le kilo **2.** *fig* **als Kandidat gehandelt werden** être pressenti comme candidat
Handeln <-s> *nt* **1.** *(Handeltreiben)* **das** ~ **mit Büchern** le commerce des livres **2.** *(Feilschen)* marchandage *m* **3.** *(Tätigwerden)* réaction *f;* **jetzt ist rasches** ~ **gefragt** maintenant, il faut agir vite **4.** *(Vorgehen)* attitude *f*
Handelsabkommen *nt* accord *m* commercial **Handelsakademie** *f* A ≈ école *f* supérieure de commerce **Handelsbeschränkung** *f* restriction *f* commerciale **Handelsbilanz** *f* *einer Firma* bilan *m* commercial; *eines Staates* balance *f* commerciale **handelseinig** *adj* d'accord; **mit jdm** ~ **werden/sein** tomber/être d'accord avec qn **Handelsembargo** *nt* embargo *m*

[commercial] **Handelsflotte** *f* marine *f* marchande **Handelsgesellschaft** *f* société *f* commerciale **Handelsgesetzbuch** *nt* ≈ code *m* de commerce **Handelshafen** *m* port *m* de commerce **Handelsklasse** *f* [catégorie *f* de] qualité *f* **Handelsmarke** *f* marque *f* de fabrique **Handelsregister** *nt* registre *m* du commerce **Handelsschule** *f* ≈ école *f* de commerce **Handelsspanne** *f* marge *f* commerciale **handelsüblich** *adj* *Gepflogenheit, Preis* conforme aux usages commerciaux; *Größe, Packung* courant(e) **Handelsvertreter(in)** *m(f)* représentant(e) *m(f)* de commerce **Handelsware** *f* marchandise *f*

händeringend ['ɛndərɪŋənd] **I.** *adj* désespéré(e) **II.** *adv* **1.** *bitten, flehen* en suppliant **2.** *fam benötigen, brauchen* absolument; *suchen* désespérément **Handfeger** ['hantfeːgɐ] *m* balayette *f* **Handfertigkeit** *f* dextérité *f* **handfest** *adj* **1.** *Person* solide; *Essen* consistant(e) **2.** *Streit, Prügelei* violent(e) **3.** *Beweis, Information* solide **Handfeuerwaffe** *f* arme *f* de poing **Handfläche** *f* paume *f* de la main **Handgelenk** *nt* poignet *m* **handgemacht** *adj* fait(e) à la main **Handgemenge** *nt* bagarre *f* **Handgepäck** *nt* bagages *mpl* à main **handgeschrieben** *adj* manuscrit(e) **handgestrickt** *adj* (*von Hand gestrickt*) tricoté(e) à la main **Handgranate** *f* grenade *f* [à main]

handgreiflich *adj* **1.** *gegen jdn* ~ **werden** en venir aux mains avec qn **2.** *Beweis, Erfolg* tangible

Handgriff *m* **1.** (*Aktion*) geste *m*, opération *f*; **mit ein paar ~en** en deux temps trois mouvements **2.** (*Griff*) poignée *f*

Handhabe *f* preuve *f*; **gegen jdn eine/keine** ~ **haben** avoir/ne pas avoir prise sur qn

handhaben ['hanthaːbən] *vt* **1.** (*bedienen*) manier, manipuler *Gerät, Apparat;* se servir de *Werkzeug;* commander *Fernseher, Videorecorder* **2.** (*anwenden*) appliquer *Gesetz, Vorschrift*

Handhabung <-> *f* **1.** (*Bedienung*) eines *Geräts* utilisation *m;* eines *Autos* maniement *m;* eines *Fernsehers, Videorecorders* commande *f* **2.** (*Anwendung*) von *Gesetzen* application *f*

Handicap ['hɛndikɛp] <-s, -s> *nt* handicap *m*

händisch ['hɛndɪʃ] *adj* A *s.* **manuell**

Handkante *f* tranchant *m* de la main **Handkoffer** *m* mallette *f* **HandkussᴿᴿRR** *m* baisemain *m* **Handlanger(in)** ['hantlaŋɐ] <-s, -> *m(f)* **1.** (*ungelernter Helfer*) manœuvre *m* **2.** *pej* (*Erfüllungsgehilfe*)

---

larbin m **Handlangerdienst** *m* **jdm** ~**e leisten** être l'homme de main de qn **Handlauf** *m* main *f* courante

Händler(in) ['hɛndlɐ] <-s, -> *m(f)* **1.** (*Fachhändler, Kleinhändler*) commerçant(e) *m(f);* (*Großhändler*) négociant(e) *m(f)* **2.** (*Vertragshändler*) concessionnaire *mf*

handlich ['hantlɪç] *adj* pratique; *Auto* maniable

Handlung ['handlʊŋ] <-, -en> *f* **1.** (*Tat, Akt*) acte *m;* **unbedachte/symbolische** ~ **geste** *m* irréfléchi/symbolique **2.** (*Geschehen*) eines *Buchs, Films, Theaterstücks* action *f*

Handlungsablauf *m* déroulement *m* de l'action **Handlungsbevollmächtigte(r)** *f(m) dekl wie adj* JUR fondé(e) *m(f)* de pouvoir **handlungsfähig** *adj* JUR ayant capacité **Handlungsfreiheit** *f kein Pl* liberté *f* d'action **Handlungsspielraum** *m* marge *f* de manœuvre **Handlungsvollmacht** *f* procuration *f* commerciale **Handlungsweise** *f* (*Verhalten*) comportement *m*

Handpflege *f* manucure *f* **Handreichung** <-, -en> *f* (*Hilfeleistung*) coup *m* de main **Handrücken** *m* dos *m* de la main **Handscanner** *m* INFORM scanne[u]r *m* à main **Handschelle** *f meist Pl* menottes *fpl;* **jdm** ~**n anlegen** passer les menottes à qn **Handschlag** *m* poignée *f* de main; **mit** ~ d'une poignée de main **Handschrift** *f* **1.** (*Schrift*) écriture *f* **2.** (*Text*) manuscrit *m* **handschriftlich I.** *adj* **1.** (*von Hand geschrieben*) manuscrit(e) **2.** (*als Handschrift überliefert*) manuscrit(e) **II.** *adv* **1.** *sich bewerben* par écrit; **etw** ~ **einfügen** rajouter qc à la main **2.** (*in Form von Handschriften*) sous forme manuscrite **Handschuh** *m* gant *m* **Handschuhfach** *nt* boîte *f* à gants **Handspiel** *nt kein Pl* main *f* **Handstand** *m* poirier *m* **Handtasche** *f* sac *m* à main **Handtuch** <-tücher> *nt* serviette *f* [de toilette]; (*Frotteehandtuch*) serviette éponge **Handtuchhalter** *m* porte-serviettes *m* **Handumdrehen** ▶**im** ~ en un tour de main **handverlesen** *adj* (*sorgfältig ausgewählt*) trié(e) sur le volet **Handvoll** *s.* **Hand Handwäsche** *f* **1.** (*Waschvorgang*) lavage *m* à la main **2.** *kein Pl* (*Wäschestücke*) linge *m* à laver à la main **Handwerk** *nt* **1.** (*Beruf*) métier *m* [manuel] **2.** *kein Pl* (*Berufsstand*) artisanat *m* **Handwerker(in)** <-s, -> *m(f)* artisan(e) *m(f)* **handwerklich** *adj* artisanal(e) **Handwerksbetrieb** *m* entreprise *f* artisanale **Handwerkskammer** *f* chambre *f* des métiers **Handwerkszeug** *nt* outils *mpl* **Handwurzel** *f* carpe *m*

Handy ['hɛndi] <-s, -s> *nt* portable *m*

Handzeichen *nt* signe *m* de la main **Handzettel** *m* tract *m*

hanebüchen *adj* inouï(e)

Hanf [hanf] <-[e]s> *m* **1.** chanvre *m* **2.** (~ *samen*) chènevis *m*

Hang [haŋ, *Pl:* 'hɛŋə] <-[e]s, ˑe> *m* **1.** (*Abhang*) versant *m; eines Weinbergs* coteau *m* **2.** *kein Pl* (*Vorliebe*) penchant *m*

Hangar ['haŋgaːɐ, haŋ'gaːɐ] <-s, -s> *m* hangar *m*

Hängebrücke *f* pont *m* suspendu **Hängelampe** *f* lustre *m*

hangeln *vi* + *haben o sein* avancer à la force des bras

Hängematte *f* hamac *m*

hängen¹ ['hɛŋən] <hing, gehangen> *vi* **1.** *Lampe, Bild, Vorhang:* être accroché; **an der Decke/über dem Tisch** ~ être suspendu au plafond/au-dessus de la table; **im Schrank** ~ être pendu dans l'armoire **2.** (*herunter~*) *Zweige:* pendre **3.** (*schweben*) **über dem Wald** ~ *Nebel:* s'étendre sur la forêt; **tief** ~ *Wolken:* être très bas; **der Zigarettenrauch hängt noch im Zimmer** la fumée de cigarettes flotte encore dans la pièce **4.** (*angebunden sein, befestigt sein*) **an etw** (*dat*) ~ être accroché à qc; (*angekoppelt sein*) être attelé à qc **5.** (*voll sein*) **voller Mäntel** ~ être plein de manteaux; **voller Kirschen** ~ être chargé de cerises **6.** (*sich verbunden fühlen*) **an jdm/etw** ~ tenir à qn/qc **7.** (*sich neigen*) **nach rechts/links** ~ pencher vers la droite/vers la gauche **8.** (*fest~*) **mit dem Ärmel/der Tasche an etw** (*dat*) ~ être accroché à qc par sa manche/son sac **9.** (*haften*) **an etw** (*dat*) ~ *Schmutz:* adhérer à qc; *Blicke:* être fixé sur qc **10.** *fam* (*sitzen, stehen*) **im Sessel** ~ s'avachir dans le fauteuil; **vor dem Fernseher** ~ être collé devant la télé **11.** (*abhängig sein*) **an etw** (*dat*) ~ dépendre de qc **12.** (*gehenkt werden*) être pendu

hängen² **I.** <hängte, gehängt> *vt* **1.** (*anbringen*) **etw an die Wand/Decke** ~ accrocher qc au mur/au plafond **2.** (*aufbewahren*) **etw auf einen Bügel/in den Schrank** ~ mettre qc sur un cintre/dans l'armoire **3.** (*herunter~ lassen*) **die Arme** ~ **lassen** laisser pendre les bras **4.** (*baumeln lassen*) **etw in etw** (*akk*) ~ laisser pendre qc dans qc **5.** (*an~, befestigen*) **das Boot/den Wohnwagen ans Auto** ~ atteler le bateau/la caravane à la voiture **6.** (*er~*) pendre **II.** *vr* (*sich festsetzen*) **sich an jdn/etw** ~ *Qualle, Schmutz:* s'accrocher à qn/qc; **sich ans Telefon** ~ *fam* se mettre au téléphone

hängenⁱbleiben *s.* bleiben **I.**

hängenⁱlassen <*PP* hängen[ge]lassen> *s.* lassen **I.**

Hängeschrank *m* élément *m* du haut

Hanglage *f* terrain *m* en pente; **ein Haus in** ~ une maison située sur un terrain en pente

Hannover [ha'noːfɐ] <-s> *nt* Hanovre

Hannoveraner [-və-] <-s, -> *m* (*Pferd*) hanovrien *m*

Hansaplast® <-[e]s> *nt* sparadrap *m*

Hansdampf ▸|ein| ~ **in allen Gassen sein** *fam* être un touche-à-tout

Hanse <-> *f* Hanse *f*

Hanseat(in) <-en, -en> *m(f)* HIST hanséate *mf*

hänseln ['hɛnzəln] *vt* se moquer de; **jdn wegen etw** ~ se moquer de qn à cause de qc

Hansestadt *f* ville *f* hanséatique

Hanswurst <-e *o* -würste> ['hansvʊrst] *m* **1.** THEAT *figure comique du théâtre allemand du 18ème siècle* **2.** (*dummer Mensch*) guignol *m*

Hantel ['hantəl] <-, -n> *f* haltère *m*

hantieren* [han'tiːrən] *vi* bricoler; **mit einem Werkzeug an etw** (*dat*) ~ bricoler qc avec un outil; **in der Küche** ~ s'affairer dans la cuisine

hapern *vi unpers fam* (*nicht gut klappen*) **in Mathe hapert es bei dir** tu cafouilles en maths

Häppchen <-s, -> *nt Dim von* **Happen** (*Kleinigkeit*) bricole *f* (*fam*)

Happen ['hapən] <-s, -> *m fam* (*Bissen, Kleinigkeit*) morceau *m*

happig ['hapɪç] *adj fam Preis, Rechnung* salé(e)

happy ['hɛpi] *adj fam* tout(e) content(e)

HappyendᴿᴿRR <-s, -s>, **Happy Endᴿᴿ** ['hɛpi'ʔɛnt] <- -s, - -s> *nt* happy end *m*

Hardliner(in) ['haːtlaɪnɐ] <-s, -> *m(f)* pur *m* [et dur]/pure *f* [et dure]

Hardware ['haːtvɛːɐ] <-, -s> *f* matériel *m*

Harem <-s, -s> *m* harem *m*

Harfe ['harfə] <-, -n> *f* harpe *f;* ~ **spielen** jouer de la harpe

Harke ['harkə] <-, -n> *f bes.* NDEUTSCH râteau *m*

harken *vt bes.* NDEUTSCH ratisser

Harlekin <-s, -e> *m* arlequin *m*

harmlos ['harmloːs] **I.** *adj* **1.** *Person, Tier* inoffensif(-ive); *Krankheit* bénin(-igne); *Droge, Wunde* anodin(e); *Kurve, Rennstrecke* sans danger **2.** (*arglos*) anodin(e) **II.** *adv* **1.** (*ungefährlich*) ~ **beginnen** *Streit:* débuter de manière anodine; ~ **verlaufen** *Krankheit:* évoluer de manière bénigne **2.** (*arglos*) sans penser à mal

Harmlosigkeit <-, -en> *f einer Person* caractère *m* inoffensif; *einer Droge* innocuité *f*
Harmonie [harmo'ni:] <-, -n> *f* harmonie *f*
harmonieren* [harmo'ni:rən] *vi* **1.** MUS s'accorder **2.** (*zueinander passen*) **miteinander** ~ aller bien ensemble; (*miteinander auskommen*) s'entendre bien
Harmonika <-, -s *o* Harmoniken> *f* (*Ziehharmonika*) accordéon *m*
harmonisch [har'mo:nɪʃ] I. *adj* harmonieux(-euse) II. *adv* harmonieusement; *verlaufen, zusammenleben* dans l'harmonie; **nicht sehr** ~ **klingen** *Musik:* ne pas être très harmonieux
harmonisieren* *vt* harmoniser; **die Preise** ~ harmoniser les prix
Harmonium [-niən] <-s, -nien> *nt* harmonium *m*
Harn [harn] <-[e]s, -e> *m* urine *f*
Harnblase *f* vessie *f*
Harnisch <-[e]s, -e> *m* HIST armure *f*
Harnleiter *m* uretère *m* **Harnstoff** *m* urée *f* **harntreibend** I. *adj* diurétique II. *adv* ~ **wirken** avoir un effet diurétique
Harpune [har'pu:nə] <-, -n> *f* harpon *m*
harren ['harən] *vi geh* attendre; **er harrte ihrer** (*gen*) il l'attendait
Harsch <-[e]s> *m* neige *f* tôlée
hart [hart] <⁼er, ⁼este> I. *adj* **1.** (*nicht weich*) dur(e); *Matratze, Stoßdämpfer* ferme; *Kontaktlinsen* rigide **2.** (*heftig*) brutal(e) **3.** *Klang, Akzent* rude **4.** *Auseinandersetzung* véhément(e) **5.** *Droge* dur(e) **6.** *Pornografie, Film* hard **7.** *Person* endurci(e); ~ **werden** s'endurcir **8.** *Währung* fort(e) **9.** *Person, Worte, Strafe, Gesetz* dur(e); *Winter* rigoureux(-euse) **10.** *Zeiten, Schlag* dur(e); *Schicksal, Tatsache* cruel(le); **es ist** ~ **für jdn, dass** c'est dur pour qn de voir que **11.** *Arbeit* dur(e); *Verhandlung* difficile ▶~ **im Nehmen sein** [bien] encaisser (*fam*) II. *adv* **1.** *schlafen* sur quelque chose de dur **2.** *fallen* brutalement; *aufprallen, zuschlagen, geraten* violemment; ~ **durchgreifen** sévir; **jdn** ~ **treffen** *Kritik, Verlust:* toucher durement qn **3.** (*streng*) durement **4.** *arbeiten* dur **5.** (*unmittelbar*) ~ **an der Grenze des Erlaubten sein** être à la limite de la légalité
Härte ['hɛrtə] <-, -n> *f* **1.** *eines Metalls* trempe *f* **2.** (*Kalkgehalt*) dureté *f* **3.** *kein Pl* (*Wucht*) force *f* **4.** *kein Pl* (*Stabilität*) *einer Währung* force *f* **5.** *kein Pl* (*Strenge, Unerbittlichkeit*) *eines Gesetzes, einer Maßnahme* dureté *f*; *von Auseinandersetzungen* véhémence *f*; *des Lebens* rigueur *f* ▶**das ist die** ~! *fam* (*das ist unerhört*) c'est le bouquet!; (*das ist super*) c'est génial!

Härtefall *m* **1.** *cas m* social extrême **2.** *fam* (*Mensch*) cas *m* difficile (*péj*) **Härtegrad** *m* degré *m* de dureté
härten *vt* tremper *Metall*
Härtetest *m* test *m* [de résistance]
hartgefroren *s.* gefroren II. **hartgekocht** *s.* kochen II. **Hartgeld** *nt* pièces *fpl* [de monnaie] **hartgesotten** *adj* ein ~er Bursche un dur [à cuire] (*fam*) **hartherzig** *adj Person* insensible **Hartholz** *nt* bois *m* dur **Hartkäse** *m* fromage *m* à pâte dure **hartnäckig** ['hartnɛkɪç] I. *adj* **1.** *Person* persévérant(e); *Widerstand* acharné(e); *Schweigen* têtu(e) **2.** *Erkältung* tenace II. *adv* avec persévérance; *schweigen* avec entêtement **Hartnäckigkeit** <-> *f* **1.** (*Beharrlichkeit*) persévérance *f*; *pej* entêtement *m* **2.** (*Langwierigkeit*) ténacité *f*
Hartwurst *f* saucisson *m*
Harz¹ [ha:ɐ̯ts] <-es, -e> *nt* résine *f*
Harz² <-es> *m* GEOG **der** ~ le Harz
Harzer <-s, -> *m* fromage *m* du Harz
harzig *adj Holz* résineux(-euse)
Hasch <-[s]> *nt fam* hasch *m*
Haschee <-s, -s> *nt* hachis *m*
haschen ['haʃən] *vi fam* (*Haschisch rauchen*) fumer du hasch
Haschisch ['haʃɪʃ] <-[s]> *nt o m* hachich *m*, haschisch *m*
Hase ['ha:zə] <-n, -n> *m* **1.** (*Tier, Fleisch*) lièvre *m* **2.** DIAL (*Kaninchen*) lapin *m* ▶**ein alter** ~ **sein** *fam* être un vieux routier
Haselnussᴿᴿ *f* noisette *f*
Hasenbraten *m* rôti *m* de lièvre **Hasenfuß** *m fam* poule *f* mouillée **Hasenscharte** *f* bec-de-lièvre *m*
Hassᴿᴿ <-es> **Haß** [has] <-sses> *m* haine *f* ▶**einen** ~ **auf jdn haben** *fam* en vouloir à mort à qn; **einen** ~ **auf jdn kriegen** piquer une crise contre qn
hassen ['hasən] *vt* haïr; **jdn** ~ haïr qn; **etw** ~ détester qc; **es** ~ **etw zu tun** avoir horreur de faire qc
hasserfülltᴿᴿ *adj* haineux(-euse)
hässlichᴿᴿ, **häßlich** ['hɛslɪç] I. *adj* **1.** laid(e) **2.** *Ausdruck, Fluch, Wort* méchant(e) **2.** (*unerfreulich*) regrettable; *Streit* désagréable II. *adv* **1.** *geschminkt, angezogen* mal **2.** (*gemein*) mal; ~ **von jdm sprechen** dire du mal de qn
Hässlichkeitᴿᴿ, **Häßlichkeit** <-> *f* laideur *f*
Hassliebeᴿᴿ *f* mélange *m* d'amour et de haine
hast *2. Pers Präs von* haben
Hast [hast] <-> *f* hâte *f*; **ohne** ~ tranquillement; **voller** ~ à la hâte
hasten ['hastən] *vi + sein geh* se hâter; **zum Bus** ~ courir au bus
hastig I. *adj Bewegung* précipité(e); *Schritte*

pressé(e); *Essen* rapide; *Befehl, Erklärung* bref(-ève); **nicht so** ~**!** pas si vite! **II.** *adv* précipitamment

hat [hat] *3. Pers Präs von* **haben**

hätscheln *vt* (*liebkosen*) dorloter

hatschi *interj* atchoum

hatte [ˈhatə] *Imp von* **haben**

Hatz <-, -en> *f* (*Hetzjagd*) chasse *f* à courre

Haube [ˈhaʊbə] <-, -n> *f* **1.** (*Kopfbedeckung*) coiffe *f* **2.** (*Trockenhaube*) casque *m* **3.** (*Motorhaube*) capot *m*

Hauch [haʊx] <-[e]s, -e> *m geh* **1.** (*Atem*) souffle *m* **2.** (*Luftzug*) souffle *m* **3.** (*Duft*) **ein** ~ **von Flieder** des effluves de lilas **4.** (*Anflug*) **ein** ~ **von Ironie** un soupçon d'ironie; **der** ~ **eines Lächelns** l'ombre d'un sourire **5.** (*Flair*) **der** ~ **von Abenteuer** un parfum d'aventure

hauchdünn [ˈhaʊxˈdʏn] **I.** *adj Scheibe* mince; *Stoff* vaporeux(-euse); *Mehrheit, Sieg* [très] juste **II.** *adv schneiden* en tranche[s] très fine[s]; *auftragen* en couche[s] très fine[s]

hauchen [ˈhaʊxən] **I.** *vi* souffler; **gegen/ in etw** (*akk*) ~ souffler contre/dans qc **II.** *vt* **eine Antwort** ~ murmurer une réponse dans un souffle; **jdm etw ins Ohr** ~ chuchoter qc à l'oreille de qn

Haudegen *m* sabreur *m*

Haue [ˈhaʊə] <-, -n> *f* **1.** *kein Pl fam* (*Prügel*) raclée *f;* ~ **kriegen** prendre une raclée **2.** SDEUTSCH, CH, A (*Hacke*) houe *f*

hauen¹ [ˈhaʊən] <haute *o* hieb, gehauen *o fam* gehaut> **I.** *vt + haben* (*schlagen, verprügeln*) cogner ▸ **jdm eine** ~ en coller une à qn **II.** *vi + haben* cogner; **er hat ihm anerkennend auf die Schulter gehauen** il lui a tapé avec approbation sur l'épaule

hauen² <haute, gehauen *o* DIAL gehaut> **I.** *vt + haben* **1.** (*schlagen*) **ein Loch/einen Nagel in die Wand** ~ faire un trou/enfoncer un clou dans le mur **2.** (*herstellen*) **eine Statue in Marmor** ~ tailler une statue dans le marbre **II.** *vi + sein fam* **mit dem Kopf gegen etw** ~ se cogner la tête contre qc **III.** *vr + haben fam* **1.** (*sich prügeln*) **sich** ~ se tabasser **2.** (*sich werfen*) **sich aufs Sofa/in den Sessel** ~ s'écrouler sur le canapé/dans le fauteuil

Hauer <-s, -> *m* (*Eckzahn*) défense *f*

Häufchen <-s, -> *nt Dim von* **Haufen** petit tas *m*

Haufen [ˈhaʊfən] <-s, -> *m* **1.** tas *m;* **alles auf einen** ~ **werfen** jeter tout en un tas **2.** *fam* (*große Menge, Menschenschar*) tas *m;* **ein** ~ **Kinder** un tas d'enfants **3.** *fam* (*Gruppe*) bande *f;* **ein wilder** ~

une bande de fripouilles ▸ **etw über den** ~ **werfen** *fam* mettre qc au panier

häufen [ˈhɔyfən] **I.** *vt* entasser *Vorräte;* cumuler *Ämter;* **sich** (*dat*) **Reis auf den Teller** ~ entasser du riz sur son assiette **II.** *vr* **sich** ~ *Abfall, Müll:* s'entasser; *Fälle, Vorkommnisse:* se répéter

haufenweise *adv* **1.** en tas **2.** *fam* (*in großer Zahl*) en masse **Haufenwolke** *f* cumulus *m*

häufig [ˈhɔyfɪç] **I.** *adj* fréquent(e) **II.** *adv* fréquemment, souvent

Häufigkeit <-, -en> *f* fréquence *f*

Häufung <-, -en> *f von Ämtern* cumul *m*

Haupt [haʊpt, *Pl:* ˈhɔyptə] <-[e]s, Häupter> *nt geh* **1.** tête *f;* **etw mit bloßem** ~ **tun** faire qc nu-tête **2.** (*zentrale Figur*) tête *f*

Hauptakzent *m* LING accent *m* principal ▸ **den** ~ **auf etw legen** mettre l'accent sur qc **hauptamtlich** *adj Tätigkeit* professionnel(le) **Hauptausgang** *m* sortie *f* principale **Hauptbahnhof** *m* gare *f* centrale **Hauptbelastungszeuge** *m,* **-zeugin** *f* JUR témoin *m* principal à charge **Hauptberuf** *m* activité *f* [professionnelle] principale **hauptberuflich** **I.** *adj* ~**e Tätigkeit** principale activité *f* professionnelle **II.** *adv* **was machen Sie** ~**?** que faites-vous comme métier? **Hauptdarsteller(in)** *m(f)* premier rôle *m* **Haupteingang** *m* entrée *f* principale

Häuptel <-s, -[n]> *nt* A tête *f*

Häuptelsalat *m* A laitue *f*

Hauptfach *nt* matière *f* principale **Hauptfigur** *f* figure *m* de proue **Hauptgebäude** *nt* bâtiment *m* central **Hauptgericht** *nt* plat *m* de résistance **Hauptgeschäftszeit** *f* heures *fpl* d'affluence **Hauptgewinn** *m* gros lot *m* **Hauptlast** *f* charge *f* principale

Hauptleute *Pl von* **Hauptmann**

Häuptling [ˈhɔyptlɪŋ] <-s, -e> *m* chef *m* de tribu

Hauptmahlzeit *f* repas *m* principal **Hauptmann** <-leute> *m* MIL capitaine *m* **Hauptmenü** *nt* INFORM menu *m* principal **Hauptperson** *f* **1.** THEAT personnage *m* principal **2.** (*tonangebende Person*) vedette *f;* (*wichtigste Person*) personnage *m* central **Hauptpost** *f,* **Hauptpostamt** *nt* poste *f* centrale **Hauptquartier** *nt* quartier *m* général **Hauptreisezeit** *f* période *f* des grands départs **Hauptrolle** *f* premier rôle *m;* **in etw** (*dat*) **die** ~ **spielen** *Schauspieler:* jouer le premier rôle dans qc **Hauptsache** *f* **die** ~ le principal; ~**, du bleibst** l'important, c'est que tu restes; **in der** ~ essentiellement **hauptsächlich** [ˈhaʊptzɛçlɪç] **I.** *adj Anliegen, Problem* ca-

pital(e), principal(e) **II.** *adv* surtout **Haupt-
saison** *f* haute saison *f* **Hauptsatz** *m*
(*übergeordneter Satz*) proposition *f* principale **Hauptschalter** *m* **1.** guichet *m* principal **2.** ELEC commutateur *m* central
Hauptschlagader *f* aorte *f* **Hauptschlüs-
sel** *m* passe-partout *m* **Hauptschulabschluss**^RR *m brevet sanctionnant la Hauptschule* **Hauptschuld** *f kein Pl* responsabilité *f* principale **Hauptschuldige(r)** *f(m)*
dekl wie adj principal fautif *m*/principale
fautive *f* **Hauptschule** *f établissement
scolaire entre l'école primaire et la formation professionnelle, surtout artisanale,
qui propose des cours plus simples que la
Realschule* **Hauptschüler(in)** *m(f)* élève
de *Hauptschule* **Hauptschullehrer(in)**
m(f) professeur de Hauptschule **Haupt-
speicher** *m* INFORM mémoire *f* centrale
Hauptstadt *f* capitale *f* **Hauptstraße** *f*
rue *f* principale **Hauptteil** *m* majeure partie *f* **Hauptverhandlung** *f* audience *f*
principale **Hauptverkehrsstraße** *f* (*inner-
halb/außerhalb einer Ortschaft*) rue *f*/
route *f* à grande circulation **Hauptverkehrszeit** *f* heures *fpl* de pointe **Hauptversammlung** *f* assemblée *f* générale
Hauptwäsche *f* lavage *m* **Hauptwasch-
gang** *m* [cycle *m* de] lavage *m* **Hauptwohnsitz** *m* résidence *f* principale
Hauptwort <-wörter> *nt* nom *m*, substantif *m*
Haus [haʊs, *Pl:* 'hɔʏzə] <-es, Häuser> *nt*
1. (*Wohnhaus*) maison *f;* (*mehrstöckiges
Wohnhaus*) immeuble *m; ins* ~ **gehen/
kommen** aller/venir à la maison **2.** (*Wohnung, Zuhause*) **aus dem** ~ **gehen** sortir
de chez soi; **nach** ~**e gehen/kommen**
rentrer [à la maison]; **jdn nach** ~**e bringen** raccompagner qn chez lui/elle; **bei
ihr zu** ~**e** chez elle; **zu** ~**e ist es doch am
schönsten!** c'est encore chez soi qu'on est
le mieux!; **etw ins** ~ **liefern** *fam* livrer qc
à domicile **3.** (*Familie*) **die Dame/die
Tochter des** ~**es** la maîtresse de maison/
la fille de la maison; **aus gutem** ~**e** de bonne famille **4.** (*Dynastie*) **das** ~ **Habsburg**
la maison des Habsbourg **5.** *geh* (*Firma*)
maison *f;* **im** ~**e sein** être dans l'établissement; **außer** ~[**e**] **sein** être à l'extérieur
6. (*Schneckenhaus*) coquille *f* **7.** *fam*
(*Mensch, Freund*) **na, altes** ~! *fam* alors,
vieille branche! ►**das europäische** ~ la
construction européenne; **das Weiße** ~ la
Maison-Blanche; **sich bei jdm wie zu** ~**e
fühlen** se sentir chez qn comme chez soi;
fühl dich/fühlen Sie sich wie zu ~**e!**
fais comme chez toi/faites comme chez
vous!; **in Hamburg zu** ~**e sein** être [origi-

naire] de Hambourg
Hausangestellte(r) *f(m)* employé(e) *m(f)*
de maison **Hausapotheke** *f* pharmacie *f*
Hausarbeit *f* **1.** (*Arbeit im Haushalt*) travaux *mpl* ménagers **2.** UNIV [wissenschaft-
liche] ~ mémoire *m* **Hausarrest** *m* (*Strafe
für ein Kind*) privation *f* de sortie; ~ **haben** être privé de sortie **Hausarzt** *m*, **-ärz-
tin** *f* médecin *mf* de famille **Hausaufgaben** *Pl* devoirs *mpl* **hausbacken** *adj* vieil-
lot(te) **Hausbar** *f* (*Teil eines Wohnzim-
merschranks*) élément-bar *m* **Hausbau**
<-bauten> *m* construction *f* de la mai-
son/de l'immeuble **Hausbesetzer(in)**
m(f) squatte[u]r *m* **Hausbesetzung** *f*
squat *m* **Hausbesitzer(in)** *m(f)* propriétaire *mf* [de la maison/de l'immeuble] **Haus-
besorger(in)** [haʊsbəzɔrgə] A *s.* **Haus-
meister(in)** **Hausbewohner(in)** *m(f)* oc-
cupant(e) *m(f)* [de l'immeuble]
Häuschen ['hɔʏsçən] <-s, -> *nt Dim von*
Haus petite maison *f* ►**ganz aus dem** ~
sein *fam* être [tout] tourneboulé
Hausdurchsuchung *f* perquisition *f* **hauseigen** *adj* (*hoteleigen*) privé(e) **Hausei-
gentümer(in)** *s.* **Hausbesitzer(in)**
hausen ['haʊzən] *vi pej fam* (*wohnen*)
crécher; **in einer Bruchbude** ~ crécher
dans une turne
Häuserblock ['hɔʏzɛblɔk] *m* pâté *m* de
maisons **Häuserfront** *f* alignement *m* de
façades
Hausflur *m* vestibule *m* **Hausfrau** *f* **1.** femme *f* au foyer **2.** A, SDEUTSCH (*Zimmerwir-
tin*) logeuse *f* **Hausfreund** *m* (*Freund der
Familie*) ami *m* de la famille **Hausfriedensbruch** *m* violation *f* de domicile
Hausgebrauch ►**für den** ~ (*für durchschnittliche Ansprüche*) pour ce que qu'il
veut/je veux/... en faire **hausgemacht**
['haʊsgəmaxt] *adj Brot, Marmelade*
[fait(e)] maison **Hausgemeinschaft** *f*
communauté *f* des occupants de l'immeuble
Haushalt ['haʊshalt] <-[e]s, -e> *m* **1.** (*Familie, Personengruppe*) foyer *m; ein* gro-
ßer/kleiner ~ une grande/petite famille
2. jdm den ~ **führen** tenir la maison de
qn **3.** (*Etat*) budget *m* **haus|halten** *vi irr
fig* **mit seinen Kräften** ~ ménager ses forces **Haushälter(in)** <-s, -> *m(f)* inten-
dant(e) *m(f);* **die** ~**ins des Pfarrers** la gouvernante du curé **Haushaltsartikel** *m* article *m* ménager **Haushaltsdebatte** *f* débat
m budgétaire **Haushaltsgeld** *nt* argent *m*
du ménage **Haushaltsgerät** *nt* ustensile
m ménager **Haushaltsjahr** *nt* année *f*
budgétaire **Haushaltspackung** *f* paquet
m familial **Haushaltsplan** *m* état *m* prévi-

sionnel **Haushaltswaren** *Pl* articles *mpl* ménagers

Haushaltung *f form* (*Haushalt*) foyer *m* **Hausherr(in)** *m(f)* maître(-esse) *m(f)* de maison **haushoch** ['haʊsˈhoːx] **I.** *adj* **1.** *Mauer, Flammen* immense; *Kran, Lkw* énorme **2.** *Favorit, Sieger* grandissime (*fam*); *Niederlage, Sieg* écrasant(e) **II.** *adv* de façon écrasante; *gewinnen* haut la main **hausieren*** *vi* colporter; **mit etw** ~ colporter qc

Hausierer(in) <-s, -> *m(f)* colporteur(-euse) *m(f)*

Hauslehrer(in) *m(f)* précepteur(-trice) *m(f)* **häuslich** ['hɔyslɪç] *adj Person* casanier(-ière); *Frieden, Glück, Harmonie* familial(e); *Arbeiten, Pflichten* ménager(-ère); *Angelegenheiten* privé(e)

Hausmacherart ▸**nach** ~ à l'ancienne **Hausmann** <-männer> *m* homme *m* au foyer **Hausmeister(in)** *m(f)* concierge *mf* **Hausmittel** *nt* remède *m* de grand-mère **Hausmüll** *m* ordures *fpl* ménagères **Hausmusik** *f* concert *m* en famille **Hausnummer** *f* numéro *m* **Hausordnung** *f* règlement *m* intérieur **Hausrat** <-[e]s> *m* biens *mpl* mobiliers **Hausratversicherung** *f* assurance *f* mobilière **Hausrecht** *nt* JUR droit *m* de jouissance légale **Hausschlüssel** *m* clé *f* de la maison **Hausschuh** *m* chausson *m*

Hausse ['hoːsə] <-, -n> *f* FIN hausse *f*; **auf** ~ **spekulieren** spéculer à la hausse

Haussegen ▸**der** ~ **hängt bei jdm schief** *hum fam* il y a de l'eau dans le gaz chez qn **haussieren** *vi* FIN *Markt, Börse:* être en hausse

Haussuchung *s.* **Hausdurchsuchung Haustelefon** *nt* interphone *m* **Haustier** *nt* animal *m* domestique **Haustür** *f* porte *f* d'entrée **Hausverbot** *nt* interdiction *f* d'entrer **Hausverwalter(in)** *m(f)* gérant(e) *m(f)* de l'immeuble **Hausverwaltung** *f* (*Institution*) gérance *f* de l'immeuble **Hauswirt(in)** *m(f)* logeur(-euse) *m(f)* **Hauswirtschaft** *f* économie *f* domestique; (~*slehre*) enseignement *m* ménager **Hauswirtschafter(in)** <-s, -> *m(f)* intendant(e) *m(f)*

Haut [haʊt, *Pl:* 'hɔytə] <-, **Häute**> *f* peau *f*; **trockene/empfindliche** ~ peau sèche/sensible; **viel** ~ **zeigen** *hum* dévoiler beaucoup de choses ▸**mit heiler** ~ **davonkommen** *fam* (*unverletzt*) s'en tirer sans une égratignure; (*ungestraft*) s'en sortir sans dommage; **nass bis auf die** ~ trempé(e) jusqu'aux os; **aus der** ~ **fahren** *fam* sortir de ses gonds

Hautabschürfung *f* éraflure *f* **Hautarzt**

m, **-ärztin** *f* dermatologue *mf* **Hautausschlag** *m* éruption *f* **Hautcreme** *f* crème *f* **häuten** ['hɔytən] **I.** *vt* retirer la peau de *Fisch;* écorcher *Hasen* **II.** *vr* **sich** ~ muer **hauteng** ['haʊtɛŋ] **I.** *adj* moulant(e) **II.** *adv* ~ **anliegen** coller à la peau **Hautfarbe** *f* couleur *f* de peau **Hautkontakt** *m* contact *m* corporel **Hautkrankheit** *f* maladie *f* de peau **Hautkrebs** *m* cancer *m* de la peau **hautnah** **I.** *adj Kontakt* corps contre corps **II.** *adv* **1.** (*sehr nah*) collé(e)s l'un(e) à l'autre **2.** *fam darstellen, schildern* en collant à la réalité; *miterleben* de tout près; *vermitteln* de façon palpable **Hautpflege** *f* soins *mpl* de peau

Havannazigarre [-va-] *f* havane *m* **Havarie** [-va-, -'riːən] <-, -n> *f* NAUT accident *m* de navigation

Haxe ['haksə] <-, -n> *f* **1.** SDEUTSCH *eines Kalbs* jarret *m; eines Schweins* jambonneau *m* **2.** *fam* (*Bein*) guibo[l]le *f*

Hbf. *Abk von* **Hauptbahnhof** gare *f* centrale

H-Bombe ['haːˈbɔmbə] *f* bombe *f* H **HD-Diskette** [haːˈdeːdɪsˈkɛtə] *f* INFORM disquette *f* haute densité

HDTV [haːdeːteːˈfaʊ] <-s> *nt Abk von* **High definition Television** TVHD *f*

H-Dur ['haː-] <-> *nt* si *m* majeur **heavy** ['hɛvi] *adj fam* ~ **sein** être dingue **Hebamme** ['heːpʔamə] <-, -n> *f* sage-femme *f*

Hebebühne *f* pont *m* élévateur **Hebel** ['heːbəl] <-s, -> *m* levier *m;* **einen** ~ **betätigen** actionner un levier ▸**alle** ~ **in Bewegung setzen** *fam* mettre tout en œuvre; **am längeren** ~ **sitzen** *fam* tenir les commandes

heben ['heːbən] <hob, gehoben> **I.** *vt* **1.** lever *Hand, Arm, Bein, Kopf* **2.** (*hoch*~) soulever **3.** (*bergen*) mettre au jour **4.** (*verbessern*) rehausser *Ansehen;* remonter *Stimmung, Selbstbewusstsein;* relever *Niveau* **5.** *fam* (*trinken*) **einen** ~ boire un coup; **einen auf etw** (*akk*) ~ arroser qc; **gern einen** ~ lever bien le coude **II.** *vr* **sich** ~ *Vorhang, Schranke:* se lever; *Brust, Deckel:* se soulever **III.** *vi* (*Lasten* ~) soulever de lourdes charges

Hebräer(in) [heˈbrɛːɐ] <-s, -> *m(f)* Hébreu *m/*Juive *f*

hebräisch [heˈbrɛːɪʃ] **I.** *adj* hébraïque **II.** *adv* ~ **miteinander sprechen** discuter en hébreu; *s. a.* **deutsch**

Hebräisch <-[s]> *nt kein art* hébreu *m; s. a.* **Deutsch**

Hebung <-, -en> *f* POES accent *m* **hecheln** ['hɛçəln] *vi* **1.** (*schnell atmen*) haleter **2.** *fam* (*herziehen*) **über jdn/etw** ~

baver sur qn/qc
Hecht [hɛçt] <-[e]s, -e> m brochet m
Hechtsprung m saut m en extension
Heck [hɛk] <-[e]s, -e o -s> nt eines Autos arrière m; eines Schiffs poupe f; eines Flugzeugs queue f
Hecke ['hɛkə] <-, -n> f haie f
Heckenrose f (Busch) églantier m **Heckenschere** f (elektrisch) taille-haie m **Heckenschütze** m, **-schützin** f franc-tireur m
Heckfenster nt lunette f arrière **Heckklappe** f hayon m **Heckmotor** m moteur m [à l']arrière **Heckscheibe** f vitre f arrière **Heckscheibenheizung** f dégivrage m de la vitre arrière **Heckscheibenwischer** m essuie-glace m arrière **Heckspoiler** m spoiler m arrière
Heer [heːɐ̯] <-[e]s, -e> nt **1.** MIL armée f; (Bodenstreitkräfte) armée de terre **2.** (große Anzahl) **ein ~ von Touristen/Heuschrecken** une armée de touristes/une nuée de sauterelles
Hefe ['heːfə] <-, -n> f levure f; (Backhefe für Kuchen) levure [fraîche] de boulanger; (Trockenhefe) levure chimique
Hefekuchen m gâteau m à la pâte levée **Hefeteig** m pâte f levée
Heft [hɛft] <-[e]s, -e> nt **1.** (Schreibheft) cahier m **2.** (Zeitschrift) revue f; (einzelne Ausgabe) numéro m
heften ['hɛftən] **I.** vt **1.** (befestigen) **etw an die Tür/Wand** ~ fixer qc sur la porte/au mur **2.** (nähen) faufiler; (mit Nadeln feststecken) épingler **3.** (klammern) brocher **II.** vr **sich auf jdn/etw** ~ Blick, Augen: se fixer sur qn/qc
Hefter <-s, -> m (Mappe) classeur m
heftig ['hɛftɪç] **I.** adj Person, Schmerz, Schlag violent(e); Erkältung, Schneefall fort(e); ~ **werden** Person: s'emporter **II.** adv **1.** nicken, dementieren avec véhémence; wettern, sich streiten violemment **2.** aufprallen, schlagen avec violence; schneien fortement
Heftigkeit <-> f (Intensität) violence f
Heftklammer f **1.** agrafe f **2.** (Büroklammer) trombone f **Heftpflaster** nt sparadrap m **Heftzwecke** <-, -n> f punaise f
Hegemonie [hegemo'niː] <-, -n> f hégémonie f
hegen ['heːgən] vt **1.** prendre soin de Garten, Pflanzen; **Wild** ~ gérer un territoire de chasse **2.** geh avoir Wunsch, Hoffnung, Zweifel; **Abneigung/Groll/einen Verdacht gegen jdn** ~ nourrir une aversion/un ressentiment/un soupçon contre qn
Hehl [heːl] nt o m ▸ **kein[en]** ~ **aus etw machen** ne pas faire mystère de qc

Hehler(in) ['heːlɐ] <-s, -> m(f) receleur(-euse) m(f)
Hehlerei <-, -en> f recel m
Heide ['hajdə] <-, -n> f **1.** lande f **2.** (~kraut) bruyère f
Heide <-n, -n> m, **Heidin** f païen(ne) m(f)
Heidekraut nt bruyère f **Heideland** nt lande f
Heidelbeere ['hajdəlbeːrə] f myrtille f
Heidenangst f kein Pl fam peur f bleue **Heidengeld** nt kein Pl fam argent m fou; **ein ~ kosten** coûter la peau des fesses **Heidenrespekt** m fam respect m religieux **Heidenspaß** m fam jdm einen ~ **machen** fair vachement plaisir à qn; **das war ein ~!** c'était le pied!
Heidentum <-s> nt paganisme m
Heidin ['hajdɪn] s. Heide
heidnisch ['hajdnɪʃ] **I.** adj païen(ne) **II.** adv en païen(ne)
heikel ['hajkəl] adj (schwierig) délicat(e)
heil [hajl] adj Person, Gegenstand intact(e); ~ **sein** Person: être sain et sauf, être indemne; Glieder, Knochen: ne pas avoir subi de dommage
Heil <-s> nt (Wohlergehen) bien-être m; (Glück) bonheur m; (seelisches ~) salut m
Heiland ['hajlant] <-[e]s, -e> m Sauveur m
Heilbad nt station f thermale
heilbar adj curable
heilen ['hajlən] **I.** vi + sein Wunde, Bruch: guérir **II.** vt guérir Person, Krankheit ▸ **von jdm/etw geheilt sein** hum être guéri de qn/qc
heilfroh adj fam ~ **sein** être vachement content
heilig ['hajlɪç] **I.** adj **1.** Ort, Stätte sacré(e); Kommunion, Sakrament, Taufe saint(e); **der -e Benedikt** saint Benoît; **die Heilige Jungfrau Maria** la Sainte Vierge **2.** (unantastbar) **jdm ist etw** ~ qc est sacré(e) pour qn **3.** geh Stille, Schauer, Scheu, Pflicht sacré(e); Eid solennel(le); Eifer saint(e) **4.** fam Zorn saint(e) antéposé; Respekt [sacro-] saint(e) antéposé; Not sacré(e) antéposé (fam) ▸ **jdm ist nichts** ~ qn n'a de respect pour rien **II.** adv jdn ~ **sprechen** canoniser qn
Heiligabend [hajlɪç'ʔaːbənt] m (Abend des 24. Dezembers) soir m de Noël; (Feier) réveillon m de Noël
Heilige(r) f(m) dekl wie adj saint(e) m(f)
heiligen ['hajlɪgən] vt **1.** (weihen) consacrer; **geheiligt** sacré(e) **2.** (heilig halten) sanctifier
Heiligenbild nt portrait m de saint(e) **Heiligenschein** m auréole f
Heiligkeit <-> f kein Pl Eure/Seine ~ Vo-

tre/Sa Sainteté
heilig|sprechen s. heilig II.
Heiligtum <-s, -tümer> nt sanctuaire m
▶ **das ist sein/ihr ~** fam il/elle y tient
comme à la prunelle de ses yeux
Heilkraft f vertus fpl curatives **Heilkraut**
nt meist Pl simple f **Heilkunde** f kein Pl
geh médecine f
heillos I. adj terrible **II.** adv terriblement
Heilmittel nt remède m **Heilpflanze** f
plante f officinale **Heilpraktiker(in)** m(f)
guérisseur(-euse) m(f) [reconnu(e) par
l'État] **Heilquelle** f source f thermale
heilsam adj salutaire
Heilsarmee f kein Pl Armée f du Salut
Heilung <-, -en> f **1.** eines Kranken, einer
Krankheit guérison f **2.** einer Wunde cicatrisation f
Heilungsprozessᴿᴿ m processus m de guérison
heim [hajm] adv à la maison
Heim <-[e]s, -e> nt **1.** (Zuhause) domicile
m **2.** (Seniorenheim) foyer m de personnes âgées **3.** (Erziehungsheim) foyer m
[éducatif] **4.** (Erholungsheim) maison f de
repos; (Kindererholungsheim) centre m
Heimarbeit f travail m à domicile **Heimar-
beiter(in)** m(f) travailleur(-euse) m(f) à
domicile
Heimat ['hajmaːt] <-, -en> f **1.** pays m
[natal] **2.** (Zufluchtstätte) refuge m **3.** (Herkunftsland) eines Tiers, einer Pflanze pays
m d'origine
Heimatanschrift f adresse f [à la maison]
Heimatdichter(in) m(f) poète m/poétes-
se f du terroir **Heimatfilm** m film m régionaliste (sur les mœurs villageoises)
Heimatkunde f kein Pl étude f du patrimoine local **Heimatland** nt pays m [natal]
heimatlich adj **1.** (zur Heimat gehörend)
du pays, de son/mon/… pays [natal] **2.** Ge-
rüche, Düfte, Klänge du pays
heimatlos adj apatride
Heimatlose(r) f(m) dekl wie adj apatride mf
Heimatmuseum nt musée m local **Hei-
matort** m lieu m d'origine **Heimatver-
triebene(r)** f(m) dekl wie adj expulsé(e)
m(f)
heim|bringen vt irr jdn ~ ramener qn chez
lui/elle
Heimchen ▶ ~ **am Herd** pej ménagère f
popote (fam)
Heimcomputer m ordinateur m familial
heimelig adj douillet(te)
heim|fahren irr **I.** vi + sein rentrer à la mai-
son **II.** vt + haben jdn ~ reconduire qn à la
maison **Heimfahrt** f [trajet m du] retour m
heim|gehen vi irr + sein rentrer chez soi
heimisch adj **1.** (einheimisch) local(e); Be-

völkerung autochtone **2.** (vertraut) **sich ~
fühlen** se sentir chez soi
Heimkehr ['hajmkeːɐ̯] <-> f **1.** retour m [à
la maison] **2.** (Rückkehr ins Heimatland)
retour m au pays **heim|kehren** vi + sein
1. rentrer; **ihr seid schon heimgekehrt?**
vous êtes déjà de retour? **2.** (in das Heimatland zurückkehren) retourner dans son
pays **Heimkind** nt enfant m de la D.A.S.S.
heim|kommen vi irr + sein rentrer [chez
soi] **Heimleiter(in)** m(f) directeur(-trice)
m(f)
heimlich ['hajmlɪç] **I.** adj **1.** (geheim) se-
cret(-ète) **2.** Blick, Geste furtif(-ive) **3.** (inoffiziell) occulte **II.** adv **1.** (unbemerkt) en
cachette; zusagen, abmachen en secret
2. ansehen furtivement
Heimlichkeit <-, -en> f **1.** kein Pl (heimli-
che Art) caractère m secret; **in aller ~**
dans le plus grand secret **2.** (Geheimnis)
secret m; **immer diese ~en** toujours ces
cachotteries
Heimlichtuerei <-, -en> f pej cachotterie f
souvent pl
Heimreise f [trajet m du] retour m
heim|reisen vi + sein prendre la route du
retour **Heimspiel** nt match m à domicile
heim|suchen vt **1.** (überfallen) s'abattre sur
2. (bedrängen) jdn ~ Alpträume, Wahnvor-
stellungen: hanter qn **Heimsuchung** <-,
-en> f fléau m **Heimtrainer** [-trɛːnɐ] m
home-trainer m
heimtückisch I. adj **1.** (tückisch) perfide
2. Krankheit, Erreger insidieux(-euse) **II.**
adv perfidement
Heimvorteil m kein Pl avantage m du ter-
rain/de la salle **Heimweg** m [trajet m du]
retour m; **auf dem ~** sur le chemin du retour **Heimweh** <-[e]s> nt mal m du pays;
~ bekommen/haben attraper/avoir le
mal du pays **Heimwerker(in)** <-s, -> m(f)
bricoleur(-euse) m(f)
heim|zahlen vt faire payer; **jdm etw ~** faire
payer qc à qn
Heinzelmännchen nt lutin [qui fait le travail pendant la nuit]
Heirat ['hajraːt] <-, -en> f mariage m; **~
aus Liebe/Vernunftgründen** mariage
d'amour/de raison; **unstandesgemäße ~**
mésalliance f
heiraten ['hajraːtən] **I.** vt épouser Mann,
Frau **II.** vi se marier
Heiratsantrag m demande f en mariage
Heiratsanzeige f **1.** (Mitteilung) faire-
part m de mariage **2.** (Annonce zur Part-
nersuche) annonce f matrimoniale **hei-
ratsfähig** adj en âge de se marier **Heirats-
schwindler(in)** m(f) escroc m au mariage
Heiratsurkunde f acte m de mariage **Hei-**

ratsvermittlung *f* (*Institut*) agence *f* matrimoniale

heiser ['haizɐ] I. *adj Person, Stimme* enroué(e); *Laut, Bellen* rauque II. *adv* **sich ~ reden/schreien** parler/crier à en perdre la voix

Heiserkeit <-> *f* enrouement *m*

heiß [hais] I. *adj* 1. (*sehr warm*) [très] chaud(e); (*zu warm*) brûlant(e); *Flüssigkeit* bouillant(e); *Klima, Luft, Sonne, Tag* torride; **jdm etw ~ machen** chauffer qc à qn; **es ist brütend ~** il fait une chaleur d'étuve 2. (*heftig, innig*) ardent(e) 3. *fam Musik* qui chauffe; *Bild, Film* excitant(e) 4. *fam* (*aus kriminellen Aktionen*) qui brûle les doigts 5. *Punkt, Problem, Thema* brûlant(e) 6. *attr fam* (*aussichtsreich*) tout(e) premier(-ière) *antéposé; Spur, Fährte* très sérieux(-euse) 7. *fam Person, Kleidungsstück, Anlage* du tonnerre 8. *fam Wagen, Motorrad* qui décoiffe 9. *fam Tier* en chaleur II. *adv* 1. (*sehr warm*) très chaud 2. *ersehnen, lieben, wünschen* ardemment ►**es geht ~ her** *fam* ça chauffe

heißblütig ['haisbly:tɪç] *adj* 1. (*impulsiv*) fougueux(-euse) 2. (*leidenschaftlich*) passionné(e)

heißen ['haisən] <hieß, geheißen> I. *vi* 1. **Paul/Brigitte ~** s'appeler Paul/Brigitte; **wie heißt du/~ Sie?** comment tu t'appelles/vous vous appelez?; **ich heiße Karin** je m'appelle Karin; **wie soll das Baby ~?** quel sera le [pré]nom du bébé? 2. (*bedeuten*) **das heißt, dass** cela veut dire que; **was soll das ~?** qu'est-ce que ça signifie? 3. (*lauten*) „ja" **heißt auf Japanisch** „hai" "oui" se dit "hai" en japonais; **das gesuchte Sprichwort heißt folgendermaßen:** ... le proverbe qu'il fallait trouver est le suivant: ... ►**das heißt** (*in anderen Worten*) c'est-à-dire; (*beziehungsweise*) ou plutôt II. *vi unpers* 1. (*zu lesen sein*) **in der Zeitung/bei Goethe heißt es** ... il est dit dans le journal/chez Goethe ...; **wie heißt es doch so schön,** ... comme on dit si bien, ... 2. *geh* (*nötig sein*) **nun heißt es handeln!** maintenant, il faut agir! 3. (*behauptet werden, verlauten*) **es heißt, dass** on dit que, il paraît que

heißgeliebt *s.* **geliebt**

Heißhunger *m* fringale *f;* **~ auf etw** (*akk*) **haben** avoir une fringale de qc (*fam*); **mit ~** avec voracité

heißlaufen *vi irr* + *sein* 1. *Motor:* chauffer; *Achse, Lager, Kolben:* s'échauffer 2. *fam* (*nicht stillstehen*) *Telefon:* ne pas arrêter de sonner; *Faxgerät, Fernschreiber:* tourner à fond

Heißluft *f* air *m* chaud

heißumstritten *s.* **umstritten**

Heißwasserbereiter <-s, -> *m* chauffe-eau *m inv* **Heißwasserspeicher** *m* cumulus *m* [d'eau chaude]

heiter ['haitɐ] *adj* 1. (*fröhlich*) gai(e) 2. *Wetter* clair(e); *Himmel* dégagé(e); *Tag* beau(belle); **es wird wieder ~** le temps va se remettre au beau; **~ bis wolkig** beau avec quelques passages nuageux ►**das kann ja ~ werden!** *iron* ça promet!

Heiterkeit <-> *f* 1. (*heitere Stimmung*) gaieté *f* 2. (*Belustigung*) hilarité *f*

heizbar *adj Haus* chauffable

Heizdecke *f* couverture *f* chauffante

heizen ['haitsən] I. *vi* chauffer; **mit Öl ~** se chauffer au fioul; **gut/schlecht geheizt sein** être bien/mal chauffé; **sie hat gut geheizt** c'est bien chauffé chez elle II. *vt* chauffer *Wohnung, Zimmer*

Heizer(in) <-s, -> *m(f)* chauffeur(-euse) *m(f)*

Heizkessel *m* chaudière *f* **Heizkissen** *nt* coussin *m* chauffant **Heizkörper** *m* radiateur *m* **Heizkosten** *Pl* frais *mpl* de chauffage **Heizlüfter** <-s, -> *m* radiateur *m* soufflant **Heizofen** *m* radiateur *m* d'appoint **Heizöl** *nt* mazout *m* **Heizsonne** *f* radiateur *m* parabolique **Heizstrahler** *m* radiateur *m* infrarouge

Heizung <-, -en> *f* 1. (*Zentralheizung*) chauffage *m* [central] 2. *fam* (*Heizkörper*) radiateur *m*

Heizungsanlage *f* installation *f* de chauffage **Heizungskeller** *m* chaufferie *f*

Hektar ['hɛkta:ɐ] <-s, -e> *nt o m* hectare *m*

Hektik ['hɛktɪk] <-> *f* agitation *f;* **nur keine ~!** pas d'affolement

hektisch ['hɛktɪʃ] I. *adj Person, Zeit, Leben* agité(e); *Atmosphäre* fébrile; *Geschäfte* houleux(-euse); **nur mal nicht so ~!** *fam* pas de panique! II. *adv leben, essen* avec précipitation; *reagieren, eröffnen, schließen* nerveusement; **hier geht es sehr ~ zu** il y a une grande agitation ici

Hektoliter [hɛkto'li:tɐ] *m o nt* hectolitre *m*

Held [hɛlt] <-en, -en> *m(f)* héros *m/* héroïne *f*

Heldenepos *nt* épopée *f*

heldenhaft *adj* héroïque

Heldentat *f* exploit *m*

Heldentum <-s> *nt* héroïsme *m*

Heldin *s.* **Held(in)**

helfen ['hɛlfən] <hilft, half, geholfen> *vi* 1. (*unterstützen*) **jdm ~** aider qn; **kann ich Ihnen ~?** puis-je vous être utile? 2. (*nützen*) **jdm ~** rendre service à qn; **das hilft mir wenig** ça ne me sert pas à grandchose 3. MED **jdm ~** *Arzt:* venir en aide à

qn; *Medikament:* faire de l'effet à qn; **gegen Husten** ~ agir contre la toux
Helfer(in) <-s, -> *m(f)* **1.** assistant(e) *m(f);* **die freiwilligen** ~ **vom Roten Kreuz** les secouristes volontaires de la Croix rouge **2.** (*Komplize*) complice *mf* ▶**ein** ~ **in der Not** un bon Samaritain
Helfershelfer(in) *m(f) pej* acolyte *m*
Helgoland <-s> Helgoland
Helikopter <-s, -> *m* hélicoptère *m*
Helium ['heːliʊm] <-s> *nt* CHEM hélium *m*
hell [hɛl] **I.** *adj* **1.** *Raum, Wohnung* clair(e); **es wird** ~ il commence à faire jour; **es bleibt lange/länger** ~ il fait clair longtemps/plus longtemps **2.** *Licht* vif(vive); *Lampe, Beleuchtung, Glanz* lumineux(-euse); *Farbe, Rot* clair(e) **3.** *Stimme, Gesang* clair(e) **4.** (*aufgeweckt*) futé(e) (*fam*); **ein** ~**er Junge** un petit futé **5.** *attr* (*rein*) total(e); ~**er Neid** pure jalousie **II.** *adv* (*hoch*) ~ **klingen** avoir des sonorités aiguës; **ihr Gesang tönte** ~ **und klar** son chant résonnait haut et clair
hellblau *adj* bleu clair *inv;* ~**e Söckchen** des socquettes bleu clair **hellblond I.** *adj Person* aux cheveux blond clair; *Haare* blond clair *inv* **II.** *adv färben* en blond clair
hellbraun *adj* marron clair *inv; Haare* châtain clair *inv*
helle *adj* DIAL ~ **sein** être futé; **sie ist ganz schön** ~! *fam* c'est une petite futée!
Helle(s) *nt dekl wie adj* [bière *f*] blonde *f*
Heller <-s, -> *m* HIST ≈ denier *m*
hellgrün *adj* vert clair *inv* **hellhäutig** ['hɛlhɔytɪç] *adj* clair(e) de peau **hellhörig** [hɛlhøːrɪç] *adj Haus, Wohnung* sonore ▶~ **werden** dresser l'oreille
Helligkeit <-, -en> *f* **1.** *kein Pl eines Raumes, einer Wohnung* clarté *f* **2.** (*Lichtstärke*) clarté *f; eines Sterns* luminosité *f*
hellsehen *vi nur Infin* ~ **können** avoir le don de double vue **Hellseher(in)** *m(f)* voyant(e) *m(f)*
hellwach *adj* ~ **sein** être bien réveillé
Helm [hɛlm] <-[e]s, -e> *m* casque *m; eines Ritters* heaume *m*
Hemd [hɛmt] <-[e]s, -en> *nt* chemise *f* ▶**nass bis aufs** ~ trempé(e) jusqu'aux os; **sich ins** ~ **machen** *fam* faire dans son froc
Hemdbluse *f* chemisier *m* **Hemdsärmel** *m* manche *f* de chemise **hemdsärmelig** *adj fam* familier(-ière)
Hemisphäre *f* hémisphère *m*
hemmen ['hɛmən] *vt* **1.** (*ein Hemmnis sein*) entraver **2.** freiner *Maschine, Rad* **3.** PSYCH inhiber *Person;* **sehr gehemmt sein** être très complexé
Hemmnis <-ses, -se> *nt,* **Hemmschuh** <-[e]s, -e> *m* obstacle *m*

Hemmschwelle *f* blocage *m;* ~**n/eine** ~ **abbauen** vaincre des blocages/un blocage
Hemmung <-, -en> *f meist Pl* PSYCH inhibition *f;* ~**en haben** avoir des scrupules ▶**nur keine** ~**en!** ne te gêne/vous gênez pas!
hemmungslos I. *adj* **1.** (*zügellos*) dépourvu(e) de retenue **2.** (*skrupellos*) sans scrupules **II.** *adv* **1.** (*zügellos*) sans aucune retenue **2.** (*skrupellos*) sans scrupules
Hendl ['hɛnd(ə)l] <-s, -[n]> *nt* A poulet *m* rôti
Hengst [hɛŋst] <-[e]s, -e> *m* (*Pferd*) étalon *m*
Henkel ['hɛŋkəl] <-s, -> *m* anse *f*
Henker <-s, -> *m* bourreau *m*
Henna <-> *f,* <-[s]> *nt* henné *m*
Henne ['hɛnə] <-, -n> *f* **1.** (*Haushuhn*) [poule *f*] pondeuse *f* **2.** (*weiblicher Hühnervogel*) poule *f*
Hepatitis <-, -titiden> *f* hépatite *f*
her [heːɐ] *adv* **1.** (*hier*~) par ici!; ~ **damit!** *fam* file/filez-moi ça!; (*gib's zurück*) rends-moi/rendez-moi ça!; ~ **mit dem Geld!** envoie/envoyez la monnaie! **2.** (*zeitlich*) **drei Monate** ~ **sein** dater d'il y a trois mois; **das ist schon lange** ~ ça fait déjà longtemps; **ich kenne ihn von früher** ~ je le connais d'autrefois **3.** (*räumlich*) **wo sind Sie** ~? vous êtes d'où?; **hinter jdm/etw** ~ **sein** être à la poursuite de qn/qc; *fig* courir après qn/chercher qc **4.** (*hinsichtlich*) **von der Planung/Zeit** ~ pour ce qui est de la planification/du temps; **von der Technik** ~ d'un point de vue technique
herab [hɛ'rap] *adv geh* **von den Bergen** ~ du haut des montagnes
herab|blicken *s.* **herabsehen herab|hängen** *vi irr* pendre; **von etw** ~ pendre de qc **herab|lassen** *irr vr* (*gnädigerweise tun*) **sich [dazu]** ~ **etw zu tun** condescendre à faire qc **herablassend I.** *adj* condescendant(e) **II.** *adv* avec condescendance **Herablassung** <-> *f* condescendance *f* **herab|mindern** *vt* minimiser *Gefahr* **herab|sehen** *vi irr* **1.** (*abschätzig betrachten*) **auf jdn/etw** ~ regarder qn/qc de haut **2.** *geh* (*heruntersehen*) **auf jdn/etw** ~ abaisser son regard sur qn/qc **herab|setzen** *vt* **1.** (*reduzieren*) baisser *Preis, Artikel;* réduire *Kosten, Geschwindigkeit, Druck* **2.** (*herabmindern*) déprécier **Herabsetzung** *f des Rentenalters* abaissement *m* **herab|steigen** *vi irr +* sein *geh* descendre **herab|würdigen I.** *vt* rabaisser **II.** *vr* **sich** ~ s'abaisser
Heraldik <-> *f* héraldique *f*
heran [hɛ'ran] *adv* **links** ~! serre/serrez à

gauche!

heran|fahren *vi irr* + *sein* s'approcher; **an etw** (*akk*) ~ s'approcher de qc; **rechts/links** ~ serrer à droite/à gauche **heran|führen** *vt* (*einweihen*) **jdn an etw** (*akk*) ~ initier qn à qc **heran|gehen** *vi irr* + *sein* (*hingehen*) s'approcher; **an jdn/etw** ~ s'approcher de qn/qc **heran|kommen** *vi irr* + *sein* **1.**(*sich nähern*) [s']approcher; **an jdn/etw** ~ [s']approcher de qn/qc; **an jdn** ~ (*in Kontakt kommen*) pouvoir approcher qn; (*gleichwertig sein*) arriver au niveau de qn **2.**(*heranreichen*) **an etw** (*akk*) ~ pouvoir atteindre qc; **an das Geld** ~ pouvoir disposer de l'argent; **an die Informationen** ~ pouvoir obtenir les informations ▶**sie lässt nichts an sich** ~ rien ne la touche **heran|lassen** *vt irr* (*das Nahekommen dulden*) laisser approcher; **jdn/etw an sich** (*akk*) ~ laisser approcher qn/qc de soi **heran|machen** *vr fam* **sich an jdn** ~ accoster qn **heran|nahen** *vi* + *sein geh* se préparer **heran|reichen** *vi* arriver; **bis an etw** (*akk*) ~ *Gelände:* arriver jusqu'à qc **heran|reifen** *vi* + *sein geh Person, Plan:* mûrir **heran|rücken** **I.** *vi* + *sein Termin:* approcher **II.** *vt* + *haben* approcher *Möbel* **heran|tasten** *vr* (*sich nähern*) **sich an jdn/etw** ~ avancer à tâtons jusqu'à qn/qc **heran|treten** *vi irr* + *sein* (*sich nähern*) s'approcher; **an jdn/etw** ~ s'approcher de qn/qc **heran|wachsen** [-ks-] *vi irr* + *sein geh* **zum Mann/zur Frau** ~ devenir un homme/une femme **Heranwachsende** [-ks-] *Pl* jeunes gens *mpl* (*entre 18 et 21 ans*) **heran|wagen** *vr* **1.**(*heranzukommen wagen*) **sich an jdn** ~ oser s'approcher de qn **2.**(*sich zu beschäftigen wagen*) **sich an etw** (*akk*) ~ oser s'attaquer à qc **heran|ziehen** *irr vt* + *haben* **1.**(*näher holen*) attirer; **jdn zu sich** ~ attirer qn vers soi; **etw zu sich** ~ rapprocher qc de soi **2.**(*einsetzen*) **einen Sachverständigen zu etw** ~ faire appel à un expert pour qc **3.**(*anführen*) alléguer *Paragraphen, Quelle;* **etw zum Vergleich** ~ prendre quelque chose à titre d'exemple **4.**(*aufziehen*) élever *Kind, Tier;* faire pousser *Pflanze;* [**sich** (*dat*)] **eine Nachfolgerin** ~ former une collaboratrice pour en faire son successeur

herauf [hɛ'rauf] **I.** *adv* **1.von unten** ~ depuis le bas **2.** *fam* (*nach Norden*) **von München** ~ **nach Stuttgart ziehen** venir de Munich pour monter s'installer à Stuttgart **II.** *präp* + *akk* **den Berg/die Treppe** ~ en gravissant la montagne/en montant les escaliers **herauf|beschwören*** *vt irr* **1.** évoquer *Erin-*

nerung, Vergangenheit **2.**provoquer *Unglück, Krise* **herauf|kommen** *vi irr* + *sein* (*von unten kommen*) monter **herauf|setzen** *vt* relever *Gebühren, Preis, Mindestalter* **herauf|ziehen** *irr vi* + *sein Gewitter:* se lever

heraus [hɛ'raus] **I.** *adj* **1.**(*herausoperiert*) ~ **sein** *Blinddarm, Mandeln, Splitter:* être retiré **2.**(*entschieden sein*) être retiré **schon** ~, **wann** ...? sait-on déjà quand ...? **3.**(*entwachsen*) **aus der Schule** ~ **sein** être sorti du système scolaire; **aus dem Alter** ~ **sein, in dem man das tut** avoir passé l'âge de faire cela **4.**(*gesagt*) ~ **sein** être dit; *Bemerkung:* être fait **II.** *adv* **1.**~**! dehors!;** ~ **mit ihm!** *fam* fichele camp de là!; ~ **mit ihm!** *fam* fichele/fichez-le moi dehors!; **hier** ~**! sors/sortez par ici! 2.**(*aufgrund*) **aus Neugier** ~ par curiosité

heraus|arbeiten *vt* faire ressortir *Unterschiede* **heraus|bekommen*** *vt irr* **1.**(*entfernen*) réussir à enlever; **den Fleck aus dem Hemd** ~ réussir à enlever la tache de la chemise; **den Nagel aus der Wand** ~ réussir à extraire le clou du mur **2.**(*herausfinden*) réussir à trouver **3.**(*ausgezahlt bekommen*) **Sie bekommen noch drei Euro heraus** je dois vous rendre trois euros **heraus|bilden** *vr* **sich** ~ prendre forme; **sich aus etw** ~ prendre forme à partir de qc **heraus|bringen** *vt irr* **1.**(*nach draußen bringen*) approter dehors; **jdm etw** ~ apporter qc dehors à qn **2.**(*auf den Markt bringen*) **etw** ~ sortir qc [sur le marché] **3.**sortir *Buch, Theaterstück;* **jdn ganz groß** ~ *fam* faire percer qn **4.** *fam* (*hervorbringen*) sortir *Antwort, Wort;* émettre *Ton, Krächzen* **5.** *s.* **herausbekommen heraus|fahren** *vi* **I.** *vi* + *sein* sortir **II.** *vt* + *haben* sortir *Auto* **heraus|fallen** *vi irr* tomber; **aus etw** ~ tomber de qc **heraus|finden** *irr* **I.** *vt* **1.**(*feststellen*) découvrir; identifier *Täter* **2.**(*herauslesen*) **einen Gegenstand aus etw** ~ retrouver un objet parmi qc **II.** *vi* **aus dem Museum** ~ trouver la sortie du musée **heraus|fliegen** *irr vi* + *sein* s'envoler; **aus etw** ~ *Vogel:* s'envoler de qc **Herausforderer** <-s, -> *m*, **-forderin** *f* SPORT, POL adversaire *mf* **heraus|fordern** **I.** *vt* **1.**SPORT défier **2.**(*auffordern*) **jdn zum Zweikampf** ~ défier qn en combat singulier; **jdn zum Duell** ~ provoquer qn en duel **3.**(*provozieren*) provoquer; **jdn zu etw** ~ pousser qn à faire qc **4.**provoquer *Kritik, Protest;* défier *Gefahr* **II.** *vi* **zu etw** ~ provoquer qc **herausfordernd** *adj* provocant(e) **Herausforderung** *f* **1.** *kein Pl* SPORT challenge *m* **2.**(*Auf-*

forderung) ~ **zum Kampf** défi *m* en combat; ~ **zum Duell** provocation *f* en duel **3.** (*Provokation*) provocation *f* **4.** (*Bewährungsprobe*) défi *m* **Herausgabe** *f von Konfisziertem* restitution *f* **heraus|geben** *irr* **I.** *vt* **1.** libérer *Gefangenen;* remettre *Mantel;* restituer *Konfisziertes;* rendre *Betrag, Wechselgeld* **2.** (*veröffentlichen*) publier; (*edieren*) éditer **3.** émettre *Banknoten, Briefmarken* **II.** *vi* (*Wechselgeld geben*) **jdm auf einen Zehneuroschein** ~ rendre la monnaie à qn sur un billet de dix euros **Herausgeber(in)** *m(f)* **1.** (*Verleger*) éditeur(-trice) *m(f)* **2.** (*verantwortlicher Lektor oder Redakteur*) directeur(-trice) *m(f)* de [la] publication **heraus|gehen** *vi irr + sein* **1.** (*herauskommen*) sortir; **aus dem Haus** ~ sortir de la maison **2.** (*sich entfernen lassen*) **aus etw** ~ *Fleck:* partir de qc; *Korken, Nagel, Dorn:* s'enlever de qc ▸ **aus sich** ~ s'extérioriser **heraus|greifen** *vt irr* choisir *Person, Zitat* **heraus|haben** ▸ **es** ~ avoir trouvé le truc (*fam*) **heraus|halten** *irr* **I.** *vt* (*nach draußen halten*) **etw** ~ passer qc dehors **II.** *vr* **sich aus etw** ~ se tenir en dehors de qc **heraus|helfen** *vi irr* (*aussteigen helfen*) aider à sortir; **jdm aus dem Bus** ~ aider qn à sortir du bus **heraus|holen** *vt* **1.** (*herausnehmen*) sortir; **etw aus dem Schrank** ~ sortir qc de l'armoire **2.** extraire *Erdbebenopfer, Lawinenopfer;* **jdn aus dem Gefängnis** ~ *fam* faire sortir qn de prison **3.** *fam* (*erreichen*) **das Beste aus jdm** ~ tirer le meilleur de qn; **das Letzte aus sich** ~ donner tout ce qu'on a dans le bide **4.** SPORT obtenir *Ergebnis;* arracher *Sieg, Platz;* gagner *Sekunden;* réaliser *Gesamtzeit* **heraus|hören** *vt* (*unterscheiden können*) reconnaître **heraus|kommen** *vi irr + sein* **1.** (*zum Vorschein kommen*) sortir; **aus etw** ~ sortir de qc; **wieder** ~ ressortir **2.** (*verlassen können*) **aus der Wohnung** ~ quitter l'appartement **3.** *fam* (*sich ergeben*) **bei den Verhandlungen ist kein greifbares Ergebnis herausgekommen** les pourparlers n'ont abouti à aucun résultat concret; **das kommt dabei heraus, wenn ...** c'est ce qui arrive quand ...; **das kommt aufs Gleiche heraus** c'est du pareil au même **4.** (*überwinden können*) **aus dem Staunen nicht** ~ ne pas cesser de s'étonner; **aus dem Lachen nicht** ~ ne pas arrêter de rigoler **5.** (*auf den Markt kommen*) *Buch, Zeitschrift, Modell:* sortir [sur le marché] **6.** *fam* (*Publicity erlangen*) **mit etw groß** ~ *fam* faire un malheur avec qc **7.** (*bekannt gegeben werden*) *Gesetz, Verordnung:* être publié; *Börsenkurse, Notie-*

rungen: paraître **8.** *fam* (*bekannt werden*) *Schwindel:* être découvert; **es wird nichts** ~ rien ne transpirera; **es kam heraus, dass** on découvrit que **9.** (*zur Sprache bringen*) **mit etw** ~ révéler qc **10.** (*aus der Übung kommen*) perdre la main **11.** SPIEL avoir la main; **mit einem Buben** ~ jouer valet **12.** (*zur Geltung kommen*) **bei Tageslicht besser** ~ ressortir mieux à la lumière du jour **heraus|kriegen** *s.* **herausbekommen, rauskriegen heraus|kristallisieren*** *vr* **sich** ~ *fig* se préciser **heraus|locken** *vt* (*nach draußen locken*) **jdn** ~ attirer qn dehors **heraus|müssen** *vi irr fam Blinddarm:* devoir être enlevé **heraus|nehmen** *vt irr* **1.** (*entnehmen*) retirer; **etw aus dem Schrank/der Tasche** ~ retirer qc de l'armoire/du sac **2.** *fam* (*operativ entfernen*) **jdm den Blinddarm/die Mandeln** ~ enlever l'appendice/les amygdales à qn **3.** (*aussondern*) **jdn aus der Klasse/dem Internat** ~ retirer qn de la classe/de l'internat **4.** *fam* (*erlauben*) **sich** (*dat*) **etw** ~ se permettre qc **heraus|platzen** *vi + sein fam* (*spontan äußern*) **mit etw** ~ laisser échapper qc **heraus|putzen** *vr* **sich** ~ s'endimancher **heraus|ragen** *vi* **1.** *Körperteil, Erker:* fair saillie; *Felsen:* être en surplomb; *Findling:* pointer **2.** (*sich auszeichnen*) **durch etw** ~ se distinguer par qc **heraus|reden** *vr* **sich** ~ chercher des excuses; **sich mit etw/auf etw** (*akk*) ~ invoquer qc pour excuse; **sich damit** ~, **dass** prétexter que **heraus|reißen** *vt irr* **1.** arracher *Pflanze, Haar, Seite* **2.** *fig* **jdn aus seiner Arbeit** ~ arracher qn à son travail **3.** *fam* (*befreien*) sauver la mise à **4.** *fam* (*wettmachen*) relever le niveau de **heraus|rücken I.** *vt fam* filer; **etw wieder** ~ rendre qc **II.** *vi + sein fam* **mit etw** ~ accoucher de qc **heraus|rutschen** *vi + sein fam* glisser; **jdm aus der Tasche** ~ glisser de la poche de qn **2.** *fam* (*ungewollt aussprechen*) **jdm** *Bemerkung:* échapper à qn **heraus|schauen** *vi* SDEUTSCH **1.** (*nach draußen schauen*) regarder dehors; **aus dem Fenster** ~ regarder par la fenêtre **2.** (*zu sehen sein*) **aus etw** ~ *Hemdzipfel, Unterrock:* dépasser de qc **heraus|schlagen** *irr vt fam* (*gewinnen*) **Zeit** ~ gagner du temps **heraus|sein** *s.* **heraus I.**

herauß [hɛˈraʊsən] *adv* SDEUTSCH, A dehors

heraus|springen *vi irr + sein* **1.** sauter dehors; **aus dem Fenster/Auto** ~ sauter par la fenêtre/de la voiture **2.** (*sich lösen*) *Brillenglas:* se détacher; *Sicherung:* sauter **3.** (*als Gewinn verbleiben*) **was springt**

dabei heraus? qu'est-ce qu'il y a à en tirer? *(fam)* **herausIsprudeln I.** *vi* + *sein Quelle:* jaillir **II.** *vt* **Worte/Sätze** ~ débiter des mots/phrases [sans fin] **herausIstehen** *vi irr* dépasser; **aus etw** ~ dépasser de qc **herausIstellen I.** *vt* **1.** *(ins Freie stellen)* sortir **2.** *(hervorheben)* **etw** ~ mettre qc en évidence **II.** *vr* **sich** ~ *Unschuld, Wahrheit:* éclater; **sich als wahr/übertrieben** ~ se révéler vrai(e)/exagéré(e); **es stellte sich heraus, dass** il s'avéra que **herausIstrecken** *vt* tirer *Zunge* **herausIstreichen** *vt irr (tilgen)* rayer **herausIstürzen** *vi* + *sein* sortir précipitamment **herausIsuchen** *vt* **1.** *(auswählen)* choisir; **etw aus etw** ~ choisir qc parmi qc **2.** rechercher *Seite, Textstelle* **herausIziehen** *vt irr* tirer *Schublade*

herb [hɛrp] **I.** *adj* **1.** *Geschmack, Wein* âpre; *Parfüm, Duft* épicé(e) **2.** *Enttäuschung, Verlust* amer(-ère) **3.** *Gesichtszüge* accusé(e); *Gesicht* sévère; *Schönheit* austère **4.** *Kritik, Worte* acerbe **II.** *adv* **1.** ~ **riechen/schmecken** avoir une odeur épicée/un goût âpre **2.** *(scharf, kritisch)* de façon acerbe **Herbarium** [-riən] <-s, -ien> *nt* herbier *m* **herbei** [hɛɐ̯'baj] *adv geh* par ici, approchez **herbeiIbringen** *vt irr* **1.** jdn/etw ~ amener qn/apporter qc **2.** produire *Zeugen, Unterlagen* **herbeiIeilen** *vi* + *sein* arriver en toute hâte **herbeiIführen** *vt* **1.** aboutir à *Einigung, Entscheidung, Kompromiss* **2.** provoquer *Infektion, Ohnmacht, Tod* **herbeiIrufen** *vt irr* appeler; **Hilfe** ~ appeler à l'aide **herbeiIschaffen** *vt* amener *Hilfe;* se procurer *Geld* **herIbemühen*** *geh* **I.** *vr* **sich** ~ se donner la peine de venir **II.** *vt* **jdn** ~ demander à qn de [bien vouloir] venir **Herberge** ['hɛrbɛrgə] <-, -n> *f (Jugendherberge)* auberge *f* de jeunesse **Herbergseltern** *Pl* gérants *mpl* de l'auberge [de jeunesse] **Herbergsmutter** *f* gérante *f* de l'auberge [de jeunesse] **Herbergsvater** *m* père *m* aubergiste **herIbestellen*** *vt* convoquer *Person;* commander *Taxi* **herIbitten** *vt irr* jdn ~ prier qn de venir **herIbringen** *vt irr* jdn ~ laisser venir faire venir qn **Herbst** [hɛrpst] <-[e]s, -e> *m* automne *m;* **im** ~ en automne **Herbstferien** [-riən] *Pl* vacances *fpl* d'automne **herbstlich I.** *adj Tag, Sturm, Witterung* d'automne; *Farben* automnal(e) **II.** *adv sich kleiden* pour l'automne **Herbstwetter** *nt* temps *m* automnal **Herd** [he:ɐ̯t] <-[e]s, -e> *m* **1.** *(Küchenherd)* cuisinière *f; (Backofen)* four *m;* **die**

Milch vom ~ **nehmen** retirer le lait du feu; **am** ~ **stehen** être aux fourneaux **2.** *(Krankheitsherd)* foyer *m* **Herde** ['he:ɐ̯də] <-, -n> *f* troupeau *m* **Herdentier** *nt* **1.** bête *f* de troupeau **2.** *pej (unselbständiger Mensch)* mouton *m* de Panurge **Herdentrieb** *m pej von Personen* esprit *m* moutonnier **Herdplatte** *f eines Elektroherds* plaque *f* [de cuisson]; *eines Kohleherds* plaque **herein** [hɛ'rajn] *adv* hier/dort ~ par ici/là; [nur] ~! entrez! **hereinIbekommen*** *vt irr fam* COM, MEDIA recevoir **hereinIbitten** *vt irr* jdn [zu sich] ~ prier qn d'entrer **hereinIbrechen** *vi irr* + *sein* **1.** *(überfluten)* Flut, Wasser: déferler; **über jdn/etw** ~ inonder qn/qc **2.** *(unerwartet auftreten)* Gewitter, Krieg: éclater; Katastrophe, Unheil: survenir; **über jdn/etw** ~ s'abattre sur qn/qc **3.** *(anbrechen)* Abend, Nacht: tomber; Winter: arriver **hereinIbringen** *vt irr* faire entrer *Person;* apporter *Gegenstand* **hereinIfallen** *vi irr* + *sein* **1.** *(fallen)* tomber à l'intérieur; **in etw** *(akk)* ~ tomber dans qc **2.** *(eindringen)* Licht: entrer **3.** *fam (betrogen werden)* **auf jdn/etw** ~ se faire avoir par qn/avec qc **hereinIkommen** *vi irr* + *sein* **1.** entrer; **in etw** *(akk)* ~ entrer dans qc **2.** *(geliefert werden, verdient werden)* Ware, Geld: rentrer **hereinIlassen** *vt irr* laisser entrer *Person;* **lassen Sie ihn bitte herein!** faites-le entrer! **hereinIlegen** *vt* **1.** *fam (betrügen)* arnaquer; **jdn mit etw** ~ arnaquer qn avec qc; **lass dich bloß nicht von ihm** ~! ne te fais pas avoir par lui! **2.** *(hereinbringen)* **etw** ~ déposer qc à l'intérieur **hereinIplatzen** *vi* + *sein fam* Person: débarquer **hereinIrufen** *vt irr* dire d'entrer; **rufen Sie ihn bitte [zu mir] herein!** dites-lui d'entrer, s'il vous plaît! **hereinIschneien** *vi* + *sein fam* Person: rappliquer sans prévenir **hereinIsehen** *vi irr (sehen)* regarder à l'intérieur **hereinIspazieren*** *vi* + *sein fam* entrer; [immer nur] **hereinspaziert!** entrez donc! **hereinIströmen** *vi* + *sein Besucher:* entrer en masse **herIfahren** *irr* **I.** *vi* + *sein (gefahren kommen)* venir [en voiture/en vélo/…] **II.** *vt* + *haben* conduire *Person* **Herfahrt** *f* trajet *m;* **auf der** ~ en venant **herIfallen** *vi irr* + *sein* **1.** *(überfallen)* **über jdn** ~ assaillir qn **2.** *(kritisieren)* **über die Politiker** ~ prendre les hommes politiques pour cible; **über die Presse** ~ se jeter sur la presse **3.** *(sich stürzen auf)* **über das Buffet** ~ se jeter sur le buffet **herIfinden** *vi irr* trouver le chemin **Hergang** *m kein Pl* déroulement *m*

herlgeben *irr* I. *vt* (*weggeben*) donner II.
vr **sich für etw** ~ se prêter à qc **herge-**
bracht ['heːɐ̯gəbraxt] *adj Art, Brauch* tra-
ditionnel(le); *Tradition* très ancien(ne)
herlgehen *irr* I. *vi* + *sein* 1.(*begleiten*)
neben jdm ~ marcher à côté de qn; **hin-**
ter jdm ~ suivre qn 2.(*sich erdreisten*) ~
und Forderungen stellen avoir le front
de formuler des revendications 3. A,
SDEUTSCH *s.* **herkommen** II. *vi unpers* +
sein fam **es geht laut/heiß her** c'est
bruyant/ça chauffe **hergelaufen** *s.* **da-**
hergelaufen herlhaben *vt irr fam* **wo ha-**
ben Sie das her? vous avez eu ça où?
herlhalten *irr vi* servir; **als Kerzenhalter**
~ **müssen** devoir servir de bougeoir
herlholen *vt fam* aller chercher **herlhö-**
ren *vi fam* écouter
Hering ['heːrɪŋ] <-s, -e> *m* 1.(*Fisch*) hareng *m* 2.(*Zeltpflock*) sardine *f*
Heringsbrötchen *nt* sandwich *m* au hareng **Heringssalat** *m* salade *f* de hareng
herlkommen *vi irr* + *sein* 1.(*herbeikom-*
men) venir; **wo kommst du her?** d'où
viens-tu?; **kommen Sie bitte mal her!**
venez [par] ici! 2.(*herstammen*) **wo**
kommst du her? tu es d'où? 3.(*herge-*
nommen werden können) **wo soll das**
Geld/das Ersatzteil ~? où est-ce qu'on
va prendre l'argent/trouver la pièce de rechange?
herkömmlich ['heːɐ̯kœmlɪç] *adj* tradition-
nel(le)
Herkunft ['heːɐ̯kʊnft, *Pl:* 'heːɐ̯kynftə]
<-> *f* origine *f; eines Artikels, Gegenstands*
provenance *f*
Herkunftsland *nt* pays *m* d'origine
herlaufen *vi irr* + *sein* (*begleiten*) **neben/**
hinter jdm ~ courir à côté de/derrière qn
herlleiten *vt* faire dériver *Formel* **herlma-**
chen I. *vr fam* 1.(*sich stürzen auf*) **sich**
über ein Buch/das Essen ~ se jeter sur
un livre/le repas; **sich über die Arbeit** ~
s'attaquer au travail 2.(*an sich nehmen*)
sich über etw (*akk*) ~ rafler qc 3.(*angrei-*
fen) **sich über jdn** ~ se jeter sur qn II. *vt*
viel ~ *fam* en jeter; **wenig/nichts** ~ *fam*
ne pas casser des briques
Hermelin <-s, -e> *nt* hermine *f*
hermetisch [hɛr'meːtɪʃ] *geh adj* hermétique
hernach *adv* DIAL après
herlnehmen *vt irr* (*herbekommen*) prendre
Heroin [hero'iːn] <-s> *nt* héroïne *f*
heroisch [he'roːɪʃ] *geh adj* héroïque
Herpes <-> *m* herpès *m*
Herr [hɛr] <-n, -en> *m* 1.(*in Verbindung*
mit einem Eigennamen oder Titel) monsieur *m; ~* **Braun** monsieur Braun; ~ **Kol-**

lege cher collègue 2.*form* (*als Anrede*
ohne Namen) **mein ~/meine ~en** Mon-
sieur/Messieurs; [**aber**] **meine ~en!** Messieurs!; **Ihr** ~ **Vater/Onkel** monsieur votre père/oncle; **sehr geehrte ~en, ...**
(*briefliche Anrede*) Messieurs, ...
3.(*Tanzpartner*) cavalier *m* 4.(*Mann*)
homme *m; „~en"* (*Aufschrift auf Toilet-*
tentüren) "hommes" 5.(*Herrscher,*
Dienst) seigneur *m;* (*Gebieter, Hundehal-*
ter) maître *m* 6. REL (*Gott*) **Gott der** ~ le
Seigneur ▶**die ~en der Schöpfung** *hum*
ces messieurs du sexe fort; **nicht mehr** ~
seiner Sinne sein ne plus se maîtriser
Herrchen <-s, -> *nt fam* maître *m*
Herrenabend *m* soirée *f* entre hommes
Herrenbegleitung *f geh* cavalier *m; in* ~
en galante compagnie **Herrenbesuch** *m*
visite *f* masculine **Herrenfriseur** *m,* -fri-
seuse *f* coiffeur(-euse) *m(f)* pour hommes
herrenlos *adj* abandonné(e) **Herrenmo-**
de *f* mode *f* masculine **Herrenrunde** *f* réunion *f* entre hommes **Herrentoilette** *f*
toilettes *fpl* pour hommes
Herrgott *m* ~ [**noch mal**]! *fam* sacredieu!
Herrgottsfrüh[**e**] ▶**in aller** ~ *fam* aux au-
rores
herlrichten I. *vt* 1.faire *Bett, Zimmer;* mettre *Tisch* 2.(*ausbessern*) **etw** ~ remettre
qc en état II. *vr* DIAL **sich** ~ se préparer
Herrin <-, -nen> *f* (*Gebieterin*) maîtresse *f*
herrisch *adj* autoritaire
herrlich I. *adj* 1.(*prächtig*) magnifique
2.*Essen, Witz* excellent(e) 3.*iron* bon(ne)
antéposé; **das sind ja ~e Geschichten/**
Neuigkeiten! en voilà des [bonnes] histoi-
res/nouvelles! II. *adv* 1.*sich amüsieren*
drôlement [bien] 2. ~ **schmecken** être délicieux
Herrlichkeit <-, -en> *f* (*Pracht*) splendeur
f
Herrschaft <-, -en> *f* 1.*kein Pl* (*Macht*)
pouvoir *m; eine totalitäre* ~ un régime totalitaire; **die absolute** ~ les pleins pouvoirs; **zur** ~ **gelangen** arriver au pouvoir;
unter seiner/ihrer ~ sous sa domination
2.(*Kontrolle*) **die** ~ **über sich** (*akk*) **ver-**
lieren ne plus se dominer; **die** ~ **über ein**
Fahrzeug verlieren perdre le contrôle
d'un véhicule 3. *Pl* (*Damen und Herren*)
die ~en ces Messieurs [et ces] Dames; **was**
wünschen die ~en? que souhaitent Monsieur et Madame? ▶**seine/ihre alten ~en**
hum fam ses vieux
herrschaftlich *adj Park* majestueux(-euse);
eine ~e Villa une maison de maître
herrschen ['hɛrʃən] I. *vi* 1.(*regieren*) régner; **über jdn/etw** ~ régner sur qn/qc
2.(*allgegenwärtig sein*) *Ausnahmezustand,*

Terror: régner; *Hunger, Not:* sévir **II.** *vi* unpers **es herrscht Ruhe** le calme règne; **es herrscht lebhafter Verkehr** il y a une circulation dense
herrschend *adj* **1.** (*regierend*) au pouvoir; **die Herrschenden** les dirigeants *mpl* **2.** *Meinungen* régnant(e); *Verhältnisse* présent(e)
Herrscher(in) <-s, -> *m(f)* souverain(e) *m(f);* **absolutistischer** ~ monarque *m;* ~ **über jdn/etw** maître *m* de qn/qc
Herrschsucht *f* despotisme *m*
herrschsüchtig *adj* despotique
herlrufen *vt irr* appeler; **etw hinter jdm** ~ crier qc à qn **herlrühren** *vi geh* **von etw** ~ [pro]venir de qc **herlsagen** *vt* réciter **herlschauen** SDEUTSCH, **herlsehen** *vi irr* regarder par ici **herlstammen** *vi* (*gebürtig sein*) être originaire de **herlstellen** *vt* **1.** (*erzeugen*) fabriquer **2.** établir *Beziehung, Verbindung, Kontakt*
Hersteller(in) <-s, -> *m(f)* **1.** (*Produzent*) fabricant(e) *m(f)* **2.** (*Zeitschriftenhersteller, Buchhersteller*) responsable *mf* de la fabrication
Herstellung *f kein Pl* **1.** IND fabrication *f* **2.** (~ *sabteilung*) fabrication *f* **3.** (*das Herstellen*) *von Beziehungen, Verbindungen* instauration *f*
Herstellungsland *nt* pays *m* producteur
Hertz [hɛrts] <-, -> *nt* hertz *m*
herüben [hɛˈryːbən] *adv* SDEUTSCH, A de ce côté-ci
herüber [hɛˈryːbɐ] *adv* de ce côté-ci
herüberlkommen *vi irr* + *sein* venir par ici
herüberlziehen *vt irr* **jdn/etw** ~ tirer qn/qc par ici
herum [hɛˈrʊm] *adv* **1.** **um jdn** ~ **sein** être sur le dos de qn; **um jdn/etw** ~ autour de qn/qc (*fam*) **2.** (*ungefähr*) **um die hundert Leute/um drei Uhr** ~ aux environs de cent personnes/trois heures **3.** (*vorüber, beendet*) ~ **sein** *Film, Veranstaltung, Prüfung:* être fini; *Zeit:* être écoulé
herumlärgern *vr fam* **sich mit jdm/etw** ~ s'embêter avec qn/qc **herumlblättern** *vi* feuilleter; **in etw** (*dat*) ~ feuilleter qc **herumlbrüllen** *vi fam* beugler **herumlbummeln** *vi fam* **1.** + *haben* (*trödeln*) glander **2.** + *sein* (*herumspazieren*) **in der Stadt** ~ se balader en ville **herumldrehen I.** *vt* **1.** tourner *Schlüssel, Propeller* **2.** retourner *Braten, Decke* **II.** *vr* **sich zu jdm** ~ se retourner vers qn **herumldrücken I.** *vr fam* **1.** (*herumlungern*) **sich auf der Straße/in Kneipen** ~ traîner dans les rues/les bars **2.** (*sich um etw drücken*) **sich um etw** ~ se défiler devant qc **II.** *vi* **an etw** (*dat*) ~ tripoter qc **herumlfahren** *irr vi*

1. + *sein fam* (*umherfahren*) faire un tour; **in der Stadt** ~ faire un tour en ville **2.** + *sein* (*umkreisen*) **um jdn/etw** ~ tourner autour de qn/qc **3.** + *sein* (*sich rasch umdrehen*) faire volte-face **4.** + *haben o sein fam* (*wischen*) **sich mit der Hand im Gesicht** ~ se passer la main sur le visage **herumlfuchteln** *vi fam* gigoter **herumlführen I.** *vt* faire faire un tour à *Gast* **II.** *vi* **um etw** ~ contourner qc **herumlfummeln** *vi fam* (*herumbasteln an*) **an etw** (*dat*) ~ bricoler après qc **herumlgeben** *vt irr* faire passer **herumlgehen** *vi irr* + *sein* **1.** (*umkreisen*) **um jdn/etw** ~ faire le tour de qn/qc **2.** *fam* (*umhergehen*) **im Zimmer** ~ faire les cent pas dans la pièce; **im Park** ~ faire un tour dans le parc **3.** *fam* (*herumgereicht werden*) *Liste, Buch:* circuler **4.** *fam* (*kursieren*) *Gerücht:* courir; *Nachricht:* se propager **5.** *fam* (*vorübergehen*) prendre fin **herumlhacken** *vi fam* **auf jdm** ~ s'acharner après qn **herumlhängen** *vi irr* + *sein fam* **1.** traîner **2.** (*untätig sein*) glander; **vor dem Fernseher** ~ rester pendu(e) devant la télé **herumlhorchen** *vi fam* demander autour de soi **herumlkommandieren*** *fam* **I.** *vt* mener à la baguette; **jdn** ~ mener qn à la baguette **II.** *vi* **gern** ~ aimer jouer au petit chef **herumlkommen** *vi irr* + *sein fam* **1.** (*umfahren können*) pouvoir contourner; **mit etw um etw** ~ pouvoir contourner qc avec qc **2.** (*daherkommen*) **mit dem Wagen um die Ecke** ~ tourner au coin de la rue en voiture **3.** (*vermeiden können*) **um Steuererhöhungen** ~ pouvoir éviter une augmentation des impôts **4.** (*reisen*) **viel** ~ voyager beaucoup **herumlkriegen** *s.* **herumbekommen herumllaufen** *vi irr* + *sein* **1.** **um einen Baum/eine Statue** ~ courir autour d'un arbre/d'une statue; **um einen Platz** ~ faire le tour d'une place **2.** *fam* (*umherlaufen*) se trimbal[l]er **herumlliegen** *vi irr fam* **1.** être vautré; **auf dem Bett** ~ *Person:* être vautré sur le lit **2.** (*verstreut liegen*) *Gegenstand:* traîner; **überall liegt Abfall herum** il y a des ordures partout; **etw** ~ **lassen** laisser traîner qc **herumllungern** [hɛˈrʊmlʊŋən] *vi fam* glander **herumlreden** *vi fam* **drum** ~ tourner autour du pot **herumlreichen** *vt s.* **herumgeben herumlreisen** *vi* + *sein* voyager; **in der Welt/in Ägypten** ~ courir le monde/parcourir l'Egypte [en tout sens] **herumlreißen** *vt irr* **das Lenkrad** ~ donner un coup de volant; **das Ruder** ~ virer de bord **herumlreiten** *vi irr* + *sein sl* **auf etw** (*dat*) ~ remettre qc sur le tapis (*fam*) **herumlschlagen** *irr vr fam* **sich mit jdm/**

etw ~ se débattre avec qn/contre qc **he-ruml‖schnüffeln** vi 1.(riechen) renifler; **an etw** (dat) ~ Person, Tier: renifler qc 2. pej fam (spionieren) fouiner **herum‖sein** s. herum **herum‖sitzen** vi irr + sein 1. um jdn/etw ~ être assis autour de qn/qc 2. fam (dasitzen) rester là à ne rien faire **herum‖sprechen** vr irr sich ~ se répandre **herum‖stehen** vi irr + sein 1. um jdn/etw ~ entourer qn/qc 2. fam (dastehen) Person: rester planté(e); Gegenstand: être là **herum‖stöbern** vi fam (wahllos stöbern) farfouiller **herum‖stochern** vi fam im Essen ~ trifouiller dans son assiette **herum‖streiten** vr irr fam sich mit jdm ~ se chamailler avec qn **herum‖trampeln** sl ► **auf** jdm/etw ~ s'acharner sur qn/piétiner qc **herum‖treiben** vr irr pej fam sich ~ traînasser; sich mit jdm/in der Stadt ~ traînasser avec qn/en ville **Herumtreiber(in)** <-s, -> m(f) pej fam noceur(-euse) m(f) **herum‖trödeln** vi fam traînasser **herum‖wickeln** vt Papier um etw ~ envelopper qc dans du papier **herum‖wühlen** vi fam (herumstöbern) farfouiller **herum‖zeigen** vt fam etw ~ montrer qc à la ronde **herum‖ziehen** irr vi + sein fam (von Ort zu Ort ziehen) vagabonder

herunten [hɛ'rʊntən] adv SDEUTSCH, A [ici] en bas

herunter [hɛ'rʊntɐ] I. adv 1. bis auf die Erde ~ jusqu'au sol; von Hamburg ~ de Hambourg 2. fam (~ geklettert) von etw ~ sein être descendu de qc 3. fam (~ gelassen) ~ sein Autofenster, Rollladen: être baissé 4. fam (gesunken) ~ sein Preis: avoir baissé; Fieber: être tombé; Übergewicht: avoir fondu II. präp + akk den Berg/Turm ~ geht es leichter als hinauf pour descendre de la montagne/la tour, c'est plus facile que pour monter **herunter‖bekommen*** vt irr fam arriver à avaler Essen **herunter‖brennen** vi irr + sein Kerze: se consumer **herunter‖fahren** irr I. vi ~ descendre; zu jdm ~ descendre vers qn; die Straße heruntergefahren kommen arriver en descendant la rue; den Berg ~ descendre la montagne II. vt + haben 1.(transportieren) descendre 2. réduire Produktion, Werbung **herunter‖fallen** vi irr + sein tomber; von etw ~ tomber de qc; mir ist der Hammer heruntergefallen le marteau m'est tombé des mains **herunter‖gehen** vt, vi irr + sein 1. descendre; die Straße ~ descendre la rue 2.(sich wegbewegen) vom Teppich/von der Decke ~ se pousser du tapis/de la couverture; von der Mauer ~ descendre du mur 3.(sinken) baisser; Währung:

tomber 4.(reduzieren) mit dem Preis/Tempo ~ réduire le prix/la vitesse **heruntergekommen** adj pej Person, Aussehen, Erscheinung négligé(e); Fassade, Haus, Wohnung délabré(e) **herunter‖handeln** vt fam den Preis ~ marchander le prix à la baisse **herunter‖hängen** vi irr pendre **herunter‖hauen** vt irr fam jdm eine ~ en flanquer une à qn; eine heruntergehauen bekommen s'en prendre une **herunter‖holen** vt (nach unten holen) descendre ► **sich** (dat) **einen** ~ vulg se branler (fam) **herunter‖klappen** vt rabattre; sich ~ lassen être rabattable **herunter‖kommen** vt, vi irr + sein (hinuntersteigen) descendre; **die Treppe** ~ descendre les escaliers; **zu jdm in den Keller** ~ descendre rejoindre qn à la cave **herunter‖laden** vt irr INFORM télécharger; **das Herunterladen** le téléchargement **herunter‖lassen** irr vt faire descendre Person, Korb; baisser Rolladen **herunter‖machen** vt fam (zurechtweisen) engueuler **herunter‖reißen** vt irr (abreißen) arracher **herunter‖schlucken** s. hinunterschlucken **herunter‖schrauben** vt réduire Ansprüche **herunter‖sehen** vi irr (herabsehen) regarder en bas **herunter‖sein** s. herunter I.-I. **herunter‖spielen** vt minimiser Problem

hervor interj ~ mit dir/euch! geh montre-toi/montrez-vous!

hervor‖bringen vt irr jdn/etw ~ Land, Stadt: donner naissance à qn/qc; Epoche: produire qn/qc **hervor‖gehen** vi irr + sein 1. geh (entstammen) aus einer Ehe/Verbindung ~ être issu d'un mariage/d'une union 2.(sich ergeben, zu folgern sein) aus etw ~ ressortir de qc **hervor‖heben** vt irr 1.(betonen) souligner 2.(kennzeichnen) etw in einem Text ~ faire ressortir qc dans un texte; **hervorgehoben werden** être mis en évidence **hervor‖holen** vt sortir; etw aus etw ~ sortir qc de qc **hervor‖kommen** vi irr + sein apparaître; **hinter etw** (dat) ~ sortir de derrière qc **hervor‖ragen** vi Felsen: être en surplomb **hervorragend** I. adj excellent(e); Kunstwerk remarquable II. adv à la perfection **hervor‖rufen** vt irr susciter; **bei jdm Bewunderung/Mitleid** ~ susciter de l'admiration/la compassion chez qn **hervor‖treten** vi irr + sein 1.(nach vorne treten) s'avancer 2. Wangenknochen: ressortir **hervor‖tun** vr irr fam (sich auszeichnen) sich ~ se faire remarquer; **sich mit etw** ~ se faire remarquer par qc **hervor‖wagen** vr **sich hinter etw** (dat) ~ oser sortir de qc

Herweg m trajet m [pour venir]

Herz [hɛrts] <-ens, -en> nt 1. cœur m;

jdn an sein ~ drücken serrer qn sur son cœur 2. (*Liebe, Zuneigung*) jdm sein ~ schenken donner son cœur à qn; sein ~ an jdn/etw hängen s'attacher à qn/se consacrer à qc 3. (*Leidenschaft, Neigung*) sein ~ für jdn/etw entdecken se découvrir un penchant pour qn/qc; ihr ~ gehört der Fliegerei elle ne vit que pour l'aviation 4. (*Seele, Gemüt*) ein gutes ~ haben avoir bon cœur; tief im ~en dans le fond de son/mon/... cœur 5. (*Mitgefühl, Empfindsamkeit*) jemand mit ~ sein être quelqu'un qui a du cœur 6. (*Zentrum, innerster Teil*) cœur m 7. SPIEL cœur m ►ein ~ und eine Seele sein être unis comme les [deux] doigts de la main; jdm wird bang ums ~ qn a le cœur serré; von ganzem ~en de tout cœur; jdn von ~en gern haben aimer qn du fond du cœur; etw von ~en gern tun faire très volontiers qc; leichten ~ens de gaieté de cœur; schweren ~ens le cœur gros; traurigen ~ens le cœur gros; jdm sein ~ ausschütten ouvrir son cœur à qn; alles, was das ~ begehrt tout ce qu'on peut désirer; etw nicht übers ~ bringen ne pas avoir le cœur de faire qc; sich (*dat*) ein ~ fassen prendre son courage à deux mains; jdm etw ans ~ legen confier expressément qc à qn; sich (*dat*) etw zu ~en nehmen prendre qc à cœur; jdn in sein ~ schließen faire à qn une place dans son cœur; jdm aus dem ~en sprechen dire tout haut ce que qn pense tout bas
Herzanfall m crise f cardiaque **Herzbeschwerden** Pl troubles mpl cardiaques **herzbewegend** adj émouvant(e)
her|zeigen vt montrer
herzen vt geh cajoler
Herzensbrecher(in) m(f) bourreau m des cœurs/[grande] séductrice f **herzensgut** adj qui a un cœur d'or **Herzenslust** f nach ~ à cœur joie **Herzenswunsch** m plus cher désir m
Herzfehler m déficience f cardiaque **herzförmig** adj en forme de cœur
herzhaft I. adj 1. Frühstück copieux(-euse) 2. Eintopf, Geschmack relevé(e) II. adv 1. ~ schmecken avoir un goût épicé 2. lachen de bon cœur; gähnen comme une carpe
her|ziehen irr I. vt (*mitschleppen*) jdn/etw hinter sich (*dat*) ~ traîner qn/qc derrière soi II. vi + haben fam (*sich auslassen*) über jdn/etw ~ débiner qn/qc
herzig ['hɛrtsɪç] adj mignon(ne); wie ~! comme c'est mignon!
Herzinfarkt m MED infarctus m [du myocarde] **Herzkammer** f ANAT ventricule m; linke/rechte ~ ventricule gauche/droit

Herzklopfen <-s> nt palpitations fpl; mit ~ le cœur battant **herzkrank** adj cardiaque **Herz-Kreislauf-Erkrankung** f MED maladie f cardiovasculaire **Herzleiden** nt geh affection f cardiaque
herzlich adj Begrüßung, Lächeln, Worte chaleureux(-euse); Willkommen cordial(e) **Herzlichkeit** <-> f cordialité f; mit der gewohnten ~ avec la chaleur habituelle **herzlos** adj sans cœur; ~ sein ne pas avoir de cœur
Herzlosigkeit <-> f manque m de cœur **Herzmassage** [-masaːʒə] f massage m cardiaque
Herzog(in) ['hɛrtsoːk] <-s, ⸗e> m(f) duc m/ duchesse f
Herzogtum <-s, -tümer> nt duché m **Herzpatient(in)** m(f) cardiaque mf **Herzschlag** m 1. (*Herztätigkeit*) pulsations fpl cardiaques 2. (*Kontraktion des Herzmuskels*) systole f 3. (*Herzstillstand*) syncope f **Herzschrittmacher** m MED pacemaker m **Herzstillstand** m arrêt m cardiaque; bei ~ en cas d'arrêt cardiaque **Herzstück** nt pièce f maîtresse **herzzerreißend** I. adj déchirant(e) II. adv de façon déchirante
Hesse ['hɛsə] <-n, -n> m, **Hessin** f Hessois(e) m(f)
Hessen ['hɛsən] <-s> nt la Hesse **hessisch** adj hessois(e)
heterogen adj geh hétérogène **heterosexuell** [heterozɛksuˈɛl] adj hétérosexuel(le)
Hetze <-, -n> f pej (*Aufhetzung*) campagne f de dénigrement
hetzen ['hɛtsən] I. vi 1. + haben (*sich beeilen*) se démener 2. + sein (*eilen*) zum Bahnhof/nach Hause ~ courir à la gare/la maison; ich bin ganz schön gehetzt je me suis drôlement dépêché(e); du brauchst nicht so zu ~ tu n'as pas besoin de te presser comme ça 3. + haben pej (*Hass schüren*) attiser les haines; gegen jdn/etw ~ s'acharner sur qn/qc II. vt + haben 1. JAGD pourchasser Hasen 2. (*jdn jagen*) jdn/einen Hund auf jdn ~ mettre qn/lâcher un chien aux trousses de qn 3. fam (*antreiben*) harceler III. vr + haben sich ~ se dépêcher
Hetzjagd f fig, pej chasse f aux sorcières **Hetzkampagne** [-kampanjə] f pej chasse f aux sorcières
Heu [hɔy] <-[e]s> nt foin m; ins ~ gehen fam aller aux foins; ~ machen faire les foins
Heuboden m fenil m
Heuchelei [hɔyçəˈlai̯] <-, -en> f hypocrisie f

heucheln ['hɔyçəln] I. *vi* faire l'hypocrite II. *vt* feindre
Heuchler(in) ['hɔyçlɐ] <-s, -> *m(f)* hypocrite *mf*
heuchlerisch *adj* hypocrite
heuer ['hɔyɐ] *adv* SDEUTSCH, A, CH cette année
Heuer <-, -n> *f* solde *f*
Heuernte *f* (*das Einbringen*) fenaison *f*
Heulboje *f* NAUT bouée *f* sonore
heulen ['hɔylən] *vi* 1. *fam* (*weinen*) chialer; **laut** ~ *Baby:* brailler 2. (*winseln*) *Hund, Wolf:* hurler 3. (*ein Geräusch machen*) *Motor, Wind, Sturm:* rugir; *Sirene:* mugir, rugir
Heulsuse <-, -n> *f pej fam* chialeuse *f*
Heulton <-töne> *m* hurlement *m*
Heuschnupfen *m* rhume *m* des foins
Heuschrecke ['hɔyʃrɛkə] <-, -n> *f* sauterelle *f*
heute ['hɔytə] *adv* 1. (*an diesem Tag*) aujourd'hui; ~ **früh** ce matin; ~ **Abend** ce soir; ~ **Nacht** cette nuit; ~ **in einem/vor einem Monat** dans un/il y a un mois jour pour jour; **ist das Brot von** ~? le pain, est-il du jour?; **von** ~ **an** à dater d'aujourd'hui; **er hat die Rechnung bis** ~ **nicht bezahlt** à ce jour, il n'a toujours pas payé la facture 2. (*heutzutage*) de nos jours; **die Jugend von** ~ les jeunes d'aujourd'hui
heutig ['hɔytɪç] *adj attr Zeitung, Post* d'aujourd'hui; *Abend, Anlass* présent(e) *antéposé;* **der** ~**e Tag** la journée d'aujourd'hui; **für den** ~**en Abend** pour ce soir
heutzutage ['hɔyttsuta:gə] *adv* de nos jours
Hexe ['hɛksə] <-, -n> *f* 1. sorcière *f* 2. *pej fam* (*bösartige Frau*) mégère *f*
hexen ['hɛksən] *vi* pratiquer la magie ▸ **ich kann doch nicht** ~! *fam* je ne peux pas aller plus vite que la musique!
Hexenjagd *f* chasse *f* aux sorcières
Hexenschuss[RR] *m kein Pl* tour *m* de reins
Hexerei [hɛksə'rai] <-, -en> *f* sorcellerie *f*
Hibiskus <-, Hibisken> *m* hibiscus *m*
Hickhack <-s, -s> *m o nt fam* chamailleries *fpl*
hie ▸ ~ **und da** (*stellenweise*) ici ou là
hieb [hi:p] *Imp von* **hauen**
Hieb [hi:p] <-[e]s, -e> *m* 1. (*Schlag*) coup *m;* **ein** ~ **mit der Peitsche** un coup de fouet 2. *Pl fam* (*Prügel*) raclée *f;* **von jdm** ~**e bekommen** recevoir une raclée de qn 3. (*Seitenhieb*) pique *f;* **jdm einen** ~ **versetzen** lancer une pique à qn; **der** ~ **saß** le coup a fait mouche
hieb- und stichfest *adj Alibi* en béton; *Beweise, Argumente* irréfutable
hielt [hi:lt] *Imp von* **halten**
hier [hi:ɐ] *adv* 1. (*an dieser Stelle, in die-*

sem Land, in dieser Stadt) ici; **jdn/etw** ~ **behalten** garder qn/qc [ici]; **hiergeblieben!** reste/restez ici!; ~ **sein** être là; ~ **bin ich!** me voilà!; **wir sind schon eine Stunde** ~ ça fait une heure que nous sommes là; ~ **draußen/drinnen** dehors/dedans; ~ **oben/unten** en haut/en bas; ~ **oben auf dem Schrank** sur l'armoire; ~ **entlang** par ici; **von** ~ **aus bis ...** d'ici à ...; ~ **ist Ina Berg** ici Ina Berg, Ina Berg à l'appareil; **was ist denn das** ~? mais qu'est-ce que c'est que ça?; **wo sind wir denn** ~? où sommes-nous?; **Martin Lang!** – **Hier!** Martin Lang! – Présent! 2. (*da*) voilà; ~, **nimm das!** tiens, prends ça! 3. (*in diesem Moment*) ici; ~ **versagte ihr die Stimme** à ce moment, la voix lui manqua; **von** ~ **an** à partir de ce moment-là ▸ ~ **und da** (*stellenweise*) ici ou là; (*ab und zu*) de temps à autre; **Herr Braun** ~, **Herr Braun da** *iron* Monsieur Braun par-ci, Monsieur Braun par-là; **jdm steht etw bis** ~ [**oben**] *fam* qn en a jusque-là de qc
hieran ['hi:'ran] *adv* 1. *festmachen, anlehnen, anschließen* ici; *vorbeikommen, vorübergehen* devant 2. (*an diesen Sachverhalt, diese Sache*) **wenn ich** ~ **denke** quand j'y pense; **kannst du dich** ~ **erinnern?** t'en souviens-tu? 3. (*an diesem Sachverhalt, dieser Sache*) ~ **erkennt/unterscheidet man ...** à cela, on reconnaît/distingue ...; ~ **zweifle ich** j'en doute
Hierarchie [hierar'çi:, -'çi:ən] <-, -n> *f* hiérarchie *f*
hierarchisch [hie'rarçɪʃ] *adj* hiérarchique
hierauf ['hi:'rauf] *adv* 1. *liegen, sitzen, stellen* là-dessus; **ein toller Stuhl,** ~ **sitzt es sich hervorragend** une chaise super, on y est très bien assis 2. (*daraufhin*) à la suite de quoi **hieraus** ['hi:'raus] *adv* 1. (*aus diesem Behälter*) d'ici 2. (*aus diesem Material*) **Beton besteht** ~: ... le béton se compose de la matière suivante: ... 3. (*aus dem Genannten*) ~ **folgt, dass** il s'ensuit que; ~ **geht hervor, dass** de cela ressort que 4. (*aus diesem Werk*) **du kannst dir die Zahlen** ~ **abschreiben** tu peux copier les chiffres à partir de ça; **das ist ein wichtiges Werk,** ~ **stammen meine Informationen** c'est une œuvre importante, j'ai pu y puiser de nombreux renseignements **hierbehalten*** *s.* **hier hierbei** ['hi:ɐ'bai] *adv* 1. (*bei diesem Anlass*) à cette occasion 2. (*währenddessen*) pendant ce temps 3. (*gleichzeitig*) en même temps 4. (*dabei*) ici; ~ **handelt es sich um ...** il s'agit en l'occurrence de **hierbleiben** *s.* **hier hierdurch** ['hi:ɐ'durç] *adv* 1. (*hier hindurch*) par ici 2. (*aus diesem Grund*) de cette fa-

çon, par là **hierfür** ['hiːɐ̯'fyːɐ̯] *adv* **1.** (*im Austausch*) **wie viel möchtest du ~ geben/bekommen?** tu es prêt(e) à donner/ recevoir combien en échange? **2.** (*für das hier*) **wenn er sich ~ interessiert** s'il s'intéresse à cela; **wenn du ~ Platz/Zeit hast** si tu as la place/le temps pour ça **hierher** ['hiːɐ̯'heːɐ̯] *adv* [par] ici; **jdn ~ bringen** amener qn ici; **etw ~ bringen** apporter qc ici; **jd/etw gehört ~** la place de qn/qc est ici; **diese Bemerkung gehört nicht ~** cette remarque n'a pas sa place ici; **~ holen** aller chercher *Person, Gegenstand;* **ich habe Sie alle ~ holen lassen, um ...** je vous ai tous/toutes fait venir pour ...; **jdn/etw ~ setzen** mettre qn/qc ici; **sich ~ setzen** s'asseoir là; **setz dich mal ~ zu mir** viens t'asseoir près de moi ▸**bis ~ und nicht** weiter jusqu'ici, mais pas plus loin; **mir** steht **es bis ~** *fam* j'en ai jusque-là **hierherauf** *adv* en haut; **komm ~!** monte!
hierher|**bringen** *s.* hierher **hierher**|**gehören*** *s.* hierher **hierher**|**holen** *s.* hierher **hierher**|**setzen** *s.* hierher
hierherum *adv* **1.** (*in diese Richtung*) de ce côté-ci **2.** *fam* (*etwa an dieser Stelle*) dans ce coin-là **hierhin** ['hiːɐ̯'hɪn] *adv* (*an diese Stelle hier*) **jdn ~ bringen** amener qn ici ▸**~ und** dorthin **laufen** courir dans tous les sens **hierhinein** *adv* par ici; **wir müssen ~** [gehen] ! nous devons entrer par ici! **hierin** *adv* **1.** (*in diesem Behälter*) là-dedans **2.** (*in dieser Hinsicht*) sur ce point
hiermit ['hiːɐ̯'mɪt] *adv* **1.** *form* **~ erkläre/ versichere ich ...** (*in schriftlicher Form*) par la présente, je déclare/certifie que ...; **~ protestiere ich gegen .../versichere ich ...** (*in mündlicher Form*) je proteste contre .../j'affirme ... **2.** (*mit diesem Gegenstand*) avec cela; **was soll ich denn ~?** qu'est-ce que tu veux/vous voulez que j'en fasse? **3.** (*mit dieser Angelegenheit*) **~ bin ich einverstanden** je consens à cela **4.** (*somit*) **~ beendete sie ihre Rede** sur ce, elle conclut son discours **hiernach** *adv* **1.** (*danach, darauf*) après cela **2.** (*demgemäß*) d'après cela
Hieroglyphe [hiero'glyːfə] <-, -n> *f* hiéroglyphe *m*
hier|**sein** *s.* hier **hierüber** ['hiːˈryːbɐ] *adv* **1.** (*über diese Stelle*) par-dessus **2.** *geh* (*über diese Angelegenheit*) là-dessus **hierum** *adv* (*in diese Richtung*) de ce côté-ci **hierunter** ['hiːˈrʊntɐ] *adv* **1.** (*unter dieses Möbelstück*) **stell den Karton ~!** mets le carton là-dessous! **2.** *fig* **... zehn Personen, ~ befanden sich drei Kinder ...**

dix personnes, dont trois enfants; **~ fallen auch Partizipien** les participes entrent dans cette catégorie **hiervon** ['hiːɐ̯'fɔn] *adv* **1.** (*von hier*) **fünf Kilometer ~ entfernt** à cinq kilomètres d'ici **2.** (*von diesem, diesen*) **~ kannst du etwas haben** tu peux en prendre; **probier mal ~** goûtez-en (*fam*) **3.** (*hierüber*) **~ weiß ich nichts** j'en sais rien **hiervor** *adv* **1.** (*räumlich*) là-devant **2. hierzu** ['hiːɐ̯'tsuː] *adv* **1.** (*dazu*) **~ gehören/passen** en faire partie/aller avec [cela] **2.** (*zu dieser Kategorie*) **~ gehören auch Pferde** les chevaux entrent aussi dans cette catégorie **3.** (*zu diesem Punkt*) sur ce point; **~ habe ich nichts mehr zu sagen** je n'ai rien à rajouter à cela **hierzulande** ['hiːɐ̯tsu'landə] *adv* (*in dieser Gegend*) dans cette région; (*in diesem Land*) dans ce pays
hiesig ['hiːzɪç] *adj attr* d'ici; *Bevölkerung, Bräuche, Verhältnisse* local(e)
hieß [hiːs] *Imp von* heißen
hieven *vt fam* (*heben*) hisser
Hi-Fi-Anlage ['haifi'anlaːgə] *f* chaîne *f* hi-fi
high [haɪ] *adj fam* **1.** (*von Drogen berauscht*) **~ sein** être défoncé; **völlig ~ sein** planer **2.** (*euphorisch*) **~ sein** être sur son petit nuage
Highlife ['hailaif] <-s> *nt fam* **bei ihm/ uns/... ist heute ~** il/on/... fait la bringue aujourd'hui
Highsociety[RR] ['haisə'saiəti] <-> *f* haute société *f,* la haute (*fam*)
Hightech[RR] ['hai'tɛk] <-[s]> *nt* high-tech *m*
hijacken ['haidʒɛkn] *vt fam* détourner *Flugzeug*
Hijacker(in) ['haidʒɛkɐ] <-s, -> *m(f)* pirate *mf* de l'air
Hilfe ['hɪlfə] <-, -n> *f* **1.** *kein Pl* (*Beistand*) aide *f;* **gegenseitige ~** entraide *f;* **jdn um ~ bitten** demander de l'aide à qn; **um ~ rufen** appeler au secours; **jdm zu ~ kommen** venir en aide à qn; **~ suchend** *Person* qui cherche de l'aide; *Blick* implorant(e); **hol' ~!** va chercher de l'aide!; [**zu**] **~!** au secours!, à l'aide! **2.** *fig* **mit ~ eines Seils** à l'aide d'une corde; **etw zu ~ nehmen** s'aider de qc **3.** (*Haushaltshilfe*) aide *mf* **4.** (*finanzielle Unterstützung*) aide *f* [financière] ▸**erste ~** les premiers soins *mpl* **Hilfeleistung** *f geh* aide *f,* assistance *f* **Hilferuf** *m* appel *m* au secours **Hilfestellung** *f* **1.** SPORT parade *f* **2.** (*Mensch*) pareur(-euse) *m(f)* ▸**jdm ~** geben SPORT assurer la parade pour qn; *fig* aider qn **hilfesuchend** *s.* Hilfe
hilflos I. *adj* **1.** *Person* sans défense **2.** *Per-*

son désemparé(e); *Benehmen* embarrassé(e) **II.** *adv* **1.** (*hilfsbedürftig*) sans défense; ~ **im Bett liegen** être cloué au lit, dépendant des autres **2.** (*ratlos*) avec embarras

Hilflosigkeit <-> *f* **1.** (*Hilfsbedürftigkeit*) détresse *f; eines Kranken* dépendance *f* **2.** (*Ratlosigkeit*) impuissance *f*

hilfreich *adj* **1.** *Person* serviable; **Sie waren sehr** ~ vous avez été d'une grande aide **2.** (*nützlich*) utile; **es wäre** ~/~**er, wenn** il serait utile/préférable que

Hilfsaktion *f* action *f* humanitaire **Hilfsarbeiter(in)** *m(f)* ouvrier(-ière) *m(f)* [non spécialisé(e)]; (*Bauarbeiter*) manœuvre *m* **hilfsbedürftig** *adj* **1.** (*auf Hilfe angewiesen*) qui a besoin d'aide; ~ **sein** avoir besoin d'aide **2.** (*bedürftig*) dans le besoin **hilfsbereit** *adj* serviable; **sich** ~ **zeigen** se montrer serviable **Hilfsbereitschaft** *f* serviabilité *f* **Hilfskraft** *f* aide *mf;* **wissenschaftliche** ~ ≈ assistant(e) *m(f)* **Hilfsmittel** *nt* **1.** (*Arbeitsmittel*) outil *m* de travail **2.** MED adjuvant *m* **3.** *Pl* (*finanzielle Mittel*) aides *fpl* financières **Hilfsmotor** *m* moteur *m* auxiliaire **Hilfsorganisation** *f* organisation *f* humanitaire **Hilfsprogramm** *nt* programme *m* d'aide **Hilfsverb** *nt* GRAM [verbe *m*] auxiliaire *m;* **modales** ~ verbe de modalité

hilft [hɪlft] *3. Pers Präs von* **helfen**

Himbeere ['hɪmbeːrə] *f* (*Frucht*) framboise *f*

Himbeereis *nt* glace *f* à la framboise **Himbeermarmelade** *f* confiture *f* de framboise

Himmel ['hɪməl] <-s, *geh* -> *m* **1.** (*Luftraum*) ciel *m;* **am** ~ dans le ciel; **unter freiem** ~ **schlafen** coucher à la belle étoile **2.** REL ciel *m;* **im** ~ au ciel **3.** (*Baldachin*) ciel *m* de lit ►**zwischen** ~ **und Erde** entre ciel et terre; ~ **und Hölle in Bewegung setzen** *fam* remuer ciel et terre; **aus heiterem** ~ *fam* tout d'un coup; **ach du lieber** ~! *fam* sacré nom d'un chien!; **in den** ~ **kommen** aller au ciel; **um** ~**s willen!** *fam* pour l'amour du ciel!; ~ [**noch mal**]! *fam* bon Dieu!

himmelangst *adj* **da kann einem ja** ~ **werden!** on peut vraiment prendre peur! **Himmelbett** *nt* lit *m* à baldaquin **himmelblau** *adj* bleu ciel *inv* **Himmelfahrt** *f* l'Ascension *f* **Himmelreich** *nt* *kein Pl* royaume *m* des cieux **himmelschreiend** *adj* *Unrecht* criant(e) **Himmelskörper** *m* corps *m* céleste **Himmelsrichtung** *f* direction *f* [géographique]; **die vier** ~**en** les quatre points cardinaux **himmelweit** *fam adj* énorme

himmlisch ['hɪmlɪʃ] **I.** *adj* **1.** *attr Gnade, Vorsehung* céleste; *Zeichen* du ciel **2.** *Wetter, Essen, Wein* divin(e); *Stoff, Kleidungsstück* superbe **II.** *adv* merveilleusement; *schön, warm* divinement; **das schmeckt einfach** ~! c'est tout simplement divin!

hin [hɪn] **I.** *adv* **1.** (*räumlich*) **bis zum Garten** ~ jusqu'au jardin; **bis zu euch** ~ jusque chez vous; **zur Straße** ~ **liegen** donner sur la rue; **wo ist der so plötzlich** ~? *fam* où est-ce qu'il est passé tout à coup? **2.** (*den Hinweg betreffend*) **eine Fahrkarte nach Bonn, aber nur** ~ un billet pour Bonn, un aller simple; ~ **und zurück** aller et retour **3.** (*zeitlich*) **über viele Jahre** (*akk*) ~ pendant de nombreuses années; **wir müssen auf längere Sicht** ~ **planen** nous devons faire des projets à long terme; **das ist noch lange** ~ c'est encore loin **4.** (*hinsichtlich*) **etw auf Spuren** (*akk*) ~ **untersuchen** examiner qc en vue de rechercher des traces **5.** (*infolge*) **auf mein Bitten/sein Drängen** ~ sur mes prières/ses instances **6.** (*trotz*) **auf die Gefahr** ~ **sich zu blamieren** au risque de se ridiculiser ►**das Hin und Her** (*das Kommen und Gehen*) le va-et-vient; (*der Wechsel*) les fluctuations *fpl;* ~ **und her überlegen** tourner et retourner le problème; ~ **und wieder** de temps en temps; **vor sich** (*akk*) ~ **reden** parler tout seul **II.** *adj* **1.** (*kaputt*) ~ **sein** être fichu (*fam*); *Motor, Fernseher, Bildröhre:* être nase (*fam*) **2.** *fam* (*tot*) ~ **sein** être clamsé **3.** (*verloren*) **das Geld/die Ruhe ist** ~ c'en est fini du fric *fam/*du calme **4.** (*fasziniert*) **von jdm/etw ganz** ~ **sein** être emballé par qn/qc

hinab [hɪ'nap] *s.* **hinunter**

hinauf [hɪ'naʊf] **I.** *adv* **1.** vers le haut; **immer weiter** ~ toujours plus haut; **bis** ~ jusqu'en haut; **hier** ~? faut-il monter par là? **2.** *fam* (*in Richtung Norden*) **ich muss nach Hamburg** ~ il faut que je monte à Hambourg **II.** *präp + akk* **den Berg** ~ **fünf Stunden brauchen** mettre cinq heures pour monter au sommet de la montagne **hinauffahren** *irr* **I.** *vi + sein* monter; **mit dem Auto/der Seilbahn** ~ monter en voiture/avec le funiculaire; **wieder** ~ remonter **II.** *vt + haben o sein* **jdn mit dem Auto** ~ emmener qn en voiture jusqu'en haut; **sie ist die Donau hinaufgefahren** elle a remonté le Danube **hinaufführen** **I.** *vi Treppe:* monter jusqu'en haut; *Weg:* conduire jusqu'en haut; **auf den Dachboden** ~ *Treppe, Kabel:* conduire au grenier **II.** *vt geh* **jdn** ~ conduire qn en haut **hinaufgehen** *irr* **I.** *vi + sein* **1.** (*nach oben gehen*)

monter; **auf den Dachboden** ~ monter
au grenier **2.** *fig* **mit dem Preis** ~ augmenter le prix **3.** (*steigen*) augmenter; *Miete,*
Preis, Fieber: grimper **II.** *vt* + *sein* monter
Treppe **hinauf|klettern** *vi* + *sein* grimper
hinauf|kommen *irr* **I.** *vi* + *sein* monter;
in die Wohnung/zu jdm ~ monter jus-
qu'à l'appartement/chez qn **II.** *vt* + *sein*
1.(*nach oben kommen*) **die Treppe/in**
die Wohnung/zu jdm ~ monter l'esca-
lier/jusqu'à l'appartement/chez qn **2.**(*es*
nach oben schaffen) arriver à monter **hi-**
nauf|laufen *irr* **I.** *vi* + *sein* **zu jdm** ~
monter chez qn en courant **II.** *vt* + *sein* es-
calader *Berg* **hinauf|reichen** *vi* (*sich er-*
strecken) **bis zum Dach** ~ arriver jus-
qu'au toit **hinauf|schauen** *s.* **hinaufse-**
hen hinauf|sehen *vi irr* lever les yeux; **zu**
jdm ~ lever les yeux vers qn; **zum Dach** ~
regarder vers le haut du toit **hinauf|set-**
zen *s.* heraufsetzen **hinauf|steigen** *irr* **I.**
vi + *sein* monter **II.** *vt* + *sein* monter en
haut de *Leiter*
hinaus [hɪ'naʊs] *adv* **1.** ~ **sein** être sorti; ~
[um dir/euch]! dehors!; **da/dort/hier** ~!
par là/par là-bas/par ici [la sortie]!; **nach**
hinten/zur Straße ~ sur l'arrière/la rue
2.(*später als*) **über einen Termin/eine**
Frist ~ au-delà d'une date/d'un délai
3.(*mehr als*) **über diesen Betrag** ~ plus
que cette somme **4.**(*weiter als*) **über etw**
(*akk*) ~ **sein** avoir dépassé qc; **über die-**
ses Alter bin ich ~ j'ai passé l'âge
hinaus|befördern* *vt* *fam* vider **hi-**
naus|beugen *vr* **sich** ~ se pencher [au-]de-
hors **hinaus|bringen** *vt* *irr* **1.**(*hinausbe-*
gleiten) reconduire **2.** sortir *Müll, MülLei-*
mer **hinaus|fahren** *irr* **I.** *vi* + *sein* (*nach*
draußen fahren) sortir **II.** *vt* + *haben* sortir
Auto **hinaus|fliegen** *vi irr* + *sein* **1.**(*nach*
draußen fliegen) *Vogel:* s'envoler **2.** *fam*
(*hinausfallen*) faire un vol plané **3.** *fam* (*hi-*
nausgeworfen werden) **aus dem Restau-**
rant/der Schule ~ être viré du restau-
rant/de l'école **hinaus|gehen** *irr* **I.** *vi* +
sein **1.**(*nach draußen gehen*) *Person:* sortir **2.**(*abgeschickt werden*) **zu jdm** ~ *Brief,*
Sendung, Lieferung: être envoyé chez qn
3.(*gerichtet sein*) **auf den Hof** ~ *Fenster,*
Tür, Zimmer: donner sur la cour; **nach Os-**
ten ~ être exposé à l'est **4.**(*überschreiten*)
über seine Befugnisse ~ aller au-delà de
ses attributions **II.** *vi unpers* + *sein* **wo**
geht es hinaus? par où est la sortie?; **es**
geht nur [da] **vorne hinaus** on ne peut
sortir que par-devant **hinaus|jagen** *vt* +
haben **jdn** ~ mettre qn dehors **hi-**
naus|kommen *vi irr* + *sein* (*nach draußen*
kommen) sortir **hinaus|laufen** *vi irr* +

sein **1.**(*nach draußen laufen*) sortir [en
courant] **2.**(*gleichbedeutend sein*) **auf**
etw (*akk*) ~ équivaloir à qc; **das läuft auf**
dasselbe hinaus ça revient au même **hi-**
naus|lehnen *vr* **sich** ~ se pencher [au-]de-
hors; **sich aus dem Fenster/aus dem**
Auto ~ se pencher par la fenêtre/à l'exté-
rieur de la voiture **hinaus|ragen** *vi* + *sein*
(*nach außen ragen*) dépasser **hinaus|schi-**
cken *vt* envoyer dehors *Kinder* **hi-**
naus|schieben *vt irr* (*hinauszögern*) **etw**
~ remettre qc à plus tard **hinaus|sein** *s.*
hinaus hinaus|wachsen [-ks-] ~ **über**
sich selbst ~ se dépasser **hinaus|wagen**
vr **sich** ~ s'aventurer dehors **hinaus|wer-**
fen *vt irr* **1.** **etw** ~ jeter qc dehors **2.** *fam*
jdn ~ flanquer qn dehors **hinaus|wollen**
vi (*nach draußen wollen*) vouloir sortir **hi-**
naus|zögern **I.** *vt* retarder **II.** *vr* **sich** ~
être retardé

hin|bekommen* *s.* hinkriegen **hin|be-**
stellen* *vt* convoquer **hin|biegen** *vt irr*
fam (*bereinigen*) rattraper
Hinblick *m* ►**im** [*o* **in**] ~ **auf etw** (*akk*)
(*hinsichtlich*) compte tenu de qc; (*wegen,*
aufgrund) par considération pour qc; **im** ~
darauf, dass compte tenu du fait que
hin|bringen *vt irr* **1.**(*bringen*) apporter;
jdm etw ~ apporter qc à qn; **etw zu jdm**
~ **lassen** faire parvenir qc à qn **2.**(*beglei-*
ten) y emmener **hin|denken** ►**wo**
denkst du hin! que vas-tu imaginer!
hinderlich ['hɪndəlɪç] *geh* **I.** *adj* **1.**(*behin-*
dernd) gênant(e) **2.**(*ein Hindernis darstel-*
lend) **für jdn/etw** ~ **sein** *Tatsache, Um-*
stand, Vorfall: être un handicap pour qn/qc
II. *adv* **sich** ~ **auf etw** (*akk*) **auswirken**
constituer un handicap pour la suite de qc
hindern ['hɪndɐn] *vt* **1.**(*abhalten*) retenir;
jdn [daran] ~ **etw zu tun** empêcher qn de
faire qc **2.**(*stören*) **jdn beim Gehen** ~ gêner qn pour marcher
Hindernis ['hɪndɐnɪs] <-ses, -se> *nt* obstacle *m*; **ein** ~ **für seine Karriere** une entrave à sa carrière ►**jdm** ~**se in den Weg**
legen mettre des bâtons dans les roues à
qn
Hindernislauf *m* course *f* d'obstacles
Hinderungsgrund *m* empêchement *m*
hin|deuten *vi* **1.**(*hinzeigen*) montrer; **mit**
dem Finger/einem Zeigestock auf etw
(*akk*) ~ montrer qc du doigt/avec une baguette **2.**(*vermuten lassen*) **auf etw** ~ laisser augurer qc; **darauf** ~, **dass** indiquer
que
Hindi ['hɪndi] <-> *nt kein art* hindi *m*; *s. a.*
Deutsch
Hindu ['hɪndu] <-[s], -[s]> *m* hindou(e)
m(f)

Hinduismus [hɪndu'ɪsmʊs] <-> *m* hindouisme *m*
hinduistisch I. *adj* hindou(e) II. *adv erziehen* dans l'hindouisme; *prägen* par l'hindouisme
hindurch [hɪn'dʊrç] *adv* 1.(*räumlich*) **hier** ~ par ici; **wo** ~? par où passer?; **durch die Wand** ~ à travers le mur 2.(*zeitlich*) **die ganze Nacht** ~ toute la nuit; **Jahre** ~ pendant des années **hindurchIdrängen** *vr* **sich** ~ se frayer un passage **hindurchIgehen** *vi irr* + *sein* 1.(*durchschreiten*) **durch etw/unter etw** (*dat*) ~ passer par/sous qc 2.(*durchdringen*) **durch jdn/etw** ~ *Strahlen, Messer, Geschoss:* traverser qn/qc 3.(*bewegt werden können*) **durch etw** ~ *Bohrer:* passer au travers de qc 4.(*passen*) **durch etw** ~ passer par qc
hinein [hɪ'najn] *adv* **da/dort/hier** ~! il faut entrer là/là-bas/ici!; **nur** ~! entre/entrez donc!
hineinIdenken *vr irr* **sich in jdn** ~ se mettre à la place de qn **hineinIfressen** *vt irr fam* (*nicht abreagieren*) **etw in sich** (*akk*) ~ ravaler qc [en soi-même] **hineinIgehen** *vi irr* + *sein* (*eintreten, hineinpassen*) entrer; **in etw** (*akk*) ~ entrer dans qc **hineinIgeraten*** *vi irr* + *sein* **in etw** (*akk*) ~ tomber dans qc **hineinIinterpretieren*** *vt* **etw in etw** (*akk*) ~ tirer qc de qc **hineinIknien** [-kniːn, -kniːən] *vr fam* **sich** ~ se donner à fond; **sich in etw** (*akk*) ~ se donner à fond dans qc **hineinIkommen** *vi irr* + *sein* entrer **hineinIlaufen** *vi irr* + *sein* (*schnell eintreten*) entrer [en courant] **hineinIlegen** I. *vt* (*legen*) **etw** ~ mettre qc dedans; **etw wieder** ~ remettre qc dedans; **etw in die Schublade** ~ mettre qc dans le tiroir II. *vr* **sich** ~ se coucher dedans; **sich in etw** (*akk*) ~ se coucher dans qc **hineinIpassen** *vi* (*dazu passen*) être à sa place **hineinIreden** *vi* (*sich einmischen*) **jdm** ~ se mêler des affaires de qn **hineinIstecken** *vt* mettre dedans; **jdn/etw** ~ mettre qn/qc dedans **hineinIsteigern** *vr* **sich in etw** (*akk*) ~ se laisser emporter par qc **hineinIversetzen*** *vr* **sich in jdn** ~ se mettre à la place de qn; **sich in die Antike hineinversetzt fühlen** avoir l'impression d'être transporté dans l'Antiquité **hineinIwachsen** [-ks-] *vi irr* + *sein* (*vertraut werden*) **in eine Gemeinschaft** ~ s'accoutumer à une communauté **hineinIwollen** *vi fam* vouloir entrer **hineinIziehen** *vt* + *haben* compromettre; **jdn** [mit] ~ compromettre qn; **jdn in etw** (*akk*) [mit] ~ entraîner qn dans qc
hinIfahren *irr* I. *vi* + *sein* y aller; **zu jdm** ~

aller chez qn II. *vt* + *haben* **jdn** ~ y conduire qn; **etw** ~ y apporter qc [en voiture]
Hinfahrt *f* trajet *m* [pour y aller]; **auf der** ~ à l'aller
hinIfallen *vi irr* + *sein* tomber
hinfällig *adj* 1.(*gebrechlich*) infirme 2. *Forderung, Rechnung* caduc(-uque); *Argument* sans valeur
hinIfinden *vi irr fam* trouver le chemin; **zu jdm/zur Post** ~ trouver le chemin pour aller chez qn/à la poste
Hinflug *m* vol *m* [pour y aller]; **auf dem** ~ à l'aller; **auf dem** ~ **nach Paris** pendant le vol aller pour Paris
hinIführen I. *vt* y conduire; **jdn** ~ y conduire qn; **jdn zu etw** ~ conduire qn à qc II. *vi* y conduire; **zu etw** ~ conduire à qc ►**wo soll das** ~? où cela va-t-il nous mener?
hing [hɪŋ] *Imp von* **hängen**
Hingabe *f kein Pl* ardeur *f;* **mit** ~ avec ardeur
hinIgeben *irr* I. *vr* 1.(*sich überlassen*) **sich dem Nichtstun/der Verzweiflung** ~ s'abandonner au farniente/désespoir; **sich dem Laster** ~ s'adonner au vice 2. *euph geh* (*sich nicht verweigern*) **sich jdm** ~ se donner à qn II. *vt geh* donner *Geld;* sacrifier *Ruf*
Hingebung *s.* **Hingabe**
hingebungsvoll I. *adj Blick, Klavierspiel* passionné(e); *Pflege* plein(e) de dévouement II. *adv spielen* avec ferveur; *lauschen, sich widmen* passionnément; *pflegen* avec dévouement
hingegen [hɪn'geːgən] *konj geh* en revanche
hinIgehen *vi irr* + *sein* (*dorthin gehen*) y aller **hinIgehören*** *vi fam* **wo gehört die Schüssel hin?** il se range où, ce plat?
hinIgeraten* *vi irr* + *sein* **wo bin ich hier bloß** ~? *fam* où est-ce que je suis tombé(e)?
hingerissen ['hɪngərɪsən] I. *adj* ravi(e) II. *adv* avec ravissement
hinIhalten *vt irr* 1.(*entgegenhalten*) **jdm etw** ~ tendre qc à qn 2.(*warten lassen*) **jdn** ~ abuser; **sich von jdm** ~ **lassen** se laisser bercer par qn **hinIhauen** *irr vi fam* (*gut gehen*) coller **hinIhören** *vi* écouter
hinken ['hɪŋkən] *vi* + *haben* boiter; **auf dem linken Bein** ~ [*o* mit] boiter du pied gauche
hinIknien I. *vi* + *sein* s'agenouiller II. *vr* + *haben* **sich** ~ s'agenouiller **hinIkommen** *vi irr* + *sein* 1.(*gelangen*) y arriver 2.(*hingehören*) **die Gläser kommen hier hin** les verres se mettent ici **hinIkriegen** *vt fam* 1.(*reparieren*) **etw** [wieder] ~ rafistoler qc 2.(*fertig bringen*) arranger; **es** ~,

dass arriver à se débrouiller pour que + *subj*
hinlänglich *adj* suffisant(e)
hin|laufen *vi irr* + *sein* **1.** (*hinrennen*) y courir; **zu jdm** ~ courir chez qn **2.** DIAL *fam* (*zu Fuß gehen*) y aller à pied **hin|legen I.** *vt* **1.** déposer *Buch, Päckchen* **2.** allonger *Person* **3.** (*vorlegen, bereitlegen*) **wo soll ich dir die Handtücher** ~? où dois-je te mettre les serviettes? **4.** *fam* (*bezahlen*) **viel Geld für etw** ~ **müssen** devoir allonger beaucoup d'argent pour qc **5.** *fam* faire *Vortrag, Solonummer;* sortir *Rede* **II.** *vr* **1.** (*sich schlafen legen*) **sich** ~ s'allonger, se coucher **2.** *fam* (*hinfallen*) **sich** ~ s'étaler **hin|nehmen** *vt irr* (*ertragen*) accepter; supporter *Beleidigung, Verstoß;* **eine Niederlage** ~ **müssen** essuyer une défaite **hin|passen** *vi* aller; **der Tisch passt da [gut] hin** là, la table va bien **hin|reichen** *geh vt* tendre *Hand* **hinreichend** *adj* suffisant(e) **Hinreise** *f* trajet *m* [pour y] aller; **die** ~ **nach Rom** le trajet pour aller à Rome; **auf der** ~ à l'aller; **Hin- und Rückreise** aller *m* et retour **hin|reißen** *vt irr* **1.** (*begeistern*) **jdn** ~ *Person:* séduire qn; *Sportwagen, Villa:* ravir qn; **von jdm/etw hingerissen sein** être émerveillé par qn/qc **2.** (*verleiten*) **sich** ~ **lassen** s'emporter; **sich zu einer Bemerkung** ~ **lassen** se laisser aller à une remarque **hinreißend I.** *adj* ravissant(e) **II.** *adv* tanzen, *spielen* merveilleusement [bien]; ~ **aussehen** être ravissant **hin|richten** *vt* exécuter **Hinrichtung** *f* exécution *f* **hin|schauen** *s.* hinsehen **hin|schicken** *vt* envoyer **hin|schmeißen** *fam s.* hinwerfen **hin|sehen** *vi irr* regarder; **genauer** ~ y regarder de plus près; **vom bloßen Hinsehen** rien qu'à le/la/ ... regarder; **bei genauerem Hinsehen** en y regardant de plus près **hin|sein** *s.* hin I., II. **hin|setzen I.** *vr* **sich** ~ s'asseoir **II.** *vt* **1.** asseoir *Person* **2.** [dé]poser *Kiste, Tasche*
Hinsicht *f kein Pl* point *m* de vue; **in dieser** ~ à cet égard; **in mancher** ~ à maints égards; **in beruflicher/finanzieller** ~ du point de vue professionnel/financier
hinsichtlich *präp* + *gen form* en ce qui concerne; ~ **des Vertrags** en ce qui concerne le contrat
hin|sitzen *vr* SDEUTSCH, CH **sich** ~ s'asseoir
Hinspiel *nt* match *m* aller
hin|stehen SDEUTSCH, CH *s.* hinstellen **hin|stellen I.** *vt* **1.** (*hintun*) **etw da/dort** ~ mettre qc là **2.** déposer *Fahrrad;* garer *Auto* **3.** (*charakterisieren*) **jdn als Angeber** ~ faire passer qn pour un frimeur **II.** *vr* **sich** ~ se mettre debout; (*sich aufrichten*) se

mettre droit(e); sich vor jdn ~ se planter devant qn
hinten ['hɪntən] *adv* derrière; ~ **sein** être derrière; ~ **bleiben** rester en arrière; ~ **im Bus** au fond du bus; ~ **in der Schlange** à l'arrière de la queue; ~ **am Kragen/an der Hose** sur l'envers du col/du pantalon; **der Blinker** ~ **rechts** le clignotant arrière droit; ~ **im Buch** à la fin du livre; **ganz** ~ sitzen être assis tout au fond; **nach** ~ **schauen/durchgehen** regarder derrière/ aller vers le fond; **nach** ~ **fallen** tomber à la renverse; **von** ~ de derrière; **von** ~ **kommen** venir par derrière; **von** ~ **anfangen** commencer par la fin; **von** ~ **sahen** Sie ihm ähnlich vous lui ressembliez de dos ►**das Geld reicht weder** ~ **noch vorn[e]** *fam* n'importe comment, c'est pas assez [d'argent]; **sie weiß nicht mehr, wo** ~ **und vorn[e] ist** *fam* elle ne sait plus où elle en est
hintendran *adv fam* [par] derrière **hintendrauf** *adv fam* derrière ►**jdm eins** ~ **geben** donner une tape sur les fesses à qn **hintenherum** ['hɪntənhɛrʊm] *adv* **1.** *gehen, kommen* par derrière; **kommen Sie** ~! passez par derrière! **2.** *fam* (*auf Umwegen*) par la bande **3.** *fam bekommen, besorgen* sous le manteau **hintenrum** ['hɪntənrʊm] *s.* hintenherum **hintenüber** [hɪntən'ʔyːbɐ] *adv* à la renverse
hinter ['hɪntɐ] **I.** *präp* + *dat* **1.** ~ **jdm/etw stehen** être derrière qn/qc; **zwei Kilometer** ~ **der Grenze** deux kilomètres après la frontière **2.** (*nach*) ~ **jdm/etw** après qn/qc; **einer** ~ **dem anderen** l'un après l'autre; **die Tür** ~ **sich schließen** fermer la porte sur soi **II.** *präp* + *akk* **sich** ~ **jdn/etw stellen** se mettre derrière qn/qc
Hinterachse *f* essieu *m* arrière **Hinterausgang** *m* sortie *f* de derrière **Hinterbacke** *f meist Pl fam* fesse *f* **Hinterbein** *nt* patte *f* de derrière **Hinterbliebene(r)** *f(m) dekl wie adj* parent(e) *m(f)* survivant(e); **die** ~**n** la famille
hintere(r, s) *adj Haus, Tür, Zimmer* de derrière; **die** ~**n Reihen** les rangées du fond; **die** ~**n Seiten** les dernières pages; **der** ~ **Teil/ Bereich** la partie arrière; **das** ~ **Stück** le bout [final]; **im** ~**n Teil des Zuges** à l'arrière du train; **im** ~**n Teil des Saales** au fond de la salle
hintereinander *adv* **1.** (*räumlich*) l'un(e) derrière l'autre; ~ **fahren** rouler l'un/l'autre; ~ **gehen** marcher en file indienne **2.** (*zeitlich*) **etw** ~ **tun** (*wiederholt*) faire qc de suite; (*an einem Stück*) faire qc d'affilée
hintereinander|fahren *s.* hintereinander

hintereinanderlgehen s. hintereinander **hintereinanderher** adv l'un(e) derrière l'autre
Hintereingang m entrée f de derrière
hinterfragen* [hɪntɐˈfraːgən] vt geh etw ~ remettre qc en question
Hintergedanke m arrière-pensée f; ~n haben avoir quelque chose derrière la tête; ohne ~n sans [aucune] arrière-pensée
hintergehen* [hɪntɐˈgeːən] vt irr 1.(betrügen) tromper 2.(sexuell betrügen) jdn mit jdm ~ tromper qn avec qn
Hintergrund m 1. einer Bühne, eines Raumes, Gemäldes fond m 2.(Bedingungen, Umstände) toile f de fond; einen realen ~ haben Legende: reposer sur un fait authentique; vor dem ~ dieser Ereignisse au vu de ces événements 3. Pl (verborgene Zusammenhänge) dessous mpl ▶im ~ bleiben rester dans l'ombre; in den ~ treten être relégué au second plan
Hintergrunddatei f INFORM fichier m d'arrière-plan
hintergründig [ˈhɪntɐgrʏndɪç] I. adj Frage, Lächeln énigmatique; Humor hermétique; Affäre, Zusammenhänge complexe II. adv lächeln de façon énigmatique; ~ fragen poser des questions pleines de sous-entendus
Hintergrundinformation f information f de fond **Hintergrundspeicher** m INFORM mémoire f à arrière-plan **Hintergrundverarbeitung** f INFORM traitement m de fond **Hintergrundwissen** nt connaissances fpl générales
Hinterhalt m cachette f [pour une embuscade]; jdn in einen ~ locken attirer qn dans une embuscade; in einen ~ geraten tomber dans une embuscade; aus dem ~ par surprise
hinterhältig [ˈhɪntɐhɛltɪç] I. adj sournois(e); so ein ~er Betrüger! quel faux jeton! (fam) II. adv de façon sournoise
Hinterhand ▶etw in der ~ haben avoir qc dans sa manche **Hinterhaus** nt maison f du fond
hinterher [hɪntɐˈheːɐ̯] adv 1.(zeitlich) après; (im Nachhinein) après coup 2.(räumlich) derrière; los, schnell ~! vite, courons après!
hinterherlfahren vi irr+ sein suivre en voiture **hinterherllaufen** vi irr+ sein 1.(folgen) courir derrière; jdm ~ courir après qn 2.fam (sich bemühen) jdm/einer S. ~ courir après qn/qc **hinterherlschicken** vt envoyer; jdm jdn/etw ~ envoyer qn/qc à la suite de qn
Hinterhof m arrière-cour f **Hinterkopf** m arrière m de la tête **Hinterland** nt kein Pl

arrière-pays m
hinterllassen* [hɪntɐˈlasən] vt irr 1.(zurücklassen) laisser; ~e Werke œuvres fpl posthumes; etw sauber/unaufgeräumt ~ laisser qc parfaitement propre/en désordre 2.(vermachen) léguer
Hinterlassenschaft <-, -en> f (Vermächtnis) héritage m
hinterlegen* [hɪntɐˈleːgən] vt déposer
Hinterlist f kein Pl ruse f
hinterlistig I. adj sournois(e) II. adv de façon sournoise
hinterm [ˈhɪntɐm] = fam hinter dem s. hinter
Hintermann <-männer> m 1.(opp: Vordermann) dein ~ ton voisin de derrière; (Auto, Autofahrer) le conducteur [qui est] derrière toi 2. Pl pej fam (Drahtzieher) instigateurs mpl
hintern [ˈhɪntɐn] = fam hinter den s. hinter
Hintern [ˈhɪntɐn] <-s, -> m fam postérieur m, derrière m; er hat ihn in den ~ getreten il lui a donné un coup de pied dans le derrière; jdm den ~ versohlen flanquer une fessée à qn ▶ich könnte mich in den ~ beißen, dass ich das vergessen habe! fam je me flanquerais des baffes pour avoir oublié ça!; jdm in den ~ kriechen fam lécher les bottes à qn
Hinterrad nt roue f arrière
hinterrücks [ˈhɪntɐrʏks] adv par derrière
hinters [ˈhɪntɐs] = fam hinter das s. hinter
Hinterschinken m jambon m (de la cuisse)
Hinterseite f eines Gebäudes arrière m
hinterste(r, s) adj Superl von hintere(r, s) 1. der ~ Winkel des Zimmers le coin le plus reculé de la chambre; in der ~n Reihe au [tout] dernier rang 2. GEOG im ~n Afrika au fin fond de l'Afrique
Hinterteil nt fam (Gesäß) arrière-train m
Hintertreffen nt kein Pl ▶gegenüber jdm ins ~ geraten perdre du terrain par rapport à qn; jdm gegenüber im ~ sein se retrouver à la traîne par rapport à qn
hintertreiben* vt irr faire échec à
Hintertreppe f escalier m de service **Hintertür** f 1. eines Gebäudes porte f de derrière 2.fam (Ausweg) porte f de sortie ▶sich (dat) [noch] eine ~ offen halten [o lassen] se ménager une porte de sortie; durch die ~ par la bande **Hinterwäldler(in)** <-s, -> m(f) fam plouc mf
hinterziehen* [hɪntɐˈtsiːən] vt irr frauder sur; Steuern ~ frauder le fisc
Hinterzimmer nt chambre f donnant sur l'arrière; einer Gaststätte arrière-salle f; eines Ladens arrière-boutique f

hin|treten *vi irr* + *sein* (*sich nähern*) **zu jdm** ~ s'avancer vers qn **hin|tun** *vt irr fam* **etw da/dort** ~ mettre qc là **hinüber** [hɪ'nyːbə] I. *adv* de l'autre côté II. *adj fam* **1.** (*verdorben, defekt*) ~ **sein** *Lebensmittel, Gerät, Motor:* être fichu **2.** (*tot*) ~ **sein** avoir passé l'arme à gauche **3.** (*bewusstlos*) ~ **sein** être tombé dans les vapes **4.** (~*gegangen*) **zu jdm/ins Büro** ~ **sein** être parti chez qn/au bureau **hinüber|blicken** *vi* regarder de l'autre côté; **zu jdm/etw** ~ regarder du côté de qn/qc **hinüber|fahren** *irr* I. *vt* + *haben* **jdn/etw zu jdm** ~ amener qn/apporter qc chez qn II. *vi* + *sein* **zu jdm** ~ passer chez qn **hinüber|führen** I. *vt* conduire de l'autre côté; **jdn** ~ conduire qn de l'autre côté; **jdn auf die andere Straßenseite** ~ faire traverser la rue à qn; **jdn ins Behandlungszimmer** ~ amener qn dans la salle de soins II. *vi* conduire de l'autre côté; **auf die andere Seite** ~ conduire de l'autre côté; **über den Fluss** ~ traverser la rivière **hinüber|gehen** *vi irr* + *sein* (*auf die andere Seite gehen*) traverser **hinüber|kommen** *vi irr* + *sein* **1.** sie wird auf die andere Straßenseite ~ elle va traverser la rue; **er ist über die Brücke hinübergekommen** il a traversé par le pont **2.** *fam* (*besuchen*) **ich komme zu dir/euch ...** hinüber je viens chez toi/vous ... **hinüber|reichen** *vt geh* passer *Salz* **hinüber|retten** *vt* sauvegarder *Macht* **hinüber|schauen** *s.* hinüberblicken **hinüber|sein** *s.* hinüber II. **hinüber|steigen** *vi irr* + *sein* passer par-dessus **Hin- und Rückfahrt** *f* aller *m* [et] retour **hinunter** [hɪ'nʊntɐ] *adv* **die Treppe** ~ **ist es einfacher als hinauf** c'est plus facile de descendre l'escalier que de le monter; **da/hier** ~! [c'est] par là/ici! **hinunter|blicken** *vi* regarder vers le bas **hinunter|fahren** *irr* I. *vi* + *sein* descendre; **die Piste/ins Tal** ~ descendre la piste/ dans la vallée II. *vt* + *haben* **jdn ins Tal** ~ descendre qn dans la vallée **hinunter|fallen** *irr vi* + *sein* tomber; **die Treppe** ~ dégringoler dans l'escalier; **mir ist der Blumentopf hinuntergefallen** j'ai fait tomber le pot de fleurs **hinunter|gehen** *irr vi* + *sein* descendre **hinunter|reichen** *vi Kleid:* descendre **hinunter|schalten** *vi* rétrograder; **in den zweiten Gang** ~ rétrograder en seconde **hinunter|schlucken** *vt* **1.** (*schlucken*) avaler **2.** *fam* ravaler *Ärger* **hinunter|schütten** *vt* **1.** (*hinuntergießen*) **etw** ~ jeter qc en bas **2.** *fam* (*hastig trinken*) siffler, descendre **hinunter|sehen** *vi* **1.** regarder vers le bas; **ins Tal** ~ regar-

der la vallée en bas **2.** *fig* **auf jdn** ~ regarder qn de haut; *s.* **hinunterblicken hinunter|spülen** *vt* **1.** (*fortspülen*) faire disparaître; **etw den Ausguss/die Toilette** ~ faire disparaître qc dans l'évier/les toilettes **2.** (*schlucken*) **die Tablette mit Wasser** ~ faire descendre le cachet avec de l'eau **3.** *fig fam* **etw** ~ essayer d'oublier qc [en buvant]; **seinen Ärger mit Wein** ~ noyer son ennui dans le vin **hinunter|steigen** *vi* + *sein* descendre **hinunter|stürzen** I. *vi* + *sein* (*hinunterfallen*) tomber II. *vt* + *haben* **jdn** ~ précipiter qn dans le vide III. *vr* + *haben* **sich** ~ se précipiter dans le vide **hinunter|werfen** *vt irr* **etw** ~ lancer qc en bas; **jdm etw vom Balkon** ~ lancer qc à qn du balcon **hinunter|würgen** *vt* faire descendre **hinweg** [hɪn'vɛk] *adv geh* **1.** (*räumlich*) **über jdn/etw** ~ par-dessus qn/qc **2.** (*zeitlich*) **über drei Monate** ~ pendant trois mois **3.** (*fort*) ~ **mit dir/euch!** disparais/ disparaissez!; ~ **damit!** fais/faites-moi disparaître ça! **Hinweg** ['hɪnveːk] *m* trajet *m;* **auf dem** ~ à l'aller **hinweg|gehen** *vi irr* + *sein* **über etw** (*akk*) ~ (*nicht beachten*) ne pas tenir compte de qc **hinweg|helfen** *vi irr* **jdm über etw** (*akk*) ~ aider qn à surmonter qc **hinweg|kommen** *vi irr* + *sein* **über etw** (*akk*) ~ surmonter qc **hinweg|raffen** *vt geh* **jdn** ~ *Seuche, Tod:* emporter qn **hinweg|sehen** *vi irr* **1.** (*darüber sehen*) **über jdn/etw** ~ regarder par-dessus qn/qc **2.** (*nicht beachten*) **über etw** (*akk*) ~ ne pas tenir compte de qc; **darüber** ~, **dass** ne pas tenir compte du fait que **3.** (*ignorieren*) **über jdn** ~ ignorer qn **hinweg|setzen** *vr* **sich über etw** (*akk*) ~ passer outre à qc **hinweg|täuschen** *vt* masquer; **jdn über etw** (*akk*) ~ masquer qc à qn **Hinweis** ['hɪnvaɪs] <-es, -e> *m* **1.** *kein Pl* (*das Hinweisen*) **unter** ~ **auf etw** (*akk*) au motif de qc **2.** (*Bemerkung, Information*) remarque *f;* **sachdienliche** ~**e** des indices susceptibles de faire progresser l'enquête **hin|weisen** *irr* I. *vt* attirer l'attention de; **jdn auf etw** (*akk*) ~ attirer l'attention de qn sur qc; **jdn darauf** ~, **dass** attirer l'attention de qn sur le fait que II. *vi* **1.** (*aufmerksam machen*) **darauf** ~, **dass** attirer l'attention sur le fait que **2.** (*schließen lassen*) **darauf** ~, **dass** *Tatsache, Umstand:* laisser penser que **Hinweisschild** <-schilder> *nt* panonceau *m* **Hinweistafel** *f* panneau *m* d'information

hin|wenden *irr vr* sich zu jdm/etw ~ se tourner vers qn/qc **hin|werfen** *irr* **I.** *vt* **1.**(*zuwerfen*) jdm etw ~ jeter qc à qn; einen Blick ~ jeter un coup d'œil **2.** *fam* (*aufgeben*) envoyer promener **3.**(*beiläufig erwähnen*) etw nur so ~ dire qc comme ça [en passant] **II.** *vr* sich vor jdn/etw ~ se jeter aux pieds de qn/qc **hin|wirken** *vi* auf etw (*akk*) ~ faire en sorte d'obtenir qc **hin|wollen** *vi fam* vouloir y aller **hin|ziehen** *irr* **I.** *vt* + haben **1.**(*zu sich ziehen*) jdn/etw zu sich ~ attirer qn à soi/tirer qc vers soi **2.**(*anziehen*) es zieht sie zu ihm hin elle se sent attirée par lui **3.**(*in die Länge ziehen*) etw über Jahre ~ faire traîner qc pendant des années **II.** *vr* + haben **1.**(*sich zeitlich ausdehnen*) sich über Wochen/mehrere Monate ~ traîner des semaines/plusieurs mois **2.**(*sich örtlich ausdehnen*) sich über mehrere Kilometer ~ s'étendre sur plusieurs kilomètres **hin|zielen** *vi* (*zum Ziel haben*) auf etw (*akk*) ~ viser à qc

hinzu [hɪn'tsuː] *adv* en plus **hinzu|fügen** *vt* ajouter; einer S. (*dat*) etw ~ ajouter qc à qc; dem habe ich nichts mehr hinzuzufügen je n'ai plus rien à ajouter **hinzu|kommen** *vi irr* + *sein* **1.**(*eintreffen*) arriver **2.**(*zu berücksichtigen sein*) es kommt hinzu, dass à cela, il faut ajouter que; die Mehrwertsteuer kommt noch hinzu il faut ajouter la TVA **3.**(*dazukommen*) kommt sonst noch etwas hinzu? il vous faut autre chose?

Hinz und Kunz *m pej fam* Pierre et Paul **hinzu|zählen** *vt* (*als dazugehörig ansehen*) inclure; jdn/etw [mit] ~ inclure qn/qc **hinzu|ziehen** *vt irr* s'adjoindre les services de

Hiobsbotschaft ['hiːɔpsboːtʃaft] *f* mauvaise nouvelle *f*

Hip-Hop <-s> *m* MUS hip-hop *m*

Hippie ['hɪpi] <-s, -s> *m* hippie *m*

Hirn [hɪrn] <-[e]s, -e> *nt* **1.** cerveau *m*; sich (*dat*) das ~ zermartern se creuser la cervelle **2.** GASTR cervelle *f*

Hirngespinst ['hɪrngəʃpɪnst] *nt* chimère *f* **Hirnhautentzündung** *f* MED méningite *f* **hirnrissig** *adj pej fam* débile **hirnverbrannt** *s.* hirnrissig

Hirsch [hɪrʃ] <-es, -e> *m* cerf *m* **Hirschbraten** *m* rôti *m* de cerf **Hirschgeweih** *nt* bois *mpl* de cerf **Hirschkäfer** *m* cerf-volant *m* **Hirschkalb** *nt* faon *m* [de cerf] **Hirschkuh** *f* biche *f*

Hirse ['hɪrzə] <-, -n> *f* mil[let] *m*

Hirt(in) *s.* Hirte, Hirtin

Hirte ['hɪrtə] <-n, -n> *m*, **Hirtin** *f* (*Viehhierte*) gardien(ne) *m(f)* [de troupeau];

(*Kuhhirte*) vacher(-ère) *m(f)*; (*Schweinehirte*) porcher(-ère) *m(f)*; (*Schafhirte*) berger(-ère) *m(f)*

Hirtenbrief *m* lettre *f* pastorale **Hirtin** ['hɪrtɪn] *s.* Hirte

his <-, -> *nt* MUS si *m* dièse

hissen ['hɪsən] *vt* hisser

Historiker(in) [hɪs'toːrɪkə] <-s, -> *m(f)* historien(ne) *m(f)*

historisch [hɪs'toːrɪʃ] **I.** *adj* historique **II.** *adv* wichtig, korrekt historiquement; betrachtet d'un point de vue historique

Hit [hɪt] <-s, -s> *m fam* **1.** tube *m* **2.**(*modisches Muss*) must *m*; der [große] ~ sein être la grande mode **3.**(*Krönung*) das ist/ wäre der ~! c'est/ce serait le bouquet!

Hitliste *f* hit-parade *m* **Hitparade** *f* hit-parade *m*

Hitze ['hɪtsə] <-, -n> *f* **1.** chaleur *f*; etw bei schwacher/mittlerer ~ backen faire cuire qc à four modéré/moyen; **brütende** ~ chaleur accablante; **vor** ~ [fast] **umkommen** *fam* crever de chaud **2.**(*Aufregung*) **in der** ~ **des Gefechts** dans le feu de l'action; **leicht in** ~ **geraten** s'emporter facilement **3.**(~*wallung*) **fliegende** ~ bouffées *fpl* de chaleur

hitzebeständig *adj* résistant(e) à la chaleur **hitzefrei** *adj* ~ **bekommen/haben** ne pas avoir classe en raison de la canicule **Hitzewallung** *f meist Pl* bouffée *f* de chaleur **Hitzewelle** *f* vague *f* de chaleur

hitzig ['hɪtsɪç] **I.** *adj* **1.** *Person, Temperament* irascible; **nicht so** ~! du calme! **2.** *Debatte, Wortwechsel* enflammé(e) **II.** *adv debattieren* dans un climat passionné

Hitzkopf *m fam* soupe *f* au lait **Hitzschlag** *m* insolation *f*

HIV [haˈʔiːˈfau] <-[s], -[s]> *nt Abk von* **Human Immunodeficiency Virus** HIV *m*, V.I.H. *m*

HIV-infiziert *adj* infecté(e) par le virus HIV **HIV-negativ** *adj* séronégatif(-ive) **HIV-positiv** *adj* séropositif(-ive) **HIV-Test** *m* test *m* de dépistage du sida

Hiwi ['hiːvi] <-s, -s> *m fam* (*wissenschaftliche Hilfskraft*) étudiant aidant un professeur d'université dans ses recherches

hl *Abk von* **Hektoliter** hl

hl. *Abk von* **heilige(r)** St(e)

H-Milch ['haːmɪlç] *f* lait *m* longue conservation, lait U.H.T.

h-Moll ['haːˈmɔl] *nt* si *m* mineur; **in** ~ en si mineur

HNO [haːʔɛnˈʔoː] *Abk von* **Hals, Nasen, Ohren** O.R.L.

HNO-Arzt [haːʔɛnˈʔoːˈartst] *m*, **-ärztin** *f* O.R.L. *mf*, oto-rhino *mf* **HNO-Klinik** *f* clinique *f* oto-rhino-laryngologique

hob [ho:p] *Imp von* **heben**

Hobby ['hɔbi] <-s, -s> *nt* passe-temps *m*, hobby *m;* **etw als ~ betreiben** faire qc pour son plaisir

Hobbykoch *m*, **-köchin** *f* cuisinier(-ière) *m(f)* amateur **Hobbyraum** *m* pièce aménagée pour la pratique d'un hobby

Hobel ['ho:bəl] <-s, -> *m* **1.**(*Werkzeug*) rabot *m* **2.**(*Küchengerät*) râpe *f*

Hobelbank <-bänke> *f* établi *m* de menuisier

hobeln ['ho:bəln] **I.** *vt* **1.** TECH [glatt] ~ raboter **2.** GASTR **etw** ~ émincer qc [avec une râpe] **II.** *vi* **an etw** (*dat*) ~ raboter qc

hoch [ho:x] <*attr* hohe(r, s), höher, ⁼ste> **I.** *adj* **1.**(*räumlich*) haut(e) *antéposé; Schnee, Schneedecke* épais(se); **hohe Absätze** de hauts talons; **ein hundert Meter hoher Turm** une tour de cent mètres de haut; **das Dach ist sieben Meter** ~ le toit a sept mètres de hauteur; **ein Mensch von hohem Wuchs** une personne de haute stature; **eine hohe Stirn haben** avoir le front haut; *hum* avoir le front dégarni **2.** *Stimme, Ton* aigu(ë) **3.** MATH **fünf ist eine höhere Zahl als drei** cinq est un chiffre plus élevé que trois; **zwei ~ drei ist acht** deux [à la] puissance trois égale huit **4.** *Gewicht, Temperatur, Betrag, Gehalt* élevé(e); *Sachschaden, Verlust* gros(se) *antéposé,* important(e); *Strafe* sévère **5.** *Lebensstandard, Ansprüche* élevé(e); *Genuss* grand(e) *antéposé* **6.** *Beamter, Amt* haut(e) *antéposé; Besuch* important(e); *Offizier* supérieur(e); *Position* élevé(e); *Ansehen, Gut* grand(e) *antéposé; Anlass, Feiertag* solennel(le) ▸**jdm zu ~ sein** *fam* dépasser qn **II.** <höher, am ⁼sten> *adv* **1.**(*nach oben*) **ein ~ aufgeschossener Junge** un garçon monté en graine; **hundert Meter ~ emporragen** faire cent mètres de haut; **es geht sieben Treppen ~** il faut monter sept étages; **den Ball ganz ~ werfen** lancer le ballon très haut; **wie ~ kannst du den Ball werfen?** à quelle hauteur peux-tu lancer le ballon? **2.** *fliegen* haut; **tausend Meter ~ fliegen** voler à une altitude de mille mètres; **das Wasser steht drei Zentimeter ~** il y a trois centimètres d'eau **3.**(*nicht tief*) **zu ~ singen/spielen** chanter/jouer trop haut **4.** *verehrt, begehrt, verschuldet* très **5.**(*große Summen betreffend*) ~ **versichert sein** avoir une assurance chère; ~ **besteuert werden** être fortement imposé; ~ **zu ~ gegriffen sein** *Berechnung, Kosten, Zahl:* être exagéré ▸**er hat mir ~ und heilig versprochen** [*o* **versichert**] **zu kommen** *fam* il m'a juré ses grands dieux qu'il viendrait; **jdm etw**

~ **anrechnen** être très reconnaissant à qn de qc; **wenn es ~ kommt** *fam* tout au plus

Hoch <-s, -s> *nt* **1.**(*~ruf*) ovation *f;* **auf jdn ein ~ ausbringen** porter un toast à [la santé de] qn **2.** METEO anticyclone *m*

Hochachtung *f* considération *f;* **jdm ~ entgegenbringen** *form* témoigner sa considération à qn; **meine ~!** toutes mes félicitations!, chapeau! (*fam*)

hochachtungsvoll *adv form* avec l'expression de ma considération distinguée

Hochadel *m* haute noblesse *f* **hochaktuell** *adj Information, Nachricht* d'une actualité brûlante **Hochamt** *nt* ECCL grand-messe *f* **hochangesehen** *s.* angesehen **hochanständig** ['ho:x'anʃtɛndɪç] *adj* d'une grande loyauté; **etw ist ~ von jdm** qn fait preuve d'une grande loyauté en faisant qc **hocharbeiten** *vr* **sich bis zu etw** ~ s'élever dans la hiérarchie et devenir qc à la force du poignet **hochauflösend** *adj* INFORM, TV [à] haute définition

Hochbahn *f* métro *m* aérien **Hochbau** *m kein Pl* bâtiment *m* **hochbegabt** *s.* begabt **hochbetagt** *adj Person* d'un âge avancé **Hochbetrieb** *m* activité *f* intense; **im Büro herrscht ~** c'est l'effervescence au bureau **Hochburg** *f einer Partei* fief *m* **hochdeutsch** *adj* (*nicht umgangssprachlich*) en allemand standard **Hochdeutsch** <-[s]> *nt* **1.** l'allemand *m* standard; **ein fehlerfreies ~ sprechen** parler parfaitement l'allemand [standard] **2.** LING (*Ober- und Mitteldeutsch*) le haut allemand **hochdrehen** *vt* (*nach oben drehen*) remonter **Hochdruck** *m kein Pl* **1.** MED hypertension *f* **2.** METEO haute pression *f* **3.** TYP impression *f* en relief **Hochdruckgebiet** *nt* anticyclone *m* **Hochebene** *f* haut plateau *m* **hochempfindlich** *adj s.* empfindlich **I.** **hocherfreut** *adj* ~ **sein** [être] très heureux **hochexplosiv** *adj* très explosif(-ive) **hochfahren** *irr vi* + *sein* **1.** *fam* (*nach oben, nach Norden fahren*) monter; **in den dritten Stock ~** monter au troisième étage; **den Berg ~** monter en haut de la montagne; **zur Burg ~** monter jusqu'au château; **die Straße zum Pass ~** prendre la route qui monte au col **2.** (*sich plötzlich aufrichten*) **aus dem Sessel ~** se lever brusquement du fauteuil; **aus dem Schlaf ~** se réveiller en sursaut **3.** (*aufbrausen*) **wütend ~** se fâcher tout rouge

Hochfinanz *f* haute finance *f*
hoch|fliegen *vi irr + sein Vogel:* s'envoler
Hochform *f* **in ~ sein** être en pleine forme;
zur ~ auflaufen atteindre le top niveau
Hochformat *nt* format *m* en hauteur; IN-
FORM format portrait; **im ~** en format en
hauteur; INFORM en format portrait
Hochgarage *s.* **Parkhaus**
Hochgebirge *nt* haute montagne *f;* **im ~**
en haute montagne
hochgeehrt *s.* **ehren**
Hochgefühl *nt* euphorie *f,* exaltation *f;* **im
~ des Triumphs** dans l'euphorie du
triomphe
hoch|gehen *irr vi + sein* **1.** *fam (nach oben
gehen)* monter; **die Treppe/Stufen ~**
monter l'escalier/les marches; **den Berg ~**
monter en haut de la montagne **2.** *fam (detonieren)* **etw ~ lassen** faire sauter qc
3. *fam (in die Luft gehen)* exploser **4.** *(steigen) Löhne, Preise:* grimper **5.** *fam (ent-
tarnt werden) Dealer, Hintermänner:* se faire coincer; *Kartell:* être démantelé; **jdn/
etw ~ lassen** coincer qn/démanteler qc
hochgelehrt *adj* fort savant(e)
Hochgenussᴿᴿ *m* plaisir *m* divin
hochgeschlossen *adj Kragen* montant;
Kleid fermée jusqu'en haut
Hochgeschwindigkeitszug *m* train *m* à
grande vitesse
hochgestellt *adj attr Zahl* en exposant
hochgestochen *pej fam* **I.** *adj* **1.** *Phrasen,
Reden, Stil* ampoulé(e) **2.** *(überheblich)*
prétentieux(-euse) **II.** *adv sich ausdrücken*
d'une façon ampoulée; *schreiben* dans un
style ampoulé
Hochglanz *m* **1.** *(strahlender Glanz)* **etw
auf ~ polieren** faire briller qc; **etw auf ~
bringen** briquer qc **2.** *(~ papier)* **Foto/Ab-
zug in ~** photo *f*/tirage *m* sur papier brillant
Hochglanzpapier *nt* papier *m* glacé
hochgradig **I.** *adj* extrême, intense **II.** *adv*
extrêmement
hochhackig ['hoːxhakɪç] *adj* à hauts talons
hoch|halten *vt irr* **1.** lever *Hand, Gegen-
stand* **2.** brandir *Fahne, Transparent* **3.** *(ehren)* honorer
Hochhaus *nt* tour *f*
hoch|heben *vt irr* **1.** soulever *Kind, Last*
2. lever *Hand, Arm*
hochindustrialisiert *s.* **industrialisieren**
hochintelligent *adj* très intelligent(e)
hochinteressant **I.** *adj* d'un grand intérêt
II. *adv* **~ klingen** avoir l'air très intéres-
sant(e)
hoch|jubeln *vt fam* faire mousser
hochkant ['hoːxkant] *adv* **1.** *(auf der*

Schmalseite) **~ stehen** être posé verticalement; **ein Buch ~ stellen** mettre un livre
debout; **ein Bild ~ stellen** mettre un tableau dans le sens vertical **2.** *s.* **hochkantig**
hochkantig *adv fam* **▶~ hinausfliegen** se
faire virer; **~ hinauswerfen** virer
hochkarätig *adj fam Politiker* très calé(e)
hoch|klappen **I.** *vt + haben* relever *Klappe,
Schrankbett;* relever, remonter *Kragen* **II.** *vi
+ sein* se relever
hoch|klettern *vi + sein* grimper
hoch|kommen *irr vi +sein* **1.** *fam (herauf-
kommen)* monter **2.** *fam (aufstehen können)* arriver à se lever
Hochkonjunktur *f* haute conjoncture *f,*
boom *m* économique
hoch|krempeln *vt* retrousser
hoch|laden *vt* INFORM charger; **etw ~** *(im
Internet)* télécharger qc vers l'amont
Hochland *nt* haut plateau *m*
hoch|leben *vi* **jdn ~ lassen** porter un toast
à qn; **hoch lebe die Königin!** vive la Reine!
hoch|legen *vt* surélever *Beine*
Hochleistungssport *m* sport *m* de haut niveau
Hochlohnland *nt* pays *m* à niveau de salaires élevé
hochmodern **I.** *adj Kleidung, Einrichtung,
Auto* dernier cri; **~ sein** être du dernier cri
II. *adv gekleidet* à la dernière mode; **~ eingerichtet sein** avoir un intérieur [du] dernier cri
Hochmoor *nt* tourbière *f* de montagne
Hochmut *m* arrogance *f* **▶~ kommt vor
dem Fall** *prov* l'orgueil précède la chute
hochmütig ['hoːxmyːtɪç] *adj* arrogant(e)
hochnäsig ['hoːxnɛːzɪç] *pej* **I.** *adj Art, Person* hautain(e) **II.** *adv* avec dédain
hoch|nehmen *vt irr* **1.** porter *Person, Tier;*
soulever *Gegenstand* **2.** *fam (verulken)* faire marcher **3.** *fam (auffliegen lassen)* coincer
Hochofen *m* haut fourneau *m*
Hochparterre [-partɛr(ə)] *nt* rez-de-
chaussée *m* surélevé
hochprozentig *adj* **1.** *Schnaps, Rum* fortement alcoolisé(e) **2.** CHEM très concentré(e)
hochqualifiziert *adj s.* **qualifiziert**
hoch|ragen *vi + haben o sein* s'élever
hoch|rechnen *vt* faire une estimation de
Hochrechnung *f meist Pl* estimation *f*
hoch|reißen *vt irr* lever *Arme*
hochrot *adj Gesicht, Wangen* écarlate; **ihre
Wangen waren ~ vor Erregung** elle
avait les joues rouges d'excitation
Hochruf *m* vivat *m*
Hochsaison *f* TOUR haute saison *f;* COM afflu-

ence *f;* **die Eisdielen haben** ~ c'est la cohue chez les glaciers
hoch|schätzen *s.* schätzen I.
hoch|schaukeln *vr* sich gegenseitig ~
s'exciter mutuellement
hoch|schlagen *irr* **I.** *vt* + *haben* relever *Kra-
gen* **II.** *vi* + *sein Brecher, Wellen:* déferler
hoch|schrecken I. *vt* + *haben* jdn ~ faire
sursauter qn; *(aus dem Schlaf)* réveiller qn
en sursaut **II.** *vi* + *sein irr* sursauter; *(aus
dem Schlaf)* se réveiller en sursaut
Hochschulabschluss^RR *m* diplôme *m* de fin
d'études universitaires **Hochschulbil-
dung** *f* formation *f* universitaire
Hochschule *f* **1.** *(Universität)* université *f*
2. *(Fachhochschule)* école *f* supérieure
spécialisée; **pädagogische** ~ ≈institut *m*
universitaire de formation des maîtres;
technische ~ ≈institut *m* universitaire de
technologie
Hochschüler(in) *m(f)* étudiant(e) *m(f)*
Hochschullehrer(in) *m(f)* professeur *mf*
d'université **Hochschulreife** *f* baccalauréat *m* permission *d'accès aux études supérieures* **Hochschulstudium** *nt* études *fpl*
universitaires; **mit/ohne** ~ avec une/sans
formation universitaire
hochschwanger *adj* en état de grossesse
avancée
Hochsee *f kein Pl* haute mer *f*
Hochseefischerei *f* pêche *f* en haute mer
Hochseeflotte *f* flotte *f* de haute mer
hoch|sehen *vi irr* lever les yeux
Hochseil *nt* câble *m* suspendu
Hochsitz *m* affût *m* perché
Hochsommer *m* plein été *m;* **im** ~ en plein
été
hochsommerlich I. *adj* estival(e) **II.** *adv*
comme en plein été
Hochspannung *f* ELEC haute tension *f;* **Vor-
sicht,** ~! danger [de mort], haute tension!
Hochspannungsleitung *f* ligne *f* [à] haute
tension **Hochspannungsmast** *m* pylône
m [pour lignes] à haute tension
hoch|spielen *vt* monter en épingle; **etw** ~
monter qc en épingle
Hochsprache *f* langue *f* standard
hoch|springen *vi irr* + *sein* *(nach oben
springen)* sauter
Hochspringer(in) *m(f)* sauteur(-euse) *m(f)*
en hauteur
Hochsprung *m* saut *m* en hauteur
Hochstalter *nt* âge *m* limite
Hochstand *s.* Hochsitz
Hochstapelei <-, -en> *f* imposture *f*
hoch|stapeln *vi* commettre une imposture
Hochstapler(in) ['ho:xʃta:plɐ] <-s, ->
m(f) imposteur *m*
Höchstbetrag *m* (*bei Miete, Kredittilgung*)

traite *f* maximale; **bis zum** ~ **von ...** jusqu'à concurrence de ...
höchste(r, s) ['hø:kstə, -tɐ, -təs] **I.** *adj Superl von* hoch **1.** der ~ **Berg/Turm** la
montagne/tour la plus haute **2.** *(von größtem Ausmaß)* **die** ~ **Summe** la somme la
plus haute; **der** ~ **Sachschaden** le dommage le plus important; **die** ~ **Belastung**
la charge maximale; **die** ~ **Entschädigung**
l'indemnité la plus forte; **die** ~ **Strafe** la
peine la plus sévère; **das Höchste, was**
(die äußerste Summe) le maximum que +
subj **3.** *(von größter Wichtigkeit)* **das** ~
Amt/Ansehen la charge/réputation la
plus haute; **der** ~ **Feiertag** la fête la plus
importante; **der** ~ **Offizier** l'officier le plus
haut placé(e); **das** ~ **Gut** le bien suprême
4. *(von größter Intensität, Dringlichkeit)*
extrême; **es ist** ~e **Zeit!** il est grand
temps!; **aufs** ~ extrêmement **II.** *adv* **1.** **am**
~n *stehen, wohnen* le plus haut; *fliegen* à la
plus haute altitude **2.** *(von größtem Ausmaß)* **am** ~n **besteuert** soumis(e) à un
taux d'imposition maximum; **am** ~n **versichert sein** avoir la plus forte assurance
hoch|stellen *vt* mettre en hauteur; **etw** ~
mettre qc en hauteur
höchstens ['hø:kstəns] *adv* au maximum
Höchstfall *m* **im** ~ au maximum **Höchstform** *f* top niveau *m;* **sich in** ~ (*dat*) **befinden** être au mieux de sa forme **Höchstgeschwindigkeit** *f* vitesse *f* maximale;
die zulässige ~ **überschreiten** dépasser
la vitesse maximale [autorisée] **Höchst-
grenze** *f* limite *f*
Hochstimmung *f kein Pl* bonne humeur *f;*
in ~ **sein** être de bonne humeur; **unter
den Gästen herrschte** ~ il y avait une su-
per-ambiance parmi les invités
Höchstleistung *f* performance *f* extrême
Höchstmaß *nt* maximum *m;* ~ **an** Genauigkeit maximum de précision **Höchst-
menge** *f* quantité *f* maximale **höchstpersönlich** *adv* en personne **Höchstpreis** *m*
1. *(hoher Preis)* prix *m* fort **2.** *(höchster er-
laubter Preis)* prix *m* maximum [autorisé]
Höchststand *m* niveau *m* maximum
Höchststrafe *f* peine *f* maximale **höchstwahrscheinlich** *adv* selon toute vraisemblance **höchstzulässig** *adj attr* **der** ~e
Wert/die ~e **Geschwindigkeit** la don-
née/vitesse maximale autorisée
Hochtechnologie *f* technologie *f* de pointe, haute technologie *f*
hochtourig [-tu:rɪç] *adv* AUT à plein régime
hochtrabend *pej* **I.** *adj Rede, Worte* grandi-
loquent(e) **II.** *adv* avec grandiloquence
hoch|treiben *vt irr* faire grimper
hochverehrt *adj attr* très honoré(e) *antépo-*

sé

Hochverrat *m* haute trahison *f*

hochverschuldet *adj attr* surendetté(e)

Hochwasser *nt* **1.**(*überhoher Wasserstand*) crue *f;* ~ **führen** être en crue **2.**(*Überschwemmung*) inondation *f* **3.**(*Höchststand der Flut*) marée *f* haute ►~ **haben** *hum fam* avoir le feu au plancher

hoch|werfen *vt irr* **etw** ~ lancer qc en l'air

hochwertig *adj Ware, Artikel, Material* de grande qualité; *Nahrungsmittel* d'une grande valeur nutritive

Hochzahl *f* exposant *m*

Hochzeit¹ [ˈhɔxtsaɪt] <-, -en> *f* mariage *m;* ~ **feiern** célébrer des noces; **die silberne/goldene/diamantene/eiserne** ~ les noces *fpl* d'argent/d'or/de diamant/de fer

Hochzeit² <-, -en> *f* (*Blütezeit*) apogée *m*

Hochzeitskleid *nt* robe *f* de mariée **Hochzeitsnacht** *f* nuit *f* de noces **Hochzeitsreise** *f* voyage *m* de noces **Hochzeitstag** *m* **1.**(*Tag der Hochzeit*) jour *m* du mariage **2.**(*Jahrestag der Hochzeit*) anniversaire *m* de mariage

hoch|ziehen *irr* **I.** *vt* **1.** ouvrir *Jalousie, Rollladen;* remonter *Hose, Socke* **2.** redresser *Flugzeug* **3.** *fam* (*erbauen, schnell bauen*) faire sortir de terre **II.** *vr* **1.**(*sich nach oben ziehen*) **sich an etw** (*dat*) ~ se relever en se tenant à qc **2.** *pej fam* (*sich erfreuen*) **sich an etw** (*dat*) ~ se régaler de qc

Hocke [ˈhɔkə] <-, -n> *f* **1.**(*Körperhaltung*) position *f* accroupie; **in die** ~ **gehen** s'accroupir **2.** SPORT (*Sprung*) saut *m* fléchi groupé

hocken [ˈhɔkən] *vi* **1.** + *haben* (*kauern*) être accroupi; **in der Ecke/auf dem Boden** ~ être accroupi dans un coin/sur le sol **2.** + *haben fam* (*sitzen*) **hinter seinem Schreibtisch** ~ être assis à son bureau **3.** + *sein* SPORT **über etw** (*akk*) ~ sauter genoux fléchis par-dessus qc

Hocker [ˈhɔkɐ] <-s, -> *m* tabouret *m*

Höcker [ˈhœkɐ] <-s, -> *m* bosse *f*

Hockey [ˈhɔki] <-s> *nt* hockey *m* [sur gazon]

Hockeyschläger *m* crosse *f* de hockey **Hockeyspieler(in)** *m(f)* joueur(-euse) *m(f)* de hockey

Hoden <-s, -> *m* ANAT testicule *m*

Hodensack *m* ANAT bourses *fpl*

Hof [hoːf, *Pl:* ˈhøːfə] <-[e]s, ˸e> *m* **1.** cour *f;* **auf den/dem** ~ dans la cour **2.**(*Bauernhof*) ferme *f* **3.**(*Herrschersitz, ~staat*) cour *f;* **bei ~e** à la cour ►**jdm den** ~ **machen** faire la cour à qn

hoffen [ˈhɔfən] **I.** *vi* **1.** espérer **2.**(*er~*) **auf etw** (*akk*) ~ compter sur qc **3.**(*erwarten,*

bauen auf) **auf jdn** ~ compter sur qn **II.** *vt* ~, **dass** espérer que; **ich hoffe, er kommt** j'espère qu'il viendra; **es bleibt zu** ~, **dass** il faut espérer que; ~ **wir das Beste!** ayons bon espoir!; **das will ich/wollen wir** ~! j'espère/nous espérons bien!

hoffentlich [ˈhɔfəntlɪç] *adv* espérons que; ~ **haben wir bald Frühling!** j'espère que c'est bientôt le printemps! (*fam*); ~ **ist es nichts Ernstes?** pourvu que ce ne soit rien de grave!; ~! j'espère/nous espérons bien!; ~ **nicht!** j'espère/espérons que non!

Hoffnung [ˈhɔfnʊŋ] <-, -en> *f* espoir *m;* ~ **auf etw** (*akk*) espérance *f* de qc; ~ **auf etw** (*akk*) **haben** avoir l'espoir de qc; **jdm** ~ **machen, dass** donner à qn l'espoir que; **jdm** ~ **auf etw** (*akk*) **machen** laisser espérer qc à qn; **jds einzige** ~ **sein** être le seul espoir de qn; **neue** ~ **schöpfen** reprendre espoir; **sich** (*dat*) ~**en/keine** ~**en machen** nourrir certains espoirs/ne pas se faire d'illusions; **die** ~ **aufgeben** abandonner tout espoir

hoffnungslos I. *adj Sache, Lage, Zustand* désespéré(e), sans espoir **II.** *adv* **1.**(*ohne Hoffnung*) sans rien espérer; **völlig** ~ sans le moindre espoir **2.** *veraltet, sich verlieben, sich verlaufen* désespérément

Hoffnungslosigkeit <-> *f* désespoir *m*

Hoffnungsschimmer *m* lueur *f* d'espoir

hoffnungsvoll I. *adj* (*viel versprechend*) prometteur(-euse) **II.** *adv ansehen* plein(e) d'espoir

hofieren* *vt* courtiser

höfisch [ˈhøːfɪʃ] *adj Manieren, Zeremoniell* en usage à la cour; *Leben* à la cour; *Dichtung, Epik* courtois(e)

höflich [ˈhøːflɪç] **I.** *adj* poli(e), courtois(e) **II.** *adv* poliment, avec courtoisie; **wir teilen Ihnen** ~**[st] mit, dass** nous avons l'honneur de porter à votre connaissance que

Höflichkeit <-, -en> *f* **1.** *kein Pl* (*höfliche Art*) politesse *f,* courtoisie *f;* **aus reiner** ~ par pure politesse **2.**(*höfliche Bemerkung*) politesse *f*

Höflichkeitsbesuch *m* visite *f* de courtoisie

Höfling [ˈhøːflɪŋ] <-s, -e> *m* courtisan *m*

Hofnarr *m* fou *m* [du roi] **Hofrat** *m*, **-rätin** *f* A conseiller(-ère) *m(f)* de la cour **Hoftor** *nt* porte *f* cochère

hohe(r, s) [ˈhoːə, -ɐ, -əs] *s.* **hoch**

Höhe <-, -n> *f* **1.**(*vertikale Ausdehnung*) *eines Baums, Gebäudes, Möbelstücks* hauteur *f; eines Bergs* altitude *f;* **in die** ~ **wachsen/schießen** *Pflanze:* pousser en hauteur/comme du chiendent **2.**(*Entfernung über dem Boden*) **aus der** ~ d'en

haut; **in der ~** dans les airs; **in schwin-delnder ~** à une hauteur vertigineuse; **auf halber ~** à mi-hauteur; **in die ~ schauen** regarder en l'air **3.** (*Flughöhe*) altitude *f;* **in einer ~ von tausend Metern** à une altitude de mille mètres; **an ~ gewinnen** prendre de l'altitude **4.** (*Anhöhe*) hauteur *f* **5.** (*Ausmaß*) *eines Gehalts* montant *m; von Kosten* niveau *m; von Schäden* ampleur *f;* **in ~ von hundert Euro** d'un montant de cent euros; **ein Kredit in unbegrenzter ~** un crédit illimité; **in die ~ gehen** *Löhne, Kosten:* augmenter; **die Preise in die ~ schrauben** faire monter les prix **6.** *meist Pl* (*Tonhöhe*) aigu *m* **7.** (*geographische Breite*) latitude *f;* **auf gleicher ~ liegen** être à la même latitude; **wir dürften auf der ~ von Rom sein** nous devrions être à la hauteur de Rome ► **die ~n und** Tiefen **des Lebens** les hauts *mpl* et les bas *mpl* de la vie; **das** ist **doch die ~!** *fam* c'est le bouquet!

H̲o̲heit <-, -en> *f* **1.** (*Mitglied einer fürstlichen Familie*) altesse *f;* **Seine/Ihre Kaiserliche ~** Son/Votre Altesse Impériale; **Seine/Ihre Königliche ~** Son/Votre Altesse Royale **2.** *kein Pl* (*oberste Staatsgewalt*) souveraineté *f*

hoheitlich *adj* souverain(e)

H̲o̲heitsgebiet *nt* territoire *m* national **Hoheitsgewässer** *Pl* eaux *fpl* territoriales

hoheitsvoll *adj geh* majestueux(-euse)

H̲ö̲henangst *f* acrophobie *f* **Höhenflug** *m fig* grandes envolées *fpl* **Höhensonne®** *f* lampe *f* à ultraviolets **Höhenunterschied** *m* GEOG dénivellation *f* **höhenverstellbar** *adj* réglable en hauteur

H̲o̲hepriester *m* grand prêtre *m*

H̲ö̲hepunkt *m* **1.** (*wichtigstes Ereignis*) *eines Festes* grand moment *m;* (*sensationelle Darbietung*) clou *m* **2.** (*Gipfel*) *einer Auseinandersetzung, Krise, Krankheit* paroxysme *m; der Karriere, Macht* apogée *m;* **die Stimmung war auf dem ~** l'ambiance était à son paroxysme **3.** (*Orgasmus*) orgasme *m;* **jdn zum ~ bringen** faire jouir qn; **zum ~ kommen** jouir

höher I. *adj Komp von* hoch **1.** **ein ~er Baum/~es Haus** un arbre plus haut/une maison plus haute **2.** (*größere Ausmaße habend*) **ein ~er Preis/Lebensstandard** un prix/niveau de vie plus élevé; **eine ~e Temperatur** une température plus élevée; **~e Ansprüche** des exigences plus grandes; **der Schaden ist ~ als erwartet** les dégâts sont plus importants que prévu **3.** (*größere Bedeutung habend*) **ein ~es Ansehen** un plus grand crédit; **eine ~e Position** une situation plus élevée; **ein**

~er Beamter un fonctionnaire haut placé; **ein ~er Offizier** un officier supérieur; **ein ~es Gut** un bien plus précieux **II.** *adv Komp von* hoch **1.** plus haut; **immer ~** de plus en plus haut [dans le ciel] **2.** (*mit gesteigertem Wert*) **etw ~ bewerten** apprécier mieux qc; **sich ~ versichern** augmenter sa police d'assurance

h̲ö̲herlschrauben *s.* schrauben **h̲ö̲herlstufen** *s.* stufen

hohl [hoːl] **I.** *adj* **1.** creux(-euse) **2.** *Klang, Stimme* caverneux(-euse) **3.** *pej* (*nichts sagend*) **~e Worte** de belles paroles **II.** *adv* **~ klingen** sonner creux

H̲ö̲hle ['høːlə] <-, -n> *f* **1.** (*im Felsen*) grotte *f,* caverne *f;* (*im Baum*) creux *m* **2.** (*Bärenhöhle*) tanière *f;* (*Kaninchen-, Fuchs-, Dachsbau*) terrier *m* **3.** (*Augenhöhle*) orbite *f* ► **sich in die ~ des Löwen begeben** [*o* wagen] se jeter dans la gueule du loup

H̲ö̲hlenforschung *f* spéléologie *f* **Höhlenmalerei** *f* peinture *f* rupestre **Höhlenmensch** *m* troglodyte *m*

H̲o̲hlkopf *m pej fam* demeuré(e) *m(f)* **Hohlkörper** *m* corps *m* creux **Hohlkreuz** *nt* MED forte cambrure *f* des reins **Hohlmaß** *nt* **1.** (*Maßeinheit*) mesure *f* de capacité **2.** (*Messgefäß*) verre *m* mesureur **Hohlraum** *m* cavité *f*

H̲ö̲hlung <-, -en> *f* cavité *f,* creux *m*

H̲o̲hlweg *m* chemin *m* creux

H̲o̲hn [hoːn] <-[e]s> *m* sarcasmes *mpl,* railleries *fpl;* **das ist der reine ~!** c'est une plaisanterie!

höhnen ['høːnən] *vi* ricaner

H̲o̲hngelächter *nt* ricanements *mpl*

h̲ö̲hnisch ['høːnɪʃ] **I.** *adj* sarcastique **II.** *adv* **~ grinsen** ricaner

Hokuspokus [hoːkʊsˈpoːkʊs] <-> *m* **1.** (*Zauberformel*) [**Fidibus dreimal schwarzer Kater**]! abracadabra! **2.** *fam* (*Augenwischerei*) charlatanerie *f* **3.** *fam* (*Brimborium*) tralala *m*

hold [hɔlt] *adj hum* (*lieb*) *Gattin, Gatte* cher(chère) [et] tendre (*iron*)

H̲o̲lder ['hɔldɐ] CH, SDEUTSCH *s.* Holunder

H̲o̲lding ['hɔʊldɪŋ] <-, -s> *f* holding *m*

h̲o̲len ['hoːlən] **I.** *vt* **1.** (*herbeibringen*) aller chercher; **etw beim Nachbarn ~** aller chercher qc chez le voisin; **etw aus dem Schrank/Keller ~** aller chercher qc dans l'armoire/à la cave **2.** (*herein~*) aller chercher; **jdn ~ lassen** faire venir qn; **jdn ins Büro/den Gerichtssaal ~** faire entrer qn dans le bureau/la salle d'audience **3.** (*herbeirufen*) appeler; **Hilfe ~** aller chercher de l'aide **4.** *fam* (*gewinnen, erringen*) décrocher ► **bei jdm** ist **nichts zu ~**

fam on ne peut rien tirer de qn **II.** *vr fam*
1. (*sich nehmen*) **sich** (*dat*) **etw aus
etw/von etw** ~ prendre qc dans qc
2. (*sich zuziehen*) **sich** (*dat*) **eine Erkältung** ~ attraper un rhume; **sich blaue Fle-
cke/eine Beule bei etw** ~ se faire des
bleus/une bosse en faisant qc **3.** (*sich erbitten*) **sich** (*dat*) **bei jdm Rat** ~ consulter
qn
Holland ['hɔlant] *nt* la Hollande; **in** ~ en
Hollande
Holländer ['hɔlɛndɐ] <-s> *m* **1.** Hollandais *m* **2.** (*Käse*) hollande *m*
Holländerin <-, -nen> *f* Hollandaise *f*
holländisch ['hɔlɛndɪʃ] **I.** *adj* hollandais(e)
II. *adv fam* (*in niederländischer Sprache*)
~ **miteinander sprechen** discuter en hollandais; *s. a.* **deutsch**
Holländisch <-[s]> *nt kein art fam* hollandais *m; s. a.* **Deutsch**
Hölle ['hœlə] <-, -n> *f* REL enfer *m;* HIST enfers *mpl;* **in die** ~ **kommen** aller en enfer;
in der ~ en enfer; **fahr zur** ~**!** tu peux aller au diable! ▸ **die** ~ **auf Erden** l'enfer sur
terre; **jdm die** ~ **heiß machen** *fam* travailler qn au corps; **die** ~ **ist los** *fam* c'est
l'horreur
Höllenangst *f fam* peur *f* bleue **Höllenlärm** ['hœlən'lɛrm] *m fam* bruit *m* infernal **Höllenqual** *f meist Pl fam* supplice *m*
infernal
höllisch I. *adj* **1.** *attr* REL, HIST de l'enfer
2. *fam Angst* du diable; *Hitze, Krach* infer-
nal(e); *Schmerzen, Gestank* atroce **II.** *adv
fam wehtun, brennen* atrocement; *fluchen*
comme un charretier; *schreien* comme un
veau
Hollywoodschaukel ['hɔliwʊd-] *f* balan-
celle *f*
Holm [hɔlm] <-[e]s, -e> *m* **1.** *eines Bar-
rens* barre *f; einer Leiter* montant *m* **2.** AUT,
AVIAT longeron *m*
Holocaust ['ho:lokaʊst] <-s> *m* holocauste *m*
Hologramm [holo'gram] <-gramme>
nt hologramme *m*
Holographie [hologra'fi:] <-, -n> *f* holographie *f*
holperig *s.* **holprig**
holpern ['hɔlpɐn] *vi* **1.** + *haben* (*rütteln*)
Wagen, Zug: cahoter **2.** + *sein* (*sich fortbewegen*) *durch/über etw* (*akk*) ~ rouler
en cahotant à travers/sur qc
holprig *adj* **1.** *Straße* défoncé(e); *Weg* caho-
teux(-euse); *Pflaster* irrégulier(-ière) **2.** (*ungleichmäßig*) hésitant(e)
Holunder [ho'lʊndɐ] <-s, -> *m* sureau *m*
Holz [hɔlts, *Pl:* 'hœltsə] <-es, ⸚er> *nt kein
Pl* (*Baumsubstanz*) bois *m;* ~ **fällen/sä-**

gen couper/scier du bois; **aus** ~ en bois
Holzbein *nt* jambe *f* de bois **Holzblasin-
strument** *nt* instrument *m* à vent en bois
hölzern ['hœltsɐn] **I.** *adj* **1.** (*aus Holz*) en
bois **2.** (*steif*) guindé(e) **II.** *adv* (*steif*) avec
raideur
Holzfäller(in) ['hɔltsfɛlɐ] <-s, -> *m(f)* bû-
cheron(ne) *m(f)* **holzfrei** *adj* sans bois
Holzhacker(in) A *s.* **Holzfäller Holzham-
mer** *m* maillet *m* **Holzhammermethode**
f fam (*brutale Art*) manière *f* forte; (*ständi-
ges Wiederholen*) matraquage *m* intensif
Holzhaus *nt* maison *f* en bois
holzig ['hɔltsɪç] *adj Spargel, Kohlrabi* filan-
dreux(-euse)
Holzklotz *m* **1.** (*Klotz aus Holz*) billot *m*
[de bois] **2.** (*Spielzeug*) cube *m* [de bois]
Holzkohle *f* charbon *m* de bois **Holzschnitt** *m* gravure *f* sur bois **Holzschuh**
m sabot *m* **Holzschutzmittel** *nt* produit
m de traitement du bois **Holzstoß** *m* pile *f*
de bois **holzverarbeitend** *s.* Holz **Holzweg** *m* ▸ **auf dem** ~ **sein** *fam* se fourrer
le doigt dans l'œil **Holzwolle** *f* copeaux
mpl **Holzwurm** *m* ver *m* du bois
Homepage [hɔʊmpɛɪdʒ] *f* INFORM page *f*
d'accueil
Homo *s.* **Homosexuelle(r)**
homogen [homo'ge:n] *adj geh* homogène
homogenisieren* [homogeni'zi:rən] *vt*
homogénéiser
Homöopath(in) [homøo'pa:t] <-en,
-en> *m(f)* homéopathe *mf*
Homöopathie [homøopa'ti:] <-> *f* homéopathie *f*
homöopathisch [homøo'pa:tɪʃ] *adj Mittel* homéopathique; **ein** ~**er Arzt** un médecin homéopathe
Homosexualität [homozɛksualɪ'tɛt] *f* homosexualité *f*
homosexuell *adj* homosexuel(le)
Homosexuelle(r) *f(m) dekl wie adj* homo-
sexuel(le) *m(f)*
Honig ['ho:nɪç] <-s, -e> *m* **1.** miel *m*
2. (*Süßigkeit*) türkischer ~ ≈ nougat *m*
▸ **jdm** ~ **ums** **Maul** [*o* **um den** **Bart**]
schmieren *fam* passer de la pommade à
qn
Honigbiene *f form* abeille *f* **Honigkuchen**
m pain *m* d'épice **Honiglecken** ▸ **kein** ~
sein *fam* ne pas être de la tarte **Honigmelone** *f* melon *m* **honigsüß** ['ho:nɪç'zy:s]
pej **I.** *adj Lächeln, Ton* mielleux(-euse) **II.**
adv ~ **lächeln** avoir un sourire mielleux
Honigwabe *f* rayon *m* de miel
Honorar [hono'ra:r] <-s, -e> *nt* honoraires *mpl;* **gegen** ~ moyennant finances
Honoratioren *Pl* notables *mpl*

honorieren* [hono'riːrən] *vt* **1.** (*würdigen*) apprécier à sa juste valeur; **jdn für seine Ehrlichkeit/Arbeit** ~ apprécier qn à sa juste valeur pour son honnêteté/travail; **die Einsatzbereitschaft eines Mitarbeiters mit etw** ~ récompenser l'engagement d'un collaborateur par qc **2.** (*bezahlen*) rétribuer; **jdn mit etw** ~ donner qc à qn comme rétribution
honorig *adj geh* honorable
Hooligan ['huːligən] <-s, -s> *m* houligan *m*
Hopfen ['hɔpfən] <-s, -> *m* houblon *m*
hopp [hɔp] **I.** *interj fam* (*los*) allez, hop; ~, ~! magne-toi/magnez-vous! **II.** *adv bei* **ihm/ihr muss alles** ~ **gehen** *fam* avec lui/elle, [il] faut que ça saute
hoppeln ['hɔpəln] *vi + sein* faire des bonds
hoppla ['hɔpla] *interj* **1.** (*Vorsicht, Entschuldigung*) ouh, là [là] **2.** (*Moment mal*) attends/attendez voir!
Hops <-es, -e> *m fam* [petit] bond *m*
hopsen ['hɔpsən] *vi + sein fam* sauter; **durch das Zimmer** ~ traverser la pièce en sautant
hops|gehen *vi irr + sein fam* **1.** (*umkommen*) *Person:* casser sa pipe **2.** (*verloren gehen*) *Gegenstand:* se volatiliser
hörbar ['høːɐ̯baːɐ̯] *adj* audible, perceptible
hörbehindert *adj* malentendant(e)
Hörbrille *f* lunettes *fpl* pour malentendant
horchen ['hɔrçən] *vi* **1.** (*lauschen*) écouter, tendre l'oreille; **an der Tür** ~ écouter à la porte **2.** (*achten auf*) **auf etw** (*akk*) ~ écouter qc
Horde ['hɔrdə] <-, -n> *f* **1.** horde *f* **2.** (*Lattengestell*) claie *f*
hören ['høːrən] **I.** *vt* **1.** (*wahrnehmen, vernehmen*) entendre; **jdn singen/lachen/reden** ~ entendre qn chanter/rire/parler **2.** (*an~*) écouter; **hast du diesen Pianisten schon mal gehört?** tu as déjà entendu ce pianiste?; **ich kann das nicht mehr** ~! j'en ai les oreilles rebattues! **3.** (*feststellen*) **am Tonfall/Klang** ~, **dass** percevoir à l'intonation/au son que **4.** (*erfahren*) **etw über jdn/etw** ~ entendre dire qc de qn/qc; ~, **dass** entendre dire que; **von wem hast du das denn gehört?** tu l'as appris par qui?; **etwas/nichts von sich** ~ **lassen** donner/ne pas donner de ses nouvelles; **nichts** [*davon*] ~ **wollen** ne pas vouloir le savoir; **wie man hört/wie ich höre, ...** à ce qu'on dit ... ▸**etwas von jdm zu** ~ **bekommen** [*o* **kriegen** *fam*] se faire remonter les bretelles par qn **II.** *vi* **1.** (*zu~*) écouter; **hör mal/~ Sie mal!** *fam* écoute/écoutez! **2.** (*vernehmen*) **gut/**

schlecht ~ entendre bien/mal **3.** (*erfahren*) **von jdm/etw gehört haben** avoir entendu parler de qn/qc **4.** *fam* (*sich richten nach*) **auf jdn/etw** ~ écouter qn/qc **5.** (*heißen*) **sie hört auf den Namen Anke** elle s'appelle Anke ▸**ihm/ihr vergeht Hören und Sehen** il/elle ne sait plus où il/elle en est; **du hörst wohl schlecht!** *fam* t'es sourd(e), ma parole!; **na hör/~ Sie mal!** non mais alors!; **man höre und staune!** (*als Einschub*) tiens-toi/tenez-vous bien!
Hörensagen ['høːrənzaːgən] *nt* ▸**vom** ~ par ouï-dire
Hörer <-s, -> *m* **1.** (*Zuhörer*) auditeur *m* **2.** (*Telefonhörer*) combiné *m*
Hörerbrief *m* lettre *f* d'auditeur
Hörerin <-, -nen> *f* auditrice *f*
Hörfehler *m* défaut *m* d'audition **Hörfunk** *m form* radio *f* **Hörgerät** *nt* appareil *m* auditif
hörig *adj* (*völlig ergeben*) **jdm** ~ **sein** être [entièrement] soumis à qn; **jdm sexuell** ~ **sein** avoir qn dans la peau
Hörige(r) *f(m) dekl wie adj* HIST serf *m*/serve *f*
Horizont [hori'tsɔnt] <-[e]s, -e> *m* horizon *m*; **am** ~ à l'horizon ▸**einen beschränkten** [*o* **engen**] ~ **haben** avoir une vue des choses étriquée; **das geht über seinen/ihren** ~ cela le/la dépasse
horizontal [horitsɔn'taːl] *adj* horizontal(e)
Horizontale *f dekl wie adj* droite *f* horizontale; **in der** ~**n** à l'horizontale ▸**sich in die** ~ **begeben** *hum fam* aller se mettre à l'horizontale
Hormon [hɔr'moːn] <-s, -e> *nt* hormone *f*
hormonal [hɔrmo'naːl] **I.** *adj* hormonal(e) **II.** *adv* beeinflussen, steuern par les hormones
Hörmuschel *f* écouteur *m*
Horn [hɔrn, *Pl:* 'hœrnɐ] <-[e]s, =er> *nt* **1.** *eines Tiers* corne *f* **2.** MUS cor *m*; **die Hörner** les cors **3.** *kein Pl* (*Material*) corne *f* ▸**ins gleiche** ~ **stoßen** *fam* dire la même chose; **jdm Hörner aufsetzen** *fam* faire qn cocu(e)
Hornbrille *f* lunettes *fpl* de corne
Hörnchen ['hœrnçən] <-s, -> *nt* **1.** (*Croissant*) croissant *m* **2.** *Dim von* **Horn** petite corne *f*
Hornhaut *f* **1.** (*des Auges*) cornée *f* **2.** (*Hautschicht*) corne *f*
Hornisse [hɔr'nɪsə] <-, -n> *f* frelon *m*
Hornist(in) <-en, -en> *m(f)* corniste *mf*
Hornochs[e] *m fam* bourrique *f*
Horoskop [horo'skoːp] <-s, -e> *nt* horoscope *m*; **jdm das** ~ **stellen** faire l'horosco-

pe de qn
horrend *adj* exorbitant(e)
Hörrohr *nt* (*Hörgerät*) cornet *m* acoustique
Horror ['hɔroːɐ̯] <-s> *m* horreur *f;* **einen ~ vor etw haben** avoir horreur de qc; **sie hat einen ~ vor ihnen** ils lui font horreur
Horrorfilm *m* film *m* d'horreur **Horrortrip** *m fam* **1.**(*grässliches Erlebnis*) galère *f;* **das war der reinste ~** ça a été l'horreur **2.**(*Drogenrausch*) trip *m*
Hörsaal *m* amphithéâtre *m*
Hörspiel *nt* pièce *f* radiophonique
Horst [hɔrst] <-[e]s, -e> *m* **1.**(*Nest*) aire *f* **2.**(*Fliegerhorst*) base *f*
Hörsturz *m* MED surdité *f* brusque
Hort [hɔrt] <-[e]s, -e> *m* **1.**geh *~* **der Künste/Stille** havre *m* pour l'art/de paix **2.**(*Kinderhort*) ≈ garderie *f*
horten ['hɔrtən] *vt* stocker *Waren;* entasser *Geld*
Hortensie [hɔr'tɛnziə] <-, -n> *f* hortensia *m*
Hörvermögen *nt kein Pl* ouïe *f* **Hörweite** *f* **in/außer ~ sein** être à/hors de portée de voix
Hose ['hoːzə] <-, -n> *f* **ein Paar ~n** un pantalon; **eine kurze ~** un short; [sich (*dat*)] **in die ~ machen** *fam* faire dans son froc; **die ~n voll haben** *fam* avoir fait [caca] dans son froc ▶**da ist tote ~** *fam* c'est mort ici; **die ~n [gestrichen] voll haben** *fam* avoir chié dans son froc; **die ~n voll kriegen** *fam* se prendre une fessée; **in die ~ gehen** *fam* foirer; **sich** (*dat*) [**vor Angst**] **in die ~ machen** *fam* chier dans son froc de peur
Hosenanzug *m* tailleur-pantalon *m* **Hosenbein** *nt* jambe *f* de pantalon **Hosenboden** *m* fond *m* de culotte ▶**sich auf den ~ setzen** *fam* en mettre un coup **Hosenbund** *m* taille *f* du pantalon **Hosenlatz** *m* **1.**bavette *f* **2.** DIAL (*Hosenschlitz*) braguette *f* **Hosenrock** *m* jupe-culotte *f* **Hosenscheißer** *m* **1.** *pej fam* (*Kind*) **ein kleiner ~** un petit pisseux **2.** *fam* (*Feigling*) pétochard *m* **Hosenschlitz** *m* braguette *f* **Hosenträger** *Pl* bretelles *fpl*
Hospital [hɔspi'taːl, *Pl:* hɔspi'tɛːlə] <-s, -e *o* Hospitäler> *nt* hôpital *m*
hospitieren* *vi* assister au cours comme stagiaire
Hospiz <-es, -e> *nt* (*Herberge*) hospice *m*
Host [hɔʊst] <-s, -s> *m* hôte *m*
Hostess[RR], **Hosteß** [hɔs'tɛs] <-, Hostessen> *f* hôtesse *f*
Hostie ['hɔstiə] <-, -n> *f* hostie *f*
Hotdog[RR] ['hɔt'dɔk] <-s, -s> *nt o m* hot-dog *m*
Hotel [ho'tɛl] <-s, -s> *nt* hôtel *m; ~* **garni**

hôtel sans restaurant
Hotelbett *nt* lit *m* d'hôtel **Hotelfachschule** *f* école *f* hôtelière **Hotelführer** *m* guide *m* des hôtels **Hotelgewerbe** *nt* hôtellerie *f*
Hotelier [hotə'lie:] <-s, -s> *m* hôtelier(-ière) *m(f)*
Hotel- und Gaststättengewerbe *nt* industrie *f* hôtelière **Hotelzimmer** *nt* chambre *f* d'hôtel
Hotline ['hɔtlain] <-, -s> *f* hotline *f;* INFORM service *m* en ligne, hotline
Hr. *Abk von* **Herr** M.
Hrn. *Abk von* **Herrn** M.
hrsg. *Abk von* **herausgegeben** éd.
hu *interj* (*Ausdruck des Frierens*) brrr
hü *interj* hue
Hub <-[e]s, =e> *m* (*Kolbenhub*) course *f*
hüben *adv* de ce côté-ci ▶*~* **und** [*o* **wie**] **drüben** d'un côté comme de l'autre
Hubraum ['huːpraʊm] *m* cylindrée *f*
hübsch [hʏpʃ] **I.** *adj* **1.**joli(e) *antéposé;* **ein ~es Gesicht/Foto** une jolie figure/photo; **sich ~ machen** se faire beau(belle); **na, ihr zwei Hübschen?** *fam* alors les poulettes? **2.** *fam* *Sümmchen, Betrag* coquet(te) **3.** *iron fam* (*unangenehm*) beau(belle); **da hat er sich** (*dat*) [**ja**] **was Hübsches eingebrockt!** il s'est mis dans de beaux draps! **II.** *adv* **1.** *sich kleiden, sich einrichten* bien **2.** *fam* (*annehmbar*) **ganz ~ singen** ne pas chanter si mal que ça **3.** *iron fam* *fluchen* drôlement **4.** *fam* (*Ausdruck eines Gebots*) **seid ~ artig!** soyez bien sages!; **immer ~ langsam!** tout doux!; **das wirst du ~ bleiben lassen!** tu ferais mieux de laisser tomber!
Hubschrauber ['huːpʃraʊbɐ] <-s, -> *m* hélicoptère *m*
Hubschrauberlandeplatz *m* héliport *m*
huch [hʊx] *interj* (*Ausdruck der Überraschung*) oh; (*Ausdruck des Frierens*) brrr
Hucke ▶**die ~ voll kriegen** *fam* prendre une dégelée
huckepack ['hʊkəpak] *adv* **jdn ~ nehmen/tragen** *fam* prendre/porter qn sur son dos **Huckepackverkehr** *m* trafic *m* combiné rail-route
hudeln ['huːdəln] *vi bes.* SDEUTSCH, A *fam* **1.**(*nachlässig arbeiten*) bâcler le boulot **2.**(*hektisch sein*) **nur nicht ~!** pas d'affolement!
Huf [huːf] <-[e]s, -e> *m* sabot *m*
Hufeisen *nt* fer *m* à cheval
hufeisenförmig *adj, adv* en fer à cheval
Hüferl <-s, -n> *nt* A rumsteck *m*
Huflattich <-s, -e> *m* tussilage *m*
Hufnagel *m* clou *m* de ferrure **Hufschlag** *m* **1.**bruit *m* de sabots **2.**(*Stoß mit dem*

Huf) coup *m* de sabot **Hufschmied(in)**
m(f) maréchal-ferrant *m*
Hüfte ['hʏftə] <-, -n> *f* hanche *f*
Hüftgelenk *nt* [articulation *f* de la] hanche
f **Hüfthalter** *m* gaine *f*
Huftier *nt* ongulé *m*
Hüftknochen *s.* **Hüftbein**
Hüftsteak *nt* bifteck *m* dans le romsteck
Hüftweite *f* largeur *f* de hanches
Hügel ['hy:gəl] <-s, -> *m* **1.** colline *f*
2. *(Haufen)* monticule *m*
hügelig *adj* vallonné(e)
Huhn [hu:n, *Pl:* 'hy:nə] <-[e]s, ¨er> *nt*
1. poule *f* **2.** GASTR poulet *m; (Suppen-*
huhn) poule *f; ~* **mit Reis** poule au riz
▸ **ein verrücktes** ~ *fam* un foufou/une fofolle; **mit den Hühnern aufstehen** *fam*
se lever comme les poules; **da lachen ja
die Hühner!** *fam* laisse-moi rigoler!
Hühnchen ['hy:nçən] <-s, -> *nt Dim von*
Huhn poulet *m* ▸ **mit jdm ein** ~ **zu rupfen haben** *fam* avoir un compte à régler
avec qn
Hühnerauge *nt* cor *m* [au pied] **Hühner-
brühe** *f* bouillon *m* de poule **Hühner-
brust** *f* GASTR blanc *m* de poulet **Hühnerei**
nt œuf *m* de poule **Hühnerfarm** *f* ferme *f*
avicole **Hühnerfleisch** *nt* viande *f* de poulet **Hühnerfrikassee** *nt* fricassée *f* de poule **Hühnerhof** *m* basse-cour *f* **Hühnerstall** *m* poulailler *m*
huldigen ['hʊldɪɡən] *vi geh* **einer An-
sicht/einem Prinzip** ~ défendre un point
de vue/un principe; **einem Laster** ~
s'adonner à un vice
Huldigung <-, -en> *f* hommage *m*
Hülle ['hʏlə] <-, -n> *f* **1.** *(Schutzhülle)*
housse *f* **2.** *(Buchhülle)* couverture *f*
3. *(Plattenhülle)* pochette *f* **4.** *(Ausweis-
hülle)* étui *m* ▸ **in** ~ **und Fülle** *geh* à profusion
hüllen ['hʏlən] *geh vt* envelopper; **jdn/
sich in eine Decke** ~ envelopper qn/
s'envelopper dans une couverture; **ein
Tuch um etw** ~ enrouler un linge autour
de qc
hüllenlos *adj, adv hum* en costume
d'Adam/d'Ève
Hülse ['hʏlzə] <-, -n> *f* **1.** *(Etui)* fourreau
m **2.** BOT gousse *f* **3.** *(Patronenhülse)* douille *f*
Hülsenfrucht ['hʏlzənfrʊxt] *f meist Pl* légume *m* sec
human [hu'ma:n] **I.** *adj* **1.** humain(e)
2. *(verständnisvoll)* compréhensif(-ive) **II.**
adv **1.** humainement; **etw** ~ **gestalten** humaniser qc **2.** *(verständnisvoll)* avec beaucoup de compréhension
Humanismus [huma'nɪsmʊs] <-> *m* hu-

manisme *m*
Humanist(in) [huma'nɪst] <-en, -en>
m(f) humaniste *mf*
humanistisch I. *adj* **1.** humaniste **2.** *(alt-
sprachlich)* classique **II.** *adv* ~ **gebildet
sein** avoir une formation classique
humanitär [humani'tɛːɐ̯] *adj* humanitaire;
für ~e Zwecke pour des causes humani-
taires
Humanität [humani'tɛːt] <-> *f* humanité
f
Humanmedizin *f kein Pl* médecine *f* [hu-
maine]
Humbug ['hʊmbuːk] <-s> *m pej fam (Unfug)* connerie *f; (Schwindel)* fumisterie *f*
Hummel ['hʊməl] <-, -n> *f* bourdon *m*
Hummer ['hʊmɐ] <-s, -> *m* homard *m*
Humor [hu'moːɐ̯] <-s> *m* humour *m; ~*
haben avoir de l'humour; **keinen** ~ **haben** manquer d'humour
Humorist(in) <-en, -en> *m(f)* comique
mf; (Schriftsteller) humoriste *mf*
humoristisch [humo'rɪstɪʃ] *adj* humoristique; *(witzig)* comique
humorlos I. *adj* dépourvu(e) d'humour; ~
sein manquer d'humour **II.** *adv reagieren*
sans humour
Humorlosigkeit <-> *f* manque *m* d'humour
humorvoll I. *adj* plein(e) d'humour **II.** *adv
darbieten* avec humour
humpeln ['hʊmpəln] *vi* **1.** + *haben o sein*
(hinken) boitiller **2.** + *sein* *(sich fortbewegen)* **nach Hause/über die Straße** ~ aller à la maison/traverser la rue en boitant
Humpen <-s, -> *m* chope *f* [munie d'un
couvercle]
Humus ['huːmʊs] <-> *m* humus *m*
Humusboden *m* terreau *m*
Hund [hʊnt] <-[e]s, -e> *m* **1.** chien *m;*
Vorsicht, bissiger ~! [attention,] chien
méchant! **2.** *fam (Mensch, Kerl)* **ein blöder** ~ un pauvre con *(vulg)*; **ein armer** ~
un pauvre bougre **3.** *pej fam (Schuft)* salaud *m;* **ein gerissener** ~ un fumier; **du
gemeiner** ~! *fam* [espèce *f* de] salaud *m*!
▸ **bekannt sein wie ein bunter** ~ *fam*
être connu comme le loup blanc; **das ist
ein dicker** ~! *fam* celle-là, elle est dure à
avaler!; **vor die ~e gehen** *fam* se retrouver dans le pétrin
hundeelend ['hʊndə'ʔeːlɛnt] *adj* **sich** ~
fühlen *fam* être malade comme un chien
Hundefutter *nt* nourriture *f* pour chiens
Hundegebell *nt* aboiements *mpl* **Hunde-
hütte** *f* niche *f* **Hundekuchen** *m* biscuit
m pour chien **Hundeleben** *nt pej fam* vie
f de chien **Hundeleine** *f* laisse *f* **Hunde-
lohn** *m pej fam* salaire *m* de misère **Hun-**

demarke *f* plaque *f* de chien (*attestant le paiement de la taxe sur les chiens*) **hundemüde** [ˈhʊndəˈmyːdə] *adj fam* ~ **sein** être [complètement] crevé **Hunderasse** *f* race *f* de chiens

hundert [ˈhʊndɐt] *num* **1.** cent; **zwei von** ~ deux sur cent; **einige** ~ **Menschen** quelques centaines de personnes; *s. a.* **achtzig 2.** *fam* (*viele*) ~ **Einzelheiten** trente-six détails

Hundert¹ [ˈhʊndɐt] <-, -en> *f* cent *m*

Hundert² <-s, -e> *nt* centaine *f;* **ein halbes** ~ une cinquantaine; **zwanzig vom** ~ vingt pour cent; ~**e von Fliegen** des centaines de mouches; **zu** ~**en** par centaines; **in die** ~**e gehen** *fam* se chiffrer par centaines; **einer unter** ~**en** un sur plusieurs centaines

hunderteins *num* cent un

Hunderter <-s, -> *m* **1.** MATH centaine *f* **2.** *fam* (*Banknote*) billet *m* de cent

hunderterlei *adj unv fam* ~ [Dinge] trente-six choses; *s. a.* **achterlei**

hundertfach *adj* cent fois; *s. a.* **achtfach hundertfünfzigprozentig** *adj fam* pur(e) et dur(e); **sie ist eine Hundertfünfzigprozentige** c'est une pure et dure **Hundertjahrfeier** *f* centenaire *m* **hundertjährig** [ˈhʊndɐtjɛːrɪç] *adj* **1.** *Person, Baum* centenaire **2.** (*hundert Jahre dauernd*) de cent années; **das** ~**e Bestehen** les cent ans d'existence **hundertmal** [ˈhʊndɐtmaːl] *adv* **1.** cent fois; ~ **so viel/so viele** cent fois plus/plus de; *s. a.* **achtmal 2.** *fam* (*sehr viel, oft*) **das ist** ~ **besser** c'est cent fois mieux **Hundertmeterlauf** [ˈhʊndɐtˈmeːtelaʊf] *m* cent mètres *m* [plat] **hundertprozentig** [ˈhʊndɐtprotsɛntɪç] **I.** *adj* **1.** *Alkohol* [à] cent pour cent **2.** *fam* (*total, völlig*) **mit** ~**er Sicherheit** avec cent pour cent de certitude **II.** *adv fam* **sich** ~ **auf jdn/etw verlassen** compter sur qn/qc à cent pour cent; **sich** (*dat*) ~ **sicher sein** être sûr à cent pour cent **Hundertschaft** <-, -en> *f* **eine** ~ **Soldaten** une unité de cent hommes

hundertste(r, s) [ˈhʊndɐstə, -tɐ, -təs] *adj* centième; **jedes** ~ **Los** un billet sur cent; **jeder Hundertste** une personne sur cent; *s. a.* **achte(r, s)** ►**vom Hundertsten ins Tausendste kommen** *fam* passer du coq à l'âne

hundertstel *num* **auf ein** ~ **Millimeter genau** au centième de millimètre près **Hundertstel** <-s, -> *nt* centième *m* **hunderttausend** [ˈhʊndɐtˈtaʊzənt] *num* **1.** cent mille **2.** *fam* (*unzählige*) des milliers de; **zu Hunderttausenden** par centaines de milliers

Hundesalon *m* salon *m* de toilettage [pour chiens] **Hundeschnauze** *f* museau *m* **Hundesteuer** *f* taxe *f* sur les chiens **Hundewetter** *nt fam kein Pl* temps *m* de chien **Hundezwinger** *m* chenil *m*

Hündin [ˈhʏndɪn] *f* chienne *f*

hundsgemein *fam adj* Kerl, Lüge sale *antéposé* **hundsmiserabel** *fam* **I.** *adj* Kerl, Verräter sale *antéposé;* Qualität dégueulasse; Lage, Zustand foireux(-euse) **II.** *adv* jdn ~ **behandeln** traiter qn comme un chien; **sich** ~ **fühlen** être [vraiment] mal foutu **Hundstage** *Pl* canicule *f*

Hüne [ˈhyːnə] <-n, -n> *m* géant *m;* **ein** ~ **von Mann** un vrai géant

hünenhaft *adj* gigantesque

Hunger [ˈhʊŋɐ] <-s> *m* **1.** faim *f;* ~ **haben/bekommen** avoir/commencer à avoir faim; ~ **auf etw** (*akk*) **haben** avoir faim de qc; **vor** ~ [fast] **umkommen** *fam* crever de faim; **davon bekomme ich** ~ ça me donne faim; **ich habe solchen** ~! j'ai une de ces faims! **2.** *geh* (*Verlangen*) ~ **nach Abenteuern** soif *f* d'aventure ►~ **wie ein Wolf** [*o* **Bär**] **haben** avoir une faim de loup

Hungergefühl *nt* sensation *f* de faim **Hungerlohn** *m pej* salaire *m* de famine

hungern [ˈhʊŋɐn] **I.** *vi* **1.** avoir faim; **jdn** ~ **lassen** laisser qn sur sa faim; (*als Strafe*) ~**d** affamé(e) **2.** *geh* (*verlangen*) **nach etw** ~ avoir soif de qc **II.** *vr* **sich zu Tode** ~ se laisser mourir de faim

Hungersnot *f* famine *f*

Hungerstreik *m* grève *f* de la faim **Hungertuch** ►**am** ~ **nagen** *hum fam* manger de la vache enragée

hungrig [ˈhʊŋrɪç] *adj* affamé(e); ~ **auf etw** (*akk*) **sein** avoir faim de qc; **jdn** ~ **machen** donner faim à qn

Hupe [ˈhuːpə] <-, -n> *f* klaxon® *m*

hupen [ˈhuːpən] *vi* klaxonner; **das Hupen** les coups de klaxon

hupfen SDEUTSCH *s.* **hüpfen** ►**das ist gehupft wie gesprungen** *fam* c'est kif-kif **hüpfen** [ˈhʏpfən] *vi + sein* Person: sauter; Vogel: sautiller; **über den Hof** ~ traverser la cour en sautillant

Hürde [ˈhʏrdə] <-, -n> *f* (*beim Hürdenlauf*) haie *f;* (*im Reitsport*) obstacle *m* ►**eine** ~ **nehmen** passer un obstacle **Hürdenlauf** *m* course *f* de haies **Hure** [ˈhuːrə] <-, -n> *f pej* **1.** (*Prostituierte*) putain *f* (*vulg*) **2.** (*Schimpfwort*) roulure *f*

huren *vi pej* baiser (*fam*) **Hurensohn** *m pej fam* fils *m* de pute (*vulg*) **hurra** [hʊˈraː] *interj* hourra

Hurra <-s, -s> nt hourra m; **ein dreifaches** ~ un triple hourra
Hurrikan ['hʊrikan] <-s, -e> m ouragan m
hurtig adj preste
husch interj fam (schnell) ~! et hop!
huschen ['hʊʃən] vi + sein durchs Zimmer ~ Licht, Schatten: balayer [rapidement] la chambre; **über jds Gesicht** ~ Lächeln: glisser furtivement sur le visage de qn; **aus der Tür** ~ (schnell/verstohlen hinausgehen) sortir vivement/furtivement
hüsteln ['hy:stəln] vi toussoter; **das leise Hüsteln** le toussotement discret
husten ['hu:stən] vi tousser; **durch starkes Husten** en toussant avec force
Husten <-s> m toux f; ~ **bekommen** commencer à tousser; ~ **haben** tousser
Hustenanfall m quinte f de toux **Hustenbonbon** m o nt bonbon m contre la toux **Hustenreiz** m envie f de tousser **Hustensaft** m sirop m contre la toux **hustenstillend** adj antitussif(-ive); ~ **wirken** agir contre la toux
Hut[1] [hu:t, Pl: 'hy:tə] <-[e]s, ⁼e> m a. BOT chapeau m; **nehmen Sie bitte den** ~ **ab!** veuillez vous débarrasser de votre chapeau, s'il vous plaît! ►**mit jdm/etw nichts am** ~ **haben** fam n'être pas du tout porté sur qn/qc; **sich** (dat) **etw an den** ~ **stecken können** fam pouvoir se mettre qc quelque part; ~ **ab vor jdm/etw!** fam chapeau à qn/qc!
Hut[2] [hu:t] f geh ►**auf der** ~ **sein** se tenir sur ses gardes; **vor jdm/etw auf der** ~ **sein** se méfier de qn/qc
Hutablage f (an einer Garderobe) portechapeaux m
hüten ['hy:tən] I. vt garder; **ein Geheimnis** ~ garder un secret [pour soi] II. vr **sich vor jdm/etw** ~ se méfier de qn/se garder de qc; **sich** ~ **etw zu tun** se garder de faire qc
Hüter(in) <-s, -> m(f) geh gardien(ne) m(f); **die** ~ **des Gesetzes** hum les représentants de l'ordre
Hutkrempe f bord m [du chapeau] **Hutmacher(in)** m(f) chapelier(-ière) m(f); (für Frauenhüte) modiste mf
Hutsche <-, -n> A balançoire f
hutschen vi A se balancer, faire de la balançoire
Hutschnur ►**das geht mir über die** ~ fam je commence à en avoir jusque là de ça
Hütte ['hʏtə] <-, -n> f 1. cabane f 2. METAL fonderie f; (Stahlhütte) aciérie f
Hütenindustrie f METAL industrie f métallurgique **Hüttenkäse** m cottage® m (fro-

mage blanc à gros caillots) **Hüttenschuh** m chausson m [en laine] **Hüttenwerk** nt fonderie f
Hyäne ['hyɛ:nə] <-, -n> f hyène f
Hyazinthe [hya'tsɪntə] <-, -n> f jacinthe f
hybrid adj hybride
Hydrant [hy'drant] <-en, -en> m bouche f d'incendie
Hydraulik [hy'draʊlɪk] <-> f hydraulique f; (~ system) système m hydraulique
hydraulisch I. adj hydraulique II. adv ~ betrieben werden fonctionner avec un système hydraulique
Hydrokultur [hydrokʊl'tu:ɐ̯] f culture f hydroponique
Hydrolyse <-, -n> f CHEM hydrolyse f
Hygiene [hy'gi̯e:nə] <-> f hygiène f
hygienisch I. adj Verhältnisse, Maßnahmen hygiénique II. adv verpacken hygiéniquement; einwandfrei sur le plan de l'hygiène
Hygrometer <-s, -> nt hygromètre m
Hymne ['hʏmnə] <-, -n> f hymne m
Hyperbel <-, -n> f MATH, LING hyperbole f
Hyperlink ['haɪpɐlɪŋk] m INFORM hyperlien m
Hypertext ['haɪpɐtɛkst] m INFORM hypertexte m
Hypertonie [-'ni:ən] <-, -n> f MED hypertension f
Hypnose [hʏp'no:zə] <-, -n> f hypnose f; **jdn in** ~ **versetzen** hypnotiser qn; **unter** ~ (dat) **stehen** être en [état d']hypnose
hypnotisch [hʏp'no:tɪʃ] I. adj hypnotique II. adv wirken de manière hypnotique
Hypnotiseur(in) [hʏpnoti'zø:ɐ] <-s, -e> m(f) hypnotiseur(-euse) m(f)
hypnotisieren* [hʏpnoti'zi:rən] vt hypnotiser
Hypochonder [hypo'ɔndɐ] <-s, -> m PSYCH hypocondriaque mf
Hypotenuse <-, -n> f MATH hypoténuse f
Hypothek [hypo'te:k] <-, -en> f hypothèque f; **eine** ~ **auf etw** (akk) **aufnehmen** prendre une hypothèque sur qc
Hypothekenzinsen Pl intérêts mpl hypothécaires
Hypothese [hypo'te:zə] <-, -n> f hypothèse f; **eine** ~ **aufstellen/widerlegen** émettre/réfuter une hypothèse
hypothetisch [hypo'te:tɪʃ] I. adj hypothétique II. adv de façon hypothétique
Hysterie [hʏste'ri:] <-, -n> f hystérie f
hysterisch [hʏs'te:rɪʃ] I. adj hystérique; **ein** ~**er Anfall** une crise d'hystérie II. adv de façon hystérique
Hz Abk von **Hertz** Hz

I

I, i [iː] <-, -> *nt* I *m*/i *m*
i *interj fam* (*Ausdruck des Ekels*) be[u]rk ▶ ~
wo! penses-tu/pensez-vous!
i. A. *Abk von* **im Auftrag** p.o.
iberisch [iˈbeːrɪʃ] *adj* ibérique
IC [iːˈtseː] <-s, -s> *m Abk von* Intercity IC *m*
ICE [iːtseːˈʔeː] <-s, -s> *m Abk von* Intercity Express ≈ T.G.V. *m*
ich [ɪç] *pron pers* je; (*betont, allein stehend*) moi; ~ **habe Hunger** j'ai faim; **nicht einmal** ~ pas même moi; **hier bin** ~**!** me voici!; ~ **war es!** c'était moi!
Ich <-[s], -s> *nt a.* PSYCH moi *m;* **mein zweites** ~ mon autre moi
ichbezogen *adj* égocentrique **Ich-Erzählung** *f* récit *m* à la première personne **Ichform** *f* première personne *f;* **in der** ~ à la première personne
Icon [ˈaɪkən] <-s, -s> *nt* INFORM icône *f*
IC-Zuschlag [iːˈtseːˈtsuːʃlaːk] *m* supplément *m* IC
ideal [ideˈaːl] I. *adj* idéal(e) II. *adv* d'une façon idéale
Ideal <-s, -e> *nt* idéal *m;* **mein/sein** ~ mon/son idéal; **noch** ~**e haben** avoir encore des idéaux
idealerweise *adv* dans l'idéal
Idealfall *m* cas *m* idéal **Idealgewicht** [ideˈaːlgəvɪçt] *nt* poids *m* idéal
idealisieren* [ideˈaliˈziːrən] *vt* idéaliser
Idealismus [ideaˈlɪsmʊs] <-> *m* idéalisme *m*
Idealist(in) [ideaˈlɪst] <-en, -en> *m(f)* idéaliste *mf*
idealistisch *adj* idéaliste
idealtypisch *adj inv geh* PHILOS de type idéal **Idealvorstellung** *f* idéal *m*
Idee [iˈdeː] <-, -n> *f* **1.** idée *f;* **eine** ~ **haben** avoir une idée; **jdn auf eine** ~ **bringen** donner une idée à qn; **eine glänzende** ~ une brillante idée; **eine fixe** ~ une idée fixe; **wie kommst du denn auf die** ~**?** où vas-tu chercher une idée pareille? **2.** *fam* (*Kleinigkeit*) **eine** ~ **lauter/zu kalt** un soupçon plus fort/trop froid; **keine** ~ **besser sein** ne pas valoir mieux
ideell [ideˈɛl] *adj Werte* spirituel(le); *Gesichtspunkte* intellectuel(le)
ideenreich [iˈdeːənˌraɪç] *adj* inventif(-ive) **Ideenreichtum** *m einer Person* esprit *m* inventif; *einer Gestaltung* inventivité *f*

Identifikation [idɛntifikaˈtsjoːn] <-, -en> *f* PSYCH identification *f;* ~ **mit jdm/etw** identification à qn/qc
Identifikationsfigur *f* modèle *m* identificatoire
identifizieren* [idɛntifiˈtsiːrən] I. *vt* identifier; **jdn/etw als jdn/etw** ~ identifier qn/qc comme étant qn/qc II. *vr* **sich mit jdm/etw** ~ s'identifier à qn/qc
Identifizierung <-, -en> *f* identification *f*
identisch [iˈdɛntɪʃ] *adj* identique; **mit jdm/etw** ~ **sein** être identique à qn/qc
Identität [idɛntiˈtɛːt] <-> *f* identité *f*
Identitätskarte *f bes.* CH, A carte *f* d'identité
Ideologe [ideoˈloːgə] <-n, -n> *m*, **Ideologin** *f* idéologue *mf*
Ideologie [ideoloˈgiː] <-, -n> *f* idéologie *f*
ideologisch [ideoˈloːgɪʃ] I. *adj* idéologique II. *adv* idéologiquement
Idiom <-s, -e> *nt* LING idiome *m*
idiomatisch [idjoˈmaːtɪʃ] I. *adj* idiomatique II. *adv* d'un point de vue idiomatique
Idiot(in) [iˈdjoːt] <-en, -en> *m(f)* **1.** *pej fam* crétin(e) *m(f);* **so ein** ~**!** quel idiot! **2.** MED débile *mf* mental(e)
idiotensicher *hum fam* I. *adj* simple comme bonjour II. *adv* ~ **zu bedienen sein** être simple comme bonjour à manœuvrer
Idiotie [idjoˈtiː] <-, -n> *f* **1.** *pej fam* connerie *f* **2.** MED débilité *f* mentale
Idiotin *s.* **Idiot(in)**
idiotisch *adj pej fam* débile
Idol [iˈdoːl] <-s, -e> *nt* idole *f*
Idyll <-s, -e> *nt* lieu *m* idyllique
Idylle [iˈdʏlə] <-, -n> *f* idylle *f*
idyllisch I. *adj* idyllique II. *adv* dans un cadre idyllique
IG [iːˈgeː] <-> *f Abk von* **Industriegewerkschaft**
Igel [ˈiːgəl] <-s, -> *m* hérisson *m*
igitt|igitt| *interj fam* be[u]rk
Iglu <-s, -s> *m o nt* igloo *m*
ignorant *adj pej geh* inculte
Ignorant(in) [ɪgnoˈrant] <-en, -en> *m(f) pej geh* inculte *mf*
Ignoranz [ɪgnoˈrants] <-> *f pej geh* ignorance *f*
ignorieren* [ɪgnoˈriːrən] *vt* ignorer *Person;* ne pas prendre en considération *Sache*
IHK [iːhaːˈkaː] <-, -s> *f Abk von* Industrie- und Handelskammer C.C.I. *f*

ihm¹ [iːm] *pron pers, dat von* **er** lui; **bei/mit** ~ chez/avec lui; **das gefällt** ~ cela lui plaît; **sie glaubt/hilft** ~ elle le croit/l'aide; **sie nähern sich** ~ ils s'approchent de lui; **es geht** ~ **gut** il va bien

ihm² *pron pers, dat von* **es**: **er hilft** ~ il l'aide; **das gehört** ~ c'est à lui/elle; **das gefällt** ~ cela lui plaît; ~ **ist langweilig** il/elle s'ennuie; **um das Kalb/das Haus zu fotografieren, näherte sie sich** ~ pour photographier le veau/la maison, elle s'en approcha

ihn [iːn] *pron pers, akk von* **er**: **ohne/für** ~ sans/pour lui; **ich kenne** ~ je le connais; **er fragt** ~/**ruft** ~ **an** il lui demande/téléphone; **wo ist mein Schlüssel/Kuli, siehst du** ~? où est ma clé/mon stylo-bille, est-ce que tu la/le vois?

ihnen ['iːnən] *pron pers, dat von* **sie²**: **bei** ~ chez eux/elles; **mit** ~ avec eux/elles; **das gefällt** ~ cela leur plaît; **sie glaubt/hilft** ~ elle les croit/aide; **sie nähert sich** ~ elle s'approche d'eux/d'elles; **es geht** ~ **gut** ils/elles vont bien

Ihnen *pron pers, dat von* **Sie¹** vous; **wie geht es** ~? comment allez-vous?; **gefällt es** ~? est-ce que cela vous plaît?; **hat er sich** ~ **schon vorgestellt?** est-ce qu'il s'est déjà présenté à vous?

ihr¹ [iːɐ̯] *pron pers* vous; ~ **seid an der Reihe!** c'est votre tour!; ~ **Armen!** mes pauvres!

ihr² *pron pers, dat von* **sie¹**: **bei/mit** ~ chez/avec elle; **das gefällt** ~ cela lui plaît; **sie glaubt/hilft** ~ elle la croit/l'aide; **es geht** ~ **gut** elle va bien; **sie nähern sich** ~ ils s'approchent d'elle; **um die Katze/die Brücke zu fotografieren, näherte er sich** ~ pour photographier le chat/le pont, il s'en approcha

ihr³ *pron poss zu* **sie¹** 1. ~ **Bruder** son frère; ~**e Schwester/Freundin** sa sœur/son amie; ~**e Eltern** ses parents; **dieses Feuerzeug ist** ~[e]s ce briquet est à elle 2. *substantivisch* **der/die/das** ~**e** le sien/la sienne; **das sind nicht seine Bücher, sondern die** ~**en** ce ne sont pas ses livres à lui, mais les siens [à elle]; **die Ihren** les siens

ihr⁴ *pron poss zu* **sie²** 1. ~ **Bruder** leur frère; ~**e Schwester** leur sœur; ~**e Brüder/Schwestern** leurs frères/sœurs 2. *substantivisch* **der/die/das** ~**e** le/la leur; **das sind nicht eure Bücher, sondern die** ~**en** ce ne sont pas vos livres [à vous], mais les leurs; **die Ihren** les leurs

Ihr *pron poss zu* **Sie¹** 1. votre; ~ **Vater** votre père; ~**e Mutter** votre mère; ~**e Kinder** vos enfants; **herzlichst** ~ **Peter Braun** cordialement, Peter Braun 2. *substantivisch* **der/die/das** ~**e** le/la vôtre; **die** ~**en** les vôtres

ihrer¹ *pron pers, gen von* **sie¹** *geh* **er erbarmt sich** ~ il a pitié d'elle; **wir werden** ~ **gedenken** nous nous souviendrons d'elle

ihrer² *pron pers, gen von* **sie²** *geh* **es waren** ~ **sechs** ils/elles étaient six; **wir werden** ~ **gedenken** nous nous souviendrons d'eux/d'elles

Ihrer *pron pers, gen von* **Sie¹** *geh* **wir werden** ~ **gedenken** nous nous souviendrons de vous

ihrerseits ['iːrəzaɪts] *adv* 1. (*auf eine Person bezogen*) de son côté 2. (*auf mehrere Personen bezogen*) de leur côté

Ihrerseits *adv* de votre côté

ihresgleichen ['iːrəsˈglaɪçən] *pron inv* **sie verkehrt nur mit** ~ elle ne fréquente que les gens de sa sorte; **sie verkehren nur mit** ~ ils/elles ne fréquentent que les gens de leur sorte; **unter** ~ entre eux/elles

Ihresgleichen *pron inv* des gens *mpl* comme vous

ihretwegen ['iːrətˈveːgən] *adv* 1. (*auf eine Person bezogen*) à son sujet; (*ihr zuliebe*) pour elle; (*von ihr aus*) si cela ne tenait/n'avait tenu qu'à elle 2. (*auf mehrere Personen bezogen*) à leur sujet; (*ihnen zuliebe*) pour eux/pour elles; (*von ihnen aus*) si cela ne tenait/n'avait tenu qu'à eux/elles

Ihretwegen *adv* à votre sujet; (*Ihnen zuliebe*) pour vous; (*von Ihnen aus*) si cela ne tenait/n'avait tenu qu'à vous

ihretwillen ['iːrətˈvɪlən] *adv* 1. (*auf eine Person bezogen*) **um** ~ pour elle 2. (*auf mehrere Personen bezogen*) **um** ~ pour eux/elles

Ihretwillen *adv* **um** ~ pour vous

Ikone [iˈkoːnə] <-, -n> *f* icône *f*

illegal ['ɪlegaːl] *adj* illégal(e)

Illegalität [ɪlegaliˈtɛːt] <-> *f* illégalité *f*

illegitim ['ɪlegitiːm] *adj* illégitime

illoyal ['ɪlɔjaːl] *geh* I. *adj* déloyal(e) II. *adv* d'une manière déloyale

illuminieren* [ɪlumiˈniːrən] *vt* illuminer

Illusion [ɪluˈzi̯oːn] <-, -en> *f* illusion *f*; **sich** (*dat*) **über jdn/etw** ~**en machen** se faire des illusions sur qn/qc; **sich einer** ~ (*dat*) **hingeben** se bercer d'illusions

illusionär [ɪluzi̯oˈnɛːɐ̯] *adj geh* illusoire

illusorisch [ɪluˈzoːrɪʃ] *adj* illusoire; **es ist** ~ **darauf zu hoffen** c'est illusoire de compter là-dessus

Illustration [ɪlʊstraˈtsi̯oːn] <-, -en> *f* illustration *f*

illustrieren* [ɪlʊsˈtriːrən] *vt* illustrer

Illustrierte <-n, -n> *f* illustré *m*

Iltis <-ses, -se> *m* putois *m*

im [ɪm] = **in dem** *s.* in

Image ['ɪmɪtʃ] <-[s], -s> *nt* image *f* de marque; **ein gutes/schlechtes ~ haben** avoir une bonne/mauvaise image de marque

Imagepflege *f* ~ **betreiben** soigner son image de marque

imaginär [imagi'nɛːɐ̯] *adj geh* imaginaire

Imagination <-, -en> *f geh* imagination *f*

ImbissRR ['ɪmbɪs] <-es, -e>, **Imbiß** <-sses, -sse> *m* **1.** (*Häppchen*) collation *f* **2.** (~*stand*) friterie *f*

ImbissstubeRR *f* snack[-bar] *m*

Imitation [imita'tsi̯oːn] <-, -en> *f* imitation *f*

Imitator [imi'taːtoːɐ̯] <-s, -toren> *m*, **Imitatorin** *f* imitateur(-trice) *m(f)*

imitieren* [imi'tiːrən] *vt* imiter

Imker(in) ['ɪmkɐ] <-s, -> *m(f)* apiculteur(-trice) *m(f)*

Immatrikulation [ɪmatrikula'tsi̯oːn] <-, -en> *f* UNIV inscription *f*

immatrikulieren* [ɪmatriku'liːrən] *vr* UNIV **sich ~** s'inscrire

immens [ɪ'mɛns] *geh* **I.** *adj* énorme **II.** *adv* énormément

immer ['ɪmɐ] *adv* **1.** toujours; **~ wieder** sans cesse; **~ noch** toujours [et encore]; **~ mal [wieder]** *fam* comme ça, à l'occasion; **bist du ~ noch nicht fertig?** tu n'as toujours pas fini? **2.** (*zunehmend*) **~ mehr** *arbeiten, essen* de plus en plus; **~ besser werden** ne cesser de s'améliorer; **etw ~ häufiger tun** faire qc de plus en plus fréquemment **3.** (*jedes Mal*) **~ wenn ich lese** chaque fois que je lis **4.** (*auch*) **wann ~ das sein wird** peu importe quand ce sera; **wo ~ er sein mag** où qu'il soit ▸ **für ~ [und ewig]** sempiternellement

immerfort *adv* continuellement **immergrün** *adj Pflanze* à feuilles persistantes **Immergrün** *nt* pervenche *f* **immerhin** ['ɪmɐ'hɪn] *adv* tout de même **immerwährend** *s.* immer **immerzu** ['ɪmɐ'tsuː] *adv* continuellement

Immigrant(in) [ɪmi'grant] <-en, -en> *m(f)* immigrant(e) *m(f)*

Immigration [ɪmigra'tsi̯oːn] <-, -en> *f* immigration *f*

immigrieren* [ɪmi'griːrən] *vi + sein* immigrer

Immission <-, -en> *f* ÖKOL nuisance *f*

Immissionsschutz *m* ÖKOL protection *f* contre les nuisances

Immobilie [ɪmo'biːli̯ə] <-, -n> *f* propriété *f* immobilière; **~n** des biens *mpl* immobiliers

Immobilienfonds *m* fonds *m* de placement immobilier **Immobilienmakler(in)** *m(f)* agent *mf* immobilier

immun [ɪ'muːn] *adj* MED immunisé(e); **gegen eine Krankheit ~ werden/sein** s'immuniser/être immunisé contre une maladie

Immunität [ɪmuni'tɛːt] <-, -en> *f* MED, JUR immunité *f*; **~ gegen etw** immunité [à qc]

Immunschwäche *f* MED immunodéficience *f* **Immunsystem** *nt* MED système *m* immunitaire

Imperativ ['ɪmperatiːf] <-s, -e> *m* GRAM impératif *m*

Imperfekt ['ɪmpɛrfɛkt] <-s, -e> *nt* GRAM imparfait *m*

Imperialismus [ɪmperia'lɪsmʊs] <-, -lismen> *m* impérialisme *m*

imperialistisch [ɪmperia'lɪstɪʃ] *adj pej* impérialiste

Imperium <-s, -rien> *nt* empire *m*

impertinent *geh adj* impertinent(e)

Impertinenz <-, -en> *f geh* impertinence *f*

impfen ['ɪmpfən] *vt* MED vacciner; **jdn/sich gegen etw ~ lassen** faire vacciner qn/se faire vacciner contre qc

ImpfpassRR ['ɪmpfpas] *m* carnet *m* de vaccination **Impfstoff** *m* vaccin *m*

Impfung <-, -en> *f* vaccination *f*

Implantat [ɪmplan'taːt] <-[e]s, -e> *nt* implant *m*

implantieren *vt* implanter; **jdm etw ~** implanter qc à qn

implizieren* *vt geh* impliquer

implodieren* *vi + sein* imploser

imponieren* [ɪmpo'niːrən] *vi* imposer; **jdm ~** *Person, Leistung:* en imposer à qn

imponierend *adj* imposant(e)

Imponiergehabe *nt eines Tiers* parade *f*; *pej einer Person* simagrées *fpl*

Import [ɪm'pɔrt] <-[e]s, -e> *m* **1.** (*Einfuhr*) importation *f* **2.** (~*artikel*) article *m* d'importation

Importeur(in) [ɪmpɔr'tøːɐ̯] <-s, -e> *m(f)* importateur(-trice) *m(f)*

importieren* [ɪmpɔr'tiːrən] *vt* importer

Importware *f* marchandise *f* d'importation

imposant *adj* impressionnant(e)

impotent ['ɪmpotɛnt] *adj* impuissant(e)

Impotenz ['ɪmpotɛnts] <-> *f* impuissance *f*

imprägnieren* [ɪmprɛ'gniːrən] *vt* imperméabiliser; **Kleidung/Schuhe mit etw ~** imperméabiliser des vêtements/chaussures de qc; **ein Material gegen etw ~** traiter un matériau contre qc

Impression <-, -en> *f geh* impression *f*

Impressionismus [ɪmprɛsi̯o'nɪsmʊs] <-> *m* impressionnisme *m*

Impressionist(in) [ɪmprɛsi̯o'nɪst] <-en, -en> m(f) impressionniste mf
impressionistisch [ɪmprɛsi̯o'nɪstɪʃ] adj impressionniste
Impressum [ɪm'prɛsʊm] <-s, Impressen> nt adresse f bibliographique; einer Zeitung mentions fpl obligatoires
Improvisation [ɪmproviza'tsi̯oːn] <-, -en> f improvisation f
improvisieren* [ɪmprovi'ziːrən] vt, vi improviser
Impuls [ɪm'pʊls] <-es, -e> m impulsion f
impulsiv [ɪmpʊl'ziːf] I. adj impulsif(-ive) II. adv de façon impulsive
imstande [ɪm'ʃtandə] adj ~ sein etw zu tun être capable de faire qc; zu nichts mehr ~ sein n'être plus bon à rien
in[1] [ɪn] I. präp + dat 1. (bei Ortsangaben) ~ der Tasche dans le sac; im Bett/Büro au lit/bureau; im Keller/ersten Stock à la cave/au premier étage; ~ der Stadt en ville; ~ Frankreich/Portugal en France/au Portugal; im Gebirge/~ den Alpen leben vivre en montagne/dans les Alpes; im Norden Deutschlands wohnen habiter dans le nord de l'Allemagne; im Gefängnis en prison 2. (bei Zeitangaben) ~ fünf Minuten (innerhalb von) en cinq minutes; (nach Ablauf von) dans cinq minutes; ~ diesem Jahr cette année; ~ der letzten Woche la semaine dernière; ~ diesen Tagen ces jours-ci; im Mai en mai; im Frühling/Sommer au printemps/en été; im kommenden Herbst [à] l'automne prochain; im letzten Augenblick au dernier moment; im Krieg pendant la guerre 3. (bei Umstandsangaben) ~ der Sonne/Kälte au soleil/dans le froid; im Regen/Schnee sous la pluie/la neige; ~ Rot gekleidet habillé(e) en rouge; im Badeanzug en maillot de bain 4. (in Bezug auf) ~ Physik en physique; ~ dieser Sprache dans cette langue II. präp + akk (bei Richtungsangaben) ~ den Garten/den Wald/die Stadt gehen aller au jardin/en forêt/en ville; ~s Bett gehen aller au lit; ~ die Schweiz/den Libanon fahren aller en Suisse/au Liban; ~s Gebirge/ ~ die Alpen fahren aller à la montagne/dans les Alpes; ~ den Süden fahren aller dans le sud; ~ die Schule gehen aller à l'école; ~s Gefängnis gehen aller en prison
in[2] adj fam ~ sein être in
inakzeptabel [ɪn?tsɛp'taːbəl] adj geh inacceptable
Inanspruchnahme [ɪn'?anʃprʊxnaːmə] <-> f form 1. (Nutzung) von Einrichtungen utilisation f; ~ eines Kredits/von Unter-

stützung recours m à un crédit/une aide 2. (Belastung) eines Mitarbeiters mise f à contribution; von Geräten utilisation f
Inbegriff ['ɪnbəgrɪf] m incarnation f
inbegriffen ['ɪnbəgrɪfən] adj inclus(e)
Inbetriebnahme [ɪnbə'triːpnaːmə] <-, -n> f form einer Anlage mise f en service; einer Maschine mise en marche
Inbrunst ['ɪnbrʊnst] <-> f geh ferveur f
inbrünstig ['ɪnbrʏnstɪç] geh I. adj Gebet fervent(e); Bitte, Hoffnung ardent(e) II. adv hoffen ardemment; beten avec ferveur
indem [ɪn'deːm] konj 1. (dadurch, dass) en; etw bewirken, ~ man etw tut obtenir qc en faisant qc 2. (während) (bei identischen Subjekten) [tout] en; (bei unterschiedlichen Subjekten) tandis que; er seufzte, ~ er aufstand il soupira tout en se levant; ~ er sprach, geschah es schon tandis qu'il parlait, cela arrivait
Inder(in) <-s, -> m(f) Indien(ne) m(f) de l'Inde)
indes [ɪn'dɛs], **indessen** [ɪn'dɛsən] adv geh 1. (inzwischen) pendant ce temps[-là] 2. (jedoch) cependant
Index ['ɪndɛks] <-[es], -e o Indizes> m 1. index m; auf dem ~ stehen être à l'index 2. ÖKON, MATH (Kennziffer) indice m
Indianer(in) [ɪndi'aːne] <-s, -> m(f) Indien(ne) m(f) (d'Amérique)
indianisch adj indien(ne)
Indien ['ɪndiən] <-s> nt l'Inde f
indifferent geh adj indifférent(e)
Indigo <-s, -s> m o nt indigo m
indigoblau adj indigo inv
Indikation <-, -en> f MED indication f
Indikativ ['ɪndikatiːf] <-s, -e> m GRAM indicatif m
Indikator <-s, -toren> m CHEM indicateur m [coloré]
Indio <-s, -s> m, **-frau** f Indien(ne) m(f) (d'Amérique latine)
indirekt ['ɪndirɛkt] adj indirect(e)
indisch ['ɪndɪʃ] I. adj GEOG, LING indien(ne) II. adv gern ~ essen aimer la cuisine indienne
indiskret ['ɪndɪskreːt] I. adj indiscret(-ète) II. adv fragen de façon indiscrète
Indiskretion <-, -en> f indiscrétion f
indiskutabel adj pej geh inacceptable
Individualismus <-> m geh individualisme m
Individualist(in) [ɪndividua'lɪst] <-en, -en> m(f) geh individualiste mf
individualistisch adj geh non-conformiste
Individualverkehr m trafic m des véhicules particuliers
individuell [ɪndivi'duɛl] I. adj personnel(le) II. adv etw ~ gestalten agencer qc

Informationen erfragen

• Informationen erfragen	• demander des informations
Wie komme ich am besten zum Hauptbahnhof?	**Quel est le chemin le plus direct** pour aller à la gare?
Können Sie mir sagen, wie spät es ist?	**Pourriez-vous me** donner l'heure?
Gibt es hier in der Nähe ein Café?	**Est-ce qu'il y a** un café **près d'ici?**
Ist die Wohnung **noch zu haben?**	Est-ce que l'appartement **est encore à louer?**
Kennst/Weißt du einen guten Zahnarzt?	**Connais-tu** un bon dentiste?
Kennst du dich mit Autos **aus?**	**Est-ce que tu t'y connais, en** voitures?
Weißt du Näheres über diese Geschichte?	**Est-ce que tu en sais plus sur** cette histoire?

de façon personnalisée
Individuum [ɪndi'viːduʊm] <-s, **Indivi-duen**> *nt geh* individu *m*
Indiz [ɪn'diːts] <-es, -ien> *nt* indice *m*
Indizes *Pl von* **Index**
Indizienbeweis *m* preuve *f* par présomption
Indochina [ɪndo'çiːna] *nt* l'Indochine *f*
indoeuropäisch *adj* indo-européen(ne) **in-dogermanisch** *adj* indo-européen(ne)
indoktrinieren* *vt pej* endoctriner
Indonesien [ɪndo'neːziən] <-s> *nt* l'Indonésie *f*
Induktion <-, -en> *f* ELEC induction *f*
industrialisieren* [ɪndʊstriali'ziːrən] *vt* industrialiser; **hoch industrialisiert** très industrialisé(e)
Industrialisierung <-, -en> *f* industrialisation *f*
Industrie [ɪndʊs'triː] <-, -n> *f* industrie *f*
Industrieanlage *f* installation *f* industrielle **Industriebetrieb** *m* entreprise *f* industrielle **Industriegebiet** *nt* (*auf dem Land*) région *f* industrielle; (*in der Stadt*) zone *f* industrielle **Industriegesellschaft** *f* société *f* industrielle **Industriegewerkschaft** *f* syndicat *m* ouvrier **Industriekaufmann** *m*, **-kauffrau** *f* agent *m* technico-commercial
industriell [ɪndʊstri'ɛl] *adj* industriel(le)
Industrielle(r) *f(m) dekl wie adj* industriel(le) *m(f)*
Industriestaat *m* pays *m* industriel **Industrie- und Handelskammer** *f* chambre *f* de commerce et d'industrie **Industriezweig** *m* secteur *m* industriel
ineinander [ɪn'ʔaj'nandɛ] *adv* ~ **greifen** *Zahnräder:* s'engrener; ~ **übergehen** se confondre [l'un avec l'autre]; **sich** ~ **verlieben** tomber amoureux l'un de l'autre
ineinander|greifen *s.* ineinander
infam [ɪn'faːm] *pej* **I.** *adj* ignoble **II.** *adv*

ignoblement
Infanterie ['ɪnfant(ə)riː] <-, -n> *f* infanterie *f*
infantil [ɪnfan'tiːl] *pej* **I.** *adj* puéril(e) **II.** *adv* de façon puérile
Infarkt [ɪn'farkt] <-[e]s, -e> *m* MED infarctus *m*
Infekt <-[e]s, -e> *m* infection *f*
Infektion [ɪnfɛk'tsioːn] <-, -en> *f* infection *f*
Infektionsgefahr *f* danger *m* d'infection **Infektionskrankheit** *f* maladie *f* infectieuse
Inferno <-s> *nt geh* enfer *m*
Infinitiv ['ɪnfɪnitiːf] <-s, -e> *m* GRAM infinitif *m*
infizieren* [ɪnfi'tsiːrən] **I.** *vt* contaminer *Person, Tier;* **jdn mit einer Krankheit** ~ transmettre une maladie à qn **II.** *vr Wunde:* s'infecter; **sich bei jdm** ~ être contaminé par qn
in flagranti [ɪn fla'granti] *adv geh* en flagrant délit
Inflation [ɪnfla'tsioːn] <-, -en> *f* inflation *f*
inflationär *adj* inflationniste
Inflationsrate *f* taux *m* d'inflation
Info ['ɪnfo] <-, -s> *f fam Abk von* **Information** info *f*
infolge [ɪn'fɔlgə] *präp + gen* ~ **dieses Unfalls** à la suite de cet accident
infolgedessen [ɪnfɔlgə'dɛsən] *adv* en conséquence
Informatik [ɪnfɔr'maːtɪk] <-> *f* informatique *f*
Informatiker(in) <-s, -> *m(f)* informaticien(ne) *m(f)*
Information [ɪnfɔrma'tsioːn] <-, -en> *f* information *f*; **zu deiner** ~ pour t'informer
Informationsaustausch *m* échange *m* d'informations **Informationsfluss**[RR] *m* circulation *f* de l'information **Informa-**

tionsgesellschaft f société f d'informations **Informationsmaterial** nt documentation f **Informationsstand** m kein Pl (Kenntnisstand) **nach unserem derzeitigen** ~ en l'état actuel de nos connaissances **Informationszeitalter** nt époque f de l'information

informativ [ɪnfɔrma'ti:f] adj geh informatif(-ive)

informell ['ɪnfɔrmɛl] geh I. adj informel(le) II. adv de manière informelle

informieren* [ɪnfɔr'mi:rən] I. vt informer; **jdn über etw** (akk) ~ informer qn sur qc II. vr **sich über etw** (akk) ~ s'informer sur qc

infrarot ['ɪnfraro:t] adj infrarouge

Infrarotlampe f lampe f à infrarouge[s]

Infrastruktur ['ɪnfraʃtrʊktu:ɐ̯] f infrastructure f gén pl

Infusion <-, -en> f perfusion f

Ing. Abk von **Ingenieur** ing.

Ingenieur(in) [ɪnʒe'niø:ɐ̯] <-s, -e> m(f) ingénieur mf

Ingwer ['ɪŋvɐ] <-s> m gingembre m

Inh. Abk von **Inhaber, Inhalt**

Inhaber(in) ['ɪnha:bɐ] <-s, -> m(f) eines Geschäfts propriétaire mf; von Wertpapieren détenteur(-trice) m(f)

inhaftieren* [ɪnhaf'ti:rən] vt emprisonner; **inhaftiert sein** être en prison

Inhaftierung <-, -en> f emprisonnement m

inhalieren* [ɪnha'li:rən] I. vt inhaler; avaler Rauch II. vi MED faire des inhalations

Inhalt ['ɪnhalt] <-[e]s, -e> m 1. einer Tasche contenu m 2. (Sinngehalt) eines Romans fond m 3. (Flächeninhalt) aire f 4. (Volumen) volume m

inhaltlich I. adj Frage de contenu; Arbeit de fond II. adv ~ **betrachtet** du point de vue du contenu

Inhaltsangabe f résumé m **inhaltslos** adj creux(-euse) **Inhaltsverzeichnis** nt table f des matières

inhuman adj inhumain(e)

Initiale [inits̩'a:lə] <-, -n> f initiale f

Initiative [inits̩a'ti:və] <-, -n> f 1. (Anstoß) initiative f; **bei/in etw** (dat) **die ~ ergreifen** prendre l'initiative dans qc 2. kein Pl (Unternehmungsgeist) initiative f; **aus eigener** ~ de sa/ma/... propre initiative 3. (Bürgerinitiative) comité m d'action et de défense [des citoyens]

Initiator [ini'tsia:tɔ:r] <-s, -toren> m, **Initiatorin** f einer Aktion initiateur(-trice) m(f)

initiieren* [initsi'i:rən] vt être l'initiateur de

Injektion [ɪnjɛk'ts̩io:n] <-, -en> f injec-

tion f

injizieren* [ɪnji'tsi:rən] vt injecter; **jdm etw** ~ injecter qc à qn

Inka ['iŋka] <-[s], -[s]> m Inca m

Inkarnation <-, -en> f geh incarnation f

Inkasso [ɪn'kaso] <-s, -s o A Inkassi> nt FIN recouvrement m, encaissement m

inkl. Abk von **inklusive**

inklusive [ɪnklu'zi:və] I. präp + gen inclus(e) postposé, compris(e) postposé; ~ **Nebenkosten** charges incluses II. adv bis ~ **dritten März** jusqu'au trois mars inclus

inkognito [ɪn'kɔgnito] adv incognito

inkompetent ['ɪnkɔmpetɛnt] I. adj incompétent(e) II. adv de manière incompétente

Inkompetenz [ɪnkɔmpetɛnts] f incompétence f

inkonsequent I. adj inconséquent(e) II. adv avec inconséquence

Inkonsequenz f inconséquence f

inkorrekt ['ɪnkɔrɛkt] I. adj incorrect(e) II. adv sich verhalten de façon incorrecte

In-Kraft-TretenRR <-s> nt form eines Gesetzes entrée f en vigueur

Inkubationszeit f MED période f d'incubation

Inland ['ɪnlant] nt kein Pl intérieur m du pays; **im In- und Ausland** dans le pays même et à l'étranger

Inlandflug m vol m domestique

inländisch ['ɪnlɛndɪʃ] adj national(e)

Inlandsmarkt m marché m intérieur **Inlandsporto** nt tarif m [d'affranchissement] pour le pays

Inlett <-[e]s, -e> nt enveloppe f

InlineskaterRR ['inlaɪnskeɪrtɐ] <-s, -> m patineur(-euse) m(f) en ligne

InlineskatesRR ['inlaɪnskeɪrts] <-> Pl patins mpl en ligne

InlineskatingRR ['inlaɪnskeɪrɪŋ] <-s> nt faire du patin m en ligne

inmitten [ɪn'mɪtən] präp + gen ~ **der Leute/des Raumes** au milieu des gens/ de la pièce

inne|haben ['ɪnəha:bən] vt irr form occuper **inne|halten** vi irr geh s'interrompre; (sich besinnen) faire une pause; **im Sprechen** ~ s'arrêter de parler

innen ['ɪnən] adv à l'intérieur; ~ **und außen** à l'intérieur et à l'extérieur; **von** ~ de l'intérieur; **nach** ~ **aufgehen** Tür, Fenster: s'ouvrir vers l'intérieur

Innenarchitekt(in) m(f) architecte mf d'intérieur **Inneneinrichtung** f aménagement m intérieur **Innenhof** m cour f intérieure **Innenleben** nt kein Pl 1. (Seelenleben) vie f intérieure 2. fam (das Innere) eines Geräts ventre m **Innenminister(in)** m(f)

ministre *mf* de l'Intérieur **Innenministeri-um** *nt* ministère *m* de l'Intérieur **Innen-politik** *f* politique *f* intérieure **innenpoli-tisch** I. *adj Debatte, Ereignis* concernant la politique intérieure II. *adv* en politique intérieure **Innenraum** *m* 1. *eines Gebäudes* intérieur *m* 2. (*das Innere*) *eines Wagens* habitacle *m* **Innenseite** *f eines Kleidungs-stücks, Stoffs* envers *m; der Armbeuge* face *f* interne; *eines Gebäudes* façade *f* intérieure **Innenstadt** *f* centre[-ville] *m* **innerbetrieblich** ['ɪnɛbətriːplɪç] *adj* interne à l'entreprise **innerdeutsch** ['ɪnɛdɔytʃ] *adj* 1. (*Deutschland betreffend*) relatif(-ive) aux affaires intérieures de l'Allemagne 2. HIST (*die beiden deutschen Staaten betreffend*) germano-allemand(e), interallemand(e) **innere(r, s)** ['ɪnərə, -rɛ, -rəs] *adj* 1. (*innerhalb gelegen*) intérieur(e); *Verletzung* interne 2. *Aufbau, Ordnung* interne 3. POL (*inländisch*) intérieur(e) 4. *Anteilnahme* profond(e); *Spannung* intérieur(e); **ohne ~ Anteilnahme** sans se/me/te/... sentir concerné(e) **Innere(s)** *nt dekl wie adj* 1. (*innerer Teil*) intérieur *m* 2. (*Mitte*) *eines Landes* intérieur *m* 3. (*Innenleben*) moi *m* profond; **tief in seinem/meinem/... ~n** en son/ mon/... for intérieur **Innereien** *Pl* entrailles *fpl; von Geflügel* abats *mpl; von Fischen* boyaux *mpl* **innerhalb** ['ɪnɛhalp] I. *adv* 1. ~ **von Köln/Deutschland** dans Cologne/en Allemagne 2. (*binnen*) ~ **von wenigen Stunden** en [l'espace de] quelques heures; ~ **von drei Tagen** dans les trois jours II. *präp + gen* 1. ~ **Berlins/Deutschlands** dans Berlin/en Allemagne 2. (*binnen*) ~ **einer Stunde** en l'espace d'une heure; ~ **dieser Woche** dans le courant de cette semaine; ~ **kürzester Zeit** en très peu de temps; **etw ~ einer Woche erledigen müssen** devoir terminer qc dans un délai d'une semaine **innerlich** I. *adj* 1. *Anwendung* interne 2. (*das Innenleben betreffend*) profond(e); *Anspannung* intérieur(e) II. *adv* 1. (*im Körper*) à l'intérieur du corps 2. *aufgewühlt* profondément 3. (*insgeheim*) intérieurement **innerorts** *adv* A, CH en agglomération **innerste(r, s)** ['ɪnɛstə, -tɛ, -təs] *adj* 1. (*ganz innen gelegen*) central(e); **im ~n Tempelbezirk** au cœur du temple; **die ~ der drei Stadtmauern** le plus au centre des trois murs d'enceinte 2. (*das Innenleben betreffend*) intime **Innerste(s)** *nt dekl wie adj* cœur *m;* **tief in**

ihrem ~n au plus profond d'elle-même **innelwohnen** ['ɪnəvoːnən] *vi geh* jdm/ einer S. ~ être inhérent à qn/qc **innig** ['ɪnɪç] I. *adj* 1. (*tief gehend*) sincère 2. (*sehr eng*) étroit(e) II. *adv* profondément **Innigkeit** <-> *f einer Beziehung* profondeur *f; eines Dankes* sincérité *f* **inniglich** *adv geh* profondément **Innovation** [ɪnovaˈtsi̯oːn] <-, -en> *f* innovation *f* **innovativ** [ɪnovaˈtiːf] *adj* innovateur(-trice) **Innung** ['ɪnʊŋ] <-, -en> *f* corporation *f* **inoffiziell** ['ɪnʔɔfitsi̯ɛl] *adj Treffen* non officiel(le); *Information* officieux(-euse) **in petto** ▶ **etw ~ haben** *fam* avoir qc en réserve **in puncto** *adv fam* ~ **Sicherheit** question sécurité **Input** <-s, -s> *m* INFORM input *m* **Inquisition** <-> *f* HIST Inquisition *f* **ins** [ɪns] = **in das** *s.* **in** **Insasse** ['ɪnzasə] <-n, -n> *m,* **Insassin** *f* 1. (*Passagier*) passager(-ère) *m(f)* 2. (*Bewohner*) *eines Heims* pensionnaire *mf; einer Anstalt* patient(e) *m(f); eines Gefängnisses* détenu(e) *m(f)* **Insassenversicherung** *f* assurance *f* passagers **insbesondere** [ɪnsbəˈzɔndərə] *adv* en particulier **Inschrift** ['ɪnʃrɪft] *f* inscription *f; (an einem Gebäude*) épigraphe *f; (Grabinschrift*) épitaphe *f* **Insekt** [ɪnˈzɛkt] <-[e]s, -en> *nt* insecte *m* **Insektengift** *s.* **Insektizid Insektenspray** *m o nt* bombe *f* insecticide **Insektenstich** *m* piqûre *f* d'insecte **Insektenvertilgungsmittel** *nt* insecticide *m* **Insektizid** [ɪnzɛktiˈtsiːt] <-s, -e> *nt* insecticide *m* **Insel** ['ɪnzəl] <-, -n> *f* île *f* **Inselgruppe** *f* chapelet *m* d'îles **Inserat** [ɪnzeˈraːt] <-[e]s, -e> *nt* [petite] annonce *f* **Inserent(in)** <-en, -en> *m(f)* annonceur(-euse) *m(f)* **inserieren*** [ɪnzeˈriːrən] I. *vi* passer une annonce; **in etw** (*dat*) ~ passer une annonce dans qc II. *vt* **etw in die Zeitung ~** faire mettre qc dans le journal **insgeheim** [ɪnsgəˈhajm] *adv* secrètement **insgesamt** [ɪnsgəˈzamt] *adv* 1. (*alles zusammen*) en tout 2. (*im Großen und Ganzen*) dans l'ensemble; ~ **gesehen** en gros, globalement **Insider(in)** ['ɪnsajdɛ] <-s, -> *m(f)* (*Eingeweihter*) personne *f* bien informée

insistieren* *vi geh* insister; **darauf ~, dass** insister sur le fait que + *subj*
insofern¹ *adv* sur ce point; **dies ist ~ wichtig, als** ... c'est important dans la mesure où ...
insofern² *konj* si
insolvent ['ɪnzɔlvɛnt, ɪnzɔl'vɛnt] *adj* insolvable
insoweit *s.* **insofern¹**
in spe *adj fam* **der Schwiegersohn ~** le futur gendre
Inspektion [ɪnspɛk'tsi̯oːn] <-, -en> *f* inspection *f; eines Fahrzeugs* révision *f*
Inspektor [ɪn'spɛktoːɐ̯] <-s, -toren> *m,*
Inspektorin *f* ADMIN inspecteur(-trice) *m(f)*
Inspiration [ɪnspira'tsi̯oːn] <-, -en> *f* inspiration *f*
inspirieren* [ɪnspi'riːrən] *vt* inspirer; **sich von jdm/etw zu einem Film ~ lassen** s'inspirer de qn/qc pour un film
Inspizient(in) <-en, -en> *m(f)* chef *mf* de plateau
inspizieren* *vt* inspecter
instabil ['ɪnʃtabiːl] *adj* instable
Installateur(in) [ɪnstala'tøːɐ̯] <-s, -e> *m(f)* **1.**(*Klempner*) plombier *m* **2.**(*Elektroinstallateur*) électricien(ne) *m(f)*
Installation [ɪnstala'tsi̯oːn] <-, -en> *f* (*Leitungen*) installation *f* électrique; (*Rohre, Gasleitungen*) plomberie *f*
Installationsdiskette *f* INFORM disquette *f* d'installation
installieren* [ɪnsta'liːrən] *vt* **1.**(*einbauen*) installer **2.** INFORM **etw auf einem Rechner ~** installer qc sur un ordinateur
instand [ɪn'ʃtant] *adj ~* **setzen/halten** réparer/entretenir
Instandhaltung *f form* entretien *m*
inständig ['ɪnʃtɛndɪç] **I.** *adj Bitte* pressant(e) **II.** *adv* instamment
Instandsetzung <-, -en> *f* réparation *f*
Instanz [ɪn'stants] <-, -en> *f* **1.** ADMIN instance *f* **2.** JUR instance *f;* **in erster/zweiter ~** en première/deuxième instance
Instinkt [ɪn'stɪŋkt] <-[e]s, -e> *m* instinct *m*
instinktiv *adj* instinctif(-ive)
Institut [ɪnsti'tuːt] <-[e]s, -e> *nt* ADMIN, UNIV institut *m*
Institution [ɪnstitu'tsi̯oːn] <-, -en> *f* institution *f*
instruieren* *vt geh* (*anweisen*) donner des instructions à
Instruktion [ɪnstrʊk'tsi̯oːn] <-, -en> *f* **1.**(*Anweisung*) instruction *f* **2.**(*Anleitung*) instructions *fpl*
Instrument [ɪnstru'mɛnt] <-[e]s, -e> *nt* **1.**(*Musikinstrument*) instrument *m*

2.(*Messinstrument, Untersuchungsinstrument*) appareil *m* **3.** *geh* (*Werkzeug*) instrument *m*
instrumental [ɪnstrumɛnt'taːl] **I.** *adj* instrumental(e) **II.** *adv* **jdn ~ begleiten** accompagner qn en jouant d'un instrument de musique
instrumentalisieren* *vt geh* instrumentaliser
Instrumentalmusik *f* musique *f* instrumentale
Insulaner(in) [ɪnzu'laːnɐ] <-s, -> *m(f)* insulaire *mf*
Insulin [ɪnzu'liːn] <-s> *nt* MED insuline *f*
inszenieren* [ɪnstse'niːrən] *vt* mettre en scène; *etw ~* mettre qc en scène
Inszenierung <-, -en> *f a. fig* mise *f* en scène
intakt [ɪn'takt] *adj* **1.**(*unversehrt*) intact(e) **2.**(*voll funktionsfähig*) en parfait état
integer *adj* intègre
integral *adj attr Bestandteil* intégrant(e)
Integralrechnung *f kein Pl* MATH calcul *m* intégral
Integration [ɪntegra'tsi̯oːn] <-, -en> *f* intégration *f; ~* **in etw** (*akk*) intégration dans qc
integrieren* [ɪnte'griːrən] *vt, vr* intégrer; **sich in etw** (*akk*) *~* s'intégrer dans qc
Integrität <-> *f* intégrité *f*
Intellekt [ɪntɛ'lɛkt] <-[e]s> *m* intellect *m*
intellektuell [ɪntɛlɛk'tu̯ɛl] *adj* intellectuel(le)
Intellektuelle(r) *f(m) dekl wie adj* intellectuel(le) *m(f)*
intelligent [ɪntɛli'gɛnt] *adj* intelligent(e)
Intelligenz [ɪntɛli'gɛnts] <-> *f* intelligence *f;* **künstliche ~** intelligence artificielle
Intelligenzquotient *m* quotient *m* intellectuel
Intendant(in) [ɪntɛn'dant] <-en, -en> *m(f) eines Senders* directeur(-trice) *m(f); eines Theaters* administrateur(-trice) *m(f)*
Intendanz [ɪntɛn'dants] <-, -en> *f* **1.**(*Amt*) poste *m* de directeur; *eines Theaters* poste d'administrateur **2.**(*Büro*) bureau *m* du directeur; *eines Theaters* bureau de l'administrateur
Intensität [ɪntɛnzi'tɛːt] <-, -en> *f* intensité *f*
intensiv [ɪntɛn'ziːf] **I.** *adj* **1.** *Duft, Gefühl* intense **2.**(*angestrengt*) intensif(-ive) **II.** *adv* **1.** *~* **duften** sentir fort; *~* **nach Thymian schmecken** avoir un goût prononcé de thym **2.** *arbeiten* intensément
intensivieren* [ɪntɛnzi'viːrən] *vt* intensifier
Intensivkurs *m* cours *m* intensif **Intensivstation** *f* service *m* de réanimation

Intention <-, -en> f geh intention f

interaktiv [ɪntɐʔak'tiːf] adj INFORM inter-actif(-ive)

Intercity [ɪntɐ'sɪti] <-s, -s> m ≈ train m Intercité; ~ **Express** ≈ T.G.V. m

interdisziplinär adj pluridisciplinaire

interessant [ɪntərɛ'sant] I. adj intéressant(e); **etwas Interessantes** quelque chose d'intéressant ▶ **sich ~ machen** faire l'intéressant(e) II. adv d'une façon intéressante

interessanterweise [ɪnt(ə)rɛ'santɐ-'vaɪzə] adv curieusement

Interesse [ɪntə'rɛsə] <-s, -n> nt **1.** kein Pl (Aufmerksamkeit) intérêt m; ~ **zeigen** s'intéresser; ~ **an jdm/etw haben** être intéressé par qn/qc; **er/sie hat ~ daran mitzuarbeiten** cela l'intéresse de collaborer; **etw aus/mit ~ tun** faire qc par/avec intérêt **2.** Pl (Neigungen) centres mpl d'intérêts **3.** meist Pl (Bestrebungen) **die finanziellen ~n eines Landes** les intérêts mpl financiers d'un pays **4.** (Nutzen, Vorteil) **für jdn von ~ sein** être intéressant pour qn; **das liegt in seinem/deinem eigenen ~** c'est dans son/ton propre intérêt; **im ~ unserer Zusammenarbeit** dans l'intérêt de notre collaboration

interesselos adj indifférent(e)

Interessengemeinschaft f communauté f d'intérêts **Interessenkonflikt** m conflit m d'intérêts

Interessent(in) [ɪnt(ə)rɛ'sɛnt] <-en, -en> m(f) personne f intéressée

interessieren* [ɪnt(ə)rɛ'siːrən] I. vt intéresser; **jdn ~** Person, Ereignis: intéresser qn; **jdn für die Astronomie ~** éveiller l'intérêt de qn pour l'astronomie II. vr **sich für jdn/etw ~** s'intéresser à qn/qc

interessiert [ɪnt(ə)rɛ'siːɐt] I. adj **1.** intéressé(e); **kulturell ~ sein** s'intéresser à la culture; **sich ~ an jdm ~ sein** manifester de l'intérêt **2.** (erpicht) **an jdm ~ sein** s'intéresser à qn; **an etw** (dat) **~ sein** être intéressé par qc; **daran ~ sein etw zu tun** avoir l'intérêt de faire qc II. adv zuhören avec [grand] intérêt

Interface ['ɪntɐfeɪs] <-, -s> nt INFORM interface f

Interferenz ['ɪntɐfe'rɛnts] <-, -en> f interférence f

Interjektion [ɪntɐjɛk'tsi̯oːn] <-, -en> f GRAM interjection f

Intermezzo [ɪntɐ'mɛtso] <-s, -s o -mezzi> nt a. MUS intermède m

intern [ɪn'tɛrn] I. adj Angelegenheit, Regelung interne; Schwierigkeiten intérieur(e) II. adv **wir werden das ~ regeln** nous allons régler cela entre nous

Internat [ɪntɐ'naːt] <-[e]s, -e> nt internat m

international [ɪntɐnatsi̯o'naːl] I. adj international(e); Anerkennung dans le monde entier II. adv au niveau international

Internationale <-, -n> f HIST Internationale f

internationalisieren* vt internationaliser

Internet ['ɪntɐnɛt] nt INFORM Internet m; **im ~ surfen** naviguer sur Internet

Internetadresse f INFORM adresse f Internet **Internetanschluss**RR m branchement m internet **Internetbrowser** ['ɪntɐnɛtbraʊ-zə] m navigateur m Web, explorateur m de réseau **Internetcafé** nt INFORM cybercafé m **Internetprovider** ['ɪntɐnɛt-prɔʊvaɪdɐ] m fournisseur m d'accès Internet **Internetsurfer(in)** ['ɪntɐnɛtsœrfɐ] m(f) INFORM internaute mf **Internetzugang** m accès m à l'internet

internieren* vt interner

Internierung <-, -en> f internement m

Internierungslager nt camp m d'internement

Internist(in) [ɪntɐ'nɪst] <-en, -en> m(f) spécialiste mf des maladies organiques

Interpol ['ɪntɐpoːl] <-> f Interpol m

Interpret(in) [ɪntɐ'preːt] <-en, -en> m(f) interprète mf

Interpretation [ɪntɐpreta'tsi̯oːn] <-, -en> f interprétation f

interpretieren* [ɪntɐpre'tiːrən] vt interpréter

Interpunktion [ɪntɐpʊŋk'tsi̯oːn] <-, -en> f ponctuation f

Interrailkarte ['ɪntɐreːl-] f carte f Inter-Rail

Interregio [ɪntɐ're:gi̯o] <-s, -s> m express m régional

Interrogativpronomen nt GRAM pronom m interrogatif

Intervall [ɪntɐ'val] <-s, -e> nt a. MUS intervalle m

intervenieren* [ɪntɐve'niːrən] vi POL, MIL intervenir

Intervention [ɪntɐvɛn'tsi̯oːn] <-, -en> f intervention f

Interview ['ɪntɐvju] <-s, -s> nt interview f; **jdm ein ~ geben** accorder une interview à qn

interviewen* [ɪntɐ'vjuːən] vt interviewer; **jdn zu etw ~** interviewer qn au sujet de qc

Interviewer(in) [ɪntɐ'vjuːɐ] <-s, -> m(f) intervieweur(-euse) m(f); (bei Umfragen) enquêteur(-euse) m(f)

intim [ɪn'tiːm] adj **1.** (innig, persönlich) intime **2.** Sehnsüchte, Wünsche intime, profond(e) **3.** euph (sexuell) **mit jdm ~ sein**

avoir des rapports intimes avec qn

Intimbereich m parties fpl intimes

Intimität [ɪntimi'tɛːt] <-, -en> f geh **1.** kein Pl (Vertrautheit) intimité f **2.** Pl (Privatangelegenheiten) détails mpl de la vie privée

Intimsphäre f intimité f

intolerant ['ɪntolerant] **I.** adj intolérant(e) **II.** adv **sich ~ verhalten** faire preuve d'intolérance

Intoleranz ['ɪntolerants] f intolérance f

Intonation [ɪntona'tsi̯oːn] <-, -en> f intonation f

intransitiv ['ɪntranzitiːf] GRAM adj intransitif(-ive)

intrigant [ɪntri'gant] adj Person intrigant(e)

Intrigant(in) <-en, -en> m(f) intrigant(e) m(f)

Intrige [ɪn'triːgə] <-, -n> f intrigue f ►**eine ~ spinnen** combiner une intrigue

intrigieren* [ɪntri'giːrən] vi comploter; **gegen jdn ~** comploter contre qn

introvertiert [ɪntrovɛr'tiːɐ̯t] adj geh introverti(e)

Intuition [ɪntui̯'tsi̯oːn] <-, -en> f intuition f

intuitiv [ɪntui̯'tiːf] **I.** adj intuitif(-ive) **II.** adv intuitivement

intus adj fam **1.** (verzehrt, getrunken) **etw ~ haben** s'être enfilé qc **2.** (gelernt, verstanden) **etw ~ haben** avoir pigé qc ►**einen ~ haben** fam être bourré

Invalide [ɪnva'liːdə] <-n, -n> m, **Invalidin** f invalide mf

Invalidität [-va-] <-> f invalidité f

invariabel ['ɪnvari̯aːbl] adj invariable

Invasion [ɪnva'zi̯oːn] <-, -en> f a. fig invasion f

Inventar [ɪnvɛn'taːɐ̯] <-s, -e> nt inventaire m; **lebendes/totes ~** cheptel m vif/mort ►**zum ~ gehören** fam Person: faire partie des meubles

Inventur [ɪnvɛn'tuːɐ̯] <-, -en> f inventaire m; **~ machen** faire l'inventaire

investieren* [ɪnvɛs'tiːrən] vt a. fig investir; **etw in Wertpapiere ~** investir qc dans des valeurs

Investition [ɪvɛsti'tsi̯oːn] <-, -en> f investissement m

Investitionsbank f Banque f d'investissements; **die Europäische ~** la Banque européenne d'investissements

Investmentfonds m FIN fonds m d'investissements

In-vitro-Fertilisation [-'viː-] <-, -en> f MED fécondation f in vitro

inwendig ['ɪnvɛndɪç] **I.** adv à l'intérieur ►**etw in- und auswendig kennen** fam

connaître qc sur le bout des doigts **II.** adj intérieur(e)

inwiefern adv dans quelle mesure **inwieweit** adv jusqu'à quel point

Inzahlungnahme <-, -n> f COM reprise f

Inzest [ɪn'tsɛst] <-[e]s, -e> m inceste m

Inzucht ['ɪntsʊxt] f union f consanguine

inzwischen [ɪn'tsvɪʃən] adv entre-temps

IOK [iːʔoː'kaː] <-[s]> nt Abk von **Internationales Olympisches Komitee** C.I.O.

Ion [i̯oːn] <-s, -en> nt CHEM, PHYS ion m

ionisch adj **1.** ARCHIT, KUNST ionique **2.** MUS ionien(ne)

i-PunktRR ['iːpʊŋkt] m point m sur le i ►**bis auf den ~** à la virgule près

IQ [iːˈkuː] <-[s], -[s]> m Abk von **Intelligenzquotient** Q.I. m

i.R. [iːˈʔɛr] Abk von **im Ruhestand** en retraite

Irak [i'raːk] <-s> m [der] ~ l'Irak m

Iran [i'raːn] <-s> m [der] ~ l'Iran m

irdisch ['ɪrdɪʃ] adj terrestre

Ire ['iːrə] <-n, -n> m, **Irin** f Irlandais(e) m(f)

irgend ['ɪrgənt] adv **1.** (verstärkend) **wenn es dir ~ möglich ist** si cela t'est possible d'une manière ou d'une autre; **so vorsichtig wie ~ möglich** le plus de précautions possibles **2.** (unbestimmt, unbedeutend) **~ so ein Spinner/Insekt** encore un de ces con[n]ards/insectes

irgendein pron indef **1.** (nicht genauer bestimmbar) quelconque; **~en Mantel tragen** porter un manteau quelconque; **da ist wieder ~ Vertreter** c'est encore un de ces représentants; **~ anderer/~e** andere quelqu'un/quelqu'une d'autre **2.** (beliebig) **sich** (dat) **unter den Büchern ~s aussuchen** choisir un livre au hasard; **das ist nicht ~ Film** ce n'est pas n'importe quel film; **nimm nicht ~en/~e/~s!** ne choisis pas n'importe quoi! **3.** (irgendjemand) **~er wird schon helfen** il y aura bien quelqu'un pour aider; **~ anderer/~e andere** quelqu'un d'autre **irgendetwas**RR pron indef quelque chose; **das ist nicht ~** ce n'est pas n'importe quoi **irgendjemand**RR pron indef quelqu'un; **sie ist nicht ~** elle n'est pas n'importe qui **irgendwann** ['ɪrgənt'van] adv **~ einmal werden/sollten sie das tun** ils vont/devraient faire ça un jour [ou l'autre] **irgendwas** ['ɪrgənt'vas] pron indef fam (nicht genauer Bestimmbares) quelque chose; (Beliebiges) n'importe quoi **irgendwelche(r, s)** pron indef **1.** (nicht genauer bestimmbar) **~ Kerle/Bücher** des types/des livres [quelconques] **2.** (beliebig) n'im-

porte quel(le) **irgendwer** ['ɪrgənt've:ɐ̯]
pron indef fam **1.** (*nicht genauer bestimmbar*) quelqu'un **2.** (*beliebig*) n'importe qui;
er/sie ist nicht ~ il/elle n'est pas n'importe qui **irgendwie** ['ɪrgənt'vi:] *adv*
1. (*nicht genauer bestimmbar*) d'une certaine manière; **Sie kommen mir** ~ **bekannt vor** j'ai l'impression de vous connaître **2.** (*egal wie*) n'importe comment
3. (*wie auch immer*) d'une façon ou d'une
autre **irgendwo** ['ɪrgənt'vo:] *adv*
1. (*nicht genauer bestimmbar*) quelque
part (*fam*) **2.** (*beliebig*) n'importe où
3. (*wo auch immer*) quelque part **irgendwoher** ['ɪrgəntvo'he:ɐ̯] *adv* **1.** (*nicht genauer bestimmbar*) **ich kenne Sie doch**
~ j'ai l'impression de vous avoir déjà vu
quelque part; **von** ~ de quelque part
2. (*egal woher*) n'importe où **irgendwohin** ['ɪrgəntvo'hɪn] *adv* **1.** (*nicht genauer
bestimmbar*) quelque part **2.** (*egal wohin*)
n'importe où

Irin ['i:rɪn] *s.* **Ire**
Iris¹ <-, -> *f* BOT iris *m*
Iris² ['i:rɪs, *Pl:* i'ri:dən] <-, - *o* **Iriden**> *f*
ANAT iris *m*
irisch ['i:rɪʃ] **I.** *adj* irlandais(e) **II.** *adv* ~ **miteinander sprechen** discuter en irlandais;
s. a. **deutsch**
Irisch <-[s]> *nt kein art* irlandais *m; s. a.*
Deutsch
Irland ['ɪrlant] *nt* l'Irlande *f*
Ironie [iro'ni:] <-, -n> *f* ironie *f*
ironisch [i'ro:nɪʃ] *adj* ironique
irr I. *adj* **1.** MED dément(e); *Blick* égaré(e)
2. *fig* fou(folle) **3.** *fam* (*sehr gut*) dément(e)
II. *adv* **1.** (*verrückt*) comme un fou/une
folle **2.** *fam* (*sehr gut*) du tonnerre; ~**e angezogen sein** avoir un look d'enfer **3.** *fam*
(*äußerst*) ~**e teuer** super cher(chère)
irrational ['ɪrats̪i̯ona:l] *geh* **I.** *adj* irration-
nel(le) **II.** *adv* de façon irrationnelle
irre *s.* **irr**
Irre ['ɪrə] <-> *f* **jdn in die** ~ **führen** induire qn en erreur
Irre(r) *f(m) dekl wie adj* fou *m*/folle *f*
irreal ['ɪrea:l] *adj* irréel(le)
irreIführen ['ɪrəfy:rən] *vt* induire en erreur; **jdn** ~ induire qn en erreur **irreführend** *adj* trompeur(-euse) **Irreführung** *f*
mystification *f*
irregulär ['ɪreɡulɛɐ̯] *adj geh* irrégulier(-iè-
re)
irrelevant ['ɪrelevant] *adj* insignifiant(e)
Irrelevanz *f* insignifiance *f*
irreImachen *vt* embrouiller
irren ['ɪrən] **I.** *vi* **1.** + *sein* (*gehen*) **über
den Rummelplatz/durch die Stadt** ~ er-
rer sur le champ de foire/dans la ville **2.** +

haben *geh* (*sich täuschen*) être dans l'erreur ► **Irren ist menschlich** *prov* l'erreur
est humaine **II.** *vr* **sich** ~ se tromper;
wenn ich mich nicht ~ si je ne me trompe pas
Irrenanstalt *f pej fam* asile *m* **Irrenhaus** *nt*
► **das** ist **ja hier wie im** ~**!** *fam* on se croirait chez les fous ici!
irreparabel ['ɪrepara:bəl] *adj geh*
1. (*nicht wieder gutzumachen*) irréversible **2.** (*nicht zu reparieren*) irréparable
irreIwerdenᴿᴿ *vi* ne plus savoir que penser;
an jdm/etw ~ ne plus savoir que penser
de qn/qc
Irrfahrt ['ɪrfa:ɐ̯t] *f* odyssée *f* **Irrgarten** *m*
labyrinthe *m* **Irrglaube[n]** *m* **1.** (*irrige Ansicht*) opinion *f* erronée **2.** REL hérésie *f*
irrig *adj* erroné(e)
irritieren* [ɪri'ti:rən] *vt* **1.** (*verwirren*) déconcerter **2.** (*verärgern*) irriter
Irrläufer *m* (*Sendung*) courrier *m* distribué
par erreur **Irrlehre** *f* hérésie *f* **Irrlicht**
<-lichter> *nt* feu *m* follet **Irrsinn** *m kein
Pl fam* (*Unsinn*) dinguerie *f* **irrsinnig I.**
adj **1.** *fam* (*völlig wirr*) complètement dingue **2.** *fam Hitze, Kopfschmerzen* terrible;
Verkehr dingue **II.** *adv fam* vachement
Irrtum <-[e]s, ⸚er> *m* erreur *f*; **schwer im**
~ **sein** être complètement dans l'erreur
irrtümlich ['ɪrty:mlɪç] **I.** *adj attr* erroné(e)
II. *adv* à tort
Irrweg *m geh* (*falsches Vorgehen*) fausse
piste *f*
ISBN [i:?ɛsbe:'?ɛn] <-, -s> *f Abk von* **Inter-
nationale Standardbuchnummer** ISBN
m
Ischias ['ɪʃias] <-> *m o nt* MED sciatique *f*
ISDN [i:?ɛsde:'?ɛn] <-s> *nt Abk von* **Inte-
grated Services Digital Network** ≈ Numéris *m*
ISDN-Anschlussᴿᴿ *m* ≈ prise *f* Numéris
Islam [ɪs'la:m] <-s> *m* islam *m*
islamisch I. *adj* islamique **II.** *adv* selon l'islam
Islamist(in) <-en, -en> *m(f)* islamiste *mf*
islamistisch *adj* islamiste
Island ['i:slant] *nt* l'Islande *f*
Isländer(in) ['i:slɛndɐ] <-s, -> *m(f)* Is-
landais(e) *m(f)*
isländisch I. *adj* islandais(e) **II.** *adv* ~ **miteinander sprechen** discuter en islandais;
s. a. **deutsch**
Isländisch <-[s]> *nt kein art* islandais *m;
s. a.* **Deutsch**
Isolation [izola'tsi̯o:n] <-, -en> *f* **1.** TECH
isolation *f* **2.** (*Absonderung*) *einer Person*
isolement *m*
Isolationshaft *f* isolement *m* cellulaire
Isolierband <-bänder> *nt* chatterton *m*

isolieren* [izo'liːrən] **I.** *vt* isoler; **etw gegen Kälte/Wärme** ~ isoler qc contre le froid/la chaleur; **jdn von jdm/etw** ~ isoler qn de qn/qc; **isoliert leben** vivre reclus(e) **II.** *vr* **sich von jdm/etw** ~ s'isoler de qn/qc

Isolierkanne *f* thermos® *m* **Isolierschicht** *f* revêtement *m* isolant

Isolierung *s.* **Isolation**

Isomatte *f* tapis *m* de sol [double enduction]

Isotop <-s, -e> *nt* isotope *m*

Israel ['ɪsraeːl] <-s> *nt* Israël *m*

Israeli [isra'eːli] <-[s], -[s]> *m*, <-, -s> *f* Israélien(ne) *m(f)*

israelisch [isra'eːlɪʃ] *adj* israélien(ne)

isstRR, **ißt** *3. Pers Präs von* **essen**

ist *3. Pers Präs von* **sein**[1]

IstbestandRR *m* (*an Waren*) inventaire *m* réel

Isthmus <-, **Isthmen**> *m* GEOG isthme *m*

Italien [i'taːliən] <-s> *nt* l'Italie *f*

Italiener(in) [ita'li̯eːnɐ] <-s, -> *m(f)* Italien(ne) *m(f)*

italienisch I. *adj* italien(ne) **II.** *adv* ~ **miteinander sprechen** discuter en italien; *s. a.* **deutsch**

Italienisch <-[s]> *nt kein art* italien *m; s. a.* **Deutsch**

i-TüpfelchenRR ['iːtypfelçən] <-s, -> *nt* fin *m* du fin; **bis aufs** ~ à la virgule près

i.V. [iːˈfau] *Abk von* **in Vertretung** par délégation

IWF [iːveːˈʔɛf] <-> *m Abk von* **Internationaler Währungsfonds** F.M.I. *m*

J

J *nt*, **j** [jɔt] <-, -> *nt* J *m*/j *m*
ja [jaː] *adv* **1.** oui; **zu etw ~ sagen** dire oui à qc; **aber ~** mais bien sûr; **~, bitte?** oui, qu'y a-t-il?; **~, ~[, schon gut]**! allez, allez! **2.** (*bloß*) bien; **sei ~ vorsichtig mit dem Messer!** fais bien attention avec le couteau!; **geh ~ nicht dahin!** ne va surtout pas là-bas! **3.** (*schließlich, doch*) après tout; **es ist ~ noch so früh!** mais il est encore si tôt!; **du kannst es ~ mal versuchen** tu peux toujours essayer; **da ist er ~!** ah, le voilà!; **das ist ~ unerhört!** mais c'est un comble! **4.** (*und zwar*) et même **5.** (*na*) eh bien; **~, wenn das so ist** ben, si c'est comme ça ▶ **zu allem ~ und amen sagen** *fam* dire amen à tout
Ja <-s, -[s]> *nt* oui *m;* **mit ~ stimmen** voter oui
Jacht [jaxt] <-, -en> *f* yacht *m*
Jacke ['jakə] <-, -n> *f* veste *f*
Jackett [ʒa'kɛt] <-s, -s> *nt* veste *f*
Jade <-> *m o f* jade *m*
Jagd [jaːkt] <-, -en> *f* **1.** (*das Jagen, ~revier*) chasse *f;* **~ auf Hasen/Füchse** chasse au lièvre/renard **2.** *fig* (*Verfolgung*) **~ auf jdn machen** *pej* pourchasser qn
Jagdbomber *m* chasseur-bombardier *m*
Jagdflugzeug *nt* avion *m* de chasse
Jagdgründe *Pl* ▶ **in die ewigen ~ eingehen** *euph geh* rejoindre le pays de ses ancêtres **Jagdhund** *m* chien *m* de chasse
Jagdschein *m* permis *m* de chasse
jagen ['jaːɡən] **I.** *vt + haben* **1.** **Hasen ~** chasser le lièvre **2.** (*verfolgen*) pourchasser **3.** *fam* (*scheuchen, treiben*) **jdn aus dem Bett ~** tirer qn du lit; **jdn aus dem Land ~** chasser qn du pays **II.** *vi* **1.** *+ haben* chasser **2.** *+ sein fam* (*rasen*) **durch die Wohnung/zum Flughafen ~** filer à travers l'appartement/à l'aéroport
Jäger ['jɛːɡɐ] <-s, -> *m* (*Person, Jagdflugzeug*) chasseur *m*
Jägerin <-, -nen> *f* chasseuse *f*
Jaguar <-s, -e> *m* jaguar *m*
jäh *geh adj* (*abrupt*) soudain(e)
jählings *adv geh* (*steil*) à pic
Jahr [jaːɐ] <-[e]s, -e> *nt* **1.** an *m;* (*in seinem Verlauf gesehen*) année *f;* **in diesem ~** cette année; **im ~[e] 1999** en 1999; **vor vielen ~en** il y a bien longtemps; **nach vielen ~en** bien des années après; **alle fünf ~e** tous les cinq ans; **~ für ~** tous les ans; **mit den ~en** avec le temps; **das alte ~** (*das zu Ende gehende/gegangene Jahr*) l'année qui se termine/vient de se terminer; **das neue ~** la nouvelle année **2.** (*Lebensjahr*) an *m;* **zwölf ~e alt sein** avoir douze ans; **mit zwanzig ~en** à vingt ans; ▶ **seit ~ und Tag** depuis des lustres; **in den besten ~en sein** être dans la fleur de l'âge; **soziales ~** service *m* civil (*pour les femmes*); **in die ~e kommen** prendre de l'âge; **alle ~e wieder** tous les ans
jahraus ▶ **~, jahrein** tout au long de l'année
Jahrbuch *nt* annales *fpl*
jahrelang ['jaːrəlaŋ] **I.** *adj attr* de longue haleine; **~es Warten** une très longue attente **II.** *adv* pendant des années; *dauern* des années; *sich hinziehen* sur plusieurs années
jähren ['jɛːrən] *vr* **etw jährt sich zum zehnten Mal[e]** c'est le dixième anniversaire de qc
Jahresabonnement *nt* abonnement *m* annuel **Jahresabschluss**^RR *m* bilan *m* annuel **Jahresanfang** *m* début *m* de l'année **Jahreseinkommen** *nt* revenu *m* annuel **Jahresende** *nt* fin *f* de l'année **Jahresetat** *m* ÖKON budget *m* annuel **Jahresfrist** *f* **binnen ~** d'ici un an; **nach ~** dans un délai d'un an; **Jahreshälfte** *f* moitié *f* de l'année **Jahrestag** *m* anniversaire *m* **Jahresurlaub** *m* congés *mpl* annuels **Jahreswagen** *m* voiture accordée aux employés d'un constructeur automobile à un tarif préférentiel **Jahreswechsel** *m* nouvel an *m;* **zum ~** pour le nouvel an **Jahreszahl** *f* année *f* **Jahreszeit** *f* saison *f*
Jahrgang <-gänge> *m* **1.** MIL, SCHULE classe *f;* UNIV promotion *f;* **~ 1950 sein** être de 1950 **2.** MEDIA (*einer Zeitschrift*) année *f* **3.** (*Erntejahr*) *eines Weins* année *f*
Jahrhundert [jaːɐ'hʊndət] <-s, -e> *nt* siècle *m* **Jahrhundertwende** *f* changement *m* de siècle
jährlich ['jɛːɐlɪç] **I.** *adj* annuel(le) **II.** *adv* tous les ans; **einmal/zweimal/... ~** une fois/deux fois/... par an
Jahrmarkt *m* foire *f* **Jahrtausend** <-s, -e> *nt* millénaire *m* **Jahrtausendwende** *f* changement *m* de millénaire **Jahrzehnt** <-[e]s, -e> *nt* décennie *f*
Jähzorn ['jɛːtsɔrn] *m* tempérament *m* iras-

cible **jähzornig** *adj* irascible
Jakobiner(in) <-s, -> *m(f)* Jacobin(e) *m(f)*
Jalousie [ʒalu'ziː] <-, -n> *f* jalousie *f*
Jammer ['jamɐ] <-s> *m* détresse *f*
jämmerlich ['jɛmɐlɪç] I. *adj attr* 1. (*beklagenswert*) pitoyable 2. (*kläglich*) déchirant(e) 3. *Leistung* lamentable II. *adv* 1. *schluchzen* à fendre l'âme; *frieren* affreusement 2. (*elend*) ~ **umkommen** mourir bêtement
jammern ['jamɐn] *vi* 1. (*lamentieren*) se lamenter; **über etw** (*akk*) ~ se lamenter sur qc 2. (*verlangen*) **nach jdm/etw** ~ réclamer qn/qc d'une voix plaintive
jammerschade ['jamɐ'ʃaːdə] *adj fam* **es ist ~ um ihn** c'est bête pour lui
Jänner ['jɛnɐ] <-s, -> *m* A janvier *m; s. a.* **April**
Januar ['januaːɐ̯] <-[s], -e> *m* janvier *m; s. a.* **April**
Japan ['jaːpan] <-s> *nt* le Japon
Japaner(in) [ja'paːnɐ] <-s, -> *m(f)* Japonais(e) *m(f)*
japanisch I. *adj* japonais(e) II. *adv* ~ **miteinander sprechen** discuter en japonais; *s. a.* **deutsch**
Japanisch <-[s]> *nt kein art* japonais *m; s. a.* **Deutsch**
japsen *vi fam* haleter
Jargon [ʒar'gõː, ʒar'gɔŋ] <-s, -s> *m* jargon *m*
Jasmin <-s, -e> *m* jasmin *m*
jassen *vi* CH jouer au jass
Jastimme ['jaːʃtɪmə] *f* voix *f* pour
jäten ['jɛːtən] *vt* arracher *Unkraut;* sarcler *Beet*
Jauche ['jaʊ̯xə] <-, -n> *f* purin *m*
jauchzen *vi geh* exulter
jaulen ['jaʊ̯lən] *vi Hund:* hurler à la mort
Jause ['jaʊ̯zə] <-, -n> *f* A casse-croûte *m*
jawohl [ja'voːl] *interj* oui[, bien sûr]
Jawort ['jaːvɔrt] *nt* ▶ **jdm das ~ geben** donner son consentement à qn
Jazz [dʒæz] <-> *m* jazz *m*
je [jeː] I. *adv* 1. (*jemals*) jamais 2. (*jeweils*) chacun(e); **die Kisten wiegen ~ fünf Kilo** les caisses font chacune cinq kilos II. *konj* 1. ~ **öfter du übst, desto besser kannst du spielen** plus tu t'entraînes, mieux tu sauras jouer 2. (*entsprechend*) ~ **nach Belieben** selon la volonté; ~ **nachdem, wann/wie/...** ça dépend quand/comment/...
Jeans [dʒiːnz] <-, -> *f meist Pl* jean *m*
jede(r, s) ['jeːdə, -dɐ, -dəs] *pron indef* 1. chaque; ~ **Schülerin muss an der Veranstaltung teilnehmen** toutes les élèves doivent participer à la manifestation; ~ **Minute** d'une minute à l'autre; **zu ~r Zeit/**

Stunde à n'importe quel moment; ~**r zweite Franzose** un Français sur deux 2. (*jegliche*) **ihm ist ~s Mittel recht** pour lui, tous les moyens sont bons; **ohne ~ Anstrengung** sans le moindre effort 3. *substantivisch* ~**r ist dafür** tout le monde est pour; **du kannst ~n fragen** tu peux demander à n'importe qui; ~**r, der sich dafür interessiert** quiconque s'y intéresse; ~**r von uns/ihnen** chacun d'entre nous/eux; ~**r gegen ~n** tous contre tous
jedenfalls *adv* en tout cas
jedermann *pron indef* tout le monde **jederzeit** *adv* 1. (*zu jeder Zeit*) à tout moment; **ihr seid ~ willkommen** vous êtes toujours les bienvenus 2. (*jeden Augenblick*) d'un moment à l'autre
jedesmal ['jeːdəs'maːl] *adv* chaque fois; ~, **wenn** chaque fois que
jedoch [je'dɔx] *konj, adv* pourtant
Jeep® [dʒiːp] <-s, -s> *m* jeep® *f*
jegliche(r, s) ['jeːklɪçə, -çɐ, -çəs] *pron indef* tout(e)
jeher ▶ **von** ~ de tout temps
jemals ['jeːmaːls] *adv* jamais
jemand ['jeːmant] *pron indef* quelqu'un; ~ **anders** *fam* quelqu'un d'autre
jene(r, s) ['jeːnə, -nɐ, -nəs] *pron dem, geh* 1. (*der bewusste*) ~**r Nachbar, der ...** ce voisin[-là] qui ...; ~ **Kollegin, die ...** cette collègue[-là] qui ... 2. (*dieser*) ~**r Mann/**~**Frau dort** cet homme-là/cette femme-là; **wir lachten, während** ~**r/**~ **weinte** on riait tandis que celui-là/celle-là pleurait
jenseits ['jeːnzaits] I. *präp + gen* = **des Flusses** de l'autre côté de la rivière II. *adv* ~ **von Raum und Zeit** au-delà de l'univers spatiotemporel
Jenseits <-> *nt* au-delà *m*
Jesuit [jezu'iːt] <-en, -en> *m* jésuite *m*
Jesus <Jesu[s]> *m* Jésus *m;* ~ **Christus** Jésus Christ
Jesuskind *nt* **das** ~ l'enfant *m* Jésus
Jet [dʒɛt] <-[s], -s> *m fam* jet *m*
Jetlag ['dʒɛtlɛg] <-s, -s> *m* troubles *mpl* dus au décalage horaire
Jeton [ʒə'tõ] <-s, -s> *m* jeton *m*
JetsetRR <-s, selten -s> ['dʒɛtsɛt] *m fam* jet[-]set *m o f*
jetten ['dʒɛtn] *vi + sein fam* **nach Teneriffa** ~ s'envoler pour Ténériffe
jetzig *adj attr Situation* actuel(le)
jetzt [jɛtst] *adv* maintenant; **bis** ~ jusqu'à présent; ~ **gleich** tout de suite; ~ **noch/schon?** maintenant/déjà?; **wer mag das** ~ **sein?** qui cela peut-il bien être?
jeweilig ['jeːvaɪlɪç] *adj attr* (*vorherrschend*) du moment; (*in der Vergangenheit*) de l'époque; *Währung* correspon-

dant(e)

jeweils ['je:'vaɪls] *adv* **1.** (*jedes Mal*) chaque fois **2.** (*im Einzelnen*) **die ~ Betroffenen** les personnes concernées **3.** (*je*) ~ **drei Kinder gehen zusammen** les enfants vont par groupes de trois **4.** (*zur entsprechenden Zeit*) de l'époque

Jg. *Abk von* **Jahrgang** année *f*

Jh. *Abk von* **Jahrhundert** siècle *m*

JH *Abk von* **Jugendherberge** auberge *f* de jeunesse

jiddisch *adj* yiddish *inv*

Jiddisch <-[s]> *nt* le yiddish

Job [dʒɔp] <-s, -s> *m fam* **1.** (*Anstellung*) job *m* **2.** (*Beschäftigung*) boulot *m*

jobben ['dʒɔbən] *vi fam* faire des petits boulots

Jobsharing^RR [dʒɔpʃɛːrɪŋ] <-s> *nt* partage *m* du travail

Joch <-[e]s, -e> *nt* AGR joug *m*

Jockei ['dʒɔke, 'dʒɔki] <-s, -s> *m*, **Jockey** <-s, -s> *m* jockey *m*

Jod [jo:t] <-s> *nt* CHEM iode *m*

jodeln ['jo:dəln] *vi* iodler

Jodler(in) ['jo:dlɐ] <-s, -> *m(f)* chanteur(-euse) *m(f)* de tyrolienne

Joga ['jo:ga] <-[s]> *m o nt* yoga *m*

joggen ['dʒɔgən] *vi* **1.** + *haben* faire du jogging **2.** + *sein* (*durchlaufen*) **drei Kilometer/durch den Wald** ~ jogger trois kilomètres/à travers la forêt

Jogger(in) ['dʒɔgɐ] <-s, -> *m(f)* joggeur(-euse) *m(f)*

Jogging ['dʒɔgɪŋ] <-s> *nt* jogging *m*

Jogginganzug ['dʒɔgɪŋantsu:k] *m* jogging *m*

Joghurt ['jo:gʊrt], **Jogurt**^RR <-[s], -[s]> *m o nt* yaourt *m*

Johannisbeere [jo'hanɪsbe:rə] *f* **1.** (*Frucht*) groseille *f*; **rote** ~ groseille rouge; **schwarze** ~ cassis *m* **2.** (*Strauch*) **rote** ~ groseillier *m* rouge; **schwarze** ~ cassis *m*

johlen ['jo:lən] *vi* hurler

Joint [dʒɔynt] <-s, -s> *m fam* joint *m*

Jointventure^RR [dʒɔɪnt'vɛntʃə] <-s, -s> *nt* COM joint[-]venture *f*

Jo-Jo <-s, -s> *nt* yoyo® *m*

Joker ['jo:kɐ, 'dʃo:kɐ] <-s, -> *m* joker *m*

Jolle <-, -n> *f* (*Segelboot*) yole *f*

Jongleur(in) [ʒõ'glø:ɐ] <-s, -e> *m(f)* jongleur(-euse) *m(f)*

jonglieren* [ʒõ'gli:rən] *vi a. fig* jongler; **mit etw** ~ jongler avec qc

Joppe <-, -n> *f* DIAL veste courte et ajustée

Jordan ▶ **über den** ~ **gehen** *fam* casser sa pipe

Jordanien [jɔr'da:niən] <-s> *nt* la Jordanie

Joule [ʒuːl] <-[s], -> *nt* PHYS joule *m*

Journal [ʒʊr'na:l] <-s, -e> *nt* **1.** COM journal *m* **2.** *geh* (*Zeitschrift*) revue *f*

Journalismus [ʒʊrna'lɪsmʊs] <-> *m* journalisme *m*; (*Presse*) presse *f*

Journalist(in) [ʒʊrna'lɪst] <-en, -en> *m(f)* journaliste *mf*

journalistisch [ʒʊrna'lɪstɪʃ] **I.** *adj Ausbildung* de journaliste; *Volontariat* en tant que journaliste **II.** *adv arbeiten* comme journaliste

jovial [jovi'a:l] *geh adj* protecteur(-trice)

Joystick ['dʒɔɪstɪk] <-s, -s> *m* INFORM manette *f* de jeu

jr. *Abk von* **junior** junior

Jubel ['ju:bəl] <-s> *m* cris *mpl* de joie ▶ **es herrscht ~, Trubel, Heiterkeit** *fam* il y a une ambiance du tonnerre

Jubeljahr ▶ **alle** ~**e** [**einmal**] *fam* très rarement

jubeln ['ju:bəln] *vi* jubiler; **über etw** (*akk*) ~ jubiler à cause de qc

Jubilar(in) <-s, -e> *m(f)* **der** ~/**die** ~**in** celui/celle qui fête son anniversaire

Jubiläum [jubi'lɛːʊm] <-s, Jubiläen> *nt* [fête *f*] anniversaire *m*; **sein 50-jähriges** ~ son jubilé

jubilieren* *vi geh* jubiler

juchzen ['jʊxtsən] *vi fam* pousser des cris de joie

jucken ['jʊkən] **I.** *vt, vi* **1.** démanger; **mich juckt die Hand** j'ai la main qui me démange; **der Pulli juckt** le pull pique **2.** *fam* (*kümmern*) **das juckt mich nicht** j'en ai rien à faire **II.** *vt unpers* **1.** **es juckt ihn/mich am Kopf** ça le/me démange à la tête **2.** *fam* (*reizen*) **es juckt jdn etw zu tun** ça démange qn de faire qc **III.** *vi unpers* **es juckt am Kopf** ça démange à la tête **IV.** *vr fam* (*kratzen*) **sich an etw** (*dat*) ~ se gratter qc

Juckreiz *m* démangeaison *f*

Jude ['ju:də] <-n, -n> *m*, **Jüdin** *f* juif *m*/juive *f*

Judenstern *m* étoile *f* jaune

Judentum <-s> *nt* (*Religion, Kultur*) judaïsme *m*

Judenverfolgung *f* persécution *f* des juifs

Jüdin ['jy:dɪn] *s.* **Jude**

jüdisch ['jy:dɪʃ] **I.** *adj* **1.** (*die Juden betreffend*) juif(juive) **2.** (*das Judentum betreffend*) judaïque **II.** *adv* selon le rite juif

Judo ['ju:do] <-s> *nt* judo *m*

Jugend ['ju:gənt] <-> *f* **1.** (~*zeit*) jeunesse *f*; **von** ~ **an** depuis l'enfance; **die frühe** ~ la première jeunesse; **die früheste** ~ la petite enfance **2.** (*junge Menschen*) **die** ~ **von heute** les jeunes *mpl* d'aujourd'hui

Jugendamt *nt* office *m* de protection de la

jeunesse **Jugendarbeit** f kein Pl (Förderung Jugendlicher) travail m avec des jeunes **Jugendbuch** nt livre m pour la jeunesse **jugendfrei** adj pour tout public; **nicht ~ sein** Film: être interdit aux moins de 18 ans **Jugendfreund(in)** m(f) ami(e) m(f) d'enfance **jugendgefährdend** adj dangereux(-euse) pour la jeunesse **Jugendgruppe** f groupe m de jeunes **Jugendherberge** f auberge f de jeunesse **Jugendkriminalität** f délinquance f juvénile

jugendlich I. adj 1. Person jeune; Leichtsinn juvénile 2. Erscheinung jeune; **jdn ~ machen** Kleidung: donner un air jeune à qn II. adv jeune; **sich ~ kleiden** s'habiller jeune **Jugendliche(r)** f(m) dekl wie adj jeune mf **Jugendlichkeit** <-> f 1.(Alter) jeunesse f 2.(junge Erscheinung) air m jeune **Jugendliebe** f amour m de jeunesse **Jugendschutz** m protection f des mineurs **Jugendstil** m Art m nouveau **Jugendtraum** m rêve m de jeunesse **Jugendzeit** f jeunesse f **Jugendzentrum** nt maison f des jeunes

Jugoslawe [jugo'sla:və] <-n, -n> m, **Jugoslawin** f HIST Yougoslave mf **Jugoslawien** [jugo'sla:viən] <-s> nt HIST la Yougoslavie

Jugoslawin [jugo'sla:vɪn] s. **Jugoslawe**

jugoslawisch adj HIST yougoslave

Juli ['ju:li] <-[s], -s> m juillet m; s. a. **April**

Jumbo(Jet)^RR, **Jumbo[-Jet]** ['jʊmbodʒɛt] <-s, -s> m gros-porteur m

jun. adj Abk von **junior**

jung [jʊŋ] <⸚er, ⸚ste> I. adj 1.jeune; Sportart nouveau(-velle) 2.(später geboren) **der jüngere Bruder/die jüngere Schwester** le frère cadet/la sœur cadette; **meine jüngste Schwester** ma sœur la plus jeune; **der Jüngere** le cadet; **der/die Jüngste** le/la benjamin(e) ►**Jung und Alt** jeunes et vieux II. adv **~ heiraten/sterben** se marier/mourir jeune

Junge <-n, -n o fam Jungs> m 1.(junger Mann) garçon m 2.fam (Bursche) **hallo, Jungs!** salut, les gars! mpl ►**~, ~!** fam eh ben, dis donc!

Junge(s) nt dekl wie adj (Jungtier) petit m; (Jungvogel) oisillon m

jungenhaft adj Mann jeune; Mädchen garçonnier(-ière)

jünger ['jʏŋɐ] adj Komp von **jung** 1.plus jeune 2.(relativ jung) plutôt jeune 3.(noch nicht weit zurückliegend) récent(e)

Jünger(in) <-s, -> m(f) disciple mf

Jungfer <-, -n> f pej **eine alte ~** une vieille fille

Jungfernfahrt f première traversée f **Jungfernflug** m premier vol m **Jungfrau** f 1.[fille f] vierge f 2. ASTROL Vierge f **jungfräulich** adj a. fig geh vierge **Jungfräulichkeit** ['jʊŋfrɔylɪçkait] <-> f virginité f

Junggeselle m, **-gesellin** f célibataire mf **Jüngling** <-s, -e> m geh éphèbe m (littér) **Jungsozialist(in)** m(f) membre de l'organisation des jeunes du SPD

jüngste(r, s) ['jʏŋstə, -te, -təs] adj 1.Superl von **jung** 2.(nicht lange zurückliegend) **in ~r Zeit** dernièrement; **aus ~r Vergangenheit** d'un passé très récent 3. Werk tout(e) dernier(-ière) ►**auch nicht mehr der/die Jüngste sein** ne plus être non plus tout jeune

Jungtier nt jeune m **Jungunternehmer(in)** m(f) jeune entrepreneur(-euse) m(f) **Jungverheiratete(r)** f(m) dekl wie adj jeune marié(e) m(f)

Juni ['ju:ni] <-[s], -s> m juin m; s. a. **April**

junior ['ju:n ̣io:ɐ] adj **Hans Müller ~** Hans Müller junior

Junior ['ju:n ̣io:ɐ] <-s, -en> m 1.fam (Sohn) fiston m 2.Pl (Sportler) juniors mpl

Juniorchef(in) m(f) fils m/fille f du chef **Juniorin** <-, -nen> f Pl (Sportlerin) junior f **Juniorpass**^RR m carte f jeunes

Junkfood ['dʒankfu:t] <-s> nt bouffe f industrielle (fam)

Junkie ['dʒaŋki] <-s, -s> m fam junkie mf

Junta ['xʊnta, 'jʊnta] <-, Junten> f junte f

Jupiter <-s> m [la planète] Jupiter f

Jura^1 ['ju:ra] <-s> m 1. GEOL jurassique m 2.(Gebirge) Jura m 3.(Kanton) canton m du Jura

Jura^2 kein art (Rechtswissenschaft) droit m **Jurist(in)** [ju'rɪst] <-en, -en> m(f) 1.juriste mf 2.fam (Jurastudent) étudiant(e) m(f) en droit

juristisch [ju'rɪstɪʃ] adj Studium de droit; Ausbildung en droit; Problem juridique

Juror <-s, Juroren> m, **Jurorin** f meist Pl membre du jury

Jury [ʒy'ri:] <-, -s> f jury m

Jus^1 [ju:s] nt A droit m

Jus^2 [ʒy:] <-> f o m o nt CH jus m de fruit

Juso <-s, -s> m, <-, -s> f Abk von **Jungsozialist(in)** membre de l'organisation des jeunes du SPD

justieren* vt régler Waage

Justiz [jʊs'ti:ts] <-> f justice f

Justizbehörde f justice f **Justizirrtum** m erreur f judiciaire **Justizminister(in)** m(f) ministre mf de la Justice; (in Frankreich) garde m des Sceaux

Justizministerium *nt* ministère *m* de la Justice **Justizmord** *m* meurtre *m* judiciaire **Justizvollzugsanstalt** *f form* établissement *m* pénitentiaire, maison *f* d'arrêt

Jute <-> *f* jute *m*

Juwel [ju've:l] <-s, -en> *m o nt* (*Edel-* *stein, Schmuck*) joyau *m*

Juwelier(in) [juve'li:ɐ] <-s, -e> *m(f)* bijoutier(-ière) *m(f)*

Juweliergeschäft *nt* bijouterie *f*

Jux [jʊks] <-es, -e> *m fam* blague *f* ▸ aus [lauter] ~ **und** **Tollerei** *fam* pour rigoler

K

K, k [ka:] <-, -> *nt* K *m*/k *m*
Kabarett [kaba'rɛt] <-s, -e *o* -s> *nt*
1. *kein Pl* (*Kleinkunst*) spectacle *m* satirique **2.** (*Kleinkunstbühne*) café-théâtre *m*
Kabarettist(in) [kabarɛ'tɪst] <-en, -en> *m(f)* chansonnier(-ière) *m(f)*
kabarettistisch *adj* Darbietung, Einlage de chansonnier
kabbeln *vr fam* sich ~ se chamailler
Kabel ['ka:bəl] <-s, -> *nt* câble *m*
Kabelanschluss^RR *m* accès *m* au réseau câblé; [einen] ~ haben *Person:* avoir le câble
Kabelfernsehen *nt* télévision *f* par câbles
Kabeljau <-s, -e *o* -s> *m* cabillaud *m*
Kabelkanal *m* chaîne *f* câblée **Kabelnetz** *nt* réseau *m* câblé
Kabine [ka'bi:nə] <-, -n> *f* cabine *f*
Kabinett [kabi'nɛt] <-s, -e> *nt* POL gouvernement *m*
Kabinettsbeschluss^RR *m* décret *m* du gouvernement
Kabrio ['ka:brio] <-[s], -s> *nt* cabriolet *m*
Kachel ['kaxəl] <-, -n> *f* carreau *m* [de faïence]
kacheln *vt* carreler
Kachelofen *m* poêle *m* en faïence
Kacke <-> *f sl* (*Exkremente*) merde *f*
kacken *vi sl* chier
Kadaver [ka'da:vɐ] <-s, -> *m* cadavre *m* d'animal
Kadenz <-, -en> *f* MUS cadence *f*
Kader <-s, -> *m* **1.** MIL cadre *m* militaire *souvent pl* **2.** SPORT sélection *f*
Kadmium <-s> *nt* CHEM cadmium *m*
Käfer ['kɛ:fɐ] <-s, -> *m* coléoptère *m*
Kaff [kaf] <-s, -s *o* -e> *nt pej fam* trou *m*
Kaffee ['kafe] <-s, -s> *m* café *m*; ~ kochen [*o* machen] faire du café; ~ trinken prendre le café; ~ mit Milch café au lait
Kaffeeautomat *m* distributeur *m* [automatique] de café **Kaffeebohne** *f* grain *m* de café **Kaffeefilter** *m* filtre *m* à café **Kaffeehaus** [ka'fe:haus] *nt* A salon *m* de thé **Kaffeekanne** *f* cafetière *f* **Kaffeeklatsch** *m kein Pl fam* sich zum ~ treffen se retrouver pour papoter devant une tasse de café **Kaffeelöffel** *m* cuillère *f* à café **Kaffeemaschine** *f* cafetière *f* [électrique] **Kaffeemühle** *f* moulin *m* à café **Kaffeepause** *f* pause *f* café **Kaffeesatz** *m* marc *m* de café **Kaffeetasse** *f* tasse *f* à café
Käfig ['kɛ:fɪç] <-s, -e> *m* cage *f*

kahl [ka:l] *adj* **1.** chauve; ~ scheren tondre; ~ geschoren rasé(e); er ist völlig ~ geschoren il a la boule à zéro (*fam*) **2.** (*ohne Blätter*) dénudé(e)
kahlscheren *s.* kahl
Kahlschlag *m* (*abgeholzte Fläche*) surface *f* déboisée
Kahn [ka:n, *Pl:* 'kɛ:nə] <-[e]s, -e> *m* **1.** barque *f*; (*Schleppkahn*) péniche *f*; mit dem ~ fahren faire de la barque **2.** *Pl fam* (*große Schuhe*) godillots *mpl*
Kai [kai] <-s, -e *o* -s> *m* quai *m*
Kaiser(in) ['kaizɐ] <-, -> *m(f)* empereur *m*/impératrice *f* ▶ ..., dann bin ich der ~ von China ..., alors moi, je suis le pape/la reine d'Angleterre
Kaiserkrone *f* couronne *f* impériale
kaiserlich I. *adj* impérial(e) **II.** *adv* ~ gesinnt impérialiste
Kaiserreich *nt* empire *m* **Kaiserschmarr[e]n** *m* A crêpes déchirées en morceaux auxquels on ajoute des raisins secs et que l'on saupoudre de sucre **Kaiserschnitt** *m* césarienne *f*
Kajak <-s, -s> *m o nt* kayak *m*; ~ fahren faire du kayak
Kajüte [ka'jy:tə] <-, -n> *f* cabine *f*
Kakadu <-s, -s> *m* cacatoès *m*
Kakao [ka'kau] <-s, -s> *m* cacao *m*; ~ kochen faire un cacao ▶ jdn durch den ~ ziehen *fam* se foutre [gentiment] de la gueule de qn
Kakaobohne *f* fève *f* de cacao **Kakaopulver** [-fɐ, -vɐ] *nt* poudre *f* de cacao
Kakerlake <-, -n> *f* cafard *m*
Kaktus ['kaktʊs, *Pl:* 'kakte:ən] <-, Kakteen *o fam* -se> *m* cactus *m*
Kalauer <-s, -> *m* (*Wortspiel*) calembour *m*
Kalb [kalp, *Pl:* 'kɛlbɐ] <-[e]s, -er> *nt* veau *m*
kalben *vi* vêler
Kalbfleisch *nt* [viande *f* de] veau *m*
Kaleidoskop <-s, -e> *nt* kaléidoscope *m*
Kalender [ka'lɛndɐ] <-s, -> *m* (*Wandkalender*) calendrier *m* [mural]; (*Abreißkalender*) éphéméride *f*; (*Taschenkalender, Terminkalender*) agenda *m*
Kalenderjahr *nt* année *f* civile
Kali <-s, -s> *nt* CHEM potasse *f*
Kaliber <-s, -> *nt* **1.** TECH calibre *m* **2.** (*Format*) eine Frau dieses ~s une femme de

cette classe

Kalif <-en, -en> *m* calife *m*

Kalium <-s> *nt* CHEM potassium *m*

Kalk [kalk] <-[e]s, -e> *m* **1.**(*Baumaterial*) chaux *f* **2.**(*Kalziumkarbonat*) calcaire *m* **3.**(*Kalzium*) calcium *m*

kalken *vt* (*düngen*) chauler

Kalkmangel *m* MED manque *m* de calcium **Kalkstein** *m* pierre *f* à chaux

Kalkül <-s, -e> *m* o *nt* calcul *m*

Kalkulation <-, -en> *f* (*Schätzung*) estimation *f*

kalkulieren* I. *vi* (*schätzen*) calculer II. *vt* calculer *Kosten*

Kalorie [kalo'riː] <-, -n> *f* calorie *f*

kalorienarm I. *adj* peu calorique II. *adv* ~ **essen** avoir une alimentation pauvre en calories **Kaloriengehalt** [kalo'riːəngəhalt] *m* valeur *f* énergétique **kalorienreich** I. *adj* calorique II. *adv* ~ **essen** avoir une alimentation riche en calories

kalt [kalt] <⁼er, ⁼este> I. *adj a. fig* froid(e); **ganz ~e Hände haben** avoir les mains glacées; **ihr ist** ~ elle a froid II. *adv* **1.** *sich waschen* à l'eau froide; **etw ~ stellen** mettre qc au frais **2.** (*ohne Nebenkosten*) sans les charges **3.** *fam* (*regungslos*) ~ **bleiben** *Person:* rester de marbre ▸**jdn ~ erwischen** *fam* cueillir qn à froid

Kaltblüter <-s, -> *m* animal *m* à sang froid **kaltblütig** ['kaltblyːtɪç] I. *adj* **1.**(*unerschrocken*) qui garde son sang-froid **2.** *Person* qui agit de sang-froid; *Tat, Verbrechen* commis(e) de sang-froid. II. *adv* **1.**(*unerschrocken*) avec sang-froid **2.**(*skrupellos*) froidement **Kaltblütigkeit** [kaltblyːtɪçkait] <-> *f* sang-froid *m*

Kälte ['kɛltə] <-> *f* froid *m; der Luft, des Wassers* froideur *f; des Windes* fraîcheur *f;* **vor ~ zittern** trembler de froid

Kälteeinbruch *m* coup *m* de froid

Kaltfront *f* METEO front *m* froid **kalt|lassen** *s.* kalt II. **Kaltluft** *f* masse *f* d'air froid **kalt|machen** *vt sl* **jdn ~** refroidir qn (*fam*) **Kaltmiete** ['kaltmiːtə] *f* loyer *m* sans [les] charges **Kaltschale** *f* soupe *f* de fruits **kaltschnäuzig** *fam adj* culotté(e) **Kaltstart** *m* démarrage *m* à froid **kalt|stellen** *vt fam* **jdn ~** mettre qn au placard

Kalzium ['kaltsiʊm] <-s> *nt* calcium *m*

kam [kaːm] *Imp von* **kommen**

Kamcorder *s.* Camcorder

Kamel [ka'meːl] <-[e]s, -e> *nt* **1.** chameau *m* **2.** *pej fam* (*Dummkopf*) andouille *f*

Kamelie [-liə] <-, -n> *f* camélia *m*

Kamera ['kaməra] <-, -s> *f* **1.**(*Filmkamera*) caméra *f* **2.**(*Fotoapparat*) appareil *m* photo

Kamerad(in) [kamə'raːt] <-en, -en> *m(f)* camarade *mf*

Kameradschaft <-, -en> *f* camaraderie *f;* **aus ~** par camaraderie

kameradschaftlich I. *adj Beziehung* de bonne camaraderie; *Zusammenleben* en [bons] camarades; *Geist* de camaraderie II. *adv zusammenleben* en [bons] camarades

Kameramann <-männer> *m,* **-frau** *f* cadreur *m,* caméraman *m*

Kamille [ka'mɪlə] <-, -n> *f* camomille *f*

Kamillentee *m* [infusion *f* de] camomille *f*

Kamin [ka'miːn] <-s, -e> *m* o DIAL, CH *nt* cheminée *f*

Kaminfeger(in) <-s, -> *m(f)* DIAL ramoneur(-euse) *m(f)* **Kaminfeuer** *nt* feu *m* de cheminée **Kaminkehrer(in)** <-s, -> *m(f) s.* **Kaminfeger**

Kamm [kam, *Pl:* 'kɛmə] <-[e]s, ⁼e> *m* **1.** peigne *m* **2.** ZOOL *von Hühnervögeln, Sauriern* crête *f* **3.** (*Bergrücken*) crête *f*

kämmen ['kɛmən] *vt* coiffer; **jdn/sich ~** coiffer qn/se coiffer

Kammer ['kamɐ] <-, -n> *f* chambre *f*

Kammerjäger(in) *m(f)* agent *m* préposé à la lutte antiparasitaire **Kammerkonzert** *nt* concert *m* de musique de chambre **Kämmerlein** ▸**im stillen ~** au calme **Kammermusik** *f* musique *f* de chambre **Kammerton** *m kein Pl* la *m* du diapason

Kampagne [kam'panjə] <-, -n> *f* campagne *f*

Kampf [kampf, *Pl:* 'kɛmpfə] <-[e]s, ⁼e> *m* **1.** MIL, SPORT combat *m; gegen jdn/etw in den ~ ziehen* partir en guerre contre qn/qc; **den ~ aufnehmen** se lancer dans la bataille; **die Kämpfe einstellen** cesser les combats **2.** (*Schlägerei*) lutte *f;* **ein ~ auf Leben und Tod** un combat à mort **3.** *fig* lutte *f;* ~ **für** [o **um**]**/gegen etw** lutte *f* pour/contre qc; **der ~ ums Dasein** la lutte pour la vie

kämpfen ['kɛmpfən] I. *vi* **1.** MIL, SPORT se battre; **für jdn/etw ~** se battre pour qn/qc **2.** *fig* **für/gegen etw ~** lutter pour/contre qc; **mit sich ~** mener un combat intérieur; **mit etw zu ~ haben** devoir se battre avec qc II. *vr* **sich durch das Gestrüpp ~** se frayer un chemin à travers les fourrés; **sich durch ein Buch ~** lire un livre avec peine

Kämpfer(in) <-s, -> *m(f)* **1.**(*Krieger*) guerrier(-ière) *m(f); (im Heer)* combattant(e) *m(f)* **2.** (*Streiter*) **ein ~/eine ~in für den Umweltschutz** un défenseur/une défenseuse de la protection de l'environnement

kämpferisch I. *adj Person, Natur* combatif(-ive); *Einsatz, Leistung* au combat II. *adv* ~ **sehr stark sein** faire preuve de beau-

coup de combativité

Kampfflugzeug *nt* avion *m* de combat
Kampfgeist *m kein Pl* esprit *m* combatif
Kampfhandlungen *Pl form* (*vereinzelte Kämpfe*) accrochage *m* **Kampfhund** *m* chien *m* de combat
kampflos *adj, adv* sans résistance
Kampfrichter(in) *m(f)* juge-arbitre *mf*
Kampfsport ['kampfʃpɔrt] *m* sport *m* de combat *souvent pl* **kampfunfähig** *adj* (*nach einem Kampf*) mis(e) hors de combat
kampieren* [kam'piːrən] *vi* camper; **wild ~** faire du camping sauvage
Kanada ['kanada] <-s> *nt* le Canada
Kanadier(in) [ka'naːdiɐ] <-s, -> *m(f)* Canadien(ne) *m(f)*
kanadisch *adj* canadien(ne)
Kanaille [ka'naljə] <-, -n> *f pej* canaille *f*
Kanal [ka'naːl, *Pl:* ka'nɛːlə] <-s, Kanäle> *m* 1. (*Wasserstraße*) canal *m* 2. GEOG **der ~** la Manche 3. (*Abwasserkanal*) égout *m* 4. (*Frequenzbereich*) canal *m*
Kanalarbeiter(in) *m(f)* égoutier *m*
Kanalisation [kanaliza'tsi̯oːn] <-, -en> *f* égouts *mpl*
kanalisieren* [kanali'ziːrən] *vt* 1. *a. fig* canaliser *Fluss, Gefühle* 2. (*mit Kanalisation versehen*) doter d'un réseau de canalisations
Kanaltunnel *m* **der ~** le tunnel sous la Manche
Kanapee <-s, -s> *nt* GASTR canapé *m*
Kanarienvogel [ka'naːriənfoːgəl] *m* canari *m*
Kandare ►**jdn an die ~ nehmen** faire marcher qn à la baguette (*fam*)
Kandelaber <-s, -> *m* 1. (*Kerzenständer*) candélabre *m* 2. (*Straßenlaterne*) lampadaire *m*
Kandidat(in) [kandi'daːt] <-en, -en> *m(f)* candidat(e) *m(f)*; **jdn als ~en für etw aufstellen** présenter qn comme candidat à qc
Kandidatur [kandida'tuːɐ] <-, -en> *f* candidature *f*
kandidieren* [kandi'diːrən] *vi* se porter candidat(e); **für etw ~** se porter candidat à qc
kandiert [kan'diːɐt] *adj* confit(e)
Kandiszucker *m* sucre *m* candi
KänguruRR ['kɛŋguru], **Känguruh** <-s, -s> *nt* kangourou *m*
Kaninchen [ka'niːnçən] <-s, -> *nt* lapin *m*
Kanister [ka'nɪstɐ] <-s, -> *m* 1. (*Behälter*) bidon *m* 2. (*Benzinkanister*) jerrican[e] *m*
KannbestimmungRR *f* disposition *f* facultative
Kännchen ['kɛnçən] <-s, -> *nt* 1. *Dim von*

Kanne petit pot *m* 2. (*Portion*) **ein ~ Kaffee/Tee** un grand café/thé
Kanne ['kanə] <-, -n> *f* 1. (*Kaffeekanne*) cafetière *f*; (*Teekanne*) théière *f* 2. (*Gießkanne*) arrosoir *m* 3. (*Milchkanne*) bidon *m* de lait; (*klein*) pot *m* à lait
Kannibale [kani'baːlə] <-n, -n> *m*, **Kannibalin** *f* cannibale *mf*
Kannibalismus [kaniba'lɪsmʊs] <-> *m* cannibalisme *m*
kannte ['kantə] *Imp von* **kennen**
Kanon ['kaːnɔn] <-s, -s> *m* (*Musikstück, Richtschnur*) canon *m*
Kanone [ka'noːnə] <-, -n> *f* 1. (*Geschütz*) canon *m* 2. *fam* (*Pistole*) flingue *m* ►**mit ~n auf Spatzen schießen** *fam* ≈ tirer des moineaux avec un bazooka
Kanonenfutter *nt fam* chair *f* à canon **Kanonenkugel** *f* boulet *m* de canon
Kantate <-, -n> *f* cantate *f*
Kante ['kantə] <-, -n> *f* 1. (*Ecke, Webkante*) bord *m* 2. MATH arête *f*
Kanten <-s, -> *m* N DEUTSCH croûton *m*
kantig *adj* 1. *Holz, Felsblock* équarri(e) 2. *Kinn, Gesicht* anguleux(-euse)
Kantine [kan'tiːnə] <-, -n> *f* cantine *f*
Kanton [kan'toːn] <-s, -e> *m* canton *m*
kantonal [kanto'naːl] *adj* cantonal(e)
Kantor <-s, -toren> *m*, **Kantorin** *f* cantor *m*
Kanu ['kaːnu] <-s, -s> *nt* canoë *m*; **~fahren** faire du canoë
Kanüle <-, -n> *f* 1. (*Hohlnadel*) aiguille *f* 2. (*Röhrchen*) cathéter *m*
Kanute <-n, -n> *m*, **Kanutin** *f* canoéiste *mf*
Kanzel ['kantsəl] <-, -n> *f* REL chaire *f*
kanzerogen [kantsero'geːn] **I.** *adj* cancérogène **II.** *adv* **~ wirken** être cancérogène
Kanzlei [kants'laj] <-, -en> *f* 1. *eines Anwalts* cabinet *m*; *eines Notars* étude *f* 2. (*Behörde*) chancellerie *f*
Kanzler(in) ['kantslɐ] <-s, -> *m(f)* (*Regierungschef*) chancelier(-ière) *m(f)*
Kanzleramt *nt* chancellerie *f* **Kanzlerkandidat(in)** *m(f)* candidat(e) *m(f)* à la chancellerie
Kap <-s, -s> *nt* cap *m*
Kapazität [kapatsi'tɛːt] <-, -en> *f* 1. (*Fassungs-, Leistungsvermögen*) capacité *f* 2. (*Experte*) autorité *f*
Kapelle [ka'pɛlə] <-, -n> *f* 1. (*Kirche*) chapelle *f* 2. MUS orchestre *m*
Kapellmeister(in) *m(f)* chef *mf* d'orchestre
Kaper ['kaːpɐ] <-, -n> *f* câpre *f*
kapern *vt* jeter le grappin sur *Schiff*
kapieren* [ka'piːrən] *vt, vi fam* piger; **kapiert?** pigé?; **das kapier[e] ich nicht** je ne

pige pas

kapital *adj* **1.** *fam Irrtum* énorme **2.** JAGD *Hirsch* majestueux

Kapital [kapi'taːl] <-s, -e *o* -ien> *nt* **1.** *kein Pl* capital *m;* ~ **aufnehmen** emprunter des fonds **2.** (*Gesellschaftskapital*) capital *m* social

Kapitalanlage *f* placement *m* [financier] **Kapitalertragsteuer** *f* impôt *m* sur les revenus du capital **Kapitalflucht** *f* fuite *f* des capitaux **Kapitalgesellschaft** *f* société *f* de capitaux

Kapitalismus [kapita'lɪsmʊs] <-> *m* capitalisme *m*

Kapitalist(in) [kapita'lɪst] <-en, -en> *m(f)* capitaliste *mf*

kapitalistisch I. *adj* capitaliste **II.** *adv denken* comme un capitaliste

kapitalkräftig *adj* financièrement solide **Kapitalmarkt** *m* marchés *mpl* financiers **Kapitalverbrechen** *nt* crime *m* capital

Kapitän [kapi'tɛːn] <-s, -e> *m* **1.** NAUT, SPORT capitaine *m* **2.** (*Flugkapitän*) commandant(e) *m(f)* de bord

Kapitel [ka'pɪtəl] <-s, -> *nt* chapitre *m*

Kapitulation [kapitula'tsi̯oːn] <-, -en> *f* capitulation *f*

kapitulieren* [kapitu'liːrən] *vi* capituler

Kaplan [ka'plaːn] <-s, Kapläne> *m* (*Hilfsgeistlicher*) vicaire *m;* (*Geistlicher mit besonderen Aufgaben*) aumônier *m*

Kappe ['kapə] <-, -n> *f* **1.** (*Mütze*) casquette *f* **2.** (*Füllerverschluss*) capuchon *m* **3.** (*Teil des Schuhs*) (*vorn*) bout *m;* (*hinten*) contrefort *m* ▶ **etw auf seine ~ nehmen** *fam* porter le chapeau de qc

kappen *vt* (*durchtrennen*) couper

Käppi <-s, -s> *nt* MIL DIAL képi *m*

Kapriole <-, -n> *f* (*Streich*) frasque *f*

kapriziös [kapri'tsi̯øːs] *adj geh* capricieux(-ieuse)

Kapsel ['kapsəl] <-, -n> *f* capsule *f*

kaputt [ka'pʊt] *adj fam* **1.** (*defekt*) fichu(e); *Glühbirne* grillé(e) **2.** (*beschädigt*) cassé(e); *Schuhe, Kleidung, Dach* fichu(e) **3.** *Person* crevé(e) **4.** (*ruiniert*) brisé(e); *Gesundheit* délabré(e)

kaputtlgehen *vi irr + sein fam* **1.** (*defekt werden*) ne plus marcher **2.** (*beschädigt werden*) *Porzellan, Spiegel:* se casser; *Kleidung, Möbel:* s'abîmer; **die Scheibe ist kaputtgegangen** la vitre est cassée **kaputtllachen** *vr fam* **sich** ~ se tordre de rire; **ich lach' mich kaputt!** c'est à se tordre! **kaputtlmachen I.** *vt fam* **1.** bousiller **2.** (*ruinieren*) détruire *Ehe;* ruiner *Gesundheit;* bousiller *Nerven* **3.** (*nervlich strapazieren*) tuer **II.** *vr fam* **sich** ~ s'esquinter

Kapuze [ka'puːtsə] <-, -n> *f* capuchon *m*

Kapuziner <-s, -> *m* capucin *m*

Karabiner <-s, -> *m* (*Gewehr*) carabine *f* **Karabinerhaken** *m* mousqueton *m*

Karacho <-s> *nt fam* **mit** ~ à toute blinde

Karaffe [ka'rafə] <-, -n> *f* carafe *f*

Karambolage [karambo'laːʒə] <-, -n> *f* *fam* (*Autounfall*) carambolage *m*

Karamel, **Karamell**ᴿᴿ [kara'mɛl] <-s> *m* caramel *m*

Karat [ka'raːt] <-[e]s, -e> *nt* carat *m*

Karate [ka'raːtə] <-[s]> *nt* karaté *m*

Karawane <-, -n> *f* caravane *f*

Kardanwelle *f* arbre *m* de transmission

Kardinal [kardi'naːl] <-s, Kardinäle> *m* REL, ORN cardinal *m*

Kardinalfehler *m* faute *f* cardinale **Kardinalfrage** *f geh* question *f* essentielle **Kardinalzahl** *f* nombre *m* cardinal

Karenztag *m* journée de maladie non prise en charge par la Sécurité sociale ou par l'employeur **Karenzzeit** *f* délai *m* de carence

Karfiol [kar'fi̯oːl] <-s> *m* A chou-fleur *m*

Karfreitag [ka'ɐ̯'frai̯taːk] *m* Vendredi *m* saint

karg [kark] <karger *o* kärger, kargste *o* kärgste> I. *adj* **1.** *Boden* pauvre **2.** *Ausstattung* austère; *Gehalt, Lohn* maigre; *Mahl* frugal(e) II. *adv* ~ **bemessen sein** être calculé [très] juste; ~ **ausgestattet sein** être équipé du strict minimum

Kargheit <-> *f* **1.** *des Bodens* pauvreté *f* **2.** (*Bescheidenheit*) *der Ausstattung* austérité *f; einer Mahlzeit* frugalité *f*

kärglich ['kɛrklɪç] *adj Rest, Gehalt* maigre; **ein ~es Auskommen haben** s'en tirer chichement

kariert [ka'riːɐ̯t] *adj Stoff, Papier* à carreaux; **klein** ~ à petits carreaux

Karies ['kaːriɛs] <-> *f* carie *f*

Karikatur [karika'tuːɐ̯] <-, -en> *f* caricature *f*

Karikaturist(in) [karikatu'rɪst] <-en, -en> *m(f)* caricaturiste *mf*

karikieren* *vt* caricaturer

kariös *adj* carié(e)

karitativ *adj Organisation* caritatif(-ive); *Zweck* charitable

Karmeliter(in) <-s, -> *m(f)* carme *m*/carmélite *f*

Karneval ['karnəval] <-s, -e *o* -s> *m* carnaval *m*

Karnevalskostüm *nt* déguisement *m* de carnaval **Karnevalsverein** *m* société *f* carnavalesque **Karnevalszug** *m* défilé *m* de carnaval

Karnickel <-s, -> *nt fam* lapin *m*

Kärnten ['kɛrntən] <-s> *nt* la Carinthie

Karo ['kaːro] <-s, -s> *nt* carreau *m*

Karosserie [karɔsə'riː] <-, -n> *f* carrosserie *f*
Karotte [ka'rɔtə] <-, -n> *f* carotte *f*
Karpfen ['karpfən] <-s, -> *m* carpe *f*
Karre ['karə] <-, -n> *f* 1. *s.* **Karren** 2. *fam* (*Auto*) bagnole *f*
Karree [ka'reː] <-s, -s> *nt* 1. (*Geviert*) carré *m* 2. (*Häuserblock*) pâté *m* de maisons [de forme carrée]; **ums ~ gehen/fahren** faire le tour du pâté de maisons 3. A (*Rippenstück*) carré *m*
karren *vt* (*heran~*) charrier
Karren ['karən] <-s, -> *m* (*Leiterwagen*) charrette *f* ▶**den ~ aus dem Dreck ziehen** sortir qn/qc du pétrin (*fam*)
Karriere [ka'rɪeːrə] <-, -n> *f* carrière *f*
Karrierefrau *f* femme *f* qui fait/veut faire carrière
Karsamstag [kaːɐ̯'zamstaːk] *m* Samedi *m* saint
Karst <-[e]s, -e> *m* GEOL karst *m*
Karte ['kartə] <-, -n> *f* carte *f*; **~n spielen** jouer aux cartes ▶**gute/schlechte ~n haben** avoir de bonnes chances/peu de chances
Kartei [kar'taj] <-, -en> *f* fichier *m*
Karteikarte *f* fiche *f* **Karteikasten** *m* fichier *m* **Karteileiche** *f hum* (*fiche non réactualisée qui traîne dans un fichier*)
Kartell [kar'tɛl] <-s, -e> *nt* cartel *m;* **ein ~ bilden** constituer un cartel
Kartellamt *nt* office *m* des cartels
Kartenhaus ▶**wie ein ~ in sich zusammenfallen** s'effondrer comme un château de cartes **Kartenleger(in)** <-s, -> *m(f)* cartomancien(ne) *m(f)* **Kartenlesegerät** *nt* INFORM lecteur *m* de cartes **Kartenspiel** *nt* 1. *kein Pl* (*das Spielen*) partie *f* de cartes 2. (*Satz Karten*) jeu *m* de cartes **Kartentelefon** ['kartəntelefoːn] *nt* téléphone *m* à cartes; **öffentliches ~** publiphone *m* **Kartenvorverkauf** *m* location *f* des billets
Kartoffel [kar'tɔfəl] <-, -n> *f* pomme *f* de terre ▶**jdn fallen lassen wie eine heiße ~** *fam* laisser tomber qn comme une vieille chaussette
Kartoffelbrei *m* purée *f* [de pommes de terre] **Kartoffelchips** [kar'tɔfəltʃɪps] *Pl* chips *mpl* **Kartoffelpuffer** <-s, -> *m* galette *f* de pommes de terre [râpées] **Kartoffelpüree** *s.* **Kartoffelbrei Kartoffelsalat** *m* salade *f* de pommes de terre **Kartoffelsuppe** *f* soupe *f* de pommes de terre
Karton [kar'tɔŋ] <-s, -s> *m* carton *m*
kartoniert *adj* cartonné(e)
Kartusche <-, -n> *f* cartouche *f*
Karussell [karʊ'sɛl] <-s, -s *o* -e> *nt* manège *m;* [mit dem] ~ fahren faire un tour/ des tours de manège

Karwoche ['kaːɐ̯vɔxə] *f* semaine *f* sainte
Karzinom <-s, -e> *nt* MED carcinome *m*
Kaschemme <-, -n> *f pej fam* boui-boui *m*
kaschieren* *vt* dissimuler
Kaschmir <-s, -e> *m* cachemire *m*
Käse ['kɛːzə] <-s, -> *m* 1. fromage *m* 2. *pej fam* (*Quatsch*) conneries *fpl*
Käseblatt *nt pej fam* feuille *f* de chou **Käsefondue** ['kɛːzəfõdyː] *nt* fondue *f* au fromage **Käsegebäck** *nt* petits gâteaux *mpl* au fromage **Käseglocke** *f* cloche *f* à fromage **Käsekuchen** *m* gâteau *m* au fromage blanc
Kaserne [ka'zɛrnə] <-, -n> *f* caserne *f*
käseweiß *adj fam* (*bleich*) blanc(blanche) comme un linge; (*nicht sonnengebräunt*) blanc(blanche) comme un cachet d'aspirine
käsig *adj fam* (*nicht sonnengebräunt*) blanc(blanche) comme un cachet d'aspirine
Kasino [ka'ziːno] <-s, -s> *nt* 1. (*Spielkasino*) casino *m* 2. (*Offizierskasino*) mess *m*
Kaskoversicherung ['kaskofɛɐ̯zɪçərʊŋ] *f* assurance *f* tous risques
Kasper <-s, -> *m* (*Puppe, Kind*) guignol *m*
Kaspertheater *nt* guignol *m*
Kassa ['kasa] <-, **Kassen**> *f bes.* A caisse *f*
Kasse ['kasə] <-, -n> *f* 1. (*Metallkasten, Registrierkasse, Zahlstelle*) caisse *f* 2. *fam* (*Krankenkasse*) caisse *f* d'assurance maladie; (*in Frankreich*) sécu *f* ▶**zahlbar in acht Tagen netto ~** montant net à régler sous huitaine; **knapp/gut bei ~ sein** *fam* être fauché/en fonds; **gegen ~** au comptant
Kassenarzt *m*, **-ärztin** *f* médecin *mf* conventionné **Kassenbon** ['kasənbɔŋ] *m* ticket *m* de caisse **Kassenpatient(in)** *m(f)* patient affilié à une caisse d'assurance maladie assurant une couverture de base **Kassensturz** *m* vérification *f* de la caisse **Kassenwart(in)** <-s, -e> *m(f)* caissier(-ière) *m(f)* **Kassenzettel** *s.* **Kassenbon**
Kasserolle <-, -n> *f* casserole *f*
Kassette [ka'sɛtə] <-, -n> *f* 1. (*Videokassette, Musikkassette*) cassette *f;* **etw auf ~ aufnehmen** enregistrer qc sur cassette 2. (*Kästchen, Bücherkassette*) coffret *m* 3. ARCHIT caisson *m*
Kassettendeck *nt* magnétophone *m* à cassette[s] **Kassettenrecorder** [ka'sɛtənrekɔrdə] *m* magnétophone *m* [à cassettes]
Kassier [ka'siːɐ̯] SDEUTSCH, A, CH *s.* **Kassierer(in)**
kassieren* [ka'siːrən] **I.** *vt* 1. (*einziehen*) encaisser; **etw bei jdm ~** encaisser qc auprès de qn 2. *fam* (*konfiszieren*) sucrer

Führerschein, Spickzettel **II.** *vi* **bei jdm** ~ *Kellner:* encaisser l'addition de qn

Kassier(**in**) <-s, -> *m(f)* caissier(-ière) *m(f)*

Kastagnette [kastan'jɛtə] <-, -n> *f* castagnette *f*

Kastanie [kas'ta:n i̯ə] <-, -n> *f* **1.** (*Rosskastanie*) marron *m* [d'Inde]; (*Esskastanie*) châtaigne *f;* **heiße** ~**n** des marrons chauds **2.** (*Rosskastanienbaum*) marronnier *m* [d'Inde]; (*Esskastanienbaum*) châtaignier *m* ▶ **die** ~**n aus dem** Feuer **holen** *fam* tirer les marrons du feu

Kastanienbaum *s.* Kastanie

Kästchen <-s, -> *nt* **1.** *Dim von* **Kasten** coffret *m* **2.** (*Karo*) carreau *m*

Kaste <-, -n> *f* caste *f*

kasteien* *vr* **sich** ~ se mortifier

Kasten ['kastən, *Pl:* 'kɛstən] <-, ⁼> *m* **1.** (*Behälter, offene Kiste*) caisse *f;* (*für Besteck, Schmuck*) coffret *m;* (*für Sicherungen, Kabel*) boîtier *m* **2.** A, CH (*Schrank*) armoire *f* **3.** *fam* (*Briefkasten*) boîte *f* à lettres

Kastenform *f* moule *m* à cake **Kastenwagen** *m* fourgonnette *f*

Kastrat <-en, -en> *m* eunuque *m*

Kastration [kastra'tsi̯o:n] <-, -en> *f* castration *f*

kastrieren* [kas'tri:rən] *vt* châtrer

Kasus <-, -> *m* GRAM cas *m*

Kat [kat] <-s, -s> *m Abk von* **Katalysator** pot *m* catalytique

Katakombe <-, -n> *f* catacombe *f*

Katalog [kata'lo:k] <-[e]s, -e> *m* **1.** (*Versandhauskatalog, Bibliothekskatalog*) catalogue *m* **2.** (*Verzeichnis in Kartenform*) fichier *m*

katalogisieren* [katalogi'zi:rən] *vt* cataloguer

Katalogisierung <-, -en> *f* catalogage *m*

Katalysator [kataly'za:to:ɐ̯] <-s, -toren> *m* **1.** AUT pot *m* catalytique; **geregelter** ~ pot catalytique à régulation électronique **2.** CHEM catalyseur *m*

Katalysatorauto *nt* voiture *f* équipée d'un pot catalytique

Katalyse [kata'ly:zə] <-, -n> *f* CHEM catalyse *f*

katalytisch [kata'ly:tɪʃ] *adj* CHEM catalytique

Katamaran <-s, -e> *m* catamaran *m*

Katapult <-[e]s, -e> *nt o m* catapulte *f*

katapultieren* *vt a. fig* catapulter

Katarrᴿᴿ, **Katarrh** <-s, -e> *m* catarrhe *f*

Kataster <-s, -> *m o nt* cadastre *m*

Katasteramt *nt* [services *mpl* du] cadastre *m*

katastrophal [katastro'fa:l] **I.** *adj* catastrophique **II.** *adv* **sich** ~ **auswirken** avoir des conséquences catastrophiques

Katastrophe [katas'tro:fə] <-, -n> *f* catastrophe *f* ▶ **eine** ~ **sein** *fam Person:* être une plaie

Katastrophenabwehr *f* ≈ plan *m* ORSEC **Katastrophenalarm** *m* alerte *f* en cas de catastrophe **Katastrophengebiet** *nt* zone *f* sinistrée **Katastrophenschutz** *m* (*Vorsorgemaßnahmen*) mesures *fpl* de prévention contre les catastrophes

Kate <-, -n> *f* NDEUTSCH cabane *f*

Katechismus [katɛ'çɪsmʊs] <-, Katechismen> *m* catéchisme *m*

Kategorie [katego'ri:] <-, -n> *f* catégorie *f*

kategorisch [kate'go:rɪʃ] *adj* catégorique

Kater ['ka:tɐ] <-s, -> *m* **1.** chat *m* **2.** *fam* (*nach Alkoholgenuss*) gueule *f* de bois; **einen** ~ **haben** avoir la gueule de bois

Kathedrale [kate'dra:lə] <-, -n> *f* cathédrale *f*

Katheter <-s, -> *m* MED cathéter *m*

Kathode <-, -n> *f* PHYS cathode *f*

Katholik(**in**) [kato'li:k] <-en, -en> *m(f)* catholique *mf*

katholisch [ka'to:lɪʃ] **I.** *adj* catholique **II.** *adv* **streng** ~ **erzogen werden** recevoir une éducation très catholique

Katholizismus [katoli'tsɪsmʊs] <-> *m* catholicisme *m*

Katz ▶ **mit jdm** ~ **und** Maus **spielen** *fam* jouer au chat et à la souris avec qn

katzbuckeln *vi pej fam* **das Katzbuckeln** les courbettes *fpl*

Kätzchen <-s, -> *nt* chaton *m*

Katze ['katsə] <-, -n> *f* chat *m;* **ist das ein** **Kater oder eine** ~? est-ce un chat ou une chatte? ▶ **wie die** ~ **um den heißen** Brei **herumschleichen** tourner autour du pot (*fam*); **wenn die** ~ **aus dem** Haus **ist, tanzen die Mäuse** *prov* quand le chat n'est pas là, les souris dansent; **die** ~ **lässt das** Mausen **nicht** *prov* chassez le naturel, il revient au galop

Katzenauge *nt* œil *m* de chat **Katzensprung** *m fam* **das ist ein** ~ c'est la porte à côté **Katzenstreu** ['katsənʃtrɔy] *f* litière *f* pour chats **Katzenwäsche** *f hum fam* toilette *f* de chat; ~ **machen** se laver le bout du nez

Kauderwelsch <-[s]> *nt pej* (*unverständliche Sprache*) sabir *m*

kauen ['kau̯ən] **I.** *vt* mâcher *Brot, Kaugummi* **II.** *vi* **an einem Stück Brot** ~ mastiquer un bout de pain; **am Bleistift** ~ mâchonner le crayon

kauern ['kau̯ɐn] **I.** *vi* + *sein* **in einer Ecke** ~ être accroupi dans un coin **II.** *vr* + *haben*

sich hinter einen Baum ~ s'accroupir derrière un arbre

Kauf [ka̲u̯f, *Pl:* 'kɔy̯fə] <-[e]s, Käufe> *m* achat *m;* **etw zum ~ anbieten** mettre qc en vente; **ein günstiger ~** une bonne affaire

kaufen ['ka̲u̯fən] **I.** *vt* acheter; **jdm etw ~** acheter qc à qn; **sich** (*dat*) **etw ~** [s']acheter qc ► **dafür** kann ich mir nichts ~ *iron* ça ne fait une belle jambe (*fam*) **II.** *vi* **im Supermarkt/auf dem Markt ~** faire ses courses au supermarché/sur le marché

Käufer(in) ['kɔy̯fɐ] <-s, -> *m(f)* acheteur(-euse) *m(f);* **einen ~ finden** trouver preneur

Kauffrau *s.* **Kaufmann Kaufhaus** *nt* grand magasin *m* **Kaufkraft** *f* pouvoir *m* d'achat **Kaufleute** ['ka̲u̯flɔy̯tə] *Pl s.* **Kaufmann**

käuflich I. *adj pej* (*bestechlich*) vénal(e) **II.** *adv form* erwerben à titre onéreux

Kauflustige(r) *f(m) dekl wie adj* acheteur(-euse) *m(f)* **Kaufmann** <-leute> *m,* -frau *f* 1. gelernter ~/gelernte Kauffrau commercial(e) *m(f)* 2. (*Geschäftsmann*) cadre *m* commercial 3. (*Lebensmittelhändler*) épicier(-ière) *m(f)*

kaufmännisch ['ka̲u̯fmɛnɪʃ] **I.** *adj* commercial(e); **~er Angestellter** employé *m* de commerce; (*in leitender Position*) cadre *m* commercial **II.** *adv* denken, handeln avec le sens des affaires; **~ tätig sein** avoir une activité commerciale

Kaufpreis *m* prix *m* d'achat **Kaufsucht** *f* fièvre acheteuse (*fam*) **Kaufsumme** *f* montant *m* [de l'achat] **Kaufvertrag** *m* contrat *m* de vente **Kaufzwang** *m* obligation *f* d'achat

Kaugummi *m* chewing-gum *m*

Kaulquappe <-, -n> *f* têtard *m*

kaum [ka̲u̯m] *adv* 1. (*allenfalls, gerade eben*) à peine 2. (*wahrscheinlich nicht*) difficilement; [**wohl**] **~!** sûrement pas! 3. (*fast nicht*) à peine; **es ist ~ zu fassen, dass** on a peine à concevoir que + *subj;* **es ~ erwarten können** brûler d'impatience; **das hat ~ jemand gemerkt** pratiquement personne ne s'en est rendu compte; **~ noch** à peine

kausal *adj geh* Zusammenhang de causalité

Kausalität <-, -en> *f geh* causalité *f*

Kautabak *m* tabac *m* à chiquer

Kaution [ka̲u̯'tsi̯o̲ːn] <-, -en> *f* caution *f;* **gegen** [tausend Euro] **~ freikommen** être remis en liberté sous [une] caution [de mille euros]

Kautschuk <-s, -e> *m* caoutchouc *m*

Kauz <-es, Käuze> *m fam* (*Sonderling*) hurluberlu *m*

kauzig *adj* excentrique

Kavalier [kava'liːɐ̯] <-s, -e> *m* gentleman *m*

Kavaliersdelikt *nt* peccadille *f*

Kavallerie [-'riːən] <-, -n> *f* cavalerie *f*

Kaviar ['kaːvi̯aːɐ̯] <-s, -e> *m* caviar *m*

KB [kaː'beː] *nt Abk von* **Kilobyte** Ko *m*

keck *adj* (*vorlaut*) effronté(e)

Kefir ['keːfɪr] <-s> *m* képhir *m*

Kegel ['keːɡəl] <-s, -> *m* 1. (*Spielgerät*) quille *f* 2. GEOM, GEOG cône *m* 3. (*Lichtkegel*) faisceau *m*

Kegelbahn *f* piste *f* de bowling **Kegelbruder** *m,* -schwester *f fam* partenaire *mf* de bowling **kegelförmig** ['keːɡəlfœrmɪç] *adj* conique **Kegelkugel** *f* boule *f* de bowling

kegeln ['keːɡəln] *vi* jouer au bowling; **das Kegeln** le bowling

Kegelschnitt *m* section *f* conique

Kegler(in) ['keːɡlɐ] <-s, -> *m(f)* joueur(-euse) *m(f)* de bowling

Kehle ['keːlə] <-, -n> *f* gorge *f;* **jdm die ~ zudrücken** serrer la gorge à qn ► **sich** (*dat*) **die ~ aus dem Hals schreien** *fam* s'égosiller; **aus voller ~ singen** chanter à pleine gorge

kehlig *adj Laut* guttural(e)

Kehlkopf *m* larynx *m*

Kehraus <-> *m* dernière danse *f;* **den ~ bilden** clore la fête; **den ~ feiern** célébrer la fin des festivités **Kehrbesen** SDEUTSCH *s.* **Besen Kehrblech** *nt* SDEUTSCH pelle *f* [à poussière]

Kehre ['keːrə] <-, -n> *f* virage *m* [en épingle à cheveux]

kehren¹ ['keːrən] **I.** *vt* **den Kopf zur Seite ~** détourner la tête; **seine Hosentaschen nach außen ~** retourner ses poches de pantalon **II.** *vr* **sich gegen jdn ~** *Maßnahme:* se retourner contre qn

kehren² *vt, vi* SDEUTSCH balayer

Kehricht ['keːrɪçt] <-s> *m o nt* 1. *form* balayures *fpl* 2. CH (*Müll*) ordures *fpl* [ménagères]

Kehrmaschine *f* (*Straßenkehrmaschine*) balayeuse *f* [municipale] **Kehrreim** *m* refrain *m* **Kehrseite** *f* ► **die ~ der Medaille** le revers de la médaille

kehrtlmachen ['keːɐ̯tmaxən] *vi fam* 1. (*umkehren*) faire demi-tour 2. MIL faire un demi-tour **Kehrtwendung** *f* 1. MIL demi-tour *m* 2. *fig* volte-face *f*

keifen *vi pej* brailler

Keil [ka̲i̯l] <-[e]s, -e> *m* 1. (*Unterlegkeil*) cale *f* 2. TECH coin *m;* **einen ~ ins Holz treiben** enfoncer un coin dans le bois 3. (*Zwickel*) soufflet *m*

Keile *Pl* DIAL *fam* gnons *mpl*

keilen *vr* DIAL. *fam* **sich** ~ se bagarrer
Keilerei <-, -en> *f fam* bagarre *f*
keilförmig ['kaɪlfœrmɪç] *adj Holzstück, Stein* taillé(e) en biseau; *Grundstück* en biseau; *Schriftzeichen* cunéiforme **Keilriemen** *m* courroie *f* [trapézoïdale]
Keim [kaɪm] <-[e]s, -e> *m* **1.** germe *m* **2.** *fig geh einer Freundschaft, Liebe* prémices *fpl* ▶ **etw im** ~ **ersticken** étouffer qc dans l'œuf
Keimdrüse *f* glande *f* génitale
keimen *vi a. fig* germer; **das Keimen** la germination
keimfrei *adj* stérilisé(e); *Umgebung* stérile; **etw** ~ **machen** stériliser qc
Keimling ['kaɪmlɪŋ] <-s, -e> *m* BOT germe *m*
keimtötend *adj* antiseptique
Keimzelle *f* **1.** BIO gamète *m* **2.** *fig* ferment *m*
kein **I.** *pron indef, adjektivisch* **1.** ~ **Wort sagen** ne pas dire un mot; ~**e Lust/Zeit haben** ne pas avoir envie/le temps; ~ **Auto/Telefon haben** ne pas avoir de voiture/de téléphone; ~**e Hunde mögen** ne pas aimer les chiens; ~**e andere als Brigitte** nulle autre que Brigitte **2.** (*nicht einmal*) ~**e drei Stunden dauern** ne même pas durer trois heures **II.** *pron indef, substantivisch* **1.** (*auf eine Person bezogen*) **das weiß** ~**er** personne ne le sait; **das geht** ~**en etwas an** cela ne regarde personne; **es ist** ~**er mehr da** il n'y a plus personne; **sie hat** ~**en von beiden geheiratet** elle n'en a épousé aucun des deux **2.** (*auf Dinge bezogen*) **von den Pullovern gefiel mir** ~**er** aucun des pullovers ne m'a plu; **Saft habe ich** ~**en da** du jus, je n'en ai pas
keinerlei *adj unv, attr* ~ **Interesse zeigen** ne montrer vraiment aucun intérêt
keinesfalls *adv* **ich möchte dich** ~ **beunruhigen** je ne veux en aucun cas te causer du souci
keineswegs *adv* **sie ist** ~ **zufrieden** elle n'est absolument pas satisfaite
keinmal *adv* ~ **fehlen** ne pas manquer une seule fois
keins *s.* kein
Keks [keːks] <-es, -e> *m* gâteau *m* sec
Kelch [kɛlç] <-[e]s, -e> *m* **1.** (*Blütenkelch, Abendmahlskelch*) calice *m* **2.** (*Sektkelch*) flûte *f*
Kelle <-, -n> *f* (*Schöpflöffel*) louche *f*
Keller ['kɛlɐ] <-s, -> *m* cave *f*
Kellerassel *f* cloporte *m*
Kellerei [kɛlə'raɪ] <-, -en> *f* cave *f* viticole
Kellerfenster *nt* soupirail *m* **Kellergeschoss**RR *nt* sous-sol *m*

Kellner(in) ['kɛlnɐ] <-s, -> *m(f)* serveur(-euse) *m(f)*
kellnern *vi fam* faire le serveur/la serveuse
Kelte ['kɛltə] <-n, -n> *m*, **Keltin** *f* Celte *mf*
Kelter <-, -n> *f* pressoir *m*
keltern *vt* pressurer
keltisch ['kɛltɪʃ] *adj* celt[iqu]e
kennen ['kɛnən] <kannte, gekannt> **I.** *vt* connaître; ~ **lernen** apprendre à connaître *Person, Land, Kultur;* **jdn** ~ **lernen** faire la connaissance de qn; **ich freue mich, Sie** ~ **zu lernen!** je suis heureux(-euse) de faire votre connaissance!; **alle** ~ **sie als zuverlässige Kollegin** elle est réputée pour être une collègue sur qui on peut compter; **so kenne ich sie gar nicht** je ne l'ai jamais vue comme ça; **wie ich ihn/sie kenne ...** tel que je le/telle que je la connais ... ▶ **du wirst/der wird mich noch** ~ **lernen!** *fam* tu vas voir/il va voir de quel bois je me chauffe!; **das** ~ **wir schon** *iron* on connaît la chanson; **so was** ~ **wir hier nicht!** ce n'est pas le genre de la maison! **II.** *vr* **sich** ~ se connaître; **sich** ~ **lernen** (*Bekanntschaft machen*) faire connaissance; (*vertraut werden*) apprendre à se connaître
kennen‖lernen **I.** *vt s.* kennen **I. II.** *vr s.* kennen **II.**
Kenner(in) <-s, -> *m(f)* **1.** (*Vertrauter*) **ein** ~/**eine** ~**in der Materie** un expert/une experte en la matière **2.** (*Experte*) connaisseur(-euse) *m(f);* **eine** ~**in guter Weine/von Antiquitäten** une connaisseuse en bons vins/en antiquités
Kennerblick *m* œil *m* d'expert
kenntlich ['kɛntlɪç] *adj* reconnaissable; **an etw** (*dat*) ~ **sein** être reconnaissable à qc; **etw durch ein Zeichen/mit Leuchtstift** ~ **machen** marquer qc d'un signe/au marqueur fluorescent
Kenntnis ['kɛntnɪs] <-, -se> *f* **1.** *kein Pl* (*Wissen*) connaissance *f;* **jdn von etw in** ~ **setzen** porter qc à la connaissance de qn; **jdn davon in** ~ **setzen, dass** porter à la connaissance de qn [le fait] que; **etw zur** ~ **nehmen** prendre acte de qc; **von etw nicht in** ~ **gesetzt werden** ne pas être informé au sujet de qc **2.** *Pl* (*Fachwissen*) connaissances *fpl;* **über** ~**se in Informatik verfügen** posséder des connaissances en informatique
Kenntnisnahme <-> *f* **zur** ~ pour information *f*
Kennwort <-wörter> *nt* **1.** (*Codewort*) code *m* **2.** (*Losungswort*) mot *m* de passe
Kennzahl ['kɛntsaːl] *f* **1.** (*Ortsnetzkenn-*

zahl) indicatif *m* **2.** (*Zahlenwert*) indice *m*
Kennzeichen *nt* **1.** (*Autokennzeichen*)
amtliches [*o* **polizeiliches**] ~ numéro *m*
d'immatriculation **2.** (*Merkmal*) signe *m*
distinctif; **unveränderliches** ~ signe *m*
particulier **3.** (*Markierung*) signe *m* de reconnaissance
kennzeichnen I. *vt* **1.** marquer *Tier, Fachwort;* signaler *Weg, Behälter;* **etw als zer-
brechlich/explosiv** ~ marquer qc com-
me étant fragile/explosif(-ive) **2.** (*charakterisieren*) caractériser **II.** *vr* **sich durch
etw** ~ se caractériser par qc
kennzeichnend *adj* caractéristique
Kennziffer *f* référence *f*
kentern ['kɛntɐn] *vi* + *sein* chavirer
Keramik [ke'ra:mɪk] <-, -en> *f* céramique
f
keramisch *adj* en céramique
Kerbe ['kɛrbə] <-, -n> *f* encoche *f*
Kerbel ['kɛrbəl] <-s> *m* cerfeuil *m*
kerben *vt* graver; **etw in ein Stück Holz** ~
graver qc dans un morceau de bois
Kerbholz ▶**etwas auf dem** ~ **haben** *fam*
avoir qc à cacher
Kerker ['kɛrkɐ] <-s, -> *m* **1.** (*Verlies*) cachot *m* **2.** A *s.* **Zuchthaus**
Kerl [kɛrl] <-s, -e *o* -s> *m fam* type *m;* **du
fieser** ~! espèce de salopard!
Kern [kɛrn] <-[e]s, -e> *m* **1.** (*Obstkern*)
pépin *m; von Steinobst* noyau *m* **2.** (*Nusskern*) amande *f* **3.** (*Atomkern, Zellkern*)
noyau *m* **4.** (*zentraler Punkt*) *eines Problems* fond *m* **5.** (*zentraler Teil*) *einer Stadt*
cœur *m* **6.** (*wichtiger, aktiver Teil*) *einer
Belegschaft, Mannschaft* noyau *m* dur ▶**in
jdm steckt ein guter** ~ qn a un bon fond;
der harte ~ le noyau dur
Kernarbeitszeit *f* plage *f* [horaire] fixe
Kernbrennstoff *m* combustible *m* nucléaire **Kernenergie** *s.* **Kernkraft Kern-
fach** *nt* SCHULE matière *f* principale **Kern-
forschung** *f* recherche *f* nucléaire **Kern-
frage** *f* question *f* fondamentale **Kernfusion** ['kɛrnfuzi̯o:n] *f* fusion *f* nucléaire
Kerngehäuse *nt* trognon *m* **kerngesund**
adj en pleine santé
kernig *adj* (*voller Kerne*) à pépins
Kernkraft *f* énergie *f* nucléaire **Kernkraft-
befürworter(in)** *m(f)* partisan(e) *m(f)* du
nucléaire **Kernkraftgegner(in)** *m(f)* anti-
nucléaire *mf* **Kernkraftwerk** *nt* centrale *f*
nucléaire
kernlos *adj* sans pépins
Kernobst *nt* fruits *mpl* à pépins **Kernphy-
sik** *f* physique *f* nucléaire **Kernphysi-
ker(in)** *m(f)* atomiste *mf* **Kernpunkt** *s.*
Kern Kernreaktor *m* réacteur *m* nucléaire **Kernschmelze** *f* fusion *f* du cœur du

réacteur **Kernseife** *f* ≈ savon *m* de Marseille **Kernstück** *nt* point *m* essentiel
Kerntechnik *f* technique *f* nucléaire
Kernteilung *f* BIO mitose *f* **Kernver-
schmelzung** *f* **1.** PHYS *s.* **Kernfusion 2.** BIO
fusion *f* des gamètes **Kernwaffe** *f* arme *f*
nucléaire **kernwaffenfrei** ['kɛrn-
vafənfrai̯] *adj* dénucléarisé(e) **Kernwaf-
fenversuch** *m* essai *m* nucléaire **Kernzeit**
f plage *f* fixe [de travail]
Kerosin [kero'zi:n] <-s, -e> *nt* kérosène *m*
Kerze ['kɛrtsə] <-, -n> *f* **1.** bougie *f;* REL
cierge *m* **2.** (*Zündkerze*) bougie *f* **3.** (*Gym-
nastikübung*) chandelle *f*
Kerzenbeleuchtung *s.* **Kerzenlicht
kerzengerade** ['kɛrtsəngə'ra:də] *adj, adv*
droit(e) comme un i **Kerzenhalter** *m*
(*klein*) bougeoir *m;* (*groß*) chandelier *m;*
(*am Tannenbaum, auf Geburtstagsku-
chen*) petit bougeoir *m* **Kerzenleuchter**
m candélabre *m* **Kerzenlicht** *nt* lumière *f*
des bougies; **ein Diner bei** ~ un dîner aux
chandelles
kess^RR [kɛs], **keß I.** *adj* **1.** *Person:* effron-
té(e); *Spruch, Antwort* audacieux(-euse); ~
sein *Person:* ne pas avoir froid aux yeux
2. (*jung, unbekümmert*) joli(e); **ein ~es
Mädchen** une sacrée minette (*fam*)
3. *Hut, Rock* affriolant(e) **II.** *adv* antworten,
gucken avec aplomb
Kessel ['kɛsəl] <-s, -> *m* **1.** (*Wasserkessel*)
bouilloire *f* **2.** (*Kochtopf*) marmite *f*
3. (*Heizkessel*) chaudière *f* **4.** GEOG cuvette
f
Kesselstein *m* tartre *m*
Ketchup, Ketschup^RR ['kɛtʃap] <-[s], -s>
m o nt ketchup *m*
Kette ['kɛtə] <-, -n> *f* **1.** *a.* COM, TEXTIL
chaîne *f* **2.** (*Halskette*) collier *m* **3.** (*Aneinanderreihung*) succession *f; von Bewei-
sen, Erfolgen* série *f*
ketten *vt* (*befestigen*) **jdn/etw an etw**
(*akk*) ~ enchaîner qn/qc à qc
Kettenbrief *m* lettre *f* en chaîne **Ketten-
fahrzeug** *nt* véhicule *m* chenillé **Kettenglied** *nt* maillon *m* **Kettenhund** *m* chien
m enchaîné **Kettenkarussell** *nt* chaises
fpl volantes **Kettenraucher(in)** *m(f)*
grand fumeur *m*/grande fumeuse *f;* ~ **sein**
fumer cigarette sur cigarette **Kettenreaktion** *f* PHYS, CHEM réaction *f* en chaîne **Kettenschaltung** *f* dérailleur *m* **Ketten-
schutz** *m* carter *m* de chaîne
Ketzer(in) <-s, -> *m(f)* hérétique *mf*
Ketzerei <-, -en> *f* hérésie *f*
ketzerisch *adj* hérétique
keuchen ['kɔy̯çən] *vi* **1.** + *haben* (*schwer
atmen*) haleter **2.** + *sein* (*gehen, laufen*)
durch das Ziel ~ franchir la ligne d'arri-

vée en haletant
Keuchhusten *m* coqueluche *f*
Keule ['kɔylə] <-, -n> *f* **1.** (*Waffe*) massue *f* **2.** (*Sportgerät*) mil *m*
keusch [kɔyʃ] *adj* chaste
Keusche <-, -n> *f* A *pej* (*Bruchbude*) taudis *m*
Keuschheit <-> *f* chasteté *f*
Keyboard ['ki:bɔ:t] <-s, -s> *nt* orgue *m* électronique
Kfz [ka:ʔɛf'tsɛt] <-[s], -[s]> *nt Abk von* **Kraftfahrzeug** automobile *f*
Kfz-Werkstatt *f* garage *m* **Kfz-Zulassung** *f* immatriculation *f* **Kfz-Zulassungsstelle** *f* service *m* des immatriculations
kg *Abk von* **Kilogramm** kg
KG [ka:'ge:] <-, -s> *f Abk von* **Kommanditgesellschaft** SCS *f*
kgl. *adj Abk von* **königlich**
Khaki <-s> *m* (*Stoff*) [toile *f*] kaki *m inv*
khakifarben *adj* kaki *inv*
kHz *Abk von* **Kilohertz** kHz *m*
KI [ka:'ʔi:] <-> *f Abk von* **künstliche Intelligenz** I.A. *f*
Kibbuz <-, Kibbuzim *o* -e> *m* kibboutz *m*
Kiberer <-s, -> *m* A *pej fam* flic *m*
Kichererbse *f* pois *m* chiche
kichern ['kɪçɐn] *vi* ricaner
kicken ['kɪkən] *vi fam* **1.** (*Fußball spielen*) jouer au foot **2.** taper dans *Ball;* **den Ball ins Aus** ~ botter en touche
Kickstarter *m* kick *m*
kidnappen ['kɪtnɛpən] *vt* kidnapper
Kidnapper(in) ['kɪtnɛpɐ] <-s, -> *m(f)* kidnappeur(-euse) *m(f)*
Kidnapping ['kɪtnɛpɪŋ] <-s, -s> *nt* kidnapping *m*
Kids <-> *Pl fam* (*Kinder*) mômes *mpl;* (*Jugendliche*) ados *mpl*
Kiebitz <-es, -e> *m* vanneau *m* huppé
kiefeln *vi* A **1.** (*kauen*) **an etw** (*dat*) ~ mordiller qc **2.** *fig* **an einem Problem** ~ remâcher un problème
Kiefer[1] ['ki:fɐ] <-, -n> *f* (*Baum, Holz*) pin *m*
Kiefer[2] <-s, -> *m* ANAT mâchoire *f*
Kieferchirurg(in) *m(f)* chirurgien(ne) *m(f)* maxillo-facial(e) **Kieferhöhle** *f* ANAT sinus *m* maxillaire **Kieferhöhlenentzündung** *f* MED sinusite *f* maxillaire
Kiefernzapfen *m* pomme *f* de pin
Kieker ▶**jdn auf dem** ~ **haben** *fam* (*jdn schikanieren*) avoir qn dans le collimateur
Kiel <-[e]s, -e> *m* (*Schiffskiel*) quille *f*
Kielwasser ▶**in jds** ~ (*dat*) **schwimmen** naviguer dans le sillage de qn
Kieme ['ki:mə] <-, -n> *f* branchie *f*
Kies [ki:s] <-es, -e> *m* **1.** (*kleine Steine*) gravier *m* **2.** *kein Pl fam* (*Geld*) pognon *m*

Kiesel *s.* **Kieselstein**
Kieselsäure *f* acide *m* silicique **Kieselstein** ['ki:zəlʃtaɪn] *m* gravier *m;* (*groß*) caillou *m;* (*am Wasser*) galet *m*
Kiesgrube *f* gravière *f* **Kiesweg** *m* allée *f* de gravier
Kiez <-es, -e> *m* NDEUTSCH (*Stadtteil*) quartier *m*
kiffen *vi sl* kifer
kikeriki [kikəri'ki:] *interj* cocorico
killen *vt sl* buter
Killer(in) <-s, -> *m(f) fam* tueur(-euse) *m(f)* [à gages]
Kilo ['ki:lo] <-s, -[s]> *nt Abk von* **Kilogramm** kilo *m*
Kilobyte ['ki:lobait] *nt* kilo-octet *m* **Kilogramm** [kilo'gram] *nt* kilogramme *m* **Kilohertz** [kilo'hɛrts] *nt* kilohertz *m* **Kilojoule** [ki:lo'dʒu:l] *nt* kilojoule *m* **Kilokalorie** ['ki:lokalo'ri:] *f* kilocalorie *f* **Kilometer** [kilo'me:tɐ] *m* **1.** kilomètre *m; wie viel verbraucht der Wagen auf hundert* ~? combien la voiture consomme-t-elle aux cent? **2.** *fam* (*Stundenkilometer*) **er fuhr höchstens 50** ~ [**in der Stunde**] il roulait à 50 maxi **Kilometergeld** *nt* indemnité *f* kilométrique **kilometerlang** *adj* [long(longue)] de plusieurs kilomètres **Kilometerpauschale** *f* forfait *m* kilométrique **Kilometerstand** *m* kilométrage *m* **kilometerweit** *adj Wanderung* de plusieurs kilomètres **Kilometerzähler** *m* compteur *m* kilométrique **Kilowatt** [kilo'vat] *nt* kilowatt *m* **Kilowattstunde** *f* kilowattheure *m*
Kimme <-, -n> *f* cran *m* de mire
Kind [kɪnt] <-[e]s, -er> *nt* **1.** enfant *m; uneheliches* ~ enfant illégitime; **ein** ~ **von jdm erwarten** *geh* attendre un enfant de qn; **sie kriegt ein** ~ *fam* elle va avoir un gosse; **bei ihnen ist ein** ~ **unterwegs** *fam* il y a un gosse en route chez eux **2.** *Pl fam* (*Leute*) ~**er,** ~**er!** *fam* ah, mes enfants!; ~**er, heute bleiben wir zu Hause!** les enfants, aujourd'hui on reste à la maison! ▶**das** ~ **mit dem** Bade **ausschütten** jeter le bébé avec l'eau du bain; **mit** ~ **und** Kegel *hum fam* avec toute la smala; **das** ~ **beim** Namen **nennen** appeler un chat un chat; **ein** ~ **seiner** Zeit **sein** vivre avec son temps; **das ist nichts für kleine** ~**er** *fam* ce n'est pas pour les gamins; **sich bei jdm** lieb ~ **machen** *fam* essayer de se mettre dans les petits papiers de qn; **wir werden das** ~ **schon** schaukeln *fam* on va goupiller ça; **das** weiß **doch jedes** ~! *fam* un gosse sait ça!; **von** ~ **auf** dès son/mon/… plus jeune âge
Kindchen <-s, -> *nt Dim von* **Kind**

K

Kinderarbeit ['kɪndɐarbaɪt] *f* travail *m* des mineurs **Kinderarzt** *m*, **-ärztin** *f* pédiatre *mf* **Kinderbuch** *nt* livre *m* d'enfant **Kinderchor** *m* chorale *f* d'enfants **Kinderei** <-, -en> *f* enfantillage *m* **Kindererziehung** *f* éducation *f* des enfants **kinderfeindlich** *adj Gesellschaft* qui ne fait rien pour les enfants **Kinderfest** *nt* fête *f* d'enfants **Kinderfreibetrag** *m* abattement *f* [fiscal] pour enfant[s] à charge **kinderfreundlich** *adj Person* qui aime les enfants; *Gesellschaft* ouvert(e) aux enfants **Kindergarten** *m* ≈ école *f* maternelle **Kindergärtner(in)** *m(f)* ≈ éducateur(-trice) *m(f)* d'école maternelle **Kindergeburtstag** *m* anniversaire *m* d'enfant; **zum ~ eingeladen sein** être invité à un goûter d'anniversaire **Kindergeld** *nt* ≈ allocations *fpl* familiales **Kinderheim** *nt* (*Fürsorgeheim*) ≈ foyer *m* de la DDASS; (*Erholungsheim*) centre *m* d'accueil pour enfants **Kinderhort** *m* garderie *f* **Kinderklinik** *f* hôpital *m* d'enfants **Kinderkrankheit** *f* 1. maladie *f* infantile 2. *meist Pl* (*Anfangsproblem*) ratés *mpl* de départ **Kinderkrippe** *f* crèche *f* **Kinderladen** *m* jardin *m* d'enfants alternatif (*utilisant des méthodes non-directives*) **Kinderlähmung** *f* poliomyélite *f* **kinderleicht** ['kɪndɐ'laɪçt] I. *adj* enfantin(e); ~ **sein** être un jeu d'enfant II. *adv* **etw ist ~ zu montieren/bedienen** c'est enfantin de monter/ se servir de qc **kinderlieb** *adj* qui aime les enfants; ~ **sein** aimer les enfants **Kinderlied** *nt* chanson *f* enfantine **kinderlos** *adj* sans enfants **Kindermädchen** *nt* bonne *f* d'enfants **Kindermord** *m* infanticide *m* **Kindermörder(in)** *m(f)* infanticide *mf* **kinderreich** *adj Paar* qui a beaucoup d'enfants; *Familie* nombreux(-euse); ~ **sein** *Paar:* avoir beaucoup d'enfants **Kinderschänder(in)** <-, -> *m(f)* violeur(-euse) *m(f)* d'enfants **Kinderschar** *f* ribambelle *f* d'enfants (*fam*) **Kinderschuh** *m* chaussure *f* d'enfant ▸**noch in den ~en stecken** *Entwicklung, Technik:* être encore aux [premiers] balbutiements **kindersicher** I. *adj Spielzeug, Verschluss* adapté(e) aux enfants II. *adv aufbewahren* hors de portée des enfants **Kindersicherung** *f* sécurité *f* enfants **Kindersitz** *m* siège *m* pour enfant **Kinderspiel** *nt* jeu *m* pour enfants ▸**für jdn ein ~ sein** être un jeu d'enfant pour qn **Kinderspielplatz** *m* terrain *m* de jeu; (*an der Autobahn*) aire *f* de jeux **Kindersprache** *f* langage *m* enfantin **Kindersterblichkeit** *f* mortalité *f* infantile **Kinderstube** *f* DIAL *s.* **Kinderzimmer** ▸**jd hat eine/keine gute ~ gehabt** qn a reçu une

bonne/mauvaise éducation **Kindertagesstätte** *s.* **Kinderhort Kinderwagen** *m* landau *m*; (*Sportwagen*) poussette *f* **Kinderzimmer** *nt* chambre *f* d'enfant **Kindesalter** *nt* bas âge *m*; **seit frühestem ~** depuis son/mon/... plus jeune âge **Kindesbeine** ▸**etw von ~n an lernen** apprendre qc dès sa plus tendre enfance **Kindesmissbrauch**[RR] *m* abus *m* [sexuel] sur des enfants **Kindesmisshandlung**[RR] *f* maltraitance *f* des enfants **kindgemäß** I. *adj* adapté(e) aux enfants; *Einrichtung* conçu(e) pour les enfants II. *adv* en fonction des enfants **Kindheit** <-> *f* enfance *f*; **etw von ~ an lernen** apprendre qc dès l'enfance **kindisch** *pej* I. *adj* puéril(e); **wieder ~ werden** retomber dans l'enfance II. *adv sich benehmen, verhalten* de façon puérile **kindlich** I. *adj* d'enfant; **sie ist noch sehr ~** elle est encore très jeune II. *adv sich verhalten* comme un enfant **Kindskopf** ['kɪndskɔpf] *m fam* gamin *m* **Kindstod** *m* MED **plötzlicher ~** mort *f* subite du nourrisson **Kinetik** <-> *f* cinétique *f* **kinetisch** [ki'ne:tɪʃ] *adj* cinétique **Kinkerlitzchen** *Pl fam* bricoles *fpl* **Kinn** [kɪn] <-[e]s, -e> *nt* menton *m* **Kinnbart** *m* bouc *m* **Kinnhaken** *m* uppercut *m* **Kinnlade** *f* mâchoire *f* [inférieure] **Kino** ['ki:no] <-s, -s> *nt* cinéma *m* **Kinobesuch** *m* séance *f* de cinéma **Kinobesucher(in)** *m(f)* spectateur(-trice) *m(f)* **Kinofilm** ['ki:nofɪlm] *m* film *m* [grand écran] **Kinogänger(in)** ['ki:noɡɛŋɐ] <-s, -> *m(f)* cinéphile *mf* **Kinoprogramm** *nt* 1. (*gezeigte Filme*) affiche *f* 2. (*gedrucktes Programm*) programme *m* des films **Kiosk** ['ki:ɔsk] <-[e]s, -e> *m* kiosque *m* **Kipfe[r]l** <-s, -[n]> *nt* A croissant *m* **Kippe** ['kɪpə] <-, -n> *f* fam 1. *fam* (*Müllde-ponie*) décharge *f* 2. *fam* (*Zigarettenstummel*) mégot *m* 3. *fam* (*Zigarette*) sèche *f* ▸**auf der ~ stehen** *fam Schüler, Firma:* être sur la corde raide; *Entscheidung:* être en suspens; **in Mathe stehe ich genau auf der ~** en maths, je suis vraiment ric-rac **kippen** ['kɪpən] I. *vt* + *haben* 1. (*schütten*) **Sand auf die Straße ~** renverser du sable dans la rue; **Giftstoffe in den Fluss ~** déverser des produits toxiques dans la rivière 2. (*schräg stellen*) basculer; **bitte nicht ~!** ne pas retourner s.v.p.! ▸**einen ~** *fam* s'en jeter un II. *vi* + *sein* 1. (*umfallen*) *Person, Fahrzeug, Möbelstück:* basculer; *Behälter:* se renverser 2. *fam* (*zurückgehen*) flancher 3. ÖKOL *fam Gewässer:* périr; *Ökosystem:* être perturbé

Kippfenster *nt* fenêtre *f* basculante **Kippschalter** *m* interrupteur *m* [basculant]

Kirche ['kɪrçə] <-, -n> *f* **1.** (*Gebäude, Gottesdienst*) église *f* **2.** (*Institution*) Église *f;* **die evangelische/katholische/orthodoxe** ~ l'Église protestante/catholique/orthodoxe; **aus der** ~ **austreten** faire une déclaration de non-appartenance à l'Église **Kirchenaustritt** *m* déclaration *f* de non-appartenance à l'Église **Kirchenbuch** *nt* registre *m* paroissial **Kirchenchor** *m* chorale *f* paroissiale **Kirchengemeinde** *f* paroisse *f* **Kirchengeschichte** *f* histoire *f* de l'Église **Kirchenlied** *nt* cantique *m* **Kirchenmaus** ▸**arm** wie eine ~ sein *fam* être fauché comme les blés **Kirchenmusik** ['kɪrçənmuziːk] *f* musique *f* religieuse **Kirchenrecht** *nt* droit *m* canon **Kirchenschiff** *nt* (*Längsschiff*) [grande] nef *f;* (*Querschiff*) nef latérale **Kirchenstaat** *m* HIST États *mpl* pontificaux **Kirchensteuer** *f* ≈ impôt *m* au bénéfice des Églises **Kirchenvater** *m* Père *m* de l'Église **Kirchenvolk** *nt kein pl* communauté *f* religieuse **Kirchgang** <-gänge> *m* assistance *f* au service religieux **Kirchgänger(in)** <-s, -> *m(f)* pratiquant(e) *m(f)*

kirchlich I. *adj* de l'Église; *Feiertag, Trauung* religieux(-euse) II. *adv heiraten, bestatten* à l'église

Kirchtag A *s.* **Kirmes**

Kirchturm *m* clocher *m* **Kirchturmpolitik** ['kɪrçtʊrmpolitiːk] *f pej* politique *f* de clocher **Kirchweih** ['kɪrçvaɪ] <-, -en> *f,* **Kirchweihe** *f* DIAL fête *f* patronale

Kirmes ['kɪrməs] <-, -sen> *f* DIAL kermesse *f*

kirre ▸jdn ~ <u>machen</u> *fam* (*jdn verrückt machen*) rendre dingue qn

Kirsch *s.* **Kirschwasser**

Kirschbaum *m* (*Baum, Holz*) cerisier *m;* (*Holz der Vogelkirsche*) merisier *m*

Kirsche ['kɪrʃə] <-, -n> *f* **1.** cerise *f* **2.** (*Baum, Holz*) cerisier *m;* (*Holz der Vogelkirsche*) merisier *m* ▸**mit jdm ist nicht** <u>gut</u> ~**n essen** *fam* qn n'est pas à prendre avec des pincettes

Kirschkern *m* noyau *m* de cerise **Kirschtorte** *f* tarte *f* aux cerises; **Schwarzwälder** ~ forêt-noire *f* **Kirschwasser** *nt* kirsch *m*

Kirtag A *s.* **Kirmes**

Kissen ['kɪsən] <-s, -> *nt* (*Kopfkissen*) oreiller *m;* (*Zierkissen*) coussin *m*

Kissenbezug *m* (*Kopfkissenbezug*) taie *f* [d'oreiller]; (*Zierkissenbezug*) housse *f* [de coussin] **Kissenschlacht** *f fam* bataille *f* de polochons

Kiste ['kɪstə] <-, -> *f* **1.** caisse *f;* (*klein*)

boîte *f;* **eine** ~ **Bier/Zigarren** une caisse de bières/une boîte de cigarres **2.** *fam* (*Auto*) caisse *f* **3.** *fam* (*Fernseher*) téloche *f* **4.** *fam* (*Computer*) bécane *f*

kistenweise *adv* (*in großen Mengen*) ~ **Spielsachen wegwerfen** jeter des pleines caisses de jouets

Kitsch [kɪtʃ] <-es> *m* kit[s]ch *m*

kitschig I. *adj* kit[s]ch *inv* II. *adv* de façon kit[s]ch

Kitt [kɪt] <-[e]s, -e> *m* mastic *m*

Kittchen ['kɪtçən] <-s, -> *nt fam* taule *f*

Kittel ['kɪtəl] <-s, -> *m* (*Arbeitskittel*) blouse *f*

kitten ['kɪtən] *vt* **1.** mastiquer *Riss* **2.** recoller *Tasse, Vase* **3.** *fig* cimenter *Partnerschaft;* **wieder** ~ reconsolider; **da lässt sich nichts mehr** ~ impossible de recoller les morceaux

Kitz [kɪts] <-es, -e> *nt eines Rehs* faon *m; einer Ziege* chevreau *m*

Kitzel <-s, -> *m* (*Nervenkitzel*) frisson *m* agréable

kitzelig *s.* **kitzlig**

kitzeln ['kɪtsəln] I. *vt* chatouiller; **jdn unter den Armen** ~ chatouiller qn sous les bras; **sie kitzelte ihn an den Füßen** ~ elle lui a chatouillé les pieds II. *vi Haare, Wolle:* chatouiller; **das kitzelt** ça chatouille; **es kitzelt mich in der Nase** j'ai le nez qui me chatouille

Kitzeln <-s> *nt* chatouillement *m*

kitzlig *adj* **1.** chatouilleux(-euse) **2.** (*heikel*) délicat(e)

Kiwi ['kiːvi] <-, -s> *f* kiwi *m*

KKW [ka:ka:'ve:] <-s, -s> *nt Abk von* **Kernkraftwerk** centrale *f* nucléaire

klacks *interj* vlan

klaffen ['klafən] *vi Spalt, Abgrund:* bâiller; *Wundränder:* être écarté; *Wunde, Schnitt:* être béant; **auseinander** ~ *Wunde:* s'ouvrir; *Riss:* s'écarter; *Meinungen:* différer

kläffen ['klɛfən] *vi* glapir; **das Kläffen** les glapissements *mpl*

klaffend *adj Abgrund* béant(e)

Klage ['klaːgə] <-, -n> *f* **1.** plainte *f;* **über jdn/etw** ~ **vorbringen** se plaindre de qn/qc; **keinen Grund zur** ~ **haben** n'avoir aucune raison de se plaindre **2.** JUR ~ **gegen jdn erheben** porter plainte contre qn; **eine** ~ **gegen jdn anstrengen/einreichen** intenter un procès/déposer une plainte contre qn; **eine** ~ **abweisen** débouter un(e) plaignant(e)

Klagegeschrei *nt* lamentations *fpl;* **ein lautes/jämmerliches** ~ **anstimmen** se répandre en lamentations bruyantes/déchirantes

klagen ['klaːgən] I. *vi* **1.** (*jammern*) se la-

menter; **über etw** (*akk*) ~ se lamenter sur
qc **2.** (*sich beklagen*) **über etw** (*akk*) ~ se
plaindre de qc **3.** JUR **gegen jdn** ~ porter
plainte contre qn; **auf Schadenersatz** ~
intenter une action en dommages-intérêts
II. *vt* **1.** (*erzählen*) **jdm sein Leid/seine
Not** ~ se plaindre de sa souffrance/misère
auprès de qn **2.** A *s.* **verklagen**
klagend I. *adj* **1.** *Laut, Stimme* plaintif(-ive)
2. JUR *Partei, Teil* plaignant(e) **II.** *adv* en gei-
gnant
Kläger(in) [ˈklɛːgɐ] <-s, -> *m(f)* plai-
gnant(e) *m(f)*
Klageschrift *f* plainte *f* **Klageweib** *nt*
pleureuse *f*
kläglich [ˈklɛːklɪç] **I.** *adj* **1.** *pej* (*miserabel*)
lamentable **2.** (*dürftig*) misérable **3.** *Stimme, Wimmern* pitoyable **II.** *adv pej durchfallen, scheitern* lamentablement
Kläglichkeit <-, -en> *f pej einer Ausrede,
eines Einwands* indigence *f;* **die** ~ **dieses
Gehalts** ce salaire de misère
klaglos *adv* sans rechigner
Klamauk <-s> *m fam* (*Alberei*) connerie *f*
klamm *adj Wäsche* humide et froid(e)
Klammer [ˈklamɐ] <-, -n> *f* **1.** (*Wäscheklammer*) pince *f* [à linge] **2.** (*Heftklammer*) agrafe *f;* (*Büroklammer*) trombone *m*
3. (*Haarklammer*) épingle *f* [à cheveux]
4. MED (*Wundklammer*) agrafe *f* **5.** (*Text-
symbol*) [**runde**] ~ parenthèse *f;* **eckige/
spitze/geschweifte** ~ crochet *m/*
chevron *m/* accolade *f;* **in** ~**n** entre parenthèses; ~ **auf** ouvre/ouvrez la parenthèse;
~ **zu** ferme/fermez la parenthèse
Klammeraffe *m* INFORM *fam* ar[r]obas *m*
klammern [ˈklamɐn] **I.** *vt* **1.** (*zusammenheften*) agrafer; **einen Zettel an etw**
(*akk*) ~ agrafer un bout de papier à qc
2. MED **eine Wunde** ~ suturer une plaie
[au moyen d'agrafes] **II.** *vr* **1.** (*festhalten*)
sich an jdn/etw ~ s'accrocher à qn/qc
2. *fig* **sich an jdn/etw** ~ se raccrocher à
qn/qc **III.** *vi Boxer:* s'accrocher
klammheimlich *fam adv* en douce
Klamotten [klaˈmɔtə] *Pl fam* fringues *fpl*
klang [klaŋ] *Imp von* **klingen**
Klang [klaŋ, *Pl:* ˈklɛŋə] <-[e]s, ⁼e> *m*
1. (*Ton*) son *m; einer Stimme* timbre *m*
2. *Pl* (*harmonische Klangfolgen*) sons *mpl*
▶ **einen** guten ~ **haben** *Instrument:* avoir
un beau son; *Name:* être réputé
Klangeffekt *m* effet *m* sonore **klanglich**
adj Qualität sonore **klanglos** [ˈklaŋloːs]
adj Stimme sans timbre; ~ **sein** *Stimme:*
être sourd **Klangregler** *m* régulateur *m* de
[la] tonalité **klangvoll** *adj* **1.** (*volltönend*)
sonore; *Name, Wort* qui sonne bien **2.** *Titel,
Name* impressionnant(e)

Klappbett *nt* lit *m* rabattable
Klappe [ˈklapə] <-, -n> *f* **1.** (*Verschluss-
klappe*) *eines Briefkastens, Mülleimers* couvercle *m; einer Tasche* rabat *m; eines Ofens*
clapet *m* **2.** MUS *einer Klarinette, Flöte* clé *f*
3. *fam* (*Mund*) clapet *m;* **eine große** ~
haben avoir une grande gueule; **die** ~ **aufreißen** être fort en gueule; [**halt die**] ~! la
ferme!
klappen [ˈklapən] **I.** *vt* + *haben* **etw nach
oben/unten/hinten** ~ rabattre qc vers le
haut/vers le bas/en arrière **II.** *vi* **1.** + *haben fam* (*funktionieren*) marcher; **mit
dem Projekt hat es nicht geklappt** le
projet n'a pas marché; **es klappt fantastisch** ça marche super bien **2.** + *sein*
(*schnappen*) **nach oben/unten** ~ *Sitz:* se
relever/s'abaisser
Klappentext *m* résumé *m* sur la jaquette
d'un/du livre
Klapper [ˈklapɐ] <-, -n> *f* hochet *m*
klapperdürr *adj fam* maigre comme un
clou
klapperig *s.* **klapprig**
Klapperkiste *f pej fam* tas *m* de ferraille
klappern [ˈklapɐn] *vi* **1.** (*schlagen*) *Laden,
Fensterflügel:* claquer **2.** (*Geräusch erzeugen*) **mit den Zähnen/dem Schnabel** ~
claquer des dents/du bec; **mit dem Ge-
schirr/den Stricknadeln** ~ faire cliqueter la vaisselle/les aiguilles à tricoter
Klapperschlange *f* serpent *m* à sonnettes
Klapperstorch *m Kinderspr.* [gentille] cigogne *f*
Klappfahrrad *nt* vélo *m* pliant **Klappliege**
f lit *m* pliant **Klappmesser** *nt* canif *m*
klapprig *adj fam* **1.** (*gebrechlich*) décati(e)
2. *Auto, Möbelstück* déglingué(e)
Klappsitz *m* siège *m* rabattable **Klappstuhl**
m chaise *f* pliante **Klapptisch** *m* table *f*
pliante
Klaps [klaps] <-es, -e> *m* tape *f*
Klapsmühle *f pej fam* maison *f* de fous
klar [klaːɐ] **I.** *adj* **1.** *Wasser, Himmel, Sicht*
clair(e) **2.** *Stimme, Aussprache* clair(e); *Benachteiligung, Ergebnis* évident(e); *Vorsprung* net(te) **3.** *fam* (*verständlich*) **alles**
~?/! c'est clair?/!; **na** ~! mais bien sûr!,
ben évidemment! **4.** (*bewusst*) **jdm ist
etw** ~ qn comprend qc; **jdm wird etw** ~
qn commence à comprendre qc; **sich über
seine Gefühle/Fehler** ~ **werden** prendre conscience de ses sentiments/erreurs;
sich darüber ~ **werden, dass** commencer à réaliser que; **langsam wird mir klar,
wie ...** je commence à comprendre com-
ment ... **II.** *adv erkennen, hervortreten* clairement; **in etwas** (*dat*) ~ **sehen** y voir
clair dans qc (*fam*); ~ **denkend** clair-

voyant(e) ▶~ **und deutlich** de façon claire et nette

Kläranlage [ˈklɛːɐ̯anlaːɡə] *f* station *f* d'épuration

klardenkend *s.* **klar II.**

Klare(r) *m dekl wie adj fam* gnôle *f*

klären [ˈklɛːrən] **I.** *vt* **1.** (*auf~*) élucider *Problem, Frage* **2.** (*reinigen*) épurer *Abwasser* **II.** *vr* **sich ~ 1.** (*sich auf~*) se résoudre; **die Frage hat sich geklärt** la question est résolue **2.** (*sauber werden*) *Wasser:* se décanter

klar|gehen *vi irr + sein fam* **das geht klar** ça marche

Klarheit <-, -en> *f a. fig* clarté *f;* **etw in aller ~ sagen/zu verstehen geben** dire/ faire comprendre qc en toute clarté; **sich** (*dat*) **~ über etw** (*akk*) **verschaffen** obtenir des précisions sur qc; **über etw** (*akk*) **besteht ~** qc est clair(e) [pour tout le monde/entre nous]

Klarinette [klariˈnɛtə] <-, -n> *f* clarinette *f*

klar|kommen *vi irr + sein fam* s'en sortir; **mit jdm/etw ~** s'en sortir avec qn/qc **klar|machen I.** *vt* faire comprendre; **jdm etw ~** faire comprendre qc à qn; **jdm ~, dass/wie ...** expliquer à qn que/comment ... **II.** *vr* **sich** (*dat*) **etw ~** se rendre compte de qc; **sich** (*dat*) **~, dass/wo ...** réaliser que/où ...

Klärschlamm *m* boues *fpl* d'épuration

klar|sehen *s.* **klar II. Klarsichtfolie** *f* film *m* transparent [étirable] **Klarsichthülle** *f* chemise *f* transparente; (*zum Einheften*) pochette *f* perforée **klar|spülen** *vt, vi* rincer **klar|stellen** *vt* clarifier; **~, dass** mettre en évidence que; **ich möchte ~, dass** je tiens à préciser que **Klarstellung** *f* clarification *f;* **ich verlange von Ihnen eine ~, dass** je vous demande de spécifier que **Klartext** ▶ **mit jdm ~ reden** *fam* dire à qn comment on s'appelle

Klärung <-, -en> *f* **1.** (*Aufklärung*) élucidation *f* **2.** (*Reinigung*) *von Abwässern* épuration *f*

klar|werden *s.* **klar I.**

klasse *adj inv fam* super

Klasse [ˈklasə] <-, -n> *f* **1.** *a.* SCHULE, SOZIOL, BIO classe *f;* **erster/zweiter ~ fahren/fliegen** voyager en première/ seconde [de classe]; **ein Wagen der ersten ~** une voiture de première classe **2.** (*Fahrzeuggruppe, -art*) catégorie *f* **3.** (*Ziehungsgruppe*) *einer Lotterie* tirage *m;* (*Gewinnklasse*) rang *m*

Klassenarbeit *f* devoir *m* sur table **Klassenausflug** *m* excursion *f* avec la classe **Klassenbeste(r)** *f(m) dekl wie adj* pre-

mier(-ière) *m(f)* [de la classe] **Klassenbuch** *nt* cahier *m* de présence **Klassenkamerad(in)** *m(f)* camarade *mf* de classe **Klassenkampf** *m* lutte *f* des classes **Klassenlehrer(in)** *m(f)* professeur *mf* principal **klassenlos** *adj Gesellschaft* sans classe **Klassenraum** *s.* **Klassenzimmer Klassensprecher(in)** *m(f)* délégué(e) *m(f)* de classe **Klassentreffen** [ˈklasəntrɛfən] *nt* réunion *f* d'anciens [camarades de classe] **Klassenziel** *nt* objectif *m* pédagogique **Klassenzimmer** *nt* salle *f* de classe

Klassifikation *s.* **Klassifizierung**

klassifizierbar *adj* classable

klassifizieren* [klasifiˈtsiːrən] *vt* classifier

Klassifizierung <-, -en> *f* classification *f*

Klassik [ˈklasɪk] <-> *f* **1.** (*kulturelle Epoche*) classicisme *m* **2.** (*klassisches Altertum*) Antiquité *f* **3.** *fam* (*klassische Musik*) classique *m;* (*klassische Literatur*) œuvres *fpl* classiques

Klassiker(in) <-s, -> *m(f)* **1.** (*Schriftsteller*) classique *m* **2.** (*Komponist*) musicien(ne) *m(f)* classique **3.** (*Autorität*) référence *f;* **ein ~ des Stummfilms** un classique du film muet

klassisch *adj* classique

Klassizismus [klasiˈtsɪsmʊs] <-, -smen> *m* classicisme *m*

klassizistisch [klasiˈtsɪstɪʃ] *adj* classique

klatsch *interj* paf

Klatsch [klatʃ] <-[e]s, -e> *m kein Pl pej fam* (*Gerede*) ragots *mpl*

Klatschbase *f pej fam* commère *f*

klatschen [ˈklatʃən] **I.** *vi* **1.** + *haben* applaudir; **in die Hände ~** taper dans les mains **2.** + *haben* (*schlagen*) **sich** (*dat*) **auf die Schenkel ~** se taper sur les cuisses **3.** + *sein* (*auftreffen*) **auf/gegen etw** (*akk*) **~** s'écraser sur/contre qc **4.** + *haben pej fam* (*tratschen*) **über jdn ~** taper sur qn; **über etw** (*akk*) **~** jaser sur qc **II.** *vt* + *haben* **1.** (*schlagen*) **den Takt ~** battre la mesure [des mains] **2.** *fam* (*werfen*) **etw an die Wand ~** balancer qc sur le mur; **er hat ihm eine Torte ins Gesicht geklatscht** il lui a flanqué un gâteau à la crème en pleine figure

Klatschmohn *m* coquelicot *m* **klatschnass**[RR] *adj fam Kleidung, Haare* tout(e) trempé(e); **~ sein** *Person:* être trempé comme une soupe **klatschsüchtig** *adj pej* cancanier(-ière)

Klaue [ˈklaʊ̯ə] <-, -n> *f* **1.** *eines Raubvogels* serres *fpl; eines Raubtiers* griffe *f; eines Insekts* pince *f* **2.** *pej fam* (*Handschrift*) écriture *f* de cochon

klauen [ˈklaʊ̯ən] **I.** *vt fam* **1.** piquer, faucher; **jdm etw ~** piquer qc à qn **2.** (*plagiie-*

ren) piquer **II.** *vi fam* faucher; **beim Klauen erwischt werden** être surpris en train de faucher

Klausel ['klaʊzəl] <-, -n> *f* clause *f*

Klausur [klaʊ'zuːɐ̯] <-, -en> *f* **1.** UNIV [examen *m*] partiel *m* **2.** SCHULE devoir *m* surveillé **3.** (*Klosterbereich*) clôture *f*

Klaviatur [klavia'tuːɐ̯] <-, -en> *f eines Instruments* clavier *m*

Klavier [kla'viːɐ̯] <-s, -e> *nt* piano *m*; ~ **spielen** jouer du piano

Klavierhocker *m* tabouret *m* de piano **Klavierkonzert** *nt* concerto *m* pour piano; (*Veranstaltung*) récital *m* de piano **Klaviersonate** *f* sonate *f* pour piano **Klavierspieler(in)** *m(f)* pianiste *mf* **Klavierstimmer(in)** *m(f)* accordeur(-euse) *m(f)* de pianos **Klavierstunde** *f* leçon *f* de piano

Klebeband ['kleːbəbant] <-bänder> *nt* ruban *m* adhésif

kleben ['kleːbən] **I.** *vi* **1.** (*klebrig sein*) coller **2.** (*haften*) **an etw** (*dat*) ~ être collé à qc; **gut/schlecht** ~ coller bien/mal; **diese Folie klebt von selbst** c'est une feuille autocollante **3.** *fam* (*treu befolgen*) **an etw** (*dat*) ~ suivre fidèlement qc **II.** *vt* **1.** (*befestigen*) **etw an die Wand** ~ coller qc au mur **2.** coller *Film, Tonband* **3.** (*reparieren*) recoller

klebenⅼbleiben *s.* **bleiben I.**

Kleber <-s, -> *m fam* colle *f*

klebrig ['kleːbrɪç] *adj* collant(e)

Klebstoff *m* colle *f* **Klebstreifen** *m* [ruban *m*] adhésif *m*

kleckern ['klɛkən] **I.** *vt* + *haben* **etw voll** ~ *fam* faire plein de taches sur qc; **Soße auf etw** (*akk*) ~ faire des taches de sauce sur qc; (*großflächig*) répandre de la sauce sur qc **II.** *vi* + *haben* **mit etw** ~ faire des taches de qc (*fam*) **III.** *vr fam* **sich voll** ~ se faire des taches partout

Klecks [klɛks] <-es, -e> *m* (*Fleck*) [grosse] tache *f*; (*Farbklecks*) éclaboussure *f*; (*Tintenklecks*) pâté *m*

klecksen *vi* + *haben* **1.** (*Kleckse machen*) *Person:* barbouiller (*fam*) **2.** (*tropfen*) *Füller:* baver

Klee [kleː] <-s> *m* trèfle *m*

Kleeblatt *nt* [feuille *f* de] trèfle *m*; **vierblättriges** ~ trèfle *m* à quatre feuilles

Kleid [klaɪt] <-[e]s, -er> *nt* **1.** robe *f* **2.** *Pl* (*Kleidungsstück*) vêtements *mpl*, habits *mpl* ► ~**er machen Leute** *prov* ≈ on juge les gens sur leur mine

kleiden ['klaɪdən] **I.** *vr* s'habiller; **sich dezent/auffällig** ~ s'habiller d'une façon décente/criarde **II.** *vt* **jdn gut** ~ *Anzug, Farbe:* bien habiller qn

Kleiderbügel *m* cintre *m* **Kleiderbürste** *f* brosse *f* à habits **Kleiderkasten** *m* A, CH, **Kleiderschrank** *m* armoire[-penderie] *f* **Kleiderschrank** *m* armoire[-penderie] *f*

kleidsam *adj geh* seyant(e)

Kleidung <-, -en> *f* vêtements *mpl*, habits *mpl*

Kleidungsstück *nt* vêtement *m*

Kleie ['klaɪə] <-, -n> *f* son *m*

klein [klaɪn] **I.** *adj* **1.** petit(e) *gén antéposé;* **eine zu** ~**e Bluse** un chemisier trop juste; **jdm zu** ~ **sein** être trop petit pour qn **2.** *Person:* petit(e) *antéposé;* **sich** ~ **machen** se faire tout(e) petit(e) **3.** *Kind, Hund, Katze* petit; **als ich** ~ **war** quand j'étais tout(e) petit(e) **4.** *Buchstabe* minuscule; **ein** ~**es a** un a minuscule; (*in mathematischen Gleichungen*) un petit a **5.** (*gering*) petit(e) *antéposé;* **ein** ~[**es**] **bisschen**, **ein** ~ **wenig** un [tout] petit peu **6.** *Fehler, Verstoß* petit(e) *antéposé;* **die** ~**ste Bewegung** le moindre mouvement ► **im Kleinen wie im Großen** en gros et en détail; **bis ins Kleinste** jusque dans le moindre détail; **von** ~ **auf** dès ma/sa/... plus tendre enfance **II.** *adv* ► ~ **anfangen** *fam* (*mit wenig Vermögen*) partir de quasiment zéro; ~ **beigeben** baisser le ton; ~ **machen** *Kinderspr.* faire la petite commission

Kleinaktionär(in) *m(f)* petit(e) *m(f)* actionnaire **Kleinanzeige** *f* petite annonce *f* **Kleinasien** <-s> *nt* l'Asie *f* mineure **Kleinbahn** *f* ligne *f* à voie étroite **kleinⅼbekommen*** *s.* **kleinkriegen** **Kleinbildkamera** *f* appareil *m* 24 x 36 **Kleinbuchstabe** *m* [lettre *f*] minuscule *f* **Kleinbürger(in)** *m(f) pej* (*Spießbürger*) petit(e)-bourgeois(e) *m(f)* **kleinbürgerlich** *adj pej* (*spießbürgerlich*) petit(e)-bourgeois(e)

Kleine(r) *f(m) dekl wie adj* (*Kind*) petit(e) *m(f);* **na,** ~/~**r!** alors, ma petite/mon petit!; **die Lieben** ~**n** *iron* les petits chéris

Kleine(s) *nt dekl wie adj* **1.** (*Kind*) petit(e) *m(f)* **2.** (*Jungtier*) petit *m* **Kleingärtner(in)** *m(f)* locataire *mf* de jardin ouvrier

kleingedruckt *s.* **gedruckt** **Kleingedruckte(s)** *nt dekl wie adj* clauses *fpl* en petits caractères; *eines Bestellformulars* conditions *fpl* de vente en petits caractères **Kleingeld** *nt* monnaie *f* **kleinⅼhacken** *s.* **hacken I.**

Kleinheit <-> *f* petitesse *f*

Kleinhirn *nt* ANAT cervelet *m* **Kleinholz** ► **aus jdm** ~ **machen** *fam* mettre qn en bouillie

Kleinigkeit ['klaɪnɪçkaɪt] <-, -en> *f* **1.** (*Bagatelle*) bricole *f;* **das ist eine/keine** ~ ce n'est pas un problème/n'est pas rien; **wegen jeder** ~ pour la moindre

broutille **2.** (*Einzelheit*) [petit] détail *m* **3.** (*kleine Menge, Strecke, Portion*) **eine ~** un peu; **eine ~ essen** manger un petit quelque chose

Kleinkalibergewehr *nt* fusil *m* petit calibre **kleinkariert** *adj pej fam* (*engstirnig*) borné(e) **Kleinkind** *nt* jeune enfant *m* **Kleinkram** *m fam* (*Kleinigkeiten*) broutilles *fpl* **klein|kriegen** *vt* **1.** *fam* arriver à couper *Holz, Steak* **2.** *fam* réussir à bousiller *Spielzeug*; **nicht kleinzukriegen sein** être increvable **Kleinkunst** *f kein Pl* petits spectacles *mpl* **Kleinkunstbühne** *f* café-théâtre *m*; (*Kabarett*) cabaret *m* **kleinlaut** **I.** *adj Antwort, Eingeständnis* embarrassé(e); **~ werden** baisser le ton **II.** *adv fragen* d'une [toute] petite voix; *zugeben* d'un ton gêné

kleinlich *adj pej* **1.** (*geizig*) pingre **2.** (*engstirnig*) mesquin(e)

Kleinlichkeit <-, -en> *f pej* mesquinerie *f*

klein|machen *s.* **machen** **I.**

Kleinod ['klaɪnoːt] <-[e]s, -odien> *nt a. fig geh* joyau *m*

klein|schneiden *s.* **schneiden** **I.**

Klein|schreibung *f* écriture *f* sans majuscules **Kleinstadt** *f* petite ville *f*; (*mit mehr als 20.000 Einwohnern*) ville *f* moyenne **Kleinvieh** *nt* [animaux *mpl* de] basse-cour *f* ► **~ macht auch** <u>Mist</u> *prov* les petits ruisseaux font les grandes rivières **Kleinwagen** *m* petite voiture *f* **kleinwüchsig** ['klaɪnvyːksɪç] *adj geh* de petite taille **Kleister** ['klaɪstɐ] <-s, -> *m* colle *f* [d'amidon]

kleistern *vt* coller

Klementine <-, -n> *f* clémentine *f*

Klemme ['klɛmə] <-, -n> *f* **1.** (*Haarklemme*) barrette *f* **2.** ELEC serre-fils *m*; *eines Starthilfekabels* pince *f* **3.** *fam* (*schwierige Lage*) pétrin *m*; (*finanziell*) dèche *f*; **in der ~ sitzen** *fam* être dans le pétrin

klemmen **I.** *vt* coincer; **etw in etw** (*akk*) **~** coincer qc dans qc; **etw unter etw** (*akk*) **~** glisser qc sous qc **II.** *vr* **1.** (*sich quetschen*) **sich** (*dat*) **den Daumen ~** se coincer le pouce **2.** *fam* (*um Unterstützung bitten*) **sich hinter jdn ~** harceler qn pour obtenir de l'aide **3.** *fam* (*sich kümmern um*) **sich hinter etw** (*akk*) **~** s'attaquer à qc **III.** *vi Schublade, Tür*: coincer (*fam*); *Schloss*: être bloqué

Klempner(in) ['klɛmpnɐ] <-s, -> *m(f)* plombier *m*

Kleptomane <-n, -n> *m*, **Kleptomanin** *f* cleptomane *mf*

Kleptomanie <-> *f* cleptomanie *f*

klerikal [kleriˈkaːl] *adj geh* clérical(e)

Klerus ['kleːrʊs] <-> *m* clergé *m*

Klette ['klɛtə] <-, -n> *f* **1.** bardane *f* **2.** *pej fam* (*Mensch*) pot *m* de colle ► **wie eine ~ an jdm** <u>hängen</u> *fam* être pendu aux basques de qn

Kletterer <-s, -> *m*, **Kletterin** *f* (*Bergsteiger*) alpiniste *mf*; (*Freikletterer*) varappeur(-euse) *m(f)*

Klettergerüst *nt* jeu *m* d'extérieur (*pour grimper, dans un terrain de jeu*)

klettern ['klɛtɐn] *vi* **1.** + *sein* faire de l'escalade; **auf einen Berg ~** escalader une montagne; **auf einen Baum ~** grimper sur un arbre **2.** + *sein* (*steigen*) **aufs Dach ~** monter sur le toit **3.** + *haben o sein* SPORT faire de l'escalade; (*Frei~ betreiben*) faire de la varappe **4.** + *sein fam* (*ansteigen*) *Preis, Temperatur*: grimper

Kletterpartie *f* passage *m* d'escalade **Kletterpflanze** *f* plante *f* grimpante

Klettverschluss^RR *m* fermeture *f* velcro®

Kletze <-, -n> *f* A, SDEUTSCH (*Dörrbirne*) poire *f* sèche

klicken ['klɪkən] *vi* **1.** (*metallisch klingen*) cliqueter; **das Klicken** le cliquetis **2.** INFORM **mit der Maus auf etw** (*akk*) **~** cliquer avec la souris sur qc; **doppelt ~** double-cliquer

Klient(in) [kliˈɛnt] <-en, -en> *m(f)* client(e) *m(f)*

Klientel [kliɛnˈteːl] <-, -en> *f* clientèle *f*

Kliff <-[e]s, -e> *nt* falaise *f*

Klima ['kliːma] <-s, -s *o* Klimate> *nt* climat *m*

Klimaanlage *f* climatisation *f*

Klimakterium [klimakˈteːriʊm] <-s> *nt* MED ménopause *f*

klimatisch [kliˈmaːtɪʃ] **I.** *adj attr* climatique **II.** *adv* du point de vue climatique

Klimatologie <-> *f* climatologie *f*

Klimawechsel *m* changement *m* d'air

Klimbim <-s> *m fam* (*Kram*) bazar *m*

Klimmzug *m* SPORT traction *f* [à la barre fixe]

klimpern ['klɪmpɐn] *vi* **1.** *fam* (*spielen*) **auf der Gitarre/dem Klavier ~** gratter de la guitare/pianoter **2.** (*metallisch klingen*) *Münzen, Schlüssel*: tinter; **das Klimpern** le tintement **3.** (*ein Geräusch erzeugen*) **mit etw ~** faire tinter qc

Klinge ['klɪŋə] <-, -n> *f* lame *f*

Klingel ['klɪŋəl] <-, -n> *f* sonnette *f*

Klingelknopf *m* [bouton *m* de] sonnette *f*

klingeln **I.** *vi* **1.** *Radfahrer*: tirer la sonnette; *Wecker*: sonner; **an der Tür ~** sonner à la porte; **das Klingeln** *eines Weckers* la sonnerie; *einer Türklingel* le coup de sonnette **2.** (*herbeirufen*) **nach jdm ~** (*im Hotel, Krankenhaus*) sonner qn **II.** *vi unpers* **es klingelt** (*an der Tür*) on sonne; (*in der Schule*) ça sonne

klingen ['klɪŋən] <klang, geklungen>
vi **1.** (*er~*) *Glocke:* sonner; *Gläser:* tinter
2. (*tönen*) **hohl** ~ *Behälter, Wand:* sonner
creux; **hell/rau** ~ *Stimme:* sonner clair(e)/
rauque **3.** (*sich anhören*) **gut/interessant**
~ avoir l'air bien/intéressant

Klinik ['kli:nɪk] <-, -en> *f* hôpital *m;* (*Privatklinik*) clinique *f*

klinisch I. *adj Fall* nécessitant une hospitalisation; *Test* clinique **II.** *adv behandeln, versorgen* en milieu hospitalier; ~ **getestet**
testé(e) en laboratoire; ~ **tot** cliniquement
mort(e)

Klinke ['klɪŋkə] <-, -n> *f* poignée *f* [de
porte]

Klinker <-s, -> *m* brique *f*

klipp ▶jdm ~ **und klar** sagen, dass ...
dire clair et net à qn que ...

Klippe ['klɪpə] <-, -n> *f* écueil *m*

klirren ['klɪrən] *vi* **1.** (*gläsern tönen*) *Gläser:* tinter; *Fensterscheibe:* vibrer; (*beim
Zerbrechen*) faire un bruit de verre brisé;
das Klirren les vibrations *fpl;* (*beim Zerbrechen*) le bruit de verre brisé **2.** (*metallisch tönen*) cliqueter; **mit ~den Sporen**
en faisant sonner les éperons; **das Klirren**
le cliquetis

klirrend *adj Frost, Kälte* glacial(e); **wir haben ~en Frost** il gèle à pierre fendre

Klischee [kli'ʃe:] <-s, -s> *nt* **1.** (*~vorstel-
lung*) stéréotype *m* **2.** *pej geh* (*Redensart*)
lieu *m* commun **3.** TYP cliché *m*

klischeehaft [kli'ʃe:haft] *adj pej geh* sté-
réotypé(e) **Klischeevorstellung** *f* stéréotype *m*

Klitoris ['kli:torɪs] <-, *o* Klitorides> *f*
clitoris *m*

klitschnassRR *s.* klatschnass

klitzeklein *adj fam* riquiqui

Klo [klo:] <-s, -s> *nt fam* chiottes *fpl*

Kloake <-, -n> *f pej* cloaque *m*

klobig *adj Schuhe* épais(se)

Klobrille ['klo:brɪlə] *f fam* lunette *f* de/des
W.-C. **Klobürste** *f fam* brosse *f* à W.-C.
Klomann <-männer> *m,* **-frau** *f fam*
gardien *m* de chiottes/dame *f* pipi

klomm *Imp von* klimmen

Klon [klo:n] <-s, -e> *m* BIO clone *m*

klonen [klo:nən] *vt* BIO cloner; **das Klonen** le clonage

klönen *vi* NDEUTSCH *fam* tailler une bavette;
mit jdm ~ tailler une bavette avec qn

Klopapier *nt fam* P.Q. *m*

klopfen ['klɔpfən] **I.** *vi* **1.** frapper; **an die
Tür** ~ frapper à la porte; **ans Fenster/an
[o gegen] die Wand** ~ frapper à la fenê-
tre/taper contre le mur; **mit dem Besen
an die Decke** ~ taper du balai contre le
plafond; **ich habe ein Klopfen gehört** j'ai

entendu quelqu'un frapper **2.** (*schlagen*)
jdm auf die Schulter ~ taper qn sur
l'épaule **3.** (*pulsieren*) *Herz:* battre
4. (*hämmern*) *Specht:* piquer du bec **II.** *vi
unpers* **es klopft an der Tür** on frappe à
la porte **III.** *vt* **1.** (*entfernen*) **sich** (*dat*)
**den Schnee vom Mantel/von den
Schuhen** ~ taper son manteau/ses chaussures pour faire tomber la neige **2.** (*hämmern*) **einen Nagel in die Wand** ~ enfoncer un clou dans le mur **3.** battre *Teppich* **4.** GASTR attendrir *Schnitzel, Roulade*

Klopfer <-s, -> *m* **1.** (*Türklopfer*) heurtoir
m **2.** (*Teppichklopfer*) tapette *f*

Kloppe *f* NDEUTSCH *fam* raclée *f;* **von jdm** ~
kriegen prendre une raclée de qn

Klöppel ['klœpəl] <-s, -> *m* **1.** *einer Glocke*
battant *m* **2.** (*Trommelschlägel*) baguette *f*
3. (*Spitzenklöppel*) fuseau *m*

klöppeln I. *vi* faire de la dentelle [au fuseau]
II. *vt* **ein Deckchen** ~ faire une petite
nappe en dentelle

kloppen ['klɔpən] NDEUTSCH *fam* **I.** *vt* casser *Steine;* battre *Teppich* **II.** *vr* **sich mit
jdm** ~ se bagarrer avec qn (*fam*)

Klopperei <-, -en> *f* NDEUTSCH *fam* bagarre
f

Klops [klɔps] <-es, -e> *m* **1.** (*Fleischkloß*)
boulette *f* [de viande] **2.** *fam* (*Fehler*) boulette *f*

Kloset *s.* Toilette

Klospülung *f fam* chasse *f* d'eau

Kloß [klo:s, *Pl:* 'klø:sə] <-es, *≃*e> *m* boulette *f* ▶**einen** ~ **im Hals** haben *fam*
avoir une boule dans la gorge

Kloster ['klo:ste, *Pl:* 'klø:ste] <-s, *≃*> *nt*
(*Mönchskloster*) monastère *m;* (*Nonnenkloster*) couvent *m*

Klosterkirche *f* église *f* du monastère

klösterlich *adj* **1.** *Abgeschiedenheit, Stille*
monastique **2.** (*Klöstern/einem bestimmten Kloster gehörend*) des monastères/du
monastère

Klosterschule *f* école *f* dirigée par des reli-
gieux/des religieuses

Klotz [klɔts, *Pl:* 'klœtsə] <-es, *≃*e> *m*
(*Holzklotz*) bloc *m* de bois; (*zum Holzha-
cken*) billot *m*

Klötzchen <-s, -> *nt* (*Bauklotz*) cube *m*
[d'un jeu de construction]

klotzig *fam adj* **1.** *Gebäude, Möbelstück* mas-
toc (*péj*) **2.** *Aktion* tapageur(-euse)

Klub [klʊp] <-s, -s> *m* club *m*

Klubmitglied *nt* membre *m* du club **Klub-
obmann** *m,* **-frau** *f* A POL (*Fraktionsvorsit-
zender*) président *m* du groupe parlamen-
taire

Kluft <-, *≃*e> *f fig* fossé *m*

klug [klu:k] <*≃*er, *≃*ste> **I.** *adj* **1.** *Person,*

Handlungsweise avisé(e); *Antwort* habile; *Rat* judicieux(-euse); ~ **sein** *Person:* faire preuve de bon sens; **es ist ~/klüger, abzuwarten** il vaut/vaudrait mieux patienter; **es wird das Klügste** [*o* **am klügsten**] **sein, wenn wir umkehren** le plus sage serait de faire demi-tour **2.** *iron* (*dumm*) intelligent(e) ►**genauso** ~ **wie zuvor** [*o* **vorher**] **sein** ne pas en être plus avancé qu'avant (*iron*); **daraus soll einer** ~ **werden!** comprenne qui pourra! **II.** *adv* **1.** *vorgehen, sich verhalten, handeln* intelligemment; ~ **daherreden** pontifier **2.** *iron* (*dumm*) **das hast du dir wirklich sehr ausgedacht!** alors là, tu as vraiment eu une idée astucieuse!

Klugheit <-, -en> *f* **1.** *kein Pl* (*Vernunft*) bon sens *m* **2.** *iron* (*Bemerkung*) réflexion *f* [particulièrement] intelligente

Klümpchen <-s, -> *nt Dim von* **Klumpen** grumeau *m*

klumpen *vi Soße, Salz:* faire des grumeaux

Klumpen ['klʊmpən] <-s, -> *m* (*Mehlklumpen*) grumeau *m;* **ein** ~ **Butter** une motte de beurre; **ein** ~ **Ton** un bloc d'argile

Klumpfuß *m* pied *m* bot

klumpig ['klʊmpɪç] *adj* grumeleux(-euse); ~ **werden** faire des grumeaux

Klüngel <-s, -> *m pej fam* clique *f*

Klüngelei <-, -en> *f pej fam* magouille *f*

Klunker <-s, -> *m fam* (*Edelstein*) caillou *m*

km/h *m Abk von* **Kilometer pro Stunde** km/h

knabbern ['knabən] **I.** *vi* grignoter; **an etw** (*dat*) ~ grignoter qc **II.** *vt* grignoter; **etwas zum Knabbern** quelque chose à grignoter

Knabe <-n, -n> *m fam* (*Kerl*) **na, alter** ~! alors, mon vieux!

knabenhaft I. *adj* **ein** ~**es Mädchen** une fille à l'allure garçonnière; **trotz seines** ~**en Aussehens ist er zwanzig** malgré son allure puérile, il a vingt ans **II.** *adv* ~ **aussehen** [*o* **wirken**] avoir une allure puérile

Knäckebrot ['knɛkəbroːt] *nt* pain *m* suédois

knacken ['knakən] **I.** *vt* **1.** casser *Nuss* **2.** *fam* déchiffrer *Code* **3.** *fam* forcer *Auto, Safe* **II.** *vi* **1.** *Holz, Diele, Gebälk:* craquer **2.** (*Geräusch erzeugen*) **mit den Fingern/Gelenken** ~ faire craquer ses doigts/ses articulations **III.** *vi unpers* **es knackt im Gebälk/in der Leitung** il y a des craquements dans la charpente/sur la ligne

Knacker <-s, -> *m pej fam* (*Mann*) **ein alter** ~ un vieux chnoque

knackig ['knakɪç] *adj* **1.** *Salat, Apfel* croquant(e) **2.** *fam* craquant(e)

Knacklaut *m* (*Geräusch*) craquement *m*

Knacks [knaks] <-es, -e> *m* **1.** (*Geräusch*) craquement *m* **2.** *fam* (*Sprung, Riss*) fêlure *f* **3.** *fam* (*Schaden, Störung*) petit grain *m;* **einen seelischen** ~ **bekommen** recevoir un coup [au moral]; **einen** ~ **haben** *Person:* être un peu fêlé; *Beziehung, Ehe:* battre de l'aile

Knall [knal] <-[e]s, -e> *m* (*Schuss, Korkenknallen*) détonation *f;* **mit lautem** ~ **ins Schloss fallen** claquer avec grand bruit

Knalleffekt *m fam* coup *m* de théâtre

knallen I. *vi* **1.** + *haben Tür, Peitsche:* claquer; *Korken:* sauter; *Feuerwerkskörper:* éclater; *Schuss:* retentir; **die Korken** ~ **lassen** faire sauter les bouchons **2.** + *haben* (*ein Geräusch erzeugen*) **mit der Tür** ~ claquer la porte; **mit der Peitsche** ~ faire claquer le fouet **3.** + *sein fam* (*prallen*) **gegen die Wand/die Tür** ~ cogner contre le mur/la porte; **auf den Boden** ~ tomber par terre; **mit dem Auto gegen eine Mauer** ~ rentrer dans un mur avec la voiture **4.** + *haben fam* (*schießen*) [**wild**] **um sich** ~ canarder dans tous les sens **5.** + *haben fam* (*Knallkörper zünden*) faire péter des pétards **II.** *vi unpers* + *haben* **es knallt** (*eine Tür fällt zu*) il y a quelque chose qui claque; (*ein Korken springt heraus*) ça fait plop; (*ein Unfall passiert*) ça cartonne (*fam*); (*ein Knallkörper zündet*) ça éclate; (*ein Schuss fällt*) il y a une détonation; **Hände hoch, sonst knallt's** [*o* **es knallt**]! *fam* haut les mains, ou je tire! **III.** *vt* + *haben* **1.** (*zuschlagen*) claquer **2.** *fam* (*werfen*) **das Päckchen auf den Tisch/in die Ecke** ~ balancer le colis sur la table/dans le coin ►**jdm eine** ~ *fam* balancer une baffe à qn **IV.** *vr* + *haben fam* **sich aufs Sofa** ~ s'affaler sur le canapé

Knaller <-s, -> *m fam* (*Sensation*) bombe *f*

Knallerei <-, -en> *f fam* **1.** (*Feuerwerk*) pétarade *f* **2.** (*Schüsse*) tiraillerie *f*

Knallfrosch ['knalfrɔʃ] *m* pétard *m* à répétition **knallhart** ['knal'hart] **I.** *adj fam* **1.** *Geschäftsmann* coriace, impitoyable; *Vorgehen, Kritik* brutal(e) **2.** *Schlag, Aufschlag* terrible **II.** *adv fam* **1.** *sagen* sans prendre de gants; *verhandeln* de manière impitoyable **2.** (*kraftvoll*) avec force

knallig *adj fam Farbe* qui flashe; *Schlagzeile, Werbung* accrocheur(-euse)

Knallkörper ['knalkœrpə] *m* pétard *m* **knallrot** *adj fam* rouge vif

knapp [knap] **I.** *adj* **1.** *Gehalt, Vorräte* mai-

gre *antéposé; Stellen* rare *antéposé;* ~ **sein Geld, Vorräte:** être juste; *Stellen:* être rare; ~ **werden** *Geld, Vorräte:* devenir juste; *Stellen:* se raréfier; **mit etw ~ sein** manquer de qc **2.** (*eng*) un peu juste **3.** (*kaum ausreichend*) serré(e); *Mehrheit* petit(e) *antéposé;* **das wird [zeitlich] zu ~** ce sera trop juste **4.** (*nicht ganz*) **ein ~er Meter** un petit mètre; **ein ~es Pfund** une petite livre; **vor einer ~en Woche** il y a une petite semaine **5.** *Antwort, Worte* concis(e) ▶**und nicht zu ~!** *fam* et pas qu'un peu! **II.** *adv* **1.** (*mäßig*) **eher/sehr ~ bemessen sein** être plutôt/très juste; **zu ~ bemessen sein** ne pas être suffisant **2.** (*nicht ganz*) ~ **zwei Jahre alt sein** être âgé d'un peu moins de deux ans; ~ **hundert Euro kosten** coûter pas tout à fait cent euros **3.** *gewinnen, verlieren* de justesse; **der Gefahr nur ~ entkommen** échapper de justesse au danger **4.** (*dicht*) ~ **über den Knöcheln enden** arriver juste au dessus des chevilles **5.** (*eng*) ~ **sitzen** être juste **6.** *formulieren* de manière concise; **jdn ~ grüßen** saluer à peine qn

knapp|halten *s.* **knapp II.**

Knappheit <-> *f* **1.** (*Mangel*) pénurie *f;* ~ **an Gütern** pénurie de biens **2.** (*Kürze*) concision *f*

Knappschaft <-> *f* sécurité *f* minière

Knarre <-, -n> *f sl* (*Schusswaffe*) flingue *m* (*fam*)

knarren ['knarən] *vi Diele:* craquer; *Bett, Treppe:* grincer; **das Knarren** les grincements *mpl; der Dielen* les craquements *mpl*

Knast [knast, *Pl:* 'knɛstə] <-[e]s, ⁼e> *m fam* taule *f;* **im ~ sitzen** être en taule

Knatsch <-[e]s> *m fam* bisbilles *fpl*

knattern ['knatɐn] *vi* **1.** *Moped:* pétarader; *Maschinengewehr:* crépiter; **im Wind ~** *Segel, Fahne:* battre dans le vent; **das Knattern** *eines Mopeds* les pétarades *fpl; eines Maschinengewehrs* le crépitement **2.** *fam* (*fahren*) **durch die Straßen ~** pétarader dans les rues

Knäuel ['knɔyəl] <-s, -> *m o nt* pelote *f;* **zwei ~ Wolle** deux pelotes de laine

Knauf <-[e]s, Knäufe> *m* (*Türknauf*) bouton *m*

knauserig *adj pej fam* radin(e)

knausern *vi pej fam* radiner

knautschen ['knautʃən] *fam* **I.** *vi Mantel, Stoff:* se chiffonner **II.** *vt* chiffonner *Mantel, Kissen*

Knautschzone *f* zone *f* de déformation

Knebel <-s, -> *m* bâillon *m*

knebeln *vt a. fig* bâillonner

Knecht [knɛçt] <-[e]s, -e> *m* HIST valet *m* de ferme ▶~ **Ruprecht** père *m* Fouettard

Knechtschaft <-, -en> *f* esclavage *m*

kneifen ['knajfən] <kniff, gekniffen> **I.** *vt* pincer; **jdn** [*o* **jdm**] **in den Arm ~** pincer le bras à qn **II.** *vi* **1.** (*zu eng sein*) *Gummiband, Hose:* serrer **2.** *fam* (*zurückscheuen*) **vor jdm ~** se dégonfler devant qn; **vor einer Auseinandersetzung ~** se défiler face à une confrontation

Kneifzange *f* tenailles *fpl*

Kneipe ['knajpə] <-, -n> *f fam* bistro[t] *m*

Kneipenbummel *m fam* tournée *f* des bistro[t]s

Kneippkur *f* MED cure *f* selon la méthode Kneipp

Knete <-> *f* **1.** *fam* (*Knetmasse*) pâte *f* à modeler **2.** *sl* (*Geld*) fric *m* (*fam*)

kneten ['kne:tən] **I.** *vt* **1.** pétrir, malaxer *Knetgummi, Teig* **2.** (*formen*) **sich** (*dat*) **etw ~** se modeler qc; **das Kneten** le modelage **3.** (*massieren*) **jdm den Nacken ~** masser le cou à qn **II.** *vi* faire du modelage

Knetmasse *f* pâte *f* à modeler

Knick [knɪk] <-[e]s, -e *o* -s> *m* **1.** (*Krümmung*) coude *m;* **einen ~ machen** *Straße:* faire un coude **2.** (*Falz, Falte*) pli *m*

knicken I. *vt + haben* **1.** plier *Blatt Papier;* faire un pli à *Buchseite;* **bitte nicht ~!** ne pas plier, S.V.P.! **2.** casser *Streichholz, Strohhalm;* briser [net] *Bäume* **3.** (*umbiegen*) plier **II.** *vi + sein Papier:* se plier; *Telegrafenmast:* se briser [net]

knick[e]rig *s.* **knauserig**

Knicks [knɪks] <-es, -e> *m* révérence *f*

knicksen *vi* faire la révérence

Knie [kni:] <-s, -> *nt* **1.** genou *m;* **ihm zittern die ~** il [en] a les jambes qui flageolent **2.** (*Krümmung*) *eines Wasserlaufs, Rohrs* coude *m* ▶**in die ~ gehen** (*die ~gelenke beugen*) plier les genoux; (*aufgeben*) jeter l'éponge; **der Boxer geht in die ~** le boxeur ploie les genoux; **jdn übers ~ legen** *fam* ficher une fessée à qn

Kniebeuge *f* flexion *f* des genoux **Kniebundhose** *f* knickers *mpl* **Kniefall** *m geh* génuflexion *f* ▶**Kniegelenk** *nt* articulation *f* du genou **Kniekehle** *f* jarret *m* **knielang** *adj Rock* s'arrêtant au genou

knien [kni:n] **I.** *vi* être à genoux; **auf dem Boden ~** être à genoux par terre **II.** *vr* **1.** **sich auf den Boden/neben jdn ~** s'agenouiller par terre/à côté de qn **2.** *fam* (*sich intensiv beschäftigen*) **sich in etw** (*akk*) ~ s'atteler à qc

Kniescheibe *f* rotule *f* **Kniestrumpf** *m* (*Damenkniestrumpf*) mi-bas *m;* (*Herrenkniestrumpf*) chaussette *f* montante

kniff [knɪf] *Imp von* **kneifen**

Kniff <-[e]s, -e> *m* (*Kunstgriff*) truc *m*

knipsen ['knɪpsən] *fam* **I.** *vt* **1.** photogra-

phier **2.** (*lochen*) poinçonner **II.** *vi* prendre des photos

Knirps¹ [knɪrps] <-es, -e> *m fam* **1.** (*kleiner Junge*) petit bonhomme *m* **2.** *pej* (*kleiner Mann*) demi-portion *m*

Knirps®² <-es, -e> *m* (*Regenschirm*) parapluie *m* pliant

knirschen ['knɪrʃən] *vi Kies, Schnee:* crisser; **mit den Zähnen** ~ grincer des dents

knistern ['knɪstən] **I.** *vi Papier:* faire du bruit en se froissant; *Feuer:* crépiter; **mit etw** ~ froisser qc **II.** *vi unpers* **es knistert** ça grésille; (*es kriselt*) il y a de l'électricité dans l'air

knitterfrei *adj* infroissable

knittern ['knɪtən] *vi* se froisser

knobeln ['kno:bəln] *vi* **1.** (*würfeln*) jouer aux dés; **um etw** ~ jouer qc aux dés **2.** *fam* (*tüfteln*) cogiter; **an einer Erfindung** ~ se creuser la tête pour une invention

Knoblauch ['kno:plaux] <-[e]s> *m* ail *m*

Knoblauchknolle *f* tête *f* d'ail **Knoblauchzehe** *f* gousse *f* d'ail

Knöchel ['knœçəl] <-s, -> *m* **1.** (*Fußknöchel*) cheville *f* **2.** (*Fingerknöchel*) articulation *f* [du doigt/des doigts]

knöchellang *adj* qui arrive à la cheville

Knochen ['knɔxən] <-s, -> *m* **1.** os *m* **2.** *Pl* (*Gliedmaßen*) membres *mpl*; **mir tun alle** ~ **weh** j'ai mal partout ▸ **bis auf die** ~ **abgemagert sein** ne plus avoir que la peau sur les os; **nass bis auf die** ~ **sein** être trempé jusqu'aux os; **brich dir nicht die** ~! *fam* [ne] te casse pas la figure!

Knochenarbeit *f fam* travail *m* de forçat **Knochenbruch** *m* fracture *f* **Knochenmark** *nt* moelle *f* [osseuse] **Knochenschinken** *m* jambon *m* à l'os **knochentrocken** *adj fam Brot* archisec(-sèche)

knochig *adj* osseux(-euse)

Knockout, Knock-out^RR [nɔk'ʔaut] <-[s], -s> *m* knock-out *m*

Knödel ['knø:dəl] <-s, -> *m boule à base de pomme de terre ou de pain trempé dans du lait, cuite à l'eau et servie en accompagnement*

Knolle ['knɔlə] <-, -n> *f* (*Teil einer Pflanze*) tubercule *m*

Knollenblätterpilz *m* amanite *f* phalloïde

Knopf [knɔpf, *Pl:* 'knœpfə] <-[e]s, ⸚e> *m* bouton *m*

Knopfdruck *m kein Pl* pression *f* [sur un/le bouton]

knöpfen ['knœpfən] *vt* boutonner; **vorn/hinten geknöpft werden** se boutonner par devant/derrière; **falsch geknöpft haben** avoir boutonné [le] lundi avec [le] mardi (*fam*)

Knopfloch *nt* boutonnière *f* **Knopfzelle** *f*

pile *f* bouton

Knorpel ['knɔrpəl] <-s, -> *m* cartilage *m*

knorpelig *adj* cartilagineux(-euse)

knorrig ['knɔrɪç] *adj* **1.** *Baum, Ast* noueux(-euse) **2.** (*eigenwillig*) bourru(e)

Knospe ['knɔspə] <-, -n> *f* bourgeon *m*; (*Blütenknospe, Rosenknospe*) bouton *m*; ~**n treiben** bourgeonner

knospen *vi* bourgeonner

Knötchen <-s, -> *nt Dim von* **Knoten**

knoten ['kno:tən] *vt* nouer; (*ohne eine Schleife zu machen*) faire un nœud à; **kannst du mir die Krawatte** ~? tu me fais mon nœud de cravate?

Knoten ['kno:tən] <-s, -> *m* **1.** (*Verschlingung*) nœud *m* **2.** MED (*im Gelenk*) nodosité *f*; (*in der Brust*) nodule *f* **3.** (*Haarknoten*) chignon *m* **4.** (*Astknoten*) nœud *m* **5.** NAUT nœud *m* ▸ **sich** (*dat*) **einen** ~ **ins Taschentuch machen** faire un nœud à son mouchoir

Knotenpunkt *m* (*Verkehrsknotenpunkt*) nœud *m* de communication; (*Autobahn-/Eisenbahnknotenpunkt*) nœud autoroutier/ferroviaire

Know-how [nɔʊ'haʊ] <-s> *nt* savoir-faire *m*

Knubbel <-s, -> *m DIAL* renflement *m*

knuffen *vt fam* donner une [légère] bourrade à

knüllen *vt* chiffonner

Knüller ['knʏlɐ] <-s, -> *m fam* **1.** (*Ware, Produkt*) truc *m* qui fait fureur; **es ist/wird ein** ~ ça fait un/va faire un malheur **2.** (*Nachricht*) scoop *m*

knüpfen ['knʏpfən] **I.** *vt* **1.** nouer *Teppich, Netz, Muster;* **von Hand geknüpft** noué(e) [à la] main **2.** faire *Knoten, Schleife* **II.** *vr* **sich an etw** (*akk*) ~ *Erinnerungen:* être lié à qc

Knüppel ['knʏpəl] <-s, -> *m* (*Stock*) gourdin *m*; (*Gummiknüppel*) matraque *f* ▸ **jdm** ~ **zwischen die Beine werfen** *fam* mettre des bâtons dans les roues à qn

knüppeldick *adv fam* **es kommt** ~ on en prend plein la figure

knurren ['knʊrən] **I.** *vi* **1.** *Hund:* gronder **2.** (*murren*) grogner **II.** *vt* grommeler *Antwort*

Knurren <-s> *nt eines Hundes* grondement *m*

knurrig *adj* bougon(ne)

knuspern ['knʊspɐn] *vi* grignoter; **an etw** (*dat*) ~ grignoter qc

knusprig *adj* croustillant(e)

Knust <-[e]s, -e o ⸚e> *m NDEUTSCH* croûton *m* [de pain]

Knute ▸ **unter jds** ~ (*dat*) **stehen** être sous le joug de qn

knutschen ['knu:tʃən] *fam* **I.** *vt* bécoter **II.**
vi Pärchen: se bécoter; **sie knutscht mit**
ihm/er knutscht mit ihr ils se bécotent
III. *vr fam* **sich ~** se bécoter
Knutschfleck *m fam* suçon *m*
Koala <-s, -s> *m* koala *m*
koalieren* *vi* former une coalition
Koalition [koali'tsi̯o:n] <-, -en> *f* coalition *f*
koalitionsfähig *adj* **~ sein** être apte à participer à un gouvernement de coalition **Koalitionspartner(in)** *m(f)* partenaire *mf* de la/de coalition
Kobalt <-s> *nt* cobalt *m*
Kobold ['ko:bɔlt] <-[e]s, -e> *m* lutin *m*
Kobra ['ko:bra] <-, -s> *f* cobra *m*
Koch [kɔx, *Pl:* 'kœçə] <-s, ̈-e> *m*, **Köchin**
f cuisinier(-ière) *m(f)* ▶**viele Köche verderben den Brei** *prov* trop de cuisiniers gâtent la sauce
Kochbuch *nt* livre *m* de cuisine
kochecht *s.* **kochfest**
köcheln *vi Suppe, Soße:* mijoter; **etw ~ lassen** laisser mijoter qc
kochen ['kɔxən] **I.** *vi* **1.** *Wasser, Suppe,*
Reis: bouillir; **etw zum Kochen bringen**
porter qc à ébullition; **~d** bouillant(e)
2. (*Speisen zubereiten*) faire la cuisine;
gut ~ cuisiner bien **3.** (*aufgebracht sein*)
vor Wut| ~ bouillir de colère **II.** *vt* **1.** (*zubereiten*) **das Essen ~** préparer le repas;
Reis ~ faire du riz; **hart gekocht** *Ei* dur(e);
weich gekocht *Ei* à la coque; *Fleisch, Gemüse, Nudeln* bien cuit(e); **was soll ich**
uns ~? qu'est-ce que je vais nous faire à
manger? **2.** (*aus~*) faire bouillir
kochendheiß *s.* **heiß I.**
Kocher <-s, -> *m* réchaud *m*
Köcher <-s, -> *m* (*für Pfeile*) carquois *m*
Kochfeld *nt* table *f* de cuisson **kochfest**
adj Wäsche lavable à 95° **Kochgelegenheit** *f* kitchenette *f* **Kochgeschirr** *nt* gamelle *f*
Köchin ['kœçɪn] *s.* **Koch**
Kochkunst *f* **1.** *kein Pl* (*Gastronomie*) art
m culinaire **2.** *Pl* (*Fähigkeit*) dons *mpl* culinaires **Kochlöffel** *m* cuillère *f* en bois
Kochplatte ['kɔxplatə] *f* plaque *f* électrique **Kochrezept** *nt* recette *f* [de cuisine]
Kochsalz *nt kein Pl* sel *m* de cuisine
Kochtopf *m* casserole *f;* (*mit Henkeln*) faitout *m; (aus Gusseisen*) cocotte *f* **Kochwäsche** *f* linge *m* à bouillir
Kode [ko:t] <-s, -s> *m* code *m*
Köder ['kø:dɐ] <-s, -> *m* appât *m*
ködern *vt a. fig* appâter
kodieren* *vt* coder
Koedukation [koeduka'tsi̯o:n] <-, -en>
f éducation *f* mixte

Koexistenz *f kein Pl* coexistence *f*
Koffein [kɔfe'i:n] <-s> *nt* caféine *f*
koffeinfrei *adj Kaffee* décaféiné(e)
Koffer ['kɔfɐ] <-s, -> *m* (*Reisekoffer*) valise *f;* (*Überseekoffer*) malle *f;* **den ~ packen** faire sa valise
Kofferkuli *m* chariot *m* à bagages **Kofferradio** *nt* transistor *m* **Kofferraum** *m* coffre *m* [à bagages]
Kognak <-s, -s *o* -e> ['kɔnjak] *m* cognac
m
Kohl [ko:l] <-[e]s, -e> *m* chou *m*
Kohldampf *m fam* **~ haben** avoir la dalle
Kohle ['ko:lə] <-, -n> *f* **1.** (*Brennstoff*)
charbon *m;* (*Steinkohle*) houille *f;* (*Braunkohle*) lignite *f* **2.** (*Aktivkohle*) charbon *m*
actif **3.** (*Zeichenkohle*) fusain *m* **4.** *fam*
(*Geld*) fric *m*
Kohlehydrat *s.* **Kohlenhydrat Kohlekraftwerk** *nt* centrale *f* thermique au
charbon
Kohlenbergbau *m* charbonnages *mpl*
Kohlenbergwerk *nt* mine *f* de charbon
Kohlendioxid [ko:lən'di:?ɔksi:t] *nt kein*
Pl dioxyde *m* de carbone **Kohlenhydrat**
nt glucide *m* **Kohlenmonoxid**
[ko:lən'mo:nɔksi:t] *nt* [mon]oxyde *m* de
carbone **Kohlensäure** *f* acide *m* carbonique; (*Kohlendioxid*) gaz *m* carbonique;
Mineralwasser mit/ohne ~ eau *f* [minérale] gazeuse/non gazeuse **kohlensäurehaltig** *adj* gazeux(-euse) **Kohlenstoff** *m*
CHEM carbone *m* **Kohlenwasserstoff** *m*
hydrocarbure *m*
Kohlepapier *nt* [papier *m*] carbone *m*
Kohlestift *m* fusain *m* **Kohlezeichnung**
f fusain *m*
Kohlkopf *m* chou *m*
kohlrabenschwarz *adj Haare, Augen* de jais
Kohlrabi [ko:l'ra:bi] <-[s], -[s]> *m* chourave *m*
Kohlroulade [ko:lrula:də] *f* chou *m* farci
Kohlsprosse *f* A (*Rosenkohl*) chou *m* de
Bruxelles
Kohorte <-, -n> *f* cohorte *f*
Koitus ['ko:itʊs] <-, - *o* -se> *m form* acte
m sexuel
Koje <-, -n> *f* NAUT couchette *f*
Kokain [koka'i:n] <-s> *nt* cocaïne *f*
kokainsüchtig *adj* **~ sein** être à la cocaïne
kokett [ko'kɛt] *adj* coquet(te)
kokettieren* [kokɛ'ti:rən] *vi* **1.** faire du
charme; **mit jdm ~** faire du charme à qn
2. (*scherzend erwähnen*) **mit etw ~** faire
des chichis avec qc
Kokon [ko'kõ:] <-s, -s> *m* cocon *m*
Kokosfett *nt* beurre *m* de coco **Kokosnuss**[RR] *f* noix *f* de coco **Kokospalme** *f*
cocotier *m*

Koks¹ [koːks] <-es> m coke m
Koks² <-es> m o nt fam (Kokain) coke f
koksen vi fam sni[f]fer de la coke
Kolben ['kɔlbən] <-s, -> m **1.** eines Motors, Füllers piston m **2.** (Gewehrkolben) crosse f **3.** (Destilliergefäß) ballon m **4.** (Maiskolben) épi m
Kolbenfresser <-s> m fam AUT bielle f coulée; **den/einen ~ haben** couler une bielle
Kolibri ['koːlibri] <-s, -s> m colibri m
Kolik ['koːlɪk] <-, -en> f MED colique f
Kollaborateur(in) [kɔlaboraˈtøːɐ̯] <-s, -e> m(f) pej collaborateur(-trice) m(f)
Kollaboration [kɔlaboraˈtsi̯oːn] <-, -en> f pej collaboration f
Kollaps ['kɔlaps] <-es, -e> m **1.** (Kreislaufkollaps) collapsus m [cardiovasculaire] **2.** geh (Zusammenbruch) effondrement m
Kolleg <-s, -s> nt (Schule) école permettant à des adultes non-bacheliers de passer le baccalauréat
Kollege [kɔˈleːgə] <-n, -n> m, **Kollegin** f collègue mf
kollegial [kɔleˈgi̯aːl] **I.** adj Mitarbeiter respectueux(-euse) de ses collègues; **~ sein** être bon collègue **II.** adv sich **~ verhalten** agir en bon(ne) collègue
Kollegin [kɔˈleːgɪn] s. **Kollege**
Kollegium [kɔˈleːgi̯ʊm] <-s, -gien> nt **1.** (Lehrerkollegium) corps m enseignant **2.** (Gremium) commission f; (Kardinalskollegium, Bischofskollegium) collège m
Kollegmappe f porte-documents m
Kollekte <-, -n> f quête f
Kollektion [kɔlɛkˈtsi̯oːn] <-, -en> f (Sortiment) collection f
kollektiv [kɔlɛkˈtiːf] geh adj collectif(-ive)
Koller <-s, -> m fam crise f de colère
kollidieren* [kɔliˈdiːrən] vi geh + sein **mit etw ~** Fahrzeug: entrer en collision avec qc
Kollier [kɔˈli̯eː] <-s, -s> nt collier m
Kollision [kɔliˈzi̯oːn] <-, -en> f geh collision f
Kolloquium [kɔˈloːkvi̯ʊm] <-s, -ien> nt **1.** UNIV séminaire m **2.** (Symposium) colloque m
Köln [kœln] <-s> nt Cologne
Kölnischwasser, **kölnisch Wasser**^RR nt eau f de Cologne
kolonial adj colonial(e)
Kolonialismus [koloni̯aˈlɪsmʊs] <-> m colonialisme m
Kolonialmacht f puissance f coloniale
Kolonie [-ˈniːən] <-, -n> f colonie f
Kolonisation [kolonizaˈtsi̯oːn] <-, -en> f colonisation f
kolonisieren* [koloniˈziːrən] vt coloniser
Kolonne [koˈlɔnə] <-, -n> f (Fahrzeugkolonne) file f; **in [einer] ~ fahren** rouler les uns derrière les autres
kolorieren* [koloˈriːrən] vt colorier; coloriser Film
Kolorit <-[e]s, -e> nt (Klangfarbe) timbre m
Koloss^RR [koˈlɔs] <-es, -e>, **Koloß** <-sses, -sse> m fam (Mensch) colosse m
kolossal [koloˈsaːl] **I.** adj **1.** Bauwerk colossal(e) **2.** fam Dummheit, Fehler, Irrtum monumental(e) **II.** adv fam sich freuen énormément; sich irren dans les grandes largeurs
kolportieren* vt geh colporter
Kolumne [koˈlʊmnə] <-, -n> f **1.** PRESSE chronique f **2.** TYP colonne f
Koma ['koːma] <-s, -s o -ta> nt coma m
Kombi ['kɔmbi] m fam break m
Kombinat <-[e]s, -e> nt HIST combinat m
Kombination [kɔmbinaˈtsi̯oːn] <-, -en> f combinaison f
kombinatorisch adj **~e Fähigkeiten haben** avoir l'esprit m de déduction
kombinieren* [kɔmbiˈniːrən] **I.** vt assortir; **einen Rock mit einer Bluse ~** assortir une jupe et une chemise; **verschiedene Farben miteinander ~** associer différentes couleurs entre elles **II.** vi faire une déduction/des déductions
Kombitherapie f (gegen Aids) trithérapie f
Kombizange f pince f universelle
Komet [koˈmeːt] <-en, -en> m comète f
kometenhaft adj Aufstieg fulgurant(e)
Komfort [kɔmˈfoːɐ̯] <-s> m confort m
komfortabel [kɔmfɔrˈtaːbəl] adj confortable
Komik ['koːmɪk] <-> f comique m
Komiker(in) ['koːmikɐ] <-s, -> m(f) comique mf
komisch I. adj **1.** (lustig) comique **2.** (sonderbar) bizarre; **~ riechen/schmecken** avoir une drôle d'odeur/un drôle de goût **3.** (unwohl) **mir ist/wird so** [o ganz] **~** fam je me sens tout drôle **II.** adv **1.** (lustig) bizarrement **2.** (sonderbar) **sich ~ verhalten** se comporter de façon étrange; **sich ~ fühlen** se sentir tout drôle (fam)
komischerweise adv fam bizarrement
Komitee [komiˈteː] <-s, -s> nt comité m
Komma ['kɔma] <-s, -s o -ta geh> nt virgule f
Kommandant(in) <-en, -en> m(f) commandant(e) m(f)
Kommandeur(in) [kɔmanˈdøːɐ̯] <-s, -e> m(f) commandant(e) m(f) en chef
kommandieren* [kɔmanˈdiːrən] **I.** vt **1.** (befehligen) commander **2.** (ab~) **jdn an die Front ~** affecter qn au front **II.** vi **1.** MIL commander **2.** fam (Anweisungen erteilen) **gern ~** aimer bien faire le gendar-

me

Kommanditgesellschaft [kɔman'diːt-gəzɛlʃaft] *f* [société *f* en] commandite *f*

Kommando [kɔ'mando] <-s, -s> *nt* **1.** *a.* MIL ordre *m;* **auf** ~ *handeln, gehorchen* sur ordre; *lachen* sur commande **2.** *kein Pl* (*Befehlsgewalt*) commandement *m* **3.** (*abkommandierte Gruppe*) détachement *m*

kommen ['kɔmən] <kam, gekommen> **I.** *vi* + *sein* **1.** venir; **nach unten/oben** ~ descendre/monter; **nach draußen** ~ sortir; **ich komme ja schon!** j'arrive!; **komm!** viens [ici]! **2.** (*eintreffen, an~*) *Person, Zug:* arriver **3.** (*her~, sich nähern*) *Person, Fahrzeug:* venir; *Gewitter, Frühling:* arriver; **von rechts/links** ~ arriver sur la droite/gauche **4.** (*zurückkehren*) **von der Arbeit/aus dem Kino** ~ venir du travail/du cinéma **5.** (*gelangen*) **wie komme ich bitte zur Post?** pour aller à la poste, s'il vous plaît? **6.** (*teilnehmen*) **zur Party** ~ aller à la fête; **kommst du auch?** est-ce que tu y vas aussi? **7.** (*stammen*) **von weit her** ~ venir de loin; **aus ärmlichen Verhältnissen** ~ être issu d'un milieu modeste; **aus dem Griechischen** ~ *Wort:* venir du grec **8.** (*gesendet, gezeigt werden*) passer; **im Fernsehen** ~ passer à la télévision **9.** (*sich verschaffen*) **billig an Bücher** ~ se procurer des livres bon marché; **an einen Handwerker** ~ trouver un artisan **10.** (*Einfall haben*) **auf die Idee wäre ich nie gekommen** ça ne me serait jamais venu à l'idée; **wie kommst du denn darauf?** qu'est-ce qui te fait croire ça? **11.** (*herrühren*) **sein Husten kommt vom Rauchen** sa toux [pro]vient de la cigarette **12.** (*Zeit finden*) **nicht zum Abwaschen** ~ ne pas trouver le temps de faire la vaisselle ▸ **sich** (*dat*) **nahe** ~ *Personen:* devenir très proches; **der Wahrheit** (*dat*) **nahe kommen** [s']approcher de la vérité; **da** **kann** [*o* **könnte**] **ja jeder** ~! *fam* et puis quoi, encore?; **auf jdn nichts** ~ **lassen** *fam* ne pas vouloir qu'on touche à qn; **komme, was wolle** quoi qu'il advienne; [**wieder**] **zu sich** ~ revenir à soi; (*sich beruhigen*) se remettre **II.** *vi unpers* + *sein* **es kam zu einer Auseinandersetzung** on en vint à une querelle; **und so kam es, dass** et c'est ainsi que; **wie kommt es, dass …?** comment se fait-il que …? ▸ **mag es** ~, **wie es** ~ **will** quoi qu'il advienne; **es kam, wie es** ~ **musste** il est arrivé ce qui devait arriver

Kommen <-s> *nt* venue *f,* arrivée *f;* **wir rechnen fest mit deinem** ~ nous comptons sur ta visite

kommend *adj* **1.** (*nächste*) prochain(e) **2.** (*künftig*) à venir

Kommentar [kɔmɛn'taːɐ̯] <-s, -e> *m* commentaire *m*

Kommentator <-s, -toren> *m,* **Kommentatorin** *f* commentateur(-trice) *m(f)*

kommentieren* [kɔmɛn'tiːrən] *vt* commenter

kommerziell [kɔmɛr'tsiɛl] **I.** *adj* commercial(e) **II.** *adv* à des fins commerciales

Kommilitone [kɔmili'toːnə] <-n, -n> *m,* **Kommilitonin** *f* camarade *mf* d'études

Kommissar(in) [kɔmɪ'saːɐ̯] <-s, -e> *m(f)* commissaire *m*

Kommissariat [kɔmɪsari'aːt] <-s, -e> *nt* commissariat *m*

kommissarisch *adj* intérimaire

Kommission [kɔmɪ'sɪ̯oːn] <-, -en> *f* (*Ausschuss*) commission *f;* **die Europäische** ~ la Commission européenne

Kommode <-, -n> *f* commode *f*

kommunal [kɔmu'naːl] *adj* municipal(e); *Abgaben* local(e)

Kommunalpolitik *f* politique *f* municipale **Kommunalverwaltung** *f* administration *f* communale **Kommunalwahlen** *Pl* élections *fpl* municipales

Kommune <-, -n> *f* **1.** ADMIN commune *f* **2.** HIST **die Pariser** ~ la Commune de Paris

Kommunikation [kɔmunika'tsɪ̯oːn] <-, -en> *f* communication *f*

Kommunikee[RR] [kɔmyni'keː] <-s, -s> *nt* communiqué *m*

Kommunion [kɔmu'nɪ̯oːn] <-, -en> *f* communion *f;* **die heilige** ~ la sainte communion; (*Erstkommunion*) la première communion

Kommuniqué [kɔmyni'keː] *nt* communiqué *m*

Kommunismus [kɔmu'nɪsmʊs] <-> *m* communisme *m*

Kommunist(in) [kɔmu'nɪst] <-en, -en> *m(f)* communiste *mf*

kommunistisch *adj* communiste

kommunizieren* *vi geh* (*sich verständigen*) communiquer

Komödiant(in) <-en, -en> *m(f) a. fig, pej* comédien(ne) *m(f)*

Komödie [ko'møːdɪ̯ə] <-, -n> *f a. fig* comédie *f;* ~ **spielen** jouer la comédie

Kompagnon [kɔmpan'jõː] <-s, -s> *m* associé *m(f)*

kompakt [kɔm'pakt] **I.** *adj* compact(e) **II.** *adv* **gebaut** de forme compacte

Kompanie [-'niːən] <-, -n> *f* compagnie *f*

Komparativ ['kɔmparatiːf] <-s, -e> *m* comparatif *m*

Komparse <-n, -n> *m,* **Komparsin** *f* figurant(e) *m(f)*

Kompass[RR] ['kɔmpas] <-es, -e>, **Kompaß** <-sses, -sse> *m* boussole *f;* NAUT compas *m*

kompatibel [kɔmpa'tiːbəl] *adj* compatible

Kompatibilität [kɔmpatibili'tɛːt] <-, -en> *f* compatibilité *f*

Kompensation <-, -en> *f* compensation *f*

kompensieren* [kɔmpɛn'ziːrən] *vt a.* PSYCH compenser

kompetent [kɔmpe'tɛnt] I. *adj* compétent(e) II. *adv* de manière compétente

Kompetenz [kɔmpe'tɛnts] <-, -en> *f* compétence *f*

Komplementärfarbe *f* couleur *f* complémentaire

komplett [kɔm'plɛt] *adj* 1. (*vollständig*) complet(-ète) 2. *fam* (*vollzählig, völlig*) **sind wir** ~? sommes-nous au complet?; **das ist doch** ~**er Schwachsinn!** c'est complètement débile!

komplex [kɔm'plɛks] I. *adj* complexe II. *adv* de façon complexe

Komplex [kɔm'plɛks] <-es, -e> *m* ARCHIT, PSYCH complexe *m*

Komplikation [kɔmplika'tsi̯oːn] <-, -en> *f* complication *f*

Kompliment [kɔmpli'mɛnt] <-[e]s, -e> *nt* compliment *m*

Komplize [kɔm'pliːtsə] <-n, -n> *m*, **Komplizin** *f* complice *mf*

komplizieren* I. *vt* compliquer II. *vr* **sich** ~ se compliquer

kompliziert I. *adj* compliqué(e) II. *adv* de façon compliquée

Kompliziertheit <-> *f* complexité *f*

Komplizin [tsɪn] *f s.* **Komplize**

Komplott [kɔm'plɔt] <-[e]s, -e> *nt* complot *m* ►**ein** ~ **schmieden** tramer un complot (*soutenu*)

Komponente <-, -n> *f* (*Bestandteil*) composant *m*

komponieren* [kɔmpo'niːrən] I. *vt* composer II. *vi* composer; **das Komponieren** la composition

Komponist(in) [kɔmpo'nɪst] <-en, -en> *m(f)* compositeur(-trice) *m(f)*

Komposita *s.* **Kompositum**

Komposition <-, -en> *f* composition *f*

Kompositum <-s, Komposita> *nt* LING [mot *m*] composé *m*

Kompost [kɔm'pɔst] <-[e]s, -e> *m* compost *m*

Komposthaufen [kɔm'pɔsthau̯fən] *m* tas *m* de compost

kompostieren* *vt* faire du compost avec; **etw** ~ faire du compost avec qc; **das Kompostieren** le compostage

Kompott [kɔm'pɔt] <-[e]s, -e> *nt* compote *f*

Kompresse [kɔm'prɛsə] <-, -n> *f* compresse *f*

Kompressor [kɔm'prɛsoːɐ̯] <-s, -pressoren> *m* compresseur *m*

komprimieren* *vt* comprimer

Kompromiss[RR] [kɔmpro'mɪs] <-es, -e>, **Kompromiß** <-sses, -sse> *m* compromis *m;* **einen** ~ **mit jdm schließen** passer un compromis avec qn

kompromissbereit[RR] *adj* conciliant(e) **Kompromissbereitschaft**[RR] *f* attitude *f* conciliante **kompromisslos**[RR] *adj* Haltung intransigeant(e)

kompromittieren* I. *vt* compromettre II. *vr* **sich** ~ se discréditer

Kondensation <-, -en> *f* condensation *f*

Kondensator [kɔndɛn'zaːtoːɐ̯] <-s, -toren> *m* condensateur *m*

kondensieren* [kɔndɛn'ziːrən] I. *vi + haben o sein* se condenser II. *vt + haben* concentrer *Milch, Saft*

Kondensmilch [kɔn'dɛnsmɪlç] *f* lait *m* concentré **Kondenswasser** *nt kein Pl* [eau *f* de] condensation *f*

Kondition [kɔndi'tsi̯oːn] <-, -en> *f* 1. (*Leistungsfähigkeit*) condition *f;* **eine gute** ~ **haben** être en bonne condition; **keine** ~ **haben** manquer de condition 2. *Pl* (*Bedingungen*) conditions *fpl*

Konditionalsatz [kɔndits i̯o'naːlzats] *m* GRAM proposition *f* conditionnelle

Konditionstraining [-treːnɪŋ, -trɛː-] *nt* mise *f* en condition

Konditor [kɔn'diːtoːɐ̯] <-s, -toren> *m*, **Konditorin** *f* pâtissier *m* [confiseur]/pâtissière *f* [confiseuse]

Konditorei [kɔndito'rai̯] <-, -en> *f* pâtisserie *f* [confiserie]

kondolieren* *vi geh* présenter ses condoléances

Kondom [kɔn'doːm] <-s, -e> *m o nt* préservatif *m*

Konfekt [kɔn'fɛkt] <-[e]s, -e> *nt* 1. (*Pralinen*) chocolats *mpl* 2. A, CH (*Gebäck*) petits-fours *mpl*

Konferenz [kɔnfe'rɛnts] <-, -en> *f* 1. conférence *f;* **in einer** ~ **sein** être en conférence; ~ **über Sicherheit und Zusammenarbeit in Europa** Conférence sur la sécurité et la coopération en Europe 2. (*Lehrerkonferenz*) conseil *m* de classe

Konferenzschaltung *f* multiplex *m*

konferieren* *vi geh* conférer

Konfession [kɔnfɛ'si̯oːn] <-, -en> *f* confession *f*

konfessionell *adj* confessionnel(le)

konfessionslos *adj* sans confession

Konfetti [kɔn'fɛti] <-[s]> *nt* confetti *m*

Konfiguration <-, -en> *f* INFORM configuration *f*
konfigurieren* *vt* INFORM configurer
Konfirmand(in) [kɔnfɪr'mant] <-en, -en> *m(f)* confirmand(e) *m(f)*
Konfirmation [kɔnfɪrma'tsi̯oːn] <-, -en> *f* confirmation *f*
konfirmieren* [kɔnfɪr'miːrən] *vt* confirmer
konfiszieren* *vt* **1.** (*beschlagnahmen*) saisir **2.** *hum* (*wegnehmen*) confisquer
Konfitüre [kɔnfi'tyːrə] <-, -n> *f* confiture *f*
Konflikt [kɔn'flɪkt] <-s, -e> *m* conflit *m*
Konföderation <-, -en> *f* confédération *f*
konform *adj* concordant(e)
Konformismus <-> *m geh* conformisme *m*
konformistisch *adj geh* conformiste
Konfrontation [kɔnfrɔnta'tsi̯oːn] <-, -en> *f* **1.** (*Gegenüberstellung*) confrontation *f* **2.** (*Auseinandersetzung*) affrontement *m*
konfrontieren* [kɔnfrɔn'tiːrən] *vt* confronter; **jdn mit jdm/etw** ~ confronter qn avec qn/qc; **mit etw konfrontiert werden** être confronté à qc
konfus [kɔn'fuːs] **I.** *adj* confus(e); **jdn ganz** ~ **machen** embrouiller complètement qn; ~ **klingen** paraître confus(e) **II.** *adv* de façon confuse
Konglomerat <-[e]s, -e> *nt geh von Hütten* agglomération *f*
KongressRR [kɔn'grɛs] <-es, -e>, **Kongreß** <-sses, -sse> *m* **1.** (*Tagung*) congrès *m* **2.** (*US-Parlament*) **der** ~ le Congrès
KongresshalleRR *f* salle *f* des congrès
KongresszentrumRR *nt* palais *m* des congrès
kongruent [kɔngru'ɛnt] *adj* coïncident(e); ~ **sein** coïncider
Konifere <-, -n> *f* conifère *m*
König ['køːnɪç] <-s, -e> *m* roi *m;* **die Heiligen Drei** ~**e** les Rois mages
Königin <-, -nen> *f* reine *f*
königlich ['køːnɪklɪç] *adj a. fig* royal(e)
Königreich ['køːnɪkrai̯ç] *nt* royaume *m;* **das Vereinigte** ~ le Royaume-Uni
konisch *adj* conique
Konjugation [kɔnjuga'tsi̯oːn] <-, -en> *f* conjugaison *f*
konjugieren* [kɔnju'giːrən] *vt* conjuguer
Konjunktion [kɔnjʊŋk'tsi̯oːn] <-, -en> *f* GRAM, ASTROL conjonction *f*
Konjunktionalsatz *m* GRAM [proposition *f*] conjonctive *f*
Konjunktiv ['kɔnjʊŋktiːf] <-s, -e> *m* GRAM *mode du potentiel*
Konjunktur [kɔnjʊŋk'tuːɐ̯] <-, -en> *f* conjoncture *f*

konjunkturell [kɔnjʊŋktu'rɛl] *adj* conjoncturel(le)
konkav *adj* concave
konkret [kɔn'kreːt] *adj* **1.** *Vorstellung, Meinung* concret(-ète) **2.** KUNST figuratif(-ive)
Konkurrent(in) [kɔnkʊ'rɛnt] <-en, -en> *m(f)* rival(e) *m(f);* COM concurrent(e) *m(f)*
Konkurrenz [kɔnkʊ'rɛnts] <-, -en> *f* **1.** *kein Pl* concurrence *f* **2.** (*Wettkampf*) compétition *f;* **außer** ~ hors compétition
konkurrenzfähig *adj* compétitif(-ive) **Konkurrenzkampf** *m* concurrence *f* **konkurrenzlos** *adj* sans concurrence; *Produkt* défiant toute concurrence
konkurrieren* [kɔnkʊ'riːrən] *vi* COM mit **jdm/etw** ~ être en concurrence avec qn/qc
Konkurs [kɔn'kʊrs] <-es, -e> *m* **1.** (*Zahlungsunfähigkeit*) faillite *f* **2.** (*Verfahren*) procédure *f* de faillite
Konkursmasse *f* actif *m* de la faillite **Konkursverfahren** *nt* procédure *f* de faillite
können ['kœnən] **I.** <~, **könnte,** ~> *aux modal* **1.** (*vermögen*) pouvoir; **etw tun** ~ pouvoir faire qc; **etw nicht vergessen** ~ ne pas pouvoir oublier qc **2.** (*eine Fertigkeit haben*) **laufen/lesen** ~ savoir courir/lire **3.** (*dürfen*) **etw tun** ~ pouvoir faire qc **4.** (*in höflichen Fragen*) ~ **Sie mir sagen, wo/wie …?** pourriez-vous me dire où/comment …?; **kann ich Ihnen weiterhelfen?** puis-je vous aider? ▸**man kann nie wissen** on ne sait jamais **II.** <~, **könnte, gekonnt**> *vt* savoir *Gedicht;* parler *Fremdsprache;* **was** ~ **Sie?** qu'est-ce que vous savez faire? ▸**[et]was/nichts für etw** ~ être/ne pas être responsable de qc; **der kann mich mal!** *fam* il peut aller se faire foutre! **III.** <~, **könnte, gekonnt**> *vi* pouvoir; **nicht mehr** ~ *fam* (*erschöpft sein*) n'en pouvoir plus; *fam* (*satt sein*) ne pouvoir plus rien avaler
Können <-s> *nt* (*geistig*) compétence *f;* (*manuell*) savoir-faire *m*
Könner(in) <-s, -> *m(f)* expert(e) *m(f)*
konnte ['kɔntə] *Imp von* **können**
Konsekutivsatz [kɔnzeku'tiːfzats] *m* [proposition *f* subordonnée] consécutive *f*
Konsens <-es, -e> *m geh* (*Übereinstimmung*) consensus *m*
konsequent [kɔnze'kvɛnt] **I.** *adj* **1.** (*folgerichtig*) cohérent(e) **2.** (*unbeirrbar*) résolu(e); **bei etw** ~ **sein** être cohérent dans qc **II.** *adv* **1.** (*folgerichtig*) de façon cohérente **2.** (*unbeirrbar*) résolument
Konsequenz [kɔnze'kvɛnts] <-, -en> *f* **1.** (*Folge*) conséquence *f;* **die** ~**en tragen** supporter les conséquences **2.** (*Folgerung*) **aus etw die** ~**en ziehen** tirer les consé-

quences de qc **3.** *kein Pl* (*Folgerichtigkeit*) cohérence *f* **4.** *kein Pl* (*Unbeirrbarkeit*) détermination *f*

konservativ [kɔnzɛrva'ti:f] POL **I.** *adj* conservateur(-trice) **II.** *adv* **wählen** à droite

Konservative(r) *f(m) dekl wie adj* conservateur(-trice) *m(f)*

Konservatorium [kɔnzɛrva'to:rɪʊm] <-s, -rien> *nt* conservatoire *m*

Konserve [-və] <-, -n> *f* conserve *f*

Konservendose *f* boîte *f* de conserve

konservieren* [kɔnzɛr'vi:rən] *vt* conserver

Konservierung <-, -en> *f* **1.** *von Lebensmitteln* conservation *f* **2.** *geh* (*Erhaltung*) entretien *m*

Konsistenz <-> *f geh* consistance *f*

Konsole [kɔn'zo:lə] <-, -n> *f* console *f*

konsolidieren* *vt geh* consolider

Konsonant [kɔnzo'nant] <-en, -en> *m* LING consonne *f*

Konsortium [kɔn'zɔrtsiʊm, -tsiən] <-s, -tien> *nt* consortium *m*

Konspiration <-, -en> *f geh* conspiration *f*

konspirativ *adj geh* *Tätigkeit* conspirateur(-trice)

konstant [kɔn'stant] *adj* constant(e)

Konstante <-[n], -n> *f* constante *f*

Konstellation [kɔnstɛla'tsˌio:n] <-, -en> *f* **1.** *geh* (*Gesamtlage*) configuration *f* **2.** ASTRON, ASTROL constellation *f*

konsterniert *geh* **I.** *adj* consterné(e) **II.** *adv* avec consternation

konstituieren* *geh* **I.** *vt* constituer; ~**d** constituant(e) **II.** *vr* **sich als etw** ~ se constituer en qc

Konstitution [kɔnstitu'tsˌio:n] <-, -en> *f* **1.** (*körperliche Verfassung*) condition *f*; (*Körperbau*) constitution *f* **2.** POL *geh* constitution *f*

konstruieren* [kɔnstru'i:rən] *vt a.* GRAM construire

Konstrukteur(in) [kɔnstrʊk'tø:ɐ̯] <-s, -e> *m(f)* constructeur(-trice) *m(f)*

Konstruktion [kɔnstrʊk'tsˌio:n] <-, -en> *f* construction *f*

konstruktiv [kɔnstrʊk'ti:f] *geh* **I.** *adj* (*förderlich*) constructif(-ive) **II.** *adv* de façon constructive

Konsul ['kɔnzʊl] <-s, -n> *m*, **Konsulin** *f* consul *m*

Konsulat [kɔnzu'la:t] <-[e]s, -e> *nt* consulat *m*

Konsultation <-, -en> *f form* consultation *f*

konsultieren* [kɔnzʊl'ti:rən] *vt form* consulter *Lexikon, Arzt*

Konsum [kɔn'zu:m] <-s> *m* consommation *f*

Konsument(in) [kɔnzu'mɛnt] <-en, -en> *m(f)* consommateur(-trice) *m(f)*

Konsumgesellschaft *f* société *f* de consommation **Konsumgut** *nt meist Pl* bien *m* de consommation

konsumieren* [kɔnzu'mi:rən] *vt geh* **1.** (*verbrauchen*) consommer **2.** *fig* être consommateur de *Kunst*

Kontakt [kɔn'takt] <-[e]s, -e> *m* contact *m*; **der** ~ **zu jdm** le contact avec qn; **private/berufliche** ~**e** des relations *fpl* personnelles/d'affaires; **mit jdm** ~ **aufnehmen** prendre contact avec qn; ~ **zu jdm haben** avoir des contacts avec qn

Kontaktanzeige *f* annonce *f* personnelle **kontaktarm** *adj* solitaire **Kontaktbildschirm** *m* écran *m* tactile **kontaktfreudig** *adj* sociable **Kontaktlinse** *f* lentille *f* [de contact]

Konten *Pl von* **Konto**

Konterfei <-s, -s *o* -e> *nt hum* portrait *m*

kontern *vi* (*antworten*) riposter

Konterrevolution [-vo-] *f* contre-révolution *f*

Kontext ['kɔntɛkst] <-[e]s, -e> *m* contexte *m*

Kontinent [kɔnti'nɛnt] <-[e]s, -e> *m* continent *m*

kontinental [kɔntinɛn'ta:l] *adj* continental(e)

Kontingent <-[e]s, -e> *nt* MIL, COM contingent *m*

kontinuierlich [kɔntinu'i:ɐ̯lɪç] *geh* **I.** *adj* *Bewegung, Strom* continu(e) **II.** *adv* de façon continue

Konto ['kɔnto] <-s, Konten *o* Konti> *nt* compte *m*

Kontoauszug *m* extrait *m* de compte **Kontonummer** *f* numéro *m* de/du compte **Kontostand** *m* situation *f* de compte

kontra *präp* + *akk* **der Konflikt Gewerkschaften** ~ **Unternehmer** le conflit patronat–syndicats

Kontra ▸**jdm** ~ **geben** *fam* contredire qn

KontrabassRR *m* contrebasse *f*

Kontrahent(in) [kɔntra'hɛnt] <-en, -en> *m(f) geh* adversaire *mf*

Kontraindikation ['kɔntraʔɪndikatsˌio:n] *f* contre-indication *f*

Kontrakt <-[e]s, -e> *m* contrat *m*

kontraproduktiv *adj* contre-productif(-ive) **Kontrapunkt** *m* MUS contrepoint *m*

konträr *adj geh* contraire

Kontrast [kɔn'trast] <-[e]s, -e> *m* **1.** contraste *m*; **der** ~ **zu etw** le contraste avec qc; **im** [*o* in] ~ **zu etw stehen** être en opposition avec qc **2.** CINE, PHOT, TV contraste *m*

Kontrastmittel *nt* produit *m* de contraste

Kontrollabschnitt *m* partie *f* détachable [du billet] **Kontrollampe** *s.* **Kontrolllampe**

Kontrolle [kɔn'trɔlə] <-, -n> *f* **1.** (*Überprüfung*) contrôle *m;* **eine ~ durchführen** effectuer un contrôle **2.** (*Überwachung*) contrôle *m;* **jdn/etw unter ~ (*dat*) haben** avoir qn/qc sous son contrôle **3.** (*Gewalt*) **unter ~ haben** maîtriser *Brand, Fahrzeug;* **die ~ über etw (*akk*) verlieren** perdre le contrôle de qc; **die ~ über sich (*akk*) verlieren** perdre son self-control

Kontrolleur(in) [kɔntrɔ'løːɐ] <-s, -e> *m(f)* contrôleur(-euse) *m(f)*

Kontrollgang <-gänge> *m* ronde *f*

kontrollieren* [kɔntrɔ'liːrən] *vt* **1.** (*überprüfen*) contrôler **2.** (*überwachen*) exercer un contrôle sur **3.** COM contrôler *Konzern, Markt*

Kontrolllampe[RR] *f* voyant *m* lumineux **Kontrollturm** *m* tour *f* de contrôle

kontrovers [-'vɛrs] *geh adj* (*umstritten*) controversé(e)

Kontroverse [-'vɛrzə] <-, -n> *f geh* controverse *f*

Kontur <-, -en> *f meist Pl* contour *m*

Konvention [-vɛn-] <-, -en> *f meist Pl* (*Verhaltensnorm*) convention *f*

Konventionalstrafe [-vɛn-] *f* clause *f* pénale

konventionell [kɔnvɛntsi̯o'nɛl] **I.** *adj* conventionnel(le) **II.** *adv* de manière conventionnelle

Konversation [kɔnvɛrza'tsi̯oːn] <-, -en> *f geh* conversation *f;* **~ machen** faire la conversation

konvertibel [kɔnvɛr'tiːbəl] *adj,* **konvertierbar** *adj* FIN convertible

konvertieren* [kɔnvɛr'tiːrən] **I.** *vi + haben o sein* se convertir; **zum Christentum ~** se convertir au christianisme **II.** *vt* convertir *Datei, Dokument*

konvex [-'vɛks] *adj* convexe

Konvoi ['kɔnvɔɪ, kɔn'vɔɪ] <-s, -s> *m* convoi *m*

Konzentrat [kɔntsɛn'traːt] <-[e]s, -e> *nt* concentré *m*

Konzentration [kɔntsɛntra'tsi̯oːn] <-, -en> *f* concentration *f*

Konzentrationsfähigkeit *f kein Pl* pouvoir *m* de concentration **Konzentrationslager** *nt* camp *m* de concentration **Konzentrationsschwäche** *f* difficultés *fpl* de concentration

konzentrieren* [kɔntsɛn'triːrən] *vr* **sich ~** se concentrer; **sich auf etw (*akk*) ~** se concentrer sur qc

konzentriert [kɔntsɛn'triːɐt] **I.** *adj Saft, Säure* concentré(e); *Nachdenken* approfondi(e); *Aufmerksamkeit* soutenu(e) **II.** *adv nachdenken* en se concentrant

konzentrisch *adj* concentrique

Konzept [kɔn'tsɛpt] <-[e]s, -e> *nt* **1.** (*Entwurf*) brouillon *m* **2.** (*Plan*) projet *m*

Konzeption <-, -en> *f geh* concept *m*

Konzeptpapier *nt* [papier *m*] brouillon *m*

Konzern [kɔn'tsɛrn] <-s, -e> *m* groupe *m*

Konzert [kɔn'tsɛrt] <-[e]s, -e> *nt* **1.** (*Komposition*) concerto *m* **2.** (*Aufführung*) concert *m*

Konzertabend *m* soirée *f* musicale **Konzertagentur** *f* agence *f* de spectacles **Konzertflügel** *m* piano *m* de concert **Konzertsaal** *m* salle *f* de concert

Konzession [kɔntsɛ'si̯oːn] <-, -en> *f* **1.** *geh* (*Zugeständnis*) concession *f* **2.** (*Gewerbeerlaubnis*) licence *f*

Konzessivsatz [kɔntsɛ'siːfzats] *m* [proposition *f*] concessive *f*

konzipieren* *vt* concevoir

Kooperation [koʔopera'tsi̯oːn] <-, -en> *f* coopération *f*

kooperieren* [koʔope'riːrən] *vi* coopérer

Koordinate [koʔɔrdi'naːtə] <-, -en> *f* **1.** MATH coordonnée *f* **2.** *meist Pl* GEOG coordonnées *fpl* [géographiques]

Koordinatenachse [koʔɔrdi'naːtənʔaksə] *f* axe *m* des coordonnées **Koordinatensystem** *nt* système *m* de coordonnées

Koordination [koʔɔrdina'tsi̯oːn] <-, -en> *f geh* coordination *f*

koordinieren* [koʔɔrdi'niːrən] *vt geh* coordonner

Kopf [kɔpf, *Pl:* 'kœpfə] <-[e]s, ¨-e> *m* **1.** tête *f;* **den ~ schütteln** secouer la tête; **den ~ einziehen** rentrer la tête dans les épaules; **den ~ in die Hände stützen** se tenir la tête à deux mains **2.** (*Person*) **pro ~** par tête **3.** (*essbarer Teil*) **ein ~ Salat** la tête d'une salade **4.** (*Rückseite einer Münze*) **~ oder Zahl?** pile ou face? ▶**von ~ bis Fuß** de la tête aux pieds; **den ~ in den Sand stecken** pratiquer la politique de l'autruche; **den ~ aus der Schlinge ziehen** se tirer d'affaire; **mit dem ~ durch die Wand wollen** *fam* faire du forcing; **nicht auf den ~ gefallen sein** *fam* ne pas être tombé sur la tête; **das hältst du [ja] im ~ nicht aus!** *fam* ça prend la tête!; **für jdn/etw den [*o* seinen] ~ hinhalten** *fam* aller au casse-pipe pour qn/qc; **etw auf den ~ hauen** *fam* dilapider qc; **etw im ~ rechnen** calculer qc de tête; **sich (*dat*) etw aus dem ~ schlagen** s'ôter qc de la tête; **sich (*dat*) in den ~ setzen etw zu tun** se mettre en tête de faire qc; **du**

kannst dich auf den ~ stellen und mit den Füßen wackeln, ... *fam* tu auras beau faire des pieds et des mains, ...; jdm den ~ verdrehen *fam* tourner la tête à qn; jdm den ~ waschen passer un savon à qn; jdm etw an den ~ werfen jeter qc à la figure de qn; die Köpfe zusammenstecken faire des messes basses (*fam*); ~ an ~ rennen au coude à coude

Kopfarbeit *f kein Pl* travail *m* intellectuel **Kopfbahnhof** *m* gare *f* terminus **Kopfball** *m* tête *f* **Kopfbedeckung** *f* couvre-chef *m*

Köpfchen ['kœpfçən] <-s, -> *nt* 1. *Dim von* **Kopf** [petite] tête *f* 2. *fam* (*Cleverness*) ~ haben être futé

köpfen ['kœpfən] I. *vt* 1. (*enthaupten*) décapiter 2. *fam* décapsuler *Flasche* 3. SPORT **den Ball ins Tor** ~ mettre de la tête une balle dans le but II. *vi* SPORT faire une tête

Kopfende *nt eines Bettes* tête *f*

Kopfgeld *nt* prime *f* de capture **Kopfgeldjäger** *m* chasseur *m* de prime **Kopfhaut** *f* cuir *m* chevelu **Kopfhörer** *m* casque *m* **Kopfkissen** *nt* oreiller *m* **Kopfkissenbezug** *m* taie *f* d'oreiller **kopflastig** *adj* (*zu intellektuell*) hyperintello (*péj fam*) **kopflos** *adj* (*verwirrt*) affolé(e) **Kopfmensch** *m fam* cérébral *m* **Kopfnicken** <-s> *nt* signe *m* de tête **kopfrechnen** *vi* calculer de tête **Kopfrechnen** *nt* calcul *m* mental **Kopfsalat** *m* laitue *f* **Kopfschmerz** *m meist Pl* mal *m* de tête; ~en haben avoir mal à la tête **Kopfschmerztablette** *f* cachet *m* contre le mal de tête **Kopfschütteln** <-s> *nt* hochement *m* de tête **Kopfsprung** *m* plongeon *m* **Kopfstand** *m* poirier *m;* einen ~ machen faire le poirier **kopfstehen** *s.* Kopf **Kopfstütze** *f* appuie-tête *m* **Kopftuch** <-tücher> *nt* foulard *m* **kopfüber** ['kɔpf'ʔyːbɐ] *adv* la tête la première **Kopfweh** *s.* Kopfschmerz **Kopfzerbrechen** *nt* jdm ~ bereiten causer du tracas à qn

Kopie [ko'piː] <-, -n> *f* copie *f*

kopieren* [ko'piːrən] *vt* 1. (*foto~*) [photo]copier; sich (*dat*) etw ~ se faire une copie de qc 2. *a.* INFORM (*Kopie erstellen*) faire une copie de

Kopierer <-s, -> *m fam* photocopieuse *f*

Kopiergerät [ko'piːɐ̯ɡərɛːt] *nt* photocopieuse *f* **Kopierschutz** *m* INFORM verrouillage *m*

Kopilot(in) ['koːpiloːt] *m(f)* copilote *mf*

Koppel <-, -n> *f* (*Pferdekoppel*) enclos *m*

koppeln ['kɔpəln] *vt* 1. TELEC an das Telefon gekoppelt sein *Anrufbeantworter:* être branché sur le téléphone 2. AUT, EISENBAHN etw an etw (*akk*) ~ accrocher qc à

qc; RAUM, NAUT amarrer qc à qc

Koppelung *s.* Kopplung

Koppelungsmanöver *s.* Kopplungsmanöver

Kopplung <-, -en> *f* 1. TELEC branchement *m* 2. AUT, EISENBAHN accrochage *m* 3. RAUM, NAUT amarrage *m*

Kopplungsmanöver *nt* RAUM manœuvres *fpl* d'amarrage

Koproduktion ['koːprodʊktsjoːn] *f* coproduction *f* **Koproduzent(in)** *m(f)* coproducteur(-trice) *m(f)*

kopulieren* *vi Tiere:* s'accoupler

Koralle [ko'ralə] <-, -n> *f* corail *m*

Koran [ko'raːn] <-s, -e> *m* Coran *m*

Koranschule *f* école *f* coranique

Korb [kɔrp, *Pl:* 'kœrbə] <-[e]s, ∺e> *m* 1. (*mit Henkeln*) panier *m;* (*ohne Henkel*) corbeille *f* 2. SPORT panier *m* 3. *fam* (*Abfuhr*) rebuffade *f;* einen ~ bekommen se faire envoyer sur les roses; jdm einen ~ geben envoyer promener qn

Korbball *m kein Pl* sorte de basket-ball

Körbchen ['kœrpçən] <-s, -> *nt* 1. *Dim von* **Korb** corbeille *f* 2. COUT *eines Büstenhalters* bonnet *m*

Korbflasche *f* bouteille *f* clissée

Kord *s.* Cord

Kordel <-, -n> *f* cordon *m*

Koriander [kori'andɐ] <-s, -> *m* coriandre *f*

Korinthe [ko'rɪntə] <-, -n> *f* raisin *m* de Corinthe

Kork [kɔrk] <-[e]s, -e> *m* liège *m*

Korken ['kɔrkən] <-s, -> *m* bouchon *m*

Korkenzieher <-s, -> *m* tire-bouchon *m*

Kormoran <-s, -e> *m* cormoran *m*

Korn¹ [kɔrn, *Pl:* 'kœrnə] <-[e]s, ∺er> *nt* 1. (*Samenkorn*) graine *f* 2. *kein Pl* (*Getreide*) céréales *fpl*

Korn² <-[e]s, -> *m kein Pl* (*Getränk*) eau *f* de vie

Kornblume *f* bleuet *m* **Kornfeld** *nt* champ *m* de céréales

körnig *adj Oberfläche* rugueux(-euse)

Kornkammer *f* grenier *m* à blé

Koronargefäß *nt* vaisseau *m* coronaire

Körper ['kœrpɐ] <-s, -> *m* corps *m;* am ganzen ~ zittern trembler de tout son corps

Körperbau *m kein Pl* anatomie *f* **körperbehindert** *adj form* handicapé(e) physique **Körperbehinderte(r)** *f(m) dekl wie adj form* handicapé(e) *m(f)* physique **körperbetont** *adj* qui accuse les formes [du corps] **Körpergewicht** *nt* poids *m* **Körpergröße** *f* taille *f* **körperlich** I. *adj* 1. *Anstrengung* physique; *Gebrechen* corporel(le) 2. *geh* (*stofflich*) de chair et d'os II. *adv*

physiquement; ~ **tätig sein** avoir une activité physique **Körperpflege** *f* hygiène *f* corporelle **Körperschaft** <-, -en> *f* personne *f* morale; ~ **des öffentlichen Rechts** personne morale de droit public **Körperschaft[s]steuer** *f* impôt *m* sur les [bénéfices des] sociétés [et autres personnes morales] **Körperteil** *m* partie *f* du corps **Körpertemperatur** *f* température *f* [du corps] **Körperverletzung** *f* blessure *f* corporelle; **fahrlässige** ~ blessure par imprudence; **schwere** ~ blessure grave; **wegen** ~ pour coups et blessures

Korpora *Pl von* **Korpus**

Korps [koːɐ] <-, -> *nt* **1.** MIL corps *m* [d'armée] **2.** UNIV association *f* d'étudiants

Korpsstudent *m* membre *m* d'une association d'étudiants

korpulent [kɔrpu'lɛnt] *adj* corpulent(e); ~ **sein** avoir de l'embonpoint

Korpulenz [kɔrpu'lɛnts] <-> *f* corpulence *f*

korrekt [kɔ'rɛkt] *adj* correct(e)

Korrektor <-s, -toren> *m*, **Korrektorin** *f* (*bei Prüfungen*) correcteur(-trice) *m(f)*

Korrektur [kɔrɛk'tuːɐ] <-, -en> *f* **1.** (*das Korrigieren, korrigierte Stelle*) correction *f* **2.** *geh* (*Veränderung*) rectification *f*; JUR amendement *m*

Korrekturband <-bänder> *nt* ruban *m* correcteur **Korrekturflüssigkeit** *f* liquide *m* correcteur

Korrespondent(in) [kɔrɛspɔn'dɛnt] <-en, -en> *m(f)* **1.** MEDIA correspondant(e) *m(f)* **2.** (*Handelskorrespondent*) correspondancier(-ière) *m(f)*

Korrespondenz [kɔrɛspɔn'dɛnts] <-, -en> *f* correspondance *f*

korrespondieren* [kɔrɛspɔn'diːrən] *vi* correspondre; **mit jdm** ~ correspondre avec qn

Korridor <-s, -e> *m* corridor *m*

korrigieren* [kɔri'giːrən] *vt* corriger

Korrosion [kɔro'zi̯oːn] <-, -en> *f* (*das Korrodieren*) corrosion *f*

korrosionsbeständig *adj* inoxydable

Korrosionsschutz *m* protection *f* anticorrosion

korrupt [kɔ'rʊpt] *adj pej* corrompu(e)

Korruption [kɔrʊp'tsi̯oːn] <-, -en> *f pej* corruption *f*

Korse ['kɔrzə] <-n, -n> *m*, **Korsin** *f* Corse *mf*

Korsett <-s, -s *o* -e> *nt* corset *m*

Korsika ['kɔrzika] <-s> *nt* la Corse; **auf** ~ en Corse

korsisch *adj* corse

Kortison <-s, -e> *nt* cortisone *f*

Koryphäe <-, -n> *f geh* sommité *f*

koscher ['koːʃɐ] **I.** *adj* **1.** REL casher *inv* **2.** *fam* (*einwandfrei*) réglo; **nicht [ganz]** ~ **sein** ne pas être très catholique **II.** *adv* **1.** REL *essen, kochen* casher **2.** *fam* (*einwandfrei*) à la régulière

Koseform *f* diminutif *m* **Kosename** *m* petit nom *m* **Kosewort** *nt* **1.** <-wörter> (*Kosename*) petit nom *m* **2.** <-worte> (*zärtliches Wort*) mot *m* tendre

Kosinus ['koːzinʊs] <-, – *o* -se> *m* cosinus *m*

Kosmetik [kɔs'meːtɪk] <-> *f* soins *mpl* de beauté

Kosmetiker(in) [kɔs'meːtikɐ] <-s, -> *m(f)* esthéticien(ne) *m(f)*

Kosmetikkoffer *m* vanity-case *m*

Kosmetikum <-s, -metika> *nt meist Pl* produits *mpl* de beauté

kosmetisch *adj Mittel, Methode* cosmétique

kosmisch *adj Dimension* planétaire

Kosmonaut(in) [kɔsmo'na̯ʊt] <-en, -en> *m(f)* cosmonaute *mf*

Kosmopolit(in) <-en, -en> *m(f) geh* personne *f* cosmopolite

Kosmos ['kɔsmɔs] <-> *m* cosmos *m*

Kost <-> *f a. fig* nourriture *f*

kostbar *adj* précieux(-euse)

Kostbarkeit <-, -en> *f* objet *m* précieux

kosten ['kɔstən] **I.** *vt* coûter; **was [o wie viel] kostet das?** ça coûte combien?; **viel/nicht viel** ~ coûter/ne pas coûter cher ► **koste es, was es wolle** coûte que coûte **II.** *vi fam* (*teuer sein*) coûter cher

Kosten ['kɔstən] *Pl* coût *m*; (*Auslagen*) frais *mpl* ► **auf seine** ~ **kommen** en avoir pour son argent

Kostenaufwand *m* dépenses *fpl* **kostendeckend** *adv* en couvrant les frais **Kostenerstattung** *f* remboursement *m* des frais **Kostenexplosion** *f fam* explosion *f* des coûts **kostengünstig** *adj* avantageux(-euse) **kostenlos I.** *adj* gratuit(e) **II.** *adv* gratuitement **kostenpflichtig I.** *adj* payant(e) **II.** *adv* ~ **abgeschleppt werden** être remorqué moyennant contravention **Kostenvoranschlag** *m* devis *m*

köstlich ['kœstlɪç] **I.** *adj* délicieux(-euse) **II.** *adv* ~ **schmecken** être délicieux

Köstlichkeit <-, -en> *f* (*Delikatesse*) délice *m*

Kostprobe *f* **1.** GASTR dégustation *f* **2.** (*Probe*) des *Könnens, Wissens* échantillon *m*

kostspielig *adj* onéreux(-euse); ~ **sein** coûter cher

Kostüm [kɔs'tyːm] <-s, -e> *nt* **1.** (*Damenkostüm*) tailleur *m* **2.** (*Tracht, Verkleidung*) costume *m*

Kostümball *m* bal *m* costumé

kostümieren* *vr* **sich** ~ se déguiser; **sich**

als **Clown** ~ se déguiser en clown
Kostümprobe *f* répétition *f* en costume
Kostümverleih *m* costumier(-ière) *m(f)*
Kostverächter ▶kein ~ **sein** *hum* ne pas cracher sur la nourriture (*fam*)
Kot [koːt] <-[e]s> *m* excréments *mpl*
Kotangens *m* MATH cotangente *f*
Kotelett [kotə'lɛt] <-[e]s, -s *o* -e> *nt* côtelette *f*
Kotelette <-, -n> *f meist Pl* favoris *mpl*
Köter ['køːtɐ] <-s, -> *m pej* cabot *m*
Kotflügel *m* aile *f*
Kotze <-> *f vulg* dégueulis *m*
kotzen ['kɔtsən] *vi vulg* dégueuler
KP [kaː'peː] <-, -s> *f Abk von* **Kommunistische Partei** P.C. *m*
Krabbe ['krabə] <-, -n> *f* 1. (*Garnele*) crevette *f* 2. (*krebsähnliches Tier*) crabe *m*
krabbeln ['krabəln] *vi* + *sein Kind:* marcher à quatre pattes; *Spinne, Käfer:* se promener
Krach [krax, *Pl:* 'krɛçə] <-[e]s, ⸚e> *m* 1. *kein Pl* (*Lärm*) vacarme *m*, bruit *m;* ~ **machen** faire du vacarme 2. *fam* (*Streit*) engueulade *f;* **mit jdm** ~ **kriegen/haben** se faire engueuler par qn/s'être engueulé avec qn
krachen I. *vi* + *haben* (*laut knallen*) *Tür, Schuss:* claquer; *Donner:* éclater (*fam*) **II.** *vi unpers* + *haben* 1. **an der Kreuzung hat es gekracht** ça a cartonné au carrefour 2. *fam* (*Streit geben*) **bei ihnen kracht es ständig** ils s'engueulent sans arrêt; **..., sonst kracht's!** ... sinon ça va péter!
Kracher <-s, -> *m* pétard *m*
Kracherl <-s, -n> *nt* A, SDEUTSCH *fam* (*Limonade*) soda *m*
krächzen *vi* 1. *Krähe:* croasser 2. *fam* (*heiser sprechen*) parler d'une voix enrouée
Kräcker <-s, -> *m* cracker *m*
kraft *präp* + *gen form* ~ **Gesetzes** au nom de la loi
Kraft [kraft, *Pl:* 'krɛftə] <-, ⸚e> *f* 1. (*körperliche Stärke*) force *f;* **mit aller** ~ de toutes ses/mes/... forces; **aus eigener** ~ par ses/mes/... propres moyens; **über jds Kräfte** (*akk*) **gehen** être au-dessus des forces de qn; **wieder zu Kräften kommen** récupérer 2. (*starke Wirkung*) pouvoir *m* 3. PHYS énergie *f* ▶**volle** ~ **voraus!** machine avant, toutes!; **in** ~ **sein/treten** être/entrer en vigueur; **außer** ~ **sein** ne plus être en vigueur
Kraftakt *m* tour *m* de force **Kraftausdruck** <-ausdrücke> *m* gros mot *m* **Kraftbrühe** *f* bouillon *m* de bœuf **Kraftfahrer(in)** *m(f) form* (*Lkw-Fahrer*) chauffeur *m* [de camion] **Kraftfahrzeug** *nt form* véhicule *m* automobile **Kraftfahrzeugbrief** *m titre*

de propriéte du véhicule **Kraftfahrzeugmechaniker(in)** *m(f)* mécanicien(ne) *m(f)* [automobile] **Kraftfahrzeugschein** *m* carte *f* grise **Kraftfahrzeugsteuer** *f* ≈ vignette *f* **Kraftfeld** *nt* champ *m* de force
kräftig ['krɛftɪç] **I.** *adj* 1. *Person, Wuchs* fort(e); *Kinn, Hieb, Strömung* puissant(e); *Händedruck* vigoureux(-euse) 2. *Farbton* soutenu(e); *Duft, Geschmack* fort(e) **II.** *adv* 1. *drücken, zustoßen* vigoureusement; *rühren* énergiquement 2. *pusten* fort; *einatmen* profondément
kräftigen *vt geh Kur:* revigorer
kraftlos I. *adj Person* sans force; *Händedruck* mou(molle) **II.** *adv* sans force
Kraftlosigkeit <-> *f* faiblesse *f*
Kraftprobe *f* épreuve *f* de force **Kraftstoff** *m form* carburant *m* **Krafttraining** *nt* SPORT musculation *f* **kraftvoll I.** *adj geh Körper* vigoureux(-euse); *Bass, Stimme* puissant(e) **II.** *adv zuschlagen* violemment **Kraftwagen** *m form* véhicule *m* automobile **Kraftwerk** *nt* centrale *f* [électrique]
Kragen ['kraːgən, *Pl:* 'krɛːgən] <-s, – *o* SDEUTSCH, CH ⸚> *m* col *m;* **den** ~ **nach oben schlagen** relever son col ▶**jdn am packen** *fam* prendre qn par la peau du dos; **jdm platzt der** ~ *fam* qn explose
Kragenweite ▶**er/das ist nicht meine** ~ *fam* il n'est pas mon genre/ce n'est pas mon truc
Krähe ['krɛːə] <-, -n> *f* corneille *f* ▶**eine** ~ **hackt der anderen kein Auge aus** *prov* les loups ne se mangent pas entre eux
krähen ['krɛːən] *vi Hahn:* chanter
Krähenfüße *Pl fam* pattes-d'oie *fpl*
Krake <-n, -n> *m* pieuvre *f*
krakeelen* *vi fam* brailler
krakelig *adj* tremblé(e)
Kralle ['kralə] <-, -n> *f* 1. *einer Katze* griffe *f; eines Raubvogels* serre *f* 2. *fam* (*Parkkralle*) sabot *m* de Denver
krallen *vt* (*bohren*) **seine Finger in etw** (*akk*) ~ enfoncer ses doigts dans qc
Kram [kraːm] <-[e]s> *m fam* 1. (*Zeug*) bazar *m* 2. (*Angelegenheit*) fourbi *m;* **kümmere dich um deinen eigenen** ~! mêletoi de tes oignons! ▶**jdm in den** ~/**nicht in den** ~ **passen** tomber à pic/tomber mal [pour qn]
kramen *vi* fouiller; **in der Schublade nach etw** ~ fouiller dans le tiroir à la recherche de qc **II.** *vt* **etw aus der Handtasche/dem Schrank** ~ tirer qc de son sac/de l'armoire
Kramladen *m pej fam* bazar *m*
Krampe <-, -n> *f* crampillon *m*
Krampf [krampf, *Pl:* 'krɛmpfə] <-[e]s, ⸚e> *m* 1. (*Muskelkrampf*) crampe *f* 2. (*Ko-*

K

lik) spasme *m*
Krampfader *f* varice *f*
krampfen *vr* **sich** ~ se crisper; **sich um etw** ~ *Finger:* se crisper autour de qc
krampfhaft I. *adj* **1.** *Nachdenken* obstiné(e); *Versuch* désespéré(e) **2.** (*nicht locker*) convulsif(-ive) **II.** *adv* **1.** (*angestrengt*) désespérément **2.** (*nicht locker*) convulsivement
Kran [kraːn, *Pl:* 'krɛːnə] <-[e]s, ⸗e *o* -e> *m* **1.** TECH grue *f* **2.** DIAL (*Wasserhahn*) robinet *m*
Kranich ['kraːnɪç] <-s, -e> *m* grue *f*
krank [kraŋk] <⸗er, ⸗ste> *adj* **1.** *Person, Herz, Tier, Pflanze* malade; **schwer** ~ gravement malade; ~ **werden** tomber malade; **jdn** ~ **machen** rendre qn malade **2.** *fig* ~ **vor Eifersucht** malade de jalousie; **vor Sehnsucht** ~ **sein** se languir; **jdn mit etw** ~ **machen** *fam Person:* soûler qn avec qc
Kranke(r) *f(m) dekl wie adj* malade *mf*
kränkeln *vi Branche:* être chancelant
kränken ['krɛŋkən] *vt* blesser; **es kränkt jdn, dass** ça blesse qn que + *subj;* ~**d** *Äußerung, Vorwurf* blessant(e)
kranken *vi* souffrir; **an etw** (*dat*) ~ souffrir de qc
Krankenbesuch *m* visite *f* [à domicile] **Krankenbett** *nt* (*Krankenlager*) chevet *m* du malade **Krankengeld** *nt* prestations *fpl* maladie **Krankengymnast(in)** <-en, -en> *m(f)* kinésithérapeute *mf* **Krankengymnastik** *f* kinésithérapie *f;* **sie muss dreimal in der Woche zur** ~ elle a trois séances de kiné par semaine (*fam*) **Krankenhaus** *nt* hôpital *m;* **ins** ~ **kommen** être hospitalisé **Krankenkasse** *f* caisse *f* d'assurance-maladie **Krankenpflege** *f* soins *mpl* [donnés aux malades] **Krankenpfleger(in)** *m(f)* infirmier(-ière) *m(f)* **Krankenschein** *m* feuille *f* de prise en charge **Krankenschwester** *f* infirmière *f* **Krankentransport** *m* transport *m* en ambulance **Krankenversichertenkarte** *f* ≈ carte *f* d'assuré social **Krankenversicherung** *f* assurance-maladie *f;* **gesetzliche** ~ ≈ Sécurité *f* sociale; **private** ~ ≈ caisse *f* d'assurance maladie **Krankenwagen** *m* ambulance *f*
krank|feiern *vi fam* **das Krankfeiern** les maladies diplomatiques
krankhaft I. *adj* **1.** MED pathologique **2.** (*unnormal*) maladif(-ive) **II.** *adv* ~ **ehrgeizig** d'une ambition maladive
Krankheit <-, -en> *f* maladie *f;* **akute/ chronische** ~ maladie aiguë/chronique; **wegen** ~ pour cause de maladie
Krankheitserreger *m* agent *m* pathogène
krank|lachen *vr fam* **jd lacht sich über**

jdn/etw krank qn/qc fait marrer qn
kränklich *adj* maladif(-ive)
krank|meldenᴿᴿ *vr* **sich** ~ se faire porter malade
Krankmeldung *f* déclaration *f* de maladie
krank|schreibenᴿᴿ *vt* prescrire un arrêt de travail à
Kränkung ['krɛŋkʊŋ] <-, -en> *f* offense *f*
Kranz [krants, *Pl:* 'krɛntsə] <-es, ⸗e> *m* **1.** (*aus Pflanzen*) couronne *f,* gerbe *f* **2.** DIAL (*Hefekranz*) brioche *f* en couronne
Kränzchen <-, -> *nt Dim von* **Kranz** petite couronne *f*
Kranzgefäß *s.* **Herzkranzgefäß Kranzniederlegung** *f* dépôt *m* de gerbe
Krapfen ['krapfən] <-s, -> *m* DIAL beignet *m*
krassᴿᴿ, **kraß I.** *adj Außenseiter* manifeste; *Materialist* invétéré(e); *Fall, Gegensatz* flagrant(e) **II.** *adv schildern, sich ausdrücken* crûment
Krater ['kraːtɐ] <-s, -> *m* cratère *m*
Kratzbürste *f pej fam* mauvaise coucheuse *f*
Krätze <-> *f* MED gale *f*
kratzen ['kratsən] **I.** *vt* **1.** *Katze:* griffer **2.** (*schaben*) gratter; **jdn am Rücken** ~ gratter le dos à qn **II.** *vr* **sich** ~ se gratter **III.** *vi* **1.** (*mit den Fingernägeln*) griffer **2.** (*jucken*) gratter; **der Pulli kratzt auf der Haut** ce pull gratte la peau; **ich habe ein Kratzen im Hals** j'ai la gorge qui me gratte **3.** (*schaben*) *Feder:* gratter; **mit etw** ~ racler avec qc **IV.** *vt unpers fam* **es kratzt ihn am Rücken** il a le dos qui le gratte
Kratzer <-s, -> *m* éraflure *f*
Kratzwunde *f* griffure *f*
Kraul <-[s]> *nt* crawl *m*
kraulen¹ ['kraulən] **I.** *vi* + *haben o sein* SPORT nager le crawl **II.** *vt* + *haben o sein* **hundert Meter** ~ faire cent mètres en crawl
kraulen² *vt* (*liebkosen*) grat[t]ouiller
kraus [kraus] *adj* **1.** *Haar* [tout(e)] frisé(e) **2.** (*faltig*) froissé(e); **die Stirn/Nase** ~ **ziehen** froncer le front/nez **3.** *pej* (*verworren*) embrouillé(e)
Krause <-, -n> *f fam* (*künstliche Locken*) frisettes *fpl*
kräuseln ['krɔyzəln] **I.** *vt* fris[ott]er *Haare;* froncer *Stoff* **II.** *vr* **sich** ~ *Haare:* frisotter; *Wasseroberfläche:* se rider
Krauskopf *m fam* (*Person*) tête *f* crépue
Kraut [kraut, *Pl:* 'krɔytɐ] <-[e]s, Kräuter> *nt* **1.** (*Pflanze*) herbe *f souvent pl* **2.** *kein Pl* (*Blätter und Stängel*) *von Karotten, Kartoffeln* fanes *fpl* **3.** *kein Pl* DIAL (*Kohl*) chou *m;* (*Sauerkraut*) choucroute *f*

▶**wie** ~ **und** <u>Rüben</u> *fam* sens dessus dessous

Kräuterbutter *f* beurre *m* persillé **Kräuterlikör** *m* liqueur *f* à base de plantes **Kräutertee** *m* tisane *f*

Kr<u>au</u>tkopf SDEUTSCH, A *s*. **Kohlkopf Krautsalat** *m* salade *f* de chou

Krawall <-s, -e> *m* (*Tumult*) bagarre *f*

Krawatte [kra'vatə] <-, -n> *f* cravate *f*

kr<u>a</u>xeln *vi + sein* SDEUTSCH grimper

Kreation [krea'ts<u>io</u>ːn] <-, -en> *f* création *f*

kreativ [krea'tiːf] *adj* créatif(-ive)

Kreativdirektor(in) *m(f)* directeur créatif/directrice créative *m/f*

Kreativität [kreativi'tɛːt] <-> *f* créativité *f*

Kreatur [krea'tuːɐ̯] <-, -en> *f* créature *f*

Krebs [kreːps] <-es, -e> *m* **1.** ZOOL crustacé *m*; (*Flusskrebs*) écrevisse *f* **2.** *kein Pl* GASTR crabe *m* **3.** *kein Pl* ASTROL Cancer *m* **4.** MED cancer *m*; ~ **haben** avoir un cancer

Krebsgeschwulst *f* MED tumeur *f* cancéreuse **krebskrank** *adj* cancéreux(-euse) **Krebskranke(r)** *f(m) dekl wie adj* cancéreux(-euse) *m(f)* **Krebsvorsorge** *f* dépistage *m* du cancer

Kredit¹ [kre'diːt] <-[e]s, -e> *m* crédit *m*; **einen** ~ **aufnehmen** prendre un crédit; **er hat** ~ **bei der Bank** la banque lui fait crédit; **auf** ~ à crédit

Kredit² <-s, -s> *nt* (*Habenseite*) crédit *m* **Kreditgeber(in)** *m(f)* prêteur(-euse) *m(f)* **Kredithai** *m fam* requin *m* de la finance **Kreditinstitut** *nt* établissement *m* de crédit **Kreditkarte** *f* carte *f* de crédit **Kreditwesen** *nt* organisation *f* du crédit **kreditwürdig** *adj* solvable

Kredo <-s, -s> *nt geh* credo *m*

Kreide ['kr<u>ai</u>də] <-, -n> *f* craie *f*

kreideble<u>i</u>ch, **kreideweiß** *adj* blanc(blanche) comme un linge **Kreidezeichnung** *f* dessin *m* à la craie

kreieren* *vt* créer

Kreis [kr<u>ai</u>s] <-es, -e> *m* **1.** *a.* GEOM cercle *m* **2.** (*Gruppe*) cercle *m*; **im engen/engsten** ~[e] en petit/tout petit comité; **im** ~**e von Freunden/der Familie** au milieu d'amis/au sein de la famille **3.** *Pl* (*gesellschaftliche Schicht*) milieux *mpl*; **aus besseren** ~**en** de la haute société; **weite** ~**e der Bevölkerung** de larges couches *fpl* de la population

Kreisbahn *f* orbite *m*

kr<u>ei</u>schen *vi* **1.** *Person:* pousser des cris stridents **2.** *Bremsen:* crier

Kreisel ['kr<u>ai</u>zəl] <-s, -> *m* **1.** (*Spielzeug*) toupie *f* **2.** *fam* (*Kreisverkehr*) rond-point *m*

kr<u>ei</u>sen ['kr<u>ai</u>zən] *vi + haben o sein* **1.** *a.* ASTRON, RAUM **um etw** ~ tourner autour de qc **2.** (*fliegen*) **über etw** (*dat*) ~ tournoyer au-dessus de qc **3.** (*bewegen*) **den Arm/das Bein** ~ **lassen** effectuer des cercles avec le bras/la jambe

kreisförmig ['kr<u>ai</u>sfœrmɪç] **I.** *adj* circulaire **II.** *adv* en cercle **Kreisinsel** *f* TRANSP îlot *m* directionnel **Kreislauf** *m* **1.** *des Lebens, der Natur* cycle *m*; *des Geldes* circulation *f* **2.** (*Blutkreislauf*) circulation *f* **Kreislaufkollaps** *m* collapsus *m* cardiovasculaire; **einen** ~ **bekommen/haben** être victime d'un collapsus cardiovasculaire **Kreislaufstörungen** *Pl* troubles *mpl* circulatoires **kreisrund** *adj* tout(e) rond(e) **Kreissäge** *f* scie *f* circulaire

Kreißsaal ['kr<u>ai</u>szaːl] *m* salle *f* d'accouchement

Kreisstadt *f* ≈ chef-lieu *m* de district; (*in Frankreich*) ≈ chef-lieu de canton **Kreistag** *m* ≈ conseil *m* de district; (*in Frankreich*) ≈ conseil cantonal **Kreisumfang** *m* GEOM circonférence *f* du cercle **Kreisverkehr** *m* rond-point *m*

Krematorium [krema'toːriʊm] <-s, -rien> *nt* crématorium *m*

kremig *adj* onctueux(-euse)

Kreml <-s> *m der* ~ le Kremlin

Krempe <-, -n> *f* bord *m*

Krempel ['krɛmpəl] <-s> *m pej fam* (*Ramsch*) camelote *f*

Kren [kreːn] <-s> *m* A raifort *m*

krepieren* [kre'piːrən] *vi + sein fam* crever

Krepp [krɛp] <-s, -e *o* -s> *m* crêpe *m*

Krepppapierᴿᴿ *nt* papier *m* crépon **Kreppsohle** *f* semelle *f* de crêpe

Kresse ['krɛsə] <-, -en> *f* cresson *m*

kr<u>eu</u>z [krɔyts] ▶~ **und** <u>quer</u> dans tous les sens

Kreuz [krɔyts] <-es, -e> *nt* **1.** *a.* REL (*Symbol, Zeichen*) croix *f* **2.** (*Rücken*) reins *mpl*; **es im** ~ **haben** *fam* avoir mal aux reins **3.** *fam* (*Autobahnkreuz*) échangeur *m* **4.** SPIEL trèfle *m* **5.** MUS dièse *m* ▶**drei** ~**e machen** *fam* pousser un ouf de soulagement; **das** <u>Rote</u> ~ la Croix-Rouge

kreuzen I. *vt + haben* **1.** (*beim Züchten*) croiser; **etw mit etw** ~ croiser qc avec qc **2.** *croiser Arme, Beine* **II.** *vi + haben o sein Segelschiff:* louvoyer; *Flugzeug, Schiff:* croiser

Kreuzer <-s, -> *m* (*historische Münze*) kreutzer *m*

Kreuzfahrer(in) *m(f)* HIST croisé(e) *m(f)* **Kreuzfahrt** *f* croisière *f* **Kreuzfeuer** ▶**ins** ~ [der Kritik] <u>geraten</u> être attaqué de toutes parts **kreuzförmig I.** *adj* cruciforme **II.** *adv* en croix **Kreuzgang** <-gänge> *m*

cloître *m* **Kreuzgewölbe** *nt* (*Kreuzgratgewölbe*) voûte *f* d'arête; (*Kreuzrippengewölbe*) voûte en ogives
kreuzigen ['krɔytsɪgən] *vt* crucifier
Kreuzigung <-, -en> *f* crucifixion *f*
Kreuzotter *f* vipère *f* péliade
Kreuzschmerzen *Pl fam* maux *mpl* de reins **Kreuzstich** *m* point *m* de croix
Kreuzung <-, -en> *f* **1.** (*Straßenkreuzung*) carrefour *m* **2.** (*das Kreuzen*) croisement *m* **3.** (*gekreuzte Tierrasse*) bâtard(e) *m(f)*
Kreuzverhör *nt* interrogatoire *m* contradictoire **Kreuzweg** *m* REL chemin *m* de croix **Kreuzworträtsel** *nt* mots *mpl* croisés **Kreuzzug** *m* HIST *a. fig* croisade *f*
kribbelig *adj fam* **1.** (*unruhig*) fébrile; jdn [ganz] ~ **machen** mettre les nerfs en pelote à qn; **ich bin ganz** ~ (*ungeduldig*) je n'y tiens plus **2.** (*prickelnd*) **ein** ~**es Gefühl** une sensation de picotement
kribbeln ['krɪbəln] **I.** *vi* + **haben** jdm [*o* jdn] **in der Nase** ~ picoter qn dans le nez; **ein** ~**des Gefühl** une sensation de picotement **II.** *vt, vi unpers* **es kribbelt jdm** [*o* jdn] **in der Nase** qn a des picotements dans le nez
kribblig *s.* **kribbelig**
kriechen ['kri:çən] <kroch, gekrochen> *vi* **1.** + *sein* (*sich vorwärts bewegen*) ramper; ~**d** en rampant **2.** + *sein* (*langsam fahren*) se traîner (*fam*) **3.** + *haben o sein pej* (*unterwürfig sein*) **vor jdm** ~ ramper devant qn
Kriecher(in) <-s, -> *m(f) pej fam* lèche-bottes *mf*
Kriechspur *f* voie *f* réservée aux véhicules lents
Krieg [kri:k] <-[e]s, -e> *m* guerre *f*; **jdm den** ~ **erklären** déclarer la guerre à qn; [einen] ~ **gegen jdn** [*o* **mit jdm**] **führen** faire la guerre à qn
kriegen ['kri:gən] **I.** *vt fam* **1.** recevoir *Belohnung, Geld*; **etw zu essen/trinken** ~ pouvoir manger/boire qc; **wir** ~ **was zu lachen** on va rire; **Prügel/Schläge von jdm** ~ ramasser une volée/des coups de qn **2.** (*in Verbindung mit dem Partizip Präteritum*) **etw geregelt/geordnet** ~ arriver à régler/ordonner qc; **er kriegt das Auto geliehen/geschenkt** on lui prête la voiture/il reçoit la voiture en cadeau **3.** attraper *Bus, Zug*; dénicher *Taxi* **4.** récolter *Strafe, Strafzettel*; écoper [de] *Gefängnis* **5.** METEO aller avoir *Regen, Schnee*; **wir** ~ **anderes Wetter** le temps va changer **6.** (*erwischen*) jdn ~ mettre la main sur qn; (*telefonisch*) arriver à avoir qn **7.** MED choper *Grippe*; **jd kriegt Spritzen** on fait des piqûres à qn **8.** (*erwarten*) aller avoir;

sie hat gestern ein Mädchen gekriegt elle a eu une fille hier ▸ **es mit jdm zu tun** ~ avoir affaire à qn **II.** *vr fam* **sich** ~ être enfin réunis
Kriegerdenkmal *nt* monument *m* aux morts
kriegerisch ['kri:gərɪʃ] **I.** *adj* **1.** *Volk* guerrier(-ière); *Einstellung* belliqueux(-euse) **2.** (*militärisch*) militaire **II.** *adv* ~ **auftreten/eingestellt sein** avoir une attitude belliqueuse/des positions belliqueuses
Kriegsbeil *nt* hache *f* de guerre ▸ **das** ~ **ausgraben/begraben** déterrer/enterrer la hache de guerre **Kriegsberichterstatter(in)** *m(f)* correspondant(e) *m(f)* de guerre **Kriegsdienstverweigerer** <-s, -> *m* objecteur *m* de conscience **Kriegsdienstverweigerung** *f* objection *f* de conscience **Kriegserklärung** *f* déclaration *f* de guerre **Kriegsfuß** ▸ **mit etw auf** ~ **stehen** *fam* être brouillé avec qc **Kriegsgebiet** *nt* zone *f* en guerre **Kriegsgefangene(r)** *f(m) dekl wie adj* prisonnier(-ière) *m(f)* de guerre **Kriegsgefangenschaft** *f* captivité *f*; **in** ~ **geraten** se retrouver en captivité **Kriegskamerad** *m* compagnon *m* d'armes **Kriegspfad** ▸ **auf dem** ~ **sein** *hum* être sur le sentier de la guerre **Kriegsschauplatz** *m* zone *f* de combats **Kriegsspiel** *nt* **1.** SPIEL wargame *m* **2.** MIL simulation *f* de guerre **Kriegsverbrechen** *nt* crime *m* de guerre **Kriegsverbrecher(in)** *m(f)* criminel(le) *m(f)* de guerre **Kriegszustand** *m* guerre *f*; **sich im** ~ **befinden** être en guerre
Krimi ['kri:mi] <-s, -s> *m fam* polar *m*
Kriminalbeamte(r) *m dekl wie adj*, **Kriminalbeamtin** *f form* fonctionnaire *mf* de la police judiciaire
Kriminalist(in) <-en, -en> *m(f)* spécialiste *mf* des affaires criminelles; (*bei der Polizei*) agent *m* de la P.J.
kriminalistisch I. *adj* de détective **II.** *adv* ~ **begabt sein** avoir des talents de détective
Kriminalität [kriminali'tɛ:t] <-> *f* criminalité *f*; **organisierte** ~ crime *m* organisé
Kriminalkommissar(in) *m(f)* commissaire *mf* de police judiciaire **Kriminalpolizei** *f* police *f* judiciaire **Kriminalpolizist(in)** *m(f)* agent *m* de la P.J. **Kriminalroman** *m* roman *m* policier
kriminell [krimi'nɛl] *adj* **1.** criminel(le); ~ **sein** être délinquant **2.** *fam* (*gefährlich*) ~ **werden/sein** devenir/être casse-gueule
Kriminelle(r) *f(m) dekl wie adj* criminel(le) *m(f)*; **jugendliche** ~ de jeunes délinquants
Krimskrams <-es> *m fam* fourbi *m*
Kringel <-s, -> *m* **1.** (*Schnörkel*) petit rond

Kritik äußern

• kritisieren, negativ bewerten	• critiquer, juger négativement
Das gefällt mir gar nicht.	Cela ne me plaît pas du tout.
Das sieht aber nicht gut aus.	Ça n'a pas l'air très bien.
Das hätte man aber besser machen können.	On aurait pu mieux faire.
Dagegen lässt sich einiges sagen.	Il y a beaucoup de choses à redire à ce sujet.
Da habe ich so meine Bedenken.	J'ai des doutes.
• missbilligen	• désapprouver
Das kann ich nicht gutheißen.	Je ne peux pas approuver cela.
Das finde ich gar nicht gut von dir.	Je trouve que ce n'est pas bien du tout de ta part.
Da bin ich absolut dagegen.	Je m'y oppose totalement./Je suis tout à fait contre.

m **2.** (*Gebäck*) gâteau rond en forme d'anneau

kringeln *vr* **1.** sich ~ *Haarsträhne:* frisotter; *Schwanz:* tire-bouchonner; *Hobelspäne:* friser **2.** *fam* (*sich winden*) sich vor Lachen ~ se tordre de rire

Kripo ['kri:po] <-, -s> *f fam* Abk von **Kriminalpolizei** P.J. *f*

Krippe ['krɪpə] <-, -n> *f* **1.** (*Futterkrippe*) mangeoire *f* **2.** (*Weihnachtskrippe, Kinderkrippe*) crèche *f*

Krise ['kri:zə] <-, -n> *f* crise *f*

kriseln ['kri:zəln] *vi unpers fam* es kriselt ça va mal

krisenfest *adj* sûr(e)

Krisengebiet *nt* région *f* instable **Krisenherd** *m* poudrière *f* **Krisenstab** *m* cellule *f* de crise

Kristall¹ [krɪs'tal] <-s, -e> *m* MINER cristal *m*

Kristall² <-s> *nt* **1.** (~glas) cristal *m* **2.** (*Gegenstände*) cristaux *mpl*

kristallisieren* *vi* [se] cristalliser; **zu etw ~** [se] cristalliser en qc

kristallklar *adj* cristallin(e) **Kristallnacht** *f* **die ~** NS la nuit de cristal **Kristallzucker** *m* sucre *m* cristallisé

Kriterium [kri'te:riʊm] <-s, -rien> *nt* critère *m*

Kritik [kri'ti:k] <-, -en> *f* **1.** *kein Pl* (*Tadel, Beurteilung*) critique *f*; **an jdm/etw ~ üben** critiquer qn/qc **2.** (*Rezension*) critique *f*

Kritiker(in) ['kri:tike] <-s, -> *m(f)* **1.** (*Rezensent*) critique *mf* **2.** (*Gegner*) détracteur(-trice) *m(f)*

kritiklos *adj Haltung* dépourvu(e) d'esprit critique

kritisch ['kri:tɪʃ] **I.** *adj* critique **II.** *adv* de façon critique

kritisieren* [kriti'zi:rən] *vt, vi* critiquer; **an jdm/etw etwas zu ~ haben** avoir quelque chose à reprocher à qn/à redire à qc

Kritzelei [krɪtsə'lai] <-, -en> *f fam* **1.** *kein Pl* (*das Kritzeln*) griffonnage *m;* **lass diese ~!** arrête de griffonner! **2.** (*Gekritzel*) gribouillage *m*

kritzeln ['krɪtsəln] *vt, vi* griffonner

Kroate <-n, -n> *m,* **Kroatin** *f* Croate *mf*

Kroatien [kro'ʔa:tsiən] <-s> *nt* la Croatie

kroatisch [kro'ʔa:tiʃ] **I.** *adj* croate **II.** *adv* en croate; *s. a.* **deutsch**

Kroatisch <-[s]> *nt kein art* croate *m; s. a.* **Deutsch**

kroch [krɔx] *Imp von* **kriechen**

Krokant [kro'kant] <-s> *m* (*Masse*) nougatine *f*

Krokette [kro'kɛtə] <-, -n> *f* croquette *f*

Krokodil [kroko'di:l] <-s, -e> *nt* crocodile *m*

Krokodilleder *nt* crocodile *m*

Krokus ['kro:kʊs] <-, − *o* -se> *m* crocus *m*

Krone ['kro:nə] <-, -n> *f* couronne *f* ► **einen in der ~ haben** *fam* avoir un verre dans le nez

krönen ['krø:nən] *vt* couronner; **jdn zum Kaiser/König ~** couronner qn empereur/roi

Kron[en]korken *m* capsule *f*

Kronleuchter *m* lustre *m* **Kronprinz** *m,* **-prinzessin** *f* prince *m* héritier/princesse *f* héritière

Krönung ['krø:nʊŋ] <-, -en> *f* couronnement *m*

Kronzeuge *m,* **-zeugin** *f* témoin *m* principal

Kropf [krɔpf, *Pl:* 'krœpfə] <-[e]s, ⁼e> *m*
1. MED goitre *m* **2.** ZOOL jabot *m*
kross^RR [krɔs], **kroß** NDEUTSCH **I.** *adj* crous-
tillant(e) **II.** *adv* ~ **gebacken** croustil-
lant(e); ~ **gebraten** bien rissolé(e)
Kröte ['krø:tə] <-, -n> *f* **1.** ZOOL crapaud *m*
2. *Pl fam* (*Geld*) fric *m*
Krücke ['krvkə] <-, -n> *f* béquille *f;* **an** ~**n**
(*dat*) **gehen** marcher avec des béquilles
Krückstock *m* canne *f*
Krug ['kru:k, *Pl:* 'kry:gə] <-[e]s, ⁼e> *m*
1. (*Wasserkrug*) cruche *f* **2.** (*Bierkrug*)
chope *f* ► **der** ~ **geht so lange zum Brun-**
nen, bis er bricht *prov* tant va la cruche à
l'eau qu'à la fin elle se casse
Krume <-, -n> *f* (*Krümel*) miette *f*
Krümel ['kry:məl] <-s, -> *m* (*Brösel*) miette *f*
krümeln *vi* **1.** (*Krümel machen*) faire des
miettes **2.** (*zerfallen*) *Brot, Kuchen:* s'émietter
krumm [krʊm] **I.** *adj* **1.** (*nicht gerade*) tor-
du(e); *Nase* crochu(e); *Rücken, Schultern*
voûté(e) **2.** *Betrag* tordu(e) (*fam*) **II.** *adv*
1. *gehen, sitzen, stehen* le dos voûté; *wach-*
sen de travers; *etw* ~ **biegen** tordre qc
2. *fam* (*übel*) **jdm** ~ **nehmen, dass** en
vouloir à qn de ce que + *subj*
krümmen ['krvmən] **I.** *vt* **1.** courber *Rü-*
cken, Schwanz; plier *Finger, Schultern;* replier *Hand* **2.** GEOM, PHYS **gekrümmt** *Fläche,*
Oberfläche incurvé(e) **II.** *vr* **sich** ~ **1.** (*eine*
Biegung machen) s'incurver; *Straße:* faire
une courbe; *Fluss:* faire un coude **2.** (*sich*
beugen) *Ast, Baumstamm:* se courber; **sich**
unter der Last ~ plier sous le poids
3. (*sich winden*) *Person, Tier:* se tordre;
sich ~ **vor Lachen** se tordre de rire
krumm|lachen *vr fam* **sich** ~ se tordre [de
rire] **krumm|nehmen** *s.* **krumm II.**
Krümmung ['krvmʊŋ] <-, -en> *f* **1.** (*Bie-*
gung) courbe *f; eines Flusses* coude *m*
2. ANAT, MED *eines Fingers* rétraction *f; der*
Wirbelsäule courbure *f* **3.** GEOM, PHYS courbure *f*
Krüppel ['krvpəl] <-s, -> *m* estropié(e)
m(f)
Kruste ['krʊstə] <-, -n> *f* croûte *f*
Kruzifix [krutsi'fɪks] <-es, -e> *nt* crucifix
m
Krypta ['krvpta] <-, Krypten> *f* crypte *f*
Krypton <-s> *nt* krypton *m*
KSZE [ka:ʔɛstsɛt'ʔe:] <-> *f Abk von* **Konfe-**
renz über Sicherheit und Zusammen-
arbeit in Europa C.S.C.E.
Kuba ['ku:ba] <-s> *nt* Cuba *m;* **auf** ~ à Cuba
Kübel <-s, -> *m* (*Pflanzkübel*) jardinière *f*
Kubikmeter [ku'bi:kme:tɐ] *m o nt* mètre
m cube **Kubikwurzel** *f* MATH racine *f* cubi-

que **Kubikzahl** *f* MATH cube *m*
kubisch ['ku:bɪʃ] *adj* cubique
Kubismus [ku'bɪsmʊs] <-> *m* cubisme *m*
Kubist(in) <-en, -en> *m(f)* cubiste *mf*
kubistisch *adj* cubiste
Küche ['kvçə] <-, -n> *f* cuisine *f*
Kuchen ['ku:xən] <-s, -> *m* gâteau *m;* **ei-**
nen ~ **backen** faire un gâteau
Küchenabfälle *Pl* épluchures *fpl*
Küchenblech *nt* plaque *f* [à pâtisserie]
Küchenchef(in) [-ʃɛf] *m(f)* chef *mf* [de cui-
sine]
Küchenform *f* moule *m* à gâteau[x] **Ku-**
chengabel *f* fourchette *f* à gâteaux
Küchenhandtuch *nt* essuie-mains *m* **Kü-**
chenmaschine *f* robot *m* **Küchenpapier**
nt essuie-tout *m inv* **Küchenrolle** *f* rouleau *m* essuie-tout **Küchenschabe** *f* cafard *m*
Kuchenteig *m* pâte *f* à gâteau
Küchenuhr *m* (*Wanduhr*) pendule *f* de cuisine; (*Küchenwecker*) minuteur *m*
Küken ['ky:kən] <-s, -> *nt* A *s.* **Küken**
kucken *vi* NDEUTSCH *fam* regarder
kuckuck ['kʊkʊk] *interj* coucou
Kuckuck ['kʊkʊk] <-s, -e> *m* coucou *m*
► **hol's der** ~! *fam*, **zum** ~ [**noch mal**]!
fam et zut!; **weiß der** ~, ...! *fam* ..., mystère et boule de gomme!
Kuckucksei *nt* ORN œuf *m* de coucou **Ku-**
ckucksuhr *f* coucou *m*
Kufe ['ku:fə] <-, -n> *f eines Schlittens* patin *m; eines Schlittschuhs* lame *f*
Kugel ['ku:gəl] <-, -n> *f* **1.** (*runder Ge-*
genstand) boule *f* **2.** GEOM sphère *f* **3.** SPORT
poids *m;* (*Kegelkugel*) boule *f* **4.** (*Ge-*
schoss) balle *f;* (*Kanonenkugel*) boulet *m*
kugelförmig ['ku:gəlfœrmɪç] *adj* sphérique **Kugelgelenk** *nt* ANAT énarthrose *f*
Kugelkopf *m* TYP boule *f* **Kugelkopf-**
schreibmaschine *f* machine *f* [à écrire] à
boule **Kugellager** *nt* roulement *m* à billes
kugeln *vi + sein* rouler
kugelrund ['ku:gəlrʊnt] *adj* **1.** (*kugelför-*
mig) sphérique **2.** *fam* (*dick*) rondouil-
lard(e) **Kugelschreiber** *m* stylo *m* [à] bille
kugelsicher *adj* pare-balles; ~ **sein** être à
l'épreuve des balles **Kugelstoßen** <-s> *nt*
lancer *m* du poids **Kugelstoßer(in)** <-s,
-> *m(f)* lanceur(-euse) *m(f)* de poids
Kuh [ku:, *Pl:* 'ky:ə] <-, ⁼e> *f* **1.** vache *f*
2. *fam* **eine blöde** [*o* **dumme**] ~ une connasse ► **dastehen wie die** ~ **vorm**
Scheunentor *fam* avoir l'air d'une vache
qui regarde passer un train
Kuhfladen *m* bouse *f* de vache **Kuhhan-**
del *m pej fam* marchandage *m* **Kuhhaut** *f*
► **das geht auf keine** ~ *fam* c'est pas
croyable

kühl [ky:l] I. *adj* 1. (*kalt*) frais(fraîche); **jdm wird es** ~ qn commence à avoir froid; **es wird/ist** ~ ça se rafraîchit/il fait frais 2. (*reserviert*) froid(e); **zu jdm** ~ **sein** se montrer froid(e) envers qn II. *adv* 1. *lagern* au frais; *servieren* frais(fraîche) 2. (*reserviert*) avec froideur; *empfangen* fraîchement

Kühlbox *f* (*Kühltasche*) glacière *f*; (*kleinerer Behälter*) boîte *f* isotherme

Kühle <-> *f* (*Kälte*) fraîcheur *f*

kühlen ['ky:lən] I. *vt* rafraîchir *Getränk*; réfrigérer *Fisch*; **gekühlte Getränke** des boissons *fpl* fraîches II. *vi* rafraîchir

Kühler <-s, -> *m* 1. *eines Fahrzeugs* radiateur *m*; (~*haube*) capot *m* 2. (*Sektkühler*) seau *m* à champagne

Kühlerhaube *f* capot *m*

Kühlhaus *nt* entrepôt *m* frigorifique **Kühlmittel** *nt* *eines Motors* liquide *m* de refroidissement; *eines Reaktors* [fluide *m*] caloporteur *m* **Kühlraum** *m* chambre *f* froide **Kühlschrank** *m* réfrigérateur *m* **Kühltasche** *f* glacière *f* **Kühltruhe** *f* congélateur *m* bahut **Kühlturm** *m* tour *f* de réfrigération

Kühlung <-, -en> *f kein Pl eines Motors* refroidissement *m*

Kühlwasser *nt kein Pl* eau *f* de refroidissement

Kuhmilch *f* lait *m* de vache

kühn [ky:n] I. *adj* 1. (*gewagt*) audacieux(-euse) 2. *Held* téméraire; *Tat* audacieux(-euse); ~ **sein** avoir de l'audace II. *adv* 1. (*frech*) ~ **behaupten, dass** (*akk*) avoir l'audace de prétendre que 2. (*ausgeprägt*) hardiment

Kühnheit <-, -en> *f* 1. *kein Pl* (*Wagemut*) audace *f* 2. (*Tat*) témérité *f*; (*Dreistigkeit*) audace *f*

Kuhstall *m* étable *f*

k.u.k. [ka:ʊnt'ka:] *Abk von* **kaiserlich und königlich** *austro-hongrois*

Küken ['ky:kən] <-s, -> *nt* poussin *m*

Kukuruz ['kʊkurʊts] <-[es]> *m* A maïs *m*

kulant [ku'lant] *adj Geschäftsmann* arrangeant(e); *Verhalten* accommodant(e)

Kulanz <-> *f* obligeance *f*; **aus** ~ gracieusement

Kuli ['ku:li] <-s, -s> *m fam* (*Stift*) stylo *m*, bic® *m*

kulinarisch [kuli'na:rɪʃ] *adj* culinaire; *Genuss* gastronomique

Kulisse [ku'lɪsə] <-, -n> *f a. fig* décor *m* ►**hinter den** ~**n** dans les coulisses

kullern *vi* + *sein fam* rouler

Kult [kʊlt] <-[e]s, -e> *m* culte *m*

Kultfigur *f* personnage-culte *m* **Kultfilm** *m* film-culte *m*

kultivieren* [-'vi:-] *vt* cultiver

kultiviert [kʊlti'vi:ɐt] I. *adj* raffiné(e); *Benehmen* distingué(e) II. *adv essen* de façon raffinée; *sich benehmen* avec distinction

Kultobjekt *nt* objet-culte *m*

Kultur [kʊl'tu:ɐ] <-, -en> *f* 1. (*Zivilisationsform*) civilisation *f*; **die** ~ **der Antike** la culture gréco-latine 2. *kein Pl* (*kulturelles Niveau*) degré *m* de civilisation 3. BOT plantation *f* 4. BIO culture *f*

Kulturabkommen *nt* accord *m* culturel **Kulturaustausch** *m* échange *m* culturel **Kulturbeutel** *m* trousse *f* de toilette **Kulturdenkmal** *nt* monument *m* historique

kulturell [kʊltu'rɛl] I. *adj* culturel(le) II. *adv* d'un point de vue culturel

Kulturgeschichte *f kein Pl* histoire *f* de la civilisation **kulturgeschichtlich** I. *adj* historico-culturel(le) II. *adv* d'un point de vue historico-culturel **Kulturgut** *nt* élément *m* du patrimoine [historique] **Kulturhoheit** *f kein Pl* souveraineté *f* dans le domaine culturel **Kulturkreis** *m* milieu *m* culturel **Kulturpolitik** *f* politique *f* culturelle **kulturpolitisch** I. *adj Ausschuss* des affaires culturelles; *Gesichtspunkt, Kriterien* politico-culturel(le) II. *adv bedeutsam, interessant* en matière de politique culturelle

Kultusminister(in) ['kʊltʊsmɪnɪstɐ] *m(f)* ≈ ministre *mf* de l'Éducation et des Affaires culturelles [d'un land] **Kultusministerium** *nt* ≈ ministère *m* de l'Éducation et de la Culture [d'un land]

Kümmel ['kʏməl] <-s, -> *m* cumin *m*

Kummer ['kʊmɐ] <-s> *m* 1. (*Betrübtheit*) chagrin *m* 2. (*Unannehmlichkeiten*) soucis *mpl*; ~ **haben** avoir des soucis; **jdm** ~ **machen** causer du souci à qn

kümmerlich *adj Rest* maigre *antéposé*

kümmern ['kʏmɐn] I. *vt* concerner; **was kümmert ihn das?** en quoi ça le regarde?; **das hat ihn nicht zu** ~ ça ne le regarde pas II. *vr* 1. **sich um jdn/etw** ~ s'occuper de qn/qc; **sich darum** ~, **dass** veiller à ce que + *subj* 2. (*achten auf*) **sich um etw nicht** ~ ne pas s'occuper de qc; **sich nicht darum** ~, **was …** ne pas se [pré]occuper de savoir ce qui …

kummervoll *adj geh* chagrin(e)

Kumpan(in) <-s, -e> *m(f) fam pej* (*Komplize*) acolyte *m*

Kumpel ['kʊmpəl] <-s, -> *m* 1. MIN gueule *f* noire 2. *fam* (*Kamerad*) pote *mf*

Kumulation <-, -en> *f* MED, ÖKOL accumulation *f*

kumulieren I. *vr* **sich** ~ *Schadstoffe, Gifte:* s'accumuler II. *vt* POL **mehrere Stimmen auf jdn** ~ cumuler plusieurs voix sur qn

kündbar *adj Mieter* congédiable

Kunde ['kʊndə] <-n, -n> *m*, **Kundin** *f* client(e) *m(f)*
Kundendienst *m* service *m* après-vente
Kundgebung <-, -en> *f* manifestation *f*
kundig *adj geh* compétent(e)
kündigen ['kʏndɪgən] I. *vt* 1. démissionner de *Stellung, Job* 2. licencier *Mitarbeiter* 3. résilier *Versicherung, Vertrag* II. *vi* 1. (*weggehen*) *Arbeitnehmer:* démissionner; **bei einem Unternehmen** ~ donner sa démission à une entreprise 2. (*das Arbeits-, Mietverhältnis beenden*) **jdm** ~ *Arbeitgeber, Firma:* licencier qn; *Vermieter:* donner congé à qn
Kündigung <-, -en> *f* 1. *einer Versicherung, eines Vertrags* résiliation *f;* **die** ~ **einer Mietwohnung** la résiliation d'un bail 2. (*Entlassung*) licenciement *m;* **jdm die** ~ **aussprechen** donner à qn son préavis [de licenciement] 3. (*Weggang*) *eines Arbeitnehmers* démission *f*
Kündigungsfrist *f eines Arbeits-, Mietvertrags* délai *m* de préavis, délai-congé *m; eines Abonnements* délai *m* de résiliation; *eines Sparbuchs* délai *m* de clôture **Kündigungsschutz** *m* protection *f* contre les licenciements abusifs
Kundin ['kʊndɪn] *s.* **Kunde**
Kundschaft <-, -en> *f* 1. (*Kundenkreis*) clientèle *f* 2. (*Kunden*) **es ist** ~/**wenig** ~ **im Geschäft** il y a des clients/peu de clients dans le magasin
künftig ['kʏnftɪç] I. *adj* (*zukünftig, kommend*) futur(e) antéposé; **seine** ~**e Frau** sa future femme II. *adv* à l'avenir
Kunst [kʊnst, *Pl:* 'kʏnstə] <-, ⸚e> *f* 1. KUNST art *m;* **die bildende** ~ les arts plastiques; **die schönen Künste** les beaux-arts 2. *kein Pl* (*Schulfach*) arts *mpl* plastiques ▶ **eine** **brotlose** ~ **sein** *fam* ne pas nourrir son homme
Kunstakademie *f* école *f* des beaux-arts **Kunstausstellung** *f* exposition *f* d'art **Kunstbanause** *m*, **-banausin** *f pej* béotien(ne) *m(f)* **Kunstdünger** *m* engrais *m* chimique **Kunsterzieher(in)** *m(f) form* professeur *mf* d'arts plastiques **Kunsterziehung** *f form* enseignement *m* artistique **Kunstfaser** *f* fibre *f* synthétique **Kunstfehler** *m* erreur *f* médicale **kunstfertig** *adj geh* adroit(e) **Kunstgegenstand** *m* objet *m* d'art **Kunstgeschichte** *f* histoire *f* de l'art **Kunstgewerbe** *nt* KUNST arts *mpl* décoratifs **Kunstgriff** *m* astuce *f* **Kunsthändler(in)** *m(f)* marchand(e) *m(f)* d'objets d'art **kunsthistorisch** I. *adj Werk, Museum* d'histoire de l'art; *Bedeutung, Interesse* historico-culturel(le) II. *adv bedeutend, interessant* du point de vue de l'histoire de

l'art; *interessiert* par l'histoire de l'art **Kunstleder** *nt* similicuir *m*
Künstler(in) ['kʏnstlɐ] <-s, -> *m(f)* [bildender] ~ artiste *mf;* **freischaffender** ~ artiste indépendant(e)
künstlerisch I. *adj Arbeit* d'artiste; *Gegenstand* d'art; *Begabung* artistique II. *adv* bedeutend du point de vue artistique; *begabt* artistiquement
Künstlername *m* nom *m* d'artiste
künstlich ['kʏnstlɪç] I. *adj* 1. *Beleuchtung, See* artificiel(le); *Fingernägel, Diamant* faux(fausse) 2. MED *Befruchtung, Ernährung* artificiel(le) 3. *Heiterkeit* factice II. *adv* artificiellement; *herstellen* industriellement
Kunstmaler(in) *m(f) form* artiste *mf* peintre **Kunstsammlung** *f* collection *f* d'objets d'art **Kunstschätze** *Pl* trésors *mpl* artistiques **Kunststoff** *m* plastique *m* **Kunststück** *nt* 1. (*artistische Leistung*) tour *m* d'adresse 2. (*schwierige Leistung*) tour *m* de force **Kunstwerk** *nt* 1. œuvre *f* d'art 2. (*Meisterleistung*) chef-d'œuvre *m*
kunterbunt *adj* (*sehr bunt*) bariolé(e)
Kupfer ['kʊpfɐ] <-s, -> *nt* cuivre *m* **Kupferstich** *m* gravure *f* sur cuivre
Kupon [ku'põ:] *s.* **Coupon**
Kuppe <-, -n> *f* (*Bergkuppe*) mamelon *m*
Kuppel ['kʊpəl] <-, -n> *f* (*Innenkuppel*) coupole *f;* (*Außenkuppel*) dôme *m*
Kuppelei <-, -en> *f pej* (*Förderung der Prostitution*) proxénétisme *m*
kuppeln *vi Fahrer:* débrayer
Kupplung ['kʊplʊŋ] <-, -en> *f* 1. embrayage *m;* **die** ~ [**durch**]**treten** débrayer; **die** ~ **kommen/schleifen lassen** embrayer/faire patiner l'embrayage 2. (*Anhängevorrichtung*) attelage *m*
Kur [ku:ɐ] <-, -en> *f* cure *f*
Kür [ky:ɐ] <-, -en> *f* figures *fpl* libres
Kurbel ['kʊrbəl] <-, -n> *f* manivelle *f*
kurbeln *vi* tourner la manivelle
Kurbelwelle *f* vilebrequin *m*
Kürbis ['kʏrbɪs] <-ses, -se> *m* potiron *m*, citrouille *f*
küren [ky:rən] <kürte, gekürt> *vt geh* **jdn zum Sportler des Jahres** ~ élire qn sportif de l'année
kuren *vi fam* faire une cure
Kurfürst *m* HIST prince *m* électeur
Kurgast *m* curiste *mf*
Kurier [ku'ri:ɐ] <-s, -e> *m* coursier *m*
Kurierdienst *m* 1. (*Service*) service *m* de messageries 2. (*Firma*) entreprise *f* de messagerie express
kurieren* [ku'ri:rən] *vt* guérir
kurios *geh adj* singulier(-ière) *f*
Kuriosität <-, -en> *f* 1. (*Gegenstand*) curiosité *f* 2. *kein Pl* (*Merkwürdigkeit*) singu-

larité *f*
Kurkonzert *nt* concert *m* [pour curistes]
Kurort *m* station *f* thermale **Kurpark** *m*
parc *m* thermal **Kurpfuscher(in)** *m(f) pej*
fam charlatan *m*
Kurs [kʊrs] <-es, -e> *m* **1.** (*Fahrtrichtung*)
cap *m;* **den ~** [**beibe**]**halten** tenir le cap;
vom ~ abkommen dériver **2.** (*politische
Linie*) ligne *f* [politique] **3.** (*Wechselkurs*)
taux *m* de change **4.** (*~wert*) *von Aktien,
Edelmetall* cours *m;* **die Wertpapiere fallen/steigen im ~** le cours des valeurs fléchit/grimpe **5.** (*Lehrgang*) cours *m;* **einen
~ besuchen** suivre un cours
Kursänderung *f* NAUT, AVIAT changement *m*
de cap **Kursanstieg** *m* hausse *f* des cours
Kursbuch *nt* indicateur *m* des chemins de
fer
Kurschatten *m hum fam* flirt *m* de cure
Kürschner(in) <-s, -> *m(f)* pelletier(-ière)
m(f)
Kurse *Pl von* **Kursus**
Kursgewinn *m* FIN plus-value *f* boursière
kursieren* [kʊrˈziːrən] *vi* circuler
kursiv [kʊrˈziːf] **I.** *adj* italique; **~ sein** être
en italique **II.** *adv* en italique
Kursivschrift *f* italique *m*
Kursschwankung *f* fluctuation *f* des cours
Kursus [ˈkʊrzʊs] *s.* **Kurs**
Kurtaxe *f* taxe *f* de séjour
Kurtisane <-, -n> *f* courtisane *f*
Kurve [ˈkʊrvə] <-, -n> *f* **1.** virage *m;* **aus
der ~ fliegen** *fam* louper le virage **2.** GEOM
courbe *f*
kurven [-vən] *vi + sein fam* **um die Ecke
~** *Fahrzeug:* prendre le virage sur les chapeaux de roues
kurvenreich *adj* sinueux(-euse)
kurz [kʊrts] <⁼er, ⁼este> **I.** *adj* **1.** (*räumlich und zeitlich*) court(e); *Blick, Unterbrechung* bref(brève) *antéposé; Pause* petit(e)
antéposé; **in ~er Zeit** en peu de temps
2. *Artikel, Bericht* court(e); *Antwort, Frage,
Silbe, Vokal* bref(brève) **II.** *adv* **1.** **etw ~
schneiden** couper qc court; **ein Kleid
kürzer machen** raccourcir une robe
2. *bleiben, dauern* peu de temps; *sprechen*
brièvement; **~ gesagt, ... bref, ...;** **vor/
bis vor ~em** il y a encore/il y a peu de
temps; **seit ~em** depuis peu **3.** (*wenig*) **es
ist ~ vor acht** il n'est pas loin de huit heures; **~ zuvor/danach** peu de temps avant/
après; **~ hintereinander** à brefs intervalles; **~ bevor/nachdem sie angekommen ist** peu [de temps] avant qu'elle soit/
après qu'elle est arrivée ▶ **~ angebunden
sein** être bourru; **~ und bündig** sans détour; **~ und gut** pour tout dire; **über ~
oder lang** tôt ou tard; **sich ~ fassen** être

bref; **jdn ~ halten** tenir la bride haute à
qn; **bei etw zu ~ kommen** être lésé lors
de qc; **es ~ machen** être bref!; **~ treten**
fam (*sich einschränken*) se serrer la ceinture; (*sich schonen*) lever le pied
Kurzarbeit *f* chômage *m* partiel **kurzlarbeiten** *vi* travailler à temps réduit **Kurzarbeiter(in)** *m(f)* chômeur *m* partiel/chômeuse *f* partielle **kurzärm[e]lig** *adj* à manches courtes **kurzatmig** *adj* poussif(-ive)
Kürze [ˈkʏrtsə] <-, -n> *f* **1.** *kein Pl* (*geringe
Länge*) **die ~ ihres Rocks/ihrer Haare**
sa jupe courte/ses cheveux courts; **angesichts der ~ der Strecke** vu le court trajet **2.** *kein Pl* (*kurze Dauer*) brièveté *f;* **in ~**
sous peu **3.** *kein Pl* (*Knappheit*) *einer Antwort* brièveté *f; eines Artikels* concision *f;* **in
aller ~ antworten** répondre aussi brièvement que possible **4.** (*kurze Silbe*) brève *f*
Kürze(r) *m dekl wie adj fam* (*Schnaps*)
goutte *f*
Kürzel <-s, -> *nt* (*stenografisches Zeichen*) signe *m* sténographique
kürzen *vt* **1.** raccourcir **etw um drei Zentimeter ~** raccourcir qc de trois centimètres **2.** (*verkürzen*) raccourcir, abréger *Text;*
um die Hälfte ~ raccourcir de moitié
3. (*verringern*) diminuer *Budget, Sozialhilfe;* **um zehn Euro ~** diminuer de dix euros
kürzerhand *adv abreisen* sans plus attendre
Kurzfassung *f* abrégé *m* **Kurzfilm** *m* court
métrage *m* **kurzfristig** **I.** *adj Wettervorhersage, Vertrag* à court terme; *Bestellung, Zusage* rapide; *Programmänderung* impromptu(e) **II.** *adv* **1.** *informieren* en dernière minute; **~ das Programm ändern** changer
le programme à la dernière minute **2.** (*für
kurze Zeit*) momentanément; *gelten* temporairement **3.** (*auf kurze Zeit*) **~ gesehen**
à court terme **Kurzgeschichte** *f* nouvelle
f **kurzhaarig** *adj Mensch* aux cheveux
courts **kurzlhalten** *s.* **kurz** **II.** **kurzlebig**
adj (*nicht dauerhaft*) *Modeerscheinung*
éphémère; *Produkt* peu durable
kürzlich *adv* récemment
Kurzmeldung *f* RADIO flash *m* [d'information] **Kurznachrichten** *Pl* nouvelles *fpl*
brèves **kurzlschließen** *irr vt* ELEC court-circuiter **Kurzschluss**^RR *m* **1.** ELEC court-circuit *m* **2.** PSYCH impulsion *f* irréfléchie
Kurzschrift *f* sténo[graphie] *f* **kurzsichtig**
I. *adj* **1.** MED myope **2.** *fig Mensch* myope;
Haltung, Politik à courte vue **II.** *adv handeln*
à la petite semaine **Kurzsichtigkeit** <-> *f*
1. MED myopie *f* **2.** *fig eines Menschen* myopie *f; eines Denkens, einer Politik* absence *f*
de hauteur de vues **Kurzstreckenflug** *m*
vol *m* sur courte distance **Kurzstreckenrakete** *f* missile *m* [à] courte portée

kurz|treten s. **kurz** II. **kurzum** adv bref
Kürzung <-, -en> f 1. FIN diminution f
2. (Verkürzung) eines Textes abrégement m
Kurzurlaub m bref congé m **Kurzwelle** f
onde f courte; **auf** ~ sur ondes courtes
Kurzwellensender m émetteur m ondes
courtes **Kurzzeitgedächtnis** nt mémoire
f à court terme
kuschelig adj fam Bett douillet(te)
kuscheln I. vr fam **sich an jdn** ~ se blottir
contre qn II. vi faire des câlins
Kusine [ku'ziːnə] <-, -n> f cousine f
Kuss^RR [kʊs, Pl: 'kysə], **Kuß** <-sses, Küs-
se> m baiser m
küssen ['kysən] I. vt embrasser; **jdn auf**
die Wange/den Mund ~ embrasser qn
sur la joue/la bouche; **jdm die Hand** ~
baiser la main à qn II. vr sich ~ s'embrasser III. vi embrasser
Kusshand^RR ▸ **jdn/etw mit** ~ **nehmen**
fam prendre qn/qc plutôt deux fois qu'une
Küste ['kystə] <-, -n> f 1. (Meeresufer)
côte f 2. (Gegend) littoral m
Küstengebiet nt littoral m **Küstenwacht**

f service m de surveillance côtière
Küster(in) ['kystɐ] <-s, -> m(f) sacris-
tain(e) m(f)
Kutsche ['kʊtʃə] <-, -n> f carrosse m; **of-**
fene ~ calèche f
Kutscher(in) <-s, -> m(f) cocher m
kutschieren* fam vt + haben voiturer Person
Kutte <-, -n> f ECCL [robe f de] bure f
Kutter <-s, -> m cotre m
Kuvert [ku'veːɐ̯] <-s, -s o -[e]s, -e> nt enveloppe f
Kuvertüre [-vɛr-] <-, -n> f chocolat m à
napper
kW <-, -> nt Abk von **Kilowatt** kW m
kWh <-, -> f Abk von **Kilowattstunde**
kWh m
Kybernetik [kybɛr'neːtɪk] <-> f cybernétique f
kybernetisch adj cybernétique
kyrillisch [ky'rɪlɪʃ] I. adj cyrillique II. adv
en caractères cyrilliques
KZ [kaː'tsɛt] <-s, -s> nt Abk von **Konzen-**
trationslager camp m de concentration

L

L, l [ɛl] <-, -> *nt* L *m*/l *m*
l *Abk von* **Liter** l
laben ['laːbən] *vr geh* **sich** ~ se délecter;
sich an etw (*dat*) ~ se délecter de qc
labern ['laːbɐn] *fam* **I.** *vi* dégoiser; **über
etw** (*akk*) ~ dégoiser au sujet de qc **II.** *vt*
dégoiser *Unsinn, Quatsch*
labil [la'biːl] *adj Person, Kreislauf* instable;
Konstitution, System fragile
Labor [la'boːɐ̯] <-s, -s *o* -e> *nt* laboratoire
m
Laborant(in) [labo'rant] <-en, -en> *m(f)*
laborantin(e) *m(f)*
Laboratorium [labora'toːriʊm] *s.* **Labor**
Labyrinth [laby'rɪnt] <-[e]s, -e> *nt* labyrinthe *m*
Lache ['laːxə], **Lache¹** <-, -n> *f* (*Pfütze*)
flaque *f*
Lache² <-> *f pej fam* [façon *f* de] rire *m*
lächeln ['lɛçəln] *vi* sourire; **über jdn/etw**
~ sourire de qn/qc
Lächeln <-s> *nt* sourire *m*
lachen ['laxən] *vi* rire; **über jdn/etw** ~
rire de qn/qc; **jdn zum Lachen bringen**
faire rire qn ▶ **du hast gut** ~**!** tu as beau jeu
de te moquer [de moi]!; **wer zuletzt lacht,
lacht am besten** *prov* rira bien qui rira le
dernier; **das wäre doch gelacht!** *fam* ça
fait pas un pli!; **dass ich nicht lache!** *fam*
laisse-moi rigoler!
Lachen <-s> *nt* rire *m* ▶ **sich vor** ~ **biegen**
être plié [en deux] de rire (*fam*); **dir wird
das** ~ **[schon] noch vergehen** *fam* l'envie
de rire va te passer
Lacher(in) <-s, -> *m(f)* ▶ **die** ~ **auf seiner
Seite haben** avoir les rieurs de son côté
lächerlich ['lɛçɐlɪç] *adj* ridicule; **jdn/etw**
~ **machen** ridiculiser qn/qc; **sich vor
jdm** ~ **machen** se ridiculiser devant qn
Lächerlichkeit <-, -en> *f* ridicule *m*
Lachgas *nt* gaz *m* hilarant
lachhaft *adj* ridicule
Lachs [laks] <-es, -e> *m* saumon *m*
lachsfarben *adj* saumon *inv* **Lachsforelle** *f*
truite *f* saumonée **Lachsschinken** *m* filet
m de porc fumé
Lack [lak] <-[e]s, -e> *m* laque *f*
Lackaffe *m pej fam* godelureau *m*
lackieren* [la'kiːrən] *vt* laquer *Holz*; **sich**
(*dat*) **die Fingernägel** ~ se vernir les ongles; **frisch lackiert!** peinture fraîche!
Lackierer(in) <-s, -> *m(f)* peintre *mf*

Lackierung <-, -en> *f* **1.** *kein Pl* (*das Lackieren*) laquage *m* **2.** (*Lack*) laque *f*
Lackleder *nt* cuir *m* verni
Lackmus ['lakmʊs] <-> *nt o m* tournesol
m
Lackmuspapier *nt* papier *m* de tournesol
Lackschaden *m* peinture *f* abîmée **Lack-
schuh** *m* chaussure *f* vernie
Lade <-, -n> *f fam* tiroir *m*
Ladefläche *f* surface *f* de chargement **La-
degewicht** *nt* poids *m* de chargement **La-
dehemmung** *f* enrayage *m*
laden ['laːdən] <lädt, lud, geladen> *vt*
1. charger; **etw auf den Lkw** ~ charger qc
sur le camion; **etw aus dem Auto** ~ décharger qc de la voiture; **voll geladen** en
pleine charge **2.** (*aufbürden*) **Verantwortung auf sich** (*akk*) ~ endosser une responsabilité **3.** *geh* (*ein~*) **jdn zu einem
Empfang** ~ inviter qn à une réception; **die
geladenen Gäste** les invités *mpl* **4.** (*vor~*)
citer **5.** (*Munition einlegen*) charger
6. ELEC charger *Batterie* **7.** INFORM charger,
appeler *Programm, Datei* ▶ **geladen haben**
fam être bourré; **geladen sein** *fam* être furax
Laden ['laːdən, *Pl:* 'lɛːdən] <-s, ⸚> *m*
1. (*Geschäft*) magasin *m*; (*klein*) boutique
f **2.** *fam* (*Betrieb*) boîte *f*; **der** ~ **läuft** la
boîte tourne; **den** ~ **dichtmachen** fermer
la boîte
Ladendieb(in) *m(f)* voleur(-euse) *m(f)* à
l'étalage **Ladendiebstahl** *m* vol *m* à l'étalage **Ladenhüter** *m* rossignol *m* **Ladenkette** *f* chaîne *f* de magasins **Ladenpreis**
m prix *m* marqué **Ladenschluss**^RR *m kein
Pl* fermeture *f* des magasins **Laden-
schlussgesetz**^RR *nt* loi *f* sur la fermeture
des magasins **Ladentisch** *m* comptoir *m*
[de magasin] ▶ **etw unter dem** ~ **verkaufen** *fam* vendre qc sous le manteau
Laderampe *f* rampe *f* de chargement **Laderaum** *m* AVIAT, NAUT soute *f*
lädieren* *vt* abîmer
lädt [lɛːt] *3. Pers Präs von* **laden**
Ladung <-, -en> *f* **1.** (*Fracht*) chargement
m **2.** (*notwendige Menge*) **eine** ~ **Dynamit** une charge de dynamite **3.** ELEC, PHYS
charge *f* **4.** JUR citation *f*
lag [laːk] *Imp von* **liegen**
Lage ['laːgə] <-, -n> *f* **1.** *eines Orts* site *m*;
eines Hauses situation *f* **2.** (*Liegeposition*)

position *f* **3.** (*Situation*) situation *f;* **sich in die ~ eines anderen versetzen** se mettre à la place d'autrui **4.** *fig* **in der ~ sein etw zu tun** être en mesure de faire qc **5.** (*Schicht*) couche *f; fam* ► **die ~ peilen** *fam* tâter le terrain

Lagebericht *m* compte *m* rendu de la situation **Lagebesprechung** *f* analyse *f* de la situation **Lageplan** *m* plan *m*

Lager ['laːgɐ] <-s, – *o* ⁼> *nt* **1.** dépôt *m;* **etw auf ~ haben** avoir qc en stock **2.** (*Unterkunft, Gruppierung*) camp *m* **3.** TECH palier *m* **4.** *geh* (*Bett*) couche *f* ► **etw auf ~ haben** *fam* avoir qc en réserve

Lagerfeuer *nt* feu *m* de camp **Lagerhalle** *f* hangar *m* **Lagerhaus** *nt* entrepôt *m*

lagern I. *vt* **1.** (*aufbewahren*) stocker; **kühl ~!** garder au frais! **2.** (*hinlegen*) **das Bein hoch ~** surélever la jambe **II.** *vi* **1.** **trocken ~** se conserver au sec **2.** (*sich niederlassen*) camper

Lagerraum *m* **1.** dépôt *m* **2.** (*~fläche*) surface *f* d'entreposage

Lagerung <-, -en> *f* **1.** *von Vorräten* stockage *m* **2.** TECH palier *m*

Lagune [laˈguːnə] <-, -n> *f* lagune *f*

lahm [laːm] *adj* **1.** paralysé(e); **auf einem Bein ~ sein** être paralysé d'une jambe **2.** *fam* (*steif*) courbaturé(e) **3.** (*still*) **~ legen** paralyser *Wirtschaft, Verkehr*

lahmen *vi* boiter

lähmen ['lɛːmən] *vt* paralyser ► **vor Schreck wie gelähmt sein** être [comme] paralysé de peur

lahmⅼlegen *s.* **lahm**

Lähmung <-, -en> *f* MED paralysie *f*

Laib [laip] <-[e]s, -e> *m bes.* SDEUTSCH **ein ~ Brot/Käse** une miche de pain/une meule de fromage

Laich [laiç] <-[e]s, -e> *m* frai *m*

laichen *vi* frayer

Laie ['laiə] <-n, -n> *m,* **Laiin** *f* **1.** (*Nichtfachmann*) profane *mf* **2.** REL laïc *m,* laïque *mf*

laienhaft *adj* de profane

Laienprediger(in) *m(f)* prédicateur *m*

Lakai [laˈkai] <-en, -en> *m* **1.** *pej geh* valet *m* **2.** HIST laquais *m*

Lake <-, -n> *f* saumure *f*

Laken ['laːkən] <-s, -> *nt* drap *m* [de lit]

lakonisch [laˈkoːnɪʃ] *adj* laconique

Lakritze <-, -n> *f* réglisse *m o f*

lallen ['lalən] *vt, vi* balbutier

Lama¹ ['laːma] <-s, -s> *nt* ZOOL lama *m*

Lama² <-[s], -s> *m* REL lama *m*

Lamelle [laˈmɛlə] <-, -n> *f einer Jalousie* lame[lle] *f; eines Heizkörpers* ailette *f; eines Pilzhuts* lamelle *f*

Lametta [laˈmɛta] <-s> *nt* (*Weihnachts-*schmuck) lamelles *fpl* argentées/dorées

Lamm [lam, *Pl:* 'lɛmɐ] <-[e]s, ⁼er> *nt* agneau *m*

Lammfell *nt* fourrure *f* d'agneau **Lammfleisch** *nt* viande *f* d'agneau **lammfromm** ['lamˈfrɔm] *adj* ~ **sein** être doux comme un agneau **Lammkeule** *f* gigot *m* d'agneau

Lampe ['lampə] <-, -n> *f* lampe *f*

Lampenfieber *nt* trac *m;* ~ **haben** avoir le trac **Lampenschirm** *m* abat-jour *m inv*

Lampion [lamˈpiɔ̃] <-s, -s> *m* lampion *m*

lancieren* [lãˈsiːrən] *vt geh* lancer

Land [lant, *Pl:* 'lɛndɐ] <-[e]s, ⁼er> *nt* **1.** (*Staat*) pays *m* **2.** *kein Pl* (*Festland*) terre *f;* **an ~ gehen** descendre à terre; ~ **in Sicht!** terre!; ~ **unter!** NDEUTSCH terres immergées! **3.** (*Bundesland*) Land *m;* **die 16 Länder** les 16 Länder **4.** *kein Pl* (*Acker*) terrain *m;* **das ~ bebauen** cultiver la terre **5.** *kein Pl* (*ländliche Gegend*) campagne *f;* **auf dem flachen ~** dans le plat pays ► ~ **und Leute kennen lernen** apprendre à connaître le pays et ses habitants; **andere Länder, andere Sitten** autres pays, autres mœurs; **das Gelobte ~** la Terre promise; [wieder] ~ **sehen** *fam* voir le bout du tunnel; **an ~ ziehen** *fam* décrocher *Job, Auftrag*

Landadel *m* noblesse *f* campagnarde **Landammann** *m* CH président(e) *m(f)* de gouvernement cantonal **Landarbeit** *f kein Pl* travaux *mpl* des champs **Landarbeiter(in)** *m(f)* ouvrier(-ière) *m(f)* agricole **Landbesitz** *m* domaine *m* **Landbevölkerung** *f* population *f* rurale

Landeanflug *m* amorce *f* de l'atterrissage **Landebahn** *f* piste *f* d'atterrissage **Landeerlaubnis** *f* autorisation *f* d'atterrir

landeinwärts *adv* à l'intérieur des terres

landen ['landən] *vi* + *sein* **1.** *Flugzeug:* atterrir; **auf dem Mond ~** alunir **2.** (*anlegen*) **im Hafen ~** *Schiff:* aborder au port **3.** *fam* (*ankommen*) **zu Hause/im Papierkorb ~** atterrir à la maison/dans la corbeille à papier ► **bei jdm nicht ~ können** *fam* n'avoir aucune chance avec qn

Landeplatz *m* AVIAT terrain *m* d'atterrissage **Ländereien** [lɛndəˈraiən] *Pl* terres *fpl* **Landesebene** *f* **auf ~** au niveau des Länder **Landesgrenze** *f eines Staats* frontière *f; eines Bundeslandes* limite *f* **Landeshauptmann** *m,* **-frau** *f* A chef *mf* de gouvernement (*d'un Etat fédéré*) **Landeshauptstadt** *f* capitale *f* [d'un Land] **Landesinnere(s)** *nt dekl wie adj* intérieur *m* du pays; (*hinter der Küste*) arrière-pays *m* **Landeskunde** *f kein Pl* civilisation *f* **Landesrat** *m,* **-rätin** *f* A membre *m* d'un gou-

vernement provincial **Landesregierung** *f* gouvernement *m* du Land **Landessprache** *f* langue *f* nationale **Landesteil** *m* région *f* **Landestracht** *f* costume *m* national **landesüblich** *adj* d'usage [dans le pays] **Landesverrat** *m* haute trahison *f* **Landeswährung** *f* monnaie *f* nationale; **die Ablösung der** ~**en** le remplacement des monnaies nationales

Landeverbot *nt* interdiction *f* d'atterrir **Landflucht** *f* exode *m* rural **Landfriedensbruch** *m* JUR atteinte *f* à l'ordre public **Landgericht** *nt* JUR ≈ tribunal *m* de grande instance **Landgut** *nt* domaine *m* [rural] **Landhaus** *nt* maison *f* de campagne **Landkarte** *f* carte *f* géographique **Landkreis** *m* ≈ district *m* **landläufig** ['lantlɔyfɪç] *adj* répandu(e); *Bedeutung* communément admis(e) **Landleben** *nt* vie *f* à la campagne

ländlich ['lɛntlɪç] *adj Brauch* paysan(ne); *Abgeschiedenheit* de la campagne

Landluft *f* air *m* de la campagne **Landplage** *f* fléau *m* **Landrat** *m* CH Parlement *m* cantonal, Grand-Conseil *m* **Landrat** *m*, **-rätin** *f* chef *mf* [administratif] de district (*sous-préfet en France*); CH parlementaire *mf* cantonal(e) **Landratte** *f* hum fam éléphant *m*

Landschaft <-, -en> *f* paysage *m;* GEOG région *f*

landschaftlich *adv* ~ **reizvoll sein** offrir un paysage attrayant

Landschaftsschutzgebiet *nt* site *m* protégé

Landsitz *m* domaine *m*

Landsmann ['lantsman] <-leute> *m*, **-männin** *f* compatriote *mf*

Landstraße *f* ≈ [route *f*] départementale *f;* (*untergeordnete Straße*) route *f* secondaire **Landstreicher(in)** <-s, -> *m(f)* vagabond(e) *m(f)* **Landstrich** *m* contrée *f* **Landtag** *m* (*Parlament*) landtag *m*

Landung <-, -en> *f* 1. *eines Flugzeugs* atterrissage *m* 2. MIL *von Truppen* largage *m;* (*per Schiff*) débarquement *m*

Landungsbrücke *f* débarcadère *m*

Landweg *m* **auf dem** ~ par voie *f* terrestre **Landwein** *m* vin *m* de pays **Landwirt(in)** *m(f)* agriculteur(-trice) *m(f)* **Landwirtschaft** *f* 1. *kein Pl* (*Erwerbstätigkeit*) agriculture *f* 2. (*Betrieb*) exploitation *f* agricole **landwirtschaftlich** *adj Betrieb, Produkt* agricole **Landzunge** *f* langue *f* de terre

lang [laŋ] <⸚er, ⸚ste> I. *adj* 1. (*räumlich ausgedehnt*) long(longue); **ein** ~ **er Weg** un long chemin; **zwei Meter** ~ **sein** avoir deux mètres de long 2. (*zeitlich ausgedehnt*) **eine** ~**e Unterbrechung** une

longue interruption; **ein längerer Aufenthalt** un séjour prolongé; **seit** ~**em** depuis longtemps 3. *fam* (*groß gewachsen*) grand(e) II. *adv* 1. longtemps; **zu** ~ **aufbleiben** veiller trop tard; **viele Jahre** ~ pendant de nombreuses années; **wie** ~[e] **bleibst du?** combien de temps restes-tu? 2. (*seit einer Weile*) **schon** ~[e] *warten, fertig sein* depuis longtemps; **es ist** ~[e] **her, dass wir uns gesehen haben** ça fait longtemps qu'on s'est vu 3. (*räumlich ausgedehnt*) ~ **gestreckt** *Gebäude* allongé(e) 4. (*bei weitem*) ~[e] **nicht so schlimm sein wie** ... être loin d'être aussi grave que ...; **noch** ~**e nicht fertig sein** *Person:* être loin d'avoir fini ▶ ~ **und** breit en long et en large; **da kannst du** ~[e] **warten!** *iron* tu peux toujours attendre!

langärm[e]lig *adj* à manches longues

langatmig *adj pej* qui traîne en longueur

langbeinig *adj Person* aux longues jambes; *Tier* aux longues pattes

lange ['laŋə] <⸚er, ⸚ste> *s.* **lang**

Länge ['lɛŋə] <-, -n> *f* 1. longueur *f;* **ein Seil von zwei Metern** ~ une corde d'une longueur de deux mètres; **der** ~ **nach** in long 2. (*Dauer*) durée *f;* **etw in die** ~ **ziehen** faire traîner qc en longueur; **in voller** ~ **zeigen** en version intégrale; *erscheinen* en édition intégrale 3. GEOG longitude *f* ▶ **der** ~ **nach** hinfallen tomber de tout son long

langen I. *vi fam* 1. (*ausreichen*) suffire; **jdm** ~ suffire à qn 2. (*sich erstrecken*) **bis zum Boden** ~ *Vorhang:* arriver jusqu'au sol 3. (*fassen*) **an etw** (*akk*) ~ toucher [à] qc ▶ **mir** langt es j'en ai marre II. *vt fam* **jdm etw** ~ passer qc à qn ▶ **jdm** eine ~ en allonger une à qn

Längengrad *m* degré *m* de longitude **Längenmaß** *nt* mesure *f* de longueur

länger ['lɛŋɐ] *Komp von* **lang**

längerfristig *adv* à plus long terme

Langeweile <- *o* Langenweile *geh*> *f* ennui *m;* ~ **haben** s'ennuyer; **aus** [lauter] ~ **essen** manger par ennui

Langfinger *m* hum fam voleur(-euse) *m(f)* à la tire **langfristig** *adj, adv* à long terme **langhaarig** *adj Person* aux longs cheveux; *Tier* à poil long **langjährig** *adj Mitarbeiter, Freundschaft* de longue date; *Verhandlungen* de plusieurs années **Langlauf** *m kein Pl* ski *m* de fond **Langlaufski** *m* ski *m* de fond **langlebig** *adj* 1. qui vit longtemps; *Grünpflanze* vivace 2. (*dauerhaft*) durable **länglich** ['lɛŋlɪç] *adj* oblong(-longue) **längs** [lɛŋs] I. *präp + gen* **des Kanals** le long du canal II. *adv* longitudinalement **Längsachse** [-aksə] *f* axe *m* longitudinal

langsam I. adj **1.** Person, Bewegung lent(e) **2.**(allmählich) progressif(-ive) **II.** adv **1.**(nicht schnell) lentement **2.**fam (allmählich) petit à petit; **es ist ~ an der Zeit, dass** il serait [bientôt] temps de + infin/que + subj▸~, **aber** sicher lentement mais sûrement

Langsamkeit <-> f lenteur f

Langschläfer(in) m(f) lève-tard mf (fam)

Langspielplatte f trente-trois tours m

Längsschnitt m coupe f longitudinale **Längsseite** f longueur f

längst [lɛŋst] adv **1.**(seit langem) depuis longtemps **2.**(bei weitem) **das ist ~ nicht alles** c'est loin d'être tout

längste(r, s) Superl von **lang**

längstens adv tout au plus

Langstreckenflug m vol m long-courrier

Langstreckenlauf m course f de fond

Languste [laŋ'gʊstə] <-, -n> f langouste f

langweilen I. vt ennuyer **II.** vr **sich ~** s'ennuyer; **sich zu Tode ~** fam s'ennuyer comme un rat mort

langweilig adj ennuyeux(-euse)

Langwelle f grandes ondes fpl

langwierig ['laŋviːrɪç] adj de longue haleine

Langzeitarbeitslose(r) f(m) dekl wie adj chômeur(-euse) m(f) de longue durée

Langzeitgedächtnis nt mémoire f longue

Lanze ['lantsə] <-, -n> f lance f ▸**für jdn eine ~ brechen** geh prendre fait et cause pour qn

lapidar [lapi'daːɐ̯] geh adj lapidaire

Lappalie [la'paːliə] <-, -n> f broutille f

Lappen ['lapən] <-s, -> m **1.**chiffon m **2.**fam (Banknote) biffeton m ▸**jdm durch die ~ gehen** fam Täter: filer entre les pattes de qn; Auftrag: passer sous le nez de qn

läppisch ['lɛpɪʃ] pej adj **1.**(albern) puéril(e) **2.**(gering) ridicule

Laptop ['lɛptɔp] <-s, -s> m [ordinateur m] portable m

Lärche ['lɛrçə] <-, -n> f mélèze m

Lärm [lɛrm] <-[e]s> m bruit m; **~ machen** faire du bruit ▸**viel ~ um nichts machen** faire beaucoup de bruit pour rien

Lärmbelastung f nuisances fpl sonores

lärmempfindlich adj sensible au bruit

lärmen vi faire du bruit; **~d** bruyant(e)

Lärmpegel m niveau m sonore **Lärmschutz** m protection f antibruit

Larve ['larfə] <-, -n> f **1.**larve f **2.**(Halbmaske) loup m

las [laːs] Imp von **lesen**

Lasagne [la'zanjə] Pl lasagne[s] fpl

lasch [laʃ] fam adj **1.** Händedruck mou(mol-

le) **2.**(nachlässig) relâché(e) **3.**(fade) fadasse

Lasche ['laʃə] <-, -n> f eines Umschlags, einer Tasche rabat m; eines Kleids patte f

Laser ['leɪzə] <-s, -> m laser m

Laserdrucker m imprimante f [à] laser **Laserstrahl** m rayon m laser

lasieren* vt enduire d'une lasure; **etw ~** enduire qc d'une lasure

lassen ['lasən] **I.** <lässt, ließ, gelassen> vt **1.**(unter~) arrêter; **ich kann es einfach nicht ~** c'est plus fort que moi; **lass das!** arrête! **2.**(zurück~) **die Kinder allein ~** laisser les enfants seuls; **seinen Mantel im Restaurant hängen/liegen ~** laisser son manteau au restaurant; **den Wagen stehen ~** ne pas prendre la voiture **3.**(zugestehen) **jdm seinen Freiraum ~** laisser à qn sa liberté d'action; **jdn ~** (nicht stören) laisser qn [tranquille]; (gewähren ~) laisser faire qn **4.**(irgendwohin ~) **jdn ins Haus ~** laisser qn entrer dans la maison; **Wasser in die Wanne ~** faire couler de l'eau dans la baignoire **5.**(in einem Zustand belassen) **etw liegen ~** (unerledigt) laisser qc en attente; **die Tür offen ~** laisser la porte ouvert(e); **eine Frage offen ~** laisser une question en suspens; **lass die Vase bitte stehen!** ne touche pas au vase!; **den Schlüssel in der Tür stecken ~** laisser la clé sur la porte; **wir sollten nichts unversucht ~** nous devrions tout essayer **6.**(nicht anrühren) **stehen ~** ne pas toucher à Essen, Getränk; **du kannst deinen Geldbeutel stecken ~!** laisse, c'est pour moi! ▸**jdn hängen ~** fam laisser tomber qn; **sich hängen ~** fam se laisser aller; **alles stehen und liegen ~** laisser tout en plan; **das muss man ihr/ihm ~** il faut lui rendre cette justice **II.** <lässt, ließ, ~> aux modal **1.**(dulden, zu~) **die Kinder nicht fernsehen ~** ne pas permettre aux enfants de regarder la télé; **ich lasse mich nicht zwingen!** on ne me forcera pas!; **das lasse ich nicht mit mir machen!** ça ne marche pas! **2.**(veranlassen) **jdn warten ~** faire attendre qn; **sich untersuchen ~** se faire examiner; **sich scheiden ~** divorcer; **etw reparieren ~** faire réparer qc; **jdn etw wissen ~** faire savoir qc à qn; **den Tee drei Minuten ziehen ~** laisser le thé infuser trois minutes **3.**(Möglichkeit) **das Fenster lässt sich öffnen** on peut ouvrir la fenêtre; **das lässt sich machen** c'est faisable; **das lässt sich essen** ça se laisse manger; **es wird sich kaum vermeiden ~, dass** il est pratiquement inévitable que + subj **4.**(Aufforderung) **lass uns/lasst uns gehen!** allons-nous en!; **lasset uns**

beten! prions!; **lass dich hier nie wieder blicken!** et ne te montre plus jamais ici! **III.** <lässt, ließ, gelassen> *vi* **von jdm/ etw** ~ renoncer à qn/qc; **lass/lasst mal!** laisse/laissez donc!

lässig ['lɛsɪç] **I.** *adj* décontracté(e) **II.** *adv* **1.** (*ungezwungen*) en toute décontraction **2.** *fam* (*mit Leichtigkeit*) les doigts dans le nez

Lässigkeit <-> *f* **1.** (*Ungezwungenheit*) décontraction *f* **2.** (*Leichtigkeit*) facilité *f*

lässt^RR [lɛst], **läßt** *3. Pers Präs von* **lassen**

Last [last] <-, -en> *f* **1.** (*schweres Gewicht*) charge *f*, poids *m* **2.** (*Transportlast, Bürde*) charge *f*; **jdm zur ~ fallen** devenir une charge pour qn **3.** *Pl* (*finanzielle Verpflichtung*) charges *fpl* ▶ **zu jds ~en gehen** être à la charge de qn; **jdm etw zur ~ legen** mettre qc sur le dos de qn

lasten *vi* **1.** **auf jdm** ~ *Verantwortung:* reposer sur [les épaules de] qn; *Sorgen:* peser sur qn **2.** (*finanziell be~*) **auf etw** (*dat*) ~ grever qc

Lastenaufzug *m* monte-charge *m*

Laster^1 ['lastɐ] <-s, -> *m fam* (*Lkw*) gros-cul *m*

Laster^2 <-s, -> *nt* vice *m*

lasterhaft *adj geh* débauché(e); *Leben* dissolu(e)

lästern ['lɛstɐn] *vi* dénigrer; **über jdn/ etw** ~ dénigrer qn/qc

lästig ['lɛstɪç] *adj Person* importun(e) (*soutenu*); *Erkrankung, Schmerzen* pénible; *Fliegen* agaçant(e); **jdm ~ sein** agacer qn

Lastkahn *m* péniche *f*

Lastkraftwagen *s.* **Lastwagen**

Last-Minute-Reise [laːstˈmɪnɪtˈrajzə] *f* voyage *m* en last minute

Lastschrift *f* avis *m* de débit **Lastwagen** *m* camion *m* **Lastzug** *m* semi-remorque *m*

Lasur [laˈzuːɐ] <-, -en> *f* lasure *f*

lasziv [lasˈtsiːf] *adj* lascif(-ive)

Latein [laˈtajn] <-s> *nt kein art* latin *m* ▶ **mit seinem ~ am Ende sein** ne plus savoir quoi essayer; *s.a.* **Deutsch**

Lateinamerika *nt* l'Amérique *f* latine **lateinamerikanisch** *adj* latino-américain(e)

lateinisch I. *adj* latin(e); *Vokabeln* de latin; *Inschrift* en latin **II.** *adv* ~ **miteinander sprechen** discuter en latin; *s.a.* **Deutsch**

Lateinisch *nt kein art* latin *m*; *s.a.* **Deutsch**

latent *adj* latent

Laterne [laˈtɛrnə] <-, -n> *f* **1.** (*Straßenlaterne*) réverbère *m* **2.** (*Außenleuchte*) lanterne *f*

Laternenpfahl *m* colonne *f* de réverbère

Latex ['laːtɛks, *Pl:* 'laːtitseːs] <-, Latizes> *m* latex *m*

Latinum <-s> *nt* diplôme *d'étude du latin*

latschen ['laːtʃən] *vi* + *sein fam* **über die Straße** ~ traverser la rue en traînassant; **über ein Beet** ~ piétiner une plate-bande

Latschen <-s, -> *m fam* **1.** (*Hausschuh*) savate *f* **2.** *pej* (*Schuh*) grolle *f* ▶ **aus den** ~ **kippen** tomber dans les pommes

Latschenkiefer *f* pin *m* de montagne

Latte ['latə] <-, -n> *f* **1.** (*Holzleiste*) latte *f* **2.** SPORT barre *f*; (*am Tor*) barre *f* [transversale] **3.** *fam* (*Menge*) **eine ganze ~ von Fragen** tout un paquet de questions **4.** *fam* (*Erektion*) trique *f*

Lattenrost *m* sommier *m* à lattes **Lattenzaun** *m* palissade *f*

Latz [lats, *Pl:* 'lɛtsə] <-es, ᵉe *o* A -e> *m* (*Kinderlatz, Hosenlatz*) bavette *f*

Lätzchen <-s, -> *nt* bavette *f*

Lätzhose *f* salopette *f*

lau [lau] *adj* tiède

Laub [laup] <-[e]s> *nt* (*Belaubung*) feuillage *m*; (*abgefallene Blätter*) feuilles *fpl* mortes

Laubbaum *m* arbre *m* feuillu

Laube ['laubə] <-, -n> *f* tonnelle *f*

Laubfrosch *m* rainette *f* [verte] **Laubsäge** *f* scie *f* à chantourner **Laubwald** *m* forêt *f* de feuillus

Lauch [laux] <-[e]s, -e> *m* poireau *m*

Lauer ['lauɐ] ▶ **auf der ~ liegen** être à l'affût

lauern *vi* guetter; **auf jdn/etw** ~ guetter qn/qc; **darauf ~, dass** guetter le moment où

Lauf [lauf, *Pl:* 'lɔyfə] <-[e]s, Läufe> *m* **1.** *kein Pl* (*das Laufen*) course *f*; (*das Joggen*) footing *m* **2.** *kein Pl* (*Flusslauf*) cours *m* **3.** (*Gewehrlauf*) canon *m* **4.** (*Bein*) eines Hirsches, Hasen patte *f* **5.** (*Verlauf*) cours *m*; **im ~e des Gesprächs/der Jahre** au cours de la conversation/au fil des ans; **seinen ~ nehmen** suivre son cours; **seiner Fantasie freien ~ lassen** laisser libre cours à son imagination

Laufbahn *f* carrière *f* **Laufband** *nt* SPORT tapis *m* de course

laufen ['laufən] <läuft, lief, gelaufen> **I.** *vi* + *sein* **1.** (*rennen*) courir; **nach Hause** ~ courir à la maison **2.** *fam* (*gehen*) **zu seiner Mutter** ~ courir chez sa mère **3.** (*zu Fuß gehen*) marcher **4.** (*fließen*) *Flüssigkeit:* couler; (*auslaufen*) s'écouler; **Wasser in die Badewanne** ~ **lassen** faire couler de l'eau dans la baignoire **5.** (*funktionieren*) *Getriebe, Motor:* tourner; *Uhr, Computerprogramm, Gerät:* marcher; (*eingeschaltet sein*) être en marche **6.** (*gespielt, gezeigt werden*) passer **7.** (*gültig sein*) *Abkommen:* être en cours de validité; **drei Jahre** ~ *Vertrag:* être valable trois ans

8. (*ver-*) **ums Haus herum** ~ *Weg:* faire le tour de la maison **9.** (*geführt werden*) **unter** [**der Bezeichnung**] **Sonstiges** ~ se trouver dans la rubrique autres **10.** (*ablaufen*) **gut/bestens** ~ se passer bien/pour le mieux; **wie läuft es in der Firma?** comment ça va dans l'entreprise? ►**jdn** ~ **lassen** *fam* laisser filer qn; **gelaufen sein** *fam* être fini **II.** *vt + haben o sein* **1.** SPORT établir *Rekord;* **hundert Meter in zwölf Sekunden** ~ courir cent mètres en douze secondes **2.** (*fahren*) **Schlittschuh/Ski** ~ faire du patin à glace/du ski **III.** *vr unpers + haben* **in diesen Schuhen läuft es sich gut** on marche bien dans ces chaussures

laufend I. *adj attr* **1.** (*gegenwärtig*) en cours **2.** *Arbeiten* en cours; *Ausgaben* courant(e) ►**jdn auf dem Laufenden halten** tenir qn au courant; **mit etw auf dem Laufenden sein** être à jour dans qc **II.** *adv* sans arrêt

laufen‖lassen *s.* laufen I.
Läufer ['lɔyfɐ] <-s, -> *m* **1.** coureur *m* **2.** (*Schachfigur*) fou *m* **3.** (*Teppich*) tapis *m* de couloir
Läuferin <-, -nen> *f* coureuse *f*
Lauffeuer ►**sich wie ein** ~ **verbreiten** *fam* se répandre comme une traînée de poudre
läufig ['lɔyfɪç] *adj* en chaleur
Laufmasche *f* maille *f* filée **Laufpass**^RR ►**jdm den** ~ **geben** *fam* plaquer qn **Laufschritt** *m* **im** ~ au pas de gymnastique **Laufstall** *m* parc *m* **Laufsteg** *m* podium *m*
läuft [lɔyft] *3. Pers Präs von* laufen
Laufwerk *nt* INFORM (*Diskettenlaufwerk*) lecteur *m* de disquettes; (*CD-ROM-~*) lecteur de CD-ROM **Laufzeit** *f eines Vertrags* durée *f* de validité; *eines Kredits* durée *f*
Lauge ['laʊgə] <-, -n> *f* **1.** (*Seifenlauge*) lessive *f* **2.** (*Salzlauge*) saumure *f* **3.** CHEM solution *f* alcaline
Laugenbrezel *f* bretzel *m*
Laune ['laʊnə] <-, -n> *f* **1.** (*Stimmung*) humeur *f;* **gute/schlechte** ~ **haben** être de bonne/de mauvaise humeur; **seine** ~ **an jdm auslassen** passer sa mauvaise humeur sur qn; **jdn bei** ~ **halten** *fam* entretenir qn dans de bonnes dispositions **2.** (*abwegige Idee*) lubie *f;* **etw aus einer** ~ **heraus tun** faire qc sur un coup de tête
launenhaft, **launisch** *adj Person* lunatique; *Wetter* instable
Laus [laʊs, *Pl:* 'lɔyzə] <-, Läuse> *f* **1.** (*Kopflaus*) pou *m* **2.** (*Blattlaus*) puceron *m* ►**jdm ist eine** ~ **über die Leber gelaufen** *fam* qn s'est levé(e) de mauvais poil
Lauschangriff *m* écoute *f* sauvage

lauschen ['laʊʃən] *vi* **1.** (*heimlich zuhören*) écouter [en cachette]; **an der Tür** ~ écouter à la porte **2.** (*zuhören*) **dem Flötenspiel** ~ écouter le son de la flûte
lauschig *adj* cosy
lausen ['laʊzən] *vt* épouiller; **jdn/sich** ~ épouiller qn/s'épouiller
lausig *fam adj* **1.** (*schlecht*) minable; *Kälte* de canard **2.** (*lächerlich*) ~**e hundert Euro** cent misérables euros
laut¹ [laʊt] *adj* **1.** fort(e); *Straße, Krachen* [très] bruyant(e); **ein** ~**es Lachen** un rire sonore; **das Radio** ~**er stellen** mettre la radio plus fort; ~ **werden** *Person:* hausser le ton; (*aufbrausen*) monter sur ses grands chevaux **2.** (*publik*) ~ **werden** *Vermutung:* s'ébruiter; *Verdacht:* transpirer
laut² *präp + gen o dat* selon
Laut <-[e]s, -e> *m* (*Ton*) son *m;* **keinen** ~ **von sich geben** ne pas faire le moindre bruit
Laute <-, -n> *f* luth *m*
lauten *vi* **1.** (*zum Inhalt haben*) **der Titel lautet ...** le titre est ...; **gleich** ~**d** *Angaben, Aussagen* concordant(e) **2.** (*ausgestellt sein*) **auf seinen/ihren Namen** ~ être établi à son nom
läuten ['lɔytən] *vi* sonner; **es läutet** on sonne; SCHULE ça sonne ►**jd hat etwas** ~ **hören** *fam* qn a vaguement entendu parler de quelque chose
lauter ['laʊtɐ] **I.** *adj geh* (*aufrichtig*) probe **II.** *adv* **1.** (*nichts als*) ~ **Nieten ziehen** ne tirer [rien d'autre] que des numéros perdants **2.** (*viel zu viel*) **vor** ~ **Dampf sieht man nichts mehr** il y a a tellement de vapeur qu'on n'y voit plus rien
läutern ['lɔytɐn] *vt geh* **jdn** ~ *Schicksal:* amender qn
lauthals ['laʊthals] *adv* haut et fort
Lautlehre *f kein Pl* phonétique *f*
lautlich *adj* phonétique
lautlos I. *adj* silencieux(-euse) **II.** *adv* sans bruit, silencieusement **Lautschrift** *f* écriture *f* phonétique **Lautsprecher** *m* haut-parleur *m;* (~*anlage*) enceintes *fpl* **lautstark** *adj* bruyant(e) **Lautstärke** *f* son *m*, volume *m* [sonore]; **bei voller** ~ à fond
lauwarm *adj* tiède
Lava ['la:va] <-, Laven> *f* lave *f*
Lavendel [la'vɛndəl] <-s, -> *m* lavande *f*
Lawine [la'vi:nə] <-, -n> *f* avalanche *f* ►**eine** ~ **lostreten** déclencher une réaction en chaîne
Lawinengefahr *f* danger *m* d'avalanche
Layout, Lay-out^RR ['le:ʔaʊt] <-s, -s> *nt* mise *f* en page
Lazarett [latsa'rɛt] <-[e]s, -e> *nt* hôpital *m* militaire

LCD [ɛltseːˈdeː] *nt Abk von* **Liquid Crystal Display** affichage *m* à cristaux liquides
leasen [ˈliːzən] *vt* acheter en leasing; **etw ~** acheter qc en leasing
Leasing [ˈliːzɪŋ] <-s, -s> *nt* leasing *m*
leben [ˈleːbən] *vi* vivre; **glücklich/gesund ~** vivre heureux(-euse)/sainement; **allein/in Köln ~** vivre seul(e)/à Cologne; **Gott sei Dank, er lebt** [noch]! Dieu soit loué, il est encore en vie!; **lang lebe die Königin!** longue vie à la reine! ▶**leb**[e] **wohl!** adieu!; **mit etw ~ können** s'accommoder de qc
Leben <-s, -> *nt* **1.** vie *f;* **am ~ sein** être en vie; **jdm das ~ retten** sauver la vie à qn; **mit dem ~ davonkommen** s'en tirer; **bei etw ums ~ kommen** trouver la mort lors de/pendant qc; **sich** (*dat*) **das ~ nehmen** mettre fin à ses jours; **es geht um ~ und Tod** c'est une question de vie ou de mort **2.** (*~sbedingungen, ~sdauer*) existence *f,* vie *f;* **jdm/sich das ~ schwer machen** mener la vie dure à qn/se compliquer la vie; **zeit meines/seines/... ~s** toute ma/sa/... vie ▶**das ewige ~** la vie éternelle; **etw für sein ~ gern tun** adorer faire qc; **nie im ~** jamais de la vie; **das öffentliche ~** la vie publique; **um sein ~ laufen** courir avec la mort à ses trousses; **etw ins ~ rufen** donner naissance à qc; **sich mit etw durchs ~ schlagen** survivre tant bien que mal en faisant qc
lebend I. *adj* vivant(e); *Virus* actif(-ive) **II.** *adv* vif(vive)
lebendig [leˈbɛndɪç] **I.** *adj* (*lebend, anschaulich*) vivant(e); (*gegenwärtig*) vivace; **wieder ~ werden** *Organismus:* revenir à la vie; *Erinnerungen:* resurgir du passé **II.** *adv begraben* vivant(e); *verbrennen* vif(vive)
Lebendigkeit <-> *f* vivacité *f;* (*Anschaulichkeit*) vie *f*
Lebensabend *m* soir *m* de la vie **Lebensabschnitt** *m* période *f* de la vie **Lebensalter** *nt* âge *m* **Lebensaufgabe** *f* tâche *f* de toute une vie; **sich** (*dat*) **etw zur ~ machen** consacrer [toute] sa vie à qc **Lebensbedingungen** *Pl* conditions *fpl* de vie **lebensbejahend** *adj* PSYCH qui dit oui à la vie **Lebensdauer** *f* longévité *f; eines Geräts* durée *f* de vie **Lebensende** *nt kein Pl* fin *f;* **bis ans ~** jusqu'à ma/sa/... mort **Lebenserfahrung** *f* expérience *f* de la vie **Lebenserwartung** *f* espérance *f* de vie **lebensfähig** *adj* viable **Lebensform** *f* **1.** (*Lebensweise*) mode *m* de vie **2.** BIO forme *f* de vie **Lebensfreude** *f kein Pl* joie *f* de vivre **lebensfroh** *adj* **~ sein** respirer la joie de vivre **Lebensgefahr** *f* **in ~ sein** être en danger de mort; **außer ~ sein** être

hors de danger; **~!** danger de mort! **lebensgefährlich I.** *adj Erkrankung* pouvant être mortel; *Verletzung* présentant des risques vitaux **II.** *adv* **er ist ~ verletzt** ses blessures peuvent lui être fatales **Lebensgefährte** *m,* **-gefährtin** *f* compagnon *m/* compagne *f* **Lebensgefühl** *nt kein Pl* façon *f* d'aborder l'existence **Lebensgemeinschaft** *f* **1.** (*Zusammenleben*) communauté *f* de vie **2.** BIO, ZOOL biocénose *f* **Lebenshaltungskosten** *Pl* coût *m* de la vie **Lebensjahr** *nt* année *f* de vie/ **nach Vollendung des sechsten ~s** avant d'avoir six ans/à six ans révolus **Lebenskünstler(in)** *m(f)* bon vivant *m* **Lebenslage** *f* circonstance *f* [de la vie]; **in allen ~n** en toutes circonstances **lebenslang I.** *adj Verpflichtung* à vie; *Haft* à perpétuité **II.** *adv* toute sa/ma/... vie **lebenslänglich** *adj, adv* à vie **Lebenslauf** *m* curriculum *m* [vitæ] **lebenslustig** *s.* **lebensfroh Lebensmittel** *nt meist Pl* denrées *fpl* alimentaires **Lebensmittelgeschäft** *nt* épicerie *f* **Lebensmittelvergiftung** *f* intoxication *f* alimentaire **lebensmüde** *adj* suicidaire; **du bist wohl ~!** *fam* t'as des envies de suicide ou quoi? **Lebensraum** *m* **1.** *kein Pl* espace *m* vital **2.** ÖKOL biotope *m* **Lebensretter(in)** *m(f)* sauveteur(-euse) *m(f)* **Lebensstandard** *m kein Pl* niveau *m* de vie **Lebensstil** *m* style *m* de vie **Lebensunterhalt** *m kein Pl* subsistance *f;* **seinen ~ verdienen** subvenir à ses besoins **Lebensversicherung** *f* assurance *f* [sur la] vie **Lebenswandel** *m kein Pl* mode *m* de vie; **einen zweifelhaften ~ führen** mener une vie douteuse **Lebensweg** *m geh* **alles Gute für Ihren weiteren ~!** bonne chance pour l'avenir! **Lebensweise** *f* mode *m* de vie **lebenswichtig** *adj* vital(e); *Nahrungsmittel* de première nécessité **Lebenszeichen** *nt* signe *m* de vie; **ein/kein ~ von sich geben** donner/ne plus donner signe de vie **Lebenszeit** *f kein Pl* durée *f* de vie
Leber [ˈleːbɐ] <-, -n> *f* foie *m* ▶**frisch von der ~ weg** *fam* sans y aller par quatre chemins
Leberfleck *m* tache *f* de vin **Leberkäs**[e] *m* préparation *f* de chair à saucisse traditionnelle dans le Sud de l'Allemagne **Leberkäsbrötchen** *nt* sandwich à la chair à saucisse **Leberpastete** *f* pâté *m* de foie **Lebertran** *m* huile *f* de foie de morue **Leberwert** *m* taux *m* hépatique **Leberwurst** *f* pâté *m* de foie (*sous forme de saucisson*) ▶**die beleidigte ~ spielen** *fam* faire du boudin
Lebewesen *nt* être *m* vivant; BIO organisme

m **Lebew̲ohl** ['le:bə'vo:l] <-[e]s, -s *o geh* -e> *nt geh* adieu *m;* **jdm ~ sagen** dire adieu à qn

l̲ebhaft I. *adj* **1.** (*temperamentvoll, angeregt*) vif(vive); *Person* plein(e) de vie **2.** *Verkehr, Treiben* intense **3.** *Erinnerung* vivace **II.** *adv bedauern* vivement; *sich vorstellen* très clairement

L̲ebhaftigkeit <-> *f* vivacité *f*

L̲ebkuchen ['le:pku:xən] *m* pain *m* d'épice **l̲eblos** *adj* sans vie; *Augen, Gesicht* dépourvu(e) d'expression **L̲ebzeiten ►zu** ~ de son/leur/... vivant

l̲echzen ['lɛçtsən] *vi geh* **nach Wasser/ Anerkennung ~** avoir un besoin impérieux d'eau/être assoiffé de reconnaissance

l̲eck [lɛk] *adj Boot* qui fait eau; *Behälter, Leitung* qui fuit

L̲eck <-[e]s, -s> *nt eines Schiffs* voie *f* d'eau; *eines Behälters, einer Leitung* fuite *f*

l̲ecken ['lɛkən] **I.** *vi* **1. an jdm/etw ~** lécher qn/qc **2.** *Schiff:* faire eau; *Behälter, Leitung:* fuir **II.** *vt* lécher; sucer *Eis* **III.** *vr* **sich ~** se lécher

l̲ecker ['lɛkɐ] *adj* délicieux(-euse)

L̲eckerbissen *m a. fig* régal *m*

l̲eck|schlagen *vi irr + sein* faire eau

L̲eder ['le:dɐ] <-s, -> *nt* **1.** (*Tierhaut*) cuir *m* **2.** (~*tuch*) peau *f* **3.** *fam* (*Fußball*) balle *f*

L̲ederhose *f* pantalon *m* de cuir; (*Trachtenhose*) culotte *f* de peau **L̲ederjacke** *f* veste *f* en cuir

l̲edern *adj* en cuir **L̲ederwaren** *Pl* articles *mpl* de maroquinerie

l̲edig ['le:dɪç] *adj* **1.** (*unverheiratet*) célibataire **2.** (*frei*) **einer Verantwortung** (*gen*) **~ sein** être libéré d'une responsabilité

l̲ediglich ['le:dɪklɪç] *adv geh* juste

l̲eer [le:ɐ] **I.** *adj* vide; *Seite* blanc(blanche) **II.** *adv* **~ stehend** *Wohnung:* inoccupé(e); **etw ~ essen/trinken** vider qc **►bei etw ~ ausgehen** repartir les mains vides lors de qc

L̲eere ['le:rə] <-> *f* vide *m;* **eine gähnende ~** un vide total

l̲eeren *vt* **1.** (*leer machen*) vider; faire la levée de *Briefkasten* **2.** (*aus~*) **etw in etw** (*akk*) **~** vider qc dans qc

L̲eergut *nt kein Pl* bouteilles *fpl* consignées **L̲eerlauf** *m* **1.** *eines Motors* point *m* mort **2.** *fig* temps *mpl* morts **l̲eerstehend** *s.* **leer II. L̲eerstelle** *f* TYP, INFORM espace *m* **L̲eertaste** *f* touche *f* Espace

L̲eerung <-, -en> *f* **1.** (*das Entleeren*) **die ~ der Mülltonnen erfolgt dienstags** les poubelles sont vidées tous les mardis **2.** (*das Leeren*) *eines Postkastens* levée *f*

L̲eerzeichen *nt* espace *f*

l̲egal [le'ga:l] *adj* légal(e)

legalisieren* [legali'zi:rən] *vt* légaliser

Legalität [legali'tɛːt] <-> *f* légalité *f;* **außerhalb der ~** en dehors de toute légalité

Legasth̲eniker(in) [legas'te:nɪkɐ] <-s, -> *m(f)* dyslexique *mf*

l̲egen ['le:gən] **I.** *vt* **1.** (*hin~*) **etw auf den Tisch ~** [dé]poser qc sur la table **2.** (*betten*) **jdn ins Bett ~** allonger qn dans le lit **3.** (*ein~*) **etw in Öl** (*akk*) **~** mettre qc à tremper dans l'huile **4.** (*ver~*) poser **►jdm nahe ~** etw zu tun suggérer à qn de faire qc **II.** *vr* **1.** (*hin~*) **sich in die Badewanne ~** s'allonger dans la baignoire; **sich ins Bett ~** se mettre au lit **2.** (*sich senken auf*) **sich auf etw** (*akk*) **~** *Staub:* se déposer sur qc **3.** (*nachlassen*) **sich ~** *Sturm:* s'apaiser; *Wind:* tomber; *Begeisterung, Wut:* retomber

legend̲är [legɛn'dɛːɐ] *adj* légendaire

Leg̲ende [le'gɛndə] <-, -n> *f* **1.** (*Heiligenlegende, Zeichenerklärung*) légende *f* **2.** (*Lügenmärchen*) mythe *m*

l̲eger [le'ʒeːɐ] *adj* décontracté(e)

L̲eggings ['lɛgɪŋs] *Pl* caleçon *m;* SPORT collant *m*

legieren* *vt* allier

Leg̲ierung <-, -en> *f* alliage *m*

Leg̲ion [le'giːoːn] <-, -en> *f* HIST légion *f*

Legion̲är [legio'nɛːɐ] <-s, -e> *m* légionnaire *m*

Legislative [legɪsla'tiːvə] <-n, -n> *f* [pouvoir *m*] législatif *m*

Legislat̲urperiode [legɪsla'tuːɐperi'oːdə] *f* législature *f*

legit̲im [legi'tiːm] *adj* légitime; *Mittel* légal(e)

Legitimati̲on [legitima'tsioːn] <-, -en> *f* autorisation *f*

legitim̲ieren* [legiti'miːrən] **I.** *vt* **1.** (*berechtigen*) habiliter; **jdn zu etw ~** habiliter qn à faire qc **2.** (*gesetzmäßig machen*) reconnaître *Kind;* légitimer *Beziehung* **II.** *vr geh* **sich ~** (*sich ausweisen*) justifier de son identité; (*seine Befugnis vorweisen*) justifier de sa qualité

Legitimit̲ät [legitimi'tɛːt] <-> *f geh* légalité *f*

Leg̲uan <-s, -e> *m* iguane *m*

L̲ehm [le:m] <-[e]s, -e> *m* [terre *f*] glaise *f*

L̲ehmboden *m* sol *m* glaiseux

l̲ehmig *adj* glaiseux(-euse)

L̲ehne ['le:nə] <-, -n> *f* (*Armlehne*) accoudoir *m;* (*Rückenlehne*) dossier *m*

l̲ehnen I. *vt* appuyer; **etw an/gegen etw** (*akk*) **~** appuyer qc contre qc **II.** *vi* **an etw** (*dat*) **~** être appuyé contre qc **III.** *vr* **sich an** [*o gegen*] **jdn/etw ~** s'appuyer contre qn/qc; **sich aus dem Fenster ~** se pencher par la fenêtre

Lehnstuhl *m* fauteuil *m*

Lehramt *nt form* enseignement *m;* **das höhere** ~ le professorat **Lehrbeauftragte(r)** *f(m) dekl wie adj* chargé(e) *m(f)* de cours **Lehrbuch** *nt* 1.SCHULE manuel *m* scolaire 2.UNIV traité *m*

Lehre ['leːrə] <-, -n> *f* 1.(*Theorie*) théorie *f* 2.(*Ideologie*) idéologie *f* 3.(*Religion*) doctrine *f* 4.(*Ausbildung*) apprentissage *m;* **eine ~ als Friseur machen** faire un apprentissage de coiffeur 5.(*Erfahrung*) conseil *m;* **seine ~ aus etw ziehen** tirer une leçon de qc 6. TECH (*Messgerät*) calibre *m;* (*Hohlmaß*) jauge *f* ▶**lass dir das eine ~ sein!** que cela te serve de leçon!

lehren I. *vt* 1.(*unterrichten*) enseigner; **jdn ~ etw zu tun** apprendre à qn à faire qc 2.(*abbringen von*) **ich werde dich ~ deine Freunde zu belügen!** je vais t'apprendre à mentir à tes amis[, moi]! **II.** *vi* **die Erfahrung lehrt, dass** l'expérience nous enseigne que

Lehrer(in) <-s, -> *m(f)* 1.enseignant(e) *m(f);* (*Grundschullehrer*) instituteur(-trice) *m(f),* maître(-esse) *m(f);* (*Fachlehrer, Gymnasiallehrer*) professeur *mf* 2.(*Reitlehrer, Tennislehrer*) moniteur(-trice) *m(f)* 3.(*Lehrmeister*) maître *m*

Lehrerkollegium *nt* personnel *m* enseignant **Lehrerzimmer** *nt* salle *f* des professeurs

Lehrfach *nt* matière *f* **Lehrgang** <-gänge> *m* stage *m* [de formation]; **auf einem ~ sein** être en stage [de formation] **Lehrjahr** *nt* année *f* d'apprentissage **Lehrkörper** *m form* 1.SCHULE corps *m* enseignant 2.UNIV enseignants *mpl* du supérieur **Lehrkraft** *f form* enseignant(e) *m(f)*

Lehrling ['leːʁlɪŋ] <-s, -e> *m* A apprenti(e) *m(f)*

Lehrmittel *nt* matériel *m* pédagogique **Lehrplan** *m* programme *m* scolaire **lehrreich** *adj* instructif(-ive) **Lehrsatz** *m* théorème *m* **Lehrstelle** *f* place *f* d'apprenti(e) **Lehrstuhl** *m* chaire *f*

Leib [laip] <-[e]s, -er> *m* 1.(*Körper*) corps *m;* **bei lebendigem ~** vif(vive) 2.(*Bauch*) ventre *m* ▶**etw mit ~ und Seele tun** faire qc corps et âme; **etw am eigenen ~e erfahren** faire [soi-même] la dure expérience de qc; **jdm wie auf den ~ geschrieben sein** être fait [sur mesure] pour qn; **sich** (*dat*) **jdn/etw vom ~e halten** éviter qn/rester à l'écart de qc; **jdm auf den ~ rücken** se pendre aux basques de qn (*fam*)

Leibarzt *m*, **-ärztin** *f* médecin *mf* personnel

Leibeskräfte *Pl* ▶**aus ~n schreien** crier de

toutes ses forces **Leibesübungen** *Pl form* éducation *f* physique et sportive **Leibvisitation** [laipesvizitaˈtsioːn] *f form* fouille *f* corporelle

Leibgericht *nt* plat *m* préféré

leibhaftig ['laipˈhaftɪç] *adj* (*echt*) **ein ~er Prinz** un prince en chair et en os ▶**der Leibhaftige** *euph* le malin

leiblich *adj* 1.(*körperlich*) physique 2.(*blutsverwandt*) du sang; **mein ~er Vater** mon propre père

Leibwache *f* garde *f* personnelle **Leibwächter(in)** *m(f)* garde *mf* du corps

Leiche ['laiçə] <-, -n> *f* cadavre *m* ▶**über ~n gehen** *fam* être prêt à tuer père et mère [pour parvenir à ses fins]

leichenblassRR ['laiçənˈblas] *adj* pâle comme la mort, d'une pâleur cadavérique **Leichenhalle** *f* salle *f* mortuaire **Leichenschändung** *f* violation *f* de sépulture; (*sexuelles Vergehen*) nécrophilie *f* **Leichenschauhaus** *nt* institut *m* médico-légal **Leichenstarre** *f* rigidité *f* cadavérique **Leichenwagen** *m* corbillard *m*

Leichnam ['laiçnaːm] <-s, -e> *m geh* dépouille *f* [mortelle]

leicht [laiçt] **I.** *adj* 1.léger(-ère) 2.(*einfach*) facile; *Operation* petit(e); **nichts ~er als das!** rien de plus facile! 3.*Kleidung, Kost, Regen, Husten* léger(-ère) 4.(*unbeschwert*) **jdm ist ~** [**zumute**] qn a le cœur léger **II.** *adv* 1.*bekleidet* légèrement 2.(*einfach*) facilement; **~ zu erklären sein** être facile à expliquer; **du hast ~ reden** tu en parles à ton aise; **er hat es nicht ~ mit ihr** il n'a pas la vie facile avec elle 3.(*schwach, sacht*) légèrement; **es regnet ~** il pleu[i]ote 4.(*schnell*) facilement; **~ zerbrechlich sein** être très fragile ▶**das ist ~er gesagt als getan** c'est plus facile à dire qu'à faire

Leichtathlet(in) *m(f)* athlète *mf* **Leichtathletik** *f* athlétisme *m* **leicht|fallen** *s.* **fallen leichtfertig I.** *adj* irréfléchi(e) **II.** *adv* inconsidérément; *versprechen* sans [vraiment] réfléchir **leichtgläubig** *adj* crédule

leichthin *adv* comme ça

Leichtigkeit <-> *f* 1.facilité *f;* **mit ~** sans aucun problème 2.(*Gewicht*) légèreté *f*

leicht|machen *s.* **machen I. Leichtmetall** *nt* métal *m* léger

leicht|nehmen *s.* **nehmen Leichtsinn** *m kein Pl* inconscience *f;* **aus** [**purem**] **~** simplement par négligence **leichtsinnig I.** *adj Person* inconscient(e); *Handlung* inconsidéré(e) **II.** *adv* étourdiment **leichtverdaulich** *s.* **verdaulich leichtverletzt** *s.* **verletzen I. leichtverständlich** *s.* **verständ-**

lich I.
leid [lajt] *adj* **jdn/etw ~ sein** en avoir assez de qn/qc
Leid <-[e]s> *nt* **1.** souffrance *f;* **jdm sein ~ klagen** confier ses chagrins à qn **2.** (*als Ausdruck des Bedauerns*) **es tut jdm ~, dass** qn regrette que + *subj;* **tut mir ~!** *fam* désolé(e)!; **das wird dir noch ~ tun!** tu t'en mordras les doigts! **3.** (*als Ausdruck des Mitleids*) **jdm ~ tun** faire pitié à qn ▶**jdm etwas/nichts zu ~e tun** faire du mal/ne pas faire de mal à qn
leiden ['lajdən] <litt, gelitten> I. *vi* souffrir; **unter der Einsamkeit ~** souffrir de solitude; **sie leidet unter ihm** il la fait souffrir; **an einer Krankheit ~** souffrir d'une maladie II. *vt* **1.** (*erdulden*) **Not ~** endurer la misère **2.** (*mögen*) **jdn/etw gut/nicht gut ~ können** aimer bien/ne pas pouvoir souffrir qn/qc
Leiden <-s, -> *nt* **1.** *Pl* souffrances *fpl* **2.** (*Krankheit*) affection *f*
leidend *adj* souffrant
Leidenschaft <-, -en> *f* passion *f;* **~ für jdn empfinden** être épris de qn; **sie hat eine ~ für klassische Musik** elle est passionnée de musique classique; **mit [wahrer]** ~ avec [une véritable] passion
leidenschaftlich I. *adj* passionné(e) II. *adv* **1.** passionnément **2.** (*energisch*) avec ferveur; *ablehnen* énergiquement **3.** (*sehr gern*) **etw ~ gern tun** adorer faire qc
Leidensgefährte *m*, **-gefährtin** *f* compagnon *m* d'infortune **Leidensgeschichte** *f* calvaire *m* **Leidensmiene** *f iron* airs *mpl* de martyr **Leidensweg** *m* chemin *m* de croix
leider ['lajdɐ] *adv* malheureusement; **~ ja/nein** [*o* nicht] hélas oui/non
leidig *adj* déplaisant
leidlich *adj* acceptable
Leidtragende(r) *f(m) dekl wie adj* **der/die ~** celui/celle sur qui ça retombe **leidvoll** *adj* douloureux(-euse) **Leidwesen** *nt kein Pl* **zu seinem/ihrem ~** à son grand regret
Leier ['lajɐ] <-, -n> *f* **1.** (*Drehleier*) vielle *f* **2.** (*Kithara*) lyre *f* **3.** ASTRON Lyre *f* ▶**es ist** [**immer**] **dieselbe ~** *fam* c'est toujours la même musique
Leierkasten *m* orgue *f* de Barbarie
Leiharbeit *f* travail *m* intérimaire **Leihbücherei** *f* bibliothèque *f* de prêt
leihen ['lajən] <lieh, geliehen> *vt* **1.** (*ver~*) **jdm etw ~** prêter qc à qn **2.** (*aus~*) **sich** (*dat*) **etw von jdm ~** emprunter qc à qn
Leihgabe *f* prêt *m* **Leihgebühr** *f* frais *mpl* de location **Leihhaus** *nt* mont-de-piété *m* **Leihmutter** *f* mère *f* porteuse **Leihwa-**

gen *m* voiture *f* de location **leihweise** *adv* en prêt
Leim [lajm] <-[e]s, -e> *m* colle *f* forte ▶**jdm auf den ~ gehen** *fam* se faire entuber par qn
leimen *vt* **1.** (*kleben*) coller **2.** *fam* (*hereinlegen*) **jdn ~** niquer qn
Leine ['lajnə] <-, -n> *f* corde *f;* (*Hundeleine*) laisse *f* ▶**~ ziehen** *fam* se casser
Leinen <-s, -> *nt* lin *m;* **aus ~** en lin; **in ~ gebunden** *Buch* relié(e) toile
Leinsamen *m* linette *f* **Leintuch** <-tücher> *nt* SDEUTSCH, A, CH drap *m* **Leinwand** *f* **1.** (*Kinoleinwand*) écran *m* **2.** *kein Pl* (*Gewebe*) toile *f*
leise ['lajzə] I. *adj* **1.** *Stimme* bas(se); *Musik, Gesang* doux(douce); *Geräusch, Klopfen* léger(-ère); *Weinen* étouffé(e); **den Fernseher ~r stellen** baisser le son de la télévision **2.** *Ahnung, Verdacht* vague; *Zweifel, Hauch* léger(-ère); **bei der ~sten Berührung** au moindre contact II. *adv* doucement
Leiste ['lajstə] <-, -n> *f* **1.** (*Rahmenleiste, Tapetenleiste*) baguette *f;* (*Fußleiste*) plinthe *f* **2.** ANAT aine *f*
leisten ['lajstən] *vt* **1.** (*arbeiten*) **viel ~** avoir du rendement **2.** (*an Kraft erbringen*) *Batterie, Solarzelle:* produire; *Motor:* développer **3.** *fam* (*gönnen*) **sich** (*dat*) **etw ~** s'accorder qc; (*sich anschaffen*) s'offrir qc **4.** *fam* (*erlauben*) **sich** (*dat*) **etw ~** se permettre qc
Leistenbruch *m* MED hernie *f* inguinale
Leistung <-, -en> *f* **1.** (*Ergebnis der Arbeit*) rendement *m;* *eines Künstlers, Sportlers* prestation *f;* *eines Schülers* résultat *m;* **jdn nach ~ bezahlen** payer qn au rendement **2.** TECH réalisation *f* **3.** (*~sfähigkeit*) *einer Batterie, eines Computers* capacité *f;* *von Solarzellen* puissance *f;* *eines Motors* puissance *f* mécanique **4.** *form* (*Erstattetes, Gewährtes*) prestation *f;* (*Dienstleistung*) prestation *f* [de service] **5.** *form* (*Zahlung*) versement *m*
Leistungsdruck *m kein Pl* compétitivité *f* **leistungsfähig** *adj* performant(e) **Leistungsgesellschaft** *f* société *f* fondée sur le rendement individuel **Leistungskurs** *m* option *f* renforcée **leistungsorientiert** *adj* axé(e) sur le rendement [individuel] **Leistungssport** *m* sport *m* de compétition **Leistungsträger(in)** *m(f)* SPORT, ÖKON personne *f* qui est la plus performante
Leitartikel *m* éditorial *m* **Leitbild** *nt* modèle *m*
leiten ['lajtən] *vt* **1.** diriger **2.** (*hin~*) **jdn durch ein Museum ~** guider qn dans un musée; **Strom in die Stadt ~** acheminer

du courant dans la ville **3.** *fig* **sich von Ge-**
fühlen ~ **lassen** se laisser guider par son
intuition **4.** ELEC, PHYS **Strom/Wärme** ~
conduire l'électricité/la chaleur; **gut** ~ être
bon conducteur
leitend *adj* **1.** *Position* dirigeant(e); **~er An-**
gestellter cadre *m* [supérieur] **2.** (*leitfä-*
hig) conducteur(-trice); **nicht** ~ non-con-
ducteur(-trice)
Leiter¹ ['laitɐ] <-, -n> *f* (*Sprossenleiter*)
échelle *f;* (*Stehleiter*) escabeau *m*
Leiter² <-s, -> *m* ELEC, PHYS conducteur *m*
Leiter(in) ['laitɐ] <-s, -> *m(f)* *einer Firma,*
Schule directeur(-trice) *m(f); einer Arbeits-*
gruppe chef *mf;* **kaufmännischer/künst-**
lerischer ~ directeur commercial/artisti-
que
Leitfaden *m* mémento *m* **Leitfähigkeit** *f*
conductibilité *f* **Leitgedanke** *m* idée *f* directrice **Leithammel** *m fam* (*Person*) me-
neur(-euse) *m(f)* **Leitlinie** *f* POL, ÖKON ligne
f directrice **Leitmotiv** *nt a.* MUS, LITER leitmotiv *m* **Leitplanke** *f* glissière *f* de sécurité
Leitung <-, -en> *f* **1.** *kein Pl* direction *f; ei-*
ner Diskussion conduite *f* **2.** (*Rohrleitung*)
conduite *f* **3.** (*Strom-, Telefonleitung*) ligne *f* ▶**eine** <u>lange</u> ~ **haben** *hum fam* être
dur à la détente
Leitungsmast *m* poteau *m* électrique **Lei-**
tungsnetz *nt* réseau *m* **Leitungsrohr** *nt*
conduite *f* **Leitungswasser** *nt* eau *f* du
robinet
Leitwährung *f* monnaie *f* de réserve **Leit-**
wolf *m fig* meneur *m* d'hommes **Leitzins**
m taux *m* directeur
Lektion [lɛk'tsi̯oːn] <-, -en> *f* leçon *f*
▶**jdm eine** ~ **erteilen** *geh* donner une leçon à qn
Lektor ['lɛktoːɐ] <-s, -toren> *m*, **Lekto-**
rin *f* UNIV, MEDIA lecteur(-trice) *m(f)*
Lektorat [lɛkto'raːt] <-[e]s, -e> *nt* **1.** (*Ver-*
lagsabteilung) comité *m* de lecture **2.** (*Pos-*
ten an der Universität) poste *m* de
lecteur(-trice)
Lektüre [lɛk'tyːrə] <-, -n> *f* lecture *f*
Lemming <-s, -e> *m* lemming *m*
Lende ['lɛndə] <-, -n> *f* **1.** ANAT reins *mpl*
2. GASTR aloyau *m*
Lendenschurz *m* pagne *m* **Lendenwirbel**
m ANAT vertèbre *f* lombaire
lenkbar *adj Fahrzeug* manœuvrable; *Räder*
dirigeable
lenken ['lɛŋkən] **I.** *vt* **1.** conduire *Fahrzeug*
2. manipuler *Menschen;* diriger *Wirtschaft,*
Staat **3.** (*beeinflussen*) **gelenkt** *Medien*
orienté(e) **4.** (*richten*) **seinen Blick auf**
jdn/etw ~ poser son regard sur qn/qc; **jds**
Aufmerksamkeit auf etw (*akk*) ~ attirer

l'attention de qn sur qc; **das Gespräch**
auf etw (*akk*) ~ amener la discussion vers
qc **II.** *vi Fahrer:* conduire; **nach links/**
rechts ~ prendre à gauche/droite
Lenker <-s, -> *m* (*Fahrradlenker*) guidon
m
Lenkrad *nt* volant *m* **Lenkstange** *f* guidon
m
Lenkung <-, -en> *f* **1.** direction *f* **2.** *kein Pl*
(*Beeinflussung*) *der Medien* orientation *f*
Lenz [lɛnts] <-es, -e> *m* **1.** *geh* (*Frühling*)
saison *f* printanière **2.** *Pl hum* (*Lebensjah-*
re) printemps *mpl* ▶**sich** (*dat*) **einen**
<u>schönen</u> ~ **machen** *fam* se la couler dou-
ce
Leopard [leo'part] <-en, -en> *m* léopard
m
Lepra ['leːpra] <-> *f* MED lèpre *f*
Lerche ['lɛrçə] <-, -n> *f* alouette *f*
lernbehindert *adj* inadapté(e) **Lerneifer** *m*
désir *m* d'apprendre
lernen ['lɛrnən] **I.** *vt* **1.** apprendre; **Ma-**
the/lesen/kochen ~ apprendre les
maths/à lire/à faire la cuisine; **etw bei/**
von jdm ~ apprendre qc de qn; ~ **sich zu**
beherrschen apprendre à se maîtriser
2. (*eine Ausbildung machen*) **Friseur** ~
faire une formation de coiffeur ▶**das** <u>will</u>
gelernt sein ça ne s'improvise pas; **der**
lernt's <u>nie</u> *fam,* **der wird es** <u>nie</u> ~ il ne le
saura jamais **II.** *vi* étudier; **für die Prü-**
fung ~ travailler pour l'examen ▶**gelernt**
<u>ist</u> [eben] **gelernt** *prov* l'expérience, il n'y
a que ça de vrai
lernfähig *adj* ~ **sein** être capable de retenir
Lernfähigkeit *f kein pl* capacité *f* d'apprendre **Lernprogramm** *nt* INFORM didacticiel *m* **Lernprozess**ᴿᴿ *m* apprentissage *m* **Lernsoftware** *f* didacticiel *m* **Lern-**
ziel *nt* objectif *m* éducatif
lesbar *adj* lisible
Lesbe ['lɛsbə] <-, -n> *f,* **Lesbierin** ['lɛs-
biərɪn] <-, -nen> *f* lesbienne *f*
lesbisch *adj* lesbien(ne)
Lese ['leːzə] <-, -n> *f* vendange *f*
Lesebrille *f* lunettes *fpl* pour lire **Lesebuch**
nt livre *m* de lecture **Lesegerät** *nt* INFORM
lecteur *m* **Lesekopf** *m* INFORM tête de
lecture **Leselampe** *f* lampe *f* [de lectu-
re]
lesen ['leːzən] <liest, las, gelesen> **I.** *vt*
1. lire; **gerne Krimis** ~ *fam* aimer les po-
lars; **leicht/schwer zu** ~ **sein** être facile/
difficile à lire; **maschinell gelesen wer-**
den être lu automatiquement **2.** (*erken-*
nen) **etw in jds Augen** (*dat*) ~ lire qc
dans les yeux de qn **3.** (*ernten*) cueillir
Weintrauben, Beeren glaner *Ähren* **4.** (*sor-*
tieren) trier **II.** *vi* **1.** lire; **laut/leise** ~ lire à

haute voix/à voix basse; **stör mich nicht beim Lesen!** ne me dérange pas quand je lis! **2.** (*Vorlesungen halten*) **über jdn/etw** ~ faire un cours sur qn/qc
Leser(in) <-s, -> *m(f)* lecteur(-trice) *m(f)*
Leseratte *f hum fam* bouquineur(-euse) *m(f)*
Leserbrief *m* lettre *f* de lecteur; **die ~e** le courrier des lecteurs
leserlich *adj* lisible
Lesesaal *m* salle *f* de lecture **Lese-Schreib-Kopf** *m* INFORM tête *f* lectrice-imprimante **Lesestift** *m* INFORM crayon *m* optique **Lesezeichen** *nt* marque-page *m*
Lesung <-, -en> *f a.* POL lecture *f*
Lette ['lɛtə] <-n, -n> *m*, **Lettin** *f* Letton(e) *m(f)*
Letter ['lɛtɐ] <-, -n> *f* **1.** (*Druckbuchstabe*) lettre *f* **2.** (*Drucktype*) caractère *m*
lettisch I. *adj* letton(e) **II.** *adv* ~ **miteinander sprechen** discuter en letton; *s. a.* **deutsch**
Lettisch <-[s]> *nt kein art* letton *m; s. a.* **Deutsch**
Lettland ['lɛtlant] *nt* la Lettonie
Letzt [lɛtst] ►**zu guter** ~ en fin de compte
letzte(r, s) ['lɛtstə, -tɐ, -təs] *adj* **1.** dernier(-ière) *antéposé;* **die** ~ **Gelegenheit** l'ultime occasion; **sein** ~**s Geld** l'argent qui lui reste; **beim** ~**n Mal** la dernière fois; **ich sage es dir zum** ~**n Mal:** ... c'est la dernière fois que je te le dis: ... **2.** (*eine Folge beschließend*) **Letzter/Letzte werden** terminer dernier/dernière; **als Letzter/Letzte ankommen** arriver le dernier/la dernière; **der Letzte des Monats** le dernier du mois **3.** (*vorige*) dernier(-ière) *postposé;* ~**s Jahr** l'an dernier **4.** (*oberste*) **im** ~**n Stock** au dernier étage **5.** *pej* (*sehr schlimm*) **der** ~ **Schuft** *fam* la dernière des fripouilles ►**die Letzten werden die Ersten sein** les derniers seront les premiers
Letzte(s) *nt dekl wie adj* **1. ein** ~**s** une dernière chose **2.** (*das Schlimmste*) **das ist ja wohl das** ~**!** *pej fam* ça, c'est le bouquet! ►**sein** ~**s geben** se donner à fond
letztemal *s.* **Mal**[1]
letztendlich *adv* en fin de compte
letztens *adv* **1.** (*kürzlich*) dernièrement **2.** (*abschließend*) **fünftens und** ~ cinquièmement et pour finir
letztere(r, s) *adj* ce dernier/cette dernière
letztgenannt *adj* **der/die ~e** ... ce dernier .../cette dernière ...
letztlich *adv* en fin de compte
Leuchtdiode *f* diode *f* électroluminescente
Leuchte ['lɔyçtə] <-, -n> *f* **1.** lampe *f* **2.** *fam* (*kluger Mensch*) **eine** ~ **sein** être

une lumière
leuchten ['lɔyçtən] *vi* **1.** *Lampe:* éclairer; *Licht, Sonne, Stern:* briller; *Zeiger:* être lumineux; ~**d** brillant(e); **jdm im Dunkeln** ~ éclairer qn dans l'obscurité **2.** (*reflektieren*) resplendir **3.** *fig* **vor Freude** ~ rayonner de joie
leuchtend *adj* **1.** *Farbe:* vif(vive) **2.** *fig* **ein** ~**es Vorbild** un exemple éclatant
Leuchter <-s, -> *m* chandelier *m*
Leuchtfarbe *f* peinture *f* fluorescente **Leuchtfeuer** *nt* feu *m*, balise *f* [lumineuse] **Leuchtkäfer** *m* insecte *m* luisant **Leuchtkraft** *f kein Pl einer Lichtquelle* pouvoir *m* éclairant; *eines Sterns, einer Farbe* luminosité *f* **Leuchtrakete** *f* fusée *f* éclairante **Leuchtreklame** *f* publicité *f* lumineuse **Leuchtschrift** *f* lettres *fpl* lumineuses **Leuchtstoffröhre** *f* lampe *f* fluorescente **Leuchtturm** *m* phare *m*
leugnen ['lɔygnən] *vt, vi* nier; **es ist nicht zu ~, dass** on ne peut [pas] nier que
Leukämie [lɔykɛ'mi:] <-, -n> *f* MED leucémie *f*
Leukoplast® <-[e]s, -e> *nt* sparadrap® *m*
Leumund ['lɔymʊnt] *m* réputation *f*
Leute ['lɔytə] *Pl* **1.** (*Mehrzahl von Person*) **hundert** ~ cent personnes *fpl;* **es waren kaum** ~ **da** il n'y avait presque personne **2.** (*die Umgebung, Mitmenschen*) gens *mpl;* **alle** ~ tout le monde; **etw der** ~ **wegen tun** faire qc à cause des qu'en-dira-t-on **3.** *fam* (*als Anrede*) **an die Arbeit,** ~**!** au travail, tout le monde! **4.** *fam* (*Mitarbeiter*) collaborateurs(-trices) *m(f)pl;* (*Angestellte*) employé(e)s *m(f)pl* **5.** MIL, NAUT hommes *mpl* ►**die kleinen** ~ les petites gens *fpl* (*fam*); **Informationen unter die** ~ **bringen** *fam* faire courir des informations; **unter** ~ **gehen** voir du monde
Leutnant ['lɔytnant] <-s, -s *o* -e> *m* sous-lieutenant *m*
leutselig *adj* affable
Level ['lɛvl] <-s, -s> *m* niveau *m*
Leviten [le'vi:tən] ►**jdm die** ~ **lesen** *fam* passer un savon à qn
Lexikon ['lɛksikɔn] <-s, Lexika> *nt* encyclopédie *f* ►**ein wandelndes** ~ **sein** *hum fam* être une bibliothèque ambulante
Liaison [lıɛ'zõ:] <-, -s> *f geh* liaison *f;* **eine** ~ **mit jdm haben** avoir une liaison avec qn
Liane <-, -n> *f* liane *f*
Libanon ['li:banɔn] <-[s]> *m* **der** ~ le Liban
Libelle [li'bɛlə] <-, -n> *f* libellule *f*
liberal [libe'ra:l] *adj* libéral(e)
liberalisieren* [liberali'zi:rən] *vt* libéraliser

Liberalisierung <-, -en> *f* libéralisation *f*
Libero ['liːbero] <-s, -s> *m* libéro *m*
Libido [li'biːdo] <-> *f* libido *f*
Libretto <-s, -s> *nt* livret *m*
Libyen ['liːbyən] <-s> *nt* la Libye
licht [lɪçt] *adj* **1.** (*hell*) lumineux(-euse) **2.** (*spärlich*) clairsemé(e) **3.** ARCHIT ~e Höhe hauteur *f* sous plafond; ~e **Weite** diamètre *m* intérieur
Licht [lɪçt] <-[e]s, -er> *nt kein Pl* lumière *f;* **ein schwaches** ~ une lueur; **das** ~ **anmachen/ausmachen** allumer/éteindre la lumière; **etw gegen das** ~ **halten** tenir qc à contre-jour ▸ **das** ~ **der Öffentlichkeit scheuen** fuire les projecteurs [de l'actualité]; **sein** ~ **nicht unter den Scheffel stellen** ne pas faire mystère de ses talents; **das** ~ **der Welt erblicken** *geh* voir le jour; **in einem anderen** ~ **erscheinen** apparaître sous un jour nouveau; **das ewige** ~ la lampe du Saint-Sacrement; **jdm grünes** ~ **für etw geben** donner à qn le feu vert pour qc; **etw ins rechte** ~ **rücken** présenter qc sous son véritable jour; **etw ans** ~ **bringen** étaler qc au grand jour; **jdn hinters** ~ **führen** duper qn; **jdm geht ein** ~ **auf** *fam* qn commence à piger; **ans** ~ **kommen** éclater au grand jour
Lichtbild *nt form* photo *f* d'identité **Lichtblick** *m* éclaircie *f,* embellie *f* **lichtdurchlässig** *adj* translucide **Lichteffekt** *m* effet *m* de lumière **lichtempfindlich** *adj* sensible au soleil; *Film* sensible
lichten I. *vt* éclaircir *Gestrüpp, Wald* **II.** *vr* **sich** ~ *Haare:* s'éclaircir; *Vorräte:* se raréfier; *Bestände:* diminuer; *Angelegenheit:* se clarifier
Lichterkette *f* **1.** guirlande *f* lumineuse **2.** (*Demonstration*) chaîne *f* lumineuse
lichterloh *adv* ~ **brennen** flamber
Lichtgeschwindigkeit <-> *f* PHYS vitesse *f* de la lumière **Lichthupe** *f* avertisseur *m* lumineux **Lichtjahr** *nt* ASTRON année-lumière *f* **Lichtmaschine** *f* dynamo *f* **Lichtquelle** *f* source *f* lumineuse **Lichtschalter** *m* interrupteur *m* **Lichtschein** *m* lueur *f* **lichtscheu** *adj* lucifuge **Lichtschranke** *f* barrage *m* optique **Lichtschutzfaktor** *m* indice *m* de protection **Lichtstärke** *f* intensité *f* lumineuse **Lichtstrahl** *m* rayon *m* lumineux **lichtundurchlässig** *adj* opaque
Lichtung <-, -en> *f* clairière *f*
Lichtverhältnisse *Pl* luminosité *f*
Lid [liːt] <-[e]s, -er> *nt* paupière *f*
Lidschatten *m* fard *m* à paupières **Lidstrich** *m* (*Kosmetikartikel*) eye-liner *m;* (*aufgemalter Strich*) trait *m* d'eye-liner
lieb [liːp] **I.** *adj* **1.** (*liebenswürdig*) ~ **zu**

jdm sein être gentil avec qn; **das ist** ~ **von dir** c'est gentil de ta part; **sei bitte so** ~ **und hilf mir!** aurais-tu la gentillesse de m'aider? **2.** (*brav*) sage **3.** (*geschätzt*) **meine** ~**en Eltern** mes chers parents; **meine Liebe/mein Lieber** ma chère/mon cher; ~**er Paul/**~**e Paula** (*in Briefen*) Cher Paul/Chère Paula **4.** (*angenehm*) agréable; **es wird länger dauern, als dir** ~ **ist** ça va durer plus longtemps que tu ne le souhaiterais ▸ **ach du** ~**es bisschen!** *fam* bonté divine! **II.** *adv* **1.** (*liebenswürdig*) gentiment **2.** (*artig*) sagement **3.** (*gern*) **jdn/etw** ~ **gewinnen** s'attacher à qn/qc; **jdn/etw** ~ **haben** aimer bien qn/qc; **jdn/etw am** ~**sten mögen** préférer qn/qc; **am** ~**sten wäre ich gegangen** j'aurais bien voulu m'en aller
liebäugeln ['liːpʔɔygəln] *vi* lorgner; **mit etw** ~ lorgner qc
Liebe ['liːbə] <-, -n> *f* **1.** *kein Pl* amour *m; etw mit viel* ~ **tun** faire qc avec beaucoup d'amour; **aus** ~ **zur Kunst** par amour pour l'Art; **in** ~**, dein ...** avec tout mon amour, ton ... **2.** (*sexueller Kontakt*) **körperliche** ~ amour *m* physique; **käufliche** ~ *geh* amour vénal; **mit jdm** ~ **machen** *fam* faire l'amour avec qn ▸ **die** ~ **auf den ersten Blick** le coup de foudre; ~ **macht blind** *prov* l'amour rend aveugle
lieben I. *vt* **1.** aimer **2.** (*mögen*) **sie liebt es ihre Freunde zu überraschen** elle aime faire des surprises à ses amis **3.** (*sexuellen Kontakt haben*) **jdn** ~ faire l'amour à qn **II.** *vr* **sich** ~ s'aimer; (*sexuell*) faire l'amour ▸ **was sich liebt, das neckt sich** *prov* qui aime bien châtie bien
liebend *adj* aimant
Liebende(r) *f(m) dekl wie adj* **zwei** ~ deux amants *mpl*
liebenswert *adj* sympathique **liebenswürdig** *adj* aimable; **das ist sehr** ~ **von Ihnen** c'est très aimable de votre part; **wären Sie wohl so** ~ **mir zu helfen?** auriez-vous l'amabilité de m'aider? **Liebenswürdigkeit** <-, -en> *f* amabilité *f; die* ~ **in Person** l'amabilité personnifiée
lieber ['liːbɐ] **I.** *adj Komp von* **lieb: ihr wäre es** ~**, wenn du gehst** elle préférerait que tu partes **II.** *adv* **1.** *Komp von* **gern:** ~ **schwimmen als joggen** préférer nager que de faire du footing; **nichts** ~ **als das!** je ne demande que ça! **2.** (*besser*) **ich schweige** ~ il vaut mieux que je me taise
Liebesaffäre *f* aventure *f* **Liebesbeziehung** *f* relation *f* amoureuse **Liebesbrief** *m* lettre *f* d'amour **Liebeserklärung** *f* déclaration *f* d'amour **Liebesfilm** *m* film *m* d'amour **Liebesgedicht** *nt* poème *m*

d'amour **Liebesgeschichte** *f* histoire *f* d'amour **Liebeskummer** *m* chagrin *m* d'amour **Liebesleben** *nt* vie *f* amoureuse **Liebeslied** *nt* chanson *f* d'amour **Liebespaar** *nt* couple *m* d'amoureux **Liebesroman** *m* roman *m* d'amour

liebevoll I. *adj* affectueux(-euse); *Zuwendung* tendre; *Vorbereitung* gentil(le) **II.** *adv* (*zärtlich*) tendrement; (*besonders sorgfältig*) avec amour

lieb|gewinnen* *s.* lieb **II. lieb|haben** *s.* lieb **II.**

Liebhaber(in) <-s, -> *m(f)* **1.**amant *m/* maîtresse *f* **2.**(*Anhänger*) amateur(-trice) *m(f)*

Liebhaberei [li:pha:bə'raɪ] <-, -en> *f* violon *m* d'Ingres; **etw aus reiner ~ tun** faire qc en simple amateur

Liebhaberwert *m kein Pl* valeur *f* d'amateur

liebkosen* [li:p'ko:zən] *vt geh* cajoler

lieblich I. *adj Duft* suave; *Wein* moelleux(-euse); *Anblick* charmant(e) **II.** *adv* lächeln candidement; **~ duften/schmecken** avoir un parfum suave/une saveur moelleuse

Liebling ['li:plɪŋ] <-s, -e> *m* **1.**chéri(e) *m(f)* **2.**(*Favorit*) préféré(e) *m(f)*; (*~sschüler*) chouchou(te) *m(f)* (*fam*)

Lieblingsbeschäftigung *f* activité *f* préférée **Lieblingsgericht** *nt* plat *m* préféré

lieblos I. *adj Person* dépourvu(e) de tendresse; *Behandlung, Bemerkung* dénué(e) de sollicitude; *Zubereitung* négligé(e) **II.** *adv* **jdn/etw ~ behandeln** traiter qn/qc sans soin

Liebste(r) *f(m) dekl wie adj* **seine ~** sa bien-aimée; **ihr ~r** son bien-aimé

Liebstöckel <-s, -> *nt o m* livèche *f*

Liechtenstein ['lɪçtənʃtaɪn] <-s> *nt* le Liechtenstein

Liechtensteiner(in) <-s, -> *m(f)* habitant(e) *m(f)* du Liechtenstein

Lied [li:t] <-[e]s, -er> *nt* chanson *f*; (*Kirchenlied*) chant *m;* (*Kunstlied*) lied *m* ▸ **es ist immer das** alte **~ mit ihm** *fam* avec lui, c'est toujours la même chanson; **ein ~ von etw** singen **können** être bien placé pour savoir qc

Liederbuch *nt* recueil *m* de chansons; (*mit Kirchenliedern*) recueil *m* de chants

liederlich ['li:dəlɪç] *adj pej* **1.**(*unordentlich*) désordonné(e); *Arbeit* négligé(e) **2.** *pej* (*unmoralisch*) débauché(e); *Lebenswandel* dissolu(e) (*soutenu*)

Liedermacher(in) *m(f)* auteur-compositeur[-interprète] *mf*

lief [li:f] *Imp von* laufen

Lieferant(in) [lifə'rant] <-en, -en> *m(f)* fournisseur(-euse) *m(f)*

lieferbar *adj* disponible

Lieferbedingungen *Pl* conditions *fpl* de livraison **Lieferfrist** *f* délai *m* de livraison

liefern ['li:fən] **I.** *vt* **1.**livrer; **jdm eine Ware ~** livrer une marchandise à qn **2.**fournir *Beweis, Rohstoff, Produkt;* avoir *Ertrag* **II.** *vi* livrer

Lieferschein *m* bon *m* de livraison **Lieferstopp** *m* suspension *f* de livraison

Lieferung <-, -en> *f* livraison *f*

Lieferwagen *m* camionnette *f* de livraison

Liege ['li:gə] <-, -n> *f* **1.**(*Bett*) divan *m* **2.**(*~stuhl*) chaise *f* longue

liegen ['li:gən] <lag, gelegen> *vi* + *haben o* SDEUTSCH, A, CH *sein* **1.** *Person:* être couché; **auf dem Bett ~** être allongé sur le lit; **bequem ~** être confortablement couché; **noch im Bett ~** être encore au lit; **im Liegen** en position *f* couchée; **der Wein muss ~** le vin doit être couché **2.**(*herum~*) **auf dem Tisch liegt ein Buch** il y a un livre sur la table; **es liegt Schnee** il y a de la neige; **auf dem ersten Platz ~** se situer en première position; **ganz hinten ~** être placé loin derrière; **zwischen zehn und zwölf Euro ~** *Preis:* se situer entre dix et douze euros; **in der Zukunft ~** n'être pas encore pour demain **3.**(*sich befinden*) **idyllisch ~** avoir une situation idyllique; **zur Straße ~** *Zimmer:* donner sur la rue; **in Frankreich ~** être situé en France; **auf der ersten Silbe ~** *Betonung:* porter sur la première syllabe **4.**(*begraben sein*) **im Grab/in Weimar ~** reposer dans une tombe/à Weimar **5.** NAUT **am Kai ~** rester à quai; **im Hafen ~** mouiller dans le port **6.**(*zu handhaben sein*) **gut in der Hand ~** *Werkzeug, Federhalter:* avoir bien en main **7.**(*zurückgehen auf*) **an jdm/etw ~** tenir à qn/qc; **das liegt daran, dass** cela tient au fait que; **an mir soll es nicht ~!** ce n'est pas moi qui t'en/vous en empêcherai! **8.**(*abhängig sein*) **bei jdm ~** dépendre de qn; **die Entscheidung liegt bei Ihnen** à vous de décider **9.**(*wichtig sein, gefallen*) **ihm liegt viel/nichts an ihr** elle lui importe beaucoup/il n'attache aucune importance à elle; **ihr liegt viel/nicht viel daran** cela lui importe beaucoup/ne lui importe guère; **mir liegt viel daran, dass** il m'importe beaucoup que + *subj;* **Sprachen ~ ihm** il est porté sur les langues; **seine Art liegt mir nicht** ses manières ne me plaisent pas **10.**(*zufallen*) **bei jdm ~** *Verantwortung:* reposer sur qn; *Schuld:* peser sur qn ▸ **nahe ~** se concevoir aisément; **nahe ~d** facile à comprendre, tout(e) naturel(le); **nahe ~d sein** tomber sous le

sens
liegen|bleiben s. bleiben I.
liegend adj, adv couché
liegen|lassen s. lassen I.
Liegenschaft <-, -en> f meist Pl biens mpl
fonciers
Liegeplatz m mouillage m **Liegesitz** m siège m couchette **Liegestuhl** m chaise f
longue **Liegestütz** ['liːɡəʃtʏts] <-es, -e>
m traction f **Liegewagen** m voiture-cou-
chettes f
lieh [liː] Imp von leihen
ließ [liːs] Imp von lassen
liest [liːst] 3. Pers Präs von lesen
Lift [lɪft] <-[e]s, -e o -s> m 1. (Aufzug) ascenseur m 2. (Skilift) téléski m; (Sessellift)
télésiège m
liften ['lɪftən] vt faire un lifting à
Liga ['liːɡa] <-, Ligen> f 1. ligue f 2. SPORT
division f
light [laɪt] adj Limonade light; Käse allé-
gé(e); Zigarette léger(-ère)
Likör [li'køːɐ̯] <-s, -e> m liqueur f
lila ['liːla] adj inv [couleur] lilas
Lila <-s, -> fam nt mauve m
Lilie ['liːliə] <-, -n> f lys m
Liliputaner(in) [lilipu'taːnɐ] <-s, -> m(f)
lilliputien(ne) m(f)
Limit ['lɪmɪt] <-s, -s o -e> nt 1. (Begrenzung) limite f 2. (Preisgrenze) plafond m;
jdm ein ~ setzen fixer un plafond à qn
limitieren* [limi'tiːrən] vt limiter; etw auf
hundert Exemplare ~ limiter qc à cent
exemplaires
Limo <-, -s> f fam soda m
Limonade [limo'naːdə] <-, -n> f limonade f
Linde ['lɪndə] <-, -n> f (Baum, Holz) tilleul m
Lindenblütentee m [infusion f de] tilleul m
lindern ['lɪndɐn] vt soulager Schmerzen;
atténuer Not, Armut
Linderung <-> f kein Pl soulagement m
lindgrün adj tilleul
Lineal [line'aːl] <-s, -e> nt règle f
linear [line'aːɐ̯] adj linéaire
Linguistik [lɪŋɡu'ɪstɪk] <-> f linguistique f
linguistisch adj linguistique
Linie ['liːniə] <-, -n> f ligne f; eine gestri-
chelte ~ une ligne de tirets; eine politische ~ une ligne politique; in männli-
cher/weiblicher ~ par les hommes/fem-
mes; die ~ 2 fährt zum Bahnhof la ligne
deux va à la gare; auf die schlanke ~
achten garder la ligne ▶in erster ~ en
premier lieu; auf der ganzen ~ sur toute
la ligne
Linienflug m vol m de ligne **Linienrich-
ter(in)** m(f) juge mf de ligne **linientreu**

adj pej dans la ligne
linieren* vt, **liniieren*** vt ligner; ein
lin|i|iertes Blatt une feuille lignée
link [lɪŋk] adj fam ein ~er Trick un coup
tordu
Link [lɪŋk] <-s, -s> m INFORM lien m
Linke <-n, -n> f 1. (Hand) main f gauche
2. SPORT gauche m 3. POL die ~ la gauche;
die äußerste ~ l'extrême gauche ▶zu
seiner/ihrer ~n geh à sa gauche
linke(r, s) ['lɪŋkə, -kɐ, -kəs] adj attr 1. gauche; Straßenseite, Eingang, Bild de gauche;
die ~ Seite eines Kleidungsstücks, Stoffs
l'envers m 2. POL de gauche; Flügel gauche
linken vt fam entuber
linkisch adj gauche
links ['lɪŋks] I. adv 1. (auf der linken Seite)
à gauche; ~ oben en haut à gauche; ~ von
dir/hinter mir à ta gauche/à gauche derrière moi; von ~ de la gauche; von ~ nach
rechts de gauche à droite; ~ fahren/
[nach] ~ abbiegen rouler/tourner à gauche; sich ~ einordnen se mettre sur la
voie de gauche; ~ um! à gauche, gauche!;
etw von ~ bügeln repasser qc à l'envers;
~ stricken tricoter à l'envers 2. POL ~
wählen voter à gauche; ~ stehen avoir
des idées de gauche ▶jdn ~ liegen lassen
fam ne pas prêter attention à qn; etw mit
~ machen fam faire qc les doigts dans le
nez II. präp + gen ~ des Rheins à gauche
du Rhin
Linksabbieger(in) <-s, -> m(f) chauffeur
m tournant à gauche **Linksaußen**
[lɪŋks'ʔaʊ̯sən] <-, -> m SPORT ailier m
gauche **Linksextremist(in)** m(f) extrémiste mf de gauche **linksextremistisch** adj
d'extrême gauche **linksgerichtet** adj POL
orienté(e) à gauche **Linkshänder(in)**
['lɪŋkshɛndɐ] <-s, -> m(f) gaucher(-ère)
m(f) **linkshändig I.** adj gaucher(-ère) **II.**
adv de la main gauche **linksherum** adv à
gauche **linksradikal** adj d'extrême gauche
Linksradikale(r) f(m) extrémiste mf de
gauche **linksrheinisch** adj [situé(e)] à
l'ouest du Rhin **linksseitig** adj Lähmung
du côté gauche **Linksverkehr** m conduite
f à gauche
Linoleum [li'noːleʊm] <-s> nt linoléum
m
Linolschnitt [li'noːlʃnɪt] m linogravure f
Linse ['lɪnzə] <-, -n> f 1. BOT, GASTR, OPT
lentille f 2. ANAT cristallin m
LipglossRR <-, -> nt brillant m à lèvres
Lippe ['lɪpə] <-, -n> f lèvre f; jdm etw
von den ~n ablesen lire qc sur les lèvres
de qn ▶etw nicht über die ~n bringen
ne pouvoir se résoudre à dire qc; an jds ~n
(dat) hängen être suspendu aux lèvres de

loben

• loben, positiv bewerten	• louer, juger positivement
Ausgezeichnet!/Hervorragend!	Excellent!/Remarquable!
Das hast du gut gemacht.	Tu as fait du bon travail.
Das hast du prima hingekriegt. *(fam)*	Tu t'es très bien débrouillé(e).
Das lässt sich (aber) sehen! *(fam)*	Il y a de quoi être fier!
Daran kann man sich ein Beispiel nehmen.	C'est un exemple à suivre.
Das hätte ich nicht besser machen können.	Je n'aurais pas pu faire mieux.
• Wertschätzung ausdrücken	• exprimer son estime
Ich finde es super, wie er sich um die Kinder kümmert.	Je trouve ça super comme il s'occupe des enfants.
Ich schätze Ihren Einsatz (sehr).	J'apprécie (beaucoup) votre engagement.
Ich weiß Ihre Arbeit sehr zu schätzen.	J'apprécie beaucoup votre travail.
Ich möchte Ihren guten Rat nicht missen.	Je ne voudrais pas être privé(e) de vos bons conseils.
Ich finde die Vorlesungen dieses Professors sehr gut.	Je trouve les cours magistraux de ce professeur très bien.
Ich wüsste nicht, was wir ohne Ihre Hilfe tun sollten.	Je ne sais pas ce que nous ferions sans votre aide.

qn

Lippenstift *m* [bâton *m* de] rouge *m* à lèvres

liquid[e] *adj* FIN **1.** (*solvent*) disposant de fonds **2.** (*verfügbar*) disponible [en liquide]; **~e Mittel** des liquidités *fpl*

Liquidität [likvidi'tɛːt] <-> *f* solvabilité *f*

Lira <-, Lire> *f* **italienische** ~ lire *f* [italienne]; **türkische** ~ livre *f* turque

lispeln ['lɪspəln] *vi* zézayer

Lissabon ['lɪsabɔn] <-s> *nt* Lisbonne

List [lɪst] <-, -en> *f* ruse *f* ▸**mit** ~ **und Tücke** en utilisant toutes les combines possibles (*fam*)

Liste ['lɪstə] <-, -n> *f a.* POL liste *f* ▸**auf der schwarzen** ~ **stehen** être sur la liste noire

listig I. *adj Person* rusé(e); *Plan* astucieux(-euse) **II.** *adv* avec astuce

Litauen ['liːtaṷən] <-s> *nt* la Lituanie

Litauer(in) <-s, -> *m(f)* Lituanien(ne) *m(f)*

litauisch I. *adj* lituanien(ne) **II.** *adv* ~ **miteinander sprechen** parler en lituanien; *s. a.* **deutsch**

Litauisch <-[s]> *nt kein art* lituanien *m; s. a.* **Deutsch**

Liter ['liːtɐ] <-s, -> *m o nt* litre *m;* **ein** ~ **Milch** un litre de lait

literarisch [lɪtə'raːrɪʃ] *adj* littéraire

Literat(in) [lɪtə'raːt] <-en, -en> *m(f) geh* homme *m*/femme *f* de lettres; **die ~en** les gens *mpl* de lettres

Literatur [lɪtəra'tuːɐ̯] <-, -en> *f* littérature *f*

Literaturangaben *Pl* notice *f* bibliographique **Literaturkritik** *f* critique *f* littéraire **Literaturpreis** *m* prix *m* littéraire **Literaturwissenschaft** *f* lettres *fpl;* **vergleichende** ~ littérature *f* comparée

literweise *adv* au litre

Litfaßsäule *f* colonne *f* Morris

Lithografie RR, **Lithographie** [litogra'fiː] <-, -n> *f* lithographie *f*

litt [lɪt] *Imp von* **leiden**

Liturgie [litʊr'giː] <-, -n> *f* liturgie *f*

liturgisch [li'tʊrgɪʃ] *adj* liturgique

live [laif] *adj, adv* en direct

Livesendung RR *f* émission *f* en direct

Lizenz [li'tsɛnts] <-, -en> *f* licence *f;* **jdm eine** ~ **erteilen** délivrer une licence à qn; **etw in** ~ **herstellen** fabriquer qc sous licence

Lizenzgebühr *f* royalties *fpl*

Lizenziat RR [litsɛn'tsi̯aːt] <-[e]s, -e> *nt* UNIV ≈ licence *f* de théologie; CH ≈ licence de lettres et sciences humaines

Lizenziat(in) RR <-en, -en> *m(f)* UNIV ≈ licencié(e) *m(f)* en théologie; CH ≈ licencié(e) *m(f)* ès lettres

Lkw, LKW [ɛlkaː've:] <-[s], -[s]> *m Abk von* **Lastkraftwagen** poids *m* lourd

Lob [loːp] <-[e]s> *nt* félicitations *fpl;* **jdm** ~ **spenden** prodiguer des louanges à qn

(*soutenu*); des ~es voll sein über jdn/ etw ne tarir pas d'éloges sur qn/à propos de qc

Lobby ['lɔbi] <-, -s> *f* lobby *m*

loben ['lo:bən] **I.** *vt* **1.**féliciter; jds Arbeit ~ louer qn pour son travail; **sein Verhalten ist zu** ~ son attitude est digne d'éloges; **jdn/etw ~d erwähnen** parler de qn/ qc en termes élogieux; **da lob' ich mir die alten Zeiten** [c'est là que] je regrette le bon vieux temps **2.** REL **Gott** ~ louer Dieu **II.** *vi* complimenter

lobenswert *adj* digne d'éloges

löblich *adj geh* louable

Loblied *nt* ►ein ~ auf jdn/etw <u>singen</u> chanter les louanges de qn/qc **Lobrede** *f* panégyrique *m*

Loch [lɔx, *Pl:* 'lœçə] <-[e]s, ⸚er> *nt* **1.**trou *m;* **schwarzes** ~ ASTRON trou *m* noir **2.** *pej fam* (*Wohnung*) trou *m* ►jdm **ein** ~ **in den** <u>Bauch</u> **fragen** *fam* cribler qn de questions; **Löcher in die** <u>Luft</u> **starren** *fam* regarder dans le vide; **auf dem** <u>letzten</u> ~ **pfeifen** *fam* être lessivé

lochen *vt* perforer; poinçonner *Fahrkarte*

Locher <-s, -> *m* (*für Papier*) perforeuse *f*

löcherig *adj* troué(e)

löchern *vt fam* gonfler

Locke ['lɔkə] <-, -n> *f* boucle *f* [de cheveux]

locken ['lɔkən] **I.** *vt* **1.** (*verlockend sein*) jdn ~ *Möglichkeit:* attirer qn **2.**appeler *Tier* **3.**(*kräuseln*) boucler *Haare* **II.** *vr* sich ~ *Haare:* boucler

lockend *adj* alléchant(e)

Lockenstab *m* fer *m* à friser **Lockenwickler** <-s, -> *m* bigoudi *m*

locker ['lɔkɐ] **I.** *adj* **1.** *Halterung, Schraube* desserré(e); *Ziegel, Zahn* branlant(e); *Seil* détendu(e); *Muskel* relâché(e) **2.** *Boden* poreux(-euse); *Teig* léger(-ère) **3.** *fam Person* libéral(e); *Haltung* détendu(e); *Bekanntschaft* vague **4.** *fam Lebenswandel* léger(-ère) **II.** *adv* **1.** (*lose*) ~ **sitzen** *Kleidung:* être ample **2.** (*unverkrampft*) de façon détendu; **etw** ~ **handhaben** manipuler qc de façon décontractée **3.** *fam* (*ohne Schwierigkeiten*) **das schaffe ich doch** ~! j'y arrive à l'aise ►[bei] **ihm** <u>sitzt</u> **das Geld** ~ *fig fam* il a l'argent facile

locker|lassen *vi irr fam* **nicht** ~ ne pas lâcher prise

lockern I. *vt* **1.**desserrer *Gürtel, Schraube;* relâcher *Zügel* **2.** (*aufwärmen*) assouplir *Beine, Muskeln;* (*entspannen*) décontracter *Beine, Muskeln* **3.**assouplir *Gesetz, Embargo* **II.** *vr* sich ~ **1.** *Schraube, Verbindung:* se desserrer **2.** (*sich aufwärmen*) s'assouplir; (*sich entspannen*) se décontracter, décon-

tracter ses muscles

lockig *adj* bouclé(e)

Lockvogel *m a. fig* appât *m*

Loden <-s, -> *m* loden *m*

lodern ['lo:dɐn] *vi* + *haben Feuer:* flamboyer; ~d flamboyant(e)

Löffel ['lœfəl] <-s, -> *m* **1.**cuillère *f;* **ein** ~ **Mehl** une cuillérée de farine **2.** JAGD (*Hasen-, Kaninchenohr*) oreille *f;* **seine** ~ **aufsperren** *fam* ouvrir [toutes grandes] ses esgourdes ►**den** ~ **abgeben** *fam* casser sa pipe

löffeln *vt* (*essen*) **seine Suppe** ~ manger sa soupe à la cuillère

löffelweise *adv essen, füttern* à la cuillère; *hinzugeben* par cuillérées

log [lo:k] *Imp von* **lügen**

Logarithmus [loga'rɪtmʊs] <-, -rithmen> *m* MATH logarithme *m*

Logbuch *nt* NAUT journal *m* de bord

Loge ['lo:ʒə] <-, -n> *f* loge *f*

Logik ['lo:gɪk] <-> *f* logique *f*

Login ['logɪn] <-s> *nt* INFORM ouverture *f* d'une session

Logis [lo'ʒi:] <-> *nt* logement *m*

logisch ['lo:gɪʃ] *adj* logique

Logistik [lo'gɪstɪk] <-> *f* logistique *f*

logistisch *adj* logistique

Logo ['lo:go] <-s, -s> *nt* logo *m*

Logoff <-s> *nt* INFORM clôture *f* d'une session

Logopäde [logo'pɛ:də] <-n, -n> *m*, **Logopädin** *f* orthophoniste *mf*

Lohn [lo:n, *Pl:* 'lø:nə] <-[e]s, ⸚e> *m* **1.** (*Arbeitslohn*) salaire *m* **2.** *kein Pl* (*Belohnung*) récompense *f;* **als** ~ **für etw** en récompense de qc

Lohnabbau *m* réduction *f* de salaire **Lohnausgleich** *m* ajustement *m* de salaire; **bei vollem** ~ sans perte de salaire **Lohnbuchhaltung** *f* comptabilité *f* des salaires **Lohnempfänger(in)** *m(f)* salarié(e) *m(f)*

lohnen I. *vr* sich ~ valoir la peine; **sich für jdn** ~ *Aufwand, Mühe:* valoir la peine pour qn; **es lohnt sich diesen Film zu sehen** ça vaut la peine de voir ce film **II.** *vt* **1.** (*wert sein*) **einen Besuch** ~ *Ausstellung:* mériter une visite; **die Anstrengung** ~ *Ergebnis:* justifier l'effort **2.** (*belohnen*) **jdm etw** ~ récompenser qn pour qc

löhnen ['lø:nən] *vi fam* casquer

lohnend *adj Geschäft, Aufgabe* profitable

Lohnerhöhung *f* hausse *f* des salaires; *einer Einzelperson* augmentation *f* [de salaire] **Lohnforderung** *f* revendication *f* salariale **Lohnfortzahlung** *f* maintien *m* du salaire **Lohngruppe** *f* catégorie *f* salariale **Lohnkosten** *Pl* coûts *mpl* salariaux **Lohnnebenkosten** *Pl* charges *fpl* annexes [au

salaire| **Lohnsteuer** *f* impôt *m* sur le salaire **Lohnsteuerjahresausgleich** *m* **1.** (*Antrag*) demande de régularisation annuelle du trop-perçu d'impôt sur le salaire **2.** (*Rückzahlung*) remboursement du trop-perçu d'impôt sur le salaire **Lohnsteuerkarte** *f* fiche *f* fiscale (*sur laquelle figure la catégorie d'imposition d'un employé*)

Loipe ['lɔypə] <-, -n> *f* piste *f* de ski de fond

lokal [lo'ka:l] *adj* local(e)

Lokal <-s, -e> *nt* (*Kneipe*) café *m*, bistro[t] *m;* (*Speiselokal*) restaurant *m;* (*Vereinslokal*) cafétéria *f*

lokalisieren* [lokali'zi:rən] *vt* **1.** localiser **2.** circonscrire *Brand, Konflikt, Krankheitsherd*

Lokalnachricht *f meist Pl* ~**en** nouvelles *fpl* locales **Lokalpatriotismus** *m* esprit *m* de clocher **Lokaltermin** *m* descente *f* sur les lieux **Lokalverbot** *nt* ~ **haben** être interdit

Lokomotive [lokomo'ti:və] <-, -n> *f* locomotive *f*

Lokomotivführer(in) *m(f)* conducteur(-trice) *m/(f)* de locomotive

Lokus ['lo:kʊs] <- *o* -ses, – *o* -se> *m fam* petit coin *m*

Lolli <-s, -s> *m fam* sucette *f*

London ['lɔndɔn] <-> *nt* Londres

Londoner(in) <-s, -> *m(f)* Londonien(ne) *m(f)*

Look [lʊk] <-s, -s> *m* look *m*

Looping ['lu:pɪŋ] <-s, -s> *m o nt* looping *m*

Lorbeer ['lɔrbe:ɐ̯] <-s, -en> *m* **1.** (*Pflanze, Gewürz*) laurier *m* **2.** *s.* **Lorbeerkranz** ►**sich auf seinen** ~**en ausruhen** *fam* se reposer sur ses lauriers

Lorbeerblatt *nt* feuille *f* de laurier **Lorbeerkranz** *m* couronne *f* de laurier

los [lo:s] **I.** *adj* **1.** (*abgetrennt*) défait(e); *Etikett, Knopf:* défait(e), parti(e) **2.** *fam* (*befreit*) **jdn/etw** ~ **sein** être débarrassé de qn/qc; **sein Geld** ~ **sein** avoir paumé son argent **3.** (*im Gange*) **es ist nichts** ~ *fam* rien ne se passe; **dort ist viel** ~ [il] y a la grosse ambiance là-bas; **was ist** ~**?** qu'est-ce qu'[il] y a?; **was ist denn hier** ~**?** qu'est-ce qui se passe ici?; **was ist denn mit dir** ~**?** qu'est-ce que tu as [donc]?, mais qu'est-ce qu'il te prend? ►**...,** [**dann**] **ist etwas** ~**!** *fam* ça va chauffer si ...!; **mit ihm ist nichts** ~ (*er ist langweilig*) [il] y a rien à tirer de lui; (*er ist erschöpft*) il n'est pas dans son assiette (*fam*) **II.** *adv* **1.** ~**!** partez! **2.** *fam* (*fort*) **sie ist schon** ~ elle s'est déjà tirée

Los [lo:s] <-es, -e> *nt* **1. etw durch das** ~

entscheiden décider qc au sort; **ein** ~ **ziehen** tirer au sort; **das** ~ **fällt auf jdn** le sort tombe sur qn **2.** (*Lotterielos*) billet *m* **3.** *kein Pl geh* (*Schicksal*) sort *m* ►**mit jdm/etw das große** ~ **gezogen haben** avoir tiré le gros lot avec qn/qc

lösbar *adj* **1.** *Aufgabe* résoluble **2.** CHEM soluble

los|binden *vt irr* détacher; **etw/jdn von etw** ~ détacher qc/qn de qc

Löschblatt *nt* buvard *m*

löschen ['lœʃən] *vt* **1.** éteindre *Feuer, Licht;* **seinen Durst** ~ se désaltérer **2.** (*tilgen*) effacer; résilier *Bankkonto* **3.** NAUT décharger

Löschen <-s> *nt* extinction *f*

Löschfahrzeug *nt* voiture *f* de pompiers **Löschpapier** *nt* [papier *m*] buvard *m* **Löschtaste** *f* INFORM touche *f* effacement

Löschung <-, -en> *f* **1.** (*das Tilgen*) radiation *f* **2.** NAUT déchargement *m*

lose *adj* **1.** *Schraube* desserré(e); *Knopf* qui bouge; *Knoten* lâche; *Halterung* instable, branlant(e); *Blatt* volant(e) **2.** (*unverpackt*) **etw** ~ **verkaufen** vendre qc en vrac **3.** *hum* (*frech*) **ein** ~**s Mundwerk haben** ne pas avoir la langue dans sa poche

Lösegeld *nt* rançon *f*

Lösemittel *nt* solvant *m*

losen ['lo:zən] *vi* tirer au sort; **um etw** ~ tirer qc au sort

lösen ['lø:zən] **I.** *vt* **1.** (*ab~*) enlever, ôter *Schicht* **2.** défaire *Haare, Knoten;* desserrer *Handbremse* **3.** MED calmer, soulager *Husten, Verspannung* **4.** résoudre *Aufgabe, Problem* **5.** annuler *Verlobung;* résilier *Vertrag* **6.** (*zergehen lassen*) **Chemikalien in etw** (*dat*) ~ dissoudre des produits chimiques dans qc **7.** prendre *Eintrittskarte, Fahrschein* **II.** *vr* **1.** (*sich ab~*) **sich von etw** ~ *Schicht, Schmutz:* s'enlever de qc; *Stein:* se détacher de qc **2.** (*sich auf~*) **sich in etw** (*dat*) ~ se dissoudre dans qc **3.** (*sich aufklären*) **sich** ~ *Rätsel:* se résoudre **4.** (*sich befreien*) **sich von jdm** ~ se détacher de qn; **sich von etw** ~ se dégager de qc

los|fahren *vi irr* + *sein* **1.** (*abfahren*) partir; **von etw** ~ partir de qc **2.** *fam* (*angreifen*) **auf jdn** ~ tomber sur qn

los|gehen *irr vi* + *sein* **1.** s'en aller **2.** *fam* (*beginnen*) commencer; **es geht** [**schon**] **wieder los** c'est reparti **3.** (*angreifen*) **mit etw auf jdn** ~ s'élancer sur qn avec qc **4.** (*krachen*) *Flinte, Schuss:* partir

los|kommen *vi irr* + *sein fam* **1.** (*gehen können*) pouvoir partir **2.** (*sich befreien*) **von jdm** ~ se sortir des pattes de qn; **vom Alkohol** ~ décrocher de l'alcool

los|lassen *vt irr* **1.** lâcher; **die Hunde auf jdn** ~ *fam* lâcher les chiens sur qn **2.** *fig*

jdn nicht ~ *Vorstellung:* ne pas quitter qn **3.** lâcher *Fluch*

los‖legen *vi fam* (*anfangen*) en mettre un coup; **mit der Arbeit** ~ s'attaquer au travail

löslich ['lœːslɪç] *adj* soluble

los‖lösen *vr* **sich** ~ se décoller

los‖machen I. *vt* (*losbinden*) détacher **II.** *vr fam* **sich von etw** ~ (*sich losreißen*) se dégager de qc; (*sich befreien*) se libérer de qc

los‖müssen *vi irr fam* devoir partir; **ich muss los** il faut que j'y aille

los‖reißen *irr* **I.** *vt* arracher **II.** *vr* **1.** (*sich entwinden*) **sich von jdm** ~ se dégager de qn **2.** *fam* (*sich innerlich lösen*) **sich** ~ s'arrêter; **er konnte sich von dem Anblick nicht** ~ il ne pouvait détourner son regard

Lössᴿᴿ [lœːs] <-es, -e>, **Löß** <Lösses *o* -es, Lösse *o* -e> *m* lœss *m*

los‖sagen *vr geh* **sich von jdm/etw** ~ couper les ponts avec qn/renier qc

los‖schicken *vt* envoyer

Losung <-, -en> *f* **1.** (*Wahlspruch*) mot *m* d'ordre **2.** MIL mot *m* de passe **3.** JAGD fumées *fpl*

Lösung <-, -en> *f* **1.** (*das Lösen*) résolution *f* **2.** (*Ergebnis*) solution *f* **3.** (*Aufhebung*) *einer Verlobung* annulation *f*; *eines Vertrags* résiliation *f* **4.** CHEM solution *f*

Lösungsmittel *nt* solvant *m*

los‖werden *vt irr* + *sein* **1.** se débarrasser de *Person;* **eine Idee nicht** ~ ne pas arriver à se défaire d'une idée **2.** *fam* (*verlieren*) paumer **3.** *fam* (*verkaufen*) fourguer

Lot [loːt] <-[e]s, -e> *nt* **1.** (*Senkblei*) fil *m* à plomb **2.** NAUT sonde *f* **3.** GEOM perpendiculaire *f; das* ~ **auf etw** (*akk*) **fällen** abaisser la perpendiculaire à qc ▶**nicht im** ~ **sein** aller de travers

loten *vt* sonder

löten ['løːtən] *vt* souder; **etw an etw** (*akk*) ~ souder qc à qc

Lothringen <-s> *nt* la Lorraine

Lotion [loˈtsi̯oːn] <-, -en> *f* lotion *f*

Lötkolben *m* fer *m* à souder

lotrecht *adj* vertical

Lotse ['loːtsə] <-n, -n> *m*, **Lotsin** *f* **1.** NAUT pilote *m* **2.** (*Fluglotse*) aiguilleur(-euse) *m(f)* du ciel

lotsen *vt* **1.** piloter *Schiff* **2.** *fam* (*locken*) **jdn ins Kino** ~ entraîner qn au cinéma

Lotsin *s.* **Lotse**

Lotterie [lɔtəˈriː] <-, -n> *f* loterie *f; in der* ~ **spielen** jouer à la loterie

Lotto ['lɔto] <-s, -s> *nt* loto *m; ~* **spielen** jouer au loto; **im** ~ **gewinnen** gagner au loto

Lottogewinn *m* gain *m* au loto **Lotto-**

schein *m* bulletin *m* de loto

Löwe ['løːvə] <-n, -n> *m* **1.** lion *m* **2.** ASTROL Lion *m*

Löwenanteil *m fam* part *f* du lion **Löwenzahn** *m kein Pl* pissenlit *m*

Löwin ['løːvɪn] *f* lionne *f*

loyal [lo̯aˈjaːl] *geh adj* loyal(e)

Loyalität [lo̯ajaliˈtɛːt] <-> *f* loyauté *f*

LP [ɛlˈpeː, ɛlˈpiː] <-, -s> *f Abk von* **Langspielplatte** 33 tours *m*

lt. *präp form Abk von* **laut**² d'après

Luchs [lʊks] <-es, -e> *m* lynx *m*

Lücke ['lʏkə] <-, -n> *f* **1.** (*Zwischenraum*) trou *m* **2.** (*Unvollständigkeit*) lacune *f* ▶**eine** ~ **reißen** *Tod, Weggang:* laisser un vide

Lückenbüßer(in) <-s, -> *m(f) der* ~ **sein** *fam* jouer les bouche-trous **lückenhaft I.** *adj* incomplet(-ète); *Beweis* insuffisant(e); *Erinnerung* défaillant(e) **II.** *adv* berichten, darstellen de façon incomplète; *sich erinnern* vaguement **lückenlos I.** *adj Bericht, Wissen* complet(-ète); *Beweis* irréfutable **II.** *adv* darstellen, wiedergeben de façon exhaustive; *sich erinnern* intégralement

lud [luːt] *Imp von* **laden**

Luder ['luːdɐ] <-s, -> *nt fam* (*durchtriebene Frau*) bougresse *f;* (*kokette Frau*) garce *f*

Luft [lʊft, *Pl:* 'lʏftə] <-, ⸚e> *f* **1.** *kein Pl* air *m; frische* ~ de l'air frais; **an die** [**frische**] ~ **gehen** aller prendre l'air **2.** *kein Pl* (*Atem*) **die** ~ **anhalten** retenir son souffle; **keine** ~ **mehr bekommen** étouffer; **nach** ~ **schnappen** chercher son souffle; **tief** ~ **holen** inspirer profondément **3.** *fam* (*Platz*) espace *m;* (*Spielraum*) marge *f* de manœuvre **4.** (*Brise*) brise *f* ▶**von** ~ **und Liebe leben** *hum fam* vivre d'amour et d'eau fraîche; **hier/dort herrscht dicke** ~ *fam* il y a de l'orage dans l'air; **die** ~ **ist rein** *fam* pas de danger à l'horizon; **sich in** ~ **auflösen** se volatiliser; **jdn wie** ~ **behandeln** faire comme si qn n'existait pas; **es liegt etwas in der** ~ il y a quelque chose qui se prépare; **seinem Ärger** ~ **machen** donner libre cours à sa colère; ~ **für jdn sein** *fam* ne pas exister pour qn; **jdn an die** [**frische**] ~ **setzen** *fam* flanquer qn à la porte

Luftabwehr *f* défense *f* antiaérienne **Luftangriff** *m* attaque *f* aérienne **Luftballon** *m* ballon *m* [de baudruche] **Luftbefeuchter** *m* humidificateur *m* **Luftblase** *f* bulle *f* [d'air] **Luftbrücke** *f* pont *m* aérien **luftdicht** *adj* hermétique **Luftdruck** *m kein Pl* METEO pression *f* atmosphérique

lüften ['lʏftən] **I.** *vt* aérer *Raum, Wohnung;* dévoiler *Geheimnis;* soulever *Hut, Schleier* **II.** *vi* aérer

Luftfahrt f kein Pl form aviation f **Luftfeuchtigkeit** f humidité f de l'air **Lufthoheit** f souveraineté f aérienne

luftig adj Ort bien aéré(e); Kleidung léger(-ère)

Luftkissenboot nt hydroglisseur m **Luftkurort** m station f climatique **luftleer** adj vide d'air **Luftlinie** f ligne f droite **Luftloch** nt AVIAT trou m d'air **Luftmatratze** f matelas m pneumatique **Luftpost** f poste f aérienne; **per** [o **mit**] ~ par avion **Luftpumpe** f pompe f [à air]; (für Fahrrad) pompe à vélo; (für Luftmatratze, Schlauchboot) gonfleur m **Luftröhre** f ANAT trachée f **Luftschacht** m conduit m d'aération **Luftschiff** nt dirigeable m **Luftschlange** f serpentin m **Luftschloss**RR nt meist Pl château m en Espagne; **Luftschlösser bauen** construire des châteaux en Espagne **Luftschutzbunker** m bunker m **Luftschutzkeller** m abri m antiaérien **Luftsprung** m bond m en l'air; **vor Freude einen ~ machen** faire un bond/des bonds de joie **Luftstützpunkt** m base f aérienne

Lüftung <-, -en> f 1. (das Lüften) aération f 2. (~ssystem) [système m de] ventilation f

Luftveränderung f changement m d'air **Luftverkehr** m trafic m aérien **Luftverschmutzung** f pollution f de l'air **Luftwaffe** f armée f de l'air **Luftweg** m 1. kein Pl AVIAT voie f aérienne 2. Pl (Atemwege) voies fpl respiratoires **Luftzufuhr** f kein Pl arrivée f d'air **Luftzug** m courant m d'air

Lüge ['ly:gə] <-, -n> f mensonge m; jdm ~n auftischen fam raconter des bobards à qn ▶~n haben kurze Beine prov les mensonges ne mènent pas loin; jdn ~n strafen geh convaincre qn de mensonge

lügen <log, gelogen> vi mentir; **das ist gelogen!** c'est faux!

Lügendetektor ['ly:gəndɛtɛktɔr] <-s, -toren> m détecteur m de mensonges

lügenhaft adj pej (erlogen) mensonger(-ère)

Lügner(in) ['ly:gnɐ] <-s, -> m(f) pej menteur(-euse) m(f)

lügnerisch adj pej 1. (verlogen) menteur(-euse) 2. (erlogen) mensonger(-ère)

Luke ['lu:kə] <-, -n> f 1. (Dachluke) lucarne f 2. (Schiffsluke, Panzerluke) écoutille f

lukrativ [lukra'ti:f] adj geh lucratif(-ive)

Lümmel ['lYməl] <-s, -> m 1. pej (Flegel) malotru m 2. fam (Bürschchen) bonhomme m, coco m

Lump [lʊmp] <-en, -en> m pej crapule f

lumpen ['lʊmpən] ▶sich nicht ~ lassen fam [ne] pas mégoter

Lumpen <-s, -> m 1. meist Pl (Kleidung) haillon m souvent pl 2. DIAL (Schmutzlappen) chiffon m

lumpig adj pej 1. attr fam (kümmerlich) minable 2. (gemein) sordide

Lunch [lantʃ] <-[e]s o -, -[e]s o -e> m lunch m

Lunge ['lʊŋə] <-, -n> f 1. poumons mpl; **aus voller ~ singen** chanter à pleins poumons 2. (~nflügel) poumon m ▶sich (dat) **die ~ aus dem Hals schreien** fam crier à pleins poumons

Lungenbläschen ['lʊŋənblɛːsçən] nt ANAT alvéole f pulmonaire **Lungenentzündung** f MED pneumonie f **Lungenflügel** m poumon m **lungenkrank** adj atteint(e) d'une affection pulmonaire **Lungenzug** m inhalation f par les poumons

lungern ['lʊŋɐn] vi fam glandouiller

Lunte ['lʊntə] <-, -n> f (Zündschnur) mèche f ▶~ **riechen** flairer quelque chose

Lupe ['lu:pə] <-, -n> f loupe f ▶jdn/etw **unter die ~ nehmen** fam examiner qn/qc sous toutes les coutures

Lurch [lʊrç] <-[e]s, -e> m amphibien m

Lust [lʊst, Pl: 'lʏstə] <-, ²e> f 1. kein Pl (Freude) plaisir m 2. kein Pl (Neigung, Bedürfnis) envie f; ~ **auf ein Stück Kuchen haben** avoir envie d'un morceau de gâteau; **keine ~ zu etw haben** ne pas avoir envie de qc; **mach, wie du ~ hast!** fam tu fais comme tu veux! 3. (sexuelle Begierde) désir m; ~ **auf jdn/etw haben** avoir envie de qn/qc ▶nach ~ **und Laune** fam comme ça lui/me/… chante; **mit ~ und Liebe** en y mettant tout son/mon/… cœur

lüstern ['lʏstɐn] I. adj 1. (sexuell erregt) lubrique 2. (begierig) ~ **auf etw** (akk) **sein** avoir des envies de qc II. adv (sexuell erregt) avec convoitise

lustig adj 1. (fröhlich) gai(e), joyeux(-euse); **sich über jdn/etw ~ machen** se moquer de qn/qc 2. Anblick, Einfall drôle, amusant(e) ▶du **bist** [vielleicht] ~! iron tu en as de bonnes!

Lüstling ['lʏstlɪŋ] <-s, -e> m pej vicieux m

lustlos I. adj morose II. adv (antriebslos) sans entrain

Lustmord m crime m sexuel **Lustspiel** nt comédie f **lustvoll** adj voluptueux

lutschen ['lʊtʃən] I. vt sucer Bonbon; manger Eis II. vi **an etw** (dat) ~ sucer qc

Lutscher <-s, -> m sucette f

lütt adj NDEUTSCH petit(e)

Lüttich <-s> nt Liège

Luxemburg ['lʊksəmbʊrk] <-s> nt (Stadt) Luxembourg; (Land) le Luxembourg

Luxemburger(in) <-s, -> m(f) Luxembour-

geois(e) *m(f)*

luxemburgisch *adj* luxembourgeois(e)

luxuriös [lʊksuri'øːs] **I.** *adj* luxueux(-euse) **II.** *adv einrichten* de façon luxueuse; ~ **wohnen** être installé luxueusement

Luxus ['lʊksʊs] <-> *m kein Pl* luxe *m;* **im ~ leben** vivre dans le luxe

Luxusartikel *m* article *m* de luxe **Luxushotel** *nt* hotel *m* de luxe

Luzern [lu'tsɛrn] <-s> *nt* Lucerne

Luzifer <-s> *m* Lucifer *m*

Lymphe ['lʏmfə] <-, -n> *f* lymphe *f*

Lymphknoten *m* ANAT ganglion *m* lymphatique

lynchen ['lʏnçən] *vt* lyncher; **gelyncht werden** se faire lyncher

Lynchjustiz *f* justice *f* expéditive

Lyrik ['lyːrɪk] <-> *f* poésie *f* lyrique

Lyriker(in) <-s, -> *m(f)* poète *m /* poétesse *f* lyrique

lyrisch *adj* lyrique

M

M, m [ɛm] <-, -> *nt* M *m*/m *m*
m *Abk von* **Meter** m
MA. *Abk von* **Mittelalter**
Machart *f* façon *f*
machbar *adj* ~ **sein** *Projekt:* être réalisable; *Gehaltserhöhung:* être possible
machen ['maxən] **I.** *vt* **1.** (*tun*) **sie macht, was sie will** elle fait ce qu'elle veut; **was soll ich bloß** ~**?** qu'est-ce que je dois faire?; **so etwas macht man nicht** ça ne se fait pas; **mit mir kann man es ja** ~ *fam* avec moi, on peut y aller comme ça; **du lässt ja alles mit dir** ~**!** tu te laisses complètement faire!; **jdm fünf Euro klein** ~ faire de la monnaie sur cinq euros à qn; **etw mit Wasser voll** ~ *fam* remplir qc d'eau **2.** (*fertigen, produzieren*) faire; **jdm etw** ~ *Handwerker, Künstler:* faire qc à qn; **sich etw** ~ **lassen** se faire faire qc; **selbst gemacht** de sa fabrication **3.** faire *Fleck, Loch;* **Krach** ~ faire du bruit; **Unordnung** ~ mettre le désordre **4.** (*bereiten*) donner *Hunger, Durst;* **jdm Angst/Schwierigkeiten** ~ faire peur/des difficultés à qn; **jdm Arbeit/Sorgen/Mut** ~ donner du travail/des soucis/du courage à qn; **jdm Ärger/Probleme** ~ causer des ennuis/poser des problèmes à qn; **das hat mir große Freude gemacht** ça m'a fait très plaisir **5.** (*vollführen, ausüben*) faire *Sprung;* **Sport/Musik** ~ faire du sport/de la musique **6.** (*vorgehen*) **etw richtig/falsch** ~ faire qc bien/mal; **gut gemacht!** bien joué! **7.** *fam* (*ausbreiten*) **auseinander** ~ détacher *Seiten;* déplier *Karte, Zeitung;* écarter *Beine;* ouvrir *Arme* **8.** (*erledigen*) **wird gemacht!** ce sera fait!; **ich mache das schon!** (*ich erledige das*) je m'en charge[rai]!; (*ich bringe das in Ordnung*) je vais arranger ça! **9.** faire *Zeichen* **10.** *fam* (*in Ordnung bringen, reparieren*) faire; **die Bremsen** ~ **lassen** faire refaire les freins **11.** (*zubereiten*) **jdm ein Schnitzel** ~ faire une escalope à qn; **sich** (*dat*) **ein Spiegelei** ~ se faire un œuf au plat; **selbst gemacht** *Saft, Kuchen* fait(e) maison **12.** *fam* faire *Bad, Küche* **13.** (*erlangen, ablegen, belegen*) passer *Führerschein, Diplom;* marquer *Punkte;* obtenir *Preis;* suivre *Kurs* **14.** (*veranstalten, unternehmen*) **sich** (*dat*) **einen gemütlichen Abend** ~ passer une soirée tranquille; **sich** (*dat*) **ein**

paar schöne Stunden ~ s'offrir de belles heures; **wann macht ihr Urlaub?** quand prenez-vous vos vacances? **15.** *fam* (*ergeben*) faire; **wie viel macht drei mal sieben?** combien font trois fois sept? **16.** (*kosten*) faire; **was macht das?** combien ça fait? **17.** *fam* (*verdienen*) réaliser *Umsatz, Gewinn* **18.** (*werden lassen*) **jdn glücklich/wütend** ~ rendre qn heureux(-euse)/mettre qn en colère; **jdm etw leicht/schwer** ~ faciliter/rendre difficile qc à qn; **sich** (*dat*) **etw leicht** ~ se simplifier qc; **es sich** (*dat*) **leicht** ~ ne pas se compliquer la vie; **sich** (*dat*) **Feinde** ~ se faire des ennemis **19.** (*erscheinen lassen*) **jdn schlank** ~ *Kleidung:* amincir qn **20.** (*durch Veränderung entstehen lassen*) **[et]was aus einem alten Haus** ~ faire quelque chose d'une vieille maison **21.** *fam* (*einen Laut produzieren*) faire **22.** (*imitieren*) **einen Hahn** ~ faire le coq **23.** faire *Grimasse;* **was machst du denn für ein Gesicht?** tu en fais une tête! **24.** (*bewirken*) **der Stress macht, dass** le stress a pour effet que; **das macht die Hitze** c'est à cause de la chaleur **25.** *fam* (*sich beeilen*) **macht, dass ihr verschwindet!** arrangez-vous pour disparaître! **26.** (*ausmachen*) **macht nichts!** ça ne fait rien!; **was macht das schon?** qu'est-ce que ça peut bien faire?; **mach dir nichts daraus!** ne t'en fais pas! **27.** (*mögen*) **sich** (*dat*) **etwas aus jdm/etw** ~ s'intéresser à qn/qc; **ich mache mir nichts aus Sauerkraut** la choucroute, je ne cours pas après **28.** *fam* (*fungieren als*) **den Dolmetscher** ~ faire l'interprète **29.** (*ausrichten, bewerkstelligen*) **etwas/nichts für jdn** ~ **können** pouvoir faire quelque chose/ne pouvoir rien faire pour qn; **nichts zu** ~**!** rien à faire!; **das ist nicht zu** ~ c'est impossible; **das lässt sich** ~ ça peut se faire **30.** *fam* (*beschmutzen*) **die Hose[n] voll** ~ faire dans sa culotte **31.** *fam* arrondir *Betrag;* **hundert Euro voll** ~ arrondir à cent euros **32.** (*schaffen*) **für etw wie gemacht sein** être fait pour qc **33.** (*Geschlechtsverkehr haben*) **es mit jdm** ~ *euph fam* coucher avec qn **34.** *fam* (*stehen mit*) **was macht Paul?** que devient Paul?; (*beruflich*) que fait Paul? **II.** *vt unpers* **1.** **es macht mich traurig, dass** ça me rend triste que + *subj;* **es macht mich**

glücklich zu hören, dass je suis heureux(-euse) d'entendre que **2.** *fam (ein Geräusch erzeugen)* **es macht bumm** ça fait boum **III.** *vi* **1.dumm** ~ *Fernsehen:* rendre débile; **müde** ~ *Sport:* fatiguer **2.** *fam (seine Notdurft verrichten)* **ins Bett** ~ faire [ses besoins] au lit **3.** *(erscheinen lassen)* **dick** ~ *Hose:* grossir **4.** *fam (sich beeilen)* **schnell** ~ se grouiller; **mach endlich!** grouille-toi! **5.** *fam (sich geben)* **auf Experte** ~ jouer les experts **6.** *(handeln, verfahren)* **lass ihn nur** ~ laisse-le donc faire **IV.** *vr* **1.sich bei jdm beliebt** ~ s'attirer les sympathies de qn; **sich wichtig** ~ *pej* faire l'important **2.** *(sich entwickeln)* **sich** [gut] ~ *Kind, Pflanze:* pousser **3.** *fam (sich gut entwickeln)* **sich** ~ avoir le vent en poupe **4.** *(passen)* **sich gut zu dem Rock** ~ *Bluse:* aller bien avec la jupe **5.** *(sich begeben)* **sich an die Arbeit** ~ se mettre au travail **6.** *(bereiten)* **sich Sorgen** ~ se faire du souci; ~ **Sie sich wegen mir keine Umstände!** ne vous dérangez pas pour moi!

Machenschaften *Pl pej* machinations *fpl*

Macher(in) <-s, -> *m(f) fam* fonceur(-euse) *m(f)*

Macho ['matʃo] <-s, -s> *m fam* macho *m*

Macht [maxt, *Pl:* 'mɛçtə] <-, ‡e> *f* **1.** *kein Pl (Befugnis)* pouvoir *m;* **die** ~ **haben etw zu tun** avoir le pouvoir de faire qc **2.** *kein Pl (Staats-, Befehlsgewalt)* pouvoir *m;* **die** ~ **ausüben** exercer le pouvoir; **an die** ~ **kommen** arriver au pouvoir **3.** *kein Pl (Herrschaft) eines Staates* domination *f* **4.** *(mächtiger Staat)* puissance *f* **5.** *kein Pl (Einfluss)* **die** ~ **der Gewohnheit** la force de l'habitude; **die** ~ **des Schicksals** la [toute-]puissance du destin **6.** *(mächtige Gruppe)* force *f*, puissance *f* **7.** *(Kraft, Stärke)* force *f;* **mit aller** ~ **versuchen etw zu tun** tenter de toutes ses forces de faire qc

Machtbefugnis *f* pouvoirs *mpl*, compétences *fpl;* **das überschreitet meine** ~ ceci dépasse mes compétences **machtbewusst** *adj* ambitieux(-euse) de pouvoir

Machtergreifung *f* prise *f* du pouvoir

Machthaber(in) <-s, -> *m(f) pej* dirigeant(e) *m(f)*

mächtig ['mɛçtɪç] **I.** *adj* **1.** *(einflussreich)* puissant(e) **2.** *Erschütterung, Schlag* violent(e) **3.** *fam (enorm)* sacré(e) *antéposé* **4.** *geh (kundig)* **des Französischen** ~ **sein** maîtriser le français **II.** *adv fam sich freuen, sich ärgern* drôlement

Machtkampf *m* lutte *f* pour le pouvoir

machtlos I. *adj* **1.** *Politiker, Staat* impuissant(e); **er ist praktisch** ~ il n'a pratiquement pas de pouvoir **2.** *(hilflos)* **gegen**

etw ~ **sein** être désarmé devant qc **II.** *adv* **einer S.** *(dat)* ~ **gegenüberstehen** faire face à qc avec un sentiment d'impuissance

Machtlosigkeit <-> *f* impuissance *f*

MachtmissbrauchRR *m* abus *m* de pouvoir

Machtpolitik *f* politique *f* d'hégémonie

Machtstellung *f* position *f* de force

Machtübernahme *s.* **Machtergreifung**

Machtwechsel *m* changement *m* de gouvernement **Machtwort** <-worte> *nt* **ein** ~ **sprechen** faire acte d'autorité

Macke ['makə] <-, -n> *f fam* **1.** *(Schadstelle)* défaut *m* **2.** *(Tick)* tic *m;* **eine** ~ **haben** *fam* avoir le cerveau fêlé

Macker ['makɐ] <-s, -> *m fam* mec *m*

Mädchen ['mɛːtçən] <-s, -> *nt* **1.** fille *f* **2.** *(jugendliche Frau)* [jeune] fille *f* ▸ ~ **für alles** *fam* bonne *f* à tout faire

mädchenhaft *adj* de jeune fille

Mädchenname *m* **1.** *(weiblicher Vorname)* prénom *m* féminin **2.** *(Geburtsname)* nom *m* de jeune fille

Made ['maːdə] <-, -n> *f* asticot *m*

Madel <-s, -n> *nt* SDEUTSCH, A fille *f*

madig *adj* véreux(-euse)

Mafia ['mafi̯a] <-> *f a. fig, pej* maf[f]ia *f*

Magazin [maga'tsiːn] <-s, -e> *nt* **1.** *(Lager)* magasin *m* **2.** *(Zeitschrift)* magazine *m* **3.** TECH *einer Werkzeugmaschine* magasin *m; einer Schusswaffe* chargeur *m*

Magen ['maːgən, *Pl:* 'mɛːgən] <-s, ‡ o -> *m* estomac *m;* **etwas/nichts im** ~ **haben** avoir quelque chose/ne rien avoir dans l'estomac; **auf nüchternen** ~ à jeun; **sich** *(dat)* **den** ~ **verderben** attraper une indigestion *(fam)*

Magenbeschwerden *Pl* troubles *mpl* gastriques **Magenbitter** <-s, -> *m* [digestif *m*] amer *m* **Magengeschwür** *nt* MED ulcère *m* à l'estomac **Magenknurren** *nt* gargouillement *m* **Magenkrampf** *m meist Pl* crampe *f* d'estomac **magenkrank** *adj* malade de l'estomac **Magensäure** *f* acidité *f* gastrique **Magenschmerzen** *Pl* maux *mpl* d'estomac; ~ **haben** avoir mal à l'estomac **Magenverstimmung** *f* indigestion *f*

mager ['maːgɐ] **I.** *adj* **1.** *(dünn)* maigre **2.** *Fleisch, Käse* maigre **3.** *Boden* ingrat(e); *Acker* maigre *antéposé* **4.** *Ergebnis, Ernte, Trinkgeld* médiocre, maigre *antéposé* **5.** TYP *Buchstabe* maigre **II.** *adv* ~ **ausfallen** *Ernte, Trinkgeld:* se révéler médiocre

Magermilch *f* lait *m* écrémé **Magersucht** *f kein Pl* anorexie *f*

Magie [ma'giː] <-> *f (Zauberei, Anziehungskraft)* magie *f*

Magier(in) ['maːgi̯ɐ] <-s, -> *m(f)* **1.** *(Zauberkünstler)* prestidigitateur(-trice) *m(f)*

2. (*Zauberer*) magicien(ne) *m(f)*
magisch I. *adj* magique II. *adv* comme par magie
Magister [ma'gɪstɐ] <-s, -> *m* **1.** (*Universitätsgrad*) ~ **Artium** ≈ maîtrise *f* de sciences humaines; **den ~ haben** ≈ avoir la maîtrise **2.** (*Inhaber des Universitätsgrades*) ≈ titulaire *mf* d'une maîtrise
Magistrat [magɪs'traːt] <-[e]s, -e> *m* (*Stadtverwaltung*) municipalité *f*
Magma ['magma] <-s, Magmen> *nt* magma *m*
Magnesium [ma'gneːziʊm] <-s> *nt* CHEM magnésium *m*
Magnet [ma'gneːt] <-[e]s *o* -en, -e[n]> *m* aimant *m*
Magnetband *nt* bande *f* magnétique **Magnetfeld** *nt* champ *m* magnétique
magnetisch I. *adj* magnétique II. *adv* (*unwiderstehlich*) comme par magie
Magnetstreifen *m* piste *f* magnétique
Magnolie [ma'gnoːli̯ə] <-, -n> *f* magnolia *m*
Mahagoni [maha'goːni] <-s> *nt* acajou *m*
Mähdrescher <-s, -> *m* moissonneuse-batteuse *f*
mähen ['mɛːən] I. *vt* faucher *Wiese;* moissonner *Getreide;* tondre *Rasen* II. *vi* **1.** tondre **2.** *fam* (*blöken*) bêler
Mahl [maːl] <-[e]s, -e *o* ⁼er> *nt geh* repas *m*
mahlen ['maːlən] <mahlte, gemahlen> *vt* (*zer~*) moudre
Mahlzeit *f* repas *m;* **gesegnete ~!** *geh* bon appétit!; **~!** *fam* (*guten Appetit*) bon appétit!; DIAL *fam* (*schönen Mittag*) salut! (*se dit à l'heure du déjeuner*)
Mahnbescheid *m* lettre *f* de rappel
Mähne ['mɛːnə] <-, -n> *f a. pej* crinière *f*
mahnen ['maːnən] I. *vt* **1. jdn** ~ rappeler qn à l'ordre; **jdn zur Vorsicht** ~ inviter qn à la prudence **2.** (*zur Zahlung auffordern*) envoyer un rappel à II. *vi* **1.** (*an~*) **zur Ruhe** ~ inviter au calme **2.** (*zur Zahlung auffordern*) envoyer un rappel
Mahnmal <-[e]s, -e> *nt* mémorial *m*
Mahnung <-, -en> *f* **1.** (*Ermahnung*) avertissement *m* **2.** *geh* (*warnende Erinnerung*) mise *f* en garde **3.** (*Mahnbrief*) lettre *f* de rappel
Mahnwache *f* commémoration *f* silencieuse
Mai [maɪ] <-[e]s *o* -, -e> *m* mai *m; s. a.* **April**
Maiglöckchen ['maɪglœkçən] *nt* muguet *m* **Maikäfer** *m* hanneton *m*
Mail ['mɛɪl] <-, -s> *f fam* INFORM [e-]mail *m*
Mailbox ['mɛɪlbɔks] <-, -en> *f* INFORM

boîte *f* aux lettres électronique; **seine ~ leeren** relever sa boîte aux lettres [électronique]
mailen ['mɛɪlən] *vt fam* INFORM **etw ~** envoyer qc par [e-]mail
Mailing ['mɛɪlɪŋ] <-s, -s> *nt* mailing *m*
Main <-s> *m* **der ~** le Main
Mainz [maɪnts] <-> *nt* Mayence *f*
Mais [maɪs] <-es, -e> *m* maïs *m*
Maiskolben *m* épi *m* de maïs
Majestät [majɛs'tɛːt] <-, -en> *f kein Pl* (*Titel, Anrede*) Majesté *f*
majestätisch *adj* majestueux(-euse)
Majo [maːjo] <-, -s> *f Abk von* **Majonäse** *fam* mayo *f*
MajonäseRR [majo'nɛːzə] <-, -n> *f* mayonnaise *f*
Major(in) [ma'joːɐ̯] <-s, -e> *m(f)* commandant(e) *m(f)*
Majoran ['maːjoran] <-s, -e> *m* **1.** (*Pflanze*) marjolaine *f* **2.** (*Gewürz*) origan *m*
makaber [ma'kaːbɐ] *adj* macabre
Makel ['maːkəl] <-s, -> *m* **1.** (*Schandfleck*) tare *f* **2.** (*Fehler*) défaut *m; (auf Früchten*) tache *f*
makellos I. *adj* **1.** (*untadelig*) irréprochable **2.** (*fehlerlos*) impeccable II. *adv rein, sauber* impeccablement
mäkeln ['mɛːkəln] *vi pej* critiquer
Make-up [meːk'ʔap] <-s, -s> *nt* maquillage *m*
Make-up-Entferner <-s, -> *m* démaquillant *m*
Makkaroni *Pl* macaroni *mpl*
Makler(in) ['maːklɐ] <-s, -> *m(f)* courtier(-ière) *m(f); (Immobilienmakler*) agent *m* immobilier
Maklergebühr *f* courtage *m; (bei Immobilien*) commission *f*
Makrele [ma'kreːlə] <-, -n> *f* maquereau *m*
Makro <-s, -s> *nt o m* INFORM macro *m*
Makrone [ma'kroːnə] <-, -n> *f* macaron *m*
mal [maːl] *adv* **1.** *fam* (*einmal*) **wieder ~** une fois de plus; **das ist nun ~ so** c'est comme ça; **warst du schon ~ in Kanada?** tu as déjà été au Canada? **2.** *fam* (*gerade, eben*) **komm ~ her!** viens ici!; **darf ich dich ~ was fragen?** je peux te demander quelque chose? **3.** MATH fois; **drei ~ vier ist zwölf** trois fois quatre [font] douze
Mal¹ <-[e]s, -e> *nt* fois *f; das erste/letzte ~* la première/dernière fois; **es ist das letzte ~, dass** c'est la dernière fois que; **beim ersten ~** la première fois; **zum ersten ~** pour la première fois; **das eine oder andere ~** de temps en temps; **von ~ zu ~** [à] chaque fois; **ein für alle ~** une fois pour

toutes ▸ **mit einem** ~ tout d'un coup

Mal² <-[e]s, -e> *nt* (*Muttermal*) envie *f* (*fam*); (*Hautverfärbung*) marque *f*

Malaria [ma'la:ria] <-> *f* MED paludisme *m*

Malbuch *nt* album *m* de coloriage

malen ['ma:lən] **I.** *vt* **1.** peindre *Gemälde;* **sich** ~ **lassen** se faire peindre, faire faire son portrait **2.** (*zeichnen*) dessiner **3.** DIAL (*anstreichen*) **etw weiß** ~ peindre qc en blanc **II.** *vi* peindre, faire de la peinture

Maler(in) <-s, -> *m(f)* **1.** (*Kunstmaler*) peintre *m*, artiste *mf* peintre **2.** (*Anstreicher*) peintre *m* [en bâtiment]

Malerei [ma:lə'raj] <-, -en> *f kein Pl* peinture *f*

malerisch I. *adj* (*pittoresk*) pittoresque **II.** *adv gelegen* de façon pittoresque

Malheur [ma'lø:ɐ̯] <-s, -s *o* -e> *nt fam* [petit] accident *m;* **das ist doch kein** ~**!** ce n'est pas une catastrophe!

Malkasten *m* boîte *f* de couleurs, boîte *f* de peintures

mal|nehmen *vt irr* **etw mit etw** ~ multiplier qc par qc

Maloche <-> *f* boulot *m*

malochen* *vi fam* trimer; **in der Fabrik** ~ bosser à l'usine

Malta ['malta] <-s> *nt* Malte

maltesisch *adj* maltais

malträtieren* *vt* rudoyer

Malve ['malvə] <-, -n> *f* mauve *f*

Malz [malts] <-es> *nt* malt *m*

Malzbier *nt* bière *f* de malt

Mama [ma'ma:] <-, -s> *f,* **Mami** [ma'mi] <-, -s> *f fam* maman *f*

Mammut ['mamʊt] <-s, -s *o* -e> *nt* mammouth *m*

Mammutbaum *m* séquoia *m*

mampfen ['mampfən] *fam* **I.** *vi* se goinfrer **II.** *vt* bouffer

man [man] *pron indef* on; ~ **hat festgestellt, dass** on a constaté que, il a été établi que

Management ['mɛnɪdʒmənt] <-s, -s> *nt* management *m*

managen ['mɛnɪdʒən] *vt* **1.** gérer *Firma, Projekt* **2.** servir d'imprésario à *Künstler;* manager *Sportler* **3.** *fam* (*hinkriegen*) gérer *Problem*

Manager(in) ['mɛnɛdʒɐ] <-s, -> *m(f)* **1.** manager *mf* **2.** (*Betreuer*) *eines Künstlers* imprésario *m*, agent *m; eines Sportlers* manager *mf*

manch *pron indef* **1.** ~ **eine Frau** plus d'une femme; ~**e Menschen** bien des hommes; ~ **Interessantes** beaucoup de choses intéressantes, plus d'une chose intéressante **2.** *substantivisch* ~**e lernen es nie** certains ne l'apprendront jamais; ~**e**

von denen, die … beaucoup de ceux/celles qui …; ~**es, was man so hört, …** beaucoup de ce qui est dit …; **in** ~**em** (*was dieses oder jenes betrifft*) sur bien des points; (*in einigem*) sur certains points

mancherlei ['mançɐ'laj] *adj inv* toutes sortes de

manchmal *adv* quelquefois, parfois

Mandant(in) [man'dant] <-en, -en> *m(f)* mandant(e) *m(f)*

Mandarine [manda'ri:nə] <-, -n> *f* mandarine *f*

Mandat [man'da:t] <-[e]s, -e> *nt* POL, JUR mandat *m*

Mandel ['mandəl] <-, -n> *f* **1.** amande *f* **2.** ANAT amygdale *f*

Mandelentzündung *f* amygdalite *f*

Mandoline [mando'li:nə] <-, -n> *f* mandoline *f*

Manege [ma'ne:ʒə] <-, -n> *f* piste *f*

Mangan <-s> *nt* manganèse *m*

Mangel¹ ['maŋəl, *Pl:* 'mɛŋəl] <-s, ⁚> *m* **1.** (*Fehler*) défaut *m* **2.** *kein Pl* (*Knappheit*) manque *m;* ~ **an etw** (*dat*) **haben** manquer de qc **3.** *kein Pl* (*Defizit*) ~ **an Vitaminen** carence *f* en vitamines; **ein** ~ **an Liebe** (*dat*) un manque d'amour; **aus** ~ **an Beweisen** faute de preuves

Mangel² <-, -n> *f* TECH repasseuse *f*

Mangelberuf *m* profession *f* déficitaire

Mangelerscheinung *f* trouble *m* carentiel

mangelhaft I. *adj* **1.** défectueux(-euse) **2.** (*Note*) médiocre **II.** *adv vorbereitet* insuffisamment

mangeln I. *vi unpers* **es mangelt an Medikamenten** les médicaments font défaut; **jdm mangelt es an Zuwendung** qn manque d'attention **II.** *vt* **etw** ~ repasser qc à la machine

mangelnd *adj* insuffisant(e); **das** ~**e Interesse der Schüler** le manque d'intérêt des élèves

mangels *präp* + *gen form* ~ **eines Hammers** à défaut de marteau, faute d'un marteau

Mangelware *f* ▸ **sein** faire défaut

Mango ['maŋgo] <-, -s> *f* mangue *f*

Mangold ['maŋgɔlt] <-[e]s, -e> *m* bette *f*

Mangrove [maŋ'gro:və] <-, -n> *f* mangrove *f*

Manie [ma'ni:] <-, -n> *f* manie *f*

Manier [ma'ni:ɐ̯] <-, -en> *f Pl* (*Umgangsformen*) manières *fpl*

manierlich I. *adj* convenable **II.** *adv sich benehmen, essen* convenablement; ~ **aussehen** être présentable

Manifest [mani'fɛst] <-[e]s, -e> *nt* manifeste *m*

Maniküre [mani'ky:rə] <-, -n> f (Person, Pflege) manucure f
maniküren* vt manucurer
Manipulation [manipula'tsi̯o:n] <-, -en> f geh manipulation f
manipulieren* [manipu'li:rən] geh I. vt manipuler II. vi an etw (dat) ~ bricoler qc
manisch ['man:ɪʃ] adj PSYCH maniaque
manisch-depressiv ['ma:nɪʃdeprɛ'si:f] adj PSYCH maniacodépressif(-ive)
Manko ['maŋko] <-s, -s> nt 1. (Mangel) défaut m 2. COM trou m
Mann [man, Pl: 'mɛnɐ] <-[e]s, ⸚er> m 1. (männliche Person) homme m; ein ~ von Welt un homme du monde; der ~ meines Lebens l'homme de ma vie 2. (Ehemann) mari m; der geschiedene ~ meiner Tante l'ex-mari de ma tante 3. (einzelne Person) pro ~ par personne; ~ gegen ~ kämpfen lutter corps à corps ▶ der ~ auf der Straße l'homme de la rue; der kleine ~ le simple citoyen; mein lieber ~! fam (herrje) eh ben, mon vieux!; (pass bloß auf) mon petit ami!; etw an den ~ bringen fam trouver preneur pour qc; o ~ fam purée!; ~, o ~! fam eh ben, mon vieux!; selbst ist der ~! on n'est jamais si bien servi que par soi-même
Männchen ['mɛnçən] <-s, -> nt 1. Dim von Mann petit homme m 2. (männliches Tier) mâle m 3. (Strichmännchen) bonhomme m ▶ ~ machen Hund: faire le beau
Mannequin ['manəkɛ̃] <-s, -s> nt mannequin m
Männerfreundschaft f amitié f entre hommes **Männersache** f affaire f d'hommes
mannhaft adj courageux
mannigfach adj geh divers
männlich ['mɛnlɪç] I. adj 1. Kind, Erbe du sexe masculin; Tier, Hormon mâle; Geschlecht masculin(e); Geschlechtsteil de l'homme 2. (typisch für einen Mann) masculin(e) 3. Auftreten résolu(e) 4. a. GRAM Frau masculin(e) II. adv sich ~ verhalten se comporter de manière virile; Frau: se comporter de manière masculine
Männlichkeit <-> f virilité f
Mannschaft <-, -en> f 1. von Sportlern, Mitarbeitern équipe f 2. Pl MIL troupes fpl
Mannschaftssport m sport m d'équipe
mannshoch adj à hauteur d'homme
mannstoll adj pej nymphomane
Mannweib nt pej virago f
Manometer [mano'me:tɐ] <-s, -> nt TECH manomètre m
Manöver [ma'nø:vɐ] <-s, -> nt MIL a. fig manœuvre f
manövrieren* [manø'vri:rən] I. vi ma-

nœuvrer; mit etw ~ manœuvrer qc II. vt das Bett durch die Tür ~ faire passer le lit par la porte
manövrierunfähig adj ingouvernable
Mansarde [man'zardə] <-, -n> f mansarde f
Manschette [man'ʃɛtə] <-, -n> f 1. (Ärmelabschluss) poignet m 2. MED (Halskrause) manchon m; (Gummimanschette) brassard m 3. TECH bague f
Manschettenknopf m bouton m de manchette
Mantel ['mantəl, Pl: 'mɛntəl] <-s, ⸚> m 1. manteau m 2. (Radmantel) chape f 3. (Umhüllung) eines Kabels gaine f
manuell [manu'ɛl] adj manuel(le)
Manuskript [manu'skrɪpt] <-[e]s, -e> nt manuscrit m
Mäppchen <-s, -> nt trousse f d'écolier
Mappe ['mapə] <-, -n> f 1. (Dokumentenhülle) chemise f 2. (Zeichenmappe) carton m à dessin 3. (Aktentasche) serviette f
Marathon <-s, -s> m marathon m
Marathonlauf m marathon m **Marathonläufer(in)** m(f) marathonien m **Marathonsitzung** f séance-marathon f
Märchen ['mɛːɐ̯çən] <-s, -> nt 1. LITER conte m 2. fam (erfundene Geschichte) histoire f à dormir debout
Märchenbuch nt livre m de contes
märchenhaft I. adj fabuleux(-euse) II. adv reich fabuleusement; schön merveilleusement
Märchenland nt kein Pl pays m des merveilles **Märchenprinz** m, **-prinzessin** f prince m charmant/princesse f
Marder ['mardɐ] <-s, -> m martre f
Margarine [marga'ri:nə] <-, -n> f margarine f
Margerite [margə'ri:tə] <-, -n> f marguerite f
marginalisieren* vt geh marginaliser
Maria <-s o Mariä> f (Mutter Gottes) Marie f; die heilige ~ la Sainte Vierge
Marienbild nt Madone f **Marienkäfer** [ma'ri:ənkɛːfɐ] m coccinelle f
Marihuana [marihu'a:na] <-s> nt marijuana f
Marille [ma'rɪlə] <-, -n> f A abricot m
Marinade [mari'na:də] <-, -n> f marinade f
Marine [ma'ri:nə] <-, -n> f marine f
marineblau adj bleu marine inv **Marinestützpunkt** m base f navale
marinieren* [mari'ni:rən] vt mariner
Marionette [mari̯o'nɛtə] <-, -n> f a. fig, pej marionnette f
Mark¹ [mark] <-, – o hum ⸚er> f (deut-

sche Währung) mark *m*

Mark² <-[e]s> *nt* **1.** (*Knochenmark*) moelle *f* **2.** (*Fruchtmark*) pulpe *f*

markant [mar'kant] *adj Kinn, Nase, Gesichtszüge* prononcé(e); *Stirn* large; *Schrift* ferme; *Erscheinung* affirmé(e); *Punkt* qui se remarque

Marke ['markə] <-, -n> *f* **1.** marque *f* **2.** (*Briefmarke, Beitragsmarke*) timbre *m* **3.** (*Essensmarke, Garderobenmarke*) ticket *m* **4.** (*Dienstmarke, Erkennungsmarke*) plaque *f* **5.** (*Pegelstand*) marque *f*

Markenartikel *m* article *m* de marque

Markenname *m* [nom *m* de] marque *f*

Markenzeichen *nt* **1.** (*Warenzeichen*) logo *m; von Kleidung* griffe *f* **2.** (*Merkmal*) image *f* de marque

Marker *m* surligneur *m*

markerschütternd *adj* perçant(e)

Marketing ['markətɪŋ] <-s> *nt* marketing *m*

markieren* [mar'kiːrən] *vt* **1.** marquer *Textstelle, Tier;* signaliser *Fahrbahn* **2.** INFORM surligner

Markierung <-, -en> *f* (*die Kennzeichen*) *einer Fahrbahn, Grenze* marquage *m*

markig *adj* puissant

Markise [mar'kiːzə] <-, -n> *f* store *m*

Markstein *m* étape *f* décisive

Markstück *nt* pièce *f* d'un mark

Markt [markt, *Pl:* 'mɛrktə] <-[e]s, ⸚e> *m* **1.** (*Wochenmarkt*) marché *m*; **zum ~ gehen** aller au marché **2.** (*~platz*) [place *f* du] marché *m* **3.** (*Absatzmarkt*) marché *m*; **etw auf den ~ bringen** lancer qc sur le marché; **der Gemeinsame ~** le Marché commun

Marktanalyse *f* analyse *f* de marché

Marktanteil *m* part *f* de marché **marktbeherrschend** *adj attr Firma* qui contrôle le marché; *Stellung* dominant(e) sur le marché; **~ sein** dominer le marché **Marktforschung** *f kein Pl* étude *f* de marché **Marktfrau** *f* marchande *f* [ambulante] **Marktführer** *m* leader *m* **Markthalle** *f* marché *m* couvert **Marktlücke** *f* créneau *m* [commercial] **Marktplatz** *m* place *f* du marché **Marktstand** *m* étal *m* **Marktstellung** *f kein pl* position *f* sur le marché **Marktwert** *m* valeur *f* marchande **Marktwirtschaft** *f kein Pl* économie *f* de marché; **freie ~** économie libérale; **soziale ~** économie sociale de marché

Marmelade [marmə'laːdə] <-, -n> *f* confiture *f*

Marmor ['marmoːɐ̯] <-s, -e> *m* marbre *m*

marmoriert [marmo'riːɐ̯t] *adj* marbré(e)

Marmorkuchen *m* marbré *m*

marode [ma'roːdə] *adj* épuisé(e); **~ sein**

être en piteux état

Marokkaner(in) [marɔ'kaːnɐ] <-s, -> *m(f)* Marocain(e) *m(f)*

marokkanisch *adj* marocain(e)

Marokko [ma'rɔko] <-s> *nt* le Maroc

Marone¹ [ma'roːnə] <-, -n *o* Maroni> *f* (*Kastanie*) marron *m*

Marone² <-, -n> *f* (*Pilz*) bolet *m* bai

Marotte [ma'rɔtə] <-, -n> *f* marotte *f*

Mars [mars] <-> *m* ASTRON Mars *f*; **der ~** la planète Mars

marsch [marʃ] *interj fam* oust[e]; **los, ~!** allez, oust[e]!

Marsch¹ [marʃ, *Pl:* 'mɛrʃə] <-[e]s, ⸚e> *m* (*Fußmarsch, ~musik*) marche *f*

Marsch² <-, -en> *f* GEOG terrains cultivables gagnés sur la mer sur la côte de la Mer du Nord

Marschall(in) ['marʃal] <-s, Marschälle> *m(f)* maréchal(e) *m(f)*

Marschflugkörper *m* missile *m* de croisière

marschieren* [mar'ʃiːrən] *vi + sein* **1.** MIL **durch eine Stadt ~** défiler dans une ville **2.** (*zu Fuß gehen*) marcher

Marschland *s.* **Marsch²**

Marschmusik *f* musique *f* militaire **Marschroute** *f* itinéraire *m*

Marsmensch *m* Martien(ne) *m(f)*

Marter ['martɐ] <-, -n> *f* supplice *m*

Marterl <-s, -n> *nt* A calvaire *m*

martern *vt geh* supplicier

Marterpfahl *m* poteau *m* de torture

martialisch [mar'tsiaːlɪʃ] *adj* martial

Martinshorn® *nt* sirène *f*

Märtyrer(in) ['mɛrtyrɐ] <-s, -> *m(f)* **1.** REL martyr(e) *m(f)* **2.** *fig geh* victime *f*

Martyrium [mar'tyːriʊm] <-s, -rien> *nt* martyre *m*

Marxismus [mar'ksɪsmʊs] <-> *m* marxisme *m*

marxistisch *adj* marxiste

März [mɛrts] <-[es], -e> *m* mars *m; s. a.* **April**

Marzipan [martsi'paːn] <-s, -e> *nt o m* pâte *f* d'amandes

Masche ['maʃə] <-, -n> *f* **1.** (*Schlaufe*) maille *f*; **linke/rechte ~** maille à l'envers/à l'endroit **2.** A, CH (*Schleife*) nœud *m* **3.** *fam* (*Trick*) combine *f*

Maschendraht *m* grillage *m*

Mascherl <-s, -n> *nt* A (*Fliege*) papillon *m*

Maschine [ma'ʃiːnə] <-, -n> *f* **1.** machine *f* **2.** (*Flugzeug*) appareil *m* **3.** *fam* (*Schreibmaschine, Waschmaschine*) machine *f*; [**etw mit der**] **~ schreiben** taper [qc] à la machine **4.** *fam* (*Motor*) moulin *m* **5.** *fam* (*Motorrad*) bécane *f*

maschinell [maʃi'nɛl] *adj* mécanique

Maschinenbau *m kein Pl* **1.** IND construction *f* mécanique **2.** (*Lehrfach*) mécanique *f* **Maschinengewehr** *nt* mitrailleuse *f* **maschinenlesbar** *adj* exploitable par ordinateur **Maschinenöl** *nt* huile *f* de graissage **Maschinenpistole** *f* mitraillette *f* **Maschinenschaden** *m* avarie *f* de machine **Maschinenschlosser(in)** *m(f)* ajusteur-mécanicien *m*/ajusteuse-mécanicienne *f* **Maschinenschrift** *f* dactylographie *f*; **in** ~ dactylographié(e)

maschine|schreiben *s.* Maschine

Maschinist(in) [maʃi'nɪst] <-en, -en> *m(f)* **1.** conducteur(-trice) *m(f)* **2.** NAUT officier *m* mécanicien

Masern ['maːzɐn] *Pl* MED rougeole *f*

Maserung <-, -en> *f* veinure *f*

Maske ['maskə] <-, -n> *f* **1.** *a. fig* masque *m* **2.** THEAT maquillage *m* **3.** INFORM grille *f* d'écran

Maskenball *m* bal *m* masqué

Maskenbildner(in) ['maskənbɪldnɐ] <-s, -> *m(f)* maquilleur(-euse) *m(f)*

maskenhaft *adj* figé(e)

maskieren* [mas'kiːrən] **I.** *vt* (*verkleiden, verbergen*) masquer **II.** *vr* **sich als Clown** ~ se déguiser en clown

Maskierung <-, -en> *f* déguisement *m*

Maskottchen [mas'kɔtçən] <-s, -> *nt* mascotte *f*

maskulin [masku'liːn] *adj* masculin(e)

Masochist(in) [mazɔ'çɪst] <-en, -en> *m(f)* masochiste *mf*

masochistisch *adj* masochiste

Maß¹ [maːs] <-es, -e> *nt* **1.** (~*einheit*) mesure *f* **2.** (*Bandmaß*) mètre *m* **3.** *Pl* (*Abmessungen, Körpermaße*) mesures *fpl*; **nach** ~ sur mesure **4.** (*Ausmaß, Umfang*) proportions *fpl*; **in zunehmendem** ~e de plus en plus; **in dem** ~[e], **wie ...** dans la mesure où ... ▶ ~ **halten** ne pas faire d'excès; **in** ~en avec mesure

Maß² <-, -> *f* SDEUTSCH, A chope *f* (*d'un litre*)

Massage [ma'saːʒə] <-, -n> *f* massage *m*

Massaker [ma'saːkɐ] <-s, -> *nt* massacre *m*

massakrieren* [masa'kriːrən] *vt* massacrer

Maßanzug *m* costume *m* sur mesure **Maßarbeit** *f* travail *m* sur mesure

Masse ['masə] <-, -n> *f* **1.** (*ungeformter Stoff*) masse *f* **2.** (*Teigmasse, Zutatenmasse*) mélange *m* **3.** (*große Menge*) foule *f*; **in** ~n en masse **4.** (*Großteil der Bevölkerung*) **die breite** ~ le grand public **5.** PHYS masse *f* **6.** (*Konkursmasse*) **mangels** ~ par manque d'actif

Maßeinheit *f* unité *f* de mesure

Massenandrang *m* affluence *f* **Massenarbeitslosigkeit** *f* chômage *m* généralisé **Massenartikel** *m* article *m* de grande consommation **Massengrab** *nt* fosse *f* commune

massenhaft *adj* massif(-ive)

Massenkarambolage ['masənkarambo'laːʒə] *f* carambolage *m* monstre **Massenmedien** [-meːdiən] *Pl* media *mpl* **Massenmord** *m* massacre *m* collectif **Massenproduktion** *f* production *f* de masse **Massentierhaltung** *f* élevage *m* en batterie **massenweise** *s.* **massenhaft**

Masseur(in) [ma'søːɐ] <-s, -e> *m(f)* masseur(-euse)[-kinésithérapeute] *m*

Masseuse [ma'søːzə] <-, -n> *f* masseuse *f*

Maßgabe *f form* **mit der** ~, **dass** sous réserve que + *subj*

maßgebend déterminant

maßgeblich *adj Kreise* autorisé(e); *Einfluss, Bedeutung, Urteil* déterminant(e); **für jdn nicht** ~ **sein** ne pas être déterminant pour qn

maßgeschneidert *adj Kleidung* sur mesure

maß|halten *s.* Maß¹

massieren* [ma'siːrən] **I.** *vt* masser *Körper* **II.** *vi* faire des massages

massig **I.** *adj Gestalt, Möbelstück* massif(-ive) **II.** *adv fam* des masses

mäßig ['mɛːsɪç] **I.** *adj* **1.** *Preis, Steigerung* modéré(e) **2.** (*leidlich, gering*) médiocre; *Applaus* timide; *Verdienst* modeste **II.** *adv* **1.** *essen, trinken, rauchen* modérément **2.** (*gering*) ~ **ausfallen** atteindre des chiffres modestes **3.** (*leidlich*) moyennement

mäßigen **I.** *vt* modérer **II.** *vr* **sich** ~ se modérer

Mäßigung <-> *f* modération *f*

massiv [ma'siːf] *adj* **1.** massif(-ive); **aus** ~**em Gold** en or massif **2.** (*solide*) **ein** ~**er Bau** une construction en dur **3.** (*heftig*) vif(vive)

Massiv [ma'siːf] <-s, -e> *nt* massif *m*

Maßkrug *m* chope *f* (*d'un litre*)

maßlos **I.** *adj* démesuré(e) **II.** *adv* excessivement

Maßlosigkeit <-> *f* démesure *f*

Maßnahme ['maːsnaːmə] <-, -n> *f* mesure *f*; ~**n gegen etw ergreifen** prendre des mesures contre qc

Maßregel *f meist Pl* disposition *f* **maßregeln** *vt* prendre des mesures disciplinaires contre **Maßstab** *m* **1.** échelle *f*; **eine Landkarte im** ~ **1:10000** une carte à l'échelle de 1/10000e **2.** (*Kriterium*) critère *m*

maßstab[s]getreu *adj, adv* à l'échelle **maßvoll** **I.** *adj* modéré(e) **II.** *adv* avec modération

Mast¹ [mast] <-[e]s, -en *o* -e> *m* **1.** *a.* NAUT mât *m* **2.** (*Lichtmast, Telefonmast*) poteau *m* **3.** (*Hochspannungsmast*) pylône *m*

Mast² <-, -en> *f* engraissement *m*

mästen ['mɛstən] *vt* engraisser

masturbieren* **I.** *vi* se masturber **II.** *vt* masturber

Matchball ['mɛtʃbal] *m* balle *f* de match

Mate <-> *m* maté *m*

Material [materi'aːl] <-s, -ien> *nt* **1.** (*Rohstoff*) matériau *m* **2.** (*Ausrüstungsgegenstände*) matériel *m* pas de pl **3.** (*Unterlagen*) matériaux *mpl*

Materialfehler *m* défaut *m* de matériel

Materialismus [materia'lɪsmʊs] <-> *m* matérialisme *m*

materialistisch **I.** *adj* matérialiste **II.** *adv* ~ **denken** avoir l'esprit matérialiste

Materie [ma'teːriə] <-, -n> *f* **1.** *kein Pl* matière *f* **2.** *geh* (*Thema*) sujet *m*

materiell [materi'ɛl] **I.** *adj* **1.** (*wirtschaftlich orientiert*) matériel(le) **2.** *pej Person* matérialiste **3.** (*stofflich*) matériel(le); *Eigenschaft* physique **II.** *adv pej* ~ **eingestellt sein** avoir l'esprit matérialiste

Mathe ['matə] <-> *f fam* math[s] *fpl*

Mathematik [matema'tiːk] <-> *f* mathématiques *fpl*

mathematisch [mate'maːtɪʃ] *adj* mathématique

Matjes <-, -> *m jeune hareng mariné dans du sel*

Matratze [ma'tratsə] <-, -n> *f* matelas *m*

Mätresse [mɛ'trɛsə] <-, -n> *f* maîtresse *f; eines Königs* favorite *f*

matriarchalisch [matriar'çaːlɪʃ] *adj* matriarcal(e)

Matriarchat [matriar'çaːt] <-[e]s, -e> *nt* matriarcat *m*

Matrix <-, Matrizen *o* Matrizes> *f* matrice *f*

Matrixdrucker *m* INFORM imprimante *f* matricielle

Matrize [ma'triːtsə] <-, -n> *f* stencil *m*

Matrose [ma'troːzə] <-n, -n> *m* matelot *m*

Matsch [matʃ] <-[e]s> *m* **1.** (*Schlamm*) gadoue *f* **2.** (*Schneematsch*) soupe *f* **3.** (*breiige Masse*) bouillie *f*

matschig *adj fam* **1.** (*schlammig*) boueux(-euse), bourbeux(-euse) **2.** (*aufgeweicht*) boueux(-euse) **3.** *Frucht* écrabouillé(e); ~ **sein** être de la bouillie

matt [mat] **I.** *adj* **1.** (*kraftlos*) las(se); *Glieder* fatigué(e) **2.** *Lächeln* pâle; *Stimme* éteint(e) **3.** (*glanzlos*) terne; *Metall, Politur* mat(e) **4.** (*trübe*) faible; *Farbe* pâle **5.** (*undurchsichtig*) dépoli(e); *Glühbirne* translu-

cide **6.** SPIEL ~ **sein** être mat *inv* **II.** *adv* (*schwach*) erhellen faiblement

Matt [mat] <-s, -s> *nt* SPIEL mat *m*

Matte ['matə] <-, -n> *f* **1.** (*Unterlage zum Liegen*) natte *f*; (*Isomatte*) matelas *m*; SPORT tapis *m* **2.** (*Fußmatte*) paillasson *m*; (*im Auto*) tapis *m* de sol **3.** CH, A (*Bergwiese*) alpage *m*

Mattigkeit <-> *f* lassitude *f*

Matura [ma'tuːra] <-> *f* A, CH baccalauréat *m*

Mauer ['mauɐ] <-, -n> *f* **1.** *a.* SPORT mur *m* **2.** (*Stadtmauer*) enceinte *f*

Mauerblümchen ['mauɐblyːmçən] *nt fam* jeune fille *f* qui fait tapisserie

mauern *vt* maçonner *Mauer, Keller*

Maul [maul, *Pl:* 'mɔylɐ] <-[e]s, Mäuler> *nt* **1.** *eines Tiers* gueule *f* **2.** *fam* (*Mund*) gueule *f* **3.** *fam* (*Mundwerk*) gueule *f*; **mach's** ~ **auf!** ouvre-la!; **halt's** ~! [ferme] ta gueule! ▸**ein großes** ~ **haben** *fam* avoir une grande gueule

maulen *vi fam* râler

Maulesel *m* mulet *m* **maulfaul** *adj fam* pas très causant(e) **Maulheld(in)** *m(f) pej* grande gueule *f* (*fam*) **Maulkorb** *m eines Hundes* muselière *f* **Maultasche** *f* raviole souabe **Maultier** *s.* Maulesel **Maul- und Klauenseuche** *f* fièvre *f* aphteuse **Maulwurf** <-[e]s, -würfe> *m a. fig fam* (*Spitzel*) taupe *f* **Maulwurfshügel** *m* taupinière *f*

Maurer(in) ['mauɐ] <-s, -> *m(f)* maçon(ne) *m(f)*

Maurerkelle *f* truelle *f*

Maus [maus, *Pl:* 'mɔyzə] <-, Mäuse> *f* **1.** *a.* INFORM souris *f* **2.** *fam* (*Mädchen*) nénette *f* **3.** *Pl fam* (*Geld*) pèze *m*

mauscheln *vi fam* magouiller

Mausefalle *f* souricière *f* **Mauseloch** *nt* trou *m* de souris

Mauser ['mauzɐ] <-> *f* mue *f*; **in der** ~ **sein** être en train de muer

mausern *vr* sich ~ **1.** *Vogel:* muer **2.** *fam* (*sich vorteilhaft verändern*) se métamorphoser

mausetot ['mauzə'toːt] *adj fam* ~ **sein** être [bel et] bien mort

Mausklick *m* INFORM **per** ~ en cliquant; **mit jedem** ~ chaque fois qu'on clique

Mausoleum [mauzo'leːʊm] <-s, Mausoleen> *nt* mausolée *m*

Mauspad ['mauspɛt] <-s, -s> *nt* INFORM tapis *m* souris **Maustreiber** *m* INFORM drive[u]r *m* de la souris

Maut <-, -en> *f,* **Mautstelle** *f bes.* A péage *m*

Maxi <-s> *nt kein art* ~ **tragen** porter du long

Maxima *Pl von* **Maximum**

maximal [maksi'ma:l] **I.** *adj* maximum **II.** *adv* au maximum; **das ~ zulässige Gewicht** le poids maximal autorisé

Maxime <-, -n> *f geh* maxime *f*

maximieren* *vt* maximiser

Maximum ['maksimʊm] <-s, Maxima> *nt* maximum *m*

Mayonnaise [majo'nɛ:zə] *s.* Majonäse

mazedonisch *adj* macédonien

Mäzen [mɛ'tse:n] <-s, -e> *m* mécène *m*

MB [ɛm'be:] *nt Abk von* Megabyte Mo *m*

m. E. *Abk von* **meines Erachtens** à mon avis

Mechanik [me'ça:nɪk] <-> *f* mécanique *f*

Mechaniker(in) <-s, -> *m(f)* mécanicien(ne) *m(f)*

mechanisch *adj* mécanique

Mechanismus [meça'nɪsmʊs] <-, -nismen> *m* mécanisme *m*

meckern ['mɛkən] *vi* **1.** *Ziege:* bêler **2.** *fam* (*nörgeln*) **über jdn/etw ~** râler contre qn/qc

Mecklenburg-Vorpommern ['mɛklənbʊrg'fo:ɐ̯pɔmən] <-s> *nt* Mecklembourg-Poméranie-Antérieure [*o* Orientale]

Medaille [me'daljə] <-, -n> *f* médaille *f*

Medaillon [medal'jõ:] <-s, -s> *nt* médaillon *m*

Medien ['me:diən] *Pl* **1.** *Pl von* **Medium 2.** (*Informationsmittel*) média *mpl*

mediengerecht *adj* médiatique **Medienlandschaft** *f* paysage *m* médiatique **Medienrummel** *m fam* tapage *m* médiatique **Medienspektakel** *nt* spectacle *m* médiatique **medienwirksam** *adj* médiatique

Medikament [medika'mɛnt] <-[e]s, -e> *nt* médicament *m*

medikamentös [medikamɛn'tø:s] **I.** *adj* médicamenteux(-euse) **II.** *adv* avec des médicaments

Meditation [medita'tsi̯o:n] <-, -en> *f* méditation *f*

meditieren* [medi'ti:rən] *vi* méditer

Medium ['me:diʊm] <-s, -dien> *nt* **1.** (*Mensch*) médium *m* **2.** *geh* (*vermittelndes Element*) intermédiaire *m* **3.** PHYS milieu *m*

Medizin [medi'tsi:n] <-, -en> *f* **1.** *kein Pl* (*Heilkunde*) médecine *f* **2.** *fam* (*Medikament*) médicament *m*

Mediziner(in) <-s, -> *m(f)* médecin *mf*

medizinisch I. *adj* **1.** *Ausbildung, Gebiet* médical(e); *Fakultät, Prüfung* de médecine **2.** (*ärztlich*) médical(e) **3.** *Bad, Zahnpasta* traitant(e); *Tee* médicinal(e); *Anwendung* curatif(-ive) **II.** *adv* **1.** *vorgebildet* dans le domaine médical **2.** (*ärztlich*) médicalement

Medizinmann <-männer> *m eines Naturvolks* guérisseur *m*

Meer [me:ɐ̯] <-[e]s, -e> *nt a. fig* mer *f;* **ans ~ fahren** aller à la mer; **am ~** au bord de la mer

Meerbusen *m* golfe *m* **Meerenge** <-, -n> *f* détroit *m*

Meeresarm *m* bras *m* de mer **Meeresforschung** *f* océanographie *f* **Meeresfrüchte** *Pl* fruits *mpl* de mer **Meereskunde** *s.* **Meeresforschung**

Meeresspiegel *m* niveau *m* de la mer **Meerrettich** *m* raifort *m* **Meerschweinchen** ['me:ɐ̯ʃvai̯nçən] *nt* cochon *m* d'Inde **Meerwasser** *nt* eau *f* de mer

Meeting ['mi:tɪŋ] <-s, -s> *nt* réunion *f*

Megabyte [mega'bait, 'me:gabait] *nt* méga-octet *m*

Megahertz ['megahɛrts] *nt* méga-hertz *m*

Megaphon [mega'fo:n] <-s, -e> *nt* mégaphone *m*

Mehl [me:l] <-[e]s, -e> *nt* farine *f*

mehlig *adj* **1.** (*mit Mehl bestäubt*) enfariné(e) **2.** *Apfel, Kartoffel* farineux(-euse)

Mehlschwitze ['me:lʃvɪtsə] *f* roux *m* **Mehlspeise** *f* A pâtisserie *f*

mehr [me:ɐ̯] **I.** *pron indef, inv Komp von* **viel** plus; **~ Brot** plus de pain **II.** *adv* **1.** (*in größerem Maße*) davantage; **sich noch ~ ärgern** se fâcher encore plus **2.** (*in Verbindung mit Verneinungen*) **nicht ~ rauchen** ne plus fumer; **nichts ~ sagen** [ne …] plus rien dire; **nie ~** [ne …] plus jamais; **niemand/keiner ~** [ne] … plus personne; **kein Geld/keine Zeit ~ haben** ne plus avoir d'argent/le temps

Mehr <-[s]> *nt* **1.** (*zusätzlicher Aufwand*) surcroît *m;* **~ an Arbeit** (*dat*) surcroît de travail **2.** CH (*Stimmenmehrheit*) majorité *f*

mehrbändig ['me:ɐ̯bɛndɪç] *adj* en plusieurs volumes

mehrdeutig ['me:ɐ̯dɔytɪç] **I.** *adj* Anspielung, Aussage ambigu(ë) **II.** *adv* de façon ambiguë

Mehrdeutigkeit <-> *f* ambiguïté *f*

mehrdimensional *adj* multidimensionnel(le)

mehrere ['me:rərə] *pron indef* plusieurs; **~s** plusieurs choses *fpl*

mehrfach I. *adj* **1.** (*vielfach*) multiple **2.** (*wiederholt*) réitéré(e) **II.** *adv* **1.** ausgezeichnet, operiert à plusieurs reprises

Mehrfachsteckdose *f* prise *f* multiple **Mehrfamilienhaus** *nt* immeuble *m* **mehrfarbig** *adj* multicolore

Mehrheit <-, -en> *f* majorité *f;* **in der ~ sein** être majoritaire

mehrheitlich *adv* majoritairement

Mehrheitswahlrecht *nt kein Pl* scrutin *m*

majoritaire **mehrjährig** *adj* pluriannuel **mehrmalig** *adj* réitéré **mehrmals** *adv* plusieurs fois **mehrsprachig** I. *adj Person* polyglotte; *Land, Wörterbuch* plurilingue II. *adv abfassen* en plusieurs langues; ~ **erzogen werden** recevoir une éducation plurilingue **mehrstimmig** *adj, adv* à plusieurs voix **mehrstöckig** ['meːɐ̯ʃtœkɪç] I. *adj* de plusieurs étages II. *adv* sur plusieurs étages **mehrtägig** ['meːɐ̯tɛːgɪç] *adj* de plusieurs jours **Mehrwegverpackung** *f* emballage *m* réutilisable **Mehrwertsteuer** *f* taxe *f* à la valeur ajoutée **mehrwöchig** *adj* de plusieurs semaines **Mehrzahl** <-> *f* **1.** die ~ der Besucher la plupart des visiteurs **2.** (*Überzahl*) **wir sind in der ~** nous sommes plus nombreux(-euses) **3.** GRAM pluriel *m;* **in der ~** au pluriel **Mehrzweckhalle** *f* salle *f* polyvalente

meiden ['maɪdən] <mied, gemieden> *vt geh* éviter

Meile ['maɪlə] <-, -n> *f* (*1,609 km*) mil[l]e *m*

Meilenstein *m* **1.** borne *f* **2.** *geh* (*wichtiger Einschnitt*) date[-]clé *f* **meilenweit** *adv laufen* pendant des kilomètres; *sich erstrecken* sur des kilomètres

mein [maɪn] *pron poss* **1.** ~ **Bruder** mon frère; **~e Schwester/Freundin** ma sœur/mon amie; **~e Eltern** mes parents; **~e Damen und Herren** mesdames, messieurs; **dieses Buch ist ~[e]s** ce livre est à moi **2.** *substantivisch* **der/die/das ~e** le mien/la mienne; **das sind die ~en** ce sont les miens/miennes **3.** (*üblich*) **ich mache jetzt ~ Nickerchen** je vais faire mon petit roupillon habituel

Meineid ['maɪnʔaɪt] *m* parjure *m;* **einen ~ leisten** faire un parjure

meinen ['maɪnən] I. *vt* **1.** (*denken, urteilen*) penser; **~, dass** penser que; **man sollte ~, dass das ausreicht** on pourrait croire que cela est suffisant **2.** (*sagen*) **~, dass** dire que **3.** (*sagen wollen*) **was meinst du damit?** qu'est-ce que tu entends par là? **4.** (*im Sinn, Auge haben*) **meinst du die Blonde da?** tu parles de la blonde là?; **du bist gemeint!** c'est de toi qu'il s'agit! **5.** (*beabsichtigen*) **es gut/nicht gut mit jdm ~** vouloir du bien à qn/ ne pas vouloir du bien à qn; **es ernst ~** le penser sérieusement; **das war [von mir] nicht böse gemeint** je ne pensais pas à mal; **so war das nicht gemeint** ce n'est pas ce que j'ai voulu dire; **gut gemeint sein** être bien intentionné ~ **Sie?** vous croyez?; **wie ~ Sie?** que voulez-vous dire?; **[ganz] wie Sie ~!** comme vous voudrez!; **wenn Sie ~!** si vous voulez!

meiner *pron pers gen von* **ich** *geh* **wer erbarmt sich ~?** qui a pitié de moi?

meinerseits ['maɪnɐ'zaɪts] *adv* **1.** (*ich wiederum*) de mon côté **2.** (*was mich betrifft*) pour ma part ▸ **ganz** ~ de même pour moi

meines *s.* **mein**

meinesgleichen ['maɪnəs'glaɪçən] *pron inv* **ich verkehre nur mit ~** je ne fréquente que mes semblables

meinetwegen ['maɪnət've:gən] *adv* **1.** (*wegen mir*) à cause de moi **2.** (*mir zuliebe*) pour moi **3.** (*wenn es nach mir ginge*) s'il n'en tient qu'à moi **meinetwillen** *adv* **um ~** pour moi

Meinung <-, -en> *f* avis *m,* opinion *f;* **der ~ sein, dass** être d'avis que; **meiner ~ nach** à mon avis; **anderer ~ sein** être d'un avis différent; **seine ~ ändern** changer d'avis

Meinungsäußerung *f* **das Recht auf freie ~** la liberté d'expression **Meinungsaustausch** *m* échange *m* de vues **Meinungsforschung** *f* sondage *m* d'opinion **Meinungsforschungsinstitut** *nt* institut *m* de sondage **Meinungsfreiheit** *f kein Pl* liberté *f* d'expression **Meinungsumfrage** *f* sondage *m* [d'opinion] **Meinungsverschiedenheit** *f* **1.** (*Unterschiedlichkeit von Ansichten*) divergence *f* d'opinions **2.** *euph* (*Auseinandersetzung*) différend *m*

Meise ['maɪzə] <-, -n> *f* mésange *f*

Meißel ['maɪsəl] <-s, -> *m* ciseau *m*

meißeln I. *vi* travailler au burin; **an einem Stein ~** travailler une pierre au burin II. *vt* **1.** ciseler *Inschrift;* sculpter *Skulptur* **2.** (*ein-~*) **etw in etw** (*akk*) ~ graver qc dans qc

meist [maɪst] *s.* **meistens**

meistbietend *adv* **etw ~ verkaufen** vendre qc au plus offrant

meiste *pron indef Superl von* **viel 1.** (*der überwiegende Teil*) **die ~n Leute** la plupart des gens; **die ~ Zeit** la majeure partie de son/mon/… temps; **die ~n** la plupart; **das ~** la plus grande partie **2.** (*die größte Gesamtmenge*) **die ~n Probleme macht mir diese Frage** c'est cette question qui me pose le plus de problèmes; **das ~** le plus **meistens** *adv* le plus souvent

Meister(in) ['maɪstɐ] <-s, -> *m(f)* **1.** (*Handwerksmeister*) contremaître(-esse) *m(f);* (*Chef*) patron(ne) *m(f)* **2.** *fam* (*~prüfung*) **den ~ machen** *fam* passer sa maîtrise **3.** SPORT champion(ne) *m(f)* **4.** KUNST, MUS, REL maître *m*

Meisterbrief *m* brevet *m* de maîtrise **meisterhaft** I. *adj* magistral(e) II. *adv malen, spielen* admirablement [bien]

meisterlich *s.* **meisterhaft**

Meinungen äußern

• Meinungen/Ansichten ausdrücken	• exprimer son opinion/point de vue

Ich finde/meine/denke, sie sollte sich für ihr Verhalten entschuldigen.

Je trouve/pense qu'elle devrait s'excuser pour son comportement.

Er war **meiner Meinung nach** ein begnadeter Künstler.

C'était un artiste exceptionnel, **à mon avis.**

Ich bin der Meinung/Ansicht, dass jeder ein Mindesteinkommen erhalten sollte.

Je pense/suis d'avis que chaque personne devrait recevoir un salaire minimum.

Eine Anschaffung weiterer Maschinen ist **meines Erachtens** nicht sinnvoll.

À mon avis, l'achat de machines supplémentaires n'est d'aucun intérêt.

• Meinungen erfragen, um Beurteilung bitten

• demander les opinions et jugements

Was ist Ihre Meinung?
Quelle est votre opinion?

Was meinen Sie dazu?
Qu'en pensez-vous?

Wie sollten wir **Ihrer Meinung nach** vorgehen?
Comment devrions-nous procéder, **à votre avis?**

Was hältst du von der neuen Regierung?
Que penses-tu du nouveau gouvernement?

Findest du das Spiel langweilig?
Est-ce que tu trouves le jeu ennuyeux?

Denkst du, so kann ich gehen?
Tu crois que je peux sortir comme ça?

Was sagst du zu ihrem neuen Freund?
Que penses-tu de son nouvel ami?

Glaubst du, das ist so richtig?
Tu crois que c'est bien comme ça?

Hältst du das für möglich?
Crois-tu que c'est possible?

Meinst du, sie hat Recht?
Tu penses qu'elle a raison?

Wie gefällt dir meine neue Haarfarbe?
Est-ce que ma nouvelle couleur de cheveux **te plaît?**

Kannst du mit dieser Theorie **etwas anfangen?**
Est-ce que cette théorie **te dit quelque chose?**

Wie lautet Ihr Urteil über unser neues Produkt?
Que pensez-vous de notre nouveau produit?

Wie urteilen Sie darüber?
Quel est votre point de vue/Quelle est votre opinion à ce sujet?

---

meistern *vt* venir à bout de
Meisterprüfung *f* brevet *m* professionnel
Meisterschaft <-, -en> *f* SPORT championnat *m;* ~ **im Boxen** championnat de boxe
Meisterstück *nt* **1.** *a.* KUNST chef-d'œuvre *m* **2.** *iron* (*Meisterleistung*) exploit *m*
Meisterwerk *nt* chef-d'œuvre *m*
Melancholie [melaŋko'li:] <-, -n> *f* mélancolie *f*
melancholisch [melaŋ'ko:lɪʃ] *adj* mélancolique
Melange [me'lãʒə] <-, -n> *f* A café *m* au lait
Melanzani [melan'tsa:ni] <-, -> *f* A aubergine *f*
Meldefrist *f* délai *m* de déclaration de changement de domicile

melden ['mɛldən] **I.** *vt* **1.** signaler *Verlust, Vorfall;* déclarer, faire la déclaration de *Unfall, Todesfall* **2.** MEDIA (*veröffentlichen*) rapporter; (*ankündigen*) annoncer; **wie soeben gemeldet wird** selon les [dernières] informations **3.** (*denunzieren*) **jdn bei jdm** ~ dénoncer qn à qn **4.** (*an~*) **wen darf ich ~?** qui dois-je annoncer? **II.** *vr* **1.** (*die Hand heben*) **sich** ~ lever le doigt; **sich im Unterricht kaum** ~ participer très peu en cours **2.** (*sich zur Verfügung stellen*) **sich zu etw** ~ se porter volontaire pour qc **3.** (*am Telefon*) **sich** ~ répondre; **es meldet sich keiner** ça ne répond pas **4.** (*sich bemerkbar machen*) **sich bei jdm** ~ se manifester auprès de qn

Meldepflicht *f* 1.(*Anzeigepflicht*) déclaration *f* obligatoire 2.(*Pflicht zur An- und Abmeldung*) obligation de déclarer tout changement de domicile au service administratif compétent

meldepflichtig *adj* ~ **sein** devoir être obligatoirement déclaré **Meldeschein** *m* [formulaire *m* de] déclaration *f* de changement de domicile **Meldezettel** *m* 1.(*im Hotel*) fiche *f* de renseignements 2.A *s.* Meldeschein

Meldung <-, -en> *f* 1. MEDIA information *f;* ~en vom **Sport** nouvelles *fpl* sportives 2.(*offizielle Mitteilung*) déclaration *f* [officielle]; ~ **erstatten** faire son rapport

meliert [me'li:ɐ̯t] *adj Wolle, Teppich* chiné(e); [grau] ~e **Haare** des cheveux poivre et sel

Melisse <-, -n> *f* mélisse *f*

melken ['mɛlkən] <melkte, gemolken> **I.** *vt* 1.traire *Kuh, Ziege;* **frisch gemolkene Milch** du lait bourru 2.*fam* (*finanziell ausnutzen*) soutirer du fric à **II.** *vi* faire la traite

Melkmaschine *f* trayeuse *f*

Melodie [melo'di:] <-, -n> *f* mélodie *f*

melodisch [me'lo:dɪʃ] *adj* mélodieux(-euse)

Melodram <-s, -en> *nt* mélodrame *m*

melodramatisch [melodra'ma:tɪʃ] *adj* mélodramatique

Melone [me'lo:nə] <-, -n> *f* 1.(*Honigmelone*) melon *m;* (*Wassermelone*) pastèque *f* 2.*fam* (*Hut*) [chapeau *m*] melon *m*

Membran [mɛm'bra:n] <-, -en>, **Membrane** [mɛm'bra:nə] <-, -n> *f* TECH, BIO membrane *f*

Memoiren [memo'a:rən] *Pl* mémoires *mpl*

Menge ['mɛŋə] <-, -n> *f* 1.quantité *f;* **eine kleine** ~ **Zucker** une petite quantité de sucre 2.*fam* (*großes Quantum*) **eine** ~ **Leute/Arbeit** un tas de gens/travail; **eine ganze** ~ **Äpfel** pas mal de/beaucoup de pommes; **das ist eine** ~ **Geld!** c'est une sacrée somme!; **eine** ~ **lernen** apprendre beaucoup de choses 3.(*Menschenmenge*) foule *f* 4. MATH ensemble *m*

mengen **I.** *vt* mélanger; **etw in den Teig** ~ mélanger qc à la pâte **II.** *vr fam* **sich unter die Besucher** ~ se mêler aux visiteurs

Mengenlehre *f kein Pl* théorie *f* des ensembles **Mengenrabatt** *m* remise *f* sur achat en quantité

Menhir <-s, -e> *m* menhir *m*

Meniskus <-, Menisken> *m* ANAT ménisque *m*

Mensa ['mɛnza] <-, Mensen> *f* restaurant *m* universitaire

Mensch [mɛnʃ] <-en, -en> *m* 1.(*Person*) personne *f;* **ein höflicher/guter** ~ quelqu'un de poli/de bien; **viele ~en meinen, dass** beaucoup de gens sont d'avis que; **viel unter ~en kommen** voir du monde 2.(*Gattung*) homme *m* 3. *Pl* (*Menschheit*) **die ~en** les hommes *mpl* 4.*fam* (*Ausruf*) ~ [**Meier**]! putain!

Menschenaffe *m* singe *m* anthropoïde **menschenfeindlich** *adj Person, Haltung* misanthrope; *Klima, Landschaft* hostile; *Politik* néfaste **Menschenfresser(in)** <-s, -> *m(f) fam* cannibale *mf* **Menschenhandel** *m* traite *f* des esclaves **Menschenkenntnis** *f kein Pl* connaissance *f* du genre humain **Menschenkette** *f* chaîne *f* humaine **Menschenleben** *nt* 1. **der Unfall forderte zwei** ~ l'accident a coûté la vie à deux personnes 2.(*Leben eines Menschen*) vie *f* d'un homme **menschenleer** *adj* désert(e) **Menschenmenge** *f* foule *f* **Menschenrechte** *Pl* droits *mpl* de l'homme **menschenscheu** *adj* insociable **Menschenskind** *interj fam* 1.(*Ausdruck der Freude, des Erstaunens*) nom de Dieu 2.(*Ausdruck des Vorwurfs, Ärgers*) bon Dieu

menschenunwürdig **I.** *adj* indigne d'un être humain **II.** *adv* de façon inhumaine **menschenverachtend** *adj* méprisant(e) pour le genre humain **Menschenverstand** ▸ **der gesunde** ~ le bon sens **Menschenwürde** *f* dignité *f* humaine

Menschheit <-> *f* humanité *f*

menschlich **I.** *adj* 1.humain(e) 2.*fam Aussehen* présentable **II.** *adv* 1.humainement 2.*fam* (*annehmbar*) **wieder** ~ **aussehen** être de nouveau présentable

Menschlichkeit <-> *f* humanité *f*

Mensen *Pl von* Mensa

Menstruation [mɛnstrua'tsi̯o:n] <-, -en> *f* règles *fpl*

menstruieren* *vi* avoir ses règles

mental [mɛn'ta:l] *adj* mental(e)

Mentalität [mɛntali'tɛːt] <-, -en> *f* mentalité *f*

Menthol [mɛn'to:l] <-s> *nt* menthol *m*

Menü [me'ny:] <-s, -s> *nt* GASTR, INFORM menu *m*

menügesteuert *adj* INFORM commandé(e) par menu

Menüleiste *f* INFORM barre *f* de menu

Meridian [meri'di̯a:n] <-s, -e> *m* méridien *m*

Merkblatt *nt* notice *f*

merken ['mɛrkən] *vt* 1.(*wahrnehmen, erkennen*) voir; **jdn etw nicht** ~ **lassen** ne pas montrer qc à qn 2.(*im Gedächtnis behalten*) **sich** (*dat*) **etw** ~ retenir qc; **sich**

(*dat*) **etw nicht ~ können** ne pas arriver à retenir qc; **merk dir das!** *fam* rentre-toi ça dans le crâne!

merklich I. *adj* sensible **II.** *adv* sensiblement; **sich ~ verändern** *Person:* changer beaucoup; **heute ist es ~ wärmer** il fait nettement plus chaud aujourd'hui

Merkmal <-s, -e> *nt* caractéristique *f;* **ein charakteristisches ~** un signe caractéristique; **besondere ~e: ...** signes *mpl* particuliers: ...

Merkur [mɛr'ku:ɐ̯] <-s> *m* Mercure *f;* **der ~** la planète Mercure

merkwürdig I. *adj* étrange **II.** *adv* étrangement; **~ riechen** avoir une drôle d'odeur

merkwürdigerweise *adv* curieusement

messbarRR, **meßbar** *adj* mesurable

MessbecherRR, **Meßbecher** *m* verre *m* mesureur

Messdiener(in)RR, **Meßdiener(in)** *m(f)* enfant *mf* de chœur

Messe ['mɛsə] <-, -n> *f* **1.** (*Gottesdienst*) messe *f* **2.** (*Ausstellung*) foire[-exposition] *f* **3.** NAUT carré *m* [des officiers]

Messegelände *nt* parc *m* des expositions

Messehalle *f* hall *m* des expositions

messen ['mɛsən] <misst, maß, gemessen> **I.** *vt* **1.** (*ermitteln*) mesurer; **Fieber ~** prendre la température **2.** (*aus~, ver~*) mesurer *Fenster* **3.** (*beurteilen*) **etw an etw** (*dat*) **~** mesurer qc d'après qc **II.** *vi* **70 m²** ~ *Wohnung:* faire 70 m² **III.** *vr geh* **sich nicht mit jdm ~ können** ne pas être de taille à rivaliser avec qn

Messer ['mɛsɐ] <-s, -> *nt* couteau *m*

messerscharf I. *adj* **1.** *Kante* coupant(e) **2.** *fig* Verstand aigu(ë) **II.** *adv* argumentieren, kombinieren très subtilement; schlussfolgern avec une grande perspicacité **Messerspitze** *f* **1.** pointe *f* du couteau **2.** (*Prise*) **eine ~ Salz** une pointe de sel **Messerstecherei** <-, -en> *f* bagarre *f* au couteau

Messestand *m* stand *m* de foire

MessgerätRR *nt* **~ für die Einschaltquote** audimat *m*

Messias [mɛ'si:as] <-> *m* REL **der ~** le Messie

Messing ['mɛsɪŋ] <-s> *nt* laiton *m*

MessinstrumentRR, **Meßinstrument** *nt* instrument *m* de mesure **Messlatte**RR, **Meßlatte** *f*, **Messstab**RR, **Meßstab** *m* jalon *m*

Messung *s.* Messwert

MesswertRR, **Meßwert** *m* mesure *f*

Metall [me'tal] <-s, -e> *nt* métal *m;* **aus ~** en métal; **~ verarbeitend** *Industrie* métallurgique

Metallarbeiter(in) *m(f)* métallurgiste *mf*

metallen *adj* en métal

metallhaltig *adj* métallifère

metallic [me'talɪk] *adj inv* métallisé(e)

Metallindustrie *f* industrie *f* métallurgique

metallisch I. *adj* (*aus Metall, metallartig*) métallique **II.** *adv* **~ glänzen** avoir des reflets métalliques

metallverarbeitend *s.* Metall

Metapher [me'tafɐ] <-, -n> *f* métaphore *f*

Metastase [meta'sta:zə] <-, -n> *f* métastase *f*

Meteor [mete'o:ɐ̯] <-s, -e> *m* météore *m*

Meteorit [meteo'ri:t] <-en *o* -s, -e[n]> *m* météorite *m*

Meteorologe [meteoro'lo:gə] <-n, -n> *m*, **Meteorologin** *f* météorologiste *mf*

Meteorologie [meteorolo'gi:] <-> *f* météorologie *f*

meteorologisch [meteoro'lo:gɪʃ] *adj* météorologique

Meter ['me:tɐ] <-s, -> *m o nt* mètre *m;* **zwei ~ groß sein** faire deux mètres; **zwei ~ hoch sein** faire deux mètres de haut[eur]; **der laufende ~** le mètre courant

meterdick *adj* épais d'un mètre **meterhoch** *adj* haut d'un mètre **meterlang** *adj* (*einen Meter lang*) long d'un mètre **Metermaß** *nt* **1.** (*Bandmaß*) mètre *m* [à] ruban **2.** (*Zollstock*) mètre *m* pliant **Meterware** *f* marchandise *f* au mètre **meterweise** *adv* verkaufen au mètre

Methode [me'to:də] <-, -n> *f* **1.** (*Verfahren*) méthode *f* **2.** *Pl* (*Vorgehensweise*) méthodes *fpl*

methodisch *adj* Vorgehensweise méthodique

Metro ['me:tro] <-, -s> *f* métro *m*

Metronom <-s, -e> *nt* métronome *m*

Metropole [metro'po:lə] <-, -n> *f* **1.** *geh* (*Hauptstadt*) capitale *f* **2.** (*Zentrum*) métropole *f*

Metzger(in) ['mɛtsgɐ] <-s, -> *m(f)* DIAL boucher(-ère) *m(f); (für Wurstwaren)* charcutier(-ière) *m(f)*

Metzgerei [mɛtsgə'raj] <-, -en> *f* DIAL boucherie *f; (für Wurstwaren)* charcuterie *f*

Meute ['mɔytə] <-, -n> *f a. pej* meute *f*

Meuterei [mɔytə'raj] <-, -en> *f* mutinerie *f*

meutern ['mɔytɐn] *vi* **1.** (*sich auflehnen*) se mutiner, se révolter **2.** *fam* (*meckern*) rouspéter

Mexiko ['mɛksiko] <-s> *nt* le Mexique

MEZ [ɛmʔeːˈtsɛt] *Abk von* mitteleuropäische Zeit heure *f* d'Europe centrale

MFG [ɛmɛfˈgeː] <-, -s> *f* possibilité *f* de covoiturage

MfS [ɛmɛfˈɛs] *nt* services de Sécurité de l'ex-R.D.A.

MHz *Abk von* **Megahertz** MHz
miauen* *vi* miauler
mich [mɪç] **I.** *pron pers, akk von* **ich**:
ohne/für ~ sans/pour moi; **er sieht/be-**
obachtet ~ il me voit/m'observe **II.** *pron*
refl **ich wasche** ~ je me lave; **ich schäme**
~ j'ai honte
mick[e]rig *adj pej fam Kerl* maigrichon(ne);
Pflanze rabougri(e); *Summe, Trinkgeld* minable
Mief [miːf] <-[e]s> *m pej fam* **1.** (*Geruch*
von verbrauchter Luft) odeur *f* de renfermé; (*Abgasmief*) air *m* vicié **2.** (*Beengt-*
heit) *einer Kleinstadt* la vie étriquée
miefen *vi pej fam* [s]chlinguer
Miene ['miːnə] <-, -n> *f* mine *f*; **mit**
freundlicher ~ d'un air sympathique
mies [miːs] *adj fam* **1.** *Person, Essen, Wetter*
dégueulasse; *Unterkunft* minable **2.** (*krank*)
sich ~ **fühlen** se sentir patraque
Miese *Pl fam* ▶ **in den** ~**n sein** être dans le
rouge
Miesmuschel ['miːsmʊʃəl] *f* moule *f*
Miete ['miːtə] <-, -n> *f* (*Wohnungsmiete*)
loyer *m;* **zur** ~ **wohnen** être locataire
mieten *vt* louer
Mieter(in) <-s, -> *m(f)* locataire *mf*
Mieterhöhung *f* hausse *f* de loyer
Mieterschutz *m* défense *f* des locataires
mietfrei *adj* ~**es Wohnen** logement *m* gratuit **Mietrecht** *nt* droit *m* locatif **Miets-**
haus *nt* immeuble *m* locatif **Mietvertrag**
m contrat *m* de location **Mietwagen** *m*
voiture *f* de location **Mietwohnung** *f* [lo-
gement *m* en] location *f*
Migräne [mi'grɛːnə] <-, -n> *f* migraine *f;*
~ **haben** avoir la migraine
Mikro ['mikro] <-s, -s> *nt fam Abk von*
Mikrofon micro *m*
Mikrobe [mi'kroːbə] <-, -n> *f* microbe *m*
Mikrochip ['miːkrotʃɪp] <-s, -s> *m* INFORM
puce *f* **Mikrocomputer** *m* micro[-]ordina-
teur *m* **Mikroelektronik** [mikroe-
lɛk'troːnɪk] *f* microélectronique *f* **Mikro-**
faser *f* micro-fibre *f* **Mikrofiche** ['miːkro-
fiːʃ] <-s, -s> *m o nt* microfiche *f* **Mikro-**
film ['miːkrofɪlm] *m* microfilm *m* **Mikro-**
fon [mikro'foːn] <-s, -e> *nt* microphone
m **Mikroorganismus** ['miːkroɔrganɪs-
mʊs] *m* micro[-]organisme *m* **Mikrophon**
s. **Mikrofon Mikroprozessor** ['miːkro-
pro'tsɛsoːɐ] *m* INFORM microprocesseur *m*
Mikroskop [mikro'skoːp] <-s, -e> *nt*
microscope *m* **Mikrowelle** ['miːkrovɛlə]
f **1.** PHYS micro-onde *f* **2.** *fam* (*Herd*) micro-
ondes *m* **Mikrowellenherd**
['miːkro'vɛlənheːɐt] *m* four *m* à micro-
ondes
Milbe <-, -n> *f* acarien *m*

Milch [mɪlç] <-> *f* (*Tiermilch, Mutter-*
milch, Pflanzensaft) lait *m*
Milcheis *nt* glace *f* au lait **Milchflasche** *f*
1. (*Flasche für Milch*) bouteille *f* à lait
2. (*Babyfläschchen*) biberon *m*
milchig ['mɪlçɪç] *adj Glas* opale; *Flüssigkeit*
laiteux(-euse)
Milchkaffee *m* café *m* au lait **Milchkänn-**
chen *nt* petit pot *m* de lait **Milchkuh** *f* lai-
tière *f* **Milchprodukt** *nt* produit *m* laitier
Milchpulver *nt* lait *m* en poudre **Milch-**
reis *m* riz *m* au lait **Milchshake** [-ʃeːk]
<-s, -s> *m* milk-shake *m* **Milchstraße** *f*
die ~ la Voie lactée **Milchtüte** *f* brique® *f*
de lait **Milchzahn** *m* dent *f* de lait
mild[e] I. *adj* **1.** *Klima, Licht, Shampoo, Ge-*
schmack doux(douce) **2.** *Prüfer, Richter, Be-*
urteilung, Worte indulgent(e); *Urteil* clé-
ment(e) **II.** *adv* **1.** ~ **gewürzt** peu épicé(e)
2. (*nachsichtig*) **das Urteil fiel** ~[e] **aus** le
verdict fut clément
Milde <-> *f* **1.** *des Klimas, Geschmacks* douceur *f* **2.** (*Nachsichtigkeit*) clémence *f*
mildern ['mɪldɐn] **I.** *vt* **1.** adoucir *Ge-*
schmack, Geruch **2.** commuer *Strafmaß*
3. (*lindern*) atténuer *Not, Armut* **II.** *vr* sich
~ *Schmerzen, Wut:* s'atténuer; *Wetter:* se radoucir
Milderung <-> *f* atténuation *f*
mildtätig *adj geh Person* charitable; *Organi-*
sation caritatif(-ive)
Milieu [mɪ'ljøː] <-s, -s> *nt* **1.** (*soziales*
Umfeld) milieu *m* **2.** (*Lebensraum*) milieu
m [naturel] **3.** *fam* (*Prostitutionsszene*) milieu *m* [de la prostitution]
militant [mili'tant] *adj Demonstrant, Gesin-*
nung combatif(-ive); *Gruppe, Organisation*
activiste
Militär [mili'tɛːɐ] <-s> *nt* **1.** (*Soldaten*)
militaires *mpl* **2.** (*Armee*) armée *f*
Militärdienst *m kein Pl* service *m* militaire
militärisch *adj* militaire
Militarismus <-> *m* militarisme *m*
Militarist(in) <-en, -en> *m(f)* militariste
mf
Militärregierung *f* gouvernement *m* militaire **Militärstützpunkt** *m* position *f* stratégique de défense
Miliz [mi'liːts] <-, -en> *f* (*Polizeiverband*)
milice *f*
Milliardär(in) [mɪljar'dɛːɐ] <-s, -e> *m(f)*
milliardaire *mf*
Milliarde [mɪl'jardə] <-, -n> *f* milliard *m*
milliardenschwer *adj* **1.** (*mehr als eine*
Milliarde wert seiend/kostend) qui vaut
plus d'un milliard **2.** (*mehr als eine Milliar-*
de besitzend) milliardaire
Milligramm [mɪli'gram] *nt* milligramme
m **Milliliter** *m* millilitre *m* **Millimeter**

[mɪli'meːtɐ] m o nt millimètre m
Millimeterpapier nt papier m millimétré
Million [mɪ'lɪ̯oːn] <-, -en> f million m
Millionär(in) [mɪlɪ̯o'nɛːɐ̯] <-s, -e> m(f) millionnaire mf
Millionenbetrag m montant m d'un million **millionenschwer** adj fam Erbin, Industrieller multimillionnaire **Millionenstadt** f ville f de plus d'un million d'habitants
millionste(r, s) adj millionième
Millionstel <-s, -> nt millionième m
Milz [mɪlts] <-, -en> f rate f
Milzbrand m MED maladie f du charbon
mimen vt fam simuler
Mimik ['miːmɪk] <-> f mimique f
mimisch adj mimique
Mimose [mi'moːzə] <-, -n> f **1.** BOT mimosa m **2.** pej (Mensch) **eine ~ sein** être d'une sensibilité exacerbée
mimosenhaft pej adj hypersensible
min., Min. Abk von **Minute[n]** mn
minder adv moins
mindere(r, s) ['mɪndərə, -rɐ, -rəs] adj attr moindre
Minderheit <-, -en> f minorité f; **in der ~ sein** être minoritaire
minderjährig adj mineur(e) **Minderjährige(r)** f(m) dekl wie adj mineur(e) m(f)
mindern geh **I.** vt réduire **II.** vr **sich ~** diminuer
Minderung <-, -en> f geh réduction f
minderwertig adj **1.** Material, Produkt de moindre qualité **2.** fig **sich ~ fühlen** se sentir inférieur(e) **Minderwertigkeit** <-> f mauvaise qualité f **Minderwertigkeitskomplex** m complexe m d'infériorité
Minderzahl f **in der ~ sein** être en minorité
mindestens adv au moins
Mindestgebot nt enchère f minimum **Mindesthaltbarkeitsdatum** nt date f limite de conservation **Mindestlohn** m salaire m minimum **Mindestmaß** nt strict minimum m
Mine ['miːnə] <-, -n> f mine f
Minenfeld nt champ m de mines
Mineral [mine'raːl] <-s, -e o -ien> nt minéral m
mineralisch adj minéral
Mineralogie [mineralo'giː] <-> f minéralogie f
Mineralöl nt huile f minérale **Mineralölgesellschaft** f compagnie f pétrolière **Mineralölsteuer** f taxe f sur les produits pé-

troliers **Mineralstoffe** Pl sels mpl minéraux **Mineralwasser** nt eau f minérale
mini adj mini
Mini <-s, -s> m fam minijupe f
Miniatur [minia'tuːɐ̯] <-, -en> f miniature f
Minibar f minibar m **Minigolf** nt minigolf m
Minima Pl von **Minimum**
minimal [mini'maːl] **I.** adj minime **II.** adv dans des proportions minimes
Minimalwert m valeur f minimale
Minimum ['miːnimʊm] <-s, **Minima>** nt **1.** geh (Mindestmaß) [strict] minimum m **2.** METEO (niedrigster Wert) minimum m
Minipizza f minipizza f
Minirock m minijupe f
Minister(in) [mi'nɪstɐ] <-s, -> m(f) ministre mf
ministeriell [minɪsteri'ɛl] adj attr ministériel(le)
Ministerium [minɪs'teːriʊm] <-s, -rien> nt ministère m
Ministerpräsident(in) m(f) ministre-président(e) m(f) **Ministerrat** m Conseil m des ministres
Ministrant(in) [minɪs'trant] <-en, -en> m(f) REL enfant mf de chœur
Minnesänger m ≈ troubadour m
minus ['miːnʊs] **I.** präp + gen **tausend Euro ~ Mehrwertsteuer** mille euros moins la TVA **II.** konj MATH moins **III.** adv **1.** (unter Null) moins; **einige Grad ~** quelques degrés en dessous de zéro **2.** ELEC **von plus nach ~ fließen** Strom: aller du pôle positif au pôle négatif
Minus <-> nt **1.** déficit m **2.** (Manko) point m négatif
Minuspol m **1.** ELEC pôle m négatif **2.** PHYS pôle m magnétique négatif **Minuspunkt** m **1.** (Strafpunkt) pénalité f **2.** (Manko) point m négatif **Minuszeichen** nt signe m moins
Minute [mi'nuːtə] <-, -n> f minute f; **es ist zehn ~n nach/vor acht** il est huit heures dix/moins dix; **in letzter ~** à la dernière minute
Minutenzeiger m grande aiguille f
Minze ['mɪntsə] <-, -n> f menthe f
Mio. Abk von **Million[en]** million[s]
mir [miːɐ̯] **I.** pron pers, dat von **ich mit ~** avec moi; **er folgt/hilft ~** il me suit/m'aide; **dieses Fahrrad gehört ~** c'est mon vélo; **er ist ein Freund von ~** il est un de mes amis; **es geht ~ heute besser** je vais mieux aujourd'hui; **das wird ~ gut tun** ça me fera du bien; **das ist ~ egal** ça m'est égal; **sag es ~!** dis-le-moi! ▸**von ~ ~ aus!** fam j'ai rien contre! **II.** pron refl **ich wa-**

sche ~ **die Haare** je me lave les cheveux; **ich werde** ~ **einen Pulli anzeihen** je vais mettre un pull

Mirabelle [mira'bɛlə] <-, -n> *f* **1.** (*Frucht*) mirabelle *f* **2.** (*Baum*) mirabellier *m*

Mischbrot *nt* pain *m* bis

mischen ['mɪʃən] **I.** *vt* **1.** (*vermengen*) mélanger **2.** (*hinein~*) **etw unter den Teig** ~ mélanger qc à la pâte **3.** (*herstellen*) préparer **4.** SPIEL mélanger **II.** *vr* **1.** (*sich ver~*) **sich** ~ *Flüssigkeiten, Substanzen:* se mélanger **2.** (*sich begeben*) **sich unter die Menge** ~ se mêler à la foule **3.** (*sich ein~*) **sich in etw** (*akk*) ~ se mêler de qc

Mischform *f* mélange *m;* ~ **aus etw und etw** (*dat*) mélange de qc et de qc

Mischling ['mɪʃlɪŋ] <-s, -e> *m* **1.** (*Mensch*) métis(se) *m(f)* **2.** ZOOL bâtard *m*

Mischmasch ['mɪʃmaʃ] <-[e]s, -e> *m fam* mixture *f*

Mischmaschine *f* bétonnière *f* **Mischpult** *nt* pupitre *m* de mixage

Mischung <-, -en> *f* mélange *m*

Mischwald *m* forêt *f* d'essences mixtes

miserabel [mizə'raːbəl] **I.** *adj* **1.** *Zustand, Leistung, Film* lamentable; *Wetter, Essen, Wein* exécrable **2.** *Kerl, Benehmen* infâme antéposé **3.** (*krank*) **sich** ~ **fühlen** se sentir mal **II.** *adv* **1.** (*sehr schlecht*) lamentablement; ~ **schmecken** avoir un goût infect **2.** (*gemein*) de façon infâme

Misere [mi'zeːrə] <-, -n> *f geh* situation *f* désastreuse

missachten*RR [mɪs'ʔaxtən], **mißachten*** *vt* **1.** ne pas respecter *Vorschrift;* ne pas tenir compte de *Rat, Warnung* **2.** mésestimer *Person;* dédaigner *Hilfe, Angebot*

MissachtungRR, **Mißachtung** *f* **1.** (*Geringschätzung*) mépris *m* **2.** (*Ignorierung*) einer *Vorschrift* non-respect *m; eines Ratschlags, einer Warnung* non-prise *f* en compte

MissbehagenRR, **Mißbehagen** <-s> *nt geh* malaise *m*

MissbildungRR, **Mißbildung** <-, -en> *f* malformation *f*

missbilligen*RR [mɪs'bɪlɪgən], **mißbilligen*** *vt* désapprouver

missbilligendRR, **mißbilligend** **I.** *adj Blick* désapprobateur(-trice); *Worte* de désapprobation **II.** *adv* d'un air réprobateur

MissbilligungRR, **Mißbilligung** <-> *f* désapprobation *f*

MissbrauchRR, **Mißbrauch** *m von Drogen, Medikamenten* abus *m; eines Feuermelders, einer Notbremse* emploi *m* abusif; ~ **des Amtes** abus de fonction;

sexueller ~ abus sexuel

missbrauchen*RR [mɪs'brauxən], **mißbrauchen*** *vt* **1.** utiliser *Person;* abuser de *Vertrauen* **2.** faire un usage abusif de *Medikament;* utiliser abusivement *Feuermelder, Notbremse* **3.** (*vergewaltigen*) **jdn sexuell** ~ abuser sexuellement de qn

missdeuten*RR [mɪs'dɔytən], **mißdeuten*** *vt* mal interpréter *Worte, Geste*

MisserfolgRR, **Mißerfolg** *m einer Person* échec *m; eines Stücks* fiasco *m*

MissernteRR, **Mißernte** *f* mauvaise récolte *f*

Missetat ['mɪsətaːt] *f hum* sale tour *m*

missfallen*RR [mɪs'falən], **mißfallen*** *vi irr geh* **jdm** ~ déplaire à qn

MissfallenRR, **Mißfallen** <-s> *nt* mécontentement *m*

missgebildetRR, **mißgebildet** *adj, adv* mal formé(e)

MissgeburtRR, **Mißgeburt** *f* MED enfant *mf* mal formé(e)

MissgeschickRR, **Mißgeschick** *nt* malheur *m*

missglücken*RR [mɪs'glʏkən], **mißglücken*** *vi + sein Versuch, Plan:* échouer

missgönnen*RR [mɪs'gœnən], **mißgönnen*** *vt* envier; **jdm etw** ~ envier qc à qn

MissgriffRR, **Mißgriff** *m* mauvais choix *m*

MissgunstRR, **Mißgunst** *f* jalousie *f*

missgünstigRR, **mißgünstig** *adj* jaloux(-ouse)

misshandeln*RR [mɪs'handəln], **mißhandeln*** *vt* maltraiter

MisshandlungRR [mɪs'handlʊŋ], **Mißhandlung** *f* mauvais traitements *mpl*

Mission [mɪs'ioːn] <-, -en> *f* mission *f*

Missionar(in) [mɪsio'naːɐ̯] <-s, -e> *m(f),* **Missionär(in)** [mɪsio'nɛːɐ̯] <-s, -e> *m(f)* A missionnaire *mf*

missionarisch [mɪsio'naːrɪʃ] **I.** *adj* missionnaire **II.** *adv* ~ **tätig sein** être missionnaire

MissklangRR, **Mißklang** *m* **1.** MUS dissonance *f* **2.** (*Unstimmigkeit*) désaccord *m*

MisskreditRR, **Mißkredit** *m kein Pl* **jdn in** ~ **bringen** discréditer qn; **in** ~ **geraten** se discréditer

misslingenRR [mɪs'lɪŋən] <misslang, misslungen>, **mißlingen** <mißlang, mißlungen> *vi + sein Versuch, Plan:* échouer

MisslingenRR, **Mißlingen** <-s> *nt* échec *m*

MissmanagementRR, **Mißmanagement** [-mɛnɛdʒmənt] *nt* erreurs *fpl* de management

MissmutRR, **Mißmut** *m* mauvaise humeur *f*

missmutigRR, **mißmutig** *adj, adv* de mauvaise humeur

missraten*RR [mɪsˈraːtən], **mißraten*** vi
irr + sein rater; **ein ~es Kind** un enfant
mal élevé

MissstandRR, **Mißstand** m anomalie f

misstrauen*RR [mɪsˈtrauən], **mißtrauen*** vi se méfier; **jdm/einer S. ~** se
méfier de qn/qc

MisstrauenRR [ˈmɪstrauən], **Mißtrauen**
<-s> nt méfiance f

MisstrauensantragRR, **Mißtrauensan-
trag** m POL motion f de censure **Misstrau-
ensvotumRR, Mißtrauensvotum** [mɪs-
ˈtrauənsvoːtʊm] nt POL vote m de défiance

misstrauischRR, **mißtrauisch** I. adj mé-
fiant(e) II. adv avec méfiance

MissverhältnisRR, **Mißverhältnis** nt disproportion f

missverständlichRR, **mißverständlich** I.
adj qui prête à équivoque II. adv darstellen,
sich ausdrücken d'une façon qui prête à
équivoque

MissverständnisRR, **Mißverständnis**
<-ses, -se> nt 1. malentendu m 2. meist
Pl (Meinungsverschiedenheit) désaccords
mpl

missverstehen*RR, **mißverstehen*** vt irr
jdn/etw ~ comprendre qn/qc de travers;
sich missverstanden fühlen se sentir
mal compris(e)

MisswirtschaftRR, **Mißwirtschaft** f mauvaise gestion f

Mist [mɪst] <-[e]s> m 1. (Dung) fumier m
2. fam (Unsinn, wertlose Sachen) conneries fpl; **~ bauen** fam faire des conneries
3. fam (Ärger) [so ein] ~! merde!

Mistel [ˈmɪstəl] <-, -n> f gui m

Mistgabel f fourche f à fumier **Misthau-
fen** m tas m de fumier **Mistkäfer** m bou-
sier m **Miststück** nt pej fam (gemeine
Frau) salope f (vulg)

mit [mɪt] I. präp + dat 1. (zur Angabe der
Art und Weise) avec, au moyen de; **etw ~
Absicht tun** faire qc exprès; **~ großen
Schritten** à grands pas 2. (per) ~ **dem
Fahrrad** à vélo; **~ dem Bus/Auto/Flug-
zeug** en bus/voiture/avion; **~ dem Lkw**
par camion; **~ der Post/Bahn** par la pos-
te/le train 3. (in Begleitung von, einschließlich) avec 4. (versehen ~) avec;
eine Tüte ~ Bonbons un sac de bonbons;
Tee ~ Rum du thé au rhum 5. (zur Angabe des Zeitpunkts) à; **~ 18 [Jahren]** à 18
ans 6. fam (und dazu) du **~ deiner Arroganz!** toi et ton arrogance! 7. (hinsichtlich) **~ einem Vorschlag einverstanden
sein** être d'accord avec une proposition; **~
dem Rauchen aufhören** arrêter de fumer
II. adv **bist du ~ dabei gewesen?** est-ce

que tu y étais aussi?

Mitarbeit f 1. (Mitwirkung) collaboration f;
~ an etw (dat) collaboration à qc 2. SCHU-
LE, UNIV participation f; **die ~ im Unterricht** la participation en cours

mitlarbeiten vi 1. (mitwirken) **an etw**
(dat) ~ collaborer à qc 2. SCHULE, UNIV **im
Unterricht ~** participer en cours 3. fam
(ebenfalls arbeiten) bosser aussi

Mitarbeiter(in) m(f) 1. (Beschäftigter) col-
laborateur(-trice) m(f) 2. (Honorarkraft)
freier ~/freie ~in collaborateur m indé-
pendant/collaboratrice f indépendante

mitlbekommen* vt irr 1. (mitgegeben bekommen) recevoir 2. entendre Lärm, Streit
3. (verstehen) comprendre

mitlbenutzen* vt utiliser aussi

mitlbestimmen* I. vi avoir voix au chapitre; Arbeitnehmer: prendre part à la gestion
II. vt influer sur Entscheidung, Verfahrensweise

Mitbestimmung f 1. participation f 2. (im
Betrieb) **betriebliche ~** cogestion f d'entreprise

Mitbestimmungsrecht nt droit m de cogestion

Mitbewohner(in) m(f) 1. **sein ~/seine
~in** celui/celle avec qui il partage son logement 2. (Wohnungsnachbar) voisin(e)
m(f)

mitlbringen vt irr 1. (besorgen) apporter
2. (begleitet werden von) amener 3. montrer Erfahrungen, Wissen

Mitbringsel [ˈmɪtbrɪŋzəl] <-s, -> nt fam
petit quelque chose m

Mitbürger(in) m(f) concitoyen(ne) m(f)

mitldenken vi irr 1. (überlegt handeln) réfléchir 2. (aufmerksam sein) **bei etw ~**
suivre qc attentivement

mitldürfen vi irr fam pouvoir venir; **mit
jdm ~** pouvoir venir avec qn

Miteigentümer(in) m(f) copropriétaire mf

miteinander [mɪtʔaɪˈnandɐ] adv 1. (gemeinsam) ensemble 2. (untereinander)
gut ~ auskommen s'entendre bien

Miteinander [mɪtʔaɪˈnandɐ] <-s> nt coopération f

Miterbe m, -erbin f cohéritier(-ière) m(f)

mitlessen irr I. vt manger [avec]; **die Schale ~** manger la peau [avec] II. vi **mit jdm ~**
manger avec qn

Mitesser <-s, -> m point m noir

mitlfahren vi irr + sein faire le voyage; **mit
jdm ~** faire le voyage avec qn

Mitfahrgelegenheit f possibilité f de faire
le voyage avec qn **Mitfahrzentrale** f société f de covoiturage

mitlfühlen vi avoir de la compassion; **mit
jdm ~** avoir de la compassion pour qn

mitfühlend I. *adj* compatissant(e) **II.** *adv* avec compassion

mit|führen *vt* **1.** *form* (*bei sich haben*) **etw** ~ avoir qc [avec soi] **2.** (*transportieren*) **etw** ~ *Fluss:* charrier qc

mit|geben *vt irr* (*auf den Weg geben*) *a. fig* donner; **jdm ein Buch für jdn** ~ donner un livre à qn pour qn

Mitgefühl *nt kein Pl* sympathie *f*

mit|gehen *vi irr* + *sein* **1.** (*begleiten*) **mit jdm** ~ accompagner qn **2.** (*sich mitreißen lassen*) se laisser emporter ▶ **etw** ~ **lassen** *fam* piquer qc

Mitgift <-, -en> *f* dot *f*

Mitglied *nt* membre *m*

Mitgliederversammlung *f* assemblée *f* générale

Mitgliedsausweis *m* carte *f* de membre

Mitgliedsbeitrag *m* cotisation *f*

Mitgliedschaft <-, -en> *f* appartenance *f*

Mitgliedsstaat *m* État *m* membre

mit|haben *vt irr fam* **etw** ~ avoir qc sur soi

mit|halten *vi irr* (*mitmachen*) suivre; (*nicht unterliegen*) tenir tête

mit|helfen *vi irr* aider

Mithilfe *f kein Pl* aide *f*

mit|hören *vt* surprendre

Mitinhaber(in) *m(f)* associé(e) *m(f)*

mit|kommen *vi irr* + *sein* **1.** (*begleiten*) venir; **mit jdm** ~ venir avec qn **2.** (*mitgeschickt werden*) **mit etw** ~ *Gepäck, Brief:* arriver avec qc **3.** *fam* (*mithalten, mitmachen können*) suivre

mit|können *vi irr fam* **mit jdm** ~ pouvoir venir avec qn

mit|kriegen *s.* mitbekommen

mit|laufen *vi irr* + *sein* **1.** (*ebenfalls laufen*) courir [aussi] **2.** (*in Betrieb sein*) *Tonband:* tourner; *Propeller, Kolben:* fonctionner **3.** *fam* (*nebenher erledigt werden*) **dieses kleine Projekt läuft [nur] mit** ce petit projet est réalisé en parallèle

Mitläufer(in) *m(f) pej* suiveur(-euse) *m(f)*

Mitlaut *m* consonne *f*

Mitleid *nt* pitié *f;* ~ **mit jdm haben** avoir pitié de qn; **aus** ~ par pitié

Mitleidenschaft *f* jdn in ~ ziehen laisser des traces sur qn

mitleidig I. *adj* **1.** (*mitfühlend*) compatissant(e) **2.** *iron* (*verächtlich*) dédaigneux(-euse) **II.** *adv* **1.** (*voller Mitgefühl*) avec compassion **2.** *iron* (*verächtlich*) avec dédain

mitleid[s]los *adj* impitoyable

mit|machen I. *vi* **1.** (*teilnehmen*) participer; **bei etw** ~ participer à qc; **machst du mit?** tu es partant(e)? **2.** *fam* (*keine Probleme bereiten*) *Herz, Beine:* tenir le coup; *Wetter:* être de la partie **II.** *vt* **1.** (*sich betei-*

ligen) participer à **2.** *fam* (*erleiden*) **viel mitgemacht haben** en avoir vu des vertes et des pas mûres **3.** *fam* (*ebenfalls erledigen*) se taper

Mitmensch *m* semblable *mf*

mit|müssen *vi irr fam* (*mitgehen müssen*) être obligé d'y aller; (*mitkommen müssen*) être obligé de venir

mit|nehmen *vt irr* **1.** (*mit sich nehmen*) prendre; **jdn im Auto** ~ prendre qn en voiture **2.** (*körperlich erschöpfen*) épuiser **3.** (*psychisch belasten*) bouleverser **4.** (*in Mitleidenschaft ziehen*) causer des dégâts à **5.** *fam* faire *Sehenswürdigkeit*

mit|reden *vi* avoir son mot à dire; **bei etw** ~ avoir son mot à dire dans qc

Mitreisende(r) *f(m)* voyageur *m*

mit|reißen *vt irr* **1.** (*mit sich reißen*) **etw** ~ *Lawine, Strömung:* emporter qc **2.** (*begeistern*) enthousiasmer

mitreißend *adj* enthousiasmant(e)

mitsamt [mɪt'zamt] *präp* + *dat* **das Portmonee** ~ **den Papieren** le porte-monnaie avec tous les papiers

mit|schreiben *irr* **I.** *vt* prendre en note; **etw** ~ prendre qc en note **II.** *vi* prendre des notes

Mitschuld *f* complicité *f;* **seine/ihre** ~ **an etw** (*dat*) (*Mittäterschaft*) sa complicité dans qc; (*Mitverantwortung*) sa part *f* de responsabilité dans qc

mitschuldig *adj* complice; **an etw** (*dat*) ~ **sein** (*Mittäter sein*) être complice de qc; (*mitverantwortlich sein*) avoir une part de responsabilité dans qc

Mitschüler(in) *m(f)* (*Schulkamerad*) camarade *mf* d'école

mit|spielen *vi* **1.** jouer aussi; **bei etw** ~ jouer aussi à qc **2.** SPORT jouer **3.** CINE, THEAT **in „Hamlet" als Ophelia** ~ tenir le rôle d'Ophélie dans "Hamlet" **4.** *fam* (*mitmachen*) **da spiele ich nicht mit!** je ne marche pas! **5.** (*zusetzen*) **jdm übel** ~ jouer un sale tour à qn

Mitspieler(in) *m(f)* coéquipier *m*

Mitspracherecht *nt kein Pl* droit *m* de regard

Mittag[1] ['mɪtaːk] <-[e]s, -e> *m* **1.** (~*szeit*) midi *m;* **zu** ~ **essen** déjeuner; **einen Salat zu** ~ **essen** manger une salade à midi **2.** *fam* (~*spause*) ~ **machen** faire la pause de midi

Mittag[2] <-s> *nt* DIAL *fam* déjeuner *m*

Mittagessen *nt* déjeuner *m,* dîner *m* (BELG, CH); **was gibt es heute zum** ~**?** qu'est-ce qu'on mange à midi?

mittags *adv* à midi

Mittagspause *f* pause *f* de midi; ~ **machen** faire la pause de midi **Mittagsruhe** *f*

1. (*das Ausruhen*) repos *m* de midi **2.** (*Stille*) **die ~ einhalten** respecter le repos de midi **Mittagsschlaf** *m* sieste *f* **Mittagstisch** *m* **1.** (*gedeckter Tisch*) table *f* du déjeuner **2.** (*Menü*) menu *m* du déjeuner **Mittagszeit** *f* heure *f* du déjeuner
Mittäter(in) *m(f)* complice *mf*
Mitte ['mɪtə] <-, -n> *f* **1.** milieu *m;* **in der ~ der Straße** au milieu de la route; **sie nahmen ihn in die ~** ils l'ont pris entre eux **2.** (*Mittelpunkt*) centre *m* **3.** (*bei Zeitangaben*) **~ des Jahres** au milieu de l'année; **~ Januar** à la mi-janvier **4.** (*bei Altersangaben*) **~ zwanzig sein** avoir environ vingt-cinq ans **5.** POL centre *m*
mit|teilen I. *vt* annoncer; **jdm etw ~** annoncer qc à qn **II.** *vr geh* (*kommunizieren*) **sich jdm ~** se confier à qn
mitteilsam *adj* communicatif(-ive)
Mitteilung *f* communication *f;* **die ~ bekommen, dass** être informé que
Mittel ['mɪtəl] <-s, -> *nt* **1.** (*Medikament*) médicament *m; (Hausmittel, Heilmittel*) remède *m* **2.** (*Methode*) moyen *m* **3.** *Pl* (*Geldmittel*) moyens *mpl* **4.** (*Durchschnitt*) moyenne *f*
Mittelalter *nt* **das ~** le Moyen Âge **mittelalterlich** *adj* médiéval(e) **Mittelamerika** *nt* l'Amérique *f* centrale
mittelbar *adj* indirect
Mitteleuropa *nt* l'Europe *f* centrale **mitteleuropäisch** *adj* d'Europe centrale **Mittelfeld** *nt* **1.** *kein Pl* (*Teil des Spielfelds*) centre *m* du terrain **2.** (*Teilnehmergruppe*) [gros *m* du] peloton *m* **Mittelfinger** *m* majeur *m* **mittelfristig** *adj, adv* à moyen terme **Mittelklassewagen** *m* voiture *f* [de] milieu de gamme **Mittellinie** *f* **1.** *einer Straße* ligne *f* médiane; **durchgezogene ~** ligne continue **2.** SPORT ligne *f* médiane **mittellos** *adj* sans ressources **Mittelmaß** *nt kein Pl* [petite] moyenne *f* **mittelmäßig** *adj* médiocre **Mittelmeer** *nt* **das ~** la [mer] Méditerranée **mittelprächtig** *fam* **I.** *adj iron* pas très brillant(e) **II.** *adv* comme ci, comme ça **Mittelpunkt** *m* **1.** (*Punkt*) centre *m; einer Geraden* milieu *m* **2.** *fig* (*Zentrum*) centre *m* **3.** *fig* (*zentrale Figur*) personnage *m* central
mittels *geh* **I.** *präp + gen* **~ eines Wagenhebers** au moyen d'un cric **II.** *präp + dat* **~ Sandsäcken** au moyen de sacs de sable **Mittelschiff** *nt* nef *f* centrale **Mittelschule** *f* **1.** *s.* **Realschule 2.** CH (*höhere Schule*) établissement d'enseignement du second degré
Mittelstand *m* classe *f* moyenne **mittelständisch** *adj* des classes moyennes; **die ~en Betriebe** les petites et moyennes en-

treprises **Mittelstreckenrakete** *f* missile *m* [de] moyenne portée **Mittelstreifen** *m* terre-plein *m* **Mittelstufe** *f* correspond aux classes de quatrième, troisième et seconde **Mittelstürmer(in)** *m(f)* avant-centre *mf* **Mittelwelle** *f* RADIO onde *f* moyenne **Mittelwert** *m* valeur *f* moyenne
mitten ['mɪtən] *adv* **1.** (*räumlich*) **~ entzweibrechen** se casser au milieu; **~ im Wald** au milieu de la forêt **2.** (*zeitlich*) **~ in der Nacht** au beau milieu de la nuit
mittendrin ['mɪtən'drɪn] *adv fam* **1.** (*räumlich*) **~ stehen** se trouver en plein milieu **2.** *fig* **~ sein** être en plein milieu **mittendurch** ['mɪtən'dʊrç] *adv führen* à travers
Mitternacht ['mɪtənaxt] *f kein Pl* minuit *f*
mittlere(r, s) ['mɪtlərə, -rə, -rəs] *adj attr* **1.** (*räumlich*) **der ~ Balkon** le balcon du milieu **2.** (*altersmäßig*) **mein ~r Bruder** mon deuxième frère; **eine Dame ~n Alters** une dame d'un certain âge **3.** *Qualität, Betrieb* moyen(ne); *Katastrophe* aux conséquences limitées **4.** *Temperatur, Verbrauch* moyen(ne)
mittlerweile ['mɪtlɐ'vailə] *adv* (*währenddessen*) entre-temps; (*im Gegensatz zu früher*) maintenant
Mittwoch ['mɪtvɔx] <-s, -e> *m* mercredi *m; s. a.* **Dienstag**
Mittwochabend *m* mercredi *m* soir **Mittwochnachmittag** *m* mercredi *m* après-midi
mittwochs *adv* le mercredi
mitunter [mɪt'ʔʊntɐ] *adv* parfois, de temps en temps
mitverantwortlich *adj* **~ sein** être coresponsable
mit|wirken *vi* **1.** (*beteiligt sein*) participer; **bei/an etw** (*dat*) **~** participer à qc **2.** CINE, THEAT *form* **in etw** (*dat*) **~** faire partie de la distribution de qc
Mitwirkende(r) *f(m)* participant *m*
Mitwisser(in) <-s, -> *m(f)* complice *mf*
Mitwohnzentrale *f* centrale *f* immobilière
mit|wollen *vi fam* vouloir venir [avec qn]
Mix <-, -e> *m* cocktail *m*
mixen ['mɪksən] *vt* mixer *Cocktail, Getränk*
Mixer <-s, -> *m* mixe[u]r *m*
Mixtur [mɪks'tuːɐ] <-, -en> *f* mixture *f*
mm *Abk von* **Millimeter** mm
Mob <-s> *m* populace *f*
Mobbing <-s> *nt* harcèlement *m* moral (*exercé sur le lieu de travail*)
Möbel ['møːbəl] <-s, -> *nt* meuble *m*
Möbelpacker(in) *m(f)* déménageur(-euse) *m(f)* **Möbelwagen** *m* camion *m* de déménagement
mobil [mo'biːl] *adj* **1.** (*nicht ortsgebun-*

den) itinérant(e); ~ **sein** être mobile **2.** MIL ~ **machen** mobiliser

Mobile <-s, -s> *nt* mobile *m*

Mobilfunk *m* téléphonie *f* numérique mobile

Mobilfunkgerät *nt* téléphone *m* cellulaire

Mobiliar [mobi'lia:ɐ̯] <-s> *nt* mobilier *m*

mobilisieren* [mobili'zi:rən] *vt* mobiliser

Mobilität [mobili'tɛ:t] <-> *f* mobilité *f*

Mobiltelefon *nt* téléphone *m* sans fil

möblieren* [mø'bli:rən] *vt* meubler

modal *adj* de manière

Mode ['mo:də] <-, -n> *f* **1.** mode *f* **2.** *Pl* (*Kleidungsstücke*) modèles *mpl*

modebewusst^RR *adj* au courant de la dernière mode **Modehaus** *nt* maison *f* de mode

Model ['mɔdəl] <-s, -s> *nt* modèle *m*

Modell [mo'dɛl] <-s, -e> *nt* **1.** (*verkleinerte Ausgabe*) modèle *m* réduit **2.** (*Ausführung*) modèle *m* **3.** KUNST (*Aktmodell*) modèle *m;* ~ **stehen** poser **4.** (*Kleidungsstück*) création *f*

Modelleisenbahn *f* train *m* électrique

modellieren* [modɛ'li:rən] *vt* modeler

Modellversuch *m geh* expérimentation *f*

modeln ['mɔdəln] *vi* travailler comme mannequin

Modem ['mo:dɛm] <-s, -s> *nt o m* INFORM modem *m*

Modenschau *f* défilé *m* de mode

Moder ['mo:dɐ] <-s> *m* pourriture *f*

Moderation [modera'tsi̯o:n] <-, -en> *f* présentation *f*

Moderator [mode'ra:to:ɐ̯] <-s, -toren> *m*, **Moderatorin** *f* RADIO, TV présentateur(-trice) *m(f); einer Spielshow* animateur(-trice) *m(f)*

moderieren* *vt* présenter

moderig I. *adj* moisi(e) **II.** *adv* ~ **riechen** sentir le moisi

modern^1 ['mo:dɐn] *vi* + *haben o sein* moisir

modern^2 [mo'dɛrn] **I.** *adj* **1.** moderne; *Person* de son temps **2.** (*modisch*) [à la] mode **3.** (*zur Neuzeit gehörend*) moderne **II.** *adv* **1.** de façon moderne; **sehr ~ wohnen** avoir un logement ultramoderne **2.** (*modisch*) **sich ~ kleiden** s'habiller [à la] mode **3.** (*fortschrittlich*) moderne

Moderne [mo'dɛrnə] <-> *f* **die ~** (*Epoche*) l'époque *f* moderne; (*Kunstrichtung*) l'école *f* moderne

modernisieren* [modɛrni'zi:rən] *vt* moderniser

Modeschmuck *m* bijou *m* fantaisie **Modeschöpfer(in)** *m(f)* créateur(-trice) *m(f)* [de mode] **Modewort** *nt* LING mot *m* à la mode **Modezeitschrift** *f* revue *f* de mode

Modi *Pl von* **Modus**

modifizieren* *vt geh* modifier

modisch I. *adj* à la mode **II.** *adv* [à la] mode

modrig *s.* **moderig**

Modul <-s, -e> *nt* INFORM module *m*

Modus ['mɔdʊs] <-, **Modi**> *m* **1.** *geh* (*Art und Weise*) **der ~ der Verteilung** le mode de répartition **2.** *geh* (*Arrangement, Übereinkunft*) **terrain** *m* d'entente **3.** GRAM mode *m*

Mofa ['mo:fa] <-s, -s> *nt* cyclomoteur *m*, mobylette® *f*

mogeln ['mo:gəln] *vi fam* tricher; **bei etw** ~ tricher à qc

mögen^1 ['mø:gən] <mag, mochte, gemocht> *vt* **1.** (*gern haben*) aimer **2.** (*haben wollen*) **was möchten Sie, bitte?** vous désirez?; **ich möchte [gern] eine Tasse Tee** je voudrais une tasse de thé **3.** (*erwarten*) **sie möchte, dass ich einen Bericht schreibe** elle voudrait que je fasse un rapport

mögen^2 <mochte, gemocht> *vi* **1.** (*wollen*) vouloir [bien]; **nicht ~** ne pas avoir envie; **er möchte [gern]** il voudrait bien **2.** *fam* (*gehen, fahren wollen*) **sie möchte nach Hause** elle voudrait rentrer **3.** *fam* (*können*) **ich mag nicht mehr** je n'en peux plus

mögen^3 <mochte, ~> *aux modal, mit Infin* **1.** (*wollen*) **sie möchte hier bleiben** elle voudrait rester ici; **er möchte lieber heimgehen** il aimerait mieux rentrer **2.** *geh* (*als Ausdruck des Einräumens, Zugestehens*) **das mag schon stimmen** c'est peut-être exact; **mag sein, dass** il est possible que + *subj* **3.** (*sollen*) **Sie möchten ihn bitte zurückrufen** vous êtes prié(e) de le rappeler **4.** *geh* (*als Ausdruck eines Wunschs*) ~ **sie miteinander glücklich werden!** qu'ils soient heureux ensemble! **5.** (*geneigt sein*) **man möchte meinen, dass** on pourrait croire que

möglich ['mø:klɪç] *adj* **1.** (*durchführbar*) possible; **etw für ~ halten** tenir qc pour possible; **es ist ~, dass** il est possible que + *subj;* **wenn ~** si possible; **schon ~** *fam* peut-être bien **2.** (*denkbar*) **alle ~en Länder** tous les pays possibles; **alles Mögliche** toutes sortes de choses **3.** *attr* (*potenziell*) potentiel(le)

möglicherweise *adv* peut-être

Möglichkeit <-, -en> *f* (*Gelegenheit, Machbarkeit*) possibilité *f;* **die ~ haben etw zu tun** avoir la possibilité de faire qc; **nach ~** dans la mesure du possible

möglichst *adv* **1.** ~ **groß** le plus grand possible **2.** (*wenn irgend möglich*) autant que possible; **kannst du das ~ heute noch**

erledigen? [est-ce que] tu peux régler ça si possible aujourd'hui encore?

Mohn [moːn] <-[e]s, -e> m pavot m; (*Klatschmohn*) coquelicot m; (~*samen*) graine f de pavot

Möhre ['møːrə] <-, -n> f carotte f

mokieren* [mo'kiːrən] vr geh **sich über jdn/etw** ~ se moquer de qn/qc

Mokka ['mɔka] <-s, -s> m moka m

Mole ['moːlə] <-, -n> f môle m

Molekül [mole'kyːl] <-s, -e> nt molécule f

Molke ['mɔlkə] <-> f petit-lait m

Molkerei [mɔlkə'raj] <-, -en> f laiterie f

Moll [mɔl] <-> nt mode m mineur

mollig ['mɔlɪç] adj (*rundlich*) rondelet(te) (*fam*)

Molotowcocktail ['moːlotɔfkɔkteɪl] m cocktail m Molotov

Moment [mo'mɛnt] <-[e]s, -e> m (*Augenblick*) moment m; (*kurze Zeitspanne*) instant m; **jeden** ~ à tout moment; **im** ~ pour le moment; **einen kleinen** ~! un petit moment!; ~ **mal!** eh, minute!

momentan [momɛn'taːn] **I.** adj **1.**(*derzeitig*) actuel(le) **2.**(*vorübergehend*) momentané(e) **II.** adv **1.**(*derzeit*) actuellement **2.**(*vorübergehend*) momentanément

Monaco ['moːnako] <-s> nt [la Principauté de] Monaco

Monarch(in) [mo'narç] <-en, -en> m(f) monarque m

Monarchie [monar'çiː] <-, -n> f monarchie f

monarchistisch adj monarchiste

Monat ['moːnat] <-[e]s, -e> m **1.** mois m; **diesen** ~ ce mois-ci; **im nächsten** ~ le mois prochain; **pro** ~ par mois **2.** (*Schwangerschaftsmonat*) **im dritten** ~ **sein** être enceinte de trois mois

monatelang I. adj attr de plusieurs mois **II.** adv pendant des mois

monatlich I. adj mensuel(le) **II.** adv mensuellement; *zahlen* par mensualités

Monatsblutung s. **Menstruation Monatseinkommen** nt revenu m mensuel **Monatsgehalt** nt eines Beamten traitement m mensuel; *eines Angestellten* salaire m mensuel **Monatskarte** f **1.** (*Fahrkarte*) abonnement m [mensuel] **2.** (*Eintrittskarte*) carte f d'abonnement (*valable un mois*) **Monatsrate** f mensualité f

Mönch [mœnç] <-[e]s, -e> m moine m

Mond [moːnt] <-[e]s, -e> m **1.** kein Pl (*Erdsatellit*) lune f; **der** ~ **nimmt ab/zu** la lune décroît/croît **2.** kein Pl (*in wissenschaftlichem Zusammenhang*) Lune f **3.** (*Satellit*) satellite m

Mondfähre s. **Mondlandefähre Mondfinsternis** f éclipse f de Lune **Mondgesicht** nt face f de pleine lune (*fam*)

Mondlandefähre f module m lunaire

Mondlandschaft f **1.** (*Kraterlandschaft*) paysage m lunaire **2.** (*Landschaft im Mondlicht*) [paysage m au] clair m de lune

Mondlandung f atterrissage m sur la Lune **Mondlicht** nt clarté f de la lune

Mondschein m clair m de lune; **bei/im** ~ au clair de lune **Mondsichel** f croissant m

Mondsonde f sonde f lunaire **mondsüchtig** adj somnambule

Monegasse [mone'gasə] <-n, -n> m, **Monegassin** f Monégasque mf

Moneten [mo'neːtən] Pl fam pognon m

Mongole [mɔn'goːlə] <-n, -n> m, **Mongolin** f Mongol(e) m(f)

Mongolei [mɔngo'laj] <-> f **die** ~ la Mongolie

Mongolismus [mɔngo'lɪsmʊs] <-> m MED mongolisme m

mongoloid [mɔngolo'iːt] adj **1.**(*den Mongolen ähnlich*) mongolique **2.** MED mongoloïde

monieren* vt critiquer

Monitor ['moːnitoːɐ̯] <-s, -toren o -e> m moniteur m

monochrom [mono'kroːm] adj monochrome

monogam adj monogame

Monogamie [monoga'miː] <-> f monogamie f

Monogramm [mono'gram] <-s, -e> nt monogramme m

Monokultur ['moːnokʊltuːɐ̯] f monoculture f

Monolog [mono'loːk] <-[e]s, -e> m monologue m

Monopol [mono'poːl] <-s, -e> nt monopole m

Monopolstellung f situation f de monopole

monoton [mono'toːn] **I.** adj monotone **II.** adv de façon monotone

Monotonie [monoto'niː] <-, -n> f monotonie f

Monoxid <-[e]s, -e> nt monoxyde m

Monster ['mɔnstɐ] <-s, -> nt monstre m

Monstren Pl von **Monstrum**

monströs [mɔn'strøːs] adj geh monstrueux(-euse); (*riesig*) énorme

Monstrum ['mɔnstrʊm] <-s, **Monstren>** nt monstre m

Monsun [mɔn'zuːn] <-s, -e> m mousson f

Montag ['moːntaːk] <-[e]s, -e> m lundi m; s. a. **Dienstag**

Montagabend m lundi m soir

Montage [mɔn'taːʒə] <-, -n> *f* TECH, PHOT montage *m;* **auf ~ sein** être en déplacement (*faisant partie d'une équipe de montage*)
Montageband <-bänder> *nt* chaîne *f* de montage
Montagmorgen *m* lundi *m* matin **Montagnachmittag** *m* lundi *m* après-midi
montags *adv* le lundi
Monteur(in) [mɔn'tøːɐ̯] <-s, -e> *m(f)* installateur(-trice) *m(f)*
montieren* *vt* **1.** (*zusammenbauen*) monter **2.** (*anbringen*) **etw an/auf etw** (*akk*) **~ installieren** qc à/sur qc
Montur <-, -en> *f* combinaison *f*
Monument [monu'mɛnt] <-[e]s, -e> *nt* monument *m*
monumental [monumɛn'taːl] *adj* colossal(e)
Monumentalfilm *m* superproduction *f*
Moor [moːɐ̯] <-[e]s, -e> *nt* marais *m;* (*Torfmoor*) tourbière *f*
moorig *adj* marécageux(-euse)
Moos [moːs] <-es, -e> *nt* **1.** BOT mousse *f* **2.** *kein Pl fam* (*Geld*) pognon *m*
moosig *adj* moussu(e)
Mop *s.* **Mopp**
Moped ['moːpɛt] <-s, -s> *nt* vélomoteur *m*
Mopedfahrer(in) *m(f)* utilisateur(-trice) *m(f)* de vélomoteur
Mopp^{RR} [mɔp] <-s, -s> *m* balai *m* à franges
Mops [mɔps, *Pl:* 'mœpsə] <-es, ⁼e> *m* **1.** ZOOL carlin *m* **2.** *fam* (*dicker Mensch*) gros pépère *m*/grosse mémère *f* **3.** *Pl fam* (*Brüste*) nichons *mpl*
Moral [mo'raːl] <-> *f* **1.** (*ethische Grundsätze*) morale *f* **2.** (*Durchhaltewille*) moral *m*
moralisch *adj* moral(e)
Moralpredigt *f* sermon *m*
Moräne <-, -n> *f* moraine *f*
Morast [mo'rast] <-[e]s, -e *o* Moräste> *m* **1.** (*sumpfiges Gelände*) marécage *m* **2.** *kein Pl* (*Schlamm*) boue *f*
morastig *adj* marécageux
Morchel ['mɔrçəl] <-, -n> *f* morille *f*
Mord [mɔrt] <-[e]s, -e> *m* meurtre *m;* **~ an jdm** meurtre de qn
Mordanschlag *m* attentat *m;* **einen ~ auf jdn verüben** commettre un attentat contre qn **Morddrohung** *f* menace *f* de mort
morden ['mɔrdən] *vi* assassiner; (*Massenmord begehen*) massacrer
Mörder(in) ['mœrdɐ] <-s, -> *m(f)* meurtrier(-ière) *m(f)*
mörderisch I. *adj* **1.** *fam* (*schrecklich*) atroce **2.** *fam* (*gewaltig*) terrible; *Tempo* infer-

nal(e) **II.** *adv fam heiß, kalt* terriblement
Mordkommission *f* police *f* judiciaire, P.J. *f*
Mordshunger ['mɔrts'hʊŋɐ] *m fam* faim *f* terrible **mordsmäßig** *fam* **I.** *adj* terrible **II.** *adv kalt, stark* terriblement; **sich ~ freuen** être vachement content **Mordswut** ['mɔrts'vuːt] *f fam* rage *f* pas possible
Mordwaffe *f* arme *f* du crime
morgen ['mɔrgən] *adv* demain; **~ früh** demain matin; **bis ~ Abend!** à demain soir!
Morgen¹ <-s> *nt* demain *m*
Morgen² <-s, -> *m* **1.** matin *m;* (*in seinem Verlauf*) matinée *f;* **am ~** le matin; (*im Verlauf des Morgens*) dans la matinée; **heute/Montag ~** ce/lundi matin; **am nächsten ~** le lendemain matin; **jdm guten ~ sagen** dire bonjour à qn; **guten ~!** bonjour!; **~!** *fam* bonjour! **2.** (*Flächenmaß*) ≈ arpent *m*
morgendlich ['mɔrgəntlɪç] *adj Kühle, Stille* matinal(e); *Berufsverkehr, Hektik* du matin
Morgengrauen <-s, -> *nt* aube *f* **Morgenmantel** *s.* **Morgenrock Morgenmuffel** <-s, -> *m fam* **ich bin ein ~** le matin, je ne suis pas à prendre avec des pincettes **Morgenrock** *m* robe *f* de chambre
morgens *adv* le matin; **von ~ bis abends** du matin au soir
morgig *adj attr* de demain
Mormone <-n, -n> *m,* **Mormonin** *f* mormon(e) *m(f)*
Morphium ['mɔrfiʊm] <-s> *nt* MED morphine *f*
morsch [mɔrʃ] *adj Holz* pourri(e)
Morsealphabet *nt* alphabet *m* morse
morsen ['mɔrzən] **I.** *vi* télégraphier en morse **II.** *vt* **etw ~** télégraphier qc en morse
Mörser ['mœrzɐ] <-s, -> *m* mortier *m*
Morsezeichen *nt* signal *m* en morse
Mörtel ['mœrtəl] <-s, -> *m* mortier *m*
Mosaik [moza'iːk] <-s, -e[n]> *nt* KUNST, ARCHIT mosaïque *f*
Moschee [mɔ'ʃeː] <-, -n> *f* mosquée *f*
Moschus ['mɔʃʊs] <-> *m* musc *m*
Möse ['møːzə] <-, -n> *f vulg* con *m*
Mosel ['moːzəl] <-> *f* **die ~** la Moselle
mosern *vi fam* rouspéter
Moskau ['mɔskaʊ] <-s> *nt* Moscou
Moskito [mɔs'kiːto] <-s, -s> *m* (*tropische Stechmücke*) moustique *m*
Moslem ['mɔslɛm] <-s, -s> *m,* **Moslime** *f* musulman(e) *m(f)*
moslemisch [mɔs'leːmɪʃ] *adj* musulman(e)
Most [mɔst] <-[e]s> *m* (*Fruchtsaft*) moût *m*

Motel ['moːtəl] <-s, -s> *nt* motel *m*
Motiv [mo'tiːf] <-s, -e> *nt* (*Beweggrund*) motif *m*
Motivation [motiva'tsjoːn] <-, -en> *f* motivation *f*
motivieren* [moti'viːrən] *vt* (*beflügeln*) motiver
Motor ['moːtɔr] <-s, -toren> *m* TECH *a.* *fig* moteur *m*
Motorboot *nt* bateau *m* à moteur
Motorhaube *f* capot *m*
motorisiert *adj* motorisé(e) (*fam*)
Motorrad ['moːtorat, mo'toːrat] *nt* moto *f*; ~ **fahren** faire de la moto
Motorradfahrer(in) *m(f)* motocycliste *mf*
Motorroller *m* scooter *m* **Motorsäge** *f* tronçonneuse *f* **Motorsport** *m* (*mit dem Auto/Motorrad*) course *f* auto/moto
Motte ['mɔtə] <-, -n> *f* mite *f*
Mottenkugel *f* boule *f* antimite
Motto ['mɔto] <-s, -s> *nt* devise *f*
motzen ['mɔtsən] *vi fam* râler
Mountainbike ['maʊntənbajk] <-s, -s> *nt* vélo *m* tout-terrain, V.T.T. *m*
Möwe ['møːvə] <-, -n> *f* mouette *f*
Mrd. *Abk von* **Milliarde[n]** Mrd.
MS [ɛm'ʔɛs] *Abk von* **Multiple Sklerose** sclérose *f* en plaques
Mücke ['mʏkə] <-, -n> *f* moustique *m*
Mückenstich *m* piqûre *f* de moustique
Mucks [mʊks] <-es, -e> *m fam* (*Wort*) mot *m*; **ohne einen** ~ sans moufter
mucksmäuschenstill ['mʊks'mɔɪsçən'ʃtɪl] *fam* **I.** *adj* silencieux(-euse); **seid** ~! pas de bruit! **II.** *adv* sans faire de bruit; **verhaltet euch** ~! ne faites [surtout] pas de bruit!
müde ['myːdə] **I.** *adj* **1.** *Person, Augen, Beine* fatigué(e); **von etw** ~ **sein** être fatigué de qc; **langsam werde ich** ~ je commence à être fatigué **2.** *Blick, Lächeln* lassé(e) **3.** (*überdrüssig*) **einer S.** (*gen*) ~ **werden/sein** se lasser/être lassé de qc **II.** *adv* **1.** (*erschöpft*) **ich habe mich** ~ **geredet!** je suis épuisé(e) d'avoir tant parlé! **2.** (*gelangweilt*) **da kann ich nur** ~ **lächeln** je ne trouve pas cela très original
Müdigkeit <-> *f* fatigue *f*; **vor** ~ (*dat*) de fatigue
Müesli ['myːɛsli] <-s, -s> *nt* mu[e]sli *m*
Muff [mʊf] <-[e]s, -e> *m* **1.** manchon *m* **2.** *kein Pl fam* (*modriger Geruch*) odeur *f* de renfermé
Muffe ['mʊfə] <-, -n> *f* manchon *m*
Mühe ['myːə] <-, -n> *f* peine *f*; **sich** (*dat*) ~ **geben** se donner du mal; **sich** (*dat*) **die** ~ **machen etw zu tun** se donner la peine de faire qc; ~ **haben etw zu tun** avoir du mal à faire qc; **sich** (*dat*) **keine** ~ **geben**

ne se donner aucun mal; **machen Sie sich** (*dat*) **keine** ~! ne vous dérangez pas!; **die** ~ **lohnt sich** ça [en] vaut la peine; **mit viel** ~ avec beaucoup de mal; **ohne** ~ sans difficulté ▸ **mit Müh und** <u>Not</u> *fam* avec bien du mal
mühelos I. *adj* facile **II.** *adv* sans peine
muhen ['muːən] *vi* meugler
mühevoll *s.* **mühsam**
Mühle ['myːlə] <-, -n> *f* **1.** moulin *m* **2.** (~*spiel*) marelle *f* [assise]; (*Spielfigur aus drei Steinen*) marelle *f* **3.** *pej* (*Räderwerk*) *der Justiz, Verwaltung* rouages *mpl*
Mühlrad *nt* roue *f* du moulin **Mühlstein** *m* meule *f*
Mühsal ['myːzaːl] <-, -e> *f geh* peine *f* souvent *pl*
mühsam *adj* pénible
Mulde ['mʊldə] <-, -n> *f* GEOG cuvette *f*
Mull [mʊl] <-[e]s, -e> *m* MED gaze *f*
Müll [mʏl] <-s> *m* déchets *mpl*; (*Hausmüll*) ordures *fpl* ménagères; **etw in den** ~ **werfen** mettre qc à la poubelle
Müllabfuhr <-, -en> *f* **1.** (*das Abfahren*) ramassage *m* des ordures ménagères **2.** (*Behörde*) service *m* de ramassage des ordures **3.** *fam* (*Müllwagen*) **die** ~ les éboueurs *mpl*
Müllberg *m fam* (*große Menge Müll*) montagne *f* d'ordures ménagères
Mullbinde *f* bande *f* de gaze
Müllcontainer *m* benne *f* à ordures **Mülldeponie** ['mʏldepo'niː] *f* décharge *f*
Mülleimer *m* poubelle *f*
Müller(in) ['mʏlɐ] <-s, -> *m(f)* meunier(-ière) *m(f)*
Müllhalde *f* dépotoir *m* **Müllkippe** *f* décharge *f* **Müllmann** <-männer *o* Müllleute> *m fam* éboueur *m* **Müllschlucker** <-s, -> *m* vide-ordures *m* **Müllsortieranlage** *f* déchetterie *f* **Mülltonne** *f* poubelle *f* **Mülltrennung** *f* triage *m* des déchets **Müllverbrennung** *f* incinération *f* des ordures **Müllverbrennungsanlage** *f* usine *f* d'incinération des déchets **Müllwagen** *m* camion *m* de ramassage des ordures ménagères
mulmig ['mʊlmɪç] *adj fam* **1.** (*unbehaglich*) bizarre; **ein** ~**es Gefühl** une sensation étrange **2.** *Situation* qui sent le roussi
multifunktional *adj* multifonctions **multikulturell** [mʊltikʊltu'rɛl] *adj* multiculturel(le) **Multimedia** <-[s]> *kein Pl* ~ le multimédia **multinational** [mʊltinat-sjo'naːl] *adj* multinational(e)
Multiplikation [mʊltiplika'tsjoːn] <-, -en> *f* multiplication *f*
multiplizieren* [mʊltipli'tsiːrən] *vt* multiplier; **etw mit etw** ~ multiplier qc par qc

Multitasking <-s> *nt* INFORM multiprogrammation *f*

Mumie ['mu:miə] <-, -n> *f* momie *f*

mumifizieren* [mumifi'tsi:rən] *vt* momifier

Mumps [mʊmps] <-> *m* MED oreillons *mpl*

München ['mʏnçən] <-s> *nt* Munich

Mund [mʊnt, *Pl:* 'mʏndə] <-[e]s, ⁼er> *m* **1.** bouche *f;* **den ~ aufmachen** ouvrir la bouche; **mit vollem ~ sprechen** parler la bouche pleine **2.** *fam (~werk)* **den ~ nicht halten können** ne pas pouvoir tenir sa langue; **halt den ~!** boucle-la!

Mundart *f* patois *m*

mundartlich *adj* dialectal

Munddusche *f* hydropropulseur *m*

münden ['mʏndən] *vi* + *haben o sein* **1.** *(hineinfließen)* **in etw** *(akk)* **~** *Fluss:* se jeter dans qc **2.** *(führen zu)* **in etw** *(akk)* **~** *Straße:* déboucher dans qc **3.** *(hinauslaufen auf)* **in etw** *(akk)* **~** *Diskussion:* déboucher sur qc, aboutir à qc

Mundgeruch *m* mauvaise haleine *f* **Mundharmonika** *f* harmonica *m*

mündig ['mʏndɪç] *adj* **1.** *Bürger* responsable **2.** *(volljährig)* **~ sein** avoir la majorité

mündlich ['mʏntlɪç] *adj* **1.** *Prüfung* oral(e); *Vereinbarung* verbal(e) **2.** *fam (Prüfung)* **im Mündlichen** à l'oral

Mundpropaganda *f* bouche *m* à oreille

Mundschutz *m* masque *m*

Mündung <-, -en> *f* **1.** *eines Flusses* embouchure *f* **2.** *(vorderes Ende) einer Kanone* gueule *f; eines Gewehrs* extrémité *f*

Mundwasser *nt* bain *m* de bouche **Mundwerk** *nt* **ein freches ~ haben** *fam* avoir la langue bien pendue **Mund-zu-Mund-Beatmung** *f* bouche-à-bouche *m*

Munition [muni'tsi̯o:n] <-> *f* munitions *fpl*

Münster ['mʏnstə] <-s, -> *nt* cathédrale *f*

munter ['mʊntə] *adj* **1.** *(heiter)* plein(e) d'entrain; *Person* gai(e), plein(e) d'entrain **2.** *(wach)* **~ werden/sein** se réveiller/ être réveillé

Muntermacher *m fam* stimulant *m*

Münzautomat *m* distributeur *m* automatique

Münze ['mʏntsə] <-, -n> *f* pièce *f* de monnaie

Münzfernsprecher *m form* téléphone *m* à pièces

mürb[e] *adj Fleisch* tendre; **~es Gebäck** sablé *m*

Mürbeteig *m* pâte *f* brisée

Murmel ['mʊrməl] <-, -n> *f* bille *f*

murmeln ['mʊrməln] **I.** *vi* marmonner **II.** *vt* murmurer

Murmeltier *nt* marmotte *f* ▶**schlafen wie ein ~** dormir comme un loir

murren ['mʊrən] *vi* maugréer; **über etw** *(akk)* **~** maugréer au sujet de qc

mürrisch ['mʏrɪʃ] **I.** *adj Person, Art* grincheux(-euse); *Gesicht* renfrogné(e) **II.** *adv* d'une façon grincheuse; *antworten* d'un ton grincheux

Mus [mu:s] <-es, -e> *nt o m (Obstbrei)* compote *f*

Muschel ['mʊʃəl] <-, -n> *f* **1.** coquillage *m; (Miesmuschel)* moule *f* **2.** *(Hörmuschel)* écouteur *m; (Sprechmuschel)* microphone *m*

Muschi <-, -s> *f fam* chatte *f*

Muse ['mu:zə] <-, -n> *f* muse *f*

Museum [mu'ze:ʊm] <-s, Museen> *nt* musée *m*

Musical ['mju:zikəl] <-s, -s> *nt* comédie *f* musicale

Musik [mu'zi:k] <-, -en> *f* musique *f*

musikalisch [muzi'ka:lɪʃ] **I.** *adj* **1.** *(die Musik betreffend)* musical(e) **2.** *(musikbegabt)* musicien(ne) **II.** *adv* **~ begabt sein** être doué pour la musique

Musikant(in) [muzi'kant] <-en, -en> *m(f)* musicien(ne) *m(f)*

Musikbox *f* juke-box *m inv*

Musiker(in) ['mu:zikə] <-s, -> *m(f)* **1.** musicien *m(f)* **2.** *(Komponist)* compositeur(-trice) *m(f)*

Musikhochschule *f* ≈ conservatoire *m* [de musique] **Musikinstrument** *nt* instrument *m* de musique **Musikkassette** *f* cassette *f* audio **Musikstudium** *nt* études *fpl* de musique

musisch ['mu:zɪʃ] **I.** *adj Person* doué(e) pour les arts; *Begabung* d'artiste; *Erziehung, Fach* artistique **II.** *adv* **~ begabt sein** être doué pour les arts

musizieren* [muzi'tsi:rən] *vi* jouer [de la musique], faire de la musique

Muskat <-[e]s, -e> *m* muscade *f*

Muskel ['mʊskəl] <-s, -n> *m* muscle *m*

Muskelkater *m* courbatures *fpl* **Muskelkraft** *f* force *f* musculaire **Muskelprotz** ['mʊskəlprɔts] <-es, -e> *m fam* paquet *m* de muscles *(hum)* **Muskelriss**RR *m* déchirure *f* musculaire

Musketier <-s, -e> *m* mousquetaire *m*

muskulös [mʊsku'lø:s] *adj* musclé(e)

Müsli ['my:sli] <-s, -> *nt* mu[e]sli *m*

Muslim ['mʊslɪm] <-[s], -e> *m,* **Muslime** *f* musulman(e) *m(f)*

MussRR [mʊs], **Muß** <-> *nt* must *m;* **ein/ kein ~ sein** être/ne pas être obligatoire

Muße ['mu:sə] <-> *f* loisirs *mpl*

müssen ['mʏsən] **I.** *vt modal* <muss, musste, müssen> **1.** devoir; **er muss ar-**

beiten il doit travailler, il faut qu'il travaille; **lachen** ~ ne pas pouvoir s'empêcher de rire; **das muss sein** c'est absolument nécessaire; **er müsste viel mehr lernen** il faudrait qu'il travaille davantage; **man müsste mehr Zeit haben** il faudrait avoir plus de temps **2.**(*brauchen*) **man muss nur auf diesen Knopf drücken** il suffit [juste] d'appuyer sur ce bouton; **du musst mir nicht helfen** tu n'as pas besoin de m'aider; **das muss nicht heißen, dass** cela ne veut pas forcément dire que **3.**(*Ausdruck der Wahrscheinlichkeit*) **er muss krank sein** il doit être malade **II.** <**musste, gemusst**> *vi* **1.ich muss zum Arzt** je dois aller chez le médecin **2.**(*nicht umhinkönnen*) **du musst!** tu dois le faire! **3.**(*austreten* ~) [*mal*] ~ *fam* avoir besoin d'aller aux W.-C.

Mußestunde *f* moment *m* de loisir

müßig *adj* oiseux

Muster ['mʊstə] <-s, -> *nt* **1.***von Stoffen* motif *m* **2.**(*Warenprobe*) échantillon *m* **3.**(*Vorlage*) modèle *m* **4.**(*Schnittmuster*) patron *m*

Musterbeispiel *nt* **ein** ~ **für etw** l'exemple *m* type de qc **Musterexemplar** *nt* échantillon *m*; (*Buch*) spécimen *m* **mustergültig** *s.* **musterhaft**

musterhaft I. *adj Person* modèle; *Verhalten* exemplaire **II.** *adv* de façon exemplaire

Musterklage *f* JUR précédent *m* jurisprudentiel

mustern ['mʊstɐn] *vt* **1.**examiner *Person, Gegenstand* **2.** MIL *Wehrpflichtiger*: **gemustert werden** passer les tests de sélection militaire

Musterprozess^{RR} *m* procès *m* exemplaire **Musterschüler(in)** *m(f)* élève *mf* modèle

Musterung <-, -en> *f* MIL *von Wehrpflichtigen* tests *mpl* de sélection militaire

Mut [muːt] <-[e]s> *m* courage *m*; **wieder** ~ **fassen** reprendre courage; **den** ~ **verlieren** perdre courage

Mutation [muta'tsi̯oːn] <-, -en> *f* BIO mutation *f*

mutieren* *vi* BIO muter

mutig *adj* courageux(-euse)

mutlos I. *adj* découragé(e); ~ **werden** se décourager **II.** *adv* **jdn** ~ **anschauen** regarder qn d'un air découragé

mutmaßen ['muːtmaːsən] **I.** *vt* supposer; **wir können nur** ~, **was passiert ist** nous en sommes réduit(e)s à des supposi-

tions sur ce qui a pu se produire **II.** *vi* **über etw** ~ faire une supposition/des suppositions sur qc

mutmaßlich I. *adj attr Schuldige, Täter* présumé(e) **II.** *adv* probablement, vraisemblablement

Mutprobe *f* épreuve *f* de courage

Mutter¹ ['mʊtɐ, *Pl.:* 'mʏtɐ] <-, ⁼> *f* mère *f*; ~ **sein** être mère de famille

Mutter² <-, -n> *f* TECH écrou *m*

Mutterboden *m* terre *f* végétale

Muttergesellschaft *f* société *f* mère **Mutterland** *nt einer Kolonie* métropole *f* **Mutterleib** *m* **im** ~ dans le ventre maternel

mütterlich ['mʏtɐlɪç] **I.** *adj* maternel(le) **II.** *adv* maternellement; **jdn** ~ **umsorgen** s'occuper de qn comme une mère

mütterlicherseits *adv* du côté maternel; **meine Großmutter** ~ ma grand-mère maternelle

Mutterliebe *f* amour *m* maternel

Muttermal *nt* tache *f* de naissance **Muttermilch** *f* lait *m* maternel **Muttermund** *m* ANAT col *m* de l'utérus

Mutterschaft <-> *f* maternité *f*

Mutterschaftsurlaub *m* congé *m* de maternité **Mutterschutz** *m* protection *f* sociale de la femme enceinte **mutterseelenallein** ['mʊtɐ'zeːlən ʔa'lain] *adj* ~ **sein** être tout seul **Muttersöhnchen** ['mʊttɐzøːnçən] <-s, -> *nt pej fam* petit garçon *m* à sa maman **Muttersprache** *f* langue *f* maternelle **Muttersprachler(in)** <-s, -> *m(f)* locuteur *m* natif **Muttertag** *m* fête *f* des Mères **Muttertier** *nt* AGR, ZOOL mère *f*

Mutti ['mʊti] <-, -s> *f fam* maman *f*

mutwillig I. *adj* causé(e) par un vandale/des vandales **II.** *adv* par vandalisme

Mütze ['mʏtsə] <-, -n> *f* (*Pudelmütze*) bonnet *m*; (*Schirmmütze*) casquette *f*; (*Baskenmütze*) béret *m*; (*Pelzmütze*) toque *f*

MwSt. *Abk von* **Mehrwertsteuer** T.V.A.

Myrr[h]e^{RR} ['mʏrə] <-, -n> *f* myrrhe *f*

Myrte ['mʏrtə] <-, -n> *f* myrte *f*

mysteriös [mʏsteri'øːs] *adj* mystérieux(-euse); ~ **klingen** avoir l'air mystérieux

Mystik ['mʏstɪk] <-> *f* mysticisme *m*

mythisch *adj* mythique

Mythologie [mytolo'giː] <-, -n> *f* mythologie *f*

Mythos <-, Mythen> *m* mythe *m*

N

N, n [ɛn] <-, -> *nt* N *m*/n *m*
N *Abk von* **Norden** N
nạ [na] *interj fam* **1.** (*Ausdruck des Zweifels*) ben **2.** (*Ausruf der Entrüstung*) hé, eh oh; ~ **warte!** eh là, pas si vite! ▶ ~ **gut** bon, allez; ~ **also!** tu vois/vous voyez!; ~ **und?** et [puis] alors?
Nabel ['naːbəl] <-s, -> *m* nombril *m*
Nabelschnur *f* cordon *m* ombilical
nach [naːx] **I.** *präp + dat* **1.** (*zur Angabe der Richtung*) ~ **Nizza/Stuttgart fahren** aller à Nice/Stuttgart; ~ **München abreisen** partir pour Munich; ~ **Frankreich/ Deutschland** en France/Allemagne; ~ **Dänemark** au Danemark; ~ **Norden** vers le nord; **der Zug** ~ **Bordeaux** le train pour Bordeaux; ~ **Hause gehen** aller à la maison **2.** (*zur Angabe einer Stelle*) après **3.** (*zeitlich*) après; **fünf Minuten** ~ **drei** trois heures cinq minutes; ~ **drei Tagen** trois jours plus tard **4.** (*entsprechend*) selon; **meiner Meinung** ~ à mon avis; ~ **dem, was in den Zeitungen steht** d'après les journaux; **dieser Katalog ist** ~ **Autoren geordnet** ce catalogue est classé par auteurs; ~ **den Vorschriften handeln** agir conformément au règlement **5.** (*zur Angabe der Reihenfolge*) **ich bin** ~ **Ihnen dran!** je suis après vous! **II.** *adv* ▶ ~ **und** ~ peu à peu; ~ **wie vor** toujours
nach|ahmen ['naːxʔaːmən] *vt* imiter
nachahmenswert *adj* ~ **sein** être un exemple à suivre
Nachahmung <-, -en> *f* imitation *f*
Nachbar(in) ['naxbaːɐ̯] <-n, -n> *m(f)* voisin(e) *m(f)*
nachbarlich *adj* voisin
Nachbarschaft <-> *f* voisinage *m*
Nachbarstaat *m* [État *m*] voisin *m*
Nachbau <-[e]s, -ten> *m* ARCHIT, TECH réplique *f*
nach|bestellen* *vt* (*zusätzlich bestellen*) **zwei Kisten** ~ commander deux autres caisses
Nachbildung *f* copie *f*
nach|blicken *vi* suivre du regard
nachdem [naːxˈdeːm] *konj* **1.** (*zeitlich*) ~ **er geduscht hatte** après s'être douché; **kurz** ~ **wir zurückgekommen waren** peu après notre retour; ~ **er umgezogen war, wurde er krank** après avoir déménagé, il est tombé malade **2.** (*da, weil*) ~

sie uns nicht angerufen hat comme elle ne nous a pas téléphoné
nach|denken *vi irr* réfléchir; **über etw** ~ réfléchir sur qc; (*eine Entscheidung suchen*) réfléchir à qc
nachdenklich I. *adj* pensif(-ive); ~**e Worte** des paroles qui donnent à réfléchir; **jdn** ~ **machen** laisser qn songeur(-euse); *Argument, Kritik:* faire réfléchir qn **II.** *adv schauen* pensivement; ~ **aussehen/wirken** avoir l'air pensif
Nachdruck <-s> *m* insistance *f*; **mit allem** ~ *hinweisen* très vigoureusement; *verlangen* expressément; *ablehnen* catégoriquement; **um seinen Worten besonderen** ~ **zu verleihen** pour donner encore plus de poids à ses paroles
nach|drucken *vt* réimprimer
nachdrücklich ['naːxdrʏklɪç] **I.** *adj* insistant(e); *Forderung* ferme; *Warnung* appuyé(e); **eine** ~**e Bitte an jemanden richten** adresser à qn une demande insistante **II.** *adv fordern* fermement; *warnen* expressément; *hinweisen, bestehen* tout particulièrement; *ablehnen* catégoriquement; *verbieten* formellement
nach|dunkeln *vi + sein* foncer
nach|eifern *vi* prendre modèle sur; **jdm** ~ prendre modèle sur qn
nacheinander [naːxʔaɪ̯ˈnandɐ] *adv* ~ **den Raum verlassen** *zwei Personen:* quitter la salle l'un(e) après l'autre; **etw zweimal** ~ **tun** faire qc deux fois de suite
Nacherzählung *f einer Geschichte* compte *m* rendu de lecture
Nachf. *Abk von* **Nachfolger**
nach|fahren *vi irr + sein* **1.** (*verfolgen*) **jdm** ~ suivre qn **2.** (*später nachkommen*) **jdm** ~ rejoindre qn [en voiture/par le train]
nach|feiern *vt* fêter après coup; **etw** ~ fêter qc après coup
Nachfolge *f* succession *f*; **jds** ~ **antreten** prendre la succession de qn
nachfolgend *geh* **I.** *adj* suivant(e); **im Nachfolgenden** ci-après **II.** *adv* ensuite, puis
Nachfolger(in) <-s, -> *m(f)* successeur *m*
nach|fordern *vt* demander après coup; **etw** ~ (*nachträglich fordern*) demander qc après coup; (*zusätzlich fordern*) demander qc en plus
nach|forschen *vi* faire des recherches

Nachforschung *f* recherches *fpl*

Nachfrage *f* (*Kaufinteresse*) demande *f;* ~ **nach etw** demande de qc

nach|fragen *vi* (*sich erkundigen*) se renseigner; **bei jdm** ~ se renseigner auprès de qn; **~, ob/wie/...** se renseigner pour savoir si/comment/...

nach|fühlen *vt* comprendre; **er wird [mir] sicher ~ können, dass ich wütend war** il comprendra fort bien que j'aie été en colère

nach|füllen *vt* 1. (*noch einmal füllen*) **er füllte ihr das Glas nach** il remplit de nouveau son verre 2. (*nachgießen*) resservir

Nachfüllpackung *f* [éco]recharge *f*

nach|geben *irr* I. *vi* 1. céder; **jdm/einem Verlangen|** ~ céder à qn/une exigence 2. (*sich bewegen*) *Tür:* céder; *Boden:* s'enfoncer; *Wand:* se dérober 3. FIN, ÖKON reculer II. *vt* **jdm Gemüse** ~ resservir des légumes à qn

Nachgebühr *f* surtaxe *f*

nach|gehen *vi irr* + *sein* 1. (*hinterhergehen*) **jdm** ~ suivre qn 2. (*zu langsam gehen*) *Uhr:* retarder; **meine Armbanduhr geht zwei Minuten nach** ma montre retarde de deux minutes 3. (*überprüfen*) **einem Hinweis** ~ vérifier un indice

nachgemacht *adj Unterschrift* imité(e); **eine ~e Banknote** un faux billet

Nachgeschmack *m a. fig* arrière-goût *m*

nachgiebig ['naːxgiːbɪç] *adj* 1. *Person, Wesen* [trop] accommodant(e) 2. *Material* souple; *Polsterung, Boden* mou(molle)

Nachgiebigkeit <-> *f* (*Wesensart*) manque *m* de fermeté

nach|gießen *irr vt, vi* resservir

nach|grübeln *vi* réfléchir; **über etw** (*akk*) ~ réfléchir intensément à qc

nachhaltig ['naːxhaltɪç] *adj* durable

nachhauseRR *adv* CH, A ~ **gehen** aller à la maison

Nachhauseweg [naːxˈhaʊzəveːk] *m* **einen weiten** ~ **haben** avoir beaucoup de chemin [à faire] pour rentrer [à la maison]

nach|helfen *vi irr* (*helfen*) donner un coup de pouce

nachher, nachher [naːˈheːɐ̯] *adv* 1. (*danach, nachträglich*) après, ensuite 2. (*gleich, etwas später*) tout à l'heure; **bis ~!** à tout à l'heure!

Nachhilfe *f,* **Nachhilfeunterricht** *m* cours *m* particulier

NachhineinRR ['naːxhɪnaɪn] **im** ~ après coup

Nachholbedarf *m* retard *m* à combler; ~ **an Bildung** retard à combler en matière de culture; **einen** ~ **an Schlaf haben** avoir du sommeil à rattraper

nach|holen *vt* 1. rattraper *Jugend, Zeit* 2. faire venir *Person*

nach|jagen *vi* + *sein* **jdm/dem Geld** ~ courir après qn/l'argent

nach|kaufen *vt* racheter [par la suite]; **etw** ~ racheter qc [par la suite]

Nachkomme ['naːxkɔmə] <-n, -n> *m* descendant(e) *m(f);* **die ~n** la descendance

nach|kommen *vi irr* + *sein* 1. **jdn** ~ **lassen** faire venir qn; **ich komme gleich nach!** j'arrive! 2. *a. fig* (*Schritt halten*) suivre

Nachkommenschaft <-> *f* descendance *f*

Nachkriegszeit *f* après-guerre *m*

nach|laden *irr* I. *vi* recharger II. *vt* recharger [son arme]

NachlassRR <-es, -e *o* -lässe>, **Nachlaß** ['naːxlas] <-lasses, -lasse *o* -lässe> *m* 1. *eines Verstorbenen* succession *f;* (*nachgelassene Werke*) œuvres *fpl* posthumes 2. (*Preisnachlass*) réduction *f*

nach|lassen *irr* I. *vi* 1. *Sturm, Regen:* se calmer; *Interesse, Sehkraft:* faiblir; *Schmerz:* s'atténuer; *Spannung:* se relâcher 2. (*schwächere Leistung bringen*) se relâcher II. *vt* **jdm zehn Prozent** ~ faire à qn une réduction de dix pour cent

nachlässig I. *adj* 1. *Personal* négligent(e); *Arbeit* négligé(e); *Kontrolle:* ne pas être strict 2. *Äußeres* négligé(e) II. *adv* 1. (*nicht sorgfältig*) ~ **arbeiten/kontrollieren** être négligent dans son travail/lors du contrôle 2. (*ungepflegt*) mal

Nachlässigkeit <-, -en> *f* négligence *f*

nach|laufen *vi irr* 1. (*hinterherlaufen*) **jdm** ~ poursuivre qn 2. *fam* (*erobern wollen*) **jdm** ~ courir après qn

nach|lesen *vt irr* vérifier; **etw in einem Lexikon** ~ vérifier qc dans une encyclopédie

nach|lösen *vt* acheter dans le train; **die Fahrkarte** ~ acheter son billet dans le train

nach|machen *vt* 1. imiter *Person* 2. (*gleichtun*) **jdm alles** ~ imiter qn en tout 3. contrefaire *Banknote* 4. rattraper *Hausaufgabe*

nach|messen *irr* I. *vt, vi* vérifier les mesures II. *nt* **das Nachmessen** la vérification des mesures

Nachmieter(in) *m(f)* locataire *m* suivant

Nachmittag *m* après-midi *m o f inv;* **am** ~ l'après-midi; **heute** ~ cet après-midi; **am frühen/späten** ~ tôt/tard dans l'après-midi

nachmittags *adv* l'après-midi

Nachnahme ['naːxnaːmə] <-, -n> *f* **etw per** ~ **schicken** envoyer qc contre remboursement

Nachnahmesendung *f form* envoi *m* contre remboursement

Nachname *m* nom *m* [de famille]
nachprüfbar *adj* vérifiable; **nicht** ~ invérifiable
nach|prüfen I. *vt* vérifier *Richtigkeit* II. *vi* ~, **ob/wann** ... vérifier si/quand ...
nach|rechnen I. *vi* recalculer, refaire les calculs; ~, **ob** ... vérifier si ... II. *vt* [re]vérifier
nach|reichen *vt* faire parvenir ultérieurement; **jdm etw** ~ faire parvenir qc à qn ultérieurement
nach|reisen *vi* + *sein* rejoindre; **jdm nach Italien** ~ rejoindre qn en Italie
Nachricht ['na:xrɪçt] <-, -en> *f* 1. (*veröffentlichte Meldung*) information *f;* **die ~ von dem Attentat** la nouvelle de l'attentat 2. *Pl* (*~ensendung*) informations *fpl;* [**sich** (*dat*)] **die ~en anhören/ansehen** écouter/regarder les informations 3. (*Mitteilung*) nouvelle *f;* **wir haben immer noch keine ~ von ihr** nous sommes toujours sans nouvelles d'elle
Nachrichtensprecher(in) *m(f)* présentateur(-trice) *m(f)* [du journal] **Nachrichtentechnik** *f* télécommunications *fpl*
nach|rücken *vi* + *sein* 1. (*einen Posten übernehmen*) prendre la place 2. MIL **jdm** ~ suivre qn
Nachruf *m* nécrologie *f;* ~ **auf jdn** nécrologie de qn
nach|rufen *vt irr* **jdm etw** ~ crier qc à qn
nach|rüsten I. *vi* MIL augmenter son potentiel militaire II. *vt* **einen Rechner mit etw** ~ compléter l'équipement d'un ordinateur en ajoutant qc
nach|sagen *vt* 1. (*behaupten*) **jdm Gutes/Schlimmes** ~ dire du bien/mal de qn 2. (*nachsprechen*) **jdm etw** ~ répéter qc après qn
Nachsaison *f* basse saison *f*
nach|schauen I. *vt* vérifier II. *vi* 1. ~, **ob** ... aller voir si ... 2. (*nachschlagen*) ~, **ob/wie** ... vérifier si/comment ...; **im Wörterbuch** ~ regarder dans le dictionnaire 3. (*nachblicken*) **jdm/einer S.** ~ suivre qn/qc des yeux
nach|schenken *geh* I. *vt* resservir; **jdm Wasser** ~ resservir de l'eau à qn II. *vi* **jdm** ~ resservir à boire à qn; **darf ich ~?** désirez-vous reprendre quelque chose?
nach|schicken *vt* réexpédier
nach|schießen *vt irr fam* FIN rajouter; réinjecter *Geld*
Nachschlag *m* portion *f* supplémentaire; **ich hätte gern einen ~!** j'en reprendrais volontiers!
nach|schlagen *irr* I. *vt* + *haben* 1. chercher *Wort* 2. (*überprüfen*) vérifier II. *vi* + *haben* faire des recherches; **in einem Lexikon** ~

consulter une encyclopédie
Nachschlagewerk *nt* ouvrage *m* de référence
Nachschub <-[e]s, -schübe> *m* ravitaillement *m*
nach|sehen *irr* I. *vi* 1. aller voir; ~, **ob/wo/...** aller voir si/où/...; **sieh mal nach, ob du genügend Geld hast** vérifie que tu as assez d'argent 2. (*nachschlagen*) faire des recherches; **in einem Lexikon** ~ consulter une encyclopédie 3. (*nachblicken*) **jdm/einer S.** ~ suivre des yeux II. *vt* 1. (*suchen*) **etw im Wörterbuch** ~ chercher qc dans le dictionnaire 2. (*kontrollieren*) vérifier 3. (*verzeihen*) **jdm etw** ~ pardonner qc à qn
nach|senden *vt irr* **jdm etw** ~ réexpédier qc à qn
Nachsicht <-> *f* indulgence *f;* **mit jdm ~ haben** être indulgent envers qn
nachsichtig I. *adj* indulgent(e) II. *adv* avec indulgence
nach|sitzen *vi irr* ~ **müssen** être en retenue
Nachspeise *f* dessert *m*
nach|spionieren* *vi fam* **jdm** ~ espionner qn
nach|sprechen *irr* I. *vt* répéter; **jdm etw** ~ répéter qc après qn II. *vi* **jdm** ~ répéter après qn
nächstbeste(r, s) ['nɛːçst'bɛstə, -tə, -təs] *adj attr* **bei der ~n Gelegenheit** à la première occasion; **der/die Nächstbeste** le premier venu/la première venue
nächste(r, s) ['nɛːçstə, -tə, -təs] *adj Superl von* **nah**[e] 1. (*in größter Nähe gelegen*) **die ~ Tankstelle** la station d'essence la plus proche; **am ~n** le plus près 2. (*kommend, direkt bevorstehend*) **in der ~n Woche** la semaine prochaine; **in ~r Zeit** prochainement; **am ~n Tag/Morgen** le lendemain/le lendemain matin; **bei der ~n Gelegenheit** à la première occasion [qui se présente]; **im ~n Augenblick** juste après 3. (*in Bezug auf eine Reihenfolge*) **als Nächstes werde ich verreisen** la première chose que je vais faire maintenant, c'est de partir en voyage; **der Nächste, bitte!** au suivant, s'il vous plaît! 4. (*sehr vertraut*) **die ~n Verwandten/Angehörigen** les proches *mpl*
Nächste(r) *m* **mein ~r** mon prochain
nachstehend *adj* qui suit
nach|stellen *vt* 1. retarder; **die Uhr um eine Stunde** ~ retarder la montre d'une heure 2. (*nachspielen*) jouer, reconstituer *Tathergang*
Nächstenliebe *f* amour *m* du prochain
nächstens *adv* 1. (*bald*) prochainement

2. (*künftig*) à l'avenir

nächstgelegen *adj attr* das ~e **Dorf** le village le plus proche **nächstliegend** *adj attr* das **Nächstliegende** le plus simple; das **Nächstliegende tun** choisir la solution la plus évidente **nächstmöglich** *adj attr* etw **zum ~en Termin tun** faire qc le plus tôt possible

nacht *s.* **Nacht**

Nacht [naxt, *Pl:* 'nɛçtə] <-, ⸗e> *f* nuit *f*; **heute** ~ cette nuit; **es wird/ist** ~ il commence à faire/il fait nuit; **bei** ~ de nuit; **in der** ~ pendant la nuit; **letzte** ~ la nuit dernière; **eines ~s** une nuit; **die** ~ **durchfeiern/durcharbeiten** faire la fête/travailler toute la nuit; **gute ~!** bonne nuit! ▸ **über** ~ du jour au lendemain

nachtaktiv *adj* ZOOL nocturne **Nachtarbeit** *f* travail *m* de nuit

Nachteil <-[e]s, -e> *m* **1.** inconvénient *m*; **zum** ~ **der Steuerzahler** au détriment des contribuables **2.** (*ungünstigere Situation*) **jdm gegenüber im** ~ **sein** être désavantagé par rapport à qn

nachteilig I. *adj Auswirkungen* préjudiciable; **für jdn** ~ **sein** nuire à qn **II.** *adv sich äußern* défavorablement; **sich** ~ **auswirken** avoir des conséquences fâcheuses

nächtelang ['nɛçtə'laŋ] *adv* [pendant] des nuits entières

Nachtflug *m* vol *m* de nuit **Nachthemd** *nt* chemise *f* de nuit

Nachtigall ['naxtɪgal] <-, -en> *f* rossignol *m*

Nachtisch *m* dessert *m;* **zum** ~ comme dessert

Nachtklub *m* boîte *f* [de nuit] **Nachtleben** *nt* vie *f* nocturne

nächtlich ['nɛçtlɪç] *adj attr Ruhestörung* nocturne

Nachtlokal *nt* boîte *f*

Nachtrag <-[e]s, -träge> *m* annexe *f*

nachtragen *vt irr* **1.** (*ergänzen*) ajouter **2.** (*nicht verzeihen können*) **jdm etw** ~ en vouloir à qn de qc

nachtragend *adj* rancunier(-ière)

nachträglich ['naːxtrɛːklɪç] *adj Hinweis, Überarbeitung* ultérieur(e); *Zustimmung, Genehmigung* donné(e) par la suite

nachtrauern *vi* regretter; **jdm/einer schönen Zeit** ~ regretter qn/une belle période

nachts *adv* la nuit; **spät** ~ tard dans la nuit **Nachtschicht** *f* **1.** (*Arbeit*) poste *m* de nuit **2.** (*Schichtarbeiter*) équipe *f* de nuit

nachtsüber *adv* pendant la nuit

Nachttarif *m* tarif *m* de nuit **Nachttisch** *m* table *f* de chevet **Nachttischlampe** *f* lampe *f* de chevet **Nachtwache** *f* veillée *f;* **bei**

jdm ~ **halten** veiller [au chevet de] qn

nachvollziehbar *adj* compréhensible; **leicht/schwer** ~ **sein** être facile/difficile à comprendre; **nicht** ~ **sein** être incompréhensible

nachvollziehen* *vt irr* suivre; **etw nicht** ~ **können** ne pas arriver à comprendre qc

nachwachsen *vi irr +* *sein Haare, Unkraut:* repousser; **~de Rohstoffe** matières *fpl* premières d'origine végétale

Nachweis ['naːxvajs] <-es, -e> *m* **1.** (*Beweis*) preuve *f;* **jdm den** ~ **für etw erbringen** fournir à qn la preuve de qc **2.** ÖKOL *von Radioaktivität, Giftstoffen* mise *f* en évidence

nachweisbar I. *adj* **1.** qui peut être prouvé; **etw ist schwer/nicht** ~ il est difficile/n'est pas possible de prouver qc **2.** (*feststellbar*) qui peut être détecté **II.** *adv* comme la preuve peut en être fournie

nachweisen *vt irr* **1.** (*den Nachweis erbringen, beweisen*) prouver; **jdm** ~, **dass** prouver à qn que; **jdm nichts** ~ **können** ne pouvoir confondre qn **2.** (*feststellen*) **Giftstoffe in etw** (*dat*) ~ déceler la présence de substances toxiques dans qc

nachweislich I. *adj Falschaussage* prouvé(e) **II.** *adv* das ist ~ **richtig/falsch** il s'est avéré que c'est vrai/faux

nachwerfen *vt irr* **1.** jdm etw ~ jeter qc à qn **2.** remettre *Münze, Geld*

Nachwirkung *f meist Pl eines Medikaments* effets *mpl; einer Wirtschaftskrise* répercussions *fpl*

Nachwort <-worte> *nt* postface *f*

Nachwuchs *m* rejetons *mpl*

nachzahlen I. *vt* payer en plus; **eine Gebühr** ~ payer des droits en plus; **Steuern** ~ payer un rappel d'impôts **II.** *vi* payer un supplément

nachzählen I. *vt* recompter **II.** *vi* recompter; ~, **ob** ... recompter [pour voir] si ...

Nachzahlung *f* **1.** (*Gehaltsnachzahlung*) rappel *m* **2.** (*zu bezahlender Betrag*) supplément *m*

nachziehen *irr* **I.** *vt + haben* **1.** resserrer *Schraube* **2.** traîner *Bein* **II.** *vi* mit etw ~ emboîter le pas en faisant qc

Nacken ['nakən] <-s, -> *m* nuque *f* ▸ **sie sitzen** ihm im ~ ils lui collent aux fesses; *fam* (*sie bedrängen ihn*) ils ne le lâchent pas

nackt [nakt] *adj* nu(e); **mit ~em Oberkörper arbeiten** travailler torse nu; **halb** ~ à moitié nu(e)

Nackte(r) *f(m) dekl wie adj* homme *m* nu/ femme *f* nue

Nacktheit <-> *f* nudité *f*

Nadel ['naːdəl] <-, -n> *f* **1.** (*Nähnadel,*

Stricknadel) aiguille *f;* (*Stecknadel*) épingle *f* **2.**(*nadelförmiges Blatt*) aiguille *f* **3.** TECH *eines Messinstruments* aiguille *f*

Nadelbaum *m* conifère *m,* résineux *m* **Nadeldrucker** *m* INFORM imprimante *f* matricielle **Nadelholz** <-hölzer> *nt kein Pl* (*Holz*) bois *m* de résineux

nadeln *vi* perdre ses aiguilles

Nadelöhr *nt* **1.**trou *m* [de l'aiguille] **2.** *fig* (*Engpass im Verkehr*) goulet *m* d'étranglement **Nadelstreifenanzug** *m* costume *m* à fines rayures

Nagel ['na:gəl, *Pl:* 'nɛ:gəl] <-s, ⸗> *m* **1.**(*Metallstift*) clou *m* **2.** (*Fingernagel, Zehennagel*) ongle *m* ▶mit etw den ~ auf den Kopf treffen *fam* mettre le doigt dessus en faisant qc

Nagelfeile *f* lime *f* à ongles **Nagellack** *m* vernis *m* à ongles **Nagellackentferner** <-s, -> *m* dissolvant *m*

nageln *vt* clouer; **etw vor das Fenster ~** clouer qc devant la fenêtre

Nagelschere *f* ciseaux *mpl* à ongles

nagen ['na:gən] **I.** *vi* **1.**grignoter; **an einer Möhre ~** *Tier:* grignoter une carotte; **an einem Knochen ~** *Hund, Löwe:* ronger un os **2.** *fig* **an jdm ~** *Zweifel, Schuldgefühle:* ronger qn **II.** *vt* **ein Loch in etw** (*akk*) ~ creuser un trou en rongeant qc

Nager ['na:gɐ] <-s, -> *m,* **Nagetier** *nt* rongeur *m*

nah <näher, nächste> **I.** *adj* **1.**(*räumlich/zeitlich*) ~ **sein** être proche **2.** *fig* **den Tränen ~**[e] **sein** être au bord des larmes; ~[e] **daran sein etw zu tun** être sur le point de faire qc **II.** *adv* **1.** *liegen, gelegen sein* [tout] près; ~ **an etw** (*akk*) **herantreten** s'approcher de qc; **sie saßen ~ beieinander** *zwei Personen:* ils étaient serrés l'un contre l'autre; **von ~em** de près **2.** (*zeitlich*) ~ **bevorstehen** être imminent **3.**(*eng*) **ich bin ~ mit ihm verwandt** nous sommes proches parents

nahe I. *präp + dat* ~ **dem Brunnen** près du puits **II.** *adj s.* **nah**

Nähe ['nɛːə] <-> *f* **1.** (*geringe räumliche, zeitliche Entfernung*) proximité *f; in der* ~ à proximité; **etw aus der ~ betrachten** observer qc de près; **aus der ~ betrachtet** vu(e) de près **2.** (*Anwesenheit*) *einer Person* présence *f;* **in seiner/ihrer ~** près de lui/d'elle

nahe|gehen *s.* **gehen I.**
nahe|kommen *s.* **kommen I.**
nahe|legen *s.* **legen I.**
naheliegend *s.* **liegen**
nahen *vi + sein geh* approcher
nähen ['nɛːən] **I.** *vt* **1.**coudre *Kleid, Hemd* **2.** (*befestigen*) **einen Knopf an etw** (*akk*)

~ coudre un bouton à qc **3.** MED recoudre *Wunde* **II.** *vi* faire de la couture, coudre

näher ['nɛːɐ] **I.** *adj Komp von* **nahe 1.**(*räumlich*) plus près; **in der ~en Umgebung des Bauernhofs** à proximité de la ferme **2.**(*zeitlich*) plus rapproché(e); **in ~er Zukunft** dans un proche avenir **3.** (*detaillierter*) plus précis(e) **4.** *Bekannter* assez proche; *Beziehungen, Zusammenarbeit* assez étroit(e) **II.** *adv* **1.** (*räumlich*) plus près; ~ **am Kamin sitzen** être assis plus près de la cheminée; ~ **an etw** (*akk*) **se rapprocher** [plus] de qc; **unser Haus liegt ~ beim Bahnhof als eures** notre maison est plus proche de la gare que la vôtre; **treten Sie bitte ~!** veuillez vous approcher, s'il vous plaît! **2.**(*zeitlich*) ~ **rücken** approcher **3.**(*detaillierter*) de façon plus précise

nähern *vr* **1.**(*räumlich*) **sich** ~ approcher; **sich jdm/einer S.** ~ s'approcher de qn/qc **2.**(*zeitlich*) **sich einer S.** (*dat*) ~ approcher de qc

nahe|stehen *s.* **stehen I.**
nahezu ['naːəˈtsuː] *adv* presque
Nähgarn *nt* fil *m* à coudre
nahm [naːm] *Imp von* **nehmen**
Nähmaschine *f* machine *f* à coudre **Nähnadel** *f* aiguille *f* à coudre
Nahost ['naːˈɔst] *kein art* **aus/in ~** du/au Proche-Orient
nahöstlich *adj attr* du Proche-Orient
nähren ['nɛːrən] **I.** *vi* être nourrissant **II.** *vt* **1.**(*füttern*) nourrir **2.**(*aufrechterhalten*) alimenter
nahrhaft ['naːɐhaft] *adj* nourrissant(e)
Nährstoff *m* substance *f* nutritive
Nahrung ['naːrʊŋ] <-,> *f* nourriture *f;* **flüssige/feste ~** des aliments *mpl* liquides/solides
Nahrungsaufnahme *f kein Pl form* absorption *f* de nourriture; **die ~ verweigern** refuser la nourriture **Nahrungsmittel** *nt* produits *mpl* alimentaires
Nährwert *m* valeur *f* nutritive
Naht [naːt, *Pl:* 'nɛːtə] <-, ⸗e> *f* **1.**couture *f* **2.** MED [points *mpl* de] suture *f*
nahtlos I. *adj* **1.** *Strumpf* sans couture **2.** (*lückenlos*) sans temps mort, immédiat(e) **II.** *adv* sans pause
Nahverkehr *m* trafic *m* urbain; **der öffentliche ~** les transports *mpl* en commun **Nahverkehrsmittel** *Pl* moyens *mpl* de transports en commun **Nahverkehrszug** *m* train *m* de banlieue
Nähzeug <-zeuge> *nt* nécessaire *m* de couture
naiv [naˈiːf] *adj* naïf(-ïve)
Naivität [naiviˈtɛːt] <-> *f* naïveté *f*

Name ['naːmə] <-ns, -n> m, **Namen** <-s, -> m nom m; jdn nur dem ~n nach kennen connaître qn seulement de nom ▶im ~n des Gesetzes/des Volkes au nom de la loi/du peuple; in jds ~n (dat) handeln faire qc au nom de qn

namenlos adj 1. (anonym) anonyme 2. COM Produkt sans marque

namens adv ein Herr ~ Dietz un monsieur du nom de Dietz

Namensgebung <-, -en> f dénomination f **Namensliste** f liste f nominative **Namenstag** m fête f **Namensvetter** m homonyme m

namentlich ['naːməntlɪç] I. adj nominal(e) II. adv 1. nommément; sie möchte nicht ~ genannt werden elle ne désire pas être désignée nommément 2. (insbesondere) particulièrement

namhaft adj 1. (berühmt) renommé(e) 2. Betrag considérable

nämlich ['nɛːmlɪç] adv 1. (und zwar) et ce; (genauer gesagt) à savoir 2. (denn) en effet

nannte ['nantə] Imp von nennen

Nanotechnik f nanotechnologie f

nanu [na'nuː] interj ça alors

Napf [napf, Pl: 'nɛpfə] <-[e]s, ⸚e> m gamelle f

Nappa <-[s], -s> nt cuir m souple

Narbe ['narbə] <-, -n> f MED cicatrice f

Narkose [nar'koːzə] <-, -n> f anesthésie f générale

Narkosearzt m, -ärztin f anesthésiste mf **Narkosemittel** nt anesthésique m

Narkotikum [nar'koːtikʊm] <-s, -kotika> nt 1. MED anesthésique m 2. (Suchtmittel) narcotique m

Narr [nar] <-en, -en> m 1. (Dummkopf) imbécile m 2. (Hofnarr) fou m ▶jdn zum ~en halten se moquer de qn; sich zum ~en machen se rendre ridicule

Närrin ['nɛrɪn] <-, -nen> f imbécile f

Narzisse [nar'tsɪsə] <-, -n> f narcisse m

nasal [na'zaːl] adj nasal(e)

Nasallaut m nasale f

naschen ['naʃən] I. vi 1. (Süßigkeiten essen) grignoter des friandises 2. (heimlich kosten) von etw ~ goûter [en cachette] à qc II. vt grignoter

Nascherei [naʃə'raj] <-, -en> f 1. kein Pl (das Naschen) grignotage m 2. (Süßigkeit) friandises fpl

naschhaft adj gourmand(e)

Nase ['naːzə] <-, -n> f 1. nez m; eine verstopfte ~ haben avoir le nez bouché; sich (dat) die ~ putzen se moucher; aus der ~ bluten saigner du nez 2. (Schnauze) eines Hundes truffe f ▶die ~ [gestrichen]

voll haben fam en avoir plein le dos; auf die ~ fallen fam se casser le nez; jdm auf der ~ herumtanzen fam mener qn par le bout du nez; jdm vor der ~ wegfahren filer sous le nez de qn; jdm etw vor der ~ wegschnappen fam piquer qc sous le nez de qn; vor seiner/deiner/... ~ fam sous son/ton nez

naselang ▶alle ~ fam à tout bout de champ

näseln ['nɛːzəln] vi parler du nez

näselnd I. adj Person qui parle du nez; Stimme nasillard(e) II. adv d'une voix nasillarde

Nasenbluten <-s> nt kein Pl saignement m de nez; ~ bekommen se mettre à saigner du nez; ~ haben saigner du nez **Nasenloch** nt narine f **Nasenspitze** f bout m du nez **Nasentropfen** Pl gouttes fpl pour le nez

Nashorn nt rhinocéros m

nass[RR], **naß** [nas] <nasser, nasseste> adj 1. mouillé(e); ganz ~ trempé(e); wir werden/sind ~! nous allons être/nous sommes mouillés! 2. (regnerisch) humide

Nässe ['nɛsə] <-> f 1. humidité f; etw vor ~ schützen protéger qc de l'humidité 2. (nasses Wetter) pluie f; bei ~ bitte vorsichtig fahren veuillez rouler prudemment par temps de pluie

nasskalt[RR] adj froid(e) et humide

Nation [na'tsi̯oːn] <-, -en> f nation f; die Vereinten ~en les Nations Unies

national [natsi̯o'naːl] I. adj national(e); auf ~er Ebene à l'échelon national II. adv ~ denken être nationaliste

Nationalhymne f hymne m national

Nationalismus [natsi̯ona'lɪsmʊs] <-> m nationalisme m

Nationalist(in) [natsi̯ona'lɪst] <-en, -en> m(f) nationaliste mf

nationalistisch I. adj nationaliste II. adv en nationaliste; ~ eingestellt sein être nationaliste

Nationalität [natsi̯onali'tɛːt] <-, -en> f nationalité f

Nationalmannschaft f équipe f nationale **Nationalrat** m kein Pl CH, A Conseil m national **Nationalrat** <-räte> m, -rätin f CH, A membre m du Conseil national **Nationalsozialismus** m national-socialisme m **Nationalsozialist(in)** m(f) national-socialiste mf **nationalsozialistisch** adj national-socialiste **Nationalversammlung** f (französisches Parlament) die ~ l'Assemblée f nationale

NATO ['naːto] f Abk von North Atlantic Treaty Organization O.T.A.N. f

Natrium ['naːtri̯ʊm] <-s> nt CHEM sodium m

Natron ['na:trɔn] <-s> *nt* CHEM natron *m*
Natter ['natɐ] <-, -n> *f* couleuvre *f*
Natur [na'tu:ɐ̯] <-> *f* 1.nature *f* 2.(*Wesensart*) von ~ aus par nature ▶~ **sein** *Haarfarbe, Holz:* être naturel
Naturalien [natu'ra:liən] *Pl* produits *mpl* de la terre; **in** ~ **bezahlen** payer en nature
Naturalismus [natura'lɪsmʊs] <-> *m* naturalisme *m*
naturalistisch [natura'lɪstɪʃ] *adj a.* KUNST *geh* naturaliste
Naturereignis *nt* phénomène *m* naturel **naturfarben** *adj* de couleur naturelle **Naturforscher(in)** *m(f)* naturaliste *mf* **naturgemäß** I. *adj* naturel(le) II. *adv* 1.(*verständlicherweise*) naturellement 2.(*der Natur entsprechend*) de façon naturelle **Naturgesetz** *nt* loi *f* de la nature **naturgetreu** *adj* fidèle [à la réalité] **Naturheilkunde** *f* médecine *f* douce **Naturkatastrophe** *f* catastrophe *f* naturelle **Naturkost** *f* aliments *mpl* naturels **Naturkundemuseum** *nt* musée *m* d'histoire naturelle **Naturlandschaft** *f* paysage *m* naturel
natürlich [na'ty:ɐ̯lɪç] I. *adj* 1.(*von der Natur geschaffen*) naturel(le) 2.(*nicht künstlich*) naturel(le); *Gebiss* vrai(e) 3.*Ausmaße* réel(le); **ein Porträt in** ~**er Größe** un portrait grandeur nature 4.(*ungekünstelt*) naturel(le) 5.(*menschlich*) naturel(le); **es ist** [nur] ~, **dass/wenn** il est tout naturel que + *subj* II. *adv* (*selbstverständlich*) naturellement; **aber** ~**!** évidemment!
natürlicherweise *adv* naturellement
Natürlichkeit <-> *f* naturel *m*
Naturpark *m* parc *m* naturel [régional] **naturrein** *adj* entièrement naturel **Naturschutz** *m* protection *f* de la nature; **unter** ~ **stehen** être protégé **Naturschutzgebiet** *nt* réserve *f* naturelle **Naturtalent** *nt* du musst ein echtes ~ **sein** tu dois être vraiment doué **naturverbunden** [na'tu:ɐ̯fɛɐbʊndən] *adj* proche de la nature **Naturvolk** *nt* peuple *m* primitif **Naturwissenschaft** *f* die ~**en** les sciences naturelles **Naturwissenschaftler(in)** *m(f)* scientifique *mf* **naturwissenschaftlich** *adj* scientifique
Navigation [naviga'tsi̯o:n] <-> *f* navigation *f*
navigieren* [navi'gi:rən] I. *vi* naviguer II. *vt* piloter; **das Schiff in den Hafen** ~ entrer le bateau dans le port
Nazi ['na:tsi] <-s, -s> *m*, <-, -s> *f* nazi(e) *m(f)*
NC <-> *m* numerus *m* clausus
n. Chr. *Abk von* **nach Christus** apr. J.-C.
'ne [nə] *art indef fam Abk von* **eine** une

Neandertaler [ne'andɐta:lɐ] <-s, -> *m* homme *m* de Neandertal
Nebel ['ne:bəl] <-s, -> *m* 1.brouillard *m;* (*leicht*) brume *f;* **bei** ~ par temps de brouillard 2.ASTRON nébuleuse *f*
nebelig *adj* brumeux(-euse)
Nebelscheinwerfer *m* phare *m* antibrouillard **Nebelschlussleuchte**RR *f* feu *m* arrière de brouillard
neben ['ne:bən] I. *präp + dat* ~ **jdm/einer S.** à côté de qn/qc; **rechts** ~ **dem Eingang** à droite de l'entrée II. *präp + akk* **sich** ~ **jdn/etw setzen** s'asseoir à côté de qn/qc; **sich links/rechts** ~ **jdn/etw stellen** se mettre à gauche/droite de qn/qc
nebenan [ne:bən'ʔan] *adv* à côté; **die Küche ist gleich** ~ la cuisine est juste à côté
Nebenausgang *m* sortie *f* latérale
nebenbei [ne:bən'bai̯] *adv* 1.(*nebenher*) en plus [du reste] 2.(*beiläufig*) en passant; ~ [**bemerkt**] soit dit en passant
nebenberuflich I. *adj* extra-professionnel(le) II. *adv* à titre d'activité annexe
Nebenbeschäftigung *f* activité *f* annexe **Nebenbuhler(in)** <-s, -> *m(f)* rival *m* **Nebeneffekt** *m* effet *m* secondaire
nebeneinander ['ne:bənʔai̯'nandɐ] *adv* 1.(*räumlich*) côte à côte 2.(*zeitlich*) conjointement
Nebeneinander <-s> *nt* coexistence *f*
Nebeneingang *m* entrée *f* latérale **Nebeneinkünfte** *Pl* revenus *mpl* annexes **Nebenerwerb** *m* activité *f* annexe **Nebenfach** *nt* matière *f* secondaire **Nebenfluss**RR *m* affluent *m* **Nebengebäude** *nt* 1.(*untergeordneter Bau*) dépendance *f* 2.(*benachbartes Gebäude*) annexe *f* **nebenher** ['ne:bən'he:ɐ̯] *adv* (*zusätzlich*) en plus **Nebenjob** *m fam* boulot *m* d'appoint **Nebenkosten** *Pl* 1.(*zusätzliche Kosten*) frais *mpl* supplémentaires 2.(*für Wohnung*) charges *fpl* **Nebenprodukt** *nt* sous-produit *m* **Nebenrolle** *f* rôle *m* secondaire **Nebensache** *f* détail *m* accessoire; ~ **sein** être accessoire **nebensächlich** *adj* accessoire **Nebensaison** *f* basse saison *f* **Nebensatz** *m* GRAM [proposition *f*] subordonnée *f* **Nebenstraße** *f* route *f* secondaire **Nebenverdienst** *m* revenu *m* supplémentaire **Nebenwirkung** *f* effet *m* secondaire **Nebenzimmer** *nt* chambre *f* voisine
neblig *s.* **nebelig**
necken ['nɛkən] *vt, vr* [**sich**] ~ [se] taquiner
neckisch *adj* malicieux
nee [ne:] *adv fam* non
Neffe ['nɛfə] <-n, -n> *m* neveu *m*
negativ ['ne:gati:f] I. *adj* 1.*a.* MED néga-

tif(-ive) **2.** *Folge, Vorhersage* défavorable **II.**
adv **1.** (*ablehnend*) négativement **2.** (*un-günstig*) de façon négative
Negativ <-s, -e> *nt* négatif *m*
Neger(in) ['ne:gɐ] <-s, -> *m(f) pej* nègre *m*/négresse *f*
negieren* [ne'gi:rən] *vt* LING **eine Frage/einen Satz** ~ mettre une question/phrase à la forme négative
Negligé, Negligeeᴿᴿ [negli'ʒe:] <-s, -s> *nt* CH déshabillé *m*
nehmen ['ne:mən] <nimmt, nahm, genommen> *vt* **1.** prendre; [sich (*dat*)] etw ~ prendre qc **2.** accepter *Trinkgeld* **3.** supprimer *Schmerzen, Beschwerden;* **jdm die Lust an etw** ~ gâcher l'envie à qn; **er nahm ihr die Angst** il dissipa son angoisse **4.** (*versperren*) **jdm die Sicht** ~ boucher la vue à qn **5.** prendre *Medikament* **6.** (*zerlegen*) **auseinander** ~ démonter *Maschine* **7.** (*akzeptieren*) **jdn** ~, **wie er ist** prendre qn comme il est **8.** (*anlasten*) **jdm etw übel** ~ en vouloir à qn de qc **9.** (*empfinden*) **etw zu leicht** ~ prendre qc trop à la légère; **etw schwer** ~ prendre qc au tragique
Neid [naɪt] <-[e]s> *m kein Pl* envie *f* ▶ **vor** ~ **erblassen** crever de jalousie
neiden *vt* envier
Neider(in) <-s, -> *m(f)* envieux(-euse) *m(f)*
neidisch I. *adj Person* envieux(-euse); **auf jdn** ~ **sein** envier qn **II.** *adv betrachten* avec envie
neidlos I. *adj* sincère **II.** *adv* sans arrière-pensée
Neige <-, -n> *f* fond *m*
neigen I. *vi* être réceptif; **zu Erkältungen** ~ être réceptif aux rhumes; **zu Übergewicht** ~ avoir une tendance à l'embonpoint **II.** *vr* **1.** (*sich beugen*) **sich** ~ se pencher **2.** (*schräg abfallen*) **sich** ~ être en pente **3.** (*schräg stehen*) **sich zur Seite** ~ *Schiff:* pencher de côté **III.** *vt* pencher *Kopf, Oberkörper*
Neigung <-, -en> *f* **1.** (*Schräge, Gefälle*) inclinaison *f* **2.** (*Vorliebe, Zuneigung*) penchant *m* **3.** (*Tendenz*) ~ **zum Übergewicht** tendance *f* à l'embonpoint
nein [naɪn] *adv* non; **leider** ~ malheureusement pas; **oh** ~! ah! non!
Nein <-s> *nt* non *m;* **zu etw** ~ **sagen** dire non à qc
Neinstimme *f* voix *f* contre
Nektarine [nɛkta'ri:nə] <-, -n> *f* nectarine *f*
Nelke ['nɛlkə] <-, -n> *f* **1.** (*Blume*) œillet *m* **2.** (*Gewürz*) clou *m* de girofle
'nem [nəm] *art indef fam Abk von* **einem** [à] un(e)

'nen [nən] *art indef fam Abk von* **einen** un(e)
nennen ['nɛnən] <nannte, genannt> **I.** *vt* **1.** (*benennen, anreden*) appeler; **jdn bei seinem Vornamen** ~ appeler qn par son prénom; **Katharina II., genannt die Große** Catherine II, dite la Grande **2.** (*bezeichnen*) **wie nennt man das?** comment appelle-t-on ça? **3.** (*angeben*) indiquer, citer; **die genannten Personen ...** les personnes en question ... **II.** *vr* **sich Maler/Musiker** ~ se dire peintre/musicien
nennenswert *adj* notable
Nenner <-s, -> *m* MATH dénominateur *m*
Nennung <-, -en> *f* mention *f*
Nennwert *m* valeur *f* nominale
Neon ['ne:ɔn] <-s> *nt* néon *m*
Neonazi ['ne:ona:tsi] *m* néonazi(e) *m(f)*
Neonlicht *nt* néon *m* **Neonröhre** *f* [tube *m* au] néon *m*
Nepp [nɛp] <-s> *m fam* arnaque *f*
neppen *vt fam* arnaquer
Neptun <-s> *m* **1.** HIST Neptune *m* **2.** ASTRON Neptune *f;* **der** ~ la planète Neptune
'ner [nɐ] *art indef fam Abk von* **einer** un(e)
Nerv [nɛrf] <-s *o* -en, -en> *m* **1.** ANAT nerf *m* **2.** *Pl* (*nervliche Verfassung*) **gute/schwache ~en haben** avoir les nerfs solides/fragiles; **die ~en behalten** être/rester maître de ses nerfs; **die ~en verlieren** perdre le contrôle de soi-même; **mit den ~en [völlig] herunter sein** *fam* être à bout de nerfs **3.** BOT nervure *f* ▶ **jdm auf die ~en gehen** *fam* taper sur les nerfs de qn
nerven *fam* **I.** *vt* casser les pieds à; **jdn** ~ casser les pieds à qn; **genervt sein** être énervé **II.** *vi Person:* être casse-pieds; *Sache, Vorfall:* être horripilant
Nervenarzt *m*, **-ärztin** *f* neurologue *mf*
nervenaufreibend *adj* nerveusement éprouvant(e) **Nervenbündel** *nt* paquet *m* de nerfs **Nervengift** *nt* neurotoxine *f* **Nervenkitzel** <-s, -> *m fam* petit frisson *m* **nervenkrank** *adj* malade des nerfs **Nervensäge** *f fam* casse-pieds *mf* **Nervensystem** *nt* système *m* nerveux; **das vegetative** ~ le système neurovégétatif **Nervenzentrum** *nt* centre *m* nerveux **Nervenzusammenbruch** *m* dépression *f* nerveuse; **einen** ~ **haben** craquer nerveusement
nervig ['nɛrfɪç] *adj* tuant
nervlich ['nɛrflɪç] *adj* nerveux(-euse)
nervös [nɛr'vø:s] **I.** *adj Person* nerveux(-euse); *Stimmung* agité(e); **jdn** ~ **machen** rendre qn nerveux(-euse) **II.** *adv* (*nervlich*) ~ **bedingt** d'origine nerveuse
Nervosität [nɛrvozi'tɛ:t] <-> *f* nervosité *f*

nẹrvtötend *adj fam* tuant(e)

Nẹrz [nɛrts] <-es, -e> *m* vison *m*

Nẹssel <-, -n> *f* (*Brenn~*) ortie *f*

Nẹst [nɛst] <-[e]s, -er> *nt* **1.** nid *m* **2.** *fam* (*Kaff*) patelin *m;* **in einem kleinen ~ le-ben** vivre dans un trou perdu

Nẹsthäkchen <-s, -> *nt* petit dernier *m*

nẹtt [nɛt] *adj* **1.** (*liebenswert*) gentil(le); ~ **zu jdm sein** être gentil avec qn; **das ist [aber] ~ von Ihnen** c'est gentil à vous **2.** (*angenehm*) sympathique **3.** (*beträcht-lich*) bon(ne) petit(e); **ein ~es Sümm-chen** une belle somme

Nẹttigkeit <-, -en> *f* gentillesse *f*

nẹtto ['nɛto] *adv* net

Nẹtz [nɛts] <-es, -e> *nt* **1.** (*Stromnetz, System*) réseau *m;* **ein Gerät ans ~ an-schließen** brancher un appareil sur le secteur **2.** (*Fischernetz, Einkaufsnetz*) filet *m* **3.** (*Spinnennetz*) toile *f* **4.** SPORT filet *m;* **~! net! ▸das soziale ~** le système de pro-tection sociale

Nẹtzbetrieb *m* alimentation *f* secteur **Nẹtzhaut** *f* rétine *f* **Nẹtzkarte** *f* carte *f* d'abonnement **Nẹtzteil** *nt* transformateur *m*

neu [nɔy] **I.** *adj* **1.** (*noch nicht gebraucht*) neuf(neuve); (*soeben hergestellt, gekauft*) nouveau(-velle) *antéposé* **2.** (*aktuell*) ré-cent(e); **ein ~er Artikel** un article qui vient de paraître; **die ~esten Nachrich-ten** les [toutes] dernières nouvelles **3.** (*er-neut*) nouveau(-velle) *antéposé* **4.** (*frisch*) propre **5.** (*noch nicht da gewesen*) nou-veau(-velle) **6.** (*unbekannt*) ~ **in der Klas-se sein** être nouveau dans une classe; **das war mir ~** je n'en savais rien **▸seit ~[e]stem** depuis peu; **von ~em** de nou-veau **II.** *adv* **1.** (*von vorn*) **wieder ganz ~ anfangen müssen** devoir repartir à zéro **2.** (*erneut*) ~ **bearbeiten/drucken/auf-legen** remanier/réimprimer/rééditer; ~ **eröffnet** récemment rouvert(e) **3.** (*so-eben*) **das ~ eröffnete griechische Res-taurant** le restaurant grec qui vient d'ou-vrir

Neuankömmling ['nɔyʔankœmlɪŋ] <-s, -e> *m* nouveau venu *m*/nouvelle venue *f*

neuartig *adj* Methode, Technologie iné-dit(e); Lehrwerk, Wörterbuch de conception nouvelle

Neuauflage *f kein Pl* (*neue Auflage*) nou-veau tirage *m*

Neubau <-bauten> *m* nouvel immeuble *m*

Neubaugebiet *nt* ≈ Z.U.P. *f* **Neubausied-lung** *f* nouveau lotissement *m*

neubearbeitet *s.* neu II.

Neubearbeitung *f* **1.** *kein Pl* (*das Bearbei-ten*) refonte *f* **2.** (*neue Ausgabe*) nouvelle édition *f* **3.** MUS, THEAT nouvelle adaptation *f*

Neubeginn *m* nouveau départ *m*

Neue(s) *nt dekl wie adj* **1.** (*neuartige Be-schaffenheit*) nouveauté *f;* **das ~ an etw** (*dat*) la nouveauté dans qc; **Altes und ~s** le vieux et le neuf **2.** (*neuer Gegenstand, neue Ware*) **etwas ~s** quelque chose de nouveau; **nichts ~s** rien de nouveau **3.** (*Neuigkeit*) **etwas/nichts ~s** quelque chose de/rien de nouveau; **was gibt's ~s?** *fam* quoi de neuf?

Neuentwicklung *f* innovation *f*

neuerdings ['nɔyɐ'dɪŋs] *adv* depuis peu [de temps]

neueröffnet *s.* neu II.

Neueröffnung *f* (*Eröffnung*) ouverture *f;* **wir laden Sie zur ~ ein** nous vous invi-tons à l'inauguration **Neuerscheinung** *f* nouveauté *f*

Neuerung <-, -en> *f* innovation *f*

Neueste(s) *nt dekl wie adj* **1.** **das ~** (*neues-te Nachricht*) la dernière [nouvelle]; **weißt du schon das ~?** tu connais la nouvelle? **2.** (*neuartigstes Produkt*) **das ~** ce qui vient de sortir

Neufassung *f* nouvelle version *f* **neuge-boren** *adj* nouveau-né **▸wie ~** tout revigo-ré **Neugeborene(s)** *nt dekl wie adj* nou-veau-né(e) *m(f)*

Neugier[de] <-> *f* curiosité *f;* **aus ~** par [simple] curiosité

neugierig I. *adj* Person curieux(-euse); Blick plein(e) de curiosité; Frage indiscret(-ète); **jdn ~ machen** exciter la curiosité de qn; ~ **sein, ob/wie ...** être curieux de savoir si/ comment ... **II.** *adv* avec curiosité

Neugriechisch <-[s]> *nt kein art* le grec moderne

Neuheit <-, -en> *f* nouveauté *f*

Neuigkeit <-, -en> *f* **1.** (*neue Informa-tion*) nouvelle *f* **2.** *Pl* (*Nachrichten*) nou-velles *fpl*

Neujahr *nt kein Pl* nouvel an *m;* **habt ihr zu ~ schon etwas vor?** avez-vous déjà des projets pour le nouvel an? **▸prost ~!** bonne année! **Neujahrstag** *m* jour *m* de l'an **Neuland** *nt* terres *fpl* nouvelles

neulich *adv* récemment; **erinnerst du dich noch an ~?** tu te souviens de l'autre jour?; ~ **abends/sonntags** l'autre soir/diman-che

Neuling ['nɔylɪŋ] <-s, -e> *m* novice *mf*

neumodisch *adj, adv pej* à la dernière mode **Neumond** *m kein Pl* nouvelle lune *f*

neun [nɔyn] *num* neuf **▸alle ~[e]! strike!;** *s. a.* achtₗ

Neun <-, -en> *f* neuf *m*

neuneinhalb *num* ~ **Meter** neuf mètres et

demi; *s. a.* **achteinhalb**

neunerlei *adj inv* ~ **Sorten Brot** neuf sortes de pain; *s. a.* **achterlei**

neunfach I. *adj* die ~e **Menge** neuf fois la quantité **II.** *adv falten* neuf fois; *s. a.* **achtfach Neunfache(s)** *nt dekl wie adj* das ~ **verdienen** gagner neuf fois plus; *s. a.* **Achtfache(s) neunhundert** ['nɔynˈhʊndɐt] *num* neuf cents **Neunjährige(r)** *f(m) dekl wie adj* fille *f* / garçon *m* de neuf ans **neunmal** *adv* neuf fois; *s. a.* **achtmal**

neunt *adv* zu ~ sein être [à] neuf; *s. a.* **acht**[2]

neuntausend ['nɔynˈtaʊzənt] *num* neuf mille

neunte(r, s) *adj* **1.** neuvième **2.** (*bei Datumsangaben*) **der** ~ **Mai** le neuf mai **3.** SCHULE die ~ **Klasse** ≈ la seconde; *s. a.* **achte(r, s)**

Neunte(r) *f(m)* neuvième *mf; s. a.* **Achte(r)**

neuntel *adj* neuvième; *s. a.* **achtel**

Neuntel <-s, -> *nt a.* MATH neuvième *m*

neuntens *adv* neuvièmement

neunzehn *num* dix-neuf; *s. a.* **acht**[1] **neunzehnte(r, s)** *adj* dix-neuvième; *s. a.* **achte(r, s)**

neunzig ['nɔyntsɪç] *num* quatre-vingt-dix, nonante (BELG, CH); *s. a.* **achtzig**

Neunzig <-, -en> *f* quatre-vingt-dix *m*, nonante *m* (BELG, CH)

neunziger *adj* die ~ **Jahre** les années *fpl* quatre-vingt-dix; *s. a.* **achtziger**

neunzigjährig *adj attr* de quatre-vingt-dix ans, de nonante ans (CH, BELG); *s. a.* **achtzigjährig**

neunzigste(r, s) *adj* quatre-vingt-dixième, nonantième (BELG, CH); *s. a.* **achtzigste(r, s)**

Neuordnung *f* réorganisation *f* **Neuregelung** *f* nouvelle réglementation *f*

neureich *adj* parvenu(e)

Neureiche(r) *f(m) dekl wie adj* die ~n les nouveaux riches

Neurodermitis [nɔyrodɛrˈmiːtɪs] *f* MED névrodermite *f*

Neurologe [nɔyroˈloːgə] <-n, -n> *m*, **Neurologin** *f* MED neurologue *mf*

neurologisch *adj* MED neurologique

Neurose [nɔyˈroːzə] <-, -n> *f* PSYCH névrose *f*

neurotisch *adj* PSYCH *Person* névrosé(e); *Erkrankung, Verhalten* névrotique

Neuschnee *m* neige *f* fraîche

Neuseeland [nɔyˈzeːlant] *nt* la Nouvelle-Zélande

Neuseeländer(in) <-s, -> *m(f)* Néo-Zélandais(e) *m(f)*

neuseeländisch *adj* néo-zélandais(e)

neusprachlich *adj* Unterricht de langues vivantes; die ~en **Fächer** les langues *fpl* vivantes

Neuste(s) *s.* **Neueste(s)**

neustens *s.* **neuerdings**

neutral [nɔyˈtraːl] **I.** *adj* neutre **II.** *adv* **1.** *sich verhalten* de façon impartiale **2.** CHEM ~ **reagieren** avoir une réaction neutre

neutralisieren* [nɔytraliˈziːrən] *vt* neutraliser

Neutralisierung <-, -en> *f* neutralisation *f*

Neutralität [nɔytraliˈtɛːt] <-> *f* **1.** POL neutralité *f* **2.** *geh* (*Unparteilichkeit*) impartialité *f*

Neutron ['nɔytroːn] <-s, -tronen> *nt* PHYS neutron *m*

Neutrum ['nɔytrʊm] <-s, Neutra *o* Neutren> *nt* **1.** GRAM neutre *m* **2.** *geh* (*geschlechtsloses Wesen*) être *m* asexué

Neuverschuldung *f* nouvel endettement *m*

Neuwahl *f* nouvelle élection *f*

neuwertig *adj* comme neuf(neuve)

Neuzeit *f kein Pl* die ~ les temps *mpl* modernes

neuzeitlich *adj* **1.** (*der Neuzeit zugehörig*) des temps modernes **2.** (*modern*) moderne

Newcomer ['njuːkamɐ] <-s, -> *m* nouveau venu *m* / nouvelle venue *f*

Newsgroup ['njuːzgruːp] <-, -s> *f* INFORM infogroupe *m*

nicht [nɪçt] *adv* **1.** ne ... pas; **um sich ~ zu erkälten** pour ne pas attraper froid; ~ **schlecht/möglich** pas mauvais/possible; ~ **sehr** pas très; ~ **mehr** ne ... plus; ~ **länger** ne ... plus longtemps; ~ **warum** ~? pourquoi pas?; **bitte** ~! non, s'il te/vous plaît!; ~ **einer** [ne ...] pas un [seul]; **er** ~! pas lui!; ~! arrête/arrêtez! **2.** (*stimmt's*) ~? non?

Nichtbeachtung *f form* non-respect *m*

Nichte ['nɪçtə] <-, -n> *f* nièce *f*

nichtig *adj* JUR nul(le)

Nichtigkeit <-, -en> *f kein Pl* JUR nullité *f*

nichtöffentlich *adj attr* non public(-ique)

Nichtraucher(in) *m(f)* non-fumeur(-euse) *m(f)* **Nichtraucherabteil** *nt* compartiment *m* [réservé aux] non-fumeurs

nichts [nɪçts] *pron indef* ne ... rien; **sie hat** ~ **gesagt** elle n'a rien dit; **gar** ~ rien du tout; ~ **mehr** [ne ...] plus rien; **das geht Sie** ~ **an!** ça ne vous regarde en rien!; **ich habe damit** ~ **als Ärger** tout ce que j'ai gagné sont des ennuis; **es ist** ~ ce n'est rien; **das macht** ~ ça ne fait rien ►**für** **und wieder** ~ *fam* pour des clopinettes; ~ **wie weg!** tirons-nous!

Nichts <-, -e> *nt* **1.** *kein Pl* PHILOS **das** ~ le néant **2.** (*unbedeutender Mensch*) **ein** ~ un(e) moins que rien ►**vor dem** ~ stehen

avoir tout perdu; **aus dem** ~ (*aus nicht Vorhandenem*) à partir de rien; (*von irgendwoher*) comme tombé(e) du ciel

nichtsahnend *s.* ahnen

Nichtschwimmer(in) *m(f)* ~ **sein** ne pas savoir nager **Nichtschwimmerbecken** *nt* petit bassin *m*

nichtsdestotrotz *adv* néanmoins **nichtsdestoweniger** [nɪçtsdɛstoˈveːnɪgɐ] *adv* néanmoins; **aber** ~ mais malgré tout

Nichtsnutz [ˈnɪçtsnʊts] <-es, -e> *m pej* vaurien(ne) *m(f)* **nichtssagend** *s.* sagen

I. Nichtstuer(in) [nɪçtstuːɐ] <-s, -> *m(f) pej* fainéant(e) *m(f)* **Nichtstun** *nt* **1.** (*das Faulenzen*) oisiveté *f;* **die Tage mit** ~ **verbringen** passer ses journées à fainéanter **2.** (*Untätigkeit*) inaction *f* **Nichtwähler(in)** *m(f)* POL abstentionniste *mf* **Nichtwissen** *nt* ignorance *f*

Nickel [ˈnɪkəl] <-s> *nt* nickel *m*

Nickelbrille *f* lunettes *fpl* cerclées

nicken [ˈnɪkən] *vi* hocher la tête; (*Zustimmung signalisieren*) faire un signe d'approbation

Nickerchen [ˈnɪkɐçən] <-s> *nt fam* roupillon *m;* **ein** ~ **machen** piquer un [petit] roupillon

nie [niː] *adv* **1.** (*zu keinem Zeitpunkt*) ne … jamais; **er hat** ~ **davon gesprochen** il n'en a jamais parlé; **sie sind sich** ~ **wieder begegnet** ils ne se sont plus jamais vus; **warst du schon mal in Indien? – Nein, noch** ~! tu es déjà allé en Inde? – Non, jamais! **2.** (*bestimmt nicht*) ne … sûrement pas (*fam*); **das werden sie** ~ **schaffen** ils/elles n'y arriveront jamais

nieder *adv* ~ **mit dem Feind!** à bas l'ennemi!

nieder|brennen *vi irr* + *sein* se réduire en cendres

niederdeutsch *adj* **1.** GEOG d'Allemagne du Nord **2.** LING bas allemand *inv* **Niederdeutsch** <-[s]> *nt kein art* le bas allemand; **auf** ~ en bas allemand

nieder|drücken *vt* **1.** appuyer sur *Türklinke, Taste* **2.** *geh* (*deprimieren*) démoraliser; ~**d** démoralisant(e)

niedere(r, s) *adj attr Stand* bas(se) antéposé; *Beamte* petit(e) antéposé; **von** ~**r Geburt sein** être de basse condition

Niedergang *m kein Pl* déclin *m*

nieder|gehen *vi irr* + *sein Regen, Lawine:* s'abattre

niedergelassen *adj* CH *Schweizer* établi(e)

niedergeschlagen *adj* abattu(e)

Niedergeschlagenheit <-> *f* (*Deprimiertheit*) abattement *m;* (*Entmutigung*) découragement *m*

nieder|knien *vi* + *sein* s'agenouiller

Niederlage *f* **1.** MIL, SPORT, POL défaite *f;* **jdm eine** ~ **bereiten** infliger une défaite à qn; **bei etw eine** ~ **einstecken müssen** essuyer une défaite lors de qc (*fam*) **2.** (*Misserfolg*) échec *m*

Niederlande [ˈniːdəlandə] <-> *Pl* **die** ~ les Pays-Bas *mpl*

Niederländer(in) [ˈniːdəlɛndɐ] <-s, -> *m(f)* Néerlandais(e) *m(f)*

niederländisch I. *adj* néerlandais(e) **II.** *adv* ~ **miteinander sprechen** discuter en néerlandais; *s. a.* **deutsch**

Niederländisch <-[s]> *nt kein art* néerlandais *m; s. a.* **Deutsch**

nieder|lassen *vr irr* **1.** *sich* ~ s'établir; **sich in einer Stadt als Arzt/Anwalt** ~ s'établir dans une ville comme médecin/avocat; **die niedergelassenen Ärzte** les médecins établis **2.** *geh* (*sich setzen*) **sich auf einer Bank** ~ *Person:* prendre place sur un banc

Niederlassung <-, -en> *f* **1.** (*Zweigstelle*) succursale *f* **2.** *kein Pl* (*Existenzgründung*) *eines Arztes, Rechtsanwaltes* installation *f*

nieder|legen *vt* **1.** se démettre de *Amt;* cesser *Arbeit;* démissionner de *Mandat, Vorsitz* **2.** *geh* (*hinlegen*) déposer *Kranz*

Niederlegung <-, -en> *f* **1.** (*das Hinlegen*) dépôt *m* **2.** (*Beendigung*) *einer Aufgabe* démission *f; der Arbeit* cessation *f*

nieder|machen *vt fam* descendre

nieder|metzeln [ˈniːdəmɛtsəln] *vt* massacrer

Niederösterreich *nt* la Basse-Autriche

nieder|prasseln *vi* + *sein a. fig* s'abattre

Niedersachsen [ˈniːdəzaksn] *nt* la Basse-Saxe

Niederschlag *m* METEO précipitation *fpl;* CHEM précipité *m;* **radioaktiver** ~ retombées *fpl* radioactives

nieder|schlagen *irr* **I.** *vt* **1.** (*zu Boden schlagen*) **jdn** ~ frapper qn à terre **2.** (*unterdrücken*) réprimer **3.** (*senken*) baisser *Augen, Blick* **II.** *vr* **1.** *a.* CHEM **sich** ~ *Dampf:* se condenser; *Substanz:* déposer **2.** *fig* **sich in etw** (*dat*) ~ s'exprimer dans qc

niederschlagsarm *adj Gegend* peu arrosé(e); *Klima* pauvre en précipitations; **der Winter ist manchmal sehr** ~ l'hiver est parfois très sec **niederschlagsreich** *adj* pluvieux(-euse)

Niederschlagung <-, -en> *f* (*Unterdrückung*) *eines Aufstands* répression *f*

nieder|schmettern *vt a. fig* terrasser

niederschmetternd *adj Nachricht* bouleversant(e); *Bericht* accablant(e); *Resultat* catastrophique

nieder|schreiben *vt irr* mettre par écrit

nieder|stechen *vt irr* poignarder

nieder|stimmen *vt* mettre en minorité; jdn ~ mettre qn en minorité; etw ~ rejeter qc

Niedertracht <-> *f* bassesse *f*

niederträchtig ['niːdɛtrɛçtɪç] I. *adj* infâme II. *adv* de façon infâme

Niederträchtigkeit <-, -en> *f* 1. *kein Pl* (*Charaktereigenschaft*) bassesse *f* 2. (*Tat*) infamie *f*

Niederung <-, -en> *f* dépression *f*

nieder|werfen *irr vr* **sich** ~ se prosterner; **sich vor jdm** ~ se prosterner devant qn

niedlich ['niːtlɪç] I. *adj* adorable II. *adv* de façon adorable

niedrig ['niːdrɪç] I. *adj* 1. (*nicht hoch*) bas(se) 2. (*gering*) peu élevé(e); *Trinkgeld* maigre *antéposé*; *Druck, Temperatur* bas(se); *Geschwindigkeit* réduite 3. *Beweggründe* bas(se) *antéposé* 4. *Herkunft* bas(se) *antéposé* II. *adv* bas

Niedrigkeit <-> *f von Beweggründen* bassesse *f*

Niedriglohn *m meist Pl* bas salaires *mpl*

Niedrigwasser *nt* étiage *m*

niemals ['niːmaːls] *adv* 1. ne ... jamais; **er ist noch ~ geflogen** il n'a encore jamais pris l'avion 2. (*auf keinen Fall*) ne ... jamais [de la vie]

niemand ['niːmant] *pron indef* ne ... personne; **das geht ~[en] von euch etwas an** cela ne regarde aucun de vous

Niemand <-s, -e> *m* rien du tout *mf*

Niere ['niːrə] <-, -n> *f* 1. ANAT rein *m* 2. *meist Pl* GASTR rognon

Nierenentzündung *f* néphrite *f* **nierenförmig** *adj* en forme de haricot **Nierengurt** *m* ceinture *f* lombaire

nieseln ['niːzəln] *vi unpers* **es nieselt** il bruine

Nieselregen *m* bruine *f*

niesen ['niːzən] *vi* éternuer

Niesen <-s> *nt* éternuement *m*

Niete ['niːtə] <-, -n> *f* 1. (*Los*) billet *m* perdant 2. *fam* (*Versager*) minable *mf* 3. TECH, COUT rivet *m*

nieten *vt* river

Nikolaus <-, -e *o fam* -läuse> *m* 1. (*Gestalt*) [*der*] ~ Saint Nicolas *m* 2. *kein Pl* (~*tag*) **morgen ist** ~ demain c'est la Saint-Nicolas

Nikotin [niko'tiːn] <-s> *nt* nicotine *f*

Nilpferd *nt* hippopotame *m*

nimmer ['nɪmɐ] *adv* SDEUTSCH, A (*nicht mehr*) ne ... plus

Nimmersatt <-[e]s, -e> *m fam* goinfre *mf*

nimmt [nɪmt] 3. *Pers Präs von* **nehmen**

nippen ['nɪpən] *vi* goûter du bout des lèvres; **an etw** (*dat*) ~ goûter qc du bout des lèvres; **an einem Glas** ~ siroter un verre

nirgends *adv* ne ... nulle part

nirgendwo ['nɪrgəntvoː] *s.* **nirgends**

nirgendwohin *adv* ne ... nulle part; **wohin gehst du? – Nirgendwohin!** où est-ce que tu vas? – Nulle part!

Nische ['niːʃə] <-, -n> *f* 1. ARCHIT niche *f* 2. (*Marktnische*) créneau *m* 3. *fig* **ökologische** ~ niche *f* écologique

nisten ['nɪstən] *vi* nicher

Nitrat [ni'traːt] <-[e]s, -e> *nt* CHEM nitrate *m*

Niveau [ni'voː] <-s, -s> *nt* niveau *m*; **jd hat ~/kein** ~ qn est/n'est pas cultivé(e); **etw hat ~/kein** ~ qc est de haut niveau/ qc est d'un mauvais niveau

nix [nɪks] *pron indef fam* rien

Nizza <-s> *nt* Nice

NN *Abk von* **Normalnull**

NO *Abk von* **Nordosten** N.-E.

nobel ['noːbəl] I. *adj* 1. (*edel*) noble 2. (*luxuriös*) chic 3. *Geschenk, Trinkgeld* généreux(-euse) II. *adv* (*edel*) avec noblesse

Nobelkarosse *f pej fam* AUT bagnole *f* de luxe

Nobelpreis [no'bɛlprajs] *m* prix *m* Nobel

noch [nɔx] *adv* 1. (*weiterhin*) encore; ~ **da sein** être encore là; **er ist immer ~ krank** il est toujours malade; ~ **fünf Minuten bis zur Abfahrt** encore cinq minutes jusqu'au départ 2. (*bisher*) **er hat ~ nicht angerufen** il n'a pas encore téléphoné 3. (*zur Verstärkung von Steigerungen*) encore; **besser** encore mieux 4. (*verstärkend*) ~ **heute** aujourd'hui même; ~ **am Unfallort** sur le lieu même de l'accident; **und wenn es ~ so regnet ...** et même s'il pleut ...; **und wenn du ~ so schreist, hier hört dich keiner!** tu peux avoir beau crier, ici personne ne t'entend 5. (*eigentlich*) déjà; **wie war das ~?** comment c'était déjà? 6. (*knapp, so eben*) **den Zug gerade ~ erreichen können** pouvoir tout juste attraper le train; **das geht gerade ~** ça peut encore aller 7. (*außerdem*) encore; **bringen Sie mir ~ ein Bier!** apportez-moi une autre bière!

nochmalig *adj* nouveau

nochmals *adv* encore une fois

Nockerl <-s, -n> *nt* A (*kleiner Kloß*) quenelle *f*

Nominativ ['noːminatiːf] <-[e]s, -e> *m* GRAM nominatif *m*

nominell [nomi'nɛl] *adj* nominal(e)

nominieren* [nomi'niːrən] *vt* désigner; **jdn für ein Amt** ~ désigner qn à une fonction

No-Name-Produkt[RR] [nou'neim-] *nt* produit *m* qui n'est pas de marque

Nonne ['nɔnə] <-, -n> *f* religieuse *f*

Nonnenkloster *nt* couvent *m*

Nonsens <-[es]> *m* absurdité *f*

Nordamerika ['nɔrtʔa'meːrika] *nt* l'Amérique *f* du Nord **norddeutsch** *adj* de l'Allemagne du Nord

Norden ['nɔrdən] <-s> *m* 1.(*Himmelsrichtung*) nord *m;* **aus dem** ~ venant du nord; **nach** ~ vers le nord; **nach** ~ **liegen** *Zimmer, Balkon:* être orienté au nord; **nach** ~ **zeigen** *Person:* montrer le nord; **von** ~ du nord 2.(*nördliche Gegend*) Nord *m* ▶**im hohen** ~ dans le Grand Nord

Nordfrankreich *nt* le nord de la France; **in** ~ dans le nord de la France

Nordkap *nt* **das** ~ le cap Nord **Nordküste** *f* côte *f* septentrionale

nördlich ['nœrtlɪç] **I.** *adj* du nord; **in** ~**er Richtung** en direction du nord **II.** *präp* + *gen* ~ **des Polarkreises** au nord du cercle polaire

Nordlicht *nt* aurore *f* boréale **Nordosten** *m* nord-est *m; s. a.* **Norden nordöstlich** ['nɔrtʔœstlɪç] **I.** *adj* [situé(e) au] nord-est; **in** ~**er Richtung** en direction du nord-est **II.** *präp* + *gen* ~ **der Stadt** au nord-est de la ville **Nord-Ostsee-Kanal** *m* **der** ~ le canal de la mer du Nord à la Baltique **Nordpol** *m* **der** ~ le pôle Nord

Nordrhein-Westfalen ['nɔrtraɪnvɛst'faːlən] *nt* la Rhénanie-du-Nord-Westphalie

Nordsee *f* **die** ~ la mer du Nord **Nordseite** *f* face *f* nord **nordwärts** *adv* vers le nord **Nordwesten** *m* nord-ouest *m; s. a.* **Norden nordwestlich** ['nɔrt'vɛstlɪç] **I.** *adj* [situé(e) au] nord-ouest; **in** ~**er Richtung** en direction du nord-ouest **II.** *präp* + *gen* ~ **des Flusses** au nord-ouest du fleuve

Nörgelei <-, -en> *f* dénigrements *mpl* **nörgeln** ['nœrgəln] *vi* râler; **über etw** (*akk*) ~ râler à cause de qc

Nörgler(in) <-s, -> *m(f)* râleur(-euse) *m(f)*

Norm [nɔrm] <-, -en> *f* norme *f*

normal [nɔr'maːl] **I.** *adj* 1.(*üblich*) normal(e); **es ist ganz** ~, **dass** il est tout à fait normal que + *subj* 2.(*geistig gesund*) normal(e); **nicht mehr** ~ **sein** (*zurechnungsfähig*) ne plus être tout à fait normal **II.** *adv* (*üblich*) normalement; ~ **groß/lang/breit sein** être de taille/longueur/largeur normale

Normalbenzin *nt* [essence *f*] ordinaire *m* **normalerweise** *adv* normalement **normalisieren*** [nɔrmali'ziːrən] **I.** *vt* normaliser **II.** *vr* **sich** ~ *a.* MED revenir à la normale

Normalität [nɔrmali'tɛːt] <-> *f* normalité *f*

Normalnull <-s> *nt* niveau *m* zéro **Nor-**

malzustand *m kein Pl* état *m* normal

Normandie <-> *f* **die** ~ la Normandie **normannisch** *adj a.* HIST normand(e)

normen *vt* standardiser

normieren* [nɔr'miːrən] *vt geh* standardiser *Maße;* uniformiser *Aussehen*

Normung <-, -en> *f* standardisation *f*

Norwegen ['nɔrveːgən] <-s> *nt* la Norvège

Norweger(in) ['nɔrveːgɐ] <-s, -> *m(f)* Norvégien(ne) *m(f)*

norwegisch ['nɔrveːgɪʃ] *adj* norvégien(ne) **Norwegisch** <-[s]> *nt kein art* norvégien *m; s. a.* **Deutsch**

Nostalgie [nɔstal'giː] <-> *f geh* nostalgie *f* **nostalgisch** [nɔs'talgɪʃ] *adj geh* nostalgique

not *s.* **Not**

Not [noːt, *Pl:* 'nœːtə] <-, ⁼e> *f* 1. *kein Pl* (*Armut*) misère *f* 2.(*Bedrängnis*) détresse *f;* **jdn in** ~ **bringen** mettre qn en grande difficulté; **in** ~ **sein** être dans le besoin ▶**zur** ~ au besoin

Notar(in) [no'taːɐ̯] <-s, -e> *m(f)* notaire *m*

Notariat [notari'aːt] <-[e]s, -e> *nt* 1.(*Kanzlei*) cabinet *m* [de notaire] 2. *kein Pl* (*Amt*) notariat *m*

notariell [notari'ɛl] **I.** *adj* notarié(e) **II.** *adv* devant notaire; ~ **beglaubigt werden** être notarié

Notarzt *m*, -**ärztin** *f* 1.(*Arzt für Notfälle*) médecin *mf* d'urgence; (*in Frankreich*) médecin *mf* du SAMU 2.(*Arzt im Bereitschaftsdienst*) médecin *mf* de garde **Notarztwagen** *m* voiture *f* du SAMU **Notaufnahme** *f eines Krankenhauses* urgences *fpl* **Notausgang** *m* sortie *f* de secours **Notbremse** *f* signal *m* d'alarme ▶**die** ~ **ziehen** tirer le signal d'alarme; (*Maßnahmen ergreifen*) tirer la sonnette d'alarme **Notdienst** *m* service *m* de garde

notdürftig **I.** *adj Reparatur* provisoire; *Schutz* de fortune; *Verständigung* approximatif(-ive) **II.** *adv reparieren* provisoirement; *sich verständigen* comme il/elle/... peut

Note ['noːtə] <-, -n> *f* 1. MUS note *f; Pl* (~*ntext*) partition *f;* **ganze/halbe** ~ ronde *f*/blanche *f;* ~**n lesen können** connaître le solfège 2. SCHULE, UNIV, SPORT note *f* 3.(*Banknote*) billet *m*

Notebook ['noʊtbʊk] <-s, -s> *nt* [ordinateur *m*] portable *m*

Notenschlüssel *m* clé *f* **Notenständer** *m* pupitre *m*

Notepad-Computer ['noʊtpɛdkɔm'pjuːtɐ] *m* bloc-notes *m* électronique

Notfall *m* 1.(*Zwangslage*) situation *f* d'ur-

gence; **im** ~ au besoin **2.** MED [cas *m* d']ur-
gence *f;* **bei einem** ~ en cas d'urgence
▸**für den** ~ en cas de besoin
n**o**tfalls *adv* au besoin
n**o**tgedrungen *adv* bon gré mal gré
not**ie**ren* [no'tiːrən] **I.** *vt* **1.** (*aufschreiben*) noter; [**sich** (*dat*)] **etw** ~ noter qc
2. FIN **mit hundert Dollar notiert werden** *Aktien, Rohstoffe:* être coté à cent dol-
lars **II.** *vi* **1.** (*schreiben*) noter **2.** FIN **mit 60
Euro** ~ coter à 60 euros; **der Dollar no-
tiert schwächer/fester** le dollar est en
baisse/en hausse
n**ö**tig ['nøːtɪç] *adj* nécessaire; **mit dem
~en Geld** avec l'argent nécessaire; **mit
der ~en Vorsicht** avec la prudence qui
s'impose/s'imposait; **etw bitter ~ haben**
Person: avoir bien besoin de qc; **etw nicht
~ haben** pouvoir se passer de qc; **wenn ~**
si nécessaire; **das Nötigste** le strict nécessaire
n**ö**tigen *vt* forcer; **jdn zu etw** ~ forcer qn à
faire qc
N**ö**tigung <-, -en> *f* coercition *f*
Notiz [no'tiːts] <-, -en> *f* **1.** note *f;* **sich**
(*dat*) **~en machen** noter; (*bei einem Vortrag*) prendre des notes **2.** (*Pressenotiz*)
entrefilet *m*
Notizblock <-blöcke> *m* bloc-notes *m*
Notizbuch *nt* carnet *m*
Notlage *f* situation *f* critique; **jds ~ ausnützen** profiter de la détresse de qn
notlanden <notlandete, notgelan-
det> *vi* + *sein* faire un atterrissage forcé
Notlösung *f* solution *f* provisoire **Notlü-
ge** *f* pieux mensonge *m*
not**o**risch [no'toːrɪʃ] *adj* **ein ~er Lügner**
un fieffé menteur
Notruf *m* (*Anruf*) appel *m* d'urgence **Not-
rufnummer** *f* numéro *m* d'appel d'urgence **Notrufsäule** *f* borne *f* d'appel d'urgence **Notstand** *m* **1.** [cas *m* d'] urgence *f*
2. JUR état *m* d'urgence **Notwehr** <-> *f* légitime défense *f;* **in ~** en état de légitime
défense
n**o**twendig ['noːtvɛndɪç] *adj* nécessaire;
das Notwendigste le strict nécessaire
N**o**twendigkeit <-, -en> *f* nécessité *f*
Nougat ['nuːgat] <-s, -s> *m o nt* praliné *m*
Nov**e**mber [no'vɛmbə] <-s, -> *m* novembre *m; s. a.* **April**
Nov**i**ze [no'viːtsə] <-n, -n> *m*, **Novizin** *f*
novice *mf*
Nr. *Abk von* **Nummer** n°
NS [ɛn'ʔɛs] **I.** *Abk von* **Nationalsozialismus** national-socialisme *m* **II.** *Abk von* **nationalsozialistisch** national-socialiste
NSDAP [ɛnlɛsdeːaː'peː] *f* HIST *parti ouvrier
allemand national-socialiste*

NS-Regime *nt* nazisme *m* **NS-Soldat** *m*
soldat *m* nazi
N.T. *nt Abk von* **Neues Testament** N.T.
Nu [nuː] ▸**im** ~ en un clin d'œil
Nuance [ny'ãːsə] <-, -n> *f* nuance *f*
n**ü**chtern ['nʏçtən] *adj* **1.** (*mit leerem Magen*) ~ **sein** être à jeun **2.** (*nicht betrunken*) sobre; [**wieder**] ~ **werden** dessoûler
3. (*realitätsbewusst*) lucide **4.** *Tatsachen*
concret(-ète); *Stil* sobre
N**ü**chternheit <-> *f* **1.** (*opp: Trunkenheit*)
sobriété *f* **2.** (*Realitätsbewusstsein*) lucidité *f*
n**u**ckeln ['nʊkəln] *vi fam* **an etw** (*dat*) ~
téter qc
Nudel ['nuːdəl] <-, -n> *f meist Pl* pâtes *fpl*
Nudelholz *nt* rouleau *m* à pâtisserie **Nu-
delsuppe** *f* soupe *f* au vermicelle
Nugat ['nuːgat] *s.* **Nougat**
nukl**e**ar [nukle'aːɐ̯] *adj attr* nucléaire
Nuklearmacht *f* puissance *f* nucléaire
n**u**ll [nʊl] **I.** *num* zéro; ~ **Fehler** un sans
faute; **um/gegen ~ Uhr** à/vers minuit;
das Spiel steht ~ zu drei/eins zu ~ le
score est de zéro à trois/de un à zéro ▸~
und nichtig sein être nul et non avenu **II.**
adj inv fam ~ **Ahnung haben** n'y comprendre que dalle
Null <-, -en> *f* **1.** zéro *m* **2.** *fam* (*Versager*)
nullard *m*
Nulldiät *f* régime *m* zéro calorie **Nullpunkt**
m kein Pl zéro *m; **auf den ~ sinken** Temperatur:* descendre jusqu'à zéro ▸**auf dem
~ ankommen** *Laune, Stimmung:* être à
zéro **Nulltarif** *m kein Pl* TRANSP gratuité *f*
[des transports en commun]; **zum ~ anrufen** téléphoner gratuitement
numer**ie**ren* *s.* **nummerieren**
num**e**risch [nu'meːrɪʃ] *adj* numérique
Nummer ['nʊmɐ] <-, -n> *f* **1.** (*Ziffer,
Zahl*) numéro *m;* **in welcher ~ wohnst
du?** tu habites au quel numéro? **2.** (*Größe*)
pointure *f; Bluse* taille *f* **3.** (*Autonummer*)
numéro *m* [d'immatriculation] ▸**auf ~ Sicher gehen** *fam* être sûr de son coup
nummer**ie**ren*RR [nume'riːrən] *vt* numéroter
Nummernschild *nt* plaque *f* d'immatriculation
n**u**n [nuːn] *adv* **1.** maintenant; **von ~ an**
désormais **2.** (*allerdings*) à vrai dire **3.** (*ein-
lenkend*) bon; ~ **gut** eh bien, soit; ~ **ja** ma
foi; ~ **ja, aber ...** certes, [je veux bien]
mais ... **4.** (*auffordernd*) alors; ~ **mach
schon!** allez, vas-y!
n**u**nmehr *adv geh* à présent
nur [nuːɐ̯] *adv* **1.** (*lediglich*) seulement; **ich
wollte ~ fragen, ob ...** je voulais juste demander si ...; **nicht ~ ..., sondern auch**

... non seulement ..., mais aussi ...; **ich habe leider ~ wenig Zeit** je n'ai malheureusement que très peu de temps; [**immer**] **~ Regen** rien que de la pluie **2.** (*ausschließlich, nichts als*) **~ Wasser trinken** ne boire que de l'eau **3.** (*bloß*) **wie konnte ich das ~ vergessen!** comment ai-je pu oublier!; **was hat er ~?** qu'est-ce qu'il peut bien avoir? **4.** (*ja*) surtout; **machen Sie sich ~ keine Umstände!** surtout, ne vous dérangez pas! **5.** (*ruhig*) **er soll ~ kommen!** il n'a qu'à venir!; **red** [**du**] **~!** tu peux toujours parler! ▸ **~ Mut!** [du] courage, voyons!; **~ zu!** vas-y!/allez-y!

Nürnberg ['nʏrnbɛrk] <-s> *nt* Nuremberg

nuscheln ['nuʃəln] *vt, vi fam* parler dans sa barbe

NussRR <-, ⸚e>, **Nuß**, Nüsse> *f* **1.** (*Haselnuss*) noisette *f;* (*Walnuss*) noix *f* **2.** (*Fleischstück*) noix *f* **3.** *fam* (*Schimpfwort*) **du dumme ~!** pauvre cloche!

NussbaumRR *m* (*Baum, Holz*) noyer *m*

nussig *adj* GASTR qui a le goût de la noix

NussknackerRR *m* casse-noisettes *m*

Nutte ['nʊtə] <-, -n> *f fam* pute *f* (*vulg*)

NutzRR ▸ **sich** (*dat*) **etw zu ~e machen** tirer profit de qc

nutzbar *adj Energie, Anteil* utilisable; *Volu-* men utile

nutzbringend *adj* profitable

nütze ['nʏtsə] ▸ **zu nichts ~ <u>sein</u>** n'être bon à rien

nutzen *vt* **1.** se servir de *Gegenstand;* habiter *Haus, Zimmer* **2.** profiter de *Gelegenheit* **3.** *s.* **nützen II.**

Nutzen ['nʊtsən] <-s> *m* avantage *m;* **von ~ sein** être utile; **aus etw seinen ~ ziehen** tirer son profit de qc; **zum ~ der Bevölkerung** pour le bien de la population; **welchen ~ soll das haben?** qu'est-ce que cela peut nous apporter?

nützen I. *vi* servir; **jdm ~** servir à qn **II.** *vt* **jdm nichts ~** ne servir à rien à qn; **das nützt mir nicht viel** ça ne sert pas à grand-chose

Nutzerführung *f* INFORM guidage *m* de l'utilisateur

nützlich *adj* utile; **jdm ~ sein** être utile à qn; **etwas Nützliches** quelque chose d'utile ▸ **sich ~ <u>machen</u>** se rendre utile

Nützlichkeit <-> *f* utilité *f*

nutzlos *adj* inutile

Nutznießer(in) <-s, -> *m(f)* bénéficiaire *mf*

Nutzung <-, -en> *f* utilisation *f*

NW *Abk von* **Nordwesten** N.-O.

Nylonstrumpf ['nailɔnʃtrʊpf] *m* bas *m* nylon®

N

O

O, o [o:] <-, -> *nt* O *m*/o *m*
O *Abk von* **Osten** E
o.a. supra
Oase [o'a:zə] <-, -n> *f* oasis *f*
ọb [ɔp] **I.** *konj* **1.** si; **nicht wissen, ~ ...** ne pas savoir si ...; **jdn fragen, ~** demander à qn si ... **2.** (*sei es, dass*) **~ Reich, ~ Arm** [qu'on soit] riche ou pauvre ►**und ~!** et comment!; (*aber doch*) mais si! **II.** *präp +* *dat* **Rothenburg ~ der Tauber** Rothembourg sur la Tauber
OB [o:'be:] <-[s], -s> *m*, <-, -s> *f Abk von* **Oberbürgermeister(in)** maire *m*
Ọbdach ['ɔpdax] *nt kein Pl geh* abri *m*; **jdm ~ gewähren** offrir le gîte à qn
ọbdachlos *adj* sans abri; **~ sein** être sans abri; **~ werden** perdre son domicile
Ọbdachlose(r) *f(m)* sans-abri *mf*
Ọbduktion [ɔpdʊk'tsi̯o:n] <-, -en> *f* autopsie *f*
obduzieren* [ɔpdu'tsi:rən] **I.** *vt* autopsier; **die Leiche wird obduziert** le corps est autopsié **II.** *vi* faire une autopsie
O-Beine *Pl* jambes *fpl* arquées
oben ['o:bən] *adv* **1.** (*opp: unten*) en haut; **~ im Schrank** en haut de l'armoire; **~ auf dem Baum** [là-haut] dans l'arbre; **~ auf der Liste** en tête de liste; **dort ~** là-haut; **bis ~** [hin] **voll sein** être plein jusqu'à ras bord; **jdn von ~ bis unten mustern** examiner qn de la tête aux pieds **2.** (*an der Oberseite*) **das Sofa ist ~ etwas abgewetzt** le canapé est un peu râpé sur le dessus; [**hier**] **~!** haut! **3.** (*an der Wasseroberfläche*) [**wieder**] **~ sein/nach ~ kommen** *Taucher:* être remonté/remonter à la surface **4.** (*in einem oberen Stockwerk*) **nach ~ gehen** aller en haut; **das Klavier nach ~ tragen** monter le piano **5.** (*in sehr großer Höhe*) **mit der Seilbahn nach ~ fahren** monter en téléphérique **6.** *fam* (*auf höherer Ebene*) en haut; **nach ~ wollen** vouloir faire carrière **7.** (*vorher*) plus haut; **siehe ~** voir ci-dessus; **~ erwähnt** mentionné(e) ci-dessus **8.** *fam* (*im, nach Norden*) **~ in Schleswig-Holstein** au nord, dans le Schleswig-Holstein ►**ihr** steht es bis ~ *fam* elle en a jusque-là; **sich ~ ohne sonnen** *fam* se mettre au soleil seins nus; **von ~ herab** (*geringschätzig*) de haut
obenạn ['o:bən'ʔan] *adv* en première position **obendrạuf** *adv fam* dessus **oben-**

drẹin ['o:bən'draịn] *adv* par-dessus le marché **obenerwähnt** *s.* **oben obenhịn** ['o:bən'hɪn] *adv* comme ça (*fam*)
Ọber ['o:bɐ] <-s, -> *m* (*Kellner*) garçon *m*; **Herr ~!** garçon [, s'il vous plaît]!
Ọberarm ['o:bɐarm] *m* bras *m* **Ọberarzt** *m*, **-ärztin** *f* medecin *mf* en chef **Ọberbegriff** *m* terme *m* générique **Oberbürgermeister(in)** *m(f)* maire *m* (*d'une grande ville*)
ọbere(r, s) ['o:bərə, -rɐ, -rəs] *adj attr* **1.** *a.* GEOG supérieur(e) **2.** (*vorhergehend*) précédent(e)
Ọberfläche *f* surface *f* ►[**wieder**] **an die ~ kommen** *Taucher:* remonter à la surface; *Verdrängtes:* refaire surface
oberflächlich *adj* superficiel(le)
Oberflächlichkeit <-> *f* caractère *m* superficiel
obergärig *adj* à haute fermentation
ỌbergeschossRR *nt* étage *m* supérieur
oberhalb I. *präp + gen* **~ des Dorfes** audessus du village **II.** *adv* **~ von etw** au-dessus de qc
oberirdisch *adj, adv* à la surface **Oberkiefer** *m* mâchoire *f* supérieure **Oberkörper** *m* (*Brustkorb*) buste *m*
Oberösterreich *nt* la Haute-Autriche
Ọbers <-> *nt A s.* **Schlagsahne**
Oberschenkel *m* cuisse *f* **Oberschicht** *f* classe *f* supérieure **Oberschwester** *f* infirmière *f* [en] chef
Ọberst ['o:bɐst] <-en, -e[n]> *m* colonel *m*
oberste(r, s) *adj* **1.** (*ganz oben befindlich*) supérieur(e); *Stockwerk* dernier(-ière); *Schublade* du haut **2.** (*rangmäßig*) plus élevé(e)
Oberstufe *f* SCHULE les trois années avant le baccalauréat **Oberteil** *nt o m* **1.** *eines Möbelstücks* partie *f* supérieure **2.** *eines Kleidungsstücks* haut *m*
obgleich [ɔp'glaịç] *konj* bien que + *subj* **Ọbhut** ['ɔphu:t] <-> *f geh* garde *f*; **unter seiner/ihrer ~** sous sa protection
Objẹkt [ɔp'jɛkt] <-[e]s, -e> *nt* **1.** (*Gegenstand*) objet *m*; (*Kunstobjekt*) objet d'art **2.** (*Immobilie*) bien-fonds *m* **3.** GRAM complément *m* d'objet
objektiv [ɔpjɛk'ti:f] **I.** *adj* (*sachlich*) objectif(-ive); (*unvoreingenommen*) impartial(e) **II.** *adv* de façon objective

Objektiv <-s, -e> *nt eines Fotoapparats* objectif *m*

Oblate <-, -n> *f* gaufrette *f* de pain azime

obligatorisch [obliga'to:rɪʃ] *adj geh* obligatoire

Oboe [o'bo:ə] <-, -n> *f* hautbois *m*

Obrigkeit ['o:brɪçkait] <-, -en> *f* **die** ~ les autorités *fpl*

obschon [ɔp'ʃo:n] *s.* **obgleich**

Observatorium [ɔpzɛrva'to:riʊm] *nt* observatoire *m*

observieren* [ɔpzɛr'vi:rən] *vt* surveiller

obskur [ɔps'ku:ɐ̯] *adj geh* douteux(-euse)

Obsorge <-> *f* A (*Fürsorge*) soins *mpl*

Obst [o:pst] <-[e]s> *nt* fruits *mpl*

Obstbaum *m* arbre *m* fruitier **Obstgarten** *m* verger *m* **Obstkuchen** *m* tarte *f* aux fruits

Obstler <-s, -> *m* alcool *m* de fruit

obszön [ɔps'tsø:n] **I.** *adj* obscène **II.** *adv* de façon obscène

obwohl [ɔp'vo:l] *konj* bien que + *subj*

Occasion [ɔka'zio:n] <-, -en> *f* CH occasion *f*

Ochse ['ɔksə] <-n, -n> *m* **1.** bœuf *m* **2.** *fam* (*Dummkopf*) tête *f* d'âne

Ochsenschwanzsuppe *f* potage *m* queue de bœuf

Ocker ['ɔkɐ] <-s, -> *m o nt* **1.** (*Farbstoff*) ocre *f* **2.** (*Farbe, Farbton*) ocre *m*

öde *adj* **1.** (*verlassen*) désert(e) **2.** (*fade, geistlos*) ennuyeux(-euse)

Öde <-, -n> *f geh* désert *m*

oder ['o:dɐ] *konj* **1.** ou; ~ **aber** ou alors **2.** (*nicht wahr*) **das schmeckt gut, ~?** c'est bon, n'est-ce pas?

Oder <-> *f* **die** ~ l'Oder *m*

Oder-Neiße-Linie [-li:niə] *f* HIST **die** ~ la ligne Oder-Neisse

Ofen ['o:fən, *Pl:* 'ø:fən] <-s, ⇒> *m* **1.** (*Heizofen*) poêle *m* **2.** (*Backofen*) four *m* **3.** TECH fourneau *m;* (*Verbrennungsofen*) incinérateur *m*

ofenfrisch *adj* qui sort du four; ~ **sein** sortir du four

offen ['ɔfən] **I.** *adj* **1.** (*nicht zu*) ouvert(e); ~ **haben** *Geschäft:* être ouvert; **halb** ~ entrouvert(e) **2.** *Wunde* ouvert(e); *Bein* purulent(e) **3.** *Haare* détaché(e) **4.** (*unerledigt*) en suspens; *Rechnung* en souffrance **5.** (*unentschieden*) incertain(e); **noch ist alles** ~ tout est encore possible **6.** (*freimütig*) franc(franche) **7.** (*aufgeschlossen*) **jdm gegenüber** ~ **sein** être ouvert envers qn; **für etw** ~ **sein** être ouvert à qc **8.** (*deutlich*) déclaré(e) **9.** (*frei*) **für alle/nur für Mitglieder** ~ **sein** *Besuch:* être ouvert à tous/seulement aux membres **10.** (*frei zugänglich*) ouvert(e); *Hafen* accessible

11. *Anstalt* en milieu ouvert; *Himmel* dégagé(e); *Gesellschaft* libéral(e) **12.** DIAL *Ware* en vrac **13.** *Flasche* entamé(e) **14.** LING *Vokal* ouvert(e) **II.** *adv* (*freimütig*) franchement ▶~ **gesagt** pour être franc

offenbar ['ɔfənba:ɐ̯] **I.** *adj* évident(e) **II.** *adv* manifestement

offenbaren* <*PP:* offenbart *o* geoffenbart> *vt geh* (*mitteilen*) annoncer

Offenbarung <-, -en> *f* révélation *f*

Offenbarungseid *m* **1.** JUR serment *m* déclaratoire **2.** *fig* aveu *m* d'impuissance

offenbleiben *s.* **bleiben I.**

offenhalten *s.* **halten I.**

Offenheit <-> *f* franchise *f;* **in aller** ~ en toute franchise

offenherzig *adj* **1.** (*freimütig*) franc(franche) **2.** *hum fam* (*tief ausgeschnitten*) [**ganz schön**] ~ **sein** être décolleté jusqu'au nombril

offenkundig *adj* manifeste; **es ist** ~, **dass** il est manifeste que

offenlassen *s.* **lassen I.**

offensichtlich I. *adj* évident(e); ~ **sein** sauter aux yeux **II.** *adv* de toute évidence

offensiv [ɔfɛn'zi:f] **I.** *adj* offensif(-ive); *Werbung* agressif(-ive) **II.** *adv handeln* de façon offensive; *werben* en utilisant des techniques agressives

Offensive [ɔfɛn'zi:və] <-, -n> *f* offensive *f* ▶**in die** ~ **gehen** passer à l'offensive

offenstehen *s.* **stehen I.**

öffentlich *adj* public

Öffentlichkeit <-> *f* **1.** (*Allgemeinheit*) public *m;* **in aller** ~ devant tout le monde **2.** JUR audience *f* publique

Öffentlichkeitsarbeit *f* relations *fpl* publiques

öffentlich-rechtlich *adj attr Sender* public(-ique); *Anstalt* de droit public

Offerte [ɔ'fɛrtə] <-, -n> *f* offre *f*

offiziell [ɔfi'tsi̯ɛl] *adj* **1.** (*amtlich*) officiel(le) **2.** *Anlass* officiel(le); *Feier* solennel(le); ~ **sein** *Person:* être formaliste

Offizier(in) [ɔfi'tsi:ɐ̯] <-s, -e> *m(f)* officier *m*

offline[RR] ['ɔ:flain] *adv* INFORM hors ligne; (*im Internet*) autonome

Offlinebetrieb[RR] *m* INFORM mode *m* autonome

öffnen ['œfnən] **I.** *vt, vi a.* INFORM ouvrir **II.** *vr* **1.** **sich** ~ s'ouvrir; **sich nach Westen hin** ~ *Tal:* s'ouvrir sur l'ouest **2.** (*zugänglich werden für*) **sich jdm/einer Idee** ~ s'ouvrir à qn/une idée

Öffnung <-, -en> *f* **1.** (*offene Stelle*) orifice *m* **2.** *kein Pl a.* POL (*das Öffnen*) ouverture *f*

Öffnungszeiten *Pl* heures *fpl* d'ouverture

oft [ɔft] <ˑer> *adv* souvent
öfter[s] *adv* assez souvent
oh *interj* oh
ohne ['oːnə] I. *präp + akk* sans; ~ **mich!**
sans moi! ►**nicht** ~ **sein** *fam* avoir de la
ressource II. *konj* ~ **zu überlegen** sans réfléchir
ohnegleichen *adj* sans pareil
ohnehin ['oːnə'hɪn] *adv* de toute façon
Ohnmacht ['oːnmaxt] <-, -en> *f* 1. syncope *f*; **in** ~ **fallen** tomber en syncope
2. *geh* (*Machtlosigkeit*) impuissance *f*
ohnmächtig ['oːnmɛçtɪç] I. *adj* 1. éva-
noui(e); ~ **werden** s'évanouir 2. *geh*
(*machtlos, hilflos*) impuissant(e) II. *adv*
(*hilflos*) dans un état d'impuissance
oho *interj* eh bien (*fam*)
Ohr [oːɐ̯] <-[e]s, -en> *nt* oreille *f*; **auf ei-**
nem ~ **taub sein** être sourd d'une oreille;
er hat ihr etwas ins ~ **geflüstert** il lui a
murmuré quelque chose à l'oreille ►**es**
faustdick hinter den ~**en haben** ne pas
être tombé de la dernière pluie; **ganz** ~
sein *hum fam* être tout ouïe; **nur mit hal-**
bem ~ **zuhören** n'écouter que d'une
oreille; **jdm die** ~**en lang ziehen** *fam* tirer les oreilles à qn; **halt/haltet die** ~**en**
steif! *fam* tiens/tenez le coup!; **viel um**
die ~**en haben** *fam* ne pas/plus savoir où
donner de la tête; **jdn übers** ~ **hauen** se
payer la tête de qn; **sich aufs** ~ **legen** *fam*
mettre la viande dans le torchon; **sich**
(*dat*) **etw hinter die** ~**en schreiben** *fam*
se mettre qc dans le crâne; **bis über beide**
~**en verliebt sein** être fou amoureux
Öhr <-[e]s, -e> *nt* chas *m*
ohrenbetäubend *adj* assourdissant(e)
Ohrfeige <-, -n> *f* gifle *f*
ohrfeigen *vt* gifler
Ohrring *m* boucle *f* d'oreille **Ohrstecker**
m clou *m*
oje [o'jeː] *interj* bon sang
Ökobauer ['øːkobaʊ̯ɐ] *m*, **-bäuerin** *f*
agriculteur(-trice) *m(f)* biologique **Ökola-**
den *m* magasin *m* vert
Ökologe [øko'loːgə] <-n, -n> *m*, **Ökolo-**
gin *f* écologiste *mf*
Ökologie [økolo'giː] <-> *f* écologie *f*
ökologisch [øko'loːgɪʃ] I. *adj* écologique
II. *adv* sur le plan écologique
Ökonomie [økono'miː] <-, -n> *f* économie *f*
ökonomisch [œko'noːmɪʃ] I. *adj* 1. *Pro-*
blem économique 2. (*sparsam*) économe
II. *adv* (*sparsam*) dans un souci d'économie
Ökosteuer *f* écotaxe *f*
Ökosystem *nt* écosystème *m*
Oktave [ɔk'taːvə] <-, -n> *f* octave *f*

Oktober [ɔk'toːbɐ] <-s, -> *m* octobre *m*;
s. a. **April**
Oktoberfest *nt* das ~ *la fête de la bière à*
Munich
Ökumene [øku'meːnə] <-> *f* œcuménis-
me *m*
ökumenisch *adj* œcuménique
Okzident ['ɔktsidɛnt] <-s> *m* *geh* Occident *m*
Öl [øːl] <-[e]s, -e> *nt* 1. (*Speiseöl, Moto-*
renöl, ~farbe) huile *f* 2. (*Erdöl*) pétrole *m*
3. (*Heizöl*) mazout *m*; **mit** ~ **heizen** se
chauffer au fioul
Ölbild *nt* peinture *f* à l'huile
Oldtimer ['ʊʊltaɪ̯mɐ] <-s, -> *m* 1. (*Auto*)
voiture *f* ancienne 2. (*Flugzeug*) coucou *m*
ölen *vt* huiler ►**wie geölt** *fam* comme dans
du beurre
Ölfarbe *f* peinture *f* à l'huile **Ölgemälde** *s.*
Ölbild Ölheizung *f* chauffage *m* au mazout
ölig *adj* 1. *Salat* huileux(-euse) 2. (*ver-*
schmutzt) graisseux(-euse)
oliv *adj* olive
Olive [o'liːvə] <-, -n> *f* olive *f*
Olivenbaum *m* olivier *m* **Olivenöl** *nt* huile
f d'olive
olivgrün *adj* vert olive *inv*
Ölkrise *f* crise *f* du pétrole **Ölpest** *f* marée
f noire **Ölplattform** *f* plate[-]forme *f* pétrolière **Ölquelle** *f* puits *m* de pétrole **Öl-**
scheich *m* *pej* prince *m* du pétrole **Öl-**
schinken *m* *pej* KUNST grande machine *f*
(*fam*)
Ölung <-, -en> *f* 1. huilage *m* 2. REL **die**
Letzte ~ l'extrême-onction *f*
Ölwanne *f* carter *m* **Ölwechsel** *m* vidange
f
Olympiade [olɪm'pi̯aːdə] <-, -n> *f* olym-
piades *fpl*
Olympionike <-n, -n> *m*, **-kin** *f* SPORT
athlète *mf* olympique
olympisch [o'lɪmpɪʃ] *adj* olympique
Oma ['oːma] <-, -s> *f* 1. *fam* mamie *f*
2. *pej fam* (*alte Frau*) mémère *f*
Omelett [ɔm(ə)'lɛt] <-[e]s, -e *o* -s> *nt*,
Omelette <-, -n> *f* CH, A omelette *f*
ominös [omi'nøːs] *adj geh* suspect(e)
Omnibus ['ɔmnibʊs] *m* omnibus *m*
Onanie <-> *f* onanisme *m*
onanieren* [ona'niːrən] *vi* se masturber
Onkel ['ɔŋkəl] <-s, -> *m* 1. oncle *m* 2. *Kin-*
derspr. (*Mann*) monsieur *m*
Onkologie <-> *f* cancérologie *f*
online^RR ['ɔnlaɪ̯n] *adj* INFORM en ligne
Onlinebetrieb^RR *m* INFORM mode *m* con-
necté
OP [oː'peː] <-s, -s> *m* *Abk von* **Opera-**
tionssaal salle *f* d'opération

Opa ['oːpa] <-s, -s> *m* **1.** *fam* papi *m* **2.** *pej fam* (*alter Mann*) pépère *m*

OPEC ['oːpɛk] <-> *f* O.P.E.P. *f*

Openair[RR] ['oʊpn'ɛɐ] *nt* concert *m* en plein air

Oper ['oːpɐ] <-, -n> *f* opéra *m;* **an die ~ gehen** devenir chanteur *m* d'opéra/cantatrice *f*

Operation [opəra'tsjoːn] <-, -en> *f* opération *f*

operativ [opəra'tiːf] **I.** *adj* **1.** MED chirurgical(e) **2.** MIL opérationnel(le) **II.** *adv* **1.** MED par la chirurgie **2.** MIL en stratège/stratèges

Operator <-s, -oren> *m*, **Operatorin** *f* INFORM opérateur(-trice) *m(f)*

Operette [opə'rɛtə] <-, -n> *f* opérette *f*

operieren[*] [opə'riːrən] **I.** *vt* opérer; **jdn am Magen ~** opérer qn de l'estomac **II.** *vi* **1.** MED opérer **2.** MIL mener une opération/des opérations **3.** *geh* (*vorgehen*) **vorsichtig ~** opérer prudemment

Opernglas *nt* jumelles *fpl* de théâtre **Opernsänger(in)** *m(f)* chanteur *m* d'opéra/cantatrice *f*

Opfer ['ɔpfɐ] <-s, -> *nt* **1.** (*Menschenleben*) victime *f;* **zahlreiche ~ fordern** faire de nombreuses victimes **2.** *a.* REL sacrifice *m*

opferbereit *adj* plein d'abnégation **Opfergabe** *f* offrande *f*

opfern I. *vt* REL sacrifier; **jdm etw ~** donner qc en offrande à qn **II.** *vi* REL célébrer le sacrifice **III.** *vr a. fig, hum fam* **sich ~** se sacrifier

Opferung <-, -en> *f* sacrifice *m*

Opium ['oːpiʊm] <-s> *nt* opium *m*

Opponent(in) [ɔpo'nɛnt] <-en, -en> *m(f) geh* opposant(e) *m(f)*

opponieren[*] *vi geh* faire de l'obstruction

opportun [ɔpɔr'tuːn] *adj geh* **1.** (*angepasst*) opportuniste **2.** (*vorteilhaft*) **~ sein** être opportun

Opportunismus [ɔpɔrtu'nɪsmʊs] <-> *m* opportunisme *m*

Opportunist(in) *m(f)* opportuniste *mf*

opportunistisch I. *adj* opportuniste **II.** *adv* en opportuniste

Opposition [ɔpozi'tsjoːn] <-, -en> *f a.* POL opposition *f;* **in ~ zu jdm/etw stehen** être opposé à qn/qc

oppositionell [ɔpozitsjo'nɛl] *adj* **1.** POL de l'opposition **2.** *geh* (*gegnerisch*) d'opposition; *Einstellung* contestataire

Optik ['ɔptɪk] <-, -en> *f* **1.** PHYS, PHOT optique *f* **2.** *kein Pl* (*Eindruck*) aspect *m*

Optiker(in) <-s, -> *m(f)* opticien(ne) *m(f)*

optimal [ɔpti'maːl] *geh* **I.** *adj* optimal(e); *Partner* idéal(e) **II.** *adv* de la meilleure façon possible

optimieren[*] *vt geh* optimaliser

Optimismus [ɔpti'mɪsmʊs] <-> *m* optimisme *m*

Optimist(in) <-en, -en> *m(f)* optimiste *mf*

optimistisch I. *adj* optimiste **II.** *adv* de façon optimiste; **jdn ~ stimmen** rendre qn optimiste

optisch ['ɔptɪʃ] **I.** *adj* **1.** *Linsen* optique; *Instrumente* d'optique **2.** *geh* (*äußerlich*) visuel(le) **II.** *adv geh* visuellement

Opus <-, Opera> *nt* **1.** (*Gesamtwerk*) œuvre *f* **2.** MUS opus *m* **3.** *hum* (*Erzeugnis, Werk*) œuvre *f* d'art

Orakel [o'raːkəl] <-s, -> *nt* oracle *m*

oral [o'raːl] **I.** *adj* **1.** MED oral(e); *Einnahme* par voie orale **2.** (*den Mund betreffend*) buccal(e) **3.** (*nicht schriftlich*) oral(e) **II.** *adv* MED par voie orale

orange [o'rãːʒə] *adj inv* orange *inv*

Orange[1] [o'rãːʒə, o'raŋʒə] <-, -n> *f* (*Frucht*) orange *f*

Orange[2] <-, – *o fam* -s> *nt* (*Farbe*) orange *m*

orangefarben, orangefarbig *adj* de couleur orange *inv*

Orangenbaum *m* oranger *m*

Orang-Utan ['oːraŋ'ʔuːtan] <-s, -s> *m* orang-outan[g] *m*

Oratorium <-s, -torien> *nt* oratorio *m*

Orchester [ɔr'kɛstɐ] <-s, -> *nt* **1.** (*Ensemble*) orchestre *m* **2.** (*~graben*) fosse *f* d'orchestre

Orden ['ɔrdən] <-s, -> *m* **1.** MIL décoration *f* **2.** REL ordre *m*

ordentlich ['ɔrdəntlɪç] **I.** *adj* **1.** (*aufgeräumt*) rangé(e); **in ~em Zustand** en ordre **2.** (*Ordnung liebend*) ordonné(e) **3.** *Person* convenable; *Benehmen* correct(e) **4.** *fam Portion* bon(ne) *antéposé* **5.** (*annehmbar*) correct(e) **II.** *adv* **1.** *fam* (*tüchtig*) bien **2.** *arbeiten* sérieusement

Order <-, -s> *f* commande *f*

ordern *vt, vi* commander

Ordinalzahl [ɔrdi'naːltsaːl] *f* nombre *m* ordinal

ordinär [ɔrdi'nɛːɐ] *adj* **1.** (*vulgär*) vulgaire **2.** (*gewöhnlich*) simple *antéposé*

ordnen ['ɔrdnən] **I.** *vt* **1.** (*sortieren*) classer **2.** (*in Ordnung bringen*) mettre de l'ordre dans *Finanzen;* **etw neu ~** réorganiser qc **II.** *vr* **sich ~** se ranger

Ordner <-s, -> *m* **1.** (*Person*) membre *m* du service d'ordre **2.** (*Aktenordner*) classeur *m*

Ordnerin <-, -nen> *f* membre *m* du service d'ordre

Ordnung <-, -en> *f* **1.** *kein Pl* (*das Sortieren*) classement *m* **2.** (*Aufgeräumtheit*) ordre *m;* **~ halten** être ordonné **3.** *kein Pl*

(*ordentliches Verhalten*) ordre *m;* **jdn zur** ~ **rufen** rappeler qn à l'ordre **4.**(*Vorschrift*) règlement *m* **5.** ASTRON magnitude *f* ►~ **ist das halbe** Leben *prov* l'ordre simplifie la vie; **etw in** ~ **bringen** (*aufräumen*) mettre qc en ordre; (*reparieren*) réparer qc; (*klären*) mettre bon ordre à qc; **in** ~ **sein** (*funktionieren*) [bien] marcher; **nicht in** ~ **sein** (*nicht funktionieren*) être défectueux; (*sich nicht gehören*) ne pas aller; [**das ist**] **in** ~! *fam* d'accord!

ordnungsgemäß I. *adj* réglementaire **II.** *adv* en bonne et due forme **Ordnungsstrafe** *f* contravention *f;* **jdn mit einer** ~ **belegen** dresser une contravention à qn **ordnungswidrig** *adj* illégal **Ordnungswidrigkeit** *f* infraction *f* **Ordnungszahl** *s.* **Ordinalzahl**

Organ [ɔr'gaːn] <-s, -e> *nt a. fig* organe *m*
Organisation [ɔrganiza'tsi̯oːn] <-, -en> *f* organisation *f*
Organisator [ɔrgani'zaːtoːɐ̯] <-s, -toren> *m*, **Organisatorin** *f* organisateur(-trice) *m(f)*
organisatorisch [ɔrganiza'toːrɪʃ] **I.** *adj Angelegenheit* relatif(-ive) à l'organisation; *Leistung* organisationnel(le) **II.** *adv* sur le plan de l'organisation
organisch [ɔr'gaːnɪʃ] *adj* organique
organisieren* [ɔrgani'ziːrən] **I.** *vt* **1.** organiser **2.** *fam* (*stehlen*) magouiller **II.** *vi* s'occuper de l'organisation **III.** *vr* sich ~ *Arbeitnehmer:* s'organiser
Organismus [ɔrga'nɪsmʊs] <-, -nismen> *m* organisme *m;* **genetisch veränderter** ~ organisme *m* génétiquement modifié [*o* OGM] *m*
Organizer ['ɔːgənaɪzɐ] <-s, -> *m* INFORM agenda *m* électronique
Organspender(in) *m(f)* donneur(-euse) *m(f)* d'organes **Organverpflanzung** *f* transplantation *f* [d'organes]
Orgasmus <-, **Orgasmen**> *m* orgasme *m*
Orgel ['ɔrgəl] <-, -n> *f* orgue *m*
Orgie ['ɔrgiə] <-, -n> *f* orgie *f;* **~n feiern** célébrer des orgies
Orient ['oːriɛnt] <-s> *m* **der** ~ l'Orient *m*
orientalisch [oriɛn'taːlɪʃ] *adj* oriental(e)
orientieren* [oriɛn'tiːrən] **I.** *vr* **1.** (*sich zurechtfinden*) **sich** ~ s'orienter; **sich an etw** (*dat*) ~ s'orienter à qc **2.** (*sich ausrichten nach*) **sich an jdm/etw** ~ agir en fonction de qn/qc **3.** (*sich unterrichten*) **sich über etw** ~ s'informer de qc **II.** *vt geh* **1.** (*unterrichten*) **jdn über etw** (*akk*) ~ informer qn de qc **2.** (*ausgerichtet sein*) **links/rechts orientiert sein** être orienté vers la gauche/droite
Orientierung [oriɛn'tiːrʊŋ] <-, -en> *f*

orientation *f*
Orientierungssinn *m kein Pl* sens *m* de l'orientation
original [origi'naːl] **I.** *adj* **1.** (*echt*) original(e) **2.** *Zustand* d'origine **II.** *adv* ~ **verpackt sein** être dans son emballage d'origine
Original <-s, -e> *nt* original *m*
Originalfassung *f* version *f* originale **originalgetreu** *adj* fidèle [à l'original]
Originalität [originali'tɛːt] <-> *f* **1.** (*Echtheit*) authenticité *f* **2.** (*Einfallsreichtum*) *einer Person, eines Stils* originalité *f*
originell [origi'nɛl] **I.** *adj* original(e) **II.** *adv* de manière originale
Orkan [ɔr'kaːn] <-[e]s, -e> *m* ouragan *m*
Ornament [ɔrna'mɛnt] <-[e]s, -e> *nt* ornement *m*
Ornat [ɔr'naːt] <-[e]s, -e> *m* habit *m*
Ort [ɔrt] <-[e]s, -e> *m* **1.** (*Stelle, Erscheinungsort*) lieu *m;* **ohne** ~ **und Jahr** sans lieu ni date **2.** (*~ schaft*) localité *f;* **von** ~ **zu** ~ **gehen** aller de ville en ville **3.** (*Belegstelle*) **am angegebenen** ~ à l'endroit cité ►**an** ~ **und** Stelle sur place; **höheren** ~**es** *form* en haut lieu
Örtchen <-s, -> *nt* ►**das** [**stille**] ~ *fam* le petit coin
orten *vt* **1.** localiser *Signal* **2.** *fam* (*ausmachen*) **jdn schon geortet haben** avoir déjà repéré qn
orthodox [ɔrto'dɔks] **I.** *adj a. fig* orthodoxe **II.** *adv leben* selon le rite orthodoxe
Orthografie^{RR} [ɔrtogra'fiː] <-, -en> *f* orthographe *f*
orthografisch^{RR} **I.** *adj Regel* d'orthographe **II.** *adv* ~ **falsch/richtig sein** être mal/bien orthographié
Orthographie [ɔrtogra'fiː] *s.* **Orthografie**
orthographisch [ɔrto'grafɪʃ] *s.* **orthografisch**
Orthopäde [ɔrto'pɛːdə] <-n, -n> *m*, **Orthopädin** *f* orthopédiste *mf*
orthopädisch *adj* orthopédique; *Ausbildung* en orthopédie
örtlich ['œrtlɪç] *adj a.* MED, METEO local(e)
Örtlichkeit <-, -en> *f* localité *f*
Ortsangabe *f* indication *f* du lieu
ortsansässig *adj Firma* local(e); **die** ~**en Bewohner** les autochtones
Ortschaft <-, -en> *f* localité *f;* **geschlossene** ~ agglomération *f*
ortsfremd *adj* **sind Sie** ~? vous n'êtes pas d'ici? **Ortsgespräch** *nt* communication *f* locale **Ortskenntnis** (*sich* ~) connaissance *f* des lieux **ortskundig** *adj* qui connaît l'endroit; **sich** ~ **machen** repérer l'endroit **Ortsname** *m* nom *m* de lieu **Ortsnetz** *nt* réseau *m* local **Ortsnetzkennzahl** *f form* indica-

tif *m* **Ortsschild** <-schilder> *nt* (*am Ortseingang*) panneau *m* d'entrée en agglomération; (*am Ortsausgang*) panneau de fin d'agglomération **Ortstarif** *m* tarif *m* de la communication locale **Ortszeit** *f* heure *f* locale

Ortung <-, -en> *f* détection *f*

Öse ['øːzə] <-, -n> *f eines Schuhs* œillet *m; einer Angelrute* anneau *m*

Oslo ['ɔslo] <-s> *nt* Oslo

Ossi ['ɔsi] <-s, -s> *m*, <-, -s> *f fam* surnom *des habitants de l'ex-R.D.A.*

Ost [ɔst] <-[e]s> *m* ▶**aus** ~ **und** West de l'Est *m* et de l'Ouest *m*

Ostasien *nt* l'Asie *f* orientale **ostdeutsch** *adj* d'Allemagne de l'Est **Ostdeutschland** *nt* l'Allemagne *f* de l'Est

Osten ['ɔstən] <-s> *m* **1.** est *m* **2.** (*Osteuropa*) **der** ~ l'Est *m* **3.** (*Kleinasien, Asien*) **der Nahe** ~ le Proche-Orient; **der Mittlere** ~ le Moyen-Orient; **der Ferne** ~ l'Extrême-Orient *m; s. a.* **Norden**

Osterei *nt* œuf *m* de Pâques **Osterhase** *m* lapin *m* de Pâques **Osterlamm** *nt* agneau *m* pascal

österlich *adj* de Pâques

Ostermontag *m* lundi *m* de Pâques

Ostern ['oːstən] <-, -> *nt* Pâques *fpl;* **frohe** ~! joyeuses Pâques!

Österreich ['øːstərajç] <-s> *nt* l'Autriche *f* **Österreicher(in)** <-s, -> *m(f)* Autrichien(ne) *m(f)*

österreichisch *adj* autrichien(ne)

Ostersonntag ['oːstɐˈzɔntaːk] *m* dimanche *m* de Pâques **Osterwoche** *f* semaine *f* sainte

Osteuropa *nt* l'Europe *f* de l'Est **Ostküste** *f* côte *f* orientale

östlich ['œstlɪç] **I.** *adj* GEOG, METEO de l'est; *Gebiet* oriental(e); **in** ~**er Richtung** en direction de l'est **II.** *präp* + *gen* ~ **der Autobahn** à l'est de l'autoroute **ostpreußisch** *adj* de la Prusse-Orientale

Östrogen [œstroˈgeːn] <-s, -e> *nt* œstrogène *m*

Ostsee *f* **die** ~ la [mer] Baltique **Ostseite** *f* face *f* est **ostwärts** *adv* vers l'Est **Ostwind** *m* vent *m* d'est

oszillieren* *vi* osciller

ÖTV [øːteːˈfau] <-> *f Abk von* **Gewerkschaft Öffentliche Dienste, Transport und Verkehr** *syndicat allemand des services publics, des transports et de la circulation*

out [aut] *adj fam* ~ **sein** être out

outen ['autən] *vr* **sich** ~ se déclarer

Outfit ['autfɪt] <-s, -s> *nt* touche *f* (*fam*)

oval [oˈvaːl] *adj* ovale

Oval [oˈvaːl] <-s, -e> *nt* ovale *m*

Ovation [ovatsˈi̯oːn] <-, -en> *f geh* ovation *f*

Overall ['oʊvərɔːl] <-s, -s> *m* combinaison *f*

Overheadprojektor ['oːvə(r)hɛdproˈjɛktoːɐ] *m* rétroprojecteur *m*

ÖVP [øːfauˈpeː] <-> *f Abk von* **Österreichische Volkspartei** *parti populaire autrichien*

Oxid [ɔˈksiːt] <-[e]s, -e> *nt* oxyde *m*

oxidieren* **I.** *vi* + *haben o sein* s'oxyder **II.** *vt* + *haben* oxyder

Ozean ['oːtseaːn] <-s, -e> *m* océan *m*

Ozeandampfer *m* paquebot *m;* (*im Atlantischen Ozean*) transatlantique *m*

Ozon [oˈtsoːn] <-s> *nt* ozone *m*

Ozonalarm *m* alerte *f* à la pollution par l'ozone **Ozonloch** *nt* trou *m* dans la couche d'ozone **Ozonsmog** *m* smog *m* d'ozone **Ozonwert** *m* taux *m* d'ozone

P

P, p [pe:] <-, -> *nt* P *m*/p *m*
paar [paːɐ̯] *adj inv* **1.** (*einige wenige*) **ein ~ Minuten** quelques minutes **2.** (*die wenigen*) **die ~ Minuten** les quelques minutes
Paar <-s, -e> *nt* **1.** (*Menschen*) couple *m* **2.** (*Dinge*) paire *f*
paaren ['paːrən] *vr* **sich ~** s'accoupler
paarig *adj* pair(e); *Blätter* géminé(e)
Paarlauf *m* patinage *m* en couple
paarmal *adv s.* Mal
Paarung <-, -en> *f* accouplement *m*
Paarungszeit *f* saison *f* des amours
paarweise *adv* **1.** (*nach Paaren*) par couples **2.** (*in Paaren*) par paire[s]
Pacht [paxt] <-, -en> *f* **1.** fermage *m* **2.** (~*vertrag*) bail *m*
pachten *vt* louer
Pächter(in) ['pɛçtɐ] <-s, -> *m(f)* preneur(-euse) *m(f)* [à bail]
Pachtvertrag *m* bail *m*
Pack [pak] <-[e]s, -e *o* ⁼e> *m* **ein ~ Altpapier** un ballot de vieux papiers
Päckchen ['pɛkçən] <-s, -> *nt* **1.** POST petit paquet *m* **2.** (*Packung*) paquet *m*
Packeis *nt* banquise *f*
packen ['pakən] **I.** *vt* **1.** faire *Koffer* **2.** (*ergreifen*) saisir **3.** (*überkommen*) **jdn ~** *Wut:* saisir qn **4.** *fig* (*fesseln*) **jdn ~** *Buch:* captiver qn **5.** *fam* réussir *Schule* **II.** *vi* faire ses valises
Packen <-s, -> *m* **ein ~ Bücher** une pile de livres
packend I. *adj* captivant(e) **II.** *adv* de façon captivante
Packesel *m* âne *m* de bât **Packpapier** *nt* papier *m* kraft
Packung <-, -en> *f* **1.** (*Schachtel*) paquet *m*; (*Geschenkpackung*) boîte *f* **2.** (*Tüte*) sachet *m* **3.** (*Haarkur*) application *f*
Pädagoge [pɛdaˈgoːgə] <-n, -n> *m*, **Pädagogin** *f* pédagogue *m(f)*
Pädagogik [pɛdaˈgoːgɪk] <-> *f* pédagogie *f*
pädagogisch *adj* pédagogique
Paddel ['padəl] <-s, -> *nt* pagaie *f*
Paddelboot *nt* kayak *m*
paddeln *vi* + *haben o sein* pagayer
paffen ['pafən] *fam* **I.** *vi* fumer; (*nicht inhalieren*) crapoter **II.** *vt* tirer sur *Zigarette*
Pagenkopf ['paːʒənkɔpf] *m* coupe *f* à la Jeanne d'Arc
Paket [paˈkeːt] <-[e]s, -e> *nt* **1.** POST colis

m **2.** *a. fig* (*Packen*) paquet *m*
Paketannahme <-, -n> *f* réception *m* des colis **Paketausgabe** *f* retrait *m* des colis **Paketkarte** *f* bordereau *m* d'expédition des colis **Paketschalter** *m* guichet *m* des colis
Pakistan ['paːkɪstaːn] <-s> *nt* le Pakistan
Pakistani [pakɪsˈtaːni] <-[s], -[s]> *m*, <-, -[s]> *f* Pakistanais(e) *m(f)*
Pakt [pakt] <-[e]s, -e> *m* pacte *m*
Palast [paˈlast, *Pl:* paˈlɛstə] <-[e]s, **Paläste**> *m* palais *m*
Palästina [palɛsˈtiːna] <-s> *nt* la Palestine
Palästinenser(in) [palɛstiˈnɛnzɐ] <-s, -> *m(f)* Palestinien(ne) *m(f)*
Palatschinke [palaˈtʃɪŋkə] <-, -n> *f* A omelette *f* fourrée
Palette [paˈlɛtə] <-, -n> *f* **1.** KUNST, IND palette *f* **2.** *geh* (*Vielfalt*) gamme *f*
paletti ►**alles ~** *fam* tout baigne [dans l'huile]
Palme ['palmə] <-, -n> *f* palmier *m* ►**jdn mit etw auf die ~ bringen** *fam* hérisser le poil à qn avec qc
Palmsonntag [palmˈzɔntaːk] *m* [**der**] ~ les Rameaux *mpl*
Pamphlet [pamˈfleːt] <-[e]s, -e> *nt* geh pamphlet *m*
pampig *adj fam* (*frech*) malotru(e)
Panda ['panda] <-s, -s> *m* panda *m*
Panflöte *f* flûte *f* de Pan
panieren* [paˈniːrən] *vt* paner
Paniermehl *nt* chapelure *f*
Panik ['paːnɪk] <-, -en> *f* panique *f*
Panikmache <-> *f pej fam* alarmisme *m*
panisch I. *adj attr* panique **II.** *adv reagieren* par la panique
Panne ['panə] <-, -n> *f* **1.** (*Defekt*) panne *f* **2.** *fam* (*Missgeschick*) boulette *f*; (*Fahndungspanne*) bavure *f*
Panorama [panoˈraːma] <-s, **Panoramen**> *nt* panorama *m*
panschen I. *vt* couper *Wein* **II.** *vi* **1.** *Winzer:* couper le vin **2.** *fam* (*planschen*) barboter
PanterRR, **Panther** ['pantɐ] <-s, -> *m* panthère *f*
Pantoffel [panˈtɔfəl] <-s, -n> *m* pantoufle *f* ►**unter dem ~ stehen** *fam* être mené par le bout du nez [par sa femme]
Pantomime [pantoˈmiːmə] <-, -n> *f* pantomime *f*
pantomimisch I. *adj* mimé(e) **II.** *adv* en

mimant

pantschen s. panschen

Panzer ['pantsɐ] <-s, -> m **1.** MIL (*Fahrzeug*) char m [d'assaut] **2.** ZOOL carapace f

panzern vt blinder

Panzerschrank m coffre-fort m

Papa ['papa] <-s, -s> m fam papa m

Papagei [papa'gaj] <-s, -en> m perroquet m

Papi ['papi] <-s, -s> m fam papa m

Papier [pa'piːɐ̯] <-s, -e> nt **1.** kein Pl (*Material*) papier m **2.** Pl (*Dokumente*) papiers mpl **3.** FIN (*Wertpapier*) titre m

Papierkorb m corbeille f [à papier]; INFORM corbeille f **Papierkram** m fam paperasserie f (*péj*) **Papierkrieg** m fam guerre f bureaucratique **Papierstau** m bourrage m de papier **Papiertaschentuch** nt mouchoir m en papier

papp interj ► nicht mehr ~ <u>sagen</u> können fam ne pouvoir plus rien avaler

Pappe ['papə] <-, -n> f carton m

Pappel ['papəl] <-, -n> f peuplier m

pappen vt, vi fam coller

Pappenheimer ['papənhajmɐ] ► seine ~ <u>kennen</u> fam savoir à qui on a affaire **Pappenstiel** ► das <u>ist</u> kein ~ fam (*das ist unangenehm, teuer*) ce n'est pas rien

Pappkarton m **1.** (*Schachtel*) boîte f en carton **2.** (*Pappe*) carton-pâte m **Pappmaché**, **Pappmaschee**[RR] ['papmaʃeː] <-s, -s> nt papier m mâché

Paprika ['paprika] <-s, -[s]> m **1.** kein Pl (*Pflanze*) piment m **2.** (*Schote*) poivron m **3.** kein Pl (*Gewürz*) paprika m

Paprikaschote f poivron m

Papst [paːpst, Pl: 'pɛːpstə] <-[e]s, ⸚e> m pape m

päpstlich ['pɛːpstlɪç] adj Gewand, Ornat papal(e)

Papyrus [pa'pyːrʊs] <-, Papyri> m papyrus m

Parabel [pa'raːbəl] <-, -n> f parabole f

Parabolantenne f antenne f parabolique

Parade [pa'raːdə] <-, -n> f **1.** MIL défilé m **2.** SPORT parade f

Paradebeispiel nt exemple m révélateur

Paradeiser [para'dajzɐ] <-s, -> m A tomate f

Paradies [para'diːs] <-es, -e> nt a. fig paradis m

paradiesisch adj paradisiaque

paradox [para'dɔks] adj paradoxal(e)

Paradox <-es, -e> nt geh paradoxe m

paradoxerweise [para'dɔksɐ'vajzə] adv paradoxalement

Paragliding ['paːraglajdɪŋ] <-s> nt parapente m

Paragraf[RR], **Paragraph** [para'graːf] <-en,

-en> m article m

parallel [para'leːl] **I.** adj **1.** (*ähnlich*) parallèle **2.** (*gleichzeitig*) simultané(e) **II.** adv ~ zu etw verlaufen être parallèle à qc

Parallelcomputer m INFORM ordinateur m parallèle

Parallele <-, -n> f **1.** GEOM parallèle f **2.** fig parallèle m

Parallelität [paraleli'tɛːt] <-, -en> f GEOM a. fig parallélisme m

Parallelklasse f classe f parallèle

Parallelogramm [paralelo'gram] <-s, -e> nt GEOM parallélogramme m

Paranoia [para'nɔya] <-> f MED, PSYCH paranoïa f

paranoid MED, PSYCH **I.** adj paranoïde **II.** adv reagieren comme un(e) paranoïaque

Paraphrase f a. LING paraphrase f

Parapsychologie ['paːrapsyçolo'giː] f parapsychologie f

Parasit [para'ziːt] <-en, -en> m BIO a. fig parasite m

parasitär [parazi'tɛːɐ̯] adj Lebewesen parasite; Lebensweise parasitaire

parat [pa'raːt] adj eine Antwort ~ haben avoir une réponse toute prête

Pärchen ['pɛːɐ̯çən] <-s, -> nt **1.** (*Liebespaar*) couple m [d'amoureux] **2.** (*Tierpärchen*) couple m

Pardon [par'dõː] <-s> m o nt (*Verzeihung*) pardon m

par excellence [parɛksɛ'lãːs] adv geh Kavalier par excellence

Parfüm [par'fyːm] <-s, -e o -s> nt parfum m

Parfümerie [parfymə'riː] <-, -en> f parfumerie f

parfümieren* [parfy'miːrən] vt, vr [sich] ~ [se] parfumer

parieren* [pa'riːrən] vi obéir

Paris [pa'riːs] <-> nt Paris m

Pariser[1] [pa'riːzɐ] adj attr **1.** Innenstadt de Paris **2.** (*typisch für Paris*) parisien(ne)

Pariser[2] <-s, -> m **1.** Parisien m **2.** fam (*Kondom*) capote f [anglaise]

Pariserin <-, -nen> f Parisienne f

Park [park] <-s, -s> m parc m

Parka ['parka] <-s, -s> m, <-, -s> f parka m o f

Park-and-ride-System ['paː(r)kʔɛnd'raidzys'teːm] nt système m de parc-relais

Parkdeck nt niveau m [de/du parking]

parken ['parkən] **I.** vi se garer; **vor dem Haus** ~ Person: se garer devant la maison; Fahrzeug: être garé devant la maison **II.** vt garer Fahrzeug

Parkett [par'kɛt] <-s, -e> nt **1.** (~boden) parquet m **2.** (*Tanzfläche*) piste f [de

danse] **3.** THEAT orchestre *m*
Parkett|fuß|boden *m* parquet *m*
Parkgebühr *f* taxe *f* de stationnement
Parkhaus *nt* parking *m* à étages
ParkinsonkrankheitRR *f* maladie *f* de Parkinson
Parkleitsystem *nt* TRANSP système *m* guidant les conducteurs vers les emplacements de stationnement libres **Parklücke** *f* place *f* libre **Parkplatz** *m* (*Parklücke*) place *f* de parking; (*für viele Fahrzeuge*) parking *m*; (*an der Autobahn*) aire *f* de stationnement **Parkscheibe** *f* disque *m* de stationnement **Parkschein** *m* ticket *m* de parking **Parkscheinautomat** *m* distributeur *m* de tickets de parking **Parksünder(in)** *m(f)* automobiliste *mf* en stationnement illicite **Parkuhr** *f* parcmètre *m* **Parkverbot** *nt* **1.**(*Verbot*) défense *f* de stationner **2.**(*Bereich*) **im ~ stehen** *Person:* être en stationnement interdit **Parkwächter(in)** *m(f)* gardien *m* de parking
Parlament [parla'mɛnt] <-[e]s, -e> *nt* **1.**(*Institution*) Parlement *m*; **das Europäische ~** le Parlement européen **2.**(*Gebäude*) parlement *m*
Parlamentarier(in) [parlamɛn'taːriɐ] <-s, -> *m(f)* parlementaire *mf*
parlamentarisch *adj* parlementaire
ParlamentsausschussRR *m* commission *f* parlementaire **Parlamentswahl** *f* élections *fpl* législatives
Parmesan [parme'zaːn] <-s> *m* parmesan *m*
Parodie [paro'diː] <-, -n> *f* parodie *f*
parodieren* [paro'diːrən] *vt* parodier
Parodontose <-, -n> *f* MED parodontose *f*
Parole [pa'roːlə] <-, -n> *f* **1.** MIL mot *m* de passe **2.**(*Losung*) slogan *m*
Paroli ►**jdm** ~ **bieten** *geh* tenir tête à qn
Partei [par'tai] <-, -en> *f* **1.** parti *m* **2.** JUR partie *f* **3.**(*Mietpartei*) locataire *mf* ►**für jdn** ~ **ergreifen** prendre parti pour qn
Parteichef(in) [-ʃɛf] *m(f)* chef *mf* de parti **Parteienlandschaft** *f* kein pl paysage *m* politique **parteiintern I.** *adj* interne au parti **II.** *adv* au sein du parti
parteiisch I. *adj* partial(e) **II.** *adv urteilen* avec partialité
parteilich *adj Angelegenheit* qui concerne le parti
Parteilinie [-liːniə] *f* ligne *f* de parti
parteilos *adj* sans étiquette; *Abgeordneter* non-inscrit(e)
Parteimitglied *nt* membre *m* du parti **Parteipolitik** *f* politique *f* de parti **parteipolitisch I.** *adj* qui relève de la politique de parti **II.** *adv ratsam* pour des raisons de politique du parti **Parteiprogramm** *nt* pro-

gramme *m* de parti **Parteitag** *m* (*Konferenz*) congrès *m* de/du parti **parteiübergreifend** *adj inv* au-dessus des partis **Parteivorsitzende(r)** *f(m) dekl wie adj* chef *mf* de/du parti
parterre [par'tɛr] *adv* au rez-de-chaussée
Parterre [par'tɛr(ə)] <-s, -s> *nt* **1.**(*Erdgeschoss*) rez-de-chaussée *m* **2.**(*Sitzplatzbereich im Theater*) orchestre *m*
Partie [par'tiː] <-, -n> *f* **1.**(*Körperpartie*) partie *f* **2.** SPORT partie *f*
partiell [par'tsjɛl] *geh adj* partiel(le)
Partikel [par'tiːkl] <-s, -> *nt*, <-, -n> *f* a. PHYS particule *f*
Partisan(in) [parti'zaːn] <-s *o* -en, -en> *m(f)* partisan(e) *m(f)*
Partition <-, -en> *f* INFORM partition *f*
Partitur [parti'tuːɐ] <-, -en> *f* MUS partition *f*
Partizip [parti'tsiːp] <-s, -ien> *nt* GRAM participe *m*
Partner(in) ['partnɐ] <-s, -> *m(f)* **1.** partenaire *mf*; (*Lebensgefährte*) compagnon *m*/compagne *f* **2.**(*Geschäftspartner*) associé(e) *m(f)*
Partnerlook ['partnɐlʊk] *m* vêtements *mpl* coordonnés pour le couple
Partnerschaft <-, -en> *f* **1.**(*Lebensgemeinschaft*) vie *f* en couple **2.**(*Städtepartnerschaft*) jumelage *m*
partnerschaftlich I. *adj* **ein ~es Verhältnis** des rapports d'égal à égal **II.** *adv* ~ **zusammenarbeiten** collaborer avec une considération réciproque
Partnerstadt *f* ville *f* jumelée **Partnertausch** *m* échangisme *m* **Partnervermittlung** *f* agence *f* de rencontre
partout [par'tuː] *adv* absolument; *wollen* à tout prix
Party ['paːɐti] <-, -s> *f* soirée *f*; (*für Jugendliche*) boum *f*
Parzelle <-, -n> *f* parcelle *f*
Pascha ['paʃa] <-s, -s> *m* HIST *a. fig, pej* pacha *m*
PassRR <-es, ⸗e>, **Paß** [pas, *Pl:* 'pɛsə] <-sses, ⸗sse> *m* **1.**(*Reisepass*) passeport *m* **2.**(*Gebirgspass*) col *m* **3.** SPORT passe *f*
passabel [pa'saːbəl] **I.** *adj* correct(e) **II.** *adv sich benehmen* convenablement
Passage [pa'saːʒə] <-, -n> *f* passage *m*
Passagier(in) [pasa'ʒiːɐ] <-s, -e> *m(f)* passager(-ère) *m(f)*
Passagierflugzeug *nt* avion *m* de ligne
Passant(in) [pa'sant] <-en, -en> *m(f)* passant(e) *m(f)*
Passat <-[e]s, -e> *m* alizé *m*
PassbildRR *nt* photo *f* d'identité
passen ['pasən] **I.** *vi* **1.**(*gut sitzen*) *Hose:* être à la bonne taille; *Schuhe:* être à la bon-

ne pointure **2.** (*harmonieren*) **zu jdm** ~ aller bien avec qn; **gut zu etw** ~ *Farbe:* aller bien avec qc **3.** (*sich einrichten lassen*) **jdm** ~ *Termin:* convenir à qn **4.** (*gefallen*) **jdm nicht** ~ ne pas plaire à qn **5.** SPIEL passer **6.** (*überfragt sein*) **bei etw** ~ **müssen** ne pas savoir répondre à qc ▸**das könnte dir so** ~! *iron fam* ça t'arrangerait bien! **II.** *vi unpers* **es passt ihr nicht, dass er mitkommt** ça ne lui plaît pas qu'il vienne avec nous

passend I. *adj* **1.** *Hose* à la bonne taille; *Schuhe* à la bonne pointure **2.** (*abgestimmt*) assorti(e) **3.** *Worte* approprié(e); *Kleidung* convenable **4.** *Termin* qui convient **5.** (*abgezählt*) **ich habe es** ~ j'ai l'appoint **II.** *adv* **1.** *zuschneiden* à la bonne taille **2.** (*abgezählt*) **das Fahrgeld** ~ **bereithalten** préparer la monnaie du prix du ticket

Passfoto^RR *s.* Passbild

passierbar *adj* praticable

passieren* [pa'siːrən] **I.** *vi* + *sein* **1.** (*sich ereignen*) se passer; **was ist passiert?** qu'est-ce qui est arrivé? **2.** (*vorkommen*) arriver **3.** (*unterlaufen*) **jdm** ~ arriver à qn **4.** (*zustoßen*) **ihm ist etwas passiert** il lui est arrivé quelque chose ▸**sonst passiert was!** *fam* sinon tu auras de mes nouvelles! **II.** *vt* + *haben* passer *Grenze*

Passierschein *m* laissez-passer *m*

Passion [pa'sjoːn] <-, -en> *f* **1.** (*Leidenschaft*) passion *f* **2.** REL **die** ~ **Jesu** la Passion de Jésus

passioniert [pasjo'niːɐt] *adj* passionné(e)

Passionsfrucht *f* fruit *m* de la passion

passiv ['pasiːf] **I.** *adj* *Art* passif(-ive); ~**es Verhalten** passivité *f* **II.** *adv* **sich** ~ **verhalten** être passif; ~ **rauchen** subir la fumée d'autrui

Passiv <-s, -e> *nt* GRAM passif *m*

Passiva [pa'siːva] *Pl* FIN passif *m*

Passivität [pasivi'tɛːt] <-> *f* passivité *f*

Passivrauchen ['pasi'fraʊxən] *nt* tabagisme *m* passif

Passkontrolle^RR *f* contrôle *m* des passeports

Passstraße^RR *f* route *f* de/du col

Passus ['pasʊs] <-, -> *m* passage *m*

Passwort^RR ['pasvɔrt] <-wörter> *nt* code *m* [d'accès]

Paste ['pastə] <-, -n> *f* pâte *f*

Pastell [pas'tɛl] <-s, -e> *nt* (*Technik, Bild*) pastel *m*

Pastellfarbe *f* **1.** (*Pastellton*) ton *m* pastel **2.** (*Malfarbe*) pastel *m* **Pastellton** *m* ton *m* pastel

Pastete [pas'teːtə] <-, -n> *f* **1.** (*Fleischpastete*) pâté *m* **2.** (*Blätterteigpastete*) vol-au-vent *m*

pasteurisieren* [pastøri'ziːrən] *vt* pasteuriser

Pastille [pas'tɪlə] <-, -n> *f* pastille *f*

Pastor ['pastoːɐ] <-en, -toren> *m*, **Pastorin** *f* NDEUTSCH pasteur *m*/femme pasteur *f*

Patchwork ['pɛtʃwœrk] <-s, -s> *nt* patchwork *m*

Pate ['paːtə] <-n, -n> *m*, **Patin** *f* parrain *m*/marraine *f*

Patenkind *nt* filleul(e) *m(f)* **Patenonkel** *m* parrain *m*

Patenschaft <-, -en> *f* parrainage *m*

patent [pa'tɛnt] *adj* *fam* *Vorschlag* judicieux(-euse); **ein** ~**er Kerl** un type bien

Patent <-[e]s, -e> *nt* brevet *m*

Patentamt *nt* ≈ office *m* des brevets [d'inventions]

Patentante *f* marraine *f*

Patentanwalt *m*, -**anwältin** *f* avocat-conseil *m* en matière de brevet

patentieren* [patɛn'tiːrən] *vt* breveter; **jdm etw** ~ breveter qc à qn

Patentrezept *nt* remède *m* miracle

Pater ['paːte] <-s, – *o* Patres> *m* père *m*

pathetisch [pa'teːtɪʃ] **I.** *adj* pathétique **II.** *adv* *sich ausdrücken* avec pathos

Pathologe [pato'loːgə] <-n, -n> *m*, **Pathologin** *f* MED pathologiste *mf*

Pathologie [patolo'giː] <-, -n> *f* MED **1.** *kein Pl* (*Wissenschaft*) pathologie *f* **2.** (*Abteilung*) service *m* de pathologie

pathologisch [pato'loːgɪʃ] *adj* MED *Institut* de pathologie

Pathos ['paːtɔs] <-> *nt* pathos *m*

Patience [pa'sjãːs] <-, -n> *f* patience *f*

Patient(in) [pa'tsjɛnt] <-en, -en> *m(f)* patient(e) *m(f)*

Patin ['paːtɪn] *s.* Pate

Patina <-> *f geh* patine *f*

Patres *Pl von* Pater

Patriarch [patri'arç] <-en, -en> *m* **1.** REL patriarche *m* **2.** (*Familienvater*) pater familias *m*

patriarchalisch [patriar'çaːlɪʃ] **I.** *adj* patriarcal(e) **II.** *adv* de manière patriarcale

Patriarchat <-[e]s, -e> *nt* patriarcat *m*

Patriot(in) [patri'oːt] <-en, -en> *m(f)* patriote *mf*

patriotisch *adj* patriotique

Patriotismus [patrio'tɪsmʊs] <-> *m* patriotisme *m*

Patron(in) [pa'troːn] <-s, -e> *m(f)* **1.** REL patron(ne) *m(f)* **2.** (*Schirmherr*) protecteur(-trice) *m(f)*

Patrone [pa'troːnə] <-, -n> *f* **1.** JAGD, MIL cartouche *f* **2.** (*Tintenpatrone*) cartouche *f*

Patronenhülse *f* douille *f*

Patronin *s.* Patron(in)

Patrouille [pa'trʊljə] <-, -n> *f* MIL 1. (*Gruppe*) patrouille *f* 2. (*Kontrollgang*) patrouille *f*

patrouillieren* [patrʊl'jiːrən] *vi* patrouiller

pạtsch [patʃ] *interj* paf

Pạtsche ['patʃə] <-, -n> *f fam* ►**jdm aus der ~ helfen** tirer qn du pétrin

pạtschen *vi* + *haben* (*schlagen*) taper

pạtschnạss^{RR} *adj fam* trempé(e) jusqu'aux os

Pạtt *nt* pat *m*

pạtzen *vi fam Redner:* bafouiller

Pạtzer <-s, -> *m fam* (*Fehler*) gaffe *f*

pạtzig *adj fam Antwort* culotté(e)

Pauke ['paʊkə] <-, -n> *f* timbale *f* ►**mit ~n und Trompeten** *fam durchfallen* avec perte et fracas; *empfangen* en grande pompe

pauken I. *vi fam Schüler:* bûcher II. *vt fam* potasser *Vokabeln*

Pauker(in) <-s, -> *m(f) fam* prof *mf*

Pausbacken *Pl* joues *fpl* rebondies

pausbäckig ['paʊsbɛkɪç] *adj* joufflu(e)

pauschal [paʊ'ʃaːl] I. *adj* 1. (*undifferenziert*) global(e) 2. FIN forfaitaire II. *adv* (*undifferenziert*) en bloc

Pauschale [paʊ'ʃaːlə] <-, -n> *f* forfait *m*

pauschalisieren* *vi geh* généraliser

Pauschalreise *f* voyage *m* à prix forfaitaire

Pauschalurteil *nt* jugement *m* à l'emporte-pièce

Pause ['paʊzə] <-, -n> *f* 1. *a.* MUS pause *f* 2. SCHULE récréation *f;* **die große ~** la récréation; **die kleine ~** l'interclasse *m*

pausenlos I. *adj attr* incessant(e) II. *adv* sans répit

pausieren* [paʊ'ziːrən] *vi* prendre du repos

Pauspapier *nt* 1. (*dünnes Papier*) [papier *m*] calque *m* 2. (*Kohlepapier*) [papier *m*] carbone *m*

Pavian ['paːviaːn] <-s, -e> *m* babouin *m*

Pavillon ['pavɪljõ] <-s, -s> *m* 1. (*Gartenhaus*) pavillon *m* 2. (*Musikpavillon*) kiosque *m* [à musique]

Pay-TV ['pɛrtiːviː] <-, -s> *nt* chaîne *f* à péage

Pazifik [pa'tsiːfɪk] <-s> *m* **der ~** le Pacifique

Pazifismus <-> *m* pacifisme *m*

Pazifist(in) [patsi'fɪst] <-en, -en> *m(f)* pacifiste *mf*

pazifistisch *adj* pacifiste

PC [peː'tseː] <-s, -s> *m Abk von* **Personalcomputer** P.C. *m*

PCB [peːtseː'beː] <-, -s> *nt* PCB *m*

PDS [peːdeː'ʔɛs] <-> *f Abk von* **Partei des Demokratischen Sozialismus** *parti issu*

du *S.E.D. de l'ex-RDA*

Pẹch [pɛç] <-[e]s> *nt* 1. (*Teer*) poix *f* 2. *kein Pl fam* (*Missgeschick*) poisse *f; ~* **gehabt!** *fam* tant pis pour toi/lui/elle/...! 3. *kein Pl fam* (*Erfolglosigkeit*) *eines Konkurrenten* déboires *mpl*

pẹchschwạrz ['pɛçʃvarts] *adj fam Haare* de jais **Pẹchsträhne** *f fam* guigne *f* **Pẹchvogel** *m fam* malchanceux(-euse) *m(f)*

Pedal [pe'daːl] <-s, -e> *nt* pédale *f*

Pedạnt(in) [pe'dant] <-en, -en> *m(f)* maniaque *mf*

pedạntisch I. *adj* tatillon(ne) II. *adv vorgehen* minutieusement

Pediküre <-, -n> *f kein Pl* (*Fußpflege*) pédicurie *f*

Peeling ['piːlɪŋ] <-s, -s> *nt* peeling *m*

Peepshow^{RR} ['piːpʃoː] <-, -s> *f* peepshow *m*

Pegel ['peːgəl] <-, -> *m* 1. (*Messlatte*) échelle *f* des eaux 2. *s.* **Pegelstand**

Pegelstand *m* niveau *m* des eaux

peilen ['paɪlən] I. *vt* NAUT prendre le relèvement de II. *vi fam* zieuter

peinigen *vt geh* tourmenter

Peiniger(in) <-s, -> *m(f) geh* tortionnaire *mf*

peinlich I. *adj* 1. (*unangenehm*) gênant(e) 2. *Genauigkeit* minutieux(-euse) II. *adv* 1. (*unangenehm*) **jdn ~ berühren** mettre qn dans l'embarras 2. (*äußerst*) extrêmement 3. (*gewissenhaft*) **~ auf Ordnung achten** respecter scrupuleusement l'ordre

Peinlichkeit <-, -en> *f* caractère *m* gênant

Peitsche ['paɪtʃə] <-, -n> *f* fouet *m*

peitschen I. *vt* + *haben* fouetter II. *vi* + *sein* **gegen etw** ~ *Regen:* fouetter qc

Peitschenhieb *m* coup *m* de fouet

Peking ['peːkɪŋ] <-s> *nt* Pékin

Pelikan ['peːlikaːn] <-s, -e> *m* pélican *m*

Pelle ['pɛlə] <-, -n> *f* ►**jdm auf die ~ rücken** *fam* coller à qn

pellen *vt fam* peler

Pellkartoffel *f* pomme *f* de terre en robe des champs

Pelz [pɛlts] <-es, -e> *m* fourrure *f*

pelzgefüttert *adj* fourré

pelzig *adj* 1. *Haut* velouté(e); *Baumblatt* velu(e) 2. *Zunge* pâteux(-euse)

Pelzjacke *f* veste *f* de fourrure

Pendant [pãˈdãː] <-s, -s> *nt geh* pendant *m; das ~* **zu etw** le pendant de qc

Pendel ['pɛndəl] <-s, -> *nt* pendule *m*

pendeln *vi* 1. + *haben Gegenstand:* osciller 2. + *sein Person, Bus:* faire la navette

Pendeluhr *f* horloge *f* **Pendelverkehr** *m* service *m* de navettes

Pendler(in) <-s, -> *m(f)* personne qui fait *tous les jours la navette entre son domicile*

et son lieu de travail
Penes *Pl von* **Penis**
penetrant [pene'trant] **I.** *adj* **1.** *Geruch* pénétrant(e); *Geschmack* fort(e) **2.** *Person* importun(e); *Stimme* perçant(e) **II.** *adv riechen* fort
peng [pɛŋ] *interj* pan
penibel [pe'niːbəl] *adj geh* (*in Bezug auf Sauberkeit*) méticuleux(-euse); (*in Bezug auf Rechtsfragen*) rigoureux(-euse)
Penis ['peːnɪs] <-, -se *o* **Penes**> *m* pénis *m*
Penizillin [penitsɪ'liːn] <-s, -e> *nt* pénicilline *f*
Penne <-, -n> *f* bahut *m*
pennen ['pɛnən] *vi fam* **1.** (*schlafen*) roupiller **2.** (*nicht aufpassen*) ne pas faire gaffe **3.** (*Beischlaf haben*) **mit jdm** ~ coucher avec qn
Penner(in) <-s, -> *m(f) pej fam* **1.** (*Stadtstreicher*) clodo *mf* **2.** (*langsamer Mensch*) endormi(e) *m(f)*
Pens *Pl von* **Pensum**
Pension [pã'zi̯oːn] <-, -en> *f* **1.** (*Unterkunft*) pension *f* de famille **2.** (*Ruhegehalt*) pension *f* [de retraite] **3.** (*Ruhestand*) retraite *f*
Pensionär(in) [pãzio'nɛːɐ̯] <-s, -e> *m(f)* retraité *m*
pensionieren* [pãzi̯o'niːrən] *vt* **pensioniert werden** *Beamter:* être mis à la retraite
pensioniert [pɛnzio'niːɐt] *adj* retraité(e)
Pensionierung [pãzio'niːrʊŋ] <-, -en> *f* mise *f* à la retraite
pensionsberechtigt *adj* ~ **sein** avoir droit à une pension **Pensionsgast** *m* pensionnaire *mf*
Pensum [pɛnzʊm] <-s, Pensa *o* Pensen> *nt* tâche *f*
Penthouse ['pɛnthaʊs] <-, -s> *nt* penthouse *m*
Pep <-[s]> *m fam* pep *m*
Peperoni [pepe'roːni] <-, -> *f* piment *m*
peppig ['pɛpɪç] *fam adj Aufmachung* tape-à-l'œil
per [pɛr] *präp* + *akk* **1.** (*durch*) ~ **Luftpost** par avion; ~ **Einschreiben** en recommandé **2.** (*pro*) pour ▶ **mit jdm** ~ **du/Sie sein** *fam* tutoyer/vouvoyer qn
perfekt [pɛr'fɛkt] *adj* **1.** (*vollkommen*) parfait(e) **2.** *fam* (*abgeschlossen*) **etw** ~ **machen** conclure qc
Perfekt ['pɛrfɛkt] <-s, -e> *nt GRAM* passé *m* composé
Perfektion [pɛrfɛk'tsi̯oːn] <-> *f* perfection *f*
perfektionieren* *vt* perfectionner
Perfektionist(in) [pɛrfɛktsi̯o'nɪst] <-en,

-en> *m(f)* perfectionniste *mf*
Perforation [pɛrfora'tsi̯oːn] <-, -en> *f* perforation *f*
Pergament [pɛrga'mɛnt] <-[e]s, -e> *nt* (*Tierhaut*) parchemin *m*
Pergamentpapier *nt* papier-parchemin *m;* (*Butterbrotpapier*) papier *m* sulfurisé
Periode [peri'oːdə] <-, -n> *f* **1.** *a.* MATH période *f* **2.** (*Menstruation*) règles *fpl*
Periodensystem *nt* (*Tafel*) système *m* périodique des éléments
periodisch *adj* périodique
peripher [peri'feːɐ̯] *geh* **I.** *adj* **1.** *Problem* marginal(e) **2.** MED périphérique **II.** *adv* accessoirement
Peripherie [perife'riː] <-, -n> *f* **1.** *a.* GEOM périphérie *f* **2.** INFORM périphérique *m*
Perle ['pɛrlə] <-, -n> *f* **1.** (*Schmuckperle*) perle *f* **2.** (*Wasserperle*) goutte *f* **3.** *fam* (*Haushälterin*) perle *f*
perlen *vi* **1.** (*sprudeln*) pétiller **2.** (*sichtbar sein*) **auf etw** (*dat*) ~ *Regentropfen, Schweiß:* perler sur qc
Perlenkette *f* collier *m* de perles
Perlhuhn *nt* pintade *f*
Perlmutt ['pɛrlmʊt] <-s> *nt* nacre *f*
Perlon® ['pɛrlɔn] <-s> *nt* perlon® *m*
permanent [pɛrma'nɛnt] **I.** *adj* permanent(e) **II.** *adv streiten* constamment
perplex [pɛr'plɛks] **I.** *adj* perplexe **II.** *adv* avec perplexité
Perron [pɛ'rõː] <-s, -s> *m* CH, A quai *m*
Perser ['pɛrzɐ] <-s, -> *m* **1.** HIST Persan *m* **2.** *fam* (*Teppich*) tapis *m* persan
Perserin <-, -nen> *f* HIST Persane *f*
Perserteppich *m* tapis *m* persan
Persianer <-s, -> *m* astrakan *m*
Persien ['pɛrzi̯ən] <-s> *nt* HIST la Perse
Persiflage [pɛrzi'flaːʒə] <-, -n> *f* persiflage *m*
persisch *adj* HIST persan(e)
Persisch <-[s]> *nt kein art* persan *m; s. a.* **Deutsch**
Person [pɛr'zoːn] <-, -en> *f* **1.** (*einzelner Mensch*) personne *f* **2.** LITER personnage *m* **3.** *kein Pl* GRAM personne *f* **4.** JUR **juristische** ~ personne *f* morale; **natürliche** ~ personne physique
Personal [pɛrzo'naːl] <-s> *nt* personnel *m*
Personalabbau *m* réduction *f* du personnel **Personalabteilung** *f* service *m* du personnel **Personalakte** *f* dossier *m* [personnel] **Personalausweis** *m* carte *f* d'identité **Personalchef(in)** [-ʃɛf] *m(f)* chef *mf* du personnel **Personalcomputer** *m* micro-ordinateur *m*
Personalien [pɛrzo'naːli̯ən] *Pl* identité *f*
Personalkosten *Pl* frais *mpl* de gestion du personnel **Personalpronomen** *nt* GRAM

pronom *m* personnel **Personalrat** *m* (*Gremium*) délégation *f* du personnel **Personalrat** *m*, **-rätin** *f* délégué(e) *m(f)* du personnel

personell [pɛrzoˈnɛl] **I.** *adj* de/du personnel **II.** *adv* **die Firma ~ aufstocken** augmenter le personnel de l'entreprise

Personenaufzug *m form* ascenseur *m* **Personenbeschreibung** *f* signalement *m* **Personengedächtnis** *nt* mémoire *f* des visages *f* **Personenkraftwagen** *m form* voiture *f* de tourisme **Personennahverkehr** *m* transport *m* en commun local **Personenschaden** *m* dommage *m* corporel **Personenstand** *m form* état *m* civil **Personenwagen** *s*. **Personenkraftwagen**

Personifikation [pɛrzonifikaˈtsi̯oːn] *s*. **Personifizierung**

personifizieren* [pɛrzonifiˈtsiːrən] *vt* **1.** personnifier *Naturgewalt* **2.** (*verkörpern*) **die personifizierte Arbeitswut** la folie du boulot incarnée

Personifizierung <-, -en> *f geh* personnification *f*

persönlich [pɛrˈzøːnlɪç] **I.** *adj* **1.** personnel(le); *Freiraum* individuel(le) **2.** (*anzüglich*) **~ werden** devenir vexant(e) **II.** *adv* **~ erscheinen** venir en personne

Persönlichkeit <-, -en> *f* personnalité *f*

Perspektive [pɛrspɛkˈtiːvə] <-, -n> *f* perspective *f*

perspektivisch [pɛrspɛkˈtiːvɪʃ] *adv* en perspective

Peru [peˈruː] <-s> *nt* le Pérou

Perücke [peˈrʏkə] <-, -n> *f* perruque *f*

pervers [pɛrˈvɛrs] **I.** *adj* **1.** PSYCH pervers(e) **2.** *fam* (*schrecklich*) à crever **II.** *adv* **~ veranlagt sein** avoir un naturel pervers

Perversion [pɛrvɛrˈzi̯oːn] <-, -en> *f* perversion *f*

Perversität [pɛrvɛrziˈtɛːt] <-, -en> *f geh* **1.** *kein Pl geh* (*perverse Art*) perversité *f* **2.** (*Perversion*) perversion *f*

pervertieren* [pɛrvɛrˈtiːrən] *geh* **I.** *vt* + *haben* pervertir **II.** *vi* + *sein* **zu einem Terrorregime ~** dégénérer en régime de terreur

Peseta <-, -ten> *f* peseta *f*

Pessar [pɛˈsaːɐ̯] <-s, -e> *nt* diaphragme *m*

Pessimismus [pɛsiˈmɪsmʊs] <-> *m* pessimisme *m*

Pessimist(in) [pɛsiˈmɪst] <-en, -en> *m(f)* pessimiste *mf*

pessimistisch **I.** *adj* pessimiste **II.** *adv* avec pessimisme

Pest [pɛst] <-> *f* peste *f* ▶**wie die ~ stinken** *fam* empester

Pestbeule *f* bubon *m* pestilentiel

Pestizid [pɛstiˈtsiːt] <-s, -e> *nt* pesticide *m*

m

Peter ▶**jdm den** schwarzen **~ zuschieben** *fam* faire porter le chapeau à qn

Petersilie [peteˈziːli̯ə] <-, -n> *f* persil *m*

Petition [petiˈtsi̯oːn] <-, -en> *f* pétition *f*

Petrochemie [petroçeˈmiː] *f* pétrochimie *f*

Petroleum [peˈtroːleʊm] <-s> *nt* pétrole *m*; (*für ~ lampen*) pétrole lampant

Petroleumlampe *f* lampe *f* à pétrole

Petrus <-> *m* Saint Pierre

Petting [ˈpɛtɪŋ] <-s, -s> *nt* attouchements *mpl*

Petunie [peˈtuːni̯ə] <-, -n> *f* pétunia *m*

Petze [ˈpɛtsə] <-, -n> *f pej fam* rapporteur(-euse) *m(f)*

petzen [ˈpɛtsən] **I.** *vt pej fam* rapporter; **jdm etw ~** rapporter qc à qn **II.** *vi pej fam* rapporter

peu à peu [pøaˈpø] *adv* peu à peu

Pf *Abk von* **Pfennig** pfennig *m*

Pfad [pfaːt] <-[e]s, -e> *m* **1.** sentier *m* **2.** INFORM chemin *m*

Pfadfinder(in) <-s, -> *m(f)* scout *m*/guide *f*

Pfaffe [ˈpfafə] <-n, -n> *m pej* cureton *m*

Pfahl [pfaːl, *Pl*: pfɛːlə] <-[e]s, ⸚e> *m* **1.** (*Zaunpfahl*) pieu *m* **2.** (*spitzer Rundbalken*) pal *m*

Pfalz [pfalts] <-, -en> *f* GEOG **die ~** le Palatinat

Pfand [pfant, *Pl*: ˈpfɛndə] <-[e]s, ⸚er> *nt* **1.** *kein Pl* (*für Leergut*) consigne *f* **2.** *a*. SPIEL (*Unterpfand*) gage *m*

Pfandbrief *m* obligation *f* hypothécaire

pfänden [ˈpfɛndən] *vt* **1.** (*beschlagnahmen*) saisir **2.** (*einer Pfändung unterziehen*) **jdn ~ lassen** faire saisir qn

Pfandflasche *f* bouteille *f* consignée

Pfändung <-, -en> *f* saisie *f*

Pfanne [ˈpfanə] <-, -n> *f* **1.** (*Bratpfanne*) poêle *f* **2.** CH (*Topf*) casserole *f* **3.** (*Dachziegel*) tuile *f* ▶**jdn in die** hauen *fam* démolir qn

Pfannkuchen [ˈpfankuːxən] *m* crêpe *f* [épaisse]

Pfarramt [ˈpfarʔamt] *nt* cure *f*

Pfarrei [pfaˈrai̯] <-, -en> *f* **1.** (*Gemeinde*) paroisse *f* **2.** (*Pfarramt*) cure *f*

Pfarrer(in) [ˈpfarɐ] <-s, -> *m(f)* (*evangelisch*) pasteur *m*; (*katholisch*) curé *m*

Pfarrgemeinde *f* paroisse *f* **Pfarrhaus** *nt* presbytère *m*

Pfau [pfaʊ̯] <-[e]s *o* -en, -en> *m* paon *m*

Pfauenauge *nt* ZOOL paon *m* de jour

Pfeffer [ˈpfɛfɐ] <-s, -> *m* poivre *m* ▶**der soll bleiben, wo der ~** wächst! il peut rester où il est!

Pfefferkuchen *m* pain *m* d'épice **Pfeffer-**

minz <-es> *nt* menthe *f* **Pfefferminze** <-> *f* menthe *f* [poivrée] **Pfeffermühle** *f* moulin *m* à poivre

pfeffern ['pfɛfɐn] *vt* poivrer *Gericht*

Pfefferstreuer <-s, -> *m* poivrier *m*

Pfeife ['pfaɪfə] <-, -n> *f* **1.**(*Tabakspfeife*) pipe *f* **2.**(*Trillerpfeife*) sifflet *m* **3.**(*Musikinstrument*) fifre *m* **4.** *fam* (*Nichtskönner*) nullard(e) *m(f)* ►**nach** jds ~ **tanzen** *fam* se laisser mener [par le bout du nez] par qn

pfeifen ['pfaɪfən] <pfiff, gepfiffen> **I.** *vi* **1.**(*Töne erzeugen*) siffler **2.** *fam* (*verzichten*) **auf etw** (*akk*) ~ se ficher de qc **II.** *vt* siffler *Lied*

Pfeifenkopf *m* fourneau *m* de [la] pipe

Pfeifkonzert *nt* sifflements *mpl* **Pfeifton** *m* signal *m*

Pfeil [pfaɪl] <-s, -e> *m* (*Geschoss, Zeichen*) flèche *f*

Pfeiler ['pfaɪlɐ] <-s, -> *m* pilier *m*; (*Brückenpfeiler*) pile *f*

Pfennig ['pfɛnɪç] <-s, -e> *m* pfennig *m* ►**jeden** ~ **umdrehen** *fam* regarder à la dépense

Pfennigabsatz *m fam* talon *m* aiguille

Pfennigfuchser(in) ['pfɛnɪçfʊksɐ] <-s, -> *m(f) fam* grippe-sou *m*

pferchen *vt* parquer; **die Pferde in den Stall** ~ parquer les chevaux dans l'écurie

Pferd [pfeːɐt] <-[e]s, -e> *nt* **1.**cheval *m*; **auf einem** ~ **reiten** chevaucher **2.**(*Turngerät*) cheval *m* d'arçons **3.**SPIEL cavalier *m* ►**keine zehn** ~**e** *fam* rien au monde; **mit ihm/ihr kann man** ~**e stehlen** *fam* on peut faire les quatre cents coups avec lui/elle

Pferdeapfel *m* crottin *m* **Pferdefuß** *m* pied *m* fourchu **Pferdegebiss**[RR] *nt fam* dents *fpl* de cheval **Pferderennen** *nt* course *f* de chevaux **Pferderennsport** *m* hippisme *m* **Pferdeschwanz** *m* queue *f* de cheval **Pferdestall** *m* écurie *f*

pfiff [pfɪf] *Imp von* **pfeifen**

Pfiff [pfɪf] <-s, -e> *m* **1.**(*Pfeifton*) sifflement *m* **2.** *fam* (*Reiz*) **ohne** ~ sans originalité

Pfifferling ['pfɪfɐlɪŋ] <-[e]s, -e> *m* girolle *f* ►**keinen** ~ **wert sein** *fam* ne pas valoir un clou

pfiffig I. *adj* malin(-igne) **II.** *adv* avec finesse

Pfingsten ['pfɪŋstən] <-, -> *nt meist ohne art* la Pentecôte

Pfingstmontag *m* lundi *m* de Pentecôte **Pfingstrose** *f* pivoine *f* **Pfingstsonntag** [pfɪŋst'zɔntaːk] *m* dimanche *m* de [la] Pentecôte

Pfirsich ['pfɪrzɪç] <-s, -e> *m* pêche *f*

Pfirsichbaum *m* pêcher *m*

Pflanze ['pflantsə] <-, -n> *f* plante *f*

pflanzen I. *vt* (*setzen*) planter **II.** *vr fam* **sich auf das Sofa** ~ s'affaler sur le divan

Pflanzenfett *nt* graisse *f* végétale **Pflanzenfresser** *m* herbivore *m* **Pflanzenschutzmittel** *nt* produit *m* phytosanitaire; (*gegen Insekten*) insecticide *m* écologique

pflanzlich I. *adj attr* **1.**(*aus Pflanzen gewonnen*) végétal(e) **2.**(*vegetarisch*) végétarien(ne) **II.** *adv* **sich** ~ **ernähren** avoir un régime végétarien

Pflanzung <-, -en> *f* (*Plantage*) plantation *f*

Pflaster ['pflastɐ] <-s, -> *nt* **1.**(*Heftpflaster*) sparadrap *m* **2.**(*Straßenbelag*) chaussée *f*; (*Kopfsteinpflaster*) pavé *m* ►**ein heißes** ~ *fam* un quartier chaud

pflastern I. *vt* paver *Straße* **II.** *vi* paver

Pflasterstein *m* pavé *m*

Pflaume ['pflaʊmə] <-, -n> *f* **1.**(*Frucht*) prune *f* **2.** *fam* (*Schimpfwort*) nouille *f*

Pflaumenbaum *m* prunier *m* **Pflaumenkuchen** *m* tarte *f* aux quetsches

Pflege ['pfleːgə] <-> *f* **1.**(*Körperpflege*) soins *mpl* **2.**(*Krankenpflege*) soins *mpl* **3.**(*Obhut*) **jdn/ein Tier bei jdm in** ~ **geben** mettre qn/un animal en pension chez qn **4.**(*Versorgung*) *der Pflanzen* soins *mpl*; *von Anlagen* entretien *m* **5.** *geh* (*Aufrechterhaltung*) conservation *f*; *des Brauchtums* maintien *m*

pflegebedürftig *adj Person* dépendant(e) **Pflegeberuf** *m* profession *f* du secteur sanitaire et social **Pflegeeltern** *Pl* parents *mpl* adoptifs **Pflegefall** *m* personne *f* qui réclame des soins constants **Pflegeheim** *nt* maison *f* médicalisée **Pflegekind** *nt* enfant *m* placé dans une famille **pflegeleicht** *adj* **1.**(*Kleidung*) facile à entretenir; *Pflanze* facile à soigner **2.**(*fig, hum Person*) facile à vivre; *Kind* facile

pflegen I. *vt* **1.**soigner *Kranken, Tier, Pflanze*; entretenir *Denkmal* **2.**(*aufrechterhalten*) cultiver **3.**(*gewöhnlich tun*) **er pflegt morgens zu duschen** il a l'habitude de prendre une douche le matin **II.** *vr* **sich** ~ soigner son apparence; (*sich schonen*) se ménager

Pflegenotstand *m* pénurie *f* de personnel soignant **Pflegepersonal** *nt* personnel *m* soignant

Pfleger(in) <-s, -> *m(f)* infirmier(-ière) *m(f)*

Pflegesohn *m* garçon *m* placé dans une famille **Pflegetochter** *f* fille *f* placée dans une famille **Pflegeversicherung** *f* assurance *f* dépendance

pfleglich *adj* soigneux

Pflegschaft <-, -en> *f* JUR curatelle *f*

Pflicht [pflɪçt] <-, -en> f 1. devoir m
2. SPORT [exercices mpl] imposés mpl
pflichtbewusstRR adj conscient(e) de ses
devoirs **Pflichtbewusstsein**RR nt sens m
du devoir **Pflichtfach** nt matière f obligatoire **Pflichtgefühl** nt sens m du devoir
pflichtgemäß I. adj réglementaire II. adv
conformément au règlement **Pflichtteil** m
o nt JUR réserve f héréditaire **Pflichtübung**
f imposés mpl **pflichtvergessen** I. adj oublieux(-ieuse) [de ses devoirs] II. adv en oubliant ses devoirs **pflichtversichert** adj ~
sein être soumis à une assurance obligatoire **Pflichtversicherung** f assurance f obligatoire **Pflichtverteidiger(in)** m(f) avocat(e) m(f) commis(e) d'office
Pflock [pflɔk, Pl: 'plœkə] <-[e]s, ˮe> m piquet m
pflücken ['pflʏkən] vt cueillir
Pflug [pfluːk, Pl: 'pflyːgə] <-es, ˮe> m
charrue f
pflügen ['pflyːgən] vt labourer Acker
Pforte ['pfɔrtə] <-, -n> f porte f
Pförtner ['pfœrtnɐ] <-s, -> m gardien m
Pförtnerin <-, -nen> f gardienne f
Pförtnerloge [-loːʒə] f loge f du concierge
Pfosten ['pfɔstən] <-s, -> m 1. a. SPORT poteau m 2. (Stützpfosten) montant m
Pfote ['pfoːtə] <-, -n> f 1. patte f 2. fam
(Hand) ~n weg! bas les pattes!
Pfropf <-[e]s, -e> m bouchon m
pfropfen ['pfrɔpfən] vt fam (zwängen)
voll ~ bourrer Auto
Pfropfen <-s, -> m bouchon m
Pfründe <-, -n> f prébende f
pfui [pfʊɪ] interj be[u]rk
Pfund [pfʊnt] <-[e]s, -e> nt 1. (Gewicht)
livre f 2. (Währung) livre f
Pfundskerl m fam mec m / nana f super
pfuschen vi fam (nachlässig arbeiten) bâcler le travail
Pfuscher(in) <-s, -> m(f) fam (nachlässiger
Mensch) bousilleur(-euse) m(f)
Pfütze ['pfʏtsə] <-, -n> f flaque f
PH [peːˈhaː] <-, -s> f Abk von **Pädagogische Hochschule** ≈ EN f, ≈ IUFM m
Phallus <-, -se> m geh phallus m
Phänomen [fɛnoˈmeːn] <-s, -e> nt phénomène m
phänomenal [fɛnomeˈnaːl] adj phénoménal(e)
Phantasie [fantaˈziː] <-, -n> f kein Pl imagination f
phantasieren* s. fantasieren
phantastisch s. fantastisch
Phantom [fanˈtoːm] <-s, -e> nt fantôme
m
Phantombild nt portrait-robot m
Pharao ['faːrao] <-s, Pharaonen> m,

Pharaonin f pharaon(ne) m(f)
Pharisäer [fariˈzɛːɐ] <-s, -> m 1. REL pharisien m 2. (Getränk) café avec du rhum,
couronné de crème Chantilly
Pharmaindustrie f industrie f pharmaceutique
Pharmakologie <-> f pharmacologie f
Pharmakonzern m groupe m pharmaceutique
Pharmazeut(in) [farmaˈtsɔyt] <-en, -en>
m(f) pharmacien(ne) m(f)
pharmazeutisch [farmaˈtsɔytɪʃ] adj pharmaceutique
Pharmazie [farmaˈtsiː] <-> f pharmacie f
Phase ['faːzə] <-, -n> f a. ELEC, ASTRON phase f
Philharmonie [fɪlharmoˈniː] <-, -n> f
1. philharmonie f 2. (Gebäude) [bâtiment
m abritant la] philharmonie f
Philharmoniker(in) [fɪlharˈmoːnikɐ] <-s,
-> m(f) Pl (Orchester) **die Wiener** ~ l'orchestre m philharmonique de Vienne
Philippinen [fɪlɪˈpiːnən] Pl **die** ~ les Philippines fpl
Philologe m, **Philologin** f philologue mf
Philologie [fɪloloˈgiː] <-, -n> f philologie f
philologisch adj de philologie
Philosoph(in) [filoˈzoːf] <-en, -en> m(f)
philosophe mf
Philosophie [filozoˈfiː] <-, -n> f philosophie f
philosophieren* [filozoˈfiːrən] vi philosopher; **über etw** (akk) ~ philosopher sur qc
philosophisch adj philosophique
phlegmatisch adj geh indolent(e)
Phobie [foˈbiː] <-, -n> f MED phobie f
Phon <-s, -s> nt PHYS phone m
Phonetik <-> f phonétique f
phonetisch adj phonétique
Phönix <-[es], -e> m ▶ **wie ein** ~ **aus der**
Asche comme le phénix renaissant de ses
cendres
Phonotypist(in) <-en, -en> m(f) dactylographe mf
Phosphat [fɔsˈfaːt] <-[e]s, -e> nt CHEM
phosphate m
Phosphor ['fɔsfoːɐ] <-s> m CHEM phosphore m
phosphoreszieren* vi être phosphorescent
Photo s. **Foto**
Photosynthese f BIO photosynthèse f
Phrase ['fraːzə] <-, -n> f pej formule f
[toute faite]
pH-Wert [peːˈhaːveːɐt] m pH m
Physik [fyˈziːk] <-> f physique f
physikalisch [fyziˈkaːlɪʃ] adj Formel de
physique; Gesetz physique
Physiker(in) ['fyːzikɐ] <-s, -> m(f) physi-

cien(ne) *m(f)*

Physiologie <-> *f* physiologie *f*

physiologisch [fyzio'lo:gɪʃ] *adj* physiologique

physisch ['fy:zɪʃ] *adj* physique

Pi [pi:] <-[s]> *nt* MATH pi *m;* **die Zahl** ~ le nombre pi ►~ **mal Daumen** *fam* grosso modo

Pianist(in) [pi̯a'nɪst] <-en, -en> *m(f)* pianiste *mf*

piano *adv* piano

picheln I. *vi* picoler **II.** *vt* ►**einen** ~ **gehen** aller se rincer le gosier (*fam*)

Pickel ['pɪkəl] <-s, -> *m* **1.** bouton *m* **2.** (*Spitzhacke*) pioche *f;* (*Eispickel*) piolet *m*

pickelig *adj Gesicht* boutonneux(-euse)

picken ['pɪkən] **I.** *vi* donner des coups de bec; **nach jdm** ~ donner des coups de bec à qn **II.** *vt* picorer *Körner*

picklig *s.* pickelig

Picknick ['pɪknɪk] <-s, -s *o* -e> *nt* pique-nique *m*

picknicken *vi* pique-niquer

picobello ['pi:ko'bɛlo] *adv fam* impec

piekfein ['pi:k'faɪn] *fam* **I.** *adj Restaurant* sélect(e) **II.** *adv* chiquement

piep *interj* cui-cui (*fam*) ►**nicht mehr** ~ **sagen können** *fam* n'arriver même plus à dire ouf

Piep ►**keinen** ~ **sagen** *fam* ne pas piper [mot]

piepe *adj* **das ist mir** ~ je m'en fiche

piepegal *adj fam* **das ist mir** ~ je m'en [contre]fiche

piepen ['pi:pən] **I.** *vi Vogel:* pépier; *Maus:* couiner; *Funkgerät:* faire bip[-bip] **II.** *vi unpers fam* **bei ihm piept's** il déraille

Piepen *Pl fam* pépètes *fpl*

piepsen ['pi:psən] *vi* **1.** *s.* piepen **I.** **2.** (*mit Fistelstimme singen*) chanter avec une voix de fausset

Piepser <-s, -> *m fam* **1.** (*Piepton*) signal *m* sonore **2.** (*Personenrufgerät*) bip *m*

Pier <-s, -s> *m* débarcadère *m*

piesacken ['pi:zakən] *vt fam jdn* ~ *Person:* embêter qn; *Tier:* enquiquiner qn

Pietät [pie'tɛ:t] <-> *f geh* piété *f*

pietätlos [pie'tɛ:t-] *geh adj* irrespectueux

Pigment [pɪ'gmɛnt] <-s, -e> *nt* pigment *m*

Pigmentfleck *m* tache *f* pigmentaire

Pik [pi:k] <-s, -> *nt* SPIEL pique *m*

pikant [pi'kant] *adj* **1.** relevé(e); *Soße* piquant(e) **2.** (*frivol*) piquant(e) **II.** *adv* ~ **schmecken** être relevé

Pike ['pi:kə] ►**etw von der** ~ **auf lernen** *fam* apprendre en commençant en bas de l'échelle

piken ['pi:kən] *fam* **I.** *vt* piquer; **jdn mit etw** ~ piquer qn avec qc **II.** *vi Pullover:* piquer

pikiert [pi'ki:ɐ̯t] *geh* **I.** *adj* offusqué(e) **II.** *adv reagieren* avec indignation

Pikkolo ['pɪkolo] <-s, -s> *m* ≈ quart *m* de mousseux

piksen *s.* piken

Piktogramm <-s, -e> *nt* pictogramme *m*

Pilger(in) ['pɪlgɐ] <-s, -> *m(f)* pèlerin(e) *m(f)*

Pilgerfahrt *f* pèlerinage *m*

pilgern *vi + sein* **nach Mekka** ~ se rendre en pèlerinage à la Mecque

Pille ['pɪlə] <-, -n> *f* (*Tablette, Antibabypille*) pilule *f*

Pillenknick *m fam* fléchissement *m* de la courbe de la natalité dû à la pilule

Pilot(in) [pi'lo:t] <-en, -en> *m(f)* pilote *mf*

Pilotfilm *m* film-pilote *m* **Pilotprojekt** *nt,* **Pilotversuch** *m* projet-pilote *m*

Pils <-, -> *nt* pils *f*

Pilz [pɪlts] <-es, -e> *m a.* MED champignon *m*

Pilzerkrankung *f* MED mycose *f* **Pilzvergiftung** *f* intoxication *f* par des champignons

Piment <-[e]s, -e> *m o nt* piment

Pimmel ['pɪməl] <-s, -> *m fam* zizi *m*

pingelig ['pɪŋəlɪç] *adj fam* maniaque

Pinguin ['pɪŋguːiːn] <-s, -e> *m* pingouin *m*

Pinie ['pi:niə] <-, -n> *f* pin *m* parasol

Pink <-s, -s> *nt* rose *m* vif

Pinkel <-s, -> *m pej fam* **ein feiner** ~ un minet

pinkeln ['pɪŋkəln] *vi fam* pisser

pinkfarben *adj* rose vif

pinnen *vt fam* **etw an die Wand** ~ épingler qc au mur

Pinnwand ['pɪnvant] *f* tableau *m* aide-mémoire

Pinscher <-s, -> *m* pinscher *m*

Pinsel ['pɪnzəl] <-s, -> *m* pinceau *m*

pinseln *vt fam* (*schreiben*) **einen Spruch an die Wand** ~ barbouiller une inscription au mur

Pinte <-, -n> *f* troquet *m*

Pinzette [pɪn'tsɛtə] <-, -n> *f* pincette *f;* (*Kosmetikpinzette*) pince *f* à épiler

Pionier(in) [pio'ni:ɐ̯] <-s, -e> *m(f) geh* pionnier(-ière) *m(f)*

Pipeline ['paɪplaɪn] <-, -s> *f* pipeline *m*

Pipette [pi'pɛtə] <-, -n> *f* pipette *f*

Pipi ['pɪpi] <-s> *nt Kinderspr.* ~ **machen** faire pipi (*enfantin*)

Pipifax <-> *nt pej fam* pipi *m* de chat (*fig*)

Piranha [pi'ranja] <-[s], -s> *m* piranha *m*

Pirat(in) [pi'ra:t] <-en, -en> *m(f)* pirate *m*

Piratensender *m* émetteur *m* pirate

Piraterie [-'riːən] <-, -n> *f* piraterie *f*

Pirol <-s, -e> *m* loriot *m*

Pirouette [pi'ruɛtə] <-n> *f* pirouette *f*

Pirsch [pɪrʃ] <-> *f* **auf die ~ gehen** aller à la chasse [à l'approche]

Pisse ['pɪsə] <-> *f vulg* pisse *f*

pissen ['pɪsən] *vi vulg* pisser (*fam*)

Pissoir <-s, -s *o* -e> [pɪ'soaːɐ] *nt* urinoir *m*

Pistazie [pɪs'taːtsiə] <-, -n> *f* pistache *f*; (*Baum*) pistachier *m*

Piste ['pɪstə] <-, -n> *f* piste *f*

Pistole [pɪs'toːlə] <-, -n> *f* pistolet *m*
▶ **wie aus der ~ geschossen** *fam* du tac au tac

pitschnassᴿᴿ *adj fam* complètement trempé(e)

Pizza ['pɪtsa] <-, -s> *f* pizza *f*

Pizzeria <-, -s *o* -ien> *f* pizzeria *f*

Pkw ['peːkaːveː, peːkaː'veː] <-s, -s> *m* *Abk von* **Personenkraftwagen** voiture *f* [particulière]

Placebo [pla'tseːbo] <-s, -s> *nt* MED placebo *m*

Plackerei [plakə'raj] <-, -en> *f fam* galère *f*

plädieren* [plɛ'diːrən] *vi* 1. JUR **auf Freispruch ~** *Rechtsanwalt:* plaider non-coupable 2. *geh* (*sich aussprechen*) **für etw ~** plaider pour qc

Plädoyer [plɛdoa'jeː] <-s, -s> *nt* 1. JUR *eines Rechtsanwalts* plaidoirie *f*; *eines Staatsanwalts* réquisitoire *m* 2. *geh* (*Eintreten*) **~ für/gegen etw** plaidoyer *m* pour/contre qc

Plage ['plaːgə] <-, -n> *f* plaie *f*; (*Schädlingsplage*) fléau *m*

plagen I. *vt* tourmenter; **jdn ~** *Gewissen:* tourmenter qn; *Neugierde:* dévorer qn; *Hunger:* tenailler qn II. *vr* **sich mit seiner Arbeit ~** s'esquinter à faire son travail (*fam*)

Plagiat <-[e]s, -e> *nt geh* plagiat *m*

Plakat [pla'kaːt] <-[e]s, -e> *nt* affiche *f*

Plakatfarbe *f* peinture *f* pour affiches

plakativ [plaka'tiːf] *geh adj* frappant(e)

Plakatsäule *f* colonne *f* Morris **Plakatwand** *f* panneau *m* d'affichage

Plakette [pla'kɛtə] <-, -n> *f* badge *m*; (*Gedenkplakette*) médaille *f*

Plan [plaːn, *Pl:* 'plɛːnə] <-[e]s, ⁻e> *m* 1. (*Überlegung, ~zeichnung*) plan *m* 2. *meist Pl* (*Planung*) projet *m*

Plane ['plaːnə] <-, -n> *f* bâche *f*

planen *vt* 1. planifier *Projekt, Verbrechen* 2. (*entwerfen*) dessiner les plans de

Planet [pla'neːt] <-en, -en> *m* planète *f*

Planetarium [plane'taːriʊm] <-s, -ta-rien> *nt* planétarium *m*

planieren* *vt* aplanir

Planierraupe *f* bulldozer *m*

Planke ['plaŋkə] <-, -n> *f* planche *f*

Plankton ['plaŋktɔn] <-s> *nt* plancton *m*

planlos I. *adj* désordonné(e) II. *adv* au hasard

planmäßig I. *adj* 1. *Ankunft* normal(e) 2. (*systematisch*) méthodique II. *adv* *stattfinden* comme prévu

Planquadrat *nt* quadrilatère *m* [du plan]

Planschbecken *nt* pataugeoire *f*

planschen ['planʃən] *vi* barboter

Plantage [plan'taːʒə] <-, -n> *f* plantation *f*

Planung <-, -en> *f* (*errechneter Plan*) plan *m*, planning *m*

plappern ['plapɐn] *fam* I. *vi* bavarder II. *vt* marmonner *Unverständliches*

plärren ['plɛrən] *pej vi* (*weinen*) *Kind:* pleurnicher

Plasma ['plasma] <-s, Plasmen> *nt* MED plasma *m*

Plastik¹ ['plastɪk] <-s> *nt* (*Kunststoff*) plastique *m*

Plastik² <-, -en> *f* KUNST sculpture *f*

Plastikmüll *m* déchets *mpl* plastiques **Plastiktüte** *f* sac *m* en plastique

plastisch I. *adj* 1. *Material* malléable 2. (*räumlich*) en relief 3. *Schilderung* clairement réalisé(e) 4. MED *Chirurgie* plastique II. *adv* 1. (*räumlich*) en relief 2. (*anschaulich*) concrètement

Platane [pla'taːnə] <-, -n> *f* platane *m*

Plateau [pla'toː] <-s, -s> *nt* plateau *m*

Platin ['plaːtiːn] <-s> *nt* platine *m*

platonisch [pla'toːnɪʃ] *geh adj Liebe* platonique

platsch [platʃ] *interj* vlan; (*beim Aufprall auf Wasser*) plouf

platschen *vi* + *sein fam* faire flac

plätschern ['plɛtʃɐn] *vi* 1. + *haben* (*ein ~des Geräusch machen*) *Wasser:* clapoter 2. + *sein* (*fließen*) **ins Tal ~** s'écouler en clapotant dans la vallée

platt [plat] I. *adj* 1. plat(e); *Nase* aplati(e); **einen Platten haben** être à plat 2. (*geistlos*) banal(e) 3. *fam* (*verblüfft*) **~ sein** [*en*] être baba II. *adv* **jdn/etw ~ drücken** écraser qn/qc

Platt *s.* **Plattdeutsch**

plattdeutsch I. *adj Dialekt* bas allemand(e); *Wort* de bas allemand II. *adv* **~ sprechen** parler bas allemand; *s. a.* **deutsch**

Plattdeutsch *nt kein art* bas *m* allemand; *s. a.* **Deutsch**

Platte ['platə] <-, -n> *f* 1. (*Steinplatte, Keramikplatte*) (*klein*) carreau *m*; (*groß*) dalle *f* 2. (*Metallplatte*) plaque *f* 3. (*Servier-*

platte) plateau _m_ **4.** (_Speisenplatte_) **kalte** ~ assiette _f_ anglaise **5.** _fam_ (_Glatze_) calvitie _f_ **6.** (_Schallplatte_) disque _m_ **7.** (_Kochplatte_) plaque _f_ [électrique] ►**eine andere** ~ **auflegen** _fam_ changer de disque

plätten ['plɛtən] _vt_ NDEUTSCH repasser

Plattensee _m_ **der** ~ le lac Balaton **Plattenspieler** _m_ platine _f_ [disques]

Plattform _f_ plate-forme _f_ **Plattfuß** _m_ **1.** pied _m_ plat **2.** _fam_ (_Reifenpanne_) pneu _m_ à plat

Plattheit <-, -en> _f_ platitude _f_

Platz [plats, _Pl:_ 'plɛtsə] <-es, ⸚e> _m_ **1.** place _f_; ~ **sparende Bauweise** construction rationnelle **2.** (_Sportplatz_) terrain _m_ ►~! assis!; **fehl am** ~|e] **sein** _Person:_ n'être pas à sa place; _Sache:_ être déplacé

Platzangst _f_ **1.** _fam_ (_Klaustrophobie_) claustrophobie _f_ **2.** (_Agoraphobie_) agoraphobie _f_ **Platzanweiser(in)** <-s, -> _m(f)_ ouvreur(-euse) _m(f)_

Plätzchen ['plɛtsçən] <-s, -> _nt_ **1.** _Dim von_ **Platz** petite place _f_ **2.** (_Gebäck_) ≈ petit gâteau _m_ sec

platzen ['platsən] _vi_ + _sein_ **1.** _Tüte:_ éclater; _Reifen:_ crever; _Naht:_ craquer **2.** (_fast umkommen_) **vor Neugier** (_dat_) ~ crever de curiosité **3.** _fam_ (_fehlschlagen_) foirer

platzieren*RR [pla'tsi:rən] **I.** _vt_ **1.** placer _Person, Gegenstand;_ insérer _Anzeige_ **2.** SPORT placer **II.** _vr_ **sich** ~ **können** _Sportler:_ pouvoir se classer parmi les premiers

PlatzierungRR <-, -en> _f_ (_Rangfolge_) classement _m_

Platzkarte _f_ [billet _m_ de] réservation _f_ **Platzkonzert** _nt_ concert _m_ en plein air **Platzmangel** _m_ manque _m_ de place **Platzpatrone** _f_ cartouche _f_ à blanc **Platzregen** _m_ averse _f_

Platzreservierung _f_ réservation _f_ **platzsparend** _s._ **Platz Platzverweis** _m_ expulsion _f_ [du terrain]

Platzwunde _f_ plaie _f_ ouverte

Plauderei <-, -en> _f_ causerie _f_

plaudern ['plaʊdɐn] _vi_ **1.** bavarder; **mit jdm/über etw** (_akk_) ~ bavarder avec qn/de qc **2.** (_Geheimnisse verraten_) parler

Plausch <-[e]s, -e> _m_ SDEUTSCH, A bavardage _m_

plausibel [plaʊ'zi:bəl] **I.** _adj_ _Erklärung_ plausible **II.** _adv_ _erklären_ de façon plausible

Playback, **Play-back**RR ['ple:bɛk] <-s, -s> _nt_ play-back _m_

Playboy ['ple:bɔy] <-s, -s> _m_ play-boy _m_

Plazenta <-, -s _o_ Plazenten> _f_ MED placenta _m_

plazieren* _s._ **platzieren**

Plazierung _s._ **Platzierung**

pleite ['plaɪtə] _adj fam_ ~ **sein** _Person:_ être

fauché; _Firma:_ être en déconfiture

Pleite <-, -n> _f fam_ **1.** faillite _f_ **2.** (_Reinfall_) fiasco _m_

plemplem [plɛm'plɛm] _adj fam_ ~ **sein** être zinzin

Plena _Pl von_ **Plenum**

Plenarsaal [ple'na:ɐza:l] _m_ ≈ hémicycle _m_

Plenum ['ple:nʊm] <-s, Plena> _nt_ assemblée _f_ plénière

Pleuelstange _f_ bielle _f_

Plissee <-s, -s> _nt_ tissu _m_ plissé

PLO [pe:?ɛl'?o:] <-> _f Abk von_ **Palestine Liberation Organization** OLP _f_

Plombe ['plɔmbə] <-, -n> _f_ (_Zahnplombe_) plombage _m_

plombieren* [plɔm'bi:rən] _vt_ plomber

Plotter <-s, -> _m_ INFORM traceur _m_

plötzlich ['plœtslɪç] **I.** _adj_ soudain(e); _Tod_ subit(e) **II.** _adv_ soudain ►**aber etwas** ~! _fam_ et que ça saute!

Plug-in [plʌg'?ɪn] <-s, -s> _nt_ INFORM plugiciel _m_

plump [plʊmp] **I.** _adj_ **1.** (_schwerfällig_) gauche **2.** (_dummdreist_) primitif(-ive) **II.** _adv_ **1.** (_schwerfällig_) gauchement **2.** (_dummdreist_) maladroitement

plumps [plʊmps] _interj_ pouf; (_beim Aufprall auf Wasser_) plouf

plumpsen ['plʊmpsən] _vi_ + _sein fam_ **ins Wasser** ~ tomber dans l'eau en faisant un grand plouf

Plumpsklo[sett] _nt fam_ latrines _fpl_

Plunder <-s> _m fam_ bric-à-brac _m_

Plünderer <-s, -> _m_, **Plünderin** _f_ pillard _m_ **Plundergebäck** _nt_ ≈ gâteau _m_ feuilleté

plündern ['plʏndɐn] **I.** _vt_ **1.** piller _Geschäfte_ **2.** _fig, hum_ dévaliser _Kühlschrank, Konto_ **II.** _vi_ se livrer au pillage

Plünderung <-, -en> _f_ pillage _m_

Plural ['plu:ra:l] <-s, -e> _m_ pluriel _m_

pluralistisch [plura'lɪstɪʃ] _adj geh_ pluraliste

plus [plʊs] **I.** _präp_ + _gen_ plus **II.** _konj_ plus **III.** _adv_ **1.** (_über null Grad_) **drei Grad** ~ plus trois degrés **2.** PHYS **von** ~ **nach minus** du pôle positif au pôle négatif

Plus _nt_ **1.** MATH plus _m_ **2.** (_Überschuss_) excédent _m_ **3.** (_Vorzug_) plus _m_

Plüsch [ply:ʃ] <-[e]s, -e> _m_ peluche _f_

plüschig _adj_ pelucheux(-euse)

Plüschtier _nt_ animal _m_ en peluche

Pluspol _m_ pôle _m_ positif **Pluspunkt** _m_ **1.** (_Vorzug_) plus _m_ **2.** (_Wertungseinheit_) point _m_

Plusquamperfekt ['plʊskvampɛrfɛkt] <-s, -e> _nt_ GRAM plus-que-parfait _m_

plustern ['plu:stɐn] **I.** _vt_ hérisser _Federn_ **II.** _vr_ **sich** ~ _Tier:_ se hérisser

Pluszeichen *nt* signe *m* plus

Pluto <-s> *m* [la planète] Pluton *f*

Plutonium [plu'to:niʊm] <-s> *nt* CHEM plutonium *m*

PLZ *Abk von* **Postleitzahl** code *m* postal

Pneu [pnø:] <-s, -s> *m bes.* A, CH pneu *m*

Po <-s, -s> *m fam* fesses *fpl*

Pobacke <-, -n> *f fam* fesse *f*

Pöbel ['pø:bəl] <-s> *m pej* populace *f*

pöbeln *vi fam* faire du barouf

pochen ['pɔxən] *vi geh* **1.** (*klopfen*) frapper; **gegen/an etw** (*akk*) ~ frapper contre/à qc **2.** *Herz:* battre

Pocken ['pɔkən] *Pl* variole *f*

Pockenschutzimpfung *f* vaccination *f* antivariolique

Pocketkamera ['pɔkɪt'kamərə] *f* appareil *m* photo de poche

Podest [po'dɛst] <-[e]s, -e> *nt o m* estrade *f*

Podium ['po:diʊm] <-s, Podien> *nt* podium *m*

Podiumsdiskussion *f* débat *m* public

Poesie [poe'zi:] <-> *f geh* poésie *f*

Poesiealbum *nt* ≈ album *m* souvenir (*petit album d'enfant rempli par les parents et amis en certaines occasions*)

Poet(in) *m(f)* poète *m*

poetisch *adj geh* poétique

Pogrom [po'gro:m] <-s, -e> *m o nt* pogrom[e] *m*

Pointe ['pɔɛ̃:tə] <-, -n> *f* chute *f*

pointiert [poɛ̃'ti:ɐt] *geh adj* pertinent

Pokal [po'ka:l] <-s, -e> *m* coupe *f*

Pokalspiel *nt* match *m* de coupe

Pökelfleisch *nt* viande *f* salée

pökeln ['pø:kəln] *vt* saler

Poker ['po:kɐ] <-s> *nt o m* poker *m*

pokern *vi* jouer au poker

Pol [po:l] <-s, -e> *m* GEOG, ELEC pôle *m* ▶ **der ruhende** ~ le garant de stabilité

polar [po'la:ɐ] *adj* polaire

Polarisierung <-, -en> *f geh* durcissement *m*

Polarkreis *m* cercle *m* polaire **Polarstern** *m* étoile *f* polaire

Pole ['po:lə] <-n, -n> *m*, **Polin** *f* Polonais(e) *m(f)*

Polemik [po'le:mɪk] <-, -en> *f* polémique *f*

polemisch I. *adj* polémique II. *adv sich äußern* de façon polémique

polemisieren* [polemi'zi:rən] *vi* polémiquer; **gegen jdn/etw** ~ polémiquer contre qn/qc

Polen ['po:lən] <-s> *nt* la Pologne

Police [po'li:sə] <-, -n> *f* police *f* [d'assurance]

Polier(in) <-s, -e> *m(f)* contremaître *m*

polieren* [po'li:rən] *vt* lustrer *Schuhe;* briquer *Auto;* **glatt** ~ polir

Poliklinik *f* policlinique *f*

Polin ['po:lɪn] *s.* **Pole**

Polio ['po:lio] <-> *f* MED polio[myélite] *f*

Politesse [poli'tɛsə] <-, -n> *f* contractuelle *f*

Politik [poli'ti:k] <-> *f* politique *f*

Politiker(in) [po'li:tikɐ] <-s, -> *m(f)* homme *m*/femme *f* politique

Politikverdrossenheit *f* ras-le-bol *m* de la politique

politisch *adj* politique

politisieren* [politi'zi:rən] *vi* parler politique

Politologe [polito'lo:gə] <-n, -n> *m*, **Politologin** *f* politologue *mf*

Politologie [politolo'gi:] <-> *f* politologie *f*, science(s) *f(pl)* politique(s)

Politur [poli'tu:ɐ] <-, -en> *f* **1.** (*Poliermittel*) produit *m* lustrant **2.** (*Schicht*) vernis *m*

Polizei [poli'tsai] <-, -en> *f* **1.** police *f* **2.** *kein Pl* (*Dienstgebäude*) poste *m* de police ▶ **dümmer, als die** ~ **erlaubt** *hum fam* bête comme c'est pas permis

Polizeidirektion *f* direction *f* de la police

Polizeieinsatz *m* intervention *f* de la police **Polizeihund** *m* chien *m* policier

polizeilich I. *adj Ermittlung* policier(-ière) II. *adv überwachen* par mesure de police

Polizeipräsidium *nt* préfecture *f* de police **Polizeirevier** *nt* poste *m* **Polizeischutz** *m* protection *f* policière **Polizeistaat** *m* État *m* policier **Polizeistreife** *f* patrouille *f* de police **Polizeistunde** *f* heure *f* de fermeture **Polizeiwache** *f* poste *m* de police

Polizist(in) [poli'tsɪst] <-en, -en> *m(f)* policier(-ière) *m(f)*

Polka ['pɔlka] <-, -s> *f* polka *f*

Pollen ['pɔlən] <-, -> *m* pollen *m*

Pollenallergie *f* allergie *f* au pollen **Pollenflugvorhersage** *f* prévisions *fpl* sur les concentrations de pollen

Poller <-s, -> *m* bitte *f* d'amarrage

polnisch ['pɔlnɪʃ] I. *adj* polonais(e) II. *adv* ~ **miteinander sprechen** discuter en polonais; *s. a.* **deutsch**

Polnisch <-[s]> *nt kein art* polonais *m; s. a.* **Deutsch**

Polo ['po:lo] <-s, -s> *nt* polo *m*

Polohemd ['po:lohɛmt] *nt* polo *m*

Polonaise [polo'nɛːzə] <-, -n> *f* polonaise *f*

Polster ['pɔlstɐ] <-s, -> *nt o* A *m* **1.** *eines Möbelstücks* coussin *m*; (*Polsterung*) rembourrage *m* **2.** (*Schulterpolster*) épaulette *f* **3.** *fam* (*Rücklage*) pécule *m*

Polstergarnitur *f* salon *m* **Polstermöbel**

nt meuble *m* rembourré

polstern *vt* capitonner *Möbel*

Polstersessel *m* fauteuil *m*

Polsterung <-, -en> *f eines Sofas* coussins *mpl*

Polterabend *m* ≈ veille *f* des noces (*soirée au cours de laquelle on casse de la vaisselle pour porter bonheur aux futurs jeunes mariés*)

Poltergeist *m* esprit *m* frappeur

poltern ['pɔltɐn] *vi* **1.** + *haben* (*lärmen*) faire du vacarme **2.** + *sein* (*sich bewegen*) **durch das Treppenhaus** ~ faire du vacarme dans la cage d'escalier

Polyester [poly'ɛstɐ] <-s, -> *m* polyester *m*

polygam [poly'ga:m] *adj* polygame

Polygamie [polyga'mi:] <-> *f* polygamie *f*

polyglott [poly'glɔt] *adj geh Person* polyglotte

Polynesien <-s> *nt* la Polynésie

Polyp [po'ly:p] <-en, -en> *m* ZOOL, MED polype *m*

Pomade [po'ma:də] <-, -n> *f* pommade *f*

Pommes ['pɔməs] *Pl* frites *fpl*

Pommes frites [pɔm'frɪt] *Pl* [pommes *fpl*] frites *fpl*

Pomp [pɔmp] <-[e]s> *m* faste *m*

pompös [pɔm'pø:s] **I.** *adj* somptueux(-euse); *Ausstattung* fastueux(-euse) **II.** *adv ausstatten* somptueusement; *feiern* avec faste

Poncho ['pɔntʃo] <-s, -s> *m* poncho *m*

Pony[1] ['pɔni] <-s, -s> *nt* poney *m*

Pony[2] <-s, -s> *m* (*Stirnfransen*) frange *f*

Pool [pu:l] <-s, -s> *m* piscine *f*

Pop [pɔp] <-s> *m* pop *f*

Popanz <-es, -e> *m pej* épouvantail *m*

Popcorn ['pɔpkɔrn] <-s> *nt* pop-corn *m*

Popel ['po:pəl] <-s, -> *m fam* crotte *f* de nez

popelig *adj fam* minable

Popelin [popə'li:n] <-s, -e> *m* popeline *f*

popeln ['po:pəln] *vi fam* retirer des crottes de [son] nez

Popkonzert *nt* concert *m* [de musique] pop

poplig *s.* popelig

Popmusik *f* musique *f* pop

Popo <-s, -s> *m Kinderspr. fam* fesses *fpl*

poppig ['pɔpɪç] *fam* **I.** *adj Aufmachung* voyant(e) **II.** *adv* de façon voyante

populär [popu'lɛːɐ] **I.** *adj* populaire **II.** *adv schreiben* en se mettant à la portée de tous

Popularität [populari'tɛːt] <-> *f* popularité *f*

populärwissenschaftlich *adj* vulgarisateur

Pore ['po:rə] <-, -n> *f* pore *m*

Porno ['pɔrno] <-s, -s> *m fam* porno *m*

Pornofilm *m* film *m* porno

Pornografie[RR] [pɔrnogra'fi:] <-> *f* porno-graphie *f*

pornografisch[RR] [pɔrno'gra:fɪʃ] *adj* pornographique

Pornographie *s.* **Pornografie**

pornographisch *s.* **pornografisch**

Pornoheft *nt fam* revue *f* porno

porös [po'rø:s] *adj* poreux(-euse)

Porree ['pɔre] <-s, -s> *m* poireau *m*

Portal [pɔr'ta:l] <-s, -e> *nt* portail *m*

Portemonnaie [pɔrtmɔ'neː, pɔrtmɔ'nɛː] <-s, -s> *nt* porte-monnaie *m*

Porti *Pl von* **Porto**

Portier [pɔr'tie:] <-s, -s> *m* portier *m*

Portion [pɔr'tsi̯o:n] <-, -en> *f* portion *f*; (*zugeteilte Menge*) part *f*; **eine tüchtige** ~ **essen** manger une bonne portion

Portmonee[RR] [pɔrtmɔ'neː] *s.* **Portemonnaie**

Porto ['pɔrto] <-s, -s *o* **Porti**> *nt* port *m*

Porträt [pɔr'trɛː] <-s, -s> *nt* portrait *m*

porträtieren* *vt* faire le portrait de; **jdn** ~ *Maler:* faire le portrait de qn; *Autor:* représenter qn

Portugal ['pɔrtugal] <-s> *nt* le Portugal

Portugiese [pɔrtu'gi:zə] <-n, -n> *m*, **Portugiesin** *f* Portugais(e) *m(f)*

portugiesisch I. *adj* portugais(e) **II.** *adv* ~ **miteinander sprechen** discuter en portugais; *s. a.* **deutsch**

Portugiesisch <-[s]> *nt kein art* portugais *m*; *s. a.* **Deutsch**

Portwein ['pɔrtvai̯n] *m* porto *m*

Porzellan [pɔrtsɛ'la:n] <-s, -e> *nt* **1.** porcelaine *f* **2.** *kein Pl* (*Geschirr*) [vaisselle *f* de] porcelaine *f*

Posaune [po'zau̯nə] <-, -n> *f* trombone *m*

posaunen* **I.** *vi* jouer du trombone **II.** *vt fam* **etw in alle Welt** ~ claironner qc

Posaunist(in) *m(f)* tromboniste *mf* (*form*)

Pose ['po:zə] <-, -n> *f* pose *f*

posieren* [po'zi:rən] *vi geh* poser; **als Aktmodell** ~ poser comme modèle nu

Position [pozi'tsi̯o:n] <-, -en> *f* **1.** *a.* MIL position *f* **2.** (*berufliche Stellung*) situation *f*

positionieren* *vr* POL *geh* **sich** ~ se positionner

Positionslicht *nt* feu *m* de position

positiv ['po:ziti:f] **I.** *adj a.* MED, PHYS positif(-ive); ~ **sein** *fam* (*HIV-~ sein*) être [séro]positif **II.** *adv* favorablement; *denken* d'une façon positive

Positur <-, -en> *f* posture *f*

Posse ['pɔsə] <-, -n> *f* farce *f*

Possessivpronomen ['pɔsɛsiːprono:mən] *nt* GRAM [pronom *m*] possessif *m*; (*adjektivisches* ~) [adjectif *m*] possessif *m*

possierlich *adj* drôle

Post [pɔst] <-> *f* **1.** (*Unternehmen*) poste *f* **2.** (*~sendung*) courrier *m* **3.** INFORM elektronische ~ courrier *m* électronique ►da geht die ~ ab *fam* ça déménage

Postamt *nt* bureau *m* de poste **Postanweisung** *f* mandat *m* **Postbeamte(r)** *m dekl wie adj*, **Postbeamtin** *f* employé(e) *m(f)* des postes **Postbote** *m*, -botin *f* facteur(-trice) *m(f)*

Posten ['pɔstən] <-s, -> *m* **1.** (*Anstellung*, *Amt*) poste *m* **2.** COM (*Position*) article *m*, poste *m*; (*Menge*) lot *m* **3.** (*Wachmann*) sentinelle *f* ►nicht ganz auf dem ~ sein *fam* être mal fichu

Poster ['poːstɐ] <-s, -[s]> *nt* poster *m*

Postfach *nt* (*bei der Post*) boîte *f* postale; (*im Hotel, Büro*) casier *m* [à courrier] **Postgeheimnis** *nt* secret *m* postal **Postgirokonto** *nt* compte *m* courant de la poste

posthum *s.* postum

postieren* [pɔs'tiːrən] *vt* poster; **jdn/ sich am Ausgang ~** poster qn/se poster à la sortie

Postkarte *f* carte *f* postale **Postkutsche** *f* malle-poste *f* **postlagernd** I. *adj* poste[-]restante II. *adv schicken* [en] poste[-]restante **Postleitzahl** *f* code *m* postal

postmodern [pɔstmo'dɛrn] *adj* postmoderne

Postsendung *f* envoi *m* postal **Postsparbuch** *nt* livret *m* d'épargne de la poste **Postsparkasse** *f* caisse *f* d'épargne de la poste **Poststempel** *m* cachet *m* de la poste

postulieren* [pɔstu'liːrən] *vt geh* postuler

postum *geh* I. *adj* posthume II. *adv* à titre posthume

postwendend ['pɔst'vɛndənt] *adv* par retour du courrier; *fam* (*unverzüglich*) immédiatement **Postwertzeichen** *nt form* timbre-poste *m* **Postwurfsendung** *f* publicité *f* distribuée par la poste

potent [po'tɛnt] *adj Person* sexuellement puissant(e)

Potential [potɛn'tsiaːl] *s.* **Potenzial potentiell** [potɛn'tsiɛl] *s.* **potenziell**

Potenz [po'tɛnts] <-, -en> *f* **1.** (*sexuelle Leistungsfähigkeit*) virilité *f* **2.** MATH puissance *f*

Potenzial^RR [potɛn'tsi̯aːl] <-s, -e> *nt a.* PHYS potentiel *m*

potenziell^RR [potɛn'tsi̯ɛl] *geh adj* potentiel(le)

potenzieren* [potɛn'tsiːrən] *vt* **1.** *geh* potentialiser *Wirkung* **2.** MATH **eine Zahl mit fünf ~** élever un nombre à la puissance cinq

Potpourri ['pɔtpʊri] <-s, -s> *nt* pot-pourri *m*

Pott [pɔt, *Pl:* 'pœtə] <-[e]s, ⸚e> *m fam* (*Schiff*) bateau *m*; (*altes Schiff*) rafiot *m*

potthässlich^RR ['pɔt'hɛslɪç] *adj fam Person* moche [comme un pou]; *Gebäude* affreux(-euse)

Power ['paʊ̯ɐ] <-> *f fam einer Person* punch *m*

powern ['paʊ̯ɐn] *vi vulg* mettre le paquet

PR [peː'ʔɛr] <-> *f Abk von* Public Relations relations *fpl* publiques

Präambel [prɛ'ambəl] <-, -n> *f* préambule *m*

Pracht [praxt] <-> *f* splendeur *f*

Prachtexemplar *nt* (*Gegenstand*) belle pièce *f*

prächtig ['prɛçtɪç] I. *adj* **1.** *Raum* somptueux(-euse); *Gewand* superbe **2.** *Wetter* splendide II. *adv sich verstehen* à merveille

Prachtkerl *m fam* type *m* super **Prachtstück** *s.* **Prachtexemplar prachtvoll** *s.* **prächtig**

prädestinieren* [prɛdɛsti'niːrən] *vt geh* **für etw prädestiniert sein** être prédestiné à qc

Prädikat [prɛdi'kaːt] <-[e]s, -e> *nt* **1.** GRAM prédicat *m* **2.** COM label *m* [de qualité]

Präferenz [prɛfe'rɛnts] <-, -en> *f a.* COM préférence *f*

Präfix <-es, -e> *nt* préfixe *m*

Prag [praːk] <-s> *nt* Prague

prägen ['prɛːgən] *vt* **1.** frapper *Münzen* **2.** (*auf~*) **ein Wappen auf** [*o* in] **etw** (*akk*) ~ graver des armoiries sur qc **3.** (*formen*) **jdn** ~ marquer qn **4.** (*charakteristisch sein*) caractériser *Landschaft* **5.** LING forger *Begriff*

pragmatisch I. *adj* pragmatique II. *adv* avec pragmatisme

prägnant [prɛ'gnant] *geh* I. *adj* prégnant(e) II. *adv* en termes prégnants

Prägung <-, -en> *f* (*Aufdruck*) gravure *f*

prähistorisch [prɛhɪs'toːrɪʃ] *adj* préhistorique

prahlen ['praːlən] *vi* se vanter; **mit etw ~** se vanter de qc

Prahlerei [praːlə'rai̯] <-, -en> *f* vantardise *f*

Praktik ['praktɪk] <-, -en> *f meist Pl* pratique *f*

Praktika *Pl von* **Praktikum**

praktikabel [prakti'kaːbəl] *adj* praticable

Praktikant(in) [prakti'kant] <-en, -en> *m(f)* stagiaire *mf*

Praktiker(in) <-s, -> *m(f)* praticien *m*

Praktikum ['praktikʊm] <-s, **Praktika**> *nt* stage *m*

praktisch I. *adj* pratique II. *adv* **1.** (*in der*

Praxis) dans la pratique **2.** (*zweckmäßig*) ~ **veranlagt sein** avoir l'esprit pratique **3.** (*so gut wie*) pratiquement
praktizieren* [prakti'tsiːrən] **I.** *vi Arzt:* exercer **II.** *vt* (*anwenden*) mettre en pratique *Verfahren*
Prälat <-en, -en> *m* prélat *m*
Praline [pra'liːnə] <-, -n> *f* A chocolat *m*
prall [pral] **I.** *adj* **1.** (*rund*) rebondi(e) **2.** (*gefüllt*) bien gonflé(e) **II.** *adv* ~ **gefüllt sein** être bien rempli
prallen ['pralən] *vi* + *sein* heurter; **mit dem Kopf gegen jdn/etw** ~ heurter qn/qc de la tête
prallvoll ['pral'fɔl] *adj fam* plein(e) à craquer
Prämie ['prɛːmiə] <-, -n> *f* prime *f*
Prämiensparen *nt* épargne *f* rémunérée
prämieren* *vt* primer; **jdn/etw mit tausend Euro** ~ récompenser qn/qc par une prime de mille euros
Prämisse [prɛ'mɪsə] <-, -n> *f geh* prémisse *f*
pränatal *adj* prénatal(e)
prangen ['praŋən] *vi geh* **am Himmel ~ Sterne:** resplendir dans le ciel
Pranger ['praŋɐ] <-s, -> *m* pilori *m*
Pranke ['praŋkə] <-, -n> *f a. fig fam* patte *f*
Präparat [prɛpa'raːt] <-[e]s, -e> *nt* préparation *f*
präparieren* [prɛpa'riːrən] *vt* **1.** (*konservieren*) naturaliser **2.** (*sezieren*) disséquer
Präposition [prɛpozi'tsi̯oːn] <-, -en> *f* GRAM préposition *f*
Prärie [prɛ'riː] <-, -n> *f* **die** ~ la Prairie
Präsens ['prɛːzɛns] <-, Präsenzien> *nt* GRAM présent *m*
präsent *adj geh* présent(e); **etw** ~ **haben** avoir qc présent(e) à l'esprit
Präsent <-s, -e> *nt* présent *m*
präsentieren* [prɛzɛn'tiːrən] *vt* présenter; **jdm etw** ~ présenter qc à qn
Präsentierteller *m* ▶ **auf dem** ~ **sitzen** *fam* être exposé aux regards de tout le monde
Präsenz <-> *f geh* présence *f*
Präsenzbibliothek [prɛ'zɛntsbibliotˌeːk] *f* bibliothèque *f* de consultation sur place
Präser <-s, -> *m fam* capote *f*
Präservativ [prɛzɛrva'tiːf] <-s, -e> *nt* préservatif *m*
Präsident(in) [prɛzi'dɛnt] <-en, -en> *m(f)* président(e) *m(f)*
Präsidentschaft <-, -en> *f* présidence *f*
Präsidentschaftswahlen *Pl* [élections *fpl*] présidentielles *fpl*
Präsidium [prɛ'ziːdi̯ʊm] <-s, Präsidien> *nt* **1.** (*Vorstand*) présidence *f* **2.** (*Polizeipräsidium*) commissariat *m*

prasseln ['prasəln] *vi* + *sein* (*prallen*) **gegen/auf etw** (*akk*) ~ crépiter contre/sur qc
präventiv [prɛvɛn'tiːf] *adj* préventif(-ive)
Praxis ['praksɪs] <-, Praxen> *f* **1.** (*Arztpraxis*) cabinet *m* **2.** *kein Pl* (*praktische Erfahrung*) expérience *f* **3.** (*praktische Anwendung*) pratique *f*
Praxisbezug *m* orientation *f* pratique **praxisnah** *adj* axé(e) sur la pratique
Präzedenzfall [prɛtse'dɛntsfal] *m* précédent *m*
präzis[e] *geh* **I.** *adj* précis(e) **II.** *adv* avec précision
präzisieren* [prɛtsi'ziːrən] *vt geh* préciser
Präzision [prɛtsi'zi̯oːn] <-> *f geh* précision *f*
predigen ['preːdɪgən] **I.** *vi* **1.** (*eine Predigt halten*) prêcher **2.** *fam* (*mahnend vorhalten*) **einem Kind** ~, **dass** ... répéter sans cesse à un enfant que ... **II.** *vt* recommander *Toleranz*
Prediger(in) <-s, -> *m(f)* prédicateur(-trice) *m(f)*
Predigt <-, -en> *f a. fig fam* (*Ermahnung*) sermon *m*
Preis [prajs] <-es, -e> *m* (*Kaufpreis, Prämie*) prix *m*; **einen** ~ **auf etw** (*akk*) **aussetzen** offrir une récompense pour qc
Preisanstieg *m* hausse *f* des prix **Preisausschreiben** *nt* [jeu-]concours *m* **Preisbindung** *f* prix *f* imposé *m*
Preiselbeere ['prajzəlbeːrə] *f* airelle *f*
Preisempfehlung *f* [unverbindliche] ~ prix *m* indicatif
preisen ['prajzən] <pries, gepriesen> *vt geh* louer *Gott*
Preisfrage *f* **1.** (*Gewinnfrage*) question-concours *f* **2.** *fam* (*schwierige Frage*) question *f* à mille francs **3.** (*Frage des Preises*) question *f* du prix **Preisgabe** *f geh* abandon *m*
preisgeben *vt irr geh* **1.** (*aufgeben*) abandonner **2.** (*verraten*) révéler **3.** (*überlassen*) **jdn/etw einer S.** (*dat*) ~ livrer qn/qc à qc
Preisgefälle *nt* disparité *f* des prix **preisgekrönt** *adj* primé(e) **Preisgeld** <-[e]s, -er> *nt* prix *m* doté (*d'une certaine somme d'argent*) **preisgünstig I.** *adj Artikel* bon marché; *Angebot* avantageux(-euse) **II.** *adv* [à] bon marché **Preislage** *f* gamme *f* de prix **Preis-Leistungs-Verhältnis** *nt* rapport *m* qualité-prix
preislich I. *adj attr Unterschied* en matière de prix **II.** *adv* **sich** ~ **unterscheiden** présenter une différence de prix
Preisliste *f* tarif *m* **Preisnachlass**[RR] *m* remise *f*

Preisrichter(in) *m(f)* SPORT juge *m;* KUNST, LITER juré(e) *m(f)* **Preisschild** *nt* étiquette *f*
Preisträger(in) *m(f)* lauréat(e) *m(f);* SPORT vainqueur *m* **Preisverleihung** *f* remise *f* des prix
preiswert *s.* **preisgünstig**
prekär [pre'kɛːɐ̯] *adj geh* précaire
Prellbock *m* butoir *m*
prellen ['prɛlən] **I.** *vt* **1.** *(betrügen)* escroquer; **jdn um etw** ~ escroquer qn de qc **2.** *(stoßen)* **sich** *(dat)* **etw** ~ se contusionner qc **II.** *vr* **sich an etw** *(dat)* ~ se contusionner qc
Prellung <-, -en> *f* contusion *f*
Premier [prə'mi̯eː] *s.* **Premierminister(in)**
Premiere [prə'mi̯eːrə] <-, -n> *f* première *f*
Premierminister(in) *m(f)* premier ministre *mf*
preschen *vi* + *sein* foncer
Presse ['prɛsə] <-, -n> *f* **1.** *kein Pl (Zeitungen)* presse *f* **2.** *kein Pl (~reaktion)* **eine gute** ~ **haben** avoir bonne presse **3.** TECH presse *f* **4.** *(Fruchtpresse)* presse-fruits *m*
Presseagentur *f* agence *f* de presse **Presseball** *m* bal *m* de la presse **Pressefotograf(in)** *m(f)* photographe *mf* de presse **Pressefreiheit** *f* liberté *f* de la presse **Pressekonferenz** *f* conférence *f* de presse
pressen ['prɛsən] **I.** *vt* **1.** *(trocknen)* presser *Blatt* **2.** TECH presser **3.** *(drücken)* **das Gesicht gegen die Scheibe** ~ appuyer son visage contre la vitre **II.** *vi* pousser
Pressespiegel *m* MEDIA revue *f* de presse
pressieren* [prɛ'siːrən] SDEUTSCH, A, CH **I.** *vi* *(dringlich sein)* être pressant **II.** *vi unpers* **es pressiert nicht** ça ne presse pas
Pressluftᴿᴿ, **Preßluft** *f* air *m* comprimé
Presslufthammerᴿᴿ, **Preßlufthammer** *m* marteau *m* pneumatique
Prestige [prɛs'tiːʒ(ə)] <-s> *nt geh* prestige *m*
Preuße ['prɔysə] <-n, -n> *m*, **Preußin** *f* Prussien(ne) *m(f)*
Preußen ['prɔysən] <-s> *nt* la Prusse
preußisch *adj* prussien(ne)
prickeln ['prɪkəln] *vi* **1.** *(kribbeln)* **auf der Haut** ~ picoter la peau **2.** *Sekt:* pétiller
Priel <-[e]s, -e> *m* petit chenal *m*
Priem <-[e]s, -e> *m* chique *f*
priemen *vi* chiquer
pries [priːs] *Imp von* **preisen**
Priester(in) ['priːstɐ] <-s, -> *m(f)* prêtre(-esse) *m(f)*
prima ['priːma] *fam* **I.** *adj inv* super **II.** *adv* super-bien
Primaballerina ['primabale'riːna] *f* première danseuse *f* **Primadonna** [pri-

ma'dɔna] <-, -donnen> *f* **1.** prima donna *f* **2.** *(egozentrischer Mensch)* pimbêche *f*
primär [pri'mɛːɐ̯] *geh* **I.** *adj* premier(-ière) antéposé **II.** *adv* en premier lieu
Primarschule [pri'maːɐ̯ʃuːlə] CH école *f* primaire
Primel ['priːməl] <-, -n> *f* primevère *f*
primitiv [primi'tiːf] **I.** *adj* **1.** *Kultur* primitif(-ive) **2.** *Behausung* rudimentaire **3.** *pej Person* primaire **II.** *adv (sehr einfach)* de manière rudimentaire
Primzahl ['priːmtsaːl] *f* MATH nombre *m* premier
Printmedium *nt* presse *f* [écrite]
Prinz [prɪnts] <-en, -en> *m*, **Prinzessin** *f* *(Adelstitel)* prince *m/*princesse *f*
Prinzip [prɪn'tsiːp] <-s, -ien> *nt* principe *m*
prinzipiell [prɪntsi'pi̯ɛl] **I.** *adj* de principe **II.** *adv* par principe
Priorität [priori'tɛːt] <-, -en> *f geh* priorité *f*
Prise ['priːzə] <-, -n> *f* **1.** pincée *f* **2.** NAUT prise *f*
Prisma ['prɪsma] <-s, Prismen> *nt* prisme *m*
Pritsche ['prɪtʃə] <-, -n> *f (Liege)* lit *m* rudimentaire
pritscheln [prɪtʃln] *vi* A *(planschen)* patauger
privat [pri'vaːt] **I.** *adj* **1.** *(persönlich)* privé(e); *Unterlagen* personnel(le) **2.** *(nicht geschäftlich)* privé(e) **II.** *adv* **sprechen** en privé
Privatadresse [-'vaː-] *f* adresse *f* privée **Privatangelegenheit** *f* affaire *f* privée **Privatdetektiv(in)** *m(f)* détective *mf* privé(e) **Privatdozent(in)** *m(f)* privat-docent *m* **Privateigentum** *nt* propriété *f* privée **Privatinitiative** [-və] *f* initiative *f* privée
privatisieren* [privati'ziːrən] *vt* privatiser
Privatklinik [-'vaː-] *f* clinique *f* privée **Privatleben** *nt* vie *f* privée **Privatnummer** *f* numéro *m* personnel **Privatpatient(in)** *m(f)* patient(e) *m(f)* du secteur privé **Privatperson** *f* particulier *m* **Privatvergnügen** *nt fam* **ich mache das nicht zu meinem** ~ je ne le fais pas pour mon plaisir **privatversichert** *s.* **versichern I.**
Privileg [privi'leːk] <-[e]s, -ien> *nt geh* privilège *m*
privilegiert *adj geh* privilégié(e)
pro [proː] **I.** *präp* + *akk* ~ **Person** par personne **II.** *adv* pour
Pro <-> *nt* pour *m;* **[das]** ~ **und [das] Kontra** *geh* le pour et le contre
Probe ['proːbə] <-, -n> *f* **1.** *(Warenprobe)* échantillon *m* **2.** *(Prüfmenge)* *eines Ge-*

steins échantillon *m; von Blut* prélèvement *m* **3.** (*Beweis*) *des Wissens* aperçu *m* **4.** MUS, THEAT répétition *f* **5.** (*Test, Prüfung*) épreuve *f;* ~ **fahren** essayer un essai; **ein Auto** ~ **fahren** essayer une voiture ▶ **die** ~ **aufs Exempel machen** faire la preuve par l'exemple

Probealarm *m* simulation *f* d'alarme **Probeexemplar** *nt* spécimen *m* **probelfahren** *s.* **Probe Probefahrt** *f* essai *m* [sur route] **Probelauf** *m* essai *m*

proben *vt, vi* répéter

probeweise *adv einstellen* à l'essai **Probezeit** *f eines Mitarbeiters* période *f* d'essai

probieren * [pro'biːrən] **I.** *vt* **1.** (*versuchen*) essayer **2.** (*kosten*) goûter; déguster *Wein* **3.** (*an~*) essayer *Kleid* **II.** *vi* **1.** essayer **2.** (*kosten*) **vom Nachtisch** ~ goûter du dessert

Problem [pro'bleːm] <-s, -e> *nt* **1.** problème *m* **2.** (*Ärgernis*) **für jdn zum** ~ **werden** devenir une source d'ennuis pour qn

Problematik [proble'maːtɪk] <-> *f geh* difficultés *fpl*

problematisch *adj Charakter* à problèmes; *Fall* problématique

Problemfall *m* **1.** (*Angelegenheit*) cas *m* problématique **2.** (*problematischer Mensch*) problème *m*

problemlos I. *adj* sans problème[s] **II.** *adv* sans [aucun] problème

Produkt [pro'dʊkt] <-[e]s, -e> *nt* **1.** *a.* MATH produit *m* **2.** *geh* (*Folge*) fruit *m*

Produktion [prodʊk'tsi̯oːn] <-, -en> *f* production *f*

produktiv [prodʊk'tiːf] *adj* (*ergiebig*) productif(-ive)

Produktivität [prodʊktivi'tɛːt] <-> *f* productivité *f*

Produzent(in) [produ'tsɛnt] <-en, -en> *m(f)* **1.** (*Hersteller*) fabricant(e) *m(f)* **2.** (*Filmproduzent*) producteur(-trice) *m(f)*

produzieren * [produ'tsiːrən] **I.** *vt* (*herstellen*) produire **II.** *vi billig* ~ produire à bas prix **III.** *vr pej fam* **sich vor jdm** ~ faire l'intéressant devant qn

profan [pro'faːn] *adj geh* **1.** (*alltäglich*) terre à terre **2.** (*nicht sakral*) profane

professionell [profɛsi̯o'nɛl] **I.** *adj* professionnel(le) **II.** *adv* avec professionnalisme

Professor [pro'fɛsoːɐ̯] <-s, -soren> *m,* **Professorin** *f* professeur *mf*

Professur [profɛ'suːɐ̯] <-, -en> *f* chaire *f* [de professeur]

Profi ['proːfi] <-s, -s> *m fam* **1.** (*Sportler*) pro *mf* **2.** (*Verbrecher*) professionnel(le) *m(f)*

Profil [pro'fiːl] <-s, -e> *nt* **1.** *eines Reifens*

sculptures *fpl* **2.** (*seitliche Ansicht*) profil *m*

profilieren * [profi'liːrən] *vr* **sich** ~ s'affirmer

profiliert *adj* reconnu

Profilsohle *f* semelle *f* crantée

Profit [pro'fiːt] <-[e]s, -e> *m* profit *m*

profitabel [profi'taːbəl] *adj geh* rémunérateur(-trice)

profitieren * [profi'tiːrən] *vi* **1.** (*Gewinn machen*) faire du profit **2.** (*Nutzen haben*) **bei/von etw** ~ profiter de qc **3.** (*Nützliches lernen*) **von jdm** ~ tirer profit de ce que dit/fait qn; **von etw** ~ tirer profit de qc

pro forma [proː'fɔrma] *adv geh* pour la forme

Prognose [pro'gnoːzə] <-, -n> *f* **1.** *geh* (*Vorhersage*) prévision *f* **2.** (*Wettervorhersage*) prévisions *fpl* **3.** MED pronostic *m*

prognostizieren * [prognɔsti'tsiːrən] *vt geh* pronostiquer

Programm [pro'gram] <-s, -e> *nt* **1.** (*Ablauf, Konzeption*) programme *m* **2.** (*~heft*) programme *m* **3.** INFORM logiciel *m*

Programmaufruf *m* INFORM appel *m* de programme **Programmfehler** *m* INFORM erreur *f* dans le programme **programmgemäß** *adv* comme prévu

programmieren * [progra'miːrən] *vt* **1.** INFORM programmer **2.** (*vorbereiten*) **auf etw** (*akk*) **programmiert sein** être programmé pour qc

Programmierer(in) <-s, -> *m(f)* INFORM programmeur(-euse) *m(f)*

Programmiersprache *f* INFORM langage *m* de programmation

Programmierung <-, -en> *f* INFORM programmation *f*

Programmzeitschrift *f* programme *m* de télévision

progressiv [progrɛ'siːf] *adj geh* (*fortschrittlich*) progressiste

Projekt [pro'jɛkt] <-[e]s, -e> *nt* projet *m*

Projektil <-s, -e> *nt form* projectile *m*

Projektion <-, -en> *f* projection *f*

Projektor [pro'jɛktoːɐ̯] <-s, -toren> *m* projecteur *m*

projizieren * [proji'tsiːrən] *vt* OPT, PSYCH projeter

Proklamation <-, -en> *f geh* proclamation *f*

proklamieren * [prokla'miːrən] *vt geh* proclamer

Pro-Kopf-Einkommen *nt* revenu *m* par tête

Prokura <-, Prokuren> *f form* procuration *f*

Prokurist(in) <-en, -en> *m(f)* fondé *m* de

pouvoir

Prolet(in) [pro'le:t] <-en, -en> *m(f) pej* plouc *mf (fam)*

Proletariat [proletari'a:t] <-[e]s, -e> *nt* prolétariat *m*

Prolog [pro'lo:k] <-[e]s, -e> *m* prologue *m*

Promenade [promə'na:də] <-, -n> *f* promenade *f*

Promenadendeck *nt* pont-promenade *m*
Promenadenmischung *f hum fam* bâtard *m*

Promi ['prɔmi] <-s, -s> *m*, <-, -s> *f fam* huile *f*

Promille [pro'mɪlə] <-[s], -> *nt* **1.** elf ~ onze pour mille **2.** *fam (Blutalkohol)* **0,5** ~ **haben** avoir 0,5 gramme

Promillegrenze *f* taux *m* d'alcoolémie maximal

prominent [promi'nɛnt] *adj* éminent(e)
Prominente(r) *f(m) dekl wie adj* personnalité *f*

Prominenz [promi'nɛnts] <-> *f geh (die Prominenten)* personnalités *fpl* [de premier plan]

Promotion [promo'tsi̯o:n] <-, -en> *f* UNIV doctorat *m*

promovieren* [promo'vi:rən] *vi* **1.** *(eine Doktorarbeit schreiben)* **über jdn/etw** ~ préparer une thèse [de doctorat] sur qn/qc **2.** *(den Doktorgrad erwerben)* **in Philosophie** *(dat)* ~ soutenir une thèse de philosophie

prompt [prɔmpt] **I.** *adj* rapide **II.** *adv fam (erwartungsgemäß)* aussi sec

Pronomen [pro'no:mən] <-s, – *o* Pronomina> *nt* GRAM pronom *m*

Propaganda [propa'ganda] <-> *f* propagande *f*

propagandistisch *adj* à des fins de propagande; *Material* de propagande

propagieren* [propa'gi:rən] *vt geh* prôner

Propangas *nt* propane *m*

Propeller [pro'pɛlɐ] <-s, -> *m* hélice *f*

proper *adj* clean

Prophet(in) [pro'fe:t] <-en, -en> *m(f)* prophète *m*/prophétesse *f*

prophetisch *geh adj* prophétique

prophezeien* [profe'tsai̯ən] *vt* prophétiser; **jdm viel Erfolg** ~ prédire à qn une grande réussite

Prophezeiung <-, -en> *f* prophétie *f*

prophylaktisch [profy'laktɪʃ] **I.** *adj* prophylactique **II.** *adv* préventivement

Prophylaxe [profy'laksə] <-, -n> *f* prophylaxie *f*

Proportion [propɔr'tsi̯o:n] <-, -en> *f* proportion *f*

proportional [propɔrts i̯o'na:l] *geh adj* proportionnel(le)

Proporz <-es, -e> *m* proportionnelle *f*

proppe[n]voll *adj* plein à craquer

Prosa ['pro:za] <-> *f* prose *f*

prosaisch *adj geh* prosaïque

prosit *s.* prost

Prosit <-s, -s> *nt* toast *m*

Prospekt [pro'spɛkt] <-[e]s, -e> *m* prospectus *m*

prost *interj* à la tienne/vôtre

Prostata ['prɔstata] <-> *f* ANAT prostate *f*

prostituieren* [prostitu'i:rən] *vr* **1.** **sich** ~ se prostituer **2.** *(sich herabwürdigen)* **sich für etw** ~ se prostituer pour qc

Prostituierte(r) *f(m) dekl wie adj* prostitué(e) *m(f)*

Prostitution [prostitu'tsi̯o:n] <-> *f* prostitution *f*

Protagonist(in) [protago'nɪst] <-en, -en> *m(f) geh* **1.** protagoniste *mf* **2.** *(Vorkämpfer)* pionnier(-ière) *m(f)*

Protein [prote'i:n] <-s, -e> *nt* BIO, CHEM protéine *f*

Protektion <-, -en> *f geh* protection *f*

Protektorat <-[e]s, -e> *nt* protectorat *m*

Protest [pro'tɛst] <-[e]s, -e> *m* protestation *f*

Protestant(in) [protɛs'tant] <-en, -en> *m(f)* protestant(e) *m(f)*

protestantisch I. *adj* protestant(e) **II.** *adv erziehen* dans la foi protestante

protestieren* [protɛs'ti:rən] *vi* protester; **gegen etw** ~ protester contre qc

Protestwähler(in) *m(f)* électeur(-trice) *m(f)* protestataire

Prothese [pro'te:zə] <-, -n> *f* **1.** *(Ersatzgliedmaße)* prothèse *f* **2.** *(Zahnersatz)* dentier *m*

Protokoll [proto'kɔl] <-s, -e> *nt* **1.** *(Niederschrift)* protocole *m; (Sitzungsprotokoll)* compte *m* rendu **2.** *(Vernehmungsprotokoll)* procès-verbal *m* **3.** *kein Pl (diplomatisches Zeremoniell)* protocole *m*

protokollarisch [protokɔ'la:rɪʃ] **I.** *adj* **1.** *Aussage* dûment enregistré(e) **2.** *Zeremoniell* protocolaire **II.** *adv* **etw** ~ **festhalten** consigner qc au procès-verbal

Protokollführer(in) *m(f)* secrétaire *mf* de séance; JUR greffier(-ière) *m(f)*

protokollieren* [protokɔ'li:rən] **I.** *vt* enregistrer *Zeugenaussage* **II.** *vi* établir le procès-verbal

Proton ['pro:tɔn] <-s, Protonen> *nt* PHYS proton *m*

Prototyp [pro:to'ty:p] *m* prototype *m*

protzen ['prɔtsən] *vi fam* frimer; **mit etw** ~ frimer avec qc

protzig *fam adj* tape-à-l'œil

Proviant [provi'ant] <-s> *m* provisions *fpl*

Provinz [pro'vɪnts] <-, -en> *f* **1.** (*Verwaltungsgebiet*) province *f* **2.** *kein Pl pej* (*rückständige Gegend*) province *f*

provinziell [provɪn'tsi̯ɛl] *adj pej* provincial(e)

Provision [provi'zi̯o:n] <-, -en> *f* commission *f*

provisorisch [provi'zo:rɪʃ] **I.** *adj* provisoire; *Unterkunft* précaire **II.** *adv* provisoirement

Provisorium [provi'zo:ri̯ʊm] <-s, -rien> *nt geh* (*Einrichtung*) solution *f* provisoire; (*Regelung*) mesure *f* d'urgence

provokant [provo'kant] *geh* **I.** *adj* provocant(e) **II.** *adv* de manière provocante

Provokation [provoka'tsi̯o:n] <-, -en> *f geh* provocation *f*

provokativ [provoka'ti:f] *adj, adv geh s.* **provokant**

provozieren* [provo'tsi:rən] **I.** *vt* provoquer; **jdn** ~ *Person:* provoquer qn; *Bemerkung:* être une façon de provoquer qn **II.** *vi Person:* faire de la provocation; *Äußerung:* être une provocation

Prozedur [protse'du:ɐ̯] <-, -en> *f* astreinte *f*

Prozent [pro'tsɛnt] <-[e]s, -e> *nt* **1.** **zehn** ~ dix pour cent **2.** (*Alkoholgehalt*) degré *m* [d'alcool] ▶ **bei jdm** ~**e bekommen** *fam* avoir une réduc chez qn

Prozentpunkt *m* point *m* **Prozentsatz** *m* pourcentage *m*

prozentual [protsɛntu'a:l] **I.** *adj* exprimé(e) en pourcentage[s] **II.** *adv* au pourcentage

Prozess[RR] [pro'tsɛs] <-es, -e>, **Prozeß** <-sses, -sse> *m* **1.** procès *m* **2.** (*Vorgang*) processus *m*

Prozessgegner[RR] *m* partie *f* adverse

prozessieren* [protsɛ'si:rən] *vi* intenter un procès; **gegen jdn** ~ intenter un procès à qn

Prozession [protsɛ'si̯o:n] <-, -en> *f* procession *f*

Prozesskosten[RR] *Pl* frais *mpl* de justice

Prozessor [pro'tsɛso:ɐ̯] <-s, -soren> *m* INFORM processeur *m*

prüde ['pry:də] *adj* prude

prüfen ['pry:fən] *vt* **1.** faire passer un examen; **jdn in Chemie** (*dat*) ~ faire passer un examen à qn en chimie; **geprüft** *Krankenschwester* diplômé(e) **2.** (*untersuchen*) vérifier *Gerät;* examiner *Antrag* **3.** *geh* (*übel mitnehmen*) **jdn hart** ~ éprouver qn durement

Prüfer(in) <-s, -> *m(f)* **1.** examinateur(-trice) *m(f)* **2.** TECH ingénieur *mf* chargé du contrôle **3.** (*Betriebsprüfer*) contrôleur(-euse)

se) *m(f)*

Prüfling ['pry:flɪŋ] <-s, -e> *m* candidat(e) *m(f)*

Prüfstand *m* ▶ **auf dem** ~ **sein** passer au banc d'essai **Prüfstein** *m* ▶ **ein** ~ **sein** être la pierre de touche

Prüfung <-, -en> *f* **1.** examen *m;* (*in einem Fach*) épreuve *f* **2.** (*Führerscheinprüfung*) **theoretische** ~ code *m;* **praktische** ~ conduite *f* **3.** *geh* (*Heimsuchung*) épreuve *f*

Prüfungsangst *f* trac *m* [de l'examen]

Prügel ['pry:gəl] <-s, -> *m* **1.** (*Knüppel*) gourdin *m* **2.** *Pl* (*Schläge*) coups *mpl;* (*Strafe*) correction *f*

Prügelei [pry:gə'lai̯] <-, -en> *f fam* bagarre *f*

Prügelknabe *m* souffre-douleur *m*

prügeln **I.** *vt* battre **II.** *vi* donner des coups **III.** *vr* **sich mit jdm wegen etw** ~ se battre avec qn à cause de qc

Prügelstrafe *f* châtiment *m* corporel

Prunk [prʊŋk] <-s> *m* luxe *m* ostentatoire

prunken *vi geh* faire étalage

prunkvoll **I.** *adj* somptueux(-euse) **II.** *adv* fastueusement

prusten ['pru:stən] *vi* s'ébrouer; **vor Lachen** ~ pouffer de rire

PS [pe:'ʔɛs] <-, -> *nt* **1.** *Abk von* **Pferdestärke** ch *m* **2.** *Abk von* **Postskript[um]** P.-S. *m*

Psalm [psalm] <-s, -en> *m* psaume *m*

Pseudonym <-s, -e> *nt* pseudonyme *m*

pst [pst] *interj* chut

Psyche ['psy:çə] <-, -n> *f* psyché *f*

Psychiater(in) [psy'çi̯a:tɐ] <-s, -> *m(f)* psychiatre *mf*

Psychiatrie [psyçi̯a'tri:] <-, -n> *f* **1.** (*Fachgebiet*) psychiatrie *f* **2.** *fam* (*Abteilung*) [service *m* de] psychiatrie *f*

psychiatrisch [psy'çi̯a:trɪʃ] **I.** *adj* psychiatrique; *Abteilung* de psychiatrie **II.** *adv* **jdn** ~ **behandeln** soumettre qn à un traitement psychiatrique

psychisch ['psy:çɪʃ] **I.** *adj* psychique **II.** *adv* sur le plan psychique; ~ **bedingt sein** avoir des causes psychiques

Psychoanalyse [psyço?ana'ly:zə] *f* psychanalyse *f* **Psychoanalytiker(in)** [psyçoana'ly:tikɐ] *m(f)* psychanalyste *mf*

Psychologe [psyço'lo:gə] <-n -n> *m,* **Psychologin** *f* psychologue *mf*

Psychologie [psyçolo'gi:] <-> *f* psychologie *f*

psychologisch [psyço'lo:gɪʃ] **I.** *adj* psychologique **II.** *adv* ~ **ausgebildet sein** avoir une formation en psychologie

Psychopath(in) [psyço'pa:t] <-en, -en> *m(f)* psychopathe *mf*

Psychopharmakon [psy:ço'farmakɔn] <-s, -pharmaka> *nt meist Pl* médicament *m* psychopharmacologique
Psychose [psy'ço:zə] <-, -n> *f* psychose *f*
psychosomatisch [psyçozo'ma:tɪʃ] *adj* psychosomatique
Psychoterror ['psy:çotɛro:ɐ̯] *m fam* terrorisme *m* intellectuel **Psychotherapie** [psyçotera'pi:] *f kein Pl* psychothérapie *f*
pubertär [pubɛr'tɛ:ɐ̯] *adj* pubertaire
Pubertät [pubɛr'tɛ:t] <-> *f* puberté *f*
pubertieren* *vi geh* faire sa puberté
Publicity [pʌ'blɪsətɪ] <-> *f* médiatisation *f*
publik [pu'bli:k] *adj* ~ **werden** être rendu public
Publikation [publika'tsi̯o:n] <-, -en> *f* publication *f*
Publikum ['pu:blikʊm] <-s> *nt* **1.** (*Besucher*) public *m* **2.** (*Zuhörerschaft*) auditoire *m*
publizieren* [publi'tsi:rən] *vt* publier
Publizist(in) *m(f)* journaliste *mf*
Publizistik <-> *f* journalisme *m*
Puck *m* palet *m*
Pudding ['pʊdɪŋ] <-s, -s> *m* pudding *m*, pouding *m*
Puddingpulver [-fɐ, -vɐ] *nt* préparation *f* pour pudding
Pudel ['pu:dəl] <-s, -> *m* caniche *m* ▸**wie ein begossener** ~ **dastehen** *fam* être là, l'oreille basse
Pudelmütze *f* bonnet *m* [à pompon] **pudelwohl** ['pu:dəl'vo:l] *adj* ▸**sich** ~ **fühlen** *fam* prendre son pied
Puder ['pu:dɐ] <-s, -> *m o fam nt* poudre *f*
Puderdose *f* poudrier *m*
pudern **I.** *vt* poudrer **II.** *vr* **sich** ~ se poudrer
Puderzucker *m* sucre *m* glace
Puff [pʊf] <-[e]s, -e> *m fam* (*Bordell*) bordel *m* (*vulg*)
puffen *vt fam* donner une bourrade à
Puffer <-s, -> *m*, **Pufferspeicher** *m* INFORM mémoire *f* tampon **Pufferzone** *f* zone *f* tampon
puh *interj* **1.** (*Ausruf des Ekels*) beurk **2.** (*Ausruf der Erschöpfung*) ouf
pulen ['pu:lən] *fam* **I.** *vi* tripoter; **an etw** (*dat*) ~ tripoter qc **II.** *vt* NDEUTSCH décortiquer *Krabben*
Pulk <-s, -s> *m* cohorte *f*
Pull-down-Menü [pʊl'daunmeny:] *nt* INFORM menu *m* déroulant
Pulle <-, -n> *f* chopine *f* ▸**volle** ~ **fahren** rouler plein pot
Pulli ['pʊli] <-s, -s> *m fam* pull *m*
Pullover [pʊ'lo:vɐ] <-s, -> *m* pull-over *m*
Pullunder [pʊ'lʊndɐ] <-s, -> *m* [pull *m*] débardeur *m*

Puls [pʊls] <-es, -e> *m* pouls *m*
Pulsader *f* veine *f* du poignet
pulsieren* [pʊl'zi:rən] *vi* **1.** *Schlagader:* battre; *Blut:* circuler **2.** *fig* ~**d** *Großstadt* trépidant(e)
Pulsschlag *m* (*Puls*) pouls *m*; (*einzelner Schlag*) pulsation *f*
Pult [pʊlt] <-[e]s, -e> *nt* **1.** (*Dirigentenpult, Rednerpult*) pupitre *m* **2.** (*Katheder*) chaire *f*
Pulver ['pʊlvɐ] <-s, -> *nt* poudre *f*
Pulverfass[RR] ▸**auf einem** ~ **sitzen** être sur une poudrière
pulverisieren* [-vɐ-] *vt* pulvériser
Pulverkaffee ['pʊlvɐ-] *m* café *m* en poudre
Pulverschnee *m* poudreuse *f*
Puma ['pu:ma] <-s, -s> *m* puma *m*
pumm|e|lig *adj fam* dodu(e)
Pump ▸**auf** ~ *fam* à crédit
Pumpe ['pʊmpə] <-, -n> *f* **1.** TECH pompe *f* **2.** *fam* (*Herz*) palpitant *m*
pumpen **I.** *vt* **1.** pomper; **etw mit Luft/Wasser voll** ~ remplir qc d'air/d'eau **2.** *fam* (*leihen*) **jdm etw** ~ filer qc à qn **3.** *fam* (*investieren*) **Geld in eine Firma** ~ injecter de l'argent dans une entreprise **II.** *vi* **1.** *Herz:* battre; *Maschine:* pomper **2.** (*eine Pumpe betätigen*) pomper
Pumpernickel <-s, -> *m* pain *m* de seigle noir
Pumps [pœmps] <-, -> *m* escarpin *m*
Punker(in) ['paŋkɐ] <-s, -> *m(f)* punk *mf*
Punkt [pʊŋkt] <-[e]s, -e> *m* **1.** point *m* **2.** (*Tupfen*) pois *m* **3.** (*Stelle*) endroit *m* **4.** (*bei Zeitangaben*) ~ **drei** [Uhr] à trois heures précises ▸**der Grüne** ~ le point vert [d'éco-emballage]; **nun mach aber mal einen** ~! *fam* tu vas la boucler, oui?
punktieren* *vt* ponctionner
Punktion <-, -en> *f* ponction *f*
pünktlich ['pʏŋktlɪç] **I.** *adj* ~ **sein** être ponctuel **II.** *adv* à l'heure
Pünktlichkeit <-> *f* ponctualité *f*
Punktrichter(in) *m(f)* juge *m* **Punktsieg** *m* victoire *f* aux points **Punktzahl** *f* nombre *m* de points
Punsch [pʊnʃ] <-es, -e> *m* punch *m*
Pupille [pu'pɪlə] <-, -n> *f* pupille *f*
Puppe ['pʊpə] <-, -n> *f* **1.** (*Spielzeug*) poupée *f* **2.** ZOOL chrysalide *f* ▸**bis in die** ~**n schlafen** *fam* faire la grasse matinée; **die** ~**n tanzen lassen** *fam* (*feiern*) faire la bringue
Puppenstube *f* chambre *f* de poupée **Puppentheater** *nt* théâtre *m* de marionnettes
Puppenwagen *m* landau *m* de poupée
Pups <-es, -e> *m fam* pet *m*
pupsen *vi fam* péter
pur [pu:ɐ̯] **I.** *adj* **1.** (*rein*) pur(e) *antéposé*

2. (*unverdünnt*) pur(e) **II.** *adv trinken* pur(e)

Püree [py're:] <-s, -s> *nt* purée *f*

Pürierstab *m* GASTR presse-purée *m*

Purist(in) <-en, -en> *m(f) geh* puriste *mf*

Puritaner(in) [puri'ta:nɐ] <-s, -> *m(f)* puritain(e) *m(f)*

puritanisch I. *adj* puritain(e) **II.** *adv* de manière puritaine

Purpur ['pʊrpʊr] <-s> *m* (*Farbe*) pourpre *m*

purpurfarben *adj* [de couleur] pourpre

Purzelbaum *m fam* galipette *f*

purzeln ['pʊrtsəln] *vi* + *sein* **von der Bank** ~ dégringoler du banc

Puste ['pu:stə] <-> *f fam* souffle *m*

Pusteblume *f fam* aigrette *f* de pissenlit ▶ **Pustekuchen** ▶~! des clous!

Pustel ['pʊstəl] <-, -n> *f* pustule *f*

pusten ['pu:stən] *vi fam* (*blasen*) souffler

Pute ['pu:tə] <-, -n> *f* **1.** (*Truthenne*) dinde *f* **2.** *pej fam* (*Frau*) bécasse *f*

Puter ['pu:tɐ] <-s, -> *m* dindon *m*

puterrot *adj* cramoisi

Putsch [pʊtʃ] <-[e]s, -e> *m* putsch *m*

putschen *vi* organiser un putsch; **gegen jdn/etw** ~ organiser un putsch contre qn/qc

Putschist(in) [pʊ'tʃɪst] <-en, -en> *m(f)* putschiste *mf*

Putte ['pʊtə] <-, -n> *f* angelot *m*

Putz [pʊts] <-es, -e> *m* crépi *m* ▶ **auf den** ~ **hauen** *fam* (*angeben*) se faire mousser

putzen ['pʊtsən] **I.** *vt* nettoyer **II.** *vr* **sich** ~ *Tier:* faire sa toilette

Putzfrau *f* femme *f* de ménage

putzig ['pʊtsɪç] *adj fam* (*niedlich*) trognon

Putzlappen *m* lavette *f;* (*Wischlappen*) serpillière *f* **Putzmittel** *nt* produit *m* d'entretien **putzmunter** ['pʊts'mʊntɐ] *adj fam* frais(fraîche) comme un gardon

Puzzle ['pazəl] <-s, -s> *nt* puzzle *m*

PVC [pe:fau'tse:] <-, -s> *nt Abk von* **Polyvinylchlorid** P.V.C. *m*

Pygmäe <-n, -n> *m* Pygmée *m*

Pyjama [py'(d)ʒa:ma] <-s, -s> *m o* SDEUTSCH, CH, A *nt* pyjama *m*

Pyramide [pyra'mi:də] <-, -n> *f a. fig* pyramide *f*

Pyrenäen [pyre'nɛ:ən] *Pl* **die** ~ les Pyrénées *fpl*

Pyromane [pyro'ma:nə] <-n, -n> *m,* **Pyromanin** *f* MED, PSYCH pyromane *mf*

Pyrrhussieg ['pʏrʊsi:k] *m geh* victoire *f* à la Pyrrhus

Python ['py:tɔn] <-, -s> *m* python *m*

Q

Q, q [ku:] <-, -> *nt* Q *m*/q *m*

Quacksalber ['kvakzalbɐ] <-s, -> *m pej* charlatan *m*

Quaddel <-, -n> *f* plaque *f*

Quader ['kva:dɐ] <-s, -> *m* **1.** (*Baustein*) pierre *f* de taille **2.** GEOM parallélépipède *m* rectangle

Quadrant [kva'drant] <-en, -en> *m* quart *m* de cercle

Quadrat [kva'dra:t] <-[e]s, -e> *nt* MATH, GEOM carré *m*

quadratisch *adj* carré(e)

Quadratlatschen *Pl pej fam* péniches *fpl*

Quadratur <-, -en> *f* ▸ **die ~ des Kreises** *geh* la quadrature du cercle

quadrieren* *vt* élever au carré; **etw ~** élever qc au carré

Quadrofonieᴿᴿ *f* quadriphonie *f*

quaken ['kva:kən] *vi Frosch:* coasser; *Ente:* cancaner

quäken *vi fam* brailler

Qual [kva:l] <-, -en> *f* **1.** (*Mühsal*) supplice *m* **2.** *meist Pl* (*Leid*) souffrance *f* ▸ **die ~ der Wahl haben** *hum* avoir l'embarras du choix

quälen ['kvɛ:lən] **I.** *vt* **1.** (*misshandeln*) torturer *Person;* martyriser *Tier* **2.** (*zusetzen*) **jdn ~** tourmenter qn **II.** *vr* **1.** (*leiden*) **sich ~** souffrir **2.** (*sich herum~*) **sich mit etw ~** se tourmenter avec qc

quälend *adj attr Schmerzen* pénible; *Ungewissheit* cruel(le)

Quälerei [kvɛlə'raj] <-, -en> *f* **1.** *kein Pl fam* (*Anstrengung*) calvaire *m* **2.** (*das Zusetzen*) harcèlement *m*

Quälgeist *m fam* enquiquineur(-euse) *m(f)*

Qualifikation [kvalifika'tsjo:n] <-, -en> *f* qualification *f*

qualifizieren* [kvalifi'tsi:rən] **I.** *vr* **1.** (*eine Qualifikation erwerben*) **sich ~** acquérir une qualification; **sich für eine Stelle ~** acquérir une qualification pour un emploi **2.** SPORT **sich für etw ~** se qualifier pour qc **II.** *vt* **1.** **jdn für eine Stelle ~** *Ausbildung:* qualifier qn pour un emploi **2.** *geh* (*klassifizieren*) **etw als Betrug ~** qualifier qc d'escroquerie

qualifiziert *adj* qualifié(e)

Qualität [kvali'tɛ:t] <-, -en> *f* qualité *f*

qualitativ [kvalita'ti:f] *adj* qualitatif(-ive)

Qualle ['kvalə] <-, -n> *f* méduse *f*

Qualm [kvalm] <-[e]s> *m* [épaisse] fumée

qualmen *vi* **1.** *Feuer, Schornstein:* fumer **2.** *fam* (*rauchen*) fumer

qualvoll I. *adj* **1.** *Tod* atroce **2.** *Ungewissheit* [très] pénible **II.** *adv sterben* dans d'atroces souffrances

Quäntchenᴿᴿ <-s, -> *nt* **ein ~ Salz** une once de sel

Quanten *Pl Pl von* **Quantum**

Quantität [kvanti'tɛ:t] <-, -en> *f* quantité *f*

Quantum ['kvantʊm] <-s, Quanten> *nt geh* dose *f*

Quarantäne [karan'tɛ:nə] <-, -n> *f* quarantaine *f*

Quark [kvark] <-s> *m* **1.** ≈ fromage *m* blanc **2.** *fam* (*Unsinn*) conneries *fpl*

Quartal [kvar'ta:l] <-s, -e> *nt* trimestre *m*

Quarte <-, -n> *f* quarte *f*

Quartett [kvar'tɛt] <-[e]s, -e> *nt* **1.** MUS *a. fig* quatuor *m* **2.** *kein Pl* (*Kartenspiel*) ≈ jeu *m* des sept familles **3.** (*Satz Karten*) série *f* de quatre

Quartier [kvar'ti:ɐ] <-s, -e> *nt* (*Unterkunft*) logement *m;* (*Ferienquartier*) location *f*

Quarz [kva:ɐts] <-es, -e> *m* quartz *m*

Quarzuhr *f* montre *f* à quartz

quasi ['kva:zi] *adv* quasiment

quasseln ['kvasəln] *fam* **I.** *vi* papoter **II.** *vt* **Blödsinn ~** débiter des conneries

Quaste ['kvastə] <-, -n> *f* houppe *f*

Quatsch [kvatʃ] <-[e]s> *m fam* **1.** (*dummes Gerede*) conneries *fpl;* [**so ein**] ~**!** n'importe quoi! **2.** (*Unfug*) connerie *f*

quatschen *fam* **I.** *vi* **1.** (*sich unterhalten*) tailler une bavette; **mit jdm ~** tailler une bavette avec qn **2.** (*nicht verschwiegen sein*) cafarder **II.** *vt* **dummes Zeug ~** sortir des conneries

Quatschkopf *m pej fam* radoteur(-euse) *m(f)*

Quebec [ke'bɛk] <-s> *nt* Québec

Quecksilber ['kvɛkzɪlbɐ] *nt* mercure *m*

Quelle ['kvɛlə] <-, -n> *f* source *f*

quellen ['kvɛlən] <quillt, quoll, gequollen> *vi + sein* **1.** (*herausfließen*) **aus etw ~** couler de qc **2.** (*auf~*) gonfler

Quellenangabe *f* indication *f* des sources

Quellensteuer *f* FIN retenue *f* à la source

Quengelei [kvɛŋə'laj] <-, -en> *f fam* pleurnicheries *fpl*

quengelig _adj fam Kind_ pleurnicheur(-euse)
quengeln ['kvɛŋəln] _vi fam_ **1.** (_weinerlich
sein_) pleurnicher **2.** (_nörgeln_) **über etw**
(_akk_) ~ râler à propos de qc
quenglig _s._ **quengelig**
Quentchen _s._ Quäntchen
quer [kveːɐ̯] _adv_ **1.** en travers; ~ **zur Straße verlaufen** _Bahnlinie:_ couper la route
2. _fig fam_ **sich bei etw** ~ **legen** se mettre
en travers de qc; ~ **schießen** mettre des
bâtons dans les roues
Querbalken _m_ poutre _f_ transversale
querbeet [kveːɐ̯'beːt] _adv fam_ au petit
bonheur [la chance]
Quere ['kveːrə] ▸ **jdm in die** ~ **kommen**
se mettre en travers de son/mon/… chemin
querfeldein ['kveːɐ̯fɛlt'ʔajn] _adv_ à travers
champs
Querflöte _f_ flûte _f_ traversière **Querformat**
_nt_ format _m_ oblong **quergestreift** _s._ **gestreift querllegen** _s._ **quer querlschie-
ßen** _s._ **quer Querschiff** _nt_ ARCHIT transept
_m_ **Querschnitt** _m_ **1.** (_Schnitt, Zeichnung_)
coupe _f_ transversale; ~ **durch einen
Baumstamm** coupe transversale d'un
tronc d'arbre **2.** (_Überblick_) ~ **durch die
deutsche Literatur** aperçu _m_ de la littérature allemande
querschnitt|s|gelähmt _adj_ paraplégique
Querschnitt|s|lähmung _f_ paraplégie _f_
Querstraße _f_ rue _f_ transversale **Querstrei-
fen** _m_ rayure _f_ horizontale **Querstrich** _m_
trait _m_ horizontal **Quersumme** _f_ somme _f_
des chiffres [d'un nombre]
Querulant(in) <-en, -en> _m(f)_ _geh_ chica-
neur _m_
Querverbindung _f_ (_Beziehung_) connexion
_f_ **Querverweis** _m_ renvoi _m_
quetschen ['kvɛtʃən] **I.** _vt_ **1.** **etw in einen
Koffer** ~ entasser qc dans une valise
2. (_verletzen_) **sich** (_dat_) **einen Finger** ~
se coincer un doigt **II.** _vr_ **1.** _fam_ (_sich_

zwängen) **sich durch/in etw** (_akk_) ~ se
forcer un passage à travers/dans qc **2.** (_sich
verletzen_) **sich** ~ se pincer
Quetschung <-, -en> _f_ (_Verletzung_) contusion _f_
Queue [køː] <-s, -s> _nt o m_ queue _f_
Quickie ['kvɪki] <-, -s> _m fam_ petite baise
_f_
quicklebendig ['kvɪkle'bɛndɪç] _adj fam_
fringant(e)
quieken ['kviːkən] _vi Ferkel, Maus:_ couiner
(_fam_)
quietschen ['kviːtʃən] _vi Bremsen:_ grincer;
Reifen: crisser
quietschfidel _adj fam_ hilare
quillt [kvɪlt] **3.** _Pers Präs von_ **quellen**
Quinte <-, -n> _f_ dominante _f_
Quintessenz ['kvɪntɛsɛnts] _f geh_ quintes-
sence _f_
Quintett <-[e]s, -e> _nt_ quintette _m_
Quirl [kvɪrl] <-s, -e> _m_ batteur _m_
quirlen _vt_ battre _Zutaten_
quirlig _adj fam_ remuant(e); _Kind_ turbu-
lent(e)
quitt [kvɪt] _adj_ quitte
Quitte ['kvɪtə] <-, -n> _f_ (_Frucht_) coing _m_
quitte[n]gelb _adj_ jaune coing
quittieren* [kvɪ'tiːrən] _vt_ **1.** (_durch Unterschrift bestätigen_) acquitter **2.** _geh_ (_beant-
worten_) **etw mit einem Lächeln** ~ accueillir qc avec le sourire
Quittung ['kvɪtʊŋ] <-, -en> _f_ (_Zahlungs-
beleg_) reçu _m_
Quiz [kvɪs] <-, -> _nt_ quiz _m;_ (_Fernsehsen-
dung_) jeu _m_ télévisé
quoll [kvɔl] _Imp von_ **quellen**
Quote ['kvoːtə] <-, -n> _f_ (_Anteil_) taux _m_
Quotenmann _m,_ **-frau** _f fam_ homme _m_
imposé/femme _f_ imposée par les quotas
Quotenregelung _f_ contingent _m_ de places réservées aux femmes
Quotient [kvo'tsiɛnt] <-en, -en> _m_ MATH
quotient _m_

R

R, r [ɛr] <-, -> *nt* R *m*/r *m*
Rabatt [ra'bat] <-[e]s, -e> *m* remise *f;* **fünf Prozent** ~ cinq pour cent de remise
Rabatte <-, -n> *f* plate-bande *f*
Rabatz <-es> *m sl* grabuge *m*
Rabauke <-n, -n> *m fam* loubard *m*
Rabbi <-[s], -s *o* Rabbinen> *m* rabbi[n] *m*
Rabe ['ra:bə] <-n, -n> *m* corbeau *m*
Rabenmutter *f fam* mère *f* dénaturée
rabiat *adj* **1.** (*grob*) brutal(e) **2.** (*aufgebracht*) ~ **werden** voir rouge
Rache ['raxə] <-> *f* vengeance *f;* **aus** ~ **par** vengeance
Racheakt *m* acte *m* de vengeance
Rachen ['raxən] <-s, -> *m* ANAT gorge *f* ►**jdm etw in den** ~ **werfen** *fam* filer qc à qn
rächen ['rɛçən] **I.** *vt* venger *Person, Tat* **II.** *vr* **1.** (*Rache nehmen*) **sich an jdm** ~ se venger de qn; **sich an jdm für etw** ~ se venger de qc sur qn **2.** (*sich nachteilig auswirken*) **sich** ~ se payer
Rächer(in) <-s, -> *m(f)* vengeur *m*/vengeresse *f*
Rachitis <-, -tiden> *f* MED rachitisme *m*
Rachsucht *f kein Pl* soif *f* de vengeance
rackern *vi fam* trimer
Raclette <-, -s> *f,* ['raklɛt, ra'klɛt] <-s, -s> *nt* raclette *f*
Rad [ra:t, *Pl:* 'rɛ:dɐ] <-[e]s, ⁼er> *nt* **1.** *eines Fahrzeugs, Pfaus* roue *f* **2.** (*Fahrrad*) bicyclette *f,* vélo *m;* ~ **fahren** aller à vélo **3.** (*Zahnrad*) rouage *m* **4.** SPORT roue *f;* ~ **fahren** faire du vélo
Radar [ra'da:ɐ] <-s> *m o nt* (*Funkmesstechnik*) [système *m*] radar *m*
Radarfalle *f fam* contrôle-radar *m* **Radargerät** *nt* radar *m* **Radarkontrolle** *f* contrôle-radar *m*
Radau <-s> *m fam* raffut *m*
Rädchen <-s, -> *nt Dim von* **Rad** (*Zahnrad*) rouage *m*
radeln ['ra:dəln] *vi* + *sein fam* faire du vélo; **zum Bäcker/in die Stadt** ~ aller à vélo chez le boulanger/en ville
Rädelsführer(in) *m(f)* meneur(-euse) *m(f)*
rädern *vt* HIST **gerädert werden** être roué **Räderwerk** ['rɛ:dɐvɛrk] *nt* rouages *mpl*
radlfahren *s.* **Rad** **Radfahrer(in)** *m(f)* **1.** cycliste *mf* **2.** *pej fam* (*unterwürfiger Mensch*) lèche-botte *mf* **Radfahrweg** *s.* **Radweg**

Radi <-s, -> *m* SDEUTSCH, A radis *m*
Radiator <-s, -toren> *m* radiateur *m*
Radicchio [ra'dɪkio] <-s> *m* trévise *f*
radieren [ra'di:rən] *vt, vi* **1.** gommer **2.** KUNST graver sur métal; (*ätzen*) graver à l'eau-forte
Radiergummi *m* gomme *f*
Radierung <-, -en> *f* gravure *f* [sur métal]; (*Ätzung*) [gravure à l']eau-forte *f*
Radieschen [ra'di:sçən] <-s, -> *nt* radis *m*
radikal [radi'ka:l] **I.** *adj* **1.** POL extrémiste **2.** *Bruch* radical(e); *Ablehnung* catégorique **3.** *Forderung, Reform* radical(e) **II.** *adv* **1.** POL ~ **denken** avoir des idées extrémistes **2.** *verfahren, vorgehen* de façon radicale
Radikale(r) *f(m) dekl wie adj* extrémiste *mf*
radikalisieren* *vt* radicaliser
Radikalismus [radika'lɪsmʊs] <-> *m* extrémisme *m*
Radikalkur *f* traitement *m* de choc
Radio ['ra:dio] <-s, -s> *nt o* CH, SDEUTSCH *m* radio *f;* ~ **hören** écouter la radio; **im** ~ à la radio
radioaktiv [radio?ak'ti:f] **I.** *adj* radioactif(-ive) **II.** *adv* ~ **verseucht/verstrahlt** contaminé(e)/irradié(e) **Radioaktivität** [radio?aktivi'tɛ:t] *f kein Pl* radioactivité *f*
Radiologie [radio'lo:gi:] <-> *f* radiologie *f*
Radiorecorder [ra:diore'kɔrdɐ] *m* radiocassette *f* **Radiowecker** *m* radio-réveil *m*
Radius ['ra:diʊs] <-, Radien> *m* rayon *m*
Radkappe *f* enjoliveur *m* **Radlager** *nt* roulement *m*
Radler <-s, -> *m fam* **1.** cycliste *m* **2.** SDEUTSCH (*Getränk*) panaché *m*
Radlerin <-, -nen> *f* cycliste *f*
Radlermaß *f* SDEUTSCH panaché *m*
Radrennbahn *f* vélodrome *m* **Radrennen** *nt* course *f* cycliste **Radtour** *f* randonnée *f* à vélo **Radwechsel** [-ks-] *m* changement *m* de roue **Radweg** *m* piste *f* cyclable
RAF [ɛr?a:'?ɛf] <-> *f Abk von* **Rote Armee Fraktion** HIST fraction *f* armée rouge
raffen ['rafən] *vt* **1.** (*einsammeln*) rafler (*fam*) **2.** (*in Falten legen*) plisser *Kleid, Stoff, Vorhang* **3.** (*kürzen*) abréger; **gerafft** *Form, Wiedergabe* condensé(e)
raffgierig *adj* rapace
Raffinerie [-'ri:ən] <-, -n> *f* raffinerie *f*
Raffinesse [rafi'nɛsə] <-, -n> *f* **1.** *kein Pl* (*Durchtriebenheit*) ruse *f* **2.** (*luxuriöses*

Detail) **mit allen ~n** [ausgestattet] hyper-équipé(e)

raffiniert I. *adj* **1.**(*durchtrieben*) rusé(e) **2.** *Plan,* *Vorgehensweise* astucieux(-euse) **3.** *Speise, Soße* raffiné(e) **II.** *adv* (*durchtrieben*) astucieusement

Rafting ['ra:ftɪŋ] <-s> *nt* rafting *m*

Rage ['ra:ʒə] <-> *f fam* **1.**(*Wut*) rogne *f;* **jdn in ~ bringen** mettre qn en rogne **2.**(*Erregung*) énervement *m;* **sie geriet in ~ über sein Verhalten** son comportement l'a énervée

ragen ['ra:gən] *vi* s'élever; **nach oben/in die Luft ~** s'élever en hauteur/en l'air; **aus dem Wasser ~** se dresser au-dessus de l'eau; **über das Gelände ~** dépasser du terrain

Ragout [ra'gu:] <-s, -s> *nt* ragoût *m*

Rahm [ra:m] <-[e]s> *m* crème *f*

rahmen ['ra:mən] *vt* encadrer

Rahmen <-s, -> *m* **1.** *eines Bilds* cadre *m* **2.**(*Türrahmen, Fensterrahmen*) encadrement *m* **3.** TECH *eines Fahrrads* cadre *m; eines Autos* châssis *m* **4.**(*Bereich, Zusammenhang, Atmosphäre*) cadre *m;* **im ~ des Möglichen** dans les limites de mes/ses/… moyens ►**aus dem ~ fallen** *Person:* se singulariser; *Kleidung, Musik:* sortir de l'ordinaire; **den ~ einer S.** (*gen*) **sprengen** sortir du cadre de qc

Rahmenabkommen *nt* convention *f* type

Rahmenbedingungen *Pl* conditions *fpl* générales **Rahmenhandlung** *f* LITER [intrigue *f* d']encadrement *m*

Rakete [ra'ke:tə] <-, -n> *f* **1.**(*Flug-, Feuerwerkskörper*) fusée *f* **2.**(*Waffe*) missile *m*

Rallye ['rali] <-, -s> *f* rallye *m*

Rallyefahrer(in) ['rali-, 'rɛli-] *m(f)* coureur(-euse) *m(f)* de rallyes

RAM [ram] <-[s], -[s]> *nt Abk von* **random access memory** INFORM RAM *f*

rammen *vt* **1.**(*beschädigen*) emboutir *Fahrzeug* **2.**(*stoßen*) **etw in den Boden ~** enfoncer qc dans le sol

Rampe ['rampə] <-, -n> *f* rampe *f*

Rampenlicht *nt* ►**im ~ stehen** être sous les projecteurs

ramponieren* [rampo'ni:rən] *vt fam* esquinter; **ramponiert** *Gegenstand:* en piteux état

Ramsch [ramʃ] <-[e]s> *m fam* camelote *f*

ran [ran] *adv fam* allez; **jetzt aber ~!** allez, on y va!; **rechts ~!** mettez-vous à droite!

Rand [rant, *Pl:* 'rɛndɐ] <-es, ⸚er> *m* **1.** *eines Gefäßes, eines Grabens* bord *m; eines Brunnens* margelle *f* **2.** *eines Geräts, Tisches, einer Brille* bord *m; einer Stadt* périphérie *f* **3.**(*Stoffrand, Waldrand*) bordure *f* **4.**(*Grenze*) **am ~e der Legalität/des**

Wahnsinns à la limite de la légalité/folie **5.**(*unbeschriebener Teil*) marge *f* **6.**(*Schmutzrand*) [schmutziger] ~ traînée *f* sale ►**am ~e** accessoirement

Randale <-> *f sl* émeutes *fpl*

randalieren* [randa'li:rən] *vi* faire du grabuge (*fam*)

Randalierer(in) <-s, -> *m(f)* casseur(-euse) *m(f)*

Randbemerkung *f* **1.**(*Bemerkung*) remarque *f* accessoire **2.**(*Randnotiz*) note *f* en marge

Randerscheinung *f* phénomène *m* marginal **Randfigur** *f* personnage *m* secondaire **Randgruppe** *f* groupe *m* marginal **randlos** *adj* *Brille* sans cercle **Randphänomen** *nt* épiphénomène *m*

rang [raŋ] *Imp von* **ringen**

Rang [raŋ, *Pl:* 'rɛŋə] <-[e]s, ⸚e> *m* **1.**(*Stellung*) rang *m* [social] **2.** *kein Pl* (*Kategorie*) valeur *f;* **ersten ~es** de premier ordre; **von hohem ~** de grande valeur **3.**(*Dienstgrad*) grade *m* **4.**(*Tabellenplatz*) place *f* **5.**(*Teil eines Zuschauerraums*) balcon *m;* (*Teil eines Stadions*) gradin *m*

ran|gehen ['range:ən] *vi irr + sein fam* **1.**(*sich nähern*) se rapprocher; **an etw** (*akk*) **~** se rapprocher de qc **2.**(*offensiv sein*) attaquer

Rangelei [raŋə'laɪ] <-, -en> *f fam* chamailleries *fpl*

ranghöchste(r, s) *adj* MIL le plus gradé/la plus gradée

Ranghöchste(r) *f(m) dekl wie adj* MIL plus haut gradé(e) *m(f)*

Rangierbahnhof [raŋ'ʒi:ɐ-] *m* gare *f* de triage

rangieren* [raŋ'ʒi:rən] **I.** *vi* occuper; **an erster Stelle ~** *Angelegenheit, Frage:* occuper la première place **II.** *vt* aiguiller *Zug, Waggon*

Rangliste *f* classement *m* **rangmäßig** *adv* sur le plan hiérarchique; MIL du point de vue du grade **Rangordnung** *f* hiérarchie *f*

ran|halten *vr irr fam* **sich ~** se magner

rank *adj* ►**~ und schlank sein** être svelte

ranken *vr + haben* **1. sich ~** grimper; **sich an einem Gerüst nach oben ~** *Pflanze:* grimper le long d'un treillage **2.** *fig* **sich um jdn/etw ~** *Legenden:* graviter autour de qn/qc

ran|klotzen *vi fam* se défoncer

ran|kommen *vi irr + sein fam* **1.**(*hinlangen können*) **an etw** (*akk*) **~** atteindre qc **2.**(*sich beschaffen können*) avoir accès à **3.**(*erreichen können*) **an jdn ~** arriver à approcher qn; **man kommt nicht an sie ran** y a pas moyen de l'approcher

ran|lassen *vt irr fam* (*näher kommen las-*

sen) laisser s'approcher; **jdn an sich** (*akk*) ~ laisser qn s'approcher de soi

ran|machen *vr fam* **sich an jdn/etw** ~ entreprendre qn/qc; (*in sexueller Absicht*) draguer qn

rann [ran] *Imp von* **rinnen**

rannte ['rantə] *Imp von* **rennen**

ran|schmeißen *vr irr fam* **sich an jdn** ~ jouer le grand jeu à qn

Ranzen ['rantsən] <-s, -> *m* SCHULE cartable *m*

ranzig ['rantsɪç] *adj* rance; ~ **werden** rancir

Rap [rɛp] <-> *m* MUS rap *m*

rapide *adj* rapide

Rappe <-n, -n> *m* moreau *m*

rappeln *fam vi Wecker:* sonner

rappen ['rɛpn] *vi* rap[p]er

Rappen ['rapən] <-s, -> *m* centime *m*

Rapper(in) ['rɛpɐ] <-s, -> *m(f)* rap[p]eur(-euse) *m(f)*

Rapport <-[e]s, -e> *m form* rapport *m*

Raps [raps] <-es, -e> *m* colza *m*

rar [raːɐ̯] *adj* rare; ~ **werden** se raréfier

Rarität <-, -en> *f* rareté *f*

rasant [ra'zant] **I.** *adj Fahrer:* rapide; *Tempo* infernal(e); *Beschleunigung* foudroyant(e); *Entwicklung* fulgurant(e) **II.** *adv* (*schnell*) à toute vitesse; **fahr nicht so ~!** ne roule pas si vite!

rasch [raʃ] **I.** *adj* rapide **II.** *adv* vite

rascheln ['raʃəln] *vi Papier, Stroh:* faire entendre un froissement; *Laub:* frémir

rasen ['raːzən] *vi* **1.** + *sein* (*schnell fahren*) rouler à toute allure; **gegen/in etw** (*akk*) ~ foncer dans qc **2.** + *sein Zeit:* filer à toute allure **3.** + *haben Herz, Puls:* battre à toute allure **4.** + *haben* (*toben*) être déchaîné; **vor Wut/Eifersucht** (*dat*) ~ être fou de rage/jalousie

Rasen ['raːzən] <-s, -> *m* **1.** (*Grasfläche*) gazon *m* **2.** SPORT pelouse *f;* (*beim Tennis, Hockey*) gazon

rasend *adj* **1.** *Geschwindigkeit* fou(folle) **2.** *Person* furieux(-euse); *Menge* déchaîné(e); ~ **werden** enrager; **jdn mit etw** ~ **machen** mettre qn en rage avec qc **3.** *Schmerz* atroce; *Eifersucht* exacerbé(e); *Beifall* frénétique

Rasenmäher <-s, -> *m* tondeuse *f* à gazon

Raser(in) <-s, -> *m(f) fam* chauffard *m*

Raserei [ra:zə'raj] <-, -en> *f* **1.** *fam* (*schnelles Fahren*) vitesse *f* excessive **2.** *kein Pl* (*Wutanfall*) fureur *f;* **jdn zur** ~ **bringen** mettre qn en rage

Rasierapparat *m* (*Elektro-/Nassrasierer*) rasoir *m* [électrique/mécanique] **Rasiercreme** *f* crème à raser *f*

rasieren* [ra'ziːrən] **I.** *vt* raser; **sich** ~ **las-**
sen se faire raser; **glatt rasiert** rasé(e) de près **II.** *vr* **sich** ~ se raser; **sich nass/elektrisch** ~ utiliser un rasoir mécanique/électrique

Rasierer <-s, -> *m fam* (*Elektrorasierer*) rasoir *m*

Rasierklinge *f* lame *f* de rasoir **Rasierpinsel** *m* blaireau *m* **Rasierschaum** *m* mousse *f* à raser **Rasierwasser** *nt* après-rasage *m*

Räson [rɛ'zɔŋ, rɛ'zõ:] ▸ **jdn zur** ~ **bringen** ramener qn à la raison

raspeln *vt* râper

Rasse ['rasə] <-, -n> *f* race *f*

Rassel ['rasəl] <-, -n> *f* **1.** (*Babyspielzeug*) hochet *m* **2.** (*Instrument*) maracas *mpl*

rasseln *vi* **1.** + *haben Schlüssel, Kette:* cliqueter; **das Rasseln** le cliquetis **2.** + *sein fam* (*fallen*) **durch die Prüfung** ~ louper l'examen

Rassendiskriminierung *f* discrimination *f* raciale **Rassentrennung** *f kein Pl* ségrégation *f* raciale

Rassismus [ra'sɪsmʊs] <-> *m* racisme *m*

Rassist(in) [ra'sɪst] <-en, -en> *m(f)* raciste *mf*

rassistisch *adj* raciste

Rast [rast] <-, -en> *f* pause *f; ~* **machen** faire une halte

rasten *vi* faire une halte

Raster <-s, -> *m* TYP (*Rasterung*) trame *f*

rastlos I. *adj* **1.** (*unermüdlich*) sans relâche **2.** *Person* agité(e); *Leben* mouvementé(e) **II.** *adv* inlassablement

Rastlosigkeit <-> *f* **1.** (*Unermüdlichkeit*) activité *f* inlassable **2.** (*Unrast*) agitation *f* [fébrile]

Rastplatz *m* aire *f* de repos équipée **Raststätte** *f* restoroute® *m*

Rasur [ra'zuːɐ̯] <-, -en> *f* rasage *m*

Rat¹ <-[e]s> *m* conseil *m;* **jdn um** ~ **fragen** demander conseil à qn; **jdm einen** ~ **geben** donner un conseil à qn; **auf den** ~ **seines Bruders** [hin] sur le conseil de son frère; **entgegen seinem/ihrem** ~ contre son avis

Rat² [raːt, *Pl:* rɛːtə] <-[e]s, ⁼e> *m* **1.** (*Person*) (*Stadtrat*) conseiller *m* municipal **2.** (*Institution*) (*Stadtrat*) conseil *m* [municipal]; **im** ~ **sitzen** *fam* siéger au conseil [municipal]; **der** ~ **der Europäischen Union** le Conseil de l'Union européenne; **Großer** ~ CH Grand Conseil

rät [rɛːt] *3. Pers Präs von* **raten**

Rate ['raːtə] <-, -n> *f* (*Abschlagszahlung*) traite *f;* (*Monatsrate*) mensualité *f;* **auf ~n** à crédit; **in ~n** à tempérament

raten ['raːtən] <rät, riet, geraten> **I.** *vi* **1.** (*Ratschläge geben*) **jdm** ~ **etw zu tun**

conseiller à qn de faire qc **2.** (*erraten*) deviner; **falsch** ~ ne pas deviner **II.** *vt* **1.** (*als Ratschlag geben*) **jdm etw** ~ conseiller qc à qn **2.** (*erraten*) deviner

Ratenkauf *m* achat *m* à crédit **ratenweise** *adv* par versements échelonnés **Ratenzahlung** *f kein Pl* (*Zahlung in Raten*) paiement *m* à crédit

Ratespiel *nt* [jeu *m* de] devinette *f*

Ratgeber <-s, -> *m* **1.** conseiller *m* **2.** (*Buch*) guide *m*

Ratgeberin <-, -nen> *f* conseillère *f*

Rathaus *nt* hôtel *m* de ville; (*in kleineren Orten*) mairie *f*

ratifizieren* *vt* ratifier

Rätin ['rɛːtɪn] <-, -nen> *f* (*Stadträtin*) conseillère *f* [municipale]

Ration [ra'tsi̯oːn] <-, -en> *f* ration *f*

rational [ratsi̯o'naːl] *geh* **I.** *adj* rationnel(le) **II.** *adv begründen* rationnellement; *denken* d'une façon rationnelle

rationalisieren* [ratsi̯onali'ziːrən] **I.** *vt* rationaliser *Ablauf* **II.** *vi* prendre des mesures de rationalisation

Rationalisierung [ratsio-] <-, -en> *f* rationalisation *f*

rationell [ratsio-] *adj Verfahren* efficace; *Verwertung* rationnel(le)

rationieren* [ratsi̯o'niːrən] *vt* rationner

ratlos I. *adj* perplexe; **völlig** ~ **sein** être désemparé **II.** *adv* avec perplexité

Ratlosigkeit <-> *f* perplexité *f*

rätoromanisch I. *adj* rhéto-roman(e) **II.** *adv* ~ **miteinander sprechen** discuter en rhéto-roman; *s. a.* **deutsch**

Rätoromanisch <-[s]> *nt kein art* rhéto-roman *m; s. a.* **Deutsch**

ratsam *adj* opportun(e)

ratschen ['raːtʃən] *vi fam* (*schwatzen*) bavarder; **mit jdm** ~ bavarder avec qn

Ratschlag ['raːtʃaːk] *m* conseil *m*

Rätsel ['rɛːtsəl] <-s, -> *nt* énigme *f*; **jdm ein** ~ **aufgeben** *Person:* poser une énigme à qn

rätselhaft *adj Person, Lächeln* énigmatique; *Umstände* mystérieux(-euse); **jdm** ~ **sein** être une énigme pour qn

rätseln *vi* chercher

Ratsherr(in) *m(f)* conseiller(-ère) *m(f)* municipal(e)

Ratte ['ratə] <-, -n> *f* rat *m*

rattern ['ratən] *vi + haben Blechteile:* vibrer [bruyamment]; *Maschine:* pétarader

ratzekahl *adv fam* **etw** ~ **aufessen** manger qc jusqu'à la dernière miette

rauRR [raʊ] *adj* **1.** *Haut, Putz* rugueux(-euse); *Lippen* râpeux(-euse); *Oberfläche* raboteux(-euse) **2.** *Hals* enroué(e); *Stimme* rauque **3.** *Gegend* rude; *Klima* rigoureux(-euse)

4. *Benehmen* fruste; *Umgangston* grossier(-ière)

Raub [raʊp] <-[e]s> *m* **1.** (*das Rauben*) vol *m* [à main armée]; (*Menschenraub*) rapt *m* **2.** (*das Geraubte*) butin *m*

Raubbau *m kein Pl* exploitation *f* effrénée; ~ **an etw** (*dat*) exploitation effrénée de qc **Raubdruck** *m* édition *f* pirate

raubeinigRR *adj fam Kerl* un peu bourru(e)

rauben ['raʊbən] **I.** *vt* **1.** (*bei einem Überfall*) voler; **jdm etw** ~ dérober qc à qn **2.** (*entführen*) enlever **3.** *fig geh* **jdm den Schlaf** ~ faire perdre le sommeil à qn **II.** *vi* voler

Räuber(in) ['rɔ̃ybɐ] <-s, -> *m(f)* brigand *m*

räuberisch *adj* **1.** *Unternehmung* criminel(le) **2.** ZOOL *Tier* rapace

Raubfisch *m* poisson *m* carnassier **Raubkatze** *f* félin *m* **Raubkopie** *f* copie *f* pirate **Raubmord** *m* crime *m* crapuleux **Raubtier** *nt* carnassier *m* **Raubüberfall** *m* attaque *f* à main armée; ~ **auf jdn/etw** attaque à main armée contre qn/qc; **ein** ~ **auf eine Bank** un hold-up d'une banque **Raubvogel** *m* oiseau *m* de proie

Rauch [raʊx] <-[e]s> *m* (*Qualm*) fumée *f*

rauchen ['raʊxən] *vt, vi* fumer

Raucher(in) <-s, -> *m(f)* fumeur(-euse) *m(f)*

Raucherabteil *nt* compartiment *m* fumeurs

räuchern ['rɔ̃yçɐn] *vt* fumer; **das Räuchern** le fumage

rauchig *adj* **1.** (*verqualmt*) enfumé(e) **2.** (*nach Rauch schmeckend*) fumé(e) **3.** *Stimme* rauque

Rauchverbot *nt* interdiction *f* de fumer **Rauchwaren** *Pl form* (*Tabakwaren*) articles *mpl* pour fumeurs

räudig *adj* galeux(-euse)

rauf [raʊf] *s.* **herauf, hinauf**

RaufasertapeteRR *f* ≈ papier *m* peint d'apprêt

raufen ['raʊfən] **I.** *vi* se battre; **mit jdm** ~ se battre avec qn **II.** *vr* **sich** ~ se battre

Rauferei [raʊfə'raɪ] <-, -en> *f* rixe *f*

rauflustig *adj* batailleur(-euse)

rauh *s.* **rau**

Rauheit *f* **1.** *einer Oberfläche* rugosité *f*; *eines Stoffs* rudesse *f* **2.** *einer Gegend* âpreté *f*; *eines Klimas* rigueur *f*

Raum [raʊm, *Pl:* 'rɔ̃ymə] <-[e]s, Räume> *m* **1.** (*Zimmer*) pièce *f* **2.** *kein Pl* (*Platz*) espace *m*; ~ **für etw schaffen** faire de la place pour qc **3.** PHYS, ASTRON espace *m*

räumen ['rɔ̃ymən] *vt* **1.** (*entfernen*) **etw vom Tisch/aus dem Weg** ~ enlever qc de la table/du passage **2.** (*ein-~*) **etw in das Regal** ~ ranger qc sur les étagères

3. (*freimachen*) libérer *Wohnung;* évacuer *Straße*

Raumfahrt *f kein Pl* navigation *f* spatiale

Rauminhalt *m* volume *m*

räumlich ['rɔymlɪç] **I.** *adj* **1.** dans l'espace; **die ~en Gegebenheiten** la configuration des lieux **2.** (*dreidimensional*) **~es Sehen** vision *f* stéréoscopique **II.** *adv* **1.** **~ beschränkt/eingeengt sein** être à l'étroit **2.** (*dreidimensional*) **~ sehen** avoir une vue stéréoscopique

Räumlichkeit <-, -en> *f Pl form* locaux *mpl*

Raummaß *nt* unité *f* de volume **Raumpfleger(in)** *m(f)* technicien(ne) *m(f)* de surface **Raumschiff** *nt* vaisseau *m* spatial **Raumsonde** *f* sonde *f* spatiale **Raumstation** *f* station *f* orbitale

Räumung <-, -en> *f* évacuation *f*

Räumungsklage *f* demande *f* d'expulsion **Räumungsverkauf** *m* liquidation *f*

raunen I. *vi geh Person:* sussurer **II.** *vt geh* sussurer

Raupe ['raʊpə] <-, -n> *f* **1.** ZOOL chenille *f* **2.** (*Planierraupe*) bulldozer *m*

Raupenfahrzeug *nt* véhicule *m* à chenilles

RaureifRR *m kein Pl* gelée *f* blanche

raus [raʊs] *adv fam* du balai; **~ mit dir!** toi, du balai!

Rausch [raʊʃ, *Pl:* 'rɔyʃə] <-[e]s, Räusche> *m* **1.** ivresse *f;* **sich** (*dat*) **einen ~ antrinken** s'enivrer; **einen ~ haben** être ivre; **seinen ~ ausschlafen** cuver [son vin] (*fam*) **2.** *geh* (*Ekstase*) griserie *f;* **im ~ der Geschwindigkeit** grisé(e) par la vitesse

rauschen ['raʊʃən] *vi + haben Wind, Meer:* mugir; *Bach:* gronder; *Blätter:* bruire; *Lautsprecherbox:* grésiller; **das Rauschen** le bruit; *einer Lautsprecherbox* le grésillement

rauschend *adj* **1.** (*laut*) retentissant(-e) **2.** (*prunkvoll*) somptueux(-euse)

Rauschgift *nt* drogue *f;* **~ nehmen** se droguer **Rauschgifthandel** *m* trafic *m* de drogue **rauschgiftsüchtig** *adj* toxicomane **Rauschgiftsüchtige(r)** *f(m)* toxicomane *mf*

raus|ekeln *vt fam* faire passer l'envie de rester; **jdn aus der Firma ~** faire passer à qn l'envie de rester dans l'entreprise

raus|fliegen ['raʊsfli:gən] *vi irr + sein fam* **1.** *Person:* **aus der Firma ~** se faire virer de l'entreprise **2.** (*weggeworfen werden*) être bazardé **raus|kriegen** *vt fam* finir par trouver *Geheimnis, Lösung*

räuspern ['rɔyspɐn] *vr* **sich ~** se racler la gorge

raus|schmeißen ['raʊsʃmaɪsən] *vt irr fam* **1.** (*entlassen*) virer; **jdn aus der Firma ~**

virer qn de l'entreprise **2.** (*wegwerfen*) balancer

Rausschmeißer(in) <-s, -> *m(f) fam* videur(-euse) *m(f)*

RausschmissRR <-es, -e> *m fam* mise *f* à la porte

Raute ['raʊtə] <-, -n> *f* losange *m*

rautenförmig *adj* en forme de losange

Razzia ['ratsi̯a] <-, Razzien> *f* descente *f* [de police]

Reagenzglas *nt* éprouvette *f*

reagieren* [rea'gi:rən] *vi a.* CHEM, PHYS réagir; **mit etw ~** réagir à qc

Reaktion [reak'tsi̯oːn] <-, -en> *f a.* CHEM, PHYS réaction *f;* **ihre ~ auf das Angebot** sa réaction face à la proposition

reaktionär *adj* réactionnaire

reaktivieren* [-'viː-] *vt* rappeler *Person*

Reaktor [re'akto:ɐ] <-s, -toren> *m* réacteur *m*

real [re'aːl] **I.** *adj* **1.** *geh* (*tatsächlich*) [bien] réel(le) **2.** ÖKON *Einkommen* réel(le) **II.** *adv* **1.** *geh* (*tatsächlich*) réellement **2.** ÖKON en valeur réelle

realisierbar *adj* réalisable

realisieren* [reali'ziːrən] *vt* réaliser

Realisierung <-, -en> *f* réalisation *f*

Realismus <-> *m* réalisme *m*

Realist(in) [rea'lɪst] <-en, -en> *m(f)* réaliste *mf*

realistisch [rea'lɪstɪʃ] **I.** *adj* réaliste **II.** *adv* **1.** *betrachten, einschätzen* avec réalisme **2.** KUNST, LITER de manière réaliste

Realität [reali'tɛːt] <-, -en> *f* **1.** réalité *f;* **~ werden** devenir réalité **2.** *Pl* (*Gegebenheiten*) réalités *fpl* **3.** *Pl* A (*Immobilien*) immeubles *mpl*

Reality-TV <[-s]> *nt kein pl* télé-réalité *f*

Realpolitik *f* politique *f* pragmatique

RealschulabschlussRR *m* ≈ brevet *m* des collèges **Realschule** *f* ≈ collège *m* **Realschüler(in)** *m(f)* ≈ collégien(ne) *m(f)* **Realwert** *m* valeur *f* réelle

Rebe <-, -n> *f* vigne *f*

Rebell(in) [re'bɛl] <-en, -en> *m(f)* rebelle *mf*

rebellieren* [rebɛ'liːrən] *vi* se rebeller; **gegen die Eltern ~** se rebeller contre l'autorité parentale

Rebellion [rebɛ'li̯oːn] <-, -en> *f* rébellion *f*

rebellisch *adj* **1.** *Truppen* rebelle **2.** *geh* (*aufbegehrend*) insurgé(e)

Rebhuhn *nt* perdrix *f*

Rechen ['rɛçən] <-s, -> *m* BES. SDEUTSCH râteau *m*

Rechenaufgabe *f* (*Rechenübung*) exercice *m* de calcul; (*Hausaufgabe*) calcul *m*

Rechenschaft <-> *f* comptes *mpl;* **~ über**

etw (akk) **ablegen** rendre des comptes au sujet de qc; **jdn für etw zur** ~ **ziehen** demander des comptes à qn au sujet de qc
Rechenschaftsbericht m rapport m d'activité
Rechenzentrum nt centre m informatique
Recherche [re'ʃɛrʃə] <-, -n> f recherche f
recherchieren* [re'ʃɛr'ʃi:rən] **I.** vi faire des recherches; **in einer Angelegenheit** ~ faire des recherches sur un sujet **II.** vt enquêter sur Fall, Skandal
rechnen ['rɛçnən] **I.** vt **1.** MATH calculer Aufgabe **2.** (veranschlagen) compter; **200 Gramm pro Person** ~ compter 200 grammes par personne; **Mehrwertsteuer nicht gerechnet** hors taxe **3.** (einstufen) **jdn zu den größten Begabungen** ~ compter qn parmi les plus talentueux **II.** vi **1.** calculer; **richtig/falsch** ~ calculer juste/de travers; **er ist gut im Rechnen** il est bon en calcul **2.** (erwarten) **mit einer Antwort/Entscheidung** ~ compter sur une réponse/décision; **damit** ~, **dass** s'attendre à ce que + subj **III.** vr **sich** ~ être rentable
Rechner <-s, -> m (Computer) ordinateur m
Rechner(in) <-s, -> m(f) calculateur(-trice) m(f); **ein guter/schlechter** ~ **sein** être bon/mauvais en calcul
rechnergesteuert adj informatisé(e)
rechnerisch adj arithmétique
Rechnerleistung f capacité f [de l'ordinateur/des ordinateurs] **rechnerunterstützt** adj assisté(e) par ordinateur
Rechnung <-, -en> f **1.** facture f; (im Restaurant) addition f; (im Hotel) note f; **jdm etw auf die** ~ **setzen** mettre qc sur le compte de qn; **etw auf** ~ **liefern** livrer qc sur facture; **laut** ~ suivant facturation **2.** (das Rechnen) calcul m; **die** ~ **stimmt nicht** le compte n'est pas bon
Rechnungsbetrag m montant m de la facture **Rechnungshof** m ≈ Cour f des comptes; **der Europäische** ~ la Cour des Comptes Européenne
recht [rɛçt] **I.** adj **1.** Ort bon(ne); Augenblick opportun(e) **2.** (richtig) **ganz** ~! très juste! **3.** (echt) **ich habe keine** ~**e Lust** je n'ai pas vraiment envie **4.** (angenehm) **jdm** ~ **sein** convenir à qn; **ist es Ihnen** ~, **wenn** ...? ça ne vous dérange pas si ...? ►**nach dem Rechten** sehen vérifier que tout va bien **II.** adv **1.** (richtig) bien; **ich weiß nicht** ~ je ne sais pas trop; **ich glaube, ich höre nicht** ~? je n'ai pas dû bien entendre? **2.** (ziemlich) assez; ~ **viel** pas mal (fam) ►**das** geschieht **ihm** ~! c'est bien fait pour lui/elle!

Recht <-[e]s, -e> nt **1.** droit m; **bürgerliches/öffentliches** ~ droit civil/public; **sein** ~ **fordern** demander justice **2.** (Anspruch) **ein** ~ **auf etw** (akk) **haben** avoir droit à qc; **zu** ~ à juste titre ►**das ist sein/dein/... gutes** ~ c'est son/ton/... bon droit; **jdm** ~ **geben** donner raison à qn; ~ **haben** avoir raison
Rechte <-n, -n> f **1.** (rechte Hand) main f droite **2.** SPORT (Hand) droite f; (Schlag) droit m **3.** POL droite f; **die äußerste** ~ l'extrême droite
rechte(r, s) ['rɛçtə, -tɐ, -təs] adj attr **1.** (opp: linke) droit(e); Straßenseite de droite **2.** (von außen sichtbar) **die** ~ **Seite des Pullis** l'endroit m du pull **3.** POL de droite; Flügel droit(e)
Rechte(r) f(m) dekl wie adj homme m/femme f de droite
Rechteck <-[e]s, -e> nt rectangle m
rechteckig adj rectangulaire
rechtens ~ **sein** form Anordnung: être légal; Forderung: être légitime
rechtfertigen I. vt justifier; **etw** ~ Bemerkung: justifier qc; **seine Entscheidung vor jdm** ~ justifier sa décision vis-à-vis de qn **II.** vr **sich vor jdm für sein Handeln** ~ se justifier de ses actes devant qn
Rechtfertigung f justification f
rechthaberisch adj pej ~ **sein** vouloir toujours avoir raison
rechtlich adj juridique
rechtlos adj sans droits
rechtmäßig adj **1.** (legitim) légitime **2.** (legal) légal(e) **Rechtmäßigkeit** <-> f **1.** (Legitimität) légitimité f **2.** (Legalität) légalité f
rechts [rɛçts] adv **1.** à droite; ~ **oben** en haut à droite; ~ **von dir** à ta droite; **sich** ~ **einordnen** se mettre sur la voie de droite; **nach** ~ à droite; **hier gilt** ~ **vor links** ici, il y a priorité à droite **2.** (auf, von der Außenseite) **etw von** ~ **bügeln** repasser qc sur l'endroit **3.** POL ~ **stehen** fam être de droite
Rechtsabbieger <-s, -> m véhicule m qui tourne à droite
Rechtsanspruch m droit m
Rechtsanwalt m, **-anwältin** f avocat(e) m(f)
Rechtsaußen <-, -> m FBALL ailier m droit
Rechtsbeistand m kein Pl (juristische Hilfe) assistance f juridique
rechtsbündig adj aligné(e) à droite
rechtschaffen I. adj Person honnête **II.** adv avec honnêteté
Rechtschaffenheit <-> f honnêteté f
Rechtschreibfehler m faute f d'orthographe **Rechtschreibung** f orthographe f; **er**

ist gut im Rechtschreiben il est bon en orthographe

Rechtsempfinden *nt* sens *m* de la justice

Rechtsextremist(in) *m(f)* extrémiste *mf* de droite

rechtsextremistisch *adj* d'extrême droite

Rechtsfrage *f* question *f* juridique

rechtsgerichtet *adj* POL orienté(e) à droite

rechtsgültig *adj* valide

Rechtshänder(in) ['rɛçtshɛndɐ] <-s, -> *m(f)* droitier(-ière) *m(f)* **rechtshändig I.** *adj* droitier(-ière) **II.** *adv* de la main droite

rechtsherum *adv fahren* à droite; *sich drehen* de gauche à droite

rechtskräftig *adj Beschluss* qui a force de loi; *Urteil* exécutoire

Rechtskurve [-və] *f* virage *m* à droite

Rechtslage *f* situation *f* juridique

Rechtsmittel *nt* recours *m*; ~ **gegen etw einlegen** exercer un recours contre qc

Rechtsordnung *f* législation *f*

Rechtsprechung <-, -en> *f* justice *f*

rechtsradikal *adj* d'extrême droite **Rechtsradikale(r)** *f(m)* extrémiste *mf* de droite

rechtsrheinisch *adj* [situé(e)] sur la rive droite du Rhin **rechtsrum** *s.* **rechtsherum**

Rechtsschutz *m* protection *f* juridique

Rechtsstaat *m* État *m* de droit **rechtsstaatlich** *adj Grundsatz* fondé(e) sur le droit **Rechtsstreit** *m* procès *m*

Rechtsverkehr *m* conduite *f* à droite

Rechtsverordnung *f* prescription *f* légale

Rechtsweg *m kein Pl* procédure *f;* **der ~ ist ausgeschlossen** sans aucune possibilité de recours **rechtswidrig** *adj* illégal(e) **Rechtswissenschaft** *f kein Pl* droit *m*

rechtwinklig *adj Dreieck* rectangle

rechtzeitig I. *adj Ankunft* à l'heure; *Anmeldung* en temps voulu **II.** *adv dasein* à l'heure *[fixée]; erfolgen* en temps voulu

Reck <-[e]s, -e> *nt* barre *f* fixe

recken I. *vt* tendre *Hals, Faust* **II.** *vr* **sich ~** s'étirer

Recorder <-s, -> *m* **1.** (*Kassettenrecorder*) magnéto[phone] *m* **2.** (*Videorecorder*) magnétoscope *m*

recycelbar [ri'saiklbaɐ] *adj* recyclable

recyceln* [ri'saikln] *vt* recycler

Recycling [ri'saiklɪŋ] <-s> *nt* recyclage *m*

Recyclingpapier *nt* papier *m* recyclé

Redakteur(in) [redak'tø:ɐ] <-s, -e> *m(f)* rédacteur(-trice) *m(f)*

Redaktion [redak'tsio:n] <-, -en> *f* rédaction *f*

Redaktor [re'dakto:ɐ] <-s, -toren> *m*, **Redaktorin** *f* CH rédacteur(-trice) *m(f)*

Rede ['re:də] <-, -n> *f* **1.** (*Ansprache*) discours *m;* **eine ~ halten** tenir un discours

2. GRAM **direkte/indirekte** ~ discours *m* direct/indirect **3.** (*Gespräch*) **die** ~ **ist von** ... il est question de ...

Redefreiheit *f kein Pl* liberté *f* d'expression **redegewandt** *adj geh* éloquent(e)

reden I. *vi* **1.** (*sprechen*) parler **2.** (*sich unterhalten*) **über jdn/etw** ~ parler de qn/qc; **miteinander** ~ discuter ensemble; **mit sich selbst** ~ parler tout(e) seul(e); ~ **wir nicht mehr darüber!** n'en parlons plus!; **das Reden** les discussions *fpl* **3.** (*tratschen*) **über jdn/etw** ~ parler à tort et à travers de qn/qc **II.** *vt* dire *Quatsch, Unsinn*

Redensart *f* expression *f*

Redewendung *f* tournure *f,* expression *f* idiomatique

redigieren* *vt* rédiger *Manuskript, Text*

redlich ['re:tlɪç] **I.** *adj* honnête **II.** *adv* **sich** ~ **bemühen** s'efforcer considérablement

Redner(in) ['re:dnɐ] <-s, -> *m(f)* orateur(-trice) *m(f)*

Rednerpult *nt* pupitre *m*

redselig ['re:tze:lɪç] *adj* bavard(e)

reduzieren* [redu'tsi:rən] *vt* réduire; **seine Ausgaben auf ein Minimum/um die Hälfte** ~ réduire ses dépenses au minimum/de moitié

Reede <-, -n> *f* rade *f*

Reederei [re:də'raj] <-, -en> *f* compagnie *f* maritime

reell [re'ɛl] *adj Chance* véritable

Reetdach *nt* toit *m* de roseau

Referat [refe'ra:t] <-[e]s, -e> *nt* **1.** SCHULE, UNIV exposé *m* **2.** ADMIN service *m*

Referendar(in) [referɛn'da:ɐ] <-s, -e> *m(f)* stagiaire *mf*

Referendariat [referɛndari'a:t] <-[e]s, -e> *nt* stage *m*

Referent(in) [refe'rɛnt] <-en, -en> *m(f)* **1.** (*Redner*) conférencier(-ière) *m(f)* **2.** (*Referatsleiter*) chef *mf* de service

Referenz <-, -en> *f* (*Empfehlung*) références *fpl*

referieren* [refe'ri:rən] *vi* faire un exposé; **über jdn/etw** ~ faire un exposé sur qn/qc

reflektieren* [reflɛk'ti:rən] *vt, vi a.* OPT réfléchir

Reflektor <-s, -toren> *m* (*in Scheinwerfern, an Schulranzen*) réflecteur *m;* (*an einem Fahrrad*) cataphote® *m*

Reflex [re'flɛks] <-es, -e> *m* **1.** ANAT réflexe *m* **2.** (*Lichtreflex*) reflet *m*

Reflexion <-, -en> *f* réflexion *f*

reflexiv GRAM *adj Verb* pronominal(e)

Reflexivpronomen *nt* pronom *m* réfléchi

Reform [re'fɔrm] <-, -en> *f* réforme *f*

Reformation [refɔrma'tsio:n] <-> *f* HIST **die** ~ la Réforme

Reformer(in) [re'fɔrmɐ] <-s, -> *m(f)*
1.(*wer Reformen durchführt*) réforma-
teur(-trice) *m(f)* **2.**(*wer Reformen anstrebt*) réformiste *mf*
reformfreudig *adj* ouvert(e) aux réformes
Reformhaus *nt* magasin *m* de produits diététiques
reformieren* [refɔr'miːrən] *vt* réformer
Reformpolitik *f* politique *f* de réformes
Refrain [rə'frɛ̃ː] <-s, -s> *m* refrain *m*
Regal [re'gaːl] <-s, -e> *nt* étagère *f;* (*groß,
in Supermärkten, Bibliotheken*) rayon *m*
Regatta <-, **Regatten**> *f* régate *f*
Reg.-Bez. *Abk von* **Regierungsbezirk**
rege ['reːgə] *adj* **1.** *Betrieb, Tätigkeit* intense; *Nachfrage* grand(e); *Phantasie* débor-
dant(e); *Anteilnahme* vif(vive); *Beteiligung*
actif(-ive) **2.** *Geist* alerte
Regel ['reːgəl] <-, -n> *f* **1.**(*Norm*) règle *f*
2.(*Menstruation*) règles *fpl*
regelbar *adj* TECH réglable
Regelfall *m kein Pl* règle *f;* **im** ~ en règle générale
regelmäßig I. *adj* **1.** régulier(-ière) **2.**(*wiederholt*) répété(e) **II.** *adv* **1.**(*in gleichmä-
ßiger Folge*) régulièrement **2.**(*immer wieder*) constamment
Regelmäßigkeit <-> *f* régularité *f*
regeln I. *vt* **1.**(*erledigen*) régler **2.**(*festsetzen*) *etw* ~ *Bestimmungen, Dienstvor-
schrift:* réglementer qc **II.** *vr* **sich von
selbst** ~ se régler tout(e) seul(e)
regelrecht *fam* **I.** *adj* véritable **II.** *adv* anpö-
beln, sich betrinken carrément
Regelung <-, -en> *f* **1.**(*Vereinbarung*)
convention *f;* (*Anordnung*) disposition *f*
réglementaire **2.** *kein Pl* (*das Regulieren*)
régulation *f*
regelwidrig SPORT *adv* **sich** ~ **verhalten** faire une faute
Regelwidrigkeit *f* SPORT faute *f*
regen ['reːgən] *vr* **sich** ~ **1.** *Lebewesen:*
bouger **2.** *Gefühle, Gewissen:* s'éveiller;
Zweifel: se manifester
Regen ['reːgən] <-s, -> *m* pluie *f;* **es wird**
~ **geben** il va se mettre à pleuvoir; **saurer**
~ **pluies** acides
Regenbogen *m* arc *m* en ciel **Regenbo-
genpresse** *f* presse *f* à sensation
Regeneration [regenera'tsi̯oːn] *f a.* BIO,
MED régénération *f*
regenerieren* **I.** *vr a.* BIO, MED **sich** ~ se régénérer **II.** *vt* TECH régénérer
Regenfälle *Pl* chutes *fpl* de pluie **Regenmantel** *m* imperméable *m* **Regenschauer** *m* ondée *f* passagère **Regenschirm** *m*
parapluie *m* **Regentonne** *f* citerne *f* **Regentropfen** *m* goutte *f* de pluie **Regen-
wald** *m* [**tropischer**] ~ forêt *f* équatoriale

Regenwetter *nt* temps *m* pluvieux **Regenzeit** *f* saison *f* des pluies
Reggae ['rɛgeː] *m* reggae *m*
Regie [re'ʒiː] <-, -n> *f* **1.** THEAT mise *f* en
scène; CINE, RADIO, TV réalisation *f;* ~ **führen** diriger la mise en scène/la réalisation
2.(*Verantwortung*) **in eigener** ~ tout(e)
seul(e)
Regieanweisung [re'ʒiː-] *f* didascalie *f*
Regieassistent(in) *m(f)* CINE assistant(e)
m(f) réalisateur
regieren* [re'giːrən] **I.** *vi* gouverner; *Herrscher:* régner **II.** *vt* **ein Land** ~ gouverner
un pays; *Herrscher:* régner sur un pays
Regierung <-, -en> *f* **1.**(*Kabinett*) gouvernement *m* **2.**(*~sgewalt*) pouvoir *m;* **an
der** ~ **sein** être au pouvoir **Regierungsbezirk** *m* subdivision administrative la
plus importante d'un land **Regierungs-
chef(in**) *m(f)* chef *mf* de/du gouvernement **Regierungserklärung** *f* déclaration
f de politique générale **Regierungskoali-
tion** *f* cohabitation *f* [gouvernementale]
Regierungspartei *f* parti *m* au pouvoir
Regierungsrat *m kein Pl* CH Conseil *m*
d'État **Regierungsrat** *m*, **-rätin** *f* **1.** *grade
de haut fonctionnaire équivalant à celui
d'un attaché de deuxième classe* **2.** CH
(*Mitglied der Kantonsregierung*) membre
du Conseil d'État *m* **Regierungsspre-
cher(in**) *m(f)* porte-parole *m* gouvernemental
Regime [re'ʒiːm] <-s, -s> *nt pej* régime *m*
Regimekritiker(in) [re'ʒiːm-] *m(f)* oppo-
sant(e) *m(f)* au régime
Regiment [regi'mɛnt] <-[e]s, -er> *nt* MIL
régiment *m*
Region [re'gi̯oːn] <-, -en> *f* région *f*
regional [regi̯o'naːl] **I.** *adj* régional(e) **II.**
adv selon les régions
Regisseur(in) [reʒɪ'søːɐ] <-s, -e> *m(f)*
THEAT metteur(-euse) *m(f)* en scène; CINE,
RADIO, TV réalisateur(-trice) *m(f)*
Register [re'gɪstɐ] <-s, -> *nt* **1.**(*Index*) index *m* **2.** ADMIN registre *m* **3.**(*Orgelregis-
ter*) jeu *m* d'orgue
registrieren* [regɪs'triːrən] *vt* enregistrer
Registrierkasse *f* caisse *f* enregistreuse
Registrierung <-, -en> *f* enregistrement
m
reglementieren* *vt geh* (*regeln*) réglementer
Regler ['reːglɐ] <-s, -> *m* régulateur *m*
reglos ['reːkloːs] *adj, adv* immobile
regnen ['reːgnən] *vi unpers* pleuvoir; **es
regnet durchs Dach** il pleut à travers la
toiture
regnerisch *adj* pluvieux(-euse)
Regressanspruch[RR] *m* droit *m* de recours

regresspflichtigRR *adj* civilement responsable

regulär [regu'lɛːg̥] I. *adj Arbeitszeit, Preis* réglementaire; *Armee, Truppen* régulier(-ière) II. *adv* normalement

regulierbar *adj* réglable

regulieren* [regu'liːrən] *vt* (*einstellen*) régler

Regulierung <-, -en> *f der Heizung, Lautstärke* réglage *m*

Regung <-, -en> *f* 1. (*Bewegung*) mouvement *m* 2. (*Empfindung*) émotion *f*

regungslos *adj, adv* immobile

Regungslosigkeit <-> *f* immobilité *f; eines Gesichts* impassibilité *f*

Reh [reː] <-[e]s, -e> *nt* chevreuil *m*

Rehabilitation [rehabilita'tsi̯oːn] <-, -en> *f* 1. (*Wiedereingliederung*) réinsertion *f* 2. MED rééducation *f* 3. geh (*Rehabilitierung*) réhabilitation *f*

rehabilitieren* [rehabili'tiːrən] I. *vt* 1. réinsérer *Straffälligen* 2. MED rééduquer *Kranken;* réinsérer *Behinderten* 3. geh (*nach einer Ehrverletzung*) réhabiliter II. *vr sich* ~ se réhabiliter

Rehazentrum *nt* centre *m* de rééducation

Rehbock *m* chevreuil *m* [mâle]

Reibach <-s> *m sl* bonne affaire *f*

Reibe ['rajbə] <-, -n> *f* râpe *f*

Reibekuchen *m* galette *f* de pommes de terre [râpées]

reiben ['rajbən] <rieb, gerieben> I. *vt* 1. frotter 2. (*auftragen*) [sich (*dat*)] **die Salbe in die Haut** ~ [se] frictionner avec de la pommade 3. (*zerkleinern*) râper *Möhre, Käse* II. *vi* 1. frotter; **durch Reiben** en frottant 2. (*scheuern*) frotter; **der Kragen reibt am Hals** le col gratte le cou

Reibereien *Pl fam* frictions *fpl*

Reibung <-, -en> *f kein Pl* PHYS frottement *m*

Reibungsfläche *f* TECH surface *f* de frottement

reibungslos *adj, adv* sans problème

reich [rajç] I. *adj* 1. riche 2. *fig* ~ **an Erfahrungen sein** être riche d'expériences; ~ **an Vitaminen sein** être riche en vitamines II. *adv beschenken* richement; ~ **erben** faire un riche héritage

Reich [rajç] <-[e]s, -e> *nt* 1. (*Imperium*) empire *m;* **das Dritte** ~ le IIIᵉ Reich; **das Römische** ~ l'Empire romain 2. (*Königreich, Bereich*) royaume *m*

Reiche(r) *f(m) dekl wie adj* riche *mf*

reichen ['rajçən] I. *vi* 1. *Vorräte, Geld:* suffir 2. (*gelangen*) **bis an die Decke** ~ [können] arriver jusqu'au plafond; **weit** ~**d** *Geschütz, Rakete* à longue portée 3. (*sich erstrecken*) **vom Sofa bis zur Wand** ~ aller

du canapé jusqu'au mur 4. A **weit** ~**d** *Beziehungen* nombreux(-euse); *Vollmachten* étendu(e); *Konsequenzen* large II. *vi unpers* **es reicht mir, wenn ...** ça me suffit si ... ▶**jetzt reicht's** [**mir**]! maintenant ça suffit! III. *vt geh* 1. (*geben*) **jdm etw** ~ passer qc à qn 2. (*servieren*) **jdm etw** ~ servir qc à qn

reichhaltig *adj* 1. *Angebot* varié(e); *Bibliothek* bien garni(e) 2. *Mahlzeit* copieux(-euse)

Reichhaltigkeit <-> *f* 1. *des Angebots* diversité *f* 2. *von Mahlzeiten* richesse *f*

reichlich I. *adj Niederschläge, Vorräte* abondant(e); *Belohnung* important(e); **das Essen war** ~ le repas était copieux II. *adv* 1. *vorhanden sein* en quantité; **es gab** ~ **zu essen** il y avait à manger en quantité 2. *fam jung* plutôt

Reichtum <-[e]s, ̈-er> *m* 1. *kein Pl* richesse *f; zu* ~ **kommen** faire fortune 2. *Pl* (*Besitz*) richesses *fpl*

Reichweite *f* 1. (*Nähe*) **in** ~ **sein** être à portée de [la] main; **außer** ~ **sein** être hors de portée 2. RADIO, TV portée *f* 3. (*Schussweite*) portée *f*

reif [rajf] *adj* 1. *Frucht* mûr(e); ~ **werden** mûrir 2. *Frau, Mann* mûr(e) 3. *Leistung* remarquable 4. (*geeignet*) ~ **für den Abriss sein** être bon pour la démolition

Reif [rajf] <-[e]s, -e> *m* (*Armreif*) bracelet *m;* (*Haarreif*) serre-tête *m*

Reife <-> *f* 1. *einer Person* maturité *f* 2. (*das Reifen*) *einer Frucht* mûrissement *m* 3. (*Reifezustand*) maturité *f* ▶**mittlere** ~ ≈ brevet *m* des collèges

reifen *vi* + *sein a. fig* mûrir; **gereift** mûr(e)

Reifen ['rajfən] <-s, -> *m* pneu *m;* **den** ~ **wechseln** changer de roue

Reifendruck *m* pression *f* des pneus **Reifenpanne** *f* crevaison *f*

Reifezeugnis *nt form* diplôme *m* du baccalauréat

reiflich *adj Überlegung* mûr(e) *antéposé*

Reigen <-s, -> *m* ▶**den** ~ **beschließen** *geh* fermer la marche

Reihe ['rajə] <-, -n> *f* 1. *von Häusern, Stühlen* rangée *f; von Ziffern* série *f* 2. (*Sitzreihe*) rang *m* 3. *von Personen* rang *m;* **sich in einer** ~ **aufstellen** se mettre en rang 4. (*große Anzahl*) **eine** [**ganze**] ~ **von Fragen** un nombre important de questions 5. (*bestimmte* ~*nfolge*) **etw der** ~ **nach tun** faire qc l'un(e) après l'autre ▶**du bist/ sie ist an der** ~ c'est ton/son tour

reihen *vr* **ein Fahrzeug reiht sich an das andere** un véhicule en suit un autre; **ein Misserfolg reihte sich an den anderen** un échec en appelait un autre

Reihenfolge *f* ordre *m;* **in alphabetischer** ~ par ordre alphabétique **Reihenhaus** *nt* maison *f* mitoyenne

Reiher <-s, -> *m* héron *m*

reihern ['raɪɐn] *vi fam* dégueuler

reihum [raɪ'ʔʊm] *adv* à tour de rôle; ~ **gehen** faire le tour; **etw ~ gehen lassen** faire tourner qc

Reim [raɪm] <-[e]s, -e> *m* **1.** rime *f;* **ein ~ auf -ung** une rime en -ung **2.** *Pl* (*Verse*) vers *mpl*

reimen I. *vr* rimer; **sich mit etw/auf etw** (*akk*) ~ rimer avec qc **II.** *vi* faire des rimes

reimportieren* *vt* réimporter

rein¹ [raɪn] *s.* **herein, hinein**

rein² **I.** *adj* **1.** *Zufall, Zeitverschwendung* pur(e) *antéposé* **2.** (*ausschließlich*) **eine ~e Wohngegend** un quartier purement résidentiel **3.** *Gold, Klang* pur(e) **4.** *Luft, Wasser* pur(e); *Hemd, Tischdecke* propre **5.** *Haut* sain(e) **II.** *adv* **1.** (*ausschließlich*) purement **2.** *fam* (*ganz und gar*) ~ **gar nichts** absolument rien

Reinerlös *m* produit *m* net

Reinfall *m* bide *m* (*fam*); (*Aufführung*) four *m* (*fam*)

rein|fallen ['raɪnfalən] *vi irr* + *sein fam* **1.** (*enttäuscht werden*) tomber dans le piège; **auf jdn/etw** ~ se faire avoir par qn/avec qc **2.** (*hineinfallen*) tomber dedans

Reingewinn *m* bénéfice *m* net **Reinhaltung** *f* kein Pl *des Wassers* protection *f* [contre la pollution]

Reinheit <-> *f der Wäsche, Haut* propreté *f; der Luft, des Wassers, des Edelsteins* pureté *f*

reinigen *vt* nettoyer *Kleider;* curer *Fingernägel;* **etw chemisch ~ lassen** faire nettoyer qc à sec

Reinigung <-, -en> *f* **1.** kein Pl (*das Reinigen*) nettoyage *m; der Abgase* épuration *f* **2.** (*Reinigungsbetrieb*) pressing *m;* **chemische ~** nettoyage *m* à sec

Reinigungsmittel *nt* nettoyant *m*

Reinkultur *f* ►**in**~ dans toute sa/leur splendeur (*iron*)

rein|legen *vt fam* **1.** (*hintergehen*) **jdn ~** rouler qn **2.** (*hineinlegen*) mettre dedans

reinlich *adj* propre

reinrassig *adj* de [pure] race

Reinschrift *f* copie *f* [au] propre

rein|ziehen *vt irr fam* **sich** (*dat*) **einen Film ~** se taper un film

Reis [raɪs] <-es> *m* riz *m*

Reise ['raɪzə] <-, -n> *f* voyage *m;* **eine ~ machen** faire un voyage; **auf ~n sein/gehen** être/partir en voyage; **gute ~!** bon voyage!

Reiseandenken *nt* souvenirs *mpl* de voyage **Reiseapotheke** *f* pharmacie *f* de voya-

ge **Reisebekanntschaft** *f* connaissance *f* de voyage **Reisebüro** *nt* agence *f* de voyages **Reisebus** *m* autocar *m* de tourisme **reisefertig** *adj* ~ **sein** être prêt à partir **Reiseführer(in)** *m(f)* guide *mf* **Reisekosten** *Pl* frais *mpl* de voyage **Reiseleiter(in)** *m(f)* guide *mf* **reiselustig** *adj* ~ **sein** aimer voyager

reisen *vi* + *sein* voyager; **nach Hamburg/in die Schweiz** ~ faire un voyage à Hambourg/en Suisse; **weit gereist** qui a beaucoup voyagé; **das Reisen** les voyages

Reisende(r) *f(m) dekl wie adj* voyageur(-euse) *m(f)*

Reiseproviant *m* provisions *fpl* de route **Reiseroute** *f* itinéraire *m* **Reiseruf** *m* message *m* personnel [radio] **Reiseversicherung** *f* assurance *f* voyage **Reisezeit** *f* saison *f* touristique **Reiseziel** *nt* destination *f*

Reisig ['raɪzɪç] <-s> *nt* bois *m* mort

Reiskorn *nt* grain *m* de riz

Reißaus *m* ►**vor jdm/etw** ~ **nehmen** détaler devant qn/qc

Reißbrett *nt* planche *f* à dessin

reißen ['raɪsən] <riss, gerissen> **I.** *vi* **1.** + *sein* (*ein~*) se déchirer **2.** + *sein* (*zer~*) casser **II.** *vt* + *haben* **1.** (*weg~*) **jdm etw aus den Händen** ~ arracher qc des mains à qn **2.** (*hinein~*) [**sich** (*dat*)] **ein Loch in die Hose** ~ [se] faire un trou dans le pantalon **3.** (*aus dem Kontext lösen*) **etw aus dem Zusammenhang** ~ détacher qc de son contexte **4.** (*weg~*) **jdn mit sich zu Boden/in die Tiefe** ~ entraîner qn avec soi au sol/dans les profondeurs; **den Wagen nach links** ~ donner un brusque coup de volant à gauche **5.** (*unversehens heraus~*) **jdn aus seinen Gedanken/aus dem Schlaf** ~ arracher qn à ses pensées/à son sommeil **6.** (*gewaltsam übernehmen*) **an sich** (*akk*) ~ s'emparer de *Herrschaft, Macht* **7.** (*zerstören*) **auseinander** ~ déchirer *Stoff, Karton;* séparer *Familie* ►**hin und her gerissen sein** être écartelé **III.** *vr* + *haben fam* (*sich intensiv bemühen*) **sich um jdn/etw** ~ se battre pour avoir qn/qc

reißend *adj* **1.** (*mit starker Strömung*) déchaîné(e) **2.** *fam* (*stark florierend*) ~**en Absatz finden** se vendre comme des petits pains (*fig*)

Reißer <-s, -> *m fam* (*Buch*) livre à suspens *m*

reißerisch I. *adj* tape-à-l'œil **II.** *adv* de façon racoleuse

reißfest *adj* indéchirable **Reißverschluss**ᴿᴿ *m* fermeture *f* éclair® **Reißwolf** *m* broyeur *m*

reiten ['raɪtən] <ritt, geritten> *vi* + *sein*

(*auf einem Pferd*) faire du cheval, monter à cheval; **im Trab/Galopp** ~ aller au trot/galop; **das Reiten** l'équitation *f*

Reiter <-s, -> *m* (*Person, Karteireiter*) cavalier *m;* ~ **sein** faire de l'équitation

Reiterei <-, -en> *f* MIL cavalerie *f*

Reiterin <-, -nen> *f* cavalière *f*

Reitgerte *f* badine *f*

Reithose *f* culotte *f* de cheval **Reitkappe** *f* bombe *f* **Reitpferd** *nt* cheval *m* de selle **Reitschule** *f* école *f* d'équitation **Reitsport** *m* sport *m* hippique **Reitstall** *m* (*Gebäude, Tiere*) écurie *f;* (*Unternehmen*) centre *m* d'équitation **Reitstiefel** *m* botte *f* de cheval **Reitstunde** *f* cours *m* d'équitation **Reitweg** *m* piste *f* cavalière

Reiz ['raɪts] <-es, -e> *m* **1.** (*Verlockung*) **der** ~ **einer S.** (*gen*) le charme de qc **2.** ANAT stimulus *m* **3.** *Pl fam* (*Charme*) charmes *mpl*

reizbar *adj* irritable

Reizbarkeit <-> *f* irritabilité *f*

reizen [-] *vt* **1.** (*verlocken*) attirer; **es reizt mich etw zu tun** ça me tente de faire qc **2.** MED (*angreifen*) irriter **3.** (*provozieren*) provoquer; **jdn [dazu]** ~ **etw zu tun** pousser qn à faire qc **II.** *vi* **1.** (*herausfordern*) **zum Lachen/Weinen** ~ provoquer le rire/les larmes **2.** SPIEL surenchérir

reizend *adj* Mensch charmant(e); [*An*]*blick, Städtchen* ravissant(e); **das ist** ~ **von dir** c'est gentil de ta part

reizlos *adj* sans charme

Reizung <-, -en> *f* MED irritation *f*

reizvoll *adj* attrayant(e); *Angebot* alléchant(e)

Reklamation [reklama'tsi̯oːn] <-, -en> *f* réclamation *f*

Reklame [re'klaːmə] <-, -n> *f* **1.** (*Werbematerial*) publicité *f* **2.** (*Werbung*) réclame *f*

reklamieren* [rekla'miːrən] **I.** *vi* réclamer; **wegen etw** ~ réclamer au sujet de qc **II.** *vt* (*bemängeln*) **etw bei jdm** ~ réclamer au sujet de qc auprès de qn

rekonstruieren* [rekɔnstru'iːrən] *vt* reconstituer; **etw aus etw** ~ reconstituer qc à partir de qc

Rekonstruktion [rekɔnstruk'tsi̯oːn] *f* reconstitution *f*

Rekonvaleszent(in) [-va-] <-en, -en> *m(f) geh* convalescent(e) *m(f)*

Rekord [re'kɔrt] <-s, -e> *m* record *m;* **einen** ~ **aufstellen/halten/brechen** établir/détenir/battre un record

rekordverdächtig *adj* susceptible de battre un record **Rekordzeit** *f* temps *m* record; **in** ~ en un temps record

Rekrut(in) [re'kruːt] <-en, -en> *m(f)* re-

crue *f*

rekrutieren* [rekru'tiːrən] *vt* recruter

Rekrutierung <-, -en> *f* recrutement *m*

rektal *adj form* rectal(e)

Rektor ['rɛktoːɐ̯] <-s, -toren> *m*, **Rektorin** *f* **1.** UNIV recteur *m* **2.** SCHULE directeur(-trice) *m(f)*

Rektorat [rɛkto'raːt] <-[e]s, -e> *nt* (*Amtsräume*) (*einer Universität*) rectorat *m;* (*einer Schule*) bureau *m* du directeur

Relais [rə'lɛː] <-, -> *nt* relais *m*

Relation [rela'tsi̯oːn] <-, -en> *f geh* relation *f;* **in einer/keiner** ~ **zu etw stehen** être en/sans relation avec qc; **der Preis muss in vernünftiger** ~ **zur Qualität stehen** le rapport qualité-prix doit être raisonnable

relativ [rela'tiːf] *adj* relatif(-ive)

relativieren* [relati'viːrən] *vt geh* relativiser

Relativpronomen *nt* pronom *m* relatif **Relativsatz** *m* proposition *f* relative

relevant [-'va-] *adj geh* pertinent(e)

Relevanz [rele'vants] <-> *f geh* pertinence *f*

Relief [re'li̯ɛf] <-s, -s *o* -e> *nt* relief *m*

Religion [reli'gi̯oːn] <-, -en> *f* **1.** religion *f* **2.** (*Religionsunterricht*) instruction *f* religieuse

Religionsfreiheit *f* liberté *f* religieuse **Religionsgemeinschaft** *f form* communauté *f* religieuse

religiös [reli'gi̯øːs] **I.** *adj* **1.** (*opp: weltlich*) religieux(-euse) **2.** (*fromm*) pieux(-euse) **II.** *adv* beeinflussen, prägen par la religion; *erziehen* religieusement; *begründen* par des raisons religieuses

Religiosität [religi̯ozi'tɛːt] <-> *f* religiosité *f*

Relikt <-[e]s, -e> *nt geh* vestige *m*

Reling <-, -s *o* -e> *f* bastingage *m*

Reliquie [re'liːkvi̯ə] <-, -n> *f* relique *f*

Remake [ri'meɪk] <-s, -s> *nt* remake *m*

remis [rə'miː] *adj unv* nul(le)

Remis [rə'miː] <-, -> *nt* match *m* nul

Remix [ri'miks] <-es, -e *o* -es> *m* MUS remix *m*

Remoulade [remu'laːdə] <-, -n> *f* [sauce *f*] rémoulade *f*

Remouladensoße [remu'laːdənzoːsə] *f* [sauce *f*] rémoulade *f*

rempeln ['rɛmpəln] **I.** *vi fam* pousser **II.** *vt* SPORT bousculer

Renaissance [rənɛ'sãːs] <-, -n> *f kein Pl* HIST Renaissance *f*

Rendezvous [rãde'vuː] <-, -> *nt* rendez-vous *m* [galant]

Rendite [rɛn'diːtə] <-, -n> *f* [taux *m* de] rendement *m*

renitent I. *adj geh Mensch* récalcitrant(e) **II.** *adv geh* de façon rebelle

Rennbahn *f* (*beim Pferdesport*) hippodrome *m;* (*beim Motorsport*) circuit *m;* (*beim Radsport*) vélodrome *m*

rennen ['rɛnən] <rannte, gerannt> **I.** *vi* + *sein* (*schnell laufen*) courir **II.** *vt* + *haben o sein* SPORT **hundert Meter** ~ courir cent mètres

Rennen <-s, -> *nt* (*Autorennen*) course *f* automobile; (*Pferderennen*) course *f* de chevaux; **ins** ~ **gehen** participer à la course

Renner <-s, -> *m fam* article *m* à succès

Rennfahrer(in) *m(f)* **1.** AUT pilote *m* de course **2.** (*Fahrradrennfahrer*) coureur(-euse) *m(f)* cycliste **Rennpferd** *nt* cheval *m* de course **Rennsport** *m* **1.** AUT sport *m* automobile **2.** (*Radrennsport*) cyclisme *m* professionnel **3.** (*Pferderennsport*) hippisme *m* **Rennstrecke** *f* circuit *m* **Rennwagen** *m* voiture *f* de course

Renommee <-s, -s> *nt geh* renommée *f*

renommiert *adj geh* renommé(e)

renovieren* [reno'viːrən] *vt* rénover; ravaler *Fassade*

Renovierung <-, -en> *f* rénovation *f;* der *Fassade* ravalement *m*

rentabel [rɛn'taːbəl] **I.** *adj* rentable **II.** *adv* de façon rentable

Rentabilität <-> *f* rentabilité *f*

Rente ['rɛntə] <-, -n> *f* **1.** (*Altersruhegeld*) [pension *f* de] retraite *f;* **in** ~ **gehen** prendre sa retraite **2.** (*regelmäßige Geldzahlung*) rente *f*

Rentenalter *nt* âge *m* de la retraite **Rentenversicherung** *f* assurance *f* retraite **Rentenzahlung** *f* allocation *f* de retraite

Rentier *nt* renne *m*

rentieren* [rɛn'tiːrən] *vr* **sich** ~ être rentable; **sich für jdn** ~ être rentable pour qn

Rentner(in) ['rɛntnɐ] <-s, -> *m(f)* retraité(e) *m(f);* ~ **sein** être à la retraite

Rep <-s, -s> *m Abk von* **Republikaner** *membre d'un parti d'extrême droite allemand*

reparabel *adj geh* réparable

Reparation [repara'tsi̯oːn] <-, -en> *f* réparations *fpl* [de guerre]

Reparatur [repara'tuːɐ̯] <-, -en> *f* réparation *f;* **bei jdm etw zur** ~ **geben** donner qc à réparer chez qn

reparaturanfällig *adj* fragile **Reparaturkosten** *Pl* frais *mpl* de réparation **Reparaturwerkstatt** *f* (*Autowerkstatt*) garage *m*

reparieren* [repa'riːrən] *vt* réparer; **jdm etw** ~ réparer qc à qn

Repertoire [repɛr'toaːɐ̯] <-s, -s> *nt* répertoire *m*

Report <-[e]s, -e> *m* reportage *m*

Reportage [repɔr'taːʒə] <-, -n> *f* reportage *m*

Reporter(in) <-s, -> *m(f)* reporter *m*

Repräsentant(in) <-en, -en> *m(f)* représentant(e) *m(f)*

Repräsentation [reprɛzɛnta'tsi̯oːn] <-, -en> *f* représentation *f*

repräsentativ [reprɛzɛnta'tiːf] **I.** *adj* représentatif(-ive) **II.** *adv* de façon représentative

Repräsentativumfrage *f* sondage *m* représentatif

repräsentieren* [reprɛzɛn'tiːrən] *vt, vi geh* représenter

Repressalie [-'saːli̯ə] <-, -n> *f meist Pl geh* représailles *fpl*

reprivatisieren* [-va-] *vt* dénationaliser

Reproduktion [reprodʊk'tsi̯oːn] <-, -en> *f* TYP, KUNST reproduction *f*

reproduzieren* [reprodu'tsiːrən] *vt* reproduire

Reptil [rɛp'tiːl] <-s, -ien> *nt* reptile *m*

Republik [repu'bliːk] <-, -en> *f* république *f*

Republikaner(in) [republi'kaːnɐ] <-s, -> *m(f)* **1.** (*in den USA*) républicain(e) *m(f)* **2.** (*in Deutschland*) *membre ou militant(e) d'un parti d'extrême droite en Allemagne*

republikanisch *adj* républicain(e)

Requiem ['reːkvi̯ɛm] <-s, Requien> *nt* requiem *m*

Requisit <-s, -en> *nt a.* THEAT accessoire *m*

Reservat [rezɛr'vaːt] <-[e]s, -e> *nt* réserve *f*

Reserve [re'zɛrvə] <-, -n> *f* réserve *f*

Reservebank [-və-] *f* SPORT banc *m* des remplaçants **Reservekanister** *m* bidon *m* de réserve **Reserveoffizier** *m* officier *m* de réserve **Reserverad** *nt* roue *f* de secours **Reservereifen** *m* pneu *m* de rechange

reservieren* [rezɛr'viːrən] *vt* réserver; **jdm etw** ~ réserver qc à qn

reserviert *adj* réservé(e)

Reservierung <-, -en> *f* réservation *f*

Reservist(in) [-'vɪst] <-en, -en> *m(f)* réserviste *mf*

Reset-Taste ['riːsɛtastə] *f* touche *f* reset

Residenz [rezi'dɛnts] <-, -en> *f* résidence *f*

residieren* [rezi'diːrən] *vi* résider; **in München/auf einem alten Schloss** ~ résider à Munich/dans un vieux château

resignieren* [rezɪ'gniːrən] *vi geh* se résigner; **wegen etw** ~ se résigner à cause de qc; **..., meinte er resigniert** ..., dit-il d'un ton résigné

resistent [rezɪs'tɛnt] *adj* résistant(e); **gegen etw** ~ **sein** être résistant à qc

resolut [rezo'luːt] **I.** *adj* résolu(e) **II.** *adv* résolument

Resolution <-, -en> *f* résolution *f*

Resonanz [rezo'nants] <-, -en> *f* **1.** *geh* (*Reaktion*) écho *m;* **auf große ~ stoßen** rencontrer un écho très positif **2.** MUS résonance *f*

resozialisieren* [rezotsiali'ziːrən] *vt* réinsérer

Resozialisierung <-, -en> *f* réinsertion *f*

resp. *adv Abk von* **respektive**

Respekt [re'spɛkt] <-s> *m* respect *m;* **voller ~** respectueusement; **vor jdm/etw ~ haben** avoir du respect pour qn/qc; **jdm ~ einflößen** inspirer le respect à qn; **sich** (*dat*) **bei jdm ~ verschaffen** se faire respecter de qn

respektabel *adj geh* respectable

respektieren* [respɛk'tiːrən] *vt* respecter

respektlos I. *adj* irrespectueux(-euse) **II.** *adv* avec irrespect

Respektlosigkeit <-, -en> *f kein Pl* (*respektlose Art*) manque *m* de respect

respektvoll *adj* respectueux(-euse)

Ressort [rɛ'soːɐ̯] <-s, -s> *nt* **1.** (*Zuständigkeitsbereich*) *jds ~* le ressort de qn; **das ist mein ~** c'est de mon ressort **2.** (*Abteilung*) département *m*

Ressource [rɛ'sʊrsə] <-, -n> *f meist Pl a.* FIN ressources *fpl*

Rest [rɛst] <-[e]s, -e *o* CH -en> *m* reste *m* ▸**jdm den ~ geben** *fam* achever qn

Restalkohol *m* traces *fpl* d'alcool

Restaurant [rɛsto'rãː] <-s, -s> *nt* restaurant *m;* **ins ~ gehen** aller au restaurant

restaurieren* [rɛstaụ'riːrən] *vt* restaurer

Restaurierung <-, -en> *f* restauration *f*

Restbestand *m* reste *m*

restlich *adj Betrag* restant(e); *Leute* autre; **der ~e Urlaub** le reste des vacances

restlos I. *adj* total(e) **II.** *adv* **1.** *beseitigen* totalement; *aufessen* sans en laisser une miette; *austrinken* sans en laisser une goutte **2.** *fam es satt haben* absolument; *erledigt sein* complètement

Restposten *m* fin *f* de série

Restriktion <-, -en> *f form* restriction *f*

restriktiv *adj geh* restrictif(-ive)

Resultat [rezʊl'taːt] <-[e]s, -e> *nt* résultat *m;* **zu dem ~ kommen, dass ...** acquérir la conviction que ...

resultieren* *vi geh* (*folgen*) **aus etw ~** résulter de qc

Resümee [rezy'meː] <-s, -s> *nt geh* **1.** (*Schlussfolgerung*) conclusion *f;* **das ~ aus etw ziehen** tirer la conclusion de qc **2.** (*Zusammenfassung*) résumé *m*

Retorte <-, -n> *f* cornue *f*

Retortenbaby [ret'tɔrtənbeːbi] *nt* bébé-

éprouvette *m*

retour [re'tuːɐ̯] *adv* CH, A **etw ~ gehen lassen** renvoyer qc; **eine Fahrkarte nach Bad Urach und [wieder] ~!** un aller [et] retour pour Bad Urach!

Retourspiel *nt* A, CH match *m* retour

retten ['rɛtən] **I.** *vt* **1.** (*vor einem Unheil bewahren*) sauver; **jdn vor jdm/etw ~** sauver qn de qn/qc; **rettet mich denn keiner?** personne ne vient à mon secours? **2.** (*den Ausweg weisend*) **die ~de Lösung** la solution salvatrice **3.** (*erhalten, hinüberretten*) sauvegarder *Gebäude, Gemälde* **II.** *vr* **sich ~** se sauver; **rette sich, wer kann!** *hum* sauve qui peut!

Retter(in) <-s, -> *m(f)* sauveur *m*

Rettich <-s, -e> *m* radis *m*

Rettung <-, -en> *f* **1.** sauvetage *m;* **~ in letzter Minute** sauvetage in extremis **2.** *eines Gebäudes* sauvegarde *f*

Rettungsboot *nt* bâteau *m* de sauvetage

Rettungsdienst *m* service *m* de secours

rettungslos *adv* sans espoir [de secours]; **wir sind ~ verloren** tout espoir est perdu

Rettungsring *m* bouée *f* de sauvetage **Rettungsschwimmer(in)** *m(f)* maître nageur *m* **Rettungswagen** *m* ambulance *f*

Return-Taste [rɪ'tœːntastə] *f* INFORM touche *f* Rentrée

Reue ['rɔyə] <-> *f* regret *m;* **~ über etw** (*akk*) regret de qc

reuen I. *vt* **das Verbrechen reut mich** je regrette le crime **II.** *vt unpers* **es reut jdn, etw getan zu haben** qn regrette d'avoir fait qc

reuevoll *adj* plein(e) de regret

reumütig I. *adj Missetäter, Übeltäter* repentant(e); *Sünder* repenti(e) **II.** *adv gestehen, zurückkommen* en se repentant

Revanche [re'vãːʃ(ə)] <-, -n> *f a.* SPORT, SPIEL revanche *f;* **jdm ~ geben** donner sa revanche à qn; **als ~** (*Gegenleistung*) en contrepartie

revanchieren* [revã'ʃiːrən] *vr* **1.** (*sich erkenntlich zeigen*) **sich ~** rendre la pareille; **sich bei jdm für etw ~** rendre la pareille à qn pour qc **2.** (*sich rächen*) **sich für etw ~** se venger de qc

Revers [re'veːɐ̯, re'vɛːɐ̯, rə-] <-, -> *nt o* A *m* COUT revers *m*

revidieren* [revi'diːrən] *vt* **1.** (*rückgängig machen*) revenir sur *Entscheidung* **2.** CH *geh* (*überprüfen*) réviser *Maschine, Lokomotive*

Revier [re'viːɐ̯] <-s, -e> *nt* **1.** (*Polizeidienststelle*) commissariat *m* **2.** (*Bezirk*) district *m* **3.** (*Jagdrevier*) territoire *m* de chasse; (*privat*) chasse *f* gardée **4.** ZOOL territoire *m*

Revision [revi'zi̯o:n] <-, -en> f **1.** FIN vérification f **2.** JUR cassation f; ~ **einlegen** se pourvoir en cassation **3.** TYP révision f [des épreuves]

Revisionsgericht nt JUR cour f de cassation

Revolte [re'vɔltə] <-, -n> f révolte f

revoltieren* [revɔl'ti:rən] vi geh se révolter; **gegen jdn/etw** ~ se révolter contre qn/qc

Revolution [revolu'tsi̯o:n] <-, -en> f révolution f; **die Französische** ~ la Révolution française

revolutionär [revolutsi̯o'nɛ:ɐ̯] adj révolutionnaire

Revolutionär(in) <-s, -e> m(f) révolutionnaire mf

revolutionieren* vt révolutionner

Revolver [re'vɔlvɐ] <-s, -> m revolver m

Revue [rə'vy:] <-, -n> f revue f

Rezensent(in) <-en, -en> m(f) critique mf [littéraire]

rezensieren* [retsɛn'zi:rən] vt critiquer; **rezensiert werden** faire l'objet d'une critique

Rezension [retsɛn'zi̯o:n] <-, -en> f critique f

Rezept [re'tsɛpt] <-[e]s, -e> nt **1.** recette f **2.** MED ordonnance f

rezeptfrei adj en vente libre

Rezeption [retsɛp'tsi̯o:n] <-, -en> f réception f; **an der** ~ à la réception

rezeptpflichtig adj délivré(e) uniquement sur ordonnance

Rezession [retsɛ's i̯o:n] <-, -en> f récession f

reziprok adj MATH inverse

rezitieren* [retsi'ti:rən] **I.** vt réciter **II.** vi **aus etw** ~ réciter qc

R-Gespräch ['ɛr-] nt appel m en P.C.V.

Rhabarber <-s, -> m rhubarbe f

Rhein [raɪn] <-s> m **der** ~ le Rhin; **Kehl am** ~ Kehl sur Rhin

rheinabwärts adv ~ **fahren** descendre le Rhin **rheinaufwärts** adv ~ **fahren** remonter le Rhin

rheinisch adj attr rhénan(e)

Rheinländer(in) <-s, -> m(f) Rhénan(e) m(f)

Rheinland-Pfalz [raɪnlant'pfalts] f la Rhénanie-Palatinat

Rhesusfaktor ['re:zʊsfakto:ɐ̯] m [facteur m] rhésus m

Rhetorik [re'to:rɪk] <-> f rhétorique f

rhetorisch I. adj rhétorique; Figur de rhétorique **II.** adv ~ **begabt** doué(e) en matière de rhétorique

Rheuma ['rɔyma] <-s> nt fam rhumatisme m souvent pl

Rheumatiker(in) <-s, -> m(f) rhumatisant(e) m(f)

rheumatisch adj rhumatismal(e)

Rheumatismus [rɔyma'tɪsmʊs] <-> m form rhumatisme m̃

Rhinozeros [ri'no:tserɔs] <-[ses], -se> nt (Nashorn) rhinocéros m

rhythmisch ['rʏtmɪʃ] adj Bewegungen rythmé(e); Gymnastik rythmique

Rhythmus ['rʏtmʊs] <-, Rhythmen> m rythme m; **im** ~ en rythme

Ribis(e)l <-, -n> f A groseille f

richten ['rɪçtən] **I.** vr **1.** (bestimmt sein, sich wenden) **sich an jdn/etw** ~ s'adresser à qn/qc **2.** (sich orientieren) **sich nach jdm/etw** ~ se conformer à qn/qc; **wir** ~ **uns ganz nach Ihnen** nous nous en remettons complètement à vous **3.** (abhängen von) **sich nach etw** ~ dépende de qc; **das richtet sich danach, ob ...** ça dépend si ... **4.** (abzielen) **sich gegen jdn/etw** ~ être dirigé contre qn/qc **II.** vt **1.** (lenken) **den Blick auf jdn/etw** ~ diriger son regard sur qn/qc; **den Finger auf jdn** ~ pointer son doigt sur qn **2.** (adressieren) **einen Brief an jdn** ~ adresser une lettre à qn **3.** (reparieren) réparer Heizung, Uhr **III.** vi (urteilen) **über jdn/etw** ~ juger qn/qc

Richter(in) ['rɪçtɐ] <-s, -> m(f) JUR juge mf

richterlich adj attr judiciaire

Richterskala^RR f kein Pl échelle f de Richter

Richtfest nt fête f pour l'achèvement du gros œuvre (à laquelle le propriétaire convie les artisans et éventuellement des voisins)

Richtgeschwindigkeit f vitesse f conseillée

richtig ['rɪçtɪç] **I.** adj **1.** (korrekt, angebracht) bon(ne) antéposé; **das ist** ~ c'est juste; **etw** ~ **stellen** rectifier qc; **zur** ~**en Zeit** au bon moment; **es ist** ~ **gewesen, dass** c'était bien que + subj **2.** (am richtigen Ort) **hier sind Sie** ~ vous êtes à la bonne adresse ici **3.** (Eltern, Name vrai(e) antéposé **II.** adv **1.** antworten, schreiben correctement; verstehen bien; kalkulieren, raten juste; ~ **gehen** Uhr: donner l'heure exacte; **höre ich** ~? j'ai bien entendu? **2.** vorgehen judicieusement; **sehr** ~! très juste! **3.** stehen à la bonne place **4.** passen bien **5.** fam wütend vraiment

Richtige(r) f(m) dekl wie adj **1.** (Partner) bon(ne) partenaire mf **2.** (Treffer) **sechs** ~ **im Lotto** six bons numéros mpl au loto

Richtige(s) nt dekl wie adj **1.** (Zusagendes) **das** ~/**etwas** ~**s** ce qu'il me/te/... faut **2.** (Ordentliches) **etwas/nichts** ~**s** quelque chose/rien de convenable

richtiggehend fam **I.** adj véritable antépo-

R

sé II. *adv* vraiment

Richtigkeit <-> *f* **1.** *der Lösung* justesse *f; der Schreibung* exactitude *f; der Kopie* conformité *f;* **mit etw hat es seine ~** qc est justifié(e) **2.** (*Angebrachtheit*) justesse *f*

richtig|stellen *s.* **richtig** I. **Richtigstellung** *f* rectification *f*

Richtlinie *f meist Pl* directive *f* **Richtpreis** *m* prix *m* conseillé **Richtschnur** *f kein Pl* (*Grundsatz*) **die ~ für etw** la ligne directrice pour qc

Richtung <-, -en> *f* **1.** (*Himmelsrichtung*) direction *f;* **aus östlicher ~** de l'est; **eine ~ einschlagen** [*o* **nehmen**] prendre une direction; **in ~ Wald/Bahnhof** en direction de la forêt/de la gare **2.** (*Tendenz*) **politische ~** tendance *f* politique

Richtungsänderung *f* changement *m* de direction

Richtwert *m* valeur *f* indicative; **ein ~ von 4,2 Prozent** un taux indicatif de 4,2 pour cent

rieb [riːp] *Imp von* **reiben**

riechen ['riːçən] <roch, gerochen> I. *vi* **1.** (*Geruch verströmen*) **gut/schlecht ~** sentir bon/mauvais; **nach Parfüm ~** sentir le parfum; **übel ~d** malodorant(e) **2.** (*schnuppern*) **an jdm/etw ~** renifler qn/qc II. *vt* (*als Geruch wahrnehmen*) **etw ~** sentir qc III. *vi unpers* **es riecht nach Zitrone** ça sent le citron

Riecher <-s, -> *m* ▶**den richtigen ~** *fam* avoir du flair [pour qc] (*fig*)

rief [riːf] *Imp von* **rufen**

Riege <-, -n> *f* SPORT section *f*

Riegel ['riːgəl] <-s, -> *m* **1.** (*Verschluss*) verrou *m;* **den ~ an etw** (*dat*) **vorlegen** mettre le verrou de qc **2.** (*Schokoladenriegel*) barre *f*

Riemen ['riːmən] <-s, -> *m einer Tasche* courroie *f*

Riese ['riːzə] <-n, -n> *m,* **Riesin** *f* géant(e) *m(f);* **ein ~ von einem Mann** un colosse

rieseln ['riːzəln] *vi + sein Körner, Sand:* s'écouler; *Kalk, Putz:* se détacher des murs

Riesenerfolg *m* succès *m* formidable **riesengroß** *adj fam* **1.** (*sehr groß*) géant(e) **2.** *Enttäuschung, Summe* énorme *antéposé* (*fig*) **Riesenslalom** *m* slalom *m* géant

riesig I. *adj* **1.** *Gebäude* gigantesque; *Fußabdruck* énorme; **ein ~er Kerl** un géant **2.** *Anstrengung* immense; *Überraschung, Hunger* sacré(e) *antéposé* (*fam*) **3.** *fam* (*hervorragend*) **das ist ~!** c'est géant! II. *adv sich freuen* énormément; *sich irren* complètement

Riesin ['riːzɪn] *s.* **Riese**

Riesling <-s, -e> *m* riesling *m*

riet [riːt] *Imp von* **raten**

Riff <-[e]s, -e> *nt* récif *m*

rigoros [rigo'roːs] *adj Maßnahme* rigoureux(-euse)

Rikscha <-, -s> *f* pousse-pousse *m*

Rille ['rɪlə] <-, -n> *f* (*längliche Vertiefung*) rainure *f*

Rind ['rɪnt] <-[e]s, -er> *nt* bovin *m*

Rinde ['rɪndə] <-, -n> *f* **1.** (*Baumrinde*) écorce *f* **2.** (*Brotrinde, Käserinde*) croûte *f*

Rinderwahnsinn *m* maladie *f* de la vache folle **Rindfleisch** *nt* [viande *f* de] bœuf *m* **Rindsleder** *nt* vachette *f* **Rindvieh** <-viecher> *nt* **1.** *kein Pl* bovins *mpl* **2.** *fam* (*Dummkopf*) andouille *f*

Ring [rɪŋ] <-[e]s, -e> *m* **1.** (*Fingerring*) bague *f;* (*Ehering*) alliance *f* **2.** (*Öse, ringförmiger Gegenstand*) anneau *m* **3.** (*Kreis*) *von Personen* cercle *m* **4.** (*Wert auf einer Schießscheibe*) cercle *m* [concentrique] **5.** *Pl* (*Augenschatten*) cernes *mpl* **6.** (*~straße*) périphérique *m* **7.** (*Vereinigung*) *von Händlern, Versicherungen* association *f; von Hehlern* cartel *m* **8.** SPORT ring *m* **9.** *Pl* (*Turngerät*) anneaux *mpl*

Ringbuch *nt* classeur *m*

ringeln I. *vt* enrouler *Schwanz* II. *vr* **sich ~** *Haare:* s'enrouler

ringen ['rɪŋən] <rang, gerungen> *vi* **1.** (*kämpfen*) lutter; **mit jdm ~** lutter contre qn **2.** *fig* **mit sich ~** lutter contre soi-même **3.** (*schnappen*) **nach Atem ~** chercher à reprendre son souffle **4.** (*sich bemühen*) **um Fassung ~** essayer de se reprendre; **um Worte ~** chercher les mots

Ringfinger *m* annulaire *m* **ringförmig** ['rɪŋfœrmɪç] *adj* circulaire **Ringkampf** *m a. fig* combat *m* [de lutte]

rings [rɪŋs] *adv* autour; **~ um jdn/das Haus** autour de qn/la maison; **~ um jdn/etw stehen** se tenir autour de qn/qc

ringsherum *s.* **ringsum**

Ringstraße *f* (*um eine Stadt*) boulevard *m* extérieur

ringsum, ringsumher *adv* [tout] autour

Rinne ['rɪnə] <-, -n> *f* **1.** (*Vertiefung*) cavité *f* **2.** (*offenes Rohr*) caniveau *m;* (*Dachrinne*) gouttière *f*

rinnen ['rɪnən] <rann, geronnen> *vi + sein* **1.** (*fließen, rieseln*) couler; **durch die Finger ~** *Sand:* couler entre les doigts **2.** (*herausfließen, -rieseln*) s'écouler **3.** *fig* **die Zeit rinnt** [**dahin**] le temps s'écoule

Rinnsal <-[e]s, -e> *nt* (*Wasserlauf*) filet *m* d'eau

Rinnstein *m* **1.** (*Gosse*) caniveau *m* **2.** (*Bordstein*) bordure *f* de trottoir

Rippchen ['rɪpçən] <-s, -> *nt* côtelette *f* **Rippe** ['rɪpə] <-, -n> *f* **1.** ANAT côte *f* **2.** *einer Tafel Schokolade* barre *f*

Rippenfell *nt* ANAT plèvre *f*
Risiko ['riːziko] <-s, -s *o* Risiken> *nt* risque *m;* kein ~ eingehen ne prendre aucun risque; auf dein [eigenes] ~ à tes risques et périls
Risikobereitschaft *f* goût *m* du risque **Risikogruppe** *f* groupe *m* à risque[s] **Risikokapital** *nt* capital-risque *m*
risikolos *adj* sans risque
riskant [rɪsˈkant] **I.** *adj* risqué(e) **II.** *adv* fahren, spielen en prenant des risques
riskieren* [rɪsˈkiːrən] *vt* 1.(aufs Spiel setzen, in Kauf nehmen) risquer *Leben* 2.(wagen) oser *Blick, Lächeln;* es ~ etw zu tun se risquer à faire qc
rissRR [rɪs], **riß** *Imp von* reißen
RissRR [rɪs] <-es, -e>, **Riß** <Risses, Risse> *m* 1.(rissige Stelle) fissure *f* 2.(beschädigte, zerrissene Stelle) déchirure *f*
rissig *adj* crevassé(e)
ritt [rɪt] *Imp von* reiten
Ritt [rɪt] <-[e]s, -e> *m* promenade *f* à cheval
Ritter ['rɪtɐ] <-s, -> *m* chevalier *m*
rittlings ['rɪtlɪŋs] *adv* à califourchon
Ritual [ritu'aːl] <-s, -e *o* -ien> *nt* rituel *m*
rituell [ritu'ɛl] *adj* rituel(le)
Ritus ['riːtʊs] <-, Riten> *m* rite *m*
Ritz <-es, -e> *m* (Kratzer) égratignure *f*
Ritze ['rɪtsə] <-, -n> *f* fissure *f*
ritzen **I.** *vt* graver **II.** *vr* sich an etw (dat) ~ s'égratigner à qc
Rivale [ri'vaːlə] <-n, -n> *m*, **Rivalin** *f* rival(e) *m(f)*
rivalisieren* [rivali'ziːrən] *vi geh* ~de Gruppen/Banden des groupes rivaux/bandes rivales
Rivalität [rivali'tɛːt] <-, -en> *f geh* rivalité *f*
Riviera [ri'vieːra] <-> *f* die ~ la Riviera
Rizinusöl *nt* huile *f* de ricin
RNS [ɛrɛn'ʔɛs] <-> *f Abk von* Ribonukleinsäure A.R.N. *m*
Roastbeef ['roːstbiːf] <-s, -s> *nt* rosbif *m*
Robbe <-, -n> *f* phoque *m*
robben *vi + sein* ramper
Robe <-, -n> *f* robe *f*
Roboter ['rɔbɔtɐ] <-s, -> *m* robot *m*
robust [ro'bʊst] *adj* robuste
roch [rɔx] *Imp von* riechen
röcheln ['rœçəln] *vi* râler
Rock¹ [rɔk, *Pl:* 'rœkə] <-[e]s, ̈-e> *m* 1. jupe *f* 2. CH (Kleid) robe *f;* (Jackett) veste *f*
Rock² <-[s]> *m* MUS rock *m*
Rockband ['rɔkbɛnt] *s.* Rockgruppe
rocken *vi* faire du rock
Rocker(in) ['rɔkɐ] <-s, -> *m(f)* (Halbstarker) blouson *m* noir

Rockgruppe *f* groupe *m* de rock
Rodel¹ ['roːdəl] <-s, -> *m* SDEUTSCH, CH fichier *m*
Rodel² <-s, -> *m*, <-, -n> *f* SDEUTSCH, A luge *f*
Rodelbahn *f* piste *f* de luge
rodeln ['roːdəln] *vi + haben o sein* (Schlitten fahren) faire de la luge
roden ['roːdən] *vt* 1.(herausreißen) enlever *Bäume* 2.(vom Bewuchs befreien) défricher *Land*
Rodler(in) <-s, -> *m(f)* lugeur(-euse) *m(f)*
Roggen ['rɔgən] <-s> *m* seigle *m*
roh [roː] *adj* 1.Fleisch, Gemüse cru(e); etw ~ essen/zubereiten manger/préparer qc cru(e) 2.Holz, Diamant brut(e) 3.Person brutal(e); ~ zu jdm sein être brutal avec qn 4.(rau, grob) grossier(-ière)
Rohbau <-bauten> *m* kein Pl (Bauabschnitt) gros œuvre *m*
Roheit, RohheitRR <-, -en> *f* 1.kein Pl (brutale Art) rudesse *f* 2.kein Pl (Grobheit) eines Scherzes grossièreté *f* 3.(brutale Handlung) brutalité *f*
Rohkost *f* crudités *fpl*
Rohling <-s, -e> *m* TECH pièce *f* brute
Rohmaterial *nt* matière *f* première
Rohr [roːɐ̯] <-[e]s, -e> *nt* 1.TECH tube *m;* (groß) tuyau *m* 2.(Teil eines Geschützes) canon *m* 3.SDEUTSCH, A (Backofen) four *m*
Rohrbruch *m* rupture *f* de canalisation
Röhrchen <-s, -> *nt Dim von* Röhre 1.PHARM tube *m* 2.(Alkoholtest~) embout *m*
Röhre ['røːrə] <-, -n> *f* 1.TECH tuyau *m* 2.ELEC tube *m* 3.(Backofen) four *m*
röhren *vi* 1.Hirsch, Elch: bramer 2.(dröhnen) Auspuff, Motorrad: vrombir
Rohrleitung *f* canalisation *f* **Rohrspatz** ▶wie ein ~ schimpfen *fam* jurer comme un charretier **Rohrzange** *f* clé *f* à molette **Rohrzucker** *m* sucre *m* de canne
Rohstoff *m* matière *f* première **Rohzustand** *m* im ~ à l'état brut
Rokoko ['rɔkoko] <-[s]> *nt* rococo *m*
Rokokostil *m* [style *m*] rococo *m*
Rolladen *s.* Rollladen **Rollbahn** *f* AVIAT piste *f*
Rollbalken <-s, -> *m* A (Rollladen) volet *m* roulant
Rolle ['rɔlə] <-, -n> *f* 1.(aufgewickeltes Material) rouleau *m* 2.(Garnrolle) bobine *f* 3.(Verpackung) rouleau *m* 4.(Laufrad) roulette *f* 5.(Gleitrad) eines Flaschenzugs poulie *f;* einer Angel moulinet *m* 6.SPORT roulade *f* 7.CINE, THEAT, SOZIOL rôle *m* ▶aus der ~ fallen sortir de son rôle; es spielt eine/keine ~, ob ça a une importance/n'a pas d'importance que + *subj*

rollen ['rɔlən] I. *vi + sein* rouler ▸ **etw ins Rollen** **bringen** *fam* mettre qc en branle II. *vt + haben* 1.(*zusammen~*) rouler 2.(*fortbewegen*) faire rouler III. *vr + haben* 1.**sich** ~ *Tapete, Bild:* se recourber 2.(*sich wälzen*) **sich im Gras** ~ se rouler dans l'herbe 3.(*sich einrollen*) **sich in eine Decke** ~ s'enrouler dans une couverture

Rollenspiel *nt* jeu *m* de rôle **Rollenverhalten** *nt* SOZIOL comportement *m* stéréotypé **Rollenverteilung** *f* distribution *f* des rôles

Roller ['rɔlɐ] <-s, -> *m* 1.(*Kinderroller*) trottinette *f* 2.(*Motorroller*) scooter *m* 3. A *s.* **Rollo**

Rollerblades ['roːlɐbleːts] *Pl* patins *mpl* en ligne

Rollerskates ['roːlɐskeːts] *Pl* patins *mpl* à roulettes

Rollfeld *nt* AVIAT piste *f* [de décollage/d'atterrissage]

Rollkragen *m* col *m* roulé

RollladenRR <-s, -läden *o* -> *m* volet *m* roulant

Rollo ['rɔlo] <-s, -s> *nt* store *m*

Rollschuh *m* patin *m* à roulettes **Rollschuhläufer(in)** *m(f)* patineur(-euse) *m(f)* à roulettes **Rollsplitt** *m* gravillon *m* **Rollstuhl** *m* fauteuil *m* roulant **Rollstuhlfahrer(in)** *m(f)* handicapé(e) *m(f)* en fauteuil roulant **rollstuhlgerecht** *adj* adapté(e) aux fauteuils roulants **Rolltreppe** *f* escalator *m*

Rom [roːm] <-s> *nt* Rome

ROM [rɔm] <-[s], -[s]> *nt Abk von* **Read Only Memory** INFORM ROM *f*

Roma ['roːma] *Pl* Rom *mpl*

Roman [ro'maːn] <-s, -e> *m* roman *m*

Romanfigur *f* personnage *m* de roman

Romanik [ro'maːnɪk] <-> *f* ARCHIT, KUNST [style *m*] roman *m*

romanisch *adj* 1.LING, ARCHIT, KUNST roman(e) 2.GEOG latin(e)

Romanist(in) [roma'nɪst] <-en, -en> *m(f)* romaniste *mf*

Romanistik [roma'nɪstɪk] <-> *f* étude *f* des langues et littératures romanes

Romanschriftsteller(in) *m(f)* romancier(-ière) *m(f)*

Romantik [ro'mantɪk] <-> *f* 1.LITER romantisme *m* 2.(*romantische Stimmung*) romanesque *m;* **keinen Sinn für** ~ **haben** ne pas être romantique

Romantiker(in) [ro'mantikɐ] <-s, -> *m(f)* romantique *mf*

romantisch I. *adj* 1.*Person, Stimmung* romantique 2.*Altstadt* pittoresque II. *adv* ~ **gelegen** situé(e) de façon pittoresque

Romanze [ro'mantsə] <-, -n> *f* idylle *f*

Römer(in) <-s, -> *m(f)* Romain(e) *m(f)*

römisch *adj* romain(e)

römisch-katholisch *adj* catholique romain(e)

Rommé <-s> *nt* rami *m*

ROM-Speicher *m* mémoire *f* morte

röntgen ['rœntgən] *vt* radiographier; **sich** ~ **lassen** passer une radio

Röntgen <-s> *nt* radio[graphie] *f*

Röntgenarzt *m*, **-ärztin** *f* radiologue *mf*

Röntgenaufnahme *f* radio[graphie] *f*

Röntgenstrahlen *Pl* rayons *mpl* X

rosa ['roːza] *adj inv* rose

Rosa <-s, - *o fam* -s> *nt* rose *m*

rosafarben, rosarot *adj* rose

Rose ['roːzə] <-, -n> *f* 1.(*Blüte*) rose *f* 2.(*Strauch*) rosier *m*

Rosé <-s, -s> *m* rosé *m*

Rosenkohl *m* chou *m* de Bruxelles **Rosenkranz** *m* chapelet *m;* **den** ~ **beten** réciter son chapelet **Rosenmontag** *m lundi précédant le Mardi gras* **Rosenstock** *m* rosier *m*

Rosette <-, -n> *f* ARCHIT rosace *f*

Roséwein *m* rosé *m*

rosig ['roːzɪç] I. *adj a. fig* rose; **die Lage ist nicht gerade** ~ la situation n'est pas vraiment très rose II. *adv* **mir geht es nicht gerade** ~ tout n'est pas [tout] rose en ce moment pour moi

Rosine [ro'ziːnə] <-, -n> *f* raisin *m* sec

Rosmarin ['roːsmariːn] <-s> *m* romarin *m*

RossRR [rɔs] <-es, -e *o* Rösser>, **Roß** <Rosses, Rosse *o* Rösser> *nt* SDEUTSCH, A, CH (*Pferd*) cheval *m*

RosskastanieRR *f* 1.(*Frucht*) marron *m* d'Inde 2.(*Baum*) marronnier *m* d'Inde

Rost [rɔst] <-[e]s, -e> *m* 1.(*Gitter*) grille *f* 2.(*Grillrost*) gril *m* 3.DIAL (*Bettrost*) sommier *m* 4. *kein Pl* (*Eisenoxyd*) rouille *f*

rostbraun *adj* cuivré(e)

rosten ['rɔstən] *vi + haben o sein* rouiller

rösten ['rœstən] *vt* faire griller *Brot;* torréfier *Kaffee;* faire sauter *Kartoffeln*

rostfrei *adj* inoxydable

Rösti ['rœsti] *Pl* CH galette *f* de pommes de terre

rostig *adj* rouillé(e)

Röstkartoffeln *Pl* pommes *fpl* [de terre] sautées

Rostschutz *m* protection *f* contre la rouille **Rostschutzfarbe** *f* peinture *f* antirouille **Rostschutzmittel** *nt* antirouille *m*

rot [roːt] <-er *o* ⁼er, -este *o* ⁼este> I. *adj* rouge; *Haare* roux(rousse); ~ **werden** rougir II. *adv schreiben* en rouge; ~ **glühend** *Eisen* incandescent(e); [im Gesicht] ~ **anlaufen** rougir

Rot <-s, – o fam -s> nt rouge m; bei ~ über die Kreuzung fahren passer au rouge

Rotation [rota'tsi̯oːn] <-, -en> f rotation f **rotbraun** adj cuivré(e)

Röte ['røːtə] <-, -n> f rouge m

Röteln ['røːtəln] Pl rubéole f

röten I. vr sich ~ Haut: rougir; Wasser, Himmel: devenir rouge **II.** vt faire rougir

Rotfuchs m **1.** (Fuchs) renard m roux **2.** (Pferd) alezan m

rotglühend s. rot **II. Rotgold** nt or m rouge **rotgrünblind** adj MED daltonien(ne) **Rotgrünblindheit** f MED daltonisme m **rothaarig** adj roux(rousse) **Rothaut** f hum Peau-Rouge mf

rotieren* [ro'tiːrən] vi **1.** + haben (sich drehen) tourner **2.** + haben o sein fam (viel arbeiten) bosser comme un(e) malade **3.** + haben o sein fam (hektisch sein) ne plus savoir où donner de la tête **4.** + haben (den Posten tauschen) tourner

Rotkäppchen ['roːtkɛpçən] <-s> nt [das] ~ le Petit Chaperon rouge **Rotkehlchen** <-s, -> nt rouge-gorge m **Rotkohl** m, **Rotkraut** nt SDEUTSCH, A chou m rouge

rötlich adj rougeâtre; Haare: tirant sur le roux

Rotlicht nt kein Pl lumière f rouge **Rotlichtmilieu** nt fam milieu m **Rotlichtviertel** nt quartier m chaud

Rotor ['roːtoːɐ̯] <-s, Rotoren> m rotor m **rot|sehen** vi irr fam voir rouge

Rotstift m stylo m rouge

Rötung <-, -en> f rougeur f

Rotwein m vin m rouge **Rotwild** nt cerfs mpl

Rotz [rɔts] <-es> m fam (Nasenschleim) morve f

rotzen ['rɔtsən] vi pej fam cracher

Rotznase f sl (Nase) nez m qui coule

Rouge [ruːʒ] <-s, -s> nt rouge m

Roulade [ru'laːdə] <-, -n> f roulade f

Roulett [ru'lɛt] <-[e]s, -e o -s>, **Roulette** [ru'lɛt] <-s, -s> nt roulette f

Route ['ruːtə] <-, -n> f itinéraire m

Routine [ru'tiːnə] <-> f **1.** (Erfahrung) savoir-faire m; ~ bekommen acquérir du savoir-faire **2.** (Gewohnheit) routine f; zur ~ werden devenir de la routine

Routineangelegenheit f question f de routine **routinemäßig I.** adj de routine **II.** adv de façon routinière

routiniert [ruti'niːɐ̯t] **I.** adj expérimenté(e) **II.** adv avec savoir-faire

Rowdy ['raudi] <-s, -s> m pej voyou m

Rubbellos nt jeu m à gratter

rubbeln ['rʊbəln] vt fam frotter Körper

Rübe ['ryːbə] <-, -n> f BOT, AGR betterave f;

[Gelbe] ~ SDEUTSCH, CH (Möhre) carotte f

Rubel ['ruːbəl] <-s, -> m rouble m

rüber ['ryːbɐ] adv fam **1.** s. hinüber **2.** s. herüber

rüber|bringen vt irr fam **1.** jdm etw ~ passer qc à qn **2.** (vermitteln) jdm eine Idee ~ faire passer une idée à qn **rüber|kommen** vi irr + sein fam **1.** komm mal rüber! viens voir! **2.** (überspringen) zu jdm ~ Idee: passer auprès de qn

Rubin [ru'biːn] <-s, -e> m rubis m

rubinrot adj [couleur] rubis

Rubrik [ru'briːk] <-, -en> f rubrique f

ruchbar adj geh ~ werden se savoir

Ruck [rʊk] <-[e]s, -e> m **1.** (Stoß, Bewegung) secousse f; mit einem ~ d'un [seul] coup **2.** POL ~ nach rechts poussée f à droite

ruckartig adj brusque

Rückbesinnung f retour m; ~ auf etw (akk) retour à qc **Rückbildung** f régression f **Rückblende** f flash-back m **Rückblick** m retour m en arrière; ~ auf etw (akk) retour en arrière dans qc **rückblickend** adj rétrospectif(-ive) **rückdatieren*** vt antidater

rucken vi avancer par à-coups

rücken ['rʏkən] **I.** vi + sein **1.** (weg~) se pousser; auseinander ~ Personen: se pousser; nach links/zur Seite ~ se pousser à gauche/de côté **2.** fig (gelangen) in den Mittelpunkt ~ devenir le point de mire; an jds Stelle (akk) ~ prendre la place de qn **II.** vt + haben pousser Möbelstück; déplacer Spielstein; auseinander ~ pousser Tische, Stühle

Rücken ['rʏkən] <-s, -> m einer Person, eines Gegenstands os m; mit dem ~ zum Fenster sitzen être assis dos à la fenêtre; ~ an ~ sitzen être assis dos à dos; jdm den ~ zuwenden tourner le dos à qn ▶jdm in den ~ fallen poignarder qn dans le dos; jdm den ~ freihalten assurer les arrières de qn

Rückendeckung f **1.** MIL couverture f de l'arrière; jdm ~ geben couvrir qn **2.** fig soutien m **Rückenlehne** f dossier m **Rückenmark** nt moelle f épinière **Rückenschmerzen** Pl ~ haben avoir mal au dos **Rückenschwimmen** nt nage f sur le dos **Rückenwind** m vent m favorable; ~ haben avoir le vent dans le dos

rück|erstatten* vt nur Infin und PP rembourser **Rückfahrkarte** f [billet m] aller retour m **Rückfahrscheinwerfer** m feu m de recul **Rückfahrt** f [voyage m] retour m; auf der ~ au retour **Rückfall** m **1.** MED rechute f **2.** JUR récidive f **rückfällig** adj récidiviste; ~ werden récidiver **Rückflug** m

rückfragen

- rückfragen
- demander des précisions

Meinst du damit, dass ...? — Est-ce que tu veux dire par là que ...?
Soll das heißen, dass ...? — Est-ce que cela signifie que ...?
Habe ich Sie richtig verstanden, dass ...? — Si je vous ai bien compris, ... , non?
Wollen Sie damit sagen, dass ...? — Vous voulez dire que ...?

- kontrollieren, ob Inhalt/Zweck eigener Äußerungen verstanden werden
- s'assurer que le sens/le but de ses paroles a été compris

Kapito? (sl) — Compris?/Pigé? (fam)
Alles klar? (fam)/Ist das klar? — C'est clair?
Verstehst du, was ich (damit) meine? — Est-ce que tu comprends ce que je veux dire?

Haben Sie verstanden, auf was ich hinaus möchte? — Avez-vous compris où je veux en venir?
Ich weiß nicht, ob ich mich verständlich machen konnte. — Je ne sais pas si je me suis bien fait(e) comprendre.

---

vol _m_ retour; **auf dem** ~ au retour **rück|fragen** _vi nur Infin und PP_ demander des précisions **Rückgabe** _f_ **1.** _eines Gegenstands_ restitution _f_ **2.** (_Umtausch einer Ware_) retour _m_ **Rückgang** _m_ recul _m; der Besucherzahlen_ baisse _f;_ **im** ~ **begriffen sein** être en baisse **rückgängig** _adj Entwicklung_ en recul ▶ **etw** ~ **machen** annuler qc **Rückgewinnung** _f_ TECH recyclage _m_
Rückgrat <-[e]s, -e> _nt_ **1.** colonne _f_ vertébrale **2.** _kein Pl geh_ (_Stehvermögen_) force _f_ d'âme
Rückgriff _m_ ~ **auf etw** (_akk_) reprise _f_ de qc **Rückhalt** _m_ soutien _m_ **rückhaltlos I.** _adj_ **1.** _Vertrauen_ sans réserve **2.** _Offenheit_ impitoyable **II.** _adv vertrauen_ sans réserve **Rückhand** _f kein Pl_ SPORT revers _m_ **Rückkehr** ['rʏkkeːɐ̯] <-> _f_ retour _m;_ **bei meiner** ~ à mon retour **Rückkopp[e]lung** _f_ **1.** (_Feed-back_) feed-back _m_ **2.** (_Störung_) larsen _m_ (_fam_) **Rücklage** _f_ réserve _f_ [d'argent] **rückläufig** _adj_ à la baisse **Rücklauftaste** _f_ touche _f_ de rembobinage **Rücklicht** _nt_ feu _m_ arrière
rücklings ['rʏklɪŋs] _adv_ **1.** _überfallen_ par derrière **2.** _sitzen_ à l'envers **3.** _fallen_ à la renverse
Rückmeldung _f_ **1.** UNIV réinscription _f_ **2.** (_Reaktion_) réaction _f_
Rückporto _nt_ port _m_ de retour
Rückreise _f_ retour _m; **auf der** ~ au retour
Rückruf _m_ **1.** (_Anruf_) rappel _m_ **2.** _eines Produkts_ retour _m_ en usine; _von Nahrungsmitteln, Medikamenten_ retour au fabricant

Rucksack ['rʊkzak] _m_ sac _m_ à dos
Rückschlag _m_ **1.** (_Verschlechterung_) revers _m;_ **einen** ~ **erleiden** essuyer un revers **2.** TECH (_Rückstoß_) recul _m_ **Rückschluss**[RR] _m_ déduction _f;_ **aus etw den** ~ **ziehen, dass** ... déduire de qc que ... **Rückschritt** _m_ régression _f_
rückschrittlich _adj_ **1.** _Entwicklung_ régressif(-ive) **2.** _s._ **reaktionär**
Rückseite _f_ **1.** _einer Seite_ verso _m;_ **auf der** ~ **des Fotos** au dos de la photo **2.** _eines Gebäudes_ derrière _m;_ **auf der** ~ **des Hauses** à l'arrière de la maison **Rücksendung** _f_ retour _m_ **Rücksicht** <-, -en> _f_ **1.** (_Achtung, Schonung_) égard _m;_ **auf jdn** ~ **nehmen** faire attention à qn; **auf etw** (_akk_) ~ **nehmen** tenir compte de qc **2.** _Pl_ (_Grund, Überlegung_) considérations _fpl_ **Rücksichtnahme** ['rʏkzɪçtnaːmə] <-> _f_ considération _f;_ **gegenseitige** ~ respect _m_ mutuel **rücksichtslos I.** _adj_ **1.** _Verhalten_ sans scrupules; ~ **sein** ne manifester aucun égard **2.** _Kampf, Kritik_ impitoyable **II.** _adv_ (_ohne Nachsicht_) sans scrupules **rücksichtsvoll I.** _adj_ prévenant(e); **jdm gegenüber** ~ **sein** être prévenant à l'égard de qn **II.** _adv_ avec prévenance **Rücksitz** _m_ siège _m_ arrière **Rückspiegel** _m_ rétroviseur _m_ **Rückspiel** _nt_ match _m_ retour **Rücksprache** _f_ entretien _m;_ **mit jdm** ~ **halten** discuter avec qn; **nach** ~ **mit Frau Braun** après avoir consulté Mme Braun **Rückstand** _m_ **1.** (_der Abstand_) retard _m_ **2.** (_Bodensatz_) résidu _m_ **rückständig** _adj_ arriéré(e) **Rückständigkeit** <-> _f_ retard _m_

um Ruhe bitten

• um Ruhe bitten	• demander le silence
Psst! *(fam)*	Chut!
Ruhig!	Silence!
Halt's Maul!/Schnauze! *(derb)*	Ferme-la! *(fam)*/Ecrase! *(fam)*
Jetzt seien Sie doch mal ruhig!	Taisez-vous!/Du calme!
Jetzt hör mir mal zu!	Écoute-moi bien, maintenant!
Jetzt sei mal still!	Tais-toi donc!
Ich möchte auch noch etwas sagen!	Je voudrais aussi dire quelque chose!
Danke! ICH meine dazu, ...	Merci! Moi, je pense que ...
(an ein Publikum) Ich bitte um Ruhe.	*(à un public)* Un peu de calme, s'il vous plaît!
Wenn ihr jetzt bitte mal ruhig sein könnt!	Pourriez-vous vous taire, s'il vous plaît!

Rückstau *m von Fahrzeugen* bouchon *m*
Rückstoß *m einer Schusswaffe* recul *m*
Rückstrahler <-s, -> *m* cataphote *m*
Rücktritt *m* **1.** (*Amtsniederlegung*) démission *f* **2.** JUR ~ **von einem Vertrag** résiliation *f* d'un contrat **Rücktrittbremse** *f* frein *m* à rétropédalage **Rücktrittsrecht** *nt* droit *m* de résiliation **rück|vergüten*** *vt nur Infin und PP* rembourser **rück|versichern*** *vr nur Infin und PP* **sich** ~ prendre des garanties **Rückwand** *f eines Gebäudes* face *f* arrière; *eines Schranks* fond *m*
rückwärtig ['rʏkvɛrtɪç] *adj Ausgang, Parkplatz* situé(e) à l'arrière
rückwärts ['rʏkvɛrts] *adv* **1.** *blicken* en arrière; *gehen* à reculons; *fahren* en marche arrière; ~ **einparken** faire un créneau **2.** A (*hinten*) à l'arrière; **von** ~ par derrière **Rückwärtsfahren** *nt* conduite *f* en marche arrière **Rückwärtsgang** *m* marche *f* arrière
Rückweg *m* [chemin *m* du] retour *m;* **sich auf den** ~ **machen** prendre le chemin du retour **rückzahlbar** *adj* remboursable **Rückzahlung** *f* remboursement *m* **Rückzieher** <-s, -> *m fam* **einen** ~ **machen** faire machine arrière
Rückzug *m* MIL retraite *f;* **den** ~ **antreten** battre en retraite
rüde *adj* rude
Rüde <-n, -n> *m* mâle *m*
Rudel ['ru:dəl] <-s, -> *nt* harde *f*
Ruder ['ru:de] <-s, -> *nt* **1.** (*Paddel*) rame *f* **2.** (*Steuerruder*) gouvernail *m* ►**das** ~ **herumwerfen** changer de cap; **aus dem** ~ **laufen** échapper à tout contrôle
Ruderboot *nt* barque *f;* SPORT canoë *m*
Ruderer <-s, -> *m*, **Ruderin** *f* rameur(-euse) *m(f)*
rudern I. *vi* **1.** + *haben o sein* ramer **2.** + *haben* (*Paddelbewegungen machen*) **mit den Füßen** ~ *Ente, Schwan:* avancer avec les palmes; **mit den Armen** ~ *fam* faire de grands mouvements avec les bras II. *vt* + *haben* **jdn/etw über den Fluss** ~ ramener qn/qc de l'autre côté de la rive à la rame
Rudersport *m* aviron *m*
Ruf [ru:f] <-[e]s, -e> *m* **1.** (*Ausruf, Aufforderung*) appel *m* **2.** (*Schrei*) cri *m* **3.** *kein Pl* (*Aufruf*) appel *m* **4.** *kein Pl* (*Ansehen*) réputation *f;* **eine Firma von internationalem** ~ une entreprise de renom international **5.** UNIV [offre *f* de] nomination *f*
rufen ['ru:fən] <rief, gerufen> I. *vi* appeler; (*laut schreien*) crier; **nach jdm/etw** ~ appeler qn/à qc II. *vt* **1.** (*aus~*) crier; **Hilfe** ~ appeler à l'aide **2.** (*herbestellen*) **jdn/ein Taxi** ~ appeler qn/un taxi ►**du kommst mir wie gerufen** tu tombes bien
Rüffel <-s, -> *m fam* savon *m*
Rufmord *m* diffamation *f* **Rufname** *m* prénom *m* usuel **Rufnummer** *f* numéro *m* de téléphone **Rufweite** *f* **in** ~ à portée de voix; **außer** ~ hors de portée de voix
Rüge ['ry:gə] <-, -n> *f* réprimande *f*
rügen *vt* condamner *Verhalten;* **jdn wegen etw** ~ réprimander qn pour qc
Ruhe ['ru:ə] <-> *f* **1.** (*Stille, Schweigen*) silence *m;* ~**!** silence! **2.** (*Frieden*) calme *m;* **jdn mit etw in** ~ **lassen** laisser qn tranquille avec qc **3.** (*Erholung*) repos *m;* **jdm keine** ~ **lassen** *Gedanken:* ne laisser aucun répit à qn **4.** (*Gelassenheit*) calme *m;* **jdn aus der** ~ **bringen** faire perdre son calme à qn; **sie ist die** ~ **selbst** elle est le calme en personne; **etw in aller** ~ **tun** faire qc très calmement; **immer mit der** ~**!** *fam* on se calme! ►**die letzte** ~ **finden**

geh trouver le repos éternel; **sich zur ~ setzen** partir en retraite

ruhelos I. *adj* anxieux(-euse) **II.** *adv* umher- *blicken* d'un air anxieux

ruhen *vi* **1.** (*aus~*) se reposer **2.** (*aufliegen*) **auf etw** (*dat*) ~ *Dach:* reposer sur qc **3.** *fig geh* **auf jdm/etw** ~ *Verantwortung, Last:* reposer sur qn/qc **4.** (*verweilen*) **auf jdm/ etw** ~ *Blick:* être posé sur qn/qc **5.** (*einge- stellt sein*) *Verkehr:* être arrêté; **eine An- gelegenheit ~ lassen** laisser une affaire de côté

ruhen‖lassen *s.* **ruhen**

Ruhepause *f* pause *f* **Ruhestand** *m kein Pl* retraite *f;* **in den ~ gehen** [*o* **treten**] pren- dre sa retraite; **im ~** en retraite **Ruhestö- rung** *f* atteinte *f* à la tranquillité; **nächtli- che ~** tapage *m* nocturne **Ruhetag** *m* **dienstags ~** fermeture *f* hebdomadaire le mardi

ruhig ['ruːɪç] **I.** *adj* calme; **Sie können ganz ~ sein** vous pouvez être rassuré **II.** *adv* **1.** (*untätig*) tranquillement **2.** *fam* (*durchaus*) **wir können ~ darüber re- den** on peut bien en parler **3.** (*gleichmä- ßig*) calmement **4.** (*in aller Ruhe*) à tête re- posée **5.** (*beruhigt*) en toute sérénité

Ruhm [ruːm] <-es> *m* gloire *f*

rühmen ['ryːmən] **I.** *vt* féliciter; **jdn we- gen etw** ~ féliciter qn pour qc; **etw** ~ cé- lébrer qc **II.** *vr* **ohne mich ~ zu wollen** sans vouloir me vanter

Ruhmesblatt ►**kein ~ sein** ne pas être un titre de gloire

rühmlich *adj* glorieux(-euse)

ruhmreich *adj* glorieux(-euse)

Ruhr <-> *f* **1.** GEOG **die ~** la Ruhr **2.** MED dy- senterie *f*

Rührei *nt* œufs *mpl* brouillés

rühren ['ryːrən] **I.** *vt* **1.** (*um~*) remuer *Teig* **2.** (*unter~*) mélanger **3.** (*erweichen*) tou- cher **4.** (*bewegen*) bouger *Finger* **II.** *vi* **1.** (*um~*) remuer; **im Tee/Kaffee ~** remu- er dans le thé/café **2.** (*ansprechen, erwäh- nen*) **an etw** (*akk*) ~ évoquer qc **III.** *vr* **sich ~ 1.** (*sich bewegen*) bouger; **rührt euch!** MIL repos! **2.** *fam* (*sich melden*) réa- gir

rührend I. *adj* touchant(e) **II.** *adv* **sich ~ um jdn kümmern** s'occuper de qn avec une attention touchante

Ruhrgebiet *nt* **das ~** le bassin de la Ruhr

rührig *adj* dynamique

rührselig *adj Person* [trop] sensible

Rührteig *m* pâte *f* à biscuit

Rührung <-> *f* émotion *f*

Ruin [ruˈiːn] <-s> *m* ruine *f;* **vor dem ~ stehen** être au bord de la ruine

Ruine [ruˈiːnə] <-, -n> *f* **1.** ruines *fpl* **2.** *fig*

(*Mensch*) ruine *f*

ruinieren* [ruiˈniːrən] *vt* **1.** (*zugrunde richten*) ruiner *Person, Gesundheit* **2.** (*be- schädigen*) abîmer

ruinös *adj* ruineux(-euse)

rülpsen ['rʏlpsən] *vi fam* roter

Rülpser <-s, -> *m fam* rot *m*

Rum [rʊm] <-s, -s> *m* rhum *m*

Rumäne [ruˈmɛːnə] <-n, -n> *m*, **Rumä- nin** *f* Roumain(e) *m(f)*

Rumänien [ruˈmɛːniən] <-s> *nt* la Rou- manie

rumänisch I. *adj* roumain(e) **II.** *adv* ~ mit- einander sprechen discuter en roumain; *s. a.* **deutsch**

Rumänisch <-[s]> *nt kein art* roumain *m; s. a.* **Deutsch**

rum‖kriegen *vt fam* **1.** (*überreden*) con- vaincre **2.** (*verbringen*) **die Zeit ~** arriver à passer le temps

Rummel ['rʊməl] <-s> *m* **1.** *fam* foire *f* **2.** DIAL (*Kirmes*) fête *f* foraine

Rummelplatz *m* DIAL *fam* champ *m* de foire

rumoren* **I.** *vi fam* **1.** **im Keller ~** faire du remue-ménage dans la cave **2.** **in jds Kopf** (*dat*) ~ hanter l'esprit de qn **II.** *vi unpers fam* **es rumort in meinem Bauch** mon ventre gargouille

Rumpelkammer *f fam* débarras *m*

rumpeln ['rʊmpəln] *vi fam* + *haben* (*Ge- räusche machen*) faire du tapage

Rumpf [rʊmpf, *Pl:* 'rʏmpfə] <-[e]s, ⸚e> *m* ANAT tronc *m*

rümpfen ['rʏmpfən] *vt* **über etw** (*akk*) **die Nase ~** faire la moue à qc

Rumpsteak ['rʊmpsteːk, -ʃteːk] *nt* rum- steck *m*

Rumtopf *m* fruits *mpl* au rhum

Run [ran] <-s, -s> *m* ruée *f;* ~ **auf etw** (*akk*) ruée sur qc

rund [rʊnt] **I.** *adj* **1.** (*kreisförmig*) rond(e) **2.** *Hüften* rond(e) **3.** *Zahl* arrondi(e); **eine ~e Summe machen** arrondir une somme **II.** *adv* **1.** (*im Kreis*) ~ **um etw führen/ gehen/verlaufen** faire le tour de qc **2.** *fam* (*ungefähr, etwa*) en gros; ~ **gerech- net macht das hundert Euro** en arron- dissant, ça fait cent euros

Rundblick *m* panorama *m* **Rundbrief** *m* circulaire *f*

Runde ['rʊndə] <-, -n> *f* **1.** (*Gesellschaft*) assemblée *f;* **in die ~ blicken** regarder à la ronde **2.** *a.* SPORT (*Rundgang, -fahrt, -flug*) tour *m* **3.** (*Kontrollgang*) ronde *f* **4.** SPORT round *m* **5.** SPIEL partie *f* **6.** (*freie Getränke*) tournée *f*

runden *vt* (*auf~, ab~*) arrondir

runderneuern* *vt* rechaper

Rundfahrt *f* circuit *m* [touristique] **Rund-**

funk *m* radio *f;* im ~ à la radio **Rundfunk-anstalt** *f* station *f* de radio[diffusion] **Rundfunkgebühr** *f* redevance *f* radiophonique **Rundfunkgerät** *nt form* [poste *m* de] radio *f* **Rundfunksprecher(in)** *m(f)* animateur(-trice) *m(f)* radio

Rundgang *m* tour *m* [à pied]; *eines Wachmanns* ronde *f* **rund|gehen** *irr* I. *vi* + *sein* **1.** (*herumgereicht werden*) circuler; **etw** ~ **lassen** faire circuler qc **2.** (*herumerzählt werden*) faire le tour II. *vi unpers* + *sein fam* **es geht rund** (*es herrscht Betrieb*) ça y va; (*es gibt Ärger*) ça barde **rundheraus** *adv* franchement **rundherum** ['rʊnthɛ'rʊm] *adv* **1.** (*ringsherum*) tout autour **2.** *s.* **rundum**

rundlich *adj Person* rondelet(te); *Gesicht* rond(e)

Rundreise *f* circuit *m;* **eine** ~ **durch Österreich/den Schwarzwald** un circuit à travers l'Autriche/la Forêt-Noire **Rundruf** *m* **einen** ~ **bei allen Freunden machen** passer un coup de fil à tous ses amis **Rundschreiben** *s.* **Rundbrief** **rundum** ['rʊnt'ʊm] *adv* **1.** (*ringsum*) à la ronde **2.** (*völlig*) tout à fait

Rundung <-, -en> *f* **1.** (*Wölbung*) arrondi *m* **2.** *Pl fam* (*rundliche Figur*) poignées *fpl* d'amour

Rundweg *m* circuit *m*

Rune <-, -n> *f* rune *f*

runter *interj fam* dégage; ~ **von dem Balkon!** (*komm herein*) dégage du balcon! **runter|fallen** *vi irr* + *sein fam* tomber; **mir ist ein Glas runtergefallen** un verre m'a échappé **runter|holen** *vt* descendre **runter|kommen** *vi irr* + *sein fam* (*herunterkommen*) descendre; **vom oberen Stockwerk/zu jdm** ~ descendre du dernier étage/chez qn **runter|lassen** *vt irr fam* baisser *Rolladen, Autofenster* **runter|laufen** *vi irr* + *sein fam* **1.** (*heruntergehen*) descendre *Straße, Treppe* **2.** (*herunterkullern*) **die Tränen liefen ihr runter** les larmes coulèrent sur ses joues

Runzel <-, -n> *f* ride *f*

runzeln *vt* froncer *Brauen;* plisser *Stirn*

Rüpel <-s, -> *m pej* mufle *m*

Rüpelei <-, -en> *f pej* muflerie *f*

rupfen ['rʊpfən] *vt* **1.** plumer *Geflügel* **2.** (*ausreißen*) arracher *Gras, Unkraut*

ruppig ['rʊpɪç] *pej adj* grossier(-ière)

Rüsche <-, -n> *f* ruche *f*

Ruß [ruːs] <-es> *m* suie *f*

Russe ['rʊsə] <-n, -n> *m*, **Russin** *f* Russe *mf*

Rüssel ['rʏsəl] <-s, -> *m eines Elefanten, Insekts* trompe *f; eines Schweins* groin *m*

rußen ['ruːsən] *vi Kerze:* fumer; *Ofen:* faire de la suie

rußig *adj* couvert(e) de suie

Russin ['rʊsɪn] *s.* **Russe**

russisch I. *adj* russe II. *adv* ~ **miteinander sprechen** discuter en russe; *s. a.* **deutsch**

Russisch <-[s]> *nt kein art* russe *m; s. a.* **Deutsch**

RusslandRR ['rʊslant], **Rußland** *nt* la Russie

Russlanddeutsche(r)RR *f(m) dekl wie adj* Russe d'origine allemande

rüsten ['rʏstən] *vi* MIL **zum Krieg** ~ se lancer dans des préparatifs de guerre

rüstig ['rʏstɪç] *adj* vigoureux(-euse); **noch** ~ **sein für sein Alter** être encore vert pour son âge

Rüstigkeit <-> *f* vigueur *f*

rustikal [rʊsti'kaːl] I. *adj* rustique II. *adv* ~ **eingerichtet sein** avoir des meubles rustiques

Rüstung ['rʏstʊŋ] <-, -en> *f* **1.** *kein Pl* (*das Rüsten*) armement *m* **2.** (*Ritterrüstung*) armure *f*

Rüstungskontrolle *f* contrôle *m* des armements **Rüstungswettlauf** *m* course *f* aux armements

Rute ['ruːtə] <-, -n> *f* **1.** (*Gerte*) baguette *f* **2.** (*Angelrute*) canne *f*

Rutsch [rʊtʃ] <-es, -e> *m* (*Erdrutsch*) glissement *m* [de terrain] ►**guten** ~! *fam* bonne année!

Rutschbahn *f* **1.** (*Rutsche*) toboggan *m* **2.** (*Eisbahn*) patinoire *f*

Rutsche <-, -n> *f a.* TECH toboggan *m*

rutschen *vi* + *sein* **1.** (*ausrutschen*) glisser **2.** *fam* (*rücken*) se pousser **3.** *Brille, Kleidung:* tomber; **vom Stuhl** ~ *Person, Pullover:* glisser de la chaise; **ins Rutschen geraten** [*o* **kommen**] s'ébouler **4.** (*die Rutschbahn benutzen*) faire du toboggan

Rutschgefahr *f* (*für Fahrzeuge*) risque *m* de dérapage; **Vorsicht** ~! attention, chaussée glissante!

rutschig *adj* glissant(e)

rütteln ['rʏtəln] I. *vt* secouer; **jdn am Arm** ~ secouer qn par le bras II. *vi* **1. an der Tür** ~ secouer la porte **2.** (*infrage stellen*) **an etw** (*dat*) ~ remettre qc en question; **daran gibt es nichts zu** ~ on ne peut rien y changer

S

S, s [εs] <-, -> *nt* S *m*/s *m*
s. *Abk von* **siehe** cf.
S *Abk von* **Süden** S
S. *Abk von* **Seite** p.
Saal ['zaːl, *Pl:* 'zɛːlə] <-[e]s, **Säle**> *m* salle *f*
Saar <-> *f* **die** ~ la Sarre
Saarbrücken <-s> *nt* Sarrebruck
Saarland *nt* **das** ~ la Sarre
Saat <-, **-en**> *f* **1.** *kein Pl* (*das Säen*) semailles *fpl* **2.** (~*gut*) semence *f*
Saatgut *nt* semences *fpl*
Sabbat <-s, **-e**> *m* sabbat *m*
sabbern ['zabɐn] *fam* **I.** *vi* baver **II.** *vt* DIAL (*viel reden*) sortir
Säbel ['zɛːbəl] <-s, -> *m* sabre *m*
Sabotage [zaboˈtaːʒə] <-, **-n**> *f* sabotage *m*
Saboteur(in) [zaboˈtøːɐ] <-s, **-e**> *m(f)* saboteur(-euse) *m(f)*
sabotieren* [zaboˈtiːrən] **I.** *vt* saboter *Produktion* **II.** *vi* faire du sabotage
Sa|c|charin [zaxaˈriːn] <-s> *nt* saccharine® *f*
Sachbearbeiter(in) *m(f)* personne *f* chargée du dossier **Sachbereich** *m* secteur *m* **Sachbeschädigung** *f* déprédation *f* **sachbezogen** *adj Angaben, Aussage* factuel(le) **Sachbuch** *nt* livre *m* spécialisé **sachdienlich** *adj form Hinweis* utile
Sache ['zaxə] <-, **-n**> *f* **1.** (*Ding, Angelegenheit*) chose *f*; **das ist eine andere** ~ c'est autre chose; **das ist seine/ihre** ~ c'est son affaire **2.** (*Zweck*) cause *f* **3.** (*Thema, Sachverhalt*) **zur** ~ **kommen** en venir au fait; **bei der** ~ **sein** être attentif **4.** (*Arbeit, Aufgabe*) **seine** ~ **gut/schlecht machen** faire bien/mal son travail **5.** *Pl* (*Ware, Artikel*) **interessante** ~**n** choses *fpl* intéressantes **6.** *Pl* (*Kleidungsstück*) **warme/leichte** ~**n** vêtements *mpl* chauds/légers **7.** *Pl* (*Eigentum*) **seine/ihre** ~**n** ses affaires *fpl* **8.** *Pl* (*Dummheit*) **was machst du bloß für** ~**n!** *fam* [mais] qu'est-ce que tu fabriques! **9.** JUR affaire *f* **10.** *Pl fam* (*Stundenkilometer*) **mit hundert** ~**n** à cent [à l'heure]
Sachgebiet *nt* domaine *m* **sachgemäß I.** *adj* adéquat(e) **II.** *adv* correctement **Sachkenntnis** *f* compétences *fpl* **sachkundig I.** *adj Person* expert(e); *Information* documenté(e); **sich auf einem Gebiet** ~ **ma-**

chen se documenter dans un domaine **II.** *adv* avec compétence
Sachlage *f* situation *f*
sachlich I. *adj* **1.** (*objektiv*) objectif(-ive) **2.** (*die Sache betreffend*) conforme aux faits **3.** (*schmucklos*) sobre **II.** *adv* **1.** (*objektiv*) avec objectivité **2.** (*die Sache betreffend*) objectivement
sächlich ['zɛçlɪç] *adj* neutre
Sachlichkeit <-> *f* objectivité *f*
Sachregister *nt* index *m*
Sachschaden *m* dégâts *mpl* matériels
Sachse ['zaksə] <-n, **-n**> *m*, **Sächsin** *f* Saxon(ne) *m(f)*
Sachsen ['zaksən] <-s> *nt* la Saxe
Sachsen-Anhalt ['zaksənˈʔanhalt] <-s> *nt* la Saxe-Anhalt
sächsisch [-ks-] *adj* saxon(ne)
Sächsisch ['zɛksɪʃ] *nt* le saxon
sacht[e] I. *adj* **1.** *Berührung, Händedruck* léger(-ère); *Streicheln* doux(douce) **2.** *Gefälle, Steigung* léger(-ère) **II.** *adv* **1.** *berühren* délicatement **2.** *abfallen, ansteigen* légèrement
Sachverhalt <-[e]s, **-e**> *m* faits *mpl*
Sachverständige(r) *f(m) dekl wie adj* expert(e) *m(f)*
Sachwert *m* **1.** valeur *f* réelle **2.** *Pl* (*Wertgegenstände*) valeurs-refuge *fpl*
Sack [zak, *Pl:* 'zɛkə] <-[e]s, **ᵉe**> *m* **1.** (*Beutel*) sac *m* **2.** SDEUTSCH, A, CH (*Hosentasche*) poche *f* [de pantalon] **3.** *vulg* (*Hodensack*) couilles *fpl* **4.** *pej fam* (*Kerl*) couillon *m*; **fauler** ~ branleur *m*
sacken ['zakən] *vi + sein Erdboden:* se tasser; *Gebäude, Mauer:* s'affaisser
Sackgasse *f* **1.** cul-de-sac *m* **2.** (*fig*) impasse *f*
Sadismus [zaˈdɪsmʊs] <-, **Sadismen**> *m* sadisme *m*
Sadist(in) [zaˈdɪst] <-en, **-en**> *m(f)* sadique *mf*
sadistisch *adj* sadique
Sadomasochismus *m* sadomasochisme *m*
säen ['zɛːən] *vt, vi a. fig* semer
Safari [zaˈfaːri] <-, **-s**> *f* safari *m*
Safe [seːf] <-s, **-s**> *m* coffre-fort *m*
Safer Sex [seːfɐ] <-es> *m* rapports *mpl* protégés
Safran ['zafran] <-s, **-e**> *m* safran *m*
Saft [zaft, *Pl:* 'zɛftə] <-[e]s, **ᵉe**> *m* **1.** (*Fruchtsaft*) jus *m* **2.** (*Pflanzensaft*) sève *f* **3.** *fam* (*Strom*) jus *m*

saftig *adj* **1.** *Frucht* juteux(-euse) **2.** *Weide* fertile; *Grün* intense **3.** *fam Rechnung* salé(e)

Saftladen *m pej fam* boîte *f* bordélique

Saftpresse *f* presse-fruits *m*

Sage ['zaːgə] <-, -n> *f* légende *f*

Säge ['zɛːgə] <-, -n> *f* **1.** (*Werkzeug*) scie *f* **2.** A (*Sägewerk*) scierie *f*

Sägeblatt *nt* lame *f* de scie **Sägemehl** *nt* sciure *f*

sagen ['zaːgən] **I.** *vt* **1.** (*äußern*) dire; **er sagt, er habe keine Zeit** il dit qu'il n'a pas le temps; **wenn ich das so ~ darf** si je peux m'exprimer ainsi; **das wäre zu viel gesagt** ce serait aller un peu loin; **ich will nichts gesagt haben!** je n'ai rien dit!; **was ich noch ~ wollte** à propos **2.** (*mitteilen*) **jdm etw ~** dire qc à qn; **er lässt dir ~, dass ...** il te fait dire que ...; **ich habe mir ~ lassen, dass ...** je me suis laissé dire que ... **3.** (*befehlen*) **jdm ~, dass er warten soll** dire à qn d'attendre; **etwas/nichts zu ~ haben** avoir son mot/ n'avoir rien à dire; **sich** (*dat*) **nichts ~ lassen** ne vouloir écouter personne **4.** (*meinen*) **was soll ich dazu ~?** qu'est-ce que tu veux/vous voulez que je réponde à ça? **5.** (*bedeuten*) **etwas zu ~ haben** *Blick, Bemerkung:* vouloir dire quelque chose; **nichts zu ~ haben** n'avoir pas d'importance; **nichts ~d** creux(-euse); **viel ~d** *Blick, Bemerkung:* qui en dit long ▸**das ist nicht gesagt** ce n'est pas dit; **das kann man wohl ~** ça, tu peux/vous pouvez le dire **II.** *vi* **~ Sie mal, ...** dites voir, ...; **wie gesagt** comme je viens de le dire; **genauer gesagt** plus précisément ▸**das Sagen haben** commander; **ich muß schon ~!** je t'en/vous en prie!

sägen ['zɛːgən] **I.** *vt* scier **II.** *vi* **1.** **an etw** (*dat*) **~** scier qc **2.** *fam* (*schnarchen*) ronfler

sagenhaft I. *adj* **1.** *fam* (*unvorstellbar*) fabuleux(-euse) **2.** *geh* (*legendär*) légendaire **II.** *adv fam günstig* vachement

Sägespäne *Pl* sciure *f* [de bois] **Sägewerk** *nt* scierie *f*

sah [zaː] *Imp von* **sehen**

Sahara [za'haːra] <-> *f* **die ~** le Sahara

Sahne ['zaːnə] <-> *f* crème *f*; (*Schlagsahne*) crème chantilly; **saure ~** crème fraîche

sahnig *adj* crémeux(-euse)

Saison [zɛ'zõː] <-, -s A -en> *f* saison *f*

saisonbedingt *adj* saisonnier(-ière)

Saite ['zajtə] <-, -n> *f* corde *f*

Saiteninstrument *nt* instrument *m* à cordes

Sakko ['zako] <-s, -s> *m o nt* veston *m*

sakral [za'kraːl] *adj geh* sacré(e)

Sakrament [zakra'mɛnt] <-[e]s, -e> *nt* sacrement *m*

Sakrileg [zakri'leːk] <-s, -e> *nt geh* sacrilège *m*

Sakristei [zakrɪs'taj] <-, -en> *f* sacristie *f*

Salamander [zala'mandɐ] <-s, -> *m* salamandre *f*

Salami [za'laːmi] <-, -s> *f* salami *m*

Salamitaktik *f hum* logique *f* de la tortue

Salat [za'laːt] <-[e]s, -e> *m* salade *f*; **grüner ~** salade verte

Salatgurke *f* concombre *m* **Salatschüssel** *f* saladier *m*

Salbe ['zalbə] <-, -n> *f* crème *f*; (*fettig*) pommade *f*

Salbei ['zalbaj] <-s> *m* sauge *f*

salben *vt* oindre

Salbung <-, -en> *f* onction *f*

salbungsvoll *adj pej Predigt, Rede* onctueux(-euse) (*iron*); *Worte* mielleux(-euse) (*iron*)

Saldo ['zaldo] <-s, -s *o* Saldi *o* Salden> *m* solde *m*

Säle *Pl von* **Saal**

Saline [za'liːnə] <-, -n> *f* saline *f*

Salm <-[e]s, -e> *m* ZOOL saumon *m*

Salmiak [zal'mi̯ak] <-s> *m o nt* chlorure *m* d'ammonium

Salmonelle [zalmo'nɛlə] *f meist Pl* salmonelle *f*

Salon [za'lõː, za'lɔŋ] *m geh* salon *m*

salonfähig *adj Person* présentable; *Benehmen, Bemerkung* convenable

salopp [za'lɔp] **I.** *adj Kleidung* décontracté(e); *Redeweise* léger(-ère); *Wort* osé(e) **II.** *adv sich kleiden* de façon décontractée; *sich ausdrücken* familièrement

Salpetersäure *f* acide *m* nitrique

Salto ['zalto] <-s, -s *o* Salti> *m* saut *m* périlleux

Salut [za'luːt] <-[e]s, -e> *m* salve *f* d'honneur

salutieren* [zalu'tiːrən] *vi* faire le salut militaire

Salve [-və] <-, -n> *f* salve *f*

Salz [zalts] <-es, -e> *nt* sel *m*

salzarm *adj* pauvre en sel

Salzburg <-s> *nt* Salzbourg

salzen <*PP* gesalzen> *vt, vi* saler

salzig *adj Essen, Wasser* salé(e); *Lösung, Boden* salin(e)

Salzkartoffel *f meist Pl* pomme *f* de terre [cuite] à l'eau

salzlos *adj, adv* sans sel

Salzsäure *f* acide *m* chlorhydrique **Salzstange** *f* stick *m* [salé] **Salzstreuer** <-s, -> *m* salière *f* **Salzwasser** *nt* eau *f* salée

Samariter [zama'riːtɐ] <-s, -> *m* ▸**ein**

barmherziger ~ *geh* un bon Samaritain
Samen ['za:mən] <-s, -> *m* **1.** BOT semence *f* **2.** *kein Pl (Sperma)* sperme *m*
Samenbank <-banken> *f* banque *f* de sperme **Samenerguss**RR *m* éjaculation *f* **Samenkorn** <-körner> *nt* graine *f* **Samenspender** *m* donneur *m* de sperme **Samenzelle** *f* spermatozoïde *m*
sämig *adj Soße, Suppe* velouté(e)
Sammelalbum *nt* album *m* de collection **Sammelband** <-bände> *m* recueil *m* **Sammelbegriff** *m* terme *m* générique **Sammelbestellung** *f* commande *f* groupée **Sammelbüchse** *f* tronc *m*
sammeln ['zaməln] I. *vt* **1.** cueillir *Beeren, Kräuter;* ramasser *Brennholz, Pilze* **2.** *(aus Liebhaberei)* collectionner *Briefmarken* **3.** *(als Spende)* collecter *Geld, Altkleider* **4.** *(zusammentragen)* rassembler *Belege, Beweise;* recueillir *Informationen* **5.** *(erleben)* recueillir *Eindrücke* II. *vr* **1.** *(sich versammeln)* sich ~ se rassembler **2.** *(sich anhäufen)* **sich in etw** *(dat)* ~ *Wasser:* être recueilli dans qc **3.** *geh (sich konzentrieren)* **sich** ~ se concentrer; *(zur Ruhe kommen)* se recueillir III. *vi* **für jdn/etw** ~ faire une collecte pour qn/qc
Sammelsurium [-riən] <-s, -rien> *nt* bric-à-brac *m*
Sammeltaxi *nt* taxi *m* collectif
Sammler(in) <-s, -> *m(f)* collectionneur(-euse) *m(f)*
Sammlung <-, -en> *f von Gegenständen* collection *f*
Sampler <-s, -> *m* best-of *m*
Samstag ['zamsta:k] <-[e]s, -e> *m* samedi *m; s. a.* **Dienstag**
Samstagabend *m* samedi *m* soir
Samstagmorgen *m* samedi *m* matin
samstags *adv* le samedi
samt *adv* ►~ **und** **sonders** tous/toutes sans exception
Samt [zamt] <-[e]s, -e> *m* velours *m*
Samthandschuh *m* gant *m* de velours
sämtlich ['zɛmtlɪç] *adj* ~**e Freunde/ Freundinnen** tous les amis/toutes les amies
samtweich *adj* velouté(e)
Sanatorium [zana'to:riʊm] <-s, -rien> *nt* sanatorium *m*
Sand [zant] <-[e]s, -e> *m* sable *m*
Sandale [zan'da:lə] <-, -n> *f* sandale *f*
Sandalette <-, -n> *f* sandalette *f*
Sandbank <-bänke> *f* banc *m* de sable
Sanddorn <-dorne> *m* BOT argousier *m* [argenté]
Sandelholz *nt* bois *m* de santal
sandig *adj* **1.** *Boden* sablonneux(-euse) **2.** *Schuhe, Oberfläche* plein(e) de sable

Sandkasten *m (für Kinder)* bac *m* à sable
Sandkorn <-körner> *nt* grain *m* de sable
Sandmännchen *nt* marchand *m* de sable
Sandstrand *m* plage *f* de sable **Sandsturm** *m* tempête *f* de sable
sandte ['zantə] *Imp von* **senden**[2]
Sanduhr *f* sablier *m*
Sandwich ['sɛntvɪtʃ] <-[s], -[e]s> *nt o m* sandwich *m*
Sandwüste *f* désert *m* de sable
sanft [zanft] I. *adj* **1.** *Berührung, Händedruck* léger(-ère); *Massage, Streicheln* doux(douce) **2.** *Musik* doux(douce); *Brise* léger(-ère) **3.** *Person, Blick* doux(douce) **4.** *Gefälle, Steigung* léger(-ère) **5.** *Mittel* doux(douce); *Tourismus* respectueux(-euse) de l'environnement II. *adv* **1.** *(sacht, gedämpft)* doucement **2.** *abfallen, ansteigen* légèrement **3.** *ermahnen* gentiment
Sänfte ['zɛnftə] <-, -n> *f* chaise *f* à porteurs
Sanftheit <-> *f einer Berührung* douceur *f*
sanftmütig ['zanftmy:tɪç] *adj geh* débonnaire
sang [zaŋ] *Imp von* **singen**
Sang <-[e]s, ⸚e> *m geh* ►**mit** ~ **und Klang** *fam* avec perte[s] et fracas
Sänger(in) ['zɛŋɐ] <-s, -> *m(f)* chanteur(-euse) *m(f)*
sang- und klanglos *adv fam* sans tambour ni trompette
sanieren* [za'ni:rən] *vt a.* ÖKON assainir; **von Asbest** ~ désamianter
Sanierung <-, -en> *f a.* ÖKON assainissement *m*
Sanierungsgebiet *nt* zone *f* d'assainissement
sanitär [zani'tɛːɐ̯] *adj attr* sanitaire
Sanität [zani'tɛːt] <-, -en> *f* **1.** *kein Pl* A *(Gesundheitsdienst)* service *m* de santé publique **2.** CH *(Ambulanz)* SAMU *m* **3.** A, CH *(Sanitätstruppe)* service *m* de santé
Sanitäter(in) [zani'tɛːtɐ] <-s, -> *m(f)* MED secouriste *mf*
Sanitätsdienst *m* MED service *m* de santé
sank [zaŋk] *Imp von* **sinken**
Sankt [zaŋkt] *adj inv* ~ **Petrus** saint Pierre
Sanktion [zaŋk'tsi̯oːn] <-, -en> *f* sanction *f*
sanktionieren* [zaŋktsi̯oˈniːrən] *vt* **1.** *geh (gutheißen)* cautionner *Maßnahme* **2.** JUR entériner *Besetzung*
sann [zan] *Imp von* **sinnen**
Saphir ['za:fiɐ̯] <-s, -e> *m* saphir *m*
Sarde ['zardə] <-n, -n> *m,* **Sardin** *f* Sarde *mf*
Sardelle [zar'dɛlə] <-, -n> *f* anchois *m*
Sardellenpaste *f* purée *f* d'anchois
Sardine [zar'di:nə] <-, -n> *f* sardine *f*

Sardinenbüchse _f_ boîte _f_ de sardines
Sardinien [zar'diːniən] <-s> _nt_ la Sardaigne
sardinisch _adj_ sarde
Sarg [zark, _Pl:_ 'zɛrgə] <-[e]s, ⸗e> _m_ cercueil _m_
Sarkasmus [zar'kasmʊs] <-, -men> _m_ sarcasme _m_
sarkastisch [zar'kastɪʃ] _adj_ sarcastique
Sarkophag [zarko'faːk] <-[e]s, -e> _m_ sarcophage _m_
saß [zaːs] _Imp von_ **sitzen**
Satan ['zaːtan] <-s, -e> _m kein Pl_ REL der ~ Satan _m_
satanisch [za'taːnɪʃ] _adj attr_ satanique; _Plan_ diabolique
Satellit [zatɛ'liːt] <-en, -en> _m_ satellite _m_
Satellitenfoto _nt_ photo-satellite _f_ **Satellitenschüssel** _f_ antenne _f_ parabolique **Satellitenstadt** _f_ cité-satellite _f_ **Satellitenübertragung** _f_ [re]transmission _f_ par satellite
Satin [za'tɛ̃ː] <-s, -s> _m_ satin _m_
Satire [za'tiːrə] <-, -n> _f_ satire _f_
Satiriker(in) <-s, -> _m(f)_ auteur _mf_ satirique
satirisch _adj_ satirique
satt [zat] I. _adj_ 1. rassasié(e); **sich** ~ **essen** manger à sa faim; ~ **machen** rassasier 2. _Farbton_ soutenu(e) 3. _geh Wohlstandsbürger_ blasé(e) ▶ **jdn/etw** ~ **haben** _fam_ en avoir marre de qn/qc II. _adv fam_ **es gibt Fisch** ~ il y a des tonnes de poisson
Sattel ['zatəl, _Pl:_ 'zɛtəl] <-s, ⸗> _m_ 1. (_Reitsattel, Fahrradsattel_) selle _f_ 2. (_Bergrücken_) croupe _f_
sattelfest _adj_ **in etw** (_dat_) ~ **sein** s'y connaître en qc
satteln _vt_ seller
Sattelschlepper <-s, -> _m_ (_Sattelzug_) semi-remorque _m_
sättigen ['zɛtɪgən] I. _vt_ 1. _geh_ (_satt machen_) rassasier _personne_ 2. (_voll sein_) **die Luft ist mit Feuchtigkeit gesättigt** l'air est saturé d'humidité II. _vi Suppe:_ rassasier
sättigend _adj_ consistant(e)
Sattler(in) ['zatlɐ] <-s, -> _m(f)_ sellier(-ière) _m(f)_
Saturn [za'tʊrn] <-s> _m_ Saturne _f;_ **der** ~ la planète Saturne
Satz [zats, _Pl:_ 'zɛtsə] <-es, ⸗e> _m_ 1. phrase _f_ 2. MUS mouvement _m_ 3. (_Set_) **ein** ~ **Kochtöpfe** une batterie de casserolles 4. TYP composition _f_ 5. (_festgelegter Betrag_) tarif _m_ 6. SPORT set _m_ 7. MATH **der** ~ **des Pythagoras** le théorème de Pythagore 8. (_Sprung_) bond _m_ 9. (_Bodensatz_) dépôt _m;_ (_bei Wein, Bier, Most_) lie _f;_ (_Kaffeesatz_) marc _m_

Satzball _m_ balle _f_ de match **Satzbau** _m_ construction _f_ de la phrase
Satzung ['zatsʊŋ] <-, -en> _f_ statuts _mpl_
Satzzeichen _nt_ signe _m_ de ponctuation
Sau [zaʊ̯, _Pl:_ 'zɔyə] <-, -en _o_ Säue> _f_ 1. (_weibliches Schwein_) truie _f;_ (_weibliches Wildschwein_) laie _f_ 2. _pej fam_ (_schmutziger Mensch_) gros porc _m_ 3. _fam_ (_gemeiner Mensch_) fils _m_ de pute (_péj vulg_)
sauber ['zaʊ̯bɐ] I. _adj_ 1. (_rein_) propre; _Luft_ pur(e); _Umwelt_ sain(e); **jdn/etw** ~ **machen** laver qn/nettoyer qc 2. _Arbeit_ soigné(e); _Lösung_ approprié(e) II. _adv_ 1. (_sorgfältig_) soigneusement; ~ **machen** faire le ménage 2. _lösen_ [très] convenablement; ~ **machen** faire le ménage
Sauberkeit <-> _f_ 1. (_Reinlichkeit_) propreté _f_ 2. _des Wassers, der Umwelt_ propreté _f; der Luft_ pureté _f_
säuberlich _adj Trennung_ soigneux(-euse)
sauber|machen _s._ **sauber** I., II.
säubern ['zɔybɐn] _vt_ 1. _geh_ (_reinigen_) nettoyer 2. _euph_ (_befreien_) épurer
Saudi-Arabien [-biən] <-s> _nt_ l'Arabie _f_ Saoudite
saudumm ['zaʊ̯'dʊm] _adj fam_ débile
sauer ['zaʊ̯ɐ] I. _adj_ 1. _Frucht, Saft_ acide; _Wein_ aigre; _Drops_ acidulé(e) 2. (_geronnen_) tourné(e); ~ **werden** tourner 3. _Gurke_ au vinaigre; _Hering_ mariné(e) 4. CHEM _Lösung, Boden, Regen_ acide 5. _fam_ (_verärgert_) renfrogné(e); ~ **sein** être de mauvais poil; **auf jdn** ~ **sein** être en rogne contre qn II. _adv_ 1. _ersparen, erarbeiten_ durement 2. _fam reagieren_ avec mauvaise humeur
Sauerbraten _m_ rôti _m_ de bœuf mariné [dans du vinaigre]
Sauerei [zaʊ̯ə'raɪ̯] <-, -en> _f fam_ saloperie _f_
Sauerkirsche _f_ 1. (_Frucht_) griotte _f_ 2. (_Baum_) cerisier _m_ **Sauerkraut** _nt_ choucroute _f_
säuerlich ['zɔyɐlɪç] I. _adj Geschmack, Frucht_ aigrelet(te); _Wein_ vert(e) II. _adv_ ~ **schmecken** _Wein:_ être vert
Sauermilch _f_ lait _m_ caillé
säuern I. _vt_ acidifier II. _vi_ donner des aigreurs
Sauerstoff _m kein Pl_ oxygène _m_ **Sauerstoffgerät** _nt_ (_Atemgerät_) masque _m_ à oxygène **Sauerstoffmaske** _f_ masque _m_ à oxygène **Sauerteig** _m_ levain _m_
saufen ['zaʊ̯fən] <säuft, soff, gesoffen> I. _vt_ boire; **das Tier säuft Wasser** l'animal boit de l'eau II. _vi_ 1. _Tier:_ s'abreuver 2. _fam_ (_Alkoholiker sein_) picoler
Säufer(in) ['zɔyfɐ] <-s, -> _m(f) fam_ pochard(e) _m(f)_

Sauferei <-, -en> f sl (Besäufnis) beuverie f

säuft [zɔyft] 3. Pers Präs von **saufen**

saugen ['zaʊɡən] <sog o saugte, gesogen o gesaugt> I. vi 1. téter; **an der Brust** ~ Baby: téter le sein 2. (staub~) passer l'aspirateur II. vt 1. passer l'aspirateur sur Teppich 2. (einsaugen) aspirer Flüssigkeit III. vr **sich mit Wasser voll** ~ Schwamm: s'imbiber complètement d'eau

säugen ['zɔyɡən] vt allaiter

Sauger <-s, -> m (auf einer Flasche) tétine f

Säugetier nt mammifère m

saugfähig adj absorbant(e)

Säugling ['zɔyklɪŋ] <-s, -e> m nourrisson m

Säuglingssterblichkeit f mortalité f néonatale

Saugnapf m ventouse f

Sauhaufen m pej sl bande f de jean-foutre

saukalt adj fam **es ist** ~ il fait un froid de canard

Säule ['zɔylə] <-, -n> f 1. colonne f 2. fig geh pilier m 3. (Zapfsäule) pompe f

Säulengang m colonnade f

Saum [zaʊm, Pl: 'zɔymə] <-[e]s, Säume> m (umgenähter Rand) ourlet m

saumäßig fam I. adj Schmerzen atroce; Leistung, Schrift de cochon II. adv foutrement; **es blutet** ~ ça pisse le sang

säumen ['zɔymən] vt ourler Stoff

säumig adj geh Schuldner retardataire

Sauna ['zaʊna] <-, -s o Saunen> f sauna m

Säure ['zɔyrə] <-, -n> f 1. CHEM acide m 2. (Geschmack) acidité f

Saure-Gurken-Zeit[RR] f fam morte-saison f [de l'information]

Saurier ['zaʊriɐ] <-s, -> m saurien m

Saus ►**in** ~ **und Braus leben** vivre dans le luxe et l'opulence

säuseln ['zɔyzəln] vi 1. Wind: murmurer 2. geh (sprechen) susurrer

sausen ['zaʊzən] vi 1. + haben Sturm: mugir 2. + sein (sich bewegen) **nach Hause** ~ rentrer à toute allure à la maison (fam); **durch die Luft** ~ Pfeil: fendre l'air en sifflant ►~ **lassen** fam laisser tomber Plan

sausen|lassen s. **sausen**

Saustall m fam bordel m **saustark** adj fam Buch, Film génial **Sauwetter** nt fam temps m de cochon **sauwohl** ['zaʊ'voːl] adv fam **sich** ~ **fühlen** se sentir vachement bien

Savanne [za'vanə] <-, -n> f savane f

Saxofon[RR], **Saxophon** [zakso'foːn] <-[e]s, -e> nt saxophone m

SB [ɛs'beː] Abk von **Selbstbedienung** libre-service m

S-Bahn ['ɛsbaːn] f train m de banlieue; (in Paris) R.E.R. m

SBB ['ɛsbeːbeː] f Abk von **Schweizerische Bundesbahn** sigle de la société des chemins de fer suisses

s. Br. Abk von **südlicher Breite** lat. S.

scannen ['skɛnən] vt scanner

Scanner ['skɛnɐ] <-s, -> m INFORM scanne[u]r m

Schabe ['ʃaːbə] <-, -n> f cafard m

Schaber <-s, -> m grattoir m

Schabernack ['ʃaːbɐnak] <-[e]s, -e> m farce f

schäbig ['ʃɛːbɪç] adj 1. Kleidung râpé(e); Schuhe, Tasche miteux(-euse) 2. Person, Verhalten mesquin(e) 3. Bezahlung minable; Rest malheureux(-euse) antéposé

Schablone [ʃa'bloːnə] <-, -n> f (Vorlage) modèle m; (Malschablone) pochoir m

schablonenhaft adj pej stéréotypé(e)

Schach [ʃax] <-s> nt 1. échecs mpl; ~ **spielen** jouer aux échecs 2. (Stellung) ~ **und matt!** échec et mat!

Schachbrett nt échiquier m

schachern ['ʃaxɐn] vi pej marchander; **um etw** ~ marchander sur qc

Schachfigur f 1. pièce f d'échecs 2. fig pion m **schachmatt** ['ʃax'mat] adj 1. jdn **setzen** mettre qn échec et mat 2. fam (erschöpft) fourbu(e) **Schachspiel** nt jeu m d'échecs

Schacht [ʃaxt, Pl: 'ʃɛçtə] <-[e]s, ᵘe> m a. MIN puits m; eines Fahrstuhls cage f

Schachtel ['ʃaxtəl] <-, -n> f boîte f; **eine Zigaretten** un paquet de cigarettes

Schachzug m 1. coup m 2. (Manöver) manœuvre f

schade ['ʃaːdə] adj 1. dommage; **das ist** ~! c'est dommage!; **es ist wirklich** ~, **dass** c'est vraiment dommage que + subj 2. (gut) **zu** ~ **für jdn sein** Person: être trop bien pour qn; Geschenk: être trop beau pour qn; **sich** (dat) **für nichts zu** ~ **sein** ne reculer devant rien

Schädel ['ʃɛːdəl] <-s, -> m crâne m

Schädelbruch m MED fracture f du crâne

schaden ['ʃaːdən] vi 1. nuire; **jdm/sich mit etw** ~ nuire à qn/se nuire en faisant qc 2. fam (verkehrt sein) **es kann nichts** ~, **wenn ...** ça peut pas faire de mal si ...; **das schadet nichts** ça fait rien

Schaden <-s, ᵘ> m 1. (Sachschaden) dommage m; (Verwüstung) dégâts mpl 2. (Beeinträchtigung) **jdm/einer S.** ~ **zufügen** faire du tort à qn/qc 3. (Verletzung) lésion f

Schadenersatz s. **Schadensersatz Schadenfreude** f malin plaisir m **schaden-**

froh *adj Grinsen* narquois(e); ~ **sein** *Person:* se réjouir du malheur des autres

Schadensbegrenzung *f* limitation *f* des dégâts **Schadensersatz** *m* dommages et intérêts *mpl;* (*Schmerzensgeld*) pretium *m* doloris

schadhaft *adj* défectueux(-euse)

schädigen ['ʃɛːdɪɡən] *vt* **1.** jdn/etw ~ nuire à qn/qc; (*finanziell*) causer un préjudice à qn/qc **2.** (*beschädigen*) endommager

Schädigung <-, -en> *f* (*Schaden*) dommage *m;* (*durch Verletzung*) lésion *f*

schädlich ['ʃɛːtlɪç] *adj* nocif(-ive)

Schädling ['ʃɛːtlɪŋ] <-s, -e> *m* parasite *m*

Schädlingsbekämpfung *f* destruction *f* des parasites **Schädlingsbekämpfungsmittel** *nt* insecticide *m*

schadlos *adj* ÖKON sich für etw ~ halten se dédommager de qc

Schadstoff *m* polluant *m* **schadstoffarm** *adj* peu polluant(e) **schadstofffrei** *adj* biologique **Schadstoffwert** *m* taux *m* de pollution

Schaf [ʃaːf] <-[e]s, -e> *nt* **1.** mouton *m* **2.** *fam* (*Dummkopf*) andouille *f*

Schafbock *m* bélier *m*

Schäfchen <-s, -> *nt* ► sein [*o* seine] ~ ins **Trockene** bringen *fam* mettre son magot en sécurité

Schäfchenwolken *Pl* nuages *mpl* moutonnés

Schäfer(in) ['ʃɛːfɐ] <-s, -> *m(f)* berger(-ère) *m(f)*

Schäferhund *m* berger *m* allemand

schaffen¹ ['ʃafən] <schuf, geschafft> I. *vt* **1.** réussir *Examen;* venir à bout de *Hürde, Haushalt;* **es** ~ y arriver; **ich schaffe es nicht mehr** je n'en peux plus; **das wäre geschafft!** ça y est! **2.** (*bringen*) etw auf den Speicher ~ transporter qc dans le grenier **3.** *fam* (*erschöpfen*) jdn ~ *Stress:* crever qn **4.** *fam* (*tun*) damit haben Sie nichts zu ~! ça ne vous concerne pas! **5.** (*bekümmern*) jdm zu ~ machen causer [bien] du souci à qn II. *vi* SDEUTSCH, CH (*arbeiten*) travailler

schaffen² <schuf, geschaffen> *vt* créer; faire *Frieden*

Schaffensdrang *m* énergie *f* créatrice **Schaffenskraft** *f* créativité *f*

Schaffner(in) ['ʃafnɐ] <-s, -> *m(f)* contrôleur(-euse) *m(f)*

Schafgarbe <-, -n> *f* achillée *f*

Schafott [ʃa'fɔt] <-[e]s, -e> *nt* échafaud *m*

Schafskäse *m* fromage *m* de brebis

Schaft [ʃaft, *Pl:* 'ʃɛftə] <-[e]s, ⁼e> *m* **1.** *einer Axt* manche *m; einer Lanze* corps *m*

2. BOT *eines Baums* fût *m; einer Pflanze* tige *f* **3.** (*Stiefelschaft*) tige *f*

Schakal [ʃa'kaːl] <-s, -e> *m* chacal *m*

schäkern *vi* flirter; mit jdm ~ flirter avec qn

schal [ʃaːl] *adj* **1.** (*abgestanden*) éventé(e) **2.** (*inhaltsleer*) insipide

Schal [ʃaːl] <-s, -s *o* -e> *m* écharpe *f;* (*aus Seide*) foulard *m*

Schälchen <-s, -> *nt Dim von* **Schale²** coupelle *f*

Schale ['ʃaːlə] <-, -n> *f* **1.** (*Eierschale, Nussschale*) coquille *f* **2.** (*Haut von Obst, Gemüse*) peau *f; von Orangen, Zitronen* écorce *f;* (*abgeschält*) pelure *f* **3.** (*Gefäß*) coupe *f*

schälen ['ʃɛːlən] I. *vt* éplucher *Obst, Kartoffel;* écaler *Nuss, Ei;* décortiquer *Getreide, Reis* II. *vr* sich ~ *Haut:* peler

Schalensitz *m* siège-baquet *m* **Schalentier** *nt* crustacé *m*

Schalk <-[e]s, -e *o* ⁼e> *m* ► jdm sitzt der ~ im **Nacken** qn est très farceur(-euse)

Schall [ʃal] <-s, -e *o* ⁼e> *m* **1.** *geh* (*Klang*) bruit *m* **2.** *kein Pl* PHYS son *m*

schalldämmend *adj* isolant(e) **Schalldämmung** *f* insonorisation *f* **Schalldämpfer** *m* silencieux *m* **schalldicht** *adj Fenster, Tür* insonore; *Raum* insonorisé(e)

schallen <schallte *o* scholl, geschallt> *vi* résonner

schallend I. *adj* retentissant(e) II. *adv* lachen aux éclats

Schallgeschwindigkeit *f kein Pl* vitesse *f* [de propagation] du son **Schallmauer** *f kein Pl* mur *m* du son ► die ~ durchbrechen franchir le mur du son **Schallplatte** *f* disque *m* **Schallwelle** *f* onde *f* sonore

Schalotte [ʃa'lɔtə] <-, -n> *f* échalote *f*

schalt [ʃalt] *Imp von* schelten

schalten ['ʃaltən] I. *vt* **1.** (*einstellen*) etw auf „ein" ~ allumer qc **2.** ELEC, TELEC eine Telefonleitung ~ mettre une ligne [téléphonique] en service **3.** PRESSE, MEDIA passer *Anzeige, Werbespot* II. *vi* **1.** (*Gang einlegen*) changer de vitesse; **in den zweiten Gang/den Leerlauf** ~ passer la seconde/au point mort **2.** *fam* (*begreifen*) piger

Schalter <-s, -> *m* **1.** (*Theke*) guichet *m* **2.** ELEC, TECH bouton *m* [de commande], interrupteur *m* **Schalterhalle** *f* hall *m* des guichets **Schalterstunden** *Pl* heures *fpl* d'ouverture des guichets

Schalthebel *m* **1.** *einer Gangschaltung* levier *m* de vitesse **2.** ELEC [levier *m* de] commande *f* **Schaltjahr** *nt* année *f* bissextile **Schaltplan** *m* schéma *m* de connexion **Schalttag** *m* jour *m* intercalaire **Schaltung** <-, -en> *f* **1.** (*Gangschaltung*)

changement *m* de vitesse **2.** ELEC **inte-grierte** ~ circuit *m* intégré

Scham [ʃaːm] <-> *f* (*~gefühl*) honte *f*

Schambein *nt* pubis *m*

schämen [ˈʃɛːmən] *vr* **sich** ~ avoir honte; **sich für jdn/wegen etw** ~ avoir honte pour qn/de qc; **sich einer S.** (*gen*) **nicht** ~ ne pas rougir de qc

Schamgefühl *nt kein Pl* pudeur *f* **Schamhaar** *nt* (*einzelnes Haar*) poil *m* du pubis

schamhaft *adj* pudique

Schamlippen *Pl* lèvres *fpl* [de la vulve]

schamlos *adj* **1.** impudique **2.** (*unverschämt*) impudent(e)

Schamröte *f* rougeur *f;* **jdm steigt die** ~ **ins Gesicht** qn rougit de honte

Schande [ˈʃandə] <-> *f* honte *f,* déshonneur *m;* **zu meiner** ~ à ma grande honte; **das ist eine** ~ c'est une honte

schänden [ˈʃɛndən] *vt* (*entweihen*) profaner

Schandfleck *m* souillure *f*

schändlich *adj* (*niederträchtig*) ignoble

Schandtat *f* ▶ **zu jeder** ~ **bereit sein** *hum fam* être toujours partant pour faire une connerie

Schank <-, -en> *f* A (*Tresen*) comptoir *m*

SchänkeRR [ˈʃɛŋkə] *s.* **Schenke**

Schanze [ˈʃantsə] <-, -n> *f* (*Sprungschanze*) tremplin *m*

Schar [ʃaːɐ̯] <-, -en> *f* **1.** (*große Menge*) bande *f;* **in ~en** en masse **2.** (*Pflugschar*) soc *m*

scharen [ˈʃaːrən] **I.** *vt* rassembler; **Menschen um sich** ~ rassembler des personnes autour de soi **II.** *vr* **sich um jdn/etw** ~ se rassembler autour de qn/qc

scharenweise *adv* en masse

scharf [ʃarf] <ˉer, ˉste> **I.** *adj* **1.** *Messer* coupant(e); *Krallen* acéré(e) **2.** *Kante* aigu(ë); *Zähne, Hörner* pointu(e) **3.** (*stark gewürzt*) épicé(e) **4.** *Säure* agressif(-ive) **5.** *Beobachter* perspicace; *Kontrolle* strict(e); *Maßnahme* drastique **6.** *Hund* méchant(e) **7.** *Munition* à balles [réelles]; *Bombe* amorcé(e) **8.** *Wind* cinglant(e); *Ablehnung* catégorique; *Konkurrenz* sévère; *Kritik* acerbe; *Protest* vif(vive) **9.** *Beobachtung* fin(e) **10.** *Verstand* aigu(ë); *Augen* perçant(e); *Gehör* fin(e) **11.** OPT, PHOT *Aufnahme* net(te); *Brille, Linse* fort(e) **12.** (*präzise*) précis(e) **13.** *Kurve* serré(e) **14.** *fam* (*aufreizend*) **jdn** ~ **machen** exciter qn **15.** *fam* (*versessen*) **auf jdn/etw** ~ **sein** être dingue de qn/avoir vachement envie de qc **16.** *fam Typ, Auto* d'enfer **II.** *adv* **1.** (*kräftig*) **etw** ~ **würzen** bien épicer qc **2.** *kritisieren* énergiquement **3.** *ansehen* fixement; *nachdenken* bien **4.** *einstellen* précisément; *sehen* nette-

ment **5.** *bremsen* soudainement

Scharfblick *m kein Pl* perspicacité *f*

Schärfe [ˈʃɛrfə] <-, -n> *f* **1.** *eines Messers* tranchant *m* **2.** (*starke Würze*) goût *m* très épicé **3.** *in aller* ~ *kritisieren* très sévèrement; *zurückweisen* avec force **4.** (*Genauigkeit*) précision *f* **5.** *einer Aufnahme* netteté *f;* *einer Brille* force *f* **6.** *des Verstandes* acuité *f;* *des Geschmacks* finesse *f*

schärfen *vt* aiguiser

Scharfschütze *m,* **-schützin** *f* tireur(-euse) *m(f)* d'élite **Scharfsinn** *m kein Pl* sagacité *f* **scharfsinnig I.** *adj Person* sagace; *Bemerkung* pertinent(e) **II.** *adv* avec sagacité

Scharlach [ˈʃarlax] <-s> *m* MED scarlatine *f*

Scharlatan [ˈʃarlatan] <-s, -e> *m* charlatan *m*

Scharnier [ʃarˈniːɐ̯] <-s, -e> *nt* charnière *f*

Schärpe [ˈʃɛrpə] <-, -n> *f* écharpe *f*

scharren [ˈʃarən] **I.** *vi* gratter **II.** *vt* creuser *Loch*

Scharte [ˈʃartə] <-, -n> *f* **1.** (*Einkerbung*) brèche *f* **2.** (*Schießscharte*) meurtrière *f*

Schaschlik [ˈʃaʃlɪk] <-s, -s> *nt* brochette *f*

schassen *vt fam* virer; **jdn aus etw** ~ virer qn de qc

Schatten [ˈʃatən] <-s, -> *m* ombre *f* ▶ **über seinen** ~ **springen** se faire violence

Schattendasein *nt* ▶ **ein** ~ **fristen** végéter dans l'ombre

Schattenmorelle *f* (*Frucht*) griotte *f*

Schattenseite *f* (*Kehrseite*) revers *m* de la médaille

schattieren* [ʃaˈtiːrən] *vt* ombrer

Schattierung <-, -en> *f geh* (*Nuance*) tendance *f*

schattig *adj* ombragé(e)

Schatz [ʃats, *Pl:* ˈʃɛtse] <-es, ˉe> *m* **1.** trésor *m* **2.** *fam* (*Liebling*) chéri(e) *m(f)*

schätzen [ˈʃɛtsən] **I.** *vt* **1.** (*ein~*) estimer; **wie alt schätzt du ihn?** quel âge lui donnes-tu? **2.** (*den Wert bestimmen*) **etw auf tausend Euro** ~ évaluer qc à mille euros **3.** (*würdigen*) estimer; **jdn als Freund** ~ apprécier qn en tant qu'ami; **sich glücklich** ~ s'estimer heureux **II.** *vi* **ich schätze, dass ...** je pense que ...

Schatzkammer *f* [salle *f* du] trésor *m*

Schatzmeister(in) *m(f)* trésorier(-ière) *m(f)*

Schätzung <-, -en> *f* estimation *f*

schätzungsweise *adv* approximativement

Schätzwert *m* valeur *f* estimée

Schau [ʃaʊ̯] <-, -en> *f* (*Spektakel*) show *m* ▶ **eine** ~ **abziehen** *fam* faire son numéro

Schaubild *nt* graphique *m*

Schauder <-s, -> *m geh* (*Gefühl*) frémissement *m*

schauderhaft *adj* **1.** *Szene* d'horreur; *Gestank* horrible **2.** *fam* (*sehr schlecht*) épouvantable

schaudern *vt unpers* **jdm schaudert es bei dem Gedanken, dass** qn frémit à l'idée que + *subj*

schauen ['ʃaʊən] *vi bes.* DIAL **1.** (*blicken*) regarder **2.** (*dreinblicken*) **ernst** ~ avoir un air sérieux **3.** (*sich kümmern*) **nach jdm/ etw** ~ jeter un coup d'œil sur qn/qc **4.** (*sich bemühen um*) **schau, dass du fertig wirst!** dépêche-toi de finir!

Schauer ['ʃaʊɐ] <-s, -> *m* **1.** (*Regenschauer*) averse *f* **2.** (*Frösteln*) frisson *m*

Schauermärchen *nt fam* histoire *f* de brigands

Schaufel ['ʃaʊfəl] <-, -n> *f* (*Werkzeug*) pelle *f*

schaufeln *vt, vi* pelleter; creuser [à la pelle] *Loch, Grab*

Schaufenster *nt* vitrine *f* **Schaufensterbummel** *m fam* **einen** ~ **machen** faire du lèche-vitrine **Schaufensterpuppe** *f* mannequin *m*

Schaukampf *m* combat-exhibition *m*

Schaukel ['ʃaʊkəl] <-, -n> *f* balançoire *f*

schaukeln I. *vi* **1.** (*auf einer Schaukel*) faire de la balançoire **2.** (*wippen, schwanken*) se balancer **II.** *vt* **das Baby** ~ bercer le bébé

Schaukelpferd *nt* cheval *m* à bascule **Schaukelstuhl** *m* rocking-chair *m*

Schaulustige(r) *f(m) dekl wie adj* badaud(e) *m(f)*

Schaum [ʃaʊm, *Pl:* 'ʃɔymə] <-s, Schäume> *m* **1.** (*Seifenschaum, Bierschaum*) mousse *f*; (*Wellenschaum*) écume *f* **2.** (*Geifer*) écume *f* **3.** GASTR mousse *f*

Schaumbad *nt* bain *m* moussant

schäumen ['ʃɔymən] *vi* **1.** mousser **2.** *geh* (*in Rage sein*) écumer

Schaumfestiger *m* mousse *f* fixante **Schaumgummi** *m* caoutchouc *m* mousse

schaumig *adj* mousseux(-euse); *Gewässer* écumeux(-euse); **Eiweiß** ~ **schlagen** battre des blancs en neige

Schaumkrone *f von Wellen* mouton *m* d'écume; *eines Biers* mousse *f* **Schaumstoff** *m* mousse *f* **Schaumwein** *m form* vin *m* mousseux

Schauplatz *m* théâtre *m*

schaurig ['ʃaʊrɪç] *adj Geschichte* macabre; *Ort* lugubre

Schauspiel *nt* **1.** THEAT pièce *f* de théâtre **2.** *geh* (*Anblick*) spectacle *m* **Schauspieler(in)** *m(f)* (*Theaterschauspieler*) comédien(ne) *m(f)*; (*Filmschauspieler*) acteur(-trice) *m(f)* **schauspielern** *vi* **1.** faire du théâtre **2.** (*sich verstellen*) jouer la

comédie **Schauspielhaus** *nt* théâtre *m* **Schauspielschule** *f* conservatoire *m* d'art dramatique

Schausteller(in) <-s, -> *m(f)* forain(e) *m(f)*

Schautafel *f* tableau *m* mural de présentation

Scheck [ʃɛk] <-s, -s> *m* chèque *m*; **jdm einen** ~ **ausstellen** faire un chèque à qn

Scheckbetrug *m* usage *m* frauduleux de chèques

scheckig *adj Kuh, Pferd* pie ▶ **sich** ~ **lachen** *fam* se taper le cul par terre (*pop*)

Scheckkarte *f* carte *f* bancaire

scheffeln *vt* amasser; **Geld** ~ amasser de l'argent

scheibchenweise *adv fig* (*nach und nach*) au compte-gouttes

Scheibe ['ʃaibə] <-, -n> *f* **1.** (*große Glasscheibe*) verre *m*; (*Fensterscheibe*) vitre *f*; (*in Sprossenfenstern*) carreau *m*; (*Windschutzscheibe*) parebrise *f*; (*Heckscheibe*) lunette *f* arrière **2.** (*abgeschnittenes Stück*) tranche *f* **3.** (*runder Gegenstand*) disque *m* **4.** *fam* (*Schallplatte*) disque *m*

Scheibenbremse *f* frein *m* à disque **Scheibenwaschanlage** *f* lave-glace *m* **Scheibenwischer** <-s, -> *m* essuie-glace *m*

Scheich [ʃaiç] <-s, -e> *m* cheik *m*

Scheide ['ʃaidə] <-, -n> *f* **1.** *eines Schwerts* fourreau *m* **2.** ANAT vagin *m*

scheiden ['ʃaidən] <schied, geschieden> **I.** *vt + haben* dissoudre *Ehe*; **sich von jdm** ~ **lassen** divorcer de qn; **eine geschiedene Frau** une [femme] divorcée; **ihr geschiedener Mann** son ex-mari **II.** *vi geh + sein* (*aufgeben*) **aus einem Amt** ~ quitter un poste **III.** *vr + haben* **in diesem Punkt** ~ **sich die Meinungen** sur ce point, les avis divergent

Scheideweg *m* ▶ **am** ~ **stehen** être à la croisée des chemins

Scheidung <-, -en> *f* divorce *m*; **die** ~ **einreichen** demander le divorce

Scheidungsanwalt *m*, **-anwältin** *f* avocat(e) *m(f)* spécialisé(e) dans les divorces

Schein [ʃain] <-[e]s, -e> *m* **1.** *kein Pl einer Lampe* lumière *f*; *einer Kerze* lueur *f* **2.** *kein Pl* (*Anschein*) apparence *f* **3.** (*Banknote*) billet *m* **4.** *fam* (*Bescheinigung*) attestation *f* **5.** UNIV *fam* unité *f* de valeur

scheinbar *adj* apparent(e)

scheinen ['ʃainən] <schien, geschienen> **I.** *vi* **1.** *Sonne, Mond, Sterne:* briller **2.** (*den Anschein haben*) **er/sie scheint zu schlafen** il/elle a l'air de dormir; **das scheint schwierig zu sein** cela semble être difficile **II.** *vi unpers* **es scheint, dass ...** il semble que ...

Scheinfirma *f* société *f* fictive **scheinheilig**

pej **I.** *adj* hypocrite **II.** *adv* hypocritement; ~ **tun** faire l'hypocrite **Scheinwerfer** *m* **1.** projecteur *m* **2.** (*Autoscheinwerfer*) phare *m* **Scheinwerferlicht** *nt eines Autos* lumière des phares *f*

Scheiß <-> *m pej fam* conneries *fpl;* **mach keinen** ~! fais pas le con/la conne! **Scheißdreck** *m pej fam* merde *f;* **wegen jedem** ~ pour n'importe quelle connerie **scheiße** *adj pej fam inv* **diese Idee ist** ~ cette idée, c'est de la connerie **Scheiße** ['ʃaɪsə] <-> *f fam* **1.** (*Kot*) merde *f* (*vulg*) **2.** (*Unerfreuliches*) merde *f;* **verdammte** ~! merde alors! **3.** (*Blödsinn*) ~ **bauen** faire des conneries **scheißegal** ['ʃaɪse'gaːl] *adj fam* **diese Party ist mir** ~! j'en ai rien à foutre de cette boum! **scheißen** <schiss, geschissen> *vi* **1.** *fam* chier **2.** *fam* (*nichts geben auf*) **auf etw** ~ ne rien en avoir à foutre de qc **scheißfreundlich** *adj sl* ~ **zu jdm sein** fayoter avec qn **Scheißkerl** *m fam* sale con *m*

Scheit [ʃaɪt] <-[e]s, -e *o* A, CH -er> *nt* bûche *f* **Scheitel** ['ʃaɪtəl] <-s, -> *m* raie *f* **scheiteln** *vt* se faire une raie; **sich** (*dat*) **die Haare** ~ se faire une raie dans les cheveux **Scheitelpunkt** *m* ARCHIT sommet *m* **Scheiterhaufen** ['ʃaɪtəhaʊfən] *m* bûcher *m* **Scheitern** <-s> *nt* échec *m*

Schelle ['ʃɛlə] <-, -n> *f* **1.** TECH collier *m* [de serrage] **2.** (*Klingel*) sonnette *f;* (*Glöckchen*) clochette *f* **schellen** DIAL **I.** *vi Person, Telefon:* sonner **II.** *vi unpers* **es schellt** on sonne **Schellfisch** *m* églefin *m* **Schelm** [ʃɛlm] <-[e]s, -e> *m* farceur *m* **schelmisch** *adj* malicieux(-euse) **schelten** <schilt, schalt, gescholten> *geh* **I.** *vt* (*ausschimpfen*) réprimander; **jdn wegen etw** ~ réprimander qn pour qc **II.** *vi* **mit jdm** ~ faire des remontrances à qn **Schema** ['ʃeːma] <-s, -s *o* Schemata *o* Schemen> *nt* schéma *m* **schematisch** [ʃe'maːtɪʃ] **I.** *adj Darstellung* schématique **II.** *adv darstellen* schématiquement **Schemel** ['ʃeːməl] <-s, -> *m* tabouret *m* **Schemen** *Pl von* **Schema** **schemenhaft** *geh adj* vague **Schenke** ['ʃɛŋkə] <-, -n> *f* auberge *f* **Schenkel** ['ʃɛŋkəl] <-s, -> *m* **1.** cuisse *f* **2.** MATH *eines Winkels* côté *m* **schenken** ['ʃɛŋkən] *vt* **1.** faire cadeau de *Blumen, Buch;* **jdm etw zum Geburtstag** ~ offrir qc à qn pour son anniversaire; **etw**

von jdm geschenkt bekommen recevoir qc de qn en cadeau **2.** (*widmen*) **jdm Beachtung** ~ accorder de l'attention à qn **Schenkung** <-, -en> *f* JUR donation *f* **scheppern** ['ʃɛpɐn] *vi Eimer, Dose:* faire un bruit de ferraille **Scherbe** ['ʃɛrbə] <-, -n> *f* débris *m;* **in** ~**n gehen** se briser en morceaux **Scherbenhaufen** *m* ►**vor einem** ~ **stehen** se trouver dans une situation désastreuse **Schere** ['ʃeːrə] <-, -n> *f* **1.** [paire *f* de] ciseaux *mpl* **2.** *eines Hummers, Krebses* pince *f* **scheren**[1] ['ʃeːrən] <schor, geschoren> *vt* **1.** tondre *Tier, Rasen;* tailler *Hecke* **2.** (*abschneiden*) **sich** (*dat*) **den Bart** ~ se raser la barbe **scheren**[2] <scherte, geschert> **I.** *vr* **sich nicht um jdn/etw** ~ ne pas s'occuper de qn/qc **II.** *vt* **was schert mich das?** qu'est-ce que ça peut bien me faire? **Scherenschnitt** *m* silhouette *f* **Schererei** <-, -en> *f meist Pl fam* embêtement *m* **Scherz** [ʃɛrts] <-es, -e> *m* plaisanterie *f;* **einen** ~ **machen** plaisanter **Scherzartikel** *m meist Pl* farces *fpl* et attrapes **scherzen** *vi* plaisanter; **mit jdm** ~ plaisanter avec qn **Scherzfrage** *f* devinette *f* **scherzhaft** **I.** *adj* pour plaisanter **II.** *adv* en plaisantant **scheu** [ʃɔy] *adj* **1.** (*menschen~*) farouche **2.** *Berührung, Verhalten* timide; *Blick* craintif(-ive) **Scheu** <-> *f* (*Hemmung*) timidité *f;* ~ **vor jdm/etw** timidité à l'égard de qn/qc **scheuchen** ['ʃɔyçən] *vt* chasser; **jdn/ein Tier aus der Küche** ~ chasser qn/un animal de la cuisine **scheuen** ['ʃɔyən] **I.** *vt* reculer devant *Ärger, Arbeit;* **keine Kosten** ~ ne pas regarder à la dépense **II.** *vr* **sich vor etw** (*dat*) ~ reculer devant qc; **sich nicht davor** ~ **die Wahrheit zu sagen** ne pas hésiter à dire la vérité **III.** *vi Pferd:* se dérober **Scheuerlappen** *m* serpillière *f* **scheuern** ['ʃɔyɐn] **I.** *vt* (*säubern*) récurer *Bad, Topf;* frotter *Fußboden, Treppe* ►**jdm eine** ~ *fam* foutre une baffe à qn **II.** *vi Kragen, Etikett:* gratter **III.** *vr* **sich wund** ~ s'écorcher la peau **Scheuklappe** *f* œillère *f* ►~**n aufhaben** avoir des œillères **Scheune** ['ʃɔynə] <-, -n> *f* grange *f;* (*Geräteschuppen*) hangar *m* **Scheusal** ['ʃɔyzaːl] <-s, -e> *nt* monstre *m*

scheußlich [ˈʃɔyslɪç] **I.** *adj* **1.** *Anblick* monstrueux(-euse); *Film* horrible; *Essen, Geruch* infect(e) **2.** *fam Schmerzen, Wetter* atroce **II.** *adv* **1.** ~ **riechen/schmecken** avoir une odeur infecte/un goût infect **2.** *sich benehmen* odieusement

Schi *s.* **Ski**

Schicht [ʃɪçt] <-, -en> *f* **1.** (*Lage*) couche *f* **2.** ARCHNOL, GEOL strate *f* **3.** SOZIOL couche *f* [sociale] **4.** (*Arbeitsabschnitt*) ~ **arbeiten** être travailleur posté **5.** (*Arbeitsgruppe*) équipe *f*

Schichtarbeit *f kein Pl* travail *m* posté, trois-huit *mpl*

schichten [ˈʃɪçtən] *vt* empiler

Schichtwechsel *m* relève *f*

schick [ʃɪk] *adj, adv* chic

Schick <-s> *m eines Kleidungsstücks* chic *m*

schicken [ˈʃɪkən] **I.** *vt* (*senden*) envoyer; **jdm etw** ~ envoyer qc à qn; **jdn einkaufen** ~ envoyer qn faire des courses; **ein Kind [wieder] nach Hause** ~ renvoyer un enfant chez lui **II.** *vi geh* **nach jdm** ~ faire venir qn **III.** *vr* (*geziemen*) **das schickt sich nicht** cela ne se fait pas

Schickeria [ʃɪkəˈriːa] <-> *f pej fam* gratin *m*

Schickimicki [ʃɪkiˈmɪki] <-s, -s> *m pej fam* snobinard *m*

schicklich *geh adj* convenable

Schicksal [ˈʃɪkzaːl] <-s, -e> *nt* destin *m*

schicksalhaft *adj* **1.** *Ereignis* lourd(e) de conséquences; *Tag* fatidique **2.** (*unabwendbar*) fatal(e)

Schicksalsschlag *m* coup *m* du destin

Schiebedach *nt* toit *m* ouvrant

schieben [ˈʃiːbən] <schob, geschoben> **I.** *vt* **1.** (*bewegen*) pousser *Fahrrad, Schrank* **2.** (*stecken*) **sich** (*dat*) **etw in den Mund** ~ se fourrer qc dans la bouche **3.** (*zuweisen*) **die Schuld auf jdn** ~ rejeter la culpabilité sur qn **4.** *fam* (*ableisten*) se taper *Wache, Dienst* **II.** *vi* pousser **III.** *vr* **1.** (*sich drängen*) **sich durch die Tür** ~ se glisser par la porte **2.** (*gleiten*) **sich vor die Sonne** ~ *Wolke:* passer devant le soleil

Schieber <-s, -> *m fam* (*Schwarzhändler*) trafiquant *m*

Schiebetür *f* porte *f* coulissante

Schiebung <-> *f pej* piston *m*

schied [ʃiːt] *Imp von* **scheiden**

Schiedsgericht *nt* JUR tribunal *m* arbitral

Schiedsrichter(in) *m(f)* arbitre *mf*

Schiedsspruch *m* sentence *f* arbitrale

schief [ʃiːf] **I.** *adj* **1.** *Wand, Turm* penché(e); *Ebene* incliné(e) **2.** *Bild* faux(fausse) **3.** *Blick* en coin **II.** *adv* **1.** *aufsetzen, ansehen* de travers **2.** *fam* (*nicht gut*) ~ **gehen** foirer

Schiefer [ˈʃiːfɐ] <-s, -> *m* ardoise *f*

schief|gehen *s.* **schief II. schief|lachen** *vr fam* **sich** ~ se tordre [de rire]

schielen [ˈʃiːlən] *vi* **1.** loucher **2.** *fam* (*verstohlen schauen*) **nach jdm/etw** ~ reluquer qn/qc

schien [ʃiːn] *Imp von* **scheinen**

Schienbein *nt* tibia *m*

Schiene [ˈʃiːnə] <-, -n> *f* **1.** (*Zugschiene*) rail *m* **2.** TECH (*Führungsschiene*) rail *m*; (*im Backofen*) glissière *f* **3.** MED éclisse *f* **4.** (*Leiste*) ferrure *f*; (*auf der Treppenstufe*) baguette *f*

schienen *vt* MED éclisser

Schienenfahrzeug *nt* véhicule *m* sur rails

Schienennetz *nt* **1.** *der Straßenbahn* réseau *m* **2.** (*Bahnnetz*) réseau *m* ferroviaire

schier *adj attr* (*pur*) pur(e)

Schierling <-s, -e> *m* ciguë *f*

Schießbefehl *m* ordre *m* d'ouvrir le feu

Schießbude *f* baraque *f* de tir

schießen [ˈʃiːsən] <schoss, geschossen> **I.** *vi* **1.** + *haben* (*feuern*) tirer; **auf jdn** ~ tirer sur qn; **mit dem Gewehr** ~ tirer au fusil **2.** (*den Schießsport betreiben*) faire du tir **3.** + *sein* (*sprießen*) *Pflanze:* pousser vite **4.** + *sein fam* (*schnell laufen*) **um die Ecke** ~ débouler au coin **5.** + *sein* (*spritzen*) **nach oben** ~ *Wasser, Öl:* gicler vers le haut **II.** *vt* + *haben* **1.** (*feuern*) tirer *Rakete* **2.** (*treten*) **den Ball auf das Tor** ~ mettre le ballon dans les buts

Schießerei [ʃiːsəˈraɪ] <-, -en> *f pej* (*Schusswechsel*) fusillade *f*

Schießpulver *nt* poudre *f* [à canon]

Schiff [ʃɪf] <-[e]s, -e> *nt* **1.** bateau *m*; (*großes Handelsschiff*) navire *m*; **mit dem** ~ **fahren** prendre le bateau **2.** (*Kirchenschiff*) nef *f*

Schiffahrt *s.* **Schifffahrt**

schiffbar *adj* navigable

Schiffbau *m kein Pl* construction *f* navale

Schiffbruch *m* naufrage *m* ▸~ **erleiden** faire naufrage; (*scheitern*) échouer **Schiffbrüchige(r)** *f(m) dekl wie adj* naufragé(e) *m(f)*

Schiffchen <-s, -> *nt Dim von* **Schiff** petit bateau *m*

schiffen *vi unpers* + *haben sl* **es schifft** il flotte (*fam*)

Schiffer(in) <-s, -> *m(f)* batelier(-ière) *m(f)*

Schifffahrt[RR] *f kein Pl* navigation *f* **Schiffsarzt** *m,* **-ärztin** *f* médecin *mf* de bord

Schiffschaukel *f* bateau-balançoire *m*

Schiffsjunge *m* mousse *m* **Schiffsschraube** *f* hélice *f* **Schiffsverkehr** *m* trafic *m* maritime

Schikane [ʃiˈkaːnə] <-, -n> *f a.* SPORT chicane *f*

schikanieren*** [ʃikaˈniːrən] *vt* chicaner

schikanös *adj* vexatoire

Schikoree^{RR} [ʃiko'reː] *s.* Chicorée

Schild^1 [ʃilt] <-[e]s, -er> *nt* **1.** (*Verkehrsschild*) panneau *m* **2.** (*Hinweisschild*) écriteau *m* **3.** *fam* (*Preisschild*) étiquette *f*

Schild^2 <-[e]s, -e> *m* **1.** HIST bouclier *m* **2.** *eines Kernreaktors* bouclier *m* thermique

Schildbürgerstreich *m hum* coup *m* des technocrates

Schilddrüse *f* [glande *f*] thyroïde *f*

schildern ['ʃildən] *vt* décrire; **jdm etw ~** décrire qc à qn

Schilderwald *m hum fam* forêt *f* de panneaux

Schildkröte *f* tortue *f*

Schilf [ʃilf] <-[e]s, -e> *nt* **1.** (*Pflanze*) roseau *m* **2.** (*Dickicht*) roseaux *mpl*

schillern ['ʃilən] *vi* chatoyer

schillernd *adj* **1.** *Seide* chatoyant(e) **2.** *Persönlichkeit* à facettes

Schilling ['ʃilɪŋ] <-s, -e> *m* schilling *m*

schilt [ʃilt] *3. Pers Präs von* **schelten**

Schimmel ['ʃiməl] <-s, -> *m* **1.** (*~pilz*) moisissure *f* **2.** (*Pferd*) cheval *m* blanc

schimmelig I. *adj* moisi(e); **~ werden** moisir **II.** *adv* **~ riechen** sentir le moisi

schimmeln *vi* + *haben o sein* moisir

Schimmelpilz *m* moisissure *f*

Schimmer ['ʃimɐ] <-s> *m* **1.** (*Glanz*) reflet *m* **2.** (*Anflug*) **ein ~ von Hoffnung** une lueur d'espoir

schimmern *vi* reluire

schimmlig *s.* **schimmelig**

Schimpanse [ʃim'panzə] <-n, -n> *m* chimpanzé *m*

Schimpf <-[e]s> *m* ▸ **mit ~ und Schande** avec ignominie

schimpfen ['ʃimpfən] *vi* **1.** (*wettern*) pester; **auf jdn/etw ~** pester contre qn/qc **2.** (*zurechtweisen*) **mit jdm ~** gronder qn

schimpflich *geh adj* ignominieux(-euse)

Schimpfwort <-wörter> *nt* gros mot *m*

Schindel ['ʃindəl] <-, -n> *f* bardeau *m*

schinden ['ʃindən] <schindete, geschunden> **I.** *vr* **sich ~** s'échiner **II.** *vt* **1.** (*quälen*) éreinter *Zugtier;* **Arbeiter/Gefangene ~** épuiser des travailleurs/détenus à la tâche **2.** *fam* (*zu gewinnen suchen*) **bei jdm Eindruck ~ wollen** vouloir épater qn

Schinderei [ʃində'raj] <-, -en> *f* corvée *f*

Schindluder ▸ **mit jdm/etw ~ treiben** *fam* traiter qn par-dessus la jambe

Schinken ['ʃiŋkən] <-s, -> *m* **1.** jambon *m;* **gekochter ~** jambon blanc **2.** *pej fam* (*Gemälde*) croûte *f;* (*Buch*) pavé *m;* (*Film*) navet *m*

Schinkenspeck *m* lard *m* maigre

Schippe ['ʃipə] <-, -n> *f* NDEUTSCH (*Schau-*

fel) pelle *f* ▸ **jdn auf die ~ nehmen** mettre qn en boîte

schippen *vt* NDEUTSCH pelleter

Schirm [ʃirm] <-[e]s, -e> *m* **1.** (*Regenschirm*) parapluie *m* **2.** (*Sonnenschirm*) parasol *m* **3.** (*Lampenschirm*) abat-jour *m*

Schirmherr(in) *m(f)* parrain *m* / marraine *f*

Schirmherrschaft *f* parrainage *m*

Schirmmütze *f* casquette *f* à visière

Schirmständer *m* porte-parapluies *m*

schiss^{RR} [ʃis], **schiß** *Imp von* **scheißen**

Schiss^{RR}, **Schiß** ▸ **vor jdm/etw ~ haben** *fam* avoir la trouille de qn/qc

schizophren [ʃitso'freːn] *adj* **1.** MED schizophrène **2.** *geh* (*absurd*) insensé(e)

schlabberig *adj fam pej* (*wässerig*) clairet(te); **dieses ~e Bier/dieser ~e Kaffee** cette bibine/lavasse

schlabbern ['ʃlabən] **I.** *vi fam* **1.** (*sabbern*) baver **2.** *Kleidung:* pendouiller **II.** *vt fam Katze:* laper *lait*

Schlacht [ʃlaxt] <-, -en> *f* bataille *f*

Schlachtbank *f* table *f* d'équarrissage

schlachten ['ʃlaxtən] *vt* abattre

Schlachtenbummler(in) *m(f) fam* supporte[u]r(-trice) *m(f)*

Schlachter(in) <-s, -> *m(f)* NDEUTSCH boucher(-ère) *m(f)*

Schlächter(in) <-s, -> *m(f) a. fig* boucher(-ère) *m(f)*

Schlachtfeld *nt* champ *m* de bataille

Schlachthof *m* abattoirs *mpl* **Schlachtplan** *m* plan *m* de bataille

Schlacke ['ʃlakə] <-, -n> *f* **1.** scories *fpl* **2.** *meist Pl* MED fibre *f*

schlackern *vi* NDEUTSCH flotter; **gegen/um die Beine ~** *Hose:* flotter autour des jambes

Schlaf [ʃlaːf] <-[e]s> *m* sommeil *m;* **einen festen/leichten ~ haben** avoir le sommeil profond/léger; **jdn aus dem ~ reißen** arracher qn au sommeil

Schlafanzug *m* pyjama *m*

Schläfchen <-s, -> *nt* [petit] somme *m*

Schläfe ['ʃlɛːfə] <-, -n> *f* tempe *f*

schlafen ['ʃlaːfən] <schläft, schlief, geschlafen> *vi* **1.** dormir; **~ gehen** aller se coucher; **ein Kind ~ legen** aller coucher un enfant **2.** (*nächtigen*) **bei jdm ~** coucher chez qn **3.** *fam* (*unaufmerksam sein*) dormir **4.** *fam* (*Sex haben*) **mit jdm ~** coucher avec qn

Schläfer(in) <-s, -> *m(f)* dormeur(-euse) *m(f)*

schlaff [ʃlaf] *adj* **1.** *Fahne, Segel* qui pend [mollement]; *Seil* lâche **2.** *Händedruck, Muskeln* mou(molle)

Schlafgelegenheit *f* (*in einer Wohnung*) place *f* pour dormir; (*in einer Stadt*) en-

droit *m* où dormir
Schlafittchen ▶**jdn am** [*o* **beim**] ~ **nehmen** *fam* prendre qn par le colback
Schlaflied *nt* berceuse *f* **schlaflos** *adj*
Mensch insomniaque; *Nacht*
blanc(blanche) **Schlaflosigkeit** <-> *f* insomnie *f* **Schlafmittel** *nt* somnifère *m*
Schlafmütze *f fam* (*Mensch*) endormi(e)
m(f)
schläfrig ['ʃlɛːfrɪç] *adj* somnolent(e); ~
sein avoir sommeil; **jdn ~ machen** donner envie de dormir à qn
Schlafsaal *m* dortoir *m* **Schlafsack** *m* sac
m de couchage **Schlafstörungen** *Pl* troubles *mpl* du sommeil
schläft [ʃlɛːft] *3. Pers Präs von* **schlafen**
Schlaftablette *f* comprimé *m* pour dormir
Schlafwagen *m* wagon-lit *m* **schlafwandeln** *vi* + *haben o sein* être somnambule
Schlafwandler(in) <-s, -> *m(f)* somnambule *mf* **Schlafzimmer** *nt* chambre *f* à
coucher
Schlag [ʃlaːk, *Pl:* 'ʃlɛːɡə] <-[e]s, ⸚e> *m*
1. (*Hieb*) coup *m* **2.** (*Hall*) bruit *m* [de
choc]; *einer Uhr* coup *m* **3.** (*Schicksalsschlag*) [**schwerer**] ~ coup *m* dur
4. (*Stromschlag*) électrocution *f* **5.** (*Taubenschlag*) colombier *m* **6.** DIAL *fam* (*Portion*) louche *f* ▶**ein ~ ins Gesicht** une gifle; **mich trifft der ~!** *fam* je vais avoir une
attaque!
Schlagabtausch <-[e]s> *m* **1.** SPORT échange *m* de coups **2.** (*Rededuell*) prise *f* de
bec **Schlagader** *f* artère *f* **Schlaganfall** *m*
attaque *f* [d'apoplexie] **schlagartig** *adj*
brusque
Schlagbaum *m* barrière *f* **Schlagbohrer** *m*
perceuse *f* à percussion
schlagen ['ʃlaːɡən] <schlägt, schlug,
geschlagen> **I.** *vt* + *haben* **1.** frapper;
jdn ins Gesicht ~ frapper qn au visage
2. (*besiegen*) battre **3.** (*fällen*) abattre
Baum **4.** (*hinein~*) **einen Nagel in die
Wand ~** enfoncer un clou dans le mur
5. MUS battre *Takt* **6.** (*heftig rühren*) battre
Eier **7.** (*läuten*) sonner; **es hat zehn Uhr
geschlagen** dix heures ont sonné **II.** *vi*
1. + *haben* (*hämmern*) **mit etw auf etw**
(*akk*)/**gegen etw ~** frapper avec qc sur/
contre qc **2.** + *haben* (*hauen, zu~*) **jdn
mit der Faust ins Gesicht ~** frapper qn
avec le poing au visage; **um sich ~** se débattre **3.** + *sein* (*auftreffen*) **an etw** (*akk*)
~ *Regen, Wellen:* frapper contre qc **4.** + *haben* (*pochen*) *Herz, Puls:* battre **5.** + *haben*
(*läuten*) *Uhr:* sonner **6.** + *sein fam* (*ähneln*) **nach jdm ~** tenir de qn **7.** + *sein*
MED **die Erkältung ist ihm auf die Blase
geschlagen** le rhume a entraîné une in-

flammation de la vessie **III.** *vr* **1.** (*rangeln*)
sich mit jdm ~ se battre avec qn; **sich um
etw ~** se battre pour [obtenir] qc **2.** (*zurechtkommen*) **sich gut/tapfer ~** bien se
défendre/se défendre avec courage
schlagend *adj* (*überzeugend*) concluant(e)
Schlager <-s, -> *m* **1.** (*Lied*) tube *m* (*fam*)
2. *fam* (*Verkaufsschlager*) article *m* qu'on
s'arrache
Schläger ['ʃlɛːɡɐ] <-s, -> *m* **1.** (*Mensch*)
casseur *m* **2.** (*Tennisschläger, Federballschläger, Tischtennisschläger*) raquette *f*;
(*Hockeyschläger*) crosse *f*; (*Golfschläger*)
club *m*; (*Baseballschläger*) batte *f*
Schlägerei [ʃlɛːɡəˈraj] <-, -en> *f* bagarre *f*
Schlagersänger(in) *m(f)* chanteur(-euse)
m(f) de variété
schlagfertig I. *adj* *Person* qui a de la répartie; *Antwort* du tac au tac **II.** *adv* du tac au
tac **Schlagfertigkeit** <-> *f* sens *m* de la
répartie **Schlaginstrument** *nt* instrument
m à percussion **Schlagkraft** <-> *f* (*Wirksamkeit*) *eines Arguments, Beweises* force *f*
de persuasion **schlagkräftig** *adj* **1.** *Armee*
puissante **2.** *Argument* persuasif(-ive)
Schlagloch *nt* nid-de-poule *m* **Schlagsahne** *f* (*flüssig*) crème *f* fleurette; (*geschlagen*) [crème *f*] chantilly *f* **Schlagstock** *m* matraque *f*
schlägt [ʃlɛːkt] *3. Pers Präs von* **schlagen**
Schlagwort *nt* **1.** <-worte> *pej* (*Parole*)
formule *f* [toute faite] **2.** <-wörter>
(*Stichwort*) mot-clé *m*
Schlagzeile *f* gros titre *m*; **~n machen** *fam*
faire la une des journaux **Schlagzeug**
<-[e]s, -e> *nt* batterie *f* **Schlagzeuger(in)** <-s, -> *m(f)* batteur(-euse) *m(f)*
schlaksig ['ʃlaksɪç] *adj fam* dégingandé(e);
Bewegungen désarticulé(e)
Schlamassel <-s, -> *m o nt fam* (*Durcheinander*) bordel *m*
Schlamm [ʃlam] <-[e]s, -e *o* ⸚e> *m* boue
f; (*Flussschlamm*) vase *f*
schlammig *adj* boueux(-euse)
Schlammschlacht *f* foire *f* d'empoigne
Schlampe ['ʃlampə] <-, -n> *f pej fam*
1. (*ungepflegte Frau*) souillon *f* **2.** (*liederliche Frau*) traînée *f*
schlampen *vi fam* bâcler le travail
Schlamperei [ʃlampəˈraj] <-, -en> *f fam*
1. (*Nachlässigkeit*) bâclage *m* **2.** (*Unordnung*) bordel *m*
schlampig *fam* **I.** *adj* **1.** *Arbeit* bâclé(e)
2. (*ungepflegt*) débraillé(e) **3.** (*unordentlich*) bordélique **II.** *adv* **1.** (*nachlässig*) à la
va comme je te pousse **2.** (*ungepflegt*) en
débraillé
schlang [ʃlaŋ] *Imp von* **schlingen**
Schlange ['ʃlaŋə] <-, -n> *f* **1.** ZOOL serpent

m **2.** (*Warteschlange*) queue *f;* ~ **stehen** faire la queue **3.** *pej* (*hinterlistige Frau*) vipère *f*
schlängeln ['ʃlɛŋəln] *vr* **1.** **sich durch etw** (*akk*) ~ *Schlange:* ramper à travers qc **2.** **sich durch den Wald** ~ *Straße:* serpenter à travers la forêt
Schlangengift *nt* venin *m* [de serpent]
Schlangenlinie *f* trait *m* ondulé; ~**n fahren** zigzaguer
schlank [ʃlaŋk] *adj Person* mince; *Baum* élancé(e); ~ **machen** *Essen:* faire maigrir; *Kleidung:* amincir
Schlankheitskur *f* cure *f* d'amaigrissement
schlapp [ʃlap] *adj fam* **1.** (*erschöpft*) ~ **sein** être flagada **2.** (*unbedeutend*) ~**e tausend Euro** mille malheureux euros **3.** *Sieg, Leistung* minable
Schlappe <-, -n> *f fam* veste *f*
Schlapphut *m* chapeau *m* à larges bords
schlapplmachen *vi fam* craquer **Schlappschwanz** *m pej fam* couille *f* molle
Schlaraffenland [ʃlaˈrafənlant] *nt* pays *m* de cocagne
schlau [ʃlau̯] *adj* **1.** astucieux(-euse) **2.** *fam* (*klug*) **aus jdm/etw nicht** ~ **werden** ne pas comprendre qn/ne rien comprendre à qc
Schlauberger ['ʃlau̯bɛrgə] <-s, -> *m fam* **1.** (*pfiffiger Mensch*) petit futé *m* **2.** *iron* (*Besserwisser*) Monsieur *m* Je-sais-tout
Schlauch [ʃlau̯x, *Pl:* 'ʃlɔyçə] <-[e]s, Schläuche> *m* **1.** tuyau *m* **2.** (*Reifenschlauch*) chambre *f* à air
Schlauchboot *nt* bateau *m* pneumatique; (*für Wildwasserfahrten*) raft *m*
schlauchen ['ʃlau̯xən] *vt, vi fam* pomper
Schläue <-> *f* astuce *f*
Schlaufe ['ʃlau̯fə] <-, -n> *f* **1.** (*Gürtelschlaufe*) passant *m;* (*an einer Jacke*) bride *f* **2.** (*Halteband*) dragonne *f*
Schlaumeier ['ʃlau̯maiɐ] *s.* **Schlauberger**
Schlawiner [ʃlaˈviːnɐ] <-s, -> *m hum fam* [vieux] roublard *m*
schlecht [ʃlɛçt] **I.** *adj* **1.** (*nicht gut, nicht gesund, nicht normal*) mauvais(e) antéposé; *Material, Verarbeitung* de mauvaise qualité; **ein ~es Benehmen haben** se tenir mal; **mit unserem Ausflug sieht es** ~ **aus** pour notre excursion, ça va mal **2.** (*moralisch verkommen*) mauvais(e) **3.** *Bezahlung* médiocre **4.** (*verfault, verdorben*) ~ **werden/sein** s'abîmer/être avarié **5.** (*übel*) **jdm wird/ist** ~ qn se sent mal **II.** *adv* **1.** mal; ~ **gelaunt sein** être de mauvaise humeur **2.** (*negativ*) ~ **von jdm reden/über jdn denken** dire/penser du mal de qn **3.** (*schwerlich*) difficilement; **sich** ~ **in jdn hineinversetzen können** avoir du

mal à se mettre à la place de qn ▸**jdn** ~ **machen** dénigrer qn
schlechthin *adv* (*in reinster Ausprägung*) par excellence
Schlechtigkeit <-, -en> *f* méchanceté *f*
schlechtlmachen *s.* **schlecht II.**
schlecken ['ʃlɛkən] **I.** *vt* lécher **II.** *vi* **1.** (*naschen*) manger des sucreries **2.** (*lecken*) **an einem Eis** ~ lécher sa glace
Schlegel <-s, -> *m* SDEUTSCH, A, CH (*Geflügel-, Hasenkeule*) cuisse *f;* (*Reh-, Wildschweinkeule*) cuissot *m*
schleichen ['ʃlaiçən] <schlich, geschlichen> **I.** *vi + sein* **1.** se déplacer furtivement; **ums Haus** ~ rôder autour de la maison **2.** *fam* (*langsam fahren*) se traîner **II.** *vr* **sich aus dem Haus** ~ sortir de la maison furtivement
schleichend MED *adj attr* insidieux(-euse)
Schleichweg *m* chemin *m* détourné
Schleichwerbung *f* publicité *f* déguisée
Schleier ['ʃlaiɐ] <-s, -> *m* voile *m*
Schleiereule *f* [chouette *f*] effraie *f*
schleierhaft *adj fam* **jdm** ~ **sein** être un mystère pour qn
Schleife ['ʃlaifə] <-, -n> *f* **1.** (*Knoten*) nœud *m* **2.** (*Kurve*) méandre *m*
schleifen[1] ['ʃlaifən] **I.** *vt + haben* **1.** (*ziehen*) **jdn/etw zur Tür** ~ traîner qn/qc jusqu'à la porte **2.** *hum fam* (*zum Mitkommen überreden*) **jdn ins Kino** ~ traîner qn au cinéma **II.** *vi* **1.** + *haben o sein* (*reiben*) **an etw** (*dat*) ~ *Fahrradkette, Blech:* frotter contre qc **2.** + *haben o sein* (*gleiten*) **auf dem Boden** ~ *Kleid, Schleppe:* traîner par terre ▸**etw** ~ **lassen** *fam* laisser courir qc
schleifen[2] <schliff, geschliffen> *vt* **1.** (*schärfen*) aiguiser *Messer, Schere* **2.** (*bearbeiten*) tailler *Edelstein*
Schleifmaschine *f* meule *f;* (*für Holz*) ponceuse *f* **Schleifpapier** *nt* papier *m* de verre
Schleim [ʃlaim] <-[e]s, -e> *m* **1.** MED mucus *m* **2.** ZOOL *einer Schnecke* bave *f*
schleimen *vi fam* faire de la lèche
Schleimhaut *f* muqueuse *f*
schleimig ['ʃlaimɪç] *adj* **1.** MED muqueux(-euse) **2.** (*glitschig*) baveux(-euse) **3.** *pej* (*unterwürfig*) mielleux(-euse)
schlemmen ['ʃlɛmən] **I.** *vi* faire bombance **II.** *vt* déguster
Schlemmer(in) <-s, -> *m(f)* fine bouche *f*
schlendern ['ʃlɛndɐn] *vi + sein* **durch den Park** ~ se balader dans le parc; **durch die Stadt** ~ flâner en ville
Schlendrian <-[e]s> *m fam* ronron *m*
Schlenker <-s, -> *m* (*Ausweichmanöver*) [brusque] écart *m*
schlenkern ['ʃlɛŋkɐn] **I.** *vi Arme:* ballotter;

mit den **Armen** ~ balancer les bras **II.** *vt* balancer *Handtasche*

Schleppe ['ʃlɛpə] <-, -n> *f* traîne *f*

schleppen ['ʃlɛpən] **I.** *vt* **1.** (*schwer tragen*) traîner avec peine **2.** (*ab*~) remorquer **3.** *fam* (*zum Mitkommen überreden*) **jdn ins Kino** ~ traîner qn au cinéma **II.** *vr* **1.** (*sich fortbewegen*) **sich zum Telefon** ~ se traîner jusqu'au téléphone **2.** (*sich hinziehen*) **sich** ~ traîner

schleppend I. *adj Gang, Sprechweise* traînant(e); *Bearbeitung* lent(e) **II.** *adv gehen* d'un pas traînant; *sprechen* d'une voix traînante; *in Gang kommen, vorangehen* lentement

Schlepper <-s, -> *m* **1.** *fam* (*Kundenfänger*) rabatteur *m* **2.** *fam* (*Schleuser*) passeur *m* **3.** (*Schleppschiff*) remorqueur *m*

Schlepplift *m* remonte-pente *m* **Schlepptau** *nt* NAUT **etw ins** ~ **nehmen** prendre qc en remorque

Schlesien ['ʃleːziən] <-s> *nt* la Silésie

Schlesier(in) [ʃleːziɐ] <-s, -> *m(f)* Silésien(ne) *m(f)*

schlesisch *adj* silésien(ne)

Schleswig-Holstein ['ʃleːsvɪçʰɔlʃtaɪn] <-s> *nt* le Schleswig-Holstein

Schleuder ['ʃlɔydɐ] <-, -n> *f* **1.** (*Waffe*) fronde *f* **2.** (*Wäscheschleuder*) essoreuse *f*

schleudern I. *vt* + *haben* **1. etw** ~ *Person:* lancer qc; **aus dem Wagen geschleudert werden** *Unfallopfer:* être projeté hors de la voiture **2.** (*zentrifugieren*) essorer *Wäsche* **II.** *vi* + *sein* déraper; **ins Schleudern kommen** *Fahrer, Fahrzeug:* déraper

Schleuderpreis *m* prix *m* sacrifié **Schleudersitz** *m* siège *m* éjectable

schleunigst *adv* dans les plus brefs délais

Schleuse ['ʃlɔyzə] <-, -n> *f* **1.** NAUT écluse *f* **2.** (*Durchgangskammer*) sas *m*

schleusen *vt* (*heimlich bringen*) **jdn über die Grenze** ~ faire passer en douce la frontière à qn

Schleuser(in) <-s, -> *m(f) fam* passeur(-euse) *m(f)*

schlich [ʃlɪç] *Imp von* **schleichen**

Schliche ['ʃlɪçə] *Pl* **jdm auf die** ~ **kommen** découvrir les combines de qn (*fam*)

schlicht [ʃlɪçt] **I.** *adj* **1.** (*einfach*) simple **2.** (*unauffällig*) sobre **3.** (*bloß*) **die** ~**e Wahrheit** la vérité, et rien que la vérité **II.** *adv* **1.** *einrichten, kleiden* sobrement **2.** (*glattweg*) tout simplement

schlichten ['ʃlɪçtən] *vt* régler

Schlick [ʃlɪk] <-[e]s, -e> *m* vase *f*

schlief [ʃliːf] *Imp von* **schlafen**

Schliere ['ʃliːrə] <-, -n> *f* traînée *f* [grasse]

schließen ['ʃliːsən] <schloss, geschlossen> **I.** *vi* **1.** *Schlüssel:* tourner [dans la ser-

rure]; **schlecht** ~ *Tür, Fenster:* fermer mal **2.** (*das Schloss betätigen*) fermer **3.** (*enden*) terminer **4.** FIN **die Börse schloss freundlich** la Bourse clôtura sur une note positive **5.** (*schlussfolgern*) **aus einer Beobachtung auf etw** (*akk*) ~ conclure qc [à partir] d'une observation; **du darfst nicht von dir auf andere** ~ tu ne dois pas généraliser [ton cas] **II.** *vt* **1.** (*zumachen*) fermer *Fenster, Augen, Geschäft* **2.** (*beenden*) clôturer *Konferenz, Versammlung* **3.** (*eingehen*) conclure *Abkommen, Pakt* **4.** (*auffüllen*) combler *Lücke* **5.** (*schlussfolgern*) **etw aus seinen Beobachtungen** ~ conclure qc de ses observations **III.** *vr* **sich** ~ se fermer

Schließfach *nt* **1.** (*Gepäckschließfach*) consigne *f* automatique **2.** (*Bankfach*) coffre *m* **3.** (*Postfach*) boîte *f* postale

schließlich *adv* **1.** finalement **2.** (*immerhin*) après tout

Schließmuskel *m* ANAT muscle *m* constricteur

Schließung <-, -en> *f* fermeture *f*

schliff [ʃlɪf] *Imp von* **schleifen²**

Schliff <-[e]s, -e> *m* **1.** *kein Pl einer Schere* aiguisage *m* **2.** *kein Pl eines Brillenglases* taille *f* **3.** *kein Pl* (*Umgangsformen*) savoir-vivre *m*

schlimm [ʃlɪm] **I.** *adj* **1.** *Nachricht, Irrtum* grave; *Zeit* difficile, dur(e); **es ist** ~, **dass** c'est grave que + *subj*; **etwas Schlimmes** quelque chose de grave; **das Schlimmste befürchten** craindre le pire; **es gibt Schlimmeres** il y a pire **2.** *fam Auge* pas beau(belle) à voir **II.** *adv* mal; ~ **dran sein** *fam* être dans de beaux draps; **es steht** ~ **um jdn** le cas de qn est grave

schlimmstenfalls *adv* dans le pire des cas

Schlinge ['ʃlɪŋə] <-, -n> *f* **1.** (*Schlaufe*) nœud *m* coulant **2.** (*Falle*) collet *m* **3.** (*Armbinde*) écharpe *f*

Schlingel ['ʃlɪŋəl] <-s, -> *m fam* affreux jojo *m*

schlingen ['ʃlɪŋən] <schlang, geschlungen> **I.** *vt* **1. seine Arme um jdn** ~ prendre qn dans ses bras **2.** (*gierig essen*) engloutir *Essen* **II.** *vi Person, Tier:* dévorer

schlingern ['ʃlɪŋɐn] *vi* NAUT rouler

Schlingpflanze *f* plante *f* grimpante

Schlips [ʃlɪps] <-es, -e> *m* cravate *f*

Schlitten ['ʃlɪtən] <-s, -> *m* (*Rodelschlitten*) luge *f*; ~ **fahren** faire de la luge

schlittern ['ʃlɪtɐn] *vi* + *sein* **1.** (*rutschen*) faire des glissades; **über das Eis** ~ *Person:* faire des glissades sur la glace; *Eisstock:* glisser sur la glace **2.** *fam* (*ungewollt geraten*) **in etw** (*akk*) ~ se retrouver dans qc

Schlittschuh *m* patin *m* à glace; ~ **laufen**

faire du patin à glace
Schlittschuhlaufen <-s> *nt* patinage *m*
Schlitz [ʃlɪts] <-es, -e> *m* **1.** (*Einsteck-schlitz*) fente *f* **2.** (*Spalt*) interstice *m* **3.** (*in einem Kleidungsstück*) fente *f* **4.** *fam* (*Hosenschlitz*) braguette *f*
Schlitzauge *nt* œil *m* bridé **Schlitzohr** *nt* *fam* roublard *m*
Schlögel <-s, -> *m* A (*Keule*) gigot *m*
schlossRR [ʃlɔs], **schloß** *Imp von* **schließen**
SchlossRR [ʃlɔs] <-es, ꞊sser>, **Schloß** <-sses, ꞊sser> *nt* **1.** (*Palast*) château *m* **2.** (*Türschloss*) serrure *f* **3.** (*Vorhänge-schloss*) cadenas *m* **4.** *eines Koffers* fermoir *m*
Schlosser(in) [ˈʃlɔsɐ] <-s, -> *m(f)* serru-rier(-ière) *m(f)*
Schlosserei [ʃlɔsəˈraɪ] <-, -en> *f* serrure-rie *f*
Schlot [ʃloːt, *Pl:* ˈʃloːtə] <-[e]s, -e> *m* **1.** (*Schornstein*) cheminée *f* [d'usine] **2.** GEOL *eines Vulkans* cheminée *f* ▶ **rau-chen wie ein** ~ *fam* fumer comme un pompier
schlottern [ˈʃlɔtɐn] *vi* trembler
Schlucht [ʃluxt] <-, -en> *f* gorge *f*
schluchzen [ˈʃluxtsən] *vi* sangloter
Schluck [ʃluk, *Pl:* ˈʃlukə] <-[e]s, -e> *m* gorgée *f;* **ein kleiner** ~ une goutte
Schluckauf <-s> *m* hoquet *m*
schlucken [ˈʃlukən] **I.** *vt* **1.** (*hinunter~*) avaler **2.** *fam* (*trinken*) picoler *Schnaps* **3.** *fam* (*verbrauchen*) bouffer *Benzin* **4.** *fam* (*hinnehmen*) encaisser *Vorwurf* **5.** *fam* (*glauben*) gober *Ausrede* **6.** (*dämp-fen*) assourdir *Geräusche* **II.** *vi* avaler
Schlucker <-s, -> *m* **armer** ~ *fam* pauvre type *m*
Schluckimpfung *f* vaccination *f* orale
schluckweise *adv* à petites gorgées
schludrig *s.* **schlampig**
schlug [ʃluːk] *Imp von* **schlagen**
Schlummer <-s> *m* *geh* [petit] somme *m*
schlummern *vi* *geh* sommeiller
Schlund [ʃlunt, *Pl:* ˈʃlyndə] <-[e]s, ꞊e> *m* **1.** ANAT gosier *m* **2.** *geh* (*Abgrund*) abîme *m*
schlüpfen [ˈʃlʏpfən] *vi* + *sein* **1.** ORN, ZOOL éclore; **aus dem Ei** ~ sortir de l'œuf **2.** (*hi-nein~*) **in etw** (*akk*) ~ enfiler qc **3.** (*he-raus~*) **aus etw** ~ enlever prestement qc **4.** (*rasch gehen*) **durch die Tür** ~ se faufi-ler par la porte
Schlüpfer <-s, -> *m* [petite] culotte *f*
Schlupfloch *nt* (*Öffnung*) trou *m* pour pas-ser
schlüpfrig [ˈʃlʏpfrɪç] *adj* **1.** (*glitschig*) glis-sant(e) **2.** (*anstößig*) scabreux(-euse)

Schlupfwinkel *m* repaire *m*
schlurfen [ˈʃlurfən] *vi* + *sein* marcher en traînant les pieds
schlürfen [ˈʃlʏrfən] *vt, vi* boire en faisant du bruit
SchlussRR [ʃlus] <-es, Schlüsse>, **Schluß** <-Schlusses, Schlüsse> *m* **1.** (*Ende*) fin *f;* **zum** ~ pour terminer; ~ **damit!** ça suffit! **2.** *kein Pl einer Gruppe, eines Zugs* queue *f* **3.** (*Folgerung*) conclusion *f* ▶ **mit jdm** ~ **machen** rompre avec qn
SchlussbemerkungRR *f* remarque *f* finale
Schlüssel [ˈʃlʏsəl] <-s, -> *m* **1.** clé *f* **2.** (*Mit-tel*) **der** ~ **zum Erfolg** la clé du succès **3.** (*Verteilungsschema*) barème *m* **4.** SCHU-LE (*Lösungsheft*) corrigé *m*
Schlüsselanhänger *m* porte-clés *m*
Schlüsselbein *nt* clavicule *f* **Schlüssel-bund** <-bunde> *m o nt* trousseau *m* de clés **Schlüsseldienst** *m* service *m* de dé-pannage de serrures **Schlüsselerlebnis** *nt* expérience *f* clé **schlüsselfertig** *adj, adv* clés en main **Schlüsselloch** *nt* trou *m* de serrure **Schlüsselqualifikation** *f* qualifi-cation *f* clé
schlussfolgernRR *vt* déduire; **etw aus etw** ~ déduire qc de qc
SchlussfolgerungRR <-, -en> *f* déduction *f;* **seine** ~**en ziehen** tirer ses conclusions
schlüssig [ˈʃlʏsɪç] *adj* **1.** (*folgerichtig*) con-cluant(e) **2.** (*entschieden*) **sich** (*dat*) **nicht** ~ **sein** être indécis
SchlusslichtRR *nt* **1.** *eines Fahrzeugs* feu *m* [rouge] arrière **2.** *fam* (*Letzter*) **das** ~ **sein** être la lanterne rouge **Schlusspfiff**RR *m* coup *m* de sifflet final **Schlussstrich**RR *m* ▶ **einen** ~ **unter etw** (*akk*) **ziehen** tirer un trait sur qc **Schlussverkauf**RR *m* soldes *mpl*
Schmach <-> *f* *geh* ignominie *f*
schmachten [ˈʃmaxtən] *vi* *geh* languir
schmachtend *adj* langoureux(-euse)
schmächtig [ˈʃmɛçtɪç] *adj* fluet(te)
schmackhaft [ˈʃmakhaft] *adj* *geh* *Speise* savoureux(-euse)
Schmäh <-s, -s> *m* A (*Scherz*) plaisanterie *f*
schmähen *vt* *geh* honnir
schmal [ʃmaːl] <-er *o* ꞊er, -ste *o* ꞊ste> *adj* *Hüften, Öffnung, Straße* étroit(e); *Lippen, Taille, Person* mince; *Baum* élancé(e)
schmälern [ˈʃmɛːlɐn] *vt* dénigrer
Schmalseite *f* côté *m* [étroit]
Schmalz¹ [ʃmalts] <-es, -e> *nt* GASTR sain-doux *m*
Schmalz² <-es> *m* *pej fam* (*Rührseligkeit*) guimauve *f* (*fig*)
schmalzig *adj* *pej fam* à l'eau de rose
schmarotzen* *vi* **1.** *pej* faire le/la pique-as-siette **2.** BIO croître en parasite

Schmarotzer [ʃmaˈrɔtsɐ] <-s, -> *m* **1.** *pej*
(*Mensch*) pique-assiette *m* **2.** BIO parasite
m
Schmarotzerin <-, -nen> *f pej* pique-as-
siette *f*
Schmarr[e]n <-s, -> *m* **1.** GASTR SDEUTSCH, A
spécialité à base de lambeaux de crêpe
2. *kein Pl fam* (*Unsinn*) conneries *fpl*
schmatzen [ˈʃmatsən] *vi* (*beim Essen*) faire du bruit en mâchant
schmecken [ˈʃmɛkən] **I.** *vi* **1.** (*munden*)
etw schmeckt qc est bon(ne); **es**
schmeckt ihr elle trouve que c'est bon
2. (*Geschmack haben*) **frisch/sauer** ~
avoir un goût frais/acide; **gut** ~ avoir bon
goût **3.** *fam* (*gefallen*) **jdm nicht** ~ ne pas
plaire à qn **II.** *vt* goûter
Schmeichelei [ʃmaiçəˈlai] <-, -en> *f* flatterie *f*
schmeichelhaft *adj* flatteur(-euse)
schmeicheln [ˈʃmaiçəln] *vi a.* *fig* **jdm** ~
flatter qn
Schmeichler(in) <-s, -> *m(f)* flatteur(-euse)
m(f)
schmeichlerisch *adj pej* obséquieux(-euse)
schmeißen [ˈʃmaisən] <schmiss, ge-
schmissen> **I.** *vt* **1.** *fam* (*werfen*) balancer; **jdn aus dem Haus** ~ foutre qn dehors **2.** *fam* (*managen*) faire tourner *Laden*
II. *vi fam* (*fig*) **mit Geld um sich** ~ dépenser sans compter
Schmeißfliege [ˈʃmaisfliːɡə] *f* mouche *f*
bleue
schmelzen [ˈʃmɛːltsən] <schmilzt,
schmolz, geschmolzen> **I.** *vi* + *sein*
fondre **II.** *vt* + *haben* fondre *Metall;* faire
fondre *Eis*
Schmelzkäse *m* fromage *m* fondu
Schmelzpunkt *m* point *m* de fusion
Schmelzwasser *nt* eau *f* [provenant] de la
fonte des neiges
Schmerz [ʃmɛrts] <-es, -en> *m* MED, PSYCH
douleur *f*
schmerzempfindlich *adj* *Person* douil-
let(te); *Narbe, Zahn* sensible
schmerzen **I.** *vi* faire mal; **mir schmerzen
die Füße** j'ai mal aux pieds **II.** *vt* affecter
Schmerzensgeld *nt* pretium *m* doloris
schmerzfrei *adj* sans douleur
Schmerzgrenze *f* **1.** limite *f* du supportable
2. (*fig*) dernière limite *f*
schmerzhaft *adj* douloureux(-euse)
schmerzlich **I.** *adj* douloureux(-euse) **II.**
adv vermissen amèrement
schmerzlindernd *adj* calmant(e)
schmerzlos **I.** *adj Geburt* sans douleur; *Eingriff* indolore **II.** *adv* sans douleur
Schmerzmittel *nt* analgésique *m* **schmerzstillend** *adj* analgésique **Schmerztablette**

f comprimé *m* contre la douleur
Schmetterball *m* smash *m*
Schmetterling [ˈʃmɛtəlɪŋ] <-s, -e> *m* papillon *m*
Schmetterlingsstil *m* [brasse *f*] papillon *m*
schmettern [ˈʃmɛtən] **I.** *vt* + *haben*
1. (*schleudern*) **etw an die Wand** ~ envoyer qc contre le mur **2.** SPORT smasher
Ball **3.** (*ertönen lassen*) entonner *Lied* **II.**
vi **1.+** *sein* (*aufprallen*) **gegen etw** ~
s'écraser contre qc **2.+** *haben* SPORT
smasher
Schmied(in) [ʃmiːt] <-[e]s, -e> *m(f)* forgeron *m*
Schmiede [ˈʃmiːdə] <-, -n> *f* forge *f*
Schmiedeeisen *nt* fer *m* forgé **schmie-
deeisern** *adj* en fer forgé
schmieden [ˈʃmiːdən] *vt* forger
schmiegen [ˈʃmiːɡən] *vr* **1.** (*sich kuscheln*) **sich an jdn** ~ se blottir contre qn
2. (*eng anliegen*) **sich an etw** (*akk*) ~
mouler qc
Schmiere [ˈʃmiːrə] <-, -n> *f* (*Fett*) cambouis *m*
schmieren [ˈʃmiːrən] **I.** *vt* **1.** (*streichen*)
tartiner *Brot;* **sich** (*dat*) **Creme ins Gesicht** ~ s'étaler de la crème sur le visage
2. (*fetten*) graisser *Scharnier;* (*ölen*) lubrifier *Kolben* **3.** *pej fam* (*bestechen*) graisser
la patte à ▸**jdm eine** ~ *fam* en coller une à
qn **II.** *vi fam* (*klecksen*) *Kugelschreiber:* baver
Schmiererei <-, -en> *f pej fam* (*Schrift,
Zeichnung*) gribouillage *m*
Schmierfett *nt* graisse *f* **Schmierfink** *m*
fam pej (*Journalist*) pisseur *m* de copie
Schmiergeld *nt fam* bakchich *m*
Schmiergeldzahlung *f* versement *m* de
pot-de-vin
schmierig *adj* **1.** *Haar, Hände* poisseux(-eu-
se); *Kleidung, Oberfläche* couvert(e) de [ta-
ches de] graisse **2.** *pej* (*abstoßend*) **dieser
~e Kerl** ce faux jeton
Schmieröl *nt* huile *f* lubrifiante **Schmier-
papier** *nt* [papier *m* de] brouillon *m*
Schmierseife *f* savon *m* noir **Schmier-
zettel** *m* bout *m* de papier
schmilzt [ʃmɪltst] *3. Pers Präs von* **schmelzen**
Schminke [ˈʃmɪŋkə] <-, -n> *f* maquillage
m
schminken **I.** *vt* maquiller **II.** *vr* **sich** ~ se
maquiller
schmirgeln [ˈʃmɪrɡəln] *vt, vi* poncer
Schmirgelpapier *nt* papier *m* [d']émeri
schmiss[RR] [ʃmɪs], **schmiß** *Imp von*
schmeißen
Schmöker [ˈʃmøːkɐ] <-s, -> *m fam* roman
m de gare

schmökern ['ʃmø:kɐn] *vi fam* bouquiner; **in etw** (*dat*) ~ bouquiner qc

schmollen ['ʃmɔlən] *vi* bouder

Schmollmund *m* moue *f*

schmolz [ʃmɔlts] *Imp von* **schmelzen**

Schmorbraten *m* bœuf *m* braisé

schmoren ['ʃmo:rən] I. *vt* faire braiser *Braten* II. *vi* 1. *Braten*: cuire à petit feu 2. *fam* (*schwitzen*) **in der Sonne** ~ se faire cuire au soleil 3. *fam* (*warten*) **jdn** ~ **lassen** laisser mariner qn

Schmuck <-[e]s> *m* 1. bijoux *mpl* 2. (*Verzierung*) décoration *f*

schmücken ['ʃmʏkən] *vt* décorer *Raum*

Schmuckkästchen *nt* coffret *m* à bijoux

schmucklos *adj* nu(e) **Schmuckstück** *nt* bijou *m*

schmudd[e]lig *adj* sale, crasseux(-euse)

Schmuggel ['ʃmʊgəl] <-s> *m* contrebande *f*

schmuggeln I. *vt* faire de la contrebande de *Waren;* faire du trafic de *Drogen, Waffen* II. *vi* faire de la contrebande

Schmuggler(in) <-s, -> *m(f)* contrebandier(-ière) *m(f)*

schmunzeln ['ʃmʊntsəln] *vi* sourire; **über etw** ~ sourire de qc

schmusen ['ʃmu:zən] *vi fam* [miteinander] ~ se faire des mamours; **mit jdm** ~ faire des mamours à qn

Schmutz [ʃmʊts] <-es> *m* saleté *f;* (*Schlamm*) boue *f;* (*Staub*) poussière *f*

Schmutzfink *m fam* [petit] cochon *m*

schmutzig *adj* 1. sale; (*schlammbedeckt*) boueux(-euse); (*staubbedeckt*) poussiéreux(-euse); **sich** ~ **machen** se salir 2. *pej* (*anrüchig*) sale 3. *pej* (*obszön*) salace

Schmutzschicht *f* couche *f* de saleté

Schnabel ['ʃna:bəl, *Pl:* 'ʃnɛ:bəl] <-s, ⁻> *m* 1. ORN, MUS bec *m* 2. (*lange Tülle*) bec *m* [verseur] 3. *fam* (*Mund*) bec *m;* **halt den** ~**!** *fam* ferme-la!

Schnabeltasse *f* tasse *f* à bec

Schnake ['ʃna:kə] <-, -n> *f* 1. (*nicht stechende Mücke*) cousin *m* 2. DIAL *fam* (*Stechmücke*) moustique *m*

Schnalle ['ʃnalə] <-, -n> *f* boucle *f*

schnallen *vt* 1. etw enger ~ serrer qc 2. *fam* (*begreifen*) piger

schnalzen ['ʃnaltsən] *vi* faire claquer; **mit der Zunge/mit den Fingern** ~ faire claquer sa langue/ses doigts

Schnäppchen ['ʃnɛpçən] <-s, -> *nt fam* [bonne] affaire *f*

Schnäppchenjagd *f fam* chasse *f* aux bonnes affaires

schnappen ['ʃnapən] I. *vi* 1. + *haben* **nach jdm** ~ *Hund:* chercher à mordre qn; **nach etw** ~ essayer d'attraper qc 2. + *sein*

(*klappen*) **ins Schloss** ~ s'enclencher dans la serrure II. *vt* + *haben fam* 1. (*ergreifen*) **sich** (*dat*) **jdn** ~ harponner qn; **sich** (*dat*) **etw** ~ se choper qc 2. (*fangen*) choper *Täter*

SchnappschlossRR *nt* serrure *f* à ressort

SchnappschussRR *m* instantané *m*

Schnaps [ʃnaps, *Pl:* 'ʃnɛpsə] <-es, ⁻e> *m* eau-de-vie *f* **Schnapsidee** *f fam* idée *f* loufoque

schnarchen ['ʃnarçən] *vi* ronfler

schnattern ['ʃnatən] *vi* 1. *Ente:* cancaner; *Gans:* criailler 2. *fam* (*schwatzen*) jacasser

schnauben ['ʃnaʊbən] <schnaubte, geschnaubt> *vi* 1. écumer; **vor Wut** ~ écumer de colère 2. (*laut atmen*) *Pferd:* s'ébrouer

schnaufen ['ʃnaʊfən] *vi* 1. + *haben* (*angestrengt atmen*) haleter 2. + *haben bes.* SDEUTSCH (*atmen*) respirer

Schnauzbart *m* moustache *f*

Schnauze ['ʃnaʊtsə] <-, -n> *f* 1. (*Tiermaul*) gueule *f* 2. *fam* (*Mund*) gueule *f*; ►**die** ~ **voll haben** *fam* en avoir ras le bol; **auf die** ~ **fallen** *fam* se casser la gueule

schnauzen *vi fam* gueuler

schnäuzenRR ['ʃnɔytsən] I. *vr* **sich** ~ se moucher II. *vt* **sich die Nase** ~ se moucher le nez

Schnauzer <-s, -> *m* 1. (*Hundeart*) schnauzer *m* 2. *fam* (*Schnauzbart*) bac[ch]antes *fpl*

Schnecke ['ʃnɛkə] <-, -n> *f* 1. escargot *m* 2. *meist Pl* GASTR escargot *m*

Schneckenhaus *nt* coquille *f* [d'escargot]

Schneckentempo *nt fam* **im** ~ comme un escargot/des escargots

Schnee [ʃne:] <-s> *m* 1. neige *f* 2. *fam* (*Kokain*) neige *f*

Schneeball *m a.* BOT boule *f* de neige

Schneeballschlacht *f* bataille *f* de boules de neige **Schneeballsystem** *nt* système *m* de vente à la boule de neige **Schneebesen** *m* fouet *m* **Schneebrille** *f* lunettes *fpl* de glacier **Schneefall** *m* chute *f* de neige **Schneeflocke** *f* flocon *m* [de neige] **Schneeglätte** *f* verglas *m* **Schneeglöckchen** ['ʃne:glœkçən] <-s, -> *nt* perce-neige *m o f* **Schneekette** *f meist Pl* chaîne *f* [à neige] **Schneemann** <-männer> *m* bonhomme *m* de neige **Schneematsch** *m* neige *f* fondante **Schneepflug** *m* chasse-neige *m* **Schneeregen** *m* neige *f* fondue

schneeweiß *adj* *Haare* blanc(blanche) comme la neige; *Haut* laiteux(-euse)

Schneewittchen [ʃne:'vɪtçən] <-s> *nt* Blanche-Neige *f*

Schneid [ʃnaɪt] <-[e]s> *m fam* ~ **haben** avoir du cran

Schneide ['ʃnaɪdə] <-, -n> f fil m, tranchant m
schneiden ['ʃnaɪdən] <schnitt, geschnitten> I. vt 1.(zerteilen) (mit dem Messer) couper; (mit der Schere) découper; **klein** ~ hacher finement Zwiebel 2.(kürzen) couper Fingernägel, Haare; tailler Bart 3.(ein~) **ein Loch in etw** (akk) ~ faire un trou dans qc 4.(kreuzen) couper Straße 5.(gefährden) faire une queue de poisson à Person, Fahrzeug 6.MEDIA, CINE monter Film 7.(meiden) fuir II. vr 1.(sich verletzen) sich (akk o dat) **in den Finger** ~ se couper au doigt 2.(sich kreuzen) sich ~ Straßen: se couper III. vi **gut/schlecht** ~ Messer: couper bien/mal
schneidend adj Kälte mordant(e); Schmerz aigu(ë)
Schneider ['ʃnaɪdɐ] <-s, -> m tailleur m
Schneiderei [ʃnaɪdə'raɪ] <-, -en> f atelier m de couture
Schneiderin <-, -nen> f couturière f
schneidern vi (als Beruf) être tailleur/couturière; (als Hobby) faire de la couture
Schneidersitz m im ~ en tailleur
Schneidezahn m incisive f
schneidig adj fringant(e)
schneien ['ʃnaɪən] vi unpers neiger; **es schneit** il neige
Schneise ['ʃnaɪzə] <-, -n> f tranchée f
schnell [ʃnɛl] I. adj rapide II. adv gehen, sich fortbewegen vite; arbeiten, reagieren rapidement
Schnellbahn f train m de banlieue **Schnellboot** nt vedette f rapide
Schnelle f (Strom~) rapide m ▶auf die ~ fam vite fait
schnelllebig s. schnelllebig
schnellen vi + sein **in die Höhe** ~ faire un bond
Schnellhefter m chemise f
Schnellimbiss^RR m snack m **Schnellkochtopf** m cocotte-minute® f**Schnellkurs** m cours m accéléré
schnelllebig^RR adj fiévreux(euse)
schnellstens adv au plus vite
Schnellstraße f voie f rapide **Schnellverfahren** nt ▶im ~ JUR en référé; fam (auf die Schnelle) en vitesse **Schnellzug** m train m express
Schnepfe <-, -n> f a. fig, pej bécasse f
schneuzen s. schnäuzen
Schnickschnack ['ʃnɪkʃnak] <-s> m fam 1.(Krimskrams) bricoles fpl 2.(Geschwätz) âneries fpl
schniefen ['ʃniːfən] vi renifler
Schnippchen ▶jdm ein ~ **schlagen** fam faire un pied de nez à qn
schnippeln fam I. vi découper; **an etw**

(dat) ~ découper qc II. vt émincer
schnippen ['ʃnɪpən] I. vi claquer; **mit den Fingern** ~ claquer des doigts II. vt **die Krümel vom Tisch** ~ balayer de la main les miettes de la table
schnippisch ['ʃnɪpɪʃ] pej adj impertinent(e)
Schnipsel ['ʃnɪpsəl] <-s, -> m o nt petit morceau m
schnitt [ʃnɪt] Imp von schneiden
Schnitt [ʃnɪt] <-[e]s, -e> m 1. a. MED (Einschnitt) incision f 2.(~wunde) coupure f 3.CINE montage m 4. von Kleidung, Haaren coupe f 5. fam (Durchschnitt) im ~ en moyenne
Schnitte <-, -n> f tranche f; (belegt) tartine f
Schnittfläche f coupe f
schnittig adj profilé(e)
Schnittkäse m fromage vendu en tranches
Schnittlauch m kein Pl ciboulette f
Schnittmuster nt patron m **Schnittpunkt** m von Linien point m d'intersection; von Straßen intersection f **Schnittstelle** f INFORM interface f **Schnittwunde** f coupure f; (tief) entaille f
Schnitzel^1 ['ʃnɪtsəl] <-s, -> nt GASTR escalope f
Schnitzel^2 s. Schnipsel
schnitzen ['ʃnɪtsən] vt, vi sculpter
Schnitzer <-s, -> m fam (Fehler) **einen** ~ **machen** fam faire une gaffe
Schnitzerei [ʃnɪtsə'raɪ] <-, -en> f sculpture f sur bois
schnodd(e)rig adj pej fam Mensch mal embouché(e)
schnöde pej geh adj Geiz, Motiv, Tat sordide
Schnorchel ['ʃnɔrçəl] <-s, -> m tuba m
schnorcheln vi nager sous l'eau avec un tuba
Schnörkel ['ʃnœrkəl] <-s, -> m 1.(Ornament) fioriture f 2.(bei der Unterschrift) paraphe m illisible
schnorren ['ʃnɔrən] fam I. vi faire la manche II. vt taxer
Schnorrer(in) <-s, -> m(f) fam tapeur(-euse) m(f)
Schnösel ['ʃnøːzəl] <-s, -> m pej fam morveux m
schnüffeln ['ʃnʏfəln] I. vi 1.flairer; **an jdm/etw** ~ flairer qn/qc 2.fam (spionieren) fouiner II. vt fam snif[f]er Drogen, Klebstoff
Schnüffler(in) <-s, -> m(f) 1. pej fam (Detektiv) privé(e) m(f) 2. fam (Drogenkonsument) sniffeur(-euse) m(f)
Schnuller ['ʃnʊlɐ] <-s, -> m sucette f
Schnulze ['ʃnʊltsə] <-, -n> f pej fam (Lied/Film) chanson f/film m sentimental(e)

schnulzig *adj fam* sentimental
schnupfen ['ʃnʊpfən] *vt* priser *Schnupftabak;* sniffer *Kokaīn*
Schnupfen <-s, -> *m* rhume *m;* ~ **haben/ bekommen** avoir un rhume/s'enrhumer
Schnupftabak *m* tabac *m* à priser
schnuppe ['ʃnʊpə] *adj fam* das ist mir ~ je me fiche pas mal de cela
Schnupperkurs *m* cours *m* d'essai
schnuppern ['ʃnʊpɐn] *vi* renifler; **an etw** ~ renifler qc
Schnur [ʃnuːɐ̯, *Pl:* 'ʃnyːrə] <-, ⸗e> *f* 1. ficelle *f; einer Angel, Halskette* fil *m* 2. ELEC *fam* fil *m*
Schnürchen <-s, -> *nt Dim von* **Schnur** cordonnet *m* ▸**wie am** ~ *fam* comme sur des roulettes
schnüren ['ʃnyːrən] *vt* 1. ficeler *Paket* 2. *(zubinden)* **sich** *(dat)* **die Schuhe** ~ lacer ses chaussures
schnurgerade ['ʃnuːɐ̯gə'raːdə] **I.** *adj* rectiligne **II.** *adv verlaufen* en ligne droite
schnurlos *adj Telefon* sans fil
Schnurrbart *m* moustache *f*
schnurren ['ʃnʊrən] *vi* ronronner
Schnurrhaare *Pl* moustaches *fpl*
Schnürschuh *m* chaussure *f* à lacets
Schnürsenkel ['ʃnyːɐ̯zɛŋkəl] *m* lacet *m*
schnurstracks ['ʃnuːɐ̯'ʃtraks] *adv fam (geradewegs)* tout droit; *(sofort)* illico
Schnute ['ʃnuːtə] <-, -n> *f fam* petite bouche *f;* **eine** ~ **ziehen** faire la gueule
schob [ʃoːp] *Imp von* **schieben**
Schober ['ʃoːbɐ] <-s, -> *m* SDEUTSCH, A meule *f* [de foin]
Schock [ʃɔk] <-[e]s, -s> *m* choc *m*
schocken *vt fam* choquer
schockieren* [ʃɔ'kiːrən] *vt* choquer
Schöffe ['ʃœfə] <-n, -n> *m,* **Schöffin** *f* assesseur *m (non-professionnel)*
Schöffengericht *nt* ≈ tribunal *m* de grande instance *(comprenant un juge professionnel et des assesseurs non-professionnels)*
Schokolade [ʃoko'laːdə] <-, -n> *f (a. Getränk)* chocolat *m*
Schokoriegel *m* barre *f* de chocolat
scholl *Imp von* **schallen**
Scholle ['ʃɔlə] <-, -n> *f* 1. *(Fisch)* carrelet *m* 2. *(Erdscholle)* motte *f* 3. *(Eisscholle)* bloc *m* de glace
schon [ʃoːn] *adv* 1. *(bereits)* déjà; ~ **jetzt** dès maintenant; ~ **immer** depuis toujours; ~ **wieder?** encore? 2. *(irgendwann)* **er wird es** ~ **noch lernen** il apprendra bien ça un jour 3. *(allein)* ~ **deshalb** rien que pour cela 4. *(durchaus)* plutôt; **das kann** ~ **vorkommen** ça peut fort bien arriver 5. *(denn)* **was macht das** ~? qu'est-ce que ça peut bien faire? 6. *fam (wirklich)*

man hat's ~ **nicht leicht im Leben** y a pas à dire, la vie est dure 7. *(irgendwie)* **es geht** ~ ça va à peu près; **es wird** ~ **klappen** ça va bien marcher 8. *fam (endlich)* **sag** ~! allez, dis!
schön [ʃøːn] **I.** *adj* 1. beau(belle); **etwas Schönes** quelque chose de beau 2. *(angenehm)* bon(ne); **~es Wochenende!** bon week-end!; **bei ihnen ist es** ~ c'est bien chez eux 3. *fam (gut)* **na** ~! c'est bon 4. *(nett)* **das ist nicht** ~ **von dir** ce n'est pas bien de ta part 5. *iron fam Durcheinander, Geschichte* beau(belle); *Aussichten, Überraschung* charmant(e) **II.** *adv* 1. *(angenehm)* bien; **ihr habt es hier** ~! vous êtes bien installé(e)s ici! 2. *iron fam erschrecken, sich blamieren* drôlement
Schonbezug *m* housse *f* de protection
schonen ['ʃoːnən] *vt* ménager *Person, Gegenstand*
schonend **I.** *adj Behandlung, Umgang* soigneux(-euse); *Waschmittel* doux(douce); *Art, Weise* plein(e) d'égards **II.** *adv (pfleglich)* avec précaution; *(rücksichtsvoll)* avec ménagements
schön|färben *vt* arranger *Fakten*
Schonfrist *f* délai *m* de grâce
Schöngeist *m* bel esprit *m*
schöngeistig *adj* esthétique
Schönheit <-, -en> *f (Eigenschaft, Mensch)* beauté *f*
Schönheitschirurgie *f* chirurgie *f* esthétique **Schönheitsfarm** *f* centre *m* de remise en beauté **Schönheitsfehler** *m eines Menschen* imperfection *f* [esthétique]; *eines Produkts, einer Vereinbarung* petit défaut *m* **Schönheitsoperation** *f* opération *f* de chirurgie esthétique
schön|machen *vr fam* **sich** ~ se faire beau(belle) **Schönschrift** *f (in Reinschrift)* au propre **schön|tun** *vi irr* **jdm** ~ flatter qn
Schonung <-, -en> *f* 1. *kein Pl (pflegliche Behandlung) der Kleidung, Möbel* soin *m* 2. *kein Pl (Entlastung, Schutz)* ménagement *m* 3. *(Pflanzung)* plantation *f* protégée
schonungslos **I.** *adj Offenheit* impitoyable **II.** *adv offen legen* d'une manière impitoyable
Schönwetterperiode *f* période *f* de beau temps
Schonzeit *f* période *f* de fermeture de la chasse
Schopf [ʃɔpf, *Pl:* 'ʃœpfə] <-[e]s, ⸗e> *m* 1. toupet *m* 2. ORN aigrette *f*
schöpfen ['ʃœpfən] *vt* 1. prendre *Suppe* 2. *(gewinnen)* reprendre *Mut;* **Kraft aus seinem Glauben** ~ puiser des forces dans

sa foi

Schöpfer(in) <-s, -> *m(f)* **1.** *eines Kunstwerks* créateur(-trice) *m(f); eines Musikstücks* compositeur(-trice) *m(f)* **2.** *(Gott)* **der ~** le Créateur

schöpferisch I. *adj Person, Talent* créateur(-trice) **II.** *adv* **~ tätig** travailler dans le domaine créatif

Schöpfkelle *f* louche *f*

Schöpfung <-, -en> *f* **1.** *geh (das Geschaffene)* création *f* **2.** *kein Pl* REL *(Welt)* Création *f*

Schöpfungsgeschichte *f kein Pl* Genèse *f*

Schoppen ['ʃɔpən] <-s, -> *m* **1.** *(Viertelliter)* quart *m;* **ein ~ Wein** un quart de vin **2.** SDEUTSCH, CH *(Babyfläschchen)* biberon *m*

schor [ʃoːɐ̯] *Imp von* **scheren¹**

Schorf [ʃɔrf] <-[e]s, -e> *m* croûte *f*

Schorle <-, -n> *f* SDEUTSCH *(Weinschorle)* mélange de vin et d'eau minérale gazeuse

Schornstein ['ʃɔrnʃtaɪn] *m* cheminée *f*

Schornsteinfeger(in) <-s, -> *m(f)* ramoneur(-euse) *m(f)*

schossRR [ʃɔs], **schoß** *Imp von* **schießen**

Schoß [ʃoːs, *Pl:* 'ʃøːsə] <-es, ˸e> *m* **1.** **auf dem/den ~** sur les genoux **2.** *geh (Mutterleib)* sein *m*

Schoßhund *m* bichon *m*

SchösslingRR, **Schößling** <-s, -e> *m* rejet *m*

Schote ['ʃoːtə] <-, -n> *f* cosse *f*

Schotte ['ʃɔtə] <-n, -n> *m,* **Schottin** *f* Écossais(e) *m(f)*

Schottenrock *m* jupe *f* écossaise

Schotter ['ʃɔtɐ] <-s, -> *m* gravier *m*

schottisch *adj* écossais(e)

Schottland ['ʃɔtlant] *nt* l'Écosse *f*

schraffieren* [ʃraˈfiːrən] *vt* hachurer

schräg [ʃrɛːk] **I.** *adj* **1.** *Wand, Dach, Hang* incliné(e); *Linie* oblique; *Stellung* penché(e) **2.** *fam Typ* farfelu(e) **II.** *adv halten, hängen* de travers; *verlaufen, anordnen* en biais

Schräge <-, -n> *f* **1.** *(schräge Fläche)* plan *m* incliné **2.** *(Neigung) einer Wand* inclinaison *f; eines Dachs, Hangs* pente *f*

Schrägstrich *m* barre *f* oblique

Schramme ['ʃramə] <-, -n> *f (Verletzung, Beschädigung)* éraflure *f*

schrammen I. *vi + sein* faire des rayures **II.** *vr + haben* **sich** *(dat)* **das Knie ~** s'érafler le genou

Schrank [ʃraŋk, *Pl:* 'ʃrɛŋkə] <-[e]s, ˸e> *m (Wandschrank)* placard *m; (Kleiderschrank)* armoire *f*

Schranke ['ʃraŋkə] <-, -n> *f* barrière *f*

schrankenlos *adj Vertrauen, Freiheit* sans bornes

Schrankwand *f* bibliothèque *f (composée*

d'éléments modulables)

Schraubdeckel *m eines Glases* couvercle *m* à vis; *einer Flasche* bouchon *m* à vis

Schraube ['ʃraʊbə] <-, -n> *f* **1.** TECH vis *f* **2.** NAUT hélice *f* **►bei ihm ist eine ~ locker** *fam* il ne tourne pas rond

schrauben *vt* **1.** *(anbringen)* **etw an/auf etw** *(akk)* **~** visser qc à/sur qc **2.** *fig* **höher ~** augmenter *Anforderungen, Löhne;* **seine Ansprüche nach unten ~** placer la barre plus bas

Schraubenschlüssel *m* clé *f* **Schraubenzieher** <-s, -> *m* tournevis *m*

Schraubstock *m* étau *m* **Schraubverschluss**RR *m* fermeture *f* à vis

Schrebergarten ['ʃreːbɐgartən] *m* jardin *m* ouvrier

Schreck [ʃrɛk] <-s> *m* peur *f;* **jdm einen ~ einjagen** faire peur à qn; **einen ~ bekommen** *fam* avoir peur

schrecken¹ <schreckte, geschreckt> *vt + haben geh* effrayer *Person*

schrecken² <schrak, geschrocken> *vi + sein geh* **aus dem Schlaf ~** être tiré brutalement de son sommeil

Schrecken <-, -> *m* peur *f;* **zu meinem großen ~** à mon grand effroi; **mit dem ~ davonkommen** en être quitte pour la peur

Schreckensherrschaft *f* régime *m* de terreur **Schreckensnachricht** *f* terrible nouvelle *f*

Schreckgespenst *nt* spectre *m*

schreckhaft *adj* peureux(-euse)

schrecklich I. *adj* **1.** terrible **2.** *pej fam Mensch* affreux(-euse) **II.** *adv* **1.** *(furchtbar)* horrible **2.** *fam heiß, einsam* affreusement; *gern haben, nett* terriblement

Schreckschraube *f pej fam (hässliche Frau)* boudin *m; (bösartige Frau)* vieille peau *f* **Schreckschusspistole**RR *f* pistolet *m* d'alarme **Schrecksekunde** *f* temps *m* de réaction

Schrei [ʃraɪ] <-[e]s, -e> *m* cri *m; eines Hahns* chant *m* **►der letzte ~** *fam* le dernier cri

Schreibblock <-blöcke> *m* bloc-notes *m* **schreiben** ['ʃraɪbən] <schrieb, geschrieben> **I.** *vt* **1.** écrire *Brief, Text;* faire *Haus-/ Klassenarbeit;* passer *Test;* établir *Rechnung* **2.** *(füllen)* **voll ~** noircir *Seite, Blatt* **II.** *vi* écrire **III.** *vr (korrespondieren)* **sich** *(dat)* **~** s'écrire

Schreiben <-s, -> *nt* lettre *f*

Schreiber(in) ['ʃraɪbɐ] <-s, -> *m(f)* auteur *m(f)*

schreibfaul *adj* trop paresseux(-euse) pour écrire **Schreibfehler** *m* faute *f* d'orthographe **Schreibheft** *nt* cahier *m* **Schreib-**

kraft *f* dactylo *mf* **Schreibmaschine** *f* machine *f* à écrire; **etw auf der ~ schreiben** taper qc à la machine **Schreibschrift** *f* a. TYP écriture *f* cursive **Schreibschutz** *m* INFORM protection *f* d'écriture **schreibschützen** <*PP* schreibgeschützt> *vt* INFORM **etw ~** protéger qc **Schreibtisch** *m* bureau *m* **Schreibtischtäter(in)** *m(f) pej* actif(-ive) *m(f)* du bureau **Schreibung** <-, -en> *f* orthographe *f* **Schreibunterlage** *f* sous-main *m* **Schreibwaren** *Pl* [articles *mpl* de] papeterie *f* **Schreibwarenhändler(in)** *m(f)* papetier(-ière) *m(f)* **Schreibwarenhandlung** *f* papeterie *f* **Schreibweise** *f* **1.** (*Schreibung*) orthographe *f* **2.** (*Stil*) écriture *f* **schreien** ['ʃraiən] <**schrie, geschrie[e]n**> I. *vi* **1.** *Mensch:* crier; (*laut*) hurler; *Baby:* pleurer **2.** (*verlangen*) **nach der Mutter ~** réclamer la mère à grands cris II. *vt* crier III. *vr* **sich heiser ~** s'enrouer à force de crier **schreiend** *adj* **1.** *Farbe* criard(e) **2.** *Unrecht* criant(e) **Schreihals** *m fam* braillard(e) *m(f)* **Schrein** [ʃrain] <-[e]s, -e> *m geh* (*Reliquienschrein*) reliquaire *m* **Schreiner(in)** ['ʃrainɐ] <-s -> *m(f)* SDEUTSCH menuisier(-ière) *m(f)* **schreiten** ['ʃraitən] <**schritt, geschritten**> *vi* + *sein geh* **1.** s'avancer **2.** *fig* **zur Tat ~** passer à l'acte **schrie** [ʃriː] *Imp von* **schreien schrieb** [ʃriːp] *Imp von* **schreiben Schrift** [ʃrift] <-, -en> *f* **1.** (*Handschrift*, *~system*) écriture *f* **2.** TYP caractères *mpl* **3.** (*Abhandlung*) écrit *m* **4.** REL **die Heilige ~** les Saintes Écritures *fpl* **Schriftart** *f* TYP police *f* de caractères **Schriftdeutsch** *nt* allemand *m* écrit **Schriftgröße** *f* INFORM taille *f* des caractères **schriftlich** I. *adj* écrit(e) II. *adv* par écrit **Schriftsatz** *m* JUR pièce *f* écrite **Schriftsprache** *f* langue *f* écrite **Schriftsteller(in)** <-s, -> *m(f)* écrivain *m* **schriftstellerisch** *adj* **~es Werk** œuvre *f* d'écrivain **Schriftstück** *nt* document *m* **Schriftwechsel** *m* correspondance *f* **Schriftzeichen** *nt* caractère *m* **schrill** [ʃril] *adj* **1.** *Stimme, Ton* strident(e) **2.** *Typ, Effekt* tapageur(-euse) **schrill** *adj* ~ **sein** *fam* flasher **schritt** [ʃrit] *Imp von* **schreiten Schritt** [ʃrit] <-[e]s, -e> *m* **1.** pas *m;* **mit schnellen/leisen ~en** à pas rapides/de loup **2.** *kein Pl* (*Gangart, Tempo*) pas *m;* **mit jdm ~ halten** suivre l'allure de qn

3. (*Maßnahme*) mesure *f;* **~e einleiten** prendre des dispositions **4.** COUT entrejambe *m* **Schrittempo** *s.* **Schritttempo Schrittgeschwindigkeit** *f* vitesse *f* réduite **Schrittmacher** *m* MED stimulateur *m* cardiaque **Schritttempo**^RR *nt* vitesse *f* réduite **schrittweise** *adv vorankommen* progressivement **schroff** [ʃrɔf] I. *adj* **1.** (*steil*) abrupt(e) **2.** (*barsch*) sec(sèche); *Verhalten* cassant(e) II. *adv abfallen* à pic **schröpfen** ['ʃrœpfən] *vt fam* (*ausnehmen*) plumer **Schrot** [ʃroːt] <-[e]s, -e> *m o nt* **1.** *kein Pl* (*gemahlenes Getreide*) farine *f* grossière **2.** JAGD plomb *m* [de chasse] **Schrotflinte** *f* carabine *f* à plombs **Schrott** [ʃrɔt] <-[e]s> *m* **1.** ferraille *f;* **ein Auto zu ~ fahren** *fam* envoyer une voiture à la casse **2.** *fam* (*wertloses Zeug*) camelote *f* **3.** *fam* (*Unsinn*) ~ **erzählen** raconter n'importe quoi **Schrotthändler(in)** *m(f)* ferrailleur(-euse) *m(f)* **Schrotthaufen** *m* tas *m* de ferraille **Schrottplatz** *m* ferraille *m;* (*Autoschrottplatz*) casse *f* **schrottreif** *adj* bon(ne) pour la casse **schrubben** ['ʃrʊbən] *fam* I. *vt* frotter *Boden, Rücken* II. *vi* passer la brosse **Schrubber** <-s, -> *m* balai-brosse *m* **Schrulle** <-, -n> *f* (*Marotte*) lubie *f* **schrullig** *adj fam* lunatique **schrumpelig** ['ʃrʊmpəlɪç] *s.* **schrumplig schrumpfen** ['ʃrʊmpfən] *vi* + *sein* **1.** *Muskeln:* fondre; *Frucht:* se ratatiner; *Ballon:* se dégonfler **2.** *Vorräte, Mitgliederzahl:* se réduire **schrumplig** *adj fam Schale, Haut* ratatiné(e) **Schub** [ʃuːp, *Pl:* 'ʃyːbə] <-[e]s, =e> *m* **1.** PHYS poussée *f;* MED crise *f* **2.** (*Antrieb*) élan *m* **Schubfach** *nt* tiroir *m* **Schubkarre** *f* brouette *f* **Schubkarren** *m* brouette *f* **Schubkraft** *f* poussée *f* **Schublade** <-, -n> *f* (*Schubfach*) tiroir *m* **Schubs** [ʃʊps] <-es, -e> *m fam* bourrade *f* **schubsen** ['ʃʊpsən] *vt fam* bousculer; **jdn ins Wasser/von der Bank ~** pousser qn dans l'eau/du banc **schubweise** *adv* **1.** MED *auftreten* par poussées **2.** (*in Gruppen*) par fournées **schüchtern** ['ʃʏçtɐn] *adj* timide **Schüchternheit** <-> *f* timidité *f* **schuf** [ʃuːf] *Imp von* **schaffen**^2 **Schuft** [ʃʊft] <-[e]s, -e> *m pej* crapule *f* **schuften** ['ʃʊftən] *vi fam* trimer; **sich fast zu Tode ~** se crever au travail **Schufterei** [ʃʊftəˈrai] <-, -en> *f fam* boulot

m de forçat
Schuh [ʃuː] <-[e]s, -e> *m* chaussure *f*
Schuhbändel SDEUTSCH, CH *s.* **Schnürsenkel Schuhcreme** *f* cirage *m* **Schuhgeschäft** *nt* magasin *m* de chaussures **Schuhgröße** *f* pointure *f*; **ich habe ~ 40** je fais du 40 **Schuhlöffel** *m* chausse-pied *m* **Schuhmacher(in)** *m(f)* cordonnier(-ière) *m(f)* **Schuhputzer(in)** <-s, -> *m(f)* cireur(-euse) *m(f)* de chaussures **Schuhsohle** *f* semelle *f* [de chaussure] **Schuhspanner** *m* embauchoir *m*
Schulabbrecher(in) *m(f)* étudiant(e) *m(f)* qui abandonne ses études **Schulabgänger(in)** <-s, -> *m(f)* jeune *mf* ayant terminé sa scolarité **Schulanfang** *m* (*Schulbeginn nach den Ferien*) rentrée scolaire *f* **Schulanfänger(in)** *m(f)* élève de C.P. *mf* **Schularbeiten** *Pl* devoirs *mpl* [à la maison] **Schulbank** <-bänke> *f* banc *m* d'école **Schulbesuch** *m* scolarisation *f* **Schulbildung** *f kein Pl* formation *f* scolaire **Schulbuch** *nt* livre *m* [scolaire], livre *m* de classe **Schulbus** *m* car *m* de ramassage [scolaire]
schuld [ʃʊlt] ▶**an etw** (*dat*) ~ **sein** *Person:* être responsable de qc; *Sache:* être à l'origine de qc
Schuld [ʃʊlt] <-, -en> *f* **1.** *kein Pl* (*Verschulden*) culpabilité *f* **2.** (*Verantwortung*) **an etw** (*dat*) ~ **haben** être responsable de qc; **jdm** ~ **geben** donner la faute à qn; **die** ~ **auf sich** (*akk*) **nehmen** assumer la responsabilité **3.** *a.* FIN (*Verpflichtung*) dette *f*; ~**en haben/machen** avoir des dettes/s'endetter
Schuldbekenntnis *nt* aveu *m* **schuldbewusst**ᴿᴿ I. *adj Person, Miene* coupable II. *adv* ~ **schweigen** se taire, l'air coupable **schulden** [ˈʃʊldən] *vt* devoir; **jdm Geld** ~ devoir de l'argent à qn **Schuldenerlass**ᴿᴿ *m* remise *f* de dette **schuldenfrei** *adj* sans dettes **Schuldfähigkeit** *f* JUR responsabilité *f* pénale **Schuldfrage** *f* **die** ~ **klären** chercher à établir la culpabilité **Schuldgefühl** *nt* sentiment *m* de culpabilité
schuldhaft *adj* coupable **Schuldienst** *m kein Pl* enseignement *m* **schuldig** *adj* **1.** responsable **2.** JUR coupable; **sich** ~ **bekennen** plaider coupable; **jdn** ~ **sprechen** déclarer qn coupable **3.** (*verpflichtet*) **jdm Geld/Dank** ~ **sein** devoir de l'argent/de la reconnaissance à qn **Schuldige(r)** *f(m) dekl wie adj* coupable *mf* **Schuldigkeit** <-> *f* ▶**seine** ~ **getan haben** avoir fait son devoir **Schuldirektor(in)** *m(f)* directeur(-trice) *m(f)* de l'école

schuldlos I. *adj* non responsable II. *adv* (*unverschuldet*) sans y être pour rien **Schuldner(in)** [ˈʃʊldnɐ] <-s, -> *m(f)* débiteur(-trice) *m(f)* **Schuldschein** *m* reconnaissance *f* de dette **Schuldzuweisung** *f* accusation *f* **Schule** [ˈʃuːlə] <-, -n> *f* **1.** (*Institution, Gebäude*) école *f*; **zur** ~ **gehen** aller à l'école/au collège/au lycée **2.** *kein Pl* (*Unterricht*) **die** ~ **ist aus** l'école *f* est finie; **am Samstag ist** ~ il y a classe le samedi **3.** *kein Pl* (*Erziehung*) **ein Kavalier der alten** ~ un gentleman de la vieille école **4.** (*Kunstrichtung*) école *f* **schulen** *vt* former *Person;* exercer *Gedächtnis* **Schüler(in)** [ˈʃyːlɐ] <-s, -> *m(f)* **1.** élève *mf* **2.** *eines Malers* élève *mf; eines Philosophen* disciple *mf*
Schüleraustausch *m* échange *m* scolaire **Schülerausweis** *m* carte *f* d'identité scolaire (*donnant droit à des réductions*) **Schülerlotse** *m*, **-lotsin** *f* élève *mf* chargé(e) de la circulation **Schülerzeitung** *f* journal *m* scolaire **Schulfach** *nt* matière *f* **Schulferien** *Pl* vacances *fpl* scolaires **schulfrei** *adj Samstag* sans école; ~ **haben** ne pas avoir classe **Schulfreund(in)** *m(f)* camarade *mf* d'école/de collège/lycée **Schulgebäude** *nt* bâtiment *m* scolaire **Schulgeld** *nt* frais *mpl* de scolarité **Schulheft** *nt* cahier *m* **Schulhof** *m* cour *f* [de l'école] **schulisch** *adj* scolaire **Schuljahr** *nt* **1.** année *f* scolaire **2.** (*Klassenstufe*) classe *f*; **im achten** ~ **sein** ≈ être en quatrième **Schulkamerad(in)** *m(f)* camarade *mf* d'école/de collège/lycée **Schulkind** *nt* écolier(-ière) *m(f)* **Schulklasse** *f* classe *f* **Schullandheim** *nt* centre *m* d'accueil pour classes vertes **Schulleiter(in)** *m(f)* chef *mf* d'établissement **Schulpflicht** *f kein Pl* obligation *f* scolaire **schulpflichtig** *adj Kind* d'âge scolaire; **im** ~**en Alter sein** être en âge d'être scolarisé **Schulranzen** *m* cartable *m* [à bretelles] **Schulrat** *m*, **-rätin** *f* ≈ inspecteur(-trice) *m(f)* [de l'enseignement] primaire **Schulschluss**ᴿᴿ *m kein Pl* fin *f* des cours **Schulsprecher(in)** *m(f)* délégué(e) *m(f)* des élèves **Schulstunde** *f* heure *f* de cours **Schulsystem** *nt* système *m* scolaire **Schultag** *m* jour *m* de classe
Schulter [ˈʃʊltɐ] <-, -n> *f a.* GASTR épaule *f*; **mit den** ~**n zucken** hausser les épaules **Schulterblatt** *nt* omoplate *f* **schulterfrei** *adj Kleid* à épaules nues **schulterlang** *adj* arrivant aux épaules
schultern *vt* mettre sur l'épaule; **das Ge-**

päck ~ mettre le bagage sur l'épaule
Schulterpolster *nt* épaulette *f* **Schulter-**
schluss^RR *m* alliance *f;* ~ **mit jdm** alliance
avec qn
Schulung <-, -en> *f* 1.(*Kurs*) formation *f*
2. *des Gedächtnisses* entraînement *m*
Schulunterricht *m* cours *mpl* **Schulweg**
m chemin *m* de l'école **Schulzeit** *f* scolarité *f* **Schulzeugnis** *nt* bulletin *m* scolaire
schummeln ['ʃʊməln] *vi fam* **beim Spie-**
len ~ tricher au jeu; **bei der Klassenar-**
beit ~ pomper en interro
schumm|e|rig *adj fam Beleuchtung* tami-
sé(e); *Zimmer* peu éclairé(e)
Schund [ʃʊnt] <-[e]s> *m pej fam* (*wertlo-*
se Ware) camelote *f;* (*schlechte Literatur*)
âneries *fpl*
Schundliteratur *f pej* littérature *f* de bas
étage
schunkeln ['ʃʊŋkəln] *vi* se balancer [de
droite à gauche] (*en se tenant par le bras*
ou la taille)
Schuppe ['ʃʊpə] <-, -n> *f* 1. ZOOL écaille *f*
2. *Pl* (*Kopfschuppe*) pellicules *fpl*
schuppen I. *vt* écailler *Fisch* II. *vr* **sich** ~
peler
Schuppen ['ʃʊpən] <-s, -> *m* 1. hangar *m;*
(*klein*) appentis *m* 2. *pej fam* (*Lokal*) boui-
boui *m;* (*Diskothek*) boîte *f*
Schuppenflechte *f* psoriasis *m*
schuppig *adj Fisch, Haut* écailleux(-euse);
Haar pelliculeux(-euse)
Schur <-, -en> *f* tonte *f*
schüren ['ʃyːrən] *vt* attiser
schürfen ['ʃyrfən] I. *vi* prospecter; **nach**
Gold ~ prospecter pour trouver de l'or
▸**tief** ~**d** *Gedanken* profond(e) II. *vt* **sich**
(*dat*) **das Knie/die Haut** ~ s'érafler le ge-
nou/la peau III. *vr* **sich** ~ se faire une
écorchure
Schürfwunde *f* écorchure *f*
Schürhaken *m* tisonnier *m*
Schurke ['ʃʊrkə] <-n, -n> *m* crapule *f*
Schurwolle *f* laine *f* vierge
Schürze ['ʃyrtsə] <-, -n> *f* tablier *m*
Schürzenjäger *m pej fam* dragueur *m*
Schuss^RR <-es, ⸚e>, **Schuß** [ʃʊs] <-sses,
⸚sse> *m* 1. coup *m* de feu; **einen** ~ **abge-**
ben tirer un coup de feu 2. (*Munition*) balle *f* 3. (*Spritzer*) **ein** ~ **Essig/Rum** un filet
de vinaigre/doigt de rhum; **Orangensaft**
mit ~ jus d'orange avec du schnaps
4. SPORT tir *m* 5. *fam* (*Drogeninjektion*)
shoot *m;* **sich** (*dat*) **einen** ~ **setzen** se
shooter ▸**etw wieder in** ~ **bringen** remettre qc en état
schussbereit^RR *adj* prêt(e) à tirer
Schüssel ['ʃʏsəl] <-, -n> *f* 1. plat *m* creux;
(*Salatschüssel*) saladier *m* 2. (*Waschschüs-*

sel) cuvette *f*
Schussel <-s, -> *m fam* (*ungeschickter*
Mensch) manchot(e) *m(f)*
schusselig *adj fam* (*ungeschickt*) man-
chot(e); (*unachtsam*) étourdi(e)
Schusslinie^RR *f* ligne *f* de tir ▸**in die** ~ **ge-**
raten *Mensch:* être en butte aux attaques;
Firma: faire l'objet de la critique **Schuss-**
verletzung^RR *f* blessure *f* par balle
Schusswaffe^RR *f* arme *f* à feu
Schuster(in) ['ʃuːstɐ] <-s, -> *m(f)* cordon-
nier(-ière) *m(f)*
Schutt [ʃʊt] <-[e]s> *m* gravats *mpl;* (*Ge-*
bäudetrümmer) décombres *mpl*
Schuttabladeplatz *m* décharge *f* de déblais
Schüttelfrost *m* frissons *mpl*
schütteln ['ʃʏtəln] I. *vt* 1. jdn/etw ~ secouer qn/qc 2.(*erzittern lassen*) **jdn** ~
Hustenanfall: faire trembler qn II. *vi* secouer, agiter III. *vr* **sich** ~ s'ébrouer; **sich vor**
Ekel ~ frissonner de dégoût
Schüttelreim *m* contrepèterie *f*
schütten ['ʃʏtən] I. *vt* verser *Wasser, Mehl;*
déverser *Sand, Müll;* **etw in ein Gefäß** ~
verser/déverser qc dans un récipient II. *vi*
unpers fam **es schüttet** il pleut comme vache qui pisse
schütter ['ʃʏtɐ] *adj Haare* clairsemé(e)
Schutthalde *f* amoncellement *m* de déblais
Schutz [ʃʊts] <-es> *m* 1. protection *f;* ~
vor/gegen etw protection contre qc
2.(*Sicherheit*) ~ **vor etw suchen** chercher à se mettre à l'abri de qc; **zu seinem**
~ pour sa sécurité 3.(*Obhut*) **unter jds** ~
(*dat*) **stehen** être sous la protection de qn
▸**jdn vor jdm in** ~ **nehmen** protéger qn
contre qn
Schutzanstrich *m* enduit *m* de protection
Schutzanzug *m* combinaison *f* protectrice **schutzbedürftig** *adj Mensch* qui a besoin de protection **Schutzbehauptung** *f*
allégation *f* pour se tirer d'affaire **Schutz-**
blech *nt* *eines Fahrrads* garde-boue *m;* ei-
ner Maschine carter *m* **Schutzbrief** *m* contrat *m* d'assistance **Schutzbrille** *f* lunettes
fpl de protection
Schütze ['ʃʏtsə] <-n, -n> *m,* **Schützin** *f*
1. SPORT, JAGD tireur(-euse) *m(f)* 2. MIL (*un-*
terster Dienstgrad) [simple] soldat(e) *m(f)*
3. ASTROL Sagittaire *m*
schützen ['ʃʏtsən] I. *vt* 1. protéger; **etw**
vor Nässe ~ protéger qc contre l'humidité
2.(*patentieren*) protéger qc [par un bre-
vet]; **urheberrechtlich/gesetzlich ge-**
schützt protégé(e) par les droits d'auteur/
la loi II. *vi* **gegen die Kälte** ~ protéger
contre le froid III. *vr* **sich vor etw** (*dat*) ~
se protéger contre qc

schützend I. adj protecteur(-trice) **II.** adv pour me/le/... protéger
Schützenfest nt fête f de la société de tir
Schutzengel m ange m gardien
Schützengraben m tranchée f **Schützenhilfe** f fam appui m **Schützenverein** m société f de tir
Schutzgebühr f taxe f autorisée **Schutzgeld** nt taxe f (extorquée par des racketteurs) **Schutzgitter** nt grille f de protection **Schutzhelm** m casque m de sécurité **Schutzhütte** f refuge m **Schutzimpfung** f vaccination f préventive
Schützling ['ʃytslɪŋ] <-s, -e> m protégé(e) m(f)
schutzlos adj, adv sans défense
Schutzmarke f marque f déposée **Schutzmaske** f masque m de protection **Schutzmaßnahme** f mesure f protectrice; (vorbeugende Maßnahme) mesure préventive
Schutzschicht f couche f protectrice
Schutzumschlag m jaquette f
schwabbelig adj fam Bauch flasque; Pudding, Qualle gélatineux(-euse)
Schwabe ['ʃvaːbə] <-n, -n> m, **Schwäbin** f Souabe mf
Schwaben ['ʃvaːbən] <-s> nt la Souabe
Schwäbin ['ʃvɛːbɪn]
schwäbisch adj souabe
schwach [ʃvax] <⁼er, ⁼ste> **I.** adj **1.** Person faible, frêle **2.** Schüler, Sehvermögen faible; Mitarbeiter peu performant(e); Herz, Nerven fragile; Batterie, Motor peu puissant(e) **3.** Applaus, Strömung faible; Bartwuchs clairsemé(e) **4.** Argument, Leistung faible **5.** Kaffee, Tee léger(-ère) **II.** adv **1.** ausgebildet, spüren faiblement; duften, vibrieren légèrement **2.** besetzt faiblement; besucht peu
Schwäche ['ʃvɛçə] <-, -n> f **1.** kein Pl (geringe Kraft) faiblesse f **2.** kein Pl (Unwohlsein) malaise m **3.** kein Pl (Vorliebe) **eine ~ für jdn/etw haben** avoir un faible pour qn/qc
Schwächeanfall m malaise m
schwächen vt, vi affaiblir
Schwachkopf m fam débile mf
schwächlich adj Person chétif(-ive)
Schwächling ['ʃvɛçlɪŋ] <-s, -e> m gringalet m
Schwachsinn m kein Pl **1.** MED débilité f mentale **2.** fam (Unsinn) idiotie f **schwachsinnig** adj **1.** MED débile [mental(e)] **2.** fam (unsinnig) débile **Schwachstelle** f point m faible **Schwachstrom** m courant m basse tension
Schwächung <-, -en> f a. fig affaiblissement m
Schwaden ['ʃvaːdən] <-s, -> m meist Pl

(Rauchschwaden) nuage m; (Nebelschwaden) nappe f
schwafeln ['ʃvaːfəln] fam **I.** vi (Unsinn reden) débiter des âneries; (lange reden) radoter **II.** vt sortir; **dummes Zeug** ~ sortir des conneries
Schwager ['ʃvaːgə, Pl: 'ʃvɛːgə] <-s, ⁼> m, **Schwägerin** f beau-frère m/belle-sœur f
Schwalbe ['ʃvalbə] <-, -n> f hirondelle f
Schwall [ʃval] <-[e]s, -e> m von Wasser, Worten flot m; von Schimpfworten bordée f
schwamm [ʃvam] Imp von schwimmen
Schwamm [ʃvam, Pl: 'ʃvɛmə] <-[e]s, ⁼e> m **1.** a. ZOOL éponge f **2.** kein Pl (Hausschwamm) champignon m **3.** A, CH (Pilz) champignon m [comestible] ▸~ **drüber!** fam on passe l'éponge!
schwammig I. adj **1.** (aufgedunsen) bouffi(e) **2.** (vage) évasif(-ive) **II.** adv (vage) de manière évasive
Schwan [ʃvaːn, Pl: 'ʃvɛːnə] <-[e]s, ⁼e> m cygne m
schwand [ʃvant] Imp von schwinden
schwanen vi jdm schwant nichts Gutes qn a un mauvais pressentiment
schwang [ʃvaŋ] Imp von schwingen
schwanger ['ʃvaŋə] adj Frau enceinte
Schwangere f dekl wie adj femme f enceinte
schwängern ['ʃvɛŋən] vt mettre enceinte; **eine Frau** ~ mettre une femme enceinte
Schwangerschaft <-, -en> f grossesse f **Schwangerschaftsabbruch** m interruption f [volontaire] de grossesse, I.V.G. f **Schwangerschaftstest** m test m de grossesse
Schwank [ʃvaŋk, Pl: 'ʃvɛŋkə] <-[e]s, ⁼e> m THEAT farce f
schwanken ['ʃvaŋkən] vi **1.** + haben Brücke, Gerüst: osciller; Boden: se dérober **2.** + sein Mensch: tituber **3.** + haben Preis, Temperatur: fluctuer, varier **4.** + haben (unentschlossen sein) hésiter
Schwankung <-, -en> f (Veränderung) variation f, fluctuation f
Schwanz [ʃvants, Pl: 'ʃvɛntsə] <-es, ⁼e> m **1.** eines Tiers queue f **2.** fam (Penis) queue f
schwänzen ['ʃvɛntsən] vt, vi fam sécher
schwappen ['ʃvapən] vi **1.** + sein über den Rand ~ déborder **2.** + haben (sich hin und her bewegen) clapoter
Schwarm [ʃvarm, Pl: 'ʃvɛrmə] <-[e]s, ⁼e> m **1.** **ein** ~ **Bienen/Heuschrecken/Fische** un essaim d'abeilles/une nuée de sauterelles/un banc de poissons **2.** (Menschenmenge) nuée f **3.** kein Pl fam (verehrter Mensch) idole f
schwärmen ['ʃvɛrmən] vi **1.** + sein Bienen:

essaimer **2.** + *sein* **in die Innenstadt** ~ *Be-sucher:* affluer vers le centre ville **3.** + *ha-ben* (*begeistert reden*) **von etw** ~ parler avec enthousiasme de qc **4.** + *haben* (*ver-ehren*) **für jdn** ~ adorer qn **Schwärmer** <-s, -> *m* **1.** (*Fantast*) rêveur *m* **2.** (*Schmetterling*) sphinx *m*
Schwärmerei [ʃvɛrmə'raɪ] <-, -en> *f* (*Be-geisterung*) engouement *m;* (*Träumerei*) rêve *m*
schwärmerisch **I.** *adj Person, Begeisterung* passionné(e); *Leidenschaft* exalté(e) **II.** *adv* avec emballement
Schwarte ['ʃvartə] <-, -n> *f* GASTR couenne *f*
schwarz [ʃvarts] <ᵉer, ᵉeste> **I.** *adj* **1.** noir(e) **2.** *fam Fingernägel* noir(e) **3.** *fam Konto, Liste* noir(e); *Benutzung, Besitz* illé-gal(e); *Brennen* clandestin(e); *Erwerb* au noir **4.** *fam* (*katholisch*) clérical(e); (*kon-servativ*) réac **5.** *Tag, Humor* noir(e); ~ **se-hen** voir les choses en noir; **für jdn/etw** ~ **sehen** voir qn mal parti/être pessimiste sur qc ▶ ~ **auf weiß** noir sur blanc **II.** *adv* **1.** *gekleidet* en noir **2.** *fam* (*illegal*) au noir
Schwarzafrika *nt* l'Afrique *f* noire
Schwarzarbeit *f kein Pl* travail *m* au noir
schwarzlarbeiten *vi* travailler au noir
Schwarzarbeiter(in) *m(f)* travailleur(-eu-se) *m(f)* au noir **Schwarzbrot** *nt* pain *m* noir
Schwarze(r) *f(m) dekl wie adj* **1.** noir(e) *m(f)* **2.** POL *pej fam* réac *mf* (*tendance dé-mocrate-chrétienne*)
schwärzen *vt* noircir
schwarzlfahren ['ʃvartsfaːrən] *vi irr* + *sein* (*nicht bezahlen*) voyager sans billet **Schwarzfahrer(in)** *m(f)* (*Mensch ohne Fahrausweis*) voyageur(-euse) *m(f)* sans billet **schwarzhaarig** *adj* aux cheveux noirs; ~ **sein** avoir les cheveux noirs **Schwarzhandel** *m kein Pl* marché *m* noir **Schwarzmarkt** *m* marché *m* noir **schwarzlsehen** *irr vi* TV resquiller sur la re-devance télé(vision) (*fam*) **Schwarzse-her(in)** *m(f)* défaitiste *mf* **Schwarzwald** *m* **der** ~ la Forêt-Noire **schwarzweiß** ['ʃvarts'vaɪs], **schwarz-weiß**ᴿᴿ *adj* **1.** *Zeichnung* noir et blanc *inv* **2.** CINE, PHOT [en] noir et blanc **Schwarzweißfilm** *m* PHOT pellicule *f* noir et blanc; CINE film *m* noir et blanc **Schwarzweißfoto** *f* photo *f* [en] noir et blanc **Schwarzwurzel** *f* salsifis *m*
Schwatz <-es, -e> *m fam* causette *f*
schwatzen *vi* **1.** (*sich unterhalten*) causer; **über etw** (*akk*) ~ causer de qc **2.** (*trat-schen*) bavarder
Schwätzer(in) <-s, -> *m(f) pej* bavard(e)

m(f)
schwatzhaft *adj* bavard(e)
Schwebe ['ʃveːbə] **in der** ~ **sein** *Entschei-dung, Prozess:* être en suspens
Schwebebahn *f* **1.** chemin *m* de fer sus-pendu **2.** *s.* **Seilbahn Schwebebalken** *m* poutre *f*
schweben *vi* **1.** + *haben* (*gleitend fliegen*) *Mensch, Vogel:* planer; *Wolke, Ballon:* flotter **2.** + *sein* (*herabsinken*) **zu Boden** ~ des-cendre lentement **3.** + *haben* (*unentschie-den sein*) *Verfahren:* être en suspens
Schwebezustand *m* état *m* d'incertitude
Schwede ['ʃveːdə] <-n, -n> *m*, **Schwe-din** *f* Suédois(e) *m(f)*
Schweden ['ʃveːdən] <-s> *nt* la Suède
schwedisch **I.** *adj* suédois(e) **II.** *adv* ~ **mit-einander sprechen** parler en suédois; *s. a.* **deutsch**
Schwedisch <-[s]> *nt kein art* suédois *m; s. a.* **Deutsch**
Schwefel ['ʃveːfəl] <-s> *m* soufre *m*
schwefeln *vt* soufrer
Schwefelsäure *f* CHEM acide *m* sulfurique
Schweif [ʃvaɪf] <-[e]s, -e> *m* queue *f*
schweifen ['ʃvaɪfən] *vi* + *sein geh Gedan-ken, Blick:* vagabonder
Schweigegeld *nt* prix *m* du silence
Schweigemarsch *m* marche *f* silencieuse
Schweigeminute *f* minute *f* de silence
schweigen ['ʃvaɪgən] <schwieg, ge-schwiegen> *vi Person* garder le silence; **schweig!** silence! ▶ **ganz zu** ~ **von ...** sans parler de ...
Schweigen <-s> *nt* silence *m;* (*absichtli-ches Nichtreden*) mutisme *m* ▶ **jdn zum** ~ **bringen** (*jdn einschüchtern, töten*) fai-re taire qn
schweigend **I.** *adj* silencieux(-euse) **II.** *adv* sans dire un mot
Schweigepflicht *f* devoir *m* de réserve; *ei-nes Anwalts* secret *m* professionnel; **ärztli-che** ~ secret médical
schweigsam *adj Person* taciturne
Schwein [ʃvaɪn] <-s, -e> *nt* **1.** porc *m*, co-chon *m* **2.** *fam* (~ *efleisch*) porc *m* **3.** *fam* (*Mensch*) **ein armes** ~ un pauvre mec **4.** *fam* (*gemeiner Mensch*) salaud *m* **5.** *fam* (*obszöner Mensch*) cochon *m*
Schweinebraten *m* rôti *m* de porc
Schweinefleisch *nt* [viande *f* de] porc *m*
Schweinehund *m fam* salopard *m* ▶ **den inneren** ~ **überwinden** *fam* surmonter sa lâcheté **Schweinepest** *f* peste *f* porcine
Schweinerei [ʃvaɪnə'raɪ] <-, -en> *f fam* **1.** (*Unordnung, Obszönität*) cochonnerie *f* **2.** (*Gemeinheit*) vacherie *f*
Schweineschmalz *nt* saindoux *m* **Schwei-nestall** *m a. fig fam* porcherie *f*

schweinisch *fam* **I.** *adj* cochon(ne) **II.** *adv sich verhalten* comme un cochon/des cochons

Schweinshaxe *f* SDEUTSCH jarret *m* de porc

Schweiß [ʃvaɪs] <-es> *m kein Pl* sueur *f,* transpiration *f;* **jdm bricht der ~ aus** qn se met à transpirer; **in ~ gebadet sein** être en nage

Schweißausbruch *m* accès *m* de transpiration

Schweißbrenner *m* chalumeau *m*

Schweißdrüse *f* glande *f* sudoripare

schweißen ['ʃvaɪsən] *vt, vi* souder

Schweißer(in) <-s, -> *m(f)* soudeur(-euse) *m(f)*

Schweißfüße *Pl* **~ haben** puer des pieds

schweißgebadet ['ʃvaɪsɡəˈbaːdət] *adj* en nage

Schweißnaht *f* soudure *f*

schweißnass^RR *adj* trempé(e) de sueur

Schweißtropfen *m* goutte *f* de sueur

Schweiz [ʃvaɪts] <-> *f* **die ~** la Suisse; **die deutschsprachige/französische/italienische ~** la Suisse alémanique/romande/italienne

Schweizer *adj attr* suisse; *Hauptstadt* de la Suisse

Schweizer(in) <-s, -> *m(f)* Suisse(-esse) *m(f)*

schweizerdeutsch I. *adj* suisse-allemand(e) **II.** *adv* **~ sprechen** parler [le] suisse-allemand **Schweizerdeutsch** *nt* le suisse-allemand *m;* **auf ~** en suisse-allemand

schweizerisch *s.* Schweizer

Schwelbrand *m* feu *m* qui couve

schwelen *vi* **1.** *Feuer:* couver **2.** *fig* **in jdm/in der Bevölkerung ~** *Hass:* couver en qn/au sein de la population

schwelgen ['ʃvɛlɡən] *vi* **1.** *(sich gütlich tun)* se régaler, se délecter **2.** *geh (sich gehen lassen)* **in Erinnerungen ~** plonger dans ses souvenirs

Schwelle ['ʃvɛlə] <-, -n> *f* **1.** *(Türschwelle, Reizschwelle)* seuil *m* **2.** *(Bahnschwelle)* traverse *f* **3.** *(Bodenschwelle)* ralentisseur *m*

schwellen ['ʃvɛlən] <schwillt, schwoll, geschwollen> *vi + sein* MED enfler

Schwellenangst *f* appréhension *f* *(à aborder une situation nouvelle)* **Schwellenland** *nt* nouveau pays *m* industrialisé

Schwellkörper *m* ANAT corps *m* caverneux

Schwellung <-, -en> *f (geschwollene Stelle)* enflure *f*

Schwemme ['ʃvɛmə] <-, -n> *f* surabondance *f,* pléthore *f*

schwemmen *vt* déposer; **etw ans Ufer ~** déposer qc sur la rive

Schwengel ['ʃvɛŋəl] <-s, -> *m* **1.** *(Pumpenschwengel)* bras *m* **2.** *(Klöppel)* battant *m*

Schwenk [ʃvɛŋk] <-[e]s, -s> *m* **1.** CINE, TV rotation *f* **2.** *(Änderung der Politik)* virage *m*

schwenkbar *adj* orientable

schwenken ['ʃvɛŋkən] **I.** *vt + haben* **1.** agiter *Brief, Zeitung* **2.** *(bewegen)* diriger, tourner *Kamera* **3.** GASTR **etw in Butter** *(dat)* **~** remuer qc dans du beurre **II.** *vi* **1. +** *sein (einbiegen)* **nach links ~** bifurquer à gauche **2. +** *haben (sich richten)* **auf jdn/etw ~** *Kamera:* se diriger sur qn/qc

schwer [ʃveːɐ] **I.** *adj* **1.** lourd(e); **fünf Kilo ~ sein** peser cinq kilos **2.** *Verletzung* grave **3.** *Bedenken* grave *antéposé; Irrtum, Fehler* lourd(e) *antéposé* **4.** *(hart)* dur(e); *Arbeit, Zeit* difficile; *Bürde* lourd(e) **5.** *Krankheit* grave; *Geburt* difficile; *Leiden* pénible **6.** *(schwierig)* difficile **7.** *attr Sturm* gros(se) *antéposé* **8.** *attr Lkw* gros(se) *antéposé* **9.** *attr* MIL lourd(e) **10.** *Essen, Wein* lourd(e); *Sherry* fort(e) **11.** *Duft* fort(e) **II.** *adv* **1.** *beladen* lourdement; *wiegen* lourd **2.** *arbeiten* durement **3.** *enttäuschen* profondément; *treffen* durement **4.** *atmen* difficilement; *hören* mal **5. ~ auf jdm lasten** peser lourdement sur qn **6.** *sich verletzen* gravement; **~ stürzen** faire une chute grave **7.** *sagen* difficilement **8.** *bestrafen* sévèrement **9.** *bewaffnet* solidement **10.** *(nicht leicht)* **es ~ haben** avoir la vie dure

Schwerarbeit *f kein Pl* travail *m* de force **schwerbehindert** *s.* behindern **Schwerbehinderte(r)** *f(m) dekl wie adj* handicapé(e) *m(f)* sévère **schwerbeladen** *s.* beladen^2

Schwere <-> *f* **1.** JUR, MED gravité *f* **2.** *(Schwierigkeit) einer Arbeit, Aufgabe* difficulté *f* **3.** *(Gewicht) eines Gegenstands* poids *m*

schwerelos *adj Gegenstand, Körper* en apesanteur; *Zustand* d'apesanteur

Schwerelosigkeit <-> *f* apesanteur *f*

schwer|fallen *s.* fallen

schwerfällig I. *adj Person, Tier* lourdaud(e), pataud(e); *Bewegung* pataud(e); *Stil* gauche, lourd(e) **II.** *adv gehen, sich bewegen* pesamment, lourdement

Schwergewicht *nt* **1.** *(Gewichtsklasse)* catégorie *f* [des] poids lourds **2.** *(Sportler)* poids *m* lourd **schwergewichtig** *adj Mensch* corpulent(e), lourd(e) **schwerhörig** *adj* malentendant(e) **Schwerhörigkeit** *f kein Pl* surdité *f* partielle **Schwerindustrie** *f* industrie *f* lourde **Schwerkraft** *f kein Pl* pesanteur *f* **schwerkrank** *s.* krank

Schwerkranke(r) *f(m)* *dekl wie adj* malade *mf* grave
schwerlich *adv* difficilement
schwer|machen *s.* **machen I. Schwermetall** *nt* métal *m* lourd **Schwermut** <-> *f* mélancolie *f* **schwermütig** ['ʃveːɐ̯myː-tɪç] *adj* mélancolique **schwer|nehmen** *s.* **nehmen Schwerpunkt** *m* **1.** *einer Tätig-keit* axe *m* essentiel; *des Studiums* matière *f* principale; **den ~ auf etw** (*akk*) **legen** mettre l'accent sur qc; **~e setzen** établir des priorités **2.** PHYS centre *m* de gravité **schwerpunktmäßig** *adv* particulièrement **Schwert** [ʃveːɐ̯t] <-[e]s, -er> *nt* **1.** (*Waffe*) épée *f* **2.** NAUT dérive *f*
Schwertfisch *m* poisson-épée *m*, espadon *m* **Schwertlilie** *f* iris *m*
schwer|tun *s.* **tun III.**
Schwerverbrecher(in) *m(f)* grand(e) criminel(le) *m(f)* **schwerverdaulich** *s.* **verdaulich schwerverletzt** *s.* **verletzen I.**
Schwerverletzte(r) *f(m)* *dekl wie adj* blessé(e) *m(f)* grave **schwerverständlich** *s.* **verständlich I. schwerwiegend** *adj* grave; *Bedenken, Grund* sérieux(-euse)
Schwester ['ʃvɛstɐ] <-, -n> *f* **1.** *a.* REL sœur *f* **2.** (*Krankenschwester*) infirmière *f*
schwesterlich I. *adj* de sœur; *Liebe* d'une sœur **II.** *adv* comme des sœurs
schwieg [ʃviːk] *Imp von* **schweigen**
Schwiegereltern ['ʃviːgɐʔɛltɐn] *Pl* beaux-parents *mpl* **Schwiegermutter** *f* belle-mère *f* **Schwiegersohn** *m* gendre *m* **Schwiegertochter** *f* belle-fille *f* **Schwiegervater** *m* beau-père *m*
Schwiele ['ʃviːlə] <-, -n> *f* cal *m*
schwierig ['ʃviːrɪç] *adj* difficile; **sozial** ~ *Viertel, Vorort* sensible
Schwierigkeit <-, -en> *f* **1.** *kein Pl* (*Kompliziertheit*) *einer Aufgabe, Prüfung* difficulté *f*; *eines Falls, einer Situation* complexité *f*, difficulté *f* **2.** *meist Pl* (*Probleme*) difficultés *fpl*; **jdn in ~en bringen** mettre qn en difficulté; **in ~en geraten** rencontrer des difficultés
Schwierigkeitsgrad *m* degré *m* de difficulté
schwillt [ʃvɪlt] *3. Pers Präs von* **schwellen**
Schwimmbad *nt* piscine *f* **Schwimmbecken** *nt* bassin *m*; (*privater Swimming-pool*) piscine *f* [privée]
schwimmen ['ʃvɪmən] <schwamm, geschwommen> **I.** *vi + sein* **1.** nager; ~ **gehen** aller nager **2.** (*treiben*) **auf dem/ im Wasser** ~ *Gegenstand:* flotter sur/surnager dans l'eau **II.** *vt + haben o sein* **hundert Meter** ~ nager un cent mètres
Schwimmer(in) ['ʃvɪmɐ] <-s, -> *m(f)* nageur(-euse) *m(f)*; (*opp: Nichtschwimmer*)

personne *f* qui sait nager
Schwimmflosse *f* palme *f* **Schwimmflügel** *m* flotteur *m* **Schwimmhalle** *f* piscine *f* couverte **Schwimmsport** *m* natation *f* **Schwimmweste** *f* gilet *m* de sauvetage
Schwindel ['ʃvɪndəl] <-s> *m* **1.** (*Betrug*) escroquerie *f* **2.** (*benommener Zustand*) vertige *m*; **~ erregend** vertigineux(-euse)
Schwindelanfall *m* étourdissement *m* **Schwindelei** <-, -en> *f fam* bobard *m* **schwindelerregend** *s.* **Schwindel schwindelfrei** *adj* ~ **sein** ne pas avoir le vertige
schwindelig *s.* **schwindlig**
schwindeln *vi fam* raconter des bobards
schwinden ['ʃvɪndən] <schwand, geschwunden> *vi + sein geh* **1.** *Bestände, Ressourcen:* s'amenuiser **2.** *Interesse:* tomber; *Kräfte:* s'amenuiser
Schwindler(in) <-s, -> *m(f)* **1.** (*Betrüger*) escroc *m* **2.** *fam* (*Lügner*) menteur(-euse) *m(f)*
schwindlig *adj* **jdm ist** ~ qn a le vertige
Schwinge <-, -n> *f geh* aile *f*
schwingen ['ʃvɪŋən] <schwang, geschwungen> **I.** *vt + haben* agiter *Fähnchen, Hut:* brandir *Schwert* **II.** *vi + haben o sein* **1.** (*vibrieren*) *Membran, Saite:* vibrer; *Brücke:* osciller **2.** *geh* (*zum Ausdruck kommen*) **in ihren Worten schwang Kritik** on sentait de la critique dans ses paroles **III.** *vr + haben* (*steigen*) **sich aufs Motorrad** ~ sauter sur sa moto
Schwingtür *f* porte *f* battante
Schwingung <-, -en> *f a.* PHYS vibration *f*; (*Pendelbewegung*) oscillation *f*
Schwips [ʃvɪps] <-es, -e> *m fam* coup *m* dans le nez; **einen ~ haben** être pompette
schwirren ['ʃvɪrən] *vi + sein* **1.** **durch die Luft** ~ *Vögel:* voler dans un bruissement d'ailes; *Geschoss:* siffler dans les airs **2.** *fig* **was schwirrt dir durch den Kopf?** qu'est-ce qui te passe par la tête?
Schwitzbad *nt* bain *m* de vapeur
schwitzen ['ʃvɪtsən] *vi* suer, transpirer
Schwitzen <-s> *nt* transpiration *f*; **ins ~ kommen** se mettre à transpirer
Schwitzkasten *m* **jdn in den ~ nehmen** porter un étranglement à qn
schwofen *vi* DIAL *fam* guincher
schwoll [ʃvɔl] *Imp von* **schwellen**
schwören ['ʃvøːrən] <schwor, geschworen> **I.** *vi* **1.** jurer **2.** (*überzeugt sein von*) **auf jdn/etw** ~ jurer par qn/qc **3.** *fam* (*be~, versichern*) **ich hätte ~ können, dass ...** j'aurais juré que ... **II.** *vt* **1.** **einen Eid** ~ prêter serment **2.** (*geloben*) **jdm etw** ~ jurer à qn qc **3.** (*fest versichern*) **jdm ~ etw zu tun** jurer à qn de

faire qc

schwul [ʃvuːl] *adj fam* homo, pédé

schwül [ʃvyːl] *adj* lourd(e); **es ist** ~ il fait lourd

Schwüle [ˈʃvyːlə] <-> *f* temps *m* lourd

Schwule(r) *m dekl wie adj fam* homo *m*, pédé *m*

schwulstig [ˈʃvʊlstɪç] A *s.* **schwülstig**

schwülstig [ˈʃvʏlstɪç] I. *adj Gemälde, Architektur* surchargé(e); *Stil* ampoulé(e) II. *adv reden, schreiben* de façon ampoulée

Schwund [ʃvʊnt] <-[e]s> *m* 1. (*Rückgang*) diminution *f* 2. (*Verlust*) perte *f*

Schwung [ʃvʊŋ, *Pl:* ˈʃvʏŋə] <-[e]s, ⸗e> *m* 1. (*Bewegung*) élan *m;* (*ausholende Bewegung*) impulsion *f;* ~ **holen** prendre son élan 2. *kein Pl* (*Elan*) énergie *f* 3. *fam* (*größere Anzahl*) **ein ganzer** ~ **Bestellungen** tout un paquet de commandes ▸**in** ~ **bringen** donner un nouvel essor à *Laden;* **in** ~ **kommen** *Person:* commencer à chauffer; *Laden:* commencer à décoller

schwunghaft I. *adj* florissant(e) II. *adv* de manière florissante **schwungvoll** I. *adj* 1. *Bewegung* impétueux(-euse); *Handschrift* vigoureux(-euse); *Linienführung* hardi(e) 2. (*mitreißend*) fougueux(-euse) II. *adv* 1. (*mit Schwung*) avec vivacité; (*mit Elan*) avec entrain 2. (*temperamentvoll*) avec fougue

Schwur [ʃvuːɐ̯, *Pl:* ˈʃvyːrə] <-[e]s, ⸗e> *m* serment *m;* **einen** ~ **tun/leisten** faire un/ prêter serment

Schwurgericht *nt* cour *f* d'assises

Sciencefictionᴿᴿ [ˈsaɪəns'fɪkʃən] <-, -s> *f* science-fiction *f*

sec *Abk von* **Sekunde** s

sechs [zɛks] *num* six; *s. a.* **acht**[1]

Sechs <-, -en> *f* 1. (*Zahl, Spielkarte, Augenzahl*) six *m* 2. (*Schulnote*) ≈ zéro *m;* CH ≈ vingt *m*

Sechseck *nt* hexagone *m* **sechseckig** *adj* hexagonal(e)

Sechser <-s, -> *m* 1. *fam* (*Schulnote*) bulle *f* 2. *fam* (*Lottogewinn*) six bons numéros *mpl* 3. CH (*Schulnote*) ≈ vingt *m*

sechserlei *adj inv* ~ **Sorten Brot** six sortes de pain; *s. a.* **achterlei**

Sechserpack *m* pack *m* de six

sechsfach I. *adj* **die ~e Menge nehmen** prendre six fois la quantité II. *adv falten* en six; *s. a.* **achtfach sechshundert** *num* six cents **sechsmal** *adv* six fois; *s. a.* **achtmal**

sechst *adv* **zu** ~ **sein** être six; *s. a.* **acht**[2]

Sechstagerennen *nt* six Jours *mpl* **sechstausend** *num* six mille

sechste(r, s) *adj* 1. sixième 2. (*bei Datumsangaben*) **der** ~ **März** le six mars

Sechste(r) *f(m) dekl wie adj* 1. sixième *mf*

2. (*bei Datumsangaben*) **der** ~/**am** ~**n** *geschrieben:* **der** 6./**am** 6. le six *geschrieben:* le 6 3. (*als Namenszusatz*) **Karl der** ~ *geschrieben:* **Karl VI.** Charles six *geschrieben:* Charles VI; *s. a.* **Achte(r)**

sechstel *adj* sixième; *s. a.* **achtel**

Sechstel <-s, -> *nt* sixième *m*

sechstens *adv* sixièmement

sechzehn [ˈzɛçtseːn] *num* seize; *s. a.* **acht**[1]

Sechzehntel *nt* a. MATH seizième *m*

sechzig [ˈzɛçtsɪç] *num* soixante; *s. a.* **achtzig**

Sechzig <-, -en> *f* soixante *m*

sechziger *adj inv* **die** ~ **Jahre** les années *fpl* soixante; *s. a.* **achtziger**

sechzigste(r, s) *adj* soixantième; *s. a.* **achtzigste(r, s)**

Secondhandladen [ˈsɛkəndhɛndlaːdn] *m* friperie *f*

SED [ɛsʔeːˈdeː] <-> *f* HIST *Abk von* **Sozialistische Einheitspartei Deutschlands** parti socialiste unifié de l'ex-R.D.A.

Sediment [zedɪˈmɛnt] <-[e]s, -e> *nt* sédiment *m;* CHEM précipité *m*

See[1] [zeː] <-s, -n> *m* (*Binnensee*) lac *m*

See[2] <-, -n> *f kein Pl* (*Meer, ~gang*) mer *f*

Seebad *nt* station *f* balnéaire **Seefisch** *m* poisson *m* de mer **Seegang** *m kein Pl* houle *f;* **starker** ~ mer forte *f* **Seegras** *nt* zostère *f* **Seehafen** <-häfen> *m* 1. (*Hafen*) port *m* de mer 2. (*Stadt mit* ~) ville *f* portuaire **Seehund** *m* phoque *m* **Seeigel** *m* oursin *m* **Seeklima** *nt* climat *m* maritime **seekrank** *adj* ~ **sein** avoir le mal de mer **Seekrankheit** *f kein Pl* mal *m* de mer **Seelachs** *m* colin *m*

Seele [ˈzeːlə] <-, -n> *f* 1. REL âme *f* 2. (*Psyche*) psychisme *m* 3. (*Herz, Gefühl*) **aus tiefster** ~ de tout cœur; **etw liegt jdm auf der** ~ qn a qc sur le cœur 4. *fam* (*Charakter*) **eine treue** ~ une âme fidèle

Seelenfriede[n] *m geh* paix *f* de l'âme **Seelenheil** *nt* salut *m* [de l'âme] **Seelenleben** *nt kein Pl geh* vie *f* intérieure **Seelenruhe** *f* **in aller** ~ en toute tranquillité **seelenruhig** [ˈzeːlənruːɪç] *adv* tranquillement

Seeleute *Pl von* **Seemann**

seelisch I. *adj* psychique II. *adv* ~ **bedingt sein** *Krankheit:* être psychosomatique

Seelsorge *f kein Pl* direction *f* de conscience, pastorale *f* **Seelsorger(in)** <-s, -> *m(f)* directeur(-trice) *m(f)* de conscience **Seeluft** *f kein Pl* air *m* marin **Seemacht** *f* puissance *f* maritime **Seemann** <-leute> *m* marin *m* **Seemeile** *f* mille *m* marin **Seenot** *f kein Pl* **in** ~ **geraten** se retrouver en [situation de] détresse **Seepferdchen** [ˈzeːpfɛɐ̯tçən] *nt* hippocampe *m* **Seeräuber** *m* pirate *m* **Seerecht** *nt kein Pl*

droit *m* maritime **Seereise** *f* croisière *f* **Seerose** *f* **1.** BOT nénuphar *m* **2.** ZOOL anémone *f* de mer **Seestern** *m* étoile *f* de mer **Seetang** *m* fucus *m* **Seeweg** *m* voie *f* maritime **Seezunge** *f* sole *f*
Segel ['ze:gǝl] <-s, -> *nt* voile *f* **Segelboot** *nt* voilier *m* **segelfliegen** *vi nur Infin* faire du vol à voile **Segelfliegen** *nt* vol *m* à voile **Segelflieger(in)** *m(f)* vélivole *mf* **Segelflugzeug** *nt* planeur *m* **Segeljacht** *f* yacht *m* à voiles **segeln** *vi* + *sein* **1.** (*fahren*) naviguer [à la voile] **2.** (*den Segelsport betreiben*) faire de la voile **3.** (*fliegen*) **durch die Luft** ~ voler dans l'air **Segelschiff** *nt* voilier *m* **Segeltuch** <-tuche> *nt* toile *f* [à voile]
Segen ['ze:gǝn] <-s, -> *m* **1.** bénédiction *f* **2.** kein Pl (*göttlicher Beistand*) grâce *f* **3.** fam (*Einwilligung*) autorisation *f*; **sei-nen** ~ **zu etw geben** donner le feu vert à qc **4.** (*Wohltat*) bénédiction *f* **segensreich** *adj geh* salutaire
Segler <-s, -> *m* **1.** navigateur *m* **2.** (*Segelschiff*) voilier *m*
Segment [zɛ'gmɛnt] <-[e]s, -e> *nt* segment *m*
segnen ['ze:gnǝn] *vt* bénir
Segnung <-, -en> *f* ECCL bénédiction *f*
sehbehindert *adj* malvoyant(e)
sehen ['ze:ǝn] <sieht, sah, gesehen> I. *vt* **1.** voir; **sich** ~ **lassen** se manifester; **wieder** ~ revoir **2.** (*an~*) regarder *Fernsehfilm;* voir *Theaterstück, Kinofilm* **3.** (*feststellen*) **du wirst schon** ~, **was passiert** tu vas voir ce qui se passe; **na** ~ **Sie!** alors vous voyez! **4.** (*verstehen, betrachten*) **so gesehen** vu sous cet angle **5.** (*erleben, ertragen*) **in seinem Leben schon viel gesehen haben** en avoir déjà vu beaucoup dans sa vie; **etw nicht** ~ **können** ne pas supporter la vue de qc **6.** (*sich bemühen*) ~, **was sich tun lässt** voir ce qui peut se faire II. *vi* **1.** voir **2.** (*hinschauen*) **darf ich mal** ~? puis-je regarder?; **lassen Sie mal** ~! montrez!; **siehe oben/unten** (*Verweis*) voir plus haut/ci-dessous **3.** (*besuchen*) **nach jdm** ~ aller voir qn **4.** (*nachschauen*) **nach etw** ~ regarder qc III. *vr* **1.** (*sich treffen*) se voir; **sich wieder** ~ se revoir **2.** (*sich fühlen*) **sich gezwungen** ~ **etw zu tun** se voir contraint de faire qc
Sehen <-s> *nt* **jdn vom** ~ **kennen** connaître qn de vue
sehenswert *adj* qui vaut la peine d'être vu
Sehenswürdigkeit <-, -en> *f* curiosité *f*
Seher(in) <-s, -> *m(f)* devin *m*/devineresse *f*
Sehfehler *m* défaut *m* visuel **Sehkraft** *f*

kein Pl vue *f*, acuité *f* visuelle
Sehne ['ze:nǝ] <-, -n> *f* **1.** ANAT tendon *m* **2.** *a.* GEOM corde *f*
sehnen ['ze:nǝn] *vr* **sich nach jdm/etw** ~ rêver d'avoir qn/désirer [ardemment] qc
Sehnenscheidenentzündung *f* MED inflammation *f* du tendon
Sehnerv *m* nerf *m* optique
sehnig *adj* **1.** *Steak* filandreux(-euse) **2.** *Person* nerveux(-euse)
sehnlich I. *adj Hoffnung, Wunsch* ardent(e); *Erwartung* éperdu(e) II. *adv* ardemment
Sehnsucht <-, -⸗e> *f* nostalgie *f*; ~ **nach jdm haben** se languir de qn
sehnsüchtig I. *adj attr Blick* nostalgique; *Erwartung* éperdu(e); *Hoffnung, Wunsch* ardent(e) II. *adv* ardemment
sehnsuchtsvoll *s.* **sehnsüchtig**
sehr [ze:ɐ̯] <mehr, am meisten> *adv* **1.** *mit Verb* beaucoup; **jdn** ~ **lieben** aimer beaucoup qn **2.** *mit adj, adv* très; ~ **groß** très grand; ~ **viel** énormément
Sehstörung *f* trouble *m* visuel **Sehtest** *m* test *m* visuel **Sehvermögen** *nt kein Pl* vue *f*, acuité *f* visuelle
seicht [zaɪçt] *adj* **1.** *Gewässer* peu profond(e) **2.** *Film, Unterhaltung* insipide
seid [zaɪt] *2. Pers Pl Präs von* **sein¹**
Seide ['zaɪdǝ] <-, -n> *f* soie *f*
Seidenpapier *nt* papier *m* de soie **Seidenraupe** *f* ver *m* à soie
seidig *adj* soyeux(-euse)
Seife ['zaɪfǝ] <-, -n> *f* savon *m*
Seifenblase *f* bulle *f* de savon **Seifenlauge** *f* lessive *f* **Seifenoper** *f* soap-opéra *m* **Seifenpulver** [-fɐ, -vǝ] *nt* savon *m* en poudre **Seifenschale** *f* porte-savon *m*
seifig *adj Gesicht, Hände* savonneux(-euse)
Seil [zaɪl] <-[e]s, -e> *nt* corde *f*; (*Drahtseil*) câble *m*
Seilbahn *f* (*auf Schienen*) funiculaire *m*; (*Drahtseilbahn*) téléphérique *m*
Seilschaft <-, -en> *f* **1.** (*Bergsteiger*) cordée *f* **2.** *fig, pej* (*verschworene Gruppe*) coterie *f* (*péj*)
seil|springen *vi irr, nur Infin und PP* + *sein* sauter à la corde **Seiltänzer(in)** *m(f)* funambule *mf*
sein¹ [zaɪn] <bin, bist, ist, sind, seid, war, gewesen> I. *vi* + *sein* **1.** être; **so nett** ~ **etw zu tun** être assez gentil pour faire qc **2.** *mit nom* **Angestellter** ~ être employé; **Deutscher** ~ être allemand **3.** (*existieren*) exister; **hallo, ist da jemand?** ohé! il y a quelqu'un?; **ist noch Käse im Kühlschrank?** y-a-t-il encore du fromage dans le frigidaire®? **4.** (*sich befinden*) être **5.** (*herstammen*) **aus Frankreich** ~ être [originaire] de France **6.** (*emp-*

funden werden) **jdm zu anstrengend** ~ être trop fatigant au goût de qn; **jdm peinlich** ~ gêner qn; **mir ist so komisch** je me sens tout(e) drôle **7.** (*hergestellt sein*) **aus Leder** ~ être en cuir **8.** (*ergeben*) **2 und 2 ist 4** 2 et 2 font 4; **wie viel ist das?** ça fait combien? **9.** (*geschehen*) **was ist?** qu'est-ce qu'il y a? **10.** *mit modalem Hilfsverb* ~ **können/dürfen** être possible; **das muss** ~ c'est indispensable **11.** *mit zu und Infin* **das ist schwer zu sagen** c'est difficile à dire **12.** *mit zu und substantiviertem Verb* **zum Lachen/Weinen** ~ être vraiment trop drôle/désolant ▸**das wär's!** c'est tout!; **er/sie ist wer** *fam* il/elle est quelqu'un **II.** *vi unpers* + *sein* **1.** *mit adj* **es ist schön, dass** c'est bien que + *subj* **2.** (*die betreffende Person sein*) **er/sie ist es** c'est lui/elle; **ich bin's!** *fam* c'est moi! **3.** (*bei Zeitangaben*) **es ist Montag** c'est lundi; **es ist Januar** on est en janvier; **es ist sieben Uhr** il est sept heures; **es ist Tag/Nacht** il fait jour/nuit **4.** METEO **es ist warm/kalt** il fait chaud/froid; **es ist windig** il y a du vent **5.** (*empfunden werden*) **jdm ist heiß/kalt** qn a chaud/froid; **jdm ist schlecht** qn se sent mal ▸**es sei denn** à moins que + *subj* **III.** *aux mit PP* **1.** *zur Bildung des Zustandspassivs* **fotografiert worden** ~ avoir été photographié(e) **2.** *zur Bildung des Perfekts* **gefahren/gesprungen** ~ être allé/avoir sauté; **krank gewesen** ~ avoir été malade

sein² *pron poss* **1.** ~ **Bruder** son frère; **~e Schwester/Freundin** sa sœur/son amie; **~e Eltern** ses parents **2.** *substantivisch* **der/die/das ~e** le sien/la sienne; **das sind nicht meine Socken, sondern die ~en** ce ne sont pas mes chaussettes, mais les siennes

Sein <-s> *nt* être *m*

seiner *geh pron pers, gen von* **er**: **ich werde** ~ **gedenken** je me souviendrai de lui

seinerseits ['zaɪnɐ'zaɪts] *adv* **1.** (*er wiederum*) de son côté **2.** (*was ihn betrifft*) pour sa part

seinerzeit *adv* à l'époque

seinesgleichen ['zaɪnəs'glaɪçən] *pron inv* **1.** *pej* ses semblables; (*Menschen seines Schlags*) **er und** ~ lui et ses semblables **2.** (*Menschen wie er*) **nur mit** ~ **verkehren** n'avoir affaire qu'à ses semblables

seinetwegen ['zaɪnət've:gən] *adv* **1.** (*wegen ihm*) à cause de lui **2.** (*ihm zuliebe*) pour lui **3.** (*wenn es nach ihm ginge*) s'il ne tient/tenait qu'à lui

seinetwillen ['zaɪnət'vɪlən] *adv* **um** ~ [par amour] pour lui

Seismograf^RR [zaɪsmo'gra:f], **Seismo-**

graph <-en, -en> *m* s[é]ismographe *m*

seit [zaɪt] **I.** *präp* + *dat* depuis; **ich weiß das erst** ~ **eben** je viens seulement d'apprendre cela **II.** *konj s.* **seitdem II.**

seitdem [zaɪt'de:m] **I.** *adv* depuis [ce moment-là] **II.** *konj* depuis que

Seite ['zaɪtə] <-, -n> *f* **1.** (*im Raum*) côté *m* **2.** *eines Körpers, Gegenstands* côté *m; eines Würfels, Pyramide* face *f;* **jdm nicht von der** ~ **weichen** ne pas quitter qn d'une semelle; **etw auf die** ~ **legen** mettre qc de côté **3.** (*Buchseite, Zeitungsseite*) page *f;* **gelbe ~n** pages jaunes **4.** (*Aspekt*) côté *m;* **neue ~n an jdm entdecken** découvrir de nouvelles facettes chez qn; **das Problem von einer anderen** ~ **betrachten** considérer le problème sous un autre angle **5.** (*beteiligte Partei*) côté *m;* **auf jds** ~ (*dat*) **sein** être du côté de qn; **von ~n der Regierung** du côté du gouvernement **6.** (*Richtung*) côté *m; nach* **allen ~n** dans toutes les directions **7.** (*nicht im Zentrum liegende Stelle*) côté *m;* **zur** ~ **gehen** s'écarter ▸**sich von seiner besten** ~ **zeigen** se montrer sous son meilleur jour; **auf der einen** ~ **..., auf der anderen** ~ **...** d'un côté ..., de l'autre ...; **etw auf die** ~ **schaffen** *fam* faire main basse sur qc; **an** ~ côte à côte

Seitenansicht *f* vue *f* latérale **Seitenaufprallschutz** *m* renfort *m* latéral [de sécurité] **Seitenblick** *m* regard *m* en coin **Seitenhieb** *m fig* coup *m* de griffe; **~e verteilen** lancer des piques **Seitenlage** *f* position *f* latérale

seitens *präp* + *gen form* du côté de **Seitenschiff** *nt* bas-côté *m* **Seitensprung** *m fam* infidélité *f;* **einen** ~ **machen** faire une infidélité [à son partenaire] **Seitenstechen** *nt kein Pl* point *m* de côté **Seitenstraße** *f* rue *f* latérale **Seitenstreifen** *m der Straße* bas-côté *m; der Autobahn* bande *f* d'arrêt d'urgence **Seitenverkehrt** *adj, adv* à l'envers **Seitenwechsel** [-ks-] *m* changement *m* de côté **Seitenwind** *m* vent *m* latéral **Seitenzahl** *f* **1.** numéro *m* de page **2.** (*Anzahl der Seiten*) nombre *m* de pages

seither [zaɪt'he:ɐ] *adv* depuis [ce moment-là]

seitlich I. *adj* latéral(e) **II.** *präp* + *gen* à côté de **III.** *adv* sur le côté

seitwärts ['zaɪtvɛrts] *adv* sur le côté

sek., Sek. *Abk von* **Sekunde** s

Sekret [ze'kre:t] <-[e]s, -e> *nt* sécrétion *f*

Sekretär [zekre'tɛ:ɐ] <-s, -e> *m* secrétaire *m*

Sekretär(in) [zekre'tɛ:ɐ] <-s, -e> *m(f)* secrétaire *mf*

Sekretariat [zekretari'aːt] <-[e]s, -e> *nt* secrétariat *m*

Sekt [zɛkt] <-[e]s, -e> *m* [vin *m*] mousseux *m*

Sektflasche [ˈzɛktə] <-, -n> *f* secte *f*

Sektflasche *f* bouteille *f* à champagne

Sektglas *nt* verre *m* à champagne

Sektion <-, -en> *f* ADMIN service *m*

Sektor [ˈzɛktoːɐ̯] <-s, -toren> *m* 1. (*Fachgebiet*) secteur *m* 2. (*Kreisausschnitt*) secteur *m* [circulaire]

sekundär [zekʊnˈdɛːɐ̯] *adj geh* secondaire

Sekundärliteratur *f* ouvrages critiques *mpl*

Sekundarschule *f* CH ≈ collège *m*, ≈ C.E.S.

m **Sekundarstufe** *f* ≈ secondaire *m;* ~ I/ II ≈ premier/second cycle *m*

Sekunde [zeˈkʊndə] <-, -n> *f* 1. seconde *f;* **es ist auf die** ~ **genau zehn Uhr** il est très exactement dix heures 2. *fam* (*Augenblick*) seconde *f;* ~! *fam* minute papillon!

Sekundenzeiger *m* trotteuse *f*

selbe(r, s) [ˈzɛlbə, -bɐ, -bəs] *pron* même; **am** ~**n Tag** le même jour

selber *s.* **selbst**

Selbermachen <-s> *nt* **zum** ~ à faire soi-même

selbig *s.* **selbe(r, s)**

selbst [zɛlbst] I. *pron dem* 1. (*an sich*) **der Film/die Aufgabe** ~ le film en lui-même/ la tâche en elle-même; **die Ferien** ~ les vacances en elles-mêmes 2. (*in eigener Person*) **der Direktor** ~ le directeur en personne 3. (*persönlich*) **das Vertrauen in dich** ~ la confiance en toi[-même]; **sie ist nicht mehr sie** ~ elle n'est plus elle-même 4. (*ohne fremde Hilfe*) tout seul; **er macht das** ~ il le fait lui-même II. *adv* ~ **du würdest ihm Recht geben** même toi, tu lui donnerais raison

Selbstachtung *f* amour-propre *m*

selbständig [ˈzɛlpʃtɛndɪç] *s.* **selbstständig**

Selbständige(r) *s.* **Selbstständige(r)**

Selbstauslöser *m* déclencheur *m* automatique **Selbstbedienung** *f* libre-service *m*

Selbstbefriedigung *f* masturbation *f*

Selbstbeherrschung *f* sang-froid *m*

Selbstbestätigung *f* valorisation *f* personnelle **Selbstbestimmung** *f kein Pl* autodétermination *f* **Selbstbeteiligung** *f* franchise *f;* (*bei Krankenkassen*) ticket *m* modérateur **selbstbewusst**[RR] *adj Person* sûr(e) de soi **Selbstbewusstsein**[RR] *nt* conscience *f* de sa propre valeur **Selbstdarsteller(in)** *m(f)* SOZIOL personne *f* qui aime se mettre en scène **Selbstdarstellung** *f* présentation *f* de soi **Selbsterkenntnis** *f kein Pl* ►~ **ist der erste** Schritt **zur Besserung** *Spr.* la connaissan-

ce de soi est la première condition du progrès **selbstgefällig** *adj* imbu(e) de sa personne **selbstgemacht** *s.* **machen** I.

selbstgerecht *adj Person* pénétré(e) de soi-même; *Art* péremptoire **Selbstgespräch** *nt* soliloque *m;* ~**e führen** soliloquer **selbstherrlich** *adj* autoritaire, tyrannique **Selbsthilfe** *f kein Pl* **zur** ~ **greifen** s'organiser par ses propres moyens **Selbsthilfegruppe** *f* association *f* d'entraide **Selbstjustiz** *f* règlement *m* de compte[s]; ~ **üben** se faire justice soi-même **selbstklebend** *adj* autocollant(e) **Selbstkostenpreis** *m* **zum** ~ à prix coûtant **Selbstkritik** *f kein Pl* autocritique *f* **selbstkritisch** *adj Person* critique envers soi-même **selbstlaut** *m* voyelle *f* **selbstlos** I. *adj* désintéressé(e) II. *adv* de façon désintéressée **Selbstmitleid** *nt* apitoiement *m* sur soi-même **Selbstmord** *m* suicide *m;* ~ **begehen** se suicider **Selbstmörder(in)** *m(f)* suicidé(e) *m(f);* (*Mensch, der sich umbringen möchte*) suicidaire *mf* **selbstmörderisch** *adj* suicidaire **Selbstmordversuch** *m* tentative *f* de suicide **selbstredend** *adv* bien entendu **Selbstschutz** *m* [auto]défense *f* **selbstsicher** I. *adj Person* sûr(e) de soi; *Art* plein(e) d'assurance II. *adv* avec assurance **Selbstsicherheit** *f kein Pl* assurance *f*

selbstständig[RR] I. *adj* 1. *Person, Handeln, Denken* autonome 2. *Tätigkeit* indépendant(e); *Handwerker, Gewerbetreibender* [installé(e)] à son compte; **sich als Übersetzer** ~ **machen** se mettre traducteur à son compte II. *adv* handeln de façon autonome

Selbstständige(r)[RR] *f(m) dekl wie adj* travailleur(-euse) *m(f)* indépendant(e)

selbsttätig *adj* automatique **Selbstüberwindung** *f* effort *m* sur soi-même **selbstverschuldet** *adj Unfall* qui n'engage pas sa propre responsabilité **Selbstversorger** *m* ~ **sein** vivre en autosuffisance; *Hotelgast:* ne pas prendre ses repas à l'hôtel **selbstverständlich** I. *adj* tout(e) naturel(le); **etw für** ~ **halten** trouver que qc va de soi; **das ist doch** ~! ça va de soi! II. *adv* [bien] évidemment; **etw wie** ~ **tun** faire qc comme si c'était tout naturel; **aber** ~! mais bien entendu! **Selbstverständlichkeit** <-, -en> *f* évidence *f* **Selbstverteidigung** *f* autodéfense *f* **Selbstvertrauen** *nt* confiance *f* en soi **Selbstverwaltung** *f* gestion *f* autonome **Selbstverwirklichung** *f* épanouissement *m* personnel **Selbstwertgefühl** *nt* amour-propre *m* **selbstzerstörerisch** *adj* autodestructeur(-trice) **Selbstzweck** *m kein Pl* fin *f* en soi **Selbstzwei-**

fel *m* ~ **haben** avoir un doute profond en soi

selektieren* *vt geh* sélectionner

Selen [ze'le:n] <-s> *nt* CHEM sélénium *m*

selig ['ze:lɪç] I. *adj* 1. *Blick, Lächeln* comblé(e); *Gefühl* de bonheur 2. (~ *gesprochen*) bienheureux(-euse) *antéposé* ►**wer's glaubt, wird ~!** *iron fam* on me la fait pas! II. *adv* ~ **sprechen** béatifier

Seligkeit <-> *f* 1. (*Glücksgefühl*) [sentiment *m* de] béatitude *f* 2. REL bonheur *m* éternel

selig|sprechen *s.* **selig II.**

Sellerie ['zɛləri] <-s, -[s]> *m*, <-, -> *f* A céleri *m*

selten ['zɛltən] I. *adj* rare II. *adv* rarement

Seltenheit <-, -en> *f* 1. *kein Pl* (*seltenes Vorkommen*) rareté *f* 2. (*seltene Sache*) curiosité *f*; **es ist eine ~, dass** il est rare que + *subj*

Seltenheitswert *m* ~ **haben** être une curiosité

Selters <-, -> *nt* NDEUTSCH eau *f* de Seltz

seltsam I. *adj Person, Art* curieux(-euse); *Aussehen, Geruch, Geschmack* bizarre; *Geschichte* étrange II. *adv* 1. *sich benehmen* bizarrement; ~ **riechen** avoir une odeur bizarre; ~ **schmecken** avoir un drôle de goût 2. *beklemmend* singulièrement; *still* curieusement

seltsamerweise *adv* curieusement

Semantik <-> *f* LING sémantique *f*

Semester [ze'mɛstɐ] <-s, -> *nt* UNIV semestre *m* (*unité de temps utilisée pour le décompte des années d'études dans les universités allemandes*)

Semesterferien *Pl* vacances *fpl* semestrielles

Semikolon [zemi'ko:lɔn] <-s, -s *o* -kola> *nt geh* point-virgule *m*

Seminar [zemi'na:ɐ] <-s, -e *o* A -ien> *nt* 1. (*Lehrveranstaltung*) séminaire *m* 2. (*Universitätsinstitut*) institut *m*

Semit(in) [ze'mi:t] <-en, -en> *m(f)* Sémite *mf*

semitisch *adj* sémite; *Sprache* sémitique

Semmel ['zɛməl] <-, -n> *f* SDEUTSCH, A petit pain *m*

Semmelknödel *m* SDEUTSCH, A boulette *f* à base de pain

sen. *adj Abk von* **senior** père

Senat [ze'na:t] <-[e]s, -e> *m* 1. POL (*in Bezug auf Berlin, Bremen und Hamburg*) sénat *m* (*nom donné au gouvernement régional*) 2. (*in Bezug auf Frankreich, die USA*) Sénat *m* 3. JUR cour *f* 4. UNIV conseil *m* d'administration [de l'université]

Senator(in) [ze'na:to:ɐ] <-s, -toren> *m(f)* POL, HIST sénateur(-trice) *m(f)*

Sendebereich *m* zone *f* d'émission

senden¹ ['zɛndən] <sendete *o* CH sandte, hat gesendet *o* CH gesandt> I. *vt* diffuser *Film;* envoyer *Notsignal, Botschaft* II. *vi* zwischen sieben und zwanzig Uhr ~ émettre de sept à vingt heures

senden² <sandte *o* sendete, gesandt *o* gesendet> *geh vt* envoyer *Brief, Paket;* **jdm etw** ~ adresser qc à qn

Sendepause *f* intermède *m;* (*zwischen Sendeschluss und Sendebeginn*) arrêt *m* des émissions **Sendeplatz** *m* TV, RADIO créneau *m*

Sender <-s, -> *m* 1. (*Sendeanstalt*) station *f* 2. (*Sendegerät*) [poste *m*] émetteur *m*

Sendereihe *f* série *f* d'émissions

Sendeschluss^RR *m* fin *f* des programmes

Sendezeit *f* 1. (*Dauer einer Sendung*) **eine Stunde** ~ **haben** disposer d'une heure d'antenne 2. (*Zeit der Ausstrahlung*) tranche *f* horaire; **zur besten** ~ au meilleur temps d'antenne

Sendung <-, -en> *f* 1. (*Rundfunksendung, Fernsehsendung*) émission *f* 2. *kein Pl* (*das Senden*) **auf** ~ **sein** être à l'antenne 3. (*Warensendung*) envoi *m*

Senf [zɛnf] <-[e]s, -e> *m* moutarde *f*

Senfgas *nt* gaz *m* moutarde **Senfgurke** *f* cornichon *m* à la moutarde

sengen ['zɛŋən] I. *vt* roussir II. *vi Sonne:* brûler

sengend *adj Sonne* brûlant(e); *Hitze* torride

senil [ze'ni:l] *adj* sénile

senior ['ze:niɔ:ɐ] *adj inv* **Gustav Müller** ~ Gustav Müller père

Senior(in) ['ze:niɔ:ɐ] <-s, Senioren> *m(f)* 1. (*ältere Person*) personne *f* âgée 2. *Pl* SPORT **die** ~**en** les seniors *mpl* 3. (~ *chef*) père *m*

Seniorchef(in) *m(f)* père *m*/mère *f*; (*Seniorpartner*) doyen(ne) *m(f)* **Seniorenpass**^RR *m* carte *f* vermeil

Seniorin <-, -nen> *f* (*ältere Frau*) personne *f* âgée

Senke ['zɛŋkə] <-, -n> *f* dépression *f* [de terrain]

senken ['zɛŋkən] I. *vt* 1. baisser *Arm, Kopf* 2. (*absenken*) abaisser *Wasserstand* 3. (*verringern*) réduire *Steuern;* faire baisser *Fieber* II. *vr* sich ~ *Grundwasserspiegel:* baisser

senkrecht *adj* vertical(e)

Senkrechte <-n, -n> *f dekl wie adj* perpendiculaire *f*

Senkrechtstarter *m* 1. *fam* (*Aufsteiger*) homme *m* qui a connu une ascension fulgurante 2. (*Flugzeug*) avion *m* à décollage vertical

Senkrechtstarterin *f fam* femme *f* qui a

connu une ascension fulgurante

Senkung <-, -en> *f* **1.** *des Erdbodens* affaissement *m* **2.** *kein Pl* (*Verringerung*) réduction *f*

Sensation [zɛnza'tsi̯oːn] <-, -en> *f* sensation *f*

sensationell [zɛnzatsi̯o'nɛl] *adj* sensationnel(le)

Sensationspresse *f kein Pl* presse *f* à sensation

Sense ['zɛnzə] <-, -n> *f* faux *f* ▶ jetzt ist ~! *fam* maintenant basta!

sensibel [zɛn'ziːbəl] **I.** *adj* sensible **II.** *adv* avec sensibilité

Sensibelchen <-s, -> *nt hum, pej* grand sensible/grande sensible *m/f*

sensibilisieren* [zɛnzibili'ziːrən] *vt geh* sensibiliser; **jdn für etw** ~ sensibiliser qn à qc

Sensibilität [zɛnzibili'tɛːt] <-, -en> *f geh* sensibilité *f*

Sensor <-s, -soren> *m* capteur *m*

sentimental [zɛntimɛn'taːl] *adj* sentimental(e)

Sentimentalität [zɛntimɛntali'tɛːt] <-, -en> *f* sentimentalité *f*

separat [zepa'raːt] *adj* séparé(e)

Separatismus <-> *m* séparatisme *m*

Separatist(in) [zepara'tɪst] <-en, -en> *m(f)* séparatiste *mf*

separatistisch *adj* séparatiste

Separee^RR, Séparée [zepa're:] <-s, -s> *nt* salon *m* particulier

September [zɛp'tɛmbɐ] <-[s], -> *m* septembre *m; s. a.* **April**

Septim <-, -en> *f* A (*Intervall*) septième *f*

Sequenz <-, -en> *f* séquence *f*

Sera *Pl von* **Serum**

Serbe <-n, -n> *m*, **Serbin** *f* Serbe *mf*

Serbien ['zɛrbien] <-s> *nt* la Serbie

serbisch ['zɛrbɪʃ] *adj* serbe

serbokroatisch [zɛrbokro'aːtɪʃ] *adj* serbocroate

Seren *Pl von* **Serum**

Serenade [zere'naːdə] <-, -n> *f* sérénade *f*

Serie ['zeːriə] <-, -n> *f* série *f*

seriell *adj Schnittstelle* séquentiel(le)

serienmäßig I. *adj Herstellung* en série; *Ausstattung* de série **II.** *adv herstellen* en série

serienweise ['zeːriən-] *adv* COM en série

seriös [zeri'øːs] *adj* (*solide*) sérieux(-euse)

Seriosität <-> *f* sérieux *m*

Serpentine [zɛrpɛn'tiːnə] <-, -n> *f* route *f* en lacets

Serum ['zeːrʊm] <-s, Seren *o* Sera> *nt* sérum *m*

Server ['sœːvɐ] <-s, -> *m* INFORM serveur *m*

Service^1 ['sœrvɪs] <-> *m* service *m*

Service^2 [zɛr'viːs] <-[s], -> *nt* (*Geschirr*) service *m*

Servicecenter^RR, Service Center ['sœrvɪs sentɐ] <-s, -> *nt* centre *m* de services

servieren* [zɛr'viːrən] **I.** *vt* servir; **jdm etw** ~ servir qc à qn **II.** *vi* faire le service

Servierwagen [-viː-] *m* desserte *f*

Serviette [zɛr'vi̯ɛtə] <-, -n> *f* serviette *f* [de table]

Servolenkung *f* direction *f* assistée

servus ['zɛrvʊs] *interj* A, SDEUTSCH salut (*fam*)

Sesam ['zeːzam] <-s, -s> *m* sésame *m*

Sesambrot *nt* pain *m* de sésame

Sessel ['zɛsəl] <-s, -> *m* **1.** fauteuil *m* **2.** A (*Stuhl*) chaise *f*

Sessellift *m* télésiège *m*

sesshaft^RR ['zɛshaft], **seßhaft** *adj* sédentaire

Set <-s, -s> *m o nt* **1.** lot *m* **2.** (*Platzdeckchen*) set *m* [de table]

setzen ['zɛtsən] **I.** *vt + haben* **1.** das **Kind auf den Stuhl** ~ mettre l'enfant sur la chaise **2.** (*tun*) **den Hut auf den Kopf** ~ mettre son chapeau **3.** (*pflanzen*) planter *Pflanze* **4.** (*errichten*) élever *Denkmal* **5.** (*festlegen*) fixer *Frist* **6.** (*einfügen*) mettre *Satzzeichen* **7.** (*erklären*) **jdm etw auseinander** ~ expliquer qc à qn **8.** (*wetten*) **hundert Euro auf jdn/etw** ~ miser cent euros sur qn/qc **II.** *vr + haben* **1.** sich ~ *Person, Tier:* s'asseoir; *Vogel:* se poser; **sich aufs Fahrrad** ~ monter sur le vélo; **sitz!** assis! **2.** (*sich senken*) **sich** ~ *Erdreich:* s'affaisser **3.** (*sich befassen*) **sich mit jdm/etw auseinander** ~ se pencher sur qn/qc; (*wahrnehmen*) prêter attention à qn/qc **III.** *vi + haben a. fig* (*wetten*) **auf jdn/etw** ~ miser sur qn/qc

Setzer(in) <-s, -> *m(f)* TYP compositeur(-trice) *m(f)*

Setzerei [zɛtsə'rai̯] <-, -en> *f* TYP atelier *m* de composition

Setzling <-s, -e> *m* (*Pflanze*) plant *m*

Seuche ['zɔyçə] <-, -n> *f* épidémie *f*

seufzen ['zɔyftsən] **I.** *vi* soupirer; **über etw** (*akk*) ~ soupirer de qc **II.** *vt* soupirer

Seufzer <-s, -> *m* soupir *m*

Sex [zɛks] <-[es]> *m* sexe *m*

Sexfilm *m* film *m* érotique

Sexismus <-, -ismen> *m kein Pl* (*Einstellung*) sexisme *m*

Sexist(in) [zɛ'ksɪst] <-en, -en> *m(f)* sexiste *mf*

sexistisch *adj* sexiste

Sexshop [zɛksʃɔp] <-s, -s> *m* sex-shop *m*

Sextett <-[e]s, -e> *nt* sextuor *m*

Sextourismus *m* tourisme *m* sexuel

Sexualität [zɛksuali'tɛːt] <-> f sexualité f
Sexualkunde f kein Pl éducation f sexuelle
Sexualleben nt kein Pl vie f sexuelle **Se-**
xualtäter(in) m(f) auteur mf de délit
sexuel
sexuell [zɛ'ksuɛl] adj sexuel(le)
sexy ['zɛksi] adj inv fam sexy
sezieren* [ze'tsiːrən] **I.** vt disséquer Leiche **II.** vi pratiquer une dissection
s-förmig^RR ['ɛsfœrmɪç], **S-förmig** adj en
[forme de] s
Shampoo ['ʃampu] <-s, -s> nt shampo[o]ing m
Shareware ['ʃɛːɐvɛːɐ] <-, -s> f INFORM logiciel m contributif
Sherry ['ʃɛrɪ] <-s, -s> m sherry m
Shift-Taste ['ʃɪftastə] f INFORM touche f
Majuscule
Shirt [ʃœrt] <-s, -s> nt t[ee]-shirt m
Shortcut ['ʃɔːtkʌt] m INFORM raccourci m
clavier
Shorts [ʃɔrts] Pl short m
Show [ʃɔʊ] <-, -s> f show m ▸**eine ~ ab-**
ziehen fam faire son cinéma
Showbusiness^RR ['ʃoː'bɪznɪs], **Show-**
busineß nt kein Pl show-business m
Showgeschäft s. **Showbusiness Show-**
master(in) ['ʃoːmaːstɐ] <-s, -> m(f) ani-
mateur(-trice) m(f) [d'émissions de varié-
tés]
siamesisch [zia'meːzɪʃ] adj siamois(e)
Siamkatze f chat m siamois
Sibirien [zi'biːriən] <-s> nt la Sibérie
sibirisch adj sibérien(ne); Hauptstadt de la
Sibérie
sich [zɪç] **I.** pron refl, akk se; (Höflichkeitsform) vous; ~ **waschen** se laver; **stolz auf**
~ **sein** être fier de soi; **sie lieben** ~ ils s'aiment **II.** pron refl, dat se; (Höflichkeitsform) vous; ~ **die Haare waschen** se laver les cheveux; **sie schütteln ~ die**
Hand ils se serrent la main
Sichel ['zɪçəl] <-, -n> f **1.** faucille f **2.** fig
des Mondes croissant m
sicher ['zɪçɐ] **I.** adj **1.** (gewiss) certain(e);
jdm ~ sein Sieg: être assuré pour qn **2.** Zufluchtsort sûr(e); Abstand de sécurité; **aus**
~**er Entfernung** à bonne distance; **vor**
jdm/etw ~ sein Person: être à l'abri de
qn/qc **3.** Fahrer chevronné(e) **4.** Zusage ferme; Arbeitsplatz sûr(e) **5.** (selbstsicher)
sûr(e) de soi ▸~ **ist ~** deux précautions valent mieux qu'une **II.** adv **1.** (höchstwahrscheinlich) certainement **2.** aufbewahren
en sécurité **3.** fahren avec sûreté **4.** auftreten avec assurance
sicherlgehen vi irr + sein prendre ses précautions
Sicherheit <-, -en> f **1.** kein Pl sécurité f;

sich vor jdm/etw in ~ **bringen** se mettre
à l'abri de qn/qc **2.** kein Pl (das Abgesi-
chertsein) **soziale** ~ protection f sociale
3. kein Pl (Gewissheit) certitude f; **mit an**
~ **grenzender Wahrscheinlichkeit** de
façon quasi-certaine **4.** kein Pl (Zuverlässigkeit) fiabilité f **5.** kein Pl (Selbstsicherheit)
assurance f **6.** (Kaution) caution f; FIN garantie f
Sicherheitsabstand m distance f de sécurité **Sicherheitsdienst** m service m de sécurité **Sicherheitsgurt** m ceinture f de sécurité **Sicherheitshalber** adv par [mesure
de] précaution **Sicherheitskopie** f INFORM
[copie f de] sauvegarde f **Sicherheitsna-**
del f épingle f de sûreté
sicherlich adv sûrement
sichern vt **1.** (schützen) protéger **2.** (mechanisch blockieren) mettre le cran de sûreté à Schusswaffe **3.** (sicherstellen) relever
Spuren **4.** INFORM sauvegarder Daten **5.** (stabilisieren) assurer Frieden
sicherlstellen vt **1.** (garantieren) garantir
Versorgung **2.** (konfiszieren) saisir Diebesgut
Sicherung <-, -en> f **1.** kein Pl INFORM sauvegarde f **2.** ELEC fusible m
Sicherungskopie f INFORM sauvegarde f
Sicht [zɪçt] <-> f **1.** vue f **2.** (Betrachtungsweise) vision f; **aus heutiger** ~ du point
de vue actuel ▸**auf lange** ~ à long terme
sichtbar I. adj **1.** visible **2.** Fortschritt sensible **II.** adv altern nettement; sich verschlechtern sensiblement
sichten vt **1.** NAUT apercevoir **2.** (durchsehen) passer en revue Korrespondenz
sichtlich adj visible
Sichtverhältnisse Pl [conditions fpl de] visibilité f **Sichtweite** f visibilité f; **außer/in**
~ **sein** être hors de/en vue
sickern ['zɪkɐn] vi + sein suinter; **in den**
Erdboden ~ s'infiltrer dans la terre
sie¹ [ziː] **I.** pron pers, 3. Pers Sing, nom
1. elle; ~ **ist nicht da** elle n'est pas là; **da**
kommt ~! la voilà qui arrive! **2. eine Kat-**
ze/Kuh fotografieren, während ~ **frisst**
photographier un chat/une vache pendant
qu'il/qu'elle mange **II.** pron pers, 3. Pers
Sing, akk **1.** la; **er begleitet** ~ il l'accompagne; **ich werde** ~ **anrufen** je lui télépho-
nerai **2. da drüben ist die Katze/Kuh,**
siehst du ~? là-bas, il y a un chat/une vache, tu le/la vois?
sie² **I.** pron pers, 3. Pers Pl, nom **1.** ils; (allein stehend) eux; (auf ausschließlich
weibliche Personen, Tiere bezogen) elles;
~ **sind nicht da** ils/elles ne sont pas là; **da**
kommen ~! les voilà qui arrivent! **2. den**
Katzen/Kühen zuschauen, während ~

fressen observer les chats/vaches pendant qu'ils/qu'elles mangent **II.** *pron pers,* **3.** *Pers Pl, akk* **1. er begleitet** ~ il les accompagne; **ich werde** ~ **fragen** je leur demanderai; **ohne** ~ sans eux; (*auf ausschließlich weibliche Personen, Tiere bezogen*) sans elles **2.** (*allgemein auf Tiere und Sachen bezogen*) les **Sie¹** *pron pers, Höflichkeitsform* vous; **könnten** ~ **mir bitte sagen, wo/wie ...?** s'il vous plaît, pourriez-vous me dire où/ comment ...?; **kommen** ~ **schnell!** venez vite!

Sie² <-> *nt* **jdn mit** ~ **anreden** vouvoyer qn

Sie³ <-, -s> *f fam* **1. eine** ~ une nana; **Er, 31, sucht sportliche** ~ Homme, 31 ans, cherche femme sportive **2.** (*weibliches Tier*) **der Hamster ist eine** ~ le hamster est une femelle

Sieb [zi:p] <-[e]s, -e> *nt* (*Küchensieb*) passoire *f;* (*für Sand*) tamis *m*

sieben¹ ['zi:bən] *num* sept; *s. a.* **acht¹**

sieben² *vt* **1.** tamiser **2.** *fam* (*aussondern*) faire une sélection de *Bewerber*

Sieben <-, – *o* -en> *f* sept *m*

siebenarmig *adj* à sept branches **siebeneinhalb** *num* ~ **Meter** sept mètres et demi; *s. a.* **achteinhalb**

siebenerlei *adj inv* ~ **Sorten Brot** sept sortes de pain; *s. a.* **achterlei**

siebenfach I. *adj* **die ~e Menge nehmen** prendre sept fois plus **II.** *adv falten* sept fois; *s. a.* **achtfach siebenhundert** ['zi:bən'hʊndət] *num* sept cents **siebenjährig** *adj Kind, Amtszeit* de sept ans **siebenmal** *adv* sept fois; *s. a.* **achtmal Siebensachen** ['zi:bən'zaxən] *Pl fam* **seine** ~ **packen** prendre ses cliques et ses claques **Siebenschläfer** *m* loir *m*

siebentägig *adj* de sept jours **siebentausend** ['zi:bən'tauzənt] *num* sept mille

siebente(r, s) *adj s.* **siebte(r, s)**

siebt *adj* **zu** ~ **sein** être [à] sept; *s. a.* **acht²**

siebte(r, s) *adj* **1.** septième **2.** (*bei Datumsangaben*) **der** ~ **Mai** le sept mai

Siebte(r) *f(m) dekl wie adj* **1.** septième *mf* **2.** (*bei Datumsangaben*) **der** ~/**am** ~**n** *geschrieben:* **der 7.**/**am 7.** le sept *geschrieben:* le 7 **3.** (*als Namenszusatz*) **Karl der** ~ *geschrieben:* **Karl VII.** Charles sept *geschrieben:* Charles VII; *s. a.* **Achte(r)**

siebtel *adj* septième; *s. a.* **achtel**

Siebtel <-s, -> *nt a.* MATH septième *m*

siebtens *adv* septièmement

siebzehn *num* dix-sept; *s. a.* **acht¹ siebzehnte(r, s)** *adj* dix-septième; *s. a.* **achte(r, s)**

siebzig ['zi:ptsɪç] *num* soixante-dix, sep-

tante (BELG, CH); *s. a.* **achtzig**

Siebzig <-> *f* soixante-dix *m*, septante *m* (BELG, CH)

siebziger *adj inv* **die** ~ **Jahre** les années *fpl* soixante-dix; *s. a.* **achtziger**

Siebzigjährige(r) *f(m) dekl wie adj* homme *m*/femme *f* de soixante-dix ans

siedeln ['zi:dəln] *vi* s'établir

sieden ['zi:dən] <siedete *o* sott, gesiedet *o* gesotten> *vi* bouillir ▶ **jdm** ~ **d heiß einfallen** *fam* revenir tout d'un coup à qn

siedendheiß ['zi:dənt'hajs] *s.* **sieden Siedepunkt** *m* température *f* d'ébullition **Siedler(in)** ['zi:dlɐ] <-s, -> *m(f)* colon *m* **Siedlung** <-, -en> *f* **1.** (*Wohnhausgruppe*) lotissement *m* **2.** (*Ansiedlung*) colonie *f*

Sieg [zi:k] <-[e]s, -e> *m* victoire *f*

Siegel ['zi:gəl] <-s, -> *nt* **1.** (*Abdruck*) sceau *m* **2.** (*Stempel*) cachet *m*

siegen ['zi:gən] *vi* **1.** MIL être vainqueur **2.** SPORT gagner

Sieger(in) <-s, -> *m(f)* SPORT, MIL vainqueur *m*

Siegerehrung *f* remise *f* des prix **Siegerurkunde** *f* diplôme *m* [d'honneur]

siegesgewissRR **I.** *adj Person* sûr(e) de la victoire **II.** *adv* d'un air triomphant **siegessicher** *adj Person* sûr(e) de la victoire

siegreich I. *adj* SPORT, MIL victorieux(-euse); ~ **aus etw hervorgehen** sortir vainqueur de qc **II.** *adv* en vainqueur

sieht [zi:t] **3.** *Pers Präs von* **sehen**

siezen ['zi:tsən] *vt* vouvoyer

Signal [zɪ'gna:l] <-s, -e> *nt* signal *m*

signalisieren* [zɪgnali'zi:rən] *vt* laisser entendre; **jdm etw** ~ laisser entendre qc à qn

Signatur [zɪgna'tu:ɐ̯] <-, -en> *f* **1.** (*Buchsignatur*) cote *f* **2.** *geh* (*Unterschrift*) signature *f*

signieren* [zɪ'gni:rən] *vt* signer; **etw** ~ signer qc; *Schriftsteller:* dédicacer qc

Silbe ['zɪlbə] <-, -n> *f* syllabe *f*

Silbentrennung *f* division *f* en syllabes

Silber ['zɪlbɐ] <-s> *nt* **1.** (*Edelmetall*) argent *m* **2.** (*Tafelsilber*) argenterie *f* **3.** (~*medaille*) médaille *f* d'argent

Silberbesteck *nt* argenterie *f* **Silberblick** *m fam* **einen** ~ **haben** avoir une coquetterie dans l'œil **silberfarben, silberfarbig** *adj* argenté(e) **silbergrau** *adj* gris argenté *inv* **Silberhochzeit** *f* noces *fpl* d'argent **Silbermedaille** *f* médaille *f* d'argent

silbern *adj* (*aus Silber*) en argent

silbrig *adj* argenté(e)

Silhouette [zi'luɛtə] <-, -n> *f* silhouette *f*

Silikon [zili'ko:n] <-s, -e> *nt* CHEM silicone *f*

Silo ['zi:lo] <-s, -s> m silo m
Silvester [zɪl'vɛstɐ] <-s, -> m o nt Saint-Sylvestre f
simpel ['zɪmpəl] adj 1.(einfach) simple 2.(schlicht) [tout(e)] simple
Sims [zɪms] <-es, -e> m o nt (Fenstersims) rebord m; (Kaminsims) corniche f
simsen fam I. vi envoyer un texto II. vt envoyer SMS
Simulant(in) [zimu'lant] <-en, -en> m(f) simulateur(-trice) m(f)
Simulation <-, -en> f simulation f
simulieren* [zimu'li:rən] vt, vi simuler
simultan [zimʊl'ta:n] geh adj simultané(e)
Simultandolmetscher(in) m(f) interprète mf simultané(e)
sind [zɪnt] 1. und 3. Pers Pl Präs von sein¹
Sinfonie [zɪnfo'ni:] <-, -n> f symphonie f
Sinfonieorchester nt orchestre m symphonique
Singapur ['zɪŋgapu:ɐ] <-s> nt Singapour
singen ['zɪŋən] <sang, gesungen> I. vi 1.chanter 2.fam (gestehen) se mettre à table II. vt chanter Lied
Single¹ [sɪŋgl] <-, -s> f 45 tours m
Single² <-s, -s> m célibataire mf
Singstimme f (Gesangsteil) [partie f de] chant m
Singular ['zɪŋgula:ɐ] <-s, -e> m GRAM singulier m
Singvogel m [oiseau m] chanteur m
sinken ['zɪŋkən] <sank, gesunken> vi + sein 1.(ver~) couler 2.(an Höhe verlieren) descendre 3.(nieder~) tomber 4.(abnehmen) Kurs, Fieber: baisser; Ansehen: être terni; den Mut ~ lassen perdre courage
Sinn [zɪn] <-[e]s, -e> m 1.kein Pl (Bedeutung) sens m 2.kein Pl (Zweck) sens m; das macht keinen ~ fam c'est n'importe quoi 3.kein Pl (Verständnis) sens m 4.meist Pl (~esorgan) sens m 5.(Interesse) in jds ~ (dat) sein aller dans le sens de qn 6.(Verstand) bist du noch bei ~en? tu es encore toute ta tête? (fam) ►wie von ~en comme un fou/une folle
Sinnbild nt symbole m **sinnbildlich** adj symbolique
sinnen ['zɪnən] <sann, gesonnen> vi geh 1.(grübeln) über etw (akk) ~ méditer sur qc; (nachdenken) réfléchir à qc 2.(trachten nach) auf Vergeltung (akk) ~ méditer sa vengeance
sinnentstellend adj erroné(e)
Sinnesorgan nt organe m sensoriel **Sinnestäuschung** f illusion f des sens **Sinneswandel** m revirement m
sinngemäß adj, adv en substance
sinnieren* [zɪ'ni:rən] vi méditer; über

etw (akk) ~ méditer sur qc
sinnig adj sensé(e)
sinnlich I. adj 1. Wahrnehmung sensoriel(le) 2. Person épicurien(ne) 3. Begierde sensuel(le) II. adv 1.etw ~ wahrnehmen percevoir qc [au niveau sensoriel] 2. begehren sexuellement
Sinnlichkeit <-> f sensualité f
sinnlos I. adj 1.(nutzlos) absurde 2.(vergeblich) vain(e) II. adv 1.(nutzlos) sans raison 2.(vergeblich) en vain 3.(hemmungslos) complètement
Sinnlosigkeit <-, -en> f 1.(Nutzlosigkeit) absurdité f 2.(Vergeblichkeit) vanité f
sinnvoll I. adj 1.(zweckmäßig) sensé(e) 2.(erfüllend) intéressant(e) II. adv (vernünftig) de façon sensée
Sintflut ['zɪntflu:t] f déluge m
Sinti ['zɪnti] Pl Sinté mpl
Sinus ['zi:nʊs] <-, – o -se> m MATH sinus m
Sippe ['zɪpə] <-, -n> f a. fig fam tribu f
Sippschaft <-, -en> f pej fam 1.(Familie) smala f 2.(Gesindel) racaille f
Sirene [zi're:nə] <-, -n> f sirène f
Sirup ['zi:rʊp] <-s, -e> m (Fruchtsirup) sirop m
Sisal <-s> m sisal m
Sisyphusarbeit ['zi:zyfʊsʔarbait] f travail m de Romain
Site [saɪt] <-, -s> f INFORM site m
Sitte ['zɪtə] <-, -n> f 1.(Gepflogenheit) coutume f 2.meist Pl (Benehmen) manières fpl ►das sind ja ganz neue ~n! fam voilà autre chose!
Sittenstrolch m pej maniaque m sexuel **sittenwidrig** adj Geschäftspraktiken malhonnête
Sittich <-s, -e> m perruche f
sittlich adj form moral(e)
Situation [zitua'tsi̯o:n] <-, -en> f situation f
situiert adj gut ~ sein avoir une bonne situation
Sitz [zɪts] <-es, -e> m 1.(~gelegenheit) siège m 2.(~fläche) assise f 3.(Amtssitz) siège m 4.(Niederlassung) siège m central
Sitzbank <-bänke> f banquette f **Sitzblockade** f sit-in m
sitzen ['zɪtsən] <saß, gesessen> vi + haben o A, SDEUTSCH, CH sein 1. a. Tiere: être assis; im Sitzen assis(e) 2.(sich aufhalten) beim Friseur/Essen ~ être chez le coiffeur/à table 3.(angehören) in der Regierung ~ être dans le gouvernement 4.fam (inhaftiert sein) être en taule 5.(seinen Sitz haben) in Bonn ~ avoir son siège à Bonn 6.(angebracht sein) schief ~ Krawatte: être de travers 7.(passen) gut ~ Hose: tomber bien 8.fam (treffen) Schlag,

Bemerkung: faire mouche; **das hat gesessen!** bien envoyé; ►**~ bleiben** rester assis(e); *Schüler:* redoubler; **auf etw ~ bleiben** *Geschäft:* ne pas parvenir à écouler qc; **~ lassen** *fam* (*verlassen*) planter; (*versetzen*) poser un lapin à; (*nicht heiraten*) plaquer

sitzen|bleiben *s.* **sitzen sitzen|lassen** *s.* **sitzen**

Sitzfleisch *nt* ►**kein ~ haben** *fam* avoir la bougeotte **Sitzgelegenheit** *f* siège *m* **Sitzordnung** *f* **1.** (*Übersicht*) plan *m* des places assises **2.** (*Sitzanordnung*) répartition *f* des sièges **Sitzplatz** *m* place *f* assise **Sitzstreik** *m* sit-in *m* **Sitzung** <-, -en> *f* **1.** (*Besprechung*) réunion *f* **2.** (*Kabinettssitzung*) session *f* **Sitzungssaal** *m* salle *f* de conférences **sizilianisch** *adj* sicilien(ne) **Sizilien** [zi'tsi:liən] <-s> *nt* la Sicile **Skala** ['ska:la] <-, Skalen *o* -s> *f* **1.** (*Gradeinteilung*) échelle *f* graduée **2.** *geh* (*Palette*) gamme *f* **Skalp** [skalp] <-s, -e> *m* scalp *m* **Skalpell** [skal'pɛl] <-s, -e> *nt* scalpel *m* **skalpieren*** [skal'pi:rən] *vt* scalper **Skandal** [skan'da:l] <-s, -e> *m* scandale *m* **skandalös** [skanda'lø:s] *adj* scandaleux(-euse) **Skandinavien** [skandi'na:viən] <-s> *nt* la Scandinavie **Skandinavier(in)** <-s, -> *m(f)* Scandinave *mf* **skandinavisch** [-'na:vɪʃ] *adj* scandinave **Skat** [ska:t] <-[e]s, -e> *m* skat *m* (*jeu de cartes à trois joueurs*) **Skateboard** ['skɛɪtbɔ:t] <-s, -s> *nt* skate[-board] *m* **skaten** ['ske:tn] *vi fam* faire du roller **Skelett** [ske'lɛt] <-[e]s, -e> *nt* squelette *m* **Skepsis** ['skɛpsɪs] <-> *f* scepticisme *m* **skeptisch I.** *adj* sceptique **II.** *adv* avec scepticisme **Sketch** [skɛtʃ] <-[es], -e[s]> *m* sketch *m*, saynète *f* **Ski** [ʃi:] <-s, - *o* -er> *m* ski *m* **Skier** ['ʃi:ɐ] *Pl von* **Ski** **Skifahren** *nt* ski *m* **Skigebiet** *nt* domaine *m* skiable **Skiläufer(in)** *m(f)* skieur(-euse) *m(f)* **Skilehrer(in)** *m(f)* moniteur(-trice) *m(f)* de ski **Skilift** *m* téléski *m* **Skinhead** ['skɪnhɛt] <-s, -s> *m* skin[head] *mf* **Skipass**RR *m* forfait *m* de ski **Skisport** *m* ski *m* **Skispringen** *nt* saut *m* à skis **Skizze** ['skɪtsə] <-, -n> *f* **1.** (*Zeichnung*) esquisse *f* **2.** *meist Pl* (*Aufzeichnung*) notes *fpl*

skizzieren* [skɪ'tsi:rən] *vt* **1.** (*zeichnen*) esquisser **2.** (*umreißen*) ébaucher *Vorgehensweise* **Sklave** ['skla:və] <-n, -n> *m*, **Sklavin** *f* a. *fig* esclave *mf* **Sklavenhandel** *m* commerce *m* des esclaves; (*mit Schwarzen*) traite *f* des noirs **Sklaverei** [skla:və'raɪ] <-, -en> *f* esclavage *m* **Sklavin** ['skla:vɪn] *s.* **Sklave** **Sklerose** [skle'ro:zə] <-, -n> *f* MED **multiple ~** sclérose en plaques **Skonto** ['skɔnto] <-s, -s *o* Skonti> *nt o m* escompte *m* **Skorpion** [skɔr'pi̯o:n] <-s, -e> *m* **1.** scorpion *m* **2.** ASTROL Scorpion *m* **Skript** [skrɪpt] <-[e]s, -en> *nt* UNIV notes *fpl* [de cours] **Skrupel** ['skru:pəl] <-, -> *m meist Pl* scrupule *m* **skrupellos** *adj, adv* sans scrupules **Skrupellosigkeit** <-> *f* absence *f* de scrupules **Skulptur** [skʊlp'tu:ɐ] <-, -en> *f* sculpture *f* **skurril** [skʊ'ri:l] *adj geh Person* bizarre **Slalom** ['sla:lɔm] <-s, -s> *m* a. SPORT slalom *m* **Slang** [slɛŋ] <-s> *m* **1.** (*saloppe Sprache*) argot *m* **2.** (*Fachjargon*) jargon *m* **Slawe** ['sla:və] <-n, -n> *m*, **Slawin** *f* Slave *mf* **slawisch** *adj* slave **Slip** [slɪp] <-s, -s> *m* slip *m* **Slipeinlage** *f* protège-slip *m* **Slogan** ['slɔʊgən] <-s, -s> *m* slogan *m* **Slowake** [slo'va:kə] <-n, -n> *m*, **Slowakin** *f* Slovaque *mf* **Slowakei** [slova'kaɪ] <-> *f* **die ~** la Slovaquie **slowakisch I.** *adj* slovaque **II.** *adv* **~ miteinander sprechen** discuter en slovaque; *s. a.* **deutsch** **Slowakisch** <-[s]> *nt kein art* slovaque *m; s. a.* **Deutsch** **Slowene** [slo've:nə] <-n, -n> *m*, **Slowenin** *f* Slovène *mf* **Slowenien** [slo've:niən] <-s> *nt* la Slovénie **slowenisch I.** *adj* slovène **II.** *adv* **~ miteinander sprechen** discuter en slovène; *s. a.* **deutsch** **Slowenisch** <-[s]> *nt kein art* slovène *m; s. a.* **Deutsch** **Slum** [slam] <-s, -s> *m* bidonville *m* **Small talk** ['smɔ:ltɔ:k] <- -s> *m* brin *m* de causette **Smaragd** [sma'rakt] <-[e]s, -e> *m* émeraude *f*

Smog [smɔk] <-[s], -s> m smog m
Smogalarm m alerte f au smog
Smoking ['smoːkɪŋ] <-s, -s> m smoking m
SMS f texto m
Snob [snɔp] <-s, -s> m snob mf
Snobismus <-> m snobisme m
snobistisch [sno'bɪstɪʃ] adj snob
Snowboard ['snɔʊbɔːt] <-s, -s> nt monoski m
so [zoː] I. adv 1. mit einem Adjektiv, Adverb si; ~ groß wie ein Pferd aussi grand(e) qu'un cheval; es war ~ kalt, dass ... il faisait tellement froid que ... 2. mit einem Verb ~ [sehr] lieben aimer tellement 3. (auf diese Weise) comme ça 4. (solch) ~ eine Gelegenheit une occasion comme celle-là 5. (solchermaßen) ~ genannt soi-disant inv; es ist ~, wie du sagst c'est comme tu dis 6. (dermaßen) er ist ~ was von schlecht gelaunt! fam ce qu'il peut être de mauvais poil! 7. (gleichsam) ~, als ob ... comme si ... 8. (etwa) à peu près; ~ gegen acht Uhr aux environs de huit heures 9. (nun) ~ sag doch! allez, dis-le! 10. fam (umsonst) gratos ▶~ oder ~ d'une manière ou d'une autre; und ~ weiter [und ~ fort] et ainsi de suite II. konj 1. ~ dass ... à tel point que ... 2. (wie ... auch) même si; ich muss leider gehen, ~ leid es mir auch tut je suis désolé(e) mais je dois partir III. interj (zusammenfassend) bon; (auffordernd) allez ▶~, ~! fam tiens, tiens!
s.o. Abk von siehe oben voir plus haut
sobald [zo'balt] konj dès que
Söckchen <-s, -> nt Dim von Socke socquette f
Socke ['zɔkə] <-, -n> f chaussette f
Sockel ['zɔkəl] <-s, -> m 1. eines Denkmals socle m 2. ARCHIT soubassement m
Soda ['zoːda] <-s> nt CHEM soude f
sodassᴿᴿ, **sodaß** [zo'das] konj à tel point que
Sodbrennen ['zoːtbrɛnən] nt brûlures fpl d'estomac
soeben [zo'ʔeːbən] adv (gerade eben) juste; er ist ~ gegangen il vient de partir
Sofa ['zoːfa] <-s, -s> nt canapé m
sofern [zo'fɛrn] konj si, dans la mesure où; ~ es nicht regnet à moins qu'il ne pleuve
soff [zɔf] Imp von saufen
sofort [zo'fɔrt] adv tout de suite
Sofortbildkamera f appareil m photo à développement instantané **Soforthilfe** f aide f d'urgence
sofortig adj immédiat(e)
Softeisᴿᴿ nt crème f glacée
Softie ['sɔfti] <-s, -s> m fam tendre m

Software ['sɔftwɛːɐ̯] <-> f INFORM logiciel m
Softwarepaket nt INFORM progiciel m
sog [zoːk] Imp von saugen
sog. adj Abk von so genannt
Sog [zoːk] <-[e]s, -e> m eines Strudels remous mpl
sogar [zo'gaːɐ̯] adv même
sogenannt s. so I.
Sohle ['zoːlə] <-, -n> f 1. (Schuhsohle) semelle f 2. (Fußsohle) plante f du pied
Sohn [zoːn, Pl: 'zøːnə] <-[e]s, ⁻e> m 1. fils m 2. (Junge) garçon m
Sojabohne f soja m
solang[e] konj tant que
Solarenergie f énergie f solaire
Solarium [zo'laːriʊm] <-s, -ien> nt solarium m
Solarzelle f photopile f
solch adj inv ~ eine Frage une question pareille
solche(r, s) adj ~ Leute de telles personnes ▶als ~(r, s) en tant que tel(le)
Sold [zɔlt] <-[e]s> m solde f
Soldat(in) [zɔl'daːt] <-en, -en> m(f) soldat(e) m(f)
Söldner(in) ['zœldnɐ] <-s, -> m(f) mercenaire mf
Soli Pl von Solo
Solidarbeitrag m impôt m de solidarité
solidarisch [soli'daːrɪʃ] adj solidaire
solidarisieren* vr sich ~ se solidariser; sich mit jdm/etw ~ se solidariser avec qn/qc
Solidarität [zolidari'tɛːt] <-> f solidarité f
Solidaritätsbeitrag m impôt m [de] solidarité
solid[e] adj 1. (stabil) solide 2. Lebenswandel sérieux(-euse) 3. Firma solvable
Solist(in) [zo'lɪst] <-en, -en> m(f) soliste mf
Soll [zɔl] <-[s], -[s]> nt FIN (~seite) doit m ▶sein ~ erfüllen remplir ses obligations
sollen ['zɔlən] <sollte, ~> aux modal 1. (müssen) devoir; er soll zuhören il doit écouter 2. (brauchen) du sollst dir deswegen keine Gedanken machen tu n'as pas à te faire de souci pour ça 3. (können) man sollte annehmen, dass ... on pourrait supposer que ... 4. (als Ausdruck der Möglichkeit) sollte ich vor dir sterben ... si je venais à mourir avant toi ...; was soll das heißen? qu'est-ce que ça veut dire? 5. (als Ausdruck der Vermutung) er soll abgereist sein il paraît qu'il est parti 6. (dürfen) das hättest du nicht tun ~ tu n'aurais pas dû faire ça
sollen <sollte, gesollt> vi 1. (gehen/kommen müssen) du solltest besser ins

Bett tu ferais mieux d'aller te coucher **2.** *fam* (*bedeuten*) was soll diese Frage? que veut dire cette question? ▶**was soll's?** *fam* et alors?

solo ['zoːlo] *adj inv fam* (*ohne Partner*) ~ **sein** être seul

Solo ['zoːlo] <-s, Soli> *nt* solo *m*

Solothurn <-s> *nt* Soleure

solvent [-'vɛnt] *adj* solvable

somit [zo'mɪt] *adv* par conséquent

Sommer ['zɔmɐ] <-s, -> *m* été *m*

Sommeranfang *m* début *m* de l'été **Sommerferien** *Pl* vacances *fpl* d'été; SCHULE grandes vacances *fpl*

sommerlich *adj* estival(e)

Sommerloch *nt fam* creux *m* estival **Sommerschlussverkauf**RR *m* soldes *fpl* d'été **Sommersemester** *nt* semestre *m* d'été **Sommerspiele** *Pl* Jeux *mpl* d'été; **die Olympischen** ~ les Jeux olympiques d'été **Sommersprosse** *f meist Pl* tache *f* de rousseur **Sommerzeit** *f* (*Uhrzeit*) heure *f* d'été

Sonate [zo'naːtə] <-, -n> *f* sonate *f*

Sonde ['zɔndə] <-, -n> *f* MED, RAUM sonde *f*

Sonderanfertigung *f* série *f* spéciale **Sonderangebot** *nt* offre *f* spéciale

sonderbar *adj Person* curieux(-euse); *Verhalten* étrange

Sonderfall *m* cas *m* particulier **Sondergenehmigung** *f* autorisation *f* spéciale

sonderlich **I.** *adj attr* particulier(-ière) **II.** *adv* particulièrement

Sonderling <-s, -e> *m* original *m*

Sondermarke *f* timbre *m* de collection **Sondermüll** *m* déchets *mpl* spéciaux

sondern ['zɔndɐn] *konj* mais

Sonderpreis *m* prix *m* spécial **Sonderrecht** *nt* (*Vorrecht*) privilège *m* **Sonderschule** *f* école *f* spécialisée (*pour enfants déficients ou inadaptés*) **Sondervermittler** *m* POL émissaire *m* [spécial] **Sonderzeichen** *nt* caractère *m* spécial

sondieren* *vt, vi geh* sonder

Sonett [zo'nɛt] <-[e]s, -e> *nt* sonnet *m*

Song <-s, -s> *m fam* tube *m*

Sonnabend ['zɔn?aːbənt] *m* NDEUTSCH samedi *m*

Sonne ['zɔnə] <-> *f* 1. soleil *m* 2. ASTRON Soleil *m*

sonnen *vr* 1. **sich** ~ prendre un bain de soleil 2. *geh* (*genießen*) **sich in etw** (*dat*) ~ savourer qc

Sonnenaufgang *m* lever *m* du soleil **Sonnenbad** *nt* bain *m* de soleil **Sonnenbank** <-bänke> *f* banquette *f* de bronzage **Sonnenblume** *f* tournesol *m* **Sonnenbrand** *m* coup *m* de soleil **Sonnenbrille** *f*

lunettes *fpl* de soleil **Sonnenenergie** *f* énergie *f* solaire **Sonnenfinsternis** *f* éclipse *f* de Soleil **sonnenklar** *adj fam* évident(e) **Sonnenkollektor** *m* capteur *m* solaire **Sonnenlicht** *nt kein Pl* lumière *f* du soleil **Sonnenschein** *m* soleil *m* **Sonnenschirm** *m* parasol *m* **Sonnenschutz** *m* (*Maßnahme*) protection *f* solaire **Sonnenschutzcreme** *f* crème *f* de protection solaire **Sonnenseite** *f* 1. côté *m* ensoleillé 2. (*positive Seite*) bon côté *m* **Sonnenstich** *m* insolation *f* **Sonnenstrahl** *m* rayon *m* de soleil **Sonnensystem** *nt* système *m* solaire **Sonnenuhr** *f* cadran *m* solaire **Sonnenuntergang** *m* coucher *m* de soleil

sonnig *adj* ensoleillé(e)

Sonntag ['zɔntaːk] *m* dimanche *m; s. a.* **Dienstag**

Sonntagabend *m* dimanche *m* soir **sonntäglich** *adj* dominical(e) **sonntags** *adv* le dimanche **Sonntagsfahrer(in)** *m(f) pej* conducteur(-trice) *m(f)* du dimanche **Sonntagskind** *nt* chanceux(-euse) *m(f)* ▶**ein** ~ **sein** être né sous une bonne étoile

sonn- und feiertags *adv* les dimanches et jours fériés

sonst [zɔnst] *adv* 1. (*andernfalls*) sinon 2. (*gewöhnlich*) d'habitude 3. (*früher*) avant 4. (*außerdem*) à part ça; [**darf es**] ~ **noch etwas** [**sein**]? et avec ça? 5. *indef fam* ~ **was** n'importe quoi; ~ **wohin** quelque part ailleurs 6. *fam* (*anders*) **wer** [**denn**] ~? qui d'autre?

sonstig *adj attr* autre *antéposé*

sonstwas *s.* sonst **sonstwohin** *s.* sonst

sooft [zo'?ɔft] *konj* tant que

Sopran [zo'praːn] <-s, -e> *m* 1. (*Stimme*) soprano *m* 2. *s.* **Sopranist(in)**

Sopranist(in) <-en, -en> *m(f)* soprano *mf*

Sorge ['zɔrgə] <-, -n> *f* souci *m; mit* ~ avec inquiétude ▶**lass das meine** ~ **sein!** laisse-moi faire!

sorgen **I.** *vi* 1. (*aufkommen*) **für jdn** ~ s'occuper de qn 2. (*sich kümmern*) **dafür** ~, **dass** veiller à ce que + *subj* 3. (*bewirken*) **für Aufsehen** ~ faire du bruit **II.** *vr* **sich um jdn** ~ se faire du souci pour qn

sorgenfrei *adj, adv* sans souci **sorgenvoll** **I.** *adj Gesicht* soucieux(-euse) **II.** *adv* avec inquiétude

Sorgerecht *nt kein Pl* droit *m* de garde des enfants

Sorgfalt ['zɔrkfalt] <-> *f* soin *m*

sorgfältig ['zɔrkfɛltɪç] **I.** *adj Mitarbeiter* consciencieux(-euse); *Arbeit* soigné(e) **II.** *adv* soigneusement

sorglos **I.** *adj* 1. (*achtlos*) négligent(e) 2. *s.*

sorgenfrei II. *adv umgehen* avec négligence
Sorglosigkeit <-> *f* insouciance *f*
sorgsam *adj, adv geh s.* **sorgfältig**
Sorte ['zɔrtə] <-, -n> *f* 1. (*Art*) sorte *f* 2. *Pl* FIN devises *fpl*
sortieren* [zɔr'tiːrən] *vt* 1. (*ordnen*) trier; **etw nach Größe** ~ trier qc par ordre de grandeur 2. (*einordnen*) **etw in den Schrank** ~ ranger qc dans l'armoire
Sortiment [zɔrti'mɛnt] <-[e]s, -e> *nt* assortiment *m*
SOS [ɛsoː'ɛs] <-, -> *nt* S.O.S. *m*
sosehr [zo'zeːɐ̯] *konj* ~ ... [auch] bien que + *subj*; ~ **ich mich auch bemühte** j'ai eu beau faire tout ce que je pouvais
Soße ['zoːsə] <-, -n> *f* sauce *f*
sott [zɔt] *Imp von* **sieden**
Souffleur [zu'fløːɐ̯, zu'fløːzə] <-s, -e> *m*, **Souffleuse** *f* souffleur(-euse) *m(f)*
soufflieren* [zu'fliːrən] *vi* souffler; **jdm** ~ souffler à qn
Sound [saund] <-s, -s> *m fam* son *m*
Soundkarte *f* INFORM carte *f* son
soundsovielte(r, s) ['zoːʔʊntzo'fiːltə, -tɐ, -təs] *adj fam* tantième
Souterrain [sutɛ'rɛ̃ː, 'zuːtɛrɛ̃] <-s, -s> *nt* sous-sol *m*
Souvenir [zuvə'niːɐ̯] <-s, -s> *nt* souvenir *m*
souverän [zuvə'rɛːn] **I.** *adj* 1. POL souverain(e) 2. (*überlegen*) supérieur(e) **II.** *adv* (*überlegen*) suprêmement; *meistern* à la perfection
Souveränität [zuvərɛni'tɛːt] <-> *f a.* POL souveraineté *f*
soviel¹ [zo'fiːl] *adv s.* **viel I.**
soviel² *konj* [pour] autant que + *subj*; ~ **ich weiß** à ce que je sais
soweit¹ [zo'vait] *adv s.* **weit II.**
soweit² *konj* pour autant que + *subj*
sowenig¹ [zo've:nɪç] *adv s.* **wenig II.**
sowenig² *konj* ~ **mir das auch gefällt** même si ça ne me plaît pas beaucoup
sowie [zo'viː] *konj* 1. (*sobald*) aussitôt que 2. *form* (*und*) ainsi que
sowieso [zovi'zoː] *adv* en tout cas
sowjetisch *adj* soviétique
Sowjetunion *f* HIST **die** ~ l'Union *f* soviétique
sowohl [zo'voːl] *konj* ~ ... **als auch** ... non seulement ..., mais [encore] ...
Sozi <-s, -s> *m pej fam* social-démocrate *m*
sozial [zo'tsi̯aːl] *adj* social(e)
Sozialabgaben *Pl* charges *fpl* sociales **Sozialamt** *nt* bureau *m* d'aide sociale **Sozialdemokrat(in)** *m(f)* social(e)-démocrate *m(f)* **sozialdemokratisch** *adj* social(e)-démocrate **Sozialfall** *m form* cas *m* social

Sozialhilfe *f kein Pl* ≈ R.M.I. *m*
Sozialismus [zotsi̯a'lɪsmʊs] <-> *m* socialisme *m*
Sozialist(in) [zotsi̯a'lɪst] <-en, -en> *m(f)* socialiste *mf*
sozialistisch *adj* socialiste
Sozialleistungen *Pl* prestations *fpl* sociales
Sozialpädagoge *m*, **-pädagogin** *f* éducateur(-trice) *m(f)* social(e) **Sozialplan** *m* plan *m* social **Sozialstaat** *m* État *m* social **Sozialversicherung** *f* assurance *f* sociale; (*in Frankreich*) Sécurité *f* sociale **Sozialwohnung** *f* ≈ H.L.M. *m o f*
Soziologe [zotsi̯o'loːgə] <-n, -n> *m*, **Soziologin** *f* sociologue *mf*
Soziologie [zotsi̯olo'giː] <-> *f* sociologie *f*
soziologisch [zotsi̯o'loːgɪʃ] *adj* sociologique
Sozius <-, Sozii> *m*, **Sozia** *f* 1. (*Kompagnon*) associé(e) *m(f)* 2. (*Beifahrer*) passager(-ère) *m(f)* de derrière
sozusagen [zoːtsu'zaːgən] *adv* pour ainsi dire
Spachtel ['ʃpaxtəl] <-s, -> *m* (*Werkzeug*) spatule *f*
spachteln I. *vt* mastiquer à la spatule; **etw** ~ mastiquer qc à la spatule **II.** *vi* 1. mastiquer 2. DIAL *fam* (*essen*) se bâfrer
Spagat [ʃpa'gaːt] <-[e]s, -e> *m o nt* 1. SPORT grand écart *m* 2. (*schwierige Aufgabe*) exercice *m* de haute voltige
Spaghetti *Pl* spaghetti *mpl*
spähen ['ʃpɛːən] *vi* (*blicken*) guetter
Spalier [ʃpa'liːɐ̯] <-s, -e> *nt* 1. espalier *m* 2. *fig* haie *f*
Spalt [ʃpalt] <-[e]s, -e> *m* 1. (*Schlitz*) fente *f* 2. (*Felsspalt*) fissure *f* 3. (~ *breit*) entrebâillement *m*; **die Tür einen** ~ **öffnen** entrouvrir la porte
spaltbar *adj* fissible
Spalte ['ʃpaltə] <-, -n> *f* 1. (*breiter Riss*) fissure *f*; *eines Gletschers* crevasse *f* 2. TYP colonne *f*
spalten <*PP* gespalten> **I.** *vt* 1. <*PP* gespalten *o* gespaltet> fendre *Holz* 2. PHYS diviser 3. (*divergieren*) **gespalten sein** *Auffassungen:* être partagés **II.** *vr* 1. **sich** ~ *Haare:* fourcher 2. (*Fraktionen bilden*) **sich in zwei Lager** ~ se diviser en deux camps
Spaltung <-, -en> *f* 1. PHYS fission *f* 2. PSYCH ~ **der Persönlichkeit** dédoublement *m* de la personnalité
Span [ʃpaːn, *Pl:* 'ʃpɛːnə] <-[e]s, ⁼e> *m* copeau *m* ▸**wo gehobelt wird, [da] fallen Späne** *prov* on ne fait pas d'omelette sans casser des œufs
Spanferkel ['ʃpaːnfɛrkəl] *nt* cochon *m* de lait

Spange ['ʃpaŋə] <-, -n> f 1.(*Haarspange*) barrette f 2.(*Zahnspange*) appareil m [de correction] dentaire
Spanien ['ʃpaːniən] <-s> nt l'Espagne f
Spanier(in) <-s, -> m(f) Espagnol(e) m(f)
spanisch I. adj espagnol(e) II. adv ~ **miteinander sprechen** discuter en espagnol; s. a. **deutsch** ▶etw **kommt** jdm ~ **vor** fam qc ne paraît pas [très] catholique à qn
Spanisch <-[s]> nt kein art espagnol m; s. a. **Deutsch**
spann [ʃpan] *Imp von* **spinnen**
Spann <-[e]s, -e> m cou-de-pied m
SpannbetttuchRR nt drap-housse m
Spannbreite f kein pl gamme f
Spanne ['ʃpanə] <-, -n> f (*Gewinnspanne*) marge f
spannen ['ʃpanən] I. vt 1.(*straffen*) tendre 2.(*an~*) contracter *Muskel* 3.(*auf~*) **etw über etw** (*akk*) ~ tendre qc au-dessus de qc 4.(*ein~*) mettre *Briefbogen* 5. fam (*merken*) ~, **dass** ... piger que ... II. vi *Kleidungsstück:* serrer trop; *Haut:* tirer
spannend adj *Film* captivant(e), passionnant(e)
Spanner <-s, -> m fam (*Voyeur*) voyeur m
Spannkraft f kein Pl vigueur f
Spannung <-, -en> f 1. kein Pl (*fesselnde Art*) suspense m 2. kein Pl (*gespannte Erwartung*) tension f [nerveuse]; **etw voller** ~ **erwarten** attendre qc avec impatience 3. meist Pl (*Unstimmigkeit*) tension f 4. ELEC tension f
Spannungsgebiet nt zone f de tension
Spannweite f der Flügel envergure f
Spanplatte f panneau m de particules
Sparbuch nt livret m [de caisse] d'épargne
Sparbüchse f tirelire f
sparen ['ʃpaːrən] I. vt 1.(*zurücklegen*) épargner *Betrag* 2.(*ein~*) économiser *temps* 3.(*unterlassen*) **sich** (*dat*) **einen Ratschlag** ~ garder un conseil pour soi II. vi 1.(*Geld zurücklegen*) **auf etw** (*akk*) ~ épargner pour qc 2.(*sparsam sein*) se montrer économe; **an etw** (*dat*) ~ rogner sur qc
Sparer(in) <-s, -> m(f) épargnant(e) m(f)
Sparflamme f petite flamme f ▶**auf** ~ **arbeiten** fam bosser au ralenti
Spargel ['ʃpargəl] <-s, -> m asperge f
Sparkasse f caisse f d'épargne
spärlich ['ʃpɛːɐlɪç] I. adj *Ausbeute, Einkommen* maigre; *Vegetation, Haarwuchs* clairsemé(e) II. adv peu
Sparprogramm nt programme m économique
sparsam I. adj *Person, Lebensweise* économe; *Motor* économique II. adv leben chichement; verwenden avec parcimonie

Sparsamkeit <-> f [sens m de l']économie f
Sparschwein nt tirelire f
spartanisch adj Leben de Spartiate
Sparte ['ʃpartə] <-, -n> f 1.(*Branche*) branche f 2.(*Spezialbereich*) spécialité f 3.(*Rubrik*) rubrique f
Spaß [ʃpaːs, Pl: 'ʃpɛːsə] <-es, ⁼e> m 1. kein Pl (*Vergnügung*) divertissement m; (*Freude*) plaisir m; **viel** ~! amuse-toi/amusez-vous bien! 2.(*Scherz*) plaisanterie f ▶~ **beiseite** fam blague à part
spaßen vi plaisanter
spaßeshalber adv fam comme ça, pour voir
Spaßgesellschaft f pej société f de loisir
spaßig adj eine ~e **Geschichte** une drôle d'histoire
Spaßverderber(in) <-s, -> m(f) rabat-joie m **Spaßvogel** m plaisantin m
Spastiker(in) ['ʃpastikɐ] <-s, -> m(f) infirme m moteur cérébral/infirme f motrice cérébrale, I.M.C. mf
spastisch ['ʃpastɪʃ] adj spastique
spät [ʃpɛːt] I. adj 1. es ist ~ il est tard; **wie** ~ **ist es?** quelle heure est-il? 2.(*die Spätphase betreffend*) tardif(-ive); *Mittelalter* finissant(e) II. adv **zu** ~ trop tard; ~ **dran sein** être en retard
spätabends adv tard dans la soirée **Spätbucher(in)** m(f) TOUR vacancier(-ière) m(f) qui réserve à la dernière minute
Spatel <-s, -> m MED spatule f
Spaten ['ʃpaːtən] <-s, -> m bêche f
Spätentwickler(in) <-s, -> m(f) MED, PSYCH attardé(e) m(f)
später ['ʃpɛːtɐ] I. adj (*zukünftig*) futur(e) II. adv plus tard
spätestens adv au plus tard
Spätfolgen Pl einer Krankheit séquelles fpl tardives **Spätlese** f (*Wein*) vendange f tardive **Spätschicht** f équipe f du soir **Spätsommer** m fin f de l'été
Spatz [ʃpats] <-en o -es, -en> m 1. moineau m 2. fam (*Kosewort*) [mein] ~! mon chou!
Spätzle ['ʃpɛtslə] Pl GASTR spaetzle fpl (*spécialité de pâtes alsacienne et souabe*)
spazieren* [ʃpaˈtsiːrən] vi + sein se promener; **mit jdm** ~ **gehen** aller se promener avec qn
spazieren|gehen s. spazieren
Spaziergang <-gänge> m promenade f [à pied] **Spaziergänger(in)** [ʃpaˈtsiːɐgɛŋɐ] <-s, -> m(f) promeneur(-euse) m(f) **Spazierstock** m canne f
SPD [ɛspeːˈdeː] <-> f Abk von **Sozialdemokratische Partei Deutschlands** parti social-démocrate allemand
Specht [ʃpɛçt] <-[e]s, -e> m pic m
Speck [ʃpɛk] <-[e]s, -e> m 1. GASTR lard m

2. *fam* (*Fettpolster*) lard *m*

speckig *adj* **1.** (*fettglänzend*) crasseux(-euse) **2.** *fam* (*feist*) gras(se)

Speckschwarte *f* couenne *f* [de lard]

Spediteur(in) [ʃpedi'tø:ɐ̯] <-s, -e> *m(f)* transporteur *m*

Spedition [ʃpedi'tsi̯o:n] <-, -en> *f* entreprise *f* de transport

Speer [ʃpe:ɐ̯] <-[e]s, -e> *m* javelot *m*

Speerwerfen <-s> *nt* lancer *m* de javelot

Speiche ['ʃpai̯çə] <-, -n> *f* eines Rads rayon *m*

Speichel ['ʃpai̯çəl] <-s> *m* salive *f*

Speicher ['ʃpai̯çɐ] <-s, -> *m* **1.** DIAL (*Dachboden*) grenier *m* **2.** INFORM mémoire *f*

Speicherchip *m* INFORM puce *f* à mémoire

Speicherdichte *f* INFORM densité *f* de mémoire **Speicherkapazität** *f* INFORM capacité *f* de mémoire

speichern I. *vt* **1.** INFORM sauvegarder *Datei, Daten* **2.** (*aufbewahren*) entreposer II. *vi* INFORM sauvegarder

Speicherung <-, -en> *f* INFORM sauvegarde *f*

speien ['ʃpai̯ən] <spie, gespien> *vt geh* **1.** (*ausstoßen*) cracher *Lava* **2.** (*erbrechen*) vomir *Blut*

Speise ['ʃpai̯zə] <-, -n> *f* **1.** *meist Pl geh* (*Gericht*) repas *m* **2.** (*Nahrung*) nourriture *f*

Speisekammer *f* cellier *m* **Speisekarte** *f* carte *f*

speisen I. *vi geh* se restaurer II. *vt* **1.** *geh* (*essen*) consommer **2.** (*versorgen*) alimenter *Stromnetz*

Speiseröhre *f* œsophage *m* **Speisesaal** *m* salle *f* à manger **Speisewagen** *m* wagon-restaurant *m*

Spektakel¹ [ʃpɛk'ta:kəl] <-s, -> *m fam* tintouin *m*

Spektakel² <-s, -> *nt* (*Schauspiel*) spectacle *m*

spektakulär [ʃpɛktaku'lɛ:ɐ̯] *adj* spectaculaire

Spektra *Pl von* **Spektrum**

Spektrum ['ʃpɛktrʊm] <-s, Spektren *o* Spektra> *nt* **1.** PHYS spectre *m* **2.** *geh* (*Vielfalt*) variété *f*

Spekulant(in) <-en, -en> *m(f)* spéculateur(-trice) *m(f)*

Spekulation [ʃpekula'tsi̯o:n] <-, -en> *f* spéculation *f*

spekulativ *adj geh* spéculatif(-ive)

spekulieren* [ʃpeku'li:rən] *vi* **1.** *fam* (*rechnen*) **auf etw** (*akk*) ~ spéculer sur qc **2.** (*Spekulant sein*) **an der Börse** ~ spéculer à la bourse

Spelunke [ʃpe'lʊŋkə] <-, -n> *f pej fam* boui[-]boui *m*

spendabel [ʃpɛn'da:bəl] *adj fam* généreux(-euse)

Spende ['ʃpɛndə] <-, -n> *f* don *m*

spenden I. *vt* **1.** donner qc à qn **2.** MED donner, faire don de **3.** (*abgeben*) diffuser *Wärme* II. *vi* **für jdn/etw** ~ faire un don pour qn/qc

Spendenaffäre *f* affaire *f* des dons (*en rapport avec l'affaire Kohl*) **Spendenaktion** *f* collecte *f* de dons **Spendenaufruf** *m* appel *m* à la générosité [publique]

Spender <-s, -> *m* **1.** (*Mensch*) donateur *m;* MED donneur *m* **2.** (*Vorrichtung*) distributeur *m*

Spenderin <-, -nen> *f* donatrice *f;* MED donneuse *f*

spendieren* [ʃpɛn'di:rən] *vt fam* payer; **jdm etw** ~ payer qc à qn

Spengler(in) <-s, -> *m(f)* SDEUTSCH, A plombier-zingueur *m*

Sperber <-s, -> *m* épervier *m*

Sperling ['ʃpɛrlɪŋ] <-s, -e> *m* moineau *m*

Sperma ['ʃpɛrma] <-s, Spermen *o* -ta> *nt* sperme *m*

sperrangelweit [ʃpɛr'ʔaŋəl'vai̯t] *adv fam* ~ **offen stehen** être grand ouvert

Sperre ['ʃpɛrə] <-, -n> *f* **1.** (*Straßensperre*) *der Polizei* barrage *m* **2.** (*Barrikade*) barricade *f* **3.** (*Spielverbot*) suspension *f*

sperren ['ʃpɛrən] I. *vt* **1.** (*schließen*) fermer *Grenze;* interdire *Gebiet* **2.** (*blockieren*) bloquer *Kredit;* couper *Telefon* **3.** (*einschließen*) **jdn/ein Tier in etw** (*akk*) ~ enfermer qn/un animal dans qc **4.** SPORT suspendre *f.* **vr sich** ~ se braquer

Sperrgebiet *nt* zone *f* interdite

sperrig *adj Gegenstand* encombrant(e)

Sperrmüll *m* **1.** (*Müll*) vieux objets encombrants dont on veut se débarrasser **2.** (*~abfuhr*) collecte de vieux objets encombrants

Sperrung <-, -en> *f* **1.** (*Schließung*) fermeture *f* **2.** eines Kontos, Kredits blocage *m*

Spesen ['ʃpe:zən] *Pl* frais *mpl* [de gestion]

Spezi¹ ['ʃpe:tsi] <-s, -s> *m* SDEUTSCH *fam* pote *m*

Spezi² <-, -s> *nt* GASTR coca-soda *m*

Spezialgebiet [ʃpe'tsi̯a:lgəbi:t] *nt* spécialité *f*

spezialisieren* [ʃpetsi̯ali'zi:rən] *vr sich* ~ se spécialiser; **sich auf etw** (*akk*) ~ se spécialiser dans qc

Spezialist(in) [ʃpetsi̯a'lɪst] <-en, -en> *m(f)* spécialiste *mf*

Spezialität [ʃpetsi̯ali'tɛ:t] <-, -en> *f* spécialité *f*

speziell [ʃpe'tsi̯ɛl] *adj* spécial(e)

Spezies ['ʃpe:tsiɛs, 'sp-] <-, -> *f* espèce *f*

spezifisch [ʃpe'tsi:fɪʃ] *adj* spécifique

spezifizieren* *vt* préciser
Sphäre ['sfɛːrə] <-, -n> *f* sphère *f* ►**in hö-**
heren ~**n** schweben planer un peu (*fam*)
Sphinx [sfɪŋks] <-, -e> *f* sphinx *m*
spicken ['ʃpɪkən] I. *vt* **1.** GASTR piquer *Bra-*
ten **2.** *fam* (*durchsetzen*) **einen Text mit**
Zitaten ~ truffer un texte de citations II. *vi*
DIAL *fam* **bei jdm** ~ pomper sur qn
Spickzettel *m* DIAL antisèche *f* (*fam*)
spie [ʃpiː] *Imp von* **speien**
Spiegel ['ʃpiːgəl] <-s, -> *m* **1.** miroir *m*,
glace *f* **2.** (*Autorückspiegel*) rétroviseur *m*
Spiegelbild *nt* reflet *m* **spiegelglatt**
['ʃpiːgəl'glat] *adj Straße* très glissant(e)
spiegeln I. *vi* **1.** (*spiegelblank sein*) briller
2. (*reflektieren*) miroiter II. *vr* **sich in/auf**
etw (*dat*) ~ se refléter dans qc/à la surface
de qc
Spiegelreflexkamera *f* [appareil *m*] reflex
m
Spiegelung <-, -en> *f* **1.** MED endoscopie *f*
2. (*Luftspiegelung*) mirage *m*
Spiel [ʃpiːl] <-[e]s, -e> *nt* **1.** jeu *m*
2. (*sportliche Begegnung*) match *m;* **die**
Olympischen ~**e** les Jeux olympiques
3. SPIEL (*Partie*) partie *f* ►**jdn/etw aus**
dem ~ **lassen** laisser qn/qc en dehors de
ça
Spielart *f* (*Variation*) variante *f* **Spielauto-**
mat *m* machine *f* à sous **Spielball** *m*
►**ein** ~ **einer S.** (*gen*) **sein** *geh* être le
jouet de qc
spielen I. *vt* **1.** Domino ~ jouer aux dominos **2.** MUS Klavier ~ jouer du piano
3. SPORT **Fußball** ~ jouer au football **4.** (*dar-*
stellen) jouer *Person, Rolle* **5.** (*vortäu-*
schen) **den Clown** ~ faire le clown; **den**
Beleidigten ~ jouer le vexé II. *vi* **1.** *Kin-*
der: jouer **2.** (*darstellerisch tätig sein*) jouer **3.** (*als Szenario haben*) **im Mittelalter**
~ se situer au Moyen Âge **4.** SPORT **gegen**
jdn ~ jouer contre qn **5.** *Radio:* être allumé
III. *vr* **sich warm** ~ s'échauffer
spielend *adv* facilement
Spieler(in) <-s, -> *m(f)* joueur(-euse) *m(f)*
Spielerei [ʃpiːlə'raj] <-, -en> *f* **1.** *kein Pl*
(*Kinderspiel*) rigolade *f* (*fam*) **2.** *meist Pl*
(*Kinkerlitzchen*) gadget *m*
spielerisch I. *adj* **1.** *Eleganz* désinvolte
2. SPORT *Leistung* technique II. *adv* **1.** *bewäl-*
tigen avec désinvolture **2.** SPORT *hervorra-*
gend techniquement
Spielfeld *nt* terrain *m;* (*Tennisplatz*) court
m **Spielfilm** *m* film *m* **Spielhalle** *f* établissement *m* de jeux **Spielkasino** *nt* casino
m **Spielplan** *m* programme *m* **Spielplatz**
m terrain *m* de jeux **Spielraum** *m* marge *f*
de manœuvre **Spielregel** *f meist Pl* règle *f*
du jeu **Spielsachen** *Pl* jouets *mpl* **Spiel-**

stand *m* score *m* **Spielverderber(in)** <-s,
-> *m(f)* rabat-joie *mf inv* **Spielwaren** *Pl*
jouets *mpl* **Spielzeit** *f* **1.** SPORT temps *m* réglementaire **2.** (*Theatersaison*) saison *f*
Spielzeug *nt* jouet *m*
Spieß [ʃpiːs] <-es, -e> *m* (*Bratenspieß*)
broche *f;* (*klein*) brochette *f* ►**den** ~ **um-**
drehen *fam* renvoyer la balle
spießen ['ʃpiːsən] *vt* piquer; **etw auf die**
Gabel ~ piquer qc sur la fourchette
Spießer(in) <-s, -> *m(f) fam* petit(e)-bour-
ge *m*
spießig *adj fam* petit(e)-bourgeois(e)
Spießrute ►~**n** **laufen** *fig* passer sous les
fourches caudines
Spikes [ʃpajks] *Pl* (*an Sportschuhen*) crampons *mpl*
Spinat [ʃpi'naːt] <-[e]s> *m* **1.** BOT épinard
m **2.** GASTR épinards *mpl*
Spind [ʃpɪnt] <-[e]s, -e> *m* armoire *f* métallique
Spindel ['ʃpɪndəl] <-, -n> *f eines Spinn-*
rads fuseau *m*
spindeldürr ['ʃpɪndəl'dyr] *adj fam Person*
maigre comme un clou; *Arme* tout(e) maigre
Spinett [ʃpi'nɛt] <-s, -e> *nt* épinette *f*
Spinne ['ʃpɪnə] <-, -n> *f* araignée *f*
spinnen ['ʃpɪnən] <spann, gespon-
nen> I. *vt* filer *Netz* II. *vi* **1.** (*am Spinn-*
rad) filer [le lin/la laine] **2.** *fam* (*verrückt*
sein) débloquer; **ich glaube, ich spinne!**
j'hallucine!
Spinnennetz *nt* toile *f* d'araignée
Spinner(in) <-s, -> *m(f) fam* (*verrückter*
Mensch) cinglé(e) *m(f)*
Spinnerei [ʃpɪnə'raj] <-, -en> *f* **1.** (*Textil-*
betrieb) filature *f* **2.** *kein Pl pej fam* (*Blöd-*
sinn) connerie *f*
Spinnrad *nt* rouet *m*
Spion [ʃpi̯oːn] <-s, -e> *m* **1.** (*Kundschaf-*
ter) espion *m* **2.** *fam* (*Türspion*) judas *m*
Spionage [ʃpi̯o'naːʒə] <-> *f* espionnage *m*
spionieren* [ʃpi̯o'niːrən] *vi* **1.** (*als Spion*
tätig sein) faire de l'espionnage **2.** *fam*
(*heimlich lauschen*) espionner
Spionin <-, -nen> *f* espionne *f*
Spirale [ʃpi'raːlə] <-, -n> *f* **1.** spirale *f*
2. MED stérilet *m*
spiritistisch *adj* de spiritisme
Spirituosen *Pl* GASTR *form* spiritueux *mpl*
Spiritus ['ʃpiːritʊs] <-> *m* alcool [à brûler]
m
Spital [ʃpi'taːl, *Pl:* ʃpi'tɛːlə] <-s, =er> *nt* A,
CH hôpital *m*
spitz [ʃpɪts] I. *adj* **1.** *Nadel, Bleistift* poin-
tu(e) **2.** *Winkel* aigu(ë); *Kinn* pointu(e)
3. *Schrei* aigu(ë) **4.** *Bemerkung* acéré(e) II.
adv **1.** *zuhauen* en pointe **2.** (~ *züngig*) d'un

ton piquant

Spitzbart *m* (*Bart*) bouc *m* **Spitzbube** ['ʃpɪtsbuːbə] *m fam* galopin *m* **spitz-bübisch** ['ʃpɪtsbyːbɪʃ] *adj* Grinsen malicieux(-euse)

Spitze ['ʃpɪtsə] <-, -n> *f* **1.** (*spitzes Ende, Höchstwert*) pointe *f* **2.** (*vorderster Teil, erster Platz*) tête *f* **3.** TEXTIL dentelle *f* ►[einsame] ~ **sein** *fam Person:* être superclasse; *Film:* être super

Spitzel ['ʃpɪtsəl] <-s, -> *m* indicateur *m* **spitzeln** *vi* être un indicateur

spitzen *vt* **1.** tailler *Bleistift* **2.** (*aufstellen*) **die Ohren** ~ tendre l'oreille

Spitzenkandidat(in) *m(f)* tête *f* de liste **Spitzenklasse** *f* (*höchste Leistungsstufe*) élite *f* **Spitzenkraft** *f* collaborateur(-trice) *m(f)* top niveau **Spitzenleistung** *f* prouesse *f* **spitzenmäßig** *fam* **I.** *adj* super **II.** *adv* super-bien **Spitzenreiter** *m* **1.** (*Mensch, Gruppe*) leader *m* **2.** (*Artikel*) must *m* (*fam*) **Spitzenreiterin** *f* (*Mensch, Gruppe*) leader *m* **Spitzensportler(in)** *m(f)* sportif(-ive) *m(f)* de haut niveau **Spitzentechnologie** *f* technologie *f* de pointe

Spitzer <-s, -> *m fam* taille-crayon *m*

spitzfindig **I.** *adj* (*haarspalterisch*) pointilleux(-euse) **II.** *adv* en ergotant **Spitzfindigkeit** <-, -en> *f* (*Äußerung*) ergoterie *f*

Spitzname *m* sobriquet *m* **Spitzwegerich** *m* plantain *m* lancéolé **spitzwink[e]lig** **I.** *adj* Dreieck, Ecke aigu(ë) **II.** *adv* en formant un angle aigu

Spleen [ʃpliːn] <-s, -s> *m fam* dada *m*

Spliss^RR ['ʃplɪs] <-es>, **Spliß** <-sses> *m* (*Haarspliss*) fourches *fpl*

splitten ['ʃplɪtn, 'ʃplɪtn] *vt* répartir

Splitter ['ʃplɪtɐ] <-s, -> *m* éclat *m;* (*Glassplitter*) éclat de verre

Splittergruppe *f* groupuscule *m* (*péj*)

splittern *vi* **1.**+ *sein* (*zerspringen*) Glas: voler en éclats **2.**+ *haben* (*Splitter bilden*) se fragmenter

splitternackt *adj, adv fam* [complètement] à poil

Splitting ['ʃplɪtɪŋ, 'ʃplɪtɪŋ] <-s, -s> *nt* FIN déclaration *f* séparée des revenus

SPÖ [ɛspeː'ʔøː] <-> *f Abk von* **Sozialistische Partei Österreichs** *parti social-démocrate autrichien*

Spoiler ['ʃpɔylɐ] <-s, -> *m* spoiler *m*

sponsern ['ʃpɔnzɐn] *vt* sponsoriser

Sponsor ['ʃpɔnzɐ] <-s, -soren> *m*, **Sponsorin** *f* sponsor *m*

spontan [ʃpɔn'taːn] *adj* spontané(e)

Spontaneität [ʃpɔntaneiˈtɛːt] <-> *f geh* spontanéité *f*

sporadisch [ʃpoˈraːdɪʃ] *adj* sporadique

Spore <-, -n> *f* spore *f*

Sporn [ʃpɔrn, *Pl:* 'ʃpoːrən] <-[e]s, Sporen> *m meist Pl* éperon *m;* **einem Pferd die Sporen geben** éperonner un cheval

Sport [ʃpɔrt] <-[e]s> *m* sport *m*

Sportabzeichen *nt* insigne *m* sportif **Sportart** *f* discipline *f* [sportive] **Sportfest** *nt* fête *f* sportive **Sporthalle** *f* gymnase *m;* (*für Sportveranstaltungen*) salle *f* de sport **Sportlehrer(in)** *m(f)* professeur *mf* d'éducation physique et sportive

Sportler(in) <-s, -> *m(f)* sportif(-ive) *m(f)* **sportlich** **I.** *adj* Person sportif(-ive); *Kleidung* de sport *inv* **II.** *adv* **1.** sich ~ **betätigen** faire du sport **2.** sich kleiden sport (*fam*)

Sportnachrichten *Pl* informations *fpl* sportives **Sportplatz** *m* terrain *m* de sport **Sportverein** *m* club *m* sportif **Sportwagen** *m* **1.** (*Auto*) voiture *f* de sport **2.** (*Kinderwagen*) poussette *f*

Spot [spɔt] <-s, -s> *m* spot *m*

Spott [ʃpɔt] <-[e]s> *m* moquerie *f* **spottbillig** ['ʃpɔt'bɪlɪç] *fam* **I.** *adj* super donné(e) **II.** *adv* pour que dalle **spötteln** ['ʃpœtəln] *s.* **spotten**

spotten ['ʃpɔtən] *vi* (*höhnen*) se moquer; **über jdn/etw** ~ se moquer de qn/qc **Spötter(in)** ['ʃpœtɐ] <-s, -> *m(f)* moqueur(-euse) *m(f)* **spöttisch** **I.** *adj* moqueur(-euse) **II.** *adv* entgegnen d'un ton moqueur

Spottpreis *m* prix *m* ridicule

sprach [ʃpraːx] *Imp von* **sprechen**

Sprache ['ʃpraːxə] <-, -n> *f* **1.** langue *f* **2.** kein Pl (*Ausdrucksweise*) langage *m* **3.** kein Pl (*Sprachfähigkeit*) langage *m;* **hast du die** ~ **verloren?** tu as perdu la langue? ►**heraus mit der** ~! *fam* allez, accouche/accouchez!

Sprachfehler *m* défaut *m* de prononciation **Sprachführer** *m* guide *m* de conversation **Sprachgebrauch** *m* usage *m* **Sprachgefühl** *nt kein Pl* sens *m* de la langue **Sprachkenntnisse** *Pl* (*einer Sprache/mehrerer Sprachen*) connaissances *fpl* de la langue/des langues **Sprachkurs** *m* cours *m* de langue **Sprachlabor** *nt* laboratoire *m* de langues

sprachlich *adj* linguistique

sprachlos *adj* muet(te)

Sprachrohr ►**sich zum** ~ **einer S. machen** se faire le porte-parole de qc **Sprachschule** *f* école *f* de langues **Sprachunterricht** *m* cours *m* de langue[s] **Sprachwissenschaft** *f* linguistique *f* **Sprachwissenschaftler(in)** *m(f)* linguiste *mf* **Sprachwitz** *m kein pl* esprit *m*

sprang [ʃpraŋ] *Imp von* **springen**

Spray [ʃpreː] <-s, -s> *m o nt* aérosol *m;* (*Kosmetikspray*) spray *m*

Spraydose ['ʃpreː-, 'spreː-] f (Kosmetikspraydose) spray m
sprayen ['ʃprɛɪən] I. vi peindre à la bombe II. vt bomber (fam) Parole
Sprayer m tagueur m
Sprechanlage f interphone m **Sprechblase** f bulle f
sprechen ['ʃprɛçən] <spricht, sprach, gesprochen> I. vi 1.(reden) parler 2.(ein Telefongespräch führen) mit jdm ~ parler à qn [au téléphone] 3.(empfangen) für niemanden zu ~ sein n'être là pour personne 4.(tratschen) über jdn ~ raconter des choses sur qn 5.(eintreten) für jdn ~ plaider en faveur de qn 6.(erkennbar sein) aus seinen Augen spricht Zorn la colère se lit dans ses yeux ▶für sich selbst ~ Tatsache, Beweis: être suffisamment éloquent II. vt 1.(sagen, aus~) dire Wort, Segen; prononcer Gebet 2.(beherrschen) ~ Sie Chinesisch? parlez-vous [le] chinois? 3.(verlesen) présenter Nachrichten 4.(sich unterreden mit) parler à
Sprechen <-s> nt (das Reden) beim ~ en parlant
Sprecher(in) <-s, -> m(f) 1.(Wortführer) porte-parole m inv 2.(Rundfunksprecher) présentateur(-trice) m(f)
Sprechstunde f consultation f **Sprechzimmer** nt cabinet m
spreizen ['ʃpraɪtsən] I. vt écarter Finger, Beine; déployer Flügel II. vr (sich zieren) sich ~ faire des manières
sprengen ['ʃprɛŋən] I. vt 1.(mit Sprengstoff zerstören) faire sauter 2.(bersten lassen) gefrorenes Wasser: faire éclater Gefäß 3.(gewaltsam auflösen) disperser Versammlung 4.(gießen) arroser Rasen II. vi + haben (eine Sprengung vornehmen) utiliser des explosifs
Sprengkopf m tête f explosive **Sprengkraft** f kein Pl force f explosive **Sprengsatz** m charge f explosive **Sprengstoff** m 1.explosif m 2.fig dynamite f
Spreu [ʃprɔy] <-> f bal[l]e f ▶die ~ vom Weizen trennen séparer le bon grain de l'ivraie
spricht [ʃprɪçt] 3.Pers Präs von sprechen
Sprichwort ['ʃprɪçvɔrt] nt proverbe m
sprichwörtlich adj proverbial(e)
sprießen ['ʃpriːsən] <spross o sprießte, gesprossen> vi + sein Knospe: éclore; Bart, Haare: pousser
Springbrunnen m fontaine f
springen ['ʃprɪŋən] <sprang, gesprungen> I. vi + sein 1.(hüpfen) sauter 2.fam (Anordnungen schnell ausführen) filer doux 3.DIAL (eilen) zum Bäcker ~ fai-

re un saut chez le boulanger 4.(zer~) Vase: se fendre 5.(vorrücken) auf etw (akk) ~ Zeiger: passer [d'un seul coup] à qc II. vt + haben o sein SPORT sauter vier Meter ▶etw für jdn ~ lassen fam payer qc à qn
Springer <-s, -> m 1.SPORT sauteur m 2.(Arbeiter) travailleur m multifonctionnel 3.SPIEL (beim Schach) cavalier m
Springerin <-, -nen> f 1.SPORT sauteuse f 2.(Arbeiterin) travailleuse f multifonctionnelle
Springerstiefel Pl rangers mpl
Springflut f grande marée f **Springform** f moule m au bord amovible
Sprint [ʃprɪnt] <-s, -s> m sprint m
sprinten ['ʃprɪntən] vi + sein 1.SPORT sprinter 2.fam (schnell laufen) über die Straße ~ traverser la rue au sprint
Sprinter(in) <-s, -> m(f) sprinte[u]r(-euse) m(f)
Sprit [ʃprɪt] <-[e]s> m fam (Benzin) essence f
Spritze ['ʃprɪtsə] <-, -n> f 1.(Injektionsspritze) seringue f 2.(Injektion) piqûre f
spritzen ['ʃprɪtsn] I. vi 1.+ haben o sein Fett, Wasser: gicler 2.+ haben MED faire une piqûre/des piqûres II. vt + haben 1.(lackieren) peindre au pistolet Auto 2.(bewässern) arroser Rasen 3.(beschmutzen) jdm Soße aufs Hemd ~ éclabousser de la sauce sur la chemise de qn 4.MED jdm Insulin ~ injecter de l'insuline à qn
Spritzer <-s, -> m 1.(Tropfen) éclaboussure f 2.(kleine Menge) ein ~ Spülmittel une giclée de produit vaisselle
spritzig adj Dialog pétulant(e)
Spritztour f fam virée f [en voiture]
spröde ['ʃprøːdə] adj 1.(unelastisch) cassant(e) 2.Lippen sec(sèche) 3.Person, Art revêche
spross^RR [ʃprɔs], **sproß** Imp von sprießen
Spross^RR [ʃprɔs] <-es, -e>, **Sproß** <-sses, -sse> m BOT jeune pousse f
Sprosse ['ʃprɔsə] <-, -n> f (Leitersprosse) échelon m
Sprössling^RR, **Sprößling** ['ʃprœslɪŋ] <-s, -e> m hum rejeton m
Spruch [ʃprux, Pl: 'ʃprvçə] <-[e]s, ⸚e> m 1.(~weisheit) dicton m; (geschrieben) inscription f 2.(Bibelspruch) verset m; pej formule f toute faite
Spruchband <-bänder> nt banderole f
spruchreif adj fam ~ sein être mûr
Sprudel ['ʃpruːdəl] <-s, -> m eau f gazeuse
sprudeln vi 1.+ haben (aufkochen) Wasser: bouillonner 2.(aufschäumen) Mineralwasser: pétiller 3.+ sein (heraus~) aus dem Boden ~ Quelle: jaillir du sol

sprühen [ˈʃpryːən] I. *vt* + *haben* pulvériser *Flüssigkeit, Gift;* vaporiser *Parfüm* II. *vi* 1.+ *sein* (*umherfliegen*) **nach allen Seiten** ~ *Funken:* jaillir de tous les côtés 2.+ *haben* (*angeregt sein*) **vor Lebenslust** ~ pétiller de joie de vivre
Sprühregen *m* bruine *f*
Sprung [ʃprʊŋ, *Pl:* ˈʃprʏŋə] <-[e]s, ⸗e> *m* 1.(*Satz*) saut *m* 2.(*feiner Riss*) craquelure *f* 3.*fam* (*kleine Entfernung*) **bis zu mir ist es nur ein** ~ ce n'est qu'à deux pas de chez moi 4.*fam* (*kurzer Besuch*) **auf einen** ~ **bei jdm vorbeikommen** *fam* passer en coup de vent chez qn ►**einen** ~ **in der Schüssel haben** *fam* être un peu fêlé
Sprungbrett *nt* SPORT tremplin *m*
sprunghaft *adj* 1.*Anstieg* brutal(e) 2.(*unstet*) versatile
Sprungschanze *f* tremplin *m* [de saut à skis] **Sprungtuch** <-tücher> *nt* toile *f* de sauvetage
Spucke [ˈʃpʊkə] <-> *f fam* salive *f;* (*ausgespuckter Speichel*) crachat *m* ►**jdm bleibt die** ~ **weg** qn en reste baba
spucken I. *vi* 1.(*aus~*) cracher 2.DIAL (*sich übergeben*) vomir II. *vt* cracher
Spucknapf *m* crachoir *m*
Spuk [ʃpuːk] <-[e]s, -e> *m* 1.(*Geistererscheinung*) apparition *f* de fantômes 2.(*schrecklicher Zustand*) cauchemar *m*
spuken *vi unpers* 1.**in diesem Haus spukt es** il y a des fantômes dans cette maison 2.*fig* **in den Köpfen der Menschen** ~ *Vorstellung:* être bien ancré dans la tête des gens
Spülbecken *nt* bac *m* d'évier
Spule [ˈʃpuːlə] <-, -n> *f a.* ELEC bobine *f*
Spüle [ˈʃpyːlə] <-, -n> *f* évier *m*
spulen [ˈʃpuːlən] *vt* embobiner *Film*
spülen [ˈʃpyːlən] I. *vi* 1.SDEUTSCH (*abwaschen*) laver la vaisselle 2.(*die Toilettenspülung betätigen*) tirer la chasse [d'eau] II. *vt* 1.(*ab~*) laver 2.(*schwemmen*) **etw ans Ufer** ~ rejeter qc sur la rive 3.(*klar ~*) rincer *Geschirr*
Spülmaschine *f* lave-vaisselle *m* **spülmaschinenfest** *adj* garanti(e) lave-vaisselle
Spülmittel *nt* produit *m* [pour la] vaisselle
Spülung <-, -en> *f* 1.(*Wasserspülung*) chasse *f* d'eau 2.(*Haarspülung*) démêlant *m*
Spur [ʃpuːɐ̯] <-, -en> *f* 1.(*Abdruck*) trace *f* 2.(*Fußspur*) trace *f* [de pas] 3.(*Loipe*) trace *f* 4.*fig* (*Fährte*) trace *f;* **von ihr fehlt jede** ~ elle n'a plus donné signe de vie 5.*fig* (*Zeichen*) **bei einem Menschen ~en hinterlassen** marquer un être humain 6.(*Fahrbahn*) voie *f*
spürbar *adj* sensible

spuren [ˈʃpuːrən] *vi fam* (*gehorchen*) filer doux; **bei jdm** ~ filer doux avec qn
spüren [ˈʃpyːrən] *vt* 1.(*intuitiv bemerken*) sentir 2.(*fühlen*) sentir; ressentir *Schmerz*
Spurenelement *nt* oligoélément *m*
Spürhund *m* chien *m* policier
spurlos *adv verschwinden* sans laisser de traces
Spürsinn *m kein Pl* flair *m*
Spurt <-s, -s *o* -e> *m* sprint *m*
spurten *vi* + *sein* sprinter
Spurweite *f* écartement *m*
sputen *vr* DIAL **sich** ~ se dépêcher
Squash [ˈskvɔʃ] <-> *nt* squash *m*
Sri Lanka [ˈsriː ˈlaŋka] <-s> *nt* le Sri Lanka
s.t. *adv Abk von* **sine tempore** UNIV **um neun Uhr** ~ à neuf heures pile
St. 1.*Abk von* **Stück** pièce *f* 2.*Abk von* **Sankt** St/Ste
Staat [ʃtaːt] <-[e]s, -en> *m* POL État *m*
Staatenbund <-bünde> *m* confédération *f* [d'États] **staatenlos** *adj* apatride
staatlich I. *adj Förderung* de l'État; *Einrichtung* public(-ique) II. *adv* anerkannt, *geprüft* par l'État
Staatsakt *m* cérémonie *f* officielle **Staatsangehörige(r)** *f(m) dekl wie adj* ressortissant(e) *m(f)* **Staatsangehörigkeit** <-, -en> *f* nationalité *f* **Staatsanwalt** *m*, **-anwältin** *f* avocat *m* général/avocate *f* générale **Staatsbegräbnis** *nt* obsèques *fpl* nationales **Staatsbesuch** *m* visite *f* officielle **Staatsbürger(in)** *m(f) form* citoyen(ne) *m(f)* **staatsbürgerlich** *adj attr form* civique **Staatsbürgerschaft** *f form s.* Staatsangehörigkeit **Staatsexamen** *nt* examen *m* d'État (*sanctionnant les études de droit, de médecine et de pharmacie et obligatoire aussi pour la titularisation des enseignants*) **Staatsgeheimnis** *nt* secret *m* d'État **Staatsgrenze** *f* frontière *f* [nationale] **Staatskasse** *f* Trésor *m* [public] **Staatsmann** <-männer> *m geh* homme *m* d'État **Staatsministerium** *nt* ministère *m* d'État **Staatsoberhaupt** *nt* chef *mf* d'État/de l'État **Staatssekretär(in)** *m(f)* secrétaire *mf* d'État **Staatssicherheitsdienst** *m* HIST *services de Sécurité de l'État de l'ex-R.D.A.*
Stab [ʃtaːp, *Pl:* ˈʃtɛːbə] <-[e]s, ⸗e> *m* 1.(*Holzstab*) baguette *f* 2.(*Gitterstab*) barreau *m* 3.(*Stange für den ~hochsprung*) perche *f* 4.(*Staffelholz*) témoin *m* 5.(*Gruppe*) équipe *f* 6.MIL état-major *m*
Stäbchen <-s, -> *nt* baguette *f*
Stabhochspringer(in) *m(f)* sauteur(-euse) *m(f)* à la perche **Stabhochsprung** *m* saut *m* à la perche
stabil [ʃtaˈbiːl] *adj* 1.*Möbel* solide 2.*Wetter-*

lage, Während stable **3.** *Beziehung* durable
stabilisieren* [ʃtabili'ziːrən] **I.** *vt* **1.** *geh*
consolider *Regal* **2.** MED stabiliser *Kreislauf*
II. *vr a.* MED **sich ~** se stabiliser
Stabilität [ʃtabili'tɛːt] <-> *f* stabilité *f*
Stablampe *f* torche *f* électrique
stach [ʃtaːx] *Imp von* **stechen**
Stachel [ʃtaxəl] <-s, -n> *m eines Igels* piquant *m; eines Insekts* dard *m; einer Pflanze*
épine *f*
Stachelbeere *f* groseille *f* à maquereau
Stacheldraht *m* [fil *m* de fer] barbelé *m*
stachelig *adj Tier* hérissé(e) [de piquants];
Pflanze épineux(-euse)
Stachelschwein *nt* porc-épic *m*
stachlig *s.* **stachelig**
Stadion ['ʃtaːdiɔn] <-s, Stadien> *nt* stade *m*
Stadium ['ʃtaːdiʊm] <-s, Stadien> *nt*
1. *einer Entwicklung* phase *f* **2.** MED stade *m*
Stadt [ʃtat, *Pl:* 'ʃtɛ(ː)tə] <-, ⁼e> *f* **1.** ville *f*
2. (*Stadtverwaltung*) municipalité *f*
städt. *adj Abk von* **städtisch**
Stadtautobahn *f* autoroute *f* urbaine
stadtbekannt *adj* notoire **Stadtbezirk** *m*
arrondissement *m* **Stadtbücherei** *f* bibliothèque *f* municipale **Stadtbummel** *f* en
promenade *f* en ville
städtebaulich *adj* d'urbanisme, urbanistique
stadteinwärts *adv* ~ **fahren** entrer dans la
ville
Städtepartnerschaft *f* jumelage *m*
Städter(in) <-s, -> *m(f)* citadin(e) *m(f)*
Stadtflucht *f kein Pl* exode *m* urbain
Stadtführung *f* visite *f* guidée de la ville
Stadtgespräch ►**etw ist** ~ toute la ville
parle de qc
städtisch ['ʃtɛtɪʃ] *adj* **1.** municipal(e) **2.** *geh*
(*urban*) urbain(e)
Stadtmauer *f* rempart *m* **Stadtmitte** *f*
centre-ville *m* **Stadtplan** *m* plan *m* de la
ville **Stadtrand** *m* périphérie *f* de la ville
Stadtrat *m* conseil *m* municipal **Stadtrat**
m, **-rätin** *f* conseiller *m* municipal/conseillère *f* municipale **Stadtrundfahrt** *f* visite *f* guidée de la ville **Stadtstaat** *m* ville-État *f* **Stadtstreicher(in)** <-s, -> *m(f)* clochard(e) *m(f)* **Stadtteil** *m* quartier *m*
Stadtverwaltung *f* administration *f* municipale **Stadtwerke** *Pl* services *mpl* techniques [de la ville]
Staffel ['ʃtafəl] <-, -n> *f* **1.** (*Gruppe von
Sportlern*) équipe *f;* (*beim ~lauf*) équipe
de relais **2.** MIL escadron *m* **3.** (*Fliegerstaffel*) escadrille *f*
Staffelei [ʃtafə'laj] <-, -en> *f* chevalet *m*
Staffellauf *m* course *f* de relais
staffeln *vt* échelonner *Preise, Gebühren*

Stagnation [ʃtagna'tsi̯oːn] <-, -en> *f*
stagnation *f*
stagnieren* [ʃta'gniːrən] *vi* stagner
stahl [ʃtaːl] *Imp von* **stehlen**
Stahl [ʃtaːl, *Pl:* 'ʃtɛːlə] <-[e]s, -e *o* ⁼e> *m*
acier *m*
stählen *vt* fortifier *Körper;* raffermir *Muskeln*
stählern ['ʃtɛːlɐn] *adj* en acier
Stahlhelm *m* casque *m* lourd **Stahlindustrie** *f* industrie *f* sidérurgique
stak *Imp von* **stecken**
staksen *vi* + *sein fam* marcher avec raideur
Stalinismus [ʃtali'nɪsmʊs] <-> *m* stalinisme *m*
stalinistisch [ʃtali'nɪstɪʃ] *adj* stalinien(ne)
Stall [ʃtal, *Pl:* 'ʃtɛlə] <-[e]s, ⁼e> *m* (*Kuhstall*) étable *f;* (*Pferdestall*) écurie *f;*
(*Schweinestall*) porcherie *f;* (*Kaninchenstall*) clapier *m;* (*Hühnerstall*) poulailler *m*
Stamm [ʃtam, *Pl:* 'ʃtɛmə] <-[e]s, ⁼e> *m*
1. *eines Baums* tronc *m* **2.** (*Volksstamm*)
tribu *f* **3.** (*Kundenstamm*) clientèle *f*
Stammaktie *f* FIN action *f* ordinaire
Stammbaum *m* arbre *m* généalogique
Stammbuch *nt* livret *m* de famille
Stammdaten *Pl* INFORM données *fpl* de
base
stammeln ['ʃtaməln] *vt, vi* bredouiller
stammen ['ʃtamən] *vi* **1.** **aus Spanien** ~
être originaire de l'Espagne; **aus sehr einfachen Verhältnissen** ~ être d'origine
très modeste **2.** (*herrühren*) **von jdm** ~
Werk: être de qn; **aus dem 16.Jahrhundert** ~ dater du 16ième siècle
Stammgast *m* habitué(e) *m(f)* **Stammhalter** *m hum* héritier *m* [mâle]
stämmig ['ʃtɛmɪç] *adj* trapu(e)
Stammkneipe *f fam* café *m* habituel
Stammkunde *m*, **-kundin** *f* client *m* habituel/cliente *f* habituelle **Stammlokal** *nt*
restaurant *m* habituel **Stammplatz** *m* place *f* attitrée **Stammtisch** *m* **1.** (*Tisch*) table *f* des habitués **2.** (*Stammgäste*) tablée *f*
d'habitués **3.** (*Treffen*) réunion *f* des habitués **Stammwähler(in)** *m(f)* électeur(-trice) *m(f)* fidèle
stampfen ['ʃtampfən] **I.** *vi* **1.** + *haben*
(*mit den Füßen*) trépigner; (*mit den Hufen*) piaffer **2.** + *sein* (*gehen*) **durch die
Wohnung** ~ marcher dans l'appartement
en tapant des pieds **II.** *vt* + *haben* **1.** tasser
Sauerkraut **2.** (*zerstampfen*) écraser *Kartoffeln*
Stampfer <-s, -> *m* GASTR pilon *m*
stand [ʃtant] *Imp von* **stehen**
Stand [ʃtant, *Pl:* 'ʃtɛndə] <-[e]s, ⁼e> *m*
1. *eines Zählers* niveau *m; eines Barometers*
hauteur *f* **2.** *kein Pl* (*Zustand*) état *m;* **der
letzte** ~ **der Dinge** les derniers dévelop-

pements de la situation **3.** (*Spielstand*) score *m* **4.** (*Wasserstand*) niveau *m; einer Währung* cours *m* **5.** (*Verkaufsstand*) étal *m; (Messestand*) stand *m* **6.** (*gesellschaftliche Schicht*) catégorie *f; (Berufsgruppe*) ordre *m* ▸**aus dem** ~ (*ohne Anlauf*) sans élan; (*ohne Vorbereitung*) à l'improviste; **zu etw im** ~**e sein** être capable de qc **Standard** [ˈʃtandart] <-s, -s> *m* standard *m*

standardisieren* [ʃtandardiˈziːrən] *vt* standardiser
Standbild *nt* **1.** KUNST statue *f* **2.** TV arrêt *m* sur image
Ständchen [ˈʃtɛntçən] <-s, -> *nt* chanson *f* en son/mon/... honneur
Ständer [ˈʃtɛndɐ] <-s, -> *m* **1.** (*Gestell*) support *m* **2.** (*Kleiderständer*) portemanteau *m* **3.** (*Notenständer*) pupitre *m*
Standesamt *nt* [bureau *m* de l']état *m* civil **standesamtlich** *adj Trauung* civil(e) **Standesbeamte(r)** *m dekl wie adj,* **Standesbeamtin** *f* officier *m* d'état civil **standesgemäß I.** *adj* conforme à ma/sa/... position [sociale] **II.** *adv heiraten* dans son/mon/... milieu
standfest *adj* stable
standhaft *adj* ferme
Standhaftigkeit <-> *f* fermeté *f*
standl|halten *vi irr* tenir le coup; **einer S.** (*dat*) ~ résister à qc **Standheizung** *f* chauffage *m* auxiliaire
ständig [ˈʃtɛndɪç] **I.** *adj* **1.** (*dauernd*) permanent(e) **2.** *Wohnsitz* fixe **II.** *adv* **1.** (*dauernd*) continuellement **2.** *wohnen* en permanence
Standlicht *nt kein Pl* feux *mpl* de position **Standort** *m* **1.** *einer Pflanze* exposition *f; eines Unternehmens* lieu *m* d'implantation **2.** (*Produktionsstätte*) site *m* de production **Standpauke** *f fam* savon *m* **Standpunkt** *m* point *m* de vue **standrechtlich** *adj, adv* par décision de la cour martiale **Standspur** *f* bande *f* d'arrêt d'urgence
Stange [ˈʃtaŋə] <-, -n> *f* **1.** (*Stab*) barre *f* **2.** (*Fahnenstange*) hampe *f* **3.** (*Vorhangstange*) tringle *f* ▸**jdm die** ~ **halten** *fam* soutenir qn
Stängelᴿᴿ [ˈʃtɛŋəl] <-s, -> *m* tige *f*
stank [ʃtaŋk] *Imp von* **stinken**
stänkern *vi fam* **gegen jdn/etw** ~ taper sur qn/qc
Stanze <-, -n> *f* (*Maschine*) presse *f* à emboutir
stanzen *vt* **1.** emboutir *Blech, Form* **2.** (*ein~*) *etw in etw* (*akk*) ~ poinçonner qc dans qc
Stapel [ˈʃtaːpəl] <-s, -> *m* (*Haufen*) pile *f* **Stapellauf** *m* lancement *m*, mise *f* à l'eau

stapeln I. *vt* empiler **II.** *vr* **sich** ~ s'empiler
stapfen [ˈʃtapfən] *vi* + *sein* **durch den Schnee** ~ marcher en s'enfonçant dans la neige
Star¹ [ʃtaːɐ̯] <-[e]s, -e> *m* ORN étourneau *m*
Star² [ʃtaːɐ̯] <-[e]s> *m* MED **grauer** ~ cataracte *f;* **grüner** ~ glaucome *m*
Star³ [staːɐ̯] <-s, -s> *m* **1.** (*Filmstar*) star *f* **2.** *fig* vedette *f*
starb [ʃtarb] *Imp von* **sterben**
stark [ʃtark] <ᵉer, ᵉste> **I.** *adj* **1.** *Person, Händedruck* fort(e); *Arm* puissant(e) **2.** (*kräftig, würzig*) fort(e) **3.** (*mächtig*) fort(e) **4.** *Ast, Stamm* gros(se) *antéposé; Balken* épais(se); *Karton* fort(e); **zehn Zentimeter** ~ **sein** faire dix centimètres d'épaisseur **5.** *Nerven* solide **6.** (*heftig, schlimm*) fort(e) *antéposé* **7.** *Rauschen* fort(e) **8.** *Abneigung, Zuneigung* grand(e); *Gefühl* profond(e) **9.** *Motor* puissant(e) **10.** (*wirksam, hochkonzentriert*) fort(e) **11.** (*groß*) gros(se) *antéposé;* **tausend Mann** ~ **sein** compter mille personnes **12.** *fam* (*hervorragend*) super, terrible ▸**sich für jdn/etw** ~ **machen** *fam* se décarcasser pour qn/qc **II.** *adv* **1.** (*sehr*) très; *übertreiben* beaucoup; *hoffen* bien; *beeindruckt* fortement, beaucoup **2.** (*schlimm*) ~ **bluten** saigner abondamment **3.** (*intensiv*) ~ **duften** sentir fort; ~ **gewürzt** très épicé(e) **4.** *fam* (*hervorragend*) vachement bien; [echt] ~ **aussehen** avoir un look d'enfer
Stärke [ˈʃtɛrkə] <-, -n> *f* **1.** (*Kraft*) force *f* **2.** (*Macht*) force *f* **3.** (*Dicke*) épaisseur *f* **4.** *des Winds* force *f; der Schmerzen* intensité *f* **5.** OPT *einer Brille* puissance *f* **6.** (*zahlenmäßige Größe*) nombre *m; einer Armee* effectif *m* **7.** (*Qualität*) force *f;* **das ist seine/ihre** ~ c'est son fort **8.** (*Charakterstärke*) force *f* **9.** (*pflanzliche Substanz*) amidon *m*
stärken I. *vt* **1.** régulariser *Kreislauf;* fortifier *Muskulatur;* augmenter *Widerstandskraft* **2.** (*verbessern*) renforcer **3.** (*steifen*) amidonner *Kleidungsstück* **II.** *vr* **sich** ~ se restaurer
Starkstrom *m* courant *m* haute tension
Stärkung <-, -en> *f* (*Mahlzeit*) collation *f*
starr [ʃtar] *adj* **1.** *Blick* fixe **2.** (*erstarrt*) ~ **vor Schreck** paralysé(e) par la peur **3.** (*unbeugsam*) rigide
Starre [ˈʃtarə] <-> *f* torpeur *f; einer Leiche* rigidité *f*
starren [ˈʃtarən] *vi* (*starr blicken*) avoir le regard fixe; **an die Decke** ~ regarder fixement le plafond
Starrsinn *m* entêtement *m* **starrsinnig I.** *adj* entêté(e) **II.** *adv* obstinément

Start [ʃtart] <-s, -s> *m* **1.** *eines Flugzeugs* décollage *m* **2.** SPORT départ *m* **3.** (*Beginn*) démarrage *m*
Startbahn *f* piste *f* d'envol **startbereit** *adj* ~ **sein** *Sportler:* être prêt au départ; *Flugzeug:* être prêt à décoller **Startblock** <-blöcke> *m* (*beim Schwimmen*) plot *m* de départ
starten I. *vi* + *sein* **1.** *Flugzeug:* décoller **2.** SPORT prendre le départ **3.** (*beginnen*) démarrer **II.** *vt* + *haben* **1.** (*anlassen*) mettre en route *Auto;* mettre en marche *Computer* **2.** (*beginnen lassen*) lancer *Kampagne;* démarrer *Projekt* **3.** INFORM démarrer *Programm*
Starter <-s, -> *m* AUT démarreur *m*
Starterlaubnis *f* (*beim Fliegen*) autorisation *f* de décoller **Starthilfe** *f* aide *f* financière **Starthilfekabel** *nt* câble *m* de démarrage **Startkapital** *nt* capital *m* initial **Startmenü** *nt* INFORM menu *m* démarrer **Startphase** *f* phase *f* de démarrage **Startschuss**RR *m* signal *m* du départ ▶**den** ~ **für etw geben** donner le feu vert à qc
Stasi ['ʃtaːzi] <-> *f Abk von* **Staatssicherheit|sdienst|** *abréviation familière pour services de Sécurité de l'État de l'ex-R.D.A.*
Statement ['steːtmənt] <-s, -s> *nt* déclaration *f* publique; *eines Pressesprechers* communiqué *m* officiel
Statik ['ʃtaːtɪk] <-, -en> *f* statique *f*
Station [ʃta'tsi̯oːn] <-, -en> *f* **1.** (*Haltestelle*) station *f* **2.** (*Aufenthaltsort*) *einer Reise* étape *f* **3.** MED service *m* **4.** (*Sender*) station *f*
stationär [ʃtatsi̯o'nɛː̯ɐ̯] **I.** *adj Behandlung* à l'hôpital **II.** *adv* **jdn** ~ **behandeln** hospitaliser qn
stationieren* [ʃtatsi̯o'niːrən] *vt* **1.** mettre en place; **Truppen in einem Land** ~ mettre des troupes en place dans un pays **2.** (*aufstellen*) déployer *Raketen*
Stationsarzt *m,* **-ärztin** *f* [médecin-]chef *mf* du/de service **Stationsschwester** *f* infirmière *f* en chef
statisch ['ʃtaːtɪʃ] *adj* statique
Statist(in) [ʃta'tɪst] <-en, -en> *m(f)* figurant(e) *m(f)*
Statistik [ʃta'tɪstɪk] <-, -en> *f* statistique *f*
statistisch [ʃta'tɪstɪʃ] *adj* statistique
Stativ [ʃta'tiːf] <-s, -e> *nt* pied *m*
statt [ʃtat] **I.** *präp* + *gen* ~ **eines Briefs** à la place d'une lettre **II.** *konj* ~ **zu warten** au lieu d'attendre
statt [ʃtat] ▶**an seiner** ~ *form* à sa place
stattdessenRR *adv* au lieu de cela
Stätte ['ʃtɛtə] <-, -n> *f geh* lieu *m*
statt|finden *vi irr* avoir lieu **statt|geben** *vi*

irr form **einem Antrag** ~ faire droit à une demande
statthaft *adj* ~ **sein** *Frage:* être autorisé
Statthalter *m* HIST gouverneur *m*
stattlich ['ʃtatlɪç] *adj* **1.** *Erscheinung* imposant(e) **2.** (*beträchtlich*) considérable
Statue ['ʃtaːtu̯ə] <-, -n> *f* statue *f*
Statur [ʃta'tuːɐ̯] <-, -en> *f geh* stature *f*
Status ['ʃtaːtʊs] <-, -> *m geh* statut *m*
Status quo <- -> *m geh* statu quo *m*
Statussymbol *nt* symbole *m* de réussite sociale
Statut [ʃta'tuːt] <-[e]s, -en> *nt meist Pl* statut *m*
Stau [ʃta̯u] <-[e]s, -e *o* -s> *m* bouchon *m*
Staub [ʃta̯up] <-[e]s, -e *o* Stäube> *m* poussière *f;* ~ **saugen** passer l'aspirateur ▶**sich aus dem** ~ **machen** *fam* prendre la poudre d'escampette
stauben ['ʃta̯ubən] **I.** *vi unpers* **es staubt** ça fait de la poussière **II.** *vi Teppich:* être plein de poussière
staubig *adj* poussiéreux(-euse)
Staubkorn <-körner> *nt* grain *m* de poussière **Staubpartikel** *f meist pl* particule *f* de poussière **staubsaugen** ['ʃta̯upzạu̯gən] <PP staubgesaugt> **I.** *vi* passer l'aspirateur **II.** *vt* passer l'aspirateur dans *Zimmer* **Staubsauger** *m* aspirateur *m* **Staubwolke** *f* nuage *m* de poussière
Staudamm *m* barrage *m*
Staude ['ʃta̯udə] <-, -n> *f* plante *f* vivace
stauen ['ʃta̯uən] **I.** *vt* retenir; **das Wasser/den Bach** ~ *Person:* retenir l'eau/endiguer le ruisseau **II.** *vr* **1.** **sich in einem Becken** ~ *Wasser:* s'accumuler dans un bassin; *Bach:* stagner dans un bassin **2.** **sich vor einer Baustelle** ~ *Autos:* former un bouchon à cause des travaux (*fam*)
Staumeldung *f* point *m* sur la circulation
staunen ['ʃta̯unən] *vi* être étonné; **über jdn/etw** ~ être étonné par qn/de qc
Staunen <-s> *nt* étonnement *m;* **jdn in** ~ **versetzen** étonner qn
Stausee *m* lac *m* de barrage
Stauung <-, -en> *f* (*Verkehrsstau*) embouteillage *m*
Steak [steːk] <-s, -s> *nt* steak *m*
stechen ['ʃtɛçən] <**sticht, stach, gestochen**> **I.** *vi* **1.** *Insekt, Kaktus:* piquer **2.** (*hinein~*) **mit einer Nadel in etw** (*akk*) ~ enfoncer une aiguille dans qc **3.** (*brennen*) *Sonne:* taper **4.** SPIEL **mit etw** ~ couper avec qc **II.** *vt* **1.** (*verletzen*) *Insekt, Dornen:* piquer **2.** (*hinein~*) **eine Gabel in etw** (*akk*) ~ piquer une fourchette dans qc **3.** SPIEL **die Zehn mit dem As** ~ prendre le dix avec l'as **4.** (*gravieren*) **etw in etw**

(*akk*) ~ graver qc sur qc **5.**(*aus~*) **Spargel** ~ ramasser les asperges ▶**wie gestochen schreiben** avoir une écriture calligraphiée **III.** *vr* sich an den Dornen ~ se piquer avec les épines **IV.** *vi unpers* es sticht mich in der Seite ça m'élance dans le côté

Stechen <-s, -> *nt* (*Schmerz*) élancement *m*

stechend *adj Blick* perçant(e); *Schmerz* lancinant(e)

Stechkarte *f* carte *f* de pointage **Stechmücke** *f* moustique *m* **Stechpalme** *f* houx *m* **Stechuhr** *f* pointeuse *f*

Steckbrief *m* avis *m* de recherche **Steckdose** *f* prise *f* [de courant]

stecken ['ʃtɛkən] **I.** <steckte *o geh* stak, gesteckt> *vi* **1.**(*fest~*) in etw (*dat*) ~ *Dorn, Splitter:* être enfoncé dans qc; im **Schnee** ~ être bloqué dans la neige **2.**(*sich befinden*) im **Schloss** ~ être sur la porte; im **Garten** ~ *fam* être dans le jardin; in **Schwierigkeiten** (*dat*) ~ *Person:* avoir de gros problèmes; *Land:* connaître des difficultés **3.**(*verantwortlich sein*) **hinter einer Sache** ~ être pour quelque chose dans une affaire **II.** <steckte, gesteckt> *vt* **1.** etw in eine Schublade ~ mettre qc dans un tiroir; **er steckte ihr den Ring an den Finger** il lui passa la bague au doigt **2.** *fam* (*tun, bringen*) **jdn ins Gefängnis** ~ fourrer qn en prison **3.** *fam* (*investieren*) **viel Geld in etw** (*akk*) ~ investir beaucoup d'argent dans qc **4.** *fam* (*verraten*) **jdm ein paar Informationen** ~ [re]filer quelques informations à qn

stecken‖bleiben *s.* **bleiben I. stecken‖lassen** *s.* **lassen I. Steckenpferd** *nt* violon *m* d'Ingres

Stecker <-s, -> *m* fiche *f* [d'alimentation] **Stecknadel** *f* épingle *f* ▶**eine** ~ **im Heuhaufen suchen** chercher une aiguille dans une botte de foin

Steg [ʃteːk] <-[e]s, -e> *m* **1.**(*kleine Brücke*) passerelle *f* **2.**(*Bootssteg*) appontement *m*

Stegreif ['ʃteːkraif] ▶**aus dem** ~ au pied levé

Stehaufmännchen *nt* **1.**(*Spielzeug*) poussah *m* **2.**(*Mensch*) dur(e) *m(f)* à cuire

stehen ['ʃteːən] <stand, gestanden> **I.** *vi* + *haben o* SDEUTSCH, A, CH *sein* **1.** *Person:* être debout; **am Fenster** ~ être à la fenêtre **2.**(*hingestellt, aufgestellt sein*) **in der Garage** ~ *Auto, Fahrrad:* être dans le garage; **auf dem Tisch stand eine Vase** il y avait un vase sur la table **3.**(*geschrieben ~*) **auf der Tagesordnung** ~ être à l'ordre du jour; **auf einer Liste** ~ être inscrit sur une

liste **4.**(*still~*) *Maschine, Uhr:* être arrêté **5.**(*parken*) **vor der Einfahrt** ~ *Auto:* être garé devant la sortie de garage **6.**(*beeinflusst sein*) **unter Schock** ~ être sous le choc **7.**(*konfrontiert sein*) **vor dem Ruin** ~ être au bord de la ruine **8.** GRAM **im Futur** ~ être au futur **9.**(*kleidsam sein*) **jdm gut** ~ *Hose, Frisur:* aller bien à qn **10.** JUR **auf dieses Vergehen steht Gefängnis** ce délit est passible de prison **11.** SPORT, SPIEL **es steht unentschieden** le score est nul **12.** FIN **die Aktie steht gut** le cours de l'action est bon **13.** *fam* (*fest, fertig sein*) *Vortrag, Doktorarbeit:* être prêt; *Mannschaft:* être formé **14.**(*nicht abrücken von*) **zu einer Abmachung** ~ s'en tenir à un accord **15.**(*unterstützen*) **zu/hinter jdm** ~ soutenir qn **16.**(*gleichbedeutend sein mit*) **für etw** ~ *Abkürzung:* signifier qc; *Symbol:* représenter qc **17.**(*eingestellt sein*) **jdm nahe** ~ être proche de qn **18.**(*sich anlassen*) **gut/schlecht** ~ *Chancen:* être bon/mauvais **19.**(*stecken*) **jd steht hinter etw** (*dat*) il y a qn derrière qc **20.** *fam* (*gut finden*) **auf jdn/etw** ~ craquer pour qn/être fana de qc **21.**(*unanfechtbar sein*) **über etw** (*dat*) ~ être au-dessus de qc **22.**(*sein*) **offen** ~ *Fenster, Tür:* être ouvert; *Rechnung:* être en souffrance ▶**etw steht und fällt mit jdm** qc repose sur qn **II.** *vi unpers* **1.**(*sein*) **es steht zu befürchten, dass** il est à craindre que + *subj* **2.**(*bestellt sein*) **es steht schlecht um ihn** il va mal

Stehen <-s> *nt* **1.** etw im ~ tun faire qc debout **2.**(*Stillstand*) zum ~ kommen *Auto, Zug:* s'arrêter

stehen‖bleiben *s.* **bleiben I.**

stehend *adj attr Gewässer* stagnant(e)

stehen‖lassen *s.* **lassen I.**

Stehkneipe *f* bistro *m* (*fam*) **Stehkragen** *m* col *m* droit **Stehlampe** *f* lampadaire *m*

Stehleiter *f* escabeau *m*

stehlen ['ʃteːlən] <stiehlt, stahl, gestohlen> **I.** *vt* voler; **jdm etw** ~ voler qc à qn ▶**er kann mir gestohlen bleiben!** *fam* qu'il aille se faire voir! **II.** *vr* sich aus dem Haus ~ s'esquiver de la maison

Stehplatz *m* place *f* debout

Steiermark <-> *f* **die** ~ la Styrie

steif [ʃtaif] **I.** *adj* **1.**(*starr*) rigide **2.**(*fest*) das Eiweiß ~ schlagen battre les œufs en neige **3.** *Bein, Finger* raide; *Gelenk* ankylosé(e) **4.**(*förmlich*) guindé(e) **5.**(*erigiert*) en érection **II.** *adv* (*förmlich*) froidement

Steigbügel *m a.* ANAT étrier *m*

Steige ['ʃtaigə] <-, -n> *f* DIAL **1.**(*steile Straße*) raidillon *m* **2.** A (*Obstkiste*) boîte *f* à fruit

steigen ['ʃtaigən] <stieg, gestiegen> **I.**

vi + *sein* **1.**(*klettern*) monter; **auf eine Leiter** ~ monter sur une échelle; **auf einen Berg** ~ escalader une montagne **2.**(*aufsitzen, absitzen*) **aufs Fahrrad** ~ monter à vélo; **vom Fahrrad** ~ descendre de vélo **3.**(*ein~, aus~*) **in den Zug** ~ monter dans le train; **aus dem Auto** ~ descendre de la voiture **4.**(*sich in die Luft erheben*) *Nebel, Ballon:* monter **5.** *fam* (*sich begeben*) **aus der Wanne** ~ sortir de la baignoire **6.**(*sich erhöhen*) **um drei Prozent** ~ augmenter de trois pour cent **7.**(*anwachsen*) *Spannung:* monter **8.** *fam* (*stattfinden*) **die Party steigt bei ihr** il y a une boum chez elle **II.** *vt* + *sein* monter *Treppen*

steigern ['ʃtaigən] **I.** *vt* **1.** augmenter; faire monter *Spannung;* améliorer *Qualität* **2.** GRAM **ein Adjektiv** ~ mettre un adjectif au comparatif/superlatif **II.** *vr* **sich** ~ **1.** s'améliorer; *Geschwindigkeit:* augmenter **2.**(*anwachsen, sich intensivieren*) s'accroître

Steigerung <-, -en> *f* **1.** *der Geschwindigkeit* augmentation *f; der Leistung, Qualität* amélioration *f* **2.** GRAM comparaison *f*

Steigung <-, -en> *f* **1.**(*steile Strecke*) côte *f* **2.**(*Neigung, Anstieg*) pente *f*

steil [ʃtail] **I.** *adj* **1.** *Abhang, Klippe* escarpé(e), abrupt(e); *Hang, Straße* raide **2.** *fig Karriere* fulgurant(e) **II.** *adv ansteigen* abruptement; *abfallen* à pic

Steilhang *m* escarpement *m* **Steilküste** *f* falaise *f* **Steilwand** *f* à-pic *m*

Stein [ʃtain] <-[e]s, -e> *m* **1.** pierre *f* **2.**(*Kieselstein*) caillou *m* **3.**(*Pflasterstein*) pavé *m* **4.**(*Felsbrocken*) rocher *m* **5.** *kein Pl* (*steinernes Material*) **zu** ~ **werden/erstarren** se pétrifier ▶**bei jdm einen** ~ **im Brett haben** *fam* être dans les petits papiers de qn; **ihm/ihr fällt ein** ~ **vom Herzen** ça lui ôte un grand poids

steinalt ['ʃtain'ʔalt] *adj* très vieux(vieille) **Steinbock** *m* **1.** bouquetin *m* **2.** ASTROL Capricorne *m* **Steinbruch** *m* carrière *f* [de pierres]

steinern *adj* en pierre

steinhart *adj* dur(e) comme pierre

steinig *adj* (*Steine enthaltend*) plein(e) de pierres; (*mit Steinen bedeckt*) pierreux(-euse)

steinigen *vt* lapider

Steinkohle *f kein Pl* houille *f*

Steinmetz(in) ['ʃtainmɛts] <-en, -en> *m(f)* tailleur(-euse) *m(f)* de pierres **Steinobst** *nt* fruits *mpl* à noyau **Steinpilz** *m* cèpe *m* **steinreich** ['ʃtain'raiç] *adj fam* richissime **Steinschlag** *m* chute *f* de pierres **Steinzeit** *f kein Pl* âge *m* de pierre

Steiß [ʃtais] <-es, -e> *m* **1.** ANAT coccyx *m*

2. *fam* (*Hintern*) postérieur *m* **Steißbein** *nt* ANAT coccyx *m* **Steißlage** *f* présentation *f* par le siège

Stelle ['ʃtɛlə] <-, -n> *f* **1.**(*Platz*) endroit *m* **2.**(*umrissener Bereich*) endroit *m;* (*Fleck*) tache *f;* **eine rote** ~ **auf der Schulter** une plaque rouge sur l'épaule **3.**(*Textstelle*) passage *m* **4.** MATH chiffre *m* **5.**(*Arbeitsplatz*) emploi *m;* (*im öffentlichen Dienst*) poste *m* **6.**(*Abteilung, Behörde*) service *m;* **an höherer/höchster** ~ en haut lieu/au plus haut niveau **7.**(*Rang*) **an erster** ~ **stehen** occuper la première place ▶**an dieser** ~ à cette occasion; **an deiner/seiner** ~ (*dat*) à ta/sa place; **auf der** ~ sur-le-champ

stellen ['ʃtɛlən] **I.** *vt* **1.**(*hin~*) **das Glas auf den Tisch** ~ poser le verre sur la table; **die Leiter an die Wand** ~ dresser l'échelle contre le mur **2.**(*ab~*) **das Auto in die Garage** ~ [re]mettre la voiture au garage **3.**(*aufrecht hin~*) mettre debout **4.**(*ein~*) **den Fernseher leiser** ~ baisser [le son de] la télévision; **den Wecker auf sechs** ~ régler le réveil sur six heures **5.**(*äußern, vorbringen*) poser *Frage;* présenter *Antrag* **6.**(*vorgeben*) donner *Aufgabe* **7.**(*zur Aufgabe zwingen*) arrêter *Täter* **8.**(*konfrontieren*) **jdn vor ein Rätsel** ~ poser une énigme à qn **9.**(*arrangieren*) **eine Szene** ~ *Regisseur:* [re]prendre une scène; *Polizei:* reconstituer une scène **10.**(*erstellen*) faire *Prognose;* établir *Diagnose* **11.** FIN fournir *Kaution* **12.**(*zur Verfügung stellen*) fournir *Mitarbeiter, Räume* **13.**(*situiert sein*) **finanziell besser/schlechter gestellt sein** être plus/moins à l'aise financièrement **II.** *vr* **1.**(*sich hin~*) **sich hinter etw** ~ (*akk*) ~ se mettre derrière qc **2.**(*entgegentreten*) **sich den Journalisten** ~ faire face aux journalistes **3.**(*eine Position ergreifen*) **sich hinter jdn/etw** ~ soutenir qn/qc **4.**(*sich melden*) **sich jdm** ~ *Täter:* se livrer à qn **5.**(*sich ausgeben*) **sich schlafend** ~ faire semblant de dormir **6.**(*sich aufdrängen*) **es stellt sich die Frage, ob** ... la question se pose de savoir si ...

Stellenangebot *nt* offre *f* d'emploi **Stellenausschreibung** *f* avis *m* de recrutement **Stellengesuch** *nt* recherche *f* d'emploi **stellenweise** *adv* par endroits **Stellenwert** *m* (*Bedeutung*) importance *f*

Stellplatz *m* place *f* de stationnement **Stellung** <-, -en> *f* **1.**(*Körperhaltung*) position *f; eines Hebels* position *f* **2.**(*Arbeitsplatz*) emploi *m* **3.**(*Rang*) rang *m* **4.**(*Einstellung*) **zu etw** ~ **nehmen** prendre position sur qc ▶**die** ~ **halten** *fig* garder la boutique

Stellungnahme ['ʃtɛlʊŋnaːmə] <-, -n> f **1.** kein Pl (das Äußern) prise f de position **2.** (geäußerte Meinung) position f

stellvertretend I. adj suppléant(e) **II.** adv etw ~ für jdn/etw tun faire qc à la place de qn/qc **Stellvertreter(in)** m(f) suppléant(e) m(f) **Stellvertretung** f suppléance f

Stelze ['ʃtɛltsə] <-, -n> f échasse f **stelzen** vi + sein **1.** Mensch: avoir une démarche guindée; Vogel: se déplacer sur ses pattes d'échassier **2.** fig sich gestelzt ausdrücken parler sur un ton guindé **stemmen** ['ʃtɛmən] **I.** vt **1.** (hoch drücken) soulever **2.** (stützen) die Arme in die Seiten ~ mettre les poings sur les hanches **II.** vr sich gegen etw ~ s'appuyer contre qc; (sich sträuben) se dresser contre qc

Stempel ['ʃtɛmpəl] <-s, -> m (Gerät, ~abdruck) tampon m **Stempelkissen** nt tampon m encreur **stempeln I.** vt tamponner Formular, Dokument; oblitérer Briefmarke **II.** vi tamponner **Stengel** s. Stängel

Steno [ʃteːno] <-> f fam Abk von Stenographie sténo f **Stenographie** [ʃtenograˈfiː] <-> f sténographie f **stenographieren*** vt, vi sténographier **Stenotypist(in)** [ʃtenotyˈpɪst] <-en, -en> m(f) sténotypiste mf

Steppdecke f couette f **Steppe** ['ʃtɛpə] <-, -n> f steppe f **steppen** ['ʃtɛpən] vi faire des claquettes **Stepptanz**ᴿᴿ m claquettes fpl

Sterbebett nt lit m de mort **Sterbehilfe** f kein Pl euthanasie f **sterben** ['ʃtɛrbən] <stirbt, starb, gestorben> vi + sein **1.** mourir; an Krebs (dat) ~ mourir d'un cancer **2.** fam (vergehen) ich bin vor Angst fast gestorben j'ai failli mourir de peur ►gestorben sein fam Sache, Plan: être à l'eau; er/sie ist für mich gestorben! fam je ne le/la connais plus! **Sterben** <-s> nt agonie f **sterbenselend** adj fam ihr ist/sie fühlt sich ~ elle se sent horriblement mal **sterbenslangweilig** adj fam à mourir d'ennui **Sterbenswörtchen** ['ʃtɛrbəns'vœrtçən] ►kein ~ verraten ne pas dire un [traître] mot **Sterbesakramente** Pl derniers sacrements mpl **Sterbeurkunde** f acte m de décès **sterblich** adj geh mortel(le) **Sterblichkeit** <-> f mortalité f **stereo** ['ʃteːreo, 'ʃteːreo] adv en stéréo **Stereo** <-> nt stéréo f

Stereoanlage f chaîne f stéréo **stereotyp** [ʃtereoˈtyːp] adj stéréotypé(e) **steril** [ʃteˈriːl] adj stérile **Sterilisation** [ʃteriliza'tsi̯oːn] <-, -en> f stérilisation f **sterilisieren*** [ʃterili'ziːrən] vt stériliser **Stern** [ʃtɛrn] <-[e]s, -e> m étoile f ►das steht noch in den ~en seul l'avenir le dira **Sternbild** nt constellation f **sternförmig** adj Anordnung en [forme d']étoile; Grundriss étoilé(e) **sternhagelvoll** ['ʃtɛrn'haːgəl'fɔl] adj fam pinté(e) **sternklar** adj étoilé(e) **Sternschnuppe** <-, -n> f étoile f filante **Sternstunde** f geh moment m fort **Sternzeichen** nt signe m astrologique **Stethoskop** [ʃteto'skoːp] <-s, -e> nt stéthoscope m **stetig I.** adj permanent(e) **II.** adv de façon continue **stets** [ʃteːts] adv constamment **Steuer¹** ['ʃtɔyɐ] <-s, -> nt **1.** (Lenkrad) volant m **2.** (Ruder) gouvernail m **Steuer²** <-, -n> f impôt m **Steuerberater(in)** m(f) conseiller m fiscal/conseillère f fiscale **Steuerbescheid** m avis m d'imposition **steuerbord** adv à tribord **Steuererhöhung** f augmentation f d'impôt **Steuererklärung** f déclaration f d'impôt[s] **Steuerfahndung** f contrôle m fiscal **Steuerflucht** f évasion f fiscale **Steuerflüchtling** m ein ~ sein se rendre coupable d'évasion fiscale **Steuergelder** Pl deniers mpl publics **Steuerhinterziehung** f fraude f fiscale **Steuerklasse** f tranche f d'imposition **Steuerknüppel** m levier m de commande **steuerlich** adj fiscal(e) **Steuermann** <-männer o -leute> m **1.** (Offizier) second m **2.** (Steuerer eines Ruderboots) barreur(-euse) m(f) **steuern I.** vt + haben **1.** (lenken) conduire Fahrzeug; piloter Schiff **2.** (regulieren) régler **3.** (beeinflussen) orienter Gespräch, Entwicklung **II.** vi + haben nach rechts ~ Fahrer: diriger sa voiture à droite; Steuermann: diriger le bateau à droite **Steueroase** f paradis m fiscal **steuerpflichtig** adj imposable **Steuerrad** nt **1.** (Lenkrad) volant m **2.** NAUT barre f **Steuerrecht** nt kein Pl régime m fiscal **Steuerreform** f réforme f fiscale **Steuerruder** nt gouvernail m **Steuerschuld** f dette f fiscale **Steuerung** <-, -en> f eines Flugzeugs systè-

me *m* de pilotage; *eines Schiffs* gouverne *f*
Steuerungstaste *f* touche *f* Contrôle
Steuerzahler(in) *m(f)* contribuable *mf*
Steward ['stjuːɐt] <-s, -s> *m* steward *m*
Stewardess^RR ['stjuːɐdɛs] <-, -en> *f*, **Stewardeß** <-, -ssen> *f* hôtesse *f* de l'air
StGB [ɛsteːgeːˈbeː] <-[s]> *nt Abk von* **Strafgesetzbuch** ≈ code *m* pénal
stibitzen* [ʃtiˈbɪtsən] *vt hum fam* piquer
Stich [ʃtɪç] <-[e]s, -e> *m* **1.** (*Insektenstich*) piqûre *f* **2.** (~*verletzung*) coup *m* de couteau **3.** (*Schmerz*) élancement *m* **4.** (*Nähstich*) point *m* **5.** (*Farbnuance*) **ein** |leichter| ~ **ins Bläuliche** une pointe de bleu **6.** (*Radierung*) gravure *f* **7.** SPIEL pli *m* ▸**jdn im** ~ **lassen** *Person:* laisser tomber qn (*fam*); *Gedächtnis:* être défaillant
Stichelei [ʃtɪçəˈlaɪ] <-, -en> *f fam* piques *fpl*
sticheln ['ʃtɪçəln] *vi* lancer des piques (*fam*)
Stichflamme *f* jet *m* de flamme
stichhaltig *adj Beweis* concluant(e)
Stichprobe *f* prélèvement *m*
sticht [ʃtɪçt] *3. Pers Präs von* **stechen**
Stichtag *m* jour *m* fixé **Stichwahl** *f* scrutin *m* de ballottage **Stichwort** *nt* **1.** <-wörter> (*in Nachschlagewerken*) entrée *f*; (*in Registern, Indizes*) mot-clé *m* **2.** <-worte> (*Äußerung*) mot *m* repère **3.** <-worte> (*Gedächtnisstütze*) mot-clé *m*; **sich** (*dat*) ~**e notieren** noter les points essentiels **stichwortartig** *adv* succinctement **Stichwunde** *f* coup *m* de couteau
sticken ['ʃtɪkən] **I.** *vt* broder; **ein Monogramm auf etw** (*akk*) ~ broder un monogramme sur qc **II.** *vi* **an etw** (*dat*) ~ broder qc
Stickerei [ʃtɪkəˈraɪ] <-, -en> *f* broderie *f*
Stickgarn *nt* fil *m* à broder
stickig ['ʃtɪkɪç] *adj Luft* confiné(e)
Sticknadel *f* aiguille *f* à broder
Stickstoff ['ʃtɪkʃtɔf] *m kein Pl* CHEM azote *m*
Stiefbruder ['ʃtiːfbruːdɐ] *m* demi-frère *m*
Stiefel ['ʃtiːfəl] <-s, -> *m* botte *f*
stiefeln *vi* + *sein fam* **über den Hof** ~ traverser la cour à grandes enjambées
Stiefeltern *Pl* beaux-parents *mpl* **Stiefkind** *nt* enfant *mf* d'un autre lit **Stiefmutter** *f* belle-mère *f* **Stiefmütterchen** *nt* pensée *f* **stiefmütterlich** *adj Behandlung* peu soigneux(-euse) **Stiefschwester** *f* demi-sœur *f* **Stiefsohn** *m* beau-fils *m* **Stieftochter** *f* belle-fille *f* **Stiefvater** *m* beau-père *m*
stieg [ʃtiːk] *Imp von* **steigen**
Stiege ['ʃtiːgə] <-, -n> *f* escalier *m* [en bois]
Stieglitz ['ʃtiːglɪts] <-es, -e> *m* chardon-

neret *m*
stiehlt [ʃtiːlt] *3. Pers Präs von* **stehlen**
Stiel [ʃtiːl] <-[e]s, -e> *m* **1.** (*Griff*) manche *m; eines Glases* pied *m* **2.** (*Stängel*) *einer Blume* tige *f; eines Apfels* queue *f*
Stielaugen *Pl* ▸~ **kriegen** *fam* ouvrir de grands yeux
Stier [ʃtiːɐ] <-[e]s, -e> *m* **1.** taureau *m* **2.** ASTROL Taureau *m*
stieren ['ʃtiːrən] *vi* regarder fixement; **vor sich hin** ~ regarder fixement devant soi
Stierkampf *m* corrida *f*
stieß [ʃtiːs] *Imp von* **stoßen**
Stift[1] [ʃtɪft] <-[e]s, -e> *m* **1.** (*Schreibgerät*) crayon *m* **2.** (*Stahlstift*) pointe *f*; (*Nagel*) clou *m* **3.** *fam* (*Lehrling*) apprenti *m*
Stift[2] <-[e]s, -e> *nt* (*christliche Institution*) fondation *f*
stiften ['ʃtɪftən] *vt* **1.** (*spenden*) offrir *Preis;* **jdm etw** ~ faire don de qc à qn **2.** *fam* (*spendieren*) payer **3.** (*verursachen*) provoquer, susciter *Unfrieden, Verwirrung*
Stifter(in) <-s, -> *m(f)* (*Spender*) donateur(-trice) *m(f)*
Stiftung <-, -en> *f* **1.** (*Organisation*) fondation *f* **2.** (*Schenkung*) don *m*
Stiftzahn *m* dent *f* sur pivot
Stil [ʃtiːl] <-[e]s, -e> *m* **1.** style *m* **2.** (*Verhaltensweise*) genre *m*
stilecht *adj* de style
stilisiert *adj* stylisé(e)
stilistisch *adj* stylistique
still [ʃtɪl] **I.** *adj* **1.** *Mensch* calme; **um ihn ist es** ~ **geworden** on ne parle plus de lui; **sei** ~**!** tais-toi! **2.** *Luft, See* calme **3.** *Leben, Gegend* tranquille; *Stunde* de tranquillité **4.** *Hoffnung* secret(-ète); *Einvernehmen* tacite, implicite **II.** *adv* **1.** (*lautlos*) silencieusement **2.** (*bewegungslos*) tranquillement; **den Kopf** ~ **halten** ne pas bouger la tête; ~ **sitzen** rester assis(e) tranquillement **3.** (*heimlich*) secrètement
Stille [ʃtɪlə] <-> *f* (*Laut-/Bewegungslosigkeit*) calme *m*
Stilleben *s.* **Stillleben**
stillegen *s.* **stilllegen**
stillen ['ʃtɪlən] *vt* **1.** allaiter *Baby* **2.** (*befriedigen*) étancher *Durst;* calmer *Hunger;* assouvir *Verlangen* **3.** (*zum Stillstand bringen*) arrêter *Blutung* **II.** *vi Mutter:* allaiter
stillhalten *vi irr* se tenir tranquille **Stillleben**^RR *nt* nature *f* morte **stilllegen**^RR *vt* fermer; **stillgelegt** abandonné(e)
Stilllegung^RR <-, -en> *f* fermeture *f*
stillliegen^RR *vi irr* + *haben Fabrik:* être fermé
stillos **I.** *adj Einrichtung, Architektur* dépourvu(e) de style **II.** *adv* sans style

Stillschweigen *nt* silence *m* **stillschweigend** I. *adj* tacite II. *adv* en silence; *billigen* tacitement **Stillstand** *m kein Pl* arrêt *m;* **etw zum** ~ **bringen** arrêter qc **stillstehen** *vi irr Maschine, Motor:* être arrêté **stilvoll** I. *adj* de bon goût II. *adv* avec goût **Stimmband** <-bänder> *nt meist Pl* corde *f* vocale **stimmberechtigt** *adj* qui a [le] droit de vote **Stimmberechtigte(r)** *f(m) dekl wie adj* votant(e) *m(f)* **Stimmbruch** *m* mue *f* **Stimme** ['ʃtɪmə] <-, -n> *f* 1. *a. fig* voix *f* 2. (*Wählerstimme*) voix *f* 3. MUS (*Stimmlage, Partie*) voix *f* **stimmen** ['ʃtɪmən] I. *vi* 1. (*zutreffen*) être juste, être exact 2. (*in Ordnung sein*) *Rechnung, Kasse:* être bon 3. (*votieren*) **für jdn/gegen etw** ~ voter pour qn/contre qc ▶**stimmt's, oder habe ich Recht?** *fam* avoue/avouez que j'ai raison!; **da stimmt [doch] was nicht!** *fam* il y a quelque chose qui cloche! II. *vt* 1. MUS accorder 2. (*machen*) **jdn traurig** ~ rendre qn triste **Stimmengewirr** *nt* brouhaha *m* **Stimmenmehrheit** *f* majorité *f* des voix **Stimmenthaltung** *f* vote *m* blanc **Stimmgabel** *f* diapason *m* **stimmhaft** *adj* sonore **stimmig** *adj* cohérent(e); [in sich] ~ **sein** être cohérent **Stimmlage** *f* registre *m* **stimmlos** *adj* LING sourd(e) **Stimmrecht** *nt* droit *m* de vote **Stimmung** <-, -en> *f* 1. (*Laune*) humeur *f* 2. *fam* (*gute Laune*) bonne humeur *f;* (*gute Atmosphäre*) ambiance *f* **Stimmungskanone** *f fam* boute-en-train *m* **Stimmungsumschwung** *m* saute *f* d'humeur; (*Meinungsumschwung*) revirement *m* [de l'opinion] **stimmungsvoll** *adj Gedicht, Gemälde* évocateur(-trice); *Lied* sentimental(e) **Stimmzettel** *m* bulletin *m* de vote **Stimulans** <-, Stimulanzien> *nt* (*Mittel*) stimulant *m* **Stimulation** [ʃtimula'tsi̯oːn] <-, -en> *f geh* stimulation *f* **stimulieren*** [ʃtimu'liːrən] *vt a.* MED stimuler **Stinkbombe** *f* boule *f* puante **stinken** ['ʃtɪŋkən] <stank, gestunken> *vi* 1. puer; **nach Schweiß** ~ puer la sueur 2. *fam* (*verdächtig sein*) être louche; **das stinkt nach Verrat!** ça sent l'embrouille! 3. *fam* (*zuwider sein*) **ihr stinkt die Arbeit** elle en a plein le cul du boulot **stinkend** *adj* infect(e) **stinkfaul** ['ʃtɪŋk'fau̯l] *adj fam* flemmard(e) **stinklangweilig** ['ʃtɪŋk'laŋvai̯lɪç] *adj*

fam barbant(e), chiant(e) **stinksauer** ['ʃtɪŋk'zau̯ɐ] *adj fam* furax **Stinktier** *nt* mouffette *f* **Stinkwut** ['ʃtɪŋk'vuːt] *f fam* rage *f* **Stipendiat(in)** <-en, -en> *m(f)* boursier(-ière) *m(f)* **Stipendium** [ʃti'pɛndiʊm] <-s, -dien> *nt* bourse *f* [d'études] **Stippvisite** ['ʃtɪpvizitə] *f fam* visite *f* éclair **stirbt** [ʃtɪrpt] *3. Pers Präs von* **sterben** **Stirn** [ʃtɪrn] <-, -en> *f* front *m;* **die** ~ **runzeln** plisser le front **Stirnband** <-bänder> *nt* bandeau *m* **Stirnhöhle** *f* sinus *m* frontal **stöbern** ['ʃtøːbɐn] *vi* fouiller; **in etw** (*dat*)/**nach etw** ~ fouiller dans qc/être à la recherche de qc **stochern** ['ʃtɔxɐn] *vi* **im Essen** ~ picorer dans son assiette; **sich** (*dat*) **in den Zähnen** ~ se curer les dents **Stock¹** [ʃtɔk, *Pl:* 'ʃtœkə] <-[e]s, ̈-e> *m* 1. bâton *m* 2. (*Spazierstock*) canne *f* 3. (*Skistock*) bâton *m* de ski **Stock²** <-[e]s> *m* étage *m* **stockdunkel** *adj fam* **eine stockdunkle Nacht** une nuit d'encre **Stöckelschuh** *m* chaussure *f* à talons hauts **stocken** ['ʃtɔkən] *vi* 1. (*innehalten*) s'interrompre 2. (*stillstehen*) *Gespräch:* être interrompu; *Verkehr:* être bloqué **stockfinster** ['ʃtɔk'fɪnstɐ] *adj fam* **draußen ist es** ~ il fait nuit noire dehors **Stockholm** ['ʃtɔkhɔlm] <-s> *nt* Stockholm **stocksteif** *fam* I. *adj Gang, Haltung* guindé(e) (*hum*) II. *adv* raide comme un piquet (*hum*) **Stockung** <-, -en> *f einer Diskussion* suspension *f; des Verkehrs* paralysie *f* **Stockwerk** *nt* étage *m* **Stoff** [ʃtɔf] <-[e]s, -e> *m* 1. (*Textilmaterial*) tissu *m* 2. (*Substanz*) substance *f* 3. *kein Pl* (*Thema*) matière *f* 4. *kein Pl fam* (*Rauschgift*) came *f* **Stofftier** *nt* [animal *m* en] peluche *f* **Stoffwechsel** *m* métabolisme *m* **stöhnen** ['ʃtøːnən] *vi* 1. gémir 2. (*klagen*) **über etw** (*akk*) ~ se plaindre de qc **Stöhnen** <-s> *nt* gémissement *m* **stoisch** ['ʃtoːɪʃ] *geh adj* stoïque **Stola** ['ʃtoːla] <-, Stolen> *f* étole *f* **Stollen** ['ʃtɔlən] <-s, -> *m* 1. MIN galerie *f* 2. (*Gebäck*) stollen *m* (*gâteau brioché de Noël*) **stolpern** ['ʃtɔlpɐn] *vi + sein* 1. trébucher; **über etw** (*akk*) ~ trébucher sur qc 2. (*unvermutet stoßen auf*) **über jdn/etw** ~ tomber sur qn/qc **stolz** [ʃtɔlts] *adj* 1. fier(fière) 2. *fam Preis*

substantiel(le)

Stolz <-es> *m* fierté *f*

stolzieren* [ʃtɔl'tsiːrən] *vi* + *sein* se pavaner

Stop-and-go-Verkehr ['stɔpənd'goːfɛ̞ːkeːg̞] <-s> *m* [circulation *f*] pare-chocs *m* contre pare-chocs

stopfen ['ʃtɔpfən] **I.** *vt* **1.**(*hineinzwängen*) **voll** ~ bourrer *Koffer;* **etw in die Tasche** ~ enfoncer qc dans le sac **2.**(*ausbessern*) raccommoder *Socken* **3.**(*abdichten*) boucher *Ritze* **4.**(*füllen*) bourrer *Kissen, Pfeife* **II.** *vi* **1.**(*ausbessern*) faire du raccommodage **2.**(*Verstopfung verursachen*) constiper

stopp [ʃtɔp] *interj* stop, halte

Stopp <-s, -s> *m* **1.**(*Halt*) arrêt *m* **2.**(*Unterbrechung*) gel *m*

Stoppel ['ʃtɔpəl] <-, -n> *f meist Pl* **1.**(*Getreidestoppel*) chaume *m* **2.**(*Bartstoppel*) poil *m* dru

Stoppelbart *m* barbe *f* de plusieurs jours **Stoppelfeld** *nt* chaumes *mpl* **stoppelig** *adj* mal rasé(e)

stoppen I. *vt* **1.**(*anhalten*) stopper **2.**(*mit der Stoppuhr messen*) chronométrer *Zeit* **II.** *vi* **vor etw** (*dat*) ~ s'arrêter devant qc **stopplig** *s.* **stoppelig**

Stoppschild <-schilder> *nt* [panneau *m*] stop *m* **Stoppuhr** *f* chronomètre *m*

Stöpsel ['ʃtœpsəl] <-s, -> *m* **1.**(*Pfropfen*) bouchon *m* **2.** *hum fam* (*Knirps*) moutard *m*

Stör <-[e]s, -e> *m* esturgeon *m* **störanfällig** *adj* sujet(te) à des pannes **Storch** [ʃtɔrç, *Pl:* 'ʃtœrçə] <-[e]s, =e> *m* cigogne *f*

stören ['ʃtøːrən] **I.** *vt* **1.**(*belästigen*) déranger; **jdn bei etw** ~ déranger qn dans qc **2.**(*unterbrechen*) troubler *Rede, Veranstaltung* **3.**(*beeinträchtigen*) perturber *Leitung, Empfang* **II.** *vi* (*lästig sein*) déranger **III.** *vr fam* **sich an etw** (*dat*) ~ se formaliser de qc

Störenfried ['ʃtøːrənfriːt] <-[e]s, -e> *m* trouble-fête *m* (*fam*)

Störfall *m* incident *m*

stornieren* *vt* annuler *Reise, Auftrag;* rectifier *Betrag*

Storno ['ʃtɔrno] <-s, Storni> *m o nt einer Reise, eines Auftrags* annulation *f; eines Betrags* rectification *f*

störrisch ['ʃtœrɪʃ] *adj Mensch, Esel* têtu(e) **Störung** <-, -en> *f* **1.**(*Unterbrechung*) dérangement *m; einer Veranstaltung* perturbation *f* **2.**(*Störgeräusch*) perturbation *f* **3.**(*technischer Defekt*) incident *m* **4.** MED dysfonctionnement *m*

Störungsstelle *f* [service *m* des] dérange-

ments *mpl*

Story <-, -s *o* Stories> ['stoːri, 'stɔri] *f* **1.** *fam* (*Geschichte*) histoire *f* **2.**(*Bericht*) papier *m*

Stoß [ʃtoːs, *Pl:* 'ʃtøːsə] <-es, =e> *m* **1.**(*Schubs*) poussée *f* **2.**(*Aufprall*) choc *m* **3.**(*Erschütterung*) secousse *f* **4.**(*Stapel*) pile *f*

Stoßdämpfer *m* amortisseur *m*

stoßen ['ʃtoːsən] <stößt, stieß, gestoßen> **I.** *vt* + *haben* **1.**(*schubsen*) pousser **2.**(*stechen*) **er hat ihm ein Messer in den Arm gestoßen** il lui a flanqué un coup de couteau dans le bras **3.**(*werfen*) lancer *Kugel* **II.** *vr* + *haben* **1.**(*sich verletzen*) **sich** ~ se cogner **2.**(*Anstoß nehmen*) **sich an etw** (*dat*) ~ s'offusquer de qc **III.** *vi* **1.** + *sein* (*berühren*) **gegen jdn/etw** ~ heurter qn/qc **2.** + *haben* (*einen Stoß geben*) **mit dem Fuß gegen die Tür** ~ donner un coup de pied à la porte **3.** + *sein* (*grenzen*) **an etw** (*akk*) ~ être contigu à qc **4.** + *sein* (*finden*) **auf jdn/etw** ~ tomber sur qn/qc **5.** + *sein* (*sich anschließen*) **zu jdm** ~ rejoindre qn **6.** + *sein* (*konfrontiert werden mit*) **auf Ablehnung** (*akk*) ~ se heurter à un refus

stoßfest *adj* résistant(e) aux chocs

Stoßgebet *nt* oraison *f* jaculatoire **Stoßstange** *f* pare-chocs *m*

stößt [ʃtøːst] *3. Pers Präs von* **stoßen**

Stoßverkehr *m* heures *fpl* de pointe **stoßweise** *adv* **1.**(*ruckartig*) par saccades **2.**(*in Stapeln*) en tas **Stoßzahn** *m* défense *f* **Stoßzeit** *f* **1.**(*Hauptverkehrszeit*) heures *fpl* de pointe **2.**(*Hauptgeschäftszeit*) période *f* d'affluence

stottern ['ʃtɔtən] **I.** *vi* bégayer **II.** *vt* bredouiller *Antwort*

Stövchen <-s, -> *nt* réchaud *m*

Str. *Abk von* **Straße** r[ue]

Strafanstalt *f* établissement *m* pénitentiaire **Strafantrag** *m* réquisitoire *m* **Strafanzeige** *f* plainte *f* **Strafarbeit** *f* punition *f* **strafbar** *adj* répréhensible; **sich** ~ **machen** être passible d'une sanction

Strafe ['ʃtraːfə] <-, -n> *f* **1.**(*Bestrafung*) punition *f* **2.** JUR (*Haftstrafe*) peine *f;* (*Geldstrafe*) amende *f* **3.** *fam* (*unangenehme Folge*) **das ist die** ~ **für deinen Leichtsinn!** tu ne l'as pas volé!

strafen *vt* **1.** punir; **jdn für etw** ~ punir qn pour qc **2.** *fig geh* **jdn mit Verachtung** ~ répondre à qn par le mépris ▶**mit jdm/etw gestraft** <u>sein</u> *hum* être affligé de qn/qc

strafend *adj Blick* réprobateur(-trice)

straff [ʃtraf] **I.** *adj* **1.** *Seil* tendu(e) **2.** *Haut, Brust* ferme **3.** *Organisation* sévère, strict(e)

II. *adv* **1.** *(fest)* étroitement; *spannen* fortement **2.** *organisieren* rigoureusement
straffällig *adj* JUR délinquant(e); ~ **werden** tomber dans la délinquance
straffen *vt* **1.** *(anziehen)* tendre **2.** *(kürzen)* condenser *Text* **3.** *(straff machen)* raffermir *Haut*
straffrei *adj* ~ **ausgehen** rester exempt(e) de toute peine **Strafgefangene(r)** *f(m) dekl wie adj* prisonnier(-ière) *m(f)* **Strafgesetzbuch** *nt* ≈ code *m* pénal
sträflich ['ʃtrɛːflɪç] **I.** *adj* inadmissible, impardonnable **II.** *adv* jdn/etw ~ **vernachlässigen** délaisser éhontément qn/qc
Sträfling ['ʃtrɛːflɪŋ] <-s, -e> *m* détenu(e) *m(f)*
Strafmaß *nt* peine *f* **strafmildernd** *adj* favorable **Strafpredigt** *f fam* sermon *m* *(péj)* **Strafprozess**ᴿᴿ *m* procès *m* pénal **Strafraum** *m* surface *f* de réparation **Strafrecht** *nt* droit *m* pénal **strafrechtlich** **I.** *adj* pénal(e) **II.** *adv* jdn ~ **verfolgen** poursuivre qn pour délit **Straftat** *f* délit *m* **Straftäter(in)** *m(f)* délinquant(e) *m(f)* **Strafverfahren** *nt* procédure *f* pénale **Strafverfolger(in)** *m(f)* JUR procureur *mf* de la République **strafversetzen*** *vt* muter d'office [par mesure disciplinaire]; jdn ~ muter qn d'office [par mesure disciplinaire] **Strafverteidiger(in)** *m(f)* avocat(e) *m(f)* du pénal **Strafvollzugsanstalt** *f* form maison *f* d'arrêt **Strafzettel** *m fam* P.-V. *m*
Strahl [ʃtraːl] <-[e]s, -en> *m* **1.** *(Lichtstrahl)* rayon *m* **2.** *(Flüssigkeitsstrahl)* jet *m* **3.** *Pl* PHYS radioaktive ~en radiations *fpl*
strahlen *vi* **1.** *(leuchten)* briller **2.** *(erfreut sein)* **vor Freude** *(dat)* ~ rayonner de joie **3.** *(radioaktiv sein)* irradier
Strahlenbehandlung *f* radiothérapie *f* **Strahlenbelastung** *f* irradiation *f*
strahlend **I.** *adj* **1.** *Wetter* radieux(-euse), resplendissant(e); *Sonnenschein* éclatant(e) **2.** *(radioaktiv)* radioactif(-ive) **II.** *adv* **1.** *(leuchtend)* ~ **weiß sein** être d'un blanc éclatant **2.** *(freudig)* jdn ~ **ansehen** regarder qn d'un air radieux
strahlengeschädigt *adj inv* irradié(e)
Strahler <-s, -> *m (Lampe)* spot *m*
Strahlung <-, -en> *f* rayonnement *m; (radioaktiv)* radiations *fpl*
Strähne ['ʃtrɛːnə] <-, -n> *f* mèche *f*
strähnig *adj Haare* en mèches poisseuses
stramm [ʃtram] **I.** *adj* **1.** *(straff)* tendu(e) **2.** *Bursche, Baby* robuste **3.** *Waden* potelé(e) **II.** *adv binden* solidement; ~ **sitzen** *Hose:* être trop serré
Strampelhöschen ['ʃtrampəlhøːsçən] *nt* barboteuse *f*

strampeln ['ʃtrampəln] *vi* **1.** + *haben* gigoter; **mit den Beinen** ~ gigoter les jambes **2.** + *sein fam (Rad fahren)* pédaler
Strand [ʃtrant, *Pl:* 'ʃtrɛndə] <-[e]s, ⸚e> *m* plage *f*
stranden ['ʃtrandən] *vi* + *sein (auf Grund laufen)* [s']échouer
Strandgut *nt kein Pl* épaves *fpl* **Strandkorb** *m* fauteuil-cabine *m* en osier **Strandpromenade** *f* promenade *f*
Strang [ʃtraŋ, *Pl:* 'ʃtrɛŋə] <-[e]s, ⸚e> *m* **1.** *(Strick)* corde *f* **2.** *(Nervenstrang, Muskelstrang)* cordon *m*
strangulieren* [ʃtraŋgu'liːrən] **I.** *vt* étrangler **II.** *vr* **sich** ~ s'étrangler
Strapaze [ʃtra'paːtsə] <-, -n> *f* fatigue *f*
strapazieren* [ʃtrapa'tsiːrən] *vt* **1.** *(stark beanspruchen)* fatiguer *Schuhe;* malmener *Sitzmöbel* **2.** *(belasten)* pousser à bout *Person;* **jds Geduld** ~ mettre la patience de qn à rude épreuve
strapazierfähig *adj* solide
strapaziös [ʃtrapa'tsi̯øːs] *adj* épuisant(e)
Straps [ʃtraps] <-es, -e> *m (Strumpfhalter)* jarretelle *f*
Straßburg ['ʃtraːsbʊrk] <-s> *nt* Strasbourg
Straße ['ʃtraːsə] <-, -n> *f* **1.** *(in Ortschaften)* rue *f; (Landstraße)* route *f* **2.** *(Meerenge)* **die** ~ **von Gibraltar** le détroit de Gibraltar
Straßenarbeiten *Pl* travaux *mpl* [de voirie] **Straßenbahn** *f* tram[way] *m* **Straßenbau** *m kein Pl* construction *f* de routes **Straßenfeger(in)** <-s, -> *m(f)* balayeur(-euse) *m(f)* **Straßenglätte** *f* verglas *m* **Straßengraben** *m* fossé *m* **Straßenkarte** *f* carte *f* routière **Straßenkreuzung** *f (in einer Ortschaft)* carrefour *m; (außerhalb einer Ortschaft)* croisement *m* **Straßenrand** *m* bas-côté *m* **Straßenschild** <-schilder> *nt* plaque *f* de rue **Straßenschlucht** *f fam* rue *f* encaissée **Straßensperre** *f* barrage *m* routier **Straßenverkehr** *m* circulation *f* routière **Straßenverkehrsordnung** *f* code *m* de la route
Stratege [ʃtra'teːgə] <-n, -n> *m,* **Strategin** *f* stratège *m*
Strategie [ʃtrate'giː] <-, -en> *f* stratégie *f*
strategisch [ʃtra'teːgɪʃ] **I.** *adj* stratégique **II.** *adv* **1.** MIL sur le plan stratégique **2.** *vorgehen* savamment; *denken* de manière méthodique
sträuben [ʃtrɔybən] **I.** *vr* **1.** *(sich widersetzen)* **sich** ~ regimber; **sich gegen etw** ~ s'opposer à qc **2.** *(sich aufrichten)* **sich** ~ *Fell, Gefieder:* se hérisser **II.** *vt* **das Fell/Gefieder** ~ hérisser ses poils/plumes
Strauch [ʃtraʊx, *Pl:* 'ʃtrɔyçə] <-[e]s,

Sträucher> m arbuste m

straucheln ['ʃtrauxəln] vi + sein geh **1.**(stolpern) trébucher **2.**(straffällig werden) tourner mal

Strauß¹ [ʃtraus, Pl: 'ʃtrɔysə] <-es, Sträuße> m (Gebinde) bouquet m

Strauß² [ʃtraus] <-es, -e> m autruche f

Strebe ['ʃtre:bə] <-, -n> f contre[-]fiche f

streben ['ʃtre:bən] vi **1.**+ haben nach **Anerkennung** ~ aspirer à être reconnu; **danach** ~ **etw zu tun** ambitionner de faire qc **2.**+ sein (sich bewegen) **auseinander** ~ geh Menschen: s'éparpiller

Streben <-s> nt geh aspiration f; ~ **nach etw** aspiration à qc

Streber(in) <-s, -> m(f) pej fam (Schüler) fayot(e) m(f); (Berufstätiger) arriviste mf

strebsam adj Schüler assidu(e)

Strecke ['ʃtrɛkə] <-, -n> f **1.**(Wegstrecke) route f; **auf halber** ~ à mi-chemin **2.**(Entfernung) distance f **3.**(Eisenbahnstrecke) ligne f [de chemin de fer] **4.**(zurückgelegter Weg) trajet m **5.**(vorgegebener Weg) itinéraire m **6.**fig (Passage) **der Film ist über weite ~n ziemlich langweilig** de nombreux passages du film sont assez ennuyeux ▸**auf der** ~ **bleiben** fam Person: rester sur le carreau

strecken ['ʃtrɛkən] I. vt **1.**tendre Arm, Bein; **den Kopf aus dem Fenster** ~ passer la tête par la fenêtre **2.**fam (ergiebiger machen) allonger Suppe II. vr **sich** ~ s'étirer

Streckenabschnitt m tronçon m **Streckennetz** nt réseau m **streckenweise** adv par endroits

Streetworker(in) ['stri:twɔkɐ] <-s, -> m(f) éducateur(-trice) m(f) de rue

Streich [ʃtraiç] <-[e]s, -e> m plaisanterie f

Streicheleinheiten Pl hum fam (Zärtlichkeit) câlins mpl; (Lob) compliments mpl

streicheln ['ʃtraiçəln] vt caresser

streichen ['ʃtraiçən] <strich, gestrichen> I. vt + haben **1.**(an~) peindre **2.**(schmieren) **Butter aufs Brötchen** ~ tartiner du beurre sur le petit pain **3.**(glätten) **glatt** ~ lisser Haar; défroisser Zettel **4.**(aus~) rayer Namen; barrer Wort **5.**(zurückziehen) supprimer Zuschuss II. vi **1.**+ haben (gleiten) **mit der Hand über etw** (akk) ~ passer la main sur qc **2.**+ sein (streifen) **ums Haus** ~ rôder autour de la maison

Streicher(in) <-s, -> m(f) MUS joueur(-euse) m(f) d'un instrument à cordes; **die** ~ les cordes fpl

Streichholz nt allumette f **Streichinstrument** nt instrument m à cordes **Streichkäse** m fromage m à tartiner **Streichor-**

---

chester nt orchestre m à cordes

Streichung <-, -en> f (gestrichener Text) passage m supprimé

Streichwurst f pâté m [à tartiner]

Streife ['ʃtraifə] <-, -n> f patrouille f

streifen ['ʃtraifən] I. vt + haben **1.**(flüchtig berühren) frôler; **der Schuss hat ihn an der Schulter gestreift** le projectile lui a éraflé l'épaule **2.**(flüchtig erwähnen) effleurer **3.**(überziehen) **sich** (dat) **den Pullover über den Kopf** ~ enfiler le pull II. vi geh + sein **durch den Wald** ~ errer dans la forêt

Streifen <-s, -> m **1.**(schmale Linie) rayure f; (breite Linie) bande f; (am Himmel) traînée f **2.**(Striemen) marque f **3.**(Stoffstreifen) bande f **4.**fam (Film) film m

Streifenwagen m voiture f de police **Streifschuss**RR m éraflure f **Streifzug** m **1.**(Bummel) balade f **2.**(Exkurs) tour m d'horizon

Streik [ʃtraik] <-[e]s, -s> m grève f

Streikbrecher(in) m(f) briseur(-euse) m(f) de grève

streiken vi **1.**faire grève; **für etw** ~ faire grève pour qc **2.**hum fam (sich weigern, nicht funktionieren) faire grève

Streikende(r) f(m) dekl wie adj gréviste mf

Streikposten m piquet m de grève

Streit [ʃtrait] <-[e]s, -e> m **1.**(privater Konflikt) dispute f; (öffentlicher Konflikt) altercation f; (Konflikt mit Handgreiflichkeiten) rixe f **2.**(Kontroverse) polémique f; (Meinungsverschiedenheit) différend m

streitbar adj Mensch, Charakter combatif(-ive)

streiten ['ʃtraitən] <stritt, gestritten> I. vi **1.**se disputer; **mit jdm** ~ se disputer avec qn **2.**(diskutieren) **mit jdm über etw** (akk) ~ débattre de qc avec qn II. vr **1.**(zanken) **sich** ~ se disputer **2.**(diskutieren) **sich** [darüber] ~, **wer/wie ...** débattre pour savoir qui/comment ...

Streiterei [ʃtaitə'rai] <-, -en> f fam chamaillerie f

Streitfall m cas m litigieux **Streitgespräch** nt débat m

streitig adj **1.**jdm den Vorrang ~ machen disputer la vedette à qn **2.**(strittig) litigieux(-euse)

Streitigkeiten Pl querelles fpl

Streitkräfte Pl forces fpl armées **streitsüchtig** adj querelleur(-euse)

streng [ʃtrɛŋ] I. adj **1.**(unnachsichtig) sévère **2.**Anweisung rigoureux(-euse); Diät draconien(ne); Bettruhe absolu(e) **3.**Geruch pénétrant(e) **4.**Winter rigoureux(-euse) **5.**Vegetarier convaincu(e) II. adv **1.**bestra-

fen sévèrement **2.**(*strikt*) strictement **3.**(*genau*) ~ **genommen** à proprement parler
Strenge ['ʃtrɛŋə] <-> *f* **1.**(*Unnachsichtigkeit, Härte*) sévérité *f* **2.**(*Herbheit*) *eines Gesichts* austérité *f*
strenggenommen *s.* streng II.
strenggläubig *adj* très croyant(e)
StressRR [ʃtrɛs] <-es, -e>, **Streß** <-sses, -sse> *m meist Sing* stress *m*
stressen *vt fam* stresser
stressig *adj fam* stressant(e)
Streu [ʃtrɔy] <-> *f* litière *f*
streuen ['ʃtrɔyən] I. *vt* **1.**(*hin~*) épandre *Dünger;* saupoudrer *Mehl* **2.** **die Straße** ~ (*mit Sand/Salz*) sabler/saler la rue **II.** *vi* (*mit Sand/Salz Glätte verhindern*) sabler/saler
Streuer <-s, -> *m* (*Salzstreuer*) salière *f;* (*Pfefferstreuer*) poivrière *f;* (*Zuckerstreuer*) saupoudreuse *f*
Streufahrzeug *nt* véhicule *m* de sablage/de salage
streunen ['ʃtrɔynən] *vi* + *sein* (*umherstreifen*) *Person:* vagabonder; *Hund, Katze:* rôder; ~**de Hunde** des chiens errants
Streusalz *nt* sel *m* [de déneigement]
Streuselkuchen ['ʃtrɔyzəlkuːxn] *m* tarte *f* fleurie (*avec des boules de farine et beurre*)
Streuung <-, -en> *f* **1.**(*Verbreitung*) *der Medien* diffusion *f* **2.**(*Verteilung*) *eines Risikos* dispersion *f*
strich [ʃtrɪç] *Imp von* streichen
Strich [ʃtrɪç] <-[e]s, -e> *m* **1.**(*Linie*) trait *m;* (*schräg, senkrecht*) barre *f* **2.**(*Teilstrich einer Skala*) division *f* **3.** *fam* (*Straßenstrich*) quartier *m* chaud; **auf den** ~ **gehen** faire le trottoir ▸**nach** ~ **und Faden** *fam* jusqu'au trognon; **jdm gegen den** ~ **gehen** *fam* débecter qn; **unterm** ~ *fam* au bout du compte
Strichcode *m* code *m* barres
stricheln *vt* **1.** etw ~ tracer qc en pointillé **2.**(*schraffieren*) hachurer
Strichjunge *m fam* jeune prostitué *m*
Strichpunkt *m* point-virgule *m*
Strick [ʃtrɪk] <-[e]s, -e> *m* corde *f* ▸**wenn alle** ~**e reißen** *fam* dans le pire des cas
stricken ['ʃtrɪkən] *vt, vi* tricoter
Strickjacke *f* gilet *m,* veste *f* en laine
Strickleiter *f* échelle *f* de corde **Strickmuster** *nt* **1.**(*gestricktes Muster*) point *m* de tricot **2.** *hum* (*Machart*) structure *f*
Stricknadel *f* aiguille *f* à tricoter
striegeln *vt* étriller
Striemen ['ʃtriːmən] <-s, -> *m* marque *f* de coup de fouet/ceinture

strikt [ʃtrɪkt] *adj* **1.** *Befolgung, Gehorsam* strict(e) **2.** *Weigerung* catégorique
Strip [strɪp] <-s, -s> *m fam* strip *m*
Strippe ['ʃtrɪpə] <-, -n> *f fam* fil *m;* **jdn an der** ~ **haben** avoir qn au bout du fil
strippen ['strɪpən] *vi fam* faire du strip[-]tease
Strippenzieher(in) *m(f) pej fam* personne *f* qui tire les ficelles
Striptease ['strɪptiːs] <-> *m* o *nt* strip[-]tease *m*
stritt [ʃtrɪt] *Imp von* streiten
strittig ['ʃtrɪtɪç] *adj Frage* controversé(e); *Fall* litigieux(-euse)
Stroh [ʃtroː] <-[e]s> *nt* paille *f*
strohblond *adj Mensch* blond(e) comme les blés; *Haare* couleur paille *inv* **strohdumm** ['ʃtroːdʊm] *adj fam* abruti(e) **Strohfeuer** *nt* feu *m* de paille **Strohhalm** *m* **1.**(*Getreidehalm*) brin *m* de paille **2.**(*Trinkhalm*) paille *f* **Strohhut** *m* chapeau *m* de paille **Strohmann** <-männer> *m* homme *m* de paille (*péj*) **Strohwitwer** *m,* -**witwe** *f hum fam* célibataire *mf*
Strolch [ʃtrɔlç] <-[e]s, -e> *m fam* (*Schlingel*) garnement *m*
Strom [ʃtroːm, *Pl:* 'ʃtrœːmə] <-[e]s, ̈e> *m* **1.** *kein Pl* courant *m;* **elektrischer** ~ courant électrique **2.**(*breiter Fluss*) fleuve *m* **3.** *fig von Besuchern* flot *m;* *von Lava* torrent *m* ▸**unter** ~ **stehen** *fam Person:* être allumé
stromabwärts *adv* en aval **stromaufwärts** *adv* en amont
Stromausfall *m* panne *f* de courant
strömen ['ʃtrøːmən] *vi* + *sein* **1.**(*fließen*) **in das Becken** ~ se déverser en grande quantité dans le bassin; **aus etw** ~ *Wasser, Gas:* s'échapper en grande quantité de qc **2.**(*eilen*) **ins Freie** ~ affluer vers la sortie
Stromkabel *nt* câble *m* électrique **Stromkreis** *m* circuit *m* électrique **Stromleitung** *f* ligne *f* électrique **stromlinienförmig** *adj* aérodynamique **Strommast** *m* pylône *m* électrique **Stromnetz** *nt* réseau *m* électrique **Stromschnelle** *f meist Pl* rapides *mpl* **Stromstärke** *f* intensité *f* du courant
Strömung <-, -en> *f* courant *m*
Stromzähler *m* compteur *m* électrique
Strophe ['ʃtroːfə] <-, -n> *f* strophe *f*
strotzen ['ʃtrɔtsən] *vi* déborder; **vor Gesundheit** ~ déborder de santé
strubbelig ['ʃtrʊbəlɪç] *adj Haar* ébouriffé(e); *Fell* hérissé(e)
Strubbelkopf *m fam* **1.**(*Haare*) cheveux *mpl* ébouriffés **2.**(*Mensch*) tête *f* aux cheveux ébouriffés
strubblig *s.* strubbelig

Strudel ['ʃtruːdəl] <-s, -> m 1.(Wirbel) tourbillon m 2. GASTR strudel m
strudeln vi faire des tourbillons
Struktur [ʃtrʊk'tuːɐ̯] f 1.(Gliederung) structure f 2. TEXTIL texture f
strukturieren* [ʃtrʊktu'riːrən] vt structurer
Strukturierung <-, -en> f (Struktur) texture f
strukturschwach adj économiquement défavorisé(e) **Strukturwandel** m changement m de structures
Strumpf [ʃtrʊmpf, Pl: 'ʃtrʏmpfə] <-[e]s, ꞉e> m 1.(Kniestrumpf) chaussette f 2.(Damenstrumpf) bas m
Strumpfband <-bänder> nt jarretière f
Strumpfhalter <-s, -> m jarretelle f
Strumpfhose f collant m
Strunk <-[e]s, ꞉e> m trognon m
struppig ['ʃtrʊpɪç] adj Haare hérissé(e); Fell dur(e)
Strychnin [ʃtrʏç'niːn] <-s> nt strychnine f
Stube ['ʃtuːbə] <-, -n> f DIAL pièce f commune; **die gute** ~ le salon
Stubenarrest m fam ~ **bekommen/haben** être privé de sortie **stubenrein** adj 1.Katze, Hund propre 2.hum fam Witz pour des oreilles chastes
Stuck [ʃtʊk] <-[e]s> m stuc m
Stück [ʃtʏk] <-[e]s, -e> nt 1.(Teil) eines Bratens, Kuchens morceau m; einer Schnur bout m 2.(Abschnitt) einer Straße, eines Waldes bout m; eines Textes partie f 3.(einzelnes Exemplar) **ein** ~ **Seife** un pain de savon 4.(Bruchstück) **etw in ~e reißen** déchirer qc en mille morceaux 5.(wertvoller Gegenstand) pièce f 6.(Musikstück) morceau m 7.(Theaterstück) pièce f 8. pej fam (Mensch) **du gemeines ~!** espèce de salaud! (vulg) ▶**aus freien ~en** de mon/ton/... propre chef; **das ist ein starkes ~!** fam c'est le bouquet!
Stückchen <-s, -> nt Dim von **Stück** 1.(kleines Teil) petit morceau m 2.(kleine Strecke) **ein** ~ un petit peu
stückeln ['ʃtʏkəln] vt fractionner Emission, Wertpapier
Stückgut nt colis m de détail **Stückpreis** m prix m à l'unité **stückweise** adv à la pièce
Stückzahl f nombre m de pièces
stud. Abk von **studiosus** titre qu'un étudiant peut placer devant son nom; ~ **med.** Anna Bauer Anna Bauer, étudiante en médecine
Student(in) [ʃtu'dɛnt] <-en, -en> m(f) étudiant(e) m(f)
Studentenausweis m carte f d'étudiant
Studentenfutter nt fam mendiant m (mélange de noix de cajou, d'amandes et

de raisins secs) **Studentenwerk** nt ≈ œuvres fpl universitaires **Studentenwohnheim** nt foyer m d'étudiants
Studentin f s. **Student**
studentisch adj attr Selbstverwaltung des étudiants
Studie ['ʃtuːdiə] <-, -n> f étude f
Studien ['ʃtuːdiən] Pl von **Studium**
Studienabbrecher(in) <-s, -> m(f) personne f qui a interrompu ses études **Studienabschluss**RR m diplôme m universitaire **Studienfach** nt matière f **Studienfahrt** f excursion f d'études **Studiengang** m filière f universitaire **Studienplatz** m place f à l'université **Studienrat** m, **-rätin** f ≈ professeur mf certifié (premier échelon des professeurs du secondaire) **Studienreise** f voyage f d'études
studieren* [ʃtu'diːrən] I. vi faire des études [supérieures] II. vt 1.Philosophie ~ faire des études de philosophie 2.(genau betrachten) étudier
studiert adj fam qui a fait des études
Studio ['ʃtuːdio] <-s, -s> nt 1.(Aufnahmestudio, Wohnung) studio m 2.(Atelier) atelier m
Studium ['ʃtuːdiʊm] <-s, Studien> nt 1.études fpl [supérieures] 2.(eingehende Beschäftigung) étude f 3.kein Pl (genaues Lesen) étude f
Stufe ['ʃtuːfə] <-, -n> f 1.einer Treppe marche f 2.(Niveau) niveau m 3.(Abschnitt) einer Entwicklung, Planung phase f 4.(Schaltstufe) eines Geräts vitesse f ▶**sich mit jdm auf eine ~ stellen** se placer sur un pied d'égalité avec qn
stufen vt fig **jdn höher ~** promouvoir qn **Stufenheck** nt coffre m arrière **stufenlos** adv verstellbar de manière continue **Stufenschnitt** m dégradé m **stufenweise** adv par étapes
stufig I. adj Landschaft en terrasses; Haarschnitt dégradé(e) II. adv geschnitten en dégradé
Stuhl [ʃtuːl, Pl: 'ʃtyːlə] <-[e]s, ꞉e> m 1.chaise f 2.(Behandlungsstuhl) fauteuil m 3.(stuhlähnliche Vorrichtung) der elektrische ~ la chaise électrique 4. REL der Heilige ~ le Saint-Siège 5.form (~gang) selles fpl
Stuhlbein nt pied m de chaise **Stuhlgang** m kein Pl form transit m intestinal **Stuhllehne** f dossier m de chaise
Stulle ['ʃtʊlə] <-, -n> f NDDIAL tartine f
stülpen ['ʃtʏlpən] vt 1.**eine Haube über etw** (akk) ~ recouvrir qc d'une housse 2.(wenden) **etw nach außen** ~ retrousser qc
stumm [ʃtʊm] I. adj 1.muet(te); **von Ge-**

burt an ~ muet de naissance **2.** (*schweig-sam*) ~ **werden/sein** se taire/être silencieux **3.** *Vorwurf* muet(te); *Blick* taciturne **4.** *Konsonant* muet(te) **II.** *adv* silencieusement

Stummel ['ʃtʊməl] <-s, -> *m* (*Kerzenstummel*) lumignon *m*; (*Bleistiftstummel*) bout *m*; (*Gliedstummel, Schwanzstummel*) moignon *m*
Stummfilm *m* film *m* muet
Stümper(in) ['ʃtʏmpɐ] <-s, -> *m(f) pej* branquignol *m* (*fam*)
Stümperei <-, -en> *f pej* (*stümperhafte Leistung*) travail *m* bâclé
stümperhaft I. *adj pej Arbeit* bâclé(e); *Vorgehen* d'incapable **II.** *adv arbeiten* en incapable
stümpern *vi pej* bâcler le travail
stumpf [ʃtʊmpf] *adj* **1.** *Klinge, Messer* émoussé(e) **2.** *Bleistift* usé(e) **3.** *Metall, Haare* terne **4.** MATH *Winkel* obtus
Stumpf [ʃtʊmpf, *Pl:* 'ʃtʏmpfə] <-[e]s, ⸚e> *m* **1.** (*Beinstumpf*) moignon *m* **2.** *s.* **Stummel**
Stumpfsinn *m kein Pl* **1.** (*geistige Trägheit*) hébétude *f* **2.** (*Stupidität*) stupidité *f*
stumpfsinnig *adj* **1.** (*geistig träge*) hébété(e) **2.** (*stupide*) abrutissant(e)
Stündchen <-s, -> *nt Dim von* **Stunde** petite heure *f*
Stunde ['ʃtʊndə] <-, -n> *f* **1.** heure *f* **2.** (*Zeitpunkt*) **bis zur** ~ à l'heure qu'il est **3.** (*Unterrichtsstunde*) heure *f* **4.** (*Unterricht*) ~**n geben** donner des cours **5.** *meist Pl* (*Moment*) moment *m*
stunden *vt* accorder un délai; **jdm etw** ~ accorder à qn un délai pour qc
Stundengeschwindigkeit *f* vitesse *f* [horaire] **Stundenhotel** *nt* hôtel *m* de passe
Stundenkilometer *Pl* kilomètres-heure *mpl* **stundenlang I.** *adj Verhandlung* qui dure/durent des heures **II.** *adv warten, herumlaufen* [pendant] des heures **Stundenlohn** *m* salaire *m* horaire **Stundenplan** *m* emploi *m* du temps **Stundentakt** *m* service *m* horaire régulier; **im** ~ toutes les heures **stundenweise** *adv arbeiten* quelques heures
stündlich ['ʃtʏntlɪç] *adj, adv* toutes les heures
Stundung <-, -en> *f* délai *m* de paiement
Stunk [ʃtʊŋk] <-s> *m fam* grabuge *m*
Stuntman ['stantmɛn, -wumən] <-s, -men> *m*, **-woman** *f* cascadeur(-euse) *m(f)*
stupend *adj geh* stupéfiant(e)
stupid(e) [ʃtu'piːd(ə), stu'piːd(ə)] *adj pej geh* **1.** (*dumm*) stupide **2.** (*monoton*) abrutissant(e)

Stups [ʃtʊps] <-es, -e> *m fam* bourrade *f*
stupsen *vt fam* bourrer
Stupsnase *f* nez *m* retroussé
stur [ʃtuː̯ɐ] **I.** *adj* **1.** (*dickköpfig*) entêté(e); **sich** ~ **stellen** rester figé(e) sur ses positions **2.** (*hartnäckig*) borné(e) **II.** *adv* **1.** (*unbeirrt*) ~ **nach Vorschrift arbeiten** suivre les consignes à la lettre **2.** (*uneinsichtig*) obstinément
Sturheit <-> *f* obstination *f*
Sturm [ʃtʊrm, *Pl:* 'ʃtʏrmə] <-[e]s, ⸚e> *m* **1.** (*starker Wind*) tempête *f* **2.** (~*angriff*) **der** ~ **auf die Bastille** la prise de la Bastille **3.** (*Andrang*) **der** ~ **auf die Geschäfte** la ruée dans les magasins **4.** SPORT attaque *f* ▶**etw im** ~ **erobern** conquérir qc
Sturmbö *f* bourrasque *f*
stürmen ['ʃtʏrmən] **I.** *vi unpers* + *haben* **es stürmt** la tempête fait rage **II.** *vi* + *sein* (*rennen*) **zum Eingang** ~ se précipiter vers l'entrée **III.** *vt* + *haben* **etw** ~ prendre d'assaut qc
Stürmer(in) <-s, -> *m(f)* attaquant(e) *m(f)*
Sturmflut *f* raz[-]de[-]marée *m*
stürmisch ['ʃtʏrmɪʃ] **I.** *adj* **1.** *Tag* de tempête; *Meer* déchaîné(e); ~**es Wetter** gros temps **2.** *Begrüßung* frénétique; ~**er Beifall** une tempête d'applaudissements; **nicht so** ~**!** doucement! **3.** (*leidenschaftlich*) passionné(e) **II.** *adv begrüßen* frénétiquement
Sturmschaden *m meist Pl* dégâts *mpl* causés par la tempête **Sturmtief** *nt* dépression *f* [cyclonale] **Sturmwarnung** *f* avis *m* de tempête
Sturz [ʃtʊrts, *Pl:* 'ʃtʏrtsə] <-es, ⸚e> *m* **1.** *a.* FIN, METEO chute *f* **2.** POL (*Machtverlust*) chute *f*; (*Absetzung*) renversement *m* **3.** (*Fenstersturz, Türsturz*) linteau *m*
Sturzbach *m* torrent *m*
stürzen ['ʃtʏrtsən] **I.** *vi* + *sein* **1.** (*fallen*) tomber **2.** (*rennen*) **nach draußen** ~ bondir dehors **3.** POL **über etw** (*akk*) ~ *Regierung:* être renversé à la suite de qc **II.** *vt* + *haben* **1.** (*werfen*) **jdn aus dem Fenster** ~ précipiter qn par la fenêtre **2.** POL renverser *Regierung* **3.** (*umdrehen*) renverser *Backform* **III.** *vr* **1.** **sich aus dem Fenster** ~ se jeter par la fenêtre **2.** (*sich werfen*) **sich auf jdn/etw** ~ se précipiter sur qn/qc **3.** *fig* **sich in Unkosten** (*akk*) ~ se lancer dans les dépenses
Sturzflug *m* vol *m* en piqué; **im** ~ en piqué **Sturzhelm** *m* casque *m* [de moto]
Stuss[RR] [ʃtʊs] <-es>, **Stuß** <-sses> *m fam* connerie *f*
Stute ['ʃtuːtə] <-, -n> *f* jument *f*
Stütze ['ʃtʏtsə] <-, -n> *f* **1.** (*Gebäudeteil*) étai *m* **2.** (*Halt*) appui *m* **3.** (*seelischer Beistand*) soutien *m*

stutzen ['ʃtʊtsən] **I.** *vi Person:* rester coi(te) **II.** *vt* **1.** élaguer *Baum;* tailler *Hecke;* couper *Flügel* **2.** *fam* (*schneiden*) tailler *Bart*

Stutzen <-s, -> *m* **1.** (*Gewehrstutzen*) carabine *f* **2.** (*Einfüllstutzen*) embout *m*

stützen ['ʃtvtsən] **I.** *vt* **1.** (*physischen Halt geben*) **jdn** ~ *Person:* soutenir qn; **etw** ~ *Vorrichtung:* [servir à] maintenir qc **2.** (*statischen Halt geben*) soutenir *Gebäude, Decke* **3.** (*auf~*) **den Arm auf etw** (*akk*) ~ appuyer son bras sur qc **4.** (*gründen*) **die Theorie war auf folgende Annahme gestützt** la théorie s'appuyait sur l'hypothèse qui suit **5.** (*bestärken*) étayer *Theorie, Verdacht* **6.** FIN soutenir *Währung* **II.** *vr* **1.** (*sich auf~*) **sich auf jdn/etw** ~ s'appuyer sur qn/qc **2.** (*sich berufen auf*) **sich auf etw** (*akk*) ~ s'appuyer sur qc

stutzig *adj* ~ **werden** avoir des soupçons

Stützpfeiler *m* pilier *m* de soutien **Stützpunkt** *m* MIL base *f* militaire

StVO [ɛsteːfauˈʔoː] *f Abk von* **Straßenverkehrsordnung** code *m* de la route

stylen ['stajlən] *vt* sculpter *Haare*

Styling ['stailɪŋ] <-s> *nt von Möbeln, Autos* design *m; der Haare* look *m*

Styropor® [ʃtyroˈpoːɐ̯] <-s> *nt* polystyrène *m*

s.u. *Abk von* **siehe unten** voir ci-dessous

subaltern *adj pej geh* **1.** *Beamter, Stellung* subalterne **2.** *pej Gesinnung* dévot(e) (*fam*)

Subjekt [zʊpˈjɛkt] <-[e]s, -e> *nt* **1.** GRAM sujet *m* **2.** *pej* (*übler Mensch*) individu *m*

subjektiv [zʊpjɛkˈtiːf] **I.** *adj* subjectif(-ive) **II.** *adv darstellen* de manière subjective

Subjektivität [zʊpjɛktiviˈtɛːt] <-> *f* subjectivité *f*

Subkultur ['zʊpkʊltuːɐ̯] *f* culture *f* parallèle

Subskription <-, -en> *f* souscription *f*

Substantiv ['zʊpstantiːf] <-s, -e> *nt* substantif *m*

Substanz [zʊpˈstants] <-, -en> *f* **1.** (*Material*) substance *f* **2.** *kein Pl* (*Grundbestand*) substance *f;* **jdm an die** ~ **gehen** *fam* user qn

subtil [zʊpˈtiːl] *adj geh* **1.** (*nuanciert*) subtil(e) **2.** (*kompliziert*) complexe

subtrahieren* [zʊptraˈhiːrən] *vt, vi* soustraire

Subtraktion [zʊptrakˈtsi̯oːn] <-, -en> *f* soustraction *f*

Subtropen ['zʊptroːpən] *Pl* GEOG **die** ~ la zone subtropicale

subtropisch ['zʊptroːpɪʃ] *adj* subtropical(e)

Subvention [zʊpvɛnˈtsi̯oːn] <-, -en> *f* subvention *f*

subventionieren* [zʊpvɛntsi̯oˈniːrən] *vt* subventionner

subversiv [zʊpvɛrˈziːf] *geh adj* subversif(-ive)

Suchaktion *f* recherches *fpl*

Suche ['zuːxə] <-, -en> *f* recherche *f;* **die** ~ **nach jdm** les recherches pour retrouver qn; **auf der** ~ **nach einer Wohnung sein** être à la recherche d'un logement

suchen ['zuːxən] **I.** *vt* **1.** (*zu finden versuchen*) chercher **2.** (*zu erreichen trachten*) **bei jdm Schutz** ~ chercher protection auprès de qn ▶ **er hat hier nichts zu** ~! *fam* il n'a rien à foutre ici! **II.** *vi* **1.** chercher; **nach jdm/etw** ~ être à la recherche de qn/qc **2.** (*tasten nach*) **mit der Hand nach der Klingel** ~ chercher la sonnette à tâtons

Sucher <-s, -> *m* viseur *m*

Suchmaschine *f* INFORM moteur *m* de recherche

Sucht [zʊxt, *Pl:* 'zʏçtə] <-, ⸚e> *f* **1.** MED dépendance *f;* (*Rauschgiftsucht*) toxicomanie *f* **2.** (*starkes Verlangen*) manie *f*

süchtig ['zʏçtɪç] *adj* **1.** MED dépendant(e); (*rauschgift~*) toxicomane **2.** (*versessen*) ~ **nach etw sein** être avide de qc

Süchtige(r) *f(m) dekl wie adj* toxicomane *mf*

Sud [zuːt] <-[e]s, -e> *m* GASTR eau *f* de cuisson

Südafrika *nt* l'Afrique *f* du Sud **Südafrikaner(in)** *m(f)* Sud-Africain(e) *m(f)* **südafrikanisch** *adj* sud-africain(e) **Südamerika** *nt* l'Amérique *f* du Sud **Südamerikaner(in)** *m(f)* Sud-Américain(e) *m(f)* **südamerikanisch** *adj* sud-américain(e) **Süddeutsch** *adj* de l'Allemagne du Sud **Süddeutschland** *nt* l'Allemagne *f* du Sud

sudeln *vi pej* (*unsauber schreiben*) gribouiller

Süden ['zyːdən] <-s> *m* sud *m; s. a.* **Norden**

Südeuropa *nt* l'Europe *f* du Sud **Südeuropäer(in)** *m(f)* Européen(ne) *m(f)* du Sud **südeuropäisch** *adj* de l'Europe du Sud **Südfrankreich** *nt* le sud de la France **südfranzösisch** *adj* du sud de la France **Südfrüchte** *Pl* fruits *mpl* exotiques **Südhalbkugel** *f* hémisphère *m* sud **Südkorea** ['zyːtkoreːa] <-s> *nt* la Corée du Sud **Südkoreaner(in)** ['zyːtkoreaːnɐ] *m(f)* Sud-Coréen(ne) *m(f)* **südkoreanisch** ['zyːtkoreaːnɪʃ] *adj* sud-coréen(ne) **Südküste** *f* côte *f* méridionale **Südländer(in)** <-s, -> *m(f)* méditerranéen(ne) *m(f)* **südländisch** *adj* méditerranéen(ne)

südlich I. *adj* du sud *inv;* **in** ~**er Richtung** en direction du sud **II.** *präp + gen* ~ **des**

Polarkreises au sud du cercle polaire
Südosten *m* sud-est *m; s. a.* **Norden südöstlich I.** *adj* [situé(e) au] sud-est; **in ~er Richtung** en direction du sud-est **II.** *präp* + *gen* ~ **des Dorfs** au sud-est du village **Südpol** *m* **der** ~ le pôle Sud **Südsee** *f* **die** ~ les mers *fpl* du Sud **Südseite** *f* face *f* sud **Südtirol** *nt* le Tyrol du Sud **südwärts** ['zy:tvɛrts] *adv* vers le sud **Südwesten** *m* sud-ouest *m; s. a.* **Norden südwestlich I.** *adj* [situé(e) au] sud-ouest; **in ~er Richtung** en direction du sud-ouest **II.** *präp* + *gen* ~ **des Flusses** au sud-ouest du fleuve **Südwind** *m* vent *m* du sud
Sueskanal *m* **der** ~ le canal de Suez
Suff [zʊf] <-[e]s> *m fam* ivrognerie *f;* **im** ~ complètement bourré(e)
süffig ['zʏfɪç] *adj* agréable en bouche
süffisant [zʏfi'zant] *geh* **I.** *adj* suffisant(e) **II.** *adv* d'un air suffisant
Suffix <-es, -e> *nt* GRAM suffixe *m*
suggerieren* [zʊge'ri:rən] *vt geh* **jdm etw** ~ suggérer qc à qn
Suggestion <-, -en> *f geh* suggestion *f*
suggestiv [zʊgɛs'ti:f] *geh adj* suggestif(-ive)
suhlen ['zu:lən] *vr* **1.** **sich in etw** *(dat)* ~ *Schwein:* se vautrer dans qc; *Wildschwein:* se souiller dans qc **2.** *fig geh* **sich in seinem Unglück** ~ se complaire dans sa misère
Sühne ['sy:nə] <-, -n> *f geh* expiation *f*
sühnen ['zy:nən] *vt geh* expier; **etw mit etw** ~ expier qc par qc
Suite ['sviːtə, zu'iːtə] <-, -n> *f a.* MUS suite *f*
Sulfat [zʊl'faːt] <-[e]s, -e> *nt* CHEM sulfate *m*
Sultan(in) ['zʊltaːn] <-s, -e> *m(f)* sultan(e) *m(f)*
Sultanine <-, -n> *f* raisin *m* sec
Sülze ['zʏltsə] <-, -n> *f* **1.** *(Aspik)* gelée *f* **2.** *(Speise in Aspik)* aspic *m*
sülzen ['zʏltsən] *vi fam (reden)* pérorer
summarisch *adj* sommaire
Sümmchen <-s, -> *nt Dim von* **Summe** **ein hübsches** ~ *hum fam* une coquette somme
Summe ['zʊmə] <-, -n> *f* **1.** MATH total *m* **2.** FIN somme *f*
summen ['zʊmən] **I.** *vi* **1.** *Person:* fredonner **2.** *(surren) Biene:* bourdonner; *Ventilator:* ronronner **II.** *vt* fredonner *Melodie*
summieren* [zʊ'miːrən] *vr* **sich** ~ s'additionner
Sumpf [zʊmpf, *Pl:* 'zʏmpfə] <-[e]s, ≃e> *m* **1.** *(Morast)* marais *m* **2.** *(schlimme Zustände)* cloaque *m*
sumpfig *adj* marécageux(-euse)

Sünde ['zʏndə] <-, -n> *f* **1.** REL péché *m* **2.** *(Fehltritt)* faute *f*
Sündenbock *m* bouc *m* émissaire **Sündenfall** *m kein Pl* **der** ~ la chute [originelle] **Sünder(in)** <-s, -> *m(f)* pécheur/-eresse *m/f*
sündhaft *adj* **1.** REL *Leben* de péchés; *Tat* infâme **2.** *fam (sehr hoch)* exorbitant(e)
sündig *adj* **1.** REL *Leben* de péchés; *Tat* infâme **2.** *Blick* vicieux(-euse)
sündigen *vi* REL pécher
super ['zu:pɐ] *fam* **I.** *adj inv* **ein** ~ **Film** un film super **II.** *adv klingen* super bien; ~ **schmecken** être super bon
Super <-s> *nt* super *m*
Superlativ ['zu:pɐlatiːf] <-[e]s, -e> *m* **1.** GRAM superlatif *m* **2.** *meist Pl geh (das Beste)* summum *m;* **ein Fest der** ~**e** un festival de ce qui se fait de mieux
Supermacht *f* superpuissance *f* **Supermann** <-männer> *m fam* **1.** *(Comicfigur)* Superman *m* **2.** *iron (bewundernswerter Mann)* superman *m* **Supermarkt** *m* supermarché *m*
Suppe ['zʊpə] <-, -n> *f* **1.** soupe *f;* **klare** ~ bouillon *m* **2.** *fam (Nebel)* purée *f* de pois **Suppenfleisch** *nt* pot-au-feu *m* **Suppengrün** *nt* herbes *fpl* potagères **Suppenhuhn** *nt* poule *f* à bouillir **Suppenlöffel** *m* cuiller *f* à soupe **Suppenschüssel** *f* soupière *f* **Suppentasse** *f* bol *m* à soupe **Suppenteller** *m* assiette *f* creuse **Suppenwürfel** *m* cube *m* de bouillon
Surfbrett *nt* surf *m;* *(Windsurfbrett)* planche *f* à voile
surfen ['sœːɐfən] *vi* **1.** surfer; *(wind~)* faire de la planche à voile **2.** INFORM surfer
Surfer(in) ['sœːɐfɐ] <-s, -> *m(f)* surfeur(-euse) *m(f)*; *(Windsurfer)* [véli]planchiste *mf*
Surrealismus [zʊrea'lɪsmʊs] <-> *m* surréalisme *m*
surren ['zʊrən] *vi* **1.** + *haben Insekt, Stromleitung:* bourdonner **2.** + *haben (brummen) Ventilator:* ronronner
Surrogat <-[e]s, -e> *nt* succédané *m;* ~ **für etw** succédané de qc
suspekt [zʊs'pɛkt] *adj geh* suspect(e)
suspendieren* [zʊspɛn'diːrən] *vt* suspendre; **jdn vom Dienst** ~ suspendre qn de service
süß [zy:s] *adj* **1.** *Gericht, Getränk* sucré(e); *Wein* doux(douce) **2.** *Duft* suave **3.** *Kind* mignon(ne)
Süße(r) *f(m) dekl wie adj* chéri(e) *m(f);* **meine** ~**r/-meine** ~ mon chéri/ma chérie
süßen *vt, vi* sucrer
Süßholz ▶ ~ **raspeln** *fam* passer de la pommade à qn
Süßigkeit <-, -en> *f meist Pl* sucrerie *f*

süßlich *adj Geschmack, Geruch* douceâtre
süßsauerᴿᴿ ['zyːs'zaue] *adj* **1.** *Speise* aigre-doux(douce) **2.** *Lächeln* mi-figue, mi-raisin
Süßspeise *f* entremets *m* [sucré] **Süßstoff** *m* aspartam[e] *m* **Süßwasser** *nt* eau *f* douce
SW *Abk von* **Südwesten** S.-O.
Sweatshirt ['swɛtʃœːt] <-s, -s> *nt* sweatshirt *m*
Swimmingpool ['svɪmɪŋpuːl] <-s, -s> *m* piscine *f*
Symbiose [zʏmbi'oːzə] <-, -n> *f* symbiose *f*
Symbol [zʏm'bɔːl] <-s, -e> *nt* symbole *m*
symbolisch *adj* symbolique
symbolisieren* [zʏmbolizi:rən] *vt* symboliser
Symmetrie [zʏme'triː] <-, -n> *f* symétrie *f*
symmetrisch [zʏ'meːtrɪʃ] *adj* symétrique
Sympathie [zʏmpa'tiː] <-, -en> *f* sympathie *f*
Sympathisant(in) [zʏmpati'zant] <-en, -en> *m(f)* sympathisant(e) *m(f)*
sympathisch [zʏm'paːtɪʃ] *adj* **1.** *Mensch, Stimme* sympathique **2.** (*angenehm*) réjouissant(e)
sympathisieren* [zʏmpati'ziːrən] *vi* sympathiser; **mit jdm** ~ sympathiser avec qn; **mit etw** ~ voir qc d'un bon œil
Symphonie [zʏmfo'niː] *s.* **Sinfonie**
Symposium <-s, **Symposien**> *nt* symposium *m*
Symptom [zʏmp'toːm] <-s, -e> *nt* symptôme *m*
symptomatisch [zʏmpto'maːtɪʃ] *adj geh* symptomatique
Synagoge [zyna'goːgə] <-, -n> *f* synagogue *f*
synchron [zʏn'kroːn] *geh* **I.** *adj Übersetzung* simultané(e); *Bewegung* synchrone **II.** *adv* ~ **zu etw verlaufen** se dérouler parallèlement à qc

Synchronisation [zʏnkroniza'tsi̯oːn] <-, -en> *f* doublage *m*
synchronisieren* [zʏnkroni'ziːrən] *vt* doubler *Film*
Syndikat <-[e]s, -e> *nt* syndicat *m* du crime
Syndrom [zʏn'droːm] <-s, -e> *nt* syndrome *m*
Synergie [-'giːən] <-, -n> *f* synergie *f*
Synode [zy'noːdə] <-, -n> *f* synode *m*
Synonym <-s, -e> *nt* synonyme *m*
syntaktisch [zʏn'taktɪʃ] LING *adj* syntaxique
Syntax <-, -en> *f* LING syntaxe *f*
Synthese [zʏn'teːzə] <-, -n> *f* synthèse *f*
Synthesizer ['zʏntəsaize] <-s, -> *m* synthétiseur *m*
Synthetik <-s> *nt* synthétique *m*
synthetisch [zʏn'teːtɪʃ] *adj* CHEM, MED synthétique
Syphilis ['zyːfilɪs] <-> *f* MED syphilis *f*
Syrer(in) ['zyːrɐ] <-s, -> *m(f)* Syrien(ne) *m(f)*
Syrien ['zyːri̯ən] <-s> *nt* la Syrie
syrisch *adj* syrien(ne)
System [zʏs'teːm] <-s, -e> *nt* **1.** système *m* **2.** ÖKOL **duales** ~ système de recyclage
systematisch [zʏste'maːtɪʃ] **I.** *adj Arbeit* méthodique; *Beeinflussung* systématique **II.** *adv* systématiquement
systematisieren* [zʏstemati'ziːrən] *vt* systématiser
Systemkritiker(in) *m(f)* détracteur(-trice) *m(f)* du système
Szenario <-s, -s> *nt* scénario *m*
Szene ['stseːnə] <-, -n> *f* **1.** (*Theaterszene, Streit*) scène *f* **2.** (*Bereich*) milieux *mpl;* (*aktuelle Kulturszene*) milieux culturels
Szenerie [stsenə'riː] <-, -n> *f* **1.** THEAT décors *mpl* **2.** CINE, LITER décor *m*

T

T, t [teː] <-, -> *nt* T *m*/t *m*
t *Abk von* **Tonne** t
Tabak ['tabak] <-s, -e> *m* tabac *m*
Tabakladen *m* bureau *m* de tabac **Tabaks-dose** *f* tabatière *f*
tabellarisch [tabɛ'laːrɪʃ] *adj, adv* sous forme de tableau
Tabelle [ta'bɛlə] <-, -n> *f* tableau *m*
Tabellenkalkulationsprogramm *nt* IN-FORM tableur *m*
Tablett [ta'blɛt] <-[e]s, -s *o* -e> *nt* plateau *m*
Tablette [ta'blɛtə] <-, -n> *f* comprimé *m*
tablettensüchtig *adj* pharmacodépendant(e)
tabu [ta'buː] *adj inv* ~ **sein** être tabou *inv*
Tabu <-s, -s> *nt geh* tabou *m*
tabuisieren* [tabui'ziːrən] *vt* tabouiser; **tabuisiert werden** être tabou
Tabulator <-s, -toren> *m* tabulateur *m*
Tabulator-Taste *f* touche *f* Tabulation
Tacho ['taxo] <-s, -s> *m fam,* **Tachometer** *m o nt* compteur *m* de vitesse
Tadel ['taːdəl] <-s, -> *m* **1.** réprimande *f* **2.** *geh (Makel)* **ohne** ~ **sein** être irréprochable
tadellos *adj* irréprochable; *Beherrschung* impeccable
tadeln *vt* blâmer; **jdn für etw** ~ réprimander qn pour qc
Tafel ['taːfəl] <-, -n> *f* **1.** (*Wandtafel*) tableau *m* **2.** (*Gedenktafel*) plaque *f* **3.** (*rechteckiges Stück*) **eine** ~ **Schokolade** une tablette de chocolat **4.** *form* (*Tisch*) table *f*
täfeln ['tɛːfəln] *vt* lambrisser
Täfelung <-, -en> *f* (*Verkleidung*) lambris *m*
Tafelwasser *nt* eau *f* minérale **Tafelwein** *m* vin *m* de table
Taft <-[e]s, -e> *m* taffetas *m*
Tag [taːk] <-[e]s, -e> *m* **1.** jour *m;* **der** ~ **X** le jour J; ~ **der offenen Tür** journée *f* portes ouvertes; **der Jüngste** ~ REL le Jugement dernier; **guten** ~! bonjour!; ~! *fam* 'jour!; **es ist** ~ il fait jour; **bei** ~[e] de jour; **auf den** ~ [genau] au jour près **2.** (~*esverlauf*) journée *f; am* ~ dans la journée; **den ganzen** ~ [lang] toute la journée **3.** MIN **über** ~e à ciel ouvert; **unter** ~e sous terre **4.** *Pl euph fam* (*Menstruation*) **sie hat ihre** ~e elle a ses règles ►**man soll den** ~

nicht vor dem Abend loben *prov* il ne faut pas crier victoire trop tôt; **an den** ~ **kommen** éclater au grand jour; **in den** ~ **hinein leben** vivre au jour le jour
tagaus [taːk'ʔaus] *adv* ►~, **tagein** jour après jour
Tagebau <-baue> *m* mine *f* à ciel ouvert
Tagebuch *nt* journal *m* [intime]
tagelang [taːk'ʔain] *s.* **tagaus**
tagelang I. *adj* qui dure des jours entiers **II.** *adv* [pendant] des journées entières, [durant] des jours entiers
tagen ['taːgən] **I.** *vi unpers geh* **es tagt** le jour point **II.** *vi* (*konferieren*) siéger
Tagesablauf *m* emploi *m* du temps **Tagesanbruch** *m* lever *m* du jour **Tagesgericht** *nt* plat *m* du jour **Tagesgeschäft** *nt* tâches *fpl* quotidiennes **Tageskarte** *f* **1.** GASTR menu *m* du jour **2.** (*Eintrittskarte*) billet *m* valable pour la journée **Tageskurs** *m* cours *m* du jour **Tageslicht** *nt kein Pl* lumière *f* du jour **Tageslichtprojektor** *m* rétroprojecteur *m* **Tagesmutter** *f* nourrice *f* **Tagesordnung** *f* ordre *m* du jour; **auf der** ~ **stehen** être [inscrit] à l'ordre du jour ►**an der** ~ **sein** être monnaie courante **Tageszeit** *f* moment *m* de la journée **Tageszeitung** *f* quotidien *m*
tageweise *adv* à la journée
taghell ['taːk'hɛl] *adj* comme en plein jour; **es ist** ~ il fait grand jour
täglich ['tɛːklɪç] *adj* quotidien(ne)
tags *adv* [dans] la journée ►~ **darauf/zuvor** le jour d'après/précédent
tagsüber *adv* pendant la journée
tagtäglich ['taːk'tɛːklɪç] **I.** *adj* quotidien(ne) **II.** *adv* tous les jours [sans exception]
Tagung <-, -en> *f* congrès *m*
Tagungsteilnehmer(in) *m(f)* congressiste *mf*
Taifun [tai'fuːn] <-s, -e> *m* typhon *m*
Taiga <-> *f* taïga *f*
Taille ['taljə] <-, -n> *f* taille *f*
tailliert [ta(l)'jiːʀt] *adj* cintré(e)
Takelage [takə'laːʒə] <-, -n> *f* gréement *m*
Takt [takt] <-[e]s, -e> *m* **1.** MUS mesure *f;* **im** ~ en mesure; **aus dem** ~ **kommen** perdre le rythme **2.** *kein Pl* (*Feingefühl*) tact *m*
Taktgefühl *nt* tact *m*, délicatesse *f*, avoir du

tact

taktieren* *vi* user de tactique; **geschickt ~** user d'une habile tactique

Taktik ['taktɪk] <-, -en> *f* tactique *f*

Taktiker(in) <-s, -> *m(f)* tacticien(ne) *m(f)*

taktisch I. *adj* tactique II. *adv vorgehen* tactiquement; *klug* d'un point de vue tactique

taktlos I. *adj* dénué(e) de tact II. *adv* sans [le moindre] tact

Taktlosigkeit <-, -en> *f kein Pl* (*taktlose Art*) manque *m* de tact

Taktstock *m* baguette *f* [de chef d'orchestre]

taktvoll I. *adj* plein(e) de tact II. *adv* avec tact

Tal [taːl], *Pl:* 'tɛːlə] <-[e]s, ⸚er> *nt* vallée *f*

talabwärts *adv* dans la vallée

Talar [ta'laːɐ̯] <-s, -e> *m* toge *f*

talaufwärts *adv* ~ **gehen** remonter la vallée

Talent [ta'lɛnt] <-[e]s, -e> *nt* talent *m;* **musikalisches ~ haben** avoir du talent pour la musique

talentiert [talɛn'tiːɐ̯t] *adj Person* qui a du talent

Talfahrt *f* 1. (*Abwärtsfahrt*) descente *f* dans la vallée 2. *eines Unternehmens* effondrement *m*

Talg [talk] <-[e]s, -e> *m* 1. BIO sébum *m* 2. GASTR suif *m*

Talisman ['taːlɪsman] <-s, -e> *m* talisman *m*

Talkmaster(in) ['tɔːkmaːstɐ] <-s, -> *m(f)* animateur(-trice) *m(f)* de talk-show

Talkshow^RR ['tɔːkʃoː] <-, -s> *f* talk-show *m*

Talsohle *f* GEOG fond *m* de vallée **Talsperre** *f* barrage *m*

Tamburin ['tamburiːn] <-s, -e> *nt* tambourin *m*

Tampon ['tampɔn] <-s, -s> *m* tampon *m*

Tamtam <-s, -s> *nt* tam-tam *m*

Tandem ['tandɛm] <-s, -s> *nt* tandem *m;* **~ fahren** faire du tandem

Tang [taŋ] <-[e]s, -e> *m* varech *m*

Tangente [taŋ'gɛntə] <-, -n> *f* 1. MATH tangente *f* 2. (*Straße*) rocade *f*

tangieren* [taŋ'giːrən] *vt geh* 1. (*streifen*) effleurer 2. (*betreffen*) toucher

Tango ['taŋgo] <-s, -s> *m* tango *m*

Tank [taŋk] <-s, -s> *m* 1. (*Benzintank*) réservoir *m* 2. (*Flüssigkeitsbehälter*) citerne *f*

Tankdeckel *m* bouchon *m* de réservoir

tanken I. *vi* prendre de l'essence; **bitte voll ~!** le plein, s'il vous plaît! II. *vt* 1. *zehn Liter/bleifrei ~* prendre dix litres [d'essence]/du sans plomb; **voll ~** faire le plein de *Auto, Kanister* 2. *fig fam* **frische Luft ~** fai-

re le plein d'air frais

Tanker <-s, -> *m* pétrolier *m*

Tankfüllung *f* plein *m* **Tanklastzug** *m* camion-citerne *m* **Tankstelle** *f* station-service *f* **Tankverschluss**^RR *m* bouchon *m* de citerne **Tankwart(in)** *m(f)* pompiste *mf*

Tanne ['tanə] <-, -n> *f* sapin *m*

Tannenbaum *m* (*Weihnachtsbaum*) sapin *m* [de Noël] **Tannennadel** *f* aiguille *f* de sapin **Tannenzapfen** *m* pomme *f* de pin

Tante ['tantə] <-, -n> *f* tante *f*

Tante-Emma-Laden [tantə'ɛmaːdən] *m fam* petite épicerie *f* [du coin]

Tantieme [tã'tieːmə, tã'tiɛːmə] <-, -n> *f meist Pl* 1. (*Gewinnbeteiligung*) tantième *m* 2. (*Autorenhonorar*) droits *mpl* d'auteur

Tanz [tants, *Pl:* 'tɛntsə] <-es, ⸚e> *m* 1. danse *f;* **jdn zum ~ auffordern** inviter qn à danser 2. (*~veranstaltung*) bal *m*

Tanzabend *m* soirée *f* dansante

Tanzbein ►**das ~ schwingen** *hum fam* danser [la gigue]

tänzeln ['tɛntsəln] *vi* + *haben o sein Boxer:* sautiller; *Pferd:* piaffer

tanzen [tantsən] *vt, vi* danser; **~ gehen** aller danser

Tänzer(in) ['tɛntsɐ] <-s, -> *m(f)* (*a. Berufstänzer*) danseur(-euse) *m(f)*

Tanzfläche *f* piste *f* [de danse] **Tanzkurs** *m* cours *m* de danse **Tanzpartner(in)** *m(f)* cavalier(-ière) *m(f)* **Tanzschule** *f* école *f* de danse **Tanzstunde** *f kein Pl* (*Tanzkurs*) leçon *f* de danse

Tapet ►**etw aufs ~ bringen** *fam* mettre qc sur le tapis

Tapete [ta'peːtə] <-, -n> *f* papier *m* peint, tapisserie *f*

Tapetenwechsel *m fam* changement *m* d'air

tapezieren* [tape'tsiːrən] *vt* tapisser

tapfer ['tapfɐ] I. *adj Person* brave, courageux(-euse); *Verhalten* courageux(-euse) II. *adv* avec bravoure, vaillamment (*soutenu*)

Tapferkeit <-> *f* bravoure *f*

tappen ['tapən] *vi*, **tapsen** ['tapsən] *vi fam* + *sein* avancer à tâtons

tapsig *fam* I. *adj* pataud(e) II. *adv* de façon pataude

Tara <-, **Taren** *f* tare *f*

Tarantel <-, -n> *f* tarentule *f* ►**sie fuhr hoch wie von der ~ gestochen** *fam* elle sursauta comme si une mouche l'avait piquée

Tarif [ta'riːf] <-[e]s, -e> *m* 1. accord *m* salarial; **nach ~ bezahlt werden** être rémunéré au tarif 2. (*Gebühr*) tarif *m*

Tarifgruppe *f* groupe *m* tarifaire **Tarifkonflikt** *m* conflit *m* tarifaire

tariflich *adj* conforme à la convention collective

Tariflohn *m* salaire *m* contractuel **Tarifpartner(in)** *m(f)* partenaire *mf* social(e) **Tarifverhandlungen** *Pl* négociations *fpl* sur la convention collective **Tarifvertrag** *m* convention *f* collective

tarnen ['tarnən] **I.** *vt* camoufler **II.** *vr* **sich als etw** ~ se camoufler en qc

Tarnfarbe *f* peinture *f* de camouflage

Tarnname *m* nom *m* d'emprunt

Tarnung <-, -en> *f kein Pl* camouflage *m*

Tasche ['taʃə] <-, -n> *f* **1.** (*an der Kleidung*) poche *f* **2.** (*Tragetasche*) sac *m* ▶ **etw aus der eigenen** ~ **bezahlen** payer qc de sa poche; **jdn in die** ~ **stecken** *fam* mettre qn dans sa poche

Taschenbuch *nt* livre *m* de poche **Taschendieb(in)** *m(f)* pickpocket *mf* **Taschengeld** *nt* argent *m* de poche **Taschenlampe** *f* lampe *f* de poche **Taschenmesser** *nt* couteau *m* de poche, canif *m* **Taschenrechner** *m* calculette *f*, calculatrice *f* de poche **Taschentuch** *nt* mouchoir *m*

Tasse ['tasə] <-, -n> *f* **1.** tasse *f* **2.** (*Mengenangabe*) **eine** ~ **Kaffee** une tasse de café ▶ **nicht alle** ~**n im** Schrank **haben** *fam* avoir une case vide, être complètement fou

Tastatur [tasta'tuːɐ̯] <-, -en> *f* clavier *m*

Taste ['tastə] <-, -n> *f* touche *f*

tasten ['tastən] **I.** *vi* chercher à tâtons; **nach etw** ~ chercher qc à tâtons **II.** *vr* **sich zur Tür** ~ avancer en tâtonnant vers la porte **III.** *vt* sentir en palpant *Schwellung*

Tasteninstrument *nt* instrument *m* à clavier **Tastentelefon** *nt* téléphone *m* à touches

Tastsinn *m kein Pl* toucher *m*

tat [taːt] *Imp von* tun

Tat [taːt] <-, -en> *f* **1.** (*Handlung*) acte *m*; **zur** ~ **schreiten** passer à l'action; **etw in die** ~ **umsetzen** mettre qc à exécution **2.** (*Straftat*) délit *m* ▶ **jdn auf frischer** ~ **ertappen** prendre qn en flagrant délit; **in der** ~! effectivement!

Tatbestand *m* état *m* de fait; *JUR* éléments *mpl* constitutifs

Tatendrang *m kein Pl geh* besoin *m* d'activité

tatenlos I. *adj* inactif(-ive), passif(-ive) **II.** *adv* sans rien faire

Täter(in) ['tɛːtɐ] <-s, -> *m(f)* coupable *mf*; **ein unbekannter** ~ un malfaiteur non identifié

Täterschaft <-> *f* culpabilité *f*

tätig ['tɛːtɪç] *adj* **1.** (*berufs~*) **als etw** ~ **sein** être employé comme qc **2.** (*aktiv*)

actif(-ive) **3.** *JUR form* **in einer Sache** ~ **werden** intervenir dans une affaire

tätigen *vt form* effectuer *Einkäufe*; passer, donner *Anruf*; conclure, réaliser *Geschäft*

Tätigkeit <-, -en> *f* (*Beschäftigung*) activité *f*; (*Berufstätigkeit*) activité [professionnelle]

Tätigkeitsbereich *m* domaine *m* d'activité[s]

Tatkraft *f kein Pl* dynamisme *m*, énergie *f*

tatkräftig I. *adj* dynamique, énergique **II.** *adv* activement

tätlich *adj* *Angriff* dégénérant(e) en voie de fait

Tätlichkeiten *Pl* voies *fpl* de fait

Tatort *m* lieu *m* du crime

tätowieren* [tɛto'viːrən] *vt* tatouer

Tätowierung <-, -en> *f* tatouage *m*

Tatsache *f* fait *m*; **vollendete** ~**n schaffen** créer un fait accompli; ~ **ist, dass …** le fait est que …; ~! *fam* comme je te/vous le dis!

tatsächlich I. *adj attr Ereignis* réel(le); *Grund* véritable **II.** *adv* **1.** (*in Wirklichkeit*) en réalité **2.** (*wirklich*) réellement, vraiment; **sie hat** ~ **gewonnen!** elle a effectivement gagné!

tätscheln ['tɛtʃəln] *vt* tapoter [affectueusement], donner une tape affectueuse à

tatt[e]rig *adj fam* qui a la tremblote

Tatverdacht *m* présomption *f* de culpabilité; **unter** ~ **stehen** *form* être présumé coupable **Tatverdächtige(r)** *f(m) dekl wie adj* coupable *mf* présumé(e) **Tatwaffe** *f* arme *f* du crime

Tatze ['tatsə] <-, -n> *f ZOOL* patte *f*

Tau¹ [taʊ] <-[e]s> *m METEO* rosée *f*

Tau² <-[e]s, -e> *nt NAUT* cordage *m*

taub [taʊp] *adj* **1.** (*gehörlos*) sourd(e); **sich** ~ **stellen** faire la sourde oreille **2.** *Körperteil* insensible **3.** *Ähre* vide; *Nuss* creux(-euse)

Taube ['taʊbə] <-, -n> *f* pigeon *m*

Taubenschlag *m* pigeonnier *m*

Täuberich <-s, -e> *m* pigeon *m* mâle

Taubheit <-> *f* **1.** (*Gehörlosigkeit*) surdité *f* **2.** *von Gliedmaßen* insensibilité *f*

taubstumm *adj* sourd(e)-muet(te) **Taubstumme(r)** *f(m) dekl wie adj* sourd-muet *m/* sourde-muette *f*

tauchen ['taʊxən] **I.** *vi + haben o sein* plonger; *U-Boot:* plonger, s'immerger; ~ **können** savoir faire de la plongée; **nach etw** ~ plonger à la recherche de qc **II.** *vt + haben* **jdn/etw in etw** (*akk*) ~ plonger qn/qc dans qc

Taucher(in) <-s, -> *m(f)* plongeur(-euse) *m(f)*

Taucheranzug *m* combinaison *f* de plon-

gée, scaphandre *m* **Taucherbrille** *f* lunettes *fpl* de plongée
Tauchsieder <-s, -> *m* thermoplongeur *m*
Tauchstation *f* ▸ auf ~ **gehen** *fam* disparaître de la circulation
tauen ['tauən] **I.** *vi unpers* + *haben* dégeler; **es taut** il dégèle **II.** *vi* + *sein Eis, Schnee:* fondre
Taufbecken *nt* fonts *mpl* baptismaux
Taufe ['taufə] <-, -n> *f* baptême *m* ▸ **etw aus der** ~ **heben** *fam* fonder qc
taufen *vt* baptiser; **jdn auf den Namen Marc** ~ baptiser qn du nom de Marc
Täufling ['tɔyflɪŋ] <-s, -e> *m* enfant *mf* qui reçoit le baptême
Taufpate *m*, **-patin** *f* parrain *m*/marraine *f*
taufrisch *adj Wiese* humide de rosée
taugen ['taugən] *vi* être bon à; **etwas** ~ *Person:* être bon à quelque chose; *Sache:* valoir quelque chose; **als Putzlappen** ~ faire l'affaire comme chiffon
Taugenichts <-[es], -e> *m pej* propre *m* à rien
tauglich *adj* **1.** *Bewerber* qui convient; **für etw** ~ **sein** *Material, Gegenstand:* convenir pour qc, être approprié à qc **2.** MIL apte [au service militaire], bon(ne) pour le service
Tauglichkeit <-> *f* **1.** *eines Materials* caractère *m* approprié **2.** MIL aptitude *f* [au service militaire]
Taumel ['tauməl] <-s> *m* **1.** (*Schwindelgefühl*) vertige *m* **2.** (*Überschwang*) ivresse *f*
taumeln *vi* + *sein* chanceler
Tausch [tauʃ] <-[e]s, -e> *m* échange *m*; **im** ~ **gegen** [*o* **für**] **etw** en échange de qc; **einen schlechten** ~ **machen** perdre au change
Tauschbörse *f* INFORM bourse *f* d'échange en ligne
tauschen I. *vt* échanger *Münzen, Blicke;* **etw gegen etw** ~ échanger qc contre qc **II.** *vi* faire un échange
täuschen ['tɔyʃən] **I.** *vt* tromper; **wenn mich nicht alles täuscht** si je ne m'abuse **II.** *vr sich* ~ (*sich irren*) se tromper, faire erreur; **sich in jdm/etw** ~ se tromper sur qn/dans qc **III.** *vi* tromper, induire en erreur; **das täuscht** c'est trompeur
täuschend I. *adj* trompeur(-euse) **II.** *adv* **jdm** ~ **ähnlich sehen** ressembler à s'y méprendre à qn
Tauschgeschäft *nt* troc *m* **Tauschhandel** *m kein Pl* (*das Handeln*) [commerce *m* de] troc *m*
Täuschung <-, -en> *f* **1.** (*Betrug*) tromperie *f*; (*beim Examen*) fraude *f* **2.** (*Irrtum*) erreur *f*; **optische** ~ illusion *f* d'optique
Täuschungsmanöver *nt* feinte *f* **Täu-**

schungsversuch *m* tentative *f* de fraude
tausend ['tauzənt] *num* **1.** mille; *s. a.* **acht 2.** *fam* (*viele*) [tout] un tas de
Tausend <-, -en> *f* (*die Zahl 1000*) mille *m*
Tausender <-s, -> *m* **1.** *fam* (*Geldschein*) billet *m* de mille **2.** MATH millier *m*
tausenderlei *adj unv fam* mille et mille, tout un tas de
Tausendfüßler ['tauzəntfyːslə] <-s, -> *m* mille-pattes *m*
tausendjährig *adj attr* **1.** (*tausend Jahre alt*) millénaire **2.** (*tausend Jahre dauernd*) de mille ans **tausendmal** *adv* **1.** mille fois; *s. a.* **achtmal 2.** *fam* (*vielmals*) des tas et des tas de fois
tausendste(r, s) *adj* millième; *s. a.* **achte(r, s)**
Tausendste(r) *f(m) dekl wie adj* millième *mf*
tausendstel *adj* millième *m; s. a.* **achtel**
Tautropfen *m* goutte *f* de rosée **Tauwetter** *nt a. fig* dégel *m*
Tauziehen *nt* **1.** SPORT tir *m* à la corde **2.** *fig* bras *m* de fer
Taxameter [taksa'meːtɐ] <-s, -> *m* taximètre *m*, compteur *m*
Taxe ['taksə] <-, -n> *f* **1.** (*Kurtaxe*) taxe *f* de séjour **2.** (*Schätzwert*) estimation *f* **3.** DIAL *s.* **Taxi**
Taxi ['taksi] <-s, -s> *nt* taxi *m*
taxieren* *vt* **1.** (*schätzen*) évaluer, estimer **2.** *fam* **jdn abschätzig** ~ jauger qn d'un air méprisant
Taxifahrer(in) *m(f)* chauffeur *m* de taxi **Taxistand** *m* station *f* de taxis
Tb[c] [teː'beː, teːbeː'tseː] <-> *f Abk von* **Tuberkulose** tuberculose *f*
Team [tiːm] <-s, -s> *nt* équipe *f*
Teamarbeit *f* travail *m* d'équipe **teamfähig** *adj* capable de travailler en équipe
Teamgeist *m kein Pl* esprit *m* d'équipe
Technik ['tɛçnɪk] <-, -en> *f* **1.** *kein Pl* (*Technologie*) technique *f* **2.** *kein Pl* (*technische Ausstattung*) équipement *m* [technique]; *einer Maschine* technologie *f*, technicité *f* **3.** (*Methode*) technique *f*
Techniker(in) <-s, -> *m(f)* technicien(ne) *m(f)*
technisch I. *adj* technique **II.** *adv* sur le plan technique
Techno ['tɛkno] <-(s)> *m o nt* MUS techno *m*
Technologie <-, -n> *f* technologie *f*
Technologiepark *m* parc *m* technologique, technopole *m* **Technologietransfer** <-s, -s> *m* transfert *m* technologique
technologisch *adj* technologique
Techtelmechtel [tɛçtəl'mɛçtəl] <-s, -> *nt*

flirt *m*
Teddybär ['tɛdibɛːɐ̯] *m* ours *m* en peluche, nounours *m* (*enfantin*)
Tee [teː] <-s, -s> *m* 1. thé *m;* schwarzer ~ thé noir; ~ **kochen** [*o* **machen**] faire du thé 2. (*Kräutertee*) infusion *f,* tisane *f* 3. (~*strauch*) thé[ier] *m* ▸**abwarten** und ~ **trinken** *fam* [il faut] attendre et voir venir
Teebeutel *m* sachet *m* de thé **Teekanne** *f* théière *f* **Teelicht** *nt* bougie *f* à chauffeplat **Teelöffel** *m* 1. petite cuillère *f* 2. (*Menge*) ein ~ **Zucker** une cuillerée à café de sucre
Teenager ['tiːnɛɪdʒɐ] <-s, -> *m* teenager *mf*
Teenie ['tiːni] <-s, -s> *m fam* ado *mf*
Teer [teːɐ̯] <-[e]s, -e> *m* goudron *m*
teeren ['teːrən] *vt* goudronner *Straße*
Teestube *f* salon *m* de thé **Teetasse** *f* tasse *f* à thé **Teewurst** *f* pâté à tartiner *légèrement fumé*
Teflon® <-s> *nt* téflon® *m*
Teich [taɪç] <-[e]s, -e> *m* étang *m*
Teig [taɪk] <-[e]s, -e> *m* pâte *f*
teigig ['taɪgɪç] *adj* 1. *Gebäck* pâteux(-euse) 2. (*schwammig*) pâle et bouffi(e)
Teigwaren *Pl* pâtes *fpl* [alimentaires]
Teil¹ [taɪl] <-[e]s, -e> *m o nt* 1. partie *f;* zum großen ~ en grande partie 2. (*Anteil*) part *f;* zu gleichen ~en à parts égales; ich für meinen ~ en ce qui me concerne, quant à moi ▸sich (*dat*) **sein** ~ denken ne pas en penser moins
Teil² <-[e]s, -e> *nt* *eines Geräts* pièce *f*
Teilabschnitt *m* section *f*
teilbar *adj* divisible; durch zehn ~ divisible par dix
Teilchen ['taɪlçən] <-s, -> *nt* PHYS particule *f*
teilen I. *vt* 1. (*auf~*) partager; sich (*dat*) etw mit jdm ~ se partager qc avec qn 2. MATH durch vier ~ diviser par quatre 3. (*mitfühlen*) Freude mit jdm ~ prendre part à la joie de qn; jds Schicksal ~ subir le même sort que qn II. *vr* sich ~ se séparer, se diviser III. *vi* partager
Teilgebiet *nt* secteur *m,* branche *f* **teil|haben** *vi irr* an etw (*dat*) ~ prendre part à qc, s'associer à qc **Teilhaber(in)** <-s, -> *m(f)* associé(e) *m(f)* **Teilkaskoversicherung** *f* assurance *f* au tiers collision
Teilnahme ['taɪlnaːmə] <-, -n> *f* 1. (*Beteiligung*) participation *f;* ~ an etw (*dat*) participation à qc 2. geh (*Mitgefühl*) compassion *f* 3. geh (*Interesse*) intérêt *m*
teilnahmslos I. *adj* indifférent(e) II. *adv* avec indifférence
teil|nehmen *vi irr* an etw (*dat*) ~ participer

Teilnehmer(in) <-s, -> *m(f)* 1. participant(e) *m(f)*; ~ an etw participant à qc 2. TELEC abonné(e) *m(f)*
teils *adv* en partie; ~, ~ *fam* oui et non
Teilstrecke *f* section *f* **Teilstück** *nt* section *f*
Teilung <-, -en> *f* 1. kein *Pl* (*das Teilen*) partage *m* 2. (*das Geteiltsein*) division *f*
teilweise I. *adv* partiellement II. *adj attr* partiel(le)
Teilzahlung *f* auf ~ à crédit **Teilzeitarbeit** *f* travail *m* à temps partiel **teilzeitbeschäftigt** *adj* employé(e) à temps partiel **Teilzeitbeschäftigte(r)** *f(m) dekl wie adj* employé(e) *m(f)* à temps partiel
Teint [tɛ̃ː] <-s, -s> *m* teint *m*
Telearbeit *f* télétravail *m,* travail *m* télépendulaire
Telearbeitsplatz *m* bureau *m* virtuel
Telefax ['teːlefaks] *nt* fax *m*
Telefaxanschlussᴿᴿ *m* ligne *f* de fax **Telefaxgerät** *nt* fax *m*
Telefon [tele'foːn] <-s, -e> *nt* téléphone *m*
Telefonanlage *f* installation *f* téléphonique **Telefonanruf** *m* appel *m* téléphonique **Telefonanschluss**ᴿᴿ *m* ligne *f* téléphonique
Telefonat [telefo'naːt] <-[e]s, -e> *nt form* communication *f* téléphonique
Telefonbuch *nt* annuaire *m* [téléphonique] **Telefongebühr** *f* meist *Pl* taxe *f* téléphonique **Telefongespräch** *nt* conversation *f* téléphonique
telefonieren* [telefo'niːrən] *vi* téléphoner; mit jdm/ins Ausland ~ téléphoner à qn/à l'étranger
telefonisch [tele'foːnɪʃ] I. *adj Auskunft* téléphonique; *Beratung* par téléphone II. *adv* par téléphone
Telefonkarte *f* carte *f* de téléphone **Telefonkette** *f* chaîne *f* téléphonique **Telefonkonferenz** *f* multiplexe *m* **Telefonleitung** *f* ligne *f* [téléphonique] **Telefonmarketing** *nt* démarchage *m* par téléphone **Telefonnetz** *nt* réseau *m* téléphonique **Telefonnummer** *f* numéro *m* de téléphone **Telefonseelsorge** *f* ≈ S.O.S Amitié *m* **Telefonsex** *m fam* téléphone *m* rose **Telefonverbindung** *f* liaison *f* [téléphonique] **Telefonzelle** *f* cabine *f* téléphonique
Telegraf [tele'graːf] <-en, -en> *m* télégraphe *m*
telegrafieren* [telegra'fiːrən] I. *vi* envoyer un télégramme II. *vt* télégraphier
telegrafisch [tele'graːfɪʃ] *adj* télégraphique, par télégramme
Telegramm [tele'gram] <-gramme> *nt* télégramme *m*

Telegrammstil *m kein Pl* style *m* télégraphique

Telekolleg *nt* télé-enseignement *m*

Telekommunikation *f* télécommunications *fpl* **Teleobjektiv** ['teːleʔɔpjɛktiːf] *nt* téléobjectif *m*

Telepathie [telepaˈtiː] <-> *f* télépathie *f*

Teleshopping ['teːleʃɔpɪŋ] <-s> *nt* téléachat *m*

Teleskop [teleˈskoːp] <-s, -e> *nt* télescope *m*

Telespiel ['teːleʃpiːl] *nt* jeu *m* vidéo

Telex ['teːlɛks] <-, -e> *nt* télex *m*

Teller ['tɛlɐ] <-s, -> *m* assiette *f;* **flacher/tiefer** ~ assiette plate/creuse **Tellerrand** *m fam* ▸**über den** ~ **hinausschauen** aller chercher plus loin; **über den** ~ **nicht hinausschauen** ne pas voir plus loin que le bout de son nez **Tellerwäscher(in)** *m(f)* plongeur(-euse) *m(f)*

Tempel ['tɛmpəl] <-s, -> *m* temple *m*

Temperament [tɛmp(ə)raˈmɛnt] <-[e]s, -e> *nt* tempérament *m*

temperamentlos *adj Person* sans tempérament; *Wesen* mou(molle)

temperamentvoll I. *adj* plein(e) de tempérament, dynamique **II.** *adv* avec ferveur

Temperatur [tɛmpəraˈtuːɐ̯] <-, -en> *f a.* MED température *f* **Temperaturanstieg** *m* hausse *f* des températures **Temperaturschwankung** *f meist Pl* variation *f* de température

temperieren* *vt* chambrer *Rotwein*

Tempo ['tɛmpo] <-s, -s *o* MUS **Tempi**> *nt* **1.** vitesse *f;* **mit hohem/niedrigem** ~ à grande/petite vitesse; [**ein bisschen**] ~! *fam* et que ça saute! **2.** MUS tempo *m* **Tempo-30-Zone** ['tɛmpoˈdraɪsɪçtsoːnə] *f* zone *f* de limitation à 30 km/h **Tempolimit** *nt* limitation *f* de vitesse

Tendenz [tɛnˈdɛnts] <-, -en> *f* tendance *f;* **steigende/fallende** ~ **haben** être à la hausse/baisse

tendenziell [tɛndɛnˈtsi̯ɛl] *adj* **eine** ~**e Verbesserung** une tendance à l'amélioration

tendenziös *pej adj* tendancieux(-euse)

tendieren* [tɛnˈdiːrən] *vi* **1.** **zu etw** ~ avoir tendance à qc; **dazu** ~ **etw zu tun** être enclin à faire qc **2.** FIN, ÖKON **stärker/schwächer** ~ être orienté à la hausse/baisse

Tennis <-> *nt* tennis *m* **Tennisball** *m* balle *f* de tennis **Tennisplatz** *m* court *m* de tennis **Tennisschläger** *m* raquette *f* de tennis **Tennisturnier** *nt* tournoi *m* de tennis

Tenor[1] ['teːnɔr] <-s> *m* fond *m*, teneur *f* **Tenor**[2] [teˈnoːɐ̯] <-s, ⁼e> *m* MUS **1.** *(Sänger)* ténor *m* **2.** *kein Pl (Singstimme)* [voix *f* de] ténor *m*

Teppich ['tɛpɪç] <-s, -e> *m* tapis *m* ▸**etw unter den** ~ **kehren** *fam* faire passer qc à l'as **Teppichboden** *m* moquette *f* **Teppichklopfer** <-s, -> *m* tapette *f* [à tapis] **Teppichreiniger** *m* shampooing *m* à moquette

Termin [tɛrˈmiːn] <-s, -e> *m* **1.** *(Uhrzeit)* rendez-vous *m;* **sich** *(dat)* **einen** ~ **geben lassen** prendre rendez-vous **2.** *(Datum)* date *f;* **der letzte** ~ la date limite **Terminal**[1] ['tœːminəl] <-s, -s> *nt* INFORM terminal *m* **Terminal**[2] <-s, -s> *nt o m* AVIAT, NAUT terminal *m* **termingerecht** *adj, adv* dans les délais **Terminkalender** *m* agenda *m* **terminlich** *adj* de rendez-vous, de date **Terminologie** [tɛrminoloˈgiː] <-, -n> *f* terminologie *f* **Terminplan** *m* planning *m*

Termite [tɛrˈmiːtə] <-, -n> *f* termite *m*

Terpentin [tɛrpɛnˈtiːn] <-s, -e> *nt o A m* térébenthine *f*

Terrakotta <-, -kotten> *f* terre *f* cuite

Terrasse [tɛˈrasə] <-, -n> *f* terrasse *f*

Terrine [tɛˈriːnə] <-, -n> *f* soupière *f*

territorial [tɛritoriˈaːl] *adj* territorial(e)

Territorium [tɛriˈtoːri̯ʊm] <-s, -rien> *nt* territoire *m*

Terror ['teːrɔːɐ̯] <-s> *m* terrorisme *m*, actions *fpl* terroristes **Terroranschlag** *m* attentat *m* terroriste **terrorisieren*** [tɛroriˈziːrən] *vt* terroriser **Terrorismus** [tɛroˈrɪsmʊs] <-> *m* terrorisme *m* **Terrorist(in)** [tɛroˈrɪst] <-en, -en> *m(f)* terroriste *mf* **terroristisch** *adj* terroriste

Terz [tɛrts] <-, -en> *f* MUS, SPORT tierce *f* **Terzett** [tɛrˈtsɛt] <-[e]s, -e> *nt* trio *m*

Tesafilm® ['teːzafɪlm] *m* scotch® *m*

Test [tɛst] <-s, -e] <-s *o* -e> *m* test *m;* **einen** ~ **machen** *(durchführen)* faire un test; *(teilnehmen)* passer un test

Testament [tɛstaˈmɛnt] <-[e]s, -e> *nt* **1.** testament *m* **2.** REL **das Alte/Neue** ~ l'Ancien/le Nouveau Testament **testamentarisch** [tɛstamɛnˈtaːrɪʃ] **I.** *adj* testamentaire **II.** *adv* par testament **Testamentseröffnung** *f* ouverture *f* du testament **Testamentsvollstrecker(in)** *m(f)* exécuteur(-trice) *m(f)* testamentaire

Testbild *nt* mire *f* [de réglage]

testen ['tɛstən] *vt* tester

Testfrage *f* question-test *f* **Testperson** *f* sujet *m* d'expérience **Testpilot(in)** *m(f)*

pilote *m* d'essai **Testreihe** *f* série *f* de tests
Tetanus ['tɛtanʊs] <-> *m* MED tétanos *m*
teuer ['tɔyɐ] **I.** *adj* **1.** cher(chère); ~ **sein** être cher, coûter cher **2.** *geh* (*geschätzt*) cher(chère); **sie ist ihm** [lieb und] ~ elle lui est chère **II.** *adv* cher; *anbieten* à un prix élevé ►**etw** ~ **bezahlen müssen** payer cher qc; **jdn** ~ **zu stehen kommen** coûter cher à qn
Teuerung <-, -en> *f* hausse *f* des prix
Teuerungsrate *f* taux *m* d'inflation
Teufel ['tɔyfəl] <-s, -> *m* **1.** *kein Pl* diable *m* **2.** (*böser Mensch*) démon *m* ►**in** ~**s Küche kommen** *fam* se fourrer dans le pétrin, se mettre dans de beaux draps; **den** ~ **an die Wand malen** jouer les oiseaux de mauvais augure; **hier ist der** ~ **los** *fam* ici, c'est la panique; **auf** ~ **komm raus** *fam* coûte que coûte; **wenn man vom** ~ **spricht, kommt er** *prov* quand on parle du loup, on en voit la queue (*fam*); **weiß der** ~, ...! *fam* ..., Dieu seul le sait!
Teufelskerl *m fam* fonceur *m* **Teufelskreis** *m* cercle *m* vicieux **Teufelszeug** *nt pej fam* truc *m* infernal
teuflisch ['tɔyflɪʃ] **I.** *adj* diabolique **II.** *adv* **1.** de façon diabolique **2.** *fam* (*sehr*) rudement
Text [tɛkst] <-[e]s, -e> *m* texte *m* ►**weiter im** ~! *fam* la suite!
Textbuch *nt* livret *m* **Textdatei** *f* INFORM fichier-texte *m*
texten ['tɛkstən] *vt* composer *Schlager;* écrire *Slogan;* **an seinem neuen Album** ~ poser pour son prochain album
Texter(in) <-s, -> *m(f)* parolier(-ière) *m(f);* (*Werbetexter*) rédacteur(-trice) *m(f)* publicitaire
Textilien [tɛks'tiːliən] *Pl* [matières *fpl*] textiles *mpl*
Textilindustrie *f* industrie *f* textile
Textmarker *m* surligneur *m* **Textstelle** *f* passage *m* **Textverarbeitungsprogramm** *nt* [programme *m* de] traitement *m* de texte
TH [teː'haː] <-, -s> *f Abk von* **Technische Hochschule** ≈ I.U.T. *m*
Thailand ['tailant] *nt* la Thaïlande
Thailänder(in) ['tailɛndɐ] <-s, -> *m(f)* Thaïlandais(e) *m(f)*
thailändisch I. *adj* thaïlandais(e) **II.** *adv* ~ **miteinander sprechen** discuter en thaïlandais; *s. a.* **deutsch**
Thailändisch <-[s]> *nt kein art* thaïlandais *m; s. a.* **Deutsch**
Theater [te'aːtɐ] <-s, -> *nt* **1.** théâtre *m;* ~ **spielen** faire du théâtre; **zum** ~ **gehen** se lancer dans le théâtre **2.** *fig fam* ~ **um etw machen** faire toute une histoire de qc; **das**

ist nur ~ c'est du cinéma
Theateraufführung *f* représentation *f* théâtrale **Theaterstück** *nt* pièce *f* de théâtre
theatralisch [tea'traːlɪʃ] *adj* théâtral(e)
Theke ['teːkə] <-, -n> *f* (*Wirtshaustheke*) bar *m;* (*Ladentisch*) comptoir *m*
Thema ['teːma] <-s, Themen *o* -ta> *nt* sujet *m;* **vom** ~ **abschweifen** s'écarter du sujet ►**für jdn kein** ~ **sein** être hors de question pour qn
Thematik [te'maːtɪk] <-> *f* domaine *m*
thematisch I. *adj* thématique **II.** *adv* en ce qui concerne le sujet
thematisieren* *vt* faire un thème de discussion; **etw** ~ faire de qc un thème de discussion
Themen *Pl von* **Thema**
Themse <-> *f* **die** ~ la Tamise
Theologe [teo'loːgə] <-n, -n> *m,* **Theologin** *f* théologien(ne) *m(f)*
Theologie [teolo'giː] <-, -n> *f* théologie *f*
theoretisch [teo'reːtɪʃ] *adj* théorique
theoretisieren* *vi* théoriser; **über etw** ~ théoriser sur qc
Theorie [teo'riː] <-, -n> *f* théorie *f;* **das ist reine** ~ c'est de la spéculation pure et simple
Therapeut(in) [tera'pɔyt] <-en, -en> *m(f)* thérapeute *mf*
Therapie [tera'piː] <-, -n> *f* thérapie *f*
Thermalbad [tɛr'maːlbaːt] *nt* **1.** MED bain *m* thermal **2.** (*Kurort*) station *f* thermale
Thermometer [tɛrmo'meːtɐ] <-s, -> *nt* thermomètre *m*
Thermosflasche® ['tɛrmɔsflaʃə] *f* [bouteille *f*] thermos® *f* **Thermoskanne®** *f* verseuse *f* isotherme
Thermostat [tɛrmo'staːt] <-es *o* -en, -e[n]> *m* thermostat *m*
These ['teːzə] <-, -n> *f geh* thèse *f,* théorie *f*
Thriller ['θrɪlɐ] <-s, -> *m* thriller *m*
Thrombose [trɔm'boːzə] <-, -n> *f* thrombose *f*
Thron [troːn] <-[e]s, -e> *m* trône *m; auf* **auf den** ~ **verzichten** renoncer au trône
thronen *vi* trôner
Thronfolger(in) <-s, -> *m(f)* prétendant(e) *m(f)* au trône
Thunfisch ['tuːnfɪʃ] *m* thon *m*
Thurgau <-s> *m* **der** ~ le canton de Thurgovie
Thüringen ['tyːrɪŋən] <-s> *nt* la Thuringe
Thymian ['tyːmiaːn] <-s, -e> *m* thym *m*
Tick [tɪk] <-[e]s, -s> *m* **1.** (*MED*) tic *m* nerveux **2.** *fam* (*Marotte*) **einen** ~ **haben** avoir un grain
ticken ['tɪkən] *vi* faire tic-tac ►**nicht rich-**

tig ~ *fam* débloquer

Ticket <-s, -s> *nt* (*Fahrkarte*) billet *m*; (*Eintrittskarte*) ticket *m*, billet *m*

Tiebreak^RR ['taɪbreːk] <-s, -s> *m o nt* TENNIS tie-break *m*

tief [tiːf] **I.** *adj* **1.** *See, Wald, Regal, Verbeugung* profond(e); *Schnee* épais(se); *Tal* encaissé(e); **hundert Meter** ~ de cent mètres de profondeur **2.** *Temperatur, Wasserstand* bas(se) **3.** *Ton, Stimme* grave **4.** *Schlaf, Gefühl, Sinn, Not* profond(e); *Rot, Blau* foncé(e) **II.** *adv* **1.** *tauchen* profondément; *bohren, graben* en profondeur; ~ **fallen** tomber de haut; **zehn Meter** ~ **tauchen** plonger à dix mètres de profondeur **2.** *fliegen* bas **3.** *sitzen* en profondeur **4.** *klingen* avec des sonorités graves; *singen* d'une voix grave; **ein Ton zu** ~ un ton trop bas **5.** *empfinden, schlafen, atmen* profondément ►~ **sinken** *Person:* s'avilir

Tief <-[e]s, -e> *nt* **1.** METEO dépression *f*, zone *f* de basse pression **2.** *fig* phase *f* dépressive

Tiefbau *m kein Pl* travaux *mpl* publics [en sous-sol] **Tiefdruck** *m kein Pl* **1.** METEO basses pressions *fpl* **2.** TYP impression *f* en creux, hélio[gravure] *f* **Tiefdruckgebiet** *nt* zone *f* de basse pression

Tiefe ['tiːfə] <-, -n> *f* **1.** profondeur *f* **2.** *kein Pl* (*Intensität*) intensité *f*

Tiefebene *f* plaine *f* basse **Tiefenpsychologie** *f* psychologie *f* des profondeurs **Tiefenschärfe** *f* profondeur *f* de champ **Tiefflug** *m* vol *m* à basse altitude; **im** ~ à basse altitude **Tiefgang** *m kein Pl* **1.** NAUT tirant *m* d'eau **2.** *fig* ~ **haben** *Gespräch:* avoir de la profondeur **Tiefgarage** [-garaːʒə] *f* parking *m* souterrain **tiefgekühlt** *adj* congelé(e), surgelé(e) **tiefgreifend** *adj attr* profond(e) **tiefgründig** *adj Gedanken* profond(e); *Analyse* approfondi(e) **Tiefkühlkost** *f* [produits *mpl*] surgelés *mpl* **Tiefkühlschrank** *m* congélateur *m* [armoire] **Tiefkühltruhe** *f* congélateur *m* [bahut] **Tiefland** *nt* basses terres *fpl* **Tiefpunkt** *m* niveau *m* zéro **Tiefschlag** *m* SPORT coup *m* bas **tiefschürfend** *s.* schürfen **I.** **tiefschwarz** *adj* noir(e) d'ébène **Tiefsee** *f* grands fonds *mpl* **Tiefstand** *m* niveau *m* plancher

Tiefsttemperatur *f* température *f* minimale **Tiefstwert** *m* METEO niveau *m* minimum; FIN valeur *f* minimale

Tiegel ['tiːɡəl] <-s, -> *m* poêlon *m*

Tier [tiːɐ̯] <-[e]s, -e> *nt* animal *m*, bête *f* ►**hohes** ~ *fam* ponte *m*

Tierarzt *m*, **-ärztin** *f* vétérinaire *mf* **Tierhalter(in)** *m(f)* propriétaire *mf* d'un animal **Tierhaltung** *f* entretien *m* d'animaux

Tierhandlung *f* animalerie *f* **Tierheim** *nt* refuge *m* [pour animaux]

tierisch I. *adj* **1.** animal(e) **2.** *fam* (*sehr*) terrible **3.** *pej* (*abstoßend*) bestial(e) **II.** *adv* *fam schwitzen* comme une bête; *wehtun* vachement

Tierkreiszeichen *nt* signe *m* du zodiaque **tierlieb** *adj* ami(e) des animaux **Tiermehl** *nt* AGR farine *f* animale **Tierpark** *m* parc *m* zoologique **Tierquälerei** *f* cruauté *f* envers les animaux **Tierschutzverein** *m* société *f* protectrice des animaux **Tierversuch** *m* expérience *f* sur des animaux **Tierzucht** *f kein Pl* élevage *m*

Tiger(in) ['tiːɡɐ] <-s, -> *m(f)* tigre(sse) *m(f)*

tigern ['tiːɡɐn] *vi* + *sein fam* **durch die Straßen** ~ déambuler dans les rues

Tilde ['tɪldə] <-, -n> *f* tilde *m*

tilgen ['tɪlɡən] *vt geh* **1.** FIN rembourser *Kredit*; purger *Hypothek*; éteindre *Schuld* **2.** (*beseitigen*) éliminer, faire disparaître *Spuren*

Tilgung <-, -en> *f geh eines Kredits* remboursement *m*

timen ['taimən] *vt* prévoir le timing de **Timesharing**^RR ['taimʃɛːrɪŋ] <-s> *nt* INFORM temps *m* partagé

Timing ['tajmɪŋ] <-s> *nt* timing *m*

tingeln *vi* + *sein fam* **durch die Kneipen** ~ se produire dans les cafés

Tinktur [tɪŋk'tuːɐ̯] <-, -en> *f* teinture *f*

Tinte ['tɪntə] <-, -n> *f* encre *f* ►**in der** ~ **sitzen** *fam* être dans le pétrin

Tintenfass^RR *nt* encrier *m* **Tintenfisch** *m* seiche *f* **Tintenstrahldrucker** *m* imprimante *f* à jet d'encre

Tipp^RR [tɪp] <-s, -s> *m* **1.** *fam* (*Hinweis*) tuyau *m* **2.** (*beim Wetten*) pronostic *m*

tippen ['tɪpən] **I.** *vi* **1.** (*anstoßen*) **an etw** (*akk*) ~ effleurer qc **2.** *fam* (*Schreibmaschine schreiben*) taper [à la machine] **3.** (*Lotto spielen*) jouer [au loto] **4.** *fam* (*vorhersagen*) **richtig/falsch** ~ taper juste/à côté; **auf jdn/etw** ~ parier sur qn/qc **II.** *vt fam* **1.** taper *Text* **2.** (*wetten*) **die 15** ~ jouer le 15

Tippfehler *m* faute *f* de frappe **Tippschein** *m* bulletin *m* de loto **tipptopp** ['tɪp'tɔp] *adj fam* impeccable **Tirol** [ti'roːl] <-s> *nt* le Tyrol **Tiroler(in)** <-s, -> *m(f)* Tyrolien(ne) *m(f)*

Tisch [tɪʃ] <-[e]s, -e> *m* table *f*; **sich an den** ~ **setzen** se mettre à table; **zu** ~ **sein** *geh* être à table; **nach** ~ *geh* après le repas ►**mit etw** **reinen** ~ **machen** faire table rase de qc; **unter den** ~ **fallen** *fam* passer à la trappe; **vom** ~ **sein** être réglé(e); **jdn über den** ~ **ziehen** *fam* arnaquer qn

Tischbein *nt* pied *m* de table **Tischdecke** *f* nappe *f* **Tischfußball** *m* baby-foot *m* **Tischler(in)** ['tɪʃlɐ] <-s -> *m(f)* menuisier(-ière) *m(f)* **Tischlerei** <-, -en> *f* menuiserie *f* **tischlern I.** *vi fam* faire de la menuiserie **II.** *vt fam* **etw** ~ menuiser qc **Tischplatte** *f* dessus *m* de table **Tischrede** *f* discours *m* de banquet **Tischtennis** *nt* tennis *m* de table **Tischtennisplatte** *f* table *f* de ping-pong **Tischtennisschläger** *m* raquette *f* de ping-pong

Titan <-en, -en> *m* MYTH Titan *m*

Titel ['tiːtəl] <-s, -> *m* **1.** *a.* SPORT titre *m;* **jdn mit seinem** ~ **anreden** appeler qn par son titre **2.** JUR titre *m* exécutoire **Titelbild** *nt* photo *f* de couverture **Titelblatt** *nt* (*eines Buches*) page *f* de titre **titeln** *vt* titrer **Titelrolle** *f* rôle-titre *m* **Titelseite** *f* couverture *f* **Titelverteidiger(in)** *m(f)* SPORT tenant(e) *m(f)* du titre

Titte <-, -n> *f vulg meist Pl* nichon *m* (*fam*) **tja** [tja] *interj* ma foi

Toast [toːst] <-[e]s, -e> *m* **1.** pain *m* grillé **2.** (*Trinkspruch*) toast *m* **Toastbrot** ['toːst-] *nt* (*Brot zum Toasten*) pain *m* de mie **toasten** ['toːstn̩] *vt* faire griller **Toaster** ['toːstɐ] <-s, -> *m* grille-pain *m*

toben ['toːbən] *vi* **1.** + *haben wütend* fulminer; *begeistert* être déchaîné **2.** + *haben Kinder:* se défouler; *Sturm:* faire rage; *Meer:* se déchaîner

Tobsucht *f kein Pl* rage *f* **tobsüchtig** *adj* furieux(-euse)

Tochter ['tɔxtɐ, *Pl:* 'tϙɛçtɐ] <-, *⇒*> *f* **1.** fille *f* **2.** *s.* **Tochtergesellschaft Tochtergesellschaft** *f* filiale *f*

Tod [toːt] <-[e]s, -e> *m* mort *f;* **eines natürlichen** ~**es sterben** mourir de mort naturelle ▸**den** ~ **finden** *geh* trouver la mort; **sich zu** ~**e langweilen** s'ennuyer à mourir

todernst ['toːt'ʔɛrnst] **I.** *adj* [très] sérieux(-euse); *Miene* d'enterrement **II.** *adv* avec une extrême gravité

Todesangst *f* **1.** angoisse *f* de la mort **2.** *fam* (*große Angst*) peur *f* bleue **Todesanzeige** *f* avis *m* de décès **Todesfall** *m* décès *m* **Todeskampf** *m* agonie *f* **Todesopfer** *nt* mort *m* **Todesstoß** *m* coup *m* de grâce **Todesstrafe** *f* peine *f* de mort **Todesursache** *f* cause *f* de la mort **Todesurteil** *nt* condamnation *f* à mort **Todeszelle** *f* cellule *f* du condamné à mort

Todfeind(in) ['toːtfaɪnt] *m(f)* ennemi(e) *m(f)* mortel(le) **todkrank** ['toːt'kraŋk] *adj* très gravement malade; (*sterbend*) mori-

bond(e)

tödlich ['tøːtlɪç] **I.** *adj* **1.** mortel(le); *Gefahr* de mort **2.** *fam Ernst* absolu(e); *Langeweile, Hass* mortel(le) **II.** *adv* **1.** ~ **verunglücken** avoir un accident mortel **2.** *fam beleidigen, sich langweilen* à mort

todmüde ['toːt'myːdə] *adj* mort(e) de fatigue **todschick** ['toːt'ʃɪk] *adj fam* très classe **todsicher** ['toːt'zɪçɐ] *adj fam Angelegenheit* totalement fiable; *Methode* miracle **Todsünde** *f* péché *m* mortel

Tohuwabohu [toːhuva'boːhu] <-[s], -s> *nt* pagaille *f* (*fam*)

Toilette [toa'lɛtə] <-, -n> *f* toilettes *fpl,* W.-C. *mpl* **Toilettenartikel** [toa'lɛtn̩-] *m meist Pl* article *m* de toilette **Toilettenpapier** *nt* papier *m* hygiénique

Tokio ['toːkio] <-s> *nt* Tokyo

tolerant [tole'rant] *adj* tolérant(e) **Toleranz** [tole'rants] <-, -en> *f* **1.** *kein Pl* tolérance *f* **2.** TECH [marge *f* de] tolérance *f* **tolerieren*** [tole'riːrən] *vt* tolérer **toll** [tɔl] **I.** *adj fam* extra; *Idee* super **II.** *adv fam* (*wild*) de façon débridée; **ihr treibt es zu** ~! vous y allez trop fort!

tollen *vi* **1.** + *haben* **im Kinderzimmer** ~ faire le fou(la folle) dans la chambre **2.** + *sein* (*laufen*) **durch das Haus** ~ courir comme un fou(une folle) dans la maison **tollkühn** *adj Person* intrépide, téméraire; *Plan* très audacieux(-euse) **Tollpatsch**RR <-es, -e> *m* empoté(e) *m(f)* **tollpatschig**RR *adj Person* empoté(e) (*fam*); *Tier* pataud(e) **Tollwut** *f* rage *f* **tollwütig** ['tɔlvyːtɪç] *adj* MED enragé(e)

Tölpel ['tœlpəl] <-s, -> *m* empoté(e) *m(f)* (*fam*)

Tomate [to'maːtə] <-, -n> *f* tomate *f* ▸~**n auf den Augen haben** *fam* avoir de la merde dans les yeux **Tomatenketchup,** **Tomatenketschup**RR *m o nt* ketchup *m* **Tomatenmark** *nt* concentré *m* de tomates **Tomatensoße** *f* sauce *f* tomate

Tombola ['tϙɔmbola] <-, -s *o* **Tombolen**> *f* tombola *f*

Tomographie [tomogra'fiː] <-, -n> *f* tomographie *f*

Ton¹ <-[e]s, -e> *m* MINER argile *f* **Ton²** [toːn, *Pl:* 'tøːnə] <-[e]s, *⸚*e> *m* **1.** son *m* **2.** *fam* (*Wort*) **keinen** ~ **herausbringen** ne pas arriver à sortir un mot **3.** (*~fall*) ton *m* [de la voix]; **ich verbitte mir diesen** ~ je n'admets pas que l'on me parle sur ce ton **4.** (*Farbton*) ton *m,* teinte *f* ▸**große Töne spucken** *fam* chercher à en mettre plein la vue, frimer; **der gute** ~

la bienséance

Tonabnehmer *m* tête *f* de lecture **tonangebend** *adj* qui donne le ton, influent(e) **Tonarm** *m* bras *m* [de lecture] **Tonart** *f* a.

fig ton *m* **Tonband** <-bänder> *nt* bande *f* magnétique **Tonbandaufnahme** *f* enregistrement *m* sur bande magnétique **Tonbandgerät** *nt* magnétophone *m*

tönen ['tøːnən] **I.** *vi* **1.** *Glocke:* faire entendre un bruit; *Stimme:* sonner **2.** (*prahlen*) parler en se vantant **II.** *vt* teindre *Haare* **Toner** <-s, -> *m eines Fotokopierers* encre *f; eines Laserdruckers* toner *m*

tönern ['tøːnɐn] *adj* en terre [cuite] **Tonfall** *m* ton *m*, intonation *f* **Tonkopf** *m* tête *f* [de lecture] **Tonlage** *f* tessiture *f* **Tonleiter** *f* gamme *f* **tonlos** *adj Stimme* atone

Tonne ['tɔnə] <-, -n> *f* **1.** fût *m;* (*Mülltonne*) poubelle *f;* **gelbe** ~ poubelle jaune (*pour déchets recyclables/papiers*) **2.** (*Maßeinheit*) tonne *f*

Tonstörung *f* panne *f* de son **Tonstudio** *nt* studio *m* d'enregistrement **Tontaubenschießen** *nt* tir *m* au pigeon **Tontechniker(in)** *m(f)* ingénieur *mf* du son **Tonträger** *m* support *m* sonore

Tönung <-, -en> *f* **1.** *kein Pl* (*das Tönen*) teinture *f* **2.** (*Farbton*) teinte *f*

Tool [tuːl] <-s, -s> *nt* INFORM outil *m* **Top** [tɔp] <-s, -s> *nt* COUT débardeur *m* **Topas** <-es, -e> *m* topaze *f*

Topf [tɔpf, *Pl:* 'tœpfə] <-[e]s, ˮe> *m* **1.** (*Kochtopf*) casserole *f* **2.** (*Blumentopf, Nachttopf*) pot *m*

Töpfchen ['tœpfçən] <-s, -> *nt Kinderspr.* (*Nachttopf*) pot *m;* **aufs** ~ **gehen** aller sur le pot

Topfen <-s> *m* A, SDEUTSCH fromage *m* blanc

Töpfer(in) ['tœpfɐ] <-s, -> *m(f)* potier(-ière) *m(f)*

Töpferei [tœpfə'raɪ] <-, -en> *f* (*Werkstatt*) [atelier *m* de] poterie *f*

töpfern ['tœpfɐn] *vi* faire de la poterie **Töpferscheibe** *f* tour *m* de potier **topfit** ['tɔp'fɪt] *adj fam* ~ **sein** avoir la pêche

Topflappen *m* manique *f* **Topfpflanze** *f* plante *f* en pot

topographisch *adj* topographique

Tor [toːɐ] <-[e]s, -e> *nt* **1.** ARCHIT porte *f* **2.** SPORT buts *mpl*, cages *fpl;* (*Treffer*) but *m;* **ein** ~ **schießen** marquer un but **Torbogen** *m* arc *m* du portail **Toreinfahrt** *f* entrée *f*

Torf [tɔrf] <-[e]s, -e> *m* tourbe *f* **Torheit** <-, -en> *f geh kein Pl* folie *f* **töricht** ['tøːrɪçt] *adj geh Person* fou(folle);

Benehmen insensé(e), aberrant(e); *Idee* stupide

torkeln ['tɔrkəln] *vi* + *sein* tituber

Tornado [tɔr'naːdo] <-s, -s> *m* tornade *f* **torpedieren*** [tɔrpe'diːrən] *vt* NAUT a. *fig* torpiller

Torpedo [tɔr'peːdo] <-s, -s> *m* torpille *f* **Torpfosten** *m* poteau *m*

TorschlusspanikRR *f fam* peur *f* de laisser passer un moment décisif **Torschütze** *m*, **-schützin** *f* buteur *m*

Torso ['tɔrzo] <-s, -s *o* Torsi> *m* KUNST torse *m*

Törtchen <-s, -> *nt Dim von* **Torte** tartelette *f*

Torte ['tɔrtə] <-, -n> *f* (*Obsttorte*) tarte *f;* (*Cremetorte*) gâteau *m* [fourré de crème au beurre]

Tortenboden *m* fond *m* de tarte **Tortenheber** <-s, -> *m* pelle *f* à tarte

Tortur [tɔr'tuːɐ] <-, -en> *f geh* torture *f,* tourments *mpl*

Torwart ['toːɐvart] *m*, **-frau** *f* gardien(ne) *m(f)* [de but]

tosen ['toːzən] *vi* + *haben Brandung:* mugir; *Sturm:* faire rage

tot [toːt] *adj* **1.** *Lebewesen* mort(e) **2.** *Gleis* désaffecté(e); *Flussarm* mort(e)

total [to'taːl] **I.** *adj* complet(-ète) **II.** *adv fam hilflos* totalement; *vergessen* complètement

totalitär [totali'tɛːɐ] *adj* totalitaire **Totaloperation** *f* opération *f* radicale **Totalschaden** *m* destruction *f* totale

totlarbeiten *vr fam* **sich** ~ se tuer à force de travailler **totlärgern** *vr fam* **sich** ~ se mettre en boule; **sich über jdn/etw** ~ se mettre en boule contre qn/qc

Tote(r) *f(m) dekl wie adj* mort(e) *m(f);* (*Unfallopfer*) tué(e) *m(f)*

töten ['tøːtən] *vt* tuer

Totenkopf *m* crâne *m;* (*Symbol*) tête *f* de mort **Totenmesse** *f* messe *f* des morts **Totensonntag** *m* Fête *f* des morts (*dans la liturgie protestante*) **totenstill** *adj* es ist ~ il règne un silence de mort **Totenstille** ['toːtən'ʃtɪlə] *f* silence *m* de mort

totlfahren *vt irr* écraser **Totgeburt** *f* enfant *m* mort-né **totllachen** *vr fam* **sich** ~ être mort de rire; **zum Totlachen sein** être à mourir de rire **totllaufen** *vr irr* **sich** ~ *Gespräche:* s'enliser

Toto ['toːto] <-s, -s> *nt o m* loto *m* sportif **totlschießen** *vt irr fam* descendre **Totschlag** *m kein Pl* homicide *m* involontaire **Totschlagargument** *nt pej fam* argument *m* massue **totlschlagen** *vt irr* jdn ~ tabasser qn à mort **Totschläger** *m* **1.** meurtrier *m* **2.** (*Waffe*) casse-tête *m* **Totschlägerin** *f*

meurtrière *f* **tot|schweigen** *vt irr* ne pas parler de *Person;* passer sous silence *Sache*
tot|stellen *vr* **sich** ~ faire le mort
Touch [tatʃ] <-s, -s> *m fam* **ein nostalgischer** ~ un [petit] côté nostalgique
Touchscreen ['tatʃskriːn] <-, -s> *f* INFORM écran *m* tactile
Toupet [tuˈpeː] <-s, -s> *nt* postiche *m*
toupieren* [tuˈpiːrən] *vt* se crêper; **sich** (*dat*) **die Haare** ~ se crêper les cheveux
Tour [tuːɐ̯] <-, -en> *f* **1.** (*Reise*) excursion *f* **2.** (*Fahrt*) tournée *f* **3.** *Pl* (*Umdrehung*) tour *m;* **auf vollen** ~**en** à plein rendement **4.** *fam* (*Vorgehen*) magouille *f;* **auf die sanfte** ~ en utilisant la manière douce
touren [tuːrən] *vi* être en tournée
Tourenzahl *f* régime *m,* nombre *m* de tours [par minute]
Tourismus [tuˈrɪsmʊs] <-> *m* tourisme *m;* **sanfter** ~ ≈ tourisme respectueux de l'environnement, ≈ tourisme soft
Tourist(in) [tuˈrɪst] <-en, -en> *m(f)* touriste *mf*
Touristenklasse [tuˈrɪstn-] *f* classe *f* économique
Touristik [tuˈrɪstɪk] <-> *f* [industrie *f* du] tourisme *m*
Tournee [tʊrˈneː] <-, -n *o* -s> *f* tournée *f;* **auf** ~ **gehen** partir en tournée
Tower ['tauɐ̯] <-s, -> *m* **1.** AVIAT tour *f* de contrôle **2.** INFORM tour *f*
toxisch ['tɔksɪʃ] *adj* toxique
Trab [traːp] <-[e]s> *m* trot *m;* **im** ~ au trot ▶**jdn in** ~ **halten** *fam* maintenir qn sous pression
Trabant [traˈbant] <-en, -en> *m* satellite *m*
Trabantenstadt *f* ville *f* satellite
traben ['traːbən] *vi* + *sein* trotter
Trabi <-s, -s> *m surnom donné à la voiture de la marque "Trabant" fabriquée en R.D.A.*
Trabrennen *nt* course *f* de trot [attelé]
Tracht [traxt] <-, -en> *f* (*Volkstracht*) costume *m* [folklorique]; (*von Berufsgruppen*) tenue *f* ▶**eine** ~ **Prügel** *fam* une raclée
trachten ['traxtən] *vi geh* **nach etw** ~ prétendre à qc
trächtig ['trɛçtɪç] *adj* plein(e), en gestation
Trackball ['trɛkbɔːl] <-s, -s> *m* INFORM trackball *m*
Tradition [tradiˈtsi̯oːn] <-, -en> *f* tradition *f;* **aus** ~ par tradition
traditionell [traditsi̯oˈnɛl] *adj* traditionnel(le)
traditionsbewusst^RR *adj* traditionaliste, soucieux(-euse) des traditions
traf [traːf] *Imp von* **treffen**
Trafik <-, -en> *f* A bureau *m* de tabac

Trafo ['traːfo] <-[s], -s> *m fam Abk von* **Transformator** transfo *m*
Tragbahre *f* brancard *m,* civière *f*
tragbar *adj* **1.** *Fernseher* portable **2.** (*akzeptabel*) acceptable
Trage <-, -n> *f s.* **Tragbahre**
träge *adj* **1.** (*körperlich* ~) mou(molle) **2.** (*geistig* ~) indolent(e) **3.** PHYS, CHEM inerte
tragen ['traːgən] <trägt, trug, getragen> **I.** *vt* **1.** porter *Gegenstände, Kleidung, Brille, Namen;* **bei sich** ~ porter sur soi; **das Haar offen** ~ ne pas attacher ses cheveux **2.** (*hervorbringen*) donner, produire *Früchte* **3.** (*erdulden*) subir *Folgen;* supporter *Leid* **4.** (*finanziell* ~) **einen Verein** ~ prendre en charge une association **II.** *vi* **1.** *Baum:* donner **2.** *Tier:* être en gestation **3.** *Eis:* tenir, être résistant **4.** COUT **man trägt wieder lang** on s'habille de nouveau plus long **5.** (*leiden*) **an etw** (*dat*) [schwer] **zu** ~ **haben** devoir supporter le poids de qc ▶**zum Tragen kommen** entrer en vigueur **III.** *vr* **1.** (*sich anfühlen*) **sich angenehm** ~ *Kleidung:* se porter agréablement **2.** *geh* (*sich beschäftigen*) **sich mit dem Gedanken** ~ **auszuwandern** nourrir l'idée d'émigrer (*form*) **3.** (*finanziell*) **sich** ~ *Projekt, Verein:* s'autofinancer
tragend *adj* **1.** *Wand* de soutènement **2.** *Gedanke* fondamental(e)
Träger ['trɛgɐ] <-s, -> *m* **1.** *einer Einrichtung, eines Projekts* [autorité *f*] responsable *m* **2.** *meist Pl* COUT bretelles *fpl* **3.** TECH poutrelle *f*
Träger(in) <-s, -> *m(f)* **1.** (*Lastenträger*) porteur(-euse) *m(f)* **2.** *eines Titels* détenteur(-trice) *m(f); eines Namens* porteur(-euse) *m(f)*
Trägerkleid *nt* robe *f* à bretelles
Tragetasche *f* sac *m*
tragfähig *adj* **1.** TECH résistant(e), solide **2.** *fig geh Kompromiss* acceptable **Tragfläche** *f* surface *f* portante
Trägheit <-, -en> *f* **1.** indolence *f;* (*Schwerfälligkeit*) paresse *f* **2.** PHYS inertie *f*
Tragik ['traːgɪk] <-> *f* tragique *m*
tragikomisch [traːgiˈkoːmɪʃ] *adj geh* tragicomique **Tragikomödie** [tragiˈkoːmøːdi̯ə] *f* tragicomédie *f*
tragisch *adj* tragique ▶**etw** ~ **nehmen** *fam* dramatiser qc
Traglast *f form* chargement *m*
Tragödie [traˈgøːdi̯ə] <-, -n> *f* tragédie *f*
trägt [trɛːkt] *3. Pers Präs von* **tragen**
Tragweite *f* portée *f*
Trainer ['trɛːnɐ] <-s, -> *m* CH survêtement *m*
Trainer(in) <-s, -> *m(f)* entraîneur(-euse)

m(f)
trainieren* [trɛ'niːrən] **I.** *vt* **1.** entraîner *Sportler* **2.** (*üben*) s'entraîner à *Sportart* **II.** *vi* s'entraîner
Training ['trɛːnɪŋ] <-s, -s> *nt* entraînement *m;* **autogenes ~** autorelaxation *f*
Trainingsanzug *m* survêtement *m* **Trainingslager** *nt* camp *m* d'entraînement
Trakt [trakt] <-[e]s, -e> *m* aile *f*
Traktat <-[e]s, -e> *m o nt geh* opuscule *m*
traktieren* [trak'tiːrən] *vt fam* malmener, maltraiter
Traktor ['traktoːɐ̯] <-s, -toren> *m* tracteur *m*
trällern ['trɛlɐn] *vt, vi* fredonner
Tram [tram] <-s, -s> *nt* CH tram *m*
Trampel ['trampəl] <-s, -> *m o nt fam* lourdaud(e) *m(f)*
trampeln ['trampəln] *vi + haben o sein* piétiner; (*vor Begeisterung*) trépigner
Trampelpfad *m* piste *f* battue **Trampeltier** *nt* **1.** ZOOL chameau *m* [à deux bosses] **2.** *pej fam* (*Mensch*) pataud *m,* lourdaud *m*
trampen ['trɛmpən] *vi + sein* faire du stop
Tramper(in) ['trɛmpɐ] <-s, -> *m(f)* autostoppeur(-euse) *m(f)*
Trampolin ['trampoliːn] <-s, -e> *nt* trampoline *m*
Tramway ['tramvai] <-, -s> *f* A tramway *m*
Tran <-[e]s, -e> *m* **1.** (*Fischfett*) huile *f* de poisson **2.** *fam* (*Benommenheit*) **im ~ sein** être dans les vapes
Trance ['trɑ̃s(ə)] <-, -n> *f* hypnose *f,* transe *f*
tranchieren* [trɑ̃'ʃiːrən] *vt* découper
Träne ['trɛːnə] <-, -n> *f* larme *f;* **ihm/ihr kommen die ~n** il/elle a les larmes aux yeux
tränen *vi Augen:* larmoyer; **mir ~ die Augen** mes yeux pleurent
Tränendrüse *f meist Pl* glande *f* lacrymale **Tränengas** *nt* gaz *m* lacrymogène
tranig *adj* **1.** *Fett, Geschmack* rance **2.** *fam* (*träge*) flemmard(e)
trank [traŋk] *Imp von* **trinken**
Trank [traŋk, *Pl:* 'trɛŋkə] <-[e]s, ¨-e> *m geh* boisson *f,* breuvage *m*
Tränke ['trɛŋkə] <-, -n> *f* abreuvoir *m*
tränken *vt* **1.** abreuver *Tier* **2.** (*durchnässen*) **etw mit etw ~** imbiber qc de qc
Transaktion [transʔak'tsi̯oːn] *f* transaction *f*
Transfer [trans'fɛːɐ̯] <-s, -s> *m* FIN, TOUR transfert *m*
transferieren* [transfe'riːrən] *vt* transférer
Transformator [transfɔr'maːtoːɐ̯] <-s, -toren> *m* transformateur *m*
Transfusion [transfu'zi̯oːn] <-, -en> *f* transfusion *f*
Transistor [tran'zɪstoːɐ̯] <-s, -toren> *m* transistor *m*
Transit [tran'ziːt] <-s, -s> *m* transit *m*
transitiv ['tranzitiːf] *adj* transitif(-ive)
Transitverkehr *m* trafic *m* de transit
transparent [transpa'rɛnt] *adj* transparent(e)
Transparent <-[e]s, -e> *nt* banderole *f*
Transparenz [transpa'rɛnts] <-> *f geh* transparence *f*
transpirieren* [transpi'riːrən] *vi geh* transpirer
Transplantation [transplanta'tsi̯oːn] <-, -en> *f* MED transplantation *f*
transplantieren* [transplan'tiːrən] *vt* MED transplanter, greffer
Transport [trans'pɔrt] <-[e]s, -e> *m* **1.** *kein Pl* (*das Transportieren*) transport *m* **2.** (*Wagenladung*) convoi *m*
transportabel [transpɔr'taːbəl] *adj* transportable
Transporter <-s, -> *m* AUT camionnette *f*
transportfähig *adj* transportable
transportieren [transpɔr'tiːrən] *vt* transporter *Waren, Personen;* faire avancer *Film*
Transportkosten *Pl* frais *mpl* de transport **Transportmittel** *nt* moyen *m* de transport
transsexuell *adj* transsexuel(le)
Transvestit [transvɛs'tiːt] <-en, -en> *m* travesti *m*
Transzendenz <-> *f* transcendance *f*
Trapez [tra'peːts] <-es, -e> *nt a.* GEOM trapèze *m*
Trara <-s, -s> *nt fam* tintouin *m*
Trasse ['trasə] <-, -n> *f* tracé *m*
trat [traːt] *Imp von* **treten**
Tratsch [traːtʃ] <-[e]s> *m fam* ragot *m*
tratschen *vi fam* cancaner
Traualtar *m* **eine Frau zum ~ führen** *geh* mener une femme à l'autel
Traube ['traubə] <-, -n> *f* **1.** (*einzelne Beere, Weintraube*) grain *m* **2.** *Pl* (*Weintrauben*) raisins *mpl* **3.** BOT grappe *f;* **eine ~ von Menschen** *fig* une grappe de gens
Traubenlese *f* vendanges *fpl* **Traubensaft** *m* jus *m* de raisin **Traubenzucker** *m* glucose *m*
trauen ['trauən] **I.** *vi* faire confiance; **jdm ~** faire confiance à qn; **einer S.** (*dat*) **~** croire à qc **II.** *vt* marier *Paar* **III.** *vr* **sich ~ etw zu tun** oser faire qc
Trauer ['trauɐ] <-> *f* tristesse *f,* peine *f;* **~ tragen** porter le deuil; **in tiefer ~** profonds regrets *mpl*
Trauerfall *m* deuil *m,* décès *m* **Trauerfeier** *f* cérémonie *f* funèbre **Trauerkleidung** *f*

Traurigkeit/Enttäuschung/Bestürzung ausdrücken

- **Traurigkeit ausdrücken**

  Es macht/stimmt mich traurig, dass wir uns nicht verstehen.

  Es ist so schade, dass er sich so gehen lässt.

  Diese Ereignisse **deprimieren mich.**

- **Enttäuschung ausdrücken**

  Ich bin über seine Reaktion (sehr) **enttäuscht.**

  Du hast mich (schwer) enttäuscht.

  Das hätte ich nicht von ihr erwartet.

  Ich hätte mir etwas anderes gewünscht.

- **Bestürzung ausdrücken**

  Das ist (ja) nicht zu fassen!

  Das ist (ja) ungeheuerlich!

  Das ist ja (wohl) die Höhe!

  Das kann doch nicht dein Ernst sein!

  Ich fass es nicht!

  Das bestürzt mich.

  Das kann/darf (doch wohl) nicht wahr sein!

- **exprimer la tristesse**

  Ça me rend triste que nous ne nous entendions pas bien.

  C'est tellement dommage qu'il se laisse aller de la sorte.

  Ces événements **me dépriment.**

- **exprimer la déception**

  Je suis (très) **déçu(e) par** sa réaction.

  Tu m'as (terriblement) déçu(e).

  Je n'aurais pas cru ça de sa part.

  J'aurais souhaité autre chose.

- **exprimer la consternation**

  Ce n'est pas croyable!

  Mais c'est monstrueux!

  C'est le bouquet!/C'est le comble!

  Mais tu veux rire!

  Je n'y crois pas!

  Je suis bouleversé(e).

  Mais ce n'est pas possible!

---

vêtements *mpl* de deuil **Trauerkloß** *m fam* pisse-froid *m* **Trauermarsch** *m* marche *f* funèbre **Trauermiene** *f* **mit** ~ avec une tête d'enterrement
trauern *vi* porter le deuil; **um jdn** ~ porter le deuil de qn
Trauerrand *m* (*an Trauerbriefen*) bordure *f* de deuil **Trauerspiel** *nt* ▶ **das** [*o* es] **ist ein** ~ *fam* c'est désolant **Trauerweide** *f* saule *m* pleureur **Trauerzug** *m* cortège *m* funèbre
Traufe ['traufə] <-, -n> *f* gouttière *f*
träufeln ['trɔyfəln] *vt* instiller des gouttes; **etw in/auf etw** (*akk*) ~ instiller des gouttes de qc dans qc
Traum [traum, *Pl*: 'trɔymə] <-[e]s, Träume> *m* 1. rêve *m* 2. (*Wunschvorstellung*) rêve *m* ▶ **das wäre mir nicht im** ~ **eingefallen** cela ne me viendrait même pas à l'esprit
Trauma ['trauma] <-s, Traumen *o* -ta> *nt* PSYCH, MED traumatisme *m*
traumatisch [trau'maːtɪʃ] *adj* traumatisant(e)
Traumberuf *m* mein/ihr ~ la profession de mes/ses rêves
träumen ['trɔymən] *vt, vi a. fig* rêver; **von jdm/etw** ~ rêver de qn/qc; **etwas Schö-**

nes ~ faire de beaux rêves
Träumer(in) <-s, -> *m(f)* rêveur(-euse) *m(f)*, utopiste *mf*
Träumerei [trɔymə'rai] <-, -en> *f* meist *Pl* rêverie *f*
träumerisch *adj* rêveur(-euse)
traumhaft *adj* fantastique, de rêve
traurig ['trauriç] *adj* 1. *Person* affligé(e), triste; *Blick* triste; **über jdn/etw** ~ **sein** avoir de la peine au sujet de qn/être attristé par qc 2. *Sache* affligeant(e), désolant(e); **es ist** ~, **dass** c'est triste que + *subj*
Traurigkeit <-> *f* tristesse *f*
Trauring *m* alliance *f* **Trauschein** *m* acte *m* de mariage
Trauung <-, -en> *f* mariage *m*; **standesamtliche/kirchliche** ~ mariage civil/religieux
Trauzeuge *m*, **-zeugin** *f* témoin *m* [de mariage]
Travestie [travɛs'tiː, -'tiːən] <-, -n> *f* THEAT spectacle *m* de travestis
Trecker <-s, -> *m fam* tracteur *m*
Treckingrad *nt s.* **Trekkingrad**
Treff <-s, -s> *m fam* 1. (*Treffen*) rencontre *f* 2. (*~punkt*) rendez-vous *m*
treffen ['trɛfən] <**trifft, traf, getroffen**> I. *vt* + *haben* 1. (*begegnen*) rencon-

trer **2.** (*vorfinden*) trouver **3.** atteindre *Ziel;* **getroffen!** touché **4.** (*innerlich berühren*) *Nachricht:* toucher, affecter **5.** (*ausführen*) prendre *Maßnahmen;* faire *Vorbereitungen;* convenir de *Vereinbarung* ►**es mit etw gut/schlecht getroffen haben** être bien/ mal tombé avec qc **II.** *vi* + *haben* (*das Ziel* ~) *Person:* atteindre son but; *Schuss:* toucher sa cible **III.** *vr* + *haben* **1.** **sich** ~ *Personen:* se rencontrer; **sich mit jdm** ~ rencontrer qn **2.** (*sich fügen*) **das trifft sich [gut]** ça tombe bien
Treffen <-s, -> *nt* rencontre *f,* entrevue *f*
treffend *adj Bemerkung, Vergleich* pertinent(e)
Treffer <-s, -> *m* **1.** (*Schuss*) coup *m* réussi **2.** SPORT (*Tor*) but *m;* (*Boxhieb*) coup *m* de poing; (*Fechthieb*) touche *f* **3.** (*Erfolg*) coup *m* heureux
Trefferquote *f* taux *m* de réussite
Treffpunkt *m* [lieu *m* de] rendez-vous *m*
treffsicher *adj* **1.** ~ **sein** *Schütze* avoir la main sûre **2.** *Urteil* à propos, pertinent(e); *Ausdrucksweise* précis(e)
Treibeis *nt* glaces *fpl* flottantes
treiben ['traibən] <trieb, getrieben> **I.** *vt* + *haben* **1.** *a. fig* pousser *Menschen, Tiere;* jdn zur Eile ~ presser qn de se dépêcher; **jdn zum Äußersten** ~ pousser qn à l'extrême; **auseinander** ~ disperser *Menge, Herde* **2.** (*an~*) mouvoir, mettre en mouvement *Getriebe* **3.** (*be~*) faire *Handel* **4.** BOT donner *Blätter* ►**es mit jdm** ~ *fam* baiser avec qn **II.** *vi* **1.** + *sein* **auf dem Wasser** ~ dériver dans l'eau; **auseinander** ~ *Wolken:* se disperser **2.** + *haben* BOT *Pflanze:* bourgeonner, avoir des pousses **3.** + *haben* (*harntreibend wirken*) être diurétique ►**sich** ~ **lassen** se laisser porter par les événements
Treiben <-s> *nt* **1.** agitation *f,* animation *f* **2.** *pej* (*Machenschaften*) agissements *mpl,* magouilles *fpl* (*fam*)
Treiber <-s, -> *m* INFORM pilote *m*
Treibgas *nt* gaz *m* propulseur **Treibhaus** *nt* serre *f* **Treibhauseffekt** *m kein Pl* effet *m* de serre **Treibjagd** *f* battue *f* **Treibstoff** *m* carburant *m*
Trekkingrad *nt* vélo tout chemin *m*
Trend [trɛnt] <-s, -s> *m* **1.** tendance *f* **2.** (*Modetrend*) **der** ~ **zu etw** la mode de qc ►**voll im** ~ **liegen** *fam Produkt:* être complètement à la mode
trendig *adj fam* in
Trendwende *f* changement *m* de tendance
trennbar *adj* séparable
trennen ['trɛnən] **I.** *vt* **1.** séparer *Personen, Dinge, Begriffe;* **etw/jdn von etw/jdm** ~ séparer qc/qn de qc/qn **2.** COUT **etw von/**

aus etw ~ découdre qc de qc **3.** LING couper *Wort* **II.** *vr* **sich** ~ se séparer **III.** *vi* (*unterscheiden*) faire la différence
Trennlinie *f* ligne *f* de démarcation
Trennung <-, -en> *f* **1.** séparation *f;* **in** ~ **leben** vivre séparé(e) **2.** (*Unterscheidung*) distinction *f* **3.** LING coupe *f*
Trennungsstrich *m* LING trait *m* d'union
Trennwand *f* cloison *f*
treppauf *adv* ~, **treppab gehen** monter et descendre les escaliers
Treppe ['trɛpə] <-, -n> *f* escalier *m*
Treppenabsatz *m* palier *m* **Treppengeländer** *nt* rampe *f* d'escalier **Treppenhaus** *nt* cage *f* d'escalier **Treppenstufe** *f* marche *f* [d'escalier]
Tresen ['tre:zən] <-s, -> *m* (*Theke*) bar *m;* (*Ladentisch*) comptoir *m*
Tresor [tre'zo:ɐ̯] <-s, -e> *m* coffre-fort *m*
Tretboot *nt* pédalo *m*
treten ['tre:tən] <tritt, trat, getreten> **I.** *vt* + *haben* **1.** donner un coup de pied à *Person, Tier* **2.** (*betätigen*) appuyer sur *Pedal* **II.** *vi* **1.** + *haben Person:* donner des coups de pieds **2.** + *sein* (*gehen*) **in/auf etw** (*akk*) ~ *Person:* marcher dans/sur qc; **zur Seite** ~ *Person:* s'écarter **3.** + *haben o sein* (*betätigen*) **auf etw** (*akk*) ~ appuyer sur qc **4.** + *sein* **aus etw** ~ *Sache:* sortir de qc
Tretmine *f* mine *f* antipersonnel
Tretmühle *f fam* train-train *m*
treu [trɔy] *adj* fidèle
Treue <-> *f* fidélité *f;* **jdm die** ~ **halten** rester fidèle à qn
Treuhand *f* **die** ~ la Treuhand (*institut officiel chargé de la privatisation des entreprises et du patrimoine foncier de l'ex-R.D.A.*)
Treuhänder(in) <-s, -> *m(f)* administrateur(-trice) *m(f)* [fiduciaire]
treuherzig *adj Blick* candide
treulos *adj* infidèle
Triangel ['tri:aŋəl] <-s, -> *m o A nt* triangle *m*
Triathlon <-s, -s> *nt* triathlon *m*
Tribunal [tribu'na:l] <-s, -e> *nt* (*Forum*) tribunal *m*
Tribüne [tri'by:nə] <-, -n> *f* tribune *f*
Tribut [tri'bu:t] <-[e]s, -e> *m* tribut *m pas de pl*
Trichine <-, -n> *f* ZOOL trichine *f*
Trichter ['trɪçtɐ] <-s, -> *m* **1.** entonnoir *m* **2.** (*Bombentrichter*) cratère *m*
Trick [trɪk] <-s, -s> *m* truc *m* (*fam*); (*Betrugsmanöver*) combine *f* (*fam*)
Trickbetrüger(in) *m(f)* aigrefin *m* **Trickfilm** *m* dessin *m* animé **trickreich** *fam adj* roublard(e)

tricksen *fam* I. *vi* ruser II. *vt* **wir werden das schon** ~ on trouvera bien une combine

trieb [tri:p] *Imp von* **treiben**

Trieb [tri:p] <-[e]s, -e> *m* 1. impulsion *f*; **ein natürlicher** ~ un instinct [naturel]; (*Sexualtrieb*) pulsions *fpl* [sexuelles] 2. BOT pousse *f*

triebhaft *adj* érotomane; **ein ~er Mensch** un(e) obsédé(e)

Triebtäter(in) *m(f)* maniaque *mf* [sexuel(le)] **Triebwagen** *m* autorail *m*, micheline *f* **Triebwerk** *nt* réacteur *m*

triefen ['tri:fən] <triefte *o geh* troff, getrieft *o* getroffen> *vi* 1.+ *haben* (*nass sein*) dégouliner, être dégoulinant; **vor Fett** ~ ruisseler de graisse 2.+ *haben Nase:* couler; *Auge:* larmoyer 3.+ *sein* (*rinnen*) **aus/von etw** ~ *Flüssigkeit:* ruisseler de qc

Trier [tri:ɐ] <-s> *nt* Trèves

trifft [trɪft] 3. *Pers Präs von* **treffen**

triftig ['trɪftɪç] *adj* pertinent(e); *Argument* solide

Trikolore [triko'lo:rə] <-, -n> *f* drapeau *m* tricolore

Trikot [tri'ko:] <-s, -s> *nt* maillot *m*

trillern ['trɪlɐn] *vi* faire des trilles; *Lerche:* grisoller; *Mensch:* vocaliser

Trillerpfeife *f* sifflet *m* à roulette

Trilogie [trilo'gi:] <-, -n> *f* trilogie *f*

Trimester <-s, -> *nt* trimestre *m*

Trimm-dich-Pfad ['trɪmdɪçpfa:t] *m* parcours *m* de santé

trimmen ['trɪmən] I. *vt* 1. entraîner *Sportler* 2. tondre *Hund* II. *vr* **sich** ~ se maintenir en forme

trinkbar *adj Wasser* potable

trinken ['trɪŋkən] <trank, getrunken> I. *vt* boire; **etwas zu** ~ quelque chose à boire II. *vi* 1. boire 2. (*anstoßen*) **auf jdn** ~ boire à la santé de qn, trinquer en l'honneur de qn; **auf etw** (*akk*) ~ boire à qc

Trinker(in) <-s, -> *m(f)* ivrogne *mf*

trinkfest *adj* ~ **sein** bien tenir l'alcool **Trinkgeld** *nt* pourboire *m* **Trinkhalm** *m* paille *f* **Trinkspruch** *m* toast *m* **Trinkwasser** *nt* eau *f* potable **Trinkwasseraufbereitung** *f* épuration *f* des eaux [naturelles] **Trinkwasserversorgung** *f* approvisionnement *m* en eau potable

Trio ['tri:o] <-s, -s> *nt* trio *m*

Trip [trɪp] <-s, -s> *m* 1. *fam* (*Drogenrausch*) trip *m* 2. *fam* (*Ausflug*) virée *f*

trippeln ['trɪpəln] *vi* trottiner

Tripper ['trɪpɐ] <-s, -> *m* MED blennorragie *f*

trist *adj geh* sinistre

tritt [trɪt] 3. *Pers Präs von* **treten**

Tritt [trɪt] <-[e]s, -e> *m* 1. coup *m* de pied

2. (*Laufrhythmus*) **aus dem** ~ **kommen** perdre le rythme

Trittbrett *nt* marchepied *m* **Trittbrettfahrer(in)** *m(f) pej* profiteur(-euse) *m(f)* **Trittleiter** *f* escabeau *m*

Triumph [tri'ʊmf] <-[e]s, -e> *m* triomphe *m*

Triumphbogen *m* arc *m* de triomphe **triumphieren*** [triʊm'fi:rən] *vi geh* triompher; **über jdn/etw** ~ triompher de qn/qc

triumphierend *adj* triomphant(e) **Triumphzug** *m* cortège *m* triomphal

trivial [tri'vja:l] *adj* banal(e)

trocken ['trɔkən] *adj* 1. *Klima, Laub, Brot* sec(sèche) 2. *Wein* sec(sèche); *Sekt* brut(e) 3. *Thema* aride ▸ **auf dem Trockenen sitzen** *fam* (*kein Geld haben*) être à sec; (*nichts zu trinken haben*) ne plus avoir à boire

Trockendock *nt* cale *f* sèche **Trockenhaube** *f* casque *m*

Trockenheit <-, -en> *f einer Region* aridité *f; einer Jahreszeit* sécheresse *f*

trockenllegen *vt* 1. changer *Baby* 2. assécher *Sumpf* **Trockenmilch** *f* lait *m* en poudre **Trockenzeit** *f* saison *f* sèche

trocknen ['trɔknən] I. *vi* + *sein* sécher II. *vt* + *haben* 1. *Wind, Sonne:* sécher; **sich** (*dat*) **die Haare** ~ se sécher les cheveux 2. (*dörren*) dessécher

Trockner <-s, -> *m* sèche-linge *m*

Trödel ['trø:dəl] <-s> *m fam* bric-à-brac *m*

Trödelei <-> *f fam* **Schluss mit der** ~! arrête/arrêtez de lambiner!

Trödelmarkt *m* foire *f* à la brocante

trödeln ['trø:dəln] *vi* + *haben* traîner (*fam*)

Trödler(in) <-s, -> *m(f)* brocanteur(-euse) *m(f)*

troff [trɔf] *Imp von* **triefen**

trog [tro:k] *Imp von* **trügen**

Trog [tro:k, *Pl:* 'trø:gə] <-[e]s, ⸗e> *m* auge *f; (Backtrog)* pétrin *m*

trollen *fam* **vr troll dich!** bouge-toi de là!

Trommel ['trɔməl] <-, -n> *f* MUS, TECH tambour *m; eines Revolvers* barillet *m*

Trommelfell *nt* ANAT tympan *m*

trommeln I. *vi* 1. jouer du tambour 2. (*klopfen*) *Person:* tambouriner; *Regen:* frapper II. *vt* tambouriner *Marsch;* battre *Takt*

Trommler(in) <-s, -> *m(f)* joueur(-euse) *m(f)* de tambour

Trompete [trɔm'pe:tə] <-, -n> *f* trompette *f*

trompeten* *vi* 1. jouer de la trompette 2. *Elefant:* barrir

Trompeter(in) <-s, -> *m(f)* trompettiste *mf*

Tropen ['tro:pən] *Pl* **die** ~ les tropiques *mpl*, les régions *fpl* [inter]tropicales
Tropenhelm *m* casque *m* colonial **Tropenholz** *nt* bois *m* exotique **Tropenwald** *m* forêt *f* tropicale
Tropf [trɔpf] <-[e]s, -e> *m* MED goutte-à-goutte *m*
tröpfeln ['trœpfəln] **I.** *vi + haben* goutter **II.** *vi unpers* **es tröpfelt** il tombe des gouttes **III.** *vt* **etw auf/in etw** (*akk*) ~ verser des gouttes de qc sur/dans qc
tropfen ['trɔpfən] *vi* goutter
Tropfen <-s, -> *m* goutte *f;* **ein edler** ~ *fig* une bonne bouteille (*fam*) ►**ein** ~ **auf den heißen Stein** *fam* une goutte d'eau dans la mer
tropfenweise *adv* [au] goutte à goutte
tropfnassRR *adj* trempé(e) **Tropfsteinhöhle** *f* grotte *f* [de stalactites/de stalagmites]
Trophäe [tro'fɛːə] <-, -n> *f* trophée *m*
tropisch *adj* tropical(e)
TrossRR <-es, -e> *m* **1.**(*Zug, Gruppe*) colonne *f* **2.**(*Gefolge*) suite *f*
Trosse <-, -n> *f* [h]aussière *f*
Trost [tro:st] <-[e]s> *m* consolation *f;* (*Zuspruch*) réconfort *m;* **als** ~ à titre de consolation ►**nicht ganz bei** ~ **sein** *fam* dérailler
trösten ['trø:stən] *vt, vr*[sich] ~ [se] consoler
tröstend *adj Worte* de consolation
tröstlich *adj* réconfortant(e)
trostlos *adj Kindheit* malheureux(-euse); *Verhältnisse* misérable; *Wetter* démoralisant(e); *Gegend* sinistre **Trostpflaster** *nt hum* consolation *f* **Trostpreis** *m* lot *m* de consolation
Trott [trɔt] <-s> *m* **der alte** ~ le train-train
Trottel <-s, -> *m fam* gourde *f*
trottelig *fam adj* étourdi(e)
trotz [trɔts] *präp + gen* malgré
Trotz [trɔts] <-es> *m* rébellion *f;* **aus** ~ par bravade, par défi; **jdm/einer S. zum** ~ en dépit de qn/qc
Trotzalter *nt* âge *m* des caprices
trotzdem *adv* tout de même, quand même
trotzen *vi* **1.** *Kind:* faire la mauvaise tête **2.** *der Gefahr* ~ braver le danger
trotzig I. *adj* rétif(-ive) **II.** *adv* avec entêtement
Trotzkopf *m fam* tête *f* de mule
trübe *adj* **1.** *Flüssigkeit* trouble; *Fensterscheibe* terne **2.** *Licht* faible antéposé, douteux(-euse) **3.** *Wetter* maussade, couvert(e) **4.** *Stimmung* sombre
Trubel ['tru:bəl] <-s> *m* tumulte *m*
trüben I. *vt* **1.** troubler, rendre trouble *Flüssigkeit* **2.** troubler *Laune* **II.** *vr* **sich** ~ **1.** *Flüssigkeit:* se troubler **2.** *geh Blick, Ur-*

teil: se troubler; *Verhältnis:* s'altérer
Trübsal ['try:pza:l] <-> *f geh* ►~ **blasen** *fam* broyer du noir
trübselig *adj* morose **trübsinnig** *adj* sombre
Trübung <-, -en> *f* **1.** *des Wassers* trouble *m* **2.** *fig des Einvernehmens* dégradation *f*
trudeln ['tru:dəln] *vi + haben o sein Flugzeug:* tomber en vrille
Trüffel ['trʏfəl] <-, -n> *f* BOT truffe *f*
trug [tru:k] *Imp von* **tragen**
trügen ['try:gən] <trog, getrogen> **I.** *vt* tromper **II.** *vi* être trompeur
trügerisch *adj* illusoire
TrugschlussRR *m* jugement *m* fallacieux
Truhe ['tru:ə] <-, -n> *f* coffre *m*
Trümmer ['trʏmɐ] *Pl* ruines *fpl; eines Flugzeugs* débris *mpl*
Trümmerhaufen *m* tas *m* de ruines
Trumpf [trʊmpf] *Pl:* 'trʏmpfə] <-[e]s, ¨e> *m* atout *m;* **Kreuz ist** ~! atout trèfle!
Trumpfkarte *f* carte *f* d'atout
trunken *adj geh* ~ **sein** être ivre (*fam*)
Trunkenbold ['trʊŋkənbɔlt] <-[e]s, -e> *m pej fam* buveur *m*
Trunkenheit <-> *f* ivresse *f;* ~ **am Steuer** conduite en état d'ébriété (*form*)
Trunksucht *f geh kein Pl* éthylisme *m*
Trupp [trʊp] <-s, -s> *m* groupe *m*
Truppe ['trʊpə] <-, -n> *f* **1.** *kein Pl* MIL unité *f,* corps *m;* **die** ~**n** les troupes **2.** THEAT troupe *f*
Truppenabzug *m* retrait *m* des troupes **Truppenübungsplatz** *m* terrain *m* d'exercice
Truthahn ['tru:tha:n] *m* dindon *m;* GASTR dindonneau *m* **Truthenne** *f* dinde *f*
Tscheche ['tʃɛçə] <-n, -n> *m,* **Tschechin** *f* Tchèque *mf*
Tschechien ['tʃɛçiən] <-s> *nt* la République tchèque
tschechisch I. *adj* tchèque **II.** *adv* ~ **miteinander sprechen** discuter en tchèque; *s. a.* **deutsch**
Tschechisch <-[s]> *nt kein art* tchèque *m; s. a.* **Deutsch**
Tschechoslowakei <-> *f* HIST **die** ~ la Tchécoslovaquie
tschilpen *vi* pépier
tschüs, tschüssRR [tʃʏs] *interj fam* salut
T-Shirt ['ti:ʃœːt] <-s, -s> *nt* [tee]-shirt *m*
TU [te:'ʔu:] <-, -s> *f Abk von* **Technische Universität** ≈ I.U.T. *m*
Tuba ['tu:ba] <-, Tuben> *f* tuba *m*
Tube ['tu:bə] <-, -n> *f* tube *m* ►**auf die** ~ **drücken** *fam* appuyer sur le champignon
Tuberkulose [tubɛrku'lo:zə] <-, -n> *f* tuberculose *f*
Tuch[1] [tu:x] <-[e]s, ¨er> *nt* **1.** COUT foulard

m **2.** (*Putztuch*) chiffon *m*
Tuch² <-[e]s, -e> *nt* (*Stoff*) tissu *m* [de laine]
Tuchfühlung ►mit jdm auf ~ **gehen** *hum fam* se frotter à qn
tüchtig ['tʏçtɪç] **I.** *adj* **1.** (*fähig*) capable antéposé; *Schüler*: bon(ne) **2.** *fam* (*groß*) **eine ~e Tracht Prügel** une bonne raclée **II.** *adv* **1.** (*fleißig*) beaucoup **2.** *fam* (*viel*) pas mal; *essen* copieusement
Tüchtigkeit <-> *f* compétence *f*
Tücke ['tʏkə] <-, -n> *f* **1.** *kein Pl* (*Niedertracht*) perfidie *f* **2.** *meist Pl* (*Unwägbarkeit*) embûche *f*
tuckern *vi* **1.** + *haben Motor, Kahn*: faire un bruit de teuf-teuf **2.** + *sein* (*fahren*) **über den See** ~ traverser le lac dans un bruit de teuf-teuf
tückisch *adj Person* perfide; *Plan* infâme; *Kurve* traître
tüfteln ['tʏftəln] *vi fam* bricoler
Tugend ['tuːɡənt] <-, -en> *f* vertu *f*
tugendhaft *adj* vertueux(-euse)
Tüll <-s, -e> *m* tulle *m*
Tülle <-, -n> *f* einer Kanne bec *m* verseur
Tulpe ['tʊlpə] <-, -n> *f* BOT tulipe *f*
tummeln ['tʊməln] *vr* (*umherspringen*) **sich** ~ s'ébattre
Tummelplatz *m geh* scène *f*
Tümmler <-s, -> *m* marsouin *m*
Tumor ['tuːmoːɐ̯] <-s, Tumoren> *m* MED tumeur *f*
Tümpel ['tʏmpəl] <-s, -> *m* mare *f*
Tumult [tuˈmʊlt] <-[e]s, -e> *m meist Pl* (*Aufruhr*) émeute *f*
tun [tuːn] <tut, tat, getan> **I.** *vt* **1.** (*machen*) faire; **wieder** ~ refaire; **etwas für die Gesundheit** ~ faire qc pour sa santé **2.** (*erledigen*) **viel/wenig** ~ faire beaucoup/peu **3.** *fam* (*legen, stellen*) **etw irgendwohin** ~ mettre qc quelque part **4.** (*antun*) **jdm etwas** ~ faire quelque chose à qn **5.** *fam* (*ausreichen*) **es** [**auch**] ~ suffire; **damit ist es nicht getan** cela ne suffit pas ►**es mit jdm zu** ~ **kriegen** *fam* aller avoir affaire à qn; **etwas mit jdm/etw zu** ~ **haben** avoir quelque chose à voir avec qn/qc; **tu, was du nicht lassen kannst!** *fam* fais comme bon te semble! **II.** *vr* **es tut sich etwas** il se passe quelque chose **III.** *vi* **1.** **zu** ~ **haben** avoir à faire; **geschäftlich in Paris zu** ~ **haben** avoir à faire à Paris **2.** *fam* (*sich verhalten*) **verlegen** ~ faire l'embarrassé(e) **3.** (*wirken*) **jdm gut** [*o wohl geh*] ~ faire du bien à qn ►**sich** (*akk o dat*) **mit jdm/etw schwer** ~ avoir bien du mal avec qn/qc; **tu doch nicht so!** *fam* ne fais pas semblant!
Tun <-s> *nt* actes *mpl*

Tünche ['tʏnçə] <-, -n> *f* badigeon *m*
tünchen *vt* badigeonner
tunen ['tjuːnən] *vt* trafiquer (*fam*) *Motor*
Tuner ['tjuːnɐ] <-s, -> *m* tuner *m*
Tunesien [tuˈneːziən] <-s> *nt* la Tunisie
Tunesier(in) [tuˈneːziɐ] <-s, -> *m(f)* Tunisien(ne) *m(f)*
tunesisch *adj* tunisien(ne)
Tunfisch^RR *s.* **Thunfisch**
Tunichtgut <-[e]s, -e> *m* vaurien *m*
Tunke ['tʊŋkə] <-, -n> *f* sauce *f* [froide]
tunken *vt* tremper
tunlichst ['tuːnlɪçst] *adv* si possible
Tunnel ['tʊnəl] <-s, *o* -s> *m* tunnel *m*
Tunte <-, -n> *f fam* folle *f*, tantouse *f* (*vulg*)
Tüpfelchen ['tʏpfəlçən] <-s, -> *nt* ►**das** ~ **auf dem i** la petite touche finale
tupfen ['tʊpfən] *vt* essuyer; [**sich** (*dat*)] **etw von etw** ~ [s']essuyer qc sur qc; **etw auf etw** ~ tamponner qc sur qc
Tupfen <-s, -> *m* pois *m*, touche *f*
Tupfer <-s, -> *m* MED compresse *f*
Tür [tyːɐ̯] <-, -en> *f* **1.** porte *f* **2.** (*Fahrzeugtür*) portière *f* ►**zwischen** ~ **und Angel** *fam* entre deux portes, à la va-vite; **mit der** ~ **ins Haus fallen** *fam* annoncer tout de but en blanc; **einer S.** (*dat*) ~ **und Tor öffnen** être la porte ouverte à qc; **hinter verschlossenen** ~**en** à huis clos; **vor der** ~ **stehen** *Person*: être à la porte; (*Ferien*) être imminent
Türangel *f* gond *m*
Turban ['tʊrbaːn] <-s, -e> *m* turban *m*
Turbine [tʊrˈbiːnə] <-, -n> *f* turbine *f*
Turbo <-s, -s> *m* (~*lader*) turbo *m*
turbulent [tʊrbuˈlɛnt] *adj* agité(e)
Turbulenz [tʊrbuˈlɛnts] <-, -en> *f* METEO, PHYS turbulence *f*
Türflügel *m* battant *m* de porte
Türke ['tʏrkə] <-n, -n> *m*, **-in** *f* Turc/Turque *m/f*
Türkei [tʏrˈkaɪ̯] <-> *f* **die** ~ la Turquie
türken *vt pej fam* truquer
türkis [tʏrˈkiːs] *adj* turquoise *inv*
türkisch ['tʏrkɪʃ] **I.** *adj* turc(turque) **II.** *adv* ►**miteinander sprechen** discuter en turc; *s. a.* **deutsch**
Türkisch <-[s]> *nt kein art* turc *m*; *s. a.* **Deutsch**
Türklinke *f* poignée *f* de porte
Turm [tʊrm, *Pl:* 'tʏrmə] <-[e]s, ¨e> *m* **1.** *a.* SPIEL tour *f* **2.** (*Glockenturm*) clocher *m* **3.** (*Sprungturm*) [grand] plongeoir *m*
türmen ['tʏrmən] **I.** *vt + haben* empiler **II.** *vr + haben* **sich** ~ s'entasser **III.** *vi + sein fam* se casser
Turmfalke *m* [faucon *m*] crécerelle *f*
Turmspringen *nt kein Pl* plongeons *mpl* de haut vol
Turmuhr *f* horloge *f*

Turnanzug *m* tenue *f* de gymnastique
turnen ['tʊrnən] *vi* faire de la gymnastique
Turnen <-s> *nt* gymnastique *f;* (*Sportunterricht*) E.P.S. *f*
Turner(in) <-s, -> *m(f)* gymnaste *mf*
Turngerät *nt* appareil *m;* **die ~e** les agrès *mpl* **Turnhalle** *f* gymnase *m* **Turnhose** *f* short *m* [de gymnastique]
Turnier [tʊr'niːɐ̯] <-s, -e> *nt a.* HIST tournoi *m*
Turnlehrer(in) *m(f)* professeur *mf* de gymnastique **Turnschuh** *m* chaussure *f* de sport **Turnunterricht** *m* cours *m* de gymnastique
Turnus ['tʊrnʊs] <-, -se> *m* roulement *m*
Turnzeug *nt fam* affaires *fpl* de sport
Türöffner *m* (*~taste*) touche *f* d'ouverture automatique de la porte **Türrahmen** *m* chambranle *m* **Türschild** *nt* plaque *f* **Türschloss**^RR *nt* serrure *f* **Türspalt** *m* entrebâillement *m* **Türsteher** *m* videur *m*
turteln ['tʊrtəln] *vi* roucouler
Turteltaube *f* tourterelle *f*
Türvorleger *m* paillasson *m*
Tusch [tʊʃ] <-es, -e> *m* fanfare *f*
Tusche ['tʊʃə] <-, -n> *f* encre *f* de Chine
tuscheln ['tʊʃəln] *vi* murmurer
Tussi <-, -s> *f fam* nana *f*
tut *3. Pers Präs von* **tun**
Tüte ['tyːtə] <-, -n> *f* sac *m;* (*klein*) sachet *m* ▶ [das] **kommt nicht in die ~!** *fam* pas question!

tuten ['tuːtən] *vi Sirene:* corner ▶ **von Tuten und Blasen keine Ahnung haben** *fam* [n']y connaître que dalle
Tutor <-s, Tutoren> *m*, **Tutorin** *f* 1. UNIV moniteur(-trice) *m(f)* 2. SCHULE tuteur(-trice) *m(f)*
TÜV [tʏf] <-, -[s]> *m Abk von* **Technischer Überwachungs-Verein** centre *m* de contrôle technique
TV-Serie [teːˈfauzeːriə] *f* feuilleton *m* télévisé
Typ [tyːp] <-s, -en> *m* 1.(*Menschentyp*) individu *m;* **ein bestimmer ~ von Männern/Frauen** un certain type d'hommes/de femmes 2.(*Modell*) modèle *m* 3.*fam* (*Kerl, Freund*) mec *m*
Type ['tyːpə] <-, -n> *f* TYP type *m*, caractère *m*
Typhus ['tyːfʊs] <-> *m* MED typhus *m*
typisch ['tyːpɪʃ] I. *adj* typique II. *adv ~* **Frau/Mann!** typiquement féminin/masculin!
Typografie^RR [typograˈfiː] <-, -n> *f* typographie *f*
Typographie *s.* **Typografie**
Typus <-, Typen> *m* type *m*
Tyrann(in) [ty'ran] <-en, -en> *m(f)* tyran *m*
Tyrannei [tyraˈnaɪ̯] <-, -en> *f* tyrannie *f*
tyrannisch *adj* tyrannique
tyrannisieren* [tyraniˈziːrən] *vt* tyranniser

U

U, u [uː] <-, -> *nt* U *m*/u *m*
u. *Abk von* **und**
u. a. *Abk von* **unter anderem/anderen**
U-Bahn ['uːbaːn] *f* métro *m* **U-Bahnhof**
m station *f* de métro
übel ['yːbəl] **I.** *adj* **1.** *Geruch, Geschmack*
mauvais(e); *Gefühl* pénible **2.** (*schlimm*)
sale *antéposé; Fall* fâcheux(-euse) **3.** *Bursche, Kerl* sale *antéposé* **4.** (*verkommen*)
mal famé(e) **5.** (*schlecht*) **jdm ist/wird** ~
qn a mal au cœur **II.** *adv* **1.** (*unangenehm*)
~ **riechen/schmecken** sentir/être mauvais **2.** (*schlecht*) mal **3.** (*gemein*) mal
Übel <-s, -> *nt* mal *m*
Übelkeit <-, -en> *f* nausée *f*
übelnehmen *s.* **nehmen Übeltäter(in)**
m(f) malfaiteur(-trice) *m(f)*
üben ['yːbən] **I.** *vt* **1.** (*trainieren*) s'exercer
à *Wurf, Sprungtechnik* **2.** (*einstudieren*) travailler *Lied, Geige* **3.** (*praktizieren*) **Gerechtigkeit** ~ faire preuve de justice **II.** *vr*
fig **sich in Geduld** ~ s'armer de patience
III. *vi* **mit jdm** ~ (*für die Schule*) travailler
avec qn; (*trainieren*) s'entraîner avec qn
über ['yːbɐ] **I.** *präp + dat* **1.** ~ **dem Sofa/
dem Durchschnitt** au-dessus du canapé/
de la moyenne **2.** (*zusätzlich zu*) ~ **dem
Hemd einen Pulli tragen** porter un pull
par-dessus la chemise **3.** (*wegen*) ~ **der
ganzen Aufregung** avec toute cette agitation **II.** *präp + akk* **1. ein Poster** ~ **das
Sofa hängen** accrocher un poster au-dessus du canapé **2.** (*auf, auf … entlang*) **den
Mantel** ~ **den Stuhl legen** poser le manteau sur la chaise; **sie strich ihm** ~ **die
Wange** elle lui caressa la joue **3.** (*quer hinüber*) ~ **die Straße gehen** traverser la
rue; ~ **den Zaun schauen** regarder par-
dessus la clôture; **der Blick** ~ **das Tal** la
vue sur la vallée **4.** (*betreffend*) ~ **jdn/etw
sprechen** parler de qn/discuter de qc; **ein
Buch** ~ **Schiller/Pflanzen** un livre sur
Schiller/les plantes **5.** (*in Höhe von*) **ein
Scheck** ~ **hundert Euro** un chèque de
cent euros **6.** (*durch, mittels*) **ich erfahren, dass …** apprendre [l'intermédiaire de] qn que …; ~ **Satellit** par satellite;
etw ~ **den Rundfunk/das Fernsehen
bekannt geben** annoncer qc à la radio/té-
lévision **7.** (*via*) ~ **Dijon nach Lyon fahren** aller à Lyon en passant par Dijon
8. (*zur Angabe der Dauer*) **den ganzen**

Tag ~ toute la journée; ~ **Ostern verreisen** partir pour Pâques **III.** *adv* **1.** (*mehr
als*) plus de; **bei** ~ **40° C** au-dessus de 40°
2. (*älter als*) de plus de
überall [yːbɐ'ʔal] *adv* **1.** partout **2.** (*immer*) ~ **mitreden** avoir toujours quelque
chose à dire
überallher [yːbɐ'ʔal'heːɐ] *adv* **von** ~ de
partout
überaltert *adj* suranné(e)
Überalterung <-> *f* sur-vieillissement *m*
Überangebot *nt* suroffre *f*
überängstlich *adj* hyperanxieux(-euse)
überanstrengen* [yːbɐ'ʔanʃtrɛŋən] **I.** *vr*
sich ~ se surmener; **sich beim Sport** ~
forcer en faisant du sport **II.** *vt* **seine Augen durch etw** ~ s'esquinter les yeux
avec qc (*fam*)
Überanstrengung *f* surmenage *m*
überantworten* *vt geh* **1.** (*anvertrauen*)
etw jdm/einer S. ~ confier qc à qn/qc
2. (*ausliefern*) **jdn jdm/einer S.** ~ remettre qn à qn/qc
überarbeiten* [yːbɐ'ʔarbaitən] **I.** *vt* remanier **II.** *vr* **sich** ~ se surmener
überaus ['yːbɐʔaus] *adv geh* extrêmement
überbacken* *vt irr* **etw** ~ faire gratiner qc
überbeanspruchen* <überzubean-
spruchen> *vt* épuiser *Person;* présumer
de *Kräfte;* surmener *Bandscheiben, Gelenke;*
malmener *Motor, Reifen;* surcharger *Regalbrett*
überbelichten* <überzubelichten> *vt*
surexposer
überbetonen* <überzubetonen> *vt*
trop insister [sur] *Aspekt*
Überbevölkerung *f kein Pl* surpopulation *f*
überbewerten* <überzubewerten> *vt*
1. (*zu gut bewerten*) surnoter *Leistung*
2. (*zu wichtig nehmen*) surestimer
überbezahlen* <überzubezahlen> *f*
surpayer
überbieten* [yːbɐ'biːtən] *irr* **I.** *vt* **1.** SPORT
améliorer; **etw um etw** ~ améliorer qc de
qc **2.** (*bei Auktionen*) **jdn/etw um etw** ~
surenchérir sur qn/qc de qc **3.** (*übertreffen*) **nicht/kaum zu** ~ **sein** *Arroganz:*
être inégalable/difficilement égalable **II.** *vr*
sich [gegenseitig] an Mut ~ rivaliser de
courage
Überbleibsel <-s, -> *nt meist Pl* vestige *m;
eines Essens* reste *m*

Überblick *m* 1.(*Sicht*) vue *f* d'ensemble; ~ **über etw** (*akk*) vue d'ensemble de qc 2.*fig* ein kurzer ~ **über etw** (*akk*) un bref aperçu de qc 3.(*Übersicht*) **sich** (*dat*) **einen** ~ **über etw** (*akk*) **verschaffen** se faire une idée d'ensemble de qc; **den** ~ **verlieren** ne plus savoir [exactement] où on en est

überblicken* [y:bɐˈblɪkən] *vt* 1.(*überschauen*) **etw** ~ **können** pouvoir embrasser qc du regard 2.(*einschätzen*) se faire une idée globale de *Aktivitäten*

überbreit *adj Reifen* très large

überbringen* [y:bɐˈbrɪŋən] *vt irr* remettre; transmettre *Nachricht*

Überbringer(**in**) <-s, -> *m(f)* porteur(-euse) *m(f)*; **der** ~ **der Nachricht** le messager

überbrücken* [y:bɐˈbrʏkən] *vt* 1.(*bewältigen*) pallier, surmonter *Situation* 2.(*ausgleichen*) concilier *Differenzen*

überdachen* [y:bɐˈdaxən] *vt* couvrir

über|decken¹ *vt fam* **jdm etw** ~ recouvrir qn de qc

überdecken*² *vt* recouvrir *Farbschicht;* masquer *Geschmack*

überdenken* [y:bɐˈdɛŋkən] *vt irr* reconsidérer; **etw** [**noch einmal**] ~ reconsidérer qc

überdeutlich I. *adj* très explicite II. *adv* de la façon la plus claire qui soit

überdies *adv geh* en outre

überdimensional [ˈy:bɐdimɛnzˌjonaːl] *adj* démesuré(e)

Überdosis *f* (*bei Medikamenten*) surdose *f;* (*bei Drogen*) overdose *f*

überdrehen* *vt* forcer *Schraube, Motor*

überdreht *adj fam* surexcité(e)

Überdruck <-drücke> *m* surpression *f*

ÜberdrussRR [ˈy:bɐdrʊs] <-es>, **Überdruß** <-sses> *m* dégoût *m,* saturation *f*

überdrüssig [ˈy:bɐdrʏsɪç] *adj* **einer S.** ~ **sein/werden** en avoir/commencer à en avoir [plus qu']assez de qc

überdüngen* *vt* abuser d'engrais pour

überdurchschnittlich I. *adj* supérieur(e) à la moyenne II. *adv* ~ **gut sein** être meilleur que la moyenne

übereck *adv* en diagonale [dans le/un coin]

übereifrig *adj* trop zélé(e)

übereignen* *vt geh* **jdm etw** ~ transmettre la propriété de qc à qn

übereilt *adj* précipité(e)

übereinander [y:bɐʔaiˈnandɐ] *adv* 1.~ **legen** entasser, superposer; ~ **liegen** être posés l'un sur l'autre; **die Bücher liegen** ~ **auf dem Tisch** les livres sont empilés sur la table; ~ **schlagen** croiser *Beine* 2.(*über sich*) ~ **reden** parler l'un sur l'au-

tre

übereinander|legen *s.* übereinander
übereinander|liegen *s.* übereinander
übereinander|schlagen *s.* übereinander

Übereinkommen *nt* accord *m*

Übereinkunft <-, ⸗e> *f* accord *m*

überein|stimmen *vi* 1.être d'accord; **mit jdm in einer Frage** ~ être d'accord avec qn sur une question; **mit jdm** [**darin**] ~, **dass ...** convenir avec qn que ... 2.(*sich gleichen*) **mit etw** ~ être conforme à qc

übereinstimmend I. *adj Aussage* concordant(e); *Ansicht* unanime II. *adv* ~ **erklären, dass ...** déclarer à l'unanimité que ...

Übereinstimmung *f* 1.consensus *m* 2.(*Gleichheit*) unanimité *f*

überempfindlich I. *adj* 1.*Person* hypersensible 2.MED ~ **gegen etw sein** être hypersensible à qc II. *adv* 1.*reagieren* comme un écorché vif/une écorchée vive 2.MED ~ **auf etw** (*akk*) **reagieren** avoir une réaction allergique à qc

über|essen *vr irr* **sich** (*dat*) **etw** ~ se dégoûter de qc

überfahren* [y:bɐˈfaːrən] *vt irr* 1.écraser *Person, Tier* 2.(*nicht beachten*) brûler, griller *Ampel, Stoppschild;* dépasser *Linie* 3.*fam* (*übertölpeln*) embobiner

Überfahrt *f* traversée *f*

Überfall *m* attaque *f* [à main armée], agression *f;* **der** ~ **auf jdn/etw** l'agression de qn/l'attaque de qc

überfallen* [y:bɐˈfalən] *vt irr* 1.agresser *Person;* attaquer *Bank* 2.*hum fam* (*besuchen*) **jdn** ~ débarquer chez qn sans crier gare 3.(*bestürmen*) **jdn mit etw** ~ assaillir qn de qc

überfällig *adj* 1.*Schiff* en retard; *Zahlung* en souffrance 2.(*angebracht*) [**längst**] ~ **sein** *Entschuldigung:* s'imposer depuis longtemps

überfliegen* [y:bɐˈfliːgən] *vt irr* 1.survoler *Gebiet* 2.(*lesen*) parcourir *Buch*

über|fließen *vi irr* + *sein a. fig* déborder

überflügeln* *vt* surpasser *Person*

ÜberflussRR *m kein Pl* [sur]abondance *f* ▶ **zu allem** ~ pour couronner le tout

überflüssig *adj* superflu(e); **es ist ~, dass** il est superflu que + *subj* ▶ **ich glaube, ich bin hier** ~ je crois que je suis de trop ici

überfluten* [y:bɐˈfluːtən] *vt* inonder *Gebiet*

überfordern* [y:bɐˈfɔrdɐn] *vt* 1.demander trop; **jdn** ~ en demander trop à qn; **mit etw/in etw** (*dat*) **überfordert sein** être dépassé par qc 2.(*überbeanspruchen*) surmener *Herz;* abuser de *Geduld*

Überforderung *f kein Pl* (*körperlich*) sur-

menage *m;* (*geistig*) exigences *fpl* trop grandes
Überfremdung <-, -en> *f* déculturation *f*
überführen* [yːbɐˈfyːrən] *vt* **1.**JUR confondre; **jdn durch etw** ~ confondre qn grâce à qc; **jdn des Drogenhandels** ~ convaincre qn de trafic de drogue **2.**(*transportieren*) transférer *Patienten;* convoyer *Fahrzeug*
Überführung *f* **1.**JUR preuve *f* de la culpabilité **2.**(*Brücke*) passage *m* supérieur
überfüllt [yːbɐˈfʏlt] *adj Schulklasse* surchargé(e); *Gebäude* bondé(e)
Übergabe *f* remise *f*
Übergang <-gänge> *m* **1.**(*Wechsel*) passage *m;* **der** ~ **von der Schule zum Beruf** la transition entre l'école et la profession **2.**(*Grenzübergang*) passage *m* **3.**(*Überweg*) passage *m* clouté
Übergangsfrist *f* ADMIN, POL période *f* de transition **Übergangsgeld** *nt* ADMIN indemnité *f* transitoire
übergangslos *adv* sans transition
Übergangslösung *f* solution *f* transitoire
übergeben* [yːbɐˈgeːbən] *irr* **I.** *vt* **1.**(*überreichen*) **jdm etw** ~ remettre qc à qn **2.**(*ausliefern*) **jdn jdm** ~ remettre qn à qn **3.** MIL **etw an jdn** ~ livrer qc à qn **II.** *vr* **sich** ~ vomir
überIgehen¹ [ˈyːbɐgeːən] *vi irr + sein* **1.**(*überwechseln*) **zu etw** ~ passer à qc; **dazu** ~ **etw zu tun** en venir à faire qc **2.**(*übertragen werden*) **in jds Besitz** (*akk*) ~ devenir propriété de qn **3.**(*verschwimmen*) **ineinander** ~ *Farben:* se fondre
übergehen*² [yːbɐˈgeːən] *vt irr* **1.**oublier; **jdn bei/in etw** (*dat*) ~ oublier qn lors de/dans qc **2.**(*nicht beachten*) passer outre *Einwand* **3.**(*auslassen*) sauter *Abschnitt*
übergeordnet *adj* **1.** *Problem* supérieur(e) **2.** GRAM, LING *Satz* principal(e); *Begriff* générique
übergeschnappt [ˈyːbɐgəʃnapt] *adj fam* maboul(e)
Übergewicht *nt kein Pl* excès *m* de poids
übergießen* *vt irr* **etw mit Wasser** ~ arroser qc d'eau
überglücklich *adj Person* comblé(e) de bonheur; *Miene* radieux(-euse)
überIgreifen *vi irr* **auf etw** (*akk*) ~ gagner qc
Übergriff *m* acte *m* de violence
übergroß *adj Kleidungsstück* de grande taille; *Möbelstück* de taille imposante
Übergröße *f* grande taille *f*
überIhaben *vt irr fam* **1.**(*satt haben*) **jdn/ etw** ~ en avoir marre de qn/qc **2.**(*überge-

hängt haben) **einen Mantel** ~ avoir mis un manteau
überhandᴿᴿ [yːbɐˈhant] ~ **nehmen** (*sich häufen*) se multiplier; (*stark anwachsen*) prendre des proportions démesurées
überhandInehmen *s.* überhand
Überhang *m* **1.**GEOG surplomb *m* **2.**(*Überangebot*) **an Waren** (*dat*) excédent *m* de marchandise
überIhängen¹ *vi irr +* haben **1.**(*hinausragen*) *Ast:* dépasser **2.**(*vorragen*) *Felswand:* être en surplomb; **nach vorn** ~ faire une avancée
überIhängen² *vt* mettre en bandoulière; [**sich** (*dat*)] **die Tasche/das Gewehr** ~ mettre son sac/fusil en bandoulière; [**sich** (*dat*)] **eine Jacke** ~ [se] mettre une veste sur les épaules
überhäufen* [yːbɐˈhɔyfən] *vt* **1.**(*überschütten*) **jdn mit etw** ~ accabler qn de qc **2.**(*bedecken*) **etw mit etw** ~ couvrir qc de qc
überhaupt [yːbɐˈhaupt] *adv* **1.**(*eigentlich*) **was fällt dir** ~ **ein?** qu'est-ce qui te prend?; **was soll das** ~? qu'est-ce que ça signifie? **2.**(*abgesehen davon, zudem*) vraiment, absolument **3.** *verstärkend* (*ganz und gar*) **ich habe** ~ **keine Zeit** je n'ai absolument pas une minute [de libre]; ~ **nicht** [pas] du tout, absolument pas; ~ **noch nie** encore jamais
überheblich *adj* arrogant(e)
überhitzen* [yːbɐˈhɪtsən] *vt* **1.**AUT chauffer **2.**(*zu stark erhitzen*) trop chauffer
überhöht [yːbɐˈhøːt] *adj* excessif(-ive)
überholen* [yːbɐˈhoːlən] **I.** *vt* **1.**(*vorbeifahren*) doubler, dépasser **2.**(*übertreffen*) devancer *Konkurrenz* **3.**(*instand setzen*) réviser *Fahrzeug* **II.** *vi* doubler
Überholmanöver *nt* dépassement *m*
Überholspur *f* voie *f* de gauche
überholt *adj Ansichten, Moral* dépassé(e)
Überholverbot *nt* interdiction *f* de dépasser
überhören* [yːbɐˈhøːrən] *vt* **1.**(*nicht hören*) ne pas entendre **2.**(*nicht hören wollen*) ignorer
überinterpretieren* *vt* aller trop loin dans l'interprétation de
überirdisch *adj* surnaturel(le)
überkandidelt *adj fam* loufoque
überIkochen *vi +* sein déborder
überkommen* [yːbɐˈkɔmən] *irr vt* s'emparer de; **jdn** ~ *Gefühl:* s'emparer de qn; **mich überkam so eine Ahnung, dass** ... j'ai eu le pressentiment que ...
überkreuzen* **I.** *vt* croiser *Arme, Beine* **II.** *vr* **sich** ~ se croiser
überladen* [yːbɐˈlaːdən] *vt irr* surcharger

Auto
überlagern* *vt* masquer
Überlänge *f* **1.** COUT grande longueur *f;* ~ **haben** être de grande longueur **2.** CINE, TV ein **Film mit** ~ un film très long
überlappen* *vt, vr* [sich] ~ [se] chevaucher
überlassen* [y:bɐ'lasən] *vt irr* **1.** (*zur Verfügung stellen*) **jdn etw** ~ laisser qc à qn **2.** (*lassen*) **jdn die Entscheidung/Initiative** ~ laisser qn décider/prendre l'initiative
überlasten* [y:bɐ'lastən] *vt* **1.** surcharger *Träger;* trop solliciter *Organ* **2.** TELEC encombrer *Telefonnetz*
Überlastung <-, -en> *f* **1.** (*überlasteter Zustand*) *einer Person* exténuation *f;* **nervliche** ~ stress *m* **2.** ELEC, TELEC *des Stromnetzes* surcharge *f*
überlaufen*¹ ['y:bɐlaʊfən] *vt irr* SPORT passer *Hürden*
über|laufen² [y:bɐ'laʊfən] *vi irr* + *sein* **1.** *Flüssigkeit:* déborder **2.** (*überwechseln*) *Soldat:* passer à l'ennemi
überlaufen³ *adj Gegend* bondé(e)
Überläufer(in) *m(f)* transfuge *m*
überleben* [y:bɐ'le:bən] **I.** *vt* **1.** einen **Unfall** ~ survivre à un accident; **wird er die Nacht** ~? passera-t-il la nuit? **2.** (*länger leben als*) **jdn um einige Jahre** ~ survivre de quelques années à qn ▶**du wirst es** ~! *iron fam* tu ne vas pas en mourir!; **das überlebe ich nicht!** *fam* (*das ist zu komisch*) c'est à mourir [de rire]!; (*das ist zu schlimm*) je ne m'en remettrai pas! **II.** *vi* survivre **III.** *vr* **sich** ~ passer; **etw hat sich überlebt** qc a fait son temps
Überlebende(r) *f(m)* *dekl wie adj* survivant(e) *m(f)*
überlebensgroß *adj, adv* plus grand(e) que nature **Überlebenskünstler(in)** *m(f)* *euph fam* personne qui parvient toujours à se sortir de situations dangereuses ou critiques
überlegen*¹ [y:bɐ'le:gən] **I.** *vi* réfléchir; **überleg/~ Sie doch mal!** réfléchis/réfléchissez donc! **II.** *vt* [sich (*dat*)] etw ~ réfléchir à qc; [sich (*dat*)] ~, **ob/wann/wie ...** réfléchir si/quand/comment ...; **es sich** (*dat*) **anders** ~ changer d'avis; **wenn man es sich** (*dat*) **recht überlegt** tout bien considéré
über|legen² ['y:bɐle:gən] *vt* couvrir; **jdm etw** ~ couvrir qn de qc
überlegen³ **I.** *adj* supérieur(e); *Sieg* écrasant(e); **jdm an Intelligenz** ~ **sein** être supérieur à qn en intelligence **II.** *adv* **1.** *siegen* haut la main **2.** *lächeln, grinsen* d'un air de supériorité
Überlegenheit <-> *f* **1.** (*überlegener Status*) supériorité *f;* ~ **gegenüber jdm** supériorité par rapport à qn **2.** (*Herablassung*) condescendance *f*
überlegt **I.** *adj* réfléchi(e); **wohl** ~ *geh* mûrement réfléchi(e) **II.** *adv* de façon réfléchie
Überlegung <-, -en> *f Pl* (*Erwägungen*) réflexions *fpl*
über|leiten *vi* introduire; **zu etw** ~ introduire qc
überlesen* *vt irr* **1.** (*übersehen*) **etw** ~ ne pas voir qc [à la lecture] **2.** (*überfliegen*) parcourir
überliefern* [y:bɐ'li:fɐn] *vt* transmettre; **jdm etw** ~ transmettre qc à qn
Überlieferung *f* **1.** *kein Pl* (*das Überliefern*) *einer Legende, Sage* transmission *f;* **die mündliche** ~ la tradition orale **2.** (*das Überlieferte*) document *m* ancien **3.** (*Brauchtum*) tradition *f*
über|listen* [y:bɐ'lɪstən] *vt* berner *Person;* déjouer *System*
überm ['y:bɐm] = **über dem** *s.* **über**
Übermacht *f kein Pl* supériorité *f;* **in der** ~ **sein** être supérieur en nombre
übermächtig *adj* **1.** (*überlegen*) supérieur(e) **2.** *Gefühl, Hass* intense
übermalen* *vt* recouvrir de peinture; **etw** ~ recouvrir qc de peinture
übermannen* *vt* envahir; **jdn** ~ *Schmerz:* envahir qn
Übermaß *nt kein Pl* **ein** ~ **an Arbeit** une surcharge de travail; **ein** ~ **an Verantwortung** une trop grande responsabilité
übermäßig **I.** *adj* extrême; **das war nicht gerade** ~ cela n'avait vraiment rien d'exceptionnel **II.** *adv* **1.** *sich anstrengen* trop **2.** *trinken* sans modération
Übermensch *m* surhomme *m*
übermenschlich *adj* surhumain(e)
übermitteln* [y:bɐ'mɪtəln] *vt* transmettre; **jdm etw** ~ transmettre qc à qn
übermorgen *adv* après-demain; ~ **früh/Abend** après-demain matin/soir
übermüdet [y:bɐ'my:dət] *adj* épuisé(e); *Augen* extrêmement fatigué(e)
Übermut *m* (*Leichtsinn*) exubérance *f;* **aus** ~ par malice ▶~ **tut selten gut** *Spr.* ≈ prudence est mère de sûreté
übermütig ['y:bɐmy:tɪç] **I.** *adj* **1.** (*ausgelassen*) exubérant(e), pétulant(e) **2.** (*aufgeregt*) turbulent(e), excité(e) **II.** *adv* **sich** ~ **aufführen** être turbulent
übern ['y:bɐn] = **über den** *s.* **über**
übernächste(r, s) *adj attr* ~**n Sonntag** dimanche en quinze; **am** ~**n Tag** le surlendemain
übernachten* [y:bɐ'naxtən] *vi* passer la nuit; **im Hotel/in Basel/bei Freunden** ~ passer la nuit à l'hôtel/à Bâle/chez des

amis, **übernächtigt** *adj* épuisé(e) par une nuit blanche
Übernachtung <-, -en> *f* TOUR nuitée *f*, nuit *f* d'hôtel; ~ **mit Frühstück** nuit[ée] avec petit-déjeuner
Übernahme ['y:bɛna:mə] <-, -n> *f* **1.**(*Inbesitznahme*) *eines Besitzes* prise *f* de possession **2.**(*das Übernehmen*) *der Verantwortung* prise *f* en charge **3.** COM *einer Firma* reprise *f*
übernatürlich *adj* (*nicht erklärbar*) surnaturel(le)
übernehmen* [y:bɛ'ne:mən] *irr* **I.** *vt* **1.**(*in Besitz nehmen*) reprendre *Besitz* **2.**(*auf sich nehmen*) assumer *Verantwortung;* se charger de *Kosten* **3.**(*übertragen bekommen*) reprendre *Vorsitz;* accepter *Auftrag;* prendre *Verteidigung* **4.**(*verwenden*) reprendre *Satz, Zitat* **5.**(*weiterbeschäftigen*) garder *Mitarbeiter;* **ins Beamtenverhältnis übernommen werden** être fonctionnarisé **II.** *vr* **sich** ~ vouloir trop en faire; **übernimm dich nur nicht!** *iron fam* [ne] te fatigue pas, surtout! **III.** *vi* prendre le relais
überparteilich *adj inv* au-dessus des partis
Überproduktion *f* surproduction *f*
überprüfen* [y:bɛ'pry:fən] *vt* **1.**(*durchchecken*) examiner *Bewerber;* contrôler *Politiker* **2.**(*kontrollieren*) vérifier l'exactitude de *Angabe;* contrôler *Unterlagen* **3.**(*die Funktion nachprüfen*) vérifier *Gerät, Anschlüsse;* réviser *Motor*
Überprüfung *f* **1.** *kein Pl* (*das Prüfen*) *eines Bewerbers* examen *m* **2.** *kein Pl* (*das Kontrollieren*) *einer Aussage* vérification *f* **3.** *kein Pl* (*Funktionsprüfung*) *eines Motors, Wagens* révision *f* **4.** *kein Pl* (*das Überdenken*) *einer Haltung* révision *f*
über|quellen *vi irr* + *sein* déborder; **vor Briefen**] ~ déborder de lettres
überqueren* [y:bɛ'kve:rən] *vt* **1.**(*passieren*) traverser *Straße* **2.**(*hinwegführen*) *etw* ~ *Brücke:* franchir qc; *Straße:* traverser qc
überragen*¹ [y:bɛ'ra:gən] *vt* **1.** dépasser; **jdn um zehn Zentimeter** ~ dépasser qn de dix centimètres; **etw um zwei Meter** ~ dominer qc de deux mètres **2.**(*übertreffen*) **jdn an Intelligenz** ~ surpasser qn en intelligence
über|ragen² ['y:bɛragən] *vi* être en surplomb; **ein** ~**der Balken** une poutre en surplomb
überragend [y:bɛ'ra:gənt] *adj* de premier ordre; *Leistung, Werk* excellent(e)
überraschen* [y:bɛ'raʃən] *vt* **1.** surprendre; **jdn mit etw** ~ faire une surprise à qn avec qc **2.**(*erstaunen*) surprendre, étonner

überraschend I. *adj* inattendu(e), surprenant(e) **II.** *adv besuchen, abfahren* à l'improviste; *sterben* subitement
Überraschung <-, -en> *f* **1.** surprise *f;* **was für eine** ~! ça [pour une surprise], c'est une surprise! **2.** *kein Pl* (*Erstaunen*) surprise *f,* étonnement *m;* **zu meiner größten** ~ à ma grande surprise
Überreaktion *f* réaction *f* excessive
überreden* [y:bɛ're:dən] *vt* convaincre, persuader
überregional *adj* interrégional(e)
überreich *adv belohnen* royalement, somptueusement
überreichen* [y:bɛ'raiçən] *vt* remettre
überreichlich *adj Essen* très copieux(-euse)
Überreichung <-, -en> *f eines Preises* remise *f*
überreif *adj Frucht, Obst* trop mûr(e), blet(te)
überreizen* *vt* [sur]exciter
überreizt *adj Augen* irrité(e); ~ **sein** être à bout de nerfs
überrennen* *vt irr* **1.** MIL prendre d'assaut **2.**(*umstoßen*) renverser
überrepräsentiert *adj* surreprésenté(e)
Überrest *m meist Pl* (*Ruinen*) vestiges *mpl* ►**jds** sterbliche ~**e** *euph geh* la dépouille [mortelle] de qn
überrollen* *vt* **1.** renverser *Gegner* **2.** *a. fig* écraser
überrumpeln* [y:bɛ'rumpəln] *vt* **1.** *fam* (*übertölpeln*) **jdn** ~ embobiner qn **2.**(*überwältigen*) **den Gegner** ~ prendre l'adversaire par surprise
überrunden* *vt* **1.** SPORT doubler *Läufer* **2.**(*übertreffen*) surclasser; *Schüler:* surpasser
übers ['y:bɛs] = **über das** *s.* über
übersät [y:bɛ'zɛ:t] *adj* **mit/von etw** ~ **sein** *Haut:* être criblé de qc; *Boden:* être jonché de qc
übersättigt *adj* [sur]saturé(e)
Überschall *m* fréquence supersonique *f*
Überschallgeschwindigkeit *f kein Pl* vitesse *f* supersonique
überschatten* [y:bɛ'ʃatən] *vt* jeter ombre sur
überschätzen* [y:bɛ'ʃɛtsən] *vt, vr* [sich] ~ [se] surestimer
überschaubar [y:bɛ'ʃauba:ɐ] *adj Firma, Projekt* dont on garde une bonne vue d'ensemble
Überschaubarkeit <-> *f* **eine bessere** ~ **des Projektes anstreben** chercher à obtenir une meilleure vue d'ensemble du projet
überschauen* [y:bɛ'ʃauən] *s.* überblicken

überlschäumen *vi + sein a. fig* déborder

überschlafen* *vt irr* **etw** ~ réfléchir à qc à tête reposée

Überschlag *m* SPORT roue *f;* **einen** ~ **machen** faire la roue

überschlagen*[1] [y:bɐ'ʃlaːgən] *irr* **I.** *vt* **1.**(*auslassen*) sauter **2.**(*berechnen*) **die Kosten** ~ évaluer les coûts [approximativement] **II.** *vr* **sich** ~ **1.**(*eine Drehung ausführen*) *Akrobat:* faire une culbute; *Fahrzeug:* faire un tonneau **2.**(*schnell aufeinander folgen*) *Ereignisse:* se précipiter; *Nachrichten:* affluer; *Wellen:* se déchaîner **3.** *fam* (*übereifrig sein*) faire du zèle **4.**(*schrill werden*) *Stimme:* devenir strident(e)

überlschlagen[2] ['yːbɐʃlaːgən] *irr vt + haben* croiser *Beine*

überlschnappen *vi + sein fam* **1.**(*verrückt werden*) débloquer **2.**(*sich überschlagen*) devenir strident(e)

überschneiden* [yːbɐ'ʃnaɪdən] *vr irr* **sich** ~ se chevaucher; **sich um wenige Minuten** ~ se chevaucher de quelques minutes

überschreiben* [yːbɐ'ʃraɪbən] *vt irr* **1.**(*betiteln*) intituler **2.** INFORM surfrapper *Datei* **3.**(*übertragen*) **seinen Besitz jdm** ~ transférer ses biens à qn

überschreiten* [yːbɐ'ʃraɪtən] *vt irr* **1.**(*überqueren*) franchir *Grenze, Fluss* **2.** *fig* (*darüber hinausgehen*) dépasser *Fähigkeiten* **3.**(*nicht einhalten*) outrepasser *Befugnisse*

Überschrift *f* [gros] titre *m*

Überschuss[RR] *m a.* COM excédent *m;* **ein** ~ **an Arbeitskräften** un sureffectif

überschüssig ['yːbɐʃʏsɪç] *adj* (*über den Bedarf vorhanden*) **die** ~**e Energie von Jugendlichen** le trop-plein d'énergie des adolescents

überschütten* [yːbɐ'ʃʏtən] *vt* **1.**(*bedecken*) **etw mit Erde** ~ recouvrir qc de terre **2.** *fig* **jdn mit Geschenken** ~ couvrir qn de cadeaux; **jdn mit Vorwürfen** ~ accabler qn de reproches

Überschwang <-[e]s> *m* emballement *m;* **im** ~ dans son/mon/… débordement de joie

überschwänglich[RR] ['yːbɐʃvɛŋlɪç] **I.** *adj* *Begrüßung* très chaleureux(-euse); *Begeisterung* débordant(e) **II.** *adv* **sich** ~ **bedanken** se confondre en remerciements

überschwemmen* [yːbɐ'ʃvɛmən] *vt* **1.** *a.* COM inonder **2.**(*hineinströmen*) **ein Land/eine Stadt** ~ *Touristen:* déferler sur un pays/une ville

Überschwemmung <-, -en> *f* inondation *f*

überschwenglich *s.* überschwänglich

Übersee ▸**in** ~ outre-mer; outre-Atlantique; **nach** ~ outre-mer; outre-Atlantique

überseeisch [-zeːɪʃ] *adj* (*jenseits der Ozeane*) d'outre-mer

übersehbar [yːbɐ'zeːbaːɐ̯] *adj* **1.**(*abschätzbar*) évaluable; **noch nicht** ~ *Schaden:* ne pas encore pouvoir être évalué **2.**(*übersichtlich*) **ein gut/schwer** ~**es Gelände** un terrain découvert/accidenté

übersehen* [yːbɐ'zeːən] *vt irr* **1.**(*nicht sehen*) ne pas voir **2.**(*abschätzen*) **etw** ~ mesurer l'ampleur de qc **3.**(*überblicken*) **etw** ~ avoir une vue d'ensemble de qc, embrasser qc du regard

übersenden* *vt irr* **jdm etw** ~ envoyer qc à qn

übersetzen*[1] ['yːbɐzɛtsən] **I.** *vt* (*übertragen*) traduire; **etw aus dem Deutschen ins Französische** ~ traduire qc de l'allemand en français **II.** *vi* faire une traduction

überlsetzen[2] [yːbɐ'zɛtsən] **I.** *vt + haben* (*zum anderen Ufer*) **jdn** ~ [faire] passer qn sur l'autre rive **II.** *vi + sein* **mit der Fähre** ~ passer avec le ferry

Übersetzer(in) *m(f)* traducteur(-trice) *m(f)*

Übersetzung <-, -en> *f* **1.** traduction *f* **2.** TECH *eines Getriebes* transmission *f,* développement *m*

Übersicht <-, -en> *f* **1.** *kein Pl* (*Überblick*) vue *f* d'ensemble **2.**(*knappe Darstellung*) aperçu *m* [général]; **eine** ~ **über etw** (*akk*) un aperçu [général] de qc

übersichtlich *adj* **1.** *Darstellung* clair(e) **2.** *Platz* dégagé(e); *Gelände* découvert(e)

überlsiedeln, übersiedeln* *vi + sein* **nach Berlin/Frankreich** ~ aller s'établir à Berlin/en France

Übersiedler(in) *m(f)* immigré(e) [*politique*] *de la RDA en RFA*

übersinnlich *adj* surnaturel(le), parapsychique

überspannen* *vt* **1.**(*hinwegführen*) **etw** ~ *Brücke:* enjamber qc **2.** tendre trop *Saite, Bogen*

überspannt *adj* **1.** *Forderungen* exagéré(e) **2.**(*exaltiert*) exalté(e)

überspielen* [yːbɐ'ʃpiːlən] *vt* **1.** MEDIA copier; **etw von einer CD auf eine Kassette** ~ copier qc d'un CD sur une cassette **2.**(*kaschieren*) **etw mit einem Lachen** ~ dissimuler qc derrière un sourire

überspitzt *adj* caricatural(e-ière)

überspringen*[1] ['yːbɐʃprɪŋən] *vt irr* **1.**(*hinwegspringen*) franchir *Höhe;* **ein Hindernis** ~ sauter par-dessus un obstacle, franchir un obstacle d'un bond **2.**(*auslassen*) sauter *Lektion, Klasse*

überlspringen[2] [yːbɐ'ʃprɪŋən] *vi irr + sein* **1.**(*sich übertragen*) *Stimmung:* être

communicatif; **auf jdn** ~ gagner qn **2.** (*übergreifen*) **auf etw** (*akk*) ~ *Feuer:* [se propager et] gagner qc
über|sprudeln *vi* + *sein* **1.** déborder **2.** *fig vor Einfällen* ~ bouillonner d'idées
überstaatlich *adj* supranational(e)
überstehen*[1] [y:bə'ʃte:ən] *vt irr* surmonter *Belastung*
über|stehen² ['y:bεʃte:ən] *vi irr* + *haben* dépasser; **auf beiden Seiten einen Meter** ~ *Ladung:* dépasser d'un mètre des deux côtés
übersteigen* [y:bə'ʃtaigən] *vt irr* **1.** (*klettern über*) passer par-dessus **2.** (*hinausgehen über*) dépasser *Fähigkeiten;* être au-dessus de *Kräfte*
überstellen* *vt* livrer; **einen Häftling an jdn** ~ livrer un prisonnier à qn
überstimmen* [y:bə'ʃtɪmən] *vt* mettre en minorité; **jdn** ~ mettre qn en minorité; **einen Antrag** ~ rejeter une demande [à la majorité]
überstrapazieren* *vt* **1.** abuser de **2.** *fig* **einen Begriff** ~ user une notion jusqu'à la corde
überstreichen* *vt irr* recouvrir; **die Wände mit etw** ~ recouvrir les murs de qc
über|streifen *vt* enfiler; **sich** (*dat*) **etw** ~ enfiler qc
überströmen* *vt* déborder; **etw** ~ *Gewässer, Fluss:* déborder qc; **von Blut überströmt sein** être couvert de sang
Überstunde *f* heure *f* supplémentaire
Überstundenzuschlag *m* majoration *f* pour heures supplémentaires
überstürzen* [y:bə'ʃtʏrtsən] **I.** *vt* précipiter **II.** *vr* **sich** ~ *Ereignisse:* se précipiter; *Nachrichten:* affluer
überstürzt *adj* précipité(e)
übertariflich **I.** *adj* hors barème **II.** *adv* hors barème
überteuert *adj Preis* exorbitant(e)
übertönen* *vt* couvrir; **etw/jdn** ~ *Person, Geräusch:* couvrir [le bruit de] qc/la voix de qn
Übertrag ['y:bεtra:k] *Pl:* 'y:bεtrε:gə] <-[e]s, ⁼e> *m* report *m*
übertragbar [y:bə'tra:kba:ɐ̯] *adj* **1.** MED contagieux(-euse), transmissible; **auf jdn** ~ **sein** être transmissible à qn **2.** (*auf anderes anwendbar*) **auf etw** (*akk*) ~ **sein** *Maßstab, Methode:* être applicable à qc **3.** ADMIN *Ausweis* transmissible
übertragen*[1] [y:bə'tra:gən] *irr* **I.** *vt* **1.** RADIO, TV diffuser, retransmettre **2.** *geh* (*übersetzen*) traduire; (*transkribieren*) transcrire **3.** MED **etw auf jdn** ~ transmettre qc à qn **4.** (*übernehmen*) **etw auf eine neue Seite** ~ reporter qc sur une nouvelle page

5. (*übergeben*) **jdm die Verantwortung** ~ déléguer la responsabilité à qn **6.** JUR **jdm etw** ~ transférer qc à qn **7.** (*anwenden*) appliquer *Maßstab, Methode* **II.** *vr* **1.** MED **sich** ~ être contagieux; **sich auf jdn** ~ se transmettre à qn **2.** (*beeinflussen*) **sich auf jdn** ~ *Nervosität:* gagner qn
übertragen² **I.** *adj Bedeutung* figuré(e) **II.** *adv* au [sens] figuré
Übertragung <-, -en> *f* **1.** *kein Pl* (*das Senden*) diffusion *f* **2.** (*Sendung*) retransmission *f* **3.** *kein Pl* MED *einer Krankheit* transmission *f* **4.** *kein Pl* (*die Übergabe*) *von Befugnissen* délégation *f* **5.** *kein Pl* JUR *von Besitz* transfert *m* **6.** *kein Pl* (*das Adaptieren*) *eines Maßstabes, einer Methode* application *f*
Übertragungsfehler *m* faute *f* de transmission
übertreffen* [y:bə'trεfən] *irr* **I.** *vt* **1.** (*besser sein*) surpasser; **jdn an Ausdauer** ~ surpasser qn en endurance; **er ist nicht zu** ~ il est imbattable **2.** (*hinausgehen über*) **etw an Größe** ~ être plus grand que qc; **alle Erwartungen** ~ dépasser toutes les attentes **II.** *vr* **sich selbst** ~ se surpasser
übertreiben* [y:bə'traibən] *irr* **I.** *vi* exagérer **II.** *vt* exagérer; **es mit der Sauberkeit** ~ pousser la propreté à l'extrême
Übertreibung <-, -en> *f* exagération *f*
über|treten¹ ['y:bεtre:tən] *vi irr* + *sein* **1.** REL se convertir; **zu einem anderen Glauben** ~ se convertir à une autre croyance **2.** SPORT mordre sur la ligne
übertreten*² [y:bə'tre:tən] *vt irr* enfreindre *Vorschrift*
übertrieben [y:bə'tri:bən] *adj* exagéré(e)
Übertritt *m* conversion *f*
übertrumpfen* *vt* damer le pion à
übervoll *adj Behälter* plein(e) à ras bord[s]; *Bus, Bahn* bondé(e)
übervorteilen* *vt* escroquer *Kunden;* exploiter *Arbeitnehmer*
überwachen* [y:bə'vaxən] *vt* **1.** (*heimlich kontrollieren*) surveiller *Aktivitäten* **2.** (*beaufsichtigen*) superviser *Ablauf;* contrôler *Qualität*
Überwachungskamera *f* caméra [vidéo] *f* de surveillance
überwältigen* [y:bə'vεltɪgən] *vt* **1.** (*bezwingen*) maîtriser, neutraliser **2.** *geh* (*übermannen*) **jdn** ~ *Angst, Grauen:* s'emparer de qn; *Schlaf, Müdigkeit:* terrasser qn
überwältigend [y:bə'vεltɪgənt] *adj* **1.** *Spektakel* grandiose; *Gefühl* renversant(e); **es hat einen** ~**en Eindruck auf mich gemacht** j'en ai été bouleversé(e) **2.** *Erfolg, Mehrheit, Sieg* écrasant(e) ►**nicht gerade** ~ pas fameux(-euse) (*fam*)

über|wechseln vi + sein **1.**(die Seiten wechseln) **zu etw** ~ passer à qc **2.** AUT **auf eine andere Spur** ~ passer sur une autre file
überweisen* [yːbɐˈvaɪzən] vt irr **1.** FIN virer; **Geld auf ein Konto** ~ virer de l'argent sur un compte **2.** MED **jdn zu einem Facharzt** ~ adresser qn à un spécialiste
Überweisung <-, -en> f **1.**(Geldüberweisung) virement m **2.** MED eines Patienten transfert m
Überweisungsformular nt formulaire m de virement
überwiegen* [yːbɐˈviːgən] irr I. vi prédominer II. vt etw ~ Neugier, Langeweile: l'emporter sur qc
überwiegend I. adj Teil majeur(e) antéposé; Mehrheit large antéposé; der ~e Anteil le plus grand nombre II. adv heiter plutôt, la plupart du temps; zutreffen dans l'ensemble
überwinden* [yːbɐˈvɪndən] irr I. vt **1.** surmonter Bedenken; se libérer de Vorurteil; vaincre Widerstand; venir à bout de Problem **2.**(besiegen) vaincre, l'emporter sur Gegner **3.**(ersteigen) franchir Mauer II. vr sich ~ faire un effort sur soi-même
Überwindung <-> f (Selbstüberwindung) effort m sur soi-même
überwintern* [yːbɐˈvɪntɐn] vi **1.** Person: passer l'hiver; Vogel: hiverner **2.**(Winterschlaf halten) **in einer Höhle** ~ Bär: hiberner dans une tanière
Überzahl f kein Pl **in der** ~ **sein** être supérieur en nombre
überzählig adj en trop
überzeugen* [yːbɐˈtsɔygən] I. vt convaincre, persuader; **jdn von etw** ~ persuader qn de qc; **jdn davon** ~**, dass** ... persuader qn de qc II. vi Person, Argument: être convaincant III. vr sich von etw ~ s'assurer de qc; **sich selbst davon** ~**, dass** ... s'assurer soi-même que ...
überzeugend adj convaincant(e)
überzeugt adj convaincu(e)
Überzeugung <-, -en> f conviction f; **aus** ~ par conviction; **der** ~ **sein, dass** ... être convaincu que ...
Überzeugungskraft f kein Pl force f de persuasion
überziehen*¹ [ˈyːbɐtsiːən] irr I. vt **1.**(bedecken) **etw** ~ Rost, Schimmel: recouvrir qc **2.** fig **eine Gegend mit Supermärkten** ~ inonder une région de grandes surfaces; **ein Land mit Krieg** ~ mettre un pays à feu et à sang **3.**(belasten) **das Konto um hundert Euro** ~ mettre son compte à découvert de cent euros II. vi Person, Sendung: dépasser son temps d'antenne

über|ziehen² [yːbɐˈtsiːən] I. vt irr passer, enfiler Pullover II. vr sich etw ~ se passer qc
Überziehungskredit m avance f sur compte courant
überzüchtet adj Tier dégénéré(e); Motor, Rennmotor trop poussé(e)
Überzug m **1.**(Schicht) couche f **2.**(Hülle) housse f
üblich [ˈyːplɪç] adj Methode, Preis usuel(le), habituel(le); **wie** ~ comme d'habitude; **das ist bei uns/in Italien** ~ c'est la coutume chez nous/en Italie
üblicherweise adv d'habitude
U-Boot [ˈuːboːt] nt sous-marin m
übrig [ˈyːbrɪç] I. adj **1.** attr (restlich) **die** ~**en Teilnehmer** les autres participants; **die** ~**en Bücher** les livres restants; **alles Übrige** tout ce qui reste **2.**(~ bleibend) ~ **sein** rester ▶ **für jdn etwas/nichts** ~ **haben** avoir un faible/n'avoir aucune sympathie pour qn; **im Übrigen** du reste II. adv ~ **bleiben** rester; **was** ~ **bleibt, essen wir morgen** le reste, nous le mangerons demain; **lass noch ein paar Euro** ~**!** laisse quelques euros de reste!
übrig|bleiben s. übrig II.
übrigens [ˈyːbrɪgəns] adv **1.**(nebenbei bemerkt) au fait **2.**(außerdem) d'ailleurs, de toute façon
übrig|lassen s. übrig II.
Übung [ˈyːbʊŋ] <-, -en> f **1.** kein Pl (das Üben) exercice m, entraînement m; **zur** ~ comme exercice, pour s'entraîner; **in** ~ **bleiben** (physisch) entretenir sa forme; (geistig) entretenir ses connaissances **2.** SCHULE, SPORT exercice m **3.** UNIV travaux mpl dirigés ▶ ~ **macht den Meister** prov c'est en forgeant qu'on devient forgeron
UEFA-Cup [uˈeːfakap] <-s, -s> m, **UEFA-Pokal** m coupe f de l'U.E.F.A.
Ufer [ˈuːfɐ] <-s, -> nt (Flussufer, Seeufer) rive f, bord m; (Meeresufer) littoral m, côte f; **am** ~ sur la rive/le littoral; **am** ~ **stehen** être au bord de l'eau
uferlos adj interminable, sans fin ▶ **ins Uferlose gehen** (kein Ende nehmen) ne pas en finir; (jeden Rahmen sprengen) exploser
Ufo <-[s], -s> nt Abk von **unbekanntes Flugobjekt** OVNI m
Uganda <-s> nt l'Ouganda m
U-Haft [ˈuːhaft] f fam détention f préventive
Uhr [uːɐ̯] <-, -en> f **1.**(Standuhr, öffentliche ~) horloge f; (Armbanduhr) montre f; (Wanduhr) pendule f; (Kaminuhr) cartel m **2.**(bei Zeitangaben) **um drei** ~ à trois heures; **um zwölf** ~ **mittags** à midi; **es ist**

fünf ~ früh il est cinq heures du matin;
um wie viel ~? à quelle heure?; **wie viel
~ ist es?** quelle heure est-il? ▶**rund um
die ~** vingt-quatre heures sur vingt-quatre
Uhrarmband *nt* bracelet *m* de montre
Uhrmacher(in) *m(f)* horloger(-ère) *m(f)*
Uhrzeiger *m* aiguille *f* [d'une horloge/
montre] **Uhrzeigersinn** *m* im ~ dans le
sens des aiguilles d'une montre **Uhrzeit** *f*
heure *f*
Uhu ['uːhu] <-s, -s> *m* grand duc *m*
Ukraine [ukra'iːnə, u'krainə] <-> *f*
l'Ukraine *f*
Ukrainer(in) [ukra'iːnɐ, u'krainɐ] <-s, ->
m(f) Ukrainien(ne) *m(f)*
ukrainisch [ukra'iːnɪʃ, u'krainɪʃ] I. *adj*
ukrainien(ne) II. *adv* ~ **miteinander
sprechen** discuter en ukrainien; *s.a.*
deutsch
Ukrainisch [ukra'iːnɪʃ, u'krainɪʃ] <-[s]> *nt*
kein art ukrainien *m; s.a.* **Deutsch**
UKW [uːkaː'veː] <-> *Abk von* **Ultrakurzwelle** FM *f;* **auf ~ en** FM
ulkig *adj fam* 1.(*lustig*) marrant(e) 2.(*seltsam*) bizarre; **du bist vielleicht ~!** t'as des
idées bizarres!
Ulme ['ʊlmə] <-, -n> *f* (*Baum, Holz*) orme
m
ultimativ *adj Drohung* sous forme d'ultimatum
Ultimatum [ʊltɪ'maːtʊm] <-s, -s *o* Ulti-
maten> *nt* ultimatum *m;* **jdm ein ~ stellen** lancer un ultimatum à qn
Ultrakurzwelle [ʊltra'kʊrtsvɛlə] *f* 1.(*Welle*) onde *f* très courte 2.(*Empfangsbe-
reich*) modulation *f* de fréquence **Ultraschall** *m* 1. PHYS ultrason *m* 2. MED échographie *f* **Ultraschalluntersuchung** *f*
[examen *m* par] échographie *f* **ultraviolett** *adj* ultraviolet(te)
um [ʊm] I. *präp + akk* 1.(*örtlich*) ~ **die
Ecke** au coin de la rue; (~ **den Park herum** autour du parc; ~ **sich schlagen/
treten** se débattre; **mit Bonbons ~ sich
werfen** lancer des bonbons dans toutes les
directions 2.(*bei Zeitangaben*) ~ **fünf
Uhr/Mitternacht** à cinq heures/minuit
3.(*ungefähr*) environ; ~ **die fünfzig Euro
kosten** coûter dans les cinquante euros
4.(*hinsichtlich, wegen*) ~ **deinetwillen**
[par égard] pour toi; ~ **der Freundschaft
willen** par amitié; **er ist ~ ihr Wohlergehen besorgt** il est soucieux de son bien-
être 5.(*zur Angabe des Ausmaßes*) ~
zehn Zentimeter größer sein être plus
long de dix centimètres; ~ **einiges besser
sein** être un peu mieux; **das wäre ~
nichts besser** ça ne serait amélioré en
rien II. *konj* **er kam ~ zu siegen** il vint

pour vaincre III. *adv* ~ **sein** être passé; **die
Pause ist in zwei Minuten ~** la récréation se termine dans deux minutes
um|arbeiten *vt* (*umgestalten*) remanier
umarmen* [ʊm'ʔarmən] *vt* serrer dans
ses bras; **jdn ~** serrer qn dans ses bras
Umarmung <-, -en> *f* accolade *f*
Umbau <-[e]s, -ten> *m kein Pl eines Gebäudes* transformations *fpl;* **sich im ~ befinden** être en travaux
um|bauen[1] ['ʊmbaʊən] I. *vt* transformer
Gebäude II. *vi* faire des transformations
umbauen*[2] [ʊm'baʊən] *vt* entourer de
constructions; **etw ~** entourer qc de constructions
um|benennen* *vt irr* rebaptiser; **ein
Schwimmbad in einen Freizeitpark ~**
rebaptiser une piscine parc de loisirs
um|besetzen* *vt* 1. CINE, THEAT **eine Rolle
~** attribuer un rôle à qn d'autre 2. POL remanier *Ministerium;* redistribuer *Minister-
posten*
um|bestellen* I. *vt* 1.(*ändern*) etw ~
Gast: modifier qc 2.(*früher oder später
kommen lassen*) **jdn ~** donner rendez-
vous à qn à un autre moment II. *vi* modifier sa commande
um|betten *vt* 1. MED **jdn ~** changer qn de lit
2. *euph* transférer *Toten, Gebeine*
um|biegen *irr* I. *vt + haben* 1.(*krümmen*)
tordre, [re]courber *Draht* 2.(*verbiegen*) tordre *Arm* II. *vi + sein* 1.(*kehrtmachen*) faire demi-tour 2.(*abbiegen*) **nach rechts ~**
tourner à droite
um|bilden *vt* POL remanier
Umbildung *f* POL remaniement *m* ministériel
um|binden *vt irr* mettre; [sich (*dat*)] etw ~
[se] mettre qc; **mit umgebundenem
Schal** [avec] une écharpe [nouée] autour
du cou
um|blättern *vi* tourner la page
um|blicken *vr* 1.(*nach hinten blicken*)
sich ~ regarder derrière soi, se retourner
2.(*zur Seite blicken*) **sich nach allen Seiten ~** regarder autour de soi
um|brechen *irr* I. *vt + haben* (*umknicken*)
coucher II. *vi + sein* se coucher
um|bringen *irr* I. *vt* 1.(*töten*) tuer 2. *fig*
diese Hitze bringt einen noch um! il
fait une chaleur à crever! (*fam*) II. *vr*
1.(*Selbstmord begehen*) **sich ~** se suicider 2. *fam* (*es übertreiben*) **sich** [fast] ~
vor Freundlichkeit se mettre en quatre
pour être aimable
Umbruch *m* 1. *kein Pl* (*Einteilung in Seiten*) mise *f* en pages 2.(*Wandel*) changement *m* profond
um|buchen *vt, vi* TOUR modifier une réserva-

ndenng resaation de voyage**
um|denken *vi irr* réviser son opinion
um|disponieren* *vi* changer ses dispositions
umdrehen I. *vt + haben* **1.** (*auf die andere Seite drehen*) jdn/etw ~ retourner qn/qc **2.** (*herumdrehen*) tourner *Schalter, Schlüssel* **II.** *vr + haben* **sich nach jdm/etw ~** se retourner en direction de qn/qc **III.** *vi + haben o sein* faire demi-tour
umeinander [ʊmʔaj'nandɐ] *adv* **sich ~ kümmern** s'occuper l'un(e) de l'autre
um|fahren¹ ['ʊmfaːrən] *irr vt fam* renverser; **er wurde umgefahren** il s'est fait renverser par une voiture
umfahren*² [ʊm'faːrən] *vt irr* contourner *Hindernis;* éviter *Stau*
um|fallen *vi irr + sein* **1.** (*umkippen*) *Figur:* se renverser; *Baum:* se coucher **2.** (*zu Boden fallen*) tomber [par terre]; **tot ~** *fam* tomber raide mort(e)
Umfang <-[e]s, **Umfänge**> *m* **1.** (*Perimeter*) *einer Kugel* circonférence *f* **2.** (*Ausdehnung*) *eines Gebiets* superficie *f; eines Verlusts* étendue *f* **3.** (*Ausmaß*) **in großem ~** dans une large mesure; **in vollem ~** *rehabilitieren* complètement, totalement
umfangreich *adj Werk* riche et varié(e); *Studien* dans des domaines divers
umfassen* [ʊm'fasən] *vt* **1.** (*umschließen*) jdn ~ prendre qn dans ses bras; **etw ~** prendre qc dans ses mains **2.** (*umgreifen*) *Ringer:* étreindre **3.** (*enthalten*) comprendre
umfassend I. *adj* **1.** *Vollmachten* étendu(e); *Maßnahmen* de grande envergure **2.** (*alles enthaltend*) complet(-ète); *Bericht* détaillé(e) **II.** *adv* **~ gestehen** faire des aveux complets; **~ berichten** faire un rapport détaillé
Umfeld *nt* milieu *m*
um|formen *vt* modifier
Umfrage *f* sondage *m;* (*auf der Straße*) micro-trottoir *m*
um|füllen *vt* transvaser
um|funktionieren* *vt* transformer; **etw zu etw ~** transformer qc en qc
Umgang *kein Pl m* **1.** (*Kontakt, Beschäftigung*) **mit jdm ~ haben** fréquenter qn; **im ~ mit Kindern/Tieren** avec les enfants/animaux **2.** (*Freunde, Bekannte*) fréquentations *fpl*
umgänglich *adj* conciliant(e)
Umgangsformen *Pl* manières *fpl;* **keine ~ haben** être mal élevé **Umgangssprache** *f* (*im täglichen Umgang verwendet*) langage *m* courant; (*nachlässige Sprache*) langage familier

umgarnen* *vt* embobiner (*fam*)
umgeben* [ʊm'geːbən] *irr* **I.** *vt* entourer; **etw mit einer Mauer ~** entourer qc d'un mur; **von Menschen ~ sein** être entouré de gens **II.** *vr* **sich mit Künstlern/Bildern ~** s'entourer d'artistes/de tableaux
Umgebung <-, -en> *f* (*Gelände*) environs *mpl,* alentours *mpl;* **in unserer nächsten ~** à proximité de chez nous
um|gehen¹ [ʊm'geːən] *vi irr + sein* **1.** (*behandeln*) **mit jdm/etw ~ können** savoir s'y prendre avec qn/qc; **mit jdm rücksichtslos/einfühlsam ~** traiter qn sans/avec égards **2.** (*handhaben*) **mit etw vorsichtig ~** manier qc avec précaution **3.** (*im Umlauf sein*) *Gerücht, Grippe:* circuler
umgehen*² ['ʊmgeːən] *vt irr* **1.** (*vermeiden*) esquiver; **etw ist nicht zu ~** qc ne peut pas être évité **2.** (*nicht einhalten*) contourner *Embargo*
umgehend ['ʊmgeːənt] **I.** *adj* immédiat(e) **II.** *adv* dans les plus brefs délais
Umgehung <-, -en> *f* **1.** (*die Nichteinhaltung*) **die ~ des Embargos unterbinden** empêcher que l'embargo ne soit contourné **2.** (~*sstraße*) contournement *m*
Umgehungsstraße [ʊm'geːʊŋsʃtraːsə] *f* contournement *m*
umgekehrt I. *adj* inverse; **es ist genau ~!** c'est tout le contraire! **II.** *adv* (*andersherum*) dans l'autre sens
um|gestalten* *vt* modifier, remanier
um|gewöhnen* *vr* **sich ~** changer ses habitudes
um|graben *vt irr* bêcher
Umhang <-[e]s, **Umhänge**> *m* cape *f*
um|hängen *vt* **1.** **sich** (*dat*) **eine Jacke ~** se mettre une veste sur les épaules **2.** (*woandershin hängen*) **etw ~** accrocher qc ailleurs
Umhängetasche *f* sac *m* à bandoulière
um|hauen *vt irr fam* **1.** (*verblüffen*) souffler; **das hat mich umgehauen!** ça m'a coupé le sifflet!; **dieses Mädchen haut einen um!** cette fille, elle dégage! **2.** (*unerträglich sein*) jdn ~ *Gestank:* couper le souffle à qn
umher [ʊm'heːɐ] *adv* **weit ~** tout le pays à la ronde
umher|gehen *vi irr + sein* faire cent pas; **im Zimmer ~** faire les cent pas dans la pièce; **im Garten/in der Stadt ~** se promener dans le jardin/en ville **umher|irren** *vi + sein* errer
umhin|können *vi irr* **nicht ~ etw zu tun** ne pouvoir faire autrement que de faire qc
um|hören *vr* **sich ~** se renseigner; **sich nach jdm/etw ~** se renseigner à propos de qn/qc

umhüllen* vt envelopper; **jdn/etw mit etw ~** envelopper qn/qc dans qc
umkämpft [ʊm'kɛmpft] adj Stadt assiégé(e); Gebiet de combats
Ụmkehr <-> f retour m
ụmkehrbar adj réversible; **nicht ~** irréversible
ụmkehren I. vi + sein faire demi-tour **II.** vt + haben geh renverser Mandatsverteilung
ụm|kippen I. vi + sein **1.** Person: tomber; Gegenstand: se renverser **2.** fam (bewusstlos werden) tourner de l'œil **3.** fam (die Meinung ändern) retourner sa veste **4.** ÖKOL Gewässer: s'asphyxier **II.** vt + haben renverser
umklammern* vt se cramponner à
Umklammerung [ʊm'klamərʊŋ] <-, -en> f étreinte f
Ụmkleidekabine f (im Schwimmbad) cabine f
ụm|kleiden vr geh sich ~ se changer
Ụmkleideraum m vestiaire m
ụm|knicken I. vi + sein Baum: plier; Stängel: se casser; [mit dem Fuß] ~ Person, Tier: se tordre le pied **II.** vt + haben plier Blatt; casser Pflanze
ụm|kommen vi irr + sein **1.** mourir; **bei etw/in etw** (dat) ~ mourir dans qc **2.** fam (entkräftet sein) **vor Hitze/Langeweile** ~ crever de chaud/d'ennui
Ụmkreis m périphérie f; **im ~ der Stadt** à la périphérie de la ville; **im ~ von zehn Kilometern** dans un rayon de dix kilomètres
umkreisen* vt tourner autour de
ụm|krempeln vt **1.** retrousser; [sich (dat)] **die Ärmel** ~ retrousser ses manches **2.** fam tourner la boule à Person; chambouler Firma, Leben
Ụmlage f participation f [financière]
umlagern* vt se presser autour de
Ụmland nt kein Pl périphérie f
Ụmlauf m **1.** (Rundschreiben) circulaire f **2.** (Rotation) **der ~ der Erde um die Sonne** la rotation de la terre autour du soleil **3.** (Zirkulation) **im ~ sein** Münze: être en circulation
Ụmlaufbahn f ASTRON orbite f
Ụmlaut m GRAM voyelle f infléchie
ụm|legen vt **1.** jdm einen Schal ~ mettre une écharpe à qn **2.** (fällen) **einen Baum** ~ Person, Gerät: abattre un arbre; Sturm: coucher un arbre **3.** fam (zu Boden strecken) allonger; (umbringen) zigouiller **4.** (anders legen) changer de position Kabel, Leitung
ụm|leiten vt dévier Verkehr; détourner Fluss, Kanal
Ụmleitung f déviation f
ụm|lernen vi changer son comportement;

(einen anderen Beruf erlernen) se reconvertir
ụmliegend adj alentour inv; **die ~en Gemeinden** les communes alentour
ụm|melden I. vt immatriculer dans un autre département; **sein Auto** ~ immatriculer sa voiture dans un autre département **II.** vr sich ~ faire un changement d'adresse
Umnạchtung f geh **geistige** ~ démence f
ụm|organisieren* vt réorganiser
ụm|quartieren* vt faire dormir ailleurs; **jdn** ~ faire dormir qn ailleurs
umrạnden* vt entourer; **eine Textstelle rot** ~ entourer un passage en rouge
ụm|räumen I. vi changer les meubles de place **II.** vt changer de place
ụm|rechnen vt convertir; **Dollars in Euros** ~ convertir des dollars en euros
Ụmrechnungskurs m taux m de change
umreißen* ['ʊmrajsən] vt irr esquisser Situation
ụm|rennen vt irr jdn/etw ~ renverser qn/ qc [en courant]
umrịngen* vt entourer Person; faire cercle autour de Auto, Haus
UmrissRR m einer Person silhouette f; eines Gegenstands contours mpl
ụm|rühren vt, vi remuer
ụm|rüsten I. vi MIL **auf etw** (akk) ~ passer à qc **II.** vt TECH **ein Fahrzeug auf Katalysator** ~ adapter un véhicule à un catalyseur
ụms [ʊms] = um das s. um
Ụmsatz m chiffre m d'affaires; **~ machen** fam faire du chiffre
umsäumen* vt geh border Weg, Fläche
ụm|schalten I. vi **1.** Ampel: changer; **auf Grün/Rot** ~ passer au vert/rouge **2.** (den Fernseh-/Radiosender wechseln) changer de chaîne/[de station] de radio; **wir schalten um nach Köln** nous passons l'antenne à Cologne **II.** vt **ein Gerät auf Wechselstrom** ~ brancher un appareil sur le courant alternatif
Ụmschalttaste f touche f Majuscule
ụm|schichten vt (anders verteilen) **die Kosten** ~ répartir les dépenses autrement **II.** vr sich ~ Bevölkerung: se restructurer
Ụmschlag m **1.** (Briefumschlag) enveloppe f **2.** (Schutzumschlag) eines Buchs jaquette f **3.** MED compresse f **4.** kein Pl (das Umladen) von Waren transbordement m
ụm|schlagen irr **I.** vt + haben **1.** (wenden) rabattre Ärmel **2.** (umladen) transborder Güter **II.** vi + sein Wetter: changer; Wind: tourner
umschließen* [ʊm'ʃliːsən] vt irr **1.** etw ~ Mauer, Zaun: entourer qc **2.** (umarmen) **jdn/etw mit beiden Armen** ~ étreindre

qn/qc de ses deux bras (soutenu) **3.** (beinhalten) **etw** ~ **Angebot, Preis:** comprendre qc

umschlingen* vt irr **1.** enlacer; **jdn/etw mit beiden Armen** ~ enlacer qn/qc de ses deux bras (soutenu) **2.** (sich herumschlingen) **einen Baum** ~ Pflanze: enlacer un arbre

umschlungen adj eng ~ étroitement enlacé(e)s; **sich** ~ **halten** se tenir enlacé(e)s

umlschmeißen vt irr fam (umwerfen) **etw** ~ ficher qc par terre

umlschnallen vt boucler

umlschreiben¹ ['ʊmʃraɪbən] vt irr **1.** ré[é]crire Text **2.** JUR **etw auf jdn** ~ mettre qc au nom de qn

umschreiben*² [ʊm'ʃraɪbən] vt irr (mit anderen Worten ausdrücken) périphraser

Umschrift f transcription f; **phonetische** ~ transcription phonétique

Umschuldung <-, -en> f conversion f de dette

umlschulen vt **1.** (beruflich) reconvertir; **jdn zum Buchhalter** ~ reconvertir qn en comptable; **sich** ~ **lassen** se reconvertir **2.** SCHULE **sein Kind** ~ changer son enfant d'école

Umschulung f (beruflich) reconversion f; ~ **zum Buchhalter** reconversion en comptable

umschwärmen* vt **1.** **jdn/etw** ~ Vögel, Insekten: tournoyer autour de qn/qc **2.** aduler, courtiser Idol, Star

Umschweife ['ʊmʃvaɪfə] Pl circonlocutions fpl; **ohne** ~ **zur Sache kommen** ne pas y aller par quatre chemins

umlschwenken vi + sein **1.** (zur Seite schwenken) changer de direction **2.** pej (die Meinung ändern) retourner sa veste

Umschwung m **1.** revirement m **2.** SPORT soleil m **3.** CH (Gelände) terrain m

umsegeln* vt (umrunden) **die Erde** ~ faire le tour du monde [à la voile]

umlsehen vr irr **1.** (sich informieren) **sich** ~ regarder; **ich wollte mich nur mal im Laden** ~ je voulais juste jeter un coup d'œil dans le magasin **2.** (nach hinten blicken) **sich nach jdm/etw** ~ se retourner pour regarder qn/qc **3.** (suchen) **sich nach jdm/etw** ~ chercher qn/qc du regard

umlsein s. um III.

umseitig adj, adv au verso

umlsetzen I. vt **1.** **jdn** ~ faire changer de place à qn **2.** (anwenden) appliquer Erfahrungen, Wissen; **etw in die Praxis** ~ mettre qc en pratique II. vr **sich** ~ changer de place

Umsicht f kein Pl circonspection f

umsichtig I. adj circonspect(e) II. adv avec circonspection

umlsiedeln I. vt + haben déplacer; **nach Deutschland umgesiedelt werden** être déplacé vers l'Allemagne II. vi + sein **nach Köln** ~ aller s'installer à Cologne

umsoᴿᴿ ['ʊmzo] konj ~ **mehr** d'autant plus; ~ **weniger** d'autant moins; ~ **besser** tant mieux

umsonst adv **1.** (kostenlos) gratuitement **2.** (vergebens) inutilement

umsorgen* [ʊm'zɔrgən] vt entourer de soins; **jdn** ~ entourer qn de soins

umspannen* vt **1.** **etw mit dem Armen** ~ faire le tour de qc avec les bras **2.** s'étendre sur Jahre

umspielen* vt **die Mundwinkel** ~ Lächeln: se dessiner sur les lèvres; **die Klippen** ~ Wellen: lécher les falaises

umlspringen ['ʊmʃprɪŋən] vi irr + sein **1.** Wind: changer [de direction]; **auf Nordwest** ~ tourner au nord-ouest **2.** (umschalten) Anzeige: changer; **auf Gelb/Rot** ~ Ampel: passer à l'orange/au rouge **3.** pej (verfahren) **mit jdm grob** ~ traiter qn grossièrement

umspülen* vt baigner; **etw** ~ Flut, Wellen: baigner qc

umlspulen vt rembobiner

Umstand <-[e]s, Umstände> m **1.** (Tatsache) fait m; (Bedingung) circonstance f; **unter allen Umständen** quoi qu'il arrive; **das wird unter Umständen teuer** ça risque de coûter cher **2.** Pl (Schwierigkeiten) complications fpl; (Förmlichkeiten) formalités fpl; **jdm Umstände machen** causer des problèmes à qn

umständehalber ['ʊmʃtɛndəhalbə] adv en raison des circonstances

umständlich adj Person compliqué(e)

Umstandsbestimmung f GRAM complément m circonstanciel; ~ **der Zeit/des Ortes** complément circonstanciel de temps/de lieu

umstehend adj attr Personen attroupé(e)s tout autour

umlsteigen vi irr + sein (den Zug/Bus wechseln) changer de train/bus; **in den Zug nach Frankfurt** ~ prendre la correspondance pour Francfort

umlstellen ['ʊmʃtɛlən] I. vt **1.** déplacer Möbelstück **2.** (ändern) modifier le réglage de Schalter; **die Uhren auf Sommerzeit** ~ mettre les pendules à l'heure d'été II. vi **auf Gas** ~ passer au gaz III. vr **sich auf etw** (akk) ~ s'adapter à qc

Umstellung f changement m

umlstimmen vt faire changer d'avis; **jdn** ~ faire changer qn d'avis

ụm|stoßen *vt irr* **1.** faire tomber **2.** revenir sur *Entschluss*

umstrịtten [ʊmˈʃtrɪtən] *adj* controversé(e); **heiß** ~ très controversé(e)

ụm|strukturieren* *vt* restructurer

ụm|stülpen *vt* retourner

Ụmsturz *m* coup *m* d'état

ụm|stürzen I. *vi* + *sein* se renverser **II.** *vt* + *haben* **1.** faire tomber *Säule, Mauer* **2.** *fig* renverser *Regime, System*

ụm|taufen *vt* rebaptiser

Ụmtausch *m* **1.** *von Waren* échange *m* **2.** FIN ~ **von Euro in Dollar** change *m* d'euros en dollars

ụm|tauschen *vt* **1.** échanger; **etw gegen etw** ~ échanger qc contre qc; **jdm etw** ~ *Händler:* reprendre qc à qn **2.** FIN **Geld** ~ changer de l'argent; **Euro in Dollar** ~ changer des euros en dollars

ụm|topfen *vt* rempoter *Pflanze*

Ụmtrunk *m* pot *m* (*fam*)

ụm|tun *vr irr fam* (*sich umsehen*) fureter; **sich in einer Stadt** ~ fureter dans une ville

Ụmverpackung *f* [sur]emballage *m*

ụm|verteilen* *vt* redistribuer

ụm|wälzen *vt* **1.** (*umdrehen*) retourner **2.** *fig* ~**de Ereignisse** des événements *mpl* bouleversants **3.** TECH renouveler *Luft, Wasser*

ụm|wandeln *vt* transformer; **etw in etw** (*akk*) ~ transformer qc en qc

Ụmwandlung *f* transformation *f*

ụm|wechseln [-ks-] *vt* **jdm einen Geldschein in Münzen** ~ faire de la monnaie à qn

Ụmweg *m* détour *m;* **auf** ~**en** par des voies détournées

Ụmwelt *f kein Pl* **1.** ÖKOL environnement *m* **2.** (*Mitmenschen*) entourage *m*

Ụmweltbehörde *f* autorité *f* compétente en matière d'environnement **Ụmweltbelastung** *f* pollution *f* **ụmweltbewusstᴿᴿ** *adj, adv* écologique; **sich** ~ **verhalten** respecter l'environnement **ụmweltfreundlich** *adj* qui ne nuit pas à l'environnement, écologique **Ụmweltgift** *nt* produit *m* nocif pour l'environnement **Ụmweltkriminalität** *f* délits *mpl* en matière d'environnement **Ụmweltpapier** *nt* papier *m* recyclé **Ụmweltpolitik** *f* politique *f* pour la protection de l'environnement **Ụmweltschützer(in)** *m(f)* écologiste *mf* **Ụmweltverschmutzer(in)** <-s, -> *m(f)* pollueur(-euse) *m(f)*

ụm|wenden *irr* **I.** *vt* tourner *Seite* **II.** *vr* **sich nach jdm/etw** ~ se retourner sur qn/vers qc

umwẹrben* *vt irr* faire les yeux doux à *Person*

ụm|werfen *vt irr* **1.** renverser *Glas;* bouleverser *Plan* **2.** *fam* (*verblüffen*) **jdn** ~ *Mitteilung:* renverser qn

ụmwerfend I. *adj* renversant(e) **II.** *adv* incroyablement

umwịckeln* [ʊmˈvɪkəln] *vt* entourer; **etw mit Papier/Draht** ~ entourer qc de papier/fil de fer

ụm|ziehen *irr* **I.** *vi* + *sein* déménager; **in eine andere Wohnung** ~ déménager dans un autre appartement **II.** *vr* + *haben* **sich** ~ se changer

umzịngeln* [ʊmˈtsɪŋəln] *vt* encercler

Ụmzug *m* **1.** déménagement *m* **2.** (*Festzug*) défilé *m*

UN [uːˈʔɛn] <-> *Pl Abk von* **United Nations: die** ~ les Nations *fpl* Unies

unabänderlich *adj Entschluss, Tatsache* irrévocable

unabdịngbar *adj Voraussetzung* absolu(e); **etw für** ~ **halten** tenir qc pour indispensable

ụnabhängig *adj* **1.** *Person, Land* indépendant(e); ~ **werden** *Land:* accéder à l'indépendance; **von jdm/etw** ~ **sein** ne pas dépendre de qn/qc **2.** (*nicht bedingt durch*) **von etw** ~ **sein** *Entwicklung:* être indépendant de qc

Ụnabhängigkeit *f kein Pl* indépendance *f*

ụnabkömmlich *adj Mitarbeiter* indisponible

ụnablässig I. *adj* incessant(e) **II.** *adv* sans cesse

unabsẹhbar [ʊnˈʔapˈzeːbaːɐ̯] *adj Folgen, Auswirkungen* imprévisible; *Kosten* incalculable

ụnabsichtlich *adj* involontaire

ụnabwẹndbar *adj* inéluctable

ụnachtsam I. *adj* distrait(e) **II.** *adv* **etw** ~ **tun** faire qc sans faire attention

Ụnachtsamkeit *f* inattention *f*

ụnähnlich *adj* dissemblable; **jdm nicht** ~ **sein** avoir un air de ressemblance avec qn

unanfẹchtbar [ʊnˈʔanˈfɛçtbaːɐ̯] *adj Argument, Beweis, Tatsache* incontestable; *Urteil* irrévocable

ụnangebracht *adj* déplacé(e)

ụnangefochten *adj* incontesté(e)

ụnangemeldet I. *adj Besucher* qui n'a pas annoncé sa venue; *Patient* qui n'a pas pris rendez-vous **II.** *adv* ~ **kommen** venir à l'improviste; (*ohne Terminabsprache kommen*) sans [prendre] rendez-vous

ụnangemessen I. *adj* **1.** *Benehmen* inconvenant(e); *Behandlung* peu convenable **2.** *Forderung* exagéré(e) **II.** *adv* (*unpassend*) de façon inconvenante

ụnangenehm I. *adj Person* désagréable; *Mitteilung* contrariant(e); *Situation* fâ-

cheux(-se); **das ist mir** ~ ça m'est pénible **II.** *adv riechen* mauvais; ~ **schmecken** avoir mauvais goût; **jdn** ~ **berühren** mettre qn mal à l'aise
unangetastet *adj* ~ **bleiben** rester intact(e)
unangreifbar *adj* inattaquable
Unannehmlichkeit *f meist Pl* désagrément *m;* ~**en bekommen/haben** s'attirer/connaître des ennuis
unansehnlich *adj* **1.** *Person* insignifiant(e) **2.** *Haus* qui ne paie pas de mine
unanständig I. *adj* indécent(e) **II.** *adv* de façon indécente
unantastbar *adj* intangible
unappetitlich *adj Kleidung, Toiletten* dégoûtant(e)
Unart *f* mauvaise habitude *f*
unartig *adj Kind* mal élevé(e)
unauffällig I. *adj Person* discret(-ète); *Kratzer* à peine visible **II.** *adv sich benehmen, sich kleiden* avec discrétion; *verschwinden, folgen* discrètement
unauffindbar *adj* introuvable
unaufgefordert *adj* intempestif(-ive)
unaufhaltsam [ʊnʔaʊfˈhaltzaːm] *adj* inexorable
unaufhörlich [ʊnʔaʊfˈhøːɐ̯lɪç] **I.** *adj* continuel(le) **II.** *adv* **es regnet** ~ il n'arrête pas de pleuvoir; **es klingelt** ~ ça n'arrête pas de sonner
unaufmerksam *adj* **1.** *Schüler* inattentif(-ive); ~ **werden** relâcher son attention **2.** *Begleiter* peu prévenant(e)
Unaufmerksamkeit *f kein Pl* **1.** inattention *f* **2.** (*unzuvorkommende Art*) manque *m* de prévenance
unaufrichtig *adj* pas franc(he); **jdm gegenüber** ~ **sein** ne pas être franc avec qn
unausgefüllt *adj Formular* non rempli(e)
unausgeglichen *adj* **1.** *Wesen* pas très équilibré(e) **2.** ÖKON *Bilanz* en déséquilibre
unausgegoren *adj* insuffisamment mûri(e)
unaussprechlich [ʊnʔaʊsˈʃprɛçlɪç] *adj* **1.** *Freude* indicible **2.** *Elend* indescriptible
unausstehlich [ʊnʔaʊsˈʃteːlɪç] *adj* insupportable
unausweichlich [ʊnʔaʊsˈvaɪçlɪç] *adj* inéluctable
unbändig [ˈʊnbɛndɪç] **I.** *adj* **1.** *Temperament* turbulent(e) **2.** *Verlangen* irrépressible **II.** *adv lachen* à gorge déployée; *weinen* à chaudes larmes; ~ **herumtoben** s'en donner à cœur joie
unbarmherzig *adj Person* impitoyable; *Winter* très rude
unbeabsichtigt I. *adj* involontaire **II.** *adv* sans faire exprès
unbeachtet I. *adj* laissé(e) de côté, délais-

sé(e) **II.** *adv* sans qu'on y fasse attention
unbeanstandet I. *adj Fehler* qu'on laisse/a laissé(e) passer **II.** *adv* sans protester
unbebaut *adj Grundstück* non bâti(e)
unbedacht I. *adj* inconsidéré(e); **das war** ~ **von dir** c'était irréfléchi de ta part **II.** *adv* sans réfléchir
unbedarft *adj* candide; ~ **wirken** donner une impression de candeur
unbedenklich I. *adj* ~ **sein** *Aktion:* être sans risques **II.** *adv* en toute tranquillité
unbedeutend I. *adj* **1.** *Ereignis* insignifiant(e) **2.** *Menge* négligeable **II.** *adv* à peine
unbedingt I. *adj attr Gehorsam* absolu(e) **II.** *adv* **nicht** ~ pas forcément; ~! absolument!
unbefahrbar *adj Straße* impraticable; *Fluss* pas navigable
unbefangen I. *adj* **1.** *Betrachter* non averti(e); *Zeuge* impartial(e) **2.** *Kind* spontané(e)
unbefugt I. *adj* non autorisé(e) **II.** *adv* sans autorisation
Unbefugte(r) *f(m) dekl wie adj* personne non-autorisée *f*
unbegabt *adj* peu doué(e); **handwerklich** ~ **sein** ne pas être doué pour le travail manuel
unbegreiflich [ʊnbəˈɡraɪflɪç] *adj* incompréhensible
unbegrenzt *adj* **1.** *Zeit, Dauer* indéterminé(e) **2.** (*grenzenlos*) sans limites
unbegründet *adj Angst* infondé(e); *Klage* sans fondement
Unbehagen *nt* gêne *f*
unbehaglich I. *adj Atmosphäre* qui met mal à l'aise **II.** *adv* **sich** ~ **fühlen** se sentir mal à l'aise
unbeherrscht I. *adj Person* qui s'emporte facilement; *Art, Wesen* emporté(e) **II.** *adv schreien, reagieren* avec emportement
unbeholfen [ˈʊnbəhɔlfən] **I.** *adj* gauche **II.** *adv sich bewegen* gauchement; *sich verhalten* maladroitement
unbeirrbar *adj* ferme
unbeirrt [ʊnbəˈʔɪrt] *adv glauben* fermement; *weitermachen* imperturbablement
unbekannt *adj* **1.** (*nicht bekannt, nicht berühmt*) inconnu(e); **dieser Herr ist mir** ~ je ne connais pas ce monsieur; ~ **verzogen** parti(e) sans laisser d'adresse; **es ist ihm nicht** ~, **dass ...** il n'est pas sans savoir que ... **2.** (*fremd*) **ich bin hier** ~ je [ne]

suis pas du coin (*fam*)
Ụnbekannte <-n, -n> *f a.* MATH inconnue *f*
unbekụmmert ['ʊnbəkʏmɐt] **I.** *adj* insouciant(e) **II.** *adv* avec insouciance
ụnbelastet I. *adj* **1.** (*frei*) libre; **von Sorgen/Pflichten** ~ [l'esprit] libre de tout souci/devoir **2.** POL (*schuldlos*) correct(e) **3.** ÖKOL naturel(le), non traité(e) **II.** *adv leben, herangehen* l'esprit libre
unbelẹhrbar ['ʊnbəle:ɐ̯ba:ɐ̯] *adj* incorrigible
ụnbeleuchtet *adj* non éclairé(e)
ụnbeliebt *adj* peu apprécié(e); **sich bei jdm** ~ **machen** se faire mal voir de qn
ụnbemannt *adj* ~**e Raumfahrt** navigation *f* spatiale inhabitée; ~ **sein** *Raumschiff, U-Boot:* être sans équipage
ụnbemerkt I. *adj Eindringen* inaperçu(e) **II.** *adv entkommen, eindringen* sans être aperçu
ụnbenutzt I. *adj* inutilisé(e); *Bett* non défait(e); *Kleidungsstück* non porté(e) **II.** *adv zurückgeben* sans l'avoir utilisé(e)
ụnbeobachtet *adj Ort, Stelle* non surveillé(e); **in einem** ~**en Moment** dans un moment d'inattention
ụnbequem *adj* **1.** *Hose, Stuhl* inconfortable **2.** *Person, Frage* gênant(e)
Ụnbequemlichkeit *f meist Pl* (*Schwierigkeit*) désagrément *m*
unberẹchenbar [ʊnbə'rɛçənba:ɐ̯] *adj* imprévisible
ụnberechtigt *adj* injustifié(e)
ụnberechtigterweise *adv etw* ~ **tun** faire qc sans autorisation
unberücksichtigt *adj Faktor* non pris(e) en compte; ~ **bleiben** ne pas être pris en compte
ụnberührt *adj* **1.** *Natur* sauvage **2.** *Teller* non touché(e); *Bett* non défait(e) **3.** (*unbeeindruckt*) **von einem Ereignis** ~ **bleiben** rester impassible devant un événement
unbeschạdet *adv etw* ~ **überstehen** *Person:* bien se tirer de qc; *Gläser:* supporter qc sans dommages
ụnbeschädigt I. *adj* intact(e) **II.** *adv* sans dommage
ụnbescheiden *adj Person* qui manque de modestie; *Wunsch* exagéré(e)
ụnbeschrankt *adj Bahnübergang* sans barrières [ni demi-barrières]
ụnbeschränkt *adj* illimité(e)
unbeschrẹiblich ['ʊnbəʃrại̯plɪç] **I.** *adj* indescriptible **II.** *adv schnell* infiniment; *dumm* extrêmement; **sich** ~ **ärgern** se mettre dans une rage indescriptible
ụnbeschrieben *adj Blatt, Seite* blanc(blanche)

ụnbeschwert I. *adj* insouciant(e) **II.** *adv* dans l'insouciance
unbesẹhen *adv etw* ~ **glauben** croire qc les yeux fermés
ụnbesonnen I. *adj* irréfléchi(e) **II.** *adv* sans réfléchir
ụnbesorgt I. *adj* ~ **sein** ne pas se faire de souci **II.** *adv etw* ~ **tun können** pouvoir faire qc sans crainte
ụnbeständig *adj* instable
unbestẹchlich [ʊnbə'ʃtɛçlɪç] *adj Person* incorruptible; *Urteil* infaillible
ụnbestimmt *adj* **1.** *Ahnung* vague; *Gefühl* confus(e) **2.** (*nicht festgelegt*) **auf** ~**e Zeit** à durée indéterminée; **mit** ~**em Ziel** sans but précis **3.** GRAM indéfini(e)
ụnbestritten [ʊnbə'ʃtrɪtən] **I.** *adj* incontesté(e); **es ist** ~, **dass er lügt** il ment, sans conteste **II.** *adv* sans conteste
ụnbetamt *adj* A *fam* (*ungeschickt*) maladroit(e)
unbeteiligt [ʊnbə'tại̯lɪçt] *adj* **1.** **an einem Unfall** ~ **sein** ne pas être impliqué dans un accident; **nur ein** ~**er Zuschauer sein** n'être qu'un spectateur passif **2.** (*desinteressiert*) peu intéressé(e); ~ **sein** ne pas se sentir concerné(e)
ụnbetont *adj Silbe, Satzteil* non accentué(e)
ụnbewacht *adj Gefangener* laissé(e) sans surveillance; *Gelände, Parkplatz* non surveillé(e)
ụnbewaffnet *adj* sans arme; ~ **sein** ne pas être armé
ụnbewältigt *adj Konflikt, Problem* non résolu(e); *Vergangenheit* non surmonté(e)
unbewẹglich [ʊnbə'veklɪç] *adj* **1.** *Gelenk* immobile; *Miene* impassible **2.** (*geistig starr*) rigide **3.** (*festgelegt*) fixe
ụnbewegt *adj* **1.** immobile **2.** *Miene* impassible
ụnbewiesen *adj* sans preuve[s]; ~ **sein** rester à prouver
unbewọhnbar *adj* inhabitable
ụnbewohnt *adj Wohnung* inoccupé(e); *Planet* inhabité(e)
ụnbewusstRR **I.** *adj* inconscient(e) **II.** *adv* inconsciemment
unbezạhlbar [ʊnbə'tsa:lba:ɐ̯] *adj* **1.** exorbitant(e) **2.** (*wertvoll*) sans prix **3.** *hum fam Tipp* précieux(-euse); **für jdn** ~ **sein** ne pas avoir de prix pour qn
ụnbezahlt *adj* **1.** *Rechnung* impayé(e) **2.** *Überstunde* non payé(e)
unbezạ̈hmbar *adj* irrépressible
unbezwịngbar *adj* **1.** *Festung* imprenable **2.** *Verlangen* irrésistible
ụnblutig I. *adj* **1.** *Aufstand* sans effusion de sang **2.** MED *Eingriff* sans incision **II.** *adv* ~ **verlaufen** *Geiselnahme:* se dérouler sans

effusion de sang
unbrauchbar *adj* inutilisable; **als Chef ~ sein** ne pas convenir comme chef
unbürokratisch I. *adj Hilfe* qui ne passe pas par la bureaucratie **II.** *adv entscheiden* sans passer par la bureaucratie
und [ʊnt] *konj* **1.** et; **du ~ ich** toi et moi **2.** (*als Ausdruck der Intensivierung*) **schöner ~ schöner werden** devenir de plus en plus beau; **sie redet ~ redet** elle n'arrête pas de parler **3.** (*selbst wenn*) **~ sei es noch so spät** aussi tard soit-il; **~ wenn du noch so schreist** même si tu cries autant **4.** *fam* (*als Einleitung von kurzen Fragen*) [na] **~?** et alors?
Undank *m geh* ingratitude *f;* **für etw ~ ernten** ne récolter que de l'ingratitude pour qc ▶~ **ist der Welt Lohn** *prov* on ne récolte en ce bas monde qu'ingratitude
undankbar *adj* ingrat(e)
undefinierbar [ʊndefi'niːɐ̯baːɐ̯] *adj Masse* indéfinissable
undenkbar [ʊn'dɛŋkbaːɐ̯] *adj* impensable
undeutlich I. *adj* **1.** *Umrisse* flou(e); *Schrift* illisible; *Aussprache* indistinct(e) **2.** *Vorstellung* vague **II.** *adv* **1.** *erkennen* indistinctement; *schreiben* de façon illisible **2.** *formulieren* en termes vagues
undicht *adj* non étanche; *Rohr, Ventil* qui fuit
Unding *nt* **es ist ein ~ das zu tun** c'est une aberration de faire cela
undiszipliniert I. *adj* indiscipliné(e) **II.** *adv* de façon indisciplinée
undurchdringlich *adj a. fig* impénétrable
undurchlässig *adj Stoff* imperméable; *Beton* étanche
undurchschaubar *adj Person* difficile à cerner; *Plan* mystérieux(-euse)
undurchsichtig *adj* **1.** *Fenster* opaque **2.** *Person* louche
uneben *adj Boden* inégal(e); *Gelände* accidenté(e)
Unebenheit <-, -en> *f* **1.** *kein Pl* (*unebene Beschaffenheit*) inégalité *f* **2.** (*unebene Stelle*) aspérité *f*
unecht *adj* faux(fausse) *antéposé;* **~es Leder** similicuir *m*
unehelich *adj Kind* naturel(le)
unehrlich *adj Person, Charakter* pas franc(franche); *Mitarbeiter, Absicht* malhonnête
uneigennützig I. *adj* désintéressé(e) **II.** *adv* **~ denken** avoir des pensées désintéressées
uneingeschränkt *adj, adv* sans réserve
uneinig *adj* en désaccord
unempfindlich *adj* **1.** (*wenig feinfühlig*) insensible **2.** (*widerstandsfähig*) résistant(e)

unendlich [ʊn'ʔɛntlɪç] **I.** *adj* (*unbegrenzt, überaus groß*) infini(e) **II.** *adv fam* (*unglaublich*) vachement; **~ viele Leute** un monde pas possible; **~ wütend** vachement en rogne; **~ verliebt sein** être fou amoureux
Unendlichkeit *f* **1.** *kein Pl* (*das Unendlichsein*) infinité *f* **2.** *fam* (*sehr lange Zeit*) éternité *f*
unentbehrlich [ʊn'ʔɛnt'beːɐ̯lɪç] *adj* indispensable; **sich ~ machen** se rendre indispensable
unentgeltlich *adj Benutzung* gratuit(e); *Arbeit, Einsatz* bénévole
unentschieden I. *adj* **1.** SPORT nul(le) **2.** *Angelegenheit* en suspens **3.** (*unentschlossen*) indécis(e) **II.** *adv* SPORT **~ spielen** faire match nul
Unentschieden <-s, -> *nt* [match *m*] nul
unentschlossen I. *adj* indécis(e) **II.** *adv* sans parvenir à se décider
unentschuldbar *adj* inexcusable
unentschuldigt I. *adj* non excusé(e) **II.** *adv* sans excuse; (*in der Schule*) sans mot d'excuse
unentwegt I. *adj* (*beharrlich*) *Fleiß* constant(e), acharné(e) **II.** *adv* **1.** *kämpfen* avec persévérance **2.** (*ununterbrochen*) constamment
unerbittlich [ʊn'ʔɛɐ̯'bɪtlɪç] **I.** *adj* impitoyable **II.** *adv* impitoyablement
unerfahren *adj* inexpérimenté(e)
unerfindlich [ʊn'ʔɛɐ̯'fɪntlɪç] *adj geh Grund* inexplicable
unerfreulich I. *adj* fâcheux(-euse) **II.** *adv ausgehen, enden* mal
unerfüllbar *adj Traum, Wunsch* irréalisable; *Forderung* impossible à satisfaire
unerfüllt *adj* insatisfait(e)
unergiebig *adj Boden* maigre; *Thema* ingrat(e)
unergründlich [ʊn'ʔɛɐ̯'ɡrʏntlɪç] *adj Lächeln* mystérieux(-euse); *Geheimnis* insondable
unerheblich I. *adj* négligeable; **es ist ~, ob** ... il importe peu que + *subj* **II.** *adv* faiblement; **sich nicht ~ verändern** changer sensiblement
unerhört [ʊn'ʔɛɐ̯hø:ɐ̯t] **I.** *adj* **1.** *pej Benehmen* inouï(e); **das ist ja ~!** c'est inouï! **2.** *Anstrengung* fou(folle); *Summe* exorbitant(e) **II.** *adv* **1.** (*empörend*) **sich ~ aufführen** se comporter comme un malotru **2.** (*außerordentlich*) incroyablement; **viel zu tun haben** avoir énormément de choses à faire
unerkannt *adv* incognito; **~ bleiben** *Person:* réussir à garder l'incognito; *Krankheit:*

ne pas être reconnu
unerklärlich [ʊnʔɛɐ̯'klɛːɐ̯lɪç] *adj* inexplicable; **das ist mir** ~ je ne me l'explique pas
unerlässlichᴿᴿ [ʊnʔɛɐ̯'lɛslɪç], **unerläßlich** *adj* indispensable; **für jdn/etw** ~ **sein** être indispensable à qn/pour qc
unerlaubt I. *adj Handlung* non autorisé(e) II. *adv* **etw** ~ **tun** faire qc sans autorisation
unerledigt *adj, adv* en souffrance
unermesslichᴿᴿ *geh* I. *adj Ausdehnung, Dimensionen* incommensurable; *Elend, Verwüstungen* énorme II. *adv reich* immensément; ~ **wertvoll** d'une valeur inestimable
unermüdlich [ʊnʔɛɐ̯'myːtlɪç] I. *adj Arbeiter* infatigable; *Fleiß* inlassable II. *adv* inlassablement
unerreichbar [ʊnʔɛɐ̯'raɪçbaːɐ̯] *adj* **1.** *Niveau* inaccessible **2.** (*telefonisch nicht zu erreichen*) ~ **sein** *Person:* ne pas être joignable
unersättlich *adj* insatiable
unerschöpflich *adj* inépuisable
unerschrocken I. *adj* intrépide II. *adv kämpfen* avec bravoure
unerschütterlich [ʊnʔɛɐ̯'ʃʏtɐlɪç] I. *adj* inébranlable II. *adv festhalten, glauben* de façon inébranlable
unerschwinglich [ʊnʔɛɐ̯'ʃvɪŋlɪç] *adj* inabordable
unersetzlich *adj Mitarbeiter* irremplaçable; *Schaden* irréparable
unerträglich [ʊnʔɛɐ̯'trɛːklɪç] I. *adj* insupportable II. *adv* **es ist** ~ **heiß** il fait une chaleur insupportable
unerwartet I. *adj* imprévu(e) II. *adv besuchen* inopinément
unerwünscht *adj* indésirable; **du bist hier** ~ on ne veut pas de toi ici
UNESCO [u'nɛsko] <-> *f Abk von* **United Nations Educational, Scientific and Cultural Organization** Unesco *f*
unfähig *adj* incapable; ~ **sein** être un/une incapable; ~ **sein etw zu tun** être incapable de faire qc
Unfähigkeit *f kein Pl* incapacité *f*
unfair *adj* déloyal(e); **das ist** ~! *fam* ce n'est pas juste!
Unfall *m* accident *m;* **einen** ~ **bauen** *fam* provoquer un accident; **bei einem** ~ dans un accident
Unfallflucht *f* délit *m* de fuite **Unfallgefahr** *f* risque *m* d'accident **Unfallopfer** *nt* accidenté(e) *m(f)* **Unfallversicherung** *f* assurance-accidents *f*
unfassbarᴿᴿ *adj* **1.** *Wunder* inconcevable **2.** (*unvorstellbar*) inimaginable
unfehlbar I. *adj Person* infaillible II. *adv* immanquablement
unflätig *pej geh adj* grossier(-ière)

unförmig ['ʊnfœrmɪç] *adj* informe; *Gliedmaßen* difforme
unfrankiert *adj* non affranchi(e)
unfrei *adj* **1.** *Volk* dépendant(e); ~ **sein** ne pas être libre **2.** (*unfrankiert*) en port dû
unfreiwillig I. *adj* **1.** contre son/mon/… gré **2.** (*unbeabsichtigt*) involontaire II. *adv* contre son/mon/… gré
unfreundlich I. *adj* **1.** *Person* peu aimable; *Gesicht* rébarbatif(-ive); ~ **zu jdm sein** ne pas être aimable avec qn **2.** *Klima* désagréable; *Tag* maussade II. *adv* **jdn** ~ **behandeln** traiter qn avec aménité; **sich jdm gegenüber** ~ **benehmen** se montrer désagréable avec qn
Unfriede *m geh kein Pl* discorde *f*
unfruchtbar *adj* stérile
Unfug ['ʊnfuːk] <-s> *m* **1.** bêtises *fpl* **2.** JUR grober ~ délit *m* grave
Ungar(in) ['ʊŋɡar] <-n, -n> *m(f)* Hongrois(e) *m(f)*
ungarisch ['ʊŋɡarɪʃ] I. *adj* hongrois(e) II. *adv* ~ **miteinander sprechen** discuter en hongrois; *s. a.* **deutsch**
Ungarisch <-[s]> *nt kein art* hongrois *m; s. a.* **Deutsch**
Ungarn ['ʊŋɡarn] <-s> *nt* la Hongrie
ungastlich I. *adj* inhospitalier(-ère) II. *adv* de façon inhospitalière
ungeachtet [ʊnɡə'ʔaxtət] *präp + gen geh* ~ **meiner Warnung/dieser Tatsache** en dépit de mon avertissement/ce fait; ~ **dessen, dass** bien que + *subj;* **dessen** ~ en dépit de cela
ungeahnt *adj* insoupçonné(e)
ungebeten I. *adj Besucher* indésirable; *Äußerung* intempestif(-ive) II. *adv* ~ **zu jdm zu Besuch kommen** venir chez qn à l'improviste; **sich** ~ **einmischen** s'en mêler sans y avoir été invité(e)
ungebildet *adj* inculte
ungeboren *adj Kind* qui n'est pas encore né(e); **der Schutz des** ~**en Lebens** la protection de la vie fœtale
ungebräuchlich *adj Bezeichnung, Name, Wort* inusité(e); *Methode, Verfahren* inhabituel(le)
ungebunden *adj* **1.** *Buch* non relié(e) **2.** (*ohne Verpflichtungen*) indépendant(e); ~ **sein** ne pas avoir d'attaches familiales; **zeitlich relativ** ~ **sein** pouvoir gérer son temps assez librement
ungedeckt *adj* **1.** *Tisch* qui n'est pas mis(e); *Dach* non couvert(e) **2.** FIN *Scheck* sans provision; *Wechsel* à découvert **3.** SPORT *Spieler* qui n'est pas marqué(e)
Ungeduld *f* impatience *f*
ungeduldig I. *adj* impatient(e); ~ **werden** s'impatienter II. *adv* impatiemment

ungeeignet *adj Bewerber* incompétent(e); *Mittel* inadapté(e); **für etw ~ sein** *Person:* être incompétent en matière de qc; *Mittel:* être inadapté à qc
ungefähr [ʊngə'fɛːɐ̯] **I.** *adv* à peu près; ~ **dort/so** à peu près là-bas/comme ça; ~ **um acht Uhr** aux environs de huit heures; ~ **ein Pfund Mehl** environ une livre de farine; **das könnte ~ stimmen** c'est à peu près ça **II.** *adj Größe, Preis* approximatif(-ive)
ungefährlich *adj* pas dangereux(-euse); *Erkrankung* bénin(-igne)
ungehalten *geh* **I.** *adj Person* fâché(e) **II.** *adv* avec acrimonie
ungeheizt *adj* non chauffé(e)
ungehemmt **I.** *adj Person* libéré(e); *Freude* débridé(e) **II.** *adv* sans retenue
ungeheuer [ʊngə'hɔyɐ̯] **I.** *adj Wert* énorme; *Schätze* immense; *Hass* terrible; *Fähigkeiten* prodigieux(-euse) **II.** *adv* extrêmement
Ungeheuer <-s, -> *nt* monstre *m*
ungeheuerlich [ʊngə'hɔyɐlɪç] *adj* monstrueux(-euse); **das ist ja ~!** mais c'est monstrueux!
ungehobelt *adj* **1.** *Brett* non raboté(e) **2.** *pej* (*unhöflich*) mal élevé(e)/grossi(e)
ungehörig *adj* inconvenant(e)
ungehorsam *adj* désobéissant(e); **jdm gegenüber ~ sein** désobéir à qn
Ungehorsam *m* désobéissance *f*
ungeklärt **I.** *adj* **1.** *Verbrechen* non élucidé(e) **2.** *Abwässer* non épuré(e) **II.** *adv* (*ungereinigt*) sans épuration
ungekündigt *adj Arbeitsverhältnis* non résilié(e)
ungekürzt **I.** *adj* intégral(e); *Film* en version intégrale **II.** *adv* intégralement
ungelegen **I.** *adj Besucher* gênant(e); *Zeitpunkt* mal choisi(e) **II.** *adv* **jdm ~ kommen** *Person:* déranger qn; *Sache:* tomber mal pour qn
ungelenk *adj Bewegung, Schrift* maladroit(e)
ungelernt *adj* non qualifié(e)
ungelöst *adj Problem* non résolu(e); *Fall* non éclairci(e); *Frage* sans réponse
ungemein [ʊngə'maɪn] **I.** *adj* considérable **II.** *adv* **sich interessieren** énormément; *schwierig* extrêmement
ungemütlich **I.** *adj* **1.** (*wenig einladend*) inconfortable **2.** (*unbequem*) inconfortable **II.** *adv* *eingerichtet* sans confort
ungenannt *adj* anonyme
ungenau **I.** *adj Formulierung* imprécis(e); *Messung* inexact(e) **II.** *adv* *formulieren* avec imprécision; ~ **messen** prendre des mesures inexactes

Ungenauigkeit <-, -en> *f Pl* (*Fehler*) **eine Arbeit voller ~en** un travail plein d'inexactitudes
ungeniert [ʊnʒe'niːɐ̯t] **I.** *adj* désinvolte **II.** *adv* **sich äußern** en toute liberté; *zugreifen* sans se gêner
ungenießbar [ʊngə'niːsbaːɐ̯] *adj* **1.** *Beeren, Pilz* non comestible; *Essen* immangeable; *Getränk* imbuvable **2.** *hum fam* (*unausstehlich*) *Person:* invivable
ungenügend *adj* insuffisant(e)
ungenutzt **I.** *adj Raum* inutilisé(e); *Gelegenheit* qu'on a laissé passer **II.** *adv* **Ressourcen ~ lassen** laisser des ressources inexploitées
ungepflegt *adj Hände, Haare* mal soigné(e); *Garten, Park* mal entretenu(e)
ungerade *adj* impair(e)
ungerecht **I.** *adj* **1.** injuste **2.** *JUR Richter, Urteil* injuste, inique **II.** *adv* de manière injuste
Ungerechtigkeit <-, -en> *f* injustice *f*
ungereimt *adj* **1.** (*verworren*) absurde, inepte **2.** (*reimlos*) non rimé(e) **II.** *adv* ~ **klingen** avoir l'air absurde
ungern *adv* **1.** (*nicht gerade gern*) **etw ~ tun** ne pas faire qc volontiers; **ich bügle recht ~** je n'aime pas [tellement] repasser **2.** *arbeiten* à contrecœur; *zustimmen* à regret; **etw äußerst/höchst ~ tun** répugner à faire qc
ungerührt **I.** *adj Miene* impassible **II.** *adv* imperturbablement
ungeschehen *adj* **das kann man nicht ~ machen** ce qui est fait est fait
Ungeschick *nt kein Pl geh* maladresse *f*
ungeschickt **I.** *adj Bewegung* maladroit(e) **II.** *adv* **sich ~ anstellen** *fam* être empoté
ungeschliffen *adj* **1.** *Edelstein* brut(e) **2.** *Benehmen, Manieren* grossier(-ière), fruste
ungeschminkt **I.** *adj* **1.** non maquillé(e) **2.** (*ohne Beschönigung*) sans fard; *Wahrheit* tout(e) nu(e) **II.** *adv* **1.** sans être maquillé(e) **2.** (*unverblümt*) sans fard; ~ **die Wahrheit sagen** dire la vérité toute nue
ungesetzlich *adj* illégal(e)
ungestört **I.** *adj* tranquille; **für einen ~en Ablauf der Verhandlungen sorgen** veiller à ce que les négociations se déroulent dans le calme **II.** *adv* **arbeiten** en paix
ungestraft **I.** *adj* impuni(e) **II.** *adv* ~ **davonkommen** s'en tirer en toute impunité
ungestüm *geh adj* fougueux(-euse)
ungesund **I.** *adj* **1.** *Ernährung* malsain(e); *Rauchen* nuisible à la santé **2.** *Aussehen* maladif(-ive); *Gesichtsfarbe* blême ▸ **allzu viel ist ~** *prov* l'excès en tout est un défaut **II.** *adv* **sich ~ ernähren** avoir une alimentation mal équilibrée; ~ **leben** avoir un

mode de vie mauvais pour la santé

ungeübt *adj Handwerker* inexpérimenté(e); *Sportler, Musiker* qui manque d'entraînement; **in etw** (*dat*) **~ sein** manquer d'expérience/d'entraînement dans qc

ungewiss^{RR} *adj* **1.** *Ausgang, Schicksal* incertain(e); **es ist noch ~, ob/wie ...** on ne sait toujours pas si/comment ... **2.** (*unklar*) **jdn über etw** (*akk*) **im Ungewissen lassen** laisser qn dans l'incertitude quant à qc

Ungewissheit^{RR} <-, -en> *f* incertitude *f*

ungewöhnlich I. *adj* **1.** (*unüblich*) inhabituel(le) **2.** (*seltsam*) insolite **3.** (*außergewöhnlich*) exceptionnel(le) **II.** *adv* (*unüblich*) d'une manière inhabituelle

ungewohnt *adj* inhabituel(le), inaccoutumé(e)

ungewollt I. *adj* involontaire; **das war ~** ce n'était pas intentionnel **II.** *adv* **ich musste ~ grinsen** je n'ai pas pu m'empêcher de ricaner

Ungeziefer <-s> *nt* vermine *f*

ungezogen *adj Kind* mal élevé(e); *Bemerkung* impertinent(e); *Benehmen* impoli(e); **das ist sehr ~ von dir** c'est très impoli de ta part

ungezwungen *adj* décontracté(e) (*fam*)

unglaubhaft I. *adj* invraisemblable, peu crédible **II.** *adv* d'une manière peu crédible

ungläubig I. *adj* **1.** *Blick, Gesicht* incrédule **2.** (*gottlos*) non-croyant(e); **ein ~er Mensch** un incroyant **II.** *adv* **ansehen, fragen** d'un air incrédule

unglaublich [ˈʊnglauplɪç] **I.** *adj Geschichte, Frechheit* incroyable **II.** *adv* (*unerhört*) d'une manière incroyable

unglaubwürdig I. *adj Darstellung, Geschichte* invraisemblable; *Person* peu digne de foi; **er ist ~** il n'est pas crédible; **sich ~ machen** perdre toute crédibilité **II.** *adv* **sich benehmen, verhalten** d'une manière peu crédible; **~ wirken/klingen** avoir l'air peu crédible

ungleich I. *adj* **1.** *Belastung* inégal(e); *Gegenstände* disparate **2.** *Kontrahenten* de force inégale; *Kampf* inégal(e) **II.** *adv* (*weitaus*) **~ größer/billiger** largement plus grand/meilleur marché

ungleichmäßig I. *adj* **1.** (*unregelmäßig*) irrégulier(-ière) **2.** (*ungleich*) inégal(e) **II.** *adv* (*ungleich*) de manière inégale

Unglück <-e> *nt* **1.** malheur *m;* (*Flugzeugunglück, Zugunglück*) catastrophe *f* **2.** *kein Pl* (*Pech*) malchance *f*; **jdm ~ bringen** porter malheur à qn ▸**in sein ~ rennen** *fam* courir à sa perte; **das ~ wollte es, dass** le malheur a voulu que + *subj*

unglücklich I. *adj* **1.** *Person* malheu-

reux(-euse) **2.** (*ungünstig*) malheureux(-euse); *Umstand* malencontreux(-euse); *Zeitpunkt* inopportun(e), mal choisi(e) **3.** *Sturz* mauvais(e) *antéposé* ▸**mach dich nicht ~!** tu pourrais le regretter! **II.** *adv* **1.** **~ aussehen/dreinschauen** avoir l'air malheureux; **~ verliebt sein** être malheureux en amour **2.** (*ungeschickt*) **~ stürzen** faire une mauvaise chute

unglücklicherweise *adv* malheureusement

Unglücksfall *m* accident *m*

Ungnade *f* disgrâce *f;* **bei jdm in ~ fallen** tomber en disgrâce auprès de qn

ungnädig I. *adj* mal disposé(e) **II.** *adv* avec mauvaise humeur; **etw ~ aufnehmen** prendre qc très mal

ungültig *adj* **1.** *Ausweis* périmé(e); *Eintrittskarte* non valable; **~ werden** *Ausweis:* expirer **2.** *Wahl* nul(le); **etw für ~ erklären** déclarer qc nul(le)

ungünstig *adj* **1.** *Zeitpunkt* mal choisi(e); *Zeit* peu propice; *Wetter* défavorable **II.** *adv* **sich ~ auf etw** (*akk*) **auswirken** avoir un effet défavorable sur qc

ungut *adj Entwicklung* désagréable, mauvais(e) *antéposé;* **ein ~es Gefühl** un mauvais pressentiment ▸**nichts für ~!** sans rancune!

unhaltbar *adj* **1.** *Vorwurf* insoutenable **2.** *Situation* inadmissible **3.** *SPORT Ball* imparable

unhandlich *adj* peu pratique, peu commode

Unheil *nt geh* malheur *m;* **~ anrichten** *fam Person:* faire un désastre

unheilbar [ʊnˈhailbaːɐ̯] *adj* incurable

unheimlich I. *adj* **1.** *Geschichte* macabre; *Haus* lugubre; *Erlebnis* inquiétant(e); **er ist mir ~** je le trouve inquiétant; **mir ist ~** [zumute] je ne suis pas rassuré(e) **2.** *fam* (*unglaublich*) pas croyable **3.** *fam* (*sehr groß*) terrible; **es hat uns ~en Spaß gemacht** cela nous a énormément plu **II.** *adv* **1.** (*grauenerregend*) **~ aussehen** être à faire peur; **sich ~ anhören** être peu rassurant **2.** *fam* (*sehr*) vachement

unhöflich I. *adj Person* impoli(e); *Bemerkung* impoli(e), désobligeant(e) **II.** *adv* **verhalten** de manière impolie; **antworten** de manière désobligeante

unhörbar *adj Ton* inaudible

unhygienisch [-gieːnɪʃ] *adj* qui manque d'hygiène

uni [yˈniː] *adj inv* uni(e)

Uni <-, -s> *f fam Abk von* **Universität** fac *f*

UNICEF [ˈuːnitsɛf] <-> *f Abk von* **United Nations International Children's Emergency Fund** UNICEF *f*

unifarben *adj* uni(e), de couleur unie

Uniform [uniˈfɔrm] <-, -en> *f* uniforme

m; in ~ en uniforme
uniformiert *adj* en uniforme
Unikat [uni'kaːt] <-[e]s, -e> *nt* pièce *f*
unique
Unikum <-s, -s *o* Unika> *nt fam* original(e) *m(f)*
uninteressant *adj* inintéressant(e), sans intérêt
uninteressiert I. *adj Person* indifférent(e); ~ **sein/tun** ne montrer aucun intérêt II. *adv* d'un air indifférent
Union [u'niʊːn] <-, -en> *f* 1. union *f;* **Europäische** ~ Union européenne 2. POL *fam* **die** ~ *groupe parlementaire comprenant la CDU et la CSU*
universell [univɛr'zɛl] I. *adj* universel(le) II. *adv begabt* en tout; **ein** ~ **verwendbares Gerät** un outil multi-usages
Universität [univɛrzi'tɛːt] <-, -en> *f* université *f;* **Technische** ~ institut *m* universitaire de technologie; **an der** ~ **studieren** étudier à l'université
Universitätsklinik *f* centre *m* hospitalouniversitaire, C.H.U. *m* **Universitätsstadt** *f* ville *f* universitaire
Universum [uni'vɛrzʊm] <-s> *nt* univers *m*
Unke ['ʊŋkə] <-, -n> *f* crapaud *m*
unkenntlich *adj Person, Gesicht* méconnaissable; *Inschrift, Kennzeichen* indéchiffrable
Unkenntlichkeit <-> *f* **bis zur** ~ au point d'être méconnaissable
Unkenntnis *f kein Pl* ignorance *f;* **aus** ~ par ignorance; **in** ~ **über etw** (*akk*) **sein** ne pas être au courant de qc
unklar I. *adj* 1. (*unverständlich*) peu clair(e); *Text* confus(e); *Darstellung* embrouillé(e); **es ist mir** ~**, warum/wie/...** je ne comprends pas très bien pourquoi/comment/... 2. *Situation* confus(e); *Verhältnisse* ambigu(ë) ▶**jdn über etw** (*akk*) **im Unklaren** lassen laisser qn dans l'incertitude en ce qui concerne qc; [**sich** (*dat*)] **im Unklaren über etw** (*akk*) **sein** ignorer qc II. *adv sich ausdrücken, formulieren* de manière ambiguë
Unklarheit <-, -en> *f* 1. *kein Pl* (*Ungewissheit*) confusion *f* 2. (*ungeklärter Tatbestand*) ambiguïté *f*
unklug I. *adj* imprudent(e); ~ **sein** *Person:* commettre une imprudence; **es ist** ~ **von dir das zu tun** c'est imprudent de ta part de faire cela II. *adv* de manière imprudente; ~ **vorgehen** commettre une imprudence
unkompliziert *adj Person, Fall* simple, qui n'est pas compliqué(e)
unkontrollierbar ['ʊnkɔntrɔliːɐ̯baːɐ̯] *adj* incontrôlable

unkonventionell I. *adj* peu conventionnel(le) II. *adv* de manière peu conventionnelle
Unkosten *Pl* frais *mpl;* **mit/wegen etw** ~ **haben** avoir des frais pour qc ▶**sich in** ~ (*akk*) **stürzen** *fam* se mettre en frais
Unkraut *nt* mauvaise herbe *f*
unkritisch I. *adj* qui n'est pas critique II. *adv* avec un manque de sens critique
unkündbar [ʊn'kʏntbaːɐ̯] *adj Stellung* inamovible; *Vertrag* non résiliable; ~ **sein** *Mitarbeiter:* être inamovible, ne pas pouvoir être licencié
unlängst *adv* dernièrement, récemment
unlauter *adj* déloyal(e)
unleidlich *adj* insupportable
unleserlich [ʊn'leːzɐlɪç] I. *adj* illisible II. *adv* illisiblement
unliebsam I. *adj* fâcheux(-euse), déplaisant; **etw ist jdm in** ~**er Erinnerung** qn garde un souvenir désagréable de qc II. *adv* de manière déplaisante; ~ **auffallen** faire mauvaise impression
unlogisch I. *adj* illogique II. *adv* d'une manière illogique
unlösbar [ʊn'løːsbaːɐ̯] *adj* insoluble
Unlust *f kein Pl* ennui *m*
unmaßgeblich *adj Meinung* qui ne sert pas de norme; **nach meiner** ~**en Meinung** *hum* à mon humble avis
unmäßig I. *adj Alkoholgenuss* immodéré(e); ~**es Rauchen** l'abus de tabac; ~**es Essen** l'alimentation excessive II. *adv* sans modération; ~ **essen/trinken/rauchen** manger/boire/fumer avec excès
Unmenge *f* **eine** ~ **von Fragen** une quantité énorme de questions; ~**n von Touristen** une foule de touristes; **etw in** ~**n verkaufen** vendre qc en quantité industrielle (*fam*); ~**n trinken** boire jusqu'à plus soif
Unmensch *m* monstre *m*
unmenschlich [ʊn'mɛnʃlɪç] I. *adj* 1. inhumain(e) 2. *fam Schmerzen* atroce II. *adv* d'une manière inhumaine
unmerklich [ʊn'mɛrklɪç] *adj* imperceptible
unmissverständlichᴿᴿ [ʊnmɪsfɛɐ̯'ʃtɛntlɪç] I. *adj Warnung* sans équivoque; *Weigerung* catégorique; **eine klare und** ~**e Antwort** une réponse claire et nette; ~ **sein** *Befehl:* ne pas laisser le moindre doute II. *adv* sagen, sich äußern sans équivoque, clairement
unmittelbar I. *adj* immédiat(e) II. *adv* ~ **bevorstehen** être imminent
unmodern I. *adj* démodé(e); ~ **werden** se démoder II. *adv* sich ~ kleiden porter des vêtements démodés
unmöglich [ʊn'møːklɪç] I. *adj* impossible;

es ist ihm/ihr ~ **das zu tun** il/elle est dans l'impossibilité de faire cela; **jd/etw macht es jdm** ~ **zu verreisen** qn/qc empêche qn de partir en voyage; **ich verlange doch nichts Unmögliches!** je ne te/vous demande pourtant pas l'impossible! **II.** *adv* **1.** (*keinesfalls*) **er kann** ~ **der Täter sein** il est impossible que ce soit lui le coupable **2.** *pej fam* ~ **aussehen** avoir un air pas possible; **sich** ~ **benehmen** avoir un comportement pas possible

Unmöglichkeit *f kein Pl* impossibilité *f*

unmoralisch *adj* immoral(e)

unmotiviert [-viː-] **I.** *adj Frage* gratuit(e); *Lachen* immotivé(e); *Wutanfall* irraisonné(e) **II.** *adv* sans motif, sans raison

unmündig *adj* **1.** (*nicht volljährig*) mineur(e) **2.** (*geistig unselbständig*) irresponsable

Unmut *m geh* mauvaise humeur *f*

unnachahmlich *adj* inimitable

unnachgiebig **I.** *adj Person, Haltung* intransigeant(e), inflexible **II.** *adv sich verhalten* de manière intransigeante

unnachsichtig *adj Kritiker* impitoyable; *Strenge* implacable

unnahbar *adj* inaccessible

unnatürlich **I.** *adj* **1.** *Lebensweise* peu naturel(le); *Bedingungen* artificiel(le) **2.** *Lachen* contraint(e); *Sprache* artificiel(le) **3.** (*abnorm*) anormal(e) **II.** *adv lachen* de manière contrainte; *sprechen* d'une manière artificielle

unnormal *adj* anormal(e)

unnötig *adj* superflu(e), inutile; **es ist** ~ **etw zu tun** ce n'est pas la peine de faire qc

unnütz ['ʊnnʏts] *adj Anstrengung* inutile; *Kosten* inutile, superflu(e)

UNO ['uːno] <-> *f kein Pl Abk von* **United Nations Organization** O.N.U. *f*

UNO-Friedenstruppen *Pl* casques *mpl* bleus

unordentlich **I.** *adj Person* désordonné(e); *Zimmer, Büro* en désordre **II.** *adv* **1.** (*nachlässig*) négligemment; ~ **gekleidet sein** être habillé d'une manière négligée **2.** (*unaufgeräumt*) en désordre

Unordnung *f kein Pl* désordre *m;* **etw in** ~ **bringen** mettre qc en désordre; **in** ~ **geraten** être mis en désordre

unparteiisch **I.** *adj* impartial(e) **II.** *adv* en toute impartialité

unpassend *adj* **1.** (*unangebracht*) déplacé(e) **2.** (*ungelegen*) mal venu(e), mal choisi(e); **im ~sten Moment** au plus mauvais moment; **Samstag ist ein ~er Termin** samedi ne convient pas; **das ist jetzt wirklich ~!** ça tombe vraiment mal!

unpässlichRR *adj geh* ~ **sein** être indisposé

unpersönlich *adj Person* froid(e), distant(e); *Art, Gespräch* impersonnel(le)

unpolitisch *adj* apolitique

unpraktisch *adj* **1.** *Methode* pas pratique; **es ist** ~ **so vorzugehen** ce n'est pas pratique de procéder ainsi **2.** *Person* maladroit(e) [de ses mains]; **völlig** ~ **sein** n'être pas du tout bricoleur

unproblematisch **I.** *adj* qui ne pose aucun problème **II.** *adv* sans problème

unpünktlich **I.** *adj* **1.** *Person* qui n'est pas ponctuel(le); ~ **sein** ne pas être ponctuel; **du bist immer ~!** tu n'es jamais à l'heure! **2.** (*verspätet*) ~ **sein** *Bus, Zug:* avoir du retard **II.** *adv ankommen, abfahren* en retard

unqualifiziert **I.** *adj* **1.** *Person* non qualifié(e) **2.** *pej Bemerkung* sujet(te) à caution **II.** *adv* d'une manière incompétente

unrasiert *adj* non rasé(e)

unrealistisch **I.** *adj* irréaliste **II.** *adv* d'une manière irréaliste

unrecht *adj* **1.** *geh Weise* injuste; *Gedanke* coupable; **es ist** ~ **das zu tun** ce n'est pas correct de faire cela **2.** (*unpassend*) **das ist mir gar nicht so ~!** cela ne tombe pas si mal!

Unrecht *nt kein Pl* tort *m,* injustice *f;* **im** ~ **sein** être en tort; (*vor Gericht*) être dans son tort; **zu** ~ à tort; ~ **haben** avoir tort

unrechtmäßig *adj* illégal(e), illégitime

unregelmäßig **I.** *adj* irrégulier(-ière) **II.** *adv* ~ **konjugiert werden** avoir une conjugaison irrégulière

unreif *adj* **1.** *Frucht* vert(e) **2.** *fig Person* immature

unrein *adj* **1.** *Wasser* impur(e); *Haut* peu sain(e) **2.** *MUS Ton, Klang* qui n'est pas pur(e) **3.** *REL Person, Tier* impur(e)

unrentabel **I.** *adj* non rentable **II.** *adv* d'une manière non rentable

unrichtig **I.** *adj* inexact(e) **II.** *adv* de manière inexacte

Unruhe *f* **1.** (*Ruhelosigkeit*) agitation *f;* (*Sorge*) inquiétude *f* **2.** *Pl* (*Tumulte*) troubles *mpl,* émeutes *fpl*

unruhig **I.** *adj* **1.** *Person* agité(e), nerveux(-euse); *Bewegung* nerveux(-euse) **2.** (*besorgt*) inquiet(-iète); ~ **werden** commencer à s'inquiéter **3.** *Herzschlag* irrégulier(-ière) **II.** *adv* ~ **auf und ab gehen** aller et venir fébrilement; ~ **schlafen** avoir un sommeil agité

unrühmlich *adj* peu glorieux(-euse), sans gloire

uns [ʊns] **I.** *pron pers, dat von* **wir** **1.** nous; **das gefällt** ~ cela nous plaît; **er sagt es** ~ il nous le dit; **wem hat er es gegeben? – Uns!** à qui l'a-t-il donné? – À nous!; **es geht** ~ **gut** nous allons bien; ~

solltest du danken, nicht ihm! c'est nous que tu devrais remercier, pas lui! 2. *refl* nous; **wir haben ~ gedacht, dass** ...nous avons pensé que ...; **wir können ~ keine teuren Sachen leisten** nous ne pouvons pas nous payer des choses chères II. *pron pers, akk von* **wir** 1.nous; **er wollte ~ sprechen** il voulait nous parler; **der Brief ist an ~ gerichtet** la lettre nous est adressée 2. *refl* nous; **wir haben ~ umgedreht** nous nous sommes retournés; **wann sehen wir ~?** quand nous voyons-nous?

unsachgemäß *adj Reparatur* incorrect(e); *Verpackung* inadapté(e)
unsachlich *adj Person* partial(e); *Bemerkung* subjectif(-ive); ~ **werden** commencer à faire preuve de partialité
unsagbar I. *adj Trauer* indicible II. *adv* de manière indicible
unsanft *adj* brutal(e)
unsauber I. *adj* 1. *(schmutzig)* sale 2.*(unordentlich)* mal fait(e) II. *adv* mal
unschädlich *adj* inoffensif(-ive); ~ **sein** être sans danger ►**jdn ~ machen** *euph fam* mettre qn hors d'état de nuire
unscharf I. *adj* 1. *Umrisse* flou(e), qui n'est pas net(te) 2. *Einstellung* imprécis(e); ~ **sein** ne pas être précis II. *adv* de manière imprécise
unschätzbar [ʊn'ʃɛtsbaːɐ̯] *adj Mitarbeiter* très précieux(-euse); *Wert* inestimable
unscheinbar *adj Aussehen* insignifiant(e); *Pflanze* qui n'a l'air de rien
unschlagbar *adj* imbattable
unschlüssig I. *adj* indécis(e), irrésolu(e); **sich** *(dat)* ~ **über etw** *(akk)* **sein** être indécis sur qc II. *adv* d'un air indécis
unschön *adj* 1.*(hässlich)* laid(e) 2.*(unerfreulich)* déplaisant(e)
Unschuld *f (Naivität)* innocence *f*
unschuldig I. *adj* innocent(e); **an etw** *(dat)* ~ **sein** ne pas être responsable de qc II. *adv* 1.à tort, injustement 2.*(arglos)* d'un air innocent
Unschuldsmiene *f kein Pl* air innocent *m*
unschwer *adv* facilement, aisément
unselbständig, **unselbstständig**[RR] *adj* 1. *Person* dépendant(e) des autres 2. *Tätigkeit* salarié(e)
unser ['ʊnzɐ] *pron poss* 1.notre; ~ **Bruder/~e Schwester** notre frère/sœur; **~e Eltern** nos parents; **das ist alles ~es** c'est tout à nous; **ist das dein Ball oder ~er?** est-ce ton ballon ou le nôtre? 2. *substantivisch* **der/die/das ~e** le/la nôtre; **das sind die ~en** ce sont les nôtres
unsereiner, **unsereins** *pron indef fam* nous [autres]; ~ **ist immer hilfsbereit**

(wir) nous, nous sommes toujours serviables; *(ich)* moi, je suis toujours serviable
unsererseits *adv* 1.*(wir wiederum)* de notre côté 2.*(was uns betrifft)* de notre part; **wir ~ hätten gern** ...en ce qui nous concerne, nous voudrions ...
unseresgleichen *pron inv* 1.*(Menschen unseres Schlags)* nos semblables; **wir sind unter ~** nous sommes entre gens du même monde 2.*(Menschen wie wir)* **das kann sich ~ nicht leisten** nous autres, nous ne pouvons pas nous le permettre
unseretwegen *adv* 1.*(wegen uns)* à cause de nous 2.*(uns zuliebe)* pour nous 3.*(von uns aus)* en ce qui nous concerne
unseretwillen ['ʊnzərət'vɪlən] *adv* **um ~** pour nous faire plaisir
unseriös *adj* pas sérieux(-euse)
unsers *s.* **unser**[2]
unsertwegen *adv* 1.*(wegen uns)* à cause de nous 2.*(uns zuliebe)* pour nous
unsicher I. *adj* 1. *Gegend* peu sûr(e) 2. *Person* qui manque d'assurance; *Blick* perplexe; **jdn ~ machen** ébranler qn 3. *Zukunft* incertain(e); **es ist noch ~, wann/wer/...** on ignore encore quand/qui/... 4. *Schritte* mal assuré(e) II. *adv* 1. *sich bewegen* en chancelant; **er fährt noch sehr ~** sa conduite n'est pas encore très sûre 2. *fragen* d'une voix hésitante; *umherblicken* l'air hésitant
Unsicherheit *f* 1. *kein Pl (mangelnde Selbstsicherheit)* manque *m* d'assurance 2. *kein Pl (mangelnde Verlässlichkeit)* manque *m* de fiabilité
unsichtbar *adj* invisible ►**sich ~ machen** *fam* se déguiser en courant d'air
Unsinn *m kein Pl (Unsinnigkeit)* *einer Maßnahme* absurdité *f*; **es ist ~ zu behaupten/glauben, dass** il est absurde de prétendre/croire que
unsinnig *adj* insensé(e); *Gerede* inepte
Unsitte *f* mauvaise habitude *f*
unsittlich I. *adj* 1.*(unmoralisch)* inconvenant(e), indécent(e) 2.*(unzüchtig)* indécent(e) II. *adv* 1. *sich benehmen* de manière inconvenante 2.*(unzüchtig)* ~ **berührt werden** être victime d'attouchements
unsozial antisocial(e)
unsportlich *adj* 1. *Person* pas sportif(-ive) 2. *Verhalten* antisportif(-ive)
unsre *s.* **unser**[2]
unsrerseits *s.* **unsererseits**
unsresgleichen *s.* **unseresgleichen**
unsrige(r, s) *pron poss geh* **der/die/das ~** le/la nôtre; **die Unsrigen** les nôtres
unsterblich ['ʊnʃtɛrplɪç] I. *adj* 1.*(ewig lebend)* immortel(le); **glaubst du an die ~e Seele?** tu crois à l'immortalité de l'âme?

2. *Musik* immortel(le), éternel(le); *Kunstwerk* impérissable **II.** *adv fam* sich ~ **verlieben** tomber éperdument amoureux(-euse); sich ~ **blamieren** se rendre totalement ridicule

Unsterblichkeit *f* immortalité *f*

unstet *adj geh* instable, inconstant(e)

unstillbar *adj geh Sehnsucht* insatiable

Unstimmigkeit <-, -en> *f* **1.** (*Ungenauigkeit*) inexactitude *f* **2.** *meist Pl* (*Differenzen*) dissension *f*

unsympathisch *adj Person* antipathique; *Vorstellung* désagréable; **jdm** ~ **sein** être antipathique à qn

untad[e]lig *adj Verhalten* irréprochable; *Kleidung* impeccable

Untat *f* forfait *m*

untätig I. *adj* inactif(-ive) **II.** *adv abwarten, zusehen* les bras croisés

untauglich *adj* **1.** *Methode* inapproprié(e), inadéquat(e) **2.** *a.* MIL *Person* inapte; **für etw** ~ **sein** être inapte à qc

unteilbar *adj* indivisible

unten ['ʊntən] *adv* **1.** (*opp: oben*) en bas; ~ **im Schrank** en bas de l'armoire; ~ **im Koffer** au fond de la valise; **weiter** ~ plus bas; **nach** ~ **zu dünner/dicker werden** devenir plus mince/épais(se) vers le bas **2.** (*an der Unterseite*) **das Auto ist** ~ **durchgerostet** le dessous de la voiture est rouillé; **wo ist denn** ~? où est le bas? **3.** (*in einem unteren Stockwerk*) ~ **im Keller** en bas à la cave; **nach** ~ **gehen** descendre; **den Tisch nach** ~ **tragen** descendre la table; **von** ~ **kommen** venir d'en bas **4.** (*in sehr niedriger Höhe*) **mit der Seilbahn nach** ~ **fahren** descendre en téléphérique **5.** *fam* (*auf unterster Ebene*) **ganz** ~ **sein/anfangen** être au bas/commencer tout en bas de l'échelle **6.** (*nachher*) ~ **erwähnt** mentionné(e) ci-dessous; **siehe** ~ voir ci-dessous **7.** *fam* (*im, nach Süden*) **nach** ~ **fahren** aller dans le sud ▸ **jd** **ist bei ihm/ihr** ~ **durch** *fam* il/elle ne veut plus entendre parler de qn

untenerwähnt *s.* unten

unter ['ʊntɐ] **I.** *präp + dat* **1.** sous; **einen Meter** ~ **der Decke hängen** *Lampe:* pendre à un mètre du plafond; ~ **der Jacke trägt er einen Pullover** sous la veste, il porte un pullover; **er wohnt** ~ **ihm** il habite au-dessous de lui **2.** (*schlechter als*) ~ **dem Durchschnitt** en dessous de la moyenne **3.** (*inmitten, zwischen*) parmi; **mitten** ~ **uns** parmi nous; ~ **Freunden** entre amis; **wir sind** ~ **uns** nous sommes entre nous; ~ **anderem** entre autres [choses] **4.** (*untergeordnet*) ~ **jdm arbeiten**

travailler sous les ordres de qn; **jdn** ~ **sich haben** avoir qn sous ses ordres; ~ **seiner Leitung** sous sa direction **5.** (*zugeordnet sein*) **etw steht** ~ **dem Motto** ... qc est placé(e) sous le signe de ... **II.** *präp + akk* sous; **bis** ~**s Dach** jusque sous le toit **III.** *adv* **1.** (*weniger als*) **Einkommen** ~ **zehntausend Franc** des revenus de moins de dix mille francs; **bei** ~ **25 Grad** en dessous de 25 degrés **2.** (*jünger als*) **etwas** ~ **dreißig sein** avoir un peu moins de trente ans

Unterarm *m* avant-bras *m*

unterbelichten* *vt* sous-exposer

unterbewerten* *vt* sous-estimer

unterbewusst^RR **I.** *adj* subconscient(e) **II.** *adv* de manière subconsciente; ~ **vorhanden sein** être présent dans le subconscient

Unterbewusstsein^RR *nt* subconscient *m*

unterbezahlt *adj* sous-payé(e)

unterbieten* [ʊntɐ'biːtən] *vt irr* **1.** (*billiger sein*) **jdn** ~ vendre moins cher que qn **2.** SPORT battre *Rekord;* améliorer *Zeit*

unterbinden* [ʊntɐ'bɪndən] *vt irr* mettre un terme à, faire cesser *Belästigung;* couper court à *Diskussion*

unterbleiben* [ʊntɐ'blaɪbən] *vi irr + sein geh Beschwerde:* ne pas être effectué; *Bestrafung:* ne pas avoir lieu

Unterbodenschutz *m* protection *f* [anticorrosion] du dessous de caisse

unterbrechen* [ʊntɐ'brɛçən] *vt irr* **1.** couper la parole à *Person;* interrompre *Arbeit, Fahrt* **2.** (*vorübergehend stilllegen*) couper *Leitung*

Unterbrechung <-, -en> *f* (*vorübergehende Aufhebung*) interruption *f*

unter|bringen *vt irr* **1.** (*einquartieren*) loger, héberger *Person;* installer *Verwaltung* **2.** (*Platz finden für*) caser *Möbel;* **einen Bericht noch in den Nachrichten** ~ arriver à placer un communiqué aux informations

Unterbringung <-, -en> *f* hébergement *m*

unter|buttern *vt fam* brimer

Unterdeck *nt* pont *m* inférieur

unterderhand [ʊntɐdeːɐ̯'hant] *s.* Hand

unterdessen *adv geh* pendant ce temps[-là], entre-temps

Unterdruck <-drücke> *m* PHYS dépressurisation *f*

unterdrücken* [ʊntɐ'drʏkən] *vt* **1.** (*niederhalten*) opprimer *Person, Volk;* réprimer *Unruhen* **2.** (*zurückhalten*) réprimer *Gefühle, Gähnen*

Unterdrückung <-, -en> *f* *eines Volks* oppression *f*

unterdurchschnittlich I. *adj* inférieur(e) à la moyenne **II.** *adv verdienen* au-dessous de

unterbrechen

- jemanden unterbrechen
Entschuldigen Sie bitte, dass ich Sie unterbreche, ...
Wenn ich Sie einmal kurz unterbrechen dürfte: ...

- anzeigen, dass man weitersprechen will
Moment, ich bin noch nicht fertig.
Lässt du mich bitte ausreden?/
Könntest du mich bitte ausreden lassen?
Lassen Sie mich bitte ausreden!
Lassen Sie mich bitte diesen Punkt noch zu Ende führen.

- ums Wort bitten
Darf ich dazu etwas sagen?
Wenn ich dazu noch etwas sagen dürfte: ...

- interrompre quelqu'un
Je suis désolé(e) de vous interrompre, ...
Si je peux me permettre de vous interrompre un instant: ...

- indiquer que l'on veut continuer de parler
Un moment, je n'ai pas fini.
Laisse-moi finir, s'il te plaît!/
Pourrais-tu me laisser finir, s'il te plaît?
Laissez-moi finir, s'il vous plaît!
Laissez-moi terminer ce point, s'il vous plaît.

- demander la parole
Puis-je dire quelque chose à ce propos?
Si je peux me permettre de dire quelque chose à ce propos: ...

---

la moyenne
untere(r, s) ['ʊntərə, -rɛ, -rəs] *adj attr* **1.** (*unten befindlich*) inférieur(e); *Wohnung* d'en bas; **im ~n Stockwerk wohnen** habiter à l'étage d'en bas **2.** (*rangmäßig niedriger*) inférieur(e); **die ~n/untersten Klassen eines Gymnasiums** ≈ le premier cycle des études secondaires **3.** GEOG *Bereich* inférieur(e); **die ~ Mosel** le cours inférieur de la Moselle
untereinander *adv* **1.** (*miteinander*) entre eux/elles/nous/... **2.** (*gegenseitig*) mutuellement **3.** (*räumlich*) l'un(e) au-dessous de l'autre
unterentwickelt *adj* **1.** *Organ, Muskulatur* atrophié(e); **körperlich/geistig ~ sein** être insuffisamment développé physiquement/mentalement **2.** ÖKON sous-développé(e)
unterernährt *adj* sous-alimenté(e)
Unterfangen <-s, -> *nt* entreprise *f*
Unterführung [ʊntɛ'fy:rʊŋ] *f* passage *m* souterrain
Untergang <-gänge> *m* **1.** *eines Schiffs* naufrage *m* **2.** ASTRON *der Sonne, des Mondes* coucher *m* **3.** (*Zerstörung*) *eines Reiches* chute *f*, effondrement *m*; *einer Kultur* disparition *f*; *der Menschheit* fin *f*
untergeben *adj* subalterne; **ihm/ihr sind zwölf Mitarbeiter ~** il/elle a douze colla-

borateurs sous ses ordres
Untergebene(r) *f(m) dekl wie adj* subalterne *mf*
unter|gehen *vi irr* + *sein* **1.** (*im Wasser versinken*) *Person, Gegenstand:* couler; *Schiff:* couler, sombrer **2.** ASTRON *Sonne, Mond:* se coucher **3.** (*zugrunde gehen*) *Kultur, Reich:* disparaître **4.** (*nicht gehört werden*) **im Lärm ~** *Worte:* se perdre dans le bruit
untergeordnet *adj* **1.** (*zweitrangig*) secondaire **2.** (*subaltern*) subalterne
UntergeschossRR *nt* sous-sol *m*
Untergewicht *nt* poids *m* insuffisant
untergewichtig *adj* qui a un poids insuffisant; **~ sein** avoir un poids insuffisant
untergliedern* *vt* structurer *Aufsatz;* **einen Text in fünf Abschnitte ~** diviser un texte en cinq parties
untergraben* *vt irr* miner *Autorität;* nuire à *Ruf*
Untergrund *m* **1.** GEOL sous-sol *m* **2.** *kein Pl* POL clandestinité *f;* **in den ~ gehen** entrer dans la clandestinité
Untergrundbahn *f form* métropolitain *m*
unter|haken **I.** *vt* prendre le bras de; **untergehakt gehen** marcher bras dessus, bras dessous **II.** *vr* **sich ~** se donner le bras; **sich bei jdm ~** prendre qn par le bras
unterhalb **I.** *präp* + *gen* **~ des Dorfes/der Schneegrenze** au-dessous du village/de

la limite des neiges **II.** *adv (tiefer gelegen)*
~ von der Burg au-dessous du château
fort
Ụnterhalt <-[e]s> *m kein Pl (Unterhalts-geld)* pension *f* alimentaire; **für jdn ~
zahlen** verser une pension alimentaire à
qn
unterhạlten*1 [ʊntɐˈhaltən] *vt irr* **1.** (ver-sorgen) subvenir aux besoins de, nourrir
Familie **2.** (betreiben, halten) entretenir
Kraftfahrzeug; diriger, faire tourner *Firma;*
tenir *Pension, Geschäft*
unterhạlten² *irr* **I.** *vt* divertir, distraire *Pu-blikum* **II.** *vr* **1.** (sich vergnügen) **sich ~**
s'amuser **2.** (sprechen) **sich mit jdm
über jdn/etw ~** s'entretenir avec qn de
qn/qc; **sie ~ sich nur auf Japanisch** ils
ne parlent entre eux que japonais
unterhạltsam *adj* divertissant(e)
Ụnterhaltskosten *Pl* **1.** coût *m* d'une pen-sion alimentaire **2.** (Betriebskosten) frais
mpl d'entretien **Ụnterhaltspflicht** *f* obli-gation *f* alimentaire **ụnterhaltspflichtig**
adj tenu(e) à l'obligation alimentaire
Unterhạltung [ʊntɐˈhaltʊŋ] <-, -en> *f*
1. (Gespräch) entretien *m,* conversation *f*
2. kein Pl (Zeitvertreib) distraction *f;* **der ~
dienen** servir à passer le temps; **gute ~!**
amuse-toi/amusez-vous bien! **3.** kein Pl
(Betreibung) eines Geschäfts exploitation *f*
Unterhạltungselektronik *f* électronique *f*
grand public **Unterhạltungsindustrie** *f*
industrie *f* des loisirs **Unterhạltungsmu-sik** *f a. pej* musique *f* légère
Ụnterhändler(in) [ˈʊntɐhɛndlɐ] *m(f)* né-gociateur(-trice) *m(f)*
Ụnterhemd *nt* (Herrenunterhemd) tricot
m de corps; (Damenunterhemd) chemise
f américaine
Ụnterholz *nt kein Pl* sous-bois *m*
Ụnterhose *f* (Boxershorts) caleçon *m;*
[kurze] ~[n] slip *m;* lange ~[n] caleçon
long
ụnterirdisch **I.** *adj* souterrain(e) **II.** *adv*
sous terre; **~ verlegte Kabel** des câbles
mpl souterrains
unterjọchen* *vt* mettre sous le joug; **jdn ~**
mettre qn sous le joug
ụnter|jubeln *vt fam (verkaufen)* **jdm etw ~**
refiler qc à qn
Ụnterkiefer *m* mâchoire *f* inférieure
ụnter|kommen *vi irr + sein* **1.** (Unterkunft
finden) trouver à se loger **2.** fam (Arbeit
finden) **in einer Firma ~** trouver un bou-lot dans une entreprise **3.** DIAL (begegnen)
**so etwas/jemand ist mir noch nicht
untergekommen** je n'ai encore jamais vu
cela/quelqu'un comme ça
Ụnterkörper *m* partie *f* inférieure du corps

ụnter|kriegen *vt fam* abattre; **sich von
jdm/etw nicht ~ lassen** ne pas se laisser
abattre par qn/qc
unterkühlen* [ʊntɐˈkyːlən] *vt* MED **jdn ~**
mettre qn en hypothermie
unterkühlt *adj* **1.** MED en hypothermie
2. (betont kühl) glacial(e)
Ụnterkunft [ˈʊntɐkʊnft, *Pl:* ˈʊntɐkʏnftə]
<-, -künfte> *f* (Nacht-, Ferienquartier)
gîte *m;* (für längere Zeit) logement *m*
Ụnterlage *f* **1.** support *m;* (Schreibunterla-ge) sous-main *m;* (Bettenunterlage) alèse
f, alaise *f* **2.** meist Pl (Beleg, Dokument)
document *m*
UnterlassRR *m ►***ohne ~** *geh* sans disconti-nuer
unterlạssen* *vt irr* **1.** (nicht ausführen)
omettre [de faire] **2.** (bleiben lassen) se dis-penser de
Ụnterlauf *m* cours *m* inférieur
unterlaufen* [ʊntɐˈlaʊfən] *irr* **I.** *vi + sein*
jdm ~ Fehler: échapper à qn **II.** *vt + haben
(umgehen)* contourner *Bestimmungen*
ụnter|legen¹ [ˈʊntɐleːgən] *vt* (darunter
legen) **etw ~** mettre qc dessous; **jdm etw
~** mettre qc sous qn
unterlegen*2 [ʊntɐˈleːgən] *vt* **1.** (nach-träglich versehen) **einen Film mit Musik
~** mettre de la musique sur un film **2.** (pols-tern) **etw mit Schaumstoff ~** mettre de la
mousse sous qc
unterlegen³ *adj* inférieur(e); **jdm zahlen-mäßig ~ sein** être inférieur en nombre à
qn
Ụnterleib *m* bas-ventre *m*
unterliegen* [ʊntɐˈliːgən] *vi irr + sein*
1. (verlieren) perdre; **jdm ~** perdre face à
qn **2.** (unterworfen sein) **der Kontrolle ~**
être soumis à un contrôle; **einem Irrtum
~** être victime d'une erreur
Ụnterlippe *f* lèvre *f* inférieure
ụnterm [ˈʊntɐm] = *fam* **unter dem** *s.* **un-ter**
untermạlen* *vt* agrémenter; **etw mit Mu-sik ~** agrémenter qc de musique
Untermạlung <-, -en> *f* (Begleitmusik)
accompagnement *m* musical
untermạuern* *vt* étayer; **etw mit Argu-menten ~** étayer qc d'arguments
Ụntermiete *f* **bei jdm in/zur ~ wohnen**
sous-louer une chambre chez qn
Ụntermieter(in) *m(f)* sous-locataire *mf*
ụnter|mischen *vt* ajouter
ụntern [ˈʊntɐn] = *fam* **unter den** *s.* **un-ter**
unternẹhmen* [ʊntɐˈneːmən] *vt irr* en-treprendre; effectuer *Versuch;* entamer
Schritte; **etwas zusammen ~** faire quel-que chose ensemble

Unternehmen <-s, -> *nt* (*Firma*) entreprise *f*
Unternehmer(in) <-s, -> *m(f)* chef *mf* d'entreprise, entrepreneur(-euse) *m(f)*
Unternehmungsgeist *m kein Pl* ~ **haben** avoir de l'initiative **unternehmungslustig** *adj* entreprenant(e), plein(e) d'allant
Unteroffizier(in) *m(f)* (*Dienstgrad*) sous-officier *m*
unterlordnen I. *vt* **1.** (*zurückstellen*) **seine Bedürfnisse einer S.** (*dat*) ~ subordonner ses besoins à qc **2.** (*unterstellen*) **jdm/einer Institution untergeordnet sein** être soumis à qn/à une institution **II.** *vr* **sich jdm** ~ se soumettre à qn
Unterredung [ʊntɐˈreːdʊŋ] <-, -en> *f* entrevue *f*
Unterricht [ˈʊntɐrɪçt] <-[e]s> *m* **1.** (~*sstunde*) cours *m;* (*Schultag*) cours *mpl;* (*in der Grundschule*) classe *f;* **in den** ~ **müssen** devoir aller en cours; **jdm** ~ **in etw** (*dat*) **geben** donner des cours de qc à qn; **bei jdm** ~ **haben** avoir cours avec qn **2.** (*Fahrschulunterricht*) **theoretischer** ~ code *m;* **praktischer** ~ conduite *f*
unterrichten* [ʊntɐˈrɪçtən] **I.** *vt* **1.** (*unterweisen*) faire cours à; **jdn in Latein** ~ enseigner le latin à qn **2.** *form* (*informieren*) **jdn über etw** (*akk*)/**von etw** ~ instruire qn de qc (*soutenu*); **gut unterrichtet** bien informé(e) **II.** *vi* **in etw** (*dat*) ~ enseigner qc; **an einem Gymnasium/einer Hochschule** ~ enseigner dans un lycée/une université **III.** *vr* **sich über etw** (*akk*) ~ s'informer de qc
Unterrichtsfach *nt* matière *f;* **das** ~ **Mathematik** les mathématiques
Unterrichtung <-, -en> *f form* information *f*
Unterrock *m* combinaison *f*
unters [ˈʊntɐs] = *fam* **unter das** *s.* **unter**
untersagen* [ʊntɐˈzaːgən] *vt* interdire; **jdm etw** ~ interdire qc à qn
Untersatz *m* (*für Töpfe, Schüsseln*) dessous-de-plat *m* ▸ **fahrbarer** ~ *hum fam* bagnole *f*
unterschätzen* [ʊntɐˈʃɛtsən] *vt* sous-estimer; **ein nicht zu ~der Gegner** un adversaire avec lequel il faut compter; **eine nicht zu ~de Gefahr** un danger non négligeable
unterscheiden* [ʊntɐˈʃaɪdən] *irr* **I.** *vt* **1.** (*differenzieren*) différencier *Pflanzen, Tierarten;* **etw von etw** ~ faire la différence entre qc et qc **2.** (*auseinander halten*) distinguer **II.** *vi* **zwischen verschiedenen Dingen** ~ faire la distinction entre différentes choses **III.** *vr* **sich in etw** (*dat*) ~ *Personen, Tiere:* différer par qc; **sich von**

jdm/etw durch etw ~ (*dat*) se distinguer de qn/qc par qc
Unterscheidung *f* distinction *f*
Unterschenkel *m* jambe *f*
Unterschicht *f* classe *f* inférieure [de la société]
unterschieben* *vt* *irr* **jdm etw** ~ attribuer qc à qn
Unterschied [ˈʊntɐʃiːt] <-[e]s, -e> *m* **1.** différence *f;* **im** ~ **zu euch** à la différence de vous; [**nur**] **mit dem** ~, **dass** ... à ceci près que ...; **das macht keinen** ~ cela revient au même **2.** (*Unterscheidung*) distinction *f;* **einen** ~ **machen zwischen** ... **und** ... faire la différence entre ... et ...
unterschiedlich I. *adj* différent(e) **II.** *adv* **behandeln** d'une manière différente; ~ **groß sein** avoir une taille différente
unterschiedslos *adv* indifféremment
unterschlagen* [ʊntɐˈʃlaːgən] *vt irr* **1.** JUR soustraire *Testament;* **Geld** ~ détourner de l'argent **2.** (*vorenthalten*) dissimuler *Informationen*
Unterschlagung <-, -en> *f* détournement *m*, soustraction *f*
Unterschlupf [ˈʊntɐʃlʊpf] <-[e]s, -e> *m* refuge *m*
unterlschlüpfen *vi* + *sein fam* **bei jdm** ~ se réfugier chez qn
unterschreiben* [ʊntɐˈʃraɪbən] *irr* **I.** *vt* signer *Dokument* **II.** *vi* apposer sa signature; **mit vollem Namen** ~ signer avec nom et prénom
unterschreiten* *vt irr* être inférieur à
Unterschrift *f* signature *f*
Unterschriftenliste *f,* **Unterschriftensammlung** *f* pétition *f*
unterschwellig *adj* subliminal(e)
Unterseeboot *nt* sous-marin *m*
Unterseite *f eines Geräts, Tellers* dessous *m; einer Decke, Matratze* envers *m*
untersetzt *adj* trapu(e)
unterspülen* *vt* creuser
Unterstand *m* abri *m*
unterste(r, s) [ˈʊntɐstə, -tɐ, -təs] *adj Superl von* **untere(r, s)** ▸ **das Unterste zuoberst kehren** mettre tout sens dessus dessous
unterstehen* *irr* **I.** *vi* (*untergeben sein*) **jdm/einer S.** ~ dépendre de qn/qc; **ihm** ~ **zehn Mitarbeiter** il a dix collaborateurs sous ses ordres **II.** *vr* **untersteh dich** [**ja nicht**]! essaie un peu pour voir!; **was** ~ **Sie sich?** pour qui vous prenez-vous?
unterstellen*[1] *vt* **1.** **ihm/ihr sind vier Mitarbeiter unterstellt** il/elle a quatre collaborateurs sous ses ordres **2.** (*vorwerfen*) **jdm Nachlässigkeit** ~ taxer qn de négligence **3.** (*annehmen*) ~ **wir einmal,**

dass supposons que + *subj*

unter|stellen² I. *vt* rentrer *Fahrrad* II. *vr* sich ~ s'abriter, se mettre à l'abri

Unterstellung *f* (*falsche Behauptung*) allégation *f* [mensongère]

unterstreichen* [ʊntɐ'ʃtraiçən] *vt irr* (*markieren*) souligner

Unterstufe *f* premier cycle *m*

unterstützen* [ʊntɐ'ʃtʏtsən] *vt* 1. (*helfen*) **jdn bei etw/in etw** (*dat*) ~ soutenir qn dans qc 2. (*finanziell fördern*) subventionner *Projekt;* **jdn** ~ soutenir qn financièrement 3. (*sich einsetzen für*) appuyer

Unterstützung *f* 1. *kein Pl* (*Hilfe*) soutien *m* 2. FIN aide *f* financière

untersuchen* [ʊntɐ'zuːxən] *vt* 1. MED examiner *Person;* analyser *Blut;* **das Blut auf Erreger** ~ faire une analyse de sang bactériologique 2. (*erforschen*) étudier 3. (*überprüfen*) examiner, procéder à l'examen de *Vorfall* 4. (*durchsuchen*) **jdn/ etw auf Waffen/Drogen** ~ fouiller qn/qc à la recherche d'armes/de drogues

Untersuchung <-, -en> *f* 1. MED *eines Patienten* examen *m* 2. (*Studie, Analyse*) étude *f* 3. (*durch die Polizei*) enquête *f*

Untersuchungsausschussᴿᴿ *m* commission *f* d'enquête **Untersuchungshaft** *f* détention *f* provisoire

Untertan(in) <-en, -en> *m(f)* sujet(te) *m(f)*

Untertasse *f* soucoupe *f*

unter|tauchen *vi* + *sein* 1. (*tauchen*) plonger 2. (*sich verstecken*) se planquer (*fam*); **im Ausland** ~ se réfugier à l'étranger 3. (*verschwinden*) **in der Menge** (*dat*) ~ se fondre dans la foule

Unterteil *nt o m* partie *f* inférieure, bas *m*

unterteilen* [ʊntɐ'tailən] *vt* 1. (*einteilen*) **etw in Spalten** ~ (*akk*) diviser qc en colonnes; **etw noch einmal/weiter** ~ [encore] subdiviser qc 2. (*aufteilen*) partager *Raum*

Unterteilung <-, -en> *f* (*das Unterteiltsein*) subdivision *f*

Untertitel *m* sous-titre *m;* **mit ~n** sous-titré(e)

Unterton <-töne> *m* pointe *f*

untertreiben* [ʊntɐ'traibən] *irr* I. *vt* minimiser II. *vi* rester en deçà de la vérité

Untertreibung <-, -en> *f* litote *f*

untertunneln* *vt* percer un tunnel sous

untervermieten* *vt, vi* sous-louer

Unterwalden ['ʊntɐvaldən] <-s> *nt* l'Unterwald *m*

unterwandern* *vt* noyauter

Unterwäsche *f* sous-vêtements *mpl;* (*Damenunterwäsche*) lingerie *f*

unterwegs [ʊntɐ'veːks] *adv* 1. ~ **nach**

Berlin sein être en route pour Berlin; **für** ~ pour la route 2. (*auf, während der Reise*) en cours de route

unterweisen* [ʊntɐ'vaizən] *vt irr geh* **jdn in etw** (*dat*) ~ instruire qn dans qc

Unterwelt *f kein Pl* 1. (*Kriminellenmilieu*) pègre *f* 2. HIST enfers *mpl*

unterwerfen* [ʊntɐ'vɛrfən] *irr* I. *vt* 1. (*unterjochen*) soumettre 2. (*unterziehen*) **jdn einer S.** (*dat*) ~ soumettre qn à qc II. *vr* **sich einer S.**(*dat*) ~ se soumettre à qc

unterwürfig ['ʊntɐvʏrfɪç] *adj pej Person* obséquieux(-euse); *Verhalten* servile

unterzeichnen* [ʊntɐ'tsaiçnən] *vt form* signer

unterziehen*¹ ['ʊntɐtsiːən] *irr* I. *vr* **sich einer S.** (*dat*) ~ se soumettre à qc; **sich einer Operation** ~ subir une opération II. *vt* **jdn/etw einer S.**(*dat*) ~ soumettre qn/qc à qc

unter|ziehen² [ʊntɐ'tsiːən] *vt irr* mettre dessous; [**sich** (*dat*)] **ein T-Shirt** ~ mettre un tee-shirt dessous

Untiefe *f* (*seichte Stelle*) bas-fond *m*

Untier *nt* monstre *m*

untragbar *adj Zustand* insupportable

untrennbar [ʊn'trɛnbaːɐ̯] *adj* inséparable; *Wort* insécable

untreu *adj* 1. (*nicht treu*) infidèle; **jdm** ~ **sein** tromper qn 2. *fig geh* **sich/einer S.** (*dat*) ~ **werden** être infidèle à soi-même/à qc

Untreue *f* infidélité *f*

untröstlich [ʊn'trøːstlɪç] *adj* 1. (*traurig*) inconsolable 2. (*voller Bedauern*) **ich bin** ~**, dass ich es vergessen habe** je suis [absolument] désolé(e) de l'avoir oublié

untrüglich *adj* qui ne trompe pas

Untugend *f* (*schlechte Angewohnheit*) mauvaise habitude *f*

untypisch *adj* inhabituel(le); ~ **für jdn sein** ne pas ressembler à qn

unüberbrückbar *adj Gegensätze* inconciliable

unüberlegt I. *adj* inconsidéré(e) II. *adv* handeln sans réfléchir

unübersehbar [ʊnʔyːbɐ'zeːbaːɐ̯] I. *adj* 1. *Konsequenzen* dont on ne peut estimer la gravité; *Kosten* dont on ne peut estimer le montant 2. *Mängel* qui saute aux yeux II. *adv* ~ **groß** immense

unübersichtlich *adj* 1. *Kurve* sans visibilité; *Gelände* sans vue dégagée 2. (*schlecht lesbar*) confus(e), peu clair(e) 3. (*nicht einschätzbar*) confus(e)

unübertrefflich [ʊnʔyːbɐ'trɛflɪç] I. *adj* insurpassable; (*unvergleichlich*) inégalable II. *adv* ~ **gut** mieux que tout; **dieses** ~

elegante Design ce design d'une élégance inégalée

unübertroffen adj inégalé(e)

unüblich adj inhabituel(le)

unumgänglich adj inévitable

unumschränkt adj Herrschaft, Macht absolu(e)

unumstritten [ʊnʔʊmˈʃtrɪtən] I. adj incontesté(e); es ist ~, dass ... il est incontestable que ... II. adv von ~ guter Qualität d'une qualité incontestable

unumwunden adv sans ambages

ununterbrochen [ʊnʔʊnteˈbrɔxən] I. adj 1. (andauernd) incessant(e) 2. (nicht unterbrochen) ininterrompu(e) II. adv sans arrêt; ~ reden ne pas arrêter de parler

unveränderlich [ʊnfɛɐ̯ˈʔɛndəlɪç] adj 1. Ausdauer invariable; Fleiß immuable 2. Größe invariable, constant(e)

unverändert [ʊnfɛɐ̯ˈʔɛndet] I. adj 1. Gesundheit stable; Einsatz constant(e) 2. (ohne Änderung) intégral(e) II. adv toujours; morgen ist es wieder ~ kalt pas de changement pour demain, il fera froid

unverantwortlich [ʊnfɛɐ̯ˈʔantvɔrtlɪç] I. adj Dummheit, Leichtsinn inexcusable; Verhalten irresponsable II. adv handeln en personne irresponsable, à la légère

unverbesserlich adj incorrigible

unverbindlich adj 1. Auskunft sans engagement 2. Art peu amène

unverbleit adj Benzin sans plomb

unverblümt adj direct(e), sans détour

unverdächtig I. adj non suspect(e) II. adv sans éveiller les soupçons

unverdaulich adj non assimilable [par l'organisme]

unverdaut I. adj non digéré(e) II. adv ~ wieder ausgeschieden werden être éliminé sans avoir été digéré

unverdrossen adv sans se décourager

unvereinbar adj incompatible; mit etw ~ sein être incompatible avec qc

unverfälscht [ʊnfɛɐ̯ˈfɛlʃt] adj Lebensmittel non trafiqué(e); Wein non frelaté(e)

unverfänglich adj qui ne prête pas à mal

unverfroren [ʊnfɛɐ̯ˈfroːrən] adj effronté(e); ~ sein être effronté, avoir de l'audace

unvergänglich [ʊnfɛɐ̯ˈgɛŋlɪç] adj impérissable

unvergesslichRR [ʊnfɛɐ̯ˈgɛslɪç] adj inoubliable; etw ist jdm ~ qn ne peut oublier qc

unvergleichlich [ʊnfɛɐ̯ˈglaiçlɪç] I. adj sans pareil(le), incomparable II. adv gut extrêmement; ~ schön/wertvoll d'une beauté/valeur sans pareille

unverhältnismäßig adv excessivement

unverheiratet adj non marié(e)

unverhofft [ʊnfɛɐ̯ˈhɔft] I. adj inespéré(e); Besuch inattendu(e) II. adv besuchen à l'improviste ►~ kommt oft il faut s'attendre à tout, tout peut arriver

unverhohlen adv beobachten ouvertement, sans se cacher

unverkäuflich [ʊnfɛɐ̯ˈkɔyflɪç] adj qui ne peut être vendu; ~es Muster échantillon m gratuit

unverkennbar adj indéniable

unvermeidbar [ʊnfɛɐ̯ˈmaitbaːɐ̯, ʊnfɛɐ̯ˈmaitlɪç] adj, **unvermeidlich** [ʊnfɛɐ̯ˈmaitlɪç] adj inévitable

unvermindert I. adj non diminué(e), intact(e) II. adv andauern, weiterregnen constamment; weitertoben sans faiblir, sans désemparer

unvermittelt adj soudain(e)

Unvermögen nt kein Pl impuissance f

unvermutet I. adj inattendu(e) II. adv à l'improviste

Unvernunft f manque m de bon sens

unvernünftig I. adj déraisonnable; ~ sein ne pas être raisonnable; es ist ~ etw zu tun ce n'est pas raisonnable de faire qc II. adv ~ handeln ne pas agir en personne raisonnable

unveröffentlicht adj inédit(e)

unverschämt I. adj 1. (dreist) impertinent(e), insolent(e); ~es Benehmen impertinence f, insolence f 2. Frechheit qui dépasse les bornes; Preis exorbitant(e); ~es Glück haben fam avoir un sacré pot II. adv 1. grinsen, lügen avec insolence 2. fam (äußerst) vachement; ~ teure Preise des prix exorbitants

Unverschämtheit <-, -en> f (unverschämte Art) impertinence f

unverschuldet [ʊnfɛɐ̯ˈʃʊldət] I. adj ~er Unfall accident m dans lequel la responsabilité de l'assuré n'est pas engagée II. adv sans en être responsable

unversehrt adj Person indemne

unversöhnlich [ʊnfɛɐ̯ˈzøːnlɪç] adj irréconciliable; Widersacher, Gegner irréductible

Unverstand m geh inconscience f

unverstanden adj incompris(e)

unverständig adj Erwachsener ignorant(e)

unverständlich adj 1. (undeutlich) incompréhensible, inintelligible 2. (unbegreifbar) incompréhensible

Unverständnis nt incompréhension f

unversucht [ʊnfɛɐ̯ˈzuːxt] adj nichts ~ lassen tout tenter

unverträglich adj 1. Person peu sociable, insociable 2. Lebensmittel indigeste

unverwandt geh adj Blick fixe

unverwechselbar [ˈʊnfɛɐ̯vɛksəlbaːɐ̯] adj

Person unique; *Gegenstand* très caractéristique

unverwüstlich [ʊnfɛɐ̯'vyːstlɪç] *adj Möbel, Material* très résistant(e), à toute épreuve; *Bodenbelag* inusable

unverzagt *adj* ~ **sein** ne pas se laisser abattre

unverzeihlich [ʊnfɛɐ̯'tsai̯lɪç] *adj* impardonnable

unverzichtbar ['ʊnfɛɐ̯tsɪçtbaːɐ̯] *adj* indispensable; **für jdn** ~ **sein** être indispensable à qn

unverzüglich I. *adj* immédiat(e) **II.** *adv* sans attendre

unvollendet *adj* inachevé(e)

unvollkommen *adj* imparfait(e), incomplet(-ète)

unvollständig [ʊnfɔl'ʃtɛndɪç] **I.** *adj* incomplet(-ète) **II.** *adv* de façon incomplète

unvorbereitet I. *adj Vortrag* improvisé(e); *Prüfung* non préparé(e) **II.** *adv* **1.** *unterrichten* sans préparation, sans avoir préparé; ~ **in eine Prüfung gehen** se présenter à un examen sans avoir révisé; ~ **eine Rede halten** improviser un discours **2.** (*unerwartet*) de façon inattendue

unvoreingenommen *adj, adv* sans prévention

unvorhergesehen I. *adj* imprévu(e) **II.** *adv eintreten, passieren* de façon imprévue; *besuchen* à l'improviste

unvorsichtig *adj Verhalten* imprudent(e); *Bemerkung* inconsidéré(e)

unvorstellbar [ʊnfoːɐ̯'ʃtɛlbaːɐ̯] *adj* inimaginable, inconcevable; **es ist** ~**, dass** il est inimaginable que + *subj*

unvorteilhaft *adj* **1.** peu flatteur(-euse) **2.** (*nachteilig*) désavantageux(-euse)

unwägbar *adj* difficile à évaluer, impondérable

Unwägbarkeit <-, -en> *f* impondérabilité *f*

unwahr *adj* contraire à la vérité, faux(fausse)

Unwahrheit *f* **die** ~ **sagen** mentir

unwahrscheinlich *adj* **1.** (*kaum denkbar*) invraisemblable; **es ist** ~**, dass** il est peu vraisemblable que + *subj* **2.** *fam* (*unerhört*) sacré(e) *antéposé*

unwegsam *adj* peu praticable

unweigerlich [ʊn'vai̯gəlɪç] *adj attr* inévitable, inéluctable

unweit *präp* + *gen* ~ **des Hauses** près de la maison

Unwesen *nt* (*Missstand*) fléau *m* ▶ **sein** ~ **treiben** sévir

unwesentlich I. *adj* minime **II.** *adv* à peine

Unwetter *nt* tempête *f*

unwichtig *adj* insignifiant(e), sans importance

unwiderruflich [ʊnviː'dɐ'ruːflɪç] *adj* irrévocable

unwiderstehlich [ʊnviː'dɐ'ʃteːlɪç] *adj* irrésistible

Unwille *m geh* (*Verärgerung*) mécontentement *m*, irritation *f*

unwillig I. *adj* (*verärgert*) maussade, renfrogné(e) **II.** *adv* (*widerwillig*) à contrecœur

unwillkommen *adj* importun(e)

unwillkürlich I. *adj* involontaire **II.** *adv* sans le faire exprès; *lachen*

unwirklich *adj* irréel(le)

unwirksam *adj* **1.** (*wirkungslos*) inefficace **2.** (*nichtig*) nul(le)

unwirtlich *adj* inhospitalier(-ière)

unwirtschaftlich *adj Fahrweise* peu économique; *Verfahren* peu rentable

unwissend *adj* **1.** ignorant(e), ignare (*péj*) **2.** (*ahnungslos*) ~ **sein** ne pas être au courant

Unwissenheit <-> *f* ignorance *f*

unwissentlich *adv* en toute innocence

unwohl *adj* **sich** ~ **fühlen** (*schlecht*) ne pas se sentir bien; (*unbehaglich*) être mal à l'aise

Unwohlsein *nt* indisposition *f*

unwürdig *adj* **einer S.** (*gen*) ~ **sein** être indigne de qc

Unzahl *f* **eine** ~ **von etw** une multitude de qc

unzählig [ʊn'tsɛːlɪç] *adj* ~**e Anhänger/Freunde** d'innombrables adeptes/amis; ~**e Male** maintes et maintes fois

Unzeit *f* ▶ **zur** ~ *geh* (*sehr spät oder früh*) à une heure indue

unzeitgemäß *adj* (*überholt*) démodé(e), suranné(e)

unzerbrechlich [ʊntsɛɐ̯'brɛçlɪç] *adj* incassable

unzertrennlich [ʊntsɛɐ̯'trɛnlɪç] *adj* inséparable

unzivilisiert [-vi-] *pej* **I.** *adj Person* non civilisé(e) **II.** *adv sich benehmen* comme un sauvage

Unzucht *f* ~ **mit Kindern** attentat *m* à la pudeur sur des enfants

unzüchtig *adj* obscène

unzufrieden *adj* mécontent(e), insatisfait(e); **mit jdm/etw** ~ **sein** être mécontent de qn/qc

Unzufriedenheit *f* mécontentement *m*

unzugänglich *adj* **1.** *Gegend, Ortschaft* inaccessible **2.** *Person, Charakter* renfermé(e), impénétrable

Unzukömmlichkeit CH *s.* **Unzulänglichkeit**

Unzulänglichkeit <-, -en> *f* insuffisance *f*

ụnzulässig *adj Maßnahme* inadmissible; *Methode* illicite; *Beschluss* irrecevable

ụnzumutbar *adj Belastung* intolérable

ụnzurechnungsfähig *adj* irresponsable

ụnzustellbar *adj Brief, Paket* qui ne peut être distribué; „~" "destinataire inconnu(e) à l'adresse indiquée"

ụnzutreffend *adj* inexact(e)

ụnzuverlässig *adj* **1.** *Person* sur qui on ne peut [pas] compter; **er/sie ist** ~ il/elle n'est pas fiable, on ne peut pas se fier à lui/elle **2.** *Zeuge* peu crédible

ụnzweckmäßig *adj* **1.** *Ausrüstung* inapproprié(e), inadéquat(e) **2.** *Maßnahme* inapproprié(e)

ụnzweideutig *adj, adv* sans ambiguïté

ụnzweifelhaft *geh adj* indubitable

Update ['apdɛɪt] <-s, -s> *nt* INFORM dernière version *f*

üppig ['ʏpɪç] *adj* **1.** *Mahlzeit* copieux(-euse), plantureux(-euse) **2.** *Vegetation* luxuriant(e) **3.** *Formen* opulent(e); *Lippen* voluptueux(-euse)

Urabstimmung ['uːɐ̯ʔapʃtɪmʊŋ] *f* consultation *f* de la base **Urahn** *m*, **-ahne** *f* ancêtre *mf*

Ural [u'raːl] <-s> *m* **der** ~ l'Oural *m*

uralt *adj* **1.** *Baum* très vieux(vieille); *Brauch* très ancien(ne); **aus ~en Zeiten** de temps immémoriaux **2.** *fam Trick* archiconnu(e)

Uran [u'raːn] <-s> *nt* CHEM uranium *m*

uraufführen <uraufgeführt> *vt nur Infin und PP* **das Stück wird im nächsten Monat uraufgeführt** la première de la pièce aura lieu le mois prochain

Uraufführung *f* première représentation *f*

urban *adj geh* urbain(e)

urbar *adj* ► **etw** ~ **machen** rendre qc propre à la culture

Urbevölkerung *f* population *f* autochtone

urchig CH *s.* **urig**

ureigen *adj* personnel(le) **Ureinwohner(in)** *m(f)* aborigène *mf* **Urenkel(in)** *m(f)* arrière-petit-fils *m*/arrière-petite-fille *f*

Urgestein *nt* roche *f* primitive

urgieren *vt* A (*anmahnen*) faire avancer *Angelegenheit;* **eine Antwort** ~ demander d'urgence une réponse

Urgroßeltern *Pl* arrière-grands-parents *mpl*

Urgroßvater *m* arrière-grand-père *m*

Urheber(in) <-s, -> *m(f)* **1.** (*Autor*) auteur *mf;* **der geistige** ~ le père spirituel **2.** (*Initiator*) initiateur(-trice) *m(f); eines Streits, einer Intrige* instigateur(-trice) *m(f)*

Urheberrecht *nt* **1.** *eines Autors* droit *m* d'auteur, copyright *m* **2.** (*Gesetz*) loi *f* sur la propriété littéraire et artistique

urheberrechtlich **I.** *adj* concernant le droit d'auteur **II.** *adv* **geschützt sein** être pro-

tégé [par un copyright]

Uri ['uːri] <-s> *nt* l'Uri *m*

urig ['uːrɪç] *adj fam* **1.** *Kauz* folklo, farfelu(e) **2.** *Weinkeller* très couleur locale

Urin [u'riːn] <-s, -e> *m* urine *f*

urinieren* *vi form* uriner

urkomisch *adj fam* tordant(e)

Urkunde ['uːɐ̯kʊndə] <-, -n> *f* **1.** (*Dokument*) document *m*, pièce *f* officielle; **notarielle** ~ acte *m* notarié **2.** (*Ernennungsurkunde*) arrêté *m* de nomination **3.** (*Diplom*) diplôme *m*

Urkundenfälschung *f* faux *m* en écriture

urkundlich *adv belegen* par un document

Urlaub ['uːɐ̯laʊp] <-[e]s, -e> *m* congé *m;* **bezahlter/unbezahlter** ~ congés payés/non payés; ~ **haben** être en congé; ~ **in Spanien machen** passer ses vacances en Espagne

Urlauber(in) <-, -> *m(f)* vacancier *m*

Urlaubsgeld *nt* prime *f* de vacances **Urlaubsort** *m* lieu *m* de vacances **Urlaubszeit** *f* (*Ferienzeit*) période *f* des vacances

Urne ['ʊrnə] <-, -n> *f* urne *f*

Urnengang <-gänge> *m* élections *fpl* **Urnengrab** *nt* niche *f* de columbarium

Urologe <-n, -n> *m*, **Urologin** *f* urologue *mf*

Urologie <-> *f* urologie *f*

urplötzlich ['uːɐ̯'plœtslɪç] **I.** *adj attr Auftreten* soudain(e); *Einfall* subit(e) **II.** *adv* subitement

Ursache *f* cause *f*, raison *f*; **aus ungeklärter/unbekannter** ~ pour une raison inexpliquée/inconnue; ~ **und Wirkung** la cause se et l'effet ► **keine** ~! [il n'y a] pas de quoi!

ursächlich *adj* **für etw** ~ **sein** être la cause de qc; **diese Dinge stehen in ~em Zusammenhang** il y a une relation de cause à effet entre ces choses

Urschrift *f eines Dokuments* original *m*

Ursprung <-s, Ursprünge> *m einer Zivilisation* origines *fpl; eines Wortes* origine *f;* **vulkanischen ~s sein** être d'origine volcanique

ursprünglich ['uːɐ̯ʃprʏŋlɪç] **I.** *adj* **1.** *attr Projekt* initial(e); *Haltung* premier(-ière); *Absicht* à l'origine **2.** *Landschaft* à l'état sauvage **3.** *Brauchtum* archaïque **II.** *adv* au début, à l'origine

Ursprungsland *nt* pays *m* d'origine

Urteil ['ʊrtaɪl] <-s, -e> *nt* **1.** JUR jugement *m*, arrêt *m;* **ein** ~ **fällen** rendre un jugement **2.** (*Meinung*) opinion *f;* **ein** ~ **über jdn/etw fällen** porter un jugement sur qn/qc; **sich** (*dat*) **ein** ~ **über etw** (*akk*) **erlauben** se permettre de porter un jugement sur qc

urteilen *vi* juger; **über jdn/etw** ~ juger

qn/qc; **schnell/voreilig** ~ émettre un jugement rapide/précipité
Urteilsbegründung f attendus mpl du jugement **Urteilsspruch** m verdict m, sentence f **Urteilsvermögen** nt [faculté f de] jugement m
Urtext m [texte m] original m
urtümlich adj ancestral(e)
Urwald m forêt f vierge **urweltlich** adj primitif(-ive) **urwüchsig** ['uːʁvyːksɪç] adj primitif(-ive) **Urzeit** f die ~ l'ère f primaire
▶ **seit** ~**en** fam ça fait des éternités que ... (hum); **vor** ~**en** fam y a des lustres (hum)
Urzustand m état primitif m
USA [uːʔɛs'ʔaː] Pl Abk von **United States of America**: die ~ les USA mpl
User(in) ['juːsɐ] <-s, -> m(f) INFORM utilisateur(-trice) m(f)

Usus <-> m fam **es ist hier** ~, ... ici, on a coutume de ...
usw. Abk von **und so weiter** etc.
Utensil [utɛn'ziːl] <-s, -ien> nt meist Pl ustensile m
Uterus <-, Uteri> m form ANAT, MED utérus m
Utility [ju'tɪlɪti] <-s, -s> nt INFORM utilitaire f
Utopie [uto'piː] <-, -n> f utopie f
utopisch [u'toːpɪʃ] adj Vorstellungen, Wunsch utopique; Roman d'anticipation
u.U. Abk von **unter Umständen** le cas échéant, si les circonstances s'y prêtent
UV [uː'fau] Abk von **ultraviolett**
u.v.a.[m.] Abk von **und vieles andere [mehr]** etc.

V

V, v [fau] <-, -> *nt* V *m*/v *m*
V 1. *Abk von* **Volumen** v **2.** *Abk von* **Volt** V
Vagabund(in) [vaga'bʊnt] <-en, -en> *m(f)* vagabond(e) *m(f)*
vage ['va:gə] *adj* vague
Vagina [va-] <-, **Vaginen**> *f* vagin *m*
vaginal [vagi'na:l] *adj* vaginal(e)
vakant [va-] *adj form* vacant(e)
Vakuum ['va:kuʊm] <-s, **Vakuen** *o* **Vakua**> *nt a. fig* vide *m*
vakuumverpackt *adj* [conditionné(e)] sous vide
Valuta [va-] <-, **Valuten**> *f* (*Währung*) devise *f*
Vamp [vɛmp] <-s, -s> *m* vamp *f*
Vampir ['vampi:ɐ] <-s, -e> *m* vampire *m*
Vandalismus [va-] <-> *m* vandalisme *m*
Vanille [va'nɪljə] <-, -en> *f* vanille *f*
Vanilleeis *nt* glace *f* à la vanille **Vanillepudding** *m* flan *m* à la vanille **Vanillezucker** *m* sucre *m* vanillé
variabel [va-] *adj* variable
Variante [vari'antə] <-, -n> *f* variante *f*
Variation [varia'tsio:n] <-, -en> *f* **1.** (*Abwandlung*) variante *f* **2.** MUS variation *f*
Varieté, VarieteeRR [varie'te:] <-s, -s> *nt* **1.** (*Vorführung*) spectacle *m* de variétés **2.** (*Gebäude*) music-hall *m*
variieren* [vari'i:rən] *vi* varier
Vasall [va'zal] <-en, -en> *m* vassal *m*
Vase ['va:zə] <-, -n> *f* vase *m*
Vaseline [va-] <-> *f* vaseline *f*
Vater ['fa:tɐ, *Pl:* 'fɛ:tɐ] <-s, ⁚> *m* (*Elternteil*) père *m;* **er ist ganz der** ~ c'est [tout] le portrait de son père ▸**der Heilige** ~ le Saint-Père
Vaterland *nt* patrie *f*
väterlich ['fɛ:tɐlɪç] **I.** *adj* paternel(le) **II.** *adv* comme un père
väterlicherseits *adv* du côté paternel
vaterlos *adj* orphelin(e) de père
Vatermord *m* parricide *m* **Vaterschaft** <-, -en> *f* paternité *f* **Vatertag** *m* fête *f* des pères **Vaterunser** ['fa:tɐ'?ʊnzɐ] <-s, -> *nt* das/ein ~ le/un Notre Père
Vatikan [vati'ka:n] <-s> *m* **der** ~ le Vatican
V-Ausschnitt ['faʊaʊsʃnɪt] *m* encolure *f* en V
v. Chr. *Abk von* **vor Christus** av. J.-C.
Vegetarier(in) [vege'ta:riɐ] <-s, -> *m(f)* végétarien(ne) *m(f)*

vegetarisch [vegeta:riʃ] *adj* végétarien(ne)
Vegetation [vegeta'tsio:n] <-, -en> *f* végétation *f*
vegetativ [ve-] *adj* **1.** BIO végétatif(-ive) **2.** MED **das ~e Nervensystem** le système neurovégétatif
vegetieren* [vege'ti:rən] *vi* végéter
vehement [ve-] *geh adj* véhément(e)
Vehikel [ve-] <-s, -> *nt fam* **1.** (*Auto*) guimbarde *f* **2.** (*Fahrrad*) vieux clou *m*
Veilchen ['faɪlçən] <-s, -> *nt* **1.** violette *f* **2.** *fam* (*blaues Auge*) coquard *m*
Vektor ['vɛ-] <-s, -toren> *m* MATH, PHYS vecteur *m*
Velo ['ve:lo] <-s, -s> *nt* CH vélo *m*
Vene ['ve:nə] <-, -n> *f* veine *f*
Venedig [ve'ne:dɪç] <-s> *nt* Venise
Venezolaner(in) [venetso'la:nɐ] <-, -> *m(f)* Vénézuélien(ne) *m(f)*
Venezuela [venetsµe:la] <-s> *nt* le Venezuela
Ventil [vɛn'ti:l] <-s, -e> *nt* **1.** (*Absperrhahn*) vanne *f* [d'arrêt] **2.** (*Schlauchventil*) valve *f* **3.** AUT soupape *f* **4.** MUS piston *m*
Ventilator [vɛnti'la:to:ɐ] <-s, -toren> *m* ventilateur *m*
Venus ['ve:-] <-> *f* ASTRON Vénus *f;* **die** ~ la planète Vénus
verabreden* [fɛɐ'?apre:dən] **I.** *vr* **sich** ~ prendre rendez-vous; **mit jdm verabredet sein** avoir un rendez-vous avec qn; **sich mit jdm für den nächsten Tag/vor dem Rathaus** ~ donner rendez-vous à qn pour le lendemain/devant la mairie **II.** *vt* **mit jdm einen Ort/Termin** ~ fixer un endroit/rendez-vous avec qn; **wie verabredet** comme convenu
Verabredung <-, -en> *f* **1.** (*Treffen*) rendez-vous *m;* **eine** ~ **haben** avoir rendez-vous **2.** (*Vereinbarung*) accord *m;* **eine** ~ **treffen** se mettre d'accord
verabreichen* *vt form* **jdm ein Medikament** ~ administrer un médicament à qn
verabscheuen* *vt* détester; **es** ~ **etw zu tun** avoir horreur de faire qc
verabschieden* **I.** *vr* (*Abschied nehmen*) **sich** ~ dire au revoir; **sich von jdm** ~ dire au revoir à qn; **ich muss mich** [von Ihnen] ~ il faut que je vous quitte **II.** *vt* **1.** prendre congé de (*form*) Gast **2.** *form* (*feierlich entlassen*) célébrer le départ de

sich verabschieden

• sich verabschieden	• prendre congé
Auf Wiedersehen!	Au revoir!
Auf ein baldiges Wiedersehen!	À bientôt!
Tschüss! *(fam)*/Ciao! *(fam)*	Salut!
Mach's gut! *(fam)*	Bon courage!
(Also dann,) bis bald! *(fam)*	À bientôt (, alors)!
Bis morgen!/Bis nächste Woche!	À demain!/À la semaine prochaine!
Man sieht sich! *(fam)*	À la prochaine!
Komm gut heim! *(fam)*	Rentre bien!
Pass auf dich auf! *(fam)*	Sois prudent(e)!
Kommen Sie gut nach Hause!	Rentrez bien!
Einen schönen Abend noch!	Bonne soirée!
• sich am Telefon verabschieden	• dire au revoir au téléphone
Auf Wiederhören! *(form)*	Au revoir!
Also dann, bis bald wieder! *(fam)*	À bientôt, alors!
Tschüss! *(fam)*/Ciao! *(fam)*	Salut!

Minister **3.** POL voter *Gesetz;* adopter *Haushalt*
Verabschiedung <-, -en> *f* POL *eines Gesetzes* vote *m; eines Haushalts* adoption *f*
verachten* *vt* mépriser; **etw ist nicht zu** ~ *iron* il ne faut pas cracher sur qc *(fam)*
verächtlich [fɛɛ'ʔɛçtlɪç] **I.** *adj* **1.** *(Verachtung zeigend)* méprisant(e) **2.** *(zu verabscheuen)* méprisable **II.** *adv* avec mépris
Verachtung *f* mépris *m*
veralbern* *vt fam* se ficher de
verallgemeinern* *vt, vi* généraliser
Verallgemeinerung <-, -en> *f* généralisation *f*
veralten* *vi* + *sein* vieillir; *Ansichten:* ne plus être au goût du jour; *Wort:* tomber en désuétude; **schnell** ~ *Gerät:* être vite dépassé
veraltet *adj Ansichten* suranné(e); *Gerät* dépassé(e)
Veranda [ve'randa] <-, Veranden> *f* véranda *f*
veränderlich *adj* **1.** METEO variable **2.** *(variierbar)* variable
verändern* **I.** *vt* changer; transformer *Leben;* modifier *Ablauf* **II.** *vr* **1.** sich ~ *Klima, Aussehen:* changer **2.** *(sein Wesen ändern)* sich ~ *Person:* changer; **sich zu seinem Vorteil/Nachteil** ~ changer/ne pas changer à son avantage **3.** *(Stellung wechseln)* sich ~ changer d'emploi
Veränderung *f* **1.** *(Wandel, andere Gestaltung)* changement *m;* *(Änderung)* modification *f;* **eine** ~ **zum Besseren** un changement en bien **2.** *(Stellungswechsel)*

changement *m* d'emploi
verängstigen* *vt* effrayer
verankern* *vt* ancrer
Verankerung <-, -en> *f* ancrage *m*
veranlagen* *vt* **Ehegatten werden gemeinsam veranlagt** les époux font une déclaration commune de leurs revenus
veranlagt *adj* **künstlerisch/musikalisch** ~ **sein** être doué pour les arts/la musique; **praktisch** ~ **sein** avoir le sens pratique; **für etw** ~ **sein** avoir des dispositions pour qc
Veranlagung <-, -en> *f* **1.** *(Eigenart)* tempérament *m* **2.** *(Begabung)* don *m* **3.** FISC imposition *f*
veranlassen* *vt* **1.** *(in die Wege leiten)* faire le nécessaire pour; **~, dass** faire en sorte que + *subj* **2.** *(dazu bringen)* **jdn dazu** ~ **etw zu tun** amener qn à faire qc
Veranlassung <-, -en> *f* **1.** **auf seine/ihre** ~ **[hin]** à son instigation **2.** *(Grund)* raison *f;* **jdm** ~ **[dazu] geben etw zu tun** donner à qn des raisons de faire qc
veranschaulichen* *vt* illustrer; **jdm etw** ~ illustrer qc pour qn
veranschlagen* *vt* estimer; **die Kosten mit hundert Euro** ~ estimer les frais à cent euros
veranstalten* *vt* **1.** *(durchführen)* organiser **2.** *fam (vollführen)* faire *Lärm*
Veranstaltung <-, -en> *f* **1.** *kein Pl (das Durchführen)* organisation *f* **2.** *(Ereignis)* manifestation *f* **3.** *(feierliches Ereignis)* cérémonie *f*
Veranstaltungskalender *m* calendrier *m*

des manifestations

verantworten* I. *vt* assumer la responsabilité; **etw vor jdm ~** assumer la responsabilité de qc devant qn; **ich kann es nicht ~, dass du nicht zur Schule gehst** je ne peux pas prendre sur moi de te laisser manquer l'école II. *vr* **sich für etw vor jdm ~** se justifier de qc auprès de qn

verantwortlich *adj* **1.** *Leiter* responsable; **jdm gegenüber ~ sein** être responsable devant qn; **für jdn/etw ~ sein** être responsable de qn/qc; **~ dafür sein, dass** être responsable du fait que + *subj* **2.** (*schuldig*) responsable; **für etw ~ sein** être responsable de qc; **jdn für etw ~ machen** rendre qn responsable de qc

Verantwortung <-, -en> *f* responsabilité *f;* **~ für jdn/etw** responsabilité de qn/qc; **die ~ übernehmen/tragen** assumer/avoir la responsabilité; **jdn für etw zur ~ ziehen** demander des comptes à qn pour qc; **auf eigene ~** à ses risques et périls

verantwortungsbewusst^{RR} *adj* conscient(e) de ses responsabilités **verantwortungslos** I. *adj* irresponsable II. *adv* **~ handeln** être irresponsable [dans ses actes]; **wie kann man sich so ~ verhalten!** quelle inconscience! **verantwortungsvoll** *adj* à responsabilité

verarbeiten* *vt* **1.** traiter *Rohstoff;* **Eisen zu Stahl ~** transformer du fer en acier **2.** (*verbrauchen*) utiliser *Zement, Farbe* **3.** PSYCH assimiler *Eindrücke;* assumer *Scheidung*

Verarbeitung <-, -en> *f* **1.** (*das Verarbeiten*) transformation *f* **2.** (*Fertigungsqualität*) finition *f*

verärgern* *vt* fâcher

Verärgerung <-, -en> *f* irritation *f*

verarmen* *vi* + *sein* s'appauvrir

verarschen* *vt sl* se foutre de la gueule de

verarzten* *vt fam* soigner *Person, Verletzung*

verausgaben* *vr* **sich ~** (*physisch*) se donner à fond; (*finanziell*) se ruiner

veräußern* *vt form* céder; **etw an jdn ~** céder qc à qn

Verb [vɛrp] <-s, -en> *nt* verbe *m*

verbal [vɛr'baːl] *adj* verbal(e)

Verband <-[e]s, ⁺e> *m* **1.** MED bandage *m* **2.** (*Bund*) association *f* **3.** MIL unité *f*

Verband[s]kasten *m* trousse *f* de secours **Verband[s]material** *nt,* **Verband[s]zeug** *nt* pansements *mpl*

verbannen* *vt* **1.** exiler **2.** *geh* (*ausmerzen*) etw aus etw ~ bannir qc de qc

Verbannung <-, -en> *f* exil *m*

verbarrikadieren* [fɛrbarika'diːrən] I. *vt* barricader II. *vr* **sich in etw** (*dat*) **~** se

barricader dans qc

verbauen* *vt* **1.** (*versperren*) **jdm die Sicht ~** *Mauer:* masquer la vue à qn **2.** *fig* (*vereiteln*) **sich** (*dat*) **die Zukunft ~** compromettre son avenir **3.** (*verbrauchen*) utiliser *Baumaterial*

verbeißen* I. *vr irr* **1.** **sich in etw** (*akk*) **~** *Hund:* planter ses crocs dans qc et ne plus lacher prise **2.** *fig* **sich in ein Thema ~** s'acharner sur un sujet II. *vt irr fam* **sich das Lachen ~** (*dat*) se mordre les lèvres pour ne pas rire

verbergen* *irr* I. *vt* **1.** (*verstecken*) cacher; **jdn/etw vor jdm ~** cacher qn/qc à qn **2.** (*verheimlichen*) **jdm etw ~** cacher qc à qn II. *vr* **sich vor jdm ~** se cacher pour ne pas être vu par qn

verbessern* I. *vt* **1.** (*besser machen*) améliorer **2.** (*korrigieren*) corriger *Text* II. *vr* **1.** (*besser werden*) **sich in etw** (*dat*) **~** s'améliorer dans qc **2.** (*beruflich vorwärts kommen*) **sich ~** trouver une meilleure situation **3.** (*sich korrigieren*) **sich ~** se corriger

Verbesserung <-, -en> *f* amélioration *f* **Verbesserungsvorschlag** *m* proposition *f* d'amélioration

verbeugen* *vr* **sich ~** s'incliner; **sich vor jdm/etw ~** s'incliner devant qn/qc

Verbeugung *f* révérence *f*

verbeulen* *vt* cabosser

verbiegen* *irr* I. *vt* tordre *Nagel* II. *vr* **sich ~** *Nagel, Lenkstange, Metallträger:* se tordre; *Fahrradfelge:* se voiler

verbieten <verbot, verboten> *vt* interdire; **jdm etw ~** interdire qc à qn; **jdm etw zu tun ~** interdire à qn de faire qc; **es ist verboten etw zu tun** il est interdit de faire qc

verbilligt *adj, adv* à prix réduit

verbinden* *irr* I. *vt* **1.** faire un bandage à *Person;* bander *Wunde, Arm;* **jdm/sich den Arm ~** bander le bras de qn/se bander le bras **2.** (*zubinden*) **jdm die Augen ~** bander les yeux de qn **3.** (*zusammenfügen*) raccorder **4.** TELEC **einen Moment, ich verbinde Sie!** un moment, je vous passe votre correspondant!; **[Sie sind] falsch verbunden!** vous avez fait un faux numéro! **5.** TRANSP **Ortschaften miteinander ~** *Straße, Tunnel, Brücke:* relier des localités entre elles; **Berlin mit Bonn ~** *Straße, Bahnlinie:* relier Berlin à Bonn **6.** (*verknüpfen*) **einen Einkauf mit einem Besuch ~** combiner un achat et une visite **7.** (*assoziieren*) **einen Namen mit etw ~** associer un nom à qc **8.** (*zusammengehörig machen*) [miteinander] verbunden sein être unis; **uns ~ gemeinsame Erin-**

verbieten

• verbieten	• interdire
Du darfst heute nicht fernsehen.	Tu n'as pas le droit de regarder la télévision, aujourd'hui.
Das kommt gar nicht in Frage.	Il n'en est pas question.
Finger weg von meinem Computer! *(fam)*	Ne touche pas à mon ordinateur !
Lass die Finger von meinem Tagebuch! *(fam)*	Ne touche pas à mon journal intime!
Das kann ich nicht zulassen.	Je ne peux pas tolérer/accepter ça.
Ich verbiete Ihnen diesen Ton!	Je vous interdis de me parler sur ce ton!
Bitte unterlassen Sie das. *(form)*	Arrêtez, je vous prie.

---

nerungen nous sommes lié(e)s par des souvenirs communs **II.** *vi* **1.** (*zusammenhängen*) **mit Kosten verbunden sein** impliquer des frais **2.** (*Zusammengehörigkeit schaffen*) *Erlebnisse:* créer des liens **III.** *vr* **1.** CHEM **sich mit etw** ~ se combiner à qc **2.** (*sich zusammenschließen*) **sich mit jdm/etw** ~ s'associer à qn/qc **verbindlich I.** *adj Auskunft* sûr(e); *Zusage* ferme; *Vereinbarung* contractuel(le) **II.** *adv vereinbaren* de façon ferme; **eine Arbeit ~ zusagen** s'engager à faire un travail **Verbindlichkeit** <-, -en> *f* **1.** *kein Pl* (*bindender Charakter*) fiabilité *f* **2.** *kein Pl* (*entgegenkommende Art*) amabilité *f* **Verbindung** *f* **1.** (*Zusammenhang*) rapport *m;* **in ~ mit etw** (*kombiniert mit*) associé(e) à qc; (*im Zusammenhang mit*) en relation avec qc; **jdn mit dem Mörder/dem Mord in ~ bringen** établir un lien entre qn et le meurtrier/meurtre **2.** (*Verknüpfung*) *von Anlässen, Erledigungen* combinaison *f* **3.** ([*persönliche*] *Beziehung*) relation *f* **4.** (*Kontakt*) **~ mit jdm aufnehmen** prendre contact avec qn; **sich mit jdm in ~ setzen** contacter qn; **mit jdm/etw in ~ stehen** être en relation avec qn/qc **5.** TELEC, AVIAT, EISENBAHN **~ nach Australien/Paris** liaison *f* avec l'Australie/Paris **6.** (*Telefongespräch*) communication *f* **7.** CHEM composé *m;* **mit etw eine ~ eingehen** se combiner avec qc
verbissen [fɛ'bɪsən] **I.** *adj* **1.** *Gegner* acharné(e); *Mitarbeiter* obstiné(e) **2.** *Miene* crispé(e) **II.** *adv durchhalten* avec acharnement
Verbissenheit <-> *f eines Gegners* acharnement *m*
verbitten* *vt irr* **sich** (*dat*) **etw** ~ ne pas tolérer qc

verbittern* *vt* rendre amer(amère); **jdn ~** rendre qn amer
verbittert *adj* aigri(e), amer(amère)
verblassen* *vi* + *sein* **1.** (*blass werden*) *Farbe:* passer **2.** *geh* (*schwächer werden*) *Eindruck, Erinnerung:* s'estomper **3.** *geh* (*in den Hintergrund treten*) **neben etw** (*dat*) **~** *Ereignis, Vorfall:* paraître bien fade comparé(e) à qc
Verbleib <-[e]s> *m form* **1.** (*Aufenthaltsort*) **der ~ einer Person** l'endroit où se trouve une personne *m* **2.** (*das Verbleiben*) **sein ~ in dem Unternehmen** son maintien dans l'entreprise
verbleiben* *vi irr* + *sein* (*übrig bleiben*) rester; **ihm ~ hundert Euro von dem Gewinn** il lui reste cent euros du gain; **die ~de Summe** la somme restante
verbleichen* *vi irr* + *sein* se décolorer
verbleit [fɛ'blaɪt] *adj* contenant du plomb
verblenden* *vt* **1.** aveugler **2.** CONSTR recouvrir
verblöden* *fam* **I.** *vi* + *sein* devenir [complètement] abruti(e) **II.** *vt* + *haben* abrutir
verblüffen* *vt* épater; **jdn mit einer Frage ~** épater qn avec une question
verblüfft I. *adj* stupéfait(e) **II.** *adv* **~ schauen** (*bewundernd*) être stupéfait; (*überrascht*) avoir l'air stupéfait
verblühen* *vi* + *sein* faner
verbluten* *vi* + *sein* perdre tout son sang
verbocken* *vt fam* saboter
verbohren* *vr fam* **sich in etw** (*akk*) **~** se polariser sur qc
verbohrt *adj pej fam* borné(e)
verborgen* [fɛ'bɔrgən] *s.* **verleihen**
verbot [fɛ'boːt] *Imp von* **verbieten**
Verbot <-[e]s, -e> *nt* interdiction *f*
verboten [fɛ'boːtən] **I.** *PP von* **verbieten** **II.** *adj* **1.** interdit(e); **es ist ~ etw zu tun** il est interdit de faire qc **2.** *fam* (*unmöglich*)

pas possible; **in etw** (*dat*) **~ aussehen**
avoir une touche pas possible avec qc
Verbotsschild *nt* panneau *m* d'interdiction
verbr̲ach *Imp von* **verbrechen**
Verbr̲auch <-> *m* consommation *f;* **~ von
etw** consommation de qc
verbr̲auchen* I. *vt* **1.**(*konsumieren*) consommer *Strom, Vorräte* **2.**(*aufwenden*) dépenser *Energien* **3.**(*ausgeben*) dépenser
Etat **II.** *vr* **sich ~** (*sich abnutzen*) s'user
Verbr̲aucher(in) <-s, -> *m(f)* consommateur(-trice) *m(f)*
Verbr̲aucherberatung *f* information *f* du
consommateur
Verbr̲auchsgüter *Pl* biens *mpl* de consommation
verbr̲echen <verbr̲icht, verbr̲ach, verbr̲ochen> *vt fam* commettre; **ich habe
nichts verbrochen** je n'ai rien fait de mal;
was hast du denn wieder verbrochen?
mais qu'est-ce que t'as encore fabriqué?
Verbr̲echen <-s, -> *nt* crime *m*
Verbr̲echensbekämpfung *f* lutte *f* contre
le crime
Verbr̲echer(in) <-s, -> *m(f)* criminel(le)
m(f)
verbr̲echerisch *adj* criminel(le); **es ist ~
etw zu tun** c'est un crime de faire qc
verbr̲eiten* I. *vt* **1.** propager, faire courir
Gerücht; faire circuler *Nachricht;* faire *Propaganda;* **weit verbreitet** *Pflanze* commun(e); *Ansicht* [très] répandu(e) **2.** MED
propager *Krankheit* **3.**(*erwecken*) semer
Entsetzen **II.** *vr a.* MED **sich ~** se propager
verbr̲eitern* *vt, vr* [**sich**] **~** [s']élargir
verbr̲eitet *adj* répandu(e)
Verbr̲eitung <-, -en> *f* **1.** *kein Pl einer
Lüge* propagation *f* **2.**(*Vertrieb*) diffusion *f*
3. MED, BOT *einer Krankheit* propagation *f*
verbr̲ennen* *irr* I. *vt + haben* **1.** brûler
Holz; incinérer *Müll;* **sich** (*dat*) **die Hand
am Backofen ~** se brûler la main en touchant le four **2.** *fam* (*einäschern*) incinérer
Toten **3.** HIST (*hinrichten*) brûler **II.** *vr + haben* **sich ~** se brûler **III.** *vi + sein* **1.** brûler
2. HIST (*hingerichtet werden*) mourir brûlé[e]
Verbr̲ennung <-, -en> *f* **1.** *kein Pl* (*das
Verbrennen, Einäschern*) incinération *f*
2. AUT, TECH combustion *f* **3.** MED brûlure *f*
Verbr̲ennungsmotor *m* moteur *m* à explosion
verbr̲ingen* *vt irr* (*zubringen*) **den Tag
am Meer/mit Lesen ~** passer la journée
au bord de la mer/à lire
verbr̲ochen [fɛɐ'brɔxən] *PP von* **verbrechen**
verbr̲üdern* [fɛɐ'bry:dən] *vr* **sich ~** fraterniser; **sich mit jdm ~** fraterniser avec

qn; **sich mit dem Feind ~** pactiser avec
l'ennemi
verbr̲ühen* I. *vr* **sich ~** s'ébouillanter;
sich mit etw ~ s'ébouillanter avec qc **II.**
vt ébouillanter; **jdm die Hand ~** brûler la
main de qn [avec de l'eau bouillante]
verbr̲uchen* *vt* **1.** COM enregistrer; **etw auf
ein Konto ~** enregistrer qc sur un compte
2. *fig* (*verzeichnen*) **einen Erfolg für sich
~** engranger un succès
verbr̲ummeln* *vt fam* **1.** **den Nachmittag
~** passer l'après-midi à gland[ouill]er
2.(*verlieren*) paumer
Verbr̲und <-bunde> *m* (*Firmenverbund*)
groupement *m*
verbr̲ünden* [fɛɐ'bʏndən] *vr a.* POL **sich ~**
s'allier; **sich mit jdm ~** s'allier à qn
Verbr̲undenheit <-> *f* (*zwischen Freunden*) liens *mpl*
Verbr̲undete(r) *f(m)* allié(e) *m(f)*
verbr̲ürgen* *vr* **sich ~** se porter garant(e);
sich für jdn/etw ~ se porter garant de
qn/qc; **sich dafür ~, dass ...** garantir que
...
verbr̲ürgt *adj Tatsache* confirmé(e)
verbr̲üßen* *vt* purger
verchr̲omen* [-kro:mən] *vt* chromer
Verdr̲acht [fɛɐ'daxt] <-[e]s> *m* soupçon *m*
souvent pl; **~ erregen** éveiller les soupçons; **~ schöpfen** commencer à avoir des
soupçons; **im ~ stehen etw getan zu haben** être soupçonné d'avoir fait qc ▶ **auf ~**
fam (*auf bloße Vermutung hin*) sur de
simples présomptions; (*aufs Geratewohl*) à
tout hasard
verdr̲ächtig [fɛɐ'dɛçtɪç] I. *adj* suspect(e) **II.**
adv **im Haus ist es ~ ruhig** il règne un silence suspect dans la maison
verdr̲ächtigen* *vt* soupçonner; **jdn einer
S.**(*gen*) **~** soupçonner qn de qc
Verdr̲ächtigung <-, -en> *f* soupçon *m*
verdr̲ammen* *vt* **1.**(*verfluchen*) maudire
2.(*verurteilen*) condamner
verdr̲ammt I. *adj* **1.** *fam* (*widerwärtig*) foutu(e) *antéposé* **2.** *fam* (*sehr groß*) **er hat
~es Glück gehabt!** il a eu une de ces
chances! **3.** *fam* (*unerhört*) **einen ~en
Blödsinn reden** dire une de ces conneries; **~er Mist!** eh, merde!; **~!** nom de
Dieu! **4.** REL I. **sein** être damné II. *adv fam*
ärgerlich vachement
verdr̲ampfen* *vi + sein ≈ vapor*er
verdr̲anken* *vt* **1.** *jdm/einer S.etw ~* devoir qc à qn/qc; **es ist ihm zu ~, dass ich
noch lebe** si je suis encore en vie, c'est
grâce à lui **2.** CH *form* (*Dank aussprechen*)
jdm etw ~ remercier qn pour qc
verdr̲arb [fɛɐ'darp] *Imp von* **verderben**
verdr̲auen* [fɛɐ'dauən] *vt, vi a. fig* digérer

verdaulich *adj* digeste; **leicht/schwer** ~ facile/difficile à digérer
Verdauung <-> *f* digestion *f*
Verdeck <-[e]s, -e> *nt* capote *f*
verdecken* *vt* cacher; **etw mit etw** ~ cacher qc avec qc
verdeckt *adj Ermittler* secret(-ète); *Kamera* caché(e)
verdenken* *vt irr geh* **jdm etw** ~ tenir rigueur à qn de qc; **das kann Ihnen keiner** ~ personne ne peut vous en vouloir
verderben [fɛɐ'dɛrbən] <verdirbt, verdarb, verdorben> I. *vt* + *haben* 1. corrompre, pervertir *Charakter* 2. (*zunichte machen*) **jdm das Fest/den Urlaub** ~ gâcher la fête/ses vacances à qn 3. (*verscherzen*) **es sich** (*dat*) **mit jdm** ~ perdre les faveurs de qn; **es sich** (*dat*) **mit niemandem** ~ **wollen** vouloir ménager la chèvre et le chou II. *vi* + *sein Gemüse, Obst, Fleisch:* s'avarier; *Sahne:* tourner
verderblich *adj* périssable; **leicht** ~ **sein** *Lebensmittel:* être très périssable
verdeutlichen* *vt* clarifier *Sachverhalt;* **jdm etw** ~ expliquer qc à qn
verdichten* *vr* **sich** ~ 1. *Bewölkung:* s'amonceler; *Nebel:* s'épaissir 2. (*sich verstärken*) *Eindruck:* s'accentuer
Verdickung <-, -en> *f* (*in der Haut*) grosseur *f*
verdienen* I. *vt* 1. (*als Verdienst bekommen*) gagner 2. (*Gewinn machen*) (*dat*) **viel** ~ gagner beaucoup sur qc 3. (*finanzieren*) **sich** (*dat*) **sein Studium selbst** ~ financer ses études soi-même 4. (*beanspruchen dürfen*) mériter *Lob* ▶ **er verdient es nicht** **anders** il n'a que ce qu'il mérite II. *vi* 1. **gut/schlecht** ~ gagner bien/mal sa vie 2. (*Gewinn machen*) **an etw** (*dat*) ~ faire des bénéfices sur qc
Verdienst <-[e]s, -e> *m* revenu *m*
Verdienstausfall *m* perte *f* de salaire
verdient I. *adj* 1. (*berechtigt*) mérité(e) 2. (*verdienstvoll*) émérite 3. SPORT *Sieg, Führung* mérité(e) ▶ **sich um etw** ~ **machen** rendre de grands services en faveur de qc II. *adv* SPORT ~ **siegen** remporter une victoire [bien] méritée
verdientermaßen *adv* 1. selon ses/mes/… mérites 2. SPORT de façon méritée
verdirbt [fɛɐ'dɪrpt] *3. Pers Präs von* **verderben**
verdonnern* *vt fam* **jdn dazu** ~ **etw zu tun** coller à qn la corvée de faire qc
verdoppeln* I. *vt* 1. (*erhöhen*) doubler 2. (*verstärken*) redoubler de *Eifer;* redoubler *Anstrengungen* II. *vr* **sich** ~ *Preis, Verbrauch:* doubler
Verdopp[e]lung <-, -en> *f* (*Verstärkung*)

redoublement *m*
verdorben [fɛɐ'dɔrbən] I. *PP von* **verderben** II. *adj* 1. *Fleisch* avarié(e); *Käse* moisi(e) 2. (*moralisch*) dépravé(e)
verdorren* [fɛɐ'dɔrən] *vi* + *sein* se dessécher
verdrängen* *vt* 1. évincer; **jdn aus etw** ~ évincer qn de qc; **jdn von seinem Platz** ~ prendre la place de qn 2. (*ersetzen*) supplanter
Verdrängung <-, -en> *f* 1. PHYS déplacement *m* 2. (*das Ersetzen*) remplacement *m*
verdreckt *adj fam* dégueulasse
verdrehen* *vt* 1. tourner *Hals;* **die Augen** ~ rouler des yeux 2. *fam* (*verfälschen*) déformer *Sachverhalt*
verdreifachen* *vt*, *vr* [**sich**] ~ tripler
verdreschen* *vt irr fam* tabasser
verdrießen <verdross, verdrossen> *vt geh* contrarier; **sich nicht** ~ **lassen** ne pas se laisser décourager
verdrossen [fɛɐ'drɔsən] *adj Person* renfrogné(e); *Gesicht* maussade
verdrücken* *fam* I. *vt* s'envoyer II. *vr* **sich** ~ se tirer
Verdrussᴿᴿ <-es, -e> *m meist Sing geh* dépit *m*
verduften* *vi* + *sein fam Person:* se barrer
Verdummung <-> *f* abrutissement *m*
verdunkeln* I. *vt* 1. masquer *Fenster;* **das Zimmer** ~ faire l'obscurité dans la pièce 2. (*verdüstern*) **etw** ~ *Wolke:* obscurcir qc 3. JUR dissimuler *Straftat* II. *vr* **sich** ~ *Himmel:* s'assombrir
Verdunk[e]lung <-> *f* 1. *von Fenstern* camouflage *m* 2. JUR dissimulation *f*
verdünnen* *vt* diluer; **etw mit Wasser** ~ diluer qc avec de l'eau
Verdünnung <-, -en> *f* dilution *f*
verdunsten* *vi* + *sein* s'évaporer
verdursten* *vi* + *sein* 1. mourir de soif 2. *fam* (*sehr durstig sein*) **fast** ~ faillir crever de soif
verdüstern* *geh* I. *vr* **sich** ~ 1. *Himmel:* s'obscurcir 2. (*sich verfinstern*) *Miene:* s'assombrir II. *vt* **etw** ~ *Wolke:* obscurcir qc
verdutzt [fɛɐ'dʊtst] I. *adj* déconcerté(e) II. *adv* **jdn** ~ **ansehen** regarder qn l'air ahuri(e)
verebben* *vi* + *sein geh Geräusche:* s'atténuer
veredeln* *vt* 1. ennoblir *Gewebe;* affiner *Metall* 2. BOT greffer
Veredelung <-, -en> *f eines Gewebes* ennoblissement *m; eines Metalls* affinage *m*
verehren* *vt a.* REL vénérer
Verehrer(in) <-s, -> *m(f)* 1. (*Bewunderer*)

admirateur(-trice) *m(f)* **2.** REL adorateur(-trice) *m(f)* **3.** *hum (Flirt)* soupirant *m*
Verehrung *f kein Pl (Bewunderung)* admiration *f*
vereidigen* *vt* **1.** assermenter **2.** *(verpflichten)* **jdn auf etw** *(akk)* ~ faire prêter serment à qn sur qc
vereidigt *adj* assermenté(e)
Verein [fɛɐ'ʔaɪn] <-[e]s, -e> *m* association *f; (Sportverein)* club *m;* **eingetragener** ~ association *f* déclarée *(régie par la loi de 1901)*
vereinbar *adj* compatible
vereinbaren* *vt* **1.** *(absprechen)* convenir de; **etw mit jdm** ~ convenir de qc avec qn; **~, dass ...** convenir que **... 2.** *(in Einklang bringen)* **etw mit etw** ~ concilier qc avec qc
Vereinbarung <-, -en> *f (Abmachung)* accord *m;* **laut** ~ comme convenu
vereinen* *vt* **1.** *(zusammenführen)* regrouper **2.** *(vereinbaren)* **etw mit etw** ~ **können** pouvoir concilier qc avec qc
vereinfachen* *vt* simplifier
Vereinfachung <-, -en> *f* simplification *f*
vereinheitlichen* *vt* uniformiser
vereinigen* **I.** *vt* fusionner *Firmen;* réunir *Organisationen* **II.** *vr* **1.** **sich zu etw** ~ *Personen:* s'associer pour qc; *Firmen:* s'associer en qc; *Truppenteile:* se regrouper en qc; **sich wieder** ~ *Land:* se réunifier **2.** *(zusammenfließen)* **sich zu etw** ~ *Flüsse:* confluer pour former qc **3.** *(bekommen)* **hundert Stimmen auf sich** *(akk)* ~ cumuler cent voix [électorales]
vereinigt *adj* associé(e); **das wieder ~e Deutschland** l'Allemagne réunifiée
Vereinigung <-, -en> *f (Organisation)* association *f*
vereinnahmen* *vt* **1.** accaparer *Person* **2.** *form (einnehmen)* percevoir *Geld*
vereinsamen* *vi + sein* s'isoler
vereinzelt **I.** *adj Rufe* sporadique; *Fälle* isolé(e) **II.** *adv* METEO ~ **Schauer** des averses par endroits
vereisen* *vi + sein Fahrbahn:* devenir verglacé(e); *Fensterscheibe:* se givrer
vereiteln* *vt* déjouer
vereitern* *vi + sein Wunde:* suppurer; *Zahnwurzel:* s'infecter
verenden* *vi + sein Tier:* être en train de crever
verengen* *vr* sich ~ *Gefäße:* se contracter; *Straße:* se rétrécir
vererben* *vt* **1.** JUR **jdm etw** ~ léguer qc à qn **2.** BIO **etw auf jdn** ~ transmettre héréditairement qc à qn
verewigen* **I.** *vr* sich ~ s'immortaliser **II.** *vt* perpétuer

verfahren* [^1] *irr* **I.** *vi + sein* **1.** procéder **2.** *(umgehen)* **mit jdm vorsichtig** ~ agir d'une manière prudente avec qn **II.** *vr* sich ~ se tromper de route **III.** *vt* consommer *Kraftstoff*
verfahren [^2] *adj Angelegenheit* embrouillé(e); *Situation* sans issue
Verfahren <-s, -> *nt* **1.** procédé *m* **2.** JUR procédure *f*
Verfall *m kein Pl* **1.** *eines Gebäudes* délabrement *m; der Kräfte* déclin *m; des Körpers* dégradation *f* **2.** *geh (Niedergang)* déclin *m* **3.** *(das Ungültigwerden)* expiration *f*
verfallen* *vi irr + sein* **1.** *Gebäude:* se délabrer; *Mensch:* décliner **2.** *(sinken, Wert einbüßen)* *Preise:* s'effondrer **3.** *(ungültig werden)* *Fahrkarte:* être périmé; *Anspruch:* être déchu; *Recht:* se prescrire **4.** *(erliegen)* **jdm** ~ tomber sous l'emprise de qn; **jds Charme/Zauber** *(dat)* ~ succomber au charme/à la magie de qn; **dem Alkohol** ~ sombrer dans l'alcool
Verfallsdatum *nt* date *f* de péremption
verfälschen* *vt (falsch darstellen)* déformer
Verfälschung *f* bidonnage *m*
verfangen* *irr vr* **1.** **sich in etw** *(dat)* ~ se prendre dans qc **2.** *fig* **sich in Lügen** ~ s'empêtrer dans ses mensonges
verfänglich *adj* compromettant(e)
verfärben* **I.** *vr* sich ~ *Laub, Gesicht:* changer de couleur **II.** *vt* déteindre sur *Wäsche*
verfassen* *vt* rédiger *Artikel;* écrire *Buch*
Verfasser(in) <-s, -> *m(f)* auteur(-trice) *m(f)*
Verfassung *f* **1.** *kein Pl (Befinden)* état *m;* **in einer guten/schlechten** ~ **sein** se sentir/ne pas se sentir bien **2.** POL constitution *f*
Verfassungsänderung *f* révision *f* constitutionnelle **Verfassungsschutz** *m fam (Bundesamt für ~)* ≈ Direction *f* de la sécurité du territoire
verfaulen* *vi + sein* **1.** *Gemüse, Obst:* se gâter; *Fleisch:* s'avarier **2.** *(verwesen)* pourrir; *Zahn:* se gâter
verfechten* *vt irr* professer *Theorie;* défendre *Standpunkt;* préconiser *Kurs*
verfehlen* *vt* **1.** *(danebentreffen)* **jdn/etw** ~ manquer qn/qc **2.** *(verpassen)* rater *Person, Zug, Bus* **3.** *(nicht erreichen)* rater *Wirkung;* ne pas atteindre *Zweck;* **das Thema** ~ s'éloigner du sujet
verfehlt *adj Politik* raté(e)
verfeinden* *vr* sich ~ se brouiller; **sich mit jdm** ~ se brouiller avec qn
verfeinern* *vt* **1.** **etw mit Sahne** ~ velou-

ter qc avec de la crème **2.** (*verbessern*) améliorer *Methode*
verfertigen* *vt geh* élaborer *Bericht*
verfestigen* *vr* **sich** ~ **1.** *Klebstoff:* durcir **2.** (*stärker werden*) se renforcer
verfeuern* *vt* (*verbrennen*) brûler
verfilmen* *vt* porter à l'écran; **etw** ~ porter qc à l'écran
Verfilmung <-, -en> *f* adaptation *f* cinématographique
verfilzen* *vi* + *sein Wollpullover:* [se] feutrer; *Haare:* s'emmêler
verfilzt *adj fam* embrouillé(e)
verfinstern* *vr* sich ~ *Himmel:* s'obscurcir; *Miene:* s'assombrir
Verflechtung <-, -en> *f* ÖKON interdépendance *f*
verfliegen* *irr* I. *vi* + *sein Duft:* s'évaporer; *Kummer:* s'envoler II. *vr* + *haben* **sich** ~ perdre le cap
verfließen* *vi irr* + *sein* **1.** (*verschwimmen*) *Farben:* s'estomper **2.** *geh* (*vergehen*) s'écouler
verflixt [fɛɐ'flɪkst] I. *adj fam* **dieser** ~**e Kerl/dieses** ~**e Gerät!** ce con de type/d'appareil! II. *adv fam* foutrement III. *interj fam* la vache!
verflossen [fɛɐ'flɔsən] *adj* **1.** *geh Tage, Jahre* écoulé(e) **2.** *fam* (*frühere*) **eine** ~**e Freundin/ein** ~**er Freund** une/un ex
verfluchen* *vt* maudire
verflucht *fam* I. *adj Kerl* sale *antéposé; Computer, Auto* foutu(e) *antéposé* II. *adv* vachement III. *interj* nom d'un chien
verflüchtigen* *vr* sich ~ **1.** *Parfüm:* s'évaporer **2.** *hum fam Mensch:* s'éclipser
verflüssigen* *vt* liquéfier *Gas, Luft*
verfolgen* *vt* **1.** (*nachsetzen*) **jdn** ~ poursuivre qn; (*observieren*) suivre qn **2.** (*untersuchen*) suivre *Spur, Diskussion* **3.** (*drangsalieren*) persécuter **4.** (*erreichen wollen*) poursuivre *Ziel*
Verfolger(in) <-s, -> *m(f)* poursuivant(e) *m(f)*
Verfolgte(r) *f(m) dekl wie adj* persécuté(e) *m(f)*
Verfolgung <-, -en> *f* **1.** poursuite *f* **2.** (*Drangsalierung*) persécution *f*
Verfolgungswahn *m* délire de [la] persécution *m*
verformen* *vt, vr* [sich] ~ se déformer
verfrachten* *vt fam* **jdn ins Bett** ~ expédier qn au lit; **jdn/etw ins Auto** ~ transbahuter qn/qc dans la voiture
verfremden *vt* distancier (*pour créer l'effet de distanciation*)
verfressen* *adj sl* morfal(e)
verfrüht *adj* prématuré(e); **etw für** ~ **halten** considérer qc comme prématuré(e)

verfügbar *adj* disponible
verfügen* I. *vi* disposer; **über etw** (*akk*) ~ disposer de qc II. *vt* ordonner; ~**, dass** ordonner que + *subj*
Verfügung <-, -en> *f* (*Disposition*) **etw zur** ~ **haben** avoir qc à sa disposition; **jdm zur** ~ **stehen** être à la disposition de qn; **sein Amt zur** ~ **stellen** renoncer à sa fonction
verführen* *vt* **1.** (*verleiten*) **jdn zu etw** ~ *Person:* entraîner qn à faire qc; **jdn zum Kaufen** ~ *Werbung:* inciter qn à faire des achats **2.** (*erobern*) séduire *Mann, Frau*
Verführer(in) *m(f)* séducteur(-trice) *m(f)*
verführerisch I. *adj Charme* séduisant(e); *Aufmachung* alléchant(e) II. *adv angezogen* de manière séduisante; ~ **riechen** avoir une odeur alléchante
Verführung *f* **1.** séduction *f* **2.** JUR ~ **Minderjähriger** détournement *m* de mineur
verfüttern* *vt* donner à manger; **etw an die Tiere** ~ donner qc à manger aux animaux
Vergabe *f* **1.** *einer Arbeit* octroi *m; eines Auftrags* adjudication *f* **2.** *einesStipendiums* attribution *f*
vergammeln* *fam* I. *vi* + *sein Essen:* moisir; *Wurst:* s'avarier II. *vt* + *haben* **den Tag** ~ passer la journée à glander
vergangen [fɛɐ'gaŋən] *adj* passé(e)
Vergangenheit <-> *f a.* GRAM passé *m;* **die jüngste** ~ le passé [tout] récent ► **eine bewegte** ~ **haben** avoir un passé tumultueux
Vergangenheitsbewältigung *f* fait d'assumer son passé *m*
vergänglich *adj* éphémère
vergasen* *vt* **1.** (*töten*) gazer **2.** TECH gazéifier
vergaß [fɛɐ'gaːs] *Imp von* **vergessen**
vergeben* *irr* I. *vi* pardonner; **jdm** ~ pardonner à qn II. *vt* **1.** *geh* (*verzeihen*) **jdm etw** ~ pardonner qc à qn **2.** (*übergeben, zuteilen*) attribuer *Auftrag, Preis;* **eine Arbeit an jdn** ~ donner un travail à faire à qn; **Eintrittskarten zu** ... **für** ... billets à donner pour ... ► **schon** ~ **sein** (*einen festen Partner haben, bereits einen Termin haben*) être déjà pris
vergebens *adj* ~ **sein** être vain
vergeblich I. *adj* vain(e) II. *adv* en vain
Vergebung <-, -en> *f* pardon *m;* **jdn um** ~ **für etw bitten** demander pardon à qn pour qc
vergegenwärtigen *vr* sich (*dat*) **etw** ~ réaliser qc
vergehen* *irr* I. *vi* + *sein* **1.** *Zeit:* passer **2.** (*schwinden*) *Schmerz:* disparaître; **jdm vergeht die Lust** qn [en] perd l'envie; **da**

sich vergewissern

• sich vergewissern	• s'assurer
Alles in Ordnung?	Tout va bien?
Habe ich das so richtig gemacht?	Est-ce que je l'ai bien fait?
Hat es Ihnen geschmeckt?	Est-ce que c'était bon?
Ist das der Bus nach Frankfurt?	Est-ce que c'est le bus pour Francfort?
(am Telefon) Bin ich hier richtig beim Jugendamt?	(au téléphone) Je suis bien à l'office de protection de la jeunesse?
Ist das der Film, von dem du so geschwärmt hast?	C'est bien le film que tu as tant adoré?
Bist du dir sicher, dass die Hausnummer stimmt?	Es-tu sûr(e) que c'est le bon numéro?

• jemanden versichern, beteuern	• assurer, affirmer quelque chose à quelqu'un
Der Zug hatte **wirklich** Verspätung gehabt.	Le train avait **vraiment** eu du retard.
Wirklich! Ich habe nichts davon gewusst.	**Vraiment!** Je n'en savais rien.
Ob du es nun glaubst oder nicht, sie haben sich **tatsächlich** getrennt.	**Que tu le croies ou non,** ils se sont **vraiment** séparés.
Ich kann Ihnen versichern, dass das Auto noch einige Jahre fahren wird.	**Je peux vous assurer que** cette voiture roulera encore quelques années.
Glaub mir, das Konzert wird ein Riesenerfolg.	**Crois-moi,** ce concert aura un grand succès.
Du kannst ganz sicher sein, er hat nichts gemerkt.	**Tu peux être sûr(e) qu'**il n'a rien remarqué.
Ich garantiere Ihnen, dass die Mehrheit dagegen stimmen wird.	**Je vous garantis que** la majorité votera contre.
Die Einnahmen sind ordnungsgemäß versteuert, **dafür lege ich meine Hand ins Feuer.**	Les recettes ont été déclarées en bonne et due forme, **j'en mets ma main au feu.**

---

vergeht einem ja der Appetit! ça vous coupe l'appétit! 3. (fast umkommen) vor Hunger/Angst fast ~ faillir mourir de faim/de peur II. vr+ haben sich an jdm ~ abuser de qn
Verg**e**hen <-s, -> nt délit m
verg**e**lten vt irr 1. (lohnen) récompenser Fürsorge; er vergilt ihre Hilfe mit Undank il lui paie son aide d'ingratitude 2. (heimzahlen) etw mit etw ~ répondre à qc par qc
Verg**e**ltung <-, -en> f vengeance f
verg**e**ssen [fɛɐ̯'gɛsən] <vergisst, vergaß, vergessen> I. vt oublier ►das werde ich dir/ihr nie [o nicht] ~! je m'en souviendrai! II. vr sich ~ perdre son sang-froid
Verg**e**ssenheit f in ~ geraten tomber dans l'oubli
verg**e**sslich^RR, verg**e**ßlich adj étourdi(e); ~ werden (im Alter) perdre la mémoire
verg**e**uden* [fɛɐ̯'gɔɪdən] vt gaspiller

Verg**e**udung <-, -en> f gaspillage m
vergew**a**ltigen* vt violer Person; faire violence à Erbe
Vergew**a**ltigung <-, -en> f viol m
vergew**i**ssern* vr sich ~, dass ... s'assurer que ...
vergi**e**ßen* vt irr 1. renverser Wasser, Saft 2. (absondern) verser Tränen
verg**i**ften* I. vt empoisonner II. vr 1. (Selbstmord begehen) sich mit etw ~ s'empoisonner avec qc 2. (sich eine Vergiftung zuziehen) sich durch verdorbenen Fisch ~ s'intoxiquer en mangeant du poisson avarié
Verg**i**ftung <-, -en> f kein Pl empoisonnement m, intoxication f
verg**i**lben* vi + sein jaunir
Verg**i**ssmeinnicht^RR <-[e]s, -[e]> nt myosotis m
verg**i**sst^RR, verg**i**ßt [fɛɐ̯'gɪst] 3. Pers Präs von vergessen
vergl**a**sen* vt vitrer

Vergleich [fɛɐ̯ˈɡlaɪç] <-[e]s, -e> m comparaison *f;* den ~ mit jdm/etw nicht aushalten ne pas soutenir la comparaison avec qn/qc; im ~ zu den anderen/zum Vorjahr en comparaison des autres/de l'année dernière ▶der ~ hinkt la comparaison ne tient pas debout
vergleichbar *adj* comparable
vergleichen* *irr* I. *vt* comparer; jdn mit jdm/etw mit etw ~ comparer qn à qn/qc à qc; vergleiche S. 20 voir p. 20 II. *vr* sich mit jdm ~ se comparer à qn
vergleichend *adj* 1. *Aufzählung* comparatif(-ive) 2. LING, LITER *Sprachwissenschaft* comparé(e)
vergleichsweise *adv* relativement
verglühen* *vi + sein Kohle:* se consumer; *Raketenstufe:* se désintégrer
vergnügen* [fɛɐ̯ˈɡnyːɡən] I. *vr* sich ~ s'amuser; sich mit etw ~ s'amuser en faisant qc; sich mit jdm ~ se divertir avec qn II. *vt* amuser
Vergnügen <-s, -> *nt* plaisir *m;* ~ an etw (*dat*) finden prendre plaisir à qc; viel ~! amuse-toi/amusez-vous bien!; mit ~! avec plaisir! ▶mit wem habe ich das ~? *form* à qui ai-je l'honneur?; es ist/war mir ein ~ tout le plaisir est/était pour moi; sich ins ~ stürzen *fam* faire la bringue; hinein ins ~! *fam* allez, on va s'éclater!
vergnüglich *adj geh* plaisant(e)
vergnügt I. *adj Miene* réjoui(e) II. *adv* joyeusement
Vergnügung <-, -en> *f* divertissement *m*
Vergnügungspark *m* parc *m* d'attractions
Vergnügungsviertel *nt* quartier *m* chaud
vergolden* *vt* 1. dorer; vergoldet *Schmuckstück* plaqué(e) or; *Bilderrahmen* doré(e) 2. *fam* (*gut bezahlen*) jdm etw ~ acheter qc à prix d'or à qn
vergöttern* [fɛɐ̯ˈɡœtɐn] *vt* idolâtrer
vergraben* *irr* I. *vt* enterrer *Leiche;* enfouir *Schatz* II. *vr* (*sich beschäftigen mit*) sich in etw (*akk*) ~ se plonger dans qc
vergrämen* *vt* contrarier
vergraulen* *vt fam* faire ficher le camp
vergreifen* *vr irr* 1. (*stehlen*) sich an etw (*dat*) ~ faire main basse sur qc 2. (*Gewalt antun*) sich an jdm ~ s'en prendre à qn 3. (*sich unpassend ausdrücken*) sich in der Wortwahl ~ tenir des propos déplacés
vergriffen [fɛɐ̯ˈɡrɪfən] *adj Buch* épuisé(e)
vergrößern [fɛɐ̯ˈɡrøːsɐn] I. *vt* 1. agrandir; etw um etw/auf etw (*akk*) ~ agrandir qc de qc/à qc 2. (*Distanz erhöhen*) augmenter *Abstand* 3. (*verstärken*) die Belegschaft ~ augmenter l'effectif du personnel 4. PHOT agrandir II. *vr* 1. MED sich ~ grossir 2. *fam* (*Familienzuwachs bekommen*) un-

sere Nachbarn ~ sich la famille de nos voisins s'agrandit III. *vi* OPT stark ~ grossir énormément
Vergrößerung <-, -en> *f* PHOT agrandissement *m;* in dreifacher ~ en trois fois plus grand
Vergünstigung <-, -en> *f* 1. (*finanzieller Vorteil*) avantage *m* 2. (*Ermäßigung*) réduction *f*
vergüten* [fɛɐ̯ˈɡyːtən] *vt* (*ersetzen*) jdm etw ~ rembourser qc à qn
Vergütung <-, -en> *f* 1. (*das Ersetzen*) remboursement *m* 2. *form* (*Honorar*) rémunération *f*
verhaften* *vt* arrêter; Sie sind verhaftet! [au nom de la loi,] je vous arrête!
Verhaftung <-, -en> *f* arrestation *f*
verhallen* *vi + sein* se perdre au loin
verhalten*¹ *vr irr* 1. sich ~ se comporter sich jdm gegenüber anständig ~ se comporter d'une manière correcte à l'égard de qn 2. (*beschaffen sein*) die Sache verhält sich folgendermaßen l'affaire se présente de la manière suivante 3. CHEM sich ~ réagir 4. (*als Relation haben*) die Länge verhält sich zur Breite wie 2:1 le rapport de la longueur à la largeur est de 2:1
verhalten² I. *adj* 1. *Auftreten* circonspect(e); *Fahrweise* modéré(e) 2. *Ärger* retenu(e) II. *adv auftreten* avec circonspection; *fahren* de façon modérée; *applaudieren* avec réserve
verhaltensgestört *adj* perturbé(e)
Verhältnis [fɛɐ̯ˈhɛltnɪs] <-ses, -se> *nt* 1. (*Vergleich*) im ~ zu jdm/etw par rapport à qn/qc; im ~ zu heute comparé(e) à notre époque 2. (*Proportion*) proportion *f;* im ~ von fünf zu eins dans le rapport de cinq à un 3. (*Beziehung*) sein ~ zu seinen Eltern ses rapports avec ses parents *mpl;* ein gutes ~ zu jdm haben avoir de bons rapports avec qn 4. (*Liebesverhältnis*) liaison *f;* ein ~ mit jdm haben avoir une liaison avec qn 5. *Pl* (*Zustand*) situation *f* 6. *Pl* (*Lebensumstand*) conditions *fpl;* in bescheidenen ~sen leben vivre dans de modestes conditions ▶für klare ~se sorgen clarifier la situation; er lebt über seine ~se il vit au-dessus de ses moyens; in keinem ~ zu etw stehen être disproportionné à qc
verhältnismäßig *adv* relativement **Verhältniswahlrecht** *nt* proportionnelle *f*
verhandeln* I. *vi* négocier; mit jdm über etw (*akk*) ~ négocier qc avec qn II. *vt* JUR juger *Fall, Prozess*
Verhandlung *f* 1. *meist Pl* négociation *f;* in ~en mit jdm stehen être en pourparlers

avec qn **2.** JUR audience *f*
Verhandlungsbasis *f* base *f* de négociation
verhandlungsfähig *adj* JUR ~ **sein** être
apte à comparaître en jugement
verhängen* *vt* **1.** masquer; **etw mit etw ~**
masquer qc avec qc **2.** SPORT siffler *Freistoß*
verhangen *adj Himmel* couvert(e)
Verhängnis <-, -se> *nt* désastre *m*
verhängnisvoll *adj* fatal(e)
verharmlosen* *vt* minimiser
verhärmt *adj* marqué(e) par le chagrin
verharren* *vi* + *haben o sein geh* (*stehen
bleiben*) s'arrêter
verhärten* *vr* sich ~ **1.** *Positionen:* se durcir **2.** MED s'indurer
verhaspeln* [fɛɛˈhaspəln] *vr fam* sich ~
(*sich versprechen*) cafouiller
verhasst^RR *adj* détesté(e)
verhätscheln* *vt* dorloter
verhauen* <verhaute, verhauen> **I.** *vt
fam* **1.** tabasser; (*als Strafe*) flanquer une
raclée à **2.** (*nicht schaffen*) louper *Klassenarbeit* **II.** *vr fam* **1.** sich ~ se castagner
2. (*sich verkalkulieren*) **sich um hundert
Euro ~** se planter de cent euros
verheddern* *vr fam* **1.** (*sich verfangen*)
sich ~ s'emberlificoter; **sich in etw** (*dat*)
~ s'emberlificoter dans qc **2.** (*sich verschlingen*) *Fäden:* s'enchevêtrer
verheerend I. *adj* **1.** *Orkan* dévastateur(-tri-
ce) **2.** *fam* (*schlimm*) ~ **aussehen** avoir
une touche pas possible **II.** *adv toben* affreusement; **sich ~ auswirken** avoir des
effets dévastateurs
verhehlen* *vt geh* dissimuler; **etw nicht ~
können** ne pas pouvoir dissimuler qc
verheilen* *vi* + *sein* cicatriser
verheimlichen* *vt* cacher; **jdm etw ~** cacher qc à qn; **jdm ~, dass ...** cacher à qn
que ...
verheiraten* *vr* sich ~ se marier; **sich mit
jdm ~** se marier avec qn; **sich wieder ~**
se remarier
verheiratet *adj* marié(e); **glücklich ~ sein**
être heureux en ménage
verheißen* *vt irr geh* promettre; **jdm etw
~** promettre qc à qn
verheißungsvoll *adj* prometteur(-euse)
verheizen* *vt* brûler
verhelfen* *vi irr* **jdm zu seinem Recht ~**
aider qn à obtenir son bon droit; **jdm zum
Erfolg ~** contribuer au succès de qn
verherrlichen* *vt* exalter
verheult *adj fam Gesicht* gonflé(e) par les
larmes
verhexen* *vt* ensorceler ►**es ist wie verhext!** *fam* quelle guigne!
verhindern* *vt* empêcher; **~, dass jd etw
tut** empêcher qn de faire qc; **~, dass etw**

geschieht empêcher que qc [ne] se produise
verhindert *adj* ~ **sein** avoir un empêchement
verhöhnen* *vt* se moquer de
verhökern* *vt fam* bazarder; **etw an jdn ~**
bazarder qc à qn
Verhör <-[e]s, -e> *nt* interrogatoire *m; eines Zeugen* audition *f*
verhören* **I.** *vt* interroger *Beschuldigten* **II.**
vr sich ~ entendre de travers; **sie hat sich
verhört** elle a mal entendu
verhüllen* **I.** *vt* recouvrir; **etw mit etw ~**
recouvrir qc de qc; **das Gesicht mit ei-
nem Schleier ~** se voiler le visage **II.** *vr*
sich mit etw ~ se couvrir de qc
verhungern* *vi* + *sein* **1.** mourir de faim;
verhungert affamé(e) **2.** *fam* (*sehr hungrig sein*) **am Verhungern sein** crever de
faim
verhunzen* *vt fam* défigurer
verhüten* *vt* empêcher *Schlimmes, Empfängnis;* éviter *Schwangerschaft*
Verhütungsmittel *nt* contraceptif *m*
verhutzelt *adj fam* ratatiné(e)
verinnerlichen* *vt* assimiler
verirren* *vr* sich ~ s'égarer
verjagen* *vt* chasser; faire fuir *Einbrecher*
verjähren* *vi* + *sein* se prescrire
Verjährung <-, -en> *f* prescription *f*
verjubeln* *vt fam* claquer
verjüngen* **I.** *vi* rajeunir **II.** *vt* jdn ~ [faire]
rajeunir qn **III.** *vr* sich ~ (*schmaler werden*) se rétrécir
verkabeln* *vt* câbler; **verkabelt sein** avoir
le câble
Verkabelung <-, -en> *f* câblage *m*
verkalken* *vi* + *sein* **1.** TECH s'entartrer
2. ANAT *Arterien:* se scléroser **3.** *fam* (*ver-
greisen*) gâtifier; **verkalkt** gaga
verkalkulieren* *vr* (*sich verrechnen*) faire
une erreur de calcul
Verkalkung <-, -en> *f* **1.** TECH entartrage
m **2.** PHYSIOL *der Gefäße* calcification *f*
3. *fam* (*Vergreisung*) ramollissement *m*
verkannt *adj* méconnu(e)
verkappt *adj attr* déguisé(e)
verkatert *adj fam* qui a la gueule de bois
Verkauf *m* vente *f*
verkaufen* **I.** *vt* **1.** vendre; **jdm etw für
zwanzig Euro ~** vendre qc à qn pour vingt
euros; **zu ~** à vendre **2.** *fam* (*weismachen*)
jdm etw ~ faire gober qc à qn **II.** *vr* **1.** sich
gut/schlecht ~ *Ware, Artikel:* se vendre
bien/mal **2.** (*sich darstellen*) **sich gut/
schlecht ~** savoir/ne pas savoir se vendre
Verkäufer(in) *m(f)* vendeur(-euse) *m(f)*
verkäuflich *adj* ~ **sein** être à vendre
Verkehr <-[e]s> *m* **1.** (*Straßen-*

verkehr) circulation *f* **2.** (*Transportverkehr*) trafic *m* **3.** *geh* (*Geschlechtsverkehr*) rapports *mpl;* ~ **mit jdm haben** avoir des rapports avec qn **4.** (*Umlauf*) **Banknoten aus dem** ~ **ziehen** retirer des billets de la circulation ▶**jdn aus dem** ~ **ziehen** *fam* mettre qn à l'ombre **verkehren*** *vi* **1.** + *haben o sein* (*fahren*) circuler; **zwischen Köln und Bonn** ~ *Zug:* circuler entre Cologne et Bonn; **alle fünf Stunden** ~ *Bus, Fähre:* passer toutes les cinq heures **2.** + *haben* (*Gast sein*) **bei jdm/in etw** (*dat*) ~ fréquenter qn/qc **3.** + *haben geh* (*Geschlechtsverkehr haben*) **mit jdm** ~ avoir des rapports avec qn **Verkehrsampel** *f* feux *mpl* de signalisation **Verkehrsanbindung** *f* TRANSP desserte *f* **Verkehrsaufkommen** *nt* circulation *f* **verkehrsberuhigt** *adj* à circulation réduite et vitesse limitée **Verkehrsdurchsage** *f* flash *m* d'informations routières **Verkehrsfunk** *m* radioguidage *m* **verkehrsgünstig** *adj* in ~**er Lage wohnen** habiter un quartier bien desservi **Verkehrsinsel** *f* (*für Fußgänger*) refuge *m* [pour piétons] **Verkehrskontrolle** *f* contrôle *m* routier **Verkehrsminister(in)** *m(f)* ministre *mf* des Transports **Verkehrsmittel** *nt* moyen *m* de transport; **öffentliches** ~ moyen de transport en commun **Verkehrsregel** *f* règle *f* de conduite **Verkehrsschild** *nt* TRANSP panneau *m* de signalisation [routière] **Verkehrsteilnehmer(in)** *m(f)* form usager(-ère) *m(f)* de la route **Verkehrstote(r)** *f(m) dekl wie adj* victime *f* de la route **Verkehrsverbindung** *f* liaison *f* routière **Verkehrsverbund** *m* société *f* des transports en commun **Verkehrszeichen** *s.* **Verkehrsschild** **verkehrt I.** *adj* **der** ~**e Schlüssel** la mauvaise clé; **in die** ~**e Richtung gehen** aller dans la direction inverse; **das ist das** ~**e Haus** ce n'est pas la bonne maison; **das Verkehrte tun** faire le contraire ▶**etw ist gar nicht so** ~ *fam* qc n'est pas si mal que ça **II.** *adv* **1.** *erzählen* de travers; **etw wird** ~ **wiedergegeben** qc est faussé(e) **2.** *aufmachen* du mauvais côté; ~ **herum** à l'envers **verkeilt** *adj inv* encastré(e) **verkennen*** *vt irr* méconnaître; (*unterschätzen*) sous-estimer; **es ist nicht zu** ~, **dass ...** il est indéniable que ... **verketten*** **I.** *vt* (*zusammenbinden*) **etw mit etw** ~ attacher qc avec une chaîne à qc **II.** *vr* **sich** ~ *Umstände:* s'enchaîner **Verkettung** <-, -en> *f von Misserfolgen* enchaînement *m* **verklagen*** *vt* porter plainte; **jdn wegen etw** ~ porter plainte contre qn à cause de

qc; **jdn auf Schadenersatz** (*akk*) ~ poursuivre qn en dommages-intérêts **verklappen*** *vt* évacuer; **etw im Meer** ~ évacuer qc en mer **verklären*** **I.** *vr* **sich** ~ **1.** *Blick:* s'illuminer; **verklärt** radieux(-euse) **2.** (*zu schön erscheinen*) *Vergangenheit:* s'enjoliver **II.** *vt* enjoliver *Vergangenheit* **verkleben*** **I.** *vt* + *haben* **1.** (*festkleben*) coller **2.** (*zukleben*) **etw mit einem Klebestreifen** ~ masquer qc avec du papier adhésif **II.** *vi* + *sein Wimpern:* coller **verkleiden*** *vt* **1.** (*kostümieren*) déguiser; **jdn/sich als Clown** ~ déguiser qn/se déguiser en clown **2.** (*überdecken*) recouvrir *Heizkörper;* revêtir *Wand* **Verkleidung** *f* **1.** (*Kostümierung*) déguisement *m* **2.** *einer Wand* revêtement *m* **verkleinern*** *vt* **1.** rapetisser **2.** PHOT réduire le format de *Vorlage;* réduire *Format* **3.** (*zahlenmäßig verringern*) réduire le personnel de *Betrieb, Firma* **II.** *vr* **1.** (*sich verringern*) **sich um etw** ~ rapetisser de qc **2.** (*schrumpfen*) **sich** ~ *Tumor:* diminuer de volume **Verkleinerung** <-, -en> *f kein Pl eines Formats* réduction *f* **Verkleinerungsform** *f* diminutif *m* **verklemmen*** *vr* **sich** ~ se coincer **verklemmt** *adj* coincé(e) (*fam*) **verklingen*** *vi irr* + *sein Lied:* taire peu à peu **verknacksen*** *vr fam* **sich** (*dat*) **etw** ~ se fouler qc **verknallen*** *vr fam* **sich** ~ s'amouracher; **sich in jdn** ~ s'amouracher de qn; **in jdn verknallt sein** être toqué de qn **verkneifen*** *vr irr fam* **sich** (*dat*) **eine Bemerkung** ~ se retenir de faire une remarque **verkniffen** *pej* **I.** *adj Miene* pincé(e) **II.** *adv* grinsen d'un air pincé **verknöchert** *adj fam* fossilisé(e), sclérosé(e) **verknoten*** **I.** *vt* [miteinander] ~ nouer *Drähte* **II.** *vr* **sich** ~ s'emmêler [et faire des nœuds] **verknüpfen*** *vt* **1.** (*verbinden*) **eine Reise mit etw** ~ profiter d'un voyage pour faire qc; **etw mit der Bedingung** ~, **dass** associer qc à la condition que + *subj* **2.** INFORM **eine Datei mit einem Programm** ~ associer un fichier à un programme **verkochen*** *vi* + *sein* **1.** (*verdampfen*) s'évaporer en bouillant **2.** (*breiig werden*) cuire trop **verkohlen*** **I.** *vi* + *sein* se carboniser **II.** *vt fam* **jdn** ~ faire marcher qn **verkommen** *vi irr* + *sein Person:* tourner mal; *Garten:* ne plus être entretenu; *Gebäu-*

de: se délabrer; **im Elend** ~ s'enfoncer dans la misère; **zum Säufer** ~ sombrer dans l'alcool

verkorken* *vt* boucher

verkorksen* *vr fam* **verkorkst** *Magen* barbouillé(e)

verkörpern* *vt* incarner

verkosten* *vt* déguster *Wein*

verköstigen* *vt* nourrir

verkrachen* *vr fam* **sich** ~ se brouiller; **sich mit jdm** ~ se brouiller avec qn

verkraften* *vt* faire face à; **etw** ~ *Person:* faire face à qc; *Stromnetz:* supporter qc

verkrampfen* *vr* **sich** ~ se contracter; **meine Hand verkrampft sich** j'ai une crampe dans la main

verkriechen* *vr irr* **1. sich** ~ *Tier:* se terrer; **sich in einem Loch** ~ aller se terrer dans un trou **2.** *fam* (*sich verstecken, zurückziehen*) **sich unter der Decke** ~ se fourrer sous les draps

verkrümmen* I. *vt* déformer *Finger;* dévier *Wirbelsäule* II. *vr* **sich** ~ *Wirbelsäule:* se déformer

verkrüppeln* I. *vt* + *haben* estropier *Person* II. *vi* + *sein Strauch:* se rabougrir

verkrustet *adj* **1.** *Wunde* croûteux(-euse) **2.** *fig System, Strukturen* sclérosé(e)

verkümmern* *vi* + *sein Pflanze:* dépérir; *Talent:* s'étioler

verkünden* [fɛɐˈkʏndən] *vt* **1.** *geh* (*mitteilen*) annoncer; **jdm etw** ~ annoncer qc à qn; **jdm** ~, **dass** ... annoncer à qn que ... **2.** JUR prononcer

verkuppeln* *vt fam* **eine Freundin** ~ faire rencontrer quelqu'un à une amie

verkürzen* I. *vt* **1.** raccourcir *Schnur;* réduire *Abstand;* **etw um einen Meter** ~ raccourcir qc d'un mètre; **etw auf zwei Meter** ~ ramener qc à deux mètres **2.** (*zeitlich*) réduire *Dauer;* écourter *Urlaub;* **etw um zehn Tage** ~ écourter qc de dix jours; **etw auf eine Woche** ~ ramener qc à une semaine II. *vr* **sich** ~ *Abstand:* diminuer

verladen* *vt irr* **1.** (*umladen*) charger; **etw auf/in etw** (*akk*) ~ charger qc sur/dans qc **2.** *fam* (*hinters Licht führen*) entuber

Verlag [fɛɐˈlaːk, *Pl:* fɛɐˈlaːɡə] <-[e]s, -e> *m* maison *f* d'édition

verlagern* I. *vt* **1.** déplacer *Gewicht* **2.** (*verlegen*) **etw ins Ausland** ~ transférer qc à l'étranger **3.** *fig* **den Schwerpunkt auf etw** (*akk*) ~ donner la priorité à qc II. *vr* METEO **sich nach Norden** ~ se déplacer vers le nord

Verlagerung *f* **1.** déplacement *m* **2.** (*Verlegung*) transfert *m;* ~ **ins Ausland** délocalisation *f*

Verlagsbuchhandel *m* commerce *m* de libraire-éditeur

verlangen* I. *vt* **1.** (*fordern, erwarten*) réclamer *Geld;* exiger *Bestrafung;* demander *Fleiß;* **etw von jdm** ~ exiger qc de/demander qc à qn **2.** (*sehen wollen, haben wollen*) demander *Ausweis;* réclamer *Rechnung* **3.** (*zu sprechen wünschen*) demander **4.** (*erfordern*) **Mut** ~ exiger du courage ▸ **das ist ein bisschen viel verlangt!** c'est demander beaucoup! II. *vi geh nach* **jdm/etw** ~ réclamer qn/qc

Verlangen <-s> *nt* **1.** (*Wunsch*) désir *m* **2.** (*Forderung*) exigence *f*

verlängern* [fɛɐˈlɛŋɐn] I. *vt* **1.** [r]allonger; **etw um zwei Meter** ~ [r]allonger qc de deux mètres **2.** (*andauern lassen*) prolonger II. *vr* **sich um einen Monat** ~ se prolonger d'un mois

Verlängerung <-, -en> *f kein Pl einer Frist* prolongation *f*

Verlängerungskabel *nt* rallonge *f*

verlangsamen* [fɛɐˈlaŋzaːmən] I. *vt* **1.** ralentir *Lauf;* réduire *Fahrt;* **seine Schritte** ~ ralentir sa marche **2.** (*aufhalten*) freiner *Entwicklung* II. *vr* **sich** ~ se ralentir; *Fahrt:* diminuer

Verlass^RR ▸**auf jdn/etw ist** ~ on peut compter sur qn/qc

verlassen* *irr* I. *vt* **1.** quitter, abandonner *Familie* **2.** (*hinaus-, fortgehen*) quitter *Stadt;* ~ **Sie sofort mein Haus!** sortez d'ici immédiatement! **3.** (*verloren gehen*) **jdn** ~ *Hoffnung:* abandonner qn ▸**und da verließen sie ihn!** *fam* et puis c'était le trou! II. *vr* **sich auf jdn/etw** ~ compter sur qn/qc; **ich verlasse mich darauf, dass du kommst** je compte sur toi pour venir ▸**worauf du dich** ~ **kannst!** là-dessus, tu peux me faire confiance!

Verlassenschaft <-, -en> *f* ᴀ (*Nachlass*) succession *f*

verlässlich^RR *adj Freund* sur lequel on peut compter; *Zeuge:* digne de foi

Verlauf *m* **1.** (*Linie, Richtung*) tracé *m; eines Flusses* cours *m* **2.** (*Entwicklung*) déroulement *m; von Gesprächen* cours *m; einer Krankheit* évolution *f*

verlaufen* *irr* I. *vi* + *sein* **1.** (*sich erstrecken*) **am Seeufer** ~ passer au bord du lac; **parallel zur Autobahn** ~ être parallèle à l'autoroute **2.** (*ablaufen*) **wie geplant** ~ se dérouler comme prévu II. *vr* + *haben* **sich** ~ **1.** (*sich verirren*) s'égarer **2.** (*auseinander gehen*) se disperser

verlaust *adj Person* pouilleux(-euse); *Haare* plein(e) de poux

verlautbaren* I. *vt* + *haben form* rendre public(-ique) II. *vi* + *sein unpers form* **es**

verlautbarte, dass ... il a été annoncé que ...
Verlautbarung <-, -en> *f form* **1.** *kein Pl* (*Bekanntgabe*) communication *f* **2.** (*Mitteilung*) communiqué *m*
verlauten* *vi + sein* **wie verlautet** comme on l'a appris
verleben* *vt* passer *Zeit, Urlaub*
verlebt *adj Gesicht* de quelqu'un qui a vécu
verlegen*¹ I. *vt* **1.** égarer *Schlüssel* **2.** (*verschieben*) **etw auf einen anderen Tag** ~ reporter qc à un autre jour **3.** (*legen*) poser **4.** (*publizieren*) éditer **5.** (*umquartieren*) transférer *Behörde;* transporter *Truppen* **II.** *vr* **sich auf den Kunsthandel** ~ se mettre au marché de l'art
verlegen² *adj* embarrassé(e); ~ **werden** être gagné par l'embarras
Verlegenheit <-, -en> *f kein Pl* (*Betretenheit*) gêne *f*
Verleger(in) <-s, -> *m(f)* éditeur(-trice) *m(f)*
Verlegung <-> *f* **1.** (*Verschiebung*) report *m* **2.** (*das Legen*) pose *f* **3.** (*Umquartierung*) *von Patienten, Behörden* transfert *m*
verleiden* *vt* gâcher; **jdm etw** ~ gâcher qc à qn
Verleih <-[e]s, -e> *m kein Pl* (*das Verleihen*) location *f*
verleihen* *vt irr* **1.** prêter; (*gegen Entgelt*) louer; **etw an jdn** ~ prêter/louer qc à qn **2.** (*zuerkennen*) décerner *Orden* **3.** (*geben, verschaffen*) **jdm Kraft** ~ donner de la force à qn; **einer S. eine persönliche Note** ~ customiser qc
verleiten* *vt* inciter; **jdn zum Glücksspiel** ~ inciter qn au jeu de hasard
verlernen* *vt* oublier
verlesen* *irr* **I.** *vt* donner lecture de *Namen* **II.** *vr* **sich** ~ se tromper en lisant
verletzbar *adj* susceptible
verletzen* [fɛɐˈlɛtsən] **I.** *vt* **1.** blesser; **jdn/ein Tier am Kopf** ~ blesser qn/un animal à la tête; **leicht/schwer verletzt** légèrement/gravement blessé(e) **2.** (*kränken*) blesser **3.** (*nicht befolgen*) enfreindre *Vorschrift* **II.** *vr* **sich an der Hand** ~ se blesser à la main
Verletzte(r) *f(m) dekl wie adj* blessé(e) *m(f)*
Verletzung <-, -en> *f* **1.** (*Wunde*) blessure *f* **2.** *kein Pl* (*das Nichtbefolgen*) **die** ~ **der Bestimmungen** la violation du règlement
verleugnen* *vt* renier; **nicht** ~ **können, dass ...** ne [pas] pouvoir nier que ...
verleumden* *vt* calomnier, diffamer
Verleumdung <-, -en> *f* calomnie *f*
verlieben* *vr* tomber amoureux(-euse); **sich in jdn** ~ tomber amoureux de qn
verliebt *adj Person, Blick* amoureux(-euse)

verlieren [fɛɐˈliːrən] <verlor, verloren> **I.** *vt* **1.** perdre; **wir dürfen keine Zeit** ~! il ne faut pas perdre de temps! **2.** (*entweichen lassen*) laisser s'échapper *Öl;* **Luft** ~ *Reifen:* fuir ► **du hast/das hat hier nichts verloren!** *fam* tu n'as/ça n'a rien à faire ici!; **jd hat nichts mehr/hat nichts zu** ~ qn n'a plus rien/n'a rien à perdre **II.** *vr* **sich** ~ *Spontaneität:* diminuer; *Nervosität:* passer **III.** *vi* **an Bedeutung** (*dat*) ~ devenir moins important(e)
Verlierer(in) <-s, -> *m(f)* perdant(e) *m(f)*; (*eines Kriegs*) vaincu(e) *m(f)*
Verlies <-es, -e> *nt* oubliettes *fpl*
verloben* *vr* se fiancer; **sich mit jdm** ~ se fiancer avec qn
verlobt *adj* fiancé(e); **mit jdm** ~ **sein** être fiancé à qn
Verlobte(r) *f(m) dekl wie adj* fiancé(e) *m(f)*
verlocken* *vi geh* **zum Wandern** ~ inviter à la promenade
verlockend *adj* attrayant(e); ~ **klingen** être attrayant
verlogen [fɛɐˈloːɡən] *adj Person* menteur(-euse); *Gesellschaft* hypocrite
verlor [fɛɐˈloːɐ] *Imp von* **verlieren**
verloren [fɛɐˈloːrən] **I.** *PP von* **verlieren** **II.** *adj* perdu(e) **III.** *adv* ~ **gehen** *Brief:* se perdre ► **an ihr ist eine Journalistin** ~ **gegangen** *fam* elle aurait fait une bonne journaliste
verloren|gehen *s.* **verloren III.**
verlöschen* <verlischt, verlosch, verloschen> *vi + sein geh* s'éteindre
verlosen* *vt* tirer au sort
verlottern* *vi + sein pej Person:* tomber dans la déchéance
Verlust [fɛɐˈlʊst] <-[e]s, -e> *m* perte *f;* **hohe** ~**e machen** essuyer des pertes importantes
Verlustgeschäft *nt* opération *f* à perte
vermachen* *vt* **1.** JUR **jdm etw** ~ léguer qc à qn **2.** *fam* (*schenken*) **jdm etw** ~ faire cadeau de qc à qn
Vermächtnis <-ses, -se> *nt a. fig* héritage *m*
vermählen* *vr geh* **sich** ~ se marier; **sich mit jdm** ~ se marier avec qn
Vermählung <-, -en> *f geh* mariage *m*
vermarkten* *vt* **1.** **ein Produkt** ~ commercialiser un produit; **sich gut** ~ **lassen** se vendre bien **2.** (*zu Geld machen*) **etw** ~ se faire de l'argent avec qc
vermasseln* *vt fam* **1.** **jdm den Urlaub/das Geschäft** ~ foutre en l'air les vacances/l'affaire de qn **2.** (*schlecht machen*) louper *Prüfung*
vermehren* I. *vr* **sich** ~ **1.** (*sich fortpflanzen*) se reproduire **2.** (*zunehmen*) aug-

menter **II.** *vt* **1.** multiplier *Pflanzen* **2.** (*vergrößern*) accroître, augmenter *Besitz*
vermeidbar *adj* évitable
vermeiden* *vt irr* éviter; **sich nicht/kaum ~ lassen** être inévitable/pratiquement inévitable
vermeintlich I. *adj attr* présumé(e), supposé(e) **II.** *adv* apparemment, soi-disant
vermelden* *vt* annoncer; **etwas/nichts zu ~ haben** avoir quelque chose/n'avoir rien à signaler
vermengen* *vt* (*vermischen*) mélanger
Vermerk <-[e]s, -e> *m* note *f*
vermerken* *vt* (*notieren*) **etw auf etw** (*dat*)/**in etw** (*dat*) ~ noter qc sur qc/dans qc
vermessen*[1] *irr* **I.** *vt* mesurer *Gelände* **II.** *vr* **sich** ~ se tromper en mesurant
vermessen[2] *adj geh* présomptueux(-euse)
Vermessung *f* mesurage *m*
vermiesen* [fɛɐ̯'miːzn] *vt fam* **sie hat ihm die Party vermiest** elle lui a foutu la fête en l'air
vermieten* *vt*, *vi* louer; **zu** ~ à louer
Vermieter(in) *m(f)* **1.** (*Hauswirt*) propriétaire *mf* **2.** (*Verleiher*) loueur(-euse) *m(f)*
Vermietung <-, -en> *f* location *f*
vermindern* I. *vt* réduire *Geschwindigkeit* **II.** *vr* **sich** ~ *Einfluss:* diminuer; *Geschwindigkeit:* baisser
Verminderung *f* réduction *f*
verminen* *vt* miner
vermischen* I. *vt* mélanger; **etw mit etw** ~ mélanger qc à qc **II.** *vr* **1.** **sich** [miteinander] ~ se mélanger **2.** *fig* **sich** ~ *Völkergruppen:* se mêler
vermissen* *vt* **1.** (*nicht finden können*) ne plus retrouver *Schlüssel* **2.** **ich vermisse dich** so tu me manques tellement **3.** (*als abwesend feststellen*) **vermisst werden** *Kind:* être porté disparu **4.** (*wünschenswert finden*) **an einem Auto jeden Komfort** ~ déplorer le manque total de confort dans une voiture
Vermisstenanzeige[RR] *f* déclaration *f* de disparition
vermitteln* I. *vt* **1.** fournir; **jdm eine Stelle/eine Wohnung** ~ fournir un emploi/un logement à qn; **jdm Arbeitskräfte** ~ recruter des effectifs pour [le compte de] qn; **jdm einen Partner** ~ mettre qn en contact avec un partenaire **2.** (*beibringen*) transmettre *Lehrstoff* **3.** TELEC **ein Gespräch** ~ établir une communication [téléphonique] **4.** *geh* (*geben*) **jdm einen Eindruck** ~ donner une impression à qn **II.** *vi* **in etw** (*dat*) ~ servir d'intermédiaire dans qc
Vermittler(in) <-s, -> *m(f)* **1.** (*Schlichter*)

médiateur(-trice) *m(f)* *m* **2.** (*Makler*) intermédiaire *mf*
Vermittlung <-, -en> *f* **1.** kein Pl (*das Vermitteln*) **die ~ von Arbeitskräften** le placement de la main-d'œuvre; **für die ~ der Wohnung verlangt er ...** sa commission de courtier s'élève à ... **2.** kein Pl (*Schlichtung*) médiation *f* **3.** TELEC (*Servicestelle*) transmission *f* **4.** kein Pl TELEC (*das Schalten*) **die ~ eines Gesprächs** l'établissement *f* d'une communication [téléphonique]
vermöbeln* *vt fam* tabasser
vermodern* *vi* + *sein* se décomposer
vermögen *vt irr geh* [es] ~ **etw zu tun** être à même de faire qc
Vermögen <-s, -> *nt* **1.** fortune *f* **2.** kein Pl **geh sein** ~ **etw zu tun** sa capacité à faire qc
vermögend *adj geh* fortuné(e); ~ **sein** avoir des biens
Vermögenssteuer *f* impôt *m* sur la fortune
vermögenswirksam *adj* ~**e Leistungen** prestations de l'employeur favorisant l'épargne et faisant partie du salaire
vermummen* *vr* **sich** ~ dissimuler son visage; **total vermummt sein** être encagoulé
vermuten* [fɛɐ̯'muːtən] *vt* supposer; ~ , **dass ...** supposer que ...; **Bestechung ~** soupçonner des pots-de-vin
vermutlich *adj attr* probable
Vermutung <-, -en> *f* supposition *f*, présomption *f*
vernachlässigen* I. *vt* délaisser *Kind;* négliger *Kleidung;* **sich vernachlässigt fühlen** *Person:* se sentir délaissé(e) **II.** *vr* **sich** ~ se laisser aller
vernageln* *vt* clouer *Kiste, Sarg;* **das Fenster mit Brettern** ~ condamner la fenêtre en clouant des planches
vernähen* *vt* **1.** (*zunähen*) recoudre *Loch* **2.** (*einnähen*) reprendre *Faden*
vernarben* *vi* + *sein Wunde:* se cicatriser; **ein vernarbtes Gesicht** un visage couturé
vernarren* *vr fam* **sich in jdn/etw** ~ s'enticher de qn/qc; **in jdn/etw vernarrt sein** s'être entiché de qn/qc
vernaschen* *vt* **1.** **das Taschengeld** ~ dépenser son argent de poche dans les sucreries **2.** *fam* **jdn** ~ se taper qn
vernehmbar *adj* perceptible, audible
vernehmen* *vt irr* **1.** (*verhören*) entendre *Zeugen;* interroger *Beschuldigten* **2.** *geh* (*hören*) percevoir **3.** *geh* (*erfahren*) apprendre; **sie hatte es schon vernommen** elle le savait déjà
Vernehmen ▸ **dem** ~ **nach** à ce qu'on dit

vernehmlich I. *adj geh* audible; *Stimme* clair(e) **II.** *adv geh* **er räusperte sich/ hüstelte ~** on l'entendit se racler la gorge/ toussoter

Vernehmung <-, -en> *f eines Zeugen* audition *f;* (*Verhör*) interrogatoire *m*

verneigen* *vr geh* **sich ~** s'incliner; **sich vor jdm/etw ~** s'incliner devant qn/qc

verneinen* *vt* **1.** donner une réponse négative à *Frage* **2.** (*leugnen*) nier

verneinend I. *adj Antwort* négatif(-ive); *Kopfschütteln* en signe de négation **II.** *adv* **~ den Kopf schütteln** faire un signe de tête négatif

Verneinung <-, -en> *f* **1. die ~ einer Frage** la réponse négative à une question **2.** (*Leugnung*) négation *f*

vernetzen *vt* INFORM mettre en réseau; **Rechner [miteinander] ~** mettre des ordinateurs en réseau

Vernetzung <-, -en> *f* **1.** INFORM mise *f* en réseau, interconnexion *f* **2.** (*Verbindung*) imbrication *f*

vernichten* [fɛɐ̯'nɪçtn] *vt* **1.** (*beseitigen*) détruire *Akten;* supprimer *Arbeitsplätze* **2.** (*zerstören*) détruire *Ernte, Gebäude;* anéantir *Stadt* **3.** (*ausrotten*) exterminer *Personen, Unkraut*

vernichtend I. *adj* **1.** *Niederlage* écrasant(e) **2.** *fig* **ein ~er Blick** un regard haineux **II.** *adv* **jdn ~ schlagen** battre qn à plate[s] couture[s]

Vernichtung <-, -en> *f* **1.** *von Beweisen* destruction *f; von Arbeitsplätzen* suppression *f* **2.** *einer Ernte* destruction *f*

verniedlichen* *vt* minimiser [l'importance de]

Vernunft [fɛɐ̯'nʊnft] <-> *f* raison *f* **2.** **nimm doch ~ an!** allons, sois raisonnable!; **jdn zur ~ bringen** ramener qn à la raison

vernünftig [fɛɐ̯'nʏnftɪç] **I.** *adj* **1.** *Person* raisonnable **2.** *Argument* sensé(e) **3.** *fam* (*akzeptabel*) potable **II.** *adv fam* (*akzeptabel*) convenablement

veröden* **I.** *vi + sein Gegend:* se dépeupler; **eine verödete Innenstadt** un centre ville déserté **II.** *vt + haben* MED scléroser *Krampfader*

veröffentlichen* [fɛɐ̯'œfntlɪçn] *vt* **1.** publier *Artikel* **2.** (*bekannt machen*) rendre public(-ique)

Veröffentlichung <-, -en> *f* publication *f*

verordnen* *vt* (*verschreiben*) **jdm etw ~** prescrire qc à qn

Verordnung <-, -en> *f* **1.** *kein Pl* (*das Verschreiben*) prescription *f* **2.** *form* (*Verfügung*) disposition *f*

verpachten* *vt* affermer *Bauernhof;* **ein**

Lokal ~ donner un établissement à bail

verpacken* *vt* emballer

Verpacken *nt* packaging *m*

Verpackung *f* emballage *m*

Verpackungsmüll *m* emballages *mpl* usagés

verpassen* *vt* rater *Bus, Gelegenheit;* laisser passer *Chance*

verpatzen* *vt fam* louper *Auftritt;* **du hast ihr den Abend verpatzt!** tu lui as gâché la soirée!

verpennen* **I.** *vt fam* **1.** (*verpassen*) louper *Bus* **2.** (*vergessen*) oublier carrément **II.** *vi fam* avoir une panne d'oreiller

verpesten* *vt* **1.** polluer *Luft* **2.** *fam* (*mit Rauch füllen*) **verpeste mir nicht die Wohnung!** ne m'empeste pas l'appartement!

verpfänden* *vt* hypothéquer *Haus;* **das Auto ~** donner la voiture en gage

verpfeifen* *vt irr fam* balancer; **jdn bei jdm ~** balancer qn à qn

verpflanzen* *vt* **1.** transplanter *Baum* **2.** MED greffer, transplanter

verpflegen* *vt* nourrir; **jdn/sich ~** nourrir qn/se nourrir

Verpflegung *f* **1.** *kein Pl* (*das Verpflegen*) ravitaillement *m* **2.** (*Kost*) alimentation *f*

verpflichten* **I.** *vt* **1.** (*festlegen*) obliger; **jdn ~ etw zu tun** obliger qn à faire qc; **gesetzlich verpflichtet sein etw zu tun** être tenu par la loi de faire qc; **das verpflichtet dich zu gar nichts** cela ne t'engage à rien **2.** (*engagieren*) engager *Künstler, Sportler* **II.** *vi Erfolg:* constituer un engagement; **nicht zum Kauf ~** être sans obligation d'achat **III.** *vr* **1.** (*zusagen*) **sich zu etw ~** s'engager à qc **2.** (*Arbeitsvertrag abschließen*) **sich für fünf Jahre ~** *Künstler, Sportler:* signer pour cinq ans; *Soldat:* s'engager pour cinq ans

Verpflichtung <-, -en> *f meist Pl* (*Pflicht*) engagement *m*

verpfuschen* *vt a. fig fam* bousiller

verpissen* *vr fam* **sich ~** foutre le camp; **verpiss dich!** casse-toi!

verplanen* *vt* **1.** prévoir *Summe;* programmer *Zeit* **2.** *fam* (*ausbuchen*) **für die ganze Woche verplant sein** être pris toute la semaine

verplempern* *vt fam* (*verschwenden*) claquer; **viel Zeit für etw ~** claquer beaucoup de temps dans qc

verpönt *adj geh* mal vu(e)

verprassen* *vt* dilapider

verprellen* *vt* irriter

verprügeln* *vt* rouer de coups; **jdn ~** rouer qn de coups

verpuffen* *vi + sein* **1.** (*explodieren*) dé-

flagrer **2.** *fam* (*wirkungslos sein*) *Maßnahme:* ne rien donner; *Elan:* foutre le camp
Verputz *m* crépi *m*
verputzen* *vt* **1.** crépir *Haus;* enduire *Wand* **2.** *fam* (*aufessen*) avaler
verqualmen* *vt fam* enfumer *Zimmer*
verquer I. *adj* **1.** *Lage, Position* de travers **2.** (*merkwürdig*) tordu(e) II. *adv* **1.** *sitzen, liegen* de travers **2.** (*merkwürdig*) de manière étrange
Verrat <-[e]s> *m* **1.** (*das Verraten*) der ~ **militärischer Geheimnisse** la livraison de secrets militaires **2.** (*Tat*) ~ **begehen** commettre une trahison
verraten <verrät, verriet, verraten> I. *vt* **1.** (*ausplaudern*) trahir *Geheimnis;* se rendre coupable de trahison en dévoilant *Plan;* **nichts** ~! motus et bouche cousue! **2.** (*Verrat üben an, preisgeben*) trahir *Freund, Ziel* **3.** *iron fam* (*sagen*) **sie hat mir nicht** ~ **wollen, wer ...** elle n'a pas voulu me dire qui ... **4.** (*erkennen lassen*) **seine wahren Absichten nicht** ~ ne pas laisser entrevoir ses intentions; **ihre Stimme hat sie** ~ sa voix l'a trahie ►~ **und verkauft sein** *fam* être abandonné de tous II. *vr* **sich** ~ se trahir
Verräter(in) <-s, -> *m(f)* traître(-esse) *m(f)*
verräterisch I. *adj Handbewegung* qui trahit II. *adv* **jdm** ~ **zuzwinkern** faire un clin d'œil traître à qn
verrauchen* I. *vi* + *sein Qualm, Ärger:* se dissiper II. *vt* + *haben* (*verräuchern*) **ein verrauchtes Lokal** un bistro[t] enfumé
verrechnen* I. *vr* **1.** (*falsch rechnen*) **sich** ~ se tromper en comptant; **sich um zehn Euro** ~ se tromper de dix euros en comptant **2.** (*sich irren*) **sich** ~ faire une erreur [dans ses calculs] II. *vt* **die Anzahlung mit dem Gesamtbetrag** ~ déduire l'acompte du montant total
Verrechnung *f* **1.** (*Anrechnung*) compensation *f* **2.** (*Gutschrift*) encaissement *m*
Verrechnungsscheck *m* chèque *m* barré
verrecken* *vi* + *sein fam* **1.** *Person, Tier:* crever **2.** *Gerät:* lâcher ►**nicht ums Verrecken** pas pour tout l'or du monde
verregnet *adj* très pluvieux(-euse)
verreisen* *vi* + *sein* **privat/geschäftlich** ~ partir en voyage privé/d'affaires; **mit dem Zug** ~ partir en voyage par le train
verrenken* [fɛɐ̯'rɛŋkən] *vr* **sich** (*dat*) **den Hals** ~ se tordre le cou; **sich** (*dat*) **den Fuß** ~ se faire une entorse au pied
verrennen* *vr irr* **sich in etw** (*akk*) ~ s'obstiner dans qc
verrichten* *vt* accomplir *Arbeit;* faire *Gebet*
verriegeln* *vt* verrouiller
verringern* [fɛɐ̯'rɪŋɐn] I. *vt* réduire, dimi-

nuer II. *vr* **sich** ~ **1.** *Abstand, Geschwindigkeit:* diminuer **2.** (*sich verschlechtern*) s'amenuiser
verrinnen* *vi irr* + *sein* **1.** *geh* (*vergehen*) s'écouler **2.** (*versickern*) **im Sand** ~ s'infiltrer dans le sable
Verrissᴿᴿ *m* mauvaise critique *f*
verrohen* *vi* + *sein Person:* devenir une brute
verrosten* *vi* + *sein* rouiller
verrotten* [fɛɐ̯'rɔtən] *vi* + *sein* **1.** (*sich zersetzen*) pourrir **2.** (*verwahrlosen*) se délabrer
verrucht [fɛɐ̯'ruːxt] *adj* **1.** *Schurke* infâme **2.** *Aussehen* vicieux(-euse); *Viertel* de débauche
verrücken* *vt* pousser *Möbelstück*
verrückt *adj fam* **1.** fou(folle); **jdn** ~ **machen** *fam* rendre qn cinglé(e); **bist du** ~? *fam* t'es malade [ou quoi]? **2.** *Kleidung* dingue; *Plan* farfelu(e) **3.** (*versessen*) **nach jdm** ~ **sein** être dingue de qn; **auf etw** (*akk*)/**nach etw** ~ **sein** raffoler de qc ►**ich werd'** ~! *fam* c'est pas vrai, je rêve!; **wie** ~ *fam* rennen, schreien comme un fou/une folle; **es regnet wie** ~ il pleut à seaux
Verrückte(r) *f(m) dekl wie adj fam* fou/folle *m/f*
Verrücktwerden ►**es ist zum** ~! *fam* c'est à devenir cinglé(e)!
Verruf *m* **in** ~ **kommen** compromettre sa réputation; **jdn in** ~ **bringen** compromettre la réputation de qn
verrufen *adj Gegend* mal famé(e)
verrutschen* *vi* + *sein* glisser
Vers [fɛrs] <-es, -e> *m* **1.** (*in der Poesie*) vers *m* **2.** (*Strophe*) strophe *f* **3.** (*Bibelvers*) verset *m*
versacken* *vi* + *sein fam* **1.** (*versinken*) s'enliser; **in etw** (*dat*) ~ *Wagen:* s'enliser dans qc **2.** *fig* (*feiern*) faire la bringue
versagen* I. *vi* **1.** échouer; **im Leben/in der Schule** ~ échouer dans la vie/à l'école; **aus Angst zu** ~ par peur de l'échec **2.** (*nicht wirken*) *Erziehung:* être un échec **3.** (*nicht funktionieren*) *Alarmanlage:* ne pas fonctionner; **seine Stimme versagte** sa voix lui fit défaut II. *vt geh* **jdm etw** ~ refuser qc à qn
Versagen <-s> *nt* **1.** (*Scheitern*) échec *m* **2.** (*Fehlfunktion*) défaillance *f; eines Herzens* arrêt *m* **3.** (*Fehlverhalten*) **menschliches** ~ défaillance *f* humaine
Versager(in) <-s, -> *m(f)* raté(e) *m(f)*
versalzen* I. *vt irr* **1.** trop saler *Essen* **2.** *fam* (*verderben*) **diese Freude werde ich ihm** ~! je vais lui gâcher ce plaisir! II. *vi See:* se saler

versạmmeln* I. *vr* **sich ~** se rassembler **II.** *vt* rassembler

Versạmmlung *f* **1.**(*Zusammenkunft*) réunion *f* **2.**(*die versammelten Menschen*) assemblée *f*

Versạnd <-[e]s> *m* (*das Versenden*) envoi *m*

versạnden* *vi* + *sein* **1.**s'ensabler **2.***fam* (*aufhören*) finir en eau de boudin

Versạndhaus *nt* entreprise *f* de vente par correspondance

versạuen* *vt sl* dégueulasser *Boden*

versạufen* *vt irr sl* **sein ganzes Gehalt ~** claquer tout son salaire dans la boisson (*fam*)

versạumen* *vt* **1.**(*verpassen*) manquer *Termin;* laisser passer *Gelegenheit* **2.**(*unterlassen*) [es] **~ etw zu tun** omettre de faire qc

Versạumnis [fɛɐ̯'zɔʏmnɪs] <-ses, -se> *nt* *geh* omission *f*

verschạffen* I. *vt* donner; **jdm einen Vorteil ~** donner un avantage à qn; **das wird dir Respekt ~** ainsi, tu te feras respecter **II.** *vr* **sich** (*dat*) **Geld ~** se procurer de l'argent; **sich** (*dat*) **Respekt ~** s'attirer le respect

verschạlen* I. *vi* faire un coffrage **II.** *vt* coffrer

verschạmt I. *adj* gêné(e) **II.** *adv* timidement

verschạndeln* *vt fam* défigurer *Landschaft, Gesicht*

verschạnzen* *vr* **1.**MIL **sich ~** se protéger dans des retranchements **2.***fig* **sich hinter den Vorschriften ~** se retrancher derrière le règlement

verschạrfen* I. *vr* **sich ~** s'aggraver, s'envenimer **II.** *vt* **1.**renforcer *Bestimmung;* alourdir *Strafe;* renforcer *Kontrollen* **2.**(*zuspitzen*) aggraver, envenimer

verschạrren* *vt* enfouir, enterrer

verschạtzen* *vr* **1.sich ~** se tromper dans son estimation; **sich um zehn Meter ~** tromper dans son estimation de dix mètres **2.**(*sich täuschen*) **sich ~** se tromper

verschạukeln* *vt fam* **jdn ~** rouler qn [dans la farine]

verschẹnken* *vt* **1.**donner, faire cadeau de *Kleider, Geld;* faire don de *Besitz* **2.**(*ungenutzt lassen*) ne pas tirer profit de *Gelegenheit*

verschẹrbeln* *vt fam* brader

verschẹrzen* *vr* **sich** (*dat*) **jds Freundschaft ~** perdre l'amitié de qn par sa faute

verschẹuchen* *vt* chasser, faire fuir

verschịcken* *vt* **1.**(*versenden*) envoyer **2.**(*zur Erholung schicken*) **jdn ins Gebirge ~** envoyer qn à la montagne

verschieben* *irr* **I.** *vt* **1.**(*verrücken*) déplacer; **etw um einen Meter ~** déplacer qc d'un mètre **2.**(*verlegen*) reporter; **etw auf die nächste Woche ~** remettre qc à la semaine prochaine; **etw um eine Woche ~** repousser qc d'une semaine **3.***fam* (*illegal verkaufen*) **etw ins Ausland ~** exporter illégalement qc à l'étranger **II.** *vr* **1.**sich um zwei Stunden **~** être retardé de deux heures; **sich auf die nächste Woche ~** être reporté à la semaine prochaine **2.**(*verrutschen*) **sich ~** glisser

Verschiebung *f* report *m*

verschieden [fɛɐ̯'fiːdən] **I.** *adj* **1.**(*unterschiedlich*) différent(e); **das ist ~** c'est variable **2.** *Charaktere* dissemblable **3.**(*abweichend*) divergent(e) **4.** *attr* (*einige*) **~e Leute** plusieurs personnes; **~e Bücher kaufen** acheter divers livres **II.** *adv* ~ **breit/hoch sein** *Tische:* être de largeurs/hauteurs différentes

verschiedenartig *adj* de différentes sortes

verschiedentlich [fɛɐ̯'fiːdəntlɪç] *adv* à diverses reprises

verschießen* *irr* **I.** *vt* + *haben* **1.die ganze Munition ~** épuiser toutes ses munitions **2.**(*danebenschießen*) **den Ball ~** rater le but **II.** *vi* + *sein Stoff:* ternir; *Farbe:* passer

verschiffen* *vt* transporter par voie maritime; **etw nach Japan ~** transporter qc par voie maritime au Japon

verschimmeln* *vi* + *sein* moisir

verschlafen*[1] *irr* **I.** *vi* se réveiller trop tard; **ich habe ~** je ne me suis pas réveillé(e) **II.** *vt* **1.***fam* (*vergessen*) oublier carrément **2.**(*verbringen*) **den Nachmittag ~** passer l'après-midi à dormir

verschlafen[2] *adj Person* encore [tout(e)] endormi(e)

Verschlag <-[e]s, ∸e> *m* réduit *m*

verschlagen* *vt irr* **1.**(*schlagen*) battre **2.**(*woandershin führen*) **jdn verschlägt es nach Paris** qn atterrit à Paris **3.**(*schlecht schlagen*) rater *Ball*

verschlampen* *vt fam* paumer

verschlẹchtern* I. *vt* aggraver **II.** *vr* **sich ~ 1.** *Lage:* s'aggraver; *Wetter:* se dégrader **2.**(*beruflich*) être bien moins loti

Verschlẹchterung <-, -en> *f einer Lage* aggravation *f; des Wetters* dégradation *f*

verschleiern* [fɛɐ̯'flaɪɐn] **I.** *vt* **1.***a. fig* (*bedecken*) voiler **2.**(*verheimlichen*) dissimuler *Sachverhalt* **II.** *vr* **sich ~** *Moslime, Braut:* se voiler

Verschleiß <-es, -e> *m* (*Abnutzung*) usure *f*

verschleißen* [fɛɐ̯'flais] <verschlịss, verschlịssen> **I.** *vi* + *sein Material, Maschine:*

s'user II. *vt, vr* + haben [sich] ~ [s']user
verschleppen* *vt* **1.** déplacer *Personen*
2. MED traîner *Krankheit;* **eine verschleppte Infektion** une infection qui traîne
verschleudern* *vt* **1.** (*verkaufen*) liquider **2.** (*verschwenden*) dilapider
verschließbar *adj* **1.** *Gefäß* hermétique **2.** (*abschließbar*) qui ferme à clé
verschließen* *irr* **I.** *vt* **1.** (*abschließen*) fermer [à clé] **2.** (*zumachen*) boucher *Flasche;* fermer *Glas* **II.** *vr* **sich einer Überlegung** ~ se fermer à une réflexion
verschlimmern* *vt, vr* [sich] ~ [s']aggraver
verschlingen* *vt irr* **1.** (*essen*) dévorer **2.** (*lesen*) dévorer **3.** (*kosten*) engloutir *Unsummen*
verschlissen [fɛɐ'ʃlɪsən] **I.** *PP von* **verschleißen II.** *adj* usé(e)
verschlossen [fɛɐ'ʃlɔsən] *adj* **1.** *Person* renfermé(e) **2.** (*unverständlich*) **jdm** ~ **bleiben** rester un mystère pour qn
Verschlossenheit <-> *f* caractère *m* renfermé
verschlucken* **I.** *vt* **1.** avaler **2.** (*dämpfen*) étouffer **II.** *vr* **sich an etw** (*dat*) ~ avaler qc de travers
Verschlussᴿᴿ *m* **1.** *einer Dose, eines Glases* couvercle *m; einer Flasche* bouchon *m* **2.** (*Schließe*) fermoir *m* ▶**etw unter** ~ **halten** garder qc sous clé
verschlüsseln* *vt* coder; **das Programm verschlüsselt senden** diffuser le programme crypté
Verschlüsselungstechnik *f* INFORM technique *f* d'encodage
verschmähen* *vt geh* dédaigner
verschmelzen* *vi irr* + *sein* **mit etw** ~ fondre et se mélanger à qc
verschmerzen* *vt* surmonter *Absage;* se consoler de *Verlust*
verschmieren* *vt* **1.** (*verstreichen*) étaler *Salbe* **2.** (*beschmieren*) salir **3.** (*verwischen*) tacher *Unterschrift;* **ihr Lippenstift war ganz verschmiert** elle avait la bouche barbouillée de rouge à lèvres
verschmitzt **I.** *adj* malicieux(-euse) **II.** *adv* ~ **lächeln** arborer un sourire malicieux
verschmutzen* **I.** *vt* + *haben* **1.** salir *Kleidung* **2.** (*belasten*) polluer *Umwelt* **II.** *vi* + *sein* **schnell** ~ se salir facilement
verschnaufen* *vi, vr fam* [sich] ~ reprendre son souffle
Verschnaufpause *f* [petite] pause *f* pour souffler ▶**eine** ~ **einlegen** souffler un peu
verschneit *adj* enneigé(e)
Verschnitt *m* (*Alkohol*) mélange *m*
verschnupft *adj* **1.** enrhumé(e) **2.** *fam* (*verärgert*) en rogne
verschnüren* *vt* ficeler

verschollen [fɛɐ'ʃɔlən] *adj* *Person, Schiff* [porté(e)] disparu(e); *Akte* disparu(e)
verschonen* *vt* épargner qn/qc
verschönern* [fɛɐ'ʃøːnən] *vt* embellir
verschränken* [fɛɐ'ʃrɛŋkən] *vt* croiser *Arme, Beine*
verschreiben* *irr* **I.** *vt* **1.** prescrire; **jdm etw gegen den Husten** ~ prescrire qc contre la toux à qn **2.** (*verbrauchen*) user *Bleistift;* noircir *Papier* **II.** *vr* **1.** (*falsch schreiben*) **sich** ~ faire une faute [d'orthographe] **2.** (*sich widmen*) **sich einer S.** (*dat*) ~ se vouer à qc
verschreibungspflichtig *adj* délivré(e) sur ordonnance
verschrie[e]n *adj* *Gegend* mal famé(e); **als Choleriker** ~ **sein** être un coléreux notoire
verschroben *adj* extravagant(e)
verschrotten* *vt* mettre à la ferraille; **etw** ~ mettre qc à la ferraille; **etw** ~ **lassen** mettre qc à la casse
verschüchtert [fɛɐ'ʃʏçtɐt] *adj, adv* effarouché(e)
verschulden* **I.** *vt* + haben être responsable de *Unfall* **II.** *vi* + *sein* s'endetter; **verschuldet sein** être endetté **III.** *vr* + haben **sich bei jdm** ~ s'endetter auprès de qn
Verschulden <-s> *nt* responsabilité *f*
Verschuldung <-, -en> *f* endettement *m;* **die öffentliche** ~ la dette publique
verschütten* *vt* **1.** (*vergießen*) renverser **2.** (*begraben*) ensevelir
verschwägert *adj* parent(e) par alliance; **mit jdm** ~ **sein** être parent par alliance avec qn
verschweigen* *vt irr* **etw** ~ taire qc; **jdm etw** ~ cacher qc à qn
verschwenden* *vt* **1.** *Geld* ~ gaspiller de l'argent **2.** *fig* **keinen einzigen Gedanken an jdn/etw** ~ ne pas accorder la moindre pensée à qn/qc
verschwenderisch **I.** *adj* **1.** *Person, Gruppe* gaspilleur(-euse); **sein** ~**er Umgang mit Energie** sa manie de gaspiller l'énergie **2.** *Pracht* opulent(e); **in** ~**er Fülle** à profusion **II.** *adv* *leben* dans le gaspillage; **mit Geld/Energie** ~ **umgehen** jeter l'argent par la fenêtre/gaspiller l'énergie
Verschwendung <-, -en> *f* gaspillage *m*
verschwiegen [fɛɐ'ʃviːɡən] *adj* **1.** *Person* discret(-ète) **2.** *Bucht* retiré(e); *Lokal* discret(-ète)
Verschwiegenheit <-> *f* discrétion *f*
verschwimmen* *vi irr* + *sein* *Aquarellfarben:* se fondre; *Umrisse:* s'estomper; **jdm verschwimmt alles vor den Augen** tout se brouille devant les yeux de qn
verschwinden* *vi irr* + *sein* **1.** disparaître;

das ganze Geld ist verschwunden tout l'argent a disparu; **etw in der Schublade ~ lassen** faire disparaître qc dans le tiroir **2.** (*sich davonmachen*) **in den Keller ~** disparaître à la cave; **rasch ~** s'esquiver; **verschwinde!** *fam* fiche le camp! **3.** (*sich auflösen*) *Erscheinung:* disparaître ▸**mal ~ müssen** *euph fam* s'en aller deux secondes
verschwindend *adj, adv* infime
verschwitzen* *vt* **1.** **etw ~** mouiller qc de sueur; **verschwitzt sein** *Person:* être en nage; *Hemd:* être trempé de sueur **2.** *fam* (*vergessen*) **einen Termin ~** foirer un rendez-vous
verschwommen [fɛɐ'ʃvɔmən] *adj* flou(e)
verschwören* *vr irr* (*konspirieren*) **sich gegen jdn ~** conspirer contre qn ▸**alles hat sich gegen mich verschworen!** tout s'est ligué(e) contre moi!
Verschwörer(in) <-s, -> *m(f)* conspirateur(-trice) *m(f)*
Verschwörung <-, -en> *f* conspiration *f*
versehen* *irr* **I.** *vt form* (*ausstatten*) **jdn mit etw ~** munir qn de qc; **etw mit einem Stempel/einer Unterschrift ~** apposer un tampon/une signature sur qc; **den Ausweis mit einem Vermerk ~** annoter la pièce d'identité d'une remarque **II.** *vr* **sich mit etw ~** se munir de qc ▸**ehe man sich's versieht** sans même que l'on s'en rende compte
Versehen <-s, -> *nt* méprise *f*; **aus ~** par mégarde
versehentlich [fɛɐ'zeːəntlɪç] **I.** *adj attr* accidentel(le); **ein ~er Anruf** une erreur de numéro **II.** *adv* par erreur
versenden* *vt irr o reg* expédier
versengen* *vt* roussir; **den Stoff ~** roussir le tissu; (*am Ofen*) brûler le tissu
versenken* **I.** *vt* **1.** couler *Schiff* **2.** (*hineintun*) **etw in den Boden ~** descendre qc sous la terre **3.** (*einklappen*) escamoter *Scheinwerfer, Verdeck;* **sich ~ lassen** s'escamoter **II.** *vr* **sich in etw** (*akk*) **~** se plonger dans qc
Versenkung *f* ▸**in der ~ verschwinden** *fam* disparaître de la circulation; **aus der ~ auftauchen** *fam* refaire surface
versessen *adj* **auf Süßigkeiten** (*akk*) **~ sein** raffoler des sucreries
versetzen* **I.** *vt* **1.** ADMIN muter; **jdn ins Ausland ~** muter qn à l'étranger; **sich ~ lassen** se faire muter **2.** SCHULE **jdn in die höhere Klasse ~** faire passer qn dans la classe supérieure **3.** SPIEL déplacer *Spielfigur* **4.** (*verpfänden*) **etw ~** mettre qc en gage **5.** *fam* (*umsonst warten lassen*) **jdn ~** poser un lapin à qn **6.** (*geben*) **jdm einen**

Stoß/Tritt ~ donner un coup/un coup de pied à qn **II.** *vi geh* rétorquer **III.** *vr* (*sich einfühlen*) **sich in die Lage seines Freundes ~** se mettre à la place de son ami
Versetzung <-, -en> *f* **1.** ADMIN mutation *f* **2.** (*Erreichung des Klassenziels*) passage *m;* **seine ~ ist gefährdet** son passage est compromis
verseuchen* *vt* **1.** (*vergiften*) contaminer *Lebensmittel, Blutkonserven;* polluer *Umwelt* **2.** INFORM **etw ~** *Virus:* contaminer qc
versichern* **I.** *vt* **1.** (*durch eine Versicherung schützen*) assurer; **jdn/etw gegen etw ~** assurer qn/qc contre qc; **privat versichert sein** avoir une assurance privée **2.** (*beteuern*) **jdm ~, dass ...** donner l'assurance à qn que ... **3.** *geh* (*zusichern*) **jdn seiner Freundschaft** (*gen*) **~** répondre de son amitié à qn **II.** *vr* **1.** **sich gegen etw ~** s'assurer contre qc **2.** *geh* (*sich vergewissern*) **sich der Unterstützung** (*gen*) **eines Freundes ~** s'assurer du soutien d'un ami
Versicherung *f* assurance *f*
Versicherungsbeitrag *m* cotisation *f* d'assurance **Versicherungsbetrug** *m* escroquerie *f* à l'assurance **Versicherungsgesellschaft** *f* compagnie *f* d'assurances
versicherungspflichtig *adj Mitarbeiter* obligé(e) de s'assurer; *Beschäftigung* assujetti(e) à l'assurance **Versicherungssumme** *f* montant *m* de l'assurance **Versicherungsvertreter(in)** *m(f)* représentant(e) *m(f)* dans les assurances
versickern* *vi + sein* s'infiltrer; **im Boden ~** s'infiltrer dans le sol
versiegeln* *vt* **1.** (*verschließen*) cacheter *Brief;* sceller *Wohnung* **2.** (*beschichten*) vitrifier *Parkett*
versiert [vɛr'ziːɐt] *adj* expert(e); **auf einem Gebiet ~ sein** (*dat*) être expert dans un domaine
versilbern* *vt* **1.** (*mit Silber überziehen*) argenter; **versilbert** argenté(e) **2.** *fam* (*zu Geld machen*) monnayer
versinken *vi irr + sein* **1.** sombrer; **im Meer ~** *Schiff:* sombrer au fond de la mer; **versunken** *Schatz* englouti(e) **2.** (*untergehen*) **hinter dem Horizont ~** *Sonne:* disparaître à l'horizon **3.** (*einsinken*) **im Schnee ~** s'enfoncer dans la neige; **im Schlamm ~** s'embourber; **im Moor versunken** englouti(e) dans le marécage
versinnbildlichen* *vt* symboliser
Version [vɛr'zioːn] <-, -en> *f* version *f*
versklaven* [fɛɐ'sklaːvn̩] *vt* réduire en esclavage; **jdn ~** réduire qn en esclavage
Versmaß *nt* POES mètre *m*

versnobt adj snob
versohlen* vt fam tanner le cuir à
versöhnen* [fɛɐ̯'zøːnən] **I.** vr **sich mit jdm** ~ se réconcilier avec qn **II.** vt **1.** (aussöhnen) **jdn mit jdm** ~ réconcilier qn avec qn **2.** (besänftigen) **jdn** ~ Geschenk: rendre qn [plus] conciliant(e); **jdn mit etw** ~ amadouer qn par qc
versöhnlich adj Worte conciliant(e); Schluss de réconciliation
Versöhnung <-, -en> f réconciliation f
versonnen **I.** adj songeur(-euse) **II.** adv pensivement
versorgen* **I.** vt **1.** (betreuen) s'occuper de Person, Tier **2.** (versehen) **jdn mit etw** ~ fournir qc à qn; **mit etw versorgt sein** avoir ce qu'il faut de qc **II.** vr **sich mit Reiseproviant** ~ faire des provisions pour le voyage; **sich mit allem Nötigen** ~ se munir de tout ce qui est nécessaire; **er kann sich selbst** ~ il peut subvenir à ses besoins
Versorgung <-> f **1.** (das Versorgen) **sich um die** ~ **der Tiere/Pflanzen kümmern** s'occuper des animaux/soigner les plantes **2.** (das Ausstatten) l'approvisionnement m
Versorgungsanspruch m droit m à une assistance
verspannen* vr sich ~ Hals: se contracter; **verspannt** contracté(e)
Verspannung f contraction f
verspäten* vr sich ~ se mettre en retard; **sich um eine Stunde** ~ Person: se mettre en retard d'une heure; Zug, Flugzeug: être en retard d'une heure
verspätet **I.** adj Flugzeug, Zug en retard; Ankunft, Abflug retardé(e); Sommer tardif(-ive) **II.** adv en retard
Verspätung <-, -en> f retard m
verspeisen* vt geh ingurgiter
versperren* vt **1.** (blockieren) couper Straße; **jdm den Weg** ~ barrer le chemin à qn **2.** (nehmen) **jdm die Aussicht** ~ boucher la vue à qn
verspielen* vt **1.** (beim Glücksspiel) **viel Geld** ~ perdre beaucoup d'argent au jeu **2.** (einbüßen) gâcher Chance; galvauder Sieg ▸**verspielt haben** avoir perdu la partie; **bei jdm verspielt haben** être discrédité auprès de qn
verspielt adj **1.** ~ **sein** Kind, Hund: être joueur **2.** Dekor fantaisie inv
verspotten* vt se moquer de
versprechen* irr **I.** vt **1.** (zusagen) promettre; **jdm etw** ~ promettre qc à qn; **jdm** ~ **vorsichtig zu fahren** promettre à qn de rouler avec prudence; **jdm** ~**, dass ...** promettre à qn que ... **2.** (erwarten lassen) promettre **II.** vr **1.** (sich erhoffen) **sich**

(dat) **von einer Reise viel** ~ attendre beaucoup d'un voyage **2.** (sich beim Sprechen vertun) **sich** ~ faire un lapsus
Versprechen <-s, -> nt promesse f
Versprecher <-s, -> m fam lapsus m
verspritzen* vt **1.** (versprengen) **Wasser** ~ faire gicler de l'eau; **etw über jdn/etw** ~ asperger qn/qc de qc **2.** (versprühen) pulvériser Farbe, Tinte **3.** (ausstoßen) cracher **4.** (voll spritzen) éclabousser Scheibe
verspüren* vt geh ressentir, éprouver
verstaatlichen* vt nationaliser
Verstand [fɛɐ̯'ʃtant] <-[e]s> m raison f; **bei klarem/nicht bei klarem** ~ **sein** avoir/ne pas avoir toute sa raison ▸**jdn um den** ~ **bringen** rendre qn fou(folle); **etw mit** ~ **essen/trinken** manger/boire qc en savourant; **den** ~ **verlieren** perdre la raison
verstanden [fɛɐ̯'ʃtandən] PP von **verstehen**
verständig adj raisonnable
verständigen* **I.** vt informer; **jdn von etw/über etw** (akk) ~ informer qn de qc **II.** vr **1.** (sich verständlich machen) **sich durch etw** ~ Fremder, Tourist: se faire comprendre par qc **2.** (sich unterhalten) **sich auf Italienisch** ~ communiquer en italien **3.** (sich einigen) **sich** [miteinander] ~ s'entendre
Verständigungsschwierigkeiten Pl difficultés fpl à se faire comprendre
verständlich [fɛɐ̯'ʃtɛntlɪç] **I.** adj **1.** (begreiflich) compréhensible; **jdm etw** ~ **machen** faire comprendre qc à qn; **leicht** ~ facile à comprendre; **schwer** ~ Entscheidung assez incompréhensible; Formulierung peu intelligible **2.** (hörbar) intelligible; **nicht** ~ inintelligible **II.** adv **1.** (verstehbar) d'une manière compréhensible **2.** (hörbar) de façon intelligible
verständlicherweise adv ce qui est bien compréhensible
verständnislos **I.** adj d'incompréhension **II.** adv avec un air d'incompréhension
verstärken* **I.** vt **1.** consolider Mauer **2.** (vergrößern) **die Belegschaft um fünf Personen/auf zwanzig Mitarbeiter** ~ renforcer les effectifs de cinq/jusqu'à vingt personnes **3.** (intensivieren) renforcer Einsatz; intensifier Anstrengungen **4.** PHYS augmenter Druck **5.** MEDIA amplifier **II.** vr **sich** ~ se renforcer
Verstärker <-s, -> m amplificateur m
Verstärkung f kein Pl **1.** einer Mauer consolidation f **2.** (das Vergrößern) eines Teams renforcement m **3.** (Intensivierung) der Anstrengungen intensification f
verstauben* vi + sein se [re]couvrir de

verstehen

• Verstehen signalisieren	• signaler la compréhension
(Ja, ich) verstehe!	(Oui,) je comprends!
Genau!	Exactement!
Ja, das kann ich nachvollziehen.	Oui, je comprends cela.
• Nicht-Verstehen signalisieren	• signaler l'incompréhension
Was meinen Sie damit?	Que voulez-vous dire par là?
Wie bitte? – Das habe ich eben akustisch nicht verstanden.	Pardon? – Je n'ai pas entendu ce que vous disiez à l'instant.
Könnten Sie das bitte noch einmal wiederholen?	Pourriez-vous répéter, s'il vous plaît?
Versteh ich nicht!/Kapier ich nicht! *(fam)*	Je comprends pas!/Je pige pas! *(fam)*
Das verstehe ich nicht (ganz).	Je ne comprends pas (très bien).
(Entschuldigen Sie bitte, aber) das hab ich eben nicht verstanden.	(Excusez-moi, mais) je n'ai pas compris.
Ich kann Ihnen nicht ganz folgen.	Je ne vous suis pas vraiment.
• kontrollieren, ob man akustisch verstanden wird	• s'assurer qu'on a bien été entendu
(an ein Publikum) Verstehen Sie mich alle?	*(à un public)* Vous m'entendez tous?
(am Telefon) Können Sie mich hören?	*(au téléphone)* Vous m'entendez?
(am Telefon) Verstehen Sie, was ich sage?	*(au téléphone)* Vous comprenez ce que je dis?

poussière; **verstaubt sein** être empoussié-
ré
verst<u>au</u>bt *adj Ansichten* poussiéreux(-euse)
verst<u>au</u>chen* *vt* **sich** *(dat)* **etw** ~ se fouler
qc
Verst<u>au</u>chung <-, -en> *f* foulure *f*
verst<u>au</u>en* *vt* mettre; **etw im Auto** ~ mettre qc dans la voiture
Verst<u>e</u>ck <-[e]s, -e> *nt* cachette *f*
verst<u>e</u>cken* **I.** *vt* cacher; **etw vor jdm** ~
cacher qc à qn **II.** *vr* **sich auf dem Speicher** ~ se cacher au grenier; **sich vor jdm**
~ se cacher pour échapper à qn
Verst<u>e</u>cken ▶**mit jdm** ~ **<u>spielen</u>** jouer à
cache-cache avec qn
verst<u>e</u>ckt *adj* **1.** *(verborgen)* caché(e)
2. *(abgelegen)* très à l'écart **3.** *(unausgesprochen)* voilé(e)
verst<u>e</u>hen <verstand verstanden> **I.** *vt*
1. *(akustisch wahrnehmen)* comprendre;
kaum zu ~ **sein** être presque inintelligible
2. *(begreifen)* comprendre; **jdn richtig/
falsch** ~ comprendre qn bien/mal; **nicht
~ können, warum/wie** ... ne pas arriver
à comprendre pourquoi/comment ...; **ist
das verstanden?** c'est compris? **3.** *(mitempfinden, nachvollziehen)* comprendre

4. *(beherrschen, wissen)* comprendre
Fremdsprache; **etwas/viel von etw** ~ s'y
connaître pas mal/bien en qc **5.** *(interpretieren)* **ich weiß nicht, wie ich das** ~
soll je ne sais pas comment interpréter
cela; **wie soll ich das** ~? comment dois-je
comprendre cela? **II.** *vr* **1.** *(auskommen)*
sich mit jdm gut ~ s'entendre bien avec
qn **2.** *(beherrschen)* **sich auf etw** *(akk)* ~
être doué pour qc **3.** *(sich einschätzen)*
sich als Künstler ~ se considérer comme
artiste ▶**sich von <u>selbst</u>** ~ aller de soi;
versteht sich! *fam* naturellement! **III.** *vi*
comprendre; **hast du verstanden?** c'est
compris?
verst<u>ei</u>fen* **I.** *vr* **1.** *(beharren)* **sich auf
etw** ~ *(akk)* s'obstiner dans qc **2.** *(steif
werden)* **sich** ~ *Penis:* se raidir **II.** *vt* renforcer *Mauer, Konstruktion*
verst<u>ei</u>gern* *vt* vendre aux enchères; **etw**
~ vendre qc aux enchères
Verst<u>ei</u>gerung *f* vente aux enchères *f*
verst<u>ei</u>nern *vi* + *sein* **1.** GEOL se fossiliser
2. *fig* **er saß mit versteinertem Gesicht
da** il était là, le visage pétrifié
Verst<u>ei</u>nerung <-, -en> *f* fossile *m*
verst<u>e</u>llbar *adj* réglable; **in der Höhe** ~

sein être réglable en hauteur
verstellen* I. *vt* 1. régler *Höhe, Neigung* 2. (*woandershin stellen*) déplacer 3. (*unzugänglich machen*) jdm den Weg ~ *Person:* barrer le chemin à qn; *Fahrrad:* encombrer le chemin à qn 4. (*verändern*) contrefaire *Stimme;* modifier *Akzent* II. *vr* sich ~ simuler
Verstellung *f kein Pl* (*Heuchelei*) simulation *f*
versteuern* *vt* payer des impôts sur *Einkommen*
verstimmen* *vt* fâcher; jdn ~ *Person:* fâcher qn
verstimmt *adj* 1. *Instrument* désaccordé(e) 2. (*verärgert*) fâché(e)
Verstimmung *f* mauvaise humeur *f*
verstockt *adj* buté(e)
verstohlen I. *adj* furtif(-ive) II. *adv* winken en cachette
verstopft *adj* 1. *Rohr* bouché(e); *Straße* encombré(e) 2. MED *Nase* bouché(e); **er ist ~** *fam* il est constipé
Verstopfung <-, -en> *f* MED constipation *f*
verstorben [fɛɐ'ʃtɔrbən] *adj* geh défunt(e); ~ **sein** être décédé (*form*)
Verstorbene(r) *f(m)* dekl wie adj défunt(e) *m(f)*
verstört *adj, adv* bouleversé(e)
Verstoß *m* infraction *f;* **ein ~ gegen die Verkehrsordnung** une infraction au code de la route
verstoßen* *irr* I. *vi* transgresser; **gegen ein Gesetz** ~ transgresser une loi; **gegen die Disziplin** ~ manquer à la discipline II. *vt* jdn ~ rejeter qn
verstrahlen *vt* irradier
verstreichen* *irr* I. *vt* + *haben* étaler; **Creme auf etw** (*dat*) ~ étaler de la crème sur qc II. *vi* + *sein Ultimatum:* expirer; *Zeit:* s'écouler; **etw ~ lassen** laisser passer qc
verstreuen* *vt* 1. (*ausstreuen*) répandre; **Streusalz auf der Straße** ~ répandre du sel sur la route 2. (*achtlos hinwerfen*) etw **auf dem Boden** ~ éparpiller qc par terre
verstreut [fɛɐ'ʃtrɔɪt] *adj Gehöfte, Ortschaften* disséminé(e)
verstricken* I. *vt* 1. (*verwickeln*) jdn in etw (*akk*) ~ entraîner qn dans qc 2. (*verbrauchen*) **hundert Gramm Wolle** ~ tricoter cent grammes de laine II. *vr* sich in etw (*akk*) ~ s'empêtrer dans qc
verströmen* *vt* geh exhaler *Duft, Aroma*
verstümmeln* [fɛɐ'ʃtʏmǝln] *vt* 1. (*verletzen*) jdn/sich ~ mutiler qn/se mutiler 2. (*verfälschen, kürzen*) écorcher *Namen;* tronquer *Text*
verstummen* *vi* + *sein* 1. *Person:* se taire 2. (*sich legen*) *Gerede:* cesser

Versuch [fɛɐ'zuːx] <-[e]s, -e> *m* 1. (*Bemühung*) tentative *f;* **mit jdm/etw einen ~ machen** faire un essai avec qn/qc 2. (*Experiment*) expérience *f* 3. SPORT essai *m* ► **es auf einen ~ ankommen lassen** tenter le coup; **das käme auf einen ~ an** ça vaudrait [peut-être] la peine d'essayer
versuchen* I. *vt* 1. (*einen Versuch unternehmen*) tenter; **er versucht den Rechner zu bedienen** il essaie de faire fonctionner l'ordinateur; ~ **Sie keine Tricks!** n'essayez pas d'user de subterfuges! 2. (*ausprobieren*) essayer; **es mit einem Werkzeug** ~ essayer avec un outil 3. (*kosten*) goûter *Kuchen* II. *vr* sich in der Malerei ~ s'essayer à faire de la peinture
Versuchskaninchen *nt fam* cobaye *m* **Versuchsreihe** *f* série *f* d'expériences **Versuchstier** *nt* animal *m* de laboratoire **Versuchszweck** *m* **zu ~en** à des fins expérimentales
Versuchung <-, -en> *f* tentation *f*
versunken [fɛɐ'zʊŋkən] I. *PP von* **versinken** II. *adj* 1. *Kultur* disparu(e) 2. (*vertieft*) **in etw** (*akk*) ~ **sein** être plongé dans qc
versüßen* *vt fig* rendre moins amer(-ère); **jdm den Abschied mit einem Geschenk** ~ rendre les adieux moins amers à qn avec un cadeau
vertagen* I. *vt* ajourner; **etw auf einen späteren Zeitpunkt** ~ ajourner qc à plus tard II. *vr* sich ~ *Komitee:* ajourner sa réunion; *Gericht:* ajourner sa session
vertauschen* *vt* 1. (*verwechseln*) etw ~ prendre qc pour le sien/la sienne; **wer hat unsere Regenschirme vertauscht?** qui a pris mon parapluie à la place du sien? 2. (*austauschen*) **den Stuhl mit dem Sessel** ~ échanger la chaise contre le fauteuil
verteidigen* [fɛɐ'taɪdɪgən] I. *vt* 1. *a.* JUR défendre *Person, Land* 2. (*beibehalten*) maintenir *Vorsprung* II. *vr* sich ~ se défendre; **sich gegen jdn/etw** ~ se défendre contre qn/qc III. *vi Spieler, Mannschaft:* jouer défenseur
Verteidiger(in) <-s, -> *m(f)* 1. JUR avocat(e) *m(f)* de la défense 2. SPORT défenseur *m*
Verteidigung <-, -en> *f* défense *f*
Verteidigungsminister(in) *m(f)* ministre *mf* de la Défense; (*in Frankreich*) ministre de la Défense nationale **Verteidigungsministerium** *nt* ministère *m* de la Défense; (*in Frankreich*) ministère de la Défense nationale **Verteidigungspolitik** *f* politique *f* de défense
verteilen* I. *vt* 1. (*austeilen*) distribuer *Prospekte* 2. (*platzieren*) **etw im Haus** ~ disposer qc dans la maison 3. (*auftragen*) étaler *Butter* 4. (*verstreuen*) répandre *Erde;*

épandre *Dünger* **II.** *vr* **1.** **sich** ~ *Personen:* se répartir **2.** (*umgelegt werden*) **sich auf die Teilnehmer** ~ *Kosten:* se répartir entre les participants

Verteiler *m* **1.** AUT distributeur *m* **2.** (~*schlüssel*) liste *f* des destinataires **Verteilung** *f* **1.** (*Austeilung*) distribution *f* **2.** (*das Ausstreuen*) *von Dünger* épandage *m*

Verteilungskampf *m* lutte *m* pour une répartition; ~ **um etw** (*akk*) lutte pour la répartition de qc; ~ **auf dem Arbeitsmarkt** lutte pour la répartition du travail [sur le marché de l'emploi]; **einen** ~ **um etw** (*akk*) **führen** lutter pour la répartition de qc

verteuern* I. *vt* augmenter [le prix de] *Produkte;* majorer *Kredite* **II.** *vr* **sich** ~ augmenter; **das Benzin hat sich auf das Doppelte verteuert** le prix de l'essence a été multiplié par deux

verteufeln* *vt* damner **verteufelt I.** *adj fam* foutu(e) *antéposé* **II.** *adv fam* diablement

vertiefen* I. *vt* **1.** approfondir *Graben;* **etw um einen Meter** ~ approfondir qc d'un mètre **2.** (*ausbauen*) creuser [encore plus] *Spalt;* approfondir *Wissen* **II.** *vr* **sich in etw** (*akk*) ~ se plonger dans qc

Vertiefung <-, -en> *f* **1.** (*tiefe Stelle*) creux *m* **2.** (*Ausbau*) aggravation *f; von Kenntnissen* approfondissement *m*

vertikal [vɛrti'ka:l] **I.** *adj* vertical(e) **II.** *adv* à la verticale

vertilgen* *vt* **1.** (*ausrotten*) détruire *Unkraut;* exterminer *Ungeziefer* **2.** *fam* (*aufessen*) liquider

vertonen* *vt* mettre en musique; **etw** ~ mettre qc en musique

vertrackt *adj fam* embrouillé(e), coton

Vertrag [fɛɐ̯'traːk, *Pl:* fɛɐ̯'trɛːɡə] <-[e]s, ̵e> *m* **1.** JUR contrat *m;* **jdn unter** ~ **nehmen/haben** prendre/employer qn sous contrat **2.** POL traité *m*

vertragen* *irr* **I.** *vt* **1.** (*verkraften*) **Hitze nicht gut** ~ ne supporter guère la chaleur; **kein direktes Sonnenlicht** ~ *Pflanze, Stoff:* ne pas résister aux rayons du soleil **2.** (*bekömmlich finden*) **keinen Kaffee** ~ ne pas supporter le café **3.** *fam* (*nötig haben*) **ich könnte ein Bier** ~ une bière ne me ferait pas de mal **II.** *vr* (*auskommen*) **sich mit jdm** ~ s'entendre avec qn; **vertragt euch wieder!** réconciliez vous!

verträglich [fɛɐ̯'trɛːklɪç] *adj* **1.** (*umgänglich*) accommodant(e) **2.** *Essen:* digeste; *Medikament* bien toléré(e); **gut/schlecht** ~ **sein** *Essen:* se digérer bien/mal; *Medikament:* être bien/mal toléré; **für die Um-**

welt ~ compatible avec l'environnement **vertraglich I.** *adj* contractuel(le) **II.** *adv* par contrat

Vertragsabschluss^RR *m* signature *f* du contrat **Vertragsbruch** *m* rupture *f* de contrat **vertragsbrüchig** *adj* qui rompt un contrat; ~ **werden/sein** rompre le contrat/être en rupture de contrat **Vertragshändler(in)** *m(f)* concessionnaire *mf* **Vertragswerkstatt** *f* garage *m* agréé **vertragswidrig I.** *adj* non conforme aux termes du contrat **II.** *adv* contrairement au contrat; **sich** ~ **verhalten** violer les termes du contrat

vertrauen* *vi* **1.** (*glauben*) **jdm** ~ faire confiance à qn **2.** (*sich verlassen auf*) **auf etw** (*akk*) ~ se fier à qc; **darauf** ~, **dass ...** compter sur le fait que ...

Vertrauen <-s> *nt* **1.** confiance *f; zu jdm* ~ **haben** avoir confiance en qn; **jdm** ~ **schenken** *geh* accorder sa confiance à qn; ~ **erweckend sein** inspirer confiance; **sie genießt** *geh* **unser** ~ elle jouit de notre confiance; **sein** ~ **in jdn setzen** placer sa confiance dans qn; **jdn ins** ~ **ziehen** mettre qn dans la confidence **2.** POL **jdm das** ~ **aussprechen/entziehen** accorder/retirer sa confiance à qn ▶**im** ~ [**gesagt**] tout à fait confidentiellement

Vertrauensarzt *m*, **-ärztin** *f* médecin-conseil *mf* **Vertrauensbruch** *m* abus *m* de confiance **Vertrauensfrage** *f* POL question *f* de confiance ▶**die** ~ **stellen** poser la question de confiance **Vertrauensmann** <-leute> *m* **1.** *einer Krankenkasse* délégué[-conseil] *m* **2.** (*persönlicher Vertrauter*) homme *m* de confiance **Vertrauenssache** *f* (*Vertrauensfrage*) question *f* de confiance **vertrauensselig** *adj* crédule **vertrauensvoll I.** *adj* basé(e) sur la confiance **II.** *adv* en toute confiance **vertrauenswürdig** *adj* digne de confiance

vertraulich *adj* **1.** (*Diskretion erfordernd*) confidentiel(le); **streng** ~ strictement confidentiel(le) **2.** (*kameradschaftlich*) familier(-ière) **Vertraulichkeit** <-, -en> *f* **1.** *kein Pl* (*Diskretion*) *einer Angelegenheit* caractère *m* confidentiel **2.** *Pl* (*Zudringlichkeit*) familiarités *fpl*

verträumt *adj* **1.** (*idyllisch*) idyllique **2.** (*realitätsfern*) rêveur(-euse) **vertraut** *adj* **1.** *Bild* familier(-ière); *Umgang* intime **2.** (*bekannt, bewandert*) **mit etw** ~ **sein** connaître bien qc; **sich mit etw** ~ **machen** se familiariser avec qc **vertreiben*** *vt irr* **1.** expulser *Minderheit;* chasser *Tier* **2.** (*schwinden lassen*) chasser *Müdigkeit*

Vertreibung <-, -en> *f* expulsion *f*
vertretbar *adj* **1.** *Argument* défendable; *Haltung* justifiable; ~ **sein** se défendre **2.** (*akzeptabel*) acceptable
vertreten* *vt irr* **1.** remplacer *Kollegen* **2.** JUR défendre [les intérêts de] *Angeklagten* **3.** (*repräsentieren*) représenter **4.** (*verfechten*) soutenir **5.** *fam* (*bewegen*) **sich** (*dat*) **die Beine** ~ se dégourdir les jambes **Vertreter(in)** <-s, -> *m(f)* **1.** (*Stellvertreter*) remplaçant(e) *m(f)* **2.** (*Volksvertreter, Handelsvertreter*) représentant(e) *m(f)* **Vertretung** <-, -en> *f* **1.** *kein Pl* (*das Vertreten*) remplacement *m;* **die** ~ **von jdm übernehmen** prendre la suppléance de qn; **in** ~ **meiner Kollegin** en qualité de représentant de ma collègue **2.** (*Stellvertreter*) remplaçant(e) *m(f);* **während meines Urlaubs ist er/sie meine** ~ il/elle assure mon intérim pendant mon congé **3.** (*Mission*) **diplomatische** ~ représentation *f* diplomatique
vertretungsweise *adv* par délégation
Vertrieb <-[e]s> *m* COM **1.** (*das Vertreiben*) distribution *f* **2.** (~*sabteilung*) service commercial *m*
Vertriebene(r) *f(m) dekl wie adj* expatrié(e) *m(f)*
Vertriebsgesellschaft *f* société *f* de distribution **Vertriebsleitung** *f* direction *f* des ventes
vertrocknen* *vi + sein Pflanze, Ast, Holz:* sécher; *Brot:* rassir; **vertrocknet** sec(sèche)
vertrödeln* *vt fam* **viel Zeit** ~ passer beaucoup de temps à glander
vertrösten* *vt* faire patienter; **jdn auf den nächsten Tag** ~ faire patienter qn jusqu'au jour suivant
vertun *irr* **I.** *vr fam* **sich** ~ se gourer; **sich um zehn Euro/einen Tag** ~ se planter de dix euros/d'un jour **II.** *vt* (*ungenutzt lassen*) laisser passer; **eine vertane Gelegenheit** une occasion ratée
vertuschen* *vt* dissimuler
verübeln* *vt* en vouloir; **jdm eine Bemerkung** ~ en vouloir à qn d'une remarque; **man verübelt ihr, dass sie dagegen gestimmt hat** on lui en veut d'avoir voté contre
verüben* *vt* commettre; **Selbstmord** ~ se suicider
verunfallen* *vi + sein* CH avoir un accident
verunglimpfen* *vt geh* vilipender
verunglücken* *vi + sein* **1.** avoir un accident; **mit dem Auto** ~ avoir un accident de voiture; **verunglückt** accidenté(e) **2.** *fam* (*misslingen*) louper
verunreinigen* *vt* **1.** *geh* (*beschmutzen*)

souiller **2.** ÖKOL polluer *Luft*
verunsichern* *vt* inquiéter; **jdn** ~ *Person:* inquiéter qn; *Situation:* ébranler qn
verunstalten* [fɛɐ̯'ʔʊnʃtaltən] *vt* défigurer
veruntreuen* *vt* détourner
Veruntreuung <-, -en> *f* détournement *m*
verursachen* *vt* provoquer
Verursacher(in) <-s, -> *m(f)* responsable *mf*
Verursacherprinzip <-> *nt* ÖKOL principe *m* pollueur-payeur
verurteilen* *vt* **1.** JUR condamner; **jdn zu einer Geldstrafe** ~ condamner qn à une amende **2.** (*verdammen*) condamner **3.** (*bestimmen*) **zum Scheitern verurteilt sein** être voué à l'échec
Verurteilung <-, -en> *f* condamnation *f*
vervielfachen* *vt, vr* [sich] ~ [se] multiplier
vervielfältigen* *vt* faire des copies de
Vervielfältigung <-, -en> *f kein Pl* (*das Vervielfältigen*) reproduction *f*
vervierfachen* **I.** *vt* quadrupler **II.** *vr* **sich** ~ quadrupler
vervollkommnen* [fɛɐ̯'fɔlkɔmnən] **I.** *vt* perfectionner *Methode;* parfaire *Werk* **II.** *vr* **sich in Französisch** (*dat*) ~ se perfectionner en français
vervollständigen* *vt* compléter
verwachsen* [-'vaksn̩] *irr* **I.** *vi + sein* **1.** *Narbe, Wunde:* se résorber **2.** (*zusammenwachsen*) **miteinander** ~ *Organe:* se souder ensemble **II.** *vr* + *haben fam* **sich** ~ *Fehlstellung:* se corriger
verwählen* *vr* **sich** ~ faire un faux numéro
verwahren* **I.** *vt* garder *Papiere;* **etw für jdn** ~ garder qc à qn; **etw in der Brieftasche** ~ garder qc dans son portefeuille **II.** *vr geh* **sich gegen etw** ~ s'indigner contre qc
verwahrlosen* *vi + sein Erwachsener:* tomber bien bas; *Kind:* se transformer en sauvageon/sauvageonne; *Kleidung:* s'abîmer; *Gebäude:* se délabrer
Verwahrlosung <-> *f einer Person* déchéance *f; eines Gebäudes* délabrement *m*
Verwahrung <-> *f* **1.** (*das Verwahren*) garde *f;* **etw in** ~ **nehmen** prendre qc en dépôt **2.** (*Beaufsichtigung*) *eines Patienten* placement *m*
verwalten* *vt* **1.** ADMIN administrer **2.** AGR, FIN, INFORM gérer
Verwalter(in) <-s, -> *m(f)* FIN administrateur(-trice) *m(f)*
Verwaltungsangestellte(r) *f(m) dekl wie adj* employé(e) *m(f)* de l'administration
Verwaltungsbezirk *m* circonscription *f* administrative
verwandeln* **I.** *vt* **1.** (*verzaubern*) trans-

former; **jdn in ein Tier** ~ transformer qn en un animal **2.** (*anders erscheinen lassen*) **das Arbeitszimmer in einen Partyraum** ~ transformer le bureau en salle des fêtes **3.** SPORT transformer *Eckball, Strafstoß* ▶**wie verwandelt sein** être comme métamorphosé **II.** *vr* **sich in etw** ~ se transformer en qc
Verwandlung *f* (*Verzauberung*) métamorphose *f*
verwandt¹ [fɛɐ̯'vant] *adj* **1.** **mit jdm** ~ **sein** être parent avec qn; **sie sind miteinander** ~ ils/elles sont parents/parentes [entre eux/elles] **2.** (*artverwandt*) **miteinander** ~ **sein** *Tiere, Pflanzen:* être de la même famille **3.** *fig Völker, Sprachen* apparenté(e) **4.** *Formen* analogue
verwandt² *PP von* **verwenden**
verwandte *Imp von* **verwenden**
Verwandte(r) *f(m)* *dekl wie adj* parent(e) *m(f)*
Verwandtschaft <-, -en> *f* **1.** (*die Verwandten*) parents *mpl;* **die nähere** ~ les proches parents; **meine** ~ ma famille **2.** (*gemeinsamer Ursprung*) parenté *f*
verwandtschaftlich *adj* de parenté
verwarnen* *vt* **1.** (*tadeln*) avertir **2.** (*gebührenpflichtig*) **jdn** ~ mettre une contravention à qn
Verwarnung *f* **1.** kein *Pl* (*das Verwarnen*) avertissement *m* **2.** (*Strafmandat*) **gebührenpflichtige** ~ contravention *f* payable sur place
verwaschen *adj Farbe* délavé(e)
verwässern* *vt* **1.** couper *Wein* **2.** (*abschwächen*) édulcorer *Gesetz*
verwechseln* [fɛɐ̯'vɛksln] *vt* confondre; **jdm zum Verwechseln ähnlich sehen** ressembler à qn à s'y méprendre
Verwechslung [-'vɛks-] <-, -en> *f* confusion *f*
verwegen [fɛɐ̯'ve:gən] *adj* audacieux(-euse)
verwehen* *vt* éparpiller *Papiere;* effacer *Fußspuren*
verwehren* *vt geh* **jdm etw** ~ proscrire qc à qn
Verwehung <-, -en> *f* (*Schneeverwehung*) congère *f*
verweichlichen* **I.** *vi + sein* s'amollir; **verweichlicht** amolli(e) **II.** *vt + haben* **jdn** ~ amollir qn
verweigern* *vt* refuser; **jdm etw** ~ refuser qc à qn; **den Befehl** ~ refuser d'obtempérer
Verweigerung *f* refus *m*
verweilen* *vi geh* **1.** (*sich aufhalten*) séjourner; **bei Freunden** ~ séjourner chez des amis **2.** (*sich beschäftigen*) **bei etw** ~

s'attarder sur qc
verweint *adj Augen* gonflé(e) par les larmes
Verweis [fɛɐ̯'vaɪs] <-es, -e> *m* (*Tadel*) blâme *m;* **jdm einen** ~ **erteilen** infliger un blâme à qn
verweisen* *irr* **I.** *vt* **1.** (*weiterleiten*) **jdn an eine andere Abteilung** ~ renvoyer qn à un autre service **2.** (*hinweisen*) **jdn auf etw** (*akk*) ~ renvoyer qn à qc **3.** SPORT **jdn vom Platz** ~ expulser qn du terrain **II.** *vi* **auf etw** (*akk*) ~ renvoyer à qc
verwelken* *vi + sein Blume:* se faner
verwendbar *adj Nahrungsmittel* consommable; **wieder** ~ réutilisable, recyclable
verwenden <verwendete *o* verwandte, verwendet *o* verwandt> **I.** *vt* utiliser; **etw als Putzlappen** ~ utiliser qc comme chiffon; **wieder** ~ réutiliser; **etw im Unterricht** ~ utiliser qc en classe **II.** *vr* **sich bei jdm für jdn** ~ intervenir auprès de qn pour qn
Verwendung <-, -en> *f* utilisation *f,* emploi *m*
verwerfen* *irr vt* **1.** (*ablehnen*) rejeter *Vorschlag* **2.** JUR rejeter
verwerflich *adj geh* blâmable
verwertbar *adj Faserstoffe* assimilable; *Abfälle* récupérable; *Beweis* exploitable
verwerten* *vt* assimiler *Faserstoffe;* utiliser *Abfälle;* exploiter *Zeugenaussage, Idee;* **wieder** ~ (*recyceln*) recycler
Verwertung <-, -en> *f von Vitaminen* assimilation *f; eines Beweises* exploitation *f*
verwesen* [fɛɐ̯'ve:zən] *vi + sein* se décomposer
Verwesung <-> *f* décomposition *f*
verwetten* *vt* perdre en pariant
verwickeln* **I.** *vt* mêler; **jdn in ein Gespräch** ~ mêler qn à une conversation; **jdn in einen Skandal** ~ impliquer qn dans un scandale **II.** *vr* **sich in Widersprüche** ~ s'emmêler dans des contradictions
verwickelt *adj Angelegenheit* embrouillé(e)
Verwick[e]lung <-, -en> *f* **1.** (*Verstrickung*) implication *f* **2.** *Pl* (*Komplikationen*) complications *fpl*
verwildern* *vi + sein* **1.** *Park:* tomber en friche; **verwildert** *Park* en friche **2.** (*zum Wildtier werden*) redevenir sauvage **3.** (*undiszipliniert werden*) *Person:* se laisser aller; *Kind:* devenir un vrai sauvageon/ une vraie sauvageonne; *Umgangsformen:* se dégrader
verwinden* *vt irr geh* **etw** ~ triompher de qc
verwinkelt *adj Gebäude* tout(e) en coins et recoins; *Gasse* tortueux(-euse)
verwirklichen* **I.** *vt* réaliser *Traum;* concré-

tiser *Gedanken* II. *vr* sich ~ se réaliser
Verwirklichung <-, -en> *f eines Traums* réalisation *f; einer Idee* concrétisation *f*
verwirren* *vt* déconcerter; **jdn mit etw ~** déconcerter qn avec qc
Verwirrung <-, -en> *f* désarroi *m*
verwischen* I. *vt* 1.(*verschmieren*) étaler 2.(*beseitigen*) effacer *Spur* II. *vr* sich ~ *Umrisse:* s'estomper
Verwitterung *f* érosion *m*
verwitwet *adj* veuf(veuve)
verwöhnen* [fɛɐ̯'vøːnən] I. *vt* gâter; **von jdm verwöhnt werden** être choyé par qn II. *vr* sich ~ s'accorder une petite gâterie
verwöhnt [fɛɐ̯'vøːnt] *adj* exigeant(e); *Kind* gâté(e)
verworren [fɛɐ̯'vɔrən] *adj* embrouillé(e)
verwundbar *adj* vulnérable
verwunden* *vt* blesser; **jdn am Kopf/am Knie** ~ blesser qn à la tête/au genou; leicht verwundet légèrement blessé(e); schwer verwundet grièvement blessé(e)
verwunderlich *adj* surprenant(e); **es ist** ~, **dass** il est surprenant que + *subj;* das ist nicht ~ ça n'a rien de surprenant
verwundern* I. *vt* étonner; es verwundert mich, dass je suis étonné(e) que + *subj* II. *vr* sich über etw (*akk*) ~ s'étonner de qc
verwundert *adv* étonné(e)
Verwunderung <-> *f* étonnement *m;* voller ~ avec stupéfaction
Verwundete(r) *f(m) dekl wie adj* blessé(e) *m(f)*
verwünschen* *vt* 1.(*verfluchen*) maudire 2.(*verzaubern*) jdn/etw ~ jeter un sort à qn/ensorceler qc
verwurzelt *adj* 1.fest ~ sein *Pflanze:* être bien enraciné 2.(*eingebunden*) fest in der Tradition ~ sein être solidement enraciné dans la tradition
verwüsten* *vt* 1.ein Land ~ *Armee:* ravager un pays; *Sturm:* dévaster un pays 2.(*demolieren*) eine Wohnung ~ mettre un logement à sac
Verwüstung <-, -en> *f meist Pl* ravages *mpl*
verzählen* *vr* sich ~ se tromper en comptant
verzapfen* *vt fam* Blödsinn ~ débiter des bêtises
verzärteln* *vt pej* dorloter
verzaubern* *vt* 1.(*verhexen*) ensorceler; jdn in einen Riesen ~ changer qn en un géant 2.(*bezaubern*) jdn ~ *Person:* ensorceler qn; *Anblick, Klänge:* envoûter qn
verzehnfachen* I. *vt* décupler *Gewinn;* die Kosten ~ multiplier les coûts par dix II. *vr* sich ~ décupler

Verzehr [fɛɐ̯'tseːɐ̯] <-[e]s> *m form* consommation *f*
verzehren* I. *vt geh* consommer II. *vr geh* (*sich zermürben*) sich vor Sorge (*dat*) ~ être dévoré d'inquiétude
verzeichnen* *vt* répertorier; in einer Liste verzeichnet sein être mentionné sur une liste
Verzeichnis <-ses, -se> *nt* INFORM répertoire *m*
verzeigen* *vt* CH porter plainte contre
verzeihen [fɛɐ̯'tsaɪən] <verzieh, verziehen> I. *vt* pardonner; jdm etw ~ pardonner qc à qn II. *vi* jdm ~ pardonner à qn; ~ Sie! excusez-moi!
verzeihlich *adj* pardonnable
Verzeihung <-> *f* 1.(*Vergebung*) pardon *m* 2.(*Entschuldigung*) ~! pardon!; ~, wie viel Uhr ist es? excuse-moi/excusez-moi, quelle heure est-il?
verzerren* I. *vt* 1.tordre *Mund;* das Gesicht vor Wut ~ grimacer de colère 2.(*entstellen*) jds Gesicht ~ déformer le visage de qn 3.déformer *Tatsachen;* fausser *Wettbewerb;* etw verzerrt wiedergeben donner une version déformée de qc II. *vr* sich zu einer Grimasse ~ se déformer en grimace
verzetteln* *vr* sich ~ s'égarer; sich bei etw ~ s'égarer en faisant qc
Verzicht <-[e]s, -e> *m* renoncement *m;* auf etw (*akk*) renoncement à qc
verzichten* *vi* renoncer; auf etw (*akk*) ~ renoncer à qc; auf jdn/etw ~ können pouvoir se passer de qn/qc
verzieh [fɛɐ̯'tsiː] *Imp von* verzeihen
verziehen* ¹ [fɛɐ̯'tsiːən] *irr* I. *vt* + *haben* 1.tordre *Mund;* den Mund zu einem Lächeln ~ sourire en coin; das Gesicht ~ faire une grimace 2.(*verwöhnen*) élever mal *Kind* II. *vi* + *sein* sie sind ins Ausland verzogen ils sont partis à l'étranger III. *vr* + *haben* sich ~ 1.*Holz:* travailler; *T-Shirt:* se déformer 2.(*weiterziehen*) *Gewitter:* disparaître 3.*fam* (*verschwinden*) se casser
verziehen² *PP von* verzeihen
verzieren* *vt* décorer
verzinsen* I. *vt* payer des intérêts sur *Kapital;* niedrig/hoch verzinst werden rapporter peu/beaucoup d'intérêts II. *vr* sich gut/schlecht ~ rapporter des intérêts élevés/bas
Verzinsung <-, -en> *f* intérêts *mpl*
verzögern* I. *vt* retarder; etw um eine Stunde ~ retarder qc d'une heure II. *vr* sich um eine Stunde ~ être retardé d'une heure
Verzögerung <-, -en> *f* retard *m*

verzollen* *vt* dédouaner; **haben Sie etwas zu ~?** avez-vous quelque chose à déclarer?

Verzückung <-, -en> *f geh* extase *f*

Verzug <-[e]s> *m* retard *m;* **mit der Rückzahlung in ~ kommen** prendre du retard dans le remboursement; **etw ohne ~ tun** faire qc sans délai; **bei ~** en cas de retard

verzweifeln* *vi + sein* désespérer; **an einer Aufgabe ~** désespérer d'une tâche; **es ist zum Verzweifeln mit ihm** c'est à désespérer de lui

verzweifelt *adj* désespéré(e)

Verzweiflung <-> *f* désespoir *m;* **jdn zur ~ bringen** mettre qn au désespoir

verzweigen* *vr* **sich ~** se ramifier; **weit verzweigt** *Verwandtschaft* qui a beaucoup de ramifications

verzwickt [fɛ'tsvɪkt] *adj fam* inextricable; **eine ~e Angelegenheit** un sac de nœuds

vespern *vi* DIAL casser la croûte *(fam)*

Veterinär(in) [ve-] <-s, -e> *m(f) form* vétérinaire *mf*

Veto ['veːto] <-s, -s> *nt* veto *m;* **gegen etw sein ~ einlegen** opposer son veto à qc

Vetorecht ['veː-] *nt* droit *m* de veto

Vetter ['fɛtɐ] <-s, -n> *m* cousin *m*

Vetternwirtschaft *f kein Pl fam* népotisme *m*

vgl. *Abk von* **vergleiche** cf.

VHS [fauhaː'ʔɛs] <-> *f Abk von* **Volkshochschule** université *f* populaire

via ['viːa] *adv* 1. *(über)* **~ Köln nach London fliegen** aller en avion à Londres via Cologne 2. *(per)* **~ Fernsehen** par télévision

Viadukt [via-] <-[e]s, -e> *m o nt* viaduc *m*

vibrieren* [viˈbriːrən] *vi* vibrer

Video ['viːdeo] <-s, -s> *nt* 1. *(~film)* [film *m*] vidéo *f;* *(~clip)* clip *m;* *(~kassette)* cassette *f* vidéo; **etw auf ~ aufnehmen** enregistrer qc sur [cassette] vidéo 2. *kein Pl (Medium)* vidéo *f*

Videobrowser ['viːdeoˈbraʊzɐ] *m* instrument *m* de navigation sur vidéo **Videofilm** *m* film *m* vidéo **Videokamera** *f* caméscope *m* **Videorecorder** ['viːdeorekɔrdɐ] <-s, -> *m* magnétoscope *m* **Videospiel** *nt* jeu *m* vidéo **Videotext** *m kein Pl* Télétex® *m* **Videothek** [videoˈteːk] <-, -en> *f* vidéoclub *m* **Videoüberwachung** *f* télésurveillance *f*

Vieh [fiː] <-[e]s> *nt* 1. *(Rinder)* bétail *m* 2. *fam (Tier)* bestiau *m* 3. *pej fam (roher Mensch)* brute *f*

viehisch *adj* 1. *(sehr stark)* atroce 2. *Benehmen* bestial(e)

Viehzucht *f* élevage *m*

viel [fiːl] **I.** <mehr, meiste> *pron indef* 1. **~ Salz/Arbeit/Geld** beaucoup de sel/de travail/d'argent; **~ Schönes/Neues** beaucoup de belles/nouvelles choses; **so ~ Arbeit** tellement de travail; **so ~ Salz wie nötig** autant de sel que nécessaire; **halb/doppelt so ~ Zucker wie …** deux fois moins/plus de sucre que …; **wir tun so ~ wir können** nous faisons tout ce que nous pouvons; **sie weiß so ~** elle sait tellement de choses; **zu ~ trop; zu ~ Arbeit/Geld** trop de travail/d'argent; **mit ~ Mühe** avec bien du mal; **~ Spaß!** amuse-toi/amusez-vous bien!; **~ erleben** vivre beaucoup de choses; **nicht ~/zu ~ einkaufen** ne pas acheter grand-chose/trop acheter; **er hält ~/nicht ~ davon** il en pense beaucoup/peu de bien 2. *substantivisch* **~es** beaucoup de choses; **~es [von dem], was …** beaucoup de ce qui/que …; **~es Unangenehme** beaucoup de choses désagréables; **um ~es besser sein** être beaucoup mieux; **in ~em** à bien des égards ▸**was zu ~ ist, ist zu ~** trop, c'est trop; **ihr Brief war so ~ wie eine Einladung** sa lettre équivalait à une invitation **II.** *adj* 1. **~e Leute** beaucoup de gens; **unglaublich ~e Anrufe** un nombre incroyable de coups de fil 2. *(diese große Menge)* **die ~e Arbeit** tout ce travail **III.** <mehr, am meisten> *adv* 1. *(häufig)* beaucoup 2. *(wesentlich)* beaucoup; **~ zu kurz/lang sein** beaucoup trop court/long; **dieser Computer ist ~ billiger** cet ordinateur est beaucoup moins cher ▸**~ zu** ~ beaucoup trop

vielbeschäftigt *s.* **beschäftigt vieldeutig I.** *adj* ambigu(ë) **II.** *adv* avec ambiguïté

Vieleck *nt* GEOM polygone *m*

vielerlei ['fiːlɐlaɪ] *adj inv* **~ Sorten Käse** toutes sortes de fromages; **sich für ~ interessieren** s'intéresser à toutes sortes de choses

vielfach I. *adj* 1. **die ~e Menge** une quantité bien plus grande 2. *(mehrfach)* multiple **II.** *adv* 1. *(häufig)* très souvent 2. *falten* plusieurs fois; *beschädigen* à plusieurs endroits **Vielfache(s)** *nt dekl wie adj* **das ~** bien plus **Vielfalt** ['fiːlfalt] <-, -en> *f* diversité *f* **vielfältig** *adj* varié(e) **Vielflieger(in)** *m(f)* personne qui prend souvent l'avion *f* **Vielfraß** <-es, -e> *m* 1. *fam (Mensch)* morfal(e) *m(f)* 2. ZOOL glouton *m*

vielleicht [fiˈlaɪçt] *adv* 1. *(eventuell)* peut-être 2. *(ungefähr)* à peu près; **er war ~ fünfzig** il avait à peu près cinquante ans 3. *fam (etwa)* par hasard; **erwarten Sie ~, dass …?** vous n'imaginez pas par hasard que … ? 4. *fam (wirklich)* **das ist ~**

schwierig! que c'est difficile!
vielmals adv geh de nombreuses fois; **sich ~ bedanken** formuler de nombreux remerciements
vielmehr [fiːl'meːɐ̯] **I.** adv **1.** (im Gegenteil) au contraire **2.** (genauer gesagt) plutôt **II.** konj mais
vielsagend s. **sagen I.**
vielseitig I. adj **1.** Person polyvalent(e); Künstler, Talent protéiforme **2.** Interessen varié(e) **3.** Gerät, Maschine à fonctions multiples **II.** adv **1.** ~ **interessiert sein** avoir des intérêts variés **2.** (für unterschiedliche Zwecke) ~ **verwendbar sein** servir à de multiples usages
vielversprechend I. adj Künstler, Anfang prometteur(-euse); Nachricht encourageant(e) **II.** adv **sich ~ anhören** paraître prometteur(-euse) **Vielvölkerstaat** m État m pluriethnique **Vielzahl** f kein Pl **eine ~ bunter Blumen** une multitude de fleurs multicolores
vier [fiːɐ̯] num quatre; s. a. **acht**[1] ►**alle ~e von sich strecken** fam se mettre les doigts de pied en éventail; **auf allen ~en** fam à quatre pattes
Vier <-, -en> f quatre m; (Schulnote) ≈ dix m
Vieraugengespräch [fiːɐ̯'aʊɡəngəʃprɛːç] nt tête-à-tête m **vierbeinig** adj Tisch à quatre pieds; ~ **sein** avoir quatre pieds; Tier quadrupède **Viereck** nt quadrilatère m **viereckig** adj rectangulaire **viereinhalb** num ~ **Kilometer** quatre kilomètres et demi; s. a. **achteinhalb**
Vierer <-s, -> m **1.** fam (Schulnote) ≈ dix m **2.** fam (Lottogewinn) quatre bons numéros mpl
viererlei adj inv ~ **Sorten Käse** quatre sortes de fromages; s. a. **achterlei**
vierfach I. adj das ~e **Gewicht** quatre fois le poids **II.** adv falten par quatre; s. a. **achtfach vierhändig** adj, adv MUS à quatre mains **vierhundert** ['fiːɐ̯'hʊndɐt] num quatre cents **vierjährig** adj Kind, Amtszeit de quatre ans **Vierkantschlüssel** m clé f à quatre pans **vierköpfig** ['fiːɐ̯kœpfɪç] adj Familie de quatre [personnes]
Vierling <-s, -e> m quadruplé(e) m(f)
viermal adv quatre fois; s. a. **achtmal viermotorig** adj quadrimoteur **Vierradantrieb** m quatre roues fpl motrices **vierspurig** adj, adv à quatre voies **vierstimmig** adj, adv à quatre voix
viert adv **zu ~ sein** être quatre; s. a. **acht**[2]
viertausend ['fiːɐ̯'taʊzənt] num quatre mille
vierte(r, s) adj **1.** quatrième **2.** (bei Datumsangaben) **der ~ Mai** le quatre mai; s. a.

achte(r, s)
Vierte(r) f(m) dekl wie adj **1.** quatrième **2.** (bei Datumsangaben) **der ~/am ~n** geschrieben: **der 4./am 4.** le quatre geschrieben: le 4 **3.** (als Namenszusatz) **Heinrich der ~** geschrieben: **Heinrich IV.** Henri quatre geschrieben: Henri IV; s. a. **Achte(r)**
vierteilen vt HIST **geviertelt werden** être écartelé
viertel ['fɪrtl] num **ein/drei ~ Liter** un quart/trois quarts de litre; **um drei ~ sieben/zehn** DIAL à sept/dix heures moins le quart; s. a. **Achtel**
Viertel ['fɪrtl] <-s, -> nt **1.** a. MATH quart m; **ein ~ Wein** un quart de vin **2.** (15 Minuten) **es ist ~ vor elf** il est onze heures moins le quart **3.** (Stadtbezirk) quartier m
Viertelfinale nt SPORT quart m de finale **Vierteljahr** nt trimestre m **vierteljährlich** adj trimestriel(le)
vierteln ['fɪrtln] vt couper en quatre; **etw ~** couper qc en quatre
Viertelnote f noire f **Viertelpause** f soupir m **Viertelpfund** nt quart m de livre **Viertelstunde** f quart m d'heure **viertelstündlich I.** adj attr tous les quarts d'heure; **in ~em Abstand** à un quart d'heure d'intervalle **II.** adv tous les quarts d'heure
viertens adv quatrièmement
Viertürer <-s, -> m fam quatre portes f **Viervierteltakt** [fɪr'e'fɪrtəltakt] m mesure f à quatre temps
Vierwaldstätter See [fɪr'e'valtʃtɛtə 'zeː] m **der ~** le lac des Quatre-Cantons
vierzehn ['fɪreseːn] num quatorze; ~ **Tage** dauern durer quinze jours; s. a. **acht**[1]
vierzehntägig ['fɪreseːntɛːɡɪç] adj de quinze jours
vierzehnte(r, s) adj quatorzième; s. a. **achte(r, s)**
Vierzeiler <-s, -> m quatrain m
vierzig ['fɪrtsɪç] num quarante; s. a. **achtzig**
Vierzig ['fɪrtsɪç] <-, -en> f **1.** (Zahl) quarante m **2.** (Alter) quarantaine f; **auf die ~ zugehen** aller sur ses quarante ans
vierziger ['fɪrtsɪgɐ] adj inv **die ~ Jahre** les années fpl quarante; s. a. **achtziger**
Vierzigerjahre ['fɪrtsɪgɐ-] Pl **die ~** les années fpl quarante
vierzigste(r, s) ['fɪrtsɪçstə] adj quarantième; s. a. **achtzigste(r, s)**
Vierzigstundenwoche [fɪrtsɪç-] f semaine f de quarante heures
Vierzimmerwohnung ['fiːɐ̯'tsɪmɐvoːnʊŋ] f quatre-pièces m
Vietnam [viɛt'nam] <-s> nt le Viêt-nam
Vietnamese [viɛtna'meːzə] <-n, -n> m,

Vietnamesin _f_ Vietnamien(ne) _m(f)_
vietnamesisch [viɛtna'meːzɪʃ] **I.** _adj_ vietnamien(ne) **II.** _adv_ ~ **miteinander sprechen** discuter en vietnamien; _s. a._ **deutsch**
Vietnamesisch [viɛtna'meːzɪʃ] <-[s]> _nt kein art_ vietnamien _m; s. a._ **Deutsch**
Vikar(in) [vi-] <-s, -e> _m(f)_ vicaire _m_
Villa ['vɪla] <-, Villen> _f_ villa _f_
Villenviertel ['vɪlənfɪrtl] _nt_ quartier _m_ résidentiel
violett [vio'lɛt] _adj_ violet(te)
Violine [vio'liːnə] <-, -n> _f_ MUS violon _m_
Violinkonzert [vio-] _nt_ concert _m_ pour violon[s] **Violinschlüssel** _m_ clé _f_ de sol
VIP [viːʔaiˈpiː, vip] <-, -s> _m Abk von_ **very important person** V.I.P. _mf (fam)_
Viper ['viːpɐ] <-, -n> _f_ vipère _f_
Viren ['viːrən] _Pl von_ **Virus**
Virensuchprogramm _nt_ [programme _m_] antivirus _m_
virtuell [vɪrtu'ɛl] _adj_ virtuel(le)
virtuos [vɪrtu'oːs] **I.** _adj geh Musiker_ virtuose; _Leistung, Spiel_ brillant(e) **II.** _adv geh_ avec virtuosité
Virtuose [vɪrtu'oːzə] <-n, -n> _m_, **Virtuosin** _f_ virtuose _mf_
Virus ['viːrʊs] <-, Viren> _nt o m_ BIO, MED, INFORM virus _m_
Virusinfektion _f_ infection _f_ virale
Visa ['viːza] _Pl von_ **Visum**
Visage [vi'zaːʒə] <-, -n> _f pej fam_ tronche _f_
vis-a-vis^{RR}, **vis-à-vis** [viza'viː] **I.** _adv geh_ en face; _jdm_ ~ **sitzen/wohnen** être assis/habiter en face de qn **II.** _präp + dat_ ~ **dem Turm** en face de la tour
Visen ['viːzen] _Pl von_ **Visum**
Visier [vi'ziːɐ] <-s, -e> _nt einer Schusswaffe_ viseur _m; eines Helms_ visière _f_ ▸ _jdn/ etw_ ins ~ **nehmen** avoir qn à l'œil/envisager qc
Vision [vi'zioːn] <-, -en> _f geh_ **1.** (_Erscheinung_) vision _f_ **2.** (_Vorstellung_) anticipation _f_ ▸ ~-**en haben** (_halluzinieren_) avoir des visions; (_Zukunftsentwürfe machen_) savoir anticiper
Visite [vi'ziːtə] <-, -n> _f a._ MED visite _f;_ ~ **machen** _Arzt:_ faire ses visites
Visitenkarte [vi-] _f_ carte _f_ de visite
Viskose [vɪs'koːzə] <-> _f_ viscose _f_
visuell [vi'zuɛl] _adj geh_ visuel(le)
Visum ['viːzʊm] <-s, Visa _o_ Visen> _nt_ visa _m_
vital [vi'taːl] _adj geh_ **1.** _Person_ plein(e) de vitalité **2.** (_das Leben betreffend_) vital(e)
Vitamin [vita'miːn] <-s, -e> _nt_ vitamine _f_
Vitaminmangel _m_ carence _f_ en vitamines
Vitrine [vi'triːnə] <-, -n> _f_ vitrine _f_

Vizepräsident _m_ vice-président _m_
Vlies <-es, -e> _nt_ **1.** (_Wolle eines Schafs_) toison _f_ **2.** (_Fasermaterial_) rembourrage _m_
V-Mann <-leute> ['fau-] _m fam_ indic _m_
Vogel ['foːgəl, _Pl:_ 'føːgəl] <-s, ⸚> _m_ **1.** oiseau _m_ **2.** _fam_ (_Mensch_) **ein schräger/ linker** ~ un drôle d'oiseau ▸ **mit etw den** ~ **abschießen** _fam_ avoir le pompon en faisant qc; **einen** ~ **haben** _fam_ avoir une araignée au plafond; **jdm den** ~ **zeigen** _fam_ traiter qn de cinglé(e)
Vogelbauer _nt_ cage _f_ **vogelfrei** _adj_ HIST hors la loi **Vogelfutter** _nt_ graines _fpl_ pour les oiseaux **Vogelkäfig** _m_ cage _f_
vögeln ['føːgəln] _vi vulg_ baiser (_fam_); **mit jdm** ~ baiser qn (_fam_)
Vogelnest _nt_ nid _m_ d'oiseau **Vogelperspektive** _f_ perspective _f_ à vol d'oiseau; **aus der** ~ à vue d'oiseau; PHOT en plongée
Vogelscheuche ['foːgəlʃɔɪçə] <-, -n> _f a. fig_ épouvantail _m_
Vogelsalat _m_ A mâche _f_
Vogesen [vo'geːzən] <-> _Pl_ **die** ~ les Vosges _fpl_
Vokabel [vo'kaːbəl] <-, -n> _f_ **1.** mot _m_ de vocabulaire; **die lateinischen** ~**n** le vocabulaire latin **2.** _geh_ (_Begriff_) terme[-clé] _m_
Vokabular [vo-] <-s, -e> _nt geh_ (_Wortschatz_) vocabulaire _m_
Vokal [vo'kaːl] <-s, -e> _m_ voyelle _f_
Volk [fɔlk, _Pl:_ 'fœlkɐ] <-[e]s, ⸚er> _nt_ **1.** (_Nation_) peuple _m_ **2.** _kein Pl_ (_die Menschen_) **das** ~ le peuple **3.** _kein Pl pej_ (_die arme Bevölkerung_) faune _f_ ▸ **etw unters** ~ **bringen** divulguer qc; **sich unters** ~ **mischen** _fam_ prendre un bain de foule
Völkerball _m kein Pl_ ballon _m_ prisonnier
Völkermord _m_ génocide _m_ **Völkerrecht** _nt kein Pl_ droit _m_ international public **völkerrechtlich** **I.** _adj_ Anerkennung en vertu du droit des peuples à disposer d'eux-mêmes **II.** _adv_ en droit international **Völkerwanderung** _f_ **1.** HIST **die** ~ les grandes invasions _fpl_ **2.** _fam_ (_Menschenmengen_) ruée _f_
Volksabstimmung _f_ référendum _m_ **Volksbefragung** _f_ plébiscite _m_ **Volksbegehren** _nt_ initiative _f_ populaire **Volksentscheid** _m_ vote _m_ populaire **Volksfest** _nt_ fête _f_ populaire **Volkshochschule** _f_ université _f_ populaire **Volkskrankheit** _f_ maladie _f_ endémique **Volkslied** _nt_ chanson _f_ populaire **Volksmehr** <-s> _nt_ CH majorité _f_ confédérale **Volksmund** _m_ langage _m_ populaire; **im** ~ dans le langage populaire
Volksmusik _f_ musique _f_ folklorique
Volksrepublik _f_ république _f_ populaire
Volksschule _f_ A (_Grundschule_) ≈ école _f_ primaire **Volkstanz** _m_ danse _f_ folklorique

volkstümlich ['fɔlkstyːmlɪç] *adj* **1.** *Brauch* traditionnel(le); *Fest* populaire; *Bezeichnung* usuel(le) **2.** *Autor* populaire
Volksverhetzung <-, -en> *f* incitation *f* à la haine [raciale]; **man hat ihm/ihr den Vorwurf der ~ gemacht** on lui a reproché d'être un fauteur/une fautrice de troubles
Volksvertretung *f* représentation *f* nationale **Volkswirt(in)** *m(f)* économiste *mf* **Volkswirtschaft** *f* (*Nationalökonomie*) économie *f* [nationale] **volkswirtschaftlich** I. *adj* **1.** (*der nationalen Wirtschaft*) économique **2.** (*wissenschaftlich*) d'économie politique **II.** *adv* d'un point de vue économique **Volkszählung** *f* recensement *m*
voll [fɔl] I. *adj* **1.** (*gefüllt*) plein(e); **~ werden** se remplir; **~ sein** être plein; **~ [mit]** **Wasser/Sand sein** être plein d'eau/de sable **2.** (*bedeckt*) **~[er] Schnee/Flecken** **sein** être recouvert de neige/de taches **3.** (*ganz*) entier(-ière); **jede ~e Stunde fahren** *Bus:* partir aux heures pleines **4.** (*vollständig*) **die ~e Summe** la totalité de la somme; **den ~en Preis bezahlen** payer comptant; **in ~er Ausrüstung** équipé(e) de pied en cap; **in ~er Uniform erscheinen** apparaître en uniforme **5.** (*ungeschmälert*) total(e); **das ~e Ausmaß der Katastrophe** l'ampleur de la catastrophe; **die ~e Tragweite erkennen** reconnaître la portée **6.** (*prall*) plein(e); **er ist ~er geworden** il a pris des rondeurs **7.** (*~ tönend*) bien timbré(e) **8.** *Bart* fourni(e); **~es** **Haar haben** avoir des cheveux épais **9.** *fam* (*satt*) **~ sein** être gavé **10.** *fam* (*betrunken*) **~ sein** être plein ▸ **jdn nicht für** **~ nehmen** ne pas prendre qn au sérieux; **aus dem Vollen schöpfen** taper dans le tas (*fam*) **II.** *adv* **1.** *ausnutzen* pleinement; *sperren* totalement **2.** *aufprallen* de plein fouet; *treffen* très violemment **3.** *unterstützen* totalement **4.** *fam* (*sehr, äußerst*) vachement; **jdn ~ anmachen/fertigmachen** allumer/casser qn à fond; **~ doof sein** être complètement nul ▸ **~ und ganz** à cent pour cent
volladen *s.* laden
vollauf *adv genügen* tout à fait, totalement
vollautomatisch *adj* entièrement automatique
Vollbart *m* barbe *f*
vollbeschäftigt *adj* employé(e) à temps plein
Vollbeschäftigung *f kein Pl* plein emploi *m*
Vollbesitz *m* **im ~ der geistigen Kräfte** en pleine possession des facultés mentales
Vollblut *nt kein Pl* **1.** (*Pferd*) pur-sang *m* **2.** MED sang *m*

Vollblüter <-s, -> *m* pur-sang *m*
Vollbremsung *f* freinage *m* brusque; **eine ~ machen** bloquer les freins
vollbringen* [fɔl'brɪŋən] *vt irr geh* accomplir; **eine gute Tat ~** faire une bonne action
Volldampf *m* NAUT [mit] **~ voraus!** à toute vapeur! ▸ **mit ~ arbeiten** *fam* en mettre un coup
vollenden* [fɔl'ʔɛndən] *vt geh* achever **vollendet** [fɔl'ʔɛndət] *adj* **1.** *Kunstwerk* parfait(e) **2.** *Gastgeber* accompli(e)
vollends ['fɔlɛnts] *adv* complètement **Vollendung** <-, -en> *f* achèvement *m;* **nach ~ des 18. Lebensjahres** après avoir atteint sa majorité
voller *adj mit gen* **eine Schachtel ~ Kekse** une boîte pleine de petits gâteaux
Volleyball ['vɔlibal] *m* **1.** *kein Pl* (*Spiel*) volley[-ball] *m* **2.** (*Ball*) ballon *m* [de volley]
Vollgas *nt* **~ geben** accélérer à fond ▸ **etw** **mit ~ tun** faire qc à pleins gaz
vollgießen *s.* gießen I.
Vollidiot(in) *m(f) fam* triple idiot(e) *m(f)*
völlig ['fœlɪç] I. *adj* total(e) II. *adv* **übereinstimmen** parfaitement; **es ist ~ still** le silence est total
volljährig *adj* majeur(e); **~ werden** atteindre sa majorité
Volljährigkeit <-> *f* majorité *f*
Vollkaskoversicherung *f* assurance *f* tous risques
vollklimatisiert *adj* [entièrement] climatisé(e)
vollkommen ['fɔlkɔmən] I. *adj* **1.** (*perfekt*) parfait(e) **2.** *Übereinstimmung* total(e); *Katastrophe* complet(-ète) II. *adv einverstanden* parfaitement; *unmöglich* complètement
Vollkommenheit <-> *f* perfection *f*
Vollkornbrot *nt* pain *m* complet
vollmachen *s.* machen I.
Vollmacht <-, -en> *f* **1.** (*Bankvollmacht*) procuration *f* **2.** (*Verhandlungsvollmacht*) plein[s]-pouvoir[s] *mpl;* **keine ~ haben** ne pas avoir de délégation
Vollmilch *f* lait *m* entier **Vollmilchschokolade** *f* chocolat *m* au lait
Vollmond *m kein Pl* pleine lune *f;* **bei ~** à la pleine lune; **es ist ~** c'est la pleine lune
Vollnarkose *f* anesthésie *f* générale; **in ~** sous anesthésie générale
Vollpension *f* pension *f* complète; **mit ~** en pension complète
vollsaugen *s.* saugen III.
vollschlank *adj* rondelet(te)
vollschreiben *s.* schreiben I.
vollständig I. *adj* complet(-ète); **etw ~ machen** compléter qc; **etw ~ haben** avoir qc

complet(-ète) II. *adv besiegen* à plate couture; **nicht mehr** ~ **vorhanden sein** ne plus être complet
Vollständigkeit <-> *f einer Sammlung* intégrité *f; von Angaben* caractère *m* complet; **auf die** ~ **der Unterlagen achten** veiller à ce que les documents soient complets ▸ **der** ~ **halber** pour être complet
vollstopfen *s.* **stopfen I.**
vollstrecken* [fɔl'ʃtrɛkən] *vt* JUR exécuter; **ein Urteil an jdm** ~ exécuter un jugement sur la personne de qn
Vollstreckung <-, -en> *f* JUR exécution *f*
volltanken *vt, vi s.* **tanken I., II.**
Volltreffer *m* **1.** (*Treffer*) coup *m* dans le mille; ~**!** en plein dans le mille! **2.** *fam* (*Erfolg*) coup *m* de maître; **das ist/wird ein** ~ ça fait/va faire un tabac
Vollversammlung *f* assemblée *f* générale
Vollwaise *f* orphelin(e) *m(f)* [de père et de mère]
vollwertig *adj* **1.** *Ernährung* complet(-ète) **2.** *Ersatz* tout à fait à la hauteur; **kein** ~**er Ersatz für jdn sein** ne pas remplacer totalement qn
Vollwertkost *f* nourriture *f* complète
vollzählig I. *adj* complet(-ète) **II.** *adv* ~ **erschienen/versammelt sein** être apparus/rassemblés au complet; ~ **anwesend sein** être tous présents/toutes présentes
vollziehen* [fɔl'tsiːən] *irr* **I.** *vt geh* exécuter *Befehl;* consommer *Ehe* **II.** *vr geh* **sich** ~ *Drama:* se dérouler; *Wandel:* s'accomplir
Vollzug *m kein Pl form* **1.** *eines Befehls* exécution *f* **2.** (*Strafvollzug*) détention *f;* **offener** ~ régime *m* de semi-liberté
Vollzugsanstalt *f form* maison *m* d'arrêt
Volontär(in) [volɔn'tɛːɐ] <-s, -e> *m(f)* stagiaire *mf*
Volontariat [vo-] <-[e]s, -e> *nt* **1.** (*Ausbildungszeit*) (*bei einer Zeitung*) stage *m* de journalisme **2.** (*Stelle*) stage *m*
Volt [vɔlt] <-[e]s, -> *nt* volt *m*
Volumen [vo'luːmən] <-s, - o Volumina> *nt* volume *m*
vom [fɔm] = **von dem** *s.* **von**
von [fɔn] *präp + dat* **1.** (*räumlich*) ~ **der Leiter steigen/fallen** descendre/tomber de l'échelle; **das Glas vom Tisch nehmen** prendre le verre sur la table; **links/rechts** ~ **ihm** à gauche/droite de lui; ~ **Paris nach Brüssel** de Paris à Bruxelles; ~ **wo kommt dieser Zug?** *fam* d'où vient ce train? **2.** (*zeitlich*) **die Zeitung** ~ **gestern** le journal d'hier; ~ **wann ist dieser Brief?** de quand date cette lettre?; ~ **heute/morgen an** à partir d'aujourd'hui/de demain **3.** (*zur Angabe der Abstammung, Urheberschaft*) **ein Brief** ~ **den Eltern**

une lettre des parents; **der Kuchen ist** ~ **mir** c'est moi qui ai fait ce gâteau; **das ist nett** ~ **ihm** c'est gentil de sa part **4.** *fam* (*zur Angabe des Besitzes*) **das Auto** ~ **meiner Schwester** la voiture de ma sœur **5.** (*zur Angabe der Eigenschaft*) **ein Kind** ~ **vier Jahren** un enfant de quatre ans **6.** (*über, wegen*) ~ **etw erzählen/träumen** raconter qc/rêver de qc; ~ **etw begeistert sein** être enthousiasmé par qc; **dieser Sache weiß ich nichts** je ne sais rien de cette affaire **7.** (*zur Angabe der handelnden Person*) par; ~ **allen/der Mehrheit abgelehnt werden** *Vorschlag:* être refusé de tous/par la majorité **8.** (*in Bezug auf*) ~ **Beruf ist sie Ärztin** elle est médecin de profession **9.** (*als Adelsprädikat*) **der Prinz** ~ **Wales** le Prince de Galles ▸ **etw** ~ **sich aus tun** faire qc de son plein gré; ~ **wegen!** *fam* des clous!
voneinander [fɔnʔaɪ'nandɐ] *adv* ~ **lernen** *zwei Personen:* apprendre l'un(e) de l'autre; *mehrere Personen:* apprendre les un(e)s des autres; ~ **abschreiben** *zwei Personen:* copier l'un(e) sur l'autre; *mehrere Personen:* copier les un(e)s sur les autres
vonstatten *adv* ~ **gehen** se dérouler
vor [foːɐ] **I.** *präp + dat* **1.** (*räumlich*) ~ **mir/dem Haus** devant moi/la maison **2.** (*zeitlich*) ~ **drei Tagen/einer Woche** il y a trois jours/une semaine; **das war schon** ~ **Jahren** ça remonte à loin **3.** (*in Bezug auf eine Reihenfolge*) ~ **jdm ins Ziel kommen** arriver au but avant qn; ~ **dem Urlaub** avant les vacances **4.** (*bedingt durch*) ~ **Angst zittern** trembler de peur **II.** *präp + akk* (*räumlich*) ~ **das Haus gehen** aller devant la maison; ~ **das Publikum treten** se placer devant le public ▸ ~ **sich hin gehen/summen** marcher tranquillement/fredonner tout(e) seul(e) **III.** *adv* ~ **und zurück** d'avant en arrière
vorab [foːɐ'ʔap] *adv* au préalable
Vorabend *m* veille *f*
Vorahnung *f* pressentiment *m*
voran [fo'ran] *adv* **1.** (*vorwärts*) en avant **2.** (*vorn befindlich*) devant
voranbringen *vt irr* faire avancer
vorangehen *irr* **I.** *vi + sein* **1.** *Person:* marcher devant; **jdm** ~ précéder qn **2.** (*Fortschritte machen*) *Arbeit:* avancer **II.** (*vi unpers + sein*) **es geht voran** ça avance
vorankommen *vi irr + sein* **1.** (*vorwärts kommen*) progresser **2.** (*Fortschritte machen*) **mit etw** ~ avancer dans qc
Vorankündigung *f* annonce *f* préliminaire
Voranmeldung *f* **1.** (*für einen Kurs*) inscription *f* préalable **2.** (*für einen Gesprächstermin*) **um** ~ **wird gebeten** priè-

re de prendre rendez-vous au préalable
Vorarbeit *f* travail *m* préliminaire
vor|arbeiten *vi* **1.**(*im Voraus arbeiten*) s'avancer [dans son travail] **2.**(*Vorarbeit leisten*) jdm ~ préparer le travail à qn
Vorarbeiter(in) *m(f)* contremaître(-esse) *m(f)*
Vorarlberg ['fo:ɐ?arlbɛrk] <-s> le Vorarlberg
voraus [fo'raʊs, *aber:* ɪm 'fo:raʊs] *adv* (*räumlich*) devant; **er ist schon weit ~** il est déjà loin devant nous ▸ **jdm auf einem Gebiet ~ sein** avoir de l'avance sur qn dans un domaine; **im Voraus** *abrechnen, bezahlen* d'avance; *bestimmen, wissen* à l'avance
voraus|berechnen* *vt* calculer d'avance; **etw ~** calculer qc d'avance
vorausgesetzt *adj* ~, [dass] à condition que + *subj*
voraus|haben *vt irr* **jdm etw ~** avoir un avantage de qc sur qn
voraus|sagen *vt* prédire; **jdm etw ~** prédire qc à qn; **das lässt sich nicht ~** on ne peut pas prédire cela
vorausschauend I. *adj* prévoyant(e) **II.** *adv* en anticipant
voraus|schicken *vt* **1.**(*losschicken*) **das Gepäck ~** expédier les bagages à l'avance **2.**(*sagen*) **eine Warnung ~** prévenir les auditeurs
voraus|sehen *vt irr* prévoir; **nicht vorauszusehen sein** être imprévisible; **das war vorauszusehen!** c'était à prévoir!
voraus|setzen *vt* **1.etw als bekannt ~** partir du principe que qc est connu(e); **etw als selbstverständlich ~** considérer qc comme une évidence; **vorausgesetzt, dass** à supposer que + *subj* **2.**(*erfordern*) **Erfahrung/Geduld ~** supposer de l'expérience/la patience
Voraussetzung <-, -en> *f* **1.**(*Vorbedingung*) condition *f* préalable; **unter der ~, dass** à condition que + *subj* **2.**(*Prämisse*) hypothèse *f*
Voraussicht *f kein Pl* prévoyance *f*; **aller ~ nach** selon toute probabilité ▸ **etw in weiser ~ tun** faire qc par sage précaution
voraussichtlich I. *adj* prévu(e) **II.** *adv* selon les prévisions; *sich verspäten* probablement; **wir werden ~ um 18 Uhr ankommen** notre arrivée est prévue à 18 heures; **das Buch wird ~ im Mai erscheinen** la parution du livre est prévue pour le mois de mai
Vorauszahlung *f* paiement *m* d'avance
Vorbau <-bauten> *m* ARCHIT avancée *f*
Vorbedacht *m* **mit ~** de propos délibéré; **ohne ~** sans réflexion préalable

Vorbehalt ['fo:ɐbəhalt] <-[e]s, -e> *m* réserve *f*; **ohne ~** sans réserve; **unter ~** sous réserve
vor|behalten* *vt irr* **sich** (*dat*) ~ **etw zu tun** se réserver la possibilité de faire qc
vorbehaltlich *form* **I.** *präp + gen* ~ **einer S.** sous réserve de qc **II.** *adj, adv* sous toutes réserves
vorbei [fo:ɐ'baɪ] *adv* **1.**(*räumlich*) **an jdm/etw ~** à côté de qn/le long de qc; **darf ich bitte vorbei?** pourriez-vous vous écarter, s'il vous plaît? **2.**(*zeitlich*) ~ **sein** être fini; **mit der Faulenzerei ist es ~** c'en est fini de la paresse
vorbei|fahren *irr vi + sein* **1.**(*vorüberfahren*) passer; **an jdm/etw ~** passer devant qn/qc; **im Vorbeifahren** en passant [devant] **2.**(*aufsuchen*) **bei jdm ~** passer chez qn
vorbei|gehen *vi irr + sein* **1.**(*vorübergehen*) passer; **an jdm/etw ~** passer devant qn/qc; **dicht an jdm ~** passer tout près de qn **2.** *fam* (*aufsuchen*) **bei jdm/der Apotheke ~** passer chez qn/à la pharmacie **3.** *fig* (*außer Acht lassen*) **an etw ~** (*dat*) ~ passer sur qc; **am Kern der Sache ~** passer le point essentiel de l'affaire **4.**(*vergehen*) *Gefühl:* passer **5.**(*danebengehen*) **an jdm/etw ~** *Schuss, Wurf:* passer à côté de qn/qc
vorbei|kommen *vi irr + sein* **1.** *fam* (*kurz besuchen*) passer; **bei jdm ~** passer chez qn **2.**(*vorbeigehen können*) **an etw ~** (*dat*) ~ arriver à passer le long de qc; **kommst du daran/hier vorbei?** tu peux passer? **3.** *fig* (*vermeiden*) **an etw ~** (*dat*) **nicht ~** ne pas pouvoir éviter qc
vorbei|lassen *vt irr* laisser passer; **jdn/etw an sich** (*dat*) ~ laisser passer qn/qc devant soi
vorbei|marschieren *vi + sein* MIL défiler; **an etw ~** (*dat*) ~ défiler devant qc
vorbei|reden *vi* **aneinander ~** avoir un dialogue de sourds
vorbei|schießen *vi irr + haben* (*danebenschießen*) tirer à côté; **an jdm/etw ~** tirer à côté de qn/qc
vorbei|ziehen *vi irr + sein* **1.**(*vorüberziehen*) défiler; **an jdm/etw ~** défiler devant qn/qc **2.**(*überholen*) **an jdm ~** *Fahrzeug:* doubler qn
vorbelastet *adj* ~ **sein** être désavantagé
Vorbemerkung *f* (*gesprochen*) remarque *f* préliminaire; (*geschrieben*) avant-propos *m*
vor|bereiten* **I.** *vt* **1.**préparer; **etw für jdn ~** préparer qc pour qn **2.**(*einstimmen*) **jdn auf etw** (*akk*) ~ préparer qn à qc **II.** *vr* **sich auf etw** (*akk*) ~ se préparer pour qc

Vorbereitung <-, -en> *f* préparation *f*; in
~ **sein** être en préparation
vor|bestellen* *vt* réserver
Vorbestellung *f* réservation *f*
vorbestraft *adj* ayant des antécédents judiciaires; **wegen etw** ~ **sein** avoir déjà été
condamné pour qc; **nicht** ~ **sein** ne pas
avoir d'antécédents judiciaires
vor|beugen I. *vi* **1.** MED prévenir le mal
2. (*unterbinden*) **einer S.** (*dat*) ~ prévenir
qc ▶~ **ist besser als** heilen *prov* mieux
vaut prévenir que guérir **II.** *vt* **den Kopf/**
sich ~ pencher la tête/se pencher en avant
vorbeugend *adj* préventif(-ive)
Vorbeugung <-, -en> *f* prévention *f*; ~ **ge-**
gen Krankheiten prévention des maladies; **zur** ~ à titre préventif
Vorbild *nt* modèle *m*; **ein leuchtendes/**
schlechtes ~ **sein** être un modèle à sui-
vre/à ne pas suivre; **jdm als** ~ **dienen** servir de modèle à qn; **sich** (*dat*) **jdn zum** ~
nehmen prendre modèle sur qn
vorbildlich I. *adj Kollege* modèle; *Verhalten*
exemplaire **II.** *adv verhalten* de façon
exemplaire
Vorbildung *f kein Pl* formation *f* préalable
Vorbote *m* signe *m* avant-coureur
vor|bringen *vt irr* présenter *Fakten;* avancer
Argument; formuler *Frage;* émettre *Mei-*
nung; **gegen etw** *Bedenken* ~ émettre
des réserves à l'encontre de qc
Vordach *nt* auvent *m*
vor|datieren* *vt* **1.** (*vorausdatieren*) post-
dater **2.** (*zurückdatieren*) antidater
Vorderachse *f* essieu *m* avant
vordere(r, s) ['fɔrdərə, -rɐ, -rəs] *adj Zim-*
mer, Reihe de devant; **der** ~ **Teil/Bereich**
la partie avant
Vorderfront *f* façade *f* **Vordergrund** *m*
premier plan *m;* **im** ~ au premier plan
▶**sich in den** ~ drängen se mettre en
avant; **etw in den** ~ stellen mettre qc au
premier plan; **im** ~ stehen occuper le devant de la scène **vordergründig I.** *adj*
cousu(e) de fil blanc **II.** *adv* de prime abord
Vordermann <-männer> *m* **sein/mein**
~ son/mon voisin de devant ▶**jdn auf** ~
bringen *fam* remettre qn à sa place; **etw**
auf ~ bringen *fam* remettre qc en état
Vorderpfote *f* patte avant *f* **Vorderrad**
nt roue *f* avant **Vordersitz** *m* siège *m*
avant
vorderste(r, s) *adj Superl von* **vordere(r, s)**
Bereich le plus avancé/la plus avancée; **in**
der ~n **Reihe sitzen** être assis au tout premier rang; **der** ~ **Platz** la toute première
place
Vorderteil *m o nt eines Gebäudes* partie *f*
frontale; *eines Pullovers* devant *m*

vor|drängen *vr* **sich** ~ **1.** *Wartender:* passer
devant **2.** *fig* se mettre en avant
vor|dringen *vi irr* + *sein* **1.** *Truppen:* gagner
du terrain; **bis zum Fluss** ~ parvenir jus-
qu'à la rivière **2.** (*gelangen*) **bis zu jdm** ~
arriver jusqu'à qn
vordringlich I. *adj* [très] urgent(e) **II.** *adv*
erledigen en priorité
Vordruck <-drucke> *m* imprimé *m*
vorehelich *adj attr Geschlechtsverkehr, Be-*
ziehung préconjugal(e); *Zusammenleben*
prénuptial(e)
voreilig *adj Entschluss, Urteil* hâtif(-ive), pré-
cipité(e)
voreinander [foːɛʔaɪˈnandə] *adv* ~
Angst haben *zwei Personen:* avoir peur
l'un/l'une de l'autre; *zwei Gruppen:* avoir
peur les uns/les unes des autres
voreingenommen *adj Mensch* plein(e)
d'idées préconçues; *Haltung* foncièrement
hostile
Voreinstellung *f* INFORM paramétrage *m* par
défaut
vor|enthalten* *vt irr* **jdm etw** ~ cacher qc
à qn
Vorentscheidung *f* **1.** (*Beschluss*) décision
f préliminaire **2.** SPORT **dieses Tor/dieser**
Satzgewinn ist die ~ ce but/cette manche préfigure la victoire; **die** ~ **war gefal-**
len la partie était jouée d'avance
vorerst ['foːɐʔeːɐst] *adv* dans un premier
temps
Vorfahr(in) <-en, -en> *m(f)* ancêtre *mf*
vor|fahren *irr* **I.** *vi* + *sein* **1.** se présenter;
mit einem Kabrio/Taxi ~ arriver en dé-
capotable/taxi; **den Wagen** ~ **lassen** faire
avancer la voiture **2.** (*weiterfahren*) **etwas**
~ avancer un peu **II.** *vt* + *haben* avancer
Wagen
Vorfahrt *f* priorité *f*; ~ **haben** avoir la priorité; **jdm die** ~ **nehmen** refuser la priorité
à qn
Vorfahrtsschild *nt* panneau *m* de priorité
Vorfahrtsstraße *f* route *f* prioritaire
Vorfall *m* (*Geschehnis*) incident *m*
vor|fallen *vi irr* + *sein* **1.** (*sich ereignen*) se
passer, arriver **2.** (*nach vorn fallen*) **immer**
wieder ~ *Strähne:* retomber toujours dans
les yeux
Vorfeld ▶**im** ~ au préalable
Vorfilm *m* court métrage *m* [qui précède le
film]
vor|finden *vt irr* trouver *Chaos*
Vorfreude *f* **seine** ~ **auf die Party** sa joie à
la perspective de la boum
vor|fühlen *vi* **bei jdm** ~ sonder qn
vor|führen *vt* **1.** projeter *Film;* présenter
Modell **2.** JUR amener, faire comparaître
Häftling **3.** *fam* (*bloßstellen*) ridiculiser;

von jdm vorgeführt werden se faire ridiculiser par qn
Vorführraum *m* cabine de projection *f*
Vorführung *f eines Films* projection *f; von Kleidern* présentation *f*
Vorgabe *f* **1.** *meist Pl* (*Norm, Ziel*) prescriptions *fpl* **2.** SPORT avantage *m*
Vorgang <-gänge> *m* **1.** (*Geschehnis*) événement *m* **2.** (*Prozess*) processus *m*
Vorgänger(in) ['foːɐɡɛŋɐ] <-s, -> *m(f)* prédécesseur *m*
vor|gaukeln *vt* faire miroiter; **jdm etw** ~ faire miroiter qc à qn
vor|geben *vt irr* **1.** (*vorschützen*) prétexter **2.** *fam* (*nach vorn geben*) **etw** ~ faire passer qc [devant] **3.** (*festlegen*) **jdm eine Frist** ~ fixer [à l'avance] un délai à qn
Vorgebirge *nt* contrefort *m gén pl*
vorgefasstRR, **vorgefaßt** *adj* **eine** ~**e Meinung** une opinion toute faite
vor|gehen *vi irr + sein* **1.** (*vorausgehen*) partir devant **2.** (*zu schnell gehen*) **fünf Minuten** ~ avancer de cinq minutes **3.** (*Priorität haben*) passer avant **4.** (*vorrücken*) **gegen jdn/etw** ~ *Polizei, Truppen:* avancer sur qn/qc **5.** (*sich abspielen*) **was geht hier vor?** que se passe-t-il ici?; **was mag wohl in ihr** ~**?** que se passe-t-il dans sa tête?
Vorgehen *nt* **1.** (*Einschreiten*) intervention *f* **2.** (*Verfahrensweise*) manière d'agir *f*
Vorgeschichte *f* **1.** antécédents *mpl* **2.** *kein Pl* (*Prähistorie*) préhistoire *f*
vorgeschichtlich *adj* préhistorique
Vorgeschmack *m* ►**einen kleinen** ~ **von etw bekommen** avoir un petit avant-goût de qc
Vorgesetzte(r) *f(m) dekl wie adj* supérieur(e) *m(f)* [hiérarchique]
vorgestern *adv* avant-hier; ~ **Abend** avant-hier soir; ~ **Nacht** dans la nuit d'avant-hier ►**von** ~ d'avant-hier; *pej fam* (*antiquiert*) dépassé (*iron*)
vorgestrig *adj* **1.** d'avant-hier **2.** *pej fam* (*antiquiert*) dépassé (*iron*)
vor|greifen *vi irr* **jdm** ~ devancer qn; **dem Ergebnis** ~ anticiper sur le résultat
Vorgriff ►**im** ~ **auf etw** (*akk*) en anticipant sur qc
vor|haben *vt irr* ~ **zu verreisen** avoir l'intention de partir en voyage; **ich habe morgen Abend schon etwas vor** j'ai déjà prévu quelque chose pour demain soir
Vorhaben <-s, -> *nt* projet *m*
Vorhalle *f* hall *m* d'entrée
vor|halten *irr* **I.** *vt* (*vorwerfen*) **jdm etw** ~ reprocher qc à qn **II.** *vi* **einige Zeit** ~ *Vorräte:* suffir un certain temps
Vorhaltung *f meist Pl* reproche *m*

Vorhand <-> *f* SPORT coup *m* droit
vorhanden [foːɐ'handən] *adj* **1.** (*verfügbar*) disponible; **es waren ausreichend Vorräte** ~ il y avait suffisamment de réserves **2.** (*existierend*) existant(e); **es sind gewisse Bedenken** ~ il y a une certaine réticence
Vorhang <-s, Vorhänge> *m* rideau *m* ►**der Eiserne** ~ HIST le rideau de fer
VorhängeschlossRR *nt* cadenas *m*
Vorhaut *f* prépuce *m*
vorher ['foːɐheːɐ] *adv* auparavant; **kurz** ~ peu de temps avant
vorher|bestimmen* *vt* déterminer à l'avance; **etw** ~ déterminer qc à l'avance; **das war vorherbestimmt!** c'était écrit!
vorhergehend *adj* précédent(e)
vorherig *adj attr* (*zuvor erfolgend*) préalable
Vorherrschaft *f* suprématie *f*
vor|herrschen *vi Meinung:* prévaloir; *Steppe:* être prédominant
vorherrschend **I.** *adj* dominant(e) **II.** *adv* **morgen** ~ **Regen** demain prédominance des pluies
Vorhersage *f* **1.** METEO prévisions *fpl* [météo] **2.** (*Voraussage*) prédiction *f*
vorher|sehen *vt irr* prévoir
vorhin [foːɐ'hɪn] *adv* à l'instant; **Stefan hat** ~ **angerufen** Stefan vient d'appeler
Vorhof *m* **1.** ARCHIT avant-cour *f* **2.** ANAT *des Herzens* oreillette *f*
vorig *adj attr* **1.** *Jahr* dernier(-ière); *Mal* dernier(-ière) *antéposé;* **im** ~**en Jahr** l'an dernier **2.** *Eigentümer, Wohnsitz* précédent(e)
Vorjahr *nt* (*letztes Jahr*) année *f* dernière, (*vorhergehendes Jahr*) année *f* précédente; **im** ~ l'année dernière/précédente
Vorkaufsrecht *nt* option *f* [d'achat]
Vorkehrung <-, -en> *f* mesure *f* [préventive]; ~**en treffen** prendre des mesures [préventives]
Vorkenntnis *f meist Pl* connaissance *f* préalable
vor|knöpfen *vr fam* **sich** (*dat*) **jdn** ~ faire sa fête à qn
vor|kommen *irr* **I.** *vi + sein* **1.** (*passieren*) *Fehler:* se produire; *Zwischenfall:* arriver; **es kommt vor, dass** il arrive que + *subj;* **so etwas ist mir noch nie vorgekommen!** je n'ai jamais vu ça! **2.** (*anzutreffen sein*) **diese Pflanze/Krankheit kommt nur in Asien vor** on ne trouve cette plante/maladie qu'en Asie; **das Wort kommt in dem Text nur einmal vor** on rencontre ce mot seulement une fois dans le texte **3.** (*erscheinen*) **das kommt mir komisch vor** cela me semble bizarre; **das kommt dir/Ihnen nur so vor** ce n'est

qu'une impression **4.**(*nach vorn kommen*) venir devant; **hinter dem Vorhang** ~ sortir de derrière le rideau **II.** *vr* **sich** (*dat*) **dumm** ~ se sentir bête

Vorkommen <-s, -> *nt* **1.** *meist Pl* MIN, MINER gisement *m* **2.**(*das Auftreten*) *von Erregernn* apparition *f*

Vorkommnis <-ses, -se> *nt* événement *m;* (*unangenehm*) incident *m;* **keine besonderen** ~**se!** rien à signaler!

Vorkriegszeit *f* avant-guerre *m o f;* **aus der** ~ **stammen** dater d'avant [la] guerre; **in der** ~ avant la guerre

vor‖laden *vt irr* citer

Vorladung *f kein Pl* (*das Vorladen*) citation *f*

Vorlage *f* **1.**(*Zeichenvorlage*) modèle *m* **2.** *kein Pl* (*das Vorlegen*) présentation *f* **3.**(*Gesetzesvorlage*) projet *m* de loi

vor‖lassen *vt irr* **1.** *fam* (*Vortritt lassen*) **jdn** ~ laisser passer qn devant **2.**(*Zutritt gewähren*) laisser passer

Vorlauf *m* **1.** SPORT [course *f*] éliminatoire *f* **2.** AUDIOV **schneller** ~ avance *f* rapide

Vorläufer(in) *m(f)* précurseur *m*

vorläufig I. *adj* provisoire **II.** *adv ausreichen* pour l'instant

vorlaut I. *adj* impertinent(e); ~ **sein** la ramener un peu trop (*fam*) **II.** *adv dazwischenreden* de manière impertinente

Vorleben *nt kein Pl* passé *m*

vor‖legen *vt* **1.**(*einreichen*) produire *Beweis;* **jdm etw** ~ présenter qc à qn **2.**(*anbringen*) mettre *Kette*

Vorleger <-s, -> *m* (*WC-*~) tapis *m* [de] W.-C.

vor‖lehnen *vr* **sich** ~ se pencher en avant

vor‖lesen *irr* **I.** *vt* lire **II.** *vi* lire à haute voix; **jdm aus einem Buch/der Zeitung** ~ lire tout haut un livre/le journal à qn

Vorlesung *f* UNIV cours *m*

Vorlesungsverzeichnis *nt* programme *m* des cours

vorletzte(r, s) *adj* avant-dernier(-ière); **als Vorletzter** en avant-dernière position

vorliebRR *adv* **mit jdm/etw** ~ **nehmen** se contenter de qn/qc

Vorliebe *f* prédilection *f;* ~**n/eine** ~ **für jdn/etw haben** avoir des préférences/ une préférence pour qn/qc

vor‖liegen *vi irr* **es liegen keine Beweise vor** il n'y a pas de preuves; **es liegt eine Beschwerde gegen Sie vor** une plainte a été déposée contre vous; **sobald uns Ihre Bewerbung vorliegt, ...** dès que votre candidature nous sera parvenue, ...

vor‖lügen *vt irr* **jdm etwas** ~ raconter des histoires à qn

vor‖machen *vt* **1.**(*demonstrieren*) mon-

trer; **jdm** ~, **wie ...** montrer à qn comment ... **2.**(*täuschen*) **jdm etwas** ~ jouer la comédie à qn; **jdm nichts** ~ ne pas mentir à qn; **sich** (*dat*) **etwas** ~ se faire des idées; **sich** (*dat*) **nichts** ~ ne pas se faire d'illusions

Vormachtstellung *f kein Pl* suprématie *f*

vormals *adv geh* autrefois

Vormarsch *m* avance *f;* **der** ~ **in feindliches Gebiet** l'avance en territoire ennemi ►**im** [*o* **auf dem**] ~ **sein** *Truppen:* avancer; *Mode:* avoir le vent en poupe

vor‖merken *vt* **1.** noter *Termin;* **jdn für einen Kurs** ~ inscrire qn dans un cours **2.**(*reservieren*) **sich** (*dat*) **ein Zimmer** ~ **lassen** réserver une chambre

vormittag *s.* **Vormittag**

Vormittag *m* matinée *f;* **am** ~ dans la matinée; **am frühen/späten** ~ en début/en fin de matinée; **heute/Samstag** ~ ce/samedi matin

vormittags *adv* le matin

Vormund <-[e]s, -e *o* Vormünder> *m eines Minderjährigen* tuteur *m; eines Entmündigten* curateur *m*

Vormundschaft <-, -en> *f* (*für einen Minderjährigen*) tutelle *f;* (*für einen Entmündigten*) curatelle *f*

vorn (*fɔrn*) *adv* **1.**(*im vorderen Bereich*) devant; ~ **im Bus** à l'avant du bus; ~ **im Schrank** devant, dans l'armoire; **ich sitze nicht gern** ~ **im Kino** au cinéma, je n'aime pas être [assis] devant; **nach** ~ **gehen** s'avancer, aller devant **2.**(*auf der Vorderseite*) devant; **etw von** ~ **betrachten/ darstellen** regarder/représenter qc de face; **der Eingang ist nicht** ~**, sondern seitlich** l'entrée n'est pas devant, mais sur le côté **3.**(*zu Beginn*) ~ **im Buch** au début du livre; **noch einmal von** ~ **anfangen** recommencer depuis le début **4.**(*an der Vorderfront*) devant, à l'avant; ~ **am Wagen** à l'avant de la voiture; ~ **am Gerät** sur le devant de l'appareil ►**sie hat ihn von** ~ **bis hinten belogen** *fam* elle lui a menti sur toute la ligne

Vorname *m* prénom *m*

vorne *s.* **vorn**

vornehm [ˈfoːəneːm] **I.** *adj* **1.** *Dame, Herr, Erscheinung* distingué(e); ~ **tun** *pej fam* se donner de grands airs **2.** *Gegend* chic; *Limousine* élégant(e) **3.**(*adlig*) aristocratique ►**sich** (*dat*) **zu** ~ **für etw sein** se croire trop bien pour faire qc **II.** *adv gekleidet* de manière élégante; *lächeln* de manière distinguée

vor‖nehmen *irr vt* **1.**(*planen*) **sich** (*dat*) **etw** ~ prévoir qc; **sich** (*dat*) ~ **etw zu tun** prévoir de faire qc **2.**(*sich beschäftigen*

vorschlagen

• **vorschlagen**	• **proposer**
Wie wär's, wenn wir heute mal ins Kino gehen würden?	**Et si nous allions** au cinéma, aujourd'hui?
Wie wär's mit einer Tasse Tee?	Une tasse de thé, **ça te/vous dirait?**
Was hältst du davon, wenn wir mal eine Pause machen würden?	**Si nous faisions** une petite pause maintenant? **Qu'en penses-tu?**
Hättest du Lust, spazieren zu gehen?	**Est-ce que tu as envie de** faire une promenade?
Ich schlage vor, wir vertagen die Sitzung.	**Je propose de** reporter la réunion.

mit) **sich** (*dat*) **ein Manuskript** ~ s'attaquer à un manuscrit **3.** *fam* (*zur Rede stellen*) **sich** (*dat*) **jdn** ~ faire sa fête à qn (*iron*) **4.** (*erledigen*) effectuer *Überprüfung*
vornehmlich *adv geh* essentiellement
vornherein *adv* **von** ~ d'emblée, dès le départ
vornüber *adv* vers l'avant
Vorort *m* faubourg *m;* **die** ~**e** la banlieue
Vorplatz *m eines Schlosses* esplanade *f; einer Kirche* parvis *m*
vor|programmieren* *vt* **1.** (*unausweichlich machen*) ouvrir la voie à *Konflikt;* **vorprogrammiert sein** *Erfolg:* être programmé; *Karriere:* être tout tracé **2.** (*programmieren*) programmer *Videorecorder*
Vorrang *m* priorité *f;* ~ **vor jdm/etw haben** primer sur qn/qc
vorrangig I. *adj* prioritaire **II.** *adv* en priorité
Vorrat <-[e]s, Vorräte> *m* réserves *fpl,* stock *m; meist Pl* (*Lebensmittel*) provisions *fpl;* **etw auf** ~ **kaufen** faire des provisions de qc; **solange der** ~ **reicht** jusqu'à épuisement des stocks
vorrätig *adj* en stock
Vorratskammer *f* cellier *m*
vor|rechnen *vt* **jdm eine Rechenaufgabe** ~ montrer à qn comment résoudre un problème [de mathématiques]; **jdm** ~**, wie viel er täglich ausgibt** faire le compte à qn de ses dépenses journalières
Vorrecht *nt* privilège *m*
Vorrede *f* (*einleitende Worte*) avant-propos *m*
Vorredner(in) *m(f)* **sein** ~ l'orateur qui l'a précédé *m*
Vorreiter(in) *m(f)* précurseur *m; der* ~ **sein** essuyer les plâtres (*fam*)
Vorrichtung <-, -en> *f* dispositif *m*
vor|rücken I. *vi* + *sein* **1.** (*nach vorn rücken*) avancer; **mit dem Stuhl** ~ avancer sa chaise **2.** MIL progresser; **auf die Hauptstadt** ~ marcher sur la capitale **3.** SPORT re-

monter au classement **II.** *vt* + *haben* avancer *Stuhl, Spielstein*
Vorruhestand *m* préretraite *f*
Vorrunde *f* premier tour *m*
vor|sagen I. *vt* **1.** (*zuflüstern*) **jdm etw** ~ souffler qc à qn **2.** (*vor sich hin sprechen*) **sich** (*dat*) **einen Text laut** ~ se réciter un texte **II.** *vi* souffler
Vorsaison *f* avant-saison *f*
Vorsatz <-es, Vorsätze> *m* **1.** (*Absicht*) résolution *f* **2.** TYP *eines Buchs* garde *f*
vorsätzlich ['foːɛtsˌlɪç] *adj Falschaussage* intentionnel(le); *Körperverletzung* volontaire
Vorschau <-, -en> *f* **1.** TV présentation *f* des programmes; **die** ~ **auf etw** (*akk*) la présentation de qc **2.** CINE bande-annonce *f*
Vorschein *m* ► **etw zum** ~ **bringen** faire apparaître qc; *Hass:* se manifester
vor|schieben *vt irr* **1.** (*nach vorn schieben*) avancer **2.** (*vorlegen*) pousser *Riegel* **3.** (*für sich agieren lassen*) **jdn** ~ s'abriter derrière qn **4.** (*vorschützen*) prétexter *Verhinderung;* invoquer *Ausrede*
Vorschlag *m* proposition *f*
vor|schlagen *vt irr* **1.** (*anregen*) proposer; **jdm etw** ~ proposer qc à qn; **jdm** ~ **etw zu tun** proposer à qn de faire qc **2.** (*empfehlen*) **jdn als Geschäftsführer** ~ recommander qn comme gérant
Vorschlaghammer *m* masse *f*
vor|schreiben *vt irr* **1.** (*niederschreiben*) **etw** ~ écrire qc en modèle **2.** (*befehlen*) **jdm etw** ~ dicter qc à qn; **jdm** ~ **etw zu tun** prescrire à qn de faire qc **3.** (*anordnen*) prescrire *Höchstgeschwindigkeit;* ~**, dass ...** *Gesetz:* stipuler que ...
Vorschrift *f* consigne *f;* **das ist** ~ c'est le règlement; **sich** (*dat*) **von jdm keine** ~**en machen lassen** ne pas avoir d'ordre à recevoir de qn; **nach** ~ conformément au règlement
vorschriftsmäßig I. *adj Fahrweise* réglementaire; *Dosis* prescrit(e); *Verhalten* con-

forme au règlement; **bei ~er Einnahme des Medikaments** si le médicament est pris conformément à la dose prescrite **II.** *adv sich verhalten* réglementairement; **ein Medikament ~ einnehmen** prendre un médicament en suivant la posologie
Vorschub ▸**jdm/einer S. ~ leisten** encourager qn/ouvrir la voie à qc
Vorschulalter *nt* âge *m* préscolaire (*avant six ans*)
Vorschussᴿᴿ *m* avance *f;* **ein ~ auf etw** (*akk*) une avance sur qc; **sich** (*dat*) **einen ~ geben lassen** se faire donner une avance
vor|schützen *vt* prétexter
vor|schweben *vi* **jdm schwebt etw vor** qn a qc en tête
vor|sehen *irr* **I.** *vr* **sich ~** se tenir sur ses gardes; **sich vor jdm/etw ~** prendre garde à qn/qc; **sich ~, dass** prendre garde que + *subj;* **sieh dich/sehen Sie sich** [bloß] **vor!** gare à toi/vous! **II.** *vt* prévoir; **jdn für etw ~** envisager de faire appel à qn pour qc; **für etw vorgesehen sein** être destiné à qc; **es ist vorgesehen, dass/ etw zu tun** il est prévu que + *subj/*de faire qc
Vorsehung <-> *f* **die ~** la Providence
vor|setzen I. *vt* **1.** (*anbieten*) **jdm eine Suppe ~** servir une soupe à qn **2.** (*nach vorn setzen*) **jdn ~** faire asseoir qn devant **II.** *vr* **sich ~** aller s'asseoir devant
Vorsicht <-> *f* (*vorsichtiges Verhalten*) prudence *f;* (*in der Handhabung*) précautions *fpl;* **größte ~ walten lassen** prendre un maximum de précautions; **zur ~ einen Regenschirm mitnehmen** prendre un parapluie par précaution; **~!** attention! ▸**~ ist die** Mutter **der Porzellankiste** *prov fam* prudence est mère de sûreté; **~ ist besser als** Nachsicht *prov* mieux vaut prévenir que guérir; **etw ist mit ~ zu genießen** *fam* qc ne doit pas être pris pour argent comptant
vorsichtig I. *adj* prudent(e) **II.** *adv* **1.** *vorgehen* prudemment; *transportieren* avec précaution **2.** *schätzen* raisonnablement
vorsichtshalber *adv* par [mesure de] précaution **Vorsichtsmaßnahme** *f* [mesure *f* de] précaution *f*
Vorsilbe *f* préfixe *m*
vor|singen *irr* **I.** *vt* chanter; **jdm etw ~** chanter qc à qn **II.** *vi* **jdm ~** auditionner devant qn
vorsintflutlich *adj fam* antédiluvien(ne)
Vorsitz *m* présidence *f;* **den ~ bei etw haben** présider qc
Vorsitzende(r) *f(m) dekl wie adj* président(e) *m(f)*

Vorsorge *f* **1.** prévoyance *f* **2.** (*Altersversicherung*) **private ~** assurance *f* vieillesse complémentaire
vor|sorgen *vi* prendre des précautions; **fürs Alter ~** préparer sa retraite; **für den Notfall ~** se prémunir contre les cas d'urgence
Vorsorgeuntersuchung *f* examen *m* de dépistage
vorsorglich I. *adj* préventif(-ive) **II.** *adv* à titre préventif
Vorspann <-[e]s, -e> *m* générique *m* [de début]
Vorspeise *f* (*erster Gang*) hors-d'œuvre *m;* (*Eingangsgericht*) entrée *f*
vor|spiegeln *vt* simuler; **jdm Interesse ~** faire semblant d'être intéressé face à qn
Vorspiegelung *f* simulation *f* ▸**das ist** [eine] **~ falscher** Tatsachen tout ça, ce sont des allégations mensongères
Vorspiel *nt* **1.** MUS (*Komposition*) prélude *m;* (*das Vorspielen*) audition *f* **2.** (*Zärtlichkeiten*) préliminaires *mpl* [amoureux]
vor|spielen I. *vt* **1.** MUS jouer; **jdm etw ~** jouer qc à qn **2.** (*vorheucheln*) **jdm Unwissenheit ~** faire croire à qn qu'on ne sait rien **II.** *vi* MUS **jdm ~** auditionner devant qn
vor|sprechen *irr* **I.** *vt* montrer comment qc se prononce; **jdm etw ~** montrer à qn comment on prononce qc **II.** *vi* THEAT, TV **jdm ~** auditionner devant qn
vor|springen *vi irr* + *sein* **1. hinter dem Baum ~** surgir de derrière l'arbre **2.** (*hervorragen*) faire saillie
Vorsprung *m* **1.** (*Distanz*) avance *f;* **einen ~ vor jdm haben** avoir de l'avance sur qn **2.** ARCHIT saillie *f*
Vorstadt *f* faubourg *m;* **in der ~ wohnen** habiter en banlieue
Vorstand *m* **1.** (*Gremium*) comité *m* directeur, conseil *m* d'administration **2.** (*~smitglied*) membre *m* du conseil d'administration
Vorstandsmitglied *nt* membre du comité directeur *m*
vor|stehen *vi irr* + *haben o sein* (*hervorstehen*) *Wangenknochen, Kinn, Rippen:* être saillant; *Zähne:* avancer
Vorsteher(in) <-s, -> *m(f)* directeur(-trice) *m(f)*
vorstellbar *adj* concevable; **kaum ~ sein** être à peine imaginable
vor|stellen I. *vr* **1.** (*sich bekannt machen*) **sich ~** se présenter; **sich jdm ~** se présenter à qn **2.** (*vorstellig werden*) **sich in der Augenklinik ~** se présenter à la clinique ophtalmologique **3.** (*vergegenwärtigen*) **sich** (*dat*) **etw ~** [s']imaginer qc; **darunter kann ich mir etwas/nichts ~** ça me dit

quelque chose/ne me dit rien ►**stell dir mal vor!** *fam* tu te rends compte! **II.** *vt* **1.** (*bekannt machen*) **jdm jdn ~** présenter qn à qn; **wir beide sind uns noch nicht vorgestellt worden** nous n'avons pas encore été présentés l'un à l'autre; **darf ich ~?** puis-je faire les présentations? **2.** (*präsentieren*) présenter *Modell* **3.** (*vorrücken*) avancer *Uhr*

vorstellig *adj* ►**bei jdm ~ werden** *form* s'adresser à qn

Vorstellung *f* **1.** kein *Pl* (*das Bekanntmachen*) **die ~ der neuen Kollegin übernehmen** se charger de présenter la nouvelle collègue **2.** (*gedankliches Bild*) idée *f;* **entspricht das deinen ~en?** est-ce que cela correspond à ton attente ?; **sich völlig falsche ~en von etw machen** se faire une fausse idée de qc; **alle ~en übertreffen** dépasser l'entendement **3.** (*Phantasie*) **in meiner ~** dans mon esprit **4.** (*Theateraufführung*) représentation *f* **5.** (*Filmvorführung*) séance *f* **6.** (*Präsentation*) *eines Produkts, Modells* présentation *f* ►**du machst dir keine ~, wie kalt es dort ist** tu n'imagines pas comme il fait froid là-bas

Vorstellungsgespräch *nt* entretien *m* [d'embauche]

Vorstoß *m* ►**einen ~ bei jdm machen** intervenir auprès de qn

vor|stoßen *irr* **I.** *vi* + *sein Truppen:* avancer **II.** *vt* + *haben* **jdn/etw ~** pousser qn/qc [en avant]

Vorstrafe *f* condamnation *f* antérieure

Vorstrafenregister *nt* casier *m* judiciaire

vor|strecken *vt* **1.** (*leihen*) avancer; **jdm etwas Geld/hundert Euro ~** avancer un peu d'argent/cent euros à qn **2.** (*nach vorn strecken*) tendre *Arm, Hand;* avancer *Kopf, Oberkörper*

Vorstufe *f* stade *m* préliminaire

Vortag *m* **die Zeitung vom ~** le journal de la veille

vor|täuschen *vt* simuler; **Interesse ~** faire semblant d'être intéressé; **jdm Arglosigkeit ~** faire le candide [face à qn]

Vorteil <-s, -e> *m* **1.** (*Vorzug*) avantage *m;* **den ~ haben, dass ...** présenter l'avantage que ...; **für jdn von ~ sein** être avantageux pour qn **2.** (*Nutzen, Gewinn*) intérêt *m;* **immer auf seinen ~ bedacht sein** toujours voir son intérêt ►**er hat sich zu seinem ~ verändert** (*im Aussehen*) il a changé à son avantage; (*im Wesen*) il a changé en mieux; **jdm gegenüber im ~ sein** être avantagé par rapport à qn

vorteilhaft I. *adj* (*günstig*) avantageux(-euse) **II.** *adv erwerben, kaufen* à des conditions avantageuses

Vortrag ['foːɛtraːk, *Pl:* 'foːɛtrɛːgə] <-[e]s, Vorträge> *m* (*längeres Referat*) conférence *f;* (*auf einem Kongress*) communication *f;* **einen ~ über etw** (*akk*) **halten** tenir une conférence sur qc ►**halt keine Vorträge!** *fam* fais pas de blabla[bla]!

vor|tragen *vt irr* **1.** réciter, interpréter **2.** exposer *Bitte*

Vortragsreihe *f* cycle *m* de conférences

vortrefflich *geh* **I.** *adj Gericht* exquis(e); *Gedanke* excellent(e) **II.** *adv* à la perfection

vor|treten *vi irr* + *sein* **1.** (*nach vorn treten*) [s']avancer **2.** *fam* (*vorstehen*) *Augen:* ressortir; *Ader:* saillir

Vortritt *m* kein *Pl* **1.** **jdm den ~ lassen** (*zuerst gehen lassen*) céder le passage à qn; (*zuerst agieren lassen*) s'effacer devant qn **2.** CH *s.* **Vorfahrt**

vorüber [fo'ryːbə] *adv* **1.** (*räumlich*) **der Läufer ist schon ~** le coureur est déjà passé; **wir sind an dem Geschäft schon ~** nous avons déjà dépassé le magasin **2.** (*zeitlich*) **~ sein** *Veranstaltung:* être terminé; *Schmerz:* avoir cessé

vorüber|gehen *vi irr* + *sein* **1.** (*vorbeigehen*) **an jdm/etw ~** passer devant qn/qc; **im Vorübergehen** en passant **2.** (*ein Ende finden*) *Kummer:* [se] passer

vorübergehend I. *adj Erscheinung* passager(-ère), temporaire; *Abwesenheit* momentané(e) **II.** *adv abwesend* momentanément; *sich bessern* provisoirement

Vorurteil *nt* préjugé *m;* **~e gegenüber jdm haben** avoir des préjugés contre qn; **das ist ein ~** ce sont des préjugés

Vorväter *Pl geh* aïeux *mpl*

Vorverkauf *m* location *f*

vor|verlegen* *vt* avancer *Termin;* **etw auf [den] Dienstag ~** avancer qc à mardi

vor|wagen *vr* **sich ~ 1.** (*hervorkommen*) se risquer dehors **2.** (*sich exponieren*) oser s'avancer

Vorwahl *f* **1.** (*vorherige Auswahl*) présélection *f* **2.** POL (*élection f*) primaire *f* **3.** (*~nummer*) indicatif *m*

Vorwahlnummer *f* indicatif *m*

Vorwand ['foːɛvant, *Pl:* 'foːɛvɛndə] <-[e]s, Vorwände> *m* prétexte *m;* **unter dem ~ etw tun zu müssen** sous prétexte de faire qc

vor|wärmen *vt* préchauffer

Vorwarnung *f* mise *f* en garde ►**ohne ~** *losschimpfen* sans crier gare; *passieren* de façon imprévue

vorwärts ['foːɛvɛrts] *adv* **1.** (*nach vorn*) en avant; **einen Salto ~ machen** faire un salto avant **2.** (*weiter*) **jdn ~ bringen** *Erfolg:* faire avancer qn; **~ kommen** progresser; **mit den Bauarbeiten geht es ~** les tra-

vaux avancent; **es geht ~** ça avance
v̲orwärts|bringen s. vorwärts
V̲orwärtsgang <-gänge> m marche f
avant; **im ~** en marche avant
v̲orwärts|gehen s. vorwärts **v̲orwärts|-
kommen** s. vorwärts
vorw̲eg adv 1.(zuvor) préalablement 2. fahren en tête
vorw̲eg|nehmen vt irr die Pointe ~ trahir
la chute de l'histoire; **den Ausgang des
Films** ~ Szene: préfigurer la fin du film
v̲or|weisen vt irr 1.(nachweisen) **Fähig-
keiten ~ können** pouvoir faire valoir de
capacités 2. geh (vorzeigen) présenter
v̲or|werfen vt irr 1.(vorhalten) **jdm etw ~**
reprocher qc à qn; **sich (dat) in etw (dat)
nichts vorzuwerfen haben** n'avoir rien à
se reprocher au sujet de qc 2.(hinwerfen)
einem Tier etw zum Fraß ~ jeter qc à
manger à un animal; **jdn den wilden Tieren zum Fraß ~** jeter qn en pâture aux
fauves
v̲orwiegend adv 1.(hauptsächlich) principalement 2. METEO le plus souvent
v̲orwitzig adj 1.(neugierig) hardi(e)
2.(vorlaut) effronté(e)
V̲orwort <-worte> nt préface f
V̲orwurf <-[e]s, Vorwürfe> m reproche
m; **das kann mir niemand zum ~ machen** personne ne peut me le reprocher
v̲orwurfsvoll I. adj réprobateur(-trice) II.
adv d'un air réprobateur
V̲orzeichen nt 1.(Omen) présage m; **ein
gutes/böses ~ sein** être de bon/mauvais
augure 2.(Anzeichen) signe m avant-coureur 3. MUS altération f
v̲or|zeigen vt présenter
V̲orzeit f passé m [très] lointain
v̲orzeitig I. adj prématuré(e) II. adv ~ in

den Ruhestand treten prendre une retraite anticipée
v̲or|ziehen vt irr 1.(begünstigen) préférer;
jdn jdm ~ préférer qn à qn 2.(den Vorrang geben) **etw einer S.** (dat) ~ préférer
qc à qc; **es ~ etw zu tun** préférer faire qc
3.(früher erfolgen lassen) avancer; **den
Ruhestand ~** avancer son départ en retraite; **vorgezogener Ruhestand** retraite f
anticipée
V̲orzimmer nt secrétariat m
V̲orzug <-[e]s, Vorzüge> m 1.(Vorteil)
avantage m 2.(gute Eigenschaft) qualité f
3. form (Vorrang) **jdm/einer S. den ~
geben** donner la préférence à qn/qc
vorz̲üglich adj Qualität,
Wein excellent(e); Gericht délicieux(-euse)
II. adv 1. speisen, untergebracht sein merveilleusement 2.(hauptsächlich) en premier lieu
V̲orzugsaktie [-aktsiə] f ÖKON action privilégiée f **V̲orzugsmilch** f ≈ lait m cru sélectionné **v̲orzugsweise** adv de préférence
Votum ['vo:tʊm] <-s, Voten o Vota> nt
geh 1. POL vote m 2.(Entscheidung) verdict m
Voyeur(in) [voa'jø:ɐ] <-s, -e> m(f)
voyeur(-euse) m(f)
vulgär [vʊl'gɛ:ɐ] I. adj pej geh Wort gros-
sier(-ière); Aussehen, Pose vulgaire II. adv
~ aussehen avoir l'air vulgaire
Vulkan [vʊl'ka:n] <-[e]s, -e> m volcan m;
erloschener/tätiger ~ volcan éteint/en
activité
Vulkanausbruch [vʊ-] m éruption f volcanique
vulkanisch [vʊlka:nɪʃ] adj volcanique

W

W, w [veː] <-, -> *nt* W *m*/w *m*
W *Abk von* **Westen** O
WAA [veːʔaːˈʔaː] <-, -s> *f Abk von* **Wiederaufarbeitungsanlage**
Waadt <-> *f* canton *m* de Vaud
Waage [ˈvaːɡə] <-, -n> *f a.* ASTROL balance *f* ▸**sich** (*dat*) **die** ~ **halten** s'équilibrer
waag|e|recht *adj* horizontal(e)
Waagschale *f* plateau *m* de [la] balance ▸**etw in die** ~ **werfen** *geh* mettre qc dans la balance
wabbelig *adj fam Gelee* gélatineux(-euse); *Bauch* flasque
Wabe [ˈvaːbə] <-, -n> *f* rayon *m* [de miel]
wach [vax] *adj* 1. *Person:* éveillé(e); ~ **werden** se réveiller 2. *Verstand* vif(-ive)
Wachablösung *f* 1. relève *f* de la garde 2. (*Führungswechsel*) alternance *f*
Wache [ˈvaxə] <-, -n> *f* 1. *kein Pl* (*Wachdienst*) [service *m* de] garde *f;* ~ **schieben** *fam* être de garde 2. MIL sentinelle *f* 3. (*Polizeiwache*) poste *m* [de police]
wachen *vi* 1. veiller 2. (*beaufsichtigen*) **über etw** (*akk*) ~ surveiller qc
wachhabend *adj attr Beamter* de garde
Wachhund *m* chien *m* de garde
wachküssen *vt hum fig* **jdn** ~ ressusciter qn; **etw** ~ redonner un nouvel élan à qc
Wachmann <-leute *o* -männer> *m* gardien(ne) *m(f)*
Wacholder [vaˈxɔldə] <-s, -> *m* (*Busch*) genévrier *m*
Wachposten *m* sentinelle *f* **wach|rufen** *vt irr* réveiller; **etw in jdm** ~ réveiller qc en qn **wach|rütteln** *vt* secouer pour le réveiller; **jdn** ~ secouer qn pour le réveiller
Wachs [vaks] <-es, -e> *nt* cire *f*
wachsam I. *adj* vigilant(e) II. *adv* attentivement
wachsen¹ [ˈvaksən] <wächst, wuchs, gewachsen> *vi* + *sein* 1. *Kind:* grandir; *Pflanze:* pousser 2. *Haare:* pousser 3. *Begeisterung:* augmenter 4. *Vermögen:* s'accroître ▸**gut gewachsen sein** *Frau:* avoir de belles proportions
wachsen² *vt* cirer *Holzfußboden;* farter *Ski*
wächsern [-ks-] *adj* cireux(-euse)
Wachsfigurenkabinett *nt* cabinet *m* de cires **Wachsmalkreide** *f* crayon *m* gras
wächst [vɛkst] 3. *Pers Präs von* **wachsen¹**
Wachstum [ˈvakstuːm] <-[e]s> *nt kein Pl* 1. croissance *f; einer Geschwulst* développement *m* 2. *der Bevölkerung* accroissement *m*
Wachstumshormon *nt* hormone *f* de croissance **Wachstumsmarkt** *m* marché *m* de croissance **Wachstumsrate** *f* taux *m* de croissance
Wachtel [ˈvaxtəl] <-, -n> *f* caille *f*
Wächter(in) [ˈvɛçtɐ] <-s, -> *m(f)* gardien(ne) *m(f); einer Anstalt* surveillant(e) *m(f)*
Wachtmeister(in) [ˈvaxtmaɪstɐ] *m(f)* gardien(ne) *m(f)* de la paix **Wachtposten** *m* sentinelle *f* **Wach|t|turm** *m* mirador *m*
wackelig *adj* 1. *Stuhl* bancal(e); *Konstruktion* branlant(e) 2. *fam Finanzlage* précaire
Wackelkontakt *m* faux *m* contact
wackeln [ˈvakəln] *vi* 1. + *haben Stuhl:* être bancal 2. + *haben* (*sich bewegen*) vaciller 3. + *haben* **mit dem Kopf** ~ dodeliner de la tête
wacklig *s.* **wackelig**
Wade [ˈvaːdə] <-, -n> *f* mollet *m*
Wadenbein *nt* péroné *m* **Wadenkrampf** *m* crampe *f* au mollet
Waffe [ˈvafə] <-, -n> *f* arme *f* ▸**jdn mit seinen eigenen** ~**n schlagen** battre qn sur son propre terrain
Waffel [ˈvafəl] <-, -n> *f* gaufre *f;* (*Eistüte*) cornet *f*
Waffeleisen *nt* gaufrier *m*
Waffenarsenal *nt* arsenal *m* **Waffenembargo** *nt* embargo *m* sur les armes **Waffengewalt** ▸**mit** ~ par la force des armes **Waffenruhe** *f* cessez-le-feu *m* **Waffenschein** *m* permis *m* de port d'armes **Waffenstillstand** *m* armistice *m*
wagemutig I. *adj* audacieux(-euse) II. *adv* de manière audacieuse
wagen [ˈvaːɡən] I. *vt* 1. (*riskieren*) risquer 2. (*sich getrauen*) [es] ~ **etw zu tun** oser faire qc ▸**wer nicht wagt, der nicht gewinnt** *prov* qui ne risque rien n'a rien II. *vr* **sich an ein Projekt** ~ oser entreprendre un projet
Wagen [ˈvaːɡən] <-, - *o* SDEUTSCH, A ⁼> *m* 1. voiture *f;* **mit dem** ~ en voiture 2. ASTRON **der Große** ~ la Grande Ourse
Wagenheber <-s, -> *m* cric *m* **Wagenladung** *f* chargement *m* **Wagenrad** *nt* roue *f* de/de la voiture
Waggon [vaˈɡõː, vaˈɡɔŋ, vaˈɡoːn] <-s,

-s> *m* wagon *m*
waghalsig I. *adj Mensch* intrépide; *Versuch* périlleux(-euse) II. *adv fahren* de manière risquée
Wagnis ['vaːknɪs] <-ses, -se> *nt* entreprise *f* hasardeuse
WagonRR [va'gõː, va'gɔŋ, va'goːn] *s.* **Waggon**
Wahl [vaːl] <-, -en> *f* 1. (*~möglichkeit*) choix *m* 2. (*Abstimmung*) élection *f souvent pl*; **zur** ~ **gehen** aller voter 3. (*Ergebnis*) **die** ~ **annehmen** accepter le verdict des urnes
wählbar *adj* POL éligible
Wahlbenachrichtigung *f* ≈ carte *f* d'électeur (*qui tient lieu de convocation pour une élection précise*) **wahlberechtigt** *adj* qui a le droit de vote **Wahlbeteiligung** *f* participation *f* [électorale]
wählen ['vɛːlən] I. *vt* 1. POL voter pour *Partei*; **jdn zum Kanzler** ~ élire qn chancelier 2. TELEC faire *Telefonnummer* 3. (*aussuchen*) choisir II. *vi* 1. POL voter 2. (*auswählen*) **unter etw** (*dat*) ~ choisir parmi qc
Wähler(in) <-s, -> *m(f)* électeur(-trice) *m(f)*
Wahlergebnis *nt* résultat *m* des élections
wählerisch *adj* difficile
Wählerschaft <-, -en> *f form* électorat *m*
Wählerstimme *f* voix *f*
Wahlfach *nt* option *f*
Wahlgang <-gänge> *m* tour *m* [de scrutin] **Wahlheimat** *f* patrie *f* d'adoption **Wahlhelfer(in)** *m(f)* 1. (*Aufsicht*) assesseur *m* 2. (*Wahlkampfhelfer*) assistant(e) *m(f)* **Wahlkabine** *f* isoloir *f* **Wahlkampf** *m* campagne *f* électorale **Wahllokal** *nt* bureau *m* de vote
wahllos *adv* au hasard
Wahlpflicht *f* obligation *f* de vote **Wahlrecht** *nt kein Pl* 1. (*Recht*) droit *m* de vote 2. JUR (*Gesetze*) loi *f* électorale **Wahlsieg** *m* victoire *f* électorale **Wahlspruch** *m* devise *f*
Wählton *m* tonalité *f*
Wahlurne *f* urne *f*
wahlweise *adv* au choix
Wahn [vaːn] <-[e]s> *m a.* MED folie *f*
Wahnsinn *m kein Pl* 1. *fam* (*Unsinn*) folie *f* 2. MED aliénation *f* mentale ►**etw ist heller** ~ *fam* qc est complètement dingue; **jdn zum** ~ **treiben** *fam* rendre qn cinglé(e)
wahnsinnig I. *adj* 1. MED fou(folle) 2. *attr fam Arbeit* dingue; *Hitze* sacré(e) *antéposé; Sturm* terrible 3. *fam* (*herrlich*) super ►**jdn** ~ **machen** *fam* finir par rendre qn cinglé(e); **wie** ~ *fam* comme un(e) cinglé(e) II. *adv fam* vachement

Wahnsinnige(r) *f(m) dekl wie adj* fou *m/* folle *f*
Wahnvorstellung *f* MED hallucination *f*
wahr [vaːɐ] *adj* 1. *Geschichte* vrai(e); *Aussage* véridique; **seine Drohungen** ~ **machen** mettre ses menaces à exécution; **da ist etwas Wahres dran** *fam* [il] y a du vrai là-dedans; **das darf doch nicht** ~ **sein!** *fam* mais c'est pas vrai!; **nicht** ~? n'est-ce pas? 2. *attr Freund* véritable *antéposé; Glück* vrai(e) *antéposé* ►**so** ~ **ich hier stehe** *fam* aussi vrai que je m'appelle …
wahren ['vaːrən] *vt* 1. préserver *Interessen* 2. conserver *Ruf;* garder *Geheimnis*
während *vi* ►**was lange währt, wird endlich gut** *Spr.* tout vient à point à qui sait attendre
während ['vɛːrənt] I. *präp* + *gen* pendant II. *konj* 1. (*wohingegen*) alors que 2. (*in der Zeit als*) pendant que
währenddessen [vɛːrənt'dɛsən] *adv* pendant ce temps[-là]
wahrhaben *vt irr* **etw nicht** ~ **wollen** pas vouloir admettre qc
wahrhaftig *adv geh* vraiment
Wahrheit <-, -en> *f* 1. vérité *f;* **jdm die** ~ **sagen** dire la vérité à qn; **die ganze** ~ toute la vérité; **in** ~ en réalité 2. *kein Pl einer Aussage* véracité *f* ►**um die** ~ **zu sagen** à vrai dire
Wahrheitsgehalt *m* véracité *f* **wahrheitsgetreu** *adj* fidèle
wahrlich *adv geh* en vérité
wahrnehmbar *adj* perceptible
wahrlnehmen *vt irr* 1. percevoir *Geräusch* 2. profiter de *Gelegenheit* 3. (*einhalten*) **einen Termin** ~ se rendre à un rendez-vous 4. défendre *Interessen*
Wahrnehmung <-, -en> *f* 1. *eines Geräuschs* perception *f* 2. (*Vertretung*) *von Interessen* défense *f; von Angelegenheiten* prise *f* en charge
wahrlsagen I. *vi* prédire l'avenir II. *vt* **jdm etw** ~ prédire qc à qn
Wahrsager(in) <-s, -> *m(f)* voyant(e) *m(f)*
wahrscheinlich [vaːɐ'ʃaɪnlɪç] *adj* probable; **es ist nicht** ~, **dass** il est peu probable que + *subj*
Wahrscheinlichkeit <-, -en> *f* probabilité *f;* **mit hoher** ~ très probablement
Wahrung <-> *f* préservation *f*
Währung ['vɛːrʊŋ] <-, -en> *f* monnaie *f* **Währungseinheit** *f* unité *f* monétaire **Währungsfonds** *m* fonds *m* monétaire; **der Internationale** ~ le Fonds monétaire international **Währungsinstitut** *nt* das **Europäische** ~ l'Institut *m* monétaire européen **Währungsreform** *f* réforme *f* monétaire **Währungssystem** *nt* système *m*

monétaire; **das Europäische ~** le Système monétaire européen **Währungsunion** *f* union *f* monétaire; **die Europäische ~** l'union monétaire européenne **Wahrzeichen** *nt* emblème *m*
Waise ['vaizə] <-, -n> *f* orphelin(e) *m(f)*
Waisenhaus *nt* orphelinat *m* **Waisenkind** *nt* [petit] orphelin *m/*[petite] orpheline *f*
Waisenknabe ►gegen ihn ist er ein ~ *fam* c'est un amateur à côté de lui
Wal [va:l] <-[e]s, -e> *m* baleine *f*
Wald [valt, *Pl:* 'vɛldə] <-[e]s, ⸚er> *m* forêt *f;* (*kleiner*) bois *m* ►**wie man in den ~ hineinruft, so schallt es heraus** *prov* on récolte ce qu'on a semé
Waldarbeiter(in) *m(f)* garde *m* forestier
Waldbrand *m* incendie *m* de forêt
Wäldchen <-s, -> *nt Dim von* Wald bosquet *m*
Waldhorn *nt* cor *m* de chasse
waldig *adj* boisé(e)
Waldlauf *m* footing *m* en forêt **Waldmeister** *m* aspérule *f* [odorante] **Waldorfschule** *f* école *f* Rudolf-Steiner (*école privée dont la méthode d'enseignement est basée sur la pédagogie anthroposophique*)
Waldsterben *nt* dépérissement *m* des forêts **Waldweg** *m* chemin *m* forestier
Wales [wɛɪls] <-> *nt* le pays de Galles
Walkie-Talkie^RR ['wɔːkɪ'tɔːkɪ] <-[s], -s> *nt* talkie-walkie *m*
Walkman® ['wɔːkmən] <-s, -men> *m* baladeur *m*
Wall [val, *Pl:* 'vɛlə] <-[e]s, ⸚e> *m* talus *m*
Wallach <-[e]s, -e> *m* hongre *m*
wallend *adj geh Haar* ondoyant(e) et abondant(e); *Gewänder* ondulant(e)
Wallfahrer(in) *m(f)* pèlerin *m* **Wallfahrtsort** *m* [lieu *m* de] pèlerinage *m*
Wallis ['valɪs] <-> *nt* das ~ le Valais
Wallone <-n, -n> *m*, **Wallonin** *f* Wallon(ne) *m(f)*
Wallung <-, -en> *f* (*Hitzewallung*) bouffée *f* de chaleur 2. (*Erregung*) **in ~ geraten** *Person:* entrer en transe; *Blut:* bouillir
Walnuss^RR ['valnʊs], **Walnuß** *f* 1. noix *f* 2. (*Baum*) noyer *m*
Walnussholz^RR *nt* [bois *m* de] noyer *m*
Walpurgisnacht *f* nuit *f* de Walpurgis
Walross^RR ['valrɔs], **Walroß** *nt* morse *m*
walten ['valtən] *vi geh* 1. (*herrschen*) *Geist:* régner; *Kräfte:* se manifester 2. (*üben*) **Gnade ~ lassen** faire preuve de grâce
Walze ['valtsə] <-, -n> *f* 1. GEOM, TECH cylindre *m* 2. (*Straßenwalze*) rouleau *m* compresseur
walzen ['valtsən] *vt* 1. damer *Piste* 2. METAL [glatt] ~ laminer *Stahl*

wälzen ['vɛltsən] I. *vt* 1. **jdn auf die Seite ~** tourner qn sur le côté 2. GASTR **etw in Mehl ~** rouler qc dans la farine 3. *fam* compulser *Buch* 4. *fam* ruminer *Probleme* II. *vr* **sich im Schlamm ~** *Schwein:* se vautrer dans la boue
Walzer ['valtsə] <-s, -> *m* valse *f*
Wälzer <-s, -> *m fam* pavé *m*
Wampe ['vampə] <-, -n> *f* DIAL *fam* brioche *f*
wand [vant] *Imp von* winden[1]
Wand [vant, *Pl:* 'vɛndə] <-, ⸚e> *f* 1. (*Mauer*) mur *m;* ~ **an ~** porte à porte 2. (~*schirm*) spanische ~ paravent *m* ►**ich könnte die Wände hochgehen** *fam* c'est à se taper la tête contre les murs; **jdn an die ~ spielen** SPORT écraser qn; THEAT éclipser qn
Wandale <-n, -n> *m*, **Wandalin** *f* vandale *mf*
Wandalismus <-> *m* vandalisme *m*
Wandel ['vandəl] <-s> *m geh* changement *m;* **im ~ der Zeiten** au fil du temps
Wandelhalle *f* foyer *m*
wandeln ['vandəln] *geh* I. *vt* modifier II. *vr* **sich ~** changer III. *vi + sein* **auf und ab ~** déambuler
Wanderausstellung *f* exposition *f* itinérante
Wanderer <-s, -> *m*, **Wanderin** *f* randonneur(-euse) *m(f)*
Wanderkarte *f* guide *m* des sentiers de grande randonnée
wandern ['vandən] *vi + sein* 1. faire de la randonnée; **das Wandern** la marche 2. *Gletscher:* se déplacer; **ihr Blick wandert durch den Saal** elle promène son regard dans la salle 3. *fam* **in den Papierkorb ~** passer à la corbeille à papier 4. *Völker:* migrer
Wanderpokal *m* [coupe *f* du] challenge *m*
Wanderschaft <-, -en> *f kein Pl eines Gesellen* ≈ tour *m* de France (*effectué par un compagnon*)*; **auf ~ gehen** *Geselle:* ≈ partir faire le tour de France; *fam* partir vadrouiller
Wanderung <-, -en> *f* 1. randonnée *f* 2. *von Völkern* migration *f*
Wanderweg *m* sentier *m* de [grande] randonnée
Wandgemälde *nt* peinture *f* murale **Wandkarte** *f* carte *f* murale **Wandlampe** *f* applique *f*
Wandlung ['vandlʊŋ] <-, -en> *f geh* transformation *f*
Wandschrank *m* placard *m*
wandte ['vantə] *Imp von* wenden
Wandteppich *m* tapis *m* mural; (*gewebt*) tapisserie *f* **Wandzeitung** *f* journal *m* mu-

ral

Wange ['vaŋə] <-, -n> *f geh* joue *f;* ~ **an** ~ joue contre joue

Wankelmotor *m* [moteur *m*] rotatif *m*

Wankelmut *m geh* versatilité *f*

wankelmütig ['vaŋkəlmyːtɪç] *adj geh* versatile

wanken ['vaŋkən] *vi* **1.**+ *haben Person:* chanceler; *Turm:* vaciller **2.**+ *sein* **nach Hause** ~ tituber jusqu'à la maison ▸**ins Wanken geraten** se mettre à vaciller

wann [van] *adv interrog* quand; **seit/bis** ~ depuis/jusqu'à quand; **von** ~ **an** à partir de quand; ~ [**auch**] **immer** n'importe quand; ~ **immer Sie wollen** quand vous voulez

Wanne ['vanə] <-, -n> *f* **1.** (*Badewanne*) baignoire *f;* **in die** ~ **gehen** prendre un bain **2.** (*längliches Gefäß*) bassine *f*

Wanst [vanst, *Pl:* 'vɛnstə] <-[e]s, ⸚e> *m fam* panse *f;* **sich** (*dat*) **den** ~ **voll schlagen** s'en mettre plein la panse

Wanze ['vantsə] <-, -n> *f* **1.** punaise *f* **2.** *fam* (*Abhörgerät*) micro *m*

WAP-Handy *nt* portable *m* WAP

Wappen ['vapən] <-s, -> *nt* armoiries *fpl*

Wappenschild <-schilde *o* -schilder> *m o nt* blason *m*

wappnen ['vapnən] *vr geh* **sich** ~ se mettre sur ses gardes; **sich gegen etw** ~ se prémunir contre qc; **gewappnet sein** être paré

war [vaːɐ̯] *Imp von* **sein**[1]

warb [varp] *Imp von* **werben**

Ware ['vaːrə] <-, -n> *f* **1.** marchandise *f* **2.** (*Lebensmittel*) denrées *fpl* ▸**heiße** ~ *fam* marchandise *f* suspecte

Warenangebot *nt* choix *m* d'articles **Warenhaus** *nt* grand magasin *m* **Warentest** *m* test *m* de qualité **Warenzeichen** *nt* marque *f* déposée

warf [varf] *Imp von* **werfen**

warm [varm] <⸚er, ⸚ste> **I.** *adj* **1.** chaud(e); **es ist** ~ **hier** il fait chaud ici; **jdm ist** ~ qn a chaud **2.** METEO chaud(e) **3.** SPORT **sich** ~ **laufen** s'échauffer **4.** TECH ~ **laufen** *Motor, Wagen:* chauffer **II.** *adv* **1.** ~ **duschen** prendre une douche chaude **2.** (*nachdrücklich*) **jdn wärmstens empfehlen** recommander très chaleureusement qn; **jdm etw wärmstens empfehlen** recommander tout particulièrement qc à qn

Warmblüter <-s, -> *m* animal *m* à sang chaud

Wärme ['vɛrmə] <-> *f* chaleur *f*

wärmedämmend *adj* isolant(e)

Wärmedämmung *f* isolation *f* [thermique]

wärmen I. *vt* chauffer *Suppe:* **II.** *vi Decke:*

tenir chaud; *Sonne:* chauffer **III.** *vr* **sich** ~ se réchauffer

Wärmepumpe *f* pompe *f* à chaleur **Wärmestrahlung** *f* rayonnement *m* thermique **Wärmeverlust** *m* déperdition *f* thermique

Wärmflasche *f* bouillotte *f*

Warmfront *f* METEO front *m* chaud **Warmhalteplatte** *f* chauffe-plat *m* **warmherzig** *adj* chaleureux(-euse) **warmlaufen** *s.* **warm I. Warmluft** *f* air *m* chaud **Warmmiete** *f* loyer *m* charges comprises **Warmstart** *m* INFORM démarrage *m* à chaud **Warmwasserspeicher** *m* ballon *m* d'eau chaude **Warmwasserversorgung** *f* approvisionnement *m* en eau chaude

Warnblinkanlage *f* feux *mpl* de détresse **Warndreieck** *nt* triangle *m* de signalisation

warnen ['varnən] **I.** *vt* prévenir; **jdn vor jdm/etw** ~ mettre qn en garde contre qn/qc; **jdn** [**davor**] ~ **etw zu tun** dissuader qn de faire qc **II.** *vi* **vor jdm/etw** ~ mettre en garde contre qn/qc

Warnkreuz *nt* croix *f* de Saint-André (*signal de position à un passage à niveau sans barrière*) **Warnschild** <-schilder> *nt* panneau *m* avertisseur; (*Verkehrsschild*) panneau de danger **Warnschuss**[RR] *m* tir *m* de sommation **Warnsignal** *nt* (*optisches Zeichen*) signal *m* lumineux; (*akustisches Zeichen*) signal sonore **Warnstreik** *m* grève *f* d'avertissement **Warnung** <-, -en> *f* avertissement *m;* **lass dir das eine** ~ **sein!** que ça te serve d'avertissement!

Warnzeichen *nt* **1.** (*Warnschild*) signal *m* **2.** (*Anzeichen*) avertissement *m*

Warschau ['varʃau] <-s> *nt* Varsovie

Warte <-, -n> *f* ▸**von seiner** ~ [**aus**] de son point de vue

Wartehalle *f* hall *m* d'attente **Warteliste** *f* liste *f* d'attente

warten ['vartən] **I.** *vi* **1.** attendre; **auf jdn/etw** ~ attendre qn/qc; **auf sich** (*akk*) ~ **lassen** se faire attendre; **ich kann** ~**!** j'ai tout mon temps!; **warte mal!** attends voir!; **bitte** ~**!** veuillez patienter quelques instants!; **worauf wartest du noch?** *fam* t'attends quoi? **2.** (*hinausschieben*) **mit etw** ~ remettre qc ▸**da kannst du lange** ~**!** tu peux toujours courir!; **na warte!** *fam* attends un peu! **II.** *vt* TECH réviser *Auto*

Wartesaal *m* (*in Bahnhöfen*) salle *f* d'attente **Wartezeit** *f* attente *f* **Wartezimmer** *nt* salle *f* d'attente

Wartung <-, -en> *f eines Autos* entretien *m; eines Geräts* maintenance *f*

wartungsfrei *adj* sans entretien

warụm [va'rʊm] *adv interrog* pourquoi; ~ **nicht?** pourquoi pas? ▶~ **nicht gleich so?** *fam* [ah,] quand même!

Warze ['vartsə] <-, -n> *f* **1.** MED verrue *f* **2.** (*Brustwarze*) mamelon *m*

wạs [vas] **I.** *pron interrog* **1.** ~ **funktioniert nicht?** qu'est-ce qui ne fonctionne pas?; ~ **ist denn das?** qu'est-ce que c'est que ça?; ~ **ist?** qu'est-ce qu'il y a?; ~ **sag mir,** ~ **du willst** dis-moi ce que tu veux; ~ **für ein Glück!** quelle chance! **2.** *fam* (*wie viel*) ~ **kostet das?** qu'est-ce que ça coûte? **3.** *fam* (*wie bitte*) ~**?** quoi? **4.** *fam* (*woran, worauf*) **an** ~ **denkst du?** à quoi penses-tu?; **auf** ~ **wartet er?** qu'est-ce qu'il attend? **5.** *fam* (*nicht wahr*) **schmeckt gut,** ~**?** c'est bon, hein? **II.** *pron rel* **sie bekommt immer** [das], ~ **sie will** elle obtient toujours ce qu'elle veut; **das Schönste,** ~ **auf dem Markt ist** ce qu'il y a de plus beau sur le marché; **das einzige,** ~ **es gibt** la seule chose qu'il y ait **III.** *pron indef fam* (*etwas*) quelque chose; **hast du** ~ **von ihm gehört?** est-ce que tu as des nouvelles de lui?

Wạschanlage *f* (*Autowaschanlage*) station *f* de lavage **wạschbar** *adj* lavable **Wạschbär** *m* raton *m* laveur **Wạschbecken** *nt* lavabo *m*

Wäsche ['vɛʃə] <-, -en> *f* **1.** *kein Pl* lessive *f;* ~ **waschen** faire la lessive **2.** *kein Pl* (*Textilien*) linge *m;* (*Unterwäsche*) sous-vêtements *mpl;* (*für Frauen*) dessous *mpl* ▶**dumm aus der** ~ **gucken** *fam* faire une drôle de tête

wạschecht *adj* **1.** *Farbe* grand teint **2.** *fam* (*typisch*) pur jus

Wäscheklammer *f* pince *f* à linge **Wäscheleine** *f* corde *f* à linge

wạschen ['vaʃən] <wạscht, wusch, gewạschen> **I.** *vt* **1.** (*reinigen*) laver; [sich (*dat*)] **die Hände** ~ [se] laver les mains; **sich warm/kalt** ~ se laver à l'eau chaude/froide **2.** *fam* blanchir *Geld* ▶..., **der/ die/das sich gewaschen hat** *fam* ... qui n'est pas piqué(e) des hannetons **II.** *vi* faire une lessive

Wäscherei [vɛʃə'raj] <-, -en> *f* blanchisserie *f*

Wäscheschleuder *f* essoreuse *f* **Wäscheständer** *m* séchoir *m* [à linge] **Wäschetrockner** *m* sèche-linge *m*

Wạschgelegenheit *f* cabinet *m* de toilette **Wạschküche** *f* buanderie *f* **Wạschlappen** *m* **1.** gant *m* de toilette **2.** *fam* (*Feigling*) lavette *f* **Wạschmaschine** *f* machine *f* à laver **Wạschmittel** *nt* lessive *f* **Wạschpulver** *nt* lessive *f* en poudre **Wạschraum** *m* lavabos *mpl* **Wạschsalon** *m* lave-

rie *f* [automatique] **Wạschstraße** *f* tunnel *m* de lavage

wäscht [vɛʃt] *3. Pers Präs von* waschen **Wạschwasser** *nt* eau *f* de lavage **Wạschweib** *nt fam* commère *f*

Wạsser ['vasɐ] <-s, – o ⁼> *nt* **1.** *kein Pl* eau *f;* **fließend** ~ eau courante; **etw unter** ~ **setzen** inonder qc **2.** *euph* (*Urin*) ~ **lassen** uriner ▶**bis dahin fließt noch viel** ~ **den Bach** *fam* **hinunter** d'ici là, il coulera encore beaucoup d'eau sous les ponts; **jdm steht das** ~ **bis zum Hals** *fam* qn est dans la panade; **jdm läuft das** ~ **im Mund**[e] **zusammen** qn en a l'eau à la bouche; **stille** ~ **sind tief** *prov* il faut se méfier de l'eau qui dort; **ins** ~ **fallen** tomber à l'eau; **mit allen** ~**n gewaschen sein** *fam* avoir plus d'un tour dans son sac; **sich über** ~ **halten** garder la tête hors de l'eau; **auch nur mit** ~ **kochen** *fam* ne pas être plus malin que les autres

wạsserarm *adj* aride **Wạsseraufbereitung** *f* traitement *m* de l'eau **Wạsserbad** *nt* bain-marie *m* **Wạsserball** *m* **1.** *kein Pl* (*Sportart*) water-polo *m* **2.** (*Ball*) ballon *m* [de water-polo] **3.** (*Spielball*) ballon *m* [de plage] **Wạsserbett** *nt* matelas *m* à eau **Wässerchen** <-s, -> *nt* (*Duftwasser*) eau *f* de parfum ▶**er sieht aus, als ob er kein** ~ **trüben könnte** *fam* on lui donnerait le bon Dieu sans confession

Wạsserdampf *m* vapeur *f* d'eau **wạsserdicht** *adj* **1.** *Uhr* étanche; *Stoff* imperméable **2.** *fam Alibi* en béton **Wạsserfall** *m* cascade *f* ▶**wie ein** ~ **reden** *fam* être un vrai moulin à paroles **Wạsserfarbe** *f* peinture *f* à l'eau **wạsserfest** *adj* **1.** *Farbe* lavable **2.** *s.* wasserdicht **Wạsserflugzeug** *nt* hydravion *m* **Wạsserglas** *nt* verre *m* à eau **Wạssergraben** *m* **1.** GEOG rigole *f* **2.** SPORT rivière *f* **3.** (*Burggraben*) douve *f* **Wạsserhahn** *m* robinet *m*

wässerig ['vɛsərɪç] *s.* wässrig **Wạsserkessel** *m* bouilloire *f* **Wạsserkopf** *m* **1.** MED hydrocéphale *f* **2.** *fig* sich zu einem ~ **entwickeln** s'hypertrophier **Wạsserkraft** *f kein Pl* énergie *f* hydraulique **Wạsserkraftwerk** *nt* centrale *f* hydroélectrique **Wạsserlauf** *m* cours *m* d'eau **Wạsserleiche** *f* cadavre *m* d'un(e) noyé(e) **Wạsserleitung** *f* conduite *f* d'eau **wạsserlöslich** *adj Pulver* soluble; *Farbe* hydrosoluble **Wạssermangel** *m* pénurie *f* d'eau **Wạssermann** <-männer> *m* ASTROL Verseau *m;* [ein] ~ **sein** être Verseau **Wạssermelone** *f* pastèque *f* **Wạssermühle** *f* moulin *m* à eau

wassern *vi* + *haben o sein* amerrir

wässern ['vɛsɐn] *vt* **1.** (*gießen*) arroser

2. **Linsen** ~ faire tremper des lentilles [dans l'eau] **Wasseroberfläche** *f* surface *f* de l'eau **Wasserpfeife** *f* narguilé *m* **Wasserpflanze** *f* plante *f* aquatique **Wasserpistole** *f* pistolet *m* à eau **Wasserratte** *f* **1.** zool rat *m* d'eau **2.** *fam* (*begeisterter Schwimmer*) vrai poisson *m* **Wasserrohr** *nt* tuyau *m* d'eau **Wasserschaden** *m* dégâts *mpl* des eaux **Wasserscheide** *f* ligne *f* de partage des eaux **wasserscheu** *adj* qui a peur de l'eau **Wasserschutzpolizei** *f* police *f* fluviale; (*im Hafen*) police du port; (*auf dem Meer*) police maritime **Wasserski**[1] *nt kein Pl* (*Sportart*) ski *m* nautique **Wasserski**[2] *m* (*Sportgerät*) ski *m* [pour pratiquer le ski nautique] **Wasserspiegel** *m* **1.** (*Wasseroberfläche*) surface *f* de l'eau **2.** (*Wasserstand*) niveau *m* d'eau **Wassersport** *m* sport *m* aquatique **Wasserspülung** *f* chasse *f* d'eau **Wasserstand** *m* niveau *m* d'eau **Wasserstoff** *m* hydrogène *m* **Wasserstoffbombe** *f* bombe *f* à hydrogène **Wasserstrahl** *m* jet *m* d'eau **Wasserstraße** *f* voie *f* navigable **Wassertropfen** *m* goutte *f* d'eau **Wasserturm** *m* château *m* d'eau **Wasseruhr** *f* compteur *m* d'eau

Wasserverbrauch *m* consommation *f* d'eau **Wasserverschmutzung** *f* pollution *f* des eaux **Wasserversorgung** *f* approvisionnement *m* en eau **Wasservogel** *m* oiseau *m* aquatique **Wasserwaage** *f* niveau *m* d'eau **Wasserweg** *m* voie *f* d'eau **Wasserwerfer** *m* canon *m* à eau **Wasserwerk** *nt* centre *m* de distribution des eaux **Wasserzeichen** *nt* filigrane *m*

wässrig[RR] ['vɛsrɪç], **wäßrig** *adj* **1.** *Kaffee* clairet(te) **2.** chem *Lösung* aqueux(-euse) **3.** *Farbe* glauque

waten ['vaːtən] *vi* + *sein* **durch das Wasser** ~ passer l'eau à gué

watscheln *vi* + *sein Ente:* se dandiner

Watschen <-, -> *f* A, sdeutsch *fam* baffe *f*

Watt [vat] <-s, -> *nt* phys watt *m*

Watte ['vatə] <-, -n> *f* coton *m*

Wattebausch *m* [morceau *m* de] coton *m*

Wattenmeer *nt kein Pl* **das** ~ le Wattenmeer (*eaux qui recouvrent le Watt à marée haute*)

Wattestäbchen ['vatəʃtɛːpçən] *nt* coton-tige® *m*

wattieren* [va'tiːrən] *vt* ouatiner *Jacke;* **wattiert** molletonné(e)

WC [veː'tseː] <-s, -s> *nt* W.-C. *mpl*

weben ['veːbən] <webte *o geh* wob, gewebt *o geh* gewoben> **I.** *vt* tisser **II.** *vi* faire du tissage

Weber(in) <-s, -> *m(f)* tisserand(e) *m(f)*

Weberei [veːbə'raj] <-, -en> *f* [usine *f* de] tissage *m*

Webseite *f* inform site *m* sur Internet

Webstuhl *m* métier *m* à tisser

Wechsel ['vɛksəl] <-s, -> *m* **1.** changement *m;* **etw im** ~ **tun** *Personen:* faire qc à tour de rôle; *Gerät:* faire qc en alternance **2.** (*Geldwechsel*) change *m* **3.** fin (*Schuldurkunde*) lettre *f* de change

Wechselgeld *nt* monnaie *f*

wechselhaft *adj Wetter* instable; *Leben* mouvementé(e)

Wechseljahre *Pl* ménopause *f* **Wechselkurs** *m* taux *m* de change

wechseln ['vɛksln] **I.** *vt* + *haben* **1.** changer de; changer *Reifen;* **das Thema** ~ changer de sujet; **Euro in Dollar** ~ changer des euros en dollars; **jdm zehn Euro** ~ faire de la monnaie de dix euros à qn **2.** (*austauschen*) échanger *Briefe, Ringe* **II.** *vi* **1.** + *haben* jdm ~ faire le change à qn **2.** + *haben* (*eine neue Stelle antreten*) changer d'employeur **3.** + *sein* **auf die andere Spur** ~ changer de voie

wechselseitig I. *adj* réciproque **II.** *adv* mutuellement

Wechselstrom *m* courant *m* alternatif

Wechselstube *f* bureau *m* de change

Wechselwähler(in) *m(f)* électeur *m* indécis/électrice *f* indécise

wechselweise *adv* en alternance; (*in Bezug auf Menschen*) à tour de rôle

Wechselwirkung *f* interaction *f*

wecken ['vɛkən] *vt* **1.** (*auf~*) réveiller **2.** (*hervorrufen*) susciter *Interesse*

Wecken <-s, -> *m* A, sdeutsch petit pain *m*

Wecker <-s, -> *m* réveil *m* ▶**jdm auf den** ~ **gehen** *fam* taper sur le système à qn

wedeln *vi* + *haben* **mit etw** ~ remuer qc

weder ['veːdə] *konj* ~ ... **noch** ... ni ... ni ...

weg [vɛk] *adv* **1.** (*fort*) ~ **sein** (*abwesend sein*) ne pas être là; (*weggegangen sein*) être parti; (*verschwunden sein*) avoir disparu; **nichts wie** ~ [**hier**]! *fam* tirons-nous!; ~ **da!** *fam* [allez,] dégage/dégagez!; ~ **damit!** du balai! **2.** *fam* (*hin~*) **über einen Verlust** ~ **sein** avoir digéré une perte **3.** *fam* (*begeistert*) **er ist ganz** ~ **von ihr** elle le fait complètement craquer

Weg [veːk] <-[e]s, -e> *m* **1.** chemin *m;* (*Route*) itinéraire *m;* (*Strecke*) trajet *m;* **auf dem** ~ **zu jdm/ins Kino sein** être en route pour chez qn/pour le ciné; **sich auf den** ~ **zu jdm machen** partir chez qn; **das liegt auf dem** ~ c'est sur le chemin; **jdm den** ~ **versperren** barrer la route à qn; **aus dem** ~! dégage/dégagez le passage! **2.** (*Methode*) moyen *m* **3.** (*Art, Weise*)

auf diesem ~e de cette façon; **auf schriftlichem ~e** *form* par écrit; **auf illegalem ~e** par des moyens illégaux ▶ **auf dem ~e der Besserung sein** *geh* être en voie de guérison; **auf dem besten ~e sein etw zu tun** être bien parti pour faire qc; **vom rechten ~ abkommen** s'écarter du droit chemin; **jdm/einer S. den ~ bahnen** ouvrir le chemin à qn/qc; **jdm/einer S. aus dem ~ gehen** (*jdn/etw meiden*) éviter qn/qc; **jdm über den ~ laufen** croiser qn; **etw in die ~e leiten** engager qc; **jdn/etw aus dem ~ räumen** écarter qn/qc; **jdm/einer S. im ~ stehen** faire obstacle à qn/qc

weg|bekommen* *vt irr fam* réussir à enlever *Fleck*

Wegbereiter(in) <-s, -> *m(f)* précurseur *m*

weg|blasen *vt irr* etw ~ enlever qc en soufflant

weg|bleiben *vi irr* + *sein* (*nicht kommen*) ne pas venir; (*nicht zurückkommen*) ne pas revenir; **lange ~** s'absenter longtemps

weg|bringen *vt irr* emmener *Person*

weg|denken *vt irr* **sich** (*dat*) **etw ~** faire abstraction de qc ▶ **jd/etw ist nicht mehr wegzudenken** on ne peut plus se passer de qn/qc

wegen ['ve:gən] *präp* + *gen* **1.** (*aufgrund von*) ~ **des Regens** à cause de la pluie **2.** (*bezüglich*) ~ **einer S.** à propos de qc **3.** (*um … willen*) à cause de

weg|fahren *irr* **I.** *vi* + *sein* **1.** (*verreisen*) partir [en voyage] **2.** (*abfahren*) partir; **mir ist der Bus vor der Nase weggefahren** le bus a démarré sous mes yeux **II.** *vt* + *haben* déplacer *Fahrzeug*

weg|fallen *vi irr* + *sein* devenir caduc(-uque); **etw ~ lassen** supprimer qc

weg|fliegen *vi irr* + *sein Person:* prendre l'avion; *Flugzeug:* s'envoler

weg|führen **I.** *vt* (*fortbringen*) emmener **II.** *vt, vi* jdn vom Thema ~ éloigner qn du sujet

Weggabelung *f* bifurcation *f*

Weggang *m* kein *Pl* form départ *m*

weg|geben *vt irr* **1.** (*fortgeben*) se débarrasser de **2.** (*zur Adoption*) abandonner *Kind*

Weggefährte *m*, **-gefährtin** *f* a. *fig* compagnon *m*/compagne *f* de route

weg|gehen *vi irr* + *sein* **1.** (*fortgehen*) partir; **geh weg!** va-t'en!; **aus Ulm ~** quitter Ulm **2.** *fam Fleck:* s'en aller **3.** *fam* (*verkauft werden*) partir; **sehr gut ~** partir comme des petits pains

weg|gießen *vt irr* jeter

weg|haben *vt irr fam* **1.** avoir réussi à faire partir *Fleck* **2.** (*fortwünschen*) **er will ihn**

~ **il veut le faire dégager** ▶ **einen ~** *fam* être pété

weg|jagen *vt* chasser *Person, Tier*

weg|kommen *vi irr* + *sein fam* **1.** (*wegge-hen können*) pouvoir partir **2.** (*loskommen*) **von jdm/etw ~** se défaire de qn/qc **3.** (*abhanden kommen*) disparaître **4.** (*abschneiden*) **gut/schlecht ~** bien/mal s'en sortir ▶ **mach, dass du wegkommst!** fiche[-moi] le camp!

weg|kriegen *s.* wegbekommen

weg|lassen *vt irr* **1.** *fam* (*auslassen*) laisser tomber; (*versehentlich*) omettre **2.** (*fortgehen lassen*) laisser partir **3.** (*verzichten auf*) renoncer à

weg|laufen *vi irr* + *sein* **1.** (*fortlaufen*) se sauver; **vor jdm ~** fuir devant qn **2.** *fam Katze:* se sauver; **von zu Hause ~** faire une fugue ▶ **das läuft dir nicht weg** *fam* ça peut bien attendre

weg|legen *vt* (*beiseite legen*) poser

weg|machen **I.** *vt fam* enlever; **jdm etw ~** enlever qc à qn **II.** *vr fam* **sich ~** s'éclipser

weg|müssen *vi irr fam* **ich muss weg** il faut que je me barre; **der Brief muss heute noch weg** il faut que la lettre parte aujourd'hui

weg|nehmen *vt irr* **1.** (*entfernen*) enlever **2.** (*fortnehmen*) **jdm etw ~** enlever qc à qn

Wegrand *m* bord *m* du chemin

weg|rationalisieren* *vt fam* licencier *Personal*

weg|räumen *vt* évacuer

weg|rennen *vi irr* + *sein* (*rennen*) courir à toutes jambes; (*Reißaus nehmen*) décamper

weg|schaffen *vt* enlever *Gepäck;* emporter *Beute*

weg|schauen *s.* wegsehen

weg|schicken *vt* envoyer *Brief;* renvoyer *Person*

weg|schmeißen *vt irr fam* balancer

weg|schnappen *vt fam* **jdm etw ~** souffler qc à qn

weg|schütten *s.* weggießen

weg|sehen *vi irr* **1.** (*nicht hinsehen*) détourner les yeux **2.** *fam* (*hinwegsehen*) **über etw** (*akk*) ~ fermer les yeux sur qc

weg|setzen *vt, vr* [sich] ~ changer de place

weg|stecken *vt fam* **1.** (*einstecken*) ranger **2.** (*verkraften*) encaisser

weg|stellen *vt* déplacer

weg|tragen *vt irr* emporter

weg|treten *vi irr* + *sein* **1.** MIL rompre les rangs; **weggetreten!** rompez! **2.** (*beiseite treten*) **von der Unfallstelle ~** s'éloigner du lieu de l'accident ▶ (*geistig*) **weggetreten sein** *fam* être à côté de ses pompes

weg|tun vt irr **1.** (weglegen) enlever **2.** (wegwerfen) jeter

wegweisend ['ve:kvaizənt] adj porteur(-euse) d'avenir; ~ **sein** ouvrir des perspectives

Wegweiser <-s, -> m poteau m indicateur

weg|werfen vt irr jeter

wegwerfend adj dédaigneux(-euse)

Wegwerfgesellschaft f pej société f de gaspillage

weg|wollen vi irr fam **1.** von zu Hause ~ vouloir quitter la maison **2.** (verreisen wollen) vouloir partir [en voyage]

weg|ziehen irr **I.** vi + sein **1.** (fortziehen) déménager; **aus der Stadt** ~ quitter la ville **2.** Vögel: migrer **II.** vt + haben retirer Hand

weh [ve:] adj douloureux(-euse) ►**o** ~! aïe, aïe, aïe!

wehe ['ve:ə] interj malheureux(-euse)!; ~ [dir], **wenn** ...! gare à toi si ...!

Wehe ['ve:ə] <-, -n> f **1.** (Schneewehe) congère f **2.** meist Pl (Geburtswehe) contraction f; **in den ~n liegen** avoir des contractions

wehen ['ve:ən] vi **1.** + haben Wind: souffler **2.** + haben im Wind ~ Haare, Fahne: flotter au vent; **mit ~den Fahnen** bannières au vent

wehklagen vi geh se lamenter

wehleidig adj douillet(te)

Wehmut ['ve:mu:t] <-> f geh nostalgie f

wehmütig ['ve:my:tɪç] geh adj nostalgique

Wehr¹ [ve:ɐ] f ►**sich gegen jdn/etw zur** ~ **setzen** se défendre contre qn/qc

Wehr² <-[e]s, -e> nt (Stauanlage) digue f

Wehrbeauftragte(r) f(m) dekl wie adj médiateur(-trice) m(f) parlementaire auprès des armées (qui défend les droits des soldats)

Wehrdienst m kein Pl service m militaire **Wehrdienstverweigerer** <-s, -> m, **-verweigerin** f objecteur m de conscience **Wehrdienstverweigerung** f objection f de conscience

wehren ['ve:rən] **I.** vr **1.** (sich verteidigen) **sich** ~ se défendre; **sich gegen etw** ~ se défendre contre qc **2.** (sich sträuben) **sich dagegen** ~ **etw zu tun** se refuser à faire qc **II.** vi geh **einer S.** (dat) ~ faire obstacle à qc

Wehrersatzdienst m service m civil

wehrlos adj, adv sans défense; **gegen jdn/ etw** ~ **sein** être sans défense contre qn/qc

Wehrlosigkeit <-> f impuissance f

Wehrmacht f HIST **die** ~ la Wehrmacht

Wehrpflicht f kein Pl [allgemeine] ~ service m militaire obligatoire **wehrpflichtig** adj astreint(e) au service militaire **Wehr-**

pflichtige(r) f(m) dekl wie adj conscrit(e) m(f) **Wehrübung** f eines Soldaten exercice m

weh|tunᴿᴿ vi faire mal; **jdm** ~ faire mal à qn; **mir tut der Rücken weh** j'ai mal au dos

Wehwehchen <-s, -> nt fam bobo m

Weib [vaip] <-[e]s, -er> nt fam bonne femme f

Weibchen ['vaipçən] <-s, -> nt ZOOL femelle f

Weiberheld m pej bourreau m des cœurs (hum)

weibisch adj efféminé(e)

weiblich adj **1.** a. GRAM féminin(e) **2.** BOT femelle

Weiblichkeit <-> f féminité f

weich [vaiç] adj **1.** Stoff doux(douce); Boden mou(molle); Bett moelleux(-euse) **2.** Fleisch tendre **3.** Droge doux(douce) **4.** Person doux(douce); ~ **werden** se laisser attendrir **5.** FIN Währung faible

Weiche ['vaiçə] <-, -n> f aiguillage m ►**die ~n für etw** stellen poser des jalons pour qc

weichen ['vaiçən] <wich, gewichen> vi + sein **1.** Spannung: s'apaiser **2.** (nachgeben) **einer S.** (dat) ~ céder à qc **3.** (weggehen) **zur Seite** ~ s'écarter

weichgekocht s. kochen **II.**

weichherzig adj sensible

Weichkäse m fromage m à pâte molle

weichlich adj mou(molle)

Weichling <-s, -e> m pej mollasse mf

Weichsel [-ks-] <-> f **die** ~ la Vistule

Weichspüler <-s, -> m assouplissant m

Weichteile Pl **1.** (Eingeweide) parties fpl molles **2.** fam (Geschlechtsteile) parties fpl **Weichtier** nt mollusque m

Weide ['vaidə] <-, -n> f **1.** (Baum) saule m **2.** (Viehweide) pâturage m

Weideland nt pâturages mpl

weiden **I.** vi Vieh: paître **II.** vt faire paître Vieh **III.** vr (sich erfreuen) **sich an etw** (dat) ~ se délecter de qc

Weidenkätzchen ['vaidənkɛtsçən] nt chaton m de saule **Weidenkorb** m panier m d'osier

weidlich adv geh ausnutzen abondamment; **sich** ~ **bemühen** se donner un mal considérable

weidmännisch adj de chasseur/des chasseurs

weigern ['vaigən] vr sich ~ refuser

Weigerung <-, -en> f refus m

Weihbischof m coadjuteur m

Weihe ['vaiə] <-, -n> f REL **1.** kein Pl (das Weihen) consécration f **2.** eines Priesters: ordination f

weihen *vt* **1.** consacrer *Altar, Kapelle* **2.** *(die Weihe erteilen)* **jdn zum Priester** ~ ordonner qn prêtre **Weiher** ['vaiɐ] <-s, -> *m* étang *m* **Weihnachten** <-, -> *nt* Noël *m;* **fröhliche** ~! joyeux Noël!; **zu** ~ à Noël **weihnachtlich I.** *adj* de Noël **II.** *adv geschmückt* pour Noël **Weihnachtsabend** *m* réveillon *m* [de Noël] **Weihnachtsbaum** *m* arbre *m* de Noël **Weihnachtsfest** *nt kein Pl* jour *m* de Noël **Weihnachtsgeld** *nt* étrennes *fpl* **Weihnachtsgeschenk** *nt* cadeau *m* de Noël **Weihnachtslied** *nt* chant *m* de Noël **Weihnachtsmann** <-männer> *m* père *m* Noël **Weihnachtstag** *m meist Pl* fête *f* de Noël; **der erste** ~ le jour de Noël **Weihnachtszeit** *f* **die** ~ la période de Noël **Weihrauch** *m* encens *m* **Weihwasser** *nt* eau *f* bénite
weil [vail] *konj* **1.** *(da)* parce que **2.** *(da ... nun)* comme **Weilchen** ['vailçən] <-s> *nt* **ein** ~ un petit moment **Weile** ['vailə] <-> *f* moment *m;* **vor einer** ~ il y a un moment; **eine ganze** ~ un bon moment **Weiler** ['vailɐ] <-s, -> *m geh* hameau *m*
Wein [vain] <-[e]s, -e> *m* **1.** *(Getränk)* vin *m* **2.** *kein Pl (~rebe)* vigne *f* **3.** *kein Pl (~trauben)* **der** ~ **wird im Oktober geerntet** les vendanges se font en octobre ▶ **jdm reinen** ~ **einschenken** parler franchement à qn **Weinbau** *m kein Pl* viticulture *f* **Weinbeere** *f* **1.** *(einzelne Beere)* grain *m* de raisin **2.** SDEUTSCH, A, CH *s.* **Rosine Weinberg** *m* vignoble *m* **Weinbrand** *m* cognac *m* **weinen** ['vainən] **I.** *vi* pleurer; **um jdn/etw** ~ pleurer qn/qc ▶ **es ist zum Weinen!** c'est triste à pleurer! **II.** *vt* pleurer *Freudentränen* **weinerlich** ['vainɐlɪç] *adj Person* pleurnichard(e) *(fam)*; *Stimme* pleurnicheur(-euse) **Weinessig** *m* vinaigre *m* de vin **Weinfass**^RR *nt* tonneau *m* de vin **Weingegend** *f* région *f* viticole **Weingeist** *m kein Pl* esprit-de-vin *m* **Weingut** *nt* domaine *m* viticole **Weinkarte** *f* carte *f* des vins **Weinkeller** *m* cave *f* à vins **Weinkellner(in)** *m(f)* connaisseur(-euse) *m(f)* en vins **Weinkrampf** *m* crise *f* de larmes **Weinlese** *f* vendanges *fpl* **Weinprobe** *f* dégustation *f* [de vins] **Weinrebe** *f (Pflanze)* vigne *f; (Rebsorte)* cépage *m* **weinrot** *adj* bordeaux *inv* **Weinstube** *f* bar *m* à vin[s]

Weintraube *f (einzelne Beere)* grain *m* de raisin; **blaue** ~**n kaufen** acheter du raisin noir
weise *adj geh* sage **Weise** ['vaizə] <-, -n> *f* **1.** *(Art)* manière *f;* **auf meine** ~ à ma manière; **auf diese** ~ de cette manière; **in der** ~, **dass** ... *(auf diese Art)* de telle manière que ...; *(so dass)* de manière que + *subj* **2.** *geh (Melodie)* air *m* **Weise(r)** *f(m) dekl wie adj* sage *m/* femme *f* sage; **die drei** ~**n aus dem Morgenland** les trois Rois *mpl* mages **weisen** ['vaizən] <wies, gewiesen> **I.** *vt geh* **1.** indiquer *Weg* **2.** *(fortschicken)* **jdn aus dem Haus** ~ chasser qn de la maison ▶ **etw** [weit] **von sich** ~ rejeter qc **II.** *vi* **auf etw** *(akk)* ~ *Person:* désigner qc **Weisheit** <-, -en> *f* **1.** *kein Pl (Klugheit)* sagesse *f* **2.** *meist Pl (Erkenntnis)* conseil *m* de bon sens ▶ **mit seiner** ~ **am Ende sein** ne plus savoir que faire; **er glaubt, er habe die** ~ **mit Löffeln gegessen** *fam* il se croit plus malin que tout le monde; **das ist/das ist nicht der** ~ **letzter Schluss** c'est/ce n'est pas la meilleure des solutions **Weisheitszahn** *m* dent *f* de sagesse **weis|machen** *vt fam* **jdm** ~, **dass** ... faire gober à qn que ...
weiß¹ [vais] *1. und 3. Pers Präs von* **wissen**
weiß² *adj* blanc(blanche); ~ **werden** *Haare, Haut:* blanchir; *Gesicht:* pâlir **Weiß** <-[es]> *nt* blanc *m* **weissagen** *vt* prédire **Weissagung** <-, -en> *f* prédiction *f* **Weißbier** *nt* bière *f* blanche **Weißblech** *nt* fer-blanc *m* **Weißbrot** *nt* pain *m* blanc **Weißdorn** *m* aubépine *f* **Weiße(r)** *f(m) dekl wie adj* Blanc *m/* Blanche *f* **weißeln**, *vt* SDEUTSCH blanchir **weißglühend** *s.* glühend **I. Weißglut** *f kein Pl* incandescence *f* ▶ **jdn zur** ~ **treiben** échauffer les oreilles à qn **Weißgold** *nt* or *m* blanc **weißhaarig** *adj Greis* aux cheveux blancs **Weißkohl** *m,* **Weißkraut** *nt* SDEUTSCH, A chou *m* blanc **weißlich** *adj* blanchâtre **Weißrussland**^RR *nt* la Biélorussie **Weißwein** *m* vin *m* blanc **Weißwurst** *f* boudin *m* blanc **Weisung** <-, -en> *f* directive *f; ~* **haben etw zu tun** avoir ordre de faire qc
weit [vait] **I.** *adj* **1.** *Schuhe* large; **etw** ~**er machen** élargir qc **2.** *Strecke* long(longue) antéposé; *Meer* vaste antéposé; **ist es noch** ~ **bis zum Hotel?** c'est encore loin jusqu'à l'hôtel? **3.** *(zeitlich entfernt)* **es ist**

noch ~ bis zum Sommer? l'été, c'est encore loin? II. *adv* 1. *gehen* loin; ~ offen [stehend] grand(e) ouvert(e); fünf Meter ~ springen sauter à cinq mètres; zehn Kilometer ~ marschieren parcourir dix kilomètres à pied; haben Sie es noch sehr ~? vous allez encore loin? 2. (*in zeitlicher Hinsicht*) so ~ sein être prêt; ~ nach zehn Uhr bien après dix heures; ~ zurückliegen être il y a longtemps 3. *fig* es ~ bringen im Leben aller loin dans la vie; es ~ gebracht haben avoir réussi; das geht [entschieden] zu ~! c'en est trop!; wie ~ bist du [gekommen]? où en es-tu?; damit ist es nicht ~ her *fam* ça ne vaut pas grand-chose 4. *schlechter* bien [plus]; *gedeihen* bien; *übertreffen* de beaucoup; *hinter sich lassen* loin; ~ besser bien mieux ▶ ~ und breit à cent lieues à la ronde; so ~, so gut bon, jusque là, tout va; so ~ kommt es [noch]! *fam* et puis quoi encore!

weitab ['vaɪt'ʔap] *adv* loin [de tout] weitaus ['vaɪt'ʔaʊs] *adv* 1. *schöner* bien [plus] 2. (*eindeutig*) er ist der ~ beste Schüler il est de loin le meilleur élève Weitblick *m* kein *Pl* clairvoyance *f* weitblickend *adj* *Person* clairvoyant(e)

Weite¹ <-, -n> *f* 1. *einer Landschaft* étendue *f;* die endlose ~ der Wüste l'immensité du désert 2. (*Breite*) largeur *f* 3. SPORT *eines Wurfs* distance *f; eines Sprungs* longueur *f*

Weite² ▶das ~ suchen *geh* prendre la clé des champs

weiten I. *vt* élargir *Schuhe* II. *vr* sich ~ *Augen:* se dilater

weiter ['vaɪtɐ] *adv* 1. *Komp von* weit: ~ oben plus haut; ~! on continue! 2. (*sonst*) das hat ~ nichts zu sagen ça ne veut rien dire; das ist nichts ~ als eine Ausrede ce n'est rien d'autre qu'un prétexte; und ~? et après? ▶wenn es ~ nichts ist si ce n'est que ça; das ist nicht ~ schlimm ce n'est pas bien grave; und so ~ [und so fort] et cætera

weiterarbeiten *vi* continuer son/le travail weiterbilden *vr* sich ~ compléter sa formation Weiterbildung *f* formation *f* continue weiterbringen *vt irr* faire avancer weitere(r, s) *adj* autre *antéposé;* jdn über alle ~n Maßnahmen informieren informer qn de toute mesure ultérieure; alles Weitere besprechen wir morgen on discutera des détails demain ▶bis auf ~s momentanément; ohne ~s sans problèmes

weiterempfehlen* *vt irr* recommander weiterentwickeln* I. *vt* perfectionner

Gerät; développer *Idee* II. *vr* sich ~ évoluer Weiterentwicklung *f* TECH perfectionnement *m* technique weitererzählen* I. *vt* répéter *Neuigkeit* II. *vi* continuer à raconter weiterfahren *irr vi + sein* continuer sa route; nach Basel ~ continuer sa route vers Bâle Weiterfahrt *f* poursuite *f* du voyage weiterführen *vt* 1. poursuivre *Projekt* 2. (*weiterbringen*) jdn ~ *Vorschlag:* faire avancer qn Weitergabe *f von Unterlagen* transmission *f* weitergeben *vt irr* faire passer; etw an jdn ~ (*weiterreichen*) faire passer qc à qn; (*mitteilen, vermitteln*) transmettre qc à qn weitergehen *vi irr + sein* 1. *Person:* poursuivre son chemin; bitte ~! circulez, s'il vous plaît!; lass uns ~! allez, on continue! 2. (*seinen Fortgang nehmen*) continuer; wie soll es nun ~? qu'est-ce qu'on va faire?; so kann es nicht ~! ça ne peut plus continuer comme ça! weiterhelfen *vi irr* aider; jdm in einer Angelegenheit ~ aider qn dans une affaire weiterhin *adv* 1. (*immer noch*) encore 2. (*auch zukünftig*) dans l'avenir 3. (*außerdem*) en outre weiterkommen *vi irr + sein* 1. (*vorankommen*) avancer; Sie kommen hier nicht weiter! vous ne pouvez pas aller plus loin! 2. (*Fortschritte machen*) mit etw ~ avancer dans qc weiterkönnen *vi irr fam* 1. (*weitergehen*) pouvoir continuer [son chemin] 2. (*weitermachen*) nicht ~ n'en pouvoir plus weiterlaufen *vi irr + sein* 1. *Person, Kosten:* continuer à courir 2. (*in Gang bleiben*) *Uhr:* continuer de marcher weiterleben *vi Person:* vivre encore weiterleiten *vt* transmettre *Information;* faire suivre *Brief* weitermachen *vi fam* continuer weitersagen *vt* répéter; nicht ~! motus et bouche cousue! weiterverarbeiten* *vt* die ~de Industrie l'industrie de transformation Weiterverkauf *m* revente *f* weitestgehend I. *adj Superl von* weitgehend très étendu(e); ~e Übereinstimmung erzielen obtenir un large consensus II. *adv* à quelques détails près weitgehend <weitgehender *o* A weitergehend, weitestgehend *o* weitgehendste> I. *adj* étendu(e) II. *adv* à quelques détails près weitgereist *s.* reisen weither *adv geh* de loin weithin *adv geh hörbar* alentour weitläufig I. *adj* 1. *Anwesen* vaste *antéposé* 2. *Verwandtschaft* éloigné(e) II. *adv* ~ [miteinander] verwandt sein être parents éloignés weiträumig I. *adj Umleitung* dans un vaste périmètre II. *adv absperren* dans un vaste

périmètre

weitreichend s. reichen I.
weitschweifig I. *adj* diffus(e) II. *adv* de façon diffuse
Weitsicht s. Weitblick
weitsichtig *adj* 1. MED presbyte 2. s. weitblickend
Weitsichtigkeit <-> *f* presbytie *f*
Weitsprung *m* 1. *kein Pl* (*Disziplin*) saut *m* en longueur 2. (*Sprung*) saut *m*
weitverbreitet s. verbreiten I.
weitverzweigt s. verzweigen
Weitwinkelobjektiv *nt* grand-angle *m*
Weizen¹ ['vaɪtsən] <-s> *m* blé *m*
Weizen² <-s, -> *nt* bière *f* blanche
Weizenmehl *nt* farine *f* de froment
welch *pron interrog geh* ~ **eine Enttäuschung!** quelle déception!; ~ **große Ehre!** que d'honneur!
welche(r, s) ['vɛlçə, -çe, -çəs] I. *pron interrog* quel(le); ~**s ist deine Jacke?** c'est quel blouson, le tien? II. *pron rel* das **Programm, mit** ~**m sie arbeitet** le logiciel avec lequel elle travaille III. *pron indef* 1. en; **brauchst du Streichhölzer? Hier sind** ~! tu as besoin d'allumettes? En voici! 2. *Pl fam* (*einige Leute*) **vor dem Haus stehen** ~ devant la maison, il y a du monde; **es gibt** ~, **die ...** il y en a qui ...
welk [vɛlk] *adj Blume* flétri(e)
welken *vi* + *sein geh* se flétrir
Wellblech *nt* tôle *f* ondulée
Welle ['vɛlə] <-, -n> *f* 1. *a. fig* vague *f* 2. (*Locke*) ondulation *f* 3. PHYS, RADIO onde *f* 4. TECH arbre *m* ▶[hohe] ~**n schlagen** faire des vagues (*fam*)
wellen *vr* sich ~ onduler
Wellenbrecher <-s, -> *m* brise-lame[s] *m*
Wellenlänge *f* longueur *f* d'onde ▶**auf der gleichen** ~ **liegen** *fam* être sur la même longueur d'onde **Wellenlinie** *f* ligne *f* ondulée **Wellenreiten** *nt* surf *m*
Wellensittich *m* perruche *f*
wellig *adj* ondulé(e)
Wellpappe *f* carton *m* ondulé
Welpe ['vɛlpə] <-n, -n> *m* (*junger Hund/ Wolf/Fuchs*) chiot *m*/louveteau *m*/renardeau *m*
Wels [vɛls] <-es, -e> *m* poisson-chat *m*
welsch *adj* CH romand(e)
Welt [vɛlt] <-, -en> *f* 1. *kein Pl* (*die Erde*) **die** ~ le monde; **auf der** ~ sur la terre; **in aller** ~ dans le monde entier; **auf die** ~ **kommen** venir au monde 2. *kein Pl fam* (*die Menschen*) **alle** ~ tout le monde 3. (*politische Sphäre*) **die westliche** ~ l'Occident *m;* **die Alte/Neue** ~ l'Ancien/ le Nouveau monde *m;* **die Dritte** ~ le tiers-monde ▶**davon geht die** ~ **nicht un-**

ter *fam* ce n'est pas la fin du monde; **nicht die** ~ **kosten** *fam* ne pas coûter les yeux de la tête; **etw aus der** ~ **schaffen** mettre fin à qc; **nicht aus der** ~ **sein** *fam Person, Ort:* ne pas être à l'autre bout du monde; **etw in die** ~ **setzen** répandre qc; **um nichts in der** ~ pas pour tout l'or du monde
Weltall *nt* univers *m* **Weltanschauung** *f* conception *f* du monde **Weltausstellung** *f* exposition *f* universelle **weltberühmt** *adj* célèbre dans le monde entier **weltbewegend** *adj* d'intérêt capital **Weltbild** *nt* vision *f* du monde
Weltenbummler(in) *m(f)* bourlingueur(-euse) *m(f)* (*fam*)
Weltergewicht *nt kein Pl* (*Gewichtsklasse*) mi-moyen *m*
weltfremd *adj* irréaliste **Weltgeschichte** *f kein Pl* histoire *f* universelle ▶**in der** ~ **herumfahren** *hum fam* rouler sa bosse **weltgeschichtlich** *adj Ereignis* qui fait date **Welthandel** *m* commerce mondial *m* **Weltkarte** *f* mappemonde *f* **Weltkrieg** *m* guerre *f* mondiale; **der Erste/Zweite** ~ la Première/Seconde Guerre mondiale
weltlich *adj geh* 1. *Freuden* terrestre 2. *Kunst* profane
Weltliteratur *f kein Pl* littérature *f* mondiale **Weltmacht** *f* grande puissance *f* **weltmännisch** ['vɛltmɛnɪʃ] *adj Auftreten* mondain(e) **Weltmarkt** *m* marché *m* international **Weltmarktpreis** *m* prix *m* du marché mondial **Weltmeister(in)** *m(f)* champion(ne) *m(f)* du monde **Weltmeisterschaft** *f* championnat *m* du monde **weltoffen** *adj* ouvert(e) [au monde] **Weltraum** *m kein Pl* espace *m* **Weltreich** *nt* empire *m* **Weltreise** *f* tour *m* du monde **Weltrekord** *m* record *m* du monde **Weltsicherheitsrat** *m* Conseil *m* de sécurité de l'O.N.U. **Weltsprache** *f* langue *f* internationale **Weltstadt** *f* grande ville *f* de renommée mondiale **Weltuntergang** *m* fin *f* du monde **Weltuntergangsstimmung** *f* morosité *f* **Weltverbesserer** *m*, **-verbesserin** *f* redresseur(-euse) *m(f)* de torts **weltweit** I. *adj Katastrophe* mondial(e) II. *adv* tätig sein dans le monde entier; *bedeutsam sein* pour le monde entier **Weltwirtschaft** *f* économie *f* mondiale **Weltwirtschaftskrise** *f* crise *f* économique mondiale **Weltwunder** *nt* die sieben ~ les Sept Merveilles *fpl* du monde
wem [ve:m] I. *pron interrog, dat von* wer: ~ **gehört ...?** à qui appartient ...?; **mit** ~ avec qui; **von** ~ de qui II. *pron rel, dat von* wer celui à qui
wen [ve:n] I. *pron interrog, akk von* wer:

durch/für ~ par/pour qui **II.** *pron rel, akk von* **wer:** ~ celui que
Wende ['vɛndə] <-, -n> *f* **1.**(*Veränderung*) tournant *m* **2.** HIST die ~ le tournant (*désigne la réunification allemande*) **3.** SPORT (*beim Segeln*) virement *m* de bord; (*beim Schwimmen*) changement *m* de face
Wendekreis *m* **1.** *eines Autos* rayon *m* de braquage **2.** GEOG der nördliche ~ le tropique du Cancer; der südliche ~ le tropique du Capricorne
Wendeltreppe ['vɛndəltrɛpə] *f* escalier *m* en colimaçon
wenden¹ ['vɛndən] <**wendete** *o geh* **wandte, gewendet** *o geh* **gewandt**> *vr* **1.**(*sich drehen*) se tourner **2.**(*sich richten an*) sich an jdn ~ *Person, Buch:* s'adresser à qn **3.**(*entgegentreten*) sich gegen jdn ~ se retourner contre qn; sich gegen etw ~ réfuter qc **4.**(*sich entwickeln*) sich zum Besseren ~ s'arranger
wenden² <**wendete, gewendet**> **I.** *vt* retourner *Blatt;* **bitte** ~! tournez, s'il vous plaît! **II.** *vi* faire demi-tour
Wendeplatz *m* espace *m* pour faire demi-tour **Wendepunkt** *m* tournant *m*
wendig *adj Person* souple d'esprit; *Auto* manœuvrable
Wendung <-, -en> *f* **1.**(*Veränderung*) retournement *m;* **eine überraschende ~ nehmen** prendre une tournure étonnante **2.** LING tournure *f*
wenig ['ve:nɪç] **I.** *adj, pron indef* **1.** peu de; ~ **Zeit** peu de temps; **zu** ~ trop peu **2.**(*nicht viele*) **es kamen nur ~e** peu de gens sont venus **3.**(*etwas*) **ein** ~ **Zucker** un peu de sucre **II.** *adv* **1.**(*kaum, nicht sehr*) ~ **hilfreich** guère secourable; **nicht** ~ **überrascht sein** ne pas être peu surpris **2.**(*nicht viel*) **wir wissen darüber so** ~ **wie Sie** nous n'en savons pas plus que vous **3.**(*selten*) ~ **ausgehen** sortir peu **4.**(*etwas*) **ein** ~ **verärgert** un peu irrité(e)
weniger ['ve:nɪɡɐ] **I.** *adj, pron indef, Komp von* **wenig** moins (de); ~ **Zeit** moins de temps; **er verdient** ~ **als ich** il gagne moins que moi; **etwas** ~ un peu moins; ~ **werden** *Vorräte:* diminuer; *Geld, Vermögen:* s'amenuiser; ►~ **wäre mehr gewesen** le mieux est l'ennemi du bien **II.** *adv Komp von* **wenig** moins **III.** *konj* moins; **21** ~ **4 ist 17** 21 moins 4 égale 17
Wenigkeit <-> ►**meine** ~ *hum fam* mon humble personne
wenigste(r, s) **I.** *adj, pron Superl von* **wenig** le moins de; **das** ~ **Geld** le moins d'argent; **die** ~**n [Menschen] wissen, dass** ... rares sont ceux qui savent que ... **II.**

adv Superl von **wenig** le moins
wenigstens ['ve:nɪçstns] *adv* **1.**(*mindestens*) au moins **2.**(*zumindest*) du moins
wenn [vɛn] *konj* **1.**(*falls*) si **2.**(*sobald*) dès que **3.**(*obwohl*) ~ **sie auch Recht hat** même si elle a raison **4.**(*in Wunschsätzen*) ~ **es morgen bloß nicht regnet!** si seulement il ne pleuvait pas demain!
wenngleich [vɛn'ɡlaɪç] *konj geh* bien que + *subj*
wennschon *adv fam* [**und**] ~! et alors! ►~, **dennschon!** tant qu'à faire!
wer [ve:ɐ] **I.** *pron interrog* qui [est-ce qui] **II.** *pron rel* [celui] qui **III.** *pron indef fam* ~ **anruft** s'il y a quelqu'un qui téléphone ►**er/sie ist** ~ il/elle n'est pas important qui
Werbeagentur *f* agence *f* de publicité **Werbebroschüre** *f* prospectus *m* **Werbefachmann** <-fachleute> *m,* -**fachfrau** *f* publicitaire *mf* **Werbefernsehen** *nt* publicité *f* à la télévision **Werbegeschenk** *nt* cadeau *m* publicitaire
werben ['vɛrbən] <**wirbt, warb, geworben**> **I.** *vt* parrainer *Kunden* **II.** *vi* **1.**(*Reklame machen*) **für etw** ~ faire de la publicité pour qc **2.**(*zu erhalten suchen*) **um Vertrauen/neue Sponsoren** ~ chercher à gagner la confiance/de nouveaux sponsors
Werbespot ['vɛrbəspɔt] *m* spot *m* publicitaire **Werbetrommel** *f* ►**die** ~ **für jdn/etw rühren** *fam* faire de la pub pour qn/qc **werbewirksam** *adj* **ein** ~**er Slogan** un slogan publicitaire qui fait de l'effet
Werbung <-> *f* **1.** publicité *f* **2.**(*das Anwerben*) parrainage *m*
Werdegang <-gänge> *m* **1.** beruflicher/künstlerischer ~ parcours *m* professionnel/artistique **2.**(*Lebenslauf*) curriculum *m* vitæ
werden ['ve:ɐdən] **I.** <**wird, wurde** *o geh* **ward, geworden**> *vi* + *sein* **1.**(*seinen Zustand, Status verändern*) devenir; **krank** ~ tomber malade; **schlimmer** ~ *Zustand:* empirer; **es wird schon dunkel** il commence déjà à faire sombre; **dein Kaffee wird kalt!** ton café refroidit! **2.**(*seine Befindlichkeit verändern*) jdm **wird besser** qn se sent mieux; jdm **wird schwindlig** qn a des vertiges; **da wird einem ja übel!** ça te/vous donne la nausée! **3.**(*sich entwickeln*) **aus diesem Jungen wird noch etwas** ce garçon ira loin; **was soll nur aus ihm** ~? que va-t-il devenir?; **daraus wird nichts!** il n'en est pas question!; **was soll nun** ~? que va-t-il advenir? **4.**(*ein Alter erreichen*) **er wird zehn [Jahre alt]** il va avoir dix ans ►**ich werd'**

nicht mehr! *fam* pince/pincez-moi, je rêve! **II.** *<PP worden>* *aux* **1.** *(zur Bildung des Futurs)* **sie wird ihm bald schreiben** elle va lui écrire bientôt **2.** *(zur Bildung des Passivs)* **gesehen** ~ être vu **3.** *(zur Bildung des Konjunktivs)* **würdest du mir kurz helfen?** tu pourrais m'aider un instant? **4.** *(als Ausdruck der Mutmaßung)* **das wird Tante Anne sein** ça doit être tante Anne **Werfen** *<-s>* *nt geh* réalisation *f* **werfen** ['vɛrfən] *<wirft, warf, geworfen>* **I.** *vt* **1.** lancer *Ball, Stein, Messer* **2.** *(tun)* jeter **3.** *(ruckartig bewegen)* **den Kopf nach hinten** ~ rejeter la tête en arrière **4.** *(bilden)* faire *Blasen, Falten, Schatten* **5.** *(gebären)* **Junge** ~ faire des petits **II.** *vi* **1.** *Person:* lancer **2.** *(Junge bekommen)* mettre bas **III.** *vr* **1.** *(sich stürzen)* **sich auf den Boden** ~ se jeter par terre **2.** *(sich verziehen)* **sich** ~ *Holz:* travailler **Werft** [vɛrft] *<-, -en>* *f* chantier *m* naval **Werk** [vɛrk] *<-[e]s, -e>* *nt* **1.** *(Fabrik)* usine *f;* **ab** ~ départ d'usine **2.** *eines Künstlers* œuvre *f* **3.** *(Buch)* ouvrage *m* **4.** *kein Pl geh* *(Arbeit, Tat)* ouvrage *m;* **das ist Marcs** ~ *pej* c'est signé Marc; **sich ans** ~ **machen** se mettre à l'œuvre **Werkbank** *<-bänke>* *f* établi *m* **werkeln** *vi fam* bidouiller **Werkmeister(in)** *m(f)* chef *mf* d'atelier **Werksgelände** *nt* enceinte *f* de l'usine **Werkstatt** *f* *(Schreinerwerkstatt)* atelier *m;* *(Autowerkstatt)* garage *m* **Werkstoff** *m* *(Rohmaterial, Leder)* matériau *m;* *(Kunststoff)* matériau *m* manufacturé **Werktag** *m* jour *m* ouvrable **werktags** *adv* en semaine **Werkzeug** *<-[e]s, -e>* *nt* **1.** TECH outil *m* **2.** *geh* *(gefügiger Helfer)* instrument *m* **Werkzeugkasten** *m* caisse *f* à outils **Wermut** ['ve:ɐmu:t] *<-[e]s>* *m* **1.** BOT absinthe *f* **2.** *(Wein)* vermout[h] *m* **Wermutstropfen** *m* *geh* ombre *f* au tableau **wert** [ve:ɐt] *adj* **1.** **viel/nichts** ~ **sein** valoir beaucoup/ne rien valoir **2.** *fig* **deine Meinung ist mir viel** ~ je tiens beaucoup à ton opinion; **das ist nicht der Mühe** *(gen)* ~ ça ne vaut pas la peine **Wert** *<-[e]s, -e>* *m* **1.** *(Preis)* valeur *f; im* ~ **steigen** prendre de la valeur **2.** *Pl* *(Untersuchungsergebnis)* résultats *mpl* **3.** *(wertvolle Eigenschaft)* qualité *f;* **die inneren** ~**e** les qualités morales **4.** *(Bedeutung)* valeur *f;* **einer S.** *(dat)* **viel/wenig** ~ **beimessen** *geh* attacher beaucoup/peu d'importance à qc ▶**das hat keinen** ~ *fam* c'est pas la peine

Wertarbeit *f* travail *m* de qualité **wertbeständig** *adj* à valeur stable **Wertbrief** *m* lettre *f* chargée **werten** *vt* **1.** noter, donner une note à *Klassenarbeit, Prüfung, Kür;* **etw mit acht Punkten** ~ attribuer huit points à qc **2.** *(bewerten)* considérer *Aussage, Faktor;* juger *Ereignis, Sachverhalt, Umstand* **Wertgegenstand** *m* objet *m* de valeur **Wertigkeit** *<-, -en>* *f* valence *f* **wertlos** *adj Gegenstand* sans valeur; **für jdn** ~ **sein** ne servir à rien à qn **Wertmaßstab** *m* critère *m* [d'appréciation] **Wertminderung** *f* dépréciation *f* **Wertpapier** *nt* valeur *f* **Wertsache** *f meist Pl* objet *m* de valeur **Wertstoff** *m* matériau *m* recyclable **Wertung** *<-, -en>* *f* **1.** *kein Pl einer Übung* notation *f* **2.** *kein Pl von Sachverhalten* appréciation *f* **3.** *(Note)* note *f* **Werturteil** *nt* jugement *m* de valeur **wertvoll** *adj* de grande valeur; **~ sein** avoir de la valeur **Werwolf** ['ve:ɐvɔlf] *m* loup-garou *m* **Wesen** ['ve:zən] *<-s, ->* *nt* **1.** *(Geschöpf)* créature *f;* **menschliches** ~ être *m* humain **2.** *kein Pl einer Ideologie* essence *f* **Wesensart** *f* nature *f* **Wesenszug** *m* trait *m* de caractère **wesentlich** ['ve:zəntlɪç] **I.** *adj Teil* essentiel(le); *Bedeutung* fondamental(e) **II.** *adv schöner* bien plus; *beitragen* pour une large part **weshalb** [vɛs'halp] **I.** *adv interrog* pourquoi **II.** *adv rel* **der Grund,** ~ ... la raison pour laquelle ... **Wespe** ['vɛspə] *<-, -n>* *f* guêpe *f* **Wespennest** *nt* nid *m* de guêpes ▶**in ein** ~ **stechen** *fam* [sou]lever un lièvre **wessen** ['vɛsən] **I.** *pron interrog, gen von* **wer:** ~ **Geldbörse ist das?** à qui appartient ce porte-monnaie? **II.** *pron interrog, gen von* **was:** ~ **klagt man ihn an?** de quoi l'accuse-t-on? **Wessi** ['vɛsi] *<-s, -s>* *m, <-, -s>* *f fam* surnom des habitants de l'ex-Allemagne de l'Ouest **westdeutsch** *adj Stadt* de l'Allemagne de l'Ouest; HIST *Regierung* ouest-allemand(e) **Westdeutschland** *nt* GEOG l'Allemagne *f* occidentale; HIST l'Allemagne *f* de l'Ouest **Weste** ['vɛstə] *<-, -n>* *f* gilet *m* ▶**eine reine** ~ **haben** *fam* avoir les mains propres **Westen** ['vɛstən] *<-s>* *m* **1.** ouest *m* **2.** POL **der** ~ l'Occident *m; s. a.* **Norden** ▶**der Wilde** ~ le Far West **Westentasche** *f* petite poche *f* ▶**etw wie seine** ~ **kennen** *fam* connaître qc comme sa poche **Western** ['vɛstən] *<-[s], ->* *m* western *m*

Westeuropa *nt* GEOG l'Europe *f* occidentale; POL l'Europe *f* de l'Ouest
Westfale [vɛst'faːlə] <-n, -n> *m,* **Westfälin** *f* Westphalien(ne) *m(f)*
Westfalen [vɛst'faːlən] <-s> *nt* la Westphalie
westfälisch [vɛst'fɛːlɪʃ] *adj* de Westphalie
Westküste *f* côte *f* ouest
westlich I. *adj* **1.** *Land* [situé(e)] à l'ouest; *Wind* [en provenance] de l'ouest; **in** ~**er Richtung** en direction de l'ouest **2.** POL occidental(e) **II.** *adv* à l'ouest **III.** *präp* + *gen* à l'ouest de
Westmächte *Pl* puissances *fpl* occidentales
westwärts *adv* vers l'ouest **Westwind** *m* vent *m* d'ouest
weswegen [vɛs've:gən] *s.* weshalb
Wettbewerb ['vɛtbəvɛrp] <-[e]s, -e> *m* **1.** *kein Pl* (*wirtschaftliche Konkurrenz*) concurrence *f;* **miteinander im** ~ **stehen** se faire concurrence **2.** (*Veranstaltung*) concours *m;* **sportlicher** ~ compétition *f* sportive
Wettbewerber(in) *m(f)* concurrent(e) *m(f)*
Wette ['vɛtə] <-, -n> *f* pari *m;* **eine** ~ **abschließen** faire un pari; **die** ~ **gilt!** *fam* pari tenu!
wetteifern *vi geh* **mit jdm um etw** ~ rivaliser avec qn pour qc
wetten I. *vi* parier; **mit jdm um zehn Euro** ~ parier dix euros avec qn; **ich wette mit dir, dass …** je parie avec toi que …; ~, **dass …?** *fam* on parie que … ? **II.** *vt* parier *Geld*
Wetter ['vɛtɐ] <-s, -> *nt kein Pl* temps *m;* **es ist schönes/schlechtes** ~ il fait beau/mauvais
Wetteraussichten *Pl* prévisions *fpl* météo[rologiques] **Wetterbericht** *m* bulletin *m* météo[rologique] **wetterfest** *adj* résistant(e) aux intempéries **wetterfühlig** *adj* sensible aux changements de temps **Wetterkarte** *f* carte *f* météo[rologique] **Wetterleuchten** <-s> *nt kein Pl* éclair *m* de chaleur
wettern ['vɛtɐn] *vi geh* pester; **gegen jdn/etw** ~ pester contre qn/qc
Wetterumschwung *m* brusque changement *m* de temps **Wettervorhersage** *f* prévisions *fpl* météo[rologiques]
Wettkampf *m* compétition *f* **Wettkämpfer(in)** *m(f)* compétiteur(-trice) *m(f)* **Wettlauf** *m* course *f* à pied ▸**ein** ~ **mit der** Zeit une course contre la montre **Wettläufer(in)** *m(f)* coureur(-euse) *m(f)* **wett|machen** *vt* rattraper *Rückstand, Zeit;* réparer *Fehler, Versäumnis*
Wettrennen *nt* course *f* **Wettrüsten** *nt*

course *f* aux armements
wetzen ['vɛtsən] **I.** *vt* + *haben* aiguiser *Messer* **II.** *vi* + *sein fam* **nach Hause** ~ filer à la maison
WEU <-> *f Abk von* **Westeuropäische Union** U.É.O. *f*
WEZ [ve:le:'tsɛt] <-> *f Abk von* **Westeuropäische Zeit** heure *f* [du méridien] de Greenwich
WG [ve:'ge:] <-, -s> *f Abk von* **Wohngemeinschaft** communauté *f* (*personnes partageant un appartement*)
Whirlpool ['wœrlpuːl] <-s, -s> *m* jacuzzi® *m*
Whisky ['vɪski] <-s, -s> *m* whisky *m*
wich [vɪç] *Imp von* weichen
wichsen ['vɪksn] **I.** *vi vulg* se branler **II.** *vt* DIAL frotter *Leder;* **etw blank** ~ lustrer qc
Wicht [vɪçt] <-[e]s, -e> *m* freluquet *m* (*fam*)
wichtig ['vɪçtɪç] *adj* important(e); **etw** ~ **nehmen** prendre qc au sérieux ▸**sich** ~ **machen** *fam* faire l'important(e); **sich zu** ~ **nehmen** se prendre trop au sérieux
Wichtigkeit <-> *f* importance *f*
Wichtigtuer(in) ['vɪçtɪçtuːɐ] <-s, -> *m(f)* A *pej* frimeur(-euse) *m(f)* (*fam*)
Wicke <-, -n> *f* pois *m* de senteur
Wickel ['vɪkəl] <-s, -> *m* MED compresse *f*
wickeln I. *vt* **1.** (*herumbinden*) **sich** (*dat*) **einen Schal um den Hals** ~ s'enrouler une écharpe autour du cou **2.** (*ein~*) envelopper **3.** (*auf~*) enrouler **4.** (*in Windeln* ~) langer *Baby* **II.** *vr* **sich um etw** ~ *Pflanze, Schlange, Garn:* s'enrouler autour de qc
Wickeltisch *m* table *f* à langer
Widder ['vɪdɐ] <-s, -> *m a.* ASTROL bélier *m*
wider ['viːdɐ] *präp* + *akk geh* contre; ~ **besseres Wissen schweigen** se taire sciemment
widerborstig ['viːdɐbɔrstɪç] *adj* rebelle
widerfahren* [viːdɐ'faːrən] *vi irr* + *sein geh* **jdm** ~ arriver à qn **Widerhaken** *m* barbillon *m* **Widerhall** ['viːdɐhal] *m geh* écho *m* **wider|hallen** *vi* résonner, retentir
widerlegen* [viːdɐ'le:gən] *vt* réfuter
widerlich *adj Person* répugnant(e); *Gefühl* horripilant(e) **widernatürlich** *adj* contre nature **widerrechtlich** *adj* illégal(e) **Widerrede** *f* objection *f;* **keine** ~**!** pas de discussion! **Widerruf** *m* révocation *f;* **bis auf** ~ jusqu'à nouvel ordre **widerrufen*** [viːdɐ'ruːfən] *irr vt* révoquer *Genehmigung, Nutzung;* revenir sur *Aussage, Geständnis* **Widersacher(in)** ['viːdɐzaxɐ] <-s, -> *m(f)* adversaire *mf* **widersetzen*** [viːdɐ'zɛtsən] *vr* **sich jdm** ~ résister à qn; **sich einer S.** (*dat*) ~ s'opposer à qc **widersinnig** *adj* absurde **widerspenstig**

widersprechen, einwenden

• widersprechen

Das stimmt (doch) gar nicht. *(fam)*
Ach was!/Unsinn!/Blödsinn!/
Quatsch! *(fam)*
Das sehe ich anders.
Nein, das finde ich nicht.
Da muss ich Ihnen widersprechen.

Das entspricht nicht den Tatsachen.
So kann man das nicht sehen.
Davon kann gar nicht die Rede sein.

• einwenden

Ja, aber ...
Du hast vergessen, dass ...
Das siehst du aber völlig falsch.
Sie haben schon Recht, aber
bedenken Sie doch auch ...
Das ist ja alles schön und gut, aber ...
Ich habe dagegen einiges
einzuwenden.
Das ist aber weit hergeholt.

• contredire

Ce n'est pas vrai du tout.
Allons donc!/C'est absurde!/C'est
des conneries! *(fam)*
Je ne vois pas ça comme ça.
Non, je ne trouve pas.
Là, je suis obligé(e) de vous
contredire.
Cela ne correspond pas à la réalité.
On ne peut pas voir les choses ainsi.
Il ne peut pas en être question.

ℰ objecter

Oui, mais ...
Tu as oublié que ...
Là, tu te trompes complètement.
Vous avez raison, mais pensez aussi
que/à ...
D'accord, mais ...
J'ai quelques objections à faire à ce
sujet.
Vous avez/Tu as été chercher ça loin.
(fam)

['viːdəʃpɛnstɪç] *adj Schüler* rebelle; *Kind* rétif(-ive) **wider|spiegeln** *geh* I. *vt* renvoyer l'image de II. *vr* **sich in etw** ~ *(dat)* se refléter dans qc **widersprechen*** [viːdəˈʃprɛçən] *vi irr* **1.** **jdm** ~ contredire qn **2.** *(nicht übereinstimmen)* **sich** *(dat)* **selbst** ~ se contredire soi-même **Widerspruch** *m* **1.** *kein Pl (opp: Zustimmung, Übereinstimmung)* contradiction *f* **2.** JUR opposition *f;* ~ **gegen etw einlegen** faire opposition à qc **widersprüchlich** ['viːdəʃprʏçlɪç] *adj* contradictoire **widerspruchslos** I. *adj* exempt(e) de protestations II. *adv* sans protester **Widerstand** *m* **1.** résistance *f;* **gegen etw** ~ **leisten** opposer de la résistance à qc **2.** *kein Pl* PHYS résistance *f* [électrique] **3.** ELEC rhéostat *m* **Widerstandsbewegung** *f* [mouvement *m* de] résistance *f* **widerstandsfähig** *adj Person* robuste; *Konstruktion* solide; *Material* résistant(e); ~ **gegen etw sein/werden** être résistant/s'endurcir à qc **Widerstandskämpfer(in)** *m(f)* résistant(e) *m(f)* **widerstandslos** I. *adj* sans résistance II. *adv* sans [opposer aucune] résistance **widerstehen*** [viːdəˈʃteːən] *vi irr* résister; **jdm/einer S.** ~ résister à qn/qc **widerstreben*** [viːdəˈʃtreːbən] *vi geh* **es widerstrebt ihm dorthin zu gehen** ça le ré-

pugne d'y aller **Widerstreben** *nt geh* répugnance *f* **widerwärtig** ['viːdəvɛrtɪç] I. *adj* répugnant(e) II. *adv* de façon répugnante **Widerwille** *m* répugnance *f;* **mit** ~**n** à contrecœur **widerwillig** *adj, adv* à contrecœur **widmen** ['vɪtmən] I. *vt* **1.** **jdm etw** ~ dédier qc à qn **2.** *(verwenden für)* **jede freie Minute dem Sport** ~ consacrer tout son temps libre au sport II. *vr* **sich jdm/einer S.** ~ se consacrer à qn/qc **Widmung** <-, -en> *f (Zueignung)* dédicace *f* **widrig** ['viːdrɪç] *adj geh Umstände* défavorable **wie** [viː] I. *adv interrog* **1.** comment; ~ **heißt du?** comment t'appelles-tu?; ~ **geht es dir?** comment vas-tu?; ~ **war das Wetter in eurem Urlaub?** quel temps a-t-il fait pendant vos vacances?; ~ **bitte?** comment?; *fam* **2.** *(auf welche Weise)* comment **3.** *(in welchem Maße)* ~ **alt bist du?** quel âge as-tu?; ~ **groß bist du?** combien mesures-tu?; ~ **spät ist es?** quelle heure est-il?; ~ **oft** ... combien de fois ... **4.** *(welche Menge)* ~ **viel** combien; ~ **viel Zucker nimmst du?** tu prends combien de sucre? **5.** *fam (nicht wahr)* **das stört dich,** ~**?** ça te gêne, non? **6.** *(in Ausrufen)* ~

schön! que c'est beau!; (*sehr gut*) c'est bien!; ~ **schade!** comme c'est dommage!; **wenn du wüsstest,** ~ **sehr ich dich liebe!** si tu savais combien je t'aime!; **und** ~**!** *fam* et comment! **II.** *adv rel* **die Art,** ~ ... la façon dont ... **III.** *konj* **1.** (*vergleichend*) **weiß** ~ **Schnee** blanc comme neige; **so groß** ~ **ein Fass** aussi grand(e) qu'un tonneau; **er ist so alt** ~ **ich** il a le même âge que moi **2.** (*beispielsweise*) comme **3.** (*entsprechend dem, was*) ~ **ich höre** d'après ce que j'entends dire **4.** (*dass*) **er sah,** ~ **der Krug umkippte** il a vu la cruche basculer

Wiedehopf ['viːdəhɔpf] <-[e]s, -e> *m* huppe *f*

wieder ['viːdɐ] *adv* **1.** (*erneut*) de nouveau; **es regnet schon** ~ il pleut encore; **nie** ~ plus jamais **2.** (*allerdings*) en tout cas

Wiederaufbau [viːdɐ'ʔa͜ufba͜u] *m kein Pl* reconstruction *f*

wieder|auf|bauen [viːdɐ'ʔa͜ufba͜uən] *s.* **aufbauen I.**

wieder|auf|bereiten* *s.* **aufbereiten**

Wiederaufbereitung [viːdɐ'ʔa͜ufbərai̯tʊŋ] <-, -en> *f* ÖKOL retraitement *m*

Wiederaufbereitungsanlage *f* ÖKOL usine *f* de traitement des déchets radioactifs

Wiederaufnahme [viːdɐ'ʔa͜ufnaːmə] *f* reprise *f*

wieder|bekommen* *vt irr* récupérer

wieder|beleben* *s.* **beleben I.**

Wiederbelebung *f* renaissance *f*

Wiederbelebungsversuch *m meist Pl* tentative *f* de r[é]animation

wiederbeschreibbar *adj* CD regravable

wieder|entdecken* *s.* **entdecken**

wieder|erkennen* *s.* **erkennen I.**

wieder|erlangen* *vt geh* récupérer *Eigentum*

Wiedereröffnung *f* réouverture *f*

wieder|finden *s.* **finden I.**

Wiedergabe *f* **1.** *von Klängen, Bildern, Texten* reproduction *f* **2.** (*Schilderung*) description *f*

wieder|geben *vt irr* **1.** (*zurückgeben, reproduzieren, schildern*) rendre **2.** (*zitieren*) **etw wörtlich/sinngemäß** ~ citer qc mot pour mot/rendre qc en substance

Wiedergeburt *f* réincarnation *f*

wieder|gewinnen* *vt irr* **1.** ÖKOL **etw aus Abfällen** ~ obtenir qc en retraitant des déchets **2.** (*wiedererlangen*) récupérer *Eigentum*

Wiedergewinnung <-> *f* récupération *f* [après traitement]

wieder|gut|machen [viːdɐ'ʔguːtmaxən] *s.* **gutmachen**

Wiedergutmachung <-, -en> *f* réparation *f*

wieder|haben *vt irr fam* récupérer

wieder|her|stellen [viːdɐ'ʔheːɐ̯ʃtɛlən] *vt* **1.** rétablir *Kontakt, Ordnung, Frieden* **2.** (*heilen*) **wiederhergestellt sein** être rétabli **3.** (*restaurieren*) **etw** ~ remettre qc en état

wiederholen*[1] [viːdɐ'hoːlən] **I.** *vt* **1.** répéter *Satz* **2.** rediffuser *Film* **3.** redoubler *Klasse* **4.** réviser *Lektion* **II.** *vr* **sich** ~ se répéter

wieder|holen[2] ['viːdɐhoːlən] *vt* rattraper; rapporter *Gegenstand;* **sich** (*dat*) **etw** ~ récupérer qc

wiederholt [viːdɐ'hoːlt] **I.** *adj* répété(e) **II.** *adv* à plusieurs reprises

Wiederholung [viːdɐ'hoːlʊŋ] <-, -en> *f* **1.** *eines Worts* répétition *f* **2.** *eines Tests* recommencement *m* **3.** *eines Films* rediffusion *f* **4.** *einer Klasse* redoublement *m* **5.** *einer Lektion* révision *f*

Wiederhören |auf| ~**!** au revoir!

wieder|käuen ['viːdɐkɔyən] **I.** *vt* **1.** ruminer *Gras* **2.** *pej* (*ständig wiederholen*) rabâcher **II.** *vi* ruminer

Wiederkäuer <-s, -> *m* ruminant *m*

Wiederkehr <-> *f geh* retour *m*

wieder|kehren *vi* + *sein geh* **1.** (*zurückkehren*) revenir **2.** (*sich wiederholen*) se répéter

wieder|kommen *vi irr* + *sein* **1.** (*zurückkommen*) revenir **2.** *Gelegenheit:* se représenter

Wiederschauen |auf| ~**!** A, SDEUTSCH au revoir!

wieder|sehen *irr* **I.** *vt s.* **sehen I. II.** *vr s.* **sehen III.**

Wiedersehen <-s, -> *nt* [nouvelle] rencontre *f*; |auf| ~**!** au revoir!

wieder|tun *s.* **tun I.**

wiederum ['viːdərʊm] *adv* **1.** (*abermals*) de nouveau **2.** (*dagegen*) en revanche **3.** (*seinerseits*) **er** ~ lui pour sa part

wieder|vereinigen* *s.* **vereinigen II.**

Wiedervereinigung *f* réunification *f*

wieder|verheiraten* *s.* **verheiraten**

wieder|verwenden* *s.* **verwenden I.**

Wiederverwendung *f* réutilisation *f*

wieder|verwerten* *s.* **verwerten**

Wiederverwertung *f* recyclage *m*

Wiederwahl *f* réélection *f*

Wiege ['viːgə] <-, -n> *f a. fig geh* (*Geburtsort*) berceau *m* ▸ **jdm ist etw in die** ~ **gelegt worden** qn a qc de naissance

Wiegemesser *nt* hachoir *m*

wiegen[1] ['viːgən] <wog, gewogen> *vt, vr* [sich] ~ [se] peser

wiegen[2] **I.** *vt* bercer *Kind* **II.** *vr* (*sich bewe-*

gen) **sich zur Musik** ~ se balancer au rythme de la musique
Wiegenlied *nt* berceuse *f*
wiehern ['viːɐ̯n] *vi Pferd* hennir
Wien [viːn] <-s> *nt* Vienne
Wiener(in) <-s, -> *m(f)* Viennois(e) *m(f)*
wienern *vt fam* astiquer *Kacheln, Möbel;* cirer *Schuhe*
Wiese ['viːzə] <-, -n> *f* pré *m*
Wiesel ['viːzəl] <-s, -> *nt* belette *f* ▸ **flink wie ein** ~ **sein** *fam* être vif comme un écureuil
wieso [vi'zoː] I. *adv interrog* pourquoi II. *adv rel* **der Grund,** ~ ... la raison pour laquelle ...
wieviel *s.* **wie I.**
wievielmal *adv interrog* combien de fois
wievielte(r, **s)** *adj interrog* **der/die/das Wievielte** ...? le/la combientième ...? (*fam*); **zum** ~**n Mal** ...? combien de fois ...?; **der Wievielte ist heute?** le combien sommes-nous aujourd'hui? (*fam*)
Wikinger(in) <-s, -> *m(f)* HIST Viking *mf*
wild [vɪlt] I. *adj* 1. sauvage 2. *Spekulation* fou(folle) *antéposé* 3. *fam* (*versessen*) **ganz** ~ **auf etw** (*akk*) **sein** raffoler de qc 4. *fam* (*wütend*) furieux(-euse); **jdn** ~ **machen** foutre qn en pétard ▸ **wie** ~ comme un(e) enragé(e); **das ist halb so** ~! *fam* c'est pas un drame! II. *adv* 1. (*in freier Natur*) à l'état sauvage 2. (*unkontrolliert*) sauvagement
Wild <-[e]s> *nt* gibier *m*
Wildbach *m* torrent *m* **Wildbahn** *f* **in freier** ~ en liberté
Wilde(r) *f(m)* *dekl wie adj* sauvage *mf*
Wildente *f* canard *m* sauvage
Wilderer <-s, -> *m* braconnier *m*
wildern ['vɪldɐn] *vi* 1. *Person:* braconner 2. *Tier:* chasser
wildfremd ['vɪlt'frɛmt] *adj fam* totalement inconnu(e)
Wildheit <-, -en> *f* 1. *eines Volks* sauvagerie *f* 2. *eines Kampfs* violence *f*
Wildkatze *f* chat *m* sauvage **Wildleder** *nt* daim *m*
Wildnis <-, -se> *f* contrée *f* sauvage
Wildpark *m* parc *m* à gibier **Wildschwein** *nt* sanglier *m* **Wildwechsel** [-ks-] *m kein Pl* (*das Queren von Wild*) passage *m* de gibier
Wille ['vɪlə] <-ns, -n> *m* 1. volonté *f;* **seinen eigenen** ~**n haben** savoir ce qu'on veut; **etw aus freiem** ~**n tun** faire qc de sa propre initiative; **seinen** ~**n durchsetzen** imposer sa volonté; **etw wider** ~**n tun** faire qc sans le vouloir 2. (*Absicht*) volonté *f;* **der gute** ~ la bonne volonté; **das war kein böser** ~ ce n'était pas intention-

nel ▸ **es geht beim besten** ~**n nicht** ce n'est pas possible même avec la meilleure volonté du monde; **sein/ihr letzter** ~ *geh* ses dernières volontés
willen *präp* + *gen* **um seiner/deiner** ~ pour l'amour de lui/de toi
willenlos *adj* sans la moindre volonté
willens *adj geh* ~ **sein etw zu tun** être disposé à faire qc
Willensäußerung *f* manifestation *f* de sa/ma/... volonté **Willenskraft** *f kein Pl* volonté *f* **willensschwach** *adj* sans volonté **willensstark** *adj* volontaire
willentlich ['vɪləntlɪç] *geh adj* intentionnel(le)
willig *adj* [qui fait preuve] de bonne volonté; *Kind* docile
willkommen [vɪl'kɔmən] *adj* 1. *Gast* bienvenu(e); *Besuch* qui fait plaisir; **seien Sie herzlich** ~! soyez le bienvenu/la bienvenue/les bienvenus! 2. *Abwechslung* vraiment bienvenu(e); *Gelegenheit* opportun(e)
Willkommen <-s, -> *nt* bienvenue *f*
Willkür ['vɪlkyːɐ̯] <-> *f* arbitraire *m;* **der** ~ (*dat*) **eines Tyrannen ausgesetzt sein** être à la merci de la volonté d'un tyran
willkürlich *adj* arbitraire
wimmeln ['vɪməln] *vi* 1. *unpers* grouiller 2. *fam* **von Fehlern** ~ *Text:* fourmiller de fautes
wimmern ['vɪmɐn] *vi* geindre; *Baby:* vagir
Wimpel ['vɪmpəl] <-s, -> *m* fanion *m*
Wimper ['vɪmpɐ] <-, -n> *f a.* BIO cil *m* ▸ **ohne mit der** ~ **zu zucken** sans sourciller
Wimperntusche *f* mascara *m*
Wind [vɪnt] <-[e]s, -e> *m* vent *m* ▸ **jdm den** ~ **aus den Segeln nehmen** couper l'herbe sous le[s] pied[s] de qn; **bei** ~ **und Wetter** par tous les temps; ~ **von etw bekommen** avoir vent de qc; **viel** ~ **um etw machen** *fam* faire tout un plat de qc; **in alle** [**vier**] ~**e zerstreut sein** être dispersés aux quatre vents
Windbeutel *m* chou *m* à la crème
Winde ['vɪndə] <-, -n> *f* 1. TECH treuil *m* 2. BOT liseron *m*
Windel ['vɪndəl] <-, -n> *f* couche *f*
windelweich ['vɪndəl'vaɪç] *adj* ▸ **jdn** ~ **schlagen** *fam* tabasser qn
winden ['vɪndən] <wand, gewunden> I. *vr* 1. (*sich krümmen*) **sich** ~ se tordre; **sich vor Schmerzen** ~ se tordre de douleur 2. (*sich vorwärts bewegen*) **sich** ~ *Schlange, Wurm:* se faufiler 3. (*in Kurven verlaufen*) **sich** ~ serpenter 4. (*sich wickeln*) **sich um etw** ~ s'enrouler autour de qc 5. (*nach Ausflüchten suchen*) **sich** ~ chercher des faux-fuyants II. *vt* (*herum-*

schlingen) **etw um etw** ~ enrouler qc autour de qc

Windenergie *f* énergie *f* éolienne

Windeseile ▶**in** ~ à toute vitesse

Windfang <-s, ⁼e> *m* tambour *m* **windgeschützt** *adj, adv* à l'abri du vent **Windhose** *f* METEO tornade *f* **Windhund** *m* **1.** lévrier *m* **2.** *pej* (*unzuverlässiger Mensch*) fumiste *m* (*fam*)

windig *adj* **1.** (*mit viel Wind*) venteux(-euse); **es ist** ~ il y a du vent **2.** *fam Vertreter* pas sérieux(-euse); *Sache* foireux(-euse)

Windjacke *f* blouson *m* **Windjammer** <-s, -> *m* grand voilier *m* **Windkanal** *m* tunnel *m* aérodynamique **Windkraftanlage** *f* éolienne *f* **Windmühle** *f* moulin *m* à vent **Windpocken** *Pl* MED varicelle *f* **Windrad** *nt* éolienne *f* **Windrichtung** *f* direction *f* du vent **Windrose** *f* rose *f* des vents **Windschatten** *m* côté *m* abrité du vent **windschief** *adj Hütte* tout(e) tordu(e); *Dach* déjeté(e) **Windschutzscheibe** *f* pare-brise *m* **Windseite** *f* côté *m* exposé au vent **Windstärke** *f* force *f* du vent **windstill** *adj* sans [le moindre souffle de] vent **Windstille** *f* calme *m* plat **Windstoß** *m* bourrasque *f* **Windsurfer(in)** *m(f)* [vé-li]planchiste *mf* **Windsurfing** *nt* planche *f* à voile

Windung <-, -en> *f eines Wasserlaufs* méandre *m; einer Straße* lacet *m*

Wink [vɪŋk] <-[e]s, -e> *m* **1.** (*Hinweis*) indication *f;* **jdm einen** ~ **geben** avertir qn **2.** (*Bewegung*) signe *m* ▶**ein** ~ **mit dem Zaunpfahl** *fam* un appel du pied

Winkel [ˈvɪŋkəl] <-s, -> *m* **1.** GEOM angle *m;* **rechter/spitzer/stumpfer** ~ angle droit/aigu/obtus **2.** (*Ecke, abgelegenes Plätzchen*) coin *m* **3.** (~*maß*) équerre *f* ▶**toter** ~ angle *m* mort

Winkeladvokat(in) *m(f) pej* avocaillon *m* (*fam*)

winkelig *s.* winklig

winken [ˈvɪŋkən] <gewinkt *o* DIAL gewunken> I. *vi* **1.** (*mit der Hand*) faire signe; **jdm** ~ faire signe à qn **2.** (*in Aussicht stehen*) jdm winkt etw qc attend qn II. *vt* sie winkte ihn zu sich elle lui fit signe de s'approcher d'elle

winklig *adj Gasse* tortueux(-euse); *Haus* plein(e) de recoins

winseln [ˈvɪnzəln] *vi* (*jaulen*) gémir

Winter [ˈvɪntɐ] <-s, -> *m* hiver *m*

Winteranfang *m* début *m* de l'hiver **Wintereinbruch** *m* irruption *f* de l'hiver **winterfest** *adj Kleidung* pour l'hiver **Wintergarten** *m* jardin *m* d'hiver **winterhart** *adj* résistant(e) à l'hiver

winterlich I. *adj* d'hiver II. *adv gekleidet*

pour affronter l'hiver

Wintermantel *m* manteau *m* d'hiver **Winterreifen** *m* pneu *m* neige

Wintersaison *f* saison *f* d'hiver **Winterschlaf** *m* hibernation *f;* ~ **halten** hiberner **WinterschlussverkaufRR** *m* soldes *mpl* d'hiver **Wintersemester** *nt* semestre *m* d'hiver **Winterspiele** *Pl* Jeux *mpl* d'hiver; **die Olympischen** ~ les Jeux olympiques d'hiver **Wintersport** *m* sports *mpl* d'hiver **Winterzeit** *f* hiver *m*

Winzer(in) [ˈvɪntsɐ] <-s, -> *m(f)* vigneron(ne) *m(f)*

winzig [ˈvɪntsɪç] *adj* **1.** *Gegenstand* minuscule **2.** *Menge* infime

Wipfel [ˈvɪpfəl] <-s, -> *m* cime *f*

Wippe [ˈvɪpə] <-, -n> *f* bascule *f*

wippen *vi Person:* se balancer

wir [viːɐ̯] *pron pers* nous; **wer ist draußen? – Wir!** qui est là? – C'est nous!

Wirbel [ˈvɪrbəl] <-s, -> *m* **1.** ANAT vertèbre *f* **2.** *fam* (*Trubel*) remue-ménage *m;* [**einen**] **großen** ~ **verursachen** faire des vagues **3.** (*Wasserwirbel*) remous *m; (Luftwirbel*) tourbillon *m* **4.** (*Haarwirbel*) épi *m* **5.** (*Trommelwirbel*) roulement *m* de tambours

wirbeln I. *vi* **1.** + *sein* (*geweht werden*) tourbillonner; **durch die Luft** ~ *Laub, Bätter:* tourbillonner **2.** + *haben fam* (*geschäftig sein*) s'activer II. *vt* + *haben* **die Unterlagen durcheinander** ~ *Wind:* faire virevolter les documents

Wirbelsäule *f* colonne *f* vertébrale **Wirbelsturm** *m* cyclone *m* **Wirbeltier** *nt* vertébré *m* **Wirbelwind** *m* tourbillon *m*

wirbt [vɪrpt] *3. Pers Präs von* **werben**

wird [vɪrt] *3. Pers Präs von* **werden**

wirft [vɪrft] *3. Pers Präs von* **werfen**

wirken [ˈvɪrkən] I. *vi* **1.** *Medikament, Substanz:* agir; **gut/nicht** ~ être efficace/inefficace **2.** *Drohung:* faire effet; **ansteckend** ~ *Heiterkeit:* être contagieux **3.** (*erscheinen*) **müde** ~ avoir l'air fatigué(e); **lächerlich** ~ être ridicule; **unecht** ~ *Freundlichkeit:* sonner faux **4.** (*zur Geltung kommen*) **gut** ~ rendre bien; **etw auf sich** (*akk*) ~ **lassen** laisser qc agir sur soi II. *vt* **Wunder** ~ faire des miracles

wirklich [ˈvɪrklɪç] I. *adj* **1.** *Begebenheit* véritable; **sein** ~**er Name** son vrai nom **2.** *Hilfe* réel(le) II. *adv* **1.** (*tatsächlich*) réellement; ~**?** c'est vrai?; **nicht** ~ pas réellement; ~ **nicht?** vraiment pas? **2.** (*aufrichtig, sehr*) vraiment; **das tut mir** ~ **Leid** je suis vraiment désolé(e)

Wirklichkeit <-, -en> *f* réalité *f;* **in** ~ en réalité

wirklichkeitsfremd *adj* irréaliste

wirksam *adj* **1.** *Mittel* efficace; *Inhaltsstoff* actif(-ive) **2.** (*rechtskräftig, verbindlich*) ~ **werden** entrer en vigueur **Wirksamkeit** <-> *f* efficacité *f* **Wirkstoff** *m* substance *f* active **Wirkung** <-, -en> *f* **1.** effet *m; einer Droge* effets *mpl;* **eine wohl tuende** ~ **auf jdn/ etw haben** avoir un effet bienfaisant sur qn/qc **2.** (*Rechtskraft, Verbindlichkeit*) **mit** ~ **vom 15. Oktober** avec effet au 15 octobre **Wirkungsgrad** *m* degré *m* d'efficacité **wirkungslos** *adj Medikament* inefficace **wirkungsvoll** *adj Maßnahme* efficace; *Rede* impressionnant(e) **wirr** [vɪr] **I.** *adj* **1.** *Geflecht* emmêlé(e); *Haar* en désordre **2.** *Gedanken* embrouillé(e); *Traum* confus(e); *Blick* hagard(e); ~**es Zeug reden** dire n'importe quoi **II.** *adv* en désordre; ~ **durcheinander liegen** être pêle-mêle **Wirren** ['vɪrən] *Pl* troubles *mpl* **Wirrkopf** *m pej* esprit *m* confus **Wirrwarr** ['vɪrvar] <-s> *m* (*Durcheinander*) fouillis *m; von Stimmen* mélange *m* confus **Wirsing** <-s> *m* chou *m* frisé **Wirt(in)** ['vɪrt] <-[e]s, -e> *m(f)* **1.** (*Gastwirt*) patron(ne) *m(f); einer Landgaststätte* aubergiste *mf* **2.** BIO hôte *m* **Wirtschaft** ['vɪrtʃaft] <-, -en> *f* **1.** (*Ökonomie*) économie *f* **2.** (~*szweig*) **die freie** ~ le secteur privé **3.** (*Gastwirtschaft*) bistro[t] *m* **wirtschaften** *vi* **1.** (*Geld, Mittel verwalten*) gérer son budget; **eine Firma/ein Land zugrunde** ~ ruiner une entreprise/mener un pays à la ruine **2.** (*sich betätigen*) **in der Küche** ~ être occupé à la cuisine **Wirtschafterin** <-, nen> *f* intendante *f* **wirtschaftlich** *adj* **1.** (*finanziell, ökonomisch*) économique; **seine** ~**en Verhältnisse** sa situation financière **2.** *Hausfrau* économe; *Denken* en termes d'économie **Wirtschaftlichkeit** <-> *f* **1.** *eines Autos* fonctionnement *m* économique **2.** (*Rentabilität*) rentabilité *f* **Wirtschaftsflüchtling** *m* réfugié(e) *m(f)* pour raisons économiques **Wirtschaftsgymnasium** *nt* lycée *m* [avec sections] à dominante économique **Wirtschaftskriminalität** *f* criminalité *f* économique **Wirtschaftskrise** *f* crise *f* économique **Wirtschaftslage** *f* situation *f* économique **Wirtschaftspolitik** *f* politique *f* économique **Wirtschaftsprüfer(in)** *m(f)* expert-comptable *m* **Wirtschafts- und Währungsunion** *f* union *f* économique et monétaire **Wirtschaftswachstum** *nt* crois-

sance *f* économique **Wirtschaftswissenschaft** *f meist Pl* sciences *fpl* économiques **Wirtschaftswissenschaftler(in)** *m(f)* économiste *mf* **Wirtschaftszweig** *m* branche *f* de l'économie **Wirtshaus** *nt* auberge *f* **Wisch** [vɪʃ] <-[e]s, -e> *m pej fam* papelard *m* **wischen** ['vɪʃən] *vt* **1.** passer la serpillière sur *Fußboden, Treppe* **2.** (*entfernen*) **die Krümel vom Tisch** ~ enlever les miettes sur la table; **sich** (*dat*) **den Schweiß von der Stirn** ~ essuyer la sueur sur son front ▸**von jdm eine gewischt bekommen** *fam* se prendre une baffe de qn **Wischer** <-s, -> *m* (*Scheibenwischer*) essuie-glace *m* **Wischiwaschi** [vɪʃi'vaʃi] <-s> *nt pej fam* blabla[bla] *m* **Wischlappen** *m* serpillière *f* **Wisent** ['viːzɛnt] <-s, -e> *m* bison *m* **wispern** ['vɪspən] **I.** *vt* chuchoter **II.** *vi* parler en chuchotant **Wissbegier[de]**ᴿᴿ, **Wißbegier[de]** *f kein Pl* besoin *m* de savoir; *von Schülern* curiosité *f* intellectuelle **wissbegierig**ᴿᴿ, **wißbegierig** *adj* extrêmement curieux(-euse); *Schüler* qui a soif d'apprendre; ~ **sein** faire preuve d'une grande curiosité **wissen** ['vɪsən] <weiß, wusste, gewusst> **I.** *vt* **1.** (*als Kenntnisse besitzen*) savoir; connaître *Fakten, Weg, Adresse;* **viel** ~ avoir beaucoup de connaissances; **jdn in guten Händen** ~ *geh* savoir qn en [de] bonnes mains; **er weiß, was er will** il sait ce qu'il veut; **davon weiß ich nichts** je ne suis absolument pas au courant; **wenn ich das gewusst hätte!** si j'avais su!; **wenn ich das wüsste!** si [seulement] je le savais!; **woher soll ich das** ~? comment je le saurais. **2.** (*können*) **sich** (*dat*) **zu helfen** ~ savoir se débrouiller; **etw zu schätzen** ~ savoir apprécier qc; **sich** (*dat*) **nicht mehr zu helfen** ~ ne plus savoir que faire **3.** (*erfahren*) **jdn etw** ~ **lassen** faire savoir qc à qn ▸**und was weiß ich noch alles** *fam* j'en passe et des meilleures **II.** *vi* **1.** **von etw** ~ *geh* avoir connaissance de qc; **soviel ich weiß** autant que je sache; **[ach,] weißt du/**~ **Sie, ...** tu sais/vous savez, ... **2.** (*sich erinnern*) **weißt du/**~ **Sie noch?** tu te rappelles/vous vous rappelez? ▸**man kann nie** ~! *fam* on sait jamais!; **nicht mehr aus noch ein** ~ ne plus savoir quoi faire; **nicht, dass ich wüsste** *fam* pas que je sache **Wissen** <-s> *nt* connaissances *fpl;* **meines** ~**s** pour autant que je [le] sache ▸**nach bestem** ~ **und Gewissen** *form* en son/

nicht wissen

• Nichtwissen ausdrücken	• exprimer son ignorance
Das weiß ich (auch) nicht./Weiß nicht. *(fam)*	Je ne sais pas (non plus)./Je sais pas. *(fam)*
Keine Ahnung. *(fam)*	Aucune idée.
Hab keinen blassen Schimmer. *(fam)*	Aucune idée.
Ich kenne mich da leider nicht aus.	Je regrette, mais je n'y connais rien.
Da bin ich überfragt.	Là, tu m'en demandes/vous m'en demandez trop.
Darüber weiß ich nicht Bescheid.	Je ne suis pas au courant.
Die genaue Anzahl entzieht sich meiner Kenntnis. *(geh)*	Je n'ai pas connaissance du nombre exact.
Woher soll ich das wissen?	Comment pourrais-je le savoir?

mon/... âme et conscience; **wider besseres** ~ sciemment
Wissenschaft <-, -en> *f* science *f*
Wissenschaftler(in) <-s, -> *m(f)* scientifique *mf*
wissenschaftlich *adj* scientifique
Wissensdurst *m geh* soif *f* de savoir **Wissensgebiet** *nt* discipline *f* **Wissenslücke** *f* lacune *f* **wissenswert** *adj* d'un grand intérêt
wissentlich ['vɪsəntlɪç] **I.** *adj* délibéré(e) **II.** *adv* délibérément
wittern ['vɪtɐn] *vt* flairer
Witterung <-, -en> *f* **1.** METEO temps *m* **2.** JAGD flair *m;* **die ~ aufnehmen** prendre le vent
Witwe ['vɪtvə] <-, -n> *f* veuve *f*
Witwenrente *f* pension *f* de veuve
Witwer ['vɪtvɐ] <-s, -> *m* veuf *m*
Witz [vɪts] <-es, -e> *m* **1.** plaisanterie *f* **2.** *kein Pl geh (Esprit)* esprit *m* **3.** *(Besonderheit, Pfiff)* **der ~ an diesem Rechner ist, dass ...** l'intérêt de cet ordinateur, c'est que ... ►**mach keine ~e!** *fam* allez, arrête tes conneries!; **das soll doch wohl ein ~ sein!** *fam* c'est une blague ou quoi ?; **ein ~ sein** *fam Klassenarbeit:* être de la rigolade
Witzbold ['vɪtsbɔlt] <-[e]s, -e> *m* **1.** *(Spötter)* plaisantin *m* **2.** *iron fam (Dummkopf)* du ~! t'en as de bonnes, toi!
Witzfigur *f pej fam* caricature *f*
witzig *adj* **1.** *(lustig)* amusant(e) **2.** *(geistreich)* plein(e) d'esprit; **sehr ~!** *iron fam* très marrant!
witzlos *adj fam (sinnlos)* ~ **sein** ne servir à rien
WM [veːˈʔɛm] <-, -s> *f Abk von* **Weltmeisterschaft**
wo [voː] **I.** *adv interrog* où; ~ **bist du?** où es-tu? ►**i** ~! *fam* penses-tu! **II.** *adv rel* **die**

Stelle, ~ ... l'endroit où ...; **jetzt, ~ ...** maintenant que ... **III.** *konj* **1.** *(zumal)* d'autant que **2.** *(obwohl)* alors que
woanders [voˈʔandɐs] *adv* ailleurs
wob [voːp] *Imp von* **weben**
wobei [voˈbai̯] **I.** *adv interrog* comment **II.** *adv rel* **1.** *(bei welcher Sache)* au cours duquel/de laquelle **2.** *(während welcher Sache)* pendant lequel/laquelle **3.** *(aber, jedoch)* cependant
Woche ['vɔxə] <-, -n> *f* semaine *f;* **nächste ~** la semaine prochaine; **pro ~** par semaine
Wochenarbeitszeit *f* durée *f* hebdomadaire du travail **Wochenbett** *nt* **im ~** en couches **Wochenendausgabe** *f* édition de fin de semaine *f* **Wochenendbeziehung** *f* relation *f* de fin de semaine **Wochenende** *nt* week-end *m;* **am ~** le week-end; **ein langes ~** un week-end prolongé; **schönes ~!** bon week-end! **Wochenendhaus** *nt* résidence *f* secondaire *(surtout pour le week-end)* **Wochenkarte** *f* carte *f* hebdomadaire **wochenlang I.** *adj* de plusieurs semaines **II.** *adv* pendant plusieurs semaines **Wochenlohn** *m* salaire *m* hebdomadaire **Wochenmarkt** *m* marché *m* **Wochentag** *m* jour *m* de la semaine; **an ~en** en semaine **wochentags** *adv* en semaine
wöchentlich ['vœçəntlɪç] **I.** *adj* hebdomadaire **II.** *adv* chaque semaine; **zweimal ~** deux fois par semaine
Wochenzeitschrift *f* [revue *f*] hebdomadaire *m*
Wöchnerin <-, -nen> *f* accouchée *f*
Wodka ['vɔtka] <-s, -s> *m* vodka *f*
wodurch [voˈdʊrç] **I.** *adv interrog* comment **II.** *adv rel* ce qui explique que + *subj*
wofür [voˈfyːɐ̯] **I.** *adv interrog* pour quoi; ~ **hast du dein ganzes Geld ausgegeben?** à quoi as-tu dépensé tout ton argent?;

~ **halten Sie mich eigentlich?** pour qui me prenez-vous?; ~ **interessieren Sie sich?** à quoi vous intéressez-vous? II. *adv rel* **das Match,** ~ **sie trainiert** le match pour lequel elle s'entraîne

wog [vo:k] *Imp von* **wiegen**[1]

Woge ['vo:gə] <-, -n> *f* 1. *geh* (*große Welle*) vague *f*; **die** ~**n** les flots *mpl* 2. *fig* **die** ~**n der Begeisterung** les débordements *mpl* d'enthousiasme ▸**wenn sich die** ~**n geglättet haben** lorsque les esprits se seront calmés

wogegen [vo'ge:gən] I. *adv interrog* contre quoi II. *adv rel* contre lequel/laquelle III. *konj* alors que

wogen ['vo:gən] *vi geh* 1. *Meer, See:* rouler des vagues 2. *Kampf, Schlacht:* faire rage

woher [vo'he:ɐ̯] I. *adv interrog* d'où ▸**ach** ~**!** DIAL *fam* penses-tu/pensez-vous! II. *adv rel* d'où

wohin [vo'hɪn] I. *adv interrog* où; ~ **gehst du?** où vas-tu? ▸**ich muss mal** ~ *euph fam* il faut que j'aille au petit coin II. *adv rel* où; **geh,** ~ **du willst!** va où tu veux!

wohingegen *konj geh* alors que

wohl [vo:l] *adv* 1. (*gesund,* ~ *auf*) **sich** ~ **fühlen** se sentir bien 2. (*gut, behaglich*) **jdm ist nicht** ~ **bei etw** qc met qn mal à l'aise 3. (*wahrscheinlich*) vraisemblablement 4. (*durchaus, doch, schon*) tout à fait; **das kann man** ~ **sagen!** ça, tu peux/vous pouvez le dire! 5. (*zwar*) **es regnet** ~**, aber ...** c'est vrai qu'il pleut, mais ... 6. (*zirka*) en gros; **es waren** ~ **hundert Besucher da** il y avait environ cent visiteurs 7. (*überhaupt*) **ob das** ~ **genügt?** ça suffira, vraiment? 8. (*sofort, endlich*) **willst du** ~ **gehorchen!** alors, tu te décides à obéir! ▸ ~ **oder übel** bon gré mal gré; ~ **bekomm's!** *geh* à ta/votre santé!; **leb** ~**!** adieu!

Wohl <-[e]s> *nt* 1. (*Nutzen*) bien *m* 2. (~ *befinden*) bien-être *m;* **zum** ~**!** à ta/votre santé!

wohlauf [vo:l'?au̯f] *adj geh* ~ **sein** se porter bien

Wohlbefinden <-s> *nt geh* bien-être *m;* **sich nach jds** ~ **erkundigen** s'enquérir de la santé de qn

wohlbehalten *adv* 1. (*wohlauf*) en bon état 2. (*unverletzt*) sain(e) et sauf(sauve)

wohlbekannt *s.* bekannt

wohlerzogen ['vo:l?ɛɐ̯tso:gən] <besser erzogen, besterzogen> *adj geh* bien élevé(e)

Wohlfahrtsstaat *m pej* État[-]providence *m* (*fam*)

Wohlgefallen *nt geh* satisfaction *f;* **mit** ~

avec [une grande] satisfaction ▸**sich in** ~ **auflösen** *hum* s'envoler

wohlgeformt <besser geformt, bestgeformt> *adj geh* bien proportionné(e)

wohlgemerkt *adv* il faut le souligner

wohlgesinnt <wohlgesinnter, wohlgesinnteste> *adj geh* **jdm** ~ **sein** être bien intentionné à l'égard de qn

wohlhabend <wohlhabender, wohlhabendste> *adj* fortuné(e); ~ **sein** être fortuné

wohlig *adj Wärme* agréable; **ein** ~**es Gefühl** un sentiment de bien-être

wohlklingend <wohlklingender, wohlklingendste> *adj geh Stimme* mélodieux(-euse)

wohlmeinend <wohlmeinender, wohlmeinendste> *adj* bien intentionné(e)

wohlriechend <wohlriechender, wohlriechendste> *adj geh* qui sent bon

wohlschmeckend <wohlschmeckender, wohlschmeckendste> *adj geh* savoureux(-euse)

Wohlsein *nt* **zum** ~**!** à votre santé!

Wohlstand *m kein Pl* aisance *f*

Wohlstandsgefälle *nt* écart *m* entre les pays riches et les pays pauvres **Wohlstandsgesellschaft** *f* société *f* d'abondance

Wohltat *f kein Pl* (*Erleichterung*) délice *m* **Wohltäter(in)** *m(f)* bienfaiteur(-trice) *m(f)* **wohltätig** *adj Hilfe* charitable; **ein** ~**er Zweck** un but caritatif

Wohltätigkeitsbasar *m* vente *f* de charité

wohltuend [vo:ltu:ənt] <wohltuender, wohltuendste> *adj* bienfaisant(e); ~ **sein** faire du bien

wohltun *s.* tun III.

wohlüberlegt *s.* überlegt I.

wohlverdient *adj geh* bien mérité(e) **wohlweislich** ['vo:lvai̯slɪç] *adv* en toute connaissance de cause; **...,** ~ **was ich** ~ **nicht tat** ..., ce que je me suis bien gardé(e) de faire

Wohlwollen <-s> *nt* bienveillance *f* **wohlwollend** <wohlwollender, wohlwollendste> I. *adj* bienveillant(e); **jdm** ~ **gegenüberstehen** montrer de la bienveillance à qn II. *adv* avec bienveillance

Wohnblock <-blocks> *m* pâté *m* de maisons

wohnen ['vo:nən] *vi* habiter; **ich wohne in Dresden** j'habite [à] Dresde

Wohnfläche *f* surface *f* habitable **Wohngebiet** *nt* zone *f* résidentielle **Wohngegend** *f* zone *f* résidentielle **Wohngeld** *nt* aide *f* personnalisée au logement **Wohngemeinschaft** *f* communauté *f* (*personnes partageant un appartement ou une*

maison)*;* **in einer ~ wohnen** vivre en communauté

wohnhaft *adj form* **in Berlin ~ sein** être domicilié à Berlin

Wohnhaus *nt* immeuble *m* d'habitation

Wohnheim *nt* (*Studentenwohnheim*) foyer *m* pour étudiants; (*Arbeiterwohnheim*) foyer de travailleurs **Wohnküche** *f* grande cuisine *f* (*qui fait salle à manger*)

Wohnlage *f* quartier *m*

wohnlich I. *adj* agréable à habiter **II.** *adv einrichten* avec confort

Wohnmobil ['voːnmobiːl] <-s, -e> *nt* camping-car *m* **Wohnort** *m* domicile *m* **Wohnraum** *m* **1.** (*Raum*) pièce *f* d'habitation **2.** *kein Pl* (*Wohnungen*) [parc *m* de] logements *mpl* **Wohnsilo** *m o nt pej* cage *f* à lapins (*fam*) **Wohnsitz** *m* domicile *m;* **fester ~** domicile fixe

Wohnung <-, -en> *f* appartement *m*

Wohnungsamt *nt* office *m* du logement

Wohnungsbau *m kein Pl* construction *f* de logements; **sozialer ~** construction *f* de logements sociaux **Wohnungsinhaber(in)** *m(f)* (*Besitzer*) propriétaire *m* de l'appartement; (*Bewohner*) occupant(e) *m(f)* de l'appartement **Wohnungsmarkt** *m* marché *m* du logement **Wohnungsnot** *f kein Pl* crise *f* du logement **Wohnungssuche** *f* recherche *f* d'un logement [à louer] **Wohnungstür** *f* porte *f* de l'appartement

Wohnviertel *nt* quartier *m* résidentiel

Wohnwagen *m* **1.** (*Campinganhänger*) caravane *f* **2.** (*mobile Wohnung*) roulotte *f*

Wohnzimmer *nt* [salle *f* de] séjour *m*

Wok [vɔk] <-, -s> *m* wok *m*

wölben ['vœlbən] *vr* **1.** (*sich biegen*) **sich ~** bomber **2.** (*überspannen*) **sich über etw** (*akk*) ~ *Dach:* former une voûte au-dessus de qc; *Brücke:* former un arc au-dessus de qc

Wölbung <-, -en> *f* ARCHIT voûte *f*

Wolf [vɔlf, *Pl:* 'vœlfə] <-[e]s, ⁼e> *m* **1.** loup *m* **2.** (*Fleischwolf*) hachoir *m;* **etw durch den ~ drehen** passer qc au hachoir ▶**ein ~ im Schafspelz** un loup déguisé en agneau; **mit den Wölfen heulen** hurler avec les loups

Wölfin ['vœlfɪn] <-, -nen> *f* louve *f*

Wolke ['vɔlkə] <-, -n> *f* nuage *m* ▶**aus allen ~n** tomber des nues; **über den ~n schweben** *geh* vivre sur son nuage

Wolkenbruch *m* pluie *f* torrentielle **Wolkendecke** *f* plafond *m* [nuageux] **Wolkenkratzer** *m* gratte-ciel *m* **wolkenlos** *adj* sans nuages

wolkig *adj* couvert(e)

Wolldecke *f* couverture *f* en laine

Wolle ['vɔlə] <-, -n> *f* laine *f* ▶**sich wegen etw in die ~ kriegen** *fam* se voler dans les plumes à cause de qc

wollen ['vɔlən] <will, wollte, wollen> **I.** *aux modal* **1.** vouloir; **arbeiten ~** vouloir travailler; **wir wollten gerade gehen/essen** nous nous apprêtions à partir/manger; **ich wollte Sie fragen, ob ...** (*Höflichkeitsfloskel*) je voulais vous demander si ...; **willst du lieber eine Kassette oder eine CD haben?** tu préfères avoir une cassette ou un CD? **2.** (*in Aufforderungssätzen*) ~ **Sie einen Moment Platz nehmen?** auriez-vous l'obligeance de prendre place un instant?; **willst du wohl still sein!** tu vas te taire! **3.** (*behaupten*) **er will davon nichts gewusst haben** il prétend n'avoir pas été au courant **4.** (*müssen*) **Reiten will gelernt sein** l'équitation, ça s'apprend **5.** (*werden*) **es sieht aus, als wolle es gleich ein Gewitter geben** on dirait qu'il va bientôt faire de l'orage **II.** <will, wollte, gewollt> *vi* **1.** vouloir **2.** (*gehen, reisen ~*) **zu jdm ~** vouloir voir qn; **zu wem ~ Sie?** qui voulez-vous voir? **3.** *fam* (*funktionieren*) **das Herz will nicht mehr so richtig** le cœur est très fatigué **4.** (*wünschen*) **[ganz] wie du willst** c'est comme tu veux; **ich wollte, ...** j'aimerais que + *subj;* **jdm übel ~** *fam* vouloir du mal à qn ▶**dann ~ wir mal!** eh bien allons-y!; **ob du willst oder nicht** que tu le veuilles ou non; **wenn man so will** pour ainsi dire **III.** *vt* **1.** (*haben ~, wünschen*) vouloir; **willst du lieber Kaffee oder Tee?** tu préfères du café ou du thé?; **was hat sie von dir gewollt?** qu'est-ce qu'elle te voulait?; **ohne es zu ~** sans le vouloir **2.** (*bezwecken*) **was willst du mit dem Hammer?** que veux-tu faire avec ce marteau? **3.** *fam* (*brauchen*) **Kinder ~ viel Liebe** les enfants ont besoin de beaucoup d'amour ▶**da ist nichts zu ~** *fam* y a pas moyen; **etwas von jdm ~** *fam* (*böse Absichten haben*) en avoir après qn; (*sexuelles Interesse haben*) en pincer pour qn; **was will man mehr!** que demande le peuple!

wollig *adj* laineux(-euse)

Wollknäuel *nt* pelote *f* de laine

Wollust ['vɔlʊst] <-> *f geh* volupté *f*

wollüstig ['vɔlʏstɪç] *adj geh Blick:* lascif(-ive)*; Stöhnen:* de volupté

womit [vo'mɪt] *adv* **1.** ~ **sollen wir anfangen?** par quoi devons-nous commencer?; ~ **hattest du gerechnet?** à quoi t'attendais-tu ? **2.** (*mit welchem Gegenstand*) ~ **hast du die Flasche aufbekommen?** tu as ouvert la bouteille avec quoi?; ~ **wa-**

ren sie bewaffnet? de quoi étaient-ils armés? **3.** (*wie, mit welchem Mittel*) ~ **kann man diesen Fleck entfernen?** comment peut-on enlever cette tache?; **ich weiß nicht, ~ ich das verdient habe!** en quoi ai-je mérité ça? **4.** (*mit dem, mit der*) **das, ~ alle einverstanden sind** ce avec quoi tous sont d'accord
womöglich [vo'mœːklɪç] *adv* peut-être [même]; ~ **schneit es morgen** il pourrait bien neiger demain
wonach [vo'naːx] *adv* **1.** ~ **suchst du?** qu'est-ce que tu cherches?; ~ **soll ich mich richten?** à quoi dois-je me conformer?; **hast du gefunden, ~ du gesucht hast?** tu as trouvé ce que tu cherchais? **2.** (*nach dem, nach denen*) **es gibt Gerüchte, ~ er ein Spieler sein soll** il y a un bruit qui court qui dit qu'il serait un joueur
Wonne ['vɔnə] <-, -n> *f geh* exaltation *f*; **etw mit ~ tun** *fam* faire qc à son grand plaisir
woran [vo'ran] *adv* **1.** ~ **denkst du gerade?** à quoi penses-tu en ce moment?; ~ **erinnerst du dich noch?** de quoi te souviens-tu encore? **2.** (*an welchem Gegenstand*) ~ **kann ich mich festhalten?** à quoi est-ce que je peux me tenir? **3.** (*aus welchem Grund, Anlass*) ~ **ist er gestorben?** de quoi est-il mort? **4.** (*an dem, an der*) **das Einzige, ~ ich mich erinnere** la seule chose dont je me souviens
worauf [vo'rauf] *adv* **1.** ~ **wartest du?** qu'est-ce que tu attends?; ~ **will er eigentlich hinaus?** mais où veut-il en venir?; **ich habe nicht verstanden, ~ er sich bezieht** je n'ai pas compris ce à quoi il se réfère; **wirst du dich beim Kellner beschweren? – Worauf du dich verlassen kannst!** tu vas te plaindre au garçon? – Tu peux compter là-dessus! **2.** (*auf was*) ~ **kann ich mich setzen?** je peux m'asseoir sur quoi? **3.** (*auf den, auf die, auf das*) **etwas, ~ ich nicht gefasst war** ce à quoi je ne m'attendais pas
woraufhin *adv* **1.** ~ **hat er das gesagt?** en réponse à quoi a-t-il dit cela? **2.** (*worauf*) **er schrie sie an, ~ sie das Zimmer verließ** il hurla tant après elle qu'elle en quitta la pièce
woraus [vo'raus] *adv* **1.** (*aus welchem Material*) ~ **besteht diese Legierung?** de quoi est fait cet alliage? **2.** (*aus welchen Anzeichen*) ~ **schließen Sie das?** d'où tirez-vous cette conclusion? **3.** (*aus dem, aus der*) **etwas, ~ ich nicht klug werde** quelque chose qui me laisse perplexe
worden *PP von* **werden**

worin [vo'rɪn] *adv* **1.** ~ **liegt das Problem?** où est le problème? **2.** (*in welchem Raum*) où **3.** (*in dem, in der*) **etwas, ~ sich die Angebote unterscheiden** ce en quoi les offres diffèrent
Workaholic [wœːkə'hɔlɪk] <-s, -s> *m fam* stakhano *mf*
Workshop ['wɔːkʃɔp] <-s, -s> *m* atelier *m*
World Wide Web [wœrldwaɪd'wɛp] <-> *nt* World Wide Web *m*
Wort [vɔrt] <-[e]s, -e> *nt* **1.** <-ːer o -e> mot *m;* ~ **für** ~ mot pour mot; **mit anderen ~en** en d'autres termes **2.** (*Begriff*) **etw in ~e fassen** rendre qc par des mots; **mir fehlen die ~e!** j'en reste coi(te)! **3.** (*Äußerung*) parole *f;* **kein ~ miteinander reden** ne pas s'adresser la parole; **etw mit keinem ~ erwähnen** n'en souffler mot à personne **4.** *kein Pl* (*Versprechen*) parole *f;* **jdm sein ~ geben** donner sa parole à qn; **jdn beim ~ nehmen** prendre qn au mot; **sein ~ halten/brechen** tenir [sa]/manquer à sa parole **5.** *kein Pl* (*Rede*) **jdm ins ~ fallen** couper la parole à qn; **jdn nicht zu ~ kommen lassen** ne pas laisser qn dire un seul mot; **sein eigenes ~ nicht mehr verstehen** ne plus s'entendre parler **6.** (*Ausspruch*) **ein ~ Molières/Goethes** un mot de Molière/de Goethe ►**jdm das ~ im Mund** [her]**umdrehen** déformer les paroles de qn; **ein ernstes ~ mit jdm reden** dire deux mots à qn; **bei jdm ein gutes ~ für jdn einlegen** intercéder pour qn auprès de qn; **aufs ~ gehorchen** obéir au doigt et à l'œil; **ein ~ gibt das andere** un mot en entraîne un autre; **hast du da noch ~e!** *fam* c'est à vous en clouer le bec!; **mit einem ~** en un mot
Wortart *f* catégorie *f* grammaticale
wortbrüchig *adj geh* parjure; ~ **werden** se parjurer
Wörtchen ['vœrtçən] <-s, -> *nt Dim von* **Wort** *fam* mot *m* ►**ein ~ mitzureden haben** *fam* avoir son mot à dire
Wörterbuch ['vœrtɐbuːx] *nt* dictionnaire *m*
Worterkennung *f* INFORM écriture *f* intuitive **Wortfetzen** *pl* bribes *fpl* de conversation **Wortführer(in)** *m(f)* porte-parole *m*
wortgetreu *adj Übersetzung* littéral(e); *Wiedergabe* textuel(le) **wortgewandt I.** *adj* éloquent(e) **II.** *adv* avec éloquence
wortkarg *adj Mensch* peu loquace; *Antwort* laconique *mf*
Wortlaut *m kein Pl* contenu *m; eines Vertrages* termes *mpl*
wörtlich ['vœrtlɪç] **I.** *adj* **1.** *Übersetzung* littéral(e) **2.** GRAM ~**e Rede** discours *m* direct **II.** *adv* **etw ~ nehmen** prendre qc au pied de la lettre

wortlos I. adj Blick, Verstehen muet(te) **II.** adv sans mot dire

Wortmeldung f **gibt es keine ~en mehr?** plus personne ne demande la parole?

wortreich I. adj volubile **II.** adv avec volubilité; erklären en long, en large et en travers (fam) **Wortschatz** m kein Pl vocabulaire m **Wortspiel** nt jeu m de mots **Wortstellung** f ordre m des mots **Wortwahl** f kein Pl choix m des mots **Wortwechsel** m altercation f **wortwörtlich** ['vɔrt'vœrtlɪç] **I.** adj textuel(le) **II.** adv mot pour mot

worüber [vo'ry:bɐ] adv **1.** ~ **habt ihr gesprochen?** de quoi avez-vous parlé? **2.** (über welchen/welchem Gegenstand) ~ **bist du gestolpert?** sur quoi as-tu trébuché? **3.** (über dem, über das) **etwas,** ~ **wir sprechen müssen** quelque chose dont nous devons parler

worum [vo'rʊm] adv **1.** **ich habe keine Ahnung,** ~ **es geht** je n'ai aucune idée de quoi il s'agit **2.** (um den, um das) **alles,** ~ **du mich bittest** tout ce que tu me demandes

worunter [vo'rʊntɐ] adv **1.** ~ **leidet er?** de quoi souffre-t-il?; **ich frage mich,** ~ **ich das einordnen soll** je me demande sous quelle catégorie je dois ranger cela **2.** (unter den, unter die) **der Schrank,** ~ **sie den Karton gestellt hatte** l'armoire sous laquelle elle avait mis la boîte **3.** (unter dem, unter der) **ein Bündel Geldscheine,** ~ **auch Falschgeld war** une liasse de billets parmi lesquels il y avait des faux billets

wovon [vo'fɔn] adv **1.** ~ **ist sie aufgewacht?** qu'est-ce qui l'a réveillée?; **ich weiß nicht,** ~ **du sprichst** je ne sais pas de quoi tu parles **2.** (von dem, von der) dont **3.** (wodurch) **er redete viel,** ~ **er Halsschmerzen bekam** il parla beaucoup ce qui lui donna des maux de gorge

wovor [vo'fo:ɐ] adv **1.** ~ **hat er Angst?** de quoi a-t-il peur?; **ich frage mich,** ~ **sie auszuweichen versucht** je me demande ce qu'elle cherche à éviter **2.** (vor dem) **das Einzige,** ~ **sie sich fürchtet** la seule chose qui lui fait peur

wozu [vo'tsu:] adv **1.** (warum, wofür) ~ **willst du das wissen?** pourquoi ~ ~ que tu veux le savoir?; ~ **brauchst du das Geld?** tu as besoin de l'argent pour quoi faire?; **ich weiß nicht,** ~ **das gut ist** je ne sais pas à quoi ça sert **2.** (zu dem, zu der) **die Miete,** ~ **noch die Heizkosten kommen** le loyer auquel s'ajoutent les frais de chauffage; **ich soll mein Zimmer aufräumen,** ~ **ich aber keine Lust habe**

il faut que je range ma chambre, ce dont je n'ai pourtant aucune envie

Wrack [vrak] <-s, -s> nt **1.** épave f **2.** fig loque f

wringen ['vrɪŋən] <wrang, gewrungen> vt tordre; **das Wasser aus etw** ~ essorer qc

Wucher ['vu:xɐ] <-s> m pej (zu hoher Preis) prix mpl exorbitants; (zu hohe Zinsen) usure f; **das ist** [doch/ja] ~! fam c'est du vol!; ~ **treiben** pratiquer l'usure

wucherisch adj Zinsen usuraire; Preis exorbitant(e)

wuchern ['vu:xɐn] vi + haben o sein Pflanzen, Unkraut: proliférer; Geschwulst, Tumor: grossir

Wucherpreis m pej prix m exorbitant

Wucherung <-, -en> f néoplasme m

Wucherzinsen Pl pej intérêt usuraire m

wuchs [vu:ks] Imp von **wachsen**[1]

Wuchs [vu:ks] <-es> m **1.** (Wachstum) croissance f **2.** (Gestalt) taille f

Wucht [vʊxt] <-> f eines Aufpralls, Schlags violence f; **mit voller** ~ de plein fouet ▶ **eine** ~ **sein** fam (toll sein) être d'enfer

wuchten vt traîner; **eine Truhe auf den Speicher** ~ traîner un coffre [jusqu'] au grenier

wuchtig adj **1.** (mit Wucht) violent(e) **2.** Gegenstand imposant(e)

wühlen ['vy:lən] **I.** vi (kramen, graben) **in etw** (dat) ~ fouiller dans qc **II.** vr **1.** (sich bewegen) **sich in die Erde** ~ Maulwurf: s'enfouir dans la terre **2.** fam (arbeiten) **sich durch etw** ~ liquider qc

Wühlmaus f campagnol m **Wühltisch** m fam table f à farfouille

Wulst [vʊlst, Pl: 'vʏlstə] <-es, ⸚e> m bourrelet m

wulstig adj Lippen épais(se)

wund [vʊnt] adj Ferse écorché(e); **das Baby ist am Po** ~ le bébé a les fesses irritées; **sich** ~ **liegen** attraper des escarres; **sich** (dat) **die Fersen** ~ **laufen** s'écorcher les talons en marchant

Wunde ['vʊndə] <-, -n> f plaie f ▶ **alte** ~**n wieder aufreißen** geh rouvrir une plaie

wunder s. **Wunder**

Wunder ['vʊndɐ] <-s, -> nt **1.** miracle m; **es ist kein** ~, **dass** fam c'est pas étonnant que + subj **2.** (Besonderes) ~ **wer/was** fam Dieu sait qui/quoi ▶ **sein blaues** ~ **erleben** fam avoir une drôle de surprise; **an ein** ~ **grenzen** tenir du miracle; ~ **wirken** faire des miracles; **wie durch ein** ~ comme par miracle

wunderbar I. adj **1.** Person fantastique; Abend merveilleux(-euse) **2.** (übernatürlich

erscheinend) miraculeux(-euse) **II.** adv
tellement
Wunderheiler(in) <-s, -> m(f) guéris-
seur(-euse) m(f) **Wunderkerze** f cierge m
magique **Wunderkind** nt enfant m prodige
wunderlich I. adj Mensch bizarre; **ein ~er
alter Kauz** un vieil olibrius (fam) **II.** adv
de façon bizarre
Wundermittel nt remède m miracle
wundern I. vt étonner; jdn ~ Verhalten,
Frage: étonner qn; **mich wundert, dass**
ça m'étonne que + subj; **es würde mich
nicht ~, wenn** ... ça ne m'étonnerait pas
si ... **II.** vr **sich** ~ être étonné; **sich über
etw** (akk) ~ s'étonner de qc ▸**ich muss
mich doch sehr ~!** je suis très choqué(e)!
wunderschön ['vʊndɐ'ʃøːn] adj superbe
wundervoll adj merveilleux(-euse)
Wundfieber nt MED fièvre f traumatique
wund‖liegen s. wund **Wundsalbe** f pommade f cicatrisante **Wundstarrkrampf** m
MED tétanos m
Wunsch [vʊnʃ, Pl: 'vʏnʃə] <-[e]s, ⸚e> m
1. souhait m; **jdm einen ~ erfüllen** exaucer un souhait à qn; **haben Sie sonst
noch einen ~?** vous désirez autre chose?;
auf ~ sur demande 2.(Glückwunsch)
vœux mpl; **jdm die besten Wünsche
zum Geburtstag aussprechen** souhaiter
ses meilleurs vœux à qn pour son anniversaire ▸**jdm jeden ~ von den Augen ablesen** aller au-devant des désirs de qn
Wunschdenken nt illusion f
Wünschelrute ['vʏnʃəlruːtə] f baguette f
de sourcier
wünschen ['vʏnʃən] **I.** vr **sich** (dat) **etw ~**
vouloir qc **II.** vt 1.(als Glückwunsch sagen) **jdm Glück ~** souhaiter bonne chance à qn 2.(erhoffen) souhaiter; **~, dass**
souhaiter que + subj 3.(verlangen) demander Erklärung, Entschuldigung; **ich
wünsche, dass sofort Ruhe herrscht!** je
demande le silence immédiat!; **was ~ Sie?**
que désirez-vous?; **wie gewünscht** comme souhaité **III.** vi **Sie ~?** vous désirez?;
[ganz] **wie Sie ~** comme vous voulez ▸**zu
~ übrig lassen** laisser à désirer
wünschenswert adj souhaitable; **etw für
~ halten** considérer qc comme souhaitable
wunschgemäß I. adj (erwünscht) souhai-
té(e) **II.** adv selon ses/mes/... désirs
Wunschkind nt enfant m désiré **Wunsch-
konzert** nt émission f musicale à la carte
Wunschtraum m rêve m; pej **Wunsch-
zettel** m liste f de cadeaux
wurde ['vʊrdə] Imp von werden
Würde ['vʏrdə] <-, -n> f kein Pl dignité f
▸**das ist unter seiner/ihrer ~** ce serait

lui faire injure; **unter aller ~ sein** être au-
dessous de tout
würdelos I. adj Benehmen indigne; Behandlung dégradant(e) **II.** adv de manière indigne
Würdenträger(in) m(f) geh dignitaire m
würdevoll I. adj geh digne **II.** adv avec dignité
würdig I. adj 1.(ehr~) digne 2. Feier, Rahmen adéquat(e) 3.(wert) **sich jds/etw ~
erweisen** se montrer digne de qn/qc **II.**
adv 1.(mit Würde) avec dignité 2.(gebührend) dignement
würdigen vt 1. rendre hommage à Person
2.(schätzen) **etw zu ~ wissen** savoir apprécier qc à sa juste valeur 3. geh (für würdig befinden) **jdn keines Blickes ~** ne
pas daigner jeter un seul regard à qn
Würdigung <-, -en> f einer Person, Sache
reconnaissance f
Wurf [vʊrf, Pl: 'vʏrfə] <-[e]s, ⸚e> m
1.(mit einem Ball) lancer m; (mit einem
Stein, Schneeball) jet m 2. SPORT (beim
Hammer-, Speer-, Diskuswerfen) lancer m
3.(beim Würfeln) coup m 4.(Jungtiere)
portée f ▸**jdm gelingt mit etw ein großer ~** qn réussit un coup de maître avec qc
Würfel ['vʏrfəl] <-s, -> m 1.dé m; ~ **spielen** jouer aux dés 2. GEOM cube m 3.(kleines Stück) dé m ▸**die ~ sind gefallen** les
dés sont jetés
würfeln I. vi jouer aux dés; **um etw ~** jouer qc aux dés **II.** vt 1. **eine Fünf ~** faire un
cinq 2.(in Würfel schneiden) **den Speck
~** couper le lard en dés
Würfelspiel nt jeu m de dés **Würfelzucker** m kein Pl sucre m en morceaux
WurfgeschossRR nt projectile m **Wurfsen-
dung** f courrier m publicitaire
würgen ['vʏrgən] **I.** vt étrangler **II.** vi
1.(nicht schlucken können) **an etw** (dat)
~ s'étrangler avec qc 2.(Brechreiz haben)
être pris de nausée[s]
Wurm [vʊrm, Pl: 'vʏrmə] <-[e]s, ⸚er> m
ver m; **Würmer haben** avoir des vers ▸**da
ist der ~ drin** fam c'est un sac de nœuds
wurmen vt fam **jdn ~** enquiquiner qn
Wurmfortsatz m ANAT appendice m
wurmstichig adj Apfel véreux(-euse); Holz
vermoulu(e)
Wurst [vʊrst, Pl: 'vʏrstə] <-, ⸚e> f 1. kein
Pl (Wurstwaren) charcuterie f 2.(Würstchen) saucisse f; (geräuchert) saucisson m
▸**jetzt geht es um die ~** fam c'est maintenant que tout se joue; **das ist mir/ihm
~** fam j'en ai/il en a rien à cirer
Wurstbrot nt sandwich m au saucisson
Würstchen ['vʏrstçən] <-s, -> nt 1.saucis-
se f; **Frankfurter/Wiener ~** saucisse de

Francfort; **heiße** ~ saucisses chaudes
2. *pej fam* (*Mensch*) mauviette *m*
Wurstfinger *Pl fam* doigts *mpl* boudinés
Würzburg <-s> *nt* Wurtzbourg
Würze ['vʏrtsə] <-, -n> *f* **1.** (*Würzmischung*) condiment *m* **2.** (*Aroma*) *eines Gerichts* saveur *f; eines Weins* montant *m*
Wurzel ['vʊrtsəl] <-, -n> *f* **1.** racine *f*
2. MATH **die ~ aus 16 ziehen** extraire la racine [carrée] de 16 **3.** *geh* (*Ursprung*) origine *f;* **die ~ allen Übels** la cause de tous les maux ▶**wollt ihr hier ~n schlagen?** *fam* vous n'allez tout de même pas prendre racine ici!
wurzeln *vi geh* **in etw** (*dat*) ~ avoir son origine dans qc
Wurzelzeichen *nt* MATH radical *m*
würzen *vt* assaisonner; **etw mit etw ~** assaisonner qc avec qc
würzig *adj Duft* épicé(e); *Bier* corsé(e)
wusch [vuːʃ] *Imp von* **waschen**
Wuschelkopf *m fam* frisettes *fpl*
wusste^RR ['vʊstə], **wußte** *Imp von* **wissen**
Wust [vuːst] <-[e]s> *m fam* **ein ~ von**

Akten un tas *m* de dossiers
wüst [vyːst] *adj* **1.** *Gegend* désert(e)
2. *Fluch* grossier(-ière) **3.** *fam Unordnung* dingue
Wüste ['vyːstə] <-, -n> *f* désert *m* ▶**jdn in die ~ schicken** *fam* limoger qn
Wut [vuːt] <-> *f* rage *f;* **in ~ geraten** entrer en rage; **eine fürchterliche ~ auf jdn haben** *fam* être furax contre qn; **vor ~ de rage** ▶**eine ~ im Bauch haben** *fam* avoir la haine; **vor ~ kochen** bouillir de colère
Wutanfall *m* accès *m* de fureur; **einen ~ bekommen** piquer sa crise (*fam*)
wüten ['vyːtən] *vi* **1.** (*toben*) se déchaîner **2.** (*Zerstörung verursachen*) **an der Küste ~** *Sturm:* faire des ravages sur la côte
wütend *adj* **1.** (*zornig*) furieux(-euse); **auf jdn ~ sein** être furieux contre qn; **über etw** (*akk*) **~ sein** être furieux [à cause] de qc **2.** *Gefecht* acharné(e)
wutentbrannt ['vuːtʔɛnt'brant] **I.** *adj* saisi(e) de furie **II.** *adv* comme une furie
WWW [veːveː'veː] *nt Abk von* **World Wide Web** WWW *m,* TRM *f*
Wz *Abk von* **Warenzeichen**

X

X, x [ɪks] <-, -> *nt* **1.** X *m*/x *m* **2.** *fam* (*unzählige*) **x Briefe schreiben** écrire trentesix lettres
x-Achse ['ɪksaksə] *f* MATH axe *m* des x
X-Beine ['ɪksbaɪnə] *Pl* jambes *fpl* en [forme de] x
x-beinigᴿᴿ *adj* aux jambes en forme de x
x-beliebig ['ɪksbə'liːbɪç] I. *adj fam* **ein ~er Käse** n'importe quel fromage II. *adv fam* de n'importe quelle façon
X-Chromosom ['ɪkskromozoːm] *nt* chromosome *m* X
x-fach ['ɪksfax] I. *adj fam* multiple II. *adv fam* trente-six fois
x-fache(s) *nt dekl wie adj fam* **das ~ bezahlen** payer cent fois plus
x-mal ['ɪksmaːl] *adv fam* x fois plus une
x-temal ['ɪkstəmaːl], **x-te(r, s)**ᴿᴿ ['ɪkstə, -tə] *adj fam* **das ~ Mal** la ixième fois
Xylophon [ksylo'foːn] <-s, -e> *nt* xylophone *m*

Y

Y, y ['ʏpsilɔn] <-, -> *nt* Y *m*/y *m*
y-Achse ['ʏpsilɔnaksə] *f* MATH axe *m* des y
Yacht [jaxt] <-, -en> *f* yacht *m*
Yen [jɛn] <-[s], -[s]> *m* yen *m*
Yeti ['jeːti] <-s, -s> *m* yéti *m*
Yoga ['joːga] <-[s]> *m o nt* yoga *m*
Ypsilon ['ʏpsilɔn] <-[s], -s> *nt* i grec *m*
Yuppie ['jʊpi] <-s, -s> *m*, <-, -s> *f* yuppie *mf*

Z

Z, z [tsɛt] <-, -> *nt* Z *m*/z *m*
zack [tsak] *interj fam* aussi sec
Zack ▶ auf ~ sein *fam Person:* avoir la pêche
Zacke ['tsakə] <-, -n> *f eines Kamms* dent *f*
Zacken *m* ▶ **jdm bricht** [*o* **fällt**] **kein ~ aus der Krone** *fam* qn ne va pas en mourir
zackig I. *adj* **1.** (*gezackt*) déchiqueté(e) **2.** *fam* (*schneidig*) qui chauffe II. *adv salutieren* crânement
zaghaft *adj* timide
zäh [tsɛː] I. *adj* **1.** *Fleisch* dur(e) **2.** (*~flüssig*) visqueux(-euse) **3.** (*schleppend*) ardu(e) **4.** *Mensch* résistant(e) **5.** (*hartnäckig*) obstiné(e) II. *adv* **1.** (*schleppend*) péniblement **2.** (*hartnäckig*) obstinément
zähflüssig *adj Verkehr* dense
Zähigkeit <-> *f* **1.** (*Widerstandsfähigkeit*) *eines Menschen* résistance *f* **2.** (*Hartnäckigkeit*) ténacité *f*
Zahl [tsaːl] <-, -en> *f* **1.** nombre *m* **2.** (*Ziffer*) chiffre *m* **3.** *kein Pl* (*Anzahl*) nombre *m*
zahlbar *adj* payable
zählebig *adj Tier* vivace; **~ sein** *Gerücht:* être tenace
zahlen ['tsaːlən] *vi, vt* payer
zählen ['tsɛːlən] I. *vi* **1.** compter **2.** (*zugerechnet werden*) **zu den beliebtesten Kollegen ~** faire partie des collègues les plus appréciés **3.** (*sich verlassen*) **auf jdn/ etw ~** compter sur qn/qc II. *vt* **1.** compter *Besucher* **2.** *geh* (*umfassen*) **tausend Einwohner ~** compter mille habitants **3.** *geh* (*dazurechnen*) **jdn zu seinen Freunden ~** compter qn au nombre de ses amis
Zahlenkombination *f* combinaison *f* [chiffrée] **zahlenmäßig** I. *adj* numérique II. *adv* (*in Zahlen*) par des chiffres **Zahlenschloss**ᴿᴿ *nt eines Fahrradschlosses* cadenas *m* à chiffres
Zähler <-s, -> *m* (*Messgerät*) compteur *m*
Zählerstand *m* consommation *f* compteur
Zahlkarte *f* mandat *m* de versement

zahllos *adj* innombrable

Zahlmeister(in) *m(f)* trésorier *m*

zahlreich **I.** *adj* ~**e Briefe** de nombreuses lettres **II.** *adv* en grand nombre

Zahltag *m* jour *m* de paie

Zahlung <-, -en> *f* (*Betrag*) versement *m*

Zählung <-, -en> *f* (*Volkszählung*) recensement *m*

Zahlungsaufforderung *f* rappel *m* de paiement **zahlungsfähig** *adj* solvable **Zahlungsfrist** *f* délai *m* de paiement **zahlungskräftig** *adj* *Kunde* haut de gamme *inv* **Zahlungsmittel** *nt* moyen *m* de paiement **Zahlungsmoral** *f* *kein pl* morale *f* de paiement **zahlungsunfähig** *adj* insolvable **Zahlungsverkehr** *m* **elektronischer** ~ monétique *f*

Zahlwort <-wörter> *nt* numéral *m*

zahm [tsa:m] *adj* (*zutraulich*) apprivoisé(e)

zähmen ['tsɛːmən] *vt* **1.** apprivoiser *Tier* **2.** (*zügeln*) refréner *Neugier*

Zähmung <-, -en> *f* apprivoisement *m*

Zahn [tsaːn, *Pl:* 'tsɛːnə] <-[e]s, ̈e> *m* dent *f*

Zahnarzt *m*, **-ärztin** *f* [chirurgien *m*] dentiste *mf* **Zahnarzthelfer(in)** *m(f)* assistant(e) *m(f)* dentaire **zahnärztlich** **I.** *adj* *Praxis* dentaire **II.** *adv* par un dentiste **Zahnarztpraxis** *f* cabinet *m* dentaire **Zahnbelag** *m* plaque *f* dentaire **Zahnbürste** *f* brosse *f* à dents **Zahncreme** *f* dentifrice *m*

zähneklappernd *adj attr* claquant des dents **zähneknirschend** *adv* en grinçant des dents

zahnen *vi* faire ses dents; **das Zahnen** le percement des dents

Zahnersatz *m* dentier *m* **Zahnfleisch** *nt* gencive *f* **zahnlos** *adj* édenté(e) **Zahnlücke** *f* dent *f* manquante **Zahnpasta** *s.* **Zahncreme Zahnpflege** *f* soins *mpl* dentaires **Zahnrad** *nt* roue *f* dentée **Zahnradbahn** *f* chemin *m* de fer à crémaillère **Zahnschmelz** *m* émail *m* **Zahnschmerzen** *Pl* mal *m* de dents **Zahnseide** *f* fil *m* dentaire **Zahnspange** *f* appareil *m* [dentaire] **Zahnstein** *m* *kein Pl* tartre *m* **Zahnstocher** ['tsaːnʃtɔxɐ] <-s, -> *m* cure-dent *m* **Zahntechniker(in)** *m(f)* mécanicien-dentiste *m*/mécanicienne-dentiste *f* **Zahnweh** *s.* **Zahnschmerzen**

Zander <-s, -> *m* sandre *m*

Zange ['tsaŋə] <-, -n> *f* pince *f*

Zank <-[e]s> *m* dispute *f*

zanken **I.** *vi* se disputer; *Kinder:* se chamailler **II.** *vr* **sich** ~ se disputer; *Kinder:* se chamailler

zänkisch ['tsɛŋkɪʃ] *adj* **ein** ~**es Weib** un dragon

Zäpfchen ['tsɛpfçən] <-s, -> *nt* **1.** MED suppositoire *m* **2.** ANAT luette *f*

zapfen *vt* tirer

Zapfen ['tsapfən] <-s, -> *m* **1.** (*von Nadelbäumen*) pomme *f* de pin **2.** (*Eiszapfen*) stalactite *f*

Zapfenstreich *m* MIL couvre-feu *m*

Zapfhahn *m* chantepleure *f* **Zapfpistole** *f* pistolet *m* [de distribution] **Zapfsäule** *f* pompe *f* à essence

zappelig *adj* *Kind* agité(e)

zappeln ['tsapəln] *vi* **mit den Beinen** ~ gigoter des jambes (*fam*) ▶**jdn** ~ **lassen** *fam* laisser qn mijoter

Zappelphilipp <-s, -e *o* -s> *m fam* asticot *m*

zappen ['tsɛpn] *vi fam* zapper

zappenduster *adj* ▶**damit sieht es** ~ **aus** *sl* pour cela, ça a l'air d'être mal barré

zapplig *s.* **zappelig**

Zar(in) [tsaːɐ̯] <-en, -en> *m(f)* tsar *m*/tsarine *f*

zart [tsaːɐ̯t] **I.** *adj* **1.** *Haut* doux(douce) **2.** *Knospe* délicat(e); *Stoff* moelleux(-euse) **3.** *Fleisch* tendre **4.** *Gesundheit* délicat(e) **II.** *adv* (*zärtlich*) tendrement ▶~ **besaitet** délicat(e)

zartbesaitet *adj attr* délicat(e) **zartbitter** *adj* *Schokolade* noir(e) **Zartbitterschokolade** *f* chocolat *m* noir

Zartheit <-> *f* **1.** *der Haut* douceur *f* **2.** (*Mürbheit*) *von Fleisch* tendreté *f* **3.** (*Feinheit*) *eines Blatts* délicatesse *f*

zärtlich ['tsɛːɐ̯tlɪç] *adj* tendre

Zärtlichkeit <-, -en> *f* **1.** *kein Pl* (*zärtliche Art*) tendresse *f* **2.** *Pl* (*Liebkosung*) caresses *fpl*

zartrosa *adj unv* rose tendre

Zaster ['tsastɐ] <-s> *m fam* pèze *m*

Zäsur [tsɛ'zuːɐ̯] <-, -en> *f geh* hiatus *m*

Zauber ['tsaʊbɐ] <-s, -> *m* **1.** *kein Pl* (*das Zaubern*) sortilège *m* **2.** (*~wirkung*) sort *m* **3.** *kein Pl* (*Faszination*) charme *m* **4.** *pej fam* (*Zeug*) **der ganze** ~ tout ce bazar **5.** *pej fam* (*Getue*) chiqué *m*

Zauberei [tsaʊbə'raɪ] <-, -en> *f* **1.** *kein Pl* (*Magie*) magie *f*; **an** ~ **grenzen** tenir du miracle **2.** *s.* **Zauberkunststück**

Zauberer <-s, -> *m*, **Zauberin** *f* **1.** (*Hexer*) magicien(ne) *m(f)* **2.** (*Zauberkünstler*) prestidigitateur(-trice) *m(f)*

Zauberformel *f* (*Formel*) formule *f* magique

zauberhaft *adj* *Person* merveilleux(-euse)

Zauberkünstler(in) *m(f)* prestidigitateur(-trice) *m(f)* **Zauberkunststück** *nt* tour *m* de magie

zaubern **I.** *vi* **1.** *Fee:* faire de la magie **2.** (*Zauberkunststücke vorführen*) faire des

tours de magie **II.** *vt* **1.**(*erscheinen lassen*) **etw aus dem Zylinder ~** faire sortir qc du chapeau comme par enchantement **2.** *fam* (*kochen*) mitonner **Zauberspruch** *s.* **Zauberformel Zauberstab** *m* baguette *f* magique **Zaubertrick** *s.* **Zauberkunststück**

zaudern ['tsau̯dɐn] *vi* hésiter; **~ etw zu tun** hésiter à faire qc

Zaum [tsau̯m, *Pl:* 'tsɔymə] <-[e]s, **Zäume>** *m* bride *f* ▸ **etw̆ in ~ halten** mettre un frein à qc

zäumen ['tsɔymən] *vt* brider

Zaumzeug <-zeuge> *nt* bride *f*

Zaun [tsau̯n, *Pl:* 'tsɔynə] <-[e]s, **Zäune>** *m* clôture *f* ▸ **etw vŏm ~ brechen** provoquer qc pour un oui pour un non

Zaungast *m* badaud *m* **Zaunpfahl** *m* piquet *m*

z. B. *Abk von* **zum Beispiel** par ex.

ZDF [tsɛtde:'ʔɛf] <-s> *nt Abk von* **Zweites Deutsches Fernsehen** *deuxième chaîne de la télévision allemande*

Zebra ['tse:bra] <-s, -s> *nt* zèbre *m*

Zebrastreifen *m* passage *m* clouté

Zeche ['tsɛçə] <-, -n> *f* **1.** MIN mine *f* [de charbon] **2.**(*Rechnung*) addition *f*

zechen ['tsɛçən] *vi hum* biberonner (*fam*)

Zechpreller(in) <-s, -> *m(f)* resquilleur(-euse) *m(f)* **Zechtour** *f* tournée *f* des grands-ducs

Zecke ['tsɛkə] <-, -n> *f* tique *f*

Zeder <-, -n> *f* cèdre *m*

Zeh [tse:] <-s, -en> *m,* **Zehe** ['tse:ə] <-, -n> *f* **1.** ANAT orteil *m* **2.**(*Teil einer Knolle*) gousse *f*

Zehenspitze *f* pointe *f* de/du pied

zehn [tse:n] *num* dix; *s. a.* **acht** ¹

Zehn <-, -en> *f* dix *m; s. a.* **Acht** ¹

Zehner <-s, -> *m fam* (*Zehneuroschein*) billet *m* de dix euros

Zehnerkarte *f* carnet *m* de dix

zehnerlei *adj inv* **~ Sorten Brot** dix sortes de pain; *s. a.* **achterlei**

Zehneuroschein *m* billet *m* de dix euros

zehnfach I. *adj* **die ~e Menge nehmen** [en] prendre dix fois plus **II.** *adv kopieren* en dix exemplaires; *s. a.* **achtfach**

zehnjährig *adj Amtszeit* de dix ans **Zehnjährige(r)** *f(m) dekl wie adj* garçon *m*/fille *f* de dix ans **Zehnkampf** *m* décathlon *m*

zehnmal *adv* dix fois; *s. a.* **achtmal**

zehnt *adv* **zu ~ sein** être dix; *s. a.* **acht** ²

zehntausend ['tse:n'tau̯zənt] *num* dix mille

zehnte(r, s) *adj* **1.** dixième **2.**(*bei Datumsangaben*) **der ~ März** le dix mars; *s. a.* **achte(r,s)**

Zehnte(r) *m dekl wie adj* HIST **der ~** la dîme

zehntel *adj* dixième; *s. a.* **achtel**

Zehntel <-s, -> *nt* dixième

zehntens *adv* dixièmement

zehren ['tse:rən] *vi* **1.**(*erschöpfen*) **an jdm/etw ~** miner qn/qc **2.** *geh* (*verbrauchen*) **von etw ~** vivre sur qc

Zeichen ['tsai̯çən] <-s, -> *nt* **1.** signe *m* **2.**(*Markierung*) marque *f* **3.**(*Schriftzeichen*) signe *m* **4.** MUS signe *m* **5.** CHEM symbole *m* **6.** INFORM caractère *m* **7.** ASTROL signe *m* [du zodiaque]

Zeichenblock <-blöcke *o* -blocks> *m* bloc *m* à dessin **Zeichenerklärung** *f* légende *f* **Zeichenpapier** *nt* papier *m* à dessin **Zeichensetzung** <-> *f* ponctuation *f* **Zeichensprache** *f* langage *m* des signes **Zeichentrickfilm** *m* dessin *m* animé

zeichnen ['tsai̯çnən] **I.** *vt* **1.** dessiner **2.**(*erkennbar prägen*) marquer **3.**(*unter~*) signer **II.** *vi mit Tusche* **~** dessiner à l'encre de Chine

Zeichner(in) <-s, -> *m(f)* (*Beruf*) technischer ~/technische ~in dessinateur industriel/dessinatrice industrielle

zeichnerisch *adj Darstellung* graphique

Zeichnung <-, -en> *f* dessin *m*

Zeigefinger *m* index *m*

zeigen ['tsai̯gən] **I.** *vt* **1.** montrer; **jdm etw ~** montrer qc à qn **2.**(*im Fernsehen bringen*) passer **3.**(*zum Ausdruck bringen*) **Interesse ~** montrer de l'intérêt **4.**(*darstellen*) *Foto:* montrer **5.**(*anzeigen*) **10° C ~** indiquer 10° C **6.**(*erkennen lassen*) **~, dass ...** *Vorfall:* [dé]montrer que ... **II.** *vi* **1.**(*deuten*) montrer **2.**(*weisen*) **nach Norden ~** *Nadel:* indiquer le nord **III.** *vr* **1.**(*sich sehen lassen*) **sich ~** *Person, Tier:* se montrer **2.**(*sich erweisen*) **sich verständnisvoll ~** se montrer compréhensif(-ve) **3.**(*sich herausstellen*) **es zeigt sich, dass ...** il s'avère que ...

Zeiger <-s, -> *m* aiguille *f*

Zeile ['tsai̯lə] <-, -n> *f* ligne *f*

Zeilenabstand *m* interligne *m*

Zeisig ['tsai̯zɪç] <-s, -e> *m* serin *m*

Zeit [tsai̯t] <-, -en> *f* **1.** temps *m* **2.**(*zur Verfügung stehende* ~) temps *m* disponible **3.**(*Uhrzeit*) heure *f* **4.**(~*raum*) **in letzter** ~ ces derniers temps; **eine ~ lang** un certain temps **5.**(*Epoche*) époque *f* **6.**(~*punkt*) **zu gegebener ~** en temps opportun; **es ist an der ~ etw zu tun** le moment est venu de faire qc **7.**(*Normalzeit*) temps *m; mitteleuropäische* ~ heure *f* de l'Europe centrale ▸ **zur** ~ actuellement

Zeitabschnitt *m* période *f* **Zeitalter** *nt* époque *f* **Zeitansage** *f* heure *f* [exacte] **Zeitarbeit** *f kein Pl* travail *m* temporaire **Zeitaufwand** *m* temps *m* de travail néces-

saire **zeitaufwändig**^{RR}, **zeitaufwendig** *adj* qui nécessite beaucoup de temps **Zeitbombe** *f* bombe *f* à retardement **Zeitdruck** *m kein Pl* course *f* contre la montre **Zeiteinteilung** *f* organisation *f* du temps **Zeitgefühl** *nt kein Pl* sens *m* de l'heure **Zeitgeist** *m kein Pl* esprit *m* du temps **zeitgemäß** I. *adj* moderne II. *adv* au goût du jour **Zeitgenosse** *m*, **-genossin** *f* 1. contemporain(e) *m(f)* 2. *fam (Typ)* ein unangenehmer ~ un drôle de type **zeitgenössisch** *adj* 1. (*heutig*) contemporain(e) 2. (*der damaligen Epoche*) de l'époque **Zeitgeschehen** *nt kein Pl* actualité *f* **Zeitgeschichte** *f kein Pl* histoire *f* contemporaine **zeitgleich** *adj* simultané(e) **zeitig** *adv aufstehen* de bonne heure **Zeitkarte** *f* [carte *f* d']abonnement *m*; (*für die Pariser Metro*) carte *f* orange **zeitkritisch** *adj* critique à l'égard de son époque **zeitlebens** *adv* durant toute sa/ma/... vie **zeitlich** I. *adj Ablauf* chronologique II. *adv einrichten* au niveau de l'heure/du jour **zeitlos** *adj* classique **Zeitlupe** *f kein Pl* ralenti *m* **Zeitlupentempo** *nt* ►**im** ~ au ralenti **Zeitmangel** *m kein Pl* manque *m* de temps **Zeitnot** *f kein Pl* manque *m* extrême de temps **Zeitplan** *m* calendrier *m* **Zeitpunkt** *m* (*Moment, Termin*) date *f*; (*Stunde*) heure *f* **Zeitraffer** <-s> *m* accéléré *m* **zeitraubend** *adj* qui prend beaucoup de temps **Zeitraum** *m* période *f* **Zeitrechnung** *f kein Pl* ère *f*; **vor/nach unserer** ~ avant/après notre ère **Zeitschrift** *f* magazine *m* **Zeitspanne** *f* laps *m* de temps **zeitsparend** *adj* qui fait gagner du temps **Zeitumstellung** *f* (*zwischen Winter- und Sommerzeit*) changement *m* d'heure **Zeitung** ['tsaɪtʊŋ] <-, -en> *f* journal *m* **Zeitungsabonnement** *nt* abonnement *nt* à un journal **Zeitungsannonce** *f* petite annonce *f* **Zeitungsartikel** *m* article *m* de journal **Zeitungsausschnitt** *m* coupure *f* de presse **Zeitungskiosk** *m* kiosque *m* à journaux **Zeitungspapier** *nt* papier *m* journal

Zeitverschiebung *f* décalage *m* horaire **Zeitverschwendung** *f kein Pl* gaspillage *m* de temps **Zeitvertrag** *m* contrat *m* à durée déterminée **Zeitvertreib** ['tsaɪtfɛɐtraɪp] <-[e]s, -e> *m* passe-temps *m* **zeitweilig** ['tsaɪtvaɪlɪç] I. *adj* 1. (*vorübergehend*) temporaire 2. (*gelegentlich*) passager(-ère) II. *adv s.* zeitweise **zeitweise** *adv* 1. (*gelegentlich*) par intermittence 2. (*eine Zeit lang*) par moments **Zeitwert** *m* valeur *f* vénale **Zeitzeuge** *m*,

-zeugin *f* témoin *m* de l'époque **zelebrieren** * [tsele'briːrən] *vt* 1. REL célébrer 2. *geh (feierlich gestalten)* solenniser **Zelle** ['tsɛlə] <-, -n> *f* 1. *a.* BIO cellule *f* 2. (*Telefonzelle*) cabine *f* **Zellkern** *m* BIO noyau *m* cellulaire **Zellteilung** *f* BIO division *f* cellulaire **Zelluloid** [tsɛlu'lɔyt] <-s> *nt* celluloïd *m* **Zelt** [tsɛlt] <-[e]s, -e> *nt* tente *f* **zelten** *vi* camper **Zeltlager** *nt* campement *m* **Zeltplane** *f* toile *f* de tente **Zeltplatz** *m* terrain *m* de camping **Zement** [tse'mɛnt] <-[e]s, -e> *m* ciment *m* **zementieren** * [tsemɛn'tiːrən] *vt* cimenter **Zenit** [tse'niːt] <-[e]s> *m* ASTRON zénith *m* **zensieren** * [tsɛn'ziːrən] *vt* 1. (*benoten*) noter 2. (*der Zensur unterwerfen*) censurer **Zensur** [tsɛn'zuːɐ] <-, -en> *f* 1. note *f* 2. *kein Pl (Kontrolle)* censure *f* **Zentiliter** *m o nt* centilitre *m* **Zentimeter** [tsɛnti'meːtɐ] *m o nt* centimètre *m* **Zentimetermaß** *nt* mètre *m* **Zentner** ['tsɛntnɐ] <-s, -> *m* demi-quintal *m* **zentral** [tsɛn'traːl] I. *adj* central(e) II. *adv liegen* au centre; *erfassen* de manière centralisée **Zentralafrika** *nt* l'Afrique *f* centrale **Zentralbank** <-banken> *f* banque *f* centrale; **die Europäische** ~ la banque centrale européenne; **Europäisches System der** ~**en** Système *m* européen des banques centrales **Zentrale** <-, -n> *f* 1. *einer Firma* siège *m* 2. (*Telefonzentrale*) *eines Unternehmens* standard *m* **Zentraleinheit** *f* INFORM unité *f* centrale **Zentralheizung** *f* chauffage *m* central **zentralisieren** * [tsɛntrali'ziːrən] *vt* centraliser **Zentralismus** [tsɛntra'lɪsmʊs] <-> *m* centralisme *m* **zentralistisch** I. *adj* centraliste II. *adv* de façon centraliste **Zentralkomitee** *nt* POL comité *m* central **Zentralmassiv** *nt* GEOG **das** ~ le Massif central **Zentralverriegelung** <-, -en> *f* verrouillage *m* central[isé] **Zentren** *Pl von* **Zentrum** **zentrieren** * *vt* centrer **Zentrifugalkraft** *f* force *f* centrifuge **Zentrum** ['tsɛntrʊm] <-s, **Zentren**> *nt* centre *m* **Zeppelin** ['tsɛpəliːn] <-s, -e> *m* dirigeable *m* **Zepter** ['tsɛptɐ] <-s, -> *nt* sceptre *m*

zerbeißen* vt irr **1.** croquer Bonbon **2.** mordiller Schuh **3.** fam (stechen) jdn ~ Floh: dévorer qn
zerbomben* vt bombarder
zerbrechen* irr **I.** vt + haben casser **II.** vi + sein **1.** Vase: se casser **2.** fig Ehe: se briser
zerbrechlich adj fragile
zerbröckeln* **I.** vt + haben émietter Brot; effriter Ton **II.** vi + sein Kuchen: s'émietter
zerdeppern* vt fam fracasser
zerdrücken* vt **1.** écraser Banane **2.** s. zerknittern
Zeremonie [tseremo'niː] <-, -n> f cérémonie f
Zeremoniell <-s, -e> nt geh cérémonial m
Zerfall m kein Pl **1.** (das Zerfallen) dégradation f **2.** (Niedergang) décadence f **3.** PHYS désintégration f
zerfallen* vi irr + sein **1.** Gebäude: tomber en ruine **2.** PHYS se désintégrer **3.** (sich gliedern) in etw (akk) ~ se diviser en qc
zerfetzen* vt **1.** déchirer Zeitung, Hemd **2.** (verstümmeln) jdn/etw ~ Granate: déchiqueter qn/qc
zerfleddern* vt fam esquinter Buch
zerfleischen* **I.** vt déchiqueter **II.** vr sich ~ (sich selbst quälen) se torturer
zerfließen* vi irr + sein **1.** Butter: fondre; Make-up: couler **2.** fig vor Mitleid [fast] ~ se confondre en apitoiements
zerfressen* vt irr **1.** etw ~ Rost: manger qc; Krankheit: ronger qc **2.** (fressen) etw ~ Motten: manger qc
zergehen* vi irr + sein Butter, Tablette: fondre
zerhacken* vt couper [en morceaux]; etw ~ couper qc [en morceaux]
zerkleinern* vt couper en petits morceaux; etw ~ couper qc en petits morceaux
zerklüftet adj Berg, Felsen crevassé(e)
zerknirscht adj, adv contrit(e)
zerknittern* vt chiffonner
zerknüllen* vt froisser Papier
zerkratzen* vt **1.** rayer Oberfläche **2.** (verletzen) eine Katze hat ihm das Gesicht zerkratzt un chat lui a griffé le visage
zerkrümeln* vt émietter
zerlassen* vt irr faire fondre
zerlaufen* s. zerfließen
zerlegen* vt **1.** démonter Schrank **2.** (tranchieren) découper Gans
zerlumpt [tsɛɛ'lʊmpt] adj Bettler déguenillé(e)
zermahlen* vt moudre; etw zu Mehl ~ moudre qc pour en faire de la farine
zermalmen* [tsɛɛ'malmən] vt écraser
zermürben* vt épuiser; ~d sein être usant
zerpflücken* vt démolir [point par point]; jds Argumente ~ démolir les arguments

de qn [point par point]
zerplatzen* vi + sein éclater
zerquetschen* vt écraser
Zerrbild nt caricature f
zerreden* vt ressasser
zerreiben* vt irr piler Gewürze
zerreißen* irr **I.** vt + haben **1.** déchirer Foto **2.** (durchreißen) déchirer Netz **II.** vi + sein Stoff: se déchirer
Zerreißprobe f épreuve f de vérité
zerren ['tsɛrən] **I.** vt tirer; jdn ins Zimmer ~ tirer qn dans la pièce **II.** vi an etw (dat) ~ tirer sur qc **III.** vr MED sich (dat) einen Muskel ~ se froisser un muscle
zerrinnen* vi irr + sein geh Träume: partir en fumée
zerrissen [tsɛɛ'rɪsən] adj fig déchiré(e)
Zerrung <-, -en> f MED élongation f
zerrütten* [tsɛɛ'rʏtən] vt démolir Nerven; briser Ehe
zersägen* vt scier
zerschellen* vi + sein se briser; an etw (dat) ~ Schiff: se briser contre qc; an einem Berg ~ Flugzeug: s'écraser contre une montagne
zerschlagen*¹ irr **I.** vt casser Glas **II.** vr sich ~ Plan: tomber à l'eau
zerschlagen² adj fourbu(e); ganz ~ sein être complètement fourbu
zerschmettern* vt fracasser Schädel; briser Kiefer
zerschneiden* **I.** vt irr découper Zeitung **II.** vr sich (dat) die Hand ~ se couper la main
zersetzen* **I.** vt (auflösen) décomposer **II.** vr sich ~ se décomposer
Zersetzung <-> f **1.** décomposition f **2.** (Untergrabung) dégradation f
zerspalten* vt fendre
zersplittern* **I.** vt + haben faire éclater Mast **II.** vi + sein Glasscheibe: voler en éclats
zersprengen* vt **1.** faire sauter Felsen **2.** disperser Truppen
zerspringen* vi irr + sein éclater
zerstampfen* vt écraser
zerstäuben* [tsɛɛ'ʃtɔybən] vt vaporiser Parfüm
Zerstäuber <-s, -> m brumatisateur® m; (Parfümzerstäuber) vaporisateur m
zerstechen* vt irr **1.** trouer Leder; crever Reifen **2.** (mehrfach stechen) von den Moskitos völlig zerstochen werden être dévoré par les moustiques
zerstören* vt **1.** (kaputtmachen) détruire Gebäude **2.** (zunichte machen) détruire Ehe
Zerstörer <-s, -> m **1.** destructeur m **2.** NAUT contre-torpilleur m

zerstörerisch *adj* destructeur(-trice)

Zerstörung <-, -en> *f* **1.** *kein Pl* (*das Zerstören*) destruction *f* **2.** (*Verwüstung*) dévastation *f*

zerstoßen* *vt irr* concasser

zerstreiten* *vr irr* sich ~ se disputer; **sich mit jdm über etw** (*akk*) ~ se disputer avec qn à propos de qc; (*für längere Zeit*) se brouiller avec qn à cause de qc

zerstreuen* **I.** *vt* **1.** (*auseinander treiben*) disperser **2.** disséminer *Truppen;* éparpiller *Papiere* **II.** *vr* sich ~ **1.** (*sich amüsieren*) se distraire **2.** (*auseinander treiben*) *Menschenmenge:* se disperser **3.** (*sich auflösen*) *Sorgen:* s'envoler

zerstreut *adj* **1.** (*unkonzentriert*) distrait(e) **2.** (*verstreut*) éparpillé(e)

Zerstreutheit <-> *f* distraction *f*

Zerstreuung <-, -en> *f* distraction *f*

zerstückeln* *vt* dépecer *Leiche*

zerteilen* *vt* découper; **etw in gleich große Stücke** ~ découper qc en morceaux égaux

Zertifikat [tsɛrtifi'ka:t] <-[e]s, -e> *nt* certificat *m*

zertrampeln* *vt* piétiner

zertreten* *vt irr* écraser *Käfer;* piétiner *Gras*

zertrümmern* *vt* **1.** défoncer *Fensterscheibe* **2.** (*verletzen*) **er hat ihm den Schädel zertrümmert** il lui a fracassé le crâne **3.** MED détruire *Nierenstein*

zerwühlen* *vt* **1.** labourer *Boden* **2.** défaire *Bett*

Zerwürfnis <-ses, -se> *nt geh* discorde *f*

zerzausen* *vt* jdm die Frisur ~ *Person:* décoiffer qn

zetern *vi pej Person:* brailler (*fam*)

Zettel ['tsɛtəl] <-s, -> *m* **1.** (*für eine Notiz*) [bout *m* de] papier *m;* (*mit einer Notiz*) note *f* **2.** (*Einkaufszettel*) liste *f*

Zeug [tsɔyk] <-[e]s> *nt fam* **1.** (*mehrere Sachen*) bazar *m;* **ist das dein ~?** c'est ton fourbi? **2.** (*Nahrungsmittel*) truc *m* **3.** (*Unsinn*) **dummes ~ reden** raconter des conneries

Zeuge ['tsɔygə] <-n, -n> *m*, **Zeugin** *f* témoin *m*

zeugen[1] ['tsɔygən] *vt geh* engendrer *Kind*

zeugen[2] *vi* témoigner; **von großer Erfahrung** ~ témoigner d'une grande expérience

Zeugenaussage *f* témoignage *m* **Zeugenstand** *m* **jdn in den** ~ **rufen** appeler qn à la barre [des témoins]

Zeugin ['tsɔygɪn] *s.* Zeuge

Zeugnis ['tsɔyknɪs] <-ses, -se> *nt* **1.** (*Schulzeugnis*) bulletin *m* [scolaire] **2.** (*Arbeitszeugnis*) certificat *m* de travail

Zeugung <-, -en> *f geh* procréation *f*

zeugungsfähig *adj form* apte à procréer

zeugungsunfähig *adj form* inapte à procréer (*soutenu*)

z.H.[d]. *Abk von* **zu Händen** à l'attention de

Zicke ['tsɪkə] <-, -n> *f pej fam* bique *f*

zickig *adj fam* chiant(e)

Zickzack ['tsɪktsak] *m* **im** ~ en zigzag

Ziege ['tsi:gə] <-, -n> *f* **1.** chèvre *f* **2.** *pej fam* (*Schimpfwort*) **diese [blöde]** ~**!** cette conne!

Ziegel ['tsi:gəl] <-s, -> *m* **1.** (~*stein*) brique *f* **2.** (*Dachziegel*) tuile *f*

Ziegeldach *nt* toit *m* de tuiles

Ziegelei [tsi:gə'laɪ] <-, -en> *f* briqueterie *f;* (*für Dachziegel*) tuilerie *f*

Ziegelstein *m* brique *f*

Ziegenbart *m* **1.** barbe *f* de chèvre **2.** *fam* (*Spitzbart*) barbichette *f* **Ziegenbock** *m* bouc *m* **Ziegenkäse** *m* [fromage *m* de] chèvre *m* **Ziegenmilch** *f* lait *m* de chèvre

ziehen ['tsi:ən] <zog, gezogen> **I.** *vt* + *haben* **1.** tirer *Wagen* **2.** (*bewegen*) **die Rollläden nach oben** ~ monter des volets roulants; **jdn/etw aus dem Auto** ~ tirer qn/qc de la voiture **3.** (*zerren*) **jdn an den Haaren** ~ tirer qn par les cheveux **4.** (*opp: drücken*) tirer *Tür* **5.** (*steuern*) **das Flugzeug nach oben** ~ cabrer l'appareil **6.** (*entfernen*) retirer *Fäden;* arracher *Zahn* **7.** (*hervorholen*) sortir *Degen* **8.** (*wählen*) tirer *Los* **9.** (*betätigen*) tirer *Notbremse, Wasserspülung* **10.** (*verlegen*) installer *Zaun* **11.** (*durch~*) **den Gürtel durch etw** ~ faire passer la ceinture dans qc **12.** (*züchten*) cultiver *Pflanzen* **13.** (*zeichnen*) tirer *Linie* **14.** (*dehnen*) **etw glatt** ~ défroisser qc **15.** (*an~*) **alle Blicke auf sich** (*akk*) ~ attirer tous les regards sur soi **16.** (*zur Folge haben*) **Veränderungen nach sich** (*akk*) ~ entraîner des changements **17.** (*machen*) faire *Grimassen* **18.** *fam* (*schlagen*) **jdm eins über die Rübe** ~ en mettre une à qn **II.** *vi* **1.** + *haben* (*zerren*) **an etw** (*dat*) ~ tirer sur qc **2.** + *sein* (*um~*) **nach Berlin** ~ déménager à Berlin **3.** + *sein* (*unterwegs sein*) **durch die Stadt** ~ traverser la ville **4.** + *sein* ZOOL *Vögel:* migrer **5.** (*sich bewegen*) **nach rechts/links** ~ *Fahrzeug:* tirer à droite/gauche **6.** + *haben* (*beim Rauchen*) **an etw** (*dat*) ~ tirer sur qc **7.** + *sein* (*dringen*) **durchs Haus** ~ *Duft:* se répandre dans la maison **8.** + *sein* (*ein~*) **in die Haut** ~ pénétrer dans la peau **9.** + *haben* GASTR *Tee:* infuser **10.** + *haben fam* (*Eindruck machen*) **bei jdm** ~ marcher avec qn; **diese Masche zieht bei mir nicht!** ce truc ne prend pas avec moi! **III.** *vi unpers* + *haben* **1.** **es zieht!** il y a un courant d'air! **2.** (*schmerzen*) **es zieht**

mir in den Beinen ça me tire dans les jambes; ein ~der Schmerz une douleur lancinante **IV.** *vt unpers + haben* jdn zieht es in die Ferne qn est attiré(e) par les contrées lointaines **V.** *vr + haben* **1.** sich ~ *Verhandlungen:* traîner en longueur **2.** (*sich erstrecken*) sich durch das Tal ~ *Straße:* s'étendre à travers la vallée **3.** (*sich hoch~*) sich am Seil in die Höhe ~ se hisser en haut à l'aide d'une corde

Ziehen <-s> *nt* (*Schmerz*) élancements *mpl*

Ziehharmonika *f* accordéon *m*

Ziehung <-, -en> *f* tirage *m*

Ziel [tsi:l] <-[e]s, -e> *nt* **1.** (*Reiseziel*) destination *f* **2.** (*opp: Start*) [ligne *f* d']arrivée *f* **3.** (~*scheibe*) cible *f* **4.** *fig* but *m*, objectif *m*; sich (*dat*) etw zum ~ setzen se fixer qc comme objectif

zielen *vi* **1.** viser; **auf jdn/etw** ~ *Person:* viser qn/qc **2.** (*gerichtet sein*) **auf jdn/etw** ~ *Waffe:* être pointé sur qn/qc; *Kritik:* viser qn/qc

Zielfernrohr *nt* lunette *f* de visée **Zielgerade** *f* dernière ligne *f* droite **Zielgruppe** *f* [groupe *m*] cible *f* **Ziellinie** *f* ligne *f* d'arrivée

ziellos *adj, adv* sans but [précis]

Zielperson *f* personne *f* cible **Zielscheibe** *f* cible *f* **Zielsetzung** <-, -en> *f* but *m* **zielsicher I.** *adj* ein ~er Schütze un fin tireur **II.** *adv* ~ auf jdn/etw zugehen se diriger sans hésiter vers qn/qc

zielstrebig I. *adj* déterminé(e) **II.** *adv* avec détermination

ziemlich I. *adj fam* eine ~e Entfernung une bonne petite distance **II.** *adv* assez; er musste sich ~ beeilen il a dû pas mal se dépêcher

Zierde ['tsi:ɐdə] <-, -n> *f* (*Schmuck*) parure *f*; zur ~ comme décoration

zieren ['tsi:rən] **I.** *vt* orner **II.** *vr* sich ~ faire des manières

Zierfisch *m* poisson *m* [exotique] d'aquarium **Zierleiste** *f* (*an Fahrzeugen*) baguette *f* latérale

zierlich *adj* menu(e)

Zierpflanze *f* plante *f* ornementale

Ziffer ['tsɪfɐ] <-, -n> *f* **1.** chiffre *m* **2.** (*Abschnitt*) *eines Paragraphen* alinéa *m*

Zifferblatt *nt* cadran *m*

zig [tsɪç] *adj fam* trente-six

Zigarette [tsiga'rɛtə] <-, -n> *f* cigarette *f*

Zigarettenautomat *m* distributeur *m* de cigarettes **Zigarettenschachtel** *f* paquet *m* de cigarettes

Zigarillo <-s, -s> *m o nt* cigarillo *m*

Zigarre [tsi'garə] <-, -n> *f* cigare *m*

Zigeuner(in) [tsi'gɔynɐ] <-s, -> *m(f)* tzigane *mf*; (*in Südfrankreich, Spanien lebend*) gitan(e) *m(f)*

Zigeunerschnitzel *nt* escalope *f* sauce piquante

zigmal ['tsɪçmaːl] *adv fam* trente-six fois

Zikade <-, -n> *f* cigale *f*

Zimmer ['tsɪmɐ] <-s, -> *nt* **1.** pièce *f* **2.** (*zum Schlafen*) chambre *f*

Zimmerdecke *f* plafond *m* **Zimmerlautstärke** *f* etw auf ~ (*akk*) stellen mettre qc en sourdine **Zimmermädchen** *nt* femme *f* de chambre **Zimmermann** <-leute> *m* charpentier *m*

zimmern ['tsɪmɐn] **I.** *vt* fabriquer **II.** *vi* an etw (*dat*) ~ bricoler qc

Zimmerpflanze *f* plante *f* d'appartement **Zimmerservice** [-sœɐvɪs] *m* service *m* d'étage **Zimmersuche** *f* recherche d'une chambre *f* **Zimmertemperatur** *f* température *f* ambiante **Zimmervermittlung** *f* location *f* de chambres

zimperlich ['tsɪmpɐlɪç] *adj* douillet(te)

Zimt [tsɪmt] <-[e]s> *m* cannelle *f*

Zimtstange *f* bâton *m* de cannelle

Zink [tsɪŋk] <-[e]s> *nt* zinc *m*

zinken *vt* biseauter *Karten*

Zinn [tsɪn] <-[e]s> *nt* étain *m*

Zinne <-, -n> *f* créneau *m*

Zinnober <-s> *m* (*Farbe*) vermillon *m*

Zinnsoldat *m* soldat *m* de plomb

Zins [tsɪns] <-es, -en> *m* FIN intérêt *m*

Zinseszins *m* intérêts *mpl* composés

zinsgünstig *adj, adv* avec un taux [d'intérêt] avantageux

zinslos *adj, adv* sans intérêts

Zinssatz *m* taux *m* d'intérêt

Zionismus <-> *m* sionisme *m*

Zipfel ['tsɪpfəl] <-s, -> *m eines Kissens* coin *m*; *einer Wurst* entame *f*

Zipfelmütze *f* bonnet *m* à pointe

zirka ['tsɪrka] *adv* environ

Zirkel ['tsɪrkəl] <-s, -> *m* (*Gerät*) compas *m*

Zirkulation <-, -en> *f* circulation *f*

zirkulieren* [tsɪrku'liːrən] *vi* circuler

Zirkumflex <-es, -e> *m* LING accent *m* circonflexe

Zirkus ['tsɪrkʊs] <-, -se> *m* **1.** cirque *m* **2.** *pej fam* (*großes Aufheben*) cirque *m*

Zirkuszelt *nt* chapiteau *m*

zirpen ['tsɪrpən] *vi Grille:* chanter

zischen ['tsɪʃən] *vi* **1.** + *haben Schlange:* siffler; *Fett:* grésiller **2.** + *sein* (*laut strömen*) aus etw ~ *Dampf:* chuinter en sortant de qc; *Bier:* jaillir de qc **3.** + *haben* (*Unmut äußern*) siffler

ziselieren* *vt* ciseler

Zisterne <-, -n> *f* citerne *f*

zögern

• zögern	• hésiter
Ich weiß nicht so recht.	Je ne sais pas trop.
Ich kann Ihnen noch nicht sagen, ob ich Ihr Angebot annehmen werde.	Je ne peux pas encore vous dire si j'accepterai votre offre.
Ich muss darüber noch nachdenken.	Je dois y réfléchir encore.
Ich kann Ihnen noch nicht zusagen.	Je ne peux pas encore vous donner de réponse positive.

Zitadelle <-, -n> f citadelle f
Zitat [tsi'taːt] <-[e]s, -e> nt citation f
Zither <-, -n> f cithare f
zitieren* [tsi'tiːrən] vt **1.** citer **2.** (kommen lassen) **ich wurde zum Chef zitiert** le chef m'a convoqué(e)
Zitronat [tsitro'naːt] <-[e]s, -e> nt citron m confit
Zitrone [tsi'troːnə] <-, -n> f citron m
Zitronenfalter m citron m de Provence **Zitronenlimonade** f citronnade f **Zitronenpresse** f presse-citron m **Zitronensaft** m jus m de citron
Zitrusfrucht ['tsiːtrʊsfrʊxt] f agrume m
zitterig s. zittrig
zittern ['tsɪtɐn] vi **1.** (beben, vibrieren) Person, Stimme, Hand: trembler **2.** fam (Angst haben) **vor jdm ~** avoir la frousse de qn
Zitterpappel f tremble m
zittrig adj tremblant(e)
Zitze ['tsɪtsə] <-, -n> f einer Kuh, Sau mamelle f; einer Katze, Hündin tétine f
Zivi ['tsiːvi] <-s, -s> m fam Abk von **Zivildienstleistende(r)** objecteur de conscience qui effectue son service civil
zivil [tsi'viːl] adj **1.** civil(e) **2.** fam (akzeptabel) **~e Preise** des prix potables
Zivil <-s> nt tenue f civile; **in ~** en civil
Zivilbevölkerung f population f civile **Zivilcourage** f courage m de ses opinions; (politisch) courage civique **Zivildienst** m kein Pl service m civil **Zivildienstleistende(r)** f(m) dekl wie adj objecteur de conscience qui effectue son service civil **Zivilgesellschaft** f société f civile
Zivilisation [tsiviliza'tsjoːn] <-, -en> f civilisation f
Zivilisationskrankheit f maladie liée au mode de vie dans les pays industrialisés
zivilisieren* [tsivili'ziːrən] vt civiliser
zivilisiert [tsivili'ziːɐt] **I.** adj civilisé(e) **II.** adv **sich ~ benehmen** se comporter en personne civilisée
Zivilist(in) [tsivi'lɪst] <-en, -en> m(f) civil(e) m(f)
Zivilprozess^RR m procès m civil **Zivilrecht**

nt droit m civil **Zivilschutz** m sécurité civile f
Zobel <-s, -> m ZOOL zibeline f
zocken ['tsɔkən] vi fam jouer; (um hohe Beträge spielen) flamber
Zocker(in) <-s, -> m(f) fam joueur(-euse) m(f)
Zoff ['tsɔf] <-s> m fam engueulade f
zögerlich ['tsøːgɐlɪç] **I.** adj hésitant(e) **II.** adv de façon hésitante
zögern ['tsøːgɐn] vi hésiter
Zögern <-s> nt hésitation f
zögernd I. adj hésitant(e) **II.** adv en hésitant
Zögling <-s, -e> m (Internatsschüler) pensionnaire m
Zölibat [tsøli'baːt] <-[e]s, -e> nt o m célibat m
Zoll^1 [tsɔl, Pl: 'tsœlə] <-[e]s, ⸗e> m **1.** (Einfuhrabgabe) droits mpl de douane **2.** kein Pl (~verwaltung) **der ~** la Douane **3.** kein Pl fam (~kontrolle) **durch den ~ müssen** devoir passer la douane
Zoll^2 <-[e]s, -> m pouce m; **17-~-Monitor** écran m 17 pouces
Zollabfertigung f formalités fpl de douane **Zollamt** nt service m des douanes **Zollbeamte(r)** m dekl wie adj, **Zollbeamtin** f douanier(-ière) m(f) **Zollbestimmung** f **die ~en** la législation douanière
zollen vt geh **jdm Dank ~** remercier qn
Zollerklärung f déclaration f en douane
zollfrei adj, adv en franchise f **Zollkontrolle** f contrôle douanier m **zollpflichtig** adj à déclarer **Zollstock** m mètre m [pliant]
Zombie ['tsɔmbi] <-[s], -s> m zombie m
Zone ['tsoːnə] <-, -n> f zone f
Zoo [tsoː] <-s, -s> m zoo m
Zoologe [tsoo-] <-n, -n> m, **Zoologin** f zoologiste mf
Zoologie [tsoolo'giː] <-> f zoologie f
zoologisch [tsoo-] adj zoologique
Zoom [zuːm] nt zoom m
Zopf [tsɔpf, Pl: 'tsœpfə] <-[e]s, ⸗e> m **1.** (Haarzopf) natte f; (klein) tresse f **2.** (Hefezopf) brioche f tressée
Zopfmuster nt torsades fpl

Zorbing [z‿/a‿rbɪŋ] <-s> *nt* SPORT zorbing *m*

Zorn [tsɔrn] <-[e]s> *m* colère *f*; (*heftig*) fureur *f*

zornig I. *adj* en colère, furieux(-euse) **II.** *adv* en colère

Zote <-, -n> *f* ►~n **reißen** *fam* raconter des histoires cochonnes

zottelig *adj fam Haar* hirsute; *Fell* touffu(e)

z.T. *Abk von* **zum Teil**

Ztr. *Abk von* **Zentner**

zu [tsuː] **I.** *präp* + *dat* **1.** (*bei Richtungsangaben*) ~m **Arzt gehen** aller chez le médecin **2.** *fig* **sich ~ jdm hingezogen fühlen** se sentir attiré(e) par qn **3.** (*bei Entfernungs-, Fristangaben*) **ich habe bis ~m 10. März Zeit um das fertig zu machen** j'ai jusqu'au 10 mars pour finir ça; (*muss diese Frist einhalten*) je dois finir ça pour le 10 mars **4.** (*in Eigennamen*) **das Gasthaus zur Sonne** l'Auberge *f* du Soleil **5.** (*bei Zeitangaben*) **~ Ostern** à Pâques **6.** (*anlässlich*) **jdm ~m Geburtstag gratulieren** souhaiter l'anniversaire à qn **7.** (*gemeinsam, gleichzeitig mit*) **gut ~ etw passen** *Bluse*: aller bien avec qc **8.** (*bezüglich*) **jdn ~ etw befragen** questionner qn au sujet de qc **9.** (*bei Angaben des Zwecks*) **hast du etwas ~m Schreiben?** tu as quelque chose pour écrire? **10.** (*eine Veränderung ausdrückend*) **jdn ~m Sprecher wählen** élire qn porte-parole **11.** (*eine Relation ausdrückend*) **es steht zwei ~ zwei** il y a deux à deux; **~ zweit spielen** jouer à deux **12.** *fam* (*für*) **~ was brauchst du das?** c'est pour quoi ça? **II.** *adv* **1.** (*all~*) trop; **ich würde ja ~ gern abreisen** j'aimerais tant partir **2.** (*geschlossen*) **~ sein** *Geschäft, Tür*: être fermé **3.** *fam* (*betrunken*) **~ sein** être raide **4.** (*bei Richtungsangaben*) **nach Süden ~** vers le sud **III.** *konj* **1. sie hat vor ~ kommen** elle a l'intention de venir **2.** (*als Ausdruck des Könnens*) **er ist nicht ~ sprechen** il ne peut pas recevoir **3.** (*als Ausdruck des Müssens*) **ich habe viel ~ tun** j'ai beaucoup à faire

zuallererst [tsu'ʔalɐ'ʔeːɐ̯st] *adv* avant toute chose

zuallerletzt [tsu'ʔalɐ'lɛtst] *adv* en tout dernier lieu

zu|bauen *vt* boucher *Lücke*

Zubehör ['tsuːbəhøːɐ̯] <-[e]s> *nt o m eines Autos, Geräts* accessoires *mpl*

zu|beißen *vi irr* mordre

zu|bekommen* *vt irr fam* arriver à fermer *Koffer, Tür*

zu|bereiten* *vt* préparer

Zubereitung <-, -en> *f* préparation *f*

Zubettgehen <-s> *nt* coucher *m*; **etw vor dem ~ tun** faire qc avant de se coucher

zu|billigen *vt* accorder; **jdm eine Entschädigung ~** accorder une indemnisation à qn

zu|binden *vt irr* fermer *Sack*; nouer *Schürze*; lacer *Schuh*

zu|bleiben *vi irr* + *sein fam* rester fermé(e)

zu|blinzeln I. *vi* faire un clin d'œil; **jdm ~** faire un clin d'œil à qn **II.** *vr* **sich** (*dat*) **~** se faire un clin d'œil

zu|bringen *vt irr* **den Tag am Strand ~** passer la journée sur la plage

Zubringer <-s, -> *m* **1.** (*Straße*) bretelle *f* d'accès **2.** (*Fahrzeug*) navette *f*

zu|buttern *vt fam* **viel ~** mettre beaucoup de sa poche

Zucchini [tsʊ'kiːni] *f* courgette *f*

Zucht [tsʊxt] <-, -en> *f* **1.** (*gezüchtete Tiere*) race *f*; (*gezüchtete Pflanzen*) variété *f*; (*gezüchtete Bakterien*) souche *f* **2.** *kein Pl* (*Disziplin*) discipline *f*

Zuchtbulle *m* taureau *m* reproducteur

züchten ['tsʏçtən] *vt* faire l'élevage de *Tiere*; cultiver *Pflanzen*

Züchter(in) <-s, -> *m(f) von Tieren* éleveur(-euse) *m(f)*; *von Pflanzen* cultivateur(-trice) *m(f)*

Zuchthengst *m* étalon *m*

züchtigen ['tsʏçtɪgən] *vt geh* châtier

Zuchtperle *f* perle *f* de culture

Züchtung <-, -en> *f* **1.** (*gezüchtete Tiere*) race *f*; (*gezüchtete Pflanzen*) variété *f*; (*gezüchtete Bakterien*) souche *f*

zuckeln *vi* + *sein fam* **über die Landstraße ~** rouler tranquillement sur la route de campagne

zucken ['tsʊkən] *vi* **1.** + *haben Augenlid*: tressaillir; *Mundwinkel*: frémir **2.** + *sein* (*sich plötzlich bewegen*) **über den Himmel ~** *Blitz*: sillonner le ciel

zücken ['tsʏkən] *vt* **1.** *geh* (*ziehen*) sortir *Messer*; dégainer *Degen* **2.** *fam* (*hervorholen*) sortir

Zucker ['tsʊkɐ] <-s, -> *m* **1.** sucre *m* **2.** *fam* (~*krankheit*) diabète *m*

Zuckerdose *f* sucrier *m* **Zuckerguss**^RR *m* glaçage *m* **zuckerkrank** *adj Person* diabétique **Zuckerlecken** ►**das ist kein ~** c'est pas du gâteau

zuckern *vt* sucrer

Zuckerrohr *nt* canne *f* à sucre **Zuckerrübe** *f* betterave *f* à sucre **zuckersüß** *adj* **1.** (*süß*) extrêmement sucré(e) **2.** *pej* **~ zu jdm sein** être tout sucre tout miel avec qn

zuckrig *adj* **1.** (*süß*) sucré(e) **2.** (*mit Zucker bedeckt*) recouvert(e) de sucre

Zuckung <-, -en> *f meist Pl eines Epileptikers* convulsion *f*; **nervöse ~en** des tics *mpl*

zu|decken *vt* couvrir

zudem [tsu'de:m] *adv geh* de surcroît

zu|drehen *vt* 1. fermer *Wasserhahn* 2. (*zuwenden*) **jdm den Rücken** ~ tourner le dos à qn

zudringlich *adj* collant(e) (*fam*)

Zudringlichkeit <-, -en> *f* 1. *kein Pl* (*zudringliche Art*) insistance *f* [déplacée] 2. *meist Pl* (*Handlung*) avance *f*

zu|drücken I. *vt* fermer [en appuyant dessus]; **etw** ~ fermer qc [en appuyant dessus] II. *vi* **ziemlich fest** ~ (*beim Händeschütteln*) serrer assez fort[ement]

zueinander [tsu?ai'nandɐ] *adv* **nicht** ~ **passen** ne pas aller ensemble

zu|erkennen* *vt irr form* reconnaître *Anspruch;* accorder *Summe*

zuerst [tsu'?e:ɐ̯st] *adv* 1. (*als Erster*) ~ **durchs Ziel gehen** franchir le premier/la première la ligne d'arrivée 2. (*als Erstes*) en premier 3. (*anfangs*) d'abord

zu|fächeln *vt* **sich Luft** ~ s'éventer

zu|fahren *vi irr +* *sein* 1. **auf jdn/etw** ~ se diriger vers qn/qc 2. *fam* (*losfahren*) **fahr zu!** allez, vas-y!; (*fahr schneller*) vas-y, fonce!

Zufahrt *f* accès *m*

Zufahrtsstraße *f* voie d'accès *f*

Zufall *m* 1. hasard *m* 2. *fam* (*Überraschung*) **so ein ~!** quel hasard!

zu|fallen *vi irr +* *sein* 1. *Tür:* se refermer [brusquement] 2. (*zuteil werden*) **jdm** ~ *Erbe:* revenir à qn

zufällig I. *adj* fortuit(e) II. *adv* par hasard

zufälligerweise *s.* zufällig

Zufallsbekanntschaft *f* 1. **eine** ~ **machen** faire une rencontre fortuite 2. (*Person*) personne *f* rencontrée par hasard **Zufallstreffer** *m* but *m* marqué par hasard

zu|fassen *vi* s'agripper; **kräftig** ~ s'agripper vigoureusement

zu|fliegen *vi irr +* *sein* 1. (*fliegen*) **auf jdn/ etw** ~ *Flugzeug:* voler en direction de qn/ qc; *Vogel, Ball:* se diriger sur qn/qc 2. (*geflogen kommen*) **jdm** ~ *Vogel:* venir s'installer chez qn 3. *fam* (*zufallen*) *Tür:* se refermer [brusquement]

zu|fließen *vi irr +* *sein* (*münden*) **dem Meer** ~ se jeter dans la mer

Zuflucht <-, -en> *f* refuge *m*

Zufluchtsort *m* refuge *m*

Zufluss^RR *m* 1. *kein Pl* (*das Zufließen*) afflux *m* 2. (*Gewässer*) affluent *m*

zu|flüstern *vt* chuchoter; **jdm etw** ~ chuchoter qc à qn

zufolge [tsu'fɔlɡə] *präp +* *dat* **dem Lexikon** ~ d'après le dictionnaire

zufrieden [tsu'fri:dən] I. *adj* 1. satisfait(e); **sich mit etw** ~ **geben** se contenter de qc;

~ **stellen** satisfaire 2. (*in Ruhe*) **jdn** ~ **lassen** laisser qn tranquille II. *adv* **lächeln** d'un air satisfait

zufrieden|geben *s.* zufrieden I.

Zufriedenheit <-> *f* [sentiment *m* de] satisfaction *f*

zufrieden|lassen *s.* zufrieden I. **zufrieden|stellen** *s.* zufrieden I.

zu|frieren *vi irr +* *sein* geler complètement

zu|fügen *vt* 1. **jdm etw** ~ infliger qc à qn 2. *geh* (*hinzufügen*) **dem Teig Mehl** ~ additionner de la farine à la pâte

Zufuhr ['tsu:fu:ɐ̯] <-, -en> *f* 1. (*Versorgung*) ~ **von Versorgungsgütern** approvisionnement *m* en biens d'approvisionnement 2. (*das Zuströmen*) *von Frischluft* arrivée *f*

zu|führen *vi* mener; **auf ein Dorf** ~ *Straße:* mener à un village

Zug [tsu:k, *Pl:* 'tsy:ɡə] <-[e]s, ⸚e> *m* 1. train *m* 2. (*Lastzug*) semi-remorque *m* 3. (*Inhalieren des Rauchs*) bouffée *f* 4. (*Schluck*) gorgée *f* 5. *kein Pl* (*Luftzug*) courant *m* d'air 6. (*Spielzug*) coup *m* 7. (*lange Kolonne*) *von Demonstranten* cortège *m* 8. (*Gesichtszug*) trait *m* 9. (*Charakterzug*) trait *m* de caractère

Zugabe *f* 1. MUS bis *m* 2. (*Dreingabe*) cadeau *m* [publicitaire] 3. *kein Pl* (*das Zufügen*) addition *f*; **unter** ~ **von Sahne** tout en ajoutant de la crème

Zugabteil *nt* compartiment *m*

Zugang <-gänge> *m* 1. (*Eingang*) accès *m*, entrée *f* 2. *kein Pl* (*Zutritt*) ~ **zu etw** accès *m* à qc 3. *kein Pl* (*Zugriff*) ~ **zu allen Daten haben** avoir accès à toutes les données 4. *form* (*neuer Patient*) arrivée *f*

zugange [tsu'ɡaŋə] *adj fam* occupé(e); **im Garten** ~ **sein** être occupé au jardin

zugänglich ['tsu:ɡɛŋlɪç] *adj* 1. (*erreichbar*) **leicht** ~ **sein** être facilement accessible 2. (*verfügbar*) **etw ist allen** ~ tout le monde a accès à qc 3. *Person* d'un abord facile

Zugbegleiter *m* (*Faltblatt*) guide *m* pour les voyageurs

Zugbrücke *f* pont-levis *m*

zu|geben *vt irr* (*eingestehen*) admettre, reconnaître

zugegen [tsu'ɡe:ɡən] *adj geh* **bei etw** ~ **sein** être présent à qc

zu|gehen *irr* I. *vi +* *sein* 1. (*sich schließen lassen*) fermer; *Klappe:* se [re]fermer 2. (*sich schließen*) **von allein** ~ se fermer automatiquement 3. (*zusteuern, losgehen*) **auf jdn/etw** ~ s'avancer vers qn/qc 4. (*sich nähern*) **auf die vierzig** ~ approcher de la quarantaine II. *vi unpers +* *sein* **hier geht es lustig zu** on s'amuse bien ici

zugehörig adj **1.** attr Unterlagen qui vont avec **2.** (nicht ausgeschlossen) sich ~ fühlen se sentir bien intégré(e)
Zugehörigkeit <-> f appartenance f
zugekifft adj vulg défoncé(e) (fam)
zugeknöpft adj fam ziemlich ~ sein ne pas être très causant
Zügel ['tsy:gəl] <-s, -> m rêne f
zügellos adj Person excessif(-ive)
zügeln ['tsy:gəln] I. vt + haben **1.** (im Zaum halten) tenir la bride courte à Pferd **2.** (beherrschen) refréner Neugierde II. vr + haben sich ~ se refréner
zulgesellen* vr sich jdm ~ se joindre à qn
Zugeständnis nt concession f
zulgestehen* vt irr accorder, concéder
zugetan adj jdm ~ sein avoir de l'affection pour qn
Zugewinngemeinschaft f JUR communauté f réduite aux acquêts
Zugfahrkarte f billet m [de train] **Zugfahrplan** m horaire m des trains **Zugführer(in)** m(f) chef mf de train
zulgießen vt irr [r]ajouter; **etwas Wasser ~** [r]ajouter un peu d'eau
zügig ['tsy:gɪç] adj rapide
zugig adj plein(e) de courants d'air
Zugkraft f PHYS force de traction f **zugkräftig** adj Slogan, Werbung attractif(-ive)
zugleich [tsu'glaiç] adv en même temps
Zugluft f kein Pl courant m d'air **Zugmaschine** f tracteur m **Zugpersonal** nt personnel m du train
zulgreifen vi irr **1.** (zupacken) [s']agripper **2.** (sich bedienen) se servir **3.** (ein Angebot wahrnehmen) **sofort ~** sauter sur l'occasion (fam) **4.** INFORM **auf etw** (akk) **~** avoir accès à qc
Zugrestaurant nt wagon-restaurant m
Zugriff m INFORM accès m; **~ auf etw** (akk) accès à qc
Zugriffsgeschwindigkeit f, **Zugriffszeit** f INFORM vitesse f d'accès
zugrunde [tsu'grʊndə] adv **~ gehen** Person: se perdre; **dieser Politik** (dat) **liegt das Prinzip ~, dass ...** cette politique est fondée sur le principe que ...
Zugunglück nt accident m de chemin de fer
zugunsten [tsu'gʊnstən] präp + gen o dat **~ seines Kindes** en faveur de son enfant
zugute [tsu'gu:tə] adv jdm ~ **kommen** Erfahrung: se révéler être un avantage pour qn; **jdm seine Unerfahrenheit ~ halten** tenir compte de l'inexpérience de qn
Zugverbindung f liaison f [ferroviaire] **Zugverkehr** m trafic m ferroviaire **Zugvogel** m oiseau m migrateur **Zugzwang** m

~ in ~ geraten se retrouver au pied du mur
zulhaben irr I. vi Geschäft: être fermé II. vt avoir fermé Reißverschluss, Koffer
zulhalten irr vt fam sich (dat) **die Ohren ~** se boucher les oreilles
Zuhälter(in) ['tsu:hɛltɐ] <-s, -> m(f) proxénète mf
Zuhälterei <-> f proxénétisme m
zulhauen irr I. vt fam claquer Tür II. s. zuschlagen
Zuhause [tsu'haʊzə] <-s> nt maison f
zulheilen vi + sein Wunde: se refermer
Zuhilfenahme [tsu'hɪlfəna:mə] <-> f unter ~ eines Lexikons en ayant recours à un dictionnaire
zulhören vi écouter; **jdm ~** écouter qn
Zuhörer(in) m(f) auditeur(-trice) m(f)
zuljubeln vi acclamer; **jdm ~** acclamer qn
zulklappen I. vt + haben **den Kofferraum ~** [re]fermer le coffre [en le claquant] II. vi + sein se [re]fermer [en claquant]
zulkleben vt cacheter Umschlag
zulknallen fam I. vt + haben claquer Tür II. vi + sein se fermer en claquant
zulkneifen vt irr **die Augen ~** fermer les yeux [très fort]
zulknöpfen vt boutonner
zulkommen vi irr + sein **1.** (näher kommen) **auf jdn/etw ~** Person: venir vers qn/qc **2.** fig **alles auf sich** (akk) **~ lassen** laisser faire les choses **3.** (bevorstehen) **auf jdn ~** Aufgabe: attendre qn **4.** (gebühren) **jdm ~** Aufgabe: revenir à qn **5.** geh (zuteil werden) **jdm etw ~ lassen** (übermitteln) faire parvenir qc à qn; (gewähren) accorder qc à qn
zulkriegen s. zubekommen
Zukunft ['tsu:kʊnft] <-> f **1.** avenir m; **in ~** à l'avenir **2.** GRAM futur m
zukünftig I. adj **1.** Generation futur(e) **2.** (designiert) **die ~e Ministerin** la future ministre II. adv à l'avenir
Zukunftsangst f peur f de l'avenir **Zukunftsforschung** f kein Pl futurologie f **Zukunftsperspektive** f perspective f d'avenir **zukunftsträchtig** adj Beruf d'avenir
zullächeln vi sourire à; **jdm ~** sourire à qn
Zulage <-, -n> f prime f
zullangen vi fam **1.** (sich bedienen) kräftig ~ se servir copieusement **2.** (in Bezug auf Geld) matraquer le client **3.** (zuschlagen) cogner
zullassen vt irr **1.** (dulden) tolérer **2.** (ermöglichen) **wenn die Situation es zulässt** si la situation le permet **3.** (nahe legen) autoriser Deutung **4.** (amtliche Erlaubnis erteilen) **jdn zur Prüfung ~** auto-

riser qn à passer un examen **5.** (*amtlich anmelden*) faire immatriculer *Kraftfahrzeug* **6.** *fam* (*geschlossen lassen*) **etw** ~ laisser qc fermé(e); (*nicht aufknöpfen*) garder qc boutonné(e)

zulässig *adj* autorisé(e); *Abweichung* toléré(e)

Zulassung <-, -en> *f fam* (*Fahrzeugschein*) carte *f* grise

Zulassungsstelle *f* service des cartes grises *m*

Zulauf *m* **1.** (*Rohr, Schlauch*) arrivée *f* [d'eau] **2.** (*Zufluss*) **einen unterirdischen** ~ **haben** *See:* être alimenté par des sources souterraines **3.** (*Zuspruch*) ~ **haben** *Arzt:* avoir une grosse clientèle

zu|laufen *vi irr + sein* **1.** (*sich nähern*) **auf jdn/etw** ~ *Person, Tier:* courir vers qn/qc **2.** (*enden*) **spitz** ~ *Schere:* se terminer en pointe **3.** (*gelaufen kommen*) **jdm** ~ *Hund, Katze:* trouver refuge chez qn

zu|legen I. *vt fam* (*zunehmen*) **fünf Kilo** ~ prendre cinq kilos **II.** *vi fam* (*zunehmen*) [**ziemlich**] ~ prendre du poids **III.** *vr fam* **sich** (*dat*) **ein Fahrrad** ~ se payer un vélo

zuleide [tsu'lajdə] *adv* **jdm etwas** ~ **tun** faire du mal à qn

zu|leiten *vt* **1.** **jdm etw** ~ transmettre qc à qn **2.** (*zuführen*) **dem See frisches Wasser** ~ amener de l'eau fraîche au lac

Zuleitung *f* (*Leitungsrohr für Wasser*) tuyau *m* d'amenée

zuletzt [tsu'lɛtst] *adv* **1.** (*als Letzter*) le dernier/la dernière; ~ **ins Ziel kommen** passer la ligne d'arrivée le dernier **2.** (*zum Schluss*) **ganz** ~ tout à la fin **3.** *fam* (*letztmalig*) pour la dernière fois ▸**nicht** ~ notamment; **nicht** ~, **weil ...** d'autant plus que ...

zuliebe [tsu'li:bə] *adv* **etw jdm** ~ **tun** faire qc pour [faire plaisir à] qn

Zulieferbetrieb *m* entreprise *f* sous-traitante

Zulieferer <-s, -> *m*, **Zulieferin** *f* sous-traitant(e) *m(f)*

zu|liefern *vi* faire de la sous-traitance

zum [tsʊm] = **zu dem** *s.* **zu**

zu|machen I. *vt* **1.** fermer *Fenster;* [re]fermer *Flasche;* boutonner *Mantel;* lacer *Schuh* **2.** (*stilllegen, schließen*) fermer *Firma, Laden* **II.** *vi* **1.** fermer **2.** *fam* (*sich beeilen*) se grouiller

zumal [tsu'ma:l] **I.** *konj* d'autant plus que **II.** *adv* surtout

zu|mauern *vt* murer *Fenster, Einfahrt*

zumeist [tsu'majst] *adv* la plupart du temps

zumindest [tsu'mɪndəst] *adv* **1.** (*wenigstens*) au moins **2.** (*jedenfalls*) en tout cas

zumutbar *adj* tolérable

Zumutbarkeit <-, -en> *f* **die Grenzen der** ~ les limites *fpl* du tolérable

zumute [tsu'mu:tə] *adv* **jdm ist zum Weinen** ~ qn a envie de pleurer

zu|muten ['tsu:mu:tən] **I.** *vt* exiger; **jdm viel** ~ exiger beaucoup de qn **II.** *vr* **sich zu viel** ~ présumer de ses forces

Zumutung *f* **eine** ~ **sein** être plus qu'on ne peut en supporter

zunächst [tsu'nɛːçst] *adv* **1.** (*anfangs*) [tout] d'abord **2.** (*vorläufig*) pour l'instant, pour le moment

zu|nageln *vt* fermer avec des clous; **etw** ~ fermer qc avec des clous

zu|nähen *vt* [re]coudre

Zunahme ['tsu:na:mə] <-, -n> *f der Arbeitslosigkeit* hausse *f*, augmentation *f; der Erkrankungen* progression *f*, recrudescence *f*

Zuname *m* nom *m* patronymique (*form*)

zündeln ['tsʏndəln] *vi* SDEUTSCH, A jouer avec des allumettes

zünden ['tsʏndən] *vt* procéder à la mise à feu de *Rakete, Triebwerk*

zündend *adj Idee* de génie, lumineux(-euse); *Rede* enflammé(e)

Zunder ['tsʊndɐ] <-s, -> *m* ▸**wie** ~ **brennen** s'enflammer comme une allumette

Zünder <-s, -> *m* détonateur *m*

Zündholz *nt* A, SDEUTSCH allumette *f* **Zündkerze** *f* bougie *f* **Zündschloss**RR *nt* contact *m* **Zündschlüssel** *m* clé *f* de contact **Zündschnur** *f* mèche *f* **Zündstoff** *m* ▸**viel** ~ **enthalten** *Film:* aborder un sujet explosif

Zündung <-, -en> *f* (*Zündanlage*) allumage *m*

zu|nehmen *irr* **I.** *vi* **1.** (*dick werden*) *Person, Tier:* grossir, prendre du poids **2.** (*wachsen*) *Ärger, Spannung:* grandir; *Umweltverschmutzung:* augmenter **3.** (*stärker werden*) gagner en intensité **II.** *vt* **wieder zehn Kilo** ~ reprendre dix kilos

zunehmend I. *adj* croissant(e) **II.** *adv* **sich bessern** constamment, sans cesse

zu|neigen *vr* **sich dem Ende** ~ toucher à sa fin

Zuneigung *f* penchant *m*

Zunft [tsʊnft, *Pl:* 'tsʏnftə] <-, ⸚e> *f* corporation *f*

Zunge ['tsʊŋə] <-, -n> *f* **1.** *a.* GASTR langue *f; auf der* ~ **zergehen** fondre dans la bouche **2.** (*Mundwerk*) **eine scharfe** ~ **haben** avoir la langue bien pendue

züngeln ['tsʏŋəln] *vi* **1.** *Reptil:* darder sa langue **2.** (*emporschlagen*) *Flammen:* jaillir

Zungenbrecher <-s, -> *m* (*schwer auszusprechender Satz*) phrase *f* difficile à pro-

zurechtweisen

• zurechtweisen	• réprimander
Ihr Verhalten lässt einiges zu wünschen übrig.	Votre comportement laisse à désirer.
Ich verbitte mir diesen Ton!	Je vous défends de me parler sur ce ton!
Das brauch ich mir von Ihnen nicht gefallen zu lassen!	Je ne tolèrerai pas cela de votre part!
Unterstehen Sie sich!	Essayez un peu pour voir!
Was erlauben Sie sich!	Pour qui vous prenez-vous?
Was fällt Ihnen ein!	Qu'est-ce qui vous prend?

noncer; (*unaussprechlicher Name*) nom *m* improncçable **Zungenkuss**[RR] *m* baiser *m* langue en bouche **Zungenspitze** *f* bout *m* de la langue
Zünglein ['tsʏŋlaɪn] <-s, -> *nt* ▸das ~ an der **Waage** sein faire pencher la balance
zunichte [tsu'nɪçtə] *adv* etw ~ **machen** réduire qc à néant
zu|nicken *vi* faire un signe de tête; **jdm ~** faire un signe de tête à qn
zunutze [tsu'nʊtsə] *adv* sich (*dat*) etw ~ **machen** tirer profit de qc
zu|ordnen *vt* classer; **jdn einer politischen Richtung** (*dat*) ~ classer qn dans un courant politique
Zuordnung *f* 1. *von Tieren* classement *m* 2. (*Einschätzung*) **die politische ~ der Punks** le classement politique des punks
zu|packen *vi* 1. (*zugreifen*) serrer; **fest ~** serrer fort[ement] 2. (*mithelfen*) donner un coup de main
zupfen ['tsʊpfən] *vt* 1. (*ziehen*) **jdn am Ärmel ~** tirer qn par la manche 2. (*herausziehen*) **Unkraut aus dem Beet ~** enlever les mauvaises herbes de la plate-bande
zu|prosten *vi* trinquer à la santé de; **jdm ~** trinquer à la santé de qn
zur [tsuːɐ̯] = **zu der** *s.* zu
zu|raten *vi irr* **jdm zu einer Bewerbung ~** conseiller [fortement] à qn de poser sa candidatura
Zürcher *adj* de Zurich, zurichois(e)
Zürcher(in) <-s, -> *m(f)* Zurichois(e) *m(f)*
zu|rechnen *vt s.* zuordnen
zurechnungsfähig *adj* responsable de ses actes
Zurechnungsfähigkeit *f kein Pl* JUR responsabilité *f* pleine et entière
zurecht|finden [tsu'rɛçtfɪndən] *vr irr* s'y retrouver **zurecht|kommen** *vi irr + sein* 1. (*auskommen*) **mit den Kollegen ~** s'entendre avec les collègues 2. (*klarkommen*) **mit einem Gerät nicht ~** ne pas

s'en sortir avec un appareil **zurecht|legen** *vt* préparer **zurecht|machen** *vt fam* 1. (*vorbereiten*) faire; **jdm das Bett ~** faire le lit à qn 2. (*schminken*) **sich ~** se faire une beauté; (*ankleiden*) se pomponner **zurecht|rücken** *vt* rajuster *Krawatte;* remettre en place *Stuhl* **zurecht|weisen** *vt irr* réprimander **Zurechtweisung** *f* réprimande *f*
zu|reden *vi* raisonner; **jdm gut ~** essayer de raisonner qn
zu|reiten *irr* I. *vt + haben* débourrer *Pferd* II. *vi + sein* **auf jdn/etw ~** galoper vers qn/qc
Zürich ['tsyːrɪç] <-s> *nt* Zurich
Züricher(in) *s.* **Zürcher(in)**
Zürichsee *m* der ~ le lac de Zurich
zu|richten *vt* 1. **jdn furchtbar ~** mettre qn dans un état effrayant 2. (*beschädigen*) **etw schlimm ~** mettre qc dans un état pitoyable
zürnen *vi geh* **mit jdm ~** se courroucer contre qn
zurück [tsu'rʏk] *adv* 1. (*~gekehrt*) de retour; **von einer Reise ~ sein** être de retour d'un voyage 2. (*in Bezug auf den Rückweg*) **einmal Stuttgart-Nancy und ~, bitte!** un aller et retour Stuttgart-Nancy, s'il vous plaît!; **~!** demi-tour! 3. (*rückwärts*) **drei Schritte ~!** trois pas en arrière!
Zurück <-s> *nt* **es gibt kein ~** il n'est pas possible de faire machine arrière
zurück|behalten[*] *vt irr* garder *Narbe, Schaden* **zurück|bekommen**[*] *vt irr* récupérer **zurück|beugen** *vt* renverser en arrière; **den Kopf ~** renverser la tête en arrière **zurück|bilden** *vr* sich ~ *Geschwulst:* se résorber **zurück|bleiben** *vi irr + sein* 1. (*bleiben*) rester; **im Hotel ~** rester à l'hôtel 2. (*langsam sein*) rester en arrière 3. (*folgen*) **von etw ~** *Narbe, Schaden:* rester de qc **zurück|blicken** *vi* 1. (*sich umsehen*)

jeter un regard en arrière **2.**(*betrachten*) **auf etw** (*akk*) ~ jeter un regard rétrospectif sur qc **zurück|bringen** *vt irr* ramener *Person;* rapporter *Gegenstand* **zurück|datieren*** *vt* antidater **zurück|denken** *vi irr* repenser; **an etw** (*akk*) ~ repenser à qc **zurück|drängen I.** *vt* repousser, refouler *Person* **II.** *vi* **in den Saal** ~ *Personen:* se bousculer pour rentrer dans la salle **zurück|erhalten*** *s.* **zurückbekommen zurück|erinnern*** *vr* se rappeler; **sich an jdn/etw** ~ se rappeler qn/qc **zurück|erobern*** *vt* reconquérir *Region, Fans* **zurück|fahren** *irr* **I.** *vi* + *sein* (*zum Ausgangspunkt fahren*) *Person, Fahrzeug:* repartir **2.**(*zurückweichen*) **vor jdm/etw** ~ reculer brusquement devant qn/pour éviter qc **II.** *vt* + *haben* **1.**(*zurückbewegen*) reculer *Fahrzeug* **2.**(*zurückbringen*) reconduire *Person;* rapporter *Gegenstand* **zurück|fallen** *vi irr* + *sein* **1.**(*fallen*) s'affaler; **sich in die Kissen** ~ **lassen** s'affaler dans les coussins **2.**(*zurückbleiben*) *Läufer:* être distancé **3.**(*absteigen*) **auf den vierten Platz** ~ *Sportler, Verein:* retomber au quatrième rang **4.**(*erneut entfallen auf*) **an jdn** ~ *Vermögen:* revenir à qn **5.**(*angelastet werden*) **auf jdn** ~ *Verhalten:* retomber sur qn **zurück|finden** *vi irr* retrouver; **zum Hotel** ~ retrouver le chemin de l'hôtel **zurück|fliegen** *irr* **I.** *vi* + *sein* repartir [par avion]; **nach Kanada** ~ *Person:* repartir [par avion] au Canada; *Flugzeug:* repartir pour le Canada **II.** *vt* + *haben* **jdn/etw** ~ ramener qn/qc [en avion] **zurück|fordern** *vt* exiger; **ein Buch von jdm** ~ exiger de qn la restitution d'un livre **zurück|führen I.** *vt* **1.**der Unfall ist auf einen technischen Fehler zurückzuführen l'accident est dû à une erreur technique **2.**(*zurückbringen*) **jdn ins Zimmer** ~ reconduire qn dans la pièce **II.** *vi* **zur Hauptstraße** ~ *Weg:* revenir à la route principale **zurück|geben** *vt irr* **1.**(*wiedergeben*) rendre, restituer **2.**(*reklamieren*) rendre, rapporter *Waren* **3.**(*erneut verleihen*) **jdm sein Selbstvertrauen** ~ redonner de l'assurance à qn **zurückgeblieben** *adj Kind* retardé(e) **zurück|gehen** *vi irr* + *sein* **1.**ins Hotel ~ retourner à l'hôtel **2.**(*abnehmen, sinken*) *Hochwasser, Umsatz:* reculer; *Fieber:* baisser **3.**(*sich zurückbilden*) *Schwellung:* se résorber **zurückgezogen** *adj* retiré(e) **zurück|greifen** *vi irr* **auf etw** (*akk*) ~ recourir à qc **zurück|haben** *vt irr fam* récupérer **zurück|halten** *irr* **I.** *vr* **1.**(*sich beherrschen*) **sich** ~ se contenir **2.**(*sich vorsichtig äußern*) **sich mit seiner Kritik** ~ rester mesuré(e) dans sa criti-

que **II.** *vt* **1.**(*festhalten*) retenir *Person* **2.**(*nicht mitteilen*) faire de la rétention de *Beweise* **zurückhaltend I.** *adj* **1.**(*reserviert*) réservé(e) **2.**(*vorsichtig*) mesuré(e) **II.** *adv* (*vorsichtig*) avec circonspection **Zurückhaltung** *f kein Pl* retenue *f,* réserve *f* **zurück|holen** *vt* ramener; **jdn** ~ ramener qn [ici]; [**sich** (*dat*)] **etw** ~ récupérer qc **zurück|kämmen** *vt, vr* [**sich** (*dat*)] **die Haare** ~ [se] peigner les cheveux en arrière **zurück|kehren** *vi* + *sein geh* revenir; **von einer Reise** ~ revenir d'un voyage; **zu jdm** ~ retourner vivre avec qn **zurück|kommen** *vi irr* + *sein* **1.**(*kommen*) revenir; **aus Köln** ~ revenir de Cologne **2.**(*erneut aufgreifen*) **auf etw** (*akk*) ~ revenir sur qc **zurück|lassen** *vt irr* abandonner; laisser *Adresse* **zurück|legen** *vt* **1.**(*legen*) reposer; **etw auf den Tisch** ~ remettre qc sur la table **2.**(*reservieren*) **jdm etw** ~ mettre qc de côté pour qn **3.**(*bewältigen*) parcourir, effectuer *Strecke;* couvrir *Entfernung* **4.**(*sparen*) [**sich** (*dat*)] **Geld** ~ mettre de l'argent de côté **zurück|lehnen** *vr* **sich** ~ se pencher en arrière **zurück|liegen** *vi irr* **lang** ~ dater de longtemps **zurück|melden** *vr MIL* **sich** ~ se faire porter rentrant(e); **sich bei jdm** ~ se faire porter rentrant auprès de qn **zurück|nehmen** *vt irr* **1.**reprendre *Ware* **2.**(*widerrufen*) retirer *Vorwurf* **zurück|reichen** *vi* remonter; **ins Mittelalter** ~ remonter au Moyen Âge **zurück|rollen** *vi* + *sein Fahrzeug:* se mettre à reculer; *Ball:* rouler en arrière **zurück|rufen** *vt, vi irr a.* TELEC rappeler **zurück|schalten** *vi* rétrograder; **in den zweiten Gang** ~ *Fahrer:* rétrograder en deuxième **zurück|schauen** *s.* zurückblicken **zurück|scheuen** *s.* zurückschrecken **zurück|schicken** *vt* **1.**(*schicken*) renvoyer, réexpédier *Brief, Waren* **2.**(*nicht einreisen lassen*) refouler **zurück|schieben** *vt irr* **etw** ~ pousser qc en arrière **zurück|schlagen I.** *vt* **1.**SPORT renvoyer *Ball* **2.**(*umschlagen*) rejeter *Bettdecke* **II.** *vi* **1.**(*schlagen*) riposter **2.**MIL riposter **zurück|schrauben** *vt fam* réduire *Erwartungen* **zurück|schrecken** *vi irr* + *haben o sein* (*Bedenken haben*) **vor etw** (*dat*) ~ reculer devant qc **zurück|sehnen** *vr* **sich zu jdm/nach Sète** ~ avoir la nostalgie de qn/de Sète **zurück|setzen I.** *vt* **1.**(*benachteiligen*) **sich zurückgesetzt fühlen** se sentir désavantagé(e) **2.**(*zurückfahren*) reculer *Fahrzeug* **II.** *vr* (*sich wieder setzen*) **sich an den Tisch** ~ se remettre à table **III.** *vi Fahrer, Fahrzeug:* reculer **zurück|spulen** *vt, vi* rembobiner **zurück|stecken I.** *vt* remettre; **etw in die Hosenta-**

sche ~ remettre qc dans sa poche **II.** *vi*
1. (*nachgeben*) céder **2.** (*sich bescheiden*)
se montrer moins exigeant **zurück|stehen**
vi irr (*zurückgesetzt sein*) être en retrait
zurück|stellen *vt* **1.** (*wegräumen*) remet-
tre; **etw ins Regal** ~ remettre qc dans
l'étagère **2.** reculer *Möbelstück* **3.** reculer
Zeiger **4.** retarder la scolarisation de *Kind;*
repousser *Plan* **zurück|stoßen** *vt irr* re-
pousser *Person* **zurück|stufen** *vt* appliquer
un malus à *Kfz-Versicherten* **zurück|tragen**
vt irr ramener; **jdn/etw ins Haus** ~ ramener qn/remporter qc à la maison **zu-**
rück|treten *vi irr + sein* **1.** (*zurückgehen*)
reculer; **von etw** ~ reculer de qc **2.** (*sei-*
nen Rücktritt erklären) **von seinem Amt**
~ démissionner de son poste **3.** (*rückgän-*
gig machen) **von einem Vertrag** ~ rési-
lier un contrat **zurück|verfolgen*** *vt* re-
monter *Entwicklung, Spur* **zurück|verset-**
zen* **I.** *vt* renvoyer; **jdn nach Frankfurt**
~ renvoyer qn à Francfort **II.** *vr* **sich in die**
Kindheit ~ se reporter dans son enfance
zurück|weichen *vi irr + sein* reculer; **vor**
etw (*dat*) ~ reculer devant qc **zu-**
rück|weisen *vt irr* (*von sich weisen*) récu-
ser *Unterstellung* **Zurückweisung** *f* rejet
m **zurück|werfen** *vt irr* **1.** (*werfen*) ren-
voyer *Ball* **2.** (*in Rückstand bringen*) **jdn/**
etw um Jahre ~ faire faire à qn/qc un
bond en arrière de quelques années **zu-**
rück|zahlen *vt* rembourser *Kredit* **zu-**
rück|ziehen *irr* **I.** *vt + haben* **1.** (*ziehen*)
retirer *Hand;* rouvrir *Vorhang* **2.** (*widerru-*
fen) retirer *Kandidatur;* annuler *Angebot* **II.**
vr + haben **1.** **sich in sein Zimmer** ~ se
retirer dans sa chambre **2.** MIL **sich aus der**
Stadt ~ se retirer de la ville
Zuruf *m* appel *m; eines Zuschauers* acclamation *f*
zu|rufen *vt irr* **jdm einen Gruß** ~ crier
bonjour à qn
zurzeit *adv* A, CH pour le moment
Zusage *f* réponse *f* positive
zu|sagen **I.** *vt* promettre; **jdm Hilfe** ~ pro-
mettre de l'aide à qn **II.** *vi* **1.** (*bestätigen*)
répondre positivement; **sie will noch**
nicht ~ elle ne veut pas encore s'engager
2. (*gefallen*) **jdm** ~ *Angebot:* plaire à qn;
Essen: être au goût de qn
zusammen [tsu'zamən] *adv* **1.** (*gemein-*
sam) ensemble; **mit jdm** ~ **sein** (*befreun-*
det sein) être avec qn **2.** (*zusammenge-*
rechnet) au total
Zusammenarbeit *f kein Pl* collaboration *f;*
POL coopération *f*
zusammen|arbeiten *vi* travailler ensem-
ble, collaborer **zusammen|bauen** *vt* mon-
ter **zusammen|bekommen*** *vt irr fam*

1. arriver à dégoter *Geld;* arriver à réunir
Punktzahl **2.** (*zusammenbauen können*) arriver à monter *Puzzle;* arriver à reconstituer
Geschichte **zusammen|binden** *vt irr* nou-
er; [sich (*dat*)] **die Haare** ~ se nouer les
cheveux **zusammen|brauen** **I.** *vt* fam
concocter (*hum*) **II.** *vr* **sich** ~ *Unwetter:* se
préparer ▸ **da braut sich was zusammen**
fig il se trame quelque chose **zusam-**
men|brechen *vi irr + sein* **1.** *Person:*
s'écrouler; *Brücke:* s'effondrer **2.** (*stillste-*
hen) *Verkehr:* s'immobiliser; *Rechnernetz:*
se planter (*fam*) **zusammen|bringen** *vt*
irr fam **1.** *fam* (*zusammenbekommen*) rassembler *Geld* **2.** (*in Kontakt bringen*) **Men-**
schen ~ mettre des personnes en contact
Zusammenbruch *m* **1.** *eines Systems* effondrement *m* **2.** MED (*Kollaps*) syncope *f;*
(*Nervenzusammenbruch*) dépression *f*
nerveuse
zusammen|drängen **I.** *vt* entasser *Men-*
schenmenge **II.** *vr* **sich auf dem Markt-**
platz ~ s'entasser sur la place du marché
zusammen|drücken *vt* **1.** comprimer
2. (*aneinander drücken*) **die Hände** ~
presser les mains l'une contre l'autre **zu-**
sammen|fahren *irr* **I.** *vi + sein* (*erschre-*
cken) sursauter **II.** *vt + haben fam* écra-
bouiller *Person, Tier* **zusammen|fallen** *vi*
irr + sein (*sich ereignen*) coïncider; **mit**
etw ~ *Ereignis:* coïncider avec qc **zusam-**
men|falten *vt* plier **zusammen|fassen** **I.**
vt **1.** résumer **2.** (*vereinigen*) **Verschiede-**
nes unter einem Oberbegriff ~ regrou-
per diverses choses sous un terme générique **II.** *vi* résumer **zusammenfassend** **I.**
adj récapitulatif(-ive) **II.** *adv* en résumé
Zusammenfassung *f* résumé *m*
zusammen|fegen *vt* balayer **zusam-**
men|finden *vr irr geh* **sich** ~ (*sich tref-*
fen) se retrouver; (*sich zusammenschlie-*
ßen) se réunir **zusammen|flicken** *vt fam*
rafistoler **zusammen|fließen** *vi irr + sein*
Flüsse: confluer **zusammen|fügen** *vt geh*
assembler **zusammen|gehen** *vi irr + sein*
mit einer Gruppierung ~ faire alliance
avec un groupement **zusammen|gehö-**
ren* *vi Ehepartner:* être faits l'un pour l'autre; *Socken, Teile:* aller ensemble **zusam-**
mengehörig **I.** *adj Teile* qui vont ensemble **II.** *adv* **sich** ~ **fühlen** se sentir uni(e)s
Zusammengehörigkeitsgefühl *nt* senti-
ment *m* d'union
zusammengewürfelt *adj Gruppe, Mobiliar*
hétéroclite
Zusammenhalt *m kein Pl* cohésion *f*
zusammen|halten *irr* **I.** *vi* **1.** *Teile:* tenir en-
semble **2.** (*zueinander halten*) être solidai-
re(s) **II.** *vt* **seine Ersparnisse** ~ être assis

sur ses économies
Zusammenhang <-[e]s, -hänge> *m*
1. (*Verbindung*) rapport *m*; **jdn/etw mit
einem Vorfall in ~ bringen** établir un
lien entre qn/qc et un incident **2.** (*Kontext*) contexte *m*
zusammenlhängen *vi irr* **1.** mit etw ~ être
en relation avec qc **2.** (*aneinander befestigt sein*) être collés **zusammenhängend**
I. *adj* (*schlüssig*) cohérent(e) **II.** *adv berichten* de façon cohérente
zusammenhang[s]los I. *adj Äußerungen* incohérent(e) **II.** *adv darstellen* de façon incohérente
zusammenlhauen *vt irr fam* **1.** démolir *Person* **2.** (*nachlässig, in Eile herstellen*) bâcler **zusammenlheften** *vt* agrafer *Unterlagen* **zusammenlkehren** *vt* balayer **zusammenklappbar** *adj* pliant(e) **zusammenlklappen** **I.** *vt + haben* [re]fermer *Taschenmesser*; [re]plier *Klappstuhl* **II.** *vi +
sein* **1.** se replier **2.** *fam* (*kollabieren*) tomber dans les pommes **zusammenlkleben
I.** *vt + haben* coller **II.** *vi + haben o sein*
coller **zusammenlkneifen** *vt irr* plisser
Augen **zusammenlknoten** *vt* nouer; **etw
wieder** ~ renouer qc **zusammenlkommen** *vi irr + sein* **1.** *Personen:* se retrouver;
mit jdm ~ rencontrer qn **2.** (*sich anhäufen*) s'accumuler **zusammenlkrachen** *vi
+ sein fam* (*einstürzen*) s'effondrer **zusammenlkratzen** *vt fam* **seine letzten
Ersparnisse** ~ racler les fonds de tiroirs
zusammenlkriegen *s.* **zusammenbekommen**
Zusammenkunft [tsu'zamənkʊnft] <-,
-künfte> *f* rencontre *f*
zusammenlläppern [tsu'zamənlɛpən] *vr
fam* **sich** ~ s'accumuler [petit à petit] **zusammenllaufen** *vi irr + sein* **1.** *Straßen:* se
rencontrer **2.** (*zusammenströmen*) *Neugierige:* s'attrouper **zusammenlleben** *vi* vivre ensemble; **mit jdm** ~ vivre avec qn **zusammenllegen** **I.** *vt* **1.** [re]plier *Wolldecke*
2. (*organisatorisch vereinigen*) regrouper
Abteilungen, Klassen; mettre ensemble *Häftlinge* **II.** *vi* se cotiser **zusammenlnähen** *vt*
coudre [ensemble]; **Stoffteile** ~ coudre des
morceaux de tissu [ensemble] **zusammenlnehmen** *irr* **I.** *vt* **seinen ganzen
Mut** ~ prendre son courage à deux mains
II. *vr* **sich** ~ se maîtriser **zusammenlpacken** *vt* **1.** emballer *Sachen* **2.** (*zusammen
einpacken*) **alles** ~ emballer tout ensemble **zusammenlpassen** *vi* **1.** *Einzelteile:*
s'accorder **2.** (*harmonieren*) *Personen, Farben:* aller bien ensemble **zusammenlpferchen** *vt* parquer
Zusammenprall *m* collision *f*, choc *m*

zusammenlprallen *vi + sein Fahrzeuge:* entrer en collision; **mit den Köpfen** ~ se cogner la tête **zusammenlpressen** *vt* serrer
Lippen **zusammenlraufen** *vr fam* **sich** ~
trouver un terrain d'entente **zusammenlrechnen** *vt* faire le total de, additionner **zusammenlreimen** *vr fam* **sich** (*dat*)
etw ~ s'expliquer qc **zusammenlreißen**
vr irr fam **sich** ~ se ressaisir **zusammenlrollen** **I.** *vt* [en]rouler **II.** *vr* **sich** ~
Person: se pelotonner; *Katze:* se mettre en
boule **zusammenlrotten** *vr pej* **sich** ~
s'ameuter **zusammenlrücken** **I.** *vi + sein*
1. *zwei Personen:* se rapprocher [l'un(e) de
l'autre]; *mehrere Personen:* se rapprocher
[les un(e)s des autres] **2.** *fig* (*enger zusammenhalten*) se rapprocher **II.** *vt + haben*
rapprocher *Gegenstände, Möbel* **zusammenlsacken** *vi + sein fam* s'effondrer **zusammenlscheißen** *vt irr fam* **jdn** ~ engueuler qn comme du poisson pourri **zusammenlschlagen** *irr* **I.** *vt + haben*
1. (*verprügeln*) rouer de coups *Person*
2. (*zertrümmern*) mettre en pièces *Einrichtung* **II.** *vi + sein* **über jdm** ~ *Woge:* s'abattre sur qn **zusammenlschließen** *vr irr*
sich ~ **1.** *Personen:* s'associer **2.** (*fusionieren*) fusionner
Zusammenschluss^RR *m von Firmen* fusion *f*
zusammenlsein *s.* zusammen
Zusammensein *nt* **1.** **das** ~ **mit jdm** le
temps passé avec qn **2.** (*Zusammenkunft*)
rencontre *f*
zusammenlsetzen **I.** *vt* **1.** assembler *Stücke* **2.** (*nebeneinander setzen*) mettre
l'un(e) à côté de l'autre **II.** *vr* **1.** **sich aus
einzelnen Teilen** ~ se composer de différentes pièces **2.** (*sich zueinander setzen*)
sich ~ s'asseoir l'un(e) à côté de l'autre
3. (*sich zur Beratung treffen*) s'asseoir ensemble
Zusammensetzung <-, -en> *f* composition *f*
zusammenlsinken *vi irr + sein* [**in sich
(akk)**] ~ s'effondrer; **nach und nach in
sich** (*akk*) ~ s'affaisser petit à petit **zusammenlstauchen** *vt fam* **jdn** ~ engueuler qn
zusammenlstecken **I.** *vt* épingler **II.** *vi
fam Freunde:* être fourrés ensemble **zusammenlstehen** *vi irr Personen:* se trouver ensemble **zusammenlstellen** *vt* rassembler, regrouper *Möbel;* établir *Liste*
Zusammenstellung *f* (*Aufstellung*) *von
Adressen* liste *f* [par écrit]
Zusammenstoß *m* **1.** collision *f* **2.** *fam*
(*Auseinandersetzung*) échauffourée *f*
zusammenlstoßen *vi irr + sein Fahrzeuge:*
entrer en collision; *Personen:* se heurter
zusammenlströmen *vi + sein Demons-*

tranten, *Zuschauer:* affluer **zusammenIstürzen** *vi* + *sein* s'écrouler **zusammenItragen** *vt irr* recueillir **zusammenItreffen** *vi irr* + *sein* **1.** *Personen:* se rencontrer **2.** *(gleichzeitig eintreten)* Umstände: coïncider **Zusammentreffen** *nt* **1.** *(Zusammenkunft)* rencontre *f* **2.** *(gleichzeitiges Eintreten)* coïncidence *f* **zusammenItreten** *vi irr* + *sein* Versammlung: se réunir **zusammenItrommeln** *vt fam* rameuter *Mitglieder* **zusammenItun** *vr irr fam* **sich** ~ se mettre ensemble **zusammenIwachsen** [-ks-] *vi irr* + *sein* **1.** se souder; **wieder** ~ *Knochen:* se ressouder **2.** *fig Ortsteile:* finir par ne faire qu'un **zusammenIwirken** *vi geh Faktoren:* être concomitants **zusammenIzählen** *vt* additionner **zusammenIziehen** *irr* **I.** *vt* + *haben* **1.** [res]serrer *Netz* **2.** *(konzentrieren)* amasser *Truppen;* concentrer *Polizeiaufgebot* **II.** *vr* + *haben* **sich** ~ **1.** *Pupillen:* [se] rétrécir; *Muskel:* se contracter **2.** *(sich ansammeln)* *Gewitter:* se préparer **III.** *vi* + *sein Personen:* s'installer ensemble **zusammenIzucken** *vi* + *sein* tressaillir
Zusatz *m* **1.** *(Ergänzung)* ajout *m* **2.** *(~stoff)* additif *m* **3.** *kein Pl (das Hinzufügen)* addition *f;* **ohne** ~ **von Farb- und Konservierungsstoffen** sans adjonction de colorants ni conservateurs
Zusatzgerät *nt* périphérique *m* **ZusatzinformationI** *f* information *f* complémentaire
zusätzlich ['tsu:zɛtslɪç] **I.** *adj Kosten* supplémentaire; *Versicherung* complémentaire **II.** *adv* en plus
Zusatzzahl *f* numéro *m* complémentaire
zuschanden ▸**etw** ~ **machen** réduire qc à néant
zuIschauen *s.* **zusehen**
Zuschauer(in) <-s, -> *m(f)* spectateur(-trice) *m(f)*
Zuschauerraum *m* salle *f* **Zuschauertribüne** *f* tribune *f*
zuIschicken *vt* envoyer; **jdm etw** ~ envoyer qc à qn
zuIschieben *vt irr* **1.** **jdm etw** ~ passer qc à qn **2.** *(zur Last legen)* **jdm die Verantwortung** ~ faire endosser la responsabilité à qn **3.** *(schließen)* fermer *Schiebetür*
zuIschießen *irr* **I.** *vt* + *haben* **1.** **jdm den Ball** ~ passer le ballon à qn **2.** *FIN* **jdm Geld** ~ verser à qn de l'argent en supplément **II.** *vi* + *sein fam* **auf jdn/etw** ~ foncer sur qn/qc
Zuschlag *m* *(zum Lohn)* majoration *f;* *(zum Fahrpreis)* supplément *m*
zuIschlagen *irr* **I.** *vt* + *haben* **1.** claquer *Tür;*

refermer *Buch* **2.** *(zuspielen)* **jdm den Ball** ~ envoyer le ballon à qn **II.** *vi* + *sein (zufallen)* *Tür:* claquer **2.** + *haben (schlagen)* **mit einem Knüppel** ~ donner un coup/ des coups de matraque **3.** + *haben (eingreifen)* *Polizei:* intervenir **4.** + *haben fam (ein Angebot nutzen)* saisir l'occasion **5.** + *haben fam (viel essen)* **beim kalten Büfett kräftig** ~ vraiment faire honneur au buffet froid
zuschlagfrei *adj Zug* sans supplément **zuschlagpflichtig** *adj Zug* à supplément
zuIschließen *vt, vi irr* fermer à clé; **etw** ~ fermer qc à clé
zuIschnappen *vi* **1.** + *haben Hund:* happer **2.** + *sein (sich schließen)* *Tür:* se refermer
zuIschneiden *vt irr* couper *Stoff;* découper *Brett*
zuIschneien *vi* + *sein* se [re]couvrir de neige
Zuschnitt *m* **1.** *kein Pl (das Zuschneiden)* von *Stoff* [dé]coupe *f* **2.** *(Schnittform)* eines *Kostüms* coupe *f* **3.** *(Niveau)* **Leute dieses** ~**s** des gens *mpl* de cette trempe
zuIschnüren *vt* lacer *Schuhe, Korsett;* ficeler *Paket*
zuIschrauben *vt* visser; **wieder** ~ revisser **zuIschreiben** *vt irr (anlasten)* **jdm die Schuld an einem Misserfolg** ~ rendre qn responsable d'un échec
Zuschrift *f* *(Leserbrief)* lettre *f*
zuIschulden [tsu:'ʃʊldən] **sich** *(dat)* **etwas** ~ **kommen lassen** avoir quelque chose à se reprocher
Zuschuss^RR *m* aide *f* financière; *(aus öffentlichen Kassen)* subvention *f*
zuIschütten *vt* combler *Grube*
zuIsehen *vi irr* **1.** regarder **2.** *(tatenlos bleiben)* **einem Unrecht tatenlos** ~ assister à une injustice sans rien faire **3.** *(dafür sorgen)* ~**, dass** veiller à ce que + *subj*
zusehends ['tsu:ze:ənts] *adv* à vue d'œil
zuIsein *s.* **zu II.**
zuIsenden *s.* **zuschicken**
zuIsetzen *vt* **1.** **jdm** ~ *Krankheit:* éprouver qn **2.** *(bedrängen)* **jdm** ~ harceler qn
zuIsichern *vt* assurer; **jdm etw** ~ assurer qn de qc
Zusicherung *f* **1.** *kein Pl (das Zusichern)* assurance *f* **2.** *(das Zugesicherte)* promesse *f*
zuIsperren *vt* SDEUTSCH, A **die Tür** ~ fermer la porte à clé
zuIspielen *vt* passer; **jdm den Ball** ~ passer le ballon à qn
zuIspitzen *vr* **sich** ~ s'aggraver
zuIsprechen *irr vt* **1.** **jdm Trost** ~ prodiguer des paroles de consolations à qn *(soutenu)* **2.** JUR **das Kind wurde der Mutter**

Zuständigkeit

• nach Zuständigkeit fragen	• demander la compétence
Sind Sie die behandelnde Ärztin?	Êtes-vous le médecin traitant?
Sind Sie dafür zuständig?	En êtes-vous responsable?
• Zuständigkeit ausdrücken	• exprimer la compétence
Ja, bei mir sind Sie richtig.	Oui, cela relève de ma compétence.
Ich bin für die Organisation des Festes verantwortlich/zuständig.	Je suis responsable de l'organisation de la fête.
• Nicht-Zuständigkeit ausdrücken	• exprimer sa non-compétence
Da sind Sie bei mir an der falschen Adresse. *(fam)*	Vous n'avez pas frappé à la bonne porte.
Dafür bin ich (leider) nicht zuständig.	(Je regrette, mais) cela ne relève pas de ma compétence.
Dazu bin ich (leider) nicht berechtigt/befugt.	(Je regrette, mais) je n'y suis pas autorisé/je n'en ai pas le droit.
Das fällt nicht in unseren Zuständigkeitsbereich. *(form)*	Ce n'est pas de notre ressort.

zugesprochen la garde de l'enfant a été confiée à la mère

Zuspruch *m kein Pl geh* **1.** (*Trost*) paroles *fpl* de réconfort **2.** (*Interesse*) ~ **finden** avoir du succès **3.** (*Zustimmung*) approbation *f*

Zustand <-[e]s, -stände> *m* **1.** état *m* **2.** (*Gesundheitszustand*) état *m* **3.** *Pl pej* (*Gegebenheit*) **katastrophale Zustände** des conditions *fpl* de vie catastrophiques

zustande [tsuˈʃtandə] *adv* **eine Einigung** ~ **bringen** parvenir à un accord; **nichts Vernünftiges** ~ **bringen** n'arriver à rien de bon; ~ **kommen** *Vertrag:* être conclu

Zustandekommen <-s> *nt eines Vertrags* conclusion *f; eines Treffens* réalisation *f*

zuständig *adj* compétent(e)

Zuständigkeit <-, -en> *f* compétence *f*

zustatten jdm ~ **kommen** être bien utile à qn

zu|**stechen** *vi irr* donner un coup; **mit einem Messer** ~ donner un coup de couteau

zu|**stecken** *vt* glisser; **jdm etw** ~ glisser qc à qn

zu|**stehen** *vi irr* **1.** **jdm** ~ *Erbschaft:* revenir [de droit] à qn **2.** (*zukommen*) **eine solche Äußerung steht Ihnen nicht zu** il ne vous appartient pas de tenir de tels propos

zu|**steigen** *vi irr* + *sein Fahrgast:* monter [en cours de voyage]

Zustelldienst *m* service *m* de livraison

zu|**stellen** *vt* **1.** *form* (*bringen*) **etw** ~ *Briefträger:* distribuer qc **2.** (*blockieren*) encombrer *Eingang, Tür*

Zusteller(in) <-s, -> *m(f) form* préposé(e) *m(f)*

Zustellung *f form eines Briefs* distribution *f; eines Urteils* notification *f*

zu|**steuern** *vi* + *sein* **1.** **auf jdn/etw** ~ se diriger vers qn/qc **2.** *fig* **auf eine Katastrophe** ~ aller au-devant d'une catastrophe

zu|**stimmen** *vi* **1.** (*gleicher Meinung sein*) **jdm** ~ être du même avis que qn **2.** (*einverstanden sein*) **jdm/einer S.** ~ être d'accord avec qn/qc

zustimmend I. *adj Kopfnicken* approbateur(-trice), d'approbation **II.** *adv nicken* d'un air approbateur

Zustimmung *f* approbation *f*, assentiment *m*

zu|**stoßen** *irr* **I.** *vi* **1.** + *haben* frapper; **mit einer Waffe** ~ frapper avec une arme **2.** + *sein* (*passieren*) **jdm** ~ *Unglück:* arriver à qn **II.** *vt* + *haben* **etw mit dem Fuß** ~ fermer qc d'un coup de pied

Zustrom *m kein Pl a. fig* afflux *m*

zutage [tsuˈtaːgə] *etw* ~ **fördern** étaler qc au grand jour

Zutat <-, -en> *f meist Pl* ingrédient *m*

zuteil [tsuˈtail] *geh* **jdm** ~ **werden** *gute Behandlung, Ehre:* être imparti à qn

zu|**teilen** *vt* distribuer *Portion;* attribuer *Rolle, Mitarbeiter*

Zuteilung *f* **1.** *eines Anteils* distribution *f; einer Arbeit* attribution *f* **2.** (*zugeteilte Portion*) rationnement *m*

zutiefst [tsuˈtiːfst] *adv* au plus haut point

zu|**tragen** *irr geh vr* **sich** ~ se passer

zustimmen

• zustimmen, beipflichten	• être d'accord, approuver
Ja, das denke ich auch.	Oui, je le pense aussi.
Da bin ich ganz deiner Meinung.	Je suis tout à fait de ton avis.
Dem schließe ich mich an.	Je suis d'accord.
Ich stimme Ihnen voll und ganz zu.	Je suis totalement de votre avis.
Ja, das sehe ich (ganz) genauso.	Oui, je le vois (tout à fait) comme ça.
Ich sehe es nicht anders.	Je ne le vois pas autrement.
Ich gebe Ihnen da vollkommen Recht.	Vous avez absolument raison.
Da kann ich Ihnen nur Recht geben.	Je ne peux que vous donner raison.
(Das) habe ich ja (auch) gesagt.	C'est ce que j'ai dit (aussi).
Finde ich auch. *(fam)*	Je trouve aussi.
Genau!/Stimmt! *(fam)*	Exact!/C'est juste!

zuträglich *adj geh* sain(e); **jdm/einer S. ~ sein** convenir à qn/qc; **der Gesundheit** (*dat*) **nicht ~ sein** être insalubre
zu|trauen *vt* **jdm etw ~** croire qn capable de qc ►**das ist ihm/ihr durchaus zuzutrauen** *iron* il/elle en est tout à fait capable
Zutrauen <-s> *nt* confiance *f*
zutraulich *adj Kind* confiant(e); *Hund* familier(-ière)
zu|treffen *vi irr Vermutung:* être exact; **auf jdn/etw ~** *Beschreibung:* correspondre à qn/s'appliquer à qc
zutreffend *adj Vermutung* exact(e), juste
zu|trinken *vi irr* **jdm ~** saluer qn de son verre
Zutritt *m kein Pl* accès *m*
Zutun *nt* **das geschah ohne mein ~** je n'y suis pour rien
zuunterst [tsu'ʔʊntɛst] *adv* tout [à fait] en dessous
zuverlässig ['tsu:fɛɐ̯lɛsɪç] *adj* fiable
Zuverlässigkeit <-> *f* fiabilité *f*
Zuversicht ['tsu:fɛɐ̯zɪçt] <-> *f* confiance *f*
zuversichtlich *adj* confiant(e)
zuviel *s.* **viel I.**
zuvor [tsu'fo:ɐ̯] *adv* **1.** (*früher, vorher*) auparavant, avant; **am Tag ~** la veille **2.** (*zunächst*) au préalable
zuvor|kommen *vi irr + sein* devancer; **jdm mit einem Brief ~** devancer qn en écrivant une lettre
zuvorkommend I. *adj* prévenant(e) **II.** *adv* avec prévenance
Zuwachs ['tsu:vaks] <-es, Zuwächse> *m* **1. ~ der Beschäftigtenzahlen** accroissement *m* de la population active **2.** *hum fam* (*Kind*) **die Familie bekommt ~** il va y avoir une naissance dans la famille
zu|wachsen *vi irr + sein* **1.** *Weg:* se [re]couvrir de végétation; *Tor:* être envahi par la végétation **2.** (*zuheilen*) *Wunde:* se refermer

Zuwachsrate *f* taux *m* de croissance
Zuwanderer *m*, **Zuwanderin** *f* immigrant(e) *m(f)*
zu|wandern *vi + sein* immigrer
Zuwanderung *f* immigration *f*
zuwege [tsu've:gə] *adv* **etw ~ bringen** mener qc à bien
zuweilen [tsu'vailən] *adv geh* de temps à autre
zu|weisen *vt irr* assigner *Aufgabe;* attribuer *Arbeitsplatz*
zu|wenden *irr* **I.** *vt* tourner; **jdm den Rücken ~** tourner le dos à qn **II.** *vr* **1.** sich **jdm ~** se tourner vers qn **2.** (*sich widmen*) **sich einer S. ~** se consacrer à qc
Zuwendung *f* **1.** *kein Pl* (*Beachtung*) attention *f* **2.** (*finanzielle Unterstützung*) (*seitens des Staats*) allocation *f;* (*seitens einer Privatperson*) aide *f*
zuwenig [tsu've:nɪç] *pron s.* **wenig I.**
zu|werfen *vt irr* **jdm etw ~** lancer qc à qn
zuwider [tsu'vi:dɐ] *adj* **jdm ~ sein** inspirer de la répugnance à qn
zuwider|handeln *vi* contrevenir à; **einer S.** (*dat*) ~ contrevenir à qc **Zuwiderhandlung** *f form* (*gegen eine Anordnung*) infraction *f;* (*gegen ein Verbot*) transgression *f* **zuwider|laufen** *vi irr* **jds Interessen** (*dat*) ~ être contraire aux intérêts de qn
zu|winken *vi* faire un signe [de la main]; **jdm ~** faire un signe [de la main] à qn
zu|zahlen I. *vt* payer en supplément; **etw ~** payer qc en supplément **II.** *vi* payer un supplément
zu|ziehen *irr* **I.** *vt + haben* serrer *Schlinge;* tirer *Vorhang* **II.** *vr + haben* **1.** (*auf sich ziehen*) **sich** (*dat*) **jds Zorn ~** s'attirer la colère de qn **2.** (*bekommen*) **sich** (*dat*) **eine Verletzung ~** se faire une blessure **III.** *vi + sein Einwohner:* [venir] s'installer
Zuzug *m* arrivée *f*

zuzüglich ['tsuːtsyːklɪç] *präp* + *gen* **hundert Euro ~ Mehrwertsteuer** cent euros la T.V.A. en sus

zulzwinkern *vi* faire un clin/des clins d'œil; **jdm ~** faire un clin/des clins d'œil à qn

ZVS [tsɛtfauˈlɛs] <-> *f Abk von* **Zentralstelle für die Vergabe von Studienplätzen** *centre de répartition des inscriptions dans les universités allemandes*

Zwang [tsvaŋ, *Pl:* 'tsvɛŋə] <-[e]s, ̈-e> *m* contrainte *f*

zwängen ['tsvɛŋən] I. *vt* bourrer; **etw in den Koffer ~** bourrer qc dans la valise II. *vr* **sich durch die Tür ~** se faufiler à travers la porte

zwanghaft *adj Verhalten* maladif(-ive), maniaque

zwanglos I. *adj Beisammensein* sans cérémonie II. *adv sich unterhalten* librement

Zwangsarbeit *f* 1. travail *m* obligatoire 2. (*Strafe*) travaux *mpl* forcés **Zwangsjacke** *f* camisole *f* [de force] **Zwangslage** *f* situation *f* [très] embarrassante **zwangsläufig** ['tsvaŋslɔyfɪç] *adj* inévitable **zwangsversteigern*** *vt* **zwangsversteigert werden** être vendu aux enchères publiques **Zwangsversteigerung** *f* vente *f* judiciaire

zwanzig ['tsvantsɪç] *num* vingt; *s. a.* **achtzig**

Zwanzig <-, -en> *f* vingt *m*

zwanziger *adj inv* **die ~ Jahre** les années *fpl* vingt; *s. a.* **achtziger**

Zwanziger <-s, -> *m fam* (*Geldschein*) billet *m* de vingt euros

Zwanzigerjahre *Pl* **die ~** les années *fpl* vingt

Zwanzigeuroschein *m* billet *m* de vingt euros

zwanzigste(r, s) *adj* vingtième; *s. a.* **achtzigste(r, s)**

zwar [tsvaːɐ̯] *adv* 1. (*einschränkend*) certes 2. (*präzisierend*) **und ~** à savoir

Zweck [tsvɛk] <-[e]s, -e> *m* 1. (*Ziel*) objectif *m*, but *m*; **für einen guten ~** pour une bonne cause 2. (*Sinn*) raison *f* d'être 3. (*Verwendungszweck*) fonction *f*, usage *m*

Zweckbau <-bauten> *m* bâtiment *m* fonctionnel **zweckdienlich** *adj* utile **zweckentfremden*** *vt* détourner de sa fonction; **etw ~** détourner qc de sa fonction **zwecklos** *adj Unterfangen* inutile **zweckmäßig** *adj* approprié(e) **Zweckoptimismus** *m* optimisme *m* de circonstance

zwecks *präp* + *gen form* en vue de

zwei [tsvai] *num* deux; *s. a.* **acht** [1]

Zwei <-, -en> *f* 1. (*Zahl, Augenzahl*) deux

m 2. (*Schulnote*) bonne note située entre quatorze et seize sur vingt; CH mauvaise note située entre trois et six sur vingt 3. *kein Pl* (*U-Bahn-Linie*) deux *m*

Zweibeiner <-s, -> *m hum fam* bipède *m*

Zweibettzimmer *nt* chambre *f* double; (*im Krankenhaus*) chambre à deux lits **zweideutig** I. *adj* 1. ambigu(ë) 2. *Bemerkung* équivoque II. *adv* 1. de façon ambiguë 2. (*anzüglich*) de façon équivoque **zweidimensional** ['tsvaidimɛnziˌonaːl] I. *adj* bidimensionnel(le) II. *adv* en deux dimensions **Zweidrittelmehrheit** [tsvai'drɪtəlmeːɐ̯hait] *f* majorité *f* des deux tiers

Zweier <-s, -> *m fam* (*Schulnote*) bonne note située entre quatorze et seize sur vingt

zweierlei *adj inv* **~ Sorten Wein** deux sortes de vin; *s. a.* **achterlei**

Zweierreihe *f* double rangée *f*

zweifach I. *adj* double; **die ~e Summe** deux fois la somme, le double II. *adv falten* deux fois; *s. a.* **achtfach**

Zweifamilienhaus [-liən-] *nt* maison *f* de deux appartements

Zweifel ['tsvaifəl] <-s, -> *m meist Pl* doute *m*

zweifelhaft *adj* (*a. péj*) douteux(-euse) **zweifellos** *adv* incontestablement **zweifeln** *vi* douter **Zweifelsfall** *m* ▶ **im ~** dans le doute **Zweifler(in)** <-s, -> *m(f)* sceptique *mf*

Zweig [tsvaik] <-[e]s, -e> *m* 1. *a.* COM branche *f* 2. (*Fachrichtung*) option *f*

zweigeteilt *adj* coupé(e) en deux **zweigleisig** *adj* 1. *Strecke* à double voie 2. *fig* **~e Verhandlungen** des négociations sur deux fronts

Zweigstelle *f* succursale *f*; **der Post** bureau *m*

zweihundert ['tsvaiˌhʊndɐt] *num* deux cents **zweijährig** *adj Kind* de deux ans **Zweijährige(r)** *f(m)* *dekl wie adj* garçon *m*/fille *f* de deux ans **Zweikampf** *m* duel *m* **zweimal** *adv* deux fois, à deux reprises; *s. a.* **achtmal Zweirad** *nt form meist Pl* deux-roues *m*

Zweisamkeit <-, -en> *f geh* intimité *f* [à deux]

zweischneidig *adj* à double tranchant **zweiseitig** *adj Brief* de deux pages **zweispaltig** *adj, adv* sur deux colonnes **zweisprachig** I. *adj* bilingue II. *adv* ~ **aufwachsen** avoir une éducation bilingue **zweispurig** *adj* à deux voies **zweistellig** *adj* à deux chiffres **zweistimmig** *adj, adv* à deux voix **zweistöckig** ['tsvaiʃtœkɪç] *adj* de deux étages **zweistündig** ['tsvaiʃtyn-

zweifeln

• Zweifel ausdrücken	• exprimer un doute
Ich bin mir da nicht so sicher.	Je n'en suis pas très sûr(e).
Es fällt mir schwer, das zu glauben.	J'ai du mal à le croire.
Das kaufe ich ihm nicht ganz ab. *(fam)*	Je ne le crois pas vraiment.
So ganz kann ich da nicht dran glauben.	Je ne peux pas vraiment y croire.
Ich weiß nicht so recht.	Je ne sais pas trop.
Ob die Kampagne die gewünschten Ziele erreichen wird, **ist (mehr als) zweifelhaft.**	Il est **(plus que) douteux que** la campagne atteigne les objectifs souhaités.
Ich hab da so meine Zweifel, ob er es wirklich ernst gemeint hat.	Je doute qu'il ait été vraiment sérieux.
Ich glaube kaum, dass wir noch diese Woche damit fertig werden.	Je ne pense pas que nous l'aurons fini(e) cette semaine.

dɪç] *adj attr* de deux heures

zweit *adv* zu ~ sein être [à] deux; *s. a.* **acht**
²

zweitägig *adj attr* de deux jours **Zweitakter** <-s, -> *m* véhicule *m* deux-temps

zweitälteste(r, s) ['tsvaɪt'ʔɛltəstə, -tɐ, -təs] *adj* **1.** *Einwohner* second(e) [par rang d'âge] **2.** *(zweitgeboren)* cadet(te)

zweitausend ['tsvaɪ'taʊzənt] *num* deux mille

Zweitausender <-s, -> *m* sommet *m* de [plus de] deux mille mètres

zweitbeste(r, s) ['tsvaɪt'bɛstə, -tɐ, -təs] *adj* deuxième meilleur(e)

zweite(r, s) *adj* **1.** deuxième, second(e) **2.** *(bei Datumsangaben)* der ~ März le deux mars; *s. a.* **achte(r, s)**

Zweite(r) *f(m) dekl wie adj* **1.** deuxième **2.** *(bei Datumsangaben)* der ~/am ~n *geschrieben:* der 2./am 2. le deux *geschrieben:* le 2 **3.** *(als Namenszusatz)* **Friedrich der ~** *geschrieben:* Friedrich II. Frédéric deux *geschrieben:* Frédéric II ▸**wie kein ~r** comme personne; *s. a.* **Achte(r)**

zweiteilig *adj* en deux parties

zweitens *adv* deuxièmement

zweitgrößte(r, s) *adj Person* deuxième en taille; *Stadt* deuxième **zweithöchste(r, s)** *adj* **1.** *Berg* deuxième [plus haut(e)] **2.** *Stellung* deuxième dans la hiérarchie **zweitklassig** *adj pej Restaurant* de deuxième catégorie **zweitletzte(r, s)** ['tsvaɪt'lɛtstə, -tɐ, təs] *adj* avant-dernier(-ière) **zweitrangig** *adj* **1.** *Problem* de second ordre **2.** *s.* ... **zweitklassig Zweitschlüssel** *m* double *m* **Zweitstimme** *f* POL deuxième voix *f* *(accordée à une liste nationale lors des élections au Bundestag ou au Landtag)* **Zweitürer** <-s, -> *m fam* deux portes *f*

zweitürig *adj* [à] deux portes **Zweitwagen** *m* deuxième voiture *f* **Zweitwohnung** *f* résidence *f* secondaire **Zweizimmerwohnung** ['tsvaɪ'tsɪmevoːnʊŋ] *f* deux-pièces *m*, F 2 *m* **Zwerchfell** ['tsvɛrçfɛl] *nt* ANAT diaphragme *m*

Zwerg(in) [tsvɛrk] <-[e]s, -e> *m(f) a. fig, pej* nain(e) *m(f)*

zwergenhaft *adj* de nain **Zwetschge** <-, -n> *f* *(Frucht)* quetsche *f* **Zwickel** <-s, -> *m* soufflet *m*

zwicken ['tsvɪkən] A, SDEUTSCH **I.** *vi Hose:* serrer **II.** *vt* pincer

Zwicker <-s, -> *m* SDEUTSCH, A pince-nez *m* **Zwickmühle** *f* ▸**in der ~ sein** *fam* être coincé

Zwieback ['tsviːbak] <-[e]s, -e *o* ⁼e> *m* biscotte *f*

Zwiebel ['tsviːbəl] <-, -n> *f* **1.** oignon *m* **2.** BOT bulbe *m*

Zwiebelkuchen *m* tarte *f* à l'oignon **Zwiebelsuppe** *f* soupe *f* à l'oignon

Zwiegespräch ['tsviːgəʃprɛːç] *nt geh* tête-à-tête *m* **Zwielicht** *nt kein Pl* pénombre *f* ▸**ins ~ geraten** être entraîné dans une affaire douteuse **zwielichtig** *adj pej* louche **Zwiespalt** *m kein Pl* tiraillement *m* [intérieur] **zwiespältig** ['tsviːʃpɛltɪç] *adj geh Gefühle* partagé(e) **Zwietracht** ['tsviːtraxt] <-> *f geh* discorde *f*

Zwilling ['tsvɪlɪŋ] <-s, -e> *m* **1.** jumeau *m*/jumelle *f* **2.** ASTROL **die ~e** les Gémeaux *mpl*

Zwillingsbruder *m* [frère *m*] jumeau *m* **Zwillingsschwester** *f* [sœur *f*] jumelle *f* **Zwinge** <-, -n> *f* serre-joint *m* **zwingen** ['tsvɪŋən] <zwang, gezwungen> **I.** *vt* **1.** forcer; jdn ~ etw zu tun for-

cer qn à faire qc **2.** *geh (drängen)* **seinen Gegner zu Boden** ~ faire toucher le sol à son adversaire **II.** *vr* **sich zu einer Arbeit** ~ *(sich überwinden)* se forcer à [faire] un travail

zwingend I. *adj Logik* impérieux(-euse) **II.** *adv sich ergeben* forcément

Zwinger <-s, -> *m* chenil *m*

zwinkern ['tsvɪŋkɐn] *vi* [mit den Augen] ~ cligner des yeux/de l'œil

zwirbeln ['tsvɪrbəln] *vt* tortiller *Bart*

Zwirn [tsvɪrn] <-s, -e> *m* fil *m* [retors]

zwischen ['tsvɪʃən] **I.** *präp* + *dat* entre **II.** *präp* + *akk* entre

Zwischenaufenthalt *m* escale *f; (kurz)* halte *f* **Zwischenbemerkung** *f* parenthèse *f* **Zwischenblutung** *f* MED saignement *m* intermédiaire **Zwischending** *nt fam* **ein** ~ **zwischen Stock und Krücke** quelque chose entre la canne et la béquille **zwischendurch** ['tsvɪʃən'dʊrç] *adv* **1.** *(gelegentlich)* de temps en temps; *(inzwischen)* entre-temps **2.** *(außer der Reihe)* **nichts** ~ **essen** ne rien manger entre les repas **3.** *(örtlich)* au milieu **Zwischenergebnis** *nt* résultat *m* intermédiaire **Zwischenfall** *m* incident *m* **Zwischenfrage** *f* question *f* [incidente] **Zwischenlager** *nt* **atomares** ~ lieu de stockage provisoire des déchets nucléaires **zwischenlagern** *vt* stocker provisoirement; **etw** ~ stocker qc provisoirement **zwischenlanden** *vi* + *sein* faire escale **Zwischenlandung** *f* escale *f* **Zwischenmahlzeit** *f* collation *f* **zwischenmenschlich** *adj* entre les personnes; **~e Beziehungen** des relations avec les autres **Zwischenprüfung** *f* examen *m* intermédiaire **Zwischenraum** *m* **1.** *(räumlicher Abstand)* intervalle *m; (eng)* interstice *m* **2.** *(Zeilenabstand)* interligne *m* **Zwischenruf** *m* interpellation *f,* apostrophe *f* **Zwischenstation** *f* halte *f* **Zwischenwand** *f* cloison *f* **Zwischenzeit** *f* **in der** ~ dans l'intervalle **zwischenzeitlich** *adv* dans l'intervalle **Zwischenzeugnis** *nt (Schulzeugnis)* bulletin *m* intermédiaire; *(in Frankreich)* bulletin trimestriel

Zwist [tsvɪst] <-es, -e> *m geh* dissension *f*

zwitschern ['tsvɪtʃɐn] *vi Vogel:* gazouiller

Zwitter ['tsvɪtɐ] <-s, -> *m* hermaphrodite *m*

zwo [tsvoː] *num fam* deux

zwölf [tsvœlf] *num* douze; *s. a.* **acht** [1]

zwölffach I. *adj* **die ~e Menge nehmen** prendre douze fois plus **II.** *adv falten* douze fois; *s. a.* **achtfach**

Zwölffingerdarm *m* ANAT duodénum *m*

zwölfmal *adv* douze fois; *s. a.* **achtmal**

zwölft *adv* **zu** ~ **sein** être douze; *s. a.* **acht** [2]

zwölfte(r, s) *adj* **1.** douzième **2.** *(bei Datumsangaben)* **der** ~ **März** le douze mars; *s. a.* **achte(r, s)**

Zwölfte(r) *f(m) dekl wie adj* **1.** douzième *mf* **2.** *(bei Datumsangaben)* **der ~/am ~n geschrieben: der 12./am 12.** le douze geschrieben: le 12 **3.** *(als Namenszusatz)* **Ludwig der** ~ geschrieben: **Ludwig XII.** Louis douze geschrieben: Louis XII

zwölftel *adj* douzième; *s. a.* **achtel**

Zwölftel <-s, -> *nt* douzième *m*

Zwölftonmusik *f* musique *f* dodécaphonique

Zyankali [tsyan'kaːli] <-s> *nt* CHEM cyanure *m* de potassium; *(Gift)* cyanure

zyklisch ['tsyːklɪʃ] *adj a.* CHEM cyclique

Zyklon [tsy'kloːn] <-s, -e> *m* cyclone *m*

Zyklus ['tsyːklʊs] <-, Zyklen> *m* **1.** *a.* BIO cycle *m* **2.** *(Reihe) von Gedichten* série *f*

Zylinder [tsi'lɪndɐ] <-s, -> *m* **1.** GEOM, TECH, AUT cylindre *m* **2.** *(Hut)* haut-de-forme *m*

zylindrisch [tsy'lɪndrɪʃ] *adj* cylindrique

Zyniker(in) ['tsyːnɪkɐ] <-s, -> *m(f)* cynique *mf*

zynisch I. *adj* cynique **II.** *adv* avec cynisme, cyniquement

Zynismus [tsy'nɪsmʊs] <-, -ismen> *m* **1.** *kein Pl* cynisme *m* **2.** *(Bemerkung)* remarque *f* cynique

Zypern ['tsyːpɐn] <-s> *nt* Chypre *f*

Zypresse [tsy'prɛsə] <-, -n> *f* cyprès *m*

zypriotisch *adj* cypriote, chypriote

Zyste <-, -n> *f* MED, BIO kyste *m*

z.Z[t]. *Abk von* **zur Zeit**

Anhang

Appendice

Französische Kurzgrammatik
Précis de grammaire française

1 Der Artikel

1.1 Der bestimmte Artikel

Die Formen des bestimmten Artikels

		vor Konsonant		vor stummem h		vor Vokal	
männliche Formen	Singular	le	train	l'	hôtel	l'	arbre
	Plural	les	trains	les	hôtels	les	arbres
weibliche Formen	Singular	la	ville	l'	heure	l'	autoroute
	Plural	les	villes	les	heures	les	autoroutes

Die Präpositionen *à* und *de* und der bestimmte Artikel

à + le	=	au	de + le	=	du
à + les	=	aux	de + les	=	des

Der Gebrauch des bestimmten Artikels

Der bestimmte Artikel wird verwendet bei:

– der Gesamtheit einer Menge:

J'aime **les** livres.

– Eigennamen:

Les Noblet habitent à Paris.

– Titeln:

Le docteur Lacroix est parti en vacances.

– Körperteilen:

Géraldine a **les** yeux verts.

– festen Wendungen:

J'apprends **le** français.

1.2 Der unbestimmte Artikel

	männlich		weiblich	
Singular	un	livre	une	voiture
Plural	des	livres	des	voitures

1.3 Der Teilungsartikel

Die Formen des Teilungsartikels

Der Teilungsartikel besteht aus der Präposition **de** und dem bestimmten Artikel.

Der Gebrauch des Teilungsartikels

1. Der Teilungsartikel wird verwendet, wenn man eine **unbestimmte Menge**, d.h. unzählbare Dinge, bezeichnen möchte. Er gibt einen Teil eines Ganzen an.

2. Nach **sans** und **de** steht kein Teilungsartikel. Sollte jedoch eine bestimmte Menge gemeint sein, dann steht bei **de** der bestimmte Artikel:

   Jean a besoin **de l'argent qu'il a gagné.**

3. Nach **avec** wird der Teilungsartikel verwendet:

   Jean prend son pain **avec de la** confiture.

4. Außerdem steht der Teilungsartikel bei einigen festen Wendungen:

faire **du** volley/**du** sport	*Volleyball spielen/Sport treiben*
jouer **du** piano	*Klavier spielen*
avoir **de** la chance	*Glück haben*

5. Die Verneinung wird beim Teilungsartikel mit **ne ... pas de** gebildet.

Mengenangaben mit *de*

An Mengenangaben wird das nachfolgende Substantiv nur mit der Präposition **de** angeschlossen:

Il faut acheter	un litre	de	vin,
	un kilo	de	tomates,
	une bouteille	d'	eau minérale,
	beaucoup	de	fruits,
	un peu	de	fromage,
	assez	de	limonade.

2   Das Substantiv

2.1   Das Geschlecht der Substantive

2.1.1 Das Geschlecht bei Lebewesen

1. Bei Personen oder Tieren gibt es in der Regel für jedes Geschlecht eine Form.

männlich	→	weiblich			
un ami	→	une amie	–	→	-e
un employé	→	une employée	-é	→	-ée
un acteur	→	une actrice	-teur	→	-trice
			Ausnahme:		
			un chanteur	→	une chanteuse
un vendeur	→	une vendeuse	-eur	→	-euse
			Ausnahme:		
			un pécheur	→	une pécheresse
un boulanger	→	une boulangère	-er	→	-ère
un voisin	→	une voisine	-in	→	-ine
			Ausnahme:		
			un copain	→	une copine
un paysan	→	une paysanne	-an	→	-anne
un espion	→	une espionne	-on	→	-onne
un Italien	→	une Italienne	-ien	→	-ienne
un veuf	→	une veuve	-f	→	-ve
un tigre	→	une tigresse	-e	→	-esse

2. Bei einigen Substantiven kann man das Geschlecht nur am Artikel erkennen, da die männlichen und die weiblichen Formen identisch sind:

un/une élève, **un/une** enfant, **un/une** journaliste, **un/une** secrétaire

3. Aber es gibt auch Bezeichnungen, bei denen die **männliche** und **weibliche** Form aus zwei verschiedenen Substantiven bestehen:

un homme – **une** femme   **un** garçon – **une** fille   **un** frère – **une** sœur
un coq – **une** poule

2.1.2 Das Geschlecht bei Sachen und Dingen

Das Geschlecht von Wortgruppen

Männlich sind	– Wochentage:	le lundi, le vendredi;
	– Jahreszeiten:	le printemps, l'automne;
	– Himmelsrichtungen:	le sud, le nord;
	– Sprachen:	le portugais, l'italien;
	– Bäume:	le chêne, le sapin;
	– Metalle:	l'or, le platine;
	– chemische Elemente:	le mercure, le soufre, l'uranium;
	– Transportmittel:	le bus, le train, l'avion.
Weiblich sind	– Länder:	la France, la Pologne, *aber:* le Portugal, le Danemark, le Luxembourg;
	– Flüsse:	le Saône, la Moselle, *aber:* le Rhône, le Danube;
	– Wissenschaften:	la géographie, la médecine, *aber:* le droit;
	– Autonamen:	la BMW, la Citroën

2.2 Der Plural der Substantive

Singular	Plural	Ausnahmen		
le train	les trains			
la voiture	les voitures			
le prix	les prix			
le nez	les nez			
le Français	les Français			
le gâteau	les gâteaux			
le jeu	les jeux	le pneu	→	les pneus
le bijou	les bijoux	le cou	→	les cous
le journal	les journaux	le bal	→	les bals
le travail	les travaux	le détail	→	les détails

3 Das Adjektiv

3.1 Die Stellung des Adjektivs

Das Adjektiv als Attribut

1. Die meisten Adjektive, insbesondere mehrsilbige Adjektive stehen in der Regel **hinter** dem Substantiv.

2. Kurze und häufig gebrauchte Adjektive stehen **vor** dem Substantiv:

grand, gros, petit, jeune, vieux, bon, mauvais, beau, joli

3. Bei einigen Adjektiven ändert sich die Bedeutung je nachdem, ob sie **vor** oder **hinter** dem Substantiv stehen:

un pauvre homme (*ein **bedauernswerter** Mann*)

un homme pauvre (ein **armer** Mann)

3.2 Das Adjektiv im Singular und im Plural

	männlich	weiblich
Singular	le petit jardin	la petite maison
	le jardin est petit	la maison est petite
Plural	les petits jardins	les petites maisons
	les jardins sont petits	les maisons sont petites

Die weibliche Form des Adjektivs bildet man, indem man an die männliche Form ein -e anhängt. Endet die männliche Form bereits auf -e, so bleibt die weibliche Form unverändert:

le livre rouge   la voiture rouge

Der Plural wird durch Anhängen von -s an die jeweilige Form des Singulars gebildet.
Es gibt einige wenige Adjektive, die grundsätzlich **nicht verändert** werden:

bon marché, marron, orange, super, chic

3.3 Sonderfälle bei den Femininformen

Regel			männlich		weiblich	Ausnahme		
-er	→	-ère	cher	→	chère			
-et	→	-ète	complet	→	complète	muet	→	muette
-c	→	-que	turc	→	turque	blanc	→	blanche
						sec	→	sèche
						grec	→	grecque
-f	→	-ve	actif	→	active			
-g	→	-gue	long	→	longue			
-eux	→	-euse	heureux	→	heureuse			
-el	→	-elle	naturel	→	naturelle			
-il	→	-ille	gentil	→	gentille			
-en	→	-enne	européen	→	européenne			
-on	→	-onne	bon	→	bonne			
-os	→	-osse	gros	→	grosse			
-teur	→	-teuse	menteur	→	menteuse			
	→	-trice	conservateur	→	conservatrice			
-eur	→	-eure	meilleur	→	meilleure			
	→	-euse	rieur	→	rieuse			

3.4 Sonderfälle bei der Pluralbildung

	männlich		weiblich	
Singular	un homme	brutal	une femme	brutale
Plural	des hommes	brutaux	des femmes	brutales
Singular	un beau	jour	une belle	surprise
	un gros	sac	une grosse	valise
Plural	de(s) beaux	jours	de(s) belles	surprises
	de(s) gros	sacs	de(s) grosses	valises

3.5 Die Adjektive *beau, nouveau* und *vieux*

beau, nouveau, vieux	vor männlichen Substantiven im Singular, die mit **Konsonant** beginnen.
bel, nouvel, vieil	vor männlichen Substantiven im Singular, die mit **Vokal** oder **stummem h** beginnen.

Bei prädikativem Gebrauch stehen im Singular männlicher Substantive nur die Formen **beau, nouveau** und **vieux** zur Verfügung stehen:

L'hôtel est **beau**.
L'ordinateur est **nouveau**.
L'ordinateur est **vieux**.

3.6 Die Steigerung der Adjektive
Der Positiv und der Komparativ

Positiv	Pierre est **grand**. *(Pierre ist groß.)*
Komparativ	Pierre est **plus grand que** moi. *(Pierre ist größer als ich.)*
	Pierre est **moins grand que** moi. *(Pierre ist kleiner als ich.)*
	Pierre est **aussi grand que** moi. *(Pierre ist genauso groß wie ich.)*

Der Superlativ

Quel est	le	fleuve	**le**	**plus**	**long**	d'Europe?
Quelle est	la	ville	**la**	**plus**	**grande**	du monde?
Quels sont	les	trains	**les**	**plus**	**rapides**	de la France?
Quelles sont	les	montagnes	**les**	**plus**	**hautes**	du monde?

Unregelmäßige Steigerungsformen:

bon, bonne *(gut)*	meilleur, e *(besser)*	le/la meilleur, e *(der/die/das beste)*
mauvais, e *(schlecht)*	pire *(schlechter)*	le/la pire *(der/die/das schlechteste)*

4 Das Adverb
4.1 Die Formen
Die abgeleiteten Adverbien

Adjektiv		Adverb
männlich	weiblich	
fort	forte	fortement
sérieux	sérieuse	sérieusement
terrible	terrible	terriblement
pratique	pratique	pratiquement

Bei Adjektiven, die auf einem **hörbaren Vokal**, aber nicht auf **-e** enden, wird **-ment** an die männliche Form angehängt:

Adjektiv		Adverb
männlich	weiblich	
vrai	vraie	vraiment
absolu	absolue	absolument

Ausnahmen sind:

gai, gaie → gaie**ment**
nouveau, nou**velle** → nou**vellement**
fou, **folle** → fo**llement**

Adjektive, die auf **-ant** oder **-ent** enden, bilden ihr Adverb auf **-amment** und **-emment.**

Adjektiv		**Adverb**
männlich	weiblich	
élé**gant**	élégante	élé**gamment**
évid**ent**	évidente	évid**emment**

Es gibt außerdem unregelmäßige Adverbformen:

précis – précise – **précisément**
gentil – gentille – **gentiment**
bref – brève – **brièvement**
bon – bonne – **bien**
meilleur – meilleure – **mieux**
mauvais – mauvaise – **mal**

4.2   Die Stellung der Adverbien

Die Adverbien des Ortes und der bestimmten Zeit stehen am **Satzanfang** oder am **Satzende.**

Aujourd'hui il fait beau.   *oder:*   Il fait beau **aujourd'hui.**

Die meisten anderen Adverbien stehen direkt **hinter** dem konjugierten Verb.

Philippe regarde **toujours** la télé.

Hier, il a **beaucoup** travaillé.

Aujourd'hui, il ne fait **pratiquement** rien.

Tôt, tard und **ensemble** stehen in zusammengesetzten Zeiten immer **hinter** dem *Participe passé* und bei Infinitivkonstruktionen **hinter** dem Infinitiv.

Nous sommes arrivés **tôt.**

Nous voulons manger **ensemble.**

Adverbien, die sich auf den ganzen Satz beziehen, stehen in der Regel am Anfang oder am Ende des Satzes. Sie werden durch ein Komma vom restlichen Satz getrennt.

Malheureusement, je n'ai pas trouvé l'hôtel.

4.3 Die Steigerung der Adverbien

Positiv	Elle court	**vite**. *(Sie rennt schnell.)*
Kompara-tiv	Elle court	**plus vite que** son mari. *(Sie rennt schneller als ihr Mann.)*
	Elle court	**moins vite que** son mari. *(Sie rennt langsamer als ihr Mann.)*
	Elle court	**aussi vite que** son mari. *(Sie läuft genauso schnell wir ihr Mann.)*
Superlativ	Elle court	**le plus vite de** tous. *(Sie rennt von allen am schnellsten.)*
	Elle court	**le moins vite de** tous. *(Sie rennt von allen am langsamsten.)*

Unregelmäßige Steigerungsformen

bien *(gut)* – mieux *(besser)* – le mieux *(am besten)*
beaucoup *(viel)* – plus *(mehr)* – le plus *(am meisten)*
peu *(wenig)* – moins *(weniger)* – le moins *(am wenigsten)*

5 Die Pronomen

5.1 Die verbundenen Personalpronomen

Singular	1. Person	**je/j'** (vor Vokal und stummem h)	*ich*
	2. Person	**tu**	*du*
	3. Person	**il/elle**	*er/sie*
Plural	1. Person	**nous**	*wir*
	2. Person	**vous**	*ihr, Sie*
	3. Person	**ils** (männlich)/**elles** (weiblich)	*sie*

Der Gebrauch der verbundenen Personalpronomen *il(s), elle(s)*

männlich	weiblich
Monsieur Pasquali est d'où?	**Madame Pasquali** est d'où?
Il est de Montpellier.	**Elle** est aussi de Montpellier.
Le livre est où?	**La clé** est où?
Il est sur la table.	**Elle** est sur la table.
Les garçons sont d'où?	**Les filles** sont d'où?
Ils sont de Lyon.	**Elles** sont de Paris.
Les livres sont où?	**Les clés** sont où?
Ils sont sur la table.	**Elles** sont sur la table.

Les filles et les garçons sont où ? – **Ils** sont dans le jardin.

Die Höflichkeitsform *vous*

Monsieur Noblet, **vous** êtes fatigué?	*Sind Sie müde, Herr Noblet?*
Voulez-**vous** entrer, Madame?	*Wollen Sie eintreten, meine*
	Dame?
Mesdames et Messieurs, voulez-**vous** entrer?	*Meine Damen und Herren*
	wollen Sie eintreten?

5.2   Die unverbundenen Personalpronomen

Die Formen der unverbundenen Personalpronomen

Singular	1. Person	moi	*ich*
	2. Person	toi	*du*
	3. Person	lui/elle	*er/sie*
Plural	1. Person	nous	*wir*
	2. Person	vous	*ihr, Sie*
	3. Person	eux (männlich)/elles (weiblich)	*sie*

Der Gebrauch der unverbundenen Personalpronomen

Die unverbundenen oder betonten Personalpronomen werden verwendet
– nach einer Präposition:

> Est-ce que tu sors **avec moi**, ce soir? – Non, je préfère sortir **sans toi**.

– zur Hervorhebung eines Subjekts:

> Qu'est-ce-que vous faites dans la vie? – **Moi**, je suis pharmacienne.

– allein:

> Qui veut apprendre le français? – **Moi**!

– nach c'est und ce sont:

> Qui est-ce qui a pris les photos? – **C'est lui** qui a pris les photos.

– beim bejahten Imperativ

> Donnez-**moi** le livre, s'il vous plaît.

5.3 Die direkten Objektpronomen

Die Formen der direkten Objektpronomen

Singular	1. Person	me/m'	(vor Vokal und stummem h)	*mich*
	2. Person	te/t'	(vor Vokal und stummem h)	*dich*
	3. Person	le/l'	(vor Vokal und stummem h)	*ihn, es*
		la/l'	(vor Vokal und stummem h)	*sie*
Plural	1. Person	nous		*uns*
	2. Person	vous		*euch, Sie*
	3. Person	les		*sie*

Der Gebrauch der direkten Objektpronomen

Die direkten Objektpronomen ersetzen ein **Akkusativobjekt** und stimmen in Zahl und Geschlecht mit ihm überein:

männlich	weiblich
Est-ce que tu as vu **Jean**?	Est-ce que tu as vu **Brigitte**?
Oui, je **l'**ai vu.	Oui, je **l'**ai vue.
Est-ce que tu as vu **les garçons**?	Est-ce que tu as vu **les filles**?
Oui, je **les** ai vus.	Oui, je **les** ai vues.
Est-ce que Eric lit **ce livre**?	Est-ce que vous lisez **cette revue**?
Oui, il **le** lit.	Non, nous ne **la** lisons pas.
Est-ce que vous lisez **ces livres**?	Est-ce que vous lisez **ces revues**?
Oui, nous **les** lisons.	Non, nous ne **les** lisons pas.

Die Stellung der direkten Objektpronomen

1. Die direkten Objektpronomen stehen **vor dem konjugierten Verb**. Wird der Satz verneint, so umschließt die Verneinung das Objektpronomen und das konjugierte Verb. Steht der Satz im *Passé composé* oder im Plusquamperfekt, dann stehen die Objektpronomen vor dem konjugierten Hilfsverb.

La télé t'intéresse?	– Oui, elle **m'**intéresse.
	– Non, elle ne **m'**intéresse pas.
Est-ce que vous avez acheté les journaux?	– Oui, nous **les** avons achetés.
	– Non, nous ne **les** avons pas achetés.

2. Bei Verben, die einen Infinitiv bei sich haben, steht das direkte Objektpronomen **vor dem Infinitiv**.

Est-ce que tu vas écouter la radio?	– Oui, je vais **l'**écouter.
	– Non, je ne vais pas **l'**écouter.
Est-ce que tu peux ranger ta chambre?	– Oui, je peux **la** ranger.
	– Non, je ne peux pas **la** ranger.

3. Bei Imperativen wird das Objektpronomen **an den bejahten Imperativ** mit Hilfe eines Bindestrichs angehängt.

Maman, est-ce que je peux inviter mes amis? – Oui, invite-**les**.

5.4   Die indirekten Objektpronomen

Die Formen der indirekten Objektpronomen

Singular	1. Person	me/ m'	(vor Vokal und stummem h)	*mir*
	2. Person	te/t'	(vor Vokal und stummem h)	*dir*
	3. Person	lui		*ihm, ihr*
Plural	1. Person	nous		*uns*
	2. Person	vous		*euch, Ihnen*
	3. Person	leur		*ihnen*

Der Gebrauch der indirekten Objektpronomen

Die indirekten Objektpronomen ersetzen Dativobjekte, die in der Zahl mit dem Dativobjekt übereinstimmen.

männlich	weiblich
Tu donnes ton adresse à Jean?	Tu vas répondre à Sandra?
Oui, je **lui** donne mon adresse.	Non, je ne vais pas **lui** répondre.
Vous écrivez à vos amis?	Vous pouvez téléphoner à mes amies?
Oui, nous **leur** écrivons.	Oui, nous pouvons **leur** téléphoner.

Die Stellung der indirekten Objektpronomen

1. Die indirekten Objektpronomen stehen **vor dem konjugierten Verb**. Wird der Satz verneint, so umschließt die Verneinung das Objektpronomen und das konjugierte Verb. Steht der Satz im *Passé composé* oder im Plusquamperfekt, dann steht das Objektpronomen vor dem konjugierten Hilfsverb.

Brigitte, tu téléphones à tes amies?	– Oui, je **leur** téléphone.
	– Non, je ne **leur** téléphone pas.
Est-ce que tu as montré les photos à ton copain?	– Oui, je **lui** ai montré les photos.
	– Non, je ne **lui** ai pas montré les photos.

2. Bei Verben, die einen Infinitiv bei sich haben, steht das indirekte Objektpronomen **vor dem Infinitiv**.

Est-ce que tu vas écrire à ta grand-mère?	– Oui, je vais **lui** écrire.
	– Non, je ne vais pas **lui** écrire.

5.5   Die Reflexivpronomen

Je	**m'**	appelle Annie.
Tu	**t'**	appelles Jean.
Il/Elle	**se**	promène en ville.
Nous	**nous**	lavons les mains.
Vous	**vous**	douchez ce soir.
Ils/Elles	**s'**	habillent.

5.6 Das Adverbialpronomen *en*

Der Gebrauch von *en*

1. *En* ist ein Pronomen, das bestimmte Ergänzungen, meist Mengen, vertritt und in diesem Zusammenhang oft mit *davon* übersetzt wird. Es vertritt

– *des* + Substantiv:

> Est-ce que tu achètes **des fruits?**
> Oui, j'**en** achète.

– den Teilungsartikel + Substantiv:

> Est-ce que tu prends **de la limonade?**
> Oui, j'**en** prends.

– Mengenangabe + Substantiv:

> Tu veux **une bouteille de coca?**
> Oui, j'**en** veux **une.**

– Zahlwort + Substantiv:

> Tu prends **dix pommes?**
> Non, j'**en** prends seulement **six.**

– *un / une* + Substantiv:

> Est-ce que tu prends **une pomme?**
> Oui, j'**en** prends **une.**

2. *En* vertritt auch andere Ergänzungen mit *de.*
In diesen Fällen wird *en* oft mit *davon, darüber, von dort* und *dorther* übersetzt.

> Tu es déjà rentré **du Portugal?** Oui, j'**en** suis rentré hier, mais j'**en** rêve encore.

Folgt jedoch auf die Präposition *de* ein Personensubstantiv, so übernehmen die betonten Personalpronomen seine Vertretung:

> Tu te souviens **d'Annette?** Non, je ne me souviens pas **d'elle.**

Die Stellung von *en*

1. Das Pronomen *en* steht **vor dem konjugierten Verb**. Wird der Satz verneint, so umschließt die Verneinung *en* und das konjugierte Verb. Steht der Satz im *Passé composé* oder im Plusquamperfekt, dann steht *en* vor dem konjugierten Hilfsverb.

Est-ce que tu prends du beurre?	Oui, j'**en** prends.
Est-ce que Martin a acheté du beurre hier?	Oui, il **en** a acheté.
	Non, il n'**en** a pas acheté.

2. Bei Verben, die einen Infinitiv bei sich haben, steht *en* **vor dem Infinitiv.**

> Il me manque du café. Alors je vais **en** acheter tout de suite.

3. Bei Imperativen wird *en* **an den bejahten Imperativ** mit Hilfe eines Bindestrichs ange-hängt.

Est-ce que je peux prendre du fromage? – Oui, prends-**en**.

5.7 Das Adverbialpronomen *y*

Der Gebrauch von *y*

Das Pronomen *y* vertritt

– Ortsbestimmungen, die durch Präpositionen wie *à, dans, en, chez, sur* und *sous* einge-leitet werden:

Est-ce que vous habitez **à Paris**? – Oui, nous **y** habitons.

– Ergänzungen mit à + Sachsubstantiven:

Est-ce que tu penses **à Noël**? – Oui, j'**y** pense toujours.

Die Stellung von *y*

1. Das Pronomen *y* steht **vor dem konjugierten Verb**. Wird der Satz verneint, so um-schließt die Verneinung *y* und das konjugierte Verb. Steht der Satz im *Passé composé* oder im Plusquamperfekt, dann steht *y* vor dem konjugierten Hilfsverb.

Est-ce que vous allez en France?   – Oui, nous **y** allons.
                                              – Non, nous n'**y** allons pas.

2. Bei Verben, die einen Infinitiv bei sich haben, steht *y* **vor dem Infinitiv**.

J'ai oublié mon porte-monnaie à la boulangerie. Alors je vais **y** aller tout de suite.

3. Bei Imperativen wird *y* **an den bejahten Imperativ** mit Hilfe eines Bindestrichs ange-hängt. Bei den Verben auf *-er* sowie bei dem unregelmäßigen Verb *aller* wird an den Im-perativ Singular jedoch ein *-s* angehängt.

Vas-**y**.

5.8 Die Stellung der Pronomen bei mehreren Pronomen im Satz

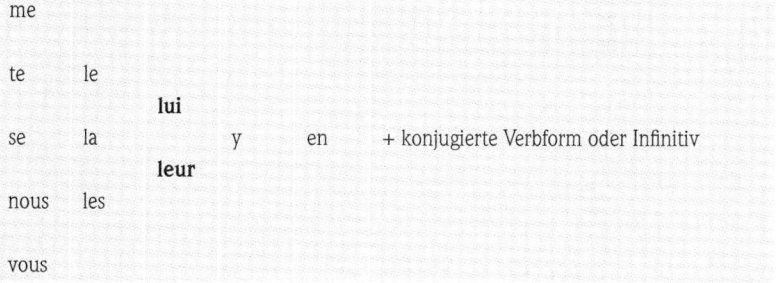

me					
te	le				
		lui			
se	la		y	en	+ konjugierte Verbform oder Infinitiv
		leur			
nous	les				
vous					

Es können bis zu zwei Pronomen vor dem konjugierten Verb oder Infinitiv, wie folgt, stehen:

Maman, est-ce que tu me racontes l'histoire?	Oui, je **te la** raconte tout de suite.
Est-ce que vous lui avez donné le livre?	Non, je ne **le lui** ai pas encore donné.
Est-ce que tu peux nous parler des vacances?	Oui, je vais **vous en** parler tout de suite.
Il y a encore du café?	Oui, il **y en** a encore.

5.9   Die Demonstrativpronomen

Die Formen der Demonstrativpronomen

	vor Konsonant		vor Vokal		vor stummem h	
männlich						
Singular	ce	train	cet	arbre	cet	hôtel
Plural	ces	trains	ces	arbres	ces	hôtels
weiblich						
Singular	cette	ville	cette	information	cette	histoire
Plural	ces	villes	ces	informations	ces	histoires

Der Gebrauch der Demonstrativpronomen

Die Demonstrativpronomen werden benutzt, um auf bestimmte Gegenstände oder Personen hinzuweisen.

Il faut lire **ce** livre.	*Dieses Buch muss man lesen.*

Die Demonstrativpronomen gebraucht man auch in folgenden Wendungen:

ce matin	*heute Morgen*
cet après-midi	*heute Nachmittag*
ce soir	*heute Abend*

5.10 Die Possessivpronomen

Die Formen der Possessivpronomen

	Singular		Plural
	männlich	weiblich	männlich + weiblich
Ein Besitzer			
1. Person	mon frère	ma sœur	mes frères/amis
	mon ami	mon amie	mes sœurs/amies
2. Person	ton frère	ta sœur	tes frères/amis
	ton ami	ton amie	tes sœurs/amies
3. Person	son frère	sa sœur	ses frères/amis
	son ami	son amie	ses sœurs/amies
Mehrere Besitzer			
1. Person	notre frère	notre sœur	nos frères/sœurs
2. Person	votre frère	votre sœur	vos frères/sœurs
3. Person	leur frère	leur sœur	leurs frères/sœurs

Der Gebrauch der Possessivpronomen

Die Possessivpronomen werden verwendet, um ein Besitz- oder ein Zugehörigkeitsverhältnis zum Ausdruck zu bringen.

Sur la table, il y a **mon** livre.	*Auf dem Tisch befindet sich mein Buch.*
Je vais passer les vacances avec **mes** parents.	*Ich werde die Ferien mit meinen Eltern verbringen.*

5.11 Die Indefinitpronomen

5.11.1 *aucun*

Aucun stimmt im Genus mit seinem Bezugselement überein. Es wird in **verneinten** Sätzen von der Negation *ne* begleitet und mit **kein** übersetzt:

Est-ce qu'il y a un problème?	*Gibt es ein Problem?*
Non, nous n'avons **aucun** problème.	*Nein, wir haben kein Problem.*

5.11.2 *certain*

certain als Begleiter des Substantivs

		männlich		weiblich	
Singular	Il y a	**un certain**	problème avec	**une certaine**	personne.
Plural	Il y a	**certains**	problèmes avec	**certaines**	personnes.

Wenn *certain* als Begleiter des Substantivs verwendet wird, so gleicht es sich in Zahl und Geschlecht dem Substantiv an, auf das es sich bezieht. Im Singular steht vor *certain, certaine* der unbestimmte Artikel *un* oder *une*, der im Plural entfällt.

certains als Stellvertreter des Substantivs

Wenn *certains* als Stellvertreter des Substantivs gebraucht wird, ist es unveränderlich. Das Verb wird dann in der 3. Person Plural angeschlossen:

Tous mes amis veulent faire une fête, mais **certains** ne veulent pas m'aider à la préparer.

5.11.3 *chaque, chacun*

Chaque ist unveränderlicher Begleiter des Substantivs:

On a besoin de **chaque** client et de **chaque** cliente.	Wir brauchen jeden Kunden und jede Kundin.

Chacun und *chacune* ersetzen ein Substantiv. Sie werden nur im Singular gebraucht. *Chacun* steht für männliche Substantive. *Chacune* ersetzt weibliche Substantive:

Il dit bonjour à **chacun** et à **chacune**.	*Er sagt jedem und jeder guten Tag.*

5.11.4 Das unpersönliche *on*

On wird in der Umgangssprache häufig für *nous* verwendet und wird mit **wir** übersetzt:

Vous êtes où?	**Nous** sommes ici.	*Wir sind hier.*
	On est ici.	*Wir sind hier.*

On kann auch für das deutsche **man** stehen:

On dit que ...	*Man sagt, dass ...*

5.11.5 *plusieurs*

Plusieurs in der Bedeutung von **mehrere** ist unveränderlich und steht als
– Begleiter des Substantivs:

On a vendu **plusieurs** jupes et pantalons.

– Stellvertreter des Substantivs:

Plusieurs sont bon marché.

5.11.6 *quelqu'un/quelque chose – personne/rien*

Quelqu'un est venu. *(Jemand ist gekommen.)*
Personne n'est venu. *(Niemand ist gekommen.)*

Quelque chose me fait plaisir. *(Etwas macht mir Spaß.)*
Rien ne me fait plaisir. *(Nichts macht mir Spaß.)*

J'ai vu **quelqu'un**. *(Ich habe jemanden gesehen.)*
Je **n'**ai vu **personne**. *(Ich habe niemanden gesehen.)*

J'ai trouvé **quelque chose**. *(Ich habe etwas gefunden.)*
Je **n'**ai **rien** trouvé. *(Ich habe nichts gefunden.)*

5.11.7 *quelque(s)*

Il me faut **quelque** temps pour terminer le livre.
Ich benötige einige Zeit, um das Buch zu beenden.

Je vais acheter **quelques** livres.
Ich werde einige Bücher kaufen.

Plus tard, je vais acheter aussi **quelques** pommes.
Später werde ich auch einige Äpfel kaufen.

5.11.8 *tout*

Die Formen von *tout* als Begleiter des Substantivs

	männlich		weiblich	
Singular	tout	le monde	toute	la France
Plural	tous	les pays	toutes	les capitales

Der Gebrauch von *tout* als Begleiter des Substantivs

Tout + bestimmter Artikel wird gebraucht, um **der/die/das ganze** oder **alle** zum Ausdruck zu bringen.

Das unveränderliche *tout*

Tout ist in der Bedeutung von **alles** unveränderlich:

Est-ce que tu as **tout** mangé?	*Hast du alles gegessen?*

6 Das Verb

6.1 Die Bildung der Verben auf *-er* im Präsens

Die regelmäßigen Verben auf *-er*

parler	je	parl**e**	nous	parl**ons**
	tu	parl**es**	vous	parl**ez**
	il/elle	parl**e**	ils/elles	parl**ent**

Die Verben auf *-er* mit Besonderheiten in der Schreibweise

commencer				**manger**			
je	commence	nous	commen-çons	je	mange	nous	mang**e**ons
tu	commences	vous	commencez	tu	manges	vous	mangez
il/elle	commence	ils/elles	commen-cent	il/elle	mange	ils/elles	mangent

Damit die Aussprache des Stammes immer erhalten bleibt, wird bei den Verben:
– auf **-cer** in der 1. Person Plural **-c-** zu **-ç-**.
– auf **-ger** in der 1. Person Plural **-g-** zu **-ge-**.

Die Verben auf *-ayer, -oyer* und *-uyer*

payer	je	paie/paye	nous	payons
	tu	paies/payes	vous	payez
	il/elle	paie/paye	ils/elles	paient/payent

nettoyer				**essuyer**			
je	nettoie	nous	nettoyons	je	essuie	nous	essuyons
tu	nettoies	vous	nettoyez	tu	essuies	vous	essuyez
il/elle	nettoie	ils/elles	nettoient	il/elle	essuie	ils/elles	essuient

Verben auf -er mit stamm- und endungsbetonten Formen

Bei Verben mit stammbetonten und endungsbetonten Formen sind immer die 1., 2. und 3. Person Singular sowie die 3. Person Plural stammbetont und die 1. und 2. Person Plural endungsbetont.

acheter				jeter			
j'	achète	nous	achetons	je	jette	nous	je t ons
tu	achètes	vous	achetez	tu	jettes	vous	je t ez
il/elle	achète	ils/elles	achètent	il/elle	jette	ils/elles	jettent

préférer	je	préfère	nous	préférons
	tu	préfères	vous	préférez
	il/elle	préfère	ils/elles	préfèrent

6.2 Die Bildung der Verben auf -ir im Präsens

ohne Stammerweiterung				mit Stammerweiterung			
partir				**finir**			
je	pars	nous	partons	je	finis	nous	finissons
tu	pars	vous	partez	tu	finis	vous	finissez
il/elle	part	ils/elles	partent	il/elle	finit	ils/elles	finissent

6.3 Die Bildung der Verben auf -re im Präsens

lire	je	lis	nous	lisons
	tu	lis	vous	lisez
	il/elle	lit	ils/elles	lisent

Die Verben auf -dre im Präsens

attendre	j'	attends	nous	attendons
	tu	attends	vous	attendez
	il/elle	attend	ils/elles	attendent

6.4 Die Bildung der reflexiven Verben

s'habiller			se laver		
je	m'	habille	je	me	lave
tu	t'	habilles	tu	te	laves
il/elle	s'	habille	il/elle	se	lave
nous	nous	habillons	nous	nous	lavons
vous	vous	habillez	vous	vous	lavez
ils/elles	s'	habillent	ils/elles	se	lavent

6.5 Die Bildung des Imperfekts

regarder	je	regardais	nous	regardions
	tu	regardais	vous	regardiez
	il/elle	regardait	ils/elles	regardaient

Das Imperfekt wird gebildet, indem man an den Stamm der 1. Person Plural Präsens die Imperfektendungen *-ais, -ais, -ait, -ions, -iez* und *-aient* anhängt.

Im Imperfekt ist nur *être* unregelmäßig.

Damit die Aussprache des Stammes immer erhalten bleibt, wird bei den Verben:

– auf *-cer* bei *je, tu, il, elle, on, ils* und *elles* -c- zu -ç-.
– auf *-ger* bei *je, tu, il, elle, on, ils* und *elles* -g- zu -ge-.

6.6 Die Bildung des *Passé composé*

6.6.1 Die Formen des *Passé composé* mit *avoir* und *être*

parler	j'	ai	parlé	nous	avons	parlé
	tu	as	parlé	vous	avez	parlé
	il/elle	a	parlé	ils/elles	ont	parlé

arriver	je	suis	arrivé(e)	nous	sommes	arrivé(e)s
	tu	es	arrivé(e)	vous	êtes	arrivé(e)s
	il	est	arrivé	ils	sont	arrivés
	elle	est	arrivée	elles	sont	arrivées
	on	est	arrivé(e)(s)			

Bei der Bildung des *Passé composé* mit **avoir** bleibt das Partizip Perfekt in der Regel unveränderlich.

Wird das *Passé composé* jedoch mit **être** gebildet, so gleicht sich das Partizip Perfekt in Geschlecht und Zahl dem Subjekt des Satzes an. Bezieht sich das Partizip Perfekt auf ein Subjekt, das aus unterschiedlichem Genus besteht, so richtet es sich nach dem Männlichen:

> **Marc et Marie** sont all**és** à la piscine.

6.6.2 Die Bildung des *Passé composé* mit *avoir* oder *être*

Die meisten Verben bilden das *Passé composé* mit **avoir**:

> Hier, Pierre **a** préparé le repas. Puis, il **a** mangé.

Einige wenige Verben bilden das *Passé composé* mit **être**: dazu gehören einige Verben der Bewegungsrichtung oder des Verweilens, z.B. *aller, arriver, entrer, partir, rester, rentrer, tomber, venir und revenir:*

> Hier, je **suis** allé(e) à Paris. Je **suis** arrivé(e) vers dix heures.

Die Verben *naître, devenir, mourir* und *décéder* bilden das *Passé composé* mit *être:*

> Il **est** né en 1960.

Die **reflexiven Verben** bilden das *Passé composé* stets mit *être:*

> Elle s'**est** réveillée. Puis, elle s'**est** levée.

6.6.3 Besonderheiten beim Partizip Perfekt im *Passé composé* mit *avoir*

Geht dem *Passé composé* ein **direktes Objekt** voraus, so wird das Partizip Perfekt in Geschlecht und Zahl dem direkten Objekt angeglichen. Das direkte Objekt kann ein **direktes Objektpronomen**, z.B. *me, te, le, la, nous, vous* oder *les* sein. Es kann aber auch in Form des Relativpronomens *que* vorausgehen:

> Est-ce que vous avez **vu Julie**? Oui, nous l'avons **vue**. C'est **Julie que** nous avons **vue**.

> J'ai acheté **les** livres. Je **les** ai achetés. Ce sont **les** livres que j'ai achetés.

6.7 Die Bildung des Plusquamperfekts

lire			rester		
j'	avais	lu	j'	étais	resté/restée
tu	avais	lu	tu	étais	resté/restée
il			il	était	resté
elle	avait	lu	elle	était	restée
on			on	était	resté(s)/restée(s)
nous	avions	lu	nous	étions	restés/restées
vous	aviez	lu	vous	étiez	restés/restées
ils			ils	étaient	restés
elles	avaient	lu	elles	étaient	restées

6.8 Die Bildung des *Passé simple*

	parler	attendre	choisir	croire
je/j'	parlai	attendis	choisis	crus
tu	parlas	attendis	choisis	crus
il/elle/on	parla	attendit	choisit	crut
nous	parlâmes	attendîmes	choisîmes	crûmes
vous	parlâtes	attendîtes	choisîtes	crûtes
ils/elles	parlèrent	attendirent	choisirent	crurent

6.9 Die Bildung des *Futur composé*

je	vais	aller	nous	allons	rester
tu	vas	chercher	vous	allez	boire
il/elle	va	prendre	ils/elles	vont	faire

6.10 Die Bildung des Futurs I

regarder		attendre		écrire	
je	regarde**rai**	j'	attend**rai**	j'	écri**rai**
tu	regarde**ras**	tu	attend**ras**	tu	écri**ras**
il/elle/on	regarde**ra**	il/elle/on	attend**ra**	il/elle/on	écri**ra**
nous	regarde**rons**	nous	attend**rons**	nous	écri**rons**
vous	regarde**rez**	vous	attend**rez**	vous	écri**rez**
ils/elles	regarde**ront**	ils/elles	attend**ront**	ils/elles	écri**ront**

6.11 Die Bildung des Futurs II

parler			arriver		
j'	**aurai**	parlé	je	serai	arrivé/arrivée
tu	**auras**	parlé	tu	seras	arrivé/arrivée
il			il	sera	arrivé
elle	**aura**	parlé	elle	sera	arrivée
on			on	sera	arrivé(s)/arrivée(s)
nous	**aurons**	parlé	nous	serons	arrivés/arrivées
vous	**aurez**	parlé	vous	serez	arrivés/arrivées
ils			ils	seront	arrivés
elles	**auront**	parlé	elles	seront	arrivées

6.12 Die Bildung des Konditionals I

regarder		attendre		écrire	
je	regarde**rais**	j'	attend**rais**	j'	écri**rais**
tu	regarde**rais**	tu	attend**rais**	tu	écri**rais**
ils/elle/on	regarde**rait**	ils/elle/on	attend**rait**	ils/elle/on	écri**rait**
nous	regarde**rions**	nous	attend**rions**	nous	écri**rions**
vous	regarde**riez**	vous	attend**riez**	vous	écri**riez**
ils/elles	regarde**raient**	ils/elles	attend**raient**	ils/elles	écri**raient**

6.13 Die Bildung des Konditionals II

parler			arriver		
j'	**aurais**	parlé	je	serais	arrivé/arrivée
tu	**aurais**	parlé	tu	serais	arrivé/arrivée
il			il	serait	arrivé
elle	**aurait**	parlé	elle	serait	arrivée
on			on	serait	arrivé(e)(s)
nous	**aurions**	parlé	nous	serions	arrivés/arrivées
vous	**auriez**	parlé	vous	seriez	arrivés/arrivées
ils			ils	seraient	arrivés
elles	**auraient**	parlé	elles	seraient	arrivées

6.14 Die Bildung des Partizips Perfekt

Das Partizip Perfekt der Verben auf *-er* wird gebildet, indem die Endung des Infinitivs, *-er*, durch *-é* ersetzt wird:

parler – parl**é**

Das Partizip Perfekt der Verben auf *-ir* wird gebildet, indem die Endung des Infinitivs, *-ir*, durch *-i* ersetzt wird:

dorm**ir** – dorm**i**
chois**ir** – chois**i**

Das Partizip Perfekt der Verben auf -re wird gebildet, indem die Endung des Infinitivs, *-re,* durch *-u* ersetzt wird:

attend**re** – attend**u**

6.15 Die Bildung des Partizips Präsens

Infinitiv	1. Person Plural Präsens			Partizip Präsens
parler	nous	**parl**	ons	**parlant**
dormir	nous	**dorm**	ons	**dormant**
choisir	nous	**choisiss**	ons	**choisissant**
attendre	nous	**attend**	ons	**attendant**

Es gibt nur ganz wenige unregelmäßige Formen:

avoir – **ayant**
être – **étant**
savoir – **sachant**

6.16 Die Bildung des Gerundiums

Infinitiv	Gerundium	Infinitiv	Gerundium
être	**en étant**	attendre	**en attendant**
avoir	**en ayant**	dormir	**en dormant**
regarder	**en regardant**	finir	**en finissant**

6.17 Die Bildung des Imperativs

Infinitiv	Du-Form	Wir-Form	Sie-Form/Ihr-Form
parler	parle	parlons	parlez
descendre	descends	descendons	descendez
dormir	dors	dormons	dormez
choisir	choisis	choisissons	choisissez
faire	fais	faisons	faites

Der Imperativ verfügt nur über wenige unregelmäßige Formen:

Infinitiv	Du-Form	Wir-Form	Sie-Form/Ihr-Form
avoir	aie	ayons	ayez
être	sois	soyons	soyez
savoir	sache	sachons	sachez

6.18 Die Bildung des *Subjonctif*

Die *Subjonctif*-Endungen

Il veut que j'	attend**e**.	Il veut que nous	attend**ions**.
Il veut que tu	attend**es**.	Il veut que vous	attend**iez**.
Il veut qu'il/elle/on	attend**e**.	Il veut qu'ils/elles	attend**ent**.

Die Ableitung des *Subjonctif*

Infinitiv	3. Person Plural Präsens			*Subjonctif*		
parler	ils	**parl**	ent	que je	**parl**	e
mettre	ils	**mett**	ent	que tu	**mett**	es
partir	ils	**part**	ent	qu'il/elle/on	**part**	e
connaître	ils	**connaiss**	ent	que nous	**connaiss**	ions
plaire	ils	**plais**	ent	que vous	**plais**	iez
vivre	ils	**viv**	ent	qu'ils/elles	**viv**	ent

6.19 Die Bildung des *Subjonctif passé*

		travailler		**sortir**	
Il faut	que j'/je	**aie**	travaillé.	**sois**	sorti/sortie.
	que tu	**aies**	travaillé.	**sois**	sorti/sortie.
	qu'il			**soit**	sorti.
	qu'elle	**ait**	travaillé.	**soit**	sortie.
	qu'on			**soit**	sorti(s)/sortie(s).
	que nous	**ayons**	travaillé.	**soyons**	sortis/sorties.
	que vous	**ayez**	travaillé.	**soyez**	sortis/sorties.
	qu'ils/qu'elles	**aient**	travaillé.	**soient**	sortis/sorties.

6.20 Die Bildung des Passivs

Die Passivformen im Präsens

je	**suis**	interrogé/interrogée	nous	**sommes**	interrogé(e)s
tu	**es**	interrogé/interrogée	vous	**êtes**	interrogé(e)s
il	**est**	interrogé	ils	**sont**	interrogés
elle	**est**	interrogée	elles	**sont**	interrogées
on	**est**	interrogé(s)/interrogée(s)			

Das Passiv in anderen Zeiten und Modi

Il	a été	interrogé.	*Passé composé*	Il		**sera**	interrogé	Futur I
Il	**était**	interrogé.	Imperfekt	Il		**serait**	interrogé.	Konditional I
Il	**fut**	interrogé.	*Passé simple*	Il faut qu'il	**soit**		interrogé.	*Subjonctif*

Die Nennung des Urhebers im Passiv

Der **Urheber** der Handlung wird einfach mit der Präposition *par* als präpositionale Ergänzung angeschlossen:

Il sera interrogé **par** la police.　　　　*Er wird von der Polizei verhört.*

7　Satzarten

7.1　Der Aussagesatz

Adverbiale Bestimmung Zeit/Ort	Subjekt	Prädikat	direktes Objekt	indirektes Objekt	Adverbiale Bestimmung Zeit/Ort
	J'	achète	un livre.		
	Je	donne	un livre	à Jean.	
Hier,	j'	ai donné	un livre	à Jean.	
Hier, à l'école,	j'	ai donné	un livre	à Jean.	
	Il	habite			en France.

7.2　Der Fragesatz

7.2.1　Die Intonationsfrage

Die Intonationsfrage wird im gesprochenen Französisch als Gesamtfrage häufig benutzt. Sie behält die Stellung der Satzglieder des Aussagesatzes bei, wird aber mit steigender Intonation gesprochen:

Luc va au bureau?　　　　*Geht Luc ins Büro?*

7.2.2 Die Frage mit *est-ce que* als Gesamtfrage

Est-ce que	Aussagesatz	
Est-ce que	tu vas au bureau?	*Gehst du ins Büro?*
Est-ce qu'	on va au cinéma ce soir?	*Gehen wir heute Abend ins Kino?*

7.2.3 Die Frage mit Fragepronomen
Die Frage mit *est-ce que* + Fragepronomen

Frage-wort	est-ce que	Subjekt	Prädikat	Objekte	Adverbiale Bestimmungen
Quand	est-ce que	tu	ranges	ta chambre?	
Où	est-ce que	tu	as trouvé	ton sac?	
Pourquoi	est-ce que	vous	étudiez	le français?	
Qu'	est-ce qu'	il	fait		demain?

Die Frage mit nachgestelltem Fragepronomen

Aussagesatz	Fragepronomen
Tu t'appelles	comment?
Tu pars	quand?
Tu arrives	d'où?

7.2.4 Die Frage mit *qui*
Die Frage nach dem Subjekt

Qui habite à Paris?	*Wer wohnt in Paris?*
Qui est-ce qui habite à Paris?	*Wer wohnt in Paris?*

Die Frage nach dem Objekt

A qui est-ce que tu donnes le livre?	*Wem gibst du das Buch?*

Die Frage — nach dem direkten Objekt lautet:

> **Qui est-ce que** vous cherchez?

— nach dem indirekten Objekt lautet:

> **A qui est-ce que** tu penses?

7.2.5 Die Frage mit *que*
Die Frage nach dem Objekt

Que fait Paul?	*Was macht Paul?*

Mit *que* können Sachen erfragt werden. Wenn nach dem direkten Objekt gefragt werden soll, verwendet man *que* oder *qu'est-ce que*:

Qu'est-ce que tu cherches?	*Was suchst du?*
Que cherches-tu?	*Was suchst du?*

Bei der Frage nach dem indirekten Objekt wird *à quoi* verwendet:

A quoi est-ce qu'il pense?	*Woran denkt er?*

7.2.6 Die Inversionsfrage

Die Inversionsfrage wird im gesprochenen Französisch nicht sehr häufig verwendet. Man trifft sie hauptsächlich in schriftlich fixierten Texten an, z. B. in Briefen usw.

Fragewort	Verb + Subjektpronomen	Ergänzungen
Quand	**pars-tu**	en vacances?
Comment	**vas-tu**	en vacances?
Comment	**va-t-il?**	
Où	**habite-t-elle?**	
	Veux-tu	prendre le train?

Bei der Inversionsfrage steht das **Subjektpronomen hinter dem Verb**. Zwischen Verb und Subjekt wird ein **Bindestrich** eingefügt. In der 3. Person Singular bei *il, elle* oder *on* tritt zwischen Verb und Subjektpronomen ein *-t-*, wenn die Verbform auf *-e* oder *-a* endet. Die **Fragewörter** stehen bei Inversionsfragen **vor dem Verb**.

7.3 Der Relativsatz

7.3.1 Der Relativsatz mit *qui*

Das Relativpronomen *qui* leitet einen Relativsatz ein, bei dem *qui* gleichzeitig **Subjekt** des Relativsatzes ist. *Qui* ist unveränderlich und kann sich im Singular und Plural

– auf Personen beziehen:	J'ai **une amie**	**qui**	m'aide toujours.
– auf Sachen beziehen:	J'ai reçu **un livre**	**qui**	me plaît beaucoup.

7.3.2 Der Relativsatz mit *que*

Das Relativpronomen *que* leitet einen Relativsatz ein, bei dem *que* gleichzeitig **direktes Objekt** des Relativsatzes ist. *Que,* das sich vor Vokal und stummem h in *qu'* verwandelt, kann sich im Singular und Plural
– auf Personen beziehen:

J'ai **une amie**	**que**	j'aime beaucoup.

– auf Sachen beziehen:

J'ai reçu **un livre**	**que**	j'aime beaucoup.

7.3.3 Der Relativsatz mit *dont*

Das Relativpronomen *dont* vertritt **Ergänzungen mit *de*** in einem Relativsatz. *Dont* bezieht sich im Singular und Plural
– auf Personen:

C'est Paul	**dont**	Marie est amoureuse.

– auf Sachen:

Il cherche la maison	**dont**	il a besoin.

7.3.4 Der Relativsatz mit *lequel, laquelle, lesquels, lesquelles*

	männlich	weiblich
Singular	**lequel**	**laquelle**
Plural	**lesquels**	**lesquelles**

Der Gebrauch von *lequel* im Relativsatz

Die Relativpronomen *lequel, laquelle, lesquels* und *lesquelles* vertreten in der Regel in einem Relativsatz **Sachen** oder **Personen**, die nach

– Präpositionen stehen:

C'était un hiver	**pendant lequel**	il neigeait
C'était la raison	**pour laquelle**	il y avait beaucoup d'accidents.

– präpositionalen Ausdrücken stehen:

Il a une maison	**à côté de laquelle**	se trouve la gare.

à + lequel	= **auquel**	de + lequel	= **duquel**
à + laquelle	= **à laquelle**	de + laquelle	= **de laquelle**
à + lesquels	= **auxquels**	de + lesquels	= **desquels**
à + lesquelles	= **auxquelles**	de + lesquelles	= **desquelles**

Die Formen *duquel, de laquelle* usw. finden nur dann Verwendung, wenn ihnen eine **Präposition**, z.B. *près de*, vorausgeht. Einfache **Ergänzungen mit *de*** werden im Relativsatz durch *dont* vertreten.

7.3.5 Der Relativsatz mit *où*

Das Relativpronomen *où* vertritt **Ortsbestimmungen** im Relativsatz:

Montpellier est la ville **où** Jean fait ses études.

7.3.6 Der Relativsatz mit *ce qui, ce que*

Die Relativpronomen *ce qui* und *ce que* haben kein direktes Bezugswort:
Ce qui ist Subjekt:

Je sais bien	**ce qui**	m'intéresse.

Ce que ist Objekt:

Je sais bien	**ce que**	Julien a dit.

7.4   Der Bedingungssatz

7.4.1 Der reale Bedingungssatz

Der Gebrauch des realen Bedingungssatzes

Der reale Bedingungssatz wird verwendet, wenn es sich um eine **Bedingung** handelt, die **tatsächlich** erfüllt werden kann:

Si j'ai le temps, je lirai un livre.   *Wenn ich Zeit habe, lese ich ein Buch.*

Die Bildung des realen Bedingungssatzes

Si-Satz im Präsens	Hauptsatz im Futur I /Präsens
Si tu **as** le temps,	nous **ferons** les courses.
S'il **fait** beau,	je **vais** à la piscine.

7.4.2 Der irreale Bedingungssatz

Der Gebrauch des irrealen Bedingungssatzes

Der irreale Bedingungssatz wird verwendet, wenn eine Bedingung der Wirklichkeit nicht entspricht und ihre Erfüllung fraglich oder unmöglich ist:

Si j'étais riche, je ferais le tour du monde.   *Wenn ich reich wäre, würde ich eine Weltreise machen.*

Die Bildung des irrealen Bedingungssatzes

Im *si*-Satz darf **nie** das **Konditional** verwendet werden, sondern nur das **Imperfekt**.

Si-Satz im Imperfekt	Hauptsatz im Konditional
S'il **avait** plus d'argent,	il **achèterait** une maison.
Si je **faisais** le tour du monde,	je **ferais** beaucoup de connaissances.

7.5   Die indirekte Rede

7.5.1 Die Bildung der indirekten Rede/Frage

Die indirekte Rede

Die indirekte Rede wird durch *que* eingeleitet; vor Vokal wird *que* zu *qu'*:

Elle dit	**que**	la jupe est bon marché.
Elle dit	**qu'**	il a raison.

Die indirekte Frage

Die indirekte Frage wird durch
− *si* eingeleitet:

Elle demande	**si**	Luc veut aller au cinéma.

− *s'* vor Vokal eingeleitet:

Elle demande	**s'**	il veut aller au cinéma.

– das entsprechende **Fragewort** eingeleitet:

Paul veut savoir	**où**	son copain travaille.
Elle veut savoir	**pourquoi**	Nicole habite à Lyon.
Il me demande	**quand**	j'ai commencé à travailler.

7.5.2 Die Zeitenfolge in der indirekten Rede/Frage

Die Zeitenfolge in der Gegenwart

Steht das redeeinleitende Verb im **Präsens**, so steht das Verb im Nebensatz, d.h. in der indirekten Rede/Frage, in der gleichen Zeit wie in der direkten Rede/Frage.

Direkte Rede:	Marie dit: «Je **vais partir** en vacances.»
Indirekte Rede:	Marie dit qu'elle **va partir** en vacances.

Die Zeitenfolge in der Vergangenheit

Bei der indirekten Rede in der **Vergangenheit** gilt es einige Besonderheiten im Hinblick auf die Verwendung der Zeiten zu beachten.

1. Zeit in der	– direkten Rede:	Präsens		
	Il a dit:	«Elle	**va**	au cinéma.»
	– indirekten Rede:	Imperfekt		
	Il a dit	qu'elle	**allait**	au cinéma.
2. Zeit in der	– direkten Rede:	Perfekt		
	Il avait dit:	«Elle	**est allée**	au cinéma.»
	– indirekten Rede:	Plusquamperfekt		
	Il avait dit	qu'elle	**était allée**	au cinéma.
3. Zeit in der	– direkten Rede:	Imperfekt		
	Il disait:	«Elle	**allait**	au cinéma.»
	– indirekten Rede:	Imperfekt		
	Il disait	qu'elle	**allait**	au cinéma.
4. Zeit in der	– direkten Rede:	Plusquamperfekt		
	Il a dit:	«Elle	**était allée**	au cinéma.»
	– indirekten Rede:	Plusquamperfekt		
	Il a dit	qu'elle	**était allée**	au cinéma.
5. Zeit in der	– direkten Rede:	Futur I		
	Il disait:	«Elle	**ira**	au cinéma.»
	– indirekten Rede:	Konditional I		
	Il disait	qu'elle	**irait**	au cinéma.
6. Zeit in der	– direkten Rede:	Futur II		
	Il a dit:	«Elle	**sera allée**	au cinéma.»
	– indirekten Rede:	Konditional II		
	Il a dit	qu'elle	**serait allée**	au cinéma.
7. Zeit in der	– direkten Rede:	Konditional I		
	Il disait:	«Elle	**irait**	au cinéma.»
	– indirekten Rede:	Konditional I		
	Il disait	qu'elle	**irait**	au cinéma.

8. Zeit in der	– direkten Rede:	Konditional II		
	Il a dit:	«Elle	**serait allée**	au cinéma.»
	– indirekten Rede:	Konditional II		
	Il a dit	qu'elle	**serait allée**	au cinéma.

Diese Zeitenverschiebung gilt nicht nur in der indirekten Rede/Frage, sondern auch in anderen Nebensätzen:

Präsens	Je crois	que tu	**es**	en vacances.
Imperfekt	Je croyais	que tu	**étais**	en vacances.

Verbes français

La conjugaison des verbes terminés en -**er**, -**ir** et -**re** présente des particularités qui se répètent et qui vont être montrées ci-dessous à l'exemple de 14 verbes qui peuvent servir de référence. Pour des raisons d'économie de place dans la partie dictionnaire, les verbes sont suivis de chiffres indiqués entre chevrons; ces chiffres indiquent le type de conjugaison auquel le verbe se rapporte et renvoie à l'un des verbes de référence indiqués ici. Les verbes qui présentent de nombreuses irrégularités sont annotés dans le dictionnaire du symbole <*irr*>. Vous trouverez ces verbes ordonnés alphabétiquement dans une liste à la suite des 14 verbes exemples.

Französische Verben

Innerhalb der Konjugationsmuster für die Verbendungen -**er**, -**ir** und -**re** gibt es wiederkehrende Besonderheiten, die im folgenden an 14 Musterverben dargestellt werden. Aus Platzgründen wurden die Verben im Wörterbuchteil mit Ziffern in Spitzklammern versehen; diese Ziffern zeigen den Konjugationstyp des betreffenden Verbs an und verweisen auf diese Musterverben hier. Verben, die sehr viele Besonderheiten aufweisen, sind im Wörterbuchteil mit <*irr*> gekennzeichnet. Diese Verben sind im Anschluss an die 14 Musterverben in alphabetischer Reihenfolge aufgeführt.

1 chanter

présent	imparfait	futur simple	passé simple
je chante	je chantais	je chanterai	je chantai
tu chantes	tu chantais	tu chanteras	tu chantas
il/elle chante	il/elle chantait	il/elle chantera	il/elle chanta
nous chantons	nous chantions	nous chanterons	nous chantâmes
vous chantez	vous chantiez	vous chanterez	vous chantâtes
ils/elles chantent	ils/elles chantaient	ils/elles chanteront	il/elles chantèrent

conditionnel présent	subjonctif présent	subjonctif imparfait
je chanterais	que je chante	que je chantasse
tu chanterais	que tu chantes	que tu chantasses
il/elle chanterait	qu'il/elle chante	qu'il/elle chantât
nous chanterions	que nous chantions	que nous chantassions
vous chanteriez	que vous chantiez	que vous chantassiez
ils/elles chanteraient	qu'ils/elles chantent	qu'ils/elles chantassent

participe présent	participe passé	impératif présent	impératif passé
chantant	chanté	chante	aie chanté
		chantons	ayons chanté
		chantez	ayez chanté

2 commencer

présent	imparfait	futur simple	passé simple
je commence	je commençais	je commencerai ...	je commençai
tu commences	tu commençais		tu commenças
il/elle commence	il/elle commençait		il/elle commença
nous commençons	nous commencions		nous commençâmes
vous commencez	vous commenciez		vous commençâtes
ils/elles commencent	ils/elles commençaient		ils/elles commencèrent

conditionnel présent	subjonctif présent	subjonctif imparfait
je commencerais ...	que je commence	que je commençasse
	que tu commences	que tu commençasses
	qu'il/elle commence	qu'il/elle commençât
	que nous commencions	que nous commençassions
	que vous commenciez	que vous commençassiez
	qu'ils/elles commencent	qu'ils/elles commençassent

participe présent	participe passé	impératif présent	impératif passé
commençant	commencé	commence	aie commencé
		commençons	ayons commencé
		commencez	ayez commencé

2a changer

présent	imparfait	futur simple	passé simple
je change	je changeais	je changerai ...	je changeai
tu changes	tu changeais		tu changeas
il/elle change	il/elle changeait		il/elle changea
nous changeons	nous changions		nous changeâmes
vous changez	vous changiez		vous changeâtes
ils/elles changent	ils/elles changeaient		ils/elles changèrent

conditionnel présent	subjonctif présent	subjonctif imparfait
je changerais ...	que je change	que je changeasse
	que tu changes	que tu changeasses
	qu'il/elle change	qu'il/elle changeât
	que nous changions	que nous changeassions
	que vous changiez	que vous changeassiez
	qu'ils/elles changent	qu'ils/elles changeassent

participe présent	participe passé	impératif présent	impératif passé
changeant	changé	change	aie changé
		changeons	ayons changé
		changez	ayez changé

3 rejeter

présent	imparfait	futur simple	passé simple
je rejette	je rejetais …	je rejetterai …	je rejetai …
tu rejettes			
il/elle rejette			
nous rejetons			
vous rejetez			
ils/elles rejettent			

conditionnel présent	subjonctif présent	subjonctif imparfait
je rejetterais …	que je rejette	que je rejetasse …
	que tu rejettes	
	qu'il/elle rejette	
	que nous rejetions	
	que vous rejetiez	
	qu'ils/elles rejettent	

participe présent	participe passé	impératif présent	impératif passé
rejetant	rejeté	rejette	aie rejeté
		rejetons	ayons rejeté
		rejetez	ayez rejeté

4 peler

présent	imparfait	futur simple	passé simple
je pèle	je pelais …	je pèlerai	je pelai …
tu pèles		tu pèleras	
il/elle pèle		il/elle pèlera	
nous pelons		nous pèlerons	
vous pelez		vous pèlerez	
ils/elles pèlent		ils/elles pèleront	

conditionnel présent	subjonctif présent	subjonctif imparfait
je pèlerais	que je pèle	que je pelasse …
tu pèlerais	que tu pèles	
il/elle pèlerait	qu'il/elle pèle	
nous pèlerions	que nous pelions	
vous pèleriez	que vous peliez	
ils/elles pèleraient	qu'ils/elles pèlent	

participe présent	participe passé	impératif présent	impératif passé
pelant	pelé	pèle	aie pelé
		pelons	ayons pelé
		pelez	ayez pelé

5 préférer

présent	imparfait	futur simple	passé simple
je préfère	je préférais ...	je préférerai ...	je préférai ...
tu préfères			
il/elle préfère			
nous préférons			
vous préférez			
ils/elles préfèrent			

conditionnel présent	subjonctif présent	subjonctif imparfait
je préférerais ...	que je préfère	que je préférasse ...
	que tu préfères	
	qu'il/elle préfère	
	que nous préférions	
	que vous préfériez	
	qu'ils/elles préfèrent	

participe présent	participe passé	impératif présent	impératif passé
préférant	préféré	préfère	aie préféré
		préférons	ayons préféré
		préférez	ayez préféré

6 appuyer

présent	imparfait	futur simple	passé simple
j'appuie	j'appuyais ...	j'appuierai ...	j'appuyai ...
tu appuies			
il/elle appuie			
nous appuyons			
vous appuyez			
ils/elles appuient			

conditionnel présent	subjonctif présent	subjonctif imparfait
j'appuierais ...	que j'appuie	que j'appuyasse ...
	que tu appuies	
	qu'il/elle appuie	
	que nous appuyions	
	que vous appuyiez	
	qu'ils/elles appuient	

participe présent	participe passé	impératif présent	impératif passé
appuyant	appuyé	appuie	aie appuyé
		appuyons	ayons appuyé
		appuyez	ayez appuyé

7 essayer

présent	imparfait	futur simple	passé simple
j'essaie/essaye	j'essayais ...	j'essaierai/essayerai	j'essayai ...
tu essaies/essayes		...	
il/elle essaie/essaye			
nous essayons			
vous essayez			
ils/elles essaient/es-sayent			

conditionnel présent	subjonctif présent	subjonctif imparfait
j'essaierais/essayerais ...	que j'essaie/essaye	que j'essayasse ...
	que tu essaies/essayes	
	qu'il/elle essaie/essaye	
	que nous essayions	
	que vous essayiez	
	qu'ils/elles essaient/es-sayent	

participe présent	participe passé	impératif présent	impératif passé
essayant	essayé	essaie/essaye	aie essayé
		essayons	ayons essayé
		essayez	ayez essayé

8 agir

présent	imparfait	futur simple	passé simple
j'agis	j'agissais	j'agirai	j'agis
tu agis	tu agissais	tu agiras	tu agis
il/elle agit	il/elle agissait	il/elle agira	il/elle agit
nous agissons	nous agissions	nous agirons	nous agîmes
vous agissez	vous agissiez	vous agirez	vous agîtes
ils/elles agissent	ils/elles agissaient	ils/elles agiront	ils/elles agirent

conditionnel présent	subjonctif présent	subjonctif imparfait
j'agirais ...	que j'agisse	que j'agisse
	que tu agisses	que tu agisses
	qu'il/elle agisse	qu'il/elle agît
	que nous agissions	que nous agissions
	que vous agissiez	que vous agissiez
	qu'ils/elles agissent	qu'ils/elles agissent

participe présent	participe passé	impératif présent	impératif passé
agissant	agi	agis	aie agi
		agissons	ayons agi
		agissez	ayez agi

9 devenir

présent	imparfait	futur simple	passé simple
je deviens	je devenais ...	je deviendrai	je devins
tu deviens		tu deviendras	tu devins
il/elle devient		il/elle deviendra	il/elle devint
nous devenons		nous deviendrons	nous devînmes
vous devenez		vous deviendrez	vous devîntes
ils/elles deviennent		ils/elles deviendront	ils/elles devinrent

conditionnel présent	subjonctif présent	subjonctif imparfait
je deviendrais ...	que je devienne	que je devinsse
	que tu deviennes	que tu devinsses
	qu'il/elle devienne	qu'il/elle devînt
	que nous devenions	que nous devinssions
	que vous deveniez	que vous devinssiez
	qu'ils/elles deviennent	qu'ils/elles devinssent

participe présent	participe passé	impératif présent	impératif passé
devenant	devenu	deviens	sois devenu
		devenons	soyons devenus
		devenez	soyez devenus

10 sortir

présent	imparfait	futur simple	passé simple
je sors	je sortais ...	je sortirai ...	je sortis...
tu sors			
il/elle sort			
nous sortons			
vous sortez			
ils/elles sortent			

conditionnel présent	subjonctif présent	subjonctif imparfait
je sortirais ...	que je sorte	que je sortisse ...
	que tu sortes	
	qu'il/elle sorte	
	que nous sortions	
	que vous sortiez	
	qu'ils/elles sortent	

participe présent	participe passé	impératif présent	impératif passé
sortant	sorti	sors	sois sorti
		sortons	soyons sortis
		sortez	soyez sortis

11 ouvrir

présent	imparfait	futur simple	passé simple
j'ouvre	j'ouvrais ...	j'ouvrirai ...	j'ouvris ...
tu ouvres			
il/elle ouvre			
nous ouvrons			
vous ouvrez			
ils/elles ouvrent			

conditionnel présent	subjonctif présent	subjonctif imparfait
j'ouvrirais ...	que j'ouvre	que j'ouvrisse ...
	que tu ouvres	
	qu'il/elle ouvre	
	que nous ouvrions	
	que vous ouvriez	
	qu'ils/elles ouvrent	

participe présent	participe passé	impératif présent	impératif passé
ouvrant	ouvert	ouvre	aie ouvert
		ouvrons	ayons ouvert
		ouvrez	ayez ouvert

12 apercevoir

présent	imparfait	futur simple	passé simple
j'aperçois	j'apercevais ...	j'apercevrai ...	j'aperçus
tu aperçois			tu aperçus
il/elle aperçoit			il/elle aperçut
nous apercevons			nous aperçûmes
vous apercevez			vous aperçûtes
ils/elles aperçoivent			ils/elles aperçurent

conditionnel présent	subjonctif présent	subjonctif imparfait
j'apercevrais ...	que j'aperçoive	que j'aperçusse
	que tu aperçoives	que tu aperçusses
	qu'il/elle aperçoive	qu'il/elle aperçût
	que nous apercevions	que nous aperçussions
	que vous aperceviez	que vous aperçussiez
	qu'ils/elles aperçoivent	qu'ils/elles aperçussent

participe présent	participe passé	impératif présent	impératif passé
apercevant	aperçu	aperçois	aie aperçu
		apercevons	ayons aperçu
		apercevez	ayez aperçu

13 comprendre

présent	imparfait	futur simple	passé simple
je comprends	je comprenais	je comprendrai	je compris
tu comprends	tu comprenais	tu comprendras	tu compris
il/elle comprend	il/elle comprenait	il/elle comprendra	il/elle comprit
nous comprenons	nous comprenions	nous comprendrons	nous comprîmes
vous comprenez	vous compreniez	vous comprendrez	vous comprîtes
ils/elles compren-nent	ils/elles compre-naient	ils/elles compren-dront	ils/elles comprirent

conditionnel présent	subjonctif présent	subjonctif imparfait
je comprendrais ...	que je comprenne	que je comprisse
	que tu comprennes	que tu comprisses
	qu'il/elle comprenne	qu'il/elle comprît
	que nous comprenions	que nous comprissions
	que vous compreniez	que vous comprissiez
	qu'ils/elles comprennent	qu'ils/elles comprissent

participe présent	participe passé	impératif présent	impératif passé
comprenant	compris	comprends	aie compris
		comprenons	ayons compris
		comprenez	ayez compris

14 vendre

présent	imparfait	futur simple	passé simple
je vends	je vendais	je vendrai ...	je vendis
tu vends	tu vendais		tu vendis
il/elle vend	il/elle vendait		il/elle vendit
nous vendons	nous vendions		nous vendîmes
vous vendez	vous vendiez		vous vendîtes
ils/elles vendent	ils/elles vendaient		ils/elles vendirent

conditionnel présent	subjonctif présent	subjonctif imparfait
je vendrais ...	que je vende	que je vendisse ...
	que tu vendes	
	qu'il/elle vende	
	que nous vendions	
	que vous vendiez	
	qu'ils/elles vendent	

participe présent	participe passé	impératif présent	impératif passé
vendant	vendu	vends	aie vendu
		vendons	ayons vendu
		vendez	ayez vendu

Französische unregelmäßige Verben – *Verbes français irréguliers*

Infinitif	Présent	Imparfait	Futur	Passé simple	Subjonctif présent	Subjonctif imparfait	Part. présent	Part. passé
abattre *siehe battre*								
absoudre	j'absous nous absolvons ils absolvent	j'absolvais nous absolvions ils absolvaient	j'absoudrai nous absoudrons ils absoudront	j'absous nous absolûmes ils absolurent	que j'absolve que nous absolvions qu'ils absolvent	que j'absolusse que nous absolussions qu'ils absolussent	absolvant	absous, -oute
abstraire *siehe extraire*								
accourir *siehe courir*								
accroître	j'accrois nous accroissons ils accroissent	j'accroissais nous accroissions ils accroissaient	j'accroîtrai nous accroîtrons ils accroîtront	j'accrus nous accrûmes ils accrurent	que j'accroisse que nous accroissions qu'ils accroissent	que j'accrusse que nous accrussions qu'ils accrussent	accroissant	accru, e
accueillir *siehe cueillir*								
acquérir	j'acquiers il acquiert nous acquérons ils acquièrent	j'acquérais il acquérait nous acquérions ils acquéraient	j'acquerrai il acquerra nous acquerrons ils acquerront	j'acquis il acquit nous acquîmes ils acquirent	que j'acquière qu'il acquière que nous acquérions qu'ils acquièrent	que j'acquisse qu'il acquît que nous acquissions qu'ils acquissent	acquérant	acquis, e
admettre *siehe mettre*								
apparaître *siehe paraître*								
assaillir *siehe défaillir*								
aller	je vais tu vas il va nous allons vous allez ils vont	j'allais tu allais il allait nous allions vous alliez ils allaient	j'irai tu iras il ira nous irons vous irez ils iront	allai, e	que j'aille que tu ailles qu'il aille que nous allions que vous alliez qu'ils aillent			
asseoir	j'assieds il assied nous asseyons ils asseyent *o* j'assois il assoit nous assoyons ils assoient	j'asseyais il asseyait nous asseyions ils asseyaient *o* j'assoyais il assoyait nous assoyions ils assoyaient	j'assiérai il assiéra nous assiérons ils assiéront *o* j'assoirai il assoira nous assoirons ils assoiront	j'assis il assit nous assîmes ils assirent	que j'asseye qu'il asseye que nous asseyions qu'ils asseyent *o* que j'assoie qu'il assoie que nous assoyions qu'ils assoient	que j'assisse qu'il assît que nous assissions qu'ils assissent	asseyant *o* assoyant	assis, e
astreindre *siehe peindre*								
attendre *siehe peindre*								
battre	je bats il bat nous battons ils battent	je battais il battait nous battions ils battaient	je battrai il battra nous battrons ils battront	je battis il battit nous battîmes ils battirent	que je batte qu'il batte que nous battions qu'ils battent	que je battisse qu'il battît que nous battissions qu'ils battissent	battant	battu, e

Infinitif	Présent	Imparfait	Futur	Passé simple	Subjonctif présent	Subjonctif imparfait	Part. présent	Part. passé
boire	je bois il boit nous buvons ils boivent	je buvais il buvait nous buvions ils buvaient	je boirai il boira nous boirons ils boiront	je bus il but nous bûmes ils burent	que je boive qu'il boive que nous buvions qu'ils boivent	que je busse qu'il bût que nous bussions qu'ils bussent	buvant	bu, e
bouillir	je bous nous bouillons ils bouillent	je bouillais nous bouillions ils bouillaient	je bouillirai nous bouillirons ils bouilliront	je bouillis nous bouillîmes ils bouillirent	que je bouille que nous bouillions qu'ils bouillent	que je bouillisse que nous bouillissions qu'ils bouillissent	bouillant	bouilli, e
braire *siehe extraire*								
bruire	il bruit *nous/vous fehlt* ils bruissent	il bruissait	*fehlt*	*fehlt*	qu'il bruisse	*fehlt*	bruissant	*fehlt*
ceindre *siehe peindre*								
choir	je chois il choit *nous/vous fehlt* ils choient	*fehlt*	je choirai *o* cherrai ils choiront *o* cherront	je chus il chut nous chûmes ils churent	*fehlt*	*nur:* qu'il chût	*fehlt*	chu, e
circonscrire *siehe écrire*								
clore	je clos il clôt nous closons ils closent	*fehlt*	je clorai il clora nous clorons ils cloront	*fehlt*	que je close qu'il close que nous closions qu'ils closent	*fehlt*	closant	clos, e
comparaître *siehe paraître*							compromettre *siehe mettre*	
conclure	je conclus il conclut nous concluons ils concluent	je concluais nous concluions ils concluaient	je conclurai il conclura nous conclurons ils concluront	je conclus	que je conclue	que je conclusse	concluant	conclu, e
concourir *siehe courir*								
conduire	je conduis nous conduisons ils conduisent	je conduisais nous conduisions ils conduisaient	je conduirai nous conduirons ils conduiront	je conduisis	que je conduise	que je conduisisse	conduisant	conduit, e
connaître *siehe paraître*		conquérir *siehe acquérir*		construire *siehe conduire*		contraindre *siehe craindre*		
contredire *siehe dire*		contrefaire *siehe faire*		convaincre *siehe vaincre*				
corrompre *siehe rompre*								
coudre	je couds il coud nous cousons ils cousent	je cousais il cousait nous cousions ils cousaient	je coudrai il coudra nous coudrons ils coudront	je cousis il cousit nous cousîmes ils cousirent	que je couse qu'il couse que nous cousions qu'ils cousent	que je cousisse qu'il cousît que nous cousissions qu'ils cousissent	cousant	cousu, e

Infinitif	Présent	Imparfait	Futur	Passé simple	Subjonctif présent	Subjonctif imparfait	Part. présent	Part. passé
courir	je cours, il court, nous courons, ils courent	je courais, il courait, nous courions, ils couraient	je courrai, il courra, nous courrons, ils courront	je courus, il courut, nous courûmes, ils coururent	que je coure, qu'il coure, que nous courions, qu'ils courent	que je courusse, qu'il courût, que nous courussions, qu'ils courussent	courant	couru, e
craindre	je crains, il craint, nous craignons, ils craignent	je craignais, il craignait, nous craignions, ils craignaient	je craindrai, il craindra, nous craindrons, ils craindront	je craignis, il craignit, nous craignîmes, ils craignirent	que je craigne, que nous craignions, qu'ils craignent	que je craignisse, que nous craignissions, qu'ils craignissent	craignant	craint, e
croire	je crois, il croit, nous croyons, ils croient	je croyais, il croyait, nous croyions, ils croyaient	je croirai, il croira, nous croirons, ils croiront	je crus, il crut, nous crûmes, ils crurent	que je croie, qu'il croie, que nous croyions, qu'ils croient	que je crusse, qu'il crût, que nous crussions, qu'ils crussent	croyant	cru, e
croître	je croîs, nous croissons, ils croissent	je croissais, nous croissions, ils croissaient	je croîtrai, nous croîtrons, ils croîtront	je crûs, nous crûmes, ils crûrent	que je croisse, que nous croissions, qu'ils croissent	que je crûsse, que nous crûssions, qu'ils crûssent	croissant	crû, crue, cru(e)s
cueillir	je cueille, il cueille, nous cueillons, ils cueillent	je cueillais, il cueillait, nous cueillions, ils cueillaient	je cueillerai, il cueillera, nous cueillerons, ils cueilleront	je cueillis, il cueillit, nous cueillîmes, ils cueillirent	que je cueille, qu'il cueille, que nous cueillions, qu'ils cueillent	que je cueillisse, qu'il cueillît, que nous cueillissions, qu'ils cueillissent	cueillant	cueilli, e
cuire siehe conduire								
		débattre siehe battre						
déchoir	je déchois, nous déchoyons, ils déchoient	*fehlt*	je déchoirai, nous déchoirons, ils déchoiront	je déchus, nous déchûmes, ils déchurent	que je déchoie, que nous déchoyions, qu'ils déchoient	que je déchusse, que nous déchussions, qu'ils déchussent	*fehlt*	déchu, e
découdre siehe coudre	*décroître siehe accroître*	*décrire siehe écrire*			*décroître siehe accroître*	*dédire siehe contredire*	*déduire siehe conduire*	
détailler	je détaille	je détaillais	je détaillirai	je détaillis	que je détaille	que je détaillisse	détaillant	détailli
détaire siehe faire		*démettre siehe mettre*		*dépeindre siehe peindre*	que je détaille	que je détaillisse		
desservir siehe servir		*déteindre siehe peindre*		*détruire siehe conduire*		*déplaire siehe plaire* *dévêtir siehe vêtir*		
				dépendre siehe pendre				
devoir	je dois, il doit, nous devons, ils doivent	je devais, il devait, nous devions, ils devaient	je devrai, il devra, nous devrons, ils devront	je dus, il dut, nous dûmes, ils durent	que je doive, qu'il doive, que nous devions, qu'ils doivent	que je dusse, qu'il dût, que nous dussions, qu'ils dussent	devant	dû, due, du(e)s
dire	je dis, il dit, nous disons, vous dites, ils disent	je disais, nous disions, vous disiez, ils disaient	je dirai, nous dirons, vous direz, ils diront	je dis, nous dîmes, vous dîtes, ils dirent	que je dise, que nous disions, que vous disiez, qu'ils disent	que je disse, qu'il dît, que nous dissions, que vous dissiez, qu'ils dissent	disant	dit, e

Infinitif	Présent	Imparfait	Futur	Passé simple	Subjonctif présent	Subjonctif imparfait	Part. présent	Part. passé
discourir *siehe courir*		**disjoindre** *siehe joindre*		**disparaître** *siehe paraître*		**dissoudre** *siehe absoudre*	**distraire** *siehe extraire*	
dormir	je dors	je dormais	je dormirai	je dormis	que je dorme	que je dormisse	dormant	dormi
	nous dormons	nous dormions	nous dormirons	nous dormîmes	que nous dormions	que nous dormissions		
	ils dorment	ils dormaient	ils dormiront	ils dormirent	qu'ils dorment	qu'ils dormissent		
ébattre *siehe battre*								
échoir	il échoit	il échoyait	il échoira o écherra	il échut	qu'il échoie	qu'il échût	échéant	échu, e
	ils échoient	ils échoyaient	ils échoiront o écherront	ils échurent	qu'ils échoient	qu'ils échussent		
éclore *siehe clore*								
écrire	j'écris	j'écrivais	j'écrirai	j'écrivis	que j'écrive	que j'écrivisse	écrivant	écrit, e
	il écrit	il écrivait	il écrira	il écrivit	qu'il écrive	qu'il écrivît		
	nous écrivons	nous écrivions	nous écrirons	nous écrivîmes	que nous écrivions	que nous écrivissions		
	ils écrivent	ils écrivaient	ils écriront	ils écrivirent	qu'ils écrivent	qu'ils écrivissent		
élire *siehe lire*		**émettre** *siehe mettre*						
émouvoir wie mouvoir, Ausnahme:								ému, e
	empreindre *siehe peindre*	**enclore** *siehe clore*		**encourir** *siehe courir*		**endormir** *siehe dormir*	**enduire** *siehe conduire*	
	enfreindre *siehe peindre*	**enfuir** *siehe fuir*		**enjoindre** *siehe joindre*		**enquérir** *siehe acquérir*	**ensuivre** *siehe suivre*	
	entremettre *siehe mettre*	**entrevoir** *siehe voir*						
envoyer	j'envoie	j'envoyais	j'enverrai	j'envoyai	que j'envoie	que j'envoyasse	envoyant	envoyé, e
	nous envoyons	nous envoyions	nous enverrons	nous envoyâmes	que nous envoyions	que nous envoyassions		
	ils envoient	ils envoyaient	ils enverront	ils envoyèrent	qu'ils envoient	qu'ils envoyassent		
equivaloir *siehe valoir*		**éteindre** *siehe peindre*						
être	je suis	j'étais	je serai	été	que je sois			
	tu es	tu étais	tu seras		que tu sois			
	il est	il était	il sera		qu'il soit			
	nous sommes	nous étions	nous serons		que nous soyons			
	vous êtes	vous étiez	vous serez		que vous soyez			
	ils sont	ils étaient	ils seront		qu'ils soient			
étreindre *siehe peindre*								
exclure	j'exclus	j'excluais	j'exclurai	j'exclus	que j'exclue	que j'exclusse	excluant	exclu, e
	il exclut	il excluait	il exclura	il exclut	qu'il exclue	qu'il exclût		
	nous excluons	nous excluions	nous exclurons	nous exclûmes	que nous excluions	que nous exclussions		
	ils excluent	ils excluaient	ils excluront	ils exclurent	qu'ils excluent	qu'ils exclussent		

Infinitif	Présent	Imparfait	Futur	Passé simple	Subjonctif présent	Subjonctif imparfait	Part. présent	Part. passé
extraire	j'extrais nous extrayons ils extraient	j'extrayais nous extrayions ils extrayaient	j'extrairai nous extrairons ils extrairont	*fehlt*	que j'extraie que nous extrayions qu'ils extraient	*fehlt*	extrayant	extrait, e
faillir	je faillis nous faillissons ils faillissent	je faillissais nous faillissions ils faillissaient *o* je faillais nous faillions ils faillaient	je faillirai nous faillirons ils failliront *o* je faudrai nous faudrons ils faudront	je faillis nous faillîmes ils faillirent	que je faillisse que nous faillissions qu'ils faillissent *o* que je faille que nous faillions qu'ils faillent	que je faillisse que nous faillissions qu'ils faillissent	faillissant *o* faillant	failli
faire	je fais tu fais il fait nous faisons vous faites ils font	je faisais tu faisais il faisait nous faisions vous faisiez ils faisaient	je ferai tu feras il fera nous ferons vous ferez ils feront		que je fasse que tu fasses qu'il fasse que nous fassions que vous fassiez qu'ils fassent			fait, e
falloir	il faut	il fallait	il faudra	il fallut	qu'il faille	qu'il fallût	*fehlt*	fallu

teindre siehe peindre

Infinitif	Présent	Imparfait	Futur	Passé simple	Subjonctif présent	Subjonctif imparfait	Part. présent	Part. passé
frire	je fris nous/vous/ils *fehlt*	*fehlt*	je frirai nous frirons ils friront	*fehlt*	*fehlt*	*fehlt*	*fehlt*	frit, e
fuir	je fuis il fuit nous fuyons ils fuient	je fuyais il fuyait nous fuyions ils fuyaient	je fuirai il fuira nous fuirons ils fuiront	je fuis il fuit nous fuîmes ils fuirent	que je fuie qu'il fuie que nous fuyions qu'ils fuient	que je fuisse qu'il fuît que nous fuissions qu'ils fuissent	fuyant	fui, e

geindre siehe peindre

Infinitif	Présent	Imparfait	Futur	Passé simple	Subjonctif présent	Subjonctif imparfait	Part. présent	Part. passé
gésir	je gis tu gis il gît nous gisons vous gisez ils gisent	je gisais tu gisais il gisait nous gisions vous gisiez ils gisaient						
haïr	je hais il hait nous haïssons ils haïssent	je haïssais il haïssait nous haïssions ils haïssaient	je haïrai il haïra nous haïrons ils haïront	je haïs il haït nous haïmes ils haïrent	que je haïsse qu'il haïsse que nous haïssions qu'ils haïssent	que je haïsse qu'il haït que nous haïssions qu'ils haïssent	haïssant	haï, e

inclure *siehe* conclure **induire** *siehe* conduire **inscrire** *siehe* écrire **instruire** *siehe* conduire

Infinitif	Présent	Imparfait	Futur	Passé simple	Subjonctif présent	Subjonctif imparfait	Part. présent	Part. passé
interdire siehe contredire				*introduire siehe conduire*				
joindre	je joins il joint nous joignons ils joignent	je joignais il joignait nous joignions ils joignaient	je joindrai il joindra nous joindrons ils joindront	je joignis il joignit nous joignîmes ils joignirent	que je joigne qu'il joigne que nous joignions qu'ils joignent	que je joignisse qu'il joignît que nous joignissions qu'ils joignissent	joignant	joint, e
interrompre siehe rompre								
lire	je lis il lit nous lisons ils lisent	je lisais il lisait nous lisions ils lisaient	je lirai il lira nous lirons ils liront	je lus il lut nous lûmes ils lurent	que je lise qu'il lise que nous lisions qu'ils lisent	que je lusse qu'il lût que nous lussions qu'ils lussent	lisant	lu, e
luire siehe nuire	*meconnaitre siehe paraitre*			*medire siehe contredire*				
mettre	je mets il met nous mettons ils mettent	je mettais il mettait nous mettions ils mettaient	je mettrai il mettra nous mettrons ils mettront	je mis il mit nous mîmes ils mirent	que je mette qu'il mette que nous mettions qu'ils mettent	que je misse qu'il mît que nous missions qu'ils missent	mettant	mis, e
moudre	je mouds il moud nous moulons ils moulent	je moulais il moulait nous moulions ils moulaient	je moudrai il moudra nous moudrons ils moudront	je moulus il moulut nous moulûmes ils moulurent	que je moule qu'il moule que nous moulions qu'ils moulent	que je moulusse qu'il moulût que nous moulussions qu'ils moulussent	moulant	moulu, e
mourir	je meurs il meurt nous mourons ils meurent	je mourais il mourait nous mourions ils mouraient	je mourrai il mourra nous mourrons ils mourront	je mourus il mourut nous mourûmes ils moururent	que je meure qu'il meure que nous mourions qu'ils meurent	que je mourusse qu'il mourût que nous mourussions qu'ils mourussent	mourant	mort, e
mouvoir	je meus il meut nous mouvons ils meuvent	je mouvais il mouvait nous mouvions ils mouvaient	je mouvrai il mouvra nous mouvrons ils mouvront	je mus il mut nous mûmes ils murent	que je meuve qu'il meuve que nous mouvions qu'ils meuvent	que je musse qu'il mût que nous mussions qu'ils mussent	mouvant	mu, mue, mu(e)s
naitre	je nais il naît nous naissons ils naissent	je naissais il naissait nous naissions ils naissaient	je naîtrai il naîtra nous naîtrons ils naîtront	je naquis il naquit nous naquîmes ils naquirent	que je naisse qu'il naisse que nous naissions qu'ils naissent	que je naquisse qu'il naquît que nous naquissions qu'ils naquissent	naissant	ne, e
nuire	je nuis nous nuisons ils nuisent	je nuisais nous nuisions ils nuisaient	je nuirai nous nuirons ils nuiront	je nuisis nous nuisîmes ils nuisirent	que je nuise que nous nuisions qu'ils nuisent	que je nuisisse que nous nuisissions qu'ils nuisissent	nuisant	nui
occire nur Infinitiv und Particip passe und zusammengesetzte Zeiten								occis, e
oindre siehe joindre	*omettre siehe mettre*							

Infinitif	Présent	Imparfait	Futur	Passé simple	Subjonctif présent	Subjonctif imparfait	Part. présent	Part. passé
ouïr	j'ouïs nous ouïssons o j'ois nous oyons ils oient	j'ouïssais nous ouïssions o j'oyais nous oyions ils oyaient	j'ouïrai nous ouïrons o j'orrai nous orrons ils orront	j'ouïs nous ouïmes ils ouïrent	que j'ouïsse que nous ouïssions qu'ils ouïssent o que j'oie que nous oyions qu'ils oient	que j'ouïsse que nous ouïssions qu'ils ouïssent	oyant	ouï, e
paître *siehe paraître*								
paraître	je parais il paraît nous paraissons ils paraissent	je paraissais il paraissait nous paraissions ils paraissaient	je paraîtrai il paraîtra nous paraîtrons ils paraîtront	je parus il parut nous parûmes ils parurent	que je paraisse qu'il paraisse que nous paraissions qu'ils paraissent	que je parusse qu'il parût que nous parussions qu'ils parussent	paraissant	paru, e
parcourir *siehe courir*								
partare *siehe faire*								
peindre	je peins nous peignons il peint	je peignais nous peignions ils peignaient	je peindrai nous peindrons ils peindront	je peignis nous peignîmes ils peignirent	que je peigne que nous peignions qu'ils peignent	que je peignisse que nous peignissions qu'ils peignissent	peignant	peint, e
permettre *siehe mettre*								
plaindre	je plains il plaint nous plaignons ils plaignent	je plaignais il plaignait nous plaignions ils plaignaient	je plaindrai il plaindra nous plaindrons ils plaindront	je plaignis il plaignit nous plaignîmes ils plaignirent	que je plaigne qu'il plaigne que nous plaignions qu'ils plaignent	que je plaignisse qu'il plaignît que nous plaignissions qu'ils plaignissent	plaignant	plaint, e
plaire	je plais il plaît	je plaisais il plaisait	je plairai il plaira	je plus il plut	que je plaise qu'il plaise	que je plusse qu'il plût	plaisant	plu
pleuvoir *fig*	il pleut ils pleuvent	il pleuvait ils pleuvaient	il pleuvra ils pleuvront	il plut ils plurent	qu'il pleuve qu'ils pleuvent	qu'il plût qu'ils plussent	pleuvant	plu
poursuivre *siehe suivre*								
pourvoir	je pourvois il pourvoit nous pourvoyons ils pourvoient	je pourvoyais il pourvoyait nous pourvoyions ils pourvoyaient	je pourvoirai il pourvoira nous pourvoirons ils pourvoiront	je pourvus il pourvut nous pourvûmes ils pourvurent	que je pourvoie qu'il pourvoie que nous pourvoyions qu'ils pourvoient	que je pourvusse qu'il pourvût que nous pourvussions qu'ils pourvussent	pourvoyant	pourvu, e
pouvoir	je peux il peut nous pouvons ils peuvent	je pouvais il pouvait nous pouvions ils pouvaient	je pourrai il pourra nous pourrons ils pourront	je pus il put nous pûmes ils purent	que je puisse qu'il puisse que nous puissions qu'ils puissent	que je pusse qu'il pût que nous pussions qu'ils pussent	pouvant	pu

Infinitif	Présent	Imparfait	Futur	Passé simple	Subjonctif présent	Subjonctif imparfait	Part. présent	Part. passé
prédire	je prédis	je prédisais	je prédirai	je prédis	que je prédise	que je prédisse	prédisant	prédit, e
	il prédit	il prédisait	il prédira	il prédit	qu'il prédise	qu'il prédît		
	nous prédisons	nous prédisions	nous prédirons	nous prédîmes	que nous prédisions	que nous prédissions		
prescrire *siehe écrire*								
prévaloir *wie valoir, Ausnahme:*					que je prévale			
prévoir *wie voir, Ausnahme:*			je prévoirai					
produire *siehe conduire*		**promettre** *siehe mettre*						
promouvoir *wie mouvoir, Ausnahme:*								promu, e
proscrire *siehe écrire*								
réapparaître *siehe paraître*		**rabattre** *siehe battre*		**rasseoir** *siehe asseoir*		**readmettre** *siehe mettre*		
reconquérir *siehe acquérir*		**recomparaître** *siehe paraître*		**reconduire** *siehe conduire*		**reconnaître** *siehe paraître*		
récrire *siehe écrire*		**reconstruire** *siehe conduire*		**recoudre** *siehe coudre*		**recourir** *siehe courir*		
redire *siehe dire*		**recueillir** *siehe cueillir*		**recuire** *siehe conduire*		**redéfaire** *siehe faire*		
réélire *siehe lire*		**redormir** *siehe dormir*		**réduire** *siehe conduire*		**réécrire** *siehe écrire*		
relire *siehe lire*		**réinscrire** *siehe écrire*		**réintroduire** *siehe conduire*		**rejoindre** *siehe joindre*		
rendormir *siehe dormir*		**reluire** *siehe nuire*		**remettre** *siehe mettre*		**renaître** *siehe naître*		
requérir *siehe acquérir*		**reparaître** *siehe paraître*		**repeindre** *siehe peindre*		**reproduire** *siehe conduire*		
résoudre	je résous	je résolvais	je résoudrai	je résolus	que je résolve	que je résolusse	résolvant	résolu, e
	il résout	il résolvait	il résoudra	il résolut	qu'il résolve	qu'il résolût		
	nous résolvons	nous résolvions	nous résoudrons	nous résolûmes	que nous résolvions	que nous résolussions		
	ils résolvent	ils résolvaient	ils résoudront	ils résolurent	qu'ils résolvent	qu'ils résolussent		
restreindre *siehe peindre*		**retraduire** *siehe traduire*		**retranscrire** *siehe écrire*		**retransmettre** *siehe mettre*		
revaloir *siehe valoir*		**revêtir** *siehe vêtir*		**revivre** *siehe vivre*		**revoir** *siehe voir*		
revouloir *siehe vouloir*								
rire	je ris	je riais	je rirai	je ris	que je rie	que je risse	riant	ri
	il rit	il riait	il rira	il rit	qu'il rie	qu'il rît		
	nous rions	nous riions	nous rirons	nous rîmes	que nous riions	que nous rissions		
	ils rient	ils riaient	ils riront	ils rirent	qu'ils rient	qu'ils rissent		

Infinitif	Présent	Imparfait	Futur	Passé simple	Subjonctif présent	Subjonctif imparfait	Part. présent	Part. passé
rompre	je romps il rompt nous rompons ils rompent	je rompais il rompait nous rompions ils rompaient	je romprai il rompra nous romprons ils rompront	je rompis il rompit nous rompîmes ils rompirent	que je rompe qu'il rompe que nous rompions qu'ils rompent	que je rompisse qu'il rompît que nous rompissions qu'ils rompissent	rompant	rompu, e
saillir = être en saillie	il saille ils saillent	il saillait ils saillaient	il saillera ils sailleront	il saillit ils saillirent	qu'il saille qu'ils saillent	qu'il saillît qu'ils saillissent	saillant	sailli, e
satisfaire *siehe faire*								
savoir	je sais il sait nous savons ils savent	je savais il savait nous savions ils savaient	je saurai il saura nous saurons ils sauront	je sus il sut nous sûmes ils surent	que je sache qu'il sache que nous sachions qu'ils sachent	que je susse qu'il sût que nous sussions qu'ils sussent	sachant	su, e
secourir *siehe courir*								
séduire *siehe conduire*								
seoir	il sied ils siéent	il seyait ils seyaient	il siéra ils siéront	*fehlt*	qu'il siée qu'ils siéent	*fehlt*	seyant	*fehlt*
servir	je sers il sert nous servons ils servent	je servais il servait nous servions ils servaient	je servirai il servira nous servirons ils serviront	je servis il servit nous servîmes ils servirent	que je serve qu'il serve que nous servions qu'ils servent	que je servisse qu'il servît que nous servissions qu'ils servissent	servant	servi, e
sourire *siehe rire*								
souscrire *siehe écrire*								
soustraire *siehe extraire*								
suffire	je suffis nous suffisons ils suffisent	je suffisais nous suffisions ils suffisaient	je suffirai nous suffirons ils suffiront	je suffis nous suffîmes ils suffirent	que je suffise que nous suffisions qu'ils suffisent	que je suffisse que nous suffissions qu'ils suffissent	suffisant	suffi
suivre	je suis il suit nous suivons ils suivent	je suivais il suivait nous suivions ils suivaient	je suivrai il suivra nous suivrons ils suivront	je suivis il suivit nous suivîmes ils suivirent	que je suive qu'il suive que nous suivions qu'ils suivent	que je suivisse qu'il suivît que nous suivissions qu'ils suivissent	suivant	suivi, e
surseoir	je sursois nous sursoyons ils sursoient	je sursoyais nous sursoyions ils sursoyaient	je surseoirai nous surseoirons ils surseoiront	je sursis nous sursîmes ils sursirent	que je sursoie que nous sursoyions qu'ils sursoient	que je sursisse que nous sursissions qu'ils sursissent	sursoyant	sursis, e
survivre *siehe vivre*								
taire	je tais il tait nous taisons ils taisent	je taisais il taisait nous taisions ils taisaient	je tairai il taira nous tairons ils tairont	je tus il tut nous tûmes ils turent	que je taise qu'il taise que nous taisions qu'ils taisent	que je tusse qu'il tût que nous tussions qu'ils tussent	taisant	tu, e

Infinitif	Présent	Imparfait	Futur	Passé simple	Subjonctif présent	Subjonctif imparfait	Part. présent	Part. passé
teindre	je teins	je teignais	je teindrai	je teignis	que je teigne	que je teignisse	teignant	teint, e
	il teint	il teignait	il teindra	il teignit	qu'il teigne	qu'il teignît		
	nous teignons	nous teignions	nous teindrons	nous teignîmes	que nous teignions	que nous teignissions		
	ils teignent	ils teignaient	ils teindront	ils teignirent	qu'ils teignent	qu'ils teignissent		
traduire	je traduis	je traduisais	je traduirai	je traduisis	que je traduise	que je traduisisse	traduisant	traduit, e
	il traduit	il traduisait	il traduira	il traduisit	qu'il traduise	qu'il traduisît		
	nous traduisons	nous traduisions	nous traduirons	nous traduisîmes	que nous traduisions	que nous traduisissions		
	ils traduisent	ils traduisaient	ils traduiront	ils traduisirent	qu'ils traduisent	qu'ils traduisissent		
traire	je trais	je trayais	je trairai	*fehlt*	que je traie	*fehlt*	trayant	trait, e
	il trait	il trayait	il traira		qu'il traie			
	nous trayons	nous trayions	nous trairons		que nous trayions			
	ils traient	ils trayaient	ils trairont		qu'ils traient			
transcrire *siehe écrire*								
transmettre *siehe mettre*								
transparaitre *siehe paraitre*								
vaincre	je vaincs	je vainquais	je vaincrai	je vainquis	que je vainque	que je vainquisse	vainquant	vaincu, e
	il vainc	il vainquait	il vaincra	il vainquit	qu'il vainque	qu'il vainquît		
	nous vainquons	nous vainquions	nous vaincrons	nous vainquîmes	que nous vainquions	que nous vainquissions		
	ils vainquent	ils vainquaient	ils vaincront	ils vainquirent	qu'ils vainquent	qu'ils vainquissent		
valoir	je vaux	je valais	je vaudrai	je valus	que je vaille	que je valusse	valant	valu, e
	il vaut	il valait	il vaudra	il valut	qu'il vaille	qu'il valût		
	nous valons	nous valions	nous vaudrons	nous valûmes	que nous valions	que nous valussions		
	ils valent	ils valaient	ils vaudront	ils valurent	qu'ils vaillent	qu'ils valussent		
vetir	je vets	je vetais	je vetirai	je vetis	que je vete	que je vetisse	vetant	vetu, e
	il vet	il vetait	il vetira	il vetit	qu'il vete	qu'il vetît		
	nous vetons	nous vetions	nous vetirons	nous vetîmes	que nous vetions	que nous vetissions		
	ils vetent	ils vetaient	ils vetiront	ils vetirent	qu'ils vetent	qu'ils vetissent		
vivre	je vis	je vivais	je vivrai	je vécus	que je vive	que je vécusse	vivant	vécu, e
	il vit	il vivait	il vivra	il vécut	qu'il vive	qu'il vécût		
	nous vivons	nous vivions	nous vivrons	nous vécûmes	que nous vivions	que nous vécussions		
	ils vivent	ils vivaient	ils vivront	ils vécurent	qu'ils vivent	qu'ils vécussent		
voir	je vois	je voyais	je verrai	je vis	que je voie	que je visse	voyant	vu, e
	il voit	il voyait	il verra	il vit	qu'il voie	qu'il vît		
	nous voyons	nous voyions	nous verrons	nous vîmes	que nous voyions	que nous vissions		
	ils voient	ils voyaient	ils verront	ils virent	qu'ils voient	qu'ils vissent		
vouloir	je veux	je voulais	je voudrai	je voulus	que je veuille	que je voulusse	voulant	voulu, e
	il veut	il voulait	il voudra	il voulut	qu'il veuille	qu'il voulût		
	nous voulons	nous voulions	nous voudrons	nous voulûmes	que nous voulions	que nous voulussions		
	ils veulent	ils voulaient	ils voudront	ils voulurent	qu'ils veuillent	qu'ils voulussent		
tressaillir *siehe défaillir*								

Deutsche Kurzgrammatik
Précis de grammaire allemande

L'article

Un substantif allemand peut être **masculin**, **féminin** ou **neutre**.
C'est grâce aux articles suivants *(der, die* ou *das)* que l'on reconnaît le **genre** du substantif.

	article défini				article indéfini			
	m	f	nt	pl	m	f	nt	pl
nom.	der	die	das	die	ein	eine	ein	*il n'existe pas de*
acc.	den	die	das	die	einen	eine	ein	*forme du pluriel*
gén.	des	der	des	der	eines	einer	eines	*en allemand*
datif	dem	der	dem	den	einem	einer	einem	

Le substantif

Il existe en allemand trois types de déclinaison du substantif: la déclinaison faible, la déclinaison forte et la déclinaison mixte (voir aussi la déclinaison des adjectifs).

On reconnaît les substantifs forts à leur terminaison en *–s, –sch, –ß* et *–z*. Ils prennent au
génitif singulier la terminaison *–es*.

> Hals – Halses, Busch – Busches, Fuß – Fußes, Reiz – Reizes

De plus, en ce qui concerne les substantifs qui se terminent en *–ß, ce –ß* est remplacé par
–ss lorsqu'il est précédé d'une voyelle brève. (Ce cas ne se donne que dans l'ancienne orthographe.)

> der Kuß – des Kusses – die Küsse.

1. Déclinaison forte: masculin et neutre

	pluriel en ~e	pluriel en ̈e	pluriel en ~er	pluriel en ̈er
singulier				
nominatif	der Tag	der Traum	das Kind	das Dach
accusatif	den Tag	den Traum	das Kind	das Dach
génitif	des Tag(e)s	des Traum(e)s	des Kind(e)s	des Dach(e)s
datif	dem Tag(e)	dem Traum(e)	dem Kind(e)	dem Dach(e)
pluriel				
nominatif	die Tage	die Träume	die Kinder	die Dächer
accusatif	die Tage	die Träume	die Kinder	die Dächer
génitif	der Tage	der Träume	der Kinder	der Dächer
datif	den Tagen	den Träumen	den Kindern	den Dächern

	pluriel en ~s	pluriel sans terminaison ̈	pluriel sans terminaison	pluriel sans terminaison
singulier				
nominatif	das Auto	der Vogel	der Tischler	der Lappen
accusatif	das Auto	den Vogel	den Tischler	den Lappen
génitif	des Autos	des Vogels	des Tischlers	des Lappens
datif	dem Auto	dem Vogel	dem Tischler	dem Lappen
pluriel				
nominatif	die Autos	die Vögel	die Tischler	die Lappen
accusatif	die Autos	die Vögel	die Tischler	die Lappen
génitif	der Autos	der Vögel	der Tischler	der Lappen
datif	den Autos	den Vögeln	den Tischlern	den Lappen

2. Déclinaison forte: féminin

	pluriel en ̈e	pluriel sans terminaison ̈	pluriel en ~s
singulier			
nominatif	die Wand	die Mutter	die Bar
accusatif	die Wand	die Mutter	die Bar
génitif	der Wand	der Mutter	der Bar
datif	der Wand	der Mutter	der Bar
pluriel			
nominatif	die Wände	die Mütter	die Bars
accusatif	die Wände	die Mütter	die Bars
génitif	der Wände	der Mütter	der Bars
datif	den Wänden	den Müttern	den Bars

3. Déclinaison faible: masculin

	pluriel en ~n	pluriel en ~en	pluriel en ~n
singulier			
nominatif	der Bauer	der Bär	der Hase
accusatif	den Bauern	den Bären	den Hasen
génitif	des Bauern	des Bären	des Hasen
datif	dem Bauern	dem Bären	dem Hasen

pluriel

nominatif	die Bauern	die Bären	die Hasen
accusatif	die Bauern	die Bären	die Hasen
génitif	der Bauern	der Bären	der Hasen
datif	den Bauern	den Bären	den Hasen

4. Déclinaison faible: féminin

	pluriel en ~en	pluriel en ~n	pluriel en ~n	pluriel en ~nen
singulier				
nominatif	die Uhr	die Feder	die Gabe	die Ärztin
accusatif	die Uhr	die Feder	die Gabe	die Ärztin
génitif	der Uhr	der Feder	der Gabe	der Ärztin
datif	der Uhr	der Feder	der Gabe	der Ärztin
pluriel				
nominatif	die Uhren	die Federn	die Gaben	die Ärztinnen
accusatif	die Uhren	die Federn	die Gaben	die Ärztinnen
génitif	der Uhren	der Federn	der Gaben	der Ärztinnen
datif	den Uhren	den Federn	den Gaben	den Ärztinnen

5. Déclinaison mixte: masculin et féminin

Ils se déclinent au singulier comme des substantifs *forts*, au pluriel comme des substantifs *faibles*.

	pluriel en ~n	pluriel en ~en	pluriel en ~n	pluriel en ~en
singulier				
nominatif	das Auge	das Ohr	der Name	das Herz
accusatif	das Auge	das Ohr	den Namen	das Herz
génitif	des Auges	des Ohr(e)s	des Namens	des Herzens
datif	dem Auge	dem Ohr(e)	dem Namen	dem Herzen
pluriel				
nominatif	die Augen	die Ohren	die Namen	die Herzen
accusatif	die Augen	die Ohren	die Namen	die Herzen
génitif	der Augen	der Ohren	der Namen	der Herzen
datif	den Augen	den Ohren	den Namen	den Herzen

6. Déclinaison des adjectifs substantivés

masculin

singulier

nominatif	der Reisende	ein Reisender
accusatif	den Reisenden	einen Reisenden
génitif	des Reisenden	eines Reisenden
datif	dem Reisenden	einem Reisenden

pluriel

nominatif	die Reisenden	Reisende
accusatif	die Reisenden	Reisende
génitif	der Reisenden	Reisender
datif	den Reisenden	Reisenden

féminin

singulier

nominatif	die Reisende	eine Reisende
accusatif	die Reisende	eine Reisende
génitif	der Reisenden	einer Reisenden
datif	der Reisenden	einer Reisenden

pluriel

nominatif	die Reisenden	Reisende
accusatif	die Reisenden	Reisende
génitif	der Reisenden	Reisender
datif	den Reisenden	Reisenden

neutre

singulier

nominatif	das Neugeborene	ein Neugeborenes
accusatif	das Neugeborene	ein Neugeborenes
génitif	des Neugeborenen	eines Neugeborenen
datif	dem Neugeborenen	einem Neugeborenen

pluriel

nominatif	die Neugeborenen	Neugeborene
accusatif	die Neugeborenen	Neugeborene
génitif	der Neugeborenen	Neugeborener
datif	den Neugeborenen	Neugeborenen

7. Déclinaison des noms propres

Les noms propres forment leur forme génitive selon les règles suivantes:

nom propre avec article	nom propre sans article	nom propre qui se termine en -s, -ß, -x, -z	plusieurs noms propres qui se suivent	nom propre avec apposition
est invariable	prend un -s	prend une apostrophe	le dernier nom prend un -s	est décliné comme un substantif
des Aristoteles	Marias Auto	Aristoteles' (Schriften)	Johann Sebastian Bachs (Musik)	**nominatif** Karl der Große **accusatif**
des (schönen) Berlin	die Straßen Berlins	die Straßen Calais'		Karl den Großen **génitif** Karls des Großen **datif** Karl dem Großen

Les noms de famille prennent un -s au pluriel:

> die Schneider**s**.

S'ils se terminent par –s, –ß, –x ou –z, ils peuvent avoir un pluriel en –ens:

> die Schmitz**ens**.

Les noms propres de rues, d'édifices, d'entreprises, de bateaux, de journaux et d'organisations sont toujours déclinés.

Les adjectifs

Lorsqu'un adjectif se situe devant un substantif, il s'accorde en **genre**, en **cas** et en **nombre** à ce substantif. Ainsi l'adjectif est décliné. Et comme pour le substantif, l'adjectif connaît une déclinaison *forte*, une déclinaison *faible* et une déclinaison *mixte*.

1. La déclinaison forte

– lorsque l'adjectif est relié à un substantif sans article,
– lorsque l'adjectif est précédé d'un mot qui ne donne aucune indication de genre:

> mehrere liebe Kinder, manch guter Wein

– après des nombres cardinaux et *ein paar, ein bisschen:*

> Sie hörte zwei laute Schritte.
> Wir machen eine Reise mit ein paar guten Freunden.
> Mit einem bisschen guten Willen schaffst du das.

	m	f	nt
singulier			
nominatif	guter Wein	schöne Frau	liebes Kind
accusatif	guten Wein	schöne Frau	liebes Kind
génitif	guten Wein(e)s	schönen Frau	lieben Kindes
datif	gutem Wein(e)	schönen Frau	liebem Kind(e)

pluriel

nominatif	gute Weine	schöne Frauen	liebe Kinder
accusatif	gute Weine	schöne Frauen	liebe Kinder
génitif	guter Weine	schöner Frauen	lieber Kinder
datif	guten Weinen	schönen Frauen	lieben Kindern

2. La forme faible

– est appliquée lorsque l'adjectif est relié au substantif avec l'article défini *der, die, das,*
– avec des pronoms qui donnent une indication de genre du substantif, p.ex. *diese(r), folgende(r), jede(r), welche(r, s).*

	m	f	nt

singulier

	m	f	nt
nominatif	der gute Wein	die schöne Frau	das liebe Kind
accusatif	den guten Wein	die schöne Frau	das liebe Kind
génitif	des guten Wein(e)s	der schönen Frau	des lieben Kindes
datif	dem guten Wein	der schönen Frau	dem lieben Kind

pluriel

	m	f	nt
nominatif	die guten Weine	die schönen Frauen	die lieben Kinder
accusatif	die guten Weine	die schönen Frauen	die lieben Kinder
génitif	der guten Weine	der schönen Frauen	der lieben Kinder
datif	den guten Weinen	den schönen Frauen	den lieben Kindern

3. La forme mixte

– est appliquée lorsque l'adjectif est relié à un substantif avec l'article indéfini *ein, kein* (au singulier pour les substantifs masculins et neutres),
– avec les pronoms possessifs *mein, dein, sein, unser, euer, ihr.*

	m	nt

singulier

	m	nt
nominatif	ein guter Wein	ein liebes Kind
accusatif	einen guten Wein	ein liebes Kind
génitif	eines guten Wein(e)s	eines lieben Kindes
datif	einem guten Wein(e)	einem lieben Kind

4. Les adjectifs en -*abel, -ibel, -el*

Déclinés, ces adjectifs perdent le –*e* de la syllabe finale.

	miserabel	penibel	heikel

singulier

	miserabel	penibel	heikel
nominatif	ein miserabler Stil	eine penible Frau	ein heikles Problem
accusatif	einen miserablen Stil	eine penible Frau	ein heikles Problem
génitif	eines miserablen Stils	einer peniblen Frau	eines heiklen Problems
datif	einem miserablen Stil	einer peniblen Frau	einem heiklen Problem

pluriel

nominatif	miserable Stile	penible Frauen	heikle Probleme
accusatif	miserable Stile	penible Frauen	heikle Probleme
génitif	miserabler Stile	penibler Frauen	heikler Probleme
datif	miserablen Stilen	peniblen Frauen	heiklen Problemen

5. Les adjectifs en *-er, -en*

En règle générale, déclinés, ces adjectifs conservent le *-e* de la syllabe finale, sauf dans le style littéraire:

finster	seine finstren Züge

L'exception concerne aussi les adjectifs d'origine étrangère:

makaber	eine makabre Geschichte
integer	ein integrer Beamter

6. Les adjectifs en *-auer, -euer*

En règle générale, déclinés, ils perdent le *-e* de la syllabe finale:

teuer	ein teures Geschenk
sauer	saure Gurken

7. Les adjectifs en *-ß*

– après une voyelle brève le *ß* se transforme en *ss* (Ce cas on ne le trouve que dans l'ancienne orthographe):

kraß	ein krasser Fehler
naß	eine nasse Hose

– après une voyelle longue le *ß* reste:

groß	mein großer Bruder
bloß	eine bloße Freundschaft

8. Les degrés de l'adjectif

Les qualités peuvent être soumises à des comparaisons. On distingue alors trois formes ou trois degrés de comparaison:

	m	**f**	**nt**
positif	schön	schöne	schönes
comparatif	schöner	schönere	schöneres
superlatif	der schönste	die schönste	das schönste

Si l'on veut mettre l'une des formes de la comparaison au génitif, au datif ou à l'accusatif alors les mêmes règles de déclinaison doivent être appliquées que pour un adjectif positif accompagné d'un substantif:

der Garten mit den schönsten Blumen (datif, pluriel)

Particularités:

1. Les adjectifs et les adverbes prennent un *e* devant la terminaison du superlatif
– lorsqu'ils sont monosyllabiques,
– si l'accent tombe sur la dernière syllabe,
– s'ils se terminent en *–s, –ß, –st, –x, –z* (toujours),
– s'ils se terminent en *–d, –t, –sch* (presque toujours):

spitz	adj.	spitze(r, s)
	adv.	am spitzesten
beliebt	adj.	beliebteste(r, s)
	adv.	am beliebtesten

La même règle est valable pour les adjectifs et les adverbes composés et ceux qui détiennent un préfixe, sans tenir compte de la syllabe sur laquelle l'accent tombe:

unsanft	adj.	unsanfteste(r, s)
	adv.	am unsanftesten

2. Les adjectifs monosyllabiques qui ont au radical un *a, o* ou un *u* prennent au comparatif et au superlatif une inflexion *(Umlaut):*

arm	ärmer	ärmste(r, s)
groß	größer	größte(r, s)
klug	klüger	klügste(r, s)

3. Les groupes des adjectifs suivants ne prennent jamais d'inflexion *(Umlaut)* au superlatif et au comparatif:
– avec une **diphtongue** (p.ex. *au*):

faul	fauler	faulste(r, s)

– avec les **suffixes** *–bar, –haft, –ig, –lich, –sam:*

dankbar	dankbarer	dankbarste(r, s)
schwatzhaft	schwatzhafter	schwatzhafteste(r, s)
schattig	schattiger	schattigste(r, s)
stattlich	stattlicher	stattlichste(r, s)
sorgsam	sorgsamer	sorgsamste(r, s)

– lorsqu'ils sont employés comme des **participes**:

überrascht	überraschter	überraschteste(r, s)

– lorsqu'ils sont **d'origine étrangère**:

banal	banaler	banalste(r, s)
interessant	interessanter	interessanteste(r, s)
grandios	grandioser	grandioseste(r, s)

4. Formes irrégulières du comparatif et du superlatif de certains adjectifs et adverbes:

gut	besser	beste(r, s)
viel	mehr	meiste(r, s)
gern	lieber	am liebsten
bald	eher	am ehesten

L'adverbe

Lorsque les adjectifs ont un emploi adverbial, ils sont invariables:

Er singt gut.
Sie schreibt schön.
Er läuft schnell.

Les adverbes employés à la forme comparative suivent les mêmes règles que pour l'adjectif:

Er singt besser.
Sie schreibt schöner.
Er läuft schneller.

La plupart des adverbes forment leur superlatif selon la structure suivante: *am ...sten*:

Er singt am besten.
Sie schreibt am schönsten.
Er läuft am schnellsten.

Les verbes

Le présent

Le présent permet d'exprimer en allemand **une action qui est en train de se dérouler au moment de l'énonciation, un fait établi** ou **un déroulement à venir.**

Was machst du? Ich lese.
Die Erde dreht sich um die Sonne.
Morgen habe ich frei.

1. Les verbes réguliers (verbes faibles)

	machen	**legen**	**sagen**	**sammeln**
ich	mache	lege	sage	sammle
du	machst	legst	sagst	sammelst
er sie es	macht	legt	sagt	sammelt
wir	machen	legen	sagen	sammeln
ihr	macht	legt	sagt	sammelt
sie	machen	legen	sagen	sammeln

Les verbes dont le radical se termine en *s, ss, ß* und *z*.

	rasen	**passen**	**küssen**	**grüßen**	**reizen**
ich	rase	passe	küsse	grüße	reize
du	rast	passt	küsst	grüßt	reizt
er sie es	rast	passt	küsst	grüßt	reizt
wir	rasen	passen	küssen	grüßen	reizen
ihr	rast	passt	küsst	grüßt	reizt
sie	rasen	passen	küssen	grüßen	reizen

Les verbes dont le radical se termine en *d* ou *t*, avec une consonne + *m*, ou une consonne + *n*, prennent un *-e* à la deuxième personne du singulier.

	reden	**wetten**	**atmen**	**trocknen**
ich	rede	wette	atme	trockne
du	redest	wettest	atmest	trocknest
er sie es	redet	wettet	atmet	trocknet
wir	reden	wetten	atmen	trocknen
ihr	redet	wettet	atmet	trocknet
sie	reden	wetten	atmen	trocknen

Les verbes dont le radical se termine par *e* oder *er* atone perdent le *e* à la première personne du singulier:

angeln	ich angle
zittern	ich zittre

2. En ce qui concerne les verbes irréguliers (verbes forts), ils changent pour la plupart leur voyelle du radical.

	tragen	**blasen**	**laufen**	**essen**
ich	trage	blase	laufe	esse
du	trägst	bläst	läufst	isst
er sie es	trägt	bläst	läuft	isst
wir	tragen	blasen	laufen	essen
ihr	tragt	blast	lauft	esst
sie	tragen	blasen	laufen	essen

→ Se reporter dans le dictionnaire aux verbes irréguliers en annexe.

Le prétérit

Le prétérit exprime **une action passée**.

> Letztes Jahr reisten wir nach Spanien.

1. Les verbes réguliers

	machen	sammeln	küssen	grüßen	reizen
ich	machte	sammelte	küsste	grüßte	reizte
du	machtest	sammeltest	küsstest	grüßtest	reiztest
er sie es	machte	sammelte	küsste	grüßte	reizte
wir	machten	sammelten	küssten	grüßten	reizten
ihr	machtet	sammeltet	küsstet	grüßtet	reiztet
sie	machten	sammelten	küssten	grüßten	reizten

Les verbes dont le radical se termine par *d*, *t*, une consonne + *m* ou une consonne + *n*

	reden	wetten	atmen	trocknen
ich	redete	wettete	atmete	trocknete
du	redetest	wettetest	atmetest	trocknetest
er sie es	redete	wettete	atmete	trocknete
wir	redeten	wetteten	atmeten	trockneten
ihr	redetet	wettetet	atmetet	trocknetet
sie	redeten	wetteten	atmeten	trockneten

2. Les verbes irréguliers

	tragen	blasen	laufen	essen
ich	trug	blies	lief	aß
du	trugst	bliest	liefst	aßt
er sie es	trug	blies	lief	aß
wir	trugen	bliesen	liefen	aßen
ihr	trugt	bliest	lieft	aßt
sie	trugen	bliesen	liefen	aßen

→ Se reporter dans le dictionnaire aux verbes irréguliers en annexe.

Le passé composé

Le passé composé exprime **une action totalement révolue** ou **un état**.

> Der Zug ist abgefahren.
>
> Heute Nacht hat es geregnet.

Le passé composé est formé des formes du présent des auxiliaires *haben* ou *sein* et du participe passé du verbe conjugué.

1. Les verbes qui expriment un mouvement ou un changement d'état forment le passé composé avec l'auxiliaire *sein*.

	radeln	**fahren**	**verstummen**	**sterben**
ich	bin geradelt	bin gefahren	bin verstummt	bin gestorben
du	bist geradelt	bist gefahren	bist verstummt	bist gestorben
er sie es	ist geradelt	ist gefahren	ist verstummt	ist gestorben
wir	sind geradelt	sind gefahren	sind verstummt	sind gestorben
ihr	seid geradelt	seid gefahren	seid verstummt	seid gestorben
sie	sind geradelt	sind gefahren	sind verstummt	sind gestorben

2. Les verbes transitifs, réfléchis et impersonnels forment le passé composé avec l'auxiliaire *haben*, alors que la plupart des verbes intransitifs qui expriment un état qui dure, forment le passé composé avec l'auxiliaire *sein*.

	legen	**sich freuen**	**regnen**	**leben**
ich	habe gelegt	habe mich gefreut		habe gelebt
du	hast gelegt	hast dich gefreut		hast gelebt
er sie es	hat gelegt	hat sich gefreut	es hat geregnet	hat gelebt
wir	haben gelegt	haben uns gefreut		haben gelebt
ihr	habt gelegt	habt euch gefreut		habt gelebt
sie	haben gelegt	haben sich gefreut		haben gelebt

Pour les verbes auxiliaires les mêmes règles que pour le passé composé sont valables.

Le plus-que-parfait

Le plus-que-parfait exprime **une action accomplie et antérieure à une autre action passée**.

> Als er im Kino ankam, hatte der Film schon begonnen.

Il est formé des formes du prétérit des auxiliaires *haben* ou *sein* et du participe passé du verbe conjugué.

Les règles concernant l'emploi des auxiliaires sont les mêmes que pour le prétérit.

	fahren	sterben	legen	leben
ich	war gefahren	war gestorben	hatte gelegt	hatte gelebt
du	warst gefahren	warst gestorben	hattest gelegt	hattest gelebt
er sie es	war gefahren	war gestorben	hatte gelegt	hatte gelebt
wir	waren gefahren	waren gestorben	hatten gelegt	hatten gelebt
ihr	wart gefahren	wart gestorben	hattet gelegt	hattet gelebt
sie	waren gefahren	waren gestorben	hatten gelegt	hatten gelebt

Les verbes auxiliaires *haben*, *sein* et *werden*

On les appelle verbes auxiliaires, car ils permettent de construire certaines formes de temps des verbes (p.ex. le passé composé, le plus-que-parfait, le futur) ainsi que le passif.

Présent

	sein	haben	werden
ich	bin	habe	werde
du	bist	hast	wirst
er sie es	ist	hat	wird
wir	sind	haben	werden
ihr	seid	habt	werdet
sie	sind	haben	werden

Prétérit et participe

	sein	haben	werden
ich	war	hatte	wurde
du	warst	hattest	wurdest
er sie es	war	hatte	wurde
wir	waren	hatten	wurden
ihr	wart	hattet	wurdet
sie	waren	hatten	wurden
Participe	gewesen	gehabt	geworden

Les verbes modaux

Présent

	können	**dürfen**	**mögen**	**müssen**	**sollen**	**wollen**
ich	kann	darf	mag	muss	soll	will
du	kannst	darfst	magst	musst	sollst	willst
er sie es	kann	darf	mag	muss	soll	will
wir	können	dürfen	mögen	müssen	sollen	wollen
ihr	könnt	dürft	mögt	müsst	sollt	wollt
sie	können	dürfen	mögen	müssen	sollen	wollen

Prétérit

	können	**dürfen**	**mögen**	**müssen**	**sollen**	**wollen**
ich	konnte	durfte	mochte	musste	sollte	wollte
du	konntest	durftest	mochtest	musstest	solltest	wolltest
er sie es	konnte	durfte	mochte	musste	sollte	wollte
wir	konnten	durften	mochten	mussten	sollten	wollten
ihr	konntet	durftet	mochtet	musstet	solltet	wolltet
sie	konnten	durften	mochten	mussten	sollten	wollten

Passé composé

können	ich habe gekonnt
dürfen	ich habe gedurft
mögen	ich habe gemocht
müssen	ich habe gemusst
sollen	ich habe gesollt
wollen	ich habe gewollt

Le participe passé des verbes modaux (p.ex. *gekonnt*) est remplacé par l'infinitif (*können*) s'il est précédé par un autre verbe à l'infinitif:

Ich habe gehen können.
Ich habe fragen dürfen.

Participe I (participe présent)

On forme le participe I ou participe présent en ajoutant un -*d* à l'infinitif du verbe.

singen**d**, lachen**d**

Il exprime de manière brève une proposition subordonnée.

Er saß in der Badewanne und sang.	– Er saß singen**d** in der Badewanne.
Sie öffnete die Tür und lachte.	– Sie öffnete lachen**d** die Tür.

Participe II (participe passé)

Le participe passé des verbes réguliers est formé selon les règles suivantes:

	préfixe	+ radical	+ terminaison
machen	– ge	+ mach	+ t
legen	**ge**legt		
sagen	**ge**sagt		
vierteln	**ge**viertelt		
rasen	**ge**rast		
hassen	**ge**hasst		
küssen	**ge**küsst		
rußen	**ge**rußt		
reizen	**ge**reizt		
reden	**ge**redet		
wetten	**ge**wettet		
trocknen	**ge**trocknet		

Aux verbes qui se terminent en -*ieren* ainsi qu'aux verbes qui commencent par *be–*, *em–*, *ent–*, *er–*, *ge–*, *miss–*, *ver–*, et *zer–* on ne rajoute pas le préfixe *ge–*. Ils sont marqués d'un * dans la partie allemand-français du dictionnaire. Ils suivent les règles suivantes:

	radical	+ terminaison
manövrieren*	– manövrier	+ t
empören*	empör**t**	
entgiften*	entgifte**t**	
ersetzen*	ersetz**t**	
vertrösten*	vertröste**t**	
zerreden*	zerrede**t**	

Le préfixe *ge–* tombe aussi pour les verbes composés à particule inséparable. Ces verbes sont aussi marqués d'un *.

übersetzen*	übersetz**t**
unterlegen*	unterleg**t**
umarmen*	umarm**t**

Le participe passé des verbes composés à particule séparable (p.ex. *durchmachen*) se forme selon les règles suivantes:

préfixe verbe	+ Préfixe ppII ge-	+ radical du verbe	+ terminaison
durch	+ ge	+ mach	+ t

anbeten	an**ge**bete**t**
überschnappen	über**ge**schnapp**t**

Tous les verbes composés à particule séparable sont marqués dans le dictionnaire du signe I. Les formes irrégulières sont données à l'infinitif. Les verbes composés dont les formes correspondantes à celles du verbe de base irrégulier sont signalés par la mention *unreg.* Les verbes irréguliers les plus importants sont à consulter en annexe.

Futur

Avec le futur on exprime **des états de choses qui se rapportent au futur,** p.ex. des déclarations, des intentions, des suppositions ou des promesses.
Il est formé des formes du présent de l'auxiliaire *werden* et de l'infinitif du verbe conjugué.

Morgen wird es schneien.	(indication de date)
Er wird noch im Urlaub sein.	(supposition)
Ich werde dich immer lieben.	(promesse, intention)

	legen	fahren	sein	haben	können
ich	werde legen	werde fahren	werde sein	werde haben	werde können
du	wirst legen	wirst fahren	wirst sein	wirst haben	wirst können
er sie es	wird legen	wird fahren	wird sein	wird haben	wird können
wir	werden legen	werden fahren	werden sein	werden haben	werden können
ihr	werdet legen	werdet fahren	werdet sein	werdet haben	werdet können
sie	werden legen	werden fahren	werden sein	werden haben	werden können

Le *Konjunktiv I* (mode du potentiel)

Le *Konjunktif I* se forme à partir du radical du verbe au présent et auquel on ajoute les terminaisons *−e, −est, −e, −en, −et, −en.* Le *Konjunktiv I* permet de s'exprimer au **discours indirect.**

Kannst du mir helfen?	(discours direct)
Er fragt sie, ob sie ihm helfen könne.	(discours indirect)

Certains verbes irréguliers changent leur inflexion *(Umlaut)* ou leur voyelle à l'indicatif (mode du réel) mais pas au *Konjunktiv I.*

infinitif	présent de l'indicatif	Konjunktiv I
fallen	du fällst	du fallest
geben	du gibst	du gebest

Le *Konjunktiv I* est non seulement employé dans le discours indirect mais aussi dans certaines locutions figées.

> Er lebe hoch!
> Gott sei Dank!
> Man nehme Salz, Mehl und Butter ...

	legen	**hassen**	**küssen**	**reden**
ich	lege	hasse	küsse	rede
du	legst	hassest	küssest	redest
er				
sie	lege	hasse	küsse	rede
es				
wir	legen	hassen	küssen	reden
ihr	leget	hasset	küsset	redet
sie	legen	hassen	küssen	reden

Le *Konjunktiv I* des auxiliaires *sein, haben* et *werden*

	sein	**haben**	**werden**
ich	sei	habe	werde
du	seist	habest	werdest
er			
sie	sei	habe	werde
es			
wir	seien	haben	werden
ihr	seiet	habet	werdet
sie	seien	haben	werden

Le *Konjunktiv I* des verbes modaux

	können	**dürfen**	**mögen**	**müssen**	**sollen**	**wollen**
ich	könne	dürfe	möge	müsse	solle	wolle
du	könnest	dürfest	mögest	müssest	sollest	wollest
er						
sie	könne	dürfe	möge	müsse	solle	wolle
es						
wir	können	dürfen	mögen	müssen	sollen	wollen
ihr	könn(e)t	dürf(e)t	mög(e)t	müss(e)t	soll(e)t	woll(e)t
sie	können	dürfen	mögen	müssen	sollen	wollen

Le *Konjunktiv II*

Le *Konjunktiv II* est formé à partir du radical du verbe au prétérit auquel on ajoute les terminaisons –*e*, –*(e)st*, –*e*, –*en*, –*(e)t*, –*en*. Pour les verbes réguliers, les formes du *Konjunktiv II* et du prétérit de l'indicatif sont identiques. En ce qui concerne les verbes irréguliers en *i* ou *ie* dans leur forme du prétérit, ils conservent le *i* et *ie* dans les formes du *Konjunktiv II*. Le *Konjunktiv II* est le mode du **discours irréel**, il est aussi employé dans **les comparaisons** et dans **les formules de politesse**.

Wenn ich Zeit hätte, ginge ich heute mit dir ins Kino.	(irréel)
Die Leiter schwankte so, als fiele sie gleich um.	(comparaison)
Könnten Sie uns bitte eine Auskunft geben?	(politesse)

	gehen/ging	**rufen/rief**	**greifen/griff**
ich	ginge	riefe	griffe
du	ging(e)st	rief(e)st	griff(e)st
er sie es	ginge	riefe	griffe
wir	gingen	riefen	griffen
ihr	gin(e)t	rief(e)t	griff(e)t
sie	gingen	riefen	griffen

Les verbes qui ont la voyelle *a*, *o* ou *u* au prétérit de l'indicatif prennent au *Konjunktiv II* une inflexion (*Umlaut*).

	singen/ sang	**fliegen/ flog**	**fahren/ fuhr**	**sein/ war**	**haben/ hatte**	**werden/ wurde**
ich	sänge	flöge	führe	wäre	hätte	würde
du	säng(e)st	flög(e)st	führ(e)st	wär(e)st	hättest	würdest
er sie es	sänge	flöge	führe	wäre	hätte	würde
wir	sängen	flögen	führen	wären	hätten	würden
ihr	säng(e)t	flög(e)t	führ(e)t	wär(e)t	hättet	würdet
sie	sängen	flögen	führen	wären	hätten	würden

Les formes les plus importantes du *Konjunktiv II*

befehlen	- beföhle	**haben**	- hätte	**sehen**	- sähe
beginnen	- begänne	**heben**	- höbe	**sein**	- wäre
bergen	- bärge	**helfen**	- hülfe	**singen**	- sänge
bersten	- bärste	**klingen**	- klänge	**sinken**	- sänke
bewegen	- bewöge	**kommen**	- käme	**sinnen**	- sänne
biegen	- böge	**können**	- könne	**sitzen**	- säße
bieten	- böte	**kriechen**	- kröche	**spinnen**	- spänne
binden	- bände	**laden**	- lüde	**sprechen**	- spräche
bitten	- bäte	**lesen**	- läse	**sprießen**	- sprösse

brechen	- bräche	**liegen**	- läge	**springen**	- spränge
brennen	- brennte	**löschen**	- lösche	**stechen**	- stäche
bringen	- brächte	**lügen**	- löge	**stehen**	- stände/ stünde
denken	- dächte	**melken**	- mölke	**stehlen**	- stähle
dreschen	- drösche	**messen**	- mäße	**sterben**	- stürbe
dringen	- dränge	**misslingen**	- misslänge	**stinken**	- stänke
dürfen	- dürfte	**mögen**	- möchte	**tragen**	- trüge
empfehlen	- empföhle	**müssen**	- müsste	**treffen**	- träfe
empfinden	- empfände	**nehmen**	- nähme	**treten**	- träte
essen	- äße	**quellen**	- quölle	**trinken**	- tränke
fahren	- führe	**riechen**	- röche	**trügen**	- tröge
finden	- fände	**ringen**	- ränge	**tun**	- täte
flechten	- flöchte	**rinnen**	- ränne	**verderben**	- verdürbe
fliegen	- flöge	**saufen**	- söffe	**vergessen**	- vergäße
fliehen	- flöhe	**schaffen**	- schüfe	**verlieren**	- verlöre
fließen	- flösse	**schelten**	- schölte	**wachsen**	- wüchse
fressen	- fräße	**scheren**	- schöre	**wiegen**	- wöge
frieren	- fröre	**schieben**	- schöbe	**waschen**	- wüsche
gären	- gäre	**schießen**	- schösse	**werben**	- würbe
gebären	- gebäre	**schinden**	- schünde	**werden**	- würde
geben	- gäbe	**schlagen**	- schlüge	**werfen**	- würfe
gelingen	- gelänge	**schließen**	- schlösse	**wiegen**	- wörfe
gelten	- gälte	**schlingen**	- schlänge	**winden**	- wände
genießen	- genösse	**schmelzen**	- schmölze	**wissen**	- wüsste
geschehen	- geschähe	**schwellen**	- schwölle	**ziehen**	- zöge
gewinnen	- gewönne	**schwimmen**	- schwömme	**zwingen**	- zwänge
gießen	- gösse	**schwinden**	- schwände		
glimmen	- glömme	**schwingen**	- schwänge		
graben	- grübe	**schwören**	- schwüre		

La phrase au conditionnel

Le *Konjunktiv II* de *werden* ajouté à l'*infinitif* du verbe conjugué exprime **un état de chose** subordonné à quelque condition ou éventualité. Il est donc le mode de l'hypothétique.

Wenn ihr uns einladen würdet, würden wir fahren (au lieu de: *führen*).

Certaines formes du *Konjunktiv II* particulièrement inusitées ou vieillies sont remplacées aujourd'hui par l'emploi de la structure suivante: *werden* au *Konjunktiv II* + infinitif du verbe.

Wenn nicht so viele umweltfreundliche Flugzeuge fliegen würden (au lieu de: *flögen*), würde es bald keine saubere Luft mehr geben (au lieu de: *gäbe*).

	legen	fahren
ich	würde legen	würde fahren
du	würdest legen	würdest fahren
er sie es	würde legen	würde fahren
wir	würden legen	würden fahren
ihr	würdet legen	würdet fahren
sie	würden legen	würden fahren

L'impératif

L'impératif sert à exprimer **une sommation, une requête, un avertissement,** etc. ou **une interdiction**. Il ne connaît que deux formes: la deuxième personne du singulier et celle du pluriel.

1. Aux verbes réguliers on ajoute au singulier un *e* et au pluriel un *t* au radical du verbe. La forme du pluriel de l'impératif est identique à la deuxième personne du pluriel de l'indicatif présent.

Dans la forme de politesse avec *Sie* on a un phénomène **d'inversion** (c'est-à-dire que le prédicat est placé avant le sujet).

Sie schreiben einen Brief.	(constat/indicatif)
Schreiben Sie einen Brief!	(sommation/impératif)

infinitif	singulier	pluriel	forme de politesse
schreiben	schreibe	schreibt	schreiben Sie
singen	singe	singt	singen Sie
trinken	trinke	trinkt	trinken Sie
atmen	atme	atmet	atmen Sie
reden	rede	redet	reden Sie

Particularités:
Les verbes qui se terminent en *–eln*, *–ern* peuvent perdre le *–e* au singulier.

infinitif	singulier	pluriel	forme de politesse
sammeln	samm(e)le	sammelt	sammeln Sie
fördern	förd(e)re	fördert	fördern Sie
handeln	hand(e)le	handelt	handeln Sie

Si le radical du verbe se termine en *m* ou *n* précédé *d'un m, n, r, l, h,* il peut perdre le −*e* final au singulier.

infinitiv	singulier	pluriel	forme de politesse
kämmen	kämm(e)	kämmt	kämmen Sie
rennen	renn(e)	rennt	rennen Sie
lernen	lern(e)	lernt	lernen Sie
qualmen	qualm(e)	qualmt	qualmen Sie
rühmen	rühm(e)	rühmt	rühmen Sie

Exceptions:
Si on trouve une autre consonne devant le -*m* ou le -*n*, alors la terminaison −*e* doit absolument être conservée.

> atme, rechne

2. Les verbes irréguliers qui ne changent pas leur voyelle en −*i* ou −*ie* au présent suivent à l'impératif les mêmes règles que les verbes réguliers.
→ Les formes de l'impératif sont indiquées dans la liste des verbes irréguliers en annexe.

Changement vocalique en −*i* ou −*ie*

infinitif	singulier	pluriel
lesen	lies	lest
werfen	wirf	werft
sterben	stirb	sterbt
essen	iss	esst
sehen	sieh	seht

Les auxiliaires *sein, haben* et *werden*

infinitif	singulier	pluriel
sein	sei	seid
haben	habe	habt
werden	werde	werdet

La voix active et la voix passive

La voix active décrit un déroulement qui est vu du point de vue du sujet agissant. Au passif c'est le déroulement même qui est au centre de l'énoncé, sans que le sujet agissant n'ait besoin d'être nommé.

Die Parlamentarier wählen den Präsidenten.	(voix active)
Der Präsident wird von den Parlamentariern gewählt.	(voix passive)

Le passif est formé de l'auxiliaire *werden* et du participe passé du verbe conjugué.

	lieben	**schlagen**
présent	ich werde geliebt	ich werde geschlagen
prétérit	ich wurde geliebt	ich wurde geschlagen

Le pronom

Les pronoms en allemand sont déclinés comme les articles, les substantifs, les adjectifs et les adverbes.

1. Le pronom personnel

Il désigne la personne qui parle ou dont il est question dans la phrase.

nominatif	**accusatif**	**génitif**	**datif**
ich	mich	meiner	mir
du	dich	deiner	dir
er	ihn	seiner	ihm
sie	sie	ihrer	ihr
es	es	seiner	ihm
wir	uns	unser	uns
ihr	euch	euer	euch
sie	sie	ihrer	ihnen

2. Le pronom réfléchi

Il se rapporte au sujet de la phrase et doit s'accorder en **personne** et en **nombre** avec lui.

Ich wasche mich.
Du wäschst dich.
Er/Sie/Es wäscht sich.
Wir waschen uns.
Ihr wascht euch.
Sie waschen sich.

3. Le pronom possessif

Il indique **une relation d'appartenance** ou **un rapport de possession** et s'accorde en **cas**, en **genre** et en **nombre** avec le substantif auquel il se rapporte.
Il peut se trouver comme un adjectif devant le substantif ou remplacer le substantif.

a) <u>Emploi adjectival</u>

	m	f	nt	pl
1. personne du singulier				
nominatif	mein	meine	mein	meine
accusatif	meinen	meine	mein	meine
génitif	meines	meiner	meines	meiner
datif	meinem	meiner	meinem	meinen
2. personne du singulier (décliné comme *mein*)				
nominatif	dein	deine	dein	deine
3. personne du singulier (m) (décliné comme *mein*)				
nominatif	sein	seine	sein	seine
3. personne du singulier (f) (décliné comme *mein*)				
nominatif	ihr	ihre	ihr	ihre
3. personne du singulier (nt) (décliné comme *mein*)				
nominatif	sein	seine	sein	seine
1. personne du pluriel				
nominatif	unser	uns(e)re	unser	uns(e)re
accusatif	uns(e)ren	uns(e)re	unser	uns(e)re
génitif	uns(e)res	uns(e)rer	uns(e)res	uns(e)rer
datif	uns(e)rem unserm	uns(e)rer	uns(e)rem unserm	uns(e)ren unsern
2. personne du pluriel				
nominatif	euer	eure	euer	eure
accusatif	euren	eure	euer	eure
génitif	eures	eurer	eures	eurer
datif	eurem	eurer	eurem	euren
3. personne du pluriel				
nominatif	ihr	ihre	ihr	ihre
accusatif	ihren	ihre	ihr	ihre
génitif	ihres	ihrer	ihres	ihrer
datif	ihrem	ihrer	ihrem	ihren

b) <u>Employé à la place du substantif</u>

se référant à	m	f	nt	pl
1. p. du sing.	meiner	meine	mein(e)s	meine
2. p. du sing.	deiner	deine	dein(e)s	deine
3. p. du sing. m, nt	seiner	seine	sein(e)s	seine
3. p. du sing. f	ihrer	ihre	ihr(e)s	ihre
1. p. du pl.	uns(e)rer	uns(e)re	uns(e)res	uns(e)re
2. p. du pl.	eurer	eure	eures, euers	eure
3. p. du pl.	ihrer	ihre	ihr(e)s	ihre

4. Le pronom démonstratif

Il reprend ou montre dans la phrase un élément dont il vient d'être question dans l'énoncé.

	m	f	nt	pluriel
nominatif	dieser	diese	dieses	diese
accusatif	diesen	diese	dieses	diese
génitif	dieses	dieser	dieses	dieser
datif	diesem	dieser	diesem	diesen
nominatif	jener	jene	jenes	jene
accusatif	jenen	jene	jenes	jene
génitif	jenes	jener	jenes	jener
datif	jenem	jener	jenem	jenen
nominatif	derjenige	diejenige	dasjenige	diejenigen
accusatif	denjenigen	diejenige	dasjenige	diejenigen
génitif	desjenigen	derjenigen	desjenigen	derjenigen
datif	demjenigen	derjenigen	demjenigen	denjenigen
nominatif	derselbe	dieselbe	dasselbe	dieselben
accusatif	denselben	dieselben	dasselbe	dieselben
génitif	desselben	derselben	desselben	derselben
datif	demselben	derselben	demselben	denselben

Dieser renvoie à un élément **proche**; *jener* à un élément **éloigné**.
L'article défini *der, die, das* peut être employé aussi comme un pronom démonstratif.

5. Le pronom relatif

Les pronoms relatifs les plus usités sont *der, die, das;* moins courants sont *welcher, welche, welches*. Tous introduisent une proposition subordonnée dans laquelle il est donné un nouvel énoncé qui complète celui de la phrase principale. Le pronom relatif s'accorde en **genre** et en **nombre** avec le mot de la principale auquel il se rapporte.

> Er putzt sein neues Auto, das/welches er sich gekauft hat.

	m	**f**	**nt**	**pluriel**
nominatif	welcher	welche	welches	welche
accusatif	welchen	welche	welches	welche
génitif	dessen	deren	dessen	deren
datif	welchem	welcher	welchem	welchen

Wer et *was* peuvent aussi être employés comme des pronoms relatifs.

> Wer das behauptet, lügt.
> Mach doch, was du willst!

6. Le pronom interrogatif

Le pronom interrogatif se distingue selon qu'il se rapporte à une **personne** *(Wer?)* ou à une **chose** *(Was?)*. Il ne possède que des formes du singulier.

	personne	**chose**
nominatif	*Wer* spielt mit?	*Was* ist das?
accusatif	*Wen* liebst du?	*Was* höre ich da?
génitif	*Wessen* Haus ist das?	
datif	*Wem* gehört das Haus?	

Le génitif du pronom interrogatif *wessen* est de plus en plus remplacé par le datif *wem*.

> Wem gehört das Haus?

Par l'expression *was für ein(er)* la question porte sur les caractéristiques d'une personne ou d'une chose.

> Was für ein Mensch ist Peter eigentlich?
> Was für einen Anzug möchten Sie?

Avec les pronoms interrogatifs *welcher, welche* et *welches* la question porte sur une personne ou une chose concrète parmi un ensemble ou groupe.

> Welche Schuhe soll ich nehmen?   (Die braunen oder die schwarzen?)
> Mit welchem Bus kommst du?   (Mit dem um 16 oder um 17 Uhr?)
> Welches Eis schmeckt dir besser?   (Erdbeer- oder Schokoladeneis?)

	m	f	nt	pluriel
nominatif	welcher	welche	welches	welche
accusatif	welchen	welche	welches	welche
génitif	welches	welcher	welches	welcher
datif	welchem	welcher	welchem	welchen

Les prépositions

Des prépositions qui régissent
– l'**accusatif**:

bis	wider
durch	für
gegen	je
ohne	pro
um	

– le **datif**:

ab	aus
außer	bei
binnen	entgegen
entsprechend	gegenüber
gemäß	mit
nach	nächst
nahe	nebst
samt	seit
von	zu
zufolge	zuwider

– l'**accusatif** ou le **datif** * :

an	auf
entlang	hinter
in	neben
über	unter
vor	zwischen

* Lorsqu'elles décrivent un mouvement ou un changement de direction *(Wohin?)* elles régissent l'accusatif; lorsqu'elles donnent une indication de lieu *(Wo?)* elles régissent le datif.

Er hängt die Uhr an die Wand.	*(Wohin?)*
Die Uhr hängt an der Wand.	*(Wo?)*

→ Dans le dictionnaire on trouve pour chaque préposition une indication concernant leur rection.

Certaines prépositions peuvent s'agglutiner à certaines formes grammaticales de l'article pour former un seul mot.

an/in	+ dem	devient	am/im
bei	+ dem		beim
von	+ dem		vom
zu	+ dem/der		zum/zur
an/in	+ das		ans/ins

gießen	goss	hat gegossen	gieß[e]/gießt
gleichen	glich	hat geglichen	gleich[e]/gleicht
gleiten	glitt	ist geglitten	gleit[e]/gleitet
glimmen	glomm	hat geglommen	glimm[e]/glimmt
graben gräbst	grub	hat gegraben	grab[e]/grabt
greifen	griff	hat gegriffen	greif[e]/greift
haben hast	hatte	hat gehabt	hab[e]/habt
halten hältst	hielt	hat gehalten	halt[e]/haltet
hängen	hing	hat gehangen	häng[e]/hängt
hauen	haute hieb	hat gehauen	hau[e]/haut
heben	hob	hat gehoben	heb[e]/hebt
heißen	hieß	hat geheißen	heiß[e]/heißt
helfen hilfst	half	hat geholfen	hilf/helft
kennen	kannte	hat gekannt	kenn[e]/kennt
klingen	klang	hat geklungen	kling[e]/klingt
kneifen	kniff	hat gekniffen	kneif[e]/kneift
kommen	kam	ist gekommen	komm[e]/kommt
können kannst	konnte	hat gekonnt	
kriechen	kroch	ist gekrochen	kriech[e]/kriecht
küren	kürte	hat gekürt	kür[e]/kürt
laden lädst	lud	hat geladen	lad[e]/ladet
lassen lässt	ließ	hat gelassen	lass/lasst
laufen läufst	lief	ist gelaufen	lauf[e]/lauft
leiden	litt	hat gelitten	leid[e]/leidet
leihen	lieh	hat geliehen	leih[e]/leiht
lesen liest	las	hat gelesen	lies/lest
liegen	lag	hat gelegen	lieg[e]/liegt
lügen	log	hat gelogen	lüg[e]/lügt
mahlen	mahlte	hat gemahlen	mahl[e]/mahlt
meiden	mied	hat gemieden	meid[e]/meidet
melken	molk melkte	hat gemolken hat gemelkt	melk[e], milk/melkt
messen misst	maß	hat gemessen	miss/messt
misslingen	misslang	ist misslungen	
mögen magst	mochte	hat gemocht	

müssen musst	musste	hat gemusst	
nehmen nimmst	nahm	hat genommen	nimm/nehmt
nennen	nannte	hat genannt	nenn[e]/nennt
pfeifen	pfiff	hat gepfiffen	pfeif[e]/pfeift
preisen	pries	hat gepriesen	preis[e]/preist
quellen quillst	quoll	ist gequollen	quill/quellt
raten rätst	riet	hat geraten	rat[e]/ratet
reiben	rieb	hat gerieben	reib[e]/reibt
reißen	riss	hat/ist gerissen	reiß/reißt
reiten	ritt	hat/ist geritten	reit[e]/reitet
rennen	rannte	ist gerannt	renn[e]/rennt
riechen	roch	hat gerochen	riech[e]/riecht
ringen	rang	hat gerungen	ring[e]/ringt
rinnen	rann	ist geronnen	rinn[e]/rinnt
rufen	rief	hat gerufen	ruf[e]/ruft
salzen	salzte	hat gesalzen hat gesalzt	salz[e]/salzt
saufen säufst	soff	hat gesoffen	sauf[e]/sauft
schaffen	schuf	hat geschaffen	schaff[e]/schafft
schallen	schallte scholl	hat geschallt	schall[e]/schallt
scheiden	schied	hat/ist geschieden	scheid[e]/scheidet
scheinen	schien	hat geschienen	schein[e]/scheint
scheißen	schiss	hat geschissen	scheiß[e]/scheißt
schelten schiltst	schalt	hat gescholten	schilt/scheltet
scheren	schor	hat geschoren hat geschert	scher[e]/schert
schieben	schob	hat geschoben	schieb[e]/schiebt
schießen	schoss	hat geschossen	schieß[e]/schießt
schinden	schindete	hat geschunden	schind[e]/schindet
schlafen schläfst	schlief	hat geschlafen	schlaf[e]/schlaft
schlagen schlägst	schlug	hat geschlagen	schlag[e]/schlagt
schleichen	schlich	ist geschlichen	schleich[e]/schleicht
schleifen	schliff	hat geschliffen	schleif[e]/schleift
schließen	schloss	hat geschlossen	schließ[e]/schließt
schlingen	schlang	hat geschlungen	schling[e]/schlingt
schmeißen	schmiss	hat geschmissen	schmeiß[e]/schmeißt
schmelzen schmilzt	schmolz	ist geschmolzen	schmilz/schmelzt

schnauben	schnaubte	hat geschnaubt	schnaub[e]/schnaubt
	schnob	hat geschnoben	
schneiden	schnitt	hat geschnitten	schneid[e]/schneidet
schreiben	schrieb	hat geschrieben	schreib[e]/schreibt
schreien	schrie	hat geschrie[e]n	schrei[e]/schreit
schreiten	schritt	ist geschritten	schreit[e]/schreitet
schweigen	schwieg	hat geschwiegen	schweig[e]/schweigt
schwellen schwillst	schwoll	ist geschwollen	schwill/schwellt
schwimmen	schwamm	hat/ist geschwommen	schwimm[e]/schwimmt
schwinden	schwand	ist geschwunden	schwind[e]/schwindet
schwingen	schwang	hat geschwungen	schwing[e]/schwingt
schwören	schwor	hat geschworen	schwör[e]/schwört
sehen siehst	sah	hat gesehen	sieh/seht
sein 1. _Präs Sing_ bin 2. _Präs Sing_ bist 3. _Präs Sing_ ist 1. _Präs Pl_ sind 2. _Präs Pl_ seid 3. _Präs Pl_ sind	war	ist gewesen	sei/seid
senden	sendete CH sandte	hat gesendet CH hat gesandt	send[e]/sendet
sieden	siedete sott	hat gesiedet hat gesotten	sied[e]/siedet
singen	sang	hat gesungen	sing[e]/singt
sinken	sank	ist gesunken	sink[e]/sinkt
sinnen	sann	hat gesonnen	sinn[e]/sinnt
sitzen	saß	hat gesessen	sitz[e]/sitzt
sollen	sollte	hat gesollt	
spalten	spaltete	hat gespalten hat gespaltet	spalt[e]/spaltet
speien	spie	hat gespie[e]n	spei[e]/speit
spinnen	spann	hat gesponnen	spinn[e]/spinnt
sprechen sprichst	sprach	hat gesprochen	sprich/sprecht
sprießen	spross sprießte	ist gesprossen ist gesprießt	sprieß[e]/sprießt
springen	sprang	ist gesprungen	spring[e]/springt
stechen stichst	stach	hat gestochen	stich/stecht
stecken	steckte stak	hat gesteckt	steck[e]/steckt
stehen	stand	hat gestanden	steh[e]/steht
stehlen stiehlst	stahl	hat gestohlen	stiehl/stehlt

steigen	stieg	ist gestiegen	steig[e]/steigt
sterben stirbst	starb	ist gestorben	stirb/sterbt
stinken	stank	hat gestunken	stink[e]/stinkt
stoßen stößt	stieß	hat gestoßen	stoß[e]/stoßt
streichen	strich	hat gestrichen	streich[e]/streicht
streiten	stritt	hat gestritten	streit[e]/streitet
tragen trägst	trug	hat getragen	trag[e]/tragt
treffen triffst	traf	hat getroffen	triff/trefft
treiben	trieb	hat getrieben	treib[e]/treibt
treten trittst	trat	hat getreten	tritt/tretet
triefen	triefte troff	hat getrieft hat getroffen	trief[e]/trieft
trinken	trank	hat getrunken	trink[e]/trinkt
trügen	trog	hat getrogen	trüg[e]/trügt
tun *1. Präs Sing* tue *2. Präs Sing* tust *3. Präs Sing* tut	tat	hat getan	tu[e]/tut
überessen überisst	überaß	hat übergegessen	überiss/überisst
verbieten	verbot	hat verboten	verbiet[e]/verbietet
verbrechen verbrichst	verbrach	hat verbrochen	verbrich/verbrecht
verderben verdirbst	verdarb	hat verdorben	verdirb/verderbt
vergessen vergisst	vergaß	hat vergessen	vergiss/vergesst
verlieren	verlor	hat verloren	verlier[e]/verliert
verraten verrätst	verriet	hat verraten	verrat[e]/verratet
verschleißen	verschliss	hat verschlissen	verschleiß[e]/verschleißt
verstehen	verstand	hat verstanden	versteh[e]/versteht
verwenden	verwendete verwandt	hat verwendet hat verwandt	verwend[e]/verwendet
verzeihen	verzieh	hat verziehen	verzeih[e]/verzeiht
wachsen wächst	wuchs	ist gewachsen	wachs[e]/wachst
waschen wäschst	wusch	hat gewaschen	wasch[e]/wascht
weben	wob webte	hat gewoben hat gewebt	web[e]/webt
weichen	wich	ist gewichen	weich[e]/weicht
weisen	wies	hat gewiesen	weis[e]/weist

wenden	wendete	hat gewendet	wend[e]/wendet
	wandte	hat gewandt	
werben	warb	hat geworben	wirb/werbt
wirbst			
werden	wurde	ist geworden	werd[e]/werdet
wirst	ward		
werfen	warf	hat geworfen	wirf/werft
wirfst			
wiegen	wog	hat gewogen	wieg[e]/wiegt
winden	wand	hat gewunden	wind[e]/windet
wissen	wusste	hat gewusst	wiss[e]/wisset
weißt			
wollen	wollte	hat gewollt	woll[e]/wollt
willst			
ziehen	zog	hat/ist gezogen	zieh[e]/zieht
zwingen	zwang	hat gezwungen	zwing[e]/zwingt

Die Zahlwörter

Les nombres

die Grundzahlen

les nombres cardinaux

null	0	zéro
einer, eine, eins; ein, eine, ein	1	un, une
zwei	2	deux
drei	3	trois
vier	4	quatre
fünf	5	cinq
sechs	6	six
sieben	7	sept
acht	8	huit
neun	9	neuf
zehn	10	dix
elf	11	onze
zwölf	12	douze
dreizehn	13	treize
vierzehn	14	quatorze
fünfzehn	15	quinze
sechzehn	16	seize
siebzehn	17	dix-sept
achtzehn	18	dix-huit
neunzehn	19	dix-neuf
zwanzig	20	vingt
einundzwanzig	21	vingt et un
zweiundzwanzig	22	vingt-deux
dreiundzwanzig	23	vingt-trois
vierundzwanzig	24	vingt-quatre
fünfundzwanzig	25	vingt-cinq
dreißig	30	trente
einunddreißig	31	trente et un
zweiunddreißig	32	trente-deux
dreiunddreißig	33	trente-trois
vierzig	40	quarante
einundvierzig	41	quarante et un
zweiundvierzig	42	quarante-deux
fünfzig	50	cinquante
einundfünfzig	51	cinquante et un
zweiundfünfzig	52	cinquante-deux
sechzig	60	soixante
einundsechzig	61	soixante et un
zweiundsechzig	62	soixante-deux
siebzig	70	soixante-dix
einundsiebzig	71	soixante et onze
zweiundsiebzig	72	soixante-douze
fünfundsiebzig	75	soixante-quinze

neunundsiebzig	79	soixante-dix-neuf
achtzig	80	quatre-vingt(s)
einundachtzig	81	quatre-vingt-un
zweiundachtzig	82	quatre-vingt-deux
fünfundachtzig	85	quatre-vingt-cinq
neunzig	90	quatre-vingt-dix
einundneunzig	91	quatre-vingt-onze
zweiundneunzig	92	quatre-vingt-douze
neunundneunzig	99	quatre-vingt-dix-neuf
hundert	100	cent
hundert(und)eins	101	cent un
hundert(und)zwei	102	cent deux
hundert(und)zehn	110	cent dix
hundert(und)zwanzig	120	cent vingt
hundert(und)neunundneunzig	199	cent quatre-vingt-dix-neuf
zweihundert	200	deux cents
zweihundert(und)eins	201	deux cent un
zweihundert(und)zweiundzwanzig	222	deux cent vingt-deux
dreihundert	300	trois cents
vierhundert	400	quatre cents
fünfhundert	500	cinq cents
sechshundert	600	six cents
siebenhundert	700	sept cents
achthundert	800	huit cents
neunhundert	900	neuf cents
tausend	1 000	mille
tausend(und) eins	1 001	mille un
tausend(und) zehn	1 010	mille dix
tausend(und) einhundert	1 100	mille cent
zweitausend	2 000	deux mille
zehntausend	10 000	dix mille
hunderttausend	100 000	cent mille
eine Million	1 000 000	un million
zwei Millionen	2 000 000	deux millions
zwei Millionen fünfhunderttausend	2 500 000	deux millions cinq cent mille
eine Milliarde	1 000 000 000	un milliard
eine Billion	1 000 000 000 000	mille milliard

die Ordnungszahlen   les nombres ordinaux

(der, die, das)

erste	1.	1er, 1ère	premier, ère
zweite	2.	2nd, 2nde, 2^e	second, e deuxième
dritte	3.	3^e	troisième
vierte	4.	4^e	quatrième
fünfte	5.	5^e	cinquième
sechste	6.	6^e	sixième
siebte	7.	7^e	septième
achte	8.	8^e	huitième
neunte	9.	9^e	neuvième
zehnte	10.	10^e	dixième
elfte	11.	11^e	onzième
zwölfte	12.	12^e	douzième
dreizehnte	13.	13^e	treizième
vierzehnte	14.	14^e	quatorzième
fünfzehnte	15.	15^e	quinzième
sechzehnte	16.	16^e	seizième
siebzehnte	17.	17^e	dix-septième
achtzehnte	18.	18^e	dix-huitième
neunzehnte	19.	19^e	dix-neuvième
zwanzigste	20.	20^e	vingtième
einundzwanzigste	21.	21^e	vingt et unième
zweiundzwanzigste	22.	22^e	vingt-deuxième
dreiundzwanzigste	23.	23^e	vingt-troisième
dreißigste	30.	30^e	trentième
einunddreißigste	31.	31^e	trente et unième
zweiunddreißigste	32.	32^e	trente-deuxième
vierzigste	40.	40^e	quarantième
fünfzigste	50.	50^e	cinquantième
sechzigste	60.	60^e	soixantième
siebzigste	70.	70^e	soixante-dixième
einundsiebzigste	71.	71^e	soixante et onzième
zweiundsiebzigste	72.	72^e	soixante-douzième
neunundsiebzigste	79.	79^e	soixante-dix-neuvième
achtzigste	80.	80^e	quatre-vingtième
einundachtzigste	81.	81^e	quatre-vingt-unième
zweiundachtzigste	82.	82^e	quatre-vingt-deuxième
neunzigste	90.	90^e	quatre-vingt-dixième
einundneunzigste	91.	91^e	quatre-vingt-onzième
neunundneunzigste	99.	99^e	quatre-vingt-dix-neuvième
hundertste	100.	100^e	centième
hundertunderste	101.	101^e	cent unième
hundertundzehnte	110.	110^e	cent dixième
hundertundfünfundneunzigste	195.	195^e	cent quatre-vingt-quinzième

zweihundertste	200.	200^e	deux(-)centième
dreihundertste	300.	300^e	trois(-)centième
fünfhundertste	500.	500^e	cinq(-)centième
tausendste	1 000.	1 000^e	millième
zweitausendste	2 000.	2 000^e	deux(-)millième
millionste	1 000 000.	1 000 000^e	millionième
zehnmillionste	10 000 000.	10 000 000^e	dix(-)millionième

die Bruchzahlen   les fractions

ein halb	$^1/_2$	un demi
ein Drittel	$^1/_3$	un tiers
ein Viertel	$^1/_4$	un quart
ein Fünftel	$^1/_5$	un cinquième
ein Zehntel	$^1/_{10}$	un dixième
ein Hundertstel	$^1/_{100}$	un centième
ein Tausendstel	$^1/_{1000}$	un millième
ein Millionstel	$^1/_{1 000 000}$	un millionième
zwei Drittel	$^2/_3$	deux tiers
drei Viertel	$^3/_4$	trois quarts
zwei Fünftel	$^2/_5$	deux cinquièmes
drei Zehntel	$^3/_{10}$	trois dixièmes
anderthalb, ein(und)einhalb	$1\,^1/_2$	un et demi
zwei(und)einhalb	$2\,^1/_2$	deux et demi
fünf drei Achtel	$5\,^3/_8$	cinq trois huitièmes
eins Komma eins	1,1	un virgule un

Das Buchstabier-alphabet

Deutsch

A	wie	Anton
B	wie	Berta
C	wie	Cäsar
D	wie	Dora
E	wie	Emil
F	wie	Friedrich
G	wie	Gustav
H	wie	Heinrich
I	wie	Ida
J	wie	Johannes
K	wie	Kaufmann
L	wie	Ludwig
M	wie	Martha
N	wie	Nordpol
O	wie	Otto
P	wie	Paula
Q	wie	Quelle
R	wie	Richard
S	wie	Siegfried
T	wie	Theodor
U	wie	Ulrich
V	wie	Viktor
W	wie	Wilhelm
X	wie	Xanthippe
Y		Ypsilon
Z	wie	Zeppelin

L'alphabet télégraphique

Französisch

a	comme	Anatole
b	comme	Berthe
c	comme	Célestin
d	comme	Désiré
e	comme	Eugène
f	comme	François
g	comme	Gaston
h	comme	Henri
i	comme	Irma
j	comme	Joseph
k	comme	Kléber
l	comme	Louis
m	comme	Marcel
n	comme	Nicolas
o	comme	Oscar
p	comme	Pierre
q	comme	Quintal
r	comme	Raoul
s	comme	Suzanne
t	comme	Thérèse
u	comme	Ursule
v	comme	Victor
w	comme	William
x	comme	Xavier
y	comme	Yvonne
z	comme	Zoé

Maße und Gewichte

Poids et mesures

Dezimalsystem

système décimal

Mega	1 000 000	M	méga
Hektokilo	100 000	hk	hectokilo
Myria	10 000	ma	myria
Kilo	1 000	k	kilo
Hekto	100	h	hecto
Deka	10	da	déca
Dezi	0,1	d	déci
Zenti	0,01	c	centi
Milli	0,001	m	milli
Dezimilli	0,000 1	dm	décimilli
Zentimilli	0,000 01	cm	centimilli
Mikro	0,000 001	µ	micro

Längenmaße

mesures de longueur

Seemeile	1 852 m	–	mille marin
Kilometer	1 000 m	km	kilomètre
Hektometer	100 m	hm	hectomètre
Dekameter	10 m	dam	décamètre
Meter	1 m	m	mètre
Dezimeter	0,1 m	dm	décimètre
Zentimeter	0,01 m	cm	centimètre
Millimeter	0,001 m	mm	millimètre
Mikron, My	0,000 001 m	µ	micron
Millimikron, -my	0,000 000 001 m	mµ	millimicron
Ångströmeinheit	0,000 000 000 1 m	Å	Angstrœm

Flächenmaße

mesures de surface

Quadratkilometer	1 000 000 m²	km²	kilomètre carré
Quadrathektometer	10 000 m²	hm²	hectomètre carré
Hektar		ha	hectare
Quadratdekameter	100 m²	dam²	décamètre carré
Ar		a	are
Quadratmeter	1 m²	m²	mètre carré
Quadratdezimeter	0,01 m²	dm²	décimètre carré
Quadratzentimeter	0,000 1 m²	cm²	centimètre carré
Quadratmillimeter	0,000 001 m²	mm²	millimètre carré

Kubik- und Hohlmaße

mesures de volume

Kubikkilometer	1 000 000 000 m³	km³	kilomètre cube
Kubikmeter	1 m³	m³	mètre cube
Ster		st	stère
Hektoliter	0,1 m³	hl	hectolitre
Dekaliter	0,01 m³	dal	décalitre
Kubikdezimeter	0,001 m³	dm³	décimètre cube
Liter		l	litre
Deziliter	0,000 1 m³	dl	décilitre
Zentiliter	0,000 01 m³	cl	centilitre
Kubikzentimeter	0,000 001 m³	cm³	centimètre cube
Milliliter	0,000 001 m³	ml	millilitre
Kubikmillimeter	0,000 000 001 m³	mm³	millimètre cube

Gewichte

poids

Tonne	1 000 kg	t	tonne
Doppelzentner	100 kg	q	quintal
Kilogramm	1 000 g	kg	kilogramme
Hektogramm	100 g	hg	hectogramme
Dekagramm	10 g	dag	décagramme
Gramm	1 g	g	gramme
Karat	0,2 g	–	carat
Dezigramm	0,1 g	dg	décigramme
Zentigramm	0,01 g	cg	centigramme
Milligramm	0,001 g	mg	milligramme
Mikrogramm	0,000 001 g	µg, g	microgramme

Deutschland

L'Allemagne

Länder (und Hauptstädte)

Länder (et capitales)

Deutschland	L'Allemagne
Baden-Württemberg (Stuttgart)	le Bade-Wurtemberg (Stuttgart)
Bayern (München)	la Bavière (Munich)
Berlin (Berlin)	Berlin (Berlin)
Brandenburg (Potsdam)	le Brandebourg (Potsdam)
Bremen (Bremen)	l'Etat de Brême (Brême)
Hamburg (Hamburg)	l'Etat de Hambourg (Hambourg)
Hessen (Wiesbaden)	la Hesse (Wiesbaden)
Mecklenburg-Vorpommern (Schwerin)	le Mecklembourg-Poméranie-Antérieure [o Orientale] (Schwerin)
Niedersachsen (Hannover)	la Basse-Saxe (Hanovre)
Nordrhein-Westfalen (Düsseldorf)	la Rhénanie-du-Nord-Westphalie (Düsseldorf)
Rheinland-Pfalz (Mainz)	la Rhénanie-Palatinat (Mayence)
Saarland (Saarbrücken)	la Sarre (Sarrebruck)
Sachsen (Dresden)	la Saxe (Dresde)
Sachsen-Anhalt (Magdeburg)	la Saxe-Anhalt (Magdebourg)
Schleswig-Holstein (Kiel)	le Schleswig-Holstein (Kiel)
Thüringen (Erfurt)	la Thuringe (Erfurt)

Österreich

L'Autriche

Bundesländer (und Hauptstädte)

provinces (et capitales)

Burgenland (Eisenstadt)	le Burgenland (Eisenstadt)
Kärnten (Klagenfurt)	la Carinthie (Klagenfurt)
Niederösterreich (St. Pölten)	la Basse-Autriche (St. Pölten)
Oberösterreich (Linz)	la Haute-Autriche (Linz)
Salzburg (Salzburg)	la province de Salzbourg (Salzbourg)
Steiermark (Graz)	la Styrie (Graz)
Tirol (Innsbruck)	le Tyrol (Innsbruck)
Vorarlberg (Bregenz)	le Vorarlberg (Bregenz)
Wien (Wien)	Vienne (Vienne)

Die Schweiz

La Suisse

Kantone (und Hauptorte)

cantons (et chefs-lieux)

Aargau (Aarau)	l'Argovie (Aarau)
Appenzell Außerrhoden (Herisau)	le demi-canton d'Appenzell Rhodes-Extérieures (Herisau)
Appenzell Innerrhoden (Appenzell)	le demi-canton d'Appenzell Rhodes-Intérieures (Appenzell)
Basel-Land (Liestal)	le demi-canton de Bâle-Campagne (Liestal)
Basel-Stadt (Basel)	le demi-canton de Bâle-Ville (Bâle)
Bern (Bern)	le canton de Berne (Berne)
Freiburg (Freiburg)	le canton de Fribourg (Fribourg)
Genf (Genf)	le canton de Genève (Genève)
Glarus (Glarus)	le canton de Glaris (Glaris)
Graubünden (Chur)	le canton des Grisons (Coire)
Jura (Delémont)	le canton du Jura (Delémont)

Luzern (Luzern)	le canton de Lucerne (Lucerne)
Neuenburg (Neuenburg)	le canton de Neuchâtel (Neuchâtel)
Sankt Gallen (Sankt Gallen)	le canton de Saint-Gall (Saint-Gall)
Schaffhausen (Schaffhausen)	le canton de Schaffhouse (Schaffhouse)
Schwyz (Schwyz)	le canton de Schwyz (Schwyz)
Solothurn (Solothurn)	le canton de Soleure (Soleure)
Tessin (Bellinzona)	le Tessin (Bellinzona)
Thurgau (Frauenfeld)	la Thurgovie (Frauenfeld)
Unterwalden nid dem Wald (Stans)	le demi-canton de Nidwald Unterwald (Stans)
Unterwalden ob dem Wald (Sarnen)	le demi-canton d'Obwald Unterwald (Sarnen)
Uri (Altdorf)	le canton d'Uri (Altdorf)
Waadt (Lausanne)	le canton de Vaud (Lausanne)
Wallis (Sitten)	le Valais (Sion)
Zug (Zug)	le canton de Zoug (Zoug)
Zürich (Zürich)	le canton de Zurich (Zurich)

La France	Frankreich
régions (et préfectures)	**Regionen (und Regierungsstädte)**
l'Alsace (Strasbourg)	das Elsass (Straßburg)
l'Aquitaine (Bordeaux)	Aquitanien *nt* (Bordeaux)
l'Auvergne (Clermont-Ferrand)	die Auvergne (Clermont-Ferrand)
la Bourgogne (Dijon)	Burgund *nt* (Dijon)
la Bretagne (Rennes)	die Bretagne (Rennes)
le Centre (Orléans)	das Centre (Orleans)
la Champagne-Ardenne (Châlons-en-Champagne)	(die Region) Champagne-Ardennen (Châlons en Champagne)
la Corse (Ajaccio)	Korsika *nt* (Ajaccio)
la Franche-Comté (Besançon)	die Franche-Comté (Besançon)
l'Île-de-France (Paris)	die Ile de France (Paris)
le Laguedoc-Roussillon (Montpellier)	das Languedoc-Roussillon (Montpellier)
le Limousin (Limoges)	das Limousin (Limoges)
la Lorraine (Metz)	Lothringen *nt* (Metz)
le Midi-Pyrénées (Toulouse)	(die Region) Midi-Pyrénées (Toulouse)
le Nord-Pas-de-Calais (Lille)	der Nord-Pas de Calais (Lille)
la Basse-Normandie (Caen)	die (westliche) Normandie (Caen)
la Haute-Normandie (Rouen)	die (östliche) Normandie (Rouen)
les Pays de la Loire (Nantes)	(die Region) Pays de la Loire (Nantes)
la Picardie (Amiens)	die Picardie (Amiens)
le Poitou-Charentes (Poitiers)	(die Region) Poitou-Charentes (Poitiers)
(la région) Provence-Alpes-Côte d'Azur (Marseille)	(die Region) Provence-Alpes-Côte d'Azur (Marseille)
(la région) Rhône-Alpes (Lyon)	(die Region) Rhône-Alpes (Lyon)

La Belgique

régions
la Flandre
la Wallonie

**provinces (et chefs-lieux)
en Flandre**
(la province d') Anvers
(Anvers)
le Brabant flamand
(Bruxelles)
la Flandre occidentale
(Bruges)
la Flandre orientale
(Gand)
le Limbourg
(Hasselt)

**provinces (et chefs-lieux)
en Wallonie**
le Brabant wallon
(Bruxelles)
le Hainaut
(Mons)
(la province) de Liège
(Liège)
(la province de) Luxembourg
(Arlon)
(la province de) Namur
(Namur)

Belgien

Regionen
Flandern *nt*
Wallonien *nt*

**Provinzen (und Hauptstädte)
in Flandern**
(die Provinz) Antwerpen
(Antwerpen)
das flämische Brabant
(Brüssel)
Westflandern *nt*
(Brügge)
Ostflandern *nt*
(Gent)
(die Provinz) Limburg
(Hasselt)

**Provinzen (und Hauptstädte)
in Wallonien**
das wallonische Brabant
(Brüssel)
der Hennegau
(Bergen)
(die Provinz) Lüttich
(Lüttich)
(die Provinz) Luxemburg
(Arlon)
(die Provinz) Namur
(Namur)

Le Québec

province (et capitale)
le Québec
(Québec)

Quebec

Provinz (und Hauptstadt)
Quebec *nt*
(Quebec)

Frankreich: Departements und Hauptstädte
La France: départements et chefs-lieux

01	l'Ain *m*	Bourg-en-Bresse
02	l'Aisne *f*	Laon
03	l'Allier *m*	Moulins
04	les Alpes-de-Haute-Provence *f*	Digne
05	les Hautes-Alpes *f*	Briançon
06	les Alpes-Maritimes *f*	Nice (Nizza)
07	l'Ardèche *f*	Privas
08	les Ardennes *f*	Charleville-Mézières
09	l'Ariège *f*	Foix
10	l'Aube *f*	Troyes
11	l'Aude *f*	Carcassonne
12	l'Aveyron *m*	Rodez
13	les Bouches-du-Rhône *f*	Marseille
14	le Calvados	Caen
15	le Cantal	Aurillac
16	la Charente	Angoulême
17	la Charente-Maritime	La Rochelle
18	le Cher	Bourges
19	la Corrèze	Tulle
2A	la Corse-du-Sud	Ajaccio
2B	la Haute-Corse	Bastia
21	la Côte-d'Or	Dijon
22	les Côtes-d'Armor *f*	Saint-Brieuc
23	la Creuse	Guéret
24	la Dordogne	Périgueux
25	le Doubs	Besançon
26	la Drôme	Montélimar
27	l'Eure *f*	Evreux
28	l'Eure-et-Loir *m*	Chartres
29	le Finistère	Quimper
30	le Gard	Nîmes
31	la Haute-Garonne	Toulouse
32	le Gers	Auch
33	la Gironde	Bordeaux
34	l'Hérault *m*	Montpellier
35	l'Ille-et-Vilaine *f*	Rennes
36	l'Indre *f*	Châteauroux
37	l'Indre-et-Loire *f*	Tours
38	l'Isère *f*	Grenoble
39	le Jura	Lons-le-Saunier
40	les Landes *f*	Mont-de-Marsan

41	le Loir-et-Cher	Blois
42	la Loire	Saint-Etienne
43	la Haute-Loire	Le Puy
44	la Loire-Atlantique	Nantes
45	le Loiret	Orléans
46	le Lot	Cahors
47	le Lot-et-Garonne	Agen
48	la Lozère	Mende
49	le Maine-et-Loire	Angers
50	la Manche	Saint-Lô
51	la Marne	Châlons-sur-Marne
52	la Haute-Marne	Chaumont
53	la Mayenne	Laval
54	la Meurthe-et-Moselle	Nancy
55	la Meuse	Bar-le-Duc
56	le Morbihan	Vannes
57	la Moselle	Metz
58	la Nièvre	Nevers
59	le Nord	Lille
60	l'Oise *f*	Beauvais
61	l'Orne *f*	Alençon
62	le Pas-de-Calais	Arras
63	le Puy-de-Dôme	Clermont-Ferrand
64	les Pyrénées-Atlantiques *f*	Pau
65	les Hautes-Pyrénées	Tarbes
66	les Pyrénées-Orientales	Perpignan
67	le Bas-Rhin	Strasbourg (Straßburg)
68	le Haut-Rhin	Colmar
69	le Rhône	Lyon
70	la Haute-Saône	Vesoul
71	la Saône-et-Loire	Mâcon
72	la Sarthe	Le Mans
73	la Savoie	Chambéry
74	la Haute-Savoie	Annecy
75	la Ville de Paris	Paris
76	la Seine-Maritime	Rouen
77	la Seine-et-Marne	Melun
78	les Yvelines *f*	Versailles
79	les Deux-Sèvres *f*	Niort
80	la Somme	Amiens
81	le Tarn	Albi
82	le Tarn-et-Garonne	Montauban
83	le Var	Toulon
84	le Vaucluse	Avignon

85	la Vendée	La-Roche-sur-Yon
86	la Vienne	Poitiers
87	la Haute-Vienne	Limoges
88	les Vosges *f*	Epinal
89	l'Yonne *f*	Auxerre
90	le Territoire de Belfort	Belfort
91	l'Essonne *f*	Evry
92	les Hauts-de-Seine *m*	Nanterre
93	la Seine-Saint-Denis	Bobigny
94	le Val-de-Marne	Créteil
95	le Val-d'oise	Pontoise

Überseedepartements
Départements d'outre-mer

971	la Guadeloupe	Basse-Terre
972	la Martinique	Fort-de-France
973	la Guyane	Cayenne
974	la Réunion	Saint-Denis
975	Saint-Pierre-et-Miquelon *m*	Saint-Pierre

Notizen

Notizen

Notizen

Notizen

Notizen

Notizen

Notizen

Notizen

Notizen

Notizen

Notizen

Notizen

Structure des articles allemand-fran

Toutes les **entrées** sont présentées dans l'ordre alphabétique et imprimées en couleur.

m. E. *Abk von* **meines**
Mechanik [meˈça:nɪk]

Les exposants en chiffre arabe indiquent qu'il s'agit de mots identiques avec des sens différents (**homographes**).

grauen¹ [ˈgraʊən] *vi g*
grauen² *vi unpers* mir

L'ancienne orthographe est marquée d'une **trame bleue**, la nouvelle par le signe **RR**.

klar|werden *s.* **klar** I.4
Kokosnussᴿᴿ *f* noix *f* o

Le **tilde** remplace l'entrée dans les exemples et tournures idiomatiques.

Internet [ˈɪntɐnɛt] *nt*
sur Internet

Les formes irrégulières au pluriel sont indiquées entre chevrons.

Epos [ˈe:pɔs] <-, Epen

On montre les **terminaisons** des substantifs au génitif singulier et au nominatif pluriel.

Faktor [ˈfakto:ɐ̯] <-s, -
Kooperation [koʔope

Les chiffres romains subdivisent une entrée en différentes **catégories grammaticales.**

Les chiffres arabes subdivisent une entrée en ses différents **sens.**

Le signe ▶ introduit le **bloc des expressions figées.** Les <u>mots soulignés</u> permettent une meilleure orientation.

langsam I. *adj* **1.** (*Pers*
gressif(-ive) II. *adv* **1.** (
lich) petit à petit; **es i**
temps de + *infin/* que
sûrement

De nombreuses **balises sémantiques** permettent de trouver la bonne traduction:

- indication du **domaine**

Altlast *f meist Pl* **1.** ÖKO

- **définitions** et **synonymes, sujets** et **objets** typiques et autres **explications**

harmlos [ˈharmlo:s] *a*
heit) bénin(-igne) ... **2**

- indication des **régionalismes**

Gugelhupf [ˈgu:ɡəlhʊ

- indication du **niveau de langue**

Kamel [kaˈme:l] <-[
(*Dummkopf*) andouill

Notizen

Notizen

Notizen

Notizen

Notizen

Notizen

Notizen

Notizen

Notizen

Notizen

Notizen

Notizen

Notizen

Notizen

Notizen

Notizen